# DICIONÁRIO BÍBLICO
# Wycliffe

A nova igreja da Anunciação, Nazaré. Veja Lucas 1.25-38. HFV

*Charles F. Pfeiffer*
*Howard F. Vos*
*John Rea*

# DICIONÁRIO BÍBLICO
# *Wycliffe*

19ª impressão

Tradução
Degmar Ribas Júnior

CPAD
Rio de Janeiro
2017

Título do original em inglês: *Wycliffe Bible Dictionary*
Hendrickson Publishers, Inc., Peabody, Massachusetts, EUA
Traduzida da 4ª edição em inglês: 2000

Tradução: Degmar Ribas Júnior

Preparação dos originais e revisão: Miriam Anna Libório, Reginaldo de Souza e Anderson Grangeão da Costa

Capa e projeto gráfico: Eduardo Souza
Editoração: ArtSam-Soluções Gráficas

CDD: 220.3 – Dicionários
ISBN: 85-263-0809-2



SAC – Serviço de Atendimento ao Cliente: 0800-701-7373

Casa Publicadora das Assembléias de Deus
Caixa Postal 331
20001-970, Rio de Janeiro, RJ, Brasil

19ª Impressão: agosto 2017 - Tiragem 5000

# Prefácio

Os dois volumes da *Enciclopédia Bíblica Wycliffe* são o produto dos esforços combinados de mais de duzentos estudiosos nos vários campos dos estudos bíblicos. Embora a maioria deles seja composta por americanos, vários são cidadãos de outros países.

Este projeto teve início em 1959 quando a equipe da Moody Press reconheceu a necessidade de substituir os antigos dicionários e enciclopédias bíblicas por um trabalho que estivesse à altura das tendências mais modernas da teologia, das mais recentes descobertas da arqueologia, e das pesquisas lingüísticas.

Este comitê estabeleceu várias diretrizes básicas para a *EBW*. Em primeiro lugar, os seus artigos de caráter doutrinário devem estar de acordo com a ortodoxia cristã, com os fundamentos da fé geralmente aceitos pelos crentes de uma linha evangélica conservadora. Nenhum artigo pode contradizer a crença de que as Escrituras, como um todo, são inspiradas por Deus, e que não ocorreram erros em sua transmissão oral e em seus manuscritos originais. Quanto à escatologia, considera-se que a volta do Senhor Jesus Cristo ocorrerá antes de seu reino milenar na terra.

Em segundo lugar, a enciclopédia deve ser considerada completa no sentido de que cada local e nome pessoal na Bíblia Sagrada são listados e discutidos, assim como todos os termos teológicos e as doutrinas importantes. Vários artigos sobre temas não bíblicos foram incluídos, com a finalidade de fornecer um contexto cultural ao ambiente em que se passaram os eventos registrados na Bíblia Sagrada. Isto foi feito devido às freqüentes referências a estes assuntos, que constam nas cartas Amarna, nas Tábuas de Nuzu, no Código de Hamurabi, nos registros Sumérios, e na Pedra Moabita. Existem termos incompreensíveis para o leitor mediano da Bíblia Sagrada, a menos que sejam explicados. Pelo fato de a enciclopédia limitar-se a uma discussão de temas que contribuem diretamente para a compreensão da Bíblia e dos tempos bíblicos, pouca atenção foi dada à história da igreja.

Em terceiro lugar, os artigos devem ser suficientemente abrangentes para satisfazer aos leigos bem informados, sem deixar de ser suficientemente claros para que possam ser compreendidos pelos leitores de nível médio. Por esta razão, os termos hebraicos, gregos e outros termos estrangeiros foram transliterados.

Uma vez que a versão KJV (*Almeida Revista e Corrigida* para a versão brasileira) ainda é a versão mais lida nas igrejas evangélicas, sua grafia foi seguida na obra original para os nomes próprios nos títulos dos artigos individuais. Porém em cada artigo, as traduções mais precisas ou as transliterações utilizadas nas versões mais recentes foram freqüentemente utilizadas. Certos nomes e palavras importantes ou, ainda, termos que ocorrem em versões mais recentes são discutidos visando a conveniência do leitor. A grafia dos nomes nas versões mais recentes também foi incluída, e é seguida por uma referência cruzada com o nome que consta na *ARC*. Por exemplo, ao nome *Quirinius* foi acrescentada a observação: *Veja* Cirênio. O segundo nome é aquele que consta na versão ARC. Ao referir-se ao nome de Deus no Antigo Testamento, os editores preferiram utilizar o Nome *Yahweh* ao invés de *Jeová*. O primeiro é, agora, aceito de forma mais geral pela maioria dos estudiosos do AT, por entenderem que ele é o que mais se aproxima da pronúncia correta na antiga nação de Israel.

Os autores que colaboraram com artigos são identificados por suas iniciais. Sua posição na comunidade acadêmica é apresentada na Lista de Colaboradores. O leitor tem a seu dispor, de forma garantida, uma fonte de informação precisa, confiável e atualizada para o seu estudo da Palavra de Deus. Diferentes pontos de vista (dentro dos limites de uma posição evangélica) são expressos, de forma que não foi imposta uma rigorosa uniformidade aos vários artigos.

As bibliografias anexadas aos artigos mais longos não são de modo algum exaustivas, mas são indicadas como ajuda ao leitor, sugerindo consulta a livros e periódicos disponíveis na maioria das bibliotecas. Foi feito um esforço especial para acrescentar referências aos artigos mais importantes da famosa obra de Kittel, traduzida por G. F. Bromiley, o *Dicionário Teológico do Antigo Testamento.*

A utilidade da enciclopédia foi grandemente estendida, ao mesmo tempo em que as repetições foram amplamente evitadas através de um sistema de referências cruzadas ao longo do texto e no final da maioria dos artigos.

Uma outra questão é a utilização da expressão latina *quod vide*, "veja-se", através de sua abreviatura *q.v.* entre parêntesis logo após a menção da palavra, ou pela própria instrução "*veja...*" antes do termo.

Em vários casos foi preferível discutir os tópicos ou as unidades individualmente relacionados sob um tópico geral, ao invés de fazê-lo em artigos separados. Por exemplo, todos os animais, pássaros, peixes, insetos e répteis foram discutidos sob o verbete "Animais". Outros exemplos são os longos artigos sobre os Manuscritos Bíblicos, o vestuário, as festividades, os alimentos, os falsos deuses, as jóias, os minerais e metais, as ocupações, as plantas, as versões antiga e medieval, além dos pesos, medidas e moedas. Este arranjo torna possível que o leitor adquira mais facilmente um conhecimento mais abrangente de um assunto em particular, se assim desejar.

A equipe original de editores foi liderada por Charles F. Pfeiffer e, associados a ele, estiveram E. Leslie Carlson no Antigo Testamento, Walter M. Dunnet no Novo Testamento, R. Allan Killen em teologia e Howard F. Vos para ilustrações e arqueologia. John Rea foi posteriormente convidado a assumir a lacuna deixada pelo falecimento do Dr. Carlson. Mais tarde, o Dr. Rea foi convidado a assumir a função de editor de manuscritos, com o objetivo de desempenhar a tarefa editorial até o final da obra.

Ele teve a assistência especial do Dr. Vos que, como editor de livros-texto da Moody Press, e mais tarde, consultor em livros-texto, leu e avaliou todo o conteúdo da enciclopédia; e também de James Mathisen que, durante muitos anos, trabalhou como editor assistente da Moody Press. Outros ilustres eruditos que prestaram uma assistência de valor inestimável incluem Dwight P. Baker, Kenneth A. Domroese, Fred Dickason, Stanley N. Gundry, e Alan F. Johnson.

Nossos agradecimentos especiais à senhorita Nettie Cox, que depois de se aposentar do Instituto Bíblico Moody como editora de materiais promocionais, serviu com grande habilidade e de maneira incansável como editora-chefe de cópias. Sem sua habilidade na organização da grande quantidade de manuscritos que se acumulou, sua memória para os detalhes, e seu olho clínico para a localização de erros, este projeto teria naufragado. Nettie foi assistida por Dorothy Martin durante os vários meses de leitura e provas. Este projeto também não teria alcançado pleno êxito sem a constante supervisão e o envolvimento prático de Howard Fischer, que ocupa o cargo de gerente de produção da Moody Press.

Os autores e os editores reconhecem a dívida que têm para com muitos dicionários e enciclopédias publicados durante o século XX. De especial utilidade em todos os aspectos têm sido as obras *Unger's Bible Dictionary* e *The New Bible Dictionary*. Em questões de arqueologia, história antiga e costumes bíblicos destacamos as obras *Pictorial Biblical Encyclopedia* (de G. Cornfeld), *Seventh-Day Adventist Bible Dictionary* (de Siegfried H. Horn), *The Interpreter's Dictionary of the Bible*, e a obra *The Biblical World* (de Charles F. Pfeiffer); e em questões doutrinárias destacamos a obra *Baker's Dictionary of Theology*. A obra *The Interpreter's Dictionary of the Bible* nos serviu como padrão para a grafia e pronúncia da maior parte dos nomes de pessoas, locais, e eventos na história antiga do Oriente Próximo. A tabela de abreviaturas dos periódicos, obras de referência, dicionários e versões da Bíblia Sagrada revelam de modo mais profundo a amplitude e o alcance do material consultado por aqueles que contribuíram através da elaboração dos artigos, bem como dos editores.

Várias pessoas e instituições bem dispostas forneceram ilustrações que contribuíram para o enriquecimento desta obra. O crédito é dado a cada uma delas junto com cada ilustração, porém, gostaríamos de expressar nosso especial reconhecimento àquelas que estão listadas abaixo, por terem fornecido um número de fotos expressivo demais para que sejam apenas citadas de forma abreviada junto às ilustrações. Suas abreviaturas aparecem entre parêntesis: British Museum, Londres (BM); Israel Information Service, Nova York (IIS); Lehnert e Landrock, Cairo (LL); Museu do Louvre, Paris (LM); Moody Institute of Science (MIS); Metropolitan Museum of Art, Nova York (MM); Matson Photo Service, Los Angeles (MPS); Oriental Institute of the University of Chicago (ORINST); Dr. John Rea (JR); e o Dr. Howard F. Vos (HFV).

# Lista de Colaboradores

W. A. A. ALCORN, Wallace A., Ph.D., Professor Associado da cadeira de Teologia do Novo Testamento, Northwest Baptist Seminary, Tacoma Wash.

G. A. A. ANDERSON, George A., Th.M., Professor da cadeira de Bibliologia, King College, Bristol, Tenn.

G. L. A. ARCHER, Gleason L., Jr., Professor da cadeira de Teologia do Antigo Testamento, Trinity Evangelical Divinity School, Deerfield, Ill.

D. P. B. BAKER, Dwight P.

N. B. B. BAKER, Nelson B., Ph.D., Professor Emérito de Bibliologia Inglesa, Eastern Baptist Theological Seminary, Filadélfia, Penn.

D. B. BALY, Denis, Kenyon College, Gambier, Ohio.

D. C. B. BARAMKI, D.C., Ph.D., Curador de Museus, American University of Beirut, Líbano.

L. B. BARBIERI, Louis, Th.D., Membro da Faculdade, Moody Bible Institute, Chicago, Ill.

G. W. Ba. BARKER, Glenn W., Th.D., Reitor & Professor de Origens Cristãs, Fuller Theological Seminary, Pasadena, Calif.

K. L. B. BARKER, Kenneth L., Ph.D., Professor Associado de Assuntos Semitas e Teologia do Antigo Testamento, Dallas Theological Seminary, Dallas, Tex.

D. M. B. BEEGLE, Dewey M., Ph.D., Professor de Teologia do Antigo Testamento, Wesley Theological Seminary, Washington, D.C.

R. H. B. BELTON, Robert H., Th.M., Membro Emérito da Faculdade, Moody Bible Institute, Chicago, Ill.

T. H. B. BENDER, Thorwald W., Th.D., Professor de Filosofia da Religião e Teologia, Eastern Baptist Theological Seminary, Filadélfia, Penn.

T. M. B. BENNETT, T. Miles, Th.D., Professor de Teologia do Antigo Testamento, Southwestern Baptist Theological Seminary, Fort Worth, Tex.

S. H. B. BESS, S. Herbert, Ph.D., Professor de Teologia do Antigo Testamento e Hebraico, Grace Theological Seminary, Winona Lake, Ind.

E. M. B. BOHNETT, Earl M., M. Div., M. A., Reitor Educacional, Baptist Bible College, Denver, Col.

A. B. BOWLING, Andrew, Ph.D., Professor Associado, Bibliologia e Filosofia, John Brown University, Siloam Springs, Ark.

J. L. B. BOYER, James L., Th.D., Professor de Teologia do Novo Testamento e Grego, Grace Theological Seminary, Winona Lake, Ind.

G. W. Br. BROMILEY, Geoffrey W., Ph.D., Professor de História da Igreja e Teologia Histórica, Fuller Theological Seminary, Pasadena, Calif.

W. B. BROOMALL, Wick, M. A., Th.M., Atlanta School of Biblical Studies, Atlanta, Ga.

W. G. B. BROWN, W. Gordon, D.D., Reitor Emérito, Central Baptist Seminary, Toronto, Ontário, Canadá.

S. G. B. BROWNE, S.G., Leprosy Research Unit, Uzuakoli, Nigéria Oriental.

F. F. B. BRUCE, F.F., M.A., D.D., Rylands – Professor de Crítica e Exegese Bíblica, Universidade de Manchester, Inglaterra.

S. F. B. BRYAN, Sigurd F., Th.D., Professor de Religião, Samford University, Birmingham, Ala.

D. W. B. BURDICK, Donald W., Th.D., Professor de Teologia do Novo Testamento, Conservative Baptist Theological Seminary, Denver, Col.

J. O. B. BUSWELL, J. Oliver, Jr., Ph.D., Reitor Emérito, Covenant Theological Seminary, St. Louis, Mo.

D. K. C. CAMPBELL, Donald K., Th.D., Reitor, Dallas Theological Seminary, Dallas, Tex.

E. L.C. CARLSON, E. Leslie, Th.D., Professor Emérito, Southwestern Baptist Theological Seminary, Fort Worth, Tex.

F. G. C. CARVER, Frank G., Jr., Ph.D., Professor de Teologia Bíblica e Grego, Pasadena College, Pasadena, Calif.

G. H. C. CLARK, Gordon H., Ph.D., Professor de Filosofia, Butler University, Indianápolis, Ind.

E. W. C. CLEVENGER, Eugene W., Th.D., Professor de Bibliologia, Abilene Christian College, Abilene, Tex.

J. W. C. COBB, John W., Th.D., Professor Emérito de Religião, University of Corpus Christi, Corpus Christi, Tex.

W. B. C. COBLE, William B., Th.D., Professor de Teologia do Novo Testamento, Hermenêutica e Grego, Midwestern Baptist Theological Seminary, Kansas City, Mo.

S. M. C. CODER, S. Maxwell, Th.D., Reitor Emérito de Educação, Moody Bible Institute, Chicago, Ill.

S. C. COHEN, Simon, D.D., foi membro do Hebrew Union College, Cincinatti, Ohio.

R. O. C. COLEMAN, Robert O., Th.D., Professor Associado de Fundamentos Bíblicos e Arqueologia, Southwestern Baptist Theological Seminary, Fort Worth, Tex.

C. W. C. CROWN, C. W., M.D., Médico, Chicago, Ill.

T. B. C. CRUM, Terrele B., M.A., Professor de Estudos Bíblicos, Barrington College, Barrington, Rhode Island.

W. C. CULBERTSON, William, D.D., Presidente Emérito e Chanceler, Moody Bible Institute, Chicago, Ill.

R. D. C. CULVER, Robert D., Th.D., Professor de Teologia Sistemática, Trinity Evangelical Divinity School, Deerfield, Ill.

J. J. D. DAVIS, John J., Ph.D., Professor de Teologia do Antigo Testamento e Hebraico, Grace Theological Seminary, Winona Lake, Ind.

V. G. D. DAVISON, Vernon G., Ph.D., Professor de Religião e Grego, Samford University, Birmingham, Ala.

W. T. D. DAYTON, Wilber T., Th.D., Presidente, Houghton College, Houghton, N. Y.

D. W. D. DEERE, D.W., Th.D., Professor Emérito de Teologia do Antigo Testamento, Golden Gate Theological Seminary, Mill Valley, Calif.

R. D. B. DEMPSEY, Robert B.

C. E. D. DE VRIES, Carl E., Ph.D., Pesquisador Associado (Professor Associado), Instituto Oriental, Universidade de Chicago, Chicago, Ill.

C. F. D. DICKASON, C. Fred, Th.D., Membro da Faculdade, Moody Bible Institute, Chicago, Ill.

R. L. D. DOBSON, Robert L., Th.D., Professor de Bibliologia, Howard Payne College, Brownwood, Tex.

H. L. D. DRUMWRIGHT, Huber L., Jr., Th.D., Reitor e Professor de Teologia do Novo Testamento, Southwestern Baptist Theological Seminary, Fort Worth, Tex.

W. M. D. DUNNETT, Walter M., Ph.D., Membro da Faculdade, Moody Bible Institute, Chicago, Ill.

D. G. E. EADIE, Douglas G., Th.D., Ph.D., Professor de Religião, Universidade de Redlands, Redlands, Calif.

R. E. EARLE, Ralph, Th.D., Professor de Teologia do Novo Testamento, Nazarene Theological Seminary, Kansas City, Mo.

L. R. E. ELLIOTT, L. R.

C. L. F. FEINBERG, Charles L., Ph.D., Reitor, Talbot Theological Seminary, La Mirada, Calif.

P. D. F. FEINBERG, Paul D., Ph.D., Professor Assistente de Filosofia da Religião, Trinity Evangelical Divinity School, Deerfield, Ill.

E. F. FERGUSSON, Everett, Ph.D., Professor de Bibliologia, Abilene Christian College, Abilene, Tex.

P. W. F. FERRIS, Paul W., Jr., M. Div., Graduate Student, Dropsie College, Filadélfia, Penn.

H. E. Fi. FINLEY, Harvey E., Ph.D., Professor de Bibliologia do Antigo Testamento, Nazarene Theological Seminary, Kansas City, Mo.

F. L. F. FISHER, Fred L., Th.D., Professor de Hermenêutica, Golden Gate Baptist Theological Seminary, Mill Valley, Calif.

H. D. F. FOOS, Harold D., Th.D., Membro da Faculdade, Moody Bible Institute, Chicago, Ill.

C. T. F. FRANCISCO, Clyde T., Th.D., Professor de Hermenêutica do Antigo Testamento, Southwestern Baptist Theological Seminary, Louisville, Ky.

H. E. Fr. FREEMAN, Hobart E., Th.D., Palestrante e Escritor, Graceland, Ind.

L. Ga. GALLMAN, Lee, Th.D., Professor de Religião, Samford University, Birmingham, Ala.

J. F. G. GATES, John F., S.T.D., Professor de Bibliologia e Filosofia, St. Paul Bible College, Bible College, Minn.

N. L. G. GEISLER, Norman L., Ph.D., Professor de Filosofia da Religião, Trinity Evangelical Divinity School, Deerfield, Ill.

J. M. G. GERSTNER, John M., Ph.D., Professor de História da Igreja, Pittsburgh Theological Seminary, Pittsburgh, Penn.

G. A. G. GETZ, Gene A., Ph.D., Professor Associado de Educação Cristã, Dallas Theological Seminary, Dallas, Tex.

R. G. GODDARD, Robert, Th.D., Membro da Faculdade, Moody Bible Institute, Chicago, Ill.

L. Go. GOLDBERG, Louis, Th.D., Membro da Faculdade, Moody Bible Institute, Chicago, Ill.

J. H. G. GREENLEE, J. Harold, Th.D., Missionário, OMS International.

J. K. G. GRIDER, J. Kenneth, Ph.D., Professor de Teologia, Nazarene Theological Seminary, Kansas City, Mo.

V. C. G. GROUNDS, Vernon C., Ph.D., Presidente, Conservative Baptist Theological Seminary, Denver, Col.

S. G. GUNDRY, Stanley, S.T.D., Membro da Faculdade, Moody Bible Institute, Chicago, Ill.

G. H. G. HADDOCK, Gerald H., Ph.D., Professor Associado de Geologia, Wheaton College, Wheaton, Ill.

E. F. Hai. HAIGHT, Elmer F., Th.D., Professor Emérito de Religião, Louisiana College, Pineville, La.

P. S. H. HAIK, Paul S., Th.D., Membro da Faculdade, Moody Bible Institute, Chicago, Ill.

F. E. H. HAMILTON, Floyd E.

H. A. Han. HANKE, H. A., Th.D., Professor de Religião, Asbury College, Wilmore, Ky.

G. L. H. HARDING, G. Lankester, Daroun-Harissa, Líbano.

L. O. H. HARRIS, Lindell O., Th.D., Presidente, Divisão de Religião, Hardin-Simmons University, Abilene, Tex.

R. L. H. HARRIS, R. Laird, Ph.D., Professor de Teologia do Antigo Testamento, Covenant Theological Seminary, St. Louis, Mo.

E. F. Har. HARRISON, Everett F., Ph.D., Professor Sênior de Teologia do Novo Testamento, Fuller Theological Seminary, Pasadena, Calif.

G. W. H. HARRISON, G. W., Th.D., Professor de Teologia do Antigo Testamento e Hebraico, New Orleans Baptist Theological Seminary, New Orleans, La.

C. K. H. HARROP, Clayton K., Th.D., Professor de Hermenêutica, Golden Gate Baptist Theological Seminary, Mill Valley, Calif.

R. E. H. HAYDEN, Roy E., Ph.D., Professor de Literatura Bíblica, Oral Roberts University, Tulsa, Okla.

A. K. H. HELMBOLD, Andrew K., Ph.D., Professor de Ciências Humanas, Tidewater Community College, Portsmouth, Va.

E. W. H. HELSEL, E. Walter, Th.M., Professor de Religião, Seattle Pacific College, Seattle, Wash.

C. F. H. H. HENRY, Carl F.H., Ph.D., Professor Livre Docente, Eastern Baptist Theological Seminary, Filadélfia, Penn.

D. E. H. HIEBERT, D. Edmond, Th.D., Professor de Teologia do Novo Testamento, Menonite Brethren Biblical Seminary, Fresno, Calif.

H. W. H. HOEHNER, Harold, W., Ph.D., Professor Associado de Homilética, Dallas Theological Seminary, Dallas, Tex.

H. A. Hof. HOFFNER, Harry A., Jr., Ph.D., Professor Associado de Hititologia e Assiriologia, Yale University, New Haven, Conn.

S. H. H. HORN, Siegfried H., Ph.D., Professor de Arqueologia e História da Antigüidade, Andrews University, Berrien Springs, Mich.

C. M. Ho. HORNE, Charles M., Th.D., Professor Associado de Teologia, Graduate School of Theology, Wheaton College, Wheaton, Ill.

S. M. H. HORTON, Stanley M., Th.D., Professor de Bibliologia, Hebraico e Teologia, Central Bible College, Springfield, Mo.

H. E. H. HOSCH, Harold E.

F. D. H. HOWARD, Fred D., Th.D., Professor de Religião, Wayland Baptist College, Plainview, Tex.

G. E. H. HOWARD, George E., M.A., Th.M., Professor Associado de Filosofia da Religião, University of Georgia, Athens, Ga.

F. R. H. HOWE, Frederic R., Th.D., Professor de Teologia, Dallas Theological Seminary, Dallas, Tex.

H. A. Roy. HOYT, Herman A., Th.D., Presidente, Grace Theological Seminary, Winona Lake, Ind.

F. B. H. HUEY, F.B., Jr., Th.D., Professor Associado de Teologia do Antigo Testamento, Southwestern Baptist Theological Seminary, Fort Worth, Tex.

K. H. HUJER, Karel, D.Sc., Professor de Astronomia e Física, University of Tennessee at Chattanooga, Tenn.

C. J. H. HURST, Clyde J., Th.D., Professor de Bibliologia e Filosofia, Hardin-Simmons University, Abilene, Tex.

C. M. Hy. HYATT, Cecil M., Th.D., Professor de Bibliologia e Religião, California Baptist College, Riverside, Calif.

E. C. J. JAMES, Edgar C., Th.D., Membro da Faculdade, Moody Bible Institute, Chicago, Ill.

J. E. J. JENNINGS, James E., M. A., Professor Assistente de Arqueologia, Wheaton College, Wheaton, Ill.

P. K. J. JEWETT, Paul K., Ph.D., Professor de Teologia Sistemática, Fuller Theological Seminary, Pasadena, Calif.

A. F. J. JOHNSON, Alan F., Th.D., Professor Associado de Bibliologia e Apologética, Wheaton College, Wheaton, Ill.

P. C. J. JOHNSON, Philip C., Th.D.

R. L. J. JOHNSON, Robert L., M.A., Professor Associado de Bibliologia, Abilene Christian College, Abilene, Tex.

E. S. K. KALLAND, Earl S., Th.D., Reitor, Conservative Baptist Theological Seminary, Denver, Col.

J. L. K. KELSO, James L., Th.D., Professor Emérito de História do Antigo Testamento e Arqueologia Bíblica, Pittsburgh Theological Seminary, Pittsburgh, Penn.

H. A. K. KENT, Homer A., Jr., Th.D., Vice-Presidente e Reitor, Grace Theological Seminary, Winona Lake, Ind.

R. A. K. KILLEN, R. Allan, Th.D., Professor de Teologia Contemporânea e Reformada. Theological Seminary, Jackson, Miss.

W. H. K. KIMZEY, Willis H., Jr., Th.D., Professor de Religião, Union University, Jackson, Tenn.

M. A. K. KING, Marchant A., D.D., Professor Emérito, Los Angeles Baptist College, Newhall, Calif.

M. G. K. KLINE, Meredith G., Ph.D., Professora de Teologia do Antigo Testamento, Gordon-Conwell Theological Seminary, Wenham, Mass.

F. H. K. KLOOSTER, Fred H., Th.D., Professor de Teologia Sistemática, Calvin

Theological Seminary, Grand Rapids, Mich.

J. W. K. KLOTZ, John W., Ph.D., Professor de Ciência Natural, Concordia Senior College, Fort Wayne, Ind.

G. W. K. KNIGHT, George W., III, Th.D., Professor Associado de Bibliologia do Novo Testamento, Covenant Theological Seminary, St. Louis, Mo.

C. H. K. KRAELING, Carl H., Ph.D., Diretor Emérito do Institute of Oriental Studies, Universidade de Chicago, Chicago, Ill.

F. C. K. KUEHNER, Fred C., Th.D., Reitor, Professor de Idiomas Bíblicos, The Theological Seminary of the Reformed Episcopal Church, Filadélfia, Penn.

W. L. L. LANE, William L., Th.D., Professor de Teologia do Novo Testamento e Estudos Judaicos, Gordon-Conwell Theological Seminary, Wenham, Mass.

H. C. L. LEUPOLD, H. C., D.D., Professor de Teologia do Antigo Testamento, Evangelical Lutheran Seminar, Columbus, Ohio.

J. P. L. LEWIS, Jack P., Ph.D., Professor de Bibliologia, Harding Graduate School of Religion, Memphis, Tenn.

N. R. L. LIGHTFOOT, Neil R., Ph.D., Professor de Bibliologia, Abilene Christian College, Abilene, Tex.

R. P. L. LIGHTNER, Robert P., Th.D., Professor Assistente de Teologia Sistemática, Dallas Theological Seminary, Dallas, Tex.

F. D. L. LINDSEY, F. Duane, Th.D., Professor Assistente de Teologia Sistemática, Dallas Theological Seminary, Ft. Worth, Tex.

G. H. L. LIVINGSTON, G. Herbert, Ph.D., Professor de Teologia do Antigo Testamento, Asbury Theological Seminary, Wilmore, Ky.

G. C. L. LUCK, G. Coleman, Th.D., Membro da Faculdade, Moody Bible Institute, Chicago, Ill.

E. L. L. LUEKER, Erwin L.

L. A. L. LUFBURROW, Lawrence A.

J. C. M. MACAULAY, J.C., D.D., Reitor, New York School of the Bible, New York City.

W. R. L. Mc. MC LATCHIE, Wm. R.L.

W. H. M. MARE, W. Harold, Ph.D., Professor de Idiomas Bíblicos e Literatura do Novo Testamento, Covenant Theological Seminary, St. Louis, Mo.

J. Ma. MATHISEN, James, M.A., Professor Assistente de Sociologia, Aurora College, Aurora, Ill.

A. M. MERCER, Arthur, Th.D., Private Business, Dallas, Tex.

C. S. M. MEYER, Carl S., Ph.D., Professor Graduado de Teologia Histórica, Concordia Seminary, St. Louis, Mo.

J. R. M. MICHAELS, J. Ramsey, Ph.D., Professor de Literatura Patriarcal e do Novo Testamento, Gordon-Conwell Theological Seminary, Wenham, Mass.

R. A. M. MITCHELL, Richard A., Institute for Mediterranean Studies, Berkeley, Calif.

H. M. M. MORRIS, Henry M., Ph.D., Institute for Creation Research, San Diego, Calif.

L. M. MORRIS, Leon, Ph.D., Diretor, Ridley College, Melbourne, Austrália.

R. M. MOUNCE, Robert, Ph.D., Professor de Estudos Religiosos, Western Kentucky University, Bowling Green, Ky.

W. M. MUELLER, Walter, Th.M.

J. K. M. MUNRO, John Ker, Th.M, Diretor de Admissões, Columbia Bible College, Colúmbia, S.C.

J. M. MURRAY, John, Th.M, Professor Emérito de Teologia Sistemática, Westminster Theological Seminary, Filadélfia, Penn.

W. E. N. NIX, William E., Ph.D., Diretor Educacional, Beverly Hills Hospital, Dallas, Tex.

H. W. N. NORTON, H. Wilbert, Th.D, Reitor da Graduate School of Theology, Wheaton College, Wheaton, Ill.

R. P. PACHE, Rene, J.D., Presidente da Emmaus Bible School, Lausanne, Suíça.

F. P. PACK, Frank, Professor de Bibliologia, Abilene Christian College, Abilene, Tex.

J. B. P. PAYNE, J. Barton, Th.D, Professor de Literatura e Idiomas do Antigo Testamento, Covenant Theological Seminary, St. Louis, Mo.

A. T. P. PEARSON, A.T.

J. D. P. PENTECOST, J. Dwight, Th.D, Professor de Homilética, Dallas Theological Seminary, Dallas, Tex.

G. W. P. PETERS, George W., Ph.D, Professor de Missões Mundiais, Dallas Theological Seminary, Dallas, Tex.

I. G. P. PETERSON, Irving G.

C. F. P. PFEIFFER, Charles F., Ph.D, Professor de Idiomas Antigos, Central Michigan University, Mt. Pleasant, Mich.

C. H. P. PINNOCK, Clark H., Ph.D, Professor de Teologia Sistemática, Regent College, Vancouver, British Columbia.

R. E. Po. POWELL, Ralph E., Th.D, Professor de Teologia e Filosofia das Religiões, North American Baptist Seminary, Sioux Falls, S.D.

R. E. Pr. PRICE, Ross E., Ph.D, D.D., Superintendente Distrital, Rocky Mountain District, Igreja do Nazareno, Billings, Mont.

W. T. P. PURKISER, W.T., Ph.D, Professor

Associado de Bibliologia Inglesa, Nazarene Theological Seminary, Kansas City, Mo.

A. F. R. RAINEY, Anson F., Institute for Holy Land Studies, Jerusalém, Israel.

R. G. R. RAYBURN, Robert G., Th.D, Presidente do Covenant Theological Seminary, St. Louis, Mo.

J. R. REA, John, Th.D, Palestrante e Editor Teológico

A. M. R. RENWICK, Alexander M., D.D., Professor, Free Church College, Edinburgh, Escócia.

R. L. R. REYMOND, Robert L., Ph.D, Professor Associado de Teologia Sistemática, Covenant Theological Seminary, St. Louis, Mo.

J. A. R. REYNOLDS, J. A., Th.D, Professor de Religião, Mary Hardin-Baylor College, Belton, Tex.

R. C. R. RIDALL, R. Clyde, Th.D, Professor Associado de Teologia e Literatura Bíblica, Olivet Nazarene College, Kankakee, Ill.

R. V. R. RITTER, R. Vernon, Th.D, Professor de Estudos Religiosos, Westmont College, Santa Bárbara, Calif.

D. M. R. ROARK, Dallas M., Ph.D, Professor de Filosofia, Kansas State College of Emporia, Emporia, Kan.

J. W. R. ROBERTS, J.W., Ph.D, Professor de Bibliologia, Abilene Christian College, Abilene, Tex.

I. R. ROBERTSON, Irvine, Th.M, Membro da Faculdade, Moody Bible Institute, Chicago, Ill.

E. B. R. ROBINSON, Earl B.

D. R. R. ROSE, Delbert R., Ph.D, Professor de Teologia Bíblica, Asbury Theological Seminary, Wilmore, Ky.

C. C. R. RYRIE, Charles C., Ph.D, Reitor de Estudos de Doutorado, Dallas Theological Seminary, Dallas, Tex.

A. C. S. SCHULTZ, Arnold C., Ph.D, Palestrante de História, Roosevelt University, Chicago, Ill.

S. J. S. SCHULTZ, Samuel J., Ph.D, Professor de Bibliologia e Teologia, Wheaton College, Wheaton, Ill.

D. R. S. SIME, Donald R., Ph.D, Vice-Presidente, Assuntos da Universidade, Pepperdine University, Malibu, Calif.

J. H. S. SKILTON, John H., Ph.D, Professor de Teologia do Novo Testamento, Westmister Theological Seminary, Filadélfia, Penn.

E. B. S. SMICK, Elmer B., Ph.D, Professor de Teologia do Antigo Testamento, Gordon-Conwell Theological Seminary, Wenham, Mass.

R. L. S. SMITH, Ralph L., Th.D, Professor de Teologia do Antigo Testamento, Southwestern Baptist Theological Seminary, Fort Worth, Tex.

W. M. S. SMITH, Wilbur M., D.D., Professor Emérito de Bibliologia Inglesa, Trinity Evangelical Divinity School, Deerfield, Ill.

J. A. S. SPRINGER, J. Arthur, D.D., Membro Emérito da Faculdade, Moody Bible Institute, Chicago, Ill.

B. C. S. STARK, Bruce C., Th.D, Professor de Filosofia, Ashland College, Ashland, Ohio

F. R. S. STEELE, Francis R., Home Director, North Africa Mission

D. S. STEPHENS, Douglas, Th.D, Membro da Faculdade, Moody Bible Institute, Chicago, Ill.

H G. S. STIGERS, Harold G.

N. J. S. STONE, Nathan J., Th.M, Membro Emérito da Faculdade, Moody Bible Institute, Chicago, Ill.

R. S. STRICKLAND, Rowena, Th.D, Professor de Bibliologia, Oklahoma Baptist University, Shawnee, Okla.

G. G. S. SWAIN, Gerald G.

M. C. T. TENNEY, Merrill C., Ph.D., Professor de Bibliologia e Teologia, Graduate School of Theology, Wheaton College, Wheaton, Ill.

J. D. T. THOMAS, J.D., Ph.D., Professor de Bibliologia, Abilene Christian College, Abilene, Tex.

J. A. T. THOMPSON, John A., Cairo, U.A.R.

D. D. T. TIDWELL, D.D., Th.D., Professor de Cristianismo, Houston Baptist College, Houston, Tex.

G. H. T. TODD, G. Hall

W. B. T. TOLAR, William B., Th.D., Professor de Fundamentos Bíblicos, Southwestern Baptist Theological Seminary, Fort Worth, Tex.

S. D. T. TOUSSAINT, Stanley D., Th.D., Professor Assistente de Homilética, Dallas Theological Seminary, Dallas, Tex.

A. E. T. TRAVIS, Arthur E., Th.D., Professor de Cristianismo, Houston Baptist College, Houston, Tex.

J. L. T. TRAVIS, James L., Th.D., Faculdade (Bíblica), Blue Mountain College, Blue Mountain, Miss.

J. W. T. TRESCH, John W., Jr., Belmont College, Nashville, Tenn.

G. A. T. TURNER, George A., Ph.D., Professor de Literatura Bíblica, Asbury Theological Seminary, Wilmore, Ky.

R. V. U. UNMACK, Robert V., Th.D., Professor de Teologia do Novo Testamento, Central Baptist Theological Seminary, Kansas City, Kan.

C. V. VAN TIL, Cornelius, Ph.D., Professor Emérito de Apologética, Westminster Theological Seminary, Filadélfia, Penn.

E. J. V. VARDAMAN, E. Jerry, Th.D., Professor Associado de Arqueologia Bíblica, Southern Baptist Theological Seminary, Louisville, Ky.

H. F. V. VOS, Howard F., Th.D., Ph.D., Pro-

| | |
|---|---|
| | fessor de História, The King's College, Briarcliff Manor, N.Y. |
| L. L. W. | WALKER, Larry L., Ph.D., Professor Associado de Teologia do Antigo Testamento, Southwestern Baptist Theological Seminary, Fort Worth, Tex. |
| W. B. W. | WALLIS, Wilber B., Ph.D., Professor de Teologia do Novo Testamento, Covenant Theological Seminary, St. Louis, Mo. |
| J. F. W. | WALVOORD, John F., Th.D., Presidente, Dallas Theological Seminary, Dallas, Tex. |
| B. M. W. | WARREN, Bern M., Th.D., Professor de Bibliologia, Western Evangelical Seminary, Portland, Ore. |
| J. W. W. | WATTS, J. Wash, Th.D., Professor Emérito de Teologia do Antigo Testamento e Hebraico, New Orleans Baptist Theological Seminary, New Orleans, La. |
| J. D. W. W. | WATTS, John D.W., Th.D., Professor de Teologia do Antigo Testamento, Serampore College, India. |
| C. J. W. | WENZEL, Charles J., B.D., Membro da Faculdade, Columbia Bible College, Columbia, S.C. |
| W. W. W. | WESSEL, Walter W., Ph.D., Professor de Teologia do Novo Testamento, Bethel College, St. Paul, Minn. |
| J. C. W. | WHITCOMB, John C., Th.D., Diretor de Estudos de Pós-Graduação, Grace Theological Seminary, Winona Lake, Ind. |
| J. T. W. | WILLIS, John T., Ph.D., Professor Associado de Bibliologia, Abilene Christian College, Abilene, Tex. |
| D. L. W. | WISE, Donald L., M.A., Membro da Faculdade, Moody Bible Institute, Chicago, Ill. |
| D. J. W. | WISEMAN, Donald J., O.B.E., M.A., Professor de Assiriologia, Universidade de Londres, Londres, Inglaterra. |
| A. W. W. | WONDER, Alice W., Th.D., Professora de Religião, Texas Wesleyan College, Fort Worth, Tex. |
| G. E. W. | WORREL, George E., Diretor de Evangelismo Juvenil, Convenção Batista do Texas. |
| E. M. Y. | YAMAUCHI, Edwin M., Ph.D., Professor Associado de História, Miami University, Oxford, Ohio. |
| K. M. Y. | YATES, Kyle M., Jr., Th.D., Professor Associado de Teologia do Antigo Testamento e Arqueologia, Golden Gate Baptist Theological Seminary, Mill Valley, Calif. |
| J. D. Y. | YODER, James D., Th.D., Professor de Bibliologia Inglesa e Idiomas Bíblicos, Evangelical Congregational School of Theology, Myerstown, Pa. |
| E. J. Y. | YOUNG, Edward J., Ph.D., Professor de Teologia do Antigo Testamento, Westminster Theological Seminary, Filadélfia, Penn. |
| F. E. Y. | YOUNG, Fred E., Ph.D., Reitor, Professor de Teologia do Antigo Testamento, Central Baptist Seminary, Kansas City, Kan. |
| R. F. Y. | YOUNGBLOOD, Ronald F., Ph.D., Professor de Teologia do Antigo Testamento, Bethel Theological Seminary, St. Paul, Minn. |

# Abreviaturas

APÓCRIFA E PSEUDOEPÍGRAFA

| | |
|---|---|
| Bar | (Baruque) |
| Bel | (Bel e o Dragão) |
| Ecclus | (Eclesiástico) ou Sir (Sabedoria de Jesus, filho de Siraque) |
| I Ed | (Esdras) |
| II Ed | |
| 1 Mac | (1 Macabeus) |
| 2 Mac | |
| Tob | (Tobias) |
| Sab | (Sabedoria de Salomão) |

TRADUÇÕES DA BÍBLIA SAGRADA, OBRAS DE REFERÊNCIA, PERIÓDICOS ETC.:

| | |
|---|---|
| AASOR | *Annual of the American Schools of Oriental Research* |
| AB | Amplified Bible |
| AJA | *American Journal of Archaeology* |
| AJSL | *American Journal of Semitic Languages and Literatures* |
| ALUOS | *Annual of Leeds University Oriental Society* |
| ANEP | *The Ancient Near East in Pictures*, J. B. Pritchard |
| ANET | *Ancient Near Eastern Texts*, J. B. Pritchard |
| ANT | *Apocryphal New Testament*, M. R. James |
| AOTS | *Archaelogy and Old Testament Study*, D. Winton Thomas |
| ARE | *Ancient Records of Egypt*, J. H. Breasted |
| Arndt | Arndt-Gingrich, *Greek-English Lexicon* |
| A-S | Abbot-Smith, *Manual Greek Lexicon of the New Testament* |
| ASAE | *Annales du service des antiquités de l'Egypte* |
| ASOR | American Schools of Oriental Research |
| ASV | American Standart Version (1901) |
| AT | Antigo Testamento |
| BA | *Biblical Archaeologist* |
| BASOR | *Bulletin of American Schools of Ori-* |

| | |
|---|---|
| | *ental Research* |
| BC | *The Beginnings of Christianity*, Foakes-Jackson and Lake |
| BDB | Brown, Driver, and Briggs, *Hebrew-English Lexicon of the Old Testament* |
| BDT | *Baker's Dictionary of Theology* |
| BETS | *Bulletin of the Evangelical Theological Society* |
| BJRL | *Bulletin of the John Rylands Library* |
| BS | *Bibliotheca Sacra* |
| BW | *Biblical World*, Charles F. Pfeiffer |
| CAH | *Cambridge Ancient History* (12 vols.) |
| CBQ | *Catholic Biblical Quartely* |
| CHT | *Christianity Today* |
| CornPBE | G. Cornfeld, *Pictorial Biblical Encyclopedia* |
| D | Fonte Deuteronomista |
| DeissBS | Deissman, *Bible Studies* |
| DeissLAE | Deissman, *Light from the Ancient East* |
| DOTT | *Documents from Old Testament Times* |
| DSS | Rolos do Mar Morto |
| E | Fonte Eloista |
| EA | El-Amarna – cartas ou tábuas |
| EBC | *Everyman's Bible Commentary* |
| EBi | *Encyclopaedia Biblica* |
| EDNTW | *Expository Dictionary of New Testament Works*, W. E. Vine |
| EGT | *The Expositor's Greek Testament*, W. R. Nicoll |
| EQ | *Evangelical Quartely* |
| ERV | English Revised Version (1881-85) |
| Euseb. | Hist.: Eusebius, *History of the Christian Church* |
| EV | English Versions (versões em inglês) |
| ExpB | *The Expositor's Bible* |
| ExpGT | *The Expositor's Greek Testament* |
| ExpT | *The Expository Times* |
| FLAP | Jack Finegan, Light from the Ancient Past |
| GTT | *Geographical and Topographical Texts of the Old Testament*, J. Simons |
| HBD | *Harper's Bible Dictionary* |
| HDAC | *Hastings's Dictonary of the Apostolic Church* |
| HDB | *Hastings's Dictonary of the Bible* |
| HDGG | *Hastings's Dictonary of Christ and the Gospels* |
| HE | *The Ecclesiastical History of Eusebius* |
| HERE | *Hastings's Encyclopaedia of Religion and Ethics* |
| HGHL | *Historical Geography of the Holy Land*, G. A. Smith |
| HNTC | *Harper's New Testament Commentaries* |
| HR | Hatch and Redpath, *Concordance to the Septuagint* |
| HTR | *Harvard Theological Review* |
| HUCA | *Hebrew Union College Annual* |
| IB | *Interpreter's Bible* |
| ICC | *International Critical Commentary* |
| IDB | *Interpreter's Dictionary of the Bible* |
| IEJ | *Israel Exploration Journal* |
| ILN | *Illustrated London News* |
| Interp. | *Interpretação* |
| IOT | *Introduction to the Old Testament*, R. K. Harrison |
| IQM | Rolo de guerra da caverna 1 de Qumran |
| ISBE | *International Standard Bible Encyclopaedia* |
| J | Fonte Jeová (Yahwista) |
| JAOS | *Journal of the American Oriental Society* |
| JASA | *Journal of the American Scientific Affiliation* |
| JBL | *Journal of Biblical Literature* |
| JBR | *Journal of Bible and Religion* |
| JCS | *Journal of Cuneiform Studies* |
| JEA | *Journal of Egyptian Archaeology* |
| JerusB | Bíblia de Jerusalém |
| JETS | *Journal of the Evangelical Theological Society* |
| JewEnc | *Jewish Encyclopaedia* |
| JFB | Jamieson, Fausset e Brown, *A Commentary on the Old and New Testaments* |
| JNES | *Journal of the Near Eastern Studies* |
| Jos *Ant* | Josephus, *Antiquities of the Jews* |
| Jos *Wars* | Josephus, *The Jewish Wars* |
| JPS | Jewish Publication Society, *Version of the Old Testament* |
| JQR | Jewish Quartely Review |
| JSS | *Journal of Semitic Studies* |
| JTS | *Journal of Theological Studies* |
| KB | Koehler e Baumgartner, *Lexicon in Veteris Testamenti Libros* |
| KD | C. F. Keil e Franz Delitzsch, *Commentary on the Old Testament* |
| Kittel | Rudolf Kittel, *Biblica Hebraica* |
| KJV | King James Version (1611) |
| LAE | Veja DeissLAE |
| LB | Living Bible |
| LSJ | Liddell, Scott, Jones, *Greek-English Lexicon* |
| LXX | Septuaginta – A tradução grega do Antigo Testamento |
| MM | Moulton e Milligan, *The Vocabulary of the Greek Testament* |
| MNT | *Moffatt's New Testament Commentary* |
| MSt | McClintock e Strong, *Cyclopaedia of Biblical, Theological and Ecclesiastical Literature* |
| NASB | New American Standard Bible |
| NBC | *New Bible Commentary*, F. Davidson |
| NBD | *New Bible Dictionary*, J. D. Douglas |
| NEB | New English Bible |
| Nestle | Nestle (ed.), *Novum Testamentum Graece* |
| NIC (NT) | *New International Commentary (sobre o Novo Testamento)* |
| NJPS, NJV | New Jewish Version, da Jewish Publication Society |
| NPOT | *New Perspectives on the Old Testament* |
| NT | Novo Testamento |
| NTS | *New Testament Studies* |
| Onom. | *Onomasticon*, Eusebius |
| P | Fonte Sacerdotal |
| PEQ | *Palestine Exploration Quarterly* |

| | |
|---|---|
| Philips | J. B. Phillips, o Novo Testamento no Inglês Moderno |
| PS | Pentateuco Samaritano |
| Ptol. | Ptolomeu de Alexandria (Claudius Ptolemaeus) |
| PTR | *Princeton Theological Rewiew* |
| RA | *Revue d'assyriologie et d'archéologie orientale* |
| RB | *Révue Biblique* |
| RSV | Revised Standart Version |
| RV | Revised Version |
| SBK | Strack e Billerbeck, *Kommentar zum Neuen Testament aus Talmud und Midrasch* |
| SCM | Student Christian Movement |
| SDABD | *Seventh-day Adventist Bible Dictionary* |
| SHERK | *New Schaff-Herzog Encyclopedia of Religious Knowledge* |
| SOTI | *A Survey of Old Testament Introduction*, Gleason L. Archer |
| SPCK | Society for the Promoting of Christian Knowledge |
| Tac. Ann. | *Anais de* Tácito |
| TAOTS | D. Winton Thomas, *Archaeology and Old Testament Study* |
| Targ. | Targum |
| TBC | *Tyndale Bible Commentaies* |
| TDNT | *Theological Dictionary of the New Testament*, Kittel |
| TM | Texto Massorético |
| TNTC | *Tyndale New Testament Commentaries* |
| TR | Textus Receptus (Texto Recebido) |
| TWNT | *Theologisches Wörterbuch zum Neuen Testament*, Kittel |
| UBD | *Unger's Bible Dictionary* |
| VBW | *Views of the Biblical World*, Benj. Mazar |
| VT | *Vetus Testamentum*, Martin Noth |
| Vulg. | Vulgate Version (Vulgata) |
| WBC | *Wycliffe Bible Commentary*, Pfeiffer e Harrison |
| WC | *Westminster Commentaries* |
| WH | Westcott-Hort, *Text of the Greek New Testament* |
| WHG | *Wycliffe Historical Geography of Bible Lands*, Pfeiffer e Vos |
| W Int D | *Wesbster's International Dictionary* |
| WTJ | *Westminster Theological Journal* |
| ZAW | *Zeitschrift für die alttestamentliche Wissenschaft* |
| ZPBD | *Zondervan Pictorial Bible Dictionary* |
| ZPBE | *Zondervan Pictorial Bible Encyclopedia* |

GERAL

| | |
|---|---|
| a.C. | antes de Cristo |
| d.C. | depois de Cristo |
| Acad. | Acádio |
| Arab. | Árabe |
| Aram. | Aramaico |
| art. | artigo |
| aprox. | aproximadamente |
| c. | cerca |
| CA | aparato crítico |
| séc. | século |
| cf. | confira (ou compare) |
| cap(s). | capítulo(s) |
| col. | coluna |
| com. | comentário |
| d. | falecido, ou data do falecimento |
| ed. | editado, edição, editor |
| e.g. | por exemplo (*exempli gratia*) |
| por ex. | por exemplo |
| Egyp. | Egípcio |
| g. | Inglês |
| *et. al.* | e outros |
| s., ss. | e seguinte(s) (para versículos, páginas, etc). |
| fem. | feminino |
| fig. | figurativamente |
| Gr. | Grego |
| Heb. | Hebraico |
| *ibid.* | *ibidem* (no mesmo local) |
| id. | idem (o mesmo) |
| *i.e.* | isto é (*id est*) |
| ilus. | ilustração |
| introd. | introdução |
| L., Lat. | Latim |
| l. | linha |
| lit. | literalmente |
| *loc. cit.* | *loco citato* (no local citado) |
| marg. | margem, leitura marginal |
| mil. | milênio |
| MS(S) | manuscrito(s) |
| n.d. | sem data |
| Nº | número |
| *op cit.* | *opere citato* (na obra citada) |
| p., pp. | página(s) |
| par. | parágrafo |
| pl. | plural |
| publ. | publicação, publicado |
| *q.* | fonte |
| *q.v.* | *quod vide* (veja) |
| *re*: | pertencente a, ligado a, referente a |
| Rom. | Romano |
| sec. | seção |
| sing. | singular |
| s.v. | *sub verbo* (sob a palavra) |
| trad. | traduzido |
| viz. | *videlicet* (nominalmente) |
| v., vv. | versículo(s) |

ALGUNS ALGARISMOS ROMANOS

| | |
|---|---|
| I (1) | XV (15) |
| II (2) | XVI (16) |
| III (3) | XVII (17) |
| IV (4) | XVIII (18) |
| V (5) | XIX (19) |
| VI (6) | XX (20) |
| VII (7) | XXX (30) |
| VIII (8) | XL (40) |
| IX (9) | L (50) |
| X (10) | LX (60) |
| XI (11) | LXX (70) |
| XII (12) | LXXX (80) |
| XIII (13) | XC (90) |
| XIV (14) | C (100) |

# A

**AARÁ** Um filho de Benjamim (1 Cr 8.1). A relação dos filhos de Benjamim em Gênesis 46.21, não inclui o nome de Aará, mas Eí pode ser a mesma pessoa. Em Números 26.38, o terceiro filho de Benjamim tem o nome de Airão.

**AAREL** Talvez um descendente de Calebe. É certo que era da tribo de Judá e filho de Harum (1 Cr 4.8).

**AASBAI** Um maacatita, pai de Elifelete, um dos homens poderosos de Davi, conhecidos como os "trinta" (2 Sm 23.34). Na passagem paralela (1 Cr 11.35*b*,36*a*), seu nome parece ser Ur.

**AAVA** Cidade da Babilônia, junto a um pequeno rio ou canal de mesmo nome em cujas margens Esdras reuniu os judeus que deveriam retornar a Jerusalém com ele (Ed 8.15,21,31).

**ABA** ("pai" em aramaico) Nome pelo qual as pessoas dirigiam-se especialmente a Deus em oração. No NT, ele ocorre três vezes, sendo acompanhado pelo grego equivalente (Mc 14.36; Rm 8.15; Gl 4.6). Mas esse termo aramaico é suplantado pelas numerosas referências a Deus como Pai, nas quais, somente o termo grego aparece no NT. *Veja* Adoção; Deus.

**ABÃ** Um dos filhos de Abisur com Abiail na genealogia de Jerameel, um homem de Judá (1 Cr 2.29).

**ABADOM** Essa palavra ocorre seis vezes no AT (na versão RSV em inglês) como sendo o nome de um lugar (Jó 26.6; Pv 15.11; 27.20; Jó 28.22; Sl 88.11; Jó 31.12). Nas primeiras três, ela é um sinônimo de Seol. Nas seguintes, é usada para morte e túmulo. E, por último, ela pode ser entendida dentro de um sentido genérico de ruína. No NT, a palavra ocorre uma vez (Ap 9.11) como nome do anjo que reina sobre o mundo dos mortos (no grego *Apollyon*) especialmente como punição. *Veja* Apoliom; Morte, A.

**ABAGTA** Nome de um dos sete eunucos de Assuero (Xerxes I) mencionados em Ester 1.10 (um dos vários personagens persas do livro). Abagta foi enviado pelo rei para acompanhar a Rainha Vasti à festa real por ser um guarda do harém do rei. *Veja* Eunuco.

**ABANA** O primeiro dos dois rios de Damasco que Naamã (q.v.) preferiu ao Jordão (2 Rs 5.12); atualmente é chamado de Nar Barada. Tanto o nome Abana como Barada podem ter sido usados uma vez. O primeiro nome foi parcialmente preservado para um dos afluentes do rio Barada, Nar Banias (HDB). O último foi tirado da montanha de onde se originava. Amana (Ct 4.8), Amana dos escritores assírios (Montgomery, *Reis,* ICC, p.377) atualmente chamada Zebedani.

Originando-se na parte posterior do Líbano, ele flui por uma extensão de 37 quilômetros a noroeste e dobra de volume pelo torrencial 'Ain Fijeh ao lançar-se em cascata, montanha abaixo. Atravessando a planície de Damasco, o rio divide-se em diversos braços para, finalmente, perder-se num lago lamacento no lado oriental. A beleza e a fertilidade de Damasco se devem principalmente às suas águas claras e frescas que criam aquilo

O rio Abana (moderna Barada), que flui através do centro da cidade de Damasco. HFV

que escritores árabes descrevem com ternura como "o jardim de Alá". Se aparência fosse tudo, a parcialidade de Naamã dificilmente poderia ser evitada.

**ABANADOR** As formas substantivas são usadas duas vezes tanto no AT como no NT (Is 30.24; Jr 15.7; Mt 3.12; Lc 3.17). O significado em todos os usos é simplesmente "pá". O termo heb. *mizreh* é definido como uma pá ou forquilha para ventilar o trigo, provavelmente com seis dentes, e o termo Gr. *ptuon* é aplicado para a pá de joeirar, usada para lançar os grãos ao vento. *Veja* Forquilha; Agricultura.

As formas do verbo *zara* são encontradas quatro vezes traduzidas como "padejar" em várias versões (Is 41.16; Jr 4.11; 15.7; 51.2), significando "joeirar". O verbo é usado figurativamente como "dispersar" um inimigo.

**ABARIM** São os promontórios do lado ocidental do vale de Moabe, que estão diante do Vale do Jordão e do Mar Morto. Vistos a partir do lado ocidental do vale aos seus pés, eles parecem ser uma cadeia de montanhas que se eleva a uma altura de até 1.300 metros acima do Mar Morto. Nesse local os israelitas acamparam brevemente (Nm 33.47,48). A partir do Monte Nebo (Pisga, q.v.), Moisés viu Canaã (Nm 27.12; Dt 32.49). Jeremias (22.20) faz a ligação de Abarim com o Líbano e Basã por causa da natureza montanhosa de seu terreno.

**ABDA**
1. Pai de Adonirão, um oficial encarregado dos trabalhos forçados no reino de Salomão (1 Rs 4.6).
2. Filho de Samua, um levita da família de Jedutum que morou em Jerusalém após o Exílio (Ne 11.17). Em 1 Crônicas 9.16, ele é chamado de "Obadias, o filho de Semaías".

**ABDEEL** Pai de Selemias (Jr 36.26) que serviu a Jeoaquim. Selemias recebeu ordem do rei para ajudar a prender o profeta Jeremias e seu escrivão Baruque.

**ABDI**
1. Um levita, pai de Quisi e avô de Etã, cantor de Davi (1 Cr 6.44).
2. Um levita, pai de Quisi que serviu no início do reinado de Ezequias, e que foi considerado por alguns como o mesmo acima (2 Cr 29.12).
3. Um dos filhos de Elão da época de Esdras, que mandou embora sua esposa estrangeira (Ed 10.26).

**ABDIEL** Filho de Guni, pai de Ai, que era um gadita que vivia em Gileade ou Basã (1 Cr 5.15-17).

**ABDOM**
1. Cidade levítica em Aser, designada para os gersonitas (Js 21.30; 1 Cr 6.74). Provavelmente, é a moderna Khirbet 'Abdeh, nas montanhas, vinte quilômetros a noroeste de Acre. Possivelmente "Abdom" também deve ser lido onde a versão RSV diz "Ebrom" e onde a KJV diz "Hebrom" em Josué 19.28 (Kittel, BH; BDB, p. 715).
2. Um juiz de Israel durante oito anos (Jz 12.13-15). Era filho de Hilel de Piratom, uma montanhosa cidade na terra de Efraim a 11 quilômetros a sudoeste de Siquém, atualmente chamada de Far'atah. Uma nota especial é feita aos símbolos da posição de sua família – 70 asnos e potros montados por seus 70 filhos e netos.
3. Um cortesão de Josias, rei de Judá, enviado para descobrir o significado do livro da lei encontrado no Templo (2 Cr 34.20). Ele também é chamado de Acbor (2 Rs 22.12,14; provavelmente também em Jeremias 26.22; 36.12).
4. Um benjamita de Gibeão, primogênito de Jeiel e Maaca e irmão do avô de Saul, Ner (1 Cr 8.30; 9.35,36).
5. Um dos vários benjamitas que moravam em Jerusalém (1 Cr 8.23,28).

**ABE** Nome babilônio para o quinto mês da religião hebraica (julho-agosto) e décimo primeiro mês do calendário civil. *Veja* Calendário.

**ABEDE-NEGO** Nome babilônico de Azarias, companheiro de Daniel no exílio (Dn 1.1-7), Esse nome, que significa "servo de Nebo" foi-lhe dado ao ser capturado. Como Nebo era o principal deus da Babilônia, acredita-se que os escribas mudaram seu nome para "nego" para não honrar uma divindade pagã.
Abede-Nego estava entre os hebreus cativos levados para a Babilônia por Nabucodonosor no ano 605 a.C. (Dn 1.1). Junto com seus compatriotas, recusou-se a comer "alimento impuro", enquanto aprendia a cultura dos caldeus na corte do rei. Dias depois, tornou-se um dos conselheiros ou um dos homens sábios do rei (Dn 1.20) e, mais tarde, foi promovido a uma posição administrativa (Dn 2.49). Sua fama vem de sua recusa a negar seu Deus, mesmo sob ameaça de morte (Dn 3.12-18). Depois de sobreviver milagrosamente a uma fornalha ardente, recebeu mais uma promoção do tirano castigador. Ele é citado em 1 Macabeus 2.59 e apresentado em Hebreus 11.33,34.

**ABEL**
1. Segundo filho de Adão. Era pastor. Ele oferecia a Deus "os primogênitos do rebanho", uma oferta mais aceitável que a de Caim, composta de grãos e vegetais. Não está explícito se ele era o preferido porque sua oferta incluía a vida e, portanto, representava o símbolo da vida, ou porque era oferecida com um espírito mais sincero. Num ímpeto de ira, Caim matou-o e tentou eximir-se dessa responsabilidade. Abel tornou-se o modelo de um mártir que sofre por sua fé (Mt 23.35). Foi honrado por Jesus e aparece na galeria dos heróis da fé (Hb 11.4). Embora sua oferenda fosse superior à de Caim, era inferior à de Jesus Cristo (Hb 12.24). Pode ser dito a respeito dele que foi o primeiro pastor, o primeiro a oferecer sacrifícios de animais, o primeiro homem justo (Mt 23.35; 1 Jo 3.12) e, o primeiro mártir. Ele foi vítima da mesma espécie de ciúme insano que tirou a vida de Jesus.
2. Abel ("prado") é um termo que compõe vários outros nomes de lugares, como, por exemplo, Abel-maim.
3. Aparentemente idêntico a Abel-Bete-Maaca (q.v.) em 2 Samuel 20.14.

G.A.T.

**ABEL-BETE-MAACA** Também Abel (2 Sm 20.14); Abel-Maim (2 Cr 16.4); Bete-Maaca (2 Sm 20.14,15). Consulte cada verbete isoladamente.

Cidade fortificada da tribo de Naftali, localizada a leste de Dã, cerca de 19 quilômetros ao norte do Lago Hule, ao norte de Israel. Ela comandava a interseção de uma importante rota comercial que ligava o Mediterrâneo a Damasco e mais uma outra que vinha do norte, a partir de Hazor. É o lugar onde Seba, filho de Bicri, refugiou-se quando sua revolta contra Davi fracassou (2 Sm 20.13-18). Estava entre as cidades israelitas capturadas por Ben-Hadade de Damasco (1 Rs 15.20) e mais tarde por Tiglate-Pileser (2 Rs 15.29). Ela corresponde à moderna Tel-Abil em Israel.

Tel-Abil, o lugar de Abel-Bete-Maaca

**ABELHA** *Veja* Animais: Abelha III.1.

**ABEL-MAIM** Uma forma alternativa para Abel-Bete-Maaca (q.v.) em 2 Crônicas 16.4.

**ABEL-MEOLÁ** Provavelmente um lugar a leste do Jordão, embora o local não tenha sido localizado exatamente, para onde os midianitas fugiram do vale do Jezreel quando perseguidos por Gideão (Jz 7.22). A cidade é mais conhecida como o lar do profeta Eliseu (1 Rs 19.16,19-21). Durante o reinado de Salomão, fazia parte do distrito localizado nos dois lados do Jordão e seu centro ficava em Bete-Seã (1 Rs 4.12).

**ABEL-MIZRAIM** Um outro nome para Atade, que fica a leste do Jordão e ao norte do Mar Morto, onde a procissão fúnebre de Jacó parou para lamentar a morte do patriarca antes de entrar em Canaã para o enterro (Gn 50.11). Anteriormente chamada de "campo de debulha de Atade" agora ficou conhecida como "campo de lamentação do Egito" por causa dos poderosos homens do Egito que tomaram parte na cerimônia (Gênesis 50.7). Existe um jogo de palavras com o nome *'abel*, "prado" e *'ebel* "lamentação". Aparentemente, os novos habitantes do Neguebe tornaram a rota direta a Hebrom extremamente perigosa.

**ABEL-SITIM** Um lugar anteriormente chamado Sitim (q.v.) nas planícies de Moabe onde Israel acampou antes de atravessar o Jordão para atacar Jericó. Durante esse acampamento (Nm 33.49) ocorreu o episódio de Balaão (Nm 22–24), a invasão do acampamento pela idolatria de Midiã (Nm 25) e a guerra contra os midianitas (Nm 31).

**ABENÇOAR, BÊNÇÃO** O ato de uma pessoa abençoar outra pode ser considerado sob diversos aspectos:

1. Deus abençoando o homem (Gn 1.28; 12.2; 22.17; 32.29; Êx 20.24; 23.25; Dt 1.11; 15.10; 2 Sm 6.11; Sl 28.9; 45.2; 107.38; Ef 1.3; Hb 6.14). A bênção de Deus, que vem de um Deus sábio, onipotente e onipresente, é sempre eficiente, tanto para suprir as necessidades humanas dessa vida, como da vida no mundo por vir (Mt 6.33; Jo 10.27-30; Mt 25.34; Ap 22.14).
2. O homem levando algo a Deus equivalente a uma bênção (Salmos 63.4; 103.1,2; 104.1; 145.1-3) ao reconhecer e louvar aquelas grandes qualidades inerentes à Pessoa Divina, expressando seu agradecimento e a gratidão que sente em relação a Ele e ao Seu nome.
3. Homens abençoando outros em orações particulares, tais como um pai abençoando seus filhos um pouco antes de uma morte esperada, acompanhadas por uma profecia, como quando Isaque abençoou Jacó e Esaú (Gn 27.26-40), quando Jacó abençoou seus filhos (Gn 49.1-7), quando Moisés abençoou os filhos de Israel (Dt 33.1-29) e quando Simeão abençoou a santa família (Lc 2.34).
4. Sacerdotes do AT abençoando o povo do Senhor (Lv 9.22,23; Nm 6.24-26; 1 Sm 2.20) e líderes cristãos fazendo o mesmo no NT (Cl 1.9-14; Hb 13.20,21) em orações e ações de graças.
5. A bênção do alimento antes de ser ingerido, como, por exemplo, a bênção do cálice nas festas judaicas, como foi feito por Cristo quando Ele instituiu a nova aliança em seu sangue (Mt 26.26-28). A igreja deu continuidade a essa tradição na Ceia do Senhor, como está indicado em 1 Coríntios 10.16: "Porventura, o cálice de bênção que abençoamos não é a comunhão do sangue de Cristo?"

Muitas vezes, a descrição de um estado de bem-aventurança, ou de felicidade, é introduzido através de palavras hebraicas distintivas: *'ash$^{e}$re* (Sl 1.1; 2.12; 32.1,2 etc.) e gregas *makarios* (Mt 5.3-11; 11.6 etc.) ambas denotando quem é verdadeiramente feliz perante o Senhor.

***Bibliografia.*** Hermann W. Beyer, "*Eulogeo* etc.," TDNT, II, 754-765.

R.A.K.

**ABI** Em 2 Reis 18.2, Abi é mencionada como sendo o nome da mãe de Ezequias, rei de Judá. Ela também é chamada de Abia (q.v.) como em 2 Crônicas 29.1.

**ABIAIL**
1. Um levita, pai de Zuriel, que era chefe da família de Merari na época de Moisés (Nm 3.35).
2. A esposa de Abisur, um jeramelita da tribo de Judá (1 Cr 2.29).
3. O filho de Huri, da tribo de Gade, chefe de uma família em Basã, na época de Jotão, rei de Judá (1 Cr 5.14).
4. Uma das esposas de Roboão, um dos descendentes de Eliabe, irmão mais velho de Davi (2 Cr 11.18).
5. O pai de Ester e tio de Mardoqueu (Et 2.15; 9.29).

**ABI-ALBOM** Um dos 30 homens poderosos (2 Sm 23.31) que estavam em volta de Davi, servindo-o como guarda-costas. Abi-Albom é chamado de Abiel (q.v.) numa passagem semelhante em 1 Crônicas 11.32.

**ABIAS[1]**
1. Neto de Salomão através de Roboão, pai de Asa (1 Cr 3.10; Mt 1.7).
2. Descendente de Arão, que era chefe da oitava divisão da ordem dos sacerdotes de Davi (1 Cr 24.10). Zacarias, pai de João Batista, pertencia a essa divisão (Lc 1.5).
3. Segundo filho de Samuel que foi nomeado juiz de Berseba e cuja conduta apressou a exigência de Israel de ter um rei como as outras nações (1 Sm 8.2-5; 1 Cr 6.28).
4. A esposa de Hezrom (1 Cr 2.24).
5. Um dos filhos de Bequer e neto de Benjamim (1 Cr 7.6,8).

**ABIAS[2]**
1. Um dos filhos de Jeroboão I, rei de Israel. Quando o menino esteve gravemente doente, Jeroboão enviou sua esposa disfarçada para fazer um apelo ao profeta Aias. O profeta, avisado por Deus, disse à mulher que por causa do pecado e da apostasia de Jeroboão, os juízos de Deus viriam sobre os seus descendentes e os consumiria, e, quanto a Abias, assim que ela entrasse na cidade o menino morreria" (1 Rs 14.12). O menino morreu conforme havia sido profetizado, mas salvo da ira que estava prestes a cair sobre Jeroboão, porque "se achou nele coisa boa para com o Senhor, Deus de Israel" (1 Rs 14.13).
2. Filho de Roboão e seu sucessor no trono de Judá (2 Cr 12.16). Em algumas traduções em inglês também foi chamado de Abia (1 Cr 3.10) e de Abijam (1 Rs 14.31; 15.1-8). Sua mãe era Maaca (1 Rs 15.2) ou Micaía (2 Cr 13.2), neta de Absalão. O principal episódio desse breve reinado de três anos foi a batalha na qual ele decididamente derrotou Jeroboão de Israel. O acontecimento notável dessa batalha foi um discurso de Abias ao exército inimigo no qual ele proclamou a presença de Deus com Judá e criticou os israelitas pela sua apostasia (2 Cr 13). Entretanto, ele seguiu os mesmos pecados de seus pais, imitando sua degradante poligamia com 14 esposas (1 Rs 15.3; 2 Cr 13.21).
3. Um descendente de Arão que era sacerdote na época de Davi. Ele foi feito chefe da oitava, dentre as 24 turmas em que Davi dividiu todo o sacerdócio para os serviços (1 Cr 24.10).
4. A filha de Zacarias e esposa do rei Acaz (2 Cr 29.1). Ela foi chamada de Abi em 2 Reis 18.2. Foi a mãe do rei Ezequias.
5. Um sacerdote, pai de Zicri (Ne 12.1-4,17) que retornou com Zorobabel para reconstruir o Templo depois do Exílio. Caso seja a mesma pessoa, numa idade avançada também selou o pacto de Neemias pelo qual o povo comprometia-se a voltar a se dedicar a Deus (Ne 10.7).

P. C. J.

**ABIASAFE** Provavelmente o mesmo que Ebiasafe. Um levita que é o último descendente de Levi através de Cora, a ser mencionado (Êx 6.24). Existe uma diferença de opiniões quanto a sua identidade em relação a Ebiasafe, um antepassado do grande músico Hemã da época de Davi (1 Cr 6.23,37; 9.19).

**ABIATAR** Um sacerdote da antiga linhagem de Eli. Aparentemente, o nome de seu pai era Aimeleque (1 Sm 22.20) e um de seus filhos tinha o mesmo nome (2 Sm 8.17). *Veja* Aimeleque. Quando Saul assassinou os sacerdotes do Senhor em Nobe, Abiatar escapou e fugiu para Davi, a quem serviu e carregava a arca do Senhor quando necessário. Freqüentemente (pelo menos oito vezes), Zadoque e Abiatar são mencionados juntos (Zadoque sempre em primeiro lugar) como sumo sacerdotes na época de Davi. Na rebelião de Absalão, Abiatar permaneceu fiel à causa de Davi. Entretanto, quando mais tarde Adonias tentou se apoderar do trono, Abiatar somou-se ao seu grupo e foi, finalmente, deposto por Salomão, e recebeu ordens para permanecer em sua cidade natal, Anatote. Salomão poupou sua vida por ter fielmente compartilhado as aflições de Davi. Quando Abiatar foi deposto, cumpriu-se a condenação predita contra a casa de Eli, como mencionado em 1 Reis 2.27. Se em 2 Samuel 8.17 Zadoque e Aimeleque são inesperadamente citados em conjunto, pode ser que Abiatar tenha colocado Abimeleque como seu assistente devido à sua idade avançada.
Quando Jesus diz, em Marcos 2.26, que Davi veio para requisitar o pão do ritual judaico quando "Abiatar era sacerdote" enquanto a passagem em 1 Samuel 22.11ss. diz que Aimeleque preencheu aquele cargo, aparentemente o filho Abiatar pode ser considerado como aquele que se projetou de maneira mais proeminente.

C.L.

**ABIBE**
1. Espigas novas de cevada (do hebraico, Êx 9.31; Lv 2.14) maduras, mas ainda macias, comidas raladas ou assadas (KB).
2. Esse nome cananita foi dado ao mês (março-abril) em que a cevada amadurecia. Também era chamado de "princípio dos meses" (Êx 12.2) e "mês primeiro" (Lv 23.5) da vida nacional de Israel. Ano após ano, Abibe simbolizava a presença do Senhor nos eventos do Êxodo lembrados com os rituais da Festa dos Pães Asmos (Êx 13.4; 23.25; 34.18) e da Páscoa (Dt 16.1) e que ocorriam durante esse mês. Abibe equivale ao Nisan babilônico, nome pelo qual o mês era chamado depois do Cativeiro (Ne 2.1; Et 3.7). Não está claro se a distinção feita por Josefo entre os anos rituais e civis, começando respectivamente na primavera (Nisan) e outono (Tisri), têm uma origem anterior ou posterior (Jos. *Ant.* i.3.3). *Veja* Calendário.

**ABIDÃ** Filho de Gideoni (Nm 1.11). Como príncipe da tribo de Benjamim, ele representou essa tribo no censo realizado no deserto (Nm 2.22). E também esteve presente na dedicação do Tabernáculo (Nm 7.60,65).

**ABIDA** Filho de Midiã e neto de Abraão e Quetura (1 Cr 1.33), também mencionado em Gênesis 25.4.

**ABIEL**
1. Um benjamita, provavelmente pai de Ner, que era avô de Saul e Abner (1 Sm 9.1; 14.51).
2. Um arbatita, um dos homens poderosos de Davi (1 Cr 11.32) chamado, em 2 Samuel 23.31 de Abi-Albom. O nome ocorre também em Acadiano e no antigo Arábico do sul, significando "Ele é o meu pai."

**ABIEZER, ABIEZRITAS**
1. Fundador de uma família à qual pertencia o juiz Gideão, chamado Jezer ou Iezer em Números 26.30. O termo abiezritas identifica os descendentes de Abiezer (Jz 6.11,24; 8.32).
2. Uma família descendente de Manasseés, à qual foram dadas algumas terras em Canaã (Js 17.2; 1 Cr 7.18).
3. Um membro dos 30 homens poderosos de Davi, um benjamita (2 Sm 23.27; 1 Cr 27.12). Tel-Abil, o lugar de Abel-Bete-Maaca.

**ABIGAIL**
1. Esposa de Nabal de Maom, nas proximidades do Carmelo, no território da tribo de Judá. Era uma mulher formosa e de bom senso. Quando Nabal tratou Davi grosseiramente, este ficou muito irritado e queria vingar-se. Abigail, ouvindo a loucura de seu esposo, preparou uma generosa dádiva de suprimentos e levou a Davi e seus homens. Com prudentes palavras de reconciliação, ela controlou sua ira e salvou a vida de Nabal. Mas, cerca de dez dias depois, ele morreu, aparentemente de um derrame. Davi admitiu que a mulher havia evitado que ele cometesse um ato extremamente grave ao procurar vingar-se de seu inimigo (1 Sm 25). Depois disso, sentiu-se livre para cortejá-la tendo ficado profundamente impressionado por sua prática discrição e bom senso. Quando se viu obrigado a fugir para Gate, levou-a consigo (1 Sm 27.3). Abigail foi uma de suas seis esposas naqueles dias. Em Hebrom, ela teve um filho de Davi, chamado Quileabe, seu segundo filho (2 Sm 3.3). Entretanto, em 1 Crônicas 3.1 esse filho é chamado de Daniel.
2. Nome de uma irmã de Davi que se tornou mãe de Amasa (1 Cr 2.16 s.).

H. C. L.

**ABILENE** Território localizado nas colinas orientais das Montanhas na parte posterior do Líbano. Recebeu o mesmo nome da capital Abila, que ficava cerca de 30 quilômetros a noroeste de Damasco, na margem sudoeste do rio Wadi Barada, o antigo Rio Abana (2 Rs 5.12). Fazia parte da tetrarquia de Lisânias (Lc 3.1, a única referência bíblica). *Veja* Lisânias. Isso foi confirmado através de uma inscrição dessa época. No ano 37 d.C. esse território foi dado pelo imperador romano a Herodes Agripa I. Do ano 44 até 53 d.C., o território foi administrado por procuradores. No último ano, ele foi confirmado pelo imperador Cláudio a Herodes Agripa II. Ao se aproximar o final do século, tornou-se novamente parte da província da Síria. Ele pode ser identificado com a vila chamada es-Suk, ou Suq Wadi Barada, numa região desértica e panorâmica, repleta de cenários formados por penhascos de calcário e desfiladeiros.

**ABIMAEL** Um dos filhos de Joctã, um descendente de Sem, suposto fundador da tribo entre os árabes (Gn 10.28; 1 Cr 1.22). Tais nomes com um *m* no meio são encontrados tanto no Arábico do sul *(Abmi'- athtar)* quanto em Acadiano *(Ili-ma-abi).*

**ABIMELEQUE**
1. O primeiro homem do AT a levar esse nome foi o rei de Gerar, um dos primeiros filisteus a residir na Palestina que se distinguiu dos posteriores guerreiros filisteus que ao final do segundo milênio emigraram de sua terra natal em Caftor (provavelmente Creta q.v.) e se estabeleceram ao longo da costa sul. É bastante provável que esses "povos do mar" tenham chegado à Palestina em ondas de migração no decorrer do segundo milênio. O clã de Abimeleque encontra-se entre os primeiros colonos. Acredita-se que Gerar deva ter tido sua localização a alguns quilômetros a sudeste de Gaza.
Abraão disse a Abimeleque uma meia verdade, isto é, que Sara era sua irmã (Gn 20.2-

Prováveis ruínas do templo de Baal Berite (Jz 9.46-49) em Siquém. HFV

18). Abimeleque, cuja esposa era estéril, acreditou que Sara fosse solteira e tomou-a como sua esposa. Mais tarde ficou sabendo de toda a verdade através de um sonho, pelo qual também compreendeu que Abraão era um profeta do Senhor que podia orar por ele. Depois de ter expressado uma pequena repreensão a Abraão, o bom filisteu Abimeleque não só devolveu Sara intocada, como também deu os presentes de Abraão de cabeças gado, servos e prata. A oração de Abraão por Abimeleque foi respondida, e as evidências foram os frutos produzidos pelas mulheres de toda a sua família. Mais tarde aconteceu um pequeno desentendimento entre os dois abastados lares sobre a posse de um poço (Gn 21.22-32). O juramento de um pacto trouxe novamente a paz, e os hebreus deram seu nome a um oásis em Berseba ("o poço do juramento"). *Veja também* Filisteus.

2. Outro rei de Gerar na época de Isaque também foi chamado de Abimeleque (Gn 26.1,6-17). A experiência de Isaque foi muito semelhante à de seu pai Abraão. Ele também foi a Gerar por causa da fome. Temendo por sua vida por causa da beleza de sua esposa, Isaque disse que ela era sua irmã. Abimeleque soube de toda a verdade e repreendeu Isaac. O sucesso de Isaque na agricultura e na reabertura de poços cavados por seu pai fez com que as pessoas ficassem invejosas, de forma que Abimeleque pediu a Isaque que partisse. Mais tarde foi feito um pacto entre Isaque e Abimeleque, como havia sido feito anteriormente entre Abraão e o primeiro Abimeleque (Gn 26.26-31).

3. No título do Salmo 34, Aquis, o rei filisteu de Gate na época de Davi (1 Sm 21.10) é chamado de Abimeleque. É possível que Aquis (q.v.) fosse o seu nome de nascimento e que ele tenha ficado conhecido entre os moradores de Canaã como Abimeleque (assim como no caso do rei assírio Tiglate-Pileser III que também era chamado de Pul em certas partes de seu reino). Abimeleque também pode ter sido um título popular para os reis entre os hebreus. É um fato bem conhecido que a titularidade dos reis egípcios consistia em cinco nomes para cada rei.

4. O filho de Gideão (Jz 8.30-9.54) teve o título de Abimeleque. Parente, através de sua mãe, do povo de Siquém que adorava o deus Baal-berite, Abimeleque recebeu dinheiro do tesouro de Baal-berite e com ele procurou homens maus para ajudá-lo a assassinar os seus 70 irmãos. O povo de Siquém rapidamente proclamou-o rei. Entretanto, Jotão, o caçula, escapou e viveu para proferir uma parábola contra o seu presunçoso irmão. Nessa parábola ele comparava Abimeleque a um arbusto espinhoso que governava todas as árvores e profetizou que os homens de Siquém e Abimeleque iriam se destruir mutuamente. Em três anos a profecia começou a se cumprir quando o povo de Siquém se virou contra Abimeleque.

Outra complicação foi introduzida na narrativa com o aparecimento de Gaal, filho de Ebede, que ganhou a confiança da maioria dos homens de Siquém. Entretando, Zebul, um dos governantes de Siquém, informou Abimeleque da situação e este, por meio de uma emboscada, expulsou Gaal e seu povo. Mas Abimeleque ainda tinha que conquistar a cidade de Siquém e isso exigia algumas engenhosas táticas militares (Jz 9.43-45). Finalmente, a cidade foi conquistada e coberta de sal, uma medida que tinha a finalidade de estragar o solo durante muitos anos. Como era costume geral, muitos dos senhores de Siquém procuraram refúgio na cidadela do templo do deus Berite. O sanguinário Abimeleque ateou fogo na torre do templo e queimou-os vivos. No processo de conquista de Tebes, uma cidade próxima, o povo também se refugiou em sua forte torre, mas o propósito de Abimeleque de queimá-la foi frustrado por uma mulher que jogou um pedaço de pedra de moinho sobre a sua cabeça, e assim lhe quebrou o crânio, dando fim à sua ímpia e criminosa carreira.

E. B. S.

**ABINADABE**

1. Irmão mais velho de Davi (1 Sm 16.8; 17.13).

2. Um dos filhos de Saul que morreu com ele na batalha de Gilboa (1 Sm 31.2; 1 Cr 8.33; 9.39;10.2). Também foi chamado de Isvi em 1 Samuel 14.49.

3. O personagem mais conhecido que leva esse nome era o homem de Quiriate-Jearim em cuja casa a arca de Deus permaneceu durante 20 anos e de cuja casa Davi, com muito trabalho, trouxe a arca para Jerusalém (1 Sm 7.1; 2 Sm 6.3,4; 1 Cr 13.7).

4. O "filho de Abinadabe" (1 Rs 4.11) é apre-

sentado como "Ben-Abinadabe" nas versões ASV e RSV em inglês.

**ABINOÃO** Um nativo de Quedes em Naftali, pai de Baraque (Jz 4.6,12; 5.1,12). Esse nome também é encontrado em antigas inscrições do S Arábico.

**ABIQUEILA** Um descendente de Judá chamado Abiqueila, o garmita (1 Cr 4.19).

**ABIRÃO**
1. Um rubenita, filho de Eliabe que, com seu irmão Datã, juntou-se a Om e Coré (um levita) para organizar uma ciumenta conspiração contra Moisés e Arão no deserto (Nm 16.1,12,24-27; 26.9; Dt 11.6; Sl 106.27). Ele morreu tragicamente (com Coré e Datã) quando a terra milagrosamente se abriu e os engoliu (em aproximadamente 1.430 a.C.).
2. Filho primogênito de Hiel, o betelita (1 Rs 16.34) que morreu quando seu pai, como um tolo, tentou reedificar as fundações de Jericó (em cerca de 870 a.C.). Sua morte trágica cumpriu a notável profecia de Josué (Js 6.26). (Talvez Hiel tenha revivido um antigo costume dos moradores de Canaã de oferecer seu primogênito em sacrifício pelas fundações).

**ABISAGUE** De acordo com 1 Reis 1.4, era uma mulher solteira de extraordinária beleza (em hebraico, *na'ara b^e^tula*) que cuidou do rei Davi em sua velhice. Embora um de seus deveres, nas palavras dos servos do rei, era que estivesse "perante o rei", e tivesse "cuidado dele", e dormisse "no seu seio, para que o rei, nosso senhor, aqueça" (1 Rs 1.2) não se pode inferir que ela tenha se tornado sua esposa (v. 4). Seu propósito era apenas tornar o ancião confortável. Eles "cobriam-no de vestes, porém não aquecia". Depois da morte de Davi, Adonias, um meio irmão mais velho de Salomão, que era um rival competindo pelo reinado, pediu a Salomão a mão de Abisague em casamento. Salomão interpretou esse ato como uma possível pretensão ao trono aos olhos do povo e imediatamente mandou executar Adonias.

**ABISAI** Neto de Jessé, era filho da irmã de Davi, Zeruia, que teve três filhos: Abisai, Joabe e Asael (1 Cr 2.25-16). Abisai parece ter sido um impetuoso e competente soldado, completamente devotado a Davi porque era o indicado pelo Senhor. Em 1 Samuel 26.6-9, Abisai foi à noite, com Davi, ao campo do adormecido Saul, mas foi impedido de matá-lo com a sua própria espada. Ele juntou-se a seu irmão Joabe para perseguir o infeliz Abner que foi forçado a matar seu irmão Asael durante uma peleja resultante de uma disputa a respeito de um cinto (2 Sm 2.18-24).
Há numerosos exemplos da devoção de Abisai por Davi e de seu caráter como herói militar. Enfrentando os amonitas e os sírios, pela frente e por detrás, Joabe dividiu seu exército e deu ao irmão Abisai os guerreiros menos heróicos para enfrentar Amom enquanto Joabe lutava contra os sírios; ambos saíram vitoriosos (2 Sm 10). Foram necessários um exército e um vigoroso General Abisai para matar 18.000 edomitas no vale do Sal e erguer guarnições em Edom (1 Cr 18.12,13). Ele era um soldado completo até no pensamento; a traição merecia a morte. Quando o benjamita Simei amaldiçoou o exilado Davi, Abisai queria matá-lo imediatamente. "Por que amaldiçoaria este cão morto ao rei, meu senhor? Deixa-me passar, e lhe tirarei a cabeça". Mas Davi considerou seu infortúnio como vindo do Senhor (2 Sm 16.7-14). Mais tarde, em 2 Samuel 19.21, quando Davi perdoou Simei, mais uma vez foi Abisai que pediu a sua execução.
Abisai comandou um dos três regimentos do exército em exílio de Davi que levou a rebelião de Absalão a uma rápida conclusão. Na rebelião de Seba, Joabe e Abisai assumiram o comando de seu mal escolhido primo Amasa e foram em perseguição do rebelde até a colônia da fronteira de Abel-Bete-Maaca, onde a cabeça de Seba lhes foi lançada por cima dos muros (2 Sm 20). Nos últimos anos de Davi, Abisai salvou o rei das mãos de um gigante filisteu e depois disso Davi nunca mais foi às batalhas (2 Sm 21). De acordo com 2 Samuel 23.15-18, Abisai parece ter sido o líder dos três homens poderosos que arriscaram sua vida para levar a Davi a água retirada de um poço em Belém. Aqui ficamos sabendo que ele matou 300 com a sua lança.

**ABISMO**[1] (Literalmente "sem fundo"). Essa palavra aparece apenas nove vezes no NT. Foi traduzida sete vezes como o "poço do abismo" (Ap 9.1,2,11; 11.7; 17.8; 20.1,3). Nas duas outras ocorrências, o termo é traduzido como "abismo" (Lc 8.31; Rm 10.7).
Sua utilização no NT teve origem aparentemente na Septuaginta (LXX). Nesta, ela geralmente corresponde à tradução de *te hom*, começando em Gênesis 1.2. Em cada caso, a principal referência é apenas à profundidade dos oceanos (por exemplo, Salmos 77.16). Aqueles intérpretes que supõem que os hebreus adotaram a cosmologia pagã do antigo Oriente Próximo imaginam toda a sorte de referências à mitologia do mundo (*veja* BDB, pp. 1062-1063). Mas somente podemos dar como certo o seguinte: que sendo a linguagem e o aspecto do AT fenomenais, isto é, que empregam a linguagem comum da aparência, a profundeza do oceano é citada poeticamente como o oposto da abóbada celeste que está acima de nós. Paulo emprega uma linguagem semelhante e usa a palavra abismo em Romanos 10.6,7.
Adotada, então, como um remoto oposto ao céu (a morada de Deus), essa palavra é em-

pregada para nomear a residência atual dos espíritos malignos. Esse é o melhor entendimento de Romanos 10.7 (Jesus não enviou demônios para morar em um lago, Lucas 8.31) e de todos os seus outros usos no NT, a não ser em Romanos 10.6,7 onde a palavra simplesmente indica a mais longínqua posição possível abaixo da terra.
Estudos feitos com essa palavra na LXX, nos clássicos e no NT não fornecem qualquer informação sobre a geografia do mundo inferior. *Veja* Poço do Abismo; Mortos, os; Inferno.
R.D.C.

**ABISMO²** Uma tradução do termo gr. *chasma*, em Lucas 16.26; uma fenda profunda que separa dois lugares. O Senhor Jesus Cristo afirma com a sua autoridade que um vasto abismo foi fixado por decreto irrevogável entre o paraíso ("o seio de Abraão", *q.v.*) e o hades, a fim de que as pessoas, na próxima vida, não possam atravessá-lo (cf. Hb 9.27). O gr. *chasma* pode ser encontrado em outras descrições do juízo final em 1 Enoque 18.11; Diógenes Laércio 8.31; e Platão na obra *Republic* X.614.

**ABISUA**
1. Um benjamita, filho de Belá (1 Cr 8.4).
2. Um descendente de Arão que era filho de Finéias, o sacerdote, antecessor de Esdras (1 Cr 6.4,50; Ed 7.5).

**ABISUR** Um homem de Judá, segundo filho de Samai relacionado na genealogia de Jerameel. Ele era marido de Abiail (1 Cr 2.28,29).

**ABITAL** Uma das esposas de Davi (quinta), mãe de Sefatias, que nasceu em Hebrom (2 Sm 3.2,4).

**ABITUBE** Um benjamita que nasceu em Moabe, filho de Saaraim (1 Cr 8.8-11).

**ABIÚ** Segundo filho de Arão (Êx 6.23) que foi consagrado ao sacerdócio com seus três irmãos Nadabe, Eleazar e Itamar (Êx 28.1; Nm 3.2; 1 Cr 24.1). Com seu irmão mais velho, Nadabe, Abiú foi com os anciãos de Israel, Moisés e Arão ao cume do monte de Deus (Êx 24.1,9). Quando ele e seu irmão Nadabe ofereceram "fogo estranho" sobre o altar, foram mortos instantaneamente (Lv 10.1,2). A proibição contra o uso de substâncias inebriantes que acompanham esse relato (v. 9) levou alguns comentaristas a acreditarem que os irmãos estavam embriagados quando morreram. Eles não tiveram filhos (Nm 3.4; 1 Cr 24.2).

**ABIÚDE** Nome grego de Abihud (q.v.) que era descendente de Zorobabel e pai de Eliaquim. Foi mencionado no NT como um ancestral do Senhor Jesus Cristo (Mt 1.13).

**ABIÚDE** Um benjamita, o terceiro filho de Bela (1 Cr 8.3).

**ABJETOS** Nome plural encontrado no Salmo 35.15 do hebraico *nekeh*, provavelmente com o significado de "caluniador" ou "injuriador". A versão RSV em inglês traz o termo "aleijados".

**ABLUÇÃO** Ato de lavar o corpo. Nas Escrituras existem apenas algumas referências duvidosas a esse ato com uma finalidade relacionada à higiene. Cada uma dessas referências - o banho da filha do Faraó (Êx 2.5), de

Ruínas de um tanque de ablução, extremamente decorado, próximo ao templo de Júpiter em Baalbek. Ele mede aproximadamente 20 por 8 metros. HFV

Bate-Seba (2 Sm 11.2) e das prostitutas de Samaria (1 Rs 22.38) - podem ser explicadas como abluções religiosas. Esses rituais religiosos de lavar o corpo eram universais no antigo Oriente Próximo. "Nas mentes dos antigos havia uma estreita conexão entre a noção de pureza ou limpeza e a noção de ser consagrado a Deus" (R. de Vaux, *Ancient Israel, Its Life and Institutions*, p. 460).
A evolução desse conceito religioso explica como surgiu todo o sistema de "puro e impuro" do AT e os rituais religiosos como a idéia de santidade diferente dos tabus, e faz dele toda a base da religião hebraica. ("Impuro", HDB; cf. de Vaux, op. Cit., pp. 463, 464 onde os tabus eram considerados como "remanescentes de antigos rituais supersticiosos").
Quaisquer que sejam as formas e idéias que possam ter sido mantidas desde as eras anteriores a Moisés, é certo que as abluções tinham sido designadas por Deus "tendo como seu objeto o cultivo da santidade e da vida espiritual... O grande obstáculo à santidade é o pecado; Contudo a morte, novamente, por ser a conseqüência do pecado, coloca um fim na vida do homem... e permeia o homem como um todo; não só meramente profanando a alma... mas também aviltando o corpo... tornando-o como o próprio pó da morte" (C. F. Keil, *Biblical Archaeology*. I, 378).
A opinião de Keil vai além e diz que a água, como principal meio de limpeza da vida co-

mum, foi usada para simbolizar o perdão espiritual dos pecados. Essa conexão entre profanação e morte, explica como as purificações levíticas colocam-se lado a lado com os sacrifícios e, em conjunto, formam as principais características do culto no sistema mosaico. Assim, a lei era capaz de cumprir, totalmente, o propósito para o qual havia sido designada de levantar e manter viva no homem a consciência do pecado e da necessidade de purificar sua natureza interior (*veja* Keil, ibid., pp. 378-384).

Havia quatro formas de abluções levíticas: (1) lavagem das mãos (Lv 15.11), (2) lavagem das mãos e pés (Êx 30.19; 40.31), (3) lavagem do corpo todo (Nm 19.19. Lv 22.4-6) e (4) aspersão com água especial ("água da separação", Nm 19.9).

O batismo é uma forma do ritual da ablução que surgiu entre os judeus, aparentemente em conexão com a iniciação dos prosélitos. As autoridades estabeleceram que o estrangeiro que desejasse se tornar um prosélito do pacto da virtude, isto é, no sentido amplo de ser um israelita, tinha que ser circuncidado e batizado e depois oferecer um sacrifício. O batismo era uma imersão em uma piscina (*veja* HDB. I. 239; Edersheim, *Life and Times of Jesus the Messiah,* II, xii; Schürer, *History of the Jewish People,* II, ii. Par. 31, p. 319). O Batismo e outras abluções ocupavam uma posição de proeminência entre os Essênios (Jos *War* ii. 8.5) como foi testemunhado pelos achados em Qumram (F. M. Cross, Jr., *The Ancient Library of Qumram,* pp. 49, 50, 70). É amplamente conhecido que tanto João quanto o Senhor Jesus praticaram o batismo.

Com exceção dos rituais do batismo e da lavagem dos pés (Jo 13) o ritual da ablução está tão fora do cristianismo do NT quanto os sacrifícios da lei mosaica. Para o cristão, não existe uma profanação cerimonial (Mc 7.6-23; Mt 15.3-20). Portanto, não existe a necessidade de um ritual de lavagem. O Senhor Jesus cumpriu esse aspecto da lei, e o mesmo foi feito por aqueles que serviram ao Senhor. O batismo (em qualquer das suas formas), e a lavagem dos pés, considerados como um ritual ou apenas como um acontecimento nos Evangelhos, não tem qualquer conexão com a impureza cerimonial, e assim não possui nenhuma conexão com o ritual do AT nem com a sua interpretação.

*Veja* Batismo; Banho, Banhar; Lavagem dos Pés; Mãos, Lavagem das; Impuro.

***Bibliografia.*** A Oepke, "*Louo* etc.", TDNT, IV, 295-307.

R.D.C.

**ABNER** Primo de Saul e comandante do exército de Israel (1 Sm 14.50-51; 17.55). Ocupava o lugar de honra nas festas e era o guarda-costas de Saul durante as campanhas do deserto contra Davi (1 Sm 20.25; 26.5-15). Depois da morte de Saul e Jônatas, Abner tornou-se líder de Israel e fez Isbosete rei, como sucessor de seu pai Saul (2 Sm 2.8-10). Ao ser ofendido por Isbosete, Abner resolveu apoiar Davi como rei de todo Israel (2 Sm 3.8-10). Foi elogiado por Davi pela sua fidelidade. Joabe, amargurado porque Abner havia assassinado seu irmão Asael (em defesa própria), matou-o à porta de Hebrom (2 Sm 3.27). Sua morte foi lamentada por Davi e por todo de Israel (2 Sm 3.31-34; Rs 2.32).

**ABOBOREIRA** *Veja* Plantas.

**ABOBOREIRA SILVESTRE** *Veja* Plantas: Abóbora.

**ABOMINAÇÃO** Existe um total de 12 palavras hebraicas e gregas traduzidas como "abominação". As línguas bíblicas, assim como a nossa, têm uma variedade de expressões. Algumas são sinônimos muito próximos; outras não, para exprimir graus e variedades de aversão.

A principal idéia representada pelos quatro nomes hebraicos é a de repugnância perante grandes ofensas em assuntos religiosos. Como existe apenas um Deus vivo e verdadeiro, um ser espiritual invisível, sem partes humanas, todas as formas de idolatria e todas as cerimônias e objetos relacionados à idolatria são abomináveis para Deus. Essa atitude é compartilhada pelo seu povo e especialmente pelos seus profetas. Em hebraico, *to'eba* é a principal palavra usada no AT com essa conexão. A mesma aversão está relacionada ao pecado moral. Portanto, *to'eba* também é usada como tal (Jr 7.7-10). O verbo *ta'ab*, do qual se deriva *to'eba* tem um significado menos especial, embora tenha sido traduzido da mesma maneira. Ele expressa toda a sorte de descontentamento, desde a aversão a certos alimentos (Sl 107.18) até a repugnância aos ídolos (Dt 7.26).

A expressão hebraica *sheqes* parece ser uma palavra técnica para a execração do uso da carne de animais impuros para alimento ou sacrifício (Lv 7.21; 11.10-13,20,23,41,42). A palavra a ela relacionada, *shiqus*, é principalmente um termo que designa o desprezo aos ídolos e à idolatria, especialmente dos profetas (Is 66.3; Jr 4.1; 32.34; Ez 7.20). O verbo *shaqas*, traduzido como "abominação", do qual essas duas palavras se originaram, expressa, da mesma forma, a aversão que um judeu deveria ter em relação àquilo que é moralmente ou religiosamente errado.

A repugnância aos atos que alguns poderiam considerar como "pequena desonestidade" foi expressa uma vez como "abominação" (Mq 6.10, "abominável"), embora a palavra hebraica usada aqui signifique, geralmente, estar irado.

As palavras traduzidas no NT como "abominação", "abominável" etc. (Mt 24.15; Lc 16.15; Tt 1.16; 1 Pe 4.3; Ap 21.8) são simplesmente idéias hebraicas do AT, discutidas à luz do idioma grego.Veja Sacrilégio.

R. D. C.

**ABOMINAÇÃO DA DESOLAÇÃO** Essa expressão aparece em Mateus 24.15 e em Marcos 13.14. Mateus afirma que é aquela "de que falou o profeta Daniel". A frase grega de Daniel 9.27 é citada quase exatamente como na Septuaginta (assim como na tradução grega de Theodotion que substituiu a LXX nos primeiros séculos do cristianismo). Expressões semelhantes são encontradas em Daniel 8.13 ("transgressão assoladora"), Daniel 9.27 ("sobre a asa das abominações virá o assolador"), Daniel 11.31 ("estabelecendo a abominação desoladora") das quais, como dissemos, o trecho de Daniel 9.27 que consta na LXX foi citada no NT.

Ato pelo qual um ídolo pagão era introduzido nos limites do Templo sagrado de Jerusalém, foi obviamente denunciado pelo Senhor Jesus. Intérpretes liberais do livro de Daniel afirmam que todas as suas três passagens referem-se a um ato de Antíoco Epifânio, rei pagão da Síria, que profanou o Templo em 165 a.C. Se esta interpretação estiver correta, então Jesus estava equivocado (o que seria absolutamente impossível), ou nunca disse realmente o que foi atribuído a Ele em Mateus 24.15 e Marcos 13.14. Certos estudiosos conservadores acreditam que a profecia tenha sido cumprida em acontecimentos do primeiro século d.C., associados à destruição de Jerusalém. Outros afirmam que a expansão da profecia por parte de Paulo em 2 Tessalonicenses 2 (como muitos acreditam) exige que haja alguma referência aqui a um anticristo final, que faria a sua aparição no final da presente era (G. R. Beasley-Murray na obra *Jesus and the Future*, e também na obra *A Commentary on Mark 13*). *Veja* Abominação; Anticristo; Besta (Simbólico).

R. D. C.

## ABRAÃO

### Autenticidade e Dados de seu Passado

Embora a arqueologia não tenha fornecido qualquer contacto direto com Abraão, abundantes evidências foram acumuladas, as quais, longe de contradizer a história bíblica, levaram muitos estudiosos a aceitarem seu relato como um genuíno reflexo do período que ela se propõe a representar. Essas evidências estão sob a forma de fontes documentadas que estabelecem as tradições culturais refletidas na história bíblica.

Os textos Nuzu, que representam a lei comum dos hurianos (os horeus bíblicos, q.v.) que dominaram partes da Mesopotâmia por volta de 1500 a.C., lançaram alguma luz sobre tais tradições, como a adoção que Moisés fez do servo Eliézer como seu herdeiro (Gn 15.2-4). Segundo o Nuzu, a adoção de um escravo era uma prática comum por parte dos casais sem filhos. Para uma possível herança, o homem adulto adotado negociava seus cuidados pelos pais adotivos em sua idade avançada, proporcionando a estes as cerimônias de enterro adequadas. Mas o Nuzu indica que um filho natural como Isaque, mesmo tendo nascido depois de tal adoção, sempre recebia os direitos de herança em primeiro lugar.

Novamente, tanto os códigos legais de Nuzu como os de Hamurabi, dizem como uma esposa estéril era obrigada a fornecer uma serva para o marido, na expectativa de que um filho pudesse nascer. A relutância de Abraão de mandar Agar embora (Gn 21.11) reflete a proteção da lei huriana à serva, sob tais circunstâncias.

Outra tradição cultural, que não se coaduna com a lei hebraica posterior (mosaica) e, portanto, deve vir de épocas anteriores, foi a compra feita por Abraão do campo de Macpela (Gn 23). Os textos da Capadócia refletem as leis feudais hititas que, aparentemente obrigaram Abraão pagar o preço *total* (23.9, NTLH) para obter o título legal e comprar todo o campo de Efrom, o heteu, porque a plena posse vinha da obrigação feudal ou dos serviços devidos ao dono da terra, de acordo com a lei hitita (BASOR, #129, pp. 15-18). Abraão estava acostumado com tais transações comerciais e era capaz de pesar e entregar a Efrom os 400 siclos de prata como moeda corrente entre os mercadores. Não se tratava de moedas, mas como diz o hebraico, "prata que

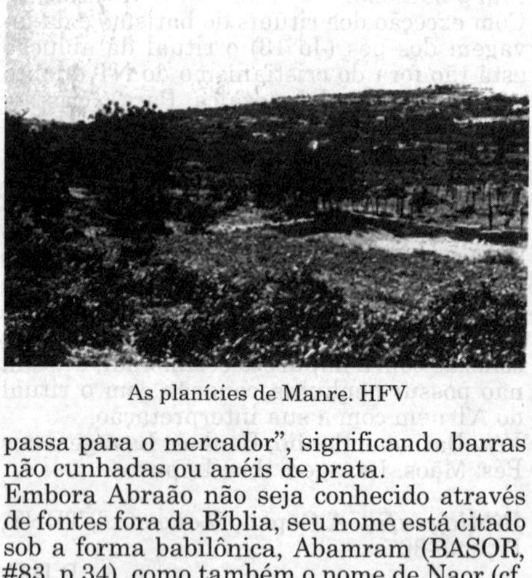

As planícies de Manre. HFV

passa para o mercador", significando barras não cunhadas ou anéis de prata.

Embora Abraão não seja conhecido através de fontes fora da Bíblia, seu nome está citado sob a forma babilônica, Abamram (BASOR, #83, p.34), como também o nome de Naor (cf. a cidade de Naor, Gênesis 24.10), Tera e Serugue (Gn 11.22,24) que representam as cidades mencionadas nos textos Mari e em outros documentos assírios (cf. John Bright, *A History of Israel,* p. 70).

Um dos capítulos mais interessantes da história de Abraão está em Gênesis 14 e trata da batalha entre os quatro reis do Egito contra os monarcas locais. Os arqueólogos consideram esse capítulo como o mais repleto de detalhes em sua autenticidade. (*Veja* Anrafel; Arioque; Quedorlaomer; Tidal). A precisão geográfica de Gênesis 14 é indiscutível. Além disso, o raro termo técnico (*hanikim*) usado pelos criados de Abraão (Gn 14.14) aparece nos textos da Execração Egípcia e em uma carta de Taanaque datada da primeira metade do segundo milênio a.C. A ocorrência dessa primitiva e rara palavra comprova a tremenda autenticidade do texto.

As viagens de Abraão na Mesopotâmia e suas caminhadas pela Palestina combinam bem com o quadro geral que a arqueologia obteve dos primórdios do segundo milênio. Essa era a época em que a Palestina estava recebendo novos grupos nômades e a montanhosa região central que Abraão escolheu para viver era esparsamente habitada, enquanto o vale do Jordão, as regiões costeiras e outros domínios agrícolas eram dominados pelos cananeus e outros. É provável que Abraão tenha feito parte desse grande movimento de pessoas usualmente identificadas como amorreus (Gn 15.16) o que pode explicar as alianças de Abraão com os amorreus Aner, Escol e Manre (Gn 14.13,24) e a justificativa para Ezequiel acusar a nação pecadora de ter um fundador amorreu (Ez 16.3-5). Abraão passou algum tempo no Neguebe e ao longo da rota comercial de Cades-Barnéia até Sur (na fronteira oriental do Egito). Durante séculos, antes ou depois do período da metade da Idade do Bronze I (2.100 a 1.850 a.C.) havia colônias estabelecidas no Neguebe. Ruínas de estações desse caminho, que puderam ser datadas dessa época através do estudo das cerâmicas, estabelecem a rota da caravana pelo interior através do norte do deserto do Sinai.

A data exata para Abraão não pode ser determinada através da arqueologia, embora a maioria das autoridades tenha estabelecido o início do segundo milênio. Usando os personagens bíblicos, e assumindo que não houve nenhuma interrupção, pode-se obter o ano 2.000 a.C. como uma data aproximada para o nascimento de Abraão. Essa data está bastante de acordo com as descobertas arqueológicas.

No entanto, objeções foram levantadas em relação à ocorrência do termo filisteus (q.v.) em Gênesis 21.32,34. Os guerreiros filisteus da época de Davi somente chegaram à costa da Palestina por volta de 1.200 a.C. Entretanto, C. H. Gordon observou que o povo do mar Indo-Europeu, como por exemplo os minoanos da ilha de Creta, haviam imigrado para Canaã durante todo o segundo milênio. O cananeu Abimeleque de Gerar provavelmente fazia parte de uma onda anterior de filisteus amantes da paz, embora o nome filisteu em si mesmo possa ser um anacronismo oriundo dos povos hostis da época de Saul e de Davi. *Veja* Cronologia, AT; Idade Patriarcal.

### História e Importância de Sua Vida

Abraão iniciou sua vida em Ur dos Caldeus, na Mesopotâmia. Dali, Tera, seu pai, mudou-se com a família para Harã. Tanto Ur como Harã eram centros de adoração da lua. O nome de seu pai, Tera, provavelmente significava "Ter é (o divino) irmão". Acredita-se que "Ter" seja uma variação dialética para o deus lua e era especialmente popular no distrito de Harã como foi confirmado pelos registros assírios (J. Lewy, HUCA, 19. p. 425). Mas Abraão foi convocado pela voz de Deus a deixar o seu cenário pagão, para ir a uma terra divinamente prometida à sua semente.

Após sua chegada à Palestina, Abraão passou muitos dias principalmente nas proximidades de três centros no sul, Betel, Hebrom (Manre) e Berseba. Aparentemente, ele havia entrado em Canaã pelo lado leste, assim como Jacó em seu retorno de Padã-Arã, atravessando o Jordão nas proximidades de Sucote, parando primeiro para adorar a Deus fora de Siquém (Gn 12.5-7). Entretanto, nas proximidades de Betel, Abraão construiu o seu segundo altar (Gn 12.8; 13.3) e invocou o nome do Senhor Jeová. Depois de uma curta peregrinação no Egito por causa da fome, Abraão retornou

A mesquita de Hebrom, que cobre uma caverna que é considerada a caverna de Macpela, lugar do sepultamento de Abraão e outros membros da família patriarcal. HFV

ao local do altar, nas proximidades de Betel, onde se separou de seu sobrinho Ló, que preferiu residir nas verdes planícies do Jordão onde as cidades cananitas de Sodoma e Gomorra estavam situadas. Então, Abraão viajou para o Sul, para uma planície nas montanhas, chamada Manre (Hebrom) ao sul da cadeia central de montanhas. Nesse lugar ele construiu um outro altar ao Senhor.

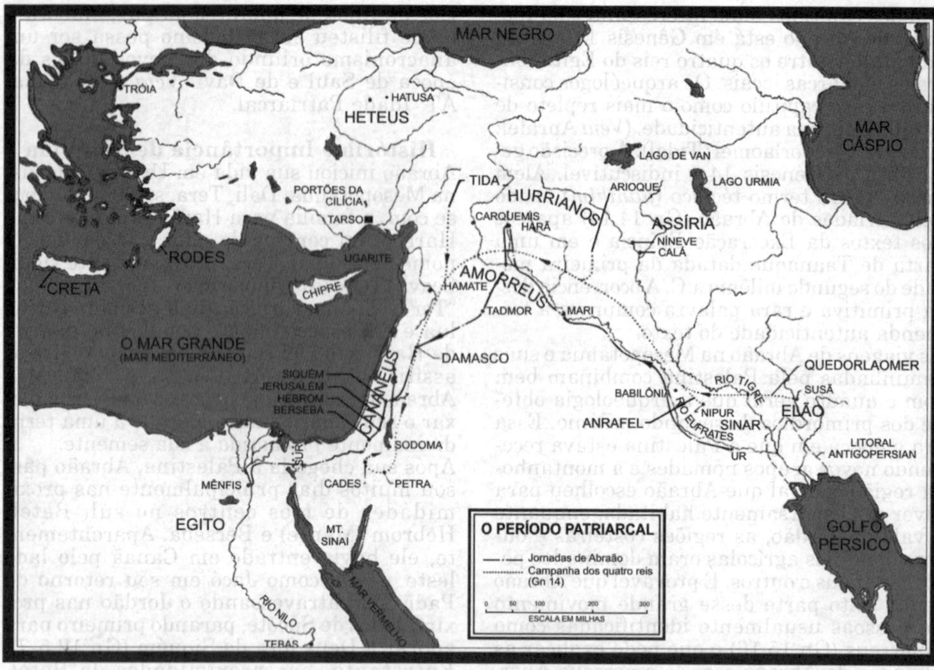


A jornada de Abraão

Após recuperar Ló e sua família das mãos dos mesopotâmios que os haviam aprisionado, Abraão pagou dízimos a Melquisedeque, rei de Salém. Não se pode precisar se Melquisedeque estava em Jerusalém, mas o texto diz claramente que ele era um rei sacerdote que representava El Elyon – um outro título do Deus de Abraão. O texto em Gênesis 20–22 fala sobre a permanência de Abraão no Neguebe, especialmente nas proximidades de Berseba. O relato bíblico afirma que Abraão não só cavou um poço, como deu ao lugar o nome de Berseba ("poço do juramento") por causa do pacto que havia feito com Abimeleque, o chefe filisteu daquela área.

Deus renovou sua promessa a Abraão em diversas ocasiões (cf. Gn13.14-18; 15; 17; 22.15-19). Ênfase deve ser atribuída à fé de Abraão na promessa feita por Deus em relação tanto à terra como à sua semente, apesar da continua infertilidade e avançada idade de sua esposa. O nome de Abrão, que significa "pai exaltado" ou "meu pai é exaltado" foi mudado para Abraão que significa "pai de uma multidão". O pacto feito com Deus foi selado pelo sinal da circuncisão e por fim Isaque, o filho da promessa (Gl 4.28) foi concedido àquele que seria sempre conhecido como o "pai de todos os que crêem" (Rm 4.11). Na verdade, Abraão creu na promessa de Deus de ter um filho na velhice e "isso lhe foi imputado como justiça" (Gn 15.4-6; Rm 4.1-4; Tg 2.22,23; Gl 3.6; 5.6). Antes que o filho Isaque lhe fosse dado através do ventre amortecido de Sara (Hb 11.11) sua serva egípcia Agar deu à luz Ismael, através de quem os árabes de nossos dias traçam sua origem até Abraão.

O nome de Isaque se origina da raiz hebraica, *sahaq*, que significa "rir". O riso de Abraão (Gn 17.17) parece ter sido uma expressão de alegria, ou até de admiração, enquanto o riso de Sara (Gn 18.11-15) era uma expressão de incredulidade que ela, vergonhosamente, tentou desmentir. No devido tempo, Isaque tornou-se o núcleo principal de todas as esperanças de Abraão; isso explica a importância do episódio do oferecimento de Isaque em sacrifício. O dilema que Abraão experimentou era que a promessa de Deus não poderia se cumprir se Isaque morresse; no entanto Deus estava pedindo Isaque a Abraão. O texto em Hebreus 11.17-19 mostra o comentário Divino sobre esse acontecimento, mostrando como a fé de Abraão triunfou ao crer na fidelidade de Deus, pois "considerou que Deus era poderoso para até dos mortos" ressuscitar Isaque (v. 18), se necessário, para cumprir a sua promessa. *Veja* Promessa a Abraão.

Outro episódio da vida de Abraão nos mostra seu retrato não como uma figura coberta de lendas (como certos críticos afirmaram), mas através de calorosos aspectos humanos. A maior parte dos relatos bíblicos trata de sua pessoa a partir dos setenta e cinco anos

(Gn 12.4). O fato de Abraão ter 100 anos e Sara 90 quando Isaque nasceu, longe de ser um "Midrash" tardio, é um fato importante da história original, isto é, que Abraão adorava ao Deus que realiza o impossível. É verdade que o relato bíblico faz referência a um segmento relativamente pequeno de sua vida, no entanto esses comparativamente poucos capítulos (Gn 12–25) apresentam um quadro surpreendentemente bem delineado desse patriarca. Ele era quase um nômade, mas muito diferente do beduíno médio de nossos dias, pois Abraão tinha uma grande riqueza em gado, prata e servos. Ele era um homem de paz, mas podia usar seus servos (Gn 14.14) em conflitos ocasionais.

Abraão teve encontros face a face com o Todo-Poderoso, recebeu anjos (Gn 18.1-8), e recebeu a palavra de Deus em sonhos (Gn 15.12-17). Mais importante ainda, ele foi chamado por Deus de profeta em Gênesis 20.7, onde Abimeleque, rei de Gerar, foi prevenido de que Abraão tinha o dom da intercessão. Ele usou esse dom com muito sucesso em benefício de Abimeleque (Gn 20.17,18), mas não teve o mesmo sucesso em sua intercessão por Sodoma (Gn 18.23-30), sem dúvida por que sua opinião sobre essa cidade estava errada. *Veja* Sodoma; Bab adh – dhra

Parece que por duas vezes Abraão protegeu seus próprios familiares quando usou uma meia verdade de que Sara era sua irmã, escondendo o fato de que ela era também sua esposa (Gn 12.11-13; 20.5). Isaque fez o mesmo (Gn 26.6-11). *Veja* Abimeleque. Entretanto, esses episódios, quando adequadamente entendidos, mostram que Abraão e Isaque, embora temerosos, não estavam deliberadamente caminhando nos limites da depravação moral. Os patriarcas vieram de Harã, uma área controlada pelos hurianos. Portanto, ambos estavam praticando um apreciado costume huriano que E. A. Speiser (*The Anchor Bible,* Gn, pp. 91-94) chama de relacionamento irmã-esposa. Tanto Sara quanto Rebeca eram qualificadas para essa privilegiada posição, de acordo com a prática huriana legal. Os patriarcas esperavam usar como artifício diplomático essa posição especial de suas esposas que gozavam de um status superior em sua sociedade. Entretanto, nem o Faraó do Egito, nem o rei de Gerar, estavam familiarizados com esse costume hurriano e tinham que ser convencidos de que ele representava o legítimo exercício das prerrogativas e da proteção gozadas pelas irmãs-esposas daqueles que pertenciam à alta sociedade huriana. No entanto, Deus interveio a favor de Abraão nos dois casos, ensinando-lhe que o caminho da confiança e da obediência representava o novo curso que ele deveria seguir (Gn 12.17; 20.3,17s).

Abraão teve outra esposa. Quetura (Gn 25.1-4) através de quem se tornou pai dos midianitas e outros, mas como dizem as Escrituras, "Abraão deu tudo o que tinha a Isaque" (Gn 25.5). Abraão morreu "em boa velhice" e foi enterrado na cova que havia comprado dos heteus. A atitude de enterrar a sua família e deixar instruções quanto a seu próprio enterro na terra que lhe fôra prometida, ao invés da terra natal de seus ancestrais, foi uma forte demonstração de sua fé na aliança que tinha com Deus.

Em 2 Crônicas 20.7 e Tiago 2.23, Abraão é chamado de amigo de Deus. A universalidade desse título para o pai da nação hebraica está refletida no nome da mesquita construída em sua honra em Hebrom, isto é, Al-Khalil ("O Amigo"). Ninguém pode estar plenamente seguro de que esta mesquita esteja construída exatamente sobre o local da cova funerária no campo de Macpela, mas Gênesis 23.19 afirma que esse local estava realmente situado na área de Hebrom.

E.B.S.

**Abraão no NT**

O nome de Abraão ocorre 74 vezes no NT, mais que o nome de qualquer outro santo do AT, exceto Moisés (79 vezes). Deus é o "Deus de Abraão" (Mt 22.32; At 7.32) e Abraão vive em uma consciente comunhão com Ele (Lc 16.22; *veja* O Seio de Abraão). Abraão foi o antecessor do Messias (Mt 1.1) e pai dos israelitas segundo a carne (Mt 3.9; Jo 8.33; At 13.26). Mas ele se tornou o pai espiritual de todos aqueles que compartilham a sua fé pelo Espírito Santo (Rm 4.11-16; 9.7; Gl 3.16,29; 4.22,31). A fé de Abraão levou ao seu perdão, e tipifica o modelo de fé que devemos exercitar (Rm 4.3-11). As demonstrações de sua fé, ao obedecer à ordem de Deus para abandonar a Mesopotâmia, assim como o oferecimento de seu filho, Isaque, são mencionados como exemplos notáveis de sua fé em ação (Hb 11.8-19; Tg 2.21).

J.R.

***Bibliografia.*** William F. Albright, *Archaeology, Historical Analogy, and Early Biblical Tradition,* Baton Rouge; Louisiana State Univ. Press, 1966, pp. 22-41. Jack Finegan, *In the Beginning,* New York. Harper, 1962, pp. 85-121. Nelson Glueck, *Rivers in the Desert,* New York. Farrar, Strauss & Cudahy, 1959, pp. 60-110. Angel Gonzalez, *Abraham, Father of Believers,* trad. por R.J. Olsen, New York. Herder & Herder, 1967. James L. Kelso, *Archaeology and Our OT Contemporaries,* Grand Rapids. Zondervan, 1966. pp. 13-27. K. A. Kitchen, *Ancient Orient and OT,* Chicago. Inter-Varsity, 1966, pp. 41-56, 153-156. W. S. LaSor, *Great Personalities of the OT.* Westwood, N.J.. Revell, 1959, pp.13-30. F.B. Meyer, *Abraham. or the Obedience of Faith,* London. Morgan & Scott, s.d. D. J. Wiseman, *The Word of God for Abraham and Today,* G. Campbel Morgan Memorial Lecture #11,

London. Westminster Chapel, 1959. C. Leonard Woolley, *Abraham. Recent Discoveries and Hebrew Origins*. London. Faber & Faber, 1936. Geerhardus Vos, *Biblical Theology*, Grand Rapids. Eerdmans, 1954, pp. 79-105.

**ABRAÃO, O SEIO DE** Essa frase figurativa reproduz a bem-aventurança do crente no paraíso após a morte. Embora seja usada no judaísmo rabínico, a única ocorrência escrita dessa expressão encontra-se na parábola proferida por Cristo sobre o homem rico e Lázaro (Lc 16.19ss.). Ao morrer, o mendigo Lázaro é carregado pelos anjos até o seio de Abraão, enquanto o homem rico, depois de seu enterro, é atormentado no Hades.

De acordo com o AT, ao morrer as pessoas vão ao encontro de seus pais (Gn 15.15; 47.30; Dt 31.16; Jz 2.10). Como Abraão era o pai dos judeus (Lc 3.8; Jo 8.39s.), a forma mais concreta dessa expressão era ir ao pai Abraão (IV Mac 13.17). Uma simples variação disto era falar da vida após a morte em termos de "seio de Abraão".

No judaísmo rabínico a frase tinha dois sentidos distintos, e os intérpretes estão divididos quanto ao significado preciso da frase nessa parábola. Deitar-se ou sentar-se no seio de Abraão pode exprimir, figurativamente, a carinhosa comunhão que existe entre Abraão e seus descendentes crentes no céu, em uma analogia à ternura paternal de um pai para com o seu filho (Jo 1.18). Outros acreditam que a figura está enfocando, principalmente, o banquete celestial onde, de acordo com a maneira romana de festejar, também usada pelos judeus, Lázaro está reclinado sobre uma mesa com a cabeça no seio de Abraão, seu anfitrião (Jo 13.23; 21.20).

Talvez ambos elementos possam ser aplicados à parábola. Como as Escrituras geralmente representam a alegria do céu em termos de um banquete (Mt 8.11; Lc 13.28,29; 14.16ss.), seria natural que isto estivesse implícito na figura do pobre mendigo que antes se alimentava das migalhas da mesa do rico e que agora está gozando da abundância do banquete celestial. Mas a intimidade e a comunhão não estão ausentes desse quadro. O mendigo, solitário e proscrito, está agora gozando das venturas do céu na íntima companhia do pai dos crentes. E como Lázaro está no seio de Abraão, também parece que ele recebeu um lugar de honra nesse banquete.

Os intérpretes também diferem se o seio de Abraão representa um lugar que pode ser uma divisão ou compartimento do Hades. Nos escritos judaicos, Seol-Hades é, muitas vezes, o lugar dos mortos em geral, incluindo tanto os justos quanto os pecadores. No capítulo 22 da psd. de Enoque existem até quatro divisões para Hades onde os mortos ficam à espera do dia do julgamento. Mas aqui o seio de Abraão e o Hades são lugares distintos. Jesus fala do homem rico somente no Hades e lá ele vê Abraão "ao longe", informado que existia um "grande abismo" entre eles de modo que qualquer transferência seria impossível. Abraão e Lázaro estão em uma posição abençoada, enquanto no Hades o homem rico sofre tormentos e pede água para refrescar a sua língua. Essas terríveis condições aparecem como as conseqüências inerentes de estar no Hades.

Suas implicações escatológicas são claras, pois a fé de Lázaro o leva à alegria da vida eterna (o seio de Abraão) enquanto a fortuna do descrente homem rico não pôde protegê-lo dos tormentos do inferno (Hades). Esse contexto não oferece apoio à opinião de alguns católicos romanos segundo a qual o seio de Abraão está se referindo ao *limbus patrum*, um lugar onde os crentes do AT gozam de paz enquanto esperam pela perfeita redenção de Cristo. No Egito, outros temas levam a uma interpretação do seio de Abraão na qual estão enfatizados os elementos água fresca e refrigério.

Para referências bibliográficas adicionais, veja SBK, II (1924), 226-227; SBK, IV (1928), 1018-1019; TWNT, III (1938), 825-826.

*Veja* Abraão; Morte; Paraíso; Seol.

F. H. K.

**ABRÃO** Nome original de Abraão (q.v.) em Gênesis 11.27–17.5. Esse nome aparece em textos egípcios e da Velha Babilônia do século XIX a.C, da Antiga Arábia do Sul e em uma inscrição ugarítica. Para esses pagãos esse nome provavelmente significava "meu (divino) pai é exaltado".

**ABRONA** Também traduzido como Ebrona. Um campo de israelitas próximo a Eziom-Geber (Nm 33.34,35). É possível que estivesse em 'Ain ed-Defiyeh, um poço raso em Arabá, cerca de doze quilômetros ao norte de Eziom-Geber.

**ABSALÃO** Terceiro filho de Davi, nascido de Maaca, filha de Talmai, rei de Gesur, em Hebrom (2 Sm 3.2,3. 1 Cr 3.1,2). O autor do livro no qual ocorrem as narrativas de Absalão (2 Sm 13-19) está primeiramente preocupado com os atos justificados do Senhor nos anos em que foi formada a dinastia de Davi. Para o autor, Salomão (e não o primogênito Amnom, nem o terceiro filho, Absalão, nem o quarto, Adonias etc.) foi o escolhido de Deus para ser o sucessor de Davi. Uma apreciação dessa ênfase ajuda a explicar a escolha de dois eventos da vida de Absalão (o assassinato de Amnom, 2 Samuel 13.1-38; e a conspiração e rebelião de Absalão, 2 Sm 13.39–19.8) que o levaram a ser preterido em relação aos demais. A intenção do escritor é mostrar como o Senhor castigou Davi pelo adultério e assassinato, mas conservou sua promessa de perpetuar a dinastia de Davi (anunciada por Natã em 2 Samuel 12.10-14; 7.12-16).

Natã anunciou três maneiras pelas quais Deus iria punir Davi:

(1) O filho de Bate-Seba (2 Samuel 11.27, e possível herdeiro do trono) iria morrer (2 Sm 12.14). Quem sucederia a Davi? Talvez Amnom? Incitado por Jonadabe (seu "amigo", 2 Samuel 13.3-7, um "confidente da corte", cf. Husai, "amigo" de Davi, 2 Sm 15.37; 16.16; 1 Cr 27.33) Amnom estuprou sua meia irmã (irmã de Absalão) Tamar; e (tendo Davi fracassado em vingar esse ato) dois anos mais tarde Absalão provocou a morte de Amnom e em seguida fugiu para a casa de seu avô materno. Será, então, que o sucessor de Davi poderia ser Absalão? Cinco anos se passaram até que Davi o reintegrasse totalmente. Mas, ,Absalão movimentou-se rapidamente para conseguir o trono. Adotando costumes pagãos (que lhe foram ensinados por Talmai?) ele apareceu em público em uma carruagem escoltada por um cortejo de corredores. Ele assegurou a simpatia das dez tribos do norte fazendo-se passar por seu defensor. Dentro de quatro anos (na LXX não consta 40 anos - aparentemente devido a uma interpretação errada de um copista hebreu que escreveu *'arba' im shanah* ao invés de *'arba' shanim* em 2 Samuel 15.7), sob o pretexto de cumprir um voto, Absalão foi a Hebrom e reclamou o título de "rei" (2 Sm 15.10); em seguida, apoderou-se de Jerusalém para ser sua capital. Mas seu sucesso teve fim quando Joabe mandou matá-lo, (desafiando uma ordem explícita de Davi) na floresta de Efraim. Finalmente, será que o sucessor de Davi poderia ser Adonias? Ele havia tentado se apoderar do trono na velhice de Davi, mas foi abertamente denunciado pela nomeação aberta de Salomão (filho de Bate-Seba!) por parte do idoso rei.

Túmulo tradicional de Absalão no vale de Cedrom, Jerusalém. HFV

(2) A espada não se apartaria da casa de Davi (2 Sm 12.10). Absalão trouxe a morte a Amnom por ter estuprado sua irmã; Joabe mandou assassinar Absalão por conspiração e rebelião e Benaia matou Adonias por ter pedido a mão de Abisague (1 Rs 2.13-25).

(3) Alguém da própria casa de Davi iria conspirar contra ele e tomar publicamente suas concubinas (2 Sm 12.11,12). Absalão conquistou o coração dos homens de Israel (2 Sm 15.6), proclamou-se rei em Hebrom e apoderou-se de Jerusalém sem qualquer batalha. Seguindo o conselho de Aitofel, coabitou com as dez concubinas de Davi (o que se tornou público) e com isso fortaleceu sua pretensão ao trono e confirmou seu completo domínio sobre o império de Davi (2 Sm 16.20-23).

Mas, apesar da magnitude dos pecados de Davi e do período de incertezas relacionado à identidade de seu sucessor, Deus permaneceu fiel à sua promessa de que a dinastia de Davi se estabeleceria para sempre em Israel. Salomão tornou-se rei em lugar de seu pai (1 Rs 1).

***Bibliografia.*** E. R. Dalglish, "Absalom," IDB, 1,22-23. H. W. Hertzberg, *I and II Samuel. A Commentary, Old Testament Library,* Philadelphia. Westminster, 1964. Eugene H. Maly, *The World of David and Solomon (Backgrounds to the Bible Series),* Englewood Cliffs, N.J.. Prentice-Hall, 1966. J. Weingreen, "The Rebellion of Absalom", VT, XIX (1969), 263-266.

J. T. W.

**ABSINTO** *Veja* Plantas.

**ABSTINÊNCIA** Termo genérico aplicável a qualquer objeto ou ação do qual alguém se abstém por algum tempo e por algum motivo particular, especialmente no cultivo da vida espiritual. Em geral, trata-se de uma autodisciplina voluntária e pode consistir em uma renúncia total ou numa leve participação em algum prazer ou necessidade, como comer, beber etc. Às vezes, ela se refere a uma total abstinência de alguma coisa positivamente perniciosa ou proibida, como fornicação, alimentos proibidos, intoxicação por bebidas alcoólicas ou drogas debilitantes. Uma extrema abstinência pode tomar a forma de asceticismo. Ela pode ser distinguida da temperança, que é o uso moderado de alimentos ou bebidas etc. O jejum é uma forma

de abstinência específica, isto é, de alimento. *Veja* Jejum.
No AT era proibida a ingestão de sangue (Gn 9.4). Outros exemplos de abstinência obrigatória foram registrados (Gn 32.32; Êx 22.31; Lv 3.17; 10.9; 11.4ss.; Nm 6.3; Dt 14.21) em relação à regras alimentares dos israelitas em geral e dos sacerdotes e nazireus em particular. Essas restrições alimentares foram abandonadas em grande parte no NT (At 15.19, 20,28,29). Paulo deixa o assunto da abstinência de alimentos a critério da consciência de cada indivíduo e da orientação do Espírito, e insiste em uma afetuosa consideração entre as pessoas (Rm 14; 1 Co 8). Nos assuntos que envolvem a moral, os deveres apostólicos de abstinência do pecado são obrigatórios (1 Ts 4.3; 5.22; 1 Pe 2.11).
Embora sua vida seja o supremo exemplo da abnegação, o nosso Senhor não ensinou nem praticou o asceticismo, embora seu ministério público tenha sido precedido por 40 dias de jejum no deserto. Ele condenou a piedade artificial e a ostentação (Mt 6.16-18).
A abstinência, de acordo com a Bíblia, nunca é boa ou valiosa em si mesma, mas somente quando promove uma vida útil e santa. Ela é um meio, e não um fim em si mesma.
R. E. P.

**ABUTRE** *Veja* Animais: III. 4,5,6,7.

**ACÃ** Um horeu (Gn 36.27). *Veja* Jaacã.
Uma variação de Acar em 1 Crônicas 2.7; também em certos manuscritos da LXX e siríacos.
Um homem de Judá que se apropriou secretamente de alguns dos despojos da guerra, quando Jericó foi derrotada (Js 7.1-26; 22.20). O Senhor revelou a Josué que a derrota de Israel em Ai fora causada pela presença do pecado no acampamento dos israelitas. Quando lançando sortes de forma sagrada, descobriu-se quem era o transgressor, Acã confessou ter cobiçado, roubado e escondido em sua tenda vestuários finos, prata e ouro, objetos que estavam destinados a ser "consagrados ao Senhor para destruição" ou "para o tesouro" (Js 6.17-19; cf. S. R. Driver sobre 1 Samuel 15.33). Acã e toda a sua família foram apedrejados até à morte, e enterrados (juntamente com todas as suas posses) no vale de Acor (que significa "perturbação"), ao sul de Jericó.
O roubo teria acarretado apenas o castigo da restituição em dobro (Êx 22.4,7), mesmo em situações de paz, mas Acã violou a santidade especial das "coisas consagradas" que haviam sido eternamente separadas do uso comum. Ele ousou colocá-las "debaixo da sua bagagem" (Js 7.11).
O antigo conceito de solidariedade comunitária está subjacente à história em toda parte. (1) o pacto divino da unidade de Israel como nação "consagrada" (isto é, santificada) (cf. Êx 13.11-15; 4.23) deu-lhes a segurança da proteção do Senhor; (2) A ofensa de Acã estabeleceu sua associação com os cananeus que eram "consagrados ao Senhor para a destruição" (isto é, amaldiçoados) e o separou da proteção do pacto (Js 6.17,18; 7.15); (3) a ofensa de Acã tornou-se a ofensa de Israel até que eles se separassem das "coisas consagradas" cujo fim deveria ser a destruição (Js 6.18; 7.11,12); (4) toda a família de Acã e todas as suas posses haviam sofrido o estigma das "coisas consagradas" e compartilharam sua responsabilidade e destruição (Js 7.24,25).

**ACABE**
1. Falso profeta, filho de Colaías. Foi deportado para a Babilônia e denunciado por Jeremias (Jr 29.21).
2. Sétimo rei de Israel, filho e sucessor de Onri. No livro dos Reis ele aparece tanto como um rei politicamente forte, como espiritualmente fraco. No aspecto secular, era capaz de conquistar o respeito tanto de amigos como de inimigos. No aspecto religioso, suas práticas de sincretismo traduziram a perdição da casa de Onri. Seu reino foi registrado como tendo durado 22 anos (1 Rs 16.29) considerados por Thiele entre os anos 874 e 853 a.C. (*The Mysterious Numbers of the Hebrew Kings,* p. 61).
O casamento com Jezabel, com finalidade política, resultou em uma mistura de bênção e maldição. A aliança concomitante com Etbaal, rei dos sidônios (1 Rs 16.31) e pai de Jezabel, trouxe uma onda crescente de comércio, riqueza e da classe dos mercadores de Israel. Entretanto, Jezabel trouxe consigo uma forma de baalismo que entrou em choque direto com a adoração ao Senhor. Com zelo fanático, ela forçava o culto associado a Baal-Melcarte e Aserá, e gradualmente envolveu Acabe através de seu implacável vigor. Mais tarde, Acabe introduziu essa forma de baalismo em Judá, concedendo a

Ruínas do palácio de Acabe, Samaria. HFV

mão de sua filha Atalia em casamento a Jeorão, filho de Josafá.

Nem Acabe, nem Jezabel, foram capazes de se manter isentos de oposição. Elias, o tisbita, aparecia repetidamente como uma consciência acusadora. Ele parecia o campeão dentre os homens comuns ao se defrontar com Acabe na vinha de Nabote. Foi também o campeão do culto a Deus na vitória alcançada no Monte Carmelo.

Embora as histórias de Elias mostrem Acabe como uma pessoa fraca e dominada por Jezabel, outros aspectos de seu reinado revelam seus pontos fortes. Suas atividades no setor de construções foram extensas e notáveis. Em Samaria, ele continuou a construção iniciada por seu pai Onri. Escavações feitas nesse local mostram como eram fortes os muros que mais tarde iriam suportar três anos de cerco. Marfins lavrados de Samaria nos dão exemplos da mobília que foi enviada à sua "casa de marfim" em Jezreel. Foi durante o seu reinado, e possivelmente sob suas ordens, que a cidade de Jericó foi reconstruída por Hiel de Betel. Outras cidades também foram reconstruídas e fortificadas durante esse período.

O reinado de Acabe foi uma época de constantes conflitos internacionais. A Bíblia Sagrada mostra Acabe lutando contra o reino Sírio de Damasco (1 Rs 20), lutando com eles contra os assírios na batalha de Qarqar (registros de Salmanezer III) e, finalmente, aliado a Judá contra Ben-Hadade da Síria, em Ramote-Gileade (1 Rs 22). Nessa batalha, para recuperar Ramote-Gileade dos sírios, Acabe foi atingido por uma flecha lançada ao acaso. O rei morreu e seu reino declinou rapidamente depois de sua morte. Moabe e outras áreas que lhe eram sujeitas se rebelaram e passaram a ser independentes de Israel (2 Rs 1.1).

K. M. Y.

**ACÁCIA** *Veja* Plantas.

**ACADE** Aparece escrita com o nome de Acade nas Bíblias Inglesas (KJV, ASV, RSV), e corresponde à *'akkad* em hebraico (Gn 10.10). A cidade que leva esse nome (na moderna literatura histórica ela é geralmente escrita como Akkad) estava localizada na baixa Mesopotâmia, não muito longe do sul da atual cidade de Bagdá, e um pouco ao norte da antiga Babilônia. Em certas inscrições mais antigas aparece com o nome de Agade, porém sua localização exata é desconhecida.

A região inferior da Mesopotâmia (isto é, a sudeste da garganta formada pela aproximação dos rios Tigre e Eufrates) que no AT recebeu o nome de Babilônia no início da Terceira Dinastia de Ur (cidade de Abraão), estava localizada no extremo sul do território, em uma área conhecida como Sumer e Acade (ANET, p. 159 *et al.*; FLAP, p. 10), indicando a proeminência de Acade na época. Durante o antigo período acadiano (aproximadamente 2.360-2.180 a.C.), um certo Sargão fundou a dinastia de reis de língua semítica em Acade (Agade) que governaram toda essa região da Mesopotâmia inferior. Sob o governo de Sargão I e de Naramsin, seu neto, o reino se estendeu até o ponto de levar o rei de Agade a ser considerado "o poderoso, deus de Agade, rei dos Quatro Cantos". Seu império se estendia desde Elão até a Síria.

A forte impressão deixada por esse reino de Agade sobre as gerações posteriores pode ser observada no fato de que mais de um milênio e meio mais tarde, Nabopolasar, Nabucodonosor e Nabônido, reis do Novo Império Babilônico eram às vezes chamados de "reis de Acade" (FLAP, pp. 220, 222, 227; Donald J. Wiseman, *Chronicles of the Chaldean Kings,* p. 67-69). Além disso, a principal língua semítica da região, e também a escrita cuneiforme, tornaram-se conhecidas como acadianas (das quais o assírio e o babilônio eram dialetos) e referidas respeitosamente por Assurbanipal, rei da Assíria (668-633 a.C., o asn. de Ed 4.10) como a "obscura escrita acadiana que é difícil de dominar" (FLAP, p. 216).

R. D. C.

**AÇAFRÃO** *Veja* Plantas.

**ACAIA** No NT, Acaia se refere à região sul da Grécia, sendo que a Macedônia se encontra na região norte (At 19.21; Rm 15.26; 2 Co 1.1; 1 Ts 1.7,8). Sob a direção de Cláudio, no ano 44 d.C., ela foi governada por um procônsul (por exemplo, Gálio em At 18.12), nomeado pelo senado romano; o imperador governava suas províncias através de procuradores. Suas cidades principais eram Atenas (q.v.) e Corinto (q.v.) a capital com seu porto marítimo Cencréia, embora Esparta (ao sul), Megara, Tebas e Delfos (ao norte) fossem cidades famosas na antiguidade.

**ACAICO** Companheiro de Estéfanas e Fortunato que visitou Paulo em Éfeso, e que talvez tenha trazido uma carta da Igreja que estava em Corinto (1 Co 7.1; 16.17).

**ACAMPAMENTO** *Veja* Campo.

**AÇÃO DE GRAÇAS** Expressão de agradecimento ou apreço a Deus. É conhecida pelo homem universalmente, mas somente conhecida a fundo pelo cristão que enxerga a Deus como o Criador de um mundo que era "bom" (Gn 1.4,31), o Provedor da salvação do homem imediatamente após o pecado e a queda, e aquele que dá todo dom bom e perfeito.

A Bíblia está repleta de ações de graças, e os exemplos mais pronunciados são encontrados em uma oferta especial de ação de graças no AT (Lv 7.12-15; 22.29; 2 Cr 29.31; Am 4.5) e nas várias festividades instituídas para Israel (Êx 23.14ss.; 34.22,23; Lv 23; Nm 29; Dt 16), nos Salmos de ações de graças (Sl 34.3; 50.14; 92.1-5; 100; 107; 136). No NT o cristão nunca deve orar sem dar graças (Fp 4.6; Cl 4.2) pelas coisas que Deus tem feito por ele (1 Co 15.57; 2 Co 2.14; 8.16; 9.15; 1 Tm 4.3,4). A ministração dos dons que temos, em benefício de outras pessoas, deve ser motivo de ação de graças por parte destas (gr. *eucharistia*) a Deus por sua graça abundante (*charis*) e favor (2 Co 4.15; 9.11,12). O céu estará repleto de vozes de criaturas angelicais e também daqueles que foram salvos dando graças a Deus (Ap 4.9; 7.12; 11.17).

A celebração nacional do dia de ação de graças nos Estados Unidos da América é um eco de duas festas do AT. A Festa da Sega RA/RC (Êx 23.16), também chamada de Pentecostes e Festa das Semanas (Êx 34.22), pois era celebrada depois de sete semanas ou 50 dias após a Páscoa judaica; e da Festa dos Tabernáculos (Lv 23.34-43), também chamada de Festa das Primícias (Êx 23.16; 34.22) no final do ano agrícola. O Pentecostes marcava o final da colheita de trigo em Israel que acontecia em Junho, enquanto nosso dia de ação de graças marca o final de toda a estação da colheita que acontece no outono, como ocorria na Festa dos Tabernáculos após as azeitonas, uvas, e outras frutas serem colhidas (*veja* Festividades).

*Veja* Louvor; Oração; Adoração.

R. A. K.

**ACAR** Essa é uma variante de Acã (q.v.) encontrada em 1 Crônicas 2.7.

**ACASO** Para os hebreus, Yahweh é um Deus de lei e ordem, e por isso havia pouco espaço para o "acaso" em sua teologia. Na maior parte das ocorrências onde a idéia é usada, trata-se do pensamento de alguém que não é um hebreu. Na tradução grega do Antigo Testamento (Septuaginta ou LXX), a palavra *tyche* é encontrada duas vezes. Uma vez em Gênesis 30.11, onde Léia disse: "afortunada"; e, em Isaías 65.11 (lit.), "preparais uma mesa para a Fortuna e que misturais vinho para o Destino". Aqui se trata do deus pagão do acaso, chamado de Fortuna pelos romanos. A idéia do acaso é encontrada na afirmação dos filisteus de que se o seu esforço para determinar a causa das suas calamidades tivesse um determinado resultado, eles iriam chamá-las de acaso, isto é, má sorte (1 Sm 6.9). Há outros casos onde a mesma palavra é usada: "algum acidente de noite" (Dt 23.10); "caiu-lhe em sorte uma parte do campo" (Rt 2.3); "aconteceu-lhe alguma coisa" (1 Sm 20.26); "o mesmo lhes sucede a todos" (Ec 2.14,15).

Também existe a palavra hebraica *qara'*. "Quando encontrares [por acaso] algum ninho de ave no caminho" (Dt 22.6); novamente, "se achou ali, por acaso, um homem" (2 Sm 20.1). *Pega'* é a palavra hebraica usada em Eclesiastes 9.11 "o tempo e a sorte pertencem a todos", e em 1 Reis 5.4 "adversário não há, nem algum mau encontro [ou infortúnio]".

V. G. D.

**ACAZ** Em Mateus 1.9, a versão KJV em inglês usa esse nome para Acabe (q.v.).

**ACAZ** O décimo segundo rei de Judá, filho de Jotão. Ele tinha vinte anos de idade quando assumiu o trono, e reinou durante dezesseis anos (732-716 a.C.; veja 2 Rs 16.2; 2 Cr 28.1). Acaz adotou a idolatria, seguindo os costumes do reino do norte. Ele foi tão longe a ponto de sacrificar um filho aos deuses pagãos.

Politicamente, Acaz discordava de Peca, rei de Israel, e de Rezim, rei da Síria. Estes decidiram atacar Jerusalém e colocar um fantoche, "o filho de Tabeal" (Is 7.6) no trono de Judá, mas fracassaram. No entanto, os edomitas se aproveitaram da situação de Judá e capturaram Elate no golfo de Ácaba (2 Rs 16.5,6).

Nessa época, o profeta Isaías vivia em Jerusalém e tentou encorajar Acaz, transmitindo-lhe a profecia do nascimento virginal como um sinal do poder de libertação de Deus (Is 7.3-17), mas Acaz recusou-se a aceitar o desafio de crer em Deus. Antes, enviou mensageiros com alguns dos tesouros do Templo, para atrair a ajuda de Tiglate-Pileser III, da Assíria, que prontamente destruiu Damasco (732 a.C.). Acaz foi a Damasco onde Ti-glate-Pileser lhe deu especificações para um novo altar para o templo (2 Rs 16.7-10).

O livro de Crônicas fornece um relato mais vivo da perversidade de Acaz e da devastação de Judá pela Síria e por Israel. Diz-se que Peca matou 120 mil soldados e aprisionou 200 mil dos habitantes de Judá. No entanto, o profeta Obede advertiu Peca a ser misericordioso ou sofrer a punição divina. Em resposta a esta mensagem, os israelitas vestiram adequadamente os prisioneiros e os enviaram de volta a Judá (2 Cr 28.5-15). O livro diz que nesta época os filisteus também tinham tomado diversas cidades de Acaz, e depois que os assírios tinham ajudado Acaz, destruindo a Síria e Israel, foram a ele exigir impostos. Acaz passou seus últimos dias como um fantoche abandonado nas mãos dos assírios (2 Cr 28.16-27).

G. H. L.

**ACAZIAS**

1. Acazias sucedeu a seu pai, Acabe, no trono de Israel em 853 a.C., e reinou dois anos. Ele se uniu a Josafá, rei de Judá, para conseguir uma frota mercante, mas isto desagradou a Deus e a frota foi destruída (1 Rs 22.40;

48.53; 2 Cr 20.35-37). Acazias acidentalmente caiu da janela de um quarto do segundo andar e ficou gravemente ferido. Ele enviou mensageiros a Ecrom para perguntar a Baal-Zebube se ele se recuperaria, mas Elias, sob a ordem de Deus, interceptou os mensageiros e os enviou de volta para dizer que Acazias iria morrer. Irado, Acazias enviou duas vezes cinqüenta soldados para trazer Elias até ele, mas o fogo vindo dos céus consumiu as duas companhias. O capitão de uma terceira companhia de cinqüenta soldados implorou a Elias por misericórdia; então, sob a ordem de Deus, Elias foi a Acazias e o avisou pessoalmente de sua morte próxima. Dentro de pouco tempo, Acazias morreu (2 Rs 1). Seu irmão Jorão tornou-se o próximo rei.

2. Também houve em Judá um rei com o nome de Acazias, que reinou por um curto período em 841 a.C. Este era um sobrinho do Acazias do reino do norte de Israel, e um neto de Acabe, pois sua mãe era Atalia, filha de Acabe. Seu pai foi Jeorão, filho de Josafá. Acazias tinha 22 anos quando subiu ao trono e em seguida uniu-se a Jorão, rei de Israel, em uma expedição contra a Síria. A batalha foi perdida, Jorão foi ferido e Jeú, um dos seus generais, se ergueu em revolta. Este matou Jorão e Jezabel e feriu Acazias, que mais tarde morreu em Megido, mas foi enterrado em Jerusalém (2 Rs 8.28–9.37). O relato em 2 Crônicas 22.7-9 enfatiza a culpa de Acazias e condena sua aliança com Jorão afirmando que foi devido à sua forte amizade que Jeú o matou. Acazias também é chamado de Jeoacaz (*veja* 2 Cr 21.17; 25.23).

G.H.L.

**ACBOR**

1. Pai de Baal-Hanã, um dos reis de Edom (Gn 36.38,39; 1 Cr 1.49).

2. Oficial no governo de Josias que foi designado para examinar o livro da lei (2 Rs 22.12,14; Jr 26.22; 36.12). Ele é chamado de Abdom em 2 Crônicas 34.20.

**ACEITAR, ACEITÁVEL** Essas palavras traduzem uma variedade de palavras hebraicas e gregas. No AT, "aceitar" (de *rasa*) significa "receber com prazer e agrado" (Dt 33.11; Sl 119.108) tornando-se parte da terminologia dos sacrifícios que indica a aceitação *(rason)* de uma oferta a Deus (Lv 22.20; 23.11; Is 60.7).

Ao contrário da crença pagã, o ensino bíblico diz que o sacrifício e as orações somente são aceitáveis a Deus quando a pessoa do homem é, em primeiro lugar, aceitável a Ele (Os 8.13; Jr 6.20; Ml 1.9s.; observe a ordem em 2 Sm 24.23-25). Somente a retidão moral (Pv 21.3; Jó 42.7-9), e os sacrifícios de um coração arrependido e sincero (Sl 19.14; 40.6-8; 51.15-17) são reconhecidos como verdadeiramente aceitáveis a Deus. Aceitar a oferta de Abel (Gn 4.4s.) foi o testemunho do Senhor de que a pessoa de Abel já havia sido aceita. Através de suas ofertas feitas com fé, ele "alcançou testemunho de que era justo, dando Deus testemunho dos seus dons" (Hb 11.4), enquanto Caim foi advertido de que sua oferta seria aceita se ele fizesse o bem (Gn 4.7).

Um "tempo aceitável" (Sl 69.13; Is 49.8; 2 Co 6.2) ou um "ano aceitável" (Is 61.2) é um período de favor ou graça (*rason),* daí a época aceitável ou o momento oportuno quando Deus ainda está ofertando a sua salvação.

A palavra grega básica para "aceito", "aceitá-

Parte sul do vale de Hinom mostrando o campo do Oleiro com furnas para sepultamentos. HFV

vel" (*dektos*) significa "bem recebido" ou "apreciado" como em Lucas 4.24. No NT o âmbito da aceitação divina nunca é cerimonial, mas sempre espiritual (Rm 12.1; Fp 4.18; 1 Tm 2.3. 1 Pe 2.5). Nosso Senhor não aceita a pessoa (não mostra qualquer parcialidade, literalmente, "não recebe a face") de qualquer um (Lc 20.21; Gl 2.6); antes, aquele que teme a Deus e pratica a justiça é aceitável a Ele (At 10.35), desde que demonstre um arrependimento genuíno através das obras apropriadas (At 26.20). Entretanto, ninguém pode alcançar uma perfeita aceitação através de suas próprias obras, pois todos nós fomos destituídos da glória de Deus (Rm 3.9-23). Somente Jesus Cristo pode ser inteiramente aceito pelo Pai ("Este é o meu Filho amado, em quem me comprazo", Mateus 3.17). "E nos predestinou para filhos de adoção por Jesus Cristo, para si mesmo, segundo o beneplácito de sua vontade, para louvor e glória da sua graça, pela qual nos fez agradáveis a si no Amado" (Ef 1.5,6).

**ACELDAMA** Esse termo, que designa "Campo de Sangue", só é encontrado em Atos 1.19. O pedaço de terra, antigamente conhecido como campo do oleiro (cf. Jr 18.2; 19.1,2. Mt 27.7) foi comprado pelos sacerdotes com o dinheiro da traição, que Judas lhes havia

Muro dos Cruzados, Aco. IIS

entregado (Mt 27.3-10). Sua intenção era usar o terreno como um cemitério para estrangeiros. A tradição localiza essa área ao sul de Jerusalém, ao sul do vale de Hinom, perto de sua junção com o Vale de Cedrom. Aparentemente, esse nome faz referência ao dinheiro proveniente de sangue, usado para a sua compra (Mt 27.6,7) e à horrível morte de Judas (At 1.18,19).

**ACEPÇÃO DE PESSOAS** Deus não faz acepção de pessoas em seu julgamento (Rm 2.11; Hb 6.10; Cl 3.25; cf. 1 Pe 1.17), e nós não devemos agir assim em nosso tratamento com os outros (Tg 2.1,9). No AT Deus ordenou a seus juízes que não mostrassem nenhum favoritismo (Lv 19.15; Dt 1.17; 16.19; cf. Pv 24.23; 28.21).

**ACESSO A DEUS**
"1. Ato de levar a.
2. Acesso, abordagem... aquela amigável relação com Deus pela qual nos tornamos aceitáveis a Ele e temos a segurança de que Ele está favoravelmente disposto em relação a nós" (Thayer).
O crente do AT aproximava-se de Deus através de um sacerdote, depois de ter oferecido sacrifícios pelos seus pecados; o crente do NT aproxima-se diretamente por causa de, e através de Jesus Cristo. O conceito de acesso só pode ser adequadamente entendido pela revelação do AT de que Deus é Rei e, portanto, devemos nos aproximar dele por meio de um representante digno e qualificado (Sl 47.7).
Pela cruz, Cristo fez a reconciliação com Deus, tanto de judeus como de gentios, derrubou o muro da separação entre Israel e os gentios e eliminou a hostilidade que existia entre Deus e o homem (Ef 2.16) tornando possível, assim, o acesso a Deus para ambos (Ef 2.18).
O acesso à graça de Deus através da fé salvadora – a capacidade de crer em Cristo como o nosso Salvador – também resultou de Ele ter feito, primeiramente, a paz com Deus através do sangue que derramou na cruz (Rm 5.2; Cl 1.20).
Por causa daquilo que Cristo fez, e porque Ele está eternamente junto ao trono de Deus como nosso Advogado, mesmo quando pecamos (1 Jo 2.1) somos encorajados a nos aproximar dele com toda ousadia (Ef 3.12; Hb 4.16).
R. A. K.

**ÁCIDO** A tradução da palavra hebraica *boser*, usada para as uvas maduras ou não (Is 18.5) que estão ácidas e amargas. A pessoa que comesse tais uvas descobriria que a acidez das uvas verdes causava uma reação descrita como "embotar os dentes". Isto se tornou uma figura para expressar uma crença que Jeremias e Ezequiel expunham como uma verdade parcial. Isto é, o povo acreditava que os atos dos seus pais determinavam as suas reações. O provérbio diz: "Os pais comeram uvas verdes, mas foram os dentes dos filhos que se embotaram" (Jr 31.29; Ez 18.2). Esta crença viciosa absolvia o povo da responsabilidade moral individual. Jeremias denunciou isso e declarou: "de todo homem que comer uvas verdes os dentes se embotarão" (Jr 31.30). Assim ele mostrou que qualquer pessoa deverá sofrer as conseqüências da sua própria iniqüidade. Ezequiel proclamou: "Vivo eu, diz o Senhor Jeová, que nunca mais direis este provérbio em Israel" (Ez 18.3).
Ácido também é a tradução da palavra hebraica *sur* (Os 4.18). Ela descreve o rumo tomado pela idolatria de Efraim, a amargura na qual ela se transformou.
H. E. Fi.

**ACMETÁ** Cidade cuja origem remonta à época de Ciro (cerca do ano 550 a.C.). Nesse local foram encontrados decretos de Ciro que autorizavam os judeus a reconstruírem o Templo em Jerusalém (Ed 6.2). A cidade está localizada a uma altitude de cerca de 2.000 metros, sendo, portanto, um excelente local de veraneio. Dario I pode ter usado essa cidade em tempo parcial como uma capital da Pérsia.
Muitas referências foram feitas a Acmetá na Apócrifa, mas sob o nome de Ecbatana. Conhecida, atualmente, como Hamadã, essa cidade do Irã tem uma população de cerca de 50.000 habitantes e está situada na estrada que liga Bagdá a Teerã.

**ACO** Cidade situada sobre um promontório

em frente à baía ao norte de Haifa e do Monte Carmelo. Proporcionando as melhores condições para a ancoragem daquela área, ela logo comandou a aproximação às ricas planícies de Esdraelom e às estradas costeiras para o norte. Embora situada dentro do território de Aser, ela não foi conquistada pelos hebreus (Jz 1.31). Durante o período de domínio grego e romano, ela foi chamada de Ptolemaida, que foi o nome do primeiro rei egípcio da época. Paulo visitou esse lugar (At 21.7). Os Cruzados, considerando-a a chave para a Terra Santa, chegaram a conquistá-la, pagando um alto preço. Atualmente, as cidades de Haifa e Beirute conseguiram sobrepujá-la como centros comerciais.

**AÇO** *Veja* Minerais e Metais.

**AÇÕES DE GRAÇAS NAS REFEIÇÕES** Entre os judeus, era aparentemente costumeiro nas refeições dar graças pelo pão, representando toda a comida, e pelo vinho, representando toda a bebida. Isto, diz Edersheim, se devia ao fato do Salmo 24.1 declarar: "Do Senhor é a terra e a sua plenitude, o mundo e aqueles que nele habitam". Os cristãos levaram este costume para a sua prática. Isto é sugerido no NT. Jesus deu graças antes de distribuir o alimento para aquele grupo de mais de 5.000 pessoas (Mt 14.19), e para aquele grupo de mais de 4.000 pessoas (Mt 15.36); antes de compartilhar da Ceia do Senhor (Lc 22.19), e antes de comer com os dois discípulos em Emaús (Lc 24.30). Cf. Atos 27.33-35; Romanos 14.6; 1 Coríntios 10.30; 1 Timóteo 4.3-5.

**AÇOITAR**[1] O verbo heb. *naka*, "castigar" também tem o sentido de "bater ou "açoitar" (Hiphil). Os substantivos *shot* e *shotet*, significam uma chicotada ou açoite. O açoite era geralmente infligido por meio de um chicote de tiras usado para impor uma punição. Consistia em um cabo no qual as cordas ou tiras de couro eram fixadas. Elas eram, às vezes, amarradas com pedaços de metal que também serviam como pesos. Açoitar também podia significar castigar com "varas". O apóstolo Paulo fez uma distinção entre sofrer uma "quarentena de açoites" e "ser açoitado com varas" (2 Co 11.23-25).

A lei Mosaica autorizava os açoites como punições para certas ofensas e prescrevia o seu uso, limitando-o a 40 golpes (Dt 25.1-3). Sua familiaridade em Israel é vista pela ameaça de Roboão (1 Rs 12.11) e mais tarde pelo seu uso costumeiro por parte das autoridades religiosas judaicas e da sinagoga (Mt 10.17; At 5.40; 22.19).

No NT encontramos exemplos de açoites sob a lei romana (gr. *mastigoo; mastizo; phragelloo*). O Senhor Jesus Cristo foi açoitado, conforme o costume vigente, antes de ser crucificado por Pilatos (Jo 19.1). Os "açoites" infligidos sobre o Servo Sofredor do Senhor prefiguravam os açoites recebidos pelo Senhor Jesus (Is 53.5; 1 Pe 2.24). Açoites eram freqüentemente usados para obter confissões dos acusados (At 22.24), mas era ilegal infligi-los sobre um cidadão romano (At 22.25-29).

De forma figurativa, o "açoite" pode referir-se à punição Divina à nação (Js 23.13; Is 10.26), ao "açoite" da língua (Jó 5.21), ou à calamidade (Jó 9.23).

*Veja* Bater; Crime e Punição; Punição.

H. E. Fr.

**AÇOITAR**[2] Esta era uma forma comum de punição em todo o Oriente. O açoite administrado com uma vara deve ser distinguido do açoite aplicado com um chicote de várias tiras, freqüentemente reforçado com afiados pedaços de metal ou de ossos (Mt 10.17; At 22.25; e o livro apócrifo de 2 Macc 6.30; 7.1). Os operários israelitas eram açoitados pelos capatazes egípcios por falharem na produção da cota de tijolos (Êx 5.14,16). (Cf. Tumba da Décima oitava dinastia egípcia, na qual os capatazes diziam aos oleiros, "A

A masmorra no local tradicional do palácio de Caifás mostrando o lugar onde os prisioneiros eram açoitados. As mãos do prisioneiro eram amarradas nos dois buracos que se encontram na parte superior da arcada à esquerda. Cortesia da igreja de São Pedro do Canto do Galo

vara está em minha mão; não sejam indolentes", Alleman e Flack, *Old Testament Commentary*, p. 214). Tais açoites eram punições legais no Antigo Testamento e eram administradas no prisioneiro, estando este em posição inclinada, e eram proporcionais à sua ofensa, com no máximo quarenta golpes. A prática judaica reduziu para "quarenta açoites menos um" para que se evitasse a quebra da lei de Deuteronômio por um eventual erro de cálculo (2 Co 11.24). Fustigar a criança era essencial como uma medida disciplinar para salvá-la de um mal maior (Pv 23.13,14). O proprietário de um escravo podia açoitá-lo quase até à morte, sem sofrer qualquer penalidade (Êx 21.20,21).

Paulo e Silas foram açoitados antes de serem lançados na prisão em Filipos (At 16.22,23). Com base no fato de que isto era uma infração de seus direitos como cidadão romano, Paulo exigiu e recebeu desculpas em público (At 16.37-39); contudo, ele ainda foi açoitado em duas outras ocasiões (2 Co 11.25).

*Veja* Crime e Punição; Punição; Castigo.

R. V. R.

A stoa sul ou matadouro de Corinto. HFV

**AÇOITE** Um instrumento usado tanto para golpear como para guiar animais (Pv 26.3; Na 3.2), ou para castigar ou reprimir os homens (1 Rs 12.11,14; 2 Cr 10.11,14). Em João 2.15 o Senhor Jesus fez um açoite (ou "azorrague" de cordas; gr. *phragellion*, do latim *flagellum*) para expulsar os cambistas e os animais do Templo. *Veja* Açoitar.

**ACOR** Vale situado a oeste de Jericó onde Acã foi apedrejado até à morte (1 Cr 2.7) junto com sua família (Js 7.24,26). Ela se encontra, também, na fronteira norte de Judá (Js 15.7). Uma futura mudança milenar é encontrada em Isaías 65.10 e Oséias 2.15.

**AÇOUGUE** Mercado de carnes, traduzido do gr. *makellon* em 1 Coríntios 10.25. Era originalmente uma "bancada", ou "mesa" para vender mercadorias, especialmente carnes. Assim ele era qualquer lugar onde a carne de um açougueiro era vendida, ou um mercado de carnes assim como toda cidade daquela época podia ostentar. A idéia de um matadouro também está associada.

Tais mercados eram desconhecidos na Judéia antes da conquista romana. Os judeus eram proibidos pelo Talmude de negociar ali por causa da carne dos animais imundos que eram oferecidas. A carne dos animais sacrificados aos ídolos também era levada até ali para ser vendida. Portanto, Paulo aconselhou os cristãos de Corinto que não perguntassem nada a respeito da origem da carne "por causa da consciência", para que não se tornassem excessivamente escrupulosos.

Os *makellon* ou mercados/açougues de Corinto ficavam em uma grande estrutura chamada *stoa*, situada no lado sul da ágora ou mercado. Lojas similares com poços fundos para esfriar alimentos e bebidas ficavam na parte noroeste, ao pé do monte sobre o qual se localizava o templo de Apolo. Uma inscrição encontrada em fragmentos perto da estrada Lechaion, que levava à agora, menciona uma loja com a palavra latina *macellum*, que é equivalente ao termo gr. *makellon*. Ela data dos últimos anos de Augusto, ou do reinado de Tibério. Uma outra tem a palavra *piscario*, que significa "mercado de peixes". *Veja* Corinto.

I. R.

**AÇOUGUEIRO** *Veja* Ocupações.

**ACRABIM** Nome (que significa "escorpiões") de uma subida de uma passagem na montanha na fronteira sul de Canaã, na rota para Arabá, passando pela região do Neguebe até Berseba (Nm 34.4; Js 15.3; Jz 1.36). *Veja* Hazazom-Tamar.

**ACRE**

1. Uma área, literalmente uma "junta" (1 Sm 14.14; Is 5.10) que provavelmente significava a quantidade de terreno que uma junta de bois conseguia lavrar em um dia.

2. Nome ocidental, desde as Cruzadas, para a cidade de Aco (q.v.) que foi concedida a Aser, mas nunca conquistada (Jz 1.31). Essa cidade está localizada na extremidade norte de uma magnífica planície de cerca de 13 quilômetros de comprimento em cuja extremidade sul encontra-se a moderna cidade de Haifa. Durante o período da influência helenística, tinha o nome de Ptolemaida e é o porto onde Paulo desembarcou quando estava a caminho de Cesaréia (At 21.7).

**ACRÓPOLE** Lugar mais elevado de uma cidade; especialmente um ápice fortificado que contemplava as cidades da antiga Grécia. Entre as cidades com acrópoles encontra-se Filipos, Atenas e Corinto que Paulo visitou em sua segunda viagem missionária.

A entrada da Acrópole em Atenas hoje. HFV

Porém a acrópole mais famosa era a de Atenas. Inúmeras estruturas magníficas foram erguidas nesse ápice durante o período clássico. Celebrados por sua excelência arquitetônica eram o “Partenon”, o proeminente trono da deusa “Atena”, o “Erechteum”, outro templo dedicado a “Atena” e “Poseidon”, o “Propilaea” e o templo de “Atena Nike”. No “Partenon” foi erigida uma estátua da deusa “Atena”, com mais de 13 metros de altura, feita de ouro e marfim pelo escultor Fídias. Entre o “Erechteum” e o “Partenon” estava a estátua de bronze de “Atena Promachos”, com 10 metros de altura, também feita por Fídias. Seu brilhante capacete, e lança, eram visíveis desde o alto mar. No pico da acrópole, assim como em seus flancos, foram construídos outros templos, estátuas e estruturas. Nesse local o esforço artístico humano conquistou seus mais notáveis triunfos, mas a dedicação a falsos deuses revelava a incapacidade do homem de encontrar a verdade de Deus. A necessidade espiritual de uma cidade repleta de ídolos comoveu profundamente o apóstolo Paulo (At 17.16-34).

J. H. S.

**ACRÓSTICO** Artifício literário encontrado em algumas poesias do AT para ajudar a memória ou propiciar a divisão das estrofes. O tipo de acróstico empregado no AT é de caráter alfabético. O melhor exemplo pode ser observado no Salmo 119 no qual a primeira palavra, em cada um dos oito versos, começa com a primeira letra do alfabeto hebraico e os oito versos seguintes começam com a segunda letra desse alfabeto. Em sucessão, os outros oito versos receberam o restante das 22 consoantes hebraicas em um total de 176 versos. Entretanto, o Salmo 34 tem apenas 22 versos porque a primeira palavra de cada verso começa com uma letra do hebraico em ordem alfabética. Os Salmos 25, 37, 111, 112 e 145 são semelhantes, porém, menos regulares; em alguns falta uma ou outra letra, ou a letra foi transposta. Partes dos Salmos 9 e 10, que formam um único Salmo na LXX, são alfabéticas.
Em Provérbios 31, cada um dos versos de 10-21 começa com uma letra hebraica, em ordem alfabética. Vários acrósticos alfabéticos ocorrem em Lamentações. Os Capítulos 1,2

A Acrópole em Corinto (cuja altura chega a aproximadamente 600 metros) com o templo de Apolo em primeiro plano. HFV

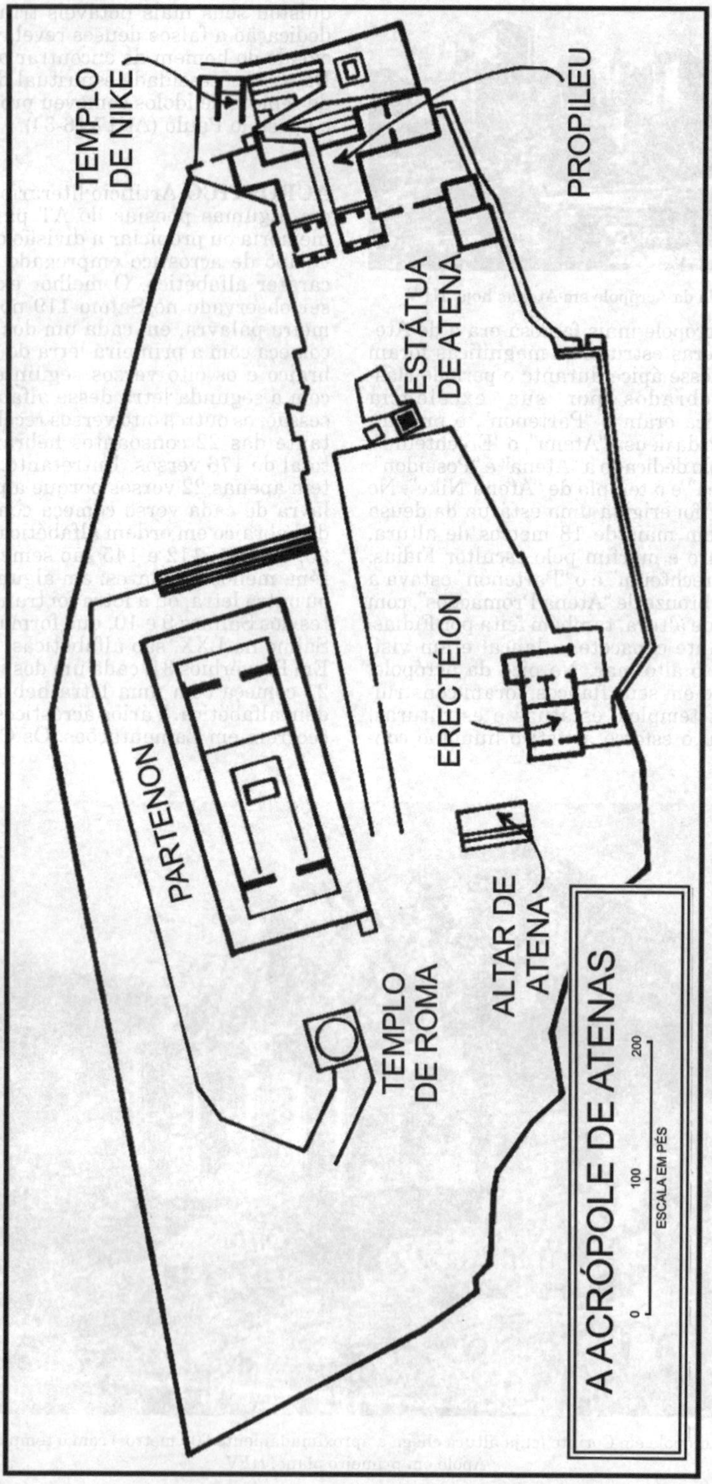
A ACRÓPOLE DE ATENAS
TEMPLO DE NIKE
PROPILEU
ESTÁTUA DE ATENA
ERECTEION
PARTENON
ALTAR DE ATENA
TEMPLO DE ROMA
0
100
200
ESCALA EM PÉS

e 4 contêm 22 versos com acrósticos, que nem sempre seguem uma ordem precisa. O Capítulo 3 tem três versos para cada letra do alfabeto. Acredita-se que Naum 1.2-10 seja parcialmente alfabético, mas isso não está claro no texto hebraico. Alguns afirmam que os poemas acrósticos sejam de um período posterior, mas essa opinião não está baseada em fatos.

G. H. L.

**ACSA** Nome da filha de Calebe (1 Cr 2.49). Embora Calebe tivesse recebido Quiriate-Sefer, essa região ainda não havia sido conquistada. Portanto, Calebe ofereceu a mão de sua filha Acsa a quem conseguisse conquistar esta terra para ele. Otniel (parente de Calebe) recebeu o direito de se casar com Acsa (Js 15.16ss.; Jz 1.12ss.).

**ACSAFE** Cidade localizada na terra originalmente doada à tribo de Aser (Js 19.25). Era uma cidade-estado sob o governo de um dos reis que se aliaram contra Josué (Js 11.1; 12.20). Embora sua exata localização seja discutida pelas autoridades, todas concordam que era próxima à cadeia do Monte Carmelo.

**ACUBE**
1. Filho de Elioenai, descendente de Davi (1 Cr 3.24).
2. Um levita, que foi chefe de uma família de porteiros no Templo pós-exílico (Ed 2.42; Ne 7.45; 11.19; 12.25; 1 Ed 5.28).
3. Nome de uma família de servidores netineus do Templo (Ed 2.45; 1 Ed 5.30).
4. Um intérprete da lei; um levita (Ne 8.7; 1 Ed 9.48).

**ACUSADO** Na Bíblia, existem três importantes exemplos de pessoas que estão sendo acusadas: Daniel, o Senhor Jesus Cristo e Paulo.
*Daniel* foi acusado de orar ao seu Deus quando todos receberam ordens de fazer súplicas somente ao rei Dario (Dn 6.4-24). Seus três companheiros hebreus haviam sido anteriormente acusados de deslealdade porque não se inclinaram perante a imagem do rei Nabucodonosor (Daniel 3.8-12).
*O Senhor Jesus Cristo* foi acusado de muitas coisas, porém de seis em particular:
1. Profanar o sábado judeu porque (a) seus discípulos se reuniram e comeram alguns grãos no sábado (Mt 12.1-8). Ele respondeu citando dois exemplos do AT e dando três razões que lhes permitiram agir assim. Davi entrou na casa de Deus e dali retirou o pão sagrado para alimentar seus soldados famintos (1 Sm 21.6); e os sacerdotes profanavam o sábado e ficavam inocentes (Nm 28.9, 10,24). As razões oferecidas eram que Jesus é maior que o Templo, isto é, Ele tinha autoridade sobre o Templo e tudo que é sagrado (Mt 12.6); Deus está mais interessado em que os seus filhos tenham misericórdia e compaixão, acima dos sacrifícios rituais (v. 7); Cristo, o Filho do Homem, é aquele que tem autoridade sobre o próprio sábado (v. 8). (b) Cristo também realizou curas no sábado. Jesus defendeu seu ato mostrando que seus acusadores fizeram o bem e salvaram vidas no sábado (Mt 12.11; Lc 6.9), e que o homem vale muito mais do que a ovelha que os seus acusadores iriam salvar (Mt 12;12), O sábado foi feito para o homem e não o homem para o Sábado (Mc 2.27).
2. A comunhão com publicanos e pecadores, isto é, com pessoas comuns e com os não salvos (Mt 9.11; Lc 7.34). Sua defesa foi que Ele não havia vindo para os justos e sim para levar os pecadores ao arrependimento (Mt 9.13).
3. Proibir os homens de pagar tributo a César (Lc 23.2). Essa acusação não era verdadeira porque Ele mesmo havia pago o tributo (Mt 17.24-27) e declarado que deveria ser pago um tributo adequado tanto a Deus como a César (Mt 22.17-21; Mc 12.14-17).
4. Declarar que era Deus ao perdoar pecados, o que Ele naturalmente fazia (Lc 5.20-24).
5. Planejar destruir o Templo e reconstruí-lo em três dias, embora estivesse falando de seu próprio corpo (Mt 26.61; Jo 2.19-21).
6. Afirmar ser o Cristo, o próprio Filho de Deus (Mt 26.63) e a isso Ele deu o seu consentimento (Mt 26.64).
*Paulo* foi falsamente acusado pelos judeus de instigar uma sedição contra o governo romano, de ser um profanador do Templo e membro dos nazarenos (At 24.5,6).
Os cristãos entendem que estão sendo diariamente acusados por Satanás perante o trono de Deus (Jó 1.6-12; 2.1-8; Ap 12.9,10), mas se alegram por que Jesus também está ao seu lado como Advogado para pleitear sobre o sangue derramado e defendê-los (1 Jo 2.1,2). Os cristãos também sofrem falsas acusações feitas por aqueles que os cercam e não devem permitir que os coloquem na posição de serem justamente acusados de mau proceder (1 Pe 3.17; 4.12-19). Os crentes em Jesus podem vencer Satanás, o acusador de seus irmãos, baseados no sangue do Cordeiro e na palavra de seu testemunho (Ap 12;11). *Veja* Acusador.

R.A.K.

**ACUSADOR**
1. Um acusador humano ou querelante em qualquer ação judicial (em grego, *kategoros*, Jo 8.10; At 23.30,35; 24.8; 25.18); um oponente na corte ou em geral (em grego *antidikos*, Mt 5.25; Lc 12.58; 18.3); um "falso acusador" (em grego *diabolos*, 2 Tm 3.3; Tt 2.3).
2. Satanás (o adversário, 1 Pe 5.8) é o acusador dos crentes (Ap 12.10). Ele comparece perante o trono de Deus e mostra todas as fraquezas, faltas e pecados das pessoas (Jó 1.6s.; 2.1-8). Mas chegará o dia, pouco antes

do tempo da Grande Tribulação, quando ele e seus anjos serão precipitados do céu para a terra (Ap 12.7-10). Enquanto isso, face às acusações satânicas, Cristo (sentado à direita de Deus Pai) intercede a favor dos crentes. Ele suplica por eles com base em sua morte sacrificial (Rm 8.34) para que nenhum outro ser tenha qualquer direito de condenar um cristão. *Veja* Adversário; Demônio.

**ACZIBE**
1. Cidade na Sefela de Judá, próxima a Queila e Maressa (Js 15.44; Mq 1.14). Miquéias faz um trocadilho com seu nome, que significa "falso" ou "traiçoeiro". O nome Aczibe parece estar mencionado na carta de Laquis #8, e talvez seja o mesmo que Quezibe.
2. Uma cidade de Canaã designada a Aser (Js 19.29) na costa do Mediterrâneo a cerca de 13 quilômetros ao norte de Acre. Existem dúvidas se a tribo de Aser ocupou, durante algum tempo, essa cidade (Jz 1.31). Senaqueribe afirma ter conquistado a cidade-fortaleza de Aczibi (ANET, p. 287). Em 1941-42, foram desenterrados dois grandes cemitérios com mais de 70 túmulos cavados na rocha dos quais uma grande quantidade de cerâmicas fenícias, imagens, camafeus e jóias foram recuperados. Escavações mais recentes feitas nesse local revelaram uma fortificação do tipo Hyksos, além de outros seis níveis de ocupação que datam dos séculos IX a IV a.C. Muitas peças de cerâmica grega e cipriota importadas testificam sobre as conexões comerciais de Aczibe nos períodos israelita, persa e helenístico.

**ADÃ ou ADON** Algumas das pessoas que retornaram a Jerusalém com Zorobabel vieram da cidade de Adã na Babilônia. Elas foram incapazes de estabelecer identidade com Israel (Ne 7.61).

**ADA**
1. Uma das duas esposas de Lameque (Gn 4.19-23), mãe de dois filhos famosos, Jabal e Jubal.
2. Esaú casou-se com uma mulher hetéia chamada Ada que foi mãe de seu filho Elifaz (Gn 36.2-16).

**ADADA** Cidade na região sul de Judá, associada a Quiná e Dimona (Js 15.22).

**ADAGA** Pequena espada. Algumas versões traduzem-na como "espada" ou "punhal" (Jz 3.16). Os arqueólogos, arbitrariamente, fazem a distinção entre as duas conforme o seu comprimento. Eles admitem que as adagas têm, no máximo, 40 centímetros de comprimento (cerca de 16 polegadas). Acima deste comprimento, assumem que se trate de uma espada. Nos tempos bíblicos, existiam dois tipos de espadas e adagas, ou seja, retas e curvas (foice) *Veja* Espada; Armadura.

**ADAÍAS**
1. Um nativo de Bozcate em Judá. Ele foi o pai de Jedida, esposa de Amom e mãe de Josias, rei de Judá (2 Rs 22.1).
2. Um levita da família de Gerson, um antecedente de Asafe, celebrado músico da época de Davi (1 Cr 6.41). Provavelmente o mesmo que Ido (v.21).
3. Um dos filhos de Simei ou Sema de Benjamim, um importante morador de Jerusalém antes do Exílio (1 Cr 8.13,21).
4. Sacerdote e importante chefe de família que serviu no Templo depois do retorno do exílio (1 Cr 9.10-12; Ne 11.12).
5. Pai de Maaséias, um dos capitães usados por Joiada, para tomar conta de seu filho Joás, quando foi proclamado rei (2 Cr 23.1).
6. Um dos filhos de Bani, depois do exílio, que foi condenado como um daqueles que haviam tomado mulheres estranhas (Ed 10.29).
7. O filho de um outro israelita chamado Bani, que também foi listado entre aqueles que despediram suas esposas estrangeiras (Ed 10.38).
8. Um homem de Judá, pai de Hazaías, cujos descendentes foram homens proeminentes em Jerusalém após o retorno do exílio (Ne 11.5).

**ADALIA** Um dos dez filhos de Hamã que foi assassinado pelos judeus obedecendo às ordens de Mardoqueu (Et 9.8).

**ADAMÁ** Cidade fortificada designada a Naftali (Js 19.36).

**ADAMI** A única menção feita a essa cidade limítrofe em Naftali (Js 19.3) trouxe várias sugestões dos estudiosos. Os tradutores da versão KJV em inglês decidiram que era uma cidade separada de Adami-Nequebe, enquanto os tradutores da versão ASV fizeram das duas uma única cidade (*Veja* Nequebe). Sua identificação não é conhecida com certeza. Talvez ela possa ser associada ao caminho nas montanhas que vai do Rio Jordão ao moderno Tiberíades, possivelmente com Khirbet Damiyeh, um grande sitio da idade do bronze localizado a 8 quilômetros a sudeste de Tiberíades.

**ADÃO** Foi o homem de quem se originou toda a raça humana. O NT apresenta Adão como o representante da humanidade e relaciona o problema do início do pecado à sua primeira transgressão.
Quanto ao significado de seu nome, a etimologia não oferece nenhuma ajuda. Existem três possibilidades rivalizando-se entre si. A palavra pode ter vindo de outra palavra semelhante, *'adama,* que significa "solo vermelho", ou da raiz *dama* que significa "ser como" (uma referência a *d[e]mut,* isto é, "semelhança", Gênesis 1.26; 5.1) ou da raiz acadiana *adamu* que significa "fazer ou produzir". Talvez essa última interpretação possa merecer a nossa preferência.

A Bíblia afirma que Deus criou Adão (Gn 2.7), colocou-o no Jardim do Éden (2.8-15), deu-lhe uma ordem relacionada à árvore da ciência do bem e do mal (2.16,17) e, por fim, colocou uma mulher ao seu lado como companheira em um ato separado da criação (2.18-25). Deus os abençoou e concedeu prosperidade pelo poder de sua palavra e ordenou que se multiplicassem e fossem senhores de todas as criaturas vivas sobre a terra (1.28). Quando submetido à tentação da serpente, Adão sucumbiu, da mesma forma que sua esposa havia feito antes dele. Isso marcou o evento geralmente conhecido como "a queda". Imediatamente após esta queda, o destino modificado de nossos primeiros pais tornou-se conhecido através de seus atos e da sentença que Deus lhes designou. Eles não foram amaldiçoados. Em sua imensa misericórdia, o Senhor os condenou a continuar a viver durante algum tempo, e lhes forneceu as primeiras vestimentas. Mas Ele os expulsou do jardim onde vinham morando. Eles tiveram filhos, na verdade tiveram vários filhos (cf. Gn 5.4). O próprio Adão morreu com a idade de 930 anos (Gn 5.5).

Adão é um personagem histórico, não apenas uma figura poética ou um personagem mítico. No AT a palavra *adam* é usada mais de 500 vezes com o sentido de humanidade e também como nome próprio. Esses dois usos aparecem no registro de Gênesis, mas somente a partir de Gênesis 4.25 pode ser definitivamente afirmado que a pessoa específica de Adão está sendo considerada. Antes disso, ele é geralmente considerado como um representante humano, embora o termo Adão em Gênesis 3.16,21 pareça ocorrer sem o artigo definido, sugerindo que nesses versos o nome tem um significado e a pessoa está sendo especificamente mencionada. *Veja* também Gênesis 5.1,3-5.

Existem dois relatos sobre a criação de Adão. Gênesis 1.26-28 e 2.4-6,20-23. A explicação habitual para esse fato, segundo os mais competentes críticos modernos, é que esses dois relatos originam-se de duas fontes separadas usadas pelo autor, e, para reforçar essa opinião, muitas vezes é realçada a íntima incompatibilidade entre os dois relatos. Mas, totalmente à parte dessas fontes, de que devemos sempre falar com muito cuidado, parece que o relato em Gênesis 1 é bastante resumido em sua forma e está de acordo com o padrão de trabalho dos seis dias da criação, enquanto o registro feito em Gênesis 2 é suplementar – embora não sendo em nenhum sentido contraditório ao capítulo 1 – ele fornece certos detalhes extremamente essenciais ao entendimento daquilo que se segue. Esse último ponto de vista é geralmente aceito por estudiosos da Bíblia Sagrada que seguem uma linha conservadora.

Nesse registro duplo encontramos dois fatores que estão presentes no homem. Deus criou o homem do pó da terra (2.7) e, em seguida, soprou em suas narinas o fôlego da vida. Há uma característica inferior e uma superior em seu ser. Em segundo lugar, ele foi feito "à imagem de Deus" (1.26,27), uma afirmação importantíssima que o autor, em nenhum momento, chega a definir em detalhes. O relato suplementar (Gn 2) também fornece a maneira exata como Eva foi criada; ele fala da localização do Jardim do Éden e também de duas árvores extremamente importantes. Também foram descritos os deveres do homem nesse estágio inicial da existência; ele deveria cultivar e guardar o jardim (2.15).

A divina graça manifestou-se no fato de que um único mandamento foi dado ao homem: ele não deveria comer da árvore da ciência do bem e do mal. Esse mandamento foi desobedecido, o que trouxe trágicas conseqüências.

O fato quase surpreendente dessa narrativa sobre Adão e a queda é que existem raras referências a ele no AT. Uma comparação feita com o texto hebraico original irá mostrar uma possível referência a Adão em Deuteronômio 32.8; Jó 31.33 e Oséias 6.7. Seria seguro entender que o caráter básico do evento da criação do homem e de sua queda foi geralmente aceito de forma natural. A plena avaliação teológica da queda viria posteriormente nos escritos dos apóstolos.

Igualmente estranho é o fato de que, nos livros apócrifos, existem inúmeras referências a Adão e à sua importância básica.

As passagens no NT que fazem referência a Adão são Mateus 19.4-6, Romanos 5.12-21; 1 Coríntios 15.22,45; 1 Timóteo 2.13,14 e Judas 14. Em cada uma delas, não se pode duvidar que Adão é considerado uma figura histórica. O capítulo 5 de Romanos é particularmente forte: duas pessoas são contrastadas - Adão e Cristo - com uma ampla análise das conseqüências de seus feitos. A importância de ambos é inquestionável.

*Veja* Antropologia: Criação.

***Bibliografia.*** Veja a obra de James O. Buswell, III, *"Adam and Neolithic Man", Eternity* XVIII (1967), 29ss., para conhecer várias opiniões sobre as questões relacionadas a Adão. J. Barton Payne, *The Theology of the Older Testament*, Grand Rapids. Zondervan,1962, pp. 213-231, muito útil por seu conteúdo e bibliografia adicional. Geerhardus Vos, *Biblical Theology,* Grand Rapids. Eerdmans, 1954, pp. 37-55.

H.C.L.

**ADAR**

1. Cidade localizada na fronteira de Judá a oeste de Cades-Barnéia (Js 15.3) também chamada pelo nome de Hazar-Adar em Números 34.4.
2. O filho de Belá e neto de Benjamim (1 Cr 8.3). Também chamado de Arde em outras passagens (Gn 46.21).

**ADAR**
1. Palavra usada como nome de uma cidade em Judá (Js 15.3), mas talvez fosse escrita como Addar (q.v.).
2. Muito provavelmente essa palavra veio da Babilônia e foi usada primeiramente pelos judeus para indicar o décimo segundo mês de seu calendário sagrado; portanto, ela aparece em Esdras 6.15; Ester 3.7,13; 8.12 e 9.1,15,17,19,21. Esse mês era contado a partir da lua nova do nosso mês de fevereiro até a lua nova de março. *Veja* Calendário.

**ADBEEL** Terceiro filho de Ismael, portanto, nome de uma tribo árabe (Gn 25.13; 1 Cr 1.29). Estava localizada a noroeste da Arábia, próxima a Quedar e Nebaiote.

**ADI** Pai de Melqui e filho de Cosã (Lc 3.28) na genealogia de Jesus expressa por Lucas.

**ADIEL**
1. Um dos notáveis guerreiros da tribo de Simeão que ajudou a conquistar certas cidades de seus habitantes originais (1 Cr 4.36).
2. Sacerdote filho de Jazera que estava entre aqueles que retornaram do exílio (1 Cr 9.12)
3. Pai do tesoureiro Azmavete na época do rei Davi (1 Cr 27.25).

**ADIM** Representante de uma família no exílio entre aquelas que voltaram para Jerusalém sob Zorobabel (Ed 2.15). Outras famílias voltaram mais tarde talvez sob o comando de Esdras (Ne 7.20; 10.16).

**ADINA** Um dos homens poderosos de Davi, capitão de 30 homens e membro da tribo dos rubenitas (1 Cr 11.42).

**ADINO** A referência feita em 2 Samuel 23.8 pode não corresponder ao nome de uma pessoa e deveria, talvez, estar relacionada com 1 Crônicas 11.11. Uma das nuances do significado da palavra Adino, em hebraico, é "delgado" ou "leve" que pode sugerir a lança usada por esses poderosos guerreiros de Davi.

**ADITAIM** Cidade na seção Sefela de Judá (Js 15.36).

**ADIVINHAÇÃO** A tentativa de discernir eventos futuros por algum meio como êxtases, visões etc., ou por meio de objetos físicos. Estes eram variados: (1) rabdomancia, atirar pedaços de madeira ou flechas para o ar (Ez 21.21; cf. Os 4.12); (2) hepatoscopia, examinar o fígado ou outros órgãos de animais (Ez 21.21); (3) terafins (ídolos do lar), imagens usadas para a adivinhação (1 Sm 15.23; Ez 21.21; Zc 10.2); (4) necromancia ou magia negra, comunicação com os mortos (Dt 18.11; 1 Sm 28.8; 2 Rs 21.6) que era condenada na lei (Lv 19.31; 20.6) e nos profetas (Is 8.19,20); (5) astrologia, ler as estrelas e chegar a conclusões com base em suas posições e nas relações entre as estrelas; isto foi declarado vão em Isaías 47.13 e Jeremias 10.2; (6) hidromancia, adivinhação pela água, feita observando-se os reflexos, ou induzindo um êxtase por este meio. A fim de confundir os seus irmãos, José mandou que os seus servos dissessem que o copo encontrado em seus sacos de mantimento era utilizado para este propósito (Gn 44.5,15); nenhuma aprovação para esta prática é sugerida. Deus condena severamente todo e qualquer meio de se buscar o conhecimento oculto e o conhecimento do futuro. O único meio permitido é a sua divina revelação.
O uso de sortes, sonhos e sinais não é considerado adivinhação. No AT, Deus permitiu que se lançassem sortes para certos propósitos, como por exemplo a designação do território para cada uma das dez tribos (Js 18.10), a escolha do bode para ser sacrificado no Dia da Expiação (Lv 16), a determinação de uma pessoa culpada (Js 7.14; Jn 1.7), a atribuição do serviço do Templo (1 Cr 24.5), e uma vez no NT para a escolha de um substituto para o apóstolo Judas (At 1.15-26). É significativo observar que o uso de sortes cessou após o Pentecostes. *Veja também* Urim e Tumim.
Os sonhos também foram um meio usado por Deus para dar revelações, embora seja significativo notar que não lemos sobre ninguém pedindo especificamente direção desta maneira (por exemplo, os sonhos de José, Gênesis 37.5-11; o sonho de Nabucodonosor, Daniel 2; os sonhos de José, o marido de Maria, Mateus 1.20; 2.19).
Em vários casos, os crentes do AT pediram a Deus um sinal para guiá-los, como por exemplo, quando Gideão pôs o seu velo de lã do lado de fora (Jz 6.37-40) e quando Jônatas tomou a resposta específica do inimigo como a direção de Deus para si (1 Sm 14.8-10). O uso de sortes foi ordenado por Deus somente para a tomada de decisões, nos casos em que fosse necessário mais do que a sabedoria humana. No caso dos sonhos, podemos considerar que este foi o modo usado por Deus para conceder a revelação divina apenas nas situações de extrema emergência.
*Veja* Demonologia; Encantamento; Espírito Familiar; Hepatoscopia; Fígado; Mágica; Necromante; Ídolos do Lar (Terafim); Feitiçaria.

***Bibliografia***. Yehezkel Kaufmann, *The Religion of Israel*, trad. por Moshe Greenberg, Chicago. Univ. of Chicago Press, 1960, pp. 42-53, 87-93.

R. A. K.

**ADIVINHADOR** *Veja* Mágico; Observador dos Tempos.

**ADJURAR** Fazer ou levar alguém a jurar por um objeto ou ente superior que irá colocar esse alguém sob a obrigação de falar a verdade. Há duas palavras hebraicas e gregas que exprimem essa mesma idéia genérica. As palavras hebraicas *'ala* e *shaba'* são usadas em conexão com promessas (1 Sm 14.24; Js 6.26; 1 Rs 22.16; 2 Cr 18.15). As palavras gregas são *exorkizo* e *horkizo* usadas quando quiseram levar Jesus a uma condição de juramento (Mt 26.63) e quando os demônios falaram com Ele (Mc 5.7; veja também At 19.13). *Veja* Juramento.

**ADJUTORA, ESPOSA** Em Gênesis 2.18,20, a expressão para a esposa de Adão consiste de duas palavras em hebraico, *'ezor kenegdo*, traduzidas como "uma adjutora que esteja como diante dele", "uma auxiliadora que lhe seja idônea", ou ainda como "alguém que o ajude". A primeira palavra é o substantivo usual para "ajuda" (q.v.). O segundo termo quer dizer "*de acordo com o que está diante de*... uma ajuda *correspondente a* ele", ou seja, "igual e adequada para ele mesmo" (BDB, p. 617). Desta forma, a idéia expressa pelo termo "idônea" é "similaridade e suplementação" (Gerhard von Rad, *Genesis*, p. 80), a companheira sexual, social e intelectual de Adão que completava o seu ser. "Ela era aquela que poderia compartilhar as responsabilidades do homem, reagir à sua natureza com compreensão e amor, e cooperar de todo o coração com ele para executar o plano de Deus" (WBC, p. 5).

**ADLAI** Pai de Safate, pastor dos rebanhos reais de Davi nos vales (1 Cr 27.29).

**ADMÁ** Uma das cidades na bacia do Mar Morto que juntamente com Sodoma e Gomorra foram conquistadas pelos reis vindos do leste e, em seguida, destruídas por juízo divino (Gn 10.19; 14.2,8. Dt 29.23). O destino de Admá foi apresentado como uma advertência contra toda a nação de Israel (Os 11.8).

**ADMATA** Ocupava o terceiro lugar na linhagem dos príncipes da Pérsia e se sentou com o rei Xerxes (Assuero); fazia parte dos conselheiros do rei (Et 1.14; cf. Ed 7.14).

**ADNA**
1. Um dos homens de Paate-Moabe que foi condenado por Esdras por causa de seu casamento com uma estrangeira (Ed 10.30).
2. Sacerdote que serviu durante o sumo sacerdócio de Joiaquim na época de Neemias (Ne 12.15).
3. Ao saber que os filisteus se recusaram a permitir que Davi e seu exército se unissem a eles contra Saul, alguns dos homens de Saul desertaram e juntaram-se a Davi em Ziclague. Um deles era um capitão chamado Adna (1 Cr 12.20).
4. Um dos capitães sob Josafá (2 Cr 17.14).

**ADOÇÃO** Essa palavra é usada na Bíblia somente em um sentido teológico. No sentido civil ou legal a prática da adoção está exemplificada fora do meio cultural de Israel na adoção de Moisés (Êx 2.10; At 7.21) e de Ester (Et 2.6,15).
No período patriarcal, o antigo Oriente Próximo praticava algo semelhante à adoção. A descoberta das inscrições nas barras de Nuzu revelou esse costume pelo qual um casal sem filhos adotava um filho adulto para servi-los enquanto vivessem e enterrá-los quando morressem. Em troca, esse filho adotivo teria direito de receber a herança, a não ser que, posteriormente, o casal viesse a ter um filho. Nesse caso, o filho natural se tornaria o principal herdeiro (veja ANET, pp. 219s.). Embora nenhuma lei sobre adoção tenha sido formulada no AT, esse costume pode muito bem estar refletido no relacionamento entre Abraão e Eliézer (Gn 15.2-4). Algo muito próximo a uma adoção legal também pode ser visto no caso dos netos de Jacó, Manassés e Efraim (Gn 48.5) com uma fórmula reconhecida de adoção, "seja chamado neles o meu nome" que aparece no verso 16 (cf. código de Hamurabi #185,ANET, p. 174). Provavelmente Labão tenha elevado Jacó à posição de filho adotivo, pela qual Jacó deveria executar serviços (Gn 29.15) e que dava a Labão direitos legais sobre os filhos de Jacó (Gn 31.28,43,55). Outros casos de adoção podem ser mencionados em 1 Reis 11.20 e 1 Crônicas 2.34,35.
Os detalhes dessas práticas do AT não parecem ter influído no uso desse termo pelo NT Paulo é o único que emprega a palavra grega *huiothesia* e somente cinco vezes (Rm 8.15,23; 9.4; Gl 4.5; Ef 1.5). Em Romanos 9.4 ele faz referência à privilegiada posição dos judeus como povo eleito de Deus, aludindo a Êxodo 4.22 onde o Senhor chama Israel de seu filho, seu primogênito (cf. Dt 7.6-8; Is 43.6; Jr 3.19; 31.9; Os 11.1).
Em outras passagens, entretanto, o uso do apóstolo reflete não o mundo hebraico, mas o mundo helenístico e enfatiza a liberdade de um filho no lar em contraste com a servidão de um escravo.
A adoção era um aspecto muito comum da maneira de viver dos gregos e romanos. Se não houvesse filhos em uma família, o marido podia adotar um filho ao qual seria concedida a herança. A pessoa a ser adotada não podia ter pais vivos, mas isso não impedia os procedimentos da adoção porque as famílias muitas vezes estavam dispostas a ceder seus filhos que, dessa maneira, teriam melhores oportunidades na vida. Quando uma criança era adotada, o pai natural perdia toda a autoridade sobre ela, enquanto o pai adotivo adquiria controle total sobre o seu novo filho. Na história romana, um exemplo notável dessa prática encontra-se na administração do imperador Augusto. Entendendo que não possuía nenhum herdeiro responsável por seu trono, resolveu adotar um.

Quando esse herdeiro faleceu, ele adotou outro e, finalmente, decidiu-se por Tibério que o sucedeu no ano 14 d.C.
Refletindo o entendimento da adoção no mundo helenístico, Paulo empregou esse termo para mostrar o ato legal da graça de Deus através do qual os crentes se tornam seus filhos. Esse relacionamento com Deus é resultado do seu novo nascimento ("deu-lhes o poder de serem feitos filhos de Deus", Jo 1.12), portanto sua adoção significa que, como seus filhos, eles foram colocados na posição de *filhos adultos* (Gl 4.1-7) em contraste com a unigênita filiação de Jesus Cristo, que foi e é, eternamente, o Filho de Deus (Jo 1.14).
Na adoção civil, assim como em um sentido espiritual, podemos observar as seguintes características: (1) Adoção é tomar alguém como filho que não o é por natureza e nascimento. (2) É ser adotado para uma herança – no sentido espiritual, para uma herança que é incorruptível e imaculada (Rm 8.15-17; Gl 4.5-7). (3) É um ato voluntário de quem adota – espiritualmente o Pai Celestial exerce Sua soberana vontade nessa questão (Ef 1.5) – mediado por Cristo através da interferência do Espírito Santo (Gl 4.4-6). (4) Significa que o adotado leva o nome de quem o adotou e pode chamá-lo de "Pai" (Is 56.5; 62.2; 65.15; Ap 2.17; Rm 8.15; 1 Jo 3.1). (5) Significa que o adotado tornase o recebedor da compaixão e do cuidado de seu Pai Celestial (Ef 1.3-6; cf. Lc 11.11-13), e é recebido com todos os direitos e privilégios da família, recebido de volta como um filho e não como servo, no caso do filho pródigo (Lc 15.19-24). (6) No aspecto escatológico, toda a criação se beneficia do fato do adotado receber a libertação de seu corpo da decadência e da morte (Rm 8.23).
*Veja* Família; Herança.

***Bibliografia.*** Sherman E. Johnson, *"Adoption"*, HDB rev., p.11. C. F. D. Moule, *"Adoption,"* IDB, I, 48s. CornPBE, p. 319.

C. M. H.

**ADONIAS**
1. Quarto filho de Davi com Hagite (2 Sm 3.4; 1 Cr 3.2). Quando Davi estava às portas da morte, Adonias desejou sucedê-lo no trono, pois naquele tempo ele era o filho mais velho. Reunindo carruagens, cavaleiros e 50 homens, Adonias recrutou a ajuda de Joabe, comandante do exército e de Abiatar, o sumo sacerdote. Entretanto, outros generais, sacerdotes, o profeta Natã e os guarda-costas de Davi se recusaram a segui-lo. Estes preferiam que Salomão se tornasse o novo rei. Enquanto Adonias convocava uma reunião de seus aliados em En-Rogel, um vale abaixo de Jerusalém, Bate-Seba, mãe de Salomão, e Natã, o profeta, fizeram um apelo urgente a Davi para que Salomão fosse imediatamente coroado rei. Davi rapidamente concordou com o pedido e deu instruções para que Salomão fosse coroado rei na primavera, na fonte de Giom, próxima a Jerusalém. Zadoque, o sacerdote, ungiu Salomão e ele foi proclamado rei de Israel em meio a uma vibrante aclamação do povo (1 Rs 1). Poucos dias depois, Adonias exigiu que Abisague, a última pessoa que cuidou de Davi, lhe fosse dada em casamento. Em um acesso de ira, Salomão enviou Benaia para matar Adonias. Essa ordem foi prontamente cumprida (1 Rs 2.13-25).
2. Na reforma de Josafá, outro Adonias, um levita, ajudou um grupo de príncipes e sacerdotes a ensinar as leis de Deus ao povo (2 Cr 17.7-9).
3. Entre aqueles que retornaram do exílio para Jerusalém estava um Adonias (também chamado Adonicão) que colocou seu selo no pacto feito durante a reforma de Esdras (Ed 2.13; Ne 7.18; 10.16).

G. H. L.

**ADONI-BEZEQUE** Mesquinho rei da cidade de cananéia de Bezeque que havia impiedosamente amputado os dedos das mãos e dos pés de 70 outros "reis". (Isso os incapacitou de lutar nas guerras antigas; não podiam segurar as armas nem perseguir os inimigos). Quando a cidade de Bezeque foi conquistada pelos violentos guerreiros de Judá e Simeão, Adoni-Bezeque fugiu. Entretanto, foi capturado vivo e recebeu o mesmo tratamento cruel que havia sido infligido a seus prisioneiros reais. Por mais incrível que pareça, ele reconheceu seu castigo como um ato retributivo de justiça (Jz 1.5-7). Ele morreu em Jerusalém.

**ADONICÃO**
1. Representante de uma família que retornou do Exílio com Zorobabel e que chegava a 666 pessoas (Ed 2.13) ou, incluindo o representante, a família tinha um total de 667 pessoas (Ne 7.18).
2. Parte da família acima esperou para retornar com Esdras. Esse grupo era composto por 60 homens (Ed 8.13).

**ADONIRÃO** Funcionário público encarregado dos trabalhos forçados durante os reinados de Davi, Salomão e Roboão (1 Rs 4.6; 5.14; 12.18). Depois da revolta das dez tribos do norte, Roboão imprudentemente enviou Adonirão (talvez para coletar os impostos), mas os ofendidos israelitas o apedrejaram até morrer em Siquém (cerca do ano 922 a.C.). Ele também é conhecido com o nome de Adorão ou Hadorão (2 Sm 20.24; 1 Rs 12.18; 2 Cr 10.18). Quando ocorrer essa última forma deve-se fazer uma cuidadosa distinção entre esse impopular mestre de tarefas e: (a) Hadorão, filho de Joctã, na genealogia de Sem (Gn 10.27; 1 Cr 1.21); (b) Hadorão, filho de Toú, rei de Hamate (1 Cr 18.10).

**ADONI-ZEDEQUE** Rei amorita de Jerusalém na época da Conquista (Js 10) Impressionado com os sucessos iniciais de Israel e pelo poderio militar da recém formada aliança com Gibeão (Js 9), ele tomou a iniciativa de formar uma aliança militar de cinco cidades contra Israel. Atacando a cidade de Gibeão ele esperava enfraquecer substancialmente a posição israelita e também castigar os gibeonitas pela sua deserção. Josué organizou uma marcha noturna e chegou a tempo de ajudar seu aliado. A milagrosa intervenção de Deus e a resultante vitória decisiva de Israel foram comemoradas com um cântico registrado no Livro de Jasar. Uma parte desse cântico foi citada em Josué 10.12,13.

Adoni-Zedeque e seus aliados reais se esconderam em uma cova em Maquedá. Logo depois da destruição dos seus exércitos, eles foram retirados dessa cova, humilhados e mortos e, depois do pôr-do-sol, enterrados na mesma cova.

**ADORAÇÃO[1]** Na versão RC em português, esse termo ocorre apenas em Atos 8.27. Ele não ocorre nas versões KJV, ASV ou RSV em inglês, embora a idéia esteja expressa no AT pela palavra *shaha*, que significa "veneração", "inclinar-se perante". No NT a idéia está expressa pela palavra *proskuneo,* que significa "venerar", "beijar a mão", "fazer reverência a", "adorar" e menos freqüentemente por *sebomai,* que significa "reverenciar", "adorar", "ser devoto de" e *latreuo*, que significa "venerar publicamente", "ministrar", "servir", "prestar homenagem religiosa". *Veja* Adoração[2].

**ADORAÇÃO[2]** O propósito da adoração é estabelecer ou dar expressão a um relacionamento entre a criatura e a divindade. A adoração é praticada prestando-se reverência e homenagem religiosa a Deus (ou a um deus) em pensamento, sentimento ou ato, com ou sem a ajuda de símbolos e ritos. *Veja* Religião. A adoração pura expressa a veneração sem fazer alguma petição, e pressupõe a auto-renúncia e a entrega sacrificial a Deus. Estritamente falando, a adoração é a ocupação da alma com o próprio Deus, e não inclui a oração por necessidades e ação de graças pelas bênçãos.

A adoração é representada na Bíblia principalmente por duas palavras: no AT a palavra heb. *shaha* (mais de 100 vezes) significando "curvar-se diante", "prostrar-se", (Gn 22.5; 42.6; 48.12; Êx 24.1; Jz 7.15; 1 Sm 25.41; Jó 1.20; Sl 22.27; 86.9 etc.), e no NT a palavra gr. *proskyneo* (59 vezes), significando "prostrar-se", "prestar homenagem a alguém" (Mt 2.2,8,11; 4.9; Mc 5.6; 15.19; Lc 4.7,8; Jo 4.20-22 etc.). Essas duas palavras são constantemente traduzidas pela palavra "adoração", denotando o valor daquele que recebe a honra ou devoção especial. Ambos os termos "adoração" e "digno" podem ser vistos juntos na grande descrição dos 24 anciãos prostrando-se diante daquele que se assenta no trono (Ap 4.10-11; cf. 5.8-14). *Veja* Prostrar-se; Joelho; Beijo.

Além das duas palavras principais há um extenso vocabulário tanto no heb. como no gr. definindo ainda mais a atividade de adoração. As palavras comumente usadas são o heb. *'abad*, significando "trabalhar", "servir", "adorar" (2 Rs 10.19-23) com a sua contraparte gr. *latreuo*, significando "prestar serviço religioso ou honra a Deus" (At 24.14; Fp 3.3). Uma palavra heb. e aram. *sagad*, significando "prostrar-se em adoração", é encontrada em Isaías 44.15,17,19; 46.6; Daniel 2.46 e freqüentemente no capítulo seguinte. Temer ao Senhor é um sinônimo próximo, à medida que se aprende a comparar Deuteronômio 6.13 com a citação deste versículo pelo Senhor Jesus em Mateus 4.10. Aqui o temor tem um sentido de admiração e reverência (cf. Sl 5.7). *Veja* Temor. Outras palavras gregas de grande importância são *sebomai* e os seus diversos cognatos, significando "ficar admirado", "reverenciar", e *threskeia*, significando "religião", "adoração cerimonial" (Cl 2.18; At 26.5; Tg 1.26ss.).

### A Adoração no AT

A adoração no AT pode ser dividida em dois períodos principais, o patriarcal e o teocrático. Antes das instituições mosaicas, há poucas indicações de adoração formal e pública entre os patriarcas. Os tempos dos patriarcas revelam, antes, os atos individuais, pessoais e ocasionais de adoração que caracterizariam um povo seminômade vivendo longe da sociedade organizada (por exemplo, Abraão no Moriá, Gênesis 22.1-5; Jacó em Betel, Gênesis 28.18-22). Gênesis, porém, retrata os primórdios da religião ritualista na instituição de sacrifícios e na construção de altares (Gn 4.3,4,26; 8.20-22).

Durante o período teocrático, o conceito corporativo e ritualista da adoração tornou-se proeminente. Um sistema de adoração altamente organizado e muito completo foi revelado por Deus a Moisés no Sinai, o qual incluía:

1. Tipos especiais de ofertas e sacrifícios para toda a nação: (*a*) diário (Nm 28.3-8); (*b*) todos os sábados (Nm 28.9,10; Lv 24.8); (*c*) na lua nova (Nm 28.11-15); (*d*) a Páscoa ou a Festa dos Pães Asmos (Nm 28.16-25; Êx 12.1ss.); (*e*) Festa das Primícias e Pentecostes – Festa das Semanas (Lv 23.15-20; Nm 28.26-31); (*f*) Festa das Trombetas (Lv 23.23-25; Nm 29.1-6; cf. Is 18.3; 27.12,13; Jl 2.15-32); (*g*) Dia da Expiação (Lv 23.26-32; Nm 29.7-11); (*h*) Festa dos Tabernáculos, quando, no décimo quinto dia do sétimo mês, logo após a colheita, enquanto o povo habitava em tendas feitas de galhos de árvores em

memória de sua libertação do Egito, os sacerdotes ofereciam sete dias de sacrifícios especiais (Lv 23.33-44; Nm 29.13ss.). *Veja* Festividades; Sacrifícios.

2. Sacrifícios específicos a serem oferecidos por um indivíduo por si mesmo e sua família, como o manjar da Páscoa e a Páscoa em si (Êx 12; cf. Lv 23.5); uma oferta queimada de um macho do rebanho sem mancha, por si mesmo e sua família (Lv 1.1ss.) com o qual ele se identificava e sobre o qual tanto os seus pecados como os dos seus familiares eram simbolicamente depositados, ao colocar a sua mão sobre a cabeça da oferta quando ela era morta; uma oferta de manjares como uma oferta de louvor apontando para a perfeição de Deus e de Cristo (Lv 2); uma oferta pacífica apontando para Cristo como a nossa paz (Lv 3). Havia ofertas apropriadas para o caso dos pecados praticados por ignorância (Lv 4–5) e pelas transgressões (Lv 6.1-7).

3. Sacrifícios especiais pelos próprios sacerdotes na consagração de Arão e seus filhos (Lv 8.2,14,15); na unção de um sacerdote (Êx 29.15ss.; Lv 6.19-23); quando um sacerdote havia pecado (Lv 4.3ss.); na purificação das mulheres (Lv 12.6,8); para a purificação de leprosos (Lv 14.19); para remover a impureza cerimonial (Lv 15.15,30); na conclusão ou na quebra do voto de um nazireu (Nm 6.11-14). *Veja* Sacrifícios.

Houve, sem dúvida, muita confusão durante o período dos juízes, e a dispersão das tribos por toda a terra, posteriormente, perturbou o quadro religioso. O conceito corporativo de adoração, apesar de tudo, estava destinado a aumentar. Santuários foram estabelecidos e buscados pelo povo ano após ano; Dã, Gilgal, Siquém, Siló e Berseba, para citar os mais importantes. Tendências sincretistas em religião constantemente corrompiam a adoração nesses lugares, inspirando práticas pagãs na religião de Israel. Por causa da corrupção constante e crescente, a religião de Israel estava em uma situação difícil quando Saul e a monarquia chegaram. Na verdade, o reinado de Davi poderia ser visto como uma época de reavivamento religioso que culminou com a edificação do Templo sob a autoridade de Salomão. Sem dúvida alguma a própria experiência de adoração de Davi em particular, e a sua comunhão com o Senhor em meio às circunstâncias mais atribuladas, lhe trouxeram o desejo de levar outros a louvar e adorar a Deus (Sl 42.1-4; 122.1; 2 Sm 6.12-18; 1 Cr 16.1-36).

O efeito do Templo na adoração de Israel é desequilibrado por qualquer outro fator. Gradualmente, todos os outros lugares de adoração foram eliminados, e o Templo em Jerusalém permaneceu como o único lugar para sacrifício, a base da adoração.

Além de todas as ofertas e sacrifícios especificados por Deus na lei mosaica, desenvolveu-se um sistema de adoração pública com algumas características: (1) Atos sacrificiais especiais para ocasiões extraordinárias, como a consagração do Tabernáculo (Nm 7) ou do Templo de Salomão (2 Cr 7.5ss.). (2) Atos cerimoniais específicos nos quais o povo expressava uma reverência incomum, como quando o sumo sacerdote oferecia incenso no lugar santo, quando Salomão abençoava o povo (1 Rs 8.14), e quando os sacerdotes tocaram as trombetas de prata (2 Cr 7.6). (3) Ministrações de louvor no Templo quando cânticos vocais e instrumentos musicais de todo tipo eram empregados (2 Cr 5.13). Moisés compôs um cântico de livramento depois que Deus conduziu o povo a pés enxutos pelo meio do mar Vermelho, e Miriã, sua irmã, e as mulheres o acompanharam com tamboris (Êx 15.1,20). Depois da arca do Senhor ter sido recuperada dos filisteus, Davi designou um coral de levitas para ministrar diante dela (1 Cr 16.4), e também formou uma orquestra (1 Cr 16.6,42,43; cf. 2 Sm 6.5). O último Salmo recomenda que instrumentos musicais de todos os tipos sejam usados para louvar ao Senhor (Sl 150). Existem possivelmente alguns Salmos antifonais (Sl 20,21,24,107,118). (4) A oração pública quando o povo foi guiado por Moisés (Dt 26.15), por Salomão (1 Rs 8.23-54), e como encontrado nos Salmos 51, 60, 79, 80 e muitos outros. (5) Discursos públicos, como a soma da obra de Moisés com cinco discursos no livro de Deuteronômio; o discurso de Salomão para a congregação (2 Cr 6.4-11); Neemias mandando ler a lei e então mandando os levitas orarem (Ne 9.3-38; cf. 13.1-5). *Veja* Templo.

Depois que os cativos retornaram da Babilônia, a reedificação do Templo era de certo modo o renascimento da religião nacional. Nos séculos que se seguiram ao retorno, a adoração de Israel tornou-se altamente desenvolvida e ritualista. O calendário religioso foi expandido para incluir as festas pós-exílio e as observâncias sagradas. O Templo não era só um edifício, mas um centro que colocava em foco a adoração de toda a nação. Sua evidência verdadeira revela que algumas seitas do judaísmo (como os essênios) eram antitemplo em sua expressão de adoração, mas a principal corrente da vida judaica, alimentada por muitos e divergentes tributários (como os saduceus e os fariseus), fluía através do Templo.

Depois do retorno do exílio babilônico, a sinagoga (q.v.) apareceu como um rival para o Templo. Estritamente falando, a sinagoga foi criada para a instrução e não para a adoração; mas, na prática, parece ter havido algum elemento de adoração na ministração da sinagoga desde o seu início. Na verdade, este era um elemento crescente; e após a destruição do Templo em 70 d.C., a sinagoga se apropriou de tudo o que restou da adoração judaica.

### A Adoração no NT

Com a morte, sepultamento e ressurreição de Cristo, todos os sacrifícios e ofertas do AT tornaram-se coisa do passado. Agora "não resta mais sacrifício pelos pecados", pois o Cordeiro de Deus tirou o pecado do mundo (Hb 10.26; Jo 1.29). Agora o crente tem, em Cristo, um advogado diante de Deus para defendê-lo quando ele se arrepende de seus pecados (1 Jo 1.9; 2.1), e assim não precisa de nenhum sacerdote terreno. Portanto, a forma de adoração logo começou a mudar.

Porém a adoração pública nos primeiros dias do cristianismo ainda estava associada ao Templo. O livro de Atos descreve cristãos judeus continuando sua adoração no Templo (At 2.46; 3.1; 5.20,42), mesmo na época da prisão de Paulo (At 21.26-33). Somente a hostilidade daqueles que controlavam o Templo, aparentemente, afastou os primeiros cristãos daquele lugar santo.

Ao mesmo tempo, o cristianismo começou a se voltar para as residências particulares como lugares de reunião (At 2.46; 5.42; 12.12). O elemento de sacrifício, que era básico no Templo, foi perpetuado apenas na ceia que rememorava a morte sacrificial de Cristo. Esta observância parece ter sido, a princípio, uma parte de uma refeição coletiva que os cristãos compartilhavam (1 Co 11.20-34). Posteriormente ela se tornou especialmente associada com o dia do Senhor, o dia que logo foi separado para a adoração cristã. O sábado judaico foi gradualmente substituído pelo primeiro dia da semana, firmando-se como o dia das primeiras experiências cristãs com o Cristo ressurrecto (Jo 20.19,26; At 20.7; 1 Co 16.2; Ap 1.10).

Pregar e ensinar eram elementos de suprema importância nas reuniões públicas para as jovens igrejas (At 11.26; 15.35; 18.25; 20.7). Aqueles elementos que faziam parte da adoração no judaísmo também aparecem nas primeiras ministrações cristãs: leitura do AT (1 Tm 4.13), oração (At 2.42; 1 Co 14.14-16), canto (Ef 5.19; Cl 3.16) e a entrega de ofertas ou donativos (1 Co 16.1,2).

A verdadeira adoração congregacional é regulamentada em 1 Coríntios 11–14. Qualquer membro era livre para participar conforme o Espírito dispusesse (1 Co 14.26), principalmente quando procurasse ministrar aos outros através de seu dom espiritual ou carismático (1 Pe 4.10ss.). Uma mulher que orasse ou profetizasse deveria ter a sua cabeça coberta (1 Co 11.5). Uma mensagem em uma língua incompreensível deveria ser interpretada, e toda profecia deveria estar sujeita aos profetas na congregação (1 Co 14.27-33). *Veja* Música; Louvor; Oração; Dons Espirituais; Ação de Graças.

Cristo não prescreveu para os seus discípulos formas específicas de adoração pública, sem dúvida assumindo que o seu próprio exemplo e o Espírito Santo fariam com que estas surgissem espontaneamente. Ele realmente enfatizou que os adoradores deveriam adorar a Deus "em espírito e em verdade" (Jo 4.23ss.) e que procurassem guardar a sua adoração de formas meramente exteriores, enfatizando a privacidade e a realidade diante de Deus (Mt 6.1-18). O apóstolo Paulo nos permite enxergar uma parte de sua vida devocional particular quando menciona o falar a Deus em mistérios em seu espírito e através de suas orações, e quando nos ensina sobre cantar e bendizer a Deus tanto com o espírito como com a mente (1 Co 14.2,14-19).

Alguns estudiosos têm professado encontrar nas religiões de mistério várias práticas que têm – segundo eles pensam – uma adoração cristã influenciada. O banho ou batismo cerimonial (como o banho de sangue do Mitraísmo); o manjar sagrado, às vezes com um significado memorial (como a elevação da espiga de trigo como um símbolo de morte e renascimento no ritual Eleusiano). É claramente certo que essas religiões eram totalmente inferiores ao cristianismo, pois a base da adoração cristã reside no fato histórico e não em mitos e teorias. Por seus próprios méritos inerentes, o cristianismo ganhou a sua vitória sobre as religiões rivais do mundo antigo, e tais expressões de adoração, quando são similares ao cristianismo, apenas apontam para a ampla base religiosa que é inerente à natureza humana.

Uma das maiores dificuldades do cristianismo chegou cedo e em conexão com a adoração. Roma decretou uma religião universal para o mundo: o culto aos imperadores. Era a política romana chamar a atenção de todas as pessoas para o centro do poder, e o culto imperial era um meio de dar coesão ao vasto império.

Este culto jamais teve a intenção de perseguir ou substituir as religiões nacionais, não pretendia impor um dogma religioso. Na verdade, a apoteose imperial era política em natureza e propósito, surgindo como resultado de lisonja, gratidão e precedente histórico. Os imperadores reagiram à apoteose em graus diferentes. De todos os imperadores, embora provavelmente encorajando a adoração a si mesmo em níveis inferiores a qualquer outro, Augusto recebeu a adoração mais genuína. Tibério recusou-se a receber honras divinas em Roma, mas encorajou o culto nas províncias. Calígula era insistente em sua divindade. Nero foi o primeiro imperador vivo a usar a *corona radiata* que era o símbolo da descendência do deus sol. Domiciano reivindicou o título de *dominus et deus* durante o período em que viveu. Embora não possuísse nenhum valor religioso, o culto se tornou, nas províncias, um modo conveniente de detectar a deslealdade a Roma. Os principais não-conformistas eram os republicanos, os judeus e os cristãos. O cristianismo jamais esteve disposto a atribuir um senhorio a

César, o que trouxe um imenso sofrimento e uma perseguição generalizada no final do século I – A adoração dos cristãos – mesmo em uma era politeísta - era exclusivamente reservada a Cristo. *Veja* Perseguição.

***Bibliografia.*** Oscar Cullmann, *Early Christian Worship*, trad. por A. S. Todd e J. B. Torrance, Chicago. H. Regnery Co., 1953. G. Henton Davies, C. C. Richardson e Abraham Cronbach, "Worship, etc.", IDB, IV, 879-903. Gerhard Delling, *Worship in the NT*, trad. por Percy Scott, Filadélfia. Westminster Press, 1962. Roland de Vaux, *Ancient Israel*, trad. por John McHugh, Nova York. McGraw-Hill, 1961, pp. 271-517, 537-552. George Evans, *The True Spirit of Worship*, Chicago. Bible Inst. Colportage Assn., 1941. Alfred P. Gibbs, *Worship. The Christian's Highest Occupation*, 2ª ed., Kansas City, Kan. Walterick Publ., s.d. Oscar Hardman,

Persas retratados na escadaria do palácio de Dario em Persépolis, mostrando braceletes, braçadeiras e um colar de ouro. ORINST

*A History of Christian Worship*, Nashville. Cokesbury Press, 1937. Arthur S. Herbert, *Worship in Ancient Israel*, Richmond. John Knox Press, 1959. Yehezkel Kaufmann, *The Religion of Israel*, trad. e resumido por Moshe Greenberg, Chicago. Univ. of Chicago Press, 1960. Franklin M. Segler, *Christian Worship. Its Theology and Practice*, Nashville. Broadman Press, 1967. H. Strathmann, "*Latreuo*, etc.", TDNT, IV, 58-65. Jean J. von Allmen, *Worship, Its Theology and Practice*, Nova York. Oxford Univ. Press, 1965.

H. L. D. e R. A. K.

**ADORAIM** Cidade ao sul da Judéia, reconstruída e fortificada por Roboão (2 Cr 11.9). Foi identificada como Dura, 8 quilômetros a sudeste de Hebrom.

**ADORÃO** Forma alternativa de Adonirão (q.v.)

**ADORNAR** Palavra que significa "polir" ou "arrumar" e que veio a ser usada para a vestimenta, especialmente para as vestes das mulheres, com o sinônimo ataviar (1 Tm 2.9; 1 Pe 3.3,5; Ap 21.2). Figurativamente, devemos adornar ou ornamentar a doutrina de Deus (Tt 2.10).

**ADORNO**[1] De acordo com o gosto ocidental, os orientais geralmente se enfeitam excessivamente. Com exceção daqueles de classe social mais pobre, os homens usavam anéis de selar (Gn 38.18; *et al.*), que também eram úteis nos negócios, ou um colar de ouro em volta do pescoço (Gn 41.42). Alguns homens orientais usavam brincos (Jz 8.24). Uma variedade maior de adornos devia ser encontrada entre as mulheres. Contas, pérolas, artigos de ouro, prata e bronze representam os tipos de materiais usados (Ct 1.10-11; 1 Tm 2.9). Brincos, argolas de nariz, pingentes, colares, correntes, espelhos de latão, braçadeiras, braceletes, anéis, e tornozeleiras são artigos representativos geralmente usados (Gn 24.22,47; 35.4; Êx 35.22; Nm 31.50; Is 3.18-23; *et al.*). Os adornos eram deixados de lado durante os períodos de lamentação (Êx 33.4-6). *Veja* Amuleto; Vestuário; Jóias.

**ADORNO**[2] Palavra arcaica usada para vestes ou enfeites. Três palavras foram assim traduzidas:
1. A palavra hebraica *yatab*, vestir, adornar ou ornar a cabeça ou o cabelo (2 Rs 9.30).
2. A palavra hebraica *p$^e$'er*, um tipo de penteado ou cobertura de cabeça; algumas versões a traduzem como "turbante" e outras como "bonés", "tiaras" ou "coifas" (Ez 24.16,23; 44.18).
3. A palavra hebraica *saharon*, ornamentos ou amuletos com o formato de meia-lua (ou "luetas", Is 3.18).

**ADRAMELEQUE**
1. Um dos deuses da Síria ou Mesopotâmia levados para Samaria após a derrota de Israel (2 Rs 17.31), provavelmente a divindade Adad-miki ("Adade é rei"). *Veja* Falsos deuses.
2. Filho de Senaqueribe. Ele e o irmão assassinaram o pai e fugiram para a Armênia (2 Rs 19.37; Is 37.38).

**ADRAMITINO** Palavra mencionada apenas uma vez nas Escrituras (At 27.2) quando Paulo foi colocado em um navio atracado no porto de Mísia da província romana da Ásia.

**ÁDRIA** Paulo e seus acompanhantes estavam sendo levados para Roma quando ficaram à mercê da correnteza durante 14 dias (At 27.27). Desde a época dos etruscos, a região norte do braço de água entre a Itália e a Dalmácia tinha o nome de Mar Adriático, mas de acordo com Livy, Strabo, Ptolomeu e Josefo, o mar até o sul da ilha de Creta também era chamado de Adriático. Assim, quando Lucas escreveu sobre a viagem, no primeiro século d.C., ele usou a designação corrente dando o nome de "Ádria" às águas nas quais estavam à deriva.

**ADRIEL** O rei Saul havia prometido a Davi dar-lhe sua filha Merabe em casamento, mas, ao invés disso, ele a ofereceu a Adriel (1 Sm 18.17-19). Mais tarde, Saul deu a Davi a mão de sua filha Mical. Merabe, esposa de Adriel (2 Sm 21.8) era a mãe dos cinco meninos que Davi permitiu que os gibeonitas enforcassem em pagamento da ofensa que Saul lhes havia feito. Esta informação apoia-se na autoridade de dois manuscritos hebraicos e na LXX.

**ADULÃO, ADULAMITAS** Cidade na Sefela de Judá, geralmente relacionada a outras cidades que podem ser mais facilmente identificadas (Js 12.15; 15.35; 2 Cr 11;7; Ne 11.30; Mq 1.15). Próximo a essa cidade havia várias grutas nas quais Davi e seus homens permaneceram durante algum tempo (1 Sm 22.1; 2 Sm 23.13; 1 Cr 11.15) Os adulamitas eram cidadãos de Adulão.

**ADULTÉRIO** Relação sexual entre uma pessoa casada e outra que não é seu cônjuge. Geralmente o adultério era perdoado nas culturas pagãs, particularmente quanto à parte do homem que, embora fosse casado, não era acusado de adultério a não ser que coabitasse com a esposa de outro homem ou com uma virgem que estivesse noiva.

O adultério é estritamente proibido tanto no AT (o sétimo mandamento, Êx 20.14; Dt 5.18; punível sob a lei com morte por apedrejamento, Lv 20.10; Dt 22.22ss.) quanto no NT (Rm 13.9; Gl 5.19; Tg 2.11). O Senhor Jesus estendeu a culpa pelo adultério da mesma forma como fez para outros mandamentos, incluindo o propósito ou o desejo de cometê-lo ao próprio ato em si (Mt 5.28).

Tecnicamente, o adultério se distingue da fornicação, que é a relação sexual entre pessoas que não são casadas. Entretanto, a palavra grega *porneia*, uniformemente traduzida como "fornicação", inclui toda lascívia e irregularidade sexual (cf. MM; e Vine, EDNTW). Por essa razão, muitas igrejas consideram que os textos em Mateus 5.32 e 19.9 permitem o divórcio e o novo casamento nos casos em que o casamento anterior tenha sido dissolvido por causa de adultério. Outros se recusam a reconhecer qualquer base válida para um novo casamento depois do divórcio e, são da opinião de que tudo resulta em adultério aos olhos de Deus. Entretanto, não se pode chegar a essa conclusão por essa exceção estar ausente dos paralelos nos Sinóticos, da analogia de Paulo em Romanos 7.2,3, ou de seu tratamento da questão em 1 Crônicas 7.10-11. Ela pode ter sido tão universalmente reconhecida que não precisaria de uma reafirmação toda vez que o divórcio e um novo casamento fossem mencionados.

A atitude de Jesus em relação à mulher surpreendida em situação de adultério, como foi registrado em João 8.1-11, tem sido questionada com o argumento de que essa passagem está ausente do antigo e melhor manuscrito e, onde ela realmente aparece, suas interpretações são extremamente variadas. Entretanto, "está fora de qualquer dúvida que ela faz parte da tradição autêntica da igreja" (A. J. MacLeod, "John", NBC). O Senhor Jesus Cristo não foi conivente com o pecado da mulher, nem a condenou à morte por apedrejamento como seus acusadores haviam sugerido. "A verdade, que estava nele, repreendeu a mentira dos escribas e fariseus. A pureza que estava nele condenou a lascívia que estava nela" *Mission and Message of Jesus,* p. 795) e Ele disse à mulher que partisse e que não voltasse a pecar.

Na Bíblia Sagrada, o termo adultério (em hebraico *na'aph* e em grego *moicheia*) é muitas vezes utilizado como uma metáfora para representar a idolatria ou apostasia da nação e do povo comprometido com Deus. Exemplos disso podem ser encontrados em Jeremias 3.8,9; Ezequiel 23.26,43; Oséias 2.2-13; Mateus 12.39; Tiago 4.4. Esse uso está baseado na analogia do relacionamento entre Deus e o seu povo, que é semelhante ao relacionamento entre o marido e a sua esposa, uma característica comum tanto do AT (Jr 2.2; 3.14; 13.27; Os 8.9) como do NT (Jo 3.29; Ap 19.8,9; 21.2,9). O casamento, que envolve ao mesmo tempo um pacto legal e um vínculo de amor, representa um símbolo muito adequado do relacionamento entre Cristo e a sua igreja (Ef 5.25-27).

A poligamia, como uma relação legalizada entre o homem e várias esposas e concubinas a ele subordinadas, era permitida na época do AT, mas proibida no NT (por exemplo, 1 Tm 3.2,12). Ela não envolvia o pecado do adultério.

Apesar das rigorosas proibições bíblicas, o adultério foi amplamente difundido em diferentes épocas e tornou-se particularmente ofensivo como parte do culto cananeu de adoração aos Baalins, que incluía a prostituição "sagrada". Indicações de uma lassidão moral são encontradas em referências como Jó 24.15; 31.9; Provérbios 2.16-19; 7.5-22; Jeremias 23.10-14. O caso de Davi foi especialmente notório e deu aos inimigos de Deus ocasião para blasfemar (2 Sm 11.2-5; 12.14). Essa lassidão moral generalizada prevaleceu durante o NT e pode ser claramente observada em Marcos 8.38; Lucas 18.11; 1 Coríntios 6.9; Gálatas 5.19; Hebreus 13.4 e em mais de 50 referências feitas no NT ao conceito de fornicação *(porneia, porneuo, porne, pornos)*. *Veja* Fornicação.

***Bibliografia.*** F. Hauck, "*Moicheuo* etc.", TDNT, IV, 729-735.

W. T. P.

**ADUMIM** Acredita-se que a passagem entre as colinas de calcário vermelho, que atualmente têm o nome árabe de Tal'at ed-Damm ("encosta de sangue"), seja a antiga Adumim. As Escrituras indicam que ela ocupava uma linha limítrofe entre Jericó e Jerusalém (Js 15.7; 18.17). Esse local pode ter sido o cenário da parábola de Jesus sobre o bom samaritano (Lc 10.30).

**ADVENTO, SEGUNDO** Veja Cristo, Vinda de.

**ADVERSÁRIO** A palavra "adversário", em 32 de suas 57 ocorrências na versão KJV em inglês (Na RC aparece 25 vezes no singular e 43 no plural), corresponde à tradução de *sar* (ou formas relacionadas) que significa "antagonista". Ela se refere, principalmente, aos inimigos de Israel (Êx 23.22; Jr 50.7; cf. Et 7.6; Sl 69.19), mas também a uma esposa rival (1 Sm 1.6) ou a judeus pecadores (Is 1.24). Adversários executam a ira de Deus (Sl 89.42; Am 3.11; cf. Lm 2.4), mas serão derrotados (Sl 81.13,14; Jr 30.16; cf. Is 59.18; Na 1.2). A palavra hebraica *satan* (*Veja* Satanás) pode descrever um adversário humano (1 Sm 19.4; 2 Sm 19.22) ou mesmo um anjo do Senhor (Nm 22.22).

Das palavras traduzidas no NT como "adversário", *antikeimenos,* significa simplesmente "oponente" (Lc 13.17; 21.15; 1 Co 16.9; Fp 1.28; 1 Tm 5.14; cf. Arndt); mas *antidikos* significa oponentes em uma ação judicial (Mt 5.25; Lc 12.58; cf. Jó 31.35; Is 50.8) e, mais geralmente, o diabo (Lc 18.3; 1 Pe 5.8). *Veja* também Diabo.

**ADVOGADO** Arndt define a palavra grega *parakletos* como "advogado" ou "aquele que aparece em nome de outro; mediador, intercessor, ajudador" (p. 623). *Veja* Paracleto.

João diz que uma pessoa está enganando a si própria quando diz que não tem pecados (1 Jo 1.8) e faz de Deus um mentiroso quando diz que nunca pecou (v. 10). Ao mesmo tempo, se alguém comete um pecado, conta com um "Advogado junto ao Pai, Jesus Cristo, o Justo" (1 Jo 2.1). Para compreender o que João quer dizer, devemos entender que ele também tinha um adversário que constantemente se apresentava para acusá-lo perante Deus, o próprio Satanás (cf. Zc 3.1-7; Jó 1.6-12; 2.1-7; Ap 12.10). No trabalho de Cristo como Advogado, Ele pleiteia sua própria expiação para perdoar os pecados dos crentes e defendê-los contra os ataques de Satanás perante Deus.

**ADVOGADO** *Veja* Ocupações: Advogado.

**AEON** Representa a palavra grega usada no NT para se referir a um século (cf. século presente, esse século, o próximo século, aquele século, Mateus 12.32 (século); Marcos 10.30 (século); Lucas 18.30 (vida vindoura); 20.35; Gálatas 1.4 (século)). Também é usada para mundos e o universo (Hebreus 1.2) e, especialmente, em certas frases para exprimir idéias relacionadas à expressão "para sempre" ou "para sempre e eternamente" (Jo 6.51,58; Gl 1.5). Para uma introdução à recente discussão sobre o poder desta expressão quando aplicada à eternidade, Veja a obra *Biblical Words for Time,* de James Barr. Nesta obra, o autor afirma que o estudo do vocabulário feito por Cullmann não prova a existência de fundamentos léxicos para a opinião de que nenhuma distinção qualitativa pode ser feita entre os conceitos do NT sobre tempo e eternidade, e afirma que a eternidade representa simplesmente o tempo em sua integralidade ou o tempo sem fim ou limite. *Veja* Eternidade; Tempo.

J. H. S.

Existe uma acirrada controvérsia em relação ao uso dessa palavra em passagens como Mateus 24.3 (cf. Mateus 13.39,40; Lucas 18.30; 1 Co 10.11; Hb 9.26) onde os discípulos dizem ao Senhor, "Dize-nos quando serão essas coisas e que sinal haverá da tua vinda e do fim do mundo [século ou *aeon*]?" Young, em sua concordância, considera que ela está sendo usada aqui em um sentido de século, e a classifica junto com muitos outros usos do NT que, embora traduzida como "mundo" na versão KJV em inglês, expressa tempo e, portanto, pode ser melhor traduzida como "século" ou "dispensação".

Na verdade, a decisão sobre qual tradução seria a mais correta está evidenciada nessas passagens, não só pelos detalhes exegéticos, mas pelo fato de ela poder ser de natureza "amilenial" ou "pré-milenial". Os adeptos do conceito pré-milenial não encontram dificuldades em sua tradução literal como "século", enquanto os adeptos do conceito "amilenial" acreditam que devem eliminar esse significado de vários versos, como por exemplo, de Mateus 13.39, "a ceifa é o fim do mundo[*aeon*]" (cf. 2 Co 4.4; Gl 1.4) para evitar a idéia literal do reino de mil anos de Cristo sobre a terra. O significado principal de "século" deve ser preferido em relação ao segundo, isto é "mundo", exceto nos lugares onde não for adequado (por exemplo, Hb 11.3; cf. 1 Co 2.6; 2 Co 4.4) ou quando o contexto exigir o significado de "mundo" (Hb 1.2).

Ao mesmo tempo, devemos entender que o

conceito hebraico de tempo e de dispensação foi aplicado em um sentido muito mais amplo que o nosso termo "século"; tudo estava relacionado a períodos particulares ou momentos no tempo. *Veja* Dispensação.

***Bibliografia.*** James Barr, *Biblical Words for Time*, Naperville. Allenson, 1962. Oscar Cullmann, *Christ and Time,* London. S. C. M. Press, 1951.

R. A. K.

**AER** Um benjamita (1 Cr 7.12). Na versão ASV em inglês, é identificado como o Airão de Nm 26.38.

**AFARSAQUITAS** Um nome usado para transliterar um termo aramaico ou persa, entendido como se referindo ao nome de um povo restabelecido em Samaria por Asnaper (Asurbanipal ou Osnapar), o rei assírio. É encontrado em Esdras 4.9; 5.6; 6.6. A versão RSV em inglês traduz a palavra como "governadores" seguindo o exemplo de 1 Esdras 6.7.

**AFARSITAS** Encontrado somente em Esdras 4.9 referindo-se à tribo restabelecida em Samaria pelo rei assírio Asnaper (Asurbanipal ou Osnapar). A versão RSV em inglês traduz a palavra como "persas". Herzfeld acredita que o texto se refira aos oficiais neobabilônicos (IB, III, 601).

**AFECA**
1. Uma cidade com este nome (Jz 1.31). Talvez seja identificada com Tell el-Kurdaneh a 11 quilômetros a sudeste de Aco, situava-se dentro do território de Aser (Js 19.30), mas não foi conquistada a princípio pelos israelitas.
2. Os sírios fugiram para uma cidade chamada Afeca em Basã (a leste do Mar da Galiléia) após terem sido derrotados por Acabe (1 Rs 20.26-30).
3. Uma antiga cidade cananéia que ficava dentro do território de Efraim na planície de Sarom. Estava localizada em Ras el-'Ain, uma nascente abundante que forma as cabeceiras do Rio Yarkon. A presença aqui de cacos de louça de barro das eras Bonze-Médio, Bronze-Final e Ferro I, concorda com a menção de Afeca nos textos de Execração egípcios e como a primeira cidade capturada por Amenotep II em sua segunda campanha asiática (1440 a.C.). Afeca aparece novamente em uma carta aramaica de um príncipe palestino, Adon, ao faraó Hofra em 600 a.C. (BASOR, # 111 [Out., 1948], 24-27). Seu rei foi morto por Josué (Js 12.18), mas posteriormente os filisteus derrotaram os filhos de Eli perto do lugar e capturaram a arca (1 Sm 4.1-11). Os filisteus usaram Afeca como uma área de plataforma para as suas forças, antes de atacarem Saul em Jezreel. Na época, Davi e seus homens faziam parte das forças filistéias, mas foram dispensados antes da batalha começar, porque alguns generais filisteus não confiavam em Davi (1 Sm 29).
Nos tempos romanos, a cidade de Antipátride (q.v.) foi construída perto das antigas ruínas de Afeca por Herodes o Grande e recebeu o nome de seu pai. Depois de sua prisão em Jerusalém, Paulo foi levado à noite para este lugar durante seu percurso até Cesaréia (At 23.31).
4. Uma cidade no campo montanhoso ao sul de Judá, entregue a esta tribo após a conquista de Josué (Js 15.53).

G. H. L.

**ÁFIA** Uma mulher cristã em Colossos, uma das destinatárias da epístola de Filemom, provavelmente a esposa de Filemom (q.v.). Áfia era um nome feminino comum no Oeste da Ásia Menor, conforme mostram as inscrições.

**AFIAS** Um ancestral benjamita do rei Saul (1 Sm 9.1).

**AFICA** *Veja* Afeca.

**AFLIÇÃO**[1] O não-salvo sofre aflições por causa de seus próprios pecados (Sl 107.10,39), o cristão por causa da maldição do pecado e da morte sobre o mundo, por causa de Satanás (Jó 1.6-12; 2.1-7) e porque o mundo pecador abomina a justiça e a luz (Jo 15.18; 3.20). Moisés escolheu "ser maltratado com o povo de Deus do que por, um pouco de tempo, ter o gozo do pecado" (Hb 11.25).
No entanto, isso não explica completamente as aflições que podem sobrevir a um crente. Consideradas através de uma dimensão mais profunda, elas fazem parte de Romanos 8.28 – "todas as coisas contribuem juntamente para o bem daqueles que amam a Deus" – no sentido de que Deus permite as aflições para o bem do cristão. Paulo, que conheceu as maiores provações, chama as aflições do crente de "leves" quando comparadas à glória que o acompanha quando vai ao encontro do Senhor (2 Co 4.17).
De acordo com o Senhor, o tempo de maior aflição, a Grande Tribulação, irá ocorrer exatamente antes de Sua segunda vinda (Mt 24.21,29,30; cf. Ap 7.14; Ap 6-19). Ele diz que "se aqueles dias não fossem abreviados, nenhuma carne se salvaria" (Mt 24.22).
A expressão, "as aflições de Cristo", usada por Paulo em Colossenses 1.24, não se refere a qualquer sofrimento de Cristo que deva ser completado pelos crentes. Os católicos romanos ensinam que é possível ajudar a preencher esses sofrimentos e juntar-se à obra de Cristo, assim como é possível executar obras meritórias que serão acrescentadas à Sua obra. Paulo está aqui se referindo aos sofrimentos infringidos ao Corpo de Cristo,

isto é, à igreja, e fala dessa maneira por causa da íntima união que existe entre o Senhor e aqueles que são seus. O Senhor se refere a essa união em João 17.21 ao orar da seguinte forma: "Para que todos sejam um, como tu, ó Pai, o és em mim, e eu, em ti; que também eles sejam um em nós".
*Veja* Agonia; Sofrimento.

R. A. K.

**AFLIÇÃO**[2] Uma palavra que normalmente significa tristeza, usada para traduzir várias palavras gregas e hebraicas diferentes. Esdras expressou com essa palavra (Ed 9.5) a sua demonstração de humilhação e tristeza expressas por meio do jejum. Em Provérbios 12.25 a palavra significa ansiedade, solicitude. O Messias dará uma veste de louvor ao invés de um espírito angustiado ou desalentado (Is 61.3). Tristeza ou pesar é a conotação no Salmo 119.28 e em Provérbios 10.1, como também em Romanos 9.2 e 2 Coríntios 2.1, onde o substantivo grego *lupe* é traduzido como "tristeza", e pelo verbo correspondente "entristecer" nos versículos seguintes (2.2-7). As provas e as tentações também podem causar tristeza e angústia para o crente durante a era presente (1 Pe 1.6). Sentimento que envolve uma pessoa ao arrepender-se dos seus pecados (Tg 4.9). Epafrodito estava "muito angustiado" (Fp 2.26), isto é, estava aflito porque a igreja filipense havia sido informada de que ele estava doente. Este mesmo verbo grego descreve a profunda aflição da alma que Cristo suportou no Getsêmani (Mc 14.33).
A expressão "coração aflito" é encontrada em Provérbios 25.20, onde a palavra hebraica *ra'* significa "triste", como também em Gênesis 40.7 e Neemias 2.1,2.

J. R.

**AFOGAR-SE** As bigas egípcias que seguiam os israelitas em fuga foram afogadas no Mar Vermelho (Êx 15.4; Hb 1.29). O afogamento nunca havia sido um método de punição capital, nem era uma prática comum na Galiléia na época de Jesus; mas era conhecido entre os gentios do mundo greco-romano (Mt 18.6). O termo grego *buthizo* é usado de modo figurativo em 1 Timóteo 6.9 como desejos tolos que afogam (ou submergem) os homens na ruína.

**AFRA** *Veja* Bete-Leafra.

**ÁGABO** Profeta de Jerusalém (At 11.27-30) que anunciou uma grande epidemia de fome no mundo habitado (o Império Romano). Isso aconteceu na época de Cláudio (41-54 d.C.), sendo que seu alivio seria enviado provavelmente entre os anos 45 e 46 pela igreja de Antioquia da Síria, aos cristãos de Jerusalém. Presume-se que o mesmo Ágabo esteja mencionado em Atos 21.10,11 onde suas profecias, expressas no ano 59 d.C. à igreja de Cesárea, foram dramaticamente representadas quando, com o seu próprio cinto, se prendeu a Paulo para preveni-lo sobre a sua iminente prisão, caso o apóstolo insistisse em ir a Jerusalém.
A possibilidade de Ágabo ter nascido em Antioquia se baseia na insuficiente evidência de alguns poucos manuscritos, onde está escrito "um de nós" ao invés de "um deles" em Atos 11.28.

**AGAGITA** Hamã (q.v.) que era o primeiro oficial no comando sob o rei Assuero (ou Xerxes I), era um Agita (Et 3.1,10; 8.3,5; 9.24). Josefo (*Ant.* xi. 6.5) associou este nome a Amaleque. Foi Agague, o rei dos amalequitas, que Saul trouxe de volta a Israel, e então despertou a ira de Samuel (1 Sm 15.8,33). Se esta associação estiver correta, é possível compreender a falta de respeito de Mardoqueu por Hamã.
Uma inscrição acadiana de Sargão II menciona Agague como um distrito da Média.

**AGAGUE** Rei dos amalequitas. Apesar de capturado, teve sua vida poupada por Saul, embora o profeta Samuel tivesse ordenado a execução de todos os amalequitas. Quando Samuel foi ao encontro de Saul, depois que o rei retornara da vitória, o balido da ovelha desmentiu sua afirmação de perfeita obediência. Ele tentou colocar a culpa no povo por ter poupado Agague e o gado, mas Samuel não aceitou a desculpa. Saul, então, confessou o seu pecado, mas era muito tarde, pois Samuel havia profetizado que ele perderia o reino. Samuel demonstrou a necessidade de uma total obediência quando, pessoalmente, matou Agague na presença do povo (1 Sm 15.8-33). Anteriormente, Agague havia sido mencionado na profecia de Balaão que declarou que o rei de Israel seria maior que Agague (Nm 24.7).

**ÁGAPE** Ágape (palavra grega para "amor") era uma refeição comum ou uma festa de amor na igreja primitiva. Além de satisfazer a fome e compartilhar com os pobres, era uma forma de exprimir a unidade e o amor fraternal. *Veja* Festa de Amor.
Embora especificamente mencionado em Judas 12 e 2 Pedro 2.13 (em alguns manuscritos), esse costume era conhecido no NT (At 2.42,46; 20.11; 1 Co 10.16; 11.24) e na literatura pós-canônica (Didache, Inácio, Tertuliano, Crisóstomo, Agostinho, *et al.*).
As festas judaicas e as corporações dos gentios forneceram precedentes para essa expressão de comunhão.
No início, após o exemplo estabelecido pela Ceia do Senhor, parece que essa refeição esteve associada à Comunhão. Mais tarde, a ênfase sacerdotal mostrou uma tendência de separar as duas e associar a última ao jejum.

Hagar no deserto, pintado por Corot

No entanto, essa refeição nunca foi inteiramente universal ou essencial à prática cristã, confrontada com abusos internos e colocada sob suspeita dos pagãos que imaginavam que tal prática tivesse motivos torpes, e caiu cada vez mais em desuso por volta do século IV. Entretanto, ainda se encontra preservada por algumas entidades religiosas (menonitas, partidários da seita de Dunker e por algumas igrejas Batista Alemãs).

W. T. D.

**AGAR** Mulher nativa do Egito e que pertencia a Sarai, esposa de Abrão. Sarai não conseguia conceber filhos, portanto deu Agar como esposa a Abrão, esperando poder ter um filho através dela (Gn 16). As tábuas de Nuzu revelam que essa prática era muito comum e alguns dos contratos matrimoniais especificavam que uma mulher estéril deveria providenciar uma outra mulher para seu marido, com a finalidade de procriação.
Depois de ter concebido, Agar passou a olhar Sarai com desprezo. Sarai, com o consentimento de Abrão, tratou rudemente a Agar, que fugiu para o deserto e foi encontrada pelo anjo do Senhor ao lado de uma fonte, e dele recebeu instruções para voltar.
Ela recebeu a promessa de que seu filho teria muitos descendentes. Ismael nasceu depois de seu regresso.
Mais tarde, Deus garantiu a Sarai (cujo nome Deus mudou de Sarai para Sara, assim como no caso de seu marido, que se chamava Abrão e teve o seu nome trocado pelo Senhor passando a se chamar Abraão) que ela teria o seu próprio filho – Isaque. Quando desmamou Isaque, Sara exigiu que Abraão mandasse Ismael embora. De acordo com as tábuas de Nuzu, esse ato era proibido e talvez essa fosse a razão pela qual Abraão demonstrava tanta relutância em expulsar Ismael, até receber permissão do próprio Deus. Agar e Ismael foram despedidos apenas com um pouco de pão e um odre de água. Novamente o anjo apareceu e prometeu um brilhante futuro para o seu filho. Agar escolheu para o seu filho uma esposa da terra do Egito.
O apóstolo Paulo usou a história de Agar como uma alegoria (Gl 4.21-31), simbolizando a antiga aliança da carne, celebrada no Monte Sinai. Em contraste, Sara, a mulher livre, representa a nova aliança da fé, instituída pelo Senhor Jesus Cristo.

R. E. H.

**AGAR** Versão grega da palavra hebraica Hagar (q.v.). Foi usada alegoricamente por Paulo em Gálatas 4.24,25.

**ÁGATA** Pedra preciosa. *Veja* Jóias; Minerais.

**AGÉ** Pai de Sama, um dos homens poderosos de Davi. Ele foi chamado de hararita (2 Sm 23.11).

**AGEU** Profeta pós-exílico, muito ativo em Judá durante a construção do segundo templo, 520-515 a.C. Em Esdras 5.1 e 6.14, encontram-se referências feitas a Ageu e que trazem seu nome. Esse nome quer dizer "festivo", derivado do hebraico *hag*, ou "festival". Esse nome provavelmente lhe foi dado por pais religiosos por ter nascido em algum importante dia festivo judaico. É bastante provável que tenha nascido na Babilônia e vindo para Jerusalém depois que Ciro, rei da Pérsia, emitiu um decreto em 538 a.C. permitindo que os judeus retornassem à sua terra natal (2 Cr 36.22,23; Ed 1.1-4).
Em seu ministério profético, Ageu recebeu o apoio do profeta Zacarias. As quatro mensagens registradas nesse livro têm datas relativas a três ou quatro meses do ano 520 a.C., o segundo ano de Dario I (Hystaspes), rei da Pérsia (521-485 a.C.). *Veja* Dario Histaspe.

**AGEU, LIVRO DE** Com muito entusiasmo, os exilados que retornaram depois do decreto de Ciro, no ano 538 a.C., começaram a reconstruir o Templo (536 a.C.). *Veja* Ageu; Zacarias. A oposição feita pelos samaritanos foi muito eficiente, a ponto de interromper os esforços de construção do Templo durante os reinados de Ciro e Cambises, até o segundo ano de Dario, em 520 a.C. (Ed 4.4,5,20). Durante o período de Cambises, persas saqueadores, em seu caminho para o Egito (aprox. 525 a.C.), podem ter destruído a Palestina a ponto de não haver mais qualquer esperança de reconstrução do Templo.
Esse livro do AT é bastante incomum porque praticamente permaneceu sem contestação por parte dos críticos. Não existem provas para a hipótese de que o presente livro seja um fragmento de escritos mais extensos do profeta, ou de uma compilação de seus oráculos e relatos descritivos. Oesterly e Robinson, sem reconhecer a prática usual dos profetas escritores, chegaram a conjeturar que, por causa do uso da terceira pessoa em relação ao profeta, essa coletânea tenha sido preparada pelas mãos de um contemporâ-

neo de Ageu, que anotou os pontos mais salientes de seus sermões.

O livro de Ageu pode simplesmente representar os esboços de suas mensagens, escritas sob a inspiração do Espírito Santo. O Senhor havia falado através dele para estimular o povo em direção a um bem-sucedido esforço para reconstruir o Templo (Ag 1.12-15; Ed 5.1,2; 6.13-15).

Durante esse período, suas condições estão vividamente refletidas em sua abordagem junto ao povo. Embora estivessem profundamente envolvidos em projetos particulares para a construção de suas casas, Ageu lhes recordou que o Senhor dos Exércitos controlava as bênçãos materiais que lhes faltavam através da seca e das mal-sucedidas colheitas (1.2-11). Assegurando aos construtores que Deus, por meio do Seu Espírito, estava trabalhando junto com eles a fim de que a glória desse Templo fosse maior do que a glória do Templo de Salomão (2.7-9), Ageu encorajou tanto os líderes quanto os leigos. Para Deus e para Ageu havia apenas um *único* Templo, não três ou quatro (de Salomão, de Zorobabel, de Herodes, ou o milenial); portanto, essa profecia não seria necessariamente cumprida antes do ano 70 d.C.

Foram prometidas melhores colheitas (2.15-19). Zorobabel, como representante do trono de Davi, foi designado como um anel de selar (2.23), ou selo, que garantia ao povo de Deus o cumprimento da aliança que o Senhor havia estabelecido com Davi (2 Sm 7.12-16), e fornecia as bases para a esperança de que Deus, que faz tremer os céus e a terra, iria destruir a força das nações pagãs. Portanto, a obra de Deus, através da sua nação escolhida, seria finalmente estabelecida (2.20-23).

As mensagens de Ageu podem ser resumidas da seguinte maneira:

I. Ageu promove o envolvimento, 1.1-15.
II. O potencial de uma glória maior no novo Templo, 2.1-9.
III. A garantia de bênçãos materiais, 2.10-19.
IV. A promessa de Deus, 2.20-23.

***Bibliografia.*** Charles L. Feinberg, "Haggai", WBC, pp. 889-896, com bibliografia. Hobart E. Freeman, *An Introduction to the Old Testament Prophets*, Chicago. Moody Press, 1968, pp. 326-332. Frank E. Gaebelein, *Four Minor Prophets*, Chicago. Moody Press, 1970. A. Gelston, "The Foundations of the Second Temple", AT, XVI (abril de 1966), 232-235, sobre Hag 2.18.

S. J. S.

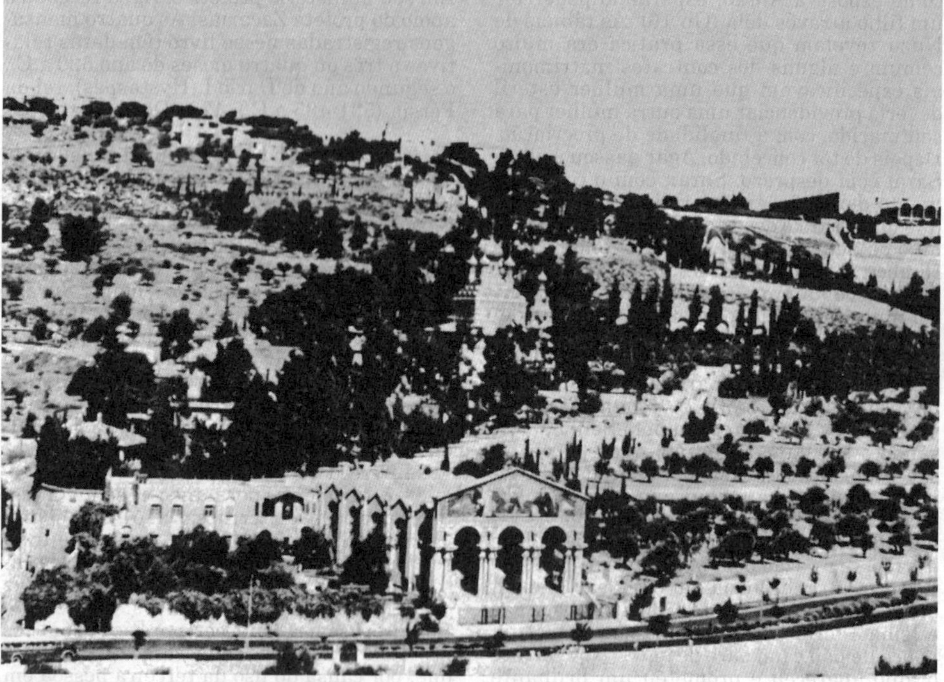

A igreja de Todas as Nações, ao pé do monte das Oliveiras, foi erguida sobre a tradicional rocha da Agonia. À esquerda da igreja está o jardim do Getsêmani. HFV

A Ágora de Atenas com o pórtico de Átalo reconstruído ao fundo. HFV

**AGONIA** (do grego *agonia*) essa palavra somente é encontrada uma vez no NT (Lc 22.44). Descreve o clímax do misterioso conflito e do indizível sofrimento de nosso Senhor no Jardim das Oliveiras. Origina-se nos termos gregos *agon* ("luta") e *ago* ("dirigir ou liderar") como em uma corrida de carruagens. Sua raiz dá a idéia de luta e dor proporcionadas pela mais severa luta ou disputa atlética. Desde Demóstenes ela tem sido usada para graves conflitos mentais e emoções.

A agonia da alma lavrou a dor sobre o corpo de Jesus até que "o seu suor tornou-se grandes gotas de sangue que corriam até ao chão" (Lc 22.44). O sangue, misturado à água da sudorese normal tem o nome de "diapedese" na medicina. Ela resulta da perturbação do sistema nervoso que desvia o sangue de seu curso normal e força as partículas vermelhas a se excretarem através da pele (Fausset, *Bible Encyclopedia*). Outros casos semelhantes já foram registrados, como o de Carlos IX da França em seu leito de morte e de um jovem de Florença, injustamente acusado e condenado à morte pelo Papa Sixto V.

A angústia de Cristo parece ter alcançado um nível insuportável antes da sudorese sanguínea até que um anjo apareceu e o fortaleceu (Lc 22.43). Foi então que Ele se tornou capaz de orar mais intensamente e de suar sangue.

O significado dessa agonia está no grito repetido três vezes. "Se possível, passe de mim este cálice!" (Mt 26.36-46; Mc 14.32-42; Lc 22.39-46). Não foram as dores da morte física que fizeram Jesus se contrair. Foi a perspectiva iminente de se tornar pecado. Houve uma contração instintiva e dolorosa de todo o seu ser, causada pelo horror de suportar o pecado de todo o mundo e da ausência da luz da face de Deus. Ninguém, a não ser o perfeito Cristo, poderia absorver o peso de toda a culpa, angústia, tristeza e dor dos homens ao ser ferido e esmagado pelas nossas iniqüidades. O NT reserva a palavra agonia para essa suprema luta de redenção. *Veja* Aflição; Sofrimento.

W. T. D.

**ÁGORA** Esse lugar de reunião, ou espaço aberto ao público, localizava-se em uma vila, cidade ou campo onde as pessoas se congregavam. Por causa de seu uso para exposição e troca de mercadorias esse lugar recebeu o nome de mercado ou bazar. Muitas vezes, se encontrava próximo aos portões da cidade, como o bazar da velha Jerusalém, do lado de dentro da Porta de Damasco. Mas os negócios esparramaram-se pelas áreas vizinhas que se tornaram conhecidas como a rua dos padeiros ou dos caldeireiros (ou latoeiros). O comércio era apenas uma das atividades.

Ali as crianças se reuniam para cantar, dançar e brincar (Mt 11.16,17; Lc 7.32); os desocupados esperavam emprego ou procuravam saber dos últimos mexericos (Mt 20.1-16); aqueles que desejavam chamar a atenção se aproximavam do lugar onde as pessoas estavam reunidas (Mt 23.3-7; Mc 12.38; Lc 11.43; 20.46); os doentes procuravam tratamento (Mc 6.56); as primeiras audiências dos julgamentos eram realizadas ali, onde os governantes podiam ser encontrados (At 16.19) e muitas vezes reuniões públicas serviam como tábua de ressonância para discussões religiosas, filosóficas e políticas (At 17.17). A ágora de Atenas era o cenário das escolas peripatéticas (volantes) de filosofia.

W. I. D.

**AGOUREIRO** Um adivinho ou médium que procurava predizer os eventos interpretando os sinais nas nuvens, no ruído das folhas, no zumbido dos insetos, ou em outros presságios. Os cananeus (Jz 9.37) e os filisteus (Is 2.6) dependiam fortemente de tais adivinhações (q.v.). Manassés, o rei de Judá (2 Rs 21.6; 2 Cr 33.6), e os reis das nações circunvizinhas (Jr 27.3,9) seguiam esta prática, embora ela tivesse sido proibida na lei de Moisés (Lv 19.26; Dt 18.10,14) juntamente com todas as outras formas de feitiçaria e bruxaria. Em Filipos, Paulo ordenou a um espírito de adivinhação que, em nome de Jesus Cristo, saísse de uma jovem (At 16.16-18).
*Veja* Mágica.

**AGRAPHA** Palavra comumente usada para se referir a supostas palavras de Cristo que não constam dos Evangelhos (ou do NT, como por exemplo, algumas poucas expressões que aparecem em Atos e nas Epístolas).
Algumas das supostas expressões de Jesus são encontradas em fontes não canônicas. Primeiramente, algumas estão preservadas nos manuscritos posteriores do NT; por exemplo, a que se encontra no Codex Beza depois de Lucas 6.4 (nas notas de rodapé de Nestle). Também alguns dos primeiros patriarcas da igreja acrescentaram um certo número de expressões de Jesus como aquela de Justino: "Em quaisquer coisas que Eu exigir de você, nessas, Eu irei julgá-lo" (Diálogo com Trifo 47). No entanto, elas são poucas e sem importância e provavelmente representam apenas citações imaginárias.
Em 1897 e 1903, Grenfell e Hunt encontraram três papiros no Egito que levantaram muito interesse. Esses papiros incluíam cerca de 14 "expressões" de Jesus, metade das quais com igual correspondência nos Evangelhos. Essas expressões não canônicas têm um caráter diferente e, portanto, com toda a certeza, não são genuínas. Por exemplo, uma das mais famosas termina em panteísmo. "Levante a pedra e me encontrarás; fenda a madeira e lá estarei". A fonte dessas expressões é desconhecida, mas tem sido discutido que elas vieram de uma coletânea de expressões de Jesus do século II (ISBEA art. *Logia*). Atualmente, essa conclusão foi amplamente confirmada e alguma reconstrução das partes danificadas mostrou que eram falaciosas. Em 1946 foi descoberto no Egito, em Chenoboskion (q.v.), um espantoso conjunto de documentos. Alguns deles estão escritos em Cóptico e incluem obras gnósticas e materiais apócrifos compostos em grego no século II. Achados relacionados a eles são os papiros Bodmer, que incluem importantes cópias de livros originais do NT grego. As obras gnósticas incluem um Evangelho de Tomé (não o Evangelho da Infância anteriormente conhecido e supostamente escrito por Tomé) que é uma coletânea de 114 expressões de Jesus. Elas incluem algumas expressões anteriormente descobertas por Grenfell e Hunt. Algumas se assemelham às dos nossos Evangelhos, outras não. Novamente, as expressões não canônicas geralmente têm um caráter muito pouco condizente e pouca possibilidade de serem verdadeiras. Uma obra intitulada "O Evangelho da Verdade" apresenta uma discussão sobre as opiniões gnósticas, mas não incluem as expressões de Cristo. Outra obra tem o nome de "O Evangelho de Felipe". Essas três obras foram datadas por F. L. Filson (BA, XXIV, 1961, pp. 8-18) e por outros como sendo do século II. São obras gnósticas e muito valiosas para o estudo desse movimento. Mas não existe qualquer indicação precisa de que alguma dessas expressões possa ser genuína. Elas não acrescentam nada de elucidativo, seguro ou de valor aos nossos Evangelhos.
*Veja* Gnosticismo.

R. L. H.

**AGRICULTOR** *Veja* Ocupações: Fazendeiro, Agricultor.

**AGRICULTURA** Produção de safras a partir do solo, e criação de animais. A palavra "agricultura" não é usada na Bíblia, mas sua

Um modelo em terracota de uma cena de lavoura no campo, terceiro milênio a.C. Museu de Chipre

idéia é transmitida pelo termo "lavoura" (em hebraico *'adama,* 2 Crônicas 26.10; em grego, *georgion*, 1 Coríntios 3.9). O termo "lavrador" é usado freqüentemente, por exemplo, em Gênesis 9.20; Jeremias 31.24; 51.23; Mateus 21.33-41; João 15.1; Tiago 5.7.

*Agricultura na Bíblia.* A importância da agricultura na Bíblia é indicada por meio de numerosas referências feitas ao agricultor e ao pastor. As várias leis agrárias do AT refletem o fato de que, durante todo o período da história da nação de Israel, a principal ocupação do povo era a agricultura.

Ela é mencionada em conexão com as primeiras atividades da raça humana. Foi dito que Caim cultivava a terra (Gn 4.2). Deus era considerado o fundador da lavoura (Is 28.26) . Nenhuma outra área da vida de Israel forneceu tantas figuras de retórica para enriquecer as idéias e a linguagem da Bíblia como a agricultura. As bênçãos do futuro messiânico estão descritas em termos de campos férteis, árvores frutíferas e vinhas (Am 9.14; Zc 8.12), enquanto o desapontamento causado pela quebra de uma safra era símbolo de tristeza ou juízo (16.10). A linguagem de Jesus ilustra a importância das figuras relacionadas com a vida agrícola da Palestina (Lc 6.43,44). Bons exemplos podem ser encontrados na parábola da figueira (Mt 24.32), na parábola dos trabalhadores da vinha (Mt 20.1-16) e na parábola do semeador (Mc 4.1-20).

*O calendário e os métodos da lavoura.* Considerava-se a terra como sendo de propriedade do Senhor (Lv 25.23) e o lavrador gozava do privilégio do seu uso. *Veja* Terra e Propriedade. As safras dependiam das estações que, por sua vez, eram determinadas por Deus. De inúmeras formas, o calendário religioso dos israelitas refletia a vida agrícola desse povo. O assim chamado calendário "Gezer" (*Veja* Calendário) fornece em sete

Cena de uma debulha de grãos nas proximidades de Gerasa, Jordão. HFV

Israelitas colhendo azeitonas. IIS

linhas de versos de má rima um resumo das atividades agrícolas no período inicial da divisão da monarquia. Os meses são distribuídos de forma mnemônica de acordo com as principais atividades agrícolas do ano. As três principais festas (Festa dos Pães Asmos, Festa das Semanas ou Pentecostes e Festa dos Tabernáculos, Êx 23.14-17; Dt 16.16) de que os israelitas eram obrigados a participar em Jerusalém, eram basicamente de caráter agrícola. Estavam relacionadas com as estações e com os produtos da terra e eram realizadas no principio e no final da colheita dos grãos e na reunião final de todas as colheitas do ano.

O ano agrícola começava na chegada das primeiras chuvas que produziam o efeito de amaciar o solo esturricado pelo calor do sol de verão. As chuvas primeiras ou precedentes começavam durante a última metade do mês de outubro. O atraso dessas chuvas, chuvas esparsas na primavera ou "chuvas atrasadas" poderiam colocar em risco todas as safras do ano.

O maior suprimento de água para agricul-

Cena de um trabalho com arado, da tumba de um nobre em Tebas, Egito. Gaddis, Luxor

tura vinha das chuvas e do orvalho (Gn 27.28,39; 1 Rs 17.1; Ag 1.10) mas fontes de água subterrânea às vezes também eram usadas. Alguma irrigação era desenvolvida com a utilização das águas do Rio Jordão e dos canais de cisternas cavadas nas rochas (Sl 1; Dt 8.7; Ez 17.8). A grande dependência das chuvas em Israel contrastava com a total dependência da irrigação no Egito (q.v.) em Deuteronômio 11.10-12. A dependência de Israel em relação à dádiva divina da chuva está indicada em muitas referências (Dt 11.14; Jr 3.3; 5.24; Jl 2.23; Zc 10.1). O maior inimigo do lavrador era a seca; mas os gafanhotos, o míldio das plantas, os ventos quentes do "siroco" e a pilhagem das guerras também elevavam consideravelmente as perdas.

O princípio da rotatividade das safras está sugerido no regulamento de que um campo (q.v.) devia permanecer sem cultivo durante um ano, a cada sete anos (Êx 23.10). A lavoura da terra geralmente era feita com um único arado puxado por bois ou vacas e a colheita com uma foice de madeira e pedra, ou de ferro (Dt 16.9; 23.25; Jz 14.18; 1 Rs 19.19; Jó 1.14; Am 6.12). A debulha e a joeira eram feitas sobre um solo duro. Os grãos eram pisoteados pelos bois, e às vezes era usada uma marreta de debulhar (Is 28.27a; 41.15). A agitação ou varas eram suficientes para retirar os grãos menores (Is 28.27*b*; Jd 6.11). Para joeirar, os trabalhadores lançavam os grãos debulhados ao ar com o auxílio de um forcado, de uma pá ou de um "leque" (q.v.) para permitir que o vento assoprasse os resíduos mais finos (Mt 3.12; Sl 1.4) As sementes mais pesadas caíam aos seus pés. Para remover as lascas de palha, os grãos eram peneirados (cf. Lc 22.31). A palha e o restolho que haviam sido ceifados podiam ser usados como combustível ou eram deixados no campo e queimados (Lc 3.17; Is 47.14; Ml 4.1).

O jumento e a mula também serviam como animais da lavoura. O lavrador também usava sua vara para quebrar os torrões de terra. O solo era aplainado com um implemento parecido com um barco de pedra ou com um cilindro (Jó 39.10; Is 28.24,25; Os 10.11). A semente era lançada com as mãos. O centeio, o trigo e a cevada eram freqüentemente colocados nas leiras e, na época do Mishna, a semente era introduzida pelo arado.

*Produtos da Agricultura.* A dieta geral de Israel está refletida em referências como 1 Samuel 25.18 e Números 11.5 que, no conjunto, indicam a variedade de alimentos que podiam ser cultivados na antiguidade. Esses produtos dominavam o mercado da Palestina, isto é, trigo, vinho e azeite de oliva (Sl 104.15; Jl 2.19) que também representavam as principais exportações. Assim, os quatro ramos mais importantes da agricultura eram a cultura de grãos, as vinhas, as azeitonas e a criação de gado. *Veja* Vinhas; Vinho; Plantas; Pastor; Animais.

Em relação aos grãos, o trigo era o produto mais valioso (1 Rs 5.11). Era semeado no final de outubro ou no início de novembro, quando as chuvas já haviam começado, e era colhido durante os últimos dias de maio ou no início de junho. A cevada era muito comum e usada para fazer pão (Jz 7.13; 2 Rs 4.42). Também era usada como forragem (1 Rs 4.28) indicando, talvez, que fosse considerada um alimento de qualidade inferior. A cevada era semeada na mesma época que o trigo, podia ser cultivada em solos mais pobres e era colhida cerca de um mês antes (Rt 2.23). O centeio também era cultivado (Êx 9.32). A palavra hebraica foi traduzida como "centeio" na versão KJV em inglês. Era semeado em volta das extremidades dos campos de trigo e cevada (Is 28.25). Aparentemente, o centeio era uma espécie inferior de trigo. As fibras de linho também representavam outra colheita importante (Js 2.6; Is 19.9; Os 2.5,9). Cordas e tecidos para roupas eram feitos de linho.

O figo era uma importante iguaria. Junto com as tâmaras, o figo era uma importante fonte de açúcar. O figo do plátano, que era de tipo inferior, recebia um tratamento especial para melhorar sua qualidade. Em Amós 7.14, o profeta diz que ele era um "cultivador de sicômoros". O figo era usado para fins medicinais como podemos ver em Isaías 38.21. A tamareira era amplamente usada e cultivada, principalmente no Vale do Jordão (Dt 34.3; Jz 1.16). As tâmaras eram transformadas em bolos, assim como os figos, e também havia mel de tâmaras e xarope de tâmaras.

Leguminosas produziam lentilhas e feijão que, às vezes, eram usados para fazer pão (2 Sm 17.28; Ez 4.9). Melões e melancias constituíam parte da dieta e eram particularmente refrescantes naquele clima tão quente. Como acontece atualmente, uma pessoa pobre pode viver durante meses somente se alimentando com pães, melões e pepinos. O alho, alho poró e a cebola eram usados como temperos. O cominho e o coentro também são mencionados (Is 28.25; Êx 16.31). O NT acrescenta mostarda, hortelã, endro, cominho e arruda (Mt 13.31; 23.23; Lc 11.42). *Veja* Alimentos: Colheita.

***Bibliografia.*** ANEP, figs. #84-102. Denis Baly, *The Geography of the Bible,* New York; Harper, 1957, especialmente pp. 97-108. A. C. Bouquet, *Everyday Life in NT Times,* New York; Scribner's 1954. pp. 74-94. CornPBE, pp. 17-30, 238-243. E. W. Heaton, *Everyday Life in OT Times,* New York, Scribner's, 1956, pp. 97-112. Madeleine S. e J. Lane Miller, *Encyclopedia of Bible Life,* New York. Harper, 1944, pp. 1-24. William M. Thomson, *The Land and the Book,* Grand Rapids. Baker, 1954. Lucian Turkowski, "Peasant Agriculture in the Judean Hills", PEQ, CI (1969), 21-33, 101-112. G. Ernest Wright, *Biblical Archaeology*, ed. rev., Philadelphia. Westminster, 1962, pp. 183-187.

A. C. S.

**AGRIPA I, HERODES** Ele é chamado de Herodes o rei, em Atos 12.1. Era filho de Aristóbulo e Berenice, e neto de Herodes o Grande e Mariane. A linhagem real Asmoneana, que quase foi extinta pelo ciúme assassino de Herodes o Grande, ficou preservada através de Agripa. Nele, o reino de Herodes conheceu novamente a glória.

Agripa nasceu por volta do ano 10 a.C. e mudou-se para Roma com a idade de seis anos. Foi criado com Druso, filho de Tibério; com Antônia, esposa de Druso e com Cláudio. Embora fosse apenas um cidadão comum, ele tinha uma grande visão e cultivava toda oportunidade de progresso. Seus brilhantes partidários tornaram disponíveis uma grande quantia para o luxo e as extravagâncias. Mas depois da súbita morte de Druso, no ano 23 d.C., o imperador deixou de receber esse jovem tão orgulhoso. Seus companheiros o esqueceram. Imerso em dívidas, ele fugiu de Roma para uma fortaleza em Malata, na Iduméia.

Sua esposa, Chipre, através da irmã Herodias, esposa de Herodes Antipas, conseguiu para ele uma posição de superintendente do mercado em Tiberíades, no grau de edil e com um pequeno salário anual (Jos *Ant.* xviii.6.2). Tendo brigado com seu cunhado, que o fez entender sua posição de dependência, ele fugiu para Falco, procônsul da Síria. Condenado por causa de um suborno, fugiu novamente e, quando estava prestes a embarcar para a Itália, foi preso por causa de uma soma de dinheiro que devia ao tesouro romano. Escapou para Alexandria onde sua esposa lhe providenciou um empréstimo. Daí, viajou para Putéoli e foi recebido, favoravelmente, pelo idoso Tibério. De volta a Roma, rapidamente fez amizade com Caio Calígula, herdeiro presuntivo do trono romano. Um dia ele exprimiu o desejo de que Caio pudesse em breve suceder ao trono. Delatado ao imperador, foi lançado à prisão.

Quando Calígula sucedeu Tibério (no ano 37 d.C.), ele libertou Agripa, deu-lhe a tetrarquia de Felipe e o território de Lisânias II, com o título de rei. Trocou a corrente de ferro com a qual ele havia sido encarcerado por uma corrente de ouro, com o mesmo peso, e induziu o Senado a conceder-lhe o grau de pretor. Herodes Antipas e sua esposa, enciumados com as honrarias que haviam sido concedidas a Agripa, viajaram para Roma procurando suplantá-lo nos favores do imperador. Agripa premeditou essa iniciativa fazendo uma acusação a Antipas de ter mantido uma traiçoeira correspondência com os partos. Como essa acusação não foi contestada, Antipas foi enviado ao exílio e as tetrarquias da Galiléia e Peréia foram acrescentadas a Agripa no ano 39 d.C. Quando Calígula foi assassinado, e a coroa imperial oferecida a Cláudio, fraco e indiferente, foi Agripa que o levou a aceitar essa honra. No ano 40 d.C, Cláudio acrescentou a Judéia e a Samaria aos territórios de Agripa e confirmou a concessão da tetrarquia de Lisânias. Agora, ele possuía todo o reino de Herodes, o Grande. Além disso, ele implorou a Cláudio o reino de Chalcis para seu irmão (que passou a ser chamado de Herodes de Chalcis) e obteve para si o posto de cônsul.

Seu reinado sobre todo esse território durou apenas três anos, mas foi considerado muito feliz pelos judeus. Ele era o mais afável e popular governante da família Herodiana. Mostrava muito tato e respeito pelos sentimentos de seus compatriotas a ponto do Talmud e outra literatura judaica louvarem-no como um piedoso e amado devoto de sua religião.

O primeiro ato, com o qual Agripa comemorou o seu retorno à Palestina, foi de piedade. Ele pendurou a coroa de ouro que Calígula lhe havia presenteado como um memorial sobre o tesouro, nos limites do Templo. Ao mesmo tempo, fez uma oferta de agradecimento "porque não poderia negligenciar nenhum preceito da lei", e custeou as despesas de um grande número de nazarenos para poderem ser dispensados das obrigações de seus votos (*Ant.* 19.6.1).

Agripa conquistou a gratidão e a boa vontade dos judeus quando persuadiu Calígula a desistir de sua tentativa de ter sua estátua colocada no Templo em Jerusalém. Isso foi feito com verdadeiro risco à sua própria segurança e destino. Duas outras tentativas em favor dos judeus tiveram menos sucesso. A fim de reforçar as fortificações da capital Jerusalém, ele começou a construir no norte da cidade um novo e poderoso muro que, de acordo com Josefo, teria tornado a cidade inexpugnável. Mas sob a instigação de Marso, governador da Síria, Cláudio emitiu um decreto proibindo a continuação da obra. Porém, mais importante ainda era a conferência dos príncipes em Tiberíades, promovida por Agripa. Cinco reis vassalos de Roma responderam ao convite. Novamente, o governador da Síria suspeitou de seu intuito. Ele compareceu em Tiberíades e ordenou aos outros convidados que, sem demora, voltassem para casa.

Agripa I gostava de viver em Jerusalém e, enquanto lá esteve, mostrou-se extremamente cuidadoso com as leis dos judeus, sem deixar que um dia se passasse sem oferecer um sacrifício. O Talmud relata que, como um simples israelita, com sua própria mão ele apresentou suas primícias no Templo (Mishna, *Bikkurim,* iii. 4). Quando prometeu ao rei Antíoco de Comagene a mão de sua filha Drusila em casamento, Agripa exigiu que o rei fosse circuncidado. Tais demonstrações de religiosidade davam imensa satisfação ao povo e ajudavam os fariseus. No ano 41 d.C., na Festa dos Tabernáculos, ele leu Deuteronômio 17.15,de acordo com uma antiga tradição, e rompeu em prantos ao ler as palavras. "Não poderás pôr homem estranho sobre ti, que não seja de teus irmãos". E o povo gritava, "Não se preocupe Agripa! Tu és nosso irmão!" Seu forte desejo de agradar os judeus parece ter sido o motivo da perseguição aos cristãos (At 12.1-3) a quem os judeus odiavam.

Seria muito acreditar que ele era um fariseu convicto. Sua piedade somente se manifestava na Terra Santa. Em qualquer outro lugar ele era um liberal patrono da cultura grega. Em Berito, cultivava a magnificência pagã, construiu um belo teatro, banhos e praças. Jogos e atividades esportivas de todos os tipos eram celebrados, inclusive combates de gladiadores no quais, em certa ocasião, 1.400 homens foram mortos. Embora as moedas cunhadas em Jerusalém não mostrassem figuras agressivas, aquelas cunhadas em outros lugares ostentavam uma semelhança com Agripa ou com o imperador. Ele era mais afável e astuto do que Herodes o Grande, no entanto era movido mais por um desejo de paz do que de piedade.

No ano 44 d.C., Agripa celebrou os jogos de Cesaréia em honra ao imperador e para fazer votos pela sua segurança, com a presença de um certo número de personalidades importantes da província. No segundo dia, ele apareceu no teatro vestindo trajes tecidos com prata. Ao terminar seu discurso, o povo o saudou como a um deus. E ele não censurou o povo por isso. No entanto, foi imediatamente tomado por uma dor aguda que o levou à morte cinco dias depois, aos cinqüenta e quatro anos de idade. O NT mostra que esse episódio foi um ato de Deus (At 12.23). Com Agripa o poder herodiano tinha, virtualmente, seguido seu curso. Ele deixou três filhas (Bernice, Mariane e Drusila) e um filho de 17 anos (Agripa) a quem os romanos ainda não se sentiam prontos para confiar o governo.

*Veja* Herodes. Para sua biografia *veja* Herodes.

W. T. D.

**AGRIPA II, HERODES** O único filho de Agripa I e de Chipre, foi o último da linhagem real herodiana. Marcus Julius Agripa, como era chamado, recebeu uma educação real em Roma, no palácio do imperador. Como tinha apenas 17 anos quando seu pai morreu no ano 44 d.C., ele era considerado demasiado jovem para governar o difícil reino dos judeus. Cláudio enviou Cuspius Fadus como procurador restaurando, dessa maneira, a terra dos judeus como uma província romana. Nesse ínterim, o jovem continuava a ser útil aos seus compatriotas em Roma através da influência que exercia na corte.

Quando seu tio, Herodes de Chalcis, morreu (no ano 48 d.C), Cláudio concedeu a Agripa a pequena província de Chalcis com a supervisão do Templo e o direito de nomear o sumo sacerdote. Esse último direito ele exerceu de tempos em tempos até o ano 66 d.C., mas suas nomeações impulsivas ofenderam os judeus. Agripa continuou a residir em Roma, pelo menos durante a maior parte do tempo, até o ano 53 d.C. quando Cláudio, em troca de Chalcis, lhe concedeu maiores tetrarquias que anteriormente haviam pertencido a Lisânias e Herodes Felipe. Mais tarde, Nero acrescentou importantes partes da Galiléia e Peréia, inclusive Tiberíades, Tarichéia inclusive as terras que a eles pertenciam. Agripa II tinha a permissão de usar o título de rei.

A vida particular de Agripa foi arruinada pelos escândalos. Sua irmã Berenice, viúva de Herodes de Chalcis, mudou-se para sua casa no ano 48 d.C. e rapidamente passou a controlar o seu fraco irmão. O relacionamento incestuoso que se estabeleceu entre ambos era comumente discutido em Roma, assim como entre os judeus. Para colocar um fim a esses comentários, Berenice casou-se com Polemon da Cilícia, mas logo retornou ao seu irmão e, aparentemente, reiniciou o antigo relacionamento.

A política pública de seu reinado refletia a completa dependência de Roma. Ele forneceu tropas auxiliares para a campanha dos partos no ano 54 d.C. Quando o novo procurador Festo chegou à Palestina, ele e Berenice apressaram-se em lhe oferecer as boas vindas com grandes pompas (At 25.13,23). Suas moedas, quase sem exceção, traziam os nomes e as efígies do imperador reinante (Nero, Vespasiano, Tito e Domiciano). Aparentemente, ele parecia ser mais um visitante de Jerusalém do que propriamen-

te um morador. Suas atitudes em relação à lei judaica eram menos extravagantes do que as de seu pai, e se mostravam menos convincentes perante o povo.
Entretanto, Agripa realmente procurou se manter em bons termos com o judaísmo. Seus cunhados, Azizo de Emesa e Polemon da Cilícia foram obrigados a se circuncidar. Direta ou indiretamente, as questões relacionadas com a lei eram apresentadas pelo rei ao Rabino Elieser. Até Berenice tomou votos em Jerusalém, raspando a cabeça e andando descalça. Mas, havia um indisfarçável sentimento de indiferença. Ao invés de agradar os judeus, através de uma rápida condenação de Paulo, como seu pai provavelmente teria feito, ele satisfez sua curiosidade por meio de uma audiência (At 26.1). Em seguida, admitindo a força dos argumentos de Paulo, ele imediatamente o despediu (At 26.28). Seu interesse estava ligado a assuntos externos. Importou madeira do Líbano para sustentar o Templo quando suas fundações começaram a ceder, permitiu aos levitas, que entoavam Salmos, vestirem os trajes de linho reservados aos sacerdotes e pavimentou Jerusalém com mármore. Mas não tinha a reputação de ser uma pessoa religiosa.
Quando começou a revolução, no ano 66 d.C., agripa honestamente preveniu a nação contra essa manifestação, e quando o partido da paz foi derrotado, Agripa permaneceu inflexível e leal a Roma, embora a maior parte de seu território tivesse aderido à revolta. Ele recebeu magnificamente o general romano Vespasiano em Cesaréia de Filipe, lutou do lado de Roma, foi ferido no cerco de Gamala, tornou-se companheiro de Tito (a quem a guerra havia sido confiada) e quase certamente juntou-se à festiva celebração realizada em Cesaréia de Filipe em regozijo pela destruição dos judeus na guerra. Sua lealdade a Roma foi recompensada com a ampliação de seu território. Mas ele e Berenice continuaram a residir em Roma. Faleceu no ano 100 d.C. no reinado de Trajano, sem deixar herdeiros. Não há dúvida de que seu reino foi incorporado à província da Síria.
*Veja* Herodes.

W. T. D.

**ÁGUA AMARGA ou ÁGUA DE CIÚMES**
*Veja* Oferta de Manjares dos Ciúmes.

**ÁGUA** Para os israelitas antigos, vindos do Egito, um local de raras chuvas, e viajando pelo deserto, a água tinha uma grande importância por ser tão escassa. A água era essencial para as necessidades diárias assim como para a atividade agrícola do povo (Êx 15.22; Dt 8.6,15; 11.10-11). A localização dos assentamentos antigos era determinada com base na disponibilidade de água.
Na Palestina, e em locais montanhosos em geral, os habitantes e seus animais eram de-

Degraus que levam ao tanque de Gibeão

pendentes das chuvas, do orvalho, e das fontes próximas. Esta é uma situação diferente da irrigação oriunda de grandes rios como ocorre no Egito e na Mesopotâmia (Dt 8.9; 11.10-11). Riachos e pequenas fontes geralmente se secavam completamente após o término das chuvas e do desaparecimento da neve derretida que escorria das montanhas (Sl 126.4; Jr 15.18; Jl 1.20). Havia uma disputa pelos profundos poços do Neguebe e pelas fontes subterrâneas, pois as tribos das redondezas não podiam existir sem elas (Gn 21.25; 26.18-22). As freqüentes secas representavam uma tragédia para a agricultura e para a criação de animais (1 Rs 18.1,2,5). Com o passar dos anos, as árvores das regiões montanhosas foram cortadas para a construção de casas, para serem utilizadas como lenha, e para a fabricação de artigos para o lar e para o campo. Isto resultou na erosão do solo e na perda de umidade, de forma que o deserto se alastrou pelos subúrbios das terras que no passado haviam sido cultiváveis. Assim, as migrações que ocorreram devido à busca de um bom suprimento de água, fizeram com que as melhores áreas do Crescente Fértil passassem a ter uma superpopulação.
Os arqueólogos descobriram que uma boa nascente era um fator determinante na decisão da localização de um assentamento. Os reservatórios ou tanques das cidades, como também as cisternas particulares (2 Rs 18.31), eram cavados para conservar a água tanto para um uso normal, quanto para o caso da cidade sofrer um cerco por parte de inimigos.
O AT menciona alguns tanques (ou açudes): (*a*) O de Hebrom, ao lado do qual os corpos dos assassinos de Isbosete foram dependurados para serem publicamente expostos (2 Sm 4.12); (*b*) O grande tanque de Samaria onde foi lavado o carro em que estava o sangue de Acabe (1 Rs 22.38); (*c*) e um grande número de tanques ou piscinas em Jerusalém (2 Rs 18.17; Is 7.3; 22.11; Ne 2.14; 3.16 etc.).
O mais interessante de todos os reservatórios descobertos é aquele que está em Gibeão (2 Sm 2.13; Jr 41.12). Este grande tanque

tem 12 metros de diâmetro e quase 11 metros de profundidade, e foi cavado nas pedras de uma montanha. Uma escadaria em espiral foi deixada na rocha, para que se tivesse um acesso ao fundo, pela parte lateral (e vertical) do tanque. A construção original do reservatório pode ser datada entre os séculos XII ou XI a.C. (BA, XXIII [1960], 24). Mais tarde, os construtores cavaram um túnel côncavo com degraus seguindo o curso da escada circular, a fim de alcançar a câmara de água que ficava 15 metros abaixo da superfície do reservatório cilíndrico.

Os caminhos e os meios para a proteção do suprimento de água da cidade contra os ataques inimigos foram legados pelos cananeus e pelos israelitas. A base dos túneis que levavam às nascentes ou reservatórios subterrâneos foi explorada em várias cidades palestinas. Uma combinação de túneis com degraus e minas verticais (chamadas de minas de Warren após sua descoberta), permitiam que os jebuseus alcançassem a água da fonte de Giom a partir do lado interno dos muros de Jerusalém. Mais tarde, Ezequias cavou um longo túnel para trazer esta água ao tanque de Siloé (2 Rs 20.20), substituindo um canal mais antigo ou canal de superfície ao longo do declive das montanhas que estavam a sudoeste de Jerusalém (Is 7.3). Macalister reabriu, em Gezer, um túnel de mais de 43 metros de comprimento que havia sido feito no final da Idade do Bronze para alcançar a água a mais de 42 metros abaixo da superfície atual do poço. Gibeão também tinha um túnel de água com 93 degraus e nichos para colocar lâmpadas a óleo, completamente separados dos sistemas de tanques mencionados acima. Ibleão, Megido e Zaretã, também podiam se vangloriar dos ocultos caminhos de acesso aos seus suprimentos de água.

O maior sistema de água descoberto até o momento (1968-69) é o do monte da cidadela de Hazor, construído no século IX a.C., e que continuou em uso até que a cidade fosse destruída em 732 a.C. Ele desce aprox. 46 metros em relação ao nível da água local em três estágios: uma estrutura de entrada de muros de alvenaria e uma passagem, uma mina vertical com cinco lances de escada, e um túnel que continua por meio de uma escada até uma grande sala subterrânea na qual a água era coletada.

Outro meio de se obter água do poço ou suprimento de água subterrânea foi notado em um baixo-relevo assírio do século IX a.C., que mostra o cerco de uma cidade Siro-Palestina. Este consiste de um sistema de cordas e polias que eleva um grande balde até o topo dos muros da cidade (BASOR #206 [1972], 42-48).

Na Bíblia Sagrada, a água é mais freqüentemente mencionada do que qualquer outro recurso material. Foi reconhecida como essencial ao homem (Gn 21.14,15). O valor da água foi enfatizado por Davi quando seus amigos lhe trouxeram um pouco da água de Belém - apesar do grande perigo que correram - na ocasião em que ele se escondeu na caverna de Adulão (1 Cr 11.17). Jeremias, no calabouço em Jerusalém (Jr 38.6), e o Senhor Jesus, na cruz (Jo 19.28), mostram a necessidade que o corpo humano tem da água. A água é muitas vezes utilizada para expressar a amizade do universo e a bênção de Deus a favor do homem (Sl 33.7). O salmista sugere que até mesmo as águas louvam a Deus (148.4).

A água era parte da terra original que fôra criada sem forma e vazia (Gn 1.2). Portanto, era um símbolo de instabilidade (Gn 49.4; Is 57.20; Tg 1.6).

Através da água, foram criadas várias outras metáforas para expressar idéias. Deus exortou o seu povo, dizendo: "Corra, porém, o juízo como as águas, e a justiça, como o ribeiro impetuoso" (Am 5.24), ao invés de mencionar os pequenos riachos e uádis que secam rapidamente após as chuvas. A água é um símbolo da salvação dada por Deus, como na profecia em que dizia aos seus adoradores. "E vós, com alegria, tirareis águas das fontes da salvação" (Is 12.3; cf. Jr 2.13; 17.13). Os judeus a utilizavam para as lavagens cerimoniais, e os cristãos a consideravam essencial para o batismo, representando que cada um foi lavado, estando, portanto, limpo do pecado. A água foi utilizada de forma metafórica pelo Senhor Jesus na ocasião em que Ele falou com Nicodemos sobre o novo nascimento (Jo 3.5). Para a mulher em Sicar, o Senhor Jesus Cristo falou da "água viva" (Jo 4.10), como o seu ensino, que salta do interior dos redimidos para a vida eterna (4.14; cf. Pv 13.14; 18.4). A água é também um símbolo bíblico do Espírito Santo (Jo 7.37-39), cuja vinda na Era Messiânica é comparada ao derramamento de um líquido precioso (Is 32.15; 44.3; Joel 2.28).

*Veja* Agricultura; Cisterna; Canais; Enchentes; Tanques; Chuvas; Rios; Nascentes; Poços.

***Bibliografia.*** CornPBE, "Water Supply," pp. 700-704. R. J. Forbes, "Irrigation and Drainage", *Studies in Ancient Technology*, II, Leiden. Brill, 1955,pp. 1-77. L. Goppelt, "*Hydôr*", TDNT, VIII, 314-333. William G. Dever, "The Water Systems at Hazor and Gezer", BA, XXXII (1969), 71-78. James B. Pritchard, *The Water System of Gibeon*, Filadélfia. University Museum, 1961. R. S. Lamon, *The Megiddo Water System*, Chicago. Oriental Institute Publications, 1935. Yigael Yadin, "The Fifth Season of Excavations at Hazor, 1968-1969", BA, XXXII (1969), 63-70.

A. W. W. e J. R.

**ÁGUA DA SEPARAÇÃO** A expressão "Água da separação" ou "água purificadora" era a água designada para remover a impureza cerimonial, um agente de purificação levítico. As instruções a este respeito são encontradas em Números 19 em conexão com o sacrifício da bezerra ruiva (ou novilha vermelha, cf. Hb 9.13).

Quando um israelita se tornava cerimonialmente impuro através do contato com algum corpo morto (veja os detalhes em Nm 19.11-16), Deus ordenava que ele fosse purificado de seus "pecados" (vv. 9,17) através da aspersão de uma água especialmente preparada.

Uma novilha vermelha, sem máculas e sem qualquer parte defeituosa, junto com a madeira de cedro, hissopo, e lã escarlate, era *completamente* queimada fora do arraial de Israel. As suas cinzas eram então reunidas e estocadas em um ambiente limpo. À medida que a necessidade surgia, um pouco destas cinzas era misturado com água corrente em um vasilhame, e depois espargido com hissopo sobre a pessoa impura no terceiro e no sétimo dia de sua impureza.

Como em Números 19, o pecado é simbolizado pela morte. Este remédio Divino para o contágio do pecado emprega detalhes que falam da vida e da vitalidade – e que são opostos à morte: (1) uma bezerra (ou novilha); um animal do sexo que dá à luz; (2) sua cor vermelha e lã de cor carmesim, cores que refletem a energia da vida e que estão relacionadas com o sangue; (3) sua condição imaculada e sem defeitos, que fala da energia vital e profunda; (4) o fato de ser queimada *junto* com o seu sangue; (5) a madeira de cedro, notável por sua durabilidade; (6) o hissopo, que está associado com a purificação (cf. Sl 51.7); e (7) a própria água, como uma água *corrente*, pode ser literalmente considerada como a "água (que é) vida".

O simbolismo aqui é muito rico. A contaminação do crente diante de Deus vem do contato que cada um de nós tem com o pecado, que é aqui representado pela corrupção da morte. A purificação do contágio do pecado foi Divinamente oferecida para o crente através dos méritos contínuos do sangue de Cristo (1 Jo 1.7), simbolizado pela água designada para a purificação, que a Bíblia Sagrada chama de "água da separação" ou "água purificadora".

R. L. R.

**AGUARRÁS** É a essência da Terebintina. *Veja* Terebintina.

**ÁGUIA** *Veja* Animais: III. 8,9,10.

**ÁGUIA-PESCADORA** *Veja* Animais: Abutre negro III.6

**AGUILHADA[1]** Um bastão pontiagudo usado para conduzir animais. Podia ser usado em combates (cf. Sangar, Jz 3.31, que matou 600 filisteus). Quando uma aguilhada tinha a extremidade de ferro, ela deveria ser afiada (1 Sm 13.21). Em Eclesiastes 12.11 está indicado que as palavras podem servir figuradamente como aguilhadas (ou aguilhões).

**AGUILHADA[2]** *Veja* Aguilhão.

**AGUILHÃO** Como verbo, essa palavra significa "picar" ou "transfixar". Em Atos 2.37 a palavra utilizada é *katanusso*, e como uma figura de retórica indica a convicção que veio sobre o povo. Como um substantivo, ela pode traduzir *sek* ("espinho") como em Números 33.55. A palavra grega *kentron* significa "ferrão de gado" e seu uso mais notável está em Atos 9.5 no relato da conversão de Paulo. Esta frase também aparece no testemunho de Paulo perante Agripa em Atos 26.14. Ela foi traduzida como "aguilhão" em 1 Coríntios 15.55,56.

**AGULHA** Em grego, *rhaphis*, uma agulha usada para costurar. Essa palavra foi usada três vezes nas expressões alegóricas do Senhor Jesus. "É mais fácil passar um camelo pelo fundo de uma agulha do que entrar um rico no Reino de Deus" (Mt 19.24; Mc 10.25; Lc 18.25). Os melhores manuscritos gregos mostram que Lucas, um médico, usava o termo médico *belone*, uma agulha utilizada em cirurgias. O provérbio é semelhante a uma forma de palavras encontradas em escritos rabínicos para exprimir alguma coisa rara ou impossível. Alguns sugeriram que a expressão "fundo de uma agulha" refira-se a um pequeno portão para pedestres em Jerusalém pelo qual os camelos só podiam passar de joelhos, mas esta opinião não tem nenhuma evidência histórica.

**AGUR** Autor de Provérbios 30.

**AH** Termo que exprime uma emoção, geralmente indecisão ou queixa (Jr 1.6; 4.10; 14.13; 32.17; Ez 4.14; 9.8; 11.13; 20.49).

Et-Tell, suposto local de Ai. JR

**AI**[1] Cidade na vizinhança de Betel, onde Abraão armou sua tenda (Gn 12.8; 13.3). Aqui, a versão KJV em inglês utiliza o artigo definido (*ha*) que sempre acompanha o nome Ai no texto hebraico (uma exceção, Jr 49.3).

**AI**[2] Uma cidade dos cananeus, situada a leste de Betel. Seu nome significa "ruína". Depois de conquistar Jericó, Josué enviou homens para espionar Ai. Com a recomendação dos espias, ele enviou três mil soldados contra Ai, mas estes foram derrotados. Desesperado, Josué orou pedindo orientação. Deus respondeu que alguém tinha pecado roubando algo do despojo consagrado de Jericó. Acã, de Judá, foi selecionado como o culpado e, com sua família, foi imediatamente apedrejado até à morte. Josué então enviou trinta mil soldados que, com engenhosa estratégia, capturaram e destruíram Ai (Js 7–8).

Evidentemente, uma nova cidade foi construída nas proximidades, pois Isaías fala de uma cidade chamada Aiate, através da qual os assírios marcharam rumo ao sul, a caminho de Jerusalém (Is 10.28). Entre aqueles que retornaram do exílio havia 223 de Betel e de Ai (Ed 2.28; veja Neemias 7.32, onde 123 foram citados). Neemias também fala de uma cidade chamada Aia, perto de Betel (Ne 11.31). Jeremias menciona uma cidade chamada Ai, mas esta se localizava a leste do Jordão, em território amonita (Jr 49.3).

A identificação de Ai com qualquer lugar conhecido próximo a Betel tem sido um problema difícil para os arqueólogos. Em 1933-35 Judith Marquet-Krause escavou parcialmente uma colina conhecida como et-Tell, a cerca de três quilômetros a sudeste de Betel, mas descobriu que embora o lugar tivesse sido fundado aproximadamente no ano 3.000 a.C., tinha sido destruído antes de 2.000 a.C. Foi ocupado novamente depois de 1.200 a.C., por cerca de um século. Isto significaria que não existia nenhuma cidade nessa colina na época de Josué.

Alguns estudiosos sugeriram, então, que a história da destruição de Ai era, na verdade, a mesma da queda de Betel (q.v.), uma vez que as escavações na aldeia de Beitin (Betel?) tinham revelado que aquela aldeia havia sido reduzida a ruínas pela invasão dos israelitas (veja a referência a Betel em Jz 1.22-26). Por outro lado, seria possível argumentar legitimamente que a antiga Ai estava localizada em outro lugar próximo a Betel, ou que os restos da cidade destruída por Josué foram levados por águas ou espalhados, ou ainda que as suas ruínas estão sob a atual aldeia de Deir Dibwan, imediatamente a sudeste de et-Tell (R. K. Harrison, *Introduction to the Old Testament*, Eerdmans, 1969, pp.121s., 177, 327ss.. John Rea. WBC. pp. 213s., sobre Js 7).

G. H. L.

Tentando resolver o problema de Ai, Joseph A. Callaway começou, em 1964, uma nova série de escavações em et-Tell. Quatro temporadas de escavações confirmaram que o local não esteve ocupado entre 2.500 e 1.200 a.C. Além disso, suas pesquisas em Deir Dibwan e diversas ruínas próximas, incluindo Khirbet Haiyan, que poderiam ter sido Ai, não revelaram nada anterior ao período de Herodes. Callaway acredita que a grande (25 acres) cidade do início da Idade do Bronze comandava a rota de comércio de Jericó até a colina, desde 2.900 a 2.500 a.C., e pode ter se tornado um centro da influência egípcia antes da sua queima e ruína. A aldeia israelita da primeira Idade do Ferro em et-Tell cobria menos de três acres e não era fortificada (BA. XXVIII [1965], 26-30; JBL, LXXXVII [1968], 312-320). David Livingstone sugeriu uma nova possibilidade para a localização de Betel (q.v.) em Bireth, e que Ai pode então ser identificada como as poucas ruínas não identificadas, a cerca de dois quilômetros a sudeste de Bireth ("Location of Biblical Bethel and Ai Reconsidered", WTJ, XXXIII [Nov., 1970], 43).

J. R.

**AÍ**
1. Chefe dos gaditas de Gileade, em Basã (1 Cr 5.15).
2. Filho de Semer (1 Cr 7.34).

**AIÃ** Da família de Semida, da tribo de Manassés (1 Cr 7.19).

**AIA** *Veja* Ai.

**AIÁ**
1. Filho de Zibeão, irmão de Aná, horeu (Gn 36.24 [Ajah no original em inglês]; 1 Cr 1.40).
2. Pai de Rispa, concubina de Saul (2 Sm 3.7; 21.8,10,11).

**AIÃO** Um dos homens poderosos da companhia dos "trinta" de Davi, filho de Sacar (1 Cr 11.35) ou de Sarar (2 Sm 23.33).

**AÍAS** Três personagens do Antigo testamento são assim identificados na versão KJV em inglês:
1. Um guerreiro (1 Cr 8.7; possivelmente o mesmo que o anterior Aoá, 8.4), que com Naamã foi levado por Gera a aprisionar dois filhos de Eúde.
2. Um bisneto de Eli, por parte de Finéias e Aitube (irmão de Icabô), e sumo sacerdote durante os primeiros tempos do reinado de Saul (1 Sm 14.3). Ele trouxe a Arca a Gibeá na batalha de Micmás (14.18) e mais tarde encorajou Saul a buscar a Deus (14.36). Aías foi sucedido por seu irmão mais jovem, Aimeleque (1 Sm 22.9), a menos que o correto seja considerá-los como a mesma pessoa (KD, *Samuel*, pp. 136-7).

3. Um filho de Sisa (1 Rs 4.3), que, com seu irmão Eliorefe, serviu a Salomão como "escriba" (secretário de estado ou finanças, 2 Rs 22.3-9; Is 22.15; 36.3; *veja* Escriba), como seu pai (q.v.) serviu a Davi (2 Sm 8.17; 20.25; 1 Cr 18.16).
4. Um efraimita de Siló, um profeta de Deus que, ao encontrar Jeroboão em seu retorno do exílio no Egito, rasgou suas próprias vestes em doze pedaços e deu dez deles a Jeroboão, indicando a intenção de Deus de fazê-lo rei das dez tribos do reino norte (1 Rs 11.29-39). Muito tempo depois, quando já havia se tornado rei, e estando seu filho sofrendo uma séria enfermidade, Jeroboão enviou sua esposa disfarçada até o então cego Aías, para perguntar se a criança iria se recuperar. Através de uma revelação, Aías reconheceu a rainha disfarçada e predisse a morte da criança (1 Rs 14.1-18). Ele escreveu sobre os "atos" de Salomão (2 Cr 9.29).
5. O pai de Baasa, rei de Israel (1 Rs 15.26,33).
6. O filho de Jerameel, e descendente de Judá através de Perez e Hezrom (1 Cr 2.25).
7. Um pelonita, um dos poderosos homens de Davi (1 Cr 11.36). *Veja também* Paltita.
8. Um levita encarregado dos tesouros da Casa de Deus no reino de Davi (1 Cr 26.20). A LXX traduz o hebraico como "os levitas, seus irmãos".
9. Um chefe do povo nos tempos de Neemias, dentre aqueles que selaram uma aliança de andar dignamente na presença de Deus (Ne 10.26; cf. 10.14).

H. G. S. e J. B. P.

**AIATE** *Veja* Ai.

**AICÃO** Filho de Safã, o escriba. Ele estava com Safã e Hilquias, o sacerdote, quando

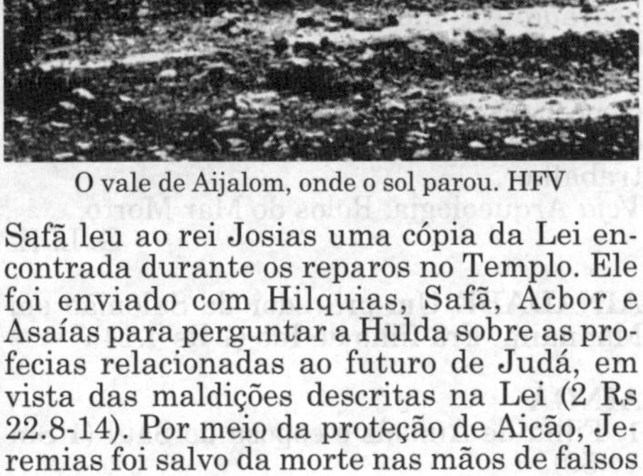

O vale de Aijalom, onde o sol parou. HFV

Safã leu ao rei Josias uma cópia da Lei encontrada durante os reparos no Templo. Ele foi enviado com Hilquias, Safã, Acbor e Asaías para perguntar a Hulda sobre as profecias relacionadas ao futuro de Judá, em vista das maldições descritas na Lei (2 Rs 22.8-14). Por meio da proteção de Aicão, Jeremias foi salvo da morte nas mãos de falsos profetas (Jr 26.24). Aicão foi pai de Gedalias, governador de Judá sob o domínio da Babilônia (2 Rs 25.22).

**AIEZER**
1. Um representante dos filhos de Dã, que ajudou Moisés no censo. Filho de Amisadai (Nm 1.12 e 2.25), ele também era capitão do exército da retaguarda da marcha (Nm 10.25).
2. Um gibeatita que veio ajudar Davi em Ziclague. Era líder dos arqueiros benjamitas (1 Cr 12.3).

**AIJALOM** Variante de Ajalom.
1. Uma cidade localizada em um vale, na fronteira dos filisteus (Js 10.12; 2 Cr 28.18). É mencionada nas cartas de Amarna e na lista das conquistas de Sisaque na Palestina. Aijalom é identificada com a moderna Yalo, a vinte quilômetros a noroeste de Jerusalém, guardando a extremidade inferior da passagem de Bete-Horom. Foi uma cidade levita de Dã, para os filhos de Coate (Js 21.20,24; 1 Cr 6.69). Mais tarde foi anexada a Benjamim (1 Cr 8.13). Foi fortificada por Roboão (2 Cr 11.10) e foi então capturada pelos filisteus (2 Cr 28.18).
2. Uma aldeia na tribo de Zebulom, de localização ignorada, onde Elom foi enterrado (Jz 12.12).

**AILUDE** Pai do cronista Josafá no reino de Davi (2 Sm 8.16; 1 Rs 4.3; 1 Cr 18.15) e, provavelmente, o pai de Baaná, provedor de Salomão (1 Rs 4.12).

**AIM**
1. O nome da décima sexta letra do alfabeto hebraico. *Veja* Alfabeto.
2. Na época do Antigo Testamento, diversas cidades tinham seu nome composto com este termo, que significa "bem". O mesmo ocorreu com vários nomes de lugares nos tempos do Novo Testamento. Em um relato das fronteiras da herança de Israel (Nm 34.1-12; cf. Ez 47.15-23), foi dito que Aim ficava dentro da fronteira leste, perto de Ribla e ao norte do mar da Galiléia.
Outra Aim é mencionada como uma cidade na região do Neguebe, dentro da porção de Judá (Js 15.32), mas também pertencendo à tribo de Simeão, cuja herança estava dentro de Judá (Js 19.7; 1 Cr 4.32). Um relato paralelo em 1 Crônicas 6.59 chama esse lugar de Asã. Esta cidade foi ocupada pelos sacerdotes de Arão e estava localizada nas proximidades de Hebrom (Js 21.16).
No período pós-exílico, Aim parece ser identificada com En-Rimon (Ne 11.29), embora esses lugares sejam distintamente separados nas referências acima. A tradição mantinha que Aim Karen, uma aldeia a seis quilômetros e meio a oeste de Jerusalém, foi o lugar de nascimento de João Batista. Uma

fonte, chamada em hebraico *Ain Feshkha*, na margem oeste do Mar Morto, foi importante na vida da comunidade de Qumran.

**AIMÃ**
1. Filho de Anaque, e possivelmente fundador de uma família de anaquins (Nm 13.22), foi um dos gigantes (*veja* Anaque) levados de Hebrom por Calebe (Js 15.14; Jz 1.10).
2. Um levita que serviu como porteiro da Casa de Deus (1 Cr 9.17).

**AIMAÁS**
1. Pai de Ainoã, esposa de Saul, primeiro rei de Israel (1 Sm 14.50).
2. Um dos dois filhos de Zadoque, que era sumo sacerdote na época de Davi, quando Absalão se levantou em rebelião contra Davi (2 Sm 15.27; 1 Cr 6.8,53). Com Jônatas, filho do sacerdote Abiatar, Aimaás foi enviado por Zadoque e Abiatar a Jerusalém para levar informações a Davi sobre os planos e movimentos de Absalão (2 Sm 15.35,36). A notícia do plano de Absalão de encurralar Davi em algum lugar lhes foi transmitida por uma mulher em Rogel. Eles foram vistos por alguém que informou Absalão, mas depois de escondidos por uma mulher em Baurim levaram em segurança as notícias a Davi (2 Sm 17.15-21). Quando Absalão morreu no bosque de Efraim (q.v.), Aimaás pediu permissão para levar as notícias a Davi, Joabe recusou, mas Aimaás persistiu e finalmente obteve a permissão. No entanto, ele levou notícias incompletas a Davi, mas um cuxita logo fez saber o fato da morte de Absalão (2 Sm 18.19-32).
3. Um oficial de Salomão da tribo de Naftali, responsável pelas provisões da mesa de Salomão no sétimo mês. Sua esposa era a filha de Salomão, Basemate (1 Rs 4.6,15).

H. G. S.

**AIMELEQUE**
1. Filho de Aitube, sacerdote em Nobe (1 Sm 22.9), de quem Davi, fingindo estar tratando de um negócio do rei Saul, recebeu pão sagrado para comer e a espada de Golias para fugir de Saul (1 Sm 21.1-9). (Mc 2.26 posiciona este acontecimento na época de Abiatar (q.v.), filho de Aimeleque). A ajuda de Aimeleque a Davi foi relatada a Saul por Doegue, o edomita, que os tinha observado. Saul interpretou isso como uma traição por parte de todos os sacerdotes. Com base nesse relato sem fundamentos, Saul ordenou que Doegue matasse Aimeleque e 84 outros sacerdotes. Doegue também passou a fio de espada a cidade de Nobe, da qual somente Abiatar escapou para levar as notícias a Davi (1 Sm 22.6-20).
2. Filho de Abiatar e neto de Aimeleque. Foi um sacerdote, juntamente com Zadoque, filho de Aitube, no reinado de Davi (2 Sm 8.17; 1 Cr 24.3,6,31).
3. Um heteu e seguidor do grupo de Davi, quando Saul o perseguiu (1 Sm 26.6).

H.G.S.

**AIMOTE** Um levita, filho de Elcana e irmão de Amasai (1 Cr 6.25).

**AIN FESHKHA** Uma fonte com qualidades levemente minerais, na margem noroeste do Mar Morto, nascendo no pé das colinas judaicas, que aqui estão próximas do mar. Fica a cerca de três quilômetros ao sul de Khirbet Qumran, na extremidade sul da estrita planície que representa o final do Vale do Jordão. Imediatamente ao sul da fonte, há um penhasco que desce abruptamente até o mar e impede o acesso, exceto a pé.
Em 1956 foi descoberto, e escavado em 1958, um grupo de construções junto à fonte, pertencente ao estabelecimento da comunidade Essênia em Qumran. Estas construções eram contemporâneas das construções principais, do começo do século I a.C. até o ano 69 d.C. A conexão é claramente confirmada pela cerâmica idêntica, e pelas moedas encontradas nos dois lugares. As instalações podem ser divididas em três grupos, dos quais o central, um edifício retangular com um pátio interno cercado por salas, parece ser dedicado parcialmente a alojamentos, enquanto a parte sul estava ligada a assuntos agrícolas e a norte, como sugeriu o explorador Père de Vaux, estava relacionada à tintura de peles. A prática de uma forma modesta de agricultura certamente teria sido possível, pois existem diversas fontes minerais menores e os restos de extensos muros que parecem ser antigos limites de campo. O solo, entretanto, é salgado, estabelecendo um limite para o tipo de vegetação que poderia ser cultivada.
A sugestão de que o grupo norte de edifícios estava relacionado com tintura se baseia na disposição peculiar de cisternas, canas e bacias rasas que constituem este conjunto, e é difícil explicá-lo em termos do seu uso diário normal. As análises dos depósitos das bacias e canais não contradizem a sugestão, e especialistas do ramo consideram a instalação perfeitamente adequada para tal objetivo; mas nada pode ser definitivamente provado. A comunidade, no entanto, era fechada e é provável que produzissem em algum ponto desse lugar as peles necessárias como material para escrita etc., e este era certamente o lugar mais provável para esse trabalho.
*Veja* Arqueologia; Rolos do Mar Morto.

G. L. H.

**AINADABE** Um provedor de Salomão em Maanaim. Era filho de Ido (1 Rs 4.14).

**AINOÃ**
1. Filha de Aimaás e esposa de Saul (1 Sm 14.50).

2. Uma das esposas de Davi, uma mulher de Jezreel (1 Sm 25.43). Capturada pelos amalequitas, ela foi resgatada por Davi (1 Sm 30.5) e viveu com ele em Hebrom enquanto foi rei de Judá (2 Sm 2.2). Foi a mãe do filho mais velho de Davi, Amnom (2 Sm 3.2).

**AIÔ**
1. Filho de Abinadabe. A ele e a seu irmão Uzá foi confiada a Arca quando Davi realizou a primeira tentativa de levá-la a Jerusalém (2 Sm 6.3,4).
2. Considerado o nome próprio de um benjamita, filho de Elpaal (1 Cr 8.14-16).
3. Filho de Jeiel, irmão de Quis. Um benjamita (1 Cr 8.30-31; 9.35-37).2

**AIRA** Um príncipe da tribo de Naftali e filho de Enã. Ajudou Moisés no censo durante a permanência no deserto (Nm 1.15; 2.29; 7.78; 10.27).

**AIRÃO** O terceiro filho de Benjamim. o cabeça da família chamada airamitas (Nm 26.38). Também há referência a ele como Aará (1 Cr 8.1).

**AISAAR** Um descendente de Benjamim através de Bilã e Jediael (1 Cr 7.10).

**AISAMAQUE** Da tribo de Dã, pai de Aoliabe, foi um dos artesãos do Tabernáculo e seus equipamentos (Êx 31.6; 35.34; 38.23).

**AISAR** O mordomo (supervisor da casa) de Salomão (1 Rs 4.6).

**AITOFEL** Um habitante de Gilo, cidade no sudoeste de Judá (2 Sm 15.12; Js 15.51). Um dos conselheiros de Davi (2 Sm 15.12), foi pai de Eliã, um dos homens poderosos de Davi (2 Sm 23.34). Embora fosse um conselheiro talentoso que tinha discernimento (2 Sm 16.23), era moralmente instável, disposto a trair Davi ao dar conselhos que o destruiriam (2 Sm 17.1-4). Quando Absalão, ao invés de ouvi-lo, decidiu aceitar o conselho contrário dado por Husai, que estava ali propositadamente para derrotar o conselho de Aitofel (2 Sm 15.34), Aitofel entendeu o resultado como representando o fim da rebelião e, antecipando o seu castigo (quando Davi voltasse), foi para sua casa e se enforcou (2 Sm 15.31-34; 16.15; 17.23).

**AITUBE**
1. Um sacerdote descendente de Itamar, filho de Arão. Era neto de Eli, o sacerdote em Siló, filho de Finéias e pai de Aimeleque, o sacerdote (1 Sm 14.3).
2. Um sacerdote descendente de Eleazar, filho de Arão (1 Cr 6.3-7), filho de Amarias, o sacerdote, e pai de Zadoque, sacerdote da época de Davi (1 Cr 6.8). Ele foi um ancestral de Esdras (Ed 7.1,2).
3. Um sacerdote, também descendente de Eleazar, filho de Arão, filho de um segundo Amarias e pai de um segundo Zadoque (1 Cr 6.3-11).

**AIÚDE**
1. Um líder aserita, filho de Selomi (Nm 34.27). Foi indicado para dividir o território oeste do Jordão entre as dez tribos daquela região.
2. Chefe da casa de Benjamim (1 Cr 8.7), filho de Heglam ou de Gera. A expressão hebraica "ele os removeu" (na versão KJV em inglês) pode ser traduzida como o nome "Heglam", desta forma mudando o pai de Gera para Heglam.

**AJELÉ-SAAR, AJELÉ-HAS-SAAR** Talvez o nome de uma melodia usada pelo músico-chefe para o Salmo 22. O nome da melodia provavelmente significa "a corça da manhã". *Veja* Música.

**AJUDAR** Esta palavra significa "auxiliar", "assistir", "socorrer". Nove verbos em hebraico e seis em grego são traduzidos como "ajudar" na versão KJV em inglês.
Além do seu significado usual de "assistência", uma aplicação técnica é dada ao substantivo "ajuda" ou "auxílio", em dois trechos do Novo Testamento: (1) "ajudas", plural grego de *boetheia*, "meios" ou um método de proteger uma embarcação à deriva, amarrando-a com correntes, cabos ou cordas (At 27.17). (2) "socorros", plural grego de *antilempsis*, "ações auxiliadoras", um dos ministérios específicos na igreja (1 Co 12.28), provavelmente com referência ao ministério dos diáconos, e usado com o sentido de "ajudantes".

**AKHENATON** Sucedeu a seu pai, Amenófis III como governante do Egito em 1.370 a.C. Inspirou a revolução de Amarna (*veja* Amarna, Tell al-), que substituiu os antigos deuses pelo deus Aton, ou pelo disco do sol. Ele considerou a luz do sol como um deus, imaginando um novo símbolo para o novo deus: o disco do sol, com raios divergentes irradiados para baixo, cada extremidade terminando em uma mão humana. Algumas dessas mãos seguravam o *ankh*, que era o seu símbolo da "vida". Existem evidências de que esse "monoteísmo solar" teve suas raízes na época de Amenófis III, e talvez até na época de Tutmés IV.
Como Akhenaton procurou exterminar os deuses antigos, ele removeu das inscrições o plural "deuses" e toda aparição da palavra "Amon". No entanto, as tentativas de eliminar os cultos antigos nunca influenciaram as massas. Os sacerdotes de Amon em Tebas, a capital, levantaram problemas. Como resultado, Akhenaton foi obrigado a

Akhenaton, Nefertiti e uma filha adoram o disco do sol com os raios terminando em suas mãos. LL

Uma estátua de Akhenaton no Museu do Cairo. LL

escolher um novo lugar para a capital, perto de onde está a moderna Tell al-Amarna. Aqui, a quase quinhentos quilômetros ao norte de Tebas, ele construiu o Akhetaton, "o horizonte de Aton", e ocupou-a no sexto ano do seu reinado. A adoração a Aton foi declarada a religião oficial do estado. O rei mudou seu próprio nome, de Amenófis IV, "aquele que agrada Amon", para Akhenaton (às vezes escrito Ikhnaton) que significa "aquele que é útil a Aton".
Ele se casou com a sua irmã, Nefertiti, uma zelosa devota da adoração a Aton. Devido à sua preocupação com as reformas religiosa, literária e artística, o grande império erguido por Tutmés III desabou. Os heteus absorveram os estados vassalos na Síria. Nômades devastaram a Palestina (alguns vêem nisto o início do período dos juízes, após a conquista de Josué). Outros acreditam que algumas evidências arqueológicas favorecem uma data posterior para esse acontecimento). As edificações egípcias em Gaza foram destruídas. Os sacerdotes e o exército começaram a conspirar contra Akhenaton. Ele casou sua filha Merit-Aton com o seu irmão Smenkhare e o nomeou co-regente. Pouco tempo depois da morte de Akhenaton, que ocorreu entre 1.357 e 1.353, ele foi sucedido por Tutancamom, meio-irmão de Nefertiti, e Enekhes-en-Amon, que levou a capital de volta a Tebas.

A.K.H.

**ALABARDA** *Veja* Armadura.

**ALABASTRO** *Veja* Minerais.

**ALABE** Uma cidade no território de Aser, de onde os cananeus não foram expulsos (Jz 1.31). Provavelmente, uma corrupção textual de Malaabe (Js 19.29, NTLH ) – uma cidade na costa entre Tiro e Aczibe, mencionada por Senaqueribe como Maaliba.

**ALAI**
1. Filha de Sesã (1 Cr 2.31,34).
2. Pai de Zabade (1 Cr 11.41).

**ALAMELEQUE** Uma cidade localizada em Aser. Não se conhece sua localização exata, mas, provavelmente, situava-se na fronteira de Zebulom, na região sul da planície de Aco (Js 19.26).

**ÁLAMO** *Veja* Plantas.

**ALAMOTE** Um termo musical. Provavelmente se refira ao falsete, ou à voz de soprano, ou ainda a um instrumento musical usado para acompanhamento (1 Cr 15.20). *Veja* Música.

**ALARIDO** Som de batalha, normalmente usado em relação ao tocar das trombetas para anunciar guerra ou vitória (Nm 10.5,6; Jr 4.19; 49.2; Sf 1.16).

**ALCAPARRA** *Veja* Plantas.

**ALEFE** A primeira letra dos alfabetos Fenício e Hebraico. É uma consoante que não tem equivalente no alfabeto português nem no inglês. De aleph derivou a letra grega *alfa*, uma vogal. É usada para começar a primeira palavra de cada versículo na primeira parte do Salmo 119, que é chamado de Salmo acróstico. *Veja* Alfabeto.

**ALEGORIA** Uma metáfora ampliada (mais ampla e mais detalhada), na qual, objetos ou até mesmo eventos são compreendidos como propósitos simbólicos ou típicos em um domínio mais profundo do discurso. A alegoria difere-se da parábola, pelo fato de que ela torna cada detalhe representante de verdade ou significado, ao passo que a parábola enfatiza uma verdade central. É difícil traçar uma linha nítida e segura, uma vez que muitas parábolas tendem a alegorizarem-se. A alegoria também difere da fábula pelo fato de que esta é mais fiel à vida e aos fatos, onde animais ou objetos podem falar ou agir como humanos (cf. a fábula de Jotão, sobre as árvores que escolhiam um rei, Jz 9.7-15).

A palavra aparece somente uma vez, nas versões KJV (em inglês) e RC (em português) (Gl 4.24, *allegoroumena*, "se entende por alegoria") em conexão com a aplicação da história de Sara e Agar para a aliança da graça, em contraste com a aliança da lei. A palavra grega deriva de *allos*, "outro", e *agoreuo*, "falar para uma assembléia"; e veio a significar não o ato de falar, no sentido principal da palavra, mas de uma forma que os fatos afirmados ilustrem princípios.

Outras alegorias bíblicas ocorrem em Salmos 80.8-19, Isaías 5.1-7, e na parábola do semeador e da semente, Lucas 8.4-15. As parábolas da porta das ovelhas e do Bom Pastor de João 10.1-16,26-29 podem ser consideradas como alegorias. Deve ser observado, no entanto, que o significado de *parabole*, ("comparar") pode, na verdade, incluir o significado de alegoria. A versão RSV em inglês traduz a palavra *mashal* do hebraico (na KJV "parábola") como "alegoria" em Ezequiel 17.2 e 24.3. Fora da Bíblia, o livro de Bunyan, *O peregrino*, é o exemplo mais conhecido de uma alegoria religiosa.

A interpretação alegórica do Antigo Testamento tornou-se proeminente em Alexandria com Filo, e foi adotada por patriarcas cristãos como Justino, Clemente e Orígenes. Orígenes distinguia três níveis de verdades nas Escrituras. A literal, ou "carnal", a moral e a espiritual. Essas corresponderiam: ao corpo humano, à alma e ao espírito. Jerônimo introduziu o uso da alegoria no cristianismo romano, mas esta foi amplamente rejeitada pelos reformistas. A alegoria sem limites está sujeita aos abusos óbvios da excessiva subjetividade e imaginação.

No entanto, deve ser admitido que o próprio Novo Testamento considera partes do Antigo Testamento de maneira alegórica. Por exemplo, a igreja é o novo Israel, libertado da escravidão do pecado em uma nova Páscoa, recebendo uma nova aliança no sangue de Cristo, sujeita a uma nova lei dada em um novo monte, e levada para um segundo repouso por um novo Josué. Assim Paulo se expressa em 1 Coríntios 10.1-12 (cf. também Hb 3–4). *Veja* Parábola; Tipo.

W.T.P.

**ALEGRE** Palavra traduzida como "veste preciosa" ou "trajos de luxo" como uma referência ao vestuário em Tiago 2.3.

**ALEGRES NOVAS** Esta expressão equivale ao termo "Evangelho" e na versão KJV em inglês é usada em Lucas 1.19; 8.1; Atos 13.32; Romanos 10.15. *Veja* Evangelho.

**ALEGRIA, JÚBILO** A alegria está inseparavelmente ligada à vida do povo de Deus no AT e no NT (Dt 12.6,12; Fp 4.4). Ela caracteriza as hostes celestiais diante do trono de Deus (Ap 19.6,7), e a vida consagrada dos cristãos na terra com a sua esperança da futura glória (1 Pe 4.13).

No AT, a alegria é revelada por numerosos sinônimos, significando uma transbordante adoração na presença de Deus, particularmente nos louvores. Muitas vezes, esse exuberante prazer é demonstrado pelos gritos, pelas palmas e pela dança. Deus é a fonte e o motivo desta alegria (Sl 35.9,10). Especialmente nos Salmos, essa exultante satisfação é enfatizada pela proximidade de Deus (Sl 16.11), pelo seu perdão (Sl 51.8,15), pelo seu constante amor (Sl 31.7), pela sua Palavra (Sl 119.14) e pelas suas promessas (Sl 106.5). A alegria deve ser a característica da Era Messiânica e do cumprimento da esperança de Israel (Is 35; 55.12; 65.18,19).

As principais palavras do NT (gr. *chara* e *chairo*) vêm da mesma raiz de "graça" (*charis*). O ministério do Senhor Jesus é descrito como a alegria do noivo juntamente com os seus amigos (Jo 3.29; cf. Mc 2.19). Ele mesmo transmite a sua profunda alegria interior ao crente (Jo 15.11; 16.24; 17.13). Sua alegria representava a constante satisfação de se fazer a vontade de Deus (Sl 40.8), o seu absoluto auto-sacrifício dedicado a Deus Pai. Lucas enfatiza particularmente a alegria no ministério do Senhor Jesus (Lc 10.17; 13.17; 15.5,6,10; 19.37), e também na pregação do Evangelho ("boas novas" ou "novas de grande alegria") com as suas conversões (At 8.8; 13.48,52; 15.3). Paulo lista a alegria na descrição do fruto do Espírito (Gl 5.22), e a descreve como o resultado da proximidade de Deus com aqueles a quem Ele graciosamente justificou em Cristo (Rm 5.20). Ela se expressa constantemente em relação aos outros (Fp 1.26; 2.2), na feliz obediência que se origina do amor que está presente na comunhão da igreja.

Dessa maneira, a alegria vem da presença do Espírito Santo que habita no interior de cada crente na comunidade cristã, e é uma característica básica do reino de Deus (Rm 14.17; cf. 15.13; 1 Ts 1.6). A alegria cristã é duradoura porque está baseada em um correto relacionamento com Deus, através de Jesus Cristo. Entretanto, a sua expressão mais notável ocorre nos momentos de sofrimento por amor a Cristo (Mt 5.12; At 5.41; Rm 12.12; Cl 1.24; 1 Pe 4.13). Ele foi à cruz pelo gozo que lhe estava proposto (Hb 12.2). O NT é iniciado com coros angelicais que cantam alegremente pelo nascimento de Cristo, e termina com uma alegre exclamação que demonstra a exaltação de seu reino.

Na versão KJV em inglês, o verbo grego *kauchaomai,* que significa "exultar, vangloriar", é traduzido muitas vezes como "alegrar" (Rm 5.11) ou "regozijar" (Rm 5.2; Fp 3.3; Tg 1.9; 4.16) e os substantivos *kauchema* e *kauchesis* como "regozijo". Essa raiz sugere alegria no sentido de uma orgulhosa confiança (2 Co 1.12) ou ainda "glorificar" ou "vangloriar" (2 Co 7.4; 8.24 etc.). *Veja* Glória.

F. P.

**ALEIJADO** *Veja* Doenças.

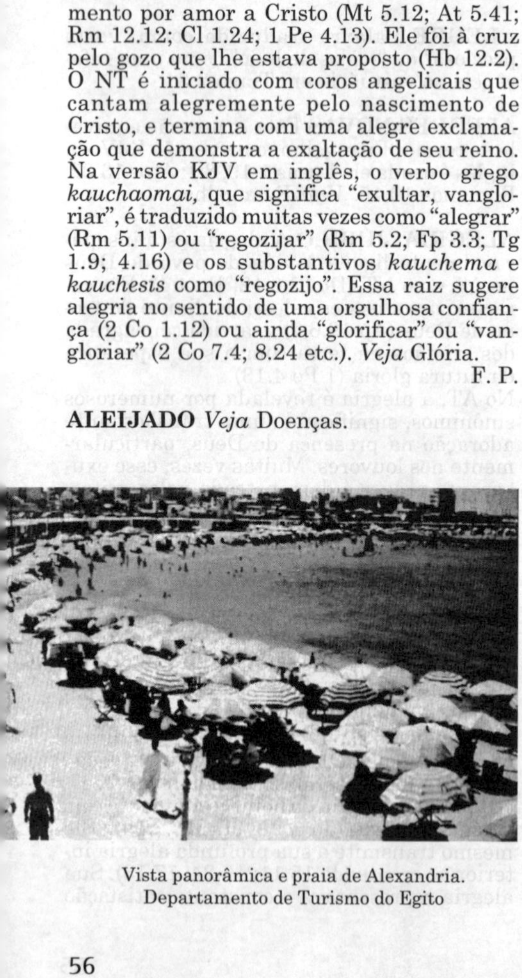

Vista panorâmica e praia de Alexandria.
Departamento de Turismo do Egito

**ALEIVOSIA** A palavra hebraica *sheqer* em Jeremias 3.10 foi traduzida como "aleivosa" por várias versões e geralmente transmite a idéia de "engano", "mentira" ou "falsidade". No NT a palavra "aleivosia" (em grego, *prophasis,* "pretexto", "desculpa") significa uma "razão aparente" pela qual alguma coisa é feita, geralmente uma razão falsa, quando contrastada com uma razão verdadeira (MM). Paulo usa essa palavra para se referir à pregação hipócrita (Fp 1.18). Ela também é utilizada em Mateus 23.14 e Marcos 12.40 para descrever a oração que não é feita com sinceridade.

**ALELUIA** Esta palavra aparece apenas em Apocalipse 19.1,3,4,6. Trata-se de uma transliteração do termo grego *allelouia* que, por sua vez, é uma transliteração do hebraico *hal^e luyah,* uma expressão litúrgica que significa "louvado seja o Senhor". Na LXX, esta palavra ocorre como o título dos Salmos 104–106, 110–118, 134–135,145–150. Ela só é encontrada no texto da LXX em Salmos 150.6. Esta palavra veio diretamente às línguas inglesa e portuguesa sem alteração, como uma expressão religiosa. Nos Salmos aos quais está relacionada, existe uma ênfase no poder e na sabedoria de Deus, à medida que estes são testemunhados através das suas obras.

**ALEMETE**

1.Um benjamita, filho de Bequer e neto de Benjamim (1 Cr 7.8).

2. Um descendente do rei Saul. Seu pai foi Jaerá (1 Cr 9.42) ou Jeoada (1 Cr 8.36).

3. Uma cidade de Benjamim, também conhecida como Almom (1 Cr 6.60; Js 21.18).

**ALEXANDRE** Um nome bastante comum no Novo Testamento.

1. Alexandre, filho de Simão Cireneu, que foi obrigado a ajudar a carregar a cruz de Jesus (Mc 15.21). Devido à alusão a Alexandre como um homem conhecido na comunidade cristã, supõe-se que ele e seu irmão tornaram-se cristãos.

2. Havia um Alexandre no Sinédrio (At 4.6), perante o qual Pedro e João foram levados a julgamento. Nada mais se sabe a respeito dele.

3. Um líder dos judeus em Éfeso, na época da revolta contra os cristãos (At 19.33). Incitado pelos seus companheiros judeus, por sua proeminência, ele tentou acalmar o tumulto, temendo, talvez, que os pagãos não distinguissem entre judeus e cristãos em seu fanatismo.

4. Alexandre, que trabalhava com cobre (2 Tm 4.14), inimigo e antagonista de Paulo que causou-lhe "muitos males". Se este aviso a Timóteo implica em que este oponente vivia em Éfeso, este Alexandre pode ser o mesmo do item 3, sendo assim um companheiro dos artesãos de prata. No entanto, a referência pode significar uma testemunha contrária a

Paulo em seu julgamento romano. Neste caso, seria muito difícil ter uma identificação mais detalhada.
5. Um outro Alexandre que estava em Éfeso (1 Tm 1.20) é mencionado como um daqueles que tinham naufragado na fé e haviam sido severamente disciplinados por Paulo. Como este nome é muito comum, seria precário identificar este cristão caído com aqueles que foram mencionados nos tópicos 3 ou 4 acima.

P. C. J.

**ALEXANDRIA** Uma importante cidade grega fundada por Alexandre, o Grande, em 332 a.C., e construída ao redor de uma pequena cidade egípcia chamada Rakote, que data do ano 1.300 a.C. Esta cidade está localizada nas proximidades do local onde o braço oeste do Nilo deságua no Mediterrâneo. Com dois grandes portos, tornou-se um famoso centro comercial, exportando cereais do Egito a Roma, e servindo como centro para o comércio com a Índia, Arábia e partes da África.

Alexandre nunca viu a cidade concluída, mas o seu corpo foi trazido até ali por Perdiccas, para que fosse sepultado. Seus territórios egípcios foram assumidos pelo seu general Ptolomeu, que deixou Mênfis e fez de Alexandria a sua capital, e fundou a dinastia que continuou até a morte de Cleópatra (30 a.C.). Alexandria atingiu o seu crescimento máximo sob os três primeiros Ptolomeus. Ptolomeu I (Sóter, que significa "Salvador"), 323-285 a.C.; Ptolomeu II (Filadelfo), 285-247 a.C.; e Ptolomeu III (Evérgeta), 247-222 a.C.

Foi criado um "museu" que se tornou um centro de aprendizado e de cultura. Como uma universidade moderna, o museu tinha professores pesquisadores e incluía salas de leitura, laboratórios, observatórios, parques, zoológicos e uma biblioteca que tinha aproximadamente setecentos mil volumes. A lenda judaica diz que a tradução Septuaginta do Antigo Testamento foi feita especialmente para esse museu.

Outras estruturas famosas incluem: o farol da ilha de Pharos, que se erguia a aproximadamente 150 metros acima do porto; o Templo de Serápis, que foi destinado à adoração do deus que combinava o culto a Osíris com o de Ápis (touro); as tumbas reais e o palácio do setor de Rakote. Aqui foi escrito o livro apócrifo da Sabedoria, e o famoso Filo tentou reconciliar a filosofia grega e a religião hebraica no primeiro século cristão. *Veja* Filo.

Entre os famosos homens de Alexandria estão os matemáticos Euclides, Eratóstenes e Hiparco, e os astrônomos Aristarco e Cláudio Ptolomeu, que respectivamente viram o universo como heliocêntrico e geocêntrico.

No primeiro século cristão, Alexandria era a segunda cidade do Império Romano, com uma população de pelo menos seiscentas mil pessoas. Era a pátria de Apolo (At 18.24), e do seu porto saíram dois dos navios de cereais usados pelos centuriões para transportar Paulo a Roma (At 27.6; 28.11). Tinha uma grande comunidade judaica porque Alexandria tinha tratado bem os judeus, e alguns judeus de Alexandria, retornando a Jerusalém, haviam formado uma sinagoga (At 6.9). Existe uma tradição, de acordo com Eusébio, de que João Marcos fundou a igreja em Alexandria. Porém, é necessário que haja mais evidências para que tal afirmação possa ser considerada verdadeira.

Seguindo os passos do Método alegórico de Filo de interpretação das Escrituras, os primeiros convertidos do judaísmo ao cristianismo voltaram-se para formas gnósticas (*veja* Gnosticismo) de pensamento, e formaram uma escola em Alexandria, sob a direção de Basilides. Clemente de Alexandria (150-220 d.C.) e seu mais destacado pupilo, Orígenes (185-254), dirigiram uma escola de ensino cristão que era mais ortodoxa e mais fortemente ligada à igreja, embora preferisse a interpretação alegórica ou "espiritual". Pelo fato de a epístola aos Hebreus (q.v.), utilizar uma terminologia que era extremamente apreciada em Alexandria, e também por fazer freqüentes referências ao Antigo Testamento, tem sido associada a um cenário Alexandrino, e talvez até mesmo a Apolo.

A. K. H.

**ALEXANDRINO** Um nativo da cidade egípcia de Alexandria (q.v.), que tinha mais de seiscentos mil habitantes no primeiro século da era cristã. Os alexandrinos eram cosmopolitas, como a sua localização e história anterior teriam previsto. A maior parte dos habitantes da cidade era composta de egípcios (no setor de Rakote), gregos (Brucheum), romanos ou judeus (no setor leste). Os últimos, totalizando aproximadamente a quarta parte da população, tinham direitos iguais aos gregos, até que Calígula os removeu. O grande museu, com seus eminentes estudiosos, dera à cidade dois séculos de proeminência cultural e literária. Como resultado do cerco de Alexandria por Júlio César, quando grande parte da biblioteca do museu foi queimada, sua importância tinha praticamente desaparecido no final do reinado de Cleópatra, para ser restabelecida somente duzentos anos mais tarde por outro período de grandiosidade, quando liderou o mundo na filosofia e na teologia.

**ALFA E ÔMEGA** Primeira e última letras do alfabeto grego, usadas em Apocalipse 1.8; 21.6 como um título de Deus, e em Apocalipse 22.13 para Cristo. Na última referência, as frases adicionais dão o sentido da expressão. "O Princípio e o Fim, o Primeiro e o Derradeiro". Frases paralelas adicionais indicando o mesmo conceito básico aparecem junto

O sarcófago de Airão, de Gebal, com uma inscrição alfabética do século XI a.C. Museu Nacional, Beirute

com a expressão, tais como "o Senhor, que é, e que era, e que há de vir, o Todo-poderoso" (Ap 1.8). Desta forma se expressa a soberania de Cristo, como a de Deus em Isaías 44.6; 48.12.

Como o Alfa, só Ele possui o conhecimento da origem da terra e do homem; e tendo absoluta autoridade sobre ambos, só Ele tem o poder de fazer novas todas as coisas (Ap 21.5,6). Como o Ômega, o derradeiro, Ele possui o futuro, e somente Ele pode anunciar "as coisas futuras e as que ainda hão de vir" (Is 44.7). Ele pode controlar e fazer o que bem quiser com a morte e o inferno (Ap 20.14), punir os ímpios por toda a eternidade (Ap 21.8) e determinar a recompensa final para todos os homens (Ap 22.12; Jo 5.22).

A importância da aplicação dessa palavra a Cristo (Ap 22.13) não pode ser ignorada. Em outras palavras, o Novo Testamento concorda com a designação de João afirmando a primazia de Cristo sobre toda a criação (Cl 1.15-18; Hb 1.1-3; Mt 28.18), seu absoluto poder sobre a vida e a ressurreição (Jo 5.21, 25,26,28,29) e a sua soberania no julgamento final (Jo 5.22. 27). O texto em Apocalipse 1.17,18 afirma que Cristo, como o princípio e o fim, está completamente validado pela sua ressurreição dentre os mortos.

W. M. D. e A. F. J.

**ALFABETO** Um alfabeto é uma série de letras que representam valores fonéticos significativos, dispostos em uma ordem socialmente aceita. A palavra alfabeto é uma combinação dos nomes das duas primeiras letras do alfabeto grego, *alfa* e *beta*.

A escrita alfabética foi precedida por outros métodos de comunicação escrita. Desenhos gravados em antigas cavernas tinham significados, embora as palavras que eles pretendiam representar não pudessem ser lidas. Por volta do ano 3.000 a.C., dois sistemas de escrita, ambos baseados em figuras, foram desenvolvidos no Oriente Próximo. O sistema egípcio de escrita com figuras, ou hieróglifos, assim chamados devido à sua associação com o sacerdócio, continha ele-

Quadro mostrando o desenvolvimento do alfabeto. J.R.

mentos silábicos e alfabéticos. As imagens podiam representar sons, correspondendo em algumas ocasiões a letras únicas de alfabetos posteriores. No entanto, os egípcios nunca abandonaram os elementos não alfabéticos do seu sistema de escrita, de forma que eles não podem receber o crédito por realmente criarem um alfabeto.

Os sumérios, que dominaram o vale do Tigre e Eufrates durante a segunda metade do quarto e do terceiro milênio antes de Cristo, usavam um sistema de caracteres em forma de cunha, impressos em argila ou escavados em rocha. Originalmente um sistema de escrita com imagens, os caracteres cuneiformes, como agora são chamados, evoluíram para um sistema de sinais de sílabas e palavras no qual o antigo elemento de imagem perdeu a sua importância. O sistema cuneiforme foi adotado pelos sucessores dos sumérios – assírios, babilônios, heteus e outros povos do Quarto Crescente Fértil. *Veja* Escrita.

Descobertas em Serabit el-Khadem, na Península do Sinai, mostram que escravos dos egípcios, que trabalhavam nas minas de turquesa, usavam escrita alfabética no início do século XV a.C. Um punhal com uma inscrição alfabética, do século XVI a.C., foi encontrado em Tell ed-Duweir (Laquis, na Bíblia), e um material comparável foi escavado em Gezer, Siquém, Megido e Bete-Semes.

Em 1929, foram descobertos em Ras Shamra (q.v.), a antiga Ugarit, no norte da Síria, documentos em uma escrita cuneiforme. O alfabeto cuneiforme cananeu parece ter sido inventado por alguém que conhecia tanto o princípio alfabético como o sistema de escrita cuneiforme. Pela combinação das duas idéias, essa pessoa inventou um alfabeto que poderia ser adequado para escrever em blocos de argila. Centenas de textos foram encontrados em Ras Shamra, datados dos séculos XV e XIV a.C. Outros textos, usando o mesmo alfabeto, foram posteriormente descobertos em Bete-Semes e nas proximidades do Monte Tabor. Em 1949, o Professor C. F. A. Schaeffer encontrou em Ras Shamra um bloco do século XIV a.C., onde estavam listadas as trinta letras do alfabeto cuneiforme cananeu, em sua ordem alfabética. A disposição das letras é semelhante àquela utilizada para o alfabeto fenício ou o semita do noroeste, com os quais está relacionado o documento do Sinai.

O antigo documento hebreu (paleo-hebreu) é a forma de escrita dos hebreus, que é similar àquela usada pelos fenícios. Uma inscrição real do Rei Safate-baal de Gebal (Biblos) nesse alfabeto data da época de 1.600 a.C. O sarcófago de um rei fenício chamado Hirão contém uma inscrição que conta como o filho de Airão fez o caixão de seu pai como "uma morada eterna". Hirão, cujo nome é similar ao de Hirão de Tiro mencionado pela Bíblia Sagrada, provavelmente reinou no final do século XI a.C.

O mais antigo documento hebreu escrito existente, o calendário Gezer, data aproximadamente do século X a.C. e está escrito nesse antigo tipo de escrita hebreu-fenícia, como a Pedra Moabita (aprox. 840 a.C.), que dá a versão moabita da revolta mencionada em 2 Reis 1.1; 3.4,5.

Uma variação do antigo método hebreu-fenício de escrita era usada pelos aramaicos, cujo alfabeto usava "letras quadradas", em contraste com as mais angulosas do alfabeto semita do noroeste. Aproximadamente em 200 a.C. os hebreus, influenciados pela língua aramaica, que era normalmente falada pelos judeus do período pós-exílio, adotaram a forma quadrada das letras. Com poucas exceções, esta é a forma do alfabeto usado nos Pergaminhos do Mar Morto, datados desde o século II a.C. até o século I d.C. As letras quadradas são usadas em bíblias impressas em hebraico, além de outras literaturas impressas neste idioma.

De acordo com a tradição grega, o alfabeto foi trazido à Beócia na Grécia central por um príncipe fenício de Tiro chamado Cadmus. Como *kedem* é a palavra semita para leste, a tradição com o nome Cadmus derivando da raiz *K-d-m* parece refletir o fato de que a Grécia recebeu o seu alfabeto a partir do leste, ou seja, da Fenícia. A origem semita do alfabeto grego é mais exemplificada pelos nomes das letras gregas *alfa, beta, gama* sendo claramente paralelos às semitas *aleph, beth, gimmel*. As palavras não significam nada em grego, exceto as letras às quais dão nome, enquanto em hebraico elas refletem a antiga escrita por imagens, em que elas representavam respectivamente um boi, uma casa e um camelo. Acredita-se que os gregos aprenderam o alfabeto por meio do comércio com os fenícios. Depois de ter sido comprovado útil para propósitos comerciais, foi adotado para uso literário. Por volta de 700 a.C., até mesmo pintores de jarros de cerâmica tinham aprendido a arte de escrever.

Embora a escrita cuneiforme tenha continuado em uso até o século I a.C., a simplicidade da escrita alfabética finalmente substituiu os outros sistemas. As escritas cuneiforme e hieroglífica eram usadas pelos sacerdotes e pelos eruditos, mas todas as pessoas comuns podiam rapidamente aprender a comunicar-se através da escrita alfabética. Todos os escritores bíblicos parecem ter usado o modo alfabético de escrita – hebraico, aramaico ou grego. Na época dos juízes, um jovem que Gideão encontrou por acaso podia escrever os nomes dos principais homens de sua cidade (Jz 8.14). *Veja* Línguas; Escrita.

***Bibliografia***. W.F.Albright, "The Early Alphabetic Inscriptions from Sinai and Their Decipherment", BASOR #110 (1948), pp. 6-

22; *The Proto-Sinaitic Inscriptions and Their Decipherment*, Harvard Theological Studies #22, Cambridge, Mass.. Harvard Univ. Press, 1968; Frank M. Cross Jr., "The Evolution of the Proto-Canaanite Alphabet", BASOR #134 (1954), pp.15-24. David Diringer, *The Alphabet*, New York Philosophical Library, 1948. Ignace J. Gelb, *A Study of Writing*, Chicago. Univ. of Chicago Press, 1952.

C.F.P

**ALFÂNDEGA** O lugar no qual Mateus estava assentado quando Jesus o chamou (Mt 9.9; Mc 2.14; Lc 5.27). Uma secretaria de impostos, que surgiu da prática do governo romano de vender ao mais alto licitante, o privilégio de recolher impostos dentro de uma certa província ou cidade. O comprador pagava uma quantia estipulada pelo privilégio, e ficava livre para coletar mais se assim desejasse.

O local de trabalho de Mateus era uma cabine de impostos ou secretaria de taxas (*telonion*), talvez perto do cais de Cafarnaum. Ele coletava tarifas ou impostos sobre as mercadorias embarcadas pelo mar da Galiléia, desde o território de Felipe até o território de Herodes Antipas, ou sobre as mercadorias em trânsito na estrada de Jerusalém para Tiro ou Damasco. *Veja* Taxas.

**ALFARROBEIRA** *Veja* Plantas.

**ALFEU** Um dos muitos nomes gregos de uso comum pelos judeus no século I na Palestina.

1. O pai de Levi, o coletor de impostos (Mc 2.14).
2. O pai de Tiago, um dos discípulos de Jesus (Mc 3.18). A identificação com Clopas (Jo 19.25) ou com Cleopas (Lc 24.18) parece improvável. Sobre esse assunto, *veja mais detalhes* em Clopas, Cleopas, Tiago, Levi, Mateus.

**ALFORGE** O termo grego *pera* é traduzido como "alforge", "sacola", "mala" ou "bolso" nas várias versões da Bíblia Sagrada. Era usado para se referir a uma bolsa de alimentos que um pastor carregava consigo (1 Sm 17.40). A palavra, geralmente, se referia a uma bolsa de viagem, na qual eram levados roupas e alimentos para a viagem. Em sua instrução aos doze e mais tarde aos setenta, em relação às viagens de pregação, o Senhor Jesus os proibiu de carregar tal bolsa (Mt 10.10; Mc 6.8; Lc 9.3; 10.4; cf. 22.35,36). Eles colocavam a sua total confiança em Deus ao desempenhar as suas obrigações. Deissmann (LAE, pp. 108-110), citando uma inscrição síria de um sacerdote pagão pedindo contribuições em nome de sua deusa, transmitiu o significado especial de uma mala pobre na qual eram coletadas ofertas para os templos pagãos. De acordo com esta visão, o Senhor Jesus estava proibindo os seus discípulos de implorar o sustento como faziam os sacerdotes pagãos e os professores viajantes.

F. P.

**ALGODÃO** *Veja* Plantas.

**ALHO** *Veja* Plantas.

**ALHO-PORRO** *Veja* Plantas.

**ALIANÇA**[1] Embora esta palavra não apareça nas versões KJV e ASV em inglês, aparece quatro vezes na versão RSV. O seu significado básico deriva do substantivo hebraico *berit*, que significa "associação", "confederação", "liga"; e dos verbos *hatan*, que significa "afinidade", "unir em casamento"; e *nuah*, que significa "estar despreocupado", "estar aliado"; e do substantivo *qesher*, que normalmente tem o sentido negativo de "conspiração", "traição".

A primeira aliança descrita nas Escrituras foi entre Abrãao e os amorreus Manre, Escol e Aner. Eles uniram suas forças por tempo suficiente para libertar Ló daqueles que o mantiveram cativo (Gn 14.13-24). Abrão fez uma aliança ainda mais duradoura com Abimeleque em Berseba (Gn 21.22-32), como também Isaque fez posteriormente (Gn 26.26-31).

Não houve nenhuma proibição ou estigma contra essas primeiras alianças; porém mais tarde a lei mosaica repetidamente proibia alianças com estrangeiros, em particular com os cananeus. A proibição contra alianças com os cananeus se baseava principalmente em questões religiosas. A nação recém formada era ainda muito fraca para resistir às tentações da adoração ao sexo praticada por Canaã, então Deus, por meio de Moisés, procurou isolar Israel. Os altares, templos e imagens pagãos foram destruídos para que os jovens não fossem enganados pelos adoradores de Baal (Êx 23.32,33; 34.12,13). Para proteger os israelitas ainda mais contra essa corrupção, o casamento com estrangeiros foi proibido, para que não houvesse corrupção do israelita pelo adorador pagão através do casamento (Dt 7.2-4). Depois da conquista, quando Israel desobedeceu, a razão do julgamento de Deus sobre eles tinha raízes na violação da proibição por parte de Israel (Jz 2.2).

Além da aliança com os homens de Gibeão, com artimanhas concluídas com Josué, não houve ligações oficiais com outras nações até os tempos de Salomão. Davi tinha relações amistosas, baseadas em alianças pessoais, com os reis de Moabe, Amom, Gate e Hamate; mas parece que Salomão foi o primeiro a estabelecer uma aliança internacional com uma nação estrangeira. Isto foi feito com Hirão de Tiro, em relação à construção do Templo e às operações da frota no Mar

Vermelho e no Oceano Índico (1 Rs 5.1-18; 9.26-28). A completa implicação desta aliança não veio à tona até o casamento de Acabe com Jezabel, filha de um rei de Tiro. A adoração a Baal imediatamente tomou conta da vida religiosa de Israel, mas foi vigorosamente combatida por Elias, Eliseu e Jeú. Judá sentiu alguns maus resultados desse casamento quando a filha de Jezabel, Atalia, tornou-se rainha de Judá.

Nas disputas triangulares entre Israel, Judá e Síria foram feitas diversas alianças. Em uma ocasião, Asa de Judá obteve a ajuda de Ben-Hadade da Síria contra Baasa de Israel (1 Rs 15.18,19; 2 Cr 16.3). Mais tarde, Acabe de Israel ganhou o auxílio de Josafá de Judá contra a Síria (1 Rs 22; 2 Cr 18.1). Depois da morte de Acabe, Acazias de Israel procurou unir-se a Josafá no estabelecimento de uma frota mercante, mas Deus não se agradou com isso e a frota foi destruída (2 Cr 20.35-37). No tempo de Isaías, Rezim da Síria e Peca de Israel se uniram contra Judá, mas Acaz de Judá conseguiu comprar a ajuda da Assíria, que rapidamente destruiu a Síria, reduziu Israel à condição de sua partidária, e finalmente fez de Acaz um fantoche nas suas mãos (2 Rs 16.5-8). A última aliança trágica foi entre Zedequias e o Egito, que trouxe a Babilônia contra Judá e destruiu Jerusalém completamente (Jr 37.1-8; Ez 17.15-17). *Veja* Concerto.

**ALIANÇA**[2] Em hebraico, uma "aliança" é determinada pelo termo *berit,* e *berit karat* significa "fazer (lit., 'cortar' ou 'lapidar') uma aliança". Em grego o termo é *diatheke* (que pode significar tanto "pacto"como "último desejo e testamento"), e o verbo é *diatithemi* (At 3.25; Hb 8.10; 9.16; 10.16).

Uma aliança é um acordo entre duas ou mais pessoas em que quatro elementos estão presentes: partes, condições, resultados, garantias.

As alianças bíblicas são importantes como uma chave para duas grandes facetas da verdade: *Soteriologia* – O plano de Deus através de Jesus Cristo para redimir os seus eleitos, está revelado de uma maneira ampla e profunda nas sucessivas alianças.

*Profecia* – As alianças abraâmica, palestina, davídica e as novas alianças abrem todo o panorama relacionado à primeira e à segunda vinda de Cristo, e o seu reinado milenar na terra. A maior parte das grandes alianças revela fatos relacionados ao sofrimento, sacrifício, governo, e reinado do Messias. A maneira como estas duas correntes de profecia devem ser interpretadas determina finalmente a sua escatologia, se ela deve ser amilenial, pós-milenial, ou pré-milenial. A questão a ser encarada é se o método a ser aplicado a ambas correntes de profecia será o mesmo. Disto deve depender a decisão sobre a questão do milênio, e a interpretação de grande parte daquilo que está contido em cada uma das alianças. *Veja* Milênio.

*As Partes.* Estas podem ser: (1) Indivíduos, como por exemplo Abraão e Abimeleque (Gn 21.27) ou Jacó e Labão (Gn 31.44-46), quando cada um se sujeitou a certas condições e ofereceu uma prova como garantia da aliança feita. (2) Nações, como quando Naás, o amonita tentou forçar uma aliança sobre Jabes-Gileade em 1 Samuel 11.1ss., ou quando os israelitas foram tolamente levados a fazer uma aliança com os gibeonitas (Js 9.6-16). (3) Deus e o homem eram as partes das grandes alianças do reino messiânico, tal como a aliança Abraâmica (Gn 12.1-7; 15; 17.1-14; 22.15-18), a aliança Palestina (Dt 29–30), e a aliança Davídica (2 Sm 7.4-16; Sl 89.3,4,26-37; 132.11-18). (4) Deus, o Pai, e Jesus Cristo, eram as partes originárias da aliança da redenção (Sl 40.6-8; Hb 10.5-14), sendo Cristo o mediador desta aliança, enquanto Deus e os indivíduos (Hb 7.9ss.) e Deus e Israel (Jr 31.37) eram seus companheiros eficazes. O Pai e o Filho eram a parte líder da aliança da graça, Deus Pai fez uma aliança com Cristo para salvar pela graça aqueles que cressem no Filho, e em sua morte substitutiva. Esta aliança se tornou o fundamento de Romanos 4 e Hebreus 11, as duas *loci classici*, ou passagens principais concernentes à justificação pela fé no NT. No AT, os indivíduos entravam nesta aliança através de sua fé salvadora, em uma aceitação de um tipo de Cristo no AT, e no NT pela mesma fé com a aceitação do modelo oposto, o próprio Senhor Jesus Cristo.

*Condições.* Em cada aliança são expressas certas condições. Isto se aplica tanto às alianças unilaterais, ou seja, anunciadas por Deus para um homem e promulgadas com a certeza de que acontecerão, e nesse ponto incondicionais; e também àquelas que são bilaterais, ou seja, aquelas alianças que estão totalmente condicionadas à aceitação e ao cumprimento por ambas as partes. Todas as alianças humanas são bilaterais e condicionais. As alianças entre Deus e o homem podem ser principalmente unilaterais, como a aliança abraâmica, a davídica, e a nova aliança; ou bilaterais, como por exemplo, a aliança mosaica. Ainda podemos ficar confusos se não enxergarmos que até mesmo as alianças unilaterais têm essencialmente um aspecto bilateral, à medida que a sua aplicação diz respeito aos indivíduos. Isto pode ser visto no fato descrito por Paulo em Romanos 9 de que, embora as alianças pertençam a Israel, "nem todos os que são de Israel são israelitas; nem por serem descendência de Abraão são todos filhos" (Rm 9.6,8). Elas se aplicam aos eleitos.

Mais adiante vemos que o selo, sinal ou símbolo de alguém ter aceitado o relacionamento da aliança por um ato de fé individual é um passo de obediência, mesmo na aliança abraâmica, cujo sinal era a circuncisão (cf.

Gn 17.10, 11 onde o sinal foi declarado como parte de uma aplicação individual da aliança. "Esta é minha aliança... todo macho entre vós será circuncidado"). Qualquer tentativa de separar o elemento unilateral da aliança abraâmica da sua aplicação individual torna-se artificial e, portanto, o conhecimento de ambos os fatores – unilateral e bilateral – em tal aliança se faz necessário, assim como o batismo nas águas é o sinal ou a confirmação da associação de alguém na nova comunidade da aliança. As análises mostram que os elementos unilaterais em uma aliança são proféticos e, portanto, condicionados ao ponto em que são dependentes da aceitação pessoal pela fé, com a motivação que vem da graça soberana de Deus.

*Resultados.* Estes podem ser também promessas de bênçãos quando a aliança é mantida, ou advertências de punição quando a aliança é quebrada - ou ambas. Por exemplo, na aliança abraâmica havia uma promessa de descendência (que de acordo com Gálatas 3.16 era Cristo; cf. Gn 12.1-3; 13.16; 22.18), de uma terra, de fama e de uma grande posteridade. Estes fatos eram proféticos e certos. Ao mesmo tempo, havia um aspecto condicional, porque cada participante crente tinha que ser circuncidado como um sinal da sua fé, mesmo no caso de Abraão (Gn 17.9-17; Rm 4.11). Aqueles que se recusavam a ser circuncidados quebravam a aliança (Gn 17.14). Esta cerimônia apontava para Cristo em quem nós, cristãos, somos circuncidados com a "circuncisão de Cristo" (Cl 2.11). Tudo isso é condicional, pois a sua base é a fé salvadora.

*Garantias.* A garantia que se dava para assegurar o cumprimento da aliança era normalmente um juramento. Para os homens, era um juramento tão solene que constituía o caráter do desejo ou testamento. A idéia é que assim como o testador não poderia mudar a sua vontade quando morto, o criador da aliança também não poderia mudá-la. A forma de expressá-la era matando um animal, partindo-o ao meio, e em seguida passando-se pelo meio de ambas as partes (Gn 15.9ss.). Cristo selou a nova aliança através de sua morte (Hb 9.15-17), e instituiu a Ceia para celebrá-la (Mt 26.28; Mc 14.25; 1 Co 11.25,26). Às vezes se fazia uma oferta (Gn 21.30), ou se instituía um sinal, como um marco ou um monte de pedras (Gn 31.52). Como Deus não tem nada e ninguém maior do que Ele mesmo para jurar, também confirmou as suas alianças jurando por si mesmo (Dt 29.12; Hb 6.13,14), por exemplo, ao confirmar a sua aliança com Abraão, ao jurar pelo seu controle providencial do mundo, e ao anunciar a nova aliança em Jeremias 31.35; 33.20.

**Tipos de Alianças**

Dois principais tipos de alianças na Bíblia precisam ser considerados; aqueles que são especificamente designados como alianças, e aqueles que estão implícitos, mas não são designados como tais. Para uma melhor distinção, talvez seja melhor chamá-los de alianças bíblicas e teológicas.

*Alianças Bíblicas Específicas*

1. *Aliança Noéica.* Esta é a primeira aliança claramente mencionada nas Escrituras. Ela foi prometida a Noé em Gênesis 6.18 e está registrada em Gênesis 8.20–9.17. Esta aliança foi, sobretudo, unilateral, pois Deus era o seu criador e executor, não requerendo um compromisso de aceitação e consentimento por parte de Noé, como no caso do juramento dos israelitas ao pé do Monte Sinai (veja Êx 19.8).

As *partes* desta aliança eram Deus e a terra (Gn 9.13) ou Noé e todos os seus descendentes (Gn 9.9,16,17). Daqui por diante, ela era universal em seu escopo. Apesar disso, ela tinha certas *condições*, a saber, que a humanidade fosse frutífera, se multiplicasse e enchesse a terra (9.1,7); que não comesse carne com vida, isto é, com o sangue (9.4). Assim, a aliança era condicional, porque Deus trouxe um julgamento sobre a humanidade no episódio da Torre de Babel na forma de uma confusão de línguas, para forçar o povo a se espalhar e povoar a terra, quando eles estavam deliberadamente desafiando o propósito e a ordem de Deus (Gn 11.4-9). O *Resultado* era a promessa de que Deus nunca mais destruiria a terra com um dilúvio (Gn 8.21; 9.11,15), com a concomitante promessa da regularidade das estações (Gn 8.22). A garantia de que Deus iria manter esta aliança enquanto durasse a terra encontrava-se em seu sinal ou prova, o arcoíris (9.12-17).

2. *Aliança Abraâmica.* Esta é geralmente considerada uma aliança unilateral no sentido de que foi em primeiro lugar anunciada por Deus, sem qualquer condição a ela vinculada. Entretanto, um elemento bilateral aparece em Gênesis 17.1: "Eu sou o Deus Todo-poderoso; anda em minha presença e sê perfeito"; e na última repetição e confirmação da aliança a Abraão em Gênesis 22.16ss., quando Deus diz, "Por mim mesmo, jurei... porquanto fizeste esta ação e não me negaste o teu filho, o teu único, que deveras te abençoarei".

As *partes* desta aliança eram Deus e Abraão. A condição – revelada por Deus a Abraão, depois dele demonstrar a sua vontade de obedecer à ordem de Deus de oferecer Isaque – era a obediência pela fé (cf. Hb 11.17-19). Os *resultados* foram: a promessa de Deus de transformar a posteridade de Abraão em uma grande nação (Gn 12.2); aumentar a sua semente tornando-a numerosa como a areia do mar (Gn 22.17); abençoar aqueles que abençoassem o povo judeu e amaldiçoar aqueles que o amaldiçoassem (Gn 12.3); e dar à descendência a Abraão (ou seja, a Israel), a Palestina e o território que vai do rio do Egito até o Eufrates. Finalmente, e o mais importante de tudo, o mundo inteiro seria abençoado através da sua descendência, que era Cristo (Gl 3.16), e Cristo por sua vez dominaria sobre todos os seus inimigos (Gn 22.17,18). A *garantia* desta grande aliança era o juramento de Deus por si mesmo e por seu grande Nome (Gn 22.16; Hb 6.13-18), assim como o derramamento do sangue dos sacrifícios (Gn 15.9,10,17).

*3. Aliança Mosaica ou do Sinai*. Nesta aliança vemos o surgimento de um novo fator, de uma forma particular. A aliança Abraâmica era muito simples e direta, a Mosaica, mesmo sendo direta, era muito mais complexa, empregava a forma contemporânea das alianças de suserania e vassalagem em voga no antigo Oriente, onde o grande senhor ou suserano ditava um acordo para os seus vassalos ou servos. Um recente estudo dos tratados ou alianças hititas da metade do segundo milênio a.C., revelou que existia uma forma paralela entre estas e a aliança de Deus com Israel, e cada uma continha seis elementos.

(1) Um preâmbulo: "Eu sou o Senhor, teu Deus" (Êx 20.2*a*), identificava o autor da aliança, e correspondia a cada introdução como "Estas são as palavras do filho de Mursilis, o grande rei, e rei da terra de Hati, o valente, o filho favorito do deus do trovão etc..." (ANET, p. 203).

(2) Um prólogo histórico: "...que te tirei da terra do Egito, da casa da servidão" (Êx 20.2). Em Deuteronômio, que é a segunda dádiva da aliança e da lei, o prólogo histórico se expandia amplamente a fim de abranger o modo como Deus levou Israel pelo deserto até aos limites da terra prometida (Dt 1.6–4.49). Moisés está repetindo e expandindo a aliança dada no Sinai, para atualizá-la e preparar Israel para a entrada na terra prometida. Nas alianças hititas, o suserano dominador lembrava ao governante vassalo (o governante subjugado) os benefícios que ele desfrutara até o momento como vassalo de seu reino, como a base para a sua gratidão e obediência futura.

(3) As estipulações ou obrigações exclusivas da aliança: "Não terás outros deuses diante de mim. Não farás para ti imagem de escultura... Não te encurvarás a elas nem as servirás" (Êx 20.3-5). Uma típica aliança hitita foi registrada da seguinte forma: "Mas tu, Duppi-Tessub permaneça leal ao rei da terra de Hati... Não volte os seus olhos para mais ninguém" (ANET, p. 204). Em sua primeira forma em Êxodo 20, a aliança começa com os Dez Mandamentos e continua ao longo de Êxodo 31. Em Deuteronômio, ela começa com a lei no cap. 5 e continua pelo cap. 26.

(4) Sanções, a saber, bênçãos e maldições que acompanham a manutenção ou o rompimento da aliança. Em sua primeira promulgação no Êxodo, estas sanções estão vinculadas, na aliança Mosaica, aos Dez Mandamentos; por exemplo: "Visito a maldade... e faço misericórdia" (Êx 20.5,6); e, "Honra a teu pai e a tua mãe, para que se prolonguem os teus dias na terra" (Êx 20.12). Além disso, mais sanções e advertências são dadas com a promessa de direção e proteção pela presença de Deus (Êx 23.20-33; para mais bênçãos e maldições, veja Levítico 26). Mas em Deuteronômio há dois capítulos de bênçãos e maldições que devem ser lidos publicamente e expostos na cerimônia de renovação da aliança (27 e 28), seguidos pela conhecida aliança Palestina (29–30). Bênçãos e maldições também eram escritas nos tratados da Ásia ocidental.

A confirmação bíblica ou a certeza de que uma promessa seria mantida era um juramento ou ainda a morte daquele que fez a aliança. "Os termos *juramento* e *aliança* são sempre usados como sinônimos no AT, assim como os termos juramento e tratado nos textos extra-bíblicos" – esta é a conclusão de Gene M. Tucker ("Covenant Forms and Contract Forms", VT, XV [1965], p. 497). Uma aliança no AT era, em sua essência, um juramento, um acordo solene. Deus confirmou a aliança Mosaica através de um juramento mencionado em Deuteronômio 29.12ss. O juramento... "que o Senhor, teu Deus, hoje faz contigo" (cf. Dt 32.40; Ez 16.8; Nm 10.29). As partes que faziam a aliança deveriam se tornar como os mortos, de maneira que não poderiam mais mudar de idéia e revogá-la, assim como os mortos também não poderiam fazer (Gn 15.8-18; Hb 9.16,17). Assim, o sangue dos animais substitutos sacrificados era espargido na cerimônia de ratificação da aliança, para representar a "morte" das partes (Êx 24.3-8). Os tratados hititas comuns na época de Moisés não tinham como característica um juramento por parte do suserano; ao invés disso, eles enfatizavam o juramento de lealdade por parte do vassalo.

(5) Testemunhas: Os tratados hititas apelavam para uma longa lista de divindades como testemunhas dos documentos. No Sinai e em outras alianças bíblicas, os deuses pagãos eram obviamente excluídos. Ao invés disso, memoriais de pedra podiam ser uma testemunha (Êx 24.4; cf. Js 24.27); os céus e a terra eram convocados como testemunhas (Dt 30.19; 31.28; 32.1; cf. 4.26); o livro da lei (ou o rolo da lei) era depositado ao lado da arca com a finalidade de ser uma testemunha (Dt 31.26); e o próprio cântico de Moisés lembraria ao povo os votos que fizeram por ocasião da aliança (Dt 31.30-32.47). Na cerimônia de renovação da aliança no final da vida de Josué, o próprio povo atuou como testemunha (Js 24.22).

(6) A perpetuação da aliança. Esta podia ser

vista no cuidado pela segurança dos documentos do tratado, que no caso dos pagãos eram geralmente depositados perante ou sob um deus pagão de uma nação que fazia parte do tratado. Esta atitude poderia ser contrastada com as tábuas da aliança Mosaica, colocadas dentro da arca da aliança em Israel (Êx 25.16,21; 40.20; Dt 10.2). As alianças hititas e a aliança Mosaica eram lidas periodicamente em público, e as crianças eram nelas instruídas. A lei era registrada em pedras caiadas (Dt 27.4), e lida em voz alta durante as cerimônias, como aconteceu quando as bênçãos e maldições foram pronunciadas (estando a metade de Israel no Monte Ebal e a outra metade no Monte Gerizim), depois de terem entrado na terra prometida (Dt 27.9ss.; Js 8.30-35). A lei era lida integralmente e publicamente a cada sete anos na Festa dos Tabernáculos (Dt 31.9-13).

Chegou-se a várias conclusões importantes como resultado da comparação da aliança Mosaica com os antigos tratados de suserania daquela época: (*a*) Deus falou a Israel de uma forma conveniente ao seu propósito, mas que também fosse familiar ao povo daquela época. Alguns dos detalhes mais apurados da forma até mesmo provam que a aliança Mosaica deve ter sido estabelecida antes de 1200 a.C., porque os tratados aramaicos e assírios do primeiro milênio a.C. não possuem vários dos elementos característicos comuns aos hititas e à aliança do Sinai (veja Meredith G. Kline, *The Treaty of the Great King*, p. 42ss.). (*b*) A forma particular da aliança hitita em Deuteronômio nos leva a ver que a ênfase é maior no significado da aliança do que em seu significado legal. (*c*) Estudos mostram que as duas tábuas da lei não eram duas pedras com quatro manda – entos na primeira e seis na segunda, mas duas cópias de pedra do mesmo tratado ou aliança: uma para Deus – mantida na arca - e outra para Israel. O mesmo acontecia em todos os tratados hititas e assírios: duas cópias eram feitas, uma para o rei do suserano e outra para o rei do vassalo.

Certas diferenças importantes, não devem, entretanto, passar despercebidas. A Aliança Mosaica, como feita por Deus, baseava-se no amor e na graça e não simplesmente em poder. Além disso, ela tinha como objetivo a salvação dos eleitos de Deus, e não a mera submissão e obediência.

Voltando ao significado e à importância espiritual dessa aliança, podemos concluir que o elemento condicional é prioritário em relação ao elemento incondicional. Será que está sendo ensinada a expressão "faze isso e viverás" (cf. Lc 10.28) no sentido de que a vida eterna para o crente do AT dependia de se guardar a lei de Deus? Se fosse, as obras seriam de valor meritório até que viesse a cruz! Ou será que Deus queria dizer que deveriam viver à luz da lei? O Senhor Jesus Cristo, no Sermão do Monte, ensinou esta segunda visão quando expôs vários mandamentos e disse: "Sede vós, pois, perfeitos, como é perfeito o vosso Pai, que está nos céus" (Mt 5.48). Ele aplicou a lei com o propósito da contínua santificação do crente e não para a sua justificação. Em Levítico 18.5 é feita a mesma aplicação da lei: "Os meus estatutos e os meus juízos guardareis; os quais, fazendo-os o homem, viverá por eles" (ou seja, naquele âmbito). Quando vemos que esta aliança começa com a graça: "Eu sou o Senhor, teu Deus, que te tirei da terra do Egito, da casa da servidão" (Êx.20.2), e acrescentamos a isto uma consideração dos fatos descritos acima, somos levados a vê-la como uma aliança cheia de graça. A aliança Mosaica, então, torna-se tanto um aio que tem a função de nos trazer a Cristo, onde todos os tipos de aliança apontam para ele, como um padrão para guiar o comportamento dos crentes do AT e dos cristãos.

4. *Aliança Palestina* (Dt 29–30). Embora seja uma parte da renovação da aliança Mosaica, esta aliança é considerada por alguns separadamente. As *partes* são Deus e Israel, as *condições* são que Deus abençoará Israel se a nação permanecer fiel a Ele, e Ele a amaldiçoará se ela se virar contra Ele, como expresso nas bênçãos e maldições promulgadas do Monte Gerizim e do Monte Ebal (Dt 27.9ss.). Os *resultados*, depois de todas as bênçãos e maldições terem sido vivenciadas por Israel no decorrer da sua história, são aqueles ocorridos se e quando a nação se arrepender. Deus a reunirá das partes mais distantes da terra, reestabelecerá a aliança e a abençoará. A *garantia* da aliança encontra-se nas ordenanças ao céu e à terra (Dt 30.19).

Esta aliança tem um aspecto unilateral – promessas e recompensas pela manutenção da aliança, e maldições como conseqüência de sua quebra. A garantia era dada para se ter a certeza de que aconteceria o arrependimento da nação de Israel (Dt 30.1-10). Ainda há um aspecto bilateral - Israel tem de se arrepender. Este arrependimento ocorrerá por causa da graça soberana de Deus na vida dos judeus quando Jesus voltar (Zc 12.10-14; 13.6; cf. Is 66.19,20). As ordenanças de Deus levam em consideração tanto o que o homem fará em sua liberdade quanto o que Deus planeja fazer em sua soberana graça; estes dois elementos aparecem na aliança Palestina.

5. *Aliança Davídica* (2 Sm 7.4-16; Sl 89.3, 4,26-37; 132.11-18; cf. Is 42.1,6; 49.8; 55.3,4). Esta era basicamente uma aliança unilateral, em que Deus primeiro prometeu a Davi um reinado seguro para o seu filho e sucessor, Salomão; e, depois, um reino que continuaria para sempre na pessoa do Messias. Isaías fala do próprio Messias tanto nesta aliança como no seu cumprimento (Is 42.1,6; 49.8). Ela ainda tinha um elemento bilate-

ral, pois havia elementos condicionais relacionados ao rei (2 Sm 7.14,15).

*6. Nova Aliança.* Como na aliança do Sinai, com Moisés como mediador entre Deus e o seu povo escolhido (At 7.38; Gl 3.19), assim a nova aliança também foi estabelecida entre Deus e o povo redimido, com Cristo o Filho de Deus, agindo como mediador (1 Tm 2.5; Hb 8.6; 9.15; 12.24). Em contraste, entretanto, a nova aliança é muito superior à antiga aliança Mosaica, porque é instituída com base em promessas superiores e em um sacrifício infinitamente superior (Hb 8.6; 9.23). Ela fala de um tempo em que Deus escreverá a sua vontade dentro das mentes e corações do seu povo, de tal forma que os homens não precisarão mais ensinar uns aos outros qual é a vontade do Senhor, e quando Ele perdoará os pecados do povo de Israel (Jr 31.31-37). O escritor aos Hebreus usa a revelação da aliança do AT para provar que Cristo é tanto o Redentor, como o Mediador para o perdão dos pecados do homem (Hb 9.7-9; 10.5-16). Cristo se referiu a esta aliança quando discursava sobre a instituição da Ceia do Senhor. "Isto é o meu sangue, o sangue do Novo Testamento [ou da Nova Aliança]" (Mc 14.24).

Existe algum elemento condicional nesta aliança? Sim, até o momento em que o crente aceita Cristo como o seu Salvador, e testifica que crê que o sangue de Cristo foi derramado para a remissão dos seus pecados, e assim se torna individualmente participante da nova aliança. Ainda há um aspecto incondicional, unilateral e profético desta aliança, pois ela também fala de uma época em que, em todo Israel, todo judeu conhecerá as suas bênçãos. Certamente, na Era do Evangelho em que estamos vivendo, ainda não podemos afirmar que qualquer homem já não precisa ensinar ao seu vizinho ou irmão a lei de Deus. Esta parte da aliança só pode ser aplicada à Época do Milênio. *Veja* Aliança, Nova.

### Alianças Teológicas

Estas alianças são assim chamadas porque são descobertas ao aplicarmos a definição de aliança a um acordo registrado nas Escrituras. Onde quer que estejam presentes fatores como partes contratantes, condições, resultados e garantia, existe uma aliança. Tais alianças, que alguns teólogos consideram tecidas em um tear e trama das Escrituras, são as alianças das obras, a aliança da graça, e a aliança da redenção. Estas são geralmente discutidas nos escritos dos teólogos da Reforma, que seguem a teologia da aliança de Johannes Cocceius (1603-1669).

Àqueles que fazem objeções à classificação do acordo de Deus entre Si próprio e Adão antes da queda do homem, como uma aliança de obras, e seu pacto com o homem para sua salvação depois da queda como uma aliança da graça, pode-se dizer o seguinte: (1) O pacto de Deus com Davi em 2 Samuel 7 não é chamado ali de uma aliança, mas é chamado de concerto no Salmo 89.3,28. (2) Só é possível desenvolver uma verdadeira sistemática da teologia, através da aplicação de definições desenvolvidas de forma indutiva. É isto que é feito ao se estabelecer alianças teológicas. (3) Somos revestidos com a necessidade de repetir laboriosamente o pacto que Deus anunciou a Adão quando foi criado, suas condições, resultados e sua classificação. Quando chamamos isto de aliança, estamos simplesmente usando um termo definitivo, ao invés de repetir dados desnecessariamente.

1. *Aliança das Obras*. As *partes* eram Deus e Adão antes da Queda. As *condições* positivas eram: amar a Deus, obedecê-lo e amar ao próximo. As negativas: não desobedecer a Deus ou se rebelar contra Ele; não comer da árvore do conhecimento do bem e do mal. Como podemos determinar o resultado positivo quando ele não é declarado? Muito simples. Deus é santo e imutável, portanto, a forma como Ele lidou com a primeira ordem dos seres racionais, os anjos, é a maneira pela qual Ele deve lidar com todo o restante de suas criaturas. Estes anjos que o amavam e obedeciam, tornaram-se os anjos santos - eles foram confirmados na justiça; aqueles que se rebelaram tornaram-se anjos caídos. A árvore do conhecimento do bem e do mal no Éden era uma prova para o homem. Não comer dela representava obediência e amor; comer, significava desobediência e falta de confiança. Os resultados revelados nesta aliança eram vida pela obediência e amor, como para todos os anjos; e morte pela desobediência e rebelião, para os anjos caídos. Pelo fato de Deus ser a verdade, a sua Palavra era a *garantia*.

2. *Aliança da graça*. As *partes* eram Deus e o homem através do Senhor Jesus Cristo, ou talvez melhor, Deus, Jesus Cristo e os homens à medida que estes se tornam unidos a Cristo através da fé nele. Este conceito de aliança da graça entre o Pai e o Filho em que a salvação é oferecida aos pecadores pode ser encontrado em Efésios 1.3-6, onde está escrito que Deus nos escolheu em Cristo antes da fundação do mundo. Veja também 2 Timóteo 1.9; Tito 1.2; João 3.17; 17.4-10,21-24. A *condição* é, novamente, a fé salvadora, expressa no AT por atos de fé como os de Abel (Hb 11.4), Abraão e Davi (Rm 4.3,6-8), e pela aceitação de Jesus Cristo como revelado no NT. Os *resultados* são a vida eterna para os crentes, e a condenação eterna para aqueles que não crêem.

3. *Aliança da redenção*. Um debate entre os teólogos da aliança é a existência ou não de uma aliança de redenção, que seja adicional à aliança da graça. Charles Hodge era, nos Estados Unidos, o líder daqueles que fazem

esta distinção e vêem duas alianças separadas. J. O. Buswell, Jr. argumenta veementemente que elas são apenas uma e a mesma (*Systematic Theology*, II, 122ss.).
A aliança da redenção pode ser definida como um acordo unilateral entre o Pai e o Filho, que contém uma segunda aliança entre Deus e seu povo. Esta aliança aparece claramente em duas passagens: no Salmo 40.6-8, onde o Filho está conversando com o Pai, e fala do sacrifício que o Pai espera dele; e, em uma passagem que cita estes versículos, Hebreus 10.5-16, onde Deus nos fala que tira a primeira aliança, chamada Mosaica, para estabelecer a segunda: E, nesta vontade "temos sido santificados pela oblação do corpo de Jesus Cristo, feita uma vez [por todas]" (v.10). Então, nos é dito (Hb 10.15-17) que o Espírito Santo endossou esta verdade quando profetizou a nova aliança em Jeremias 31.33,34. A compreensão de Archibald McCaig é particularmente útil neste ponto: "A 'Nova Aliança' aqui mencionada é praticamente equivalente à Aliança da Graça estabelecida entre Deus e o seu povo remido, que novamente repousa sobre a eterna Aliança da Redenção feita entre o Pai e o Filho, que, apesar de não estar expressamente determinada, não pode ser considerada obscura em muitas passagens das Escrituras" ("*Covenant, The New*", ISBE, II, 731).
É importante distinguir a aliança da redenção da nova aliança, uma vez que a aliança da redenção torna-se o teste mais importante na detecção de uma visão Unitariana, tal como encontrada nos ensinos de Karl Barth. Se não existe a Trindade ontológica das três pessoas na Divindade, não pode haver a aliança da redenção entre o Pai e o Filho. Uma vez que Barth ensina simplesmente 3 modos de revelação de uma única Pessoa, ele tem de rejeitar esta aliança. Seu Unitarianismo exclui uma aliança ou uma comunicação direta em palavras ou orações entre as Pessoas da Divindade.

### A Inter-Relação das Alianças

Esta ligação entre as várias alianças pode ser comparada a uma série de degraus - cada um sendo acrescentado e fundamentado naquele que o precede. O inter-relacionamento pode ser ilustrado pelo fato de que a aliança Davídica e as novas alianças são extensões que estão inseridas na aliança Abraâmica. Foi prometido a Abraão um reino e uma terra, que mais adiante são detalhados na aliança Davídica. Também lhe foi dado o evangelho, porque "... a Escritura... anunciou primeiro o evangelho a Abraão" (Gl 3.8); tudo isso é mais extensamente tratado na nova aliança.
Novamente, a aliança das obras, apesar de ter sido quebrada por Adão, e suas conseqüências terem caído sobre toda a humanidade, foi levantada por Jesus, pois Ele foi "nascido de mulher, nascido sob a lei, para remir os que estavam debaixo da lei" (Gl 4.4,5). A aliança foi perfeitamente mantida por Ele para nós e em nosso lugar. Mais além, na cruz, Ele foi marcado com o castigo da lei que fôra quebrada por nós, que, por outro lado, somos salvos pela aliança da graça. Esta aliança depende do fato de Cristo ter terminado por nós a aliança das obras: primeiro por ter cumprido as suas exigências, e segundo por ter suportado o castigo pelo pecado (Rm 10.4).

***Bibliografia.*** Karl Barth, *Church Dogmatics*, Edinburg. T.& T. Clark, 1936. Louis Berkhof, *Systematic Theology*, Grand Rapids. Eerdmans, 1949. J. Oliver Buswell, Jr., *A Systematic Theology of the Christian Faith*, Grand Rapids. Eerdmans, 1962. K. A. Kitchen, *Ancient Orient and Old Testament*, Chicago. Inter-Varsity, 1966, pp. 90-102. Meredith G. Kline, *The Treaty of the Great King*, Grand Rapids. Eerdmans, 1963; *By Oath Consigned,* Grand Rapids. Eerdmans, 1968; "Canon and Covenant", WTJ, XXXII (1969), 49-67; "The Correlation of the Concepts of Canon and Covenant", NPOT, pp. 265-279. George E. Mendenhall, *Law and Covenant in Israel and the Ancient Near East,* Pittsburgh. Biblical Colloquium, 1955. John J. Mitchell, "Abram's Understanding of the Lord´s Covenant". WTJ, XXXII (1969), 24-48. J. Barton Payne. *The Theology of the Older Testament,* Grand Rapids. Zondervan, 1962; "The B´rith of Yahweh", NPOT, pp. 240-264. Gottfried Quell and Johannes Behm, *"Diatheke"*, TDNT, II, 106-134. Gene M. Tucker, "Covenant Forms and Contract Forms", VT, XV (1965), 487-503. Donald J. Wiseman, "The Vasal-Treaties of Esarhaddon", *Iraq*, XX (1958), 1-28. John M. L. Young, "Theology of Missions, Covenant Centered", ChT, XIII (22 de novembro de 1968), 162-165. *Veja também* Aliança, Nova.

R. A. K. e J. R.

**ALIANÇA DE SAL** Os acordos ou pactos entre os indivíduos eram geralmente ratificados compartilhando uma refeição (Gn 31.44,54; Êx 24.7-11). Temperar com sal a comida que seria ingerida significava a permanência e a inviolabilidade do acordo ou da aliança que estava sendo feita ou relembrada (2 Cr 13.5; Ed 4.14). Quando era feita uma aliança com Deus, o alimento era primeiramente oferecido a Ele (Lv 2.13; Nm 18.19; Ez 43.24). Os nômades do Oriente Médio, ainda comem "pão e sal" juntos como sinal e selo de uma aliança de irmandade.

**ALIANÇA, ARCA DA** *Veja* Arca da Aliança.

**ALIANÇA, LIVRO DA** *Veja* Livro da Aliança.

**ALIANÇA, NOVA** Esta é uma providência de Deus pela qual Ele estabeleceu um novo relacionamento de responsabilidade entre Si mesmo e o seu povo (Jr 31.31-34). A expressão *nova aliança* também é um sinônimo do NT e, portanto, refere-se aos 27 livros do NT, ou à própria Nova Aliança. Mas, neste artigo, a expressão é considerada apenas em ligação àquele relacionamento da aliança entre Deus e o seu povo, o que é designado como uma nova aliança.

*A escolha ou a designação da aliança.* Quando mencionada pela primeira vez, esta aliança foi chamada de "nova" (Jr 31.31), porque foi estabelecida em oposição à aliança primária ou mais antiga de Israel, a saber, a aliança da lei Mosaica. Este mesmo contraste também é feito em Hebreus 8.6-13.

*As provisões da aliança*

1. A nova aliança provê um relacionamento de graça incondicional entre Deus e "a casa de Israel e a casa de Judá". A freqüência do uso da expressão "Eu farei" em Jeremias 31.31-34 é surpreendente.
2. Ela provê a regeneração quando o crente recebe do Senhor uma mente e um coração renovados (Ez 36.26).
3. Ela provê a restauração ao favor e à bênção de Deus (Os 2.19,20).
4. Ela inclui o perdão dos pecados (Jr 31.34*b*).
5. O ministério do Espírito Santo, que vive em cada crente, é uma das suas provisões (Jr 31.33; cf. Ez 36.27). Isto também inclui o ministério de ensino do Espírito Santo.
6. Ela provê a exaltação de Israel como cabeça das nações (Jr 31.38-40; cf. Dt 28.13).

*O fundamento da aliança.* O fundamento de todas as bênçãos da aliança é o sangue de Cristo. No cenáculo, na noite anterior à sua morte, o Senhor Jesus Cristo afirmou que o cálice simbolizava "o sangue da nova aliança" (Mt 26.28), e que este sangue derramado seria o fundamento de todas as bênçãos daquela aliança. Os discípulos certamente não teriam pensado em outra aliança que não fosse aquela profetizada por Jeremias.

*O povo da aliança.* Não há dúvida de que a revelação da nova aliança no AT está ligada à nação de Israel. Isto é especificamente afirmado nas palavras de estabelecimento (Jr 31.31). Este fato é reafirmado em Isaías 59.20-21; 61.8,9; Jeremias 32.37-40; 50.4,5; Ezequiel 16.60-63; 34.25,26; 37.21-28. Isto também é uma dedução lógica do fato de que a contrastante aliança Mosaica foi feita com Israel, e do fato de que, em sua fundação, a perpetuação da nação de Israel e a sua restauração na terra estavam vitalmente ligadas a este fato (Jr 31.35-40). O NT acrescenta a verdade de que os crentes em Cristo têm uma aliança melhor (Hb 8.6), e de que eles são ministros da nova aliança (2 Co 3.6).

Os amilenialistas entendem que o ensino do NT indica que as promessas da nova aliança estão se cumprindo agora, através da igreja, e que não haverá mais nenhum outro tipo de cumprimento além deste. Os pré-milenialistas não admitem um cumprimento exclusivo através da igreja e também ensinam que a aliança ainda é apenas para Israel, e será cumprida através dela no milênio; também pensam que a igreja tem alguma relação com a aliança, mas isto não substitui o futuro cumprimento do milênio através de Israel.

A interpretação amilenialista é baseada em sua insistência de que através da igreja, durante esta época, todas as promessas de Israel estão sendo cumpridas, o que naturalmente inclui as promessas da nova aliança. A interpretação pré-milenialista é construída sobre uma nítida distinção entre o sistema de Israel e o da igreja (cf. O.T. Allis, *Prophecy and the Church,* pp. 154ss., e C.C. Ryrie, *The Basis of the Premillennial Faith,* pp. 105-125).

*O cumprimento da aliança.* Qualquer que seja a relação que a igreja tenha com a nova aliança, fica claro pelo NT que ela será cumprida nas suas provisões originais a Israel na segunda vinda de Cristo (Rm 11.26,27). Não há dúvida de que a aliança a ser cumprida naquela época é a nova aliança, porque a referência a tirar o pecado é uma promessa contida na nova aliança. A pergunta é apenas: Quem é "Israel"? Quem será salvo então? e quem desfrutará os benefícios da nova aliança? Os pré-milenialistas, e até mesmo alguns amilenialistas (Charles Hodge, *Epistle to the Romans*, pp. 584-5), dizem que esta é uma referência ao povo judeu, mas outros amilenialistas insistem que é à igreja e que o cumprimento é agora, não na segunda vinda de Jesus Cristo (Allis, *op. cit.*, p. 156). Isto parece inconsistente com o princípio da pura interpretação, uma vez que a nação de Israel é mencionada de uma forma tão clara.

Os pré-milenialistas são confrontados com a questão da relação, se é que existe, do crente de hoje com a nova aliança. Alguns dizem que não há relação (J. N. Darby, *Synopsis of the Books of the Bible*, V, 286). Outros seguem a visão das notas da Bíblia de Referência de Scofield (p. 1297), que aplica uma nova aliança tanto a Israel no futuro como à igreja no presente. Alguns poucos vêem duas novas alianças – uma para Israel e outra para a igreja (L. S. Chafer, *Systematic Theology*, IV, 325). Note que todos concordam que haverá um cumprimento futuro para Israel, no milênio.

Quanto à relação da igreja com a aliança, parece que ela vai sendo mais bem entendida à luz do progresso da revelação. A revelação da nova aliança trazida pelo AT diz respeito apenas a Israel. O crente hoje é salvo pelo sangue da nova aliança derramado na cruz. Por este sacrifício do Salvador, o crente tem todas as bênçãos espirituais, e muitas das suas bênçãos são as mesmas que foram prometidas a Israel sob a revelação da

Colheita de azeitonas israelenses perto de Lida. IIS

nova aliança no AT. Entretanto, o crente não tem promessas de bênçãos relacionadas com a restauração da terra prometida, e ele não se tornou membro da sociedade de Israel. Ele é um ministro da nova aliança, porque não há outra base que não seja o sangue desta aliança para a salvação de qualquer pessoa hoje. Apesar disso, ao revelar estes fatos sobre a igreja e a nova aliança, o NT também revela que as bênçãos prometidas a Israel serão vividas por esta nação na segunda vinda de Cristo (Rm 11.26,27).

*Veja* Igreja; Aliança; Reino.

***Bibliografia.*** O. T. Allis, *Prophecy and the Church*, Filadélfia. Presbyterian and Reformed, 1945. Alva J. McClain, *The Greatness of the Kingdom*, Grand Rapids. Zondervan, 1959, pp. 157-160. Leon Morris, "Covenant", *The Apostolic Preaching of the Cross*, Grand Rapids. Eerdmans, 1955,pp. 60-107. Charles C. Ryrie, *The Basis of the Premillennial Faith,* Nova York. Loizeaux Bros., 1953. "Covenant Theology", *Dispensationalism Today*, Chicago. Moody Press, 1965,pp. 177-191. Wilber B. Wallis, "Irony in Jeremiah's Prophecy of a New Covenant", JETS, XII (1969), 107-110. *Veja também* a bibliografia do tópico Testamento.

**ALIMENTOS** O homem foi originalmente criado como vegetariano. Deus indicou as frutas, nozes e grãos do jardim do Éden para seu alimento (Gn 1.29; 2.16). Imediatamente após o Dilúvio, que havia destruído a vegetação da terra, Deus permitiu que o homem comesse a carne dos animais (9.3), embora lhe fosse proibido consumir o sangue (9.4). A proibição a respeito do sangue (q.v.) foi repetida para os israelitas na lei de Moisés (Lv 3.17; 7.26; 17.10 etc.) Deus também determinou que apenas certos animais cerimonialmente limpos eram próprios para seu alimento (Lv 11; Dt 14; *veja* Animais).

Os alimentos dos israelitas variavam um pouco de acordo com o período de sua história e a região onde estavam vivendo. Quando peregrinaram como nômades no deserto, a sua dieta era mais limitada do que depois de se estabelecerem na Palestina. Suas refeições geralmente eram simples e amplamente vegetarianas (Rt 2.14; 1 Sm 17.17,18), mas eles serviam uma variedade de alimentos quando recebiam convidados em suas casas. Pessoas proeminentes e ricas naturalmente desfrutavam de alimentos mais ricos e em maior quantidade (Lc 16.19). A mesa do rei Salomão era abastecida diariamente com comidas exuberantes – "Trinta coros de flor de farinha e sessenta coros de farinha; dez vacas gordas, e vinte vacas de pasto, e cem carneiros, afora os veados, e as cabras monteses, e os corços, e as aves cevadas" (1 Rs 4.22,23).

Mesmo depois de entrarem na Palestina, o alimento era freqüentemente escasso por causa das secas e do solo rochoso e métodos primitivos de lavoura. *Veja* Fome. O alimento era, portanto, estimado e usado cuidadosamente, embora os judeus tivessem seus momentos de jejum. Um dos fatores que fizeram do Egito e da Babilônia prósperos foi seu suprimento abundante de alimento cultivado em solo bem irrigado e fértil.

A versão KJV em inglês usa freqüentemente o termo "pão" e "carne" para alimento em geral. Existem, porém, abundantes referências a alimentos específicos que podem ser listados sob várias classes. Vegetais, frutas, e grãos compunham os principais gêneros alimentícios dos judeus. Uma idéia aproximada destes alimentos pode ser obtida a partir de um pequeno calendário de calcário encontrado em Gezer, que deve datar do século X a.C. *Veja* Calendário. Ele lista os principais produtos agrícolas e os meses nos quais o lavrador trabalhava neles.

Os grãos e os cereais mais importantes eram o trigo e a cevada. Estes eram comidos crus, como mingau, assados ou tostados, ou moídos em farinha, e transformados em bolos ou pão (com ou sem fermento). Em épocas de fome, o pão era feito a partir de feijões, lentilhas, milhete e espelta. A família dos legumes incluía principalmente lentilhas e feijões ásperos como o nosso feijão comum. Outros vegetais, a maior parte comida crua ou cozida, eram: abóbora, pepinos, melões, alho-poró, cebolas, alhos, e várias ervas (Nm 11.5).

Árvores frutíferas forneciam uma grande variedade de alimentos. A oliveira, a figueira e a vinha eram comuns, conforme sugerido na parábola das árvores de Jotão (Jz 9.8-15). As vinhas forneciam as uvas, um alimento muito estimado no oriente, encontradas em abundância na Palestina. As folhas de uvas novas eram usadas como verdura. As folhas mais velhas eram usadas para alimentar as ovelhas e os bodes. As uvas eram comidas em seu estado natural, secas e transformadas em passas, e também eram usadas para fazer vinho. A palmeira é mencionada várias vezes (Êx 15.27; Dt 34.3; Sl 92.12; Jl 1.12; Jo 12.13). Outras frutas incluíam romã, vários tipos de amoras e nozes. A "macieira" era provavelmente o abricoteiro (Jl 1.12; Ct 2.3; 8.5). Algumas especiarias (cominho, endro, hortelã, mostarda) e temperos eram cultivados e procurados para a culinária. O sal (q.v.) era considerado um ingrediente especialmente necessário.

O uso de carne era geralmente limitado a ocasiões especiais, tais como casamentos, festividades familiares (Mt 22.2-4), receber convidados em casa (Gn 18.2,7), e refeições sacrificiais (Lv 7.11-27). Os alimentos vindo de animais "imundos" eram proibidos pela lei judaica: porcos, camelos, coelhos etc. (Lv 11; Dt 14). Os animais "limpos", freqüentemente preparados para a mesa, incluíam bodes (também cabritos), ovelhas (especialmente cordeiros), novilhos e bezerros. Gazelas, cervos, aves, e animais de caça eram valorizados como alimento. Pássaros domesticados, juntamente com os seus ovos (Lc 11.12), eram uma iguaria nos dias do NT.

O leite de animais era um dos principais itens da alimentação, sendo que a partir do leite azedo se obtinha coalhadas e queijo (Gn 18.8; 2 Sm 17.29). O mel era muito apreciado, especialmente pelas crianças (Sl 19.10; Ct 5.1).

Os peixes não são mencionados com freqüência no AT, mas no NT, especialmente nos Evangelhos, eles são freqüentemente citados como um alimento comum, tanto frescos como defumados. Insetos comestíveis, geralmente da família do gafanhoto (Lv 11.22), eram considerados iguarias quando secos, assados, cozidos em água, ou moídos em pasta.

Com o passar do tempo, e especialmente durante o período do reino, vieram avanços na arte de cozinhar e um gosto por iguarias desfrutadas pelos reis e nobres de povos vizinhos. Após o exílio, os israelitas importaram muitas novas variedades de alimento.

Itens específicos de alimentação, métodos de cozinhar, e tipos de refeições são discutidos nos subtópicos abaixo. Para outros alimentos não mencionados, *veja* Agricultura; Animais; Beber; Bebida Forte; Plantas.

R. E. Po.

**Amassar** A farinha e a água eram colocadas em uma amassadeira na qual um pedaço do assado anterior havia sobrado. A massa era trabalhada pelas mãos e permanecia até que o pedaço tivesse levedado a massa (Gn 18.6; 2 Sm 13.8; Jr 7.18; Os 7.4). A feiticeira de En-Dor que apressadamente assou pão para o rei Saul não teve tempo de fermentar, e assim assou pão sem fermento (1 Sm 28.24).

A amassadeira era uma tigela rasa geralmente feita de madeira ou cerâmica. Durante a praga das rãs, até mesmo as amassadeiras dos egípcios estavam infestadas (Êx 8.3). Os israelitas carregaram as suas amassadeiras

Antiga prensa de azeitonas em Cafarnaum. Phalpot

como um equipamento essencial quando deixaram o Egito (Êx 12.34). A amassadeira (ou "cesto") está entre os objetos da bênção e da maldição do Senhor (Dt 28.5,17).

**Assados** Qualquer tipo de pão, bolos, massas, ou produtos assados preparados por padeiros para o Faraó (Gn 40.17). O mel era usado como o ingrediente adoçante (Êx 16.31).

**Banquete** Banquetear era uma função social e religiosa popular nos tempos bíblicos. Era comum que uma festa inteira estivesse envolvida, mas às vezes a palavra era usada apenas com relação à bebida (Et 5.5,6). É interessante observar que os vários termos gr. e heb. utilizados com mais freqüência referindo-se a banquetear significam literalmente "beber." E uma função dos profetas judeus e dos apóstolos cristãos era falar contra a redução constante das ocasiões festivas para bebedeiras (Am 6.7; Rm 13.13; Gl 5.19-21; 1 Pe 4.3), particularmente quando estas eram de natureza religiosa. *Veja* Bebida Forte.

Os sacrifícios eram geralmente acompanhados por um banquete envolvendo o consumo de, no mínimo, parte da carne sacrificada (1 Sm 9.13; 2 Sm 6.18,19). Sente-se que a "festa de fraternidade" ou "festa de caridade" da época do NT (Jd 12) pode ter se desenvolvido a partir do banquete sacrificial, ou, como cumprimento do banquete messiânico predito (Is 25.6). Como os profetas do AT, Paulo repreendeu aqueles que falharam em distinguir (gr. *diakrino*) a Ceia do Senhor de um mero banquete (1 Co 11.20-34), embora a própria ceia tivesse sido instituída durante uma festividade judaica (Mt 26.20-29). *Veja* Festividades.

Além das celebrações religiosas, os banquetes aconteciam em ocasiões como a tosquia de ovelhas (2 Sm 13.23), um casamento (Jz 14.10; Mt 22.2-4), a separação e o reencontro de amigos (Gn 31.27; Lc 15.23,24), e o desmame de um filho e herdeiro (Gn 21.8). Os banquetes são mencionados nos aniversários do Faraó (Gn 40.20) e de Herodes (Mt 14.6) e, há evidências de que os pranteadores nos funerais comiam refeições rápidas (Os 9.4; 2 Sm 3.35).

Os banquetes geralmente aconteciam à noite. Começar cedo demais era algo visto com desagrado (Is 5.11). O gado para o banquete era morto no início do dia do banquete (Mt 22.4). Alguns banquetes duravam até sete dias (Jz 14.12; Dt 16.13).

Os convites eram distribuídos por um servo (Mt 22.3) e, em alguns casos, lembretes também eram enviados posteriormente (Lc 14.17), mas, provavelmente, apenas no caso de banquetes mais longos que requeriam uma preparação mais extensa. Recusar um convite por motivo injustificado era considerado um grande insulto (Lc 14.18ss.).

A postura normal em uma festa, antes da época de Amós, era que as pessoas se sentassem (1 Sm 16.11, heb. "sentar"; 1 Sm 20.24ss.; 1 Rs 10.5). Durante a monarquia, o costume sírio ou babilônico de reclinar-se nas refeições foi introduzido entre a nobreza e os ricos (Am 6.4; Ez 23.41; Et 1.6). No NT, a frase "sentar-se para uma refeição" (*katakeimai*, lit., "deitar-se", "reclinar-se") indica que os participantes do banquete deitavam-se em esteiras ou sofás em torno de uma bandeja central ou mesa baixa (Mc 7.28). A pessoa se apoiava sobre o cotovelo esquerdo, a mão direita ficava livre para comer, e suas pernas ficavam esticadas e afastadas da mesa. Somente esta postura pode explicar como Maria conseguiu ungir os pés de Jesus (Jo 12.3) ou como o discípulo cujo nome não foi mencionado pôde se reclinar no peito de Jesus (Jo 13.23,25).

Na cultura greco-romana, bancos permanentes foram construídos em forma de U, chamados de triclinium, para nove, doze ou mais

Tâmaras quase prontas para colheita. HFV

pessoas. Cada conjunto possuía seu lugar de honra (Lc 14.8-10). Presume-se que no caso de grandes banquetes reais onde milhares de pessoas estavam presentes (Dn 5.1) muitas mesas com sofás teriam sido usados. Outros termos também indicam que os convidados se reclinavam durante o banquete (por exemplo, *anapipto*, Lc 11.37; 17.7; Jo 13.12; *anaklino*, Lc 7.36). Jesus falou da grande alegria e privilégio de estar no reino de Deus em termos de "assentar-se à mesa com Abraão, e Isaque, e Jacó" (Gr. *anaklino*, Mt 8.11). Alguns consideram esta referência como significando um grande banquete messiânico (Arndt, p. 55).

Durante o banquete, porções variadas eram dadas aos convidados pelo anfitrião, de acordo com sua vontade (1 Sm 1.5). Durante estes banquetes, a comida também era distribuída aos pobres (Ne 8.10) e aos amigos (Et 9.22). Além da carne e do vinho (freqüentemente temperado, isto é, misturado, Provérbios 9.2), havia muitos tipos de comida, e aos convidados mais dignos era oferecida uma maior variedade (1 Sm 9.24). *Veja* Beber; Bebida Forte; Vinho.

Embora nas três maiores festas dos judeus eram os homens que compareciam diante do Senhor, as mulheres não eram excluídas dos banquetes (1 Sm 1.9). A viúva e a serva deveriam participar das festividades (Dt 16.11). A prática de separar as mulheres nos banquetes era conhecida entre os persas (Et 1.9).

Os convidados eram recebidos com um beijo, como uma demonstração de cortesia (Lc 7.45). A porta era guardada por um servo e, quando o dono da casa estava pronto para começar o banquete, ele mesmo fechava a porta para mostrar que a ninguém mais deveria ser permitido entrar (Lc 13.25). Isto explica a exclusão das cinco virgens loucas da festa de casamento (Mt 25.10). Perfumes e óleos aromáticos eram aplicados nos convidados como unção (Am 6.6), e estes também tinham os seus pés lavados (Lc 7.36,44). Em casamentos, eram dados aos convidados trajes especiais para a ocasião (Mt 22.11,12). Receber um traje de um anfitrião era considerado uma honra (Ap 3.5).

Em banquetas particulares, o anfitrião presidia as celebrações e cuidava de detalhes tais como fechar a porta (Lc 13.25). Quando os banquetes eram maiores e compostos por um grupo misto, o costume era escolher um "líder da festa" (gr. *architriklinos*) que assumiria estas tarefas (Jo 2.8). Os convidados eram entretidos com atividades musicais, danças e divertimento em geral (Jz 14.12; Is 5.12; Am 6.5; Mc 6.22; Lc 15.25). *Veja* Alimentos: Refeições.

J. McR.

**Biscoitos** Um tipo de pão ou bolo duro (*niqqudim*, 1 Rs 14.3). Em Josué 9.5,12 a palavra heb. é usada com relação a um pão seco

Cena de um banquete mostrando uma oferta à rainha Makeri do Egito. LM

e "bolorento", ou quebradiço, carregado pela delegação de Gibeão.

**Bolo** Várias palavras heb. traduzidas como "bolo", em várias versões, descrevem a aparência de um pão (q.v.). O termo heb. *'uga*, de uma raiz que significa "ser redondo", representa um bolo não adoçado, um disco achatado com 45 cm de diâmetro. Era geralmente assado sobre pedras de lareira depois de se remexer o carvão em brasa (Gn 18.6; 1 Rs 19.6). Precisava ser virado para que fosse assado corretamente (Os 7.8). Tais bolos nunca eram cortados, mas sempre partidos com as mãos. O maná poderia ser amassado, cozido em uma panela e confeccionado em forma de bolos redondos (Nm 11.8).

O *s^elil*, o bolo de cevada que o midianita em sonho viu rodando pelo arraial, deve ter sido mais espesso. O *halla* heb., da raiz *halal*, "furar, perfurar", provavelmente denota o pão ritual cheio de furos como o moderno bolo de Páscoa (Êx 29.2,23; Lv 2.4; *et al.*). O *raqiq* era um bolo folhado e sem fermento (1 Cr 23.29; Êx 29.2,23; Lv 2.4; Nm 6.15,19) usado para ofertas cerimoniais. O *massot* heb., traduzido como "pães asmos" ou "bolos asmos" em Josué 5.11; Juízes 6.19-21, é o termo usual para o pão sem fermento (*veja* Alimentos: Fermento). Os bolos (*kawwanim*) de Jeremias 7.18; 44.19 eram marcados com as características da deusa pagã conhecida como a Rainha do Céu, como um biscoito prensado em um molde. Tamar fez bolos elegantes aparentemente no formato de corações, de acordo com o termo hebraico *l^ebibot*, que vem do termo *leb*, "coração" (2 Sm 13.6, 8,10).

J. R.

**Carne** Esta palavra é usada em várias traduções significando o alimento em geral, como ainda acontece na Escócia. A "oferta de manjares" (*minha*, "oblação") de Levíticos 2, *et al*, é mais propriamente uma oferta de farinha ou cereal. O termo também significa carne no sentido literal, como em Êxodo 12.8,46 que fala da carne do cordeiro Pascal (cf. também Êx 16.8,12; 29.14,31-34; 1 Rs 17.6; Sl 50.13; *et al.*).

As leis levíticas de purificação regulamentavam qual animal era considerado cerimonialmente limpo e apropriado para as ofertas a Deus (Lv 11.2-23; Dt 14.4-20). Posteriormente, no judaísmo, o alimento cerimonialmente puro foi designado *kosher* (do heb. *kashar*, "ser correto, próprio", cf. Et 8.5). A distinção entre animais limpos e imundos data dos tempos mais antigos (Gn 7.2; 8.20). Qualquer animal doméstico permissível como um sacrifício ao Senhor, também podia ser comido pelo povo da sua aliança. Os critérios eram se o animal ruminava e tinha unhas fendidas (Lv 11.3).

Uma razão fundamental para excluir outros animais, tais como o porco, pode ser encontrada no perigo de contrair doenças como a triquiníase, que é transmitida pelos suínos. A razão principal, no entanto, era sem dúvida um tabu religioso contra os animais que os cananeus e outros pagãos ofereciam aos seus deuses. Cavalos, porcos, cachorros e camundongos (ou ratos) estavam ligados a rituais idólatras freqüentemente associados com o mundo dos mortos (2 Rs 23.11; Is 65.4; 66.3,17). Estes e outros animais eram proibidos como alimento, uma vez que eram normalmente mortos apenas em conexão com a oferta de sacrifícios. Comer a carne destes tornaria o israelita "abominável" (Lv 11.43). Era proibido cozer o cabrito no leite de sua própria mãe (Êx 23.19) *veja* Alimentos: Leite.

Muitas aves, insetos e répteis proibidos (Lv

11.13-30) eram adorados no Egito no sentido de que, como totens, eles representavam as divindades egípcias. Não existe evidência de que os animais de caça (Dt 14.5; 12.15; 1 Rs 4.23) e aves não denominados imundos no código mosaico já tivessem sido deuses totens no antigo Oriente Próximo. As pinturas das tumbas da Oitava Dinastia egípcia mostram claramente a gazela e a codorna como objetos da caça (*veja* Alimentos: Carne de Caça). *Veja também* Limpo.

Comer qualquer tipo de sangue, mesmo de animais e aves limpos, era absolutamente proibido com base na santidade da vida (Gn 9.4-6; Lv 17.10-14; Dt 12.16,23-25; At 15.29). Considerava-se que a vida do corpo fluía no sangue, de forma que quando o sangue era derramado, a própria vida era vertida. Se não empregado para fazer expiação (Lv 17.11), o sangue derramado deveria ser coberto com pó.

Dos animais limpos, o cabrito era o mais freqüentemente comido, especialmente entre os pobres (daí a queixa do irmão do filho pródigo, Lc 15.29). Mas a refeição favorita incluía o boi cevado (Pv 15.17) e a ovelha escolhida (Ne 5.18). O ganso assado era um prato nacional no Egito e pode ser as "aves cevadas" na mesa de Salomão (1 Rs 4.23). As galinhas eram conhecidas na Palestina em 600 a.C. (por exemplo, um selo mostrando um galo encontrado em Tell en-Nasbeh), mas as aves domésticas e os ovos eram incomuns antes do período persa.

J. R.

**Carne de Caça** Uma tradução de duas palavras heb. (*sayid*, *seda* que vem da palavra *sud*, "caçar") que tecnicamente se referia à caça de animais selvagens de qualquer tipo (Gn 25.28; 27.3,5,6,19ss.). A carne de caça veio a significar geralmente carne de veado, de antílope, ou de gazela. O termo heb. também ocorre em Provérbios 12.27 como "caça"; a Bíblia de Jerusalém traduz, "O homem preguiçoso não tem caça para assar". A BDB sugere, "O homem indolente não [ou nem mesmo] levanta a sua caça". Em Levítico 17.13, o termo heb. *sayid* aparece na expressão "caçar e apanhar", lit., "caçar uma caça de..." ou "caçar caça de animal ou de ave". A mesma palavra heb. era aplicada em um sentido mais amplo a qualquer provisão de comida (Jó 38.41; Ne 13.15; Sl 132.15), especialmente a provisões para viagens (Gn 42.25; 45.21; Js 1.11 ["comida"]; 9.11,14 etc.), talvez porque a carne de caça fosse um alimento freqüente para os antigos nômades. *Veja* Alimentos: Víveres.

**Cereal** Várias versões da Bíblia Sagrada usam este termo para traduzir muitas palavras heb. e gr. Que se referem a vários tipos de grãos. Traduções americanas mais recentes usam o termo "grão" para um dentre vários tipos de grãos. Na linguagem moderna, "cereal" refere-se principalmente ao cereal indígena da América que era desconhecido na Eurásia antes do século XVI. *Veja* Cereal Tostado. Os tipos mais comuns de grãos na Palestina eram trigo, cevada, milho moído e espelta. *Veja* Grãos.

**Cereal Tostado** Isto é, grão assado (Js 5.11; Lv 23.14; Rt 2.14; 1 Sm 17.17), provavelmente trigo ou cevada (Rt 2.14), que não "milho" (q.v.). O grão pisado era assado em uma panela mantendo-o em movimento constante com uma colher até que estivesse assado. Quando preparados, tais grãos podiam ser transportados em quantidade (1 Sm 17.17) e usados em uma viagem (Js 5.11).

**Cozinhar** Embora a maioria das refeições não fosse complexa, e a comida fosse cozinhada de maneira simples, comparado com os nossos padrões, a preparação levava muito tempo (Pv 31.15) por causa das condições e utensílios primitivos como lareiras, fornos, panelas (*veja* Cerâmica), e a falta de qual-

Um antigo lagar em Jerusalém. HFV

Uma padaria do período do Novo Testamento em Pompéia. No centro situam-se quatro moinhos de farinha; os fornos estão localizados à esquerda. HFV

quer alimento preparado ou embalado. Cozinhar era universalmente a tarefa das mulheres da casa em uma família (Sara, Gn 18.6; Marta, Lc 10.40).

A carne era cozida ou assada. No primeiro caso ela era cortada em pedaços (Ez 24.3-5; Mq 3.3) e, talvez, com trigo e vegetais amassados, fosse cozida em uma "panela, caldeirão ou caçarola" (1 Sm 2.13,14). O caldo podia ser servido separadamente (Jz 6.19,20). Assar era o método mais antigo de cozinhar a carne. A principio ela era meramente colocada sobre pedras quentes após remover as brasas. Jesus cozinhou um peixe para os discípulos colocando-o na própria brasa (Jo 21.9). Depois, a carne era espetada e colocada sobre as chamas, ou assada em uma cova pré-aquecida, como os samaritanos fazem anualmente ao comemorarem a Páscoa (cf. Êx 12.8,9).

Os vegetais eram geralmente cozidos (*veja* Alimentos: Guisado) e então misturados com azeite, algo semelhante ao nosso tempero com manteiga. Os grãos eram freqüentemente tostados (q.v.). O trigo áspero (ou a farinha de cevada) era às vezes preparado como um mingau. Mas com muita freqüência, o grão era moído em farinha, misturado com azeite, e assado como pão (*veja* Alimentos: Pão; Bolo).

J. R.

**Farinha** Três idéias são transmitidas nas três palavras heb. traduzidas como "farinha" em várias versões da Bíblia: A palavra heb. *baseq* fala de massa feita misturando-se farinha com água e um pouco da fornada da massa levedada do dia anterior (2 Sm 13.8). A palavra heb. *solet* se refere à fina farinha moída, e é usada mais freqüentemente do que as outras duas (Lv 2.1). O termo heb. *qemah* era usado em relação a uma farinha mais grossa. É traduzido como "farinha" em 1 Samuel 1.24; 2 Samuel 17.28; Juízes 6.19. A flor de farinha era feita principalmente dos grãos internos de trigo (Êx 29.2; Dt 32.14; Sl 81.16; 147.14), enquanto que a cevada, o centeio e outros grãos eram usados para a farinha, sendo que a maior diferença era a textura, uma vez que no caso do centeio todo o grão era usado. A flor de farinha misturada com o óleo era usada no pão sem fermento (Êx 29.2) e na oferta de farinha (Êx 29.40). *Veja* Alimentos: Pão.

Depois que o grão era joeirado, ele era geralmente peneirado (cf. Lc 22.31) e, então moído e transformado em farinha entre dois moinhos de pedra. Somente no período helenístico é que o tipo rotatório de moinho manual com duas pedras redondas se tornou comum. Por todo o AT, a moagem era feita esfregando a pedra superior menor para trás e para frente sobre o grão colocado sobre a pedra maior. O som da moagem cedo pela manhã deve ter sido comum nas cidades da Palestina, antes de sua destruição (Jr 25.10; Ap 18.22).

A. E. T.

**Farinha, flor de** Esta é a tradução de duas palavras heb., *solet* e *qemah*. A primeira se refere à própria flor de farinha e é encontrada em Gênesis 18.6; Êxodo 29.2; 1 Coríntios 9.29; Ezequiel 16.13,19. A outra palavra significa farinha e é traduzida como "farinha" em várias passagens. Gênesis 18.6; Números 5.15; 1 Reis 4.22; 17.12,14,16; 2 Reis 4.41; 1 Crônicas 12.40; Isaías 47.2; Oséias 8.7. A palavra "farinha" ocorre duas vezes no NT (Mt 13.33; Lc 13.21) onde a palavra gr. (*aleuron*) significa flor de farinha ou simplesmente farinha. Os dois grãos mais importantes entre os hebreus eram o trigo e a cevada (geralmente chamados de "cereal"). Quando moídos, eram usados para os sacrifícios de pão e vegetais ("oferta de manjares").

Em Rute 2.14, a palavra heb. *'okel* ("farinha") é usada composta com a palavra para tempo (*'et*). A palavra denota a porção para o alimento comido a qualquer hora. Nesta passagem a palavra significa "hora da farinha" ou "hora de comer" (*veja* Alimentos: Refeições).

**Fermento** O pão era o produto básico da alimentação nos tempos bíblicos, tanto que o "nosso pão de cada dia" era sinônimo da dieta completa de uma pessoa. Exceto em tempos de precipitação incomum ou circunstâncias imprevistas (Êx 12.39), o pão era levedado. O agente fermentador usado para fazer o pão crescer, era uma porção de uma antiga mistura de massa levedada, guardada para este propósito, que era dissolvida na água na qual a farinha era adicionada na amassadeira, ou "escondida" na própria farinha que era transformada em massa (Mt 13.33). *Veja* Alimentos: Pão, Massa.

O pão sem fermento (*massa*) era usado nas cerimônias da lei levítica. Isto parecia ter dois significados especiais: (1) O pão sem fermento era exigido na Páscoa e na Festa dos Pães Asmos. Também é chamado de "pão da aflição" (Êx 12.34-39; 13.3; Dt 16.3,4). Este tipo de pão era exigido como um lembrete de que Deus havia tirado os israelitas do Egito apressadamente, sem tempo suficiente sequer para deixar o pão crescer. Dessa forma, eles comeram pão sem fermento quando começaram sua jornada pelo deserto. Portanto, tanto na Páscoa como na Festa dos Pães Asmos, instituídos como memoriais do livramento do Egito, o pão sem fermento era exigido. Nestes casos, o fermento não parece ter um significado ético. (2) O pão sem fermento era exigido nas ofertas feitas sob a lei levítica (Lv 2.4; 6.16; 7.12). O fermento aqui tem, sim, uma conotação ética. Ele era excluído porque o processo de fermentação sugeria corrupção. Quando usado em um sentido ético, o fermento fala da impiedade e da corrupção.

Duas exceções para a regra geral a respeito do uso de pão sem fermento devem ser observadas. Na oferta pacífica (Lv 7.13) e na festa dos pães movidos (Pentecostes; Lv 23.17), pão levedado deveria ser ofertado. A explicação deve ser encontrada no significado destes dois eventos. A oferta pacífica era uma oferta de sabor doce, revelando o aspecto divino da morte de Cristo, em contraste com as ofertas de sabor não-doce, que retratavam o aspecto do sacrifício de Cristo que estava relacionado ao pecado. Em sua morte, Cristo reconciliou o mundo com Deus (2 Co 5.19). Ele fez com que a guerra entre o homem e Deus cessasse, e estabeleceu a paz (Ef 2.14-18). Embora fossem oferecidos "bolos asmos amassados com azeite" (Lv 7.12,13) para mostrar que Cristo estava separado do pecado, os pães asmos também eram oferecidos (Lv 7.13) como um símbolo do fato de que a reconciliação de Cristo foi feita para um mundo pecador.

Na festa dos pães movidos (Pentecostes) também era adequado incluir pão levedado, pois os dois pães simbolizavam a colheita que seria trazida a Deus, composta por judeus e gentios através da obra de Cristo. Aquilo que era anteriormente corrupto é, depois da cruz, oferecido a Deus como algo que foi purificado através da morte de Cristo.

No uso figurativo do fermento no NT, o conceito ético do AT é mantido. Cristo usou o fermento como uma figura do falso ensino dos fariseus (Mt 16.6; Lc 12.1). Esta figura é explicada em Mateus 16.12, removendo, desse modo, toda a dúvida quanto ao seu significado. Paulo por duas vezes citou um provérbio usando o fermento neste conceito ético (1 Co 5.6; Gl 5.9), como mostra a aplicação do provérbio aos coríntios (1 Co 5.7,8). Este também parece ser o pano de fundo da ilustração de Pedro em 2 Pedro 1.4*b*. Quando Cristo usou o fermento na parábola do reino (Mt 13.33), embora a conotação ética possa não estar eliminada, a ênfase parece estar mais nos efeitos de introduzir o fermento na massa: "tudo... levedado". De forma semelhante, após o reino ser apresentado, ele irá finalmente abranger tudo. Este é o retrato de Cristo da universalidade de seu reino, em sua segunda vinda.

J. D. P.

**Guisado** Jacó fez seu famoso guisado (heb. *nazid*) cozinhando lentilhas vermelhas (Gn 25.29-34). Era um prato comum (Ag 2.12), uma grossa sopa ou ensopado de vegetais, provavelmente temperado com cebolas e ocasionalmente pedaços de carne. A venda de sua primogenitura por um pouco de guisado ilustra a pobre consideração que ele depositava em seus direitos de família. Nos dias de Eliseu, um dos jovens profetas encontrou uma trepadeira silvestre e cortou alguns pedaços de colocíntidas adicionando-os à sopa, inadvertidamente, tornando-a venenosa (2 Rs 4.38-40).

**Guisado Saboroso** Uma carne saborosa ou apetitosa foi solicitada por Isaque quando ele se preparava para dar a sua bênção a Esaú (Gn 27.4,6,9,14,16,31). A palavra heb. significa "manjares" ou "iguarias" e era a carne, particularmente de caça selvagem, preparada de uma forma apetitosa. Talvez tenha sido o fato de Isaque ter sido enganado por Jacó que levou o sábio a escrever o provérbio que adverte contra desejar os "manjares gostosos" ou os "delicados manjares" dos ímpios (Pv 23.3,6).

**Leite** Nos tempos bíblicos não era comum beber leite fresco, provavelmente por causa da falta de refrigeração. O leite era deixado para azedar e então era transformado em coalhadas (*veja* Alimentos: Manteiga) ou queijo (q.v.). O leite de cabra (Pv 27.27) era o mais comum, embora ovelhas, vacas e, até mesmo, camelos também fossem ordenhados (Dt 32.14; 1 Co 9.7). A importância do leite materno para os bebês recém-nascidos é sugerida nas figuras de Isaías (Is 49.15; 66.11,12) e na passagem em que Pedro se referiu à necessidade do alimento espiritual, que é a Palavra de Deus (1 Pe 2.2). Para o desmame da alimentação do peito (Is 28.9), *veja* Filhos.

O termo "leite" era freqüentemente usado de modo figurativo para denotar abundância e fertilidade, tanto naquela época (para a expressão "leite e mel" *veja* Alimentos: Mel) quanto na era escatológica (Is 55.1; 60.16; Jl 3.18). No NT, "leite" representa a forma mais simples do Evangelho, a doutrina cristã elementar (1 Co 3.2; Hb 5.12,13). *Veja* Leite.

A proibição da lei mosaica contra cozinhar ou cozer um cabrito no leite de sua própria mãe (Êx 23.19; 34.26; Dt 14.21) foi evidentemente dada para combater um ritual sacrificial cananeu praticado para garantir a fertilidade de um campo, espargindo o caldo resultante sobre a terra. Tal costume é mencionado no poema ugarítico, "Birth of the Gods" (G. R. Driver, *Canaanite Myths and Legends*, T. & T. Clark, 1956, p. 121).

J. R.

**Maná** A palavra ocorre pela primeira vez em Êxodo 16.31. Em outra passagem no AT, todas as versões inglesas traduzem uniformemente a palavra heb. como "maná", o que é meramente uma transliteração aproximada; mas em Êxodo 16.15 o termo é traduzido como uma pergunta. "Que é isto?" Evidentemente, quando os israelitas o viram pela primeira vez no chão, o apelidaram de "O que é?", ou de forma coloquial "Como se chama isto?", o que parece ser o significado literal com referência à qualidade misteriosa do pão divino.

O maná era pequeno, redondo e branco (Êx 16.14,31). Guardado para o dia seguinte ele comumente "criava bichos e cheirava mal" (Êx 16.20). Derretia quando exposto ao sol quente. Deveria ser apanhado diariamente, pela manhã, um ômer por pessoa. No sexto dia o povo deveria juntar o dobro, para prover para o sábado, quando nenhum maná seria dado. Neste caso ele não criava bichos, nem cheirava mal durante o sábado.

O maná tinha um sabor semelhante a "bolos de mel" (Êx 16.31) ou um sabor "de azeite fresco" ou ainda de "bolos amassados com azeite" (Nm 11.8), e poderiam ser assados ou cozidos. Aparentemente ele era como uma semente na aparência e na consistência, e como o bdélio ou a goma-resina em termos de cor. Era costumeiramente moído antes de ser assado. Depois de um tempo, muitas das pessoas vieram a detestá-lo violentamente (Nm 21.5).

Um pote de maná foi apanhado e mantido como memorial desta miraculosa provisão do Senhor para os israelitas ao longo dos 40 anos no deserto (Êx 16.32-35). Mais tarde, um pote de ouro de maná foi colocado dentro da arca no Tabernáculo (Hb 9.4).

Muitos pensam que o maná é uma tipificação de Cristo como o Pão da Vida. Os comentários do Senhor em João 6.31-35 parecem garantir esta conclusão. O "maná escondido", que pode se referir àquele que estava dentro da arca, é prometido ao vencedor em Apocalipse 2.17, sugerindo a íntima comunhão com o Senhor no reino vindouro.

*Veja* Alimentos: Pão.

J. A. S.

**Manteiga** Este é um produto do leite, traduzido em algumas versões como "coalhada", seja de camelo, vaca, cabra, ou ovelha. Com uma vaca e duas ovelhas era possível viver em tempos difíceis alimentando-se de manteiga e mel silvestre (Is 7.15,21,22). A manteiga (heb. *hem'a*) era feita pressionando-se o leite (azedo) (Pv 30.33), assim este se tornaria coalhado, como iogurte, e ricota. Era um artigo de primeira necessidade, de acordo com o cardápio de Abraão (Gn 18.8), as listas de gêneros alimentícios para a terra de Israel (Dt 32.13ss.), e os suprimentos levados a Davi no exílio (2 Sm 17.29). Sísera pediu água a Jael e recebeu leite (azedo) e coalhadas, de acordo com o uso dos sinônimos no paralelismo hebraico (Jz 5.25). Coalhada com azeite era uma dieta de luxo (Jó 20.17; 29.6). A manteiga, como a conhecemos, pode ser um paralelo ao óleo no Salmo 55.21.

**Massa** Uma mistura (heb. *baseq*) de farinha de trigo ou de cevada com água ou azeite, amassada em uma tigela ou gamela de madeira (Êx 12.34,39; 2 Sm 13.8; Jr 7.18; Os 7.4). Dentro da massa que está sendo amassada em determinado momento, um pouco de massa separada da mistura anterior era trabalhada, a fim de se fazer pão levedado. O termo heb. *'arisa* parece designar a massa em seu primeiro estágio de mistura (Nm 15.20-21; Ne 10.37; Ez 44.30), uma oferta de primícias da tigela da mistura bem como da eira.

O termo gr. *phyrama* traduz estas palavras heb. como "massa" na LXX e aparece de forma figurada como "massa" no sentido de pão inteiro no NT. Em Rm 11.16 "as primícias" e "a raiz" representam Abraão, através de quem toda a nação de Israel, que foi citada como "massa" e "ramos", foi consagrada. Em 1 Coríntios 5.6,7 "a massa" representa toda a congregação de cristãos, seja sem fermento (puros) ou levedados pela malícia e pelo mal. *Veja* Alimentos: Pão; Fermento.

J. R.

**Mel** O termo heb. *d^e^bash*, "mel", significava três fontes de doces: (1) mel de uvas ou tâmaras, o árabe *dibs*, um melaço grosso feito a partir do suco de tâmaras ou uvas (Gn 43.11; 1 Rs 14.3; 2 Rs 18.32); (2) o mel de

Mulheres camponesas trazendo ofertas de uma variedade de alimentos à rainha Ti, como retratado em sua tumba em Sakkara, Egito. LL

abelhas silvestres que era encontrado gotejando de um favo, talvez em um buraco de árvore, no chão (1 Sm 14.25ss.), no esqueleto de um animal (Jz 14.8,9), em fendas nas rochas (Dt 32.13; Sl 81.16; veja também Mt 3.4; Mc 1.6); e (3) mel de abelhas domésticas (um dos produtos "do campo" coletados como primícias durante o reavivamento de Ezequias, 2 Cr 31.5).

O termo "mel" é usado figurativamente na expressão "uma terra que mana leite e mel" (Êx 3.8, *et al.* mais de 15 vezes) para denotar uma grande fertilidade e abundância de alimento (PEQ, XCVIII [Julho-Dez. de 1966], 166ss.). Canaã era realmente uma fonte de muito mel mesmo antes da época de Moisés. Tutmósis III (1483-1450 a.C.) levou de volta para o Egito centenas de potes de mel da Síria-Palestina como tributo. Sinuhe cantou os louvores da terra em aprox.1950 a.C., exclamando. "Profuso era o seu mel, e abundantes as suas azeitonas" (ANET, p. 19). Em Ugarite, os cananeus enalteceram o seu país através da expressão. "Dos céus choveu óleo; e dos riachos correu mel" (BA, XXVII [Dez. de 1965], 121; cf. Jó 20.17). Por causa de sua doçura, o mel é freqüentemente empregado em comparação e metáfora na poesia hebraica (por exemplo, Sl 19.10; 119.103; Pv 16.24; Ct 4.11; 5.1).

**Ovo** Os ovos de galinhas domésticas só se tornaram um alimento comum após o século IV a.C. Ovos de pequenos pássaros silvestres eram juntados para alimento (Is 10.14), mas, quando encontrados em Israel, a galinha ou a ave mãe também não podiam ser tomadas (Dt 22.6). O hábito de o avestruz deixar seus ovos para serem chocados na areia quente é mencionado em Jó 39.13,14. Chocar ovos de víboras ("basilisco") simbolizava tramar o mal (Is 59.5). A referência de Jesus em Lucas 11.12 era, sem dúvida alguma, a um ovo de galinha.

**Pão** A palavra heb. *lehem* é usada 297 vezes no AT e o termo gr. *artos* é utilizado 99 vezes no NT. O pão era o alimento mais comum e importante do lavrador. Era feito de grãos, com ou sem fermento, e em diferentes formatos. Geralmente era usado para a mesa, embora freqüentemente também em sacrifícios. A palavra é usada às vezes como uma figura da necessidade física ou do alimento espiritual, ou mesmo da vida eterna.

O pão poderia ser feito de cevada, como no sonho do midianita (Jz 7.13) ou os 20 pães levados a Eliseu (2 Rs 4.42). Na alimentação dos 5.000, João indica que os cinco pães do menino eram de cevada (Jo 6.9,13).

Os gregos freqüentemente se referiam ao pão branco como "puro", isto é, branco. A maioria dos pães para o Tabernáculo era feita de trigo (por exemplo, Êx 29.2). Espelta e aveia também eram cultivados na Palestina, embora não sejam mencionados nas Escrituras. O cereal indiano era desconhecido (o "cereal" em várias traduções é trigo ou grão.) A massa era preparada simplesmente misturando a farinha com água e amassando a mistura. *Veja* Alimentos: Massa, Farinha. "Um pouco de fermento faz levedar toda a massa" (um provérbio citado em 1 Co 5.6). A parábola do fermento fala uma mulher que "escondeu" ou "introduziu" um pouco de fermento em três medidas de farinha (Mt 13.33). O crescimento levou várias horas. Amassadeiras são mencionadas em Êxodo 8.3.

Pão sem fermento foi feito na época da primeira Páscoa, porque Israel saiu do Egito às pressas (Êx 12.39; cf. a feiticeira de En-

Dor apressando-se para assar para Saul, 1 Samuel 28.24, e Ló para os seus visitantes angelicais, Gn 19.3). Em memória ao Egito os judeus comiam este "pão de aflição" (Dt 16.3) por uma semana começando com a refeição da Páscoa, mas durante 51 semanas do ano eles comiam pão levedado comum. *Veja* Alimentos: Fermento.

O combustível para assar era geralmente a madeira (Is 44.14,15), mas poderia ser relva seca dentro de um forno de barro (Mt 6.30) com os pães afixados do lado de fora e então virados (Os 7.8). O combustível para assar poderia até ser esterco (Ez 4.15). *Veja* Forno.

Padeiros profissionais faziam pão em Jerusalém, pois quando Jeremias estava na prisão, recebeu "um bolo de pão cada dia, da rua dos padeiros" (Jr 37.21). Nos lares de nível médio, porém, o pão era preparado pela esposa (Gn 18.6) ou por uma filha (2 Sm 13.8).

Quanto ao tamanho, um pão era da espessura de um polegar e tão largo quanto um prato; portanto, os pães poderiam ser quebrados ao invés de cortados. Eles geralmente tinham a forma de disco, como indicado pela palavra heb. *kikkar* ("pão", Jz 8.5; 1 Sm 10.3), mas talvez pudessem ter a forma de anéis (Êx 29.23, heb.), suspensos em torno de uma haste para preservá-los dos ratos etc. Assim, "quebrantar o sustento [ou a haste] de pão" significava a fome (Lv 26.26; Sl 105.16; Is 3.1; Ez 4.16; 5.16; 14.13). *Veja* Alimentos: Bolo.

O pão guardado por muito tempo se tornava seco e quebradiço em migalhas (Js 9.5,12). O épico Gilgamesh (XI, 225-229, ANET, p. 96) descreve os vários estágios do mofo do pão.

Pão é um termo usado para alimento em geral (2 Sm 13.5,6,10). "Comer pão" é fazer uma refeição (por exemplo, Gn 3.19; 31.54; 37.25; 43.32; Pv 9.5; Ec 9.7). Este alimento deve ser ganho através do trabalho (2 Ts 3.12). Ter "abundância de pão" (gr.) é o mesmo que ter abundância de alimentos (Lc 15.17). Passar sem uma refeição é não comer pão (Mc 3.20). Em uma viagem, as pessoas geralmente levavam pão (Mc 6.8). Até mesmo os pássaros e outros animais têm seu alimento ou "pão" (Sl 147.9), e as serpentes, sua "comida" (*lehem*; Is 65.25).

A refeição judaica começava com o pai da família tomando o pão, dando graças, partindo-o e distribuindo-o (cf. Cristo em Mt 14.19; 26.26).

O adjetivo gr. incomum *epiousion*, traduzido como "de cada dia" ou "cotidiano" no único pedido material da oração do Senhor (Mt 6.11; Lc 11.3; *Didache* 8.2), pode significar literalmente "para amanhã" – a porção diária distribuída para o dia seguinte. O pedido também pode ser uma reminiscência da provisão do maná, que era dado diariamente aos israelitas.

O pão e a roupa são essenciais para a vida física (Dt 10.18), com a água (Gn 21.14; 1 Rs 18.4), ou vinho (Gn 14.18), e talvez os vegetais (Gn 25.34) ou a carne (1 Rs 17.6) ou as frutas (1 Sm 30.12). Poderia ser a comida insuficiente (1 Rs 22.27) ou o "pão de angústia" e a "água de aperto" (Is 30.20), ou mesmo o "pão de dores", isto é, o pão que é ganho através do trabalho penoso (Sl 127.2), o oposto de "pão agradável" ou "manjar desejável" (Dn 10.3; cf. Gn 49.20). Mas é muito importante que nos lembremos de que o homem não vive só de pão, ou somente do alimento físico, mas em seu ser ele precisa de tudo o que procede da boca do Senhor (Dt 8.3; Mt 4.4).

O uso cerimonial do pão era comum. Boa parte dele era sem fermento (Êx 12.8,18-20; 29.2; Lv 2.4), mas o pão levedado era usado como uma oferta pacífica (Lv 7.13). Os pães cerimoniais poderiam ser preparados a partir das primícias e movidos em adoração (Lv 23.16,20).

Aquilo que a versão KJV em inglês chama continuamente de "proposição" – (Nm 4.7) fornecido para a mesa do Tabernáculo (Êx 25.23-30) e posteriormente no tempo (1 Rs 7.48), denominado "pão sagrado" (1 Sm 21.4), colocado ali enquanto quente (1 Sm 21.6), em fileiras (Êx 40.23; Ne 10.33, heb.) – era chamado pelos hebreus de "pão da face", "pão da presença", e no NT é chamado de pão da proposição (gr.; Mt 12.4; Hb 9.2). *Veja* Pão das Faces.

O maná era especial; era um "pão do céu em abundância" (Sl 105.40; Ne 9.15). Ele foi dado no deserto, durante os 40 anos em que Deus alimentou milagrosamente as multidões de Israel (Êx 16.4,15). Ele caia juntamente com o orvalho (v. 14), seis dias por semana (vv. 22,25), e poderia ser cozido (v. 23). Às vezes alguém com um espírito murmurador se cansava de sua leveza (Nm 21.5), embora o apócrifo Livro da Sabedoria diga que este pão "fornecia todo o prazer e satisfazia a todos os paladares" (16.20)! *Veja* Alimentos: Maná.

Usos metafóricos do pão no AT são pouco freqüentes: os habitantes da terra seriam pão para Israel (Nm 14.9), isto é, seriam facilmente conquistados. Pão e vinho representam os benefícios da sabedoria (Pv 9.5). Mas os usos figurados desempenham um papel importante no NT. O fermento, comumente usado para fazer pão, no ensino de Jesus representava o ensino dos fariseus e saduceus (Mt 16.6,11,12; paralelo a Mc 8.15) e a hipocrisia ou a falsidade dos fariseus (Lc 12.1). A parábola do fermento, como a da semente de mostarda, ilustra o extraordinário crescimento do reino, a semente de mostarda com crescimento exterior e o fermento com crescimento interior. Mesmo aqui o fermento pode representar o mal, mostrando um tipo anormal de desenvolvimento. Em 1 Coríntios 5.6-8, o apóstolo Paulo, empregando regras para a limpeza da casa antes da Páscoa, exortava a igreja corrompida a "lançar fora o velho fermento", que é a maldade e a malícia. (Compare Inácio, d. 107 d.C., referindo-se a Cristo como o novo fermento, Magnesians 10.2).

A alegria futura para os seguidores de Cristo foi antecipada como comer pão em um banquete (Lc 14.15). Em seu sermão em Cafarnaum após ter alimentado mais de 5.000 pessoas, Jesus se autoproclamou o pão de Deus que desceu do céu (Jo 6.32,33 de Êx 16.4; Sl 78.24), e que dá vida aos homens (Jo 6.48,51).

Na ceia que Jesus instituiu, o partir do pão representa seu corpo castigado e ferido para a nossa cura (Mc 14.22 e os outros Evangelhos; 1 Co 10.16; 11.24; Is 53.5; 1 Pe 2.24). Para o crente, participar deste pão é mostrar a mais íntima comunhão com o Salvador. Este pão também representa os muitos crentes que formam o corpo místico de Cristo (1 Co 10.17). *Veja* Ceia do Senhor.

***Bibliografia*** T. Canaan, "Superstition and Folklore about Bread", BASOR #167 (outubro de 1962), 36-47.

W. G. B.

**Passas** As passas (heb., *simmuquim*) eram uma das provisões favoritas das pessoas em uma viagem (1 Sm 25.18; 30.12; 2 Sm 16.1) por serem facilmente transportadas sem se deteriorar (1 Cr 12.40). As passas eram preparadas mergulhando cachos de uvas em óleo e água, ou em uma solução de potassa, e, então, eram espalhadas no sol para secar. Números 6.3 lista uvas secas como um dos alimentos proibidos para um nazireu. O termo haeb. *'ashisha*, às vezes traduzido como "jarra" representa um bolo de passas. *Veja* Jarra. Estes eram considerados manjares apropriados para festas (2 Sm 6.19; 1 Cr 16.3; Ct 2.5). Bolos de passas eram usados em festividades pagãs (Os 3.1) e sem dúvida alguma como ofertas para as deusas da fertilidade (cf. Jr 7.18; 44.19).

**Peixe** *Veja* Animais: Peixe V.12.

**Porção** Esta palavra, agora usada apenas para refeições em um cenário militar, ocorre na versão KJV em inglês em Gênesis 43.34 e 2 Samuel 11.8. Traduzindo a palavra heb. *mas'et*, o termo significa uma porção da comida ou uma dádiva "erguida" da mesa de um governante e dada a um inferior como um presente ou prova de amizade. A palavra heb. ocorre também neste sentido em Ester 2.18 ("presentes") e em Jeremias 40.5 ("recompensa" ou "presente").

**Queijo** O coalho coagulado do leite pressionado em uma massa sólida (1 Sm 17.18; 2 Sm 17.29; Jó 10.10). A fabricação de queijo era uma importante atividade para o povo da antiguidade. O queijo era preparado salgando as coalhadas coadas, fazendo-as em forma de discos, e secando-as ao ar livre. O termo *hem'a* (Pv 30.33, "manteiga") refere-se ao leite coalhado. O termo *halab* é usado para o leite comum, mas em 1 Samuel 17.18 *harise hehalab*, lit., "cortes de leite" ou "queijos de leite", se refere a um queijo feito a partir de leite adoçado. A designação correta para queijo é *gebina* (Jó 10.10).

**Refeições** Comumente as pessoas na antiga Palestina comiam apenas duas refeições regulares por dia – desjejum ou almoço e a ceia ou jantar (Êx 16.12; 1 Rs 17.6). O idioma hebraico não tem palavras específicas para diferenciar estas refeições, mas no gr. a primeira é *ariston* e a segunda *deipnon* (veja Lc 14.12, "jantar ou uma ceia").

Fora os lanches de manhã cedo, a primeira refeição propriamente dita acontecia no final da manhã, entre dez horas e meio-dia (Rt 2.14; cf. 2.6,17). Pedro ficou com fome por volta da hora sexta, isto é, meio-dia (At 10.9,10). Não era uma grande refeição. Boaz e seus ceifeiros comiam apenas pão molhado em vinho fermentado e cereais tostados (Rt 2.14); Jesus providenciou pão e peixe assado (Jo 21.13). Era uma hora para descanso e também para a alimentação.

A refeição principal era comida geralmente após o pôr-do-sol quando estava escuro demais para trabalhar mais tempo nos campos (Jz 19.16,21). A menos que um homem tivesse um escravo (Lc 17.7,8), as mulheres serviam a refeição (Jo 12.2). Se outras pessoas fossem convidadas, esta refeição se tornava uma festa ou banquete (*veja* Alimentos: Banquete). Apenas os homens se sentavam em banquetes (2 Sm 13.23), embora nas refeições comuns as mulheres pudessem comer com os homens (Rt 2.14). As práticas coletivas da igreja de Jerusalém sugerem que, após o Pentecostes, homens e mulheres crentes comiam juntos diariamente (At 2.44,46) bem como nas festas de fraternidade/caridade (1 Co 11.17-22,33,34; Jd 12).

Os Evangelhos revelam que a cerimônia de "lavar as mãos" antes das refeições era uma exigência religiosa para os judeus (Mc 7.1-5). Em um banquete, os servos traziam vasilhas para lavar as mãos novamente depois de comer, visto que nos tempos bíblicos nenhum talher era fornecido. Todos comiam de um prato ou travessa com os dedos (Pv 26.15; Mc 14.20). O vinho geralmente não era fornecido até que a refeição tivesse sido servida e comida (Gn 27.25). Na Última Ceia esta ordem foi seguida quando Jesus primeiro partiu o pão, e então passou o cálice.

Os oficiais romanos e as pessoas ricas freqüentemente comiam quatro refeições por dia, algo semelhante ao nosso sistema, com o "chá" da tarde incluído. Para uma descrição mais completa das refeições e da culinária romana veja A. C. Bouquet, *Everyday Life in New Testament Times*, Scribner's, 1954, pp. 70-73.

J. R.

**Víveres** Uma designação comum para alimento ou provisões (cf. Gn 14.11; Lv 25.37; 2 Cr 11.11; Mt 14.15; *et al.*). Esta palavra é agora raramente empregada. A versão KJV em inglês a utilizou para traduzir palavras como a heb. *'okel*, "alimento"; *lehem*, "pão"; e *seda*, "carne de caça", "provisões". *Veja* Alimentos: Pão; Carne de Caça.

***Bibliografia*** J. Behm, *"Esthio"*, TDNT, II, 689-695. A. C. Bouquet, *Everyday Life in New Testament Times*, Scribner's, 1954, pp. 69-79. CornPBE, pp. 331-337. R. J. Forbes, *Studies in Ancient Technology*, III, Leiden. E. J. Brill, 1955,pp. 50-105; *op. cit.*, V.1957, pp. 78-88, 97ss. E. W. Heaton, *Everyday Life in Old Testament Times*, Scribner's, 1956, pp. 81-115. K. A. Kitchen, "Food", NBD, pp. 429-433.

**ALISTAMENTO ou RECENSEAMENTO** Esta palavra significa o registro formal da população e da propriedade (Lc 2.2; At 5.37). O censo é provavelmente um equivalente atual. Foi o primeiro passo em relação a informações estatísticas completas no império. O texto em Lucas 2.1 refere-se ao recenseamento que foi realizado através do decreto de César Augusto, presumivelmente na época do nascimento do Senhor Jesus Cristo. Como citado em Atos 5.37, Gamaliel, o doutor da lei, o associa com a revolta de Judas da Galiléia, que ocorreu em 6 d.C. Porém a exatidão das informações de Lucas como historiador é inquestionável. A história secular relata que Herodes havia caído em descrédito para com Augusto. Como resultado, a Judéia foi tratada como uma província romana e todos os judeus tiveram que fazer um juramento de fidelidade ao imperador. Seis mil fariseus se recusaram a obedecer e causaram problemas. Josefo, o historiador judeu, relata que este incidente coincide com o nascimento do Senhor Jesus Cristo. Cirênio (Quirino), um senador ou procurador, estava envolvido no registro. Ele ocorreu no trigésimo-terceiro ano do reinado de Herodes. O registro das pessoas ("E todos iam alistar-se, cada um à sua própria cidade", Lucas 2.3) foi realizado como o primeiro passo deste censo. Herodes, porém, obteve êxito em apaziguar César, e o decreto foi suspenso. Ele foi posteriormente completado quando a Judéia foi estabelecida como uma província romana. Naquela época, Cirênio foi enviado como presidente da Síria, para completar o censo e instituir um imposto. Isto causou a revolta liderada por Judas em 6 d.C., que é mencionada em Atos 5.37. *Veja* Censo; Cirênio.

I. R.

**ALJAVA** *Veja* Armadura.

**ALMA[1]** Essa palavra aparece cerca de vinte vezes na versão KJV em inglês, na expressão arcaica "entregar o espírito". Como a tradução de diversas palavras hebraicas e gregas diferentes, a idéia é a de que alguém soltou a respiração, ou exalou, pela última vez, e expirou. A expressão literal hebraica em Jeremias 15.9 é "ela expirou a sua vida (ou alma)", similar a Jó 11.20, "o expirar da alma". Em sua crucificação, está registrado que o Senhor Jesus "entregou [gr. *apheken*] o espírito" (Mt 27.50), "deu o seu último suspiro" (*Exepneusen*, Mc 15.36,39) ou "entregou [*paredoken*] o espírito" (Jo 19.30). As versões ASV e RSV traduzem a palavra grega *phantasma* como "fantasma" no terrível grito dos discípulos quando viram Jesus caminhando sobre as águas. "É um fantasma!" (Mt 14.26; Mc 6.49). *Veja* Espírito Santo.

**ALMA[2]** No Antigo Testamento, a palavra "alma" quase sempre é a tradução da hebraica *nephesh*, que é também muitas vezes traduzida como "vida" e também como várias outras palavras: "pessoa", "si mesmo", "criatura" etc. *Nephesh* é usada 756 vezes nos originais. A palavra existe em outras línguas e dialetos semitas (incluindo o ugarítico) para designar pessoa, vida e provavelmente a respiração.

No seu uso mais comum, *nephesh* significa "o próprio homem" (BDB), o "indivíduo". É freqüentemente usada como o pronome reflexivo. por exemplo, "a rebelde Israel justificou mais a sua *alma*... (Jr 3.11); "setenta *almas* [pessoas]" (Dt 10.22). Há diversos trechos relacionados com este uso, onde a palavra designa o berço dos apetites e desejos. "conforme todo desejo da tua *alma*, comerás..." (Dt 12.20) e "a minha *alma* chorará" (Jr 13.17). Antigamente, o termo "alma" era mais utilizado do que hoje para designar um "indivíduo".

Um significado mais básico e possível, embora menos comum, para *nephesh* é "vida" ou "ser vivo". Por exemplo, "*vida* por *vida*" (Êx 21.23). Dessa forma, a palavra significa caracteristicamente a pessoa como um ser vivo. Porém ela pode até mesmo ser usada como uma referência a uma pessoa morta, isto é, ao corpo de um morto (Nm 6.6). Ela é ocasionalmente aplicada à vida de animais, em particular na frase "a alma da carne está no sangue" (Lv 17.11). Em algumas frases é possível que ela signifique tão somente "vida"; por exemplo, "saindo-se-lhe a *alma*" (Gn 35.18) e "a *alma* do menino tornou a entrar nele" (1 Rs 17.22). Esta palavra também é às vezes utilizada como uma referência à parte não material do homem. Há passagens em que ela não equivale à "alma" no sentido teológico. No entanto, o Antigo Testamento ensina que os crentes estão na presença de Deus no presente, e serão ressuscitados em glória no final. Este ensino é ministrado através dos exemplos de Enoque e de Elias, e em referências como Isaías 25.8; 26.19. Este é um outro uso de *nephesh*.

O uso da palavra *nephesh*, no Antigo Testamento, tem a sua continuidade no Novo Testamento, até certo ponto por meio da palavra grega *psyche*. O barco em que Paulo viajava tinha a bordo 276 "almas" (At 27.37). O

Uma torre de vigia de pedra em um campo nas proximidades de Samaria

Senhor Jesus perguntou se era lícito, no sábado, "salvar a *vida* ou matar" (Mc 3.4). A palavra é raramente utilizada, se é que já foi utilizada, referindo-se à vida animal.

Mas o uso do Novo Testamento vai mais além, e se refere algumas vezes à parte não material do homem. Os homens podem matar o "corpo, mas não podem matar a *alma*" (Mt 10.28). Pedro faz uma referência aos desejos que "combatem contra a *alma*" (1 Pe 2.11). João viu no céu as "almas" dos mártires (Ap 6.9). Normalmente diz-se que o homem tem um corpo e uma alma. Outra visão chama o homem de tripartite, com corpo, alma e espírito. *Veja* Antropologia; Espírito.

R. L. H.

**ALMODÁ** O povo que viveu no sul da Arábia, descendente do primeiro filho de Joctã (Gn 10.26; 1 Cr 1.20).

**ALMOFADA** Na versão KJV em inglês, essa palavra é encontrada somente em 1 Samuel 19.13,16 designando a cabeceira da cama onde "um travesseiro feito com pelos de cabra" tinha sido colocado, e em 1 Samuel 26.6,11,12,16 indicando o lugar onde a lança de Saul havia sido cravada no solo, ao lado de sua cabeça.

Nota do tradutor. Nas versões RC e NTLH em português, esta palavra é utilizada em Marcos 4.38.

**ALMOM** Uma cidade de Benjamim na qual viviam os sacerdotes (Js 21.18). Também chamada Alemete (1 Cr 6.60).

**ALMOM-DIBLATAIM** Um local de parada nas jornadas de Israel a Dibom-Gade, e antes das montanhas de Abarim (Nm 33.46,47). Provavelmente o mesmo que Bete-Diblataim (*q.v.*; Jr 48.22).

**ALMOTOLIA** Pequeno estojo, galheta ou frasco, com tampa, para guardar óleo ou ungüento, tal como aquele que Elias usou para ungir Jeú (2 Rs 9.1,3); um jarro ou vaso de alabastro (*alabastron*) do NT (Mt 26.7; Mc 14.3; Lc 7.37).

**ALMUGUE (ou SÂNDALO)** *Veja* Plantas.

**ALOÉS** *Veja* Plantas.

**ALOJAR** Formas verbais (em hebraico *lun, lin;* em grego *katuluo*) que geralmente significam "tomar alojamento para passar a noite", em contraste com *shakan* que significa "estabelecer, morar ou residir" (em grego *kataskenoo*), palavra usada para os pássaros que fazem ninho nos galhos, Mateus 13.32). Por exemplo, o convite de Ló para os anjos pernoitarem em Sodoma (Gn 19.1,2); Jacó em Betel (Gn 28.11); os dois espias em Jericó (Js 2.1); e a recomendação dos discípulos sobre a multidão (Lc 9.12). Essa palavra também indica alojar animais, como o boi selvagem em sua cavalariça (Jó 39.9), ou objetos inanimados, como o alimento que sobrou da refeição da Páscoa (Êx 34.25), o orvalho (Jó 29.19) e um corpo morto (Dt 21.23). Em sentido figurado, ela expressa a justiça que habitava em Jerusalém (Is 1.21), a sede da força (Jó 41.22) ou uma temporária ocorrência emocional (Sl 30.5).

Os substantivos (em hebraico *malon m^elunah*, em grego *katáluma*) indicam um local de alojar durante a noite, como o acampamento de Israel (Js 4.3) ou da Assíria (Is 10.29); a cabana ou abrigo dos guardas (Is 1.8); uma hospedaria (Gn 42.27; Jr 9.2); ou um quarto de hóspedes (Lc 22.11; cf. 2.7). No hebraico moderno, *malon* significa um hotel.

O verbo grego *xenizo* (na versão KJV em inglês "alojar", Atos 10.6 etc.; 21.16; 28.7) significa mais precisamente receber e hospedar. Paulo pediu a Filemom para lhe preparar um quarto de hóspedes (em grego, *xênia*, Filemom 22), e convidou os judeus de Roma que vieram em grande número como seus hóspedes (At 28.23).

H. E. Fr.

**ALOM**

1. Um príncipe da tribo de Simei, descendente de Semaías (1 Cr 4.37).
2. Em Josué 19.33 este termo está mais bem traduzido como um nome comum que significa "carvalho". O termo encontrado em Juízes 4.11 também deve ser traduzido como "carvalho".

**ALOM-BACUTE** Débora, a ama de Rebeca, foi enterrada debaixo dessa árvore (cujo nome significa "carvalho de lágrimas"), perto de Betel (Gn 35.8). Também pode ter sido o lugar das palmeiras da profetisa Débora, entre Ramá e Betel (Jz 4.5).

**ALOTE*** Este termo só é usado em 1 Reis 4.16. *Veja* Bealote.
*Nota do Tradutor: o termo Alote foi utilizado na versão TB. As demais versões da Bíblia Sagrada como, por exemplo, RC, RA, e NTLH trazem neste verso o termo Bealote.

**ALQUEIRE ou MEDIDA DE CEREAIS** *Veja* Pesos, Medidas e Moedas.

**AL-TACHETE** (em hebraico, "Não destruas"). Uma anotação encontrada nos títulos dos Salmos 57,58,59,75. Seu significado e importância são incertos, mas parece ter sido o nome de uma melodia hebraica, com a qual se cantavam esses Salmos. Ou ainda, como no caso de outros termos musicais nos títulos dos Salmos, pode ser um subscrito pertencente ao Salmo anterior. Os Salmos 56, 57 e 58 e, particularmente, o 74 parecem expressar as súplicas de Davi e Asafe para que Deus não os destruísse, nem permitisse que os justos fossem destruídos pelos seus inimigos.

**ALTAR** No Antigo testamento hebreu, a palavra usual para altar é *mizbeah*, "lugar de sacrifício", que deriva do verbo *zabah*, "matar, sacrificar". Em Esdras 7.17, aparece a palavra aramaica *madbah*, formada a partir da mesma palavra. Essas palavras em aramaico podem ser atribuídas ao período posterior ao cativeiro. Dois outros termos para altar parecem ser derivados da linguagem acadiana. Em Ezequiel 43.15,16 as expressões *har'el* "montanha de Deus"(?) e *'ari'el* (de significado não aclarado) são traduzidas como "altar" na versão KJV em inglês e na versão NTLH em português, e como "base do altar" na versão ASV em inglês.

### Altares Patriarcais

Segundo os registros, Noé foi a primeira pessoa do Antigo testamento a ter construído um altar. Sobre este, ele fez uma oferta queimando um animal limpo e uma ave limpa de cada tipo que haviam sido preservados na Arca. Abrão construiu um altar em Siquém, outro próximo a Betel (Gn 12.6-8) e outro "nos carvalhais de Manre, que estão junto a Hebrom" (Gn 13.18). Mais tarde, ele construiu um altar no Monte Moriá, onde Deus providenciou um sacrifício substituto para Isaque (Gn 22.9-13). De acordo com os registros bíblicos, Isaque construiu apenas um altar, aquele que estava em Berseba (Gn 26.23-25), ao passo que Jacó erigiu um em Siquém (Gn 33.18,20) e outro em Betel (Gn 35.1-7). Não há descrições do tamanho, forma ou construção de nenhum desses altares.

Altar cananita em Megido, datando aproximadamente de 2700 a.C. HFV

### Altares Mosaicos

Além dos altares do Tabernáculo, diz-se que Moisés edificou um altar depois da batalha com os amalequitas (Êx 17.15), e também após a revelação da lei no Sinai (Êx 24.4,5). Além desse altar, doze colunas – uma para cada tribo – foram erguidas, e sobre o altar se ofereciam holocaustos. O Pentateuco também menciona duas outras ocasiões em que se construíram altares além do Tabernáculo. Balaão, que não era um israelita, construiu sete altares em três lugares diferentes, e sobre cada altar sacrificou um bezerro e um carneiro (Nm 23.1,14,29). Moisés instruiu os anciãos de Israel a edificar um altar de pedras inteiras no Monte Ebal. Sobre esse altar eles deveriam fazer ofertas pacíficas e em grandes pedras dispostas próximas ao altar eles deveriam escrever as palavras da Lei (Dt 27.4-8). Josué cumpriu fielmente essa determinação alguns anos mais tarde (Js 8.30-32).

Embora somente a construção do altar no Monte Ebal seja descrita nessas passagens, o Pentateuco contém diversos conjuntos de instruções com respeito à construção de altares. Depois de descer do Monte Sinai, Moisés disse ao povo que os altares deveriam ser construídos de terra ou de pedras inteiras. Não poderia haver degraus em nenhum dos dois tipos, para não expor a nudez do sacerdote (Êx 20.24-26). O altar no Monte Ebal era desse tipo e, supostamente, também aqueles construídos pelas tribos de Rúben, Gade e pela meia tribo de Manassés (Js 22.10,34), por Gideão (Jz 6.26,27), Samuel (1 Sm 7.17), Saul (1 Sm 14.35), Davi (2 Sm 24.18,25) e Elias (1 Rs 18.30).

**Altares do Tabernáculo e do Templo**

Moisés recebeu a instrução do Senhor de que o Tabernáculo deveria ter dois altares. o altar de cobre para queimar as ofertas, que estava situado no pátio, e o altar do incenso no lugar santo.

*O altar de cobre*, construído por Bezalel (Êx 27.1-8; 31.2-5; 38.1-7), foi feito de madeira de acácia (ou cetim) e coberto com cobre. Era quadrado e media aproximadamente 2 metros e meio, tinha uma altura de cerca de um metro de meio e tinha chifres nos seus quatro cantos superiores. No seu interior, havia um crivo de cobre composto por quatro argolas de

Altar de incenso feito de calcário, Megido. Museu Arqueológico da Palestina, Jerusalém

cobre, uma em cada canto. O altar poderia ser transportado por meio de dois varais de madeira cobertos de cobre, que eram passados pelas argolas nos cantos do altar.

O altar de cobre localizava-se logo na entrada principal do pátio, do lado de dentro deste, e estava alinhado com a porta do Tabernáculo. Sobre ele eram feitos os sacrifícios de animais e manjares (ou cereais) de Israel (Êx 40.6,29). Quando o altar foi consagrado, uma oferta pelo pecado foi feita cada dia, durante sete dias, para a expiação dos pecados. O altar também foi ungido com óleo. Após a sua consagração, o altar tornou-se santíssimo, e tudo o que tocasse o altar era considerado santo (Êx 29.36,37,44; 30.28; 40.10; Lv 8.11; Nm 7.10-88).

O altar de cobre para ofertas queimadas foi também um lugar de refúgio para o homem inocente acusado de assassinato (Êx 21.12-14; 1 Rs 1.50; 2.28). Ele podia suplicar misericórdia pegando as pontas do altar.

O altar de cobre que Salomão projetou para o Templo era maior do que o do Tabernáculo. Seus lados mediam nove metros, e tinha quatro metros e meio de altura (2 Cr 4.1). Ele foi reparado por Asa (2 Cr 15.8), mas substituído por Acaz, que construiu um novo altar seguindo o modelo assírio (2 Rs 16.14-17). Ezequias ordenou que o altar fosse restaurado e limpo para ser usado (2 Cr 29.18-24). Manassés a princípio ignorou o altar de cobre, porém mais tarde restaurou-o à sua função (2 Cr 33.16).

Evidentemente, o altar de cobre foi destruído pelo povo da Babilônia, após a queda de Jerusalém (2 Rs 25.14). Antes que o segundo Templo fosse construído, os exilados que haviam retornado reconstruíram o altar no pátio e restabeleceram seu uso adequado (Ed 3.1-6).

Enquanto estava no cativeiro, Ezequiel teve uma visão de um grande altar em um Templo futuro, e registrou sua forma e tamanho com detalhes. Ele teria três níveis. As laterais da base mediriam sete metros, as do segundo nível cerca de seis metros e meio e as do nível final cerca de cinco metros e meio. A altura total seria de aproximadamente cinco metros. Os degraus que conduziam até ao altar estariam no seu lado leste (Ez 43.13-27). Alguns especulam que, ao invés de ser uma visão de um Templo futuro, esta era uma descrição do altar construído por Acaz, que ainda existia no pátio do Templo, na época em que Ezequiel foi levado cativo.

O *altar de ouro,* ou *altar do incenso*, era muito menor do que o altar de cobre. Era coberto com ouro, e estava situado no lugar santo do Tabernáculo, diante do véu do Santo dos Santos. A estrutura do altar era de madeira de cetim, e a sua lateral media cerca de meio metro, por quase um metro de altura. Tinha pontas de projeção ou chifres nos seus quatro cantos superiores, e argolas nas laterais. Pelas argolas eram passados varais de madeira revestidos de ouro, para carregar o altar. Nele, o sumo sacerdote oferecia incenso de manhã e de tarde. Uma vez por ano, o sumo sacerdote faria expiação colocando sangue sobre as suas pontas (Êx 30.1-10; 40.5,26,27). Depois que os filhos de Corá com rebeldia tinham oferecido incenso contrário à lei e foram punidos com a morte, os seus incensórios de cobre foram transformados em uma cobertura para o altar de ouro, para um memorial (Nm 16.36-40).

Um pequeno altar no teatro em Salamina, Chipre. Os sacrifícios eram normalmente realizados antes da encenação de peças. HFV

Salomão fez um altar de cedro, cobriu-o com ouro e colocou-o no lugar santo do Templo (1 Rs 6.20,22; 7.48). No entanto, foi dito que Davi deu ao seu filho as especificações para o Templo e para o seu mobiliário, incluindo o altar do incenso (1 Cr 28.18). Este altar não é citado novamente no Antigo Testamento. Presume-se que ele também foi destruído quando Jerusalém foi capturada pelos babilônios. Embora o Antigo Testamento não tenha nenhum registro sobre isso, é provável que o segundo Templo fosse equipado com um altar de incenso, uma vez que o Novo Testamento fala de um altar desse tipo no Templo de Herodes, que o sucedeu.

### Literatura Judaica Não Bíblica

Na literatura judaica do período intertestamentário (entre o Antigo e o Novo Testamento), aparecem referências aos altares do Templo. Na carta de Aristeas (100 a.C.), o autor observa que a água era conduzida até a base do altar de cobre a partir de cisternas subterrâneas, para que fosse possível limpar o sangue dos animais sacrificados (*The Apocrypha and Pseudepigrapha of the Old Testament*, ed. por R. H. Charles, Oxford. Clarendon Press, II, 83-122). Antíoco, o governador grego da Síria e da Palestina (175-163 a.C.), levou o altar de ouro e outros valores do Templo, e erigiu um sacrilégio, uma imagem de Júpiter, próximo do altar das ofertas queimadas (1 Mac 1.21,54). Após derrotar os gregos, Judas Macabeu destruiu o altar das ofertas queimadas e construiu um novo, com pedras naturais não cortadas (1 Mac 4.44-49; *ibid.*, I, 59-124).

Ambos os altares do Tabernáculo são descritos por Josefo (*Ant.* iii. 6.8). A sua descrição do altar do incenso só é diferente do registro das Escrituras em um detalhe. Josefo observou que no topo do altar de ouro havia um crivo de ouro com uma coroa de ouro, à qual se prendiam as argolas. Em outro lugar, Josefo (*Guerras* v.5.5-6) observou que no Templo da sua época (século I d.C.), treze tipos de incenso eram oferecidos no altar de ouro para honrar a Deus como o possuidor de todas as coisas. Ele também observou que o altar das ofertas queimadas tinha suas laterais de aproximadamente 22 metros e meio, e que a sua altura era de aproximadamente sete metros. Uma inclinação gradual o aproximava do leste. No Mishnah (tratado "Middoth" III, traduzido por H. Danby, pp. 593-595) se menciona que as dimensões de Ezequiel 43.13-27 são do centro até a extremidade externa; assim cada número deve ser dobrado, isto é, a base teria laterais medindo 45 metros, ao invés de 22 metros e meio, e assim por diante. Além disso, os homens que voltaram do exílio adicionaram uma extensão de cerca de dois metros aos lados sul e oeste da base. A rampa inclinada está situada no lado sul do altar, e diz-se que media cerca de sete metros e meio de largura por quinze metros de comprimento.

### Altares Encontrados por Arqueólogos

Na Palestina, os arqueólogos identificaram muitos objetos como sendo altares. O uso de altares de sacrifício e de incenso era largamente difundido entre os povos pagãos não israelitas na antiga Palestina e nos países vizinhos. A partir de um pequeno relicário do início da Era do Bronze, construído do lado interno do muro da cidade de Ai, os arqueólogos trouxeram à luz um altar de pedras rebocadas.

Em Megido, as ruínas de três templos de aproximadamente 1900 a.C. foram escavadas. Contra a parede posterior de cada um havia uma plataforma de tijolos que servia como um altar, não apenas para os sacrifícios, mas também para as imagens dos deuses. No pátio do tempo, em óbvia relação com essas construções, foi encontrada uma elevação redonda de pedras e cascalho, que era usada para ofertas de sacrifícios. Ela tinha aproximadamente dois metros de altura e cerca de nove metros de diâmetro, com seis degraus em um dos lados. O período de 1475-1222 a.C., em Laquis, produziu três templos consecutivos, cada um com bancos e altares de tijolos de barro. O último deles era alcançado por meio de três degraus localizados em um de seus lados. Suas laterais mediam cerca de setenta e cinco centímetros, e a sua altura era de quase um metro. Uma elevação irregular com degraus foi encontrada em um pátio de um templo do final da Era do Bronze, em Bete-Seã. Em Hazor, em aproximadamente 1300 a.C., um altar foi separado de um imenso bloco de calcário. Seus lados mediam cerca de um metro, e sua altura era de aproximadamente dois metros e trinta centímetros; esta peça pesava aproximadamente cinco toneladas. Havia um lugar para ofertas queimadas e uma bacia para sangue ou líquidos. Há montes de argila em muitos lugares que são considerados antigos altares de incenso.

Do século X a.C., vieram altares relativamente pequenos, talhados em pedra, alguns com chifres nos seus cantos superiores. A maioria é de Megido, de Tell Beit Mirsim e Siquém. Estes foram considerados como altares de incenso. Em 2 Crônicas 34.4,7; Ezequiel 6.4,6 e em outras passagens, a palavra hebraica *hammanim* está presente e é traduzida como "imagens". Agora se sabe que ela se refere a pequenos altares de incenso feitos em pedra, com cerca de um metro e vinte centímetros, do século VI ao V a.C. Um altar como este, com inscrições em aramaico, começando com as palavras "oferta de incenso", foi descoberto em Laquis.

### Importância e Abuso dos Altares Hebreus

Os altares construídos para o Tabernáculo e para o Templo, então, não eram completamente diferentes daqueles dos vizinhos de Israel, mas a sua função na adoração estava de acordo com o conceito da Aliança do relacionamento entre Deus e Israel. O altar das ofertas queimadas era o lugar onde eram feitos os sacrifícios para expiação e comunhão. O altar de ouro era onde a majestade de Deus era honrada, por meio do incenso queimado.

Na verdade, os altares do santuário não eram sempre usados para a adoração do verdadeiro Deus de Israel. Freqüentemente, a idolatria poluía a vida espiritual dos israelitas e os sacrifícios feitos nos altares se tornavam uma armadilha para eles (Am 3.14; 5.21,22; Is 1.11-13; 27.9). Quando Jeroboão transformou as dez tribos rebeldes em uma nação, ele construiu altares e sacrificou aos bezerros que ele mesmo fizera (1 Rs 12.32). Este ato foi condenado por um profeta de Deus (1 Rs 13.3-5). Acabe erigiu um altar a Baal em Samaria, ato que enfureceu a Deus (1 Rs 16.32; cf. Os 8.11; Jr 17.2). Josias foi elogiado porque destruiu instrumentos religiosos pagãos que eram usados nos altares do Templo, e também destruiu altares ilegais que se situavam fora de Jerusalém (2 Rs 23.4-20).

### No Novo Testamento

A palavra grega para "altar" que mais aparece no Novo Testamento é *thysiasterion*. Referindo-se ao altar das ofertas queimadas no Templo, ela aparece em Mateus 5.23,24; 23.18-20,35; Lucas 11.51; Romanos 11.3; 1 Coríntios 9.13; 10.18; Hebreus 7.13 e Apocalipse 11.1. Mas, em alguns poucos trechos, "altar" tem um sentido espiritual (Hb 13.10; Ap 6.9). Com referência ao altar de ouro para o incenso, essa palavra grega aparece em Lucas 1.11 e uma palavra muito similar em Hebreus 9.4, para designar o altar no Templo terrestre construído por Herodes. Mas, em todos os outros trechos, o altar de ouro é um símbolo da oração intercessória (Ap 8.3-5) ou do juízo (Ap 9.13; cf. Ap 14.18; 16.7). Para explicar a aparente contradição em Hebreus 9.4, que mostra que o altar de ouro de incenso se situava no Santo dos Santos, foi sugerido que no Dia da Expiação o sumo sacerdote levava esse altar para dentro do véu, para aquela parte da cerimônia que envolvia a queima do incenso diante da Arca (Lv 16.13).

Outra palavra grega para "altar", *bomos*, é usada em Atos 17.23 referindo-se a um altar pagão em Atenas. Um altar desse tipo foi encontrado em Éfeso durante um trabalho de escavação.

***Bibliografia.*** W. F. Albright, *Archaeology and the Religion of Israel*, Baltimore. John's Hopkins Press, 1946. G. Cornfeld, *Adam to Daniel*, New York. Macmillan, 1961. W. Harold Mare, "The Greek Altar in the NT and Intertestamental Periods", *Grace Journal*, X (1969), 26-35. Roland de Vaux, *Ancient Israel*, New York; McGraw-Hill, 1961. G. E. Wright, *Biblical Archaeology*, Philadelphia. Westminster, 1957.

G. H. L.

**ALTÍSSIMO**[1] O termo hebraico *'elyon* no título *'El 'Elyon*, "altíssimo Deus", é usado para Jeová no AT, destacando a sua supremacia (Gn 14.18; Sl 7.17; 9.2; Is 14.14 etc.). De acordo com as tábuas ugaríticas, o nome cognato *'Aliyy* foi dado a Baal pelos cananeus (ANET, p. 148), e o termo foi usado no plural como um sinônimo para os seus deuses. Quando Nabucodonosor usou o termo aramaico *'illay* ao se referir ao Deus dos hebreus (Dn 3.26; 4.2,16,34), ele estava reconhecendo-o como o maior de todos os deuses, embora não necessariamente como o seu próprio Deus. A palavra em aramaico também aparece nas inscrições em Palmirene e nas dos nabateus.

Este foi o maior título (gr. *hypsistos*, "mais alto", "mais exaltado") dado a Deus no NT (At 7.48; 16.17; Hb 7.1). O Senhor Jesus Cristo é chamado de Filho do Deus Altíssimo (Mc 5.7; Lc 8.28), porque a sua concepção foi o resultado do "poder do Altíssimo" sobre Maria (Lc 1.35). Os gregos aplicam este termo a Zeus, a divindade suprema do seu panteão. *Veja* Deus, Nomes de.

**ALTÍSSIMO**[2]

1. Superlativo do adjetivo "alto". Usado na versão KJV em inglês com o sentido comum de elevação ou lugar alto (Ez 41.7, "topo"), e como a tradução de termos e expressões que impliquem mais em qualidade do que em elevação; por exemplo *ro'sh*, "cabeça", como traduzido na versão KJV em inglês, e "princípio" na versão RSV em inglês (Pv 8.26); *protoklisia*, traduzido como "mais

alto" na versão KJV, e "primeiro lugar" na RSV (Lc 14.8).
2. Usado como um título para Deus (Sl 18.13; 87.5; Lc 1.32,35,76; 6.35). Várias versões em português traduzem o título nestas referências como "Altíssimo".
3.Usado como um sinônimo para o céu. Lugar da morada de Deus e assento de seu trono (Lc 2.14; 19.38; Mt 21.9; Mc 11.10; cf. Jó 16.19), equivalente a "terceiro céu" (2 Co 12.2), e "céus dos céus" (Dt 10.14; 1 Rs 8.27; Ne 9.6; Sl 148.4).

**ALUS** Um dos acampamentos dos hebreus quando deixaram o Egito sob a liderança de Moisés, entre Dofca e Refidim. Mencionado somente em Números 33.13,14.

**ALVÃ** O filho mais velho de Sobal, um chefe de clã na terra de Edom (Gn 36.23). O nome é escrito como Aliã em 1 Crônicas 1.40. Este é provavelmente um nome horeu.

**ALVA[1]** Um chefe de Edom, descendente de Esaú, mencionado em Gênesis 36.40 e novamente em 1 Crônicas 1.51, onde, em algumas versões (como na Tradução Brasileira), o mesmo nome está escrito Aliá.

**ALVA[2]** Um duque de Edom, descendente de Esaú (1 Cr 1.51).

**ALVO** Na versão KJV em inglês em 1 Samuel 17.6 o termo heb. *kidon* é traduzido como "alvo", porém seria melhor traduzido como dardo ou lança. Alguns termos também são mais bem traduzidos como pavês ou escudo a partir dos seguintes termos: do heb. *sinna* em 1 Rs 10.16; *bis* em 2 Crônicas 9.15 e 14.8. Em Jó 16.12, várias versões traduzem o substantivo heb. *mattara* como "alvo" para flechas, enquanto outras trazem o termo "marca".

**ALVORADA** Forma poética de falar sobre a madrugada ou o raiar do sol (Jó 38.12; Lc 1.78). Nessa última passagem, o termo refere-se ao Messias, também com uma possível referência a Malaquias 4.2, "nascerá o sol da justiça".

**AMA[1]** Dois tipos de ama são mencionados no AT hebraico. O termo *meneqet* (de *yanaq*, "amamentar") referia-se a uma ama-de-leite como no caso de Débora que, aparentemente, havia amamentado Rebeca quando criança (Gn 24.59; 35.8); da mãe de Moisés (Êx 2.7,8); e da ama de Joás (2 Rs 11.2; 2 Cr 22.11). A amamentação continuava geralmente por dois anos. O termo *'omenet* (de *'aman*, "sustentar", "ser fiel"), em contraste, referia-se a uma pessoa que cuidava de crianças, e é usado como uma referência a Noemi (Rt 4.16) e à ama de Mefibosete, quando ele tinha cinco anos de idade (2 Sm 4.4). As amas de ambos os tipos eram de grande importância e eram servas de confiança da família (cf. Débora, Gn 35.8).
O termo "ama" é usado figurativamente em ambos os Testamentos. Moisés é citado como um pai que serve de "aio" de Israel (Nm 11.12); reis e rainhas são mencionados como amas para os judeus que retornam no início do Milênio (Is 49.23; cf. 60.16); Israel desfrutou dos cuidados de Deus durante 40 anos no deserto (At 13.18). Paulo tratava os novos convertidos tão carinhosamente quanto uma ama (gr. *trophos*, "nutridor") trata as crianças (1 Ts 2.7).
*Veja* Ocupações: Ama.

R. A. K.

**AMA[2]** Tradução dos termos *'ama* e *shipha* denotando uma mulher escrava ou serva. Elas atendiam às necessidades pessoais da dona da casa (Gn 16.1; 25.12; 29.24), ou pajeavam as crianças (Gn 24.59; 2 Sm 4.4; 2 Rs 11.2). Tinham direitos legais (Êx 21.7-11; Lv 25.6) e podiam até se tornar concubinas quando a primeira esposa de seus senhores fosse estéril (Gn 16.1,2; 30.3,9). A escrava cativa adquiria novos direitos, quando era tomada como esposa (Dt 21.10-14). As escravas hebréis deveriam ser emancipadas no ano do jubileu (Lv 25.40), ou depois de terem servido durante seis anos (Dt 15.12-17), mas os escravos estrangeiros geralmente continuavam como escravos durante a vida toda (Lv 25.45,46).
Esse termo era às vezes usado para exprimir humildade e submissão (1 Sm 25.24; 2 Sm 14.12; Lc 1.38).

A. T. P.

**AMÁ** Uma colina diante de Giá, a caminho do deserto de Gibeão (isto é, a leste do deserto), que marcou o fim da perseguição que Joabe empreendeu contra Abner (2 Sm 2.24). A colina provavelmente estava no ponto mais elevado da descida que ia do deserto ao Vale do Jordão.

**AMÃ** Uma das aldeias próximas a Berseba designada à tribo de Judá na divisão da terra. Mencionada somente em Josué 15.26.

**AMADE** Uma cidade de Canaã, designada à tribo de Aser na divisão da terra depois da Conquista (Js 19.26).

**AMAL** Um filho de Helém, relacionado entre os descendentes de Aser em 1 Crônicas 7.35.

**AMALDIÇOADO**
1. Do hebraico *q[e]lala,* era uma forma de maldição usada em todo o Oriente Próximo para expressar o desejo de alguém ser atingido por uma desgraça. Na antiguidade, as maldições tinham freqüentemente a finalidade de proteger os termos de um contrato e eram dirigidas diretamente aos transgressores do

acordo. Segundo a tradução do texto de Deuteronômio 21.23, "porquanto o pendurado é maldito de Deus", esse termo refere-se ao abjeto criminoso que, depois de ser condenado, é pregado em uma árvore ou estaca. Somente os piores casos recebiam essa punição porque a pessoa era considerada amaldiçoada por Deus (cf. Js 8.29; 10.26,27; 2 Sm 4.12; Gl 3.16). Em Isaías 65.20 ocorre uma forma dessa palavra denotando a longevidade da vida do amaldiçoado pecador na futura era milenar. O termo "amaldiçoado" também se encontra presente no Salmo 119.21.

2. Do hebraico *herem,* esse termo tem o significado de "anátema" e é usado especialmente no livro de Josué (cf. 6.17,18; 7.1ss.; 22.20) em conexão com as cidades de Canaã e todos os seus habitantes. Uma coisa que é amaldiçoada ou interditada está irremediavelmente afastada do uso comum. Conseqüentemente, era isolada para uso do Senhor nos serviços religiosos ou era totalmente eliminada. Nas operações bélicas antigas, era comum "anatematizar", ou colocar sob interdição, o inimigo e tudo que a ele pertencesse. Assim, Mesa, rei de Moabe (cerca de 830 a.C.) relata como "interditou para destruição", em honra do deus Ashtar-Chemosh, toda a cidade israelita de Nebo, "assassinando todos, sete mil homens, meninos, mulheres, meninas e servas" (ANET, p. 320). Isso também foi praticado pelos assírios (2 Rs 19.11). Qualquer pessoa que tomasse a coisa "interditada" para si, como fez Acã (Js 7), também se tornava "amaldiçoado" e era impiedosamente destruído, assim como todas as pessoas e propriedades ligadas a ela. Posteriormente, no uso rabínico, essa prática tornou-se equivalente à excomunhão.

3. O termo hebraico *za'am* em Miquéias 6.10 pode ser traduzido como "amaldiçoado", "detestável" ou "abominável".

4. Uso no NT. Cada uma das quatro ocorrências dessa palavra na versão KJV em inglês corresponde à tradução do termo grego *anathema* (cf. Rm 9.3; 1 Co 12.3; Gl 1.8,9) que é a palavra da LXX para o tópico 2 acima. No uso pagão ela se referia a uma "oferta em cumprimento a um voto". Paulo desejava que fosse possível ser "separado" de Jesus a fim de que, como é geralmente interpretado, seus irmãos judeus pudessem descobrir Jesus como seu Senhor e Salvador (Rm 9.3).

Em outra ocasião, Paulo afirma que nenhum homem que falasse através do Espírito de Jesus poderia dizer que Jesus é um "anátema" (1 Co 12.3). Aparentemente, alguns religiosos (gnósticos?) fizeram alguns pronunciamentos esotéricos que de fato aviltaram a elevada posição de Jesus, como se Ele realmente merecesse a morte que sofreu (Godet). Essa é a razão porque Paulo afirma que todas as verdadeiras manifestações do Espírito Santo exaltam a Jesus como Senhor.

Novamente, Paulo relega à "total destruição" todo aquele que não amar o Senhor Jesus (1 Co 16.22). Ele ainda acrescenta que o Jesus que ele proclamava era o único caminho para a salvação, e que aqueles que o pervertessem seriam amaldiçoados ou irremediavelmente destinados ao castigo por causa das graves conseqüências de invalidar a graça de Deus nas pregações de Jesus Cristo (Gl 1.8,9).

*Veja* Acã; Anátema; Maldição; Devotar; Juramento.

A F.J.

## AMALEQUE, AMALEQUITAS

1. Um neto de Esaú e filho de Elifaz com Timna, sua concubina. Amaleque tornou-se um cabeça em Edom, e deu o seu nome a um grupo seminômade que vagava pelo deserto ao sul de Canaã (Gn 36.12,16).

2. Um povo chamado amaleque ou amalequitas, contra os quais os israelitas freqüentemente lutavam desde os dias de Moisés até o reinado de Davi. A menção de Gênesis 14.7 de "toda a terra dos amalequitas", na qual Quedorlaomer lutou, não prova que os amalequitas já existissem nos tempos de Abraão, mas simplesmente designa o território, como era conhecido para o autor de Gênesis e seus leitores.

O principal território dos amalequitas parecer ter sido o deserto do Neguebe (Nm 13.29), entre Berseba e o Sinai. A extensão da sua peregrinação está resumida em 1 Samuel 15.7 como sendo "desde Havilá até chegar a Sur, que está defronte do Egito" – do noroeste e da Arábia até a fronteira ocidental do Egito, seguindo a linha do moderno Canal de Suez.

Migrando à procura de oásis aprazíveis em um ano que parece ter sido um ano de seca, os amalequitas atacaram Israel em Refidim, perto do Monte Sinai (Êx 17.8), pelo que a destruição total lhes foi decretada (v. 14; Dt 25.17-19). Eles foram declarados objeto de perpétua guerra (Êx 17.16), e continuaram a ser relacionados entre os inimigos de Israel (Sl 83.7). Depois de se rebelarem contra o Senhor, os israelitas procuraram entrar em Canaã pelo sul, mas foram desastrosamente derrotados pelos amalequitas e pelos cananeus nas colinas do Neguebe, ao norte de Cades-Barnéia (Nm 14.43,45). Balaão descreveu Amaleque (ou os amalequitas) como "o primeiro das nações" (Nm 24.20), por ser muito antigo naquela região (1 Sm 27.8) ou porque eles foram os primeiros a atacar a nação de Israel que estava saindo do Egito (Êx 17.8).

Os amalequitas se uniram aos vizinhos duas vezes para oprimir Israel durante o período dos juízes. Eles auxiliaram Eglom, rei dos moabitas, a capturar Jericó (Jz 3.13; "a cidade das palmeiras" – Jericó, veja Dt 34.3). Como beduínos montados em camelos, eles acompanharam os midianitas nos seus ataques a Israel na época da colheita, nos tempos de Gideão (Jz 6.3), mas Gideão derrotou-os no vale de Jezreel (6.33; 7.12-22). Em uma ocasião houve um acampamento de amalequitas em uma colina na terra de Efraim (Jz 12.15; cf. 5.14).

O rei Saul realizou uma campanha militar sistemática contra os amalequitas (1 Sm 14.48; 15.1-8). De forma egoísta, ele se recusou a matar o seu gado saudável e a executar o seu rei Agague (15.9-33). Evidentemente, ele também deixou de matar todos os inimigos, pois eles continuaram a atacar as comunidades estabelecidas no sul de Judá durante o final do reinado de Saul (1 Sm 30.1,2). Davi empreendeu um ataque semelhante para recuperar as esposas e crianças tomadas de Ziclague (30.3-20). Foi ele quem efetivamente esmagou os amale-quitas (1 Sm 27.8,9; 2 Sm 8.11,12), de modo que não se ouviu mais falar deles até que os últimos remanescentes foram destruídos pelos quinhentos simeonitas, no Monte Seir, durante o reinado de Ezequias (1 Cr 4.43).

H. G. S.

**AMANA** Um pico na cordilheira da fronteira com o Líbano (Ct 4.8), provavelmente ao sul do vale do Rio Amana (Abana). É chamado Umânum e Amana nas inscrições em idioma acadiano. Sargão II obtinha alabastro ali.

**AMANHECER** *Veja* Alvorada; Tempo, Divisões do.

**AMANTE** Concubina ou amante do sexo masculino (Ez 23.20). Em todos os outros exemplos, a palavra hebraica *pilegesh* usada nesse verso foi traduzida como "concubina" (q.v.) e se refere à amante feminina ou "meia-esposa".

**AMARELO**. *Veja* Cores.

**AMARGA** De uma forma ou de outra, a palavra é usada 65 vezes, a maior parte no AT. Ela pode se referir a coisas concretas, como ervas (Êx 12.8; Nm 9.11); ou à água, como em Mara. Neste caso, o termo "amargas" tem o sentido de salobra (Êx 15.23); ou pode se referir ao teste da água na questão do adultério de uma mulher (Nm 5.16-28); ao estômago (Ap 10.9,10); e até mesmo às pessoas (Hc 1.6).

A palavra pode descrever ações, seja com palavras (Sl 64.3), ou choro (por exemplo, no caso de Pedro, Mateus 26.75 paralelo a Lucas 22.62), de maldição (Rm 3.14 do Sl 10.7), ou clamor (Gn 27.34).

Novamente ela pode descrever o sentimento da alma (Jó 3.20), seja em ressentimento (Cl 3.19; Hb 12.15) ou completa impiedade (At 8.23), ou mesmo quanto a um destino maligno (Pv 5.4; Ec 7.26).

**AMARIAS**

1. Um descendente de Arão através de Finéias, filho de Meraiote e pai de Aitube (*veja* 1 Cr 6.3,4,6,52); um antepassado de Esdras (Ed 7.3).
2. Um segundo sacerdote, filho de Azarias, que foi sumo sacerdote na época de Salomão (1 Cr 6.9-11).
3. Um descendente de Levi através de Coate, o pai de Hebrom, de quem ele foi o segundo filho (1 Cr 6.1,2; 23.19; 24.23).
4. Um terceiro sacerdote, nomeado sumo sacerdote por Josafá em Jerusalém, nas suas reformas em Judá depois da morte de Acabe

Cartas de Amarna, do rei Labaia e Arzawa para Akhenaton, no Museu do Cairo. LL

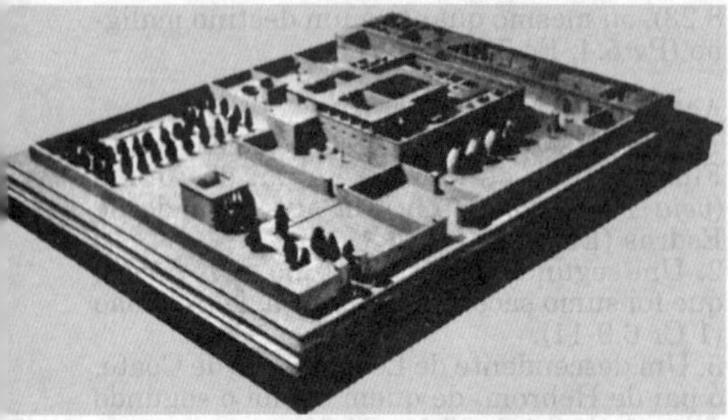

Modelo de uma casa e propriedade em Amarna, aprox. 1375–1330 a.C. ORINST

(2 Cr 19.1,8-11). Foi provavelmente o Amarias que era filho de Azarias (1 Cr 6.11).

5. Um levita subordinado a Coré, o filho de Imna, designado por Ezequias para fazer a distribuição entre os levitas das ofertas do povo, assim como as oblações e coisas sagradas (2 Cr 31.14,15). Ele oficiava em uma das cidades dos sacerdotes.

6. Um descendente de Bani (chamado de Binui em Neemias 7.15), cujos descendentes retornaram da Babilônia com Zorobabel. Nos tempos de Esdras, ele tinha se casado com uma esposa "estrangeira" – não israelita – (Ed 10.42; Ne 12.2,13), e Esdras obteve dele um juramento de que abandonaria a sua esposa estrangeira (Ed 10.19).

7. Um sacerdote da época de Neemias, que selou uma aliança com ele e com outros (Ne 10.1-8) para servir ao Senhor (9.38). Provavelmente foi o mesmo que se casou com uma estrangeira (cf. Ne 12.1-7 com 10.1-8).

8. Um descendente de Judá através de Perez (Ne 11.4). Alguns dos seus descendentes viveram em Jerusalém depois de exílio.

9. Um descendente de Ezequias, rei de Judá, e antepassado de Sofonias, o profeta, que profetizou nos dias de Josias, rei de Judá (Sf 1.1).

H. G. S.

**AMARNA, CARTAS DE** O grupo de cartas oficiais encontradas em 1887, com descobertas subseqüentes, em Tell el-Amarna, no Egito (*veja* Amarna, Tell el-) agora compreende cerca de 375 tábuas de argila. Elas foram escritas principalmente na escrita cuneiforme da Babilônia, para os faraós Amenófis III e Akhenaton (q.v.). Essa correspondência, que abrangia o período entre 1400 a 1360 a.C. vinha de: (1) governantes das quatro nações comparativamente iguais ao Egito em poder: a Assíria, a terra dos heteus, Mitanni, e reis de Kassite na Babilônia; (2) príncipes vassalos em Canaã e na Síria sob o controle do Egito; e (3) vários oficiais egípcios naquelas terras. É evidente que a língua acadiana era a língua da diplomacia de todo o Oriente Médio nessa época, até mesmo entre o governador egípcio e os seus vassalos asiáticos. Essa grande influência da cultura babilônica em Canaã é confirmada pela descoberta, em 1946, em Megido, de um fragmento (de aprox. 1400 a.C.) do Épico de Gilgamesh (relato da inundação da Babilônia). As Cartas de Amarna, portanto, possuem extraordinária importância para reconstruir a cultura e a história do Oriente Médio no início do século XIV a.C. Mais de duzentas das tábuas de Amarna estão no Museu de Berlim, mais de oitenta estão no British Museum, e o restante está em museus no Cairo, em Oxford, em Paris e Bruxelas.

Entre os príncipes escravos mencionados estão aqueles de Biblos ou Gebal, Sidom, Tiro, Hazor, Aco, Megido, Gezer, Asquelom, Laquis, Siquém e Jerusalém. Mas nessas cartas não são nunca mencionadas as cidades de Jericó, Ai, Betel, Gibeão e Hebrom, que foram tomadas ou destruídas por Josué. Os vassalos em Canaã reclamam ao faraó da hostilidade entre a sua própria cidade e as vizinhas, e pedem ajuda para enfrentar os ataques de pequenos grupos do povo Habiru ou 'Apiru (*veja* Povo Hebreu). No entanto, eles não podem ser exclusivamente identificados com o exército israelita invasor sob o comando de Josué, uma vez que a palavra Habiru é mencionada em vários documentos durante o segundo milênio a.C., e pelo Oriente Médio como exércitos de mercenários ou vagabundos. Não obstante, é possível ter uma imagem das condições que prevaleciam na Palestina no período dos juízes, quando os israelitas já não estavam se comportando como uma força unida.

No período de Amarna, somente quatro cidades-estado principais tinham restado no sul da Palestina, ao passo que em Josué 10 são mencionadas nove cidades com um rei. Os israelitas inicialmente tinham conquistado e até mesmo recapturado algumas dessas cidades (por exemplo, Hebrom e Debir), mas em outros casos, como o de Jerusalém, eles foram incapazes de tomar a fortaleza, ou os cananeus reocuparam e mantiveram a cidade (por exemplo, Laquis) depois que o exército israelita retornou a Gilgal. A falta de união era comum na época de Amarna, muito diferente da liga dos reis amorreus (Js 10) ou da confederação de cananeus (Js 11) que unidos se opunham a Josué. Em algumas ocasiões específicas, o termo Habiru nas cartas de Amarna pode referir-se aos israelitas. Se for assim, o fato de que, de acordo com as tábuas de 'Abdu-Heba de Jerusalém (ANET, pp. 487ss.), Lab'ayu, o príncipe de Siquém estava aliado ao povo Habiru pode explicar por que Josué não julgou necessário atacar e capturar a cidade, quando os israelitas realizavam a cerimônia do concerto, no Monte Ebal que estava nas proximidades (Js 8.30-35).

***Bibliografia.*** W. F. Albright, "The Amarna Letters", ANET, pp. 483-89. Gleason L. Archer,

Jr., SOTI, pp. 164, 253-59, 265. F. F. Bruce, "Tell el-Amarna", TAOTS, pp. 3-20. Edward F. Campbell Jr., "The Amarna Letters and the Amarna Period", BA, XXIII (1960), 2-22; *The Chronology of the Amarna Letters*, Baltimore. John's Hopkins Univ. Press, 1964, CornPBE, p. 40ss. J. A. Knudtzon, *Die El-Amarna Tafeln*, Leipzig, 1907-15. George E. Mendenhall, "The Hebrew Conquest of Palestine", BA, XXV (1962), 66-87. Samuel A. B. Mercer, *The Tell el-Amarna Tablets*, New York. Macmillan, 1939. Charles F. Pfeiffer, *Tell el-Amarna and the Bible*, Grand Rapids. Baker, 1963.

J. R.

**AMARNA, TELL EL** O nome moderno das ruínas e túmulos na margem leste do Nilo, a aproximadamente trezentos quilômetros ao sul do Cairo. Tell el-Amarna corresponde à antiga Akhetaton, "horizonte de Aton", construída em 1.370 a.C. pelo faraó Amenófis IV, que mudou o seu nome para Akhenaton (q.v.) e instituiu a chamada revolta de Amarna. Essa revolução, possivelmente originada no cosmolitanismo do império de Tutmés III, envolveu mudanças religiosas, artísticas e literárias. Na religião, houve um novo universalismo, com tendência ao monoteísmo. Aton, o disco do sol, era adorado pelo faraó e pela sua família como o criador de todos os homens, o pai benevolente que cuidava de todas as suas criaturas. A corte adorava Akhenaton, o suposto filho da sua divindade solar. A iniciação dessa adoração trouxe tanta oposição em Tebas, a residência real e centro da adoração de Amon-Rá, que o jovem faraó teve que levar a capital para esse novo lugar. Após a sua morte, o fraco faraó Tutancamom foi forçado a levar a capital de volta a Tebas.

Escavações realizadas nas ruínas de Tell el-Amarna (que não têm nada de impressionante), que se estendem por cerca de oito quilômetros ao longo do Nilo, mas têm somente cerca de um quilômetro de largura, indicam que a cidade foi construída com pressa. Não se observou nem identificou o lugar até o ano de 1887. Naquele ano uma mulher, ao cavar as ruínas procurando lixo para usar como fertilizante em seu jardim, acidentalmente acabou encontrando os arquivos reais de Akhetaton, que hoje são conhecidos como as Cartas ou tábuas de Amarna (q.v.). A partir de 1891, W. M. Flinders Petrie desenterrou boa parte do palácio. Expedições posteriores revelaram a planta da cidade e exploraram cerca de 25 túmulos escavados do lado das colinas para o leste, onde os nobres de Akhenaton foram enterrados.

Um hino a Aton (ANET, pp. 369ss.), que tem grande similaridade com o Salmo 104, foi descoberto em Amarna, no túmulo de Eye, um cortesão de Akhenaton. No entanto, uma dependência direta do Salmo 104 nesse hino é duvidosa, uma vez que na literatura egípcia contemporânea abundam expressões similares, e o monoteísmo no Salmo vai muito mais além da monolatria da adoração de Aton.

Juntamente com a adoração de Aton, Akhenaton promoveu a *ma'at*, "verdade", na arte e na vida social. Os animais eram representados como se flagrados em ação por uma câmera de alta velocidade. As cenas da família real eram apresentadas de uma maneira natural e informal, o que difere da forma de arte estilizada anterior. As cenas naturais e familiares, no entanto, eram tão repetidas que a própria figura adoentada e barriguda de Akhenaton tornou-se a norma para todos os retratos egípcios naquele período.

A. K. H.

**AMASA**

1. Sobrinho de Davi, filho de sua irmã Abigail e Jéter, o ismaelita (1 Cr 2.13-17); primo de Joabe, filho de Zeruia, a irmã de Abigail (2 Sm 17.25). Após o fracasso da revolta de Absalão, Davi perdoou Amasa e o fez capitão do seu exército, no lugar de Joabe (2 Sm 19.13). Com a queda de Absalão, Seba tentou manter a revolta viva (2 Sm 20.1,2). Davi instruiu Amasa a reunir o exército para perseguir Seba, mas ele demorou muito (2 Sm 20.4,5). Davi enviou então Abisai, o primo de Amasa e irmão de Joabe (2 Sm 20.6; 1 Cr 2.16), que fazia parte da tropa . Em Gibeão, as forças de Amasa e de Abisai se encontraram (2 Sm 20.7,8). Fingindo beijá-lo, Joabe agarrou Amasa pela barba e o matou com sua espada (2 Sm 20.9,10).

2. Um efraimita, que ajudou a resgatar os judeus cativos por Peca (2 Cr 28.12).

**AMASAI**

1. Um levita da família de Coate. Pai de Maate, o antepassado de Samuel (1 Cr 6.25,35).

2. Um dos principais capitães de Davi. Com um grupo de homens de Judá e Benjamim, ele desertou Saul e juntou-se a Davi em Ziclague. Alguns supõem que ele seja o próprio Amasa (q.v.), sobrinho de Davi, o filho de Abigail (1 Cr 12.18).

3. Um sacerdote na época de Davi, que tocou uma trombeta perante a arca de Deus, quando ela foi trazida da casa de Obede-Edom para Jerusalém (1 Cr 15.24).

4. Um sacerdote dos dias de Ezequias. Seu filho Maate teve uma participação ativa na grande renovação e limpeza do Templo na época de Ezequias (2 Cr 29.12,15).

**AMASSAI** (Conforme a Tradução Brasileira) Filho de Azarel, entre os sacerdotes escolhidos para viver em Jerusalém na época de Neemias (Ne 11.13).

**AMASSAR** *Veja* Alimento.

**AMAVE** (Conforme a tradução NTLH). O

nome da pátria do profeta Balaão (Nm 22.5), que é uma tradução do hebraico *'ammo* que significa "seu povo". W. F. Albright (BASOR #118 [1950], 14-20) reconheceu esse termo como sendo o nome do país chamado *'Amau* na inscrição da estátua de Idrimi, escavada por Leonard Woolley em Alalakh, cuja data pode estar entre 1450 (Albright) e 1375 a.C. (Woolley, Sidney Sith). Amave, que fica entre Alepo e o rio Eufrates, era governada naquela época pelo rei de Alalakh (perto de Antioquia no Orontes). Amave também é citada por um oficial egípcio de Amenotep II. Estas referências a Amave, em 1400 a.C., parecem confirmar uma data antecipada para Moisés, para o Êxodo e Balaão. Depois de 1370 a.C., essa região esteve sob o controle dos heteus e os autores bíblicos se referem a ela como "terra dos heteus" (cf. Js 1.4; Jz 1.26). *Veja* Petor; Balaão.

**AMÁVEL** Uma antiga palavra inglesa que significa "adorável", usada para descrever a morada de Deus no Salmo 84.1.

**AMAZIAS** Filho de Zicri; um comandante de Judá, no exército de Josafá, que se apresentou voluntariamente para servir ao Senhor (2 Cr 17.16).

**AMAZIAS**

1. O nono governador de Judá, filho de Joás e Jeoadã (Jeoadin na versão RSV em inglês, 2 Rs 14.2). Tendo ascendido ao trono aos vinte e cinco anos de idade, ele reinou durante vinte e nove anos. Existe uma discrepância quanto às datas do seu reinado. E. R. Thiele definiu o início do seu reinado em 796 a.C., com uma co-regência com seu filho Uzias entre 790 e 767 a.C. (*The Mysterious Numbers of the Hebrew Kings*, pp. 71-72). Mas W. F. Albright propôs as datas 800-786 a.C., sem a co-regência (*From the Stone Age to Christianity*, pp. 404ss.). Como seu pai tinha sido assassinado por servos da casa real, Amazias primeiramente teve que descobrir e matar os assassinos para tornar seguro o seu trono (2 Rs 12.19-21; 14.6; 2 Cr 24.25-27; 25.3,4).
Embora os relatos afirmem que foi um bom rei, Amazias tinha um temperamento belicoso. Logo organizou um grande exército de trezentos mil homens, além de cem mil contratados em Israel. No entanto, com base no conselho de um homem de Deus, ele liberou os homens de Israel, deixando-os tão irados que mataram três mil homens de Judá. Amazias atacou e subjugou os edomitas, mas preservou os seus ídolos para seu uso pessoal, pelo que um profeta o condenou (2 Cr 25.5-16). Amazias desafiou Joás, rei de Israel, a guerrear. A batalha ocorreu em Bete-Semes. Amazias foi derrotado e capturado. Joás destruiu o muro norte de Jerusalém e roubou o tesouro do Templo (2 Rs 14.8-14; 2 Cr 25.17-24). Judá tornou-se, aparentemente, um vassalo de Israel durante o restante do reinado de Amazias. Amazias foi assassinado em Laquis por rebeldes que o perseguiram desde Jerusalém. Foi enterrado em Jerusalém (2 Rs 14.19,20; 2 Cr 25.27,28).
2. Um descendente de Simeão, pai do príncipe Josa (1 Cr 4.34,38).
3. Um levita, antepassado de Etã, um cantor que servia no Tabernáculo de Davi (1 Cr 6.45).
4. Um sacerdote durante o reinado de Jeroboão II, conhecido por ter ordenado que Amós deixasse de profetizar em Betel (Am 7.10-17).

G. H. L.

**ÂMBAR** *Veja* Minerais.

**AMÉM** Essa era a concordância usual dos judeus em relação a uma ordem (1 Rs 1.36) e às orações (Ne 5.13; 8.6), e está traduzida na LXX como optativo de vontade ou desejo (*genoito*). "Que assim seja". Jesus usava essa palavra antes de suas afirmações, para certificar o que vinha a seguir (Mt 5.18, "em verdade vos digo"). Os cristãos a usavam depois das orações para expressar a aprovação do ouvinte (1 Cr 14.16). O substantivo é usado como um título para Jesus (Ap 3.14); cf. "Deus da verdade" (Is 65.16, Heb.). A palavra hebraica *'amen*, "firmeza", deriva do verbo raiz *'aman*, "crer". Em Gênesis 15.6, Abrão creu no Senhor e disse "Amém" à promessa de Deus (*Veja* Meredith G. Kline, "Abram's Amen", WTJ, XXXI [1968], 1-11).

**AMÊNDOA** *Veja* Plantas.

**AMETISTA** *Veja* Jóias.

**AMI** O chefe de uma família incluída entre os descendentes dos servos de Salomão, que retornaram do exílio para Judá sob a liderança de Zorobabel (Ed 2.57). Também é chamado Amom (Ne 7.59).

**AMI** Palavra hebraica que significa "meu povo", dita por Oséias como o novo nome do terceiro filho de sua esposa adúltera Gomer (Os 2.1). O nome original, Lo-Ami ("Não meu povo", Os 1.9), simbolizava a triste rejeição do pacto com Deus por parte de Israel, seu povo rebelde. Ami transmite a esperança de restauração (Os 2.21-23) e se aplica à nova Israel pelos autores do Novo Testamento (Rm 9.25; 1 Pe 2.10).

**AMIEL**

1. Um homem da tribo de Dã. Um dos doze espias enviados por Moisés para sondar Canaã. Fazia parte da maioria que trouxe um relatório desfavorável e morreu sob o julgamento de Deus (Nm 13.12).
2. Um manassita de Lo-Debar em Gileade. Pai de Maquir, que protegeu Mefibosete, o filho aleijado de Jônatas, e também recebeu Davi quando fugiu de Absalão (2 Sm 9.4,5; 17.27).

3. Pai de Bate-Seba, esposa de Davi (1 Cr 3.5). Em 2 Samuel 11.3, por uma modificação de escrita, ele é chamado Eliã.
4. Um levita, porteiro do Templo. Um dos filhos de Obede-Edom (1 Cr 26.5).

**AMIGO, AMIZADE** Duas palavras do AT, a heb. *rea'* (e seus derivativos), "amigo", "vizinho", "companheiro"; e *'oheb* (particípio de *'ahab*, "amar"), "amante", "amigo querido"; e duas palavras do NT, a gr. *hetairos*, "companheiro", "vizinho", amigo"; e *philos*, "amigo querido", referem-se a companheiros e amigos íntimos. Dessa forma, tanto o AT como o NT têm palavras tanto para um simples amigo, como para um amigo profundamente afeiçoado.
A Bíblia fala de dois tipos de amizade: (1) entre um homem e Deus, como no caso de Abraão (2 Cr 20.7; Is 41.8; Tg 2.23) e Moisés (Êx 33.11); (2) entre um homem e outro homem, como a amizade entre Davi e Husai (2 Sm 15.37; 16.16), entre Elias e Eliseu (2 Rs 2), e entre Davi e Jônatas, que é o caso mais famoso de amizade nas Escrituras, no qual havia um amor que era "mais maravilhoso... do que o amor das mulheres" (1 Sm 18.1; 2 Sm 1.26). Há um exemplo extraordinário de amizade entre mulheres, isto é, a amizade de Rute com a sua sogra Noemi (Rt 1.16-18). Salomão falou muitas palavras de sabedoria sobre a amizade, tais como: "Em todo o tempo ama o amigo" (Pv 17.17); "Fiéis são as feridas feitas pelo que ama" (Pv 27.6); "há amigo mais chegado do que um irmão" (Pv 18.24); e "Não acompanhes o iracundo" (Pv 22.24).
O relacionamento experimentado por Cristo e os doze discípulos desenvolveu-se a partir do relacionamento que existe entre o mestre e o aprendiz, daquele que existe entre o Senhor e o servo (Jo 13.13), e daquele que existe entre amigo e amigo (Jo 15.13-15). Judas, chamado de "meu próprio amigo íntimo, em quem eu tanto confiava" (Sl 41.9), é um exemplo terrível de um amigo infiel (Mt 26.14-16).
R. A. K.

**AMINADABE** Este nome aparece nas genealogias de Jesus (Mt 1.4 e Lc 3.33).
1. Pai de Naassom, príncipe da tribo de Judá nos dias de Moisés (Nm 1.7; 2.3; 7.12,17; 10.14). Foi também pai de Eliseba, mulher de Arão (Êx 6.23). Aminadabe foi antepassado de Boaz e de Davi, e está relacionado na genealogia do Senhor Jesus Cristo (Rt 4.19,20; 1 Cr 2.10; Mt 1.4; Lc 3.33).
2. Mencionado em 1 Crônicas 6.22 como o filho de Coate e pai de Corá. Em 1 Crônicas 6.2,18 e em Êxodo 6.18,19 ele é chamado Isar (q.v.).
3. Um dos principais levitas da família de Coate nos tempos de Davi. Foi um daqueles privilegiados que carregaram a Arca do Senhor da Casa de Obede-Edom para Jerusalém (1 Cr 15.10).
4. O nome aparece em dois antigos selos amonitas e em uma inscrição de Assurbanipal, onde é o nome do rei de Amom (ANET, p.294).

**AMINADIBE** Aparece somente em Cantares 6.12, na versão KJV em inglês, onde se supõe que seja o nome de um cocheiro desconhecido. A versão RSV não assume essa palavra como um nome próprio, mas retifica-a como sendo "nos carros, ao lado dos meus príncipes". Alguns consideram que pode haver algum problema na interpretação deste versículo, caso não se compreenda o seu sentido em relação aos textos hebraicos existentes.

**AMISADAI** Pai de Aiezer da tribo de Dã na época do Êxodo (Nm 1.12). Esse nome hebraico nasceu de um oficial egípcio no final do século XIV a.C.

**AMITAI** Pai do profeta Jonas (2 Rs 14.25; Jn1.1)

**AMIÚDE**
1. Pai de Elisama, que era chefe da tribo de Efraim nos dias de Moisés (Nm 1.10).
2. Pai de Samuel, que foi indicado, da tribo de Simeão, como um repartidor da terra prometida (Nm 34.20).
3. Pai de Pedael, príncipe da tribo de Naftali, um repartidor da terra (Nm 34.28).
4. Pai de Talmai, rei de Gesur e sogro de Davi. Absalão fugiu para a corte de seu avô depois de assassinar seu irmão Amnom (2 Sm 13.37).
5. Um descendente de Perez, da tribo de Judá. Seu filho Utai estava entre os primeiros a retornar a Jerusalém depois de exílio (1 Cr 9.4).

**AMIZABADE** Filho de Benaia, líder militar de Davi (1 Cr 27.6).

**AMNOM**
1. O filho mais velho de Davi, nascido em Hebrom (2 Sm 3.2; 1 Cr 3.1). Ele violentou a sua meia irmã Tamar, e, como retaliação, foi assassinado por ordem de Absalão, que era irmão dela por parte de pai e mãe (2 Sm 13).
2. Um dos filhos de Simeão (ou Simão), da tribo de Judá (1 Cr 4.20).

**AMOM** O filho de Ló, gerado através de sua filha mais jovem (Gn 19.38). Seus descendentes são chamados amonitas (q.v.) e às vezes Amom (Sl 83.7). Também é usado como o nome de um lugar em Neemias 13.23.
1. Governador da cidade de Samaria sob o reinado de Acabe, responsável pela custódia do profeta Micaías, enquanto Acabe e Josafá combateram a Síria (1 Rs 22.2,10,26; 2 Cr 18.25).
2. Rei de Judá, filho de Manassés, que sucedeu seu pai aos 22 anos e reinou dois anos (2

Cena de uma rua em Amã, Jordão, local de Rabá-Amom, capital dos amonitas. Richard E. Ward

Rs 21.19-21). Distinguiu-se pelas suas más obras. Adorando ídolos (v. 21), ele abandonou a Deus (v. 22). Ao contrário de seu pai Manassés, Amom não se arrependeu das suas maldades, superando o seu pai em sua impiedade (2 Cr 33.23). Foi assassinado no seu palácio pelos seus servos (2 Rs 21.23), e o povo fez do seu filho Josias rei no seu lugar (v. 24). Amom é listado entre os antepassados de Cristo (Mt 1.10).

3. Um descendente dos servos de Salomão (Ne 7.56,59).

4. Nome de uma divindade egípcia no nome da cidade egípcia Nô-Amom (chamada "Nô", Jr 46.25); também chamada Tebas, a capital do Egito superior, Amom substituiu o deus-sol Rá como chefe do panteão egípcio. Sob sua bandeira, os hicsos foram expulsos do Egito. *Veja* Falsos deuses.

**AMONITAS** Um povo descendente de um filho de Ló através de sua filha mais jovem, que deu à luz Ben-Ami em uma caverna próxima a Zoar, hoje chamada Zi'ara. Eles desterraram os zanzumins e passaram a viver nas suas terras (Dt 2.20-21). Sua nação ficava entre os rios Arnom e Jaboque, a nordeste de Moabe, protegida por uma forte parede do seu lado norte (Nm 22.24). Rabá (q.v.) (*'Amman* moderno) era a sua principal cidade (Dt 3.11). Em 1961, um fragmento de um monumento real amonita do século IX a.C. foi descoberto nas ruínas da antiga cidadela em Amã, trazendo uma inscrição em aramaico (BASOR #193 [Fev., 1969], pp.2-19).

Nenhum amonita pôde entrar na nação de Israel, até a décima geração (Dt 23.3). Os israelitas não se intrometeram com eles nem os perseguiram em seu caminho a Canaã (Dt 2.19).

Os amonitas se uniram aos amalequitas e a Eglom, o rei de Moabe, para atingir Israel na época dos juízes e ocupar Jericó, a "cidade das palmeiras" (Jz 3.13). Mais tarde, Israel adorou os deuses amonitas, foi subjugada por seus inimigos durante dezoito anos e foi finalmente libertada por Jefté (Jz 10.6–11.33). Naás, rei dos amonitas, ameaçou Jabes-Gileade, mas foi posto em fuga por Saul (1 Sm 11.1-11; 12.12). Davi foi um amigo de Naás ou do seu filho de mesmo nome (2 Sm 10.2), mas o filho de Naás insultou os mensageiros de paz de Davi e por causa disso Davi enviou Joabe e Abisai para punir o povo (2 Sm 10.1–11.1). Quando Davi fugiu de Absalão, Sobi, o filho de Naás, e irmão de Hanum levou suprimentos a Davi em Maanaim (2 Sm 17.27,28). Zeleque, um dos homens poderosos de Davi, era um amonita (2 Sm 23.37). Salomão amou mulheres amonitas entre outras estrangeiras, e adorou Milcom, o deus dos amonitas, edificando um alto para a sua adoração (1 Rs 11.1, 5,6,33). Esse deus era a divindade principal naquela religião. Naamá, a mãe de Roboão, era uma amonita (1 Rs 14.21,31).

Quando os amonitas se uniram aos moabitas e edomitas para atacar Josafá, Deus enviou confusão entre eles e então se destruíram uns aos outros (2 Cr 20.1-23). Zabade, filho de Simeate, a amonita, com Jozabade, filho de Sinrite, a moabita, conspiraram contra Joás, rei de Judá, e o mataram (2 Cr 24.26; 2 Rs 12.21). Uzias recebeu tributo dos amonitas, entre outros que ele havia subjugado (2 Cr 26.8). Jotão, filho de Uzias, sujeitou-os novamente ao pagamento de tributos (2 Cr 27.5). Em suas reformas, Josias contaminou o lugar santo que Salomão tinha construído em Jerusalém oferecendo-o a Milcom, o deus dos amonitas (2 Rs 23.13). O Senhor enviou os amonitas contra Jeoaquim e Judá por causa dos pecados de Manassés (2 Rs 24.1-4).

As práticas dos amonitas ainda infectavam Israel nos dias de Esdras (Ed 9.1). Tobias, um amonita, obstruiu a reconstrução do Templo e da cidade de Jerusalém (Ne 2.10,19; 4.3,7). Os amonitas foram ameaçados de destruição (Am 1.13-15; Sf 2.8-11), foram punidos (Jr 9.26) e deveriam se tornar obedientes ao povo de Deus (Is 11.14).

Evidências arqueológicas indicam que a civilização amonita floresceu entre 1200 a 600 a.C. Os caminhos do oeste para a capital em Rabá eram protegidos por uma forte linha de fortalezas, cujas torres podiam ser circulares, quadradas ou retangulares. Túmulos amonitas nas proximidades de Amã revelam uma cultura material próspera durante o segundo período do Ferro (900 - 600 a.C.), possibilitada pelo controle da lucrativa rota de comércio da Arábia, através do deserto. Mas os amonitas parecem ter conservado um tipo de estrutura social essencialmente nômade até o século VII a.C. (George M. Landes, "The Material Civilization of the Ammonites", BA, XXIV [1961], 65-86).

H. G. S.

**AMOQUE** Um dos sacerdotes líderes que retornaram a Judá com Zorobabel, depois do exílio (Ne 12.6,20).

**AMOR** Em várias versões o substantivo utilizado é, freqüentemente, "caridade" (q.v.). O principal verbo hebraico para amor é *'aheb* (aprox. 225 vezes no AT), embora ocorram 18 outras palavras de significado semelhante (menos de 30 ocorrências no total). A tradução usual da LXX de *'aheb* é *agapao* (195 vezes). As palavras gregas clássicas para amor variavam. (1) *erao, eros*, "desejo sexual, desejo passional" (um substantivo na LXX por duas vezes; nunca utilizada como verbo; o mesmo ocorre no NT); (2) *phileo, philia*, "afeição por amigos ou parentes" (um substantivo na LXX por oito vezes; como verbo, 26 vezes; como substantivo no NT, uma vez; como verbo, 25 vezes); (3) *philadelphia*, "amor dos irmãos" (não na LXX; seis vezes no NT); (4) *philanthropia*, "amor pela humanidade" (uma vez na LXX; duas vezes no NT); (5) *stergo, storge*, "afeição, amor familiar" (não consta na LXX nem no NT, mas veja *astorgos*, Rm 1.31; 2 Tm 3.3; *philostorgos*, Rm 12.10); (6) *agapao, agape, agapetos* (como substantivo na LXX 20 vezes; como verbo, cerca de 250 vezes; mais de 100 vezes como substantivo no NT; como verbo, cerca de 140 vezes; como adjetivo, mais de 60 vezes).

Na LXX parece haver pouca diferença entre as idéias traduzidas por *phileo* e *agapao*, ambas sendo usadas para traduzir a idéia de amor por alimentos, por prazer, por uma mulher e pelo sono. *Eros* (de onde vem o nosso adjetivo "erótico"), embora espiritualizado por Platão, não aparece no NT. Tanto as palavras hebraicas como gregas dizem respeito ao sentimento de desejo e são pessoais em natureza.

A comparação dos usos do AT (*'aheb-agapao*) e do NT (*agapao*) mostra quão diversos são os objetos do amor; por exemplo. (1) marido-mulher (Gn 24.67; Ef 5.25), (2) o próximo (Lv 19.18; Mt 5.43; 19.19), (3) dinheiro (Ec 5.9; 2 Pe 2.15), (4) um amigo (1 Sm 20.17 - Davi e Jônatas; Jo 11.5 - Jesus-Marta), (5) uma cidade (Sl 78.68; Ap 20.9).

Os usos teológicos em ambas as alianças dizem respeito ao amor de (1) Deus ao homem, (2) do homem a Deus, e (3) do homem para com os seus semelhantes.

1. A representação do AT do amor de Deus ao homem é vista em sua preocupação com todos os homens (Dt 33.3), mas especialmente na escolha de Israel (seu amor eletivo, *'ahaba*. Dt 7.7,8; 10.15; Is 63.9; Os 11.1; Ml 1.2), e seu voto de aliança constantemente renovado para com eles (seu amor contido em sua aliança, *hesed*, "misericórdia", Dt 7.9; 1 Rs 8.23; Ne 9.32; "benignidade, Is 54.5-10; *veja* Benignidade). Este amor garante a Israel a proteção e a redenção de Deus (Is 43.25; 63.9; Dt 23.5) e é estendido a cada um individualmente (Pv 3.12; Sl 41.12).

O NT reitera o amor que Deus tem por todas as criaturas (Mt 5.45), mas enfatiza a manifestação em particular de si mesmo em Cristo e no Calvário (Jo 3.16; Rm 5.8; 8.31-39), eventos que mostram a vida eterna para o crente. Deus é revelado como amoroso porque Ele próprio é amor (1 Jo 4.8,16). O amor é a sua própria essência; o amor é outro termo juntamente com "luz" (1 Jo 1.5) que descreve a qualidade moral de seu ser. *Veja* Deus.

2. O amor do homem a Deus no AT é a resposta completa do homem (Dt 6.5,"de todo o coração") ao Deus misericordioso de Israel (Dt 6.5-9; Êx 20.1-17; Sl 18.1; 116.1). O amor a Deus é expresso, de forma ética, especialmente ao se guardar a lei e o temor a Ele (Êx 20.6; Dt 5.10; 10.12; Is 56.1-6). Este conceito de resposta total é repetido pelo Senhor Jesus no NT (Mc 12.29,30; veja também Mt 6.24; 10.37-39; Lc 9.57-62; 14.26,27). No entanto, a resposta é dirigida a um novo conjunto de eventos – a encarnação (Jo 4.10,19,25-29,39-42), a cruz (Rm 6.3-11; Gl 2.20; 5.24; 6.14), a ressurreição (Fp 3.10-11; Cl 3.1,2), e a segunda vinda (2 Tm 4.8). A equação de amor e obediência também é repetida (Jo 14.15,21; 1 Jo 4.21–5.3). O amor não é um mero sentimento, mas uma entrega pessoal e voluntária que conduz à submissão.

3. O amor do homem para com os seus semelhantes no AT é baseado no amor anterior de Deus, e é exigido especialmente em relação ao próximo (Lv 19.18) e aos estrangeiros vivendo em Israel (Dt 10.19; Lv 19.34). Até mesmo o inimigo deve ser tratado com bondade (Êx 23.4,5; Pv 25.21). O Senhor Jesus apresentou o amor que deve existir entre os seres humanos (o seu principal uso no NT) como o segundo mandamento (Mt 22.39), o sinal infalível do discipulado (Jo 13.34,35), de filiação (1 Jo 4.7), e de nova vida (1 Jo 3.14). Ele deve ser expresso através de atitudes e obras (1 Jo 3.17,18). Ele é enfatizado pela unidade do corpo (Ef 4.1-4; Rm 12.16; Fp 1.27; 2.1,2; 4.2) e é evidenciado pela atrocidade do pecado de dissensão (Gl 5.19-21; 1 Co 1.10-13; 3.3-8; 11.18-22). O Senhor Jesus ensinou que o amor deve incluir os inimigos (Mt 5.44), assim como Paulo ensinou que o amor prático deve incluir todos os homens (Gl 6.10).

Esse amor, que deve ser diferenciado da afeição erótica e romântica, é a contraparte lógica do amor Divino em relação ao homem (1 Jo 4.11), e sem ele a reivindicação de amar a Deus é vista como inconsistente (1 Jo 4.20-21). Ele também é visto como o efeito do Espírito Santo derramado em nossos corações (Rm 5.5; cf. Gl 5.22). Ele é uma imitação consciente do amor de Deus, até mesmo por aqueles que fazem o mal (Mt 5.43-45; Jo 13.34; 15.12; Rm 15.7). O dever do cristão de retribuir o mal com o bem ao invés de retaliar (Rm 12.17-21) deve provavelmente ser considerado uma cooperação com o plano de

Deus para levar o homem ao arrependimento (Rm 2.4; 12.20-21). Este conceito de amor (*agape*) criativo é tão central que pode ser considerado uma ética cristã distinta.
A maior definição de amor (*agape*) nos relacionamentos humanos já escrita é a do apóstolo Paulo no hino de 1 Coríntios 13. O amor é sofredor, é benigno; o amor não é invejoso; o amor não trata com leviandade, não se ensoberbece, não se porta com indecência, não busca os seus interesses, não se irrita, não suspeita mal; não folga com a injustiça, mas folga com a verdade; tudo sofre, tudo crê, tudo espera, tudo suporta (vv. 4-8*a*, F. F. Bruce, *The Letters of Paul, an Expanded Translation,* Grand Rapids. Eerdmans, 1965,p. 107). Resumindo, o amor é a comunhão entre as pessoas, baseado em atos de auto-sacrifício. Tal amor é a bondade voluntária e deliberada, estendo-se até mesmo aos inimigos por quem não se tem qualquer afeto pessoal.
*Veja* Amigo, Amizade; Bondade; Benignidade; Misericórdia.

***Bibliografia.*** Edwin M. Good, *"Love in the Old Testament"*, IDB, III, 164-168. George Johnston, *"Love in the New Testament"*, IDB, III, 168-178. C. S. Lewis, *The Four Loves*, Nova York. Harcourt, Brace & World, 1960. Anders Nygren, *Agape and Eros*, trad. por Philip S. Watson, Filadélfia. Westminster, 1953. Gottfried Quell e Ethelbert Stauffer, *"Agapao* etc.", TDNT, I, 21-55. Norman H. Snaith, *The Distinctive Ideas of the Old Testament*, Londres. Epworth Press, 1944, pp. 94-142.

J. W. R.

**AMOR FRATERNAL ou BONDADE** O termo grego *"philadelphia"* foi traduzido com este sentido tanto em 2 Pedro 1.7 quanto em outras passagens (1 Pe 1.22; Rm 12.10; 1 Ts 4.9; Hb 13.1). A conotação bíblica de *"philadelphia"* não é simplesmente a do amor pelos irmãos de sangue, como em todos os escritos pagãos primitivos, mas de amor por uma fraternidade mais ampla, a dos verdadeiros crentes (cf. Arndt). Aqueles que, através da fé em Cristo, foram adotados passando a ter uma filiação Divina (Jo 1.12) tornam-se, necessariamente, irmãos em seu relacionamento mútuo (Mt 23.8; Rm 8.17; Ef 4.15,16; considere o sentido de "vizinho" ou "próximo" no AT, por exemplo, em Lv 19.17). Assim, o amor fraternal se torna um elemento indispensável (1 Jo 4.20) no crescimento cristão na santificação (2 Pe 1.7) que se mostra com harmonia (At 2.46; Rm 12.16), sinceridade (1 Pe 1.22), afeição e estima pelos

Nos dias de Hamurabi (aprox. 1700 a.C.) e do Antigo Império Babilônico, os amorreus eram um dos povos mais poderosos do Oriente Próximo. A dinastia de Hamurabi vinha dos amorreus, e estes controlavam grande parte da Palestina e da Síria ao mesmo tempo

seus companheiros discípulos (Rm 12.10; cf. Gl 6.10; e em Lv 19.34 para outros também), e é mantido com zelo (Hb 13.1; 1 Pe 1.22). Ao testemunhar essa especial abnegação, os pagãos podiam apenas exclamar, "Vejam como eles amam uns aos outros!" (Tertulliano, *Apologeticus*, cf. Jo 13.35). *Veja* Amor; Caridade; Irmão.
*Veja* Bondade Fraternal

**AMORA** *Veja* Plantas.

**AMORDAÇAR ou ATAR** A provisão humanitária de Deuteronômio 25.4 proíbe amordaçar um boi que trilha o grão. O apóstolo Paulo usou a analogia em suporte ao ministério (1 Co 9.9; 1 Tm 5.18). Note o uso figurativo no NT dos termos para "amordaçar", no sentido de silenciar ou calar-se; por exemplo, Mateus 22.12; Marcos 4.39; 1 Pedro 2.15 e Ezequiel 39.11.

**AMOREIRA** *Veja* Plantas.

**AMORREUS** Os amorreus do Antigo Testamento têm um nome que se originou de uma palavra semítica (Acade. *Amurru*), que significa "oriental". Os amorreus da Palestina eram parte de um movimento de nômades semitas orientais, entre 2100-1900 a.C., que apareceram em todas as partes do Crescente Fértil. Eles estão incluídos no quadro das nações de Gênesis como povo de Canaã (Gn 10.16), refletindo o ponto de vista que se tinha na metade do segundo milênio a.C. sobre esse trecho. As pinturas do túmulo de Beni Hassan no Egito (1900 a.C.) representam 37 amorreus barbados entrando no Egito com suas mercadorias sobre burros. Kathleen Kenyon acredita que os túmulos individuais do período do Bronze – inicial e intermediário – (2100-1900 a.C.) em Jericó podem ser de invasores seminômades amorreus. Oldenburg argumenta que os amorreus introduziram a adoração a Baal-Hadade na região de Canaã, o que acabou substituindo a adoração do Deus El.

No sul da Babilônia, a dinastia Larsa (aprox. 1950 a.C.) foi fundada pelos amorreus. No século seguinte, os amorreus tomaram centros importantes, como Babilônia e Eshnunna. Mari, no meio do Eufrates, teve um rei amorreu durante os dias de Hamurabi (aprox. 1750 a.C.), cuja dinastia tinha sido fundada por um amorreu. Os amorreus formaram a base da criação de gado assírio que foi estabelecida no Rio Tigre, entre os afluentes do Zabi. Houve conjeturas de que a família de Abrão estava entre os invasores amorreus de Canaã. O texto em Ezequiel 16.3 parece apoiar essa hipótese ao dizer de Judá "teu pai era amorreu, e a tua mãe, hetéia".

Os amorreus, que falavam um dialeto semita do noroeste, se estabeleceram em várias regiões da Palestina, principalmente ao Norte do rio Arnom, mas especialmente ao norte do rio Jaboque. Foi ali que os israelitas liderados por Moisés encontraram a eles e ao seu rei Seom que, como os moabitas e os edomitas, recusaram-se a deixá-los passar. Os hebreus celebraram a sua vitória sobre os amorreus com a canção de Números 21.27-30. Moisés também conquistou a terra de Ogue, rei de Basã, que é considerado um amorreu em Deuteronômio 4.47.

De acordo com Gênesis 14.13, alguns dos amorreus que se estabeleceram na área de Hebrom eram aliados de Abraão. Alguns deles viveram na margem oeste do Mar Morto, em En-Gedi (Hazazom-Tamar, Gn 14.7). Eles foram subjugados pelos quatro reis da Mesopotâmia (Gn 14). Siquém, que se apaixonou por Diná (Gn 34) era um amorreu. Jacó faz alusão a esse episódio em Gênesis 48.22 (conforme o texto hebraico) quando deixou a José a cidade de Siquém como herança. Os restos mortais de José foram enterrados perto deste antigo forte amorreu-hebreu (Js 24.32).

Após a invasão de Canaã por Josué, uma liga de cinco reis amorreus, liderados por Adoni-Zedeque de Jerusalém enfrentou o exército israelita perto de Gibeão (Js 10). Durante o tempo dos juízes, os descendentes dos amorreus no sul de Judá ainda estavam naquela terra. A sua pressão forçou os filhos de Dã a irem para o norte, enquanto outro grupo de amorreus que vivia perto do vale de Aijalom teve que realizar trabalhos forçados para os de Efraim (Jz 1.34-36). No final, Salomão ordenou que todos os remanescentes dos não israelitas que ainda estavam naquela terra fossem submetidos ao trabalho escravo. Isto incluía os amorreus (1 Rs 9.20-21). Estes haviam enganado Josué tentando fazer uma aliança (Js 9).

Algumas vezes, o Antigo Testamento parece usar o termo "amorreu" como representante de todas as tribos de Canaã na Palestina (cf. Gn 15.16). Talvez isto reflita o fato de que o seu dialeto fosse praticamente indistinguível do dos seus predecessores do terceiro milênio na Palestina, normalmente chamados de cananeus. As cartas de Amarna usam a palabra "Amurru" referindo-se a toda a região da Síria e da Palestina, revelando como os amorreus chegaram a ser numerosos em Canaã. Por outro lado, há trechos que fazem uma distinção entre os amorreus e os cananeus e outros grupos, especialmente quando se menciona o povo que o Senhor iria desterrar (cf. Ex 34.11). Os amorreus (como os heteus e os jebuseus) também tinham uma preferência pela região montanhosa (Hurrianos), ao passo que os cananeus viviam perto do mar (Nm 13.29).

Mais tarde, na história, os gregos chamaram os marinheiros cananeus autônomos de fenícios, ao passo que os amorreus foram absorvidos ou incorporados a outros povos e deixaram de existir como um povo individual na Palestina. Devido às práticas religiosas degradadas dos amorreus, os líderes espirituais de Israel resistiram de forma resoluta e vigorosa a esta absorção ou incorporação, desde o tempo de Josué (Js 24.15) até Esdras (Ed 9.1-3).

***Bibliografia.*** Giorgio Buccellati, *The Amorites of the Ur III Period,* Náples. Institute Orientals di Napoli, 1966. Kathleen M. Kenyon, *Amorites and Canaanites,* Londres. Oxford Univ. Press, 1966. Ulf Oldenburg, *The Conflict Between El and Baal in Canaanite Religion,* Leiden. E. J. Brill, 1969, pp. 151-163.

E. B. S.

**AMÓS** Um profeta do século VIII, Amós (do hebraico *'amos,* "carregador de fardos") foi incomparável no seu ousado ministério ao reino de Israel, principalmente por ser nativo de Judá. Ele não teve o seu treinamento nas escolas religiosas ou associações proféticas do seu tempo. Ao contrário, ele negava qualquer conexão prévia com a comunidade religiosa formal (Am 7.14,15). Ele se colocava no meio do mundo em que vivia como um pastor (1.1) e um cultivador de sicômoros (7.14). A sua familiaridade com a vida rural se encontra refletida na sua escolha de palavras: leão, urso e cobra (5.19); gafanhotos e erva (7.1); e cesto de frutos de verão (8.1). Ele vivia no deserto ou na terra de pastoreio próxima a Tecoa (cf. 2 Cr 11.6; Jr 6.1), uma aldeia situada a cerca de 16 quilômetros ao sul de Jerusalém e a 20 a oeste do Mar Morto.

Três afirmações em Amós 1.1 indicam a época em que ele viveu: (1) Uzias era o rei de Judá; (2) Jeroboão era o rei de Israel; (3) dois anos antes do terremoto. Estudos críticos parecem colocar a convergência desses três fatos ao redor do ano 760 a.C.

Amós foi um profeta, um porta-voz de Deus, mas não por sua escolha (cf. Paulo, Jeremias e Isaías); foi por meio de uma ordem de Deus (7.15). A sua compreensão do cenário espiritual do seu tempo levou muita gente a classificá-lo como o início de uma nova ordem de profetas. Seu ministério o conduziu a Betel, o centro da apostasia religiosa do reino do norte (1 Rs 12.26-33). Os últimos dias antes da queda de Israel foram caracterizados por grande prosperidade material. Ainda desfrutando da luxúria da vitória militar durante o reinado de Jeroboão II, Israel permitiu que uma segurança temporária substituísse a sua confiança no Deus vivo.

A denúncia de Israel por Amós (Am 2.6-16) pode servir para delinear um estudo da condição social, moral e religiosa do povo. Socialmente, duas classes distintas tinham se desenvolvido: a pobre e a rica. Os ricos estavam procurando ficar mais ricos de qualquer maneira (2.6,7). O descontrole moral era desenfreado. A embriaguez e a permissividade sexual estavam em um nível abominável (2.7,8). A perversão religiosa era absurda. Para a maior parte da população, a idolatria era considerada algo normal (2.8). Os fiéis eram ridicularizados, punidos e objeto de zombaria (2.12). O nível ao qual o povo tinha caído é caracterizado por sua aparente indiferença à sua posição como uma nação libertada e cuidada (2.9-11). O arrependimento e a obediência eram imperativos, o único escape do julgamento iminente.

Amós, ou o compilador (cf. sobrescritos e porções em terceira pessoa na narrativa) organizou esse material em três divisões principais. Provavelmente o livro contenha somente uma parte das palavras ditas por Amós em Betel. Se o livro tivesse outro editor diferente de Amós, possivelmente este também seria de Judá e um companheiro do profeta no seu caminho para o norte, pois a natureza do texto evidencia um registro precoce das mensagens do profeta.

Os capítulos 1 e 2 são vistos como uma divisão, incluindo um prefácio (1.1,2) no qual é anunciado o tema de Amós de que a ira do Senhor é iminente, e irá dar lugar a uma série de julgamentos de Israel e dos seus vizinhos. Uma segunda divisão está contida nos capítulos 3-6. Estes, por sua vez, estão subdivididos, e cada parte começa pelas palavras "Ouvi esta palavra" (3.1; 4.1; 5.1). A divisão final, capítulos 7–9, contém uma série de cinco visões (7.1-3; 7.4-6; 7.7-9; 8.1-14; 9.1-10) interrompidas por um relato histórico de sua visita a Betel (7.10-17). Talvez naquela ocasião ele tenha proclamado as mensagens de aviso dos capítulos 1–6. A sua pregação parece ter sido inspirada pelas palavras que acompanhavam a quarta visão, encontradas em 7.4-6 (cf. 2.6,7). Um epílogo (9.11-15) predizendo a restauração do reino de Davi conclui a obra.

Os versículos chave do livro podem ser 3.2 – que diz que o julgamento é determinado de acordo com os privilégios, para que o povo escolhido para a aliança com Deus, acima dos outros, não escape – e 4.12, uma convocação para a renovação da aliança.

O livro pode ser resumido da seguinte maneira:

I. Julgamentos contra as nações do Oriente Próximo, capítulos 1 e 2
   1. Profecias contra vizinhos ímpios, 1.3–2.3
   2. Ira sobre as duas nações da Aliança, 2.4-16

II. Proclamações contra Israel, capítulos 3–6
   1. O fato da culpa de Israel, 3.1-15
   2. A depravação de Israel, 4.1-13
   3. A punição próxima para o pecado de Israel, 5.1-17
   4. O cativeiro do qual não poderiam escapar, 5.18-27
   5. O perigo da complacência, 6.1-14

III. Cinco visões a respeito de Israel, 7.1–9.10

1. Gafanhotos devoradores, 7.1-3
2. Fogo consumidor, 7.4-6
3. Prumo: oposição ao sacerdote de Betel, 7.7-17
4. Cesto de frutos de verão, 8.1-14
5. Julgamento do Senhor no altar apóstata de Betel, 9.1-10

IV. A promessa da restauração, 9.11-15

Os temas teológicos de Amós podem ser resumidos brevemente como o caráter santo do Deus soberano, a exigência por parte de Deus de justiça social, a moral e a infidelidade religiosa do povo da Aliança apresentadas em grande desacordo com a lei de Moisés, a realidade do julgamento, a salvação por meio do arrependimento, e a derradeira restauração e cumprimento dos propósitos de Deus.

*Veja* Israel, Reino de; Profeta.

***Bibliografia***. W. Brueggemann, "Amos IV.4-13 and Israel's Covenant Worship", VT, XV (1965), 1-15. B. B. Copass, *Amos*, Nashville. Broadman, 1939. Richard S. Cripps, *A Critical and Exegetical Commentary on the Book of Amos*, Londres. SPCK, 1929. William R. Harper, *Amos and Hosea*, ICC, 1905. R. L. Honeycutt, *Amos and His Message*, Nashville. Broadman, 1963. A. S. Kapelrud, *Central Ideas in Amos*, Oslo. Aschehoug, 1956. H. G. R. Mitchell, *Amos, an Essay in Exegesis*, Nova York. Houghton Mifflin, 1900. Norman H. Snaith, *Amos, Parts I and II*, Londres. Epworth Press, 1945-6; *Amos, Hosea and Micah*, Londres. Epworth Press, 1956. John D. W. Watts, *Vision and Prophecy in Amos*, Grand Rapids. Eerdmans, 1958.

R. O. C.

**AMOZ** O pai do profeta Isaías (Is 1.1; 2 Rs 19.2 *e outros*). Um selo Palestino que tinha a inscrição "Amoz o escriba" pode ter pertencido ao pai de Isaías, porque Amoz é um nome raro. Isso pode indicar que Isaías era de uma família proeminente no governo.

**AMPLIAS** Um nome comum, freqüentemente dado a escravos. É uma forma encurtada de Ampliatos. Paulo saúda Amplíato em Roma chamando-o de "meu amado no Senhor" (Rm 16.8). Um túmulo cristão antigo no cemitério de Domitila, em Roma, mostra a inscrição "Ampliat".

**AMULETO** Os amuletos são objetos decorativos ou mágicos, usados no corpo da pessoa ou instalados na casa. Normalmente são feitos de pedras semipreciosas, como cornalina, ou pedras suaves cobertas com um verniz. Como objetos de mágica, supostamente protegem contra maus espíritos e garantem o bem estar do usuário e de sua família. Os amuletos normalmente são furados e usados pendurados no pescoço.

Os estilos dos amuletos descobertos na Palestina eram freqüentemente emprestados do Egito, onde eram comuns os escaravelhos. O escaravelho era esculpido como um besouro, normalmente feito de pedra, com um desenho ou um nome religioso em sua superfície achatada. Olhos de Horus serviam como símbolos da atividade mágica da deusa Ísis, na restauração da vida ao seu marido Osíris. Imagens de deuses ou divindades dos judeus (q.v.) também eram amuletos comuns (Gn 35.4). Escavações na Palestina produziram muitas figuras de Astarte - imagens da deusa da fertilidade, ressaltando as características sexuais de forma exagerada, que eram projetadas para garantir a fertilidade. Isaías denunciou as mulheres de Israel pelo seu orgulho e pela sua ostentosa exibição de uma variedade de jóias, incluindo ornamentos e amuletos em forma de quarto crescente, que podem ter sido mais para uso decorativo do que mágico (Is 3.18-21, na versão NASB em inglês; cf. Jz 8.21,26). *Veja* Mágica.

C. F. P.

**ANA[1]** É a forma grega do nome que significa "graça". Ana, a profetisa já idosa, que estava presente na apresentação e consagração do menino Jesus a Deus Pai, era filha de Fanuel, um descendente de Aser (Lc 2.36-38). Supõe-se que Ana tenha vivido de 84 a 105 anos. Ela tinha sido casada durante sete anos, depois dos quais tinha sido viúva, seja durante 84 anos, seja até o seu 84º ano de vida. É impossível pensar que ela morasse no Templo, porque ninguém vivia ali permanentemente, mas sim que ela estivesse constantemente no Templo. O relato de Lucas sugere que Ana era uma das remanescentes devotas que aguardavam com ansiedade o Messias de Israel.

**ANA[2]** Somente uma mulher com esse nome aparece na Bíblia, embora "Ana" (seu equivalente grego) seja o nome de outra mulher mencionada em Lucas 2.36. Esse nome significa "graça" ou "benevolência".

A história de Ana, mãe de Samuel, é encontrada em 1 Samuel 1 e 2. Ela era uma das duas esposas de Elcana, um levita da linhagem de Coate, que vivia no Monte Efraim. Talvez pelo fato de Ana ter sido estéril, ele se casou com uma segunda esposa chamada Penina, que lhe gerou filhos.

Ana era uma mulher de oração, de muita fé, e determiniada. Ela suplicou que Deus lhe desse um filho, e prometeu que, se Ele o fizesse, ela o daria ao Senhor. E assim fez quando Samuel nasceu; levou-o ao Tabernáculo ainda pequeno, e deixou-o aos cuidados de Eli, o sumo sacerdote. Mais tarde, ela se tornou a mãe de mais cinco filhos (1 Sm 2.21). A oração profética de Ana (1 Sm 2.1-10) revela grande maturidade e visão espiritual. Ela era cheia de alegria e reconhecia a santidade, o poder, a soberania e a graça de Deus. Falava do poder sustentador do Senhor, e que Ele, algum dia, viria para "julgar as extremidades da terra". Além de tudo isto, parece que, embora vagamente, ela previu o estabelecimento final do Ungido de Deus como Rei, uma profecia que começou a se cumprir através de Davi, um século mais tarde (1 Sm 2.10; cf. Sl 18.50; 89.19-37).

J. A. S.

**ANÁ** Filho de Zibeão e pai de Oolibama, esposa de Esaú (Gn 36.2,24). Em 1 Crônicas 1.38-41, Aná é um irmão de Zibeão. Podem ser duas pessoas diferentes, ou o nome pode ter sido usado livremente para referir-se a um grupo familiar.

**ANÃ** Um dos líderes pós-exílio, que ajudou Neemias a selar a aliança com Deus (Ne 10.26).

**ANABE** Uma cidade na região montanhosa de Judá conquistada por Josué (Js 11.21) e atribuída à tribo de Judá (Js 15.50). O lugar hoje se chama Khirbet ʻAnab, e está situado a aproximadamente 21 quilômetros a sudoeste de Hebrom. A cidade foi repetidamente mencionada nos textos egípcios da Décima Nona Dinastia como Qrt-ʻnb, correspondendo, em hebraico, a Quiriate-Anabe ("cidade de Anabe").

**ANACARATE** Uma cidade designada à tribo de Issacar na conquista de Canaã (Js 19.19), agora en-Naʻurah, a cerca de oito quilômetros a nordeste de Jezreel. Também mencionada na lista de cidades capturadas por Tutmósis III por volta de 1479 a.C.

**ANAÍAS** Um dos líderes pós-exílio que ficaram à direita de Esdras quando ele leu o livro da lei (Ne 8.4), e que ajudou Neemias a selar a aliança (Ne 10.22).

**ANALOGIA** A relação de similaridade ou semelhança entre dois assuntos de pensamento, usada como base para a conclusão de outras semelhanças menos óbvias. A palavra deriva do grego *ana*, "de acordo com"; e *logos*, que neste uso significa "proporção ou razão". A palavra grega ocorre duas vezes no Novo Testamento. Romanos 12.6, traduzida como "medida" ou "proporção", de onde vem a frase "medida de fé", e Hebreus 12.3, na forma verbal, traduzida como "considerai", destacando as semelhanças entre os sofrimentos de Cristo e os dos seus seguidores.

As analogias são amplamente usadas na Bíblia, no esforço de transmitir a verdade a respeito de Deus e das coisas espirituais às mentes limitadas pelo humano e pelo material. Assim, Deus é o nosso Pai Celestial (Dt 32.6; Sl 68.5; Is 63.16; Mt 6.9; 23.9; Rm 8.15,16), nós somos co-herdeiros com Cristo (Rm 8.17; Gl 4.7) e muitos exemplos mais, tão numerosos que não se pode listar. Todas as parábolas envolvem um elemento de analogia.

O antropomorfismo da Bíblia (isto é, a atribuição a Deus de forma, sentimentos e atos humanos) deve ser considerado como analogia. Por exemplo: Diz-se que Deus tem mãos (Êx 7.17), olhos (2 Cr 16.9), ouvidos (Is 5.9), boca (Is 1.20) e que é capaz de andar (Gn 3,8), dormir (Sl 44.23), ver (Gn 6.12), ouvir (Êx 16.12), escrever (Êx 31.18), respirar (Jó 4.9), cheirar (Gn 8.21) e muitas outras coisas. *Veja* Antropomorfismo.

A força e o valor do raciocínio analógico dependem do grau de similaridade da essência dos assuntos comparados. Semelhanças incidentais nunca são bases seguras para a analogia. A analogia na teologia é inevitável, mas deve ser usada com cautela.

W. T. P.

**ANAMELEQUE** *Veja* Falsos deuses.

**ANAMIM** Um grupo egípcio, mencionado somente em Gênesis 10.13 e 1 Crônicas 1.11.

**ANANI** O sétimo filho de Elioenai, da tribo de Judá (1 Cr 3.24).

**ANANIAS**

1. Pai de Maaséias e avô de Azarias (Ne 3.23), o neto que ajudou a reconstruir uma parte do muro de Jerusalém.

2. Uma cidade no território de Benjamim (Ne 11.32), que era habitada por judeus depois do exílio. É possível ser identificada com Betânia ("Casa de Ananias"), que fica a aproximadamente três quilômetros a leste de Jerusalém, provavelmente tomando o seu nome dos membros da família de Ananias, que se estabeleceram ali.

3. Ananias e Safira (q.v.), marido e mulher, de Atos 5.1-11. Em um profundo contraste com a falta de egoísmo de outros membros da igreja, eles fingiram dar à igreja o valor total da venda de sua propriedade, mas na realidade estavam separando uma parte para si mesmos. Pedro repreendeu Ananias, que imediatamente caiu morto por um julgamento Divino. Algumas horas mais tarde, Safira foi igualmente julgada pelo mesmo esforço de enganar. É importante perceber que Pedro previa, mas não decretava esses julgamentos, que eram atos exclusivos de Deus. A severidade do julgamento de Deus é um aviso para todos, e não se repetiu em casos posteriores por causa da sua tolerância e do desejo que tem de que nos arrependamos. Esse casal pode não ter sido enviado à punição eterna, como alguns supõem, mas, antes, levados desta vida para que não fossem condenados com os infiéis (veja 1 Co 11.29-32).

4. Em Atos 9.10-19, Ananias era um discí-

pulo de Damasco (aprox. 31-35 d.C.), instruído por Deus em uma visão para ir até Saulo de Tarso, com a finalidade de lhe restituir a visão, batizá-lo e apresentá-lo aos fiéis cristãos. Mais tarde, ao dar o seu testemunho (At 22.12-16), Paulo descreve Ananias como um "varão piedoso conforme a lei, que tinha bom testemunho de todos os judeus" em Damasco.

5. Em Atos 22.5 e 23.2,24.1ss, o sumo sacerdote perante o qual Paulo esteve em julgamento (aprox. 58 d.C.) em Jerusalém se chama Ananias. Josefo nos ensina que ele era filho de Hedebaeus e trabalhou como sumo sacerdote entre 47 e 59 d.C. Ele tinha vindo pessoalmente a Cesaréia para acusar Paulo perante Félix, o procurador romano. Devido ao seu comportamento anti-sacerdotal, Paulo o censurou, mas, imediatamente desculpou-se. O comportamento de Paulo tem sido explicado por alguns como sendo devido à sua suposta miopia ou a um momentâneo esquecimento.

T. B. C.

**ANÃO** A palavra heb. *daq* é traduzida como "anão" em Levítico 21.20, descrevendo alguém que é fisicamente desqualificado para oferecer sacrifícios. O termo pode indicar uma pessoa de baixa estatura (talvez causada por tuberculose; *veja* doenças) ou que possua alguma deformidade resultante dá má formação de seus membros, ou de alguma outra enfermidade. Um pigmeu dançarino ou anão foi trazido da África central como um presente para o Faraó Pepy II da Sexta Dinastia (*Everyday Life in Ancient Times*, National Geographic Soc., 1951, pp. 104ss.). O deus egípcio Bes era retratado através da figura de um anão grotesco (ANEP, #663, 664).

**ANAQUINS (ANAQUIM, ANAQUE)** Uma tribo que habitava a terra da Palestina, especialmente o sul, perto de Hebrom, nos tempos pré-israelitas. A palavra provavelmente se originou do título descritivo "povo do pescoço" ou "colar" (do hebraico *'anaq*, "colar", cf. Pv 1.9; Ct 4.9) e deu o nome à tribo. Aparentemente, todos esses grupos tribais foram destruídos por Josué, exceto os estabelecidos na costa em Gaza, em Gate e em Asdode (Js 11.21,22).

A Bíblia refere-se duas vezes à "cidade de Arba, pai de Anaque" (Js 15.13; 21.11), o que poderia indicar aquele um homem importante ou antepassado dos anaquins se chamava Arba, ou que podemos entender a expressão como o nome próprio da cidade, isto é, "Quiriate-Arba" ou Hebrom (cf. Gn 23.2), e nesse caso a cidade foi a pátria ancestral dos anaquins.

Nos textos do Egito sobre o ódio, datados de 1900 a.C., agora no Museu de Berlim, existem palavras dirigidas a certas cidades e a certos territórios inimigos, entre os quais estão algumas regiões da Palestina e cujos nomes os governantes específicos de uma região chamavam de "Iy-'aneq", que poderiam muito bem ser os anaquins da Bíblia Sagrada (ANET p. 328). Estes fragmentos de cerâmica representam a maldição ritual dos inimigos do faraó, através da quebra dos vasos nos quais se escreviam os nomes.

Os textos bíblicos indicam que se atribuía aos anaquins uma estatura muito elevada (talvez exagerada pelos seus vizinhos), o que tendia a produzir medo entre os seus inimigos (cf. Nm 13.22,28,33; Dt 2.10-11,21; 9.2). *Veja* Dólmens; Gigante. Em Números 13.33, eles são mencionados como descendentes dos "nefilins" (na versão TB em português), que em outras partes são descritos como (antes do Dilúvio) os filhos da união entre os filhos de Deus e as filhas dos homens (Gn 6.4). Os anaquins também eram conhecidos como refains (*q.v.*; Dt 2.11).

E. C. B. Maclaurin acredita que a palavra Anaque pode ter sido um título filisteu, e que os anaquins eram governantes hereditários dos filisteus que primeiro chegaram à Palestina vindos do mundo miceno ("Anakk/'Anax", VT, XV [1965], 468-474). Uma tábua cuneiforme de Assur menciona Anaku como um lugar na região do Egeu. R. de Vaux sugere que os anaquins eram um corpo de tropas mercenárias de um dos principados de Canaã (*Ancient Israel*, p. 291).

A. F. J.

**ANÁS** O sumo sacerdote judeu designado aproximadamente no ano 6 d.C., por Cirênio, governador da Síria. Embora Anás tivesse sido deposto em 15 d.C., o seu prestígio e controle do Templo ainda continuava, porque cinco dos seus filhos, e o seu genro Caifás tornaram-se sumos sacerdotes depois dele. Lucas estava indicando o verdadeiro estado das coisas quando deliberadamente escreveu: "sendo Anás e Caifás sumos sacerdotes" (no singular no texto grego de Lucas 3.2). Assim, Anás teve um papel importante na época da crucificação de Jesus (Jn 18.13,24) e no julgamento de Pedro e de João (At 4.6).

**ANATE**

1. Nome de uma deusa de Canaã. *Veja* Falsos deuses: Anate.
2. A cidade de Anata (Anote, a casa de Jeremias), a cinco quilômetros a nordeste de Jerusalém, leva o nome da deusa Anate, como também o fazem outros nomes de lugares, tais como Bete-Anote (templo de Anate) em Judá (Js 15.59), e Bete-Anate em Naftali (Js 19.38; Jz 1.33).
3. A forma da palavra Anate, isoladamente, só aparece como o nome do pai de Sangar, o juiz (Jz 3.31). Uma vez que dificilmente poderia ser o nome de um homem, alguns estudiosos modernos sugeriram que neste caso estaria sendo atribuído a um herói um pa-

rentesco divino (da deusa, Anate), como algumas vezes acontece na mitologia do Oriente Próximo. Mas essa visão é contrária ao uso do Antigo Testamento. Juízes 5.6 contém uma pista para a correta interpretação. É suficiente dizer que Anate era a mãe de Sangar e que essa mãe (e não pai) é mencionada porque o texto ressalta o papel das mulheres libertadoras. Assim, Débora destaca Sangar em sua canção, porque ele foi filho de Anate (cf. Zeruia, a mãe do herói Joabe, 2 Sm 17.25) e Jael porque ela foi a mulher que matou Sísera (Jz 5.6).

E. B. S.

**ANÁTEMA** A palavra hebraica: *herem*, traduzida na LXX como o termo grego *anathema*, veio a ter um duplo significado. (1) alguma coisa devotada ou consagrada a um deus, e assim irrevogavelmente excluída do uso humano; ou (2) alguma coisa, ou alguém, dedicado à destruição, e sob uma maldição divina. Para este uso no Antigo Testamento, veja exemplos em Levítico 27.28s.; Josué 6.17s. Para o uso no Novo Testamento, veja Lucas 21.5 ("dádivas" ou "donativos").

No entanto, o segundo significado é o usual. Por meio de um juramento solene (*anathema*), aqueles que conspiravam contra Paulo prometeram matá-lo ou morrer (At 23.14). Paulo usou essa palavra com referência a alguém que é o objeto de uma maldição que pede a destruição ou a morte, e implicando em falta de valor moral (Rm 9.3; 1 Co 12.3; 16.22; Gl 1.8,9). A. Deissmann mostrou que a palavra era usada em religiões pagãs. No judaísmo e na igreja cristã primitiva, ela chegou a ter o sentido de excomunhão.

*Veja* Amaldiçoado; Maldição; Devoto.

W. M. D.

**ANATOTE** Uma pequena aldeia, a cinco quilômetros a nordeste de Jerusalém. Terra de Abiatar, o sacerdote, e de Jeremias, seu descendente (1 Rs 2.26; Jr 1.1; 11.21ss). Situada na terra de Benjamim (Js 21.18), foi dada aos filhos de Arão. Dois dos poderosos de Davi, Abiezer e Jeú, vieram de Anatote (2 Sm 23.27; 1 Cr 12.3). Aqui, por revelação, Jeremias comprou um campo que tinha pertencido aos seus antepassados (Jr 32.7ss). Após o seu retorno do exílio, os benjamitas novamente ocuparam a região (Ne 11.32). Ao norte de Anatote estava Micmás e a sudeste estava Jerusalém (Is 10.28-32). Foi identificada com a moderna *'Anata*, embora a cidade antiga pareça ter estado a cerca de 800 metros a sudeste, no pico *Ras el Kharrubeh*, que é cerca de 50 metros mais alto que a aldeia atual. Arqueólogos encontraram aqui os restos de uma antiga aldeia que resistiu desde a época da antiga Israel até o século VII d.C. Daqui é possível avistar o Mar Morto na direção sudeste, as terras da Transjordânia ao leste e as montanhas do norte. Este local está exposto aos ventos quentes e devastadores (siroccos) que sopram dos desertos da Transjordânia.

R. E. Pr.

A aldeia de Anatote. @ MPS

**ANCIÃO DE DIAS** Esta expressão aparece apenas três vezes, todas em aramaico, em Daniel 7.9,13,22. Embora a segunda e a terceira aparições sejam propriamente traduzidas com o artigo, "*o Ancião de Dias*," isto é somente para identificar a pessoa assim designada com aquela do v. 9 onde não deveria haver artigo, uma vez que a palavra aramaica é *anartrous*. Isto indica que "ancião de dias" não é um nome e que a maiúscula é um erro, ao menos no v. 9, embora a expressão adjetiva realmente refira-se a Deus. Isto simplesmente significa que o profeta viu alguém de idade avançada. Comentadores liberais, em apoio a uma data posterior do livro de Daniel, gostam de supor um contraste nesta designação do Deus de Israel com outros novos deuses de origem grega. Estudiosos devotos têm estado corretos ao encontrar aqui uma representação simbólica da eternidade da Trindade (veja Is 9.7; Êx 3.6,14).

É bom aramaico para "um ancião", correspondendo ao hebraico de Gênesis 24.1 (lit., "avançado em dias"). As autoridades citam outros casos no aramaico antigo não bíblico.

R. D. C.

**ANCIÃO** No AT hebraico, *zaqen*, lit., "aquele que tem barba", era um termo utilizado para designar um homem de certo grau e posição entre seus irmãos. Entre os israelitas havia dois tipos de anciãos: os "anciãos de Israel" que eram os chefes de família ou de clãs nas várias tribos, e os "anciãos" das cidades construídas e habitadas depois da Conquista.

A partir do século XVIII a.C., os anciãos são mencionados nos textos da Mesopotâmia como representantes do povo e defensores de seus direitos, mas sem funções administrativas. No Império Hitita, muitos deveres das municipalidades eram executados pelo conselho de anciãos. Os anciãos de Gebal (Biblos) são mencionados em Ezequiel 27.9 e a assembléia (de anciãos) do príncipe de Biblos, na história de Wen-Amon (ANET, p. 29). O sistema de anciãos também existia entre outros povos, vizinhos de Israel. Egito (Gn 50.7; Sl 105.22), Moabe, os Midianitas (Nm 22.4,7), e os Gibeonitas (Js 9.11). O termo hebraico é, assim, equivalente ao termo Homérico *gerontes,* ao espartano *presbys,* ao romano *senatus* e ao árabe *sheikh.*

O termo *zaqen,* não significa necessariamente um homem velho, mas implica alguma pessoa com maturidade e experiência que tenha assumido a liderança entre seus compatriotas e na sua cidade ou tribo (cf. Nm 11.16). Embora os anciãos não fossem eleitos, durante a maior parte dos períodos de Moisés até Esdras, e também na era intertestamentária, eles eram reconhecidos como o grupo de mais elevada autoridade sobre o povo. Eles agiam como representantes da nação (Jr 19.1; Jl 1.14; 2.16) e também administravam muitos assuntos políticos e resolviam disputas entre as tribos (por exemplo, Finéias e os dez chefes tribais ou anciãos, Js 22.13-33). Os anciãos da cidade formavam uma espécie de conselho municipal cujos deveres incluíam a função de juizes com a finalidade de mandar prender assassinos (Dt 19.12), conduzir as investigações e inquéritos (Dt 21.2) e resolver conflitos matrimoniais (Dt 22.15; 25.7).

Os "anciãos de Israel", conhecidos primeiramente em Êxodo 3.16-18, foram reunidos por Moisés para receber o anúncio de Deus sobre a libertação do Egito. O pacto foi ratificado no Monte Sinai na presença de 70 dos anciãos de Israel (Êx 24.1,9,14; cf. 19.7), os "nobres" ou os principais homens da nação, "os escolhidos dos filhos de Israel" (24.11). Mais tarde, 70 anciãos foram especialmente ungidos com o Espírito para ajudar Moisés a governar a nação (Nm 11.16-25). Nos casos em que toda a comunidade pecasse, os anciãos da congregação ou da comunidade deveriam representá-la para fazer a expiação (Lv 4.13-15).

A autoridade dos anciãos era, em princípio, maior do que a do próprio rei (cf. 2 Reis 23.1). Foi este grupo que exigiu que Samuel designasse um rei (1 Sm 8.4-6), e foram partidários da aliança real que estabeleceu Davi como rei (2 Sm 5.3). Na Babilônia, os anciãos eram o ponto central da comunidade judaica que estava no exílio (Jr 29.1; Ez 8.1; 14.1; 20.1-5), e, após o retorno a Jerusalém, ainda permaneciam ativos (Ed 5.5,9; 6.7,8,14; 10.8,14).

Do Conselho de Anciãos (*gerousia*) do período helenístico de Judá, desenvolveu-se a Grande Assembléia (*Knesset*) de judeus que, em 142 a.C., concedeu grande poder a Simão, o líder macabeu (1 Mac 14.28). O Grande Sinédrio, com seus 71 membros, o supremo corpo legislativo anterior ao ano 70 d.C., constituía a mais elevada instituição dos "anciãos de Israel". *Veja* Sinédrio. (*Veja* também "Governo, Autoridade e Reinado", CornPBE, pp. 354-369). Para a função de ancião nas igrejas do NT, *veja* Bispo.

Em sua visão do céu, João viu 24 anciãos sentados sobre tronos que rodeavam o trono de Deus, vestidos de branco e ostentando coroas de ouro (Ap 4.4). Estes se prostram em adoração, e depositam as suas coroas diante do trono de Deus (4.10; cf. 11.16; 19.4). Com suas harpas e salvas cheias de incenso, simbolizando as orações dos santos, eles cantam um novo cântico ao Cordeiro (5.8-10). Como anciãos, eles representam o povo de Deus; seus tronos e coroas simbolizam um papel de reinado, enquanto seu ato de adoração e as salvas de incenso sugerem uma função sacerdotal. Dessa maneira, eles parecem ser os principais representantes dos remidos como um reino de sacerdotes (Ap 1.6; cf. 20.6; 1 Pedro 2.5,9; Êx 19.6). É possível discutir se o número 24 sugere os 24 turnos do sacerdócio judaico, ou uma combinação das 12 tribos de Israel (indicando os santos do AT) e dos 12 apóstolos (os líderes dos santos do NT). Para uma discussão mais detalhada sobre a identidade desses anciãos, veja a obra de G. H. Lang, *The Revelation of Jesus Christ*, London. Paterrnoster Press, 1945,pp. 124-136.

***Bibliografia.*** W. Harold Mare, "*Church Functionaries. the Witness in the Literature and Archaeology of the New Testament and Church Periods*", JETS, XIII (1970), 229-239.

J. R.

**ANCIÃOS** Refere-se aos sábios de Israel que eram a fonte e os comunicadores das palavras de sabedoria tradicionais. É usado na RSV em inglês somente em 1 Samuel 24.13, mas outros versículos podem referir-se a eles de uma maneira velada, como, por exemplo, em Jó 12.12 e Isaías 3.2. A expressão os "mais velhos de Israel" provavelmente também se refira a estes ensinadores respeitáveis.

**ÂNCORA** Navios maiores da época do NT carregavam várias âncoras. Na forma, elas haviam evoluído de pedras pesadas (ANEP, fig. 42) para grandes hastes de madeira com patas voltadas para cima e cepos ou travessas de madeira cheias de chumbo, pesando centenas de quilos (*Archaeology,* XXI [1968], 63).

O relato magistral de Lucas da viagem e do naufrágio de Paulo contém a única referência a âncoras literais na narrativa bíblica (At 27.29-40). A violência da tempestade tornou a questão duvidosa mesmo com quatro âncoras. Ancorar da popa era incomum (William Ramsay, *St. Paul, the Traveller,* p. 335), mas melhor se planejado encalhar logo. Foi a prática usual de ancorar a proa que deu plausibilidade à pretensão dos marinheiros,

que a usaram como uma desculpa para baixar o barco no qual esperavam abandonar o navio e os passageiros. Esta artimanha foi detectada e exposta por Paulo.
Em Hebreus "âncora" expressa simbolicamente a influência estabilizadora de uma esperança baseada (ancorada!) no santuário interior do céu no próprio Precursor (Hb 6.19,20), que por sua vez é o cumprimento do propósito divino imutável baseado em dois fatos imutáveis. A pessoa e o juramento de Deus (Hb 6.13-18).

R. V. R.

**ANDAR** A palavra é inicialmente utilizada por Deus no Jardim do Éden. "E ouviram a voz do Senhor Deus, que passeava [ou andava] no jardim" (Gn 3.8). Ela é geralmente utilizada simbolicamente ou de forma figurativa para a conduta ou estado de espírito do cristão. A Bíblia diz que Enoque, o primeiro profeta de quem possuímos registros (cf. Jd 14), "andou... com Deus; e não se viu mais, porquanto Deus para si o tomou (Gn 5.24). "Andarão dois juntos, se não estiverem de acordo?" (Am 3.3). "Noé andava com Deus" (Gn 6.9). Deus disse a Abraão, "anda em minha presença e sê perfeito" (Gn 17.1). Paulo nos adverte dizendo. "Andai em amor, como também Cristo vos amou e se entregou a si mesmo por nós" (Ef 5.2); "o amor é este: que andemos segundo os seus mandamentos" (2 Jo 6). Andar na verdade é tomado como um exemplo no Salmo 26.3. Novamente, em 2 Coríntios 5.7. "Porque andamos por fé e não por vista". Outras admoestações incluem. "Andai em Espírito e não cumprireis a concupiscência da carne" (Gl 5.16); "...Andeis como é digno da vocação com que fostes chamados" (Ef 4.1); "Como, pois, recebestes o Senhor Jesus Cristo, assim também andai nele" (Cl 2.6); "Aquele que diz que está nele também deve andar como ele andou" (1 Jo 2.6).
*Veja* Conversa; Caminho.

L. A. L.

**ANDAR AFETADO** Esta expressão é utilizada para descrever o caminhar das crianças. As mulheres de Israel foram repreendidas por Isaías por andarem de uma maneira afetada, pois esta simbolizava a altivez de espírito (Is 3.16).

**ANDORINHA** *Veja* Animais: Andorinha III.11.

**ANDRÉ** Este nome grego significa "valente." É encontrado em Josefo, Dio Cássio e outros antigos escritores gregos. No entanto, nos Evangelhos apenas uma pessoa portando este nome é mencionada, o irmão de Simão Pedro, filho de Jonas (isto é, Jonah, porque o alfabeto grego não tinha o "h" final).
André era nativo de Betsaida no litoral norte da Galiléia (Jo 1.44), mas viveu nos arredores de Cafarnaum (Mc 1.21,29) e trabalhou com seu irmão casado, Simão, como pescador. Ele tornou-se discípulo de João Batista (Jo 1.35,40), que estava pregando e batizando perto de Jerusalém (Jo 1.28) e apontou a Jesus como sendo o Cordeiro de Deus (Jo 1.29,36). André tornou-se convencido de que Jesus era o Messias (Jo 1.41); então trouxe seu irmão Simão a Jesus (Jo 1.42).
Provavelmente foi por volta de um ano mais tarde que Jesus chamou a André e Simão para deixarem seu negócio de pesca e tornarem-se seus discípulos (Mc 1.16-18; Mt 4.18-20). No primeiro sábado do ministério de Jesus, eles testemunharam seu ensino e seu poder de curar (Mc 1.21-39), uma admirável introdução ao grande ministério galileu.
Alguns meses depois disso, Jesus designou André para ser um dos doze apóstolos (Mc 3.18; Mt 10.2; Lc 6.14; At 1.13). Embora sempre mencionado entre os quatro primeiros, ele parece ter estado notadamente ausente quando Jesus ressuscitou a filha de Jairo (Mc 5.37; Lc 8.51), na transfiguração (Mc 9.2; Lc 9.28) e na oração de agonia de Jesus no Getsêmani (Mc 14.33). Por que isto? Será que ele era mais jovem do que Pedro e os irmãos filhos de Zebedeu? Será que ele era o líder designado dos nove apóstolos restantes?
No episódio em que Jesus alimentou mais de 5.000 pessoas, tanto Filipe (também nativo de Betsaida) como André expressaram as dúvidas dos discípulos de como tantas pessoas poderiam ser alimentadas com seu suprimento escasso de dinheiro e a pequena refeição de pão e peixe de um rapaz (Jo 6.6-9). Em Jerusalém, na última Páscoa, quando certos gregos foram ver Jesus, Filipe e André juntos os acompanharam (Jo 12.20-22). Ao findar o último dia de ensino de Jesus no Templo, André, com Pedro, Tiago e João, pediu a Jesus, em particular, uma explicação mais completa de sua profecia de que o Templo seria destruído (Mc 13.3).
Atos 1.13 sugere que André era ativo nas igrejas primitivas, sendo incluído sempre que os doze são mencionados. Tradições de valores questionáveis descrevem as pregações de André em Cíntia e seu martírio em Acáia em uma cruz em forma de X, hoje conhecida como a cruz de Santo André.

T. B. C.

**ANDRÔNICO** Um líder cristão e parente de Paulo. Os destinatários da carta romana foram solicitados a saudá-lo (Rm 16.7). Ele havia estado na prisão com Paulo em algum momento do passado e era proeminente entre os apóstolos. Ele é mencionado juntamente com Júnia como tendo vindo a Cristo antes de Paulo.

**ANEL** No AT, a palavra "anel" muitas vezes corresponde à tradução da palavra hebraica

O leão de Anfípolis monta guarda em seu antigo local, exatamente como nos tempos de Paulo. HFV

*tabba'at,* que se origina da raiz *taba',* "afundar". Esse nome está evidentemente baseado na função original do anel, que servia como um selo, e que para isto era imerso em um material de impressão como a argila ou a cera; daí vem a expressão anel sinete. Tais anéis tinham o nome ou o símbolo de seu proprietário, portanto constituíam sua assinatura em transações legais ou eram uma forma de designar uma propriedade. Dar esse anel a alguém significava conceder autoridade para que esse alguém agisse em nome de seu legítimo proprietário. Dessa forma, Assuero habilitou Hamã a proclamar um decreto em seu nome (Et 3.10,12), e o mesmo aconteceu com Mardoqueu (Et 8.2,8,10). O Faraó fez o mesmo com José (Gn 41.42).
Os anéis são freqüentemente mencionados no AT em conexão com artigos de mobiliário do Tabernáculo e das vestes dos sacerdotes, como cortinas, arca, peitoral e éfode (Êx 25–28; 30; 36–39, *passim*). Também eram, freqüentemente, simples artigos de adorno (Is 3.21). Outros ornamentos na forma de anel eram, por exemplo, os "brincos" (Êx 32.2,3; 35.22; Os 2.13) e os "braceletes" (Êx 35.22; 2 Sm 1.10; Gn 24.22; 38.18,25). Os "anéis" que algumas versões mencionam em Ezequiel 1.18 devem ser traduzidos como "bordas". Em Cantares 5.14; os "anéis" são provavelmente varas de metal. Quanto aos anéis de nariz (Is 3.21; cf. Gn 24.47; Ez 16.12), *veja* Jóias de Nariz.
No NT, o anel (*daktylios*) simbolizava a completa filiação e os seus privilégios (Lc 15.22), e em Tg 2.2 o anel de ouro (*chrysodaktylios*) sugeria riqueza, posição e privilégio.

R.V. R.

**ANÉM** Uma cidade com terra de pastagens na área da tribo de Issacar dada aos gersonitas (1 Cr 6.73).

**ANÊMONA** *Veja* Plantas.

**ANER**
1. Um dos três irmãos amorreus que foram aliados de Abraão na história de Gn 14.
2. Uma cidade de refúgio localizada na meia tribo de Manassés (1 Cr 6.70).

**ANETOTITE** Uma forma de anatotita, um habitante da vila de Anatote (q.v.) em Benjamim (2 Sm 23.27 e 1 Cr 27.12).

**ANFÍPOLIS** Mencionada uma vez no Novo Testamento (At 17.1). Esta cidade foi visitada por Paulo em sua segunda viagem missionária. Era chamada Anfípolis ("cidade cercada") porque o lugar onde se situava era limitado em três lados pelo rio Strimom que fazia uma curva ao seu redor, tendo aberto o lado leste. De acordo com Tucídides (*Peloponnesian War*, iv. 103ss.), um muro protegia esse lado leste, e foi reforçado e aumentado em várias ocasiões. Tucídides estava familiarizado com Anfípolis, uma vez que ele tentou, sem sucesso, libertá-la do seu cerco (422 a.C.). O seu fracasso resultou em um exílio de vinte anos fora de seu país. Ele menciona que a cidade era valiosa pela madeira que fornecia para a construção de navios.
Jackson e Lake (*Beginnings of Christianity, Acts,* IV, 202) destacam que a viagem de Paulo entre Filipos e Tessalônica pela Via Egnátia foi de cem milhas romanas (aproximadamente 148 quilômetros) e parece ter sido dividida em três etapas. de Filipos a Anfípolis (50 quilômetros ou 33 milhas romanas); de Anfípolis a Apolônia (44 quilômetros ou 30 milhas romanas) e de Apolônia a Tessalônica (54 quilômetros ou 37 milhas romanas). Isto lhes sugeriu que Paulo usou cavalos para percorrer esta parte do percurso.
Na época de Paulo as moedas em Anfípolis freqüentemente apresentam Ártemis Tauropolis cavalgando um touro, indicando o contato próximo que a região tinha com a Ásia, por estar situada somente a cerca de cinco quilômetros do Mediterrâneo. Nenhum trabalho arqueológico foi executado em Anfípolis (que data do século I d.C.), embora tenha sido descoberto um complexo cristão do período bizantino.

E. J. V.

**ÂNGULO**
1. Hebraico *pinna*. Uma porção do muro de Jerusalém fortificado pelo rei Uzias (2 Cr

26.9) e reformado sob a supervisão de Neemias (Ne 3.19-25).
2. Hebraico *hakka*. Na Bíblia (Is 19.8; Hc 1.15) este termo é traduzido como "anzol," como por exemplo em Jó 41.1.

**ANIÃO** Um dos filhos de Semida na genealogia de Manassés (1 Cr 7.19).

**ANIM** Uma cidade dada à tribo de Judá após a conquista sob o governo de Josué (Js 15.50). Identificada com Khirbet Ghuwein et-Tahta, fica a aproximadamente 18 quilômetros ao sul de Hebrom.

**ANIMAÇÃO** Animar significa "tornar animado" ou "vivo", "avivar". Dois exemplos principais são encontrados nas Escrituras: (1) A criação do homem: "E formou o Senhor Deus o homem do pó da terra e soprou em seus narizes o fôlego da vida; e o homem foi feito alma vivente" (Gn 2.7); (2) A visão do vale dos ossos secos; assim que o profeta falou ao vento, eles se juntaram e viveram, significando a regeneração da nação Israel na segunda vinda de Cristo (Ez 37; cf. Rm 11.26-29; Zc 12-14).
A animação é diferente da ressurreição, que tem a ver com o corpo, no sentido de dar a vida propriamente dita ao que não tem vida. No primeiro exemplo, Adão tornou-se uma alma vivente; e no segundo exemplo entende-se que a nova vida, que vem com a regeneração da alma, será dada aos judeus que estiverem vivos na segunda vinda de nosso Senhor.
O termo é algumas vezes usado teologicamente para denotar aquela qualidade das Sagradas Escrituras que, por meio do Espírito Santo, produz a vida espiritual naqueles que se mostram receptivos. Assim, "A palavra de Deus é viva, e eficaz..." (Hb 4.12); e "sendo de novo gerados... pela palavra de Deus, viva e que permanece para sempre" (1 Pe 1.23). Esta qualidade é uma das muitas características que distinguem as Escrituras canônicas de outros meros escritos humanos.
R. A. K. e A. F. J.

**ANIMAIS DA BÍBLIA** A abordagem bíblica da classificação animal é bastante diferente da utilizada pela comunidade científica hoje. Assim, em Gênesis 1.20-30; 2.19,20 os organismos são classificados como grandes animais marinhos, criaturas aquáticas, aves (1.21), gado (animais domésticos), coisas que rastejam e feras da terra, isto é, animais selvagens (1.24). Um esquema semelhante da classificação da fauna é encontrado em Levítico 11. Essencialmente a abordagem da Bíblia para a classificação é ecológica, isto é, a Bíblia classifica os organismos com base no habitat que eles ocupam e no qual se aglomeram, como, por exemplo, todos os organismos aquáticos independentemente de sua estrutura anatômica.
O sistema moderno de classificação é baseado na estrutura – anatomia e morfologia – e conseqüentemente os biólogos colocam em uma mesma categoria a baleia, o leão e o morcego por causa das similaridades anatômicas, embora eles ocupem três habitats diferentes. A Bíblia, por outro lado, classificaria juntos o tubarão, o peixe e o molusco embora as suas estruturas internas e externas sejam diferentes.
Qualquer sistema de classificação é arbitrário. Não existe uma maneira correta, nem qualquer série de categorias que mostre algum sistema pode ser considerada incorreta. A maioria dos cientistas hoje pensa que um sistema de classificação baseado na anatomia e na morfologia é o mais útil; porém, há alguns homens hoje que acreditam que seria proveitoso prestar mais atenção na ecologia e em outros ramos da biologia ao se classificar os organismos.

**Classificação pela Anatomia e Morfologia**

I. Poríferos
 Esponja

II. Celenterados
 Coral vermelho

III. Anelídeos
 1. Minhoca
 2. Sanguessuga

IV. Artrópodes
 A. Aracnídeo
  1. Aranha
  2. Escorpião

 B. Insetos
  1. Abelha
  2. Besouro
  3. Cochonilha-do-carmim
  4. Formiga
  5. Gafanhoto
  6. Mariposa
  7. Mosca
  8. Mosquito borrachudo
  9. Piolho
  10. Pulga
  11. Vespa

V. Moluscos
 1. Molusco roxo
 2. Ostra perlífera

VI. Cordados
 A. Peixes
 B. Anfíbios
  Rã
 C. Répteis
  1. Cobra
  2. Crocodilo
  3. Geco

4. Lagarto
5. Lagarto (do Gênero Pleuronectes)
6. Leviatã
7. Serpente
8. Víbora

D. Aves
1. Abutre egípcio
2. Abutre europeu
3. Abutre grifo
4. Águia
5. Andorinha
6. Avestruz
7. Bútio
8. Cegonha
9. Cisne
10. Codorna
11. Cormorão
12. Coruja-de-igreja
13. Coruja comprida
14. Corujinha
15. Corujão
16. Corvo
17. Cuco
18. Curiango
19. Gaivota
20. Galinha Doméstica
21. Ganso
22. Garça-azul
23. Garça
24. Gavião
25. Íbis
26. Francelho
27. Milhafre
28. Pardal
29. Pavão
30. Pelicano
31. Perdiz
32. Pombo-dos-rochedos
33. Pomba, Rola
34. Poupa
35. Taperuçu
36. Urubu

E. Mamíferos
1. Antílope
2. Arganaz
3. Baleia
4. Boi selvagem
5. Bugio
6. Cabra ou Bode
7. Cabrito montês
8. Cachorro
9. Camelo
10. Camundongo
11. Carneiro montês
12. Cavalo
13. Chacal
14. Cervo
15. Doninha
16. Dugongo
17. Elefante
18. Gado
19. Gazela
20. Hiena
21. Hipopótamo
22. Javali
23. Jumento
24. Leão
25. Lebre
26. Leopardo
27. Lobo
28. Macaco
29. Morcego
30. Mula
31. Onagro
32. Ouriço-cacheiro
33. Ovelha
34. Porco
35. Porco-espinho
36. Raposa
37. Rato toupeira
38. Ratazana
39. Urso

### Classificação pelo Sistema Bíblico

I. Gado
1. Bezerro. *Veja* Gado I.8
2. Boi. *Veja* Gado I.8
3. Cabra ou Bode
4. Cachorro
5. Camelo
6. Cavalo
7. Dromedário. *Veja* Camelo I.5
8. Gado
9. Galgo. *Veja* Galinha doméstica III.30
10. Jumento ou Burro
11. Mula
12. Ovelha
13. Porco
14. Suíno. *Veja* Porco I.13
15. Touro, Touro castrado. *Veja* Gado I.8
16. Vaca. *Veja* Gado I.8

II. Feras do Campo
1. Antílope
2. Arganaz ou Texugo-do-rochedo
3. Beemote. *Veja* Hipopótamo II.21
4. Boi Selvagem ou Unicórnio
5. Boi Selvagem. *Veja* II.4
6. Bugio
7. Cabra Selvagem
8. Cabrito Montês. *Veja* Gazela II.19
9. Cabrito Montês (macho). *Veja* Cervo II.12
10. Camundongo. *Veja* Camundongo IV.7
11. Chacal
12. Cervo
13. Corça. *Veja* Cervo II.12
14. Doninha. *Veja* IV.8
15. Dragão
16. Elefante
17. Furão. *Veja* Doninha IV.8
18. Gamo. *Veja* Antílope II.1
19. Gazela
20. Hiena
21. Hipopótamo
22. Javali
23. Jumento do campo. *Veja* Onagro II.30
24. Jumento Selvagem. *Veja* Onagro II.30
25. Leão

26. Lebre
27. Leopardo
28. Lobo
29. Macaco. *Veja* Bugio II.6.
30. Onagro ou Meio-Jumento
31. Ouriço-cacheiro
32. Ovelha montês
33. Porco-espinho
34. Raposa
35. Sátiro
36. Texugo. *Veja* Dugongo V.4
37. Toupeira. *Veja* Ratazana IV.27
38. Unicórnio. *Veja* Boi Selvagem II.4
39. Urso
40. Veado. *Veja* Cervo II.12

III. Criaturas voadoras
1. Abelha
2. Abetouro. *Veja* Ouriço-cacheiro II.31; Garça III.33
3. Abibe. *Veja* Poupa III.53
4. Abutre ou Águia
5. Abutre Egípcio
6. Abutre negro ou Águia-pescadora
7. Abutre quebrantosso (Xofrango)
8. Águia. *Veja* Abutre ou Águia III.4
9. Águia-marinha. *Veja* Abutre egípcio III.5
10. Águia-pescadora. *Veja* Abutre negro III.6
11. Andorinha
12. Andorinhão
13. Avestruz
14. Bufo
15. Bútio
16. Cegonha
17. Cisne
18. Codorniz
19. Coruja-de-igreja ou Coruja branca
20. Coruja scops
21. Corujinha
22. Corvo
23. Corvo marinho
24. Cuco
25. Curiango ou Noitibó
26. Falcão. *Veja* Francelho III.27
27. Francelho ou Falcão
28. Gaivota. *Veja* Cuco III.24
29. Galinha. *Veja* Galinha Doméstica III.30
30. Galinha Doméstica
31. Galo. *Veja* Galinha doméstica III.30
32. Ganso
33. Garça ou Abetouro
34. Gavião ou Falcão
35. Gavião. *Veja* Francelho III.27
36. Grou
37. Íbis
38. Locusta
39. Marimbondo. *Veja* Vespa III.55
40. Mariposa
41. Milhafre ou Milhano
42. Milhano. *Veja* Milhafre III.41
43. Morcego
44. Mosca
45. Mosquito Borrachudo
46. Noitibó. *Veja* Curiango III.25
47. Pardal
48. Pavão
49. Pelicano
50. Perdiz
51. Pomba ou Rola
52. Pombo
53. Poupa
54. Quebrantosso. *Veja* Abutre quebrantosso (Xofrango) III.7
55. Vespa

IV. Animais que Rastejam e que Formam Enxames
1. Aranha
2. Áspide. *Veja* Cobra IV.7
3. Basilisco. *Veja* Serpente IV.30
4. Besouro
5. Camaleão. *Veja* Lagarto IV.18
6. Camundongo
7. Cobra
8. Doninha
9. Dragão. *Veja* Dragão II.15
10. Escorpião
11. Formiga ceifeira
12. Gorgulho. *Veja* Locusta III.38
13. Gusano. *Veja* Locusta III.38
14. Grilo. *Veja* Besouro IV.4
15. Lagarta. *Veja* Locusta III.38
16. Lagarta tineídea. *Veja* Locusta III.38
17. Lagartixa (Geco)
18. Lagarto
19. Lagarto (do Gênero Pleuronectes)
20. Larva. *Veja* Locusta III.38
21. Mosca. *Veja* Mosca III.43
22. Mosquito. *Veja* Mosquito III.44
23. Piolho
24. Pulga
25. Pulgão escarlate
26. Rã
27. Ratazana
28. Rato silvestre
29. Sanguessuga. *Veja* Parasita V.11

Um rebanho de cabras, Gerasa, Jordão. HFV

30. Serpente, Cobra
31. Tartaruga terrestre
32. Tartaruga marinha
33. Traça
34. Verme
35. Vespão
36. Víbora. *Veja* Cobra IV.7; Serpente IV.30; Víbora IV.37
37. Víbora

V. Organismos Aquáticos
1. Baleia
2. Coral
3. Crocodilo
4. Dugongo ou Vaca-marinha
5. Esponja
6. Leviatã, Monstro marinho
7. Molusco púrpura
8. Monstro marinho (Lm 4.3). *Veja* Chacal II.11
9. Ônica
10. Ostra, Pérola
11. Parasita
12. Peixe
13. Rã. *Veja* IV.26

Seguindo o sistema bíblico de classificação encontramos menção de:

**I. Gado**

Gado são animais domesticados que incluem:
1. **Bezerro.** *Veja* Gado I.8.
2. **Boi.** *Veja* Gado I.8.
3. **Cabra ou Bode,** *Capra hircus mambrica.*

A cabra é provavelmente o mais antigo ruminante que foi domesticado. Seu ancestral parece ter sido a cabra bezoar, *C. aegagrus* Erxleben. Acredita-se que os natufianos mesolíticos domaram cabras selvagens na Palestina por volta de 9.000 a.C. A cabra nos tempos bíblicos era provavelmente da variedade síria ou mamber (foto, VBW, I. 183).

As ovelhas são mais importantes onde o gado pode ser mantido para o leite, mas onde o pasto é escasso e o cerrado espinhoso domina sobre a grama, e onde é difícil manter-se o gado por causa da falta de boa comida e água, as cabras tornam-se importantes. Elas não apenas são capazes de viver sob condições que não são adequadas para as ovelhas, mas também produzem grandes quantidades de leite. A cabra não fornece a gordura como as ovelhas e uma vez que seu pêlo é áspero, a lã é bastante escassa.

As cabras têm um apetite voraz e foram responsáveis por grande parte do estrago feito à terra na Palestina, derrubando eirados, destruindo florestas e provocando erosão do solo devorando toda a vegetação que a cobria.

Na Palestina a cabra tem chifres ocos curvados para trás e é de uma estrutura mais leve que as ovelhas. É geralmente preta e era a principal fonte de leite (Pv 27.27). Sua carne servia como alimento (Lv 7.23; Dt 14.4) e seu pêlo era a matéria-prima usada para tecer o tecido das tendas e para vários propósitos domésticos (Êx 26.7; 36.14; 1 Sm 19.13, 16). Sua pele era curtida como couro e uma pele inteira era transformada em um odre costurando as aberturas da perna e do pescoço (Gn 21.14; Js 9.4).

A cabra era uma reconhecida forma de riqueza. Ela estava sujeita à lei dos primogênitos (Nm 18.15) e tinha que ter oito anos de idade antes de ser oferecida como um sacrifício. Um bode de um ano era um dos animais oferecidos na Páscoa (Nm 28.22) e dois bodes eram oferecidos no Dia da Expiação (Lv 16.7ss.; *veja* Azazel). Este animal também era oferecido em muitos outros sacrifícios específicos.

A cabra é usada em um sentido figurado e simbólico em Cantares 4.1 e 6.5 para o cabelo preto da noiva; em Mateus 25.30-46 para aos ímpios; e em Isaías 14.9; Ezequiel 34.17; Daniel 8.5-8; Zacarias 10.3 para vários líderes humanos. *Veja também* Sátiro, II.35.

4. **Cachorro,** *Canis familiaris.* Acredita-se que o cachorro tenha sido o mais antigo de todos os animais domésticos. Pensa-se ter sido valioso por ser um animal que se alimenta de carniça e ter se associado ao homem na caça. Pensa-se que o cachorro moderno é proveniente do lobo indiano, *C. lupus pallipes.*

O cachorro é geralmente olhado com desprezo na Bíblia (Pv 26.11; 2 Pe 2.22), e os escritores bíblicos parecem não mostrar nenhuma familiaridade com o relacionamento pessoal caloroso entre o homem e o cachorro que conhecemos. O cachorro é retratado como um animal comedor de carniça que anda habitualmente pelas ruas e depósitos de lixo (Êx 22.31; 1 Rs 22.38; Mt 15.26; Lc 16.21). Isaías 66.3 parece apontar para cultos que não eram dedicados a Jeová, nos quais sacrificavam-se cachorros.

Cachorros eram freqüentemente usados na caça, de acordo com pinturas nas tumbas egípcias, e há referências a cachorros arrebanhando as ovelhas em Jó 30.1. Em

Um camelo no dia de mercado em Berseba. HFV

Cavalos eram usados pelos ricos para caça. Aqui o rei Assurbanipal da Assíria caça leões. De seu palácio em Nínive. BM

geral, porém, "cachorro" era um termo de desprezo (1 Sm 17.43) ou de excessiva humilhação (2 Sm 9.8; 16.9; 2 Rs 8.13; Mt 15.26,27). O "preço de sodomita" (em hebraico, "preço de um cachorro", Dt 23.18) significava os ganhos de um homem prostituto dos cultos pagãos. Cachorros também são usados para referir-se às pessoas lascivas e ímpias (Is 56.10-11; Mt 7.6; Fp 3.2; Ap 22.15).

5. **Camelo** *Camelus dromedarius* O camelo não é inteligente, é de má natureza e briguento; é um reprodutor lento. Contudo, é uma bênção para as tribos que vivem na margem dos desertos, porque ele é especialmente adaptado para este habitat. Suas patas, acolchoadas com uma grossa massa elástica de tecidos fibrosos, são adaptadas para andar nos solo dos desertos. Ele pode ficar sem água por um longo período de tempo, e pode subsistir alimentando-se com a vegetação que cresce em solos salinos (foto, VBW, II.85).

O camelo é utilizado principalmente para o transporte de mercadorias, equipamentos domésticos e pessoas. Ele pode carregar uma carga pesando 270 quilos ou mais. Um camelo pode ser atrelado a um arado onde as terras sejam temporariamente aráveis. Por terem mau cheiro e não poderem ser mantidos presos, os camelos não são usados nas cidades.

Existem duas variedades dentro da espécie de uma corcova; o lento camelo de transporte de carga (Gn 37.25) e o rápido dromedário (1 Sm 30.17). Pelo fato da Babilônia ter sido vista sendo atacada por Elão e Média, a passagem em Isaías 21.7 pode estar se referindo ao camelo Bactriano, *C. bactrianus*. Este camelo tem duas corcovas e pêlos mais compridos, mas não é tão veloz quanto o rápido dromedário.

Abraão tinha camelos no Egito (Gn 12.16), e Jó a princípio tinha 3.000 camelos (Jó 1.3) e mais tarde 6.000 (42.12). Embora o nomadismo de camelos em larga escala não parece ter começado até o final do segundo milênio a.C. (Jz 6.5), textos sumerianos do antigo período babilônico listam camelos e indicam a sua domesticação. Também ossos e estatuetas de camelos têm sido encontrados em vários locais do Oriente Próximo datando de um período anterior a 1.200 a.C. (K. A. Kitchen, *Ancient Orient and OT*, 1966, pp. 79s.).

Os camelos eram usados para viagens rápidas (Gn 24.31). O camelo de montaria pode percorrer de 100 a 120 quilômetros em um dia, que é muito mais do que a distância percorrida em um dia normal de viagem, ou seja, 37 quilômetros. Eles também eram usados como carregadores de carga, especialmente de especiarias (Gn 37.25). Seu pêlo era importante (Mt 3.4); uma capa de pêlo de camelo ainda é usada pelos beduínos hoje. Uma vestimenta de pêlo de camelo também era um sinal do ofício profético (Zc 13.4). Os camelos eram comidos pelos árabes, que também bebiam o seu leite (Gn 32.15). Porém os judeus eram proibidos de utilizar camelos como alimento (Lv 11.4; Dt 14.7).

6. **Cavalo,** *Equus caballus orientalis*. Duas raças de cavalos selvagens sobreviveram nos tempos modernos: (1) o cavalo de Przewalski; estes animais vagaram pela Mongólia até que armas de fogo modernas exterminassem a maioria deles após a Primeira Guerra Mundial e a Revolução Russa; (2) o tarpan, um cavalo originário do sul da Rússia, que se tornou extinto na Ucrânia em 1851. O cavalo domesticado parece ser derivado do tarpan. Acredita-se que o local original de domesticação tenha sido o Turquestão (veja Hilzheimer, "The Evolution of the Domestic Horse," *Antiquity*, IX [1935], 133-139).

O cavalo aparentemente foi domesticado – de acordo com restos de esqueletos – em Sialk no planalto iraniano no quinto milênio a.C. e talvez em Beer-Sheba no milênio seguinte. Era conhecido em Sumer durante a Dinastia de Ur III, mencionado nas tábuas de Capadócia (século 19 a.C.) e Mari (século 18), e mostrado nos sinetes anatolianos dos séculos 19 e 18 a.C. com quatro cavalos puxando uma carruagem de rodas sólidas (BASOR # 77, p. 31; # 163, p. 43). Um esqueleto de cavalo foi encontrado na fortaleza do reino egípcio médio de Buhen no Sudão. Os conquistadores hyksos alcançaram grande sucesso por meio de batalhas em cavalos e carros.

Contudo, o cavalo foi introduzido apenas muito gradualmente em Israel. Josué recebeu ordens de jarretar os cavalos dos cananeus (Josué 11.6,9) e Davi jarretou a maioria dos cavalos capturados de Zobá, embora tivesse mantido o suficiente para cem carros (2 Sm 8.4). Salomão aumentou grandemente o número de cavalos no reino judeu e mantinha grandes estábulos em várias cidades (1 Rs 10.26) tais como Megido, Hazor e Gezer (1 Rs 9.15), que eram grandes centros de defesa regional. Os cavalos de Acabe são mencionados em 1 Rs 18.5 e os registros de Salmaneser III afirmam que Acabe forneceu 2.000 car-

Fazendeiros conduzindo um gado bem-engordado. Relevo de parede da tumba de Ptah-hotep, Sakkara, Egito. LL

ros na coalizão contra a Assíria. Ruínas de estábulos escavados em Megido datam de seu reinado e revelam cocheiras e manjedouras para 450 cavalos.

No Israel antigo o cavalo se opunha como um símbolo de luxúria pagã e de dependência do poderio físico para a defesa (Dt 17.16; 1 Sm 8.11; Sl 20.7; Is 31.1). Além disso, cavalos podem ter sido usados em procissões religiosas gentias (2 Rs 23.11). O comércio de cavalos já é mencionado em Gênesis 47.17 e era conduzido por Salomão entre o Egito e os principados siro-hititas (1 Rs 10.28,29).

A maior parte das referências bíblicas a cavalos diz respeito ao seu uso na guerra, mas os cavalos também eram utilizados no transporte. A montaria parece ter sido muito menos popular do que o uso de carros. E as unidades de cavalaria não foram introduzidas até o século 12 a.C., pelos medos e cimérios. José andou no segundo carro puxado a cavalos de faraó (Gn 41.43) e Absalão exibiu-se andando em um carro puxado a cavalos (2 Sm 15.1). Naamã viajou a cavalo e em um carro (2 Rs 5.9). Mais tarde, os cavalos eram tão comuns em Jerusalém que o palácio real tinha um portão especial para cavalos (2 Cr 23.15), e um portão da própria cidade era conhecido como Porta dos Cavalos (Ne 3.28; Jr 31.40). *Veja* Jerusalém: Portões. Mardoqueu andou montado no cavalo real como um sinal de honra (Et 6.8-11). *Veja* Cavaleiro.

Os cavalos também eram usados pelos ricos para a caça (ANEP, # 183, 184, 190); a única referência bíblica para tal caça (Jó 39.18) liga-os à perseguição ao avestruz. Os cavalos eram proibidos como alimento, embora possam ter sido comidos em Samaria durante o cerco (2 Rs 7.13). Parece ter havido pouco uso de cavalos ligado à agricultura ou para carregar ou puxar cargas. Isaías 28.28 pode se referir ao uso de cavalos na malhação do grão, embora isto seja incerto. Fala-se freqüentemente de cavalos figurativamente (Sl 32.9; Ct 1.9; Jr 5.8; 12.5 etc.) e em contextos de juízo (Hc 3.8; Zc 1.8; 6.1-8; Ap 6.2-8; 9.17; 19.11ss.).

7. **Dromedário.** *Veja* Camelo, I.5.

8. **Gado,** *Bos primigenius.* O termo "gado" (Heb. *b[e]hema* ou *miqneh*) é freqüentemente usado para referir-se a todos os animais domésticos ou à criação em uma fazenda (Gn 1.24; 2.20; 7.23; 47.6,16,17; Êx 9.3-7; Nm 3.41,45). Ocasionalmente é usado para referir-se a todos os animais domésticos maiores (Nm 31.9; 32.26), embora, às vezes, na Bíblia ele se refira apenas às ovelhas e cabras (Gn 30.32,39-43; 31.8,10; Is 7.25; 43.23); em tais casos ele pode ser traduzido tanto pelo hebraico *seh* como por *so'n*. *Veja* Rebanho.

Geralmente, no entanto, a palavra se refere nos dias de hoje ao gado doméstico da espécie bovina. Acredita-se que a domesticação teve início antes de 4.000 a.C. (Para os relevos, pinturas e modelos de gado das tumbas

Sacrificando um touro (registro mais baixo), da tumba de Mena, Tebas. Gadis, Luxor

egípcias veja VBW, I, 59. 104, 117.) O gado requer uma considerável atenção da comunidade e um grau razoavelmente alto de organização comunitária.

Alguns autores acreditam que o leite, ao invés da carne, era o que se considerava em primeiro lugar na domesticação do gado, e que nas civilizações mais antigas o fornecimento de carne vinha principalmente da caça de animais selvagens. O gado também fornecia couros fortes que substituíam a madeira na fabricação de escudos. Seu estrume era uma fonte de combustível quando a madeira estava em falta (Ez 4.15). Eles também eram usados como animais de carga e para tração, embora os bois fossem mais comumente utilizados desta forma. Ainda se acredita que o desenvolvimento do transporte por rodas foi mais intimamente associado ao gado do que a qualquer outro animal.

Os touros são mencionados em Gênesis 32.15,de forma que a criação de gado era largamente praticada nos tempos patriarcais. Uma procriação bem sucedida de touros é mencionada em Jó 21.10. Frisos incrustados encontrados em Tell el-Obeid perto de Ur, datado de meados do terceiro milênio a.C. mostram touros e uma cena de gado de leite com a ordenha cotidiana das vacas (ANEP, #98, 99). Leis rígidas na Mesopotâmia e em Israel penalizavam o dono de um touro que ferisse com os chifres a um homem ou a outro animal do gado (Êx 21.28-36). Os touros são às vezes empregados figurativamente como figuras de força ou violência (Dt 33.17; Sl 22.12; 68.30; Is 10.13).

Os touros eram largamente usados para sacrifícios (para pinturas de tumbas egípcias veja VBW, I, 181). Para este propósito eles tinham que ter pelo menos oito dias de idade (Lv 22.27). Eles poderiam ser usados como ofertas voluntárias (Lv 22.23; Nm 23.1) ou para sacrifícios especiais (Jz 6.25; 1 Sm 1.24). Eles também eram usados em sacrifícios específicos tais como a consagração de sacerdotes (Êx 29.1), a dedicação do altar (Nm 7), a purificação dos levitas (Nm 8), ofertas pelos pecados (Lv 16), o dia da lua nova (Nm 28.11), a Páscoa (Nm 28.19), a Festa das Semanas (Nm 28.27), a Festa das Trombetas ou do ano novo (Nm 29.1,2), o Dia da Expiação (Nm 29.7,8) e a Festa das Cabanas (Nm 29.12-38). A última festa mencionada exigia o maior número de touros para as ofertas queimadas de todas as festas anuais, com um total de 71 animais mortos em sacrifícios durante o período de oito dias.

Bezerros são considerados como "filhos do rebanho" em Gênesis 18.8,9; 1 Samuel 6.7; 14.32. O bezerro ou a novilha (*'egel*) era um símbolo de paz (Is 11.6). Também era usado figurativamente para referir-se aos povos gentios (Sl 68.30). A cabeça de um bezerro decorava a parte de trás do trono de Salomão (1 Rs 10.19). Os bezerros eram às vezes engordados no estábulo (Amós 6.4; Ml 4.2; Lc 15.23) ou mantidos em volta da casa (1 Sm 28.24). Eles forneciam a vitela (Gn 18.7), que era considerada uma iguaria para os ricos (Amós 6.4); contudo, os bezerros também forneceram carne para todo o exército de Saul na grande matança dos filisteus (1 Sm 14.32).

O gado estava sujeito à lei dos primogênitos (Êx 13.12). O gado era um sinal de riqueza (Gn 13.2) e eram considerados despojos próprios de guerra (Josué 8.2).

Arão fez o bezerro de ouro como um rival à arca da aliança (Êx 32; Dt 9.16,21). Mesmo se a imagem tivesse sido feita apenas com a intenção de ser o pedestal para o invisível Jeová (cf. divindades egípcias e sírias colocadas sobre leões ou touros, ANEP, #470-474, 486, 500, 501, 522, 531, 534, 537), isto era especialmente ofensivo porque o bezerro era um símbolo de fertilidade relacionado às práticas de culto egípcias e cananéias. Dois bezerros foram feitos por Jeroboão I para seus santuários em Betel e Dã (1 Rs 12.28-33); denúncias de adoração de bezerros foram dirigidas a eles (Os 8.5,6; 13.2).

O boi é o macho adulto castrado de *Bos primigenius*. Bois eram usados como animais de tração (Nm 7.3; Dt 22.10; 25.4). Eles geralmente se alimentavam de erva (Nm 22.4; Sl 106.20), mas também comiam palha (Is 11.7) e forragem com sal (Is 30.24). Eles podiam ser mantidos em um estábulo (Lc 13.15). Os bois não podiam ser oferecidos como sacrifícios por terem sido castrados (Lv 22.24). Nas passagens (por exemplo, Êx 20.24; 1 Sm 6.13) que parecem dizer que os bois eram sacrificados a Deus, deve ser notado que as palavras hebraicas *baqar* e *shor* também podem significar "gado" e "touro," respectivamente. Os bois poderiam ser usados como comida, mas eles não eram um ar-

Um jumento palestino. HFV

tigo comum de alimentação. A posse de um boi e um jumento era considerada o mínimo necessário para a subsistência em uma economia agrícola (Jó 24.3; cf. Êx 20.17). *Veja também* Boi Selvagem II.4.

9. **Galgo.** *Veja* Galinha Doméstica III.30.

10. **Jumento** ou **Burro,** *Equus asinus.* O jumento é de origem puramente africana. Três raças selvagens são conhecidas: uma raça do noroeste africano está extinta; uma raça do nordeste africano que, se não está extinto, está próximo da extinção; e uma raça da Somália que sobrevive até o momento presente, mas não representou um papel importante na domesticação. Acreditava-se que o segundo destes, o jumento nubiano, tenha sido domesticado no Vale do Nilo no início dos tempos históricos. (Para os relevos das tumbas do Reino Antigo veja VBW, I, 109; II, 184). Ossos desta forma têm sido encontrados na Palestina em Tell ed-Duweir e datam do período entre 3.000 e 2.500 a.C. A primeira menção do jumento na Bíblia inclui machos e fêmeas entre os animais que Abraão adquiriu no Egito (Gn 12.16). O jumento era principalmente um animal de carga (Gn 42.26; 1 Sm 16.20; 25.18); era guiado mas nunca com rédeas. W. F. Albright enfatizou a larga utilização de jumentos para o comércio no século 20 a.C. Em caravanas de 300 até 1.000, cada um carregando cargas de 70 a 90 quilos, os jumentos precisavam de forragem e água no trajeto. Assim, estações no caminho, com cisternas abastecidas pelos rios represados, foram construídas no Neguebe e ao longo da estrada do Sinai até o Egito na época de Abraão (*Archaeology, Historical Analogy, and Early Biblical Tradition*, Baton Rouge. Louisiana State Univ. Press, 1966, pp. 28-40).

A partir da época do Reino Médio em diante, o jumento era usado para se locomover no Egito, mas apenas os judeus e os nubianos montavam em jumentos regularmente. O jumento também era usado para malhar os grãos e para puxar o arado. Nos países árabes hoje, lavradores lavram a terra com um jumento e uma vaca, ou um camelo, atrelados (VBW, 1, 279). A lei, no entanto, proibia lavrar a terra com uma junta de boi e jumento (Dt. 22.10).

O jumento era altamente estimado pelos judeus. Era considerado um patrimônio econômico. Um indivíduo tinha que possuir um jumento para a subsistência mínima (Jó 24.3), e a riqueza de um indivíduo era calculada pelo número de jumentos que ele possuía (Gn 12.16; 24.35; Jó 1.3). O jumento era um presente aceitável (Gn 32.13-15). O jumento compartilhava o descanso do sábado (Dt. 5.14). Números registra o relato do jumento de Balaão que falou (Nm 22.22-35). As pessoas de influência montavam jumentos (Jz 10.4; 12.14; 1 Sm 25.20); e o jumento tornou-se um símbolo da vinda pacífica do

Bois e um jumento atrelados para debulha perto de Gerasa, Jordão. HFV

Messias (Zc 9.9; Mt 21.1-7).

Em todos os outros lugares, o jumento era quase que universalmente desprezado. Aparentemente o seu temperamento teimoso irritava o homem. Era considerado inferior ao cavalo e a mula, e era geralmente considerado o animal dos pobres. Sua paciência era comparada à de um escravo. Contudo, o leite das jumentas parecia ter propriedades medicinais e era altamente estimado. O jumento era freqüentemente utilizado para virar as grandes pedras de moinho nos tempos romanos (cf. Mt 18.6). Suas exigências alimentares são muito simples: ele pode viver de restolho, cardos, palha e uma quantidade muito pequena de grãos.

*Veja também* Onagro II.30.

11. **Mula.** Este é um híbrido, originalmente estéril, filhote de um jumento macho e uma égua. O texto de Gênesis 36.24 relata que a criação de mulas foi desenvolvida pelos edomitas e horeus, embora este possa ser um erro de tradução: a tradução RSV em inglês usa as palavras "fontes quentes" ao invés de "mulas". Pelo fato de o cruzamento de raças ter sido proibido na lei (Lv 19.19), os israelitas conseguiam as mulas dos gentios. Elas podem ter sido obtidas dos fenícios, uma vez que os de Tiro importavam cavalos e mulas (Ez 27.14). Elas não apareceram em Israel até o reinado de Davi (2 Sm 13.29), possivelmente por causa da raridade dos cavalos entre os hebreus. As mulas eram usadas principalmente pelos membros do palácio real e pelos nobres. O rei Davi andava montado sobre uma mula e, Salomão, quando foi ungido, montou a mula do rei Davi (1 Rs 1.33). Absalão encontrou a morte montado em uma mula (2 Sm 18.9). As mulas eram menos comuns do que os cavalos, camelos e jumentos na comunidade pós-exílica (Ez 2.66).

12. **Ovelha,** *Ovis orientalis.* Depois da cabra, acredita-se que a ovelha seja o mais antigo ruminante domado pelo homem. Ela pode ter sido domesticada no início do sexto milênio a.C. com a ajuda do cachorro, antes

que a própria agricultura estivesse completamente desenvolvida. No entanto, a Bíblia relata que Abel criava ovelhas (Gn 4.2). A primeira ovelha a ser domesticada foi provavelmente a argali (*Ovis ammon*), uma variedade da urial (*Ovis vignei*) que é uma espécie montês ainda existente no Turquistão e na Mongólia. Cinco raças haviam alcançado a Mesopotâmia em 2000 a.C.; todas estas eram do rebanho urial. *Veja também* Ovelha Montês II.32.

Há mais de 500 referências a ovelhas nas Escrituras, incluindo a menção de carneiros e cordeiros. As ovelhas representavam a principal riqueza e o completo sustento dos povos pastorais, fornecendo o alimento para comer, o leite para beber, a lã na confecção de tecido e cobertura para as tendas. Sua pele e ossos também eram usados. Além disso, a ovelha era um instrumento de troca e um recurso oferecido como sacrifício. O número de ovelhas criadas nos tempos antigos era extraordinário. Mesa, rei dos moabitas, pagava um tributo (anualmente?) com 100.000 cordeiros e a lã de 100.000 carneiros (2 Rs 3.4). Rúben etc., levou 250.000 ovelhas dos hagarenos (1 Cr 5.21). Tutmés III roubou 20.500 ovelhas de Megido (ANET, p. 237).

Boas qualidades de lã, adequadas para roupas, desenvolveram-se com ovelhas em climas com invernos relativamente frios; o linho foi desenvolvido para climas mais amenos. A lã tem uma qualidade melhor como tecido do que o linho.

A tosquia (VBW, II, 150) era freqüentemente um momento de festividade (2 Sm 13.23). A ovelha conhecida em Israel (foto em VBW, I, 182; II, 81) era a ovelha de cauda gorda (*O. orientalis vignei* ou *O. laticaudata*) na qual a cauda pesa de 4,5 a 6,8 quilos e sempre foi considerada refinada. Assim o Senhor

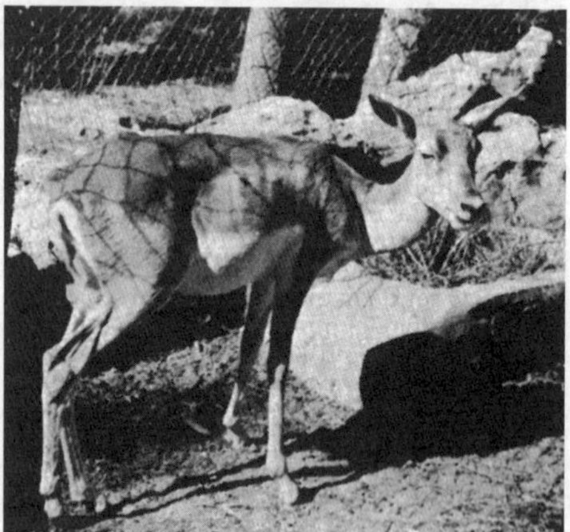

Um antílope fêmea no Zoológico Bíblico em Jerusalém. HFV

pediu esta parte preferencial como um sacrifício (Êx 29.22-25).

O carneiro representava grande força e simbolizava, apropriadamente, a Medo-Pérsia na visão de Daniel (Dn 8.3). Para a cabeça de carneiro persa feita de ouro, veja VBW, IV, 207. Por causa da própria natureza das ovelhas - sua gentileza e submissão (Is 53.7; Jr 11.19), por ser indefesa (Mq 5.8; Mt 10.16) e necessitar constante direção e cuidado (Nm 27.17; Mt 9.36) – a Bíblia freqüentemente desenha uma analogia entre a ovelha e o crente. *Veja* Pastor de Ovelhas; Rebanho.

13. **Porco,** *Sus scropha*. O porco é o mais prolífico e abundante fornecedor de carne e gordura para a cozinha. Os porcos não podem ser conduzidos como em uma situação nômade; eles são valiosos somente para um fazendeiro estabelecido.

Porcos selvagens eram encontrados na Palestina, bem como em muitos outros países hoje. O Salmo 80.13 faz referência ao poder de destruição do javali selvagem que ataca plantações. *Veja* Javali II.22.

O porco simboliza a sujeira e a feiúra. Ele come material fecal, vermes, roedores, imundície e coisas semelhantes (2 Pe 2.22). Provérbios 11.22 refere-se ao contra-senso de um anel de ouro no nariz de um animal que demonstra estas características. Há uma referência similar na declaração de nosso Salvador em Mateus 7.6 sobre atirar pérolas aos porcos. A degeneração do filho pródigo é mostrada pelo fato de ele ser forçado a alimentar porcos e desejar comer de sua comida na sua pobreza (Lc 15.15,16). Os demônios que estavam no gadareno refugiaram-se na vara de porcos que se alimentavam perto do penhasco, que se estendia até o Mar da Galiléia (Mt 8.28-32).

De acordo com Levítico 11.7 e Deuteronômio 14.8, alimentar-se da carne dos porcos era proibido aos judeus. Os habitantes pré-semíticos da Palestina matavam e se alimentavam dos porcos livremente. Nos tempos intertestamentais acredita-se que Antíoco tenha usado o porco como um teste de lealdade para com a fé judaica, requerendo o seu consumo (2 Mac 6.18). O sangue de porcos também era espargido sobre o altar do Templo para profaná-lo (1 Mac 1.47).

Os porcos eram freqüentemente usados em adoração entre o povo pagão (Is 65.4; 66.3, 17), e esta pode ter sido a causa da proibição aos judeus de comê-los. Evidências na Palestina mostram que porcos eram sacrificados muito tempo antes dos tempos helenísticos. Ossos de porcos foram encontrados na gruta abaixo do local rochoso de sacrifício em Gezer. Uma câmara subterrânea similar com vasos contendo ossos de porco em Tirza data da era média do bronze; e em Ai foram desenterrados fragmentos de alabastro de uma estatueta de um porco pronto para ser sacrificado. Entre os gregos, os rituais agrarianos do deus porco Adonis eram populares. Porcos eram sacrificados para Afrodite. E na Grécia, e na Ásia Menor, para Vênus. Além disso, porcos eram sacrificados em conexão com juramentos e tratados; na *Ilíada,* Agamenon sacrificou um javali a Zeus e a Hélio.

É possível que se alimentar da carne de porco tenha sido proibido porque os porcos carregam muitos vermes parasitas, tais como a triquina; contudo, isto também é verdadeiro em relação a outras carnes de animais. Algumas pessoas são alérgicas à carne de porco em clima quente, e isto também foi sugerido como o motivo para o tabu judeu. O mesmo tabu existe entre os muçulmanos e existiu em certas camadas sociais no Egito.

14. **Suíno.** *Veja* Porco I.13.

15. **Touro, Touro castrado.** *Veja* Gado I.8.

16. **Vaca.** *Veja* Gado I.8

**II. Feras do Campo**

Várias referências gerais a animais selvagens podem ser encontradas no AT (Lv 26.22; 2 Rs 14.9; Jó 39.15; Sl 50.11; 80.13; Os 13.8).

1. **Antílope,** *Oryx leucoryx.* Estes animais são muito graciosos e carregam suas cabeças consideravelmente acima do nível do dorso. Eles vivem em planícies áridas e nos desertos, mas são também encontrados em encostas de rochedos e em florestas de mata fechada. Ambos os sexos têm chifres (não galhados) compridos, permanentes e ocos que vão diretamente para trás. Eles são alertas, cautelosos, têm visão aguçada, e formam grupos de dois a uma dúzia. Quando machucado ou acuado, o antílope ataca com sua cabeça abaixada para que os chifres afiados possam ser apontados para frente; desta forma ele pode defender-se até contra um leão. Os antílopes alimentam-se da relva e arbustos; eles vão até riachos e cisternas para beber. Quando a água é escassa, eles comem melões e bulbos suculentos.

O antílope era cerimonialmente limpo. Enquanto a identificação exata dos termos hebraicos é difícil, provavelmente o *t*^e^*'o* seja o antílope (Dt 14.5; Is 51.20). O *dishon* (Dt 14.5) é traduzido como "gamo" na versão KJV em inglês seguindo a LXX (Septuaginta). É um antílope de anca branca, talvez o *Addax nasomaculatus* do norte da África e Arábia; a versão RSV em inglês traduz este termo como "cabrito montês."

2. **Arganaz** ou **Texugo-do-rochedo,** *Procavia capensis.* O arganaz é um pequeno ungulado, a única espécie do grupo encontrado fora da África. Parece um coelho, mas suas orelhas são bastante imperceptíveis. Ele não se esconde em tocas, como os coelhos, mas vive em regiões rochosas (Sl 104.18; Pv 30.26). Ele tem bigodes pretos que podem medir 17 centímetros.

O arganaz não é um ruminante, mas o movimento constante de suas mandíbulas pode sugerir que ele rumina. Embora por este motivo este animal provavelmente tenha sido incluído com outros animais ruminantes, ele não tinha cascos fendidos; assim Deus o proibiu como alimento aos judeus (Lv 11.5; Dt 14.7). Os arganazes vivem em pequenas colônias de 6 a 50 animais. Ele é principalmente diurno, mas também sai em noites quentes de luar. O animal é exclusivamente vegetariano. Sua carne é comida por alguns nativos.

3. **Beemonte.** *Veja* Hipopótamo II.21.

4. **Boi Selvagem** ou **Unicórnio,** *Bos primigenius.* Este animal (Heb. *r*^e^*'em,* Akkad. *rimu,* descrito em Jó 39.9-12; para relevo assírio veja VBW, IV, 129) é claramente o boi selvagem, um animal grande, feroz, rápido e intratável. Ele tem a parte traseira magra e comprida com um dorso reto e uma cabeça estreita e comprida. Os dois chifres (Dt 33.17, RSV; "Unicórnios" deveriam estar no singular na versão KJV em inglês) são retos e do mesmo comprimento de sua cabeça. Estas eram suas notáveis características (Nm 23.22; 24.8; Sl 22.21).

Ele também é conhecido na Europa como o auroque. Na Alemanha é conhecido como *Auer*; em latim ele era *urus.* Ele existiu no estado selvagem até o século XVII d.C. quando se tornou extinto, embora Bodenheimer relate rumores de espécimes individuais sobrevivendo nos vales montanhosos do Curdistão. A caça deste animal era o esporte favorito dos reis assírios. Tiglate-Pileser I o caçou nas montanhas do Líbano em 1.100 a.C. (cf. Sl 29.6).

Em um certo momento, pensava-se que *r*^e^*'em* fosse o órix ou o antílope; os árabes chamam o órix de *ri'm.* Os tradutores da LXX chamaram *r*^e^*'em* de "monokeros" (unicórnio) baseando-se nas representações de relevo do auroque, conforme o exato perfil que eles encontraram nos mosaicos babilônicos e nos desenhos egípcios. Por ele estar exatamente de perfil, apenas um chifre foi visto, daí o termo "unicórnio". A Vulgata traduziu *r*^e^*'em como* "unicornus" e Lutero prosseguiu com a frase "Einhorn" (um só chifre). Não há dúvida hoje de que o *r*^e^*'em* seja o boi selvagem e que o autor do livro de Jó estava se referindo a este e não a um animal mitológico (veja também ANEP, # 183; VBW, I, 228).

Os reis freqüentemente simbolizavam o seu domínio usando um capacete com dois chifres de boi selvagem (VBW, IV, 57; cf. Sl 92.10 com 132.17,18).

5. **Boi Selvagem.** *Veja* II. 4.

6. **Bugio**. Este termo, como é usado nas Escrituras (Heb. *qoph*) pode bem se referir a macacos e babuínos ao invés de verdadeiros bugios. Os babuínos eram bem conhecidos no Egito onde o deus Tot era freqüentemente representado por um babuíno. O babuíno comum é o *Papio hamadryas.*

O termo *qoph* provavelmente não é uma palavra hebraica. Pode derivar-se do sânscrito *kapi* e da palavra grega *kepos* que significa macaco de rabo comprido. A LXX (Septuaginta) a traduz como "o Bugio sem rabo". Se Ofir é a Índia como alguns acreditam, ou a Somália na costa africana como outros acreditam, os animais que Salomão recebeu eram com toda a probabilidade um lote misturado (1 Rs 10.22; 2 Cr 9.21). Eles eram muito provavelmente primatas com rabos, e não verdadeiros bugios, como aqueles que os egípcios trouxeram de volta de Punt (pinturas das tumbas, VBW, II, 224).

7. **Cabra Selvagem,** *Capra ibex nubiana.* O cabrito montês (Heb. *ya'el*, "cabra selva-

Apanhando cervos em uma rede, do palácio de Assurbanipal, Nínive. BM

gem") é uma espécie de cabra selvagem que ainda vive em pequeno número nos penhascos perto do Mar Morto (1 Sm 24.2). Suas pernas magras e seus cascos fendidos permitem que ele se segure nas estreitas saliências dos rochedos, para pular entre eles e para escalar penhascos íngremes. O cabrito montês é geralmente encontrado em terrenos montanhosos escarpados, penhascos e campinas rochosas, exatamente abaixo da linha de neve (Sl 104.18). Em Jó 39.1 eles são chamados de *ya'ale – sala'*, "cabras dos penhascos ou rochedos"; na versão RSV em inglês, "cabras monteses".

Estes animais freqüentemente se ajuntam em rebanhos de cinco a 20. Eles pastam e apascentam, estando ativos à tarde e às vezes alimentando-se por toda a noite.

O grande chifre do cabrito montês foi em um período transformado em trombeta (Sofar), que era soprado no segundo Templo para anunciar o ano novo e o ano do jubileu.

8. **Cabrito Montês.** *Veja* Gazela II.19.

9. **Cabrito Montês (macho).** *Veja* Cervo II.12.

10. **Camundongo.** *Veja* Camundongo IV.6.

11. **Chacal,** *Canis aureus.* O chacal (Heb. *tan*, freqüentemente "dragão" na versão KJV em inglês) é menor que o verdadeiro lobo, e sua cauda é mais curta (veja a foto em VBW, III, 258). É semelhante à raposa (*q.v.*,II.14) mas com orelhas mais curtas e pernas mais compridas. Sua cauda é curvada ou levantada quando comparada com a cauda comprida e horizontal da raposa. Estes animais geralmente vagueiam, individualmente, em pares, ou em bandos através do campo de savana aberto. Eles comem pequenos mamíferos, aves, frutas, vegetais e carniça. Passam seus dias nas matas ou nas moitas de vegetação. Freqüentemente obtêm restos de animais mortos por carnívoros maiores. São rápidos corredores; sua velocidade de corrida é de aproximadamente 50 km/h.

O uivo do chacal é um som lúgubre e amedrontador (Mq 1.8; cf. Jó 30.28,29). As referências das Escrituras nas versões inglesas RSV e NASB são principalmente a chacais vagando por cidades destruídas e áreas desertas. As referências incluem Neemias 2.13; Salmos 44.19; Isaías 13.22; 34.13; 35.7; Jeremias 9.11; 14.6; 49.33; 51.37; Lamentações 4.3; 5.18; Malaquias 1.3.

12. **Cervo.** Os cervos são ruminantes e eram considerados animais limpos (Dt 12.15,22; 14.5). Apenas os machos têm galhadas. As galhadas dos cervos crescem anualmente e são sólidas; isto distingue o cervo do antílope e da gazela.

Três espécies de cervos são conhecidas da Palestina: o cervo vermelho, *Cervus elaphus*; o gamo persa, *Dama mesopotamica*; e o cabrito montês, *Capreolus capreolus*. O cervo vermelho (provavelmente o hebraico *'ayyal*, "veado macho"; *'ayyala*, "veado fêmea") tem 1,32 m de altura em sua parte dianteira. Ele é gregário, cada grupo permanecendo em um território definido. Eles pastam (Lm 1.6) pela manhã e no final da tarde. Permanecem em grupos separados de acordo com o sexo. Era celebrado por seus saltos (Is 35.6) e por agilidade segura de suas patas nas montanhas (Sl 18.33; Ct 2.8,9,17; 8.14; Hc 3.19). A sua sede era evidente quando perseguido (Sl 42.1). (Quanto a veados atacados por leões em relevos assírios, veja ANEP, # 355).

O gamo persa (1 Rs 4.23) pode agora estar extinto. As galhadas eram achatadas e palmípedes (VBW, II, 96). Este cervo deslocava-se em pequenos grupos, alimentando-se principalmente de relva pela manhã e à noite.

O cabrito montês (Heb. *yahmur*, Dt 14.5; 1 Rs 4.23) é um animal pequeno e gracioso, marrom avermelhado escuro no verão e cinza amarelado no inverno. Suas galhadas medem cerca de 30 centímetros de comprimento e têm três pontas. Este cervo prefere vales esparsamente arborizados e os declives mais baixos das montanhas, pastando em locais abertos. Estes geralmente se associam em grupos familiares da corça e seus filhotes. Eles são tímidos, porém muito curiosos. O cabrito montês late como um cachorro quando perturbado. São excelentes nadadores com todos os sentidos bem desenvolvidos.

A corça ou o veado fêmea geralmente tem um único filhote (Jó 39.1; Sl 29.9; Jr 14.5), embora os gêmeos nasçam com um certo grau de regularidade. (Para a foto da corça nova, veja VBW, IV, 143) A corça nova é capaz de levantar-se sobre suas pernas apenas algumas horas após o seu nascimento. A corça ilustrou graça e charme (Gn 49.21; Pv 5.19).

13. **Corça.** *Veja* Cervo II.12.

14. **Doninha.** *Veja* IV.8.

15. **Dragão.** A versão KJV em inglês traduz a palavra hebraica plural *tannim* como "dragões" quando claramente se refere a animais do deserto (por exemplo, Sl 44.19; Is 13.22; Jr 9.11; Mq 1.8; Ml 1.3), significando na maioria das vezes o chacal (*veja* II.11). A palavra similar *tannin* é singular com a forma plural *taninim*, e também é traduzida como "dragão" ou "dragões" na KJV, e o mesmo ocorre freqüentemente na versão RSV em inglês. Este termo refere-se a serpentes em Êxodo 7.9, 10,12; Deuteronômio 32.33 e, talvez, no Salmo 91.13; ao crocodilo em Ezequiel 29.3; 32.2; aos monstros marinhos primordiais e possivelmente aos dinossauros em Gênesis 1.21; Jó 7.12; Salmos 148.7; Jeremias 51.34; e talvez a criaturas familiares ao leitor antigo por seu conhecimento geral da mitologia cananita e babilônica em Salmos 74.13; Isaías 27.1; 51.9. *Veja* Leviatã e Baleia V.6 e 1.

A mitologia da Babilônia descreve tais monstros ou dragões em conflito primordial com Marduque (ANEP, # 523); eles representavam o princípio do mal (Tiamat e sua tropa de dragões e demônios, ANET, pp. 62-67). Na Babilônia, dragões construídos em relevo com tijolos vitrificados decoravam o Portão Istar (ANEP, # 761). Serpentes com chifres aparecem freqüentemente na arte mesopotâmica (ANEP, # 454, 511, 519, 520, 537).

Um homem sacrificando uma gazela, do palácio de Sargão II, Khorsabad, Assíria. LM

No livro de Apocalipse o dragão é primeiramente um símbolo de Satanás, o arquiinimigo de Deus e de seu povo (12.3-17; 13.2,4,11; 16.13; 20.2).

16. **Elefante,** *Elephas africanus* e *E. indicus*. Embora não haja nas Escrituras nenhuma referência ao elefante em si, há várias referências ao marfim (1 Rs 10.18,22; 22.39; Sl 45.8; Ct 5.14; 7.4; Ez 27.6,15; Am 3.15; 6.4). As presas do elefante são a fonte do marfim, que é esculpido em enfeites e jóias e usado para fazer várias peças de mobília. *Veja* Marfim. Pelo menos quatro reis assírios relataram suas caçadas e capturas de elefantes.

Existem duas espécies de elefantes: o africano e o indiano. O elefante indiano vagava de forma selvagem pelo norte da Síria, e certa vez foi caçado perto de Carquemis pelo faraó Tutmés III (ANET, p. 240). Tiglate-Pileser III, no ano 735 a.C., recebeu couro e marfim de elefantes como tributos (ANET, p. 283; cf. ANEP, # 353). Presas de elefantes foram encontrados no Vale Jordão.

O elefante indiano prestou-se prontamente à domesticação. Além do seu uso como um animal de carga, ele era usado em batalhas no mundo antigo. O líder selêucida Lysias empregou 32 elefantes contra os judeus na Guerra dos Macabeus (1 Mac 6.30).

O elefante africano é maior que o elefante indiano e é indomável. O elefante é o maior mamífero terrestre, pesando cerca de três toneladas. As presas podem pesar até 90 quilos.

17. **Furão.** *Veja* Doninha IV.8.

18. **Gamo.** *Veja* Antílope II.1.

19. **Gazela,** *Gazella dorcas* e *G. arabica*. A gazela (Heb. *s[e]bi*, na versão inglesa KJV "cabrito montês", e no grego *dorkas*) é um antílope pequeno, elegante e gracioso com chifres recurvados. Duas variedades existem na Palestina, a gazela dorcas, de cor castanho claro, com 53 a 56 cm de altura; e a gazela árabe, de cor castanho escuro, com 61 a 63,5 cm de altura: ambos os sexos têm chifres ocos.

As gazelas formavam uma parte importante da dieta dos primeiros habitantes de Jericó. A gazela dorcas pode ter sido domesticada e mantida da mesma maneira que as cabras. Aparentemente, as gazelas eram mantidas como animais domésticos no Antigo Reino do Egito. Não poderiam ser usadas para o sacrifício judaico, mas poderiam ser comidas como um alimento (Dt 12.15,22; 14.5; 15.22).

Nos tempos bíblicos, a gazela era provavelmente o animal de caça mais caçado pelos judeus (Pv 6.5; Is 13.14). O faraó Tutancamom caçava gazelas e avestruzes com arco e cachorros (ANEP, # 190). Diz-se que a gazela embelezou a mesa de Salomão (1 Rs 4.23). Não era fácil caçá-la por causa de sua grande velocidade (2 Sm 2.18; 1 Cr 12.8; Pv 6.5).

Uma estátua em xisto verde de Tueris, deusa-hipopótamo egípcia, no Museu do Cairo. LL

Ela também é mencionada em Cantares 2.7; 4.5 e 7.3.

Rebanhos de gazelas ainda são encontrados no Neguebe. Os rebanhos geralmente consistem de cinco a dez animais, mas rebanhos maiores juntam-se em variedades que migram no outono para lugares mais baixos e novas pastagens. Os beduínos caçam as gazelas com falcões e cachorros. O falcão irrita a gazela e a fere para que os cachorros possam alcançá-la.

20. **Hiena,** *Hyaena hyaena.* A hiena é um carnívoro de formação robusta com pêlo áspero e uma crina ereta de pêlos compridos ao longo do pescoço e do dorso. As hienas vivem em buracos nas encostas ou entre os rochedos. Elas são principalmente noturnas, mas não são geralmente barulhentas ou agressivas. Seu grito, porém, tem um som desagradável e sinistro. Geralmente, alimentam-se de carniça; elas possuem mandíbulas tão poderosas que podem triturar ossos. Quando o suprimento de carniça for inadequado, elas matarão ovelhas, cabras e pequenos animais. Se ameaçadas, elas rosnam e levantam suas crinas, mas, raramente lutam.

As hienas são conhecidas como comedoras de carniça; na África elas comem o lixo doméstico das aldeias. Dizem que a hiena listrada é o segundo predador mais comum na Palestina; aqui ela prefere áreas rochosas e até mesmo tumbas de pedra. Ela pode desenterrar corpos humanos.

A hiena não é mencionada na versão KJV em inglês, mas aparece como Zibeão em Gênesis 36.2,14,20 etc., como um nome próprio em Gênesis 14.2,8; Deuteronômio 29.23; 1 Samuel 13.18 como o nome de um lugar, Zeboim, o que parece indicar que as hienas eram comuns na região. A versão RSV em inglês traduz *'i* como "hiena" em Isaías 13.22; 34.14; Jeremias 50.39. A hiena é mencionada em Sir 13.18.

21. **Hipopótamo,** *Hippopotamus amphibius.* O hipopótamo é um angulado anfíbio grande e de pele grossa, com uma cabeça grande, um corpo volumoso sem pêlos e pernas curtas. Na atualidade, ele é encontrado somente nos rios da África, mas há evidências fósseis consideráveis do hipopótamo na Palestina, e eles podem ter existido nos pântanos ao norte da Galiléia e no Vale do Jordão. Eles são freqüentemente encontrados na arte, e na literatura no Egito faraônico (VBW, IV, 132). Muitos têm pensado que este pode ser o animal que se tinha principalmente em mente em Jó 40.15-24, e que foi chamado de beemote. O termo egípcio *pehemu* significa "boi das águas".

22. **Javali,** *Sus scropha.* Os javalis selvagens não atacam a menos que sejam incomodados, mas são perigosos se provocados. Eles viajam em bandos de 6 a 50 e são mais ativos ao anoitecer e nas primeiras horas da manhã. O corpo é coberto com cerdas duras e, geralmente, alguns pêlos mais finos, mas a cobertura do corpo é freqüentemente bastante escassa. Eles têm quatro presas que crescem continuamente, duas em cada mandíbula. A caça ao javali era comum na Mesopotâmia.

Porcos selvagens são principalmente vegetarianos, alimentando-se de raízes, nozes, grãos e caule de plantas. Eles podem destruir jardins e fazendas (Sl 80.13). *Veja também* Porco I.13.

Rei Assurnasirpal da Assíria caçando leões de seu carro. BM

Estátua de diorito da deusa-leoa egípcia Sekhmet. MM

23. **Jumento do campo.** *Veja* Onagro II.30.
24. **Jumento Selvagem.** *Veja* Onagro II.30.
25. **Leão,** *Panthera leo persica.* O leão é um grande carnívoro de cor amarelo-castanho que caça principalmente mamíferos sobre cascos e ataca com uma série de saltos e pulos. Dentro do período histórico, o leão é encontrado na Europa e na Palestina. O animal palestino era o leão asiático ou persa. Os machos têm uma juba pesada. A juba para na altura dos ombros, mas recobre uma boa parte da barriga. Ele não pode escalar e é principalmente noturno, retornando para a sua toca ou para a mata durante o dia (Jr 4.7; 25.38; Ne 2.11,12).

Os leões eram comuns nos tempos bíblicos em todas as partes da Palestina. A língua hebraica tem ao menos sete palavras para leão e leãozinho, e a fera é mencionada mais de 130 vezes na Bíblia. Ele gradualmente diminuiu e tornou-se extinto pouco depois de 1.300 d.C. O leão estava presente na Mesopotâmia até o final do século XIX. A caça ao leão era o esporte dos reis na Assíria (ANEP, # 184) e no Egito (ANET, p. 243).

O rugido do leão acontece apenas com o estômago cheio, isto é, depois dele ter consumido a sua presa (Sl 22.13; Ez 22.25; Am 3.4). O leão é um animal corajoso (2 Sm 17.10; Pv 28.1), destrutivo (Sl 7.2; Jr 2.30; Os 5.14; Mq 5.8), o inimigo do rebanho (Am 3.12), cujo rugido inspira o medo nos animais domésticos (Am 3.8; veja VBW, III, 174-235; 1 Pe 5.8). Como todos os grandes felinos, os leões às vezes tornam-se animais que atacam os homens (1 Rs 13.24-28; 20.36; 2 Rs 17.25,26; Sl 57.4; Dn 6.7-27). Eles preferem campos abertos, savanas e planícies.

Os leões desempenhavam um papel importante no simbolismo político (1 Rs 10.19,20) e religioso do Oriente Próximo (veja muitas referências na ANEP). Na Assíria e na Babilônia o leão era considerado um animal real (Dn 7.4). Uma grande placa de basalto da metade do segundo milênio a.C. foi encontrada em Bete-Seã retratando um cachorro e um leão lutando (ANEP, # 228). O leão era a mais poderosa das feras para o judeu e ilustrava o porte suntuoso de um rei (Pv 30.29-31). Dessa forma ele simbolizava o governo (Gn 49.9; Nm 24.9) e até se tornou um título de Cristo (Ap 5.5). O leão permanece um animal de zoológico favorito entre os governantes de estilo oriental; o imperador da Etiópia ainda exibe os leões reais.

26. **Lebre,** *Lepus europaeus judaeus, L. capensis,* e *L. arabicus.* A lebre é encontrada tanto no campo aberto, preferivelmente perto ou em terras cultivadas, como em florestas, geralmente decíduas. É um roedor herbívoro e é diferente do coelho; nenhum coelho é encontrado na Palestina. Mesmo não sendo um verdadeiro ruminante de acordo com a classificação moderna, por não possuir um estômago de quatro cavidades, a le-

bre rumina o seu alimento. Há um processo de regurgitação parcial do material que é muito duro, para que as pequenas células no estômago absorvam inicialmente; dessa forma a lebre na verdade mastiga a comida que foi engolida anteriormente (E. P. Schulze, "The Ruminating Hare", *Bible-Science Newsletter*, VIII [Jan. 15,1970], 6).

As lebres têm orelhas muito compridas e grandes patas posteriores; suas patas são bem peludas (Relevo egípcio, VBW, I, 186). As lebres não cavam ou ocupam tocas; neste aspecto elas diferem dos coelhos. As lebres são principalmente noturnas e passam suas horas inativas escondendo-se na vegetação. Elas comem relva e material herbáceo, como também galhos e as cascas novas de plantas lenhosas.

A lebre era cerimonialmente imunda (Lv 11.6; Dt 14.7) aparentemente porque mesmo parecendo ruminar, ela não tinha cascos fendidos. O consumo de lebres também é proibido entre árabes, chineses e lapões.

A lebre era largamente caçada por outros povos nos tempos antigos e modernos (Relevo assírio, ANEP, # 185). No entanto, a sua grande velocidade, sua reprodução prolífica, sua timidez e cautela, a salvaram do extermínio por seus muitos inimigos.

27. **Leopardo,** *Panthera pardus tulliana*. O leopardo tem o maior alcance pela terra quando comparado a qualquer um dos grandes felinos. Em áreas rochosas ele vive em cavernas, mas em regiões de floresta ele vive em vegetações espessas. Muitos viviam nos arredores do Monte Hermom no tempo do AT (Ct 4.8). É um animal cauteloso e esperto, formidável e feroz (Jr 5.6; Os 13.7; cf. Is 11.6). Ele tem sobrevivido na Palestina até o século XX d.C.

Uma raposa no Zoológico Bíblico, Jerusalém. IIS A escritura na placa: "apanhai-nos as raposas, as raposas pequenas, que fazem mal às vinhas" (Ct 2.15)

O leopardo é ligeiro no solo (Hc 1.8) e ágil em árvores. Quando não consegue consumir toda a sua presa, ele esconde o que restou em uma árvore. Sua cor é amarelada com manchas pretas espalhadas pelo corpo (Jr 13.23; foto e pintura em tumbas, VBW, III, 109). Daniel e João viram leopardos em suas visões como símbolos dos poderes mundiais (Dn 7.6; Ap 13.2).

28. **Lobo,** *Canis lupus*. O lobo anda em bandos de até 30 animais que surgem de um grupo familiar (veja a foto VBW, III, 280). Eles caçam individualmente ou fazendo um revezamento, geralmente à noite (Jr 5.6). Os lobos possuem audição e visão aguçadas, mas confiam principalmente no olfato e geralmente capturam sua presa em uma perseguição rápida e aberta. O lobo é conhecido por sua audácia, ferocidade e voracidade (Gn 49.27; Hc 1.8). Ele geralmente mata mais do que pode comer ou carregar. Sua alimentação habitual consiste em pequenos mamíferos, tais como ratos, peixes, caranguejos e carniça. No Egito, Roma e Grécia o lobo era considerado um animal sagrado.

Os lobos são criaturas inteligentes e sociais, fiéis à sua própria espécie; eles ficam com seu par durante a vida toda. Os lobos eram bem conhecidos na Palestina. Exceto em Isaías 11.6; 65.25; João 10.12, as referências bíblicas aos lobos são todas figurativas; geralmente o símbolo de inimigos e homens ímpios (por exemplo, Ez 22.27; Sf 3.3; At 20.29).

29. **Macaco.** *Veja* Bugio II.6.

30. **Onagro** ou **Meio-jumento,** *Equus hemionus hemihippus*. O onagro ou jumento selvagem sírio (Heb. *pere'*) é o intermediário entre o verdadeiro cavalo e o verdadeiro jumento. Suas orelhas são mais compridas do que as do cavalo, porém mais curtas do que as do jumento. Ele também é conhecido como o asno selvagem do Tibete. Para os relevos assírios básicos veja VBW, III, 98; IV, 128; ANEP, # 186. Os cascos dianteiros são estreitos, existem calosidades somente nas patas dianteiras, e a cauda tem pêlo curto por uma longa distância de sua raiz, de forma que parece estar em tufos.

Os sumerianos foram capazes de domesticar o onagro, mas o cavalo o superou. Em Ur ele era usado para puxar carros, pois vários foram enterrados com seus veículos em uma sepultura real em 2.500 a.C. Posteriormente ele se tornou a caça favorita dos reis babilônios e assírios.

Um pastor ungindo suas ovelhas (cf. Sl 23.5). @ MPS

O onagro parece ter sido muito comum nas terras estepe(*) perto de Israel onde ele é descrito como animal do deserto amante da liberdade (Jó 24.5; 39.5-8; Sl 104.11; Is 32.14; Jr 2.24; Os 8.9). Ismael deveria ser um homem como um jumento selvagem (Gn 16.12), alguém que não poderia se ajustar à vida comum. A seca parece ter sido responsável pela dizimação do onagro nos tempos bíblicos (Jr 14.6). Nabucodonosor viveu entre os animais selvagens, incluindo o onagro (Aramaico. *'arad*, Dn 5.21).

(*) N. do. T. Grandes zonas de campos, mais ou menos planas, secas, com árvores de pouco crescimento, de vegetação herbácea onde predominam as gramíneas.

31. **Ouriço-cacheiro,** *Erinaceus* sp. L. O ouriço-cacheiro é um insetívoro; o porco-espinho (*q.v.,* II.33), freqüentemente confundido com o ouriço-cacheiro, é maior e é um roedor. Este animal é caracterizado por um lento andar rolante, mas ele pode correr rapidamente. Ele é um bom nadador e é geralmente ativo à noite. Seus espinhos são utilizados para se amortecer bem como para proteção. O ouriço-cacheiro se estabelece em folhas caídas de sebes e matas, alimentando-se de sementes e larvas de insetos, besouros, caracóis, cobras, lagartixas, pássaros jovens, ratos e carniça. Ele rola em uma bola para defesa, cobrindo sua barriga vulnerável. Bodenheimer relata três espécies na Palestina. Os egípcios consideravam o ouriço-cacheiro um mau agouro. Ele é usado nas Escrituras como um símbolo de uma área inabitada que se tornou desolada (Is 14.23; 34.11; Sf 2.14. Nas versões NASB e KJV em inglês lê-se "abetouro").

32. **Ovelha Montês,** *Ovis orientalis*. A camurça européia (*Rupicapra*) não é encontrada em terras bíblicas. Assim, em Deuteronômio 14.5, para o heb. *zemer* o termo "camurça" da versão inglesa KJV pode referir-se a uma das várias variedades de ovelhas selvagens conhecidas na área do Mediterrâneo. A espécie acima ocorre de forma selvagem na Armênia e na Pérsia. Para *zemer* Tristrão sugeriu o *Ovis tragelaphus*, uma ovelha com cerca de 1 metro de altura com longos chifres curvos, familiar aos beduínos.

33. **Porco-espinho,** *Hystrix* sp. O porco-espinho é um verdadeiro roedor em oposição ao insetívoro ouriço-cacheiro, e vive em áreas florestais, montes rochosos, desfiladeiros e vales. Ele tem longos espinhos, que quando levantados dão a aparência de uma crina. Este animal é quase que totalmente noturno. Ele se esconde durante o dia em uma cavidade ou fenda natural. Este porco-espinho do velho mundo raramente sobe em árvores como faz o porco-espinho do novo mundo. Os porcos-espinhos comem frutas, cascas de árvores, raízes e outras vegetações suculentas. Eles também podem comer car-

niça. Uma vez que sua carne é comestível, o porco- espinho não foi classificado entre os animais limpos para os israelitas. Um porco-espinho pode pesar cerca de 27 quilos. Heb. *qippod* em Isaías 34.11 é traduzido como "porco-espinho" (ouriço) nas versões inglesas ASV e RSV, mas "abetouro" na KJV; a KJV também tem o termo "abetouro" para esta palavra em Isaías 14.23; Sofonias 2.14, onde a RSV tem o termo "ouriço-cacheiro."

34. **Raposa,** *Vulpes vulpes palaestinae*. A raposa é um carnívoro parecido com o cachorro com uma cauda espessa medindo a metade do comprimento de seu corpo. É menor que um lobo e é normalmente um animal solitário e noturno. A raposa é onívora: ela come pequenos animais, insetos e frutas (Ct 2.15). A raposa é inteligente e tem uma resistência considerável. Pode correr a uma velocidade de até 50 km/h. Ela tem um sentido aguçado de visão, olfato e audição, e às vezes parece quase ter um senso de humor. Geralmente, a raposa escava sua própria toca. É conhecida por sua esperteza, mas, os hebreus, também, a consideravam insignificante (Ne 4.3; Lc 13.32). Algumas referências do AT, tais como o Salmo 63.10 e Lamentações 5.18, são aos chacais, pois somente este caça em grupo e tende a agir como comedor de carniça. Tristrão encontrou duas variedades de raposa na Palestina no século XIX. Félix relata três variedades de raposa em Israel atualmente. Não se sabe ao certo quantas variedades existiam nos tempos bíblicos.

35. **Sátiro.** Os sátiros (Heb. *'sa'ir*) de Isaías 13.21; 34.14 eram evidentemente criaturas peludas (do heb. *se'ar,* "pêlo") e quase que certamente cabras selvagens, uma vez que o termo hebraico *sa'ir* também é a palavra para "bode". A versão RSV em inglês também traduz esta palavra hebraica como "sátiros" em Levítico 17.7 e 2 Crônicas 11.15, onde a KJV traz o termo "demônios". Em referência posterior, WBC (p. 400) sugere que ao invés do sátiro mitológico ou de demônios peludos, "como afirmado pela crítica 'liberal'", os *s[e]'irim* eram simplesmente ídolos em forma de bode, usados juntamente com os bezerros de ouro que Jeroboão I de Israel havia introduzido.

36. **Texugo.** *Veja* Dugongo V.4; *também* Lebre II.26.

37. **Toupeira.** *Veja* Ratazana IV.27.

38. **Unicórnio.** *Veja* Boi Selvagem II.30.

39. **Urso,** *Ursus arctos syriacus*. O urso é um mamífero grande, pesado e de cabeça grande com membros curtos e poderosos e uma cauda curta. Os olhos e as orelhas são pequenos. Os ursos têm um andar plantígrado: eles andam tanto na sola da pata quando nos calcanhares, assim como o homem.

Os ursos são geralmente pacíficos e inofensivos, mas se acham que devem defender-se (Lm 3.10), ou defender seus filhotes (2 Sm 17.8; Pv 17.12; Os 13.8), seu suprimento de comida (Pv 28.15), ou seu próprio território (2 Rs 2.24; Am 5.19), eles são adversários formidáveis e perigosos (veja relevo egípcio, VBW, II, 255). Davi era o campeão matador de ursos da Bíblia (1 Sm 17.34-37).

Os sentidos da visão e da audição do urso não são muito bons, mas seu olfato é excelente. Os ursos são onívoros: eles subsistem grandemente com uma alimentação de vegetais, frutas, insetos e peixes. O urso palestino é uma versão siríaca do urso pardo. Nos tempos bíblicos, ele parece ter vagado por todas as partes de Israel.

40. **Veado.** *Veja* Cervo II.12.

### III. Criaturas Voadoras

1. **Abelha,** *Apis mellifica*. Há muitas referências a abelhas na Bíblia. A terra de Israel era descrita como uma terra que mana leite e mel. O mel e as tâmaras eram as únicas grandes fontes de açúcar disponíveis para o homem antigo. Acredita-se que a abelha não foi domesticada até o período helenístico na Palestina, tanto que as primeiras referências são de abelhas selvagens. Passagens como Juízes 14.8 referem-se ao mel; outras passagens como Deuteronômio 1.44; Salmos 118.12 e Isaías 7.18 fazem alusão à natureza irritante e vingativa da abelha e das picadas dolorosas que ela inflige. Ao obter o mel, toda a tentativa era feita pelos antigos para proteger a colônia, a fim de preservar esta fonte de açúcar. No Egito a abelha era considerada sagrada. Os filis-

Uma águia ou abutre no Zoológico Bíblico, Jerusalém. HFV

teus e heteus praticavam a apicultura em suas cidades. Uma colméia valia tanto quanto uma ovelha, embora o preço do mel em si fosse baixo. O mel era comido com o favo (Ct 5.1).

2. **Abetouro.** *Veja* Ouriço-cacheiro II.31; Garça III.33.

3. **Abibe.** *Veja* Poupa III.53.

4. **Abutre ou águia,** *Gyps fulvus.* Até a geração passada, o abutre ou a "águia" do Antigo Testamento (hebr. *nesher*, Lv 11.13; Dt 14.12; VBW, I, 188) era uma das aves mais comuns da Palestina, mas hoje está à beira da extinção. Muitos devem ter sido mortos comendo veneno de armadilhas para raposas e chacais. Além disso, a sua reprodução é limitada; a fêmea põe somente um ou dois ovos por ano. Faz o seu ninho em topos de abismos ou penhascos (Jó 39.27,28; Jr 49.16; Ob 4), e dedica um cuidado especial aos filhotes durante sete semanas (Dt 32.11; VBW, I, 292). Freqüentemente se aquece nas rochas ao meio-dia, e pode voar rapidamente (Dt 28.49; Jó 9.26) ou pode planar com movimentos tranqüilos. Pode elevar-se até quase desaparecer no céu (Pv 23.5; 30.19; Is 40.31). Emite um som como um rosnado.

A águia era considerada um símbolo de soberania e dominação no antigo Oriente Próximo. Assim Ezequiel comparou os reis do Egito e da Babilônia com poderosas águias (Ez 17.3,7). As deusas egípcias Nekhbet e Mut eram representadas como águias (VBW, III, 171).

Como outros comedores de carniça (Pv 30.17), o seu pescoço é careca ou levemente coberto com uma penugem branca (Mq 1.16). Essa calvície parece evitar o acúmulo de penas no sangue coagulado ao mergulhar a cabeça nas vísceras da carniça. Essa ave é a maior da Palestina, medindo quase um metro e quarenta de comprimento e aproximadamente três metros e trinta centímetros entre as extremidades das asas abertas. O seu bico é extremamente forte mas os dedos dos pés são pequenos, e as garras sem corte. O dedo médio é igual aos demais no comprimento, porém diferente ao de outras aves predadoras, que o usam para agarrar as vítimas. Com uma visão aguda, plana a grande altura procurando animais mortos ou moribundos. Mergulha rapidamente sobre o cadáver (Jó 39.29,30; Hc 1.8).

Em alguns trechos, a referência deve ser à águia verdadeira. Ezequiel teve uma visão com quatro animais, cada um com quatro rostos, e um deles era como uma águia (Ez 1.10), e João viu quatro criaturas e uma delas semelhante a uma águia voando (Ap 4.7). Na Palestina havia duas variedades; a mais comum era a águia imperial, *Aquila heliaca heliaca*, e a águia dourada, *Aquila chrysaëtos*. A última consegue voar de cinco a seis quilômetros em dez minutos, e pode ter evocado a comparação em 2 Samuel 1.23; Jeremias 4.3 e Lamentações 4.19.

Outras referências bíblicas incluem Êxodo 19.4; Salmos 103.5; Jeremias 49.22; Oséias 8.11; Mateus 24.28 e Apocalipse 12.14.

5. **Abutre egípcio,** *Neophron percnopterus.* Este urubu também é cerimonialmente impuro (*raham*, quebrantosso, corvo marinho, abutre ou gralha – Lv 11.18; Dt 14.17). Também é conhecido como "galinha do Faraó" e tem uma plumagem basicamente branca com a cabeça careca e o pescoço amarelo. O seu vôo é lento e tranqüilo, e ele grasna. É a menor de todas as aves comedoras de carniça encontradas na Palestina.

6. **Abutre negro** ou **águia-pescadora,** *Aegypius monachus.* O urubu negro é um animal cerimonialmente impuro (é também conhecido como "águia", ou "águia pescadora;" Lv 11.13; Dt 14.12). O seu nome hebraico (*'ozniya*) pode ter derivado de uma raiz que significa "poderoso". Seu corpo tem pouco mais de noventa centímetros, com uma abertura de asas que chega a aproximadamente dois metros e setenta centímetros. As penas são pretas, e a cabeça e a parte superior do pescoço são carecas, como no caso de outros comedores de carniça. Faz o seu ninho no vale do Jordão e parece ter sido bastante abundante nos tempos bíblicos, porém hoje se tornou raro. Tem uma cera, uma pequena membrana semelhante a cera na base do seu bico, de cor vermelho vivo. Alimenta-se de carcaças e de carniça (por exemplo: 2 Sm 21.10; veja VBW, II, 195). Alguns observadores relatam que ele impele bodes e ovelhas para precipícios e então os devora.

7. **Abutre Quebrantosso (Xofrango)** *Gypaetus barbatus.* O abutre quebrantosso

Um avestruz no Zoológico Bíblico, Jerusalém. HFV

Um leque cerimonial da tumba de Tutancamom, originalmente formado por penas de avestruz fixadas em furos em torno da borda. É revestida de ouro e mostra o rei caçando avestruzes no deserto perto de Heliópolis

é um grande abutre e menos comum que outros abutres. Ele é apreciador de ossos com tutano – o termo em latim, *ossifragus*, "triturador de ossos", refere-se a isto – e de tartarugas. Aeschylus supostamente perdeu sua esposa quando um abutre quebrantosso confundiu sua cabeça calva com uma rocha, e derrubou uma tartaruga sobre ela. A esposa teria sido atingida, e não ele. Ele pode atacar cervos e cabras, carregando-os no ar e derrubando-os sobre os rochedos.

O abutre quebrantosso é marrom acinzentado com listras brancas. Ele tem um tufo preto que lhe dá o nome de "abutre barbado". Ele é chamado "águia-pescadora" na versão inglesa KJV e "abutre" na versão RSV em Levítico 11.13 e Deuteronômio 14.12.

8. **Águia.** *Veja* Abutre ou Águia III.54.

9. **Águia-Marinha.** *Veja* Abutre Egípcio III.5.

10. **Águia-pescadora.** *Veja* Abutre negro III.6.

11. **Andorinha,** *Hirundo rustica.* A andorinha é uma ave passariforme pequena, quase preta, com a cauda bifurcada e asas longas e afiladas, famosa por seu vôo gracioso. Parece-se com o andorinhão no formato e nos hábitos de vida, nas tem a cauda mais curta. A palavra hebraica *deror* (Sl 84.3; Pv 26.2) representa, com certeza, a andorinha; mas em Isaías 38.14 e Jeremias 8.7 a palavra *sis* pode ser traduzida como andorinhão (q.v.).

12. **Andorinhão,** Espécie *Apus.* O andorinhão (em hebreu *sis*) chega à Palestina no final do inverno (Jr 8.7) e imensos bandos enchem as cidades com as suas crias. Normalmente chegam entre os dias 20 e 25 de fevereiro. O andorinhão, como a andorinha, tem asas longas e curvadas, e uma cauda dividida que permite que ele atinja grande velocidade ao deslizar sobre o solo e levantar vôo. É um pássaro útil que devora uma grande quantidade de insetos daninhos pegando-os com o bico em pleno vôo. O andorinhão faz o seu ninho nos telhados, nos cantos e nas fissuras dos muros das cidades palestinas. Para construir seu ninho ele usa palha e penas que são cimentados com a própria saliva. Outros andorinhões vivem em cavernas e fendas nas rochas. O gemido melancólico do andorinhão é mencionado em Isaías 38.14.

13. **Avestruz,** *Struthio camelus.* O avestruz é uma ave de dois dedos, rápida ao correr e que não voa. Ele vive nos desertos ou em áreas cobertas com arbustos mirrados. O termo heb. *bath hayya'ana*, que significa "filha do deserto" (Lv 11.16; Dt 14.15; Jó 30.29; Is 13.21; 34.13; 43.20 e Jr 50.39) provavelmente se refira ao avestruz, embora Driver discuta que estas passagens se referem à coruja, como na versão KJV em inglês. De acordo com as duas primeiras referências, ele era considerado imundo.

O avestruz é a maior de todas as aves, atingindo uma altura de aproximadamente três metros e trinta centímetros, e um peso de 80 quilos. Para a pintura da tumba egípcia veja VBW, IV, 130. Nos tempos bíblicos, os avestruzes eram encontrados por todo o deserto do Neguebe, mas desde então este animal tem se tornado extinto ali.

O avestruz é onívoro. Ele come relva, frutas, pequenos mamíferos, pássaros, cobras e lagartixas, bem como grandes cascalhos para ajudar a quebra da comida na moela. "Lamentarei, e uivarei, e andarei despojado e nu; farei lamentação como de dragões e pranto como de avestruzes"; o pranto noturno do avestruz é mencionado em Miquéias 1.8 e Lamentações 4.3 e se refere à sua aparente indiferença para com os seus filhotes. o macho pode transferir o filhote de uma fêmea para o ninho de uma outra. O avestruz é caçado (cena no sinete cilíndrico assírio, VBW, III, 38s.), mas os seus ovos são ainda mais importantes do que a própria ave. Eles são comercializados por toda a área mediterrânea. Podem ser usados como utensílios ou podem ser partidos e as conchas transformadas em ornamentos.

Ocasionalmente, o avestruz é usado para a montaria e até mesmo para puxar pequenos carros. As penas de avestruz têm tido uma grande procura. Suas plumas ornamentavam antigos palácios reais como leques. Um leque com cabo de marfim do faraó Tutancamom com suas lindas plumas pode ser visto no Museu Nacional no Cairo. Tentativas de domesticação não foram bem-sucedidas, embora existam fazendas de avestruz na África do Sul.

Jó 39.13-18 refere-se a algumas características e hábitos familiares do avestruz fêmea (*r[e]nanim*, v. 13, que na versão KJV é traduzida como "pavão"). Os muitos ovos dos avestruzes são postos em um ninho raso na areia e alguns são deixados descobertos. Assim eles parecem estar negligenciados durante o dia, mas isto é apenas aparente, pois são chocados à noite. Os ovos que não foram rompidos são colocados nos arredores dos ovos chocados, e servirão de comida para os novos filhotes.

A tolice do avestruz aparece quando ele é caçado e está encurralado, porque ele falha em tomar a ação evasiva que poderia salvá-lo. Em campo aberto, no entanto, ele é muito cauteloso e corre a grande velocidade. Ao contrário da perdiz, ele foge de seus ovos e filhotes quando perseguido. Sua velocidade é conhecida. Tristrão relata a máxima passada larga como tendo de 7 a 9 metros, e uma velocidade de aproximadamente 42 km/h. Capturar um avestruz era considerado um feito heróico (ANEP, # 190, 706).

14. **Bufo** ou **Mocho-orelhudo,** *Asio otus.* Este pássaro é mencionado na Bíblia entre os pássaros de desolação que habitarão a devastada Edom (Is 34.11). Ele adquire seu nome hebraico *yanshuph* ("assobiador", de *nashap*, "assobiar") por causa do som ressonante e ofegante que faz ao respirar. Por esta razão, G. R. Driver pensa ser esta a coruja-das-torres. Alimenta-se de roedores, ratos e camundongos, devorando até a pele destes, e expelindo o resto indigesto pela boca. Ele hiberna em Israel entre as ruínas e nos arvoredos.

O bufo tem aproximadamente 66 cm de altura. Sua cor é cinza com manchas marrons acinzentadas, e listras pretas. Como o seu nome indica, ele tem tufos nas "orelhas". Como outros pássaros predatórios, era considerado ritualmente imundo (Lv 11.17; Dt 14.16). Para mais uma tradução possível de *yanshuph* veja "Íbis".

15. **Bútio,** *Buteo buteo.* Este pássaro era ritualmente imundo (Heb. *'ayya*, Lv 11.14; Dt 14.13), como eram todos os pássaros predadores e comedores de carniça. Ele lembra o milhano, embora a sua cauda seja reta e não dividida. Diz-se que este animal tem uma visão extraordinariamente penetrante (Jó 28.7b) e pode perseguir a sua presa durante horas.

16. **Cegonha,** *Ciconia alba.* A cegonha é uma ave de longas pernas, branca com asas negras e brilhantes, que se alimenta de organismos aquáticos, lixo, pequenos mamíferos, pássaros e répteis. É parente da garça, e considerada cerimonialmente impura (Lv 11.19; Dt 14.18). Bandos de cegonhas passam por Israel durante a migração de setembro, a caminho da África Central e do Sul, e da mesma forma na primavera, quando retornam à sua casa no norte da Palestina, Síria e toda a Europa. É proverbial o seu fiel cuidado com as crias, como também o seu costume de retornar, anualmente, ao mesmo ninho.

Jeremias menciona o misterioso conhecimento instintivo que a cegonha tem da hora da sua migração (Jr 8.7; para foto, veja VBW, III, 103). O Salmo 104.17 refere-se ao seu ninho no topo de uma árvore quando não há um edifício apropriado. Tristrão fala da cegonha negra, *C. nigra*, e também da branca, na Palestina do século XIX. A cegonha negra é comum nas proximidades do vale do Mar Morto e faz o seu ninho em árvores; por isso, pode ser a espécie mencionada em Salmos 104.17. A cegonha tem asas grandes e poderosas, e o bater destas produz um som forte como mencionado em Zacarias 5.9. Tem pernas muito longas e membranas conectoras entre os dedos dos pés, que evitam que ela afunde na lama. O bico vermelho é longo e pontudo, e serve para pegar e retirar a presa da água. Na Europa, ela faz o seu ninho nos telhados e vive no mesmo lugar ano após ano.

17. **Cisne,** Espécie *Cygnus.* Duas espécies de cisnes podem ser encontradas no Oriente Médio como migrantes de passagem, *C. olor* e *C. musicus.* Os cisnes são os melhores músicos conhecidos entre as aves, e na antiguidade eram consagrados a Apolo. Eles emitem sons como os de flautas e harpas. Os cisnes só lutam quando são atacados. Eles são freqüentemente atacados por águias. As referências das Escrituras em Levíticos 11.18*a* e Deuteronômio 14.16*c* podem não estar relacionadas aos cisnes verdadeiros, mas ao animal que, em hebraico, é conhecido como *tinshemet* que pode ser a galinha d'água ou a coruja de celeiros (*q.v.*, III, 35).

18. **Codorniz,** *Coturnix coturnix.* São aves galináceas de asas curtas e cor de areia (do tipo doméstico), as menores da subfamília *Phasianinae*, que inclui os faisões e as perdizes. A codorniz da região do Mediterrâneo passa o inverno no Sudão e migra para o norte em grandes bandos na primavera. O seu vôo noturno, com o vento, é exaustivo, de modo que quando elas pousam são facilmente capturadas com redes ou até mesmo com mãos nuas (para pinturas, veja VBW, I, 149). Tristrão afirma que a codorniz é considerada a caça mais delicada.

Enormes bandos de codornizes serviram duas vezes como alimento aos israelitas no deserto do Sinai, ocasiões em que foram levados milagrosamente pelo deserto pelos ventos (Êx

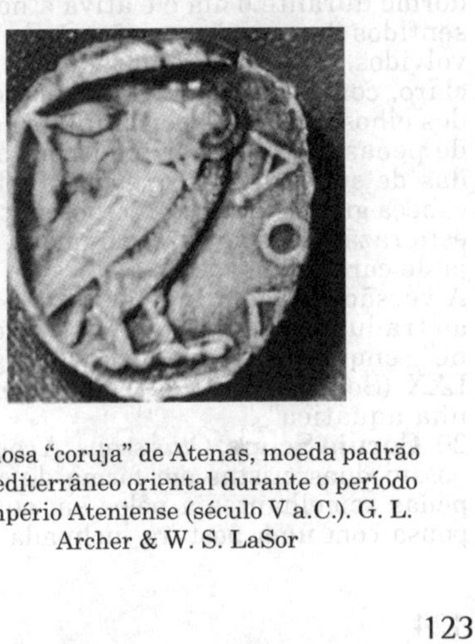

A famosa "coruja" de Atenas, moeda padrão do Mediterrâneo oriental durante o período do Império Ateniense (século V a.C.). G. L. Archer & W. S. LaSor

Apanhando patos e gansos em armadilhas. Relevo de parede na tumba de Ka-Gemni, Sakkara, Egito. LL

16.13; Nm 11.31; Sl 105.40). No segundo caso, elas deveriam ter estado voando ao longo do golfo de Ácaba e saíram de seu curso devido a um vento leste (Sl 78.26-28). Elas são preservadas quando secas ao sol (Nm 11.32).

19. **Coruja de Igreja** ou **Coruja Branca,** *Tyto alba.* Tristrão relatou que na Palestina do século XIX d.C. havia oito variedades de corujas, das quais cinco eram abundantes. É difícil, porém, identificar uma variedade específica através de algum termo hebraico do AT. Desse modo, as quatro corujas a seguir podem ser apenas identificações aproximadas.

A coruja de igreja (Heb. *tinshemeth*) é ritualmente imunda (Lv 11.18a; Dt 14.16c). Ela pode ter obtido seu nome a partir do som ressonante que faz ao respirar. Ela tem uma voz amedrontadora e de características um tanto sinistras, de forma que às vezes foi considerada demoníaca; contudo, é um pássaro útil que devora os roedores que destroem campos e danificam casas. Ela dorme durante o dia e é ativa à noite. Seus sentidos de audição e visão são bem desenvolvidos. Sua cor é amarelo amarronzado claro, com uma máscara branca em torno dos olhos e faces. A perna inteira é coberta de penas que a protegem contra as mordidas de suas vítimas que lutam. Tem uma cabeça grande e grandes olhos saltados; por esta razão ela é às vezes chamada de "coruja de cara de macaco".

A versão KJV em inglês segue a Vulgata ao traduzir o termo *tinshemeth* como "cisne", enquanto a versão RSV, seguindo a LXX (Septuaginta), o traduz como "galinha aquática" .

20. **Coruja Scops,** *Otus scops.* A coruja scops possui duas cristas em forma de chifres de penas semelhantes a pêlos em sua cabeça, pousa com uma postura inclinada e salta e dança como uma cabra. Durante o período em que os filhotes saem dos ovos, o som emitido pelo macho soa como um gemido. Alimenta-se principalmente de insetos e camundongos. Durante uma invasão de ratos ou locustas estas corujas aparecem em grandes bandos e ajudam a destruir a peste.

As referências bíblicas podem ser Isaías 13.21 (na versão NASB em inglês, Heb. *'oah*, na versão KJV "criaturas melancólicas") ou Isaías 34.15 (Heb. *qippoz*, na versão KJV em inglês "corujão"). Outros pensam que *qippoz* seja uma variedade de cobras (como por exemplo no caso da NASB).

21. **Corujinha,** *Athene noctua lilith.* Como todas as outras corujas, esta é cerimonialmente imunda (Heb. *kos*, Lv 11.17a; Dt 14.16a). É o menor de todos os pássaros predadores noturnos (foto, VBW, I 188). Principalmente insetívora, às vezes alimenta-se de pássaros pequeninos. É a coruja mais comum na Palestina, habitando entre as ruínas (Sl 102.6b), lápides, rochedos e matas. Sua voz soa como a de uma pessoa morrendo. Em certas ocasiões, ela pode ser observada pousada sobre uma rocha, com seus grandes olhos, olhando para longe. Foi esta postura que os gregos antigos consideraram como um sinal de sabedoria. Eles a consideraram sagrada e dedicaram-na à deusa Atena.

22. **Corvo,** *Corvus corax.* O corvo é uma ave grande (pesa cerca de um quilo e meio, e tem

Atrás da cabeça de um faraó egípcio, um falcão, emblema do deus Horus, estende suas asas para proteger o rei. LL

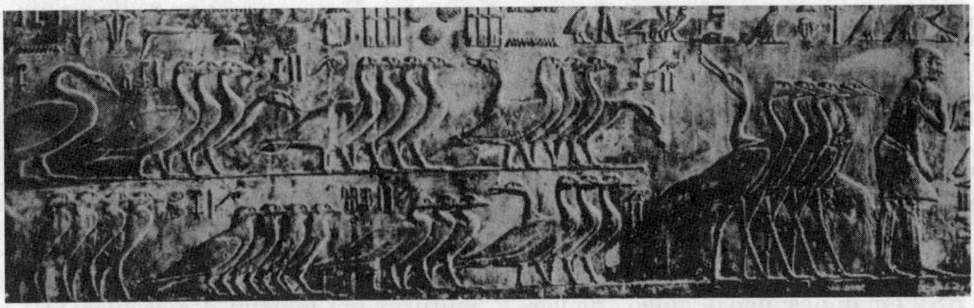

À direita, garças; à esquerda, patos, gansos e pombos. Relevo de parede da tumba de Ptah-hotep, Sakkara, Egito. LL

mais de sessenta centímetros de comprimento) passeriforme (parecida com um pardal) relacionado com gralhas, pegas e gaios. Sua característica mais evidente é a plumagem negra e brilhante (Ct 5.11; para foto, veja VBW, I, 189). Outros membros dos *Corvidae* não são tão sobriamente coloridos. É encontrado praticamente em todos os lugares do mundo, exceto no Pacífico Sul.

Noé enviou da Arca, em primeiro lugar, um corvo (Gn 8.7); este deve ter se alimentado das vítimas flutuantes do Dilúvio. O corvo é basicamente um animal que se alimenta de carniça e por isso é cerimonialmente impuro (Lv 11.15; Dt 14.14), mas ataca animais jovens indefesos (Pv 30.17). Aristófanes em sua obra *Birds* relata, de forma similar, que os corvos arrancam os olhos da sua presa. Podem até atacar cordeiros, pequenos mamíferos, pássaros e répteis. Os corvos encontram alimento para si e para as crias rapidamente, sem a ajuda do homem (Jó 38.41; Sl 147.9; Lc 12.24). Eles terão somente uma companheira durante toda a sua existência. Preferem regiões desoladas e desabitadas como território (1 Rs 17.4,6; Is 34.11). Aparentemente, o termo hebraico *'oreb*, "corvo", refere-se a toda a família *Corvidae*. Tristrão relata oito espécies desta família na Palestina, entre corvos e gralhas; três do corvo negro e cinco de gralhas (sendo uma da gralha-calva, e uma da gralha européia).

23. **Corvo Marinho,** *Phalacrocorax carbo carbo*. A palavra heb. *shalak* sugere um pássaro que se atira ou mergulha sobre a sua presa (Lv 11.7; Dt 14.17). O corvo marinho comum é um grande pássaro preto semelhante ao ganso, e que se alimenta de peixes. É conhecido daqueles que vivem na costa mediterrânea, nas proximidades do Rio Jordão e do Mar da Galiléia. O corvo marinho é repetidamente retratado no Egito e na Palestina.

24. **Cuco,** *Cuculus canorus canorus*. O termo usado em Levítico 11.16 e Deuteronômio 14.15 (na versão KJV em inglês) pode referir-se ao cuco comum ou ao grande cuco manchado, *Clamator glandarius*. O cuco é um pequeno pássaro de cor marrom acastanhado. É mais conhecido por seus hábitos parasíticos. Ele atua como um reprodutor parasita, pondo seus ovos no ninho de outra espécie depois de retirar um dos ovos da espécie hospedeira. O jovem cuco rompe o ovo antes dos da espécie hospedeira e expulsa os jovens da espécie hospedeira. Os pais adotivos o criam com sendo seu.

O cuco é um comedor de insetos, embora nas Escrituras ele seja considerado imundo, o que sugeriria que ele fosse um predador ou um comedor de carniça. Por esta razão alguns acreditam que o termo na verdade se refira à gaivota e não ao cuco. As gaivotas, as andorinhas-do-mar e os petrels são todos comuns nas praias e lagos da Palestina.

25. **Curiango** ou **Noitibó,** *Caprimulgus* sp. Existem várias espécies destes pássaros encontrados na Palestina, semelhantes ao bacurau americano (Lv 11.16b; Dt 14.15b). Os antigos pensavam que os curiangos mamavam nas cabras. Eles lembram corujas com cabeças achatadas, olhos grandes e plumagem macia, o que resulta em um vôo silencioso. São insetívoros, apanhando sua presa na asa. Eles migram da África para a Europa todos os anos.

26. **Falcão.** *Veja* Francelho III.27.

27. **Francelho** ou **Falcão,** *Falco tinnunculus*. O francelho ou falcão (Heb. *'ayya*) é cerimonialmente imundo (Lv 11.14; Dt 14.13, "milhano", na versão KJV). Este pássaro é abundante na Palestina tanto nas cidades como no campo, fazendo o seu ninho nos picos e entre os rochedos. Ele é um pequeno gavião com pouco mais de 30 cm, com penas de cores marrons, pretas e amarelas no peito (foto, VBW, I, 188). Como a maioria dos gaviões ele plana no ar e mergulha sobre a sua presa (camundongos, pequenos répteis e insetos) agarrando-os com suas garras afiadas e semelhantes a ganchos. O francelho, como a maioria dos gaviões, é um pássaro útil, destruindo roedores e cobras venenosas. Francelhos embalsamados são encontrados em tumbas antigas no Egito, onde o pássaro era altamente estimado. Os egípcios também embalsamavam o francelho caçador, *F. cherug*, que pode ser domado e treinado para caçar cervos e coelhos. A falcoaria, ou a caça com gaviões de vários tipos, era bem

conhecida entre os antigos e ainda é praticada hoje. Os assírios estavam familiarizados com isto, como se pode constatar nos registros de Assurbanipal.

28. **Gaivota.** *Veja* Cuco III.24.

29. **Galinha.** *Veja* Galinha Doméstica III.30.

30. **Galinha Doméstica,** *Gallus gallus domesticus*. As aves domésticas são provavelmente originadas da galinha da floresta vermelha da Índia. Elas parecem ter sido conhecidas já nos tempos do AT (Pv 30.31, na versão RSV em inglês; não o "galgo", da versão KJV). O sinete de Jazanias (cf. 2 Rs 25.23) datando de 600 a.C. leva a figura de um galo de briga; ele foi encontrado em Tell en-Nasbeh, o local da antiga Mispa.

As aves domésticas eram consideradas um símbolo de fertilidade. Os judeus carregavam um galo e uma galinha na frente dos casais de noivos. O galo ainda é usado como um cronometrista e relógio despertador nos países orientais (cf. Mt 26.34). *Veja* Cantar do Galo. A preocupação materna da galinha era familiar aos ouvintes de Jesus (Mt 23.37). A referência em Neemias 5.18 às galinhas ou aves domésticas para a mesa de Neemias é provavelmente de caça selvagem.

31. **Galo.** *Veja* Galinha Doméstica III.30.

32. **Ganso,** *Anser anser*. Os gansos são pássaros aquáticos de pescoço comprido e com

O deus egípcio Horus representado como um gavião. LL

membranas nos pés. São facilmente domesticados. Eram conhecidos dos gregos, e gansos domésticos são mencionados na Odisséia. Eles podem ter sido domesticados já no Egito, no Antigo Reino, e certamente foram domesticados nos tempos do Novo Reino. Eram usados como alimento e para os sacrifícios. Os gansos eram semelhantemente usados como alimento e para os sacrifícios na antiga Mesopotâmia. A criação de gansos era difundida em Canaã nos tempos bíblicos; esculturas em marfim dos séculos XIII e XII a.C. mostrando gansos encontrados no Megido atestam este fato (VBW, II, 210). Gansos ornamentavam a mesa do rei Salomão, de acordo com 1 Reis 4.23, onde eles são mencionados como "aves cevadas".

33. **Garça** ou **Abetouro,** *Ardea* sp. A garça é um pássaro que anda em águas rasas, com um pescoço longo e fino e pernas compridas (foto, VBW, I, 188). Existem pelo menos sete variedades relatadas por Tristrão na Palestina. De acordo com Deuteronômio 14.18 e Levítico 11.19, a garça era cerimonialmente imunda. Driver acredita que estas referências são ao corvo marinho, mas a maioria dos estudiosos acredita que elas se referem a uma das garças.

O sinal característico destes pássaros é um crescimento semelhante a uma crista do lado interno do terceiro dedo do pé. A garça branca atinge um comprimento superior a 1 metro, enquanto a garça anã tem apenas 56 cm de comprimento. Todas as garças alimentam-se de peixes, pequenos répteis e insetos. São um inconveniente para os lagos artificiais de peixes.

34. **Gavião.** *Veja* Francelho III.27

35. **Gavião,** *Accipiter nisus*. O heb. *nes* era cerimonialmente imundo (Lv 11.16; Dt 14.15) e provavelmente seja o gavião. Ele não é um residente permanente da Palestina, mas faz uma parada ao migrar do norte para o sul. Esta migração em direção ao sul é mencionada no livro de Jó (39.26).

O gavião (foto, VBW, I, 188) é ligeiramente maior do que o francelho com penas curtas e uma longa cauda. A cauda age como um leme e ajuda o pássaro a mudar seu curso muito rapidamente durante o vôo, para que ele possa fazer manobras no ar quando persegue pequenos pássaros canoros e outras aves. Ele não captura a sua presa no chão como faz o francelho, mas caça pequenos pássaros durante o vôo e os ataca. Os egípcios embalsamavam gaviões assim como os francelhos; todos os gaviões eram altamente estimados por eles. O deus Horus foi retratado com a cabeça de um gavião ou falcão. O dorso no gavião é marrom acinzentado e sua barriga é branca com faixas pretas e marrons.

36. **Grou,** *Grus grus* Os grous são aves pernaltas lembrando a cegonha e a garça, mas com garras mais curtas. Sua plumagem tem um brilho prateado e as penas da cauda são

onduladas. Alimentam-se de plantas, insetos e minhocas. Grandes bandos de grous voando com uma formação em forma de cunha passam sobre a Palestina anualmente em seu caminho para a África, vindo dos países do norte da Europa e novamente em seu vôo de volta. O texto em Jeremias 8.7 refere-se aos hábitos migratórios dos grous. Seu chamado geral é mais bem descrito como rugidor, mas durante o vôo é dito que emitem um som de chilro; este último parece ser o mencionado em Isaías 38.14.

37. **Íbis,** *Threskiornis aethiopica aethiopica.* A íbis (Lv 11.17, na versão RSV seguindo a LXX; ou "corujão", na versão KJV) é um pássaro que anda em águas rasas desconhecido na Palestina no séculos XIX e XX d.C., mas possivelmente também conhecida ali nos tempos bíblicos. Ela era bem conhecida no Egito antigo onde era sagrada para Tot. A íbis foi classificada como imunda; ela come moluscos e crustáceos. Em determinada época ela era muito comum no Egito, mas desapareceu em nossos dias como conseqüência do desaparecimento dos pântanos ao longo do Nilo. A versão RSV não traduz de forma cosistente *yanshup* como "íbis"; em Deuteronômio 14.16 e Isaías 34.11, a RSV em inglês segue as outras versões traduzindo-a como "corujão" ou "coruja".

38. **Locusta,** *Schistocerca gregaria.* A locusta tem vários nomes - pelo menos 12 na Bíblia. Estes se referem aos diferentes estágios de seu desenvolvimento da larva até o adulto, ou ao tipo de dano que ela causa. Às vezes duas espécies diferentes são mencionadas. As locustas eram consideradas limpas como alimento (Lv 11.22), embora posteriormente o Talmude tenha aplicado este conceito apenas às variedades nas quais as asas cobriam todo o corpo.

As locustas são caracterizadas pelo enxame e pela migração em massa; nos tempos modernos, elas têm causado uma terrível destruição vegetativa. Os gafanhotos não se reúnem em grandes grupos ou migram em massa; isto os diferencia das locustas.

O AT menciona várias espécies diferentes de locusta. O texto em Levítico 11.22 parece se referir à locusta de rosto inclinado e também ao gafanhoto katydid ou de chifres compridos. A referência em Deuteronômio 28.42 pode ser ao grilo-toupeira. Em Joel 1.4; 2.25 e Naum 3.16,17, são descritos os sucessivos estágios do desenvolvimento do inseto. Veja VBW, III, 224 e seguintes para conhecer excelentes ilustrações e discussões.

Uma praga de locustas foi um dos mais severos males que poderiam sobrevir ao mundo antigo (Dt 28.38; Joel 2.1,11). Dias especiais de oração, jejum e toque de trombeta foram prescritos para remover a praga (1 Rs 8.37; 2 Cr 6.28; Jl 2.12-17). As locustas ainda são um problema grave, particularmente no leste da África. Neste momento, há um programa de controle de locustas supervisionado pela Organização de Controle de Locustas do Deserto do Leste da África. Em 1958 um avião mediu um enxame de 640 quilômetros quadrados de locustas na Etiópia. Naquela época, as perdas nas plantações foram estimadas em 30 milhões de dólares, e quatro milhões de pessoas perderam o equivalente a dois anos de suprimento de alimentos. Uma invasão de locustas em 1969 foi interrompida com êxito pela Organização de Controle de Locustas do Deserto. Os beduínos, ainda hoje, comem locustas cruas, assadas ou cozidas. Elas são preservadas através de um processo de secagem e transformação em fibras. Elas também podem ser trituradas e moídas, e a farinha colocada em pratos ou comida com pão, às vezes misturada com mel e tâmaras. Os gregos moíam as locustas em pilões de pedra e delas faziam farinha.

As locustas simbolizavam os poderosos e grandes exércitos inimigos que destruíam completamente os ganhos do trabalho árduo do homem (Jz 6.5; Is 33.4; Jr 46.23; 51.27; Na 3.15).

Apenas três das centenas de espécies encontradas nas terras bíblicas são capazes de se multiplicar em grandes enxames, e apenas a *Schistocerca gregaria* pode ser considerada difundida em todas as terras bíblicas. Esta é a locusta do deserto, cujo lar nativo é o Sudão. Ela mostra duas fases, uma fase solitária e uma fase gregária, com uma possível terceira fase conhecida como "transitória". Há diferenças entre as formas imaturas e adultas destas fases na cor e na fisiologia.

A quantidade e a distribuição das chuvas é um fator importante para se determinar se haverá uma praga; o solo úmido é necessário para depositar os ovos e permitir que eles se desenvolvam. Cada fêmea deposita de um a seis casulos de ovos que contém algo em torno de 28 a 146 ovos cada. A larva emerge em um período de 15 a 43 dias.

Na fase gregária, a partir do segundo instar ou estágio de metamorfose, e depois disso, a locusta é tomada por um forte instinto de vagar, e massas delas formam uma procissão aleatória de corpos transbordantes que ignoram qualquer obstrução. Elas avançam em enxame sobre tudo (Jl 2.4-9). O único agente regulador de suas atividades é a temperatura; temperaturas que são muito altas ou muito baixas as imobilizam. Elas batem as asas e voam, e podem deslocar-se a uma distância superior a 1.900 quilômetros do lar nativo. Este movimento parece ser controlado por hormônios. A direção também é influenciada pelo vento. Elas consomem quase todas as plantas, mas poupam a alfarroba, o sicômoro, o mamoeiro e o arbusto de oleandro. Modernas campanhas antilocusta têm reduzido o prejuízo mas não têm resolvido o problema que tem existido desde os tempos bíblicos.

Os antigos consideravam as duas grandes patas traseiras ou patas saltadoras da locusta como um membro separado e tinham um nome especial para elas. Assim as locustas são descritas como tendo quatro patas; esta é uma referência às quatro patas andadoras menores. Aristóteles refere-se a isso em sua obra "Partes de Animais" IV, 6. "Andando sobre todas as quatro patas" refere-se a rastejar ou andar, em oposição a pular, e não significa que estes insetos considerados imundos tivessem apenas quatro patas ao todo.

39. **Marimbondo.** *Veja* Vespa III.55.

40. **Mariposa.** *Veja* IV.20.

41. **Milhafre.** *Veja* Milhano, III.42.

42. **Milhano** ou **Milhafre,** *Milvus milvus.* O milhano ou milhafre vermelho (Dt 14.13) é um pássaro predador imundo de tamanho médio, chamado *ra'a* em hebraico por causa de sua visão penetrante (*ra'a* significa "ver"). Ele tem uma cabeça pequena e as bordas da parte superior do bico se sobrepõem com as inferiores, formando uma tesoura afiada. Sua cauda é bifurcada ou dividida como a de um peixe. Seu grito é alto, freqüentemente com notas fortes e agudas.

O milhano de asa preta, *Elanus caeruleus,* também é conhecido na Palestina. Os dois pássaros comem restos, carniça, pequenos pássaros e mamíferos. Eles têm o habito de expelir materiais indigestos de seus estômagos. São impudentes comedores de carniça em cidades orientais, voando quase para as mãos do homem.

43. **Morcego.** Os morcegos são mamíferos voadores. Eles têm pêlos e fornecem leite para os filhotes. Orientam-se por eco e abrigam-se em cavernas, fendas, cavidades das árvores, edifícios e também em lugares expostos nas árvores. Em áreas mais frias eles hibernam ou migram. A posição normal de descanso para um morcego é pendurado de cabeça para baixo. Pelo fato de voarem com suas pernas e também com as suas asas, pode-se dizer corretamente que eles "nadam pelo ar".

A maioria dos morcegos é insetívora. Estes morcegos são relativamente pequenos em tamanho e conseguem os insetos em pleno vôo. Muitos morcegos insetívoros também comem algumas frutas. Além disso, existem morcegos comedores de frutas que se alimentam exclusivamente de frutas e alguma vegetação verde. Estes geralmente vivem e se alimentam em grupos. São tropicais porque só podem viver onde as frutas estejam constantemente amadurecendo, embora alguns têm sido observados na Palestina. Os morcegos comedores de frutas podem ser grandes, e a abertura das asas pode chegar a medir aproximadamente 1,5 m de extremidade a extremidade. Um terceiro grupo é formado pelos morcegos comedores de flores, que comem pólen e néctar. Eles são pequenos e têm cabeças pontiagudas e línguas compridas. São encontrados somente nas regiões tropicais e semitropicais.

Os morcegos vampiros são conhecidos somente do Novo Mundo. Existem apenas três espécies. Alimentam-se de sangue fazendo uma pequena incisão e absorvendo-o. Há morcegos carnívoros de todos os tamanhos; estes caçam pássaros, lagartixas e rãs. Os morcegos comedores de peixe apanham os peixes na superfície ou perto da água. Tristrão relata oito variedades de morcegos na Palestina no século XIX. Um destes, o pequeno morcego marrom, *Myotis* sp., é mundial em sua distribuição. Ele é insetívoro e provavelmente tenha, na verdade, a mais ampla distribuição natural de todos os mamíferos terrestres com exceção do homem. Os pequenos morcegos marrons são, na maioria, habitantes de cavernas. As fêmeas formam colônias de maternidade que podem chegar a dezenas de milhares.

Duas espécies de morcegos de cauda de camundongo, *Rhinopoma* sp., são encontrados na Palestina. A cauda tem quase o mesmo comprimento da cabeça e do corpo juntos. Estes são freqüentemente coloniais. Eles se alojam em cavernas, fendas, poços, pirâmides, palácios, casas e são insetívoros.

Os morcegos de cara fendida ou de cara funda também são encontrados na Palestina. Estes, também, são insetívoros e alojam-se em grupos de 6 a 20.

O morcego, nas Escrituras, é considerado imundo (Lv 11.19; Dt 14.18) e é um símbolo de desolação (Is 2.20-21).

44. **Mosca,** *Musca* sp. As moscas (Heb. *z[e]bub*) são causas importantes de epidemias e deterioração de alimentos. A referência em Eclesiastes 10.1 parece ser à *Mosca doméstica* que estraga a unção. A mosca simbolizando o Egito em Isaías 7.18 parece referir-se ao *Tabanus arenivagus* que ataca tanto o homem quanto os animais. Os enxames de insetos na quarta praga (Êx 8.21-31), pode referir-se à mosca-de-casa, à mosca-varejeira (*Calliphora erythrocephala*), mosca-de-cachorro, à mosca Barghas, ou à mosca Tabanid (*Stomoxys calcitrans*).

Os gusanos de Jó 25.6 e Isaías 14.11 e os vermes de Êxodo 16.24; Jó 7.5; 17.14 são provavelmente larvas de moscas. *Veja* Verme IV. 34. A mosca doméstica é muito comum em todas as partes de Israel, principalmente em montes de estrume e lixo. A fêmea põe seus ovos e, destes, surgem larvas brancas que se alimentam de restos. Depois de alguns dias as larvas desenvolvem-se em um casulo de onde surge um inseto adulto. No verão, todo este ciclo dura quase doze dias para que uma mosca possa gerar cerca de vinte gerações por ano. Os habitantes filisteus da cidade de Ecrom adoravam a um deus chamado Baal-Zebu, "Baal o Príncipe", que foi apelidado de Baal-Zebube, "Senhor das moscas", pelos israelitas tementes a Deus em um trocadilho zombador (2 Rs 1.2).

45. **Mosquito,** *Culex, Anopheles* etc. As referências em Êxodo 8.20-28; Salmos 78.45; 105.31 a "enxames de moscas" pode ser ao mosquito, ao mosquito ceifeiro, ao Barghas dos árabes, ou ao mosquito-pólvora. Estas referências parecem se encaixar no enxame destes insetos que infestaram os habitantes e os importunaram em sua vida cotidiana, em uma situação que não era diferente da dos piolhos da praga anterior. Durante a fermentação, alguns mosquitos caíam no vinho. Os mosquitos tinham que ser coados para serem retirados (Mt 23.24).

46. **Noitibó.** *Veja* Animais: Curiango III.25.

47. **Pardal,** *Passer domesticus.* O pardal mencionado em Salmo 84.3; 102.7; Provérbios 26.2; Mateus 10.29,31; Lucas 12.6,7 é uma ave passariforme da família do tentilhão, e é geralmente considerada uma ave de pouco valor. A palavra hebraica *sippor* é o termo geral para "pássaro" e poderia se referir especialmente a pequenos pássaros, como os pardais, tentilhões, tordos, melros e estorninhos. O pardal comum ou doméstico era conhecido na Grécia Antiga e no Egito. Tinha a reputação de invadir os campos em grandes bandos e apanhar sementes.

48. **Pavão,** *Pavo cristatus.* O pavão é originário da Índia, onde é uma ave tímida e rápida. Algumas vezes os pavões voam em pequenos bandos. Por não ser nativo da Palestina, a palavra em hebraico *tukkiyim* em 1 Reis 10.22 e 2 Crônicas 9.21 é vista por alguns como uma referência a velhos macacos trazidos do leste da África, ou a uma espécie de galinha pintada do Nilo Superior. Como *tuki* é mencionado juntamente com marfim, provavelmente do elefante africano, o *qoph* (*Veja* Macaco II.29), o macaco é a identificação mais provável (Veja IDB. II, 252*a*). A palavra hebraica é similar a uma palavra egípcia que significa "macaco", em uma inscrição com respeito a expedições a Punt (Somália). Macacos grandes e pequenos estavam entre os tributos recebidos pelo rei assírio Asurnasirpal II (ANET, p.276).

Um pelicano no Zoológico Bíblico, Jerusalém. HFV

49. **Pelicano,** *Pelecanus onocrotalus.* Os pelicanos eram conhecidos dos antigos egípcios e assírios. Muitos estudiosos duvidam que o hebreu *qa'at*, um pássaro considerado imundo (Lv 11.18; Dt 14.17) que vivia no deserto (Sl 102.6) e nas ruínas (Is 34.11; Sf 2.14) se refira ao pelicano, e acreditam que *qa'at* seja uma coruja ou abutre. Mas o pelicano rosado, com plumagem branca e uma grande bolsa amarela sob o bico, freqüenta rios, lagos e pântanos da Palestina. Depois de dirigir-se até trinta quilômetros mar adentro para apanhar os peixes de superfície, o pelicano sempre se retira a um ponto isolado para digerir a sua enorme refeição. Assim, o pelicano pode ser o pássaro solitário do salmista (102.6).

50. **Perdiz,** *Alectoris graeca werae, A. graeca cypriotes* e *Ammoperdix heyi heyi* A perdiz mencionada em 1 Samuel 26.20 é, provavelmente, a perdiz de areia (*Ammoperdix*) descoberta nas proximidades do Mar Morto; em Jeremias 17.11, a perdiz *Alectoris*. São as aves de caça mais comuns na Palestina. No passado, a temporada principal de caça parece ter sido em julho. Sua caça se faz pela perseguição contínua (cf. 1 Sm 26.20), por meio de armadilhas ou por um caçador em um esconderijo. A ave encontra refúgio entre os arbustos nos quais suas penas, que têm uma cor entre o verde e o marrom, se misturam. É um reprodutor prolífico, pois de outra forma provavelmente teria sido extinto. Os jovens conseguem perambular para procurar alimento e abrigo quase imediatamente após o nascimento. A explicação da perdiz ajuntando ovos que não choca (Jr 17.11) parece estar no fato de que a perdiz põe dois grupos de ovos, um para ela mesma e outro para que o macho choque.

51. **Pomba** ou **Rola,** *Streptopelia turtur.* A plumagem da pomba ou da rola (Heb. *tor*; Akkad. *turtu*; Gr. *trugon*) é de muitas cores - vermelho, azul e violeta. Ela migra para Israel na primavera (Jr 8.7) e desperta os animais dos arvoredos com seu chamado (Ct 2.12). É menor que o pombo, mas é mais bonita. Ela cuida de seus filhotes da mesma forma que o pombo, regurgitando a comida. O

salmista empregou a palavra metaforicamente como um termo de afeição, "a alma da tua pombinha" (Sl 74.19). Era um pássaro limpo que poderia ser usado para o sacrifício (Gn 15.9; Lv 1.14; 5.7; 12.6; Nm 6.10; Lc 2.24). *Veja também* Pombo III.52. (Veja Heinrich Greeven, "*Peristera*", TDNT, VI, 63-72).

52. **Pombo,** *Columbia livia.* O pombo (no hebraico *yona;* no grego *peristera*), ou rola (hebr. *ben yona*) mencionados na Bíblia parecem ser o pombo selvagem das rochas, de quem descende o nosso pombo doméstico; o termo não é específico, e se aplica a quaisquer espécies de pombos pequenos. Alguns têm coloração cinza prateada, com plumagem dourada e esverdeada nas asas (Sl 68.13; para fotos, veja VBW, I, 184; III, 88). O pombo ou pomba foi aparentemente uma das primeiras aves a ser domesticada, uma vez que Noé libertou uma pomba para verificar o fim do Dilúvio (Gn 8.8-12). Uma variedade ainda vive em um estado semi-selvagem nos telhados de Jerusalém. Essas aves vagueiam pelos campos, alimentam-se de ervas daninhas e retornam às suas casas ao entardecer (Is 60.8). A pomba era oferecida como sacrifício pelos pobres e por aqueles que fizessem votos de nazireado (Lv 5.7; Nm 6.10). Era largamente usada para alimentação. O seu gemido gutural é mencionado em Isaías 38.14; 59.11; Ezequiel 7.16; Naum 2.7. Sua capacidade de vôo é bastante conhecida (Sl 55.6). Salomão comenta a beleza dos seus olhos (Ct 1.15; 4.1; 5.12). Ele também chama atenção para sua gentileza e lealdade para com o companheiro (Ct 2.14; 5.2; 6.9). A pomba freqüentemente constrói seu ninho nas rochas e penhascos (Ct 2.14; Jr 48.28). Normalmente, a pomba era considerada um símbolo de inocência (Mt 10.16); embora em Oséias 7.11 esteja escrito que a pomba é tola e sem entendimento. Em 2 Reis 6.25 há uma referência à venda de esterco de pomba (q.v.), supostamente usado para alimentação devido às condições de penúria durante o cerco de Samaria. *Veja também* Pomba III.51.

53. **Poupa,** *Uppupa epops.* A poupa (Lv 11.19; Dt 14.18, ambos na versão RSV; e "abibe" na KJV) é um dos pássaros mais bonitos de Israel com plumagem colorida, uma linda crista em forma de coroa em sua cabeça e um pequeno bico longo e curvo. No outono, ela migra para o sul. É listada como imunda, possivelmente porque procura vermes e pequenos insetos em lugares repulsivos tais como montes de estrume.

54. **Quebrantosso.** *Veja* Abutre Quebrantosso III.7.

55. **Vespa ou vespão,** *Vespa orientalis.* O vespão, uma vespa maior, é mencionado três vezes na Bíblia (Êx 23.28; Dt 7.20; Js 24.12). A espécie comum na Palestina, um inseto amarelo e marrom-avermelhado, é maior e mais perigoso que uma vespa normal. A sua ferroada paralisa a vítima antes que o inseto chupe os fluidos vitais. O vespão é um inimigo importante da abelha de mel; esconde-se em emboscadas para as abelhas operárias e então invade e destrói a colméia. O vespão é um inseto social com a divisão do trabalho entre uma rainha, operários e zangões. Eles constroem um tipo de favo com células hexagonais características, feitas de uma substância parecida com o papel. Além do mel, eles se alimentam de frutas e roem as cascas das árvores, usando-as para construir a sua morada.

As referências bíblicas podem ser figuradas ao falar sobre o pânico e o terror que os israelitas invasores poderiam originar nos corações dos cananeus (cf. Dt 11.25), ou o vespão pode simbolizar o poder militar real. John Garstang (*Joshua-Judges*, New York. Richard R. Smith, 1931, p.259) entendia que o vespão representava o exército do Egito, porque o vespão era um dos emblemas dos faraós (VBW, I, 158).

## IV. Seres rastejantes ou em enxames

(principalmente insetos, anfíbios e répteis)

1. **Aranha.** Existem entre 600 e 700 diferentes espécies de aranhas na Palestina. Estas são diferentes dos insetos porque elas, como os escorpiões, têm quatro pares de patas ao invés dos três pares que caracterizam os insetos. Todas são dotadas de glândulas de veneno, cujo efeito varia. Algumas podem matar somente insetos, mas outras podem matar até mesmo aves e ratos. A maioria das aranhas tece uma teia. Em Jó 8.14 e Isaías 59.5,6, a rede mencionada é um símbolo de fragilidade e insegurança. Provérbios 30.28 parece referir-se não à aranha mas sim à lagartixa. (*q.v.*, IV.17).

2. **Áspide.** *Veja* Cobra IV.7.

3. **Basilisco.** *Veja* Serpente IV.30.

4. **Besouro,** *Coleoptera* Os besouros são insetos com boca mastigadora e dois pares de asas; o par da frente é duro e parece ter um revestimento, e o posterior é parecido com membranas e fica dobrado sob o par frontal. Alguns besouros são carnívoros, e há outros que são principalmente herbívoros. Alguns são aquáticos, alguns produzem uma secreção que cobre a pele de bolhas, alguns estragam tecidos, alguns atacam as plantações, e alguns se alimentam de outros insetos que são daninhos ao homem.

Em Levítico 11.22 (hebr. *hargol*), se faz uma referência ao besouro, onde este é mencionado como comestível. A referência pode ser ao grilo, um dos ortópteros semelhantes aos gafanhotos e não ao besouro. No antigo Egito o besouro, ou escaravelho sagrado, o *kheper*, era um símbolo do deus-sol Ra, e o selo e o amuleto do escaravelho tornaram-se extremamente populares.

5. **Camaleão.** *Veja* Lagarto IV. 19.

6. **Camundongo,** *Mus musculus praetextus* O camundongo (hebr. *'akbar*) foi declarado

impuro porque, tendo pernas curtas, era considerado uma das criaturas rastejantes (Lv 11.29). São conhecidas espécies de camundongos comensais, com residências, e também selvagens. A forma comensal tende a ter caudas mais longas e a ser mais escura. A forma selvagem é ativa principalmente durante a noite. Os camundongos são bons alpinistas e ainda melhores nadadores. Os camundongos selvagens alimentam-se de vários tipos de vegetais, como sementes, raízes, folhas e caules. Às vezes, estocam alimentos.

A palavra *'akbar* (Lv 11.29; 1 Sm 6.4,5; Is 66.17) é provavelmente um termo geral para vários ratos e ratazanas. Tristrão relata 23 variedades de roedores do tipo do rato na Palestina do século XIX. Ratos e ratazanas causam o estrago dos alimentos, danificam os objetos do lar e transportam as pulgas hospedeiras do tifo e da febre maculosa, e a bactéria da peste bubônica. A última pode ter causado os tumores ou inchaços nos filisteus (1 Sm 6.5); mas *veja* Rato Silvestre IV.28. Em Isaías 66.17, há referência a uma prática de culto dos cananeus pré-exílio, na qual se comiam ratos. Neste caso, o roedor poderia ter sido o hamster. Veja a imagem do rato encontrada no templo do obelisco na Idade do Bronze, em Biblos, em VBW, II, 119.

7. **Cobra,** *Naja haje.* As referências à áspide ou à víbora (hebr. *pethen*, Jó 20.14-16; Dt 32.33; Sl 58.4-6; 91.13; Is 11.8) parecem ser à cobra egípcia. Esta é uma das cobras mais venenosas, atingindo um comprimento de aproximadamente dois metros. É comum no Egito, mas atualmente está extinta na Palestina. Estas cobras, quando perturbadas, estendem uma espécie de capuz através de uma expansão de costelas nas laterais do pescoço e da cabeça. Suas presas estão permanentemente eretas, não sendo móveis como as das víboras. O veneno ataca o sistema nervoso da vítima, causando paralisia muscular; o veneno das víboras ataca principalmente o sistema circulatório. A cobra egípcia é parente da cobra indiana, aquela cujos donos costumam encantar. Em Salmos 58.6 pode estar uma referência à prática dos encantadores de cobras para a extração das suas presas. As "serpentes ardentes" (Nm 21.6; Dt 8.15) talvez fossem cobras, onde a palavra "ardente" (hebr. *saraph*) deve se referir à febre ardente causada pelo seu veneno. As serpentes aladas ou voadoras (*saraph*) de Isaías 14.29; 30.6 podem referir-se ao "capuz" estendido, ou ao seu ataque que é parecido com um relâmpago.

8. **Doninha,** Espécie *Mustela.* As doninhas são pequenos animais carnívoros, mamíferos, mencionados em Levítico 11.29 (baseado na LXX e na Vulgata); estão listadas entre as criaturas rastejantes que vivem em enxames e que são cerimonialmente impuras. São caracterizadas pelos corpos compridos e delgados, e pelas pernas curtas. Têm glândulas anais bem desenvolvidas. São animais solitários e tendem a ser noturnos. Caçam através do faro.

É possível que o animal (hebr. *holed*) mencionado em Levítico não seja a doninha mas a ratazana (*q.v.* IV.27).

9. **Dragão.** *Veja* II.15.

10. **Escorpião,** *Buthus quinquestriatus* Existem dúzias de espécies de escorpiões encontradas na Palestina, mas 90% são escorpiões amarelos. São artrópodes, medindo de sete a doze centímetros de comprimento (para foto, veja VBW, III, 160), e pertencentes ao mesmo grupo (aracnídeos) que as aranhas, invertebrados noturnos lentos, que vivem debaixo de rochas durante o dia e fazem presas de insetos e outros aracnídeos. Na extremidade da sua cauda, o escorpião leva um ferrão venenoso que é fatal para a sua presa e extremamente doloroso para o homem (Ap 9.3,5,10; cf. 1 Rs 12.11,14) e freqüentemente perigoso (Lc 11.12). Os escorpiões simbolizam os compatriotas iníquos de Ezequiel (Ez 2.6) e as forças demoníacas de Satanás (Lc 10.19). O escorpião é mencionado como freqüentador do deserto de Sinai (Dt 8.15).

11. **Formiga ceifeira,** Espécie *Messor.* As formigas são excessivamente abundantes em toda a Palestina; são conhecidos agora 31 tipos. Raramente as formigas entram em casas feitas de pedras ou tijolos de barro; assim, um antigo agouro listava as horrendas conseqüências para uma casa ou para o seu dono se uma das muitas variedades de formigas fosse vista nela (Bodenheimer, *Animal and Man in Bible Lands*, pp. 97s.).

Os formigueiros na Palestina são normalmente subterrâneos, para sua proteção contra o calor excessivo. Freqüentemente têm câmaras especiais que servem como berçários, celeiros ou jardins de fungos.

Particularmente interessantes são as referências em Provérbios 6.6-8 e 30.25,com relação às formigas que estocam grãos no verão. Em uma época, os críticos duvidaram da atividade dessas formigas ceifeiras. Até mesmo sugeriu-se que essas referências eram o resultado de uma observação imprecisa: que Salomão tinha visto os casulos brancos de larvas e os tinha confundido com grãos de trigo. Agora se sabe que diversas espécies desse gênero constroem celeiros, câmaras achatadas conectadas através de galerias e espalhadas irregularmente em uma área com dimensão média de quase dois metros de diâmetro e com cerca de trinta centímetros de profundidade. Elas recolhem sementes do solo, ou arrancam das plantas, retiram os invólucros e descartam os resíduos e as cápsulas vazias em montes de restos fora do formigueiro. Durante o inverno, um formigueiro médio pode conter cerca de um quarto de litro de sementes. As formigas primeiramente mordem a cabeça ou uma pe-

Um lagarto no Zoológico Bíblico, Jerusalém. IIS A escritura na placa: "e o camaleão, e o lagarto; estes vos serão imundos" (Lv 11.30,31)

quena raiz, a parte mais macia da semente, o que evita que ela germine, ou podem espalhar as sementes ao sol para que sequem; apesar disso, algumas sementes germinam. Os celeiros individuais podem ter aproximadamente 13 cm de diâmetro por um centímetro e meio de altura. Alguns formigueiros podem ter de oito a treze metros de diâmetro, e aproximadamente dois metros de profundidade, com diversas entradas.

12. **Gorgulho.** *Veja* Locusta III.38.
13. **Gusano** *Veja* Locusta III.38.
14. **Grilo.** *Veja* Besouro IV.4.
15. **Lagarta.** *Veja* Locusta III.38.
16. **Lagarta tineídea.** *Veja* Locusta III.38.
17. **Lagartixa (Geco),** *Hemidactylus turcicus.* A lagartixa é um réptil citado em Levítico 11.30 (na versão KJV em inglês lê-se "furão") como uma criatura rastejante impura semelhante ao lagarto. A referência em Provérbios 30.28 é à lagartixa insetívora turca, que sobe pelos muros e entra pelas janelas com a ajuda de membros em forma de mãos. Existem sete tipos de lagartixas na terra santa. Todos eles são insetívoros.
18. **Lagarto** Espécie *Lacerta* Os lagartos estão listados como animais cerimonialmente impuros (Lv 11.29-31); adicionalmente, tudo o que tiver contato com suas carcaças torna-se imundo (11.32-36). Na Palestina existem dez tipos de lagartos, incluindo o crocodilo de terra e o camaleão, e estes variam em cor e em tamanho (veja fotos do camaleão e do lagarto verde, VBW, I, 189). Os lagartos são répteis, e têm a pele coberta de escamas. O lagarto é uma criatura útil porque captura insetos e larvas daninhas. Como outros répteis, põe ovos com cascas menos duras que as dos pássaros e sem uma nítida divisão entre clara e gema. Tanto o calor extremo como o frio intenso o deixam inativo, uma vez que ele tem um organismo que varia com a temperatura.
19. **Lagarto Dabb,** *Uromastix aegyptius.* Em Levítico 11.29, o animal que em hebraico chama-se *sab* é descrito como cerimonialmente impuro. A versão KJV em inglês o traduz como "tartaruga terrestreuga", mas a referência parece ser a um lagarto. Ele atinge um comprimento de cerca de sessenta centímetros e é encontrado principalmente no Neguebe. O lagarto Dabb é herbívoro, um traço incomum, pois a maioria dos lagartos é insetívora. Tem uma pele áspera. O corpo é verde com manchas marrons. Tem uma cabeça pequena e redonda, e uma cauda poderosa rodeada com uma fileira de fortes espinhos, que é usada como arma de defesa.
20. **Larva.** *Veja* Locusta III. 38.
21. **Mosca.** *Veja* III. 44.
22. **Mosquito.** *Veja* III. 45.
23. **Piolho,** *Anoplura* Os piolhos (hebr. *ken kinnam*) foram uma das dez pragas infligidas aos egípcios (Êx 8.16-19; Sl 105;31). A identificação ainda está em debate, embora Feliks acredite que se tratava de piolhos. Outros sugerem que o termo se refere a mosquitos, pernilongos ou a algum outro inseto. Eles sugerem que a referência pode ser ao mosquito ceifeiro, o Barghas dos árabes, um pequeno mosquito que entra nos olhos, ouvidos e nariz dos trabalhadores durante a colheita (referências acima e Isaías 51.6); ao mosquito Anopheles, que transmite a malária (JerusB), ou o mosquito que traz o vírus da dengue. Alguns identificam as moscas da praga seguinte com mosquitos (*Veja* Mosquito III.45), o que parece provável, de modo que estes podem muito bem ter sido piolhos. Os piolhos eram uma peste tão terrível nos tempos bíblicos que os sacerdotes e outros egípcios raspavam as cabeças. O Talmude

distingue entre o piolho de cabeça e o do corpo. Os piolhos chupam sangue e são um incômodo nesse sentido. Adicionalmente, eles carregam numerosas doenças.

24. **Pulga,** *Pulex irritans* Existem muitas espécies de pulgas na Palestina além da pulga comum. São parasitas sem asas, que têm mandíbulas pontiagudas e chupam o sangue dos corpos de animais e de humanos. O corpo é em forma de cunha, o que lhe permite fazer uma cova entre as dobras da pele e esconder-se aí. A fêmea põe os ovos nos montinhos de pó que se acumulam nos cantos dos quartos, e os ovos geram larvas brancas que crescem em um casulo. Em breve as pulgas adultas aparecem e imediatamente se prendem ao corpo do hospedeiro. A fêmea necessita de sangue para gerar os ovos.

As pulgas mais perigosas são as do rato, que transmitem o organismo responsável pela peste bubônica.

As referências em 1 Samuel 24.14 e 26.20 parecem ser de uma criatura muito pequena e desprezível.

25. **Pulgão escarlate ou Cochonilha escarlate.** Espécie *Kermes*. As Escrituras referem-se a "escarlate" ou "carmesim" (Hebr. *Tola'at shani*, lit. "larva escarlate"; Êx 25.4; 26.1; 39.1ss; Lv 14.4-6; 14.51s.; Nm 19.6; Pv 31.21; Ct 4.3; Is 1.18; Jr 4.30). Falam também de uma tintura derivada das larvas ou dos ovos nos corpos de pulgões fêmeas ou cochonilhas. Os árabes chamavam o inseto de *qirmiz*, de onde se originou a palavra "carmesim". A LXX traduziu a cor como *kokkinos* (normalmente traduzida como "escarlate" em inglês), do grego *kokkos*, assim chamado porque a fêmea parece uma baga. Na verdade, a fêmea segrega insetos cerosos no tecido das plantas, e permanece sob eles. Estes se vinculam ao pulgão do carvalho, *Q. coccifera coccifera*, que é originário do Oriente Próximo e da região do Mediterrâneo (ilustr. VBW, I, 190).

A indústria e o comércio das tinturas feitas desses insetos floresceu, sem dúvida, entre os fenícios, embora o fio "roxo" fosse usado nos tempos dos patriarcas (Gn 38.28,30), e o mercador Ili-ittiya de Nuzu tenha prometido entregar ao palácio "um cosmético vermelho extraído dos insetos", juntamente com outros produtos. São necessários 70.000 insetos para produzir meio quilo de tintura, que hoje se vende por cerca de seis dólares o quilo, e é usada em cosméticos, corantes para alimentos, bebidas e remédios. Hoje, os insetos vivem em pereiras espinhentas e em outros tipos de cactos. A cor vermelha é, na verdade, extraída dos ovos da fêmea. Ao pressionar a parte do corpo que contém os ovos, a substância vermelha goteja. *Veja* Cor: Carmesim.

26. **Rã,** Espécie *Rana*. A rã é mencionada como a segunda das dez pragas infligidas ao Egito (Êx 8.2-14; Sl 78.45; 105.30). É um anfíbio, e vive parte do tempo na água e parte em terra firme. A fêmea põe os ovos na água; depois de uma semana os ovos geram girinos. Gradativamente, por meio de metamorfose, a cauda é perdida e se formam os membros. As rãs precisam manter uma pele úmida porque precisam obter oxigênio através da pele, assim como dos pulmões; por isso elas sempre estão próximas à água. Elas se alimentam de insetos e larvas. As rãs podem ser encontradas por toda a nação de Israel. Elas vivem principalmente em terras baixas onde o seu coaxar é ouvido na primavera e nas noites de verão.

A rã deve estar na categoria das criaturas rastejantes ou em enxames, que são, em geral, consideradas cerimonialmente impuras (Lv 11.29-31). No entanto, uma vez que a rã não está listada especificamente, os rabinos não a consideravam um dos animais que corrompem pelo contacto. Maimonidas disse: "Somente aqueles animais mencionados na lei corrompem, mas não a serpente, a rã e a tartaruga terrestre". Porém os judeus classificaram o sapo como imundo, acreditando que ele seja o *sab*, a última criatura de Levítico 11.29. Em Apocalipse 16.13 são mencionados espíritos imundos semelhantes a rãs. Os antigos egípcios fizeram da rã um símbolo da vida e da origem, e um emblema de Heqet, a deusa-padroeira do nascimento. Ela é representada com uma cabeça de rã, dando vida aos recém-nascidos. Mas esta divindade foi desacreditada quando o poder do Senhor Jeová afligiu o Egito com o mesmo animal que era o seu símbolo (cf. Êx 12.12).

27. **Ratazana,** *Spalax ehrenbergi ehrenbergi Nhrg*. Este não é nem um rato nem uma toupeira, mas sim um roedor que mede de quinze a vinte e dois centímetros de comprimento, e que faz covas em qualquer área onde o terreno seja adequado à escavação. Tem o corpo robusto, pernas curtas e poderosas, com garras pequenas e cortantes. Não tem cauda e tem a aparência de uma toupeira, mas nunca foram encontrados na Palestina nem toupeiras verdadeiras nem musaranhos. Este animal constrói montes para a ninhada na estação seca do inverno, que se parecem com os dos mamíferos roedores da América do Norte, e montes menos complexos para repouso no verão. Ambos têm complexos sistemas de túneis. Este animal alimenta-se de raízes, bulbos, tubérculos e outras partes subterrâneas de plantas, e faz grandes estragos à agricultura. O seu corpo é adaptado à vida subterrânea. ele não tem orelhas e seus olhos são muito rudimentares. Na Líbia se acredita que tocar em uma toupeira resulta em cegueira. As referências nas Escrituras são Isaías 2.20 (hebr. *haparpara*, que vem de *hapar*, "cavar") e provavelmente Levítico 11.29 (JerusB. "doninha"; hebr. *holed*).

28. **Rato silvestre,** *Microtus guentheri*. A referência em 1 Samuel 6.5 (hebr. *'akbar*) talvez seja a um rato silvestre, possivelmente o rato do oriente, *Microtus guentheri*. Ele tem

cauda curta, o que o distingue do camundongo. Os ratos silvestres preferem campos moderadamente úmidos e regiões alagadiças, onde eles têm trilhas claramente definidas. Alguns escavam pequenas tocas redondas e vivem entre as fendas das rochas. Esse animal é estritamente vegetariano, com exigências alimentares substanciais: a cada 24 horas a maioria dos ratos silvestres ingere aproximadamente o seu próprio peso em sementes, raízes, cascas de árvores e folhas. O rato do oriente não apenas saqueia a agricultura mas também pode espalhar doenças. Seu comportamento é cíclico. Por exemplo, no oeste dos Estados Unidos, em períodos de pico, pode haver até doze mil por acre. Outros pensam que o *'akbar* é um camundongo (*q.v.*, IV.27) ou um rato que transmite a bactéria da peste bubônica e de um tipo de febre tifóide, que as suas pulgas transmitem aos humanos. Alguns acreditam que os tumores, ou hemorróidas, de 1 Samuel 5.9-12 refiram-se à peste bubônica, atacando as partes abdominais do corpo.

29. **Sanguessuga** *Veja* Parasita, V.11.

30. **Serpente, Cobra.** Sub ordem *Ophidia*. Nove palavras em hebraico e quatro palavras gregas são encontradas nas Escrituras referindo-se a cobras ou às suas várias espécies. *Nahash*, em hebraico (31 vezes) e *ophis*, em grego (14 vezes) são os termos genéricos, sempre traduzidos como "serpente". A palavra em hebraico é uma imitação onomatopéica do assobio ou do som que esse réptil produz, quando roça com suas escamas no chão (cf. Jr 46.22). Muitos tipos de serpentes põem ovos (Is 59.5), embora alguns os conservem no corpo até a hora de chocar.
A áspide é provavelmente a cobra (*q.v.* IV.7), ao passo que há outras que pertencem à classe das víboras (*q.v.* IV.37). O basilisco (Is 11.8; 14.29; 59.5; Jr 8.17) era uma serpente fabulosa na literatura inglesa, supostamente nascida de um ovo de galinha, e assim foi substituída por "víbora" na versão RSV em inglês. As serpentes eram associadas à adoração na religião dos cananeus, e simbolizavam divindades más entre muitas outras pessoas. Foram descobertos monolitos em diversos lugares da Palestina e da Síria que mostram um deus ou um adorador com uma cobra enrolada ao redor das suas pernas ou do seu corpo (W. F. Albright, *Archaeology of Palestine*, Penguin Books, 1960, p.97, fig. 20; veja também referências à "serpente" na ANEP). Como os israelitas estavam queimando incenso na adoração pagã da serpente de bronze de Moisés (cf. Nm 21.8,9), o rei Ezequias a destruiu em sua reforma religiosa (2 Rs 18.4). *Veja* Serpente de bronze.
*Veja também* Cobra IV.7; Víbora IV.37.

31. **Tartaruga terrestre.** *Veja* Lagarto IV.18.

32. **Tartaruga marinha.** *Veja* Pombo III.52.

33. **Traça,** espécie *Tineola*. A traça de roupa põe os seus ovos na lã ou em peles, e é disto que as larvas se alimentam. As qualidades destruidoras deste inseto são mencionadas em Jó 13.28; Salmos 39.11; Isaías 50.9; Oséias 5.12; Mateus 6.19,20; Lucas 12.33; e Tiago 5.2 (além do apócrifo Sir 42.13). Em Isaías 51.8, a referência é especificamente à larva da traça de roupa. Em todos os casos, é a larva que faz o estrago; o adulto é inofensivo e alimenta-se somente do néctar de flores. É facilmente esmagável (Jó 4.19, JerusB). A traça é usada como um símbolo de desintegração, decadência e enfraquecimento. Existem centenas de tipos de traças além da traça de roupa da terra santa; elas são daninhas às folhas, às flores, às frutas, às árvores e às sementes. Como no caso da traça de roupa, é a larva que faz os estragos.

34. **Verme.** Na maioria dos casos, as referências aos vermes são às larvas das moscas (hebr. *rimma*, alimentando-se do maná estragado, Êxodo 16.24; de cadáveres, Jó 21.26; 24.20; Isaías 14.11; de feridas abertas, Jó 7.5), ou às larvas dos insetos (hebr. *sas*, Isaías 51.8). Em Deuteronômio 28.39 e Jonas 4.7 a referência provavelmente seja ao gorgulho das vinhas (*Cochylis ambiguella*), pois ele destrói as vinhas acumulando-se em seus caules.
Em alguns casos, os homens sofrem a humilhação de serem comparados aos vermes (Jó 25.6; Sl 22.6; Mq 7.17) que podem ser do tipo *Lumbricus terrestris*, um verme segmentado que vive em covas consumindo terra e mofo de folhas.
A palavra grega *skolex* (Mc 9.48) refere-se ao verme ou larva que come carne morta. Em Atos 12.23 o adjetivo *skoleko-brotos*, "comido por vermes" descreve a doença abdominal fatal do rei Herodes Agripa.

35. **Vespão.** *Veja* III.55.

36. **Víbora.** *Veja* Cobra IV.7; Serpente IV.30; Víbora IV.37.

37. **Víbora,** Espécies *Cerastes*, *Echis colorata* e *Vípera Palaestina*. Para fotos da segunda e terceira espécies, veja VBW, III, 87. Existem diversas espécies de víboras verdadeiras (*Viperidae*) no sudoeste da Ásia, todas venenosas, com presas curvadas que aparecem quando prontas para o ataque. É difícil identificá-las com exatidão. Víboras de caroço (*Crotalidae*), com caroços faciais ou sensoriais, tais como a cascavel ou a "cabeça de cobre", vivem nas Américas. O termo hebraico *'eph'eh* é a palavra traduzida como "víbora" na maioria das versões em inglês (Jó 20.16; Is 30.6; 59.5), mas a sua verdadeira identidade é incerta. A víbora cornuda, extremamente venenosa *Cerastes Hasselquistii*, que é encontrada na Palestina, pode atacar cavalos (hebr. *sh^epippon*, Gênesis 49.17). Ela tem de trinta a quarenta e cinco centímetros de comprimento e fica à espreita, algumas vezes enterrada na areia de modo que somente apareçam os dois olhos e as protuberâncias com forma de chifre em sua cabe-

ça. Essas duas protuberâncias podem ser usadas como isca para pássaros pequenos que freqüentam rotas de caravanas procurando refúgio. A víbora ou áspide mencionada em Salmos 140.3 (hebr. *'akshub*) pode ser uma espécie muito similar da víbora com chifres (*Cerastes cornutus*).

A referência em Atos 28.3 (do grego *echidna*; também Mateus 3.7; 12.34; 23.33) está provavelmente relacionada à *Vipera aspis*, que é menor que a víbora comum e é encontrada no sul da Europa. É combativa e permanece olhando fixamente para o seu adversário. Ela silva cada vez que inspira ou expira. Essa víbora ataca com extrema rapidez.

## V. Organismos aquáticos

1. **Baleia,** *Balaenoptera physalus, Physeter catodon*. É a maior das criaturas vivas, incluindo aquelas que já estão extintas. As baleias são mamíferos que respiram. Os filhotes já nascem ativos e são alimentados com leite. Geralmente, são destituídos de pelos, exceto por alguns poucos bigodes. Quando as baleias espirram água, na verdade elas estão respirando: a umidade da sua respiração se condensa, dando a aparência de um espirro d'água.

Duas variedades de baleias ocasionalmente visitam as costas da Palestina. A baleia de barbatanas pesa cerca de 200 toneladas e vive principalmente na região do Ártico, mas às vezes passa pelo Estreito de Gibraltar para atingir o leste do Mediterrâneo. Ela se alimenta de pequenos organismos marinhos, que passam pelas suas barbatanas; ela não tem dentes. O esôfago é estreito.

O cachalote, com mais de dezenove metros de comprimento, tem uma cabeça de forma curiosa que se parece como um aríete, e tem dentes. Alimenta-se de peixes grandes, até mesmo de tubarões. Tem uma grande abertura de garganta.

O "grande peixe" de Jonas 2.1 não precisa necessariamente ter sido uma baleia. Poderia ter sido um grande tubarão como o Rineodon, o tubarão-baleia, que cresce até vinte metros, mas não tem os terríveis dentes dos outros tubarões. Qualquer que seja o caso, a libertação de Jonas foi milagrosa.

A versão KJV em inglês traduz o termo hebraico *tannin* como "baleia" em Gênesis 1.21; Jó 7.12 e Ezequiel 32.2. A última referência é provavelmente a um crocodilo. A palavra em hebraico, em outras partes traduzida como "dragão" (*q.v.*, II.15), é um termo genérico para qualquer monstro de rio ou de mar. Em Mateus 12.40, o termo grego para "baleia" é *ketos*, evidentemente seguindo a versão LXX em Jonas 2.1, *ketei megalo*, "grande peixe". Este termo grego também é um termo genérico para monstro do mar ou peixes de enormes proporções.

2. **Coral,** *Corallium rubrum*. Os corais representam os esqueletos calcáreos dos organismos marinhos de uma ordem inferior. O famoso coral vermelho do Mediterrâneo e do Mar Vermelho é amplamente usado em jóias. Quando vivo, tem cor verde e aparência de arbusto, parecendo-se bastante com uma planta que cresce na água, uma vez que os animais são imóveis ou sésseis. Assim que o coral é removido da água, ele endurece e adquire a cor vermelha. O coral vermelho é extraído com redes ou cortado com afiadas ferramentas de ferro. Também é usado como remédio tanto internamente como externamente. Duas palavras em hebraico podem se referir ao coral, *ra'mot* (Jó 28.18; Ez 27.16) e *peninim* (Jó 28.18; Pv 8.11; 20.15; 31.10; Lm 4.7); mas a última referência certamente se refere a pérolas (*q.v.* V.2).

3. **Crocodilo,** *Crocodilus vulgaris*. O crocodilo é o maior de todos os répteis existentes, podendo atingir pouco mais de oito metros de comprimento (foto, VBW, IV, 133). Até o início do século XX, era encontrado em pân-

Sobek, o deus-crocodilo egípcio feito em bronze. LM

tanos e pequenos rios costeiros do oeste da Palestina. Era considerado sagrado pelos egípcios (para o relevo da Sexta Dinastia, veja VBW, III, 187). A descrição do leviatã (hebr. *lotan*) em Jó 41 é certamente baseada na do crocodilo, embora em outros trechos leviatã fosse uma criatura mítica usada simbolicamente para as forças do mal (*veja* Leviatã V.6). O faraó é provavelmente simbolizado por um crocodilo, o "dragão" de Ezequiel 29.3, e Nabucodonosor da mesma forma (Jr 51.34).

4. **Dugongo** ou **Vaca marinha,** *Dugong dugong.* O dugongo (hebr. *tahash*) é um mamífero aquático herbívoro, semelhante ao manati das águas costeiras tropicais do Atlântico, com pouco mais de três metros de comprimento e pesando até 300 quilos. Ocasionalmente nada ao longo das costas do Mar Vermelho para dormir ou alimentar as crias em alguma caverna. Tem uma pele espessa que os beduínos transformam em calçados (cf. Ez 16.10). Também é chamado de "texugo" ou "foca". Este pode ser o animal mencionado em Êxodo 25.5; 26.14 e 35.7,23, cuja pele era usada para cobrir a tenda do testemunho. O dugongo também era aprisionado pela sua gordura e pelo seu óleo, e agora está quase extinto. Como a fêmea tem tetas parecidas com os seios femininos, os dugongos são provavelmente as sereias da mitologia.

5. **Esponja,** Espécie *Euspongia.* A esponja é o esqueleto de um animal marinho simples, *Euspongia officianalis.* É um corpo poroso, composto de pequenos tubos e células, alinhadas com uma substância ameboide. A ação vital deste protozoário conserva um fluxo de água através dos canais. Nos tempos antigos, a pesca da esponja era muito conhecida na área do Mediterrâneo. Era praticada em especial ao longo das costas da Anatólia e da Síria. As referências em Mateus 27.48 e Marcos 15.36 referem-se ao uso das esponjas na absorção de líquidos. As esponjas eram apanhadas por mergulhadores; o seu trabalho era considerado "duro e angustioso".

6. **Leviatã, Monstro do Mar.** Este termo (hebr. *liwyathan*), que ocorre em Jó 3.8; Salmo 74.14; 104.26; Isaías 27.1, pode referir-se a grandes animais marinhos, como a grande água-viva, baleias (*veja* V.1), tubarões ou a grandes répteis, como o crocodilo (*veja* V.3). Adicionalmente, também poderia incluir algumas formas agora extintas, como o ictiossauro e o plesiossauro, que foram répteis marinhos similares ao dinossauro. O termo utilizado pelas Escrituras também pode se referir a alguns dos dinossauros que passavam parte do tempo com a metade do corpo submersa na parte rasa de rios, lagos e oceanos. *Veja também* Dragão II.15.

7. **Molusco púrpura,** *Murex trunculus* e *Murex brandaris.* No mundo antigo, as tinturas de todas as tonalidades, desde o vermelho até o púrpura eram altamente valorizadas. Elas eram obtidas de um molusco ou caracol marinho que vivia nas águas de Creta e da Fenícia (foto, VBW, V, 177). A secreção é produzida pela glândula hipobranquial do molusco e a tonalidade é determinada por meio do uso de diferentes espécies, da alternância da proporção, da adição de ingredientes tais como quermes, que é a substância produzida pelo pulgão (Veja Pulgão escarlate IV.25), ou pela variação do tempo de exposição ao ar e à luz no processo da produção da tintura. A púrpura tiriana era obtida por meio de uma tintura dupla. Foram encontrados acúmulos de conchas de *Murex trunculus* e *Murex brandaris* em mesas de tinturas por todo o Mediterrâneo.

Os hebreus tinham que importar os bens de cor púrpura (Ez 27.16). A cor púrpura era sinal de distinção, realeza e riqueza. Lídia era uma "vendedora de púrpura", ou de tecidos assim tingidos (At 16.14). Outras referências nas Escrituras incluem Êxodo 25.4; 28.5,6,15; Números 15.38; 2 Crônicas 2.7; Ester 8.15; Provérbios 31.22; Cantares 3.10; Ezequiel 27.7 e Daniel 5.7. *Veja também* Púrpura.

8. **Monstro marinho** (Lm 4.3). *Veja* Chacal II.11.

9. **Ônica.** Um ingrediente do perfume sagrado (Êx 30.34), provavelmente um óleo aromático, obtido assando-se o músculo de fechamento da válvula de certos moluscos marinhos, ou do caracol do Mar Vermelho.

10. **Ostra, Pérola,** *Pinctada margaritifera.* Embora a palavra "pérola" não apareça no Antigo Testamento da versão KJV em inglês, ela é encontrada na versão RSV, e na maioria das versões em português, na JerusB e em outras, por meio do termo hebraico *p$^{e}$ninim* (Jó 28.18; Pv 8.11; 20.15; 31.10; Lm 4.7; "rubins" na versão KJV em inglês e RC em português). A pérola é um depósito que se parece com uma pedra preciosa, altamente valorizada, constituída principalmente de carbonato de cálcio, e que se forma ao redor de um grão de areia nas conchas das ostras ou de alguns outros moluscos. Pérolas de alta qualidade são obtidas das ostras do Golfo Pérsico, fora do Ceilão e no Mar Vermelho. Nessa última região, a ostra "pina" ocasionalmente produz pérolas rosadas transparentes, o que pode explicar a comparação com os rubins em Lamentações 4.7 (*Veja Unger's Bible Dict.*, 1957, p. 742).

No Novo Testamento, a palavra grega *margarites* sem dúvida significa "pérola". As pérolas eram muito requisitadas para jóias, como são agora (Mt 13.45,46; 1 Tm 2.9; Ap 17.4; 18.12,16). Comparando a sabedoria espiritual e outras bênçãos às pérolas, Jesus advertiu que não as atiremos aos porcos (Mt 7.6). Cada uma das portas da Nova Jerusalém é descrita como sendo constituída de uma única pérola (Ap 21.21).

11. **Parasita,** *Haemopis* ou *Aulostoma gulo.*

Existem animais chupadores de sangue que são mencionados em Povérbios 30.15. É provável que a referência aqui seja às sanguessugas, embora possa ser à parasita medicinal comum, *Hirudo medicinalis.* Esta última é abundante em fontes e lagoas desde o Neguebe até a Galiléia. Ela adere ao corpo humano e dos animais que mergulham na água, injeta neles um anticoagulante e chupa o seu sangue.

Em certa época, os parasitas eram amplamente empregados na medicina para extrair sangue, nos casos em que houvesse a suspeita de que a doença havia sido causada por um sangue ruim.

12. **Peixe,** *Pisces.* Os peixes são freqüentemente mencionados na Bíblia sem jamais mencionar qualquer nome específico que nos possibilite identificar uma espécie particular. Desde os tempos mais remotos, os peixes constituem um dos alimentos básicos do ser humano, e ainda servem como principal fonte de proteínas em todo o mundo. Para fotos da lampreia e de peixes comestíveis do Mar da Galiléia, veja VBW, I, 187.

O comércio de peixes era altamente desenvolvido nos tempos bíblicos. Uma das portas de Jerusalém era chamada de Porta do Peixe (Ne 3.3; Sf 1.10). No Egito, os peixes eram capturados com arpões e com redes; a pesca com linha e anzol também era praticada. O texto em Levítico 11.10-12 permitia aos judeus comer os peixes com espinhas ou peixes com barbatanas ou escamas, mas proibia a alimentação com peixes de cartilagens, como o tubarão, a enguia e a lampreia, que não têm escamas. *Veja* Ocupações: Pesca; Barbatanas.

13. **Rã.** *Veja* IV.26.

***Bibliografia.*** Emmanuel Anati, *Palestine Before the Hebrews,* New York; Knopf, 1963. Michael Avi-Yonah e Abraham Malamat, eds., *Views of the Biblical World,* 5 volumes, Jerusalém. International Publishing Co., 1960. Raoul Blanchard e M. DuBuit, *The Promised Land,* New York. Hawthorn, 1966. F. S. Bodenheimer, *Animal and Man in Bible Lands,* Leiden. Brill, 1960; "Fauna", IDB, II, 246-256. George S. Cansdale, *All the Animals of the Bible Lands,* Grand Rapids. Zondervan, 1970. Robert A. M. Conley, "Locusts. Teeth of the Wind", *National Geographic,* CXXXVI (1969), 202-226. George R. Driver, "Birds in the Old Testament", PEQ. LXXXVI (1955), 5-20; LXXXVII (1955), 129-140. Jehuda Felikis, *The Animal World of the Bible,* Tel-Aviv. Sinai, 1962. Joseph P. Free, "Abraham's Camels", JNES, III (1944), 187-193. Frederick R. e George F. Howe, "Moses and the Eagle. An Analysis of Deut. 32.11" JASA, XX (1968), 22-24. George F. Howe, "The Raven Speaks", JASA, XXI (1969), 22-25; "Job and the Ostrich", JASA, XX (1968), 107-110. Willy Ley, *The Lungfish, the Dodo, and the Unicorn,* New York. Viking, 1948. Alice Parmelee, *All the Birds of the Bible,* New York. Harper, 1959. James B. Pritchard, ed., *The Ancient Near East in Pictures,* Princeton. Princeton Univ. Press, 1954. William M. Thomson, *The Land and the Book,* Hartford. Scranton, 1910. H. B. Tristram, *The Survey of Western Palestine. The Fauna and Flora of Palestine,* London. Palestine Exploration Fund., 1884. Ernest P. Walker, et. al., *Mammals of the World,* Baltimore. Johns Hopkins, 1964. Robert S. Wallace, "Birds of the Bible", Atlanta, Georgia, 1939, sermão não publicado, citado na obra de George J. Wallace, *An Introduction to Ornithology,* New York. Macmillan, 1955. Lulu Rumsey Wiley, *Bible Animals,* New York. Vantage, 1957. Frederick E. Zeuner, *A History of Domesticated Animals,* New York. Harper and Row, 1963.

J. W. K.

**ANIMAL NOTURNO** Tradução da palavra hebraica *lilit* que só ocorre em Isaías 34.14. Suas várias traduções são as seguintes: na LXX, *onokentayroi*; no Símaco *lamia*; na Vulgata, *lamia*; na KJV, coruja com grito assustador; na ASV, NASB, Berkeley, e JPS, monstro noturno; na ASV e NASB marg., demônio feminino; na RSV, bruxa noturna; na NEB, curiango.

Duas opiniões importantes são admitidas (*veja* traduções acima e também os comentários) a respeito do significado dessa palavra no cenário bíblico: (1) É alguma forma de uma verdadeira criatura noturna (cf. Alexander e G. R. Driver, "Lilith", PEQ, XCI [1959], 55-57 que afirmam se tratar de um pássaro do deserto chamado curiango que vive em lugares desabitados); (2) um demônio (BDB, Young). Se for esse último caso, um nome mitológico foi usado para exprimir vividamente a realidade sem dar crédito ao mito. A melhor consideração a fazer para a decisão entre as duas alternativas é, se, as outras criaturas mencionadas são reais ou demoníacas; por exemplo, "cabra selvagem" ou "sátiro' (em hebraico *sa'ir).*

**ANIMAIS NOTURNOS** *Veja* Animal Noturno

**ANIMISMO** Visão de que coisas como árvores, rochas, montanhas etc., possuem espíritos separados, que podem ajudar e abençoar, ou amaldiçoar e atrapalhar o homem. Tais espíritos são apaziguados por meio de determinadas ações e oferendas. O animismo difere do panteísmo, que vê um espírito, ou deus, como presente e identificado com todas as coisas, no sentido de que ele atribui espíritos separados para cada coisa. No entanto, ele concorda em ver o divino como estando presente na matéria.

Muitos antropólogos evolucionários colocam o animismo como o quarto de sete degraus evolucionários no desenvolvimento progressivo da religião: dinamismo, manaísmo, feticismo, animismo, totemismo, politeísmo e monoteísmo. Toda essa teoria de um desenvolvimento evolucionário deve ser rejeitada por três motivos: (1) É impossível provar que tal desenvolvimento tenha realmente ocorrido; (2) Até mesmo as formas mais inferiores de religião primitiva têm mitos relativos a um "deus elevado" ou a um "deus do céu", que é perfeito, santo e que nunca faz nenhum mal a ninguém. Um estudo da mitologia e do folclore de qualquer tribo pagã revela o fato de que uma revelação primitiva de Deus será encontrada nessa mitologia, embora tenha desaparecido do seu conhecimento histórico direto; (3) A Bíblia ensina que, no início, Deus criou o homem à Sua imagem e semelhança, e que Ele falou com o homem e ensinou-o a seu próprio respeito. Esta revelação especial e primitiva só é, naturalmente, encontrada na Bíblia, mas ela coloca em seu lugar e explica, como nenhuma outra visão, a presença dos mitos do "deus elevado" e do "deus do céu" no paganismo.

R. A. K.

**ANIQUILAR** Palavra muito significativa na doutrina da encarnação de Cristo, com o sentido de esvaziar-se (Fp 2.7). *Veja* Kenosis (doutrina de Cristo).

**ANIS** *Veja* Plantas.

**ANIVERSÁRIO** Há duas referências bíblicas a aniversários: (1) No aniversário do Faraó ele fez uma festa para os seus servos e concedeu anistia ao seu mordomo chefe a quem havia anteriormente feito prisioneiro (Gn 40.20); (2) O aniversário de Herodes Antipas foi comemorado com um banquete aos "seus dignitários, aos oficiais militares e aos principais da Galiléia" ou "aos grandes, e tribunos, e príncipes da Galiléia". O entretenimento incluía a dança de Salomé, filha de Herodias, que foi recompensada com a cabeça de João Batista em uma bandeja (Mt 14.6; Mc 6.21-28).

O termo grego *genesia* representava, originalmente, uma celebração no aniversário de uma pessoa falecida (Arndt, *s.v.*), mas veio a ter uma aplicação mais ampla, e nos papiros era sempre uma festa de aniversário (MM, *s.v.*). Porém nunca foi demonstrado que também poderia ser uma festa de aniversário da data de ascensão de um governante (cf. Edersheim, I. 672).

O nascimento de um filho era uma ocasião de regozijo (Rt 4.14; Jo 16.21; Jos *Ant.* xii. 4.7), mas Jeremias, em grande desânimo, veio a amaldiçoar o dia de seu nascimento (Jr 20.14,15; cf. Jó 3.3). De acordo com Heródoto, os persas antigos também celebravam o aniversário com uma festa (i.133). Além das referências bíblicas acima, no Egito há documentos de tais celebrações a partir do século XIII a.C.

R. V. R.

**ANJO** (hebraico *mal'ak* e grego *aggelos*, "agente," "mensageiro").

### Natureza e Hierarquia dos Anjos

Os anjos são uma ordem sobrenatural de seres celestiais criados separadamente por Deus antes da criação do mundo (cf. Jó 38.6,7) e chamados de espíritos (Hb 1.4,14). Embora sem organismo corpóreo, foi-lhes permitido aparecer freqüentemente na forma de homem (Gn 19.1,5,15; At 1.11). As Escrituras os descrevem como seres pessoais, mais elevados que a raça humana (Sl 8.4,5) e não meras personificações. Eles não são seres humanos glorificados (1 Co 6.3; Hb 1.14). Possuem mais do que conhecimento humano, mas ainda assim não são oniscientes (2 Sm 14.20; 19.27; Mt 24.36; 1 Pe 1.12). São mais fortes que os homens, mas não são onipotentes (Sl 103.20; 2 Pe 2.11; 2 Ts 1.7). Também não são onipresentes (Dn 10.12-14). Às vezes são capacitados para realizar milagres (Gn 19.10-11). O NT revela que existem grandes multidões de anjos no céu (Mt 26.53; Hb 12.22; Ap 5.11).

Os anjos têm, individualmente, diferentes capacitações e hierarquias (*veja* Querubim; Serafim), e são altamente organizados (Rm 8.38; Ef 1.21; 3.10; Cl 1.16). Dois dos anjos mais importantes são Gabriel (Dn 8.16; 9.21; Lc 1.19,26) e Miguel, o arcanjo (Dn 10.13,21; 12.1; Judas 9; Ap 12.7). Satanás era um dos querubins e era chamado "querubim ungido para proteger" (Ez 28.14). Portanto, ele era um dos mais elevados bem como um dos mais dotados dentre as hostes celestiais (Ez 28.13-15) até que caiu. *Veja* Satanás.

### O Ministério dos Anjos

O trabalho dos anjos é variado. Seu principal papel no NT é o de mensageiros ou porta-vozes divinos. Um anjo falou com Zacarias (Lc 1.11-20), com Maria (Lc 1.26-38), com José (Mt 1.20-24; 2.13,19), com os pastores de ovelhas (Lc 2.9-15), com Cornélio (At 10.3,6,22), com Paulo (At 27.23), e com João no Apocalipse. Anjos proclamam juízos divinos por todo o Apocalipse.

Os santos anjos permanecem na presença de Deus e o adoram (Mt 18.10; Hb 1.6; Ap 5.11,12). Eles ministram aos santos (Hb 1.14) dando assistência, proteção e livramento (Gn 19.11; Sl 91.11; Dn 3.28; 6.22; At 5.19); guiam-nos (At 8.26; 12.7-10); às vezes, trazem encorajamento (Dn 9.21; At 27.23,24); interpretam a vontade de Deus (Dn 7.16; 10.5,11; Zc 1.9ss) e a executam com relação tanto aos indivíduos quanto às nações (Gn 19.12-16; 2 Sm 24.16). Nesta qualidade os anjos de Deus são freqüentemente chamados de "anjos da guarda," e alguns crêem que cada um deles é designado para assistir a um crente e representá-lo no céu (At 12.15; Sl 34.7; Mt 18.10). *Veja* Vigilantes. Os seis homens de Ezequiel 9.1-7 eram aparentemente executores *divinos*. Anjos levaram o mendigo Lázaro para o seio de Abraão (Lc 16.22). Eles são instrumentos de Deus para punir seus inimigos (2 Rs 19.35; At 12.23) e punir até mesmo o seu próprio povo (2 Sm 24.16). Um de seus grandes privilégios é mostrar as características do céu aos remidos (Ap 21.9–22.6), por cuja conversão eles se regozijaram (Lc 15.10).

Os anjos tiveram uma grande participação na vida de Cristo, aparecendo tanto antes quanto após o seu nascimento (Mt 1.20; Lc 1.30; 2.9,13), para fortalecê-lo após a sua tentação (Mt 4.11) e no jardim do Getsêmani (Lc 22.43). Um anjo rolou a pedra em sua ressurreição (Mt 28.2-7), e dois apareceram e confirmaram seu retorno em sua ascensão (At 1.11). O Senhor Jesus poderia ter solicitado a seu Pai 12 legiões de anjos para livrá-lo de seus inimigos (Mt 26.52).

### Anjos Caídos

Os anjos malignos, dos quais Satanás é o príncipe (Jo 12.31; 14.30; Ef 2.2; cf. 6.12), se opõem aos bons (Dn 10.13), perturbam o bem-estar do homem às vezes adquirindo o controle que Deus tem sobre as forças da natureza (Jó 1.12-19) e as doenças (Jó 2.4-7; cf. Lc 13.16; At 10.38). Eles tentam o homem para pecar (Gn 3.1-7; Mt 4.3; Jo 13.27; 1 Pe 5.8) e espalham falsas doutrinas (1 Rs 22.21-23; 2 Co 11.13,14; 2 Ts 2.2; 1 Tm 4.1). No entanto, sua liberdade para tentar e testar o homem está sujeita à vontade permissiva de Deus (Jó 1.12; 2.6).

Embora eles ainda tenham a sua habitação no céu e, às vezes, tenham acesso ao próprio trono de Deus (Jó 1.6), serão lançados à terra por Miguel e seus anjos antes da Grande Tribulação (Ap 12.7-9), e finalmente serão lançados no lago de fogo e enxofre "preparado para o diabo e seus anjos" (Mt 25.41).

Os anjos, como seres criados separadamente, não se casam nem se dão em casamento (Mt 22.30; Lc 20.36). Em contraste, os homens são todos participantes da raça humana e descenderam do primeiro casal, Adão e Eva. Deus, portanto, não pode lidar com os anjos através de um representante e, sendo assim, os anjos caídos não podem ser remidos por um comandante federal como o homem (por exemplo, "em Adão" e "em Cristo", Rm 5.12ss.; 1 Co 15.22).

Com que base Deus, então, separou os santos anjos (Mt 25.31; Mc 8.38) daqueles que pecaram (2 Pe 2.4; cf. Judas 6)? Com base em sua obediência, amor e lealdade a Ele. Aqueles que seguiram a Lúcifer em sua rebelião contra Deus (Is 14.12-17; Ez 28.12-19) desse modo pecaram e caíram. Alguns destes foram colocados em cadeias eternas (Judas 6), mas os outros ainda estão livres e ativos e são chamados de demônios. Aqueles anjos que continuaram firmes em amor, lealdade e obediência a Deus foram confirmados em um caráter de justiça. Assim, os anjos podiam pecar ou permanecer puros até serem totalmente testados e confirmados em justiça.

Uma vez que Deus é imutável, nós aprendemos disto que Adão e Eva da mesma forma poderiam ter amado a Deus, permanecido leais a Ele, e lhe obedecido e sido confirmados em justiça; ou se rebelado e pecado, como fizeram, e se perderem. A grande diferença entre os anjos caídos e o homem é que, enquanto o homem pode ser salvo através de um representante substituto, ou seja, Cristo, tomando-o como Salvador e vindo sob seu comando total, os anjos caídos não podem. Cristo teria que morrer uma vez para que cada anjo perdido e separado fosse salvo.

*Veja* Anjo do Senhor; Arcanjo; Demonologia; Diabo.

***Bibliografia***. W. Grundmann, G. von Rad e G. Kittel, "*Aggelos*, etc.," TDNT, I, 74-87. Donald G. Barnhouse. *The Invisible War*, Grand Rapids. Zondervan, 1965,pp. 127-132. CornPBE, pp. 107-110. T. H. Gaster, "Angel," IDB, I, 128-134. J. Barton Payne, *The Teology of the Older Testament*, Grand Rapids. Zondervan, 1962, pp. 167-170, 205-207, 284-291.

R. A. K.

**ANJO DO SENHOR**. Discute-se se o anjo do Senhor (Gn 16.7-14; 22.11,14,15; Êx. 3.2; Jz 2.1,4; 5.23; 6.11-24; 13.3) ou anjo de Deus (Gn 21.17-19; 31.11-13) é um dos anjos ou a aparição do próprio Deus. O fato de que o anjo fala, não meramente em nome de Deus, mas como Deus, na primeira pessoa do singular, não deixa dúvida de que o anjo do Senhor é uma teofania - uma automanifestação de Deus (Gn 17.7ss.; 22.11ss.; 31.13). O anjo identifica-se com Deus e reivindica exercer as prerrogativas de Deus. Às vezes ele é distinguido de Deus (2 Sm 24.16; Zc 1.12s.). Contudo, quando distinguido, a identidade como Divindade permanece (cf. Zc 3.1s.; 12.8). Portanto, qualquer distinção entre o anjo e o Senhor é apenas uma distinção entre o Senhor invisível e o Senhor manifestado. Uma vez que o anjo do Senhor para de aparecer depois da encarnação de Cristo, é freqüentemente inferido que o anjo é, no AT, uma aparição pré-encarnada da Segunda Pessoa da Trindade.

C. C. R.

**ANJOS DA GUARDA** *Veja* Anjos.

**ANJOS DAS SETE IGREJAS** Apocalipse 2 e 3 contém uma série de cartas endereçadas aos "anjos" das igrejas em Éfeso, Esmirna,

Pérgamo, Tiatira, Sardes, Filadélfia e Laodicéia – todas na Ásia Menor. As cartas contêm palavras de louvor, censura e exortação, com advertências resultantes da contínua infidelidade. Do contexto fica claro que cada carta foi destinada primeiramente à igreja para a qual ela foi endereçada.
O grego *angelos* pode referir-se a um ser angelical ou a um mensageiro humano. Entre as sugestões do significado do termo "anjo" em Apocalipse 2 e 3 encontramos: (1) o representante celestial ou anjo guardião da igreja (cf. Dn 10.13; 12.1; Mt 18.10; At 12.15; *veja* Anjo); (2) a própria personificação da igreja, na qual a vida da igreja encontra o seu próprio corpo; (3) o núcleo espiritual de pessoas maduras dentro da igreja; (4) o representante enviado pela igreja que estava na Ásia Menor a João em Patmos; (5) o bispo (supervisor) ou presbítero (ancião) da igreja como mensageiro de Deus para aquela igreja.
O nome do profeta Malaquias em hebraico significa "Meu mensageiro" ou "Meu anjo", e este talvez seja um uso análogo ao uso do termo em Apocalipse 2 e 3. Malaquias como profeta foi o mensageiro do Senhor para Israel.

C. F. P.

**ANO DE DESCANSO** *Veja* Sábado.

**ANO NOVO, FESTA DAS TROMBETAS** *Veja* Festividades.

**ANO SABÁTICO** *Veja* Festividades.

**ANO** *Veja* Tempo, Divisões do.

**ANOITECER, CAIR DA NOITE** *Veja* Tempo.

**ANRAFEL** Rei de Sinar, que se uniu a outros reis em uma batalha no vale de Sidim, na época de Abrão (Gn 14). *Veja* Abraão. Devido a algumas similaridades nos nomes hebreus, primeiramente tentou-se identificá-lo com Hamurabi, o famoso rei da Babilônia. A primeira e a última letra desse nome, no entanto, não se igualam às do nome Hamurabi, na língua acadiana. Mais provavelmente seria o nome amorreu *Amur-pi-el* ou *Amuru-apil(i)*. W. F. Albright acredita que o nome "Anrafel" pode ser associado com Emudbal, o nome de uma importante tribo de amorreus, que deu o seu nome a uma região situada entre Elão e a Babilônia, pelo menos em aproximadamente 1800 a.C., de acordo com as tábuas de Mari (BASOR # 163, pp. 49s.. *Yahweh and the Gods of Canaan*, Garden City. Doubleday, 1968, pp. 68s.
*Veja* Quedorlaomer.

**ANRAMITAS** Os descendentes de Anrão, que formaram um ramo da família sacerdotal dos Coatitas (Nm 3.27; 1 Cr 26.23).

**ANRÃO**
1. Neto de Levi, filho de Coate e o pai de Moisés e Arão (Êx 6.18,20; Nm 26.59).
2. Um filho de Bani, que tinha desposado uma mulher estrangeira e recebeu a solicitação de Esdras para despedi-la (Ed 10.34).

**ANTEDILUVIANOS** Em contraste com os conceitos evolucionários das origens humanas, as Escrituras afirmam claramente que os primeiros homens da história tinham todos os talentos necessários para alcançar grandes realizações culturais. Caim, o filho de Adão, construiu uma cidade, e os seus descendentes imediatos viveram em cabanas, domesticaram gado, inventaram instrumentos musicais ("a harpa e o órgão"), e forjaram "toda obra de cobre e de ferro" (Gn 4.17-22). Noé tinha capacidade e ferramentas suficientes para construir uma gigantesca arca, de acordo com as especificações Divinas (Gn 6.14-16). A grande longevidade e a unidade da linguagem sem dúvida contribuíram para um rápido desenvolvimento das artes e da ciência.
Um paralelo ao crescimento da civilização foi o amadurecimento da depravação espiritual. Caim, o primeiro homem nascido de uma mulher, estabeleceu o padrão da época assassinando o seu próprio irmão, e reclamando que a punição de Deus era injusta (Gn 4.1-15; 1 Jo 3.12). Na verdade, alguns notáveis homens de Deus viveram durante esse período, como Abel, Enoque, Lameque e Noé; mas a raça, como um todo, afundou nas profundezas do abismo do pecado (Gn 6.5-12; Mt 24.38; Jd 14,15). É possível interpretar Gênesis 6.1-4 em termos de raça de homens maus de grande estatura (hebr. *n^ephilim*; cf. Números 13.33) nascidos de homens que tinham se permitido ser totalmente possuídos por demônios (Jó 1.6). Com os atos de depravação tão difundidos, a paciência e a tolerância de Deus chegaram ao fim (Gn 6.3; 1 Pe 3.20). Com exceção da família de Noé, "pereceu o mundo de então, coberto com as águas do dilúvio" (2 Pe 3.6), e teve início outro capítulo da história da humanidade.
*Veja* Antropologia; Arca de Noé; Criação; Dilúvio.

J. C. W.

**ANTEMURO** O muro externo de uma fortificação, ou, em figura, a área entre o muro interno e o externo. É uma tradução do termo heb. *hel* ou *hel* que aparece cerca de dez vezes. Possui traduções como "fosso", "muro", "hoste", "parapeito" e "exército". Várias versões traduzem a palavra como "antemuro" ou "muralha" em Lamentações 2.8 e em Naum 3.8. A versão RSV em inglês acrescenta várias outras (2 Sm 20.15; Na 2.1; Sl 48.13).

**ANTICRISTO** *Nomes e referências.* O termo

"Anticristo" aparece somente em 1 João 2.18,22; 4.3 e 2 João 7. Se pensarmos que as Escrituras apresentam uma unidade crescente dessa doutrina, e que uma pessoa escatológica, o Anticristo final que será habitado por Satanás (Ap 13) ainda se manifestará, devemos relacionar a ele um grande número de nomes e referências bíblicas. Elas começam com a "semente" da serpente (Gn 3.15) e terminam com a "besta" (Ap 20.10). As mais importantes são o "pequeno chifre (ou ponta)" no quarto animal de Daniel 7.7ss; o "príncipe que há de vir" (Dn 9.26); o "assolador" (Dn 9.27); o rei que fará conforme a sua vontade de Daniel 11.36-39; o "homem do pecado" e o "filho da perdição" como também o "iníquo" (2 Ts 2.3,8); e a "besta" (Ap 11.7; 13.2ss). Jesus referiu-se ao Anticristo como alguém que estabelecerá um ídolo no Templo de Deus, nos dias que antecedem sua segunda vinda (Mt 24.15; *Veja* Abominação da Desolação).

*Significado.* O termo Anticristo quer dizer alguém que está contra Cristo ou que procura ser seu substituto. João viu seu "espírito" ou doutrina (docetismo?) no mundo no primeiro século de nossa era (1 Jo 4.3). A doutrina de Belial, no Antigo Testamento (o termo hebraico *b^eliya'al* aparece 27 vezes no Antigo Testamento e uma vez no Novo Testamento, em 2 Coríntios 6.15; cf. Belzebu, Lc 11.15-19), provavelmente se refira ao mesmo conceito. *Veja* Belial.

*Interpretações.* Ao dar ênfase a um aspecto ou a outro, no ensino das Escrituras, diversos tipos de interpretação apareceram nos círculos cristãos.

1. A visão do "princípio do mal". Os defensores desta visão propõem que o Anticristo é a personificação de alguns princípios, poderes maus, ou idéias más do mundo, que permanecerá até o fim dos tempos em oposição ao reino de Deus. As duas epístolas de João parecem mostrar o Anticristo desta forma, e certamente essa deve ser parte da verdade. Em várias épocas e situações, esse princípio foi identificado com movimentos da atualidade (Exemplo: o comunismo, o fascismo).

2. A visão da "instituição do mal". Este é um nome apropriado para a idéia de que o império romano, o papado, a religião muçulmana etc. sejam o anticristo. Essa visão é normal entre os intérpretes preteristas e historicistas do Apocalipse.

3. Também existe a visão da "pessoa do mal" [e não da personificação do mal]. Na opinião de alguns intérpretes, o homem do pecado de 2 Tessalonicenses 2, ou a besta do Apocalipse e de Daniel, seria algum contemporâneo que parece particularmente perigoso ao cristianismo. No início da Idade Média, Maomé era o candidato favorito. Mais tarde os papas iriam encontrar vários imperadores ou hereges que poderiam portar o título, enquanto, em contrapartida, esses homens, ou seus seguidores, iriam atribuir o título ao papa. Nos tempos da Reforma, dependendo de que lado estivesse o intérprete, o papa ou Martinho Lutero receberiam este título tão inconveniente. Napoleão, o imperador Guilherme II, Mussolini etc. foram chamados de Anticristos.

4. A visão da "falácia popular". Escritores liberais (modernistas) normalmente afirmam que o Anticristo do Novo Testamento somente reflete antigos mitos pagãos nos quais os primeiros cristãos ainda acreditavam; ou, noções judaicas transmitidas ao cristianismo pelos primeiros cristãos. Tais intérpretes lêem a segunda carta de Paulo aos tessalonicenses e o Apocalipse não como a Palavra de Deus, mas somente como uma fonte da opinião dos primeiros cristãos.

5. Entre os evangélicos, muito mais comum é o que pode ser chamado de visão "orgânica", segundo a qual o bem e o mal têm um desenvolvimento paralelo e atingem a consumação máxima em um Cristo pessoal e em um Anticristo pessoal, e que esses se encontram em um conflito final na segunda vinda de Cristo. Os pós-milenialistas (por exemplo, A. H. Strong, *Systematic Theology,* p. 1008), os amilenialistas (por exemplo, C. F. Keil, *Commentary on Daniel* em 9.26,27), e os pré-milenialistas (por exemplo, Alva J. McClain, *The Greatness of the Kingdom*, pp. 452-453) concordam nisso.

*A doutrina.* Embora Daniel e o Apocalipse tenham mais material sobre esse assunto, o tratamento sistemático mais detalhado está em 2 Tessalonicenses 2. O exame produz a informação de que uma pessoa consumadamente má, chamada de "homem do pecado", "filho da perdição" e "iníquo" será um dia "revelado". Esta revelação terá lugar antes (supostamente pouco antes) do "dia do Senhor". Com a revelação do "homem do pecado", virá uma apostasia geral ou "abandono" da religião verdadeira. Ele opor-se-á a Deus, exaltar-se-á, exigirá honras divinas e de forma geral será um ateu consumado e um Anticristo. Sua vinda será uma realização das forças do mal – "O mistério da injustiça (ou da iniqüidade" agora operante (2 Ts 2.7). Seu sucesso virá, temporariamente, pelo poder satânico e pela tolerância da providência divina (vv. 9-12), mas no final ele será destruído pela própria manifestação de Cristo na sua vinda (v. 8). (Veja também Ap 13.1ss; Dn 7.8ss; 11.36ss). Jesus fala dele como aquele que vem "em seu próprio nome" (Jo 5.43).

*Veja* Besta (simbólico); Homem do pecado; Demônio.

***Bibliografia.*** W. Bousset, *The Antichrist Legend*, 1896. James Oliver Buswell, *A Systematic Theology of the Christian religion*, Grand Rapids. Zondervan, 1962, II, 371-383, 390-396, 465-481.

R. D. C.

**ANTIGO TESTAMENTO, CÂNON DO** *Veja* Cânon do Antigo Testamento.

**ANTIGO TESTAMENTO, CRONOLOGIA DO** *Veja* Cronologia do Antigo Testamento.

**ANTIGO TESTAMENTO** Esta é a primeira das duas maiores divisões da Bíblia. Consiste das "Escrituras Sagradas" (2 Tm 3.15) ou "sagradas letras" do povo judeu. Foi escrito, em sua maior parte, em hebraico; com partes de Daniel, Esdras, um versículo em Jeremias e várias palavras em outras passagens, em aramaico. A palavra "testamento" é, na opinião de alguns, uma tradução inadequada do termo gr. *diatheke* e seria melhor traduzido como "contrato" ou "aliança".

Na Bíblia Sagrada, o AT tem 39 livros – de Gênesis a Malaquias – na seguinte classificação: (1) cinco livros da lei (Gênesis a Deuteronômio); (2) 12 livros históricos (Josué a Ester); (3) cinco livros poéticos (Jó a Cantares); e (4) 17 livros proféticos (Isaías a Malaquias). A última seção é às vezes subdividida em cinco profetas maiores e 12 profetas menores. Esta classificação é derivada da Vulgata Latina, que por sua vez foi derivada da LXX.

Na Bíblia hebraica, porém, há três divisões principais – a Lei, os Profetas e os Escritos. A Lei é constituída dos "cinco livros de Moisés", o Pentateuco. Os profetas são compostos por duas subdivisões: os Primeiros Profetas, incluindo Josué, Juízes, Samuel e Reis; e os Profetas Posteriores, compreendendo Isaías, Jeremias, Ezequiel e os doze (profetas menores). Os Escritos contêm todo o restante dos livros. Conforme a contagem dos judeus, o número total dos livros é 24; mas nesta enumeração, os 12 profetas menores são contados como um único livro, e também Samuel, Reis, Crônicas e Esdras-Neemias como um único livro cada.

A antiga aliança foi feita com os israelitas no Sinai através de Moisés, como mediador (Dt 5.1-5; Gl 3.19). A nova aliança foi feita com os cristãos através de Jesus Cristo como mediador (Hb 8.6-13; 1 Tm 2.5). Assim, a estrutura básica da Bíblia depende da idéia de que Deus fez duas alianças principais com o seu povo escolhido, e que a nova aliança substituiu a antiga para aqueles que crêem em Jesus Cristo.

Embora os cristãos estejam sob uma nova aliança, este fato de maneira alguma invalida as Escrituras do AT. Elas permanecem parte da Palavra inspirada de Deus, pois, "Toda Escritura divinamente inspirada é proveitosa para ensinar, para redargüir, para corrigir, para instruir em justiça, para que o homem de Deus seja perfeito *e* perfeitamente instruído para toda boa obra" (2 Tm 3.16,17). Deus continua, até hoje, a se revelar e a prover a sabedoria que leva à salvação (2 Tm 3.15) através destas preciosas Escrituras.

*Veja* Bíblia; Manuscritos Bíblicos; O Cânon das Escrituras do AT; Aliança; Inspiração; Novo Testamento.

N. R. L.

**ANTÍLOPE** *Veja* Animais: Antílope II.1.

**ANTIOQUIA** Dezesseis Antioquias foram estabelecidas por Seleuco Nicátor, fundador do Império Selêucida em 312 (ou 306) a.C., em homenagem a seu pai, Antíoco. Apenas duas delas são mencionadas no NT: uma na Síria, outra na Pisídia.

1. A Antioquia da Síria, a capital, era uma das cinco Antioquias somente na Síria. Fundada em 301 a.C., tornou-se a maior de todas as Antioquias. No século I ela foi a maior cidade do Império Romano, com uma população freqüentemente estimada em 500.000 habitantes. Era chamada de "a Bela e a Dourada", a "Rainha do Oriente" por sua localização e seus edifícios magníficos.

Localizada a cerca de 24 quilômetros do porto mediterrâneo de Selêucia, ela fica na margem norte do Rio Orontes em um vale largo e fértil aos pés dos picos cobertos de neve do Monte Silpius. Caravanas populosas vindas do Norte, Sul e Leste convergiam para os seus mercados, enquanto barcos do Mediterrâneo aguardavam no porto para descarregar e serem novamente abastecidos. Oficiais aposentados do governo gastavam suas fortunas ali, fartando-se com suas iguarias exóticas, apostando suas moedas de ouro em corridas de carruagens, e relaxando diariamente nos grandes banhos públicos. Desde sua fundação, ela foi cosmopolita. Os judeus desfrutavam dos mesmos privilégios dados aos comerciantes gregos.

A cidade foi dividida em quatro partes a partir de 175 a.C., separada por um longo colunato e por um outro menor, que se interceptavam obliquamente. Templos, teatros, banhos e ruas romanas, quando destruídos por terremotos (como em 37 d.C.) ou por guerras (várias revoltas no século I) eram prontamente reconstruídos pelos vigorosos cidadãos. Hoje, sua população chega a apenas 42.000 habitantes.

A Antioquia da Síria é muito importante na história inicial da igreja cristã. Nicolau, um dos primeiros diáconos, era um prosélito de Antioquia (At 6.5). Durante as perseguições que se seguiram após o apedrejamento de Estêvão, muitos cristãos de Jerusalém fugiram para Antioquia onde pregaram para judeus que falavam grego (helenistas) e para gregos (helenos). (Os manuscritos gregos estão divididos e podemos argumentar a favor do texto como sendo original em Atos 11.20, mas o contexto claramente sugere que tanto helenistas quanto helenos eram encontrados na congregação).

Barnabé fortaleceu grandemente os laços de amizade entre a congregação de Antioquia e a igreja-mãe em Jerusalém (At 11.22-30),

Escavações em Antioquia da Síria. Universidade de Princeton

assegurou os serviços de Paulo a eles como ensinador (At 11.25,26) e em companhia de Paulo levou o dinheiro da oferta de ajuda para Jerusalém (At 11.27-30). Os discípulos receberam o nome de "cristãos" pela primeira vez em Antioquia (At 11.26). Paulo foi enviado da igreja de Antioquia às suas três grandes missões: em Chipre, na Ásia Menor e na Grécia (At 13.1ss; 15.36ss; 18.23ss). O primeiro grande concílio da igreja em Jerusalém foi ocasionado pela pergunta se era necessário circuncidar os gentios convertidos, e é justo dizer que a visão mais ampla de Antioquia prevaleceu sobre a visão mais estreita da Judéia (At 15; cf. Gl 2.4-14).
Na igreja antiga, a Antioquia era famosa por causa de Inácio, o bispo e mártir (aprox. 110 d.C.) cujas cartas ainda lemos; e por sua escola e grandes ensinadores, Crisóstomo (aprox. 390) e Teodoro de Mopsuestia (aprox. 390) que exortou a uma interpretação literal e histórica da Bíblia, contra as tendências de alegoria de Clemente e Orígenes de Alexandria no Egito. *Veja* Arqueologia.
O cálice de Antioquia (encontrado perto da Antioquia da Síria em 1916), que foi algumas vezes considerado como o "Santo Gral" usado por Jesus e seus apóstolos na primeira ceia, é uma simples taça de prata colocada em um suporte de filigrana, contendo figuras, das quais pensa-se que representam Jesus e vários apóstolos. Acredita-se agora datar do século IV ou V d.C.
*Veja* Arqueologia.

***Bibliografia.*** Glanville Downey, *Antioch in the Age of Theodosius the Great*, Norman. Univ. of Oklahoma Press, 1962; *A History of Antioch in Syria*, Princeton. Univ. Press, 1961. Bruce M. Metzger, "Antioch-on-the-Orontes," BA, XI (1948), 69-88. Richard Stilwell (ed.). *Antioch-on-the-Orontes*, Princeton. Univ. Press, 1938.

2. Antioquia perto de Pisídia, uma cidade da Frígia ao sul da Ásia Menor. Era chamada de Antioquia Pisidiana para distingui-la das muitas outras cidades do mesmo nome fundadas por Seleuco Nicátor em homenagem a seu pai, provavelmente logo após 301 a.C. Era um ponto de guarnição comandando a grande estrada romana ligando Éfeso aos Portões da Cilícia, uma passagem montanhosa exatamente acima de Tarso. Após 25 a.C. Roma tornou-a uma cidade da Galácia, e então a elevou à posição de colônia pouco antes de 6 a.C. As estradas romanas daí em diante ligaram-na com as outras colônias (por exemplo, Listra) encontradas no distrito.
Em sua primeira missão, Paulo fundou uma igreja em Antioquia da Pisídia (At 13.13-52) e seu testemunho foi ouvido por toda a "região" ou "província" (At 13.49); apenas em Éfeso e Tessalônica houve resultados comparáveis. Os judeus estavam presentes, em

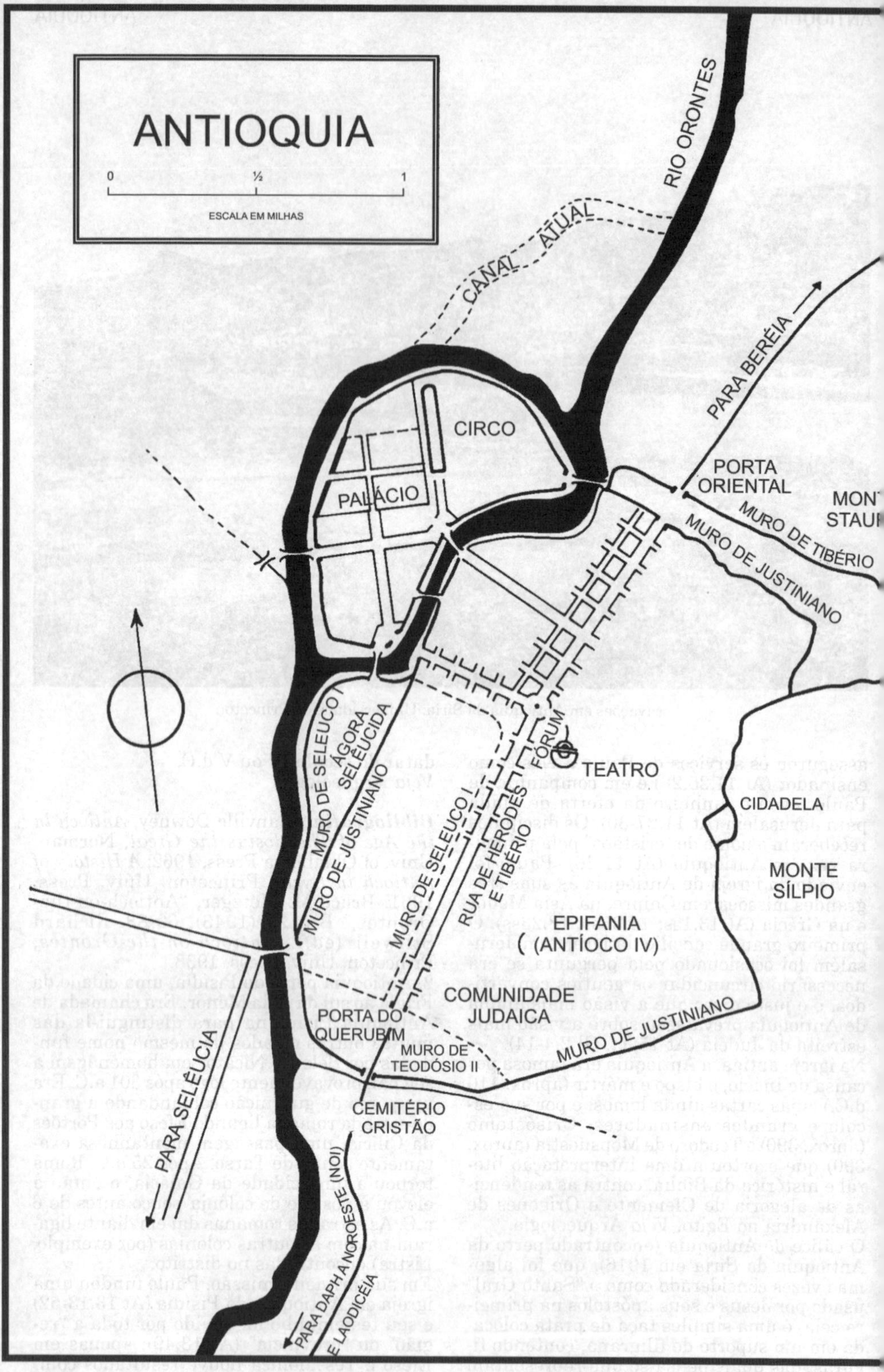

Um mapa de Antioquia da Síria nos tempos do Novo Testamento

grande número, a partir de 200 a.C., e, sem dúvida, seus esforços de proselitismo haviam preparado muitos corações gentios para o Evangelho. Alcançando primeiro os judeus (Rm 1.16), Paulo pôde fornecer liderança para a jovem igreja que conhecia as Escrituras do AT e o serviço da sinagoga sobre o qual a adoração cristã estava baseada (observe em Atos 13.43ss, a ênfase nos judeus e nos prosélitos). Mulheres nobres entre os gentios foram atraídas em grande número do paganismo para o judaísmo, de acordo com Juvenal (VI.543) e Jos (*Wars* II.20.2), e da mesma forma elas abraçaram prontamente a fé cristã (At 13.50). O sermão de Paulo é relatado detalhadamente em Atos 13.

A teoria "gálata do sul" (*veja* Galácia) afirma que a Antioquia da Pisídia pertencia à região da Frígia (um termo geográfico usado pelos gregos) e da Galácia (um termo político usado pelo governo romano) de acordo com Atos 16.6 e 18.23. Juntamente com Icônio, Listra e Derbe, Antioquia é uma das igrejas "gálatas" para a qual Paulo escreveu esta carta.

Em uma teoria "gálata do norte" menos provável, a Antioquia da Pisídia fica muito ao sul na Frígia para ser uma das igrejas para a qual Paulo escreveu; elas estavam preferivelmente em Tavium. Ancyra e Pessinus, cidades não mencionadas em Atos ou no NT, exceto como em Atos 16.6 e 18.23 referindo-se ao território frígio (geográfico) e gálata (parte norte da província política).

***Bibliografia.*** David Magie, *Roman Rule in Asia Minor*, Princeton. Univ. Press, 1950, I, 457-463. David M. Robinson, "*A Preliminary Report on the Excavations at Pisidian Antioch and at Sizma*". AJA, XXVIII (Out., 1924), 435-444.

T. B. C.

**ANTIPAS** Uma contração de Antipater.

1. Embora este fosse o nome do pai de Herodes o Grande (Jos *Ant*. xiv, 1.3-4), era melhor conhecido como o nome de um dos vários filhos de Herodes o Grande. Ele era o filho de Herodes e Maltace e o irmão de Arquelau (Mt 2.22) e Filipe, conhecido como Herodes o tetrarca (Lc 3.1,19) e notório por seu casamento com Herodias, a esposa de Filipe.

Depois que João Batista apareceu diante dele e foi decapitado por acusar Herodes de adultério (Mc 6.17-29), Jesus lhe foi enviado por Pilatos para ser examinado (Lc 23.7-11). Ele era conhecido por seus atos cruéis (Lc 3.19) e foi chamado de "raposa" por Jesus (Lc 13.31,32), uma expressão que provavelmente se referia à sua astúcia. *Veja também* Aretas; Herodes.

2. Um antigo mártir cristão mencionado em Apocalipse 2.13 como "minha fiel testemunha" residente em Pérgamo (q.v.).

W. M. D.

**ANTIPÁTRIDE** A cidade é mencionada apenas uma vez no NT (At 23.31). Paulo e os 470 soldados romanos que o guardavam, pararam ali quando ele estava sendo transferido à noite de Jerusalém para Cesaréia. O local dá vista para a planície de Sharon, a cerca de 50 quilômetros a noroeste de Jerusalém e a 45 quilômetros ao sul de Cesaréia. A cidade era elaboradamente bonita na época de Herodes (aprox. 9 a.C.) e recebeu o nome em homenagem ao pai de Herodes, Antipater; ela era originalmente conhecida como Kaphar Saba (veja Jos *Ant*. xiii, 15.1; xvi.5.2).

Indiscutivelmente, uma cidade foi erguida ali muitos séculos antes da época de Jesus. Antipátride estava localizada muito provavelmente em Ras el-'Ain ("cabeça da fonte"), cuja nascente é a mais abundante em toda a Palestina e forma a principal fonte constante para o Rio Aujeh (isto é, o Yarkon). Hoje a maior parte desta água é drenada por aquedutos para o Neguebe.

Cerâmicas da época pré-cristã (Eras helenísticas, do ferro e do bronze) foram encontradas aqui em 1946, corroborando com a opinião de que este local era a Afeca do AT (*veja* Afeca 3). Josefo disse que ela estava localizada perto da torre de Afeca (*Wars* ii.19.1) e no período helenístico ela era provavelmente chamada de *Pégai* ("nascentes": isto é mencionado em um documento do tempo de Ptolomeu Filadelfo, cf. *Pap, d. Soc. Ital.* IV, 406). Hoje existem, naquele local, ruínas impressionantes (uma grande fortaleza e hospedarias para caravanas etc.) do período árabe-cruzado. Ela é um convite a escavações que ainda não foram levadas avante em nenhum nível. No período talmúdico ela estava na fronteira entre o norte da Judéia e a Galiléia (cf. *Gittin* VII.7; *Yoma* 69a). A partir do século IV ela foi uma das principais estações para os peregrinos.

***Bibliografia.*** Conder e Kitchener, *Survey of Western Palestine, Memoirs* II, 134, 258ss. Emil Schürer, *History of the Jewish People in the Time of Jesus Christ*, New York. Scribner's, 1891, II, 1, 130-131.

E. J. V.

**ANTÍTIPO** "Algo que corresponde ou é prefigurado em um tipo ou símbolo" (Webster). Cristo é a realidade messiânica que satisfaz muitas figuras pré-messiânicas específicas no AT. Por exemplo, como o Cordeiro de Deus Ele é o antítipo e o cumprimento do cordeiro pascal (1 Co 5.7). O batismo cristão simboliza a salvação que está em Cristo e é o antítipo (Gr. *antitypon*) da salvação que foi oferecida na arca de Noé (1 Pe 3.21). Em Hebreus 9.24 o termo é usado de uma maneira ligeiramente diferente quando as seções do Tabernáculo do AT são chamadas de antítipos (ou "figuras") do Tabernáculo celestial de Deus, no sentido de que o Tabernáculo mosaico era o cumprimento ou a realidade terrena subseqüente do eterno Tabernáculo celestial, seu modelo (cf. Hb 8.2,5). *Veja* Tipos.

**ANTÔNIA** Uma fortaleza reconstruída por Herodes o Grande, a noroeste do Templo, não citada na Bíblia, mas mencionada em conexão à prisão de Paulo em Jerusalém. No tempo de Neemias era uma fortaleza relacionada ao Templo (Ne 2.8; 7.2). Posteriormente este local foi ocupado por um castelo dos sacerdotes-reis asmonianos (Jos *Ant.* xv.11.4; xviii.4.3; *Wars* i.21.1). Quando Herodes ordenou que o Templo fosse reconstruído (aprox. 22 ou 19 a.C.), esta estrutura no canto noroeste da área do Templo foi também reformada como uma torre da guarda palaciana e residência real, e recebeu um novo nome em homenagem a Marco Antonio, o amigo e patrono de Herodes. Localizava-se em um penhasco do Vale do Tyropeon a aproximadamente 25 metros de altura, e tinha quatro sólidas torres, cada uma com 25 a 33 metros de altura, em seus quatro cantos. Seu pátio era pavimentado com grandes lajes de pedra de 90 cm quadrados e 30 cm de espessura.
Para o estudante do NT a importância principal de Antônia reside no fato de que Paulo estava preso no quartel ou "fortaleza" (Gr. *parembole,* ou "castelo" na versão KJV em inglês) até que foi transferido para Cesaréia (At 21.37; 22.24; 23.10,16,32). As vestes do sumo sacerdote eram também guardadas aqui e liberadas pelos romanos somente durante o tempo das festas judaicas.
H. P. Vincent argumentou que Antônia deve ser identificada com o pretório com seu pavimento (Jo 18.28; 19.13) e que Jesus foi interrogado aqui, diante de Pilatos. Fortes razões pesam contra a opinião de Vincent. O pretório muito provavelmente se referia ao Palácio de Herodes em Jerusalém. *Veja* Pretório.

***Bibliografia.*** Soeur Marie Aline de Sion. *La forteresse Antonia à Jérusalem et la question du Prétoire*, Paris. Galbalda, 1956.

Reconstrução do castelo de Antônia. Irmãs de Sião, Jerusalém

P. Benoit, "Pretorie, Lithostrotos", *Revue Biblique*, LIX (1952), 531-550. Millar Burrows, "The Foretress Antonia and the Praetorium", BA, I (1938), 17-19. Superior Godeleine, *Le Lithostrotos d'apres des Fouilles Recentes*, Jerusalém. "Notre-Dame de Sion", 1932. Soeur Marie Ita of Sion, "The Antonia Fortress", PEQ, C (1968), 139-143. E. Schürer, *A History of the Jewish People in the Time of Jesus Christ*, 5 vols., 1896, veja referências a Josefo, Tácito, etc. H. P. Vincent, "Le Lithostrotos Evangelique", *Revue Biblique*, LIX (1952), 513-530.

E. J. V.

**ANTOTIAS** Um descendente de Benjamim (1 Cr 8.24).

**ANTOTITA** Uma forma curta de Anatotita (q.v.), um habitante de Anatote.

**ANTROPOLOGIA** A ciência ou o conhecimento do homem, de onde veio, o que é e quais são as suas potencialidades futuras e o seu destino. O termo antropologia pode ser usado para definir todo o estudo científico secular desses detalhes quando teorias como: (1) evolução orgânica e evolução teísta, inteiramente isoladas da criação, ou contrárias a ela, sejam consideradas como uma explicação para a origem do homem; (2) o puro comportamentalismo e operacionalismo, sejam isolados ou contrários à visão bíblica da imagem de Deus no homem e da sua anulação pelo pecado; e (3) o puro naturalismo, com a extinção da existência pessoal individual por meio da morte, quer seja adotado, isolado ou contrário à visão supernaturalista da Bíblia quanto à alma imortal, que ensina que a alma está destinada a uma existência futura eterna depois da morte.
Em geral, como é ensinado nas faculdades e universidades, a antropologia é apresentada de acordo com teorias que negligenciam completamente a antropologia bíblica revelada. Quando se considera a antropologia bíblica, as teorias seculares podem lançar alguma luz sobre os princípios revelados nas Escrituras. No entanto, isto é mais pelo contraste do que por acordo comum, como se vê no seguinte estudo da revelação bíblica a respeito do homem.
*A origem do homem.* Deus criou o homem (o homem e a mulher) por meio de uma ordem (Gn 1.27). A Bíblia não dá lugar a nenhuma teoria de evolução orgânica ou teísta no que se refere à criação do homem. Adão foi criado primeiro, e imediatamente começou a dar nomes aos animais que Deus já tinha criado, à medida que o Senhor os trazia à sua presença. Ele procurou a comunhão de um relacionamento eu-Deus, semelhante ao que ele já havia tido com Deus no início, mas não conseguiu encontrá-lo entre as formas inferiores da criação (Gn 2.20). Então, e somente então,

Deus criou Eva como sua adjutora (2.21,22). Os antropólogos modernos normalmente ignoram completamente as explicações da Bíblia. Para manter o passo da pesquisa biológica, o cristão pode desejar dar muito mais lugar ao desenvolvimento daqueles grupos, maiores que as espécies, agora consideradas as classes básicas isoladas dos seres criados por Deus, dos quais se desenvolveram as espécies e tipos. No entanto, ele não pode aceitar os registros bíblicos e seguir uma teoria da origem do homem onde ele não seja visto como um grupo isolado, criado desde o início como um ser completamente desenvolvido, e moralmente autoconsciente. Há claras afirmações em Gênesis (caps. 1–3) e nos ensinos do Novo Testamento que mostram que o pecado entrou no mundo por meio de um homem, Adão, e através dele passou para toda a raça humana, já que ele era o cabeça da raça humana (Rm 5.12 e seguintes). Cristo também afirmou que, no princípio, Deus criou o homem e a mulher (Mt 19.4; Mc 10.6). Estas são evidências da criação do homem como homem, isolado de qualquer desenvolvimento evolucionário desde o protoplasma até um ser racional.

Uma aceitação literal honesta da criação direta do homem como já totalmente desenvolvido (ao invés de um resultado de um longo processo de evolução, mesmo que esse processo seja uma evolução teísta) é necessária pelas seguintes considerações: (1) Os relatos de Gênesis afirmam claramente que esse é o caso. (2) Jesus Cristo declara a mesma coisa como verdade (Mt 19.3ss). (3) Paulo, em Romanos 5.12-21 (ao afirmar que Adão é o primeiro homem) e em 1 Coríntios 15.45-47 expressa a mesma visão. (4) A doutrina da autoridade suprema de Cristo se apóia sobre a autoridade suprema que Adão teve no início, e, portanto, lemos "assim como todos morrem em Adão, assim também todos serão vivificados em Cristo" (1 Co 15.22). Se Adão não tivesse sido uma pessoa real, como as Escrituras poderiam compará-lo com Cristo? A comparação seria falha e fracassaria, se ambos não fossem verdadeiros representantes. (5) A razão pela qual nenhum anjo caído pode ser redimido, ao passo que os homens caídos podem ser redimidos, é que os anjos não são membros de uma raça, e portanto Cristo não poderia morrer como o seu representante e ser o seu Salvador. Satanás nunca será chamado de representante, nem mesmo dos anjos caídos. Cada um dos que se rebelaram o fez tão individualmente como cada um dos que prosseguiram na justiça eterna, e ambos o fizeram por decisões individuais.

O "Catecismo mais Curto" afirma que Deus criou o homem "para a Sua própria glória", e declara que o objetivo final do homem é apreciar a Deus e glorificá-lo para sempre. Deus não precisava do homem! Já na Trindade o Senhor desfrutava de um relacionamento Eu-Deus e das bênçãos de uma comunhão pessoal, assim como de uma relação social em que quaisquer das outras duas pessoas da Trindade poderiam unir-se para ministrar à terceira. Então, por que Ele criou o homem? Para expor a Sua pessoa com todas as suas glórias e para trazer glória e honra ao seu próprio nome. Isto deveria ser demonstrado não apenas por aqueles que o adoram com a homenagem devida pela criatura ao Criador, mas também por aqueles que o amam pela sua graça soberana e pelo amor que lhes foi manifestado na sua redenção, por meio de Cristo. Os anjos nunca poderiam ser uma ilustração disso. *Veja* Criação.

*A antiguidade do homem*. Poucos estudiosos, se é que há algum, agora sentem que a cronologia de Usher dá uma resposta satisfatória (criação em 4004 a.C.). É bastante comum a aceitação, entre os evangélicos, que muitos dos nomes mencionados nas árvores genealógicas do Antigo Testamento correspondem a nomes genealógicos líderes, e que as listam abrangem períodos muito mais longos de tempo (e freqüentemente centenas de anos) do que imaginado a princípio. Por meio do método do Carbono 14 (*Veja* Datação pelo Carbono 14), e pelo método do potássio-argônio, os antropólogos tentaram empurrar a idade do homem muitos milhares de anos para trás, chegando até mesmo a mais de um milhão de anos. Alguns estudiosos conservadores falam agora de possíveis cem mil anos. O maior conhecimento com respeito a fatores radioativos e mudanças na radiação cósmica sobre a terra, no entanto, podem perfeitamente fazer com que os números sejam revisados outra vez, aproximando-se desde 25 mil até 10 mil anos, ou até mesmo um número menor. Para divisões étnicas da humanidade, *veja* Nações.

*A natureza do homem*. O homem é a mais elevada das criaturas de Deus, além dos anjos (Sl 8.5-8; Hb 2.6-9). Ele é a consumação da criação de Deus, e recebe o domínio sobre a terra e a incumbência de dominá-la (Gn 1.26,27). Para a salvação dos seres humanos, e somente deles, Deus enviou o seu filho único, o seu primogênito, para redimi-los na cruz.

O homem tem, por natureza, ao menos duas partes. É composto de corpo e também de alma ou espírito. Os anjos têm uma só parte, e são puramente espírito. A visão tricotomista de que o homem é dividido em três partes – espírito, alma e corpo – é baseada principalmente em 1 Tessalonicenses 5.23, "todo o vosso espírito, e alma, e corpo sejam plenamente conservados irrepreensíveis..." e em Hebreus 4.12, "penetra até à divisão da alma, e do espírito". À luz de outras passagens das Escrituras, estas aparentes distinções entre alma e espírito podem ser mais bem explicadas como diferenças de função ou diferenças de aspectos da personalidade da parte não material do homem. *Veja* Homem interior.

Algumas conseqüências importantes são as seguintes: (1) os homens são todos membros de uma só raça, a raça humana. (2) Os homens, como criaturas, divididas ao menos em duas partes, jamais serão inteiramente completos sem algum "Tabernáculo" físico para abrigar a alma. Assim, a ressurreição torna-se um fato muito importante para o homem (cf. 2 Co 5.1ss). (3) Sendo uma combinação de corpo e alma, o homem está sujeito a problemas que surgem do pecado. A alma está sujeita aos chamados problemas psicossomáticos (onde os problemas da mente causam enfermidades no corpo), e problemas somático-psíquicos (onde uma doença do corpo torna-se tamanha obsessão para a mente que se torna a causa de uma doença mental). (4) Como ao homem foi designado ter um corpo, ele deve, exceto no caso da criação de Adão e Eva, vir a existir por geração física e ser um membro da raça humana.

No que diz respeito à sua alma ou ao seu espírito, o homem foi feito por Deus de acordo com a sua imagem, à sua semelhança (Gn 1.26-28). De que consiste essa imagem? (1) O homem, como Deus, é uma pessoa; ambos, ele e Deus, têm as características da personalidade: intelecto, vontade, emoção, autoconsciência e uma natureza moral. Os animais, ao contrário, embora possam mostrar alguma quantidade das três primeiras, não têm autoconsciência nem natureza moral. (2) O homem desfruta, em um grau finito, dos atributos comunicáveis de Deus: sabedoria, poder, santidade, bondade, amor, justiça e verdade. Mas ele é inteiramente distinguível de Deus, por não possuir o infinito, a eternidade e a imutabilidade de Deus, nem a sua onisciência, onipotência e onipresença.

O pecado afetou a imagem de Deus no homem. Os católicos romanos afirmam que a imagem e a semelhança são qualidades diferentes e que o homem perdeu somente a última. A "semelhança" (do latim, *similitude*) com Deus era um *donum superadditum*, um dom sobrenatural adicional extendido ao homem na criação, por meio do qual ele era capaz de controlar os efeitos degenerativos do corpo físico. O homem perdeu isso quando pecou, mas volta a ganhar esta qualidade por meio da salvação.

Os protestantes afirmam que a imagem de Deus não foi inteiramente perdida pelo homem quando pecou, mas foi somente desfigurada. (Barth é uma exceção nesse ponto, primeiramente porque ele vê a imagem no fato de que Deus fez o homem e a mulher, e, em segundo lugar, porque ele insiste que a imagem na criação foi inteiramente perdida no pecado, mas ainda recuperada por Cristo e restaurada na redenção, e que esses dois fatos ocorrem simultaneamente, para cada homem, quer ele os aceite ou não). O homem ainda é homem, mas tornou-se totalmente corrompido pelo pecado. Começando pela regeneração, a imagem, que naturalmente é perfeita em Cristo, é gradativamente restaurada ao passo que o fiel é renovado no conhecimento (Cl 3.10), na justiça e na verdadeira santidade (Ef 4.24). *Veja* Imagem de Deus.

*O objetivo original de Deus para o homem.* Isto só pode ser adequadamente compreendido quando comparado com o caso dos anjos. Os objetivos de ambos coincidem no fato de que tanto os anjos como os seres humanos começaram em um estado de inocência, e que a ambos foi dada a oportunidade de manterem-se em um estado de confirmação na retidão. Porém, difere na maneira segundo a qual deveria realizar-se. Os santos anjos conservaram a lei de Deus e obedeceram à sua vontade para que fossem confirmados individualmente; aqueles que pecaram, desafiaram a sua lei e perderam-se por toda a eternidade. Adão e Eva, por outro lado, foram avisados das conseqüências (resultados negativos) de não amarem a Deus, de desobedecerem-no, comendo o fruto proibido, e portanto de pecarem e se corromperem. Assim, Deus fez um acordo que, para simplificar e devido ao seu caráter particular, tem sido chamado pelos teólogos reformados de acordo das obras. Se o homem tivesse mantido este acordo, ou aliança, ele teria sido confirmado na justiça e teria de volta as bem-aventuranças eternas, como aconteceu no caso dos santos anjos (resultados positivos). Mas como chegamos a essa conclusão, uma vez que ela não está expressa na Bíblia? Deus, que é imutável, deve lidar com todas as suas criaturas morais da mesma maneira, sejam elas anjos ou homens. Ele não disse, "Eu, o Senhor, não mudo" (Ml 3.6)? O desenvolvimento e a confirmação de um caráter santo e justo tornou-se um fato na existência dos santos anjos; o mesmo, portanto, deve ter sido uma possibilidade para as outras criaturas pessoais de Deus, os homens.

*A redenção do homem.* Mas toda a humanidade caiu com Adão. A culpa e a mancha do pecado de Adão são herdadas, e a falta da justiça original foi acompanhada pela corrupção da natureza completa de cada homem. Portanto, se o homem deveria ser salvo do inferno e da eterna separação de Deus, era necessário um plano adequado de salvação. Essa provisão de salvação é chamada, no Novo Testamento, de Evangelho ou de Boas-Novas. Embora considerada uma loucura por filósofos mundanos (1 Co 1.18), e provando ser uma pedra de tropeço para os que se consideravam justos, e que pensavam que se salvariam pelas suas próprias boas obras (v. 23), esse Evangelho é o poder de Deus para a salvação, e contém a mais elevada sabedoria de Deus (v. 24). Ele corresponde completamente às necessidades dos

homens pecadores, rebeldes e caídos.
Por meio de um estudo da vida de Cristo, além da revelação encontrada em Salmos 40.6-8, somos capazes de entender, até certo ponto, o plano da redenção desenvolvido na eternidade, que para nós estaria localizado em algum ponto do passado: (1) Cristo deveria deixar de lado a sua glória e tornar-se um homem, tomando para si um corpo físico e uma natureza humana completa (Sl 40.6-8; Hb 10.5-9; Fp 2.5-8). (2) Ele deveria respeitar perfeitamente a lei de Deus como homem, o Deus-homem (Gl 4.4; cf. Mt 3.15; Hb 2.10). Está provado que Ele fez isso, por ter vivido uma vida sem pecado (Jo 8.46; Hb 5.8,9; 9.14; 1 Pe 2.22). (3) Ele deveria oferecer-se como um sacrifício substituto em nosso lugar (Is 53.10-11; Hb 10.5-9; 1 Pe 2.24) e morrer como punição pelos nossos pecados. (4) O resultado, ou a recompensa, seria a salvação (Jo 1.29; 3.16) de todos os que se arrependem dos seus pecados e crêem, e essa salvação abrangeria pessoas de todas as idades (Rm 3.25,26).

Para isso, Cristo nasceu de uma mulher, e sob a lei mosaica; e guardou perfeitamente essa lei durante a sua vida. Ele satisfez, em nosso lugar, a aliança de obras que havia sido dada a Adão. Estando sob esta lei, Ele morreu devido à condenação que vem de termos infringido os termos desta aliança. Ele sofreu a pena em nosso lugar.

Os resultados, para nós, da obediência ativa e passiva de Cristo, definida acima, são: (1) a justificação dos crentes perante Deus, que nos vê em Cristo como tendo satisfeito judicialmente a lei e suportado as suas punições; (2) a libertação do castigo e do poder do pecado; (3) a presença do Espírito Santo na vida de cada crente. Agora Ele pode habitar completamente em nós, porque o pecado em nós, a nossa natureza caída, é uma coisa julgada e condenada (Rm 8.3) e Ele pode manter a lei de Deus através de nós (8.4).

Os resultados futuros da obediência de Cristo são: (1) a completa remoção da natureza decaída com a morte física do crente, ou na segunda vinda de Cristo, o que ocorrer primeiro; (2) o recebimento de um corpo ressuscitado como o de Cristo (Rm 8.23; Fp 3.21; *veja* Ressurreição do Corpo); (3) o gozo de toda bem-aventurança e glória da vida eterna na presença de Deus.

*O futuro eterno do homem*. Nas questões da escatologia e das profecias, no que diz respeito ao futuro, aparecem grandes variações de opinião. Enquanto os fatos de um retorno visível de Cristo e da ressurreição futura são aceitos por todos os evangélicos, não existe um acordo sobre os eventos que irão acontecer em seguida. Existem três pontos de vista principais: (1) o amilenialismo – não existirá governo físico, literal de Cristo na terra. As profecias do Antigo Testamento que falam de um glorioso reino abrangendo a terra (*veja* Reino de Deus) e Apocalipse 20.4ss devem ser entendidas espiritualmente e não literalmente. As referências do Antigo Testamento falam do efeito do Evangelho na época da igreja; Ap 20, da condição daqueles que morreram em Cristo. Depois da segunda vinda de Cristo haverá uma ressurreição final e um grande julgamento. (2) o pós-milenialismo – a igreja, pela sua pregação anterior à segunda vinda de Cristo, irá antecipar o Milênio na terra, um período de paz de aproximadamente mil anos (alguns dizem que já estamos no Milênio agora). (3) o pré-milenialismo – depois da segunda vinda de Cristo, Ele irá estabelecer mil anos de paz nos quais o Evangelho continuará a ser pregado na terra. Satanás será aprisionado durante todo esse período, mas será libertado novamente ao seu final. Então aqueles que rejeitaram o Evangelho apesar da presença de Cristo na terra, se levantarão contra a igreja. Nessa ocasião Cristo irá destruir os seus inimigos e terá lugar o julgamento final dos ímpios. *Veja* Escatologia.

Esse último ponto de vista honra particularmente a imensa graça de Deus, por ensinar que a paciência e a misericórdia de Deus se estendem muito além do que os outros pontos de vista podem admitir (embora a aceitação da posição pré-milenialista esteja baseada em muitos argumentos adicionais das Escrituras). Ao mesmo tempo, ele destaca ainda mais claramente a total iniqüidade do pecado. Poderia existir alguma desculpa aparentemente racional para rejeitar Cristo e o Evangelho hoje, mas que desculpa poderá haver durante o reinado visível, pessoal de Cristo na terra, quando os homens tiverem comprovado com os seus próprios olhos as maravilhosas bênçãos da salvação, na vida dos santos ressuscitados que reinarão com o seu Salvador? Aqueles da primeira ressurreição, isto é, os que morreram salvos, e aqueles crentes que estiverem vivos por ocasião do arrebatamento da igreja, todos terão o corpo da ressurreição, que será como o corpo ressuscitado de Cristo, e estarão livres de sua natureza decaída.

Todos os que são salvos agora recebem uma abençoada antecipação inicial da sua salvação completa, que é o Espírito Santo (Ef 1.14; 2 Co 1.22; 5.5). Outras parcelas futuras que também fazem parte da salvação para todos os crentes são a remoção da natureza corrompida (por ocasião da morte, ou da volta de Cristo – o que ocorrer primeiro), e então um corpo ressuscitado na segunda vinda de Cristo.

***Bibliografia***. Herman Bavinck, *Our Reasonable Faith*, Grand Rapids. Eerdmans, 1956, pp. 184-220. Wayne Frair e P. William Davis, *The Case for Creation*, Chicago. Moody Press, 1967. R. Laird Harris, *Man. God's Eternal Creation*, Chicago. Moody Press, 1971. Charles Hodge, *Systematic The-*

*ology*, Grand Rapids. Eerdmans, 1952, II, 1-306. John W. Klotz, *Genes, Genesis and Evolution*, St. Louis. Concordia, 1955. J. Gresham Machen, *The Christian View of Man*, Grand Rapids. Eerdmans, 1937. Russell L. Mixter, *Evolution and Christian Thought Today*, Grand Rapids. Eerdmans, 1959. James M. Murk, "Anthropology", *Christianity and the World of Thought*, editado por Hudson T. Armerding, Chicago. Moody Press, 1968, pp. 185-211. Erich Sauer, *The King of the Earth* (The Nobility of Man According to the Bible and Science), Grand Rapids. Eerdmans, 1962. A. E. Wilder-Smith, *Man's Origin, Man's Destiny*, Wheaton. Shaw, 1968. P. A. Zimmerman, ed., *Darwin, Evolution and Creation*, St. Louis. Concordia, 1959.

R. A. K.

**ANTROPOMORFISMO E ANTROPOPATISMO** Antropomorfismo normalmente significa a atribuição da forma humana a Deus, e o antropopatismo significa a atribuição dos sentimentos, das paixões, das emoções e dos sofrimentos humanos a Deus. Normalmente, os teólogos concordam que tanto os termos antropomórficos quanto os antropopáticos, na Bíblia, são atribuídos a Deus em um sentido metafórico. Somente a seita dos audianos (nos séculos IV e V) se prendeu a uma rígida interpretação literal dessas palavras. Os cristãos diferem imensamente quanto à real natureza desse fenômeno.

Ao imputar vários atributos a Deus, a Bíblia o retrata como:

*Tendo órgãos humanos*. Olhos e pálpebras (Sl 11.4; 34.15; Hc 1.13), dedos (Sl 8.3), pés (Êx 24.9-11; Is 66.1), nariz (Êx 15.8; 2 Sm 22.9), ouvidos (Sl 17.6; 31.2); mãos (Sl 95.4; 139.5) e até mesmo cabelos (Dn 7.9).

*Tendo emoções humanas*. As Escrituras falam de Deus sentindo alegria (Is 65.19; Sf 3.17), angústia (Jz 10.16; Hb 3.10,17), ira (Dt 1,37; Jr 7.18-20), ódio (Sl 5.5,6; Pv 6.16), ira (Êx 32.10; Sl 2.5,12; Ap 15.7), amor (Jr 31.3; Jo 3.16; 1 Jo 4.16).

*Executando ações humanas*. As Escrituras descrevem Deus como alguém que tem conhecimento (Êx 3.7; Lc 16.15), pensando (Êx 32.14; Sl 40.17), lembrando-se (Gn 9.16; Jr 31.34), falando (Gn 2.16; Êx 7.8), ouvindo (Sl 6.8,9; At 7.34), arrependendo-se (sentindo tristeza, lamentando-se, Gn 6.6; Êx 32.14) e descansando (Gn 2.2; Êx 20.11).

*Tendo atribuições humanas*. O Senhor é chamado de pastor (Sl 23.1; cf. Jo 10.11), de juiz (Gn 18.25; Is 33.22), de lavrador (Jo 15.1), de noivo (Mc 2.19,20), de marido (Is 54.5; Jr 31.32), de construtor (Sl 127.1; Hb 11.10), de médico (Êx 15.26; Sl 103.3; 147.3). Além disso, Ele é comparado a um leão (Ap 5.5), a um cordeiro (Ap 5.6,12), a uma águia (Dt 32.11,12), a uma galinha (Mt 23.37), ao sol (Ml 4.2), a uma estrela (Ap 22.16), a uma rocha (Sl 18.2), a uma torre (Sl 61.3; Pv 18.10) e a um escudo (Sl 28.7; 84.11).

Embora a Bíblia fale de Deus em tais termos, são apenas figuras de linguagem que transmitem verdades mais profundas. Deus é espírito e, portanto, está além de qualquer descrição humana. Por exemplo, uma vez que Ele é onisciente, todas as expressões do seu conhecimento, pensamento e da sua lembrança realmente mostram que Ele está intensamente e constantemente interessado no mundo e no homem; uma vez que Ele é onipotente, a expressão de quando Ele formou os céus com os Seus dedos revela que Ele era infinitamente preciso e pessoal na criação e na formação de todas as coisas, inclusive do homem.

Três enfoques são úteis para considerar as descrições antropomórficas dadas na Bíblia. O primeiro está baseado em um estudo da natureza particular do conhecimento que temos de Deus. Qual é a natureza dessas descrições? Pode ser uma dentre três: (1) **Unívoca**. A expressão antropomórfica significa literalmente e exatamente o que ela diz. Os teólogos, de maneira geral, rejeitam este enfoque. (2) **Equívoca**. Uma afirmação não quer dizer literalmente o que ela diz, e portanto pode comunicar um significado ou conhecimento incerto. Alguns teólogos reformados aproximaram-se muito deste enfoque quando ressaltaram a incapacidade das palavras humanas de comunicar a verdade a respeito de Deus, e qualquer revelação sobre Ele em particular. (3) **Analógica**. Uma afirmação deve ser encarada como uma comparação baseada em coisas comparadas que são completamente diferentes (Aquinas) ou em comparações que têm em si um elemento unívoco. É o elemento unívoco em uma analogia que possibilita a comunicação do conhecimento. Por exemplo, "Como um pai se compadece de seus filhos, assim o Senhor se compadece daqueles que o temem" (Sl 103.13). O elemento unívoco nesta frase é o conceito de um pai e da sua compaixão para com os seus próprios filhos. Nós sabemos o que são os pais e como eles sentem compaixão pelos seus filhos errantes, e a esse nível conseguimos entender a compaixão de Deus para com aqueles que o reverenciam. Além disso, como o homem foi criado à imagem e semelhança de Deus, os órgãos, as ações, os sentimentos, as emoções e as relações do homem, podem se tornar um meio legítimo para a descrição de Deus.

Dados específicos encontrados nas Escrituras podem oferecer um enfoque confiável para a questão do antropomorfismo. Por exemplo, uma afirmação categórica como a que Cristo fez à mulher no poço, "Deus é Espírito, e importa que os que o adoram o adorem em espírito e em verdade" (Jo 4.24). Novamente, existem algumas descrições de Deus feitas no Antigo e no Novo Testamento. A mais próxima a uma descrição visual pode ser aquela feita em Êxodo 24.9-11. "Debaixo de seus pés havia como uma obra de pedra de safira e como o parecer do céu na sua claridade". Os dois "como" indicam claramente que a descrição é figurada. Embora Moisés tenha visto a Deus, conforme Êxodo 33.18-23, ele viu somente as suas "costas", ou como R. Laird Harris traduz com J. O. Buswell, os seus "efeitos", isto é, evidências da sua glória e do seu poder (*A Systematic Theology*, J. O. Buswell, p. 31). As advertências contra a confecção de imagens e semelhanças de Deus, apontam para a sua natureza sobrenatural e não-corpórea. Moisés escreveu "O Senhor vos falou do meio do fogo; a voz das palavras ouvistes; porém, além da voz, não vistes semelhança nenhuma" (Dt 4.12) e advertiu contra todas as imagens ou semelhanças (Dt 5.6-9,22-28).

Como devem ser entendidos os termos antropomórficos usados em relação a Deus? Embora sejam claramente figurados por natureza, eles comunicam tal conhecimento real de Deus como se Ele estivesse ativo, atento até mesmo para os menores detalhes da vida do homem, solidário a todas as suas fraquezas, paciente, gentil e amoroso. *Veja* Analogia.

Alguns problemas surgem com o antropopatismo. Como pode Deus, que é imutável (Sl 102.26; Ml 3.6; Hb 13.8; Tg 1.17) dizer que mudou de idéia e arrepender-se (Jo 3.10; Êx 32.14; 1 Sm 15.35), particularmente quando as Escrituras dizem que Ele não se arrepende (Nm 23.19; 1 Sm 15.29)? Visto a partir do ponto de vista do homem, Deus parece mudar de idéia – lembre-se de que Ele tem sentimentos e emoções – mas visto a partir da sua onisciência, Ele sabe o que irá acontecer e já ordenou que seja assim.

Existem pontos de vista divergentes sobre antropomorfismo e antropopatismo: Karl Barth, por exemplo, os vê como uma parte do *welthaftigkeit*, o "interesse pelos assuntos do mundo" que se adere às Escrituras porque o homem não é capaz de expressar a "absoluta diversidade" de Deus. Somente no inefável acontecimento de uma experiência pessoal de revelação é que o homem vem a conhecer a Deus. O problema com esse ponto de vista, é que ele realmente impossibilita qualquer conhecimento real de Deus, isto é, qualquer conhecimento que possa ser transmitido de homem para homem. Se Barth está certo, então o antropomorfismo na Bíblia é, na verdade, deturpação da revelação causada pelo homem forçando a eterna verdade nas categorias tempo-espaço.

No paganismo, o próprio homem construiu conceitos de Deus feitos à imagem e semelhança do homem corrompido (Rm 1.23). Feuerbach rejeitou a explicação da Bíblia sobre isso e disse que no cristianismo o homem tinha simplesmente projetado uma imagem de si mesmo e virou-se e adorou essa imagem, e que essa é a explicação da origem do cristianismo (*The Essence of Christianity)*. Mas em Romanos 1.18ss, Paulo, por revelação, explica como o homem conheceu a Deus uma vez, e não quis permanecer com Ele no seu conhecimento, e assim fez imagens de si mesmo, de animais de quatro patas e animais rastejantes, e voltou-se e adorou essas imagens ao invés de adorar a Deus.

O antropomorfismo tem um papel muito importante na revelação. Ele mostra que Deus é realmente uma pessoa com intelecto, vontade e emoção, uma natureza moral e uma autoconsciência, dando provas de todas essas características em sua personalidade. Nos anos recentes, os teólogos que diziam que "Deus está morto" afirmaram que o Deus transcendente das Escrituras está morto ou morreu no Calvário (T. J. J. Altizer, cf. Wm. Hamilton); ou que o conceito de Deus, expresso na Bíblia, está obsoleto, já não é convincente e deve ser substituído (Paul Tillich, bispo Robinson); ou que o termo "Deus" é vazio, sem significado e ilógico (Paul Van Buren), e morto em pelo menos um desses sentidos, senão em todos.

O antropomorfismo e antropopatismo da Bíblia oferecem uma resposta necessária para esses pontos de vista, pois eles provam que a imagem do homem e a imagem de Deus são suficientemente parecidas para que o homem possa ter um conhecimento de Deus, e conhecê-lo pessoalmente.

***Bibliografia.*** Herman Bavinck, *The Doctrine of God,* Grand Rapids. Eerdmans, 1951, pp. 83-98. J. O. Buswell, *A Systematic Theology,* Grand Rapids. Zondervan, 1962, I, 29-36. Charles Hodge, *Systematic Theology*, Grand Rapids. Eerdmans, 1952, I, 335-345. A. H. Strong, *Systematic Theology*, Philadelphia. Judson Press, 1953, pp. 250ss.

R. A. K.

**ANUBE** O filho de Coz da tribo de Judá (1 Cr 4.8).

**ANZI**

1. Filho de Bani, da tribo de Levi (1 Cr 6:46).
2. Um sacerdote, filho de Zacarias (Ne 11:12).

**ANZOL** Este termo é encontrado várias vezes em várias traduções*

Na KJV em inglês este termo é encontrado apenas em Amós 4.2, que emprega as duas palavras heb. *sir duga.* A palavra *sir*, "gancho", significa literalmente "espinho", e provavelmente veio a ser usada em referência a um gancho por causa de sua semelhança a um espinho.

1. Conduzir os cativos através de ganchos ou argolas em seus narizes ou lábios era uma prática assíria, que ficou conhecida através de suas esculturas palacianas (ANEP #440,

447; cf. Is 37.29; Ez 29.4; 38.4, onde *hah* é a palavra para "gancho"). Jó 41.1 pergunta se é possível apanhar o leviatã (ou o crocodilo) com um anzol (*hakka*). Esta palavra veio a ser usada para denotar um anzol de pesca, porque o anzol se prende ao céu da boca ou palato (*hek*). Ela também é traduzida como "anzol" em Isaías 19.8 e Habacuque 1.15 na versão RSV em inglês. Jesus instruiu Pedro a lançar o anzol (gr. *agkistron*) ao mar para apanhar um peixe (Mt 17.27). Anzóis de ossos foram encontrados em assentamentos pré-históricos na Palestina, e anzóis de ferro da época de Salomão foram escavados em Eziom-Geber. *Veja* Gancho; Ocupações: Pesca.
*Nota do tradutor: 10 vezes na RC; 9 vezes na RA; 9 vezes na TB; 6 vezes na NTLH.

A. E. T.

**AOÁ** Filho de Belá, da família de Benjamim (1 Cr 8.4).

**AOÍTA** Um descendente de Aoá (2 Sm 23.9; 1 Cr 11.12,29). Termo aparentemente usado para designar um herói nos tempos de Davi.

**AOLÁ** *Veja* Oolá.

**AOLIABE** Um artesão da tribo de Dã, filho de Aisamaque, indicado por Moisés para ajudar Bezalel na construção do Tabernáculo e seus acessórios (Êx 31.6). Ele foi cheio do Espírito de Deus para realizar sua tarefa de construção e ministério de ensino (Êx 35.34,35). *Veja* Bezalel.

**APAGADOR ou ESPEVITADOR** O apagador era feito de ouro e usado no Tabernáculo, e depois no Templo, para sustentar o apagador de velas ou pinça que se usava para cortar o pavio das lâmpadas (Êx 25.38; 37.23).
O apagador ou espevitador (1 Rs 7.50; 2 Rs 12.13) era um conjunto de pinças ou fórceps usados para cortar o pavio das lâmpadas.

**APAGAR** Duas palavras hebraicas e uma grega são usadas para "apagar", "apagado" e "apagando". Uma das palavras hebraicas significa basicamente "esfregar" ou "tornar invisível". A outra significa borrão ou mácula (q.v.). A palavra grega significa "apagar" ou "obliterar". Geralmente, a palavra é acompanhada de "completamente".
Duas coisas em particular são referidas em conexão com o ato de apagar: nomes e pecados. Deus ameaça apagar o nome de Israel (Dt 9.14) e o nome de quem quebrar o seu pacto (Dt 29.20); mas diz que Ele não irá apagar do livro da vida o nome daqueles que vencerem (Ap 3.5).
Davi ora para que seus próprios pecados sejam apagados (Sl 51.1,9). Jeremias e Neemias oram para que os pecados de certos inimigos não sejam apagados (Jr 18.23; Ne 4.5). O Salmo 109.14 é semelhante. O ato de apagar os pecados tem um significado teológico muito definido no sentido de perdoar. Deus apagou os pecados de Israel por sua própria vontade (Is 43.25; 44.22) e Pedro diz que os pecados são apagados mediante o arrependimento e a conversão (At 3.19).

J. A. S.

**APAIM** Um descendente de Hezrom da tribo de Judá (1 Cr 2.30-31).

**APARAR AS UNHAS** *Veja* Unha..

**APARIÇÃO** *Veja* Cristo, Vinda de; Milênio.

**APARIÇÕES DE CRISTO** Os Evangelhos registram cinco aparições de Jesus no dia de sua ressurreição. A primeira foi a Maria Madalena (Jo 20.11-18). A segunda foi a "Maria Madalena e a outra Maria" quando elas estavam retornando do túmulo vazio (Mt 28.1-10). É óbvio que estes podem ser considerados como o mesmo acontecimento. Porém Marcos acrescenta uma terceira pessoa ao grupo (Mc 16.1) e parece sugerir que a primeira aparição foi apenas a Maria Madalena (Mc 16.9). A terceira aparição foi aos dois discípulos no caminho de Emaús (Lc 24.13-32). A quarta aparição foi a Simão Pedro (Lc 24.34; 1 Co 15.5). A quinta aparição foi aos discípulos; com exceção de Tomé que estava ausente (Lc 24.36-43; Jo 20.19-25).
Nos quarenta dias seguintes Jesus apareceu: (1) aos onze discípulos (Jo 20.26-31); (2) para os sete discípulos às margens do Lago da Galiléia (Jo 21.1-14); (3) a mais de quinhentos irmãos (Mateus 28.16-20; 1 Co 15.6); (4) a Tiago (1 Co 15.7); (5) na ascensão (Lc 24.44-51; At 1.3-11).
O propósito destas aparições era convencer os discípulos da ressurreição física de Jesus, e então da validade de sua obra de salvação em sua vida e na cruz como o verdadeiro Messias. Elas também cumpriram as Escrituras e ensinaram aos discípulos coisas que eles não tinham compreendido anteriormente.
Para outras aparições do Filho de Deus pré-encarnado *veja* Teofania.

R. E. e E. B. R.

**APEDREJAMENTO** *Veja* Punição.

**APELES** Um cristão em Roma a quem Paulo saudou e designou como alguém "aprovado em Cristo" (Rm 16.10). Era um nome freqüentemente usado entre gregos e judeus de acordo com evidências inscritas.

**APELO** Um termo judicial referente à solicitação de um inferior a seu superior por misericórdia ou justiça. A mulher sunamita apelou ao rei de Israel por sua terra (2 Rs 8.3). Jó apelou a Deus por misericórdia (Jó 9.15). Pau-

A ilha improdutiva de Patmos, onde João provavelmente escreveu o Apocalipse. HFV

lo apelou a César por justiça (At 25.11). Na versão RSV em inglês este termo é utilizado em um sentido informal nas epístolas do NT como uma solicitação de um comportamento cristão adequado (por exemplo em Rm 12.1; 1 Co 1.10; Hb 13.22). *Veja* Exortação.

**APETITE** Esta palavra traduz o termo heb. *'abiyona* em Eclesiastes 12.5. *Veja* Plantas: Alcaparra.

**APOCALIPSE** Da palavra grega *apokalypsis*, uma revelação ou desven-damento, uma revelação da verdade, uma manifestação ou retorno à visão, a palavra chega a significar um certo tipo de literatura profética apresentando os juízos do final dos tempos deste mundo e as visões do próximo mundo. Além dos apocalipses canônicos nos livros de Ezequiel, Daniel e Zacarias no AT, e no de João no NT (veja Apocalipse, Livro de), houve vários apocalipses fantasiosos judaicos e cristãos primitivos incluídos entre os Apócrifos (q.v.).

**APOCALIPSE, LIVRO DO** Este livro que conclui o NT revela a vitória final e permanente obtida pelo Rei dos reis e Senhor dos senhores. Ele mostra o governo do céu, o estabelecimento da justiça, e uma revelação da casa celestial em sua glória e beleza infinitas. O livro de Apocalipse é a conclusão perfeita e inevitável da revelação Divina.

"Revelação" é uma palavra latina do verbo *revelare*, significando "revelar ou descobrir o que estava anteriormente oculto". Revelação é o título deste livro na Vulgata Latina e nas traduções inglesas. O título grego é Apocalipse, tirado diretamente da primeira palavra do texto gr. *apokalypsis*. Como um verbo, é freqüentemente usado no NT, particularmente como uma referência às revelações especiais de Deus ao homem em Jesus Cristo (Lc 17.30; Rm 8.18; 2 Ts 1.7; 1 Pe 1.6,13).

### Autor e Data

Foi o veredicto unânime da igreja primitiva, e geralmente, embora não exclusivamente, dos estudiosos bíblicos desde então, que o autor foi o apóstolo João, o escritor do quarto Evangelho. Ele inseriu o seu nome real quatro vezes neste livro (Ap 1.1,4,9; 22.8). A maioria dos estudiosos conservadores hoje concorda que João escreveu este livro na ilha de Patmos, para onde havia sido banido pelo imperador Domiciano (81-96 d.C.).

### Características

É interessante notar que das 916 palavras diferentes encontradas no texto grego de Apocalipse, 416 delas também são encontradas no quarto Evangelho, 98 ocorrem apenas em outras passagens do NT, enquanto que 108 não são encontradas em nenhuma outra parte no NT. Palavras significando "ver", "perceber" etc., ocorrem aproximadamente 150 vezes neste livro. Às vezes João registra o que ouve, mas de uma forma geral o apóstolo registra aquilo que ele vê. É estimado que em seus 265 versículos estejam contidas 550 referências a informações do AT, incluindo 79 a Isaías. O livro em si faz, com freqüência, um paralelo exato, e completa as profecias do livro de Daniel.

Os primeiros três capítulos de Apocalipse dizem respeito às sete igrejas da Ásia, à maneira como elas existiam até o final do século I. A visão da atividade celestial registrada nos caps. 4 e 5 não possui um fator de tempo específico. Começando com o cap. 6, porém, são profetizados acontecimentos que não ocorreram nesta terra. Quaisquer que possam ter sido as tentativas de diferentes comentadores, como por exemplo, de identificar o gafanhoto saindo do abismo no cap. 9, nenhuma catástrofe mundial desse tipo ocorreu envolvendo os números mencionados neste texto sagrado. "E o número dos exércitos dos cavaleiros era de duzentos milhões" (9.16). O governo do Anticristo no cap. 13 não deve ser identificado com qualquer acontecimento do passado, nem com a batalha do Armagedom. Portanto, este é um livro que está principalmente relacionado com eventos que ainda estão por vir, com as terríveis destruições e tribulações que ocorrerão no final desta era, com a segunda vinda de Cristo, com o Milênio, com o tribunal do Grande Trono Branco, e com o nosso lar eterno no céu.

O Apocalipse, acima de cada um dos outros livros da Bíblia individualmente, é um livro de alcance mundial. Nele ocorrem freqüentemente frases como, "muitos povos, e nações, e línguas, e reis" (10.11; 11.9; 17.15). Quando os reis são apresentados, eles são freqüentemente citados como os "reis do mundo inteiro" (16.14; 17.2,18; 18.9; 19.19). Sobre Satanás é dito que ele é "o sedutor de todo o mundo", ou aquele "que engana todo o mundo" (12.9). A besta do mar recebe "po-

Ruínas de uma igreja bizantina em Sardes, uma das sete igrejas de Ap 1–3. HFV

der [ou autoridade] sobre toda tribo, e língua, e nação" (13.7,8). Cristo por fim reinará sobre "os reinos do mundo" (11.15).

Embora o livro de Apocalipse seja um livro de vitória final gloriosa e permanente, ele é ao mesmo tempo um livro de constantes conflitos até o final de suas profecias. É significativo que palavras como "rei", "reino", "governo", "trono", "conquista", "poder", "guerra", "matança", "matar" sejam usadas tanto em referência a Cristo, como a Satanás e ao Anticristo, e também aos outros inimigos de Deus. Embora haja 38 referências ao trono de Deus de 1.4 a 22.3, Satanás tem um trono (2.13; 13.2), e a besta também (16.10).

A palavra "matar" (gr. *apokteinoo*) ocorre mais freqüentemente aqui do que em todo o restante do NT reunido. O cavaleiro no cavalo amarelo matou com a espada, com a fome, e com a morte (6.8,11; veja também 9.15,18). As testemunhas em Jerusalém foram mortas pela besta (11.7); mas no final do livro, na batalha do Armagedom, "os demais foram mortos com a espada que saía da boca do que estava assentado sobre o cavalo" (19.21). Na última parte do livro é mencionada uma guerra no céu (12.7); uma besta que possuía grande poderio militar (13.4); os reis da terra que guerrearam contra o Cordeiro (17.14); e o próprio Cristo em um cavalo branco, sobre o qual foi dito. "O que estava assentado sobre ele chama-se Fiel e Verdadeiro e julga e peleja com justiça" (19.11). Às vezes, os inimigos de Deus vencem os santos de Deus (11.7; 13.7 etc.). Mas estes poderes são por fim derrubados, e para todos os crentes de todas as idades é feita uma promessa: "Eles o venceram pelo sangue do Cordeiro e pela palavra do seu testemunho; e não amaram a sua vida até à morte" (12.11).

Ao estudar este livro, e ao tentar separar seus diversos períodos e tipos de atividade, note que há aqui uma seqüência alternada de cenas no céu e na terra. Assim, a descrição do Filho de Deus no céu nos caps. 4 e 5 é seguida pelos juízos dos seis selos sobre a terra. A segunda cena no céu (7.9–8.5) é seguida pelos juízos das sete trombetas. A voz do céu registrada no cap.10 é seguida pelos terríveis eventos dos caps. 11–13. Esta seqüência de atividade no céu seguida de juízos na terra apresenta enfaticamente duas grandes verdades. que o céu sabe de antemão o que ocorrerá na terra, e o que é decidido no céu é o que deve ocorrer na terra. Ao longo de todo o livro, um fato é continuamente enfatizado. Deus "tem posto em seu coração que cumpram seu intento, e tenham uma mesma idéia, e que dêem à besta o seu reino, até que se cumpram as palavras de Deus" (17.17).

Dentro do contexto destas cenas celestiais, está uma série de 14 hinos extraordinários entoados no céu (4.8; 4.11; 5.9,10; 5.12; 5.13; 7.10; 7.12; 11.15; 11.16,17; 14.3; 15.3,4; 19.1,2; 19.3-5; 19.6-8). Estes hinos são cantados por diferentes grupos, e dizem respeito a vários temas. Às vezes, dirigidos a Deus; às vezes, a Cristo; e, às vezes, a ambos.

### Métodos de Interpretação

Diferente de qualquer outro livro do NT, o Apocalipse fez surgir quatro grandes métodos de interpretação. Dos dias de Agostinho até o presente, alguns têm insistido que o propósito do livro não é ensinar sobre os acontecimentos futuros, mas, antes, encorajar os cristãos com princípios espirituais básicos, especialmente o poder de Deus e a vitória final de Cristo. É verdade que o livro realmente tem esta mensagem, mas, certamente, é um livro de profecia, com eventos específicos como o aparecimento do Anticristo, a batalha do Armagedom etc.

O segundo método de interpretação é conhecido como o preterista, o qual insiste que, primeiramente, o autor estava apenas se referindo aos eventos que lhe eram contemporâneos, e que estavam ocorrendo dentro do Império Romano. Esta opinião tem sido defendida por Moffatt, Simcox e outros. Estes estudiosos insistem, por exemplo, que o governante que sofreu o ferimento de morte era Nero, e a besta do cap. 13 era Domiciano, mas, como Milligan bem disse, "Todo o tom do livro leva a uma conclusão oposta. Ele trata em grande parte daquilo que estava para acontecer no fim dos tempos... Fica claro que o Apocalipse diz respeito à história da igreja até que esta entre em sua herança celestial".

O terceiro método de interpretação é conhecido como historiscista, e apresenta a opinião de que, especialmente no juízo dos selos, das trombetas e das taças, o livro prevê acontecimentos específicos relacionados à igreja, ocorrendo a partir do século I d.C., até os tempos modernos. Muitos daqueles que defendem esta opinião afirmam que os juízos das trombetas estendem-se de 495 a

1453 d.C. Alguns dizem que o terremoto de 11.19 refere-se à Revolução Francesa etc. Porém, tal sistema de interpretação permite, àqueles que o defendem, a liberdade de identificar qualquer evento que se desejar com qualquer uma das principais seções do livro de Apocalipse. Nenhum dos defensores desta opinião concorda em geral quanto aos eventos específicos que são indicados por qualquer um destes 21 períodos de juízo representados pelos sete selos, pelas sete trombetas e pelas sete taças.

No quarto método, cujos defensores são conhecidos como "futuristas", acredita-se que as visões deste livro, a partir dos acontecimentos do cap. 6 até o aparecimento da Cidade Santa, devem ser colocadas no futuro. Alguns dos extraordinários contribuintes para um entendimento do livro de Apocalipse e que pertencem a esta escola são Joseph Seiss, S. P. Tregelles, William Kelly, Nathaniel West, Henry Alford, Theodore Zahn, William G. Moorehead e Walter Scott.

Existem verdades em cada um destes métodos de interpretação. Por exemplo, há grandes verdades espirituais por todo o livro, e os primeiros três capítulos devem ser interpretados historicamente. Mas, a maior parte das profecias do Apocalipse ainda aguardam o seu cumprimento.

Desde a invenção e do uso das bombas atômicas e da criação das bombas de hidrogênio, muitos intérpretes estão dispostos a considerar a opinião futura. Muitos escritores começaram a se referir a esta era como "uma era apocalíptica", por causa das terríveis possibilidades e ameaças de destruição em massa através das imensas forças que estão sob o controle de governos ímpios e amorais, e que parecem similares à devastação a ser operada nesta terra pelos juízos profetizados no Apocalipse.

## Esboço

Existem diversas propostas diferentes para esquematizar o livro de Apocalipse, mas o esboço abaixo contém ao menos os principais assuntos do livro na ordem de sua apresentação.

Introdução, 1.1-8

I. A Visão do Cristo Glorificado e suas cartas às sete igrejas da Ásia, 1.9–3.22

II. A abertura do livro com sete selos no céu, e os acontecimentos que ele anuncia na terra, 4.1–6.17

III. A condição dos santos redimidos na terra e no céu, e os juízos anunciados pelas sete trombetas, 7.1–9.21

IV. O governo do Anticristo, a hora mais sombria da história mundial, 10.1–13.18

V. Os anúncios preparatórios do céu e as sete taças do juízo, 14.1–16.21

VI. A queda da Babilônia e a batalha do Armagedom, 17.1–19.21

VII. O milênio; o juízo final; a nova Jerusalém e a eternidade, 21.1–22.5

Epílogo, 22.6-21.

***Bibliografia.*** Henry Alford, *The Greek Testament*, 2 vols., Chicago. Moody Press, 1958. J. Oliver Buswell, Jr., *Systematic Theology*, Grand Rapids. Zondervan, II (1963), 424-538. Robert Govett, *The Apocalypse Expounded*, Londres. Thynne e Jarvis, 1929. G. H. Lang, *The Revelation of Jesus Christ*, Londres. Paternoster, 1945. J. P. Lange, *Commentary on the Holy Scriptures*, Vol. XXIV, Nova York. Charles Scribner's Sons e Armstrong, 1874, especialmente as notas de E. R.

Ruínas da igreja de São João em Éfeso, uma das sete igrejas de Ap 1–3. Esat Balim

Craven. R. C. Lenski, *The Interpretation of St. John's Revelation*, Columbus. Wartburg, 1943. William Milligan, *The Book of Revelation*, Nova York. Armstrong, 1889. William C. Moorehead, *Studies in the Book of Revelation*, Nova York. Revell, 1908. William R. Newell, *The Book of the Revelation*, Chicago. Grace Publications, 1941. Ford C. Ottman, *The Unfolding of the Ages*, Nova York. Baker e Taylor, 1905. Walter Scott, *Exposition of the Revelation of Jesus Christ*, Londres. Pickering e Inglis, s.d. Joseph A. Seiss, *The Apocalypse*, Grand Rapids. Zondervan, s.d. J. B. Smith, *A Revelation of Jesus Christ*, Scottdale, Pa.. Herald Press, 1961. Wilbur M. Smith, "Revelation", *Wycliffe Bible Commentary*, Chicago. Moody, 1962. Henry Barclay Swete, *The Apocalypse of St. John*, 3ª ed., Londres. Macmillan, 1909. M. C. Tenney, *Interpreting Revelation*, Grand Rapids. Eerdmans, 1957. John F. Walvoord, *The Revelation of Jesus Christ*, Chicago. Moody, 1966.

W. M. S.

**APÓCRIFOS** Palavra comumente usada para designar uma coletânea de livros edificantes, porém não incluídos no cânon das Escrituras.

## Terminologia

Apócrifos como um adjetivo grego, significando "coisas ocultas" é encontrado em Daniel 2.22 (Theodotian); Sir 14.21; 39.3,7; 42.19; 43.32; 48.25; e no NT em três passagens (Mc 4.22; Lc 8.17; Cl 2.3). Inicialmente era equivalente a *esoterikos* – escritos destinados ao círculo íntimo e impossível de ser entendido por mais alguém - "guardados para os sábios dentre o povo" (cf. IV Ed 14). Mas, com Agostinho (*De civ. dei* xv.23), uma segunda idéia de obscuridade da origem ou autoria é sugerida. Desde a época de Jerônimo tem-se designado livros não-canônicos e, desde a época da Reforma, uma coletânea definitiva de tais livros. Carlstadt definiu "Apócrifos" como escritos excluídos do cânon, quer os autores dos livros fossem conhecidos ou não.

### Posturas em relação aos Apócrifos do AT

Os apócrifos do AT são compostos de 14 ou 15 livros que são geralmente encontrados nos manuscritos da LXX ou na Vulgata, mas que não estão incluídos no cânon hebraico. A Oração de Manassés e 2 Esdras são exceções. Este último aparece nos MSS gregos e a Oração de Manassés não está em nenhum deles. Contrariamente, os livros Pseudoepígrafos, com poucas exceções, nunca são encontrados nos manuscritos biblicios.

Nenhum registro exato sobreviveu relatando o processo e a base pelos quais os livros apócrifos foram excluídos do cânon. A exclusão pelos judeus farisaicos já havia ocorrido na época de Josefo (cf. *Apion i.* 8), que afirma que os livros canônicos são em número de 22 e que datam entre a época de Moisés e Artaxerxes. Os livros apócrifos, comumente datados do século II a.C. até o século I d.C. eram muito posteriores para serem aceitos. Alguns dos livros têm erros históricos e representam ética e teologia questionáveis.

A lista mais antiga do cânon do AT (Melito de Sardis. cf. Eusébio H. E. iv. 26.14) não inclui os apócrifos. Nenhum livro dos apócrifos é citado diretamente no NT; mas os livros são freqüentemente citados pelos primeiros escritores cristãos. Nas igrejas orientais e ocidentais, os livros vieram a formar uma parte integrante do cânon e foram espalhados por todo o AT, geralmente colocados perto dos livros com os quais eles têm afinidade.

Os apócrifos do AT lidam principalmente com pessoas, eventos e temas intimamente relacionados ao AT e às figuras pós-AT. Embora compostos por escritores judeus, provavelmente em hebraico e aramaico, e embora comunidades como o Grupo do Mar Morto possuíssem um número indefinido de livros excluídos, os apócrifos têm sido grandemente preservados pelos cristãos. No entanto, apesar da ameaça de Akiba de que aquele que ler os livros excluídos não fará parte do mundo futuro, houve traduções judaicas medievais de alguns dos livros.

Os apócrifos têm exercido uma influência considerável sobre a arte e sobre a literatura inglesa através dos séculos. Provérbios comuns e nomes familiares têm sido derivados destes livros. A maioria das Bíblias inglesas (Wycliffe, Coverdale e Geneva) continham estes livros como um apêndice, mas no início de 1629 eles foram omitidos de algumas edições da KJV. Os maiores comitês de tradução traduziram os apócrifos como um volume separado; mas desde 1827 as Bíblias publicadas pelas Sociedades Bíblicas britânicas e americanas passaram a omitir estes livros.

Quatro posturas cristalizaram-se com relação aos apócrifos desde a época da Reforma. O Concílio de Trento (1546) afirmava a canonicidade desses livros como encontrado na edição da Vulgata e excomungava aquele que negasse sua posição. Esta declaração foi posteriormente confirmada pelo Concílio Vaticano de 1870. Estes livros são freqüentemente chamados "Deutero-canônicos" pelos escritores católicos, sem nenhuma distinção da autoridade implícita no termo. Os católicos tendem a usar o termo apócrifos para designar o grupo de livros que os protestantes chamam de pseudoepígrafos.

Uma segunda postura é encontrada nos escritores protestantes. Quando Lutero publicou sua Bíblia alemã, colocou seis livros em um apêndice no final do AT com uma introdução. "Apócrifos: estes livros não são considerados iguais às Sagradas Escrituras, embora sejam úteis e bons para a leitura". O artigo sexto da Igreja da Inglaterra declara: "E os outros livros, a igreja lê para exemplo de vida e instrução de modos, mas contudo não se aplicam para estabelecer qualquer doutrina". Nos dias santos especiais, seções de Tobias, Sabedoria e Sirácido são lidos pela igreja episcopal na América.

A terceira postura é vista no desenvolvimento da ascensão dos puritanos que rejeitaram os livros como não tendo qualquer valor religioso. "Não devem ser aprovados ou feito uso deles, a não ser como o de qualquer outro escrito humano". O termo apócrifo passou a ter um sentido pejorativo, significando não autêntico.

Uma quarta postura, largamente difundida hoje, muda o ponto de ênfase, da posição canônica dos livros para o seu valor histórico ao fornecer informações sobre a época dos períodos entre o AT e o NT. Eles não têm valor para fornecer informações sobre as condições históricas e religiosas fora das quais surgiram. A idéia messiânica, as doutrinas de sabedoria, lei, pecado, boas obras, demonologia, angelologia e escatologia são todas *tratados*.

### Conteúdo dos Apócrifos do AT

1 Esdras é um exame narrativo de eventos, paralelo à narrativa de Esdras e Neemias, acerca de Zorobabel e do retorno de Esdras e seu trabalho. A parte mais bonita é a história dos três guardas que discutem sobre o

que há de mais forte no mundo, e concluem que é a Verdade.

2 Esdras é um apocalipse no qual o escritor apresenta Esdras levantando questões, buscando justificar os caminhos escolhidos por Deus ao permitir que as calamidades recaiam sobre Sião.

Tobias é um romance que retrata a vida do judeu no cativeiro. Seu propósito é ensinar lições morais. A oração e a doação de esmolas são louvadas. O dever de enterrar os mortos e de casar-se dentro do judaísmo é apresentado.

Judite é uma curta história patriótica exaltando os feitos de uma viúva judia que libertou seu povo, da mesma forma que Ester trouxe libertação.

As Adições a Ester são seis passagens suplementares acrescentadas para completar a história canônica. Elas devem ser lidas em seu lugar próprio da história como se encontram na LXX, ao invés de uma coletânea em seu final como na RSV, a fim de ser inteligível. Elas acrescentam uma nota religiosa a um livro que de outra forma seria secular.

O livro Sabedoria de Salomão consiste de uma literatura do tipo Sabedoria, na qual se zomba da idolatria e se louva a sabedoria. O destino dos justos e dos ímpios é contrastado.

Eclesiástico é uma coletânea variada de sábios provérbios que trata de todas as áreas da vida. Provérbios é o paralelo canônico mais próximo. O livro termina com o "Louvor dos Pais" que examina os méritos dos valores do AT.

Baruque é um lamento sobre a queda de Jerusalém que confessa a culpa de Israel e promete uma restauração de uma maneira profética.

A carta de Jeremias é uma sátira sobre a loucura e as tolices da idolatria.

A Oração de Azarias é um acréscimo a Daniel que pretende expressar os sentimentos dos três judeus enquanto estavam na fornalha de fogo ardente.

Susana é uma história reveladora criada para exaltar a sabedoria de Daniel, que demonstra a inocência da mulher falsamente acusada.

Bel e o Dragão também exalta a sabedoria de Daniel e satiriza a idolatria.

A Oração de Manassés pretende expressar a penitência do rei mais ímpio do AT. O tema é sugerido por 2 Crônicas 33.12.

1 Macabeus é uma narrativa de eventos que levam à revolta macabeana e ao seu encobrimento. O livro é uma fonte histórica de considerável mérito.

2 Macabeus cobre o mesmo material como a primeira parte de 1 Macabeus, mas acrescenta sentimentos religiosos e tentativas de demonstrar que o milagre desempenhou um importante papel na vitória. *Veja* Macabeus.

### Apócrifos do NT

Os apócrifos do NT são um corpo de literatura de limites indefinidos. Eles se diferenciam dos apócrifos do AT por serem raramente encontrados nos manuscritos bíblicos. Em geral, as categorias tratadas resumem-se nos períodos iniciais e paixões dos Evangelhos, atos, cartas e apocalipses. É improvável que eles preservem quaisquer feitos ou palavras autênticos de seus heróis. Antes, são amplificações de temas sugeridos pelos livros canônicos. Os escritores tentaram fornecer informações sobre períodos em que o material bíblico é desejado, tais como os anos ocultos da vida de Jesus ou detalhes sobre o que o homem que foi arrebatado até o terceiro céu poderia ter visto (2 Co 12.2). O elemento miraculoso é geralmente destacado.

Os livros tendem a fazer propaganda de opiniões que os escritores pensaram ser significativas. Antigos hereges usaram estes meios para divulgar suas opiniões. Em 1947 o material conhecido deste tipo foi consideravelmente aumentado pela descoberta de uma biblioteca gnóstica no Egito, contendo porções de 13 cláusulas adicionais em cóptico. Pensa-se que antes destes existiram materiais gregos que podem ser datados do século II d.C. *Veja* Chenoboskion; Gnosticismo.

Uma considerável impressão equivocada foi promovida sobre os apócrifos com títulos tais como "Os Livros Perdidos da Bíblia", pois de maneira alguma foi estabelecido que estes livros alguma vez tenham sido parte dela. Alguns escritos apócrifos do NT já eram conhecidos dos patriarcas da igreja primitiva. Por outro lado, a composição deste tipo de material continuou até os dias modernos. Os materiais do período inicial são apresentados mais satisfatoriamente na edição de M. R. James, enquanto exemplos modernos são avaliados por E. J. Goodspeed.

***Bibliografia***. L. H. Brockington, *A Critical Introduction to the Apocrypha*, London. Duckworth, 1961. E. J. Goodspeed, *Modern Apocrypha*, Boston. Beacon Press, 1956. Robert M. Grant, *Gnosticism*, New York. Harper, 1961. M. R. James, *The Apocryphal New Testament*, Oxford. Clarendon, 1924. Bruce M. Metzger, *An Introduction to the Apocrypha*, New York. Oxford, 1957. B. F. Westcott, *The Bible in the Church*, London. Macmillan, 1905.

J. P. L.

**APOIOS** Suportes nos quatro cantos das dez pias de bronze no Templo de Salomão (1 Rs 7.30,34). Há versões que utilizam a palavra "suportes" enquanto outras utilizam "ombros".

**APOLIOM** Uma palavra grega significando "destruidor", traduzida do hebraico *'abaddon* (o mundo mais baixo ou inferior, "perdição"), usado para se referir ao anjo do abismo (Ap 9.11). Em Provérbios 15.11, Seol e Abadom estão ligados como a localização e o estado da morte. Bunyan, em seu livro *O Peregrino*, igualou Apoliom a Satanás.

**APOLO** Este nome é uma forma abreviada de Apolônio. Ele é descrito em Atos 18.24-28 como um judeu natural de Alexandria, um homem "eloqüente e poderoso nas Escrituras". Ele havia sido "instruído" (lit., "discipulado," cf. Lc 1.4) no "caminho do Senhor"; isto é, ele conhecia os ensinos dos seguidores de Jesus (cf. Atos 9.2, "o Caminho"). Seu ensino, transmitido com fervor, dizia respeito ao "batismo de João" (cf. Lc 7.29).
Sua pregação em Éfeso, ouvida por Priscila e Áqüila, não era incorreta; antes, era incompleta. Eles lhe explicaram "o caminho de Deus" com mais exatidão; isto é, o restante da mensagem lhe foi transmitido, particularmente a respeito da ascensão de Cristo e da descida do Espírito Santo. Estes elementos pareciam estar faltando em sua pregação inicial, conforme sugerido pela passagem em Atos 19.1-3.
Outras passagens do NT dando informações sobre Apolo são 1 Coríntios 1.12; 3.4-6,22; 4.6; 16.12 e Tito 3.13. Aprendemos dali que ele havia se associado a Paulo e que havia se tornado um dos quatro "favoritos" na igreja de Corinto (juntamente com Cefas, Paulo e Cristo). Paulo se referiu a ele como um "cooperador" e como "nosso irmão", embora deixando claro que ele mesmo havia "colocado o fundamento".
Aparentemente a eloqüência de Apolo havia impressionado os coríntios, e Paulo se ressentiu a ponto de enfatizar que ele (Paulo) não o fez, ou seja, não pregou nem falou "com sublimidade de palavras ou de sabedoria" (1 Co 2.1), para que a fé dos coríntios "não se apoiasse em sabedoria dos homens, mas no poder de Deus" (v. 5).
Apolo parece ter se tornado consciente do problema das tensões na igreja de Corinto, e embora Paulo o encorajasse a visitá-los novamente, ele se recusou a ir daquela vez (1 Co 16.12). O texto em Tito 3.13 parece indicar que ele estava com Tito em Creta em uma data posterior.

W. M. D.

**APOLOGÉTICA** O termo é derivado do verbo grego *apologeomai*, significando "dar uma resposta", "responder", "defender a posição de alguém", e do substantivo grego *apologia*. Em seu sentido mais estrito, significa a defesa da fé do cristão individual. Em um sentido mais amplo, é a resposta do cristão a ataques sobre si, sua doutrina e sua fé, e toda a revelação dada nas Escrituras. Em seu sentido total, a apologética é a defesa e a justificação da fé cristã e da revelação dada nas Santas Escrituras contra o ataque dos duvidosos e incrédulos, mais o desenvolvimento de uma apresentação evangélica positiva dos fatos mostrados na Bíblia, a racionalidade da revelação de Deus ao homem nas Escrituras, e a sua ampla suficiência para atender as necessidades espirituais completas do homem. A apologética é, então, não apenas um exercício negativo e defensivo, mas também positivo e ofensivo. Não é apenas para ser usada na defesa do Evangelho, mas também em sua propagação.
*O estudo da apologética*. Este pode ser dividido em três períodos como encontrado em três eras da história da igreja.
1. *Apologética do Novo Testamento*. O verbo grego *apologeomai* é usado para expressar a idéia de autojustificação e autodesculpa (Rm 2.15; 2 Co 12.19) e também o substantivo *apologia* (2 Co 7.11); mas particularmente no sentido de responder aos ataques sobre a fé e a convicção de alguém, e de oferecer uma defesa. Atos 7 é freqüentemente chamado de apologia de Estêvão quando ele respondeu ao Sinédrio judeu às acusações de falso testemunho (At 6.11-15).
Paulo fala em ser colocado para "a defesa do evangelho" (Fp 1.6,17). Ele fez duas "apologias" para a sua posição. a primeira diante de Festo (At 24.10; 25.8; cf. v. 16), e a segunda diante de Agripa (At 26.2). Quando apelou para o privilégio de fazer o mesmo diante de César (At 25.8-16), seu pedido foi finalmente concedido. Cada uma destas apologias contém tanto uma defesa negativa como um elemento evangelístico positivo. Por exemplo, Paulo usou sua defesa como uma introdução ao Evangelho de uma maneira tão eficaz, que Félix ficou amedrontado (At 24.25), enquanto Agripa exclamou: "Por pouco me queres persuadir a que me faça cristão!" (At 26.28). Mesmo considerando uma outra interpretação deste último versículo. "Você tão facilmente me persuadiria a ser um cristão?", o Evangelho positivo na apologia de Paulo ainda pode ser claramente visto no efeito produzido em Agripa.
2. *Apologética na igreja primitiva e medieval*. Justino Mártir escreveu sua obra *Dialogue With Trypho* (em aprox. 150 d.C.). Orígenes respondeu a muitos argumentos anti-cristãos em sua obra *Kata Kelsou (Contra Celsus)* (em aprox. 235), e Atanásio publicou sua obra *Contra Gentes* (em aprox. 315). Mas a apologia mais importante de todas foi *City of God* de Agostinho (426 d.C.). Até a igreja ser reconhecida por Constantino o Grande, ela era acusada de canibalismo e promiscuidade sexual por ter de se reunir em segredo em lugares como as catacumbas. Porém, após ser reconhecida imperialmente, ela teve que enfrentar acusações de mundanismo. Foi para explicar este último que Agostinho escreveu e tomou como sua tese a "Cidade de Deus" em contraste com a cidade do mundo.
Na Idade Média a apologética lutou com as questões da fé – com relação a fatos tais como

a Trindade e a encarnação, conhecíveis apenas pela fé – versus a razão, e os fatos da ciência e do mundo material que é receptivo à razão. Aquinas fez uma síntese parcial que se tornou a posição oficial do romanismo. Pela razão o homem pode argumentar quanto à existência de Deus e até conhecer a Deus; mas a Trindade e a encarnação são inacessíveis à razão, dadas pela revelação e recebidas somente pela fé.

3. *Apologética moderna*. Para o propósito de estudo e de uma análise útil, é valioso considerar a apologética católica romana e a protestante.

(a) A apologética católica romana é caracterizada pelo fato de atribuir tanto a origem quanto a (infalível) interpretação das Escrituras à igreja; e pelo fato de ensinar que a teologia racional é possível e existe tanto quanto a teologia revelada. pelo uso da razão humana o homem pode chegar ao conhecimento da pessoa e da existência de Deus e até à salvação. A razão pela qual o homem falha em chegar à verdade pela teologia racional não é a sua condição decaída, mas sim a indolência daqueles que são mentalmente capacitados a atingi-la por este meio, e a inabilidade racional dos demais. Por causa desta preguiça por parte de alguns e da inabilidade dos outros, Deus escolheu, em sua graça, dar a revelação.

A igreja católica romana desenvolveu uma apologética própria muito completa. Começando em 1908, o papa indicou comissões contínuas para investigar completamente e emitir relatórios sobre o problema Deutero-Isaías, a teoria J.E.D.P., form-Geschichte etc. Habilidosos escritores da igreja produziram livros eficazes sobre a apologética como *The Faith of Our Fathers* (do cardeal James Gibbons), uma defesa da igreja católica romana; e *Katholieke Geloofsverdediging* (do cardeal Brocardus Meijer), uma obra muito completa e habilidosa sobre a apologética em geral, em holandês. Como resultado das comissões eruditas de Roma e de uma obra tão completa em apologética como a de Meijer, os católicos romanos estão apresentando uma defesa convincente de sua fé, que está ganhando muitos da ala modernista, onde não foi expressa nenhuma defesa semelhante da fé cristã.

(b) Apologética protestante. Há um forte elemento de apologética presente na obra *Institutes,* de Calvino, onde ela é apresentada em combinação com a teologia. As obras mais famosas e eficientes de apologética propriamente dita, no entanto, antes da nossa época, são *Analogy of Religion,* de Joseph Butler (1736) e *Apologetics or Christianity Defensively Stated* – de A. B. Bruce (1892). Esta última foi a obra ortodoxa padrão em inglês durante muitos anos. Grande parte de seu lugar foi tomado, ultimamente, pelos escritos de Edward John Carnell. *An Introduction to Christian Apologetics* e *A Philosophy of the Christian Religion*, e de Bernard Ramm. *Protestant Christian Evidences, Types of Apologetic Systems, e The Christian View of Science and Scripture.*

Enquanto Carnell e Ramm lideraram a causa evangélica em apologética com um trabalho admirável em muitas áreas deste campo, ambos tiveram dificuldades em certos pontos, particularmente no que diz respeito à absoluta infalibilidade da Bíblia na escrita original, a ponto de outros terem que vir em seu auxílio neste ponto.

*O valor e o lugar da apologética*. Considerando sua extensão, o AT faz relativamente pouco uso da apologética. Em Jó 32–37, no entanto, está uma repreensão de Eliú às falsas ou inadequadas opiniões de Jó e de seus três amigos a respeito de Deus e da teodicéia (que é a doutrina da justiça divina). O próprio Senhor responde a Jó para convencê-lo de sua soberania, e, ao mesmo tempo, da incapacidade de Jó (Jó 38–41). Vários Salmos recorrem à atividade de Deus, ao seu cuidado providencial (por exemplo, Salmos 104 e 107) e histórico (Salmos 105 e 106), para evocar o louvor e a confiança, e mostrar a loucura da idolatria (Sl 115). Dentre os profetas, especialmente Isaías proclamou a apologia de Deus contra as divindades pagãs, desafiando os gentios adoradores de ídolos a provarem a realidade e o poder de seus deuses por meio do teste das profecias e seus respectivos cumprimentos (Is 41.21-29; 43.8-13; 44.6-20; 45.18-25; 46.1-11; 48.1-6).

O NT dá à apologética um lugar muito mais importante. Os patriarcas da igreja primitiva eram constantemente chamados a defender a sua fé contra filósofos pagãos, agnósticos e hereges.

Na apologética, somos chamados a mostrar a racionalidade da fé cristã e sua revelação como dada na Bíblia. Isto é realizado por meio de comparação da ciência com as Escrituras, uma consideração da arqueologia com a história e fatos bíblicos, um apelo ao cumprimento de profecias preditas, um estudo das provas da inspiração e infalibilidade da Bíblia, e uma aplicação da razão à questão da existência e da natureza de Deus.

Os apologistas protestantes não ensinam que uma teologia completamente natural seja possível meramente pela aplicação da razão humana na formulação de cinco ou mais provas teísticas (provas da existência necessária e real de Deus). Antes, tão longe quanto possa ir a razão humana – e isto inclui a formulação de argumentos teísticos, ou seja, o cosmológico (a existência do mundo), ontológico (a existência de uma idéia de Deus), o teológico (a existência e a manifestação da criação e propósito no mundo e no homem) – é apenas racional concluir que uma Pessoa racional, intencional e moral exista e seja a causa tanto do universo quanto do homem. A Bíblia declara por revelação que tal é o caso e, em Romanos 1.18ss, aprendemos que Deus considera o homem como o responsável por chegar à conclusão de que Ele existe.

Portanto, o apologista protestante nem se baseia completamente na razão - como os católicos romanos com a sua teologia natural, nem rejeita completamente o lugar da razão - como alguns dos protestantes extremamente ortodoxos (por exemplo, Abraham Kuyper em sua obra *Principles of Sacred Theology* e Cornelius Van Til em sua obra *The Defense of the Faith*, que enfatizam a impotência da mente humana em pecado e a necessidade do poder renovador do Espírito Santo). Ao invés disso, reconhecendo a fragilidade da razão humana desde a queda do homem, ele dá uma função corroboratória, subsidiária à revelação. Em outras palavras, as leis da lógica, os fatos da vida e do cosmos, e as revelações proposicionais encontradas na Bíblia devem receber seu lugar próprio na obtenção da verdade final e na formulação do nosso sistema apologético.

*Métodos apologéticos*. Torna-se muito importante desenvolver um método apologético completo e satisfatório. Isto é de tudo o mais necessário, uma vez que o cristão deve se defender não apenas contra as teorias passageiras da ciência, mas também contra os erros da filosofia mundana. Nenhuma defesa bem-sucedida é possível até que alguém seja capaz não apenas de enxergar o erro ou os erros contra os quais discute, mas também compreender seus fundamentos filosóficos.

Portanto, a nossa causa é grandemente fortalecida quando insistimos no fato de que temos uma filosofia cristã de existência, ou seja, uma explicação para (*a*) a origem da realidade, consistindo do mundo e do homem; (*b*) a realidade em si, consistindo de objetos (*res extensa*), idéias ou pensamentos (*res cogitata*) - duas das quais claramente definimos e distinguimos; (*c*) o destino do mundo e do homem. Todos os filósofos são chamados a dar suas próprias explicações sobre estas três questões.

Uma defesa praticável e completa do ponto de vista cristão sobre qualquer opinião procurada, portanto, inclui o seguinte: (1) uma descrição justa e completa da opinião de um adversário; (2) uma apresentação do valor da opinião que alguém tenha; (3) uma consideração de sua base filosófica e uma apresentação clara de suas falácias, com bases tanto lógicas quanto filosóficas; (4) um exame da opinião à luz das confissões e credos da igreja; (5) um exame para ver que vantagens teológicas ela pode oferecer e que problemas teológicos ela pode levantar; (6) uma apresentação da opinião bíblica sobre o assunto em discussão e a prova de sua racionalidade, e uma descrição clara de como a opinião bíblica foge dos problemas filosóficos e teológicos levantados por uma visão errada.

Além das obras principais em apologética já mencionadas, houve muitos livros muito valiosos sobre aspectos específicos da fé, tais como o nascimento virginal, a ressurreição, milagres, a infalibilidade das Escrituras etc. Estes podem ser prontamente encontrados em extensas bibliografias anexadas por Carnell e Ramm aos livros mencionados acima.

*O objetivo da apologética*. Este inclui: (1) fazer contato com aqueles que tenham uma opinião errada ou perigosa, ou que ataquem a revelação e fé cristãs; (2) encontrar uma área na qual o problema possa ser discutido imparcialmente, e provar a fraqueza da opinião em questão primeiro em alguma área neutra comum a todos, tais como a filosofia ou a lógica; (3) mostrar os problemas teológicos levantados; (4) expor as convicções da igreja em suas confissões e credos, e interpretar o que as Escrituras ensinam, enquanto se apresenta a racionalidade de tudo isso.

A base comum buscada para o diálogo com o adversário, não tem de impor qualquer transigência, tal como tentado por alguma apologética recente, nem forçar as Escrituras sobre o duvidoso ou o agnóstico. Considerar cada aspecto de um problema antes de entrar no mérito das próprias Escrituras, abre a mente do adversário para considerar a própria posição e respostas de Deus.

***Bibliografia***. A. B. Bruce, *Apologetics*, Edinburgh. T. & T. Clark, 1892. E. J. Carnell, *An Introduction to Christian Apologetics*, Grand Rapids. Eerdmans, 1952; *A Philosophy of the Christian Religion*, Grand Rapids. Eerdmans, 1952. Robert Flint, *Agnosticism*, New York. Scribner's, 1903; *Anti-Theistic Theories*, Edinburgh. Blackwood, 1879. Brocardus Meijer, *Katholieke Geloofsverdediging*, Roermond. Romen & Zonen, 1946. Bernard Ramm, *Protestant Christian Evidences*, Chicago. Moody Press, 1953; *Types of Apologetic Systems*, Wheaton, III.. Van Kampen Press, 1953; *The Christian View of Science and Scripture*, Grand Rapids. Eerdmans, 1954.

R. A. K.

**APOLÔNIA** Apolônia de Migônia, na Macedônia, era uma das dezenas de cidades que tinham este nome no mundo antigo (para conhecer a lista de outros lugares chamados de Apolônia, veja a obra de A. H. M. Jones, *Cities of the Eastern Roman Provinces*, p. 560; veja também B. V. Head, *Historia Numorum*, pp. 895ss.). Havia três cidades macedônicas com este nome. Aquela mencionada em Atos 17.1 estava situada ao sul do Lago Bolbe.

De acordo com Strabo, Cassander tomou o povo de Apolônia, bem como de outras cidades circunvizinhas, e os estabeleceu em Tessalônica quando construiu esta cidade para a sua esposa (filha de Filipe da Macedônia) e lhe deu o seu nome (Strabo, *Geography*, Fragmentos do Livro VII, Loeb ed. III, 343). O apóstolo Paulo passou por Apolônia em sua segunda viagem missionária ao percorrer a Via Egnátia de Filipos a Tessalônica, que totaliza uma distância de 136 quilômetros. A distância de Filipos a Anfípolis era de 55 quilômetros, 34 de Anfípolis a Apolônia, e 47 de Apolônia a Tessalônica. Todo o distrito da Macedônia era muito mais fértil e próspero do que a região em torno de Atenas. A importância econômica desta área não é em geral reconhecida, mas é bastante óbvia para o viajante moderno. A suficiência de chuvas é responsável pelo aspecto verdejante desta região. A Apolônia (moderna Polina) ainda é povoada por um pequeno número de habitantes. Veja também W. M. Leake, *Travels in Northern Greece*, iii.458.

E. J. V.

**APOSTASIA** (Gr. *apostasia*, "um abandono ou deserção da fé").
Embora a palavra grega seja usada apenas duas vezes no NT (At 21.21; 2 Ts 2.3), ela é encontrada na LXX várias vezes, como em Josué 22.22, para expressar a rebelião do povo de Deus, e em 2 Crônicas 29.19 em que vasos santificados do Templo foram lançados fora. A apostasia só é possível para cristãos nominais. No caso de crentes verdadeiros, as Escrituras declaram que Deus ou os traz de volta através do sofrimento e castigo (1 Co 11.29,30; 1 Co 5.5) ou os remove através da morte (1 Co 11.30). No caso de apóstatas, embora possa permitir que permaneçam, Deus retira deles toda a possibilidade de arrependimento e salvação (Hb 6.1-6; 10.26-31). A apostasia deve ser diferenciada da ignorância ou da falta de conhecimento, bem como da heresia, que é um conhecimento errado (2 Tm 2.25,26). Os homens podem ser salvos da ignorância, mas não da apostasia. Ela é caracterizada por uma rejeição deliberada da Divindade de Cristo (1 Jo 2.22,23; Judas 4) e sua morte expiatória (Fp 3.18; 2 Pe 2.1; Hb 10.29). *Veja* Rebelião.

R. A. K.

**APOSTÓLICA, ERA** A época que tem início a partir do Pentecostes (aprox. 30 d.C.) até a morte do apóstolo João (aprox. 100 d.C.) é aquela em que os apóstolos estavam exercendo a sua influência entre as igrejas. Esta era prontamente se divide nos períodos pré-paulino (aprox. 30-40 d.C.), paulino (aprox. 40-67 d.C.) e pós-paulino (aprox. 67-100 d.C.). Durante o primeiro período, o cristianismo esteve grandemente confinado a Jerusalém e ao povo judeu. Não houve nenhuma tentativa de fazer um rompimento definitivo com o judaísmo até então. A vida da igreja foi marcada pela simplicidade, pureza e poder. No período paulino ocorreu uma transição de uma igreja judaica para gentio-judaica com uma expansão correspondente ao tamanho do império. Vários problemas começaram a tomar forma, tais como a perversão judaística na Galácia, irregularidades em Corinto e a heresia em Colossos. A principal figura do período pós-paulino foi o apóstolo João, cuja morte trouxe o final da Era Apostólica. Nesta época, o cristianismo havia sido firmemente plantado em todas as terras de Jerusalém a Roma.

D. W. B.

**APOSTÓLICO** Pertinente ou proveniente dos apóstolos. O termo é usado para designar os homens que eram companheiros dos apóstolos e aqueles patriarcas da igreja que foram contemporâneos aos apóstolos. Uma suposta fonte apostólica era reivindicada pelo uso dos títulos Constituições Apostólicas e Cânones Apostólicos para os escritos do século IV.
No sentido eclesiástico, a sucessão apostólica se refere à pressuposta linha ininterrupta do ministério cristão, que é descendente dos apóstolos. Os bispos congregados dos Concílios de Orleans (511 d.C.) e Macon (581 d.C.) foram considerados apóstolos. Com o passar do tempo, os papas restringiam o termo a si mesmos como descendentes espirituais de Pedro, e o Concílio de Rheims (1049 d.C.) declarou que o papa é o único primaz apostólico. A igreja católica romana tem, desde então, empregado este termo em várias ligações; por exemplo, no caso dos decretos apostólicos.

**APOSTÓLICO, CONCÍLIO** Designação às vezes usada para a reunião dos apóstolos e anciãos de Jerusalém (49-50 d.C.) registrada em Atos 15. Como resultado da recepção dos gentios incircuncisos nas igrejas (At 11.19-21; 13.46-48; 14.27), o partido ultrajudaístico começou a pressionar de forma vigorosa a adoção da lei judaica em complemento à fé em Cristo, como condição para a salvação dos gentios. A controvérsia resultante levou a um concílio em Jerusalém (At 15.1,2), o qual aparentemente desenvolveu-se da seguinte forma: uma reunião aberta da igreja (15.4,5), uma sessão dos líderes da igreja (15.6-11) e a retomada da reunião geral da igreja (15.12-29). Após o testemunho de Paulo, Barnabé, e Pedro, a respeito do fato evidente de que Deus salvara gentios incircuncisos, o concílio concordou em uma decisão dupla: (1) Os gentios não seriam solicitados a se submeterem à lei de Moisés (15.19) e (2) os gentios seriam solicitados a se absterem das práticas que iriam prejudicar as relações sociais entre os crentes judeus e gentios (15.20,28,29). Historicamente e teologicamente, esta foi uma decisão memorável. Como resultado, o cristianismo não deveria ser meramente um fenômeno judeu, mas uma fé universal. Além disso, a igreja como um todo passou a enxergar que a salvação é somente pela fé.

D. W. B.

**APÓSTOLO** O termo grego *apostolos* vem do verbo *apostellein*, "enviar", "remeter". O substantivo e o verbo são usados pela LXX para traduzir o hebraico *shalah* e seus derivativos. Estas palavras gregas e hebraicas são ocasionalmente usadas para mensageiros com ênfase naquele que envia, de forma que o agente se torna uma extensão da personalidade e da influência do mestre (Gn 45.4-8; 1 Rs 14.6). K. H. Rengstorf, T. W. Manson e outros tentaram rastrear a palavra do NT e chegar ao termo judaico *shaliah* (usado em relação a um representante cujas funções não podem ser transferidas; representante da autoridade religiosa, seja de um indivíduo ou de um grupo; agente de Deus). A palavra *Apostolos*, usada para "mensageiro" ou "agente", também é encontrada no grego clássico (Heródoto i.21; v. 38; cf. Eurípedes, *Iphigeneia in Aulis*, 688).

No NT a palavra "apóstolo" é usada tanto em um sentido amplo quanto estrito. Todo apostolado é centrado em Jesus, que é *o Apóstolo* (Hb 3.1-6) enviado por Deus para ser o Salvador do mundo (1 Jo 4.14). Embora João não use o substantivo, ele freqüentemente usa o verbo e descreve as funções do Senhor Jesus como o Apóstolo de Deus. Ele foi enviado por Deus (Jo 7.28,29; 8.42) para falar as palavras de Deus (3.34), para fazer as obras (5.36; 6.29) e a vontade (6.38) de Deus, para revelar a Deus (5.37-47), para dar a vida eterna (17.2,3). Todo o apostolado subseqüente tem seu centro em Deus através de Jesus Cristo (Jo 17.18-26; 20.21-23) e é mediador de Cristo em palavra e pessoa (Mt 10.40; Lc 10.16).

Mateus e Marcos usam o termo "apóstolo" apenas uma vez para se referirem aos doze que foram enviados em uma viagem missionária (Mt 10.2; Mc 6.30). Aqui, este termo designa uma função ao invés de uma posição. Durante o ministério de Jesus, os doze não eram, a princípio, mensageiros, mas, homens selecionados que foram iniciados no reino vindouro e, portanto, consideravam seu dever conclamar o povo de Israel ao arrependimento e, em última análise, julgá-lo (Mt 19.28-30).

Lucas, freqüentemente, e quase que exclusivamente, chama os doze de "apóstolos" (Lc 6.13; 9.10; 17.5; 22.14; 24.10; At 1.26; 2.43; 4.35,37; 5.2,12,18; 8.1. Exceções: Lc 11.49; At 14.4,14). Os apóstolos foram testemunhas oculares das atividades de Jesus na terra e conseqüentemente testificaram que Jesus era o Senhor ressurrecto (Lc 24.45-48; 1 Jo 1.1-3). Os pré-requisitos para a substituição apostólica nesta função única são dados em At 1.21,22. A lista de apóstolos de Lucas (Lc 6.14-16; At 1.13) corresponde à lista dos doze dadas em Mateus 10.2-4 e Marcos 3.16-19. Mateus lista os discípulos aos pares, supostamente como enviados por Jesus. Tadeu (em Mateus e Marcos) era idêntico a Judas o filho de Tiago (em Lucas). Pedro, Tiago e João formavam um círculo íntimo dentre os doze, e estavam presentes no episódio da transfiguração (Mt 17.1-9; Mc 9.2-10; Lc 9.28-36) e no Getsêmani (Mt 26.36-46; Mc 14.32-42; Lc 22.39-46). Os doze foram selecionados para ser os companheiros de Jesus e proclamar o Evangelho (Mc 3.14). Durante o ministério de Jesus, os doze serviram como seus representantes, uma função compartilhada por outros (Lc 10.1).

Aparentemente, a posição dos apóstolos não foi fixada permanentemente antes da ressurreição (Mt 19.28-30; Lc 22.28-34; cf. Jo 21.15-18). O Cristo ressurrecto fez deste grupo seleto de testemunhas do seu ministério e ressurreição, apóstolos e testemunhas permanentes de que Ele é o Senhor, os comissionou como missionários, os instruiu a ensinar e batizar (Mt 28.18-20; Mc 16.15-18; Lc 24.46-48), e completou o processo com o envio do Espírito Santo no Pentecostes (Lc 24.49; At 1.1-8; 2.1-13). No período inicial, os 12 apóstolos eram os únicos ensinadores e líderes da igreja, e outros ofícios foram derivados deles (At 6.1-6; 15.4). O apostolado não implicava em uma liderança permanente. Embora Pedro tenha iniciado missões aos judeus (Atos 2) e aos gentios (At 10.1–11.18), Tiago o substituiu como líder entre os judeus, e Paulo como líder entre os gentios.

Paulo usa o termo "apóstolo" em um sentido amplo para um mensageiro ou agente (2 Co 8.23; Fp 2.25; e possivelmente em Rm 16.7). Este uso mais amplo tornou possível falar de falsos apóstolos (Ap 2.2). Geralmente, porém, Paulo usa a palavra para um grupo de testemunhas que havia visto o Senhor ressurrecto e que havia recebido um chamado específico para um apostolado. Este grupo era maior que os doze (At 15.5,6). Incluído neste grupo estava Tiago, o irmão do Senhor (At 15.13; Gl 1.19), Paulo (Rm 1.1; 1 Co 1.1; 9.1,2; 15.8-10; Gl 2.7,8), provavelmente Barnabé (1 Co 9.1-6; Gl 2.9; cf. At 14.4,14), e possivelmente outros (Rm 16.7). No entanto, o Senhor ressurrecto, de quem Paulo se tornou uma testemunha é idêntico ao Jesus histórico de quem os doze também testemunharam. Conseqüentemente, a proclamação de Paulo deve ser idêntica à dos doze (1 Co 15.11; Gl 1.18; 2.7-10; cf. At 15).

João enfatiza a obra do Espírito que testemunha através das palavras dos apóstolos (Jo 15.26,27). Através da pregação do Evangelho, Jesus Cristo, o Senhor ressurrecto, é contemporâneo aos ouvintes, e os coloca no mesmo patamar das testemunhas oculares (cf. 1 Co 3.21-23).

Os membros da igreja são sacerdotes, reis, servos de Deus e santos que usam seus dons para a edificação da igreja como um todo (1

Co 12.1-11; 1 Pe 2.9; Ap 1.6; 5.8,10; 7.3) e, como os apóstolos, são mediadores de Cristo (Mt 25.40,45; Mc 9.37; Lc 9.48) e reinarão com Ele (Ap 3.21).

Os apóstolos, porém, através do testemunho de sua palavra, sempre serão a norma e os arautos do fundamento sobre o qual Cristo edifica a sua igreja (Ef 2.20; Ap 18.20; 21.14). Os apóstolos são as primeiras dádivas de Cristo para a sua igreja (Ef 4.11) e os ministros estabelecidos por Deus na igreja (1 Co 12.28,29).

Para detalhes sobre os doze, veja os tópicos que trazem o nome de cada um, incluindo Matias.

***Bibliografia***. Oscar Cullmann, "The Tradition", *The Early Church*, ed. por A. J. B. Higgins, Filadélfia. Westminster, 1956. J. N. Geldenhuys, *Supreme Authority*, Grand Rapids. Eerdmans, 1953. E. J. Goodspeed. *The Twelve*, Filadélfia. Winston, 1957. Arnold Ehrhardt, *The Apostolic Succession*, Londres. Lutherworth, 1953. J. B. Lightfoot, *Saint Paul's Epistle to the Galatians*, ed. rev. Londres. Macmillan, 1890, e reimpressões subseqüentes, pp. 92-101. T. W. Manson, *The Church's Ministry*, Filadélfia. Westminster, 1948. K. H. Rengstorf, "*Apostello-apostolos*", TDNT, I, 398-447.

E. L. L.

**APRISCO, CURRAL** Também mencionado como redil. Vários tipos de cercados eram usados para proteger as ovelhas à noite, do tempo, dos animais selvagens e dos ladrões. O termo geral para "redil" em heb. é *mikla*, um lugar de confinamento (Sl 50.9; 78.70; Hc 3.17). O tipo permanente (heb. $g^{e}$*dera*, muro que cerca) era freqüentemente uma área cercada por muros de pedra a céu aberto (Nm 32.16,24,36; Sf 2.6). Em alguns casos, o aprisco pode ter sido uma construção baixa semelhante a um abrigo com estábulos (heb.*'arwa*, 2 Cr 32.28; cf. 9.25). O amplo uso de covas, fechadas com um muro baixo e um portão na entrada, é indicado pelas Escrituras (1 Sm 24.3), pela tradição e pela arqueologia. Os apriscos temporários eram às vezes feitos de galhos entretecidos. O termo heb. *naweh*, que significa "aprisco" ou "redil", se refere a um prado ou pasto para as ovelhas (2 Sm 7.8; Is 65.10; Jr 23.3; Ez 34.14; veja as versões mais recentes).

Um aprisco de ovelhas em Dotã. JR

Era costume o pastor dormir com as ovelhas, ao ar livre, ou ainda em uma pequena cabana construída dentro do redil. As características do aprisco são evidentes na alegoria do bom pastor proferida pelo Senhor Jesus Cristo (Jo 10), onde Ele aparentemente tinha em mente um redil a céu aberto (gr. *aule*, pátio cercado, vv. 1,16) com um pastor ("o porteiro", v. 3) guardando vários rebanhos durante a noite. Pela manhã, cada pastor levava o seu próprio rebanho para pastar (vv. 2-4).

Em relação à profecia a respeito do futuro remanescente de Israel retratado como um rebanho em seu curral ou pasto (Mq 2.12,13) *veja* Transgressor. Quanto à ovelha, *veja* Animais: Ovelha I.12. Quanto ao pastor, *veja* Ocupações: Pastor de Ovelhas. Veja também Joachim Jeremias, "*Poimen* etc"., TDNT, VI, 485-502.

D. W. B.

**APRISIONAMENTO** O aprisionamento (do termo gr. *phylake*, geralmente "vigiar" ou "aprisionar") foi uma das provações sofridas pelos crentes do AT (Hb 11.36), por Paulo e outros dentre os primeiros cristãos (2 Co 6.5). Houve vários aprisionamentos de longa duração como o de José (Gn 39.20-41.14), Jeremias (Jr 32.2ss.), e o de Paulo em Cesaréia (At 23.23-26.32) e em Roma (At 28.16-31). O aprisionamento (heb. $^{e}$*sur*, de *'asar*, "ligar") era uma forma de castigo imposta pela desobediência à lei dos reis persas (Ed 7.26). *Veja* Crime e Punição; Prisão.

**APROVAR** O verbo grego *dokimazo* e seus derivados são usados particularmente no teste e na purificação de metais e, portanto, metaforicamente no teste dos cristãos em passagens tais como 1 Pedro 1.7: "para que a prova [*dokimon*] da vossa fé, muito mais preciosa do que o ouro que perece e é provado [*dokimazo-menou*] pelo fogo..." Os quatro usos principais de "aprovar" são:

O auto-exame do cristão para testar a si próprio em relação à sua fé (2 Co 13.5), as suas próprias obras (Gl 6.4) e particularmente

Entrada da prisão Mamertine em Roma, onde se presume que Paulo estivesse mantido quando escreveu 2 Timóteo. HFV

antes de participar da Santa Ceia (1 Co 11.28).

Colocar os outros à prova, tal como quando Israel tentou e colocou Deus à prova (Hb 3.9); os diáconos são provados para exercer o ofício na igreja (1 Tm 3.10); e o espírito dos outros é provado para que se veja se estes são ortodoxos e têm o Espírito Santo ou o espírito do Anticristo (1 Jo 4.1).

A autopreparação para a aprovação de Deus. Paulo exorta o jovem Timóteo em 2 Timóteo 2.15,"Procura [*spoudason*, lit. "apresse-se"] apresentar-te a Deus aprovado [*dokimon*], como obreiro que não tem de que se envergonhar, que maneja bem a palavra da verdade" A idéia da preparação através do estudo é tão aparente neste versículo que os tradutores preferiram citar este aspecto ao invés da ênfase de Paulo da necessidade da aceleração na preparação pessoal para o serviço do Senhor.

O teste de Deus para seus servos através de provações e tribulações antes que Ele abra novas e maiores portas de serviço. Tiago fala disto em sua epístola, exortando os irmãos com as seguintes palavras: "Tende grande gozo quando cairdes em várias tentações... Bem-aventurado o varão que sofre a tentação; porque, quando for provado, receberá a coroa da vida..." (Tg 1.2-12). Assim como os exames precedem o ingresso na escola secundária, na universidade etc. as provações precedem as promoções na vida do fiel com Deus. Ao mesmo tempo, o cristão está constantemente em perigo de perder a aprovação de Deus e sua bênção sobre seu ministério por permitir que sua natureza inferior atue de forma pecaminosa. Portanto, mesmo Paulo como um missionário maduro escreveu: "Antes, subjugo o meu corpo e o reduzo à servidão, para que, pregando aos outros, eu mesmo não venha de alguma maneira a ficar reprovado" (*adokimos*, "ser reprovado", 1 Co 9.27).

R. A. K.

**AQUEDUTO** Este termo é expresso em hebraico por *tᵉ'ala*, que significa "canal", "vala" ou "trincheira"; no grego, é expresso por *hydragogos*, "condutor de água", "canal de irrigação"; e em latim por *aquaeductus*, que significa "canal" ou "aqueduto".

Geralmente, o aqueduto era uma vala aberta correndo pela superfície do solo; mas também, havia canais com tubos subterrâneos. Ruínas de vários aquedutos podem ser vistos no Oriente Próximo: por exemplo, em Cesaréia, Qumran e Jerusalém. Tubos de barro colocados dentro de blocos de pedra podem ser vistos em Laodicéia. Estes aquedutos traziam água dos montes da região. As referências bíblicas tratam das redes de água de Jerusalém na época de Isaías (2 Rs 18.17; 20.20; Is 7.3; 36.2; cf. Sirácido 24.30; 48.17; FLAP, pp. 190 ss.).

**ÁQÜILA** Um judeu do Ponto, ao Norte da Ásia Menor, que residia em Roma, onde ele e sua esposa Priscila (q.v.) se tornaram cristãos. O decreto do imperador Cláudio (aprox. 49 d.C.) expulsando os judeus de Roma, forçou este casal a migrar para Corinto, onde estabeleceram uma filial de seu negócio de fabricação de tendas e trabalho com couro, e assim conheceram Paulo, que se uniu a eles porque também desempenhava o mesmo trabalho (At 18.1-3). Quando Paulo deixou Co-

Aqueduto romano em Cesaréia. HFV

rinto, em 52 d.C., eles o acompanharam até Éfeso, onde permaneceram por alguns anos. No início de sua estadia ali, hospedaram o judeu Apolo, de Alexandria (q.v.), e repararam as deficiências deste em relação ao conhecimento do cristianismo (At 18.18-26). Por volta de 57 d.C., eles provavelmente retornaram a Roma, de acordo com Romanos 16.3, uma vez que o decreto de expulsão de Cláudio indubitavelmente falhou em termos práticos devido à sua morte em 54 d.C. De acordo com 2 Timóteo 4.19, eles parecem ter retornado a Éfeso novamente. A imagem de tais pessoas se mudando de um lugar para outro, provavelmente deixando filiais de seu negócio aqui e lá a cargo de gerentes, representa uma condição de vida verdadeira durante o Império Romano. Onde quer que morassem, Áquila e Priscila faziam de sua casa a igreja local (Rm 16.5; 1 Co 16.19). Em certa ocasião, possivelmente em Éfeso, eles arriscaram suas vidas por Paulo (Rm 16.4).

F. F. B.

**AQUIM** De acordo com Mateus 1.14, Aquim era o quinto dos antecessores de José, marido de Maria.

**AQUIS** Rei de Gate (da terra natal de Golias e membro da pentarquia dos filisteus) a quem Davi se dirigiu duas vezes quando estava fugindo de Saul. Aquis ainda era rei no início do reinado de Salomão (em 1 Rs 2.39 com o nome de "filho de Maaca"; e "filho de Maoque" em 1 Samuel 27.2; a semelhança das consoantes sugere a mesma identidade).

Primeiramente, Davi fugiu até Aquis sozinho (1 Sm 21.10-15) e se ofereceu para trabalhar no palácio (21.15). Por ter sido reconhecido como o assassino de Golias (cf. v.11 com 18.7), Davi, temeroso, fingiu que estava louco e escapou (22.1).

Em sua segunda fuga para Aquis, acompanhado nessa ocasião por 600 guerreiros treinados, Davi foi muito bem recebido (1 Sm 27.1-12). O rei filisteu concedeu a ele e a seus homens a cidade fronteiriça de Ziclague. Essa associação não foi uma bênção para nenhum deles, pois continha elementos contraditórios para Davi: um sentimento de responsabilidade em relação a Aquis, de quem havia se tornado um vassalo feudal (1 Sm 28.1,2); e um sentimento de lealdade para com sua própria nação que resultou em um ataque repentino aos aliados filisteus, ao invés do Neguebe de Judá, como ele mesmo afirmara a Aquis (1 Sm 27.8-12); e um profundo senso de missão divina e de limitação pessoal. Davi foi poupado ao lutar contra Israel na batalha de Gilboa pelo ceticismo dos filisteus sobre a sua lealdade (1 Sm 29.1-11).

A presença de Aquis deixou sua marca nos registros sagrados: (1) ele aparece como Abimeleque (q.v.) no título do Salmo 34; (2) Davi foi nomeado guarda costas de Aquis (1 Sm 28.2) e conservou um guarda costas peleteu (filisteu) quando foi rei (2 Sm 8.18, *et. al).*

Canal de água no alto do aqueduto romano em Cesaréia

**AR**[1] Uma cidade Moabita localizada próximo ao estreito de Arnom, a Leste do Mar Salgado (Nm 21.15,28). Quando Isaías 15.1 foi escrito, ela havia sido destruída. Sua localização exata ainda não foi determinada.

**AR**[2] Usado na linguagem do sobrenatural como a inferior das três divisões: a atmosfera ou o ar; o céu; e a mais alta, ou a terceira, o paraíso (2 Co 12.2,4). O ar é a morada de

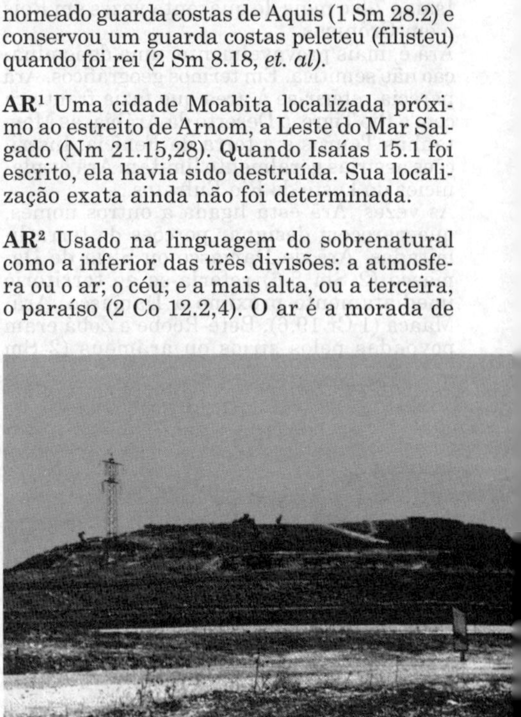

O monte de Gate, onde Aquis foi rei, e onde Golias viveu. HFV

Satanás, "o príncipe das potestades do ar" (Ef 2.2) e das hostes espirituais da maldade (cf. Ef 6.12).

**ARÃ, ARAMEUS** (ou Síria; Siros) Arã era o nome de pelo menos três homens na Bíblia.
1. O quinto filho de Sem (Gn 10.22,23). Desta linhagem se originaram vários grupos semíticos.
2. Filho de Quemuel, sobrinho de Abraão (Gn 22.20-21). Este grupo de parentes se estabeleceu em Harã, enquanto Abraão se mudou para Canaã. Conseqüentemente, Arã se tornou uma terra com sua própria linguagem, que foi chamada de aramaico.
3. O terceiro filho de Semer da tribo de Aser (1 Cr 7.34).

Como o nome de um povo chamado arameu, o termo ocorre aproximadamente 65 vezes nos livros de Samuel, Reis e Crônicas. Seguindo a LXX (Síria), a versão KJV em inglês chama estas pessoas de siros (Am 1.5; 9.7; Is 7.2,4,5,8; 9.12; 17.3; Jr 35.11; Ez 16.57; 27.16). Como uma referência à terra dos arameus (siros) a tradução "Síria" aparece na versão KJV em 2 Samuel 15.8, Oséias 12.12, mas em Números 23.7, nas versões KJV, RC e RA consta Arã. Em relação ao povo e à terra juntos, ou aos deuses daquele povo, o termo "Síria" ocorre em Juízes 10.6; Isaías 7.8 e mais de quarenta vezes em Reis e em Crônicas.

Arã é, mais provavelmente, uma denominação não semítica. Em termos geográficos, Arã parecia referir-se à área que fazia fronteira com o Rio Tigre, o Deserto da Arábia, as Montanhas Taurus e a terra da Fenícia. Inscrições assírias geralmente limitam Arã às planícies do Leste do Rio Eufrates.

Às vezes, Arã está ligada a outros nomes, que parecem designar porções de terra limitadas. Arã de Damasco ou Síria de Damasco (2 Sm 8.6) referia-se ao território imediatamente próximo a Damasco. Arã-Maaca (1 Cr 19.6). Bete-Reobe e Zobá eram povoadas pelos sírios ou arameus (2 Sm 10.6), todas designando a pequena província do Leste da Jordânia e do Nordeste da Galiléia. A versão KJV em inglês utiliza o termo Síria ao invés de Arã em cada uma das citações acima.

A Arabá a partir de Petra

Mais tarde, no terceiro milênio a.C., arameus nômades saíram em direção ao oeste, fora da direção nordeste do Deserto da Arábia, e se dirigiram para noroeste, onde os amorreus estavam estabelecidos nas proximidades do Rio Eufrates. Eles se estabeleceram ao redor de Harã, que às vezes era chamada de Arã-Naaraim (a versão KJV traz o termo Mesopotâmia em Gn 24.10; Dt 23.4; Jz 3.8). Veja também Padã-Arã (q.v.) em Gênesis 25.20; 28.2,6,7; 31.18; 33.18, e Padã em Gênesis 48.7. De Arã (ou da Mesopotâmia) veio Rebeca (Gn 24) e para lá fugiu Jacó (Gn 28).

Os arameus (ou siros) são primeiramente mencionados em textos acadianos, talvez por volta de 2.250 a.C., mas, certamente, por volta de 2.000 a.C. Da cidade Amorita de Mari se originam textos que se referem aos arameus no início do século XVIII a.C. Tábuas de Ugarite (séculos XIV-XIII a.C.) também mencionam Arã, assim como as cartas de Amarna.

Por volta do século XII a.C., Arã era forte o suficiente para se envolver em questões internacionais. Por volta do século IX a.C., ela havia se tornado um estado de equilíbrio entre a Assíria e a Palestina. Damasco, um Oásis frutífero na extensão da planície a leste, do lado oposto ao Líbano, foi feita a capital de Arã (Síria).

Davi conquistou a Síria e a controlou durante o seu reinado (2 Sm 8.5,6; 1 Cr 18.5,6). Depois da dissolução do reino durante o reinado de Roboão, os sírios tornaram-se independentes, com a dinastia de Heziom no poder.

Durante o período dos reis, Israel, Judá, e Síria eram uma tríade em constante disputa. Em uma ocasião, Judá e Síria uniram-se contra Israel (1 Rs 15.18-20). Em outra ocasião, Israel e Síria uniram forças contra Judá (2 Rs 16.5); e, de acordo com as inscrições assírias, Israel, sob o comando de Jeú, uniu-se a Ben-Hadade (q.v.) da Síria, e a outros, em Qarqar para impedir a marcha do assírio Salmaneser III em direção ao oeste em 853 a.C. Finalmente, Acaz de Judá se uniu à Assíria contra Israel e Síria (2 Rs 16.7-18). Como resultado, Tiglate-Pileser III destruiu Damasco em 732 a.C., e assim o poder de Arã (Síria) estava terminado para sempre. Muitos de seus habitantes foram levados ao cativeiro pelo assírios. *Veja* Aramaico; Síria; Damasco.

***Bibliografia***. R. A. Bowman. *"Arameans, Aramaic, and The Bible"*, JNES VII (1948), 65-90. CornPBE pp. 121-126. A. Malamat, *"The Kingdom of David and Solomon in Its Contact with Aram Naharaim"*, B.A, XXI (1958), 96-102. Benjamin Mazar, *"The*

*Aramean Empire and its Relations with Israel".* B.A. XXV (1962), 98-120. Roger T. O'Callaghan, *Aram Naharaim*, Rome. Pontifical Biblical Institute 1948. Merril F. Unger, *Israel and The Arameans of Damascus*, Londres. James Clarke, 1957.

G. H. L

**ARA** Descendente de Aser (1 Cr 7.38).

**ARÁ** Um homem da tribo de Aser (1 Cr 7.39). Seus numerosos descendentes retornaram do exílio com Zorobabel (Ed 2.5; Ne 6.18; 7.10).

**ARABÁ** Uma palavra hebraica (*'araba*) geralmente traduzida como "planície" ou "região deserta". A palavra significa, literalmente, "árido"; conseqüentemente isto implica em um deserto ou solo improdutivo (Jó 39.6*a*; Is 35.1-6). Com o artigo, esta palavra é freqüentemente traduzida na versão RSV e, em Josué 18.18 (KJV), com o nome do grande Vale do Jordão se estendendo ao Sul do Mar da Galiléia, ao longo do Mar Morto, e continuando até o Golfo de Ácaba. Às vezes este nome está ligado à região norte deste vale, chamado el-Ghor pelos árabes (Dt 1.7; 3.17; Js 11.2,16) e, às vezes, com a parte Sul do Mar Morto, o qual os árabes chamam de Wadi el-'Arabah (Dt 1.1,2.28). Esta depressão alcança o ponto mais baixo da superfície da terra no Mar Morto. Esta profundidade é de 1.275 pés sob a superfície das águas. Além disto, o Mar Morto tem 1.300 pés de profundidade neste ponto mais baixo. Ele divide o leste do oeste da Palestina, tanto geográfica quanto historicamente.

Os vestígios arqueológicos confirmam indicações nas narrativas patriarcais de que este vale era mais largamente populoso na era do Bronze do que depois dela. Nos tempos antigos, especialmente durante o reinado de Salomão, o cobre e o ferro eram escavados e fundidos ao Sul de Arabá, particularmente em Punom (atual Feinan), Mene'iyeh, Khirbet en-Nahas, e Mrashrash. Tais depósitos eram conhecidos ou profetizados nos dias de Moisés (Dt 8.9).

As campinas (*'araboth*) de Moabe (Nm 22.1; 26.3 etc.) são a porção Moabita de Arabá. De forma semelhante, as campinas de Jericó (Js 4.13; 5.10; 2 Rs 25.5 ; Jr 39.5) se referem a Arabá como próxima àquela cidade.

O Mar de Arabá (Dt 3.17; 4.49; Js 3.16; 12.3; 2 Rs 14.25) é o Mar Morto. O ribeiro da Arabá (Am 6.14) é um canal que flui em direção a Arabá e faz fronteira ao sul com os limites do II reino de Jeroboão; talvez o vale de Zerede (Wadi el-Hesa. Nm 21.12; Dt. 2.13). *Veja* Mar Morto; Jordânia; Palestina II. B. 3.f.

J. A. T.

**ARABE**

1. Uma cidade identificada como Khibet er-Rabiyeh, a sete milhas ao Sudoeste de Hebrom, dividida entre as tribos de Judá após a conquista de Josué (Js 15.52).

2. Um habitante beduíno da península arábica, vizinha de Hebrom ao Sul e da Palestina a Leste. A palavra originalmente significava "desperdício" ou "desolação". O texto em Isaías 13.20 e Jeremias 3.2 indica que eles habitavam em tendas no deserto.

**ÁRABES** A palavra *'arab* em hebraico significa, literalmente, "árido", ou terra de estepe. O Arabá (*'araba*) o vale seco do Mar Morto, origina-se da mesma raiz. Conseqüentemente, os *'ar$^{e}$bim* eram os que vagavam pelo deserto ou os nômades (2 Cr 17.11; 21.16; 22.1; 26.7). Nos registros assírios da escrita cuneiforme eles são chamados *Arubu* e *Aribi*, um termo usado para os nômades da Média assim como para os da Arábia. Mesmo o Alcorão usa *a'rab* (plural de *'arab*) para os beduínos, em contraste com as pessoas estabelecidas.

Os habitantes da Arábia, alguns dos filhos de Joctã (Gn 10.25-30), de Cuxe (Gn 10.7), de Quetura (Gn 25.1-4), e de Ismael (Gn 25.13-16) podem ser identificados com lugares e tribos na Arábia. Outras tribos árabes mencionadas no Antigo Testamento incluem os amalequitas, hagarenos, Kedaritas, queneus, meunitas (identificado pela LXX com os minaeanos) e talvez (embora alguns destes pudessem ser cananeus) com os gesuritas, kadmonitas, e kenizitas. Um outro nome dos árabes é "filhos do leste" (*h$^{e}$n$^{e}$qedem*, Jz 6.3). *Veja* Arábia.

Eventos históricos envolvendo árabes no Antigo Testamento incluem as invasões midianitas na Palestina na época de Gideão (Jz 6.8), o primeiro grande uso de vários camelos; e a visita da rainha de Sabá a Salomão (1 Rs 10.1-10), refletindo a riqueza e o comércio do Sul da Arábia. Os árabes pagaram tributo a Josafá (2 Cr 17.11) invadiram Jerusalém durante o reinado de Jeorão (2 Cr 21.16,17; 22.1), e foram vencidos por Uzias (2 Cr 26.7). A conquista das tribos do Norte da Arábia pelos assírios é referida em Isaías 21.13-17 e pelos babilônios em Jeremias 25.23,24; 49.28-30. Por volta do século V a.C., os árabes expulsaram os edomitas do Monte Seir (Ob 7). Neemias sofreu oposição de Gesém, o arábio (Ne 2.19), que é conhecido pelas inscrições como o rei de Quedar, uma tribo que então dominou os árabes do norte.

Na Apócrifa, "Árabe" (por exemplo 1 Mac 11.16,17) geralmente se refere aos nabateus (1 Mac 5.25), que fizeram de Petra sua capital e controlaram as rotas de comércio ao redor da Palestina. Eles às vezes se aliavam aos Macabeus (1 Mac 9.35) e às vezes aos sírios (1 Macabeus 5.39; 12.31). *Veja* Nabateus.

Os árabes estavam no meio dos judeus e prosélitos que ouviram o Evangelho em Jerusalém no dia de Pentecostes (At 2.11). Eles podem ter vindo do reino Nabateu na Transjordânia, ou talvez do sul distante. O governador de Damasco, representando o rei nabateu Aretas IV (9 a.C. - 40 d.C.), selecionou guardas para capturar Paulo que, entretanto, escapou (2 Co 11.32,33).

Na cultura, os árabes são semitas (Gn 10.25-30), como é indicado em sua língua. Os árabes do Norte viveram no deserto (Jr 3.2) em tendas (Is 13.20) feitas do pêlo de cabras pretas (Ct 1.5). Eles andavam de camelo (Gn 37.25). As caravanas de árabes traziam condimentos, ouro, e pedras preciosas do sul da Arábia, e carneiros e cabras do Norte da Arábia para a Palestina e Síria (1 Rs 10.2; Ez 27.20-22), e mercadores árabes também transportavam produtos da África e da Índia (1 Rs 10.22). Jeremias 9.26; 25.23; 49.32 menciona o costume árabe de aparar os cabelos, o qual é referido por Heródoto (iii.8) e é retratado pelos assírios que mostram ilustrações dos árabes lutando por seus camelos.

A Arábia é conhecida por seus homens sábios (1 Rs 4.30), dentre os quais estavam Agur (Pv 30.1) e Lemuel (Pv 31.1), dois reis de Massá, uma tribo de Ismael (Gn 25.14). O livro da sabedoria de Jó reflete seu passado no noroeste da Arábia. A cultura avançada dos árabes do Sul é ilustrada pelo grande templo de Ilumquh, o deus da lua em Ma'rib, a capital de Sabá, por grandes represas e canais de irrigação, esculturas em pedra, fundição em bronze, trabalho de ourivesaria, e pelas muitas inscrições religiosas e históricas.

O termo árabe geral para deus era *il* (cf. Heb. *'el*) ou *ilah* (cf. Heb. *'eloah*), mas os árabes antigos reverenciavam muitos deuses, inclusive o Deus da lua, uma deusa do sol, Shamash; e o filho deles, a estrela da manhã, 'Athtar. O Alcorão menciona diversos deuses pagãos. al-Lat, al-'Uzza, e al-Manat (Qur'an 53.19,20), Wadd, Suwa', Yaghuth Ya'uq, e Nasr (71.23). Os árabes temiam demônios chamados jinn (Qur'an, 72).

Como os israelitas, os árabes praticavam a circuncisão, a peregrinação, e o sacrifício, inclusive a oferta pelo pecado. Entre seus funcionários religiosos havia sacerdotes-adivinhos e videntes.

***Bibliografia***. R. L. Bowen e F. P. Albright, *Archaeological Discoveries em South Arabia*, Vol. II. Baltimore. John Hopkins Univ, Press, 1958. cornPBE pp. 116-120. Butrus Abd al-Malik e John Thompson. "Arábia", BW, pp. 45-50. P. K. Hitti, *History of the Arabs*, sexta edição, Londres. Macmillan,1956. J. A. Montgomery, *Arabia and the Bible,* Filadélfia. Univ. of Pensilvânia Press. 1934. G. Ryckmans, *Les religions arabes préislamiques*, segunda edição. Louvain. Publications Universitaires, 1951. J. Starcky, "The Nabataeans. A Historical Sketch", BA, XVIII (1955), 84-106. G. W. Van Beek. "Recovering the Ancient Civilization of Arabia", BA. XV (1952). 2-18. "Frankincense and Myrrh", BA, XXIII (1960), 70-95. Brian Doe, *Southern Arabia*, New York. McGraw-Hill, 1971.

J. A. T.

**ARÁBIA** Uma península a sudoeste da Ásia, com fronteira ao oeste com o Mar Vermelho, ao Sul com o Oceano Índico, a Leste com o Golfo Pérsico, e ao Norte com a atual Jordânia, Síria e Iraque. Sua área é de quase um milhão de milhas quadradas, aproximadamente um terço do tamanho dos E.U.A. continental. Os geógrafos clássicos a dividiram em três partes: Arábia Pétrea, incluindo o Sinai, Edom, Moabe e o Leste da Cisjordânia, nomeada de acordo com a maior cidade da área, Petra; Deserto da Arábia, o deserto da Síria e o central; e a Arábia Felix, a "feliz", área fértil do sul.

Os reinos do sul da Arábia se destacaram devido à sua prosperidade no comércio e especiarias; o reino dos sabeus ou Sebá (Salmos 72.10; Is. 43.3; 45.14), se organizaram pelo menos no início do século X a.C. O reino Mineano de Ma-'in data de aproximadamente 400 a.C. O reino de Qataban do século IV a.C., e os dois reinos Himyarite do primeiro século a.C. ao sexto século d.C. Grande parte da Arábia constitui uma região desértica, exceto por algumas áreas férteis nas montanhas da costa sul, que apresentam chuvas e oásis. Isto inclui as terras bíblicas de Dedã, Tema e Duma, o trajeto das caravanas ao longo dos quais os perfumes do sul da Arábia e produtos da África e Índia eram levados para a Palestina, e de lá para os países mediterrâneos.

As referências bíblicas da Arábia às vezes incluem as porções tanto norte como sul (2 Cr 9.14), mas às vezes indica apenas a porção noroeste, a Arábia Pétrea (Gl 1.17; 4.25). Os muitos lugares da Arábia mencionados na Bíblia mostram um conhecimento adiantado e detalhado deste país e incluem Buz, Dedã, Duma, Efá, Havilá, Hazar-Mavé, Hazor (Jr 49.28), Massá, Messa, Midiã, Parvaim, Ramá, Sabtá, Sebá, Sefar, Sabá (chamada "o sul" em Mateus 12.42), a "região montanhosa do Leste" (Gn 10.30). Alguns fatos Bíblicos importantes aconteceram na porção noroeste da Arábia, como a lei dada no Sinai e a peregrinação no deserto.

Os produtos da Arábia mencionados na Bíblia incluem incensos e perfumes (1 Rs 10.2,10), ouro (1 Rs 10.2,10,15), pedras preciosas (Ez 27.22), ônica (Êx 30.34), coral e pérolas (Jó 28.18), camelos (Gn 37.25), carneiros e bodes (Ez 27.21), jumentos (Nm 31.28), cavalos (Jó 30.19-25), palmeiras (Êx 15.27). Desde 1932 d.C. o petróleo tem sido comercializado dos maiores depósitos de petróleo conhecidos no mundo.

Os animais selvagens relacionados com a Arábia mencionados na Bíblia são leões (Jó 38.39,40, não mais encontrados na Arábia), cabras monteses (Jó 39.1-4), jumentos

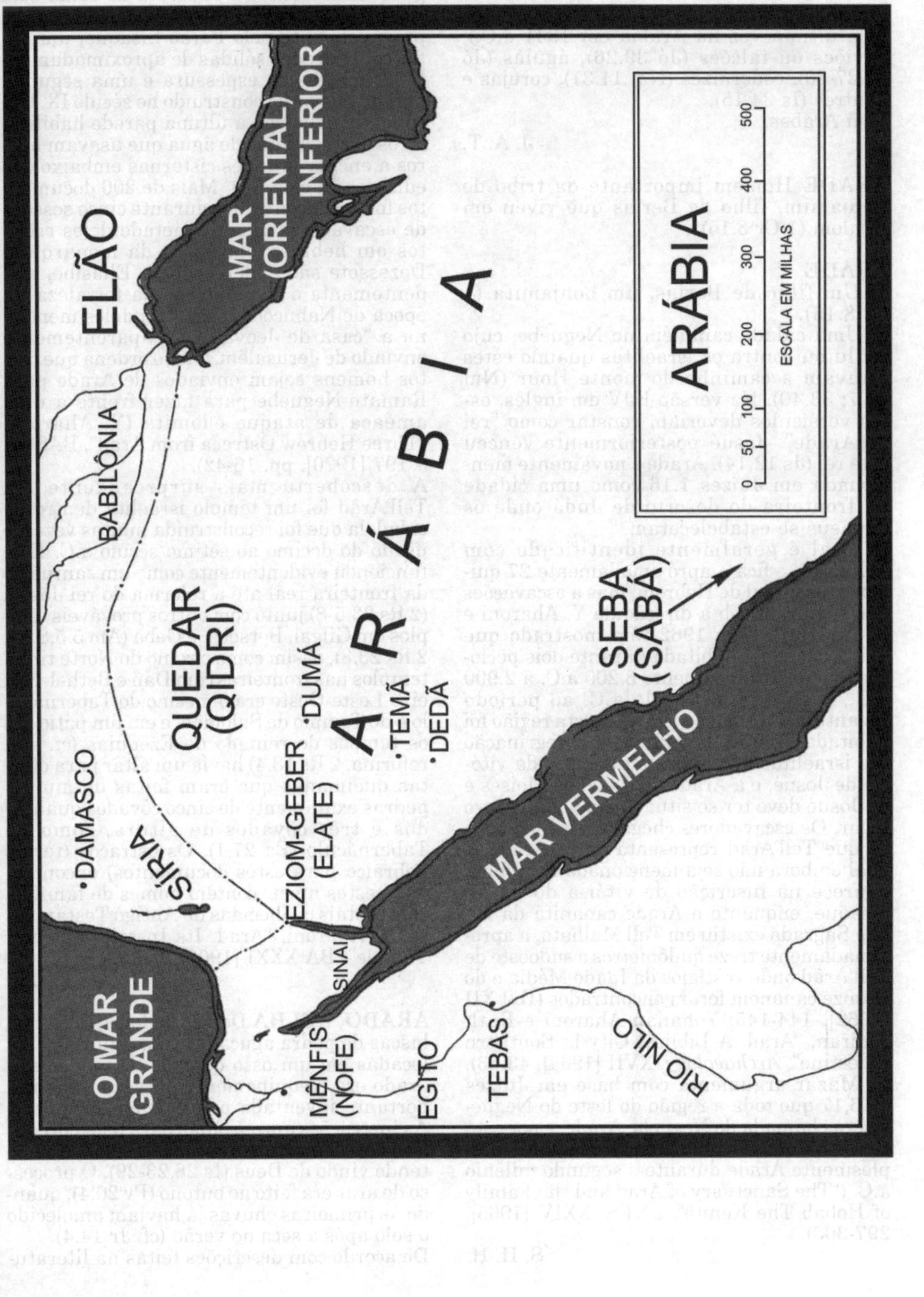
O MAR GRANDE
MENFIS (NOFE)
EGITO
TEBAS
RIO NILO
SINAI
EZIOM-GEBER (ELATE)
DAMASCO
SÍRIA
QUEDAR (QIDRI)
DUMÁ
TEMÃ
DEDÃ
BABILÔNIA
ELÃO
MAR (ORIENTAL) INFERIOR
A R Á B I A
MAR VERMELHO
SEBA (SABÁ)
ARÁBIA
ESCALA EM MILHAS
0 50 100 200 300 400 500

monteses (Jó 39.5-8), bois selvagens ou unicórnios (Jó 39.9-12, agora extintos) chacais e hienas (Is 34.13,14), gazelas ou corças (Is 13.14), serpentes venenosas (Nm 21.6), e serpentes voadoras (Is 14.29). Os seguintes pássaros são relacionados à Arábia: corvos (Jó 38.41), avestruzes (Jó 39.13-18, vistos pela última vez na Arábia em 1941 d.C.), gaviões ou falcões (Jó 39.26), águias (Jó 39.27-30), codornizes (Nm 11.31), corujas e abutres (Is 34.15).
*Veja* Árabes.

J. A. T.

**ARADE** Homem importante da tribo de Benjamim, filho de Berias que viveu em Aijalom (1 Cr 8.15).

**ARADE**
1. Um filho de Berias, um benjamita (1 Cr 8.15).
2. Uma cidade cananéia no Neguebe, cujo rei lutou contra os israelitas quando estes estavam a caminho do monte Hour (Nm 21.1; 33.40). Na versão KJV em inglês, estes versículos deveriam constar como "rei de Arade". Josué posteriormente venceu este rei (Js 12.14). Arade é novamente mencionada em Juízes 1.16 como uma cidade na fronteira do deserto de Judá onde os queneus se estabeleceram.
O local é geralmente identificado com Tell'Arâd, e fica a aproximadamente 27 quilômetros ao sul de Hebrom, mas a escavações que seguiram sob a direção de Y. Aharoni e R. Amiran desde 1962 têm mostrado que Tell'Arâd só foi habitada durante dois períodos. de aproximadamente 3.200 a.C. a 2.900 a.C., e do décimo século a.C. ao período Bizantino. Conseqüentemente, esta região foi habitada durante o período de peregrinação dos israelitas no deserto e na época da vitória de Josué, e a Arade da época de Moisés e de Josué deve ter se situado em algum outro lugar. Os escavadores chegaram à conclusão de que Tell'Arâd representa outra Arade, a qual embora não seja mencionada na Bíblia, aparece na inscrição de vitória do Faraó Sisaque, enquanto a Arade cananita da Bíblia Sagrada existiu em Tell Malhata, a aproximadamente treze quilômetros a sudoeste de Tell'Arâd onde vestígios da Idade Média e do Bronze cananéia foram encontrados (IEJ XII [1962]. 144-145; Yohanan Aharoni e Ruth Amiran, "Arad. A Biblical City in Southern Palestine", *Archaeology*, XVII [1964], 43-53). B. Mazar argumenta com base em Juízes 1.16,17 que toda a região do leste do Neguebe era chamada de Neguebe Arade, e por esta razão não havia uma cidade chamada simplesmente Arade durante o segundo milênio a.C. ("The Sanctuary of Arad and the Family of Hobab The Kenite", JNES, XXIV [1965], 297-303).

S. H. H.

Durante o reinado de Salomão, um grande e forte quadrado com paredes de casamata com aproximadamente 264 metros de um lado, e um portão da cidade tipicamente Salomônico foi criado em Tell'Arâd para guardar a fronteira sudoeste do reino com Edom. Depois deste forte ter sido destruído, provavelmente pelo Faraó Sisaque, um outro com paredes sólidas de aproximadamente 21 metros de espessura e uma segunda parede menor foi construído no século IX. Um túnel de água sob a última parede habilitava os carregadores de água que usavam burros a encher grandes cisternas embaixo dos edifícios da cidadela. Mais de 200 documentos foram encontrados durante cinco sessões de escavações, mais da metade deles escritos em hebraico da época da monarquia. Dezessete são endereçados a Eliasibe, evidentemente o comandante da fortaleza na época de Nabucodonosor. Um deles menciona a "casa de Jeová" e foi aparentemente enviado de Jerusalém. Outro ordena que certos homens sejam enviados de Arade para Ramate-Neguebe para fazer frente a uma ameaça de ataque edomita (Y. Aharoni, "Three Hebrew Ostraca from Arad", BASOR # 197 [1970], pp. 16-42).
A descoberta mais surpreendente em Tell'Arâd foi um templo israelita dentro da cidadela que foi reconstruída muitas vezes, e usado do décimo ao sétimo século a.C. Este funcionou evidentemente como um santuário da fronteira real até a reforma do rei Josias (2 Rs 23.5-8) junto com outros prováveis templos em Gilgal, Berseba, e Geba (Am 5.5,8.14; 2 Rs 23.8), assim como o reino do Norte tinha templos nas fronteiras com Dan e Bethel. Seu eixo Leste-Oeste era o mesmo do Tabernáculo e do Templo de Salomão, e em um pátio até os tempos do reinado de Ezequias (cf. sua reforma, 2 Rs 18.4) havia um altar para ofertas queimadas que eram feitas de muitas pedras exatamente de cinco côvados quadrados e três côvados de altura, como no Tabernáculo (Êx 27.1). Os óstracos (termo hebraico para estes documentos) encontradas nestes níveis contêm nomes de famílias sacerdotais conhecidas do Antigo Testamento (Y. Aharoni, "Arad. Its Inscriptions and Temple", BA XXXI [1968], 1-32).

J. R.

**ARADO, RELHA** Depois da foice, feita com lascas de pedra aguçadas como cunhas e colocadas em um osso ou cabo de madeira, o arado era o equipamento agrícola mais importante inventado pelo homem primitivo. As instruções apropriadas para o uso produtivo desse instrumento eram recebidas como tendo vindo de Deus (Is 28.23-29). O processo de arar era feito no outono (Pv 20.4), quando as primeiras chuvas já haviam amolecido o solo após a seca do verão (cf. Jr 14.4).
De acordo com descrições feitas na literatu-

ra pós Bíblica, o antigo arado hebreu não era muito diferente dos arados usados atualmente pelos muitos povos que habitam essas terras. Seu corpo ou suporte era um varapau de madeira sólida de carvalho, azinheira ou de alguma árvore semelhante. Sua pesada extremidade era dobrada para formar a relha (à qual mais tarde foi acrescentada uma ponta de ferro – Isaías 2.4; Joel 3.10; Miquéias 4.3) ou amarrada por correias a uma peça transversal onde a extremidade superior servia como apoio e a inferior como relha. Havia apenas um apoio e uma das mãos do arador ficava livre para usar o aguilhão. Na época bíblica, o arado não traçava grandes sulcos, como os arados modernos, mas simplesmente arranhava o solo em uma profundidade de 7,5 a 10 centímetros polegadas (Sl 129.3).

O jugo era fixado ao varapau do arado na sua extremidade mais leve, e cada um de seus braços fazia parte de uma estrutura que era ajustada ao pescoço do animal. Os animais puxavam o arado lançando o seu peso contra esse jugo. O jugo, naturalmente, precisava ser muito macio para ser "suave" e o peso "leve" (cf. Mt 11.29,30). Geralmente, o peso era suportado por dois animais da mesma espécie, dois bois (Am 6.12; Jó 1.14) ou dois jumentos (Is 30.24). A mistura de animais, que aumentava a dificuldade de um deles por causa da diferença de tamanho, altura ou natureza, era proibida por lei (Dt 22.10). *Veja* Jugo.

Os agricultores abastados tinham condições financeiras para contratar aradores (Lc 17.7; Jó 1.14,15; cf. Is 61.5), e parece que Eliseu tinha onze aradores trabalhando com ele (1 Rs 19.19). O ato de arar tornou-se uma figura do juízo Divino (Mq 3.12), como também do pecado com as suas inevitáveis conseqüências (Jó 4.8; Os 10.13; cf. Gl 6.7). *Veja* Agricultura.

J. W. W.

**ARAMAICO** Um termo geral para alguns dialetos semíticos relacionados ao hebraico. Além de palavras isoladas no Antigo Testamento, o aramaico é encontrado em Esdras 4.8-6.18; 7.12-26; Daniel 2.4*b*-7.28; Jeremias 10.11. Algumas expressões em aramaico ocorrem no Novo Testamento. Alguns dos livros apócrifos e pseudoepígrafos foram originalmente escritos em aramaico. As traduções do Antigo Testamento para o aramaico são chamadas de Targuns. Inscrições no alfabeto aramaico em pedra na Síria datam dos séculos X e XIX a.C.

Em sua elevação até o poder, os assírios desenvolveram o aramaico aberto dentro da linguagem comum do império, para os governantes e mercadores. Inscrições deste aramaico oficial ocorrem em pesos, selos, cerâmica, e nas tábuas cuneiformes como sumários de seu conteúdo. Em Sinjirli, uma estátua de Bar Rekub mostra um escriba escrevendo com letras aramaicas. Há referência ao aramaico como sendo uma língua diplomática em 2 Reis 18.13-37. Uma tigela de bronze com letras aramaicas foi encontrada na Grécia. E inscrições foram encontradas no Egito datando da época do período assírio.

Os impérios neobabilônios (605-538 a.C.) e Persas (538-330 a.C.) utilizaram o aramaico em sua correspondência, da qual amostras abundantes foram encontradas. A coleção de Borchardt tinha treze letras em aramaico escritas em couro. Estas vieram do Egito e eram correspondências oficiais Persas. O aramaico escrito em papiro foi encontrado no Egito, sendo que o mais famoso veio de Elefantine e datava do quinto século a.C. *Veja* Papiro Elefantine.

Durante o exílio, os judeus adotaram o aramaico como sua língua e tomaram emprestada a escrita aramaica para suas Escrituras. Na época do Senhor Jesus, o aramaico galileu era comum. Entre os cristãos que foram ao alto do Vale do Eufrates a língua logo se tornou conhecida como o siríaco, porém escrita de modo diferente.

G. H. L.

**ARANHA** *Veja* Animais: Aranha IV. 1.

**ARÃO** Arão é mais conhecido como líder dos sacerdotes hebreus. Era descendente de Levi, filho de Amram e de sua esposa Joquebede (Êx 6.20). Irmão mais novo de Miriam, ele tinha três anos quando seu irmão Moisés nasceu (Êx 7.7). Teve quatro filhos com sua esposa Eliseba. Nadabe, Abiu, Eleazar e Itamar. Os dois primeiros morreram perante o altar (Lv 10.1,2) e, depois da morte do pai, a sucessão passou para Eleazar (Nm 20.26).

Nos relatos bíblicos, Arão aparece primeiro como assistente de Moisés e seu porta-voz. Em resposta a uma ordem de Deus, Arão, que tinha permanecido no Egito durante os quarenta anos da ausência de Moisés, foi em seguida encontrá-lo na "montanha de Deus" e o reapresentou à comunidade dos hebreus no Egito (Êx 4.27-31). Moisés deveria receber a mensagem diretamente de Deus e era obrigação de Arão transmitir essa mensagem ao povo (Êx 4.16). Arão também acompanhou Moisés quando este foi à presença do Faraó pedir que Israel tivesse permissão de realizar uma festa no deserto (Êx 5.1). Foi Arão que realizou os milagres na presença do Faraó como prova de que sua autoridade vinha do Deus Todo-Poderoso (Êx 7.10). Mais tarde, durante a batalha contra os amalequitas, Arão, com a ajuda de Hur, sustentou as mãos de Moisés até que o povo de Israel fosse vitorioso.

Arão aparece no Monte Sinai como um ancião que, como representante de seu povo, tinha permissão, juntamente com seus dois

A cúpula da Rocha no lugar da eira de Araúna. HFV

filhos, Moisés e mais 70 anciãos de se aproximar da própria presença do Senhor (Êx 24.1-11). Depois, quando Moisés devia se encontrar sozinho com Deus na montanha, ele nomeou Arão como líder interino do povo (Êx 24.13-18). Foi durante esse período de sua maior responsabilidade que Arão traiu tragicamente a confiança nele depositada. Menos de 40 dias depois de ter estado face a face com o Deus de Israel, Arão cedeu à pressão popular e sancionou a volta dos hebreus à idolatria. Quando confrontado com Moisés, ele tentou fugir à responsabilidade de seu papel na apostasia (Êx 32.21-24). É estranho que nenhuma menção tenha sido feita a respeito da punição de Arão.

Mais tarde, sua fraqueza revelou-se no ciúme mesquinho que o levou a juntar-se a sua irmã Miriã, numa queixa contra Moisés pelo fato de esse último ter afirmado ser o porta-voz de Deus, e por causa de seu casamento com uma mulher de origem cusita (Nm 12). Miriam foi castigada, mas Arão novamente não foi disciplinado, talvez por causa de seu cargo de sacerdote. Mais tarde, Arão e Moisés enfrentaram uma rebelião que terminou quando ambos intercederam pelo povo (Nm 16.47). O conseqüente florescer do poder de Arão serviu para justificá-lo, bem como o seu sacerdócio perante toda a nação (Nm 17). Ele morreu no Monte Hor com a idade de 123 anos (Nm 20.28).

A principal importância de Arão foi ter estabelecido o sacerdócio. Ele tinha a responsabilidade de comparecer perante Deus como representante da nação, de interceder pelo povo e oferecer os sacrifícios. O sacerdócio, assim estabelecido, durou até o ano 70 d.C. Embora não tenha sido relacionado entre os heróis da fé (Hb 11), Arão é reconhecido como sendo o sumo sacerdote nomeado por Deus que ajudou a preparar o povo para o sumo sacerdócio maior, que foi o de Cristo (Hb 5.4).

G.A T.

**ARARATE** Um elevado planalto a leste da atual fronteira da Turquia, ao norte da Harã bíblica e a sudeste do Mar Negro. Os Rios Tigre e Eufrates são formados pela confluência de correntes que se originam desta região. O texto em Gênesis 8.4 relata que a arca de Noé repousou "sobre os montes de Ararate" depois do Dilúvio. Isto não significa necessariamente que a arca repousou sobre um dos dois picos que se elevam sobre o planalto. Estes picos, o Grande Ararate, que chega a 17.000 pés acima do nível do mar, e o Pequeno Ararate que chega a cerca de 13.000 pés de altitude, receberam o nome desta região da qual fazem parte, assim como o Sinai pode ser a montanha sobre a qual os mandamentos foram dados, como também pode ser o deserto, ou ainda a península ao redor deste cume. Em 2 Reis 19.37 e Isaías 37.38 na versão KJV em inglês, a expressão "terra de Ararate" é traduzida como "terra da Armênia". Em Jeremias 51.27, os "reinos de Ararate" (Urartu de Akkad, inscrições, e.g. ANET, pp. 305,316) são alguns dos reinos convocados para destruir a Babilônia. *Veja* Armênia.

Desde a Segunda Guerra Mundial, várias expedições exploraram esta região em busca da arca de Noé. Porém seus esforços têm sido freqüentemente dificultados pelas suspeitas soviéticas de que estas expedições envolvem a espionagem nas proximidades da fronteira Russa. Uma grande estrutura de madeira foi encontrada revestida pelo gelo no Monte Ararate. Amostras da madeira levadas do local foram testadas pelo método do carbono 14 para a determinação da idade do material, mas há conflitos na interpretação do resultado. De qualquer forma, estes materiais não parecem datar da época de Noé. Evidentemente serão necessárias muitas investigações posteriores desta área.

G. A. A.

**ARAÚNA** Um jebuseu, habitante de Jebus ("que é Jerusalém", Jz 19.10; 1 Cr 11.4). A forma não semítica deste nome pode se originar dos títulos *arawanis* heteus que significam "nobres", ou do título huriano *iwirne* significando "chefe, governante, senhor". Em 2 Samuel 24.16, este nome é precedido por um artigo definido em hebraico e é explicado no verso 23 como *hammelek*, "o rei". Qualquer que seja o caso, ele tende a confirmar a origem estrangeira ancestral de alguns dos habitantes nativos de Jerusalém (Ez 16.3). Araúna (também chamado de Ornã, 1 Cr 21.15) possuía uma parte do Monte Moriá que ele vendeu ao rei Davi como um lugar para um altar dedicado a Jeová. Deus havia castigado Israel com uma praga de três dias e 70.000 pessoas morreram por causa do pecado do rei Davi de contar o povo (2 Sm 24.10-15; 1 Cr 21.1,8-14). De acordo com as instruções de Deus, o profeta Gade disse ao rei que construísse um altar naquele local. Araúna teria dado a terra e o gado em sacrifício, mas Davi entendeu que deveria pagar integralmente (50 ciclos de prata em 2 Samuel 24 e 600 ciclos de ouro em 1 Crônicas 21. Provavelmente o valor mais alto se refira à aquisição de toda aquela área). O Céu respondeu enviando fogo para consumir as ofertas de Davi (1 Cr 21.26) e Jeová interrompeu a praga. Davi determinou que este seria o local para o Templo, e foi ali que Salomão mais tarde o construiu (2 Cr 3.1).

W. G. B.

**ARAUTO** Aquele que anuncia ou proclama uma mensagem. A palavra é encontrada se referindo àquele que anunciou a proclamação do rei (Dn 3.4). Em Isaías 40.9 a palavra é usada como uma referência a Sião-Jerusalém como o "anunciador de boas-novas", embora Isaías 41.27 mencione um profeta enviado por Deus como o "anunciador de boas-novas". Em 2 Pedro 2.5, Noé é chamado de "pregoeiro de justiça". *Veja* Embaixador; Evangelista; Mensageiro; Pregador.

**ARBA** Um líder dos anaquins e fundador da cidade de Hebrom (Js 14.15), cujo nome original era Quiriate-Arba, que significa "cidade de Arba" (também Js 15.13; 21.11).

**ARBATITA** Abi-Albom, um dos homens poderosos de Davi foi assim chamado (2 Sm 23.31; c.f. 1 Cr 11.32). A palavra indica um habitante de Bete-Arabá.

**ARBITA** Um habitante da cidade de Arabe (Js 15.52). Paarai, é designado como um dos guerreiros de Davi (2 Sm 23.35).

**ÁRBITRO** Um juiz, mediador ou árbitro. Nas passagens em que a versão KJV em inglês faz a tradução da palavra como "árbitro", a versão RSV usa o termo "moderador". A palavra "árbitro" se origina da expressão "juízo humano" (1 Co 4.3) no sentido do dia determinado para o julgamento de um homem. Jó 9.33 diz: "Não há entre nós árbitro que ponha a mão sobre nós ambos". No oriente, o árbitro coloca suas mãos sobre ambas as partes para mostrar sua autoridade e seu desejo de proferir um veredicto imparcial. Uma boa ilustração do árbitro ou mediador é encontrada em Jesus Cristo (1 Tm 2.5).

**ARBUSTO ou MOITA** Um denso aglomerado de ervas. O termo arbusto é geralmente utilizado para traduzir cinco termos hebraicos: (1) *s^ebak* e (2) *s^ebok*. Estes dois termos relacionados significam uma mescla de expressões como nos seguintes textos. "Um carneiro preso pelos chifres entre os arbustos" (Gn 22.13); "Um leão subiu da sua ramada" (Jr 4.7); ou pode se referir simplesmente ao denso crescimento de uma floresta (Is 9.18; 10.34; Sl 74.5). (3) O termo hebraico *hoah*, literalmente, "espinho" é traduzido como "espinhais" em 1 Samuel 13.6. Em algumas versões é interpretado como "buraco" (heb. *horim*), baseado em 1 Samuel 14.11. (4) O termo hebraico *'ab* (Jr 4.29) é a raiz da palavra que significa densidade (por exemplo, referindo-se a uma floresta). (5) O termo hebraico *ya'ar* (Is 21.13), que normalmente significa "floresta". *Veja* Plantas: Arbusto.

**ARCA DA ALIANÇA** Esta era um baú feito de madeira de acácia, de quatro pés de comprimento, e dois pés e meio tanto de largura quanto de altura. Era revestida de ouro por dentro e por fora (Êx 25.11), e tinha um anel de ouro em cada extremidade ou pé através do qual estacas eram passadas para carregá-la. A tampa da arca, o *kapporeth* ou o "propiciatório" (Êx 25.17), era feita de ouro puro. Em cada extremidade do propiciatório, havia um querubim feito de ouro batido.

A arca (*'aron*) é mencionada 200 vezes no Antigo Testamento sob 22 designações diferentes. É chamada de arca (Êx 25.14), arca do Senhor (1 Sm 4.6), arca de Deus (Elohim, 1 Sm 4.18), arca da Aliança (Js 3.6), e arca do Testemunho (Êx 25.22). Esta terminologia variada empregada em referência à arca, pode refletir uma diferença em datas e autoria de várias fontes, mas não necessariamente.

A arca parece ter servido a várias funções durante a sua história. Foi construída por Moisés (Dt 10.5), mais especificamente por

Bezalel (Êx 31.2,6,7; 37.1-9), no Sinai. De acordo com Números 10.33-36 ela serviu como um guia para Israel no deserto, e Números 14.44 acrescenta que quando os rebeldes em Cades-Barnéia foram possuir a terra prometida, nem Moisés, nem a arca foram com eles. Nestas passagens, a arca serve como um símbolo da presença de Deus. A arca é considerada como um trono de Deus (1 Sm 4.4; 2 Sm 6.2; cf. Jr 3.16).

A idéia da arca como um paládio de guerra é muito comum no Antigo Testamento. A arca teve muita proeminência na história da conquista de Jericó (Js 6–7), e na luta com os filisteus quando a arca foi capturada (1 Sm 4.11), ocasião em que foi dito, "foi-se a glória de Israel" (1 Sm 4.21). Mesmo com a derrota que sucedeu por culpa de Israel, Deus não abandonou o seu trono na arca, mas causou uma devastação entre os captores filisteus. O poder da arca pode ser visto nas maldições que esta trouxe aos filisteus (1 Sm 5) e sobre Uzá (2 Sm 6.7). G. Henton Davies argumentou que a arca pode ser mencionada inúmeras vezes nos Salmos sob o termo *'oz*, "força" (cf. "The Ark in The Psalms", *Promise and Fulfillment*, F. F. Bruce, ed.; cf. também Salmos 132.8; 78.59-61; 105.4).

O local tradicional onde Moisés foi resgatado do Nilo. HFV

Uma outra função da arca era servir como o local de armazenagem das tábuas da lei ou aliança. Este conceito é refletido no nome "arca do Testemunho" (Êx 25.16; Nm 4.5; Js 4.16).

Quando a arca foi devolvida pelos filisteus, ela veio a Bete-Semes (q.v.), e então foi removida para a casa de Abinadabe em Quiriate-Jearim onde permaneceu por aproximadamente vinte anos (1 Sm 7.2). Embora a arca estivesse agora em Israel, estava, provavelmente, ainda sob o controle dos filisteus. Este fato explicaria por que Saul não tinha nada a ver com a arca e por que "lamentava toda a casa de Israel após o Senhor" (1 Sm 7.2).

Quando Davi chegou ao trono, ele estabeleceu que Jerusalém seria a capital política e religiosa de toda a nação de Israel. Fazendo isto, ele levou a arca para Jerusalém e fez dela o centro da adoração (2 Sm 6; Sl 132). Salomão construiu seu Templo para abrigar a arca (1 Rs 6.19; 8.1-9). Deste ponto em diante, os livros históricos raramente mencionam a arca (cf. 2 Cr 35.3). De qualquer forma, é muito provável que ela tenha sido usada em algumas das grandes festas religiosas em Jerusalém durante a monarquia. Pelo menos quatro Salmos (24, 68, 118, 132) refletem uma procissão de culto ao redor de Jerusalém, provavelmente durante uma das mais importantes festas, durante as quais a arca pode ter sido carregada na frente pelos sacerdotes (cf. Sl 68.24,25; 118.26,27; 24.7-10; 132.8,9).

O destino final da arca é um mistério. Uma referência a ela em Jeremias 3.16 parece sugerir que ela foi destruída ou capturada (pelos babilônios em 586 a.C.). O profeta estava dizendo que em dias vindouros a arca (como o trono de Deus) não seria perdida, lembrada ou feita novamente, porque Jerusalém deveria ser chamada de trono de Deus. Há uma tradição apócrifa encontrada em 2 Esdras 10.22; 2 Macabeus 2.4,5 que afirma que Jeremias escondeu a arca junto com a tenda e o altar de incenso em uma caverna no Monte Nebo antes de Jerusalém ser destruída. George Adam Smith disse, "isto era algo improvável de ser feito" (*Jerusalém*, Vol. 2, nota de rodapé 4, p. 256).

A arca era um símbolo visível da presença de Deus. Ela havia servido a uma necessidade real no início da história de Israel. Mas, quando surgiu o perigo de tornar-se um amuleto de Israel, Deus permitiu que ela fosse tomada e destruída.

*Veja* Tabernáculo.

***Bibliografia.*** Frank M. Cross Jr., "The Priestly Tabernacle", *The Biblical Archaeologist Reader*, ed. por G. Ernest Wright e David Noel Freedman, Anchor Books, Vol. I, Garden City. Doubleday, 1961. G. Henton Davies, "The ark of The Covenant", IDB, I, 222-226. Roland de Vaux, *Ancient Israel*, trad. por John Mc Hugh, New York. McGraw Hill 1961, pp. 297-301. Walther Eichrodt, *Theology of the Old Testament*, trad. por J. A. Baker, Philadelphia. Westminister, I (1961), 107-112. Gerhard von Rad, "The Tent and the Ark", *The Problem of the Hexateuch and Other Essays*, trad. por E. W. Trueman Dicken, Edinburgh. Oliver & Boyd, 1966, pp. 103-130. Marten H. Woudstra, *The Ark of the Covenant*, Philadelphia. Persbyterian and Reformed, 1965.

R. L. S.

**ARCA DE JUNCO** Quando a mãe de Moisés não pôde mais escondê-lo, colocou-o em uma arca feita de junco ou papiro, calafetada com betume e piche (Êx 2.3), para evitar que o bebê fosse morto de acordo com o cruel decreto do Faraó (Êx 1.22). Este tipo de junco (q.v.) era comum nas margens do Rio Nilo. Não há evidências concretas de que a mãe de Moisés tenha usado varas de papiro para o pequeno cesto, porque ela estava seguindo uma antiga crença de que tal tipo de junco era efetivo na defesa contra ataques de crocodilos.

**ARCA DE NOÉ** A arca de Noé era um barco colossal que Deus mandou Noé construir com o propósito de manter vivos membros de sua família e dois de cada tipo de animais terrestres em virtude do dilúvio universal (*veja* Dilúvio), que acometeria a terra daí a 120 anos (Gn 6.3,14-21). A arca (do hebraico *teba*, do egípcio *db't*, significava "arca", "caixa" ou "caixão" e é encontrada somente em Êx 2.3,5) não era um navio com lados inclinados, timão, e mastro, antes, era uma barca de armazenamento, para apenas boiar e resistir ao impacto das ondas. Com este formato, sua capacidade de carga era um terço maior do que a de um navio de comprimento e largura semelhantes, e seria quase impossível que ela virasse de cabeça para baixo.

A arca foi construída de madeira de gofer (cipreste?) e era protegida por uma camada interna e externa de betume (Heb. *koper*). Três pavimentos eram divididos em dependências (Heb. *qinnim*, "ninhos"). Ao redor de toda a embarcação, logo abaixo do teto havia uma abertura para a luz; e de um dos lados havia uma porta (Gn 6.14-16). Veja Alexander Heidel, *The Gilgamesh Epic and Old Testament Parallels*, pp. 233-35; e Bernard Ramm, *The Christian View of Science and Scripture*, pp. 299-31.

A arca tinha 300 côvados de comprimento, 50 de largura e 30 de altura (Gn 6.15). Assumindo que o côvado hebraico básico era de 17.5 polegadas (cf. R. B. Y. Scott, "Weights and Measures of the Bible", BA. Maio de 1959, pp. 22-27), a arca tinha 144,4 metros de comprimento, 24 de largura e 14,4 de altura. Uma vez que tinha três pavimentos, a área total da arca era de aproximadamente 10.345 metros quadrados. O volume total da arca seria de 1.396,000 pés cúbicos (50.168 metros cúbicos), tendo capacidade para 13.960 toneladas, o que está dentro da categoria de navios de metal de grande porte que navegam atualmente nos oceanos. Em 1609-21, Peter Janson, da Holanda, construiu um grande modelo da arca e demonstrou a eficiência do seu projeto e proporções. Até a metade do século dezenove de nossa era não havia nenhum navio construído com dimensões que excedessem as da arca.

Noé e seus filhos provavelmente contrataram muitos homens para ajudá-los na construção da arca. Pela própria natureza do caso, o projeto deve ter atraído a atenção mundial, e a rejeição universal dos avisos de fé de Noé, durante este período de provação final de 120 anos, foi a base sobre a qual Noé "condenou o mundo" (Hb 11.7). Devemos observar a fé com que Noé construiu a arca, em contraste com a descrença da raça humana "quando a longanimidade de Deus esperava nos dias de Noé, enquanto se preparava a arca; na qual poucas (isto é, oito) almas salvaram-se pela água" (1 Pe 3.20).

Durante mais de um século, os estudiosos têm debatido se a arca era suficientemente grande para carregar dois de cada espécie de animais terrestres do mundo, mais cinco adicionais de cada tipo "limpo". Deve ser reconhecido, em primeiro lugar, que duas ou mais "espécies" similares de taxonomia moderna, podem ser incluídas como um "tipo" em Gênesis. Porém ainda mais importante, é que a vasta maioria de quase um milhão de espécies de nossos dias são formadas por criaturas marinhas, que poderiam sobreviver fora da arca. Um reconhecido taxonomista, Ernst Mayr, catalogou 17.600 espécies de mamíferos, aves, répteis, e anfíbios. Então, podemos assumir que provavelmente não havia mais de 35.000 animais vertebrados na arca, sendo o tamanho médio o de um carneiro. Uma vez que o padrão de um vagão de carga de estrada de ferro de dois andares (com capacidade efetiva de 2.670 pés cúbicos) pode carregar em torno de 240 carneiros, somente 146 vagões seriam necessários para carregar 35.000 animais deste padrão de tamanho. Mas a arca tinha uma capacidade de carga equivalente a 522 vagões de carga; então, é óbvio que era inteiramente adequada para o propósito de Deus (veja John C. Whitcomb Jr, e Henry M. Morris, *The Genesis Flood*, pp. 65-70).

Quando completamente carregada (Gn 6.21), a arca afundou quinze côvados na água, ou a metade de sua altura. Esta parece ser a implicação de Gênesis 7.20 ("quinze côvados acima prevaleceram as águas"), porque se o Dilúvio não tivesse coberto as montanhas e ultrapassado a mais alta em pelo menos quinze côvados, a arca não teria flutuado sobre elas. No mesmo dia em que as águas começaram a diminuir (Exatamente 150 dias após o início do Dilúvio), a arca pousou no pico mais alto dos montes de Ararate (Gn 8.4); porém 221 dias se passaram antes que fosse permitido a Noé desembarcar (8.14-16).

As Escrituras não falam a respeito da história subseqüente da arca. Apesar dos rumores ao contrário, é duvidoso que seus vestígios ainda venham a ser descobertos. Para os cristãos é suficiente o testemunho da Palavra de Deus, de que tal estrutura uma vez tenha existido, e que por mais de um ano tenha servido como o único refúgio da raça humana e o local de sobrevivência dos animais terrestres durante um cataclisma universal. *Veja* Ararate.

***Bibliografia***. Alexander Heidel, *The Gilgamesh Epic and Old Testament Parallels*, 2ª. ed. Chicago. Univ. of Chicago Press. 1949. John C. Whitcomb Jr, e Henry M. Morris, *The Genesis Flood. The Biblical Record and Its Scientific Implications*, Philadelphia. Presbyterian and Reformed, 1961.

J. C. W.

**ARCANJO** Em Efésios 3.10 e 6.12, está claro que existem graduações tanto entre os anjos bons quanto entre os anjos maus. Os anjos maus são liderados por Satanás e os anjos eleitos pelo arcanjo Miguel (Ap 12.7).

A palavra "arcanjo" ocorre somente duas vezes na Bíblia (1 Ts 4.16; Jd 9) e somente um anjo é designado deste modo - Miguel (cujo nome significa "Quem é como Deus"). No Antigo Testamento ele aparece como o anjo guardião de Israel (Dn 10.21; 12.1) e possui grande autoridade (Dn 10.13). Seu poder e autoridade serão usados a favor dos israelitas, particularmente durante o período da tribulação dos filhos de Jacó.

As tradições rabínicas a respeito de Miguel são muitas. Ele é chamado de "grande príncipe e conquistador". O livro (apócrifo) de Enoque refere-se a ele como a um dos arcanjos (implicando na existência de outros).

No Novo Testamento, a voz do Arcanjo será ouvida no retorno do Senhor por seu povo (1 Ts 4.16). Na visão apocalíptica de João, Miguel é visto como o líder dos exércitos de anjos do céu que se posta contra Satanás e sua hoste de anjos maus (Ap 12.7). Como resultado deste conflito, Satanás é lançado fora do céu. A referência em Judas 9 apresenta problemas para algumas pessoas, devido a este anjo ser citado na ascensão de Moisés. Contudo, se uma pessoa acredita que sua inclusão nos textos inspirados garante a precisão dos fatos relatados (mas somente dos fatos que estão incluídos e não a narrativa inteira da ascensão), então aprendemos que o arcanjo (1) tinha algo a ver com o sepultamento de Moisés; (2) não tinha prerrogativa em si para pronunciar o julgamento sobre Satanás; (3) é dependente do grande poder de Deus.

*Veja também* Anjo: Miguel.

C. C. R.

Arco modilhão em Micenas. HFV

**ARCO** A palavra inglesa "arco" ocorre 15 vezes na versão KJV em inglês e somente no plural (Ez 40.16-36). É a tradução de duas formas similares da palavra hebraica *'elam*, que é relacionada ao termo hebraico *'ulam*, "pórtico", "vestíbulo". Estas palavras geralmente significam "pórtico", diferindo de forma sutil na ênfase. Elas designam uma sala de entrada ou um saguão sustentado por pilares ou algum tipo de cobertura na frente de um edifício ou portão. Os três portões principais para o pátio externo do Templo de Ezequiel são descritos como cada um tendo um vestíbulo em sua extremidade interna (Ez 40.7-26), enquanto cada um dos três portões que levam ao pátio interno possui um vestíbulo em sua extremidade externa (Ez 40.27-37).

O arco mais antigo que se conhece na Palestina está em Laquis, em uma residência persa do quinto século a.C. O arco e a abóbada tornaram-se comuns nos grandes edifícios durante o reinado de Herodes, o Grande. O arco como um sustentador de peso foi desenvolvido na Mesopotâmia e, então, imitado por outros países. Esta característica arquitetônica foi aperfeiçoada e amplamente utilizada pelos engenheiros romanos do período do império. Os gregos e os egípcios geralmente empregavam o tipo de construção coluna e verga, embora o arco modilhão fosse usado pelos antigos construtores egeus (como por exemplo, nos túmulos "em forma de colméia" dos micenos).

*Veja* Arquitetura; Pórtico.

H. G. S.

**ARCO E FLECHA** Eram usados como instrumentos de caça ou de guerra desde os primeiros tempos das terras bíblicas. Nas referências da Bíblia, o arco (em hebraico *qeshet)* data desde o período patriarcal onde parece ter sido usado tanto como arma pelos nômades (cf. Gn 21.20) quanto para caça (Gn 27.3). Referências posteriores indicam que o arco tornou-se um equipamento dos guerreiros (Is 13.18). Parece que os filisteus eram extremamente hábeis na arte de manobrar o arco, levando Davi a exigir que os israelitas recebessem um treinamento especial (2 Sm 1.18). Nas mãos do simbólico cavaleiro branco do Apocalipse (Ap 6.2), o arco pode indicar guer-

Um guerreiro assírio, do palácio de Sargão II da Assíria em Khorsabad. LM

ra e conquista ou, como outros interpretam, uma vitória sem derramamento de sangue (sem flechas).

Os primeiros arcos eram confeccionados de madeira, muitas vezes trançada com couro ou casca de árvores para aumentar a sua força. Os Hicsos introduziram o arco combinado que continha lâminas de osso, chifre ou marfim para aumentar sua elasticidade e poder de arremesso. Alguns arcos recebiam até lâminas de bronze com a mesma finalidade (Jó 20.24; Sl 18.34). Alguns eram muito caros e, geralmente, usados por príncipes e líderes. Por exemplo, na campanha do Faraó egípcio Tutmósis III, em Megido (cerca de 1480 a.C.) somente 502 arcos foram recolhidos enquanto mais de 900 carruagens e 2.000 cavalos foram capturados (ANET, p. 237). Nas batalhas, arcos maiores (Zc 9.10; 10.4) eram arremessados colocando-se o pé sobre uma das extremidades do arco e inclinando seu lado superior a fim de esticar a corda. Aparentemente, por causa desse procedimento, os arqueiros ficaram conhecidos pelo nome de "pisadores de arcos". As cordas eram feitas com intestinos de bois.

As flechas eram feitas de bambu, ou de madeira leve, entalhadas em uma extremidade para colocar a corda. A outra extremidade tinha ponteiras de osso, bronze ou pedra. Muitas vezes, essas ponteiras eram farpadas ou mergulhadas em veneno (Jó 6.4).

Arcos são associados na Bíblia, em certa ocasião, com adivinhações ocultas (Ez 21.21) praticadas pelos babilônios, e foram usados em rituais de magia ou simbólicos (2 Rs 13.15-19). O arco e/ou a lança, às vezes simboliza o juízo Divino (Sl 7.13; 38.2; 64.7), a violência (Sl 11.2; 57.4) ou o poderio militar (Gn 49.24; 1 Sm 2.4; Os 1.5). *Veja* Flecheiros; Armadura, Armas, Caçada, Guerra, Equipamento de Guerra.

A. F. J.

**ARCO NAS NUVENS** A palavra comum hebraica para "arco", *qeshet,* é usada em Gênesis 9.13,14,16 para designar o arco-íris que simbolizava o pacto de Deus com a humanidade, pelo qual Ele nunca mais voltaria a inundar a terra com água, como nos dias de Noé. Não está claro se esse fenômeno apareceu pela primeira vez na natureza nesse ponto, como C. F. Keil conclui ao comentar Gênesis 9.8-17 (KD, *Pentateuch,* I, 154), ou se ganhou uma nova importância como um "sinal" aos habitantes da terra.

Tanto Ezequiel (1.28) quanto João (Ap 4.3; 10.1) vêem o arco-íris associado ao trono do juízo de Deus, provavelmente significando a graça e a misericórdia Divina em meio ao julgamento.

**ARDE, ARDITA** Um dos descendentes de Benjamim que fundou o clã no Egito (Gn 46.21; Nm 26.40).

Arde é alternativamente Adar (*q.v.*;1 Cr 8.3).

**ARDON** Um dos filhos de Calebe, da tribo de Judá (1 Cr 2.18).

**AREIA** Produto da ação erosiva das ondas sob as pedras, que contém, em sua maior parte, quartzo insolúvel o qual é deixado quando o conteúdo mais solúvel da pedra é carregado pela água. Na Bíblia Sagrada, a areia é quase sempre associada com a praia, e é geralmente um número grande demais para ser contado (Gn 22.17; Js 11.4; Jr 15.8; Hb 11.12; Ap 20.8). O termo é utilizado uma vez para peso (Jó 6.3).

**AREIAS MOVEDIÇAS ou SIRTE** A única ocorrência deste termo na versão KJV em inglês está em Atos 27.17, onde é utilizado o termo gr. *syrtis*. Este termo refere-se a um banco de areia no Mediterrâneo, especificamente o Sirte (Maior e Menor) ao lado da costa da Líbia. *Veja* Sirte.

**ARELI, ARELITAS** Um dos filhos de Gade que foi ao Egito à casa de Jacó (Gn 46.16). Os arelitas eram descendentes de Areli (Nm 26.17).

O Areópago. HFV

**AREOPAGITA** Um membro do conselho do Areópago. Tal membro é mencionado nas Escrituras, Dionísio (*q.v.*; At 17.34). *Veja também* Areópago.

**AREÓPAGO** Filósofos de Atenas levaram Paulo ao Areópago para ouvir a explicação de seus ensinos. Areópago (At 17.19) é o equivalente à Colina de Marte (At 17.22), por que Marte era o nome romano do deus da guerra e Ares o nome grego. Na verdade, Areópago poderia significar uma colina de cento e vinte e cinco metros em Atenas a noroeste da acrópole, ou o nome do conselho venerável que tradicionalmente se reunia na colina. Na época de Paulo, o conselho, às vezes, reunia-se na ágora, mas, o termo grego em Atos 17.19 provavelmente deveria ser traduzido como "em cima" e parece significar que a reunião do conselho se dava na colina. Atos 17.19, provavelmente, refere-se à colina, e Atos 17.22 ao conselho ("no meio da Colina de Marte" é uma interpretação impossível do grego).
Embora o Areópago já tivesse ocupado um lugar de suprema importância na situação política e religiosa do estado, durante o quinto século a.C. ele perdeu o seu poder político e se tornou uma corte criminal. Na época romana, seu dever era principalmente religioso e educacional. William Ramsay acreditava que o Areópago tinha poder para designar ou convidar oradores de Atenas e que por esta razão Paulo foi levado para diante do conselho. *Veja* Atenas; Dionísio, o Areopagita.

H. F. V.

**ARETAS** Mencionado somente em 2 Coríntios 11.32 no Novo Testamento. O nome era usado pelos reis nabateus da Arábia, cuja capital era Petra. Este era Aretas IV (9 a.C.-40 d.C.), cuja filha era casada com Herodes Antipas (q.v.) até o divórcio, quando ele se casou com Herodias. Como resultado do ato de Herodes, junto com as disputas de fronteiras entre os dois (cf. Jos. *Ant.* xviii. 5.1), Aretas declarou guerra em 36 d.C., uma guerra que resultou na destruição do exército de Herodes.
Provavelmente, foi nesta mesma época que aconteceu o incidente registrado em 2 Coríntios 11.32. A jurisdição exata de Aretas em Damasco não era clara, porque a província da Síria estava oficialmente sob a jurisdição romana. Alguns estudiosos acreditam que o governador ou etnarca de Damasco sob o comando de Aretas era governador somente dos cidadãos nabateus residentes nas adjacências da cidade. Outros supõem que o imperador romano Calígula (37-41 d.C.), pode ter dado o controle de Damasco a Aretas como um gesto de amizade.
*Veja* Damasco; Etnarca.

W. M. D.

**ARFADE** *Veja* Arpade.

**ARFAXADE** Relacionado em Gênesis 10.22,24 como filho de Sem, nasceu 2 anos depois do Dilúvio (Gn 11.10) e viveu até a idade de 438 anos (Gn 11.13). O nome deve se referir não apenas a um indivíduo, mas a uma tribo de pessoas descendentes de Sem. O nome Arrapachitis (Ptol. vi. 1-2), uma região entre os lagos Van e Urmia na Armênia, talvez tenha se originado deste nome.

**ARGOBE**
1. A parte sul de Basã no norte da Transjordânia, estendendo-se ao sul ao rio Jarmuque e a Oeste Gesur e Maaca (Dt 3.4,5,13, 14). Esta região incluía as sessenta cidades fortificadas que compreendiam a porção norte do reino de Ogue. Deve ser distinguida do norte de Gileade; o sul de Jarmuque onde as "cidades sem muros" de Deuteronômio 3.5b (por exemplo, *Havote* Jair, Dt 3.14b; Jz 10.4) estavam localizadas (1 Rs 4.13). Esta distinção, contudo, não está clara em Josué 13.30. Targuns** rabínicos identificam Argobe com Traconites (moderna el-Leja), mas esta é geralmente rejeitada em favor da área mais fértil do Oeste (Driver, *Deuteronomy*, pp. 48-50). Moisés designou esta área a meia tribo de Manassés (Dt 3.13,14). Na organização fiscal e administrativa de Salomão, Argobe era a metade norte do distrito que foi designada ao filho de Geber, um dos doze oficiais administrativos de Salomão, que eram responsáveis pelo suprimento de alimento para a corte (1 Rs 4.13).
**N. do T. Traduções e comentários, em aramaico, de textos do AT.
2. Um israelita nobre associado a Peca (2 Rs 15.25). De qualquer forma, Argobe e Arié possivelmente devessem ser omitidos do v. 25 e adicionados ao v. 29 como nomes de lugares, como ocorre na versão RSV em inglês (cf. também KB; BDB; Kittel marg.. Smith, *An American Translation*. James A. Montgomery, ICC, *The Books of Kings*).

R. V. R.

**ARGOLA DE NARIZ** *Veja* Jóias de Nariz.

**ARGUEIRO** Esta palavra consta em várias versões em Mateus 7.3-5; Lucas 6.41,42. A palavra grega *karphos*, que significa "murchar ou secar", aparece como "lasca" ou "mancha" em algumas traduções. O contraste pretendido por nosso Senhor parece ser basicamente aquele entre um pequenino pedaço de palha, caco, ou pau, assim como uma lasca, farpa, trave, ou lenha. Ele adverte contra a crítica ou a tentativa de corrigir uma falta ou deformidade insignificante de um irmão, quando a própria pessoa tem uma mancha muito mais evidente ou séria. Se não atentar para isso, o Senhor Jesus diz, a pessoa não será simplesmente hipócrita, mas incapaz de enxergar o suficiente para ajudar o seu irmão.

**ARIDAI** Um dos dez filhos de Hamã, assassinado por judeus na história da rainha Ester (Et 9.9).

**ARIDATA** Um filho de Hamã morto em Susã por legalistas judeus (Et 9.8). Este era provavelmente um nome persa de significado incerto.

**ARIÉ** Junto com Argobe, Arié estava envolvido na conspiração de Peca e no assassinato do rei Pecaías (2 Rs 15.25).

**ARIEL**
1. A parte principal do altar de ofertas queimadas no Templo de Ezequiel (Ez 43.15,16). *Veja* Altar.
2. Um líder que Esdras enviou a Casifia, presumivelmente um acampamento babilônio levítico, para buscar ministros para o Templo (Ed 8.16,17).
3. Um nome simbólico para Jerusalém (Is 29.1,2,7). Seu uso favorece o significado da raiz como "coração de Deus" ao invés da raiz semelhante a "leão". Jerusalém sob julgamento divino, apesar de sua associação santa, será como um grande altar sangrento com mortos por todos os lados.
4. Sua menção nos textos hebreus de 2 Samuel 23.20 (ASV/TB) e 1 Crônicas 11.22 (ASV/TB) é enigmática, mas pode sugerir a força de dois assassinados (KJV). Preferivelmente, começando a introdução com "filhos de", a Septuaginta faz deste o nome de um moabita cujos dois filhos foram mortos por Benaia (RSV).

**ARIETE** *Veja* Armadura, Armas.

**ARÍETES** *Veja* Armadura.

**ARIMATÉIA** Uma cidade mencionada somente nos Evangelhos, como a cidade de José, que pediu o corpo de Jesus a Pilatos e o sepultou em sua própria tumba nova (Mt 27.57; Mc 15.43; Lc 23.51; Jo 19.38). A referência de Lucas, que declara que era uma cidade dos judeus, a identificaria com o território de Haramanta (Rathamin) mencionado em 1 Macabeus 11.34 como sendo acrescentado à fronteira norte da Judéia pelo rei Sírio Demétrio II Nicator (145 a.C.) das possessões então pertencentes a Samaria. Eusébio, em sua obra *Onomasticon*, aparentemente a chama de "Remphthis" (Rantis) e a coloca como parte do território da cidade de Dióspolis. Embora às vezes seja chamada de Ramá, esta cidade não deve ser confundida com Ramá em Benjamim (Ramleh ou er-Ram) que está situada a aproximadamente 10 quilômetros ao norte de Jerusalém. De qualquer forma, Arimatéia é identificada por alguns como Ramataim-Zofim ("as duas Ramás" ou "as altitudes gêmeas") na terra de Efraim onde Samuel nasceu (1 Sm 1.1,19). A localização exata ainda permanece incerta embora muitos entendam que ela esteja situada a aproximadamente 30 quilômetros ao norte de Tel-Aviv e Jope. *Veja* Ramá.

A. F. J.

**ARIOQUE**
1. O rei de Elasar, uma das coalizões Mesopotâmias que lutaram com êxito em uma campanha contra as cidades rebeldes de Arabá (Gn 14.1,9), capturando Ló que foi resgatado por Abraão. Ele não é claramente identificável em fontes extrabíblicas. Os esforços mais recentes, através das tábuas de Mari, para equipará-lo a Arriwuk, filho de Zimrilin de Mari, seria datado do século XVII a.C., aparentemente tarde demais para Abraão (cf. Gehard von Rad, *Genesis*, p. 171; Martin Noth, VT, I, 136-140; W. F. Albright, "Archaeology of Palestine", *Old Testament and Modern Study*, p. 7; H. H. Rowley, *From Joseph to Joshua*, pp. 63-66). A semelhança mostra que Arioque era um autêntico nome huriano durante o segundo milênio a.C. no norte da Mesopotâmia. *Veja* Abraão; Elasar.
2. O capitão da guarda de Nabucodonosor, foi encarregado de matar os homens sábios por sua incapacidade de contar a Nabucodonosor o seu sonho (Dn 2.14,15,24,25). Sua tarefa nunca foi executada. Ele informou Daniel, que através da revelação divina teve êxito onde outros homens sábios falharam.

R. V. R.

**ARISAI** Um filho de Hamã, morto na vingança dos judeus sob o governo da rainha Ester (Et 9.9).

**ARISTARCO** Um macedônio de Tessalônica (At 19.29; 27.2), provavelmente de origem judaica (Cl 4.10-11), que acompanhou Paulo em sua terceira viagem missionária. Em Éfeso, ele foi arrastado para o teatro na confusão dos artesãos da prata (At 19.29). De lá ele partiu com Paulo da Macedônia para a Grécia (At 20.2), e com outros velejou diretamente para Trôade onde esperou a chega-

Um painel persa mostrando lanceiros da guarda, do palácio em Susã. LM

da de Paulo que seguiu pelo caminho de Filipos (At 20.3-6). Aristarco velejou com Paulo para Roma para o julgamento (At 27.2), e evidentemente compartilhou seu aprisionamento (Cl 4.10). As referências alternadas de Paulo a ele como seu "companheiro de prisão", e a ele e Epafras como seus "cooperadores" nas saudações finais podem sugerir que este tenha sido um ato voluntário entre estes dois amigos fiéis (cf. Fm 23.24). De acordo com a tradição ele foi martirizado sob o governo de Nero.

**ARISTÓBULO** Paulo enviou saudações "aos da família [ou casa] de Aristóbulo" (Rm 16.10). O ponto de vista conhecido de Lightfoot é que este homem era irmão de Herodes Agripa I e que estas pessoas eram seus escravos, agora propriedade do imperador. Bruce sugere que o próximo versículo, "Saudai a Herodião, meu parente" (Rm 16.11), é deste modo muito adequado. Possivelmente, Herodião tenha sido um membro do grupo de empregados de Aristóbulo.

**ARMA** *Veja* Armadura; Guerra

**ARMADILHA** Um instrumento de caça para capturar animais, feito de uma estrutura de madeira, esticada com uma rede e levantada de forma a ser disparada pela presa em sua tentativa de obter a isca, ou armada manualmente pelo caçador. A palavra "armadilha" é usada cinco vezes nas versões KJV e ASV em inglês, e 12 vezes na versão RSV em inglês. Nestas três versões é a tradução do termo hebraico *moqesh* (Js 23.13; Sl 69.22), dos termos *mashhit* (Jr 5.26), *malkodet* (Jó 18.10), e do grego *thera* (Rm 11.9, uma citação livre do Salmo 69.22 na Septuaginta. O termo *thera* é uma redundância que não ocorre no texto original). Em outras versões, a palavra "armadilha" é usada para traduzir o termo hebraico *pah* (Jó 18.9; Sl 140.5; 141.9; 142.3; Is 8.14; Am 3.5) e *mazor* (Ob 7, também com o sentido de laço). O termo "armadilha" freqüentemente ocorre com a palavra sinônima "laço" e é usada metaforicamente como uma referência a um desastre súbito e inesperado, ou para as ciladas dos ímpios contra os justos. *Veja* Rede; Caçada; Laço.

E. R. D.

**ARMADILHA ou LAÇO** Qualquer um dos diversos artifícios que têm a finalidade de capturar pássaros (Sl 91.3; 124.7) ou outros animais (Jó 40.24), algumas vezes através do uso de iscas. As diferenças precisas entre os termos traduzidos são incertas, e algumas vezes parecem ter sido usados sinônimos; no entanto, o paralelismo talvez não seja uma orientação segura.

Algumas armadilhas eram laços de fio ou corda que se amarravam ao redor do pescoço ou pés da vítima; outras tinham duas braçadeiras que se fechavam juntas como um alçapão (Jó 18.9; 40.24). Havia redes que caíam sobre as vítimas e as prendiam em suas malhas (Ez 17.20), ou surgiam de baixo (Am 3.5). A armadilha poderia ser uma rede camuflada sobre uma cova em que a vítima cairia (Sl 141.9,10), ou colocada de um lado da cova (Jr 18.22; 48.43,44). Estes artifícios eram disparados automaticamente (Am 3.5) ou eram operados à distância (Jr 5.26). *Veja* ANEP #189.

Os elementos de disfarce, surpresa e de isca atrativa que levavam a conseqüências terríveis tornaram óbvio o uso metafórico: os cananeus (Dt 7.16) e os seus deuses (Jz 2.3) seriam armadilhas ou laços para Israel; a meretriz para aquele que a seguisse (Pv 7.23); as riquezas para o homem que procurava fortuna (1 Tm 6.9). A rapidez e a finalidade da armadilha tornaram-na uma metáfora adequada para a morte (Sl 18.5) e o retorno de Cristo (Lc 21.35; cf. também Js 23.13; Jó 22.10; Sl 119.110; Êx 10.7; Is 8.14). *Veja* Passarinheiro; Laço; Caça; Rede.

R. V. R.

**ARMADURA, ARMAS** Vários tipos de armas são freqüentemente mencionados na Bíblia, tanto de forma literal como figurada (como ilustração da batalha espiritual), embora haja pouca descrição detalhada de diferentes armas. Entretanto, sabe-se que as armas das nações do Oriente Próximo eram basicamente as mesmas, com certas modificações e variações. Representações em esculturas das armas dos assírios, caldeus, egípcios, e heteus sobre os seus monumentos antigos, nos ajudam a conhecer melhor como deveriam ser as armas de guerra dos hebreus.

### Armas de Ataque

*Martelo ou bastão* era o instrumento mais simples. Possuía na sua extremidade um peso que podia ser uma pedra ou cabeça de metal como um porrete. Podia ser uma arma bem ameaçadora se usada como autodefesa

Um arqueiro assírio estende seu arco. Do palácio de Assurbanipal, século VII a.C. LM

Dois servos assírios armados com espadas, do palácio em Khorsabad, século VIII a.C. LM

ou no ataque a um inimigo (Pv 25.18). Podia ser carregado na mão ou preso ao pulso com um laço. *Veja* Maça: Clava.

*Funda* era outro instrumento simples entre os mecanismos mais antigos de batalha (Jó 41.28), usada normalmente pelos pastores para afugentar animais que tentassem atacar, molestar seu rebanho ou afastar as ovelhas desgarradas. *Veja* Funda. A funda era geralmente feita com uma tira de couro, embora algumas vezes fosse trançada em uma cinta de folhas, pêlos ou fibras de animais, que era mais larga no meio, cerca de cinco centímetros, onde formava uma cavidade em que se colocava um objeto liso. Depois de girá-la várias vezes em volta da cabeça com bastante força, soltava-se uma das tiras da funda para liberar o projétil. Tanto pedras quanto bolas de chumbo eram utilizadas. Eram carregadas em um saco ou empilhadas aos pés do soldado. Elas podiam ser arremessadas a uma distância de aproximadamente 200 metros!

*Fundas* faziam parte do armamento do exército e, às vezes, algumas nações empregavam um grande número delas como parte da infantaria leve, junto com os flecheiros. Esta arma é lembrada por ter sido usada por Davi para matar o gigante Golias (1 Sm 17.40-50). Os 700 canhotos benjamitas escolhidos eram reconhecidos por sua habilidade e precisão com a funda (Jz 20.16).

*Arco* e *flecha* representavam uma arma de guerra muito importante, assim como para a caça, e eram tidos como as principais armas ofensivas. Evidências indicam que foram usados primeiramente pelos hebreus (Gn 21.20; 27.3; 48.22). Seu uso não era limitado aos soldados comuns, mas aos capitães da alta hierarquia e até mesmo aos filhos dos reis, que empregavam o arco e flecha com muita habilidade (2 Rs 9.24; 1 Sm 18.4). A tribo de Benjamin parece ter sido particularmente especialista na arte de manobrar o arco e a flecha (1 Cr 8.40; 12.2. 2 Cr 14.8; 17.17). *Veja* Arco e Flecha; Flecheiro.

Os arcos eram feitos de madeira flexível e seca, cobre ou bronze, e podiam variar bastante em tamanho e estilo. A corda era feita de trepadeiras, corda natural, couro, ou intestinos de animais. O arco era encordoado à mão, geralmente inclinando-o com o pé, pois era necessário muita força. As flechas, feitas de junco ou madeira leve, tinham nas pontas uma pedra afiada, bronze e ferro, que eram sempre envenenadas e preparadas com farpas. Elas tinham cerca de 75 centímetros de comprimento e possuíam asas com 3 fileiras de penas. Em tempos de cerco elas eram mergulhadas em piche, envoltas em fibras de linho ou cânhamo, e inflamadas para incendiar. As aljavas aonde se colocavam as flechas, eram carregadas nas costas dos soldados, do lado, ou amarradas em um carro de guerra. Os flecheiros montados ou a pé formavam um formidável elemento de forças de combate.

*Azagaia*, *lança* ou *dardo* tinha uma haste de madeira de vários comprimentos e pesos com uma ponta ou cabeça de metal feita de latão ou ferro, geralmente com uma ponta dupla. As lanças da infantaria eram menores (da estatura de um homem) do que as da cavalaria. Os dardos eram geralmente mais leves e pequenos do que as lanças. Quando não estavam em uso, estas armas eram carregadas entre os ombros dos soldados (1 Sm 17.6). Elas eram empregadas pelas tropas das forças armadas e usadas tanto para apunhalar como para arremessar. Cravada no chão na frente de uma barraca, a lança indicava os aposentos ou quartel general do rei (1 Sm 26.7). Foi com a lança mais pesada, *hanit*, a arma favorita de Saul, que ele atacou Davi (1 Sm 18.11; 19.10) e mais tarde Jônatas (1 Sm 20.33), e não com uma azagaia. Havia também um projétil mais leve chamado dardo, mas pouco se sabe sobre ele.

*Espada* ou *adaga* (heb. *hereb*) é a arma mais freqüentemente mencionada na Bíblia, sendo usada tanto para ataque como para defesa. A lâmina era feita de ferro ou bronze variando grandemente em comprimento, peso e estilo, e geralmente tinha duas pontas. Normalmente ela ficava pendurada do lado esquerdo do cinturão, alojada na bainha. O cabo era repleto de adornos, especialmente naquelas que pertenciam aos reis.

A espada era usada para bater, cortar e apunhalar. Pequenas espadas ou adagas às vezes tinham 3 lados e eram carregadas debaixo do cinto ou da roupa (Jz 3.16,21). Nas mãos de um soldado habilidoso, a espada era uma arma mortal e muito temida.

*Alabardas* e *maças* estavam entre as armas mais primitivas. Eram usadas para partir, como porretes, e como projéteis de lançamento. As maças de madeira eram cobertas com bronze, desenhos de guardas com mão de metal e pontas de ferro. Eram usadas pela infantaria pesada em luta corpo a corpo, e também pelos cocheiros. As alabardas tinham cerca de setenta centímetros de comprimento ou mais, tinham lâminas de metal de formas variadas (curvas ou circulares), e eram empunhados por homens da infantaria para desmantelar os portões e as torres dos inimigos (Ez 26.9). *Veja* Machado.

*Carros de guerra* não eram usados pelos israelitas até a época de Salomão, que construiu 4000 estrebarias para seus cavalos e carros (1 Rs 4.26). Eles pareciam carros em forma de caixa, fechados na frente e abertos atrás, provavelmente feitos de madeira e revestidos de ferro ou bronze, apoiados em um eixo que conectava as duas rodas. Normalmente três pessoas ocupavam o carro; o motorista, o guerreiro e o escudeiro. *Veja* Biga.

Armas de cerco como o *aríete*, *engenho* e *catapulta* eram usados para quebrar paredes, atirar pedras, flechas, dardos e outros objetos (acima de 130 quilos de peso; alguns mísseis podiam ser arremessados a uma distância superior a 400 metros). Alguns aríetes

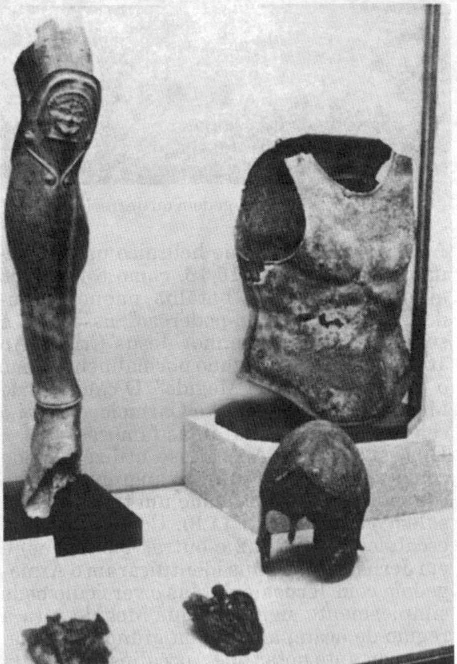

Armadura grega do século V a.C. BM

O rei Assurnasirpal II da Assíria em sua biga

precisavam de 200 homens para que fossem movidos; outros eram pendurados em torres móveis e eram instrumentos ameaçadores de guerra. Os hicsos construíram trincheiras de água para defender suas cidades contra aríetes em 1600 a.C.

### Armas de Defesa

*Escudo* ou *broquel* era a arma mais antiga e comum de defesa. Os israelitas tinham principalmente dois tipos. Um escudo largo (*sinna*) usado pela infantaria pesada, que cobria o corpo inteiro e tinha forma oval ou retangular (Sl 5.12; 2 Cr 11.12; 25.5). Às vezes era empregado um escudeiro especial. Um escudo pequeno e leve (*magen*), usado pelos arqueiros em lutas corpo a corpo; este era redondo (2 Cr 17.17). Os escudos eram feitos de madeira ou vime coberto com couro, embora o bronze e o cobre também fossem usados. Eles eram polidos com óleo para preservá-los e brilharem na luz do sol (2 Sm 1.21; Is 21.5). Os escudos decorativos eram chapeados ou feitos de ouro; quando não estavam sendo usados, eram presos sobre os ombros e cobertos (Is 22.6).

*Capacetes* eram feitos de diferentes materiais e de várias formas pelas nações antigas. Originalmente, pareciam-se mais com um solidéu usado apenas pelas pessoas mais ilustres, porém mais tarde se tornou comum que os soldados os usassem como proteção. Eram feitos de materiais como madeira, linho, junco, couro, feltro e latão. Os capacetes também podiam ser providos de abas e cobertos com escamas de metal para proteger os ouvidos, pescoço e ombros. *Veja* Capacete.

*Capa*, *cota de malha*, *couraça* ou *peitoral de guerra* também eram usados a princípio apenas por homens ilustres. Em um período posterior, quando os soldados eram providos com tais armaduras de corpo, elas eram feitas de couro, linho ou feltro, enquanto que a dos líderes eram feitas de bronze. Geralmente protegiam a parte de trás do corpo, e também peito; às vezes tinha abas de couro que pendiam da cintura. Alguns estilos possuíam pequenas placas de ferro colocadas uma perto da outra e costuradas em uma jaqueta de couro. Os "pregos" usados nesta construção pareciam broches, que eram usados para fixar as escamas de metal. Lâminas menores, escamas e filas mais estreitas eram usadas onde era necessário maior flexibilidade, como no pescoço e na garganta. Algumas armaduras cobriam as coxas até os joelhos, com um cinturão na cintura para evitar que se pressionasse muito os ombros. Na maioria das vezes era empregada uma segunda peça para cobrir o corpo abaixo da cintura, como uma blusa curta separada do cinturão. Fios de rede também eram usados para cobrir a parte superior do corpo. Os reis e os principais guerreiros usavam armaduras longas que iam do tornozelo aos joelhos. *Veja* Couraça; Armadura: Armas de Defesa.

*Cinturão,* onde a espada ficava pendurada, era de couro com tachas ou lâminas de metal. Com a armadura leve, ele era largo e ficava em volta dos quadris. Sabe-se também que podia ser usado nos ombros como um cachecol.

*Grevas,* era uma armadura que protegia a perna entre o joelho e o tornozelo, muito usada entre os antigos, mas aparentemente não era muito comum entre os israelitas. Feita de latão ou couro, era amarrada com correias em volta da perna e acima do tornozelo. Botas militares são mencionadas em Isaías 9.5 como botas curtas de couro com tachas pesadas.

### Armadura Espiritual

Na bem conhecida passagem em Efésios 6.10-17, os cristãos são exortados a vestir toda a armadura de Deus (*panoplia tou theou*; 6.11,13). A palavra *panoplia*, "armadura completa", é uma fusão de duas palavras gregas, *pan* (toda) e *hopla* (armas), e se refere ao equipamento completo de combate de um soldado. É usada figurativamente para indicar a completa provisão da virtude espiritual com que Deus capacita seus filhos para a guerra contra o maligno (*veja* também Rm 13.12; 2 Co 6.7; 10.4-6). Cada crente está inextricavelmente ligado à luta feroz que ocorre no reino celestial entre Cristo e seus anjos, e Satanás com suas forças demoníacas do mal.

O apóstolo Paulo simboliza elementos vitais do caráter cristão para se defender das acusações do maligno (cf. Ap 12.10) através de várias partes da armadura greco-romana da sua época. A verdade, no sentido de honestidade pessoal, sinceridade e confiança deve estar em volta dos lombos, o local designado pela Bíblia como a residência das emoções (cf. Is 11.5). A couraça da justiça na vida cotidiana protege o coração, a posição bíblica da personalidade, consciência e vontade (cf. Is 59.17). As sandálias (ou sapatos) estão equiparadas à preparação ou habilidade de trabalho, às promessas do Evangelho da paz, de forma que não seja preciso ficar ansioso, mas estar firme ao pisar no solo escorregadio das circunstâncias externas. O grande escudo retangular, (*thyreos*) (de aproximadamente um metro e trinta e dois centímetros por sessenta e seis centímetros) era combinado com os escudos de outros soldados em ambos os lados, para formar uma parede sólida; isto sugere uma fé atuando junto com a fé dos outros cristãos, para apresentar uma frente unida contra os ataques traiçoeiros do maligno. O capacete da salvação pode simbolizar a segurança da salvação, tão necessária para proteger a mente das dúvidas e medos. A única arma ofensiva que Paulo incluiu foi a espada do Espírito, aqui descrita como a Palavra (*rhema*) de Deus, ou seja toda ordem ou declaração profética vinda de Deus através de seus servos (Lc 1.37,38; 5.5; Mt 4.4; Hb 1.3; cf. Os 6.5; Mt 10.19ss.; 1 Co 12.8-10).

***Bibliografia.*** CornPBE, pp. 126-136. A. Oepke e K. G. Kuhn, "*Hoplon*, etc", TDNT, V, 292-315,Yigael Yadin, *The Art of Warfare in Biblical Lands*, 2 vls., Nova York. McGraw-Hill, 1963.

R. E. Po.

A planície do Armagedom ou Jezreel. IIS

**ARMAGEDOM** Nome hebraico usado apenas em Apocalipse 16.16, como o lugar do ajuntamento para a "batalha, naquele grande Dia do Deus Todo-poderoso", associado à segunda vinda do Senhor Jesus Cristo (Ap 16.14,15). É interpretado normalmente como o "monte (heb. *har*) Megido". O caminho de Megido conduz ao monte Carmelo, que foi o cenário de muitas batalhas famosas.

É possível que o Apocalipse utilize Megido como um tipo do conflito sangrento, assim como utiliza Sodoma como um tipo da Jerusalém pecadora (Ap 11.8). Como a batalha escatológica (Zc 14.2 e outras passagens) é em Jerusalém, alguns identificaram o Armagedom com Jerusalém. Mas o versículo pode simplesmente significar que Megido será a região do acampamento da grande batalha. É importante notar que Apocalipse 16.13-16, apenas anuncia a batalha. A vitória verdadeira de Cristo (em sua Segunda Vinda) sobre os três poderes malignos, é vista na próxima parte, em Apocalipse 19.11–20.3, que descreve detalhadamente a batalha do grande Dia do Deus Todo-poderoso.

**ARMAS DE GUERRA** Usada apenas em Jeremias 51.20. *Veja* Armadura; Machado; Malho.

**ARMAS, CASA DAS** Esta expressão se refere a equipamento militar mantido em depósito (2 Rs 20.13) ou ao lugar onde estas coleções eram mantidas (Nm 3.19). Usada poeticamente em relação ao poder de Deus contra os Caldeus (Jr 50.25). Em Cantares 4.4, a palavra hebraica *talpiyoth* (armamento) talvez se refira ao conjunto de pedras da torre de Davi, comparadas às fileiras ou camadas do colar da pessoa amada.

**ARMAS, PAJEM DE** Uma companhia para um importante guerreiro no período das conquistas e da monarquia, que tinha a função de carregar o escudo ou também as armas, para dar assistência na batalha. Todas as histórias de Abimeleque, Jônatas e Saul envolvem seus pajens de armas (Jz 9.54; 1 Sm 14 e 1 Sm 31). Joabe, general de Davi tinha 10 pajens de armas (2 Sm 18.15).

**ARMAZÉM** A palavra hebraica *(bet)ha'osar*, "casa do tesouro" era um armazém do governo ou do Templo que servia como tesouro ou local de armazenagem para todos os tipos de produtos (1 Rs 7.51; 15.18; 1 Cr 27.25; Ne 10.38; 13.12,13; Jl 1.17; Ml 3.10).
O termo *'asamim* provavelmente se refere aos silos subterrâneos ou covas de armazenamento para grãos que foram encontrados com muita freqüência nas escavações de cidades palestinas (Dt 28.8; Pv 3.10, "celeiros").
Embora existam diferentes termos hebraicos, os "celeiros" de Jeremias 50.26, os "armazéns" de Joel 1.17, e os "depósitos" de Ageu 2.19 eram provavelmente covas de armazenamento. Os "depósitos" ou "celeiros" (em grego *apotheke*) de Mateus 3.12; 6.26; 13.30 e Lucas 12.18,24 podiam ser edifícios ou covas, e esse termo é usado em outra literatura grega como "adega" para azeite e vinho. Em Lucas 12.24, o "celeiro" ou "despensa" (gr. *tameion*) representa mais corretamente uma sala de armazenamento (cf. a sua tradução como "gabinete" no v. 3). Para uma fotografia de uma grande cova de armazenamento em Megido datando de 700 a.C., com capacidade para 465 metros cúbicos para cereais, veja ANEP #743.
Os egípcios eram muito conhecidos por seus armazéns de jóias, ouro, frutas secas, grãos, bebidas etc. Antes do Êxodo, os israelitas trabalhavam como mão de obra escrava nas cidades armazém de Pitom e Ramessés, que pertenciam ao Faraó (Êx 1.11; *veja* Cidade Armazém). O rei Davi construiu inúmeros armazéns em Israel (1 Cr 27.25), e Salomão fez o mesmo (1 Rs 9.19; 2 Cr 8.4-6). O rei Basa de Israel (1 Cr 16.4), Josafá (2 Cr 17.12,13) e Ezequias de Judá (2 Cr 32.27-29), são mencionados como construtores de armazéns.
O texto em Malaquias 3.10 refere-se à casa do tesouro como um repositório dos dízimos. Ela estava provavelmente localizada na área do Templo (cf. Lc 21.1) e era supervisionada pelos levitas (cf. 1 Cr 9.26,29).
*Veja* Agricultura; Cidade, Tesouro; Silo; Tesouro.

D. W. D.

**ARMÊNIA** Tradução da versão *King James* em inglês para Ararate, seguindo a Septuaginta em 2 Reis 19.37 e Isaías 37.38. Aparece primeiramente como Armina nas inscrições de Dario I em Behistun, e por último Ararate. Era chamada Urartu pelos assírios. A Armênia é rodeada pelo Lago Van e pelos vale de Ararate. Tradicionalmente, o Monte Ararate localizava-se nas montanhas da Armênia. Ele ligava o planalto iraniano ao planalto da Ásia Menor, e servia como santuário para o povo oprimido do sul.
O reino Urartu prosperou nos séculos VIII e IX a.C., e era muito rico em recursos minerais, com planícies férteis ao longo dos vales dos rios. Depois que a Assíria recuperou a sua força com Tiglate-Pileser III, os reis assírios passaram a saquear Urartu e a levar milhares de cativos. Veja T. Özgüc, "Urartu e Altintepe". *Archaeology*, XXII (1969), 256-263.
Os medos conquistaram Urartu no início do séc. VI a.C, e um povo de língua indo-européia se mudou para as montanhas e se misturou aos nativos. Estes novos moradores provavelmente pertenceram aos Traço-Frígios da Ásia Menor.
Os selêucidas invadiram a Pérsia, mas a Armênia revoltou-se em 190 a.C. Artaxias fundou a Armênia, cujo período de maior força se deu com Tigranes I (96-55 a.C.). Ele foi derrotado, entretanto pelos romanos em 69 a.C. e renunciou a Pompeu (66 a.C), desistindo da Síria que ele governara por mais de 14 anos. Em 303 d.C., Tiridates III converteu-se ao cristianismo que se tornou a religião do estado.

G. H. L.

**ARMINIANISMO** O Arminianismo é uma forma de teologia protestante que possui ao menos alguma semelhança com os ensinamentos de James Arminius (1560-1609). Em sua forma original, refere-se principalmente à doutrina que diz que a predestinação está condicionada à resposta que o homem (de forma livre) dá à graça de Deus - o ensino de Arminius era semelhante ao dos protestantes Jonh Wesley e dos evangélicos conservadores deste século, tal como o falecido H. Orton Wiley (veja *Christian Theology*, vol. 3. 1940-46). Na sua forma menos autêntica, está associado ao Socinianismo, Unitarianismo, Latitudinarianismo, e outras teologias liberais, que levaram ao extremo certas idéias desenvolvidas por Arminius, principalmente sua tolerância e ênfase à liberdade humana. Lambertus Jacobus van Holl, referindo-se a estas idéias, fala sobre "o aumento do envolvimento do Arminianismo na teologia liberal" ("From Arminius to Arminianism in Dutch Theology", *Man's Faith and Freedom,* p. 27).

### Os Antecedentes do Arminianismo

Arminius não originou o que se chama hoje de Arminianismo, mas foi apenas o seu principal expoente. Logo depois de ter se associado a tais ensinos, como a predestinação condicional, um grande número de eruditos ou seguia naquela direção ou ensinava aquela doutrina.

É bem sabido o fato de que o erudito Erasmo ensinou sobre a liberdade humana, em uma visão oposta à visão Agostiniana de Lutero, embora Erasmo fosse humanista e, portanto, bem diferente de Arminius, que viveu em uma época posterior.

Melancton parece ter gravitado na direção da predestinação condicional (veja Caspar Brandt, *The Life of James Arminius*, pp. 32-34).

Os Anabatistas, conhecidos mais tarde como Menonitas ensinaram que a condição para a salvação é universal, e que os homens dão o voto decisivo na sua condenação ou libertação.

Embora Zwingli e Calvino tenham ensinado a predestinação incondicional, essa visão não era universalmente sustentada, e nem mesmo em sua própria terra, a Suíça. Em Zurique, o ilustre Bullinger questionou durante um certo tempo os ensinamentos de Calvino; e Jerome Bolsec e Charles Perrot, ambos de Genebra, também se opunham a essa visão.

Na Holanda, algumas décadas antes do Sínodo de Dort (1618-19), a maioria dos ministros estava inclinada à predestinação condicional. Theodore Beza, genro e sucessor de Calvino na Academia de Genebra, onde muitos ministros foram treinados para as igrejas Reformadas, começou a esperar que muitos dos estudantes dos Países Baixos fossem condicionalistas – embora ele próprio fosse um supralapsariano, ou seja, aquele que crê que a decisão de eleger alguns e condenar outros foi feita antes da criação e queda de Adão.

Na recém fundada universidade em Leyden, na Holanda, durante os seis anos em que Arminius ali estudou, a maioria dos professores era "Arminiana" (1775-1781). Nem a Confissão Belga nem o Catecismo de Heidelberg, os dois maiores credos das igrejas Reformadas, tinham ensinado a predestinação incondicional antes dos Canones de Dort – a não ser no caso de alguma inferência. Arminius estava certo de que eles não haviam ensinado claramente aquela doutrina.

Na Inglaterra, em 1595,foi negado o grau de Bacharel em Divindade de Cambridge a William Barrett, porque ele rejeitou as visões calvinistas de William Perkins, de Cambridge. Nesta época, o teólogo Peter Baro foi destituído da sua posição em Cambridge pela mesma razão (veja Carl Bangs, "Arminius and the Reformation", *Church History,* junho de 1961, p. 7).

Mas, dentre todos, Arminius era indubitavelmente o mais capacitado, "De todos os agentes daquele movimento [o retrocesso do Calvinismo], embora tão fértil de poderosos, ninguém desempenhou papel mais notável, proeminente e exasperante do que Arminius" (John Guthrie, "Translator's Preface". *The Life of James Arminius*, by Caspar Brandt. P. XIV).

### Os Ensinos de Arminius

A "Declaração de Sentimentos de Arminius" (veja *The Writings of James Arminius*, I, 193), apresentada por ele perante as autoridades governamentais em Hague, em 1608, transmite suas próprias idéias e dá 20 argumentos contra o supralapsarianismo da Universidade de Leyden Francis Gomarus. Os argumentos de Arminius, condensados, dizem que a doutrina é falsa porque ela transforma Deus em autor do pecado.

É nesse tratado também que Arminius apresenta sua distinta doutrina dos decretos divinos. Enquanto os supralapsarianos ensinavam que o decreto de salvar e condenar alguns indivíduos precedia o decreto de criá-los, Arminius ensinava que o primeiro decreto era enviar Cristo para redimir os homens pecadores; o segundo era receber na graça aqueles que se arrependessem e cressem; o terceiro era ajudar todos os homens a se arrepender e crer (graça impeditiva); e o quarto era salvar e condenar os indivíduos de acordo com o conhecimento prévio de Deus, de uma forma em que eles responderiam livremente ao dom da graça.

É importante também, para um melhor entendimento dos ensinos de Arminius, notar sua visão de liberdade humana. Em relação a isso ele não era um pelagiano, embora fosse acusado disto durante a sua vida. Ao contrário do antigo Pelágio, ele acreditava na queda da raça humana causada pelo pecado de Adão; e embora acreditasse que o "poder do arbítrio" estivesse retido no homem depois da queda, acreditava não ser possível para os homens caídos, sem a ajuda da graça impeditiva, exercer esta capacidade de liberdade em direção a qualquer coisa boa.

Sobre o homem caído, natural, Arminius escreveu: "Neste estado, o livre arbítrio do homem em relação ao bem verdadeiro não está apenas ferido, mutilado, débil, torto e enfraquecido; mas também preso, destruído, e perdido. E estas forças não estarão apenas debilitadas e inutilizadas a menos que sejam assistidas pela graça divina, e não terão mais qualquer poder exceto aquele que lhe for instilado por esta preciosa graça. Porque Cristo disse, 'Sem mim, nada podeis fazer'". (*The Writings of Arminius*, ed. por Nichols, I, 526).

Ele também escreveu: "A mente, neste estado é escura, destituída do conhecimento da salvação, e de acordo com o apóstolo, incapaz das coisas que se relacionam ao Espírito de Deus. Porque 'o homem natural não compreende as coisas do Espírito de Deus'" (1 Co 2.14; *ibid*.). Simultaneamente a esta escuridão do espírito e perversidade de coração, está a fraqueza absoluta de todos os poderes para realizar o que é verdadeiramente bom, e negligenciar a perpetração daquilo que é maligno" (*ibid*., pg 527). Como suporte, ele cita as palavras de Cristo: "Não pode a árvore... má dar frutos bons". (Mt. 7.18), e "como podeis vós dizer boas coisas, sendo maus?" (Mt 12.34). Dentre outros fundamentos, ele também cita João 6.44. "Ninguém pode vir a mim, se o Pai, que me enviou, o não trouxer". Depois de citar João 8.36. "Se, pois, o Filho vos libertar, verdadeiramente, sereis livres", ele diz. "Segue-se que a nossa vontade não é livre desde a primeira queda; ou seja, não é livre para o bem a menos que seja liberta pelo Filho através do seu Espírito" (*ibid*., pg 528).

Sempre se supôs que Arminius sustentava a doutrina da santificação absoluta, ou perfeição cristã (veja este erro em *Man's Faith and Freedom*, pp. 66-79). Mas Arminius não ensinou esta doutrina. É verdade que às vezes ele parecia sugerir o ensino wesleyano. Sobre santificação, ele diz que esta é apenas para os crentes, e que é uma atitude aceita por fé (*Works*, II, 120), e que é a "purificação do pecado". Ele tirou algumas idéias a partir de uma compreensão wesleyana, através destas passagens, ao dizer. "Esta santificação não se completa em um único momento, mas o pecado... vai se enfraquecendo cada vez mais..." (*ibid*.). E também escreveu: "Quem pode negar, quando as Escrituras afirmam, que há em nós os remanescentes do pecado e do velho homem, enquanto vivermos nesta vida mortal?" (II, p. 263).

Arminius tentou fazer uma teologia realmente bíblica. Ele sentiu que a filosofia estóica, ao invés da Bíblia, era a base da doutrina da predestinação incondicional de Agostinho; porque os estóicos ensinaram que existe uma lei de necessidade escrita dentro da própria natureza da existência, à qual tanto o homem quanto Deus estão sujeitos. Arminius também sentiu que os credos freqüentemente se tornavam mais autoritários do que as Escrituras, e acreditava que tanto a Confissão Belga quanto o Catecismo de Heidelberg deveriam ser interpretados, ou talvez corrigidos através da Bíblia.

Arminius era também irônico, embora fosse um homem pacífico e amoroso, que clamava não por uma uniformidade rígida de crença, mas por tolerância. É irônico que durante seus últimos anos e logo após a sua morte, o povo holandês tenha se posicionado de forma tão apaixonada quanto à questão da predestinação, de tal forma que muitos chegaram a se perguntar se a questão poderia causar uma guerra civil.

Arminius seguiu interesses práticos ao invés de simplesmente especulativos. Ele escreveu: "Porque a teologia que pertence a este mundo é prática... A teologia teórica pertence ao outro mundo... Por esta razão, devemos revestir o objeto da nossa teologia de tal modo que ela nos incline à adoração a Deus, e nos persuada completamente e nos traga a esta prática" (*Writings*, I, 60).

Durante séculos pensou-se que Arminius já teria sido um supralapsariano Calvinista, e que tivesse abraçado a doutrina da predestinação condicional. Supõe-se que esta mudança tenha se dado depois de lhe terem pedido que apoiasse o supralapsarianismo, contra o tipo de predestinação condicional que o humanista holandês Richard Coornhert estava defendendo, e contra o sublapsarianismo de certos ministros da cidade de Delft – o sublapsarianismo seria uma visão em que o decreto de Deus para salvar ou condenar alguns indivíduos teria sido tomada depois do pecado voluntário e queda de Adão. Peter Bertius afirmou que Arminius mudou do supralapsarianismo para predestinação condicional. Bertius fez esta afirmação em um discurso fúnebre na época da morte de Arminius, o que parece ter influenciado aqueles que escreveram sobre Arminius desde então.

Embora esta questão não tenha sido resolvida, Carl Bangs, a principal autoridade da atualidade nas questões sobre Arminius, deu um exemplo interessante em relação à teoria de que Arminius havia sido um condicionalista durante todos os anos, e não se casou anteriormente com o supralapsarianismo (veja Carl O. Bangs, *Arminius and Reformed Theology*, Univ. of Chicago Library, 1958). Bangs cita o fato de que a única evidência elementar contrária é a afirmação de Bertius, mas que Bertius não era tão próximo de Arminius quanto alguns pensaram. Bangs também diz que Beza queria que seus alunos holandeses fossem condicionalistas, e assim não se chocava com Arminius, mas ao invés disso recomendava-o amplamente na conclusão dos seus estudos. Quanto ao motivo pelo qual teria sido solicitado a Arminius apoiar o supralapsarianismo, Bangs sustenta que, (1) primeiro solicitaram a outra pessoa, Martin Lydius, que por sua vez pediu a Arminius; e que (2) talvez este pedido se destinasse a diminuí-lo, junto com seu condicionalismo, em campo aberto. Um fator que isto não explica, entretanto, é porque Arminius teria aceitado tal tarefa, se de fato já era um oponente do supralapsarianismo.

### O Arminianismo na Holanda

Em 1610, um ano depois da morte de Arminius, 42 ministros e dois educadores se encontraram em Hague, e prepararam e assinaram um documento que concordava de maneira geral com o que Arminius havia ensinado. Escrito por John Uytenbogaert, o amigo mais próximo de Arminius desde os tempos de estudante em Genebra, ele veio a se chamar *Remonstrance*, e os seus assinantes, Remonstrantes. Este documento, dirigido ao governo da Holanda, enumerava cinco doutrinas sustentadas por Uytenbogaert e seus associados, e era destinado a ganhar permissão oficial, para a promulgação daquelas doutrinas nas igrejas Reformadas da Holanda.

A *Remonstrance* discute certos problemas e também ressalta cinco diferenças doutrinárias entre o Calvinismo e o que foi rapidamente chamado de Arminianismo. Na primeira parte do documento, os Remonstrantes tratam da parte das confissões na igreja, e afirma que elas eram úteis, mas que poderiam ser mudadas a qualquer momento, e que apenas as Escrituras possuem uma autoridade imutável.

Uma afirmação interessante na primeira parte do documento, também é a sua visão de que as autoridades seculares têm o direito de entrar em disputas teológicas, a fim de preservar a paz e evitar cismas. Os Remonstrantes provavelmente imaginaram que as autoridades seculares seriam mais tolerantes e mais objetivas como árbitros de disputas teológicas, do que as autoridades eclesiásticas. Com exceção da questão relacionada à dúvida de que se daria ao estado o direito de dominar a igreja, este foi um passo dos Remonstrantes que, se fosse seguido nos anos seguintes na Holanda, poderia bem ter garantido ao Arminianismo um status oficial. Porém, uma corte eclesiástica foi convocada mais tarde (1618-19), e condenou o Arminianismo.

A segunda parte da *Remonstrance* rejeita os cinco artigos do Calvinismo e estabelece as cinco posições opostas dos Remonstrantes. A primeira das cinco, de forma resumida, é o que se deve chamar de predestinação condicional. o propósito de Deus de salvar aqueles que se arrependerem e crerem, e condenar aqueles que não o fizerem.

O segundo ponto principal da posição dos Remonstrantes é que Cristo morreu "por todos os homens, e por cada um deles em particular", e não simplesmente por um segmento da raça humana que foi previamente destinada para a salvação (veja Philip Schaff, *The Creeds of Christendom*, III, 545ss).

O terceiro ponto está relacionado ao que pode ser chamado de graça impeditiva - o propósito de Deus de ajudar homens pecadores a se voltarem a Ele.

O quarto ponto é que esta graça pode ser resistida, e não, como os Calvinistas diziam, irresistivelmente recebida.

O quinto e último ponto é que tendo se tornado "incorporados a Cristo pela verdadeira fé", Cristo "impede que eles caiam", desde que apenas continuem a crer. Mas embora os Remonstrantes sejam cuidadosos sobre esta questão, eles insinuam que se uma pessoa salva não continuar a cooperar com Cristo ela se tornará "destituída da graça (salvadora)".

Quando a *Remonstrance* foi publicada, o grupo Calvinista lançou a *Contra-Remonstrance*, na qual deram a sua resposta.

### O Arminianismo é Declarado Ilegal na Holanda

A Holanda agora estava dividida. Em 1610 e 1612 foram feitas conferências para ajudar a superar a disputa, mas não foram bem sucedidas. Em 1614 o governo proibiu as discussões de púlpito destas doutrinas. Então em 1617, o Príncipe Maurice, que era a favor do Calvinismo, requereu um sínodo nacional para se reunir em Dort no ano seguinte. De acordo com as Memórias de Simon Episcopius, este príncipe foi arrolado pelos Calvinistas do lado da controvérsia contra o grande homem do Estado van Olden Barnevelt. Maurice estava enciumado e com medo dele, e viu na disputa religiosa uma oportunidade única de unir as províncias sob o seu controle.

Decidiu-se fazer do encontro em Dort um sínodo nacional para a União Holandesa, composta de seis representantes de cada uma das sete províncias. Estes representantes deviam ser escolhidos pelos sínodos provinciais; e por causa de certas manobras, até mesmo das províncias da Holanda e de Utrecht, onde os Arminianos eram maioria, quase todos os representantes eram Calvinistas. Na verdade, ao todo havia apenas três Arminianos dentre 42 representantes oficiais; e somado aos oficiais, 33 representantes estrangeiros foram convidados como visitantes, todos eles Calvinistas. Além de tudo isso, os três membros Arminianos foram impedidos pelas regras de defender o Arminianismo, e deixaram as sessões antes de fazer o juramento "Calvinista" como representantes. Embora ao orador Arminiano era permitido em algumas ocasiões responder às acusações feitas contra eles, não havia debate aberto sobre os méritos das duas teologias.

Este sínodo condenou o Arminianismo como heresia, e proibiu sua propagação nos Países Baixos – nos sete estados, ou seja, em sete dos 17 estados que compreendiam os Países Baixos, sendo os sete oficialmente chamados de República das Províncias Unidas, ou a

República Holandesa. As sessões do sínodo foram concluídas em maio de 1619, tendo começado em novembro de 1618. Em julho de 1619, a *sentença* do sínodo foi aprovada pelo governo e os líderes Arminianos foram banidos ou presos. Era ilegal realizar encontros com Remonstrantes, apoiar ou acolher qualquer um de seus ministros. Espiões foram contratados para relatar aos líderes se qualquer um deles retornasse para visitar suas famílias, e cerca de 18.000 tornaram-se mártires, mortos por mercenários contratados pelo grupo Contra-Remonstrante.

Apesar de todas estas tentativas para desistirem da sua fé, os Remonstrantes sempre se reuniram; e sobreviveram, mesmo sem prosperar. Em 1619 iniciaram uma organização chamada Irmandade Reformada Protestante (*Remonstrant Reformed Brotherhood*), liderada por John Uytenbogaert, Simon Episcopius (discípulo de Arminius), e Grevinchovius. Quando o príncipe Maurício morreu, em 1623, a interdição contra os Remonstrantes foi suspensa. Eles organizaram a Comunidade da Igreja Reformada Remonstrante, que ainda existe como a Irmandade Remonstrante. Em 1634 fundaram uma faculdade teológica em Amsterdã, tendo Episcopius como diretor e seu primeiro professor de teologia. A faculdade ainda existe como parte da Universidade de Leyden (veja G. O. McCulloh, ed., *Man's Faith and Freedom,* 1962, pp. 5-7).

**Fora da Holanda**

Arminius e Arminianos em geral sempre mencionam o fato de que os patriarcas tanto do Latim quanto do Grego antes de Agostinho (354-420) eram condicionalistas. Já se havia dito que os Menonitas que prosperaram na Alemanha eram Arminianos.

Os Moravianos, que se mudaram para os maiores estados de Count Zinzendorf na Alemanha, e que partiram dali como missionários para muitas partes do mundo, eram Arminianos. Sua crença de que qualquer um pode ser salvo, introduziu-os em um extensivo e comprometido trabalho missionário, em uma época em que poucos cristãos estavam dispostos a fazê-lo. Foi através do trabalho deles na América e na Inglaterra, que Peter Böhler encontrou John Wesley em Londres, e ajudou-o a ter a experiência de receber um coração estranhamente aquecido.

Na Inglaterra, havia alguns predestinacionistas antes do casamento de Arminius com aquela doutrina de disputas e publicações. Peter Baro, em Cambridge já foi mencionado. Seu sucessor (1608), John Playfere, lecionou e publicou sobre o livre arbítrio e a possibilidade de redenção para todos os homens. Assim também fez o Arcebispo Laud no início do séc. XVII, embora ele tenha ido ao extremo do ensino pelagiano, negando o pecado de Adão e Eva (veja John Fletcher, *Works,* II, 276, 277).

Os Quakers, místicos e não doutrinários em seus interesses, embora "Arminianos sem Arminius", ainda assim ensinaram basicamente o mesmo que Arminius - que qualquer um pode ser salvo.

John Goodwin ensinou o Arminianismo na Inglaterra na metade do séc. XVII e influenciou diretamente Wesley nessa direção (veja a dissertação de Ph.D de William Strickland's sobre Goodwin. Univ. Vanderbilt, 1967). Jeremy Taylor e William Law também ensinaram o Arminianismo e da mesma forma ajudaram a formar o fundador do Metodismo.

Muitos teólogos ingleses anteriores à época de John Wesley (1703-1791) ensinaram um Arminianismo que poderia ser classificado como uma aberração. As contaminações dos Pelagianos, Socinianos, Arianos, Universalistas e Latitudinarianos foram introduzidas na oposição Arminiana a Calvino. É por isto que John Wesley escreveu: "Dizer: 'Este homem é um Arminiano' tem, nos ouvintes, o mesmo efeito de dizer, 'Este é um cachorro louco'. Eles começam a tremer imediatamente..." (Veja a resposta à pergunta, "O que é um Arminiano?" na obra *The Works of John Wesley*, X, 358). Quando Wesley iniciou a edição de um periódico em 1778, ele teve coragem suficiente para chamá-lo de *A Revista Arminiana.*

Na verdade, existiam e ainda existem tanto na Inglaterra como no País de Gales, dois braços do movimento Arminiano. Geoffrey Nuttall, em um artigo apresentado em 1960 na Holanda, no quatrocentésimo aniversário do nascimento de Arminius, disse: "O Arminianismo autoconfesso na Inglaterra deve ser encontrado, essencialmente, em um ou outro dentre dois movimentos contrastantes. Um destes dois movimentos leva ao Arianismo, Socinianismo, e Unitarianismo, e eventualmente diminui em número e influência. O outro permanece Trinitariano e Evangélico, e aumenta". ("*The Influence of Arminianism in England*", *Man's Faith and Freedom*, ed. por G. O. McCulloh,1962, p. 50). Nuttall, na verdade, faz o traçado do braço "não autêntico" nos registros das congregações locais no País de Gales e na Inglaterra, e sustenta - através de um estudo histórico em primeira-mão – a sua afirmação, de que a facção não autêntica decresce em números.

Não era necessário tal estudo para provar que o outro braço do Arminianismo Wesleyano, o "Arminianismo sob fogo", tendia a aumentar em números e influência. Tão efetiva, de fato, é a influência do Arminianismo Wesleyano, que estudantes universitários na Inglaterra, anos atrás, encontraram-se escrevendo sobre o tema: "Desde Wesley Somos Todos Arminianos".

O Metodismo é o nome do movimento em que o Arminianismo foi mais amplamente disseminado na América. Através do ensino de que qualquer um pode ser salvo, os missionários metodistas (tanto os leigos quanto aqueles que eram formalmente ordenados) espalhavam a doutrina da predestinação condicional, enquanto a fronteira da América avançava para o oeste. Assim, o metodismo se tornou a maior denominação protestante dos Estados Unidos, sendo somente superada pelos Batistas do Sul na década de 1950.

Além de ser promulgado na América através do Metodismo, o Arminianismo original foi ensinado neste país pela *United Brethren*, pelo Exército da Salvação, e por muitas denominações Wesleyanas, incluindo a igreja do Nazareno, dentre outros numerosos grupos.

## A Situação Atual

O Arminianismo e o Calvinismo não estão agora tão distantes do que eram durante, digamos, a primeira metade do século XX. Do lado do Arminianismo, mesmo dentro da sua descendência Wesleyana, isto é, "Arminianismo sob fogo", as tendências pelagianas se desenvolveram. John Miley, que lecionou no *Methodism's Drew Theological Seminary* durante os últimos anos do séc XIX, combateu a teoria representativa da "transmissão" do pecado original, uma teoria que tanto Arminius quanto Wesley abraçaram, ensinando o chamado ponto de vista genético. o pecado original seria recebido dos pais (veja a obra *Systematic Theology*, II, 506). Além disso, Miley ensinou que nenhuma culpa contra a raça humana resultou do pecado de Adão, enquanto que Arminius e Wesley ensinaram que a culpa, assim como a depravação, passaram a toda a raça humana, mas que a culpa foi removida pela expiação de Cristo como um "dom gratuito" (Rm 5.16,17) a favor de toda a humanidade (cf. Robert E. Chiles, *Theological Transition in American Methodism* 1790-1935,1965).

Além de Miley, que foi amplamente estudado pelos Wesleyanos, Olin Alfred Curtis, seu sucessor em Drew, também tinha uma tendência à doutrina pelagiana, sem enfatizar a graça e dando mais destaque ao livre arbítrio. Seu maior trabalho, *The Christian Faith* (1905; reimpresso pela Kregel em 1956), foi provavelmente o livro de teologia mais amplamente usado nos círculos Wesleyanos-Arminianos antes da publicação dos três volumes de H. Orton Wiley, *Christian Theology* (1940-46). Curtis é kantiano em sua obra quando diz, "As atitudes são morais... apenas quando expressam a concepção do dever do próprio homem..." (p. 61). Curtis é tão kantiano que não deixa que a graça de Deus chegue incondicionalmente às crianças que morrem, mas alega que estas aceitam a Cristo por si mesmas em um estado intermediário. Ele diz, "No estado intermediário todas estas crianças terão uma experiência pessoal completa com Deus, assim como certamente as nossas crianças a têm nesta vida" (p. 404). Para Curtis, o homem é tão livre que "qualquer motivo na escala da consciência pode ser escolhido..." (p. 44).

Também de tendência pelagiana eram E. S. Brightman e A. C. Knudson da Universidade de Boston, como mostra a obra de Brightman *A Philosophy of Religion* de (1940), assim como outros trabalhos de sua autoria. Knudson definiu liberdade como o poder da "escolha contrária" (*The Principles of Christian Ethics*, p. 82). Ele foi capaz de dizer que, longe da graça, os homens podem escolher contrariamente, porque, para ele, a Queda do homem (o episódio em que Adão e Eva pecaram) é "lendária" (p. 94).

Tais homens como Miley e Curtis, Brightman e Knudson foram mentores de muitos na teologia arminiano-wesleyana, e os influenciaram em uma direção pelagiana.

John Wesley basicamente concordava com o que Arminius ensinou sobre liberdade. Assim como Arminius, ele ensinava que o homem tem o voto decisivo em sua condenação ou salvação. Mas para Wesley, assim como para os primeiros "liberalistas", o homem não pode por si mesmo dar o voto de consentimento. Falando de si mesmo e de John Fletcher, Wesley afirma que eles "negam completamente o livre arbítrio natural" (veja a obra de Burtner e Chiles, *Compend of Wesley's Theology*, pp. 132-133). Wesley continua, "Ambos afirmamos prontamente que a vontade do homem caído é por natureza livre apenas para o mal" (*ibid.*).

Acreditando que negar o pecado original é ser um pagão, Wesley tem uma visão um tanto extrema da queda de toda a raça humana. Ele ensinou que todo homem é "concebido em pecado", e que por esta razão em cada homem existe uma "mente carnal" e esta é a própria inimizade com Deus; ela não é, e não pode ser "sujeita à lei de Deus", o que contamina completamente a alma que habita dentro de cada um, "na sua carne". Assim, no seu estado natural, "não pode haver nada bom", mas toda a imaginação dos pensamentos do seu coração é maligna", somente maligna, e assim permanece "continuamente" (*Standard Sermons*, II, 223). Wesley também imagina que todo descendente de Adão está "... morto para Deus, totalmente morto no pecado; totalmente vazio em relação à vida de Deus; destituído da imagem de Deus" (*Works*, ed. por Emory, 401).

Se o homem não está desprovido da imagem de Deus, esta imagem está, no mínimo, totalmente desfigurada. É por isto que os wesleyanos-arminianos concordam com Wesley, pensando que a "salvação começa com o que é denominado (e muito propriamente denominado) graça impeditiva; incluindo o primeiro desejo de agradar a Deus, o primeiro despontar de luz concernente à sua vontade, a pri-

meira leve e passageira convicção de ter pecado contra Ele" (*Ibid.*, VI, 509).
Nas duas últimas décadas do "Arminianismo sob fogo", as tendências pelagianas diminuíram e o arminianismo-wesleyano despertou grande interesse. Isto se deu em parte por causa da ampla utilização da antiga obra *Christian Theology* de H. Orton Wiley, que é comprovadamente mais idealista do que Arminius e Wesley foram (por exemplo, I, 255-319), mas que é basicamente Arminiana em seu sentido original. Isto se deveu, em parte, a um avivamento do estudo dos pensamentos iniciais de Arminius e Wesley. A diminuição dos interesses puramente filosóficos e o ressurgimento do comprometimento bíblico, tiveram uma grande importância neste retorno às persuasões de Arminius e Wesley. Como prova deste retorno, veja a obra *The Word and the Doctrine,* um conjunto de volumes lançados em 1965 pela *National Holiness Association*, contendo 37 artigos proferidos em uma conferência nacional em 1964 sobre diferenças teológicas wesleyanas e arminianas.
Ao mesmo tempo, podemos dizer que o Calvinismo tende a se tornar menos Calvinista. Nem todos os Calvinistas proeminentes da atualidade abraçaram o supralapsarianismo de Theodore Beza e Francis Gomarus que eram da época de Arminius, nem mesmo o sublapsarinismo do Sínodo de Dort. A maior parte dos eruditos também não ensina a predestinação incondicional, contida na Confissão de Westminster. A Igreja Cristã Reformada (Seminário Calvino) ainda o faz, juntamente com eruditos ilustres no Seminário Teológico de Westminster. Porém vários eruditos Calvinistas ligados, nos últimos anos, ao Seminário Teológico Fuller, por exemplo, escrevem como os evangélicos arminianos. A *Christianity Today*, que é sem dúvida a revista evangélica mais influente e divulgada voltada aos ministros de nossos dias, não tem nem um pouco da rigidez Calvinista. Muitos calvinistas hoje ensinam que qualquer um pode ser salvo; mas, de maneira geral, ainda ensinam a segurança incondicional dos crentes - a segurança eterna. Contudo, é interessante que Robert Shank (que é Batista), em sua obra *Life in the Son* (1960), tente minar até mesmo a doutrina da segurança eterna.
Pode ser que no futuro ainda haja mais convergência entre as teologias Arminiana e Calvinista, visto que as vãs filosofias humanas diminuem a sua influência, e os evangélicos são cada vez mais ensinados pelas Sagradas Escrituras.

***Bibliografia***. James Arminius, *The Writings of James Arminius*, trad. por James Nichols e W. R. Bagnall, Grand Rapids. Baker, I-III, 1956. Carl Bangs, *Arminius and Reformed Theology,* dissertação de Ph.D. Dept. of Photoduplication, da Biblioteca da Univ. de Chicago, 1958; "James Arminius and the Remonstrants", tese de B. D. não publicada, Seminário Teológico Nazareno, 1949. E. S. Brightman, *A Philosophy of Religion,* Nova York. Prentice-Hall, 1940. Edward John Carnell, *The Kingdom of Love and the Pride of Life,* Grand Rapids. Eerdmans, 1961. Robert E. Chiles, *Theological Transition in American Methodism 1790-1935,*Nova York. Abingdon, 1965. George L. Curtiss, *Arminianism in History,* Nova York. Hunt e Eaton, 1894. Simon Episcopius, *Memoirs of Simon Episcopius,* ed. por Calder Frederick, Londres. Simpkin e Marshall, 1835. J. Kenneth Geiger, ed. *The Word and the Doctrine,* Kansas City. Beacon Hill Press, 1965. John Guthrie, *The Life of James Arminius,* Nashville. Stevenson e F. A. Owen, 1857. A. C. Knudson, *The Principles of Christian Ethics,* Nova York. Abingdon-Cokesbury, 1943, Gerald O. McCulloh, ed., *Man's Faith and Freedom,* Nova York. Abingdon, 1962. O. Glenn McKinley, *Where Two Creeds Meet*, Kansas City. Beacon Hill Press, 1959. John Miley, *Systematic Theology*, Nova York. Eaton e Mains, 1894. Robert Shank, *Life in the Son. A Study in the Doctrine of Perseverance.* Springfield. Mo.. Westcott Publishers,1960. Wm. Fairfield Warren, *In the Footsteps of Arminius*, Nova York. Phillips e Hunt, 1888. H. Orton Wiley, *Christian Theology*, Kansas City. Beacon Hill Press, 1940-46. Mildred Bangs Wynkoop, *Foundations of Wesleyan-Arminian Theology*, Kansas City. Beacon Hill Press, 1967.

J. K. G.

**ARMONI** Um filho do rei Saul e sua concubina Rispa. Davi entregou-o junto com outros da família de Saul aos gibeonitas para ser enforcado, a fim de vingar a matança que Saul realizou em meio aos gibeonitas (2 Sm 21.8,9).

O rio Arnom. JR

**ARNÃ** Um descendente remoto na família real de Davi, por parte de Zorobabel (1 Cr 3.21).

**ARNOM** Um curso de água perene da Transjordânia que percorre cerca de 50 quilômetros por um desfiladeiro profundo até o Mar Morto, ligeiramente ao norte de seu ponto central; a moderna Wadi el-Mojib. Na época da conquista separava Moabe dos reinos amorreus ao norte. Foi desta vizinhança que Israel terminou sua disputa com Siom, rei de Hesbom (Nm 21.13,14,21-24,28), e seguiu para o norte para conquistar toda a terra de Gileade e Basã (Dt 2.24,36; 4.48; Js 12.1,2). No momento da distribuição da herança das tribos, Arnom se tornou o limite ao sul do território de Rúben (Dt 3.12,16; Js 13.15,16). Balaque, rei de Moabe, encontrou Balaão aqui para pedir o seu favor, e procurar amaldiçoar Israel (Nm 22.36).
O território norte de Arnom havia sido anteriormente controlado por Moabe de modo que a parte oposta a Jericó ainda era chamada de "planícies [ou campinas] de Moabe" (Nm 22.1; 26.3; 36.13, *et al.*), mas Seom dirigiu os moabitas contra Arnom (Nm 21.26,28). Os moabitas no reinado de Eglom buscaram sua recuperação no período dos Juízes (Jz 3.12-30), como também no final do séc. IX quando Mesa declarou vitória sobre Israel na pedra em que fez o seu voto (Pedra Moabita), construindo uma estrada e vários fortes ao longo do norte de Arnon (linha 26; cf. Nelson Glueck, *The Other Side of the Jordan*, pp. 138-139). Uma elegia sobre a queda final de Moabe testemunha, indiretamente, os sucessos temporários gozados por ele (Is 15.4; Jr 48.20).

R. V. R.

**ARODI** Filho de Gade (Gn 46.16) e fundador de seu clã. Os aroditas eram descendentes de Arodi (Nm 26.17).

**AROER**
1. Uma cidade localizada estrategicamente na margem norte do rio Arnon; a moderna Arair, 5 quilômetros a sudeste de Dibã. Era a cidade do lado meridional do rei amorreu, Seom (Dt 2.36; 4.48; Js 12.2), portanto também a cidade mais meridional de Rúben (Js 13.16). Este foi o ponto de partida de Davi na Transjordânia, para o seu censo (2 Sm 24.5). Aroer também aparece no texto hebraico de Jeremias 48.6, mas o texto não é claro ("como a tamargueira no deserto", ou "como o arbusto solitário no deserto"). Aroer foi ferida por Hazael (2 Rs 10.33). Mesa registra sua reconstrução (Pedra Moabita, linha 26). Jeremias representa Aroer como moabita naquela época (Jr 48.18,19). Hotão, o "aroerita" em um contexto Rubenita, menciona Aroer (1 Cr 11.44; cf. v. 42).
2. Uma cidade no território "oposto" a Gade ("a leste de") a Rabá (a moderna Amã), capital dos Amonitas (Nm 32.34,Js 13.25) cuja localização exata é incerta. É preferível a leitura de Isaías 17.2 na Septuaginta à leitura do texto hebraico, onde se lê: "suas cidades" ao invés de "As cidades de Aroer".
3. Uma cidade do sul de Judá à qual Davi deu parte do despojo resgatado no ataque aos amalequitas em Ziclague (1 Sm 30.28); a moderna Arará, a cerca de 20 quilômetros a sudeste de Berseba. "Adada" de Josué 15.22 provavelmente também deveria ser lida assim.

R. V. R.

**AROMA** No AT o termo heb. *besem*, "aroma suave" (2 Cr 16.14; Et 2.12), significa a fragrância que emana do óleo balsâmico (Is 3.24), ou canela aromática (Êx 30.23). O termo heb. *nihoah*, também traduzido como "cheiro suave" ou "aroma agradável" (Lv 26.31; Dn 2.46), se refere ao aroma suave de um sacrifício que aplaca a ira do Senhor (Gn 8.21; Lv 1.9). Na versão KJV, o termo gr. *osme* é traduzido como "perfume" ou "cheiro" em João 12.3, falando da fragrância do bálsamo de Maria, e em Filipenses 4.18, referindo-se figurativamente ao aroma perfumado simbolizando a oferta dos filipenses a Paulo. Também é usado metaforicamente em 2 Coríntios 2.14-16 na expressão "para Deus somos o bom cheiro de Cristo", e se refere a Cristo como oferta de si mesmo a Deus como um "aroma suave" ou "cheiro suave" (Ef 5.2).

**ARONITA** Termo que descreve os descendentes de Arão, o fundador do sacerdócio e irmão de Moisés. Em 1 Crônicas 12.27, os 3.700 homens que lutaram sob o comando de Joiada, que se juntou a Davi em Hebrom, receberam essa designação (Traduzido na versão RSV em inglês como "da casa de Arão"). A mesma frase em hebraico foi traduzida como "por Arão" (RSV) em conexão com Zadoque (1Crônicas 27.17), fazendo a distinção entre os descendentes de Arão e os outros levitas (Js 21.4,10,13).

**ARPADE** Mencionada em Isaías 36.19; 37.13. Uma cidade-estado ao norte da Síria; em hebraico soletra-se *'Arpad*. Consta como *'rpd* em uma inscrição aramaica, e *Arpadda* em registros acadianos. Arpade, agora *Erfad*, fica a aproximadamente 50 quilômetros ao norte de Alepo. Os assírios, sob o comando de Adade-Nirari III, despojaram a cidade primeiramente em 806 a.C., e novamente sob Assurdã III em 754 a.C. Tiglate-Pileser III, depois de outra conquista da cidade em 740 a.C., transformou o seu território em uma província Assíria. Vinte anos depois, Arpade se rebelou e recebeu a punição de Sargão II. No AT, ela é mais freqüentemente mencionada quando se faz referência à sua destruição pelos assírios (2 Rs 18.34; 19.13; Is 10.9; 36.19; 37.13; Jr 49.23).

**ARPÃO** Palavra encontrada apenas em Jó 41.7 e na Bíblia de Jerusalém como tradução do termo hebraico *sukka*. A versão KJV em inglês traz a expressão "arames farpados".

**ARQUEIRO**, *Veja* Armadura; Arco e Flecha.

**ARQUELAU** Filho de Herodes o Grande e da mulher samaritana Maltace; governador da Iduméia, Judéia, e Samaria (4 a.C. - 6 d.C.). Na morte de seu pai, Arquelau primeiro pareceu ser conciliatório para os judeus, mas em um curto período de tempo sua verdadeira natureza foi revelada pelo assassinato de 3.000 pessoas durante uma revolta na época da Páscoa. Como resultado, quando ele foi a Roma para obter de César a confirmação de seu governo, os judeus também enviaram uma delegação para protestar sua nomeação (Jos *Ant.* xvii. 11.1s.). Alguns acreditam que Cristo se referiu a este evento em Lucas 19.12-27. Seu irmão Antipas também esteve diante de Augusto para contestar a vontade de seu pai, desejando obter o reino para si. Finalmente, de qualquer forma, Arquelau foi apontado como governador da Iduméia, da Judéia e da Samaria, com a promessa de que se tornaria rei se provasse ser digno (Jos *Ant.* xvii. 11.4). Seu governo, como o de seu pai, foi marcado por numerosos projetos de edifícios. Por meio de muitos atos insensatos e cruéis, ele atraiu o ódio sobre si mesmo. Seus relacionamentos domésticos eram particularmente ofensivos para os judeus. Depois de ter se casado com Mariane por algum tempo, ele se apaixonou profundamente por Glafira, a viúva de seu meio-irmão Alexander, de modo que se divorciou de sua primeira esposa e casou-se com Glafira (Jos *Wars* ii. 7.4). Ele foi também culpado de trocar o sumo sacerdote conforme sua vontade. De acordo com Josefo, seu modo de resolver as questões era bárbaro e tirano (*Ant.* xvii. 13.2; *Wars* ii. 7.3). A única menção dele no Novo Testamento ocorre em Mateus 2.22, onde se diz que José se estabeleceu na Galiléia por temer Arquelau. Depois de governar por mais de nove anos, Arquelau foi novamente chamado a Roma por acusações feitas por judeus e samaritanos. Em sua chegada, ele foi deposto e banido para Viena em Gaul (Jos. *Ant.* xvii. 13.2).

D. W. B.

## ARQUEOLOGIA

### Natureza e Propósito da Arqueologia Bíblica

A palavra "arqueologia" origina-se de duas palavras gregas, *archaios* e *logos*, que significam literalmente "um estudo das coisas antigas". Mas o termo foi mais refinado do que isto, e geralmente se aplica ao estudo de materiais escavados pertencentes a uma era antiga. A arqueologia da Bíblia pode ser definida como um exame das coisas antigas, que foram perdidas e encontradas novamente, como objetos recuperados relacionados ao estudo das Escrituras, e o retrato da vida nos tempos bíblicos.

Embora a arqueologia seja definida de forma variada no conceito popular, ela é basicamente uma ciência. O conhecimento na área é adquirido por observações sistemáticas ou estudos, e os fatos descobertos são avaliados e classificados em um corpo organizado de informações. Além do mais, a arqueologia é uma ciência composta, porque busca a assistência de muitas outras ciências, tais como a química, a antropologia, e a zoologia.

É claro que alguns assuntos da investigação arqueológica (tais como os obeliscos e templos do Egito e o Pártenon em Atenas) nunca foram na verdade "perdidos", mas talvez um estudo de sua forma original, propósito e significado das inscrições que contêm, tenham sido perdidos.

### Funções da Arqueologia Bíblica

A arqueologia desempenha o serviço muito útil de nos ajudar a compreender a Bíblia. Ela revela como era a vida nos tempos bíblicos, o que as passagens obscuras realmente significam, e como as narrativas históricas e o contexto da Bíblia devem ser entendidos.

O estudo arqueológico também ajuda a confirmar a precisão do texto bíblico e seu conteúdo. Ela demonstrou a falsidade de algumas teorias críticas de interpretação bíblica. Tem ajudado a estabelecer a precisão do grego e hebraico originais e a mostrar que o texto bíblico tem sido transmitido com um alto grau de precisão. Também confirmou a precisão de muitas das passagens das Escrituras, como por exemplo, declarações relativas a vários reis e toda a narrativa patriarcal.

Um indivíduo não deve ser dogmático em suas declarações relativas à confirmação. A arqueologia também já criou inúmeros problemas para os estudiosos da Bíblia. Por exemplo, a recuperação dos relatos da Babilônia e da Suméria sobre a criação e o dilúvio têm paralelos com o Antigo Testamento, e são questões que atormentam os estudiosos da Bíblia Sagrada. Também foi levantado o problema da interpretação do relacionamento entre os textos de Ras e Shamra e o código Mosaico. Mas podemos acreditar com segurança que as respostas para estas questões estão a caminho. Até o momento não há sequer uma demonstração conclusiva da arqueologia de que a Bíblia possa estar errada.

### Por que as Antigas Cidades e Civilizações Desapareceram

Pode ser argumentado que antigas cidades e civilizações desapareceram por causa do

julgamento de Deus. As Escrituras estão repletas destas indicações. Mas existem explicações simples e naturais que podem ser logo notadas. As cidades eram geralmente construídas em locais onde poderiam ser facilmente defendidas, possuindo bom suprimento de água e localizadas nas proximidades de rotas comerciais importantes.
Tais locais eram considerados privilegiados no antigo oriente próximo. Então, se alguma catástrofe causasse a destruição da cidade, a tendência era reconstruí-la no mesmo local. Uma cidade poderia ser amplamente destruída por um terremoto ou por uma invasão. A fome ou a peste poderiam exterminar a população de uma cidade ou território. No segundo exemplo, os habitantes poderiam concluir que os deuses lançaram uma maldição sobre eles e assim sentirem-se inseguros para retornar. Locais desabitados transformar-se-iam rapidamente em ruínas. E, quando os habitantes antigos retornavam, ou quando novos habitantes estabeleciam-se na área, eles geralmente removiam o entulho e construíam uma nova cidade. E assim formaram-se muitas camadas sobrepostas de entulhos de antigas habitações que eram verdadeiras colinas. Às vezes o suprimento de água secava, os rios tinham os seus cursos modificados, as principais rotas mercantes eram mudadas de acordo com a política – resultando no abandono permanente de um determinado local.

### Escavando uma Colina

O arqueólogo bíblico pode empreender escavações de uma colina por muitas razões. Se a colina que ele escava é conhecida por cobrir um local bíblico, ele provavelmente procura descobrir a camada ou as camadas de ocupação que têm relevância para a narrativa bíblica. Ele pode estar procurando uma cidade que é conhecida por ter existido, mas que ainda não foi identificada. Talvez ele procure resolver as dúvidas relativas à identificação proposta de um local. Possivelmente ele esteja pesquisando informações relativas a personagens da Bíblia ou eventos que podem ajudar a elucidar a narrativa das Escrituras.
Uma vez que o escavador escolheu o local para cavar e fez arranjos adequados para fazê-lo (incluindo permissões, suporte financeiro, equipamentos e funcionários), ele está pronto para iniciar as operações. Uma cuidadosa exploração da superfície é geralmente conduzida primeiramente para se conhecer tudo o que pode ser apurado de cerâmica, ou outros artefatos encontrados na superfície, a fim de descobrir uma configuração de casas que permanecem, os vestígios de um edifício, ou para entender algo da história do monte. Então um mapa do contorno

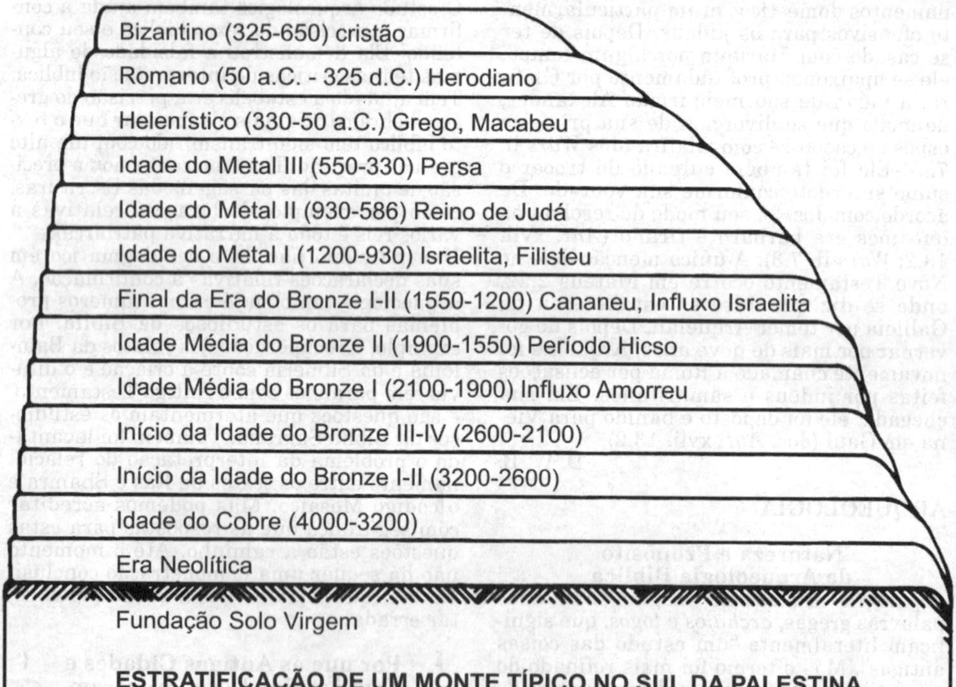


Escavando uma colina

do monte é desenhado, e um local específico é escolhido para iniciar a escavação. Estes locais específicos são geralmente subdivididos em um metro quadrado para facilitar a classificação do que for encontrado.
O método usual de escavação hoje é estratigráfico. Ou seja, cada camada sucessiva ou estrato de ocupação é cuidadosamente descoberto até que o fundamento seja alcançado. Todos os objetos são fotografados onde são encontrados, e depois são cuidadosamente retirados do local, classificados e registrados. Os pedaços de uma jarra quebrada são colocados em um cesto e depois colados. Uma vez que a escavação estratigráfica é muito cara, consome muito tempo, e é destrutiva, a tendência é vasculhar somente uma parte de uma camada. Assim, uma figura clara da história do monte poderá ser desenhada, e poderá ser fornecido algo claro para os escavadores futuros avaliarem, caso desejem fazê-lo.

### A Arqueologia e o Texto Bíblico

Embora a maioria das pessoas pense em enormes monumentos, peças de museus e no heroísmo de reis quando se fala da arqueologia bíblica, elas se tornam cada vez mais cientes de que as inscrições e manuscritos também têm uma contribuição importante para o estudo bíblico. Embora a maior parte do trabalho arqueológico procure se concentrar na história bíblica, existe hoje uma crescente preocupação com o texto bíblico.
Um estudo intensivo de mais de 3.000 NT Gr. MSS datados do segundo século d.C. e seguintes mostrou que o texto do Novo Testamento foi preservado de modo notável desde a sua transmissão no terceiro século até o presente. Nenhuma doutrina foi pervertida, e Westcott e Hort concluíram que apenas uma palavra dentre mil do grego original poderia levantar alguma questão mais séria.
Uma coisa é demonstrar que o texto do Novo Testamento foi preservado de modo notável do segundo século até o presente; outra coisa é mostrar que os Evangelhos, por exemplo, não evoluíram gradualmente até a sua forma presente, partindo dos séculos iniciais da era cristã, e que Cristo não foi gradualmente deificado pelos cristãos. Na virada do século vinte, uma nova ciência nasceu e poderia ajudar a mostrar que nem os Evangelhos nem a visão cristã a respeito de Cristo se desenvolveram até chegar à sua forma presente. B. P. Grenfell e A. S. Hunt escavaram no distrito de Fayum no Egito (1896-1906), encontrando grandes quantidades de Papiro e lançando, assim, a ciência da papirologia.
O papiro, escrito em um tipo de papel feito de junco de papiro do Egito (*veja* papiro), inclui uma grande variedade de tópicos apresentados em várias línguas. O número de papiros fragmentários MSS contendo porções do Novo Testamento agora é de 77. Estes fragmentos ajudam a confirmar o texto geral encontrado no longo pergaminho MSS datado do quarto século e dos seguintes, e estabelece uma ligação maior entre o MSS posterior e os originais.
O impacto dos papiros tem sido fenomenal sobre o estudo bíblico. Muitos dos papiros datam dos primeiros três séculos depois de Cristo, e assim é possível estabelecer o desenvolvimento da gramática daquele período. Por conseguinte, com base no argumento da gramática histórica, é possível datar a composição dos livros do Novo Testamento no primeiro século d.C. De fato, um fragmento do Evangelho de João encontrado no Egito pode ser datado, com base na paleografia, em aproximadamente 125 d.C. Considerando a necessidade de um tempo para que o livro circule, uma data no final do primeiro século deve ser atribuída ao quarto evangelho - e é assim que a tradição cristã o considera. Não há nenhuma dúvida de que os outros três Evangelhos datam de um período anterior ao de João. Como os livros do Novo Testamento foram escritos em datas próximas aos eventos que registram, não houve tempo para que ocorresse um desenvolvimento evolucionário.
Mas as contribuições da massa de papiros de todos os tipos não param aqui. Eles mostraram que o grego do Novo Testamento não é alguma forma de linguagem inventada pelos escritores do Novo Testamento, como se pensou anteriormente. Ao contrário, era geralmente uma linguagem das pessoas dos primeiros séculos da era cristã. Menos de cinqüenta palavras do Novo Testamento foram moldadas pelos apóstolos. Além do mais, os papiros têm mostrado que a gramática do Novo Testamento era uma boa gramática, desde que julgada pelos padrões do primeiro século e não pelo padrão do período clássico. Ademais, a gramática não-bíblica dos papiros tem ajudado a esclarecer o significado de palavras não compreendidas do Novo Testamento e a iluminar aquelas que já são bem compreendidas.
Seria difícil relatar aqui a história da crítica textual do Antigo Testamento. É suficiente dizer que os MSS do Antigo Testamento não são tão próximos do original em termos de tempo, como aqueles do Novo Testamento, mas eles foram copiados com maior cuidado e têm menos variações.
Até recentemente, o MS hebraico mais antigo conhecido de qualquer período não datava de antes da primeira parte do décimo século depois de Cristo, e a Bíblia completa em hebraico mais antiga datava de um século depois. Então, na primavera de 1948, os mundos religioso e acadêmico foram abalados pelo anúncio de que um manuscrito antigo de Isaías foi encontrado em uma caverna próxima à extremidade noroeste do Mar Morto. Desde aquela época, um total de onze caver-

O templo de Zeus em Atenas. HFV

nas daquela área tem expelido seus tesouros de rolos ou fragmentos. Dezenas de milhares de fragmentos de couro e alguns dos papiros foram recuperados. Embora a maioria do material não seja bíblico, fragmentos representando mais de cem MSS contêm partes das Escrituras. Até agora, todos os livros do Antigo Testamento, exceto Ester, são representados nos achados. Como pode ser esperado, fragmentos dos livros do Antigo Testamento mais citados no Novo Testamento (Deuteronômio, Isaías, Salmos) também são mais numerosos ali. Os rolos bíblicos mais extensos e mais intactos incluem dois de Isaías, um dos Salmos e um de Levítico.

A importância dos Rolos do Mar Morto é tremenda. Eles deram suporte à história do texto do Antigo Testamento em uma base de aproximadamente 1000 anos (depois de muita controvérsia assumiu-se como data os primeiros séculos a.C. e d.C.). Eles forneceram uma abundância de materiais críticos para pesquisa do Antigo Testamento comparável ao que tem sido avaliado pelos estudiosos do Novo Testamento por muitos anos. Em terceiro lugar, os rolos do Mar Morto forneceram um contexto mais adequado do Novo Testamento, demonstrando, por exemplo, a base judaica essencial do Evangelho de João – ao invés de uma base grega como os estudiosos têm freqüentemente defendido. Quarto, eles ajudaram a estabelecer a precisão do texto do Antigo Testamento. A acuidade da Septuaginta (que é o Antigo Testamento em grego) tem sido comprovada através de estudos destes rolos, e ela pode ser ainda mais precisa do se pensa. E tem sido demonstrado que havia outras famílias de textos além do Massorético (tradicional), que serviu como o texto hebraico das Bíblias por tanto tempo. E ainda, quando todas as evidências estiverem devidamente reunidas, parece que será demonstrado que o verdadeiro texto do Antigo Testamento corresponde a noventa e cinco por cento ou mais do que aquilo que está contido no Texto Massorético. Nesta ligação, é interessante notar que um dos MSS de Isaías é quase idêntico ao Texto Massorético. Quinto, os rolos fornecem um novo material para ajudar a estabelecer o significado das palavras hebraicas. *Veja* Rolos do Mar Morto.

Os rolos do Mar Morto não são as únicas descobertas de textos importantes do século vinte com relação ao estudo do texto do Antigo Testamento. Os textos de Ras Shamra do décimo quinto e do décimo quarto séculos a.C. (veja os comentários abaixo sobre escavações) desenterrados em 1929 e anos seguintes contribuíram muito para colocar as práticas religiosas hebraicas em seu próprio contexto e para esclarecer o significado de certas palavras hebraicas. Os textos de Mari e Nuzu (veja abaixo) também fizeram sua parte no esclarecimento do texto do Antigo Testamento. *Veja* Manuscritos bíblicos.

### Escavações de Locais Bíblicos

Dois escritores não irão concordar em uma seleção de locais bíblicos escavados, em uma

Reconstrução da Babilônia (segundo Unger). ORINST

pesquisa tão breve como esta. Uma vez que centenas de cidades receberam agora atenção arqueológica, a escolha se torna incrivelmente difícil. Algumas são escolhidas por causa de sua importância nos tempos antigos, outras figuram de modo proeminente nas histórias narradas na Bíblia, e ainda outras por poderem vir a trazer maiores esclarecimentos sobre a narrativa bíblica.

1. *Antioquia da Síria*. Várias escavações foram feitas nesta matriz do início do cristianismo (1932-39) pela Universidade de Princeton, com a cooperação do Museu de Arte

de Baltimore, do Museu de Arte de Worcester, e do Museu Nacional da França, sob a direção geral de Richar Stillwell. Os principais aspectos da cidade foram recuperados, e chegou-se a um equivalente confiável do subúrbio de Daphne e do porto da Selêucia. A Acrópole da cidade foi descoberta no Monte Stauris; a localização da intersecção das duas principais ruas de colunatas foi cartografada: e o circo, provavelmente construído originalmente no primeiro século d.C. foi encontrado e escavado. Vilas, aquedutos, e banheiros em abundância foram encontrados em Antioquia e em seus subúrbios. Várias igrejas foram descobertas, mas nenhuma datando do primeiro século. Provavelmente a mais importante de todas estas descobertas na Antioquia foi a de Mosaicos bem executados, datando do primeiro ao sexto século depois de Cristo. *Veja* Antioquia.

O templo de Apolo em Corinto. HFV

2. *Atenas.* O trabalho arqueológico em Atenas começou depois da sociedade Arqueológica grega ter sido fundada em 1837. Desde então, as escolas francesas, alemãs, americanas, inglesas, austríacas, italianas e suecas têm se estabelecido ali. Escavações de estruturas ou áreas familiares a Paulo durante seu ministério em Atenas incluem os mercados grego e romano, a acrópole, os contornos ao sul da acrópole, e o grande templo de Zeus. O empreendimento mais prodigioso envolveu a liberação de 16 acres da Ágora grega pela escola Americana de Estudos Clássicos desde 1931, em grande parte financiada por John D. Rockefeller, Jr. Arqueólogos gregos escavaram a acrópole até os seus alicerces em 1884-1891, e entre 1890 e 1931 fizeram o mesmo com o mercado romano (que media aproximadamente 120 por 105 metros). A Sociedade Grega de Arqueologia (1886-1901) e a Escola Alemã (1922-23) trabalharam no templo de Zeus que media aproximadamente 95 por 20 metros. *Veja* Atenas.

Lojas contíguas da Ágora helenística em Éfeso. HFV

3. *Babilônia.* O conhecimento da antiga Babilônia se origina das escavações de Robert Koldewey que escavou pela Sociedade Alemã Oriental no período de 1899-1914. Uma vez que ele encontrou a primeira camada da ocupação embaixo de um leito de água, quase tudo da época de Nabucodonosor foi descoberto, exceto um local onde algumas casas do período de Hamurabi já haviam sido alcançadas. Apesar do estado de destruição geral da cidade, os escavadores foram capazes de traçar uma figura precisa de seu mapa, de destacar seus maiores edifícios, ruas de procissão, e o famoso portão de Istar. Uma das maiores estruturas foi o zigurato de tijolo, ou torre, de aproximadamente 97 metros de altura e composta de sete plataformas sucessivamente menores ou andares. No patamar mais alto havia um templo. *Veja* Babilônia.

4. *Cesaréia.* Construída por Herodes, o Grande, e dedicada por volta de 10 a.C., Cesaréia (a aproximadamente 40 km ao Sul de Haifa) foi a capital romana da Palestina em décadas subseqüentes. Lá Paulo ficou preso por

Ruínas do período romano em Cesaréia. IIS

Entrada do sistema de suprimento de água, Hazor. HFV

dois anos, e lá Orígenes e Eusébio viveram e ministraram. Os cruzados ocuparam o local por quase dois séculos, e está em ruínas desde que os muçulmanos a destruíram no século XIII. As paredes cruzadas maciças e algumas áreas adjacentes foram escavadas pelos israelitas em 1960. No mesmo ano a Expedição Link conduziu uma exploração extensiva subaquática ao redor deste primeiro porto artificial que os hebreus construíram no Mediterrâneo. O quebra-mar circular que envolvia o porto e inúmeras peças de cerâmica e outros artefatos foram encontrados, e a descoberta mais importante de todas foi uma moeda cujo desenho foi interpretado como retratando o antigo porto e a terra à margem d'água. Em 1961, arqueólogos italianos descobriram uma inscrição em pedra no teatro que trazia o nome de Pôncio Pilatos. *Veja* Cesaréia.

5. *Corinto*. Corinto era um grande centro comercial da Grécia, onde Paulo ministrou durante dezoito meses. Em 1896 a Escola Americana de Estudos Clássicos começou ali uma escavação sob a direção geral de R. B. Richardson e continuou, desde então, de maneira intermitente, a trabalhar na cidade, na acrópole, e no santuário de Posêidon onde eram praticados os jogos istimianos. De interesse especial para os estudiosos da Bíblia é a escavação da grande Ágora, ou centro comercial e político da cidade, que media 198 metros a leste e a oeste, e 99 metros ao norte e sul. No centro da Ágora, ainda permanece a bema ou local de julgamento no qual Paulo compareceu diante de Gálio. *Veja* Corinto.

6. *Éfeso*. John T. Wood iniciou o trabalho arqueológico em Éfeso em 1863 quando começou sua pesquisa do grande templo de Diana. Ele finalmente localizou este templo em 1869, e então passou mais cinco anos escavando a estrutura. Ao mesmo tempo, ele descobriu o imenso teatro (At 19.31) na inclinação oeste do Monte Piom. Em 1897, escavadores austríacos começaram a trabalhar na cidade de forma adequada, e têm, mesmo com interrupções, continuado ali até o presente. Eles descobriram a rua que levava ao porto, e uma grande rua que atra-

Uma vista do antigo local de Gerasa a partir de um dos teatros. MIS

vessava a cidade, assim como numerosas estruturas ao longo de ambos os lados da via pública. A grande Ágora helenística quadrada cujos lados mediam aproximadamente 119 metros foi intensamente escavada, e lojas de artesãos de prata têm sido encontradas ali. *Veja* Efeso.
7. *Eziom-Geber*. (Tell el-Kheleifeh) é conhecida no Antigo Testamento como a sede da frota de Salomão (1 Rs 9.26) e foi construída por ele no extremo Norte do Golfo de Ácaba. As escavações de Nelson Glueck no local em 1938 revelaram que este era também um importante centro de fundição de cobre onde o minério era parcialmente ustulado, e, de Arabá, ao norte, era preparado para o embarque. Glueck também descobriu que havia cinco períodos principais de ocupação começando com Salomão. Os equipamentos encontrados na cidade de Salomão, que haviam sido caldeiras ou fundições, foram considerados os melhores já descobertos no mundo antigo.
Porém, recentemente, este aspecto das escavações tem sido desafiado por Beno Rothenberg, que mostrou a improbabilidade daquela estrutura ser usada como caldeiras de fundição, e sugere que elas eram, antes, armazéns de mercadorias que eram enviadas pelas rotas de comércio que cruzavam Eziom-Geber (PEQ, 94 [1962], pp. 5-61). *Veja* Eziom-Geber.
8. *Hazor*. Proeminente na liderança da oposição a Josué no norte da Palestina (Josué 11), Hazor era uma das maiores cidades de Canaã. Localizava-se a aprox. 15 quilômetros ao norte do Mar da Galiléia e era considerada o monte em forma de garrafa com aprox. 660 metros de comprimento, 25 acres de extensão e um platô médio retangular inferior de 760 metros de largura por 1.089 metros de comprimento. John Garstang escavou este local por pouco tempo em 1928, mas uma escavação mais detalhada foi feita por uma expedição da Universidade Hebraica sob a direção de Yigael Yadin, 1955-58 e 1968-69. A última cidade na área retangular tinha uma população estimada em 40.000 pessoas e presume-se que tenha sido destruída por Josué ou por Baraque. Salomão e Acabe provavelmente tenham sido responsáveis pela construção das cidades no alto do monte durante o décimo e o nono século a.C. *Veja* Hazor.
9. *Jerás*. (talvez a Gerasa do NT). Provavelmente fazia parte de Decápolis, uma rede de dez cidades helenísticas localizadas na região da Palestina. Muitos seguiram Jesus de Decápolis (Mt 4.25; Mc 5.20; 7.31). Sérias escavações começaram a ser feitas ali em 1920 sob a supervisão do Departamento de Antiguidades da Palestina, e a partir de 1948 o governo da Jordânia deu continuidade a este trabalho. A magnífica cidade que foi exposta é um bom exemplo da influência greco-romana de Decápolis em meio ao exclusivismo da religião judaica. Embora muitos dos vestígios datem do segundo século d.C., um teatro e os templos de Zeus, Artemis, e Tibério estão entre as estruturas que datam da época de Jesus. *Veja* Gerasa.

Escavações adjacentes ao muro ocidental do Templo de Jerusalém. HFV

10. *Jericó*. As escavações na Jericó do Antigo Testamento foram conduzidas por Ernst Sellin e Carl Watzinger pela Sociedade Alemã Oriental, 1907-9. Os arqueólogos demonstraram que a cidade tinha apenas seis a oito acres, e assim seria suficiente que os israelitas tivessem marchado por 15 minutos para completar uma volta ao redor dela. O arqueólogo inglês, John Garstang, trabalhou no local entre 1929 e 1936 e identificou as paredes duplas da Cidade D como pertencentes à cidade da época de Josué. Ele concluiu que elas caíram por volta de 1.400 a.C. Kathleen Kenyon retomou as escavações de Jericó 1952-58 para a escola britânica de arqueologia em Jerusalém e concluiu que as paredes de Garstang datam de 3000-2000 a.C. Ela acreditava que Josué havia tomado Jericó em 1350-25 a.C., confirmando assim os resultados do trabalho de Garstang. As escavações nas proximidades da Jericó do Novo Testamento foram conduzidas por James Kelso em 1950, e por James Pritchard em 1951. Eles encontraram ruínas do palácio herodiano e outras estruturas desta capital de inverno de Herodes. *Veja* Jericó.
11. *Jerusalém*. O trabalho arqueológico em Jerusalém data do início do estabelecimento do Fundo de Exploração da Palestina em 1865,e o trabalho de Charles Warren a partir de 1867. De 1894 a 1897, F. J. Bliss e seu arquiteto A. C. Dickie fizeram um importante trabalho arquitetônico e arqueológico na antiga capital hebréia. Em 1909-11, o Capitão Parker desobstruiu todo o sistema de túneis relacionados à fonte de Giom. E. L. Sukenik empreendeu escavações na linha

Um relevo da área do palácio em Persépolis. ORINST

norte do muro entre 1925 e 1940.

Além destes poucos exemplos, muitos outros esforços arqueológicos têm sido realizados em Jerusalém, mas será, é claro, impossível continuar com qualquer expedição de grande escala porque a cidade antiga está amplamente coberta por habitações modernas. Uma vez que quase todas estas expedições foram conduzidas antes que os devidos registros estratigráficos fossem entendidos, a Escola Britânica de Arqueologia em Jerusalém e a Ecole Biblique empreenderam uma pesquisa na cidade antiga em 1961. Em 1962 e nos anos subseqüentes, o Museu Real de Ontário se uniu a elas. Père R. de Vaux, A. D. Tushingham, e Kathleen M. Kenyon foram co-diretores. Um passo significativo foi dado na eliminação de problemas relacionados ao muro Leste e à área da antiga cidade dos Jebuseus. Uma nova evidência foi também encontrada, e sugere que o local da igreja do Santo Sepulcro ficava fora dos muros de Jerusalém na época da crucificação. Em 1969, os israelenses descobriram que a ponte Herodiana que cruza o Vale Tyropeon do lado oeste da área do Templo era tão larga quanto uma pista de quatro faixas de nossos dias. *Veja* Jerusalém

12. *Megido*. Dentre as cidades fortalezas construídas por Salomão (1 Rs 9.15), Megido (Tell el-Mutesellim, localizada ao sul da planície de Esdraelom) foi escavada pelo Instituto Oriental da Universidade de Chicago (1925-39) sob a liderança de Clarence Fisher, P. L. O. Guy e Gordon Loud. O Stratum IV foi identificado como o nível de Salomão. Foram encontrados dois estábulos compostos, capazes de abrigar quatrocentos e cinqüenta cavalos e um grande número de carruagens. Embora Yigael Yadin, da Universidade Hebraica em escavações mais recentes no local suspeite que estes estábulos datem da época de Acabe, parece provável que Salomão os tenha construído e que eles tenham sido reformados por Acabe. *Veja* Megido.

13. *Nínive*. As escavações em Nínive foram iniciadas por A. H. Layard em 1847 e continuaram durante o último século sob a liderança de Hormuzd Rassam e George Smith por parte do Museu Britânico, e por Victor Place por parte da França. Mais tarde, expedições do Museu Britânico foram lideradas por L. W. King e R.C. Thompson em 1903-5,e por M. E. L. Mallowan em 1931-32. A Nínive antiga é representada por 12 quilômetros de baluartes ao redor dos dois grandes montes – Kouyunjik e Nebi Yunus. A maior parte do trabalho arqueológico se concentrou no primeiro, onde Layard descobriu o palácio de Senaqueribe, e ele e outros trabalharam no palácio de Assurbanipal com sua grande biblioteca. O palácio de Esaradom foi descoberto no Monte Nebi Yunus. Até agora, Nínive foi apenas parcialmente escavada. *Veja* Nínive.

14. *Pérgamo*. Desde 1868, quando Carl Humann iniciou as escavações em Pérgamo, arqueólogos alemães têm trabalhado no local, que consiste em uma antiga cidade na colina e uma cidade na área mais baixa, da época do Império Romano. A cidade da colina foi amplamente escavada. Lá o grande altar de Zeus foi descoberto, identificado por algumas pessoas como o trono de Satanás (Ap 2.13), assim como duas Ágoras, o ginásio, vários templos, a biblioteca mundialmente famosa, palácios e um teatro. A cidade mais baixa, que estava sendo construída na época do apóstolo João, está grandemente coberta por uma cidade moderna; mas um trabalho arqueológico foi empreendido ali pouco antes da segunda guerra mundial. Próximo à cidade mais baixa, estava o mundialmente conhecido centro de saúde dedicado a Asclépio, o deus da cura na mitologia grega, o qual ainda está recebendo atenção arqueológica. *Veja* Pérgamo.

15. *Filipos*. A primeira cidade da Europa a ouvir o Evangelho foi Filipos, e a igreja ali era muito querida pelo apóstolo Paulo. Embora algumas escavações tenham sido

O altar de Zeus, Pérgamo. HFV

conduzidas em Filipos desde a segunda guerra mundial, o trabalho principal foi feito na cidade pela Escola Francesa de Atenas, no período de 1914 a 1938. O fórum retangular de 100 por 50 metros foi completamente descoberto. Embora tenha sido reconstruído no segundo século, sua planta foi mantida como a mesma da época de Paulo. Os franceses também trabalharam na acrópole e descobriram o teatro e as igrejas bizantinas. *Veja* Filipos.

16. *Roma*. Embora o trabalho arqueológico em Roma tenha sido extensivo, somente uma fração dela tem relação com as Escrituras. As escavações no Monte Palatino começaram aprox. em 1725 e continuam de forma intermitente até o presente. Parte do palácio de Tibério (Imperador reinante quando Cristo foi crucificado) foi descoberto, mas a maior parte da construção no monte foi feita por Domiciano (que exilou João na ilha de Patmos). Desde 1907 o trabalho tem progredido na recuperação da Casa Dourada de Nero no Monte Ópio. O primeiro trabalho arqueológico no fórum (centro econômico e político da cidade e provavelmente o local onde Paulo compareceu perante César) foi realizado em 1788, e tem continuado periodicamente até o presente. Uma atenção considerável tem sido dedicada ao Circo Máximo, um grande centro de entretenimento na época de Paulo, localizado entre os declives de Aventina e Palatina.

A escavação sob o Vaticano começou em 1940 e tem continuado desde a segunda guerra mundial. As opiniões dos arqueólogos variam sobre a questão do túmulo de Pedro estar de fato localizado ali, e se foi encontrado. *Veja* Roma.

17. *Samaria*. As escavações em Samaria, capital do reino do Norte, começaram com uma expedição de Harvard sob a liderança de George A. Reisner, 1908-10. J. W. Crowfood liderou uma segunda expedição, 1931-33, na qual Harvard cooperou com quatro outras instituições. A Escola Britânica de Arqueologia em Jerusalém e outras escavaram o local em 1935. As escavações em Samaria descobriram o palácio iniciado por Onri e Acabe - e que foi continuado por reis posteriores - o muro das cidades, cisternas para o armazenamento de água durante os longos períodos de cerco, grandes quantidades de marfim, e ostracas. Estas últimas, em torno de setenta, são peças de cerâmica que trazem inscrições, e que datam do século VIII a.C. Elas fornecem importantes informações sobre a caligrafia, e as condições econômicas e religiosas da época. Vestígios de edificações de Herodes o Grande também foram encontrados e descobertos. *Veja* Samaria.

18. *Siquém*. Siquém (Tell Balatah) é mencionada com freqüência no Antigo Testamento. Ela era, por exemplo, a cidade próxima na qual Abraão construiu o seu primeiro altar, e serviu como a primeira capital do reino de Israel sob o governo de Jeroboão. I. E. Sellim e outros ligados à Sociedade Oriental Alemã escavaram Siquém entre 1913 e 1934. G. Ernest Wright, agora em Harvard, iniciou uma série de escavações no local em 1956 sob os auspícios da Universidade de Drew, do McCormick Teological Seminary, e da American Schools of Oriental Research. Várias instituições cooperaram em expedições quase anuais em anos recentes. Siquém provavelmente alcançou seu ponto alto entre

Um grifo em baixo-relevo do palácio em Susã, séculos V a IV a.C. LM

2000 e 1500 a.C. Uma descoberta de interesse particular para o estudante da Bíblia é um vasto templo da Era do Bronze que pode ter sido a casa de Baal-Berite de Juízes 9.4. *Veja* Siquém.

19. *Susã*. Capital de inverno do império persa, é citada no Antigo Testamento (Ne 1.1; Et 1.2; Dn 8.2). O palácio real foi iniciado por Dario I (522-486 a.C.) e ampliado e embelezado pelos reis posteriores. Dario menciona materiais vindos do Egito, do Líbano, e da Índia para esta edificação. Escavadores franceses conduziram o trabalho em Susã. M. A. Dieulafoy foi o pioneiro ali em 1884-86 e Jacques Morgan e outros dirigiram as escavações no local no período de 1897 a 1912. Os três fragmentos do Código de Hamurabi foram descobertos em Susã em 1901-2. Atenção especial foi dedicada ao palácio, o qual inclui três pátios de tamanhos variados rodeados por grandes saguões e apartamentos. Os muros de tijolos secos ao sol eram decorados por painéis de belos tijolos esmaltados coloridos, provavelmente durante o reinado de Artaxerxes II (404-359), logo após a época de Ester e Neemias. Os temas destes painéis incluíam touros com asas, grifos (ou animais fabulosos) com asas, e lanceiros da guarda. *Veja* Susã.

20. *Ur*. Em 1854 J. E. Taylor identificou Tell Mukayyan no sul do Iraque como Ur, e escavou ali por pouco tempo. R. Campbell

O zigurate em Ur. BM

Thompson e H. R. Hall lideraram duas expedições a este local em 1918 sob os auspícios do Museu Britânico. Mas o trabalho principal no local foi feito por uma expedição conjunta do Museu da Universidade da Filadélfia e do Museu Britânico, em uma escavação prolongada liderada por Sir Leonard Woolley (1922-34). Wooley descobriu que a civilização Suméria prosperou em Ur em um nível muito elevado em torno de 2500 a.C. Mas a cidade atingiu o seu ponto alto em 2070-1960 a.C. durante o tempo em que Abraão pode ter partido dali, dependendo da forma como se entende a cronologia do Antigo Testamento. Naquela época, sua população era de dezenas de milhares de pessoas, e estas praticavam uma extensa atividade comercial e industrial, gozavam de oportunidades substanciais de ensino, e construíam grandes estruturas públicas como o zigurate de tijolos ou a torre de Nanna (deusa da Lua) que tinha diferentes níveis (esta torre media aprox. 65 metros de comprimento por 50 metros de largura, e 23 metros de altura). *Veja* Ur.

**Escavações de Locais Importantes para o Estudo Bíblico**

1. *Ain Feshkha* e *Qumran*. Ain Feshkha está localizada a aprox. dezesseis quilômetros ao sul de Jericó, e nesta região, a oeste do Mar Morto, é que estão localizadas as cavernas que continham os pergaminhos do Mar Morto. Até o momento, pelo menos onze cavernas da região continham pergaminhos e fragmentos de pergaminhos desde a descoberta original em 1947-8. Imediatamente ao norte de Ain Feshkha estava Khirbet Qumran, escavada em 1953-56 e foi descoberto que lá havia um centro de uma seita ascética semelhante à dos Essênios e um lugar onde muitos dos DSS foram produzidos. Os pergaminhos incluem porções de todos os livros do Antigo Testamento, exceto Ester. Um MS completo de Isaías, um segundo rolo bastante completo de Isaías, um rolo quase completo de Levítico, e uma cópia quase completa de quarenta Salmos são os mais importantes e mais longos MSS Bíblicos dentre as descobertas. O DSS fornece novas informações importantes sobre a base histórica das Escrituras e materiais novos importantes para a crítica do texto. Veja Ain Feshkha; Rolos do Mar Morto.

2. *Boghazköy*. Mencionados muitas vezes em mais de doze livros do Antigo Testamento, os heteus eram pessoas importantes da Ásia Menor, pouco conhecidas até que Hugo Winckler liderou a escavação da Sociedade Oriental Alemã em Boghazköy (a capital hitita a 30 quilômetros a leste de Ancara) a partir de 1906. Uma descoberta de grande importância foi a dos arquivos reais, que consistiam em 10.000 placas cuneiformes. Templos, muros, e outras construções vieram à tona após temporadas subseqüentes de escavação. Escavadores alemães têm novamente trabalhado regularmente neste grande local de trezentos acres desde a segunda guerra mundial. *Veja* Heteus.

3. *Mari*. (Tell Hariri) está localizada no Eufrates, quase a leste de Biblos. André Parrot do museu do Louvre liderou escavações anuais no local, no período de 1933 a 1938, e 1951 a 1956. A descoberta mais importante foi o palácio real e os arquivos reais do início de 2000 a.C. O palácio possuía mais de 250 salas, pátios, corredores, e ocupava mais de seis acres. Mais importante para o estudo Bíblico, contudo, são os arquivos reais, contendo mais de 20.000 barras de argila. Estas consistem na correspondência real de muitos reinos da Ásia Ocidental, e de um grande número de documentos de negócios. Estas barras (ou tábuas) têm ajudado a modificar o nosso conhecimento da cronologia do segundo milênio a.C., e nos dizem muito sobre os amorreus e conseqüentemente sobre o período patriarcal. Os nomes Pelegue, Serugue e Naor (Gn 11.16,22,24,27) aparecem como nomes de cidades nas barras de Mari. *Veja* Mari.

4. *Nipur*. Situada a aproximadamente dezesseis quilômetros a sudeste da Babilônia, era uma importante cidade suméria. As primeiras escavações nesta cidade foram conduzidas pelo Museu da Universidade de Filadélfia, 1889-1900, sob a liderança de J. P. Peters e outros. Sendo Nippur um centro comercial e religioso dedicado à “grande deusa da terra”, Enlil, o principal edifício da cidade era o templo de Enlil. Nas proximidades do templo foi encontrada uma biblioteca que continha 20.000 tábuas do terceiro e do início do segundo milênio a.C. Entre os textos religiosos importantes para o estudo bíblico estavam a narrativa suméria do dilúvio e a lista de reis sumérios, que menciona os antigos patriarcas que desfrutaram de elevada longevidade. Dentre as casas de comércio do monte, foram encontradas milhares de tábuas, datando do terceiro milênio

ao quinto século a.C. Desde a segunda guerra mundial, muitas temporadas de escavação foram conduzidas no local pelo Instituto Oriental da Universidade de Chicago e pelo Museu da Universidade de Filadélfia com notável sucesso. Muitos grandes templos foram investigados, depósitos de fundações foram descobertos e mais tábuas foram escavadas. *Veja* Nipur.

5. *Nuzu*. Escavações neste local a nordeste do Iraque foram conduzidas (1925-31) pela organização American Schools of Oriental Research sob a direção de Edward Chiera. Harvard, o Museu da Universidade da Filadélfia, e outras instituições cooperaram na operação. De particular importância foi a descoberta de 1.500 barras de argila em casas particulares de Nuzu, datando de aprox. 1.500 a.C., e revelando surpreendentes paralelos da narrativa patriarcal. Além do mais, deve ser destacado que os nuzianos eram hurrianos, parentes dos antigos horeus do Antigo Testamento. *Veja* Nuzu. Horeus.

6. *Persépolis*. Esta era uma das grandes capitais da Pérsia e se tornou a principal capital sob o comando de Dario I. Xerxes (provavelmente o marido de Ester) e Artaxerxes I (a quem Neemias ministrou) continuaram a construção neste local. O Instituto Oriental da Universidade de Chicago conduziu escavações em Persépolis (1931-39) sob a direção de Ernst Herzfeld e Erich Schmidt. Os principais edifícios foram levantados em um grande planalto retangular e incluíam o palácio de Dario, um edifício que provavelmente servia como seu salão de recepções, e um salão de audiência iniciado por Dario I e concluído por Xerxes. Este edifício era coberto por um teto de madeira suportado por 72 colunas de pedra. No terraço, havia um terceiro e grande salão de recepção com cem colunas iniciado por Xerxes e terminado por Artaxerxes I, o harém de Dario, e o tesouro real. *Veja* Pérsia.

7. *Ras Shamra* (antiga Ugarit) localizava-se na costa assíria oposta a Chipre. Escavada de 1929 até a segunda guerra mundial, e a partir de 1950 por C. F. A. Schaeffer, é um local que tem fornecido centenas de textos datados do décimo quinto ao décimo quarto século a.C. Estes documentos cananeus são muito significativos para a compreensão da língua hebraica, e também revelam a natureza das práticas religiosas cananéias da época da conquista hebraica. *Veja* Ras Shamra.

***Bibliografia***. William F. Albright, *The Archaeology of Palestine*, ed. rev., Harmondsworth. Middlesex. Penguin, 1960. George A. Barton, *Archaeology and the Bible*, 7ª ed., Philadelphia. American Sunday School Union, 1937. George E. Bean, *Aegean Turkey*, London. Ernest Benn, 1966. Millar Burrows, *What Mean These Stones?* New Haven. American Schools of Oriental Research, 1941. Jack Finegan, FLAP. Joseph P. Free, *Archaeology and Bible History*, 2ª ed. Wheaton. Scripture Press. 1956. David N. Freedman e Jonas C. Greenfield (eds.), *New Drections in Biblical Archaeology*, Garden City. Doubleday, 1969. Nelson Glueck, *Rivers in the Desert*, Philadelphia. Jewish Publication Society, 1959. Kathleen Kenyon, *Archaeology in The Holy Land*, 2ª ed. New York. Praeger 1965. William S. LaSor. *Amazing Dead Sea Srcolls*, 2ª ed. Chicago. Moody, 1959. Paul MacKendrick, *The greek Stones Speak*, New York. St. Martin's Press, 1962. Charles F. Pfeiffer, Ed. BW. Ira M. Price. O. R. Sellers, e E. L. Carlson, *The Monuments and the Old Testament*, Philadelphia. Judson, 1958. James B. Pritchard, ed., ANET, ANEP. D. Winton Thomas, ed., AOTS. John Arthur Thompson, *The Bible and Archaeology*, Grand Rapids. Eerdmans, 1962. Merrill F. Unger, *Archaeology and the Old Testament*, Grand Rapids. Zondervan, 1954. Donald J. Wiseman, *Illustrations from Biblical Archaeology*, Grand Rapids. Eerdmans, 1958. G. Ernest Wright, *Biblical Archaeology*, ed. rev., Philadelphia. Westminister, 1962.

H.F.V

**ARQUEUS** Uma tribo descendente de Canaã (Gn 10.17; 1 Cr 1.15). O local atual, Tell 'Arqah, está localizado na Síria ao longo da costa Norte de Tripoli. A cidade é mencionada em muitos registros egípcios do século XIX ao século XIV a.C., assim como por Tilglate-Pileser III da Assíria (ANET, p. 283).

**ARQUEVITAS** Um grupo de pessoas deportadas para a Samaria pelo rei assírio Asnapar ou Assurbanipal Ed 4.9). Eles são identificados com a cidade babilônica de Ereque de Gênesis 10.10 (IB, III, 601) e traduzidos como "os homens de Ereque" (na versão RSV em inglês) e "naturais de Ereque" (na versão NTLH em português). *Veja* Ereque.

**ARQUI** *Veja* Arquita.

**ARQUIPO** Mencionado duas vezes no Novo Testamento (Cl 4.17; Fm 2). Em Colossenses, Arquipo é exortado a atentar para o seu ministério. Talvez aqui Paulo esteja elogiando Arquipo por serviços prestados no passado e encorajando-o para tarefas futuras, sem a intenção de repreendê-lo. Em Filemom, Paulo saúda Arquipo depois de Filemom e Áfia de uma forma que sugere que este pode ter sido filho deles, e o chama de "nosso companheiro", provavelmente pelo fato de Arquipo ter compartilhado com ele algumas experiências do serviço ou do sofrimento pela causa de Cristo (cf. Fp 2.25).

Lightfoot argumentou que em Colossenses Paulo está reprovando Arquipo por ser negligente na obra de Cristo. Acreditando que

Arquipo tenha servido a igreja de Laodicéia, Lightfoot pensa em Arquipo como sendo uma pessoa indiferente, como mais tarde toda a igreja de Laodicéia se tornou (cf. Ap 3.14ss.). De qualquer forma, John Knox argumentou que Arquipo era o principal endereçado da epístola a Filemom e assim, provavelmente o pastor da igreja em Colossos, não em Laodicéia; e o serviço (*diakonia*) que Arquipo foi exortado a realizar era de, como o proprietário de Onésimo, libertá-lo de modo que este pudesse fazer o trabalho de um evangelista. Entretanto, esta não é uma interpretação óbvia, do “ministério que recebeste no Senhor” (Cl 4.17).
*Veja* Filemom, Epístola a.

***Bibliografia***. Henry Cowan, “Arquipus”, HDAC. 1, 89. John Knox, *Philemon Among The Letters of Paul*, ed. rev., New York; Abingdon, 1959, J. B. Lightfoot, Colossenses, 3ª. ed., London. Macmillan, 1879, pp. 72ss. Quanto à ocorrência deste nome em papiros egípcios e inscrições da Ásia Menor , veja Arndt.

E. J. V.

**ARQUITA** Um habitante de uma cidade ou clã ao longo da fronteira de Efraim ou Benjamim, entre Luz e Atarote (Js 16.2). Husai, o leal conselheiro de Davi, era um arquita (2 Sm 15.32; 16.16; 17.5,14).

**ARQUITETURA** A arte de construir, aqui limitada às fronteiras da Palestina de 2000 a.C. a 100 d.C.

### No Antigo Testamento

Uma cidade comum de vários milhares de pessoas costumava ser construída no topo de uma colina ou monte de cinco a dez acres de extensão, sendo protegida por um forte muro com um ou dois portões. Sem um planejamento de ruas adequado antes da era Helenística, as cidades continham apenas um aglomerado de casas próximas, e vielas não pavimentadas e curvas. Muitas pessoas, principalmente os lavradores, participavam da agricultura, viviam nos vilarejos dos arredores sem muros (Dt 3.5) ou em cabanas e tendas fora da cidade fortificada, e só buscavam refúgio dentro dos muros da cidade em ocasiões de ataque. O mais essencial para o local era um suprimento adequado de água fresca. E assim, muitas cidades (por exemplo, Jerusalém, Gibeão, Megido, Laquis, Gezer, Sartã ou Zaretã) construíam túneis para alcançar a nascente ou poço quando fosse sitiada. Por volta de 1300 a.C. cisternas cobertas por gesso calcinado ou áreas de drenagem eram usadas para armazenar a água da chuva, suplementando a fonte da cidade. Em geral os estilos de construção eram simples e práticos, pois Israel era sempre a nação que tomava emprestado a cultura, e nunca a inovadora.

Um diagrama do portão norte em Megido. HVF

*Fortificações*. Durante séculos após o período dos hicsos, os cananeus, e mesmo os israelitas, fizeram uso de muitos recursos remanescentes das defesas da Era Média do Bronze. Estes consistiam de muros de pedra ou tijolos, talvez de 8 a 10 metros no topo de uma ladeira artificial (ou declive) ou de uma vala na parte inferior para proteger o muro do cerco e dos ataques dos inimigos. Os egípcios esculpiam relevos retratando defensores cananeus barbados em fortificações de ameias. No início da monarquia israelita, muros de casamata eram construídos, consistindo de dois muros paralelos ligados por uma série de muros atravessados. Os “quartos” assim formados poderiam ser preenchidos com terra em ocasiões de cerco para fortalecer os muros contra as baterias de ataque (cf. Ez 26.9). Mais tarde na monarquia, muros simples de 7 metros ou mais de espessura eram construídos com recessos alternados e salientes para expor os inimigos. O portão era a chave para a defesa da cidade já que era o ponto mais vulnerável. Embora Jerusalém tivesse vários portões, a maioria das cidades israelitas tinha apenas dois, um para carruagens e, do lado oposto da cidade, um menor apenas para jumentos e pedestres. A estrada que levava ao portão principal era planejada de forma que os inimigos, carregando escudos com sua mão esquerda, teriam o muro e seus defensores no flanco direito. O portão era uma forte torre ou tinha baluartes em ambos os lados (2 Cr 26.9). Geralmente no portão, a estrada seguia entre dois conjuntos de pilares de pedra maciça (ou pilastras) ou batentes salientes – às vezes três como em Siquém – com câmaras de guardas no meio (2 Sm 18.24). Escadas davam acesso ao telhado da torre onde uma sentinela ficava em guarda (2 Rs 9.17). As folhas duplas do portão (Is 45.1; Ne 6.1) consistiam geralmente de duas partes de madeira, às vezes sobrepostas com galvanização de bronze (Is 45.2) e eram mantidas trancadas através de uma ou mais barras de madeira na posição horizontal. Estas barras também eram feitas de bronze (1 Rs 4.13), ou ferro (Sl 107.16), passando por aberturas nos postes do portão (Jz 16.3). Em Megido, como no atual Portão de Damasco em Jerusalém, o eixo do portão foi virado a 90° entre os dois portões para evitar um tiro em linha reta através do portão pelos flecheiros inimigos. O arquiteto de Salomão planejou portões idênticos, com quatro pares de pilastras para Hazor, Megido e Gezer (cf. 1 Rs 9.15).

*Edifícios Públicos.* Nas cidades cananéias, o rei local das cidades-estado, e alguns de seus nobres, construíram casas de dois andares com tetos apoiados por pilares de pedras. Salomão reconstruiu certas cidades como centros para seus distritos administrativos (1 Rs 4.7-19). Como em Megido, estas, provavelmente, continham, próximo ao portão, um "palácio" com muitos aposentos para abrigar a guarnição da cidade, bem como o governador da província e sua comitiva, e ainda estábulos para os cavalos da cavalaria real (1 Rs 9.19). Depósitos continham as jarras de grãos, vinho, e azeite de oliva coletados como taxas, como em Dotã, Siquém, e Gezer. Um grande silo de pedras alinhadas foi construído em Megido durante o reinado de Jeroboão II para armazenar os grãos colhidos na planície fértil de Esdraelom*. O edifício fortificado em Eziom-Geber, que anteriormente servia para a fundição do cobre, é agora considerado um armazém de grãos.

**Nota do Tradutor: Forma grega de Jezreel.*

Exceto nestas cidades depósitos e nas cidadelas reais de Samaria, Jerusalém e Ramate Rael a Palestina Israelita tem poucas evidências da arquitetura monumental dos estilos em voga no Egito e na Fenícia. Mas o rei Salomão contratou carpinteiros e pedreiros de Tiro e Gebal para preparar o madeiramento e as pedras para seu Templo (1 Rs 5.6,18). Certamente pedreiros fenícios foram também empregados posteriormente em Megido, e pelo rei Onri e pelo rei Acabe em Samaria. Nestas cidades, partes das paredes permanecem com seus blocos aplainados de calcário, unidos, e em um padrão de pedras e tijolos cuidadosamente ajustados. O trabalho mais antigo que se conhece deste tipo de alvenaria, foi descoberto em Ugarite. O pátio de Salomão foi construído com uma fundação de três séries de pedras cortadas cobertas por uma carreira de vigas de cedro (1 Rs 6.36; 7.12), uma estrutura comum no Oriente Próximo para resistir aos abalos causados pelos terremotos. Provavelmente em Eziom-Geber e Samaria foram postos mais tijolos ou pedras sobre a junção das vigas, ligando as pedras. A cidadela cercada por duas paredes no cume de Samaria era aproximada do Leste através de um portão com um pátio frontal monumental, ornamentado por pilastras com capitéis "proto-jônicos". Estas também foram encontradas em Megido e em Ramate Rael próximo a Jerusalém, decorando as fachadas de um palácio na cidadela real construída provavelmente pelo rei Jeoaquim (cf. Jr 22.13ss). Uma tumba de estilo egípcio monolítico do período da monarquia judaica pode ser vista em Silwan, do outro lado do ribeiro de Cedrom, a partir da antiga Jerusalém. Talvez o sepulcro do mordomo pró-egípcio Sebna (Is 22.16), ou mesmo do rei Ezequias (2 Cr 32.33), seguissem este estilo arquitetônico.

Um muro de casamata da antiga construção hebraica em Ramate Rael, nas proximidades de Jerusalém. HFV

*Veja* Templo, para conhecer os aspectos especiais destas construções.

*Casas Particulares.* A casa dos israelitas de classe privilegiada consistia de várias dependências que ficavam de frente para um pátio, o qual era usado para as tarefas domésticas (2 Sm 17.18), uma dependência maior para a família, uma outra para o gado, e uma terceira para a despensa geral ("aposento", Mt 6.6). Estes aposentos eram pequenos, mediam de 1,30 a 1,60 metros quadrados ou menos. Como em Gezer, as paredes das casas geralmente consistiam de pedras comuns com juntas irregulares preenchidas com barro e lascas de pedra. Cada família construía a sua própria casa, e pedreiros experientes eram empregados somente nas residências reais, templos ou muros da cidade. As pessoas comuns rebocavam o interior das suas paredes com barro; os mais abastados podiam pagar por um pai-

Efeito de painel de alvenaria herodiana no muro ocidental do Templo. HFV

nel de madeira de cipreste ou cedro em suas paredes (Ag 1.4. Vários termos eram utilizados para estas casas como, por exemplo: "estucadas", "forradas", "apaineladas"). Em todos os períodos o piso era feito de argila ou gesso polido com pedras de polimento.

Os telhados eram planos, sustentados por vigas de madeira postas de parede a parede. Vigas menores (Ct 1.17) os cruzavam, ou ainda galhos ou juncos, sobre os quais havia uma grossa camada de gesso, que eram enrolados depois da chuva para manter o telhado impermeável. O acesso ao telhado era feito por uma escada externa do pátio, e esta era presa por um parapeito exigido pela lei mosaica (Dt 22.8). Estes telhados eram às vezes protegidos por toldos, e tinham muitos tipos de uso (Js 2.6; 1 Sm 9.25; Is 15.3; At 10.9). Alguns construíam aposentos no telhado (1 Rs 17.19; 2 Rs 4.10), transformando a casa em um sobrado de dois andares. Porém somente um palácio teria uma janela ornamental ou treliça balaustrada tal como aquela pela qual Jezabel olhou (2 Rs 9.30-33), e que se tornou um tema artístico favorito do Oriente Próximo, mostrando uma mulher de pé junto a uma bela janela. Muitos dutos de pedra que podem ter servido como canaletas de esgoto também foram encontrados em várias cidades cananitas e israelitas.

### No Novo Testamento

Um resultado permanente da helenização do mundo Mediterrâneo foi a fundação ou a reconstrução de trezentos e cinqüenta cidades helenísticas, mais de trinta delas na Palestina. Dentre estas trinta, as cidades de Decápolis (q.v.), estavam principalmente concentradas na Transjordânia e ao longo da costa. Estas se sobressaíram arquitetonicamente devido a seu sistema de planejamento com ruas principais e blocos retangulares, arcos monumentais, teatros, banheiros públicos, ginásios, templos e, sobretudo a típica *ágora* grega (fórum ou mercado). Gerasa, em Gileade, com suas ruínas espetaculares, é o maior exemplo de uma destas cidades. Os nabateus incorporaram muitos destes aspectos arquitetônicos em sua cidade em meio às pedras, chamada Petra. Nas cidades judaicas, contudo, predominava a recusava a ceder ao helenismo, embora as famílias judaicas proeminentes tivessem adotado modos ocidentais, como é visto no Mausoléu de Tobias na Transjordânia e nas tumbas da época dos Macabeus no Vale de Cedrom. As casas judaicas de nível médio permaneceram pequenas e juntas, com telhados planos e com as dependências abertas para o pátio, o qual era separado da rua por uma parede e um portão (At 12.13), um estilo arquitetônico exclusivamente voltado ao aspecto da utilidade.

Foi o grande programa de construções de Herodes o Grande (30 a.C.) que afetou mais profundamente a arquitetura da Judéia. Ele ergueu uma notável rede de castelos com aquedutos, grandes cisternas, e masmorras. Vestígios destes ainda podem ser vistos em Masada e Herodium, nas proximidades de Belém. Suas maiores realizações foram a renovação completa do segundo Templo em Jerusalém, e a transformação de Cesaréia e de Samaria (cujo nome ele mudou para Sebaste) em importantes cidades. Sua alvenaria era reconhecível em todos os lugares pelos blocos quadrados ou juntas impecáveis com limites destacados produzindo um efeito de painel. Ele introduziu a estrutura arqueada (em forma de abóbada) de pedra cortada, tornando possível o porto na Cesaréia, a vasta subestrutura da área do Templo de Jerusalém, e grandes viadutos que rodeavam o vale Tiropeano (os arcos de Wilson e Robinson). Contudo, seus esforços de procurar amizade com a população de judeus por meio de seu programa somente conquistaram o ódio eterno. Em geral, eles se opunham amargamente a seus templos construídos em outras cidades como tributos aos deuses gregos e romanos, e recusavam-se a apreciar a mistura prevalecente das formas helenísticas e ornamentos na estrutura com seus temas nativos Orientais. *Veja* arco.

Veja os artigos sobre várias cidades mencionadas neste contexto.

***Bibliografia***. "Ancient Cities"; "Cities, Canaanite, Israelite, Hellenistic", *Pictorial Biblical Encyclopedia*, ed. por Gaalyahu Cornfeld, New York. Macmillan, 1964. J. W. Crowfoot, Kathleen M. Kenyon, E. L. Sukenik, *The Buildings at Samaria*. London. Palestine Exploration Fund, 1942. R. W. Hamilton, "Architecture", IDB. G. Ernest Wright, *Biblical Archaeology*, ed. rev. Philadelphia. Westminster, 1962.

J. R.

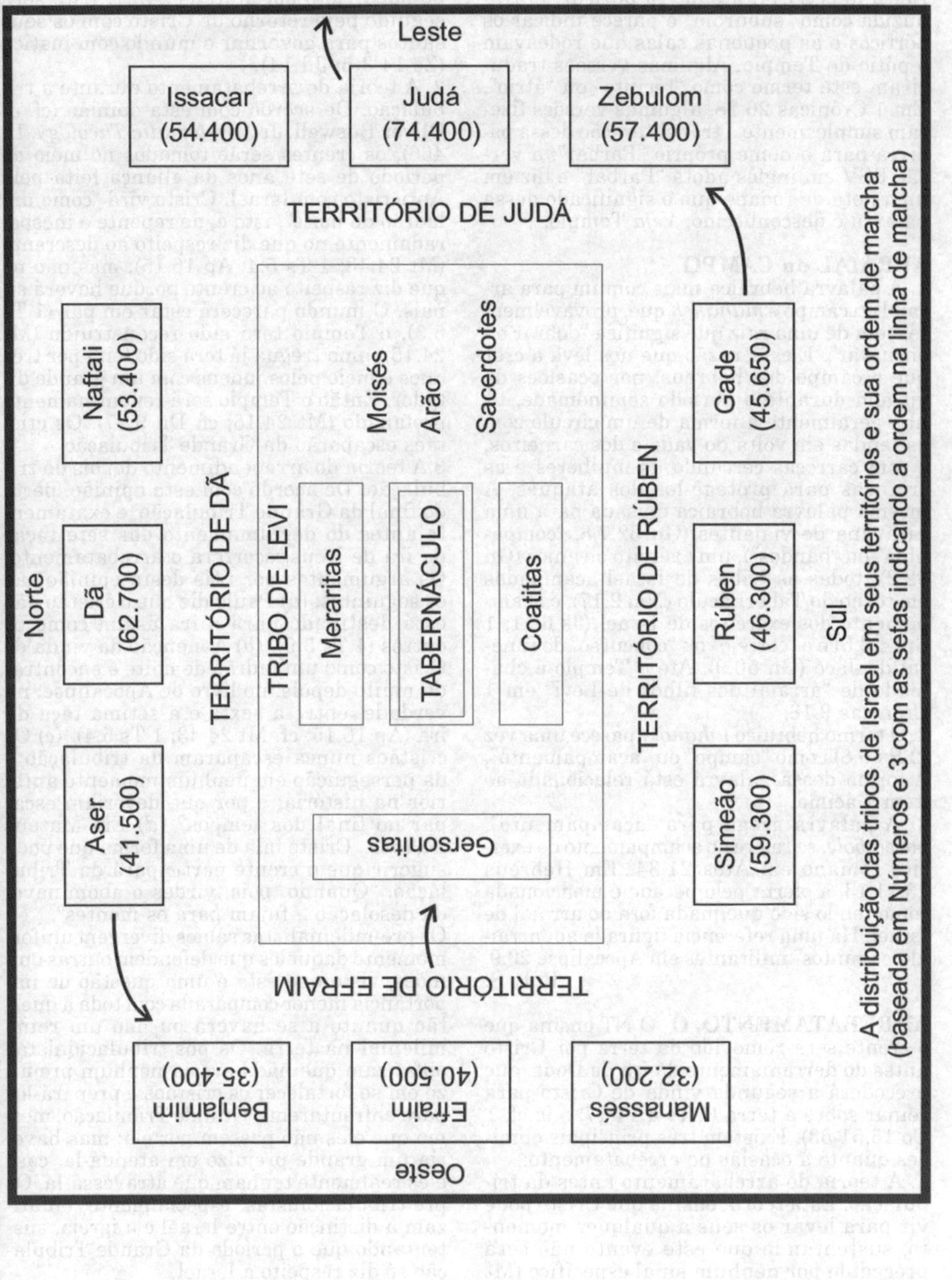

A distribuição das tribos de Israel em seus territórios e sua ordem de marcha (baseada em Números e 3 com as setas indicando a ordem na linha de marcha)

**ARRABALDES** Essa palavra geralmente refere-se a uma área aberta ao redor da cidade, usada como pasto comum para o gado. Algumas versões a traduzem como "terra pastoril" (Nm 35.2-7; Js 21). *Veja* Cidade.
Em 2 Reis 23.11, a palavra *parwar* foi traduzida como "subúrbio" e parece indicar os pórticos e as pequenas salas que rodeavam o pátio do Templo. Algumas versões traduziram este termo como "recinto" ou "átrio". Em 1 Crônicas 26.18, algumas versões fizeram simplesmente a transliteração dessa palavra para o nome próprio "Parbar"; a versão RSV em inglês adota "Parbar" e diz em uma nota de rodapé que o significado dessa palavra é desconhecido. *Veja* Templo.

**ARRAIAL ou CAMPO**
1. A palavra hebraica mais comum para arraial ou campo é *mahaneh* que, provavelmente, vem de uma raiz que significa "dobrar ou encurvar". É essa razão que nos leva a crer que o campo dos hebreus, nas ocasiões de viagem durante o período seminômade, tinha geralmente a forma de um círculo com as tendas em volta do gado e dos carneiros, e com carroças cercando as mulheres e as crianças para protegê-los dos ataques. A mesma palavra hebraica é usada para uma caravana de viajantes (Gn 32.7,8, "companhia" ou "bandos"), um exército de anjos (Gn 32.2), todas as tribos de Israel acampadas em torno do Tabernáculo (Nm 2.17), o acampamento dos exércitos de Israel (Js 6.11; 1 Sm 4.3,5) e o "cortejo" ou "concurso" do funeral de Jacó (Gn 50.9). Até o Templo é chamado de "arraial dos filhos de Levi" em 1 Crônicas 9.18.
2. O termo hebraico *tahanot* aparece uma vez (2 Rs 6.8) como "campo" ou "acampamento". A forma dessa palavra está relacionada ao ítem 1 acima.
3. A palavra grega para "acampamento", *parembole*, se refere ao acampamento do exército romano em Atos 21.34. Em Hebreus 13.11,13, a oferta pelo pecado é mencionada como tendo sido queimada fora do arraial de Israel. Há uma referência figurada ao "arraial dos santos" militantes em Apocalipse 20.9.

R. L. S.

**ARREBATAMENTO, O** O NT ensina que o crente será removido da terra por Cristo antes do derramamento da ira de Deus, que precederá a segunda vinda de Cristo para reinar sobre a terra (1 Ts 4.14-17; 5.9; cf. 1 Co 15.51-53). Existem três principais opiniões quanto à ocasião do arrebatamento:
1. A teoria do arrebatamento antes da tribulação. Esta teoria ensina que Cristo pode vir para levar os seus a qualquer momento, sustentando que este evento não será precedido por nenhum sinal específico (Mt 24.36, 42ss., 50; 25.13; Ap 3.3). O arrebatamento será sucedido por um período de sete anos durante o qual o Anticristo fará uma aliança com Israel, e a quebrará depois de três anos e meio. Os últimos três anos e meio do reinado do Anticristo serão o período da Grande Tribulação mencionado por Cristo em Mateus 24.21. Este será seguido pelo retorno de Cristo com os seus santos para governar o mundo com justiça (Zc 14.3-5; Jd 14).
2. A teoria do arrebatamento durante a tribulação. De acordo com esta opinião (cf. J. Oliver Buswell, Jr., *Systematic Theology*, II, 456), os crentes serão tomados no meio do período de sete anos da aliança feita pelo Anticristo com Israel. Cristo virá "como um ladrão de noite", isto é, de repente e inesperadamente no que diz respeito ao descrente (Mt 24.43; 1 Ts 5.4; Ap 16.15), mas não no que diz respeito ao crente porque haverá sinais. O mundo parecerá estar em paz (1 Ts 5.3), o Templo terá sido reconstruído (Mt 24.15), uma trégua já terá sido feita por três anos e meio pelos judeus com um grande ditador. Então o Templo será repentinamente profanado (Mt 24.15; cf. Dn 9.27). Os cristãos escaparão da Grande Tribulação.
3.A teoria do arrependimento depois da tribulação. De acordo com esta opinião, perto do final da Grande Tribulação, e exatamente antes do derramamento das sete taças da ira de Deus, ocorrerá o arrebatamento. Os argumentos por trás desta opinião são os seguintes: (*a*) Paulo diz que o cristão não está destinado para a ira assim como os outros (1 Ts 5.9). (*b*) A menção da vinda de Cristo como um ladrão de noite é encontrada muito depois, no livro de Apocalipse; na verdade, entre a sexta e a sétima taça da ira (Ap 16.15; cf. Mt 24.43; 1 Ts 5.4). (*c*) Os cristãos nunca escaparam da tribulação e da perseguição em nenhum momento anterior na história; e por que deveriam escapar no final dos tempos? (*d*) Em Mateus 24.15ss., Cristo fala de uma forma que pode sugerir que o crente participará da Tribulação. "Quando, pois, virdes o abominável da desolação... fujam para os montes".
Os pré-milenialistas sábios divergem uniformemente daqueles que defendem outras opiniões, visto que esta é uma questão de importância menor comparada com toda a questão quanto a se haverá ou não um reino milenial na terra. Os pós-tribulacionistas enfatizam que não haveria nenhum prejuízo em se fortalecer os cristãos e prepará-los para enfrentarem a Grande Tribulação, mesmo que eles não passem por ela; mas haveria um grande prejuízo em atenuá-la, caso eles realmente tenham que atravessá-la. Os pré-tribulacionistas, especialmente, enfatizam a distinção entre Israel e a igreja, sustentando que o período da Grande Tribulação só diz respeito a Israel.
*Veja* Cristo, Vinda de; Escatologia.

R. A. K.

**ARREIO** Tradução da palavra hebraica *shiryon* em algumas versões que também pode ser traduzida como couraça ou armadura nas passagens em que existe um sentido de "peitoral" (1 Rs 22.34 e 2 Cr 18.33). A palavra hebraica *nesheq* pode ser traduzida como "arreio" ou "mirra" em algumas versões, enquanto outras trazem "armaduras" ou "armas" (2 Cr 9.24; 1 Rs 10.25; 2 Rs 10.2; Is 22.8). Em Jeremias 46.4 a expressão "selai os cavalos" tem o significado moderno de amarrar animais a um veículo, do hebraico *'asar*, isto é "prender, amarrar" usada também para as duas vacas leiteiras amarradas ou arreadas a um carro pelo filisteus (1 Sm 6.6,10).

Os arreios das carruagens de guerra do Egito eram feitos de couro, ricamente decorados e incrustados com ouro e prata. Da mesma forma, os três cavalos que puxavam a carruagem real de caça de Assurnasirpal II eram enfeitados com arreios trabalhados (ANEP #184).

**ARREPENDIMENTO** As palavras heb. mais comuns para arrependimento vêm da raiz *naham* e significam uma mudança de idéia ou de propósito, ou, às vezes, lamentar-se. O conceito do NT, porém, é mais corretamente expresso pelo verbo heb. *shub*, que significa "converter-se", ou "retornar", e é às vezes traduzido como "arrepender-se" (Ez 14.6; 18.30). Este é o verbo "converter" no clássico texto do AT sobre o arrependimento em Isaías 55.6,7. No Novo Testamento, o arrependimento tem geralmente o significado do termo gr. *metanoia*, que é uma "mudança de pensamento", e seu verbo coligado; embora *metamelomai*, "mudar de atitude", seja usado cinco vezes, e um adjetivo coligado seja utilizado duas vezes.

A doutrina do arrependimento é apresentada mais claramente no NT pelo substantivo *metanoia* e seu verbo coligado. Onde quer que este substantivo ou verbo ocorra, há um convite para que os homens se convertam de seus pecados e busquem a graça de Deus, ou ainda um registro ou referência desta atitude de arrependimento. O arrependimento pode ocorrer por parte daqueles que se declaram cristãos (2 Co 7.9,10; Ap 2.5,16,21,22; 3.3,19), embora o apelo ao arrependimento seja geralmente dirigido aos descrentes.

Há um nítido desenvolvimento do uso da palavra no NT. João Batista (Mt 3.2,8,11; Mc 1.4; Lc 3.3,8) soava a nota de arrependimento para todo o povo judeu, em vista da vinda repentina do Messias. Seu ministério é resumido nas palavras de Paulo: "João batizou com o batismo do arrependimento, dizendo ao povo que cresse no que após ele havia de vir, isto é, em Jesus Cristo" (At 19.4; veja também 13.24).

Para muitos dos judeus, como provavelmente para os 12 homens de Éfeso (At 19.1-7), o batismo de João pode ter representado o

Carruagem de guerra do rei Assurbanipal da Assíria com uma boa visão de um arreio. LM

momento da nítida *crença* que eles tiveram, no sentido da fé salvadora do AT. Contudo, muitos tinham, sem dúvida alguma, sido crentes, e para eles o batismo de João, como as outras práticas (Hb 9.10), teria representado um ato de arrependimento e reconsagração. Podemos supor que muitos daqueles que se arrependeram sinceramente com a pregação de João estiveram entre os milhares que vieram para a igreja no Pentecostes, e depois dele.

O Senhor Jesus deu continuidade à mensagem de João, exatamente com as mesmas palavras (Mt 4.17; Mc 1.15). O arrependimento teve um lugar proeminente na pregação de Jesus e de seus discípulos (veja Mc 6.12; Mt 11.20-21 com Lc 10.13; Mt 12.41 com Lc 11.32). Lucas dá muito mais ênfase à pregação do arrependimento no ministério de Jesus do que os outros escritores dos Evangelhos. As passagens peculiares em Lucas são 5.32; 13.3,5; 15.7,10; 16.30; 17.3,4 e 24.47.

No livro de Atos, a mensagem do Evangelho (de arrependimento) é plenamente desenvolvida, e a fé é pressuposta do início ao fim. No dia de Pentecostes (2.38) e logo depois dele (3.19), o arrependimento para a salvação do pecado era o tema predominante. A exaltação de Cristo significa o dom do arrependimento para Israel para a remissão dos pecados. Um grande avanço neste entendimento está indicado em 11.18, "... dizendo. Na verdade, até aos gentios deu Deus o arrependimento para a vida". Paulo pregou o arrependimento aos filósofos no Areópago (17.30). Na mais clara de todas as referências em Atos, Paulo resume o seu ministério: "... testificando, tanto aos judeus como aos gregos, *a conversão [ou arrependimento] a Deus e a fé em nosso Senhor Jesus Cristo*" (20.21); e também: "anunciei... aos gentios que se emendassem [ou se arrependessem] e se convertessem a Deus, fazendo obras dignas de arrependimento" (26.20). Ao escrever aos coríntios, Paulo indica a função da tristeza ao levar uma pessoa a converter-se a Deus, produzindo o arrependimento que conduz à salvação, porque a tristeza sem esperança, encontrada no mundo pagão, conduz apenas à amargura e à morte espiritual (2 Co 7.9,10).

A partir destas e de outras passagens, podemos formular uma definição de arrependimento como a de Carl G. Kromminga: "Pode-se dizer que *metanoia* denota a mudança de idéia, de afeições, de convicções e compromissos interiores enraizados no temor a Deus, e na tristeza pelas ofensas cometidas contra Ele, que, quando acompanhada pela fé em Jesus Cristo, resulta em uma conversão externa do pecado a Deus, e a seu serviço em todas as áreas da vida" ("Repentance", BDT, p. 444).

Há terríveis advertências para aqueles que não se arrependerem (Hb 6.6; Ap 9.20-21; 16.9,11). Em nossa opinião, a mais atraente de todas as referências ao arrependimento é Romanos 2.4, "A benignidade de Deus te leva ao arrependimento" (cf. também 2 Pe 3.9). *Veja* Confissão; Perdão.

***Bibliografia.*** J. Behm e E. Würthwein, "*Metanoeo*, etc.", TDNT, IV, 975-1008. Harry A. Ironside, *Except Ye Repent*, Nova York. American Tract Society, 1937. J. P. Ramseyer, "Repentance", *A Companion to the Bible*, J. J. von Allmen, ed., Nova York. Oxford, 1958, pp. 357-359.

J. O. B.

**ARROTEADOR, O** Este é um título messiânico encontrado apenas em Miquéias 2.13. A tradução da palavra hebraica *happores* na versão KJV em inglês (que significa "o que abre caminho"), é usada em relação ao Senhor, como o libertador da nação de Israel que fôra novamente ajuntada, e é retratada como um rebanho em um redil e sitiada pelos seus inimigos. Em uma época anterior, Deus havia irrompido sobre os inimigos de Davi (*paras*), os filisteus, como a explosão de um dilúvio (*peres*) levando o rei Davi a chamar esse lugar de Baal-Perazim – "O Senhor que rompe as águas" (2 Samuel 5.20). A tradução literal de Miquéias 2.13 é a seguinte: "Subirá diante deles o arroteador; eles romperão, e entrarão pela porta, e sairão por ela; e o rei irá adiante deles, e o Senhor, à testa deles". Figurativamente, para cada um dos crentes, Cristo também é o Arroteador, isto é, Aquele que "quebrou os grilhões dos pecados, cancelou-os, e libertou o prisioneiro" (Cf. Lv 26.13; Is 61.1; Ez 34.27).

**ARRUDA** *Veja* Plantas.

**ARSA** Criado do rei Elá de Israel. Foi em sua casa em Tirza que o rei, estando embriagado, foi assassinado por Zinri (1 Rs 16.9).

**ARTAXERXES** O quinto monarca depois de Ciro, o Grande, a governar sobre o Império Persa. Para distingui-lo dos dois últimos reis de mesmo nome, ele era conhecido como Artaxerxes I (Longimanus). Ele reinou de 464 a 423 a.C. O dobro do tempo de seu pai, Xerxes (Et 1.1). *Veja* Assuero.

Não sendo um governante dinâmico, Artaxerxes sofreu humilhações nas mãos dos gregos e através das revoltas que ocorreram no Egito e na Síria. Aproveitando a vida nas suas cidades palácio, ele entregou campanhas militares a seus generais e o governo das províncias a seus parentes e amigos. Assim, sentia-se satisfeito por conseguir estabilizar os problemas na Palestina, atendendo primeiro os pedidos de uma facção, e depois da outra.

Em 458 a.C., deu a Esdras permissão para retornar a Jerusalém para reavivar e fortalecer os trabalhos do Templo (Ed 7). Alguns anos mais tarde, por volta de 446 a.C., os judeus também devem ter começado a consertar os muros da cidade. Artaxerxes permitiu que Reum e Sinsai impedissem o projeto (Ed 4.7-23). Eles não apenas pararam este trabalho, mas também derrubaram os muros da cidade e queimaram os portões (Ne 1.3). Isto levou o copeiro de Artaxerxes, um judeu chamado Neemias, a pedir permissão para reconstruir os muros da cidade, favor que foi concedido graciosamente em 445 a.C. (Ne 2.1-8). Em 43 a.C., Neemias retornou à Babilônia e mais tarde novamente a Jerusalém, para continuar as reformas (Nm 13.6).

**ÁRTEMAS** Um companheiro de Paulo, cujo nome está ligado a Tíquico, em uma missão proposta a Creta para aliviar Tito (Tt 3.12). Este nome é geralmente considerado grego (*contra.* Jerome), possivelmente uma forma abreviada de Artemidoro, um nome familiar na Ásia Menor ou a forma masculina de Artemis. De acordo com a tradição, ele era um dos 70 discípulos mencionados em Lucas 10.1.

**ARTEMIS** *Veja* Falsos deuses.

**ARTES** *Veja* Ocupações.

**ARTES MÁGICAS** A tradução "artes mágicas" do artigo grego (*ta*) e do adjetivo (*periergа*) com este uso é encontrada em Atos 19.19. O adjetivo, originalmente, significa excessivamente ocupado. Por conseguinte intruso, em relação às preocupações dos outros e, finalmente, com respeito ao futuro, curioso ao ponto de usar mágicas ou artes ocultas como recursos de informação e descoberta.

Estas artes eram uma especialidade em Éfeso (At 19). Mágicos e astrólogos estavam presentes em grande número e desempenhavam um comércio ativo de talismãs, livros de adivinhação e normas para interpretação de sonhos. Os chamados "encantos de Éfeso", ou "escritos de Éfeso", eram pequenos pergaminhos em que eram escritas cartas ou monogramas. Estes manuscritos eram mantidos em pequenos sacos de seda, usados no braço como talismãs ou amuletos (q.v.).

No Antigo Testamento, estas artes representavam um papel muito menos importante em Israel do que em outros países do Oriente Próximo. Na verdade, a lei Mosaica proibia tais práticas (Dt 18.9-13). Entretanto, pode ser visto que elas eram conhecidas entre os israelitas, pelas referências expressas dos profetas (Jr 27.9; Mq 5.12; Mal 3.5) e em certos incidentes (por exemplo, no episódio da feiticeira de En-Dor, 1 Samuel 28), e também pelo fato dos amuletos terem sido encontrados em escavações arqueológicas na Palestina.

Veja Mágica, Adivinhação.

T. M. B.

**ARTÍFICE** *Veja* Ocupações.

**ARTÍFICES** ("artesãos"). A expressão "vale dos Artífices [ou dos artesãos]" aparece em 1 Crônicas 4.14. Nas versões ASV e RSV em inglês aparece outra palavra, Geharashim. Este vale em Judá foi o lugar onde um certo Joabe fundou uma comunidade de artesãos de metal, e foi habitado após o exílio por uma tribo de Benjamim (Ne 11.35). Pode ser identificado com Sarafand el-Kharab, cerca de oito quilômetros a sudoeste de Lida (Lod), em um vale que mergulha no vale de Nahr Rubin, ou com o amplo vale entre Lode e Ono, na estrada principal entre Jope e Jerusalém.

**ARTILHARIA** Algumas versões traduzem este termo como "armas" em 1 Samuel 20.40. Pelo contexto ("Jônatas deu suas armas ao rapaz") e pelo significado moderno da palavra "artilharia", fica claro que a melhor tradução deste termo é "armas". *Veja* Armadura.

**ARTURO** Uma grande estrela brilhante ou constelação referida em Jó 9.9; 38.32, na versão KJV em inglês. A RSV traduz a palavra hebraica como "ursa". O atual equivalente preciso não é conhecido, embora a constelação da Ursa Maior, a Grande Ursa, ou de Aldebaran sejam referências possíveis. *Veja* Astronomia.

**ARUBOTE** A cidade de Ben-Hesede, um dos oficiais de Salomão (1 Rs 4.10). Pode ser identificada como a moderna cidade árabe de 'Arrabeh, cerca de três quilômetros a sudoeste de Dotã, em Manassés.

**ARUMÁ ou TORMÁ** A leitura marginal da versão KJV em inglês ("para Tormá") e da versão ASV em inglês ("em Tormá") para o texto de Juízes 9.31. Três soluções têm sido propostas para este texto.

1. Tormá é o nome de um lugar para o qual Zebul enviou mensageiros a Abimeleque. Mas Tormá não é mencionada em nenhuma outra passagem e Abimeleque morava em Arumá (Jz 9.41).

2. Tormá, prefixado pela preposição hebraica $b^e$ significando "com" é considerado um substantivo derivado do verbo heb. *rama* e significa "enganar"; portanto Zebul enviou mensageiros com engano, isto é, secretamente ou astutamente (o mesmo ocorre na $LXX^B$). Mas a forma sem paralelos do suposto substantivo milita contra tal opinião.

3. Algumas versões corrigem o texto de forma que se deve ler "em Arumá", uma mudança que envolve apenas uma letra e concorda com o texto de Juízes 9.41. Arumá tem sido identificada com Khirbet el-'Ormeh, aproximadamente oito quilômetros a sul-sudeste de Siquém.

E. R. D.

**ARUMÁ** Uma cidade perto de Siquém onde Abimeleque morou (Jz 9.31,41).

**ARVADE, ARVADEU** Uma cidade portuária do norte da Fenícia, localizada na ilha de Ruad, que está situada aproximadamente a três quilômetros fora do continente, e cinqüenta quilômetros ao norte de Trípoli. A cidade é mencionada primeiro nas cartas de Amarna (séc XIV a.C.) como Arwada, nos registros assírios como Armada, Aruda, Aruadi etc. Nos escritos clássicos, é mencionada como Aradus, e em hebraico como *'Arwad*.
Os arvadeus estão relacionados em Gênesis 10.18 e 1 Crônicas 1.16 como descendentes de Canaã, enquanto Ezequiel menciona os marinheiros e soldados de Arvade ao servirem em defesa da cidade de Tiro (Ez 27.8,11). A cidade lutou repetidamente contra os assírios, e em outros períodos era tributária da Assíria. Nabucodonosor II menciona seu rei como um de seus vassalos.

**ÁRVORE DO CONHECIMENTO, ÁRVORE DA VIDA** Duas árvores plantadas por Deus no meio do jardim do Éden (2.9; 3.22,24). A árvore da vida era assim chamada porque o seu fruto conferia a imortalidade à pessoa que o comesse. Em Provérbios (3.18; 11.30; 13.12; 15.4) é um símbolo de saúde e longevidade, sucesso e felicidade. Nas visões apocalípticas (1 Enoque 24.4–25.6; 2 Enoque 8.3; 2 Esdras 8.52; Testamento dos doze Patriarcas: Levi 18.1; Ap 2.7; 22.2,14,19), a árvore da vida está reservada para os justos após o juízo final.
As plantas cujos frutos conferiam vida àquele que os comessem eram um tema popular na antiga literatura mesopotâmia. Gilgamesh adquiriu uma planta do fundo do mar que poderia lhe dar imortalidade, mas enquanto ele a estava levando para casa, uma serpente a roubou dele (ANET, p. 96). No mito de Adapa, existe a menção de um pão e água mágicos que podem conferir a imortalidade (ANET, pp. 101ss.). Na arte antiga, as representações da árvore da vida ou de uma árvore sagrada flanqueada por dois bodes empinados, são conhecidas da Assíria e Creta. A árvore é geralmente estilizada, às vezes representando uma tamareira. Sob o ponto de vista econômico, a tamareira é a árvore mais importante cultivada na Mesopotâmia (VBW, I, 21-22). Em Calá, no palácio de Assurnasirpal II, duas deusas com duas asas se colocam em cada um dos lados de uma árvore sagrada (ANEP, #656; veja também #654, 667, 706). *Veja* Árvores Sagradas.
A árvore da ciência ou do conhecimento desempenha, na Bíblia Sagrada, um papel inferior ao da árvore da vida. Em Gênesis 2 e 3 ela constituiu um teste de obediência para Adão e Eva. Os dois foram enganados por Satanás, e assim desobedeceram a Deus e comeram da árvore do conhecimento; como resultado, tiveram um conhecimento experimental da iniqüidade ao caírem em pecado (Gn 3.22). A possibilidade de comerem da árvore da vida foi então retirada, para que o homem não se tornasse imortalizado em sua condição pecadora, e para que o pecado não se propagasse para sempre. A partir daquele momento, a vida eterna teria que ser ganha através da redenção (James J. Reeve, "Tree of Life", ISBE, V, 3009ss.).
Das várias teorias sobre a natureza deste conhecimento, as mais importantes são as seguintes.
1. Conhecimento sexual. Adão e Eva tornaram-se conscientes do sexo, e se sentiram envergonhados de sua nudez. A palavra hebraica "conhecer" freqüentemente sugere a relação sexual. Mas isto não poderia fazer o homem como Deus visto que não é algo próprio de Deus (Gn 3.22).
2. Conhecimento universal. "O bem e o mal" constituem um par antonímico (ou merisma) implicando na totalidade (cf. 2 Sm 14.16,20). Mas está bem claro que Adão e Eva não se tornaram oniscientes (Gn 3.8ss.). O aspecto característico deste conhecimento era a consciência do pecado e da culpa (Gn 3.7ss.).
3. Juízo moral e consciência. Deus conhece o bem por sua própria experiência, mas conhece o mal de uma forma intelectual, pois, sendo absolutamente Santo, Ele nunca fez o mal a ninguém. O homem é como Deus (Gn 3.22) em sua capacidade de discernir entre o certo e o errado. Porém ele se diferencia de Deus no seguinte aspecto: o conhecimento que o homem tem do mal envolve a culpa e a vergonha, uma vez que este foi obtido não por revelação e observação, mas pela participação no pecado.

H. M. Hof.

**ÁRVORE DE ALOÉS** *Veja* Plantas: Aloés.

**ÁRVORE OLÍFERA** *Veja* Plantas.

**ÁRVORE VERDE** *Veja* plantas.

**ÁRVORE** *Veja* Plantas.

**ARVOREDO** Esta é a tradução de duas palavras.
1. Heb. *'eshel*, "tamargueira". Abraão plantou um arvoredo, mais corretamente "tamargueiras" ou um "bosque", em Berseba (veja Gn 21.33; cf. "arvoredo" [*'eshel*] em 1 Sm 22.6 e 31.13). *Veja* Plantas; Tamargueira.
2. Heb. *'ashera*. Em suas várias formas, esta palavra é traduzida como "arvoredo" ou às vezes "santuário", uma tradução discutível tendo-se em vista a LXX. A partir dos textos ugaríticos de Ras Shamra conhecemos agora que Asera é o termo heb. para *athirat* (*yam*). Asera era a deusa-mãe, mulher de El, que deu à luz 70 deuses e deusas incluindo Baal. Ela era a divindade suprema da fertilidade dos cananeus e se tornou uma terrível rival de Jeová, especialmente durante a época de Jezabel. *Veja* Falsos deuses: Asera.

**ÁRVORES AGRADÁVEIS** *Veja* Plantas.

**ÁRVORES SAGRADAS** As árvores e bosques sagrados são conhecidos entre muitos povos antigos. Elas eram encontradas entre os cananeus e se tornaram um laço para Israel. Não está totalmente claro por que as árvores eram consideradas como tendo um significado sagrado. Alguns pensam que apenas a sombra refrescante de um bosque de árvores atraía os adoradores para o local, e que as árvores eram apenas incidentais (Os 4.13). É mais provável que se acreditava que certas árvores e lugares fossem a habitação de deuses ou espíritos poderosos, e o povo vinha para adorar o espírito ali. Algumas árvores destacadas nas Escrituras podem ter ganhado sua fama por este motivo, ou também podem ter marcado a casa de algum homem famoso (Gn 12.6; 13.18; Jz 4.5; 9.37).

A palavra "aserá", com freqüência traduzida como "bosque", era o nome hebraico para a consorte do deus cananeu El (*veja* Falsos deuses: Aserá; Plantas: Bosque). A variação inserida pelos tradutores é compreensível, pois a deusa era adorada nos bosques espessos, e era simbolizada por um poste ou mesmo por uma árvore vívida plantada perto de um santuário (Êx 34.13; Dt 12.3; 16.21). A prostituição sagrada realizada em nome desta deusa da fertilidade tornou notórios os bosques de árvores frondosas, e este é o motivo pelo qual, nos lábios dos profetas, a frase "debaixo de toda árvore frondosa [ou verde]" se tornou o símbolo do adultério espiritual de Israel em relação ao Senhor (Is 57.5; Jr 2.20; Ez 6.13; 20.28). *Veja* Plantas: Árvore.

P. C. J.

**ASA[1]** O termo heb. *kanap* e o gr. *pteryx* significam: (1) "asa", como de um pássaro ou inseto; ou (2) "extremidade", como a capa de uma roupa ou a saliência de um templo (gr. *pterygion*, "pináculo", Mt 4.5). Asas, símbolo de rapidez e força, freqüentemente adornavam figuras de animais no antigo Oriente Próximo. Por exemplo, os leões e touros alados assírios, esfinges aladas etc. Nas Escrituras, os querubins na arca possuíam asas (Êx 37.9), como também os serafins da visão de Isaías (Is 6.2), e os "seres viventes" ou "animais" de Ezequiel (Ez 1.5,6; cf. Ap 4.8). As duas mulheres da visão de Zacarias tinham asas de cegonha (Zc 5.9).

O uso figurativo transmite várias idéias. Um invasor "voará como a águia e estenderá as asas sobre Moabe" (Jr 48.40). "Esconde-me à sombra das tuas asas" é a oração de Davi por proteção Divina (Sl 17.8; cf. Rt 2.12; Mt 23.37). O termo retrata o rápido afastamento das riquezas (Pv 23.5); o movimento dos ventos (Sl 18.10); e os raios do sol (Sl 139.9; Ml 4.2). O livramento de Israel por Deus é descrito através da figura de levá-los sobre "asas de águia" (Êx 19.4; cf. Is 40.31). Em Isaías 11.12, *kanap* significa as extremidades da terra, e em Rute 3.9 a extremidade (ou aba) da veste de Boaz que foi estendida sobre Rute.

H. E. Fr.

**ASA[2]** O terceiro rei de Judá, filho e sucessor de Abias. Seu reinado de 41 anos começou com um período de 10 anos de paz, em que teve início um programa de reforma religiosa. Sua intenção era livrar a terra dos ídolos pagãos e da idolatria. Seu zelo por Deus se mostrou ao destronar sua avó, Maaca, que estava atuando como rainha-mãe, por erguer uma imagem de Asera, a deusa cananita da fertilidade (1 Rs 15.12,13; 2 Cr 15.16). (Sobre a questão da mãe e da avó de Asa terem o mesmo nome, *veja* Maaca). Também durante este período, Asa construiu cidades fortificadas e formou um exército (2 Cr 14.1-8).

Foi provavelmente no décimo primeiro ano do seu reinado que um grande exército invadiu o sul de Judá liderado por Zerá, o etíope. Asa pôs sua confiança no Senhor, e atacou os invasores. Deus lhe deu a vitória. (2 Cr 14.9-15). *Veja* Zerá.

Após esta vitória, Asa atendeu o conselho de Azarias, o profeta, e completou a reforma iniciada. O povo foi reunido e levado a renovar sua aliança com Deus (2 Cr 15.1-15).

Durante o décimo sexto ano do seu reinado (o trigésimo sexto ano do reino dividido), a guerra na fronteira com Israel teve seu prosseguimento. Baasa, rei de Israel, invadiu o território de Benjamin e fortificou a cidade de Ramá. Seus objetivos eram: (1) recuperar o território perdido para Abias, pai de Asa; e, (2) controlar a região norte de Jerusalém. Asa tomou o que foi deixado dos tesouros do Templo e os enviou a Ben-Hadade, rei da Síria, pedindo que este quebrasse seu pacto com Baasa e atacasse Israel. Ben-Hadade acedeu, forçando Baasa a se retirar de Ramá. Asa recrutou trabalhadores e usou materiais recolhidos em Ramá para edificar as cidades de Geba e Mizpá (1 Rs 15.16-22; 2 Cr 16.1-6).

Hanani, o vidente, condenou Asa por fazer uma aliança com a Síria, ao invés de confiar no Senhor. Asa indignou-se, e lançou-o no cárcere. (2 Cr 16.7-10).

Durante o trigésimo nono ano de seu reinado, Asa caiu doente dos seus pés, e mais uma vez falhou por não buscar ajuda em Deus, mas, ao invés disso, confiou nos médicos (1 Rs 15.23; 2 Cr 16.12). Asa morreu no quadragésimo primeiro ano de seu reinado, e foi sepultado com honras reais na cidade de Davi (1 Rs 15.24; 2 Cr 16.13,14).

**ASÃ** Uma aldeia que foi dada a Judá depois da conquista da terra de Canaã (Js 15.42), que foi passada para Simeão (Js 19.7; 1 Cr. 4.32), e finalmente dada aos filhos de Arão (1

Cr 6.59). Foi identificada com Khirbet 'Asan, localizada a cerca de 6 quilômetros a noroeste de Berseba. A Corasã (ou Borasã, "poço de Asã") de 1 Samuel 30.30 é a mesma cidade.

**ASAEL**
1. Um irmão de Joabe (comandante do exército de Davi) e um dos 3 filhos de Zeruia (irmã de Davi). Asael era um oficial do exército de Davi (2 Sm 23.24; 1 Cr 11.26). Ele ficou conhecido por ser ligeiro de pés, ("como as gazelas do campo") em sua perseguição a Abner após a batalha de Gibeão. Este evento culminou com a sua morte pela lança de Abner (2 Sm 2.18-23). O incidente todo resultou no assassinato traiçoeiro de Abner em Hebrom, e no lamento de Davi pela morte politicamente inoportuna de Abner (2 Sm 3.26-39).
2. Um levita chamado Asael foi encarregado pelo rei Josafá como instrutor itinerante da lei, e foi enviado a todas as cidades de Judá para ensinar (2 Cr 17.8).
3. Outro levita com este nome foi colocado sob a direção de Conanias, que foi nomeado por Ezequias, para que se juntasse ao grupo responsável pelas "ofertas, e os dízimos, e as coisas consagradas" (2 Cr 31.12,13).
4. O pai de Jônatas que, na época de Esdras, se opôs à indicação de uma comissão para estudar a questão do casamento entre judeus e não judeus que vinha ocorrendo (Ed 10.14,15).

**ASAFE**
1. Asafe, um levita filho de Berequias, é o mais proeminente dentre os que têm este nome na Bíblia. Músico importante da época de Davi, foi escolhido junto com outro levita, Hemã, como ministro de música no centro de adoração que estava em Jerusalém (1 Cr 6.39; 15.16,19; 16.5,6,37; 25.1,2,6-9). Onze dos Salmos (73–83) são atribuídos a Asafe pelas notas editoriais tradicionais. Os descendentes de Asafe por centenas de anos preservaram este ofício de músicos diante do Senhor, e o termo "filhos de Asafe" se tornou quase que o mesmo que cantor ou músico (Ed 2.41; 3.10; Ne 7.44; 11.16,22; 12.35,36). *Veja* Salmos, Livro de.
2. O pai de Joá, cronista ou escrivão nos dias de Ezequias (2 Rs 18.18,37; 2 Cr 29.13; Is 36.3,22).
3. O ancestral de alguns dos levitas que retornaram do exílio (1 Cr 9.15). Este pode ser a mesma pessoa descrita no tópico 1 acima.
4. Um levita da família de Corá, cujos descendentes foram escolhidos por Davi como porteiros da Casa de Deus (1 Cr 26.1; chamado Ebiasafe em 9.19).
5. Um oficial do rei da Pérsia que pode ter sido um judeu; ele era "guarda do jardim [bosque ou matas] do rei" (Nm 2.8).
Foi encontrado um selo hebreu em Megido, que trazia o nome Asafe.

P. C. J.

**ASAÍAS**
1. Servo do rei Josias, membro de uma delegação enviada a Hulda, a profetisa, para perguntar sobre o significado das palavras do livro da lei encontrado durante a restauração do Templo (2 Cr 34.20).
2. Descendente principesco de Simeão que no reinado de Ezequias desapossou a tribo de Menim perto de Gedor ou Gerar (1 Cr 4.34-41).
3. Um levita, chefe dos 250 descendentes de Merari reunidos por Davi para ajudar a trazer a arca da casa de Obede-Edom para Jerusalém (1Cr 15.6,11). Provavelmente o mesmo de 1 Crônicas 6.30.
4. Um selaíta (isto é, descendente de Selá, filho de Judá, Nm 26.20) que estava morando em Jerusalém depois do seu retorno do cativeiro (1 Cr 9.5). Possivelmente o mesmo que Maaséias em Neemias 11.5,pois a lista é similar em outros aspectos.

**ASAREEL** Um dos quatro filhos de Jealelel da tribo de Judá (1 Cr. 4.16).

**ASARELA** Um filho de Asafe que foi escolhido por Davi para o ministério de profecia (1 Cr 25.2). Também chamado de Jesarela (v. 14).

**ASBÉIA** Cidade da tribo de Judá, conhecida por seus trabalhadores em linho (1 Cr 4.21). Também é chamada de Bete-Asbéia.

**ASBEL, ASBELITA** Um dos filhos de Benjamin (Gn 46.21) e antepassado dos asbelitas (Nm 26.38; 1 Cr 8.1). Aparentemente, Asbel também era chamado de Jediael (1 Cr 7.6).

**ASCALONITAS** Em Josué 13.3, os habitantes da cidade filistéia de Asquelom (q.v.).

**ASCENSÃO DE CRISTO** A transferência corpórea do nosso Senhor de uma esfera de existência terrena para uma celestial. Relatos deste acontecimento aparecem em Atos 1.9-11; e também em Marcos 16.19 e Lucas 24.51. A ascensão é o fundamento para várias afirmações no NT (por exemplo, Cl 3.1; Rm 8.34; Hb 8.1). De fato, dificilmente um escritor do NT não dá um testemunho direto ou indireto sobre a verdade da ascensão.
De acordo com Lucas, o acontecimento se deu 40 dias após a ressurreição (At 1.3) perto de Betânia (Lc 24.50) no Monte das Oliveiras (At 1.12). O texto explica que Ele foi encoberto por uma nuvem (At 1.9). O relato não deixa claro se a nuvem foi a da glória Shekinah, ou uma nuvem natural de vapor. A ascensão foi prevista no AT em Salmos 68.18; 110.1, e Cristo falou profeticamente sobre ela em João 6.62; 20.17.
Aqueles que abordam o relato sob um ponto de vista puramente naturalista levantam

Capela da Ascensão no cume do monte das Oliveiras. HFV

objeções à ascensão. Procuram alegar que tal violação da lei da gravidade é impensável. Entretanto, para aqueles que aceitam a possibilidade da intervenção sobrenatural no mundo, a ascensão não é problema. Vindas de um Deus onipotente, tanto a ressurreição quanto a ascensão são facilmente concebíveis.

Outros vêem a ascensão meramente como uma representação simbólica da entrada de Cristo na glória divina. Esta é uma tentativa de reter o valor espiritual do relato da ascensão, sem sacrificar o conceito do mundo natural como um sistema fechado, não suscetível a intromissões sobrenaturais.

A ascensão é um evento de múltipla importância: (1) Para Cristo significava a exaltação a uma posição de glória como Senhor vitorioso, o Cabeça da Igreja (Ef 1.20-23; Fp 2.9). (2) Ela possibilitou a vinda do Espírito Santo para habitar nos crentes como o Ajudador Divino (Jo 16.7; At 2.33) e convencer o mundo do pecado, da justiça e do juízo (Jo 16.8-11). (3) A ascensão significa a identificação do cristão com Cristo; o cristão está assentado com Cristo nos lugares celestiais (Ef 2.6; Cl 3.1-3). (4) A ascensão deu início à defesa Sumo Sacerdotal de Cristo perante o Pai em favor de cada crente, uma verdade que é amplamente tratada na epístola aos Hebreus (4.14-16; 6.20; 7.25; 8.1; 9.24). (5) Em relação ao futuro, o fato de Cristo ter ascendido significa que Ele retornará à terra da mesma forma que subiu ao céu (At 1.11).

D. W. B.

**ASDODE** Provavelmente a capital das cinco cidades filistéias. Situada cerca de 5 quilômetros em direção ao interior e 30 quilômetros a nordeste de Gaza, ela controlava uma junção na rota do comércio costeiro. Tábuas descobertas em Ugarite indicam que Asdode era uma das 3 cidades palestinas que faziam comércio com a capital cananéia no norte da Síria, durante os séculos XIV e XIII a.C.; as duas outras eram Aco e Asquelom. Asdode foi destinada à tribo de Judá (Js 15.46ss.), mas seus habitantes anaquins capacitaram a cidade a resistir ao exército de Josué (Js 11.22; 13.1-3).

Quando os filisteus tomaram a arca da aliança, eles a colocaram no templo de Dagom. Nas duas primeiras noites a imagem caiu e finalmente quebrou-se. Uma praga de tumores também veio sobre a cidade. Em pânico, os asdoditas entregaram a arca a Gate e depois a Ecrom, que a devolveram aos israelitas (1 Sm 5–6). Asdode não foi conquistada por Judá até o reinado de Uzias (2 Cr 26.6). Os assírios tomaram a cidade no séc. VIII, e chamaram-na de Asdudu. Ocorreu uma revolta enquanto Ahimiti era governador, e a cidade foi destruída por Sargão II em 711 a.C. (ANET, pp. 284-287; cf Am 1.8; Is 20.1). Durante o século seguinte, Asdode foi uma cidade fraca (*veja* Jr 25.20; Sf 2.4; Zc 9.6). Nos dias de Neemias ajuntaram-se todos para se opor à reconstrução dos muros de Jerusalém. Neemias reclamou, pois a metade dos filhos de judeus que tinham mulheres asdoditas não falavam hebraico (Ne 4.7,8; 13.23,24). A idolatria em Asdode, chamada de Azoto na época helenística, fez com que os macabeus a atacassem (1 Mac 5.68; 10.84). No NT há uma referência a Azoto em Atos 8.40. Ela foi restaurada por Herodes e Gabínio e foi presenteada a Salomé, irmã de Herodes, por César Augusto.

Asdode é agora conhecida como Esdude. As ruínas consistem de uma acrópole de 17 acres (aprox. 70.000 metros quadrados) e uma cidade baixa que se estende a pelo menos 90 acres (aprox. 365.000 metros quadrados). Escavações iniciadas em 1962 revelaram 20 níveis de assentamentos humanos, desde a Idade do Bronze Inicial II até o final do período Bizantino. Durante a Idade do Bronze Final (1550-1200 a.C.), Asdode foi uma grande cidade murada. Um selo cilíndrico do estilo Médio Babilônico pertencente ao período, e muitas importações de cerâmica mostram relações comerciais com Chipre e com a região da cultura micênica da Grécia.

A Idade do Bronze Final foi totalmente destruída, deixando uma camada espessa de cinzas após 1250 a.C., mas o conquistador ainda é desconhecido.

Cinco camadas pertencem à era dos filisteus (q.v.). As ruínas revelam que estes chegaram ao topo do poder na primeira metade do séc. XI, ou seja, antes de Saul se tornar rei. Suas muralhas, construídas de tijolos secos ao sol, tinham, aproximadamente, de 6 a 7 metros de largura. Na primeira camada filistéia das escavações foi encontrada uma cerâmica parecida com o estilo de decoração encontrado em Chipre no período posterior a 1230 a.C., o que sugere que Asdode tenha sido estabelecida por um primeiro grupo de pessoas que ali chegou por mar, via Chipre. Foram encontrados três selos gravados com sinais parecidos com a escrita cipro-minóica em uso no leste mediterrâneo nesta região em aproximadamente 1300 a 1150 a.C. Uma área de oleiros foi desenterrada na área da cidade baixa datando do séc. VIII a.C. Sua destruição pode ser atribuída a Uzias. Fragmentos de basalto Stela portando caracteres cuneiformes de um tipo encontrado na capital de Sargão, confirmam a dominação assíria por parte daquele rei.

***Bibliografia.*** Moshe Dothan, "Ashdod. a City of the Philistine Pentapolis", *Archaeological Discoveries in the Holy Land*, Nova York. Thomas Crowell Co., 1967, pp. 129-137; "Ashdod of the Philistines", *New Directions in Biblical Archaeology*, ed. por D. N. Freedman e J. C. Greenfield, Garden City. Doubleday, 1969, pp. 15-24. "Tel Ashdod, 1969", IEJ, XIX (1969), 243ss.

G. H. L.

**ASDODITAS** Este termo é encontrado em Josué 13.3. *Veja* Asdode.

**ASENATE** Filha de Potífera, sacerdote egípcio de Om, que foi dada a José como esposa pelo Faraó. Ela foi a mãe de Efraim e Manassés (Gn 41.45,50). Em hebraico seu nome é uma transliteração do nome egípcio 'Iws-Nit ("ela pertence a [ou à deusa] Neith").

**ASER** A forma grega do hebraico Aser encontrada no NT em Lucas 2.36 e Apocalipse 7.6. Aser era um filho de Jacó e Zilpa, e a tribo que leva seu nome descendia dele.

*História pessoal.* Aser era o oitavo filho de Jacó e o segundo por parte de Zilpa, serva de Léia (Gn 30.12,13; 35.26). A bênção de Jacó sobre Aser se encontra em Gênesis 49.20. Ele tinha quatro filhos e uma filha (Gn 46.17; 1 Cr 7.30).

*A tribo.* Na época do Êxodo, os descendentes de Aser eram 41.500 adultos do sexo masculino (Nm 1.41). No segundo censo, já eram 53.400 (Nm 26.47). Na marcha, esta tribo foi colocada em Dã ao norte do Tabernáculo, junto com Naftali. Esta tribo recebeu um território ao norte, e assim formou a fronteira do norte da Palestina. Ela se estendia ao sul, em direção ao sul do Carmelo, com cerca de 100 quilômetros de extensão. A leste estavam os territórios de Zebulom e Naftali; a oeste estava o Mediterrâneo (Js 19.24-31).

Este território trouxe à tribo o contato com os fenícios, que eram famosos por seu intenso comércio. Mas Aser falhou em tirar os cananeus das suas cidades (Jz 1.31,32). Ao invés de conquistarem de uma vez a terra que lhes foi destinada, o método usado para tomar posse parece ter sido a penetração pacífica. Usaram sua energia para o cultivo da oliveira; por isso a menção em Dt 33.24 de que eles banhariam os pés em azeite.

Registros egípcios dos reinos de Seti I (1319-1304 a.C.) e Ramsés II (1304-1234 a.C.) falam do interior da Fenícia como *'I-œ-r* ou Asaru, que parece indicar que a tribo de Aser já havia se estabelecido na área. Esta é uma evidência clara para a primeira data do Êxodo e da conquista de Canaã. *Veja* Êxodo, O.

A tribo não se distinguiu durante toda a história de Israel. Não era empreendedora ou arrojada (Jz 5.17). Na época de Davi, não foi sequer mencionada na lista dos principais líderes (1 Cr 27.16ss). No reino de Ezequias (em que havia fidelidade ao Senhor), esta tribo atendeu ao seu chamado para a celebração da Páscoa (2 Cr 30.11). Ana, a profetisa, fazia parte desta tribo (Lc 2.36).

**ASERA ou ASERÁ** *Veja* Falsos deuses.

**ASFALTO** *Veja* Minerais: Betume.

**ÁSIA** No NT, Ásia geralmente se refere à província romana criada em 129 a.C., depois de Atalo III ter desejado anteriormente (133 a.C.) mudar seu reinado de Pérgamo para Roma. A Ásia incluía os países da Mísia, Lídia, Caria e a maior parte da Frígia, além de várias ilhas e cidades costeiras. Inicialmente, Pérgamo era a capital, porém mais tarde a sede do governo foi transferida para Éfeso. A Ásia era governada por um procurador ou procônsul indicado pelo Senado. A assembléia anual dos representantes de todos os distritos era dirigida por um Asiarca (q.v.). A cidade de Esmirna também competia com Éfeso pelas honrarias dos governantes.

Os judeus da Ásia estavam presentes em Jerusalém no dia de Pentecostes (At 2.9). Em sua segunda viagem, Paulo foi impedido de pregar na Ásia (At 16.6); mas na terceira viagem o seu ministério havia se estendido "de tal maneira que todos os que habitavam na Ásia ouviram a palavra" (At 19.10). O texto em Apocalipse 1.11 enumera as 7 igrejas da Ásia como Éfeso, Esmirna, Pérgamo, Tiatira, Sardes, Filadélfia e Laodicéia.

R. L. J.

**ÁSIA, IGREJAS DA** Ver sob seus respectivos nomes. *Veja* Ásia.

**ASIARCAS** Estes eram oficiais e possivelmente "sumo sacerdotes dos templos da Ásia" (Ramsay e Lightfoot), embora algumas autoridades contestem esta designação. Havia autoridades de mesmo nível em outras pro-

A província da Ásia ocupava a terça parte da região oeste da Ásia Menor

víncias (cf. Siriarcas, Pamfiliarcas etc). Estes deveriam ser homens de posses, pois incorriam em consideráveis gastos enquanto presidiam os jogos públicos realizados na celebração dos rituais religiosos, em homenagem aos deuses e ao imperador. Acredita-se que eles formavam um tipo de conselho que administrava os negócios da *Commune Asiae*. Eles aconselharam a Paulo de forma amigável em Éfeso (At 19.31). O trabalho destes homens envolvia poder e prestígio, em vista do controle exercido sobre o sacerdócio e a religião em geral.

**ASIEL** Bisavô de Jeú, um "príncipe" simeonita mencionado em 1 Crônicas 4.35.

**ASILO** O costume de fugir para lugares sagrados a fim de assegurar ao menos a proteção temporária de uma divindade, era conhecido do homem antigo em todas as áreas da terra. Os antigos gregos e romanos encontravam asilo nos altares, templos e santuários sagrados. Até mesmo as estátuas de imperadores romanos conferiam tal proteção, e as legiões romanas em suas campanhas usavam o estandarte com a águia para fornecer asilo.
Os dois principais lugares de asilo entre os hebreus eram os seus altares e as cidades de refúgio. O texto em Êxodo 21.14 estabelece que uma pessoa poderia ser tirada do

Uma inscrição de Izmir que traz o título Asiarca na quarta linha. HFV altar para ser executada. Os textos em 1 Reis 1.50; 2.28 indicam que o altar da casa de Deus era usado desta forma. Leis impedindo o abuso de tais locais de refúgio por parte de criminosos merecedores de morte são expressas em Levítico 4.2ss.; 5.15-18; Números 15.27-31. As cidades de refúgio (*q.v.*, Nm 35.6; Js 20.7-9) serviam como asilos complementares para a lei do vingador de sangue (*veja* Sangue, Vingador de). Era possível fugir para estes locais e ser protegido do vingador até o julgamento. Aquele que cometia um assassinato não intencional também encontrava refúgio nestes locais (cf. também 2 Sm 14.4-11).

Entre os cristãos, o altar da igreja (mais tarde o edifício e os fundamentos) servia para esse fim. Mas muitos abusos trouxeram a necessidade de reformas definitivas. A lei moderna concede asilo ao acusado até que ele seja julgado e condenado.

R. E. Pr.

**ASIMA** *Veja* Falsos deuses.

**ASÍNCRITO** Um crente saudado por Paulo em Romanos 16.14. O nome, significando "incomparável", aparece entre os libertos de Augusto.

**ASMONEUS** *Veja* Macabeus.

**ASNÁ**[1] Duas aldeias na Sefela ou nos pés dos montes de Judá têm este nome (Js 15.33,43). Não se determinou a sua localização exata. A primeira possibilidade pode ser 'Aslin, que está situada ao lado da planície costeira, a oeste de Jerusalém. A segunda possibilidade considerada por alguns é Idhna, que está entre Hebrom e Laquis, cerca de 50 quilômetros a sudoeste de Jerusalém.

**ASNÁ**[2] O patriarca de uma família de netineus que voltou do Exílio com Zorobabel (Ed 2.50).

**ASNAPAR** Esta ortografia é usada em várias versões em Esdras 4.10. Há versões que utilizam o termo **OSNAPAR** *Veja* Assurbanipal.

**ASPATA** O terceiro filho de Hamã, morto pelos judeus (Et 9.7).

**ASPENAZ** Chefe dos eunucos na corte de Nabucodonosor, rei da Babilônia (Dn 1.3). O significado deste nome é desconhecido. Talvez seja de origem persa, e tenha sido encontrado em um texto de encantamento em Nipur.

Aspenaz ocupava uma posição que era comum nas cortes orientais. Alguém nesta posição poderia obter grande influência junto ao governador, e era muitas vezes tratado por este como um servo de confiança. Seu cargo o colocava no controle de outros eunucos empregados no palácio, e conseqüentemente colocava o harém real sob sua responsabilidade. Ele também era encarregado do treinamento dos jovens para o serviço do rei. Entretanto, esta outra responsabilidade não implicava que Daniel e seus três amigos devessem, necessariamente, se tornar eunucos. Veja ainda o que Isaías predisse (Is 39.7).

**ASPERSÃO** No AT, essa palavra envolve o uso de sangue, água ou azeite. Ligada ao sistema sacrificial, a aspersão de sangue ocorria nos sacrifícios e na consagração do sacerdote, assim como nas vestes e nos vasos. A aspersão podia ser feita com um irrigador, o dedo ou aos punhados (Êx 24.6-8; Nm 19.13; Êx 29.21).

***Bibliografia.*** Claus-Hunno Hunzinzer, "*Rantizo, Rantismos*", TDNT, VI, 976-984.

**ÁSPIDE** *Veja* Animais: Cobra IV.7.

**ASQUELOM** Esta cidade na costa do Mediterrâneo, localizada a cerca de 50 quilômetros ao sul de Tel-Aviv, estava entre as 5 principais cidades dos filisteus (as outras quatro eram: Gaza, Asdode, Gate e Ecrom – Js 13.3). Cada cidade era controlada por um "senhor". Juntas, as cidades impuseram a mais séria ameaça à independência de Israel durante o período dos juízes.

De Asquelom, os filisteus enviaram com a

A deusa da vitória em pé sobre o globo sustentado pelo Atlas, no parque das antiguidades, Asquelom. HFV

arca um dos tumores (ou hemorróidas) de ouro (1 Sm 6.17). Juntamente com Gaza, Asdode e Ecrom, esta cidade foi amargamente denunciada por Amós (Am 1.7ss). Ela também foi mencionada por Davi (2 Sm 1.20) e pelos profetas (Jr 25.20; Sf 2.4,7; Zc 9.5). A adoração a Dagom pelos habitantes de Asquelom é indicada nas tábuas de Tell el-Amarna, que datam aproximadamente do período 1380 a 1350 a.C.
Asquelom foi tomada por Jônatas, irmão de Judas, o Macabeu (I Mac 10.86; 11.60). Embora a família de Herodes fosse ligada à Iduméia, há evidências de que Herodes o Grande tivesse nascido em Asquelom (Eusebio, *Eccles. Hist.* 1.7.11 e Justino, *Dialogue*, de aprox. 52 d.C.). Herodes construiu banheiros e fontes caras ali (Jos *Wars* i.21.11). Ruínas da época do seu reinado foram descobertas durante escavações da década de 1920, além da evidência da ocupação dos filisteus em 1800 a.C.

R. L. J.

**ASQUENAZ** Este nome aparece em 1 Crônicas 1.6 e Jeremias 51.27. O filho mais velho de Gomer e bisneto de Noé através de Jafé (Gn 10.3; 1 Cr 1.6). É também o mesmo nome da tribo citada em Jeremias 51.27 vinda do leste da Armênia, associada com Ararate e Mini, que, como bárbaros, eram instrumentos da ira de Deus contra a Babilônia. A identificação com os assírios *Aš-guza-a*, os Scitianos do séc. VII a.C., é praticamente certa, pois documentos cuneiformes de Esar-Hadom referem-se a eles como aliados de Manai (ou Mini) em sua revolta contra a Assíria. Os judeus medievais ligaram erroneamente este termo à Alemanha, de forma que os judeus alemães são chamados de Asquenazianos.

**ASRIEL, ASRIELITA** Família gileadita descendente de Manassés através de Maquir (Js 17.2; Nm 26.31). O termo Asriel também consta em 1 Crônicas 7.14.

**ASRIEL** Este nome só é encontrado em 1 Crônicas 7.14.

**ASSADO** *Veja* Alimentos; Cozinhar; Cozido.

**ASSADOS DE CARNE** *Veja* Alimentos.

**ASSADOS** Qualquer tipo de pão, bolos, massas, ou produtos assados preparados por padeiros para o Faraó (Gn 40.17). O mel era usado como o ingrediente adoçante (Êx 16.31).

**ASSALARIADO** A palavra aparece seis vezes no Antigo testamento e sempre significa um trabalhador que recebe pagamento. O texto em Jó 7.1,2 trata da ansiedade do assalariado pelo fim do dia; o texto em Isaías 16.14; 21.16 refere-se à fragilidade do assalariado; Malaquias 3.5 adverte contra o mau trato do assalariado com referência a seu salário; Jeremias 46.21 refere-se ao soldado mercenário (cf. 2 Sm 10.6; 2 Rs 7.6; 2 Cr 25.6).
O único uso no Novo testamento é em João 10.12,13 onde a negligência do mercenário com relação às ovelhas é categoricamente contrastada com a proteção e a coragem do pastor. O verdadeiro dono do rebanho guia-o para o pasto e o recolhe dele, sacrificando sua vida pelas ovelhas. Entretanto, embora não haja uma imputação de deslealdade ou desonestidade necessariamente transmitida pelo termo, estas características negativas são geralmente interpretadas como estando presentes por causa da aplicação que o Senhor Jesus fez desta palavra ao pastor infiel.

**ASSAR** *Veja* Alimentos: Cozinhar.

**ASSASSINATO** As seguintes observações cobrem os fatos essenciais relacionados ao ensino bíblico sobre o assassinato:
1. Alguém que assassinasse outra pessoa teria que morrer, pois destruiu a "imagem" de Deus no outro homem (Gn 9.6). O governo humano tem o direito de impor a pena de morte (Nm 35.33; Jo 19.10ss.; Rm 13.1-4).
2. O assassinato premeditado deveria ser distinguido do assassinato não intencional. Esta distinção envolvia três critérios de investigação: (*a*) um estado anterior de inimizade (Nm 35.20ss.; Dt 19.11-13); (*b*) uma procura pela vítima intencional (Nm 35.20; Dt 19.11); (*c*) o uso de um instrumento mortal (Nm 35.16-18). O assassino não poderia ter um local de refúgio (Lv 24.17; Êx 21.12,14), mas o homicida que matasse outro homem de uma forma não intencional deveria fugir para uma das cidades de refúgio que lhe seriam disponibilizadas (Êx 21.13; Nm 35.9-15; Dt 19.1-13; Js 20.1-9).
3. Matar um inimigo durante a guerra não constituía um assassinato. O sexto mandamento (Êx 20.13) não proíbe a guerra. Uma nação tem o direito de se defender contra os seus agressores. Deus comandou Israel em guerras justas (Êx 17.8-16; Jz 6.33-40; 1 Sm 7.3-13). O Senhor ensinou a Davi como lutar (Sl 18.34; 144.1). O estado tem o direito de usar a espada (Rm 13.1-4).
4. Matar um homem em defesa própria não constitui assassinato (Gn 4.23ss.; 2 Sm 2.19-23). Até mesmo um grupo étnico tem o direito de se defender (Et 9.1-10). Não há culpa em matar um invasor à noite, mas há culpa se ele for morto após o nascer do sol (Êx 22.2ss.).
5. Um homem será um assassino quando seu animal, sabidamente feroz, matar uma pessoa (Êx 21.29). Entretanto, a pena de morte poderia ser substituída pelo pagamento de uma multa (Êx 21.30-32).
6. A culpa de um assassino não envolvia os seus filhos (Dt 24.16; 2 Rs 14.6; Jr 31.29,30)

Relevo assírio mostrando uma luta entre deuses e um monstro. ORINST

a menos que eles com conhecimento e por vontade própria participassem deste mesmo crime (Js 7.24ss.; Et 9.7-10; Mt 23.34-36; 27.25). 7. Uma nação pode se tornar solidariamente culpada de assassinato. A morte do Senhor Jesus Cristo nas mãos dos líderes judeus transformou o povo judeu em "assassino" (At 7.52; cf. At 2.23,36; 3.15; 5.28). Essa culpa é, às vezes, reconhecida (Mt 27.25); em outras oportunidades, circunstâncias providenciais chamam a atenção de uma nação (2 Sm 21.1-14). 8. Satanás é o assassino original (Jo 8.44). O relacionamento do homem com Satanás faz de cada homem, que possua um espírito de ódio, um assassino de fato (1 Jo 3.15) ou um assassino em potencial (Mt 5.21ss.). Tais assassinos não têm lugar no reino de Deus, seja agora (Gl 5.20ss.) ou na vida futura (Ap 21.8). *Veja* Crime e Punição.

W. B.

**ASSEMBLÉIA** Termo originário de várias palavras hebraicas, especialmente *qahal* (reunião de conselho tribal, Gênesis 49.6), que veio a representar a comunidade de Israel como um todo ou em parte. Do grego *ekklesia*, era originalmente utilizado para qualquer assembléia pública de cidadãos, convocados por um mensageiro oficial, ou arauto. Em uma cidade grega, a *ekklesia* era toda assembléia de cidadãos nascidos livres. Apesar de algumas vezes ser traduzido como "assembléia" (At 19.32), *ekklesia* no NT significa principalmente igreja (q.v.). A palavra original vem de *ek-kaleo* ("chamado para fora"), mas vários significados são associados, como por exemplo, "reunião" (convenção ou convocação) em assembléia, comunidade ou sociedade dos discípulos de Cristo, associação. O termo *synagoge*, significa "reunião" ou "ajuntamento" como em Tiago 2.2. *Veja* Sinagoga; Congregação; Igreja.

**ASSENTO** *Veja* Casa.

**ASSIR**

1. Filho de Corá da ramificação dos coraítas da tribo de Levi (Êx 6.24; 1 Cr 6.22).
2. Filho de Ebiasafe, descendente da pessoa mencionada no item 1 acima (1 Cr 6.23,37).
3. Filho de Jeconias (Joaquim, 1 Cr 3.17), o rei de Judá que foi levado como prisioneiro à Babilônia por Nabucodonosor em 597 a.C. (2 Rs 24.6-15). O fato de um filho com este nome não ter sido mencionado em nenhuma outra passagem, e a descendência ter tido a sua continuidade através de Salatiel (Mt 1.12; Lc 3.27; Sealtiel) tem levado à conjectura de que o suposto nome deveria ser traduzido como um substantivo comum "o cativo" (1 Cr 3.17). Se esta tradução for a melhor, alguns pensam que pode ter havido alguma dificuldade na transmissão textual do artigo no texto hebraico.

**ASSÍRIA** A Assíria é um pedaço de terra com formato triangular, a leste da metade do rio Tigre, entre 35º e 37º na latitude norte. Na antiguidade estava delimitada ao norte pelas montanhas da Armênia e do Kurdistão, a leste pelos limites de Midiã, ao sul pela parte superior do Rio Zabe e a oeste pelo Rio Tigre. O império Assírio posterior, em seu topo, estava delimitado a oeste pelo Mediterrâneo e pelo Deserto da Líbia; a leste pelo Golfo Pérsico que, mais tarde, se tornou a Pérsia; ao norte pelo velho Império hitita na Ásia Menor e o Cáucaso; e, ao sul, pelo Deserto Árabe.

Considerando que a Assíria era um montanhoso platô de calcário, ela tinha um clima mais revigorante do que o da Babilônia. Era fria e úmida no inverno, mas especialmente quente durante os meses de verão. O principal rio da região era o Tigre (o Hidéquel bíblico, cf. Gn 2.14), que nascia nas montanhas da Armênia cerca de 40 quilômetros da nascente do rio Eufrates. Ele fluía rapidamente (Hidéquel significa "o rio que corre rápido como uma flecha") pelas colinas da Assíria e juntava-se ao Eufrates antes de desaguar no Golfo Pérsico. Outros dois rios importantes eram os rios Zabe e o rio Kosher, onde estava situada a mais conhecida cidade da Assíria, Nínive. Em sua maior parte, a terra era montanhosa, com planícies bem irrigadas ao longo do rio Tigre. As colinas eram cobertas por carvalhos, a superfície era plana e repleta de pinheiros, enquanto os principais produtos do país eram frutas, tâmaras, azeitonas, vinho, trigo e cevada. Na região viviam grandes animais selvagens, incluindo ursos, panteras, lobos, linces, raposas, marmotas, cervos, leões, e porcos selvagens do mato (ou javalis). Os animais domesticados incluíam bodes, camelos, ovelhas, gado, cavalos e cães.

A Assíria foi, sem dúvida, fundada por colonizadores babilônicos. "Desta mesma terra saiu ele [Ninrode e seus descendentes] à Assíria e edificou a Nínive, e Reobote-Ir, e Calá, e Resém, entre Nínive e Calá (esta é a grande cidade)" (Gn 10.11,12). Alguns sumerianos aparentemente viveram em Assur, a antiga capital, pois ali foi encontrado um templo dedicado a Istar, com o estilo da arquitetura Sumeriana. O povo da Assíria era formado por semitas com traços ou descendências hurraniana, sumeriana e hitita.

Uma antiga referência literária à Assíria foi encontrada em uma tábua em Nuzu, escrita durante o antigo período acadiano (aprox. 2350 a.C). Nuzu (Yorgan Tepe) fica a leste de Assur, a capital, nas proximidades de Kirkuk, no atual Iraque. Ali também foram encontradas muitas evidências relacionadas aos costumes sociais e religiosos dos patriarcas (*veja* Nuzu).

Os Assírios dos tempos históricos eram cruéis e amantes da guerra (cf. Is 33.19), muito mais agressivos do que os seus vizinhos semitas da Babilônia. O espírito de competitividade pode ter se originado do clima mais temperado ou das circunstâncias que afrontavam a Assíria. As cidades mais importantes da Assíria eram Calá (q.v.), Nínive (q.v.), Assur (q.v.), Arbela e Khorsabad (*veja* Sargão).

A língua dos assírios diferia apenas dialeticamente daquela que era falada pelos babilônios. Sob a influência dos babilônios, os assírios utilizavam a escrita cuneiforme em blocos de argila. Estes blocos tinham, normalmente, o formato de um travesseiro, com cerca de cinco centímetros por três centímetros, ou eram pedaços planos maiores, de quarenta centímetros por vinte e cinco centímetros. Algumas vezes, um cilindro de argila com formato de prisma era usado para registrar materiais importantes. O conteúdo dos blocos variava e podia ser de cartas reais e particulares, listas de taxas, controles de compras e recibos, e até mesmo de textos mitológicos, astrológicos e de encantamentos. O vocabulário assírio continha várias palavras sumerianas emprestadas. Isso gerava a necessidade de se ter listas de gramática e vocabulário.

No programa cultural de Assurbanipal, (q.v.) agentes eram contratados para saquear as bibliotecas da Babilônia e mandar os materiais conseguidos para Nínive, onde escribas reais copiavam e editavam os textos antigos, depois introduziam comentários nestes textos, inclusive algumas traduções interlineares para ajudar os estudantes a entenderem a antiga linguagem dos sumerianos. Os escavadores descobriram muitos milhares destes blocos na biblioteca real de Nínive. Foi encontrada uma quantidade tão grande de literatura, e da mais variada natureza, que foi criado um departamento separado de "Assiriologia", que passou a coordenar instituições na América e na Europa.

Freqüentemente como um tirano em casa, o rei era o general do exército no campo e raramente perdia a expedição anual que tinha a finalidade de exigir tributos ou saquear

Baixo-relevo mostrando Assurnasirpal II da Assíria sendo ungido por uma figura mágica. BM

algum país. Toda a organização do estado da Assíria era construída ao redor do rei, e era militar em sua natureza. O rei era supremo. O palácio dominava, e o templo era simplesmente uma capela real ligada ao palácio. Isso explica o tamanho preponderante do palácio do rei em comparação com os templos da Assíria. Na Babilônia, um estado teocrático, os templos eram maiores do que o palácio.

A cultura e a religião da Assíria eram essencialmente babilônicas, exceto pela predominância do deus nacional, Assur. Este era a encarnação da guerra, e artisticamente representado pelo disco do sol com um arqueiro atirando uma flecha a partir de seu topo. Sempre foi honrado como o divino fundador da nação. Os deuses da Babilônia também eram adorados na Assíria. Duas importantes trindades adoradas eram: (a) Anu, Bel, e Ea, e (b) Shamash (deus do sol), Sin e Ramman (deus da tempestade). Algumas vezes, Istar substituía Ramman na segunda trindade.

Como havia uma abundância de pedras na Assíria, os nativos não construíam com tijolos como na Babilônia. Ao invés de pintar ou azulejar as paredes como na Babilônia, eles revestiam os palácios com placas decoradas com esculturas. Porém, a qualidade das esculturas foi escondida pelo relevo, e assim o estatuário parecia bem inferior ao da Babilônia. Alabastros suaves eram usados para decorar os salões com esculturas em baixo relevo, enquanto mármores finos, pedras calcárias duras, e basalto eram trabalhados em vasos, pilares, altares de pedras etc. O

Um touro alado com cabeça humana do palácio de Sargão II da Assíria, pesando trinta a quarenta toneladas. LM leão alado e os búfalos com cabeças de seres humanos nas entradas das edificações eram figuras famosas da Assíria (cf. Dn 7.4). O Museu Britânico e o Louvre oferecem excelentes oportunidades para aqueles que desejam ver as paredes em relevo assírias. Há cenários de guerra, procissões triunfais, figuras da vida privada etc, ilustrados nas paredes que foram removidas da Assíria por escavadores britânicos e franceses durante o século XIX.

A história mais antiga da Assíria estava permeada pela influência da Babilônia. Embora haja evidências de colônias de comerciantes assírios na Ásia Menor um pouco depois da queda da III Dinastia de Ur (aprox. 2000 a.C.), nos milhares de documentos de negócios feitos em argila (tábuas capadocianas) encontradas em Kanesh (Kultepe), a antiga autoridade na Assíria era babilônica e Amorita. Mesmo tendo a Assíria afirmado a sua independência sob Shamshi-Adad I (1813-1781 a.C.), ela continuou a sofrer fortes pressões entre 1800 e 1380 a.C. exercidas pelos hititas da Ásia Menor, pelos hurrianos do norte, e particularmente pelos egípcios, sob a influência de Tutmósis III, o Napoleão do Egito.

O conhecimento da história da Assíria tornou-se grandioso através dos esforços dos escavadores. Para iniciar as investigações arqueológicas, Layard realizou escavações em Calá e Nínive (1845-51) e Botta em Khorsabad (1843-45). Rawlinson e outros continuaram as atividades durante o século XIX. A Escola Britânica de Arqueologia realizou escavações completas no Iraque de 1949 a 1963, em Ninrode (Calá, *q.v.*). Destas escavações surgiu uma mina de inscrições. À medida que estas inscrições eram traduzidas e interpretadas, a história da Assíria começou a ser revelada. Devido à influencia difundida da Assíria, evidências importantes de sua história têm sido localizadas em locais não assírios. Um monolito de Sargão foi encontrado em Chipre, um monolito de Esar-Hadom em Zinjirli nas fronteiras da Cilícia; uma carta de Ashur-uballit, rei da Assíria, para Amenotep IV, rei do Egito, em Tell el-Amarna no Egito, e estátuas de reis assírios no Rio Dog perto de Beirute. Os registros bíblicos são muito úteis para o período antigo, mas as histórias clássicas da Grécia e de Roma trazem poucas adições a um conhecimento preciso da Assíria antiga. Enquanto os babilônios datavam seus anos utilizando nomes, os assírios planejaram uma modificação do nome do ano por um sistema conhecido como cânone epônico. Eles nomearam cada ano com os nomes de oficiais específicos que eram selecionados para governar aquele ano. Listas destes oficiais, em sua ordem de sucessão, estão praticamente completas de 911 a 668 a.C. Nestas listas, o governo oficial algumas vezes adicionou uma indicação cronológica, e assim um esboço histórico do passado pode ser apurado.

Um dos governantes mais antigos, Tiglate-Pileser I (1114-1076 a.C.), deixou uma descrição extensa e particular de um reino, e uma série de conquistas. Ele reivindicou ter conquistado 42 países com seus príncipes. Foi distinguido pela restauração das cidades, e pelo cultivo de vários tipos de sementes de árvores e plantas úteis.

Salmaneser III (858-824 a.C.) também teve um governo longo e efetivo. Seu registro relata 33 campanhas. Ele reforçou suas conquistas colocando governadores nos distritos conquistados. Durante o seu reinado, a Assíria começou a aparecer cada vez mais no horizonte de Israel. O monolito de Kurkh fala do contato entre Salmaneser e Israel na batalha de Qarqar (853 a.C.). Aqui Salmaneser encontrou a força das tropas combinadas de Damasco, de Hamate, das forças beduínas árabes nômades, e do rei Acabe de Israel. De acordo com os registros assírios, Acabe forneceu 2.000 (ou 200) carruagens e 10.000 soldados a pé. A batalha não foi decisiva, e assim Salmaneser teve que lutar contra os mesmos adversários em 849 a.C., e novamente em 846 a.C. Em 842 a.C., ele derrotou Hazael de Damasco, e de acordo com o seu famoso Obelisco Negro (agora no Museu Britânico), ele exigiu tributos de Tiro, Sidom, e de Jeú, rei de Israel. O tributo de Jeú é interessante. ele incluiu taças e baldes de prata e ouro, uma bacia de ouro, um vaso de ouro com o fundo pontiagudo, estanho, um cetro, e frutas do tipo *puruhati* (ANET, p. 281; DOTT, pp. 48ss.).

Tiglate-Pileser III (745-726 a.C.) foi um dos guerreiros mais celebrados da Assíria. Ele ganhou o título de Herói Assírio do Século XII, fazendo com que muitos estudiosos vissem na meticulosa destruição dos registros de seu predecessor e nas reduzidas observações sobre a sua origem, a ascensão de um homem comum ao reinado. Ele foi imensamente bem-sucedido em seu esforço concentrado para reerguer o Império Assírio. Reforçou a segurança das fronteiras ao norte, leste e sul, e então se dirigiu à região oeste para lutar para que a Assíria passasse a ter um porto no Mediterrâneo. Os seus esforços não tinham apenas o objetivo de incorporar terras, mas também visavam a conquista do controle das rotas das caravanas que trilhavam as regiões costeiras, e assim derramar as riquezas do mundo dentro dos cofres da Assíria. Tiglate-Pileser III é o Pul de 2 Reis 15.19,20, de acordo com 1 Crônicas 5.26. Depois de derrotar o rei caldeu que se autonomeou rei da Babilônia, Tiglate-Pileser III foi coroado rei da Babilônia em 728 a.C. Ele usou o nome de Pulu. Previamente, em 732 a.C., ele derrotou a Síria e incorporou-a – juntamente com a região norte de Israel – ao Império Assírio (2 Rs 15.29).

Sargão II (722-705 a.C.) parece ter sido um

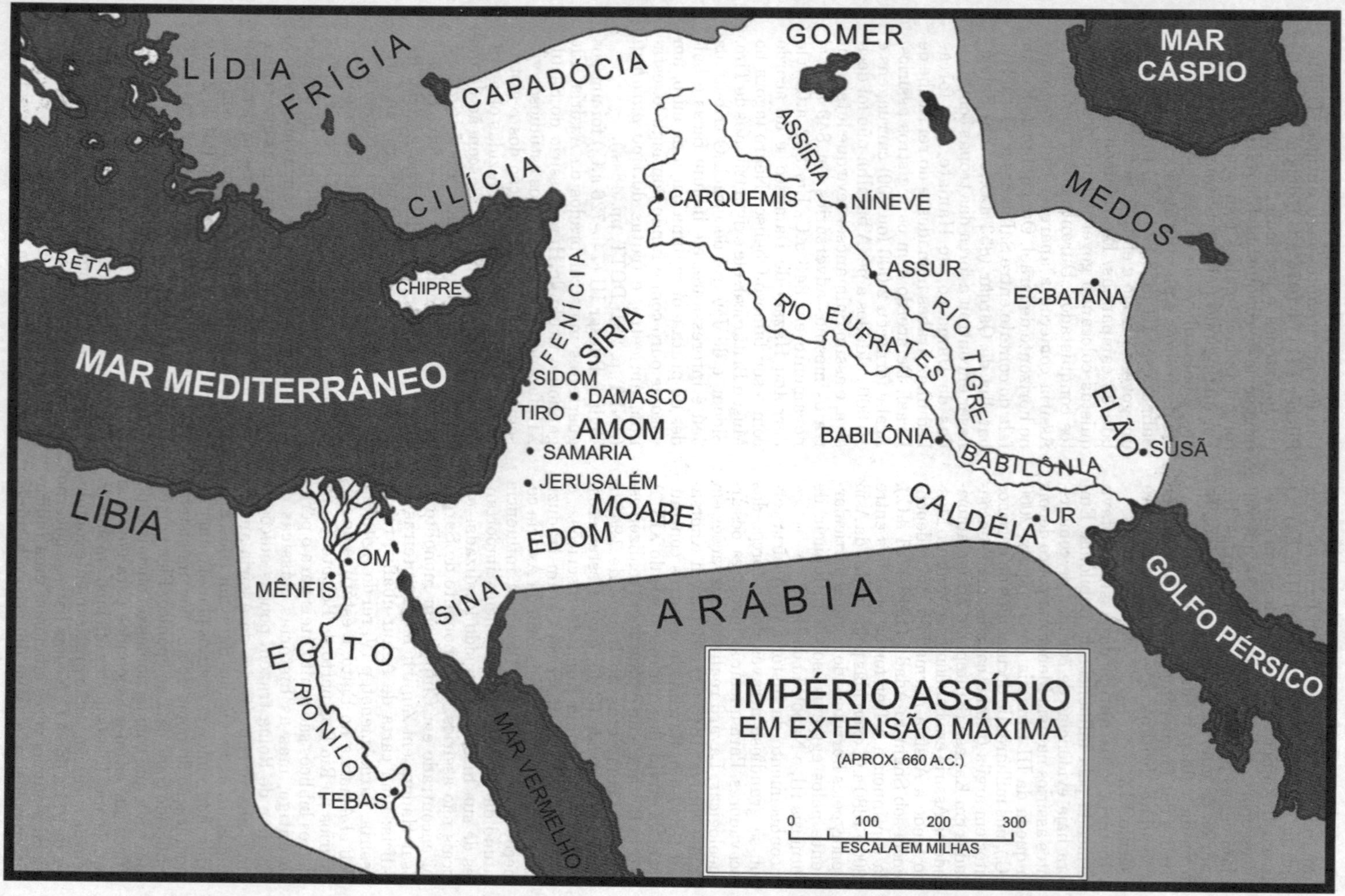
IMPÉRIO ASSÍRIO
EM EXTENSÃO MÁXIMA
(APROX. 660 A.C.)
0 100 200 300
ESCALA EM MILHAS
MAR CÁSPIO
GOMER
LÍDIA
FRÍGIA
CAPADÓCIA
CILÍCIA
CRETA
CHIPRE
MAR MEDITERRÂNEO
ASSÍRIA
CARQUEMIS
NÍNEVE
MEDOS
ASSUR
ECBATANA
RIO TIGRE
RIO EUFRATES
FENÍCIA
SÍRIA
SIDOM
DAMASCO
TIRO
AMOM
SAMARIA
JERUSALÉM
MOABE
EDOM
BABILÔNIA
BABILÔNIA
ELÃO
SUSÃ
CALDÉIA
UR
LÍBIA
OM
MÊNFIS
SINAI
ARÁBIA
EGITO
RIO NILO
TEBAS
MAR VERMELHO
GOLFO PÉRSICO

filho de Tiglate-Pileser III. Ele tentou reproduzir o reinado do grande Sargão de Acade. Em 722 a.C. ele estava presente na queda de Samaria, e deportou mais de 27.000 israelitas para cidades da Assíria e Média (cf. 2 Rs 18.9-11). Ele substituiu os deportados por nativos da Síria e da Babilônia. Estes se mesclaram através de casamentos com os israelitas deixados em Samaria, e os seus descendentes foram chamados de samaritanos pelos hebreus.

Senaqueribe ("Sin [o deus da lua] aumentou os irmãos"), 705-681 a.C., seguiu Sargão II. Ele reivindicou seu parentesco com Gilgamesh, o herói semidivino babilônico. Ele conduziu muitas campanhas, uma das quais ocorreu em Quis contra Merodaque-Baladã, o caldeu, que mandou um embaixador para visitar o rei Ezequias de Judá (Is 39.1,2). Senaqueribe tomou dele a cidade da Babilônia em 703 a.C. e a despojou, deportando mais de 208.000 pessoas como prisioneiras. Em 701 a.C., Senaqueribe apareceu na costa do Mediterrâneo, aceitou tributos da Fenícia, isolou Tiro e tomou, de acordo com os seus registros, 46 cidade de Judá, deportou 200.150 pessoas e trancafiou Ezequias "como um pássaro na gaiola" em Jerusalém (ANET, p. 228). Não se sabe para onde ele deportou todas essas pessoas. Ele aparentemente levou grande parte de seu espólio para a capital, a cidade de Nínive. Alguns dizem que seus registros realmente mostram que ele reivindicou um voto de lealdade daquelas pessoas. Outros conjeturam que ele deve ter levado estes cativos para a Babilônia, de onde deve ter expulsado aproximadamente o mesmo número de pessoas. Esta é uma conjetura interessante, mas de acordo com os registros assírios, ele destruiu a cidade da Babilônia devido à sua insurreição.

Um dos grandes desafios relacionados a Senaqueribe é a contagem da sua grande perda de soldados em um ataque a Jerusalém. Uma sugestão é que realmente havia duas campanhas, e que a perda de 185.000 soldados tenha ocorrido na segunda investida. Os anais de Esar-Hadom sugerem que houve uma segunda campanha. A narrativa bíblica diz que Tiraca, rei da Etiópia, fez parte da cena da batalha. Este fato dataria essa batalha em aproximadamente 691 a.C. (*veja* Senaqueribe). O rei assírio morreu em aproximadamente 681 a.C. e foi sucedido por seu filho, Esar-Hadon, a quem ele aparentemente designou como regente da Babilônia. Mesmo antes da morte de Senaqueribe, Esar-Hadom começou a restaurar a cidade da Babilônia.

Assurbanipal (q.v.) sucedeu Esar-Hadom e governou de 668 a 633 a.C. Ele se tornou notório pelo seu interesse cultural, e pela famosa biblioteca de Nínive, cujos tesouros cuneiformes abriram as portas para muitos segredos da Assiriologia.

Por volta de 612-609 a.C., o Império Assírio deu lugar ao Império Neo-Babilônico liderado por Nabopolassar e seu filho Nabucodonosor II. Após a queda de Nínive em 612 a.C. diante dos babilônios e medos, Harã e Carquemis logo se renderam, e assim o leão da Assíria deu lugar à águia da Babilônia.

***Bibliografia.*** Georges Contenau, *Everyday Life in Babylon and Assyria,* Nova York. St. Martin's Press, 1954. CornPBE, pp. 136-146. C. J. Gadd, *The Fall of Nineveh,* Londres. Oxford Univ. press, 1923; *The Stones os Assyria,* Londres. Chatts e Windus, 1936, M. E. L. Mallowan, *Twenty-five Years of Mesopotamian Discovery,* Londres. British School of Archaeology in Iraq, 1956. A. T. Olmstead, *History of Assyria,* 1923, Chicago. Univ. of Chicago Press, 1960 (reimpressão). A. Leo Oppenheim. "Assyria and Babylonia" IDB, I, 262-304; *Ancient Mesopotamia. Portrait of a Dead Civilization,* Chicago. Univ. of Chicago Press, 1964. Andre Parrot, *Nineveh and the Old Testament,* Londres. SCM Press, 1955. H. W. F. Saggs, *The Greatness That Was Babylon,* Nova York. Hawthorn Books, 1962.

F. E.Y.

**ASSOBIO** Várias versões traduzem o verbo hebr. *sharaq*, "assobiar" no sentido de chamar ou assinalar (Is 5.26; 7.18; Zc 10.8); a versão KJV, em inglês, o traduz como "assobio". Também se traduz "assobiar" com o sentido de expressar escárnio (1 Rs 9.8; Jó 27.23; *et al.*), aparentemente derivando este sentido (mimeticamente) do som do ar ao ser expelido através dos dentes cerrados. O substantivo desta mesma origem é freqüentemente empregado por Jeremias no mesmo sentido de menosprezo e escárnio (Jr 18.16; 19.8; 25.9,18; 29.18; 51.37).

**ASSÔS** Mencionada uma vez no NT (At 20.13,14) ligada aos estágios finais da terceira viagem missionária de Paulo. Ao deixar Trôade, os companheiros de Paulo viajaram de navio ao redor do Cabo Leto, navegaram entre as ilhas de Lesbos e o continente, e Paulo embarcou em Assôs (uma distância de aprox. 56 quilômetros no mar). Paulo viajou pela rota terrestre mais curta entre Trôade e Assôs (pouco menos de trinta e cinco quilômetros em linha reta, porém de certa forma mais distante que a estrada). Deve ter havido alguma razão prática para este plano, mas o autor de Atos dos Apóstolos não a deixa clara. Talvez os ventos contrários tenham indicado que Paulo teria tido muito mais tempo em Assôs se tivesse viajado de preferência por terra do que por mar.

Assôs estava situada onde atualmente se encontra a vila de Behramkoi. Ela foi fundada pelos eólios de Lesbos (Mitilene) em aprox. 900 a.C. A Acrópolis estava localizada em um vulcão adormecido, 250 metros acima do nível do mar, com vista para o Golfo de Adramythium, a menos de um quilômetro de distância. O templo de Atenas coroava o topo. Assôs tem excelentes resquícios de sua arquitetura e paredes da cidade, que datam dos períodos Helenístico e Romano. Suas fortificações do século IV a.C. são algumas das mais bem preservadas do seu tipo, em todo o mundo. Strabo (XIII.1.58) indicou-as como estando situadas em um raio de 3 quilômetros, e tendo cerca de 20 metros de altura. Assôs foi o famoso lar de Cleantes, que sucedeu Zeno como líder da Escola Estóica (século III a.C.). Aristóteles também morou em Assôs por três anos. Ela foi notória por vários produtos do antigo mundo. Há indícios de que foi um centro de criação de animais, pelo que foi ouvido casualmente sobre Eumenes II, que ali comprou alguns famosos porcos selvagens brancos, também conhecidos como javalis brancos (*veja* Rostovtzeff, *Social and Economic History of the Hellenistic World*, Oxford. Clarendon Press, 1941, I, p. 563). Assôs também foi um centro de pedra calcária branca (*lapis Assius*), usada para manufatura de sarcófagos (*veja* Plínio, *Natural History*, II.95; Agostinho, *City of God*, XVIII.5). No período Helenístico, Assôs foi temporariamente renomeada passando a se chamar Apolônia (Plínio, *Natural History*, V.123). Foi bem conhecida pelo excelente trigo que cresceu na área, e que era exportado para Roma nos dias de Paulo (cf. At 27.2). Uma placa de bronze de Assôs datada da época de Calígula (37 d.C.) foi descoberta, e menciona que os habitantes de Assôs deram as boas-vindas ao reinado deste imperador (que visitou Assôs com seu pai Germânico em 18 d.C.), e a ele juraram lealdade (veja a foto desta placa de bronze em *The Good News. The New Testament with Over 500 Ilustrations and Maps*, Nova York. American Bible Society, s.d., p. G18). Veja o desenho e a tradução do texto original desta placa dedicada a Calígula, na obra de Carke, Bacon, e Koldewey na bibliografia a seguir.

É interessante observar que nesta placa consta que as pessoas fizeram um voto de fidelidade através do juramento a "... Zeus Soter e à divindade César Augusto (isto é, Otaviano), e à Virgem pura (isto é, Atenas Polias), a quem nossos pais adoraram ..."

***Bibliografia.*** J. T. Clarke, *Report on the Excavations at Assos*, 1881; Boston. A. Williams and Co., 1882. As inscrições de Assôs foram publicadas separadamente por J. R. S. Sterrett, na obra *Papers of the American School of Classical Study at Athens*, Vol. I; Boston. Damrell e Upham, 1885,pp. 1-90. J. T. Clarke, *Report on the Investigations at Assos*, 1882, 1883, Parte 1; Nova York. Macmillan, 1898. Veja especialmente o volume combinado, J. T. Clarke, Francis H. Bacon, Robert Koldewey, *Investigations at Assos*, 1881-1882-1883, Cambridge, Mass.. Archaeological Institute of America, 1902 (esta obra ainda traz o Epílogo redigido por Bacon nas notas da p. 315. Este livro não foi publicado até 1921, devido ao alto custo de impressão).

E. J. V.

**ASSUERO** Mais conhecido como Xerxes (486-465 a.C.), seu nome grego; ele foi o filho de Dario I e o pai de Artaxerxes I. As Escrituras indicam que ele dominou um vasto império, desde a Índia até a Etiópia (Et 1.1; cf. Heródoto 7.9), depôs a rainha Vasti em 483 a.C., e colocou em seu lugar Ester em 478 a.C. Quatro anos mais tarde, deu permissão a Hamã para destruir a nação judaica; mas o plano foi frustrado pela providência divina (473 a.C.). Esta grande salvação é celebrada na Festa de Purim (Et 9.28). *Veja* Ester; Ester, Livro de.

Assuero (Xerxes) é descrito no livro de Ester como um monarca vaidoso e volúvel, e isso parece confirmar-se em outras fontes históricas. Por causa de uma rebelião na Babilônia, ele teve a cidade parcialmente destruída (482 a.C.). Dois anos mais tarde, sua grande frota foi derrotada em Salamina e em Samos,

Assuero (Xerxes) aqui está em pé atrás de seu pai entronizado (Dario); do tesouro público de Persépolis, a capital persa. ORINST

e seu exército foi enviado a Platea, quando ele tentou conquistar os gregos.
Ao tomar uma nova esposa em seu sétimo ano (Et 2.16), ele se encaixa na descrição de Heródoto do novo interesse que manifestava pelo seu harém, após a desastrosa campanha grega (9.108). Várias intrigas na corte, além do trabalho do novo palácio de Persépolis, ocuparam os anos que lhe restavam, até que foi assassinado em seu próprio quarto, em agosto de 465 a.C.
Antigamente pensava-se que Esdras 4.6 se referisse a Cambises (530-522 a.C.), mas é definitivamente uma referência a Xerxes, constituindo parte de um resumo intercalado de oposição à reconstrução de Jerusalém e seus muros (Ed 4.6-23). Embora não seja citado, Xerxes foi provavelmente o quarto rei persa depois de Ciro, mencionado em Daniel 11.2 (depois de Cambises, o pseudo Smerdis, e de Dario I). "O quarto [rei] será cumulado de grandes riquezas mais do que todos; e, esforçando-se com as suas riquezas, agitará todos contra o reino da Grécia".
Por outro lado, o Assuero de Daniel 9.1, pai de Dario, da nação dos medos, não é conhecido da história.

J.C.W.

**ASSUR**
1. O filho de Sem (Gn 10.22; 1 Cr1.17), aquele de quem os assírios eram descendentes. O nome aparece em Gênesis 10.11. "Desta mesma terra saiu ele (Ninrode, Gn 10.8-10) à Assíria e edificou a Nínive".
2. A terra da Assíria (Ed 4.2; Ez 27.23,32.22; Os 14.3). A cidade Assíria chamada Assur não é mencionada na Bíblia. *Veja* Assíria. O principal deus do panteão da Assíria tinha este nome.
3. Uma tribo árabe (Nm 24.22,24; Sl 83.8), também conhecida como Assurium (que é o nome de uma pessoa, *q.v.*; Gn 25.3) e talvez os assuritas de 2 Samuel 2.8,9.

**ASSURBANIPAL** O último dos grandes reis da Assíria (668-626 a.C.). O Império Assírio era absoluto naquela época, mas esta supremacia tinha que ser mantida pela constante força armada dos militares para controlar as revoltas. Embora tivesse capacidade militar, Assurbanipal parece ter demonstrado mais interesse nas buscas culturais do que nas conquistas. Sob o domínio de seu pai, Esar-Hadom, a suserania assíria se estendeu até o Egito, e Assurbanipal herdou uma ascensão devido a uma rebelião de Tiraca o Nubiano (Etíope, cf 2 Rs 19.9). Esta rebelião foi subjugada e Mênfis tomada, mas Assurbanipal restabeleceu os príncipes do Delta às suas posições. O homem que se tornaria o Faraó-Neco (2 Rs 23.29) foi levado para a Assíria, solto mais tarde e colocado como governante em Sais. Uma última tentativa para restaurar

Um fragmento da epopéia babilônica da criação, do palácio de Assurbanipal. BM

o poder Nubiano pelo sobrinho de Tiraca, Tanutamom (Tandamane) em 663 a.C., levou o exército Assírio até o sul de Tebas. O saque desta famosa cidade por Assurbanipal deixou uma impressão duradoura, como pode ser percebido na referência de Naum (Na 3.8). O próprio Assurbanipal considerou este triunfo uma nobre realização.
Quase imediatamente, um governante egípcio nativo, Psamtik I (663-609 a.C.), começou outra rebelião, e desta vez com a ajuda de mercenários Lidianos, ele superou os príncipes rivais e conseguiu tirar as forças assírias do Egito. A aparente indiferença de Assurbanipal a esta perda pode ter sido motivada por duas razões. Primeiro, a Assíria havia se estendido demais no Egito; e segundo, Assurbanipal preferia empreendimentos pacíficos. Uma política menos agressiva também é evidenciada pelo rápido término do cerco herdado de Tiro, provavelmente devido à oferta de termos mais fáceis de rendição a Ba'alu, seu rei. Por outro lado, a presença dos Cimerianos, um bando de nômades selvagens no Norte, deve ter deixado o príncipe feliz por usar o manto protetor do poder Assírio. Gyges, de Lídia (região ocidental da Ásia Menor) sentiu que seria sábio agradar Assurbanipal reconhecendo a sua supremacia, embora estivesse além da esfera Assíria de poder. Porém, quase na mesma época, Gyges incentivou a liberação de Psamtik do Egito através do auxílio dos mercenários de Lídia. Ao ficar sozinha para enfrentar um inimigo assustador, a cidade de Sardis, capital de Gyges, caiu nas mãos dos Cimerianos em 652 a.C.
Em 652 Assurbanipal também ficou absorto pela rebelião de seu próprio irmão Samassum-ukin, que governava a província da Babilônia. Talvez tenha sido a preocupação de Assurbanipal juntamente com o sucesso egíp-

Assurbanipal em sua biga de guerra. LM

cio, que tenha encorajado este movimento geral de rebelião. Elão foi reduzida a um estado de dependência, e novos príncipes foram escolhidos em 663 a.C., no mesmo ano do sucesso de Psamtik. Os caldeus do sul tinham uma longa história de oposição à dominação assíria da Babilônia. Uma administração pouco sábia da Babilônia, em que Samas-sum-ukin era rei mas todos os governadores locais respondiam a Assurbanipal, e constantes pressões de elementos antiassírios como os caldeus, finalmente levaram Samas-sum-ukin a aliar-se secretamente com Elão, Síria, Egito e outros árabes. O resultado foi a batalha mais difícil que o exército assírio enfrentou em décadas. Foi a primeira vez que os assírios tiveram que enfrentar guerreiros treinados em sua própria escola. A luta continuou de 651 a 648 a.C. Conflitos internos enfraqueceram os elamitas, que deram a Assurbanipal a oportunidade de isolar a cidade da Babilônia e fazer com que esta se submetesse devido à fome. Samas-sum-ukin morreu nas chamas de seu próprio palácio. Assurbanipal não saqueou a cidade, mas se dedicou a um ano de governo pessoal e restauração, depois do qual outro rei fantoche, Kandalanu, foi empossado.

Assurbanipal não foi generoso com os elamitas que obstinadamente defenderam as atividades da rebelião do líder caldeu Nabubel-sumati. Este ato provocou a última campanha de Assurbanipal contra Elão, ocasião em que praticamente exterminou a nação elamita, deixando a capital Susã inabitável. Assim a história elamita chegou ao fim, passando a existir um vazio nesta região até a chegada dos persas.

De 669 a 639 a.C., quando os recursos de seu reino chegaram a um final abrupto, Assurbanipal era um governante bem-sucedido, como a maioria dos reis assírios. Nos últimos anos do seu reino, entretanto, a saúde debilitada e as dissensões internas atormentaram o rei. Ele morreu em 626 a.C. e Assur-etil-ilani, seu filho escolhido, teve que combater um usurpador para assumir o trono. Isto marcou o início do fim do Império Assírio.

Assurbanipal era um erudito e um arqueólogo, ou pelo menos um antiquário. Como um escriba treinado, ele teve um ávido interesse por assuntos de literatura e cultura. Ele tinha escribas colecionando e copiando para a última escrita cuneiforme milhares de documentos que se tornaram a base de sua famosa biblioteca em Nínive. A descoberta desta livraria por Layard e Rassam na metade do séc. XIX, deu início ao sério estudo de todas as línguas de escrita cuneiforme em cerâmica e pedra.

Como muitos dos seus predecessores, Assurbanipal era um grande construtor. Ele embelezou sua arquitetura com relevos usuais. A qualidade da sua arte era inigualável na Assíria, e, na representação de animais, apresentou o melhor trabalho de relevo do mundo de sua época. A cultura assíria chegou ao seu ápice, mas teria uma vida curta.

Parece que o Osnapar de Esdras 4.10 é Assurbanipal, porque entre o povo deste Osnapar trazido a Samaria, havia Susanquitas e elamitas (Ed 4.9), o que condiz com a destruição final de Elão descrita acima.

Assurbanipal governou por um longo período, paralelamente aos reinados de Manassés, Amom e Josias, reis de Judá. Os israelitas já tinham caído sob o poder de Sargão II da Assíria (721 a.C.). Os ministérios proféticos de Isaías, Miquéias, Naum e possivelmente Sofonias eram também contemporâneos de seu reinado.

**ASSURIM** Encontrado apenas em Gênesis 25.3. Um filho de Dedã, ou de seus descendentes, cuja origem pode ser traçada até Abraão e Quetura.

**ASSURITAS** Uma tribo ao norte de Israel, localizada entre Gileade e Jezreel, parte do reino de Isbosete (2 Sm 2.9). Muitos seguem a emenda de Targum, interpretando este nome como os homens de Aser (cf Jz 1.32). Esta dificilmente poderia ser a tribo de Assurim de Gênesis 25.3, porque ela se situava ao norte da Arábia.

**ASSURNASIRPAL II** Depois de aproximadamente dois séculos de declínio, o exército assírio recomeçou o trabalho de conquista no reino de Tukulti-Ninurta, o pai de Assurnasirpal II (884-859 a.C.). A este último recaiu a tarefa de terminar a conquista e organizar o reino. Embora realizado com a típica crueldade assíria, este trabalho foi muito eficiente e bem premeditado. Sua maior expansão foi para o oeste, onde marchou para a costa do Mediterrâneo, absorvendo muitas províncias novas e colocando vários príncipes sírios sob pesados tributos. Em seus anais, ele freqüentemente se gabava da ferocidade com que impedia uma revolta, crucificando milhares e esfolando vivos os governantes capturados. Entretanto, a sua época foi de relativa paz para a Assíria, e às vezes evitava algumas batalhas, especialmente em lugares fortificados e distantes como Damasco.

Assurnasirpal estava interessado em construção e arte. Ele mudou a capital de Nínive para Calá (Gn 10.11) e reconstruiu esta cidade com a ajuda dos artesãos arameus capturados. Convidou 69.574 pessoas para uma grande festa quando dedicou a nova capital em 879 a.C. (cf as 120.000 pessoas que moravam em Nínive na época de Jonas; Jn 4.11). Mas os próprios assírios eram artistas de talento como fica evidenciado pelos grandes relevos gravados de Assurnasirpal, e o colosso de leão com cabeça de homem descoberto em seu palácio em Ninrode (Calá). O exemplo solitário da escultura Assíria naquelas redondezas é, em si mesmo, a própria estátua desta notável monarquia (ANEP, #439). *Veja* Assíria; Calá.

E. B. S.

Assurnasirpal II em um banquete. BM

**ASTAROTE**[1] Cidade mencionada em Deuteronômio 1.4. *Veja também* Falsos deuses: Astorete.

**ASTAROTE**[2]

1. A forma plural de Astorete, uma deusa cananéia (Jz 2.13; 10.6; 1 Sm 7.3,4; 12.10; 31.10). *Veja* Falsos deuses.

2. Uma das duas principais cidades, junto com Edrei (q.v.), de Ogue, rei de Basã (Dt 1.4; Js 9.10; 12.4; 13.12,31; 1 Cr 6.71; cf Gn 14.5), localizada em Tell Ashtarah, a cerca de 30 quilômetros a leste do Mar da Galiléia. Esta área está localizada tradicionalmente na região de Uz, cidade de Jó (HDB, ed. rev., p. 63). Esta pode ser uma forma abreviada do nome da cidade da deusa Asterote-Carnaim (q.v.); o nome da deusa cananéia Astarote combinado com Carnaim ("dois chifres") significando "Astarote de dois chifres". Pode ainda designar uma das cidades gêmeas ao longo da Estrada do Rei, que se alternava como capital de Basã. É conhecida como *Aštarti* (Astarte) nas tábuas de Amarna.

**ASTAROTE-CARNAIM** Uma cidade em Basã ocupada pelos refains, habitantes préhistóricos de Canaã (Gn 14.5), e aparentemente dedicados à adoração da primeira divindade feminina dos cananeus, a deusa da fertilidade. Na época dos Helenísticos, Atargatis, a deusa síria, pode ter sido adorada aqui (2 Mac 12.26) e não em Astarote. Astarote era freqüentemente representada na arte usando um ornato para a cabeça que tinha dois chifres, como a deusa-vaca egípcia Hathor.

Um significado mais provável do nome, de acordo com Eusébio na obra *Onomasticon*, entretanto, é "Astarote perto de Carnaim". Neste caso, ela pode ser identificada como a cidade de Astarote (q.v.), capital do rei Ogue (Dt 1.4), na moderna Tell Ashtarah, a 33 quilômetros a leste do Mar da Galiléia. Sob o governo sírio e assírio uma cidade chamada Carnaim pelos judeus (Am 6.13; 1 Mac 5.26,43ss) sobrepujou Astarote em tamanho e se tornou a capital regional. Ela pode ser identificada com o local da *Sheikh As'ad*, a 5 quilômetros a nordeste de Tell Ashtarah.

H. L. D.

**ASTARTE** *Veja* Falsos deuses: Astorete.

**ASTORETE** *Veja* Falsos deuses.

**ASTROLOGIA** *Veja* Astronomia; Mágica.

**ASTRONOMIA** A ciência que estuda as estrelas, a mais antiga de todas as preocupações intelectuais humanas. Seu início está perdido no raiar da pré-história da civilização. Desde a idade da mitologia, a astronomia tem ocupado o papel principal entre todas as ciências e artes. Pela própria natureza do objeto de seu estudo – aparições celestiais – ela estava intimamente associada com a vida e as observâncias religiosas do homem.

Seu nome original era astrologia, geralmente descrita como a mãe da astronomia. No século XVIII d.C., esta designação foi abandonada por causa da tendência astrológica exclusivamente ligada à previsão horoscópica do futuro do homem baseada nos 12 signos do zodíaco. Esta prática, uma reminiscência da era da mitologia, tornou-se inaceitável para a disciplina científica e racional que é a astronomia. Entretanto, até mesmo a astronomia racional continuou a ser uma fonte de inspiração religiosa, através do próprio Newton e, mais tarde, de Eddington, como exemplos extraordinários.

Com o surgimento da escola francesa da filosofia materialista na virada do século XIX e a formação do determinismo laplaciano na evolução do mundo físico, a astronomia também se tornou a fonte de tendências agnósticas e ateístas. Isto colaborou para o surgimento de uma nova astronomia na qual se pensava que o universo era constituído apenas de matéria e energia. A nova ciência tornou-se a física ou a astrofísica cósmica. Mas a fé simples continuou a ser sustentada pelas admiráveis maravilhas do universo. "Os céus manifestam a glória de Deus". No entanto, as vitórias triunfantes nos campos intelectuais como a análise de espectro, que na natureza da luz de estrelas resplandecentes estabeleceu a universalidade da matéria, manteve a antiga fé diminuída. Conseqüentemente, surgiu então a escola de filosofia que defende a primazia da matéria no universo, um universo sem nada de sobrenatural em seu caráter. O resultado dessa tendência é um materialismo dialético.

Enquanto a astronomia clássica e descritiva estava interessada na posição dos objetos celestes, na órbita dos planetas, cometas e milhares de estrelas, a astrofísica hoje investiga a natureza, a origem e o comportamento da matéria e da energia que constituem todas as estrelas no universo. A astrofísica, portanto, torna-se intimamente ligada à física atômica ou nuclear. Por esta mesma razão, a astrofísica encoraja o estudante da criação a considerar tais especulações sobre a origem da matéria e do universo que continuam a seguir a tendência do determinismo mecanístico, e o retrato de um universo sem Deus. Alguns doutrinadores desta escola de pensamento chegam ao ponto de defender que toda a sabedoria é agora atingível. Estes se vangloriam dos triunfos da ciência experimental, que sustenta que o universo consiste apenas de matéria sem qualquer caráter sobrenatural, e que todas as leis do universo e as formas de vida mais elevadas, incluindo a consciência, são meros resultados de oscilações mais complexas e arbitrárias de algumas partículas extremas do universo, tais como os elétrons, prótons ou nêutrons. Além disso, sustentam que todo o universo pode ser conhecido, o que significa que é apenas uma questão de tempo até que o homem aprenda tudo o que até o momento se encontra desconhecido.

No entanto, a revolução contemporânea na física, conhecida como física quântica, revela regiões totalmente novas e imprevistas de um universo desconhecido, o que indica um final inevitável da ilusão laplaciana transitória. Novas fases da física quântica, combinadas com aspectos não previstos do universo descrito por Einstein, revelam que o caráter objetivo do fenômeno físico é indescritível em termos imaginários. No limite do perceptível, do compreensível e do concebível, o explorador mais uma vez encontra um certo âmbito transfenomenal. Este âmbito é irrevogavelmente inacessível para sempre, tanto para a percepção do homem quanto para a sua imaginação; ele não pode ser percebido nem imaginado. Em outras palavras, depois da linguagem mais engenhosa da astrofísica matemática moderna e da cosmogonia aparentemente engenhosa dos intelectos mais avançados, o homem mais uma vez retorna à declaração bíblica mais simples. "No princípio, criou Deus os céus e a terra".

Nos tempos bíblicos, a ciência da astronomia estava em sua infância. Os egípcios observaram que a elevação heliacal da constelação do Cão Maior, Sirius (ou Cão Grande, Sírio) - que eles identificavam como o seu deus Sote - às vezes coincidia com a elevação anual das águas do Nilo. Tais leituras foram feitas visando propósitos agrários práticos, e não para estudos teóricos. Por volta de 700 a.C., relatórios sistemáticos dos movimentos dos corpos celestes eram fornecidos aos reis assírios, especialmente informações relativas aos eclipses. Porém tais informações ajudavam grandemente os adivinhos da corte, e nenhum cálculo matemático era feito.

Textos muito antigos da época de Hamurabi registram observações do planeta Vênus. Vários estudiosos alemães, como O. Neugebauer, T. G. Pinches, A. J. Sachs e J. N. Strassmaier, estudaram os textos matemáticos e astronômicos da antiga Mesopotâmia e concluíram que a antiga astronomia babilônica era muito incipiente. Contudo, já no tempo de Jó, ou da escrita de seu livro, as maiores constelações foram notadas e designadas por nomes específicos (Jó 9.9; 38.31ss.; cf. Is 13.10; Am 5.8).

Foi somente na era helenista que os textos revelaram alguma teoria matemática consistente do movimento lunar e planetário. Neste período, o conceito dos 12 signos do zodíaco e os respectivos horóscopos parecem ter sido desenvolvidos. Os termos "altura" e "profundidade" (Rm 8.39) eram usados por astrólogos para os espaços celestes acima e abaixo do horizonte, para falar da elevação e do declínio das estrelas que supostamente controlam o destino dos homens (Merrill C. Tenney, *New Testament Times*, p. 123). Na Grécia, foi durante a Era Clássica que a astronomia começou pela primeira vez a se desenvolver como uma ciência verdadeira. Tales (falecido em 546 a.C.) declarou a teoria que dizia que a terra era redonda, e predisse o ano de um eclipse solar. O matemático Anaximander (611-547 a.C.) ensinava que a terra gira em torno de seu próprio eixo, e que a luz da lua é a luz do sol refletida. Pitágoras e sua escola (530-400 a.C.) defendiam que o sol é o centro do sistema planetário, e também acreditava que a terra gira em torno de seu próprio eixo.

Os israelitas não parecem ter dedicado muita atenção à astronomia, talvez porque a astrologia (*veja* Mágica) e a adoração aos corpos celestes fossem proibidas pela lei (Dt 4.19; 18.10-11; veja também 2 Rs 17.16; Jr 19.13; Ez 8.16). Tal adoração era praticamente universal entre as nações vizinhas (Is 47.13; Jr 27.9; Dn 2; Am 5.26).

Em 1 Coríntios 15.41 o apóstolo Paulo se refere aos diferentes graus de brilho ou glória entre o sol, a lua e as estrelas a fim de ilustrar a possibilidade de variações entre aqueles que irão receber corpos ressurrectos glorificados. Estes serão corpos celestiais (*epourania*; 1 Co 15.40,48,49), de outro tipo ou diferente (*hetera*) do corpo terrestre (*epigeia*, 1 Co 15.40,44-46; 2 Co 5.1) que temos hoje. Os anjos atualmente são considerados seres celestes ou celestiais (*epouranion*, Fp 2.10; cf. Lc 9.26).

*Veja* Estrela; Magos; Magia; Arcturo; Órion; Plêiades; Lua; Sol; Calendário.

***Bibliografia.*** CornPBE, pp. 146-150. M. J. Dresden, "Science", IDB, IV, 236-244. O. Neugebauer, *The Exact Sciences in Antiquity*, 2ª ed., Providence, R. I.. Brown Univ. Press, 1957. Merrill C. Tenney, *New Testament Times*, Grand Rapids. Eerdmans, 1965.

K. H. e J. R.

**ASTÚCIA, ASTUTO** Estes termos são usados em relação à habilidade ou à perfídia. O termo astuto se refere a alguém que é ardiloso e trapaceiro em seus intentos (Jó 5.12,13; 15.5; 1 Co 3.19), ou até mesmo a alguém inescrupuloso ou enganoso (Lc 20.23; 2 Co 4.2; Ef 4.14). Paulo cita de forma cáustica a opinião que os Coríntios tinham a seu respeito em 2 Co 12.16, a fim de refutar as suas insinuações.

**ASVATE** O bisneto de Aser, o último dos 3 filhos de Jaflete da família de Héber (1 Cr 7.33).

**ATACE** Uma cidade ao sul de Judá, provavelmente perto de Ziclague, para a qual Davi enviou presentes do despojo tomado dos amalequitas derrotados (1 Sm 30.30).

**ATADE** Uma eira na Transjordânia (Gn 50.10; eira de Atade ou eira do espinhal). *Veja* Abel-Mizraim.

**ATADURAS** O termo traduz o gr. *keiriai* em João 11.44, bandagens, faixas ou tiras de pano envoltas em um corpo para amarrar os braços e as pernas em um enterro judeu. Depois que o corpo era lavado (At 9.37) – mas não embalsamado posteriormente – ele era geralmente envolto primeiro em um "pano limpo de linho" ou em um "fino e limpo lençol" (Mt 27.59).

**ATAI**

1. Um meio egípcio, pai de Natã; mencionado na genealogia de Jerameel da tribo de Judá (1 Cr 2.35,36).
2. Um gadita, um dos valentes de Davi que se juntou a ele em Ziclague (1 Cr 12.11).
3. Filho de Roboão e irmão mais novo de Abias, rei de Judá (2 Cr 11.20).

**ATAÍAS** Um homem de Judá, filho de Uzias. Ele era um habitante pós-exílico de Jerusalém (Ne 11.4).

**ATALAIA** *Veja* Vigia; Ocupações: Porteiro, Sentinela; Guarda.

**ATALHOS ou DESVIOS** Termo utilizado em Juízes 5.6 significando um caminho secundário ou uma passagem que um viajante às vezes deve tomar.

**ATALIA** Seu pai, Acabe, foi o sétimo rei do reino do norte de Israel; sua mãe, Jezabel, a mulher fenícia de Acabe. Seu marido foi Jeorão, o quinto rei de Judá que, evidentemente sob a influência de sua mulher, matou seus seis irmãos e restaurou a adoração a Baal que seu pai Josafá havia suprimido. O casamento parece ter ocorrido por um desejo político de trazer Judá para o controle de Israel. Aparentemente até mesmo a não-adesão ao sistema cronológico de Israel foi adotada por Judá nesta época. Após a morte de Jeorão em 841 a.C., os árabes mataram todos os seus filhos exceto Acazias, que se tornou rei sob a direção de Atalia. Atalia encarregou-se de que seu filho promovesse o baalismo e cooperou totalmente com Jorão, rei de Israel. Mas Acazias foi morto juntamente com Jorão naquele mesmo ano por Jeú, um dos generais de Jorão, quando uma expedição conjunta contra os siros fracassou.

Tirando vantagem do fato de que nenhum dos filhos de Acazias tinha idade suficiente para assumir o trono, Atalia usurpou o poder e passou a exterminar a casa real de Judá. No entanto, o menino Joás foi salvo pela irmã de Acazias, Jeoseba. Desconhecido de Atalia, Joás foi escondido no Templo por seis anos por Jeoseba e seu marido Joiada, o sacerdote (2 Rs 11.1-3; 2 Cr 22.10-12). Atalia promoveu um reinado de terror contra todos os seus adversários, e instalou o baalismo como a religião de Judá. Ela fez do sumo sacerdote Matã o seu sacerdote pessoal no culto a Baal.

Em um tempo oportuno, Joiada publicamente proclamou Joás como o novo rei de Judá no pátio do Templo com o apoio da guarda do Templo. Quando Atalia ouviu a celebração que se seguiu à cerimônia de coroação, correu para a área do Templo exclamando: "Traição! Traição!" Mas ninguém apareceu em seu auxílio. Então ela foi capturada e morta perto da Porta dos Cavalos do palácio (2 Rs 11.12-20; 2 Cr 23.11-15). Seu reinado data de 841-835 a.C.

G. H. L.

**ATÁLIA** Uma cidade na costa da Panfília, visitada por Paulo em sua primeira viagem missionária (At 14.25). Foi fundada em aprox. 165-150 a.C. (veja A. H. M. Jones, *Cities of the Eastern Roman Provinces*, p. 130) por Átalo II Filadélfo (159-138 a.C.) de Pérgamo para ser um ponto de escoamento de produtos do Egito e da Síria (Strabo XIV, 667). Strabo localizou a Atália a oeste do rio Catarrhactes; Ptolomeu, por outro lado, localizou-a a leste (v. 5.2). É possível que o rio tenha mudado o seu curso. Ela foi punida pelo cônsul romano P. Servilio Isaurico (em aprox. 77 a.C.) por ajudar Zenicetes em sua pirataria (veja Jones, p. 105) sendo em seguida acrescentada à província romana.

Foram cunhadas moedas comemorativas da época da fundação da cidade, e a partir de então o seu nome é escrito como *Attaleon* ("pertencendo à Atália"). Quando Paulo ali esteve, o tipo principal de moeda mostrava Cláudio no obverso, e no reverso Atena vestida com um capacete coríntio cristado (cf. G. F. Hill, *B. M. C., Catalogue of Greek Coins; Lycia, Pamphylia, Pisidia* [Londres. 1897], Placa XXIII, 8). Deve ser lembrado que o povo de Atália reivindicou um parentesco com os atenienses. Atália cunhou moedas na época de Cornélio Valeriano (falecido em 255 d.C.).

A situação desta cidade portuária, surgindo por fiadas em seu porto, é ainda pitoresca, e é parcialmente responsável por sua contínua existência e atividade comercial. As ruínas ali são identificáveis como pertencentes aos períodos romano e helenista. É atualmente chamada de Antália.

***Bibliografia.*** A. H. M. Jones, *Cities of the Eastern Roman Provinces*, Oxford. Clarendon, 1937, pp. 105,130-131, 133-134, 145,557. Karl Lanckoroñoski-Brzezie, *Städte Pamphyliens und Pisidiens*, Wien. F. Tempsky, 1890, pp. 7-32, 153-163. David Magie, *Roman Rule in Asia Minor*, Princeton. Univ. Press, 1950, I, 28, 261ss., 285,288, 291, 620, 691; II, 1133, n. 4, 1169, n. 20, 1365,1615ss. W. M. Ramsay, *Historical Geography of Asia Menor*, Londres. John Murray, 1890, p. 420. Uma inscrição publicada no *Bulletin de correspondence hellenique* (1883, p. 260) prova que no final do século III, a Atália se tornou uma colônia romana. Lê-se. "... a gloriosa colo[nia] Atália..." Para outras inscrições veja a obra de Robert, *Revue des Etudes Greques*, LXI (1948), 198ss.

E. J. V.

**ATARA** A segunda mulher de Jerameel e mãe de Onã (1 Cr 2.26).

**ATAROTE[1]** A tradução do nome de uma cidade de Gade citada em Números 32.35,perto de Jogbeá. Seu nome foi combinado com Sofã, formando o nome composto Atarote-Sofã, expresso em várias versões. A cidade provavelmente ficava perto de outra maior, chamada Atarote (Nm 32.3,34), de onde seu nome foi derivado, servindo como seu posto avançado. Certo local, Rujm 'Atarus, na colina elevada, a dois quilômetros e meio a nordeste de Atarote (Khirbet 'Attarus), pode ser a sua localização.

**ATAROTE[2]**

1. Uma cidade a leste do Jordão dada à tribo de Rúben, mas evidentemente fortificada por Gade; a moderna Khirbet 'Attâr*us*, cerca de 13 quilômetros a noroeste de Dibom (a moderna Diban; Nm 32.3,34). Na Pedra Moabita (q.v.), Mesa disse que os gaditas haviam "sempre" morado ali (ANET, p. 320).
2. Uma cidade na fronteira sul de Efraim em direção ao oeste (Js 16.2), talvez a própria Atarote-Adar (Js 16.5), ou provavelmente Khirbet 'Attâra, perto de Tell en-Nasbeh.
3. Uma cidade fronteiriça de Efraim (Js 16.7), talvez o morro proeminente de Tell el-Mazar, de acordo com Nelson Glueck, que protege a rota subindo o Uádi Fari'a, do vale do Jordão em direção a Siquém, e de frente ao vau que cruza o Jordão em Adamá e que leva ao vale do Jaboque.
4. Uma cidade em Judá, perto de Belém; citada como "Atarote-Bete-Joabe (Atarote, a casa de Joabe)" 1 Crônicas 2.54.

**ATAVIO** O termo heb. *sanip* aparece na Bíblia Sagrada como "atavios" (Is 3.23), e "mitra" (Zc 3.5). Há versões que traduzem o termo como "turbante" em ambos os casos, o que também é correto, pois o termo significa "algo envolto". *Veja* Vestido.

**ATEÍSMO** O adjetivo bíblico *atheos* ocorre apenas uma vez no NT (Ef 2.12). Ele é traduzido pela expressão "sem Deus", e significa um estado religioso idólatra, não um estado de ateísmo como o mundo é agora comumente entendido. Não há nenhum substantivo bíblico para "ateísmo" ou "ateu", mas a idéia é descrita em passagens como, "Disse o néscio no seu coração: Não há Deus" (Sl 14.1; 53.1).

A Associação Americana para o Avanço do Ateísmo foi fundada no estado de Nova York em 1925; e, em 1929 a Liga de Militantes Ateus foi organizada "para atingir o alvo comunista de destruir os fundamentos religiosos da velha sociedade". (Referências bibliográficas muito breves a estes dois movimentos ateístas são encontradas na obra, *Twentieth Century Encyclopedia of Religious Knowledge*, I, 91ss.). Não se pode encontrar informações sobre estes movimentos ateístas dogmáticos em edições atuais de obras de referência geral como a *Enciclopédia Britânica* e o *Almanaque Mundial*.

A história do ateísmo, antigo (Lucrécio) e pós-medieval, é bem apresentada na obra *Anti-Theistic Theories* de Robert Flint. Albert Camus apresenta uma história de ateísmo europeu em seu livro, *The Rebel*.

O ateísmo dogmático hoje está longe de estar morto, mas ele geralmente prefere usar outros nomes, como por exemplo "naturalismo". Na obra *Naturalism and the Human Spirit*, H. T. Costello apresenta uma tese dos naturalistas: "Não existe o sobrenatural". Ele continua, "O naturalista agora olha para o grande trono branco, onde se assentava o próprio Jove, e exclama, 'Graças a Deus, aquela ilusão se foi'" (pp. 295ss.).

Ludwig A. Feuerbach (1804-1872) está corretamente classificado como um ateu materialista. Ele ensinou que "*Mann ist was er isst*" ("O homem é aquilo que come"; veja a obra *History of Philosophy* de Wilhelm Windelband, p. 641). Contudo, um artigo atual sobre "Ateísmo" (*Enciclopédia Britânica, II*, 600) sugere que não se é ateu se, como Feuerbach afirma (*Essence of Christianity*, traduzido por Eliot, p. 21), embora negando a existência de Deus, se aceite os atributos "amor, sabedoria, justiça".

O ateísmo com o qual os cristãos estão principalmente preocupados não é tanto o da negação dogmática de que "Deus exista" de alguma forma, mas o da negação de que Cristo é "galardoador dos que o buscam" (Hb 11.6).

J. O. B., Jr.

**ATEMORIZAR** Literalmente, "Tremer, espantar, inquietar". É uma palavra usada em Deuteronômio 28.26; Jeremias 7.33 e Zacarias 1.21. É traduzida como "espantar" e como "amedrontar".

**ATENAS**

*Geografia.* Atenas era o centro político, cultural e econômico da Ática na Grécia oriental. A cidade-estado de Atenas era co-extensiva com a península da Ática de 1600 quilômetros quadrados, aproximadamente triangular (quase igual a Rhode Island). Situada cerca de seis quilômetros e meio do Egeu, Atenas foi servida durante o seu período mais importante por seu porto no Pireu. A região mais seca da Grécia com uma estação de chuva anual de 400 mm, cerca de apenas um quarto do solo da Ática era arável. Os recursos nos tempos antigos incluíam excelentes leitos de barro para a fabricação de cerâmica, o famoso mármore de Pentélico, e as minas de chumbo e prata de Lauríon ou (Laurio) no sul da península (Exauridos na Era Cristã).

*História.* Embora Atenas fosse um importante centro na Grécia durante a Era Micena (aprox. 1400-1150/1100 a.C.), a cidade perdeu boa parte de seu antigo poder e prestígio durante a subseqüente invasão dos Dórios e a Idade das Trevas. Por séculos ela se manteve como uma retrógrada e pequena cidade rural com pouco interesse pelo comércio. Durante o século VII o poder da monarquia foi rompido, e uma aristocracia foi estabelecida em seu lugar.

A insatisfação resultante de problemas agrários abriu o caminho para que Sólon fizesse extensas mudanças econômicas, políticas e sociais logo no século VI. Ele eliminou a es-

A torre dos Ventos. HFV

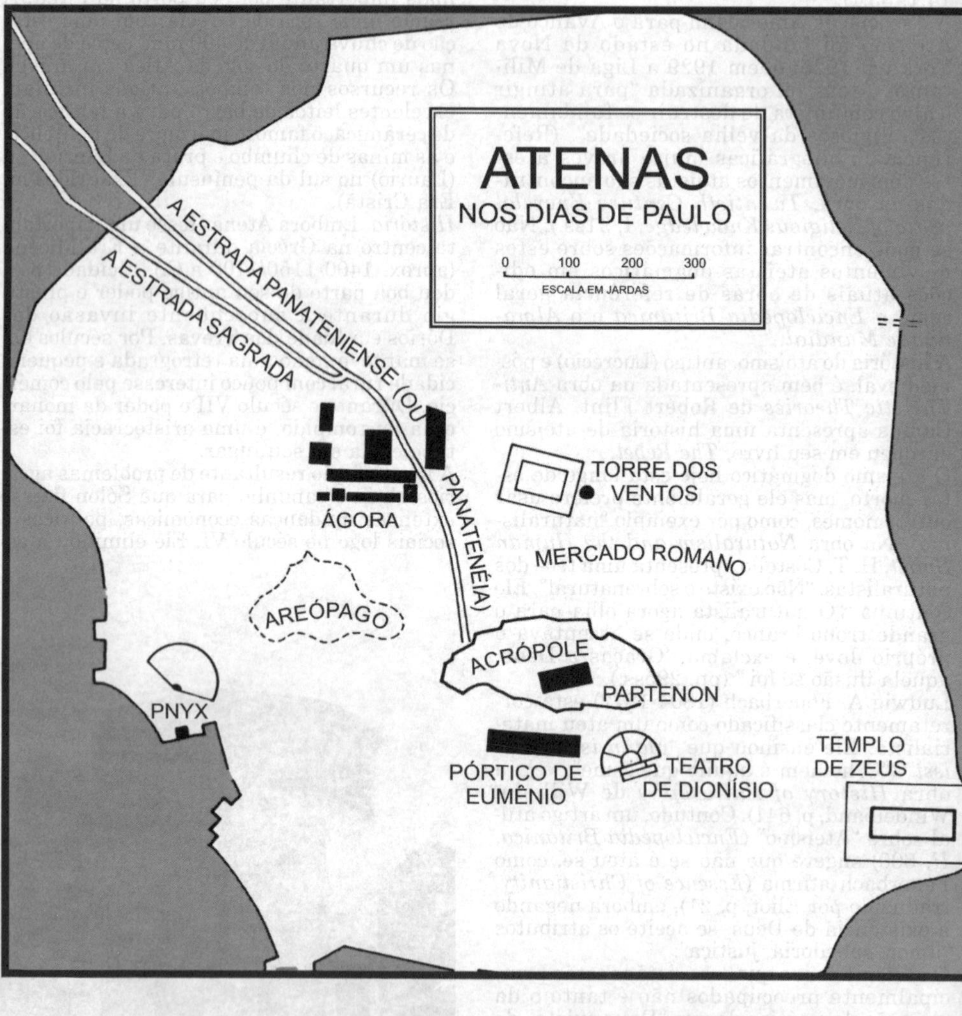
ATENAS
NOS DIAS DE PAULO
0 100 200 300
ESCALA EM JARDAS
A ESTRADA PANATENIENSE (OU PANATENÉIA)
A ESTRADA SAGRADA
ÁGORA
TORRE DOS VENTOS
MERCADO ROMANO
AREÓPAGO
ACRÓPOLE
PARTENON
PNYX
PÓRTICO DE EUMÊNIO
TEATRO DE DIONÍSIO
TEMPLO DE ZEUS

cravidão por dívida, fortaleceu o poder da assembléia, e encorajou artesãos estrangeiros a se estabelecerem em Atenas. O desenvolvimento do azeite de oliva e das indústrias de fabricação de cerâmica ateniense data desta época. A família "Pisistratid" governou como tiranos ou ditadores durante a segunda metade do século VI, realizando reformas de terra e encorajando o desenvolvimento industrial e comercial do estado, urbanizando Atenas. Na luta que se seguiu à expulsão da tirania de Atenas, Clístenes ascendeu ao poder e em 508 recebeu autoridade para reformar o governo. Ele se tornou o verdadeiro fundador da democracia ateniense e foi o responsável pela criação do famoso Concílio de 500.

A Acrópole em Atenas nos tempos clássicos.
Segundo D'ooge

Atenas esteve grandemente envolvida nas guerras greco-persas. Ela apoiou a revolta de Mileto contra a Pérsia em 499 e derrotou os persas em Maratona em 490. Em 480 os persas ocuparam Atenas, mas a população foi evacuada. No ano seguinte Atenas comandou a grande vitória naval sobre a Pérsia na Salamina. Em 478 Atenas organizou a Liga Deliana como uma defesa contra a Pérsia, mas posteriormente transformou-se em um império ateniense.

A renda oriunda do império possibilitou uma era áurea de Atenas nos dias em que Péricles detinha o controle do governo (461-431). A democracia plena foi desenvolvida naqueles dias, e o extenso embelezamento da Acrópole (q.v.) foi empregado para fazer de Atenas um centro adequado do império e um lar adequado para a sua deusa patrona Atena.

A rivalidade com Esparta acarretou a Guerra do Peloponeso (431-404), que resultou na destruição do império, das fortificações e da frota de Atenas. Durante o século IV Atenas construiu um pequeno império, mas ela foi derrotada por Alexandre o Grande e contribuiu para a sua invasão da Pérsia. A Macedônia continuou a controlar Atenas durante boa parte do século III, e durante o século II Atenas caiu sob o controle de Roma.

Atenas sofreu terrivelmente durante a ocupação do Ponto por Mitrídates em 88-87 a.C. e a subseqüente vingança do romano Sula. Durante o século I d.C., Atenas ficou principalmente conhecida por sua proeza cultural e por sua universidade. O império e as minas de prata haviam terminado, e grandes centros rivais do leste do Mediterrâneo competiam efetivamente por seu comércio. O saque do tesouro da arte da cidade veio com a reconstrução de Roma por Nero depois do incêndio em 64 d.C. Mas os imperadores romanos dos séculos I e II contribuíram grandemente para a construção e outras necessidades de Atenas.

*Ligações bíblicas.* Paulo parou brevemente em Atenas em sua segunda viagem missionária para aguardar o final da tempestade de oposição levantada contra ele em Tessalônica. Aparentemente, ele não tinha um plano para a evangelização da cidade. O apóstolo ministrou na sinagoga e na Ágora ateniense (At 17.17). Nesta última ele teria visto estruturas muito importantes como a câmara do conselho, a casa da moeda, o pórtico de Átalo e o templo de Hefaesto em uma colina adjacente.

Filósofos epicureus (q.v.) e estóicos (q.v.) o trouxeram para diante do Areópago (q.v.), que provavelmente se encontrava na colina de mais de 120 metros ao sul da Ágora (q.v.). Ali Paulo pronunciou o seu famoso discurso, no qual se referiu aos "templos feitos por mãos de homens" (At 17.24), sem dúvida alguma, fazendo alusão aos famosos templos da Acrópole a leste do Areópago. Ali o Partenon, o Erectéion e o templo de Atena Nike ainda permaneciam intactos. Mais a leste, ficava o grande templo de Zeus. Sua referência a uma inscrição "AO DEUS DESCONHECIDO" é apoiada pelo escritor grego do século II, Pausânias, que viu em Atenas altares a "deuses chamados desconhecidos". A Escola Americana de Estudos Clássicos escavou a Ágora e trabalhou em outras áreas de Atenas.

*Veja* Arqueologia.

H. F. V.

**ATENIENSE** Um habitante da antiga cidade de Atenas (At 17.21).

**ATER**

1. O antepassado chefe de uma das grandes famílias daqueles que retornaram do exílio (Ed 2.16; Ne 7.45).
2. O chefe de uma família daqueles que retornaram do exílio, e que selaram a aliança com Neemias (Ne 10.17).

**ATITUDES** *Veja* Mente e Atitudes.

**ATLAI** Um israelita que nos dias de Esdras foi um daqueles obrigados a expulsar sua esposa estrangeira (Ed 10.28).

**ATORMENTADOR ou VERDUGO** Aquele que extrai a verdade por meio da tortura de um prisioneiro, ou por açoites, ou ainda por algum outro meio. A palavra é usada apenas uma vez no NT pelo Senhor Jesus Cristo na parábola do devedor que foi entregue aos cruéis carcereiros (Mt 18.34). Cláudio Lísias, o capitão chefe, ordenou que Paulo fosse interrogado sob "açoite" (At 22.24) antes de saber que ele era um cidadão romano. O Senhor Jesus Cristo, o nosso salvador, foi açoitado por causa dos nossos pecados, assim como Isaías havia profetizado: "pelas suas pisaduras, fomos sarados" (Is 53.5; 1 Pe 2.24).

**ATOS, LIVRO DE** Atos dos Apóstolos, o quinto livro do NT, corresponde ao segundo volume da história primitiva dos cristãos, do qual, de acordo com Lucas, o primeiro volume corresponde aos Evangelhos. A unidade essencial desses dois volumes é evidenciada pelo fato de ambos terem sido endereçados a Teófilo (Lc 1.1-4; At 1.1); pela alusão a Atos como um tratado anterior relativo a tudo que Jesus começou a fazer e a ensinar, e que está de acordo com o conteúdo dos Evangelhos; pela ênfase comum feita à pessoa e à obra do Espírito Santo; pela semelhança da linguagem entre os dois documentos e pela afirmação da tradição que atribui uniformemente a autoria a Lucas, amigo e companheiro de Paulo. É provável que o título Evangelhos tenha sido escolhido quando Mateus, Marcos e João combinaram que a obra teria a forma de grupos distintos de narrativas da vida de Jesus, deixando que Atos se tornasse uma crônica de um período posterior. A divisão foi feita em uma data anterior, pois a lista ainda existente dos livros canônicos trata esse livro como uma obra em separado.

O livro de Atos dos Apóstolos conta como os crentes pregaram o evangelho em Jerusalém, Judéia, Samaria, Síria e em grande parte do mundo mediterrâneo oriental (cf. At 1.8). MIS

**Conteúdo**

Embora com o nome de Atos dos Apóstolos, ou apenas Atos em alguns manuscritos, esse livro não descreve os feitos de todos os primeiros seguidores de Jesus. Seu registro é seletivo e, aparentemente, foi motivado pelo desejo de relatar o crescimento da Igreja dos gentios desde o dia do Pentecostes até a expansão para Antioquia e, em seguida, através da missão paulina, até Roma. Sua organização é principalmente biográfica enfocando personagens tais como Pedro, Estêvão, Felipe, Barnabé e Paulo.

O livro de Atos está organizado em três partes, baseadas nas palavras de Jesus que estão citadas em Atos 1.8. "Mas recebereis a virtude do Espírito Santo, que há de vir sobre vós; e ser-me-eis testemunhas tanto em Jerusalém como em toda a Judéia e Samaria e até aos confins da terra". O primeiro estágio registra os fundamentos judeus, começando por Jerusalém; o segundo estágio de transição inclui o desenvolvimento de novas idéias e movimentos na direção do mundo dos gentios, e o terceiro estágio cobre a missão gentílica de Paulo que o levou desde Antioquia até a Ásia Menor e Roma.

**Esboço**

O Início da Igreja Cristã

I. Período Inicial: Jerusalém, 1.1–8.3
   A. A Incumbência de Cristo, 1.1-8
   B. A Preparação para o Pentecostes, 1.9-26
   C. A Fundação da Igreja em Jerusalém, 2.1–6.7
   D. O Ministério de Estêvão, 6.8–8.3

II. O Período de Transição: Antioquia, 8.4–11.18
   A. O Ministério de Felipe (Samaria), 8.4-40
   B. A Conversão de Paulo, 9.1-31
   C. O Ministério de Pedro (Cesaréia), 10.1–11.18

III. O Período de Expansão: Roma, 11.19–28.31
   A. A Transferência para Antioquia, 11.19–12.25
   B. Primeira Viagem Missionária, 13.1–14.28
   C. O Concílio de Jerusalém, 15.1-35
   D. Segunda Viagem Missionária, 15.36–18.22
   E. Terceira Viagem Missionária, 18.23–21.14
   F. Prisão e Defesa de Paulo, 21.15–28.31

A primeira seção do livro de Atos introduz o tema através de uma referência às últimas palavras de Jesus antes de sua ascensão, nas quais Ele ordena aos discípulos que permaneçam em Jerusalém aguardando o derramamento do Espírito Santo. Através de sua descida, no dia de Pentecostes, os discípulos receberam o poder de pregar que Jesus havia ressuscitado e que Ele era o verdadeiro Messias. O sermão de Pedro exortava ao arrependimento e ao batismo por parte dos crentes. Três mil convertidos foram acrescentados ao grupo dos discípulos. Por meio de uma série de perseguições, a igreja cresceu até chegar a, pelo menos, 5.000 pessoas, incluindo convertidos oriundos do sacerdócio judeu.

O ministério de Estêvão levou a igreja para dentro de sinagogas de língua estrangeira. Sua prisão e julgamento perante o Sinédrio representaram um marco decisivo na vida da igreja. Sua afirmação de que "o Altíssimo não habita em templos feitos por mãos de homens" (At 7.48) implicava um aspecto mais abrangente do que o do judaísmo. A perseguição que acompanhou sua morte obrigou os cristãos a se espalharem por outras áreas.

O período de transição foi marcado por uma expansão para outros territórios e o início de um ministério entre outros povos. A pregação de Felipe aos samaritanos e ao eunuco etíope (8.5-40), a entrada de Pedro no lar do centurião romano Cornélio (10.1–11.18) e a surpreendente conversão do chefe dos perseguidores, Saulo de Tarso (9.1-30) romperam as barreiras do preconceito e do medo. Alguns dos refugiados iniciaram um trabalho entre os gentios de Antioquia, que se tornou a base para um movimento missionário em todo o império.

A campanha missionária compreendia três viagens missionárias: A primeira, realizada por Paulo e Barnabé, cobriu Chipre e a região sul da província da Galácia (At 13.1–14.28). Na segunda viagem, feita por Paulo, Silas, Timóteo e Lucas, as igrejas ao sul da Galácia foram novamente visitadas, e a Palavra de Deus penetrou nas províncias da Macedônia e Acaia (15.36–18.22). A terceira incluiu um ministério de três anos na província da Ásia tendo como centro a região de Éfeso, seguida por uma minuciosa inspeção das igrejas da Macedônia e Acaia (18.23–21.14). O Concílio de Jerusalém resolveu uma importante questão sobre os gentios: se precisavam obedecer à lei de Moisés a fim de se tornarem cristãos (15.1-35).

A captura de Paulo em Jerusalém, sua prisão e julgamento perante autoridades judaicas e romanas, e sua viagem a Roma, concluem o relato de sua pregação na cidade imperial (21.15–28.31). A história termina abruptamente, talvez porque o autor tivesse concluído a história como a conhecia e nada mais tivesse a dizer. Entretanto, ele havia alcançado seu objetivo de traçar o progresso da mensagem do Evangelho desde Jerusalém, o centro do judaísmo, até Roma, a metrópole do mundo gentílico.

### Autoria

O livro de Atos tem sido tradicionalmente atribuído a Lucas, um médico grego que acompanhou Paulo em sua segunda e terceira viagens. Sua presença é indicada pelo uso do pronome "nós", pronome que aparece primeiramente em Atos 16.10-17, reaparece em 20.5–21.17 e novamente em 27.1–28.16. O autor se juntou a Paulo em Troas, foi com ele para Filipos, onde aparentemente permaneceu até que Paulo retornasse para a terceira viagem, e depois o acompanhou durante todo o caminho até Roma. Ele não compartilhou da prisão de Paulo em Jerusalém e Roma, mas permaneceu próximo ao apóstolo. Paulo faz alusão a Lucas como o "médico amado" em sua correspondência da prisão (Cl 4.14; Fm 24) e em uma data posterior, fala dele novamente (2 Tm 4.11).

Irineu, um dos primeiros patriarcas da Igreja (cerca de 180 d.C.) cita o livro de Atos como sendo produto de Lucas "o discípulo e seguidor dos apóstolos" (*Against Heresies* I. xxiii.1). É possível que Lucas tivesse sido irmão de Tito, um outro companheiro de Paulo que nunca foi mencionado em Atos e aparece caracterizado pelo apóstolo em 2 Coríntios como o "irmão cujo louvor no evangelho está espalhado em todas as igrejas" (2 Co 8.18). A carta foi escrita, presumivelmente, quando Paulo ainda estava em Filipos, e Tito na Macedônia.

Provas mais detalhadas mostram que o autor era um grego extremamente culto que havia viajado freqüentemente e era um excelente observador. Hobart (na obra *The Medical Language of St. Luke*) afirma que a linguagem de Lucas prova que ele era médico, por causa dos termos médicos que utiliza. Pode ser que Hobart esteja exagerando no significado técnico do vocabulário de Lucas, mas parece que ele estava mais interessado nas enfermidades e na sua cura do que qualquer outro escritor cristão. Todas as indicações que podem ser inferidas do livro de Atos dão suporte a essa tradicional autoria.

### Data

A expressão *terminus a quo* do livro de Atos encerra a primeira prisão de Paulo, em cerca de 61/62 d.C., pois o livro não poderia ter sido escrito antes dos eventos que descreve. A *Tübingen School* do século XIX atribui esse livro à metade do segundo século acreditando ser um trabalho apologético escrito para esconder as diferenças que ocorreram na igreja na era precedente. Outros datam a obra do final do primeiro século entendendo que Lucas usou como fonte de informações os trabalhos de Josefo, que somente foram escritos depois do ano 90 d.C. Entretanto, Lucas pode ter tido um acesso independente às mesmas informações de Josefo. A precisão geral de suas alusões a lugares, pessoas e eventos, na medida em que possam ser corroboradas pela arqueologia e pela história, indicam que Lucas foi um contemporâneo daquilo que descreve. Apesar de seu profundo interesse por Paulo, a ausência de qualquer referência feita às suas epistolas não poderia ser explicada se o livro de Atos tivesse sido escrito depois de elas terem sido coletadas e publicadas. Por essas razões, uma data anterior ao ano 65 d.C. parece ser mais aceitável.

### O Valor do Livro de Atos

O livro de Atos é um documento de fundamental importância histórica tanto para a história da igreja como para o mundo antigo. Se não fosse pelo livro de Atos, a lacuna entre os Evangelhos e as epístolas seria quase impossível de ser preenchida pois nenhuma explicação estaria disponível para a transição entre o ministério do Senhor Jesus e a doutrina e evangelização da igreja. Quase todo conhecimento autêntico que sobreviveu, relacionado com os líderes apostólicos e a extensão geográfica de sua missão, se originou desse livro. Ele não provê um relato completo, mas fornece princípios gerais e fatos condutores que ajudam sua interpretação histórica.

As alusões a ocorrências contemporâneas permitem aos estudiosos relacionar o cristianismo com o mundo daquela época. A morte de Herodes Agripa I (At 12.21-23), o cargo de procônsul de Gálio (18.12-17), a administração de Félix (23.24) e Festo (24.27), os procuradores da Judéia, os nomes técnicos dos oficiais nos distritos do Império Romano, tais como pretores e quadrilheiros (ou oficiais de justiça) em Filipos (16.35), os "magistrados da cidade" em Tessalônica (em grego, *politarchs,* 17.6) e Asiáticos (principais da Ásia, ou asiarcas) em Éfeso (19.31), as diferenças lingüísticas obtidas de diferentes seções do Império (14.11; 21.36,40) e os acurados detalhes geográficos da última viagem a Roma (At 27–28) fornecem informações confiáveis aos modernos historiadores e mostram que o autor tinha informações precisas.

A importância doutrinária e espiritual do livro de Atos é muito grande. Os primeiros ensinamentos da igreja estão descritos nos discursos preservados pelo livro de Atos, e a ênfase na obra do Espírito Santo e na base do empreendimento missionário constituem um padrão para a experiência e a prática das gerações que se sucedem.

***Bibliografia.*** E. M. Blaiklock, *The Acts of the Apostles* (*Tyndale Commentaries*), Grand Rapids. Eerdmans, 1959. F. F. Bruce, *Commentary on the Book of Acts* (*The New International Commentary*), Grand Rapids. Eerdmans, 1954. F. J. Foakes-Jackson e Kirsopp Lake, *The Beginnings of Christianity,* Parte I. *The Acts of the Apostles,* 5 vols., Londres. Macmillan, 1920-35. Richard B. Rackham, *The Acts of the Apostles,* WC. A. T. Robertson, *Luke the Historian in the Light of Research,* New York. Scribner's, 1923.

M. C. T.

**ÁTRIO** Uma área descoberta rodeada por edifícios ou paredes. O Tabernáculo possuía um átrio exterior fechado por cortinas (Êx 27.9ss.). O Templo de Salomão tinha um átrio/pátio interior para os sacerdotes, marcado por pedras cortadas (1 Rs 6.36), e outro átrio externo. *Veja* Tabernáculo, Templo.

As casas antigas eram constantemente protegidas de um acesso direto da rua por um átrio principal fechado; em outras casas os dormitórios eram construídos em volta de um átrio central. A versão RSV em inglês utiliza a expressão "átrio do sumo sacerdote" ao invés de "palácio" (Jo 18.15). O texto em Apocalipse 11.2 refere-se a um grande átrio fora do santuário, próprio da visão de João. *Veja* Casa; Arquitetura.

**AUDIÇÃO** *Veja* Ouvido.

**AUGUSTO** O primeiro dos imperadores romanos (27 a.C. - 14 d.C.) e sucessor do célebre Júlio César. Seu reinado foi especialmente marcado por duas coisas: um período de paz (a *Pax Augusta*), e os seus grandes programas de construção ("Encontrei Roma construída com tijolos secos ao sol; deixo-a revestida em mármore"). Ele deu ímpeto à restauração da religião.

No NT, seu nome está indelevelmente associado com a história do nascimento do Senhor Jesus (Lc 2.1-20). Também não parece acidental que as palavras do anjo naquela ocasião tenham incluído a frase. "Paz na terra, boa vontade para com os homens!".

Seu nome completo era Gaio Júlio César Otaviano, e o título Augusto foi-lhe concedido pelo Senado em 27 a.C., fazendo dele o comandante-em-chefe dos exércitos. O título implicava em divindade, mas ele não reivindicou tal coisa para si mesmo.

Embora fosse o herdeiro adotado de Júlio César, Augusto teve que lutar para herdar

César Augusto. HFV

Túmulo de Augusto, Roma. HFV

o legado de César. Primeiro, ele e Marco Antônio tiveram que derrotar as forças responsáveis pelo assassinato de César, lideradas por Bruto e Cássio. A batalha ocorreu perto de Filipos, em 42 a.C. Mais tarde, ele foi forçado a guerrear contra Antônio e Cleópatra, derrotando-os em Actium na Grécia ocidental em 31 a.C. Augusto pôs fim à república romana e introduziu o período imperial. Através da cuidadosa organização das províncias, consolidou o império, deixando, por ocasião de sua morte, uma área conquistada de mais de 7,5 milhões de quilômetros quadrados. Ele foi sucedido por seu herdeiro adotivo, Tibério.
*Veja também* César.

***Bibliografia.*** William James Durant, *Caesar and Christ, The Story of Civilization*, Nova York. Simon e Schuster, III (1935), Cap. XI. Herbert Jennings Rose, *Ancient Roman Religion*, Londres. Hutchinson's Univ. Library (1948), Cap. IV. Suetonius, *The Twelve Caesars*, trad. por Robert Graves, Harmonds-worth. Penguin, 1957.

W. M. D.

**AUMAI** Chefe de uma família de Judá, filho de Jaate (1 Cr 4.2).

**AUSATE** Conselheiro e amigo de Abimeleque, rei de Gerar. Foi com Abimeleque a Berseba para fazer um acordo com Isaque (Gn 26.26-31).

**AUTONEGAÇÃO** Negar a si mesmo é repudiar a gratificação daqueles desejos e valores que são exclusivamente centrados na satisfação pessoal e egoísta, ao invés de serem centrados em Deus. Isto não é o mesmo que dizer que o crente não possa ter os seus valores, desejos e metas pessoais que possam existir de forma legítima; mas significa, sim, que eles devem existir dentro do contexto da vontade de Deus. Isto não significa que as necessidades pessoais não devam ser atendidas; mas que devem ser vistas em um contexto que glorifique a Deus (1 Co 10.31). Negar a si mesmo significa se retirar do "banco do motorista" para que Deus possa ocupar esse lugar. É negar a si mesmo o direito ou o controle sobre a própria vida. Ao negar o Senhor Jesus, Pedro ilustra que a negação envolve uma decisão de dissociar a si mesmo da pessoa ou do objeto negado (Mt 26.69-75). O Senhor Jesus Cristo ensinou que a decisão de negar a si mesmo deve ser radical e decisiva (*aparnesastho*, verbo imperativo aorista médio, Mt 16.24; Mc 8.34), e renovada diariamente (Lc 9.23), para que o discípulo possa seguir a Cristo continuamente. As implicações desse conceito são de fato bastante extensas, envolvendo o repúdio à antiga justiça própria (Fp 3.7-11) e à antiga vida de pecado (Tt 2.12; Rm 6.6; 8.12,13; Gl 5.16,17,24; Cl 3.5-9; 1 Pe 2.11). Contudo, esse repúdio só atinge o seu objetivo quando a vida passa a ser orientada de modo a se fazer a vontade de Cristo (o que é expresso de diversas maneiras no NT – Mt 16.24 e passagens paralelas; Rm 12.1,2; 13.14; Gl 2.20; 4.19; 5.16; Cl 3.1-4,10-17; Fp 2.5; *et al.*). O crente que age desta forma tem a promessa de Cristo de que esse é o único modo de se ter uma vida plena, tanto agora quanto no futuro (Mt 16.25,26 e passagens paralelas; Lc 18.27-30; Jo 12.25; cf. Fp 3.7-11).

S. N. G.

**AUTOCONTROLE** *Veja* Temperança.

**AUTORIDADE**
*Termos.* O termo gr. *exousia* é a principal palavra traduzida como "autoridade" no NT. Ela significava originalmente o poder e a liberdade de escolha (por exemplo, 1 Co 7.37). Os testamentos antigos expressavam o "direito" do testador de dispor de sua propriedade como desejasse. No NT, *exousia* é usado no sentido de direito de uma pessoa. Paulo falou de seus direitos como um apóstolo (1 Co 9.1-14). Aqueles que lavam as suas vestiduras têm o direito à árvore da vida (Ap 22.14), assim como Cristo dá, àqueles que o recebem, o direito de se tornarem filhos de Deus (Jo 1.12).
Então *exousia* veio a significar o poder de direito de agir, possuir ou controlar, como no caso do procedimento de venda da propriedade de Ananias e Safira (At 5.4). Enquanto o termo *dynamis* primeiramente denota força física ou habilidade, *exousia* geralmente significa a autorização ou o poder que é de certo modo legal (por exemplo, At 9.14; 26.10,12). O ensino uniforme da Bíblia Sagrada é que o único poder de direito no universo criado é o do Criador. A autoridade absoluta só pertence a Deus, sendo qualquer outra autoridade subordinada e derivativa. Embora a palavra não seja usada em relação a Deus no AT, o conceito de sua autoridade aparece em passagens que falam de sua soberania e governo eterno (Sl 66.7; 89.9; 103.19; Is 40.10; Dn 4.17,34,35) e seu reinado universal (Sl 47; 93; 95.3-5 etc.). Ele é re-

conhecido como o Juiz de toda a terra (Gn 18.25) que tem a última palavra em todos os assuntos dos homens. Nos tempos do AT, Deus exercia autoridade sobre o seu povo e o governava por intermédio dos anciãos e também dos sacerdotes, juízes e reis a quem Ele levantou ou estabeleceu (Jz 2.16; 2 Sm 7.8). Estes estavam capacitados a governar através da sabedoria que lhes fora dada por Deus (Pv 8.15,16). *Veja* "Governo, Autoridade e Reinado", CornPBE, pp. 354-369. Especialmente os profetas eram seus servos para proclamar as suas mensagens (Jr 1.7-10), e escrever a sua instrução autoizada (*tora*). Eles não eram dirigidos por nenhum superior terreno, e assim falavam com a autoridade Divina ao povo, sacerdotes e reis, semelhantemente.

*A autoridade suprema de Deus*. A Bíblia claramente afirma que a verdadeira fonte e lugar da autoridade estão em Deus. Paulo escreve que não há autoridade exceto da parte de Deus (Rm 13.1), e o Senhor Jesus argumenta que somente Deus precisa ser temido, porque só Ele tem autoridade para lançar no inferno (Lc 12.5). A autoridade de Deus sobre a humanidade consiste em seu direito e poder incontestáveis de lidar com os homens como bem lhe aprouver, da mesma forma que o oleiro tem a *exousia* sobre o barro (Rm 9.21). O homem não deve tentar desembaraçar o mistério dos tempos e épocas futuras que Deus Pai estabeleceu por sua própria autoridade (At 1.7).

A autoridade do Senhor Jesus Cristo é tanto original como derivada. Como o Filho de Deus, a sua autoridade é original porque Ele mesmo é Deus, o Co-Criador e compartilhador de todas as obras do Pai (Jo 5.19-21). Ele tinha dentro de si mesmo o poder ou a autoridade de sacrificar a sua vida e de tornar a tomá-la, embora tivesse recebido de seu Pai o comando ou a direção para assim proceder (Jo 10.18). Ele não teve que orar a Deus por auxílio nem hesitou em assumir completa autoridade na presença de tempestades, doenças ou possessão demoníaca. Ele a tomou sobre si para perdoar pecados, uma prerrogativa exclusiva de Deus (Mc 2.5-10). Ele pôde ousar ir além dos preceitos da lei de Moisés, que foi aceita como de origem Divina (Mt 5.22,28,34); assim, Ele ensinou como tendo autoridade em si mesmo (Mt 7.29).

Pelo fato de que a Palavra de Deus é totalmente inspirada pelo Espírito de Deus, ela tem autoridade suprema sobre os homens (*veja* Inspiração). Os profetas falaram a palavra do Senhor - "assim diz o Senhor"; e os apóstolos eram as testemunhas e os representantes comissionados de Cristo (Mt 10.40; Jo 14.26; 15.26,27; 20.21; At 1.8; 26.16-18). Eles receberam a autoridade necessária para edificar a igreja (Mt 16.18,19; 2 Co 10.8; 13.10). Deus deu testemunho com eles através de sinais, milagres, e dons do Espírito Santo (Hb 2.3,4). Sua mensagem foi recebida "não como palavra de homens, mas (segundo é, na verdade) como palavra de Deus, a qual também opera em vós, os que crestes" (1 Ts 2.13). *Veja* Apóstolo.

Até mesmo o Senhor Jesus Cristo, como homem, aceitou e se submeteu à autoridade do AT. Durante a sua tentação Ele citou as Escrituras para si mesmo na presença de Satanás, como o motivo pelo qual Ele não iria seguir o diabo (Mt 4.1-10). Em suas controvérsias Ele recorreu por várias vezes às Escrituras como a autoridade final para responder aos seus críticos (por exemplo, Jo 10.33-36; Mt 22.23-46). Ele demonstrou claramente que a correta escola de autoridade não é o raciocínio ou a consciência (racionalismo) de um indivíduo ou a tradição religiosa (Mc 7.1-13), mas a Palavra de Deus, a Bíblia Sagrada.

Os documentos do NT foram logo reconhecidos como Escrituras (cf. 1 Tm 5.18 com Lc 10.7; 2 Pe 3.15,16), considerados úteis e, portanto, portadores da autoridade Divina (2 Tm 3.16). É através da Bíblia, então, que Deus o Filho agora fala e exerce a autoridade Divina.

*A autoridade delegada aos homens*. Como homem e Messias, a autoridade de Cristo não só é original, mas também lhe foi delegada por seu Pai (Jo 17.2). Ele sugere o mesmo quando se opõe a pergunta dos líderes judeus. "Com que autoridade fazes isso? E quem te deu tal autoridade?" (Mt 21.23-27). Ele louva o centurião por reconhecer que também está sob autoridade (Mt 8.8-10). Ele claramente declara que o Pai lhe deu autoridade para julgar, e o fez porque ele é o Filho do Homem – o Messias *humano* (Jo 5.27). Isto faz com que nos lembremos claramente da visão de Daniel, na qual um como o Filho do Homem ficou diante do Ancião de Dias e recebeu soberania, glória e reinado eternos (Dn 7.13,14; *veja* Filho do Homem). Sua grande comissão aos seus discípulos possui uma finalidade, porque toda a autoridade lhe foi dada no céu e na terra (Mt 28.18).

Os homens só têm autoridade quando Deus lha confere (Jo 19.11). Isto é verdadeiro tanto dentro da igreja como no âmbito do governo civil, onde oficiais (por exemplo, os romanos) seculares são chamados de "autoridades", ministros de Deus para punir os malfeitores (Rm 13.1-7). O cristão deve honrar e se submeter a esses reis e governadores (1 Pe 2.13-17; Tt 3.1; cf. Mt 22.21), a menos que isto exija uma desobediência direta a Deus (At 4.19; 5.29).

Dentro da unidade familiar ordenada por Deus, o homem é o "cabeça", tem autoridade sobre a sua mulher (Ef 5.23) e sobre os seus filhos (1 Tm 3.4,12). Portanto, a mulher não deve ensinar ou exercer autoridade sobre o seu marido (1 Tm 2.12), mas estar sujeita a ele (Ef 5.22; 1 Pe 3.1-6). O marido deve exercer a liderança do lar como é seu dever, com toda a humildade, gentileza e amor, reconhecendo que Cristo, como seu Cabeça, lhe concedeu autoridade (1 Co 11.3). Por sua vez, ele deve respeitar completamente a esfera de responsabilidade de sua esposa, e mostrar apreço por sua competência ao lidar com os detalhes dos afazeres domésticos. Os filhos devem obedecer a seus pais em harmonia com o quinto mandamento (Ef 6.1-3; Cl 3.20).

Cristo delegou a sua autoridade não só aos apóstolos que não tiveram, propriamente falando, nenhum sucessor na questão de produzir Escrituras inspiradas, mas também a cada discípulo. Ele deu, tanto aos doze como aos setenta, poder e autoridade sobre todos os demônios e para curar enfermidades (Lc 9.1; Lc 10.1,9,17,19). Sinais miraculosos, as credenciais do embaixador de Cristo, acompanhavam aqueles que criam nos apóstolos (Mc 16.16-20). Tal poder é concedido ao crente, porque pela graça de Deus ele está sentado ou entronizado com Cristo nos lugares celestiais, no reino espiritual, ou na esfera de toda a atividade espiritual (Ef 1.19,20; 2.6). Todo cristão, portanto, ocupa potencialmente o trono de Cristo. Na guerra espiritual com as forças satânicas, o crente deve exercer a sua autoridade delegada, e com fé obrigar os poderes do mal a obedecerem em o Nome de Jesus (Ef 6.12; At 3.16; 4.30; 16.18). Ele deve levar cativo todo entendimento à obediência de Cristo (2 Co 10.4,5). Ele pode contar com o poder do Espírito Santo (Rm 15.13,19) e a proteção do sangue de Cristo (Ap 12.11), o símbolo da vitória de Cristo no Calvário sobre os principados e potestades satânicas (Cl 2.14,15).

*A autoridade usurpada por Satanás.* O exercício do poder pelo diabo e seus espíritos demoníacos, e o seu domínio, são freqüentemente chamados de *exousia* (Lc 4.6; 22.53; At 26.18; Ef 2.2; Cl 1.13). Embora Satanás tenha usurpado o poder de Deus, este poder, no entanto, lhe foi entregue (Lc 4.6). Portanto, ele só o possui pela permissão de Deus, e como um agente relutante de Deus (Ap 2.10).

Seres angelicais são às vezes chamados de "principados" ou "potestades" (*exousiai*, Ef 3.10; Cl 1.16), e estes incluem os espíritos malignos (Ef 6.12; Cl 2.15). Mas, em todo caso, a sua autoridade é apenas secundária, pois Cristo está "acima de todo principado, e poder, e potestade, e domínio, e de todo nome que se nomeia, não só neste século, mas também no vindouro" (Ef 1.21). A grande afirmação do NT é que todo o mundo dos seres sobrenaturais e sua autoridade estão inteiramente subordinados a Deus.

***Bibliografia.*** Werner Foerster, "*Exousia*, etc.", TDNT, II, 562-575. J. Norval Geldenhuys, *Supreme Authority*, Grand Rapids. Eerdmans, 1953; "Authority and the Bible", *Revelation and the Bible*, ed. por Carl F. H. Henry, Grand Rapids. Baker, 1958, pp. 371-386. J. I. Packer, "Authority", NBD, pp. 111-113. Bernard Ramm, *The Pattern of Religious Authority*, Grand Rapids. Eerdmans, 1957. T. Rees, "Authority", ISBE, I, 333-340. Benjamin B. Warfield, *The Inspiration and Authority of the Bible*, Filadélfia. Presbyterian and Reformed, 1948.

J. R.

**AUZÃO** Na genealogia de Judá, ele é citado como um filho de Asur (1 Cr 4.5,6).

**AVA** Uma cidade da qual colonos foram enviados a Samaria para substituir os israelitas removidos pela conquista dos assírios em 722 a.C. (2 Rs 17.24). Os aveus fizeram ídolos que foram chamados de Nibaz e Tartaque (2 Rs 17.31), talvez alterações judaicas deliberadas dos nomes das divindades sírias. Ava pode ser identificada com Iva (2 Rs 18.34), provavelmente a moderna Tell Kefr 'Aya no rio Orontes. *Veja* Iva.

**AVELÃ** *Veja* Plantas.

**ÁVEN**

1. Áven é o nome aplicado por Ezequiel (Ez 30.17) ao famoso centro de adoração egípcio de Om (Gn 41.45), também chamado de Heliópolis. Quando ele profetizou a desolação com a qual Deus visitaria o Egito, esta cidade conhecida mundialmente pela adoração a Rá, o deus-sol, foi descrita pelo profeta como Áven – "nada".
2. O mesmo desprezo e escárnio pelos lugares idólatras de culto é encontrado em Oséias 10.8 onde os locais da apostasia de Israel são descritos como "altos de Áven, pecado de Israel".
3. Amós 1.5 (onde algumas versões trazem o termo Biqueate-Áven) fala do "vale de Áven" em conexão com o juízo de Deus sobre a Síria. Se esta referência é a Baalbek, o centro do culto a Baal na Síria, os deuses falsos são novamente desdenhados como "vaidade".

**AVENTAL** *Veja* Vestuário.

**AVERMELHADO** Tradução das palavras hebraicas *'adom* que significa "estar vermelho" e *'admoni*, isto é "vermelho, avermelhado" descrevendo um aspecto da epiderme de um homem. A maior parte das referências é à saúde vigorosa (Lm 4.7; 1 Sm 16.12; 17.42; Ct 5.10), embora também tenha o significado de cabelos avermelhados (Gn 25.25). *Veja* Cores. Vermelha.

**AVES CEVADAS** Este termo, referindo-se a pássaros gordos, é usado apenas uma vez no AT (1 Rs 4.23 [heb., 5.3]). O termo traduz as palavras heb. *barburim 'abusim*. A primeira das duas palavras procede da raiz *barar*, significando "ser puro" e, dessa forma, branco. Uma vez que entalhes em marfim de Megido mostram uma série de lavradores descalços levando gansos engordados para a cidade (VBW, II, 210), as "aves cevadas" para a mesa de Salomão eram provavelmente gansos brancos. *Veja* Animais: Ganso III.32.

**AVESTRUZ** *Veja* Animais: Avestruz III.13.

**AVIM ou AVEUS**
1. Um povo cananeu aborígine que viveu na área próxima a Gaza. Na época das invasões filistéias, todos foram destruídos, exceto um pequeno remanescente (Dt 2.23; Js 13.3). *Veja também* Hazerim.
2. Uma cidade ao sul de Betel em Benjamim (Js 18.23).
3. Os habitantes de Ava (*q.v.*; 2 Rs 17.24) na Síria, mencionados em 2 Reis 17.31 como um povo idólatra transportado para Samaria.

**AVITE** A cidade ou lar de Hadade, filho de Bedade, o quarto rei de Edom, que governou antes que houvesse qualquer rei em Israel (Gn 36.35; 1 Cr 1.46).

**AZÃ** Pai de Paltiel, um príncipe da tribo de Issacar que foi um dos escolhidos para dividir a terra entre as tribos (Nm 34.26).

**AZA** Tradução do termo hebraico *'azza* em Deuteronômio 2.23; 1 Reis 4.24; Jeremias 25.20. A forma grega, Gaza, é mais comumente usada. *Veja* Gaza.

**AZAI** Um sacerdote, entre aqueles que retornaram do exílio (Ne 11.13). Ele também é chamado de Jazera (1 Cr 9.12).

**AZALIAS** Filho de Mesulão e pai de Safã, o escrivão sob o reinado de Josias (2 Rs 22.3; 2 Cr 34.8).

**AZANIAS** Um levita, filho de Jesua, que selou a aliança depois do exílio (Ne 10.9).

**AZAREL**
1. Membro da família de Corá que traiu Saul em favor de Davi em Ziclague (1 Cr 12.6). Ele é citado com os guerreiros de Benjamim como um homem especialmente habilidoso no uso da funda – quer com a mão direita, quer com a esquerda.
2. Um levita, filho de Hemã, que foi designado por Davi para ministrar com a música no santuário (1 Cr 25.18). Ele é chamado de Uziel em 1 Crônicas 25.4.
3. Um príncipe da tribo de Dã que foi designado por Davi para ser o principal chefe sobre a sua tribo na época da contagem do povo (1 Cr 27.22).
4. Um israelita da família de Bani depois do retorno do exílio. Ele havia se casado com uma mulher estrangeira, portanto foi submetido ao juízo de Esdras (Ed 10.41).
5.Um sacerdote nos dias de Neemias (Ne 11.13; 12.36). Ele foi o pai de Amasai, um dos "varões valentes", residindo em Jerusalém. Ele é provavelmente o homem mencionado como um membro do grupo de trombeteiros na consagração do muro.

P. C. J.

**AZARIAS** Este era um nome comum em hebraico, especialmente entre as famílias da linhagem sacerdotal de Eleazar, cujo nome significa "a quem Deus ajuda". Está intimamente relacionado ao nome Esdras, que significa simplesmente "ajuda". As Escrituras mencionam as seguintes pessoas que tinham este nome.
1. O filho de Aimaás (1 Cr 6.9) que, de acordo com 1 Reis 4.2, parece ter sucedido seu avô Zadoque no sumosacerdócio sob o reinado de Salomão. Uma vez que seu pai morreu antes de Zadoque, a notação em 1 Crônicas 6.10 sem dúvida se aplica a ele e não a seu próprio neto.
2. Filho de Natã que serviu como capitão dos cobradores de impostos de Salomão (1 Rs 4.5).
3. O décimo rei de Judá a quem Isaías se refere como Uzias (*q.v.*; 2 Rs 14.21; 15.1,6, 7,8, 16,23,27; 1 Cr 3.12. Veja também 2 Rs 15.13; 2 Cr 26.1; Is 1.1; 6.1).
4. Filho de Etã da tribo de Judá (1 Cr 2.8).
5. O filho de Jeú que tinha uma descendência egípcia, através da filha de Sesã (1 Cr 2.34,35,38,39).
6. O filho de Joanã, que serviu como sumo sacerdote durante os reinados de Abias e Asa (1 Cr 6.10).
7. O filho de Hilquias e o pai de Seraías (1 Cr 6.13,14).
8. O filho de Sofonias, o coatita, antepassado do profeta Samuel (1 Cr 6.36; veja também 1 Cr 6.24).
9. Um profeta durante o reinado de Asa cujo pai era Odede (ou Obede; 2 Cr 15.1-8).
10. e 11. Dois dos filhos de Josafá, rei de Judá (2 Cr 21.2; Também chamado de Azariau em algumas versões).
12. Rei de Judá (2 Cr 22.6; também chamado Acazias no v. 1).
13. Filho de Jeroão, e um capitão em Judá. Ele ajudou a derrubar Atalia e entronizar Joás (2 Cr 23.1).
14. O sumo sacerdote que se opôs ao rei Uzias quando ele tomou para si prerrogativas sacerdotais (2 Cr 26.17-20). Um contemporâneo de Isaías.
15. O filho de Joanã e um capitão de Efraim durante o reinado de Acaz (2 Cr 28.12). Ele devolveu os cativos e os despojos que foram tomados na invasão de Judá por Peca.
16. Um coatita que era pai de Joel no reinado do rei Ezequias (2 Cr 29.12).
17. Um merarita que era o filho de Jealelel, da época de Ezequias (2 Cr 29.12).
18. Um sacerdote chefe durante o reinado de Ezequias que cooperou com o rei na purificação do Templo (2 Cr 31.10,13).
19. Um inimigo ferrenho de Jeremias (Jr 43.2ss.).
20. O companheiro de Daniel cujo nome foi

mudado para Abede-Nego, um cativo real na Babilônia (Dn 1.6,7,11,19).
21. O filho de Maaséias, que ajudou a reparar os muros de Jerusalém (Ne 3.23,24).
22. Um levita que ajudou Esdras na exposição da Lei (Ne 8.7). Possivelmente o mesmo homem mencionado no tópico 21.
23. Um dos sacerdotes que selaram a aliança com Neemias, e que provavelmente deva ser identificado com aquele que auxiliou na consagração do muro da cidade (Ne 10.2; 12.33). Possivelmente o mesmo homem mencionado no tópico 21.

R. E. Pr.

**AZAZ** Um rubenita, filho de Sema e pai de Belá (1 Cr 5.8).

**AZAZEL** Esta palavra significa "bode emissário", "remoção", ou "removido para longe" (Lv 16.8,10,22,26). Uma nota de rodapé na Versão Berkeley diz: "O nome *Azazel* é derivado de *Azalze* ("aquele que é dispensado") e desta forma pode ser corretamente entendido como o bode emissário". Gesênio em seu léxico hebraico declara: "Não tenho nenhuma dúvida de que a palavra deve ser traduzida como *afastador*". Ele sugere uma forma aparentemente mais correta, *'azalzel* significando "remover", "separar". Pode ser considerado como uma forma intensificada da raiz semita *'azal*, encontrada no árabe. Assim, o termo parece se colocar (em sua forma não traduzida em versões recentes) como um símbolo da transferência da culpa e da completa remoção do pecado.
O termo grego usado pelos tradutores da LXX significa "mandar embora, ou livrar-se de". Jerônimo parece ter considerado o termo como sendo um composto de *'ez* e *'azal*, "bode" e "despedir", pois a sua forma latina é *Caper emissarius* na Versão Vulgata. Brown, Driver e Briggs (*Hebrew Lexicon*, p. 736) nos lembram de que "no ritual do Dia da Expiação" este termo indica "a completa remoção do pecado e da culpa dos lugares sagrados, que vão para o deserto nas costas de um bode; é o símbolo do perdão completo". Oehler, em sua obra *Teologia do Antigo Testamento*, entende que o termo faz referência a "um poder espiritual do mal" ou a "um demônio, um ser maligno."
O nome aparece no livro pseudoepígrafo de Enoque, onde Azazel designa o anjo de cutelaria, armas e metalurgia (8.1); um mestre da injustiça (9.6); aquele que é confinado e lançado nas trevas da cova do deserto, ou no abismo (10.4); aquele para quem não há paz, mas a sentença severa de grilhões (13.1); e que é posteriormente citado entre os anjos caídos (69.2).
Entre os árabes, o nome refere-se a um demônio, um ser maligno. Aqueles que o consideram como um demônio do deserto recorrem a passagens como Salmos 106.37; Deuteronômio 32.17; Levítico 17.7; 2 Crônicas 11.15; Isaías 13.21; 34.14; Mateus 12.43ss.; Lucas 11.24ss. e Apocalipse 18.2.
A Epístola de Barnabé (7.6-11; da metade do século II d.C.) definitivamente considera este bode emissário como um tipo de Cristo, Aquele que tirou nossos pecados (cf. Is 53.4-6). E assim o termo tem sido freqüentemente tratado no pensamento cristão desde então.
Outros sugerem que o termo faz uma referência especial ao lugar para onde algo ou alguém é banido, ou que ele pode especificar uma maldição imposta àquele que comete pecados (cf. Gl 3.13).
Os liberais radicais o vêem como uma relíquia de algum antigo ritual "pagão mágico" que foi incorporado ao judaísmo. Os Caffers da África do Sul possuem uma cerimônia na qual um bode é levado à presença de um homem doente, onde os pecados da aldeia são confessados sobre o animal e algumas gotas do sangue do doente são deixadas cair na cabeça do bode, que é então levado para uma parte desabitada da savana. Desse modo, o animal torna-se um veículo para a expulsão dos males, que, sendo transferidos para o animal, ficam perdidos no deserto.
Os cristãos evangélicos vêem aqui um tipo da remoção do pecado e da culpa realizada na pessoa de nosso Senhor e Salvador Jesus Cristo; por esta razão, eles são relutantes em pensar no "bode emissário" como uma oferta para o aplacamento de um demônio.
*Veja* Festividades; Dia da Expiação.

R. E. Pr.

**AZAZIAS**
1. Um músico levita designado para tocar harpa quando a arca, vinda de Obede-Edom, foi levada para Jerusalém (1 Cr 15.21).
2. O pai de Oséias, príncipe de Efraim, no reinado de Davi (1 Cr 27.20).
3. Um levita que trabalhava como superintendente dos dízimos sob o governo de Ezequias (2 Cr 31.13. Algumas versões o mencionam como Azarias).

**AZBUQUE** Pai de um certo Neemias (não o governador de mesmo nome) que participou da reedificação do muro de Jerusalém depois do exílio (Ne 3.16).

**AZECA** Uma cidade situada em um alto monte a nordeste de Laquis e a sudoeste de Jerusalém. Seu rei se juntou aos inimigos de Israel nos dias de Josué, e foi derrotado pelos hebreus (Js 10.10-11). Os filisteus se acamparam perto desta cidade quando Davi matou Golias (1 Sm 17.1). Durante a monarquia dividida, Roboão fortificou Azeca (2 Cr 11.9) e ela permanecia como um importante forte quando Nabucodonosor atacou Jerusalém em 588 a.C. Naquela ocasião, ela era uma das últimas fortalezas restantes de Judá (Jr 34.7). Uma das cartas de Laquis (N° IV), escrita na época por um oficial que estava no comando de um posto avançado perto de Azeca, menciona que ele não pôde ver os sinais de fogo de Azeca (ANET, p. 322). Não se tem certeza se isto sugere que Azeca já havia caído diante dos babilônios. A cidade novamente figurou na história hebréia depois do retorno do cativeiro babilônico (Ne 11.30).

Ela é identificada com Tell Zakariyeh na Sefelá, ou região dos contrafortes de Judá (Js 15.35), protegendo a extremidade mais baixa do vale de Elá (Uádi es-Sant), cerca de 25 quilômetros a oeste de Belém. Em 1898-99, F. J. Bliss e R. A. S. Macalister descobriram uma cidadela fortificada com oito grandes torres, talvez construída durante o reinado de Roboão.

H. F. V.

Colina de Azeca. HFV

**AZEITE** O óleo mineral ou petróleo era desconhecido nos tempos bíblicos, exceto na forma de betume.

O azeite, porém, era um produto importante na economia do AT e também para as pessoas da época do NT. As azeitonas eram escolhidas antes de amadurecerem completamente. Embora algumas pudessem cair cedo, o produto principal era colhido em setembro e outubro. Após juntar os frutos balançando e batendo nos galhos (Dt 24.20; Is 17.6), o óleo era espremido pisando nas azeitonas com os pés (Mq 6.15), usando um pilão ou gral (Êx 27.20; 29.40; Lv 24.2), ou moendo em uma prensa de pedra com seu tanque adjacente (Jl 2.24). Em muitos lugares na Palestina, como por exemplo, nas proximidades de Taanaque, Megido e Jerusalém, foram descobertas prensas de azeitonas que eram talhadas em rocha sólida. Ter que produzir o óleo dentro dos muros da cidade onde não haveria espaço para uma prensa tão grande, era um sinal de opressão (Jó 24.11).

### O azeite era usado de muitas maneiras

*Comércio*. Salomão deu a Hirão de Tiro azeite em pagamento pela ajuda na construção do Templo (1 Rs 5.11; cf. Ed 3.7; Ez 27.17). Os oficiais israelitas recebiam azeite, juntamente com grãos e vinho, como pagamento dos impostos arrecadados sobre os cidadãos. Estes produtos eram mantidos em depósitos reais (1 Sm 8.14,15; 2 Cr 11.11; 32.28). O Egito, cujo clima impede a cultura de azeitonas, importava uma grande quantidade de azeite palestino (Os 12.1). O azeite será incluído nas cargas da Babilônia dos últimos dias (Ap 18.10-13).

*Alimento*. As azeitonas e o azeite são até hoje uma parte principal da dieta nas terras mediterrâneas. Era considerado uma necessidade nos tempos do AT (1 Rs 17.12; 2 Rs 4.2). O azeite é mencionado com flor de farinha e mel como símbolo de uma boa refeição (Ez 16.13,19). A sua posse era considerada um sinal de prosperidade (Jl 2.19).

*Cosméticos*. O azeite era usado para ungir o corpo após o banho e para o cabelo (Rt 3.3; 2 Sm 14.2; Am 6.6; Mt 6.17). A cabeça de um convidado era freqüentemente ungida com azeite quando ele se sentava (Sl 23.5; 92.10; Lc 7.46).

*Funerais*. O corpo do falecido era lavado e ungido com azeite ou outros ungüentos (q.v.) pelos gregos e romanos, e parece que também pelos judeus.

*Medicinal*. O azeite era usado pelos judeus e romanos para massagem, banhos, e sobre ferimentos (Is 1.6; Lc 10.34). Os discípulos o usavam como um símbolo de cura nas curas miraculosas que realizavam (Mc 6.13). Seu uso foi da mesma forma indicado por Tiago como um símbolo, juntamente com a oração pelos enfermos (Tg 5.14).

Dois tipos de antigas prensas de azeite de Cafarnaum. HFV

*Luz*. O azeite era geralmente queimado para produzir luz, como no Tabernáculo (Êx 25.6; Lv 24.2). A chama era acesa em um pavio de linho colocado na biqueira de uma lâmpada de óleo. Uma garrafa extra de azeite era às vezes carregada no pulso em uma tira de couro. Esta prática parece ser o cenário da parábola das virgens loucas, e das virgens prudentes (Mt 25.8ss.; cf. Lc 12.35). *Veja* Lâmpada.
*Ritual*. O azeite deveria ser misturado à farinha na oferta queimada diária ou contínua (Êx 29.40), na oferta de manjares ou de grãos (Lv 2.1-10), na oferta do nazireado (Nm 6.15), nas ofertas de consagração dos líderes (Nm 7.13 etc.), e na oferta pela culpa de um leproso limpo (Lv 14.10-32). Também fazia parte da oferta das primícias (Lv 2.14-16). O azeite não deveria ser usado na oferta pelo pecado (Lv 5.11) nem na oferta de ciúmes (Nm 5.15), porque o azeite significava alegria e felicidade (Sl 45.7; Hb 1.9).
*Dízimo*. O dízimo do azeite deveria ser dado (Dt 12.17; 2 Cr 31.5; Ne 10.36,39; 13.12; Ez 45.14).
*Consagração*. O azeite era usado na consagração de reis e sacerdotes (Êx 29.7; 1 Sm 10.1; 1 Rs 1.39).
*Figurativo*. Um grande suprimento de azeite era indicativo de alegria e felicidade (Jó 29.6; Is 61.3; Jl 2.19). A sua falta significava dor ou humilhação (Dt 28.51; Jl 1.10). Em ambos os testamentos ele também é usado como um símbolo de consagração e do recebimento dos dons do Espírito Santo (Lv 8.12; 1 Sm 10.1,6; 16.13; Is 61.1; Lc 4.18; At 10.38; 2 Cr 1.21). "'Chupar mel da rocha e azeite da dura pederneira' (Dt 32.13) é uma figura... [que] sugere a produção mais valiosa nos lugares mais improdutivos, mostrando que Deus abençoou tanto a terra que até mesmo as rochas e pedras se tornaram produtivas" (*Unger's Bible Dict.*, p. 806).
*Veja* Unção; Ungüento; Plantas: Oliveira.

R. A.

**AZEITE DA SANTA UNÇÃO** A cerimônia de usar o azeite para a unção de uma pessoa ou objeto para ser separado para o serviço religioso ou civil era muito comum nos tempos antigos (por exemplo, Lv 8.12). No entanto, instruções específicas foram dadas para a preparação de um azeite de unção especial usado unicamente na consagração do sacerdócio e do Tabernáculo (Êx 30.22-33). A preparação do primeiro azeite da unção foi supervisionada por Bezalel (Êx 37.1,29). *Veja* Óleo; Ungüento; Sumo Sacerdote.

K.

**AZEL ou AZAL** Este termo é encontrado em Zacarias 14.5. Conjetura-se que este seja o nome de um local nas proximidades de Jerusalém. Dois lugares são sugeridos. Bete-Ezel (Mq 1.11), ou o nome de um lugar que deixou de existir e é sugerido como o Uádi Yasul, um tributário do Quidrom. O significado hebraico é "lateral ou aclive".

**AZEL** Um benjamita, descendente de Jônatas (1 Cr 8.37).

**ÁZEM** *Veja* Ezém.

**AZGADE** O líder de uma família, da qual 1.222 homens retornaram para a Palestina com Zorobabel (Ed 2.12; Ne 7.17 [2.322]), e outros 110 homens retornaram com Esdras (Ed 8.12). Azgade selou a aliança de Esdras (Ne 10.1,15). O nome ocorre nos papiros aramaicos das ruínas da colônia judaica em Elefantina, no Egito.

**AZIEL** Uma forma abreviada de Jaaziel (*q.v.*; 1 Cr 15.18). Um cantor levita que tocava alaúde (algumas versões utilizam o termo saltério, 1 Crônicas 15.20).

**AZINHEIRA** *Veja* Plantas.

**AZIZA** Um dos filhos de Zatu que obedeceu a Esdras e expulsou sua mulher estrangeira (Ed 10.27).

**AZMAVETE**
1. Um membro do corpo de elite de Davi, que era formado por 30 valentes (2 Sm 23.31; 1 Cr 11.33). Era nativo da cidade de Baurim, em Benjamim, a leste de Jerusalém. Foi provavelmente o pai dos dois jovens benjamitas que abandonaram Saul para se unirem a Davi em Ziclague (1 Cr 12.3).
2. Filho de Jeoada, um descendente de Jônatas através de Mefibosete (Meribe-Baal; 1 Cr 8.36; 9.42).
3. Filho de Adiel e um importante oficial sobre os tesouros do rei na época de Davi (1 Cr 27.25).
4. Uma aldeia, também chamada de Bete-Azmavete (q.v.), na fronteira de Judá e Benjamim, oito quilômetros a nordeste de Jerusalém; a moderna Hizmeh. A aldeia bem poderia preservar o nome do valente dos dias de Davi (veja o tópico 1 acima). Desta cidade vieram 42 exilados que retornaram do cativeiro nos dias de Zorobabel (Ed 2.24; Ne 7.28; 12.29).

**AZMOM** Um local situado na fronteira sul de Judá; não se conhece a sua localização exata (Nm 34.4,5; Js 15.4).

**AZNOTE-TABOR** Um local situado na extremidade sudoeste da fronteira de Naftali, evidentemente nos declives inferiores do monte Tabor (Js 19.34). *Veja* Tabor, Monte.

**AZOR** Um dos ancestrais pós-exílicos do Senhor Jesus (Mt 1.13,14).

**AZOTO** A forma do nome Asdode (q.v.) na Septuaginta (LXX) e no NT (At 8.40).

**AZRICÃO**
1. Um dos filhos de Nearias, um descendente de Zorobabel na família de Davi, no período posterior ao retorno do exílio (1 Cr 3.23).
2. Um dos seis filhos de Azel, um benjamita descendente de Saul e Jônatas, provavelmente após o exílio (1 Cr 8.38; 9.44).
3. Um levita da família de Merari. Um de seus descendentes é citado como um habitante de Jerusalém na época de Neemias (1 Cr 9.14; Ne 11.15).
4. O Azricão mais proeminente foi um “alto oficial do palácio” durante o reinado de Acaz (2 Cr 28.7). Ele foi assassinado por Zicri, de Efraim, durante o ataque de Peca e Rezim contra Judá.

**AZRIEL**
1. Um dos cabeças da meia tribo de Manassés a leste do Jordão (1 Cr 5.24).
2. Pai de Jerimote que era um chefe de Naftali (1 Cr 27.19).
3. Pai de Seraías que recebeu do rei Jeoaquim ordens para prender Baruque e Jeremias (Jr 36.26).

**AZUBA**
1. Mulher de Calebe e mãe de três filhos (1 Cr 2.18,19).
2. Filha de Sili e mãe do rei Josafá (1 Rs 22.42; 2 Cr 20.31).

**AZUL** *Veja* Cores.

**AZUR ou ASUR** Um bisneto de Judá nascido posteriormente a Hezrom, de sua esposa Abia (1 Cr 2.24). O nome em hebraico é *'ashhur*. Ele se tornou o fundador de Tecoa através dos sete filhos que nasceram de suas duas esposas, Hela e Naara (1 Cr 4.5). A Septuaginta (LXX) faz dele um filho de Calebe por parte de Efrata.

**AZUR**
1. Pai de Ananias, o falso profeta de Gibeão (Jr 28.1).
2. Pai de Jazanias, um daqueles que deram maus conselhos à cidade de Jerusalém (Ez 11.1).
3. Um dos principais israelitas que selaram a aliança nos dias de Neemias (Ne 10.17).

# B

**BAAL, BAALINS** *Veja* Falsos deuses.

**BAALÁ DE JUDÁ** Uma cidade de Judá (2 Sm 6.2). A mesma ci dade chamada Baalá ou Quiriate-Jearim (q.v. 1 Cr 13.6).

**BAALÁ**
1. Cidade fronteiriça ao norte de Judá, mais conhecida como Quiriate-Jearim ou Quiriate-Baal (q.v.), 8 quilômetros a oeste de Jerusalém, no caminho que desce para a costa (Js 15.9,10,60), onde a arca permaneceu depois de seu retorno da Filístia (1 Cr 13.6).
2. Uma cordilheira, provavelmente a colina de Mughar, cerca de 30 quilômetros adiante e a oeste, saindo da planície filistéia entre Ecrom e Jabneel (Js 15.11).
3. Uma cidade de Simeão ao sul de Judá (Js 15.29), a atual Tulul el-Medhbah, identificável com Balá (Js 19.3) e Bila (1 Cr 4.29).

**BAALATE** Uma cidade fortificada por Salomão (1 Rs 9.18; 2 Cr 8.6). Ficava no território original de Dã (Js 19.44), provavelmente nas proximidades de Gezer.

**BAALATE-BER** Uma cidade fronteiriça da tribo de Simeão, aparentemente também conhecida como Ramá (q.v.), no Neguebe (Js 19.8; 1 Sm 30.27). O santuário de uma deusa cananéia estava situado aqui, e o chamavam simplesmente de Baal (1 Cr 4.33). Uma antiga ostraca hebraica do século VI a.C., de Arade, faz alusão a Ramate-Neguebe e destaca a área da fronteira sul do reino de Judá (BASOR # 197 [1970], pp. 16-28).

**BAALBEK** Um local de magníficas ruínas, cerca de 65 quilômetros a noroeste de Damasco em Beqa‘, a extensa planície entre o Líbano e o Anti-Líbano. Alguns estudiosos identificaram este local com a Áven de Amós 1.5. Parece ter sido um centro de adoração a Baal ou Hadade, antes de se tornar conhecido como Heliópolis, a “Cidade do Sol”, no período de Seleuco. Sob o governo de Augusto, a cidade tornou-se uma colônia romana, e sua religião foi bastante favorecida. Os três primeiros séculos da era cristã testemunharam sua enorme prosperidade. Templos magníficos foram construídos ao deus Baco e à tríade Júpiter (identificado com Baal, que naquele tempo era considerado o deus-sol), Mercúrio e Vênus. O notável templo de Júpiter foi iniciado por Antonino Pio (138-161 d.C.) e concluído sob Caracalla (211-217 d.C.), cuja mãe era síria. Quando os árabes conquistaram Baalbek em 634 d.C., o notável templo foi transformado em uma fortaleza. Duas graves destruições foram executadas pelos mongóis, primeiro por Hulagu em 1260 e posteriormente por Tamerlão em 1401. Novamente o local sofreu gravemente devido a um terremoto em 1759. Desde 1900, os trabalhos de escavação e restauração das ruínas têm sido executados de forma intermitente, primeiro por uma expedição alemã e, recentemente, pelo governo libanês.

S. H. H.

**BAAL-BERITE** *Veja* Falsos deuses.

**BAAL-GADE** Localizada no vale do Líbano, nas proximidades do monte Hermom, marcando a fronteira norte das conquistas de Josué (Js 11.17; 12.7; 13.5). Pode ter sido o local onde Gade, o deus da sorte, era adorado. Sua localização exata é desconhecida.

**BAAL-HAMOM** Salomão teve uma vinha extremamente próspera neste local (Ct 8.11). Sua localização exata é desconhecida.

**BAAL-HANÃ**
1. Um rei em Edom, filho de Acbor (Gn 36.38; 1 Cr 1.49).
2. Um homem indicado por Davi como vigia dos olivais e dos sicômoros (ou figueiras bravas) na Sefelá (1 Cr 27.28).

**BAAL-HAZOR** O cume de um monte localizado a nordeste de Betel, onde Absalão aparentemente tinha uma fazenda e convidou os outros filhos de Davi para uma festa. Amom foi assassinado neste lugar de acordo com os planos de Absalão (2 Sm 13.23-29).

**BAAL-HERMOM** O cume de um monte localizado nas proximidades do monte Hermom na fronteira do norte de Manassés, a leste do Jordão. Ele não foi capturado durante a conquista israelita (Jz 3.3; 1 Cr 5.23).

**BAALI ou MEU BAAL** A palavra hebraica *ba'al* significa "possuidor", "marido", "senhor", e o sufixo *i* acrescenta o pronome possessivo "meu". O termo "Baal" começou a ser aplicado a uma divindade semítica (particularmente ao deus da tempestade, Hadade) e a deuses locais da fertilidade, que eram considerados os "donos" das cidades. Existia também uma outra palavra para marido (*'ish*) que, em contraste, tinha sua associação cultural ao primitivo relacionamento marital (Gn 2.22-24). Em Oséias 2.16, há um jogo entre essas duas palavras com relação ao Senhor. O profeta mostrou uma época de regeneração e renovação da aliança, quando o constante amor do Senhor triunfaria sobre a infidelidade de Israel, e a nação viria a chamá-lo de "meu Marido" (*'ishi*). Os nomes dos baalins não estariam mais no coração

O templo de Baco em Baalbek. HFV

do povo, e nem em seus lábios (Os 2.17-23).

**BAALINS** *Veja* Falsos deuses: Baal.

**BAALIS** Um rei amonita que enviou Ismael para assassinar Gedalias, logo depois da captura de Israel por Nabucodonosor (Jr 40.14).

**BAAL-MEOM** Uma cidade dos amorreus ao norte de Moabe designada aos rubenitas, e reconstruída por estes. Também conhecida como Bete-Baal-Meom (q.v. Js 13.17; Ez 25.9). É mencionada na Pedra Moabita (linha 9) como controlada por Mesa, rei de Moabe, em

Reconstrução do complexo do templo em Baalbek no Museu Nacional, Beirute. A entrada pelo maciço Propileu leva ao templo de Júpiter. O templo de Baco fica à esquerda. HFV

aprox. 830 a.C., e foi posteriormente tomada pelos israelitas (Óstraco 27 de Samaria). Porém, na época de Ezequiel, ela estava de volta às mãos de Moabe (Ez 25.9).

**BAAL-PEOR** *Veja* Falsos deuses.

**BAAL-PERAZIM** Um local, nas proximidades do vale dos Refains, onde Davi venceu uma batalha contra os filisteus logo após ter se tornado rei de Israel (2 Sm 5.18-20; 1 Cr 14.9-11; Is 28.21). *Veja* Perazim, Monte.

**BAAL-SALISA** Um vale fértil onde antigas plantações eram cultivadas. Foi daqui que um homem trouxe 20 pães de cevada e espigas frescas para Eliseu e o grupo de profetas em Gilgal (2 Rs 4.42). Alguns estudiosos identificam o local como Salisa, que é mencionada em 1 Samuel 9.4, a sudeste de Siquém.

**BAAL-TAMAR** Um local nas proximidades de Gibeá, em Benjamim, onde o exército israelita tomou a sua última posição e, com êxito, atacou a cidade (Jz 20.33). O local não foi identificado com precisão.

**BAAL-ZEBUBE** *Veja* Falsos deuses.

**BAAL-ZEFOM** Um dos três locais próximos ao Mar Vermelho, mencionados em conexão com a travessia dos israelitas (Êx 14.2,9). A sua localização exata é desconhecida, mas a divindade em cuja homenagem o local foi nomeado é mencionada na literatura ugarítica, egípcia e fenícia como um deus do mar e da tempestade. *Veja* Êxodo, O.

**BAANÁ**
1. Filho de Ailude, um superintendente de Salomão na região sul da planície de Jezreel de Megido até o Jordão (1 Rs 4.12).
2. Pai de Zadoque, que ajudou na reconstrução dos muros de Jerusalém na época de Neemias (Ne 3.4).
3. Filho de Rimom, da tribo de Benjamim. Ele e seu irmão Recabe eram capitães no exército de Isbosete. Eles traiçoeiramente mataram Isbosete enquanto este dormia, ao meio-dia, em sua casa. Tomando a sua cabeça, eles fugiram para Hebrom e a apresentaram a Davi. Enfurecido pelo seu ato, Davi ordenou que fossem mortos. Com as mãos e os pés cortados, seus corpos foram pendurados em Hebrom (nas proximidades do tanque) pela congregação (2 Sm 4.2-12).
4. Pai de Helebe, um dos 30 heróis de Davi (2 Sm 23.29; 1 Cr 11.30).
5. Filho de Husai, superintendente de um dos doze distritos de Salomão em Aser e Bealote (1 Rs 4.16).
6. Um daqueles que retornaram da Babilônia com Zorobabel, e assinaram a aliança de Esdras (Ed 2.2; 7.7; 10.27).

**BAARA** Uma das esposas de Saaraim (1 Cr 8.8).

**BAARUMITA** Um habitante (1 Cr 11.33) de Baurim (q.v.); também chamado de barumita (2 Sm 23.31).

**BAASA** Filho de Aías da tribo de Issacar. Ele tornou-se o terceiro rei de Israel por destruir Nadabe, filho de Jeroboão I, em Gibetom (1 Rs 15.27). Ele exterminou completamente todos os membros da família de Jeroboão, cumprindo deste modo a profecia (1 Rs 14.6-16). Depois de estabelecer a sua capital em Tirza, ele guerreou contra Asa, rei de Judá. Baasa entrou no território de Benjamim e começou a construir uma fortaleza em Ramá, cerca de 8 quilômetros ao norte de Jerusalém. Uma vez que a rota de comércio leste-oeste passava pelas montanhas ao norte de Ramá, essa mudança ameaçava estabelecer um bloqueio econômico contra Jerusalém. Ele retirou-se porque Asa persuadiu Ben-Hadade, da Síria, a atacar Baasa, do norte. O profeta Jeú previu um julgamento por causa dos caminhos pecaminosos de Baasa. Ele reinou durante 24 anos e foi sepultado em Tirza. A destruição da dinastia de Baasa por Zinri (1 Rs 16.9-12) tornou-se um símbolo do julgamento Divino (1 Rs 21.22; 2 Rs 9.9). Sua história é encontrada em 1 Reis 15.16-22,27-34; 16.1-7 e 2 Crônicas 16.1-6.

G. H. L.

**BAASÉIAS** Um antepassado de Asafe, o músico, e um levita da família dos coatitas (1 Cr 6.33, 40). Talvez seu nome devesse ser "Maaséias" (q.v.).

**BAB EDH-DHRA** Um local cerca de 8 quilômetros a leste do Mar Morto, a leste da península da região (El-Lisan) que se projeta no Mar Morto. Foi descoberta e explorada em 1924 por W. F. Albright que pensou ser esse um local de peregrinação e de festas religiosas anuais onde as pessoas do vale vizinho compareciam vários dias por ano.
Diversas campanhas de escavações têm sido conduzidas no local desde 1965, dirigidas por Paul W. Lapp. Antes de 3000 a.C., as pessoas começaram a se acampar no local e lá enterravam seus mortos em câmaras subterrâneas, e assim os odores eram radiados para fora dos túmulos pelas chaminés que ali instalaram. Cerca de 2800 a.C., muros de defesa, constituídos de tijolos de barro e pedra foram construídos, alguns com mais de 13 metros de largura. Essa era aparentemente uma cidade fortificada, ocupada até o século XXIII a.C. Seus habitantes continuaram com o uso dos túmulos de poço, mas construíram, principalmente, ossuários de um único ambiente, feitos de tijolos de barro, que foram descobertos cheios de ossos humanos e potes, assim como algumas armas de cobre. Os destruidores desta cidade do início da Idade do Bronze, e seus descendentes, acamparam-se na vizinhança até aprox. 2000 a.C., e continuaram a aproveitar o local também como seu cemitério, usando túmulos constituídos de uma cova rasa na qual era colocado um único esqueleto junto de alguns jarros. No total, uma estimativa de 20.000 túmulos com cerca de 3 milhões de potes compunham o cemitério de Bab edh-Dhra.
Se esse era o terreno para sepultamentos e o centro religioso ou "lugar alto" para

Sodoma (q.v.), e para as outras cidades da planície vizinha, como sugeriu Albright, seria esperado que uma repentina destruição daquelas cidades causasse a interrupção do uso do seu cemitério, como o que de fato ocorreu em aprox. 2000 a.C. Dois locais semelhantes e murados que ficavam no cume de um monte, aparentemente destinados à adoração pagã, foram encontrados no Neguebe, todos datando de aprox. 2000 a.C.

J. R.

**BABEL, TORRE DE** Essa expressão não aparece no AT, mas é usada para descrever a torre construída pelos primeiros habitantes na planície de Sinar. A palavra "torre" é *migdol* (cananita, "torre de vigia"). Basicamente, o povo queria construir uma torre para fortificar a cidade contra a vontade de Deus, em sua recusa de se espalhar e repovoar a terra depois do Dilúvio (Gn 11.4). As torres-templo mesopotâmicas, chamadas no idioma assírio-babilônico *zigguratu* ("pináculo, topo de montanha"), são, com freqüência, consideradas para ajudar no entendimento do formato da Torre de Babel. Contudo, o mais antigo zigurate existente, no antigo Uruque (a cidade bíblica de Ereque, Gênesis 10.10, que hoje é a moderna Warka), data de um pouco antes de 3000 a.C. Essas torres-templo eram retangulares, construídas em estágios, acessíveis por escadarias do pátio que iam até o segundo pavimento; deste, outras escadarias externas levavam ao topo.

O alicerce consistia de argila pisada, apoiada em fileiras de tijolos e betume. Na Babilônia, não havia localmente nenhuma pedra disponível na planície aluvial próxima aos rios, mas existia abundância de argila. Assim, muitas construções elaboradas foram inteiramente edificadas com tijolos de argila secos ao sol ou em fornos. O betume (lodo, piche, alcatrão) também estava disponível e era usado como argamassa. Normalmente, em um zigurate havia três níveis, mas alguns chegaram a sete níveis. O santuário no alto da torre detinha a imagem da divindade em cuja honra o zigurate havia sido construído. A torre-templo em Borsipa tinha sete cores diferentes, uma para cada nível.

O zigurate na Babilônia, exposto no Museu do Instituto Oriental. ORINST

Existem duas sugestões para o local da Torre de Babel mencionada pela Bíblia Sagrada. (1) A maioria dos escritores segue a tradição transmitida pelos judeus e pelos árabes, identificando-a com o templo de Nabu, em Borsipa (Birs Nimrud), aprox. 16 quilômetros ao sul da Babilônia. Birs Nimrud é interpretado como uma variação de Birj Nimroud – Torre de Ninrode (cf. Gn 10.9). (2) Outros a localizam na cidade da Babilônia. Havia na Babilônia um antigo zigurate cuja construção foi iniciada no segundo milênio a.C., chamado "Etemenanki" ("a casa da fundação do céu e da terra"). Este ficava a uma curta distância do norte de Esagila, o templo de Marduque. Ele era como uma pirâmide com degraus, de aproximadamente dez mil metros quadrados na base e cerca de 100 metros de altura a partir de seu alicerce. Nabucodonosor o chamava de Torre da Babilônia.

O escritor de Gênesis vê essa torre como o símbolo do orgulho e da ambição humana, e diz que ela estava destinada a cair mesmo antes de ter sido concluída. Ninguém sabe onde ela estava, ou está. Uma tradição judaica diz que o fogo desceu do céu e a consumiu até os alicerces. Outra tradição afirma que ela foi derrubada pela força do vento. O escritor bíblico usou a história para esclarecer a origem da variedade de línguas da raça humana. O orgulho e a desobediência do homem tiveram como resultado a confusão e a dispersão, como aconteceu no caso do pecado de Adão de Eva. *Veja* Línguas, Confusão de.

***Bibliografia*** Hugo Gressmann. *The Tower of Babel*, Nova York. Univ. Publishers, 1960. Alfred Jeremias, *The Old Testament in the Light of the Ancient East*, Nova York. Putnam's, 1911. André Parrot, *The Tower of Babel*, traduzido por E. Hudson, Nova York. Philosophical Library, 1955. Merrill F. Unger, "Semites and Babel Builders", *Archaeology and the Old Testament*, Grand Rapids. Zondervan, 1954.

F. E. Y.

**BABILÔNIA**[1] Uma antiga cidade-estado situada em ambas as margens do rio Eufrates na terra de Sinar (mais tarde chamada de Caldéia), aprox. 65-80 quilômetros ao sul da atual Bagdá, e 480 quilômetros ao norte do Golfo Pérsico. Seu nome foi derivado do acádio *babilu* – "porta de Deus". Ela, por fim, tornou-se a capital do Império Babilônico, e o nome foi usado no AT para designar tanto a cidade quanto o país.

Os primórdios da cidade não são claros, com exceção da passagem bíblica que atribui a fundação da Babilônia aos descendentes de

Reconstrução da Babilônia, mostrando a rua da Procissão, a porta de Istar e, ao fundo do lado direito, os Jardins Suspensos e o zigurate. ORINST

Cuxe e aos seguidores de Ninrode (Gn 10.8-10). De acordo com a tradição grega, Belus (o babilônio Bel ou Merodaque) foi o seu fundador. Escavações arqueológicas revelaram a presença de uma cultura suméria dentro e ao redor da Babilônia que precede a civilização acádio-semita.

*Descrição.* Muitos escritores antigos relataram o tamanho, o esplendor, e a importância da Babilônia. Embora exista uma certa divergência em relação ao verdadeiro tamanho da cidade, todos estão de acordo quanto à sua magnitude e influência. Como as pedras eram escassas na área, e a qualidade da madeira (em grande parte, palmeiras) era inferior, a cidade foi construída com tijolos feitos de depósitos de barro de suas vizinhanças (cf. Gn 11.3, "E foi-lhes o tijolo por pedra, e o betume, por cal"). Heródoto, o historiador grego que visitou Babilônia depois da conquista de Ciro, enquanto ela ainda preservava grande parte de seu esplendor original, relatou que a cidade era um enorme quadrado cujo perímetro chegava a 90 quilômetros. Ele também se referiu ao enorme fosso que circundava os muros duplos da cidade. Esses muros eram muito altos, e muito largos (cf. Jr 51.58). No alto dos muros havia câmaras, uma de frente para a outra, com um espaço entre elas que permitia que uma carruagem de quatro cavalos desse a volta e mudasse de direção. Os portões – em um total de 100, sendo 25 de cada lado, todos com portas chapeadas de bronze – atravessavam os muros da cidade (cf. Is 45.2). As ruas da cidade eram dispostas de forma regular tão simétrica quanto um moderno projeto norte-americano de desenvolvimento. Casas de três e quatro andares delineavam as ruas planejadas. As duas metades da cidade eram ligadas por uma ponte constituída com pilastras de pedra cobertas com plataformas móveis de madeira. Majestosos palácios, fortemente vigiados, ficavam nas duas extremidades da ponte, e um túnel sob o rio ligava os palácios.

Uma outra estrutura famosa na cidade era o templo de Belus, descrito por Heródoto como ocupando uma das praças que dividiam a cidade. Esse templo foi muito ampliado e embelezado por Nabucodonosor. Berosso, o historiador babilônico nos dias de Alexandre, escreveu a sua história da Babilônia a partir das inscrições dos muros do templo. A torre-templo ou zigurate era dedicada a propósitos astronômicos, pelos quais os babilônios eram famosos. O primeiro eclipse solar registrado foi observado com precisão na Babilônia em 721 a.C.

O palácio de Nabucodonosor também adornava a cidade da Babilônia, assim como os Jardins Suspensos. Diziam que ele fôra construído por Nabucodonosor para agradar sua esposa Amytis, que sentia uma forte saudade das colinas e bosques de sua terra natal. Esses jardins foram considerados uma das sete maravilhas do mundo antigo.

A famosa Avenida Processional ia da Porta de Istar até o templo de Istar (esta deusa era comparável a Astarote do AT), e até o templo de Esagila. Os dois lados da rua eram alinhados com leões em tamanho real, e dragões em relevo pintados em tijolos esmaltados.

*Governadores.* O primeiro governador famoso da Babilônia foi o amorreu Hamurabi (aprox. 1728-1686 a.C.), o sexto rei da poderosa "Primeira Dinastia da Babilônia". Especialmente conhecido pelo código de leis que leva o seu nome, ele também estendeu as fronteiras de seu império até Mari, no Norte. Um repentino ataque heteu pôs fim a essa dinastia logo depois de 1.600 a.C. Os cassitas do nordeste ocuparam o país por vários séculos, governando de Dur Kurigalzu (a moderna 'Aqarquf), alguns quilômetros a oeste de Bagdá. Desde a época em que Tukulti-Ninurta I (1235-1198 a.C.) aprisionou a Babilônia, ela esteve periodicamente sob o domínio dos assírios, até a morte de Assurbanipal no final do século VII a.C. Em 626 a.C., Nabopolassar declarou-se rei da cidade e esta, dominada por seu filho Nabucodonosor II (605-562 a.C.), alcançou seu apogeu mais glorioso. Merodaque ou Marduque, suposta divindade protetora da cidade, tornou-se, com o gradual crescimento da Babilônia e sua supremacia na região, a divindade chefe do panteão babilônico. No AT, Marduque é chamado de "Bel". Ele é retratado simbolicamente em monumentos como um dragão flamejante.

*A Babilônia e a Bíblia.* Mencionada, juntamente com o país da Babilônia, mais de duzentas vezes na Bíblia, a cidade da Babilônia desempenhou um importante papel na vida dos hebreus. Abraão trouxe consigo, em sua peregrinação, proveniente dessa área: a língua, a cultura e a fé, que deixaram certa influência sobre o estilo de vida dos hebreus. Babilônia, juntamente com a Assíria, constantemente influenciavam o desenvolvimento da nação hebraica. E ela serviu como um segundo Egito, em influência, sobre a vida e o pensamento hebraico através do forçado Exílio Babilônico que se seguiu à queda de Jerusalém e ao colapso do estado de Judá. Merodaque-Baladã, governador da Babilônia no século VIII a.C., trocava correspondências com Ezequias, rei de Judá (2 Rs 20.12-19; Is 39.1-8); e Daniel e seus três companheiros hebreus foram prisioneiros dos babilônios na capital (Dn 1–5).

Os textos em Isaías 13–14; 21.1-10 e Jeremias 50–51 falam da queda que Babilônia sofreria. Eles a descrevem como um evento impressionante pela extensão de seu impacto sobre as nações civilizadas. Ela se tornaria um amontoado de ruínas, uma nação de-

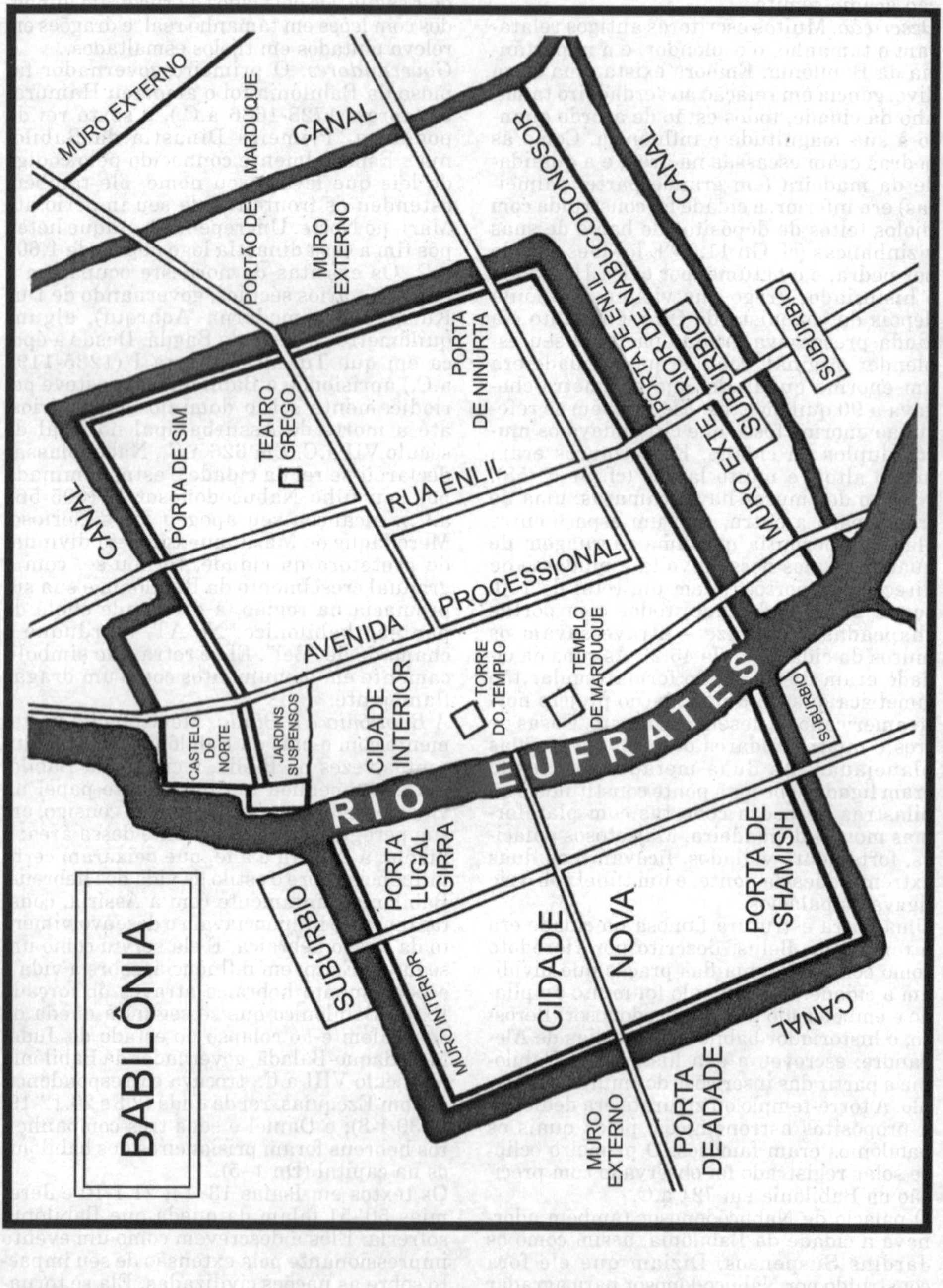
BABILÔNIA
MURO EXTERNO
CANAL
PORTÃO DE MARDUQUE
MURO EXTERNO
RIO DE NABUCODONOSOR
CANAL
PORTA DE ENLIL
SUBÚRBIO
SUBÚRBIO
MURO EXTERIOR
SUBÚRBIO
PORTA DE NINURTA
TEATRO GREGO
RUA ENLIL
PORTA DE SIM
CANAL
AVENIDA PROCESSIONAL
TORRE DO TEMPLO
TEMPLO DE MARDUQUE
RIO EUFRATES
SUBÚRBIO
JARDINS SUSPENSOS
CASTELO DO NORTE
CIDADE INTERIOR
PORTA LUGAL GIRRA
SUBÚRBIO
MURO INTERIOR
CIDADE NOVA
PORTA DE SHAMISH
CANAL
MURO EXTERNO
PORTA DE ADADE

vastada. Segundo antigos registros mesopotâmicos, primeiro Senaqueribe sitiou a cidade e a inundou através de canais para se vingar de sua insurreição. Ciro o Grande, Dario Histaspe, Xerxes (que infligiu penalidades à cidade por suas rebeliões, destruindo palácios, templos e muros em aprox. 480 a.C.), e finalmente Alexandre o Grande, conquistaram a cidade. Alexandre planejou restaurar a cidade e fazer dela a capital de seu império, mas este plano não foi realizado por causa da sua morte precoce. Então, em 312 a.C., Seleuco Nicátor fundou e fortaleceu a Selêucia, situada à frente do Tigre, próxima à cidade da Babilônia, e transferiu a sede do império para esta cidade. A partir daí, a cidade da Babilônia declinou rapidamente e nunca mais recuperou a condição de cidade. No início da era cristã, apenas um pequeno grupo de astrônomos e matemáticos estava vivendo na cidade. Muitas das cidades na vizinhança, como Hilla, usaram os tijolos secos ao sol e os secos ao forno da outrora grande cidade para construir novos muros, casas e represas, exatamente como havia sido profetizado (Is 13.19-22; Jr 50.23-26; 51.24-26). Deste modo, a cidade da Babilônia serviu apenas para a construção das novas cidades. Conseqüentemente, é provável que as referências do NT à Babilônia em Apocalipse 14.8; 16.19; 17.18 refiram-se à cidade de Roma. Tertuliano, Jerônimo e Agostinho compreenderam muito bem estas referências. Uma teoria menos provável é que a referência à Babilônia em 1 Pedro 5.13 tinha em vista um lugar no Egito, hoje localizado no Cairo Antigo.

*Escavações*. O trabalho arqueológico mais importante na Babilônia foi liderado por Robert Koldewey, que escavou para a Sociedade Alemã do Leste, de 1899 a 1914. Uma vez que as camadas das primeiras ocupações do local hoje se encontram debaixo d'água, quase tudo que é encontrado é datado da época de Nabucodonosor. Embora a cidade toda tenha sido completamente arruinada, a expedição conseguiu formar um quadro bastante preciso da planta da cidade, e esboçar os seus principais edifícios. *Veja* Arqueologia.

***Bibliografia*** Albert Champdor, *Babylon*, trad. por Elsa Coult, Nova York. Putnam, 1959. Edward König, *The Bible and Babylon*, trad. por W. T. Pilter, Londres. The Religious Tract Society, 1905. Gerald A. Larue, *Babylon and the Bible*, Grand Rapids. Baker, 1969. G. F. Owen, *Archaeology and the Bible*, Westwood, N. J.. Revell, 1961. André Parrot, *Babylon and the Old Testament*, Londres. SCM, 1958. H. W. F. Saggs, *The Greatness That Was Babylon*, Nova York. Hawthorne, 1962; "Babylon", TAOTS, pp. 39-56.

F. E. Y.

## BABILÔNIA[2]

### A Terra e o Seu Povo

Babilônia (país) está situada na planície aluvial entre os rios Tigre e Eufrates, na extremidade leste do Crescente Fértil na Ásia Ocidental. Com apenas 65 quilômetros de extensão, ela abrange aproximadamente 20.000 quilômetros quadrados, e é quase do tamanho de New Jersey, nos Estados Unidos. A cidade da Babilônia (q.v.) era a sua capital, e o país era chamado de "terra de Sinar" (Gn 10.10; 11.2; Is 11.11) e de "terra dos caldeus" (Jr 24.5; 25.12; Ez 12.13). Ela faz fronteira ao norte com a Assíria; a leste, com as planícies ao pé dos montes Zagros; ao sul, com o Golfo Pérsico e, a oeste, com o Deserto Árabe, do qual está separada apenas por uma estreita faixa. Os depósitos de lodo, carregados pelo Tigre e pelo Eufrates em seus cursos em direção ao Golfo Pérsico, estendem a área em aproximadamente 24 metros a cada ano, ou 2,4 quilômetros a cada século. Alguns estudiosos acreditam que a taxa de depósito tenha sido muito maior na antiguidade.

O clima é extremamente quente no verão. A temporada de chuva continua de novembro a fevereiro, mas a soma de toda a chuva durante estes meses é inferior a 250 milímetros. A fertilidade do solo era fantástica. Duas colheitas a cada ano e colheitas de 50 a 100 vezes o número de sementes plantadas não eram fatos desconhecidos na antiguidade. Canais

Marduque, o deus principal da Babilônia, tornou-se o chefe do panteão babilônico quando a cidade estendeu seu poder sobre toda a região da Babilônia

de irrigação, bem dispostos e adequadamente cuidados, eram adicionados à produtividade do solo, que era enriquecido anualmente pelo lodo trazido aos vales pelas inundações anuais do Tigre e do Eufrates. Alguns autores antigos chamaram a Babilônia da cesta de pães do mundo, e berço da civilização – o local do Jardim do Éden. Entretanto, a negligência do cultivo por um longo período trouxe à Babilônia um árido deserto. Apenas os aterros e as valas visíveis atestam a presença e os cursos daqueles antigos canais de irrigação tão vitais para as abundantes plantações que, outrora, preenchiam a planície babilônica. A estimativa recente da população dessa área é de 7 milhões de pessoas, mas ela poderia abrigar 50 milhões utilizando todo o potencial do Tigre e do Eufrates.

O trigo era a principal safra, enquanto o gergelim também era cultivado. As tamareiras foram introduzidas pela Arábia, provendo aos habitantes: vinho, vinagre, mel, açúcar, farinha para cozer, esteiras para trabalhos de vime, madeira para a construção e até mesmo alimento para engordar bois e ovelhas. O homem podia viver quase que exclusivamente do fruto da tamareira. As canas que cresciam ao longo dos canais do rio eram usadas na construção de barcos e para cercar os campos.

Os sistemas dos canais praticamente uniam o Tigre ao Eufrates, e se tornavam meios de transporte assim como fontes de irrigação. Um deles era chamado de "o canal real" e unia os dois rios com água suficientemente profunda e extensa para transportar grandes embarcações. A tradição afirma ser este o canal construído por Ninrode, enquanto outros estudiosos e críticos o atribuem a um rei babilônio. O Salmo 137.1-2 fala dos rios (canais) da Babilônia. Leões, panteras, chacais, raposas, javalis selvagens e bois selvagens vagavam pelos pântanos, enquanto bois domesticados, carneiros, cabras, jumentos e cães serviam às necessidades do homem no serviço doméstico. Os elefantes, os jumentos selvagens e os camelos também eram conhecidos.

Visto que as pedras eram extremamente escassas na planície aluvial, e as tamareiras eram de qualidade inferior para fins de construção, a maioria das cidades na Babilônia foi construída em morros com o uso de tijolos secos ao sol e pelos calcinados em forno, feitos do barro abundante encontrado em toda parte. Os tijolos variavam consideravelmente em tamanho e muitos deles eram estampados com o nome do rei para cujo uso eles eram feitos, o que ajuda consideravelmente a decidir a cronologia e a história de muitas estruturas. Os tijolos calcinados em forno eram usados para dar acabamento à camada exterior de construções públicas e em importantes estruturas de alicerce; por causa de sua resistência às intempéries, eles duravam mais do que os tijolos secos ao sol. As pedras eram importadas quando necessário para monumentos especiais ou para outras necessidades de construção.

Nos primeiros períodos, o país era dividido entre os acádios ao norte, e os sumérios ao sul. A cidade da Babilônia, Borsipa, Quis, Kutha, Sippar e Acade (fundada por Sargão I) eram cidades acádias; Ur (o lar do patriarca Abraão). Eridu, Nippur, Lagash, Umma, Larsa e Ereque eram cidades sumérias Algumas dessas cidades datam de 4000 a.C., sendo possivelmente até mais antigas.

Os sumérios falavam uma língua aglutinativa (como a língua turca) que pertence a um grupo não especificado de línguas chamado, por conveniência, de turaniano. Eles desenvolveram uma escrita cuneiforme, originada de uma forma de escrita pictográfica anterior. A língua falada pelos babilônios pertence ao grupo das línguas semíticas do norte, e está relacionada com o fenício, o aramaico e o hebraico. Ela foi chamada de cuneiforme a partir do termo *cuneus*, do latim – "cunha"; esta era a forma dos sinais que vinham do estilo (ou "buril") usado para formar os símbolos. A escrita corria da direita para a esquerda sem espaços entre as palavras. A escrita era, geralmente, feita em tábuas de barro, praticamente indestrutíveis quando assadas. Assim, extensos registros da Mesopotâmia têm sido preservados e grandes coleções têm sido descobertas pelos escavadores. Os acádios – embora tenham derrotado os sumérios – tomaram emprestada a sua forma de escrita, modificaram-na e tornaram-na a base de todas as formas de escrita cuneiforme, que continuaram existindo até um século antes da era cristã.

A origem do povo sumério é incerta. Alguns estudiosos vêem na raiz *smr* a raiz básica *sm* (shem) com um complemento fonético "r", e assim consideram que eles são descendentes de Sem, sendo deste modo realmente um povo semítico. Pelos monumentos que eles deixaram, nota-se que seus traços faciais assemelham-se com os asiáticos, e das árvores e animais retratados em seus brasões cilíndricos, tem sido conjeturado que eles vieram das montanhas do norte e do leste. Seus trabalhos com metais e jóias marchetadas nunca se sobressaíram. *Veja* Sumérios.

### Desenvolvimento Histórico

A princípio, as cidades da Babilônia eram reinos independentes – cidades-estado. Mas, finalmente, centros de dinastia começaram a surgir para proteger a área de invasores e para organizar o indispensável sistema de irrigação. Em aprox. 2500 a.C., Ur estabeleceu uma hegemonia sobre grande parte da região suméria. Sargão I de Acade, em aprox. 2350 a.C., criou, em um sentido real, um império semítico quando derrotou todas as cidades sumérias e fundou a cidade de Acade

GOLFO PÉRSICO
SUSÃ
ELAMITAS
LIMITES DO IMPÉRIO
BABILÔNIA
ACADE
LAGASH
UR
ESHNUNNA
BABILÔNIA
LAGO URMA
ASSÍRIA
RIO TIGRE
NUZU
ASSUR
NÍNIVE
RIO EUFRATES
AMORREUS
O ANTIGO IMPÉRIO BABILÔNICO
(SOB O GOVERNO DE HAMURABI)
0 50 100 200
ESCALA EM MILHAS
UGARIT
HITITAS
MAR MEDITERRÂNEO

(ou Agade) como a primeira capital do Império Semítico. Sua dinastia continuou até aprox. 2200 a.C.

Entre os primeiros conquistadores da Babilônia estavam os gutianos e os amorreus. Hamurabi (no século XVIII a.C.), um amorreu, liderou a Babilônia em uma campanha vitoriosa contra as cidades vizinhas e a transformou na capital de um império político. Sua administração era excelente, grandes trabalhos de caráter público foram instituídos, a lei e a ordem prevaleceram, e Hamurabi imortalizou sua fama através da codificação das leis que ficaram conhecidas como o código de Hamurabi. Esse era um código legal que protegia os interesses dos nobres e favorecia os interesses das classes superiores. Muitos estudos comparativos dos códigos hebreus e dos de Hamurabi têm sido feitos. Embora pareça haver muitas semelhanças, as diferenças são maiores do que as semelhanças. A lei hebraica foi única em seu elevado monoteísmo, em sua rejeição à administração da justiça de acordo com a classe social das pessoas, e em seu conceito de lei moral. *Veja* Hamurabi.

Depois que a dinastia Hamurabi chegou ao fim no século XVI a.C., a Babilônia não figurou mais de forma expressiva na história mundial, até que o império caldeu de Nabucodonosor (século VI a.C.) tornou-se o terror da Ásia ocidental. *Veja* Babilônia; Caldéia; Caldeus; Nabucodonosor.

### A Religião Babilônica

Com a ascensão da supremacia da cidade da Babilônia, Marduque, o patrono da cidade, tornou-se a principal divindade do panteão babilônico. Uma festa de ano novo chamada de festa "akitu" era realizada anualmente em sua honra, na qual uma batalha simulada entre o rei e o dragão das profundezas era encenada repetidamente para comemorar a primitiva vitória de Marduque sobre o caos. O propósito da festa era anunciar o ano novo com um ritual para assegurar paz, a prosperidade e a felicidade por todo o ano.

Outras divindades adoradas pelos babilônios eram Anu, deus do céu; Enlil, deus do vento e da terra; Ea, deus do submundo - juntos, eles formavam uma tríade de divindades. Outra tríade importante era Sin, o deus-sol de Ur, e Harã, os primeiros abrigos da família de Abraão; Samas, a divindade do sol; e Istar, deusa do amor e da guerra, equivalente à Astarte dos fenícios, Astarote mencionada da Bíblia, e Afrodite dos gregos. Outras divindades significativas foram Nabu, o deus da escrita e Nergal (irmão de Marduque), o deus da guerra e da fome. *Veja* Falsos deuses.

Os deuses da Babilônia eram, em sua origem, personificações das várias forças da natureza. A religião babilônica era, dessa forma, uma adoração à natureza em todas as suas partes, prestando homenagem a seres super-humanos que eram ao mesmo tempo amigáveis e hostis, com freqüência representados por formas humanas, animais, ou híbridas. Nenhuma divindade era toda-poderosa - nem mesmo as principais das várias tríades de divindades. Cada uma delas tinha uma província sobre a qual governava. Na verdade, cada grande cidade possuía sua própria divindade à qual seus habitantes prestavam homenagens. As divindades eram criadas a partir de materiais existentes no mundo, e estavam sujeitas à ordem natural. Algumas divindades morriam como o homem. Os deuses que alcançavam alguma ascensão representavam as expressões babilônias do desejo que o homem tem de transcender o padrão da ordem natural. Abaixo das divindades estava o mundo dos demônios, que eram dotados de várias qualidades e características, mas de influência limitada.

As divindades eram adoradas em vários templos, muitas vezes em torres-templo. As torres-templo (zigurates) eram estruturas imponentes, erguendo-se em enormes níveis, um acima do outro, construídos quase que completamente com tijolos sólidos e acesso feito por meio de uma escadaria externa. Muitas dessas torres-templo tinham três ou quatro pavimentos de altura, com bases extremamente largas. No topo da estrutura havia um relicário no qual ficava uma imagem da divindade à qual a torre-templo era dedicada. Alguns zigurates foram construídos de forma que os ângulos retos fossem orientados de acordo com os pontos cardeais. Estas torres-templos dominavam as casas vizinhas e eram mais imponentes do que os palácios reais.

Para cada templo estava vinculado um sacerdócio treinado e altamente organizado dedicado à adoração ao seu deus e à preservação dos rituais e do conjunto de tradições. Os sacerdotes eram remunerados com as ofertas regulares e com a renda que vinha das terras do templo, as quais lhes eram doadas. O papel do sacerdócio na Babilônia era mais elevado do que aquele que era exercido na Assíria. A Babilônia era uma sociedade teocrática, governada pela ordem sacerdotal que sancionava uma monarquia. Esta era subordinada à ordem religiosa, mas suficientemente poderosa para executar a lei que regulava a sociedade babilônica.

Muitos trechos grandiosos de literatura vieram da Babilônia. Além do código de lei de Hamurabi, há histórias da Criação e do Dilúvio encontradas em Nipur. E, em outras partes, lê-se a história da descida de Istar para o Hades.

A influência babilônica em assuntos particulares hebreus teve seu ponto mais elevado durante o período do Exílio. Muitas famílias hebréias do cativeiro estiveram envolvidas em transações comerciais na região de

Nipur, conforme declarado em tábuas ali encontradas, e o sistema monetário da Babilônia influenciava o sistema monetário dos hebreus. É bastante provável que o movimento das sinagogas tenha se desenvolvido entre os hebreus no exílio Babilônico, e que o espírito do judaísmo, nascido nesse período, tenha sido levado por Esdras, o escriba, da Babilônia para Jerusalém.
Durante os primeiros séculos cristãos, o talmude babilônico foi criado nas escolas hebréias dentro e ao redor de Nehardea, Pumbeditha e Sura. Estas escolas no final foram extintas, e o centro do judaísmo deslocou-se para a Palestina e para a Europa.

***Bibliografia***. Georges Contenau, *Everyday Life in Babylonia and Assyria*, trad. por K. R. e A. R. Maxwell-Hyslop, Londres. E. Arnold, 1954. G. S. Goodspeed, *A History of the Babylonians and Assyrians*, Nova York. Scribner's, 1906. Samuel N. Kramer, *History Begins at Sumer*, Nova York. Doubleday, 1959. A. Leo Oppenheim, *Ancient Mesopotamia*, Chicago. Univ. of Chicago Press, 1964. H. W. F. Saggs, *The Greatness That Was Babylon*, Nova York. Hawthorne, 1962.

F. E. Y.

**BABILÔNIA, MISTÉRIO DA GRANDE BABILÔNIA** Uma expressão usada nas Escrituras (Ap 17.5,7; cf. 18.2,10) para tipificar o paganismo em uma percepção geral, como é visto por Deus. Em certas passagens do AT, o conceito da Babilônia desenvolve-se dentro de uma figura típica para o orgulho, e das forças deste mundo que desafiam a Deus (Is 13–14; 21.1-10; 47; Jr 50–51). No NT, ela é, ainda mais claramente, um tipo de pandeísmo formado por uma síntese do cristianismo e do paganismo; isso é indicado simbolicamente na descrição da mulher montada na Besta (Ap 17.1ss.). A designação "mistério" não significa algo não revelado, mas, antes, algo revelado do céu para todos aqueles que irão ouvir e ler, ainda que só possa ser entendido pelos crentes em Cristo e com o auxílio do Espírito Santo.
Algumas versões traduzem o termo "mistério" (Ap 17.5) como um "significado secreto", indicando que a "Babilônia" é designada de forma simbólica. A Roma da época de João (cidade, império, civilização, adoração ao imperador) foi a incorporação contemporânea da Babilônia. Roma foi construída sobre sete colinas (Ap 17.9), e "nomes de blasfêmia" (Ap 17.3) ou títulos divinos foram dados aos imperadores romanos. As prostitutas romanas habitualmente mostravam os seus nomes em suas frontes (Ap 17.5).
Porém a Babilônia é mais do que a Roma histórica. Ela mostra antecipadamente o sistema eclesiástico apóstata do final dos tempos (Ap 17; 19.2), assim como o poder político do Anticristo (Ap 14.8; 16.19; 18.10-24). Ela é um reino demoníaco, a habitação de demônios e o abrigo de todo espírito imundo (Ap 18.2). Esta Babilônia é claramente considerada a sucessora do reino pagão denunciado nos livros proféticos do AT, e o eco das canções ameaçadoras dos profetas acerca da Babilônia pode ser ouvida em Apocalipse 17-18 (Ap 17.1,15 com Jr 51.13; Ap 17.2,4; 18.3,9 com Jr 51.7; Ap 18.2 com Is 21.9; 13.21-22; Ap 18.5 com Jr 51.9; Ap 18.7 com Is 47.7,8; Ap 18.8 com Is 47.9; Ap 18.21 com Jr 51.63,64).

R. A. K. e J. R.

**BACA** Se o vale de Baca (Sl 84.6) já foi um lugar identificável, sua localização hoje é desconhecida, mas ele deve ter recebido este nome por causa da presença de árvores balsâmicas (cf. 2 Sm 5.23,24). A palavra, porém, provém de uma raiz que significa "chorar" (BDB e KB *s.v.*). É provavelmente preferível aqui considerá-la um substantivo comum ao invés de um nome de lugar e traduzi-la por "vale das lágrimas" (Arthur Weiser, *The Psalms*, pp. 565, 567; *et al.*). O homem que encontra sua força no Deus, a cujo santuário ele faz a sua peregrinação, o homem "em cujo coração estão os caminhos aplanados" (Sl 84.5) descobre nascentes escondidas e desfruta das chuvas refrescantes mesmo no lugar de desolação (cf. Sl 23.4; Os 2.15). Os olhos que podem enxergar as nascentes em meio às lágrimas, também podem enxergar o Deus de Sião (Sl 84.7).

**BACIA** Muitas palavras são traduzidas como "bacia" (ou "vaso") na versão KJV em inglês. As bacias eram geralmente feitas de metal.
1. A palavra hebraica *'aggan*, era uma grande tigela ou travessa de banquete; usada também para conter o derramamento de sangue no sacrifício (Êx 24.6). Também pode ter existido uma peça de tamanho menor ("vasos" Is 22.24).
2. Do heb. *k^e^por* ("taças"), um pouco menor, usadas no serviço do templo; de ouro e prata (1 Cr 28.17; Ed 1.10; 8.27).
3. Do heb., *mizraq*, uma grande tigela de banquete (Am 6.6), parecida com a que é mencionada no ítem 1 acima. Quando usada em um ritual sacrificial, era feita de cobre (Êx 27.3; Nm 4.14; 1 Rs 7.40,45), de prata (Nm 7.13; 2 Rs 12.13), ou de ouro (1 Rs 7.50; 2 Rs 25.15).
4. Do heb. *sap*, uma tigela de tamanho indeterminado, usada tanto nos sacrifícios (Êx 12.22; Jr 52.19) como nas atividades seculares (2 Sm 17.28).
5. Do heb. *nipter*, uma bacia de ablução (Jo 13.5). Tal bacia de lavar os pés é também mencionada em Salmos 60.8; 108.9 ("*sir rahas*, bacia de ablução", KJV; tigela de "ablução", RSV; "bacia de lavar" RC/RA; "vaso de lavar" TB). Exemplares foram en-

contrados durante escavações em Samaria e Mispa (Tell em-Nasbeh).
*Veja* Cerâmica.

**BACIA DE LAVAR** Este termo ocorre em algumas versões no Salmo 60.8 e em sua passagem paralela, o Salmo 108.9. A expressão heb. *sir rahas* denota um vaso para lavagem, geralmente feito de cerâmica, uma "bacia [ou pia] para lavar". Durante o período da monarquia, os israelitas tinham lava-pés de cerâmica ovais com aproximadamente setenta centímetros de profundidade, com um descanso elevado para os pés no centro, e um orifício para a drenagem da água no fundo de um dos lados, de acordo com os artigos encontrados em Samaria e em Tell en-Nasbeh. Deus declara metaforicamente que Moabe é sua bacia de lavar, talvez como uma alusão à "bacia" do Mar Morto, e certamente indicando que, depois de ser conquistada por Davi, Moabe faria trabalhos domésticos ou servis para o seu povo, os israelitas.

**BACIA ou VASO** Utensílio côncavo feito de couro, pano, madeira, pedra, palha ou metal, inclusive cobre (Êx 27.3), prata (Nm 7.13) e ouro (2 Cr 4.8). A bacia de cerâmica era a mais popular. O vaso era tão conhecido entre os povos, a ponto de ser usado como símbolo de nações (Jr 18.4; Os 8.8), indivíduos (Is 22.24; At 9.15) e também do corpo humano (2 Co 4.7; 1 Ts 4.4). A palavra hebraica comum para "vaso" é *keli*, "artigo, utensílio, bacia, vaso, instrumento, arma etc". No NT, a palavra grega *skeuos* "coisa, objeto, equipamento, instrumento, jarro etc.", parece ter esta ampla gama de significados.

R. V. R.

**BACURAU** *Veja* Animais: Curiango, III.25.

**BAÍA (ENSEADA)**
1. A baía ou angra no extremo noroeste do Mar Morto (Js 15.5; 18.19), formada pelo delta ou pelos sedimentos na extremidade do rio Jordão.
2. A parte rasa da baía no extremo sul do Mar Morto (Js 15.2), ao sul de El-Lisan, a "língua" ou península delta que se estende desde a margem leste do mar. As águas desta baía podem agora cobrir as ruínas de Sodoma e Gomorra.

**BAINHA** O estojo ou a capa para a lâmina de uma espada (1 Cr 21.27; Ez 21.3-5; Jo 18.11). A bainha de couro ou metal era ligada ao cinto ou cinturão, geralmente do lado esquerdo.

**BAINHA** *Veja* Armadura.

**BAIO (COR)** *Veja* Cores.

**BAJITE** Nome de um lugar moabita encontrado apenas em Isaías 15.2. Alguns sugerem que o hebraico *bayit* pode ser uma leitura alterada para *bat* ("filha"), o qual poderia ser traduzido como: "A filha de Dibom sobe aos lugares altos para chorar". Tal tradução é gramaticalmente fraca porque o verbo é masculino em hebraico. Na margem da versão RSV em inglês, e na versão RC em português lê-se: "Vai subindo a Bajite, e a Dibom, e aos lugares altos, a chorar", que entendemos ser a melhor tradução.

**BALÁ** Uma cidade de Simeão no Neguebe, talvez a sudeste de Berseba (Js 19.3). Ela pode ser a mesma que Bila (q.v.) em 1 Crônicas 4.29 e Baalá (q.v.) em Josué 15.29.

**BALAÃO** Um profeta cujo pecado e fracasso tornou-o um exemplo para advertir as eras futuras (Nm 22–24). Tendo derrotado os reis amorreus Seom e Ogue e, assim, adquirindo toda a terra de Arnom até o Monte Hermom, os israelitas estabeleceram-se nas planícies de Moabe preparando-se para a invasão de Canaã. Embora já tivessem passado por Moabe em paz, a visão deste anfitrião vitorioso em suas fronteiras alarmou Balaque, rei de Moabe. Após consultar seus aliados midianitas, ele enviou uma embaixada a Petor em Amá, parte da Mesopotâmia para convocar o renomado profeta Balaão para ajudá-los. Se a identificação de Petor (q.v.) com Tell Ahmar perto de Carquemis for comprovadamente correta, isto iria localizar a casa de Balaão perto de Harã, que fora uma vez a casa de

Os vasos de cerâmica usados para armazenar grãos eram freqüentemente muito grandes. Este vaso (datado de aprox. 1500 a.C.) do palácio em Cnossos, Creta, tem quase 1,65 metros de altura. BM

Abraão. Isto sugere a possível fonte do conhecimento que Balaão tinha de Deus. *Veja* Amá. A embaixada de Balaque ofereceu recompensas de riqueza, honra e poder se Balaão viesse a amaldiçoar Israel, mas a vontade de Deus era muito clara: "Não irás com eles, nem amaldiçoarás a este povo, porquanto bendito é" (Nm 22.12). Recusando a primeira delegação, o profeta ganancioso sucumbiu à oferta tentadora de uma segunda embaixada e obteve permissão de Deus para ir a Moabe. Na viagem, um anjo do Senhor, invisível a Balaão, mas manifestado à jumenta que ele montava, obstruiu a passagem. O pobre animal procurou por três vezes evitar a aparição, e levou o irado profeta a espancá-lo; então os olhos de Balaão foram abertos e tornou-se consciente da oposição do Senhor. Em temor, ofereceu-se para retornar a sua casa, mas recebeu ordens para continuar até Moabe onde falaria *somente a palavra que o Senhor lhe falasse* (Nm 22.35).

Balaque recebeu o profeta com grande expectativa e o guiou até um santuário de Baal no alto, acima da planície de onde ele podia ver Israel. Depois dos sacrifícios apropriados, Balaão abriu sua boca para falar, mas as palavras que saíram foram as palavras do Senhor; não de maldição mas de bênção. Um segundo e um terceiro lugar alto apenas produziram mais bênçãos, até que o rei, frustrado e furioso, ordenou que o infeliz profeta fosse embora.

Antes de partir, Balaão proclamou mais uma palavra do Senhor. Esta famosa profecia falava de uma estrela, o símbolo de um grande rei, que surgiria em Israel nos dias futuros. O sinal da estrela em conexão com o Rei-Messias profetizado é encontrado somente aqui no AT. É significativo que os sábios que seguiram aquela estrela até Belém viessem do oriente, possivelmente da mesma área da qual o próprio Balaão havia vindo.

O profeta derrotado e humilhado partiu para casa, mas não para ficar. Ainda determinado a ganhar a recompensa prometida, Balaão elaborou um plano pelo qual o próprio Deus destruiria Israel. Deixar que Balaque enviasse o jovem povo de Moabe para se misturar aos israelitas, e desviá-los de Deus para a adoração degradante a Baal. O plano foi altamente bem-sucedido (Nm 25), mas os resultados não foram os que Balaão havia planejado. O juízo de Deus veio rapidamente sobre o seu povo, e os pecadores foram totalmente eliminados da congregação. Então Deus ordenou a Moisés que infligisse a derrota a Moabe por seu ataque ardiloso (Nm 25.16-18). Na batalha resultante, o profeta Balaão foi morto, caindo em derrota com aqueles que haviam buscado sua ajuda (Nm 31.8). O NT adverte contra o "erro" (Judas 1) e o "caminho" de Balaão (2 Pe 2.15). Balaão é um tipo de todos aqueles que, conhecendo a Deus, ainda voltam suas costas para Ele para se agarrarem às coisas temporais de um mundo maligno. Apocalipse 2.14 fala da maligna "doutrina de Balaão", o ensino que levaria o povo de Deus a envolver-se nos pecados da carne como se Deus estivesse indiferente. *Veja* Adivinhação; Profecia.

P. C. J.

**BALADÃO** pai de Merodaque-Baladã, rei da Babilônia (2 Rs 20.12; Is 39.1).

**BALANÇA** Em Isaías 40.12, a referência é à viga na qual a balança era pendurada. Esta mesma palavra, heb. *peles*, é traduzida como "balança" em Provérbios 16.11.

**BALANÇAS** Três palavras são usadas para descrever balanças. *qaneh*, "cana, travessão das balanças" (Is 46.6 apenas); *peles*, "indicador, travessão do nível das balanças" (Is 40.12; Pv 16.11 apenas); e *mo'z$^e$nayim*, "um par de pratos da balança" (16 vezes). A única referência do NT é *zugos*, "balanceiro ou travessão da balança" (Ap 6.5). Durante o período persa, o dinheiro consistia em blocos ou anéis de ouro ou de prata e era pesado (por exemplo, Gn 23.16; Jr 32.10).

A palavra "balança" é usada na maioria das vezes em conexão com a exigência divina de honestidade nos negócios (Lv 19.36; Ez 45.10). Uma balança justa é a obra de Deus (Pv 16.11)! Mas "balança enganosa é abominação para o Senhor" (Pv 11.1), pois isto é opressão (Os 12.7). Aqui "pesos diversos" (Heb. "dois pesos e duas medidas", Pv 20.10,23), "balanças falsas" e "saco de pesos enganosos" (Mq 6.11) para falsificar (Am 8.5), implica em um peso mais pesado para comprar e um peso mais leve para vender. *Veja também* Pesos, Medidas e Moedas.

A balança também deve representar a calamidade pesada (Jó 6.2,3), ou simplesmente a integridade moral (Jó 31.6) ou a falta dela (Dn 5.27; Sl 62.9).

W. G. B.

**BALAQUE** Um rei de Moabe que estava assustado com a conquista de Israel dos reinos de Seom e Ogue, e em desespero, contratou Balaão (q.v.), de Petor no Eufrates, para amaldiçoar Israel. O Senhor não iria permitir que Balaão amaldiçoasse, mas, ao invés disso, abençoasse. No entanto, Balaque teve êxito de uma maneira indireta seguindo o conselho de Balaão e seduzindo os homens de Israel à idolatria, dessa maneira trazendo o juízo de Deus sobre eles (Nm 22–25; 31.8,16; Js 24.9; Jz 11.25; Mq 6.5; Ap 2.14).

**BALDE** Palavra encontrada apenas em Isaías 40.15 e Números 24.7. Era feito de peles de animais com duas travessas no topo, amarradas a uma corda, para tirar água de poço.

**BALEIA** *Veja* Animais: Baleia V.1

Pesagem do coração do escriba Ani na vida após a morte pelos deuses Anubis e Tot. As balanças egípcias estão claramente mostradas. BM

**BÁLSAMO** *Veja* Plantas.

**BALUARTE** Tradução de cinco palavras hebraicas: (1) *hel* (Is 26.1) e (2) *hela* (Sl 48.13) significando "objetos fortes", trincheira ou cidadela; (3) *masod* (Ec 9.14), (4) *masor* (Dt 20.20) que significa fortaleza ou cerco usado contra uma cidade e (5) *pinna* (2 Cr 26.15), torre(s) de esquina de uma fortificação. *Veja* Forte; Cidadela.

**BAMÁ** A palavra é mantida em sua forma hebraica somente em Ezequiel 20.29. Sem dúvida, a pergunta do profeta é um jogo de palavras desdenhoso com respeito à adoração do povo em um alto pagão. "Que [*ma*] alto [*bama*] é este, aonde vós ides [uma forma do verbo *ba*]?" *Veja* Bamote.

Balde de couro usado em um poço. JR

**BAMOTE** Este nome aparece em Números 21.19,20 como um local de acampamento na viagem de Israel ao norte do desfiladeiro de Arnom. O local pode ser idêntico ao de Bamote-Baal (q.v. Nm 22.41 "os altos de Baal") onde Balaque levou o profeta Balaão para observar Israel, uma localidade mencionada em Josué 13.17.
O nome é a forma plural de *bama*, "elevação", "uma altura," e aparece em heb. neste sentido em Deuteronômio 32.13; 2 Samuel 1.19,25; Salmo 18.33; Miquéias 3.12; Ezequiel 36.2; Habacuque 3.19. Em um sentido especializado, o termo hebraico significa um santuário sagrado no monte com um altar ou uma capela (por exemplo, 1 Rs 11.7; 12.32; 13.32; 14.23; Jr 7.31; etc.). *Veja* Lugar Alto.

**BAMOTE-BAAL** Um lugar ao norte do Rio Arnom em Moabe onde Balaque levou Balaão para que pudesse ver Israel. Ali ele sacrificou e procurou amaldiçoar Israel (Nm 22.41; 23.1-12). Mais tarde, este local passou a pertencer à tribo de Rúben (Js 13.17). Aparentemente a mesma cidade é chamada de Bete-Bamote na inscrição moabita (ANET, p. 210).

**BANCO** O mundo antigo não tinha bancos no sentido moderno da instituição. A palavra traduzida por "banco" no NT é a palavra comum "mesa". Ela é usada para se referir à mesa de jantar comum, e também às mesas dos cambistas (Lc 19.23). Estes trocadores tomavam depósitos em dinheiro sobre os quais pavagam juros e os usavam para o comércio ou para empréstimos a uma alta taxa de juros. Esta é a referência de Jesus em Mateus 25.27. Um outro aspecto do negócio era trocar moedas de uma denominação por outra, ou dinheiro estrangeiro por moeda corrente, o que era um negócio altamente lucrativo. Dos fenícios, que parecem ter inventado a prática, o negócio de troca de dinheiro havia se espalhado por todo o Império Romano até os dias do NT. *Veja* Ocupações: Cambistas. Nos dias de Moisés, a simples economia pastoreira de Israel não exigia transações financeiras tão complicadas. Empréstimos eram feitos entre amigos em caso de necessidade, e era proibido cobrar juros (Êx 22.25; Lv 25.37). Para empréstimos comerciais na época de Salomão veja a nota em Provérbios 6.1 em *Wycliffe Bible Commentary*. *Veja* Tomar Emprestado; Ocupações: Banqueiro.

P. C. J.

**BANCOS** Nas lamentações do profeta por Tiro em Ezequiel 27.6, ele diz: "A companhia dos assírios fez os teus bancos de marfim das ilhas dos quiteus". A palavra bancos aqui evidentemente significa os bancos do barco, cujo mastro (v. 5) e remos (v.6) foram descritos de forma vívida, na qual a própria cidade é descrita como um navio mercante. Uma vez que a palavra hebraica *qeresh* no plural denota o assoalho do Tabernáculo (Êx 26.15-29), aqui, usada no singular, a versão mais recente e os léxicos sugerem "convés" ou "proa" como o significado preciso.

**BANDEIRA**
1. Um estandarte. *Veja* Insígnia.
2. Uma planta. *Veja* Plantas.

**BANDEJA** Duas palavras hebraicas, e uma palavra grega representam este utensílio.
1. A palavra hebraica *qe'ara*, que originalmente significa "concavidade", mas que posteriormente significou "prato" ou travessa", indica um dos presentes que o chefe tribal apresentou por ocasião da consagração do Tabernáculo (Nm 7.13 *et al.*).
2. A palavra aramaica *'agartal* (etimologicamente incerta) é usada para referir-se aos "recipientes" ou "bacias" que foram dados por Ciro aos judeus que retornaram do exílio (Ed 1.9).
3. A palavra grega *pinax*, que significa "prancha" ou "tabuão", veio a denotar qualquer coisa achatada como "tábua, disco, prato ou bandeja". Uma bandeja desse tipo, achatada e de bordas estreitas, que normalmente tinha de 30 a 90 centímetros de diâmetro, foi usada para trazer a cabeça de João Batista a Salomé quando a sua dança agradou a Herodes Antipas (Mt 14.8,11; Mc 6.25,28). Neste sentido, o termo "bandeja" também pode ser traduzido como "prato".

**BANDO** Um termo usado para descrever unidades do exército, tal como uma coorte. *Veja* Exército.

**BANHO, BANHAR** Não há distinção na terminologia entre banhar e lavar somente parte do corpo. Referências a banhar, separadamente do ritual de ablução, são muito limitadas: a filha do Faraó (Êx 2.5); Bate-Seba (2 Sm 11.2); possivelmente Rute (3.3). O banho de Naamã (2 Rs 5.14) e do homem enfermo no tanque de Betesda (Jo 5.2-7) tinham aspectos terapêuticos. O clima quente e as estradas poeirentas da Palestina levavam à freqüente necessidade de lavar as mãos, o rosto, e os pés (Gn 19.2; 24.32; 43.31; 2 Sm 11.8). Aos convidados e hóspedes era dada água para que lavassem os pés (Gn 18.4; Jz 19.21; Lc 7.44). Havia um criado para desempenhar esta tarefa (1 Sm 25.41); daí o significado do exemplo de humildade de Jesus (Jo 13.1-10; 1 Tm 5.10).
A maior parte das referências bíblicas está relacionada a rituais de ablução: de ofertas (Êx 29.17; Lv 1.9,13; 8.21; 9.14; *et al.*); dos sacerdotes (Êx 30.20; Lv 8.6; Nm 8.21); de vestes e/ou dos corpos daqueles que estivessem cerimonialmente impuros (Lv 14.9; 15.5-27 *passim*; Nm 19.10; *et al.*).
Lavar as mãos em ocasiões de possível culpa (ou de culpa presumida) era uma afirmação de inocência (Dt 21.6,7; Mt 27.24).
Foi somente depois do contato com a civilização helenista que os ginásios e banhos públicos tiveram lugar na Palestina (Josefo, *Ant.* xix.7.5; 1 Mac 1.14). As renomadas nascentes quentes em Tiberíades e Gadara eram famosas por seu poder terapêutico (Josefo, *Ant.* xvii.6.5; xviii.2.3).
*Veja* ablução; Impuro.

R. V. R.

**BANI**
1. Um guerreiro gadita, um dos 30 homens poderosos de Davi (2 Sm 23.36).
2. Um cantor da família levítica de Merari nos dias de Davi (1 Cr 6.31,46).
3. O progenitor de uma família da tribo de Judá cujos descendentes estão listados entre aqueles que retornaram do exílio (1 Cr 9.4; Ed 2.10; 10.29,34).
4. Um membro da família de Bani com o mesmo nome. Ele é listado entre os que foram condenados por Esdras por ter uma mulher estrangeira (Ed 10.38).
5. Um proeminente levita nas reformas de Neemias (Ne 8.7; 9.4,5; 10.13,14). Um de seus filhos, Reum, era ativo na reconstrução do muro (Ne 3.17). Ele foi um dos homens que ajudaram Esdras na grande leitura da lei, fazendo com que o povo compreendesse o significado do que estava sendo lido, provavelmente "transformando em Targum", isto é, traduzindo em aramaico. Ele também participou da oração de dedicação do muro e selou a aliança. Um outro filho de Bani foi designado como supervisor dos levitas (Ne 11.22). *Veja também* Binui.

P. C. J.

**BANIR/DESTERRAR** Os judeus não tinham um banimento legal, prescrito pela lei de Moisés como punição, tal qual os gregos e romanos. Mas, as pessoas fugiam da terra pela guerra (Is 16.3,4); exilavam-se por causa de algum crime (2 Sm 13.37,38; 14.13,14); ou, por algum outro motivo (por exemplo, Davi), eram todos "banidos".

A forma de punição hebraica para crimes sérios que não fossem merecedores da pena capital era o desterro (Lv 17.4; Ex 12.15; Nm 19.20). Alguns interpretam esta condenação como uma pena capital, porém é mais provável que se tratasse de uma forma de excomunhão (Ed 7.26). O indivíduo era impedido de ter qualquer tipo de comunhão, tanto social quanto religiosa, dentro da comunidade de Israel. Em épocas posteriores, esta condenação passou a ter a forma de exclusão do templo ou da sinagoga (Jo 9.21, 34,35).

**BANQUETE** *Veja* Alimentos.

**BANQUETE DE CARIDADE** *Veja* Ágape; Festa de Amor.

**BAQUEBACAR** Um levita dos filhos de Asafe e morador de Jerusalém (1 Cr 9.15).

**BAQUEBUQUE** Cabeça da família dos servos do templo pós-exílio, um dos netineus (Ed 2.51; Ne 7.53).

**BAQUEBUQUIAS**
1. Um alto oficial dos levitas em Jerusalém imediatamente após o exílio (Ne 11.17).
2. Um porteiro do templo nos dias de Neemias (Ne 12.25), um parente ou a mesma pessoa mencionada no item 1 acima.

**BAR-** Um prefixo. Este é o equivalente aramaico para o hebraico *ben* ("filho"), por exemplo, Barjonas, "filho de Jonas" (Mt 16.17). *Bar* é o termo original traduzido como "filho" no Salmo 2.12 e Provérbios 31.2.

**BARA** *Veja* Bete-Bara.

**BARAQUE** Um líder militar da tribo de Naftali que, sob a direção e o encorajamento da profetisa Débora (q.v.), libertou as tribos do norte de Israel da escravidão imposta por Jabim, o rei de Hazor. Jabim (q.v.) possuía um exército aparentemente invencível com 900 bigas de ferro, liderado pelo mercenário Sísera, possivelmente um egípcio ou heteu. Débora, uma juíza em Efraim, designou Baraque como o escolhido do Senhor para reunir um exército de Zebulom e Naftali. Os israelitas encontraram-se no Monte Tabor, enquanto Sísera alarmado pela revolta, reuniu seu exército na planície de Esdraelom junto ao ribeiro de Quisom. Uma violenta tempestade fez com que o Quisom transbordasse inundando as suas margens, tornando as bigas de ferro inúteis no solo lamacento. Atacados pelos israelitas, os cananeus fugiram em pânico. O próprio Sísera morreu nas mãos de uma mulher, Jael, em cuja tenda ele buscou refúgio (Jz 4–5).
Baraque é também mencionado entre os grandes heróis da fé em Hebreus 11.

P. C. J.

**BARAQUEL** Um descendente de Buz (Gn 22.21). Baraquel era o pai de Eliú, um dos amigos de Jó (Jó 32.2,6).

**BARAQUIAS** Em Mateus 23.35 ele é chamado de pai de Zacarias, que parece ser o Zacarias referido em 2 Crônicas 24.20-22, filho de Joiada, o sacerdote (*veja* Zacarias para a discussão sobre o problema da paternidade).
Baraquias é também escrito Berequias (q.v.) no Antigo Testamento.

**BARBA** *Veja* Cabelo.

**BÁRBARO** Esta palavra não é encontrada no Antigo Testamento, embora a LXX a use; *por exemplo,* Salmo 114.1. É usada cinco vezes no Novo Testamento. "Bárbaro" pode ser uma sílaba repetida que imita a palavra estrangeira, "barbar". De forma semelhante, os egípcios chamavam os não-egípcios de *berber*. Então, em 1 Coríntios 14.11, isto significa falar em uma língua incompreensível.
Platão dividiu seu mundo entre bárbaros e helenos. A palavra pode assim significar "não-grego" em relação à cultura e ao idioma. Lucas, de maneira nenhuma, chama os bárbaros semíticos malteses (ou seja, não-gregos nativos) de modo depreciativo em Atos 28.2,4.
Depois da guerra persa (493-479 a.C.) os gregos começaram a usar a palavra "bárbaro" com um sentido de cruel e rude. Então, Romanos 1.14 pode significar que Paulo seja devedor tanto àqueles que falavam grego como àqueles que não falavam este idioma; e o mesmo em relação a civilizados e não civilizados. Em Colossense 3.11 ele define "grego e judeu" como "circuncisão e incircuncisão", e coloca *cita* logo após *bárbaro,* porque os citas eram bárbaros por excelência. *Veja* Estrangeiro.

W. G. B.

**BARBATANAS** As criaturas aquáticas que eram limpas e poderiam ser comidas pelos israelitas (Lv 11.9-12) eram aquelas que possuíam barbatanas e escamas. A palavra "barbatana" é usada apenas para denotar o que podia ser comido do mar. A palavra hebraica é de origem incerta. As barbatanas são estruturas membranosas no corpo dos peixes, usadas para impulsioná-los ou guiá-los ao nadar. *Veja* Animais: Peixe, V.12.

**BARBEIRO** (Ez 5.1). *Veja* Cabelo; Ocupações.

**BARCOS**[1] Ancestral de certos netinins (q.v.) que retornaram com Zorobabel e eram servidores do templo (Ed 2.53; Ne 7.55).

**BARCOS**[2] O povo da antiga nação de Israel não era dedicado à navegação fato que, de forma surpreendente, é mostrado pelas raras menções feitas a barcos nas Escrituras. O Rio Jordão não oferecia condições para uma navegação segura, enquanto o Mar Morto não tinha qualquer valor para pescadores ou outros viajantes. Para a especulação comercial através dos grandes oceanos, os israelitas dependiam dos fenícios e de outras nações para transportá-los ou trazer-lhes mercadorias de lugares distantes. Exceto por uma "barca", descrita em 2 Samuel 19.18, usada para atravessar o Jordão, e o pequeno bote salva-vidas mencionado por Paulo am Atos 27, os barcos mencionados nas Escrituras, diferentes dos grandes navios (q.v.), quase que inteiramente se referem às pequenas embarcações pesqueiras que na época de Jesus aglomeravam-se no Mar da Galiléia.

Esses pequenos barcos representavam a ferramenta de uma grande atividade que em tempos posteriores desapareceu quase que totalmente. William M. Thomson, na obra "*The Land and the Book*" (p. 401) que descreve a Palestina do século XIX d.C., teve dificuldades para encontrar um barco no Mar da Galiléia, onde outrora eram tão numerosos, por causa da aversão dos árabes pelo mar aberto.

Os barcos de pesca eram pequenos, talvez apenas um pouco maiores que um bom barco a remo de bom tamanho. Tinham uma única vela e a maioria deles era movida a remo. Eram suficientemente grandes para levar Jesus e seus discípulos e até ofereciam um lugar onde Jesus podia descansar na popa sobre uma "almofada" (Mt 8.23s.; Mc 4.38; Lc 8.22s.). Embora esses barcos fossem muito pequenos, às vezes eram usados por piratas do Mar da Galiléia para assaltar as cidades situadas ao longo das suas margens. Batalhas navais em miniatura eram travadas quando as autoridades esforçavam-se para tirar esses piratas das águas.

Para o cristão, esses pequenos barcos sempre terão um encanto especial. Foi neles que Jesus pregava e foi neles que Ele atravessou o mar para desempenhar o seu ministério. Foi de um desses barcos que Ele caminhou sobre as águas e acalmou a tempestade.

*Veja* Navios.

P. C. J.

**BARIAS** Um descendente de Davi da linhagem de Zorobabel, filho de Semaías (1 Cr 3.22).

**BARJESUS** Um nome alternativo do mágico Elimas, que se opôs a Barnabé e a Saulo em Pafos, capital da ilha de Chipre (At 13.6). *Veja* Elimas.

**BARJONAS** Um sobrenome de Simão Pedro (Mt 16.17). *Veja* Bar-.

**BARNABÉ** Um levita de Chipre e membro da igreja primitiva de Jerusalém. Seu nome

Um navio mercante romano do século I d.C. Departamento de Clássicos, Universidade de Nova Iorque

era José; o nome Barnabé lhe foi dado pelos apóstolos para indicar o seu caráter ("Filho da Consolação", At 4.36). Foi o primeiro homem mencionado por sua generosidade, que vendeu uma propriedade e trouxe o dinheiro da venda aos apóstolos para que as necessidades dos membros mais pobres da igreja fossem supridas (At 4.36ss.). Ele aparece novamente em Atos 9.27 prestando os seus bons serviços a Saulo de Tarso, quando Saulo retornou a Jerusalém no terceiro ano após a sua conversão, recomendando-o aos apóstolos, afirmando que Saulo era um crente genuíno. Isto sugere que ele já conhecia Saulo. Quando, alguns anos mais tarde, chegou a Jerusalém a notícia de que uma evangelização em larga escala havia ocorrido em Antioquia da Síria, por cristãos helenistas refugiados da perseguição que teve início na Judéia após a morte de Estêvão, Barnabé foi enviado até lá para investigar a situação e agir da forma que julgasse ser mais apropriada. Não podiam ter enviado um homem mais adequado. Longe de sentir-se chocado pelas inovações que ali encontrou, Barnabé sentiu prazer por ver a graça de Deus em ação na conversão dos pagãos em Antioquia, e assim encorajou tanto os evangelistas quanto os novos convertidos com todas as suas forças. Após algum tempo, ele sentiu necessidade de ter um colega que pudesse ajudá-lo na supervisão daquela obra crescente, e trouxe Saulo/Paulo de Tarso para ajudá-lo.

Após um ano de cooperação em Antioquia, Barnabé e Paulo deixaram aquela igreja para assumir um ministério ainda mais extensivo. Os dois apóstolos atravessaram a ilha de Chipre de Leste a Oeste e, então, cruzaram a Ásia Menor, onde pregaram o Evangelho e fundaram igrejas nas cidades do sul da Galácia. O jovem primo de Barnabé (Cl 4.10), João Marcos, de Jerusalém, os acompanhou na jornada até a costa da Ásia Menor, e então voltou para casa.

O incidente relatado em Gálatas 2.11 ss., deve ter ocorrido pouco depois de Paulo e Barnabé terem retornado a Antioquia. Até mesmo Barnabé mostrou-se disposto a seguir o exemplo de Pedro e de outros, afastando-se temporariamente da comunhão com os cristãos que haviam sido gentios, para evitar ofender os visitantes de Jerusalém.

Em duas ocasiões, Barnabé e Paulo visitaram Jerusalém como representantes da igreja de Antioquia. A primeira, foi quando trouxeram uma oferta para a igreja em uma época de grande escassez (At 11.30). Foi provavelmente durante esta visita que tiveram suas reuniões com os líderes dali nas quais o apostolado deles para com os gentios foi reconhecido (Gl 2.1-10). A segunda, foi quando participaram do Concílio (At 15) para discutirem e decidirem com os líderes de Jerusalém os termos sob os quais os gentios convertidos seriam admitidos à comunhão da igreja.

Pouco depois deste episódio, Barnabé e Paulo decidiram não viajar juntos, uma vez que Paulo não quis que João Marcos os acompanhasse novamente. Barnabé tomou Marcos consigo e continuou a evangelizar a ilha de Chipre. Mas Paulo sempre se referia a ele com afeição e estima, como um companheiro missionário para os gentios (1 Co 9.6). Pelo fato de Paulo ter pedido, anos mais tarde, que João Marcos fosse encontrar-se com ele, por lhe ser "muito útil para o ministério" (2 Tm 4.11), podemos concluir que Barnabé fez por João Marcos o mesmo que havia feito, anteriormente, pelo próprio apóstolo Paulo.

F. F. B.

**BARRABÁS** Todos os quatro evangelhos (Mt 27.16; Mc 15.15; Lc 23.18; Jo 18.40) mencionam este homem que foi solto por

A área portuária mais próxima nesta ilustração é o local onde Paulo e Barnabé desembarcaram em Salamina, Chipre, na primeira viagem missionária. HFV

Pilatos em de Jesus. Famoso prisioneiro, preso por roubo, sedição e assassinato, este homem tem se tornado a fonte de muitas narrativas imaginárias descrevendo o que poderia ter lhe acontecido se, em sua consciência, percebesse que um "homem bom", o Filho de Deus, havia sido crucificado em seu lugar. O costume de libertar um preso na Páscoa não é mencionado fora do NT.

A leitura de seu nome como Jesus Barrabás (Mt 27.16s., na versão NTLH em português) era conhecida de Orígenes (aprox. 200 d.C.), é encontrada na versão siríaca (aprox. 200 d.C.) e em alguns manuscritos cursivos (posteriores a 900 d.C.), mas não é encontrada nos textos mais antigos e melhores. Alguns pensam que isto provavelmente tenha se originado de um erro de algum escriba, devido à proximidade do nome de Jesus em Mateus 27.17.

*Veja* Crime e Punição; Pilatos; Zelote.

T. B. C.

**BARRICA** Este termo é utilizado na versão KJV em inglês como referência a um grande recipiente de barro utilizado para o transporte de água, para estocagem de grãos, e outros usos (1 Rs 17.12,14,16; 18.33). Os termos "cântaro" ou "jarro" são as melhores traduções para o termo hebraico *kad* em Gênesis 24.14-20; Eclesiastes 12.6; Juízes 7.16-20. *Veja* Cerâmica.

**BARRO** *Veja* Minerais.

**BARSABÁS**

1. José, que tinha por sobrenome Justo, que foi juntamente com Matias considerado apto para substituir Judas Iscariotes (At 1.23).
2. Judas, um profeta que fazia parte da igreja de Jerusalém, que juntamente com Silas acompanhou Paulo e Barnabé na entrega da decisão do Concílio de Jerusalém à igreja de Antioquia. Mais tarde, ele retornou a Jerusalém e nada mais se sabe a seu respeito (At 15.22-33).

**BARTIMEU** Nome de um mendigo cego cujos olhos o Senhor Jesus abriu em sua última viagem de Jericó a Jerusalém. A cura de Bartimeu está registrada em Marcos 10.46-52 e apresenta uma notável profissão de fé na pessoa de Cristo ("Filho de Davi, tem misericórdia de mim!") e no seu poder ("Mestre, que eu tenha vista", vv. 47, 51).

Contudo, uma questão tem surgido uma vez que Lucas (18.35-43) fala de um cego que recebe sua visão quando o Senhor Jesus aproximava-se de Jericó, enquanto Marcos fala de um cego que recebe a sua visão quando o Senhor Jesus saía de Jericó. Além disso, Mateus (20.29-34) menciona dois cegos, enquanto Lucas e Marcos mencionam apenas um. Estes podem muito bem ter sido três episódios diferentes e separados. Porém é possível entendê-los como um único episódio levando em consideração a expressão de Lucas, "perto de Jericó" (Lc 18.35), como significando simplesmente que Jesus estava nas proximidades desta cidade, e que os dois escritores – Lucas e Marcos – tenham apenas considerado as declarações de um dos cegos, e enfocado a sua cura.

R. A. K.

**BARTOLOMEU** A forma grega simplesmente translitera o nome aramaico que significa "filho de Tolmai" ou "Talmar", um nome encontrado no AT grego em várias formas, e também nas obras do historiador Josefo. Bartolomeu foi mencionado na lista dos doze apóstolos (Mt 10.3; Mc 3.18; Lc 6.14; At 1.13), e sempre após Filipe. Através do estudo destas listas tem-se chegado a uma classificação e agrupamento quádruplo dos discípulos que trabalhavam em duplas. Isto sugere que Bartolomeu e Filipe eram companheiros no segundo grupo, liderado por Filipe.

Também se tem conjeturado que Natanael (que significa "dom de Deus") seja um outro nome de Bartolomeu, uma vez que os Evangelhos Sinóticos falam de Filipe e Bartolomeu onde João fala de Filipe e Natanael. Além disso, os Sinóticos nunca mencionam Natanael, e João nunca menciona Bartolomeu. As tentativas de identificá-lo com Mateus, Matias, ou João filho de Zebedeu foram vãs. Por outro lado, alguns estudiosos desistiram da tentativa de identificar Natanael com algum dos doze discípulos. Porém, se a identificação de Bartolomeu com Natanael estiver correta, então Filipe trouxe Bartolomeu (Natanael), nascido em Cana da Galiléia (Jo 21.2), para conhecer o Senhor Jesus como Messias (Jo 1.45,46). A bela descrição deste encontro com Jesus está registrada em João 1.47-51. Jesus revelou-se como o Filho de Deus e o Rei de Israel a um "verdadeiro" israelita em quem não havia "dolo", prometendo-lhe um conhecimento ainda maior no período de discipulado que viria a seguir.

Nada mais se sabe a respeito de Bartolomeu no NT. As tradições a seu respeito não são confiáveis. Elas têm início com Eusébio (325 d.C.) e as diferentes versões destas tradições falam de pregações em vários campos além de várias formas de martírio, sendo, portanto conflitantes. Bartolomeu é freqüente-mente considerado um dos 70 discípulos (Lc 10.1). *Veja* Natanael.

T. B. C.

**BARUMITA** Uma provável variação de Baarumita (cf. 2 Sm 23.31 com 1 Cr 11.33), denotando um habitante de Baurim (q.v.).

**BARUQUE**

1. Filho de Nerias e irmão de Seraías (mordomo do rei Zedequias, Jr 51.59), mencionado por Josefo (*Ant.* x.9.1) como um descendente de uma família muito ilustre (cf. Jr 51.59; Bar 1.1). Ele era amigo e secretário particular de Jeremias (Jr 32.12; 36.4). *Veja* Jeremias.

Ao ser proibido de profetizar na área do templo, Jeremias ditou seus oráculos a Baruque, que então os leu para o povo. Baruque foi preso pelo rei Jeoaquim, e o pergaminho (q.v.) que continha as profecias de Jeremias foi cortado em pedaços com uma faca e queimado no fogo. Baruque e Jeremias foram então obrigados a reescrever os oráculos.

Junto com Jeremias, Baruque testemunhou a destruição de Jerusalém pelos babilônios em 586 a.C., e assim foram viver em Mispa. Mas depois da morte prematura (assassinato) de Gedalias, o novo governador babilônio da Judéia, nas mãos da facção antibabilônia, acusou Baruque de influenciar Jeremias indevidamente (cf. Josefo, *Ant.* x.9.6), para que este dissuadisse o povo de deixar a Judéia (Jr 43.3). Junto com Jeremias, ele foi forçado a acompanhar aqueles que fugiram para o Egito por medo de represálias babilônicas (Josefo *Ant.* x.9.6).

A tradição diz que Jeremias sobreviveu e no final foi para a Babilônia, onde viveu por doze anos após a queda de Jerusalém, e morreu em 574 a.C. Porém outra tradição sustenta que Baruque e Jeremias morreram na mesma época, no Egito.

Um grande número de falsos escritos tem sido atribuído a Baruque, sendo os mais importantes os do livro apócrifo que traz o seu nome, e o seu Apocalipse pseudoepigráfico.

2. O filho de Zabai, que auxiliou Jeremias na reconstrução do muro de Jerusalém (Ne 3.20).
3. Um dos sacerdotes que selaram a aliança na época de Jeremias (Ne 10.6); possivelmente o mesmo que 2.
4. Filho de Col-Hozé, descendente de Perez, o filho de Judá (Ne 11.5).

R. E. P.

**BARZILAI**

1. Um abastado octogenário de Gileade (leste e norte do Jordão), que se encontrou com Davi em Maanaim (Gn 32.2), nas proximidades do ribeiro de Jaboque enquanto o rei fugia de Absalão, e que deu provisão aos homens de Davi (2 Sm 17.27-29). Ao se separar de Davi, no Jordão, por ocasião do retorno do rei, recusou o convite real de se mudar para o palácio e desfrutar seus deleites, pedindo para, ao invés disso, morrer em casa, embora por sugestão de Barzilai seu filho Quimã (q.v.) tenha tomado o seu lugar (2 Sm 19.31-40). Davi, em sua morte, encarregou Salomão de demonstrar lealdade aos filhos de Barzilai (1 Rs 2.7).
2. O nome de Barzilai não desapareceu; ele continuou na lista dos sacerdotes que retornaram na época de Esdras, e que descendiam de uma das "filhas de Barzilai, o gileadita" (Ed 2.61 paralelo a Ne 7.63).
3. Outro Barzilai, de Meolá, possivelmente

também em Gileade, foi o avô paterno de cinco dos sete filhos de Saul, os quais os gibeonitas enforcaram (2 Sm 21.8ss.).
W. G. B.

**BASÃ** Basã, significando "planície fértil", era o mesmo nome da área leste do Mar da Galiléia e do rio Jordão. Fazia fronteira ao norte com a Monte Hermom e a leste com Jebel Druse, estendendo-se a oeste às margens do Mar da Galiléia e à parte superior do Jordão. Basã se estendia ao sul cerca de dez quilômetros além do Rio Yarmuk. Era um terreno plano de 500 a 750 metros de altitude, com excelentes campos de trigo, pastos para o gado (Mq 7.14; Jr 50.19), e os bosques de carvalhos que agora desapareceram. Basã inclui 900 quilômetros quadrados de campos de lava petrificada, dos quais vem o nome gr. Traconites (Lc 3.1) que foi dado à região.
Basã era o reino de Ogue na época do Êxodo. Tinha sessenta cidades (Nm 21.33; Dt 29.7) incluindo Carnaim, sua capital, Astarote (Dt 1.4), Salca, Quenate e Edrei, onde ele foi derrotado. Mais tarde, as cidades gregas de Hippos, Dion e Abila passaram a fazer parte da região, que incluia os distritos de Argobe e Golã (Dt 3.4; 4.43). Basã foi designada como a porção leste da meia tribo de Manassés.
Os arqueólogos reivindicam que a área foi continuamente ocupada por volta do século XXXII a.C. Seus campos de dólmens (q.v.) podem datar deste período inicial. Tomada do rei amorreu Ogue na época da Conquista (Dt 3.1-3), Basã subseqüentemente tornou-se um terreno de batalha entre Israel e os sírios (2 Rs 10.32,33). A área pode ter sido mencionada como *Ziri-bashani* nas cartas de Amarna. Em períodos posteriores foi identificada com Hauran e com a Batanéia helenística-romana.
Na Bíblia, a prosperidade de Basã é freqüentemente usada como símbolo do orgulho arrogante. Os inimigos cruéis que cercaram o justo são chamados de "touros de Basã" (Sl 22.12). As mulheres de Samaria que oprimiam os pobres e buscavam os seus próprios prazeres, são classificadas como "vacas de Basã" (Am 4.1). O julgamento de Deus será sobre os arrogantes e os orgulhosos que são como os "cedros do Líbano" e os "carvalhos de Basã" (Is 2.13). A rica cidade de Tiro, que estava prestes a ser alcançada pelo juízo de Deus, possuía para os seus navios remos feitos dos carvalhos de Basã (Ez 27.6).
Nas bênçãos que Moisés impetrou sobre as tribos, lemos: "Dã é leãozinho; saltará de Basã" (Dt 33.22). Os leões espreitavam entre as árvores de Basã, produzindo a imagem de Dã como a tribo que poderia ser feroz como um leão. *Veja* Palestine II.B.4.*a*.
C. F. P.

**BASE** *Veja* Tabernáculo.

**BASEMATE**
1. Esposa de Esaú, filha de Elom, o heteu (Gn 26.34), provavelmente deva ser identificada com, ou considerada irmã de Ada, que consta como esposa de Esaú (Gn 36.2).
2. Uma outra esposa de Esaú, filha de Ismael e irmã de Nebaiote (Gn 36.3,4,10,13,17). Ela também é chamada de Maalate (Gn 28.9). Como filha de Ismael ela também seria descendente de Abraão. Esaú casou-se com ela porque seus pais estavam insatisfeitos com as suas outras esposas (Gn 28.8; 26.34,35).
3. Uma filha de Salomão, esposa de Aimaás, um intendente a serviço do rei Salomão para a província de Naftali (1 Rs 4.15).

**BASILISCO** *Veja* Animais: Serpente, IV.30.

**BASTARDO** Um filho ilegítimo ou, particularmente no Antigo Testamento, um filho nascido de uma união incestuosa (BDB, *s.v.*), ou de um casamento proibido pela lei devido ao grau de parentesco entre o homem e a mulher (Lv 18.6-20; 20.10-21). Na lei contida em Deuteronômio, tal descendência era excluída da comunidade da aliança até a décima geração (Dt 23.2), pois a comunidade da aliança era "... um povo santo ao Senhor, teu Deus" (Dt 14.2; Êx 19.5,6). Os moabitas e os amonitas, como resultado de sua origem incestuosa (Gn 19.30-38), sofreram a mesma mácula e a mesma exclusão (Dt 23.3, cf. Driver, *Deuteronomy*, ICC, pp. 260ss.). É reconhecido por intérpretes rabinos que esta lei só era aplicável aos filhos do sexo masculino nascidos de tais uniões. Também se pode considerar como testemunho a aceitação do casamento de Boaz com Rute, a moabita. O rei Davi foi um descendente da terceira geração desta união (Rt 4.17).
A mesma palavra hebraica traduzida como "bastardo" em Zacarias 9.6, é melhor apresentada como "mestiços" (NTLH); ou seja, Asdode, a orgulhosa cidade dos filisteus, sofreria, como resultado do julgamento divino, a humilhação de ser habitada por um povo mestiço.
Um filho ilegítimo, em uma posição de segunda categoria na família (por exemplo, Jz 11.1-3) resultava na falta de atenção paternal, inclusive da disciplina que normalmente seria exercitada em relação àqueles com cujo futuro os pais preocupavam-se mais. Este fato é a base do texto em Hebreus 12.7,8 onde a disciplina de Deus para com os seus filhos espirituais é a evidência de que estes possuem uma autêntica condição de filhos (cf. Pv 3.11,12; Arndt, *s.v.*; MM, *s.v.*).
R. V. R.

**BATALHA** *Veja* Guerra.

**BATER NO PEITO** O termo heb. *tapap*, significa "bater (incessantemente) em um tambor" (Na 2.7). Naum vitupera a queda da cidade de Nínive quando em total confusão a rai-

Um batismo no rio Jaboque, Jordão. Cortesia de Richard E. Ward

nha (?) assíria é levada em cativeiro com suas servas, que lamentam e pranteiam como pombas, batendo em seus peitos em angústia.

**BATER ou FERIR** Interpretação de um grande número de palavras gregas e hebraicas que descrevem toda espécie de golpes; dar palmadas ou tapas, golpear, bater, contundir. É freqüentemente usada como uma referência ao julgamento imposto pelo Senhor a uma pessoa ou nação (por exemplo, Êx 12.23).

**BATE-SEBA** Filha de Eliã (2 Sm 11.3) e neta de Aitofel, o gilonita (2 Sm 23.34), um amigo de confiança e conselheiro de Davi, que mais tarde o traiu. Ela era casada com Urias, o heteu, um dos muitos mercenários estrangeiros atraídos para a corte de Davi. Na ausência de Urias, por ocasião da guerra contra os amonitas, Davi tomou Bate-Seba como sua amante. Este ilícito caso de amor terminou com o assassinato de Urias e a morte do filho nascido da união adúltera (2 Sm 11–12).

Davi e Bate-Seba então se casaram legalmente e ela tornou-se a mãe de seus quatro filhos. Salomão, Siméia, Sobabe, e Natã (1 Cr 3.5; Bate-Sua é um modo alternativo de se escrever Bate-Seba). Como a mãe de Salomão, Bate-Seba está incluída na genealogia de Jesus Cristo (Mt 1.6).

Foi pela insistência de Bate-Seba, apoiada pelo profeta Natã e pelo sacerdote Zadoque, que Salomão foi coroado rei, evitando a conspiração de seu irmão Adonias, que desejava ser o sucessor do trono. Entretanto, no final, Bate-Seba aparece como uma ferramenta inconsciente de Adonias que, ao pedir em casamento a esposa de Davi, Abisague, reivindicou o reino (1 Rs 1–2).

P. C. J.

**BATE-SUA** Uma forma alternada de Bate-Seba (q.v.), mãe de Salomão (cf. 1 Cr 3.5,2 Sm 12.24).

**BATISMO** (Substantivos gregos *baptismos* e *baptisma*; verbos gregos *baptizo* e *bapto*). Três opiniões diferentes são sustentadas com relação ao verdadeiro significado de batismo: Os batistas e outros que batizam por imersão sustentam que significa a identificação do crente com a morte, sepultamento e ressurreição de Cristo e, portanto, insistem que isto deva ser feito através de uma completa imersão nas águas do batismo. Aqueles que praticam o derramamento de água sustentam que significa o derramamento do Espírito Santo sobre o crente, e ser cheio do Espírito. Os reformistas, metodistas e anglicanos, que aspergem, sustentam que o batismo significa a purificação dos pecados do crente através do sangue de Cristo. Estes, e aqueles que derramam água sobre aqueles que estão sendo batizados, batizam crianças, enquanto que os imersionistas batizam somente aqueles que alcançaram uma maturidade suficiente para crerem pessoalmente em Cristo.

Os motivos para as largas divergências originam-se, primeiro, do uso dos termos *bapto* e *baptizo* no grego clássico. Por exemplo, Charles Hodge, o grande teólogo presbiteriano, diz o seguinte: "*Bapto* significa (1) mergulhar, (2) tingir mergulhando, (3) tingir sem levar em consideração o método... (4) Também significa embelezar... (5) molhar, umedecer ou lavar, (6) temperar... (7) embeber... No uso clássico, o termo *baptizo*, significa (1) imergir ou submergir... (2) inundar ou cobrir com água... (3) molhar completamente ou umedecer, (4) derramar sobre ou encharcar, (5) qualquer que seja o modo, ser dominado ou apoderado" (*Systematic Theology*, III, 527). No entanto, isto apenas apresenta os argumentos que resultam e que são resumidos abaixo. A verdadeira questão é: Em primeiro lugar, Como estas palavras são usadas no AT e particularmente no NT? E em segundo lugar, é necessário entender melhor o fato de várias coisas diferentes serem chamadas de batismo, tal como o derramamento do Espírito Santo (Mt 3.11; At 1.5); a identificação com a morte, sepultamento e ressurreição de Cristo (Rm 6.3-5; cf. Mc 10.38; Lc 12.50; Cl 2.12); e as purificações do AT por aspersão (Hb 9.10,13,19,21).

**Argumentos a Favor da Imersão**

Este se baseia nos seguintes argumentos:

1. O uso geral de *bapto* e *baptizo* no grego secular e clássico. Tanto aqueles que ensinam a imersão quanto aqueles que ensinam a aspersão aceitam o fato de que esta é grandemente usada ali para expressar mergulhar e imergir. Assim o significado de aspergir parece ter sido um significado secundário em grego.
2. Uma simples aceitação da tradução de *baptizo* em várias passagens da KJV e em outras versões inglesas do NT dá a impressão de que a imersão era o método (Mt 3.6; Mc 1.5,8-10; At 8.38).
3. Uma ênfase em certas passagens do AT na qual ambas as palavras gregas são usadas para imersão. Por exemplo, foi dito a Naamã para mergulhar (*baptizo*) sete vezes no Jordão (2 Rs 5.10,14); Nabucodonosor foi molhado (*bapto*) com o orvalho do céu (Dn 4.33); e foi dito ao sacerdote para mergulhar a ponta de seu dedo no sangue (Lv 4.17; cf. Js 3.15; 1 Sm 14.27; Sl 68.23).
4. O batismo dos prosélitos no período intertestamental. Os Rolos do Mar Morto lançam alguma luz sobre este costume, embora seja discutível se eles podem ser considerados como provas conclusivas. Primeiro, eles refletem os costumes de um grupo extremamente ascético como os essênios e estes não podem ser considerados idênticos aos costumes dos judeus ortodoxos; e, segundo, o método de purificação que eles exigiam dos prosélitos não é muito claro.
5. Uma vez que a exortação de ser batizado feita por João Batista era dirigida a adultos que se arrependiam de seus pecados, e de Cristo e dos discípulos para aqueles que fossem suficientemente maduros para crer, fica claro que o batismo é um sacramento ou ordenança para ser dispensado apenas àqueles que primeiramente crêem. Certos argumentos racionais pertinentes são acrescentados para apoiar a opinião, tal como a futilidade de batizar um bebê que não pode saber o que está sendo feito para ele ou por ele, em contraste com o significado do batismo quando é concedido àqueles que já creram em Cristo.
6. A diferença entre o AT e o NT e entre a lei e a graça. No AT a ênfase é sobre "isto fareis e vivereis", e no NT sobre a graça de Deus e a fé do homem. A ênfase sobre a obediência na antiga dispensação fica em contraste com o crer na nova. A circuncisão e a aliança que a acompanhava foram interrompidas, e a confissão pessoal de fé e o batismo foram introduzidos.
7. O ensino do NT de que os crentes são batizados na morte, sepultamento e ressurreição de Cristo. Isto é tomado para expressar o verdadeiro significado do batismo. Somente a imersão pode expressar corretamente e totalmente o significado do sepultamento com Cristo em sua morte (Rm 6.3-5).
8. O ensino particular de Cristo. O Senhor Jesus, falando sobre a sua morte na cruz, disse. "Importa, porém, que eu seja batizado com um certo batismo, e como me angustio até que venha a cumprir-se!" (Lc 12.50). E perguntou aos seus discípulos: "Podeis vós beber o cálice que eu bebo, e ser batizados com o batismo com que eu sou batizado? (Mc 10.38).

*Pontos importantes da visão imersionista*: (1) A morte expiatória de Cristo e sua ressurreição corpórea são testemunhadas, e assim o Evangelho é transmitido da forma mais

Tanque batismal do século VI na igreja de São João em Éfeso. HFV

dramática. (2) A fé salvadora é enfatizada. (3) Este método permite aos participantes confessarem sua fé publicamente e até acrescentar um testemunho pessoal, que realça o aspecto de compromisso do batismo como o sinal ou prova da nova aliança por um lado, e, por outro, testemunha a salvação. (4) Uma fase mais importante do Evangelho é expressa. (5) Este significado do batismo em particular tem um forte apoio do Senhor Jesus Cristo e das Escrituras.

### Os Argumentos a Favor do Derramamento de Água

Este se baseia no ensino do NT com respeito ao batismo e ao Espírito Santo. Quando a água limpa é derramada sobre o participante, isto significa o derramamento do Espírito Santo sobre o crente. Certos argumentos são apresentados para apoiar este método, tais como.

1. O ensino de João Batista. João, quando batizava aqueles que se arrependiam de seus pecados, dizia que ele batizava somente com água, mas Cristo batizaria com o Espírito Santo e com fogo (Mt 3.11).

2. O ensino de Cristo. Embora Cristo tenha deixado todos os batismos para os seus discípulos (Jo 4.2), ainda assim eles logo estavam batizando mais do que João (Jo 4.1). Depois de sua ressurreição e pouco antes de sua ascensão, Cristo disse aos discípulos para aguardarem a promessa do Pai, e relembrando o ensino de João, disse: "Porque, na verdade, João batizou com água, mas vós sereis batizados com o Espírito Santo, não muito depois destes dias" (At 1.5). Isto parece, em contraste com Rm 6.3-5, identificar o batismo com o ser cheio do Espírito Santo. Alguns escritores reformistas dão muita ênfase a esta passagem (cf. Robert G. Rayburn). Naturalmente, Pedro explicou o derramamento do Espírito no Pentecostes como um cumprimento da profecia de Joel (At 2.16-21; Jl 2.28-32) e pregou que aqueles que se arrependessem e fossem batizados deveriam receber o Espírito Santo (At 2.38,39).

*Pontos importantes da visão que apóia o derramamento de água.* (1) Enfatiza a pessoa e a obra do Espírito Santo e a importância da vida cheia do Espírito. (2) Enfatiza uma verdade em particular no batismo que foi destacada tanto por João Batista quanto por Paulo. (3) Tem o apoio das próprias palavras de Cristo e sua interpretação em Atos 1.5.

### Os Argumentos a Favor da Aspersão

Este tipo de batismo baseia-se nas seguintes considerações:

1. Certas ordenanças do AT para aspergir. Uma consideração é dada a passagens do AT onde a aspersão é ordenada para a purificação (Êx 24.6-8; Lv 14.7; Nm 19.9,17), e sua classificação em Hebreus 9.10 como diversas abluções (*diaphorois baptismois*). Na passagem em Hebreus, a aspersão das cinzas da bezerra sobre o imundo (Nm 19.9,17), a aspersão sobre o Livro da Aliança da lei e sobre o povo por Moisés (Êx 24.6-8) após a entrega da lei, e a purificação de outros pecados são todos dados como exemplos de batismo.

2. A conexão entre a circuncisão e o batismo. Isto é ensinado em Colossenses 2.11,12 quando ambos – a circuncisão e o batismo em Cristo – são usados, seja de forma intercambiável ou como duas partes da mesma coisa. Pedro concluiu esta alegação no final de seu sermão no Pentecostes, quando convocou os presentes a arrependerem-se e serem batizados para que pudessem receber o Espírito Santo, com a seguinte declaração: "A promessa vos diz respeito a vós, a vossos filhos [*teknois*]" (At 2.38,39), deixando claro que as bênçãos do batismo se estendem a toda a família e aos seus descendentes. Se ele não tivesse incluído seus filhos, os judeus que o ouviram teriam alegado que o Evangelho no NT lhes oferecia menos do que a lei no AT.

3. A continuação da aliança. Na circuncisão os filhos dos crentes no AT estavam sujeitos a um relacionamento de aliança com Deus - eles tornaram-se filhos da aliança. A menos que o batismo estenda-se aos filhos, este aspecto do relacionamento de aliança, para os filhos, parou com a vinda de Cristo. Uma vez que esta era uma doutrina muito preciosa para os crentes do AT, e lhes trazia bênçãos especiais de Deus, seria surpreendente que isto pudesse ter desaparecido sem uma menção ou controvérsia no NT, e que o batismo adulto tomasse seu lugar para a exclusão dos filhos dos crentes, particularmente tendo em vista que o abandono da circuncisão trouxe uma reação tão forte (At 15.1ss.; Gl 2.1ss.). A convicção de que o relacionamento da aliança para as crianças continuou, com o batismo das crianças substituindo a circuncisão, é fortalecida pelo fato de que não há nem sequer uma sugestão de qualquer objeção sendo levantada, pela qual, com a introdução do batismo, uma relação de aliança tivesse sido removida.

4. A unidade do plano da salvação. Se Deus ordenou aos crentes do AT que circuncidassem seus filhos e entrassem em uma aliança com Ele, para criá-los no temor e na admoestação do Senhor, prometendo ser seu Deus e o Deus de seus filhos, e se Ele é imutável, porque mudaria sua maneira de lidar com as crianças na era do NT? Uma aliança selada pela circuncisão era a maneira de Deus trazer a salvação para a família do AT, e a menos que de outra forma fosse revelada, uma aliança selada pelo batismo deveria ser a sua maneira nesta era presente. A imutabilidade de Deus e a unidade do plano da salvação, pela fé e através da graça soberana, requerem uma continuação do seu mesmo plano para a salvação das crianças (dos filhos) na era do NT.

5. O ofício e o treinamento de João Batista. João era um levita do AT e um sacerdote em seu próprio direito. Seu pai foi um sacerdote que serviu no turno de Abias (Lc 1.5). João, como o precursor de Cristo e a ligação entre os crentes do AT com os do NT, tinham que seguir exatamente as instruções dadas por Moisés no Pentateuco para os sacrifícios e purificações. No entanto, as purificações do AT eram por aspersão, exceto nos casos em que o corpo de um indivíduo tivesse, na verdade, se tornado infectado com chagas ou contaminado por alguma doença, e em certos casos onde houvesse uma saída de líquidos do corpo (cf. Lv 15.1ss.; 22.1-9; Nm 5.2; cf. Lv 14.2s.). Também fica claro que o método de batismo de João era um sinal de purificação, a partir do fato de que ele o ligou ao arrependimento do pecado por parte do participante, e à purga ou limpeza por parte de Deus. "Ele vos batizará com o Espírito Santo e com fogo... e limpará a sua eira" (Mt 3.11,12), e que a única disputa sobre o seu batismo estava relacionada à purificação (Jo 3.25) ou limpeza.

Contudo, se João Batista poderia ter praticado o método de batismo administrado aos prosélitos, ou seja, imersão (G. F. Moore, *Judaism*, I, 334s.), é admitidamente uma questão impossível de se responder dogmaticamente. Em primeiro lugar, as evidências judaicas do Mishnah e do Talmude vêm muito tarde para serem completamente conclusivas (de 200 a 400 d.C.). Então a evidência cristã mais antiga para o uso da imersão vem por volta de 100 d.C. Mesmo que as evidências judaicas provem que a imersão era praticada para os prosélitos entrando para o judaísmo na época de João, isto não significa necessariamente que João tenha adotado esta prática. Deve ser lembrado que nenhum judeu submeter-se-ia prontamente, sem objeções reais, ao que estava reservado como um batismo de prosélitos. Será que João teria usado um método que certamente levantaria protestos? Ou ele simplesmente seguiu os métodos do AT de purificação cerimonial sacerdotal? A última conclusão pareceu correta para o povo da Reforma, tendo particularmente em vista que nenhuma controvérsia surgiu a respeito de seu método. A única questão discutida a respeito do batismo de João, de acordo com o registro do NT, era a ampla doutrina da purificação e limpeza em si (Jo 3.25).

Se por revelação João introduziu um novo tipo de purificação, ou seja, por imersão ao invés de por aspersão, então naturalmente este deveria ser adotado. No entanto, em nenhum ponto ele sugeriu que estava introduzindo um novo método de purificação. Nem tampouco teve que explicar ou defender o método que usava.

6. A falta de qualquer passagem do NT que prove conclusivamente a imersão. O grupo reformista sustenta que não há nenhuma passagem sobre o batismo do NT que não possa ser explicada mais naturalmente pela aspersão do que pela imersão, seja o batismo de João, o dos 3.000 no Pentecostes, o do carcereiro filipense à meia-noite, ou o do eunuco etíope no deserto. Além disso, em nenhuma passagem o texto grego requer a tradução de um caso específico de batismo como por imersão. Por exemplo, como certos escritores destacam (E. B. Fairfield, *Letters on Baptism*, pp. 73-76; John Scott Johnson, *Baptism*, p. 30), para expressar "de" o termo grego é meramente *ek* ou *apo*, e para expressar "para" o termo utilizado é *eis*; mas para expressar "fora de" é inquestionavelmente *ek*, uma vez com o verbo e uma vez com o substantivo (Mc 5.8; 7.31; Lc 4.22), e para expressar "para dentro" *eis* é inquestionavelmente usado, uma vez com o verbo e uma vez com o substantivo (Jo 20.3-6). Em seu batismo, o Senhor Jesus foi batizado por João *eis* o Jordão (Mc 1.10) e saiu *apo* da água (Mt 3.16), mas em nenhum dos casos a preposição é repetida de forma a provar absolutamente que Cristo tenha ficado completamente debaixo da água ou saído da imersão na água.

Ao mesmo tempo, o grupo reformista vê casos específicos no NT nos quais sentem que a imersão pareceria ser impossível. Como os judeus poderiam se imergir antes de tomarem suas refeições, e como poderiam os fariseus ter acusado a Cristo de não ter tomado um banho de imersão antes de comer, em uma época em que a água era muito escassa e mantida em cisternas domésticas (Mc 7.3,4)? Como 3.000 pessoas poderiam ser batizadas por imersão bem no meio da cidade de Jerusalém, ou um carcereiro ser batizado por imersão à meia-noite (At 16.30-34)?

7. A ênfase do Evangelho sobre a aspersão. Na aspersão, os reformistas querem dizer que somente o sangue de Jesus Cristo pode purificar uma pessoa do pecado. Eles sustentam que desse modo expressam o evangelho de sua forma mais fundamental. Alguém pode nunca compreender a doutrina da identificação com Cristo em sua morte, sepultamento e ressurreição, mesmo esta verdade sendo tão bíblica e maravilhosa como é, e contudo pode ir para o céu. Mas ninguém pode ir para o céu a não ser que aceite e creia que o sangue de Jesus Cristo purifica do pecado.

8. A salvação da família é resguardada. No AT Deus ordenou que os pais fizessem uma aliança para criarem seus filhos em seu temor e admoestação, e exigiu a prática da circuncisão como uma marca de sua fé. Deus está intensamente interessado na salvação das crianças e não as confia a crentes de nenhum dos Testamentos sem requerer um penhor ou aliança, impondo aos pais a obrigação de ensinar e instruir os filhos e criá-los no caminho dele.

Os reformistas sentem que poucos entendem o que o batismo de uma criança realmente significa. É, antes de tudo, uma confissão da fé dos pais de que somente o sangue de Cristo pode remover seus próprios pecados, e que somente este mesmo sangue precioso pode retirar o pecado de seus filhos. Em segundo lugar, é uma aliança e um testemunho de que os pais cuidarão e treinarão a criança que Deus lhes deu, para o próprio Deus; eles a ensinarão nas Escrituras e como orar, e a conduzirão a uma fé salvadora em Jesus Cristo. Quando os pais fazem isto, Deus promete ser o Deus de seus filhos. Assim, isto se torna uma aliança entre os pais e Deus, e o filho é o filho da aliança. Mas a aliança não salva. A salvação só é possível pela graça soberana de Deus; desse modo, a salvação da criança vem, na verdade, da graça. Quando ela chega à idade em que já pode ser considerada responsável, ela mesma deve aceitar e confessar a Cristo como seu próprio Salvador pessoal.

*Pontos importantes da visão que apóia a aspersão:* (1) Este método em particular significa e enfatiza que somente pelo derramamento do sangue de Cristo alguém pode ter seus pecados perdoados. Portanto, como no caso do batismo por imersão, este tipo de batismo sustenta a necessidade do batismo para aqueles que são participantes do evangelho, embora de uma forma ainda mais simples e fundamental. (2) Mantém o que é chamado de unidade da aliança da graça, ou a continuidade do plano de salvação no AT e no NT. (3) Apóia a doutrina da imutabilidade de Deus. (4) A salvação da família torna-se uma realidade para pais crentes de ambos os Testamentos. A importância dos filhos, e de sua educação na fé e serem ganhos para Cristo, é enfatizada. (5) Explica porque os judeus aceitavam a forma como João Batista batizava.

Por Que Existem Três Métodos de Batismo? Deve um método em particular, e seu significado peculiar, ser mantido de um modo tão estrito sobre os outros, de forma a negar que a bênção também possa ser encontrada nestes? Isto seria difícil de sustentar, uma vez que os batistas e outros imersionistas parecem ter ganhado mais para Cristo do que aqueles que praticam um dos outros métodos. A resposta deve ser encontrada nos seguintes fatos: (1) Cada método de batismo ensina uma verdade bíblica separada e vital. A imersão ensina a identidade com a morte, sepultamento e ressurreição de Cristo; o derramamento de água ensina o batismo ou o enchimento do crente com o Espírito Santo; e a aspersão ensina a purificação dos pecados pelo sangue de Cristo. Portanto, cada um deles, quando entendido e ensinado corretamente, traz grandes bênçãos. (2) Todos eles são apenas fases ou partes do que o batismo em sua inteireza abrange. Cada método é baseado naquilo que, no NT, é chamado de batismo – e mesmo assim as Escrituras declaram categoricamente que há um só batismo. Paulo escreve em Efésios 4.4-6 que há um só Espírito, um só Deus e Pai de todos nós, um só Senhor, uma só fé, um só batismo. Isto leva à percepção de que todos os três métodos ou "batismos" são apenas partes de um todo maior. Mas o que é este todo?

Na Ceia do Senhor, a morte substitutiva de Cristo é celebrada até que Ele venha novamente. Seria estranho se o batismo apenas repetisse a mesma verdade. O problema dos dois sacramentos ou ordenanças significando a mesma coisa é resolvido quando vemos que, enquanto a Ceia do Senhor tem como significado fundamental a morte de Cristo, o batismo abrange a aplicação dos benefícios da morte de Cristo ao crente pelo Espírito Santo.

A primeira coisa que o Espírito Santo faz é aplicar o sangue de Cristo para purificar o pecado – e isto é representado pela aspersão; a próxima é identificar o crente com a morte, sepultamento e ressurreição de Cristo – representado pela imersão; e por fim, é vir e habitar nos vasos que foram comprados por Deus – o que é representado pelo derramamento de água. Desta forma, somos levados a ver que o batismo significa muito mais do que muitos estudiosos a princípio pensavam; que cada uma das três opiniões é verdadeira, uma vez que cada uma enfatiza uma fase do significado total do sacramento ou ordenança e, portanto, é acompanhada das bênçãos quando corretamente compreendida, ensinada e usada; que a imersão trouxe bênção para milhões, para incontáveis multidões; e, mesmo assim, a aspersão é abençoada pois enfatiza uma verdade do Evangelho que é igualmente fundamental. Toda tendência de ridicularizar e fazer pouco do ponto de vista uns dos outros desaparece, quando a verdade bíblica em particular que outros estão tentando demonstrar e ensinar é compreendida. Os batistas aprendem a ter um novo respeito pelos presbiterianos e os presbiterianos pelos batistas, e aqueles que omitem as ordenanças tanto do batismo como da Ceia do Senhor (o Exército da Salvação e outros) recebem um novo entendimento das diferentes visões e métodos praticados pelos outros.

***Bibliografia***. Herbert S. Bird, "Professor Jewett on Baptism", WTJ, XXXI (1969), 145-161. J. Oliver Buswell, Jr., *Systematic Theology*, Grand Rapids. Eerdmans, Vol. II. Edmund B. Fairfield, *Letters on Baptism*, Filadélfia. Gordon Holdcrott, s.d. Charles Hodge, *Systematic Theology*, Grand Rapids. Eerdmans, III (1952), 526-611. Paul Jewett, "Baptism (Baptist View)", *Encyclopedia of Christianity*, ed. por E. H. Palmer, 1964, I, 517-526. Albrecht

Oepke, "*Bapto*, etc.", TDNT, I, 529-546. A. H. Strong, *Systematic Theology*, Filadélfia. Judson, 1953, pp. 930-959.

R. A. K.

**BATISMO COM FOGO** Ao anunciar o batismo no Espírito, João Batista declarou por duas vezes que Cristo batizaria com fogo. Tendo dito isto, ele imediatamente mencionou o juízo pelo qual o Salvador "... queimará a palha com fogo que nunca se apagará" (Mt 3.11,12; Lc 3.16,17). O "batismo com fogo" é, portanto, o castigo terrível pelo qual os pecadores serão julgados no último dia (cf. Mt 13.30,41-51; 25.41,46; veja também em Ml 3.2,3 o aparecimento daquele que será como "o fogo do ourives"; *veja* Ocupações: Ourives). Em uma passagem semelhante, Cristo declara que "cada um será salgado com fogo" (Mc 9.49). Isto parece ser aplicado a crentes como também a incrédulos, mas com esta tremenda diferença: *o crente reconhece* que é culpado e sujeito ao juízo, mas crê que Jesus Cristo foi castigado em seu lugar e julgado pelo fogo da justiça divina. Se agora tal homem "não entrará em condenação [ou juízo]" (Jo 5.24), é porque em Cristo, o fogo já passou sobre ele. Conseqüentemente, ele deseja que o Espírito de santidade julgue e queime nele toda a impureza, "porque o nosso Deus é um fogo consumidor" (Hb 12.28,29). Por outro lado, *o incrédulo* conhecerá toda a severidade do "fogo que nunca se apagará", o "fogo eterno", e o "lago de fogo e enxofre" (Mt 3.12; 25.41; Ap 20.10,15). *Veja* Enxofre; Punição.

R. P.

**BATISMO DO ESPÍRITO** Após os repetidos anúncios de João Batista a respeito do batismo com o Espírito Santo (Mt 3.11; Mc 1.8; Lc 3.16; Jo 1.33), Cristo solenemente enfatizou a promessa da vinda do Espírito (At 1.4,5). O cumprimento histórico mencionado no NT ocorreu no Pentecostes (At 2.1-4) e na casa de Cornélio (At 11.15,16). Estes dois grupos de crentes foram somados à igreja no exato momento em que receberam o batismo com o Espírito. Paulo confirma isto dando em 1 Coríntios 12.13 a definição mais clara encontrada no NT.

O homem já regenerado tem, portanto, o Espírito Santo, mas deve procurar o batismo no Espírito, bem como a plenitude do Espírito em sua vida.

*Veja* Espírito Santo, Ser Cheio do; Unção.

R. P.

**BATISMO INFANTIL** *Veja* Batismo.

**BATISMO PELOS MORTOS** Paulo fala desta prática quando apresenta seus argumentos para a ressurreição do corpo em 1 Coríntios 15. Ele argumenta: (1) "Se não há ressurreição de mortos, também Cristo não ressuscitou... é vã a nossa pregação... Mas... Cristo ressuscitou dos mortos" (vv. 12-20). (2) Se os mortos não ressuscitam, por que alguns são batizados pelos (ou sobre, *hyper*) mortos (v. 29)? (3) Se o Senhor não ressuscitou, por que arriscamos a nossa vida continuamente para pregar o Cristo ressurrecto (v. 30)?

Muitas explicações têm sido dadas sobre a expressão "batismo pelos mortos". Estas podem ser divididas em duas classificações:

*Opiniões antigas.* (1) Os primeiros escritores cristãos sugeriram um batismo vicário ao qual crentes submetiam-se a favor de outros crentes que morreram sem ser batizados. Tertuliano oferece esta explicação (de Resurr. 48; Adv. Marc. 5.10). Epifânio fala de tal costume entre os coríntios, mas não entre os cristãos (Haer. 28.6). H. A. W. Meyer (*Critical and Exegetical Handbook to the Epistles to the Corinthians*, pp. 364-368) aceita tal opinião. (2) Crisóstomo considera que isto significa que o corpo morto do crente era batizado a fim de mostrar que ele cria que o corpo viverá como um corpo ressuscitado.

*Opiniões modernas.* (1) Que alguns estavam sendo batizados em favor daqueles que morreram sem ser batizados, sejam crentes ou não. Esta opinião é sustentada e praticada pelos mórmons hoje. (2) Que alguns eram encorajados a ser batizados pelo exemplo dos primeiros mártires cristãos, como um testemunho de sua fé na ressurreição do corpo. (3) Que todos os que são batizados, são batizados "para o bem dos mortos", no sentido de que a ressurreição não pode ocorrer até que um certo número seja salvo (Olshausen). (4) Que os pagãos gentios do passado que se tornaram cristãos pelo testemunho de entes queridos que já partiram, eram batizados por amor a seus mortos, isto é, a fim de serem reunidos com eles na ressurreição (J. K. Howard, "Baptism for the Dead. a Study of 1 Corinthians 15.29", E.Q., XXXVII [Julho de 1965], 137-141). (5) Que muitos são batizados sobre as sepulturas dos que partiram (G. J. Vossius; F. W. Grossheide, *Korte Verklaring*, 1 Corinthians, pp.196-7).

Embora a explicação oferecida por Vossius e Grossheide possa não parecer tão convincente para as mentes ocidentais, ela tem vários pontos a seu favor. Ela oferece uma opinião que pode encaixar-se na pessoa e nos escritos de Paulo. Ele não usaria um batismo vicário não bíblico como um argumento para verdadeiros cristãos ao defender a ressurreição, e se ele usou, certamente não o fez sem alguma explicação. Na Europa e na Ásia, o sepultamento debaixo do piso de uma igreja é prática comum. Aqueles batizados em tais igrejas testificariam por seu batismo crer que seus corpos, e os daqueles que estavam mortos debaixo deles, levantar-se-iam na ressurreição. No século 1 d.C., porém, os cristãos ainda não estavam construindo suas próprias igrejas, mas batizavam seus convertidos nos tanques e rios que lhes fossem mais convenientes.

R. A. K.

**BATO** *Veja* Pesos, Medidas, e Moedas.

**BAÚ** Duas palavras hebraicas significam "baú", referindo-se a um objeto de formato retangular e normalmente feito de madeira.
1. A palavra hebraica *'aron* é uniformemente usada para a arca da aliança, exceto em duas ocasiões. (1) Os ossos de José foram colocados em um "caixão" que foi levado até a Palestina (Gn 50.26). (2) O rei Joás e o sacerdote Joiada tinham uma arca colocada no templo, junto ao altar, para receber as ofertas espontâneas para a reforma do templo (2 Rs 12.9; 2 Cr 24.8-11).
2. A palavra hebraica *g[e]naziim* é usada no plural, em relação às coisas colecionadas ou escondidas, como tesouros (Et 3.9), e baús para guardar valores, como arcas de tesouros (Ez 27.24).

**BAURIM** Moderna Ras et-Temim, um vilarejo de estrada a leste do Monte das Oliveiras, onde Paltiel e Mical separaram-se quando ela estava sendo devolvida a Davi (2 Sm 3.15,16). Aqui Simei amaldiçoou a Davi (2 Sm 16.5; 19.16; 1 Rs 2.8), e Jônatas e Aimaás esconderam-se no poço de um homem em Baurim (2 Sm 17.18).

**BAVAI** Filho de Henadade que ajudou na reconstrução do muro de Jerusalém (Ne 3.18), talvez chamado Binui em Neemias 3.24.

**BAZLITE** O ancestral de um grupo de famílias incluído entre os netinins (q.v.), que faziam parte daqueles que retornaram do exílio na Babilônia. Algumas traduções podem conter os nomes Bazlute e Bazlote; é difícil determinar qual é a versão mais correta (Ed 2.52; Ne 7.54).

**BAZLUTE** Uma outra forma de escrever Baslute (q.v.).

**BDÉLIO** *Veja* Minerais: Bdélio; Plantas: Bdélio.

**BEALIAS** Um dos benjamitas que se juntou ao bando de fora-da-lei de Davi em Ziclague. Ele era um dos homens poderosos que podia lançar flechas e pedras tanto com a mão direita quanto com a esquerda (1 Cr 12.2,5).

**BEALOTE**
1. Uma cidade no sul de Judá (Js 15.24), talvez a mesma que Baalate-Ber (Js 19.8).
2. Uma cidade ou local no nono distrito administrativo de Salomão (Alote) localizada no antigo território de Aser no norte (1 Rs 4.16).

**BEATITUDES** *Veja* Sermão do Monte.

**BÊBADO** No Novo Testamento a embriaguez é expressa pelo termo grego *methe* e pelos verbos *methuo* e *methusko*. Na LXX *methuo* traduz na maioria das vezes o termo heb. *shakar*, que é usado tanto literalmente (Gn 9.21) como figurativamente (Jr 25.27) para intoxicação. As muitas implicações contra a embriaguez no Antigo Testamento mostram que esta situação era comum ao povo de Israel (Dt 21.20; Lv 10.9; Pv 20.1; 23.20,21,30-35; Jl 1.5; Na 1.10; *et al.*). A geografia e o clima da Palestina são especialmente apropriados para o cultivo da uva, da qual é feito o vinho. A abundância de vinho é vista no fato do mesmo ser comercializado em troca de incenso e especiarias da Arábia (cf. BA, II [1939], 40). As bebidas que intoxicavam eram feitas de grãos, assim como de maçãs, tâmaras, mel e romãs.
Embora não haja no Novo Testamento uma proibição absoluta ao uso do vinho (1 Tm 5.23; Jo 2.7-9; Mt 11.19; Lc 7.34), está claro que aqueles que vivem em temor e obediência ao Senhor, especialmente aqueles que ocupam posições de liderança, serão culpados caso o utilizem em excesso (1 Pe 4.3; 1 Tm 3.3,8; Tt 1.7; 2.3). A embriaguez não é apenas contrastada com a espiritualidade (Ef 5.18; Rm 13.13), mas aqueles que se embriagam serão excluídos do reino de Deus (Gl 5.21; 1 Co 6.10; 5.11). *Veja* Vinho; Bebida Forte.

J. McR.

**BEBAI** Um chefe dos exilados que retornavam do cativeiro (Ed 2.11; 8.11; 10.28; Ne 7.16; 10.15).

**BEBEDOURO[1]** Uma pedra grande com um orifício, ou um vasilhame de água em formato de caixa usado para dar água a animais. Os termos "bebedouro", "pia" e "tanque" são usados como tradução do termo hebraico *shoqet* em Gênesis 24.20 e 30.38 e também do hebraico *raha* (usado somente no plural) em Êxodo 2.16. Esta última palavra aparece também em Gênesis 30.38,41, onde é traduzida em algumas versões como "valetas" ou "pequenos riachos". Os estudiosos estão, em geral, de acordo que as palavras são sinônimas, como pode ser ilustrado pela nova tradução da Sociedade de Publicações Judaicas para Gênesis 30.38. "...nos canos [*raha* ] e nas pias [*shoqet*] de água, aonde o rebanho vinha a beber".

**BEBEDOURO[2]**
1. Tradução da palavra heb. *rahat* (Gn 30.38,41); do assírio *ratu*, "vaso", "reservatório de água"; uma depressão na gamela, *shoqet* (Gn 24.20; 30.38). Nos dias de Moisés (Êx 2.16) *rahat* era usada sozinha para a gamela de água. O fato de Jacó ter colocado

varas descascadas nos bebedouros foi simplesmente o seu próprio apego à superstição local. O bom senso dizia que as varas deveriam ser colocadas onde os animais pudessem ser encontrados em maior número, e de uma só vez. Não havia nenhum valor biológico para a prática. Deus teria multiplicado o rebanho de Jacó sob quaisquer circunstâncias.
2. O "bebedouro" ou "canal" (*sinnor*) de 2 Samuel 5.8 é quase certamente um termo empregado para o túnel vertical, conhecido como o poço de Warren, no sistema de água jebuseu de Jerusalém. Seguindo o curso da fonte de Giom e escalando o poço de água de aprox. 13 metros de altura, Joabe e seus homens foram capazes de entrar na fortaleza e tomar os jebuseus de surpresa (veja FLAP, p. 178). *Veja* Giom.

**BEBIDA** Tanto a água como o leite azedo eram consumidos pelos judeus, mas um vinho azedo chamado vinagre era também muito usado pelas pessoas comuns (Rt 2.14). As pessoas de posses consumiam um vinho de melhor qualidade, freqüentemente misturado com água e especiarias.
A palavra é também usada em sentido figurado. "Bebe a iniqüidade como a água" (Jó 15.16); "Bebe do furor do Todo-poderoso" (Jó 21.20); "Beber o vinho da perturbação" (Sl 60.3); "Beber lágrimas em abundância" (Sl 80.5); "Bebem o vinho das violências" (Pv 4.17); "Se alguém tem sede, que venha a mim e beba" (Jo 7.37 – como uma referência à maneira de se receber o Espírito Santo). *Veja* também Bebida Forte; Banquete; Alimento; Vinho.

**BEBIDA ALCOÓLICA** Da forma como foi mencionada na Bíblia, a bebida alcoólica não deve ser entendida de acordo com o sentido moderno de bebida destilada ou alcoólica (brandi ou whisky), nem deve ser, necessariamente, aplicada a uma bebida fermentada (vinho ou cerveja), mas a qualquer substância líquida, como sucos de fruta em geral (Êx 22.29) ou especificamente ao suco de uvas (Nm 6.3). Na segunda referência, parece estar claramente indicado o suco de uva não fermentado. A segunda e única ocorrência da expressão bebida alcoólica pode ser encontrada em algumas versões em Cantarest 7.2, onde parece estar indicando algum tipo de suco que pode ser bebido.

**BEBIDA FORTE** As bebidas alcoólicas, na época da Bíblia, eram feitas de romã, uva, cevada, tâmara, e passas. A expressão "bebida forte" provavelmente referia-se a um tipo de cerveja de cevada forte, conhecida por descobertas arqueológicas como muito popular entre os egípcios e os filisteus. A expressão bebida forte (heb. *shekar*; acádio, *sikaru*) refere-se a uma bebida que intoxica. Na Palestina, o vinho era quase sempre um suco de uva fermentado.
A Escritura é enfática em sua denúncia contra as bebidas fortes. Arão e seus filhos não deveriam beber vinho e nenhuma bebida forte quando ministravam no Tabernáculo (Lv 10.9). Esta determinação aplicava-se também aos seus descendentes. Através de Isaías, Deus pronunciou a desgraça sobre aqueles que bebiam o dia todo (Is 5.11), e sobre as autoridades que bebiam, porque isto debilitava a sua capacidade de julgamento (Is 5.22-23). Os sacerdotes e profetas "erram por causa do vinho e com a bebida forte desencaminham-se" (Is 28.7). A bebida forte é a causa da pobreza (Pv 21.17-20) e de muito sofrimento e devassidão (Pv 23.29-35). Compare também Lucas 1.15: "Não beberá vinho, nem bebida forte" (*sikera*).
Em dias de alcoolismo crescente a advertência de Provérbios 20.1 precisa ser divulgada. "O vinho é escarnecedor, e a bebida forte, alvoroçadora; e todo aquele que neles errar nunca será sábio".
*Veja* Bebida, Bêbado; Embriaguez; Vinho.
R. H. B.

**BECA** *Veja* Pesos, Medidas, e Moedas.

**BECO** Uma passagem estreita entre edifícios em uma cidade. "Beco" é a tradução do termo gr. *hrume* em Lucas 14.21 e é distinto de "ruas", apesar de ser em alguns casos traduzido deste modo (Mt 6.2; At 9.11; 12.10).

**BECORATE** Um dos ancestrais de Saul da tribo de Benjamim, o pai de Zeror (1 Sm 9.1).

**BEDÃ**
1. Um juiz mencionado somente em 1 Samuel 12.11. O nome Bedã talvez seja uma variação de Abdom ou de Baraque, conforme encontrado na LXX. Em Juízes 12.13-15 Abdom é registrado como um dos juízes comuns de Israel, enquanto as proezas de Baraque e Debora são narrados em Juízes 4 e 5.
2. Filho de Ulão, da tribo de Manassés (1 Cr 7.17).

**BEDADE** Pai de Hadade, rei de Edom (Gn 36.35; 1 Cr 1.46).

**BEDIAS** Um filho de Bani que foi obrigado a desistir de sua esposa estrangeira na época de Esdras (Ed 10.35).

**BEELIADA** Um nome que significa "Baal sabe", dado a um filho de Davi nascido em Jerusalém (1 Cr 14.7). De acordo com 2 Samuel 5.16 e 1 Crônicas 3.8 talvez o nome do menino tenha sido alterado, passando a ser Eliada, que significa "Deus sabe".

**BEEMOTE** *Veja* Animais: Hipopótamo, II. 21.

**BEER**
1. Um local de parada na fronteira noroeste

de Moabe, nas proximidades dos limites entre Israel e Canaã (Nm 21.16-18). Aqui o Senhor forneceu água em um poço cavado pelos seus príncipes, e este fato foi lembrado em um cântico. Este pode ser o Beer-Elim ("poço de heróis") mencionado no contexto moabita em Isaías 15.8, possivelmente no Uádi eth-Themed a nordeste de Dibom.
2. Uma cidade para a qual Jotão fugiu depois de recitar a parábola na qual ele denunciou seu irmão Abimeleque aos homens de Siquém (Jz 9.21). Sua localização é incerta, possivelmente seja a el-Bireh atual, cerca de treze quilômetros ao Norte de Bete-Seã (Beisan). Esta não deve ser confundida com a el-Bireh que fica ao norte de Jerusalém.

**BEERA** Um descendente da tribo de Aser, o décimo primeiro filho de Zofa (1 Cr 7.37).

**BEERA** Um príncipe da tribo de Rúben que foi deportado por Tiglate-Pileser III no século VIII a.C. (1 Cr 5.6).

**BEER-ELIM** Nome de um vilarejo em Moabe que significa "poço de Elim" (Is 15.8); possivelmente o mesmo que Beer (q.v.; Nm 21.16) onde os israelitas pararam durante a jornada pelo deserto.

**BEERI**
1. Nome de um heteu cuja filha Judite era uma das esposas de Esaú (Gn 26.34).
2. Pai do profeta Oséias (Os 1.1).

**BEER-LAAI-ROI ou LAAI-ROI** O termo heb. *b*$^{e}$*'er lahay ro'i* significa "Poço Daquele que Vive e Me vê". Esta era uma mina d'água no deserto, entre Cades e Berede na estrada para Sur (a linha Leste da fronteira da fortaleza do Egito), onde o cuidado do Senhor foi revelado a Agar. Também foi o lugar onde Isaque viveu por algum tempo (Gn 25.11). Sua localização exata é desconhecida, possivelmente esteja situado a aproximadamente oitenta quilômetros a sudeste de Berseba.

Belém. HFV

**BEEROTE** Uma das cidades da aliança gibeonita com a qual Josué fez um tratado de paz (Js 9.16-18). Foi designada a Benjamim (Js 18.25) e estava evidentemente perto da fronteira Efraimita (2 Sm 4.2,3,5-9). Era a casa dos assassinos de Isbosete. Um dos valentes de Davi, Naarai, que levava as armas de Joabe, era de Beerote (2 Sm 23.37; 1 Cr 11.39). Homens de Beerote fazem parte da lista da comunidade pós-exílica (Ed 2.25; Ne 7.29).
A localização exata é discutida; muitos locais apresentam fortes indícios: (1) el-Bireh, um quilômetro e meio a leste de Ramallah; (2) Tell en-Nasbeh, um quilômetro e meio ao sul de el-Bireh (Allbright), porém mais provavelmente Mispa; (3) Nebi Samwil, aproximadamente três quilômetros a sodeste de Tell en-Nasbeh.

**BEEROTITA** Nativo ou habitante de Beerote (q.v.). Estes habitantes tiveram sucesso ao enganar e fazer uma aliança com Israel (Js 9.3ss.). O nome é associado a Naarai, que trazia as armas de Joabe (1 Cr 11.39).

**BEESTERÁ** Uma cidade levítica dada a Manassés; também chamada de Astarote (q.v.; cf. Js 21.27; 1 Cr 6.71). Beesterá é uma abreviatura ou contração de Bete-Astarote, e significa "o templo de Astarote."

**BEIJO** Na Bíblia Sagrada esta palavra é usada no mínimo de oito maneiras diferentes:
1. O beijo de parentes, que pode ter sido a origem do beijo (Ct 8.1): Isaque e Jacó (Gn 27.26,27); Jacó e Raquel (Gn 29.11); Esaú e Jacó (Gn 33.4); José e seus irmãos (Gn 45.15); Jacó e os filhos de José (Gn 48.10); José e seu pai (Gn 50.1); Arão e Moisés (Êx 4.27); Moisés e Jetro (Êx 18.7); Noemi e suas noras (Rt 1.9,14); Davi e Absalão (2 Sm 14.33); Eliseu e seus pais (1 Rs 19.20); o filho pródigo e seu pai (Lc 15.20).
2. O beijo de amizade e afeição: Davi e Jônatas (1 Sm 20.41); Absalão e aqueles que vieram a ele (2 Sm 15.5); Davi e Barzilai (2 Sm 19.39; cf. beijo de um inimigo, 2 Sm 20.9; Pv 27.6); Paulo e os cristãos efésios (At 20.37).
3. O beijo de amor: amor verdadeiro (Ct 1.2); amor fingido (Pv 7.13).
4. O beijo de dedicação: de um rei (1 Sm 10.1).
5. O beijo de reverência: que se deve ao Messias (Sl 2.12).
6. O beijo de adoração: a mulher com o vaso de alabastro (Lc 7.38,45).
7. O beijo de idolatria (1 Rs 19.18; Os 13.2; Jó 31.27ss.).
8. O "beijo santo" dos cristãos do NT, o *philema* ordenado por Paulo e Pedro (Rm 16.16; 1 Co 16.20; 2 Co 13.12; 1 Ts 5.26; 1 Pe 5.14).
O termo mais fraco (*phileo*) é usado três vezes no NT por Judas ao concílio (Mt 26.48; Mc 14.44) quanto a seu propósito de usar um beijo como um meio de identificação ou traição (Lc 22.47). No entanto, quando Judas aproximou-se de Cristo, beijou-o mais de

Interior da igreja da Natividade, Belém. Cortesia de Semerdjian, Jerusalém

uma vez, aumentando sua perfídia (*kataphileo*, Mt 26.49; Mc 14.45).

R. A. K.

**BEL** *Veja* Falsos deuses.

**BELA, BELÁ**
1. Um outro nome de Zoar (q.v.), uma das cinco cidades da planície, junto com Sodoma e Gomorra (Gn 14.2,8).
2. Um descendente de Esaú que consta como o primeiro rei de Edom (Gn 36.32,33; 1 Cr 1.43,44). Considerando o nome de seu pai, Beor, que era o mesmo nome do pai de Balaão, alguns pensaram que ele fosse caldeu e não edomita.
3. O filho mais velho de Benjamim (Gn 46.21). Dele descenderam os belaítas, um dos principais grupos familiares de Benjamim na época de Moisés (Nm 26.38,40; 1 Cr 7.6,7; 8.1,3).
4. O filho de Azaz, da tribo de Rúben, que vivia em Gileade (1 Cr 5.8).

Igreja da Natividade, Belém. HFV

**BELAITE** Um descendente de Belá (Nm 26.38).

**BELDROEGA** *Veja* Plantas.

**BELÉM** ("casa de pão"). Um nome usado 40 vezes no AT e oito vezes no NT.
1. Um lugar no território de Zebulom, 11 quilômetros a noroeste de Nazaré (Js 19.15). É sugerido por alguns que Ibsã, um dos juízes, veio desta Belém no norte (Jz 12.8).
2. Uma aldeia em um monte judaico, cerca de oito quilômetros ao sul de Jerusalém, centro de uma área fértil também chamada de Efrate ou Efrata ("milharal"; cf. Rt 4.11; 1 Cr 2.5; 4.4). Neste território, embora não exatamente em Belém (em Zelza, 1 Sm 10.2, perto de Ramá, Jr 31.15), Raquel morreu e Jacó a sepultou (Gn 35.16-20; 48.7).
Em uma das cartas de Amarna (# 290), datando um pouco depois de 1400 a.C., o príncipe de Jerusalém diz que *Bit-Lahmi*, uma cidade em seu domínio, atravessou para o lado de 'Apiru (ANET, p. 489). No tempo dos juízes, Belém era a casa de um levita egoísta (Jz 17.7-9) e de uma concubina fugitiva (19.1,2,18). Desta cidade, os parentes de Rute fugiram para Moabe em um período de fome (Rt 1.1,2). Em Belém nasceu seu bisneto Davi (1 Sm 17.12) e ali Samuel ungiu a Davi como rei (1 Sm 16.13). Três dos poderosos de Davi passaram pela guarnição filistéia para tirar-lhe água de um poço perto da porta de Belém (2 Sm 23.13-17; 1 Cr 11.15-19). Seu parente Asael foi sepultado aqui (2 Sm 2.32). Roboão fortificou a cidade (2 Cr 11.6). Após o exílio alguns "filhos de Belém" retornaram (Ed 2.21; Ne 7.26).
Havia sido predito que um grande Filho, maior do que o grande Davi, nasceria aqui (Mq 5.2), como era do conhecimento dos escribas dos dias de Herodes (Mt 2.4-6), e o seu povo o tinha ouvido das Escrituras (Jo 7.42). Certamente, aqui José e Maria vieram para cadastrar-se no censo do império (Lc 2.4,5), e aos pastores o anjo disse que o Salvador, Cristo o Senhor, havia nascido "na cidade de Davi" (Lc 2.11). A mãe do imperador Constantino, Helena, que era cristã, construiu a igreja original em 325 d.C. no local da tradicional gruta da virgem e de seu Filho.
*Veja* Cidade de Davi.

W. G. B.

**BELEMITA** Um habitante ou nativo de Belém (q.v.), uma cidade de Judá situada oito quilômetros ao sul de Jerusalém. Ela identifica Jessé, pai de Davi (1 Sm 16.1,18; 17.58) e Elanã (2 Sm 21.19) que matou um irmão do gigante Golias.

**BELEZA** O conceito bíblico de beleza se mistura em duas áreas. a estética que toca as experiências do homem com a beleza e a arte, assim como o reconhecimento do aspecto moral, ético e espiritual daquilo que era divinamente e eternamente bom e íntegro. A Bíblia não provê respostas para a crítica em relação ao valor e o significado das experiências humanas com a beleza e a arte; os estudiosos gregos especularam filosoficamente a respeito da estética. Quando os escritores divinamente inspirados falam de seus encontros com a majestade, honra e glória do Deus Santo em seu ser e em sua obra, é inevitável enxergar a "beleza da santidade de Deus" e a obra da sua criação (embora desfigurada neste momento) e reconhecê-las como "boas". Excetuando-se isto, de um modo prático, a Bíblia reconhece a beleza em cada área da experiência humana.

Inúmeros termos expressam de diversas formas as muitas facetas da beleza. No Antigo Testamento encontramos o termo *pa'ar*, "embelezar", "glorificar". Os substantivos *tip'ara* e *tip'eret* referem à "beleza", "refinamento", "glória" (Is 44.13; 52.11). O verbo heb. *yapa* significa "ser formoso", "ser belo" (Ez 16.13), enquanto o substantivo e o adjetivo *yapeh* têm o mesmo significado. A raiz heb *ta'ar* ("marcar", "delinear") enfatiza o substantivo *to'ar*, "formoso", de "belas formas" ou "figura bem formada" (Et 2.7). *Hadar* (com a idéia raiz de "elegante") e suas formas derivadas denotam "beleza", "majestade", "honra", "esplendor" (Sl 8.5; 29.4). *Na'a* (ou *nawa*) enfatiza "ser gracioso", "belo" (Ct 1.10). *Saba*, "elegante" (ou em árabe, "brilhar"), contém em seus derivados as idéias de "beleza", "glória" e "ornamento" (Ez 7.20). O mesmo termo hebraico é utilizado para gazela bela, graciosa (Ct 8.14). O substantivo *hod* indica "glória", "majestade", "honra", "graça", "beleza" (Sl 45.3). *Hamad*, "desejar", "deleitar" no bom sentido ("cobiçar" no mau sentido), expressa a mesma idéia em seus derivados (Ez 23.6,23; Ag 2.7). *Na'em*, "se deleitar", pode estar indicado através de seus derivados "agradável", "favorável", "adorável" (2 Sm 1.23; Sl 16.11). Outras palavras são, por exemplo, *tob*, "belo", "justo", "piedoso", "prazeiroso", "prazer"; e *hen*, "graça" ou "beleza" em várias circunstâncias (Pv 1.9,3.22; 17.8).

No Novo Testamento, temos os termos *asteios*, "elegante", "formoso", "agradável"; *euprepia*, "de boa aparência", "graça", "beleza"; *kalos*, "belo"; *time*, "honra"; e *horaios*, "aurora", ou "exuberante", conseqüentemente "atraente".

O uso destes variados termos de concordância indica uma ampla gama de descrições. As mulheres são descritas como belas. Raquel "era de formoso semblante e formosa à vista" (Gn 29.17). Certos homens são descritos como belos. Davi era "formoso de semblante, e de boa presença" (1 Sm 16.12); o governador de Tiro era "perfeito em beleza", e isto o tornava orgulhoso (Ez 28.12,17). Partes específicas do corpo são mencionadas. Ezequiel tinha uma "voz suave" (Ez 33.32); os pés dos mensageiros de Deus são formosos (Is 52.7; Rm 10.15); Em Cantares de Salomão, a mulher "formosa" tinha belos olhos, cabelos, dentes, lábios, etc, descritos com símiles apropriadas (Ct 4.1ss). As roupas são consideradas belas e atraentes. as vestes do sumo sacerdote eram para "glória e ornamento" (Êx 28.2); José se vestiu "de vestes de linho fino" para ocupar um cargo importante (Gn 41.42); e os santos glorificados serão ornamentados com vestes brancas (Ap 3.4,5).

*Países, cidades, Jerusalém, templo*, etc., são descritos como belos sob várias formas, termos e figuras. Por exemplo, Sião (Sl 48.2ss.), o templo (At 3.2), a coroa de Efraim (Samaria, Is 28.1-4), Tiro (Ez 27.3), a natureza (Mt 6.29), etc. As obras de arte de todos os tipos eram o produto dos corações sábios (Êx 35–39), e a estética nos projetos arquitetônicos era reconhecida e apreciada (1 Rs 6–7; Ec 2.4-10). Nas expressões escatológicas, a futura Jerusalém é descrita como a cidade do brilho e da beleza (Is 62.1-4).

Quanto ao aspecto moral, ético, e espiritual, uma forte ênfase pode ser notada. a face do homem idoso deve ser honrada (Lv 19.32); a mulher que ungiu Jesus antes de sua paixão fez um belo trabalho que deve ser lembrado como um memorial (Mt 26.10,13); os filhos que são sábios em relação à sabedoria de Deus usam a coroa da beleza (Pv 4.9); a maneira correta de se expressar é semelhante a uma obra de arte, a maçãs de ouro (Pv 25.11); os Mandamentos de Deus (ou a Palavra de Deus) devem ser considerados como maiores do que a maior obra de arte (Sl 119.127); o Senhor deve ser adorado na beleza da sua santidade (Sl 96.9), etc. O Messias, quando veio em carne, não tinha beleza (Is 53.2), mas "naquele dia" Ele será "cheio de beleza e de glória" (Is 4.2).

E assim, a Bíblia possui termos distintos para descrever o Deus da majestade, que se veste de glória e beleza, e opera com graça e bondade. Suas atividades são deleites para os olhos e para o coração. Desta forma, dentro de um contexto teocêntrico, em uma apresentação única, é vista a união espiritual e moral, bem como a beleza espiritual e estética. As linhas de contato entre o humano e o divino na apreciação da beleza são, no final, uma ênfase sobre a singularidade do Deus de todo o cosmos.

Em Zacarias 11.7,14, Deus, como o divino pastor de Israel, é descrito levando duas varas às quais Ele chama de "suavidade" (*no'am;*), e "laços" (*hob$^e$lim*). O primeiro representa a agradável relação de graça na aliança do Senhor com o seu povo e, o segundo, a união fraternal entre Judá e Israel. A quebra das varas ao meio representou a anulação da aliança e a dissolução dos laços que uniam os descendentes de Jacó.

L. Go.

**BELIAL** O significado literal da palavra heb. *beliya'al* no Antigo Testamento é traduzido como "inútil", "sem valor". Ela é geralmente empregada como um termo descritivo de uma pessoa; por exemplo, "um filho de Belial", ou "um homem de Belial". Um significado aproximado é a nossa expressão coloquial "um verdadeiro inútil". Mas o contexto da maioria das passagens sugere formas definitivas de mal, e não apenas a ausência do bem. Os homens maus de Gibeá que abusaram da concubina do levita em Juízes 19.22ss., são chamados de "filhos de Belial". Quando Ana orou pedindo um filho ao Senhor, no templo, apenas movendo os seus lábios, sem emitir qualquer som, Eli, o sacerdote, concluindo que ela estava embriagada, pensou que ela fosse uma filha de Belial (1 Sm 1.16). Em Provérbios 6.12 o termo é igualado ao termo hebraico *'awen* que ferqüentemente significa "iniqüidade". No texto hebraico do Salmo 41.8 lê-se: "Uma coisa de Belial se lhe pegou"; o texto referese a uma doença maligna, enquanto em 2 Samuel 22.5 e no Salmo 18.4, "As torrentes de Belial" são equivalentes às "Ondas de morte".

E. B. S.

**BELOMANCIA** Um método de adivinhação por flechas. As flechas eram marcadas, misturadas e, então, lançadas aleatoriamente. As referências à belomancia, no Antigo Testamento, estão em Oséias 4.12 e em Ezequiel 21.21. Esta prática foi condenada pelo profeta Oséias. *Veja* Mágica.

**BELSAZAR** O governante da Babilônia que foi morto quando a cidade foi tomada em outubro de 539 a.C. Seu nome babilônico (*Bel-shar-usur*) significa "que Bel proteja o rei". A Septiaginta (LXX) e a versão de Teodósio em grego chamaram-no de Baltasar. Em Daniel 5.2,11,13,18 é mencionado que seu pai fora Nabucodonosor, mas o pai *biológico* de Belsazar foi um rei posterior chamado Nabonido (do acádio *Nabuna'id*). Também se entende que a mãe de Belsazar (q.v.) era filha de Nabucodonosor, e assim ele seria *neto* do grande rei Caldeu. O uso do termo "pai" aqui significa simplesmente um predecessor, pois no uso antigo, o termo "filho" freqüentemente se referia ao sucessor do mesmo ofício, quer aquela fosse uma relação consangüínea ou não (por exemplo, o termo "filho" na nomenclatura "Jeú, filho de Onri" nas inscrições assirias, deve significar sucessor).

Os críticos têm questionado há muito tempo as declarações de Daniel 5 relacionadas ao reinado de Belsazar, devido à certeza de que Nabonido permaneceu vivo depois da queda da Babilônia em 539 a.C. Várias tábuas de argila da Babilônia revelaram que Belsazar dividiu o trono como co-regente (ou rei) junto com o seu pai. De Ur originou-se uma tábua que traz o registro de dois sonhos. O homem que estava encarregado da interpretação destes sonhos estava estudando as estrelas para oferecer uma interpretação favorável... "para meu senhor, Nabonido, rei da Babilônia, assim como para meu senhor Belsazar, o príncipe coroado" (ANET p. 309, n.5). Também existem dois documentos legais datados do décimo segundo e do décimo terceiro ano de Nabonido, que incluem juramentos pela vida de Nabonido, o rei, e de Belsazar, o príncipe coroado; um tipo único de juramento na literatura cuneiforme.

Uma tábua da série conhecida como "Crônica Babilônica" declara que Nabonido (556/555-539 a.C.) permaneceu em Tema do sétimo ao décimo-primeiro ano de seu reinado, enquanto o príncipe coroado, seus oficiais, e seu exército estavam na Acádia (isto é, na Babilônia), e que durante estes anos, o festival do ano novo não foi celebrado (ANET p. 306). O chamado "Conto de Nabonido" declara de forma queixosa que o rei, quando seu terceiro ano estava prestes a começar, "encarregou do acampamento o seu filho mais velho, o primogênito, colocando sob o seu comando as tropas de todos os lugares do país. Ele legou tudo a este seu filho, confiou-lhe o reino, e iniciou uma longa jornada", invadindo a Arábia, tomando Tema (q.v.), reconstruindo a cidade, tornando-a a sua residência (ANET p.313). Uma inscrição de Harã registra que Nabonido ficou exilado durante dez anos. Não se conhece o motivo pelo qual ele escolheu viver em Tema por tanto tempo, mas pode ser conjeturado que ele precisava estar próximo a este importante posto fronteiriço para conter as tribos árabes que ameaçavam a sua lucrativa rota comercial de caravanas que passavam por Tema. Outra possibilidade é que favorecendo a Sin, o principal deus de Ur e de Harã, sua cidade natal, ele se encontrava em desacordo com a hierarquia e adoração formalizada a Marduk, o deus das cidades da Babilônia, e por esta razão teria se retirado.

Assim sendo, o Livro de Daniel está de acordo com os fatos históricos ao retratar Belsazar como o rei atuante da Babilônia. Mais tarde Nabonido retornou à Babilônia, e estava presente quando o exército de Ciro atacou. Ele trouxe imagens de deuses de outras cidades para a Babilônia, talvez para proteção, mas estava em Opis na ocasião. Nabonido foi perseguido sem batalha nas proximidades de Sippar, porém consegui fugir. Depois de Ciro ter tomado a Babilônia, Nabonido retornou e foi preso, de acordo com a seção referente a Nabonido na Crônica Babilônica (ANET, p. 306).

Outras inscrições Babilônicas fornecem detalhes da administração de Belsazar e de seus presentes para os santuários da Babilônia e para os templos em Ereque e Sippar, até o décimo quarto ano do reinado de seu pai. Os registros das Escrituras, contudo, enfatizam seus banquetes blasfemos durante os quais ele usava vasos sagrados que haviam sido trazidos por Nabocodonosor para a Babilônia, depois da conquista de Jerusalém.

**BELTESSAZAR** O nome dado a Daniel pelo príncipe dos eunucos da Babilônia (Dn 1.7). *Veja* Daniel.

**BELZEBU** Este nome designa Satanás como o "príncipe dos demônios" (Lc 11.18). Os fariseus pervertidos acusaram Jesus de expulsar demônios pelo poder dos demônios (Lc 11.15,19), de ter (Mc 3.22), ou mesmo de ser este príncipe caído (Mt 10.25; 12.24). Baal-Zebube (2 Rs 1.2) é o termo siríaco e o termo da Vulgata Latina, a tradução do termo grego *Beelzeboul* do Novo Testamento, provavelmente com o sentido de príncipe das alturas (IDB, SBK, TWNT; cf. Ef 2.2, "príncipe das potestades do ar"). A mitologia ugarítica fala de *z-b-l B-'-l*, "baal exaltado". Nenhuma conexão definida pode ser estabelecida entre Baal-Zebube (2 Rs 1.2, "senhor das moscas") e o Belzebu do NT. Os derivados duvidosos alternativos incluem *Ba'al zebul*, "senhor da habitação" (cf. Mt 10.25; "chamaram Belzebu ao pai de família"), ou "senhor do estrume" (2 Rs 1.2 uma provável divindade dos filisteus, satirizada como Baal-Zebube, que significa "senhor das moscas"). *Veja* Falsos deuses: Baal-Zebube; Diabo.

J. B. P.

**BEN**
1. Ben é uma palavra hebraica usada para filho. Geralmente se refere ao filho do sexo masculino. De qualquer forma, também era usada como um termo de generosidade ou de estima mesmo quando não havia uma relação consangüínea. Em 1 Samuel 3.6,16, Eli chama Samuel de filho. Era uma expressão freqüentemente usada como um prefixo, em nomes próprios: por exemplo, Benoni, "filho do meu sofrimento" (Gn 35.18); Benjamim "filho da [minha] mão direita" (Gn 35.18); Ben-Ami, "filho do meu povo" (Gn 19.38).
Em certas situações, este termo era usado de forma descritiva quando seguido por uma palavra que indicava uma característica. A expressão "homens valentes" em 1 Samuel 14.52 significa literalmente, "filhos da força". A expressão "filhos de Belial (Jz 19.22) era aplicada a pessoas desprezíveis, inúteis ou a salafrários.
O termo também pode designar a participação em uma associação ou classe, como alguém que aprendeu o comércio com o seu pai, ou com alguma outra pessoa, na qualidade de aprendiz. Os "filhos de Mahol" (1 Rs 4.31) eram membros de uma corporação musical.
2. Um levita (1 Cr 15.18) também chamado de Bene, que algumas versões incluem no segundo turno de levitas. Seu nome é omitido na LXX, e não ocorre na lista semelhante no v. 20.

R. B. D.

**BENAIA**
1. Um levita, filho de Joiada de Cabzeel (2 Sm 23.20) do sul de Judá (Js 15.21). Joiada foi provavelmente o líder dos sacerdotes que se uniu ao exército em Hebrom para colocar Davi como rei de todo Israel (1 Cr 12. 23,27). Benaia começou sua carreira como o comandante de uma divisão de 24.000 soldados no terceiro mês, em uma base mensal durante o reinado de Davi (1 Cr 27.5). Foi listado na segunda série entre os heróis e valentes de Davi (2 Sm 23.20-23; 1 Cr 11.22-25). Seus feitos de bravura incluíam a matança de um leão que ficava nas colinas de Judá, o assassinato de dois homens de Moabe que eram poderosos como leões, e o desarmamento e assassinato de um gigante egípcio. Ele serviu como o comandante das tropas escolhidas de Davi, os quereteus e os peleteus (2 Sm 8.18). Na rebelião de Absalão (2 Sm 15.18,20.23), e na tentativa de Adonias de tomar o trono (1 Rs 1.8), Benaia permaneceu fiel a Davi. Junto com Natã e Zadoque, Benaia abraçou a causa de Salomão e cooperou em sua coroação em Giom, nas proximidades de Jerusalém (1 Rs 1.38-40). Como chefe dos guarda-costas do rei, ele executou Adonias (1 Rs 2.25), Joabe (1 Rs 2.34) e Simei (1 Rs 2.46) sob as ordens de Salomão. Durante o reinado de Salomão, Benaia substituiu Joabe como o comandante chefe do exército.
2. Um piratonita, um dos heróis de Davi, da segunda turma (2 Sm 23.30; 1 Cr 11.31) que comandou o exército no décimo primeiro mês (1 Cr 27.14).
3. Um príncipe das famílias de Simeão que estava entre aqueles que tomaram Gedor dos amalequitas para utilizá-la como uma terra pastoril (1 Cr 4.36; 39.41).
4. Um levita que tocava um instrumento musical diante da arca quando Davi a trouxe para Jerusalém (1 Cr 15.18,20; 16.5).
5. Um dos sacerdotes designados para tocar as trombetas diante da arca quando Davi a trouxe para Jerusalém (1 Cr 15.24; 16.6).
6. Um levita, descendente de Asafe, filho de Jeiel e avô de Jaaziel (2 Cr 20.14) que algumas versões trazem como Benaías.
7. Um levita da época de Ezequias designado como um dos supervisores das ofertas do templo (2 Cr 31.13).
8-11. Quatro homens que despediram suas esposas estrangeiras na época de Esdras e de Neemias (Ed 10.25,30,35,43).

12. O pai de Pelatias, um príncipe de Israel (Ez 11.1) que algumas versões trazem como Benaías.

F. E. Y.

**BEN-AMI** Filho da filha mais nova de Ló, de quem se originou a tribo amonita (Gn 19.38). Este filho nasceu logo após a destruição de Sodoma. O relato de seu nascimento, assim como o de Moabe, foi considerado uma expressão do intenso ódio e desprezo que Israel tinha por estas duas nações.

**BÊNÇÃO** A invocação de coisas boas, e a expressão, em oração, de pedidos de felicidade e bem-estar. Tecnicamente, é o ato em que um ministro pronuncia a bênção sobre outras pessoas em nome do Divino Senhor, representando-o. Assim, a bênção pode ser distinguida da oração; no caso da oração, um ministro expressa a vontade de seu próprio coração bem como a das pessoas, em relação às bênçãos de Deus. Em um sentido mais estrito, a bênção Arônica no Antigo Testamento (Nm 6.24-26) e a bênção apostólica no Novo Testamento (2 Co 13.13) são bênçãos verdadeiras. As passagens em Efésios 3.20,21; Hebreus 13.20,21; e Judas 24.25 são freqüentemente usadas como bênçãos no sentido mais amplo do termo, mas são mais propriamente orações pedindo as bênçãos do Senhor sobre as pessoas.

A bênção está implícita na "Bênção" dos tempos patriarcais: por exemplo, Melquizedeque (Gn 14.19,20; Hb 7.6), Isaque e Jacó (Hb 11.20,21). A bênção Arônica era pronunciada pelo sacerdote com as mãos levantadas depois dos sacrifícios da manhã e da tarde, e o povo respondia dizendo, "Amém" (cf. Lv 9.22; Lc 1.10,21,22). Na época do Antigo Testamento, os levitas (2 Cr 30.27) e os reis (2 Sm 6.18; 1 Rs 8.55) também pronunciaram bênçãos. A bênção foi expressa na ocasião em que Jesus abençoou as crianças (Mc 10.16), e os seus discípulos (Lc 24.50).

Os protestantes rejeitam a visão católica de que o valor da bênção aumenta com o grau hierárquico de quem a pronuncia. O dogma católico reivindica o valor objetivo das bênçãos pronunciadas por oficiais autorizados. Os protestantes reconhecem o valor subjetivo e espiritual da bênção, à medida que esta é recebida com fé pelas pessoas.

W. T. P.

**BÊNÇÃOS e MALDIÇÕES** *Veja* Pacto: Mosaico ou Pacto do Sinai.

**BEN-DEQUER** O nome de um dos 12 intendentes que forneciam mantimento para o rei Salomão e à sua casa (1 Rs 4.7,9).

**BENÊ-BERAQUE** Uma cidade no território de Dã (Js 19.45), representada pelo vilarejo atual de Ibn Ibrak, aproximadamente sete quilômetros a sudeste de Jafa.

**BENÊ-JAACÃ** Descrito como "Beerote dos filhos de Jaacã" (Dt 10.6), o local é chamado Benê-Jaacã na lista das paradas de Israel no deserto (Nm 33.31,32). Em Gn 36.27 e 1 Cr 1.42 Benê-Jaacã parece ser descendente de Seir, o horeu. A fronteira oeste de Seir ou Edom nas proximidades do Monte Hor é a provável localização dos poços deste clã.

**BENE-KEDEM** "Filhos do Oriente". Em referências como Gênesis 29.1; Jó 1.3; Juízes 6.3,33 parece que o termo Bene-Kedem refere-se aos habitantes dos desertos árabes, e principalmente às tribos de Ismael e Quetura. Algumas destas parecem ter falado um dialeto que era compreendido pelos israelitas (Jz 7.11-15).

**BENEVOLÊNCIA, DEVIDA** Em 1 Coríntios 7.3 lemos: "O marido pague à mulher a devida benevolência". Há versões em que se lê: "O marido conceda à esposa o que lhe é devido" (do grego, *opheilen*), ou seja, o marido deve conceder à esposa aquilo que ela tem o direito de esperar (este é o sentido do texto na Bíblia de Jerusalém), isto é, aquilo que o marido deve à esposa. Esta é uma ordem relacionada ao "dever de coabitar" (Alford).

**BEN-HADADE** Contemporâneo da ascensão do reino de Israel sob o comando de Davi e de Salomão. Descendente de uma dinastia de reis valorosos, construiu o poderoso reino rival da Síria, a norte e leste de Israel, com a sua capital em Damasco. Houve constantes batalhas entre estas nações até que ambas foram, finalmente, eliminadas pela Assíria.

1. Ben-Hadade I, filho de Tabrimom (1 Rs 15.18), foi um dos reis sírios mais fortes e mais agressivos. Em aprox. 890 a.C., teve a oportunidade de ampliar grandemente o seu reino e a sua autoridade. Atacado por Baasa de Israel, que fortificou Ramá, localizada oito quilômetros ao norte de Jerusalém, Asa, rei de Judá, enviou um grande tesouro a Ben-Hadade, implorando que ele atacasse o norte de Israel. Asa foi poupado, mas a Síria foi colocada em uma posição de grande vantagem, ameaçando os dois reinos hebreus (1 Rs 15).

Na época de Acabe de Israel, Ben-Hadade invadiu o país com um grande exército e sitiou Samaria. Tem sido questionado se este era o mesmo Ben-Hadade, mas um monolito de Ben-Hadade encontrado no norte da Síria em 1940 parece confirmar que era ele mesmo (W. F. Albright, "A Votive Stele Erected by Bem-Hadad I of Damascus to the God Melcarth", BASOR #87 [1942], 23-29). O sítio foi interrompido e os sírios partiram. Um ano depois, nas planícies de Afeca, Acabe venceu novamente o rei sírio (1 Rs 20). Ao invés de exercer o seu direito como vencedor, Acabe fez uma aliança com o seu inimi-

go derrotado. O estranho ato, sem explicação nas Escrituras, é bastante claro nos registros assírios. O grande império assírio que estava em ascensão ameaçou ambos os reinos, e a aliança visava a proteção mútua. A inscrição do monolito de Salmaneser III descreve a batalha decisiva de Karkar em 853 a.C., quando a Assíria foi pressionada, pelo menos por algum tempo, por uma coalizão proeminente entre Acabe e Ben-Hadade.
Ben-Hadade I parece ter sido o rei da Síria que estava guerreando contra Israel em 2 Reis 6.8–7.16 (veja 6.24), e não o ineficiente Ben-Hadade II, que não começou a reinar até aprox. 800 a.C. no final da vida de Eliseu. O rei de Israel em Samaria naquela ocasião (6.9,23,26; 7.12) era provavelmente o perverso Jorão (q.v.). Depois de um longo reinado, Ben-Hadade foi assassinado em 841 a.C. pelas mãos do general Hazael (2 Rs 8.7-15).
2. Ben-Hadade II, um rei fraco, filho de Hazael, é mencionado na inscrição aramaica de Zalir, rei de Hamate, sob o nome de Bar-Hadade. Ele foi derrotado por Joás de Israel, conforme profetizado por Amós (Am 1.4) e Eliseu (2 Rs 13), perdendo todo o território ganho por seu pai.

P. C. J.

**BEN-HAIL** Um dos príncipes de Judá que foi enviado por Josafá para ensinar nas cidades de Judá (2 Cr 17.7).

**BEN-HANÃ** Filho de Simeão, registrado junto com a tribo de Judá (1 Cr 4.20).

**BENIGNIDADE** Na versão KJV em inglês o termo hebraico *hesed* é traduzido como "benignidade" (cerca de 30 vezes), muito freqüentemente como "misericórdia" (38 vezes), e "bondade" (12 vezes). A versão RSV em inglês freqüentemente traduz a palavra como "amor constante". A palavra hebraica era anteriormente usada "para denotar a atitude de lealdade e fidelidade que cada uma das partes em uma aliança deveria observar" (Snaith, *Distinctive Ideas*, p. 99).
Quando *hesed* é usado em relação a Deus, geralmente denota: (1) *Hesed* de Deus para com o seu povo da aliança, Israel (Sl 136 e 2 Sm 7.15, benignidade; cf. Dt 7.12 e Is 55.3 beneficência). Desta forma, a versão KJV traduz *hesed* como "benignidade" 23 vezes nos Salmos, 2 vezes em Isaías, 4 vezes em Jeremias, e uma vez em Oséias (2.19). Em seu amor incontestável, Deus determina manter o seu compromisso *hesed* com a nação da sua aliança, apesar da apostasia do povo; desse modo, a sua *hesed* se torna um amor imerecido, a sua "benignidade". (2) "O amor Divino rebaixando-se às suas criaturas, mais especialmente aos pecadores, em bondade imerecida" (Delitzsch). O termo é freqüentemente traduzido como "misericórdia" em várias versões, e ligado ao perdão (Êx 20.6; 34.6,7).
Uma vez que é uma qualidade de Deus, *hesed* deve também caracterizar o seu povo; portanto é uma qualidade que beneficia o seu povo ("misericórdia", Mq 6.8; Zc 7.9; cf. Os 4.1; 12.6). Da parte deles, é a lealdade à sua aliança expressa através da obediência e dos atos de misericórdia e compaixão em relação aos seus companheiros.
A palavra grega é *chrestos*, bondade, amizade, generosidade. Ela é usada em relação a Deus, como por exemplo em Romanos 2.4; Efésios 2.7; e em relação aos homens, como por exemplo em Gálatas 5.22 (um fruto do Espírito); 2 Coríntios 6.6. De acordo com 1 Coríntios 13.4, o amor é "benigno" (*chresteuetai*). *Veja* Bondade; Amor; Misericórdia.

***Bibliografia*** Nelson Glueck, *Hesed in the Bible*, trad. por A. G. Gottschalk, Cincinati. Hebrew Union College Press, 1967. Norman H. Snaith, *Distinctive Ideas of the Old Testament*, Londres. Epworth Press, 1944, pp. 94-130.

R. A. K.

**BENINU** Um levita que junto com Neemias e outros selou uma aliança com o Senhor (Ne 10.13).

**BENJAMIM**
1. Filho de Bilã, chefe de uma família de guerreiros (1 Cr 7.10).
2. Um Israelita, filho de Harim, que se divorciou de sua esposa estrangeira depois do exílio (Ed 10.32). Ele auxiliou na reconstrução do muro de Jerusalém (Ne 3.23) e do portão de Benjamim na área do templo (Ne 12.34), o cenário de uma das prisões de Jeremias (20.2).
3. O mais novo dos filhos de Jacó e o único dos treze nascido na Palestina. Ele nasceu em algum lugar entre Betel e Efrata (Belém). Sua mãe, Raquel, morreu no parto. Ela o chamou de Benoni ("filho da minha dor"). Jacó, temendo as conseqüências de tal nome, o chamou de Benjamim ("filho da minha mão direita", ou "filho do sul", isto é, alguém nascido no sul, Gn 35.16-18). O Códice Samaritano aponta seu nome como Benjamim, "o filho de dias", isto é, "filho da velhice" (c.f. Gn 44.20). Filo, no testamento dos doze patriarcas, e Ibn Ezra preferiam esta forma do nome.
Depois de José ter sido vendido aos ismaelitas, Benjamim se tornou o favorito de seu pai, Jacó, assim como também de seus irmãos. Uma vez que ele é chamado de moço em Gênesis 44.20,22, seus filhos e netos provavelmente nasceram depois de Jacó ter levado todo o clã para o Egito durante a época da escassez (Gn 46.21; *veja* Leupold, *Genesis*, p. 1115). Há pouco além dos acontecimentos de Gênesis 24–44 a respeito do próprio Benjamim; referências posteriores são relacionadas à tribo de Benjamim.

*Tribo de Benjamim*. Na lista do censo em Números 1.36-37, a tribo de Benjamim está próxima da menor tribo, com 35.400 membros; e na lista do censo em Números 26.41, a tribo está na sexta posição com 45.600 membros. Nas peregrinações pelo deserto, Benjamim ficava do lado oeste do Tabernáculo, junto com Efraim e Manassés (Nm 2.18-24).

Na divisão da terra feita por Josué e os anciãos, Benjamim ficava na colina ao sul de Efraim e ao norte de Judá. Suas terras tinham a forma de um paralelogramo, com aproximadamente quarenta quilômetros de comprimento por vinte quilômetros de largura. A fronteira leste era o Jordão; a oeste era Quiriate-Jearim (a fronteira oeste posterior incluiu Ono e Lode). A fronteira ao norte era Betel, e ao sul era o Vale de Hinom. A fronteira entre Benjamim e Judá era próxima à cidade dos jebuseus (Jerusalém). E assim, o templo foi construído nas adjacências da antiga fronteira das tribos. Isto deve ter tido alguma relação com a escolha de Benjamim de ficar com Judá quando as tribos do norte se separaram.

O território de Benjamim era em sua maior parte montanhoso. Os nomes de Geba, Gibeá, Gibeão, sugerem colinas; Ramá, Ramataim e Mispa indicam alturas. As outras cidades significativas de Benjamim eram Betel, o local sagrado da teofania de Jacó, e Quiriate-Jearim, o local onde a arca permaneceu durante vinte anos. A terra era aberta ao ataque dos moabitas a leste e dos filisteus a oeste. As cidades fortes na terra de Benjamim tornaram a vida difícil para os corajosos benjamitas. Eles são caracterizados pelo epíteto "ferocidade". Era a única tribo a possuir um corpo de arqueiros para qualquer propósito, e suas habilidades com o arco (1 Sm 20.20,36; 2 Sm 1.22) e a funda (Jz 20.16) eram celebradas.

O segundo libertador no período de juízes foi o benjamita Eúde (Jz 3.15). Esta tribo se juntou a Débora e Baraque na luta contra Jabim e Sísera (Jz 5.14). Esta tribo deu a Israel o seu primeiro rei, Saul, o cavalheiro que era fazendeiro em Gibeá (1 Sm 9.1-2). A tribo foi quase exterminada quando protegeu os perversos que atacaram a concubina do levita que peregrinava em Gibeá (Jz 19–20). A tribo de Benjamim ficou com Judá na operação de restauração de Israel até a dinastia de Salomão (1 Rs 12.21; 2 Cr 11.1). Roboão fortaleceu Judá fortificando e guarnecendo várias cidades de Benjamim e dispersando membros de sua própria família ao longo da tribo para assegurar a sua posição.

A história de Benjamim finalmente se funde com a de Judá. Homens de Benjamim retornaram com os judeus sob o comando de Zorobabel (Ed 2; Ne 7) e retomaram suas antigas cidades (Ne 11.31-35).

*Referências extrabíblicas*. Em 1933, a cidade de Mari no meio do Eufrates, possuía um depósito de tábuas de argila que datavam do século XVIII a.C. Entres estas tábuas, havia algumas que mencionavam Banu Yamina (filhos do sul). O escavador francês de Mari, A. Parrot, tentou ligar estas referências às de Benjamim no Antigo Testamento, e concluiu que a tribo de Benjamim era de origem mesopotâmica. Entretanto, nas mesmas tábuas havia referências aos "filhos do norte". Estas designações podem ter servido para distinguir duas tribos da Mesopotâmia ao invés de se referirem aos benjamitas do Antigo Testamento.

F. E Y.

**BENJAMITA** Alguém que pertence à tribo de Benjamim (por exemplo, Jz 3.15; 1 Sm 9.1,2; 2 Sm 20.1; Fp 3.5). *Veja* Benjamim.

**BENO** Um descendente de Merari através de Jaazias (1 Cr 24.26,27). Beno é um nome próprio, como mostra o versículo 27.

**BENONI** O nome, que significa "filho da minha dor", foi dado por Raquel a seu filho recém-nascido por ocasião de sua morte. Porém Jacó, pai do menino, mudou o seu nome para Benjamim (Gn 35.18). *Veja* Benjamim.

**BEN-ZOETE** Filho de Isi da casa de Judá (1 Cr 4.20).

**BEOM** Uma antiga cidade amorita na fronteira de Moabe, mais conhecida como Bete-Baal-Meom (q.v., Js 13.17); de forma abreviada Baal-Meon (Nm 32.38), Bete-Meom (Jr 48.23), ou simplesmente Beom (Nm 32.3). Foi designada aos rubenitas e reconstruída por eles (Nm 32.2-5). A cidade era governada por Mesa, rei de Moabe, e estava de posse do mesmo povo no século VI a.C. (Ez 25.9; Jr 48.23). Na época de Jerônimo, Beom ainda era uma cidade considerável, e estava situada pouco mais de quinze quilômetros de Hesbom. Suas ruínas, agora chamadas de Main, se localizam na parte morte do território moabita, pouco mais de seis quilômetros a sudeste de Medeba.

**BEOR**

1. Pai de Belá, rei de Edom (Gn 36.32).
2. Pai do vidente Balaão (Nm 22.5). Em algumas traduções inglesas ele é chamado de Bosor em 2 Pedro 2.15.

**BEQUER**

1. O segundo filho de Benjamim (Gn 46.21; 1 Cr 7.6,8). As outras listas disponíveis dos filhos de Benjamim não mencionam Bequer (Nm 26.38-41; 1 Cr 8.1-40). Pode ter havido uma considerável confusão em relação à transmissão do texto. Por outro lado, a genealogia de Benjamim em 1 Crônicas 8 provavelmente contenha listas de famílias Benjamitas e de seus locais de habitação em um período particular (Jacob M. Meyers, *1*

Cena de uma rua em Beréia. Cortesia de E. W. Saunders

*Chronicles*, Anchor Bible, XII, 59ss.), provavelmente na época de Esdras. Pensa-se que Bequer foi omitido em Números 26 devido a seu número reduzido de descendentes no início da história da tribo. Na época de Davi, o clã de Bequer podia enviar 20.200 homens à guerra (1 Cr 7.2,9). Mas depois do exílio, o clã se tornou novamente insignificante.
2. Um filho de Efraim, progenitor dos bequeritas (Nm 26.35). Este filho e o clã não estão incluídos na LXX. Em 1 Crônicas 7.20, há um "Berede" mas não um "Bequer". BDB considera o anterior como a forma correta em Números 26.35 (cf. Gray, *Numbers*, ICC, p. 393), porém a evidência não é convincente.

R. V. R.

**BERA** Rei de Sodoma (Gn 14.2), que na batalha de Sidim foi subjugado por Quedorlaomer.

**BERACA**
1. Um benjamita que se juntou a Davi em Ziclague (1 Cr 12.3).
2. Um vale onde foi destruído um exército que invadiu Judá na época de Josafá (2 Cr 20.26). Seu nome ainda permanece como Bereikut, uma ruína localizada pouco mais de seis quilômetros a noroeste de Tecoa, oito quilômetros a sudeste de Belém, e ligeiramente a leste da estrada de Belém a Hebrom.

**BERAÍAS** Um dos filhos de Simei, que consta como um membro da tribo de Benjamim (1 Cr 8.21).

**BEREDE**
1. Um lugar no deserto de Sur, a oeste de Cades que não estava longe de Beer-Laai-Roi (Gn 16.7,14).
2. O filho de Sutela da casa de Efraim (1 Cr 7.20), que alguns supõem ser Bequer (Nm 26.35). *Veja* Bequer 2.

**BERÉIA** Uma cidade ao sul da Macedônia no distrito de Emathia (Ptolemy's *Geography*, iii, 12). Strabo afirma distintamente que a "cidade de Beréia permanece no sopé do Monte Bermium" (Strabo, *Fragments*, VII. 26, veja a edição Loeb, Vol. 3, 351). A região em torno da Beréia foi alagada pelo rio Haliacmom. Alguns quilômetros a sudeste, este rio deixa o curso Olímpio e flui para o Golfo Termaico. Beréia estava situada aproximadamente 80 quilômetros a sudeste de Tessalônica, a principal metrópole da Macedônia nesta época; 50 quilômetros ao sul de Pella, o local de nascimento de Alexandre, o Grande; e aproximadamente 30 quilômetros a oeste do Golfo Termaico. Leake (*Traveles in Northern Greece*, III, 290ss.) a descreve como uma cidade graciosamente situada e declara que seu nome atual é Verria. No Novo Testamento, era evidentemente uma cidade próspera, com uma colônia judaica.
Paulo e Silas se dirigiram a Beréia quando a pressão os forçou a sair de Tessalônica (At 17.10). Eles esperavam retornar a Tessalônica, mas como não foi permitido que o fizessem (1 Ts 2.18), seguiram para Atenas, onde Timóteo posteriormente os encontrou. Aparentemente, Paulo e Silas ficaram pouco tempo em Beréia, mas não se pode determinar exatamente quantos dias permaneceram ali. Ramsay, contudo, argumenta que Paulo e Silas ficaram alguns meses em Beréia (*St. Paul the Traveller and the Roman Citizen*, p. 234). Os judeus em Beréia eram mais receptivos do que os de Tessalônica, ouvindo avidamente a mensagem de Paulo e estudando as Escrituras para ver se o que ele dizia era realmente verdadeiro (At 17.11). Finalmente, Paulo e Silas foram forçados a deixar Beréia devido a incitadores da plebe que faziam com que as pessoas se opusessem a estes dignos apóstolos (At 17.13,14). Atos 20.4 menciona que Sópatro, um dos amigos íntimos e companheiro de viagem de Paulo, era de Beréia. De acordo com a obra *Apostolic Constitutions*, VIII, 46, Onésimo foi o primeiro bispo da igreja de Beréia.

E. J. V.

**BERENICE** O nome ocorre três vezes no NT designando a filha mais velha de Herodes Agripa I (Jos *Ant.* xviii.5.4). Ela nasceu em 28 d.C. e se casou, mesmo sendo ainda muito jovem, com Marco, o filho de Alexander (Jos *Ant.* xix.5.1). Depois da morte de Alexander, Berenice foi entregue por Agripa a seu irmão Herodes, rei de Cálcis. Desta união, nasceram dois filhos (Jos *Ant.* xviii. 5.4). Quando Herodes de Cálcis morreu em 48 d.C., ela "viveu como viúva por muito tempo" e presumia-se que tenha estado envolvida em um relacionamento incestuoso com seu irmão Agripa II (Jos *Ant.* xx. 7.3) com quem ela aparece no livro de Atos (25.13,23; 26.30). "Ela persuadiu Polemo, que era o rei da Cilícia, a circuncidar-se e casar-se com ela" (Jos *Ant.* xx.7.3), mas, logo o deixou e voltou para seu irmão. Por fim, ela teve contato com os governantes romanos Vespasiano e Tito, tornando-se amante de ambos (Tácito, *Hist.* ii.81; Suetonio, *Tito,* 7). *Veja* Herodes; Agripa I; Agripa II.

J. McR.

**BEREQUIAS**
1. Um descendente de Jeoaquim e Jeconias nascido no cativeiro. Ele foi irmão ou filho do líder do retorno do exílio, Zorobabel (1 Cr 3.20).
2. Um levita da família de Gérson, o pai do célebre músico de Israel, Asafe. Berequias foi designado como um dos dois "porteiros da arca" quando ela foi levada de Obede-Edom para Jerusalém (1 Cr 6.39; 15.17,23).
3. Um levita, filho de Asa, que retornou do exílio para se estabelecer perto de Jerusalém (1 Cr 9.16).
4. Um príncipe de Efraim na época de Peca. Quando o profeta Obede (ou Odede) advertiu os israelitas contra tomarem como escravos a multidão de cativos que haviam conseguido em sua guerra contra Judá, Berequias e outros três foram à frente persuadindo seus irmãos a reintegrarem os cativos (2 Cr 28.12).
5. O pai de Mesulão, um chefe de família que ajudou na construção do muro de Jerusalém nos dias de Neemias (Ne 3.4,30; 6.18).
6. O filho de Ido e pai do profeta Zacarias (Zc 1.1,7).

P. C. J.

**BERI** Um aserita, filho de Zofa, da família de Héber (1 Cr 7.36).

**BERIAÍTAS** Os descendentes de Berias, um filho de Aser, e pai de Héber e Malquiel, e cabeça da família dos Beriaítas (Nm 26.44).

**BERIAS**
1. Filho de Aser e antepassado da família dos beriaítas (q.v.; Gn 46.17; Nm 26.44,45; 1 Cr 7.30,31).
2. Um dos filhos de Efraim. Ele nasceu depois que alguns de seus irmãos foram mortos pelos gaditas, e foi chamado Berias "porque as coisas iam mal na sua casa" (1 Cr 7.23).
3. Um benjamita, o filho de Elpaal, que com seus irmãos estabeleceu-se na região de Aijalom (1 Cr 8.13,16).
4. Um levita da família de Gérson na época de Davi. Pelo fato de terem tido poucos filhos, ele e seu irmão Jeús foram contados como uma só família na ordem dos turnos levíticos (1 Cr 23.10,11).

**BERILO** *Veja* Jóias.

**BERITAS** Os descendentes de Beri, um guerreiro de Aser (1 Cr 7.36). Eles são mencionados apenas uma vez nas Escrituras (2 Sm 20.14) como seguidores de Seba, cuja rebelião abortiva contra Davi seguiu de perto a derrota de Absalão (2 Sm 20). Eles o seguiram até a cidade de Abel-Bete-Maaca onde ele foi morto. Após a morte de seu líder, os beritas tiveram permissão para partir em paz.
A versão RSV em inglês traduz a palavra "bicritas" (*veja* Bicri) seguindo a direção tanto da LXX quanto da Vulgata. Seba era o filho de Bicri da tribo de Benjamim, e os editores da RSV conjecturaram que foram seus próprios parentes que o seguiram, não os obscuros beritas do norte.

**BERITE** *Veja* Falsos deuses: Baal-Berite.

**BERODAQUE-BALADÃ** *Veja* Merodaque-Baladã.

**BEROTA, BEROTAI** Uma cidade situada entre Hamate e Damasco (Ez 47.16). É provavelmente idêntica a Berotai, uma cidade que foi uma vez sujeita a Hadadezer, rei de Zoba, ma s foi tomada por Davi e lhe rendeu um grande despojo em bronze (2 Sm 8.8; em 1 Cr 18.8 é chamada de Cum, q.v.). Identificada como Ain Berdai ou Bereitan, sul de Baalbeque.

**BERSEBA** Uma cidade no território de Simeão (Js 19.1,2), considerada como uma das cidades dadas em herança à "tribo dos filhos de Judá" (Js 15.21,28). Ela marcava a extensão sul da terra (cf. Jz 20.1; 1 Sm 3.20; 2 Sm 3.10; 17.11). Seu nome pode significar "poço das sete" (Gn 21.30ss.), ou "poço de [ou *do*] juramento" (Gn 26.31-33).
Nesta área, Agar vagueou com Ismael (Gn 21.14). Abimeleque da Filístia e Abraão entraram em uma aliança em Berseba (Gn 21.27-32). Abraão plantou tamargueiras em Berseba (Gn 21.33), e retornou à cidade depois de se mostrar disposto a oferecer Isaque no Monte Moriá (Gn 22.19). Isaque retornou de sua estada no vale de Gerar (Gn 26.17,23). Jacó fugiu de Berseba para escapar da ira de Esaú (Gn 27.41; 28.10). Em seu caminho para o Egito, Jacó ofereceu sacrifícios em Berseba (Gn 46.1).

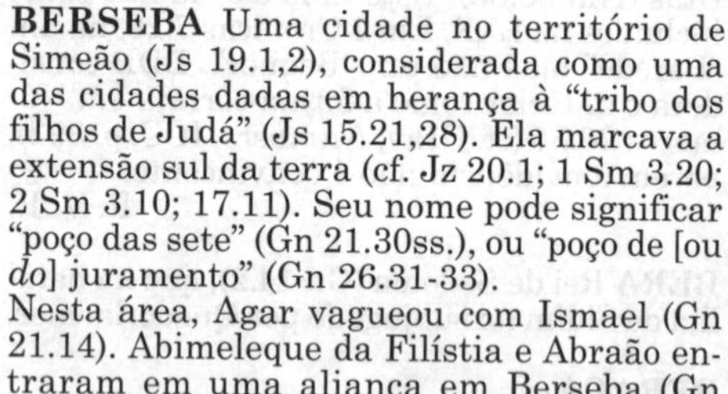

Escavações de um assentamento calcolítico em Berseba. HFV

Joel e Abias, filhos de Samuel, julgaram em Berseba (1 Sm 8.2). Elias parou em Berseba em seu caminho ao Monte de Deus (1 Rs 19.3). A mãe de Joás, rei de Judá, era de Berseba (2 Rs 12.1; 2 Cr 24.1). Durante a monarquia dividida, a cidade tinha um santuário que foi visitado por peregrinos do reino do norte (Am 5.5; 8.14; cf. 2 Rs 23.8). A família de Simei da tribo de Simeão viveu ali (1 Cr 4.28). Alguns dos filhos de Judá viveram ali em cativeiro (Ne 11.27,30).

A importância espiritual de Berseba é atestada pela aparição de Deus a Agar (Gn 21.17), a Isaque (Gn 26.23,24), e a Jacó (Gn 46.1,2). A cidade de Tell es-Seba (que mede aprox. 102.000 metros quadrados) está situada 45 quilômetros a sudeste de Hebrom, e aprox. três quilômetros a leste da cidade moderna. Neste local, arqueólogos israelitas identificaram as ruínas de um forte do reino de Judá que media aproximadamente 153 por 88 metros, e que era um centro de controle das rotas de comércio do Neguebe (IEJ, XVII [1967], 9, 15). Quatro temporadas de escavação iniciadas em 1969 e dirigidas por Yohanan Aharoni, revelaram estruturas Romanas, Helenísticas e Israelitas. O muro mais antigo da cidade, com mais de quatro metros de espessura, foi construído no final do século X a.C. O muro bem conservado do século VIII a.C., do reinado de Uzias ou Ezequias, era uma construção de tijolos de casamata sobre um declive íngreme remanescente das fortificações dos hicsos, comprovando o grande esforço necessário para proteger a cidade. Dentro das paredes havia dois armazéns reais, cada um com mais de 18 metros de comprimento, com uma fileira de pilares para suportar o teto. Estatuetas de Astarte, um pequeno incensário, e uma miniatura de altar curvado, sugerem a péssima condição espiritual dos habitantes. A cidade alcançou a sua máxima amplitude no século VII a.C. Ela era, em sua natureza, semelhante ao forte de Arade (q.v.). Durante escavações feitas em um local ao sul da cidade atual por Jean Perrot, foram descobertas habitações da era Calcolítica (4000-3100 a.C.), com bastões de pedra e cobre, e imagens de deuses ligados à fertilidade.

Berseba é uma cidade israelita que tem crescido rapidamente (já tinha cerca de 70.000 a 75.000 habitantes em 1968) que serve como um centro administrativo e de distribuição para o Neguebe. Os arredores, particularmente ao norte e a oeste, vêm sendo desenvolvidos na agricultura graças à irrigação trazida pelo grande projeto do Rio Yarkon.

W. C.

**BESAI** Um dos netinins (q.v.) e fundador de uma família que retornou com Zorobabel a Jerusalém (Ed 2.49; Ne 7.52).

**BESAI**

1. Alguém cujos descendentes, que contavam 323, retornaram do exílio com Zorobabel (Ed 2.17; Ne 7.23).

2. O nome de um chefe ou clã que, com Neemias, selou a aliança com Deus (Ne 10.18).

**BESODIAS** Pai de Mesulão, que ajudou a reparar o portão de Jerusalém (Ne 3.6).

**BESOR** Um ribeiro ao sul de Ziclague mencionado no relato da perseguição de Davi por parte dos amalequitas (1 Sm 30.9,10,21). Talvez seja o atual Wadi Ghazzeh, que nasce perto de Berseba e deságua no sudoeste mediterrâneo de Gaza.

**BESOURO** *Veja* Animais: Besouro IV. 4.

**BESTA** *Veja* Animais.

**BESTA (SIMBOLOGIA)** Esta expressão é usada freqüentemente nas Escrituras com um sentido figurado ou simbólico. Pode vir a simbolizar especialmente as monarquias tirânicas. As quatro bestas em Daniel 7.3,17,23 representam os quatro reinos (Babilônia, Medo-Pérsia, Grécia, Roma). É dito que a quarta besta (Dn 7.7,8,19-26) possui dez chifres. Entre estes dez (simbolicamente os dez reis contemporâneos imediatamente antes da vinda do Altíssimo) se eleva um décimo primeiro chifre (o "pequeno chifre") que destrói três e domina os demais.

Os intérpretes cristãos geralmente se unem na identificação deste "pequeno chifre" como a besta que "subiu do mar" mencionada em Apocalipse 13.1ss., e 17.3ss., que tem "sete cabeças e dez chifres". Este é o mesmo que o homem do pecado ou filho da perdição de 2 Tessalonicenses 2.3-10 (*Veja* Homem do Pecado; Anticristo). Esta identificação é baseada na similaridade e na unidade doutrinária, e não em alguma declaração específica das Escrituras.

A maior parte dos aspectos da quarta besta de Daniel 7 está incorporada à visão que João teve da "besta", um Anticristo real e pessoal. Esta besta forma uma trindade profana com uma segunda besta "que subiu da terra" (Ap 13.11) e com o "dragão" (Satanás, Ap 13.2) na imitação de uma oposição à Santa Trindade. A primeira besta aparentemente até simula uma ressurreição (13.3) e realiza outros falsos milagres (13.13ss.). Ela persegue os santos (13.7) e ganha o poder do mundo, mas é destruída por Cristo em Sua vinda (19.20). *Veja* Abominação da Desolação. Enganador. Para uma visão preterista, veja H. B. Swete, *The Apocalypse of John*. A obra *The Apocalypse* de Josefo Seiss fornece uma elaborada interpretação premilenial futurista. Um excelente tratamento homilético é encontrado na obra *The Apocalypse Today* de Thomas F. Torrance.

Em Apocalipse 4 a palavra "animal" traduz uma palavra grega que significa "criatura vivente" (q.v.).

R. D. C.

**BETA** Uma cidade de Arã-Zoba tomada por Davi do rei de Zoba, chamada Tibate em 1 Crônicas 18.8.

**BETÁBARA** Um lugar além do Jordão no qual João batizava (Jo 1.28). O nome sobrevive no vau chamado Abara, 20 quilômetros ao sul do Mar da Galiléia e a nordeste de Bete-Seã. Este é o único lugar onde esse nome ocorre na Palestina. Este local é tão perto de Caná quanto qualquer ponto no Jordão; dista apenas o equivalente a uma jornada de um dia. No principal manuscrito grego, aqui lê-se: "Betânia" (q.v.). Outros relacionam Betábara a Bete-Bara (q.v.) de Juízes 7.24.

**BETÂNIA**
1. A aldeia de Betânia, a casa de Lázaro, Maria e Marta (Jo 11.1), estava situada no lado leste do Monte das Oliveiras, cerca de três quilômetros a leste de Jerusalém (Jo 11.18). Jesus visitava Betânia ocasionalmente (Mt 21.17; 26.6; Mc 11.1,11,12; Jo 11.1; 12.1) e escolheu um local perto dali para ser o lugar de sua ascensão (Lc 24.50).
2. "Betânia além do Jordão" ficava do lado leste do rio Jordão onde João batizava (Jo 1.28). Há evidências de que o local poderia ter sido chamado de Betábara ("casa do vau") como também Betânia (FLAP, p. 301).

**BETE** ("casa"). A segunda letra do alfabeto hebraico. *Veja* Alfabeto. Era, originalmente, uma rude representação de uma habitação, de onde ela deriva seu nome. Em nomes compostos de lugares, Bete significa "lugar de", "moradia de", "templo de", "casa de". Também veio a ser usada para o número "dois". Tornou-se a letra grega *beta* e o *b* em latim, inglês e português.

Betânia. HFV

**BETE-ANATE** Uma antiga cidade cercada em Naftali (Js 19.38) de onde os cananeus não foram expulsos (Jz 1.33). Hoje é a moderna aldeia de Ainata nas montanhas da Galiléia superior, cerca de 20 quilômetros a noroeste de Safede.

**BETE-ANOTE** Uma cidade nas montanhas de Judá perto de Gedor (Js 15.59). É a atual Beit 'Ainum, a aproximadamente dois quilômetros e meio a sudeste de Halhul.

**BETE-ARÃ** Em Números 32.36 chamada de Bete-Harã (q.v.). Uma cidade a leste do Vale do Jordão no território de Gade e reconstruída pelos gaditas (Js 13.27). Ela é identificada com Tell Iktanû no lado sul de Wadi er-Rameh (Wadi Hesban), cerca de 11 quilômetros a nordeste da foz do Jordão. Também é conhecida como Bete-Aramphta, onde Herodes tinha um palácio. O lugar era chamado de Lívias por Herodes Antipas em homenagem à esposa de Augusto. Aqui Herodes possivelmente celebrava seus aniversários (Mt 14.6-12).

**BETE-ARABÁ** Uma das seis cidades no deserto de Judá na fronteira noroeste entre Judá e Benjamim (Js 15.6,61; 18.22), chamada simplesmente de Arabá em Josué 18.18. Situa-se próximo a 'Ain-el-Gharba no Wadi el-Kelt.

**BETE-ARBEL** Um lugar mencionado como tendo sido destruído por Salmã (Os 10.14). Alguns identificaram Bete-Arbel como sendo Arbela da Galiléia (Jos *Ant.* xii.11.1; xiv.15.4), a moderna Irbid nas montanhas a oeste do Mar da Galiléia. No entanto, é mais provável que Eusébio estivesse certo ao identificá-la como sendo Irbid em Gileade, a qual era chamada de Arbel em sua época (*Onomasticon* 14.18). Este local foi ocupado da Era do Bronze até o período persa. A cidade foi provavelmente conquistada por Salmaneser III durante uma de suas campanhas na Síria e Basã (841 e 838 a.C.).

**BETE-ÁVEN** Uma cidade no território de Benjamim, perto de Ai, a leste de Betel (Js 7.2), a oeste de Micmás (1 Sm 13.5; cf. 14.23), e na fronteira de um deserto (Js 18.12). Este nome, significando "casa da impiedade", foi dado por Oséias devido à disputa com Betel, depois que se tornou um centro de idolatria e de adoração corrupta (Os 4.15; 5.8; 10.5).

**BETE-AZMAVETE** Uma aldeia nos arredores de Jerusalém, também chamada de Azmavete (q.v.), onde 42 de seus habitantes retornaram do cativeiro babilônico (Ne 7.28; Ed 2.24). Alguns dos cantores na dedicação dos muros restaurados residiam em seu campo (Ne 12.29). Seu local talvez seja Hizme, a meio caminho entre Geba e Anatote.

**BETE-BAAL-MEOM** Este é o nome completo da cidade (Js 13.17), mas também é escrito Baal-Meom (Nm 32.38; 1 Cr 5.8; Ez 25.9), Bete-Meom (Jr 48.23), e Beom (q.v.; Nm 32.3). A cidade foi construída pelos filhos de Rúben juntamente com Nebo, "mudando-lhes o nome" (Nm 32.38). Como Bete-Baal-Meom ela foi dada por Moisés à tribo de Rúben (Js 13.15-17). O rei Mesa lhe chamou de Pedra Moabita como uma cidade que ele fortificou. Ela aparece em Jeremias 48.23 como uma das cidades de Moabe. A obra *Onomasticon*, de Eusébio, fala dela como uma grande aldeia perto das fontes quentes, isto é, Callirrhoe, em Wadi Zerka Ma'in, a aproximadamente 15 quilômetros de Hesbom.

**BETE-BARA** Um lugar no Jordão ao sul do vale de Jezreel. Alguns supõem ser o mesmo que Betábara (q.v.). Devido às suas águas, era uma localidade difícil para os midianitas cruzarem (Jz 7.24). Localiza-se provavelmente ao sul de Bete-Seã, na região norte da foz de Wadi Farah.

**BETE-BIRI** Uma cidade no Neguebe, pertencente a Simeão (1 Cr 4.31), chamada de Bete-Lebaote (q.v.) em Josué 19.6 e Lebaote (q.v.) em Josué 15.32. O local não é identificado.

**BETE-CAR** Um lugar, provavelmente um alto, até o qual os filisteus foram perseguidos pelos israelitas depois da segunda e decisiva batalha de Ebenezer (1 Sm 7.11). É possível que fosse Ain Karim, que está situada a sete quilômetros a oeste de Jerusalém.

**BETE-DAGOM**
1. Uma cidade no território de Judá nas planícies da Sefela (Js 15.41). Ela é provisionalmente identificada como Khirbet-Dajun.
2. Uma cidade na fronteira de Aser (Js 19.27), aparentemente a leste do Carmelo, e provavelmente seja Jelamet el-Atiqa, ao pé do Monte Carmelo.
Estes dois lugares foram, sem dúvida, em algum período, centros da idolatria a Dagom.

**BETE-DIBLATAIM** Uma cidade no planalto de Moabe, que já foi uma possessão de Israel e mencionada juntamente com Dibom e Nebo (Jr 48.22). É provavelmente o mesmo que Almom-Diblataim (q.v. Nm 33.46ss). Mesa afirma tê-la fortificado juntamente com Medeba e Baal-Meom. Ela foi identificada como sendo a dupla ruína Deleilât esh-Sherqîyeh, a quatro quilômetros a nordeste de Khirbet Libb.

**BETE-EMEQUE** Uma cidade no território de Aser (Js 19.27). Ela é provavelmente a moderna Tell Mimas, cerca de 10 quilômetros a nordeste de Acre.

**BETE-EQUEDE DOS PASTORES ou CAMPO DOS PASTORES** Local onde 42 lavradores de Acazias foram mortos por Jeú (2 Rs 10.12-14). Pelo fato da expressão hebraica ser *bet 'eqed haro'im*, o local é identificado por alguns com Beit Qad, aprox. 25 quilômetros a noroeste de Samaria.

**BETE-EZEL** Provavelmente uma cidade na planície da Filístia (Mq 1.11). A referência pode sugerir que nenhuma ajuda será encontrada em uma cidade vizinha, pois ela tem o seu próprio "lamento". Trata-se, provavelmente, de Deir el-'Asal, cerca de três quilômetros a leste de Tell Beir Mirsim.

**BETE-FELETE** *Veja* Bete-Palete.

**BETE-GADER** Uma cidade não identificada de Judá, listada juntamente com Belém e Quiriate-Jearim. Ela está associada com Harefe, filho de Hur e neto de Calebe (1 Cr 2.51). Harefe foi o "pai" ou fundador da cidade. *Veja* Geder; Gedor.

**BETE-GAMUL** Cidade de Moabe no planalto, perto do rio Arnom, marcada pelo juízo divino (Jr 48.23).

**BETE-GILGAL** Provavelmente uma cidade situada 15 quilômetros a nordeste de Jerusalém mencionada por Neemias (Ne 12.29) como residência de um grupo de levitas pertencentes aos clãs de cantores.

**BETE-HAGÃ** Traduzida como "casa do jardim" em 2 Reis 9.27, mas é provavelmente o nome de uma cidade localizada a 11 quilômetros ao sul de Jezreel para onde Acazias fugiu. Esta é a moderna Jenin, também chamada de En-gannim (q.v.).

**BETE-HAQUERÉM** Uma cidade em Judá, a moderna Khirbet Salih, perto de Ramat Rahel, aproximadamente três quilômetros ao norte de Belém. Seu nome significa "colônia do vinhedo". A lista dos tesouros escondidos do Rolo de Cobre do Mar Morto localiza Bete-Haquerém em frente da tumba de Absalão que estava no vale do Rei (2 Sm 18.18). Uma identificação semelhante é feita em *Genesis Apocryphon*, e uma outra nos rolos de Qumran (BW, p. 142).
Por causa de sua altura, Jeremias menciona Bete-Haquerém como um ponto sinalizador em uma época de invasão (Jr 6.1). Prevendo uma terrível invasão iminente vinda do norte em aproximadamente 625 a.C. (Jr 1.13ss; 4.6; 6.22; 10.22), Jeremias conclama Tecoa ("sopro"), a 18 quilômetros ao sul de Jerusalém, a dar um sopro de trombeta, e à "Colônia do Vinhedo", situada a um terço do caminho até ali, a levantar um sinal de fogo em sua montanha.
Tais sinais são conhecidos no vale do Eufrates a partir das cartas de Mari, 11 séculos

antes. Nos últimos dias do reino de Judá, antes de Nabucodonosor destruí-lo, um sinal telegráfico foi usado pelo exército judeu, de acordo com uma correspondência de 589 a.C. encontrada em Laquis, onde a palavra para "sinal" é a mesma que Jeremias usou (*mas'et*, "sinal de fogo", propriamente um "levante"; em Juízes 20.38,40 "chamas", ou "sinal de fumaça" em JerusB).

Nos tempos pós-exílio, quando os muros de Jerusalém estavam sendo reconstruídos, homens do distrito da "Colônia do Vinhedo" repararam a Porta do Monturo (Ne 3.14), assim como outros grupos do norte, leste e sul da capital trabalharam em outras portas.

***Bibliografia*** Yohanan Aharoni, "*Beth-haccherem*", TAOTS, pp. 171-184.

W. G. B.

**BETE-HARÃ** Uma cidade fortificada de Gade com currais de ovelhas (Nm 32.36), idêntica a Bete-Arã (q.v.).

**BETE-HOGLA** Uma cidade perto da foz do Rio Jordão, mencionada por marcar a fronteira ao norte de Judá (Js 15.6) e ao sul de Benjamim (Js 18.19), cerca de 8 quilômetros a sudeste de Jericó ('Ain Hajlah).

**BETE-HOROM** Nome de cidades gêmeas perto do antigo santuário do deus cananeu Horom, na estrada de Jerusalém para o Mediterrâneo.

Josué, após um ataque surpresa para defender o novo aliado Gibeão contra a confederação formada de forma alarmante por cinco reis sob o governo de Adoni-Zedeque de Jerusalém, perseguiu um inimigo em fuga pela passagem das duas Bete-Horom cerca de 7 quilômetros a oeste (Js 10). Porém, durante o tumulto, uma destruição maior foi feita pelas "grandes pedras" do céu, do que pelas espadas de Israel. Josué até mesmo ordenou ao sol para "aquietar-se", isto é, "ficar imóvel", ou, como a história é narrada, o sol "se deteve no meio do céu". Enquanto Josué ficava no ponto alto da passagem, o sol permanecia em Gibeão para o leste e a lua no "vale de Aijalom" para o oeste, o que favoreceu o aumento da matança. Esta vitória crucial assegurou a conquista do sul de Judá. *Veja* Sol.

Entre as tribos, as Bete-Horom localizam-se perto da fronteira entre Efraim (Js 16.3,5) e Benjamim (18.13,14). Estas duas cidades e seus arredores eram uma possessão dos levitas coatitas (Js 21.22). No tempo de Saul, grupos de ataque filisteus espalhavam-se de seu acampamento central em Micmás em direção a Bete-Horom (1 Sm 13.18).

As fortificações de Salomão através de seu reino incluíam as duas Bete-Horom, a alta e a baixa (1 Rs 9.17; 2 Cr 8.5). Depois de invadir o território de Roboão, o egípcio Sisaque listou Bete-Horom entre os 156 lugares tomados, na escultura que celebra a vitória. Os cativos parecem ser amonitas de pele clara, cabelos claros, olhos azuis e cabeças compridas. O rei Amazias de Judá gastou 100 talentos para contratar mercenários de Israel contra Seir. Mas, como ele não os utilizou, eles caíram sobre as cidades de Judá, incluindo Bete-Horom, para matar e tomar o despojo (2 Cr 25.13).

Aqui, Judas Macabeus alcançou sua segunda vitória sobre a Síria (1 Mac 3.16,24). Aqui, também, na guerra romana contra eles, os judeus rebelados fizeram em pedaços um considerável exército sob o governo de Cestius Gallus em 66 d.C. (Jos., *Wars*, ii. 19.8,9).

W. G. B.

**BETE-JESIMOTE** Uma cidade localizada cinco quilômetros a leste da foz do Rio Jordão. Mencionada (Nm 33.49) como o ponto do qual o acampamento de Israel distava 8 quilômetros ao norte, em direção a Abel-Sitim; e ao sul tinha o final do vale do Jordão (Js 12.3). Fazia parte da herança que coube a Rúben (Js 13.20). Em um oráculo contra Moabe, Ezequiel (25.9) a menciona como uma cidade fronteiriça de Moabe. Ela é provavelmente Tell el-'Azeimeh.

**BETEL** ("casa de Deus").

1. Uma cidade na região sul de Israel, evidentemente nos arredores de Ziclague. Provavelmente fosse conhecida como Betel, Betul e Betuel (q.v.; Js 19.4; 1 Sm 30.27; 1 Cr 4.30). Até o momento, sua localização não foi identificada.

2. Uma cidade na fronteira entre Benjamim e Efraim, cerca de 16 quilômetros ao norte de Jerusalém e ao sul de Siló (Jz 21.19), perto de Ai (Gn 12.8).

Originalmente chamada de Luz (q.v. Gn 28.19; Js 18.13), foi visitada por Abrão no início de sua peregrinação pela terra prometida (Gn 12.8). Posteriormente ele parou aqui em seu retorno do Egito e do Neguebe (Gn 13.3). Jacó teve seu sonho aqui enquanto estava a caminho de Padã-Arã (Gn 28.19). Ao retornar de Padã-Arã, Jacó construiu um altar aqui e chamou o lugar de El-Betel (q.v.; Gn 35.6,7). Débora, a ama de Rebeca, foi sepultada aqui (Gn 35.8). A cidade foi designada a Benjamim, ao lançarem sortes (Js 18.22). Depois disso, os efraimitas a possuíram (1 Cr 7.28). Era um lugar de adoração (Jz 20.18; 1 Sm 10.3). Samuel julgou Israel aqui como um dos lugares em seu circuito (1 Sm 7.16).

Jeroboão I fez de Betel um dos dois centros de adoração para Israel, erigindo aqui um dos bezerros de ouro (1 Rs 12.28,29; cf. Jr 48.13). Um homem de Judá veio a Betel para anunciar o nascimento de Josias (1 Rs 13.2). Um velho profeta viveu aqui; este pôs à prova o homem de Deus, levando-o à ruína (1 Rs 13.11). Ambos os profetas contemporâneos, Oséias e Amós, falaram contra Betel (Os 10.15; também conhecida como Bete-Áven [q.v.], 5.8,9; 10.5,8; Am 3.14; 5.5). O rei da Assíria estabeleceu um sacerdote em Betel (2 Rs 17.27,28). Josias (cf. 1 Rs 13.2) destruiu o altar e os altos de Betel (2 Rs 23.15,16). O povo de Betel retornou aqui depois do cativeiro (Ed 2.28; Ne 7.32).

Pesquisas arqueológicas foram realizadas no suposto local da antiga Betel (moderna Beitîn) por W. F. Albright em 1934 e por James L. Kelso em 1954, no período de 1956-57 e em 1960. A cidade moderna está construída na grande sessão da parte sul da antiga Betel, impedindo a escavação no local. Foi verificado que uma rua ao norte de Beitîn está construída sobre o muro norte da antiga cidade. Cerâmicas de uma casa adjacente ao muro norte da antiga cidade indicaria que este nível foi ocupado pelos hicsos, em torno de 1700 a.C. Nenhuma ruína reconhecida do lugar sagrado erigido por Jeroboão I foi descoberta. Seu santuário pode ter sido do lado de fora dos muros da cidade, no local do altar de Abraão ou de Jacó.

Em 1957 Kelso encontrou, em Beitîn, um sinete de barro com a inscrição S arábica, e este era quase idêntico ao encontrado em 1900 por T. Bent em Meshed na região Hadhramaut da Arábia. O sinete era usado para selar os sacos usados como recipientes no comércio de incenso entre Israel e o sul da Arábia do século IX a.C. (BASOR # 151, pp. 9-16; # 163, pp. 15-18; # 199, pp. 59-65).

James Kelso escavando um centro de adoração cananita em Betel. HFV

Não há evidências de um intervalo na ocupação entre o início do século VIII e o século VI (BASOR # 56, p. 14). Betel foi destruída no final do século VI a.C. Há referências à cidade na obra de Josefo (*Ant.* xiii.1.3; *Wars*, iv.9.9).

David Livingston argumentou que Betel deve estar localizada em el-Bireh, exatamente a leste da moderna Ramallah e, aproximadamente, a três quilômetros a sudoeste de Beitîn. Ela deve ter sido dominada durante o apogeu de Ras et-Tahuneh, e Jeroboão pode ter construído seu templo, que deveria estar localizado nos cruzamentos naturais de toda a área ("Location of Biblical Bethel and Ai Reconsidered", WTJ, XXXIII [Nov., 1970], 20-44).

W. C.

**BETE-LEAFRA** ("casa do pó"). Um nome de lugar desconhecido (Mq 1.10), provavelmente o mesmo que Ofra de Benjamim ou da planície filistéia. Há aqui um jogo de palavras, pois Miquéias declara, "revolvei-vos no pó" como um ato de lamentação.

**BETE-LEBAOTE** Uma cidade ao sul de Judá, conferida aos simeonitas (Js 19.6). É a cidade de Lebaote (q.v.) em Josué 15.32 e Bete-Biri (q.v.) em 1 Crônicas 4.31.

**BETELITA** O termo foi aplicado a um homem chamado Hiel (q.v.) que era nativo de Betel e nos dias de Acabe reconstruiu a cidade de Jericó (1 Rs 16.34).

**BETE-MAACA** Uma cidade ao norte, perto da fonte do Rio Jordão. É assim chamada em 2 Samuel 20.14,15, mas também chamada de Abel-Bete-Maaca (q.v.) em 1 Reis 15.20 e 2 Reis 15.29, bem como Abel (q.v.) em 2 Samuel 20.14,18 na versão TB em português. Em 2 Samuel ela é a cidade na qual Joabe atacou o rebelde Seba. Em 1 Reis ela está incluída entre as cidades atacadas por Ben-Hadade de Damasco. Em 2 Reis ela é mencionada como uma cidade em Naftali capturada por Tiglate-Pileser, rei da Assíria, em aproximadamente 732 a.C.

**BETE-MARCABOTE** Uma cidade de Simeão no extremo sul de Judá (Js 19.5; 1 Cr 4.31). É conjecturado que esta possa ser uma das estações que Salomão construiu para seus carros e seus cavaleiros (1 Rs 9.19; 10.26).

**BETE-MEOM** Uma cidade de Moabe incluída por Jeremias e outros na futura destruição da nação (Jr 48.23). O mesmo que Bete-Baal-Meom, Baal-Meom e Beom (q.v.).

**BÉTEN** Uma aldeia de Aser (Js 19.25) men-

Recipientes de pedra utilizados para dar água às ovelhas no tanque de Betesda, uma ilustração do Salmo 23.5. HFV

cionada juntamente com Hali e Acsafe. Eusébio o identificou como a aldeia de Bete-Béten, cerca de 12 quilômetros a leste de Acre.

**BETE-NINRA** Uma cidade na Transjordânia oposta a Jericó, originalmente conferida a Gade (Nm 32.36; Js 13.27), uma cidade cercada que possuía currais de ovelhas. Também era chamada de Ninra (q.v.; Nm 32.3) e Ninrim (q.v.; Is 15.6), e foi incluída pelo profeta entre as cidades de Moabe cujas fontes amplas secariam e cujo território não produziria pasto. O local foi identificado como sendo Tell el-Bleibil, dez quilômetros a leste do Jordão em Wadi Sha'îb.

**BETE-PALETE** Listada por Josué (15.27) entre "as cidades da extremidade... de Judá" (v. 21), perto da fronteira de Edom ao sul de Berseba. Em Neemias 11.26 (aqui chamada de Bete-Palete) ela é mencionada como uma aldeia de Judá. O local é incerto; Aharoni sugere Tell es-Saqati (*The Land of the Bible*, Westminster, 1967, p. 356). Tell el-Far'ah, 30 quilômetros ao sul de Gaza, com a qual Flinders Petrie identificou a cidade, é agora identificada como Sharuhen. Bete-Palete deve ter sido uma colônia dos peleteus (q.v.).

**BETE-PASÊS** Uma cidade na terra conferida a Issacar (Js 19.21), na região norte.

**BETE-PEOR** Uma cidade situada a dezesseis quilômetros a leste do Jordão, em sua foz. Quando Moisés entregou as mensagens de Deuteronômio, os israelitas estavam acampados no vale "defronte de Bete-Peor" (Dt 3.29; 4.46). Moisés foi sepultado neste vale pelo Senhor (Dt 34.6), mas o local exato era desconhecido aos homens. Bete-Peor está incluída na distribuição de terras feita por Moisés para a tribo de Rúben (Js 13.20). Ela talvez possa ser identificada como sendo Baal-Peor (q.v.) e como Khirbet esh-Sheik Jâyil, dez quilômetros a oeste de Hesbom à margem do planalto moabita. *Veja também* Peor.

**BETER** Encontrada somente em Cantares 2.17, traduzida em algumas versões como o adjetivo "escarpado" ou "íngrime". Provavelmente refira-se a um tipo de terreno dificultoso sobre o qual um gamo pudesse mover-se rapidamente e com segurança, ou à cidade de Beter que atualmente é identificada como Khirbet el-Yehud, exatamente acima da moderna Bittir, cerca de 11 quilômetros a sudoeste de Jerusalém.

**BETE-RAFA** Um nome que ocorre na genealogia de Judá (1 Cr 4.12), possivelmente referindo-se a um clã que morava em um lugar que tinha o mesmo nome.

**BETE-REOBE** Uma cidade, provavelmente idêntica a Reobe (q.v.; Nm 13.21), ao norte de Canaã, perto da qual os danitas construíram Laís-Dã (Jz 18.28,29). É provavelmente a mesma Reobe (No. 87) na lista das cidades capturadas pelo faraó Tutmósis III. Em 2 Samuel 10.6,8 Reobe designa uma cidade-estado e distrito ocupada pelos siros, que forneceram soldados para ajudar os amonitas contra Davi. O local, embora incerto, possivelmente fica em Coele-Síria entre as vastas regiões do Líbano ao norte de Dã. (Veja a obra de M. F. Unger, *Israel and the Aramaeans of Damascus*, p. 42).

**BETESDA** Nome de um tanque com cinco pórticos, mencionado somente em João 5.2, onde os aflitos lançavam-se para receber a cura quando as águas eram agitadas. Aqui Jesus curou o homem que havia sido paralítico por 38 anos. Em 1888, ao norte da área do templo em Jerusalém, K. Schick descobriu os contornos de um grande tanque duplo, isto é, dois tanques retangulares iguais ao norte e ao sul com uma divisão em pedra com aproximadamente 6 metros de espessura sobre o qual o quinto pórtico foi construído. A área dos tanques totalizava cerca de 50 por 100 metros.

Um dos mais antigos manuscritos do NT (Códice Sinaiticus), e um outro manuscrito grego posterior, e também Eusébio trazem *Bethzatha* (o nome da extensão norte de Jerusalém de acordo com Josefo - Arndt, p. 139) ao invés de *Bethesda*. Este nome foi incluído em recentes edições dos textos gregos (por exemplo, Nestle; Aland-Black). O rolo de cobre da Caverna III perto de Qumran, porém, lista 64 diferentes esconderijos para os tesouros do templo, com locais 57-60 dentro e em volta de "Bete-Esdatain". Uma vez que esta forma hebraica do nome tem um final duplo, ela se encaixa precisamente com a descoberta arqueológica de que Betesda era, na verdade, um tanque duplo (Jerry Vardaman, "Bethesda, Pool of", BW, pp. 140ss.; VBW, V, 142).

J. McR.

**BETE-SEÃ** Este nome ocorre em 1 e 2 Samuel, Josué, Juízes, 1 Reis e 1 Crônicas.
Bete-Seã era a mais importante fortaleza e guardava qualquer cruzamento do Rio Jordão. Estava situada no extremo leste do vale de Jezreel (moderna Tell el-Husn), por cuja estrada passava o tráfego pesado do Egito e da costa mediterrânea para Damasco. A identificação é confirmada por dois textos egípcios que mencionam seu nome. Embora o local de Bete-Seã tivesse sido ocupado desde 4000 a.C., o maior período histórico da cidade ocorreu durante a suserania egípcia quando, por aproximadamente três séculos durante o final da Era do Bronze, ela serviu como a principal fortaleza naquela nação, que fazia parte do império asiático. O último faraó a ocupá-la foi Ramsés III, e durante o seu reinado os filisteus entraram na Palestina à força.
Josué foi incapaz de capturar Bete-Seã, pois suas tropas eram apenas de infantaria e incapazes de enfrentar as carruagens de ferro de Ramsés e de seus defensores (Js 17.16). Esperando que a tribo maior pudesse mais tarde tomar a cidade, Josué conferiu Bete-Seã a Manassés na distribuição da terra, embora geograficamente ela estivesse no território de Issacar (Js 17.11); mas Manassés também fracassou (Jz 1.27). Durante o período de Amarna, os homens de Gate-Carmelo agiram como uma guarnição para os egípcios. Em 1300 a.C., o faraó Seti I colocou duas estelas(*) em Bete-Seã, e uma das quais menciona que os Habiru estavam atacando uma cidade vizinha (ANET, pp. 253ss). Um pai e um filho egípcios dedicaram uma estela ao deus sumeriano Mekal em um templo encontrado no Nível IX (século XIV a.C.). Muitos objetos de culto foram encontrados neste e nos quatro níveis seguintes que mostram que Bete-Seã era um centro de adoração à serpente.
(*) Nota do tradutor. Uma estela é uma placa de pedra destinada a inscrição.
Mais tarde os filisteus ocuparam a cidade. Isto é evidenciado por caixões de barro antropóides mostrando o penteado de estilo filisteu. A última batalha de Saul foi travada perto do Monte Gilboa. Sua armadura estava empenhada como um voto a Astarote, o maior dos deuses cananeus. O templo de Astarote (1 Sm 31.10) é provavelmente o que está mais ao norte dos dois santuários encontrados perto das escavações no Nível V. Os corpos de Saul e de seus filhos ficaram expostos nos muros de Bete-Seã, de onde foram resgatados à noite pelos homens valentes de Jabes-Gileade como sinal de respeito pelo resgate daquela cidade ocorrido anteriormente (1 Sm 31.12). Davi acrescentou Bete-Seã a seu império e Salomão a incorporou em um novo distrito fiscal cuja capital era Megido. Pouco depois da morte de Salomão, o faraó Sisaque saqueou Bete-Seã, de acordo com sua inscrição em Karnak.
A próxima referência histórica à cidade data da época intertestamentária, quando também é chamada de Citópolis. Nos dias de Macabeus, João Hircano capturou-a, mas poupou sua população mista de judeus e gentios. Pompeu tornou-a livre e ela permaneceu assim durante todo o período romano.
Como uma das cidades que formavam a região de Decápolis (q.v.), Bete-Seã alcançou considerável prosperidade. Este fato é atestado pelas ruínas do magnífico teatro e outras construções do período. Grandes escavações no local foram dirigidas pela Universidade da Pensilvânia em 1921-23, 1925-28, 1930-33, revelando 24 camadas de assentamento que remontam o ano 4000 a.C.

***Bibliografia.*** G. M. Fitzgerald, "Beth-shean", TAOTS, pp. 185-196. Henry O. Thompson, "Tell el-Husn - Biblical Beth-shan", BA, XXX (1967), 109-135. J. A. Thompson, "Beth-shan", BW, pp. 143ss.

J. L. K.

**BETE-SEMES** O nome Bete-Semes significa "casa do (deus) sol", refletindo o fato de que os cananeus pré-israelitas possuíam santuários para muitas divindades na terra de Canaã. Muitos destes nomes continuaram durante o período israelita. Pelo menos quatro lugares chamados Bete-Semes são mencionados no AT.
1. Uma cidade no vale de Soreque na fronteira ao norte de Judá (Js 15.10), 24 quilômetros a oeste de Jerusalém e 24 quilômetros a nordeste de Tell ed-Duweir (Laquis). Localizada na Sefela, no local de Tell er-Rumeileh, Bete-Semes era um posto de fronteira perto do limite entre Judá e os filisteus. Ela sem dúvida era também chamada de Ir-Semes (q.v.; Js 19.41), a qual foi juntamente conferida à tribo de Dã. Na divisão da terra de Canaã, Bete-Semes foi dada aos levitas (Js 21.16) como uma das 48 cidades levíticas (Js 21.41,42).
Após a vitória dos filisteus em Afeca (1 Sm 4), a arca foi levada para Asdode e, em seguida, para Ecrom, cidades filistéias que foram cenário do juízo de Deus quando trouxe uma praga aos inimigos de Israel (1 Sm 5). Os filisteus então enviaram a arca para Bete-Semes (1 Sm 6.10–7.2), onde permaneceu até ser levada para Quiriate-Jearim, nos montes que estão a oeste de Jerusalém. Bete-Semes ficava no segundo distrito administrativo de Salomão (1 Rs 4.9).
Esta cidade foi palco de uma batalha entre Joás de Israel e Amazias de Judá, na qual Amazias foi derrotado e levado cativo (2 Rs

O monte de Bete-Seã com o teatro romano em primeiro plano. IIS

14.11-14; 2 Cr 25.20). Como uma cidade fronteiriça, era freqüentemente ameaçada pelos filisteus (cf. 2 Cr 28.18).

Bete-Semes foi escavada por Duncan Mackenzie de 1911 a 1913 sob o patrocínio do Fundo de Exploração da Palestina, e por C. S. Fisher e Elihu Grant sob o patrocínio da Haverford (Pa.) College de 1928 a 1931. Evidências arqueológicas indicam que o primeiro assentamento (Camada VI) ocorreu durante o início da Era do Bronze, do século XXIII ao século XXI a.C. Ela foi aparentemente tomada e estabelecida pelos hicsos (Camada V) e posteriormente destruída, talvez por Amenotep I do Egito ou por seu sucessor Tutmósis I, em 1525 a.C. Bete-Semes surgiu durante o século XV a XIII a.C. como é evidenciado por suas casas, cisternas caiadas, celeiros e fortificações pesadas (Camada IV). Um alto-forno deste período usou minério de cobre importado. Duas inscrições interessantes foram encontradas neste nível: um ostraco com caracteres proto-sinaíticos, e uma tábua do século XIV no alfabeto cuneiforme usado em Ugarit. Do período dos juízes (Camada III) foram descobertas obras de bronze, com algumas armas e jóias de ferro provavelmente de origem filistéia. Muitas das cerâmicas eram também do estilo filisteu. A Camada III foi destruída pelo fogo, provavelmente nas guerras entre Israel e os filisteus na época de Saul ou Davi.

Ao período de Davi (1000 a.C., Camada II.*a*) pertencem celeiros e um palácio ou cidadela em uma plataforma cheia de terra, ou Millo, tal como foi construída em Jerusalém. Uma proteção (presumivelmente dos filisteus) era oferecida por um muro de casamata. Evidências da produção de azeite e vinho vêm de prensas de azeitonas e uvas.

A ocupação terminou durante o século X, talvez na época da invasão de Sisaque (925 a.C.). Roboão não reconstruiu Bete-Semes, mas ao invés disso fortificou Zorá no monte que estava acima. Bete-Semes foi reocupada durante o século IX, mas era uma cidade mais pobre (Camada II.*b*). Durante a época de Acaz, os filisteus tomaram a cidade (2 Cr 28.18), mas ela foi retomada, provavelmente por Josias. Um selo na alça de um jarro contém a inscrição, “pertence a Eliaquim, mordomo de Yaukin” (isto é, Joaquim, rei de Judá, 597 a.C.). Os exércitos de Nabucodonosor destruíram Bete-Semes (Camada II.*c*) juntamente com outras cidades de Judá (588-587 a.C.).

Após o retorno do cativeiro, os judeus não reconquistaram Bete-Semes, que estava possivelmente no território filisteu (cf. a citação dos asdoditas em Neemias 4.7). O local não foi reocupado até o período helenístico (Camada I). Os últimos restos arqueológicos são de um mosteiro do século IV ou V d.C.

***Bibliografia.*** J. A. Emerton, "Beth-shemesh", TAOTS, pp. 197-206. Elihu Grant, *Beth Shemesh*, o Progresso da Expedição Arqueológica de Haverford, 1929; *Ain Shems Excavations*, I-III, Haverford, 1931-34. Elihu Grant e G. E. Wright, *Ain Shems Excavations*, IV-V, Haverford, 1939.

2. Uma cidade em Issacar, perto do Rio Jordão (Js 19.22). Ela pode ser el-'Abeidiyeh guardando um vau sobre o Jordão cerca de três quilômetros ao sul do Mar da Galiléia.
3. Uma cidade cananéia em Naftali (Js 19.38) que Naftali não foi capaz de ocupar (Jz 1.33). Possivelmente a mesma mencionada no item 2 acima, ou a aldeia de Haris, a sudeste de Tiro.
4. A tradução hebraica de On, no Egito. O templo do deus-sol Re estava na cidade de On, que os gregos chamavam de Heliópolis. A cidade de On está a oito quilômetros a nordeste da moderna Cairo. Jeremias profetizou que o Senhor quebraria as imagens de Bete-Semes e queimaria com fogo as casas dos deuses do Egito (Jr 43.13).

C. F. P.

**BETE-SEMITA** Um habitante de Bete-Semes (q.v.) na margem ocidental de Judá, especificamente, Josué o bete-semita (1 Sm 6.14,18), em cujo campo o carro portando a arca veio a permanecer.

**BETE-SITA** Uma cidade entre o vale de Jezreel e o Jordão na rota seguida pelos midianitas em fuga diante de Gideão (Jz 7.22).

**BETE-TAPUA** Uma cidade nas montanhas de Judá (Js 15.53), provavelmente a moderna aldeia de Tafú, cerca de seis quilômetros a noroeste de Hebrom. Uma outra cidade era conhecida simplesmente como Tapua (q.v.).

**BETE-ZUR** Uma cidade fortificada no campo montanhoso de Judá (Js 15.58). Ela é identificada como sendo Khirbet et-Tubeiqah, sete quilômetros ao norte de Hebrom, povoada pelos calebitas (1 Cr 2.45) e fortificada por Roboão (2 Cr 11.7).

Repovoada depois do exílio babilônico nos dias de Neemias (Ne 3.16), Bete-Zur foi o ponto forte mais importante na fronteira defronte da Iduméia. Perto daqui, Judas Macabeus derrotou um exército sírio em 165 a.C. e, então, fortificou a cidade (1 Mac 4.29,61). Bete-Zur foi mais tarde levada à rendição (devido à fome) pelos sírios (1 Mac 6.31,49-51). Ela foi finalmente recuperada em 143 a.C. por Simão, irmão de Judas (1 Mac 11.65ss).

Escavações no local feitas por Albright e Sellers em 1931 e por Sellers em 1957 revelaram grandes muros de defesa do período e da ocupação dos hicsos durante os séculos XII a XI, e VIII a VII, e a era helenística. Eles mostraram que em 110 a.C. a cidade foi abandonada, sugerindo que depois de João Hircano ter conquistado a Iduméia, a guarnição judaica em Bete-Zur não foi mais necessária ali, e foi retirada.

S. C.

**BETFAGÉ** Uma cidade no declive leste ou no cume do Monte das Oliveiras, na estrada Jericó-Jerusalém ou perto dela. Mencionado pelos Evangelhos Sinóticos (Mt 21.1; Mc 11.1; Lc 19.29) em conexão com a viagem de Jesus com seus discípulos de Betânia a Jerusalém no dia da entrada triunfal. Tem-se tentado localizá-la na atual Kefr et-Tur, a noroeste de Betânia, no topo do Monte das Oliveiras (Emil G. Kraeling, *Bible Atlas*, Chicago. Rand McNally, 1956, pp. 396-398). Foi aqui que os discípulos de Jesus buscaram o jumentinho para que Ele montasse.

**BETONIM** Uma cidade no território de Gade, a leste do Jordão, dada por Moisés (Js 13.26). Ela foi identificada como Khirbet Batneh, perto de es-Salt.

**BETSAIDA** Este é um nome aramaico para "casa de caça", e nos casos da Bíblia Sagrada, "casa de pesca"; então Betsaida poderia ser chamada de "cidade da pesca". Duas cidades com este nome são mencionadas sete ou oito vezes em todos os quatro Evangelhos:
1. Betsaida-Julias, na margem leste superior do Jordão, cerca de um quilômetro e meio ao norte do Lago da Galiléia, recebeu este nome de Herodes Filipe, tetrarca de Ituréia e Traconites (Lc 3.1), em homenagem à filha de César Augusto – Betsaida de Júlia (Jos *Ant.* xviii.2.1). Ela provavelmente pode ser identificada como sendo a moderna et-Tell. Perto daqui, em "um lugar deserto", isto é, uma região escassamente povoada, nosso Senhor, fazendo um grandioso milagre, alimentou mais de 5.000 pessoas em uma extensa planície (Lc 9.10ss). Em um outro retiro a leste da Galiléia, do outro lado do lago, em direção à região da mesma Cesaréia de Filipe, perto do Monte Hermom, Jesus parou nesta Betsaida para restaurar a visão de um homem cego de um modo singular, em duas etapas (Mc 8.22ss).
2. A casa de Filipe, André e Pedro (Jo 1.44) ficava a noroeste do lago, na planície fértil de Genesaré (Mc 6.45,53), perto de Cafarnaum (Jo 6.17) na província da Galiléia (Jo 12.21). Seu nome poderia referir-se à região de pesca desta importante cidade no lago, porém Jesus denunciou duas vezes Betsaida separadamente de Cafarnaum por sua cega incredulidade (Mt 11.21,23; Lc 10.13,15). Se hou-

ve uma outra cidade com o mesmo nome na margem oeste do lago, provavelmente quase todas as referências bíblicas refiram-se a ela e apenas algumas a Betsaida-Julias. Uma outra confusão surge em relação à referência ao tanque de Betesda em João 5.2. Em alguns manuscritos gregos (B, W, P66), lê-se "Betsaida" nesta passagem. Esta deve ser provavelmente uma alteração de Betesda (versão KJV em inglês) ou de Betezata (versão RSV em inglês).

W. G. B.

**BETUEL**
1. O filho mais novo de Naor, irmão de Abraão, e Milca (Gn 22.20,22). Ele se tornou sogro de Isaque (Gn 22.23; 24.50). Este relacionamento próximo é proveniente do desejo de Abraão de que seu filho único com Sara não se casasse com uma cananéia, mas com uma araméia (Gn 25.20), de sua "parentela" (Gn 24.3,4). O desejo de Isaque, por sua vez, para seu filho Jacó era como o de Abraão para consigo; que tivesse uma esposa da mesma família (Gn 28.2).
2. O nome Betuel está ligado a uma cidade no território de Simeão (1 Cr 4.30), mencionado como Betul em Josué 19.4. *Veja* Betel I.

**BETUL** Uma cidade em Simeão (Js 19.4), a mesma que Betuel (q.v.).

**BETUME** *Veja* Minerais e Metais.

**BEULÁ** Um nome aplicado profeticamente à terra da Palestina depois de ter sido repovoada por um Israel restaurado pelo favor de Deus após o cativeiro (Is 62.4). Como o nome de Israel é mudado de "Desamparada" para "Meu deleite está nela" (Hephzibah), assim a terra que já foi chamada de Desolada deverá ser chamada de "Desposada" (Beulá), pois ela será novamente povoada.

**BEZALEL**
1. O filho de Uri, filho de Hur, da tribo de Judá. Este artista talentoso, dotado pelo Espírito de Deus com conhecimento e habilidade em todos os tipos de artesanato, foi chamado por Deus para ser o artífice chefe na construção do Tabernáculo no deserto. Como ele estava associado a um outro homem talentoso, Aoliabe (q.v.) da tribo de Dã (Êx 31.1-6). Estes dois não só tinham a responsabilidade de desenhar as várias partes do Tabernáculo, de acordo com o plano divinamente revelado, mas de ensinar os outros israelitas as habilidades necessárias para a construção (Êx 35.30-35). O próprio Bezalel não era apenas o artista chefe, mas o artífice chefe e, como a mais alta autoridade, ele é citado como tendo feito todas as várias partes do Tabernáculo (cf. Êx 37.1ss). Habilidades necessárias para fabricar estruturas similares ao Tabernáculo, para trabalhar com metais preciosos, e para cortar e montar jóias foram desenvolvidas e altamente valorizadas durante o segundo milênio a.C. na Síria, Palestina e Egito (R. K. Harrison, IOT, pp. 403ss). *Veja* Jóias; Ocupações: Ferreiro, Carpinteiro.
2. Um sacerdote da família de Paate-Moabe nos dias de Esdras. Alguém que havia se casado com uma esposa estrangeira (Ed 10.30).

P. C. J.

**BEZEQUE**
1. A residência de Adoni-Bezeque ("senhor de Bezeque") em Judá, perto de Gezer, habitada pelos cananeus e ferezeus, tomada por Judá e Simeão (Jz 1.4,5). *Veja* Adoni-Bezeque.
2. O lugar onde Saul fez marchar seu exército antes de ir para o relevo de Jabes-Gileade, provavelmente Khirbet Ibziq, em Efraim, cerca de 20 quilômetros a noroeste de Siquém (1 Sm 11.8).

**BEZER**
1. Uma cidade de refúgio designada por Moisés e também por Josué no território de Rúben, a leste da foz do Jordão no planalto (Dt 4.43; Js 20.8). Sua posse foi designada lançando-se sortes, e este também seria um lugar de residência para a família de Merari, da tribo de Levi (Js 21.36; 1 Cr 6.63,78).
2. Um filho de Zofa da família de Aser (1 Cr 7.37).

**BEZERRO DE OURO**
1. Enquanto Moisés estava ausente no Monte Sinai, Arão construiu um bezerro ao qual proclamou como o deus que libertara Israel do Egito (Êx 32.1-20). Este procedimento, e a adoração que se seguiu, indignaram Moisés de tal forma que ele quebrou as tábuas de pedra que continham as leis de Deus e obrigou o povo a engolir a imagem, reduzida a um pó fino, juntamente com a água que bebiam. Essa idolatria pode ter sido copiada dos cultos ao boi, egípcio e semita, habituais no Delta Egípcio, com seu simbolismo de força e fertilidade.
2. A fim de conservar a lealdade do povo, depois de sua revolta contra Roboão, que o expulsou do templo de Jerusalém, Jeroboão estabeleceu centros rivais de adoração em Betel e Dã e instalou um bezerro de ouro nos dois lugares (1 Rs 12.28-32). Esses bezerros realmente se tornaram objeto de adoração (Os 10.5,6; 13.2), embora não se saiba se a intenção de Jeroboão foi eliminar a adoração a Deus, ou, meramente acrescentar uma ajuda visível à sua adoração.
Deve-se observar que alguns povos dessa parte do mundo imaginavam seus deuses sentados ou em pé nas costas de um animal cuja imagem podia ser reproduzida em madeira ou metal em um centro de adoração. É possível que Jeroboão tivesse isso em mente quando colocou os bezerros em Israel.

J. K. M.

Até o momento todos os livros do Antigo Testamento, exceto o livro de Ester, foram representados pelos Rolos do Mar Morto. Nesta foto os estudiosos examinam fragmentos destes rolos. Museu Arqueológico da Palestina, Jerusalém

**BÍBLIA** A coleção dos livros do AT feita pelos judeus, e dos Evangelhos, Atos, Epístolas e o livro de Apocalipse feita pela igreja cristã primitiva, a qual a igreja reconhece como o registro divinamente inspirado da revelação do próprio Deus, e de sua vontade para a humanidade.

*Nomes.* O grego *biblion* proveniente de *biblos*, significa qualquer tipo de documento escrito, embora originalmente escrito em papiro (*biblos*). A palavra "Bíblia" vem do latim *biblia*, feminino singular, significando "livro". O singular em latim testemunha que os 66 livros – 39 no AT e 27 no NT – revelam uma unidade de pensamento e uma pureza que, juntos, formam um único livro. O primeiro uso na igreja primitiva do termo *ta biblia*, "os livros", para a Bíblia no sentido acima, registra-se ter sido encontrado em II Clemente XIV.2 (em aprox.150 d.C.), "Os livros e os apóstolos declaram que a igreja existiu desde o princípio". Daniel, porém, já havia falado das Escrituras, particularmente das profecias existentes em seu tempo, como "os livros" (em hebraico, *s^eparim*, Dn 9.2). Várias expressões sinônimas referindo-se ao AT são encontradas no NT, tais como "os escritos" ou "as Escrituras" (*hai graphai; ta grammata*). A forma mais concisa é, simplesmente, "as Escrituras" (Mt 21.42 – chamada "esta Escritura" em Mc 12.10, a passagem paralela; Mt 22.29; Lc 24.32; Jo 5.39); "a Escritura" (At 8.32; Gl 3.22); "as Santas Escrituras" (Rm 1.2; 2 Tm 3.15 "as sagradas letras"); "as outras Escrituras" (2 Pe 3.16). Vários outros termos descritivos do cânon do AT são encontrados no NT, tais como "a lei" (Mt 5.18; Lc 16.17; Jo 12.34); "Moisés e os Profetas" (Lc 16.29; 24.27); "a Lei e os Profetas" (Mt 22.40; Lc 16.16); ou possivelmente de forma ainda mais completa, "na lei de Moisés, nos profetas e nos salmos" (Lc 24.44).

*Idiomas.* O AT foi escrito em hebraico, com exceção de algumas passagens em aramaico encontradas em Esdras 4.8–6.18; 7.12-26; Jeremias 10.11; Daniel 2.4–7.28. O texto hebraico original não continha vogais. Estas foram acrescentadas pelos eruditos judeus massoréticos no século VI d.C. em diante, de acordo com a pronúncia tradicional antiga. O texto hebraico foi traduzido para o grego entre 250 e 150 a.C. Esta primeira versão do Antigo Testamento (AT) é chamada de Septuaginta ou LXX (os "setenta", uma vez que expressava o trabalho de 70 tradutores). Usando os Rolos do Mar Morto como base, R. Laird Harris data a LXX por volta de 200 a.C. (*Inspiration and Canonicity of the Bible*, p. 99). Em vários casos, o Novo Testamento (NT) cita a LXX ao invés do texto hebraico. A descoberta dos fragmentos de papiros gregos no deserto egípcio, escritos em Koiné, isto é, no grego comum ou vernacular (o grego que se falava nos dias do NT), explicou as principais diferenças entre o NT e o grego clássico. O NT foi escrito na linguagem vernacular comum (Koiné) do primeiro século, da mesma forma que Martinho Lutero usou o alemão comum da época em sua tradução da Bíblia. *Veja* Versões da Bíblia.

*Alcance e dimensões.* A Bíblia usada pelos protestantes contém 66 livros, 39 no AT e 27 no NT. Os livros aceitos no AT são os mesmos livros aceitos pelos judeus como canônicos. Eles falam de 24 livros no AT pelo fato de considerarem 1 e 2 Samuel, 1 e 2 Reis, 1 e 2 Crônicas, Esdras-Neemias e os 12 profetas menores como sendo um livro cada um: Josefo (*Against Apion* i. 8) refere-se ao fato de que existem somente 22 livros no AT que correspondem às 22 letras do alfabeto hebraico, mas ele provavelmente combina Rute com Juízes, e Lamentações com Jeremias a fim de chegar aos 22.

A igreja católica romana inclui no AT, como canônicos, a maioria dos apócrifos. Tobias, Judite, Sabedoria, Eclesiástico (também chamado de Sirácido ou Ben Sirácido ou Eclesiástico e também Sirá ou Sirac), Baruque, 1 e 2 Macabeus, e algumas adições a Ester e a Daniel. A igreja ortodoxa grega faz o mesmo. A igreja da Inglaterra, de acordo com a igreja luterana, segue Jerônimo ao defender que os livros apócrifos podem ser lidos "para exemplo de vida e instrução de maneiras; contudo não os aplica para estabelecer qualquer doutrina" (Artigo VI). A Bíblia etiópica inclui 1 Enoque e o Livro dos Jubileus. *Veja* Apócrifa.

Os judeus dividiram o AT em três seções: (1) a **Lei**, os cinco livros do Pentateuco escritos por Moisés; (2) os **Profetas**, que foi subdividido em Profetas Anteriores: Josué, Juízes, Samuel e Reis; e Profetas Posteriores: Isaías, Jeremias, Ezequiel e o livro dos Doze Profetas; (3) os **Escritos**, que continha o restante do AT: Salmos, Provérbios e Jó, além dos cinco Rolos: Cantares, Rute, Lamentações, Eclesiastes e Ester; e finalmente Daniel, Esdras-Neemias e Crônicas.

Os judeus usavam a ordem acima em seu texto, mas a LXX revisou isto para formar uma ordem mais cronológica e mais lógica. A ordem da LXX foi mantida pela igreja cristã.

Os livros do AT são divididos pela igreja cristã em quatro seções: (1) Lei, ou seja, o Pentateuco. (2) História, compreendendo Josué, Juízes, Rute, 1 e 2 Samuel, 1 e 2 Reis, 1 e 2 Crônicas, Esdras, Neemias e Ester. (3) Sabedoria e poesia, ou seja, Jó, Salmos, Provérbios, Eclesiastes, Cantares de Salomão. (4) Profecia, ou seja, Isaías, Jeremias, Lamentações, Ezequiel, Daniel, Oséias, Joel, Amós, Obadias, Jonas, Miquéias, Naum, Habacuque, Sofonias, Ageu, Zacarias e Malaquias. Isaías, Jeremias, Ezequiel e Daniel são chamados de Profetas Maiores, e os outros 12, de Profetas Menores.

O NT é composto de 27 livros que também são geralmente divididos em quatro partes: (1) Evangelhos, ou seja, Mateus, Marcos, Lucas e João. (2) História da igreja primitiva, ou seja, Atos. (3) Epístolas. Estas são às vezes divididas em (a) Epístolas às igrejas: Romanos, 1 e 2 Coríntios, Gálatas, Efésios, Filipenses, Colossenses, 1 e 2 Tessalonicenses; (b) Epístolas pastorais: 1 e 2 Timóteo, Tito e uma epístola pessoal a Filemom; (c) Epístolas gerais (alguns as chamam de católicas): Hebreus, Tiago, 1 e 2 Pedro, 1,2 e 3 João, e Judas. (4) Profecia: livro do Apocalipse.

*Texto da Escritura.* A Bíblia foi escrita durante um período de aproximadamente 1500 anos. Os cinco livros de Moisés podem ser datados de 1400 a.C. e o último livro do NT, o Apocalipse, de 90 d.C. Apesar de os manuscritos originais não existirem mais, e de apenas existirem cópias escritas à mão até a invenção da imprensa, a condição do texto foi notavelmente preservada. O AT hebraico foi substancialmente verificado pela LXX e pelos manuscritos bíblicos hebraicos dos Rolos do Mar Morto que remontam ao mesmo período da LXX. A existência de aproximadamente 4.500 manuscritos do NT em grego, datados de 125 d.C. até a invenção da imprensa, fornece uma riqueza de atestação ao NT. Além desta evidência, existem versões tais como aquela que foi escrita em latim antigo e em siríaco, que datam de 150 d.C., e a tradução da Vulgata Latina feita por Jerônimo (382-405).

*Divisões de capítulos e versículos.* Os livros da Bíblia originalmente não tinham capítulos nem versículos. Os judeus do período pré-talmúdico dividiram o AT em seções de extensão conveniente para a leitura nas sinagogas. As marcas de divisão dos versículos do AT apareceram um pouco mais tarde, mas nosso sistema moderno foi planejado pelo rabino Nathan no século XV e passou a ter um uso cristão através da Bíblia Latina de Paginius de 1528. Provavelmente tenha sido Stephen Langton (d. 1228), arcebispo de Canterbury e um daqueles que apoiaram a Carta Magna, quem elaborou a atual divisão de capítulos. As divisões dos versículos do NT apareceram primeiramente em um NT grego publicado em 1551 por Robert Stephens, um impressor de Paris. Em 1555, ele publicou uma edição da Vulgata Latina, que foi a primeira Bíblia a ter os atuais capítulos e versículos. A primeira Bíblia em inglês com tais divisões foi a edição de Genebra de 1560.

*Mensagem.* A Bíblia, embora escrita durante um longo período, e por escritores que freqüentemente não se conheciam (inclusive no caso daqueles que viveram em épocas e locais diferentes), revela uma maravilhosa unidade de pensamento. Todos os escritores concordam em suas opiniões sobre uma revelação divina relacionada aos seguintes temas: (1) A condição e as necessidades do homem. Eles retratam a condição pecadora e caída do homem; sua incapacidade de salvar-se a si mesmo; a vontade revelada de Deus de salvar o homem através de um sacrifício substitutivo, e a salvação do homem somente através da fé salvadora. (2) A aliança de Deus com Israel. O Senhor fez uma aliança com Israel através de Abraão para lhes dar tanto um Salvador como um reino. Esta aliança foi expandida e desenvolvida em todas as alianças seguintes, ou seja, a sinaítica com Moisés e Israel, e a davídica. Ela foi esgotada e substituída pela nova aliança no NT (Mt 26.28; Hb 8.6-13). O termo AT, na verdade, refere-se à antiga aliança, e a palavra latina "testamento" foi adotada para traduzir o termo hebraico *berith* e o termo grego *diatheke* (Mt 26.28). (3) Tipos e antítipos. Todos os tipos contidos em festas, cerimônias e sacrifícios no AT são cumpridos em Cristo e na igreja do NT. Por exemplo, a Festa da Páscoa tipificou Cristo como o nosso cordeiro e sacrifício pascal (Jo 1.29; Mt 26.19; 1 Co 5.7). *Veja* Antítipo. (4) Profecias. Muitas profecias específicas a respeito da vinda de Cristo, o Messias, e sua morte sacrificial foram cumpridas em sua vida e morte. Outras com relação à sua vinda para governar em seu reino ainda são futuras.

*A Bíblia e a crítica*. Duas formas de crítica têm sido aplicadas à Bíblia, uma mais baixa e outra mais elevada. A crítica mais baixa diz respeito ao estabelecimento das palavras exatas do texto das Escrituras, e um grande progresso e muitas razões para confiança têm ajudado em suas aplicações eruditas. Os Rolos do Mar Morto trouxeram uma grande confirmação da precisão das palavras do AT em particular, e ajudam a esclarecer as citações dos escritores do NT na Septuaginta, nos pontos em que ela difere do texto masorético.

A crítica mais elevada, que pode ser usada construtivamente para se estudar a origem dos fatos descritos na Bíblia, e a autenticidade da autoria dos diferentes livros, tem sido usada, com muita freqüência, de uma maneira destrutiva. Rejeitando o sobrenatural como um princípio geral, alguns críticos têm tentado provar que Moisés não escreveu o Pentateuco; que Isaías não escreveu todo o livro que leva o seu nome; que o quarto Evangelho não foi escrito pelo apóstolo João; e que os Evangelhos sinópticos não são o produto dos três evangelistas, Mateus, Lucas e um homem chamado Marcos que foi guiado por Pedro, mas que são relatos baseados em fontes ou documentos que foram eficazmente intercalados e editados. Estudos detalhados realizados por estudiosos evangélicos têm respondido de uma maneira cuidadosa aos ataques ao AT. Alguns destes são James Orr, Oswald T. Allis, Edward J. Young e Gleason L. Archer. Ao refutar os ataques da crítica elevada ao NT, os seguintes homens, dentre outros, têm dado respostas valiosas e que demonstram grande conhecimento. R. Laird Harris, Donald Guthrie e Ned B. Stonehouse. Veja a bibliografia abaixo.

*Veja* Bíblia, Versões Inglesas; Interpretação Bíblica; Manuscritos Bíblicos; Cânon das Escrituras, o AT e o NT; Versões, Antigas e Medievais.

***Bibliografia.*** Oswald T. Allis, *The Five Books of Moses*, 1943; *God Spake by Moses*, 1951; *The Unity os Isaiah*, 1950, Filadélfia. Presbyterian and Reformed Pub. Co. Gleason L. Archer, *A Survey of Old Testament Introduction*, Chicago. Moody Press, 1964. William Henry Green, "The Canon", *General Introduction to the Old Testament*, Nova York. Scribner's, 1898. Donald Guthrie, *New Testament Introduction*, Londres. Tyndale Press, 3 vols., 1965. R. Laird Harris, *Inspiration and Canonicity of the Bible*, Grand Rapids. Zondervan, 1957. James Orr, *Problem of the Old Testament*, Nova York. Scribner's, 1906. Ned B. Stonehouse, *Origins of the Synoptic Gospels*, Grand Rapids. Eerdmans, 1963. Edward J. Young, *Introduction to the Old Testament*, Grand Rapids. Eerdmans, 1949.

R. A. K.

**BÍBLIAS, VERSÕES EM LÍNGUA INGLESA** A Bíblia chegou aos círculos britânicos em uma versão em latim. No primeiro século havia duas versões do AT. Em hebraico e em grego. Mas os primeiros cristãos acharam que uma versão em latim era necessá-

Uma página da Bíblia Wycliffe. BM

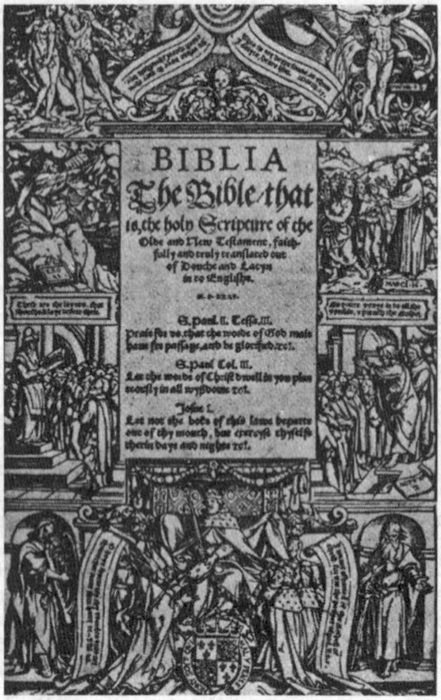


Página título da tradução de Coverdale, a primeira Bíblia impressa em inglês. BM

ria, tanto para o AT como para o crescente NT, especialmente por causa de sua obra missionária no norte da África onde o latim era a língua dominante. Antes do final do século II, alguns dos livros da Bíblia haviam sido traduzidos para o latim, pois os escritores do século III demonstraram uma grande familiaridade com as versões em latim.

Estas versões tornaram-se tão multiplicadas e variadas que o Papa Damaso atribuiu a Jerônimo a tarefa de produzir um texto padrão em latim, que foi concluído em 405 d.C. Esta veio a chamar-se Vulgata, que foi o texto padrão mais largamente usado por mais de mil anos, e ainda é o texto oficial da igreja católica romana. Poderia ser que alguns dos soldados romanos enviados à Bretanha tivessem cópias de porções da Bíblia em latim, embora não tenhamos nenhuma evidência disto.

Por quase 200 anos depois da partida das últimas tropas romanas da Bretanha, 410 d.C., quase nada é conhecido das experiências dos cristãos na Inglaterra. Mas os mosteiros surgiam por toda a Irlanda para que em 600 d.C. o estudo da sólida literatura tomasse o lugar de destaque e fosse perseguido com uma totalidade e uma intensidade desconhecida em qualquer outra parte da Europa naquela época. Durante este período o Livro de Armagh foi escrito, parte em irlandês, parte em latim, contendo um texto não-Vulgata do NT. Não há sinal de uma Bíblia vernacular na igreja celta.

Em 597, após o surgimento do cristianismo na Inglaterra através da missão de Agostinho, o primeiro arcebispo de Canterbury, Bíblias foram enviadas para a igreja primitiva em Canterbury pelo Papa Gregório (540-604), alguns dos volumes eram adornados com prata e jóias, todos na língua latina.

### As Primeiras Traduções Inglesas

A tradução mais antiga de qualquer parte da Bíblia na língua anglo-saxã foi expressa em canções, iniciada pelas lindas canções de Caedmon (falecido em 680), de quem Bede diz, ele "cantou primeiro sobre a criação do mundo e o começo da humanidade e a história do Gênesis... e a encarnação de Cristo, e sua paixão, e sua ascensão aos céus; sobre a vinda do Espírito Santo e os ensinos dos apóstolos". Muitas destas canções foram cuidadosamente preservadas e podem ser lidas hoje. Sobre esta época o famoso épico cristão conhecido como *The Christ* foi composto, e também a jóia rara da composição literária *The Dream of the Road*.

O maior estudioso na Bretanha no século VIII, o Venerável Bede, confessou, "Dediquei toda a minha atenção ao estudo das Escrituras". Embora os escritos de Bede fossem em latim, ele se incumbiu da tradução dos Evangelhos para a língua Anglo-Saxã, e no dia da sua morte (735) estava ditando as linhas conclusivas do Evangelho de João. Nenhuma destas traduções chegou até nós.

A mais antiga tradução escrita dos Evangelhos em Anglo-Saxão que existe agora, data aproximadamente do século X. Os Evangelhos Lindisfarne elegantemente escritos eram originalmente em latim (aprox. 700 d.C.), mas no ano 950 uma tradução interlinear em Anglo-Saxão foi inserida. Alfric, o abade de Eynsham, escrevendo em aprox. 990, reconheceu que os ingleses naquela época "não tinham as doutrinas evangélicas entre os seus escritos... exceto os livros que o rei Alfred sabiamente passou do latim para o inglês". Por volta do ano 1000 houve uma versão Wessex dos Evangelhos.

Por dois séculos após a invasão da Normandia (1066) houve quase que uma total verificação da produção de literatura vernacular na Bretanha, pois os normandos introduziram e constantemente usavam a língua francesa. No século XIV, porém, o uso geral da língua francesa na Inglaterra havia praticamente cessado, e ali começou a produção de literatura genuinamente nativa acompanhada de uma revitalização das Bíblias vernaculares, bem como das porções da Bíblia. Duas versões inglesas do Livro dos Salmos foram produzidas nesta época. A obra de Richard Rolle (falecido em 1349), que atingiu grande popularidade, continha o texto do Livro dos Salmos em latim, seguido, versículo por versículo, de uma tradução e comentário em inglês.

BÍBLIAS, VERSÕES EM LÍNGUA INGLESA

Página título da Bíblia dos Bispos

### Os Grandes Tradutores da Bíblia

O primeiro dos grandes tradutores da Bíblia da Bretanha foi *John Wycliffe* (1320-1384). Um grande desejo de Wycliffe era tornar as Escrituras disponíveis na linguagem do povo, embora uma grande parte da população da Bretanha naquela época não pudesse ler. Ele também esperava que a disponibilidade das Escrituras no idioma nativo causasse uma reforma na igreja. Por esta razão, tem sido chamado desde então de "a estrela da manhã da Reforma". Sua tradução do NT foi concluída em 1380 e a do AT em 1382, fazendo desta a primeira Bíblia completa na língua inglesa. Os Apócrifos (q.v.) estavam incluídos intercalados entre os livros canônicos do AT, mas com uma nota no prefácio do AT de que estes eram "sem a autoridade da crença". Pelo menos 170 cópias do manuscrito desta Bíblia, em uma edição ou outra, sobreviveram, e durante 150 anos ela foi a única Bíblia inglesa completa em uso. Sua grande falha deveu-se ao fator de ser uma tradução da Vulgata em latim, e não das Escrituras originais em hebraico e grego.

O próximo célebre tradutor da Bíblia foi *William Tyndale* (1492-1536). Educado em Oxford, Tyndale era completamente familiarizado com o hebraico e o grego, e assim, pela primeira vez, um Novo Testamento em inglês foi produzido, traduzido diretamente do grego. Tyndale estava em freqüente contato com o grande estudioso grego Erasmo, e pode ter conhecido Lutero.

Foi Tyndale quem disse a um oponente. "Eu desafio o Papa e todas as suas leis; se Deus poupar a minha vida, antes de muitos anos eu farei com que um menino que maneja o arado saiba mais das Escrituras do que tu o sabes". Surgiu a Bíblia Wycliffe. Gutemberg havia inventado a impressão com tipos móveis e produzido a grande Bíblia Mazarin, com o texto da Vulgata em latim, em 1456. Logo as Bíblias manuscritas pararam de ser escritas. O NT de Tyndale e, mais tarde, o AT, surgiram em forma impressa, e assim, com cópias disponíveis para o homem comum, elas foram ansiosamente compradas pelas pessoas por toda a Bretanha.

A impressão da Bíblia de Tyndale teve que ser continuada fora da Bretanha, em Hamburgo, Worms e Colonha. Não pela primeira vez, mas agora com grande intensidade, as autoridades tentaram vigorosamente suprimir todos estes esforços de Tyndale e seu grupo. O rei Henrique VIII emitiu uma proclamação em 1530 onde se lê, em parte, o seguinte: "Sua alteza tendo, portanto, semelhantemente, consultado as personalidades ditas primazes e virtuosas, discretas e bem cultas já mencionadas, e assim pensado por todas elas, declara não ser necessário que a dita Escritura esteja na língua inglesa, e ao alcance das pessoas comuns; mas que a distribuição da dita Escritura... dependa apenas do discernimento dos superiores, como eles julguem conveniente. E quanto à malignidade deste tempo presente, com a inclinação do povo a opiniões erradas, a tradução do Novo e do Antigo Testamento na língua popular dos ingleses deve antes ser a ocasião da continuidade e do aumento dos erros entre o povo, ao invés de trazer qualquer benefício ou comodidade para a felicidade de suas almas. E que agora deva ser mais conveniente que ao mesmo povo seja exposta a Santa Escritura, por pregadores em seus sermões, de acordo com o que tem sido o costume desde o passado... e que os mesmos livros e os outros livros de heresia, também na língua francesa como na língua holandesa, sejam claramente exterminados e expulsos do reino da Inglaterra para sempre".

Traído por um amigo, Tyndale foi martirizado em Bruxelas em 1536. Ele mesmo nunca chegou a ver uma Bíblia em inglês completa como resultado de seu próprio trabalho. No entanto, uma tradução completa preparada por *Miles Coverdale* (1488-1569), que mais tarde se tornou o bispo de Exeter, surgiu baseada na obra de Tyndale. Ao contrário da perseguição de Tyndale e da tentativa de suprimir a sua versão, Coverdale fez o seu trabalho sob a proteção de Thomas Cromwell.

BÍBLIAS, VERSÕES EM LÍNGUA INGLESA

A tradução da Bíblia em inglês por Miles Coverdale foi baseada nas versões latinas, na obra de Tyndale, e nas traduções alemãs de Lutero e Zwingli. Surgindo em 1535, esta foi a primeira Bíblia a ser publicada (isto é, impressa) em inglês, embora nem tudo nela fosse baseado nos originais hebraicos e gregos. Aqui, pela primeira vez em Bíblias em inglês, os livros do AT foram agrupados na ordem em que são encontrados nas Bíblias hoje. De maneira interessante, a partir da Bíblia de Coverdale, os apócrifos (q.v.) não têm sido impressos juntamente com os livros canônicos do AT, mas têm sido colocados em um apêndice separado, no final do AT.

Uma edição, com páginas numeradas das Escrituras, surgiu em 1537 afirmando ser a tradução de um certo *Thomas Matthew*, agora reconhecido como sendo John Rogers, um colaborador de Tyndale. Esta tradução foi "apresentada sob a mui graciosa licença do rei".

A edição posterior revisada por Coverdale (1539) continha um prefácio do Arcebispo Cranmer, e assim tornou-se conhecida como a *Bíblia Cranmer* (também chamada de *A Grande Bíblia* por causa de seu tamanho). Esta foi a primeira Bíblia autorizada, e cópias foram colocadas em todas as igrejas. Várias edições foram submetidas a uma cuidadosa revisão. Em 1541 o rei Eduardo emitiu uma proclamação para que a Bíblia inglesa fosse colocada nas igrejas, e parte desta proclamação pode ser lida novamente para nosso benefício: "Foi ordenado e mandado que, em todas as igrejas paroquianas, haja o fornecimento, até um determinado dia, agora expirado, ao custo dos curadores e paroquianos, de Bíblias contendo o Antigo e o Novo testamentos na língua inglesa, para serem fixadas e colocadas abertas em cada uma das ditas igrejas paroquiais. Tal ordem religiosa tem o único intento que cada um dos reis, nobres, e súditos leiam neste lugar e, em tais ocasiões, não só considerar e perceber o grande e inefável poder onipotente, promessas, justiça, misericórdia e bondade do Deus Todo-Poderoso, mas, também, aprender, assim, a observar seus mandamentos, e obedecer ao seu Senhor soberano e aos altos poderes, exercitar a caridade piedosa, e usá-los de acordo com suas vocações; em uma pura e sincera vida cristã, sem murmuração ou manifestação de desagrado. E, que, ninguém leia tais Bíblias, em voz baixa ou alta, em momentos de celebração da santa Missa, e outros cultos divinos realizados na igreja, nem que qualquer pessoa deva presumir tomar sobre isto qualquer disputa, discussão ou exposição comuns dos mistérios nela contidos, mas que cada homem leigo deva humildemente, mansamente e reverentemente ler a mesma, para sua própria instrução, edificação e aperfeiçoamento de vida, de acordo com a santa Palavra de Deus nela contida."

**Outras Bíblias Antigas**

Durante o reinado da rainha Maria (1553-1558), nenhuma Bíblia foi impressa na Inglaterra, e seu uso nas igrejas foi proibido. No entanto, em 1560, um grupo de estudiosos em Genebra, produziu uma versão em inglês não autorizada chamada *Bíblia Genebra*. Esta foi a versão mais precisa até aquela data. O NT foi editado por William Whittingham, que foi casado com a irmã de Calvino. Calvino escreveu uma epístola introdutória.

Pela primeira vez as anotações marginais chamaram a atenção para as variações nos manuscritos gregos. Esta foi a primeira versão em inglês a usar versículos numerados como parágrafos separados. As divisões dos versículos de Robert Estienne (ou, Stephanus), originalmente empregadas em seu NT grego em 1551, também foram usadas. Foi a primeira Bíblia a ser impressa em tipo Romano ao invés das antigas letras de forma, o chamado tipo Inglês Antigo.

Esta foi a Bíblia usada por Shakespeare, John Bunyan, Oliver Cromwell, tão fervorosamente estudada pelos puritanos e trazida para o *Mayflower*. Designada como "o Livro do Povo", ela teve um lugar proeminente entre as versões em inglês durante 75 anos. De 1560 a 1644 houve 140 edições da Bíblia Genebra ou do NT. Certas Bíblias Genebra impressas em 1599 omitiram os livros apócrifos pela primeira vez. A primeira Bíblia a ser impressa na Escócia foi uma edição escocesa da Bíblia Genebra, em 1579.

Após a ascensão da rainha Elizabete ao trono em 1558, a popularidade da Bíblia Genebra persuadiu as autoridades anglicanas a produzirem uma Bíblia que pudesse portar a autoridade da igreja da Inglaterra. O arcebispo Parker se propôs a designar um comitê para a realização de tal trabalho, e sua proposta foi aceita. Uma vez que a erudição destes bispos não era igual à do grupo que havia produzido a Bíblia Genebra, eles usaram *A Grande Bíblia* como sua base, verificando o texto grego e hebraico. A obra terminada foi chamada de *A Bíblia dos Bispos*. Dezenove edições foram impressas de 1568 a 1606. Foi endossada por convocação em 1571. Na edição de 1572 Parker publicou em colunas paralelas, o Livro dos Salmos da Grande Bíblia e o Livro dos Salmos da Bíblia dos Bispos.

Até a tradução livre (NT, 1944; AT, 1949) do falecido Msgr. Ronald A. Knox, a *Bíblia Douay* tem sido a única Bíblia inglesa aprovada pela igreja católica romana. O NT, traduzido do latim, foi publicado sob a liderança de Gregory Martin em 1582 pela Universidade Católica Inglesa, no período em que esta instituição esteve exilada em Rheims no nordeste da França, e por esta razão ficou conhecida como o *Novo Testamento de Rheims*. O AT, em sua maior parte uma tradução da Vulgata latina por Martin, foi publicado em 1609-10 quando a Universidade Inglesa havia retornado a Douay, no noroeste da França, e daí o seu nome. "A Bíblia Douay".

A parte mais pobre desta versão é reconhecida como o Livro dos Salmos, que foi corretamente caracterizado como "uma tradução de uma tradução, de uma tradução". Nesta versão há uma grande ênfase nos termos eclesiásticos. "Arrependimento" é aqui traduzido como "penitência". Esta versão traz termos incomuns que não podem ser sequer traduzidos Ao invés de "pães da proposição", nesta versão, lê-se: "proposição de pães". O termo "diácono" é traduzido como "ministro", e "presbítero" é traduzido como "sacerdote". O texto em Efésios 3.9 é escrito de forma a ler-se: "a dispensação do sacramento". O NT Douay foi extensivamente usado pelos revisores da versão King James em inglês, mas o AT foi publicado tarde demais para que tivesse sofrido qualquer tipo de influência. Uma autoridade neste assunto não exagera ao dizer que hoje "o Antigo Testamento Douay é um livro esquecido". Nesta versão, os livros apócrifos aparecem intercalados ao longo de todo o AT.

**Tradução da Versão King James**

Com todas estas várias traduções disponíveis, e com um conhecimento crescente na Bretanha do hebraico e do grego, havia chegado o tempo de se preparar o maior empreendimento na área da tradução na história da literatura inglesa, a produção do que veio a ser conhecida como a Versão Autorizada em inglês, ou a King James Version (KJV).

No verão de 1603, o rei James I, a caminho de Londres para receber a coroa inglesa, foi presenteado com uma petição de agravo pelo clero das convicções puritanas, que o levaram a convocar uma conferência em Hampton Court, de 14 a 16 de janeiro de 1604. Durante esta conferência, o Dr. John Reynolds, presidente do Corpus Christi College, de Oxford, propôs que fosse feita uma nova tradução da Bíblia. Embora a maioria tenha se oposto, esta moção foi aceita pelo rei, e o empreendimento começou imediatamente com 54 dos admiráveis estudiosos bíblicos da Grã-Bretanha empenhados nesta tarefa. Eles foram divididos em seis grupos, três para trabalharem na tradução do AT, dois no NT e um nos apócrifos. O Dr. H. Wheeler Robinson resumiu bem as qualificações deste grupo: "O grupo de Oxford foi liderado pelo Dr. John Hardinge, professor régio de hebraico, e incluía o Dr. John Reynolds, o originador do projeto, 'cuja memória e leitura se aproximavam de um milagre'; O Dr. Miles Smith, que 'tinha o hebraico na ponta de seus dedos'; o Dr. Richard Brett, 'habilidoso e versado na crítica das línguas como o latim, o grego, o caldeu, o árabe e o etíope'; Sir Henry Saville, editor das obras de Crisóstomo; e o Dr. John Harmer, professor de grego, 'um grande latinista, greciano e divino'".

"O comitê de Cambridge foi a princípio presidido por Edward Lively, professor régio de hebraico, que morreu em 1605 antes que o trabalho tivesse realmente começado, e incluía o Dr. Lawrence Chaderton, 'familiarizado com as línguas grega e hebraica, e vários escritos dos rabis'; Thomas Harrison, 'notável por sua especial habilidade nos idiomas hebraico e grego'; Dr. Robert Spalding, sucessor de Lively como professor de hebraico; Andrew Downes, 'alguém que tinha em si o idioma grego e grande aptidão para o trabalho'; e John Bois, 'um estudioso precoce do grego e do hebraico'".

"O grupo de Westminster foi liderado por Lancelot Andrewes, reitor de Westminster, que mais tarde veio a ser o bispo de Chichester, de Ely, e finalmente de Winchester, 'que poderia ter sido um líder de intérpretes no episódio de Babel... faltaria ao mundo a capacidade necessária para compreender o quão versado era este homem'; e este grupo incluía o estudioso do idioma hebraico Hadrian Saraiva, além de William Bedwell, o maior erudito árabe daqueles dias".

Quanto ao método, os grupos separados deveriam considerar o trabalho de cada um dos outros grupos, e as diferenças deveriam ser resolvidas primeiro por correspondência, e falhando isto, através de uma reunião geral no final, que seria composta por dois representantes de cada um dos três principais centros de tradução (Oxford, Cambridge e Westminster). A sessão final, que reuniu e editou todo o trabalho, durou nove meses. Embora iniciada em 1607 a tradução não foi completada até 1610 e publicada em 1611.

No famoso prefácio desta versão, há uma soberba declaração a respeito do trabalho e do valor da tradução. "A tradução é o que abre a janela para deixar entrar a luz; que quebra a concha, para que possamos comer aquilo que está no âmago; que abre a cortina, para que possamos olhar para dentro do Santo dos Santos; que remove a tampa do poço, para que possamos alcançar a água, da mesma forma que *Jacó* rolou a pedra da boca do poço, e assim deu de beber ao rebanho de *Labão*. Certamente, sem a tradução na língua popular, os incultos são como crianças no poço de *Jacó* (que era fundo) sem um balde, ou alguma coisa com que tirar a água; ou como a pessoa mencionada por *Esay*, a quem quando o livro selado foi entregue, com esta menção, *Leia isto, eu rogo a ti*, respondeu, *Não posso, pois ele está selado*".

Não passou muito tempo até que a KJV superasse todas as traduções anteriores, no que diz respeito à leitura pública das Escrituras. Finalmente a Inglaterra estava lendo, em casa, a mesma Bíblia que ouviam ser lida nos púlpitos das igrejas. O ilustre estudioso inglês de uma geração anterior, o Dr. Albert S. Cook disse bem: "Ela tornou-se inseparavelmente ligada à vida da nação. Uma vez que aplacou toda a controvérsia sobre a melhor tradução, veio a ser gradualmente aceita de forma tão absoluta na mente de milhares, que não havia distinção entre esta versão e os textos originais, e pode-se quase dizer que eles creram na inspiração literal de cada uma das palavras que a compunha".

Aproximadamente três séculos mais tarde, os tradutores da Versão Revisada declararam: "Tivemos que estudar esta grande versão cuidadosa e minuciosamente, linha por linha; e quanto mais nos empenhávamos nela, mais aprendíamos a admirar sua simplicidade, sua dignidade, seu poder, seus estilos alegres de expressão, sua exatidão geral e, não podemos deixar de acrescentar, a música de sua cadência e a expressão feliz de seus ritmos".

Até mesmo um não-cristão como Thomas Huxley reconheceu alegremente que a KJV "é escrita no mais nobre e mais puro inglês e está repleta de belezas primorosas da pura forma literária; e, finalmente, que ela proíbe que o camponês que nunca deixou sua aldeia permaneça ignorante em relação à existência de outros países e outras civilizações, e do grande passado que se estende aos limites mais longínquos das civilizações mais antigas do mundo".

**Versões Padrão - Inglesas e Americanas**

Enquanto várias versões surgiram durante os séculos XVII e XVIII, e particularmente algumas novas traduções importantes do NT grego, mais de 250 anos se passaram antes que houvesse qualquer esforço unido para produzir uma nova versão padrão. Muito havia acontecido no mundo dos estudos bíblicos desde 1611, por exemplo, a descoberta do grande manuscrito sinaítico por Tischendorf (*veja* Manuscritos Bíblicos). No dia 10 de fevereiro de 1870, o Bispo Wilberforce submeteu a seguinte resolução da Casa Superior de Convocação da Província de Canterbury. "Que um comitê de ambas as Casas seja designado, com poder para conferenciar com qualquer comitê que possa ser indicado pela Convocação da Província do Norte, para relatar o desejo de se empreender uma revisão da Versão Autorizada do Novo Testamento, seja por meio de notas marginais ou de outra forma, nas passagens em que esta investigação detectar erros simples e claros (caso existam), seja no texto hebraico ou grego originalmente adaptado pelos tradutores, ou na tradução destes".

Em maio do mesmo ano, um comitê fez algumas sugestões. Entre elas estavam: "(1) É desejável que seja realizada uma revisão da Versão Autorizada das Sagradas Escrituras. (2) Que a revisão a ser conduzida, inclua tanto as traduções marginais quanto as correções que possam ser consideradas necessárias, e que sejam inseridas no texto da Versão Autorizada. (3) Que nas resoluções acima, não idealizemos nenhuma nova tradução da Bíblia, ou qualquer alteração da linguagem, exceto onde o julgamento dos estudiosos mais competentes mostrar que a mudança seja necessária".

Cinqüenta e quatro dos melhores estudiosos bíblicos na Bretanha se dispuseram a colaborar neste empreendimento. Dois grupos, com 27 membros cada, iniciaram o trabalho em junho daquele mesmo ano, o grupo do NT reunindo-se por 407 dias durante 11 anos, e o grupo do AT por 792 dias em 15 anos. O resultado do trabalho do grupo do NT surgiu em 17 de maio de 1881, e o do AT em 1885.

Dentre outras virtudes, as passagens poéticas por toda a Bíblia foram impressas como tal. Muitas palavras que se tornaram obsoletas e antiquadas foram modernizadas, e inúmeras passagens foram traduzidas com mais precisão. Um grande número de traduções variadas foi inserido nas margens, e todo o sistema de referências cruzadas foi completamente revisado. Embora os números dos versículos tenham sido mantidos, fora das passagens poéticas o texto foi impresso em parágrafos, e estas divisões de parágrafos foram mais cuidadosamente determinadas.

O texto da revisão inglesa do NT foi enviado para Nova York e publicado na América em 20 de maio de 1881. Dois jornais diários de Chicago receberam o texto de Mateus a Romanos no mais longo telegrama da história (aproximadamente 118.000 palavras). A digitação do restante foi enviada por meio de cópias que chegaram em um trem expresso na noite de 21 de maio, para que todo o NT pudesse ser publicado para seu público em 22 de maio. Três milhões de cópias deste trabalho foram vendidas nos Estados Unidos e na Grã-Bretanha nos primeiros doze meses.

O veredicto do Prof. F. F. Bruce declara exatamente qual é a opinião geral das melhores autoridades, ao expressar que esta versão "ainda é a edição mais útil da Bíblia para o estudante cuidadoso que não conhece nenhum outro idioma além do inglês". Mas com relação ao NT, Charles H. Spurgeon uma vez observou, "É forte no grego, fraco no inglês". Esta avaliação ainda persiste e o fato observado impediu que esta versão e a sua contraparte americana se tornassem a versão "do povo".

O comitê inglês convidou estudiosos bíblicos americanos para participar de seu empreendimento. Um convite que foi alegremente aceito. Mas, diferenças surgiram sobre certos métodos de procedimento, e o comitê americano decidiu publicar sua própria versão revisada, embora trocando notas com os revisores britânicos, prometendo só publicar sua obra completa 14 anos depois da revisão inglesa ter surgido. Concorda-se, geralmente, que a American Standard Version (ASV), que foi publicada em

1901, era, de muitas maneiras, superior à versão inglesa. Estima-se que no NT destas versões revisadas haja cerca de 30.000 alterações do texto da KJV ou, como alguém já estimou, cerca de quatro alterações e meia para cada versículo.

**Versão Padrão Revisada em Inglês (Revised Standard Version)**

Em 1937 o Conselho Internacional de Educação Religiosa iniciou os trabalhos para uma nova revisão completa, empreendida por 32 estudiosos bíblicos americanos. O NT da Revised Standard Version (RSV) foi publicado em 1946 e a Bíblia inteira em 1952. Embora muitas passagens neste texto tenham provocado uma crítica feroz, em algumas passagens houve na verdade um retorno à primeira KJV. Por exemplo, o texto em 2 Timóteo 3.16, que havia sido impropriamente mutilado na ASV, foi mudado e, lê-se agora, "Toda a Escritura Sagrada é inspirada por Deus e é útil etc".

O diretor deste trabalho (e reitor da Universidade Yale), Luther Weigle escreveu o seguinte a respeito desta nova versão na época de sua publicação: "Foi na verdade uma nova tradução, e por três razões. A primeira é que nenhuma revisão adequada pode ser feita exceto com base em um completo estudo do texto grego, e com um procedimento cuidadoso para colocar o seu sentido no inglês, como seria exigido de uma nova tradução. A segunda é que o comitê usou a nova evidência com respeito ao texto grego e os novos recursos para entender o vocabulário e a gramática do Novo Testamento grego, que foi proporcionado pelas notáveis descobertas dos últimos sessenta anos, desde que as revisões de 1881 e 1901 foram feitas. A terceira é que o comitê atual não foi obrigado, como os comitês anteriores, a manter as formas peculiares do inglês elizabetano no qual a King James Version está baseada". Neste texto, o uso do nome "Jeová" caiu e o título "Senhor" assumiu o seu lugar. Embora formas arcaicas de pronomes tenham sido descartadas, aspas não foram introduzidas.

W. M. S.

**Traduções para a Maneira Moderna de Falar por Comitês ou Grupos de Estudiosos**

*Nova Bíblia Inglesa* (*New English Bible* - NEB). Em 1946 a Assembléia Geral da Igreja da Escócia aproximou-se das igrejas protestantes da Grã-Bretanha sugerindo uma tradução completamente nova da Bíblia no inglês contemporâneo. A proposta recebeu aprovação, e uma tradução chamada *New English Bible* foi produzida.

Esta versão se origina de um comitê interdenominacional de protestantes ingleses, sob a direção de C. H. Dodd. Tinha a responsabilidade de fazer uma "tradução completamente nova" da Bíblia, "ao invés de uma revisão de qualquer versão anterior". Esta deveria ser tanto uma "tradução fiel do melhor texto grego disponível para a maneira de falar do nosso tempo, como também uma tradução que deveria colher os frutos da recente erudição bíblica".

O NT surgiu em março de 1961 e tem sido amplamente adotado por muitos grupos britânicos e americanos. Uma vez que um novo texto grego foi construído para este projeto, ele marca uma inovação em traduções por comitês, principalmente em relação àqueles em que edições padrão do texto grego foram usadas. No entanto, em vários casos (em nossa opinião), este novo texto segue manuscritos cujas evidências são, além de poucas, questionáveis (por exemplo, Jo 13.10; 19.21; Mc 8.26; Fp 2.16). O AT foi publicado em março de 1970.

Muitas características e qualidades atraentes, que vão desde o formato e estilo agradáveis até a clareza e vigor, têm contribuído para a atual popularidade da NEB. No entanto, vários pontos fracos gerais podem ser citados. Ela cai na armadilha de excessivas paráfrases interpretativas e, em muitos casos, de traduções livres (por exemplo, Jo 16.8-11; Rm 5.15). Por esta razão, é difícil classificar a NEB como uma tradução literal com algumas paráfrases, ou como uma verdadeira paráfrase. Além disso, não há itálicos para indicar onde palavras e frases são acrescentadas em inglês a fim de completar o sentido. Parênteses são usados ambiguamente tanto para as palavras acrescentadas quanto para o pensamento parentético.

*Nova Bíblia Americana Padrão* (*New American Standard Bible* - NASB). Um grupo bem qualificado de estudiosos bíblicos americanos evangélicos editou o NT da New American Standard Bible (Nova Bíblia Padrão Americana) em 1963, e a Bíblia toda em 1971. Eles declararam ter como propósito "aderir à língua original das Sagradas Escrituras da maneira mais próxima possível, e, ao mesmo tempo, obter um estilo fluente e legível de acordo com o uso do inglês corrente". A base de seu trabalho foi a ASV de 1901. Nesta revisão, notas marginais úteis e referências cruzadas são encontradas na borda externa da página; parágrafos são indicados; as aspas e a pontuação seguem a prática moderna. "Tu", "te" e "ti" são mudados para "você" exceto na linguagem de oração quando se fala com a Divindade. Além disto, os pronomes "você" ou "vocês" (que em inglês são idênticos, *you*) recebem um sinal que os designa como singular ou plural nas passagens em que não é possível identificar o singular ou o plural através do contexto. Os itálicos indicam as palavras que não estão presentes no texto grego, mas que se justificam na tradução.

Os tradutores indicam que, enquanto dão atenção ao manuscrito grego mais recente e disponível, os seus esforços são feitos "para traduzir a gramática e a terminologia da ASV em um inglês contemporâneo". Onde não é possível aplicar a literalidade da ASV, uma expressão inglesa mais comum é utilizada, mas a tradução literal é indicada na margem. Esta versão é uma tradução precisa, livre de expressões arcaicas e apropriadas para o cuidadoso estudo bíblico e para a memorização das Escrituras, o que não é sempre o caso com paráfrases e versões ampliadas.

*Versão de Confraternidade (Confraternity Version).* O NT foi publicado pela primeira vez em 1941 pela Confraternidade Episcopal da Doutrina Cristã. É uma revisão do NT de Rheims-Challoner traduzida da Vulgata latina. A evidência mais recente para o texto da Vulgata é seguida, mas é indicado que "... se o latim discorda do grego a ponto de afetar o significado, é dada uma atenção às notas de rodapé" e o grego é seguido. O texto é dividido em estilo de parágrafo, mas, com os versículos numerados dentro dos parágrafos.

Há um coloquialismo nesta tradução que, por fim, lhe traz uma boa compreensão das Escrituras. Algumas das notas de rodapé, porém, contêm dogmas católicos romanos, como em 1 Timóteo 2.5 onde se faz um adendo à mediação do Senhor Jesus Cristo "como um homem" (deixando espaço a outros "mediadores"), ou referindo-se a Mateus 1.25, dizendo que "a virgindade perpétua de Maria" não é prejudicada.

Em 1948 surgiu uma nova tradução de Gênesis, e assim se iniciou uma tradução do AT baseada no hebraico ao invés do latim. A Bíblia inteira foi publicada em 1970 sob o título New American Bible (Nova Bíblia Americana).

A tradução possui um estilo de leitura fácil e segue o texto bem de perto, embora nas introduções haja evidências de uma crítica de alta erudição.

*Versão Padrão Revisada- Edição Católica Romana.* A Associação Bíblica Católica da Grã-Bretanha foi responsável por esta edição católica romana. A declaração no prefácio diz que os diferentes ramos religiosos - protestante, católico e outros – podem usar a mesma Bíblia. No entanto, esta edição, ao passo que não altera o conjunto do NT da RSV, incorpora 67 mudanças que refletem o dogma católico romano.

Mas no AT, "não se pensou ser necessário fazer qualquer mudança". A quantidade usual de notas de rodapé é usada. Naturalmente, os livros apócrifos estão incluídos juntamente com o texto do AT. Assim, as objeções já indicadas com relação à RSV também se aplicam à edição católica romana.

*Versão Berkeley em Inglês Moderno* (1958). A porção do NT é uma versão particular de Gerrit Verkuyl, cujo desejo era produzir uma tradução menos interpretativa do que a de Moffatt, mais americana do que a de Weymouth e menos ligada à KJV do que a RSV. Trabalhando a partir dos melhores manuscritos gregos, Verkuyl produziu uma versão com um claro inglês idiomático. As expressões arcaicas com obscuridades de linguagem são minimizadas. Contudo, existem várias expressões formais.

O mesmo é verdade quanto ao AT. Muitos estudiosos, cada um responsável por seu próprio trabalho, fez sua tradução das porções que lhes foram confiadas. Mas a Versão Berkeley, como um todo, é essencialmente uma série de especulações particulares sem nenhum procedimento formal de revisão, como no caso de um comitê. As profecias messiânicas com relação a Cristo estão cuidadosamente preservadas.

A versão contém anotações cronológicas nos cabeçalhos de muitos dos capítulos, enquanto que as notas de rodapé têm sugestões morais e éticas juntamente com outras observações explanatórias.

*O Torá, os Cinco Livros de Moisés.* Publicado em 1963, esta é a primeira fase de uma tradução judaica de todo o AT, da qual os outros livros ainda estão em processo de tradução. Existe uma tradução inglesa feita por estudiosos judeus do AT hebraico datando de 1917, que está amplamente moldada na linguagem da ASV. Porém a versão atual é uma nova tradução no inglês moderno. A leitura do texto é suave e livre de expressões difíceis de entender. Nos casos em que o contexto exige palavras extras que não estão no texto hebraico, é usada paráfrase, mas as palavras adicionais são colocadas entre colchetes ou parênteses. Onde o texto é sujeito a controvérsias, há leituras variantes nas notas de rodapé, permitindo, assim, que o leitor tenha algumas escolhas. É observado que em Êxodo 3.14, o nome santo para Deus não é traduzido. A leitura é. "Assim dirás aos filhos de Israel: *'Ehyeh* me enviou a vós". Algumas traduções questionáveis podem ser vistas em Gênesis 2.17; 3.15; Números 24.17 e Deuteronômio 6.4.

A tradução é basicamente o trabalho de um só homem, Harry M. Orlinsky, célebre estudioso judeu, embora dois outros estudiosos (H. L. Ginsberg e E. A. Speiser) e três rabinos tenham atuado como um comitê revisor. Os três rabinos representaram as três facções do judaísmo americano.

*A Bíblia Âncora (The Anchor Bible).* Esta é conhecida como um empreendimento ecumênico e está sob a supervisão editorial de William F. Albright e David N. Freedman. Os primeiros volumes foram publicados em 1964, Gênesis e as epístolas de Tiago, Pedro e Judas. Para cada livro da Bíblia existe uma tradução inglesa precisa transmitindo o significado dos textos hebraico e grego e, ainda, adaptando a tradução para o inglês americano moderno. No entanto, em muitos casos a tradução segue o texto bíblico de forma bastante literal (por exemplo, Sl 1; Jo 1). Existem algumas paráfrases curiosas (por exemplo, em João 3.1 onde Nicodemos é "um membro do Sinédrio judeu").

Com a tradução há notas explicativas e um comentário considerando questões históricas e críticas. Não há nenhuma organização eclesiástica por trás do projeto, que é internacional e de caráter interconfessional, uma vez que estudiosos católicos, protestantes e judeus de muitas partes do mundo contribuíram nos volumes individuais. Cada livro da Bíblia é o trabalho de um estudioso que é especialista naquela área do estudo bíblico. Deve ser observado que a maioria dos estudiosos sustenta opiniões teologicamente liberais.

*A Bíblia Ampliada (The Amplified Bible).* Esta versão surgiu em várias etapas (o NT em 1958) culminando com a Bíblia inteira em 1965. A edição completa foi extensivamente revisada, especialmente o AT. A tradução é nova, e apresenta um bom nível de precisão na edição revisada. Como a sua principal característica, ela amplia diferentes matizes de significado no hebraico e no grego originais, multiplicando palavras inglesas. Por exemplo, enquanto em Isaías 7.14 a KJV diz "eis que uma virgem conceberá", a Bíblia Ampliada diz, "eis que uma jovem, *que* é solteira *e* virgem, conceberá". As notas de rodapé reúnem uma grande quantidade de comentários conservadores sobre o texto de cada página. Embora em alguns casos seja sem dúvida muito útil ter mais do que uma palavra inglesa para traduzir o original, assim como várias matizes de significado representadas por várias ampliações de palavras, apenas um dos significados – e não todos – se encaixa no contexto que se está analisando. Em outras palavras, embora uma única palavra inglesa raramente diga o que o autor pretendia, uma multiplicação de palavras geralmente diz mais do que ele na verdade pretendia transmitir. No entanto, muitos encontram um enriquecimento no entendimento das Escrituras através da abordagem da Bíblia Ampliada.

*A Bíblia de Jerusalém* (1966). Esta versão católica romana produzida na Inglaterra é o equivalente inglês da francesa *La Bible de Jerusalem* (1956) preparada pela Escola Bíblica Dominicana em Jerusalém sob a edição geral de Père Roland de Vaux. As introduções e notas de rodapé abundantes são uma tradução direta do francês, embora o texto tenha sido geralmente traduzido diretamente das línguas originais e simultaneamente comparado com o francês quando surgiam questões de leituras variantes ou de interpretação. O desejo do Editor Geral para o idioma inglês, Alexander Jones, e de seus colaboradores, era traduzir a Bíblia para um inglês "contemporâneo".

O nome divino Yahweh é usado ao longo de todo o AT. Como era de se esperar, os livros apócrifos estão distribuídos entre os livros históricos, os livros de sabedoria, e os profetas ao invés de serem mantidos em uma seção separada. As passagens poéticas estão impressas como versos, e as linhas que têm pouca ênfase no hebraico estão recuadas. O texto é dividido por seções e cabeçalhos de parágrafo em negrito, para permitir que o leitor possa ver, rapidamente, qual é o assunto que está diante de si.

As introduções e as notas interpretativas seguem a tendência entre os estudiosos católicos romanos de aceitar uma teoria documental modificada do Pentateuco, acreditando que haja três vertentes de tradição em Gênesis a Números; defender a autoria composta do livro de Isaías; e datar a escrita de Daniel em 165 a.C. Por outro lado, as profecias messiânicas são claramente observadas e freqüentemente explicadas nas notas de rodapé (por exemplo, as passagens em Isaías relativas ao "servo de Yahweh", em 42.1). As notas explanatórias de rodapé referentes ao NT são, em geral, teologicamente sadias; no caso do livro de Romanos, por exemplo, elas são quase tão longas quanto o texto do próprio livro, e fornecem excelentes comentários evangélicos. Suplementos úteis incluem uma extensa tabela cronológica para a história geral e bíblica, e um índice dos temas bíblicos que constam das notas de rodapé.

*A Tradução Novo Mundo* (*The New World Translation*). Publicada pela Watchtower Bible and Tract Society (*Soiciedade Bíblica Torre de Vigia*) em 1953, esta versão indica como uma religião que é sem dúvida uma seita (As Testemunhas de Jeová) é capaz de traduzir a Bíblia para servir aos seus próprios propósitos, sem se basear em qualquer tipo de exegese bíblica de qualidade. É natural que onde nenhuma tendência teológica esteja envolvida, a tradução possa parecer razoavelmente boa. Contudo, esta seita nega a divindade de Cristo e a igualdade do Filho com o Pai, e assim João 1.1, por exemplo, é traduzido da seguinte forma. "... e o verbo era *um* deus".

Além disto, a palavra "Jeová" é freqüentemente substituída no NT pela palavra "Senhor", embora "Jeová" não seja um termo utilizado quando o texto refere-se à pessoa do Senhor Jesus Cristo. Assim, é possível identificar várias incoerências que têm a finalidade de apoiar uma linha de pensamento particular, que não se baseia nas Escrituras como um todo.

Algumas Traduções Particulares para a Linguagem Moderna

*O Novo Testamento na Linguagem Moderna.* Esta talvez seja a primeira versão de linguagem moderna traduzida por um indivíduo (1902). R. F. Weymouth primeiro verificou o sentido do texto grego e então passou a expressar este sentido no inglês do século XX. Em outras palavras, Weymouth estava interessado em como um escritor inspirado teria escrito se tivesse vivido em nossa época. Os valores dos verbos gregos, as matizes dos significados das palavras usadas e uma intensa apreciação dos casos gregos, estão refletidos nesta tradução. Observe como 1 João 1.6 é traduzido: "... enquanto estivermos vivendo em trevas", ou note a expressão em Lucas 15.1: "Agora, os cobradores de impostos e aqueles que eram declaradamente pecadores estavam em todo lugar, e adquiriram o hábito de aproximar-se dele para o ouvir".

Em geral as edições mais antigas eram doutrinariamente sadias. Porém as edições posteriores, revisadas pelos sucessores de Weymouth, foram um tanto influenciadas pela doutrina liberal.

*Novo Testamento do Século Vinte.* Esta tradução britânica teve início em 1890, quando uma mãe e esposa de pastor, a Sra. Mary Higgs, juntamente com Ernest Malan, um engenheiro, decidiram produzir uma tradução do NT na linguagem do cotidiano que os jovens pudessem entender. Gradualmente mais donas de casa, homens de negócios e ministros se juntaram a eles até que o comitê alcançou o número de 35 pessoas, incluindo três estudiosos reconhecidos. Seu trabalho foi feito com um cuidado meticuloso e um procedimento totalmente sadio; foi lançado em 1904 (e reimpresso pela Moody Press em 1961). O TCNT (*Twentieth Century New Testament*) contém o mínimo de paráfrase e interpretação e demonstra tanto exatidão quanto clareza.

*A Bíblia* traduzida por James Moffatt. A tradução de toda a Bíblia por Moffatt foi concluída e publicada em 1926. Ele tentou fornecer uma versão inteiramente nova que produzisse o mesmo efeito do texto original naqueles que a lessem e a ouvissem. Moffatt era um estudioso cuidadoso, especialmente do NT (1913). A versão é livre e bastante vigorosa. Ela não soa como a familiar KJV (por exemplo, Gn 1.1 diz: "Esta é a história de como o universo foi formado". Matizes refinadas, em termos de significado nos tempos verbais gregos, são graficamente apresentadas no NT (cf. Lc 7.45; 8.23; Rm 8.13; 1 Jo 1.6).

Apesar destas qualidades, a versão de Moffatt tem sérios pontos fracos. Ele afirmou ter encontrado "a liberdade da teoria de inspiração verbal", e esta opinião está refletida em sua tradução de algumas das grandes passagens doutrinárias tanto do AT como do NT. No Pentateuco, de acordo com a teoria documental, ele tentou indicar os múltiplos autores alternando os tipos romano e itálico. Ele também reagrupou o texto (como lhe pareceu melhor) em algumas passagens (cf. Jo 13–16), e uma vez que aderiu a uma visão reduzida da divindade de Cristo, tentou reduzir ao mínimo a força das grandes passagens desta doutrina (por exemplo, Jo 1.1-5; Fp 2.5-8; Cl 1.15-18; Hb 1.3). O nascimento virginal de Cristo é colocado em dúvida por meio da utilização de um texto decididamente inferior, que se refere a José como "o pai de Jesus" (Mt 1.16).

*O Novo Testamento na Linguagem Popular.* Este foi traduzido e publicado pela primeira vez em 1937 por C. B. Williams, na época professor de grego na Union University, Jackson, Tenn., e reimpresso pela Moody Press em várias edições. Deve-se primeiramente observar a exatidão na tradução dos tempos verbais, figuras de linguagem e finas matizes do significado gramatical no grego, o que é freqüentemente ignorado em outras traduções. Embora careça de uma melhoria na qualidade e suavidade literária, ela recompensa o cuidadoso leitor do NT através da ajuda adicional do grego, com uma tradução em linguagem moderna.

Esta tradução não deve ser confundida com o *Novo Testamento no Inglês Simples* por Charles Kingsley Williams, publicado em 1949 e reimpresso por Eerdmans em 1963. Este último é uma excelente versão inglesa básica com cerca de 2.000 palavras de vocabulário apropriado para crianças ou estrangeiros que estejam aprendendo inglês.

*O Novo Testamento em Inglês Moderno* por J. B. Phillips (1958). Esta versão é altamente coloquial, uma apresentação deliberada da linguagem vívida e idiomática, usando a paráfrase muito livremente para apresentar o significado de passagens difíceis. Ela se tornou uma das traduções do NT mais largamente usadas nos últimos anos.

Com seus *Quatro Profetas* (1963), Phillips começou a tradução do AT usando Amós, Oséias, Miquéias e Isaías 1–35. Estas quatro passagens proféticas foram escolhidas por causa de sua relevância hoje. Phillips admite que o AT não pode ser traduzido tão rapidamente e tão prontamente quanto o NT. No todo, o AT é uma tradução boa e inteligível, embora algumas características objetáveis possam ser citadas. Em Isaías 6.5 o profeta se descreve como um "homem de linguagem obscena", que pode ter um significado doutrinário totalmente diferente da KJV que diz, "um homem de lábios impuros". Em Oséias 2.2, lê-se: "Diga-lhe para lavar a pintura de seu rosto", ao invés de "Desvie ela suas prostituições da sua face", desse modo dando à passagem uma conotação diferente da que foi pretendida. Em geral, porém, muitas passagens difíceis foram esclarecidas, enquanto que os cabeçalhos de parágrafo são uma ajuda para o entendimento.

*O Novo Testamento na Linguagem de Hoje* por William F. Beck (1963). Tomado de um desejo de colocar o NT na "linguagem viva de hoje e de amanhã", Beck, ajudado pelos mais recentes manuscritos e descobertas de papiros, preparou uma tradução completamente nova, que foi publicada pela *Concordia Publishing House*. Ela também foi incluída no *Novo Testamento de Quatro Traduções* publicado pela Moody Press em 1966. Embora careça de vigor, o NTLT (*The New Testament in the Language of Today*) é, de maneira geral, preciso, claro e livre de interpretações e paráfrases. Ele faz um bom trabalho ao seguir o texto grego, e, ao mesmo tempo, tenta traduzir as palavras em seu mais próximo equivalente em inglês utilizando uma única palavra. Por exemplo, "contemple" na KJV torna-se "olhe" na NTLT; "serpente" na KJV é simplesmente "cobra" na tradução de Beck; "bem-aventurado" nas beatitudes (Mt 5.3-12) da KJV torna-se "feliz" na NTLT.

*As Cartas de Paulo* por F. F. Bruce (1965). Esta é uma reconhecida paráfrase extensa, preparada por um dos maiores estudiosos evangélicos do NT da Inglaterra.

Bruce mostra que em uma paráfrase "o parafrasta inclui muito mais de sua própria interpretação e exposição do que um tradutor julgaria correto". Portanto, a exatidão de tal tradução depende grandemente da habilidade erudita do tradutor. Para se guardar contra uma falsa conclusão de sua paráfrase, Bruce incluiu na face de cada página a Edição Revisada em Inglês (de 1881-85) que ele julgou ser a tradução literal mais exata.

*A Bíblia Viva*. Começando em 1962 com *Cartas Vivas*, uma paráfrase das epístolas do NT, Kenneth N. Taylor publicou o *Novo Testamento Vivo* (1967) e, posteriormente, completou a série abrangendo a Bíblia inteira. Seu trabalho ganhou imediatamente tanta popularidade que, em 1967, três milhões de cópias das Cartas Vivas e dos Evangelhos Vivos foram impressos. Também está disponível uma edição paralela do Novo Testamento Vivo com a KJV. As traduções mais antigas foram cuidadosamente revisadas para a edição de 1967 do NT completo, e está programada uma revisão geral que será feita por um comitê de revisão de paráfrase a cada cinco anos.

Há um inegável frescor e clareza no estilo de Taylor que desperta interesse. Isto resulta da habilidade do parafrasta ao usar uma linguagem coloquial e uma tradução livre das passagens. Uma outra razão para a clareza é a seleção interpretativa. Em praticamente cada caso onde os textos hebraico e grego são ambíguos, permitindo alternativas, Taylor adotou uma opinião e a traduziu com clareza.

Por exemplo, a questão relacionada ao tipo de fé a que Tiago está se referindo é decidida pela palavra interpretativa adicional "verdadeira" (Tg 2.20); a questão do sentido da frase "*Salvar-se-á*, porém, dando à luz filhos" é interpretada nas Cartas Vivas como "Ele salvará suas almas" (1 Tm 2.15); o significado de "Andarão dois juntos, se não estiverem de acordo?" é fixado pela paráfrase interpretativa, "Pois como podemos andar juntos com seus pecados entre nós?" (Am 3.3). Isto leva ao esclarecimento, mas também fixa a interpretação quando outras opiniões sadias também são possíveis.

Grande parte da paráfrase tão livre de Taylor é simplesmente um comentário e deveria ser assim reconhecido. A verdadeira paráfrase envolve o equivalente inglês moderno do que está no texto em si, enquanto que o comentário introduz algo que não está lá a fim de elucidar o significado do que está lá. Em João 1.11, por exemplo, Taylor acrescenta à sentença toda, "Apenas alguns dariam as boas vindas e o receberiam". Além de ser historicamente imprecisa, esta declaração não faz parte do texto grego, mas o leitor não é informado disso.

*O Novo Testamento, Uma Tradução Expandida* por Kenneth S. Wuest, falecido professor de grego no Moody Bible Institute (1961). Usando "tantas palavras inglesas quanto necessário para apresentar a riqueza, a força e a clareza do texto grego", a tradução tem a intenção de ser "um acompanhamento, ou um comentário sobre as traduções padrão". Wuest desejou permanecer livre de paráfrases e interpretações. A tradução é recomendável para tentar reproduzir o sentimento do texto grego como um estudante grego o leria. Por exemplo, na KJV o texto em Lucas 15.20 diz, "... o abraçou, e beijou", enquanto Wuest traduz, "... abraçou o seu pescoço, e ternamente o beijou várias vezes". Às vezes a expansão sai do controle, como em Atos 17.18 onde a palavra grega *spermologos* (KJV, "tagarela, ou paroleiro") é traduzida da seguinte forma: "Este plagiador ignorante, apanhando restos de informação aqui e ali, sem relação com o seu próprio raciocínio e impingindo-os como resultado de seu próprio pensamento maduro".

Apesar de certos pontos fracos de paráfrases, e algumas exegeses gregas questionáveis, esta versão é útil como uma tradução do tipo comentário e um suplemento para se compreender certas expressões e matizes de raciocínio no texto grego.

*Boas Novas para o Homem Moderno, o Novo Testamento na Versão Inglesa de Hoje* (TEV). Publicada pela Sociedade Bíblica Americana, esta tradução teve uma inesperada explosão de vendas desde a sua publicação em 1966. Seu autor, Robert G. Bratcher, conduz-se de forma saudável entre as imprecisões das excessivas paráfrases que prejudicaram muitas traduções recentes, e a obscuridade de sentido nas versões mais literais. Este tem a força combinada da precisão geral com a linguagem cotidiana, do manuseio conservador do texto, e da fidelidade teológica geral conforme o intento das Escrituras. Interessantes desenhos alinhados em quase todas as páginas, esboços e referências cruzadas do material geral, e um glossário de termos bíblicos no verso, oferecem vários pontos adicionais e úteis.

A TEV, porém, contém alguns pontos fracos de vários tipos. Embora haja um mínimo de paráfrase interpretativa, o autor desnecessariamente predispôs a tradução em algumas passagens em direção a uma interpretação específica do texto. Ao traduzir 1 João 5.6 "... ele veio com a água de seu batismo e com o sangue de sua morte", Bratcher interpretou as palavras "água" como "batismo" de Cristo e "sangue" como sua "morte". As diferentes "línguas" de 1 Coríntios 12 e 14, que bem podem ser idiomas, são traduzidas como "sons estranhos", o que não é justificado pelo texto grego e predispõe o leitor à interpretação de expressões vocais em êxtase.

Algumas críticas foram feitas sobre a maneira como esta versão traduz certas passagens referindo-se ao "sangue" de Cristo pela "morte" de Cristo (cf. Ef 1.7; Cl 1.20; Rm 3.25; 5.9; At 20.28; 1 Pe 1.19; Ap 1.6). Embora fosse fácil acusar o tradutor de motivos teológicos nestes casos, o fato de que em várias outras passagens a palavra "sangue" é mantida (cf. Lc 22.20; Jo 6.53-56; 1 Co 10.16; 11.27; Hb 9.22) parece indicar que ele não é contrário a este conceito, mas que foi motivado pela preocupação de que os leitores modernos entendam que, no passado, o "sangue" era freqüentemente usado como sinônimo de "morte" (cf. Mt 27.4,25).

A. F. J. e L. Go.

**Bibliografia.** Ward Allen, trad. e ed., *Translating for King James* (as notas de John Bois), Nashville. Vanderbilt Univ. Press, 1969. Dewey Beegle, *God's Word into English*, Nova York. Harper, 1960. F. F. Bruce, *The English Bible*, Londres. Oxford Univ. Press, 1961. Charles C. Butterworth, *The Literary Lineage of the King James Bible*, Filadélfia. Univ. of Pennsylvania Press, 1941. Herbert Dennett, *A Guide to Modern Versions of the New Testament*, Chicago. Moody, 1966. Stanley L. Greenslade, ed., *The Cambridge History of the Bible*, Cambridge. Cambridge Univ. Press, 1963 (uma obra monumental). Geddes MacGregor, *A Literary History of the Bible*, Nashville. Abingdon, 1968. Gustavus S. Paine, *The Learned Men*, Nova York. Crowell, 1959 (sobre aqueles que produziram a KJV). Alfred W. Pollard, *Records of the English Bible*, Nova York. Oxford, 1911. Hugh Pope, *English Versions of the Bible*, rev. e ampliada por S. Bullough, St. Louis. Herder, 1952 (por um estudioso católico romano, com uma bibliografia completa e listas estendidas de versões e traduções). Ira Price, *The Ancestry of Our English Bible*, Nova York. Harper & Bros., terceira ed. rev., 1956. H. Wheeler Robinson, ed., *The Bible in Its Ancient and English Versions*, Londres. Oxford Univ. Press, 1940, ed. rev., 1954. Philip Schaff, *A Companion to the Greek Testament and English Versions*, quarta ed., Nova York. Harper & Bros., 1894. Luther A. Weigle, *The English New Testament from Tyndale to the Revised Standard Version*, Nova York. Abingdon-Cokesbury Press, 1949. B. F. Westcott, *A General View of the History of the English Bible*, 1868; terceira ed. rev. por W. A. Wright, Nova York. Macmillan, 1927.

**BÍBLIAS, VERSÕES EM LÍNGUA PORTUGUESA** A história registra que o primeiro texto em português das Escrituras foi produzido por D. Diniz (1279-1325), rei de Portugal. Profundo conhecedor do latim e estudioso da Vulgata, D. Diniz decidiu enriquecer sua língua pátria vertendo a Vulgata Latina para o português. Embora fosse carente de compromisso com o Cristianismo e só lhe fosse possível traduzir os primeiros vinte capítulos do livro de Gênesis, seu esforço colocou-o em uma posição historicamente pioneira, anterior a alguns dos primeiros tradutores da Bíblia para outros idiomas, como John Wycliff, por exemplo, que só em 1380 logrou a tradução das Escrituras para a língua inglesa.

O cronista Fernão Lopes, do século XV, afirmou que também D. João I (1385-1433) - um dos sucessores de D. Diniz no trono português - "fez grandes letrados tirar em linguagem os evangelhos, Atos dos Apóstolos e as epístolas de São Paulo, para que aqueles que o ouvissem fossem mais devotos acerca da lei de Deus" (*Crônica de D. João I, 2a Parte*). Esses "grandes letrados" eram vários padres que também utilizaram a Vulgata Latina no ofício da tradução.

D. João I, que conhecia também o latim, traduziu o livro de Salmos, reunido depois aos livros do Novo Testamento traduzido pelos padres.

Outros membros da monarquia portuguesa realizaram também traduções parciais da Bíblia. A Infanta D. Filipa, neta do rei D. João I e filha do Infante D. Pedro, traduziu do francês os quatro evangelhos. No século XV, foram publicados em Lisboa o Evangelho de Mateus e porções dos demais evangelhos, um trabalho realizado pelo frei cisterciense Bernardo de Alcobaça, membro da fabulosa escola de tradutores da Real Abadia de Alcobaça. Suas traduções foram baseadas na Vulgata Latina.

A primeira harmonia dos evangelhos em língua portuguesa, *De Vita Christi*, preparada em 1495 pelo cronista Valentim Fernandes, foi custeada pela rainha D. Leonora, esposa de D. João II. Nesse mesmo ano, foi publicada uma tradução das epístolas e dos evangelhos, feita pelo jurista Gonçalo Garcia de Santa Maria. No ano de 1505, D. Leonora mandou também que fossem impressos o livro de Atos dos Apóstolos e as epístolas universais de Tiago, Pedro, João e Judas, já traduzidos do latim pelo frei Bernardo de Brinega vários anos antes.

Em 1566, foi publicada em Lisboa uma gramática hebraica para estudantes portugueses, utilizando como texto básico o livro de Obadias. Algumas outras traduções realizadas em Portugal são dignas de nota:
a) Os quatro evangelhos, traduzidos em apurado português pelo padre jesuíta Luiz Brandão.
b) No início do século XIX, o padre Antônio Ribeiro dos Santos traduziu os evangelhos de Mateus e Marcos, ainda hoje inéditos.
É importante destacar que todas essas obras sofreram, ao longo dos séculos, inexorável perseguição da Igreja Romana, e de muitas delas escaparam apenas um ou dois exemplares, atualmente raríssimos. A Igreja Romana também despejou anátemas em todos os que conservassem consigo essas "traduções da Bíblia em língua vulgar", conforme as denominavam.

### A Tradução de Almeida

João Ferreira de Almeida foi o autor da grandiosa tarefa de traduzir pela primeira vez em português o Antigo e o Novo Testamento. Nascido em 1628 na localidade de Torre de Tavares, nas proximidades de Lisboa, João Ferreira de Almeida mudou-se para o Sudeste da Ásia aos 12 anos de idade. Depois de dois anos na Batávia (atual Jacarta), na ilha de Java, na Indonésia, Almeida partiu para Málaca, na Malásia onde, graças à leitura de um folheto em espanhol acerca das diferenças do Cristianismo, converteu-se do catolicismo à fé evangélica. Já no ano seguinte começou a pregar o Evangelho no Ceilão.
Conhecedor do hebraico e do grego, Almeida pôde utilizar-se dos manuscritos nessas línguas, baseando sua tradução no *Textus Receptus*, do grupo bizantino. Ao longo desse criterioso trabalho, ele também se valeu das traduções holandesa, francesa (tradução de Beza), italiana, espanhola e latina (Vulgata).
Em 1676, João Ferreira de Almeida concluiu a tradução do Novo Testamento, remetendo-o imediatamente à Batávia para ser impresso. No entanto, o trabalho de revisão a que a tradução foi submetida foi extremamente lento, obrigando Almeida a retomá-la e enviá-la para Amsterdã, na Holanda. Finalmente, em 1681, surgiu o primeiro Novo Testamento em português.
A tradução de Almeida continha milhares de erros, a maior parte deles produzidos pela comissão de eruditos que tentaram harmonizar o texto português com a tradução holandesa de 1637. O próprio Almeida compilou uma lista de mais de dois mil erros, e outro revisor, Ribeiro dos Santos, afirmou ter encontrado um número ainda maior. É importante salientar, todavia, que Almeida preparou uma tradução literal, e que dispensou demasiado cuidado em harmonizá-la com as versões castelhana e holandesa. Além de ter-se baseado no *Textus Receptus*, foi influenciado pela edição de Beza, que pertence aos manuscritos "ocidentais".
Após a publicação do Novo Testamento, Almeida iniciou a tradução do Antigo, e ao falecer, em 6 de agosto de 1691, havia traduzido até Ezequiel 41.21. Em 1748, o pastor Jacobus op den Akker, da Batávia, retomou o trabalho interrompido por Almeida, e cinco anos depois, em 1753, concluiu o trabalho, publicando o Antigo Testamento. A primeira edição completa da Bíblia de Almeida em português surgiu em 1819, sob os auspícios da Sociedade Bíblica Britânica e Estrangeira.

### A Bíblia de Rahmeyer

Tradução completa da Bíblia, ainda hoje inédita, traduzida em meados do século XVIII pelo comerciante hamburguês Pedro Rahmeyer, que residiu em Lisboa durante trinta anos. O manuscrito original encontra-se na Biblioteca do Senado de Hamburgo, na Alemanha.

### A Tradução de Figueiredo

Antônio Pereira de Figueiredo, que preparou a primeira tradução da Bíblia inteira, baseada na Vulgata Latina, nasceu em Tomar, nas proximidades de Lisboa, em 14 de fevereiro de 1725. Essa tradução lhe consumiu 18 anos de trabalho. A primeira edição do Novo Testamento saiu em 1778, em seis volumes. Quanto ao Antigo Testamento, os 17 volumes de sua primeira edição foram publicados de 1783 a 1790. Em 1819, veio à luz a Bíblia completa de Figueiredo, em sete volumes, e em 1821 ela foi publicada em um único volume. Essa tradução foi aprovada e usada pela Igreja Romana e também pela rainha D. Maria II, em 1842. Figueiredo incluiu em sua versão os chamados livros apócrifos que o Concílio de Trento havia acrescentado aos livros canônicos em 8 de abril de 1546. Esse fato contribuiu para que a sua Bíblia seja ainda hoje muito apreciada entre os católicos romanos de fala portuguesa.
Como exímio filólogo e latinista, Figueiredo pôde utilizar-se de um estilo sublime e pomposo, e seu trabalho resultou em um verdadeiro monumento da prosa portuguesa. Porém, por não conhecer as línguas originais e ter-se baseado tão-somente na Vulgata, sua tradução não tem suplantado em preferência o texto de Almeida.
Traduções Parciais
1. *Nazaré*. No ano de 1847, foi publicado, em São Luís do Maranhão, *O Novo Testamento,* traduzido por frei Joaquim de Nossa Senhora de Nazaré, que se baseou na Vulgata. Esse foi, portanto, o primeiro texto bíblico traduzido no Brasil, tornando-se famoso por trazer em seu prefácio pesadas acusações contra as "Bíblias protestantes" que, segundo os acusadores, estariam "falsificadas" e falavam "contra Jesus Cristo e contra tudo que há de bom".

2. *Primeira Edição Brasileira do Novo Testamento de Almeida*. Publicada em 1879 pela Sociedade de Literatura Religiosa e Moral do Rio de Janeiro. Essa versão foi revisada por José Manoel Garcia, lente do Colégio D. Pedro II, pelo pastor M. P. B. de Carvalhosa, da cidade de Campos, Rio de Janeiro, e pelo primeiro agente da Sociedade Bíblica Americana no Brasil, pastor Alexandre Blackford, ministro do Evangelho no Rio de Janeiro.
3. *Harpa de Israel*. Título dado pelo notável hebraísta F. R. dos Santos à sua tradução dos Salmos, publicada em 1898.
4. *O Evangelho de Mateus*. Tradução publicada em 1909 pelo padre Santana, vertida diretamente do grego. Três anos depois, Basílio Teles publicou a tradução do livro de Jó, com sangrias poéticas. Em 1917 foi a vez de J. L. Assunção publicar *O Novo Testamento*, tradução baseada na Vulgata Latina.
5. *O Livro de Amós*. Traduzido do antigo etíope por Esteves Pereira, surgiu isoladamente em 1917. Seis anos depois, J. Basílio Pereira publicou a tradução do Novo Testamento e do livro de Salmos, ambos baseados na Vulgata. Por volta dessa época, surgiu no Brasil - infelizmente sem indicação de data – a *Lei de Moisés*, edição bilíngüe hebraico-português do Pentateuco, preparada pelo rabino Meir Masiah Melamed.
6. *O Novo Testamento Completo*. Traduzido em 1930 diretamente do grego pelo padre Huberto Rohden, o primeiro tradutor católico a fazer tal tipo de trabalho na história da Bíblia em português. Foi publicada pela Cruzada da Boa Imprensa. A linguagem é bela, porém, por estar baseada em textos considerados inferiores, sofreu severas críticas.

### Traduções Completas

1. *Tradução Brasileira*. Em 1902, as sociedades bíblicas empenhadas na disseminação da Bíblia no Brasil patrocinaram nova tradução para o português, baseada em manuscritos melhores que os utilizados por Almeida. A comissão constituída para esse fim, composta de eruditos nas línguas originais e no vernáculo, entre eles o gramático Eduardo Carlos Pereira, fez uso de ortografia correta e vocabulário apurado. Publicada em 1917, esteve sob a direção do Dr. H. C. Tucker. Apesar de ainda hoje ser apreciadíssima por grande número de leitores, essa Bíblia não conseguiu firmar-se no gosto do grande público, não sendo mais impressa atualmente.
2. *Matos Soares*. Coube ao padre Matos Soares, realizar a tradução mais popular da Bíblia entre os católicos na atualidade. Publicada em 1930 e baseada na Vulgata, recebeu apoio papal em 1932 através de documento emitido pelo Vaticano. Quase metade dessa tradução contém notas explicativas dos textos, defendendo os dogmas da Igreja Romana.
3. *Revisão da Tradução de Almeida*. Em 1948 organizou-se a Sociedade Bíblica do Brasil com o objetivo de "dar a Bíblia à pátria". Essa entidade fez duas revisões no texto de Almeida, trabalho esse iniciado em 1945 pelas Sociedades Bíblicas Unidas. A linguagem foi muito melhorada, e não resta dúvidas de que nessa revisão foram usados manuscritos gregos dos melhores, muito superiores aos do *Textus Receptus*, utilizados originalmente por Almeida. Das duas revisões elaboradas pela recém-criada Sociedade Bíblica do Brasil, uma foi mais aprofundada, dando origem à Edição Revista e Atualizada, e uma menos profunda, que conservou o nome "Corrigida".
4. *Versão Revisada*. Em 1967, a Imprensa Bíblica Brasileira – criada em 1940 – publicou a Versão Revisada de Almeida, cotejada com os "melhores textos em hebraico e grego". Facilmente se comprova que essa tradução está mais bem baseada nos manuscritos gregos que a Almeida Revista e Atualizada, apresentando uma linguagem e estilo agradáveis, devendo ser aceitável a qualquer pessoa que conheça o texto grego no Novo Testamento e os manuscritos que formam uma sólida base na qual se alicerçou essa revisão.
5. *Linguagem de Hoje*. Essa publicação das Sociedades Bíblicas Unidas, através da Sociedade Bíblica do Brasil, baseia-se na segunda edição (1970) do texto grego dessa sociedade. Esse texto tem tirado proveito das vantagens da pesquisa moderna, pelo que é bom representante do original. Não é diferente do texto de *Nestle* em qualquer ponto essencial, embora o "aparato crítico" que acompanha a edição de *Nestle* e a edição das Sociedades Bíblicas Unidas se diferencie quanto à apresentação, embora baseados nos mesmos estudos sobre os manuscritos. Publicada completa, *A Bíblia na Linguagem de Hoje* foi lançada em 1988 e tem como propósito básico apresentar o texto bíblico em uma linguagem comum e corrente.
6. *Edição Contemporânea*. Em 1990, a Editora Vida publicou essa edição da Bíblia traduzida por Almeida. Essa publicação eliminou arcaísmos e ambigüidades do texto já tricentenário de Almeida, e preservou, sempre que possível, as excelências do texto que lhe serviu de base.
7. *Almeida Corrigida, Fiel*. No ano de 1969, em São Paulo, foi fundada a Sociedade Bíblica Trinitariana do Brasil, com o objetivo de revisar, com as devidas correções ortográficas, e publicar a Bíblia de João Ferreira de Almeida. A primeira revisão da Bíblia em português, feita pela Trinitarian Bible Society, foi iniciada no dia 16 de maio de 1837. O reverendo Thomas Boys, do Trinity College, em Cambridge, foi encarregado de liderar o projeto. A revisão do Novo Testamento foi concluída em 1839. A revisão completa do Antigo Testamento só terminou em 1844. O últi-

mo volume foi impresso em Londres, no ano de 1847. Aquela primeira edição, chamada *Revista e Reformada*, sofreu revisões ortográficas posteriores, feitas tanto pelo reverendo Boys como por outros especialistas, tornando-se, até, parte da edição chamada *Correcta*. Segundo dados históricos, a edição *Revista e Reformada* também fez parte do leque das várias revisões usadas para que se chegasse à conhecida como *Corrigida*, da Sociedade Bíblica do Brasil. Restou, do frontispício da primeira impressão da tradução de Almeida pela Trinitarian Bible Society, a expressão "Segundo o original" ou, em outras palavras, "Fiel aos textos originais". Essa é a versão utilizada pela Sociedade Bíblica Trinitariana do Brasil na sua Almeida Corrigida, Fiel, lançada em 1994, que tenta substituir todas as palavras que tenham caído em desuso total, mantendo, porém, as palavras clássicas ainda usadas.

8. *Nova Versão Internacional*. Enquanto esse capítulo estava sendo preparado, uma comissão constituída de eruditos em grego, hebraico, aramaico e português, trabalhava em uma nova tradução das Escrituras para a língua portuguesa, sob o patrocínio da Sociedade Bíblica Internacional. O Novo Testamento foi concluído e publicado em outubro de 1993 sob o título *O Novo Testamento – Nova Versão Internacional*. Com acuracidade e fidelidade ao texto original, essa versão já possui críticos defensores, que a consideram a mais fiel das versões em português ora em circulação.

9. São também dignas de referência: *A Bíblia Sagrada*, versão dos monges de Maredsous (1959), *A Bíblia de Jerusalém*, traduzida pelos padres dominicanos da Escola Bíblica de Jerusalém (1981) e a *Edição Integral da Bíblia*, trabalho de diversos tradutores sob a coordenação de Ludovico Garmus, editada pela Editora Vozes.

***Bibliografia.*** ANGUS, Joseph. *História, doutrina e interpretação da Bíblia*. Rio de Janeiro, Casa Publicadora Batista, v. 1, 1971.
BÍBLIA. Português. *Bíblia de estudo indutivo*. São Paulo, Vida,1997.
BÍBLIA. Português. *Bíblia Thompson*. São Paulo, Vida, 1992.
CHAMPLIN, Russel Norman. *Enciclopédia de Bíblia, teologia e filosofia*. São Paulo, Candeia, v. 2, 1995.
CHAMPLIN, Russel Norman. *O Novo Testamento interpretado versículo por versículo*. São Paulo, Milenium, 1979.
COMFORT, Philip. *Complete guide to Bible versions*, 1991.
EDWARDS, Brian. *God's outlaw*, 1981.
ELWELL, Walter A, ed. *Manual bíblico do estudante*. Rio de Janeiro, CPAD, 1997.
KUBO, Sakae e SPECHT, Walter. *So many versions?* Edição revista, 1983.
MEIN, John. *A Bíblia e como chegou até nós*. Rio de Janeiro, Casa Publicadora Batista, 1972.
SKILTON, J. H. "English Versions of the Bible", em seu *New Bible dictionary*. Editor J. D. Douglas, 1962.

**BÍBLIA, INTERPRETAÇÃO DA** Toda comunicação deve ser corretamente interpretada pelo leitor, ou por aquele que estiver expondo a Palavra de Deus. A pergunta de Filipe ao tesoureiro etíope, "Entendes tu o que lês?" (At 8.30), é uma prova da necessidade de interpretação.

A palavra básica hermenêutica (Gr. *hermeeneia*, verbo *hermeneuo)* significa "interpretar", "expor", "explicar", e além disso inclui traduzir de uma língua estrangeira para uma língua familiar (Jo 1.38,42; 9.7). No AT o termo inglês ocorre, por exemplo, em Provérbios 1.6 e está relacionado à interpretação de um provérbio.

José foi capacitado a interpretar (Heb. *patar*) sonhos no Egito (Gn 40.12; 41.8-15), e Daniel recebeu a interpretação (Aram. *peshar)* de vários sonhos (Dn 2; 4; 7.16) e da misteriosa escrita à mão (Dn 5). O termo *pesher* era usado pela comunidade de Qumram para suas interpretações das passagens proféticas do AT (*veja* Rolos do Mar Morto).

No NT a palavra composta grega *diermeneuo* é usada quando Jesus expõe as profecias do AT que dizem respeito ao seu sofrimento e glória (Lc 24.27) e em relação à interpretação de uma mensagem em uma língua desconhecida (1 Co 12.30; 14.5,13,27).

Uma distinção deve ser mantida entre inspiração (q.v.) e interpretação. A inspiração está relacionada à natureza da Bíblia e à sua fidedignidade, porque é a Palavra de Deus escrita (2 Tm 3.16); a interpretação está relacionada ao significado da Bíblia. É bem possível, portanto, que as pessoas concordem com a inspiração, embora tenham uma grande diferença de opinião em relação à interpretação. Por exemplo, duas pessoas podem concordar que Gênesis 1 é um registro digno de confiança, porém discordem sobre o significado da palavra "dia" nesta passagem.

Durante os primeiros séculos da história da igreja, surgiram duas escolas básicas de interpretação. Uma em Alexandria, no Egito. Outra, em Antioquia, na Síria. Apenas um resumo de seus princípios pode ser incluído aqui, descrito por meio de contraste.

Primeiro, a escola alexandrina enfatizava a abordagem alegórica (uma coisa pode representar ou ensinar uma outra coisa), enquanto os antioquianos insistiam em um significado mais literal, ou no sentido original de qualquer passagem.

Em segundo lugar, os antioquianos colocavam mais ênfase em um estudo de qualquer passagem dentro de seu contexto imediato e mais amplo, uma prática nem sempre seguida pelos alexandrinos.

Terceiro, a igreja de Alexandria gozava de maior credibilidade em relação às tradições da interpretação das Escrituras do que a igreja de Antioquia. Para os antioquianos, as Escrituras eram o seu próprio intérprete. Quarto, com relação à inspiração da Bíblia, a escola Alexandrina enfatizava o estado anormal ou arrebatado do escritor, enquanto que a Antioquiana enfatizava a sua consciência e um aumento de sua percepção pela obra do Espírito Santo. Assim, a Antioquiana sustentava a preservação de um maior grau de individualidade quanto à redação das Escrituras.

O intérprete da Bíblia é semelhante a um operário que tem diante de si uma tarefa. Ele é um ser inteligente e enxerga o que precisa ser feito. O que mais é necessário? Duas coisas: *discernimento espiritual* e *boas ferramentas*. A primeira, é infundida na vida do crente pela ministração do Espírito Santo (Jo 14.26; 1 Co 2.10-13; 1 Jo 2.27; cf. Ef 1.17). A segunda, discutiremos agora. Reconhecidamente, algumas dessas ferramentas, ou princípios, serão mais acessíveis a uns que outros:

1. Estabelecer o significado de qualquer passagem, na língua original, para os leitores originais. Logicamente, isto requer um conhecimento de hebraico, aramaico e grego. Na prática, significa que o intérprete precisa usar as melhores traduções da Bíblia que lhe estiverem disponíveis. A este respeito, ele deve aprender algo do propósito para o qual o autor escreveu, e as circunstâncias históricas nas quais a escrita surgiu. As Escrituras fazem parte de um grande contexto histórico e cultural. No AT, Israel estava relacionado, de uma forma ou de outra, com os egípcios, assírios, babilônios, persas (para mencionar apenas alguns povos); no NT, a igreja emergiu de uma base judaica e se levantou no mundo greco-romano. A linguagem da Bíblia reflete estas várias culturas; assim, o intérprete dever ser conhecedor e sensível ao uso das palavras em suas várias colocações.

Por exemplo, a palavra "salvar" (Gr. *sozo*) era um termo comum do mundo do primeiro século. O uso secular incluía salvar da morte, resgatar de um perigo físico, salvar de uma doença ou possessão demoníaca, e preservar o bem-estar de alguém (por exemplo, Mt 8.25; 14.30; Mc 3.4; 15.30,31; Tg 5.15). Além desses significados, no NT a palavra é usada para salvar da morte espiritual ou eterna (por exemplo, Lc 9.24; 19.10; Jo 3.17; 5.34; 10.9; Rm 5.9,10).

2. Interpretar as palavras de qualquer versículo ou parágrafo dentro de seu contexto imediato. O contexto é o determinante decisivo do significado das palavras. Enquanto o dicionário fornecerá várias possibilidades, o contexto ajudará a estreitar a escolha. Por exemplo, por que traduzir a palavra grega *parakletos* como "Consolador" em João 14.16, e como "advogado" em 1 João 2.1? Ou qual é a diferença entre a palavra "lei" em Romanos 7.9 e em Romanos 8.2? Além disso, o contexto da Bíblia como um todo deve ser incluído. O princípio da "analogia das Escrituras" é um corretivo para interpretações isoladas, e um guarda contra o perigo de "teorias favoritas" (ou extrabíblicas) baseadas em dados limitados.

3. Descobrir a natureza literária da passagem que está sob estudo. Deve-se tomar o sentido natural e normal da língua ou ele é figurativo? É uma narrativa de eventos ou é um material de discurso ou didático, que tem a intenção de ensinar uma idéia específica? Isto requer algum conhecimento dos costumes dentro da cultura envolvida, e das expressões pelas quais as idéias tornam-se claras.

Freqüentemente, não há nenhum problema em decidir assuntos deste tipo. Por exemplo, as parábolas de Jesus são consideradas como ilustrações de idéias, em linguagem figurativa, para esclarecer conceitos. Consideremos que a idéia seja falar sobre o reino dos céus. A ilustração será um homem que plantou a boa semente em seu campo (Mt 13.24-30). Porém o significado das palavras "foi lançada no mar uma coisa como um grande monte ardendo em fogo" (Ap 8.8) não é tão simples. Esta é uma descrição de um objeto parecido com um meteoro caindo na água ou está retratando a queda de algum grande governante, rejeitado por Deus e atirado entre os homens? É possível que mais difícil ainda seja a interpretação da frase "mil anos" (Ap 20.2-7). Isto significa, literalmente, mil anos? Ou um número arredondado de anos? Ou um longo período de tempo (independentemente de sua extensão específica)? Ou um símbolo de término? A história da interpretação bíblica mostra que a escolha da resposta para uma pergunta como esta nem sempre é fácil.

4. Interpretar a Bíblia em termos do princípio da revelação progressiva. Colocado de forma simples, isto significa que Deus revelou as coisas gradualmente, e não tudo de uma vez. Isto ocorreu, em parte, por causa das etapas em que o programa divino estava sendo cumprido (cf. Hb 1.1,2); e em parte por causa do estado de despreparo do homem para receber e entender a mensagem de Deus (cf. Jo 16.12).

Ocasionalmente, este princípio consistia em acrescentar algo àquilo que havia sido dado anteriormente. Jesus disse aos seus discípulos, "Ainda tenho muito que vos dizer, mas vós não o podeis suportar agora" (Jo 16.12); o Espírito Santo os ensinaria quando viesse. Em outros casos, houve uma completa interpretação de ensinos anteriores como, por exemplo: "Ouvistes o que foi dito... Eu, porém, vos digo" (Mt 5.21,22). Aqui o Senhor explicou o caráter essencial dos mandamentos.

5. Interpretar a linguagem da Bíblia considerando o mundo natural como de aparência e popular, ao invés de técnico e científi-

co. Contudo, ao mesmo tempo, a terminologia *popular* não é sinônimo de algo *fora do padrão* e *inválido*. A Bíblia não teoriza sobre a natureza; ela simplesmente declara os fatos de uma maneira não técnica.

Ilustrações desta forma de linguagem são encontradas em expressões que descrevem o nascer do sol (Ec 1.5; Mt 5.45), ou a terra tendo quatro cantos (Is 11.12), uma forma de falar que foi até hoje preservada em nosso discurso. Note, também, a maneira pela qual vários elementos da criação são descritos: um "firmamento [ou expansão]" (Gn 1.6-8); "relva", "ervas", "árvores frutíferas" (Gn 1.11); "seres viventes" e "aves" (Gn 1.20). Nenhum destes são nomes técnicos. Todos eles são termos comuns e populares, inteligíveis ao leitor comum. Colocadas em termos simples, também, estão as observações do ciclo das águas da natureza: os rios fluem de suas fontes para o mar; então por evaporação e condensação as águas retornam novamente para as suas fontes (Ec 1.7).

Uma outra ilustração deste mesmo princípio é encontrada no livro de Eclesiastes como um todo. O escritor faz observações sobre várias experiências humanas e condições naturais, e então tira algumas conclusões a partir delas. O livro é essencialmente um comentário sobre a vida através da natureza, um ciclo contínuo de atividades, insatisfatório para aquele que está envolvido. Uma solução final para o dilema humano ocorre no final do livro (12.13,14).

Para retornar à questão da identificação e interpretação dos vários tipos literários, um conhecimento destes é indispensável para o intérprete. Uma discussão concisa foi escrita por J. Stafford Wright da qual o texto a seguir foi adaptado, com algumas ilustrações adicionais.

*Fato literal*. Uma declaração de acontecimentos quando estes ocorrem, para ser interpretada em seu sentido simples (por exemplo, Jo 1.35-42).

*Fato substancial ou comprimido*. Uma declaração comprimindo detalhes irrelevantes para que se possa destacar uma impressão principal (cf. Lucas 24.44-53 com Atos 1.1-11, este último indicando que houve 40 dias entre a ressurreição e a ascensão, um fato que não foi expresso na primeira passagem).

*Metáfora*. Uma palavra ou grupo de palavras indicando uma semelhança entre duas coisas geralmente diferentes (por exemplo, Gênesis 2.7 que descreve a atividade criativa de Deus sob a figura de um oleiro; cf. Romanos 9.20,21).

*Parábola*. Uma história baseada em uma situação comum da vida, usada para transmitir o significado de uma idéia ou conceito. Comumente usada no ensino de Jesus, esta ferramenta literária poderia esclarecer um ponto de forma eficaz. Veja os exemplos em Lucas 10.30-35 (onde um ponto é básico, respondendo à pergunta, "Quem é o meu próximo?") e Mateus 13.24-30,36-43 (onde Jesus explica tanto o ponto quanto os muitos detalhes).

Os recentes trabalhos-chave nesta figura são os de C. H. Dodd, *The Parables of the Kingdom*, Nova York. Scribner's, 1936; J. Jeremias, *The Parables of Jesus* (trad. por S. H. Hooke), Londres. SCM Press, 1954; A. M. Hunter, *Interpreting the Parables*, Filadélfia. Westminster, 1960; e em vários de seus outros livros sobre os Evangelhos. Dentre os livros-padrão mais antigos, deve-se mencionar os seguintes. R. C. Trench, *Notes on the Parables of Our Lord*, 14ª ed. rev., Londres. Macmillan, 1882; A. B. Bruce, *The Parabolic Teaching of Christ*, Nova York. A. C. Armstrong & Son, 1894; e G. Campbell Morgan, *The Parables and Metaphors of Our Lord*, Nova York. Revell, 1943. Os três últimos tendem a ser mais conservadores em sua atitude em relação à Bíblia, enquanto que os três primeiros trouxeram muitas abordagens novas quanto à questão da interpretação das parábolas. *Veja* Parábola; Parábolas de Jesus.

*Símbolo*. Um objeto ou pessoa que não tem nenhuma importância em si mesmo, mas sim no que representa. Muitos deles são encontrados nos escritos apocalípticos visionários (por exemplo, Dn 7.2,3,17; Ap 1.12,16,20), bem como nas técnicas de ensino dos profetas (por exemplo, Ez 37.15-28). *Veja* Símbolo, Simbolismo.

*Tipo*. Um objeto ou pessoa que tem importância em si mesmo, contudo é usado para representar alguma outra coisa ou outra pessoa. Embora em nossa opinião o *tipo* seja freqüentemente abusado pelos intérpretes, ele detém uma grande posição nas Escrituras. O plano original do Tabernáculo (At 7.44; Hb 8.5), o primeiro Adão (Rm 5.14) e as experiências dos israelitas no deserto (1 Co 10.6,11) são todos chamados tipos (Gr. *typos*) de algo maior. Provavelmente o uso de certas figuras do AT no NT seja o próprio ponto de partida para a interpretação de outros. *Veja* Tipo.

*Alegoria*. O uso de uma história, que pode ser real ou não, para retratar uma certa verdade. A história de Jotão (às vezes chamada de "fábula") em Juízes 9.7-15 é um exemplo claro; a história em Cantares de Salomão pode ser uma outra; enquanto que o uso de Agar e Sara por Paulo (Gl 4.21-31) parece ser uma terceira. *Veja* Alegoria.

*Mito*. Embora o uso desta palavra seja sempre em um sentido desfavorável no NT (1 Tm 1.4; 4.7; 2 Tm 4.4; Tt 1.14; 2 Pe 1.16), provavelmente resultando da resposta dos apóstolos aos excessos gnósticos, o termo basicamente significa uma narrativa, seja verídica ou não, e costumava ensinar uma verdade sobre a experiência humana.

Tem sido comprovado através de investigações arqueológicas que o AT, que foi considerado anteriormente pelas críticas liberais como mitológico (por exemplo, as narrativas patriarcais em Gênesis), é participante da antiga cultura semita (as tábuas Nuzu e os documentos Mari são evidências importantes aqui). Uma valiosa monografia sobre o passado histórico e teológico é a obra *The Old Testament Against Its Environment* de G. E. Wright; veja também a obra de W. F. Albright, *The Biblical Period*; e a obra de W. Keller, *The Bible as History*.

No caso do NT, os argumentos de Rudolf Bultmann para a natureza mitológica de muitas das narrativas dos Evangelhos tem sido contraditada pelos recentes argumentos a favor da historicidade do cristianismo primitivo (por exemplo, F. V. Filson, J. W. Montgomery, W. Pannenberg, N. Stonehouse, M. C. Tenney). Dentro do próprio NT, veja 1 Coríntios 15.1-4; 1 João 1.1-4; 2 Pedro 1.15-18. Lucas escreveu sobre a natureza real e verídica dos acontecimentos da vida de Cristo, inclusive sua ascensão aos céus (At 1.1-11). *Veja* Mito, Mitologia.

*Saga*. Uma reação psicológica e interpretativa de alguma pessoa envolvida em um evento importante. Exemplos desta figura seriam a canção de Débora (Jz 5) ou a canção de Moisés e dos israelitas após atravessarem o Mar Vermelho (Êx 15). A saga preenche um papel relativamente menor na literatura bíblica. Nas teorias críticas modernas é freqüentemente sugerida como a fonte de vários outros tipos de literatura do AT e do NT, lançando assim dúvida sobre sua autenticidade.

O intérprete da Bíblia, portanto, precisa de uma inspiração espiritual genuína naquilo que lê, e um cuidado honesto em sua busca de compreensão. E o que ele compreende deve ser direcionado a dar glória a Deus, e ao enriquecimento de sua vida em Cristo.

Um resumo final da abordagem do estudo é o seguinte: (1) Leia o texto em espírito de oração, pedindo sabedoria a Deus; (2) estude os contextos imediatos e adjacentes; (3) dê atenção a outras passagens bíblicas maiores e correlatas; (4) investigue as evidências teológicas, históricas, arqueológicas e psicológicas/sociológicas disponíveis que tratam do problema envolvido; (5) escolha a interpretação resultante que pareça estar em maior harmonia com as claras evidências (incluindo a totalidade das Escrituras); (6) esteja disposto a esperar por uma luz adicional ao invés de fazer uma má escolha, devido à pressa ou mesmo à precipitação.

***Bibliografia***. E. C. Blackman, *Biblical Interpretation*, Filadélfia. Westminster, 1959. F. J. Denbeaux, *Understanding the Bible*, Filadélfia. Westminster, 1958. A. M. Derham, *A Christian's Guide to Bible Study*, Nova York. Revell, 1963. F. C. Grant, *How to Read the Bible*, Nova York. Collier, 1961. A. M. Hunter, "The Interpreter and the Parables", *New Testament Issues*, R. Batey, ed., Londres. SCM, 1970. A. B. Michelsen, *Interpreting the Bible*, Grand Rapids. Eerdmans, 1963. B. Ramm, *Protestant Biblical Interpretation*, Boston. Wilde, 1956. Milton S. Terry, *Biblical Hermeneutics*, Grand Rapids. Zondervan, s.d. J. D. Wood, *The Interpretation of the Bible*, Londres. Duckworth, 1958. J. Stafford Wright, *Interpreting the Bible*, Londres. Inter-Varsity, 1955.

W. M. D.

**BÍBLICOS, DICIONÁRIOS** *Veja* Dicionários Bíblicos.

***Bibliografia***. A favor de 56 d.C.. F. J. Foakes-Jackson e Kirsopp Lake, *The Beginnings of Christianity*, Londres. Macmillan, 1933, V, 464-474. A favor de 58 d.C.. C. H. Turner, "Chronology of the New Testament", HDB, I, 418ss., 424ss. A favor de 59 d.C.. William M. Ramsay, *Pauline and Other Studies in the History of Religion*, Londres. Hodder & Stoughton, s.d., p. 348. H. J. Cadbury, *The Book of Acts in History*, Nova York. Harper, 1955, pp. 9-10. A favor de 60 d.C.. Theodor Zahn, *Introduction to the New Testament*, Grand Rapids. Kregel, 1953, III, 469-478.

W. M. D.

***Bibliografia***. Raymond P. Dougherty, *Nabonidus and Belshazzar*, Yale Oriental Series, XV, New Heaven. Yale Univ. Press, 1929. FLAP. ANET. H. H. Rowley, *Darius the Mede and the Four World Empires in the Book of Daniel*, Cardiff. Univ. of Wales Press, 1959. E. J. Young, *The Prophecy of Daniel*, Grand Rapids; Eerdmans, 1949.

F. E. Y. e J. R.

**BIBLIOMANCIA** Forma de adivinhação, pela qual a Bíblia é aberta aleatoriamente, e o leitor, guiado pelo primeiro versículo que seu olhar encontra. A prática remonta aos tempos antigos, quando os gregos e romanos da mesma maneira consultavam as obras de Homero e Virgílio. Na Idade Média, coisas como exigências e obrigações, e discernimento do futuro, eram adivinhadas usando a Bíblia. Não devemos duvidar de que instrução e conforto podem vir por meio de leituras casuais das Escrituras, mas não se deve concordar que a Palavra de Deus seja estudada de forma aleatória, nem utilizada para adivinhações e atividades semelhantes.

**BIBLOS** *Veja* Gebal; Fenícia: História.

**BICRI** O pai de Seba, um benjamita, que se rebelou contra Davi. Seba é identificado como o filho de Bicri oito vezes em 2 Samuel 20.

**BIDCAR** Um capitão a serviço de Jeú quando matou o rei Jorão e anteriormente um oficial servindo ao rei Acabe (2 Rs 9.25).

**BIFES** *Veja* Animais: Vaca I.16.

**BIGA OU CARRO ROMANO DE BATALHA OU DE CORRIDAS** As palavras hebraicas comuns para "biga", *rekeb* e *merkab*, provavelmente vieram de uma raiz que significava "montar e utilizar como meio de transporte". Veículos de rodas pesadas, puxados por jumentos, já existiam na Mesopotâmia no final do quarto milênio e durante todo o terceiro milênio, como se viu em Ur, Quis e Tell Aqrab. O carro de guerra mais leve, com rodas de raios, e puxados por cavalos, é representado nos selos cilíndricos da Capadócia da época de Hamurabi (aprox. 1750 a.C.). Foi o uso da biga veloz, puxada por cavalos, que possibilitou aos hicsos aniquilar Síria e Palestina, e conquistar e controlar o Egito de 1730 a 1580 a.C.

A primeira referência no Antigo Testamento é à biga de José (Gn 41.43), provavelmente copiada dos carros de rodas pesadas, puxados por quatro cavalos, que são exibidos nos selos da Anatólia do século XIX e XVIII a.C. Outras referências aos carros egípcios estão em Gênesis 46.29; 50.9; Êxodo 14–15; Josué 24.6 e 2 Reis 18.24.

Quando os israelitas chegaram a Canaã, encontraram nas planícies habitantes que não conseguiam expulsar porque estes tinham carros de ferro (Js 11.4-9; Jz 1.19; 4.13). Josué queimou os carros e cortou os tendões dos cavalos que capturou na batalha contra Jabim, possivelmente porque estes seriam de pouco uso para um povo que vivia em uma região montanhosa (veja também o mandamento do Senhor em Deuteronômio 17.16). *Veja* Armadura.

Embora Davi tivesse mutilado alguns cavalos capturados, em determinada batalha ele salvou cavalos suficientes para 100 carros (2 Sm 8.4). Foi Salomão quem construiu as cidades dos carros, Hazor e Megido, para proteger a fronteira norte, Bete-Horom, Gezer e Baalate supervisionando as planícies dos filisteus, e Tamar de Arabá para proteção contra os edomitas (1 Rs 9.15-19). Salomão tinha 1400 carros e 12 mil cavaleiros (1 Rs 10.26). Ele também foi um intermediário no comércio de cavalos da Cilícia (Kue) e carros do Egito (1 Rs 10.28,29).

A inscrição de Salmaneser III menciona os 2000 carros de Acabe, os quais ele preparou para a batalha de Qarqar. Atribui-se à época desse reinado a construção do estábulo para 450 cavalos que foi encontrado durante escavações em Megido.

Os carros continuaram a ser usados em uma escala muito menor em Israel até a época do Novo Testamento. A referência mais conhecida a um carro no Novo Testamento é aquela em que o eunuco etíope estava viajando por este meio de transporte, quando Filipe lhe anunciou as boas novas de Jesus (At 8.27,28).

R. L. S.

**BIGORNA** Um pesado pedaço de metal usado por artífices para receber golpes de martelo ao moldar-se implementos ou objetos de metal. Mencionado apenas em Isaías 41.7 (versões RA e NTLH em português).

**BIGTÃ** Um dos dois eunucos ou camareiros de Xerxes (Assuero) cuja conspiração contra o rei tornou-se conhecida por Mardoqueu. Pelo testemunho de Mardoqueu através da rainha Ester, os homens foram enforcados (Et 2.21; 6.2). Bigtã era possivelmente Bigtá (q.v.).

**BIGTÁ** Um dos sete eunucos ou camareiros responsáveis pelo harém do rei persa Xerxes (Assuero). Foi-lhe ordenado que trouxesse Vasti para o banquete do rei (Et 1.10,11).

**BIGVAI**

1. O chefe de uma grande família que retornou em 536 a.C. com Zorobabel para reconstruir o templo (Ed 2.2). A importância da família pode ser julgada pelo fato dos "filhos", provavelmente incluindo todos os dependentes, serem contados totalizando 2056 pessoas (Ed 2.14). Dois filhos de Bigvai, Utai e Zabude, retornaram com Esdras em 458 a.C. em uma companhia de 72 homens (Ed 8.14).
2. Em Neemias 10.16, há um Bigvai listado com os príncipes de Israel que colocaram seu selo na aliança feita em 444 a.C. sob o governo de Neemias. A menos que ele fosse muito velho, é improvável que este seja a mesma pessoa descrita no item 1 acima.

**BILÃ**

1. Um chefe horeu, filho de Eser, descendente de Seir (Gn 36.20,27; 1 Cr 1.42).
2. Um descendente de Benjamim, filho de Jediael, pai de sete filhos que eram cabeças de famílias (1 Cr 7.10).

Carro oficial do rei Tutancamom do Egito. LL

**BILA**
1. Uma jovem escrava que Labão deu à sua filha Raquel quando esta se casou com Jacó (Gn 29.29), e a serva que Raquel deu a Jacó como concubina (Gn 30.3,4). Ela se tornou a mãe de Dã e Naftali que foram gerados por Jacó (Gn 30.5-8). Após a morte de Raquel ela cometeu incesto com Rúben (Gn 35.22).
2. Cidade no território de Simeão, a sul de Judá (1 Cr 4.29), provavelmente a mesma que Balá e Baalá (q.v.).

**BILDADE** Bildade, o suíta, era o segundo dos três amigos de Jó (Jó 2.11; 8.1; 18.1; 25.1; 42.9). O suíta patronímico foi tomado para referir-se a Suá, um dos filhos de Abraão e Quetura (Gn 25.2). A terra assíria de *Shuhu* ficava ao sul de Harã, perto do meio do Eufrates, e pode ter sido a terra de Bildade.
Bildade como também os outros amigos, atribui os sofrimentos de Jó aos seus pecados. O argumento de Bildade é baseado nas tradições das palavras sábias e antigas que foram transmitidas desde épocas passadas. Seu apelo à tradição é irrelevante para a situação, e falha em convencer Jó. Embora Bildade seja solene e gentil em suas maneiras, seu segundo discurso é uma horrível descrição do homem ímpio, como ele presume que Jó seja (Jó 18).

**BILEÃ** Uma cidade de Manassés a oeste do Jordão dada à família levita de Coate (1 Cr 6.70). *Veja* Ibleão.

**BILGA**
1. Um descendente de Arão, e na época de Davi cabeça da quinta das 24 divisões dos sacerdotes que serviam no templo (1 Cr 24.14).
2. Um sacerdote ou uma família sacerdotal que acompanhou Zorobabel no retorno do cativeiro (Ne 12.5,18).

**BILGAI** Encontrado apenas em Neemias 10.8. É provavelmente o mesmo que Bilga (q.v.), mas citado entre aqueles que selaram a aliança (Ne 10.1).

**BILSÃ** Um dos 10 ou 11 chefes ou príncipes que retornaram da Babilônia a Jerusalém com Zorobabel (Ed 2.2; Ne 7.7).

**BIMAL** Filho de Jaflete da linhagem de Aser, que foi um dos filhos de Jacó (1 Cr 7.33).

**BINEÁ** Filho de Mosa, um descendente do rei Saul através de Jônatas (1 Cr 8.37; 9.43).

**BINUI** Um nome comum no tempo do retorno de Israel do exílio.
1. O pai de um levita chamado Noadias (Ed 8.33). Noadias ajudava na pesagem da prata, do ouro e dos objetos que Esdras trouxe da Babilônia.
2. O filho de Paate-Moabe (Ed 10.30). Durante o reavivamento sob o governo de Esdras, este israelita leigo concordou em expulsar sua esposa (ou esposas) estrangeira(s).
3. O filho de Bani que fez o mesmo (Ed 10.38).
4. Um levita, filho de Henadade, que acompanhou Zorobabel a Jerusalém (Ne 12.1,8). Ele ajudou a reparar o muro (Ne 3.24), e assinou uma aliança de lealdade ao Senhor (Ne 10.9). Também pode ser o mesmo Bani (q.v.) que ajudava nas grandes assembléias sob o ministério de Esdras (Ne 8.7; 9.4,5).
5. O cabeça de uma grande família que veio a Jerusalém com Zorobabel (Ne 7.15). Ele deve ser identificado com o Bani de Esdras 2.10, e provavelmente com o Bani de Neemias 10.14 ou Buni (Ne 10.15).

D. W. B.

**BIRSA** Rei de Gomorra que se juntou a uma coligação em uma guerra fracassada contra Quedorlaomer. Este último fez Ló e sua família cativos (Gn 14.1-12).

**BIRZAVITE**
1. Filho de Malquiel, bisneto de Aser (1 Cr 7.31).
2. Uma cidade "apadrinhada" ou estabelecida por Malquiel, um descendente de Aser. Pelo fato de vários clãs aseritas parecerem ter se estabelecido na região montanhosa de Efraim, esta é possivelmente a atual Khirbet Bir Zeit, localizada a cerca de seis quilômetros a noroeste de Betel (Beitim), onde Judas Macabeus montou seu último acampamento (Jos *Ant.* xii.11.1) (Aharoni, *The Land of the Bible*, p. 223).

**BISLÃO** Um oficial persa, possivelmente um sátrapa, que se queixou com Artaxerxes contra os judeus que estavam reconstruindo a cidade sob o governo de Zorobabel (Ed 4.7).

**BISPADO** (Gr. *episkope*). Esta palavra é encontrada apenas em Atos 1.20 (também é traduzida como "ofício" ou "encargo") e citada pelo apóstolo Pedro a partir do Salmo 109.8. A referência é à posição de Judas como um apóstolo. Em 1 Timóteo 3.1 a mesma palavra grega é usada quanto ao ofício do bispo; em 1 Pedro 2.12 a palavra é traduzida como "visitação".
O bispado em épocas posteriores era o ofício do supervisor, ou o distrito sobre o qual o bispo ou presbítero era responsável. *Veja* Bispo; Presbítero.

**BISPO** A palavra *episkopos* ocorre cinco vezes no NT: uma vez referindo-se a Cristo (1 Pe 2.25), e em quatro lugares referindo-se a "bispos" ou "supervisores" em igrejas locais (At 20.28; Fp 1.1; 1 Tm 3.2; Tt 1.7). O verbo *episkopeo* ocorre em Hebreus 12.15 ("atentando" ou "tendo cuidado") e (em alguns MSS do NT) 1 Pe 5.2 ("tendo cuidado"), enquanto o substantivo *episkope* no sentido de um "ofício de supervisor" aparece em Atos 1.20 ("bispado" ou "encargo") e 1 Timóteo 3.1 ("episcopado").

Concorda-se, de forma geral, que no NT o termo "bispo" é equivalente a "presbítero" (*presbyteros*). Este último termo ocorre freqüentemente em Atos como também em 1 Timóteo 5.17,19; Tito 1.5; Tiago 5.14; 1 Pedro 5.1,5. *Veja* Anciãos. (Em 2 João 1 e 3 João 1, o sentido não é totalmente claro, como no caso dos "vinte e quatro anciãos" em Apocalipse).

O escritor Lightfoot (na obra *Philippians*, pp. 96ss.) resume as evidências do NT para a identidade dos termos da seguinte forma: (1) Em Filipenses 1.1, Paulo saúda os "bispos e diáconos", e parece incrível que ele omitisse a segunda ordem (isto é, presbíteros ou anciãos) se fosse distinta, uma vez que os presbíteros formavam a base do ministério das igrejas do NT; (2) em Atos 20.17 Paulo convoca os "presbíteros" de Éfeso e Mileto, contudo dirige-se a eles como "bispos" (At 20.28); (3) Pedro apelou aos "presbíteros" para que cumprissem o ofício de "bispos" (1 Pe 5.1,2); (4) Paulo descreveu as qualificações para o ofício de um "bispo" (1 Tm 3.1-7) e em seguida para o de um "diácono" (1 Tm 3.8-13), porém em 1 Timóteo 5.17-19 ele chama estes ministros de "presbíteros"; (5) já em Tito 1.5 o apóstolo fala mais claramente de "presbíteros", do que de um "bispo" (Tt 1.7).

Tanto a base grega quanto a judaica de "bispo" são esclarecedoras, embora não como um uso conclusivo do NT. Em sua etimologia, a palavra significa um "supervisor" ou "alguém que cuida". Por outro lado, seu uso foi variado. Aquele que "cuidou" ou "protegeu", assumiu uma atitude de misericórdia em relação àquele que estava sob os seus cuidados. Além disso, a palavra veio a denotar o ofício de um tipo ou outro, seja financeiro, administrativo ou social, secular ou religioso.

Os gregos assim descreviam seus deuses: um ser que dava atenção em particular àquele que o adorava. E cada deus tinha uma esfera específica de responsabilidade, proteção e juízo. Quando usado em relação a homens, a idéia de cuidado protetor ainda é essencial à atividade do indivíduo. Na vida grega a palavra também designava um ofício. O *episkopos* poderia ser um oficial de estado, um oficial da sociedade local (como aqueles que supervisionavam o auxílio aos pobres na cidade), ou aqueles que supervisionavam projetos de construção e possivelmente controlavam o dinheiro designado para o trabalho.

O uso judeu era similar. Na LXX, em Jó 20.29, a palavra hebraica para "Deus" (*'el*) é traduzida *episkopos* (*para tou episkopou*). Assim, o "Episkopos" é aquele que julga o ímpio, dando-lhe a herança que merece. Os homens também são assim designados, seja como oficiais (Nm 31.14), supervisores (ou superintendentes, 2 Cr 34.12,17), responsáveis pelo dinheiro para os trabalhadores, ou, em um sentido religioso, como oficiais (ou vigias) no templo (2 Rs 11.18). O rei sírio Antíoco IV indicou "inspetores" (ou governadores) sobre Israel (1 Mac 1.51), homens que deveriam colocar em prática as suas políticas.

Tanto o nome quanto o ofício do "presbítero" são essencialmente judeus (Lightfoot, *op. cit.*, p. 96; cf. Beyer, TDNT, II, 618). O nome está particularmente ligado ao concílio de governo de cada sinagoga judaica, seja na Palestina ou na Diáspora. Tanto no AT (cf. Js 20.4; Rt 4.2; Ed 10.14) quanto no NT (cf. Lc 7.3) o caso é o mesmo. E no Sinédrio de Jerusalém os "presbíteros" (ou "anciãos") formavam uma parte do grupo (cf. Mc 8.31; Lc 20.1; At 4.5). *Veja* Presbítero.

Não é de surpreender, portanto, que os termos *episkopos* e *presbyteros* tenham sido empregados para líderes nas igrejas do NT. Estes eram termos disponíveis e já ligados a organizações que faziam parte da vida cotidiana grega e judaica. Embora certas mudanças fossem, naturalmente, necessárias em função da natureza da igreja cristã e das circunstâncias prevalecentes, os nomes familiares eram mantidos e usados.

O uso do NT de *episkopos* e *presbyteros* é importante. Já foi considerado que ambos se referiam ao mesmo indivíduo no NT, mas qual era a função desempenhada por cada um? A partir de um exame de Atos 20.17,28 pareceria que o termo "presbítero" designava a posição dos homens, isto é, daqueles que eram os líderes reconhecidos da igreja de Éfeso. Por outro lado, "bispo" ou "supervisor" são termos usados como uma referência específica ao seu ministério: apascentar a igreja de Deus. Em 1 Pedro 2.25, os termos "Pastor" e "Bispo" estão ligados a Cristo. Selwyn (*1 Peter*, p. 182) considera o segundo termo como uma interpretação do primeiro, ao invés da apresentação de uma nova idéia, recorrendo a Atos 20.28 como apoio. Ezequiel 34.11-13 combina os mesmos dois termos, como também acontece em 1 Pedro 5.2.

Em Filipenses 1.1, o termo *episkopos* junta-se a *diakonos* ("diácono"), o segundo aparecendo aqui pela primeira vez, mas a função deles não é especificada. A descrição deste ministério só é esclarecida nas Epístolas Pastorais (1 Tm 3.1-7; 5.17ss; Tt 1.5-9). Entendemos que as seguintes características fazem parte do ensino ministrado ali.

1. Em 1 Timóteo 3.1, a palavra *episkope* refere-se a um ofício que um homem pode almejar. Tanto em Atos 14.23 quanto em Tito 1.5, os "presbíteros" eram designados. A palavra usada em Atos (*cheirotonesantes*) só ocorre novamente no NT em 2 Coríntios 8.19 onde alguém foi "eleito pelas igrejas" ou "escolhido pelas igrejas" para viajar com Paulo. Na vida ateniense isto se referia a votar "levantando a mão". O termo *katasteses* em Tito ocorre também em Atos 6.3, onde os apóstolos disseram à congregação para "es-

colher" (*episkepsasthe*) dentre eles sete homens a quem iriam "constituir" ou "encarregar" (*katastesomen*), para servir às mesas.
2. O "bispo" em 1 Timóteo 3.1-7 deve ser um homem que possua qualidades morais elevadas (vv. 2,3), apto para ensinar (v. 2), que governe bem sua própria família (vv. 4,5), espiritualmente maduro (v. 6) e que desfrute de boa reputação entre os incrédulos (v. 7). As qualificações necessárias para os "presbíteros" em Tito 1.5-9 são similares. A obra de Deus requer homens retos e talentosos.
3. No NT, o número destas pessoas em qualquer passagem em particular está no plural. O uso do singular em 1 Timóteo 3.2 e em Tito 1.7 refere-se ao "bispo como um tipo" ao invés de um número. Não há nenhuma referência ao episcopado monárquico (Beyer, TDNT, II, 617).
Em 1 Timóteo 5.17ss., pode estar indicada uma ligação entre o "presbítero" do NT e o desenvolvimento posterior na elevação de uns sobre os outros. Os presbíteros que "governam bem" devem ser considerados "dignos de duplicada honra". O fato de que alguns trabalhariam particularmente "na palavra e na doutrina [ou ensino]" parece já indicar uma divisão de responsabilidades. Isto não seria contrário à palavra que os apóstolos haviam proferido em dias anteriores. "Não é razoável que nós deixemos a palavra de Deus e sirvamos às mesas" (At 6.2).
A progressão histórica do significado de *episkopos* à expressão "o episcopado" pode ser verificada nos escritos dos patriarcas da igreja. Esta progressão ainda não estava tão avançada na época de Clemente de Roma (*Primeira Epístola aos Coríntios*), mas começa a aparecer na *Didache*, em Inácio (*Epístolas*), onde lemos: "seus bispos justos e seus presbíteros". Tal progressão já está bem desenvolvida na época de Irineu (*Contra as Heresias*) e Cipriano (*Epístolas*). Contudo, é notável que mesmo no século II e nos séculos que se seguiram até a Idade Média, a equivalência dos termos observada no século I tenha sido mantida (por exemplo, por Crisóstomo, Jerônimo, Agostinho e outros).

***Bibliografia*** Hermann W. Beyer, "*Episkopos*, etc.", TDNT, II, 599-622. T. M. Lindsay, *The Church and the Ministry in the Early Centuries*, Londres. Hodder e Stoughton, 1910.

W. M. D.

**BITIA** Uma princesa egípcia, filha de Faraó e esposa de Merede, da tribo de Judá. O significado de seu nome ("filha de Yah[weh]") sugere que ela se tornou uma crente no Senhor (1 Cr 4.18).

**BITÍNIA** Uma província romana (após 74 a.C.), a noroeste da Ásia Menor, situada perto do estreito de Bósforo e do Propontis (moderno Mar de Mármara). É mencionada apenas duas vezes no NT (At 16.7; 1 Pe 1.1). Em sua segunda viagem missionária (49-50 d.C.), Paulo foi impedido de entrar em Bitínia pelo "Espírito de Jesus", e assim prosseguiu para a Europa via Troas.
É óbvio que a obra cristã foi iniciada em Bitínia antes de 63 d.C., uma vez que 1 Pedro é endereçada aos crentes que viviam nesta área naquela época. É possível que o cristianismo tenha sido implantado em Bitínia muito antes de Paulo ter tentado ir até lá. Uma vez que naquela época a cidade de Ponto estava ligada a Bitínia (após 65-63 a.C.), o cristianismo poderia ter sido introduzido ali pouco depois do Pentecostes (cf. At 2.9). Em um período anterior, Paulo determinou não trabalhar onde outros missionários já tivessem colocado um alicerce cristão, e trabalhado antes dele (Rm 15.20). No período do NT, a Bitínia era uma província senatorial (após 27 a.C.) e sua capital era a Nicomédia. O pretor Plínio, o Jovem, foi enviado por Trajano a Bitínia como governador (aprox. 111-122 d.C.). Ele relatou (veja a Carta 96) que o cristianismo (que ele chama de uma "superstição") estava tão enraizado em Bitínia naquela época que "... espalhou-se não somente pelas cidades, mas também pelas aldeias e distritos rurais..." A força do movimento cristão na época também é mostrada pelo fato de que os proeminentes cidadãos romanos estavam incluídos na comunhão dos cristãos, e é significativo que muitos templos pagãos em Bitínia estivessem, de acordo com Plínio, "quase desertos".

***Bibliografia.*** J. Weiss, *Realencyclopadie für protest. Theol. und Kirche*, X, 553ss. Para uma fonte conveniente sobre a resposta de Plínio e de Trajano, veja a obra de Henry Bettenson, *Documents of the Christian Church*, Londres. Oxford Univ. Press, reimpresso em 1959, pp. 3-6. Para mapas convenientes de Bitínia e Ponto em relação a outras províncias, veja a obra de William M. Ramsay, *Historical Commentary on the Galatians*, Londres. Hodder e Stoughton, 1899, mapa apresentando na p. 1. Para moedas, veja *B. M. C. Catalogue of Greek Coins. Pontus, Paphlagonia, Bithynia, Bosporus*, Londres. 1889.

E. J. V.

**BITROM** Encontrado apenas em 2 Samuel 2.29. Bitrom aparentemente não é um nome próprio de lugar, mas designa a ravina ou atalho pelo qual Abner e seus homens subiram o vale do Jordão até a sua capital, Maanaim, ao sul do ribeiro de Jaboque. Esta frase em algumas versões é traduzida como: "caminharam por todo o Bitrom". E, em outras versões é traduzida como: "depois de marcharem toda a manhã".

**BIZIOTIÁ** Cidade ao sul de Judá, próxima a Berseba (Js 15.28).

**BIZTA** Um dos sete eunucos ou mordomos que serviam ao rei Assuero ou Xerxes (Ester 1.10).

**BLASFÊMIA** Seu conceito envolvia uma intencional e provocadora afronta à natureza, ao nome, e à obra de Deus, através de palavras ou atos (2 Rs 19.3,6,22; cf. 18.22). Às vezes, estava dirigida a homens ou objetos intimamente associados a Deus; por exemplo, Israel (Is 52.5), as montanhas de Israel (Ez 35.12), o templo (1 Mac 7.38). A idéia também era expressa de forma eufêmica pelo uso da raiz *barak*, termo usualmente empregado para bênção, sendo que a verdadeira intenção seria óbvia pelo contexto (1 Rs 21.10,13; Sl 10.3; Jó 1.5,11; 2.5,9; cf. A. Murtonen, VT, IX [1959], 171).
Muitas vezes a blasfêmia é expressa contra o nome do Senhor (Lv 24.11,16; Sl 74.10,18; Is 52.5). Essa terminologia levou os judeus a um supersticioso entendimento do próprio nome. Alguns manuscritos do Qumram, por exemplo, embora de acordo com a última escrita "quadrada", transcreveram o nome do Senhor de acordo com a antiga escrita para evitar profanar o seu nome com caracteres mais novos e comuns. Da mesma forma, os judeus não ousavam pronunciar esse Nome; portanto, ao ler, substituíam "*Adonai*" por "Jeová". Apenas como lembrete ao leitor, eles escreviam os sinais de vogal de "*Adonai*" com as consoantes de Jeová, e na LXX escreveram *kurios*, palavra grega para "*Adonai*" ou "Senhor".
A blasfêmia era uma ofensa capital e, entre os judeus, a execução era tradicionalmente feita por apedrejamento (Lv 24.11-16; cf. destino de Nabote, apesar da falsidade da acusação, 1 Reis 21.10,13). No caso de Jesus, a acusação de blasfêmia estava baseada em sua afirmação de possuir prerrogativas Divinas (Mt 9.3; 26.64,65; Mc 2.7; Jo 10.33,36; 19.7), mas como a pena capital imposta seria executada sob jurisdição romana, ela foi mudada para a crucificação. Estevão foi apedrejado até à morte acusado de ter blasfemado (At 6.11; 7.56-58).
No NT, de acordo com seu emprego no grego clássico, *blasphemeo* e seus substantivos estão, muitas vezes, relacionados com homens e uma injuria à sua reputação; isto é, "calúnia" ou "difamação" (Rm 3.8; 1 Co 4.13; 10.30; Tt 3.2; cf. Arndt, *s.v.*).
Para o caso da blasfêmia contra o Espírito Santo, veja Pecado; Espírito Santo, Pecado Contra.

***Bibliografia.*** Hermann W. Beyer, "*Blasphemeo* etc." TDNT, I, 621-625.

R. V. R.

**BLASTO** Descrito em Atos 12.20 como o "camarista do rei", recebeu o apelo do povo de Tiro e Sidom perante a ira de Herodes Agripa I. Essas cidades dependiam do rei para o seu alimento da mesma forma como eram dependentes de Salomão na época de Hirão (1 Rs 5.9-11; 9.11-13).

**BOÃ**. Um descendente de Rúben cujo nome foi dado a uma pedra que marca o limite Noroeste de Judá em relação a Benjamim (Js 15.6; 18.17).

**BOANERGES** ou "filhos do trovão". Apelido que Jesus deu a Tiago e João, filhos de Zebedeu, quando ordenou os apóstolos (Mc 3.17) ao se referir ao seu zelo fervoroso (veja Mc 9.38; Lc 9.54).

**BOAZ**
1. Um belemita da tribo de Judá, bisavô de Davi (Rt 2.4; 1 Cr 2.12). Era um honrado e abastado senhor de terras de Belém (Rt 2.1-3), parente de Elimeleque, marido de Noemi (1.1; 2.1). Rute foi segar nos campos (cf. Dt 24.19) e por acaso escolheu os campos de Boaz (Rt 2.3). Agindo de acordo com Deuteronômio 25.5 (a lei do levirato), Noemi instruiu Rute sobre o que ela deveria fazer a fim de que Boaz desempenhasse o papel de parente-remidor (Rt 3.1-11). Entretanto, um parente mais próximo tinha a prioridade e as obrigações (3.12,13). Mas, quando esse parente declinou do seu dever, Boaz anunciou que tomaria seu lugar e casou-se com Rute (4.1-11). Sua união foi abençoada com um filho que recebeu o nome de Obebe.
2. Das duas colunas à frente do templo de Salomão, aquela que estava situada do lado esquerdo (1 Rs 7.15-22). *Veja* Jaquim.

**BOCA** Este órgão físico, que na maioria das vezes expressa as intenções do coração, é utilizado de variados modos. É o órgão utilizado para comer e beber (Jz 7.6; 1 Sm 14.26,27; Pv 19.24). A terra e o Seol são ilustrados como tendo bocas (Gn 4.11; Is 5.14). A palavra também se refere a uma abertura (Js 10.18,22,27).
No entanto, a boca é geralmente o órgão da fala (Gn 45.12; Is 9.17) e muitas expressões idiomáticas a utilizam neste sentido. Ser de boca pesada significa de fala lenta (Êx 4.10), e a expressão boca lisonjeira significa um discurso adulador (Pv 26.28). Falar "boca a boca" significa falar pessoalmente (Nm 12.8). "Com uma só boca" ou "a uma só voz" significa consenso (Js 9.2; 1 Rs 22.13). Colocar palavras na boca de alguém é sugerir o que o outro deve dizer (Êx 4.15; 2 Sm 14.19). Tapar a boca com a mão significa ficar em silêncio (Jz 18.19; Jó 21.5). Pedir conselho à boca de Deus é consultá-lo (Js 9.14). Erguer a boca contra os céus significa falar arrogantemente e blasfemar contra Deus (Sl 73.9). No caso de um ser ou coisa que sai da boca de outro, significa ser o ministro ou servo deste (Ap 16.13,14;

9.18,19; 11.4,5; 12.15). O termo boca também é usado no sentido de "porta-voz" (Êx 4.16; Jr 15.19).
*Veja* Discurso.

***Bibliografia*** Konrad Weiss, "*Stoma*", TDNT, VII, 692-701.

E. C. J.

**BOCADO**[1] Um pedaço de pão ou uma pequena quantidade de alimento (Gn 18.5; Jz 19.5. Rt 2.14; 1 Sm 2.36; 28.22; 1 Rs 17.11; *et al.*).

**BOCADO**[2] Um pequeno pedaço de pão usado como colher para tirar a comida de um prato que está sendo usado por mais de uma pessoa (Rt 2.14; cf. Jo 13.26).

**BOCRU** Um filho de Azel, descendente do rei Saul através de Jônatas (1 Cr 8.38).

**BODAS DO CORDEIRO** Esta é a grande celebração que acontecerá quando Cristo e sua igreja unirem-se para sempre (Ap 19.7-9). *Veja* Noiva de Cristo.
Existem diferentes opiniões sobre quem deverá se casar com Cristo nesse momento. Ensinadores dispensacionalistas sugerem que somente os membros da igreja do NT, desde o Pentecostes até o arrebatamento, deverão constituir a noiva, porque João Batista parece se excluir de seus constituintes (Jo 3.29) e porque Israel não tem o nome de noiva, mas de esposa, enquanto Deus retrata a Si próprio como esposo de Israel e não como seu noivo (Jr 31.32; Os 2.1-23). Outros ponderam que a Noiva será formada pelos crentes de todas as épocas porque os santos do NT deverão participar das promessas juntamente com os santos do AT (Rm 4.16; Hb 11.39ss.). Como em Romanos 4 Paulo prova que todos, tanto dos tempos do AT como do NT, serão salvos apenas pela fé, e prossegue dizendo que os crentes participam das promessas dadas a Abraão e assim serão os herdeiros do mundo (Rm 4.13-16), os teólogos reformados sempre falaram a favor da unidade da aliança da graça em ambos os Testamentos. Eles ensinam que todos os crentes, tanto os do AT quanto os do NT, participarão igualmente da Ceia das Bodas do Cordeiro.
Na Bíblia Sagrada, assim como no Oriente Médio atual, encontramos muitas variações dos costumes relacionados ao casamento. Daí, portanto, seria muito precipitado de nossa parte especular sobre a base das imagens encontradas nas parábolas e em outras passagens prevendo as futuras bodas de Cristo, qual seria a sua exata natureza e a ordem dos eventos a ela relacionados. Entretanto, sabemos que existem três procedimentos básicos presentes nos casamentos do século I d.C. no oriente: (1) o contrato de casamento, realizado muitas vezes pelos pais quando um ou os dois participantes ainda eram crianças, com a apresentação do dote da noiva e os presentes de compensação oferecidos à sua família pelo noivo para selar o pacto e unir as duas famílias (cf. Gn 34.6-12); (2) uma procissão quando o casal atinge uma idade adequada, na qual o noivo vai buscar a noiva para conduzi-la até sua casa (Mt 25.1-13); e, (3) a festa do casamento para a qual os amigos são convidados, realizada assim que o noivo chega com a noiva à sua casa (Jo 2.1-12). Como foi mencionado por John F. Walvoord (*The Revelation of Jesus Christ,* p. 271), o simbolismo do casamento foi maravilhosamente cumprido no relacionamento de Cristo com sua igreja. O pacto do casamento é implementado no momento em que os membros da igreja são redimidos. Cristo, o noivo, busca a sua esposa no arrebatamento (q.v.). Segue-se, então, a terceira fase, isto é, a Ceia do Casamento.
A passagem em Apocalipse 19.6-9 é, na verdade, um hino profético que anteve o casamento do Cordeiro com sua Noiva, após Ele ter iniciado o reinado, e esse início não acontecerá até que Ele tenha vencido os reis da terra liderados pelo Anticristo (George E. Ladd, *The Blessed Hope,* pp. 99-102). Será, então, que a Ceia das Bodas terá lugar no céu ou na terra, em Jerusalém, a capital do mundo no milênio de Cristo? Poderíamos identificá-la com o banquete messiânico previsto em Isaías 25.6-9 (cf. Lc 14.7-24)? Será que em alguma ocasião a festa de casamento poderia ser realizada na casa da noiva (Gn 29.22; Jz 14.10), se, geralmente, ela acontecia na casa do noivo (Mt 22.2ss., Jo 2.9) e freqüentemente à noite (Mt 25.6)? Não existe qualquer indicação de duas Ceias, uma na casa da noiva e outra oferecida pelo noivo.
Será que a expressão "ceia das bodas" (Ap 19.9) indica, na verdade, um acontecimento futuro, um simples banquete cerimonial? Ou seria o conceito do casamento meramente simbólico do íntimo relacionamento do qual os santos ressuscitados continuarão a gozar ao lado de seu Noivo Celestial, como o próprio Senhor Jesus sugeriu quando disse que Ele beberia conosco do fruto da vide no reino de seu Pai (Mt 26.29; cf. Lc 13.28ss.)? Será que a igreja é consistentemente representada apenas como Noiva nas parábolas sobre o futuro casamento messiânico, ou será que essa imagem tem tantas variações que na ocasião do NT os crentes também serão considerados companheiros do Noivo ("filhos das bodas", Mt 9.15), acompanhantes virgens (Mt 25.1-13) ou convidados do casamento (Mt 22.1-14; Ap 19.9)? A Noiva é descrita como vestida de "linho fino puro e resplandecente" e isso foi interpretado como símbolo das justiças dos santos (Ap 19.8). Desse modo, qualquer que seja a exata natureza da futura comunhão dos crentes com o Senhor, sua conduta atual

será da maior importância como forma de agradar ao Noivo Celestial.

R. A. K.

**BODAS¹** Significando "noivado" ou "compromisso de casamento", eram consideradas quase tão sérias quanto o próprio casamento (Dt 20.7; 22.23,25,27,28; Os 2.19,20; Lc 1.27; 2.5). Isto explica a preocupação de José em relação a Maria, e sua decisão de deixá-la (Mt 1.18,19). O homem noivo era, às vezes, chamado de esposo (Dt 22.23; Mt 1.19), e a jovem, de mulher (Gn 29.21; Dt 22.23,24; Mt 1.20). Embora a Bíblia não legisle, exceto em Deuteronômio 22, quanto a um noivado rompido, o código de Hamurabi o faz. Ele exigia que, se o futuro marido rompesse o noivado, o pai da noiva poderia manter o presente para a noiva, e se o pai da noiva renunciasse, ele pagaria em dobro o presente recebido. *Veja* Dote. Um homem poderia declarar as suas intenções e efetuar um noivado estendendo a sua capa sobre a sua amada (Rt 3.9; cf. Dt 22.30; 27.20; Ez 16.8). Figurativamente, no AT, a nação de Israel é considerada como tendo sido desposada ou como tendo noivado com Jeová no deserto (Jr 2.2; cf. Ez 16.8), mas que pela idolatria mais tarde tornou-se a esposa adúltera de Jeová (Os 2.2,16-23), agora repudiada, mas que será finalmente restaurada. O NT se refere à igreja como a noiva desposada de Cristo (2 Co 11.2; Ef 5.25-32; Ap 19.6-8).

R. A. K.

**BODAS²** *Veja* Casamento.

**BODE EMISSÁRIO** *Veja* Azazel; Festividades; Dia da Expiação.

**BOFETADA** Da palavra grega *kolaphizo*, isto é, "bater com os punhos", ou simplesmente "bater", significa um tratamento rude nas ocasiões de escárnio (Mt 26.67; Mc 14.65), aflição (1 Co 4.11), oposição (2 Co 12.7) ou punição (1 Pe 2.20).

**BOI SELVAGEM ou UNICÓRNIO** *Veja* Animais: Boi selvagem II.4.

**BOI** *Veja* Animais: Gado I.8.

**BOLO** Termo que aparece em várias passagens como, por exemplo, 1 Reis 14.3. *Veja* Alimentos.

**BOLORENTO** Um termo que descreve o pão seco trazido pelo mensageiro gibeonita a Josué. Em Josué 9.5,12 várias versões trazem o termo bolorento, mas o termo hebraico *niqqudim* também pode ser traduzido como "esfarelado". A mesma palavra hebraica é usada como "bolos" em 1 Reis 14.3, referindo-se a biscoitos duros ou talvez a bolos esfarelados. *Veja* Pão.

**BOLSA** Palavra encontrada apenas uma vez no AT (Pv 1.14). Ela corresponde à tradução da palavra hebraica *kis* que é geralmente traduzida como "bolsa". A palavra grega *balantion* ocorre na incumbência que o Senhor Jesus deu aos 70 (Lc 10.4), onde foram proibidos de levar bolsas. LSJ sugere a palavra "algibeira" como tradução. A palavra grega *zone* correspondia à cinta ou cinto pois ambos servem para amarrar as vestes e guardar vários artigos. Nas instruções aos 12 discípulos (Mt 10.9), o Senhor Jesus não diz para não levarem uma bolsa (*zone*) pois ela fazia parte de suas vestes. Ele diz, ao contrário, que não deveriam levar nenhum dinheiro *dentro* dela.

**BOM** Bom é aquilo que é digno de aprovação devido ao seu valor moral inerente e por causa dos seus efeitos externos benéficos. As Escrituras usam o termo tanto no sentido moral como no sentido amoral. No sentido amoral, diz-se que o ouro é bom (Gn 2.12), como também o gado (Gn 41.26), as árvores (Mt 7.17), os tesouros (Lc 6.45), a terra (Lc 8.8), etc. Se o sal perde o seu sabor, "para nada mais presta", ou seja, não tem valor prático (Mt 5.13; Lc 14.34).

Mas a Bíblia fala particularmente do bom em um sentido moral; os seus ensinos a este respeito podem ser classificados da seguinte maneira.

*Deus é o padrão* de tudo o que é bom. Quando as Escrituras descrevem o que é bom, elas não aplicam alguns imperativos categóricos ou padrões morais a Deus, mas apresentam o próprio Deus como o padrão. O salmista escreve, "Porque o Senhor é bom e eterna a sua misericórdia; e a sua verdade estende-se de geração a geração" (Sl 100.5). Isto não é uma qualidade abstrata de Deus, nem um ideal secular do homem, porque tudo o que Ele planeja, faz, cria, ordena e aprova é bom. Na verdade, ninguém é bom sem qualificações, exceto Deus (Mc 10.18). Ele é a norma, o juiz e aquele que decide sobre o que é bom, e o homem e as coisas são bons até o ponto em que estejam de acordo com Ele e com a sua vontade.

*As obras de Deus são boas*. Elas revelam os seus atributos de sabedoria e de poder (Sl 104.24-32; Rm 1.19,20) e exibem a sua glória (Sl 19). Passo a passo, ao realizar a obra da criação, Ele a examinou para provar que era boa (Gn 1.4,10,12,18,21,25) e quando a concluiu, "viu Deus tudo quanto tinha feito", inclusive o homem, "e eis que era muito bom" (v. 31). Na criação de Deus não existe o "*Das Nichtige*" de Barth, nem o dualismo maniqueísta, nem os três estágios do ser da Igreja Católica. O pecado foi originado na criatura e não no Criador. O pecado (q.v.) não veio à existência porque Deus não podia fazer o bem sem provocar o mal, mas porque a criatura, em sua liberdade de vontade, fez com que ele existisse.

*Os dons de Deus são bons*, porque eles expressam a sua beneficência, o seu amor e a sua misericórdia, e são para o bem das criaturas. Tiago escreve que toda boa dádiva e todo dom perfeito vêm de Deus (Tg 1.17). Em Sua providência, Ele faz o bem a todos os homens, tanto aos justos quanto aos injustos (Mt 5.45; Lc 6.35; At 14.17), enquanto como um Pai Celestial Perfeito Ele dá boas dádivas em particular aos seus filhos (Mt 7.11).

No Antigo Testamento, a bondade de Deus para com o seu povo da aliança é anunciada nas muitas promessas de bênçãos mileniais, que incluem a posse de toda a terra prometida (Ct 30.1-10; Is 11.11,12; 66.19,20; Jl 3.1-20), mil anos de paz (Is 9.7; Ap 20.1-6); prosperidade e abundância (Jl 3.17-20; Am 9.13-15).

Para o cristão, "todas as coisas contribuem juntamente para o bem daqueles que amam a Deus" (Rm 8.28), incluindo correções (Hb 12.10), tentações (Tg 1.2-12), aflições (Sl 119.67,71) e perseguições (2 Co 4.17). Tudo isso leva o cristão a Deus em busca de sua bênção, e da presença e do poder do Espírito Santo.

*Os mandamentos de Deus são bons.* Como a lei de Deus é um reflexo do seu santo caráter, assim também os seus mandamentos são uma revelação da sua perfeição moral e da sua perfeita vontade. O padrão moral ideal para a Bíblia é ser como Deus Pai (Mt 5.48), como foi revelado nas Escrituras, na vida e nos ensinos do Senhor Jesus Cristo. Cristo não veio para destruir a lei de Deus, mas para cumpri-la para a nossa justificação, e a elogiou como o guia para a caminhada de fé e obediência (Mt 5.17-19,48).

*A obediência aos mandamentos de Deus é boa.* A obediência agrada ao Senhor. Ela é a base das bênçãos e das orações respondidas (1 Jo 3.22; 5.2,3), e floresce na realização das boas obras para as quais os cristãos foram salvos (Mt 5.16; Ef 2.10; Cl 1.10; 2 Co 9.8).

Em que sentido as obras podem ser consideradas boas? Quando elas estão de acordo com o padrão revelado de Deus e com a sua vontade (2 Tm 3.16,17). Quando elas nascem da motivação correta, ou seja, do amor aos semelhantes e da gratidão a Deus (2 Co 5.14; 1 Ts 1.3; Hb 6.10). Quando elas são realizadas com o objetivo correto, ou seja, para a extensão do conhecimento de Deus e da sua glória (Mt 5.16; 1 Co 10.31; cf. 6.20; 1 Pe 2.12).

A lei de Deus é revelada ao homem de duas formas: a positiva – amar a Deus e amar ao seu semelhante, que é a base da lei (Rm 13.8-10); e a negativa – (Exceto para o quarto e o quinto mandamentos) como foi resumida nos Dez Mandamentos. Deus é amor. Sua santidade e seu amor andam de mãos dadas. O homem também deve combinar o amor com a justiça em um caminhar cheio do Espírito, se ele deseja que seus atos sejam verdadeiramente bons (Rm 8.3,4; Gl 5.22,23). Assim, as boas obras são obras de amor, como a unção de Jesus por Maria, que foi por Ele chamada de boa obra (Mc 14.3-6; cf. Mt 5.13-16; Rm 12.9-21; 13.8-10).

Em nosso entendimento quanto às boas obras, é necessário distinguir os três principais usos da lei de Deus encontrados nas Escrituras: (1) *Para a justificação*. Todos os homens se tornam pecadores e, portanto, estão perdidos e precisam ser salvos. Mas eles não conseguem salvar-se a si próprios, porque não conseguem observar a sagrada lei de Deus. Uma transgressão representa a transgressão de toda a lei (Tg 2.10). Cristo, por outro lado, veio ao mundo sem pecado, observou perfeitamente a lei de Deus e, então, morreu pela condenação da lei transgredida - tudo isso para nossa justificação. Portanto, a Bíblia nunca apresenta ao homem pecador a observância da lei como um meio para sua autojustificação, mas ela diz: "Nenhuma carne será justificada diante dele pelas obras da lei, porque pela lei vem o conhecimento do pecado" (Rm 3.20). (2) *Para a condenação*. A lei de Deus nos condena pelos nossos pecados e nos faz culpados perante Deus (Gl 3.24; cf. Lc 10.25-37; 18.20-22). (3) *Para a santificação*. Depois da nossa conversão, a lei de Deus se torna o padrão para a vida cristã, como se vê tanto nos ensinos de Cristo quanto nos de Paulo (Mt 5.17-48; Rm 13.8-10). Somente nesse terceiro sentido é que se fala ao cristão da observância da lei de Deus, e somente pelo poder do Espírito Santo que habita em cada crente.

*Veja* Exemplo; Bondade; Lei; Lei de Moisés; Sermão do Monte.

R. A. K.

**BONDADE ou BENIGNIDADE** No AT, o termo heb. *hesed* é usado tanto para os homens como para Deus. Quando empregado em relação aos homens pode significar: (1) benignidade no sentido de fazer favores em cumprimento a um pacto ou obrigações de aliança (Gn 20.13; 21.23; Js 2.12; 1 Sm 20.15; 2 Sm 9.1); (2) misericórdia ou compaixão estendida aos necessitados (Jó 6.14; Pv 20.28); (3) afeição e lealdade de aliança em relação a Deus (Jr 2.2); e (4) beleza (Is 40.6). Quando usada em relação a Deus, a palavra descreve: (1) um de seus atributos (Ne 9.17; Jl 2.13); e, (2) também seus atos de benignidade ou misericórdia (Gn 19.19; Sl 31.21; Is 54.8,10). No NT, o termo "benignidade", às vezes, traduz a palavra *chrestotes* que é empregada em dois sentidos. Em um, ela tem o sentido de integridade ("bem", Rm 3.12) e, em várias passagens, ela é usada no sentido de benignidade ou generosidade (2 Co 6.6; Ef 2.7; Cl 3.12; Tt 3.4). *Veja* Benevolência; Misericórdia; Compaixão.

**BONDADE** Tanto no Antigo quanto no Novo Testamento, dois elementos aparecem em

particular: uma bondade que se baseia na misericórdia (*hesed, chrestotes*), e uma que se baseia na bondade moral de Deus (*tob, agathosune*). Desta maneira, em algumas ocasiões, a bondade de Deus é manifesta: "A terra está cheia da bondade do Senhor" (Sl 33.5; cf. Sl 52.1; 107.8); "Desprezas tu as riquezas da sua benignidade [bondade]... ignorando que a benignidade de Deus te leva ao arrependimento?" (Rm 2.4). Em outras ocasiões, a perfeição e a bondade de Deus vêm à tona (Nm 10.32; Sl 16.2; 23.6; Gl 5.22; 2 Ts 1.11). Um dos frutos do Espírito é a bondade (*agathosune*) no sentido da santidade e da justiça cristã (Gl 5.22). Isto está de acordo com o objetivo da nossa vida cristã, que é o de sermos semelhantes ao nosso Pai Celestial, tanto em caráter quanto em atitudes, assim como Cristo nos ensinou no Sermão do Monte (Mt 5.48).
*Veja* Bom; Bondade.

R. A. K.

**BONS PORTOS** Uma pequena baía na costa sul de Creta, localizada cerca de 8 quilômetros a leste do Cabo Litinos. O navio de Paulo ancorou ali por um tempo, enquanto estava a caminho de Roma (At 27.8-12). A baía, que ainda retém seu antigo nome, está exposta a leste, mas protegida a sudeste perto de duas pequenas ilhas. Paulo queria que passassem o inverno ali, mas o dono do navio queria navegar por cerca de 80 quilômetros a oeste, a Fenice (ou Fênix), um porto que era mais seguro durante o inverno. (Normalmente os navios antigos não navegavam no Mediterrâneo durante os meses tempestuosos de novembro a março). Após deixar Bons Portos, a embarcação foi desviada de seu curso por um violento vento nordeste e acabou naufragando em Malta. *Veja* Melita.

**BOOZ** Forma grega de Boaz (Mt 1.5; Lc 3.32). *Veja* Boaz.

**BOQUIM** Lugar a oeste do Jordão, próximo a Gilgal. Provavelmente tem esse nome (literalmente, "os pranteadores") porque foi o lugar onde o povo de Israel chorou perante a censura feita pelo anjo do Senhor (Jz 2.1,5).

**BORDA** No Tabernáculo, laços de azul deveriam adornar a orla da cortina começando pela borda (final, ou extremidade), na junção (Êx 26.4; 36.11). Este termo se refere à orla do painel mais externo em cada conjunto de cortinas, comparável à franja decorativa nas extremidades de um tapete oriental.

**BORDA DAS VESTES** Para recordar os israelitas das suas obrigações para com Deus, a lei ordenava (Nm 15.37ss.; Dt 22.12) que eles prendessem franjas de fios torcidos (por exemplo, de coloração azul-púrpura ou violeta) nas bordas de suas vestes mais exteriores. Os fariseus pomposamente faziam as suas muito compridas (Mt 23.5). Algumas pessoas enfermas colocavam a sua fé em prática estendendo a mão, por entre a multidão, em direção a Jesus para obter ajuda. Quando elas conseguiam tocar mesmo que fosse simplesmente a borda de suas roupas, eram curadas (Mt 9.20,21; 14.36).

**BORDADEIRA** *Veja* Ocupações.

**BORDADO** *Veja* Ocupações: Bordadeira, Bordador.

**BORDADOR** *Veja* Ocupações: Bordador.

**BORDÃO ou VARA** Várias palavras hebraicas e gregas em muitas passagens da Bíblia Sagrada referem-se ao cajado em sentido literal que inclui a associação ao seu uso pelos pastores, viajantes, guerreiros e soldados. Entretanto, na Bíblia, seu uso é principalmente figurado. Por exemplo, o cajado de Moisés simboliza a presença de Deus e a sua preocupação com a aliança que Ele tem com o seu povo (Êx 14.16; 17.5,9). A vara ou bordão de Arão era o instrumento dos milagres de Deus (Êx 7.9ss.), e o bordão de Elias transmitia seu poder de curar (2 Rs 4.29,31).
O cajado do pastor simboliza segurança, proteção e, talvez, proximidade de Deus (Sl 23.4). A partir desses simbolismos, o crente adquire coragem ao enfrentar as exigências e desapontamentos da vida. Assim como o cajado serve de apoio a quem o utiliza, a expressão figurada "sustento de pão" veio a significar o suprimento diário de alimento de uma pessoa (Lv 26.26; Sl 105.16; Ez 4.16; 5.16; 14.13).
Às vezes, o bordão e o cajado eram o emblema do poder de Deus para castigar. A assíria era o bordão da ira de Deus, como uma vara, para manifestar a sua indignação (Is 10.5,15). *Veja* Armadura, Bastão.

A. M.

**BORDÕES** *Veja* Vara; Tabernáculo.

**BORRA** Sedimento ou refugo (*shemarim*) que se forma no fundo das garrafas ou odres de vinho durante o segundo e mais demorado estágio da fermentação. Depois de aproximadamente 40 dias era necessário mudar os recipientes e retirar a borra para que o vinho não se tornasse insípido e perdesse a força. Dessa forma, o vinho deixado com sua borra é bom até certo ponto ou tempo; depois, se a borra permanecer, ele torna-se um vinho de baixa qualidade.
No primeiro caso, esse vinho é usado simbolicamente para a festa divina das nações (Is 25.6), e, no segundo, ele representa a situação de Moabe (Jr 48.11) e de Judá (Sf 1.12). A experiência da plena execução do castigo Divino está descrita no Salmo 75.8 e é ilustra-

da como o esvaziamento de uma taça de vinho, que é bebida até mesmo com seu resíduo. *Veja* Refugo.

**BOSCATE** Cidade nas planícies de Judá, entre Laquis e Eglom (Js 15.39), terra natal da mãe do rei Josias (2 Rs 22.1).

**BOSOR** Forma grega de Beor, pai de Balaão (2 Pe 2.15). *Veja* Beor.

**BOTA** Essa palavra aparece em Isaías 9.5 e tem sido traduzida como "peleja", "botas", "bota", "armadura daqueles que pelejavam", e "calçado". A palavra hebraica *se'on* provavelmente se originou de uma palavra assíria que significa "sapato" ou "sandália". *Veja* Sandália; Trajes.

**BOTIJA** Uma garrafa de cerâmica pequena alongada de cerca de 15 centímetros de altura. Possivelmente um jarro de pescoço estreito (heb. "*gurgler*"), como aquele que foi usado pela esposa de Jeroboão para levar mel como um presente ao profeta Aías (1 Rs 14.3; a mesma palavra para "botija" na lição de Jeremias 19.1,10). Também pode ser um prato (tigela rasa, aberta) na qual Eliseu colocou sal, quando sarou as águas que abasteciam Jericó (2 Rs 2.20). Também pode ser um caneco, frasco, ou cantil como a botija de água de Saul (1 Sm 26.11,12,16) e de Eliseu (1 Rs 19.6), e a botija de azeite da viúva de Sarepta (1 Rs 17.12,14,16). *Veja* Odre; Cerâmica.

**BOZCATE,** *Veja* Boscate.

**BOZEZ** Nome de dois rochedos ao norte, localizados em cada lado do vale de Micmás (1 Sm 14.4). *Veja* Geba; Micmás.

**BOZRA**
1. Cidade muito antiga, era a capital de Edom, situada a cerca de 30 quilômetros a sudeste do Mar Morto (Gn 36.33; 1 Cr 1.44; Is 34.6; 63.1; Jr 49.13,22; Am 1.12). Foi identificada com a vila de Buseirá, no contraforte praticamente inexpugnável de uma cordilheira, protegida em três de seus lados por profundos vales.
2. Mencionada em Jeremias 48.24 como uma cidade de Moabe, possivelmente a cidade rubenita de refúgio conhecida como Bezer (q.v.).

**BRAÇA** *Veja* Pesos, Medidas e Moedas.

**BRACELETE** Palavra usada para traduzir cinco palavras hebraicas que descrevem um ornamento usado tanto por homens como por mulheres. Argola ou tira, feita geralmente de metal, usada na parte superior do braço, diferente da pulseira, que é usada no pulso. Foi um ornamento ou símbolo de status, e era usado como sinal de riqueza (Gn 24.22). Eram contados como despojos de guerra (Nm 31.50). O rei Saul usava um bracelete em seu braço (2 Sm 1.10) e os israelitas davam braceletes como ofertas ao Senhor (Êx 35.22). Mais tarde, seu uso foi condenado por Isaías como futilidade. Ele profetizou a eliminação de tal ornato resplandecente como um futuro castigo do Senhor pelo orgulho das mulheres (Is 3.19).
Braceletes ou pulseiras, feitos de bronze, ferro, vidro, marfim, prata e ouro, tinham muitas formas e desenhos. Alguns eram cravejados com inúmeras pedras preciosas. Podem ser encontrados em abundância nas terras dos tempos bíblicos.
*Veja* Vestuário; Jóias.

**BRAÇO** Como um substantivo, é usado principalmente com sentido poético na Bíblia para simbolizar força ou poder. O "braço estendido" de Deus refere-se ao seu cuidado providencial (Êx 6.6; Dt 4.34; 9.29; Sl 89.10; Is 51.9; etc.). Quebrar o braço significa a perda do poder ou da saúde (Jó 31.22; Sl 10.15; Jr 48.25; etc.). Embora seja freqüente no AT, aparece apenas por três vezes no NT e em cada caso é uma referência ao braço do Senhor, como no AT (Lc 1.51; Jo 12.38; At 13.17).

Braceletes e pulseiras adornam esta figura mítica no palácio assírio de Nimrude. LM

**BRAMIR** Como um verbo, a palavra "bramidor" é usada uma vez para traduzir o termo heb. *shaqaq*, que descreve um urso que brame (Pv 28.15).

**BRANCO** *Veja* Cores.

**BRASAS** Este termo traduz cinco palavras hebraicas diferentes no AT e duas palavras gregas diferentes no NT. Embora nenhum carvão mineral tenha sido encontrado na Palestina, a madeira era usada para fazer fogo de brasas tal como é descrito em João 18.18; 21.9. A brasa de carvão vegetal era feita, na verdade, submetendo-se a madeira a um lento processo de queima, e era usada tanto naquela época como nos tempos recentes como uma fonte de calor (Is 47.14), também para cozinhar (Is 44.19; Jo 21.9), e pelo ferreiro (Is 44.12). O termo grego *anthrax* (Rm 12.20) refere-se ao carvão vegetal quando Paulo diz (citando Pv 25.22) que é possível amontoar brasas vivas sobre a própria cabeça, ao se retribuir o mal com o bem. *Veja* Minerais e Metais.

**BRASEIRO**
1. Um braseiro era uma bandeja ligada a um cabo comprido, e era usado para carregar brasas, e provavelmente cinzas também. É listado como um dos utensílios para o altar das ofertas queimadas (Êx 27.3; 38.3). A palavra heb. *mahta* também é, várias vezes, traduzida como "incensário" (Lv 10.1; 16.12; Nm 4.14; 16.6), porque o braseiro tinha esta função quando usado como suporte para o carvão em brasa na queima de incenso. Um utensílio deste mesmo formato era usado para segurar as pinças e para remover as porções queimadas dos pavios do castiçal de ouro. Neste caso, ele foi traduzido como "espevitadores" ou "espevitadeiras" (Êx 25.38; 37.23). Os braseiros eram feitos de cobre, como regra, mas aqueles usados com o castiçal de ouro eram de ouro puro (Êx 25.38). *Veja* Incensário.
2. Recipiente (lareira), geralmente de metal, usado para conservar carvão aceso e colocado para aquecer o piso no meio da sala. Em Jeremias 36.22,23, essa palavra refere-se ao dispositivo usado no palácio de inverno do rei Jeoaquim no qual ele queimou o pergaminho de Jeremias, cortando-o em pedaços com uma faca.

**BRECHA** Uma fenda, como em um muro, ou um rompimento, palavra geralmente traduzida como "brecha" e como "fenda" em Ezequiel 13.5; 22.30.

**BREU** *Veja* Minerais e Metais: Betume.

**BRINCAR** A palavra brincar traduz três diferentes termos na Bíblia Sagrada: (1) menosprezar, como em Juízes 16.25 em relação a Sansão; (2) divertir-se como em Gênesis 26.8 quando Isaque "brincou" ou expressou afeto por Rebeca; e (3) escarnecer como em Provérbios 10.23, onde "um divertimento é para o tolo praticar a iniqüidade".

**BRINCO** A palavra heb. *nezem* significa um anel que era usado tanto no nariz como na orelha. Seu primeiro uso foi em Gênesis 24.22 como pendente e argola. Em Gênesis 24.47, a tradução "pendente de nariz" é bastante adequada. Mas em Gênesis 35.4 o sentido do texto está ligado ao termo "brincos". Aqui, a palavra está relacionada à orientação de Jacó à sua família e a seus servos para se disporem dos deuses estrangeiros. Eles entregaram os deuses estrangeiros e os brinços que possuíam.
Lendo Êxodo 32.2,3, tomamos conhecimento de que brincos de ouro eram usados pelas mulheres hebréias, e pelas crianças do sexo masculino e feminino. Nada é dito sobre homens adultos fazerem uso de brincos. Nesta época, era comum enfeitar a panturrilha com ouro. Em Êxodo 35.22, a referência pode ser aos anéis ou aos pendentes de nariz, mas, aqui, o ouro era uma oferta a Deus para a construção do Tabernáculo. Tanto os homens quanto as mulheres usavam esses anéis; então, se a referência é a brincos, isto poderia demonstrar que os homens faziam uso deles em algumas ocasiões. Mas o texto em Juízes 8.24 que fala de pendentes ou argolas, indica que esta não era uma prática comum dos homens israelitas, já que os homens que tinham brincos (ou pendentes de nariz) foram reconhecidos como ismaelitas. O contexto de Provérbios 25.12 parece favorecer o brinco ao invés do pendente de nariz. O termo é usado aqui com um sentido positivo, relativo à beleza. E assim, o anel de ouro em si não era bom nem mau, mas podia ser usado na adoração idólatra para fazer um

366

Brincos de ouro da tumba do rei Tutancamom do Egito. LL

bezerro de ouro, ou para ser dado ao Senhor, ou ainda poderia ser utilizado como um adorno. No Novo Testamento a ênfase é que o adorno cristão não deve ser apenas exterior, mas interior, espiritual (1 Tm 2.9,10; 1 Pe 3.3,4). *Veja* Vestuário.
Uma segunda palavra, *'agil*, traduzida como brinco e pendentes (Nm 31.50; Ez 16.12), enfatiza a idéia de argolas.
A palavra *lahash* significa amuleto ou encantamento. Esta palavra, traduzida como pendentes no nariz em Isaías 3.20, é traduzida como "amuleto" em algumas versões. A raiz significa "confidenciar" ou "conjurar", e assim refere-se a amuletos de metal ou jóias que teriam, supostamente, poderes de proteção. Às vezes, eles eram inscritos com fórmulas mágicas ou moldados como emblemas de ouro, como entre os egípcios. *Veja* Amuleto; Jóias.

C. J. W.

**BROCHE** Palavra usada no plural na versão RSV em inglês (na versão KJV lê-se "braceletes") para um tipo de jóia de ouro levada como oferta pelos homens e mulheres de Israel (Êx 35.22). Keil e Delitzsch sugerem o uso dos termos "fecho ou anel". Também poderia ser "fivela ou broche". *Veja* Bracelete.

**BRONZE** *Veja* Minerais e Metais.

**BRÔNZEO** Palavra usada para designar artigos feitos de latão. *Veja* Minerais e Metais.

**BUFO** *Veja* Animais: III.14.

**BUGIO** *Veja* Animais: Bugio II.6.

**BUL** Nome do oitavo mês do ano judaico, no período anterior ao Exílio (1 Rs 6.38) e corresponde a outubro-novembro. Seu nome, muito apropriadamente, significa chuva ou temporal, pois era o início da estação chuvosa. *Veja* Calendário.

**BUNA** Filho de Jerameel da linhagem de Judá (1 Cr 2.25).

**BUNI** Aparentemente, o nome de três levitas:
1. Um levita que ajudou Esdras a ensinar o povo (Ne 9.4).
2. Um ancestral de Semaías (Ne 11.15).
3. Um líder ou uma família que, junto com Neemias, selou a aliança (Ne 10.15).

**BUQUI**
1. Filho de Jogli e representante chefe danita que ajudou na divisão da terra (Nm 34.22).
2. Quarto da descendência de Arão, através de Eleazar (1 Cr 6.5,51) e antepassado de Esdras (Ed 7.4).

**BUQUIAS** Um levita, filho de Hemã, líder da sexta companhia de 12 músicos que serviam na adoração no templo (1 Cr 25.4,13).

**BURIL** Instrumento usado para escrever, bastando pressionar sua única ponta sobre uma tábua de cera, usado pelos assírios e romanos (Is 8.1). Também podia ter uma ponta triangular para fazer impressões cuneiformes em uma tábua de argila. O buril de ferro era usado como ferramenta para gravar cartas na pedra (Jó 19.24; Jr 17.1). *Veja* Escrita.

**BÚTIO** *Veja* Animais: III.15.

**BUZ**
1. Nome de uma região (Jr 25.23), provavelmente algum lugar ao norte da Arábia, possivelmente Bazu, das inscrições assírias. *Veja* Buzita.
2. O segundo filho de Naor e Milca, e sobrinho de Abraão (Gn 22.21).
3. Um descendente da tribo de Gade (1 Cr 5.14).

**BUZI** Pai do profeta Ezequiel (Ez 1.3) e, por conseguinte, membro da casa sacerdotal de Zadoque.

**BÚZIO** *Veja* Animais: Molusco púrpura V.7.

**BUZITA** Um dos membros da tribo árabe de Buz. Eliú, um dos amigos de Jó (Jó 32.2) é chamado de buzita e pode ter pertencido a uma tribo com esse nome, contra a qual Jeremias pronunciou os juízos de Deus (Jr 25.23).

# C

**CABANA** Esta palavra aparece em Isaías 1.8 (heb. *sukka*, "choça"); Isaías 24.20 (heb. *meluna*; "choça"); Sofonias 2.6 (Heb. *karoth*, "lugar escavado"; traduzido como "Creta" na Septuaginta, e "campinas"em outras versões). A palavra "cabana" mudou consideravelmente de significado em relação ao seu padrão original. Ela está relacionada à palavra "redil", um abrigo para animais (cf. Milton, *Comus*, 344). "Ouvimos os rebanhos espremidos, presos em seus redis".Chaucer usou o termo para se referir a uma moradia humilde. "Uma viúva pobre, já curvada pela idade, envelheceu morando em um casebre" (*Canterbury Tales*. "Nun's Priest's Tale", 1.2). O termo, como encontrado no AT, sempre preserva a conotação de uma estrutura inferior, e não o significado neutro da palavra como empregado no uso contemporâneo. Em Isaías 1.8, temos a referência a uma estrutura temporária, que poderia ser coberta com folhagens para proteger o trabalhador do sol, enquanto ele vigiava a vinha durante o tempo de amadurecimento das uvas. As outras palavras hebraicas traduzidas como "cabana" ou "choça" também sugerem um tipo de construção frágil [Obs. A palavra cabana aparece 16 vezes na RC e choça 2 vezes].

E. J. V.

**CABEÇA**[1] Esse substantivo vem da palavra hebraica *gulgolet*, que significa "crânio". Deve-se entender a conexão entre essa palavra e "cabeça", provavelmente como uma sinédoque, semelhante a expressões como 25 *cabeças* de gado. A contagem do número de pessoas tinha a finalidade de realizar um censo com propósitos militares, de trabalho, ou para a cobrança de impostos (Nm 1.2,18,20,22; 3.47; 1 Cr 23.2,24).
A idéia verbal é expressa por três palavras hebraicas cujas diferenças não são suficientemente claras: (1) *gazaz* (Mq 1.16) que na forma do particípio significa "tosquiador de carneiros"; (2) *galah* (2 Sm 14.26) está definitivamente ligada às partes do corpo humano que são raspadas; por exemplo, no caso de Sansão em 16.17,22; e (3) *kasam*, que ocorre apenas em Ezequiel 44.20 (duas vezes) onde ela se refere aos sacerdotes e levitas que cortavam os seus cabelos.

**CABEÇA**[2] Existem vários usos para essa palavra.
1. Ela denota a parte mais essencial do homem e dos animais. Essa palavra é usada como uma referência: à cabeça da serpente (Gn 3.15), aos animais sacrificiais (Êx 29.10,15,19) e aos seres humanos (Gn 40.16,17). A cabeça é considerada o centro da inteligência e, às vezes, representa o homem como um todo (Pv 10.6). Costuma-se dizer que a alegria e a tristeza, os bons momentos e as adversidades, vêm da cabeça das pessoas. Ungir a cabeça era um sinal de alegria (Sl 23.5; Hb 1.9). As mãos eram colocadas sobre a cabeça de uma pessoa para invocar bênçãos (Mt 19.15). Cortar o cabelo e cobrir a cabeça eram sinais de desespero e luto (Js 7.6; 1 Sm 4.12; Lm 2.10). Machucar ou destruir a cabeça era sinônimo de completa destruição (Gn 3.15; Sl 68.21). Inclinar a cabeça era sinal de humildade e reverência (Is 58.5).
2. Outro significado de cabeça é topo ou cúpula de objetos inanimados tais como montanhas, cetros, escadas e torres (Êx 19.20; Et 5.2; Gn 28.12; Gn 11.4). Cristo é chamado de cabeça de esquina (as várias versões usam termos equivalentes, como por exemplo: pedra angular, pedra de esquina, pedra de remate, primeira pedra; Sl 118.22; At 4.11; Zc 4.7; cf. 10.4).
3. A cabeça também denota o início de meses, rios e ruas (Gn 2.10; Êx 12.2; Is 51.20).
4. Essa palavra designa alguém com autoridade no sentido de pessoa principal ou superior. Pode significar líder, príncipe, chefe ou capitã. É usada para cidades, nações, homens e, também, para Deus. Damasco é a cabeça ou a capital da Síria (Is 7.8). E Israel deverá ser a cabeça das nações (Dt 28.13). Os homens de Israel eram chamados de cabeça da casa de seus pais (Êx 6.14; Dt 1.15; 1 Cr 5.24).
5. Um importante uso no NT é aquele que se refere à autoridade de Cristo. *Veja* Cabeça da Igreja. Ele é a Cabeça da sua igreja, chamada de seu Corpo (Ef 4.12,15; 5.23; Cl 1.24). Os crentes são inseridos nesse Corpo através do Espírito Santo (1 Co 12.13; cf. 12.27). Essa figura representa a obra e a manifestação de Cristo através dos crentes em união, direção e controle. *Veja* Corpo de Cristo. Cristo também é a Cabeça de sua igreja, chamada de sua Noiva (Ef 5.23-33). Essa figura mostra o amor e o carinho que o Senhor tem pela sua igreja, e que Ele aguarda fervorosamente a consumação deste matrimônio no céu (Ap 19.7). *Veja* Noiva de Cristo. Seguindo esse exemplo, o marido é a cabeça da esposa; ele deve amá-la e cuidar dela (1 Co 11.3; Ef 5.23-33). Cristo é também a Cabeça do universo (Ef 1.22) e de todo o poder cósmico (Cl 2.10). A cabeça de Cristo é Deus (1 Co 11.3).

**Bibliografia.** J. R. Bartlett, "*The Use of the Word Rosh as a Title in the Old Testament*", AT, XIX (1969), 1-10. Heinrich Schlier, "*Kephale*", TDNT, III, 673-682.

E. C. J.

**CABEÇA DA IGREJA** Paulo apresenta Cristo como o Cabeça da igreja (Ef 5.32), e cada membro da igreja, individualmente, como parte de seu Corpo (Ef 4.4-16; 1 Co 12.12-27).

No livro de Colossenses, Cristo é visto como Cabeça (Cl 1.18; cf. Ef 1.21,22) como contraste e acima de todos os reinos e poderes do mal (Cl 2.10; cf. Ef 6.12) e dos anjos (Cl 2.18; cf. Hb 1.4ss.).

Em Efésios, Ele é visto como a pedra angular (ou de esquina), a pedra principal que reúne duas paredes em uma só, judeus e gentios, quebrando a parede que os separava (Ef 2.14,15,19,20). Essa união pela qual "os gentios são co-herdeiros" juntamente com os judeus convertidos (3.6), que Cristo realiza como sua única cabeça, foi de difícil compreensão para os santos do AT (Is 9.2; 11.10; 42.6; 49.6; 60.3; 66.2,12,19; Am 9.12), e foi chamada de "mistério... oculto em Deus" (Ef 3.9).

Três lições principais podem ser extraídas. Primeiro, que devemos aprender a mostrar uma adequada submissão e honra às autoridades que nos cercam, assim como fazemos com Cristo (Ef 5.21–6.9). Segundo, assim como Cristo amou a igreja e a cada um de nós, cada um deve amar a sua esposa e o seu próximo (Ef 5.25-33). Terceiro, devemos nos lembrar de que somos como os membros de nosso próprio corpo, e que cada ser é dotado pelo Espírito Santo de uma maneira particular (1 Co 12.4-13; Ef 4.7ss.) e que mesmo assim cada um precisa do outro (1 Co 12.14ss.). *Veja* Cabeça.

R. A. K.

**CABEÇA DE MACHADO** *Veja* Machado; Armadura.

**CABELO[1]**

"Trança" ou tufo de cabelo, da palavra hebraica *sisit*, "cachos" (Ez 8.3), indicando um estilo informal de arranjar o cabelo; *mahlaphot*, "tranças" (Jz 16.13,19) é um estilo de penteado ainda praticado por alguns povos árabes; *pera'* ou "mechas", "parte dos cabelos", "tranças" (Nm 6.5; Ez 44.20); *sammah*, "mecha de cabelo", ou véu de mulher (Ct 4.1 etc.); *q^e wusot*, "mechas de cabelo" (Ct 5.2,11).

**CABELO[2]** A palavra cabelo é mencionada freqüentemente nas Escrituras, especialmente com referência à cabeça. A maneira e o costume de pentear o cabelo variavam consideravelmente entre as nações.

*Egípcios.* Os homens egípcios raspavam o cabelo, exceto nos períodos de luto. Até a cabeça das crianças era raspada e deixavam algumas mechas como sinal de juventude. Os escravos, quando trazidos de outros países para servir na corte, precisavam raspar o cabelo e a barba. Essa é a razão pela qual José se barbeou antes de se apresentar ao Faraó (Gn 41.14). Entretanto, as mulheres usavam o cabelo naturalmente longo e trançado, caindo, muitas vezes, sob a forma de cordões até a altura do ombro. Às vezes, usavam perucas como disfarce. O Faraó usava uma barba falsa como símbolo de divindade.

*Assírios.* Os homens assírios tinham um costume contrário ao dos egípcios, permitindo que o cabelo e a barba crescessem ao máximo. Às vezes, encrespavam a barba e aplicavam cabelos falsos para enfeitar a cabeça.

*Gregos e romanos.* Os gregos admiravam cabelos longos, em homens e mulheres. Acreditavam que o cabelo era o mais barato dos ornamentos. Porém os costumes variavam. Primeiro usaram o cabelo longo, depois fizeram um nó e, em um período posterior, preferiram cabelos curtos. Os romanos, primeiramente, usavam cabelos longos, mas os homens começaram a usar cabelos curtos cerca de três séculos antes de Cristo. Também era costume fazer a barba, e usar a barba crescida era sinal de desleixo e falta de higiene. O trançado ou o frisado do cabelo das

Faraó Tutancamom do Egito com uma barba falsa. LL

Um deus assírio com cabelos e barbas cacheados. LM

mulheres era um trabalho tão elaborado, que Pedro e Paulo aconselhavam evitá-lo. (1 Pe 3.3; 1 Tm 2.9).

*Hebreus.* Os hebreus consideravam o cabelo uma parte importante da beleza pessoal dos jovens e velhos (Ct 5.11; Pv 16.31). O sexo se distinguia pelo cabelo longo das mulheres (Lc 7.38; Jo 11.2; 12.3; 1 Co 11.6) e o freqüente corte, até um comprimento moderado, dos cabelos dos homens. A ordem para os sacerdotes, provavelmente acompanhada pelo resto da comunidade, era que o cabelo deveria ser cortado, isto é, não deveria ser raspado nem ter a permissão de crescer demasiadamente (Lv 21.5; Ez 44.20). O exuberante cabelo de Absalão era muito admirado (2 Sm 14.26). Durante o período de seu voto, os nazireus (*q.v.*) usavam cabelos longos (Nm 6.5). Os hebreus temiam a calvície, que era freqüentemente um resultado da lepra (Lv 13.40), e uma das características que desqualificava os homens para o sacerdócio (Lv 21.5). Portanto, chamar Elizeu de "calvo" significava um insulto (2 Rs 2.23). Nos momentos de aflição, o cabelo era completamente raspado (Is 3.17,24; Jr 7.29; 48.37; Am 8.10).

Jó raspou a sua cabeça no dia de sua aflição (Jó 1.20), provavelmente como símbolo de sua grande desolação (cf. Is 3.24; 15.2; Jr 7.29).

A cor preta era a favorita e a mais comum para os cabelos (Ct 5.11). Josefo informa que, ocasionalmente, pulverizavam ouro sobre os cabelos, mas não tinham o hábito de tingilos. Os cabelos totalmente brancos representavam a majestade divina (Dn 7.9; Ap 1.14). Cabelos grisalhos eram considerados belos nos velhos (Pv 20.29) e muito apropriados à sua idade (Jó 15.10. 1 Sm 12.2; Sl 71.18). Cachos, naturais ou artificiais, também eram considerados muito belos. Jezabel enfeitava e adornava a cabeça (2 Rs 9.30) e os cabelos de Sansão eram trabalhados em sete tranças (Jz 16.13,19). Às vezes, colocavam ornamentos sobre os cabelos, como pentes e grampos, como foi mencionado no Talmude. Os cabelos também eram freqüentemente untados profusamente com óleos perfumados (Rt 3.3; 2 Sm 14.2; Sl 23.5; 45.7; Is 3.24), especialmente para ocasiões festivas (Mt 6.17; 26.7; Lc 7.46). Os barbeiros (*q.v.*) já existiam desde a antiguidade (Ez 5.1).

A barba recebia os mesmos cuidados do cabelo. Com exceção dos egípcios, a maioria dos povos asiáticos considerava a barba uma marca da masculinidade. Os hebreus não raspavam a barba, apenas a aparavam (2 Sm 19.24). Ela era objeto de um juramento (Mt 5.36), raspada ou arrancada nas ocasiões de luto (Is 50.6; Jr 41.5; Ed 9.3), negligenciada durante as aflições (2 Sm 19.24), e um objeto de saudação (2 Sm 20.9). Raspar a barba e todo o cabelo fazia parte da cerimônia de purificação de um leproso (Lv 14.9). A Lei Mosaica proibia que alguém "arredondasse os cantos da cabeça, ou danificasse a ponta da barba" (Lv 19.27; 21.5). Isso provavelmente significa que o cabelo não deveria ser cortado de uma têmpora a outra, formando um círculo, como entre os árabes (cf. Jr 9.26). O lugar onde o cabelo e a barba se encontravam também não deveria ser raspado. Outras nações podem ter tido hábitos semelhantes em seu culto idólatra, assim como um ritual de lamentar ou fazer ofertas em nome dos mortos (Dt 14.1; Jr 16.6), e foi dessa maneira que Deus proibiu que Israel adotasse esses costumes.

*Uso figurado.* O cabelo representava um grupo inumerável (Sl 40.12; 69.4) e aquilo que tinha o menor valor para um homem (1 Sm 14.45; 2 Sm 14.11; 1 Rs 1.52; Mt 10.30; Lc 12.7; 21.18; At 27.34). Cabelos brancos ou

uma cabeça grisalha era símbolo do respeito devido à idade avançada (Lv 19.32; Pv 16.31). Era assim que Deus se apresentava antigamente, como um "Ancião de Dias" (Dn 7.9; cf. Ap 1.14). Por outro lado, raspar a barba significava aflição, pobreza e desgraça. "Raspar o cabelo" era uma figura usada para denotar a destruição completa de um povo por Deus (Is 7.20). Os cabelos grisalhos representavam, em várias passagens, o declínio do reino de Israel (Os 7.9).
A capacidade de o cabelo crescer continuamente tornava-o uma evidência ou símbolo da vida; portanto, deixar crescer o cabelo simbolizava dedicar a vida ao Senhor (Nm 6.1-21; Jz 13.5 etc.). Esse tipo de voto trazia as bênçãos e a força de Deus, como no caso de Sansão. Cortar o cabelo significava que o tempo do voto, se fosse um voto temporário, havia terminado (Nm 6.18; At 18.18; 21.23ss.). Muitas vezes, antes das batalhas, os guerreiros deixavam o cabelo crescer e cair livremente, talvez como sinal de dedicação à sua divindade em uma guerra santa (Dt 32.42; veja o comentário sobre Juízes 5.2 na obra *Wycliffe Bible Commentary*).

E. C. J.

**CABO**[1] A parte de madeira de um machado. Esta palavra é encontrada em Deuteronômio 19.5.

**CABO**[2] Uma medida de capacidade, mencionada apenas em 2 Reis 6.25. *Veja* Pesos, Medidas e Moedas.

**CABOM** Local não identificado na Sefela (ou campina), ou nos contrafortes de Judá, próximo a Eglom (Js 15.40). Possivelmente é o mesmo que Macbena (1 Cr 2.49).

**CABRA** *Veja* Animais: Cabra ou bode I.3.

**CABRA MONTÊS** *Veja* Animais: Gado I.8; Cabra ou Bode I.3.

O rei assírio Assurbanipal caçando leões. BM

**CABRA SELVAGEM** *Veja* Animais: Cabra selvagem II.7.

**CABRITO** *Veja* Animais: Cabra ou Bode I. 3.

**CABRITO-MONTÊS** *Veja* Animais: Veado II. 40.

**CABUL**
1. Vilarejo na fronteira entre Aser e Zebulom, a cerca de 16 quilômetros a noroeste do monte Carmelo, nas montanhas da Galiléia (Js 19.27).
2. Região que compreende 20 vilarejos e foi doada a Hirão de Tiro pelo rei Salomão (1 Rs 9.10-13). Mas Hirão, aborrecido com o presente, deu-lhe o nome de "Cabul" entendido por alguns como coisa inútil ou imprestável, por outros como região fronteiriça, talvez improdutiva e ainda como uma área interna de pouco valor para uma poderosa nação marítima. De acordo com 2 Crônicas 8.2, ela foi fortificada por Salomão que depois a colonizou com israelitas, o que sugere que ele havia recuperado a sua posse.

**CABZEEL** Uma cidade perto da fronteira de Edom na parte sudeste de Judá (Js 15.21); o lar de Benaia, um homem poderoso no exército de Davi (2 Sm 23.20; 1 Cr 11.22). Ela foi restabelecida após o cativeiro babilônico (Ne 11.25, onde é chamada de Jecabzeel). Seu local foi identificado com Khirbet Garreh (Tell 'Ira), 15 quilômetros a leste de Berseba.

**CAÇADA** *Veja* Caçar.

**CAÇAR, CAÇADOR, CAÇADA** Os dois caçadores mais notáveis da Bíblia são Ninrode (Gn 10.9) e Esaú (Gn 25.27). No antigo Oriente Próximo um caçador tinha uma posição heróica especial, que refletia a vida não-urbana da sociedade nômade onde os homens passavam muito tempo provendo alimento através da caça, enquanto as mulheres procuravam desenvolver um pouco de agricultura. A própria palavra *sayid* usada para "caçador" e "caçada" no AT é freqüentemente traduzida como "mantimentos" (Ne 13.15), "alimento" (Jó 38.41), e "caça" (Gn 27.3,5,7,19; no versículo 30 encontramos os termos "caçada" ou "caça").
As mais antigas pinturas conhecidas, feitas por mãos humanas (em Lauscaux, França; Altamira, Espanha etc.) retratam o homem pré-histórico como primeiramente um caçador. Estas gravuras e pinturas em rocha, incrivelmente semelhantes à vida, têm sido explicadas como uma espécie de "mágica solidária", por meio da qual os homens buscavam ter boa sorte em suas caçadas através da recriação das cenas de caçadas com ocre vermelho e carbono no interior das cavernas. Com a domesticação dos animais, e o esta-

belecimento de comunidades agrícolas assentadas, a caça, como uma necessidade para o sustento, tornou-se obsoleta. Ela continuou, porém, no mundo bíblico, especialmente como um esporte para reis e nobres. Isto foi retratado em relevos e murais do Egito, da Mesopotâmia, da Grécia e de Roma (ANEP #182-190). As grandes cenas de caçadas dos monarcas assírios são mais bem ilustradas pelos relevos no palácio de Assurbanipal em Nínive.

O tratamento livre e naturalista de leões feridos marca um ponto alto na arte assíria. Os relevos revelam que os leões eram primeiro capturados e mantidos em jaulas, e então eram soltos para que o rei os caçasse. O aspecto esportivo deste tipo de caçada não deve ser interpretado em termos dos séculos XX ou XXI d.C. O esporte era estritamente prático, não por comida, mas porque ele desenvolvia a habilidade na guerra. O rei, seja do Egito ou da Assíria, tinha que ser um guerreiro invencível, e as caçadas de animais eram usadas tanto para melhorar quanto para provar sua força e perícia com os instrumentos de guerra.

A arte destas várias culturas também mostra o uso de cães nas caçadas. A tumba do nobre da décima-oitava Dinastia, Rekh-mi-Re, em Tebas, possui um relevo mostrando cães atacando animais selvagens do deserto. Pinturas dos guerreiros micenos mostram cães semelhantes ao galgo moderno ajudando na caçada de um leão. Na época do AT, a Palestina estava infestada de leões (Jz 14.5), ursos (2 Rs 2.24), javalis selvagens (Sl 80.13) etc., os quais estão extintos nesta região. Os estatutos levíticos permitiam comer carne de caça, contanto que os animais fossem limpos perante as leis relacionadas aos alimentos, e todo o sangue fosse cuidadosamente removido (Lv 17.13). *Veja* Animais.

Há um amplo tratamento metafórico do verbo heb. *sud*, "caçar". Os inimigos de Jeremias o "caçaram" (espiaram os seus passos; Lm 3.52; cf. 4.18). O Senhor "caçou" a Jó como se Ele fosse um leão feroz (Jó 10.16). Para Ezequiel, os falsos profetas e feiticeiros caçam e capturam almas (Ez 13.18); mas, para Jeremias, é o Senhor que caça os rebeldes "sobre todo monte, e sobre todo outeiro, e até nas fendas das rochas" (Jr 16.16).

*Veja* Arco e Flecha; Ocupações: Caçador.

E. B. S.

**CACO** Fragmento de louça (heb., *heres*). Os cacos eram praticamente indestrutíveis e foram encontrados em grandes quantidades em quase todas as escavações arqueológicas feitas no Oriente Próximo. Até os cacos podem revelar algo sobre seu vaso original e são de inestimável valor para determinar a data de um estrato ou nível de escavação. Escamas da pele de Leviatã, comparadas a "conchas pontiagudas" (ou "escamas pontiagudas"; Jó 41.30), eram semelhantes aos dentes cortantes do malho de debulhar. Os cacos também eram usados como símbolo da secura ou da impotência que aflige o sofredor do Salmo 22.15.

Entretanto, normalmente até os cacos de cerâmica tinham utilidade doméstica como retirar carvão em brasa do forno ou tirar água do poço (Is 30.14), mas Isaías estava comparando Judá a um pote no qual o castigo seria tão destruidor que seus remanescentes também se tornariam totalmente inúteis.

Os cacos de cerâmica sobre os quais eram escritas mensagens a tinta, são chamados de "ostraca" (*q.v.*, veja também Escrita). Jó, sentado sobre um monte de refugo, raspava o corpo com um dos cacos que encontrara (Jó 2.8) da mesma forma que os romanos mais tarde raspavam sua pele com uma navalha de metal para limpá-la.

Em Ezequiel 23.34 parece que os cacos eram fragmentos da ira de Deus que haviam sido retirados das irmãs prostitutas, Oolá e Oolibá (Samaria e Jerusalém) e que seriam "corroídos" (cf. heb.) por elas em sua loucura e desolação. Entretanto, na opinião de alguns, esse trecho não é totalmente claro.

*Veja* Cerâmica.

R. V. R.

**CACO** *Veja* Fragmento de Cerâmica.

**CACHECOL** Um artigo de vestuário feminino, cuja natureza exata é desconhecida. O Mishna usa um cognato para se referir a um véu (ISBE, III, 2093). Evidentemente o cachecol ou lenço de pescoço era caro e excessivamente decorativo (Is 3.18,19 véus RA). *Veja* Vestuário.

**CACHO** Somente uma palavra foi adequadamente traduzida como "cacho", *'agudda*, ou um "molho de hissopo" (Êx 12.22). A palavra "cacho" aparece em 2 Samuel 16.1 e em 1 Crônicas 12.40 (em hebraico *simmuq* significa um ramo ou cacho de passas.) Em Isaías 30.6 *dabbeshet* significa "corcova de camelos".

**CACHORRO** *Veja* Animais: Cachorro I.4.

**CADEIA** A palavra "cadeia" é usada com dois significados diferentes. As cadeias eram utilizadas, como se fossem cordas, para prender os prisioneiros (Jr 39.7; 52.11; Na 3.10; At 12.6; 21.33; 28.20). Mais freqüentemente podemos ler sobre cadeias e colares ornamentados com pedras preciosas, particularmente pérolas (Jz 8.26; Ez 16.11). Tais cadeias eram feitas de metais preciosos e freqüentemente serviam como um símbolo de distinção. Tanto José quanto Daniel receberam esse tipo de cadeias ou colares (Gn 41.42; Dn 5.29). Cadeias ornamentais também são citadas em Provérbios 1.9 e em Cantares 1.10;

4.9. Havia cadeias ornamentais que faziam parte da decoração do templo de Jerusalém (1 Rs 6.21; 7.17; 2 Cr 3.5-16). *Veja* Jóias; Joalheria; Grilhões.

**CADEIRA** O termo cadeira foi usado para vários tipos de assentos e cadeiras. A palavra hebraica traduzida como "cadeira" em 2 Reis 4.10 foi usada para designar um assento (1 Sm 1.9) e foi freqüentemente traduzida como "trono".
A palavra heb. *'obnayim,* em Êxodo 1.16 significa literalmente "duas pedras" e se refere ao banco do nascimento, isto é, às duas pedras ou blocos de madeira sobre os quais as mulheres da antiguidade se sentavam ou se curvavam para dar à luz.

**CADEIRA DE MOISÉS** *Veja* Primeiro Lugar.

**CADES-BARNÉIA** Situada na parte nordeste da península do Sinai, 80 quilômetros ao sul de Berseba, na fronteira sul da terra destinada por Deus a Israel (Nm 34.4; Js 15.3). Existem três mananciais ou oásis dentro de um raio de 20 quilômetros ('Ain Qedeis, 'Ain Qudeirat – o maior do norte do Sinai, com um fluxo de aprox. 38.000 litros por hora – e 'Ain Qoseimeh), talvez todos tenham sido usados pelos israelitas quando eles acamparam no deserto depois de partirem de Horebe (Dt 1.2,19). Cades-Barnéia está aparentemente situada na junção do Deserto de Zim no Neguebe (*q.v.*) para o norte, e o Deserto de Parã no Sinai para o sul; desse modo poderia se dizer que ela está localizada em um destes desertos (Nm 13.21,26; 20.1; 27.14; 33.36,37).
Cades-Barnéia deve ter sido a base para a invasão de Canaã pelos israelitas. Ela permaneceu como o seu quartel-general por boa parte do período da peregrinação no deserto (*q.v.*), que começou quando o povo se recusou a entrar na terra de Canaã depois de ouvirem o relatório dos dez espias (Nm 14.1-4,26-34; Dt 9.23). Quando os israelitas tentaram invadir Canaã por sua própria iniciativa, eles foram decisivamente derrotados em Horma pelos amalequitas e pelo rei cananeu de Arade (Nm 14.44,45; 21.1) e assim se retiraram para Cades (Dt 1.44-46). Foi aqui que Miriã morreu (Nm 20.1) e onde Moisés feriu a rocha para que a água pudesse jorrar (Nm 20.2-13), como ele havia feito em Refidim (Êx 17.5,6). Desta vez Moisés foi condenado por falta de fé por não ter simplesmente falado à rocha; ele foi informado que não poderia entrar na terra prometida. Mais tarde, mensageiros foram enviados a Cades, ao rei de Edom, pedindo permissão para atravessar seu território a leste, e a permissão lhes foi recusada (Nm 20.14-21). Em sua campanha do sul, Josué venceu os reis no Neguebe "desde Cades-Barnéia até Gaza" (Js 10.41).
O antigo nome de Cades-Barnéia era En-Mispate, "fonte do juízo" (Gn 14.7). Ficava na rota das caravanas para Sur, usada durante o período Médio do Bronze I (2100-1900 a.C.; *veja* Era Patriarcal). Sur era o "muro" ou a série de fortificações que protegiam a fronteira leste do Egito (Gn 16.7,14; 20.1). O oásis de Meribá-Cades (as "águas da contenda de Cades"; cf. Nm 20.13; Dt 32.51) é mencionado por Ezequiel como parte da fronteira da futura terra de Israel (Ez 47.19; 48.28).
Até esta data, nenhum traço claro da permanência dos israelitas na época de Moisés foi encontrado nesta área. Naquela época eles estavam vivendo uma vida seminômade, habitando em tendas e usando utensílios de madeira ou couro ao invés de cerâmica, que é facilmente quebrável durante uma viagem. Trumbull estudou a área um século atrás, dando valiosas descrições. Em 1914 Woolley e Lawrence escavaram em 'Ain el-Qudeirat as ruínas de uma série de fortalezas retangulares (aprox. 45 x 65 metros) com torres e muros de casamata, construídas no Neguebe pelos reis de Judá (Josafá ou Uzias?) durante os séculos IX a VII a.C. Seu objetivo era proteger a fronteira sul e as rotas de comércio para Edom, Sinai e Egito. Glueck e outros identificaram ruínas de outras fortalezas sem torres do século X a.C. nos mesmos arredores. Muitos cacos de louça de barro e ruínas de habitações nesta região pertencem aos períodos Médio do Bronze I e Nabateu-Romano-Bizantino.

***Bibliografia.*** M. Dothan, *"The Fortress at Kadesh-Barnea"*, IEJ, XV (1965), 134-151. Nelson Glueck, *Rivers in the Desert*, Nova York. Farrar, Straus & Cudahy, 1959. Beno Rothenberg, *God's Wilderness*, Londres. Thames & Hudson, 1961, pp. 33-56, 121-125, 137-144. H. Clay Trumbull, *Kadesh-Barnea*, Londres. Hodder & Stoughton, 1884. C. Leonard Woolley e T. E. Lawrence, *The Wilderness of Zin*, Londres. Jonathan Cape, 1936.

A. W. W. e J. R.

**CADMIEL** O cabeça da família levita que retornou da Babilônia com Zorobabel (Ed 2.40; Ne 7.43; 12.1,8) e que supervisionou a reconstrução do templo (Ed 3.9). Ele participou da confissão pública (Ne 9.4,5) e selou a aliança (Ne 10.9). Foi o pai de Jesua, um dos chefes dos levitas (Ne 12.24; porém, veja *The Pulpit Commentary* sobre esta passagem, que sugere que com base na LXX dever-se-ia ler "Jesua, Benui e Cadmiel").

**CADMONEU** Um povo mencionado somente em Gênesis 15.19 entre as nacionalidades cujos territórios Deus prometeu à semente de Abraão. Os cadmoneus, cujo nome significa orientais, viveram em algum lugar no deserto Siro-Arábico. Os habitantes desta região também eram chamados de *B[e]ne-qedem*, "filhos do último" (Jz 6.3; 1 Rs 4.30; Jó 1.3; Is 11.14).

**CAFARNAUM** Depois da sua rejeição em Nazaré, Jesus decidiu fazer de Cafarnaum, no Mar da Galiléia, o seu centro de operações. Mateus chamou-a de a "sua cidade" (9.1). Aqui aconteceram alguns dos eventos mais memoráveis do ministério de Cristo. Perto daqui, o Mestre convocou como discípulos os pescadores Simão, André, Tiago e João (Mc 1.16-21,29) e o cobrador de impostos Levi (Mt 9.1-9; cf. Mc 2.13,14). Nesta cidade, Ele curou o criado do centurião (Mt 8.5ss; Lc 7.1ss); a sogra de Pedro (Mt 8.14,15; Mc 1.30; Lc 4.38,39); o paralítico (Mt 9.1ss; Mc 2.1ss; Lc 5.18), e um homem endemoninhado. Aqui também tiveram lugar a discussão sobre a grandeza (Mc 9.33-37), o discurso de João 6 (veja v. 59) e outros acontecimentos da vida de Cristo.
A localização de Cafarnaum tem sido problemática, e é quase certo agora que a cidade seja identificada com Tell Hum, na costa noroeste do Mar da Galiléia, cerca de quatro quilômetros a sudeste do local onde o Jordão se une ao mar. O termo Cafarnaum é uma variante grega do termo hebraico *Kefar-Nahum*, "aldeia de Naum", assim chamada porque aqui era costumeiro exibir o túmulo do profeta. Tell ("o monte de") (Na) Hum é lingüisticamente equivalente a Cafarnaum. É necessário recordar que Jesus amaldiçoou Cafarnaum por sua pouca fé (Mt 11.23). A cidade decaiu no século VI e tornou-se desabitada. Os franciscanos compraram o lugar em 1894 e limparam as ruínas de uma antiga sinagoga. Essa estrutura de calcário tinha um interior de cerca de 112 metros por 80. Orientada ao sul em direção a Jerusalém, ela tinha do lado leste uma colunata. Ao longo dos lados leste e oeste, no andar inferior do hall de orações, havia bancos de pedra para os adoradores. Um andar superior era provavelmente utilizado pelas mulheres. A sinagoga era decorada com imagens de palmeiras, vinhedos, águias, leões, centauros e meninos carregando coroas de flores. Embora essa estrutura date provavelmente do século III d.C., é muito provável que estivesse no exato lugar onde existira uma sinagoga – talvez seguindo a mesma planta daquela que fora construída pelo

A sinagoga de Cafarnaum. IIS

Decorações da sinagoga de Cafarnaum. HFV

centurião romano (Lc 7.5), e aquela em que Jesus ensinou. Atualmente as escavações estão sendo executadas em uma região entre a sinagoga e o Mar da Galiléia. As ruínas de uma antiga igreja cristã foram descobertas aqui.

H. F. V.

**CAFE**[1] A 11ª letra do alfabeto heb., usada no Salmo 119 para designar a décima primeira seção, e cada versículo desta começa com esta letra. A palavra heb. *kap* significa "palma da mão". Seu sinal pictográfico no alfabeto proto-sinaítico dos séculos XVI-XV a.C. era um semicírculo incluindo dois traços verticais adicionais, representando quatro dedos levantados. *Veja* Alfabeto.

**CAFE**[2] A décima primeira letra do alfabeto hebraico. *Veja* Alfabeto. Esta letra é usada na versão KJV em inglês como o título da décima primeira parte do Salmo 119, em que cada versículo começa com essa letra.

**CAFÉ DA MANHÃ** *Veja* Alimentos: Refeições.

**CAFTOR, CAFTORIM** De acordo com a Bíblia, Caftor é o lugar de origem dos filisteus (Am 9.7; Jr 47.4; cf. Gn 10.14; Dt 2.23). O nome aparece primeiramente como Kaptara, em um texto acadiano, que a localiza "além do Mar Superior" (aprox. 2200 a.C.), disponível mais tarde em uma cópia manuscrita. Podem ser encontradas outras referências em tábuas de Mari e de Ugarite. Textos egípcios de 2000 a 1200 a.C. a identificam, usando o termo *keftiu*, com Creta (*q.v.*), uma ilha com a qual o Egito tinha relações comerciais. Alguns estudiosos pensam que é mais provável que o termo fosse usado no século XIII para designar as ilhas do Mar Egeu. Os filisteus são chamados quereteus (*q.v.*) em Sofonias 2.5 e Ezequiel 25.16, e a Septuaginta (LXX) traduz este termo como "cretenses". Portanto, a teoria de que Caftor pode ser identificada com Creta baseia-se na versão LXX e nos textos egípcios. *Veja* Filisteu.

Uma tábua de Mari recém publicada, datada entre 1780 e 1760 a.C., menciona um mercador de Caftor, estabelecido em Ugarite, de onde foi enviado um carregamento de estanho (IEJ, XXI [1971], 31-38).

G. A. T.

**CAIFÁS** José Caifás era sumo sacerdote aproximadamente no período de 18 a 36 d.C. Era genro e sucessor de Anás. Foi nomeado pelo procurador romano Valério Grato (predecessor imediato de Pilatos) e deposto por Vitélio "presidente da Síria" (Jos *Ant.* xviii.2.2;4.3).

A mais antiga menção feita a este homem pode ser encontrada em Lucas 3.2: "Sendo Anás e Caifás sumos sacerdotes". Essa estranha expressão reflete, evidentemente, o fato de que, enquanto o último ocupava legalmente a posição de sumo sacerdote, Anás continuava a exercer o poder inerente àquele cargo. *Veja* Anás.

A menção seguinte está em João 11.49-53 onde Caifás informa que a vida de Jesus deveria ser sacrificada para salvar a nação. Ele temia que o Profeta de Nazaré pudesse precipitar uma revolução que poderia levar Roma a destruir completamente a nação. O evangelista comenta (Jo 11.51) que Caifás, sem perceber, falou muito bem. Como sumo sacerdote, ele profetizou que Jesus iria morrer a favor dos judeus e de toda a humani-

Degraus que levam à igreja de São Pedro do Canto do Galo, provavelmente o local do palácio de Caifás. Jesus pode ter subido esta escada romana. HFV

dade. Outra referência é feita novamente em João 18.13,14.
Os líderes judeus seguiram o conselho de Caifás e, a partir desse dia, "consultavam-se" para matar Jesus (Jo 11.53). O texto em Mateus 26.3-5 descreve uma reunião do Sinédrio – "Os príncipes dos sacerdotes, e os escribas, e os anciãos do povo reuniram-se na sala [ou palácio] do sumo sacerdote, o qual se chamava Caifás" dois dias antes da Páscoa da Paixão. Nesse local, os líderes da nação conspiraram para "sutilmente" prender Jesus e matá-lo. Eles não queriam prendê-lo durante as festividades com medo de uma revolta da multidão. Mas a oferta de Judas Iscariotes de trair secretamente a Jesus fez com que mudassem de idéia.
Depois de uma audição preliminar perante Anás, Cristo foi enviado a Caifás (Jo 18.24) – mudando, talvez, apenas de um ambiente para outro no mesmo palácio onde o Sinédrio havia se reunido (Mt 26.57). Nesse julgamento judeu de Jesus, fica demonstrado o verdadeiro caráter do sumo sacerdote. O Sinédrio buscava "falso testemunho contra Jesus, para poder dar-lhe a morte" (Mt 26.59). Quando Cristo se recusou a responder àquelas falsas acusações, Caifás mandou que, sob juramento, Ele afirmasse se era realmente o Messias. Quando Jesus respondeu afirmativamente e aplicou a Si mesmo a linguagem de Daniel 7.13, o sumo sacerdote "rasgou suas vestes" e declarou que Jesus havia blasfemado (Mt 26.65). O Sinédrio havia julgado que Ele merecia a morte e o entregou ao governador romano para a execução. A última menção a Caifás se encontra em Atos 4.6

R. E.

Um caixão de cerâmica de Bete-Seã. Museu Arqueológico da Palestina

## CAIM

1. Irmão mais velho de Abel, Caim é retratado no livro de Gênesis como sendo o primeiro filho que nasceu dos primeiros pais, Adão e Eva. Esse nome tem o significado de "adquirido" (do hebraico *qana*, Gn 4.1), porém a forma exata *qayin* também pode significar "lança" ou "ferreiro". Ele era um "lavrador da terra" (v.2).
Caim trouxe uma oferta ao Senhor "do fruto da terra" enquanto Abel ofereceu "dos primogênitos das suas ovelhas" (vv.3,4). Deus aceitou a oferta de Abel, mas não a de Caim. Três razões foram sugeridas para a rejeição da oferta de Caim: A primeira é que Abel ofereceu o melhor que possuía, ao contrário de Caim. Mas não existe uma clara indicação dessa hipótese no relato bíblico. A segunda é que Caim trouxe uma oferta onde não foi necessário o derramamento de sangue e, dessa forma, ofendeu a Divindade por se passar por um homem justo sem necessidade de qualquer sacrifício pelo pecados. Essa teoria tem um forte apelo teológico. Ela assume que houve, previamente, uma instrução Divina sobre o tipo de oferta que deveria ser apresentada para se fazer a expiação pelos pecados. Existe uma indicação de que tal revelação fora feita pelo uso da forma verbal encontrada em Gênesis 4.3 que pode significar uma ação habitual.
Sem excluir a possível validade dessas duas teorias, devemos assinalar que uma terceira também parece ter um firme suporte escritural. Esta afirma que a atitude de Caim estava errada. Em Hebreus 11.4 lemos que foi "pela fé" que Abel "ofereceu a Deus maior sacrifício do que Caim".
O Senhor censurou Caim pela sua ira invejosa. Ao invés de se arrepender, Caim matou seu irmão e foi expulso de casa, como um homem amaldiçoado, por causa de seus pecados (Gn 4.6-12). Ele se mudou para a terra de Node, onde formou uma família e construiu uma cidade. Caim deve ter se casado com uma filha ou neta de Adão e Eva.
No NT, Caim é mencionado em Hebreus 11.4;

Um servo real do palácio em Calá, do século IX a.C. LM

1 João 3.12 e Judas 11.

2. Cidade na região sul da Judá (Js 15.57).

R. E.

**CAINÃ**

1. Filho de Enos e bisneto de Adão, foi mencionado em Gênesis 5.9-14 e Lucas 3.37.

2. Filho de Arfaxade, mencionado em Lucas 3.36, que parece acompanhar Gênesis 10.24; 11.12,13 da LXX (e também 1 Crônicas 1.18 do texto Alexandrino da LXX).

**CAIXÃO** Os caixões eram raramente usados pelos hebreus, que enterravam seus mortos envoltos em panos e lençóis. A única exceção na Bíblia é o caso de José, que morreu como um nobre no Egito (Gn 50.26). Seu corpo embalsamado foi provavelmente colocado em um caixão egípcio de madeira ou em um sarcófago para múmias. Para este caso incomum a palavra hebraica *'aron* foi empregada; ela foi freqüentemente traduzida como "caixa" em 2 Reis 12.9,10 e também costuma ser traduzida como "arca". Vários caixões do período do Reino Médio do Egito (aprox. 2050-1750 a.C.) estão exibidos em nossos museus. Estes têm freqüentemente a forma humana e são decorados por dentro e por fora com muito capricho. Os restos de José foram carregados, presumivelmente em seu caixão, pelos israelitas para Canaã para um sepultamento final (Js 24.32). *Veja* Sepultamento; Tumba.

**CAIXILHO** *Veja* Treliça.

**CAL¹** *Veja* Minerais e Metais.

**CAL²** A tradução do termo heb. *taphel* em várias versões (Ez 13.10; 22.28). *Veja* Cal não adubada.

**CAL NÃO ADUBADA** Também chamada de "argamassa magra" em algumas versões. Era provavelmente uma cal feita com barro. Esta cal era aplicada sobre paredes de barro para trazer firmeza e prolongar a vida da parede. Este revestimento não era permanente, e exigia atenção. *Veja* Reboco. Ezequiel utilizou a cal não adubada como uma alegoria da pregação dos falsos profetas. Estas falsas profecias pareciam plausíveis, mas eram de fato superficiais, frágeis, e indignas que qualquer aceitação ou confiança; elas afirmavam que havia paz, quando, na realidade, não havia paz (Ez 13.10-15; 22.28).

**CALÁ** Essa cidade assíria, agora chamada Nimrude, devido ao nome de seu fundador Ninrode (Gn 10.11,12), já era muito antiga quando foi escolhida pelo rei assírio Assurnasirpal II (884-859 a.C.) para ser a capital. Ela se encontra na confluência dos rios Grande Zabe e Tigre, a cerca de 30 quilômetros ao sul de Nínive.

Foi nesse local que o arqueólogo pioneiro Sir Austen Henry Layard iniciou suas escavações na Assíria, de 1845 a 1851, seguido por Rassam e Loftus em 1852-55. No Iraque, a "British School of Archaeology" reiniciou os trabalhos em Calá com uma série de campanhas dirigidas por M. E. L. Mallowan e David Oates (1949-61).

A cidadela principal foi construída por Salmaneser I, em aproximadamente 1250 a.C. Nos primeiros anos de seu reinado, Assurnasirpal II construiu em Cala (em hebraico *Kalah,* Akkad, *Kalhu*) um novo canal, parcialmente subterrâneo, desde o Rio Zabe Superior até os muros da cidade. Ele acrescentou um palácio de tijolos revestidos de pedra decorada com característicos relevos assírios descrevendo cerimônias religiosas e cenas de caça e de batalha. Suas portas eram guardadas por dois colossais leões alados com cabeça de homem. Esse monarca também foi responsável pelo templo de Ninurta no qual foi encontrada a figura extraordinariamente excelente de um leão em alto relevo, e duas estátuas mal conservadas de Nabu com inscrições feitas pelo governador da cidade, chamado Beltarsi-ilsuna. Essas inscrições mencionam Adad-nirari III (811-782 a.C.) e sua rainha

Painéis de marfim de Calá mostrando a influência egípcia. BM

mãe Sammu-ramat (ou Semiramis, da lenda grega).

Esse último rei era tão orgulhoso de seu controle sobre a Babilônia, que construiu em Calá uma réplica do templo de Ezida em Borsipa. Na acrópole, do outro lado das muralhas da cidade, Salmaneser III erigiu, em aproximadamente 840 a.C. um palácio e um arsenal tremendamente fortificados, com cerca de 73.000 metros quadrados (18 acres). A grande cidade, com suas portas e depósitos de armas, cobria quase 900 acres e estima-se que tivesse uma população de quase 60.000 pessoas.

De Calá, Tiglate-Pileser III (744-727 a.C.) e Sargão II (721-705 a.C.) marcharam via Nínive, através das planícies do norte da Assíria, para atacar a Palestina. Depois que o último conquistou Samaria, ele acumulou grande quantidade de produtos saqueados em Calá. Uma lista de nomes judeus, escritos em aramaico, parece sugerir que os prisioneiros da região do reino do norte foram removidos para Calá. Mais tarde, durante seu reinado, Sargão construiu uma nova cidade real em Khorsabad e Senaqueribe mudou a capital para Nínive; mas Calá continuou a ser o quartel general do império até ser incendiada no ano 612 a.C. pelos povos medos e babilônios.

Outros achados notáveis de Calá são o famoso Obelisco Negro que mostra o rei israelita Jeú (ou seu embaixador) prestando tributo a Salmaneser III, uma rara estátua onde está esculpido Assurnasirpal II, além de objetos feitos de cerâmica esmaltada e outros de marfim e bronze mostrando motivos egípcios e artesanato fenício, a placa com o grande tratado de Esaradon, de 672 a.C. feita com vários príncipes iranianos e o Monólito do Banquete, descoberto em 1951 que descreve a festa da inauguração (em 879 a.C.) da recém reconstruída capital para a qual Assurnasirpal II convidou 69.574 pessoas. Elas vinham de todas as partes do reino e passaram dez dias consumindo 2.200 bois, 16.000 carneiros, 10.000 odres de vinho e 10.000 barris de cerveja. Contraste o número de animais oferecidos em sacrifício na inauguração do templo de Salomão - 22.000 bois e 12.000 carneiros durante sete dias (2 Rs 8.62-66).

*Veja* Assíria.

***Bibliografia.*** M. E. L. Mallowan, *Nimrud and Its Remains*, 2 vols., London. Collins, 1966.

E. B. S.

**CALAFATE** *Veja* Ocupações.

**CALAI** Um sacerdote da família de Salai na época de Joiaquim, o sumo sacerdote (Ne 12.20).

**CÁLAMO** *Veja* Plantas.

**CALCANHAR, LEVANTOU CONTRA MIM O SEU** A expressão "levantou contra mim o seu calcanhar" (Sl 41.9, lit. "engrandeceu o seu calcanhar contra mim") refere-se à traição do amigo mais íntimo e mais digno de confiança que alguém pensava ter. O que o salmista queria dizer parece claro na LXX e na tradução independente em grego, encontrada nas citações de Jesus em João 13.18, conforme o Senhor aplicou a Judas Iscariotes. Assim, a tradução do Salmo 41.10 (9) de Mitchell Dahood, na Bíblia Anchor em inglês, "inventou mentiras a meu respeito", não é uma boa tradução.

**CALÇÃO** Palavra utilizada apenas em Daniel 3.21, onde o contexto a mostra como sendo uma peça de vestuário. Há versões que a traduzem como "túnica". "Hosen" é um termo inglês do século XVII que se refere a um traje como a perneira ou calças, cobrindo o quadril e as pernas. A palavra aramaica *p[e]tash* significa "roupa de baixo, calções" (Marcus Jastrow, *A Dictionary of the Targumim, the Talmud Babli and Yerushalmi, and the Midrashic Literature*, ii, 1155). Em Daniel, o seu uso óbvio visa indicar que os homens estavam completamente vestidos.

**CALCEDÔNIA** *Veja* Jóias.

**CALÇÕES** *Veja* Muda de vestes.

**CALCOL** Uma possível variante de Chalcol (1 Rs 4.31).
Habitante de Judá (1 Cr 2.6), um dos vários irmãos (filhos de Maol) celebrados, cada um deles, por sua sabedoria. Em 1 Reis 4.31 foram comparados a Salomão pela sua sabedoria. Como em outro local a palavra mâhôl é encontrada como um termo musical (Sl 149.3; 150.4) a expressão "Filhos de Maol" pode significar os membros de uma corporação orquestral com excepcional sabedoria e talento para a composição de hinos. O nome Kalkol aparece em uma inscrição egípcia do século XIII a.C., em Megido, como o nome de um grande músico de Canaã em Asquelom.

**CALDÉIA** Pelo menos a partir do século X a.C., a parte sul da Babilônia limitada pelo Golfo Pérsico era chamada pelos assírios de terra de *Kaldu* (na Babilônia *kashdu*; no hebraico *kasdim*). Em 626 a.C., uma dinastia dessa região governou a Babilônia e subseqüentemente o nome foi usado por estrangeiros (Jr 50.10; Dn 3.8; Ez 11.24) como um sinônimo para toda a Babilônia. *Veja* Babilônia; Caldeus.

**CALDEIRÃO** Vaso de barro usado para cozinhar, de tamanho e características indefinidos. Em 1 Samuel 2.14 esse vaso era para uso do santuário. em Miquéias 3.3 era para uso doméstico. A palavra hebraica *sir* foi traduzida como caldeirão, panela ou caldeira (conforme as várias traduções) em Jeremias 1.13; 52.18; Ezequiel 11.3,7,11. Era na verdade uma grande panela para uso tanto doméstico quanto no santuário.

O Obelisco Negro de Salmaneser III; no segundo painel Jeú de Israel paga tributo ao rei assírio. ORINST

**CALDEIREIRO** *Veja* Ocupações.

**CALDEUS** A palavra grega *Chaldaioi* (hebr. *kasdim*) designava um grupo de tribos semitas que viviam nas "terras do mar" do sul da Babilônia. Foi encontrada pela primeira vez em textos de 1000 a.C., mas provavelmente seja uma palavra muito mais antiga. É possível que seminômades de Kaldu ocupassem os desertos do norte da Arábia (Jó 1.17) e tivessem se estabelecido na região do Golfo Pérsico no final do terceiro milênio a.C. Assim, a cidade de Ur, no seu território, continuou a ser chamada de "Ur dos Caldeus" (Gn 11.28; At 7.4), talvez para distingui-la de uma cidade que tinha o mesmo nome (Ura') e que estava situada no norte da Mesopotâmia.
Durante o segundo milênio, a Babilônia foi governada por chefes dessas "terras do mar" durante breves períodos. Após o reinado de

O Império Caldeu ou Neobabilônico em seu apogeu

Adade-Nirari III (aprox. 810 a.C.), as tribos caldéias passaram a reverenciar os conquistadores assírios do norte da Babilônia. Então, em 734, Ukinzer, cabeça da tribo caldéia de Bit-Amukkani, tomou o trono da Babilônia por alguns meses, antes de ser derrotado em Sapia. Dois outros líderes tribais, Balasu de Bit-Dakkuri e Marduk-apla-iddina (o Merodaque-Baladã citado na Bíblia) de Bit-Yakin, pagaram as suas dívidas e as suas terras foram poupadas.

Esse último, durante um período de fraqueza dos assírios, tomou a iniciativa de reconquistar o trono para os caldeus em 721-710 a.C. A sua mensagem para Ezequias de Judá, pedindo apoio para a sua oposição à Assíria, apesar do aviso de Isaías sobre os perigos de tal ato para Judá (Is 23.13) e a sua profecia sobre a iminente derrota dos caldeus (Is 43.14), podem ser datadas da época da derrota de Merodaque-Baladã, que foi vencido por Sargão II em 710 a.C. ou por Senaqueribe depois que os caldeus tinham uma vez mais tomado o trono na Babilônia em 703/2 a.C. Isaías referiu-se à Babilônia com a frase poética "filha dos caldeus" (Is 47.1), e usou corretamente a Caldéia como um sinônimo para a Babilônia nessa época (Is 13.19; 47.1; 48.14).

Em 626 a.C., Nabopolassar, outro nativo caldeu, subiu ao trono da Babilônia por aclamação popular. Ele logo conquistou todo o país até atingir o Eufrates Médio, ao norte, e, com os medos, saqueou Nínive em 612. Foi sucedido por seu filho Nabucodonosor II (605-581 a.C.), que derrotou os egípcios em Carquemis em 605 e tornou todos os reis da Palestina, incluindo Jeoaquim de Judá, seus vassalos. Jeremias freqüentemente faz referência aos caldeus dessa época, pois o exército da Babilônia foi anualmente à Palestina durante os 12 primeiros anos do reinado de Nabucodonosor (Jr 21.4 *et al.*).

Em 601 a.C., o exército da Babilônia foi derrotado pelos egípcios, e Jeoaquim, que tinha sido um vassalo durante três anos, agora rompeu com a Babilônia. A retribuição ocorreu no final de 598 e início de 597, quando, segundo a Crônica Caldéia (ou da Babilônia) de 626-594 a.C., que é uma fonte objetiva e precisa da história deste período, "Nabucodonosor marchou para a cidade de Judá, capturando-a juntamente com o seu rei. Ele colocou um rei da sua escolha no trono. Ele fez muitos saques e enviou estes despojos para a Babilônia". Tanto esta captura de Jerusalém e de Jeoaquim em 16 de março de 597 a.C., no início do grande Exílio, quanto o saque de Jerusalém dez anos depois, foi uma realização das unidades do exército caldeu (2 Rs 24).

Os governadores posteriores da dinastia caldéia incluíram Evil-Merodaque (Awel-Marduk), Nabonido e o seu co-regente Belsazar, a quem Daniel chama de "rei dos caldeus" (Dn 5.30). Dario, o medo, governou "o reino dos caldeus" depois da queda da Babilônia diante de Ciro em outubro de 539 a.C. (Dn 9.1). *Veja* Babilônia. Daniel usou a palavra "caldeus" para descrever toda a Babilônia e os seus habitantes (Dn 3.8). Ezequiel estende este uso para aqueles países vizinhos que estavam sob a sua jurisdição (Ez 23.23).

A linguagem dos caldeus (Dn 1.4) era somente um dialeto do aramaico; daí o termo "caldeu" como foi aplicado para as seções não-hebraicas de Daniel e de Esdras, pode ser considerado, tecnicamente, um tanto inadequado.

Enquanto outros usavam a palavra caldeu para descrever todas as pessoas, o povo da Babilônia mais tarde reservou esta palavra para os sacerdotes especializados em astronomia e em matemática (cuja ciência originou-se na Babilônia), ou para aqueles que utilizaram essas ciências na astrologia, nos horóscopos, ou em outras práticas de adivinhação ou prognósticos. Este uso especial de "caldeu" para denotar um "homem sábio" (atestado por Heródoto) parece ter sido desenvolvido no século VI a.C. (Dn 2.10; 5.11).

***Bibliografia.*** A. Leo Oppenheim, *Ancient Mesopotamia. Portrait of a Dead Civilization*, Chicago. Univ. of Chicago Press, 1964. D. J. Wiseman, *Chronicles of Chaldean Kings (626-556 a.C.)*, Londres. British Museum, 1956.

D. J. W.

## CALEBE

1. Calebe, filho de Jefoné da tribo de Judá, um dos doze espias enviados de Cades-Barnéia para explorar a terra da Palestina (Nm 13.6). Enquanto dez dos espias enviaram relatórios adversos que desencorajavam o povo de conquistar a terra prometida por causa das grandes cidades e de seus assustadores habitantes, "os filhos de Anaque" (Nm 13.33), Calebe e Josué insistiram para que Israel prosseguisse nesta conquista, confiando no Senhor (Nm 13.30 14.6-9). Embora Israel, naquele momento, se recusasse a entrar na terra por causa de sua descrença, o Senhor prometeu a Calebe e Josué que eles teriam uma parte na ocupação do país devido à sua falta de fé e lealdade (Nm 14.24,30). Calebe se projeta como um dos grandes heróis da fé porque ele "perseverou em seguir ao Senhor" (Nm 32.12; Dt 1.36).

Ao final dos quarenta anos de peregrinação sob a sentença de Deus, Calebe e Josué entraram na terra prometida e fizeram parte da grande conquista. Depois das decisivas vitórias em que Josué subjugou toda a terra, tornou-se responsabilidade de cada tribo ocupar o território que lhe havia sido designado por sorteio. Apesar de ser um homem idoso, Calebe se tornou um exemplo para a nação pela fé e vigor com que reivindicou as suas posses. Ele pediu a cidade de Quiriate-Arba, situada na região montanhosa do sul. Essa era a cidade de Arba que foi "um grande homem entre os anaquins" ou "o maior homem entre os anaquins", ou seja, um dos gigantes que haviam aterrorizado os espias muitos anos antes (Js 14.6-15). É como se Josué estivesse desejando mostrar ao povo de Israel que seus pais poderiam ter entrado na terra há 40 anos se apenas tivessem crido em Deus.

Como incentivo aos jovens de sua tribo, Calebe ofereceu sua filha Acsa, em casamento, àquele que conquistasse a cidade de Quiriate-Sefer (Js 15.16; Jz 1.12). Foi seu próprio sobrinho Otniel que, inspirado pela recompensa e por sua fé, liderou a investida e tomou a cidade, e, com isso, recebeu a mão de Acsa (Js 15.17ss; Jz 1.13ss). Nos anos seguintes, Otniel tornou-se o primeiro dos juízes de Israel (Jz 3.9).

Não existe discrepância entre esse relato da conquista de Calebe e a declaração de que Josué "extirpou os anaquins" e "tomou toda esta terra" (Js 11.21,23). Está claro no livro de Josué que a resistência a Israel foi quebrada pelas duas grandes vitórias em Gibeão e Hazor (Js 10–11). Depois disso, foi apenas uma questão de cada tribo, individualmente, mudar-se para os territórios designados e conquistar as cidades, uma a uma. Como nas guerras modernas, o comandante-em-chefe tem a responsabilidade de toda a operação. Em sua maior parte, as tribos fracassaram totalmente em possuir a terra por causa de sua falta de fé e coragem em obedecer completamente, ao Senhor (Jz 1.27ss). Aqui, como em Cades-Barnéia, o intrépido Calebe deu o exemplo daquilo que significa obedecer a Deus.

Existem algumas dúvidas sobre a exata ascendência de Calebe. Em 1 Crônicas 2.18, está mencionado que Calebe era filho de Hezrom. Por outro lado, Jefoné, o quenezeu, é chamado pai de Calebe em Números 32.12. Os quenezeus, descendentes de Quenaz, parecem ter sido uma das tribos nômades dos desertos do Sinai (Gn 36.15). Foi em uma dessas tribos de edomitas que Moisés se casou (Jz 1.16; 4.11). A migração de Israel em direção ao norte atraiu alguns desses povos e eles se reuniram, com fé, ao Senhor e ao seu povo. A família de Calebe foi anexada à tribo de Judá, e Calebe conquistou rapidamente uma posição de liderança. Embora o chefe da tribo fosse Naassom, filho de Aminadabe (Nm 2.3), foi Calebe que representou a tribo como espia e, mais tarde, como um daqueles que dividiu a terra em áreas tribais (Js 21.12). Está registrado que foi entregue a Calebe a sua parte "no meio dos filhos de Judá" (Js 15.13), implicando que ele não era realmente um membro daquela tribo. Séculos mais tarde, nos dias de Saul e Davi, os descen-

O calendário Gezer. ORINST

dentes de Calebe ainda formavam uma família distinta em Judá, e sua parte do país parece ter sido um enclave na tribo (1 Sm 25.3; 30.14).

2. Filho de Hezrom (1 Cr 2.18,19) e neto de Judá (1 Cr 2.3-5). Era bisavô de Bezalel (Êx 31.2; 1 Cr 2.20), artesão chefe do Tabernáculo. É chamado de Quelubai em 1 Crônicas 2.9. Possivelmente seja a mesma pessoa descrita no tópico 1 acima.

3. Filho de Hur (1 Cr 2.50) e, de acordo com o texto hebraico, neto da pessoa descrita no tópico 2 acima. As versões LXX e Vulgata relacionam esse Calebe aos versos precedentes (cf. 1 Crônicas 2.42-50 com 1 Crônicas 2.18,19) fazendo com que seja a mesma pessoa descrita no tópico 1 acima.

P. C. J.

**CALEBE-EFRATA ou CALEBE DE EFRATA** Com base em 1 Crônicas 2.24, acredita-se que esse lugar seja um palácio nas vizinhanças de Belém onde morreu Calebe, filho de Hezrom e antecessor de Davi. Esse local não é mencionado em nenhuma outra passagem bíblica, e na versão LXX está escrito. "E depois da morte de Hezrom, Calebe possuiu Efrata, esposa de Hezrom seu pai; e ela lhe deu Azur, pai de Tecoa". É possível que Efrata fosse a segunda esposa de Hezrom, e que Calebe tenha se casado com ela para estabelecer seu direito à herança (cf. 2 Sm 16.22).

**CALENDÁRIO** A Palestina era uma terra sem unidade política até a época da instalação de uma única monarquia hebraica. Entre os povos que viviam sob o regime de cidade-estado, o governo estava centralizado em torno de um templo importante, e a tendência era desenvolver calendários independentes ou calendários eclesiásticos. Na antiguidade do Oriente Próximo, os calendários melhor documentados desse tipo eram os dos sumérios. Podemos determinar a origem de um documento de negócios sumério pelo nome do mês que aparece na fórmula da data. Foi somente depois que o forte governo central de Hamurabi estabeleceu os meses babilônios que seus nomes começaram a tomar o lugar dos calendários locais.

Evidências obtidas na Palestina dão provas da existência de um sistema local semelhante, ao invés de um sistema nacional.

Em primeiro lugar, existe um notável silêncio em torno de qualquer nome oficial de meses, usados habitualmente pelos judeus, antes de adotarem os nomes babilônios durante o Exílio na Babilônia.

Em segundo lugar, é importante observar que três dos nomes dos meses em uso no período israelita pré-Exílio eram nomes fenícios, isto é, Zive (*ziw*), Etanim (*'etanim*) e Bul (*bul*), mencionados apenas em 1 Reis 6 e 8 em conexão com a construção e dedicação do templo. O mês de Abibe (*'abib*, Êx 13.4; 23.15; 34.18; Dt 16.1), geralmente associado aos nomes acima não tem o aval de fontes fenícias.

Em terceiro lugar, *yerah* é uma palavra semítica primitiva que em hebraico corresponde a uma palavra poética mais antiga para "mês". No Calendário Gezer, assim como nos calendários fenício e ugarítico, ela é empregada regularmente. O termo mais prosaico no idioma hebraico que aparece na Bíblia é *hodesh*. O contraste entre essas duas palavras é notável em 1 Reis 6.38, "no mês de (*yerah*) bul, que é o mês oitavo (*hodesh*)". Nesse sentido é significativo que para cada uso de *'abib*, seja empregado o termo *hodesh*. Esse detalhe, ao lado do fato de que o nome *'abib* não é autenticado por nenhuma fonte fenícia, fornece razões para acreditarmos que tenha pertencido a outro calendário.

A quarta evidência vem do próprio significado do termo *'abib*. Em Êxodo 9.31, a cevada do Faraó foi destruída pela saraiva porque *hass*[e]*'ora'abib*, ou "a cevada tinha acabado de amadurecer". Em Êxodo 13.4 a frase *b*[e]*hodesh ha'abib* significa claramente "no mês em que a cevada acaba de amadurecer". Portanto, o termo *'abib* é de uso agrícola comum e foi incorporado ao nome do mês em um primitivo calendário agrícola que estava em uso entre os hebreus.

As provas de um quinto calendário estão no Calendário Gezer escrito por um colegial em uma barra calcária datada do final do século X a.C. Ele representa um outro calendário local, completamente diferente, baseado nas estações agrícolas.

Tanto *yerah* como *hodesh* são palavras associadas às fases da lua, isto é, ao intervalo que existe entre duas luas novas sucessivas, isto é, em média 29 dias, 12 horas, 44 minutos e 2.8 segundos. Embora a palavra *hodesh* (de *hadash*, ou "novo") tenha se originado da observação da mudança da lua, ela não estava totalmente limitada a essa precisa conotação. Vemos, em Gênesis 29.14, que Jacó morou com Labão *hodesh yamim,* ou "um mês inteiro".

O Egito desenvolveu um calendário solar, com meses de 30 dias, independente da mudança da lua. Mas, também nesse caso, o período de 30 dias deve ter se originado das fases da lua, pois 30 dias corresponde aproximadamente à sua renovação e somente a isso poderia se referir pois o hieróglifo para "mês" tem a forma de um crescente lunar.

Não há evidências na Bíblia de qualquer mês lunar semelhante: na verdade, as festas da lua nova eram muito importantes e exigiam sacrifícios especiais, o soar das trombetas e as comemorações (Nm 28.11-15; Ed 3.5; Ne 10.33; 2 Cr 2.4; 8.13; 1 Sm 20.18-34).

Como as fases da lua e as estações agrícolas eram dois fenômenos usados pelos hebreus para o reconhecimento do tempo, ao serem usados em conjunto como está claro nesses calendários, podemos concluir que era necessário fazer uma intercalação. De outra forma, as festas agrícolas, que eram baseadas em fases lunares anuais, embora expressas em termos de meses lunares, não poderiam ser observadas como representantes de um evento agrícola particular. Os calendários lunares sumérios também estavam ligados às estações, e por essa razão sempre faziam uma intercalação de acordo com as necessidades. Por exemplo, um segundo mês de *še-kin-kud* é freqüentemente atestado a fim de manter a estação ou a colheita aproximadamente em seu lugar no calendário.

Os hebreus, em sua rude simplicidade, instituíram um ano solar ao fazer com que os meses concordassem com as estações agrícolas, intercalando-os quando necessário. Os egípcios, embora pioneiros nos sofisticados meses não lunares que devem ter herdado através dos romanos, cometeram um pequeno erro; pequeno, porém suficientemente grande para colocar as "estações" em um ciclo anual de 1.460 dias em torno do verdadeiro ano solar, comumente chamado de "Sothic Cycle" porque o ano era medido pela primeira aparição da estrela "Sothos" no horizonte, exatamente no momento do nascer do sol. Eles negligenciaram o detalhe do quarto de dia que nós compensamos com o ano bissexto.

Os hebreus superaram seus calendários agrícolas primários ao se tornarem mais sofisticados. Salomão procurou contratar técnicos fenícios para a construção do templo e, como os fenícios forneciam materiais e serviam como artesãos, seria razoável acreditar que mantivessem um registro do progresso da construção. Os nomes fenícios para designar os meses, *Zive, Etanim* e *Bul,* foram usados pelos escribas fenícios e são encontrados no AT em conexão com a construção e dedicação do templo de Salomão. O fato de esses meses terem sido definidos pelos hebreus como meses numerados sugere que, em algum momento durante a monarquia, e por razões administrativas, esse sistema de numerar os meses tivesse sido empregado. Este foi provavelmente instituído simultaneamente pela autoridade central da coroa.

O sistema de numerar os meses foi empregado por necessidades administrativas quando, por exemplo, o sistema de coleta de impostos e de recrutamento exigiu um calendário uniforme em todo o reino. A administração dos impostos poderia ter se transformado em um grave problema se cada comunidade tivesse seu próprio calendário. Já fazia muito tempo que os egípcios numeravam os meses, de um a quatro, a cada três estações. A monarquia hebraica simplesmente aperfeiçoou esse sistema através de uma numeração direta de 1 a 12. É possível que, originalmente, essa decisão não tenha afetado as pessoas comuns que iriam continuar a observar seus métodos provincianos, mas os representantes da coroa eram forçados a obedecer ao reconhecimento nacional do tempo.

Assim como qualquer povo subjugado pelos impérios assírios, babilônios e persas, após o Exílio os judeus foram gradualmente obrigados a usar nomes babilônios. Essa mudança foi determinada pelo forte governo central e atravessou as fronteiras nacionais. Embora fosse um membro do governo, parece que Neemias preferia nomes Babilônios. Esdras, que foi escriba e sacerdote, usou apenas uma vez a designação numerada judaica. O livro de Ester usa ambos os nomes, e exibe as duas referências. Da mesma forma, os papiros Elefantinos usam as duas referências, isto é, mostram nomes dos meses em linguagem egípcia e babilônia, pois nos períodos egípcios e persas o velho sistema de numeração dos meses foi adotado em favor do nome das festas. Gradualmente, em uma fase posterior, o judaísmo adotou os nomes babilônios com a exclusão dos outros sistemas.

Em várias ocasiões do AT, os judeus empregaram ao menos cinco calendários diferentes.

1. O calendário *'abib* era um calendário agrícola local e esse é o único nome de mês que possuímos. O ano novo começava na primavera e o sistema obedecia às festas descritas na lei levítica.

## MESES, FESTIVIDADES E ESTAÇÕES HEBRAICAS

| Mês Lunar | Nome Hebraico Pré-exílico | Nome Hebraico Pós-exílico | Equivalente Moderno | Festividades | Estações Agrícolas |
|---|---|---|---|---|---|
| 1 | Abibe (Êx.13.4; 23.15;34.18; Dt 16.1) | Nisã (Ne 2.1; Et 3.7) | Mar-Abr. | 1.°: Lua Nova<br>10.°: Escolha do cordeiro pascal (Êx. 12.3)<br>14.°: Morte do cordeiro pascal (Êx. 12.6-7; Lv 23.5)<br>15.°21.°: Pães Asmos (Lv 23.6-8)<br>16.°: Ofertas de Movimento (Lv 23.10-14) | Chuvas Serôdias. Os figos reverdecem e nas folhas surgem botões. Colheita do linho |
| 2 | Zive (1 Rs 6.1,37) | Iyyar | Abr-Maio | 1.°: Lua Nova<br>14.°: Páscoa posterior para aqueles que não se purificaram no primeiro mês (Nm 9.10-11) | Início da estação seca |
| 3 | | Sivã (Et 8.9) | Maio-Jun. | 1.°: Lua Nova<br>6.°: Festa das Semanas (Festa da Colheita de Trigo Pentecostes), os bolos de flor de farinha eram oferecidos no 50.° dia a partir do dia 16 do mês de Nisã (Êx. 23.16; Lv 23.19-21) | Colheita do trigo, colheita temporã ou primeira colheita de figos |
| 4 | | Tamuz | Jun-Julho | 1.°: Lua Nova | A inclinação das vinhas |
| 5 | | Abe | Jul-Ago. | 1.°: Lua Nova | Primeira colheita de uvas. Azeitonas nas terras baixas |
| 6 | | Elul (Ne 6.15) | Ago-Set. | 1.°: Lua Nova | Colheita de azeitonas e uvas. Tâmaras e figos de verão |
| 7 | Etanim (1 Rs 8.2) | Tisri | Set-Out. | 1.°: Sonidos de Trombetas (Rosh Hashanah, Ano Novo, Lv 23.24). Início do ano civil.<br>10.°: Dia da Expiação (Yom Kippur; Lv 16,23.27-32)<br>15.°21.°: Festa da Colheita (Êx. 23.16) ou dos Tabernáculos (Sucote, Cabanas, Lv 23.34-43)<br>22.°: Santa Convocação (Lv 23.36; Nm 29.35) | Término da colheita de azeitonas. Vindima. Início das chuvas temporãs (outono). Início do processo de arar a terra. |
| 8 | Bul (1 Rs 6.38) | Marquesvã | Out-Nov. | 1.°: Lua Nova | Colheita de trigo e cevada |
| 9 | | Quisleu (Ne 1.1; Zc 7.1) | Nov-Dez. | 1.°: Lua Nova<br>25.°: Dedicação (1 Mac 4.52-59; Jo 10.22) | Continua o plantio |
| 10 | | Tebete (Et 2.16) | Dez-Jan. | 1.°: Lua Nova | Chuvas de inverno, e nevascas ocasionais na região montanhosa |
| 11 | | Sebate (Zc 1.7) | Jan-Fev. | 1.°: Lua Nova | As amendoeiras florescem |
| 12 | | Adar (Ed 6.15; Et 3.7) | Fev-Mar. | 1.°: Lua Nova<br>14.° 15.°: Purim (Et 9.17-28) | Colheita das frutas cítricas; trabalho com enxada na cultura do linho |
| (13) | | Adar Sheni | Aprox. 7 dias em 19 anos | | |

2. O Calendário Gezer é o único exemplo existente de outro calendário local. Começava com os dois meses da colheita das oliveiras que corresponde ao nosso início da primavera. Essa inscrição se encontra em uma pequena barra de calcário descoberta durante a escavação feita por Macalister em Gezer, em 1908. W. F. Albright acredita que tenha sido escrita por volta do ano 925 a.C, na forma de versos, e em um bom hebraico bíblico.

Seus dois meses são de colheita (de azeitonas),
Seus dois meses são de semear (grãos),
Seus dois meses são de semeadura tardia;
Seu mês é de tirar linho,
Seu mês é de colher cevada,
Seu mês é de colher e de festejar;
Seus dois meses são de cuidar das vinhas,
Seu mês é o das frutas de verão.

(ANET, p. 320; veja também DOTT, pp. 201ss).

3. O calendário fenício com meses chamados *Ziv, 'Etanim* e *Bul*, todos comprovados por fontes fenícias e aparecem na Bíblia apenas onde indivíduos de origem fenícia são mencionados.

4. O sistema numerado, que veio a atender exigências práticas sob a monarquia. Sabemos que Gezer foi incorporada ao reino de Salomão depois de ter sido capturada pelo seu faraônico sogro. Sem dúvida, a multiplicidade de calendários locais precipitou a adoção do sistema numerado. Aparentemente, o ano civil de Salomão começava no outono com a Festa das Trombetas (Lv 23.24s.). A dedicação do seu templo (1 Rs 8.2) foi adiada por onze meses (cf. 6.38), aparentemente, para que ela fizesse parte da festa do ano novo em outono (Rosh Hashana).

O cálice de Antioquia é aparentemente uma antiga taça utilizada para celebração da Ceia (alguns lhe atribuem a data do século I d.C.) e pode ter representações dos apóstolos. MM

5. O nome dos meses babilônicos era obrigatório em todo o Oriente Próximo como uma conseqüência dos impérios mundiais da antiguidade. Seu ano novo começava na primavera.

Durante o período intertestamentário (entre o Antigo e o Novo Testamento), judeus religiosos desenvolveram um calendário perfeitamente regular a fim de assegurar a devida obediência aos seus dias sagrados. Como aprendemos no Livro do Jubileu (escrito entre 135 e 105 a.C) o ano consistia de 364 dias, divididos em quatro séries de três meses cada, sendo que o primeiro e o segundo mês sempre tinham 30 dias e o terceiro, 31. O primeiro dia, do primeiro mês, sempre caia em uma quarta-feira, para que a véspera da Páscoa caísse, todos os anos, em uma terça-feira. Esse era o calendário observado pela comunidade Qumram para as festas religiosas (veja Finegan, *Light from the Ancient Past*, pp. 580-587). Alguns estudiosos sugeriram que Jesus e seus discípulos estivessem observando esse sistema de celebrar a Páscoa antes da data oficialmente observada em Jerusalém (Finegan, p. 596ss).

*Veja* Era; Festividades; Tempo.

***Bibliografia.*** F. F. Bruce, "Calendar", NBD, pp.176-179. CornPBE, pp. 176ss., S. J. DeVries, "Calendar", IDB, I, 483-488. Jack Finegan, *Light from the Ancient Past,* segunda edição, Princeton. Princeton Univ. Press, 1959, pp. 552-598. J. van Goudoever, *Biblical Calendars*, segunda ed. rev., Leiden. E. J. Brill, 1961.

E. B. S.

**CALHA ou BICA** O termo hebraico *sinnor* no Salmo 42.7 refere-se à água que desce das superfícies ingremes, também chamadas de "cachoeiras" ou "catadupas". A palavra heb. também ocorre em 2 Samuel 5.8 como um "canal" ou "túnel" de água que levava à fonte de Giom em Jerusalém. No Sl 148.7 a versão NEB em inglês traduz a palavra hebraica *tannin*, que significa literalmente "monstros marinhos, baleias", como "bica de água".

**CÁLICE** Além do seu uso literal como vasilhame para bebida, tigela, taça ou bacia (*veja* cerâmica), o termo também é usado em sentido figurado nas Escrituras. Como metonímia, pode se referir ao que ele contém (Pv 23.31). Também é usado com o genitivo da pessoa que concede a bebida (1 Co 10.21). É usado como um símbolo da própria vida, uma expressão de destino tanto no sentido do bem como do mal.

A herança dos santos é a porção do seu cálice (Sl 16.5); a situação do ímpio é a sua (Sl 11.6). Existe o cálice da tristeza (Mt 26.39;

Mc 14.36; Lc 22.42; Jo 18.11) e o cálice da consolação (Jr 16.7). O cálice simboliza um derramamento abundante de bênçãos, prosperidade, alegria, e até mesmo da salvação (Sl 23.5; 116.13); ou mesmo o compartilhamento das aflições (Sl 75.8; Is 51.17). O cálice pode ser da ira de Deus, da punição, da vingança (Is 51.17,22; Lm 4.21; Sl 11.6; 75.8), o cálice do julgamento (Sl 11.6; 73.10; 75.8; Is 51.17,22; Jr 25.15-28; Ez 23.31-34). O vinho da prostituição, pelo qual a Babilônia intoxicou as nações, se tornou o vinho da ira de Deus por eles, isto é, o vinho da sua ira (Ap 14.8,10; 16.19; 18.3; 19.15).

Para o Senhor Jesus Cristo, o cálice foi o de uma morte violenta (Mt 20.22,23; Jo 18.11). O martírio dos cristãos é descrito como o compartilhamento do cálice de Cristo (Martyrdom of Polycarp, 14.2; cf. Mt 20.23; Mc 10.39). O cálice que o Pai deu ao Filho fez do cálice da nova aliança em seu sangue um cálice de bênçãos (1 Co 10.16) para o perdão dos pecados.

O cálice eucarístico de alguns grupos cristãos é muitas vezes feito de metais preciosos, e às vezes enfeitado com pedras preciosas, mas também pode ser feito de materiais mais baratos. O *calix ministerialis* foi usado pela igreja romana até a alta Idade Média para comunhão dos fiéis subutraque (de ambos os tipos, com pão e vinho). O calix offertorius é usado na missa romana para a simples participação do padre ou do celebrante, mas apenas com pão. No batismo, o calix baptismalis era tomado, contendo uma mistura de leite e mel.

Na Boêmia o movimento da reforma do início do século XV, exigia que o cálice também fosse compartilhado com os leigos, uma concessão permitida pelo Concílio de Constança, embora isto não satisfizesse completamente os calixtinos. Os reformadores europeus do século XVI denunciaram a retirada do cálice dos leigos, porque Cristo ordenou: "Bebei dele todos" (Mt 26.27). Nas igrejas protestantes e luteranas o sacramento é administrado *subutraque*, de ambos os tipos, como também nas igrejas Ortodoxas, tanto na Rússia como no Oriente, e em algumas das igrejas de Uniate. Em muitas congregações protestantes se usam cálices de comunhão individuais. Muitas igrejas Anglicanas e Luteranas usam o "cálice da comunhão" (onde todos os membros tomam do mesmo cálice, um após o outro).

C. S. M.

**CÁLICE DA BÊNÇÃO** O apóstolo Paulo, em 1 Coríntios 10.16, afirma que a participação em beber o cálice na Ceia do Senhor traz bênçãos, pois, quando o fazemos, estamos celebrando a morte do Senhor na cruz. *Veja* Ceia do Senhor.

**CALNÉ, CALNO** Nome de uma cidade ou

Taça de ouro de Vafio, Grécia (aprox. 1500 a.C.). Mimosa

vila situada a noroeste da Síria referida em Amós 6.2 e Isaías 10.9. Embora atualmente a cidade de Calné seja muitas vezes igualada à cidade assíria de *Kunalu'a* (*Kinalu'a*), sua localização atual, a cerca de um quilômetro e meio a leste de Harîm, levou alguns a acreditar que esta seja uma grande elevação formada por remanescentes de antigas civilizações. Sua melhor identificação ainda permanece aquela feita por I. J. Gelb (cf. *American Journal of Semitic Languages* 51 [1935], pp. 189-191) onde é igualada à cidade assíria de *Kullani* (Calné), isto é, à moderna cidade de Kullan Köy, a cerca de 15 quilômetros a sudeste de Arpade. A cidade de Cane (*q.v.*), embora localizada na mesma área geral (cf. Ez 27.23), era talvez um local diferente.

A palavra hebraica *kalneh,* em Gênesis 10.10 pode, sem dúvida, ter uma nova pronúncia para ser entendida como *kullana,* isto é, "todos(as)", como em Gênesis 42.36 (cf. também Pv 31.29) pois nenhuma Calné é conhecida na Babilônia (cf. W. F. Albright em JNES, III [1944], 254s., R. Youngblood em *Bethel Seminary Quarterly*, XI [1962], 8s.). Na versão LXX, a palavra *pantes,* ou "todos", traduzida com as consoantes *k-l-n-h* em Amós 6.2, reforça a idéia de que essa nova forma de pronúncia não é desprovida de fundamento.

R. Y.

**CALNO** Essa cidade, conquistada pelos assírios, serviu de exemplo a Israel sobre a futilidade de oferecer resistência a seus exércitos (Is 10.9). Ela provavelmente corresponde à cidade de Kulnia, associada a Arpade e Hadadezer na "lista dos tributos" assírios. Também é chamada de Calné (*q.v.*) e foi mencionada juntamente com Hamate em Amós 6.2. Pode ser a moderna Kullan Köy, situada a 32 quilômetros a noroeste de Alepo.

**CALOR** A palavra hebraica *hom* é usada

para falar do calor na metade do dia, em contraste com outras horas (Gn 18.1; 1 Sm 11.11; 2 Sm 4.5); do verão em contraste com o inverno (Gn 8.22; Jr 17.8); e da época da colheita (Is 18.4).

A palavra hebraica *horeb* se refere ao calor, em especial ao calor da época da seca (Jó 30.30; Is 4.6; 25.4; Jr 36.30).

A palavra grega *kauma* significa o calor ardente do sol (Ap 7.16; 16.9); *kauson* significa o calor abrasador (Mt 20.12; Lc 12.55; cf. Tg 1.11).

Uma das bênçãos de que se fala na salvação é o escudo protetor do calor do sol, que se refere à proteção e à prosperidade que Deus assegura aos seus, tanto nesta vida (Sl 121.6; Jr 17.8) quanto no reino futuro (Is 4.6; Ap 7.16).

**CALÚNIA** Uma afirmação maliciosa intencional que visa prejudicar a pessoa sobre quem foi dita. A Bíblia freqüentemente adverte contra a calúnia ou o falso testemunho (Êx 20.16; Lv 19.16; Ez 22.9; Ef 4.31; Cl 3.8; Tg 4.11).

**CALUNIAR/DIFAMAR** A palavra hebraica assim traduzida significa "vagar como um difamador" (Sl 15.3). Uma outra palavra hebraica é usada de uma maneira semelhante para descrever o falar maledicente (Pv 25.23).

**CALVÁRIO** Essa palavra se refere apenas a um lugar na Bíblia (Lc 23.33). Ela vem da palavra da Vulgata que nos quatro Evangelhos (Mt 27.33; Mc 15.22; Lc 23.33 e Jo 19.17) traduz a palavra grega *kranion* (caveira) como *calvaria*, palavra latina para caveira. É estranho que os tradutores da versão KJV em inglês tenham adotado o correspondente correto em inglês, "caveira" em três Evangelhos e, por alguma razão desconhecida, tenham adotado uma variante no caso de Lucas, um latinismo. Dessa forma, por causa de um acidente literário, esse termo consta naquela que se tornou a versão inglesa mais utilizada. Embora baseado nessa ocorrência fora do comum, o termo "Calvário" tem adquirido uma rica associação teológica e religiosa cujo valor lhe garante um lugar permanente no vocabulário cristão.

O Calvário de Gordon

A localização do Calvário é incerta. O local tradicional, estabelecido no século IV por Helena, mãe do Imperador Constantino, é o mesmo em que foi construída a Igreja do Santo Sepulcro. Mas essa igreja está dentro do atual muro norte de Jerusalém (o local exato do muro norte, no tempo de Jesus, ainda não foi descoberto pelos arqueólogos) e é sabido que Cristo morreu do lado de fora do muro (Hb 13.12). Por essa razão, alguns preferem o local chamado "Calvário de Gordon", que é uma rocha com a forma de um crânio situada a cerca de 230 metros a nordeste da Porta de Damasco.

*Veja* Cruz; Gólgota.

R. E.

**CALVÍCIE** Mencionada freqüentemente no AT e de modo algum no NT, a calvície natural era provavelmente incomum nos tempos bíblicos. Semitas ou asiáticos são geralmente retratados na arte do antigo Oriente Próximo com cabelos e barbas compridas. A calvície era considerada um defeito que diminuía a beleza de alguém (Is 3.24), pois os cabelos grisalhos e os cabelos brancos eram vistos como uma coroa de glória (Pv 16.31; 20.29). *Veja* Cabelo. Era o dever do sacerdote fazer distinção entre a calvície natural e aquela que era causada pela lepra (Lv 13.40-44).

As palavras ditas a Eliseu em tom pejorativo, "Sobe, calvo! Sobe, calvo!" (2 Rs 2.23) podem ser uma alusão a uma tonsura usada pelos profetas, e desse modo uma zombaria de seu ofício, pois Elias ainda não era um homem velho.

A calvície produzida artificialmente foi uma marca de luto no antigo Oriente Próximo em épocas posteriores (Is 15.2; 22.12; Jr 16.6; Ez 7.18; Am 8.10; Mq 1.16), embora isto tivesse sido proibido aos israelitas por serem um povo santo (Dt 14.1,2). Pensa-se que os cananeus pagãos raspavam seus cabelos para dar aos seus mortos uma substância vivificante (cf. o cabelo de Sansão) que permitiria aos mortos continuarem vivendo no reino da morte. Os árabes hoje depositam, freqüentemente, cabelos nas sepulturas dos mortos. Uma mulher prisioneira de guerra com quem seu captor desejasse se casar, deveria primeiro ter a permissão para ficar de luto por seus pais, tendo, como sinal, a sua cabeça raspada (Dt 21.10-13). Os sacerdotes, especialmente, não deveriam seguir rituais e costumes de luto pagãos tais como raspar a cabeça e cortar os cantos da barba; assim o uso da tonsura lhes era proibido em qualquer tempo (Lv 21.1-5; Ez 44.20). Contudo, para o

A igreja do Santo Sepulcro, que está construída sobre o local tradicional do Calvário. G. Semerdjian

nazireu, que deveria deixar seu cabelo ficar comprido, raspar a cabeça marcava a conclusão de seu voto (Nm 6.9,18).

J. R.

**CALVINISMO** Esse é o nome do sistema de pensamento teológico que encontrou sua expressão máxima no grande reformador suíço João Calvino (1509-64). O calvinismo também foi chamado de doutrina da Reforma. Sua maior ênfase está na predestinação e na soberania de Deus. Não devemos esquecer que esse sistema, além de suas particularidades, defende aquelas doutrinas comuns a toda a história do cristianismo como a veracidade das Escrituras, da Trindade e da Divindade de Cristo, seus milagres sobrenaturais, a ressurreição de seu corpo etc. Sem essas doutrinas básicas e fundamentais, uma doutrina não pode ser adequadamente chamada de Calvinista ou Reformada.

Embora Calvino tenha dado à doutrina da Reforma sua mais detalhada formulação, já fazia muito tempo que sua teologia vinha sendo defendida e ele seria o primeiro a negar que a tivesse inovado. Calvino foi procurá-la nos patriarcas da igreja e, naturalmente, na Bíblia Sagrada. Sua teologia, assim como o ponto de vista que lhe era mais adverso, atualmente chamado de Arminianismo (*q.v.*), foram intensamente discutidos durante a Idade Média na Igreja Latina. Agostinho foi um proeminente protagonista da posição mais tarde defendida por Calvino. Na verdade, o calvinismo é, muitas vezes, chamado de agostiniano. No Concílio de Trento, em 1545, a Igreja Católica Romana, em parte como uma reação aos reformadores, adotou oficialmente o ponto de vista do Arminianismo.

A opinião de Martinho Lutero sobre a soberania de Deus era muito semelhante à de Calvino. Seu tratado "*The Bondage of the Will*" fala de maneira muito forte contra a total devassidão. Mais tarde, o pensamento luterano sobre esse assunto inclinou-se mais distintamente para o ponto de vista arminiano de Melancoton. Nos dias que se seguiram à Reforma, uma reação que surgiu e se estabeleceu na Holanda, com Jacob Arminius (1560-1609), defendia uma ênfase maior no livre arbítrio. Suas cinco teses foram condenadas pelo Sínodo de Dort (1618) que formulou os famosos cinco pontos do Calvinismo, representados pelo acrônimo TULIP no idioma inglês, que em português seriam: total imoralidade, eleição incondicional, expiação limitada (atualmente chamada, muitas vezes, de expiação definitiva), graça irresistível e perseverança dos santos (ou como às vezes se diz, perseverança de Deus nos santos).

Os mais proeminentes credos calvinistas encontram-se na "Confissão de Westminster", no "Catecismo de Heidelberg", na "Confissão Belga" e na "Confissão de Scotch" de 1560. A posição arminiana foi especialmente adotada no Metodismo. A Calvinista nas igrjas: Presbiteriana, Reformada, Igreja Episcopal mais tradicional e em muitas igrejas Batistas mais antigas.

Devemos nos lembrar de que o Calvinismo não rejeita o livre arbítrio. Ele declara que a soberania de Deus se estende a todas as coisas e pessoas, mas que seu soberano controle, de forma inescrutável, não nega a livre ação moral do homem e a sua conseqüente responsabilidade. Deve-se observar, também, que o problema da soberania e da liberdade não teve origem no calvinismo, ou mesmo no cristianismo. Platão lutou com esse problema e concluiu com a crença em um criador limitado por seus recursos refratários. Teólogos muçulmanos também enfrentaram esse problema e adotaram a posição do fatalismo. Calvino não se propôs a resolver o problema, mas a colocá-lo sob o foco das Escrituras e deixá-lo ali, sem ir além do que está escrito.

R. L. H.

**CAM** Um dos três filhos de Noé (Gn 5.32; 10.6-14). Seus descendentes, que também se espalharam até a Mesopotâmia, incluíam a civilização da Babilônia, de Ereque (a moderna Warka), Acade, Calné e Assíria (Gn 10.8-12). Cuxe era o filho primogênito de Cam (do qual descenderam os antigos cassitas), seguido de Mizraim, Pute e Canaã (Gn 10.6). Cuxe era o pai dos povos da Arábia (Gn 10.7). Mizraim gerou os habitantes do Egito e dos países vizinhos, inclusive os filisteus (Gn 10.13,14). Canaã foi o pai dos povos que se espalharam de Seom a Gaza, a Sodoma e a Gomorra.

A história dos cananeus foi pressagiada no episódio da desonra de Noé por Cam, quando seu pai ficou embriagado e tomado de estupor (Gn 9.20-23). A história de Gênesis 9.20-25 e a genealogia de Gênesis 10.6,15-20 foram incluídas para mostrar a origem dos cananeus e a fonte de suas práticas licenciosas nos dias de Josué. Como Cam não foi incluído na bênção de Sem e Jafé, alguns chegaram a afirmar que a maldição também incluía Cam. Entretanto, ela foi particularmente aplicada a Canaã. Historicamente, ela se cumpriu na destruição dos cananeus e seus descendentes, os fenícios (*veja* Fenícia). Essa maldição dizia respeito, de forma secundária, ao aspecto religioso dos descendentes de Cam do período do AT, no sentido de que as religiões do Egito, de Canaã e da Assíria estavam repletas de um politeísmo grosseiro e sensual. A genealogia em Gênesis 10 demonstra que os ancestrais influenciam a moralidade de seus descendentes.

H. G. S.

**CAM, OS DE** Os descendentes de Cam, filho mais novo de Noé, eram os egípcios, os etíopes ou mais provavelmente os cananeus (cf. Gn 10.6) que se fixaram na rica região pastoril ao sul da Palestina. Seu território foi conquistado pelos descendentes de Simeão, o segundo filho de Jacó (1 Cr 4.40).

**CAMA** Vários termos, freqüentemente intercabiáveis, são atribuídos a "cama" ou aos equivalentes "catre", "leito", ou "liteira". A forma dependia da situação econômica do indivíduo. A mais simples consistia de um espaço no chão sujo, onde a pessoa podia se deitar tendo sobre si apenas as suas vestes (Êx 22.27; Dt 24.13), ou um cobertor ou tapete (Jz 4.18; Is 28.20). A mais comum era uma esteira de junco ou catre junto à parede, no chão, ou em uma saliência, que durante o dia servia como assento. Tal cama podia ser facilmente carregada (2 Sm 17.28; Lc 5.25; Jn 5.5-8), e também podia servir como liteira para transportar os enfermos (Mc 6.55). As casas maiores tinham quartos separados (2 Rs 11.2) freqüentemente em um andar superior (1 Rs 17.19); os tetos, suportados por balaústres, formando mesaninos, eram lugares comuns para se dormir.

As camas sobre pernas, que eram bastante comuns, foram utilizadas pelo Senhor Jesus como ilustrações ao ensinar as multidões (Mc 4.21; Lc 8.16). Entre os mais abastados, as camas eram muito elaboradas e bastante enfeitadas. Amós repreendeu os israelitas ímpios e amantes do luxo, que dormiam em "camas de marfim" (marfim marchetado, Am 6.4). A meretriz descrita no livro de Provérbios seduzia os incautos em um leito "com cobertas de tapeçaria, com obras lavradas com linho fino do Egito", e perfumado "com mirra, aloés e canela" (Pv 7.16,17). Ptolomeu do Egito enviou dez camas com pés de prata como presente a Eleazar, sumo sacerdote em Jerusalém, (Josefo, *Ant.* xii.2). Senaquerib da Assíria

Armação de cama feita de madeira coberta com uma espessa camada de ouro e entrelaçada por um cordão de linho, da tumba de Tutancamom. LL

Um sesterce (moeda romana) de Augusto. G. L. Archer; foto de W. LaSor

incluiu camas com marchetaria como parte do tributo de Ezequias (ANET, p. 288). O palácio de Xerxes ostentava camas de ouro e de prata (Et 1.6).

R. V. R.

**CAMALEÃO** *Veja* Animais: Lagarto IV.18.

**CÂMARA** Equivalente a uma sala, especialmente uma particular (Gn 43.30; Jz 16.9). A palavra "sala" é preferida nos idiomas da atualidade. Câmara é usada para referir-se às salas do templo, seja o templo de Salomão (1 Cr 9.26,33) ou o templo pós-Exílio (Ed 8.29), ou particularmente o templo da visão de Ezequiel (Ez 40.17 *et al.*).

Às vezes, a câmara era uma sala no andar superior de uma casa, seja no segundo andar ou no telhado (2 Sm 18.33). O Senhor advertiu os discípulos contra qualquer rumor dizendo que Ele estaria em uma câmara (no "interior da casa") por ocasião de sua segunda vinda (Mt 24.26).

**CAMAREIRO** *Veja* Ocupações: Camareiro.

**CAMBISTA** *Veja* Ocupações: Bancário.

**CAMBISTAS** Os judeus do NT que abominavam a idolatria não podiam, no serviço religioso, usar moedas que tivessem a cabeça de um César divino ou outro símbolo do paganismo. Quando deram início ao pagamento do tributo anual do templo (Mt 17.24ss.), que tinha o censo como a base usada pelos rabinos (o meio siclo de Êx 30.13), casas de câmbio eram abertas nas cidades no mês de Adar (Março) durante 10 dias. Também na Páscoa, o dinheiro podia ser trocado dentro do templo por moedas de prata tírias (de Tiro), ou por moedas judaicas de cunhagem em cobre. Para os judeus e prosélitos, era também necessário pagar pelos sacrifícios e ofertas: carneiros, touros, vinho, óleo, sal, incenso. Por conveniência, nos dias de Jesus os filhos de Anás, o ex-sumo sacerdote, tinham um comércio no átrio exterior do templo pelo qual se passava para subir ao altar. Os cambistas normalmente cobravam cerca de 12% pela troca das moedas. *Veja* Pesos, Medidas e Moedas.

O texto em Marcos 11.15 (paralelo a Mt 21.12) chama estes cambistas pelo termo grego *kollubistai*, que vem de *kollubos*, e significa moedinha ou pequena taxa. O texto em João 2.13-15 usa esta palavra e outro termo mais raro, *kermatistai*, também vindo de "moedinha" (*kerma*).

No início do seu ministério, o Senhor Jesus, como Messias e Profeta-Reformador, exigiu a retirada do comércio da casa do Seu Pai. Ele espalhou o dinheiro dos cambistas, e virou as mesas onde se sentavam (Jo 2.15). Mas os mercadores ambiciosos, sob a proteção do ex-sumo sacerdote Anás, voltavam. Por esta razão, mais tarde em seu ministério, o Senhor Jesus limpou o local novamente (Mc 11.15,16; Mt 21.12; Lc 19.45,46). A guarda dos animais e mercadorias, as compras, as negociações e o câmbio podiam ser feitos em outro lugar. Seria muita distração ter tudo isso no templo, onde não deveria haver nenhuma atividade comercial (Is 56.7; Zc 14.21). Além disto, não deveria haver nada que atrapalhasse os gentios, impedindo-os de orar no átrio externo. Mas evidentemente o Senhor Jesus Cristo também considerou que os cambistas estavam cobrando uma taxa abusiva, porque Ele os acusou de fazer do templo um covil de salteadores (Mc 11.17; cf Jr 7.11). O Mishna relata que, em uma ocasião, a exploração nas vendas de pombos para o sacrifício elevou o preço destes animais a um valor exorbitante.

*Veja* Ocupações: Banqueiro.

W. G. B.

**CAMELO** *Veja* Animais.

**CAMINHO[1]** Além de seu uso literal, essa palavra é freqüentemente usada em um sentido figurado: (1) Com referência à maneira de Deus de tratar os homens (Sl 25.10; Mt 3.3) e aos padrões divinos para a doração e a conduta (Sl 25.4). (2) Com referência à conduta ética dos homens (Pv 4.18; Hb 12.13) e ao destino ou à sorte do homem na vida (Jó 8.13). O termo "caminhos" no Salmo 23.3 é a tradução da palavra hebraica que significa ovelhas ou "rastros" de uma carroça.

**CAMINHO[2]** As palavras "caminho" e "passagem" traduzem várias palavras gregas e hebraicas. O que é importante não é a variedade de termos e sim a consistência de seus usos na Bíblia Sagrada.

O significado inicial e literal é freqüente: estrada, passagem costumeira, ou itinerário de viagem (Gn 3.24; Êx 23.20; 1 Sm 6.9; 2 Rs 3.8; Jr 2.17; Mt 2.12; At 25.3 etc.).

O uso figurado refere-se ao curso de conduta ou caráter do homem (Jó 17.9; 22.15), dividido em dois caminhos; o bom (Êx 18.20; 32.8; Dt 31.29; Is 30.21; Mt 21.32; 1 Co 4.17), e o mau (Nm 22.32; Sl 139.24; Is 65.2; Jr 18.11; At 14.16).

Contrastados no Antigo e no Novo Testamento, os dois caminhos são proeminentes no Salmo 1.1-6 (cf. Pv 4.18,19; 12.28). O Senhor Jesus também contrastou estes dois caminhos (Mt 7.13,14). O caminho do homem bom é o caminho da vida (Pv 15.24; At 2.28), da verdade e da fidelidade (Sl 119.30), da paz (Is 59.8; Rm 3.17), da justiça (Pv 17.23; Dn 4.37), da honradez (Mt 21.32; 2 Pedro 2.21), e da salvação (At 16.17). O "caminho da verdade" denota a conduta do cristão em 2 Pedro 2.2, mas "andar" é o termo mais comum para expressar esta qualidade (cf. Ef 4.1,17; 5.2,8,15). *Veja* Conversação; Andar.

O termo "caminho" refere-se, no entanto, à fé do cristão por seis vezes, cada uma em um contexto não-cristão de hostilidade ao Evangelho. Estes seis são Atos 9.2; 22.4 (perseguição de Paulo aos cristãos); Atos 19.9,23 (oposição dos efésios ao ministério de Paulo); Atos 24.14,22 (a defesa de Paulo diante de Félix).

Os caminhos de Deus podem significar tanto o seu próprio método de procedimento e ação (Ap 15.3), quanto os caminhos que Ele quer que o homem siga. No primeiro caso, a ênfase pode estar em seus próprios procedimentos, tanto no presente (Dt 32.4; At 13.10), como no futuro (Is 40.3; Mt 3.3), em sua maneira de agir (Is 55.8), ou no propósito de seus desígnios (Is 58.2; Rm 11.33). Em relação à forma como Deus ordena que os seus filhos andem (cf. Jó 21.14; Jr 7.23; Sl 18.30. 25.4; Pv 8.32), o caminho de Deus é bom (1 Rs 8.36), direito (1 Sm 12.23), reto ou perfeito (Sl 101.6). O Senhor Jesus (Mt 22.16) e a lei (Dt 8.6) ensinam o caminho do Senhor.

O Senhor Jesus não só ensinou "o caminho de Deus, segundo a verdade" (Mt 22.16), mas Ele mesmo é "o caminho, e a verdade, e a vida" (Jo 14.6). Ele é o único caminho que leva ao Pai (cf. At 4.12). Mais precisamente, a sua morte substitutiva e a sua intercessão presente são vistas como o "novo e vivo caminho" que conduz à verdadeira presença do Pai (Hb 10.20; cf. 9.8).

***Bibliografia***. Wilhelm Michaelis, "*Hodos* etc.", TDNT, V, 42-96.

F. D. L.

**CAMINHO[3]** Esta palavra aparece em 1 Crônicas 26.16,18 e refere-se a uma série ou lance de degraus que conduziam ao templo.

**CAMINHO[4]** Uma rota de viagem para uso público. O termo hebraico mais freqüentemente utilizado é *mesilla* (Nm 20.19; Is 7.3; 40.3, *et al.*), que significa uma pista construída. No Novo Testamento, o termo grego *hodos* é traduzido em algumas passagens como "caminho" (Mt 22.10; Mc 10.46; Lc 14.23). *Veja* Comércio; Estrada do Rei; Estrada; Viagem e Comunicação, com mapa mostrando as principais rotas comerciais na Palestina antiga.

**CAMINHO DE UM SÁBADO** Essa expressão é usada em Atos 1.12 para expressar o local em que aconteceu a ascensão do Monte das Oliveiras. Este local estava situado à distância de um sábado de Jerusalém, isto é, a distância que um judeu podia viajar em um sábado sem infringir a lei. Essa distância de 2000 côvados ou 1000 metros foi calculada com base em Josué 3.4, onde foi dito que a arca viajou 2000 côvados à frente do acampamento israelita. Como os judeus tinham permissão de ir ao Tabernáculo no sábado, essa distância foi fixada como a distância da viajem de um sábado.

Atualmente, na Capela da Ascensão no Monte das Oliveiras, pode-se ver a marca de uma pegada no topo da montanha que algumas pessoas piedosas acreditam ser a pegada de Jesus feita no momento em que Ele ascendeu ao céu. Na verdade, trata-se provavelmente de uma marca para indicar a distância da viajem de um sábado desde Jerusalém, mas também pode ser o local da ascensão.

H. F. V.

**CAMISA** *Veja* Vestuário.

**CAMOM** Este foi o local onde Jair, o juiz gileadita, foi sepultado (Jz 10.5), provavelmente em Gileade.

**CAMPEÃO** Em 1 Samuel 17.51, o termo *gibbor*, traduzido como "campeão", significa "herói", "homem poderoso". Em 1 Samuel 17.4,23, "guerreiro" ou "campeão" são boas traduções da palavra hebraica que significa "homem do meio", isto é, o homem que se coloca entre dois exércitos para decidir o caso de um contra o outro.

**CAMPO** O termo bíblico para "campo" transmite a idéia de uma área aberta, enquanto que hoje o termo pode sugerir uma área cercada. A palavra hebraica *uadeh* (forma poética *uaday*) é o termo mais comum para campo no AT. É freqüentemente difícil determinar, a partir do contexto, o local e o propósito do território (cf. Gn 2.5,19; 4.8; Êx 1.14; 22.5; Dt 5.21, *et al.*). Às vezes, a palavra é usada para designar uma grande área ("campo de Moabe" em Gênesis 36.35; parábola do joio em Mateus 13.38, onde "o campo é o mundo"). A palavra também é usada para designar uma área de caça (Gn 27.5), habitat de animais selvagens (Sl 80.13), uma área cultivada (Rt 2.2; Jó 24.6; Sl 107.37), ou uma pastagem (Gn 34.5; Êx 9.21; Nm 22.4). O texto em Jeremias 32.7ss. registra os detalhes da compra de um campo em Anatote, por Jeremias, durante o cerco de Jerusalém (588-586 a.C.).

Outras palavras hebraicas para um campo cultivado e não-cultivado são: (1) *sh^edema*, que é usada apenas seis vezes no AT (cf. Dt 32.32; Is 16.8); (2) *bar* (Aram.), usada apenas em Daniel 2.38; 4.12,15,21,23,25,32; (3) *hus*, às vezes traduzida como "o lado de fora", e freqüentemente traduzida como "fora" (cf. Dt 23.13), mas é geralmente traduzida como "campo", como por exemplo em Jó 5.10; Provérbios 8.26, "em campo aberto"; (4) *helqa*, literalmente significando "porção de terra", mas geralmente traduzida como "campo" (2 Sm 14.30); (5) *'eres*, a palavra comum para "terra"; (6) *y^egebim*, que ocorre apenas uma vez no AT e é geralmente traduzida como "campos" em várias versões (Jr 39.10). As palavras gregas *agros*, *chora* e *chorion*, traduzida como "campo", podem se referir a áreas limitadas em tamanho ou a um campo aberto (Mt 6.30; Lc 15.25; Jo 4.35; At 1.18).

O "campo" bíblico geralmente não era cercado, mas era indicado por marcadores de pedra (ou marcos) em seus cantos. Tais pedras poderiam ser facilmente removidas (Dt 19.14; 27.17). Devido à falta de cercas e às condições geralmente pouco tranqüilas, um vigia era geralmente empregado, especialmente quando a colheita estava próxima (*veja* Agricultura). Além do perigo de intrusos humanos, havia às vezes o perigo do gado alheio vir pastar no campo de outrem (Êx 22.5). Havia o risco de incêndios se um Sansão (Jz 15.5) ou um irado Absalão (2 Sm 14.30) estivessem por perto.

Os campos ocasionalmente recebiam nomes de eventos notáveis, como Helcate-Hazurim, "Campo das Espadas" (2 Sm 2.16), ou de acordo com o seu uso, como "Campo do Lavandeiro" (2 Rs 18.17) ou "campo do oleiro" (Mt 27.7). *Veja* Campo do Lavandeiro; Campo do Oleiro; Aceldama.

D. W. D.

Uma torre de guarda de pedra em um campo perto de Samaria

**CAMPO DE POUSIO** A palavra heb. *nir* ocorre duas vezes no AT (Jr 4.3; Os 10.12), e é traduzida como "campo de pousio" ou "campo de lavoura". Significa "cultivável" ou campo "não lavrado".
A palavra heb. *natash* traz, em certa situação, a idéia de deixar a terra descansar (Êx 23.11). Significa "deixar", "deixar em paz". Exigia-se que os israelitas permitissem que a terra descansasse a cada sete anos.

**CAMPO DO LAVANDEIRO** Um local bem conhecido nos dias de Ezequias, fora da cidade, perto o suficiente para que o embaixador de Senaqueribe fosse ouvido nos muros de Jerusalém. O local incerto era perto de um aqueduto do tanque superior (2 Rs 18.17; Is 36.2), provavelmente perto da fonte de Giom no vale de Cedrom. Isaías e seu filho se encontraram com Acaz neste local (Is 7.3). O comércio do lavandeiro (*veja* Ocupação) exigia o fornecimento de água e uma área ampla para secar os materiais lavados. *Veja* Campo.

**CAMPO DO OLEIRO** Campo comprado pelos membros do Sinédrio com o dinheiro que Judas havia atirado no santuário (Mt 27.3-10). Os sacerdotes haviam se reunido e resolveram que não iriam usar o dinheiro ganho ilegalmente nas atividades sagradas. Como esse dinheiro deveria ser devolvido a Judas, de acordo com a lei, porém ele insistia em doá-lo, eles decidiram que seria gasto em propósitos voltados à caridade. Mas, por uma peculiaridade da lei, esse dinheiro ainda pertencia a Judas (At 1.18) e, como os sacerdotes estando de posse destes valores eram seus executores legais, eles fizeram uso dessa quantia para comprar o campo do oleiro, usado para enterrar estrangeiros, isto é, os peregrinos da Diáspora que haviam morrido na Cidade Santa.
J. Jeremias acredita que quando os sacerdotes recusaram-se a receber o dinheiro de volta, Judas o entregou ao tesouro do templo como uma forma de anular a "venda" de Jesus (*Jerusalem in the Times of Jesus*, Filadélfia. Fortress, 1969, pp. 138-140). Esse campo ficou conhecido como "campo de sangue" (em aramaico, *haqel dema'*, Atos 1.19. Em português, "Aceldama" (*q.v.*), provavelmente por duas razões. porque o dinheiro para comprá-lo era um "dinheiro de sangue" e porque foi lá que Judas se enforcou. A tradição localizou esse campo na encosta sul da extremidade oriental do Vale de Hinom. Aparentemente, estava próximo ao refugo dos oleiros, fora do Portão dos Cacos (Jr 19.2). *Veja* Jerusalém: Portas e Torres.
Mateus relata essa compra (Mt 27.9,10) como o cumprimento de uma profecia do AT (cf. Zc 11.12ss.) atribuída a Jeremias, e muitas razões foram sugeridas para isso. Edersheim (*Life and Times of Jesus the Messiah,* Grand Rapids. Eerdmans, 1950, II, 572) parece oferecer a explicação mais plausível. "E assim Mateus, parafraseando essa profecia (Targum), tanto na forma como no espírito, e de uma maneira verdadeiramente judaica ligando-a à descrição profética fornecida por Zacarias, coloca esse evento diante de nós como o cumprimento da profecia de Jeremias (Jr 18.2-12; 19.1-5; 32.6-9).
Em sua abrangente análise de Mateus 27.9, Edward J. Young chega à mesma conclusão geral de que Mateus estava se referindo a dois profetas do AT e mencionou apenas Jeremias por ser o mais velho, e aquele que fala sobre a compra de um campo, o ponto básico de sua referência (*Thy Word Is Truth,* Grand Rapids. Eerdmans, 1957, pp. 172-175).

L. Go.

**CANA**
1. *Veja* Plantas: Cana.
2. *Veja* Pesos, Medidas e Moedas.

**CANA AROMÁTICA, CÁLAMO AROMÁTICO** *Veja* Plantas.

**CANÁ[1]** Vila da Galiléia mencionada apenas no quarto Evangelho como o local onde Jesus realizou o seu primeiro milagre (Jo 2.1,11), como o lugar onde Ele pronunciou as palavras que curaram o filho do nobre que jazia doente em Cafarnaum (Jo 4.46) e como a casa de Natanael (Jo 21.2).
Na geografia dos Evangelhos, há muito tempo a localização da cidade de Caná da Galiléia (assim chamada para distingui-la da cidade de Caná em Coelesyria) tem se mantido como uma questão em aberto. Suas várias identificações possíveis são.
1. Khirbet Kana em frente ao Vale Battof (também chamado Planície de Zebulom ou Planície de Netofa) situada cerca de 15 quilômetros ao norte de Nazaré. Esse lugar foi novamente identificado por Robinson (*Biblical Researches*... III, 204-207). Dalman também fala em favor desse lugar (*Sacred Sites*... pp. 101-106). Do ponto de vista arqueológico, histórico e geográfico podemos construir um forte argumento em favor do fato desta ser a verdadeira localização de Caná. Em 1963, arqueólogos descobriram cerâmicas da Idade do Ferro II e dos períodos Helenístico, Herodiano, Pós-Romano, Árabe e das Cruzadas. Isso é muito importante porque Tiglate-Pileser III menciona sua conquista de uma cidade da Galiléia com o nome de Qana (veja ANET, p. 283). Fragmentos da Idade do Ferro II, de Khirbet Kana, fortalecem a opinião de que esta foi a verdadeira cidade de Caná. Nesse local foram encontradas, sobre a terra, moedas do século I d.C, de acordo com relatórios (cf. Kraeling, *Bible Atlas*, pp. 372-373) e seu nome ("canas") é geralmente justificado pelo

fato de que antigamente as canas cresciam com abundância no pantanoso Vale Battof (chamado de Vale Asochis no período do NT; cf. Josefo, *Life*, 41). Essa cidade de Caná tinha sido habitada desde o tempo de Quaresimus (século XVII).
2. Outros (De Saulcy, talvez Vilnay, Pilter, Farrar) são a favor de Kefr Kenna. Existem poucas evidências tangíveis para se suportar essa opinião, que aliás nunca foi muito popular antes dos Franciscanos terem ali se estabelecido no século XVI. A "tradição" localizava esta cidade em Kena para torná-lo mais conveniente aos viajantes, pois estava localizada na estrada principal entre Nazaré e Tiberíades. Mas Eusébio diz que a cidade de Caná estava na área da tribo de Aser, próxima a Sidom (cf. *Onomasticon*, ed. Klostermann, pp. 116-117). Além disso, outros peregrinos falam que a cidade de Sephoris estava localizada entre Nazaré e Caná, o que não deixa dúvidas a respeito de Kena.
3. Ain Kana, ao sul de er-Rene, também foi identificada dessa forma, mas essa localização nunca foi amplamente aceita.
A cidade de Caná deve ter permanecido como uma comunidade estritamente judaica ao longo do período romano, desde que a família de sacerdotes de Eliasibe ali se estabeleceu depois da destruição do templo no ano 70 d.C. Os vasos de pedra usados pelos judeus para a cerimônia da purificação (cf. Jo 2.6) são explicados através de vários exemplares que ainda podem ser encontrados em sinagogas do século III na Galiléia (veja fotos), em certas urnas e pedestais, feitos de pedra calcária macia, que datam do período Herodiano e também são encontrados em vários lugares da Palestina (cf. *Gallery Book, Palestine Archaeological Museum*; *Persian, Hellenistic, Roman, Byzantine Periods*, p. 35,f.1092; e de uma fotografia [dentre outras encontradas em Ain Feskha], cf. Roland de Vaux, *L´Archelogie et Les Manuscripts de la Mer Morte,* Londres.1961, p. xxxiv). O Talmude fala sobre vasos lustrais que continham água e cinzas de uma bezerra ruiva, localizados na entrada da corte de Israel, dentro dos muros do templo (cf. Parah, iii. 3).

***Bibliografia.*** Veja os livros a que foram feitas referências acima. M. Avi-Yonah, *Views of the Bibllical World*, Jerusalém. International Publishing Co., 1961, V, 138. Ch. Clermont-Ganneau, "La mosique de Kefr Kenna", *Recueil d´Arch. Or.*, Paris. Leroux, 1901, pp. 345-360, 372-373. W. H. Dixon, "Itineraries of Our Lord", PEQ (1878), pp. 67-73. Samuel Klein, *Beitrage zur Geographie und Geschichte Galiläas*, Leipzig. Rudolf Haupt, 1909, pp. 56ss. Clemen Kopp, *Das Kana des Evangeliums*, 1940. E. W. G. Masterman, "Cana of Galilee", PEQ (1914), pp. 179 ss. W. T. Pilter, "Where is Cana of Galilee?" PEQ (1883), pp. 143-148. W. M. Thomson, *The Land and the Book,* Hartford. Scranton, II, 303-306. Zeller, "Kefr Kenna", PEQ I (1869-70), 71-73.

Ruínas da cidade cananita de Hazor, que foi destruída por Josué. Yigael Yadin

E. J. V.

**CANÁ[2]**
1. Um ribeiro (o Uádi Qanah) correndo para oeste a partir das proximidades do monte Gerizim, juntando-se ao Yarkon pouco antes de ambos desaguarem no Mediterrâneo ao norte de Jope. Ele formava (juntando-se a uma linha de Tapua em direção a oeste) parte do limite entre Manassés no norte e Efraim e Dã no sul (Js 16.8; 17.9). Veja Denis Baly, *The Geography of the Bible*, pp. 134-137.
2. Uma cidade na parte norte de Aser, cerca de 10 quilômetros a sudeste de Tiro (Js 19.28). Ela é agora geralmente identificada com a moderna Qânah, que não deve ser confundida com a Caná citada no Evangelho de João. É mencionada nos registros egípcios de Tutmósis III como *Qnw* e nas cartas Amarna como Qanû.

**CANAÃ, CANANEU** Nome pessoal aplicado ao filho mais novo de Cam (Gn 9.18); nome tribal para pessoas que, supostamente, eram descendentes dele e nome geográfico que descreve o território ocupado por esses descendentes.
Como nome de uma tribo, Gênesis 10.15-19 relaciona onze subdivisões, Êxodo 13.5 relaciona cinco, Êxodo 23.23 relaciona seis, Deuteronômio 7.1 relaciona sete e Gênesis 15.19-21 relaciona 10. A omissão de cinco nomes na lista de Gênesis 10 pode ser o resultado de sua pouca importância. As inclusões na relação de Gênesis 15 podem, principalmente, corresponder às tribos do Neguebe (região desértica situada no sul da Judéia) e da península do Sinai.
Como termo geográfico, Canaã foi antigamente o nome de uma terra localizada ao longo do Mediterrâneo, desde a moderna Síria até o sul de Gaza. Entretanto, ao longo da maio-

Colunas romanas emoldurando o castelo dos Cruzados, abaixo do qual estão as muralhas cananitas de Gebal (Biblos). HFV

ria dos períodos do AT, ele se refere a todo o território que está a oeste do Jordão. Adotando o nome do principal grupo tribal que a habitava, a terra foi chamada de *Kena'an*, de acordo com Gênesis 10 e também de acordo com a nativa tradição Cananeu-Fenícia, tal como foi transmitida por Sanchuniathon e preservada por Filo de Biblos.

Os cananeus podem ser acompanhados desde antes de 3000 a.C. até a fundação ou reconstrução, com muros fortificados, de cidades como Jericó, Bete-Seã, Bete-Yerah e Megido. Cerca de 2200/2100 a.C., uma onda de invasões de amorreus (*q.v.*), dentro da Síria e Canaã, influenciaram sobremaneira a civilização cananita. Cidades do início da Era do Bronze foram conquistadas por chefes nômades que muitas vezes acampavam nos locais destruídos e enterravam seus mortos em túmulos próximos, como em Jericó. Enquanto esses amorreus se amalgamavam com os cananeus, as cidades também começavam a se multiplicar na Palestina, em cerca de 1900 a.C., revelando a mudança de uma civilização nômade para urbana. Isto foi documentado através da comparação de textos sobre a Maldição Egípcia do século XX a.C., agora em Berlim, com textos semelhantes do século XIX a.C. que estão em Bruxelas. As séries mais antigas relacionam vários chefes com nomes amorreus para diversas localidades, sugerindo condições seminômades. No último conjunto de textos, algumas das cidades cananéias são relacionadas tendo o nome de apenas um governante para cada uma delas: Jerusalém, Siquém, Aco, Acsafe, Tiro, Hazor, Afeca, Astarote, Pella, Shutu (Sete, Nm 24.17) e Biblos (BASOR #83, pp. 33ss).

Por volta do início de 1750 a.C., os cananeus romperam com os egípcios e demais influências culturais, e começaram a desenvolver sua própria cultura e arte. Conhecidos, nessa época como hicsos, estabeleceram muitos contatos comerciais com o mundo Egeu. De 1800 até 1500 a.C., aconteceu um grande movimento de hurrianos (os horeus da Bíblia) e de alguns Indo-Iranianos (inclusive de heteus) dentro da Síria e Palestina, de forma que os cananeus do final da Idade do Bronze se tornaram uma raça bastante heterogênea.

Evidências lingüísticas mostram a presença ou influência dos cananeus na península do Sinai, em aprox. 1500 a.C. Sua cultura alcançou o auge em Ras Shamra (Ugarite), em aprox. 1500 a.C. Depois de 1400 a.C., os cananeus de Canaã sofreram invasões israelitas e sírias, como foi documentado nas tábuas de Amarna. *Veja* Josué, Livro de. No século 12 a.C., os Povos do Mar (inclusive os filisteus) vindos da região do Mar Egeu, se apossaram da costa cananéia, desde Gaza até o sul de Jope e destruíram Ugarite e Tiro. Pouco tempo depois, os sírios conquistaram a maior parte do território norte dos cananeus e estabeleceram o reino de Damasco (Síria) que trouxe tantos problemas para os últimos reis de Israel e de Judá. Como resultado dessas invasões, o território cananeu foi reduzido a um décimo de sua extensão inicial. Isso levou à inauguração de uma nova capital em Tiro, como o centro do império colonizador. Biblos e Sidom se transformaram em cidades importantes dessa era.

Desses postos avançados, partiram comerciantes e colonizadores no século IX para fundar colônias na Sardenha, com colônias anteriores fundadas em Chipre, e as de Cartago pouco tempo depois. Estes comerciantes colonizaram até a Espanha (antiga Tartessus ou Társis, *q.v.*). Contudo, os historiadores fazem uma divisão na história e na cultura cananéias, em cerca de 1100 -1000 a.C., chamando o período subseqüente a esta data de "Fenício" (*q.v.*). Provavelmente esse termo tenha se originado do grego *phoinos* ("púrpura") que faz referência a uma tintura cara e famosa feita pelos fenícios a partir de um molusco. Com a derrota de Tiro por Nabucodonosor em 1572 a.C., os cananeus/fenícios deixaram de ter importância na história bíblica.

Lingüisticamente, os cananeus falavam e escreviam uma língua que, se não fosse antecessora, era muito relacionada com a clássica língua hebraica da Bíblia. A evidência mais antiga em favor de um dialeto cananeu foi encontrada em inscrições feitas nas minas de turquesa no Sinai, em Serabit el Khadem, datadas de cerca de 1500 a.C. Os decifradores dizem que essas inscrições eram adaptações de hieróglifos egípcios, através do princípio dos símbolos fonéticos, feitos no dialeto cananeu. Essas figuras adaptadas foram, posteriormente, estilizadas na escrita cananéia, em aprox. 1000 a.C., tornando-a quase idêntica à fenícia do século VIII a.C. (conhecida como Karatepe). É provável que a maior parte do AT tenha sido redigida em uma escrita semelhante. Embora estivessem em contato com outros quatro estilos de escrita – hieróglifos egípcios, escrita silábica de Biblos, escrita cuneiforme acadiana e alfabeto cuneiforme ugarítico – os cananeus rejeitaram todos eles ao desenvolver o seu próprio alfabeto. Em aprox. 800 a.C., os gregos tomaram emprestado dos fenícios esse alfabeto, que é usado pela maioria das línguas ocidentais. *Veja* Escrita.

O caráter literário da civilização cananéia é atestado pela existência de uma completa biblioteca de literatura religiosa encontrada na casa do sumo sacerdote, situada entre dois templos, no local da antiga Ugarite. No início de 1929 foi recuperada uma extensa literatura em um dialeto muito parecido com o hebraico primitivo, em tábuas ugaríticas de Ras Shamra. Os textos mitológicos Ba´al e Anath, Dan'el e Aqhat, e Keret (cf. ANET, pp. 129ss. nas traduções de H.L. Ginsburg; também traduzidas na obra *Thespis* de T. H. Gaster), mostram não só mitos religiosos e idéias da cultura cananéia, mas também uma grande semelhança verbal e estilística com a poesia hebraica primitiva, especialmente com o cântico de Miriã (Êx 15), com o cântico de Débora (Jz 5), a bênção de Moisés (Dt 33) e os Salmos 29 e 68. Os poetas hebreus tomaram emprestado dos cananeus uma grande parte de seu estilo e vocabulário sem, entretanto, assumir suas idéias religiosas. Através da Bíblia, os cananeus transmitiram ao mundo algumas das suas formas literárias.

A religião dos cananeus deixou suas impressões no AT de duas maneiras: (1) certos temas mitológicos (por exemplo, Leviatã) foram emprestados pelos hebreus com finalidades ilustrativas e algumas práticas e objetos de culto religioso (como por exemplo os altares de incenso) foram adaptados para a adoração a Deus; (2) a reação dos profetas hebreus contra a falsa teologia e contra o culto impuro e idólatra. A primeira categoria inclui algumas características arquitetônicas do templo de Salomão assim como de alguns de seus utensílios, e a última inclui a revolta dos hebreus contra o politeísmo cananeu, sua sensualidade, adoração de ídolos, e práticas como sacrifícios humanos, prostituição sagrada, sacerdotes eunucos e adoração à serpente.

De acordo com a literatura Ugarítica, o panteão dos cananeus era chefiado por El, o deus criador, cuja esposa era Asera. Seu filho (ou neto) Ba'al, era o deus da fertilidade, o "ativador" de toda vida e o verdadeiro poder a ser venerado. Sua esposa era Anate, a deusa do amor e da guerra. Outros deuses eram Dagom, deus dos grãos, Resefe, deus das pragas, Shulman, deus da cura, Koshar, o deus inventor e Mot o deus da morte (*veja* Deuses, Falsos). O AT apresenta um quadro ligeiramente diferente desse panteão, com Astarote (Istar) como esposa de Ba'al. Tais variações, de região para região, eram comuns no antigo Oriente Próximo. *Veja* Ras Shamra.

As práticas religiosas dos cananeus estavam centradas em torno de elaborados rituais que envolviam o sacrifício de gado, carneiros, ovelhas, cordeiros, animais selvagens, pássaros e pombos. Existe alguma evidência de que ofereciam até o quarto dianteiro como os hebreus. Os altares eram erigidos em regiões elevadas; em relação a estes existiam grutas sagradas, árvores ou imagens de Asera esculpidas em madeira (*veja* Falsos Deuses; em hebraico, *'ashera*, cf. Jz 6.25). Os templos cananeus tinham um lugar "mais sagrado" com um ídolo em um relicário, um altar de incenso à sua entrada, vasos para libação e pequenas lâmpadas. Praticavam a adivinhação, a adoração à serpente e a prostituição "sagrada". Acreditavam que essa última iria tornar férteis a terra, os animais domésticos e os seres humanos, e, além de férteis, produtivos.

Uma prova da influência e da difusão da religião dos cananeus pode ser vista na menção a Baal-Zefom no Egito (Êx 14.2) e que, provavelmente, está se referindo a um lugar onde Baal-Zefom, "o senhor do norte" era adorado.

Em relação à sua cultura material, no período que vai desde a metade até o final do segundo milênio a.C., os cananeus eram bastante avançados e isso pode ser constatado através de suas cidades muradas, de seus edifícios, de sua cerâmica, de sua decoração em marfim e de outros artefatos.

***Bibliografia.*** William F. Albright, *The Archaeology of Palestine,* 2ª ed. Harmondsworth. Penguim Books, 1960. *Archaeology and the Religion of Israel,* 2ª ed., Baltimore. John Hopkins Univ. Press, 1956. *From the Stone Age to Christianity,* 2ª ed., Baltimore, John Hopkins Univ. Press, 1957; "The Role of the Cananites in the History of Civilization", apêndice da obra *The Bible and the Ancient Near East,* G. Ernest Wright, ed. Nova York. Doubleday, 1961; *Yahweh and the Gods of Canaan,* Garden City. Doubleday, 1968. CornPBE, pp. 179-196, 210-211. J. Gray, *The Legacy of Canaan* (suplemento ao AT, V), Leiden. Brill, 1957. Kathleen Kenyon, *Archaeology in the Holy Land,* Londres. Ernest Benn, 1960. George Ernest Wright, *Biblical Archaeology,* Philadelphia. Westminster, 1957.

A. K. H.

**CANAL ou LEITO** Na versão KJV em inglês, duas palavras são traduzidas como "canal".

1.A palavra hebraica *'apiq* refere-se a um curso d'água ou leito de um rio (Is 8.7; cf. Jl 3.18), ou a ravinas profundas no fundo do oceano (2 Sm 22.16; Sl 18.15; cf. Ez 35.8; 36.4,6).

2.A palavra hebraica *shibboleth* refere-se à corrente do rio Eufrates (Is 27.12). O termo hebraico aparece como uma prova de dialeto em Juízes 12.6, onde ela se refere ao canal ou corrente do Jordão.

**CANAL** A palavra "canais" ocorre em várias passagens bíblicas (Êx 7.19; 8.5; Is 19.6; Na 3.8). No relato sobre as pragas (Êx 7.19) esses nomes foram usados de forma descritiva para designar as diferentes águas do Egito. *neharot* ou "correntes de águas" para os principais ramos ou canais do Rio Nilo em seu delta e *ye'orim* para outros riachos que, por contraste, deve significar, conforme seu uso pelo egípcios, "riachos morosos", isto é, "canais". Essa foi a melhor expressão na opinião de alguns revisores. Ela se refere à rede de canais de irrigação e de cursos de água do Rio Nilo.

**CANANEU, SIMÃO O** *Veja* Simão; Zelote.

**CANÇÃO** O cântico tem um lugar importante na cultura hebraica, assim como na nossa, e a variedade de canções nas Escrituras testificam sobre a aptidão musical do povo. As canções eram utilizadas como expressões de louvor, ações de graças, adoração, triunfo, alegria e amor; na verdade, eram expressões de todas as emoções da vida. As canções eram extensivamente utilizadas na adoração de Israel, e os Salmos ainda são o hinário da igreja. Grande parte das mensagens dos profetas é poética, e algumas podem ter sido entregues ao povo na forma de canções (Ez 33.32). Moisés ensinou ao povo uma canção para que os mandamentos do Senhor estivessem sempre diante deles (Dt 31.19), e Paulo nos exorta a comunicarmos o nosso amor e a nossa alegria cristã através de canções (Ef 5.19). Haverá canções no céu, onde os remidos louvarão o seu Senhor e Salvador (Ap 4 e 5). *Veja* Música.

W. H. M.

**CANCRO ou ÚLCERA** *Veja* Doenças.

**CANDACE** Rainha da antiga Etiópia ou Cuxe mencionada em Atos 8.27. Seu reino, que não deve ser confundido com a moderna Etiópia ou Abissínia, estava localizado em uma área conhecida como Meroë, ao sul da Núbia, ou o moderno Sudão (*veja* Cuxe 3 e Etiópia).

Os escritos de Strabo, Dio Cassius e Pliny, e inscrições de túmulos nas pirâmides, indicam que Candace era um título comum (e não um nome) usado por inúmeras rainhas-mãe reinantes aproximadamente entre 300 a.C. e 300 d.C. A ocasião de sua referência em Atos foi a conversão, através da cooperação de Felipe, do tesoureiro de uma dessas rainhas, um eunuco que pode muito bem ter sido um prosélito do judaísmo que retornava de uma festa judaica. *Veja* Eunuco Etíope. John A. Wilson acredita que a referida rainha era Amanitçre, cujo título aparece em um capitel como *Kntky* ou "Candace". Ela reinou de 25 a 41 d.C (JNES, XVIII [1959], 287).

D. W. B.

**CANDEIA** Essa palavra é encontrada nove vezes no AT como tradução de *ner,* e no NT como a tradução de *luchnos*. Em todas essas referências, a versão ASV em inglês utiliza a tradução mais exata, que é "lâmpada". A vela, de acordo com a nossa forma de entender esse termo, era desconhecida na antiguidade. *Veja* Lâmpada; Cerâmica.

**CANDEEIRO** Um instrumento para levantar uma lâmpada para a difusão mais ampla da luz (Mt 5.15).

No AT, embora visto em uma casa particular (2 Rs 4.10), o heb. *m*[e]*nora* mencionado é geralmente o candelabro sagrado, ou a variedade única de sete ramos no Tabernáculo (Êx 25.31ss.; Nm 3.31; 8.4) ou os dez candelabros do templo de Salomão (1 Rs 7.48,49; 2 Cr 4.7; Jr 52.19), ou o *m*[e]*nora* da visão de Zacarias (Zc 4.2).

No NT, o termo gr. *lychnia* é retratado como um objeto no qual a luz de uma lâmpada é difundida (Mt 5.15; Mc 4.21; Lc 8.16; 11.33). Em Hebreus 9.2 ela representa o candelabro do Tabernáculo do AT. As sete igrejas são representadas como sete candeeiros (ou castiçais; Ap 1.20).

Uma variedade de candelabros palestinos de cerâmica de forma cilíndrica, e veladores de bronze com uma única haste reta, foram escavados (Lawrence E. Toombs, "Lampstand", IDB, III, 64 ss.). Os *m*[e]*nora* inscritos e com sete ramos foram encontrados ou descritos na Ásia Menor, Alexandria, Roma (Arco de Tito) e em outros lugares (veja *Lychnia*, MM).

W. H. M.

**CANDELABRO DE OURO** *Veja* Tabernáculo.

**CANE** Cidade mencionada apenas em Ezequiel 27.23. Localizada na Síria, estava ligada a Harã e ao Éden como um dos lugares com os quais Tiro mantinha relações comerciais. Mas, sua localização exata é desconhecida. Provavelmente seja o mesmo que Calné (*q.v.*).

**CANELA** *Veja* Plantas.

**CANETA** *Veja* Escrita.

**CÂNFORA** *Veja* Plantas.

**CANHOTO** Estritamente falando, este termo se refere à pessoa incapaz de usar habilmente a sua mão direita, embora essa palavra também possa ser usada para alguém que é igualmente capaz no uso das duas mãos. A habilidade de usar ambas as mãos era também extremamente valorizada na antiguidade, especialmente em épocas de guerra (Jz 20.16).

Embora isso não tenha sido expressamente afirmado, tanto Eúde (Jz 3.15,21) como Joabe (2 Sm 20.9,10) empregaram a mão esquerda em uma exibição de fraude e roubo. *Veja* Destro.

**CANIVETE** Uma faca (Jr 36.23) usada pelos escribas ao escreverem com uma pena.

**CÂNON DAS ESCRITURAS – ANTIGO TESTAMENTO** A palavra "cânon" significa a relação de livros do AT considerados como tendo sido inspirados e que podem ser aceitos como um regulamento da fé e da conduta cristã. Nas Bíblias Protestantes inglesas, existem 39 livros no cânon do AT. Como e quando esses livros foram aceitos como canônicos e por que eles, e não outros, foram aceitos?

O estudo do cânon do AT torna-se um pouco difícil pelo fato de o processo de canonização ter se realizado em um tempo muito distante. Além disso, praticamente não existem materiais dessa época, fora da Bíblia, que pudessem fornecer detalhes desse processo. Alguns pontos e princípios gerais podem ser apreendidos desses mesmos livros. Mas, no caso de alguns assuntos, bastam algumas poucas informações. De grande auxílio tem sido a descoberta dos Rolos do Mar Morto. Essas cópias de livros bíblicos e não bíblicos nos trazem informações relacionadas com o primeiro e o segundo século que precederam a era cristã. Elas ajudaram muito na confirmação de muitos pontos previamente aceitos por estudiosos desse assunto.

**Cristo e o Cânon**

Felizmente, não fomos deixados inteiramente à especulação ou à avaliação das poucas informações concernentes ao cânon do AT. Instruções específicas sobre os livros e como devem ser recebidos são provenientes dos ensinos do próprio Senhor Jesus Cristo. Para o cristão, essa é a maior autoridade. E devemos nos lembrar que os ensinos de Cristo e dos apóstolos não são apenas competentes como também a melhor testemunha da situação entre os judeus do primeiro século.

O testemunho de Cristo no NT é claro e explícito. Cristo aceitou os atuais 39 livros do AT, e não outros, como sendo a Palavra de Deus, inteiramente verdadeira e oficial para o seu povo. Visto que essa conclusão é amplamente aceita, será necessário apenas resumir a sua evidência.

Somente no Evangelho de Mateus, Cristo em seus ensinos faz aproximadamente 31 citações específicas ou referências ao AT, afirmando que são Escrituras autênticas, a Palavra de Deus etc. Muitos outros exemplos ocorrem nos Evangelhos de Marcos, Lucas e João. Em todo o NT, o AT é citado especificamente mais de 250 vezes, de acordo com a relação de citações de Nestle. Existe um número muito maior de alusões de igual importância. O AT é citado por seus ensinos éticos, por suas revelações espirituais assim como por seus fatos históricos. Jesus recorre ao AT para o relato da criação de Adão e Eva, do dilúvio de Noé e da experiência de Jonas com o grande peixe. Ele se refere à necessidade das Escrituras se cumprirem (Mt 26.54; Lc 24.44). Ele diz que foram escritas sob a unção do Espírito Santo (Mc 12.36) e que nem um til dessa lei jamais falharia (Lc 16.17). Muito mais poderia ser acrescentado, mas essas passagens são suficientes para mostrar que Cristo e os apóstolos confiavam e acreditavam plenamente no AT. Nem mesmo em Mateus 5 – onde Jesus estabelece a sua Palavra contra o que havia sido dito por aqueles que tinham vivido nos tempos antigos – Ele está contradizendo o AT, mas apenas as tradições dos escribas. Observe Mateus 5.43 onde Ele toma como base as citações do AT, mas contradiz as adições e interpretações dos escribas. Para discussões mais detalhadas veja a obra de R. Laird Harris, "*Inspiration and Canonicity of the Bible*", pp. 48-56.

Todas as partes do AT recebem igual reverência. Os livros citados com mais freqüência são Deuteronômio no Pentateuco, Isaías entre os livros proféticos e o poético livro dos Salmos. Todos os livros são citados ou recebem alusões exceto Rute, Esdras, Ester, Eclesiastes, Cantares de Salomão, Lamentações, Obadias e Naum. Ao todo são oito livros pequenos que, sem dúvida, não foram referidos por falta de ocasião. Além disso, os judeus incluíram Obadias e Naum em um único livro, juntamente com outros Profetas Menores, aos quais o NT recorre muitas vezes. Da mesma forma, muitas vezes reuniam Esdras com Neemias aos quais também faziam alusões. Rute também foi reunida em um único livro com Juízes, como mostram as evidências do primeiro século. Dessa forma, apenas quatro pequenos livros do AT permaneceram sem um testemunho específico do NT.

Ao mesmo tempo, nenhum outro livro é citado como sendo uma autoridade. Nenhum dos sete livros apócrifos aceitos pelos círculos do Catolicismo Romano está citado no NT. Paulo faz três citações de autores gregos (At 17.28; 1 Co 15.33; Tt 1.12). A última referência fala do autor cretense como um profeta, mas todas as três citações foram obviamente feitas com propósitos ilustrativos e suas fontes não são consideradas como divinamente inspiradas. Da mesma forma, em Judas 14 existe uma citação do livro de Enoque, onde está escrito que Enoque profetizou a condenação dos pecadores. Aqui também parece ser justo dizer que Enoque foi citado apenas com o propósito de ilustrar e confirmar. O texto de Enoque é duvidoso pois ele existe somente em uma única tradução, exceto em relação a algumas partes encontradas nas cavernas próximas ao Mar Morto. Ele não foi aceito pelos judeus como um texto oficial, divinamente inspirado, e nunca apareceu em qualquer relação cristã ou enumeração de livros canônicos. Portanto, podemos presumir que Judas fez essa citação apenas pelo seu valor intrínseco e não como um documento oficial. Assim, a partir das citações, fica claro que Cristo e o NT usaram apenas os 39 livros do AT como canônicos.

Esse testemunho das citações é amplamente apoiado pelas referências de Cristo e dos apóstolos ao AT como um todo. Em uma certa ocasião, Cristo falou sobre o AT como a "Lei de Moisés... os Profetas, e... os Salmos" (Lc 24.44). Neste contexto está claro que esse era o nome para as "Escrituras" ou para "todas as Escrituras" (Lc 24.45,27). Com freqüência Cristo usou a designação "a lei e os profetas" ou "Moisés e os profetas" (Mt 5.17; 7.12; 11.13; 22.40; Lc 16.16,29,31; 24.27) que também foi usada pelos apóstolos (Jo 1.45; At 13.15; 24.14; 26.22; 28.23; Rm 3.21).

Não existem dúvidas sobre quais livros foram incluídos por essas designações. Josefo era um historiador judeu, contemporâneo dos apóstolos. Em uma passagem bastante conhecida (chamada *Against Apion* i.8), ele afirma que os judeus consideravam como sacros apenas 22 livros – 5 da Lei de Moisés, 13 dos Profetas e 4 dos "hinos a Deus e preceitos para a conduta da vida humana". Esses 22 livros são, obviamente, os atuais 39. A diferença aparece porque os 12 livros dos Profetas Menores foram escritos em um único rolo, chamado de livro um; 1 e 2 Samuel, 1 e 2 Reis, 1 e 2 Crônicas foram, cada um, contados como um único livro e assim também foram Esdras e Neemias, Juízes e Rute, Jeremias e Lamentações.

Nos séculos seguintes, vários autores que surgiram após Josefo também consideravam 22 livros (ou 24 com Lamentações e Rute contados separadamente). Assim, Melito (170 d.C.) faz uma lista incluindo exatamente o cânon atual, exceto Ester. Orígenes (250 d.C.) contava 22 livros; Tertuliano (200 d.C.) contava 24; Jerônimo (400 d.C.) diz que os judeus aceitavam 22 livros, contados por alguns como 24. Agostinho (aproximadamente 400 d.C.) é a única autoridade da antiguidade que incluiu os livros apócrifos restantes, mas ele mesmo declara que estes não são totalmente oficiais ou divinamente inspirados (*veja* evidências detalhadas na obra de William Henry Green, *General Introduction to the OT, the Canon*, pp. 160-175). Portanto, fica bastante claro que nas palavras de Jesus a expressão "Moisés e os profetas" se referia exatamente aos atuais 39 livros do AT e nenhum outro. Considerando a autoridade de Cristo, podemos permanecer confiantes de que o atual cânon do AT é o correto.

**Os Rolos do Mar Morto e o Cânon**

Entretanto, seria importante ir mais além e entender como surgiu esse cânon. Obviamente, Cristo somente aprovou o cânon que já fora reconhecido. A descoberta dos Rolos do Mar Morto desvendou todo o quadro do período intertestamentário (o período entre o Antigo e o Novo Testamento) de uma forma que até então jamais imaginavam que fosse possível. Na verdade, a contribuição desses documentos ao estudo do cânon do AT prova que eles foram de valor incalculável. A evidência obtida a partir desses Papiros tem dois aspectos. Primeiro, eles testemunham a existência e a divulgação em larga escala dos livros do AT em uma data muito longínqua. Segundo, eles mostram a atitude dos judeus daqueles tempos em relação às Escrituras.

Como bem sabemos, os papiros contêm cópias de cada livro do AT, exceto do livro de Ester, que ainda não foi identificado. As datas variam desde o século III a.C. até o século I d.C., sendo que, aparentemente, a maioria delas estão situadas no século I a.C. As cópias estão em diferentes estados de conservação, desde o primeiro rolo de Isaías, legível e praticamente completo em toda a sua extensão, até os fragmentos das Crônicas que têm apenas seis linhas de extensão e estão muito danificadas por antigos vermes que comiam livros. Alguns livros, notadamente Deuteronômio, Salmos, Isaías e Profetas Menores são encontrados em diversas cópias. Achados importantes do século III a.C. incluem fragmentos de Êxodo, Samuel e Jeremias. Outros fragmentos de especial valor incluem uma cópia de Eclesiastes datada de 150 a.C., e partes de Daniel de, aproximadamente, 110 a.C. Para maiores detalhes, veja a obra de J. T. Milik, *Ten Years of Discovery in the Wilderness of Judea*, pp. 20-43. *Veja também*, Rolos do Mar Morto.

Podemos, então, dizer que todos os livros do AT (possivelmente com exceção de Ester) eram conhecidos, amados e usados pelos Essênios. Mas só isso não é suficiente para provar que esses livros sejam considerados como canônicos. Para tanto, será necessário lançar mão do segundo tipo de prova. as citações feitas a esses livros nos escritos não bíblicos dos Essênios.

Os principais escritos não bíblicos que citam extensivamente as Escrituras são o Manual de Disciplina, os Hinos de Ação de Graças, o Documento de Damasco (previamente conhecidos mas somente agora autenticados por fragmentos encontrados nas grutas) e o Regulamento para a Guerra Final. Informações adicionais vêm de comentários sobre textos sagrados e brochuras que contêm testemunhos que combinam passagens messiânicas.

O Manual da Disciplina insiste que a lei de Moisés é inviolável e que o homem será excomungado se "transgredir uma única palavra da lei de Moisés" (viii, 22; tradução de Theodor H. Gaster, *The Dead Sea Scriptures*, Doubleday Anchor Books, 1956, p. 57). Tanto Êxodo como Isaías são citados como Escrituras.

A posição do Documento de Damasco é semelhante, mas seu testemunho é mais extenso. Ele também fala prodigamente sobre a lei de Moisés e cita, explicitamente, cada livro do Pentateuco como Escritura. Este faz o mesmo com os profetas Isaías, Ezequiel, Oséias, Amós, Miquéias, Naum, Zacarias e Malaquias. Até o livro de Provérbios é citado especificamente como fazendo parte das Escrituras. Muitos outros livros bíblicos também são citados. Alguns livros não canônicos poderiam, talvez, ser usados pelo autor, mas existe apenas uma clara alusão ou referência a tais livros. Ela diz que certos assuntos "são escritos com igual exatidão no Livro das Divisões dos Tempos em seus Jubileus e Semanas" (xvi, 4; Gaster. *op. cit.* p. 85). Este é obviamente o Livro dos Jubileus escrito no início do século II a.C.

Os Hinos de Ação de Graças oferecem um quadro da vida religiosa da comunidade do Mar Morto. Não fazem citações formais das Escrituras, mas sobre isso o comentário de Gaster é o seguinte. "É verdade que eles são, principalmente, mosaicos de citações bíblicas" (*op. cit.*, p. 112). De acordo com suas observações, todos os livros do AT foram utilizados, com exceção de Josué, Rute, Crônicas, Neemias, Ester, Cantares de Salomão, Joel e Ageu. Os autores foram inseridos nos atuais livros do AT, embora nesse tipo de literatura religiosa não se possa esperar citações específicas. Existe pouca, se não nenhuma, dependência de livros não canônicos.

A obra muitas vezes chamada de Guerra dos Filhos da Luz e dos Filhos das Trevas pouco acrescenta ao que foi dito acima. Ela faz citações de Deuteronômio, Números e Isaías como sendo a Palavra de Deus.

Além dessas provas, existem vários comentários em forma de trechos das Escrituras. As escrituras não canônicas não foram usadas com esse fim, o que dá um testemunho adicional a respeito dos limites do cânon do Mar Morto. Até agora foram identificados comentários sobre partes de Gênesis, Isaías, Habacuque, Oséias, Miquéias, Naum e Salmos.

Foram também encontrados documentos que combinam passagens das Escrituras, especialmente versos que trazem predições messiânicas. Tais documentos usam versos de Números, Deuteronômio, Josué, Isaías, Ezequiel, Amós e dos Salmos. Também foi mencionado o uso de Daniel, embora todas as passagens não tenham sido ainda integralmente publicadas. Um livro não canônico, provisoriamente chamado de Salmos de Josué, parece ter sido citado em um dos Decálogos (ainda não publicado em versão completa), mas essa obra pode ter sido citada por causa dos versos do canônico Josué que são nela citados (J. M. Allegro, *Further Messianic References in Qumran Literature*, JBL, LXXV [1956], 185ss).

Resumindo, os escritos sobreviventes do Mar Morto fazem citações ou referências, como Escrituras, aos cinco livros de Moisés e Josué, 1 e 2 Samuel, Salmos, Provérbios, Isaías, Ezequiel, Daniel, Oséias, Amós, Miquéias, Naum, Habacuque, Zacarias e Malaquias em um total de 20 dos atuais 39 livros. Deve-se notar que todos os livros de todas as seções do AT foram considerados como igualmente inspirados. Além do mais, muitos dos livros remanescentes são utilizados nos Hinos de Ação de Graças, como foi explicado acima. Por exemplo, o livro de Jó não aparece entre os livros que acabamos de relacionar, mas foi repetidamente usado nos Salmos de Ação de Graças, como também acontece com Jeremias. Se acrescentarmos o uso dos Hinos de Ação de Graças a essa positiva evidência de canonicidade, todos os 39 livros do AT ficam cobertos com exceção de Rute, Crônicas, Neemias, Ester, Cantares de Salomão, Joel e Ageu. Porém, esses dois últimos foram unidos ao livro dos Profetas Menores sob o termo "os doze profetas" (Sir 49.10, antes de 180 a.C.) e os judeus anexaram o livro de Rute a Juízes, e o livro de Neemias a Esdras. Assim, na verdade, com exceção de Crônicas, Ester e Cantares de Salomão, todos foram incluídos. A prova dessa aceitação canônica pode não ser perfeita e conclusiva para todos, mas é positiva para a maioria dos livros e satisfatória para todos, com exceção desses três.

## Divisões do Cânon

O testemunho mais antigo da classificação judaica do AT é o prólogo do livro apócrifo Eclesiástico (Sabedoria de Jesus, Filho de Siraque) que fala três vezes sobre a "lei e os profetas e outros livros de nossos pais" usando uma fraseologia ligeiramente variada. Tem sido argumentado que a terceira divisão ainda não era definitiva porque foi referida três vezes com palavras diferentes.

A outra ocasião em que essa divisão tríplice foi utilizada é Lucas 24.44 quando Jesus fala da "Lei de Moisés... Profetas... Salmos". Outro exemplo está em Josefo (*Against Apion* i.8) mencionado acima, onde, pela primeira vez, aparece o conteúdo das três divisões em 5 livros da Lei, 13 livros dos Profetas e 4 livros dos "hinos a Deus preceitos para a conduta da vida humana". Filo de Alexandria, um contemporâneo de Cristo, também fala que a seita de Therepeutae tinha "leis e oráculos pronunciados pelos profetas e hinos e outros que com sabedoria e piedade são aumentados e aperfeiçoados" (*de vita contemplativa,* §3). Isso se parece muito com a divisão de Josefo que foi, aparentemente, transmitida por aqueles que supõe ser o cânon egípcio diferente do cânon palestino. Essa tripla divisão não ocorre no Mishna de aprox. 200 d.C. E também não aparece novamente até cerca do ano 400 d.C., no Talmude (Baba Bathra, 14*b*,15*a*) e nos escritos de Jerônimo. O Talmude menciona 5 livros na Lei, 8 nos Profetas e 11 nos Escritos – em um total de 24.

Muitas conclusões foram tiradas dessa tripla divisão do cânon, tal como é encontrada nas atuais obras da Bíblia hebraica, do Talmude e desses quatro antigos testemunhos. Mas duas coisas devem ser observadas a esse respeito. Primeiro, não é totalmente certo que a atual tripla divisão – principalmente do Talmude – seja muito anterior ao ano 400 d.C. O único testemunho anterior quanto aos detalhes do agrupamento dos livros vem de Josefo, que os reuniu em 5 livros da Lei, 13 dos Profetas e 4 de hinos e preceitos. Por alguma razão estranha, os autores dedicaram pouca atenção a esse testemunho de Josefo, que é claro e convincente. Na verdade, a terminologia de Filo parece dar-lhe o suporte necessário.

A segunda observação a respeito dessa tripla divisão é que existia, em paralelo, uma outra dupla divisão. Isso pode ser visto claramente através do testemunho do NT, como descrevemos anteriormente. O NT fala catorze vezes sobre Moisés e os Profetas, ou usa termos semelhantes. Estaria fora de questão afirmar que os autores do NT ainda não haviam reconhecido como canônica a terceira divisão dos livros. Todos os principais livros da terceira divisão do Talmude foram mencionados no NT como oficiais e inspirados por Deus. Além disso, fica evidente que existia uma dupla classificação de todo o NT em paralelo à tripla classificação. Autores cristãos que vieram posteriormente, também empregam essa terminologia (Inácio, *Epistle do Smyrnaeans*, capítulo 5; *Epistle to Diognetus* [cerca de 130 d.C.], capítulo 10; Irineu, *Against Heresies,* i.3.6).

Mas a nova evidência obtida dos Rolos do Mar Morto mostra que essa terminologia é pré-cristã e palestina. Ela existia desde uma data anterior, lado a lado com referências a uma tripla classificação.

Tal referência tem sido conhecida há muito tempo, desde 2 Macabeus 15.9 onde Judas confortou seu exército com "a lei e os profetas". Tem sido levantada a hipótese de que isso somente poderia se referir às primeiras duas divisões da Bíblia hebraica (5 livros da Lei e 8 dos Profetas) quando a terceira divisão ainda não havia sido canonizada. Mas isso não deixa de ser uma simples hipótese. Para começar, as duas primeiras divisões da época de Josefo teria sido 5 livros da Lei e 13 dos Profetas. Além disso, quem poderia imaginar agora que os Salmos ainda não haviam sido canonizados nos dias de 2 Macabeus?

Os Rolos do Mar Morto esclarecem esse assunto, pois, lado a lado com uma clara aceitação de praticamente todos os livros do cânon do AT, eles evidenciam o uso de uma dupla divisão, tão comum no NT.

Dessa maneira, o Manual da Disciplina exige de todos os iniciantes um compromisso de fazer o que é bom "de acordo com o que Ele ordenou através de Moisés e de seus servos, os profetas" (i.2-3; Gaster, *op.cit.*, p. 39). Isso se refere, claramente, a todo o corpo sagrado e é tão antigo quanto a referência feita no prólogo de Eclesiástico. Outra provável referência fala sobre "o estudo da Lei que Deus ordenou através de Moisés com o propósito de que, assim que a ocasião surgisse, todas as coisas fossem feitas de acordo com o que lá estava revelado e com o que os profetas também revelaram através do Espírito Santo de Deus" (Manual de Disçiplina, viii. 15-16; Gaster, *op. cit.*, p. 56). É importante observar que as profecias não são uma revelação menor que a Lei, e são citados repetidamente na literatura do Mar Morto como sendo a palavra proferida por Deus.

No Documento de Damasco ou Documento Zadoquita, novamente são usadas duas terminologias. Ao interpretar Amós 5.26,27 o escritor (ou escritores) usou um texto ligeiramente diferente; Gaster o traduz da seguinte maneira. "Irei exilar *Sikkuth* seu rei e *Kiyyun* sua imagem, a estrela de seu Deus... além de Damasco". O comentário se baseia em que "a expressão *Sikkuth* seu rei se refere aos livros da lei, e que a expressão *Kiyyun* sua imagem se refere aos livros dos profetas" (*Zadokite Document,* vii 15-18; Gaster, *op. cit.*, p. 70). Outro exemplo foi assim traduzido por Gaster. "Os mandamentos de Deus, entregues através de Moisés e de seu santo e ungido sacerdote Arão" (v.21-vi.1; Gaster, *op. cit.*, p. 67). Mas as palavras *sacerdote Arão* não constam no original. Seria melhor traduzir o texto mais precisamente como. "Os mandamentos... através de Moisés e através de seus santos e ungidos". Isso foi sugerido por Chaim Rabin (*The Zadokite Documents,* 1954, p. 20). Ele observa (p. 8n.) que os "ungidos" equivalem aos "profetas".

Assim, os Rolos do Mar Morto mostram que, substancialmente, o atual AT foi considerado pela comunidade como de inspiração divina e esses livros foram agrupados sob os nomes "a lei e os profetas" ou "Moisés e os profetas."

Embora tenha sido discutido que a classificação original do AT fosse dupla, e que uma tripla classificação tenha sido posteriormente usada (R. L. Harris, *Inspiration and Canonicity of the Bible,* pp. 147ss), uma reflexão mais detalhada poderia sugerir que essa variação de usos pode ser devida a diferenças sectárias. Mas não é impossível que a opinião dos judeus fariseus e saduceus de Jerusalém tenha dividido o cânon em três partes, e que os sectários essênios o tivessem dividido em apenas duas. Nesse caso, estaria explicado porque a terminologia do NT, que aqui aparece muitas vezes, tem a tendência de refletir o uso dos essênios.

### A Visão da Crítica

Não existe qualquer justificativa para a opinião adotada em críticas destrutivas em geral, que fazem da divisão tripla a base para uma teoria de três estágios do desenvolvimento do cânon. Esse ponto de vista alega que o Pentateuco foi canonizado primeiro, em aprox. 400 a.C., e que depois deste os profetas (Josué, Juízes, Samuel, Reis, Isaías, Jeremias, Ezequiel e os 12 Profetas Menores) foram aceitos por volta de 200 a.C.; e que por último os 11 livros chamados de Escritos (em hebraico *Kethuvim,* e em grego *Hagiographa*) tenham sido canonizados no Concílio de Jamnia, em aprox. 90 d.C.

As evidências para essa posição não são muito relevantes. Não existe prova de qualquer canonização do Pentateuco em 400 a.C. Não existem documentos não bíblicos contemporâneos tratando dessa questão. O máximo que as evidencias conseguem mostrar é que o Pentateuco deve ter sido canonizado muito tempo antes. Mas o pensamento crítico não permite essa conclusão porque, como é aceito, o Pentateuco só foi completado em 400 a.C. Existem versículos bíblicos que mostram o contrário, como iremos observar e explicar em seguida.

Os profetas foram canonizados pouco tempo depois, segundo afirma a teoria. Se os profetas tivessem sido aceitos em 400 a.C., eles teriam sido incluídos na Lei. Mas não foram, portanto devem ter sido canonizados posteriormente. É fato conhecido que os Profetas Menores foram canonizados por volta de 180 a.C., quando o Eclesiástico os menciona como uma unidade (49.10). Assim, é provável que esse cânon tivesse sido encerrado pouco depois dessa data. O argumento decisivo é que Daniel não se encontra entre os Profetas. Mas é claro que Daniel faz parte dos Profetas. E o mesmo ocorre com Crônicas, e da mesma forma com Reis. Mas eles dizem que Crônicas foi escrito por volta de 200 a.C. e Daniel em 168 a.C. – tarde demais para entrar no cânon dos Profetas. Isso sugere que 200 a.C. tenha sido a data limite. Os Salmos também só foram completamente reunidos depois de 168 a.C., e existem alguns salmos Macabeus supostamente datados depois dessa época.

Portanto, os Escritos representam uma compilação heterogênea aceita em várias épocas a partir de 200 a.C. até 90 d.C. Acredita-se que nessa data tenha acontecido um Concílio em Jamnia, na Palestina, no qual os judeus, então dispersos e à procura de diretrizes para a fé, discutiram a canonicidade de vários livros, especialmente Rute, Ester, Provérbios, Eclesiastes, Cantares de Salomão e Ezequiel. Por fim, as objeções foram no mínimo vencidas, e o cânon foi encerrado para sempre.

Existe uma hábil teoria quase universalmente aceita pela crítica destrutiva. Estudiosos ortodoxos, que seguem William Henry Green (*op. cit.*, p. 81), geralmente contradizem e alegam que as três divisões correspondem a três tipos de autoria e não a três períodos de tempo. O livro da Lei foi feito por Moisés, os oito livros seguintes pelos profetas e os Escritos por homens que tinham o dom da profecia, mas não o sacerdócio profético. Entretanto, alguém poderia perguntar como sabemos que o livro de Juízes foi escrito por um profeta e o de Daniel não! Será que podemos dizer que Davi, o rei, não desempenhava um ofício profético (cf. At 2.29ss.) enquanto Josué, o capitão, o desempenhava?

Outras perguntas podem trazer sérias complicações às opiniões dos críticos. As descobertas do Mar Morto levaram F. M. Cross a afirmar que o livro de Crônicas foi escrito em aprox. 400 a.C. (F. M. Cross, *The Ancient Library of Qumran,* p. 141). Fragmentos de Eclesiastes, datados de 150 a.C., convenceram a maioria de que este foi escrito, pelo menos, por volta de 250 a.C. Por que, então, não foram incluídos no cânon dos Profetas? Como mencionamos acima, o livro dos Profetas foi citado como Escritura nos Documentos Zadoquitas escritos por volta de 200 a.C. Quando acrescentamos o considerável conceito mostrado por Eclesiástico, em relação ao livro de Provérbios em 180 a.C., ficamos imaginando por que esse livro não foi incluído no cânon dos Profetas que, supostamente, havia sido encerrado muito pouco tempo antes. Agora, tendo disponíveis as cópias dos Rolos do Mar Morto, praticamente ninguém mais fala dos salmos Macabeus!

Também o assim chamado Concílio de Jamnia é um assunto obscuro. Não existem informações contemporâneas a seu respeito. Além disso, os livros não foram questionados para serem ou não admitidos no cânon, mas apenas quanto à sua contínua aceitação. Isso está claro porque o livro de Ezequiel também foi questionado, embora tivesse sido admitido entre o livro dos profetas desde 200 a.C.! O questionamento a respeito de Provérbios nada significa porque, como já vimos, os Rolos do Mar Morto o aceitavam como Escritura havia muito tempo. O mesmo ocorre com o NT. Qualquer discussão dos rabinos em Jamnia nada prova a respeito do encerramento do cânon. Ela mostra apenas que questões sobre a canonicidade continuam a surgir de forma inesperada!

Mas o fato principal, que se opõe a essa opinião crítica (e também à opinião de Green, *et. al.*), é que, simplesmente, o cânon triplo do Talmude não representa a sua divisão exclusiva e original. Por que explicar a ausência de Daniel entre os Profetas quando a testemunha mais antiga e definitiva, Josefo, deixa bastante explícito que esse livro estava entre os Profetas! Por que explicar a presença de Daniel entre os Escritos quando os Rolos do Mar Morto e o NT mostram que muitos judeus dessa época não usavam nenhuma dessas classificações!

Alguns ramos do judaísmo tinham, na verdade, uma divisão tripla. Mas o conteúdo dessas três divisões estava sujeito a mudanças sem qualquer aviso. Josefo (e provavelmente Filo) tinha somente quatro livros entre os Escritos. O Talmude tinha 11. Orígenes contava 22 livros, portanto não tinha Rute e Lamentações entre os Escritos. Tertuliano, que tinha 24, também teria colocado esses dois se, na verdade, usasse o esquema da divisão tripla.

Tem sido sugerido que essa mudança de livros, de uma divisão para outra, teria razões litúrgicas. Os livros da Lei e dos Profetas foram divididos, em uma data desconhecida, para que fossem utilizados como lições semanais na Sinagoga. Alguns outros livros pequenos eram inteiramente lidos nas festas anuais. Tais práticas podem ter causado essa diferença nas divisões judaicas de suas Escrituras, mas isso é apenas uma teoria. Entretanto, os fatos são evidentes. A divisão tripla não pode se tornar a base de uma canonização em três estágios.

### O Testemunho do Antigo Testamento ao seu Cânon

Ainda pode ser indagado se o próprio AT teria uma indicação sobre quando e por que esses 39 livros foram aceitos. Quanto ao período anterior aos Rolos do Mar Morto, não existe qualquer informação bíblica, mas os próprios livros do AT o mencionam, com considerável clareza, embora sem quaisquer detalhes.

Não há dúvida de que, em geral, o AT aceitou a lei de Moisés como canônica. Moisés ordenou que ela fosse lida na Festa dos Tabernáculos, a cada sete anos (Dt 31.9-11). Neemias registra que assim procedeu (Ne 8.1-18) e diz ainda que o povo vivia em tendas para obedecer à lei de Moisés. Essa lei está expressa em Levítico 23.40ss.

Josué reconheceu a lei de Moisés como sendo a lei de Deus (Js 1.7,8; 23.6), e fez-lhe um acréscimo (Js 24.26); e 600 anos depois o próprio livro de Josué foi citado como Palavra do Senhor (1 Rs 16.34). A passagem em Deuteronômio 18.15-22 prediz uma sucessão de profetas culminando com o Grande Profeta e exige crédito para os profetas do Senhor. Foram dados certos testes para que o povo pudesse reconhecer um verdadeiro profeta – o cumprimento das profecias, milagres e a concordância com a Palavra de Deus que fora anteriormente expressa.

Devemos notar que os livros históricos do AT acompanham uma seqüência encadeada. A morte de Josué está registrada em Juízes 2.7-9 e esses versos formam a conclusão do seu livro. Juízes e Rute estão juntos, e Rute termina com uma genealogia que vai até o tempo de Davi. Samuel-Reis trazem a história até o Cativeiro. A história paralela em Crônicas termina com dois versos que são repetidos em Esdras 1.1,2.

Como é bastante conhecido, o livro de Crônicas usou os livros de Samuel-Reis como suas fontes. O que não é tão conhecido é que, em uma série de versos o livro de Crônicas declara que suas fontes (Samuel-Reis) foram escritas por uma sucessão de profetas, de Samuel a Jeremias (*veja* 1 Cr 29.29; 2 Cr 9.29; 12.15; 13.22; 20.34; 26.22; 32.32; 33.19; 35.25). Conhecemos a maioria desses profetas. Eles censuravam reis, pregavam reformas, confortavam o povo de Deus e alguns deixaram livros com seus próprios nomes. O povo foi ensinado a prestar atenção às palavras que falavam. Seus escritos, igualmente, tinham toda autoridade. Observe a receptividade que os escritos de Jeremias tiveram pelo rei incrédulo e pelos fiéis remanescentes (Jr 36.4-32). Os escritos de Jeremias deveriam ser imediatamente aceitos como Palavra de Deus. O texto em Jeremias 36.4-6 diz que estes deveriam ser aceitos devido à sua origem profética.

Da mesma forma, 2 Reis 14.6 refere-se ao Rei Amazias que, em aprox. 825 a.C., considerou Deuteronômio como a Palavra do Senhor, transmitida através de Moisés. Jeremias 26.18,19 cita um verso do profeta Miquéias como sendo o pronunciamento do Senhor. Daniel 9.2 diz que Daniel havia lido "nos livros" (em hebraico, "o artigo") uma profecia ou palavra do Senhor, dada a Jeremias.

O fato é que o AT está permeado com idéias de canonicidade. Muitos profetas reivindicavam estar falando a Palavra do Senhor, e seus livros repetem essa reivindicação. Os falsos profetas eram expostos, pois os testes revelavam aqueles que eram verdadeiros. Em muitas passagens os profetas citam uns aos outros como canônicos. Em muitas outras, os livros fazem referências mútuas. Por exemplo, em Oséias 10.9 há uma referência a Juízes 20; Em Oséias 11.8 a Deuteronômio 19.23; e em Provérbios 9.10 a Jó 28.28. Obviamente, as evidências não estão completas para todos os livros do AT. No entanto, elas são claras para os princípios de sua aceitação. Os livros escritos pelos profetas foram aceitos e, às vezes, reis e sacerdotes também foram profetas. Qualquer homem a quem Deus havia revelado a sua Palavra era um profeta. Portanto, Davi e Salomão foram verdadeiros profetas, como Josué e Daniel. Existem, naturalmente, livros cuja autoria é desconhecida. Entretanto, estes foram classificados pelos judeus e por Cristo entre os Profetas e na ausência de uma mínima evidência ao contrário, eles podem ser assim aceitos. Deus não deu aos judeus um teste sobre a inspiração de um livro ou uma relação de livros canônicos. Mas Ele lhes deu testes muito óbvios e práticos em relação aos profetas, e está claro que eles aceitaram os escritos desses profetas da mesma forma que as palavras que pronunciavam.

Alguns têm aceitado outros testes de canonicidade além da autoria profética. Tem sido sugerida a autoridade da congregação do AT, mas isso certamente não teria ajudado nos dias de Jeremias! Em todo caso, sua aceitação pela congregação dos crentes ou igreja universal representa um ponto muito significativo. Tem sido mencionada uma liderança providencial e, sem dúvida, isso aconteceu na medida em que Deus usou os meios da providência para a preservação dos escritos desses profetas. Mas não existe qualquer sinal no AT de que as mensagens, orais ou escritas, de outros que não os profetas devessem ser reverenciadas. Da mesma forma, não existe qualquer sugestão no AT sobre a distinção feita por Green a respeito do dom da profecia e o ofício de profeta. Como sabemos, considera-se que somente um profeta, em todo o AT, tenha sido ordenado para essa função – Elizeu, e ele não escreveu nenhum livro.

Mais comum, atualmente, é a idéia de que a canonicidade é determinada pelo testemunho interior do Espírito Santo. Existe muito de verdade nesse conceito, mas ele nem sempre é expresso com precisão. Os reformadores deram muita ênfase a esse testemunho, mas não nas questões da canonicidade de livros em particular. Antes, o Espírito testifica sobre a nossa salvação através de termos sido levados ao arrependimento e à fé na sagrada doutrina e, dessa forma, está testemunhando a favor dos escritos que contêm essa doutrina. Como Abraham Kuyper bem disse, o Espírito testemunha sobre o *amago* (*Principles of Sacred Theology,* pp. 560ss.). A partir dessas verdades essenciais, podemos chegar a outras verdades. A partir do fato de sermos salvos por Cristo, podemos tirar conclusões sobre a sua autoridade, e sobre a inspiração das Escrituras que Ele recomenda. Mas não podemos, através da simples leitura de uma pequena passagem como os 25 versos de Judas, estar absolutamente certos de que ela seja uma Escritura inspirada, pois poderíamos também ler outros escritos não bíblicos e pensar o mesmo. Lembre-se de que Lutero teve dificuldade para conseguir identificar Tiago! E a questão dos versos de Marcos 16.9-20, que é uma seção quase tão longa quanto Obadias, não pode ser decidida através de uma voz interior.

De forma ampla e geral, o testemunho do Espírito Santo confirma a canonização dos 39 livros do AT. Os livros apócrifos podem ter muitos pontos aproveitáveis e foram aceitos como Escritura por muitos cristãos. Mas eles não suportariam *todos* os testes, nem mesmo um só deles – a autoria profética, a aprovação de Cristo, a aceitação pela igreja universal ou o testemunho do Espírito Santo. Os 39 livros canônicos do AT são aprovados em todos estes quesitos.

*Veja* Hagiografia.

***Bibliografia.*** Archibald Alexander, *Evidences of the Authetincity, Inspiration and Canonical Authority of the Holy Scriptures,* Philadelphia. Presbiterian Board of Publication, 1836. F. F. Bruce, *Second Thoughts on the Dead Sea Scrolls,* 2ª ed. , Grand Rapids. Eerdmans, 1961. F. Buhl, *Canon and Text of the OT,* Edinburgh. T & T. Clark, 1892. F. M. Cross, *The Ancient Library of Qumran,* Garden City, N.Y.. Doubleday, 1958. T. H. Gaster, *The Dead Sea Scriptures,* Nova York. Doubleday Anchor, 1956. Samuel R. L. Gaussen, *Theopneustia. The Inspiration of the Holy Scriptures,* reimpresso, Chicago. Moody, 1949. W. H. Green, *General Introduction to the OT,* the Canon, Nova York. Scribner's, 1899, xvii. R. Laird Harris, *Inspiration and Canonicity of the Bible,* Grand Rapids. Zondervan, 1957; "Was the Law and the Prophets Two-thirds of the OT Canon?" BETS, IX (1966), 163-171. Meredith G. Kline, "Canon and Covenant", WTJ, XXXII (1969), 49-67. W. S. LaSor, *Amazing Dead Sea Scrolls,* Chicago. Moody, 1956. J. T. Milik, *Ten Years of Discovery in the Wilderness of Judea,* Londres. SCM, 1959. E. J. Young, *Introduction to the OT,* Grand Rapids. Eerdmans, 1949.

R. L. H.

**CÂNON DAS ESCRITURAS – NOVO TESTAMENTO** Quais livros pertencem ao NT? Essa é uma pergunta raramente feita porque existe um completo acordo sobre esse assunto. Todos os ramos do cristianismo declaram, explicitamente, que consideram os 27 livros do NT como fazendo parte e sendo adequado à coleção sagrada – o cânon. Existe uma considerável quantidade de materiais dando suporte a esse julgamento universal da igreja. É verdade que devido às devastações do tempo algumas evidências, anteriormente disponíveis nos primeiros séculos de nossa era, estejam agora faltando. Por outro lado, foram descobertos recentemente alguns novos materiais e essas evidências devem, portanto, ser examinadas cuidadosamente. Em geral, a maioria delas se origina dos escritos dos patriarcas da igreja e também dos trabalhos dos heréticos daquela época. Algumas provas podem ser acrescentadas a partir das próprias páginas do NT.

Para a finalidade desse artigo adotamos as conclusões gerais do conhecimento conservador do NT em relação à origem individual de cada livro. Se alguém pensasse que a antiga opinião liberal do Evangelho de João é uma produção do final do século II, descartaria naturalmente a sua autoria apostólica. Felizmente, essa opinião tem sido convenientemente desaprovada e nosso estudo poderá ser baseado na conclusão de que o Evangelho de João, assim como os Sinóticos, pertencem ao século I. O caso é que a introdução geral que analisa o cânon também deve estar parcialmente baseada em uma introdução especial que considera, em detalhes, a data e a autoria de cada livro. Quanto a esses detalhes, podem ser feitas referências a artigos existentes nos próprios livros.

Existem consideráveis evidências disponíveis para o estudo do uso e da aceitação primitivos dos livros do NT. O primeiro testemunho vem dos dias em que João, o último apóstolo que restara, ainda estava vivo. Uma extensa epístola foi escrita por Clemente de Roma, em aprox. 95 d.C. As epístolas de Ignácio e de Policarpo apareceram poucos anos depois. Provavelmente, esses homens haviam conversado com um ou mais apóstolos. Eles ficaram conhecendo, em primeira mão, alguns dos autores do NT. Certamente viram alguns de seus escritos originais.

O próximo estágio da investigação diz respeito à segunda geração de cristãos – aqueles que escreveram por volta do ano 140 d.C. Eles teriam conversado com aqueles que conheceram os apóstolos. Escritos mais extensos sobreviveram desde esse período onde se salientam os nomes de Justino Mártir e de Pápias. Também nessa época havia alguns que abandonaram a fé. Temos como um triste exemplo Marcion e os hereges do gnosticismo. Mas novas informações se tornaram disponíveis sobre o gnosticismo. Antigos estudiosos sentiam, às vezes, que o cristianismo estava fortemente influenciado por essa heresia. Mas parece que essa filosofia – que alegava um conhecimento esotérico e secreto – foi uma tardia e um pouco estranha tentativa de tentar unir a doutrina cristã à filosofia grega. De especial interesse atualmente é a obra recentemente descoberta chamada "O Evangelho da Verdade" escrita evidentemente pelo gnóstico Valentinus, nessa época.

Um terceiro estágio do estudo se desenvolve em aproximadamente 170 d.C. quando as evidências se tornam abundantes para quase todas as partes do NT. São desse período os extensos escritos de Ireneu e uma relação quase completa de livros do NT chamados *Muratorian Canon*. Existem, naturalmente, muitos materiais menores que se referem a esse assunto. Mesmo essa ocasião – 70 anos após a morte do último apóstolo – não está muito distante das épocas mais antigas. Irineu era um discípulo de Policarpo que, por sua vez, havia sido um discípulo do apóstolo João. Portanto, as informações fornecidas por Irineu são de grande valor, embora não provenham da época mais remota.

Não existe uma grande necessidade de estender esse assunto aos gigantes das eras posteriores – Tertuliano e Clemente de Alexandria, além de Cipriano de aprox. 200 d.C; depois Eusébio, o historiador da igreja, e Atanásio, o defensor da ortodoxia em 325 d.C. Em alguns casos, esses homens completaram o quadro mas o seu testemunho não é muito necessário. O cânon do NT já havia sido fixado para todos os objetivos e propósitos muito antes de sua época. Isso pode ser afirmado a despeito do fato de que a primeira relação dos livros do NT, que está em exata concordância com as nossas Bíblias, foi a "Festal Letter" de Atanásio de 367 d.C. Embora nenhuma relação anterior a essa esteja exatamente de acordo com a nossa (de qualquer forma, existem pouquíssimas relações anteriores) ainda encontramos uma significativa evidência a partir da qual o cânon dos primeiros períodos pode ser construído.

Guerra dos Filhos da Luz e dos Filhos das Trevas (Rolos do Mar Morto) faz citações de Deuteronômio, Números e Isaías como a palavra de Deus. Museu Arqueológico da Palestina

Além disso, a absoluta unanimidade sobre o cânon dos primeiros tempos não impediu a reabertura dessa discussão em uma data posterior. É bastante conhecido o fato de que Lutero questionou de alguma forma a canonização da Epístola de Tiago. No entanto, Tiago fora aceito por toda a igreja havia muito mais de mil anos. Da mesma forma, nos primeiros tempos havia um grupo de heréticos, chamados de *Alogi* (aqueles que se opunham à doutrina do Logos de João 1.1). No século III essas pessoas negavam a canonicidade de todos os escritos de João. No entanto, antes deles, todos esses escritos haviam sido aceitos como canônicos. A lição que aprendemos é que nem todo testemunho deve ser aceito pelo seu valor de face. Existem ramos de apostasias e de heresias que não devem causar graves problemas. Como van Unnik nos lembra, "O caminho que levou à formação do cânon era, entretanto, uma estrada sinuosa" (H. C. Puech, G. Quispel e W. C. van Unnik, *The Jung Codex*, p. 125). Van Unnik afirma que o cânon havia sido substancialmente estabelecido anteriormente, a despeito das controvérsias que surgiram no século III quanto a certos livros.

Por essas razões, podemos omitir o estudo dos séculos posteriores e nos concentrar na história da aceitação dos livros do NT em três estágios. O primeiro pode ser escolhido como o período de aprox. 170 d.C., quando os dados se tornam realmente abundantes. Voltando para cerca de 140 d.C., encontramos um amplo testemunho de vários autores. Finalmente, iremos estudar o período entre 95 e 120 d.C. nos escritos daqueles que foram contemporâneos e companheiros dos apóstolos. Terminaremos essa pesquisa da história com a investigação das afirmações e testemunhos do próprio NT.

**O Período de 170 d.C.**

Os escritos de Irineu que permaneceram até agora ocupam 263 grandes páginas na obra *The Ante-Nicene Fathers* (A. Roberts e J. Donaldson, ed., Vol. 1). Irineu era uma figura importante na França nos primeiros dias. Havia nascido na Ásia Menor, em aprox. 130 d.C., e foi amigo de Policarpo em sua juventude. Tornou-se bispo da igreja em Lyons, Gaul, e mantinha um contato próximo com a igreja de Roma, à qual se opôs por mais de uma vez. Escreveu sua grande obra, *Against Heresies* ("Contra as Heresias"), depois da intensa perseguição de 177 d.C. e, finalmente, deu sua vida, juntamente com muitos de seu rebanho, nos terríveis tempos de Severo (202 d.C.). Seu testemunho é de grande valor por causa de sua extensão e também porque ele estava na posição de conhecer os fatos em sua origem, e de aceitar os livros do NT.

Percebemos em Irineu um espírito bondoso, sua confiança em Cristo era profunda e seu respeito pelo NT é muito claro. Em uma passagem ele apresenta uma forma primitiva do Credo dos Apóstolos (*ibid.*, p. 330). Em passagem, ele compara a inspiração de Deus, através do Espírito Santo, a um homem tocando uma música em uma lira (*ibid.*, p. 276). Ele diz, "Estou inteiramente convencido de que nenhuma Escritura contradiz a outra" (*ibid.*, p. 230) mostrando, assim, a crença em sua veracidade e infalibilidade. Ele evidentemente considerava o NT como uma unidade, pois se refere a este como "os evangelistas e os apóstolos" fazendo um paralelo com a frase "a lei e os profetas" que se referia ao AT (*ibid.*, p. 320).

A extensão do cânon de Irineu é bastante evidente. Ele faz longas citações do NT, resume os ensinos de todos os Evangelhos, conta como foram escritos e, em seguida, constrói, a partir do resumo das epístolas dos apóstolos, argumentos contra as heresias gnósticas de seus dias. Irineu se refere pelo nome (isto é, cita o nome do autor) a 18 livros do NT, além de citar outros sete. Somente os pequenos livros de Filemom e Judas passaram desapercebidos, certamente por não ter tido a oportunidade de usá-los.

As referências de Irineu são muito interessantes. Ele declara que existem necessariamente quatro Evangelhos, como existem quatro ventos no céu e quatro faces no querubim etc (*ibid.*, p. 230). Ele insiste que Paulo era verdadeiramente um apóstolo (*ibid.*, p. 439) e cita, pelo nome, a maioria de suas epístolas no Livro V de sua obra. No segundo fragmento Pfafiano, preservado de seu último trabalho, ele cita Hebreus como uma obra paulina (*ibid.*, p. 574). Cita o livro de Apocalipse como tendo sido escrito pelo apóstolo João "não há muito tempo, quase em nossos dias, quase no final do reinado de Domiciano" (isto é, em aprox. 95 d.C., *ibid.*, p. 559ss). Na verdade, Irineu cita praticamente todo o NT referindo-se a este como Escritura, verbalmente inspirada, apostólica, e absolutamente verdadeira. Nenhum outro livro escrito na era cristã foi citado como Escritura. Na verdade, o espúrio Evangelho de Tomé e o Evangelho Gnóstico da Verdade foram sumariamente rejeitados (*ibid.*, pp. 345 e 429) porque "em nada concordam com os Evangelhos dos Apóstolos". Irineu baseia tudo na "prova escritural fornecida por aqueles apóstolos que também escreveram os Evangelhos" e acrescenta, "Da mesma maneira, os apóstolos sendo discípulos da verdade estão acima de toda falsidade" (*ibid.*, p. 417).

O *Muratorium Canon* representa um suplemento ao testemunho de Irineu. Essa interessante relação de livros do NT ficou conhecida através de um fragmento medieval e foi composta em aprox. 170 d.C. Não se conhece a história desse fragmento que é, infelizmente, muito sucinto. As primeiras frases estão faltando mas ele começa mencionando o "terceiro Evangelho", o de Lucas; portanto ele também deve ter testemunhado sobre Mateus e Marcos. Todos os outros livros do NT estão relacionados a breves comentários, exceto Hebreus, Tiago, e 1 e 2 Pedro. Embora Hebreus, Tiago e 1 Pedro tenham sido bem autenticados anteriormente, e 2 Pedro também tenha sido usado por Irineu, Westcott conclui que o fragmento foi copiado de um manuscrito que estava rasgado (B. F. Westcott, *A General Survey of the History of the Canon of the New Testament*, 6ª ed., p. 219). Esse fragmento menciona duas epístolas de João que foram consideradas por Westcott como 2 e 3 João. A primeira epístola de João também foi citada neste fragmento. Dessa forma, o fragmento está de acordo com Irineu e complementa o seu testemunho. Ambos, juntos, nos dão um testemunho exato do NT de nossos dias.

O *Muratorium Canon* (impresso na obra *Ante-Nicene Fathers*, V, 603ss.) rejeita o Pastor de Hermas como não sendo dos apóstolos. Ele menciona o Apocalipse de Pedro como recebido apenas por alguns e nomeia certas epístolas espúrias de Paulo. Não se trata de um testemunho muito perspicaz tanto naquilo que aceita como no que rejeita. Outros testemunhos desse período contam a mesma história com variações individuais. Nessa ocasião foram feitas duas traduções do NT. A igreja oriental fez a versão síria chamada "Peshitta". Pouco se sabe sobre sua origem e nada restou do primeiro manuscrito. Aparentemente, ele não tinha 2 e 3 João, 2 Pedro, Judas e Apocalipse. Também não havia livros extras. A Antiga Versão Latina, usada intensamente em Cartago, foi composta antes do ano 200 d.C. e, segundo nos consta, também não tinha 2 Pedro, Tiago e Hebreus, embora as evidências em relação à presença deste último livro sejam duvidosas. Novamente, esses eram os únicos livros; não havia livros extras. Colocando essas duas versões lado a lado, podemos dizer que a igreja aceitou os livros que temos do NT, e nenhum outro, exceto que algumas dúvidas foram expressas em relação às epístolas menores e ao Apocalipse. Na verdade, temos evidências abundantes dos primeiros anos da igreja em defesa do livro de Apocalipse. A igreja oriental claramente cometeu um erro ao tentar reduzir excessivamente a sua lista.

**A Época de Justino Mártir – 140 d.C.** Justino é o mais antigo autor cristão cujos escritos foram consideravelmente preservados em toda a sua extensão. Suas duas obras, *Apologies* e *Dialogue With Trypho* ocupam 110 grandes páginas de material. Seus dados são incertos, mas parece que nasceu em Neápolis (moderna Nablus, nas proximidades da antiga Siquém) e foi martirizado em 148 d.C. (Westcott, *op. cit.*, p. 99 n); outros dizem 165 d.C. (*Ante-Nicene Fathers,* Vol. 1, 159ss). Ele foi o filósofo dos primeiros tempos, e transferiu a sua inclinação filosófica para os seus escritos. Esses escritos mostram que Justino possuía uma coragem e humildade cristã que ainda impressionam. Também temos fragmentos e peças menores de vários de seus contemporâneos que acrescentam evidências sobre a sua idade.

Justino se refere pelo nome a vários livros do NT e, claramente, usa outros nomes. De acordo com Westcott, ele usa todos os Evangelhos, Romanos, 1 e 2 Coríntios, Colossenses, 2 Tessalonicenses, Hebreus e Apocalipse (Westcott. *op. cit.* 114ss., 167ss.). É muito interessante o tratamento que deu aos Evangelhos. Escrevendo aos não cristãos, ele usou uma única frase "Memórias dos Apóstolos" acrescentando que estes escritos "eram chamados de Evangelhos" (*Ante-Nicene Fathers,* p. 185). Ele descreve um Culto Dominical de Adoração como uma reunião onde se fazia a leitura das "Memórias dos Apóstolos ou dos escritos dos profetas", acompanhada de um sermão, oração, comunhão e coleta (*ibid.*, p. 186)!

A doutrina de Justino sobre as Escrituras é, claramente, a de uma crença total. "Estou inteiramente convencido de que nenhuma Escritura contradiz a outra". Ele acrescenta que, se uma contradição fosse imaginada, "iria admitir, mesmo que não pudesse compreender, o que estivesse registrado" (*ibid.*, p. 230). É verdade que nessa passagem ele estava discutindo o AT, mas, seu respeito e reverência pelas Memórias é tão claro, que essa afirmação pode ser justamente aplicada ao restante do NT que ele estava utilizando.

Justino fornece informações valiosas sobre a autoria dos Evangelhos. Ele diz: "Os apóstolos, nas Memórias que compuseram, que foram chamadas de Evangelhos", nos entregaram a celebração da Ceia do Senhor. Mas ele também cita um item encontrado apenas em Lucas, e diz que este foi registrado... "Nas Memórias que digo que foram escritas pelos seus apóstolos e por aqueles que os seguiram" (*ibid.*, p. 251).

Ele se refere ainda a um incidente registrado apenas em Marcos e diz, "Quando dizem que Ele mudou o nome de um dos apóstolos para Pedro e quando isso está escrito em suas memórias, assim como mudou o nome de dois outros irmãos... isso era o anúncio do fato de que foi através dele [Jesus] que Jacó foi chamado de Israel" (*ibid.*, p. 252). Westcott observou que nessa citação a expressão "suas memórias" só pode se referir a Pedro; por esta razão, o Evangelho de Marcos foi designado como as Memórias de Pedro (*op. cit.*, p. 114). Sem dúvida Justino estava ciente de que Marcos havia escrito o segundo Evangelho, mas também estava ciente do testemunho de Pápias, e de outros, de que Marcos escrevia o que Pedro lhe dizia. Isso poderia colocar Marcos em uma posição semelhante à de Tércio, que escreveu a epístola aos Romanos para Paulo (Rm 16.22) ou à de Silas cuja cooperação Pedro usou em outra ocasião (1 Pe 5.12). Nesse sentido, Justino se refere indiscriminadamente aos Evangelhos como sendo a obra "dos apóstolos" ou como a obra "dos apóstolos e daqueles que os seguiram". Observe também a expressão de Justino citada acima: "Está escrito nas Memórias dele [Pedro]". Essa forma de expressão foi regularmente usada para citar as Escrituras. Está claro que Justino tinha os mesmos Evangelhos que temos, com os mesmos nomes, e que os utilizava como Escrituras. Como já mencionamos, ele também usa sete outros livros do NT e se refere a eles de uma maneira um tanto informal, mas em uma ocasião Justino cita o livro de Apocalipse pelo nome, atribuindo a sua autoria ao apóstolo João (*Ante-Nicene Fathers,* Vol 1, 240).

Há muito tempo são conhecidos testemunhos menores para a época de Justino. Basilides, o herético gnóstico, e a Epístola de Barnabé, acrescentam pouco ao testemunho de justino, mas é interessante observar que Basilides cita 1 Coríntios e Romanos como Escrituras. A Epístola de Diognetus, provavelmente um pouco anterior a

Justino, inclui alusões a Atos, Gálatas, Efésios, Filipenses, 1 Timóteo, Tito e 1 Pedro, além de outros livros citados por Justino. Diognetus possui uma das primeiras referências feitas à Bíblia como sendo uma unidade. "O temor à lei é cantado, a graça dos profetas é conhecida, a fé dos Evangelhos é estabelecida, a tradição dos apóstolos é preservada e a graça da igreja é enaltecida" (*ibid.*, p. 29). Está claro que, nessa época, os livros centrais do NT foram recebidos juntamente com os livros do AT.

Pápias nos dá um outro testemunho, um pouco anterior a Justino. Sua obra inclui uma exposição de cinco volumes dos oráculos do Senhor mas, infelizmente, todos desapareceram exceto algumas poucas citações em outros livros. Ele ficou conhecido pela afirmação de que Marcos escreveu as pregações de Pedro e que, originalmente, Mateus escreveu seu Evangelho em aramaico. Pápias também menciona pelo nome 1 João e "a Epístola de Pedro" (*ibid.*, p. 155).

Até recentemente, somente havia restado essa meia dúzia de testemunhos da metade do século II. Agora, entretanto, as areias do Egito revelaram novos tesouros. Em 1954, camponeses de Chenoboskion (*q.v.*), local situado um pouco ao norte de Tebas, encontraram um esconderijo de escritos gnósticos (conhecidos como Textos Gnósticos Nag Hammadi, veja BW, pp. 402-410). Havia 13 livros contendo cerca de 49 obras. Um desses livros, o Jung Codex, desapareceu repentinamente do Egito e agora está sendo publicado.

Um dos mais interessantes escritos do Jung Codex é o Evangelho da Verdade, escrito pelo herético Valentinus, em aprox. 140 d.C. Irineu havia atacado essa obra em seu livro *Against Heresies* (III.11.9), mas nenhuma de suas cópias havia sobrevivido. Mas agora ela se tornou disponível (Kenneth Grobel, *The Gospel of Truth*). Não se trata da tentativa de se ter um quinto Evangelho, mas de uma exposição daquilo que Valentius pensava ser um verdadeiro Evangelho, isto é, o gnosticismo. Porém Valentinus, em seus escritos, faz citações ou alusões a muitos livros do NT. Em 200 d.C., Tertuliano havia escrito que Valentinus, embora fosse um herético, tinha usado todo o NT. Essa sua obra dá apoio à dedução de Tertuliano.

No estudo *The Gospel of Truth and the New Testament,* van Unnik faz um paralelo entre o texto de Valentinus e muitas passagens do NT grego e conclui: "Está claro que o autor do Evangelho da Verdade tinha conhecimento dos Evangelhos, das epístolas paulinas, do livro de Hebreus e do Apocalipse, enquanto nele existem traços de Atos, 1 João e 1 Pedro" (*The Jung Codex,* por H. C. Puech, G. Quispel e W. C. van Unnik, 1955, p. 122). Isso cobre todo o NT, exceto pequenos livros, totalizando 11 capítulos! Ele acrescenta, "Por volta de 140-50, uma coleção de obras tornou-se conhecida em Roma e estas foram aceitas como tendo uma autoridade virtualmente idêntica à do nosso Novo Testamento" (*ibid.*, p. 124). Devemos nos lembrar que Diognetus já havia colocado essa coleção no mesmo nível das Escrituras do AT. O testemunho de Valentinus representa uma voz muito bem vinda que confirma os testemunhos previamente conhecidos acrescentando-lhes importantes detalhes.

**Os Primeiros Anos – 95 a 120 d.C.**

Vamos agora dar um passo para trás em direção a 95-120 d.C. Esse período se sobrepõe aos dias do apóstolo João. Ele inclui três testemunhas bastante conhecidas, isto é, Clemente de Roma, Ignácio e Policarpo. Todos os três haviam conhecido os apóstolos e dois deles haviam selado a sua fé com sangue.

Clemente escreveu aos coríntios, em aprox. 95 d.C. Ele faz citações nominais de 1 Coríntios e claramente usa Mateus, João, Romanos, Efésios, Hebreus, Tiago e possivelmente 1 Timóteo e Tito (cf. Westcott, *op. cit.*, pp. 25ss, 48). Algumas citações de Mateus encontram paralelos em Marcos e Lucas, portanto é possível que esses Evangelhos estejam incluídos no testemunho de Clemente.

Ignácio era bispo de Antioquia por volta do final do século I d.C. O *Martyrdom of Ignatius* (*Ante-Nicene Fathers*, Vol. I, 129) declara sua prisão no reinado de Trajano, mas não se sabe exatamente se o seu martírio ocorreu em 107 ou em 116. A despeito desta data, seu testemunho é muito valioso e significativo. Ele escreveu epístolas as sete igrejas diferentes enquanto estava sendo levado para Roma para ser martirizado. Nessas cartas, ele cita nominalmente o livro de Efésios. Em sua carta aos crentes de Filadélfia ele parece se referir aos escritos do NT como a um único corpo: "Refugio-me rapidamente no Evangelho como a carne de Jesus, e nos apóstolos como o presbitério da igreja. E vamos também amar os profetas" (*ibid.* p. 82). Podemos observar uma semelhança de redação com o texto de Justino, mencionado acima.

Ele se refere, novamente, a alguém que "nem foi persuadido pelos profetas, nem pela lei de Moisés e nem pelo Evangelho até esses dias" (*ibid.*, p. 88). Outra referência semelhante é: "Preste atenção nos profetas e, acima de tudo, no Evangelho" (*ibid.*, p. 89). Ele faz citações textuais literais de Mateus, 1 e 2 Coríntios e Efésios, e emprega, claramente, a fraseologia de Lucas, João, Romanos, Gálatas, Filipenses, 1 Tesalonicenses e 1 Timóteo. Gregory comenta: "Os Evangelhos de Mateus e João parecem ter sido os seus preferidos, ou aqueles que conhecia melhor. Ele conhecia muito bem as epístolas de Paulo" (C. R. Gregory,

*Canon and Text of the New Testament*, p. 71). Ignácio e Clemente, juntos, testemunham a maior parte bem como a parte principal do NT atual.

Logo depois do martírio de Ignácio, Policarpo escreveu uma carta aos filipenses que, felizmente, foi conservada. De acordo com Irineu, Policarpo foi instruído pelos apóstolos e era seu próprio professor. Portanto, ele liga Irineu diretamente à Idade Apostólica. Policarpo foi martirizado em sua velhice, em aprox. 155 d.C., mas a melhor data para essa epístola é pouco depois da morte de Ignácio, isto é, 108 ou 118 d.C. (cf. Westcott, *op.cit.*, p. 38). Todas estas pessoas e fatos constituem um primitivo e precioso monumento da antiguidade cristã.

Policarpo citava copiosamente o NT. Na obra *Ante-Nicene Fathers* ele usou aspas para identificar as passagens que extraiu de Mateus, Lucas, Atos, Romanos, 1 Coríntios, Gálatas, Efésios, 1 e 2 Tessalonicenses, 1 e 2 Timóteo, 1 Pedro e 1 João. Ele também fez claras alusões a outros livros. Westcott reivindica o uso de 2 Coríntios e Filipenses, além de, possivelmente, Efésios e 2 Pedro (*ibid.*, p. 49). No capítulo XII, Policarpo cita Efésios 4.26 como Escritura e no capítulo anterior ele cita nominalmente 1 Coríntios e Filipenses.

Juntando esses três grandes homens, que iniciaram sua vida cristã na era apostólica, podemos ver que eles usaram a maior parte do NT. Eles fizeram referências nominais a 1 Coríntios, Efésios e Filipenses e falaram sobre os seus livros como se formassem um conjunto único, assim como as Escrituras. Os únicos livros que não foram testemunhados nessas primeiras obras são Marcos, Colossenses, Filemom, 2 e 3 João, Judas e Apocalipse.

Até mesmo essas omissões podem ser explicadas. Mateus e Marcos são tão paralelos, que é provável que as citações de Marcos estejam guardadas ou implícitas sob o material de Mateus. Colossenses foi totalmente reconhecido na era seguinte e provavelmente omitido nessas primeiras obras apenas por falta de uma ocasião para citá-lo. Também não é de admirar a ausência de citações a Filemom, 2 e 3 João e Judas nessa relação, pois cada um deles representa um longo capítulo e, portanto, com menos chances de ser citado. Quanto ao Apocalipse, devemos nos lembrar de que esse livro provavelmente foi escrito apenas 20 anos antes da obra do último desses homens. Mas Irineu, o aluno de Policarpo, oferece um testemunho bastante explícito em relação à data e à autoria do Apocalipse. Na verdade, Irineu usa todos esses livros, com exceção de Filemom e 3 João. Não precisamos questionar a canonicidade destes importantes livros por causa do silêncio desses três primeiros testemunhos.

**O Testemunho que o Novo Testamento dá Sobre Si Mesmo**

Tendo rastreado a recepção dos livros do NT até o início da era apostólica, descobrimos que existem evidências de que, praticamente, todos foram aceitos pelos homens que haviam aprendido com os próprios apóstolos. Qual foi o começo dessa prática? A que princípios a igreja primitiva obedeceu ao selecionar esses livros?

Para começar, dois pontos devem ser enfatizados. Primeiro, os apóstolos não escreveram impensadamente uma miscelânea de cartas e histórias que foram piedosamente reunidas somente em uma era posterior. Ao contrário, os apóstolos escreveram seus livros conscientemente e ordenaram aos crentes que eles fossem recebidos.

Segundo, a igreja primitiva não selecionou e escolheu 27 livros em meio a um extenso conjunto de boa literatura, mesmo que se tratasse de literatura apostólica. Até onde podemos comentar com segurança, nenhum autor primitivo se refere a qualquer obra perdida dos apóstolos, ou faz claramente alguma citação a este respeito. É possível que existam cartas perdidas de Paulo, mas nenhuma foi conscientemente rejeitada pela igreja primitiva. Na verdade, pode até ser questionado se alguma foi realmente perdida. O texto em Colossenses 4.16 pode muito bem se referir à epístola aos Efésios, que pode ter sido uma epístola de caráter geral (o termo "Efésios" não consta em Efésios 1.1 em alguns textos) e 1 Coríntios 5.9 pode ter sido um aoristo epistolar que se referia à carta que Paulo estava escrevendo. Ao contrário de algumas afirmações, os livros espúrios de Barnabé, Apocalipse de Pedro, Pastor de Hermas etc., podem ter enganado algumas poucas pessoas, mas nunca foram seriamente aceitos.

Quanto à consciente intenção de Paulo ao escrever, existe um claro testemunho antes de sua primeira epístola, "... mas, se alguém não obedecer à nossa palavra por esta carta, notai o tal e não vos mistureis com ele" (2 Ts 3.14). Nessa primeira epístola, ele alega que sua pregação não é a "palavra de homens" mas a "palavra de Deus" (1 Ts 2. 13). Em sua grande epístola de 1 Coríntios, ele fala de uma forma semelhante (1 Co 2.13) insistindo, ainda. "as coisas que vos escrevo são mandamentos do Senhor" (14.37). Isso não está contradizendo, como dizem alguns, suas afirmações em 1 Coríntios 7.10,12 etc. onde faz a distinção entre a sua palavra e a palavra do Senhor. Neste texto, ele está preocupado apenas em citar as palavras de Jesus na terra. Deve-se observar que Paulo – e Lucas – se referem muitas vezes a Jesus como "o Senhor" antes de sua crucificação (cf. Mt 26.75 com Lc 22.61). Sempre que possível, Paulo cita palavras proferidas pelo Senhor Jesus Cristo, mas acrescenta as suas próprias palavras onde não há uma ordem direta de Jesus.

Existe uma razão pela qual Paulo podia fazer essas afirmações. Ele era um apóstolo e desempenhava o seu ministério com esforço e dedicação (1 Co 15.8,9; 9.1; 2 Co 11.5; 12.11,12). Da mesma forma fizeram os primeiros autores, Clemente, Ignácio etc. Nunca se confundiram com o círculo apostólico. Também João reivindica a inspiração em Apocalipse 1.1-3 e 22.18,19.

Cristo havia escolhido os apóstolos para um propósito muito claro, e lhes prometeu o Espírito de uma forma especial. Em João 14.26 Jesus declara que o Espírito Santo lembra as suas palavras aos seus servos. E em João 16.13 o Senhor diz que o Espírito Santo mostra aos seus servos aquilo que ainda está por acontecer. Os apóstolos foram igualados aos profetas do AT por todos os autores primitivos; portanto não é de admirar que suas obras fossem prontamente igualadas às Escrituras do AT.

Isso já havia sido feito pelo próprio NT. Por três vezes um autor chama a obra de outro autor de inspirada. O caso mais conhecido é 2 Pedro 3.15,16 que se refere às epístolas de Paulo como Escrituras. A passagem em 1 Timóteo 5.18 cita Lucas 10.7 como Escritura. E Judas 17,18 cita 2 Pedro 3.3 como parte das palavras proferidas pelos apóstolos. Estes testemunhos não são um mero acaso; eles são sumamente importantes e estão diretamente em linha com o testemunho dos patriarcas pós-apostólicos.

O estudo acima sobre os patriarcas da igreja primitiva, além de outras passagens sobre o assunto que poderíamos citar, mostra que a igreja primitiva recebeu todos os livros escritos pelos apóstolos como obras inspiradas pelo Espírito de Deus. Isso foi categoricamente afirmado por Stonehouse. "Está claro que o apostolado foi o princípio organizador do NT da antiga igreja universal", isto é, a igreja de cerca de 170 d.C. (Ned B. Stonehouse, *The Apocalypse* in *the Ancient Church*, pp. 4-5).

Sobre esse assunto, Warfield em seus importantes estudos admite que "a autoria apostólica foi, na verdade, inicialmente confundida com a canonicidade" (B. B. Warfield, *Revelation and Inspiration,* p. 455). Sua opinião é que os livros que foram canonizados eram aqueles que os apóstolos escreveram ou declararam que a igreja deveria aceitar. Essa opinião é bastante segura pois os primeiros testemunhos mostram que todos os livros do NT foram escritos pelos apóstolos exceto, possivelmente, Marcos, Lucas, Atos, Hebreus, Tiago e Judas. Entretanto, desde o início, esses livros foram usados tanto quanto os demais (embora o testemunho para Judas, nos primeiros tempos, não esteja muito claro) e está bastante claro que eram aceitos na época dos apóstolos.

Mas existe ainda mais. Os mesmos testemunhos que dizem que Marcos escreveu seu Evangelho dizem também que ele anotou as pregações de Pedro. Os Evangelhos de Marcos e de Lucas foram chamados de obras dos apóstolos por Justino Mártir. Mais tarde, Tertuliano expressa a mesma opinião (*Ante-Nicene Fathers,* Vol. 3, 252). Aparentemente, esses livros foram escritos sob a superintendência dos apóstolos e certificados por eles.

Muito tem sido dito sobre o livro de Hebreus, como se não tivesse sido escrito por Paulo. Mas devemos notar que nenhuma voz anterior a 200 d.C. afirmou que este não fosse de origem paulina. Esse livro foi usado por Clemente, em 95 d.C. O recém encontrado Evangelho da Verdade, de Valentinus, o utiliza de forma decisiva. No Egito, a alegação de sua autoria paulina pode ser rastreada desde Clemente da Alexandria até Pantaenus, em aprox. 140 d.C. E em Roma, Irineu não só usa Hebreus extensivamente como o fragmento Pfafiano se refere a ele como sendo de Paulo (veja detalhes em R. L. Harris, *Inspiration and Canonicity of the Bible*, p. 264).

Portanto, sempre tem persistido o problema de que a linguagem dos Hebreus parece um pouco diferente das outras epístolas de Paulo, mas o pensamento e os argumentos são definitivamente paulinos. A verdade pode ser que o livro seja de autoria de Paulo, mas que tenha sido escrito para ele por um outro ajudante (e este não seria Lucas).

Quanto a Judas e Tiago, esses livros foram escritos pelos irmãos (Judas 1) e, aparentemente, temos duas escolhas. Havia dois irmãos, Tiago e Judas, na companhia apostólica (Lc 6.16). Mas parece que havia também outros dois que eram meio irmãos de Jesus – embora isso tenha sido negado (Mt 13.55). Essas questões são complicadas, mas teria sido possível que homens dessa posição, a quem Cristo havia especialmente aparecido depois de sua ressurreição (1 Co 15.7) tivessem sido considerados como apóstolos extraordinários, se na verdade essas passagens não fazem nenhuma referência a um par de irmãos, os filhos de Alfeu, como apóstolos.

Concluindo, deve ser bastante enfatizado que a igreja primitiva não deixou de estabelecer os seus preceitos de fé, nem houve uma confusão de opiniões conflitantes em relação a muitos livros diferentes ora aceitos, ora rejeitados. No final do século III, quando as testemunhas já haviam morrido, houve realmente mais debates e incertezas do que na era seguinte à dos apóstolos. No princípio, todos os Evangelhos foram plenamente aceitos e não foram questionados no século II, exceto pelo herético Marcion que negou a autoridade de todos os apóstolos com exceção de Paulo. Além disso, a maioria das epístolas de Paulo, inclusive Hebreus, foi usada e muitas foram citadas nominalmente pelos primeiros escritores que haviam conhecido os apóstolos. Podemos não ter tantas evidências quanto gostaríamos a respeito das epístolas menores, porque as obras de Pápias e de outros se perderam; mas devemos nos lembrar sempre que, embora não tenhamos as evidências de forma completa *hoje* (no futuro poderemos vir a ter, pois as obras perdidas poderão ser encontradas), Irineu, Justino e outros homens semelhantes tinham abundantes evidências em suas mãos. Como Tertuliano desafiou, se alguém questionar essas coisas, poderá ir às igrejas onde os escritos originais dos apóstolos estão preservados (*Ante-Nicene Fathers,* Vol. 3, 260). Esses primeiros cristãos tinham os fatos. Mas também temos a maioria deles. Porquanto, embora em relação às epístolas menores nossas provas sejam insuficientes, podemos seguramente confiar no testemunho desses defensores da verdade dos primeiros dias do cristianismo.

*Veja* Epístolas Gerais; Inspiração.

***Bibliografia.*** A. H. Charteris, *The New Testament Scriptures*, Nova York. Carter, 1882. C. R. Gregory, *The Canon and the Text of the New Testament*, Nova York. Scribner's, 1907. R. Laird Harris, *Inspiration and Canonicity of the Bible,* Grand Rapids. Zondervan, 1957. Everett F. Harrison, *Introduction to the New Testament,* Grand Rapids. Eerdmans, 1964. H. Puech, G. Quispel e W. C. van Unnik, *The Jung Codex,* ed. por F. L. Cross, Nova York. Morehouse-Gorham, 1955. Herman Ridderbos, "The Canon of the New Testament", *Revelation and the Bible,* ed. por C. F. H. Henry, Philadelphia. *Presbyterian and Reformed,* 1958. A. Roberts e J. Donaldson, eds., *The Ante-Nicene Fathers,* 9 vols., Buffalo. Christian Literature Publishing Co., 1886. H. C. Thiessen, *Introduction to the New Testament*, Grand Rapids. Eerdmans, 1954. Theodor Zahn, *Introduction to the New Testament,* Grand Rapids. Kregel, 1953.

R. L. H.

**CANTAR DO GALO** Os quatro Evangelhos apresentam a profecia de Jesus de que Pedro o negaria três vezes. Marcos registra: "antes que o galo cante duas vezes" (14.30); os outros evangelistas registram simplesmente: "antes que o galo cante" (Mt 26.34; Lc 22.34; Jo 13.38). Marcos, portanto, se refere a um "segundo" cantar do galo (14.68,72), enquanto os outros não o fazem (Mt 26.74,75; Lc 22.60,61; Jo 18.27). Várias explicações para esta diferença são oferecidas. Possivelmente os dois cantos do galo sejam o relato mais preciso e detalhado – coerente com a prioridade de Marcos ou com o próprio Pedro como a fonte de informação de Marcos – enquanto que os outros evangelistas generalizam, resumindo em um único cantar do galo, o qual foi mais tarde e mais comumente ouvido.

**CANTARES DE SALOMÃO** Este livro, também chamado de Cântico dos Cânticos, ou simplesmente Cantares, é um dos menores, mais encantadores e mais controversos livros do Antigo Testamento.

### Canonicidade

Em uma discussão sobre quais escritos "fazem impuras as mãos", por serem santas, os rabinos se dividiam entre o livro de Cantares e o de Eclesiastes. O Rabino Akiba declarou, "Nenhuma época é digna do dia em que Cantares foi dado a Israel, porque todos os escritos são sagrados, mas Cantares é o mais sagrado entre eles" (Mishnah Yadaim 3.5; cf. M. Eduyoth 5.3; Tosefta Sanhedrin 12.10).

Muitos escritores entendem que essas discussões indicam que a canonicidade de Cantares não foi estabelecida antes do Concílio de Jamnia (aproximadamente no ano 90 d.C.). W. Rudolph, no entanto, afirma que essas discussões na verdade assumem a canonicidade anterior do livro ("Das Hobe Lied im Kanon", ZAW, LIX [1943], 195).

### Autoria de Salomão

Geralmente se aceita que o fato da autoria de Cantares ter sido atribuída a Salomão, fez com que o livro fosse aceito no Cânon. Alguns escritores conservadores não vêem razão para negar essa tradição (E. J. Young, *An Introduction to the Old Testament*; M. G. Kline, ChT, 27 de Abril de 1959, p. 39). Outros conservadores ressaltam que a expressão hebraica no versículo 1.1, *lish$^e$lomoh* pode significar "Para Salomão", ao invés de "De Salomão" (D. A. Hubbard, NBD, p. 1024; S. Schultz, *The Old Testament Speaks*, p. 295).

Muitos autores afirmam que o versículo inicial foi um adendo posterior e que Salomão não foi o autor, pelas seguintes razões: (1) O versículo 1.1 de Cantares usa a forma longa do pronome relativo *'asher* enquanto a forma curta *she* é usada em outros trechos (cf. 3.7). (2) As outras cinco menções ao nome de Salomão (1.5; 3.9,11; 8.11,12) e as três menções da palavra "rei" (1.4,12; 7.5) o vêem mais como o destinatário ou o descrito e não como aquele que fala. Além disso, o nome Salomão não consta no sobrescrito da Peshita Síriaca (Joshua Bloch, "A Critical Examination of the Text of the Syriac Version of the Song of Songs", *American Journal of Semitic Languages*, XXXVIII [1921], 108).

### Contexto de Salomão

Embora muitos escritores possam questionar que Salomão seja o autor de Cantares, vários estão dispostos a concordar que o contexto da obra está de acordo com a época de Salomão. As referências a muitos lugares no norte da Palestina (especialmente a Tirza em 6.4, que foi abandonada por Onri em 876 a.C., quando ele fez de Samaria sua capital), e as referências ao harém do rei, à mobília, à riqueza dos perfumes e outros bens, e a impressão de uma época de felicidade geral, confirmam essa possibilidade (veja H. M. Segal, "The Song of Songs", VT, XII [1962], 481ss.; D. A. Bruno, *Das Hohe Lied, Das Buch Hiob*, pp. 20ss.). Em 1.2*b*,3*a*; 2.15; 4.8-12; 5.9; 6.8; 7.1ss.; 8.5-7, W. F. Albright detecta textos que, em sua opinião, conduzem aos séculos XIII a XI a.C., com base no tipo de paralelismo e nas suas referências à mitologia de Canaã ("Archaic Survivals in the Text of Canticles", *Hebrew and Semitic Studies*, ed. D. Winton Thomas e W. D. McHardy, pp. 1-7). No entanto, Albright e outros afirmam, com base em algumas características lingüísticas, que a edição final do texto deve ter acontecido no século V ou IV a.C.

### Características Lingüísticas

O livro de Cantares contém algumas palavras e construções de linguagem que são semelhantes às formas usadas no posterior hebraico Mishnaico (Segal, p. 478) e no aramaico (Pouget, pp. 78-81). Este fato levou os estudiosos a atribuírem uma data pós-exílio para o livro. No entanto, mais recentemente, demonstrou-se que as similitudes ao aramaico são indicativas de uma localização ao norte ao invés de sinais de uma época posterior (cf. A. Hurvitz, "'Aramaisms' in Biblical Hebrew", IEJ, XVIII [1968], 236). Além disto, a explicação de uma origem do norte poderia explicar muito bem a predominância, no livro, de lugares ao norte.

Além das similitudes ao aramaico, os estudiosos acreditam ter detectado palavras gregas no texto. Pouget listou quatro delas (p. 82). Mais recentemente, Albright afirmou que "Contrariamente às afirmações do passado, não existe nenhuma única palavra emprestada do grego e, portanto, não existe nenhuma evidência para a data helenística que é freqüentemente assumida (isto é, dos séculos III ou II a.C.)" ("Archaic Survivals", p. 1).

### Interpretações

*Alegórica:* A visão que interpretava Cantares como uma alegoria do amor entre Deus e Israel, ou entre Cristo e a igreja, prevaleceu durante séculos, como a interpretação ortodoxa entre os judeus, católicos e protestantes. A paráfrase Targum ou aramaica (século VI d.C.) enxergou na frase "olhos como os das pombas" os homens sábios no Sinédrio, e em "pescoço como a torre de Davi" o líder da academia. Um estudioso judeu do século XII, Saadia Gaon (892-942) viu em Cantares a história completa de Israel, até à vinda do Messias.

O primeiro comentário alegórico da igreja foi o de Hipólito de Roma, no início do século III. Entretanto, o trabalho clássico sobre Cantares foi o de Orígenes (falecido em 254 d.C.). Cantares era o livro favorito de Bernard of Clairvaux, que pregou 86 sermões sobre os dois primeiros capítulos. Lutero viu na noiva a personificação do reino de Salomão.

Nos tempos modernos, a visão alegórica é mantida por alguns católicos – Jouon, Feuillet, Buzy e Robert. A interpretação parábólica ou tipológica adotada por muitos escritores recentes – Ellis, Ambroggi, Weber, Murphy – é diferente da anterior, porque aceita Cantares basicamente como um cântico literal e procura um sentido espiritual, não a partir dos detalhes mas sim das analogias mais gerais entre o amor do homem e o de Deus.

*Narrativa:* A primeira proposta de uma visão literal foi a de Teodoro de Mopsuestia (falecido em 429), que foi condenada pela igreja um século após sua morte por propor uma visão desse tipo. Na época moderna, as interpretações literais começaram com Chatellon em 1544. Ewald (1826) e Delitzsch (1875) popularizaram uma visão dramática de Cantares. Delitzsch afirmou que o amante era Salomão, no duplo papel de rei e pastor; Ewald distinguiu um Salomão voluptuoso e um pastor rústico que estavam disputando a mão da jovem. A lealdade da jovem para com o seu pastor é interpretada como uma lição de fidelidade. Esta visão de três personagens envolve uma tensão mais dramática e, ao mesmo tempo, requer uma ingenuidade mais sofisticada para se realizar do que a visão de dois personagens.

Leroy Waterman oferece uma nova interpretação pela qual Cantares foi projetado como uma polêmica política contra Salomão, em que a descrição da noiva seria, na realidade, um conjunto de caricaturas grotescas ("The Role of Solomon in the Song of Songs", JBL, XLIV [1925], 171-187).

*Lírica*: Muitos escritores dos séculos XVI a XVIII descreveram Cantares como uma coleção de madrigais, idílios ou éclogas. Então, em 1873 Wetzstein publicou as suas observações dos hábitos dos casamentos sírios, que incluíam o cânticos das *wasfs* ou canções que descrevem a beleza da noiva. Outros, entre eles Teodoro de Mopsuestia, Herder (1778) e na época moderna Haupt, Jastrow, Baumgartner, Gottwald, Gordis e Segal sustentam que Cantares era uma coleção de canções populares de amor. Gordis, por exemplo, percebe 28 canções diferentes que abrangem 5 séculos. Rowley, May e outros objetam que esse tipo de análise não faz justiça ao estilo uniforme e à caracterização da obra.

*Religiosa:* A mais recente tentativa de esclarecer o significado de Cantares é a litúrgica ou a interpretação de culto a Tammuz. Na década de 1920, Theophile Meek sugeriu que Cantares é uma modificação para Jeová das liturgias de uma seita de fertilidade pré-israelita, semelhante às do culto a Tammuz na Babilônia. Esta opinião conseguiu o apoio de muitos estudiosos, entre eles Snaith, Oesterley, Wittekind, Margoliouth e Ebeling.

A objeção básica a esse ponto de vista é a improbabilidade das revisões necessárias para introduzir uma liturgia sectária desse tipo no cânone. Para uma crítica sobre essa última interpretação, veja H. H. Rowley, "'The Song of Songs'`. an Examination of Recent Theroy", *The Journal of the Royal Asiatic Society*, Abril de 1938, pp. 251-276; Edwin Yamauchi, "Cultic Clues in Canticles?" BETS, IV (1961), 80-88.

Comparações com Outras Canções de Amor

A primeira literatura – que foi a dos sumérios – produziu algumas canções de amor (de aproximadamente 1750 a.C.) associadas ao culto a Tammuz, que apresentam alguns paralelos notáveis (S. N. Kramer, "The Biblical 'Song of Songs' and the Sumerian Love Songs", *Expedition*, V, pp. 25-31). Uma das objeções à visão dos dois personagens era a de que ela fazia de Salomão tanto um rei quanto um pastor. É digno de nota que nestas canções Dumuzi, o rei de Ereque que foi posteriormente divinizado, também é mencionado como um pastor. W. G. Lambert recentemente reuniu fragmentos de canções de amor acadianas (de aproximadamente 1000 a.C.) que eram usadas no culto a Tammuz. Comparando-as com Cantares, ele observa: "Os dois tipos são poesias de amor sem uma seqüência ou desenvolvimento aparentes. Em ambos existe uma freqüente alternância de orador, e às vezes aparece uma narrativa ou um monólogo. Em ambos o cenário muda e os amantes parecem ter deixado o seu ambiente metropolitano" ("Divine Love Lyrics from Babylon", JSS, IV [1959], pp. 1-15). As canções de amor dos egípcios (1200 a.C.) em ANET não são religiosas, mas seculares.

### Conclusão

Cantares parece muito provavelmente ser composição de um escritor do norte da Palestina, na corte de Salomão (cf. Pv 25.1), falando sobre uma jovem – talvez a sua irmã – celebrando o seu casamento com Salomão. A escolha de Salomão como um pastor poderia ser intencional como uma figura poética, assim como o rei Dumuzi foi semelhantemente mencionado nas letras sumérias. A forma literária de Cantares seria baseada nos modelos acadiano e egípcio da época. No entanto, insistir que dessa forma Cantares deveria ocultar a função cultual dos modelos pagãos seria tão pouco razoável quanto insistir que as peças de Ésquilo conservavam o caráter de Dionísio das tragédias originais.

### Esboço

Como a análise de Cantares depende amplamente do ponto de vista de quem faz a análise, simplesmente se indicam os oradores envolvidos. Seria útil para o leitor observar que a jovem se dirige ao seu amante como *dodi*, que os tradutores de várias versões transformam em "meu amado"; o homem se dirige à jovem como *ra'yati*, traduzido em algumas versões como "amiga minha" ou "querida minha".

| A jovem | O homem | Outro |
|---|---|---|
| 1.2-4*a*,5-7 | 1.8-11 | 1.4*b* |
| 1.12-14 | 1.15 | |
| 1.16–2.1 | 2.2 | |
| 2.3-10*a* | 2.10*b*-14 | |
| 2.15–3.5 | | 3.6-11 |
| 4.16 | 4.1-15 | 5.9 |
| 5.2*a*,3-8,10-16 | 5.1,2*b* | 6.1,10 |
| 6.2-3 | 6.4-9,11,12 | 7.1-6 |
| 7.11-14 | 7.7-10 | 8.5*a* |
| 8.1-4,5*b* | | |
| 8.6,7,10-12 | 8.13 | 8.8,9 |
| 8.14 | | |

***Bibliografia.*** VISÃO ALEGÓRICA. Orígenes, *The Song of Songs*, trad. por R. P. Lawson, Londres. Longmans, Green & Co., 1957. A. Robert, *et al.*, *Le Cantique des Cantiques,* Paris. Lecoffre, 1963. VISÃO NARRATIVA. William Pouget e Jean Guitton, *The Canticle of Canticles*, trad. por Joseph L. Lilly, Nova York. D. X. McMullen Co., 1948. VISÃO LÍRICA. Robert Gordis, *The Song of Songs*, Nova York. The Jewish Theological Seminary of America, 1954. VISÃO RELIGIOSA. Samuel N. Kramer, "The Biblical 'Song of Songs' and the Sumerian Love Songs", *Expedition*, V (1962), 25-31. Theophile Meek, *"The Song of Songs", The Interpreter's Bible*, Vol. V, Nova York. Abingdon Press, 1956. PESQUISAS RECENTES. Roland E. Murphy, "Recent Literature on the Canticle of Canticles", CBQ, XVI (1954), 1-11. H. H. Rowley, *"The Interpretation of the Song of Solomon", The Servant of the Lord,* Londres. Lutterworth, 1952, pp.189-234.

E. M. Y.

**CANTARES** *Veja* Salomão, Cantares de.

**CÂNTARO**[1] Tradução de três palavras da Bíblia Sagrada que indicam recipientes apropriados para o armazenamento de líquidos.
1 A palavra hebraica *kad* que foi traduzida uma vez como "barril", e quatro vezes como cântaro. O termo cântaro é mais apropriado do que barril. Rebeca usava o *kad* para levar água aos camelos dos servos (Gn 24.14-20,43ss.). Gideão e seu exército usavam cântaros para proteger as suas tochas. O fato destes utensílios se quebrarem demonstra que eram feitos de barro (Jz 7.16ss.). Em Eclesiastes 12.6 a quebra do cântaro simboliza o fim da vida.
2 .A palavra hebraica *nebel*, ou "jarro de armazenar", é usada figuradamente como a humilhação e o desprezo que os principais filhos de Israel sofrerão na época da destrui-

ção pela espada (Lm 4.2; cf. Jr 48.12).
3. A palavra grega *kerAmion*, "cântaro", "recipiente ou jarro de água" foi o sinal de identificação do homem que era o dono do cenáculo (Mc 14.13; Lc 22.10).
*Veja* Cerâmica.

**CÂNTARO²** Uma jarra ou vasilhame feito de barro, usado para estocar ou carregar água. Os cântaros geralmente tinham uma ou duas alças, e eram carregados por mulheres na cabeça ou nos ombros (Jo 4.28). Grandes cântaros com uma capacidade aproximada de 40 a 115 litros eram utilizados para a purificação cerimonial (Jo 2.6).

**CÂNTICO DOS CÂNTICOS** *Veja* Salomão, Cantares de.

**CÂNTICO DOS DEGRAUS** *Veja* Degraus, Cântico dos.

**CANTO** Os antigos israelitas expressavam suas emoções cantando suas canções, tanto em grupo como individualmente. O povo de Israel expressou a sua gratidão e a sua fé em canções como quando celebraram a sua libertação por Deus através do Mar Vermelho (Êx 15.1-21), na descoberta de água em Beer no deserto (Nm 21.17,18), e no triunfo de Débora e Baraque (Jz 5.1-31). Durante e após os reinados de Davi e Salomão, elaborar cânticos tornou-se parte do culto ao Senhor em Jerusalém (1 Cr 25; 2 Cr 5.12-13; Ed 2.41; 3.11; Ne 7.44; 10.28). *Veja* Música.

**CANTOR** Os indivíduos na antiga nação de Israel às vezes cantavam canções seculares, militares, de trabalho e religiosas. Os israelitas celebravam através das canções as vitórias de Deus. As mulheres em Israel celebraram a vitória de Davi sobre Golias através do canto (1 Sm 18.6,7). Durante a época de Davi, houve cantores e cantoras em Jerusalém (2 Sm 19.35). Davi nomeou os levitas como cantores para a adoração religiosa (1 Cr 15.16). Estes talentosos cantores levitas foram treinados nas canções do Senhor (1 Cr 25.7) e foram organizados para o seu serviço (1 Cr 25.1). *Veja* Menestrel; Música; Ocupações. Músico.

**CAOS** A palavra grega da qual esta é transliterada (*chaos*) aparece na Bíblia. Na mitologia antiga ela transmite a idéia de confusão e é normalmente usada para descrever a situação da terra quando o Espírito de Deus se movia sobre a face das águas (Gn 1.2-4). Nesta passagem, o conceito do caos seria um sinônimo para a palavra "vazia" (hebr. *bohu*, Gn 1.2) na expressão "sem forma e vazia".
A idéia de Gênesis 1.2, no entanto, não se entende melhor através do uso da palavra "confusão". Ao invés disso, deve-se entender o significado original grego de *chaos* como vazio ou desolação. A palavra hebraica *bohu* nunca aparece no Antigo Testamento, exceto com a palavra correspondente, como em Gênesis 1.2, "sem forma" (hebr. *tohu*), que é usada em Isaías 45.18 significando "desabitado" e ambos os termos aparecem em Jeremias 4.23 referindo-se a Jerusalém depois da invasão da Babilônia no século VI a.C. Jeremias diz, para explicar melhor, "Observei e vi que homem nenhum havia" (Jr 4.25).

J. McR.

**CAPA BABILÔNICA** (Heb. "Manto de Sinar"). Sinar era o nome pelo qual os israelitas conheciam a Babilônia. A capa roubada por Acã (Js 7) não pode ser descrita com exatidão, mas provavelmente era uma peça bordada muito fina, tecida por inteiro com fios de ouro.

**CAPA** O vestuário externo. *Veja* Vestuário.

**CAPACETE** *Veja* Armadura.

**CAPADÓCIA** Uma região interior da Ásia Menor, limitada a leste pelo rio Eufrates, ao norte por Ponto, a oeste pela Licaônia e ao sul pelos montes Taurus. Era uma região selvagem, inaproveitável e montanhosa, cujo pico mais alto (Arqueu) atingia uma altura de aprox. quatro mil e trezentos metros. As primeiras referências a Capadócia são do tempo de Hamurabi, quando ela fazia parte do império da Babilônia. Foi ocupada pela civilização dos heteus desde 2000 a.C. Em anos posteriores, esteve sob a ditadura da Pérsia, e tornou-se um território romano em 17 d.C. Havia visitantes da Capadócia em Jerusalém no Pentecostes (At 2.9), e Pedro dedica uma de suas epístolas aos cristãos que estavam espalhados por essa região (1 Pe 1.1); Cesaréia, na Capadócia, foi um dos primeiros centros do cristianismo, e Basílio foi o seu filho mais famoso. Permaneceu como parte do Império Oriental até ser capturada pelos turcos Seljuk no século XI.

C. K. H.

**CAPELA** Uma palavra em Amós 7.13 traduzida como "santuário" em várias versões. Aqui existe uma indicação da dependência que este santuário nacional de Betel tinha da corte do rei Jeroboão II de Israel.

**CAPITÃO** Esta palavra aparece 214 vezes nas Escrituras canônicas, das quais 182 estão no Antigo Testamento. A palavra é a tradução para 14 diferentes palavras em hebraico, e quatro palavras gregas. Significa um oficial ou um líder, seja civil ou militar.
1. Não há dúvida de que o termo mais freqüente no Antigo Testamento é *sar*, que significa "capitão da guarda" (Gn 37.36), "chefe do exército" (2 Sm 10.16), ou chefe de

carro (1 Rs 22.31). Entre os homens da Bíblia assim designados estavam Potifar, que comprou José; Abner (2 Sm 2.8); Ficol (Gn 21.22) e os capitães de milhares, de cem, de cinqüenta e de dez, no exército de Israel (Nm 31.48; Dt 1.15).

2. Hebr. *naui'* ou "elevado" ("exaltado"), aplicada exclusivamente aos líderes das tribos no livro de Números.

3. "Governador" é o significado de *peha*, normalmente uma referência aos oficiais dos exércitos estrangeiros; por exemplo, em Daniel 6.7, "os príncipes do reino, os prefeitos e presidentes, capitães e governadores".

4. Hebr. *rab* (aparece 25 vezes), designando o líder dos exércitos invasores da Babilônia (Jr 39.9).

5. Hebr. *shalish*, traduzido como "capitão" 13 vezes, e referindo-se aos oficiais subordinados no exército de Israel (2 Rs 10.25).

6-14. Hebr. *ro'sh*, a palavra traduzida como "capitão"em dez referências, e que significa "cabeça". Os outros oito sinônimos em hebraico aparecem entre uma e seis vezes cada um, e são traduzidos como "príncipe", com o sentido de líder carismático (1 Sm 9.16), "sentinela" (Jr 37.13), "marechal" (Jr 51.27) e "chefe" (Js 10.24). É notável que existisse tamanha variedade de termos, pelo que parece não ter havido precisão técnica nos significados.

15. A palavra do Novo Testamento normalmente usada no exército romano para designar o oficial acima dos centuriões era *chiliarchos*, "tribuno da coorte" ou "capitão chefe", significando o comandante de mil (At 21.31).

16. A palavra grega *strategos* na expressão "capitão do templo" refere-se ao chefe da polícia entre os líderes judeus. Esse oficial era o superior dos homens que foram prender os apóstolos (At 4.1; 5.24,26).

17. A palavra *stratopedarches* aparece uma vez (At 28.16) e significa "chefe do acampamento".

18. A palavra grega *archegos* significa "pioneiro", "líder" ou fundador", e se aplica a Jesus em Hebreus 2.10.

G. A. T.

**CAPITEL** Capitel é a tradução de três palavras hebraicas usadas em Reis, Crônicas e Êxodo para designar a parte superior de uma coluna.

Os capitéis dos dois pilares do templo de Salomão eram chamados de *koteret*, "coroa" (1 Rs 7.16ss). *Veja* Jaquim e Boaz. Eles tinham globos (2 Cr 4.12,13), aparentemente para conter óleo para uma chama permanente. O estilo exato dos pilares não é conhecido. A palavra hebraica *sepet*, "capitel", em 2 Crônicas 3.15 é um sinônimo. *Veja* Arquitetura.

O topo (*ro'sh*, "cabeça ou topo") das colunas da porta do Tabernáculo era coberto de ouro (Êx 36.38). O topo das colunas ao redor (*ro'sh*) era coberto de prata (Êx 38.17,19,28). Este tratamento fazia com que as colunas brilhassem sob a luz do sol.

**CARBONO 14, DATAÇÃO PELO MÉTODO DO** É um método de determinar a data de antigos objetos feitos de substâncias orgânicas que contenham carbono, pela medida da quantidade de carbono radioativo remanescente depois de anos de desintegração. O método foi elaborado por Willard Libby, da Universidade de Chicago, e tem sido amplamente aplicado. Provou ser útil e confiável em muitos casos, mas também foram observados problemas e inconsistências. Admite-se a sua utilidade, limitada aos últimos cinqüenta mil anos.

O método baseia-se no fato de que existem dois tipos (ou isótopos) de átomos de carbono – o tipo normal, chamado carbono 12 (peso atômico 12), e um tipo pesado com dois nêutrons extras no núcleo, chamado carbono 14. Esse último tipo é instável, e por meio da decadência radioativa se decompõe em nitrogênio. Na atmosfera superior os raios cósmicos atacam os átomos de nitrogênio, que tem sete nêutrons e sete prótons no seu núcleo, e os transforma em carbono 14, que tem oito nêutrons e seis prótons. Este se combina com o carbono 12 normal, que está na atmosfera sob a forma de dióxido de carbono, e que constitui aproximadamente uma parte em um trilhão da quantidade de carbono existente no ar.

O carbono existente no ar é absorvido pelas plantas, e pela fotossíntese se une à água e se transforma em celulose, amido, açúcares etc. As plantas então são comidas pelos animais, e assim todas as coisas vivas têm a mesma proporção de carbono 14 e de carbono 12 que a atmosfera – cerca de uma parte em um trilhão. Até mesmo a água do mar contém dióxido de carbono dissolvido, e os carbonatos das conchas do mar apresentam aproximadamente esta mesma proporção.

No entanto, quando um organismo vivo morre, ele deixa de absorver qualquer carbono da atmosfera, direta ou indiretamente. Lentamente, o carbono 14 radioativo existente no organismo morto perde energia e se converte em nitrogênio. O resultado é que depois de um período suficiente de tempo o organismo já não terá nenhum carbono 14, mas somente o carbono 12 estável. Pela determinação da quantidade de carbono 14 remanescente em uma amostra, a idade da amostra pode ser calculada. As experiências demonstraram que se um grama de carbono 14 puro estiver remanescente depois de 5570 anos, metade dela terá se transformado em nitrogênio. Depois de outros 5570 anos, outra metade terá se transformado em nitrogênio, e somente restará um quarto de grama de carbono 14. Depois de um terceiro período de 5570 anos, somente restará um oitavo de grama de carbono 14, e assim por diante. Esse número de 5570 anos é chamado de meia-vida.

Ao analisar uma amostra de material orgânico antigo, devemos determinar a quantidade de carbono 14 existente ali originalmente. Isto é feito por meio da suposição de que a proporção de carbono 14 em relação ao carbono 12 que existia em coisas vivas há muitos anos é a mesma que existe hoje, isto é, uma parte em um trilhão. Assim, se tivermos uma amostra de carbono antigo, pesando um trilhão de gramas, originalmente ela teria um grama de carbono 14 e todo o resto seria de carbono 12. Se estudarmos essa amostra e encontrarmos somente um quarto de grama de carbono 14, concluiremos que a amostra esteve morta por duas meias-vidas, ou seja, 11.140 anos. Um grama de carbono tomado de um organismo vivo origina aproximadamente 15 desintegrações por minuto do carbono 14 que ele contém; um grama de carbono de um organismo morto há 5570 anos produz cerca de 7,5 desintegrações por minuto.

O método de análise é relativamente simples. Faz-se a coleta de um espécime de matéria orgânica contendo carbono. Ele deve ser cuidadosamente separado de qualquer material moderno, como raízes ou fungos. Então o espécime é queimado e se recolhe o dióxido de carbono. Esse dióxido de carbono é purificado e o carbono resultante é guardado em um recipiente, que, por sua vez, é guardado em um lugar fortemente protegido de radiações. O carbono 14 presente é medido com um contador Geiger ou um aparelho similar, que mede a velocidade da desintegração do carbono 14. A partir destes dados, pode ser calculada a quantidade de carbono 14, e a partir da quantidade de carbono 12 pode-se calcular a quantidade original de carbono 14. A diferença é a medida do tempo que durou a decomposição do carbono 14.

Devemos estar atentos para algumas suposições e limitações que existem no método. Em primeiro lugar, afirma-se que a velocidade de decomposição do carbono 14 nunca muda. Não mudou nas experiências com variação de pressão ou de temperatura. No entanto, não está claro que a radiação não tenha nenhum efeito – na maioria dos casos ela provavelmente tenha um efeito leve.

Uma segunda suposição é a de que a proporção entre o carbono 14 e o carbono 12 no ar sempre foi constante. Isto envolve duas outras suposições. A primeira, de que os raios cósmicos sempre foram os mesmos. Na verdade, podem ser observadas pequenas variações nestes, mas não se pode saber a situação no passado. A sua intensidade no espaço pode ter sido invariável, mas a sua intensidade na estratosfera pode realmente ter se alterado. A segunda é que se supõe que a quantidade de carbono 12 no ar sempre foi a mesma. Mas esta é uma suposição questionável. As fábricas que queimam carvão aumentaram a quantidade de carbono 12 no ar nos últimos anos. A atividade vulcânica também pode ter alterado essa quantidade, assim como outras circunstâncias desconhecidas poderiam ter feito. Supõe-se que a extensão dessa variação não seria grande, a menos que houvesse uma revolução no clima ou nas circunstâncias da terra. Poderíamos dizer que se tivesse havido uma grande mudança no clima na época do dilúvio de Noé, as datas determinadas para os objetos anteriores ao dilúvio não seriam exatas.

Uma limitação óbvia do método é a de que ele só pode ser usado com o carbono. Portanto, não pode estabelecer a data de ossos de fósseis, porque eles são basicamente fosfato de cálcio. No entanto, se ossos recentes fossem queimados em uma fogueira, e a gordura e a medula se transformassem em carvão vegetal, esse carvão poderia ter a sua data determinada. Vigas de madeira de túmulos egípcios foram datadas satisfatoriamente. O carvão vegetal de acampamentos é outro material razoável.

Uma última limitação que surge é a de que este método não pode estabelecer a data de um material muito antigo. Depois de cerca de 50 mil anos, o carbono 14 remanescente torna-se tão escasso que a medida não é prática. Portanto, este método não pode datar diretamente os ossos dos fósseis dos homens, nem servir como base para a determinação das suas idades em 100 mil anos, 300 mil anos etc. Estas idades ainda são avaliadas pelos outros métodos geológicos, normalmente por meio da comparação com depósitos glaciais.

As datas provaram ser aceitáveis, com algumas exceções, até 3000 a.C., quando a história começa no Egito. As camadas inferiores de Jericó foram datadas em 7000 a.C. por uma série de leituras consistentes. As inconsistências mais gritantes foram as datas de Jarmo, no Iraque, que claramente esteve desabitada durante um curto período de tempo, mas essas datas variam entre 3300 a.C. e 9275 a.C. Alguma coisa por ali está muito errada. Tendo isso em mente, existe uma tendência a não confiar muito implicitamente em uma determinação individual de idade, mas obter um conjunto de datas consistentes, se possível.

Do lado positivo, o carbono 14 de cepos de abeto em Wisconsin e de alguns depósitos glaciais na Europa, para a maioria das pessoas, reduziu a idade estimada da última geleira de 25 mil para 11 mil anos. Como o intervalo de tempo posterior à última geleira é usado para calcular a idade das outras geleiras, essas datas seriam reduzidas proporcionalmente, embora isso ainda não seja feito normalmente. Uma exceção notável é Albright (*Archaeology of Palestine*, pp. 51-61), que formula uma cronologia muito mais baixa com base no método do carbono 14.

Outro uso admirável do método estabelece a data da extinção dos mamutes da Sibéria em 11 mil anos atrás. Albright sugeriu uma correlação entre a última geleira e o que ele diz ser "a tradição do Grande Dilúvio" em aproximadamente 9000 a.C. (*From the Stone Age to Christianity*, 2ª ed., p. 9). Há ainda muito trabalho a ser feito, mas, certamente, de acordo com o método do carbono 14, alguma coisa de grandes proporções aconteceu por volta de 9000 a.C2

***Bibliografia.*** L. J. Briggs e K. F. Weaver, "How Old Is It?", *National Geographic Magazine*, CXIII (1958), 234-255. W. F. Libby, *Radiocarbon Dating*, 2ª ed., Chicago. Univ. de Chicago, 1955. E. A. Olson, "Radiocarbon Dating", JASA, XI (1959), 2-11.

R. L. H.

**CARBÚNCULO** *Veja* Jóias.

**CARCA** Um lugar ao longo da fronteira sul de Judá, e a oeste de Cades-Barnéia (Js 15.3-4). A LXX traz o texto "O [caminho] que está a oeste de Cades". As fronteiras um pouco paralelas em Números 34.4 omitem Carca. Ela tem sido tentativamente identificada com 'Ain el-Qeseimeh, cinco quilômetros a noroeste do principal manancial conhecido como 'Ain el-Qudeirat na região de Cades-Barnéia.

**CARCAÇA** Refere-se ao corpo morto de um animal (Jz 14.8) ou, algumas vezes, de uma maneira desdenhosa, ao corpo de um ser humano (Js 8.29). Essa palavra não é aplicada a um corpo vivo no Antigo Testamento, nem no Novo.

Local tradicional da prisão em que Paulo foi mantido em Filipos

**CARCAS** Um dos sete servos ordenados a trazer a rainha Vasti à presença do rei Assuero (Et 1.10).

**CARCEREIRO** Guarda de uma prisão ou cadeia (gr. *desmophylax*). Este termo é usado no Novo Testamento, por exemplo em Atos 16.23 em uma referência ao guarda da prisão de Filipos. O carcereiro ficou impressionado ao ouvir as canções entoadas por Paulo e Silas em meio à dor e ao sofrimento por estarem atados ao tronco, e por terem sido agredidos, e ainda por sua recusa de fugir após um terremoto ter aberto as celas. Além do mais, ele ficou espantado ao perceber a ajuda óbvia da mão de Deus nos acontecimentos daquela noite. O efeito combinado do testemunho apostólico e da intervenção divina trouxe a sua conversão e o seu batismo. Seu batismo envolveu toda a sua casa, e alguns entendem que ocorreu em algum horário após a meia-noite (At 16.25-34).

**CARCOR** Um lugar ou área onde Gideão decisivamente derrotou o remanescente dos midianitas sob o comando de Zeba e Salmuna (Jz 8.10,11). O lugar, ainda não definitivamente identificado, foi talvez uma pequena planície no caminho mais baixo do Jaboque, a leste de Gileade. No entanto alguns (por exemplo, *Encyclopaedia Biblica*), de forma patente, o identificam com Carcar, no Orontes, nas proximidades da Hamate mencionada nas inscrições de Salmaneser II e Sargão. Y. Aharoni, seguindo J. Garstang em *Joshua Judges*, p. 390, acredita que se trate de Qarqar no Uádi Sirhan, aprox. 190 quilômetros a sudeste de Amã (*The Land of the Bible*, p. 241).

**CARDO** *Veja* Plantas: Espinhos.

**CAREÁ** Pai de Jônatas (Jr 40.8) e Joanã (2 Rs 25.23; Jr 40.8,13,15,16; 41.11,13,14,16; 42.1,8; 43.2,4,5), que eram capitães leais a Gedalias, governador da terra depois da queda de Jerusalém.

**CAREÁ** Pai dos capitães Joanã e Jônatas, que foi ter com Gedalias, o governador babilônico de Judá (2 Rs 25.23).

**CARGO** Tradução na versão KJV em inglês de seis palavras heb. abrangendo lugar de serviço ou posto (2 Cr 7.6), dever ou responsabilidade (1 Cr 23.28), posição (Gn 41.13; Nm 4.16; 1 Cr 24.3; 2 Cr 23.18; Sl 109.8). No NT a palavra designa a classificação ou posição de Paulo (Rm 11.13, *diakonia*), o dever ou responsabilidade dos cristãos em ação (Rm 12.4, *praxis*), o ofício de bispo ou superintendente (1 Tm 3.1, *episkope*) em uma igreja local, e a posição de sacerdote (Lc 1.9; Hb 7.5, *hierateia*).

**CARIDADE (ou AMOR)** Palavra usada 27 vezes na versão KJV em inglês, incluindo oito vezes em 1 Coríntios 13, como uma tradução de *agape*, significando o amor que as pessoas devem ter umas pelas outras, freqüentemente com o sentido de benevolência. Não é usada como a palavra grega *charis*, que indica graça, favor, boa vontade. A palavra grega *agape* é mais profunda que o conceito moderno de caridade, bem estar e generosidade.
O uso de "caridade" em 1 Coríntios 13 não se refere a dar esmolas, uma vez que o versículo 3 usa a palavra com o sentido amplo

de amor a todos. A versão KJV traduz a palavra grega *agape* como "caridade" 27 vezes e como "amor" 82 vezes, principalmente nos escritos de Paulo. A diferença deve ser determinada pelo contexto.

A caridade mostra o amor de um ser humano pelos demais, baseado no amor que Deus sente pelo homem. A palavra vem do latim *caritas*, que influenciou Wycliffe e os tradutores católicos romanos. Tyndale e a maioria dos tradutores modernos preferem traduzir a palavra grega *agape* como "amor", o que evita a implicação moderna e limitada de generosidade para com as pessoas necessitadas ou as causas dignas, e transmite a idéia de atitude e de ações amorosas do indivíduo para com os seus companheiros, como um resultado da graça divina (Mt 22.37-40; Rm 13.8; 1 Co 13). *Veja* Bondade fraternal; Amor.

E. B. R.

**CARISÓPRASO** *Veja* Jóias.

**CARMELITA** Uma pessoa nativa do Carmelo, em Judá. Entre aqueles assim chamados estavam Nabal, marido de Abigail (1 Sm 30.5 etc.) e Hezrai, um dos poderosos de Davi (2 Sm 23.35).

**CARMELO**

1.Um promontório montanhoso com aprox. 180 metros de altura, situado entre a planície de Esdraelom (forma grega de Jezreel) e o Mar Mediterrâneo (Jr 46.18). Era assim chamado devido ao seu aspecto denso de árvores, que era ainda mais impressionante nos tempos antigos do que hoje (Is 33.9; Am 1.2; 9.3; Mq 7.14). No entanto, de um único pico este nome passou a ser atribuído ao conjunto de colinas que a ele estava associado, designando assim a cordilheira montanhosa de mais de 30 quilômetros de extensão, com uma largura de 5 a 12 quilômetros para o oeste e para o noroeste de Esdraelom, com uma altitude de 572 metros acima do nível do mar no seu cume.

Devido à sua exposição aos ventos do mar, o Carmelo é bem irrigado. Ali foram construídos antigos santuários às divindades relacionadas às intempéries; desta forma, era um

Cavernas do Carmelo

O monte Carmelo com Haifa a seu pé. IIS

lugar adequado para a disputa entre Elias e os profetas de Baal, o deus da tempestade dos cananeus (1 Rs 18). Os egípcios chamavam o Carmelo de promontório sagrado, e nas cartas de Amarna dos príncipes cananeus, ele era conhecido como Ginti-Kirmil. Carmelo, que significa "jardim" ou "pomar", é um local famoso na literatura pela sua beleza natural (Ct 7.5; Is 35.2; Na 1.4).

Entre 1929 e 1934, Garrod e McCown, sob os auspícios da Escola Britânica de Arqueologia e da Escola Americana de Investigação Pré-Histórica, exploraram cavernas nas ladeiras ocidentais inferiores do Monte Carmelo, conhecidas como Wadi el Mugharah, o "vale das cavernas". As amostras incluem evidências de uma indústria de exploração de pedras desde os primeiros tempos Paleolíticos até a época Mesolítica, assim como ossos humanos que na opinião de alguns estudiosos foram do homem de Neandertal e outros do Homo Sapiens. Ossos de animais nas cavernas também confirmaram as mudanças climáticas na Palestina durante a Idade da Pedra (BW, p. 397).

2. Uma cidade de Judá, nas terras altas, perto de Hebrom, citada com Zife e Maom (Js 15.55). Foi o cenário de incidentes nas vidas de Saul e de Davi. Saul ergueu ali uma coluna (1 Sm 15.12). Era a terra de Nabal, o criador de ovelhas rude e embriagado, cuja viúva Abigail casou-se com Davi (1 Sm 25); e também de Hezrai, um dos homens poderosos de Davi (2 Sm 23.35; 1 Cr 11.37). É representada pelo moderno el-Kermel, cerca de 15 quilômetros a sudeste de Hebrom. Existem ruínas consideráveis dos tempos das Cruzadas.

V. G. D.

**CARMESIM** *Veja* Cores.

**CARMI, CARMITAS**

1.Filho de Rúben e fundador de uma família tribal (Gn 46.9; Êx 6.14; Nm 26.6).

2. Um descendente de Judá (1 Cr 2.7), filho de Zabdi, segundo Josué 7.1, e pai de Acã, que recebeu o nome de "Acar" em 1 Crônicas 2.7. O Carmi mencionado em 1 Crônicas 4.1 é provavelmente uma variação do nome Calebe, por parte dos escribas (*q.v.*).

Os carmitas eram uma família de Judá cujo chefe era Carmi.

**CARNAIM** *Veja* Asterote-Carnaim.

**CARNAL** Esta palavra aparece somente no Novo Testamento, embora o termo "carnalmente" seja encontrado três vezes no Antigo Testamento. "Carnal" aparece no Novo Testamento onze vezes, e "carnalmente" uma vez. "Carnal" significa "pertinente à carne". O substantivo *sarx* significa basicamente o corpo de um animal ou de uma pessoa, ou a carne de um animal. No entanto, no Novo Testamento, o termo "carnal" algumas vezes está literalmente relacionado à carne, e algumas vezes à antiga natureza humana corrompida por Adão, que é encontrada em todos os homens. Como exemplos do uso literal, veja Romanos 15.27; 1 Coríntios 9.11; 2 Coríntios 10.4; Hebreus 7.16; 9.10; quanto ao uso metafórico, veja Romanos 7.14; 8.7; 1 Coríntios 3.1,3,4, onde a referência é à antiga natureza, ou "ao velho homem".
Paulo admite ser carnal, isto é, ainda ter uma natureza decaída. Ele diz que a mente carnal é inimizade contra Deus, e rotula os cristãos coríntios como sendo carnais, o que ele define como ter um comportamento de homens naturais e não regenerados. Quando ele diz que "a inclinação da carne é morte" (Rm 8.6), está falando daqueles que têm somente uma natureza decaída e que não têm a nova natureza, aqueles que não foram salvos.
*Veja* Antropologia; Carne.

J. A. S.

**CARNE DE CAÇA** *Veja* Alimentos.

**CARNE E SANGUE** Um termo usado várias vezes no NT (Mt 16.17; 1 Co 15.50; Gl 1.16; Ef 6.12; Hb 2.14; cf. Jo 1.13) para expressar a idéia de homem, seres humanos, homens. É neutro em conotação, e uma vez que não sugere nenhuma condição moral, o termo retrata o homem como ele é, com seus próprios recursos, em contraste a Deus. O termo "carne", por outro lado, embora possa ser usado em um sentido neutro similar (Jo 1.14; 6.63; At 2.17 etc.), geralmente sugere o homem pecador caído, e a natureza caída do homem em particular (Rm 7.18ss.; 8.1ss.; 1 Co 5.5; Gl 5.17-24; Ef 2.3; Fp 3.3). *Veja* Carne.

**CARNE OFERECIDA AOS ÍDOLOS** *Veja* Ídolos, Coisas Oferecidas aos.

**CARNE** O termo grego do NT para carne é *sarx*, que tem significados específicos e próprios, mas que também traduz o termo hebraico *basar*. A palavra ocorre 143 vezes no NT grego. Os principais significados bíblicos de carne podem ser classificados da seguinte forma:
1. A substância macia do organismo animal que pode ser removida dos ossos e é constituída por músculos, sangue, tecidos etc. (Lc 24.39; Jo 6.51; 1 Co 15.39; Tg 5.3; Ap 17.16; 19.18,21; Gn 2.21; Ex 12.8; Is 31.3; Ez 23.20).
2. O corpo. Toda a parte material de um ser vivo, isto é, que compõe a sua existência somática (Gn 40.19; 1 Rs 21.27; 2 Rs 4.34; Ec 12.12; Hb 5.7), e usado com "sangue", a frase inteira "carne e sangue" (*q.v.*), significa o corpo (Hb 2.14).
3. A base ou o resultado da geração e parentesco ou consangüinidade naturais (Gn 2.24; 37.27; Jo 3.6; cf. Rm 4.1; 9.3,5,8; 1 Co 10.18; Gl 4.23,29; Ef 2.11; Rm 11.14).
4. Coisas vivas corporeamente condicionadas, geralmente o homem mas também os animais (Gn 6.13; Nm 16.22; Jr 12.12; 25.31; Is 40.5,6; Jl 2.28; Mt 16.17; 24.22; Mc 10.8; Lc 3.6; Jo 1.14; 1 Co 1.29; Gl 1.16; 2.16; Ef 6.12; 1 Pe 1.24).
5. O lado animal frágil da constituição do homem em contraste com o coração e a alma com os quais ela freqüentemente ocorre para designar a totalidade do homem. Assim ela é usada para indicar o externo e o secular como distintos daquilo que é espiritual e religioso (Gn 6.3; Sl 16.9; Is 31.3; Mt 26.41; Mc 14.38; Rm 6.19).
6. No sentido ético ela faz referência à natureza carnal, ou à disposição no homem que é propensa a pecar e que é antagônica a Deus (Gn 6.12; Rm 7.18; 8.6-8; 1 Co 3.3; Gl 5.17,19; Cl 2.18; 2 Pe 2.10,18; 1 Jo 2.16). Este é o uso mais importante para o cristão. A carne, ou a natureza caída cobiça e guerreia contra o Espírito quando este opera através de uma nova natureza, o que pode resultar em uma paralisia ou derrota espiritual (Gl 5.17-24; Rm 7.14–8.1). Esta condição é vencida da seguinte maneira: (*a*) Aprendendo a distinguir entre as obras da carne e as obras do Espírito Santo (Gl 5.19-23; cf. 1 Co 6.9-11; Rm 8.4-13). (*b*) Percebendo pela fé que a natureza caída já está sob condenação, embora ela ainda não esteja removida (Rm 8.3) e, portanto, o Espírito Santo pode habitar e de fato habita no crente (Rm 8.9). (*c*) Rendendo-nos e sujeitando-nos à direção orientadora do Espírito Santo (Rm 8.4-13; Gl 5.24,25; Ef 5.18ss.), o que é mencionado como "andar em Espírito". *Veja* Carnal.
7. Existem outros termos nas Escrituras que indicam a carne no sentido de "carne de açougue", ou aquela que é usada como alimento. Em nenhum caso a idéia bíblica sugere o mal inerente da matéria, nem o corpo é visto como algo vergonhoso.
Resumindo: a carne, *fisicamente*, indica o corpo possuindo uma alma, a qual o Espírito de Deus capacita para existir de uma forma individual; *eticamente*, é toda a vida da alma que possui uma unidade com o corpo, depois do corpo ter se tornado vítima do poder dos sentidos e do princípio do pecado, isto é, a personalidade como um todo direcionada erroneamente.

***Bibliografia.*** Ernest DeWitt Burton, "Galatians", ICC, nota anexa sobre *Sarx*, pp. 492-5. W. P. Dickson, *St. Paul's Use of the Terms Flesh and Spirit*, Glasgow. James Maclehose & Sons, 1883. K. Grayston, "Flesh, Fleshly, Carnal", *Theological Word Book of the Bible*, Alan Richardson, ed., Nova York. Macmillan, 1950, pp. 83-84. W. G. Künnel, *Man in the New Testament*, trad. por J. J. Vincent, Filadélfia. Westminster, 1963. John Laidlaw, *The Bible Doctrine of Man*, Edinburgh. T. & T. Clark, 1879, pp. 74-86. J. A. Motyer, "Flesh, Fleshly", BDT, pp. 222-224. G. B. Stevens, *The Pauline Theology*, Nova York. Scribner's Sons, 1911, Cap. VI, H. Wheeler Robinson, *The Christian Doctrine of Man*, Edinburgh. T. & T. Clarke, 1913, especialmente os caps. I e II.

R. E. Pr. e R. A. K.

**CARNE** *Veja* Alimentos.

**CARNEIRO** *Veja* Animais: Ovelha II. 10; I.15.

**CARPINTEIRO** *Veja* Ocupações: Carpinteiro, Artesão.

**CARPO** Mencionado somente em 2 Timóteo 4.13 como um homem de Trôade com quem Paulo deixou sua capa. Essa referência parece indicar um grau de amizade, ou a possibilidade de que Paulo tenha se hospedado em sua casa. A palavra *phelones* (grafia alternativa de *phainoles*) era utilizada para referir-se a um peça de roupa grossa, como um sobretudo, usada para proteção contra o clima durante uma viagem. Será que Paulo tinha apenas "esquecido" sua capa? Ou possivelmente, devido ao tempo ameno, tinha temporariamente deixado a capa para trás?

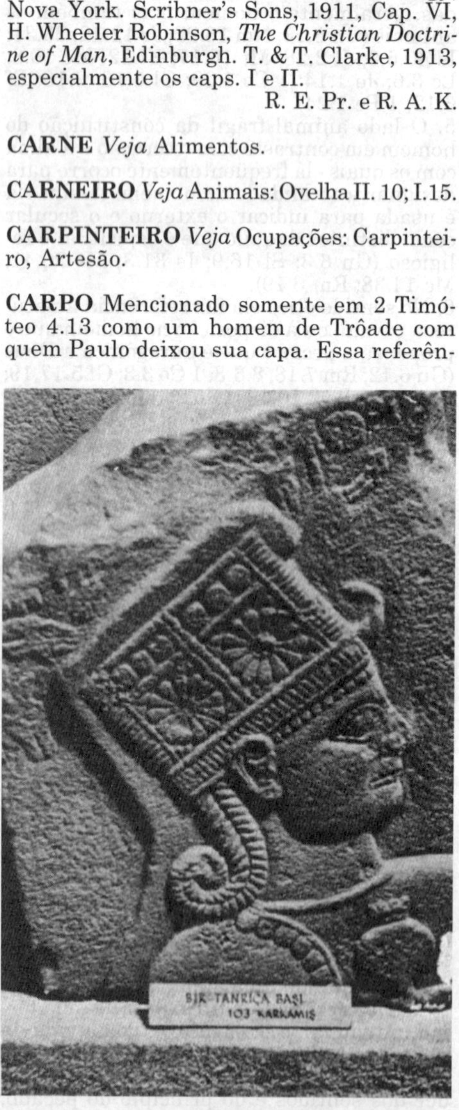


Um baixo-relevo sírio-heteu de Carquemis. Museu Heteu, Ancara

**CARQUEMIS** 2 Crônicas 35.20 (cf. Jr 46.2). Uma cidade junto ao rio Eufrates superior, mencionada em registros antigos desde o início do segundo milênio antes de Cristo como *Karkamis* em documentos da Babilônia, como *Kargamish* e *Gargamish* em inscrições assírias, como *Krkmsh* em registros egípcios e como *Karkemish* em hebraico. Foi um importante centro administrativo no império heteu; diversas cidades-estado sírias (como Ugarite) estavam, como súditas do rei heteu, subordinadas a Carquemis, de acordo com os arquivos reais heteus descobertos em Ras Shamra. Após o final do império heteu (1200 a.C.), Carquemis conservou a sua cultura e tornou-se uma importante cidade-estado dos heteus. Pagou tributos a Assurnasirpal II da Assíria (884-859 a.C.) e a Salmaneser III (859-524 a.C.), mas também esteve freqüentemente em guerra contra a Assíria. Em 717 a.C. a cidade foi destruída e a sua população deportada por Sargão II (722-705 a.C.). No entanto, ela novamente ganhou importância e depois da queda de Nínive em 612 a.C., foi ocupada pelos egípcios sob o Faraó Neco (Veja 2 Cr 35.20), que fez dela o seu centro de controle sobre a Síria por alguns poucos anos. Em 605 a.C., ele foi derrotado ali por Nabucodonosor II, de acordo com a Crônica da Babilônia e Jeremias 46.2.

A localização da antiga Carquemis, agora chamada Jerablus, era aprox. 100 quilômetros a nordeste de Alepo, na margem oeste do Eufrates. Foi escavada para o British Museum entre 1876-79 e 1912-14. Na primeira época de escavações em 1878, foram descobertas uma grande quantidade de esculturas do tipo sírio-heteu e inscrições hieroglíficas dos heteus. Na segunda expedição foi descoberta uma cidadela fortificada no cume do monte, abaixo do qual estava a cidade protegida por um muro entrecortado por passagens monumentais colocadas entre torres também fortificadas. A parte inferior das paredes dessas torres estava coberta com esculturas e inscrições dos heteus. Restos de um templo e de um palácio também foram descobertos, mas não foram suficientemente pesquisados.

A principal característica da cidade é uma praça irregular na base da cidadela, alcançada da parte sul da cidade por meio de um caminho processional. Uma escadaria monumental ligava essa praça à cidadela no norte.

***Bibliografia.*** William Hallo, "Carchemish", BW, pp. 165-169. D. G. Hogarth, C. L. Woolley e T. E. Lawrence, *Carchemish*, Londres. British Museum, 1914, 1921 e 1952.

S. H. H. e D. C. B.

**CARREIRA** Uma palavra usada com referência ao estilo de vida de um indivíduo (Jr 8.6; 23.10) sugerindo um estilo veloz e livre de viver ou de se mover.
Para as divisões sacerdotais, *veja* Turnos dos Sacerdotes e Levitas.

**CARRO** A palavra hebraica *'agala* é traduzida tanto como "carro" quanto como "carroça" (*q.v.*). Em 1 Samuel 6.7-14 os filisteus construíram um carro novo para transportar a arca de Deus de volta a Israel. Tais carros filisteus, com duas rodas sólidas, são representados em um relevo de Ramessés III, no Hall Medinet, de 1170 a.C. Em 2 Samuel 6.3 e 1 Crônicas 13.7, um carro foi utilizado por Uzá e Aiô para levar a arca da casa de Abinadabe a Jerusalém. Em Isaías 28.27,28, há uma referência a uma roda de carro usada como um instrumento para debulhar, e em Amós 2.13 a referência pode ser à mesma coisa com as palavras "um carro cheio de manolhos".
No Salmo 46.9 a palavra hebraica *'agala* é traduzida como "carro", e provavelmente refere-se aos veículos de suprimentos utilizados com fins militares.

**CARRO ou CARROÇA** Este termo é a tradução de diversas palavras hebraicas e gregas. A mais freqüentemente utilizada é *'agala* ( de *gll*, "rolo"), "carroça" ou "vagão" – sendo que a distinção entre um veículo de duas rodas para carregamentos mais leves e um veículo de quatro rodas para carregamentos mais pesados, é feita não por palavras diferenciadas e sim pela análise do contexto. Na maioria dos casos, as palavras em seu sentido original se referem a um veículo de duas rodas puxado por animais.
Os carros e as carroças eram usados para transportar pessoas e coisas (Gn 45.19), no entanto eram mais utilizados para grandes carregamentos de equipamentos para as eiras (Am 2.13). Os "carros cobertos" eram utilizados para mudar de lugar o Tabernáculo e os seus utensílios (Nm 7.3-9). A carruagem de duas rodas, que substituiu o trenó e tornou-se comum na Babilônia, Egito e Palestina em aprox. 3000 a.C., teve primeiro rodas de madeira e mais tarde rodas com raios, eixos e aros de rodas (Is 28.27,28).

**CARSENA** O primeiro dos "sete príncipes dos persas e dos medos" nomeados sob o rei Assuero (Et 1.14).

**CARTA** Esta é a tradução de cinco palavras hebraicas e duas gregas. As palavras hebraicas e a palavra grega *epistole* se referem a uma epístola ou carta escrita a uma pessoa ou a um grupo de pessoas. O uso da palavra grega *gramma* é muito mais diversificado. (1) É uma letra do alfabeto. Paulo escreve: "Vede com que grandes letras vos escrevi por minha mão" (Gl 6.11). (2) Documento, registro ou conta (Lc 16.6,7). (3) Uma epístola ou carta (At 28.21). (4) As Escrituras (2 Tm 3.15; cf. Jo 5.47). (5) Cultura ou letras. Por exemplo, um homem letrado. "Como sabe, este, letras, não as tendo aprendido?" (Jo 7.15), isto é, como o Senhor Jesus podia ser tão culto se nunca havia sido educado nas escolas dos rabinos.
*Sentido figurado.* Paulo faz o contraste entre o legalismo dos fariseus e a obediência às leis através do Espírito em 2 Coríntios 3.6-18 ao escrever: "A letra mata, e o Espírito vivifica" (2 Co 3.6; cf. Rm 2.27-29). Ele mostrou que a lei de Moisés pode ser o ministério da morte e da condenação quando obedecida apenas exteriormente, mas uma forma de liberdade (cf. Tg 1.25; 2.8-12) se obedecida pelo homem não através de suas próprias forças, mas pela presença e pelo poder do Espírito Santo que habita dentro de cada crente (Rm 8.1-4).

R. A. K.

**CARTÁ** Uma cidade ainda não identificada, conferida aos levitas meraritas na área de Zebulom (Js 21.34; não citada em 1 Crônicas 6.77, uma passagem paralela).

**CARTÃ** Uma cidade em Naftali dada aos levitas gersonitas quando a Palestina foi dividida por Josué (Js 21.32). É chamada de Quiriataim em 1 Crônicas 6.76. É identificada com Khirbet el-Qureiyeh, 24 quilômetros a sudeste de Tiro.

**CARTAS UNCIAIS** *Veja* Escrita.

**CARVALHO** *Veja* Plantas: Carvalho, Terebinto. Para adoração debaixo de carvalhos, *veja* Terebinto.

**CARVALHO DE MORÉ** Ao entrar na terra de Canaã, Abraão parou primeiro em Siquém (Gn 12.6). Foi lá no carvalho de Moré (heb. *'elon moreh*) que o Senhor começou a revelar a sua promessa de aliança, e foi perto dali que Abraão edificou o seu primeiro altar. O local não pode ser identificado com precisão, mas deve ser considerado como estando nas proximidades da própria Siquém. Este carvalho, um terebinto, que normalmente cresce como uma árvore solitária, já era famoso e provavelmente sagrado para os cananeus nativos, porque seu nome significa "carvalho do mestre". Provavelmente seja a mesma árvore sob a qual Jacó enterrou os ídolos de sua família (Gn 35.4). É menciona-

Reconstrução do pátio de uma casa em Ur nos dias de Abraão. Os aposentos da família estavam localizados no segundo piso; a cozinha, a despensa e os quartos dos servos estavam no andar térreo

do como um marco em Deuteronômio 11.30. Debaixo dele Josué fez um santuário ao ar livre com uma pedra marcando a renovação da aliança de Israel com Jeová (Js 24.26), e ali Abimeleque foi feito rei de Siquém (Jz 9.6; cf. também 9.37).

Para conhecer mais sobre a importância do carvalho ou terebinto na cultura do antigo Oriente Próximo, *veja* Plantas: Carvalho.

**CARVÃO VEGETAL** *Veja* Carvão; Minerais e Metais.

**CASA** Esta é a tradução de cerca de cinco palavras na Bíblia Sagrada. A casa (heb. *bayit*; gr. *oikia*) designa de forma geral o lugar de habitação de uma família, do rei, ou do templo de Deus em Jerusalém. O termo também pode designar uma nação (casa de Israel), uma tribo, uma família (Gn 7.1 etc.).

*Desenvolvimento histórico*: As primeiras habitações conhecidas eram as cavernas naturais onde os homens buscavam abrigo das forças da natureza. No oitavo milênio a.C. os habitantes de cavernas começaram a deixá-las, mudando-se para áreas abertas depois que as chuvas torrenciais (e as geleiras ao norte) da Idade do Gelo haviam cessado. Pouco depois disso começou o surgimento de tendas e cabanas de varas presas no chão de uma maneira circular com os topos presos juntos e cobertos com telhado de sapê ou folhas. Outros desenvolveram, por sua engenhosidade, paredes de pedras do lado oposto das entradas das cavernas ou em frente a elas, e cobriam o espaço com postes e peles.

A evidência de cabanas agrupadas para formar casas indica a necessidade, na mente dos homens pensadores, de compartimentalizar por função, privacidade e – mais espaço. Em uma etapa do desenvolvimento, alguns grupos viram a vantagem de proteção ao construir suas cabanas com estacas de madeira em lagos, muitas, com dois ou mais quartos. No Lago Europeu havia habitações feitas de troncos cruzados e sobrepostos nos cantos.

Não se sabe ao certo em que momento os homens deixaram, em seu pensamento, de considerar as casas meramente como um grupo de habitações, para vê-las como uma cidade. No entanto, Jericó, na Palestina, no momento considerada a mais antiga cidade murada de que se tem conhecimento, remonta bem antes de 6000 a.C., indicando assim um período não muito longo da era da habitação em cavernas, para o surgimento do conceito de cidades. As primeiras aldeias agriculturais neolíticas, tais como Hacilar em Anatólia, Jarmo no Iraque, e Beidha perto de Petra na Jordânia, podem ser ligeiramente mais antigas do que o muro defensivo maciço e o fosso de Jericó.

No Egito, na Mesopotâmia, e nas planícies da Síria e da Palestina, tijolos feitos à mão, de lama seca ao sol, tornaram-se o material de construção comum. Com muita freqüência na Mesopotâmia e no Egito, o selo do rei era estampado neles, ajudando a datar a estrutura e correlacioná-las com as inscrições do rei descrevendo as suas atividades de construção. Anteriormente, porém, nas planícies ao longo da costa da Palestina e em torno do lago Huleh, o material de construção mais disponível havia sido o junco do pântano. A técnica envolvia uma planta térrea circular na qual juncos eram combinados com tijolos de barro para formar casas semelhantes a colméias.

Modelo de uma casa e terreno em Amarna, Egito, aprox. 1375–1330 a.C. Este é o tipo de casa de classe alta que Moisés deve ter conhecido ali.
ORINST

As sepulturas calcolíticas (4000-3200 a.C.) de ossuários, que tinham o modelo de casas, indicam uma planta retangular, com juncos amarrados e rebocados de maneira sólida com lama para formar o telhado. Em outros lugares, casas de vergas trançadas e reboco eram construídas com varas presas no chão e paredes formadas por juncos trançados (vergas) e superfícies rebocadas com lama para apresentar uma face sólida e resistente às intempéries. Durante o início do período calcolítico, as pessoas na planície de Berseba cavaram habitações subterrâneas em terra de loesse* compactada.
(*Nota do Tradutor: Loesse é um sedimento éolico amarelado encontrado na Europa, na Ásia e na América do Norte).
Nos planaltos da Palestina, a abundância de pedras determinou o material de construção geral. Freqüentemente são encontradas casas de dois andares, juntamente com os tipos de um andar, com telhado achatado e escadas anexas. As escadas eram geralmente de pedra ou tijolos, colocadas contra um muro exterior ou o muro do pátio. É possível que às vezes elas passassem por dentro da habitação como é sugerido por Marcos 13.15, "não desça para casa, nem entre (em)... sua casa". Os telhados mais comuns e mais freqüentes eram os que tinham estruturas de vigas de madeira com componentes cruzados menores sobre os quais eram colocados pequenos galhos ou palha, e cobertos com um barro comprimido. O AT requeria um parapeito (heb. *gag*, "ameia") em volta do telhado para evitar ferimentos causados por quedas (Dt 22.8).
A evidência do uso de colunas revela uma considerável imaginação. Na Jericó neolítica, uma edificação com câmaras internas e externas, com seis colunas do lado oposto à frente, é um exemplo notável. O quarto interno tem duas colunas de madeira apoiando a estrutura. As colunas em frente obviamente apoiavam o pórtico, e datavam de 3.000 anos antes do pórtico da casa do bosque de Salomão. Em um templo do início da Idade do Bronze (aprox. 2500 a.C.) em Ai (BA, VII [1944], fig. 3) foram encontradas quatro bases de calcário e parte de um poste de madeira carbonizado ainda *in situ*. O tamanho do cepo e dos plintos elegantemente aparados indicam que cargas pesadas eram colocadas na parte superior, sugerindo a existência de um segundo piso. Mais tarde, em uma vila do início da Idade do Ferro (aprox. 1200 a.C.), em um mesmo local, quatro pilares talhados estavam desenterrados, e apoiavam o telhado ou o piso superior estendendo-se sobre um lado do pátio. Plantas similares apareceram em casas datadas de 900 e 750 a.C. em Hazor (BA, XXI, figs. 7, 10).
Enquanto a civilização se desenvolvia no Egito, algumas das melhores casas foram construídas com as pedras extraídas das co-

Ruínas da "casa do Fauno" em Pompéia, um exemplo de uma vila romana nos dias de Paulo. Na frente da casa havia uma grande área coberta (átrio) com um tanque ao centro e cercada por salas; na parte de trás havia um pátio aberto com colunas, também cercado por salas

linas. Na Palestina, a partir de 3000 a.C., até o período cananeu (terminando em aprox. 1200 a.C.), como indica a evidência de Tel Beit Mirsim (provavelmente Debir) durante o domínio dos hicsos, as casas foram bem construídas, e a espessura dos muros de pedra sugere uma necessidade de proteção. A planta do piso da casa de um nobre ou chefe hicso em Tel Beit Mirsim em aprox. 1600 a.C. revela seis quartos de um dos lados de um longo pátio de aprox. 7 por 13 metros (Albright, *Archaeology of Palestine*, fig. 16; ANEP # 723).
No primeiro período israelita, aprox. 1200-1000 a.C., a rudeza dos encaixes mostra uma falta de familiaridade com a construção em pedra. Posteriormente, na época de Salomão e depois dele, o avanço técnico no entendimento e utilização deste tipo de construções é indicado pela excelente obra em pedra nas casas, muros de cidades e palácios. Quando surgiu a necessidade de edifícios monumentais, como o templo do Senhor e a casa do bosque do Líbano de Salomão, artífices familiarizados com este tipo de arquitetura tinham que ser importados, sendo que a fonte de mais fácil aquisição era a Fenícia. O texto em 1 Reis 6 dá alguma idéia de como era o templo do Senhor quanto aos materiais e técnicas usados. As pedras eram quadriculadas por delineamento marginal e cortadas de forma a terem o formato ideal para se encaixarem na parede. O telhado era de madeira, com os pisos, paredes internas e tetos feitos de tábuas de pinheiro e cedro com decorações esculpidas e folhas de ouro.
Descrições técnicas exatas dizem respeito ao átrio interior, mostrado a partir de três ordens de pedras cortadas e coberto por uma ordem de vigas de cedro (1 Rs 6.36; 7.12). Uma luz é espalhada sobre esta estrutura pela porta contemporânea de Megido. A subestrutura de cinco ordens de calcários

Os mosaicos no piso das ricas casas romanas eram freqüentemente elaborados e feitos com muitas cores. Aqui o deus Dionísio está sentado em uma pantera, da ilha de Delos. Hannibal

unidos tinha vigas de argamassa com espessura de 10 cm entre a segunda e a terceira orden. No caso do templo de Salomão, portanto, a referência à maneira de se construir pode se referir apenas à subestrutura.

A planta do templo em si consistia de duas salas, o Lugar Santo e o Santo dos Santos onde a arca da aliança estava colocada. Isto reflete a planta familiar dos templos encontrados em outros lugares na Palestina e em outros países, indicando apenas uma adequação da planta às funções e não uma evolução da adoração a Jeová. *Veja* Templo.

A Casa do Bosque do Líbano (*q.v.*) recebeu este nome por causa das muitas colunas de cedro e tábuas nas paredes. Quatro ordens de colunas a dividiam longitudinalmente, e ela tinha três ordens de câmaras superiores de 15 colunas cada (1 Rs 7.2-5). Este palácio estava ligado a uma sala de espera (possivelmente o "Salão das Colunas") e à Sala do Trono, e incluía aposentos privativos para o rei e para a filha de faraó (1 Rs 7.6-8). Ali eram guardados os escudos de ouro, o trono de marfim e os vasos preciosos (1 Rs 10.7,21; 2 Cr 9.16,20; Is 22.8). O palácio era unido ao complexo do templo no sul, e dessa forma combinava a casa de Deus com a do seu vice-rei. Visto que não existe nenhuma informação arqueológica, não se pode determinar o layout exato.

*Plantas e construção*: Nas cidades abertas e muradas da Palestina e em outros lugares, as casas eram construídas parede com parede. Qualquer pátio aberto ficava na parte exterior dos muros da casa e havia salas que davam para ele. As casas ficavam de frente para as ruas estreitas; nos locais onde havia os muros da cidade, estes geralmente formavam a parede do fundo das casas. Quando a população aumentava, como em épocas posteriores, as casas na Palestina geralmente se tornavam menores, com salas menores e paredes mais finas, e menos atenção era dada ao planejamento urbano. Dessa forma, o planejamento da cidade ficou conhecido no início da história da cidade-estado sumeriana de Ereque, cujo rei Gilgamesh propôs uma divisão tripla da cidade e seus arredores em casas, templo e campos.

Em detalhes as casas tinham, naturalmente, uma porta de entrada, e freqüentemente possuíam janelas. Em algumas das casas melhores, as portas eram emolduradas por vergas e batentes de madeira. Durante a Idade do Bronze (3000-1200 a.C.), portas grossas de madeira eram evidenciadas por grandes encaixes de pedra da soleira; estas eram freqüentemente ausentes nas casas nos dias de Davi, o que sugeria uma força policial eficaz para proteger os habitantes. Em tais casos, um pano ou pele pendurado serviria como uma porta. As janelas às vezes eram abertas através do muro da cidade quando a casa era incorporada à fortificação (cf. Js 2.15; At 9.25; 2 Co 11.32,33). As janelas nas ruas teriam treliças (*q.v.*).

Covas de armazenagem para grãos eram cavadas no solo. Às vezes, eram revestidas de argamassa, e às vezes grandes potes de barro eram introduzidos no solo. Covas para fogueira também eram cavadas no chão, ou às vezes construídas com uma parede baixa para conter o fogo. Não tendo uma chaminé, a fumaça encontrava a sua passagem através de portas e janelas. Tais fogueiras também aqueciam as casas, com braseiros usados para supri-las. Os pisos eram geralmente de barro batido, embora em casas melhores sejam encontradas argamassa e pedras. Na época do NT as casas e vilas ricas freqüentemente tinham pisos de mosaico, como em Pompéia e Antioquia de Orontes.

Os porteiros são mencionados (1 Cr 15.23, 24; Jo 10.3; 18.16,17; At 12.13-15); nas casas mais ricas eles determinavam quem poderia entrar.

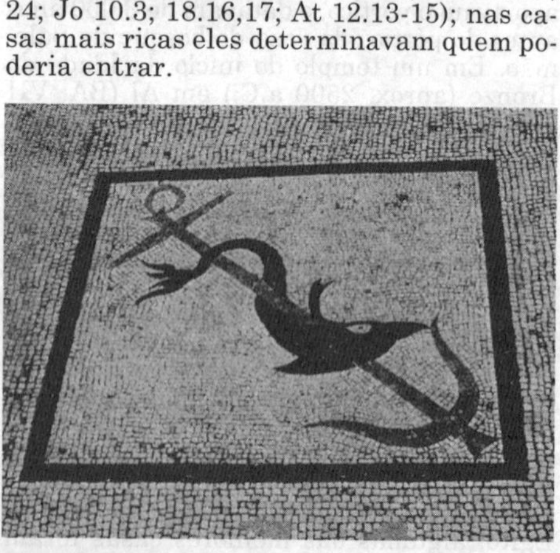

Piso com um mosaico preto e branco, de Delos. HFV

Na maioria das cidades é encontrado algum empenho para se ter um sistema de drenagem para escoar a água da chuva, e às vezes o esgoto, geralmente com canais revestidos ou recobertos de pedras, embora sistemas de tubos de barro e sistemas abertos de meio tubo (como canaletas) tenham sido descobertos.
No período helenístico, mais evidências do planejamento da cidade são encontradas com a ocorrência de plantas de ruas mais retangulares. As casas assumiam um formato mais retangular ou até mesmo quadrado. Também havia banheiros com encanamentos nas casas dos mais ricos. Na época do NT, a Jericó herodiana havia se tornado um paraíso ajardinado com local (público) para banhos e belas casas (Lc 19.1-10). As casas dos ricos na Palestina romana eram similares às famosas casas romanas, com um átrio ou salão coberto e salas circundantes, atrás das quais havia um pátio aberto com salas circundantes, conferindo a máxima privacidade.
*Mobília*: Durante a maior parte do período bíblico, a casa servia tanto para habitação como para depósito. São espantosos os restos carbonizados de uma grande variedade de instrumentos, mercadorias, animais etc., estocados nelas. No clima muito frio ou severamente tempestuoso, os animais mais valiosos compartilhavam seus abrigos (cf. 2 Sm 12.1-4).
As famílias mais pobres tinham apenas poucos utensílios de cozinha e roupas de cama (às vezes apenas as suas vestes, Ex 22.26,27), deitando-se apenas em uma esteira de juncos (Jo 5.8-12). Se um quarto de hóspedes fosse fornecido, este conteria apenas uma cama, uma mesa, uma cadeira e um candeeiro de barro (2 Rs 4.10). Quando se tratava de camas, as dos ricos tinham cabeceiras altas (Gn 47.31; 48.2; 49.33; Ez 23.41); outros tinham uma espécie de cama de lona baixa (Êx 8.3; Lc 8.16). Alguns tinham baús para guardar peças de vestuário e roupas de cama, como as caixas ornadas encontradas na tumba de Tutancamom. Os ricos se regalavam com móveis que eram incrustados com marfim e folhas de ouro (Am 6.4).
Em dias de tempo bom, cozinhava-se em lareiras externas; durante o mau tempo, em lareiras internas. Fornos de pão aparecem tanto do lado de dentro como do lado de fora das casas. Um par de moinhos de pedra (Dt 24.6) era o meio utilizado para moer os grãos para se obter a farinha. O azeite era guardado em potes especiais de barro. As cisternas eram freqüentemente encontradas dentro do pátio para o armazenamento de água. As panelas para cozinhar foram encontradas; havia tipos de boca larga, para mexer, e tipos de boca menor, para líquidos. Os dedos eram os "utensílios" mais usuais para alimentação. Porém os ricos se proviam com talheres de ouro e prata.
*Veja* Arquitetura; Cidade.

***Bibliografia.*** W. F. Abright, *Archaeology of Palestine*, Harmondsworth. Penguin, 1960. Emmanuel Anati, *Palestine Before the Hebrews*, Nova York. Knopf, 1963. H. Keith Beebe, "Ancient Palestinian Dwellings", BA, XXXI (1968), 38-58. A. C. Bouquet, *Everyday Life in New Testament Times*, Nova York. Scribner, 1954, pp. 27-38. "Cities, Israelite; Building and Houses", CornPBE, pp. 212-217. E. W. Heaton, *Everyday Life in Old Testament Times*, Nova York. Scribner, 1956, pp. 55-77. Otto Michel, "*Oikos*, etc", TDNT, V, 119-159. G. Ernest Wright, *Biblical Archaeology*, ed. rev., Filadélfia. Westminster, 1962, pp. 187-190.

H. G. S.

**CASA DE INVERNO** Uma residência para a estação de frio usada por pessoas ricas (Am 3.15). Em Jeremias 36.22 a casa de inverno provavelmente se referia a uma parte do palácio de Jeoaquim exposto ao sol de inverno e usado por causa de seu calor.

**CASA DO BOSQUE DO LÍBANO** Um grande salão do palácio de Salomão em Jerusalém que recebeu este nome a partir do material importado do monte Líbano. Ela consistia de uma estrutura retangular de 50 por 25 metros, dividido por fileiras de colunas, possivelmente com um andar superior de câmaras distribuídas em fileiras de 15 colunas cada (1 Rs 7.2-5). Servia como um arsenal real e como uma antecâmara para audiências com o rei. Ela se comunicava com a sala do trono e outras salas públicas do palácio, bem como com os aposentos privativos do rei e da filha do faraó (1 Rs 7.6-8). São feitas referências aos escudos de ouro, ao trono de marfim, e aos vasos preciosos que eram mantidos na casa do bosque (1 Rs 10.17,21; 2 Cr 9.16,20; Is 22.8).

**CASA DO JARDIM** Expressão mencionada em 2 Reis 9.27, "Acazias, rei de Judá, fugiu pelo caminho da casa do jardim". Como ele fugiu em sua carruagem, perseguido por Jeú, a "casa do jardim" devia estar situada a certa distância do palácio de inverno em Jezreel e pode ser possivelmente identificada com En-Ganim (*q.v.* Js 19.21) cerca de "10 quilômetros ao sul de Jezreel, aos pés da cadeia de montanhas do Carmelo" (IB, III, 235) ou a moderna Jenin.

**CASA DO PAI** Este uso no AT é sempre de importância terrena, referindo-se ao lugar de habitação da família (Gn 24.23), ou à própria família (Gn 12.1), ou à tribo (Gn 24.40), ou a toda a nação (Ne 1.6). *Veja* Família.
No NT, o Senhor Jesus acrescentou duas outras idéias. Ele se referiu ao templo como sendo a casa de seu Pai (Jo 2.16). Em João 14.2 Ele fala do lar futuro do cristão. "na casa de meu Pai". *Veja também* Pai; Céu; Mansão.

**CASA DO REI** *Veja* Palácio.

**CASA SANITÁRIA** Jeú, desdenhando Baal, ordenou que o templo daquele deus pagão fosse demolido e que o lugar fosse transformado em latrinas públicas, para que fosse reconhecido como impuro (2 Rs 10.27). Durante escavações foram descobertas latrinas deste tipo: eram constituídas por um simples edifício com uma fileira de buracos feitos em uma prancha de pedra que cobriam um ralo através do qual a água podia ser esguichada, semelhante a muitas instalações de vasos sanitários nas terras do Oriente Médio hoje.

**CASA, MEMBROS DA** Esta é a tradução de oito termos na Bíblia, sendo o mais freqüente do AT o heb. *bayit*, "casa". O texto em Jó 1.3 tem *'abudda*, "casa", ou "a gente ao seu serviço", um conjunto de servos para a família. O termo gr. *therapeia*, de significado similar, ocorre em Lucas 12.42 (conservos ou servos). O termo gr. comum *oikos*, "casa", descreve as famílias de Lídia (At 16.15), Estéfanas (1 Co 1.16), e Onesíforo (2 Tm 4.19). Uma forma atributiva de *oikia* ocorre em Mateus 10.25,36, "aos seus domésticos", "os seus familiares" (*oikiakos*).
A casa é o objeto de cuidado de uma mulher virtuosa (Pv 31.15ss.). Os seus membros são aqueles que recebem instrução religiosa (Gn 18.19), regozijam-se juntos pelas misericórdias de Deus (Dt 14.26), e devem ser evangelizados (At 16.15; 16.33,34). Havia cristãos na casa de César (Fp 4.22). Os cristãos se tornam membros de uma nova família espiritual, a família da fé (Gl 6.10), a família de Deus (Ef 2.19). *Veja* Família; Casa.

**CASACO.** *Veja* Vestuário.

## CASAMENTO

### A Natureza do Casamento

1. O casamento faz parte da própria ordem da criação. Deus revelou ao homem que ele precisava de uma esposa (Gn 2.18) e que a esposa precisava de um marido (Gn 3.16). Desde o começo, Ele criou a mulher para o homem e o homem para a mulher (Gn 1.26,27). Desde o início o homem entendeu que era vontade de Deus que ele tivesse uma esposa. "Osso dos meus ossos e carne da minha carne" (Gn 2.23) e que deveria amá-la e cuidar dela como de si próprio. Paulo escreveu. "Assim devem os maridos amar a sua própria mulher como a seu próprio corpo. Quem ama a sua mulher ama-se a si mesmo. Porque nunca ninguém aborreceu a sua própria carne; antes, a alimenta e sustenta, como também o Senhor à igreja" (Ef 5.28,29).
2. O casamento é um sacramento de sociedade. No casamento, assim como na união sexual em particular, o homem e a mulher sentem prazer e fazem dele a demonstração exterior daquilo que é uma graça interior. Sacramentado por Deus (cf. 1 Tm 4.3) ele representa a mais elevada expressão de afeto mútuo e a mais profunda comunhão humana, e por isso o próprio Deus usou o casamento para expressar a incalculável profundidade de seu amor por nós.
3. O casamento é um pacto solene celebrado entre um homem e uma mulher dentro de uma perfeita liberdade, e através do qual prometem entre si o amor e a fidelidade, na alegria e na tristeza, na saúde e na doença, na prosperidade e na adversidade enquanto viverem. De acordo com a visão de Deus, ele somente termina com a morte ou então por causa de uma grave infidelidade ou separação de um cônjuge descrente (Mt 5.32; 19.9; Rm 7.2,3; 1 Co 7.15). Esse pacto deve ser celebrado apenas entre duas pessoas que compartilhem o mesmo espírito e fé, pois "que parte tem o fiel com o infiel?" (2 Co 6.14,15).
4.O casamento é uma vocação, um convite de Deus para a demonstração, a todo o mundo, da mais elevada forma de amor mútuo (Gn 2.23,24; Ef 5.21ss.). Também é a maneira correta de se gerar filhos (Gn 33.5; 48.4; Dt 28.4; Js 24.3,4; Sl 127.3), alimentá-los física e espiritualmente, e o ambiente mais propício para lhes ensinar a Palavra de Deus (Dt 6.7-20; 11.18-21; Pv 22.6) e treiná-los para serem bons cidadãos (Pv 13.24; 19.18; 22.15; 23.13; 29.15,17).

### Os Propósitos do Casamento

1. A propagação da raça humana. É a forma Divina de desenvolver a espécie chamada humanidade. No caso dos seres angelicais, Deus criou cada um deles individualmente, mas no caso da humanidade, Ele criou um homem e uma mulher e toda a raça humana descendeu desse primeiro casal. Deus só poderia ter redimido separadamente cada anjo caído se Cristo morresse individualmente por cada um deles, mas Ele pôde redimir a raça humana de Adão com uma única morte de Cristo, pois Ele estaria representando a raça como um todo. É à luz desse fato que entendemos o significado de 1 Coríntios 15.22. "Porque, assim como todos morrem em Adão, assim também todos serão vivificados em Cristo". Deus preferiu gerar filhos espirituais que irão amá-lo por causa de sua soberana graça salvadora e trazer-lhes a vida através do relacionamento do casamento. Os aspectos sacramentais e da propagação da espécie do casamento ficam dessa forma reunidos e a geração dos filhos se torna um ato de santidade para a verdadeira glória de Deus.
2. É a maneira de Deus de criar os filhos. Filhos precisam de um lar, e de pais dentro deste lar. No lar eles recebem abrigo e alimento. Através da vida de seus pais eles aprendem o que significa o verdadeiro amor

porque são o objeto do amor dos pais e porque vêem o amor recíproco que existe entre eles. Somente através dos pais eles podem entender plenamente o profundo e duradouro amor conjugal e, dessa forma, ficam preparados para esperar e procurar um amor igual para si mesmos. É nesse ponto que a discórdia conjugal e os lares desfeitos exercem o efeito mais devastador sobre os filhos. O filho que nunca observou a demonstração de um verdadeiro amor em seu lar não está pronto para enfrentar sozinho a vida. Deus também teve a intenção de que a demonstração de um verdadeiro amor entre pais e filhos fosse a base para o entendimento do amor que Ele mesmo sentiu ao enviar o seu Filho para morrer pelos nossos pecados (cf. Ef 5.25-32).

3. O casamento é a maneira de Deus incutir nos filhos os princípios da justiça e da autoridade responsável. Os pais devem tratar os filhos com paciência e justiça (Ef 6.4; Cl 3.21) e lhes ensinar o que é justo e direito. Devem dar exemplo de responsabilidade e autoridade na divinamente ordenada economia do lar (cf. 1 Tm 3.4,5,12; Tt 1.6). O pai, como o cabeça da esposa e do lar, embora consultando plenamente sua esposa de uma forma realmente democrática, é o responsável por todas as decisões. Isso ensina a submissão à autoridade e um verdadeiro senso de responsabilidade (Ef 5.21-24).

4. O casamento é o meio pedagógico de Deus ensinar aos filhos sobre Si mesmo. Deus se intitula nosso Pai e demonstra que o seu amor é tão maravilhoso como o amor de um bom pai (Sl 103.13; Jo 3.16), tão terno como o amor de uma boa mãe (Is 49.15; 66.13; Mt 23.37), tão íntimo como aquele que existe entre o marido e a esposa (Ef 5.25ss.). Desse modo, todo o relacionamento dentro do casamento e da família transparece na demonstração e nos ensinos daquilo que Deus é, da natureza do seu amor. *Veja* Família.

### O lugar do Sexo

Embora o sexo tenha como objetivo estabelecido por Deus gerar filhos para povoar a terra e assim indiretamente encher o céu com filhos renascidos em Deus, ele também preenche importantes necessidades pessoais e familiares. O esposo necessita da esposa e a esposa necessita do marido, porque o homem é feito de tal maneira que as tensões da vida são aliviadas através do amor conjugal (1 Co 7.1-5). Ao mesmo tempo, nesse íntimo ato de amor são liberadas energias criativas tanto na vida do marido como da esposa.

Podemos observar melhor que Deus fez o homem e a mulher para o verdadeiro prazer e um mútuo companheirismo em Cantares de Salomão, onde as intimidades do amor conjugal e do prazer estão descritas de uma forma maravilhosa e pura. No relacionamento sexual todo o amor é expresso através de atos e palavras e é consumado em comunhão e união. É uma expressão de amor que pode ser exercitada com apenas uma pessoa por causa de sua natureza santa. Cada um mantém a experiência de um profundo amor pelo outro e somente por essa pessoa. Nesse sentido, ele é o exemplo típico de um relacionamento exclusivo que deve existir individualmente entre cada cristão e seu Senhor, e no qual nenhuma outra pessoa ou deus pode ter a permissão de participar (Êx 20.3; cf. Ef 5.25ss.).

Um casamento baseado em uma vida sexual plena e estável é feliz e equilibrado, desde que esse aspecto da vida seja a expressão do mais profundo amor e não a mera satisfação de desejos carnais. Ele é de grande importância para os filhos (assim como para o marido e a esposa), porque vêem não só um casamento estável, como também seu encanto, pureza, beleza, e profunda satisfação. Os filhos, por sua vez, podem aprender que o sexo é uma dádiva divina e pode ser verdadeiramente belo e maravilhoso quando usado de acordo com as intenções de Deus. Os cuidados que Deus coloca no ato sexual permitem aos filhos aprender com pureza e se conservarem puros, mais tarde usando o sexo de acordo com os propósitos Divinos, vendo que a plena liberdade e alegria no casamento realmente vêem quando se vive dentro do âmbito do sétimo mandamento (1 Ts 4.3-8; Hb 13.4).

### Como Deus Fala sobre o Casamento

Em primeiro lugar, Deus usa o casamento como uma metáfora para expressar o relacionamento de Cristo com a igreja, comparando Cristo com o noivo e a igreja com a noiva (Ef 5.24-32; Ap 19.7-9). Tanto o crente individualmente como a igreja em geral, sempre são considerados no sentido de ser a noiva em relação a Cristo (2 Co 11.2). A total submissão da virgem Maria à orientação e capacitação do Espírito Santo quando disse, "Cumpra-se em mim segundo a tua palavra" (Lc 1.38), representa uma analogia com o relacionamento que deve existir entre o Espírito Santo e o cristão. O fruto do Espírito deve ser introduzido e nascer na vida do crente (Gl 5.22,23) assim como Cristo foi formado pelo Espírito no ventre de Maria (Lc 1.42). No Salmo 45, Cristo é visto em toda a sua majestade e beleza juntamente com a sua Noiva Real, a igreja, para representar a pureza que Deus deseja de seus filhos. A Noiva é grandemente desejada por causa de sua beleza (v. 11) tanto exterior como interior. Seus trajes são delicados e belos até o mais ínfimo detalhe.

### Monogamia

Embora a poligamia fosse praticada durante algum tempo no AT, ela só era permitida como uma medida temporária. Ela negava o princípio do marido e a esposa serem uma única carne (Gn 2.24; Mt 19.5), e levou a muitos problemas conjugais. Tanto Abraão como Jacó sofreram muitas tristezas por causa disso (Gn 21.9ss.; 30.1-24), e Davi e Salomão se desviaram por causa de suas esposas pagãs (2 Sm 5.13; 1 Rs 11.1-3). Somente através da monogamia é possível evitar o ciúme dentro da família e ilustrar corretamente o relacionamento de Cristo com o crente (Ef 5.23ss.). *Veja* Concubina.

**Casamento e Divórcio**

O divórcio sempre representou um grave problema. O ensino de Cristo é encontrado em Mateus 5.31,32; 19.3-9; Marcos 10.2-12; Lucas 16.18. Ele revelou que era somente por causa da dureza do coração dos homens que Moisés permitiu uma lei de divórcio e que isso poderia verdadeiramente levar ao adultério (Mt 19.8,9). O casamento só deve ser anulado por motivo de fornicação (Mt 5.31,32; 19.9). Isso significa que um divórcio somente deveria ser permitido quando houvesse uma relação sexual com outra pessoa que não fosse o cônjuge. Mesmo no caso de pessoas comprometidas na etapa do noivado, este deve ser rompido caso um dos dois cometa o ato de fornicação. Cristo afirmou que o homem, assim como a mulher, podia cometer adultério se forçasse um divórcio injusto. Isso contrariava a opinião dos judeus que viam a mulher como a única culpada possível.

Embora exista uma diferença de opiniões, a maioria das igrejas considera que o divórcio pode ser permitido nos casos de abandono voluntário. Se assim for, existem duas razões bíblicas: fornicação e adultério. Entretanto, as Escrituras aceitam que uma lei maior pode ser aplicada aos divorciados, isto é, a lei do perdão onde existe um verdadeiro arrependimento pelo pecado. Oséias perdoou e recebeu de volta a sua esposa adúltera porque a amava, assim como Deus está disposto a perdoar e receber de volta a sua adúltera nação de Israel (Os 2.1,2; 3.1ss.; 14.1-8). *Veja* Divórcio.

R. A. K.

**Costumes e Cerimônias Matrimoniais**

1. A escolha da noiva: Na Bíblia não existe qualquer restrição relativa à idade mais apropriada para o casamento, mas parece certo que as jovens se casavam muito cedo (Pv 2.17; 5.18). Em Isaías 62.5, o jovem, ao se casar, recebe o nome de *bahur*, isto é, o melhor, um jovem robusto e decidido na flor de sua capacidade física (cf. 1 Sm 9.2; Is 40.30; Am 8.13); a virgem recebe o nome de *b$^{e}$tula,* uma jovem atraente e sexualmente pronta para o casamento (cf. Jl 1.8; Jr 2.32). No Talmude, os rabinos estabeleceram 12 anos como idade mínima para as meninas e 13 para os meninos.

2. Por causa da forte influência tribal e da unidade do clã na sociedade patriarcal, os pais consideravam seu dever e prerrogativa assegurar esposas para seus filhos (Gn 24.3; 38.6). Normalmente, a noiva em perspectiva, assim como o noivo, simplesmente concordava com os arranjos feitos de acordo com os interesses da família e da lealdade à tribo. Não é de admirar que muitas vezes os pais procurassem o casamento entre primos em primeiro grau, como por exemplo, no caso de Rebeca e Isaque. O casamento com mulheres estrangeiras era desaconselhado (Gn 24.3; 26.34,35; 27.46; 28.8) e mais tarde foi totalmente proibido (Êx 34.16; Dt 7.3; Ed 10.2,3,10,11) pelo perigo de uma volta à prática da idolatria das demais nações. Casamentos mistos eram tolerados apenas no caso dos exilados (por exemplo, José, Gn 41.45; Moisés, Êx 2.21) e dos reis apenas por razões políticas.

Por outro lado, havia em Israel a oportunidade para casamentos baseados no namoro. O jovem podia declarar a sua preferência (Gn 34.4; Jz 14.2). Por exemplo, Mical se apaixonou por Davi (1 Sm 18.20). Na época do AT as mulheres não eram mantidas como reclusas, como nos países muçulmanos, e podiam sair às ruas com o rosto descoberto (cf. 1 Sm 1.13). Elas cuidavam das ovelhas (Gn 29.6; Êx 2.16), carregavam água (Gn 24.13; 1 Sm 9.11), colhiam nos campos (Rt 2.3) e visitavam outros lares (Gn 34.1). Dessa maneira, os jovens tinham a liberdade de procurar a futura noiva sozinhos.

2. O noivado: A escolha da noiva era seguida pelo noivado (*q.v.*), que era um procedimento formal onde havia um compromisso maior do que no noivado de nossos dias. Os homens que iam se casar com as filhas de Ló já eram considerados como seus genros (Gn 19.14). Um homem que estava noivo era dispensado do serviço militar para poder tomar (isto é, casar-se com) sua esposa e viver com ela em sua casa durante um ano (Dt 20.7; 24.5). Qualquer imoralidade sexual com uma jovem noiva era um crime tão grave quanto o adultério (Dt 22.22-27). Inscrições encontradas no Oriente Próximo também indicam que o noivado era um costume reconhecido, que tinha conseqüências legais muito definidas.

Geralmente, o noivado era realizado por um amigo ou representante legal da parte do noivo (1 Sm 25.39ss.). E, no caso da noiva, por seus pais. Era confirmado através de juramentos (Em 1 Sm 18.21*b* lemos: "Serás hoje meu genro"). Nessa ocasião era discutida a quantia do "dote" (em hebraico *mohar*. *Veja* Dote) com os pais da jovem, e era pago imediatamente à família da moça se a moeda corrente fosse o meio de compensação.

Tanto na antiga Mesopotâmia como em Israel o casamento era um simples contrato civil, sem qualquer formalização através de uma cerimônia religiosa. Embora o AT não faça uma menção especifica sobre a existência de um contrato de casamento por escrito, tais contratos estavam estipulados no Código de Hamurabi. Existem vários contratos de casamento entre os papiros encontrados na colônia judaica de Elefantine, do século V a.C., e essa prática é mencionada no Livro de Tobias (Tob 7.13). Os Talmudistas do Mishna chamam esse contrato de *k^e^tuba* e dão minuciosas instruções sobre como usar e guardar o *mohar*. O termo "concerto" ou "aliança" (*b^e^rit*) em Provérbios 2.17 e Malaquias 2.14 podem estar fazendo alusão a um contrato por escrito.

3. Cerimônia de casamento: A essência da cerimônia do casamento ou das festividades era o ato de retirar a noiva da casa do pai e trazê-la para a casa do noivo ou de seu pai. Dessa forma, havia uma verdade literal na expressão hebraica "tomar" uma esposa (por exemplo, Gn 4.19; 12.19; 24.67; 38.2; Nm 12.1; 1 Sm 25.39-42; 1 Rs 3.1; 1 Cr 2.21).

Vestindo um turbante imponente (Is 61.10) ou uma coroa nupcial (Ct 3.11) como um ornamento, o noivo partia de sua casa acompanhado por seus amigos (Jo 3.29) ou ajudantes (Mt 9.15) tocando tamborins e também podendo ser acompanhado por uma banda (1 Mac 9.39). Como a procissão nupcial geralmente se realizava à noite (Ct 3.6-11), muitos portavam tochas ou lanternas (Mt 25.1-8). A alegria e a felicidade (Jr 7.34; 16.9; 25.10; Ap 18.22ss.) anunciavam sua aproximação à população local que ficava aguardando à porta das casas que ficavam à beira do caminho até a casa da noiva e também quando regressavam à casa do noivo (Mt 25.5,6).

A noiva aguardava lindamente vestida e adornada com jóias (Sl 45.13ss.; Is 61.10; Ap 19.8). Para essa ocasião especial ela usava um véu (Gn 24.65; Ct 4.1,3; 6.7), que somente poderia retirar quanto estivesse sozinha com seu esposo, no escuro, na câmara nupcial (cf. Gn 29.23-25).

O noivo conduzia todos os convidados ao casamento, agora com a presença da esposa e seus acompanhantes (Sl 45.14*b*), até a casa de seu pai para a "ceia das bodas" (Ap 19.9). Todos os amigos e vizinhos eram convidados à festa do casamento (Gn 29.22; Mt 22.3-10; Lc 14.8; Jo 2.2) que era normalmente oferecida pelo pai do noivo (Mt 22.2). Recusar o convite para uma dessas festas representava uma grave ofensa (Mt 22.5; Lc 14.16-21). Geralmente, as festividades duravam uma semana (Gn 29.27ss.; Jz 14.10-12,17), mas o casamento era consumado na primeira noite (Gn 29.23). O anfitrião presenteava os convidados com vestes apropriadas (Mt 22.11); jogos e outras formas de diversão acrescentavam mais alegria à festividade (Jz 14.12-18).

O último ato da cerimônia era conduzir a noiva à câmara nupcial (em hebraico, *heder*, Jz 15.1; Ct 1.4; Jl 2.16). Nesse quarto havia sido preparado um dossel (em hebraico *huppa*, Salmo 19.5, "tálamo"; Joel 2.16, um "aposento particular" ou "recâmara") sobre o leito ou cama nupcial (Ct 1.16). Em seguida, o noivo "entrava à noiva" (Gn 16.2; 30.3; 38.8) e o lençol manchado de sangue, dessa noite de casamento, era guardado como uma prova da virgindade da noiva (Dt 22.13-21).

4. Estado civil: Em Israel, o estado civil do esposo era revelado pelo fato de que em hebraico ele é chamado de *ba'al*, o mestre ou senhor de sua esposa (Êx 21.22; Dt 21.13; 22.22; 2 Sm 11.26; Pv 12.4; 31.11,23,28). Isso traz a possibilidade de uma dupla interpretação para a profecia de Oséias 2.16, "E acontecerá naquele dia, diz o Senhor, que *me* chamarás. Meu marido *e* não me chamarás mais. Meu Baal". O fato da esposa aceitar o papel de dependente do marido pode ser visto quando Sara se dirige ao esposo Abraão como "meu senhor" (*'adoni*, Gn 18.12; 1 Pe 3.6).

Para o dever que o homem tinha de gerar um filho com a viúva de seu falecido irmão, *veja* Casamento, Levirato.

J. R.

***Bibliografia.*** Nathan W. Ackerman, *The Psychodynamics of Family Life*, Nova York. Basic Books, 1958. Ray E. Baber, *Marriage and the Family*, Nova York; McGraw-Hill, 1953. Roland de Vaux, *Ancient Israel*, trad. por John McHugh, Nova York; McGraw-Hill, 1961, pp. 24-38,521ss. Ralph Heynen, *The Secret of Christian Family Living*, Grand Rapids. Baker, 1965. Dean Johnson, *Marriage and Counselling*, Englewood Cliffs. Prentice Hall, 1961. J. Kenneth Morris, *Premarital Counselling*, Englewood Cliffs. Prentice Hall, 1960. John Murray, *Principles of Conduct*, Grand Rapids. Eerdmans, 1957, pp. 45-81. Marc Oraison, *Man and Wife*, Nova York; Macmillan, 1958. John R. Rice, *The Home, Courtship, Marriage and Children*, Wheaton. Sword of the Lord, 1945. C. W. Shudder, *The Family in Christian Perspective*, Nashville. Broadman, 1962. Dwight H. Small, *Design for Christian Marriage*, Westwood, N.J.. Revell, 1959. E. Stauffer, "*Gameo*, games", TDNT, I, 648-657. Charles William Stewart, *The Minister as Marriage Counsellor*, Nova York. Abingdon, 1961.

**CASAMENTO MISTO** O casamento entre israelitas e cananeus era proibido pela lei Mosaica (Dt 7.3,4). No início, Abraão estava preocupado não desejando que Isaque se casasse com a filha de algum cananeu. Jacó casou-se com as filhas de Labão, seu parente. Judá, entretanto, se casou com uma mulher cananéia (Gn 38.2), e José se casou com a filha de um sacerdote egípcio (Gn 41.45). Seus descendentes, entretanto, foram instruídos a não se casarem com pessoas que não fizessem parte de suas próprias tribos. Por outro lado, a lei de Deuteronômio permitia que os soldados de Israel trouxessem as mulheres das nações conquistadas para casa,

para serem suas esposas. Eles não podiam vendê-las como escravas (Dt 21.10-14).
Na restauração, Esdras sentiu-se enlutado quando descobriu que os filhos e as filhas de outras nações tinham se casado com os filhos e as filhas de Israel (Ed 9.1-15). Ele citou Êxodo 23.32 como a proibição dos casamentos mistos. Entende-se que, embora esta passagem não fale explicitamente de uma proibição ao casamento, ela é perfeitamente aplicável a esta situação. Neemias, referindo-se ao mesmo incidente, alegra-se pelo fato de cada pessoa ou objeto estrangeiro ter sido varrido de Israel. Esdras resolveu a questão do pecado, forçando os homens a se separarem das suas mulheres e filhos (*veja* Esdras 10.18-44).
A base desta proibição era o medo de que o casamento misto levasse à corrupção e ao pecado. As experiências de Salomão e Acabe, cujas mulheres fizeram com que Israel se desviasse, tornaram-se uma advertência suficiente para estes líderes. Não havia aqui nenhum argumento favorável a uma "purificação do sangue", no sentido de uma purificação racial. Mas esta atitude era, sim, um procedimento que visava evitar as influências corruptas de um povo idólatra. *Veja* Casamento; Divórcio.

L. Ga.

**CASAMENTO, LEVIRATO** O termo "levirato" deriva do latim *levir*, isto é, irmão do marido. O casamento de uma viúva sem filhos com o irmão de seu marido era um costume antigo praticado na época dos Patriarcas (Gn 38.8) que mais tarde foi incorporado à lei de Moisés (Dt 25.5-10). Esse costume legal já era conhecido na Assíria de acordo com a tábua Nuzi #441 (BA, III [1940], 10) e era muito apropriado que um sogro fizesse um casamento levirato de acordo com a lei dos hititas (ANET, p. 196).
Como o casamento levirato só podia se realizar depois da morte do primeiro marido, ele não contrariava o propósito de Levítico 18.16; 20.21. Como regra geral, essas passagens proibiam o casamento com a esposa do irmão, mas esta proibição ficava anulada quando o primeiro irmão morria sem deixar filhos, a fim de que o seu nome de família pudesse ser mantido por outro membro da família. Era preciso que um irmão, ou parente próximo do sexo masculino gerasse uma semente em nome do falecido. Se essa obrigação era negada, a viúva podia expor essa pessoa à execração pública.
O casamento de Rute com Boaz é um exemplo dessa lei. Boaz ofereceu ao parente mais próximo a oportunidade de redimir Rute; mas após a recusa, o próprio Boaz resgatou-a (Rt 4.1-10).
Em Gênesis 38, encontramos uma dupla violação da lei do levirato. Judá teve três filhos, Er, Onã e Selá. Er casou-se com uma mulher chamada Tamar e morreu sem deixar filhos. Então Judá deu Tamar a seu segundo filho Onã, em um casamento levirato. Mas Onã se recusou a ter um filho com ela e morreu. Judá, que agora havia perdido dois filhos, não quis dar Tamar em casamento ao terceiro filho, e dessa forma ela mesma decidiu resolver o assunto. Vestida como uma meretriz, ela seduziu Judá e teve um filho com ele. Confrontado com a prova de seu pecado, Judá reconheceu que havia cometido um erro (Gn 38.1-26).
Os saduceus referiram-se a esse costume com escárnio em Mateus 22.23-30 porque não acreditavam na ressurreição ou na vida depois da morte. Perguntaram a Jesus qual dentre sete irmãos seria o verdadeiro esposo de uma mulher casada sete vezes, sucessivamente, a fim de perpetuar o nome do primeiro marido na vida porvir.
*Veja* Casamento.

***Bibliografia.*** Millar Burrows, "The Ancient Oriental Background of Hebrew Levirate Marriage", BASOR #77 (1949), pp. 2-15. D. R. Mace., *Hebrew Marriage*, Nova York. Philosophical Library, 1953, pgs 95-118. E. Neufeld, *Ancient Hebrew Marriage Laws*, Londres. Longmans, 1944, pp. 23-55. Thomas e Dorothy Thompson, "Some Legal Problems in the Book of Ruth", VT, XVIII (1968), 79-99.

R. A. K.

**CASCA FOLHELHO** *Veja* Plantas.

**CASCO ou UNHA DE ANIMAIS** O revestimento caloso dos pés dos cavalos (Is 5.28; Jr 47.3), ou de outros animais (Lv 11.3-7,26). É usado figurativamente para significar "poder" ou "força" (Mq 4.13).

**CASIFIA** Um lugar não identificado ao norte da Babilônia, perto do rio Aava, no caminho da Babilônia a Jerusalém, para onde Esdras enviou "ministros para a Casa do nosso Deus" (Ed 8.17).

**CASLUIM** O nome de um povo não identificado, mencionado em Gênesis 10.14 e 1 Crônicas 1.12, como descendentes de Mizraim (Egito).

**CÁSSIA** *Veja* Plantas.

**CASTANHEIRO(A)** (Gn 30.37; Ez 31.8). *Veja* Plantas.

**CASTANHOLA** *Veja* Música.

**CASTELO** Normalmente um lugar, cidadela ou edifício fortificado (*q.v.*). Diversas palavras são traduzidas na Bíblia como "castelo".

Prisioneiros de guerra representados em um relevo no palácio de Assurbanipal, Nínive. LM

É usada com o sentido de acampamento em Gênesis 25.16; Números 31.10 e 1 Crônicas 6.54. O termo "castelo" nos parece melhor do que o termo "palácio" que é o termo que consta em algumas traduções em Neemias 7.2. O castelo mencionado em Atos 21.34 era a fortaleza romana de Antonia, anexada à área do templo. O termo "quartel" das versões RSV e NASB em inglês não indica suficientemente o seu poder como uma fortaleza.

**CASTIGAR** *Veja* Castigo.

**CASTIGO** Esta é a tradução da versão KJV em inglês para a palavra hebraica *musar* e para a palavra grega *paideia*. Na versão RSV em inglês preferiu-se usar "disciplina", que representa mais adequadamente o significado básico daquelas palavras originais. O significado original é o da educação, da correção e da orientação. A idéia de castigo pode estar envolvida na palavra, mas a menos que o contexto indique o contrário, o castigo deve ser visto como uma correção, como uma parte do processo de educação.

A idéia básica envolvida no uso bíblico é o de que Deus lida com o seu povo como um pai lida com os seus filhos. Ele disciplina e educa o seu povo (originalmente a nação de Israel no Antigo Testamento, e o indivíduo fiel no Novo Testamento) para produzir as qualidades que estejam de acordo com a sua própria vontade para a vida de cada um deles. A passagem básica no Novo Testamento é Hebreus 12.6-8, onde o escritor afirma que o castigo (ou a disciplina) é um sinal de filiação; a ausência da disciplina é um sinal de ilegitimidade.

O castigo que vem de Deus deve ser visto como um ato de amor e de misericórdia. O crente, ao invés de rebelar-se contra a disciplina de Deus, deve reconhecê-la como um ato de amor paternal da parte do Senhor e corrigir o seu próprio comportamento. Os pais cristãos são aconselhados por Pedro a imitar a Deus na criação dos seus filhos, na doutrina (ou disciplina – *paideia*) e admoestação do Senhor (Ef 6.4).

*Veja* Punição.

F. L. F.

**CASTO, CASTIDADE** Termos usados para indicar a pureza pessoal interior, que evita a contaminação ou a poluição, e que conseqüentemente mantém a pessoa livre da profanação (1 Pe 3.2), da carnalidade e dos pecados sexuais (2 Co 11.2, "pura"; Tt 2.5). *Veja* Pureza.

**CASTOR E PÓLUX** *Veja* Falsos deuses.

**CASTRAÇÃO** O ato de emascular por meio da remoção dos testículos. Animais castrados não eram aceitos como ofertas de sacrifícios (Lv 22.24). Quando realizada em um ser humano, esta operação resulta em ser conhecido como eunuco (*q.v.*). A lei de Moisés excluía tal homem da congregação (*q.v.*) do Senhor (Dt 23.1), mas Deus prometeu, por intermédio de Isaías, abrandar esta proibição (56.3-7), o que se cumpriu sob a nova Aliança (veja Atos 8.27,38).

**CATAPULTA** Máquina militar antiga, usada para lançar flechas, pedras ou outros objetos. A força propulsora era obtida por uma forte alavanca, que trabalhava em um eixo, fortemente tensionada por meio de cordas torcidas e, repentinamente, solta. Embora esta máquina não seja especificamente mencionada na Bíblia, era comumente usada pelos assírios e por outros povos durante o primeiro milênio a.C. O termo "máquinas" de 2 Crônicas 26.15, inventadas para arremessar flechas e grandes pedras, pode representar a catapulta. *Veja* Máquinas; Armas.

**CATATE** Uma cidade em Zebulom distribuída na partilha da terra por Josué (Js 19.15); provavelmente seja a cidade de Quitrom (Jz 1.30).

**CATIVEIRO** A palavra "cativeiro" na Bíblia pode se referir ao cativeiro de Israel ou de outras nações (Am 1.5). Desde épocas muito antigas, os exércitos vitoriosos seguiam a prática de separar, entre os seus prisioneiros, aqueles que desejavam para seus escravos ou para suas esposas (Dt 21.10ss). Essa remoção do seu território, quase sempre, significava a destruição da existência de uma nação, e um sentimento de separação do cuidado e da proteção do seu deus local ou nacional; de fato, implicava na derrota daquela divindade (cf. Is 52.2-5; Jr 50.29). Os assírios deram início a uma nova técnica para lidar com os prisioneiros – a deportação. Grandes quantidades de pessoas eram capturadas na guerra, deportadas, e estabelecidas em outra parte do império. Esta prática foi seguida também pela Babilônia, mas foi mudada pelos persas em 536 a.C.

Na história de Israel, o seu povo quase nunca esteve em casa, como um todo, na Palestina. Na verdade, a história de Israel começa com a escravidão no Egito, e embora a essa escravidão não se faça referência como sendo um cativeiro, as pessoas eram escravas, e não eram livres para partir. Há três grandes e principais opressões ao povo de Israel, em solo estrangeiro, mencionadas na Bíblia: no Egito, na Assíria, e na Babilônia (cf. Is 52.3-6).

O cativeiro limitado de alguns israelitas provavelmente começou em uma época tão antiga quanto os reinos de Roboão e Jeroboão I (aprox. 926 a.C.), quando Sisaque, Faraó do Egito, invadiu a Palestina (1 Rs 14.25-28). Tiglate-Pileser III, da Assíria (745-727 a.C.), capturou as cidades de Naftali (2 Rs 15.29) e levou cativos para a Assíria (1 Cr 5.26) os habitantes da tribo de Naftali, os rubenitas, e os gaditas, e a parte leste da tribo de Manassés (aprox. 733 a.C.). Em 722/721 a.C. a cidade de Samaria caiu sob Sargão II da Assíria e os prisioneiros foram levados a Hala (cf. Ob 20), em Habor, junto ao rio Gozã, e às cidades dos medos (2 Rs 17.6; 18.11). A inscrição de Sargão indica que 27.290 israelitas foram deportados. Pelo seu culto a divindades pagãs, eles tinham atraído sobre si a maldição da Aliança, proferida pelo Senhor seu Deus por tal desobediência (Dt 28.25,32,36,41; 2 Rs 17.7-23).

Com a queda do reino norte sob a Assíria, o destino do povo da Aliança ficou sob a responsabilidade de Judá. Uma vez mais, alguns indivíduos ou pequenos grupos foram levados cativos até que a própria Jerusalém foi destruída em 586 a.C., e muitas pessoas foram deportadas para a Babilônia por Nabucodonosor. Três dos cinco últimos reis de Judá foram levados em cativeiro. Jeoacaz, para o Egito; Joaquim e Zedequias, para a Babilônia. Daniel, Hananias, Misael e Azarias também foram levados para a Babilônia. Jeremias e Baruque foram levados para o Egito contra a sua vontade por alguns dos seus próprios compatriotas. Já havia assentamentos judeus no Egito quando Jeremias chegou. Esses grupos de pessoas tinham vindo como mercenários ou como refugiados das opressões da Assíria e da Babilônia.

Aqueles levados em cativeiro para a Babilônia devem ter passado por tempos muito difíceis. Eles foram humilhados pela memória da destruição de sua adorada Jerusalém. Se fossem fiéis ao seu Deus, tinham que suportar o escárnio e os insultos dos seus captores (Sl 137). Mas a vida para a maioria dos israelitas nascidos em cativeiro não parece ter sido muito difícil. Quando chegou a oportunidade para os judeus retornarem à Palestina em 536 a.C., somente uma pequena porcentagem voltou. Estima-se que, na época de Cristo, um milhão de judeus vivia no Egito, outro milhão vivia na Ásia Menor e na Síria, outro milhão vivia na Babilônia, cem mil judeus viviam na Itália e na Sicília, e outros cem mil viviam no norte da África.

O exílio ou cativeiro de Israel no Egito produziu alguns personagens proféticos notáveis, como Ezequiel e Daniel. Foi um período de grande atividade literária que também deu origem às sinagogas. Foi o verdadeiro centro do entendimento bíblico do julgamento e revelação divinos.

*Veja* Israel; Dispersão: Cronologia, Antigo Testamento; Restauração e Período Persa.

R. L. S.

**CAUDA¹** A "cauda gorda" ou grossa (em hebraico *'alya*) das ovelhas orientais. Pesando de 4,5 a 5,5 kilos, a anca toda era queimada em sacrifício (Êx 29.22; Lv 3.9; 7.3; 8.25; 9.19).

Um cavaleiro da antiga terra assíria de Halaf. BM

**CAUDA**[2] Uma pequena ilha a aproximadamente 37 quilômetros da costa sudoeste de Creta. Escrita em algumas versões como Clauda, hoje é chamada Gaudo ou Gozo. Na viagem de Paulo a Roma, o seu navio saiu de Cauda ao abrigo do vento, depois de uma tempestade que impediu a sua chegada a um porto seguro em Creta (At 27.16).

**CAUDA**[3]
1. O substantivo heb. *zanab* é usado literalmente em relação à cauda de uma serpente (Êx 4.4), de raposas (Jz 15.4) e do hipopótamo (Jó 40.17). A palavra é usada figurativamente com relação a um povo deprimido (Dt 28.13, onde a cauda é o oposto da cabeça; cf. Dt 28.44), uma nação degradada (Isaías 9.14, onde a cauda é o oposto do junco, e a cabeça é o oposto da palma, e identificada neste contexto como "o profeta que ensina a falsidade"), e uma impotência aviltante (Is 7.4; Is 19.15). A forma nominal do verbo é traduzida como "feri os que ficaram atrás" (Js 10.19; Dt 25.18), mas significa literalmente "cortar a cauda".
2. A palavra hebraica *'alya* é traduzida como "cauda gorda" em algumas versões, mas é traduzida como "anca" (*q.v.*) em outras (Êx 29.22; *et al.*).
3. O substantivo gr. *oura* é usado para descrever as caudas dos gafanhotos do abismo (Ap 9.10,19) e a cauda do grande dragão vermelho (Ap 12.4).

E. R. D.

**CAUTERIZAR** O significado deste termo é "queimar com ferro quente". Paulo preveniu Timóteo de que um dia viria em que alguns cairiam e falariam mentiras, "tendo cauterizada a sua própria consciência" (1 Tm 4.2). A condição resultante era de cauterização e insensibilidade à verdade.

**CAVALARIA** *Veja* Exército; Guerra.

**CAVALEIRO**[1] Aquele que anda a cavalo, quase sempre por motivos militares, isto é, um cavalariano. Israel foi uma das últimas entre as nações a usar cavalos, e a maioria das referências está voltada aos exércitos estrangeiros. As referências do AT são freqüentemente a condutores de carros, uma vez que o uso de carruagens foi anterior à cavalaria. Os assírios foram os primeiros a desenvolver as táticas de cavalaria, e muitas referências a cavaleiros nos profetas têm em mente os assírios; por exemplo, Isaías, Jeremias, Ezequiel, Oséias, Joel e Habacuque. Eliseu gritou, "Carros de Israel e seus cavaleiros!" (2 Rs 2.12; cf. 13.14), referindo-se simbolicamente à proteção angelical ou à influência piedosa e ao poder da oração de Elias. O rei Jorão de Israel enviou mensageiros montados em cavalos para encontrar Jeú em seu carro (2 Rs 9.17-19). No NT, Paulo foi acompanhado de Jerusalém a Cesaréia por 70 cavaleiros (At 23.23-32).
Os cavaleiros são bastante utilizados nos escritos apocalípticos, e também em Zacarias. Os cavalos branco, vermelho, preto e amarelo têm montadores (Ap 6.1-8), que vieram a ser conhecidos como "os quatro cavaleiros do Apocalipse". Os cavaleiros são, além disso, retratados usando couraças coloridas (Ap 9.17,19). Cristo e as suas hostes, por ocasião de sua volta, são descritos como cavaleiros cavalgando para a vitória em cavalos brancos (Ap 19.11-21).

W. A. A.

**CAVALEIRO**[2] Palavra usada no AT referindo se, quase sempre, àqueles que estão montados em um cavalo ou em bigas; todavia,

Numerosas cavernas pontilham os despenhadeiros em Qumran. HFV

também são mencionados mulas, camelos ou dromedários. O jumento foi inicialmente usado como um meio de transporte local, e o camelo para grandes distâncias. O cavalo era geralmente utilizado nas guerras, ou pelos reis. Quando um rei "cavalgava sobre um jumento", isso significava um ato de humildade (cf. Zc 9.9).

Às vezes, a palavra "cavaleiro" era usada de forma figurada como em Gênesis 49.16,17, "Dã julgará o seu povo, como uma das tribos de Israel. Dã será serpente junto ao caminho, uma víbora junto à vereda, que morde os calcanhares do cavalo e faz cair o seu cavaleiro por detrás". Talvez esse verso esteja fazendo referência a Sansão, o juiz, o maior da tribo de Dã que matou muitos filisteus durante a sua vida, porém mais ainda em sua morte (cf. Jz 16.30).

**CAVALO** *Veja* Animais: Cavalo I.6.

**CAVALO DE GUERRA ou GALGO** *Veja* Animais: Galinha doméstica III.30

**CAVEIRA** *Veja* Gólgota.

**CAVERNA** As colinas de calcário brando da Palestina estão marcadas por incontáveis cavernas artificiais e naturais. Em épocas pré-históricas, muitas das cavernas eram usadas como abrigo para os humanos, como demonstraram os artefatos encontrados nelas. Posteriormente, Ló e suas filhas ocuparam uma caverna (Gn 19.30), como também o fizeram Davi (1 Sm 22.1), e Elias (1 Rs 19.9). A ocupação humana das cavernas continuou durante todo o período bíblico. Judeus sectários aparentemente viveram em algumas cavernas, e guardaram manuscritos preciosos em outras, próximas a Qumran, junto ao Mar Morto. A hospedaria de Belém, na época do nascimento de Jesus, foi construída sobre uma caverna que era usada como um estábulo. Até hoje, muitas cavernas são usadas na Judéia como lugares para abrigo de pessoas e de animais.

As cavernas eram usadas para realizar práticas rituais pagãs (Isaías 65.4, Berkeley), como em Gezer. Existem na Bíblia muitas referências às cavernas como lugar de abrigo (Js 10.16; Jz 6.2; 1 Sm 13.6; 22.1; 2 Sm 23.13; Hb 11.38). As cavernas eram lugares naturais de sepultamento e foram usadas como túmulos em todos os períodos da história humana. Abraão comprou a caverna de Macpela para usá-la como sepultura para Sara (Gn 23.19). Esta caverna tornou-se a sepultura de Abraão, Isaque, Rebeca, Léia e Jacó (Gn 25.9; 49.30,31; 50.13). No Novo Testamento, o túmulo de Lázaro era uma caverna (Jo 11.38). As cavernas também eram usadas como prisões (Jr 37.16,17; 38.6), e como cisternas. *Veja também* Cova.

A. C. S.

Olhando para o sul em direção ao vale de Cedrom.
Os muros de Jerusalém situam-se à direita

**CEBOLA** *Veja* Alimentos; Plantas.

**CEDRO** *Veja* Plantas.

**CEDROM** Nome dado ao profundo desfiladeiro que começa ao norte de Jerusalém, nas proximidades do pé do monte Escopus; vira para o sul para separar o lado leste da cidade do monte das Oliveiras (2 Sm 15.23); e então continua em direção sudeste, para o Mar Morto. Os nomes modernos são variados e inconsistentes para o curso do ribeiro ou torrente de inverno (Jo 18.1) que hoje raramente transporta água. Uma das razões para esta situação seca é que o leito moderno é cerca de 12 a 32 metros mais alto do que o leito do rio dos tempos bíblicos, tendo sido enchido de escombros ocupacionais e entulho de várias batalhas destrutivas. Isto também mudou o fundo do desfiladeiro cerca de 27 metros para o leste. Na antiguidade, a fonte de Giom (*q.v.*) encheu o ribeiro. Por meio de irrigação, suntuosos jardins e pomares eram mantidos ao longo das margens do vale (cf. 2 Rs 23.4; Jr 31.40), e na verdade sabe-se que várias pessoas e oficiais da realeza possuíram propriedades no vale (*veja* Savé, Vale de; Sebna). Este ribeiro foi desviado para encher o Tanque de Siloé (*q.v.*) e foi protegido para garantir uma fonte de água para a cidade durante o reinado de Ezequias (2 Cr 32.3,4). Ao menos parte deste vale foi o local de muitas destruições e queima de imagens pagãs durante os tempos de reforma em Judá (1 Rs 15.13; 2 Rs 23.4,6,12; 2 Cr 15.16; 29.16; 30.14). Na verdade, o vale era uma visão muito familiar a todos os que habitavam ou freqüentavam Jerusalém. O Senhor Jesus passou por ele em direção ao Getsêmani (Jo 18.1), bem como várias outras vezes durante a semana da Páscoa.

P. W. F.

**CEFAS** Do grego *kephas*, do aramaico *kepa*, que significa "pedra ou rocha".
O nome dado por Jesus ao apóstolo Simão (Jo 1.42; 1 Co 1.12; 3.22; 9.5; 15.5; Gl 2.9). Pedro é o equivalente grego de Cefas. *Veja* Pedro; Simão.

**CEFIRA** Uma cidade dos heveus no território de Benjamim (Js 18.26), que seguia a liderança de Gibeão para obter a paz com Israel (Js 9.17). Sua localização foi mudada após o retorno do exílio na Babilônia (Ed 2.25; Ne 7.29). O lugar atual é Khirbet Kefireh, a sudeste de el-Jib (Gibeão).

**CEGONHA** *Veja* Animais: Cegonha III.16.

**CEGUEIRA** Uma das muitas doenças físicas comuns dos tempos bíblicos. Era, muitas vezes, imposta aos prisioneiros de guerra por nações bárbaras (Jz 16.21; 2 Rs 25.7). Em uma ocasião, representou um castigo de Deus pelo pecado (Gn 19.11; Atos 13.11). O fisicamente cego é freqüentemente relacionado junto com o mudo (Mt 15.30) e o aleijado (Lc 14.21) que foram curados por Jesus. Não é de se estranhar que Isaías descrevesse o reino do Messias como um tempo em que "os olhos dos cegos" seriam "abertos" (Is 35.5). *Veja* Doenças.
Em um sentido figurado, a palavra é usada como referência à ignorância espiritual causada pela descrença (2 Co 4.4; Mt 15.14; 23.17) e para a imaturidade espiritual (2 Pe 1.9).
*Veja* Cegueira Judicial.

**CEGUEIRA JUDICIAL** A paralisia da percepção espiritual que vem à mente e ao coração de alguém que zomba ou rejeita a oferta graciosa de salvação, da parte de Deus. Este é um assunto que ocupa um lugar importante tanto no AT como no NT.
*Um juízo de Deus.* No Salmo 69.23 ("Escureçam-se-lhes os olhos, para que não vejam"), o Messias é ouvido através da voz do salmista, que convoca este julgamento sobre o povo por causa de seu pecado e rebelião contra o Ungido do Senhor. Ainda mais surpreendente é a ordem de Deus ao profeta Isaías para dizer ao povo: "Vai e dize a este povo. Ouvi, ouvi e não entendais; vede, vede, mas não percebais. Torna insensível o coração deste povo... e fecha-lhe os olhos, para que não venha ele a ver com os olhos... e se converta, e seja salvo" (Is 6.9,10). A estranha expressão, "para que não... se converta, e seja salvo" não deve ser entendida como se Deus não quisesse que Israel verdadeiramente se arrependesse. ela significa que Ele não quer mais a profissão exterior pela qual (Is 29.10-13) o povo se aproximava "com a boca" mas o seu coração se afastava para longe do Senhor.
*Um juízo não arbitrário.* Em todas as passagens do AT que se referem a este juízo, a causa mostrada é a descrença, a rebelião e a apostasia do coração do homem em relação a Deus. Desse modo o juízo, longe de ser arbitrário é, na verdade, o selo de sua própria decisão em dureza espiritual, assim como em Romanos 1 Paulo declara que Deus trouxe aos homens um terrível juízo pelos mesmos pecados que eles deliberadamente escolheram. Um outro comentário sobre a profundidade desta cegueira espiritual e engano de coração é dado por Isaías ao descrever um homem adorando parte de um pedaço de madeira, cujo restante ele queima para assar um pouco de pão (Is 44.9-20).
*Sua relação com as parábolas.* Em uma parábola, há uma certa ocultação da verdade. Jesus explicou aos seus discípulos que foi por esta razão que Ele usou este método de ensino. Ele estava executando o juízo declarado por Deus na profecia de Isaías, ocultando a revelação de Deus àqueles que eram superficiais e hipócritas e que rejeitavam a graça de Deus, enquanto, ao mesmo tempo, a tornava permanentemente vívida para o coração penitente e responsivo (Mt 13.10-17).
*Uma razão para a rejeição dos judeus a Cristo.* O apóstolo João (Jo 12.39,40) cita esta cegueira judicial como a causa da incredulidade judaica, e apresenta a situação como um cumprimento de Isaías 53.1. Paulo, semelhantemente, a apresenta como a razão para a rejeição do Evangelho por parte da liderança judaica em Roma (At 28.26).
*Sua apresentação nas epístolas paulinas.* Em Romanos 11.7-10 Paulo mostra que Israel, exceto por um remanescente eleito, falhou em obter a promessa de Deus, e declara que a causa é esta cegueira. Deus está usando a rejeição por parte de Israel como um meio de ganhar os gentios (11.11-22). No final, depois deste período presente de cegueira ou de endurecimento por parte de Israel, o próprio judeu será salvo (11.25,26).
Em 2 Coríntios 3.14-16 o apóstolo compara a cegueira dos corações dos judeus com um véu, como aquele que estava no rosto de Moisés. Este os impede de enxergar a glória de Cristo no AT. Quando seus corações se convertem ao Senhor, o véu é retirado. Em 2 Coríntios 4.4 Paulo mostra o papel de Satanás nesta cegueira. Ele é o promotor da superficialidade, da hipocrisia e do interesse próprio que leva à incredulidade e à cegueira espiritual. Neste aspecto, a cegueira não está restrita aos judeus, mas atinge a todos aqueles que rejeitam a oferta da graça de Deus (Ef 4.18). A mesma escuridão na qual ele caminha sentindo ódio pelos outros, cega os seus olhos (1 Jo 2.11).
Este juízo de cegueira figura como uma forte advertência nesta vida contra desconsiderar a revelação que Deus tem nos dado. Na eternidade, os perdidos serão eternamente conscientes do valor inestimável daquilo que rejeitaram (Lc 16.27,28).
*Veja* Cegueira; Dureza de Coração.

M. A. K.

**CEIA DO SENHOR** O termo mais comumente usado pelas igrejas da Reforma para o tomar do pão e do vinho de acordo com a instituição de Cristo. Outros nomes significativos são: santa comunhão e Eucaristia.

A Ceia do Senhor, junto com o batismo, é uma das duas ordenanças ou sacramentos propostos pelo próprio Senhor. É observado, portanto, por todos os corpos cristãos, exceto por alguns grupos como os Quakers. Até mesmo na teologia católica romana, com seus sete sacramentos, dá-se prioridade ao batismo e à Ceia do Senhor.

*Significado*. A origem da Ceia do Senhor é relatada nos Evangelhos Sinóticos (Mt 26.26-29; Mc 14.22-25; Lc 22.14-20) e em 1 Coríntios 11.23-26. Uma atenção particular deve ser dada ao cenário pascal e de aliança. O apóstolo Paulo claramente declara que Cristo, a nossa Páscoa (gr. *pascha*), foi sacrificado (1 Co 5.7). João Batista havia anteriormente identificado Jesus como o verdadeiro Cordeiro de Deus (Jo 1.29), antecipando que o seu corpo partido e o seu sangue derramado seriam oferecidos para a redenção de seu povo. No cenáculo, Cristo apresentou os novos símbolos – o pão e o vinho – como uma lembrança de sua morte sacrificial, que deve ser comemorada na comunhão dos crentes.

Além disso, a obra pascal de Cristo é o cumprimento da aliança Divina de redenção. *Veja* Aliança. O comer e beber juntos tem o significado de uma refeição de aliança na qual as duas partes tinham comunhão e prometiam lealdade uma à outra (cf. Gn 26.28-30; 31.44,46,54; Êx 24.1-11). A nova aliança entre o Senhor e o seu povo (Jr 31.31-34) foi assim ratificada pelo nosso Senhor na refeição de comunhão antes de sua morte.

Ao instituir a ceia de comunhão, o Senhor Jesus enfatizou os aspectos messiânicos e escatológicos da refeição da Páscoa. Nesta festa, judeus piedosos aguardavam ansiosos um outro livramento como aquele do Egito (cf. Is 51.9-16). Agora é o Messias que veio em pessoa para esta festa pascal, tomando o cálice do juízo e da salvação que significa livramento para o povo de Deus. Contudo, a refeição também prevê o banquete messiânico final (Is 25.6; cf. Lc 14.15-24), quando a obra Divina de salvação for consumada e houver um cumprimento da completa comunhão com o Senhor (Mt 26.29).

Embora João não forneça um relato sobre a Última Ceia, há pouca dúvida de que o milagre de alimentar a multidão na época da Páscoa, e o discurso resultante (Jo 6), provejam o entendimento do significado sacramental da Última Ceia. Cristo é aqui o verdadeiro pão prefigurado pelo maná do tempo de Moisés (Jo 6.31-35,48-51). O Senhor Jesus deu a sua vida por nós, para que a vida eterna seja alcançada pela participação nele (vv. 40,47,51-58). Isto só é possível, porém, no Espírito e pela fé salvadora em resposta à sua palavra (v. 63). Aplicando este simbolismo ao seu corpo partido e ao seu sangue derramado, temos uma pista sobre o correto uso e entendimento da ceia.

A Ceia do Senhor representa a realidade da auto-oferta de Cristo. O sacrifício em si não é repetido. Antes, ele é recordado, e concede a garantia de que o próprio Deus tem se lembrado de seu povo em cumprimento à promessa da aliança. Nenhuma nova expiação é feita, por exemplo, para a culpa temporal do pecado pós-batismal, ou para ofensas contra a igreja, como o romanismo afirma. O sacrifício único de Cristo não necessita nem de repetição nem de suplementação; e a noção de que o sacrifício eucarístico gera a eficácia repetitiva do restabelecimento da oferta única, é uma teologização infundada. O sinal traz este sacrifício único vividamente diante de nós em uma ação. Ele transpõe a barreira do tempo e fornece um sinal ativo da nossa participação na morte de Cristo.

Como o batismo, a ceia é, portanto, uma pregação do Evangelho, "uma palavra visível" (Agostinho). Entretanto, ela não funciona de uma forma mágica. A sua força vem do Espírito, a partir de seu significado. Portanto, a sua celebração deve ser acompanhada pela declaração de seu significado na Palavra lida e pregada. Sua função específica é enfatizar a historicidade do que ocorreu, e a sua atual relevância. Conseqüentemente existe ação em ambos os lados. A ação Divina é lembrada e apresentada, a exigência do Evangelho para uma participação humana e viva é cumprida. Sem a Palavra, a ação se degeneraria em mágica, como na Idade Média, quando a Palavra permaneceu somente em uma mera fórmula, aproximando-se de uma conjuração. Por outro lado, sem a ação, a Palavra poderia bem envolver a abstração intelectualista na qual o Evangelho é apenas um sistema, a fé apenas uma concordância intelectual e talvez uma experiência emocional compensatória, e o sacramento apenas uma ordenança supérflua a ser cumprida simplesmente porque foi ordenado.

Na Ceia do Senhor, a ênfase recai na contínua importância do que foi feito uma vez, isto é, a manutenção da comunhão e do crescimento de cada cristão. Note a pergunta de Paulo: "Porventura, o cálice de bênção que abençoamos não é a comunhão do sangue de Cristo? O pão que partimos não é, porventura, a comunhão do corpo de Cristo?" (1 Co 10.16). Existe uma grande importância ligada a tomar e comer. Por esta razão, não faz sentido negar a participação no pão e no vinho aos leigos, como na doutrina católica romana. Tal atitude pode ser classificada como uma arbitrariedade. Um erro de algumas igrejas protestantes é a ministração da Santa Ceia com pouca freqüência, em contraste com a ministração regular que ocorria na igreja primitiva.

A participação envolvida é uma participação pela fé (Jo 6.35). Desse modo, o comer físico não é a garantia da alimentação espiritual genuína por Cristo, ou de nossa comunhão com Ele. Os sacramentos não podem ser utilizados como instrumentos que têm a finalidade de controlar a operação Divina. Se eles são meios da graça, a graça em si é o favor gratuito e soberano de Deus para separar indivíduos em Jesus Cristo. Portanto, não é necessário tomar o pão e o vinho para receber a Cristo e seus benefícios. Nem devemos dizer com base em 1 Coríntios 11.29 ("o que come e bebe indignamente come e bebe para sua própria condenação") que o descrente que participa desta preciosa celebração recebe a Cristo, mas para a perdição. Isto é impensável: a expressão "sem discernir" não consta nos melhores manuscritos gregos.

Por outro lado, com uma fé *genuína*, pode-se ter uma *genuína* expectativa de uma *genuína* alimentação da nova vida através do poder do Espírito. O sacramento não é uma mera observância com efeitos psicológicos apenas. Mas por sua proclamação evangelística, ele pode ser usado pelo Espírito para fortalecer a fé, para evocar o amor, para promover a santificação, para confirmar a comunhão com o Senhor e com os irmãos cristãos.

A participação implicava em comunhão. Isto então levanta a questão da presença de Cristo. Obviamente Cristo estava presente em seu corpo encarnado na ceia original. Ele também estava presente em seu corpo ressurrecto nas refeições posteriores à ressurreição. Por outro lado, Ele não tem estado presente desde a sua ascensão desta forma, pois Ele está agora à destra do Pai até o dia de sua segunda vinda. Isto significa que Jesus está ausente? Isto significa que temos comunhão somente em um sentido mental ou abstrato ou derivativo? Esta pergunta tem sido uma fonte de confusão em muitos círculos e, portanto, requer atenção.

É praticamente inconcebível que Cristo esteja inteiramente ausente, pois Ele diz claramente. "Isto é o meu corpo", e é a Ele que celebramos, e é com Ele que temos comunhão. Contudo, é obviamente contrário à correta interpretação bíblica enxergar uma presença semelhante à da sua vida encarnada, ou àquela dos 40 dias. Restam três alternativas: Na primeira, podemos tentar dividir Cristo, por exemplo, em essência e outras partes, como na transubstanciação (a opinião católica romana de que a hóstia e o vinho se tornam literalmente o corpo e o sangue de Cristo), ou em Divindade e humanidade, ou talvez em espírito e corpo, manifestando a presença do primeiro aspecto mas não do segundo. Especialmente na forma da transubstanciação, este procedimento é especulativo, obscuro, não bíblico e tem uma conotação perigosa.

Como uma segunda alternativa, podemos tentar conceber a presença do Senhor apenas de um modo místico, subjetivo ou figurativo. Este argumento é igualmente desprovido de um fundamento bíblico seguro, e ameaça dissolver a realidade de Deus e a sua ação atual.

Como uma terceira alternativa, podemos aceitar o que parece ser o ensino claro das Escrituras, que Cristo está presente agora com o seu povo através do Espírito Santo, a terceira Pessoa da Trindade. Desse modo, Cristo é certamente o Anfitrião em sua mesa. Ele se oferece como o sustento permanente de seu povo. Temos comunhão com Ele, e nele também temos comunhão uns com os outros. Mas não somos enganados por um falso "literalismo" nem por um "subjetivismo" igualmente falso. A realidade e o mistério de sua presença são a realidade e o mistério do Espírito.

Cumprindo o seu significado de aliança, a Ceia do Senhor tem um outro aspecto. A nossa participação no Senhor e em sua obra implica em uma resposta de ação de graças e autodedicação, um sacrifício bíblico de louvor. Ela expressa tanto a glorificação a Deus pelo que Ele tem feito, como também o compromisso a que Ele nos conclama. É uma alegre festa de amor na qual o amor de Cristo por nós evoca, confirma e exige o nosso amor por Ele também uns pelos outros. A proclamação do Evangelho leva consigo a obrigação evangélica de serviço a Deus, e de serviço aos irmãos que são suplicantes e beneficiários comuns de sua mesa farta e generosa. O antegozo do banquete celestial, pelo qual somos "elevados" no Espírito até à presença de Deus, estimula a busca da esperança que vem do alto. Não devemos depositar as nossas afeições nas coisas do mundo, mas crer, amar e trabalhar como aqueles que aguardam as bodas finais do Cordeiro, quando a ceia não será mais necessária.

Quando esta riqueza de significado é revelada na Palavra, e quando a relevância da Palavra é demonstrada pelo ato de resposta pessoal, a Ceia do Senhor pode ser realmente um verdadeiro meio de graça. Através da refeição sagrada, a obra salvadora de Cristo é mais uma vez apresentada, experimentamos o gozo de sua comunhão permanente e sustentadora no Espírito, e somos confirmados em nossa vida cristã assim como o nosso comprometimento com o serviço cristão em fé, amor e esperança.

G. W. B.

*Data.* Os estudiosos cristãos, geralmente, aceitam a opinião tradicional de que o dia da crucificação foi uma sexta-feira, porque o dia seguinte foi o sábado (Mc 15.42; Lc 23.54; Jo 19.31), e também porque as mulheres visitaram o sepulcro no dia seguinte ao sábado, o primeiro dia da semana ou domingo (Mt 28.1; Mc 16.2; Lc 24.1; Jo 20.1).

Assumindo que a sexta-feira foi o dia da

morte de Cristo, o problema é tentar determinar se a Última Ceia foi ou não uma refeição pascal. Os Evangelhos Sinóticos afirmam que a refeição que Jesus e seus discípulos comeram na noite de quinta-feira era a Páscoa (Mt 26.17-20; Mc 14.12-17; Lc 22.7-16). No entanto, alguns entendem que, de acordo com João, a refeição pascal dos judeus teria ocorrido na noite de sexta-feira, após a morte e sepultamento de Cristo.

Existem basicamente dois argumentos para esta opinião: (1) João (19.14) afirma que o dia do julgamento e execução de Jesus foi o dia da "preparação" da Páscoa, sugerindo que a Páscoa aconteceria no dia seguinte. O termo "preparação" tanto nos sinóticos (Mt 27.62; Mc 15.42; Lc 23.54) como em João (19.31,42), faz freqüentemente uma referência ao dia anterior ao sábado, isto é, à sexta-feira. Então, na passagem presente, a "preparação da Páscoa" pode simplesmente ser interpretada como "sexta-feira da semana da paixão". (2) O texto em João 18.28 afirma que os acusadores judeus de Jesus "não entraram na audiência, para não se contaminarem e poderem comer a Páscoa". Como conclusão, poderíamos entender que os sinóticos apresentam o quadro de que a Última Ceia foi a refeição da Páscoa, ao passo que João dá a idéia de que a Páscoa só foi celebrada pelos judeus após a morte e sepultamento de Jesus.

Vale a pena considerar uma alternativa de acordo com a qual o Senhor Jesus e os seus discípulos teriam comido a refeição da Páscoa antes da maioria dos judeus, e esta bem pode ser a resposta para a questão. Existem várias abordagens dentro desta solução básica. Alguns entendem que Jesus organizou uma refeição pascal mais cedo, porque previu que a sua morte ocorreria na hora do sacrifício da Páscoa oficial. Outros pensam que Jesus e seus discípulos seguiram o calendário de Qumran, e comeram a sua Páscoa na noite de quinta-feira (FLAP, p. 297), enquanto a corrente principal do judaísmo comeu na sexta-feira. Com respeito a estas duas opiniões, porém, é difícil entender por que os sacerdotes no templo teriam matado um cordeiro especialmente para os discípulos de Jesus antes da hora oficial.

Finalmente, outros pensam que os galileus e/ou os fariseus comiam a Páscoa na noite de quinta-feira (Nisan 14) e os judeus e/ou os saduceus comiam a Páscoa na noite de sexta-feira. Desse modo, o Senhor Jesus e os seus discípulos estariam entre aqueles que comeram a Páscoa na quinta-feira. Visto que um grande número de pessoas estaria comendo a Páscoa na noite de quinta-feira, os sacerdotes os proveriam (como em outros anos) com um sacrifício pascal mais cedo. Marcos (14.12) diz literalmente: "quando se fazia o sacrifício [gr. *ethuon*, tempo verbal imperfeito] do cordeiro pascal" – ou, como em outras versões, "quando sacrificavam a Páscoa" – os discípulos de Jesus lhe perguntaram onde deveriam fazer os preparativos para comerem a Páscoa.

H. W. H.

*Veja* Aliança; Festividades: Páscoa; Ordenanças Cristãs; Sacramento.

***Bibliografia.*** William Barclay, *The Lord's Supper*, Naperville. SCM Book Club, 1967, pp. 16-34. Johannes Behm, "*klao*, etc.", TDNT, III, 726-743. Matthew Black, "The Arrest and Trial of Jesus and the Date of the Last Supper", *New Testament Essays. Studies in Memory of Thomas Walter Manson*, ed. por A. J. B. Higgins, Manchester. Manchester Univ. Press, 1959, pp. 19-33. Geoffrey W. Bromiley, *Sacramental Teaching and Practice in the Reformation Churches*, Grand Rapids. Eerdmans, 1957. A. J. B. Higgins, *The Lord's Supper in the New Testament*, Chicago. Regnery, 1952, pp. 13-23. Joachim Jeremias, "*Pascha*", TDNT, V, 896-904; *The Eucharistic Words of Jesus*, trad. por Norman Perrin, Oxford. Blackwell, 1955. George Ogg, "The Chronology of the Last Supper", *Historicity and Chronology in the New Testament*, Londres. SPCK, 1965, pp. 75-96. Massey H. Shepherd, Jr., "Are Both the Synoptics and John Correct About the Date of Jesus' Death?" JBL, LXXX (1961) 123-132. David Smith, *The Days of His Flesh*, Londres. Hodder, 1910, Apêndice VIII, pp. 534-540. Ethelbert Stauffer, *Jesus and His Story*, trad. por Richard e Clara Winston, Nova York. Knopf, 1960, pp. 93-98.

**CEIA** *Veja* Alimentos: Banquete, Refeições; Ceia do Senhor.

**CEIFA ou SEGA** A colheita resultante de ceifar um campo ou prado. O substantivo heb. *gez* (Sl 72.6; Am 7.1) também é traduzido como "tosquia" em Deuteronômio 18.4 e Jó 31.20, e é originado do verbo *gazaz*, "tosquiar".

Esta atividade, que dava início à colheita longamente aguardada, deve ser entendida como a poda manual com uma foice curta. Este instrumento era primitivamente feito a partir de pedaços afiados de rocha espetados em madeira ou ossos (às vezes a queixada de um animal), e posteriormente de bronze e ferro. Um ato comum para um povo agrícola (Sl 72.6; 129.7; Am 7.1; Tg 5.4), a figura de aplicar a foice era usada como a representação do início do julgamento (Jl 3.13).

**CEIFA** O ato de colher o fruto que está maduro, cortando-se as hastes dos grãos com uma foice (Mc 4.29) geralmente de pederneira nos tempos do AT. Às vezes usado figurativamente, como ceifar uma colheita de pessoas para Jesus Cristo (Jo 4.36-38), ou como uma figura de juízo (Mt 13.30,39; Ap 14.15,16).

**CEITIL** *Veja* Pesos, Medidas e Moedas.

**CELEIRO, PORÃO ou ADEGA** Em 1 Crônicas 27.27,28, a palavra significa simplesmente depósitos ou salões onde eram guardados o vinho e o azeite. Em Lucas 11.33, a palavra grega significa literalmente "um lugar escondido", isto é, qualquer coisa similar a uma cripta, catacumba ou porão.

**CELEIRO** Palavra usada em Joel 1.17 (em hebraico *'osar*, "armazéns", "silos" ou "celeiros") que em outras passagens foi traduzida como "depósito" ou "tesouro". O termo hebraico *mezew* (*mazu* ou *m^ezaw*) foi traduzido como "despensa" no Salmo 144.13. O termo grego *apotheke* foi traduzido como "celeiro" em Mateus 3.12; Lucas 3.17 mas como "celeiro" em outras passagens. *Veja* Armazém.

**CELIBATO** Ato de permanecer solteiro por motivos morais, religiosos ou de consciência. O termo normalmente se refere somente aos homens, mas aplica-se igualmente às mulheres, como às virgens vestais do paganismo e às freiras do catolicismo romano.

O celibato não está limitado, como um fenômeno, ao catolicismo romano. Os monges budistas e muitos dos seus leigos praticam as mais minuciosas e rígidas regras do celibato, como também o fazem muitos bruxos pagãos. Os católicos romanos procuram justificar esta prática, em primeiro lugar, com base nas palavras de Cristo em Mateus 19.4-12: "há eunucos que se castraram a si mesmos por causa do Reino dos céus" (v.12); e, em segundo lugar, pela insistência de Paulo de que é preferível manter-se solteiro (1 Co 7.8,40). A afirmação de Cristo certamente não ordena o celibato – somente alguns conseguem suportá-lo. Ao invés disso, Ele ressaltou que o casamento foi ordenado por Deus desde o princípio (Mt 19.3ss). Paulo via o celibato como um recurso para si, e certamente para outros do seu tempo. Ele pensava que a vinda do Senhor estava muito próxima, e o tempo era muito curto para envolver-se em um casamento (1 Co 7.29). O celibato deixa o homem livre das preocupações do casamento. Porém tal condição pode ser perigosa, e então se deve tomar cuidado com a tentação; além disto, há circunstâncias em que o casamento é a melhor opção (v. 36ss). Paulo falou de si mesmo como sendo livre para ter uma esposa, assim como Pedro e os irmãos do Senhor Jesus Cristo (1 Co 9.5). A posição de Paulo era a de que o celibato, para a sua vida, era a melhor opção (1 Co 7.6,40).

Na verdade, a visão católica romana da natureza física está por trás desta prática de celibato. Tendo adotado a visão pagã de que o material, o corpo em especial, é mau por natureza, como expressa a filosofia neo-Plotiniana, esta igreja procura a santidade para os seus sacerdotes e freiras por meio de uma vida de completa pobreza, castidade e obediência nos mosteiros e conventos. As práticas pagãs de uma natureza similar também contribuíram para uma certa adoção sincretista dos hábitos pagãos referentes ao assunto. O celibato freqüentemente leva a grande maldade e pecado, porque impõe aos homens e às mulheres obrigações impossíveis de serem cumpridas , como tem sido provado pelo testemunho daqueles que deixaram a igreja romana.

Paulo condena vigorosamente aqueles que proíbem o casamento (1 Tm 4.3; cf. Cl 2.16-23) quando diz que esta é uma sombra das coisas futuras. A menção em Apocalipse 14.1,4 de 144 mil pessoas virgens na Grande Tribulação pode confirmar a convicção de Paulo de que em tempos de grande perseguição pode ser conveniente que os servos do Senhor se mantenham solteiros.

R. A. K.

**CENÁCULO ou APOSENTO SUPERIOR** Tradução de várias palavras hebraicas e gregas.

1. A palavra hebraica *'aliyya*, "cenáculo, aposento superior" indica, pelo menos, uma segunda história. O rei Eglom estava sentado em seu fresco cenáculo, com portas abertas, quando Eúde entrou para matá-lo (Jz 3.20-25). A mulher sunamita construiu em sua casa um aposento superior para Eliseu (2 Rs 4.10,11), e Elias ficou hospedado em um aposento semelhante em Sarepta (1 Rs 17.19, 23). O aposento superior podia ficar em cima de uma porta (2 Sm 18.33) ou em um canto do muro da cidade (Ne 3.31,32). Acazias, rei de Israel, tinha um aposento superior com grades nas janelas (2 Rs 1.2). Ele acidentalmente caiu através de uma delas e teve tantos ferimentos que veio a falecer. Acaz havia levantado uma estrutura de vários andares e sobre ela colocou um altar (2 Rs 23.12). Josias destruiu este altar, dentre outros.

Jeremias censurou o rei Jeoaquim por ter construído um espaçoso palácio para seu uso, com aposentos espaçosos e arejados, sem pagar aos trabalhadores (Jr 22.13,14).

O templo de Salomão era cercado por aposentos que abriam as suas portas para o lado de fora, e tinha pelo menos três andares, alcançados por uma ou duas escadas construídas dentro de grossas paredes; elas serviam para guardar os tesouros (1 Cr 28.11) e eram folheadas a ouro (2 Cr 3.9).

2. A palavra grega *anogeon* indica o "cenáculo" que foi providenciado por alguns amigos, para que o Senhor Jesus fizesse a celebração da Páscoa acompanhado apenas pelos seus discípulos (Mc 14.15; Lc 22.12).

3. A palavra grega *huperoon,* indica o lugar da assembléia dos discípulos, onde Matias foi escolhido para ocupar o lugar de Judas (At 1.13); o lugar onde Pedro ressuscitou

Área do antigo porto de Cencréia. JR

Dorcas (At 9.37,38); o aposento onde Paulo pregava (At 20.8), localizado no terceiro andar (v. 9).
*Veja* Sala 9.

H. G. S.

**CENCRÉIA** O porto marítimo de Corinto estava a cerca de quinze quilômetros da metrópole, no lado leste do istmo. Paulo partiu de Cencréia no final de sua primeira visita a Corinto (At 18.18). Era o lugar de uma igreja na época dos escritos aos Romanos, onde se faz menção de Febe, uma diaconisa daquela igreja (Rm 16.1).

**CENSO** O conceito bíblico de alistamento, contagem ou censo é encontrado na palavra hebraica *paqad*, "visitar", "exame", "revisão", "revista", "número"; também *sapar* e *mana*; a palavra usada na Septuaginta é *arithmos*, "número", "quantidade", "soma", "unidade das tropas"; a palavra usada no Novo Testamento é *apographe*, "lista", "inventário", "taxação", "censo", "registro" (cf. *kensos*, "dinheiro de impostos", "taxa de registro", do latim *census*); e a palavra latina *descriptio*, que significa "destacar", "transcrever", "copiar".
Um exemplo de contagem pode ser encontrado em Êxodo 38.26, logo depois do êxodo, quando Israel acampou pela primeira vez no Sinai. Ela foi feita para levantar os fundos necessários para se construir o Tabernáculo. Outro censo teve lugar um ano mais tarde (Nm 1.2,3; cf. Josefo *Ant.* iii. 12.4), para averiguar a força militar do povo. Um censo posterior revelou o número de homens com mais de 20 anos de idade (Nm 26.1,2). *Veja* Número. Durante o reinado de Davi, um censo revelou o seu potencial militar (1 Cr 21.1-6; 2 Sm 24.1-9; pode haver alguma divergência entre as somas nestas duas passagens devido à atitude de Joabe em relação à contagem das tribos de Levi e Benjamim. Js *Ant.* vii. 13.1). Salomão completou o censo de Davi e incluiu os estrangeiros (1 Cr 22.2; 2 Cr 2.17,18). Durante os séculos seguintes, aparecem inúmeros exemplos dos registros do poderio militar de Israel e de Judá (Veja 1 Rs 12.21; 2 Cr 13.3,17; 14.8,9; 17.14,19; 25.5,6; 26.11,15 etc.). Tais informações eram essenciais para a cobrança de impostos.
Cada país tinha o seu sistema de cobrança de impostos e de realização do censo. Valores flutuantes de propriedade causavam avaliações diferentes. Em Atenas, por exemplo, se fazia uma avaliação a cada ano, ou a cada três ou cinco anos (Aristóteles, *Polit.* v.7.6). Nos períodos anteriores e posteriores à República, era habitual para os romanos ter "registros por casa", onde as pessoas e as propriedades seriam taxadas por família. Os censores perguntavam a cada chefe de família o nome, a idade, a situação financeira e legal de cada membro da sua família (cf. Cic. *Laws* iii.3; Livy xliii.14).
Na época do Novo Testamento, houve registros bastante completos mantidos pelo imperador Augusto, devido à sua radical reorganização do Império Romano. Papiros encontrados no Egito revelam que nessa época os censos eram realizados a cada 14 anos (cf. P. Oxy. 255 em Milligan, *Greek Papyri*, pp. 44-47) e esses procedimentos gerais iriam afetar a Palestina. São mencionados três alistamentos realizados durante o reinado de Augusto (Sue. *Aug.* xxvii; cf. Tac. *Ann.* i.11). Considera-se normalmente que o segundo destes foi realizado entre 8 e 4 a.C. A maioria dos estudiosos da Bíblia identifica o alistamento de Lucas 2.1,2 com este censo em particular e assim mostram a razão da viagem de Maria e José a Belém. No entanto, Josefo (*Ant.* xviii. 1.1), menciona um alistamento na época em que Cirênio governava a Síria, depois que Arquelau, o filho de Herodes o Grande, foi deposto em 6 d.C. Quanto tempo Cirênio permaneceu no poder é um assunto de discussão. Este censo, mencionado por Josefo, está associado àquele que causou a revolta de Judas, o galileu (At 5.37). Para uma discussão completa sobre este intrincado problema, *veja* Cronologia do Novo Testamento; Cirênio; Alistamento ou Recenseamento.

***Bibliografia.*** F. F. Bruce, "Census", NBD, p. 203. CornPBE, pp. 196-199. G. E. Mendenhall, "The Census Lists of Numbers 1 and 26", JBL, LXXVII (1958). George Milligan, *Selections from the Greek Papyri*, Cambridge. Univ. Press, 1927. Alfred Plummer, "Quirinius", HDB, IV. William M. Ramsay, *The Bearing of Recent Discovery on the Trustworthiness of the New Testament*, Londres. Hodder e Stoughton, 1915. Ramsay, *Was Christ Born at Bethlehem?* Londres. Hodder e Stoughton, 1898. J. A. Sanders, "Census", IDB, I, 547.

R. V. U.

**CENSURA** Em hebraico esta idéia é geralmente expressa pelo verbo *harap* e seu substantivo *herpa*, e significa literalmente "dizer coisas violentas contra". Várias aplicações desta idéia podem ser encontradas. No sentido de injuriar ou amaldiçoar, as seguintes passagens são ilustrativas: Salmo 42.10; Isaías 51.7; Sofonias 2.8. Quando a injúria é dirigida a Deus, ela se torna uma blasfêmia (2 Rs 19.4,22,23; Sl 69.9; 74.22). Ela representa o escárnio, o insulto (1 Sm 17.26), e as palavras desafiadoras de um inimigo (1 Sm 17.10,25,26,36,45; heb. *harap*).

A vergonha ou a desgraça sexual é expressa pelo termo *herpa* em 1 Samuel 13.13; Provérbios 6.33; Ezequiel 16.57. Também havia uma censura ligada à incircuncisão (Gn 34.14) e à esterilidade e viuvez (Gn 30.23; Is 54.4; Lc 1.25). Uma terra caiu em desgraça em conseqüência da fome (Ez 36.30), e cidades foram arruinadas (Ne 1.3; 2.17). Os israelitas caíram em desgraça por sua apostasia no deserto e pela vergonha de sua idolatria e lascívia proveniente do Egito (Js 5.9; veja WBC, p. 211). Esta palavra freqüentemente indica que alguém se tornou objeto de censura para seus vizinhos ou para os seus acusadores (Sl 31.11; 79.4; 109.25; Jr 24.9 etc.).

O conceito de insulto ou desonra é encontrado no termo heb. *k*[e]*limma* (Jó 20.3; Mq 2.6), enquanto *kaalam* transmite a idéia de humilhação em Rute 2.15 e Jó 19.3.

No Novo Testamento, os termos gregos *oneidizo* e *oneidismos* têm uma abrangência similar de significados. Como Moisés no passado, os crentes hoje devem suportar a censura e a zombaria por seguirem a Cristo (Hb 11.26; 1 Pe 4.14).

B. C. S.

**CENTEIO** *Veja* Plantas.

**CENTENAS** Embora o termo "centena" apareça tanto no AT como no NT no uso normal, onde o termo "centenas" aparece, ele geralmente se refere ao agrupamento formal da sociedade (Êx 18.21, *et al.*), a soldados (Nm 31.14, *et al.*), e a uma multidão para um propósito específico (Mc 6.40).

Cerâmica de Ur, datando de aprox. 2200 a.C. BM

Cerâmica da Idade do Ferro, de Dotã, Palestina

**CENTURIÃO** Um oficial do exército romano (At 21.32; 22.26; 23.23) que comandava uma centúria (uma companhia de aproximadamente cem soldados a pé). O número de centuriões em uma legião era de 60, e em uma coorte era de 10.

No Novo Testamento, são mencionados quatro centuriões, todos sob uma situação favorável. Cornélio, estabelecido em Cesaréia; por meio dele fez-se evidente que os fiéis gentios também receberam o Espírito Santo (At 10); Júlio, que tratou Paulo com gentileza e bondade em sua viagem a Roma (At 27.1, 3,43); o centurião de Cafarnaum que procurou auxílio para o seu criado (Mt 8.5-13) e o centurião que anunciou a sua fé junto à cruz (Mt 27.54).

**CEPO** *Veja* Tronco.

**CEPOS** Instrumento usado para prisão e tortura. Geralmente tinha a forma de uma estrutura de madeira na qual eram amarradas as pernas e às vezes os punhos e o pescoço. Em Jó 13.27; 33.11, os pés eram colocados em cepos (heb. *sad*). A palavra traduzida como "cepos" em Provérbios 7.22 é *'ekes*, provavelmente um tipo de grilhão para os tornozelos. Jeremias foi colocado em um cepo (Jr 20.2,3). Nesse caso, a palavra é *mahpeketh* que se refere a uma torção; portanto, é provável que este tenha sido um instrumento que torcia o corpo levando-o a uma posição dolorosa (cf. 2 Cr 16.10). Outros sugerem que o termo descreve uma cela apertada de uma prisão (M. Greenberg, "Stocks", IDB, IV, 443). Em Jeremias 29.26, algumas versões traduzem essa palavra como "prisão" e o termo *sinoq* como "cepo" ou "tronco". Esse último era provavelmente um instrumento para amarrar o pescoço. Em Filipos, os pés de Paulo e Silas foram presos a cepos (gr. *xylon*, At 16.24).

D. W. B.

**CERÂMICA** Como os objetos de barro calcinados ao fogo são muito resistentes ao desgaste das condições atmosféricas, eles

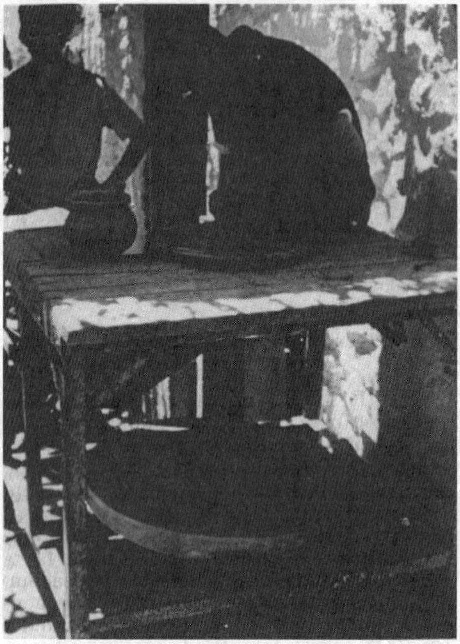

Um oleiro trabalhando em sua roda na ilha de Rodes. HFV

constituem um elo vital com o passado. Milhares de fragmentos podem ser encontrados em cada colina antiga da Palestina. Através de cuidadosos estudos científicos das várias formas, composições, cores, tamanhos etc., os arqueólogos são capazes de reconstruir uma admirável seqüência de culturas da antiguidade. A cerâmica de cada região teve uma evolução muito definida, e as pessoas familiarizadas com essa arte são capazes de identificar os estágios de cada civilização. A natureza do material empregado, suas ligas, formato das bordas e das alças, decorações e motivos pintados, tudo isso pode contar uma eloqüente história do passado. Os períodos da antiguidade que cobrem a época bíblica são geralmente divididos em Neolítico, do Cobre, as três Idades do Bronze (Inicial, Média e Final), a Idade do Ferro, Persa, Helenística e Romana.

A palavra cerâmica não é encontrada na Bíblia Sagrada, mas existe uma abundância de termos particulares que se referem a produtos específicos de cerâmica. O uso moderno desse termo tanto pode se referir à oficina do oleiro como aos seus produtos.

A matéria prima dos objetos de um oleiro foi descrita por um termo aramaico, *hasap*, que aparece em Daniel 2.33 fazendo parte da descrição da imagem de um sonho de Nabucodonosor. A tradução desse "barro" é bastante duvidosa e talvez até imprecisa, porque não foi feita uma referência à argila crua, mas à cerâmica frágil de barro cozido. Na Palestina, toda obra de cerâmica era trabalhada à mão até a introdução da roda do oleiro, depois do ano 3000 a.C. Alguns desses antigos métodos ainda prevalecem atualmente. A roda do oleiro variava um pouco quanto ao seu desenho, mas basicamente consistia de um leito de pedra redondo e chato, onde estava centrada uma haste quase vertical; perto da extremidade inferior da haste havia uma outra roda que girava com o movimento dos pés. Essa arte trouxe o desenvolvimento de muita habilidade.

Devemos ter muito cuidado para definir precisamente o tipo de recipiente ou utensílio descrito por alguma palavra. A palavra genérica para "recipiente" é *k*[e]*li,* e aparece cerca de 150 vezes no AT hebraico. Apenas algumas vezes foram usados termos mais específicos, e existe um número insuficiente de provas que possam assegurar diferenças precisas. Os termos abaixo são alguns dos mais importantes relacionados com a cerâmica.

A palavra hebraica *kad* significa jarro ou cântaro (1 Rs 18.33) e era o recipiente geralmente usado pelas mulheres para carregar a água do poço ou do rio (Ec 12.6) como aparece no relato da escolha de Rebeca (Gn 24.14-20). O "pote" ou "cântaro" (gr., *hydria*) era o recipiente equivalente ao da época do NT (Jo 4.28).

O *sappahat* era um cantil oval de cerâmica, ou frasco do viajante, com duas alças, muito popular no período de 1400 até 700 a.C. (a "bilha" de 1 Sm 26.11ss.; 1 Rs 19.6). Ele era suficientemente grande para conter o óleo doméstico, mas a viúva pobre evidentemente nunca havia tido um grande suprimento de óleo de cozinha antes da vinda de Elias (1 Rs 17.12-16).

O *pak* era um pequeno frasco para guardar óleo perfumado. Essa palavra aparece na tradução de 1 Samuel 10.1 como "vaso", porém como "caixa" em 2 Reis 9.1,3. Ela aparece apenas nos relatos sobre a unção de Saul e Jeú.

A palavra *kos* do AT foi geralmente traduzida como "copo" na maioria das versões, e extensamente usada para descrever pequenas

Vasos áticos coloridos de vermelho de Rodes, do século V a.C. Mimosa

taças individuais utilizadas para o vinho, às vezes com sentido literal (2 Sm 12.3; Pv 23.31; Jr 35.5), e outras vezes com sentido figurado (Is 51.17,22; Jr 25.15).
A palavra hebraica *sir* ocorre 28 vezes. Era uma vasilha de cozinha de fundo redondo e boca larga usada especialmente pelos pobres diretamente sobre o fogo (Ec 7.6). No Egito, os escravos israelitas usavam essa vasilha para cozinhar carne (Êx 16.3). Ela também serviu para cozinhar as ervas da sopa de verduras para todos os filhos dos profetas que estavam sob a coordenação de Eliseu (2 Rs 4.38).
O *baqbuq* era um recipiente para decantar a água, ou garrafa de pescoço longo, feitos artisticamente e muito caros. Esse nome pode ter a sua origem no som de gorgulho que fazia ao ser esvaziado. Seu uso em Jeremias 19.1,10,11 ilustra sobremaneira o cuidado de Deus ao formar o povo de Jerusalém e também o fato de que Ele podia quebrá-lo em seu castigo. A palavra *gabia'* (tigela) estava muito associada ao vinho. Era um recipiente maior a partir do qual enchiam o *kos*. O fato de este termo descrever o copo de

Jarros micênicos de Rodes, datados de aprox. 1300 a.C. Mimosa

prata de José em (Gn 44.2,12,16,17) pode parecer contrariar esse fato, mas não necessariamente. Um vaso de dimensões maiores poderia ser escondido em uma sacola. As "copas" do castiçal de ouro (candelabro) do Tabernáculo são descritas através desse termo (Êx 25.31,33,34; 37.17,19,20). Ele também aparece naquele interessante relato sobre os recabitas em Jeremias 35.5 e foi traduzido pela versão KJV em inglês como "potes", enquanto a Berkeley e a RSV em inglês utilizam "cântaros". Outras versões utilizam os termos taças, copos, e jarras. É provável que aqui o termo *gabia'* representasse uma cerâmica. Esses recipientes tinham a mesma função e formato que o pote de água ou cântaro carregado pelo proprietário da casa para os aposentos superiores (ou cenáculo; Mc 14.13).
A palavra *mahabat* pode se referir a um prato raso para cozinhar ou grelhar, feito de cerâmica ou metal. Ela foi traduzida como "ca-

Um grande vaso minoano pintado (com quase 1,20 metros de altura) utilizado para conservação de alimentos, de Creta, datando de aprox. 1500 a.C. HFV

çoula" ou "assadeira" em Levítico 2.5; 6.21; 7.9 etc. A palavra hebraica *dud* parece ter um duplo sentido, e expressa a idéia de um caldeirão ou chaleira em 1 Samuel 2.14; 2 Crônicas 35.13; Jó 41.20 e de uma cesta em 2 Reis 10.7; Salmo 81.6; Jeremias 24.1,2. O vaso de cerâmica que tinha esse nome era provavelmente uma panela de cozinha esférica e bem funda com uma boca estreita e duas alças pequenas. A palavra hebraica *kiyyor* geralmente se refere a uma bacia funda de bronze; em Zacarias 12.6 ela podia ser feita de metal ou de barro, e era um "braseiro ardente", ou seja, um utensílio que ia ao fogo. Essa palavra foi escolhida para descrever a pia de cobre ou a bacia de bronze (Êx 30.18; 38.8; 40.7,11,30; Lv 8.11). A palavra *nebel* originalmente significava um odre de vinho (1 Sm 1.24; 10.3; 25.18).
Como era um grande recipiente de cerâmica, ele se parecia com um jarro ou cântaro, ou era utilizado como um recipiente doméstico para armazenamento, com capacidade aproximada de vinte a quarenta litros (Is 22.24, "garrafas"; 30.14, "vaso"; Lm 4.2, "vasos" ou "cântaros"). Quando feito para guardar vinho (Jr 13.12; 48.12) era chamado de *amphora* pelos gregos. O *sap* era uma vasilha ou bacia de madeira ou argila (Êx 12.22;

2 Sm 17.28; Zc 12.2) ou de metal para o templo (1 Rs 7.50; 2 Rs 12.13).
Em relação a outras palavras gregas para recipientes específicos, o NT registra as seguintes:
A palavra *poterion* é sempre traduzida como "copo ou cálice" nas 30 vezes em que aparece (Mt 10.42; Lc 11.39; 1 Co 10.16,21). *Phiale,* que significa "frasco" ou "taça", representa uma tigela ou vasilha rasa de ouro ou argila, e só é encontrada nas cenas do juízo do Apocalipse (Ap 5.8; 16.1,2,3; 17.1). *Tryblion* era uma travessa grande (ou um grande prato) feita de metal ou cerâmica da qual se retirava o alimento (Mt 26.23 ).
*Veja* Bacia; Tigela; Prato; Lâmpada; Pote; Caco; Ocupações: Oleiro.

***Bibliografia.*** Ruth Amiram, *"The Story of Pottery in Palestine", Antiquity and Survival,* II, Ns. 2-3 (1957), 187-207; *Ancient Pottery of the Holy Land,* New Brunswick. Rutgers Univ. Press, 1970. CornPBE, pp. 597-601. H. J. Franken e J. Kalsbeek, *Excavations at Tell Deir ´Alla, Part I. A Stratigraphical and Analytical Study of the Early Iron Age Pottery*, Leiden. Brill, 1969, (revisado por Paul W. Lapp, VT, XX [1970], 243-256). Vronwy Hankey, "Pottery Making at Beit Shebab, Lebanon", PEQ, C (1968), 27-32 e P1, VII-XVII. James L. Kelso, *The Ceramic Vocabulary of the Old Testament*, BASOR Supplementary Studies, Ns. 5-6, 1948. John Rea, "Pottery", *Zondervan Pictorial Bible Dictionary,* Grand Rapids. Zondervan, 1963, pp. 674-678.

B. C. S.

**CERCA** Várias palavras heb. são usadas para cerca:
1. A palavra heb. *gadar* designa "cercar com um muro", "amontoar pedras para fazer um muro" (Jó 19.8; Lm 3.9). Os substantivos derivados da palavra correspondem ao próprio muro, ou à área cercada por ele (Sl 62.3; Nm 22.24; Pv 24.31; Is 5.5).
2. O termo heb. *'azaq* (Is 5.2) realmente significa "cavar e alargar com uma picareta".
3. O verbo *sakak,* que pode ser traduzido como "cercado" em Jó 10.11, é melhor traduzido como "entretecer" tanto nesta passagem como no Salmo 139.13. Há passagens em que o sentido para a mesma raiz *suk* ou *suk*, significa "bloquear ou cercar".
*Veja* Cidade, Cercada.

**CERCO** *Veja.* Guerra

**CEREAL** Tradução de várias palavras gregas e hebraicas para vários grãos como o trigo e a cevada (Gn 27.28; 41.35; 42.1; Dt 16.9; Mt 12.1). Nas versões americanas modernas geralmente se usa o termo "grão" ao invés de "cereal", como por exemplo na Versão King James. O termo não deve ser confundido com milho indiano, um cereal originário apenas do hemisfério oeste. *Veja também* Alimento.

**CERTEZA** O entendimento que as pessoas redimidas têm de que são realmente salvas. A segurança eterna é a obra de Deus que garante a salvação para sempre, enquanto a certeza é o entendimento que o indivíduo tem deste fato. A palavra grega geralmente traduzida como "certeza" é *plerophoria* (Rm 4.21; Cl 2.2; 1 Ts 1.5; Hb 6.11; 10.22).
O fundamento da certeza é tríplice: Primeiro há a revelação objetiva de Deus, de que aqueles que crêem em Jesus Cristo são verdadeiramente redimidos (Rm 3.25; 1 Jo 5.13). Em segundo lugar, há a certeza do compromisso da fé, que traz a garantia de que Deus mantém a sua promessa de salvar (Ap 3.20). Em terceiro lugar, temos as experiências subjetivas que estão ligadas à realidade da fé Cristã. As experiências que temos ao sermos guiados pelo Espírito, as respostas às nossas orações, e o amor que sentimos pelos nossos irmãos alimentam a certeza em nossa vida, como crentes (Rm 8.14; 1 Jo 3.21,22; 2.10).

**CERVO ou GAMO** *Veja* Animais: Cervo II.12.

**CÉSAR** Esse termo corresponde ao sobrenome da família Juliana, como no caso do nome de Caio Julio César. No NT ele foi aplicado a quatro imperadores romanos: (1) César Augusto (Lc 2.1); (2) Tibério César (Lc 3.1); (3) Cláudio César (At 11.28, onde é chamado apenas de César em algumas traduções; e Atos 18.2, onde tem o nome de Cláudio) e (4) Nero (At 25.10-12; 26.32; Fp 4.22). *Veja* cada nome separadamente.
A expressão "A César o que é de César" (Lc 20.25) veio a ser usada em oposição a "A Deus, o que é de Deus", isto é, o reino terreno versus o reino celestial. Dessa forma foi introduzido um princípio para guiar os discípulos de nosso Senhor na medida de suas responsabilidades para com o mundo e para com Deus (cf. At 4.19ss; 5.29).

Muro dos Cruzados e fosso em Cesaréia. HFV

Ruínas do templo de Augusto em Cesaréia. HFV

**CESARÉIA** Duas cidades do NT têm esse nome.
1. Cesaréia era a capital da Judéia, que estava sob o comando dos procuradores romanos (por exemplo Pilatos). Essa cidade havia sido reconstruída e o antigo nome de Torre Strato foi mudado para Cesaréia Sebaste (em honra de Augusto) por Herodes o Grande. Localizada na costa, a cerca de 48 quilômetros ao norte de Jaffa (antiga Jope), estava a cerca de 100 quilômetros a noroeste de Jerusalém. Era uma cidade magnífica que continha muitos palácios, luxuosos edifícios públicos e um porto. A esse respeito era servilmente elogiada por Josefo. Foi ali que, conforme o relato de Lucas, o rei Herodes Agripa I, "comido de bichos, expirou" (At 12.19*b*-23).
Era uma cidade de população heterogênea com freqüentes atritos entre judeus e gentios. No livro de Atos ela está ligada a vários esforços de evangelização. Filipe, o evangelista, (um dos sete diáconos, At 6.5) viveu nesse lugar juntamente com suas quatro filhas que profetizavam (At 21.8,9). Pedro, enquanto viveu em Jope, foi chamado para pregar em Cesaréia a "um varão por nome Cornélio", o centurião romano, um homem temente a Deus (At 10.1,2,24; 11.11,12). Paulo saudou a igreja de Cesaréia ao retornar de sua viagem missionária (At 18.22) e, mais tarde, ali esteve prisioneiro por dois anos sob o comando de Félix e Festo (At 23.23–26.32). Paulo expunha os seus argumentos a Félix e, muitas vezes, o procurador conversava particularmente com o apóstolo (At 24.25,26). E, perante Festo e Herodes Agripa II, Paulo expressou o seu ardente desejo de que ambos se convertessem (At 26.29).
Ao escavar esse local em 1959-61, uma expedição italiana descobriu a inscrição feita em uma pedra do teatro da cidade onde se lia a palavra "Tiberieum" (dedicado ao imperador Tibério) e nas duas linhas seguintes, "[Pon]tius Pilatus... Procurador Militar. Essa é a primeira referência feita a Pilatos (cf. Lc 3.1) encontrada em uma inscrição (B.W., pág. 156).
Em 1962, escavadores encontraram em uma sinagoga, em Cesaréia, parte de uma lista com os 24 turnos sacerdotais e as cidades onde os sacerdotes viviam, inclusive uma referência ao 18° turno como vindo da cidade de Nazaré (BW). *Veja também* Arqueologia.
2. Cesaréia de Filipe estava situada ao norte do Mar da Galiléia, nas escarpas a sudoeste do Monte Hermom. Foi renomeada pelo rei Herodes Filipe (o tetrarca), filho de Herodes o Grande e Cleópatra de Jerusalém, em honra a Tibério César (Jos *Ant.* xviii. 2.1). Essa cidade grega (primeiramente chamada de *Paneas*, em honra ao deus Pan) tornou-se notável no NT por ser o cenário da grande confissão de Pedro (Mt 16.13ss; Mc 8.27) e, provavelmente, da transfiguração de Cristo (Mt 17.1-8). O nome "Filipe" servia para diferenciá-la da outra Cesaréia situada à beira-mar. Na época do NT, essa cidade era um importante centro da civilização e da cultura greco-romana. Josefo indica que a maior parte de sua população era pagã (*Life,* xiii). Alguns sugerem que essa cidade era a Baal-Gade do AT (Js 11.17; 12.7; 13.5). *Veja* Baal-Gade.
Em uma passagem descritiva, Ewing (HDB) diz que "nenhum lugar da Palestina pode se comparar à sua romântica beleza". Sua abundante vegetação, a beleza do Monte Hermom à nordeste, seus rochedos que se elevam a mais de 2.600 metros acima do vale e suas águas que incluem as nascentes do rio Jordão, tudo isso se combina para formar um magnífico cenário. A moderna vila de Banyas está edificada sobre as ruínas dessa antiga e esplêndida cidade.

W. M. D. e A. F. J.

**CESTOS** Feitos de palha entrelaçada ou de junco, os cestos tinham vários tipos de uso; o tamanho e o formato exato nem sempre estão claros. Um tipo, freqüentemente carregado na cabeça, era usado para propósitos seculares e sacrificiais (Gn 40.16-18; Êx 29.3,23,32; Lv 8.2,26,31; Nm 6.15,17,19; Jz 6.19). Um cesto mais tosco feito de vime foi usado para transportar as cabeças dos filhos de Acabe (2 Rs 10.7), figos (Jr 24.1,2), e cargas dos trabalhadores escravos (Sl 81.6). Um tipo usado como cesto de frutas em Amós 8.1,2, era como uma gaiola de pássaros (Jr 5.27, *veja* gaiola). Um outro tipo era usado para produtos (Dt 26.2-4; 28.5,17).
A arca de junco na qual o bebê Moisés foi colocado por sua mãe (Êx 2.3,5) era provavelmente um pequeno baú com uma tampa feita de junco ou de papiro (*veja* Arca de Junco; Junco; Bambu).
Através do uso de diferentes palavras gregas, Marcos (8.19,20) diferencia os tipos de cestos usados para recolher as sobras depois de Jesus alimentar mais de cinco mil pessoas (Mt 14.20 e passagens paralelas) e depois de alimentar mais de quatro mil pes-

soas (Mt 15.37 e passagens paralelas). O segundo tipo foi usado para auxiliar Paulo a descer um muro (At 9.25, mas cf. 2 Co 11.33 onde a palavra usada significa um grande cesto de cordas).

R. V. R.

**CETRO** Geralmente ornado, um bastão ou vara do rei, que é um símbolo de sua autoridade real.

A palavra *shebet* denota, mais freqüentemente, uma vara comum (por exemplo, para punir escravos, Êxodo 21.20; para contar as ovelhas, Levítico 27.32; a vara do pastor, Salmo 23.4; Marcos 7.12; para disciplinar a criança, Provérbios 10.13; 22.15; para bater, Isaías 28.27) do que um símbolo do reino. Este termo também é muito freqüente quando se trata da unidade ou tribo governada. *Veja* Tribo.

A quebra de um cetro representa a queda daquele que o segura (Is 14.5). Esta é a figura com que Ezequiel descreve os príncipes de Israel (Ez 19.1,11-14), e que Amós utiliza em sua profecia referente aos seus vizinhos (Am 1.5,8). Os textos em Gênesis 49.10 e Números 24.17 mostram a ansiedade pelo estabelecimento do reino em Israel, e o termo "cetro" tem uma importância Messiânica (*veja* Siló). O texto em Hebreus 1.8 (a única passagem em que o termo "cetro" aparece no NT) aplica o Salmo 45.6 diretamente a Cristo como o Filho que governa com o cetro da justiça (ou equidade). Os soldados romanos colocaram uma coroa de espinhos sobre a cabeça de Cristo e em sua mão colocaram uma cana ao invés de um cetro para zombar dEle como o Rei dos Judeus (Mt 27.29).

A forma *sharᵉbit*, influenciada pelo aramaico, ocorre somente em Ester 4.11; 5.2; 8.4. O termo heb. *mehoqeq*, primeiramente traduzido como "legislador", é agora utilizado como uma referência ao cetro ou à vara do governador em Gênesis 49.10; Números 21.18; Salmo 60.7; 108.8.

D. P. B

**CÉU**[1] A palavra céu, ou céus, é usada nas Escrituras com inúmeros sentidos. No sentido mais geral, ela inclui tudo aquilo que é diferente da terra. Quando empregadas assim, as palavras terra e céu se excluem mutuamente; mas quando usadas juntas, as duas abrangem todo o universo de Deus (Gn 1.1). Com este sentido, o termo é freqüentemente usado metaforicamente. Por exemplo, "de uma à outra extremidade dos céus" (Mt 24.31) e "desde uma extremidade do céu até à outra" (Dt 4.32).

Em um sentido mais limitado, a palavra é empregada para descrever a atmosfera que envolve a terra. Assim, lemos sobre o "orvalho do céu" (Dn 4.15), as "nuvens do céu" (Dn 7.13) e a chuva vinda do céu (Tg 5.18). *Veja* Firmamento. Novamente, com freqüência a palavra inclui mais do que somente aquilo que está compreendido na atmosfera terrestre. É usada para abranger tudo o que é visível na expansão do universo acima do homem. Seria impossível definir limites específicos para a expansão visível do espaço que se estende até alturas desconhecidas; mas como tal, a palavra céu inclui o vasto campo no qual se encontram o sol, a lua, os planetas e as estrelas (Gn 1.16,17).

Do ponto de vista teológico, sem dúvida o uso mais importante da palavra céu é com referência ao campo invisível do qual o visível pode ser simplesmente o limite mais próximo do homem. Este é o céu que é mais bem descrito como a moradia de Deus. Antes da era cristã, os judeus dividiam o céu em sete diferentes estratos, uma noção que não tem base nas Escrituras, embora Paulo diga ter sido "arrebatado até ao terceiro céu" (2 Co 12.2). Sem dúvida, o apóstolo está falando do céu que é o lugar de moradia de Deus e dos mortos abençoados. O fato de ele usar a expressão "terceiro céu" significa que ele estava falando ou do céu, no seu caráter mais exaltado, ou do céu que é alcançado pelas almas dos abençoados depois que eles passam pelas duas regiões inferiores da atmosfera e do espaço que contém os corpos celestiais. O termo "céus dos céus" (Dt 10.14; 1 Rs 8.27; Sl 68.33; 148.4) literalmente traduz a expressão hebraica para o superlativo "o céu mais alto", e pode expressar o nosso conceito do ponto mais remoto do universo.

Quando falamos do céu como sendo a morada de Deus ou o lugar onde sua presença se manifesta, não transgredimos a doutrina da sua Divina onipresença. Embora o Senhor fale em vir dos céus e ir aos céus, Ele é infinito e, portanto, se manifesta onde Ele já está. Em João 1.18, há a implicação de que quando o Senhor estava na terra Ele estava no seio do Pai. Nós simplesmente reconhecemos que a descrição de realidades divinas infinitas deve ser dada às mentes humanas finitas em termos que elas possam entender. Grande parte da descrição do céu em seu sentido mais puro, é dada em termos figurados, porque é impossível expressar coisas celestiais se não for em linguagem figurada e, conseqüentemente, simbólica. No entanto, essa linguagem de forma nenhuma significa que não haja nada literal sobre o céu, e que ele seja simplesmente um estado ou uma condição. Jesus disse "vou preparar-vos *lugar*" (Jo 14.2). Cristo vive para sempre no seu corpo ressuscitado glorificado. Deve haver um lugar onde Ele habite com os seus santos. *Veja* Seio de Abraão; Casa do Pai.

A respeito do céu, algumas coisas são claramente reveladas nas Escrituras. Uma atenção considerável é dada às coisas que *não* serão encontradas ali. Por exemplo, não será possível casar-se nem ser dado em casamento (Lc 20.34-36). Não haverá lágrimas, nem

morte, nem sofrimento, nem clamor, nem dor, nada que corrompa, e não haverá mais maldição. Não haverá noite, e não haverá necessidade de luz, porque o Filho de Deus será a luz do céu (Ap 21.4,27; 22.3,5).
Adicionalmente à descrição negativa, alguns fatos são delineados a respeito dos moradores do céu e das suas atividades. (1) Aqui, Deus está presente de uma forma especial, distribuindo julgamento, graça e glória. Nós oramos a Ele como o "Pai nosso" que está "nos céus" (Mt 6.9; cf. também Jo 1.9; Ap 11.13; Sl 2.4; 14.2; 102.19; 103.19; Is 33.5; 66.1). (2) O Senhor Jesus Cristo desceu dos céus (Jo 3.13), e foi elevado aos céus (At 1.9,10; 3.21). Ele está presente à direita de Deus, intercedendo pelos seus santos (Hb 7.25; Rm 8.34), e desse lugar Ele virá novamente para julgar os vivos e os mortos (Mt 24.30). (3) As almas redimidas estão atualmente com Cristo no céu (*veja* Estado Intermediário). Pelo menos dois santos do Antigo Testamento, Enoque e Elias, foram levados ao céu (2 Rs 2.1,11; Hb 11.5). Todos os redimidos no final estarão no céu, nos seus corpos ressuscitados, quando Ele vier do céu por eles (1 Ts 4.16,17; Ap 19.1-4). Além disso, os seus tesouros e recompensas esperam pelos santos no céu (Mt 5.12; 1 Pe 1.4; 2 Co 5.1). (4) O céu é o lugar onde moram os seres angelicais (Mt 18.10; Ef 1.10; Hb 12.22) e dali eles ministram aos habitantes da terra (Lc 2.13-15; 22.43).
*Veja* também Estado Eterno e Morte; Jerusalém, Nova; Novo Céu e Nova Terra.

***Bibliografia.*** Calvin D. Linton, "What's So Great About Heaven?", ChT, XV (20 de novembro de 1970), 163ss. H. Harold Mare, "The New Testament Concept Regarding the Regions of Heaven with Emphasis on II Cor 12.1-4", *Grace Journal,* XI (1970), 3-12. Wilbur M. Smith, *The Biblical Doctrine of Heaven*, Chicago. Moody Press, 1968, com bibliografia abrangente. Helmut Traub e Gerhard von Rad, "*Ouranos* etc.", TDNT, V, 497-543.

R. G. R.

**CÉU²** Palavra usada algumas vezes no plural para representar as nuvens (Dt 33.26; Sl 18.11; Is 45.8; 2 Sm 22.12) e outras vezes o céu ou o firmamento (Jó 37.18; Jr 51.9). No Novo Testamento, há referências ao paraíso e ao céu em Mateus 16.2,3; Lucas 12.56 e ao firmamento Hebreus 11.12. *Veja* Paraíso.

**CEVA** Um sumo sacerdote judeu em Éfeso, cujos sete filhos tentaram expulsar demônios em nome do Senhor Jesus. Ao invés disso, dois deles foram feridos pelo homem endemoninhado, e tiveram que fugir humilhados e nus. Deus usou esta experiência para fazer com que várias pessoas em Éfeso se voltassem a Ele (At 19.11-20). Uma vez que morava em Éfeso e tinha um nome grego, Ceva certamente não tinha qualquer ligação com a família sacerdotal oficial em Jerusalém. Ele parece ter adotado o título de sumo sacerdote para impressionar os supersticiosos pagãos (A. F. Walls, "Sceva", NBD, p. 1149).

**CEVADA** *Veja* Plantas.

**CEVADO** Em todos os usos desta palavra, a referência é a um bezerro jovem que foi alimentado e que está gordo e firme. Ele era algumas vezes utilizado como uma oferta. Era considerado uma propriedade valiosa (Is 11.6; Ez 39.18), e era estimado como uma iguaria à mesa (Mt 22.4).

**CHACAL¹** *Veja* Animais: II.11.

**CHACAL²** Em Lamentações 4.3 a tradução do termo *tannin* em várias versões é "chacais". "Até os chacais abaixam o peito..." Em Gênesis 1.21 a palavra é traduzida como "baleias", ou "monstros marinhos". *Veja* Animais: II.28; V.6.

**CHAMA** *Veja* Fogo.

**CHAMADA EFICAZ** *Veja* Chamar, Chamado, Chamada.

**CHAMAR, CHAMADO, CHAMADA** Embora a palavra "chamar" tenha muitas aplicações comuns nas Escrituras, sua principal importância é a de ser um termo especificamente teológico. A forma verbal *(kaleo)*, quando usada tecnicamente, se refere à chamada de Deus aos homens (raramente de Cristo) para participar da bênção da redenção. Seus benefícios podem ser descritos como a chamada de Deus à sua glória (1 Pe 5.10; 2 Pe 1.3); à vida eterna (1 Tm 6.12); à comunhão com o seu Filho (1 Co 1.9) e das trevas para a sua maravilhosa luz (1 Pe 2.9).
A chamada depende do propósito de Deus (Rm 8.30; 9.11), estabelecido através da dádiva de sua graça (Gl 1.6,15) e alcança os homens através da proclamação do Evangelho (2 Ts 2.14) tornando-se, dessa maneira, a única esperança de salvação para a humanidade (Ef 4.4). A chamada está dirigida não só à salvação do homem como também ao seu comportamento. Assim, os cristãos são chamados não só à pureza, mas à santificação (1 Ts 4.7), à paciência em meio ao sofrimento (1 Pe 2.21), à liberdade (Gl 5.13) e a viver em paz (1 Co 7.15).
O termo "chamada", como substantivo, *(klesis)*, aparece no NT exclusivamente em um sentido técnico. O convite é para entrar no reino de Deus, para recebê-lo como uma dádiva e um bem. Incluída nesse convite está uma decisiva ênfase na soberana iniciativa de Deus. "Porque os dons e a vocação de Deus

são sem arrependimento" (Rm 11.29). "Vede irmãos a vossa vocação... Mas Deus escolheu as coisas loucas desse mundo... para que nenhuma carne se glorie perante ele" (1 Co 1.26-28; cf. Ef 4.4). Mas essa Divina chamada exige, da mesma forma, uma resposta do homem. "Portanto, irmãos, procurai fazer cada vez mais firme a vossa vocação e eleição; porque, fazendo isto, nunca jamais tropeçareis" (2 Pe 1.10; cf. também 2 Ts 1.11).

A chamada pode ser considerada como vinda do céu (Hb 3.1) e uma invocação à vida celestial (Fp 3.14). É, também, um santo convite (2 Tm 1.9) que não está aberto à compreensão humana, mas exige um discernimento espiritual (Ef 1.18).

O adjetivo verbal "chamado" *(kletos)* é usado de duas maneiras. Na maioria dos casos ele tem em vista o chamado à salvação (como em Rm 1.6,7; 1 Co 1.24; Jd 1; Ap 17.14); mas uma nova dimensão aparece em Romanos 1.1 e em 1 Coríntios 1.1 onde a chamada se torna efetiva em termos de um ofício - "chamado para ser apóstolo".

É a parábola de Mateus sobre a festa de casamento ("porque muitos são chamados [*kletos*], mas poucos escolhidos [*eklektoi*]" Mt 22.14) que encerra o texto com maior dificuldade. Ao contrário da prática encontrada em outras situações (veja especialmente Ap 17.14 e também Rm 8.28ss), os eleitos são aqui diferenciados daqueles que são chamados. A despeito da advertência de K. L. Schmidt, de que desconhecemos as palavras escritas em aramaico que estão por trás deste texto (TWNT, III, 496), o contexto fornece um claro suporte a essa distinção. A tensão dialética da qual o verso está falando, não pode ser situada no fato de que em alguns casos muitos serão chamados, enquanto em outros casos apenas alguns poucos o serão, como afirma Schmidt. É mais provável que muitos serão convidados, mas poucos serão aceitos. O que o texto está afirmando é que Deus, por ser aquele que está convidando, tem a especial prerrogativa de qualificar os que podem comparecer. O propósito dessa elocução não é proporcionar conforto aos poucos que foram escolhidos. Nessa parábola, o chamado a muitos foi estendido e recusado. Aqueles que serão reunidos foram homens originalmente deixados de lado. Mas nem estes ficarão isentos de julgamento. Cada um deve ter as suas vestes de casamento para ser aceito (escolhido).

Essa parábola é uma advertência. Ela reitera o que já foi dito anteriormente em Mateus (cf. Mt 5.20) e, particularmente, o que faz parte do contexto imediato. Na parábola da vinha, que a precedeu, a conclusão é que ele "arrendará a vinha a outros lavradores, que, a seu tempo, lhe dêem os frutos... Portanto, eu vos digo que o Reino de Deus vos será tirado e será dado a uma nação que dê os seus frutos" (Mt 21.41,43). Em Mateus 23.3, esse tema continua na condenação que o Senhor Jesus proferiu contra os fariseus que pregavam a justiça, mas não a praticavam. O mérito consiste não em ser um dos poucos, mas em possuir uma justiça que seja aceitável a Deus.

*Veja* Escolhidos; Eleição; Vocação.

***Bibliografia***. Alan Richardson, *A Theological Word Book of the Bible,* New York. Macmillan, 1960, pp. 39ss. J. L. Schmidt, *"Kaleo etc."*, TDNT, III, 487-501. K Stendahl, "The Called and the Chosen", *The Root of the Vine,* New York; Philosophical Library, 1953, pp. 63-80.

G. W. Ba.

**CHAMINÉ** Esta palavra, nos originais, pode ser mais adequadamente traduzida como "treliça" ou "janela". Ela é encontrada somente em Oséias 13.3. As versões RSV em inglês e RA em português traduzem a passagem como "... como fumaça que sai por uma janela". A versão RC em português a traduz, em sentido figurado, da seguinte forma: "como a fumaça da chaminé". Porém as casas da época não tinham chaminés.

**CHANCELER** O título de Reum (Ed 4.8,9,17), significando literalmente "senhor do julgamento". O termo designa um posto da Babilônia, isto é, o de "mestre ou senhor da inteligência oficial", ou "agente do correio" (Sayce).

**CHÃO**

1. A palavra heb. *qarqa'* é usada para se referir ao solo de uma edificação (Nm 5.17). No relato da construção do templo de Salomão, a palavra é usada quatro vezes (1 Rs 6.15,16,30). Em 1 Reis 6.5,10 o substantivo *yasia'* ("câmaras") provavelmente signifique andares ou pisos.

2. A palavra heb. *goren* significa uma eira. Era um lugar plano e limpo e usado para malhar o trigo, freqüentemente apenas do

A eira em Samaria

lado de fora da porta da cidade (1 Rs 22.10, "em um lugar vazio"). Isaías a utiliza em um sentido figurado (Is 21.10) com relação ao povo de Deus que é pisado como grãos em uma eira. *Veja* Eira.
3. A palavra gr. *halon* designa uma eira em Mateus 3.12 e Lucas 3.17.

**CHAPÉU** Artigo de vestuário (em aramaico, *karbela)* mencionado apenas em Daniel 3.21. Palavra emprestada do acádio, *karballatu*, provavelmente com o significado de gorro alto e pontudo. Acompanhava um estilo usado às vezes pelos assírios e babilônios e, mais especialmente, pelos cimérios. *Veja* Vestuário.

**CHAVE** Instrumento para levantar os pinos de um ferrolho para abrir uma porta (Jz 3.25, o único uso literal da palavra na Bíblia). A chave mais simples era um pedaço curto de madeira com pinos salientes. Os pinos se encaixavam em um padrão correspondente de fendas em um ferrolho que se encaixava em uma barra inferior para impedir o seu movimento. A barra era sustentada no lugar por travas que se projetavam em furos no batente ou na soleira. A barra era liberada colocando-se a mão através de um furo na porta e operando a chave pelo tato (Ct 5.4). Chaves de metal com lingüetas projetadas também eram usadas. *Veja* Fechadura.
A palavra "chave" é freqüentemente usada de forma figurada nas Escrituras para denotar poder e autoridade. Os especialistas judeus na lei mosaica reconhecidamente detinham a chave do conhecimento (chave da ciência; Lucas 11.52), que permitia que os homens entrassem no reino dos céus (cf. Mt 23.13). O abismo ou o poço sem fundo onde os anjos caídos e demônios estão aprisionados está trancado com uma chave (Ap 9.1; 20.1). Em Isaías 22.22, a palavra sugere o poder e autoridade reais da dinastia ou reino davídico através da expressão "a chave da casa de Davi". No NT este poder está no Cristo ressurrecto (Ap 3.7), e é posteriormente definido como a autoridade para admitir ou recusar a admissão no céu (cf. Mt 16.19). Ele também tem as "chaves [ou o poder] da morte e do inferno" (Ap 1.18). Sobre as "chaves do Reino dos céus" *veja* Ligando e Desligando; Reino de Deus; Joachim Jeremias, "*Kleis*", TDNT, III, 744-753.

H. G. S.

**CHEFE** É a tradução de um grande número de palavras hebraicas do Antigo Testamento, normalmente designando o líder de uma família, de um clã ou de uma tribo, ou em conexão com alguns termos e títulos oficiais. As versões ASV e RSV em inglês usam o termo "chefe" onde a versão KJV em inglês e a versão RC em português usam o termo "príncipe" para referir-se à liderança dos clãs e das tribos (Gn 36.15; Êx 15.15; 1 Cr 1.51). Alguns termos oficiais são usados, tais como "copeiro-mor" (Gn 40.9), "principal dos capitães" (1 Cr 11.11), "chefe dos pais de Israel" (2 Cr 19.8), "primeiras [ou principais] nações" (Am 6.1) e "sumo sacerdote" (2 Cr 19.11). O Novo Testamento usa termos como "príncipe dos demônios" (Lc 11.15), "principais dos fariseus" (Lc 14.1), "principais dos judeus" (At 28.17), "primeira cidade" (At 16.12) e "tribuno da coorte" (do grego *chiliarchos*, que significa "tribuno" ou "comandante"; At 21.31 etc.). *Veja* Capitão; Tribuno.

**CHEFE DE FAMÍLIA** *Veja* Marido; Casa.

**CHEFES DA ÁSIA (ou PRINCIPAIS DA ÁSIA; At 19.31)** *Veja* Asiarcas.

**CHEIRO**[1] Em Oséias 14.7, o termo heb. *zeker* ("o seu cheiro") deve ser traduzido como "a sua fama (ou memória)", para manter o sentido de uma lembrança ou memorial (cf. Sl 9.6; Êx 3.15). O termo heb. *reah* descreve cheiro, odor, ou fragrância (Jó 14.9; Jr 48. 11; Gn 27.27).

**CHEIRO**[2] O AT traduz o termo *reah* como "cheiro", "sabor", "fragrância", e *nihoah* como "doçura" (uma vez em Esdras 6.10). Por 36 vezes as duas palavras aparecem juntas e são traduzidas como "cheiro suave" ou "aroma agradável".
As associações desta última expressão são sacrificiais, como observado em Gênesis 8.21. A frase explicativa, "o suave cheiro", está ligada às descrições de uma oferta queimada. S. H. Kelogg (*expositor's Bible*, Liviticus, pp. 50ss.) argumenta que uma vez que a queima do sacrifício era realizada após a morte dos animais, o fogo não é um símbolo apropriado da ira punitiva de Deus contra o pecado, e que também não havia sequer algum pensamento relacionado à expiação na oferta de manjares (ou de grãos) que era queimada. Kellog conclui: "Devemos, portanto, considerar que a queima só pode ter, na oferta queimada, o mesmo significado que teria sozinha, na própria oferta queimada; ou seja, a ascensão da oferta na consagração a Deus, por um lado; e, por outro, a aceitação e apropriação bondosa da oferta por parte de Deus". Então a fragrância agradável da carne, do vinho, e dos cereais assim consumidos, tinham uma importância simbólica.
As implicações podem ser vistas de forma completa nas observações de Paulo em Efésios 5.2 – a fragrância do amor na vida dos cristãos é como a fragrância do sacrifício amoroso de Cristo em nosso lugar, "em oferta e sacrifício a Deus, em cheiro suave". Assim, em Romanos 12.1, a consagração da personalidade dos cristãos se torna aceitável para Deus. Todas as ofertas queimadas do ritual levítico falaram da obediência perfeita do

grande sacrifício para o qual elas apontavam. Da mesma forma, a sua perfeita obediência é o nosso perfeito exemplo daquilo que a consagração a Deus realmente é.

Em 2 Coríntios 2.14-16, a imagem provavelmente não é de sacrifício. O vaso humano, no qual Cristo habita, é um instrumento de libertação da fragrância do conhecimento de Cristo entre aqueles que estão sendo salvos, e entre aqueles que estão perecendo (v. 15). A palavra "sabor" também se refere ao paladar (Mt 5.13), à fragrância (Jl 2.20) e, figurativamente, à reputação (Êx 5.21).

W. B. W.

**CHENOBOSKION (ou CHENOBOSQUIOM)** O nome grego antigo de uma aldeia (que no idioma dos coptas, ou cóptico, seria *Shénésit*) no alto Egito onde foi encontrada uma grande coleção de textos gnósticos. Agora chamada Qasr es-Sayyad, Chenoboskion fica próxima à cidade de Nag Hammadi, a aproximadamente cinqüenta quilômetros ao noroeste de Luxor. Aqui, durante o ano de 1945, os nativos descobriram acidentalmente treze códigos cópticos em papiro com capas de couro bem conservados. Um deles foi levado ao Instituto Jung em Zurique, na Suíça, enquanto os outros doze foram, por fim, para o Museu Cóptico no Cairo. Estes volumes contêm 49 tratados, dos quais alguns estão duplicados, mas 44 deles são diferentes entre si. Muitos destes trabalhos estiveram perdidos por muitos séculos e eram conhecidos somente por nome ou por citações nos escritos dos patriarcas da igreja, que os refutavam. Muitos deles estão escritos no dialeto cóptico Sahídico, mas diversos aparecem no dialeto subakhmímico. Esses manuscritos foram escritos nos séculos III e IV d.C., mas todos são traduções de obras gregas mais antigas, que foram originalmente compostas no século II d.C.

Os papiros de Chenoboskion contêm obras gnósticas de uma grande variedade. discussões e tratados, diálogos, orações, evangelhos, epístolas e apocalipses. Sabe-se, a partir de escritos dos primeiros tempos da igreja, que algumas dessas obras são atribuídas ao gnóstico Valentino (metade do século II d.C.), e outras às seitas gnósticas dos setianos, arcontes e barbelognósticos. Até a atualidade, somente alguns desses trabalhos de Chenoboskion foram publicados na íntegra, mas mesmo esses poucos dão alguma idéia da literatura dessas seitas. Entre os trabalhos mais importantes publicados, estão os três supostos evangelhos: (1) o evangelho de Tomé, uma coletânea de 114 declarações de Jesus, das quais algumas já eram conhecidas de fragmentos de papiros gregos encontrados em Oxyrhynchus, no Egito; (2) o evangelho de Filipe, também uma coletânea de declarações, que é caracterizada por um forte dualismo e que dá ênfase aos quatro elementos da água, da terra, do vento e do ar que correspondem à fé, à esperança, ao amor e ao conhecimento; e (3) o evangelho da Verdade, que é um aglomerado de diferentes fases da filosofia gnóstica, mas não tem nenhuma semelhança com o que normalmente é considerado um evangelho.

*Veja* Agrafa; Cânone de Escrituras - Novo Testamento; Gnosticismo.

***Bibliografia.*** J. Doresse, *The Secret Books of the Egyptian Gnostics*, Nova York. Viking Press, 1960. F. V. Filson, BA, XXIV (1961), 7-18. V. R. Gold, BA, XV (1952), 70-88. Andrew K. Helmbold, *The Nag Hammadi Gnostic Texts and the Bible*, Grand Rapids. Baker, 1967. W. C. van Unnik, *Newly Discovered Gnostic Writings*, Naperville, Illinois. Allenson, 1960.

S. H. H.

**CHIBOLETE** Uma palavra heb. que significa "corrente" (Sl 69.2), "rio" (Is 27.12), "pontas das espigas" (Jó 24.24), ou "ramos" (feixe de galhos) de oliveiras (Zc 4.12). A forma não traduzida aparece na história do gileadita Jefté e dos eframitas que protestavam (Jz 12.6) como uma senha usada para detectar os eframitas que estavam tentando fugir de Gileade pela passagem do vau do

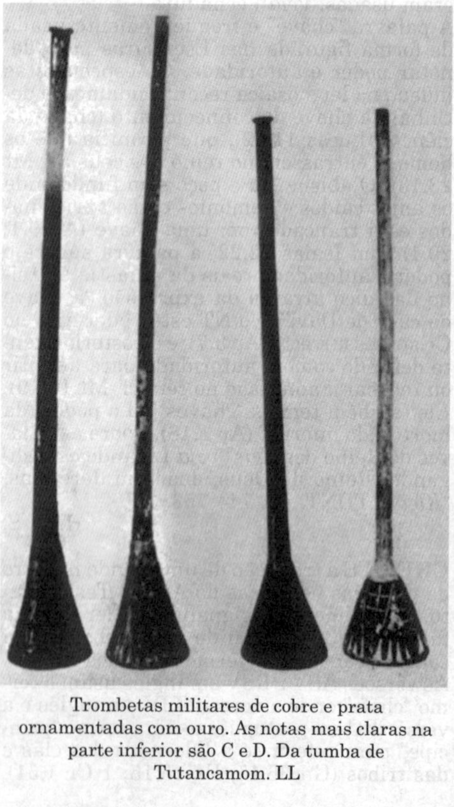

Trombetas militares de cobre e prata ornamentadas com ouro. As notas mais claras na parte inferior são C e D. Da tumba de Tutancamom. LL

Jordão. Embora o eframita negasse sua ligação tribal, ele mostraria a sua verdadeira identidade por sua incapacidade de pronunciar a palavra “chibolete” corretamente, dizendo ao invés disso “sibolete”. A diferença no dialeto entre os povos semitas forma a base da história.

**CHIFRE** Os chifres são mencionados na Bíblia como tendo vários usos:

**1. Trombetas.** A trombeta ou buzina de chifre (*qeren*) de carneiro de Arão perfurada na extremidade, foi usada anteriormente para soar na convocação de uma batalha (Js 6.5). Semelhante era o *shopar*, originalmente um chifre curvado de carneiro ou cabrito montês, talvez mais tarde um instrumento de metal com o formato de um chifre que dava uma nota alta, de longo alcance, mas sempre traduzido como “trombeta” ou “buzina” (*veja* Instrumentos Musicais. Trombeta). Era usado como um alarme (Jr 4.5,19; 6.1,17; Ez 33.3-6; Jl 2.1; Am 3.6; Sf 1.16), para reunir as tropas para a guerra (Jz 3.27; 6.34; 1 Sm 13.3; Ne 4.18,20; Zc 9.14) ou para o retorno da batalha (2 Sm 2.28; 18.16; 20.1,22), para sinalizar o ataque (Jz 7.16-22), e para anunciar o início das cerimônias religiosas (Êx 19.16,19; 20.18; Lv 25.9; Sl 81.3; Jl 2.15) ou a coroação de um rei (2 Sm 15.10; 1 Rs 1.34,39; 2 Rs 9.13). *Veja* Música.

O termo heb. *yobel*, “chifre de carneiro” (Js 6.4,6,8,13), emprestou seu nome ao ano do jubileu (*q.v.*; Lv 25.8-54; 27.17-24) porque o ano qüinquagésimo era aberto pelo soar de um chifre de carneiro. É primeiro mencionado, em Êxodo 19.13, como a “buzina” longamente soada no monte Sinai, com elevado volume. O *yobel* parece ter um significado religioso-cerimonial, anunciando a chegada de Jeová como Rei, seja para o seu povo completar a sua aliança ou para proclamar a libertação e a liberdade, ou ainda quanto a seus inimigos para julgá-los e derrotá-los.

**2. Recipientes.** Sendo ocos e facilmente polidos, os chifres eram usados nos tempos antigos e modernos como vasos para bebida e como frascos para conter óleo ou cosméticos. Ezequiel 27.15 descreve chifres com marfim e/ou ébano; como tais, eles eram propriedades muito estimadas e um símbolo de riqueza. O nome da terceira filha de Jó reflete este uso, pois Quéren-Hapuque (Jó 42.14) significa “um chifre de tinta para os olhos” (pote de máscara ou antimônio preto). Os profetas usavam chifres deste tipo para carregar óleo para a unção dos reis etc. (1 Sm 16.1,13; 1 Rs 1.39).

**3. Chifres ou pontas do altar.** Altares feitos de pedra (os altares de madeira e os de bronze se desintegraram) foram encontrados por arqueólogos. O “chifre” (*qeren*) no altar (Êx 38.2) era uma peça que se projetava para frente como um chifre em cada canto. Nos rituais sacrificiais, o sacerdote colocava um pouco do sangue nos chifres do altar (Êx 29.12; Lv 8.15 etc.). Até o altar do incenso de ouro tinha chifres em seus cantos (Êx 30.2,3) que recebia o sangue da oferta pelo pecado no Dia da Expiação (Êx 30.10). Uma vez que o altar representava a justiça, pegar nos chifres ou pontas do altar era sinal de que alguém reivindicava refúgio de seu inimigo até que seu caso fosse propriamente julgado (1 Rs 1.50,51; 2.28; cf. Êx 21.14).

**4. Sentido figurado.** A tribo de José é descrita com chifres do boi selvagem (“unicórnio”

Estatueta de bronze de um deus com chifres, do século XII a.C. Enkomi, Chipre. Museu de Chipre

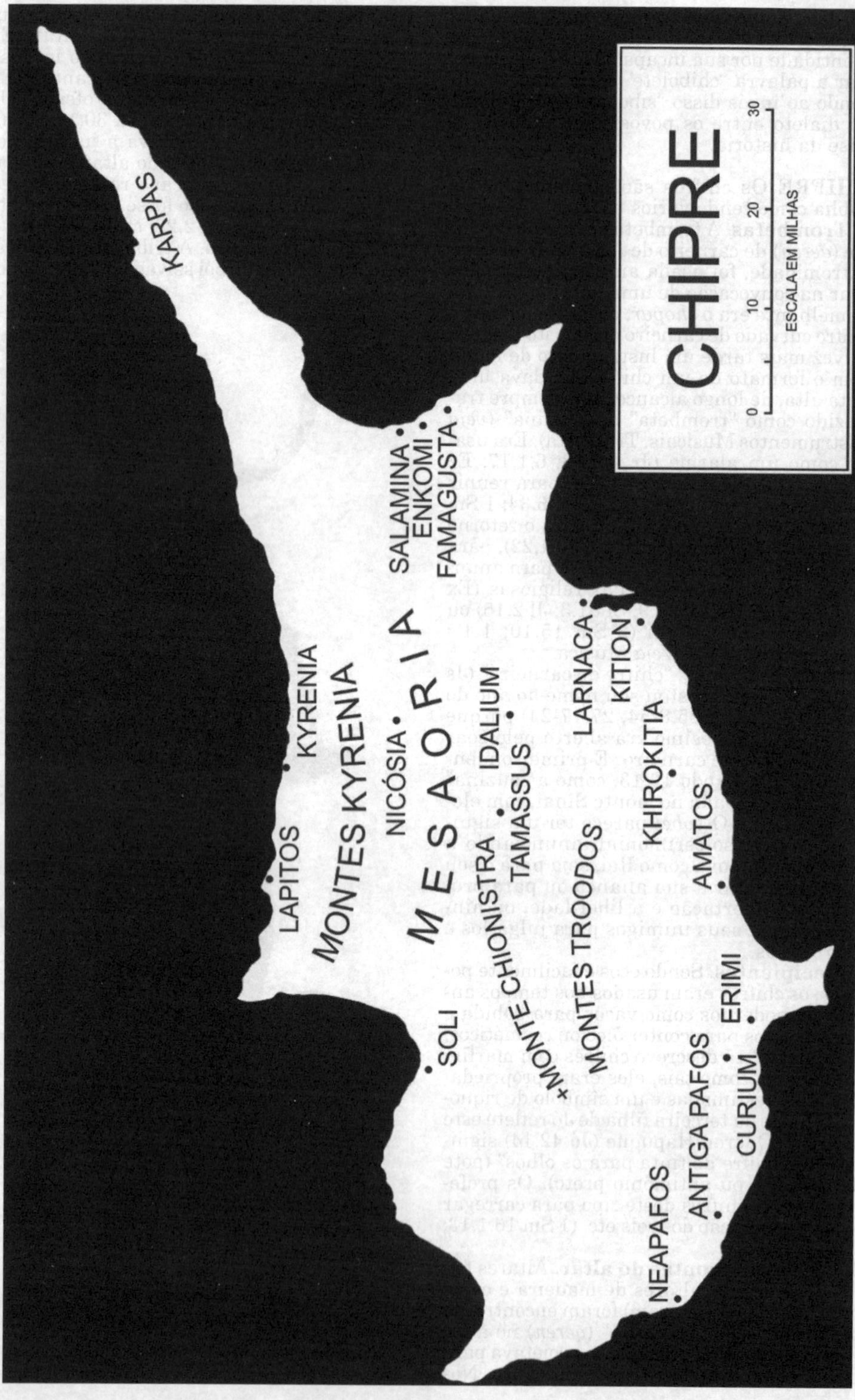
CHIPRE
0 10 20 30
ESCALA EM MILHAS
KARPAS
LAPITOS
KYRENIA
MONTES KYRENIA
NICÓSIA
M E S A O R I A
SALAMINA
ENKOMI
FAMAGUSTA
IDALIUM
TAMASSUS
LARNACA
KITION
SOLI
MONTE CHIONISTRA
MONTES TROODOS
KHIROKITIA
AMATOS
ERIMI
CURIUM
ANTIGA PAFOS
NEAPAFOS

em algumas versões) para significar a sua força na conquista dos povos (Dt 33.17). Jó lamenta que "seu chifre" (cabeça ou orgulho) está mergulhado no pó (Jó 16.15). Aqui o chifre de uma pessoa (como o de um carneiro) é o símbolo de sua dignidade, poder ou força. Este uso figurado do chifre é aparentemente baseado no fato de que os chifres de um animal são suas armas de força agressiva; os animais desprovidos de seus chifres são notadamente mais dóceis. Um uso similar pode ser encontrado em Salmo 75.4,5; 89.17,24; 92.10; 112.9; 132.17; 148.14; Jeremias 48.25. Um certo profeta Zedequias fez chifres de ferro como uma lição ilustrativa para encorajar o rei Acabe a atacar os sírios (1 Rs 22.11).

No cântico de Maria em Lucas 1.69 (seguindo a oração de Ana em 1 Samuel 2.1,10), "o chifre da salvação" (ou "uma salvação poderosa") significa simplesmente que o Senhor tem a força ou o poder para livrar ou salvar.

Passagens proféticas em Daniel e Zacarias (1.18-21) usam o termo especificamente em relação a reis ou reinos que existiram ou que se levantarão. Em Daniel 8, o bode com um chifre (Grécia) se levanta contra o carneiro com dois chifres (Média e Pérsia). O grande animal de Daniel 7 que tem dez chifres mais um pequeno chifre que devora outros três, é semelhante em aparência ao grande dragão vermelho e à besta que emerge do mar em Apocalipse 12.3; 13.1, e ambos possuem sete cabeças e dez chifres. O texto em Apocalipse 17.9 revela que as sete cabeças representam sete montanhas e os dez chifres (v. 12) são dez reis. Amós tem reis em mente quando acusa Israel de se vangloriar de ter tomado os chifres (reis) por sua própria força (Am 6.13).

Em Habacuque 3.4, existe a questão relacionada a uma palavra heb. mais rara escrita com as mesmas consoantes *q-r-n* e traduzida como "chifre", mas que também pode ser entendida como "raio de luz". Foi esta mesma questão em Êxodo 34.29,30,35 na Vulgata que fez com que Michelangelo colocasse chifres em sua imortal estátua de Moisés.

E. B. S.

**CHIFRE DE CARNEIRO** *Veja* Música.

**CHILRO** Em Isaías 10.14 (piar ou murmurar), a palavra descreve o som feito por um passarinho no ninho, um gorjeio. Em Isaías 8.19 (chilreiam), descreve sons fracos, inteligíveis vindos de um feiticeiro que declara receber mensagens dos mortos.

**CHIM ou CHINE** A 21ª letra do alfabeto hebraico. A estrofe chim (ou a 21ª estrofe) do Salmo 119, o grande acróstico ou salmo alfabético, aparece nos versículos 161-168. A letra chim também passou a representar o número 300. Veja Alfabeto.

**CHIPRE** A terceira maior ilha do Mediterrâneo (depois da Sicília e da Sardenha), tem uma área de pouco mais de 9100 km². Visível tanto da Ásia Menor como da Síria em um dia claro, ela fica cerca de 70 quilômetros da primeira e 100 quilômetros da última. Sua superfície é praticamente dividida de forma igual entre montanhas e planícies. A sua exportação de cobre era tão extensa nos tempos antigos, que a palavra cobre tanto em inglês quanto em português é derivada do seu nome grego kypros, através do latim *cuprum*. Referências do AT a Quitim (Gn 10.4; Nm 24.24; Is 23.1) são normalmente identificadas com Chipre (CornPBE. pp. 13-17). Os Romanos tomaram a ilha em 58 a.C., e transferiram a capital de Salamina (q.v.), no leste, para Pafos, na costa oeste. Paulo e Barnabé foram a Salamina em sua primeira viagem missionária (At 13.5) e ministraram por toda a ilha; depois de terem sucesso nos seus esforços missionários (At 13.6-13) embarcaram, em Pafos, em direção à Ásia Menor. Mais tarde, Barnabé e João Marcos pregaram em Chipre (At 15.39).

H. F. V.

**CHOCARRICES** Este termo é usado em Efésios 5.4, onde significa ter uma atitude vulgar e frívola em relação a assuntos sérios. Termos sinônimos são utilizados em Gênesis 19.14 onde os genros de Ló pensaram que ele estivesse brincando sobre a destruição que estava por vir.

**CHORO** *Veja* Pranto.

**CHUMBO** *Veja* Minerais e Metais.

**CHUVA** A chuva era de grande importância para as pessoas que viviam nas terras bíblicas. A seca (*q.v.*), que como conseqüência trazia a fome, era uma calamidade freqüente e muito temida. Nem todos eram afortunados como os egípcios, que podiam depender da inundação anual do Nilo. Os períodos chuvosos da primavera e do outono na Palestina são referidos como "chuva serôdia" (heb. *malqosh*) e "chuva temporã" (*moreh yoreh*), respectivamente. Entre elas está o verão, quente e seco. O termo heb. *geshem* pode significar uma grande chuva (1 Rs 18.45; Ed 10.9,13) e ocorre no relato do dilúvio (Gn 7.12,8.2). O termo mais freqüentemente utilizado para chuva é *matar* (por exemplo, 2 Sm 23.4; Pv 26.1; Is 4.6). O termo gr. *broche* na parábola dos dois alicerces proferida pelo Senhor Jesus (Mt 7.25,27) significa uma chuva torrencial ou uma violenta tempestade. A palavra gr. usual para chuva é *huetos* (por exemplo, At 28.2).

A Bíblia Sagrada mostra de forma constante e consistente que Deus controla as condições atmosféricas, e que Ele envia ou retém a chuva (Lv 26.4; Dt 11.14,17; 28.12,24; 1 Sm

12.17,18; 1 Rs 8.35,36; 17.1,14; 18.1; Jó 5.10; 28.26; 37.6; Sl 147.8; Is 30.23; Am 4.7; Zc 10.1; Mt 5.45; At 14.17; Hb 6.7; Tg 5.18; Ap 11.6). Os escritores do AT tiveram um entendimento simples do ciclo da evaporação que forma as nuvens para dar as chuvas e encher os rios e os mares (Jó 36.27-29; 38.25-28,34-38; Sl 135.7; Pv 3.20; Jr 10.13; 51.16).

De acordo com Gênesis 2.5 (cf. 7.4) a terra, antes do dilúvio (*q.v.*), não conheceu a chuva como a conhecemos hoje. Ao invés disso, uma neblina ou vapor subia da terra, e umedecia toda a sua superfície (Gn 2.6). Alguns têm explicado esse fenômeno como o resultado da cobertura de vapor que envolvia a terra.

*Veja* Palestina, III.B; Arco-Íris; Granizo, Pedras de Granizo; Chuva Serôdia; Relâmpago; Trovão; Água.

B. C. S.

**CHUVA SERÔDIA** Expressão que traduz a palavra hebraica *malqosh,* isto é, chuva da primavera. A versão KJV em inglês também traduz a expressão grega *opsimos* em Tiago 5.7, enquanto versões mais recentes adotam a expressão "últimas chuvas", ou "chuvas da primavera".

Na Palestina, a chuva precoce ou do outono (de meados de outubro até meados de dezembro) prepara o solo para ser arado e irriga os campos recém semeados. A chuva serôdia ou da primavera (final de fevereiro e início de abril) promove o crescimento pleno dos grãos. Deus fez uma promessa aos israelitas, antes de chegarem a Canaã, mediante a obediência aos seus mandamentos: "... darei a chuva da vossa terra a seu tempo, a temporã e a serôdia, para que recolhas o teu cereal, e o teu mosto, e o teu azeite" (Dt 11.14; cf. Jr 5.24; Pv 16.15; Zc 10.1). Joel diz, em alguns versículos antes da profecia do derramamento do Espírito, que Deus irá enviar a chuva, a temporã e a serôdia, como antes (Jl 2.23). Em uma linda profecia sobre a vinda do Senhor, Oséias exorta o povo de Deus dizendo: "Conheçamos e prossigamos em conhecer o Senhor; como a alva, será a sua saída; e ele a nós virá como a chuva, como chuva serôdia que rega a terra" (Os 6.3). Em sua epístola, Tiago procura preparar os seus leitores para a volta de Cristo em 5.1-11. Depois de advertir a todos os cristãos nominais que trapacearam nos negócios, Tiago incentiva os crentes fiéis a exercitarem a paciência enquanto aguardam a vinda do Senhor, assim como o agricultor aguarda que os seus campos recebam a chuva temporã e serôdia.

*Veja* Chuva.

J. R.

**CICLO** *Veja* Pesos, Medidas, e Moedas

**CICUTA** *Veja* Plantas.

**CIDADANIA** *A cidadania hebraica.* Entre os judeus dos tempos do Antigo Testamento, a ênfase estava em que os israelitas fossem membros de uma organização religiosa, e não na sua relação com a cidade ou com o estado (Ef 2.12, "comunidade de Israel"). Os não israelitas tinham a proteção da mesma lei que protegia os israelitas, mas não tinham permissão de insultar os israelitas de nenhuma forma com respeito às suas crenças religiosas. O bom cidadão era o bom membro da teocracia judaica. A vantagem dos judeus sobre os gentios era espiritual e não judicial.

*A cidadania romana.* Todas as pessoas residentes no território romano tinham os mesmos direitos judiciais. Isso era assegurado pelos imperadores às províncias e às cidades, ou aos indivíduos por seus serviços especiais prestados ao imperador ou ao estado, e às vezes era um privilégio que podia até mesmo ser comprado (At 22.28). Assim, o possuidor de tais direitos ficava isento de punições vergonhosas, tais como açoitamento ou crucificação, e também lhe dava o direito de apelar a César em alguns casos.

*A cidadania de Paulo.* O pai de Paulo ou algum antecessor tinha obtido a cidadania romana, e Paulo a tinha desde o nascimento. Algumas vezes ele usou os seus privilégios romanos (At 16.37-39; 22.25-29; 23.27; 25.10-12; 26.32).

*A cidadania cristã.* Todos os crentes são cidadãos de uma comunidade celestial e, portanto, devem viver de acordo com tal posição (Fp 1.27; 3.20; cf. At 23.1). Como cidadãos do reino de Deus (Hb 11.16; 12.22ss.; 13.14; 1 Pe 2.9-11), eles irão reinar com Cristo no seu reino milenar e então entrarão no novo céu e na nova terra (Ap 5.10; 20.4-6; 21,22). *Veja* Novo Céu e Nova Terra; Milênio; Estado Eterno e Morte.

R. A. K.

**CIDADE** Tanto nos tempos modernos como no mundo antigo, a linha de demarcação entre "cidade" e "vila/aldeia" era nebulosa. Não parece haver uma diferença significativa nas diversas palavras hebraicas para cidade. *ir, qirya* e *qaret*. A palavra hebraica *sha'ar* ("porta" ou "portão") é freqüentemente representada pela palavra *synecdoche* ou "cidade", especialmente em Deuteronômio. Uma classificação prática caracterizava a cidade como tendo muralhas, e a aldeia com não tendo muralhas (Lv 25.29-31; Dt 3.5). Essas distinções, no entanto, eram mais convenientes do que científicas, uma vez que Betsaida, por exemplo, é chamada de cidade em Mateus 11.20,21; Lucas 9.10; João 1.44, mas de aldeia em Marcos 8.22,23. Na antiga Israel, era típico que uma cidade (a "mãe", cf. 2 Sm 20.19) fosse rodeada por um agrupamento de aldeias (as "filhas", cf. Nm 21.25, Heb.), a primeira exercendo uma certa hegemonia

Uma reconstrução de Megido nos dias de Salomão e Acabe. ORINST

sobre as últimas, em um relacionamento característico de cidade-estado (cf., por exemplo, Js 15.32).

Tais cidades-estado (cf. latim *civitas*), com todos os refinamentos de civilização, nasceram originalmente na Mesopotâmia, durante o período Proto-Literato (aprox. 3500 a.C.), estimulando por sua vez um desenvolvimento similar no Egito e, um pouco mais tarde, no vale Hindu. Hazor (Js 11.1-5,10) era a maior cidade da Palestina no segundo milênio a.C., com uma população de talvez cinqüenta mil habitantes. Durante o período de Amarna (aprox. 1375 a.C.), havia quatro principais cidades-estado (Gezer, Jerusalém, Laquis e provavelmente Hebrom) no sul da Palestina, ao passo que na época da conquista de Josué este número era de nove cidades (incluindo Debir, Eglom, Jarmute, Libna e Maquedá; cf. Js 10).

As primeiras cidades no terreno montanhoso da Palestina normalmente ocupavam um monte calcário próximo a uma nascente. Os sucessivos períodos de ocupação e de destruição resultaram na formação de montes ou "outeiros" (cf. Js 11.13, Heb.), muitos dos quais foram removidos pelos escavadores modernos. A mais importante dessas cidades estava encerrada por muros maciços, fortificados (Nm 13.28; Dt 1.28; 9.1), com torres nos cantos e flanqueando os portões (2 Cr 26.9), fortificada, ao menos como um meio de defesa, por uma cidadela (*q.v.*) ou "uma "torre forte" no meio da cidade (Jz 9.51), e entrelaçada por uma teia de ruas que freqüentemente eram estreitas, tortuosas e sujas (Is 10.6). Ocasionalmente, algumas cidades eram destacadas para algumas funções especializadas e tornavam-se, por exemplo, as cidades dos carros (2 Cr 1.14), as cidades de armazenamento (1 Rs 9.19) ou as cidades dos mercadores (Ez 17.4).

Durante o período helenista, muitas das antigas cidades foram reconstruídas, mas também foram criadas novas pelos conquistadores e colonizadores gregos. Essas cidades mais novas (gr. *polis*) eram construídas de acordo com o plano de cidades criado por Hipódamo de Mileto, que consistia em ruas que se interceptavam em ângulos retos, com um mercado localizado na parte central. O mesmo padrão foi seguido pelos construtores de cidades durante o início do período romano (cf. Mt 6.5). Algum tempo mais tarde, as cidades romanas vieram a ser caracterizadas por uma avenida margeada por colunas, que conduzia, através de uma porta tripla, ao centro da cidade, e era interceptada por uma ou mais ruas secundárias. *Veja* Acrópole.

Em termos espirituais, a Bíblia reconhece que embora a cidade seja o repositório da

A Jerusalém que Davi conquistou é agora improdutiva (primeiro plano) e fica ao sul da área do último Templo

vida cultural (Gn 4.17,21,22), ela também tende a ser o receptáculo das más propensões (Gn 4.19,23,24; 19.1-38), que se concentram na própria capital (Mq 1.5). Por esta razão, no final, todas as cidades terrenas terão que ser destruídas (Mq 5.11,14) em antecipação ao estabelecimento final da "Santa Cidade, a nova Jerusalém" que é celestial (Ap 21.2). *Veja* Babilônia; Jerusalém, Nova.

***Bibliografia.*** "Ancient Cities (of Palestine)", CornPBE, pp. 44-107, 210-221.

R. Y.

**CIDADE ARMAZÉM** As cidades eram grandes depósitos que guardavam mercadorias, armas, tesouros ou alimentos para distribuição ou salvaguarda (Êx 1.11; 1 Rs 9.19; 2 Cr 8.4,6; 16.4; 17.12; 32.28).
Pitom (*q.v.*) e Ramessés (*q.v.*) são dois exemplos de cidades armazém egípcias, ou "cidades de tesouro". Na Palestina, foram feitas escavações na sede do governo ou nos armazéns reais em lugares como Eziom-Geber, Hazor e Berseba.
Em Megido, foi encontrado um grande silo para armazenar grãos, com o formato de uma cova, pertencente à época da monarquia israelita, além de outros edifícios administrativos. *Veja* Cidade, Tesouro; Armazém.

**CIDADE BAIXA** A residência da profetiza Hulda (2 Rs 22.14; 2 Cr 34.22). O termo hebraico evidentemente significa um distrito ou subúrbio da cidade. Algumas traduções trazem o termo "Cidade Baixa" enquanto em outras se lê "região baixa". O mesmo termo é traduzido como "baixa" em Sofonias 1.10 onde a referência é a uma região da cidade.

**CIDADE DA DESTRUIÇÃO** *Veja* Iraeres.

**CIDADE DAS PALMEIRAS** *Veja* Jericó.

**CIDADE DE DAVI**
1. Este nome se aplica à parte mais antiga de Jerusalém, à colina que fica a sudeste de Jerusalém, também chamada Monte Sião. A fortaleza dos jebuseus que havia ali foi conquistada por Davi, que então mudou a capital de Hebrom para este local, e construiu um novo palácio e uma nova cidadela ou fortaleza (2 Sm 5.7,9; 1 Cr 11.5,7). Ele fez da sua nova cidade o centro da vida religiosa de Israel, ao trazer a arca da aliança da casa de Obede-Edom (2 Sm 6.10-16). O rei Salomão levou a arca para fora da cidade de Davi até o templo no Monte Moriá, ao norte (1 Rs 8.1; 2 Cr 3.1; 5.2).
Ezequias, ao construir o túnel Siloé, fez passar as águas de Giom por baixo da parte oeste da cidade de Davi (2 Cr 32.30). Manassés reconstruiu e elevou consideravelmente a muralha exterior da cidadela de Davi; as suas obras rodearam Ofel (*q.v.*) até a entrada da Porta do Peixe, no vale Tiropeano (2 Cr 33.14, JerusB). Davi, Salomão e muitos outros reis de Judá foram sepultados dentro da cidade original de Davi. *Veja* Jerusalém.
2. A cidade de Belém, na Judéia, é chamada de Cidade de Davi (Lc 2.11). *Veja* Belém 2.

L. O. H.

**CIDADE DE DEUS**
1. Um termo usado para descrever Jerusalém (Sl 46.4; 48.1,8). Foi a cidade que Deus escolheu para ali fazer a sua habitação entre as tribos de Israel (Dt 12.5). *Veja* Jerusalém.
2. Esse termo também é usado para descrever o paraíso, ou a Nova Jerusalém (Hb 11.10; 12.22; Ap 3.12; 21; 22). *Veja* Jerusalém, Nova.

**CIDADE DO SAL** *Veja* Sal, Cidade do.

**CIDADE DOURADA** Em Isaías 14, a canção de escárnio contra a Babilônia fala (v. 4) do fim da cidade dourada (heb. *madheba*). Os tradutores, não encontrando a raiz no hebraico, assumiram que se tratasse da aramaica *dhb*, "ouro" e, portanto, a derivação como "dourada", ou "extraída do ouro". Mas, agora, o Rolo do Mar Morto 1Q Is[a] nos permite ver que a LXX, a Siríaca e possivelmente o Targum devem ter trazido o termo *marheba*. As letras hebraicas *d* e *r*, muito parecidas, são freqüentemente confundidas. Esta raiz significa "enfurecer-se", "agir arrogantemente". O texto, portanto, pode ser mais bem traduzido com o seu paralelo anterior nos versos poéticos. "Como cessou o opressor! Como acabou a tirania!"

**CIDADE MURADA** As expressões hebraicas *'ir besura, 'ir (ham)mibsar* e *ir mesura* são geralmente traduzidas como "cidade murada", e se referem a cidades cercadas por muralhas ou fortificações, em contraste com as aldeias sem muralhas. Exemplos dessas traduções como "cidades fortes" ou "fortificadas" são encontrados em 1 Samuel 6.18; 2 Samuel 20.6; Jeremias 5.17; Ezequiel 36.35; Daniel 11.15; Oséias 8.14; Sofonias 1.16, e mais de uma vez em Números, Deuteronômio, Josué, 2 Reis e 2 Crônicas. A expressão hebraica *'ir masor* é também traduzida de maneira similar em 2 Crônicas 8.5. A expressão "Cidade forte" traduz *'ir besura* três vezes em Isaías, e *'ir (ham)mibsar* quatro vezes em Jeremias, ao passo que *qirya besura* também é assim traduzida em Isaías 25.2. Em todas as referências acima, as versões ASV e RSV, em inglês, traduzem "murada" e "forte" uniformemente como "fortificada". *Veja também* Cerca; Forte; Porta; Torre; Muralha.

**CIDADE SANTA** Para os cristãos e para os judeus, existe somente uma "cidade santa" - Jerusalém (Ne 11.1,18; Is 48.2; 52.1; Mt 4.5; 27.53; Ap 11.2; 21.2). Para os muçulmanos, Jerusalém é a terceira cidade santa, depois de Meca e Medina, e os árabes palestinos a chamam de El Kuds, "lugar (ou cidade) santo(a)". A maioria das principais religiões do mundo tem a sua "cidade santa" incluindo Elêusis na Grécia, Tebas no Egito, Benares na Índia e Kioto no Japão. Na Bíblia Sagrada, as cidades que disputavam essa distinção incluíam Siquém (Gn 12.6,7; cf. Js 8.30-35), Gilgal (Js 4.20; 1 Sm 11.14–12.25), Mispa (1 Sm 10.17-25) e Betel (1 Rs 12.26-33). Para os cristãos, nem mesmo Nazaré ou Belém se compara a Jerusalém em termos de apelo emocional. *Veja* Jerusalém; Jerusalém, Nova.

**CIDADE DO TESOURO** Os israelitas construíram duas cidades desse tipo para Faraó, Pitom e Ramessés (Êx 1.11). O produto da terra era armazenado nas cidades. Algumas cidades foram designadas por Salomão para armazenar munições, carros e cavaleiros (1 Rs 9.19). Ben-Hadade conquistou as cidades das munições de Naftali (2 Cr 16.4). Josafá construiu cidades de armazenamento em Judá (2 Cr 17.2). *Veja* Pitom; Ramessés.

**CIDADES DA PLANÍCIE** A palavra hebraica *kikkar*, ou "planície", refere-se à bacia do rio Jordão. Essas cidades incluem Sodoma, Gomorra, Admá, Zeboim e Bela (Zoar), localizadas no vale de Sidim, ou Mar Morto (Gn 14.8). Com certeza, as mais famosas (ou infames) dessas cidades foram Sodoma e Gomorra (*q.v.*), que, de acordo com Gênesis 19, foram completamente destruídas pelo fogo. A perversão dessas cidades, juntamente com o julgamento resultante, é freqüentemente mencionada nas Escrituras (Dt 29.23; Is 1.9; 3.9; Jr 50.40; Ez 16.46; Mt 10.15; Rm 9.29), como um precedente que não deve ser repetido.

Os estudiosos têm opiniões diferentes sobre a localização dessas cidades, se estavam ao norte ou ao sul do Mar Morto. De acordo com a tradição e com a opinião da maioria dos estudiosos, o lugar mais provável era a extremidade sul do Mar Morto. A abundância de sal e de betume nessa região traz crédito a essa teoria. Ainda não foram substanciados os relatos de que as ruínas das cidades foram vistas em sobrevôos utilizando aeronaves. Não é improvável que as cidades estejam sob a superfície rasa de água no quadrante sul do mar.

Estas cidades são vislumbradas pela primeira vez na história bíblica em Gênesis 13.10, onde a aparente proximidade da "bem regada" campina do Jordão poderia reivindicar uma localização ao norte. Devido à fertilidade do vale (ou campina), muito superior à do terreno montanhoso de Canaã, Ló o escolheu como sua habitação.

As cidades eram, na verdade, cidades-estado. Cada uma com seu próprio "rei" (Gn 14.2). Depois de uma guerra contra os reis da Mesopotâmia, essas cidades tornaram-se estados súditos de Quedorlaomer, rei de Elão, durante um período de doze anos. No 13º ano, elas se rebelaram e se encontraram novamente em guerra contra Quedorlaomer e seus três aliados (Gn 14.9). Elas foram derrotadas. E, a família de Ló, juntamente com outras, capturadas e levadas em cativeiro. Abraão atacou os aliados vitoriosos, derrotou-os e recuperou tanto os prisioneiros como os bens que foram levados (Gn 14.13-16).

A destruição de duas dessas cidades, Sodoma e Gomorra, está detalhada em Gênesis 18–19. A destruição, como resultado de um fogo vindo do céu, consumiu quatro das cidades, os habitantes do vale e "o que nascia da terra" (Gn 19.25). Aparentemente, a pequena cidade de Zoar estava localizada a uma pequena distância de Sodoma e Gomorra, e Ló e as suas filhas hospedaram-se ali provisoriamente depois de deixar Sodoma e antes de ir para as colinas atrás da cidade (Gn 19.20-30). No livro apócrifo de Sabedoria 10.6, essas cidades são chamadas Pentápolis (Cinco Cidades).

G. A. T.

**CIDADES DE REFÚGIO** Entre as 48 cidades dadas aos levitas em Israel, seis, por ordem de Deus, foram indicadas como cidades de refúgio, ou asilo, para o "homicida" (Nm 35.6,7). O próprio Moisés escolheu três delas no lado leste do rio Jordão: Bezer para os rubenitas, Ramote, em Gileade, para os gaditas; e Golã, em Basã, para os manassitas (Dt 4.41-43). Mais tarde, na época de Josué, as outras três foram indicadas na parte oeste do Jordão: Quedes na montanha de Naftali, Siquém na montanha de Efraim, e Hebrom na montanha de Judá (Js 20.7). Elas estavam convenientemente situadas nas regiões norte, central e sul da terra em que habitavam. Seriam construídas e mantidas abertas estradas para essas importantes cidades (Dt 19.3).

Um costume antigo, que se diz existente ainda hoje no Oriente Próximo, era o de que o parente mais próximo de um homem assassinado deveria agir como "vingador do sangue" (Nm 35.12,19; Dt 19.12). Permitiu-se que esse costume continuasse durante a Lei de Moisés, mas com algumas restrições. Se alguém matasse outra pessoa sem a intenção de fazê-lo ("por erro", Nm 35.15), poderia fugir imediatamente para uma dessas cidades de refúgio e ali encontrar acolhida. O assassino deliberado, que tivesse matado intencionalmente, não tinha o direito de reivindicar esse privilégio (Nm 35.16ss.). No entanto, aquele que tivesse direito ao privilégio estaria a salvo do vingador, enquanto estivesse dentro da sua cidade de refúgio. Quando morresse o sumo sacerdote, ele estaria livre para deixar a cidade e ir a sua casa novamente em segurança (Nm 35.25-28). *Veja* Sangue, Vingador do.

Em Hebreus 6.18 está indicado que as cidades de refúgio eram um tipo de Cristo. "O apóstolo faz alusão a isso quando fala daqueles que fugiram procurando um refúgio, e também da esperança oferecida a eles" (Fairbairn, *Imperial Standard Bible Encyclopaedia*, IV, 161). Nós procuramos o refúgio em Cristo, e nele estamos a salvo do Vingador do sangue divino (Rm 5.9; 8.1,31,34). O maior pecado dessa era – o assassinato de Jesus Cristo – é classificado por Deus como um sinal de ignorância (At 3.17; 1 Co 2.7,8). Os homens não salvos têm apenas uma ligeira percepção da "enorme pecaminosidade do pecado". O santuário está aberto para todos aqueles que buscarem refúgio em Cristo (Jo 6.37). Os salvos nunca mais abandonarão esta "cidade de refúgio" porque o seu Sumo Sacerdote jamais morrerá (Hb 7.25).

G. C. L.

**CIDADES LEVITAS** *Veja* Levitas, Cidades.

**CIDADES LEVÍTICAS** Ao invés de receber terras como as outras 13 tribos, a tribo de Levi foi escolhida para viver em 48 cidades espalhadas pela Palestina (Nm 35; Js 20,21; 1 Cr 6.54-81). Juntamente com os pastos vizinhos, estas cidades ficavam sob o controle dos membros da tribo de Levi. Dessas 48 cidades, seis foram designadas como "cidades de refúgio", onde assassinos involuntários podiam se refugiar. Essas "cidades de refúgio" estavam situadas em áreas separadas da nação (Dt 4.41-43; 19.1-10; Js 20.1-9). *Veja* Cidades de Refúgio.

Como os levitas recebiam sua renda através dos dízimos de outras pessoas da terra, eles não dependiam de alguma propriedade para conseguir os recursos para as suas despesas vitais (Nm 18.20-24; Dt 10.9). As cidades estavam estrategicamente localizadas para que os levitas, como líderes espirituais, estivessem nas proximidades para, a qualquer momento, ajudar os outros israelitas. Eles seriam os homens de Deus e o próprio Senhor seria a sua herança.

Eles foram distribuídos de acordo com a vontade Divina para exercer uma espécie de influência que pudesse ser agradável a Deus. Dessa forma, os levitas, embora desprovidos de terras, ficaram estabelecidos para servir em todas as partes de Israel. *Veja* Levitas.

Parece bastante claro que nem todas essas cidades foram imediatamente conquistadas dos belicosos habitantes da Palestina. Também é verdade que muitos dos filhos de Levi não estavam dispostos a desempenhar as suas tarefas em áreas indesejáveis. Muitos se tornaram viandantes que percorriam a nação a fim de encontrar trabalho e recursos onde isso estivesse disponível (por exemplo, Juízes 17.7-13). Embora essa disposição ideal das 48 cidades nos dois lados do Jordão onde os descendentes de Levi podiam ser colocados pudesse parecer extremamente atraente, levar as pessoas a entender, na prática, a natureza dessa decisão, era um assunto totalmente diferente. Em muitos

A cidadela de Alepo, Síria. JR

casos era impossível arranjar "emprego" para um grande número de levitas e, mesmo quando essas cidades se tornavam disponíveis, elas eram habitadas por muitas outras pessoas. Não está bem claro como os membros levitas da população conseguiram se ajustar à vida da municipalidade. Os regulamentos que haviam recebido no deserto ainda estavam prevalecendo (por exemplo, Lv 25.32-34), e as condições encontradas na nova terra estavam de acordo com a aplicação real desses regulamentos na vida dos levitas. Em todos eles, Deus estava preparando um seleto grupo de descendentes de

A entrada da Cilícia, uma passagem estratégica entre os montes Taurus localizada a cerca de cinqüenta quilômetros ao norte de Tarso. Robert McKay

Levi para liderar o seu povo na adoração e no exercício dos sacrifícios.

W. F. Albright atribui à época de Davi a total alocação dessas cidades. Os planos colocados em operação nos dias de Josué foram executados conforme as condições para se alcançar algum progresso permitiam. Algumas das cidades santas da nação se tornaram parte do sistema religioso de Israel (por exemplo, Betel e Gilgal, Os 4.15; 12.11; Am 4.4,5; 5.5; Gibeão, 1 Rs 3.4).

O sistema levítico era baseado na doutrina de que Deus era o verdadeiro dono de todas as propriedades, e que aqueles que Ele escolhia haviam sido selecionados para usufruir a terra como seus colonos e servos (Lv 25.23,55).

K. M. Y.

**CIDADELA** Esta palavra significa uma fortaleza ou um lugar seguro. Diversas palavras hebraicas são usadas para descrever os vários aspectos e elementos da fortificação. A palavra hebraica *'armon* sugere o paço de uma cidade, um palácio, castelo ou cidadela (1 Rs 16.18; 2 Rs 15.25). A mais famosa fortaleza do Antigo Testamento foi a cidadela de Jerusalém, que Davi tomou, e assim conquistou a cidade (2 Sm 5.7-9; 1 Cr 11.5,7). A palavra normalmente abrange vários edifícios. Esta e outras palavras hebraicas são traduzidas de diversas maneiras, tais como torre (Sl 122.7), fortaleza ou cidade cercada (Is 17.3); trincheiras (2 Rs 25.1; ou "tranqueiras"), altas fortalezas (Is 25.12), lugar forte (Jz 6.26), palácio (Is 32.14), e fortaleza do templo (Ne 2.8). *Veja* Forte; Baluarte.

**CIDRA.** *Veja* Plantas.

**CIÊNCIA** Esta palavra não é utilizada na Bíblia Sagrada com o sentido moderno do termo, mas aparece em duas passagens (Dn 1.4; 1 Tm 6.20). Nestes dois casos, ela possui o significado de *conhecimento* em seu sentido mais amplo. A passagem em Daniel 1.4 traz o termo heb. *madda'*, que é geralmente traduzido como "conhecimento" (2 Cr 1.10-12; Dn 1.17) junto com os termos "sabedoria" e "aprendizado". Em Eclesiastes 10.20 ele é traduzido como "pensamento"; mas a versão NASB em inglês, que segue a K-B, o traduz como "quarto de dormir" referindo-se ao local de conhecimento sexual. O texto em 1 Timóteo 6.20 traz o termo grego *gnosis*, que é traduzido aqui como "conhecimento" por todas as versões modernas. Nas outras 28 vezes em que este termo aparece no NT, ele é traduzido uniformemente como "conhecimento".

Paulo está advertindo contra as "oposições da falsamente chamada ciência", isto é, contra um conhecimento falso, não verdadeiro. Este se opõe ao conhecimento chamado de "elevado" ou "esotérico" que os falsos mestres reivindicavam ter, e que supostamente os distinguiam dos demais. Esta era uma forma incipiente do Gnosticismo (*gnosis*), que surge de um espírito nativo pseudo-científico que se envolve na pesquisa das áreas da religião e da filosofia (G. van Groningen, *First Century Gnosticism. Its Origins and Motifs*, Leiden. Brill, 1967). A tragédia deste falso conhecimento que se opõe ao verdadeiro conhecimento do cristianismo, é que alguns o professaram e se desviaram da fé (1 Tm 6.21).

*Veja* Gnosticismo; Conhecer, Conhecimento.

G. W. K.

**CILÍCIA** Geograficamente, a Cilícia corresponde à região sudeste da Ásia Menor, entre a Panfília, a oeste; as montanhas Amanus, a leste; Licaônia e Capadócia ao norte; e o Mediterrâneo ao sul. A sua costa tinha cerca de 680 quilômetros, e se estendia desde a fronteira leste da Panfília até a extremidade sul do Golfo de Isso. Tinha aproximadamente a mesma extensão que Vilayet de Adana, na Turquia moderna. Politicamente (ao menos na época de Paulo), a Cilícia foi a província romana que primeiro se organizou em 102 a.C., para lidar com a ameaça pirata que cercou a parte leste da região. Quando Lucas falou do "mar ao longo da Cilícia" (At 27.5), ele provavelmente tinha em mente o lado oposto do Mediterrâneo, que banhava toda a região. Como Paulo usava a terminologia política romana, ele deve ter aplicado a palavra Cilícia somente para a província romana (At 21.39; 22.3; 23.34).

A Cilícia estava dividida em dois territórios de características físicas totalmente diferentes. A parte oeste, a Cilícia Traquéia ("a Cilícia acidentada"), era uma massa desordenada de montanhas da cordilheira Taurus, que desciam abruptamente até o mar, com uma estreita faixa de terra ao longo da costa e pouco ou nenhum terreno plano. As montanhas dessa região eram valiosas somente pela sua madeira (principalmente cedro), e o terreno acidentado foi o responsável por impedir que os habitantes tivessem um contato pacífico com o resto do mundo. Em 67 a.C., Pompeu expulsou os piratas que tinham os seus esconderijos nestas montanhas intransitáveis.

A parte leste da Cilícia era conhecida como Cilícia Pedias ("Cilícia baixa"). Sob o ponto de vista geográfico, essa região tinha muito a seu favor. A terra era fértil e se plantavam cereais de todos os tipos, e o linho permitiu o desenvolvimento de uma próspera indústria. A madeira das montanhas próximas saía pelos portos da Cilícia. As cabras que viviam nas montanhas da cordilheira Taurus, onde há neve até maio, forneciam magníficas coberturas usadas na famosa indústria de tendas da região. Deve-se lembrar que Paulo trabalhava neste ramo (At 18.3). Pedias estava localizada em uma das maiores artérias de comércio do mundo antigo. As rotas de comércio do Eufrates e da Síria se encontravam cerca de 80 quilômetros a leste de Tarso (*q.v.*), principal cidade da província e cidade natal de Paulo, e entravam na cidade como uma estrada única. Ela então prosseguia pela passagem da Cilícia, uma passagem por meio dos montes Taurus cerca de 50 quilômetros ao norte, e seguia através da Ásia Menor centro-sul até Éfeso. Paulo, acompanhado por Silas, sem dúvida utilizou esse caminho quando se dirigiu a Derbe, em sua segunda viagem missionária (At 15.41; 16.1).

Em aproximadamente 38 a.C., a Cilícia Pedias foi transferida para a província da Síria. Ela parece ter sido administrada pelo governador romano da Síria até 72 d.C., quando Vespasiano reuniu as duas regiões da Cilícia em uma única província. Portanto, Paulo e Lucas, ambos escrevendo antes de 72 d.C., estão absolutamente corretos ao falar da Síria e da Cilícia juntas (Gl 1.21; At 15.23,41).

Os judeus se fixaram em Tarso e em outras cidades da Cilícia depois das conquistas de Alexandre o Grande. Uma certa sinagoga em Jerusalém era freqüentada pelos judeus que retornaram da Cilícia e de outras regiões da Dispersão (At 6.9); Saulo de Tarso pode ter sido um deles.

Na época do Antigo Testamento, a região de Cilícia Pedias era conhecida pelos heteus como Kizzuwatna. Aparentemente, os seus fundadores gregos Micenas chamavam-na de Khilakku, mencionada nos últimos registros da Assíria (ANET, pp. 284, 297). Os Sírios chamaram a área de Qu'e, de acordo com os anais de Salmaneser III e Tiglate-Pileser III (ANET, pp. 277, 282ss.), e a antiga inscrição aramaica de Zakir, rei de Hamate e Lu'ash, do início do século VIII a.C. (DOTT, pp. 242-246). A palavra Kue aparece nas versões modernas da Bíblia em inglês como uma região de onde Salomão importava cavalos (1 Rs 10.28; 2 Cr 1.16). A Cilícia era famosa por sua numerosa criação de cavalos.

***Bibliografia.*** W. F. Albright, "*Cilicia and Babylonia under the Chaldean Kings*", BASOR, # 120 (1950), pp. 22-25. J. D. Bing, "Tarsus. a Forgotten Colony of Lindos", JNES, XXX (1971), 99-109. M. J. Mellink, *"Cilicia"*, IDB, I, 626-628. H. F. Vos, "Asia Minor", WHG, pp. 336-344.

H. F. V.

**CÍMBALO** *Veja* Música.

**CINTA INFERIOR** Cordas grossas com que se amarrava um navio. *Veja* Navio (Acts 27.17).

**CINTO** Existem vários tipos de cintos, cada um deles usado como um artigo de vestuário. O termo hebraico *'abnet* designava a faixa especial de linho dos sacerdotes (Êx 28.4,39; 39.29; Lv 16.4; Is 22.21); *'ezor* era o cinto de couro normal (2 Rs 1.8; Jó 12.18; Is 5.27; 11.5; Jr 13.1-11); *hagor* ou *hagora* era o cinturão dos soldados (2 Sm 20.8; 1 Rs 2.5); e a palavra grega *zone* podia significar qualquer um deles. *Veja* Vestuário.

A palavra cinto é também usada em um sentido figurado. O cinto era um símbolo de poder, de força e de atividade (Jó 12.18,21; 30.11; Is 11.5; 22.21; 45.5; 1 Rs 20.11), provavelmente porque continha bolsas e armas, ou porque cobria os órgãos vitais e reprodutores do homem. Desta forma, "cingir os lombos" significa preparar-se para uma batalha ou para qualquer outra atividade que requeira preparo (1 Rs 18.46; 2 Rs 4.29; Lc 12.35; 1 Pe 1.13). *Veja* Armadura.

Despojar-se do cinto e entregá-lo a outra pessoa era um símbolo de grande confiança e afeto (1 Sm 18.4). Cintos de saco eram usados em épocas de aflição ou luto para mostrar humilhação e tristeza (Is 3.24; 22.12). Dizer que "o cinto está ligado aos lombos do homem" (Jr 13.11) ilustra a forte adesão do povo de Deus em lealdade a Ele. A justiça e a verdade (ou fidelidade) são chamadas de "cinto" do Messias (Is 11.5); como o *'ezor* era usado junto à pele, isto significa, de forma figurada, que essas qualidades são elementos inseparáveis do caráter do Senhor.

E. C. J.

**CINZA, GRISALHO** *Veja* Cores; Cabelo.

**CINZA**
1. Uma palavra especial, *deshen*, que significa "gordura" denota a madeira queimada do altar embebida com gordura (1 Rs 13.3,5), que estava em recipientes ou caldeirinhas (Êx 27.3), ou no lado leste (a banda do oriente) do Tabernáculo do altar (Lv 1.16), ou depositada fora do acampamento (Lv 4.12; cf Jr 31.40).
2. Outra palavra, *piah*, usada duas vezes, significa, na verdade, "fuligem". Moisés atirou para o céu, diante de Faraó, as mãos cheias de cinza para trazer tumores aos egípcios e seus animais (Êx 9.8,10).
3. A palavra comum *'eper* é o mesmo que "pó", aglomerado ou solto. Estas cinzas podiam ser restos inúteis da destruição completa, como quando Deus transformou Tiro "em cinza sobre a terra" (Ez 28.18; Ml 4.3; 2 Pe 2.6; Lm 3.16). Para expressar um terrível sofrimento, quer pelo luto ou pelo arrependimento, os orientais comovidos sempre usavam cinzas. Elas podiam estar sobre a cabeça, assim como no caso da desonrada Tamar, chorando em voz alta (2 Sm 13.19); nas vestes de pano de saco, como no caso de Mardoqueu, pranteando pelo decreto de aniquilação dos judeus (Et 4.1; cf v. 3); também havia aqueles que se sentavam sobre elas para demonstrar profundo arrependimento, como o rei de Nínive (Jn 3.6; cf Is 58.5; Mt 11.21 que é um paralelo a Lc 10.13); podiam ser misturadas com pó (Jó 42.6); ou usadas mais fervorosamente para buscar ao Senhor (Dn 9.3).
As cinzas então, simbolizavam profunda humildade, como quando Abraão suplicou por Sodoma (Gn 18.27); ou mesmo humilhação, como quando Jó diz que se tornara "semelhante ao pó e à cinza" (Jó 30.19). Elas podiam simbolizar futilidade, como a idolatria (Is 44.20) ou provérbios insignificantes (Jó 13.12). Cerimonialmente, as cinzas da bezerra ruiva seriam usadas na "água da separação" que fazia parte da expiação (Nm 19.9; Hb 9.13).
Que promessa maravilhosa do profeta messiânico, que o Senhor colocaria naqueles que estão de luto "uma coroa, em vez de cinzas" ou "ornamento por cinza" (*pe'er* em vez de *'eper,* Is 61.3). *Veja* Beleza.

W. G. B.

**CINZEL** Uma ferramenta de carpinteiro, usada na execução de um ídolo de madeira (Is 44.13; JerusB). A palavra hebraica *maqsu'oth* é provavelmente melhor traduzida como "cinzel" ao invés de "plaina". Na época de Isaías, o cinzel e o enxó mais primitivos ainda eram usados, em lugar da plaina.

**CIPRESTE** *Veja* Plantas.

**CIRCUITO** Usada para representar diversas palavras hebraicas, com vários significados.
1. Hebr. *sabab*, "revolver"; um percurso regular de inspeção (1 Sm 7.16). Ec 1.6 menciona os circuitos do vento.
2. Hebr. *tequpa*, "revolução" (no sentido de curso ou percurso); a órbita do sol (Sl 19.6); o cumprimento do período de um ano (Êx 34.22).
3. Hebr. *hug*, "círculo"; o arco celeste (Jó 22.14).

**CÍRCULO** A palavra refere-se à abóbada ou arco celeste (Is 40.22; globo, redondeza). A mesma palavra é também traduzida como "circuito" (*q.v.*; Jó 22.14). Jeová é representado por Isaías como sentado sobre o globo da terra, e por Jó como andando sobre o arco celeste, pois este arco acompanha o contorno da terra.

**CIRCUNCISÃO** (em hebr. *mula*, em gr. *peritome*). A circuncisão é, literalmente, a remoção cirúrgica do prepúcio do órgão sexual masculino. São conhecidas operações semelhantes para mulheres, mas não são freqüentes e não possuem um significado religioso. A circuncisão é praticada por muitos povos, especialmente nas regiões tropicais e subtropicais. Estima-se que uma proporção de um sétimo a um quinto da população da terra seja circuncidada.
No Egito (Jr 9.25,26; Js 5.4-9), e geralmente entre os povos semitas, a circuncisão parece ter sido praticada na Antigüidade. Um relevo no túmulo de Ti, da Sexta Dinastia (2300 a.C.), em Saqqarah, no Egito, mostra a operação de circuncisão em jovens de 13 anos de idade. No Oriente Próximo, as exceções eram os babilônios, os assírios e os filisteus. Aparentemente, deixou-se de realizar a circuncisão nos últimos tempos, ou foi realizada sem grande rigidez. Sob o domínio romano dos Césares no Egito, somente os filhos dos sacerdotes eram circuncidados. Josefo (*Ant.* xiii. 9.1) relata que João Hircano teve que forçar os edomitas a serem circuncidados.
Não se conhece ao certo o significado original dessa prática. Existem várias possibilidades, incluindo a higiene como prevenção de infecções; facilitar a relação sexual; marcar o início da virilidade; fazer um sacrifício similar ao dos primogênitos; ou como

uma medida protetora contra os demônios. Todas essas possibilidades podem ter algum significado em algum lugar, e todas elas estão, de alguma maneira, refletidas no Antigo Testamento.

Aparentemente, a circuncisão teve um significado religioso pela primeira vez no Antigo Testamento, onde ela é prescrita como um sinal externo necessário (Gn 17.11; At 7.8; Rm 4.11) para que alguém pertencesse ao povo da aliança do Senhor. Naturalmente, isso se aplicava somente às pessoas do sexo masculino. A circuncisão era um sinal adequado para o povo escolhido de Deus, porque a pureza espiritual e a santidade deveriam caracterizar a sua vida. Como a corrupção do pecado freqüentemente se manifesta com força peculiar na vida sexual, Deus exigiu que o seu povo simbolizasse a santificação das suas vidas por meio da purificação do órgão que serve para a reprodução da vida.

Curiosamente, essa prescrição ocorre principalmente em passagens narrativas das Escrituras (Gn 17.10-14; 34.15-17; Js 5.2-7). Nas seções verdadeiramente legais, ela só aparece em Levítico 12.3. E aparece novamente na narrativa relacionada à Páscoa (Êx 12.44,48). Em nenhum lugar existem instruções sobre como ela deveria ser realizada. Aparentemente, instrumentos cortantes de pedra eram usados pelo pai da criança (Êx 4.24-26; Js 5.3). Em Gênesis 17.12; 21.4 e Levítico 12.3 se determina a ocasião deste procedimento como sendo o oitavo dia depois do nascimento. Para Moisés, o líder recém indicado por Deus para o seu povo da aliança, executar o ritual da circuncisão dos seus próprios filhos teve importância vital, para que Deus não o matasse por desobediência (Êx 4.24-26; cf. Gn 17.14). Há quem pense que o próprio Moisés pode não ter sido circuncidado (Bíblia de Jerusalém, p. 83, nota *e*; veja também H. Kosmala, "The Bloody Husband", VT, XII [1962], 14-28).

A circuncisão ganhou importância durante o Exílio, como um sinal que distinguia os judeus do povo da Babilônia, mas o seu principal significado é ressaltado na repetida zombaria dirigida aos filisteus, como "incircuncisos" (Jz 14.3; 15.18; 1 Sm 14.6; 17.26,36; 18.25; 31.4; 2 Sm 1.20; 3.14 etc.).

O Antigo Testamento também usa a palavra em um sentido aplicado ou simbólico. Em Deuteronômio 30.6, o Senhor promete que "circuncidará o... coração" (cf. também Dt 10.16; Lv 26.41; Jr 4.4; 6.10; Ez 44.7,9). A circuncisão do coração ou dos ouvidos deveria ser evidentemente entendida com o significado de vencer os obstáculos para a obediência. (Cf. referência a Moisés como sendo "incircunciso de lábios", Êx 6.30).

O judaísmo pós-bíblico, sob a influência dos fariseus, enfatiza a religiosidade individual por meio da observância da lei, e com grande destaque para a circuncisão. Isso somente tornou a posição dos judeus mais difícil no mundo greco-romano, e proporcionou oportunidades para insultos e até mesmo perseguições durante a época de Adriano. A pressão levou alguns a tentar uma segunda operação para disfarçar ou remover o sinal da circuncisão. Os judeus ortodoxos reagiram dando um valor ainda maior à circuncisão, como a mais alta honra e o mais alto emblema de Israel (Midrash Rabbah, sobre Nm 12.10; Midrash Tehilloth, 40 etc.). Eles até mesmo atribuíram circuncisões a Adão, Sete, Noé e Melquisedeque. Portanto, é estranho que nem o Mishna nem nenhum outro documento oficial da época tenha um capítulo sobre a circuncisão. É possível acompanhar a prescrição exata do ritual na época talmúdica. O Talmude da Babilônia afirma que os judeus aceitavam a cerimônia com alegria (*Shabbath* 130*a*).

O islamismo adquiriu a circuncisão dos judeus. Ela não é exigida nem mesmo mencionada no Alcorão, mas é praticada pela tradição que traça a descendência árabe desde Abraão, através de Israel (Gn 17.20). A idade normal para a circuncisão é 13 anos, uma vez que Ismael foi circuncidado com essa idade (Gn 17.25). No islamismo, a circuncisão é claramente um ritual de puberdade, durante o qual o menino entra em cena vestido com roupas de menina. Ocasionalmente, eles também têm rituais paralelos para as meninas. Mas a circuncisão no islamismo nunca teve a importância que tem para os judeus.

No Novo Testamento, a circuncisão foi reconhecida, em primeiro lugar, como uma prescrição da lei (cf. os relatos de Jesus, Lc 2.21; de João Batista, Lc 1.59,60; de Paulo, Fp 3.4,5. Veja também Jo 7.22). Mas em Antioquia os cristãos pela primeira vez negaram a sua necessidade para que alguém se tornassem membro da igreja (At 15). Essa decisão foi mais tarde apoiada no assim chamado concílio de Jerusalém (At 15.6ss.). No entanto, a discussão naturalmente continuou, como se pode ver nos escritos de Paulo (especialmente Rm e Gl 5.2,6; 6.15; Cl 3.11). Ela estava relacionada à questão maior da necessidade do cristão cumprir toda a lei mosaica.

O significado positivo da circuncisão no Novo Testamento não está no cumprimento da lei, mas sim no sinal do povo escolhido de Deus, na história anterior da revelação (At 10.45; 11.2; Rm 3.1,2; 4.12; 15.8; Gl 2.7-9,12; Ef 2.11; Cl 4.11; Tt 1.10). A circuncisão era uma parte do mandamento de Deus que continha a promessa do Messias. A verdadeira circuncisão era um selo de fé (Rm 4.9-11). A fé era essencial. A verdadeira circuncisão "não feita por mão [humana]" consiste em deixar de lado o "corpo da carne" pela circuncisão em

Cristo, isto é, ser sepultado com Ele no batismo e ressuscitar com Ele (Cl 2.11,12). Quem quer que sirva a Deus em espírito e glorifique somente a Cristo estará verdadeiramente circuncidado (Rm 2.28,29; Fp 3.3). O Antigo Testamento enfatiza a circuncisão tanto no sentido espiritual quanto no sentido carnal. O Novo Testamento valoriza somente o sentido espiritual ao atribuir-lhe um significado mais profundo, relacionando-a com a crucificação e a ressurreição de Cristo.
*Veja* Concisão.

***Bibliografia.*** L. H. Gray, L. Spence, G. Foucart, D. S. Margoliouth, G. A. Barton, "Circumcision", *Encyclopaedia of Religion and Ethics*, III (1910), 659-680. Rudolf Meyer, *"Peritemno* etc.", TDNT, VI, 72-84.
J. D. W. W.

**CIRENE, CIRENEU** Uma cidade localizada no norte da África, situada na metade do caminho entre Cartago e Alexandria. Cirene foi fundada como uma colônia grega em 630 a.C. Em 331 a.C. ela se submeteu a Alexandre; em 321 a.C. passou a pertencer aos Ptolomeus; e em 96 a.C. passou a pertencer a Roma. Com a reputação de um centro intelectual, em seu apogeu a sua população era de aprox. 100.000 habitantes. Atualmente, as ruínas de belos prédios marcam o lugar. Os termos Cirene e Cireneu são mencionados em Mateus 27.32; Marcos 15.21; Lucas 23.26; Atos 2.10; 6.9; 11.20. 13.1.

**CIRÊNIO** Uma forma de *Quirino*, extraída do termo grego *kyrenios*. Em Lucas 2.2, ele é chamado de "governador da Síria", e foi responsável por realizar o censo de César Augusto.
Públio Sulpicius Quirino foi um senador romano, mais tarde eleito cônsul. Foi um homem "de grande dignidade" (Josefo, Ant. xviii.1.1). Ele foi enviado à Síria por Augusto para cumprir um decreto de taxação do imperador (neste ponto tanto Josefo como Lucas [At 5.37] concordam, porque ambos se referem ao evento como tendo ocorrido em 6 d.C., nos dias da revolta de "Judas, o Galileu"). Por ocasião de sua morte em 21 d.C., Tibério requereu ao Senado que a ocasião "fosse celebrada com um funeral público" (Tácito, *Annals* iii. 48).
A questão cronológica surge em relação ao "primeiro censo" mencionado em Lucas 2.2. Não há mais nenhuma outra menção disso, e alguns rejeitaram a história de Lucas. Vários fatores, entretanto, devem ser considerados. Primeiro, parece que Cirênio (ou Quirino) tinha sido escolhido por Augusto para servir como um embaixador do imperador durante o período 10-6 a.C., no leste, e deve ter governado a Síria. Em segundo lugar, sabemos pela descoberta dos recibos e decretos entre os papiros do Egito, que foram realizados censos romanos regulares com base em um ciclo de 14 anos. Outras inscrições indicam que Augusto foi o primeiro a ordenar o censo imperial. O documento em papiro do censo mais antigo de que se tem conhecimento é datado de 34 d.C.; outros papiros semelhantes são considerados por alguns como pertencentes a 20 d.C. ou mesmo 6 d.C. Um período de 14 anos antes destas datas corresponderia, então, a aprox. 8 a.C. Em terceiro lugar, o exemplo de um decreto no Egito em 104 d.C., editado por Vibio Máximo, ordenou que todas as pessoas retornassem à sua terra de origem para serem registradas (Deiss LAE, p. 271). A semelhança com a linguagem de Lucas é clara. Finalmente, o fato de Lucas chamar este episódio de "o primeiro censo", realizado por Cirênio (ou Quirino) na Síria pode implicar que Cirênio também tenha supervisionado um segundo censo, a saber, aquele que é mencionado em Atos 5.37 ocorrido em 6 d.C.
Veja também *Censo*.

***Bibliografia.*** *F. J. Foakes-Jackson e Kirsopp Lake,* The Beginnings of Christianity, *Londres. Macmillan, IV, 61ss. J. N. Geldenhuys, "Commentary on the Gospel of Luke"*, New International Commentary on the New Testament, *Grand Rapids. Eerdmans, 1956, pp. 99-106. W. M. Ramsay,* Was Christ Born at Bethlehem? *Nova York. Putnam's Sons, 1898, pp. 227-248. Merrill C. Tenney,* New Testament Times, *Grand Rapids. Eerdmans, 1965, pp. 134-138.*
W. M. D.

**CIRO** Filho de Cambises, da família real dos Aquemênidas, e fundador do Império Persa. Foi profetizado por Isaías como sendo o ungido de Deus para dominar sobre reis, lugares fortificados, e libertar os judeus do cativeiro (Is 44.28; 45.1-14). Sob sua política liberal, os judeus tiveram permissão para sair do exílio (Ed 1).

Tumba de Ciro. ORINST

A história de Ciro é complicada pelo aumento de fábulas e romances. Até mesmo Heródoto, que viveu no máximo a um século da época de Ciro, faz referências a estes embelezamentos. Ctesias, meio século mais tarde, viveu na corte persa e extraiu informações destes arquivos, que também já estavam influenciados. A obra *Cyropaedeia* de Xenofonte é vista mais como um romance histórico do que como uma biografia precisa. Acredita-se que as melhores fontes sejam as crônicas babilônicas, persas, os escritos de Heródoto e os manuscritos.

Ciro foi provavelmente nomeado pelo seu avô que, também, já havia sido rei de Anshan, a capital de Elão. O nome Ciro, sendo elamita, é de significado duvidoso.

Heródoto (i.107ss.) faz um relato emocionante de uma versão da origem de Ciro. O poderoso rei Medo Astíages, ofereceu sua filha Mandane a Cambises em casamento. Sendo ele um governante persa, através deste casamento evitaria qualquer dano à descendência de sua filha por alguma rivalidade em relação ao trono da Média. A Pérsia era então, relativamente pobre e talvez uma terra dependente, e também estava a uma distância segura. Por causa de um sonho, o rei Medo tramou a destruição da descendência masculina desta união. Um pastor, entretanto, salvou e educou Ciro, mas como ele se revelou um rapaz extraordinário, foi descoberto e retornou para seus pais e avô. Assim ele teve acesso às habilidades e recursos da realeza dos medos, e ainda manteve o espírito ousado dos persas. Amigos e admiradores de ambos os países prepararam o caminho para a sua súbita ascensão ao poder, aproveitando o descontentamento do povo que estava sob a tirania e injustiça do governante medo.

Quer estes eventos e relacionamentos tenham sido, ou não, relatados com precisão, Ciro sucedeu seu pai pela primeira vez no trono da província de Anshan (559 a.C.). Então subitamente subiu ao trono Medo-Persa, ajudado pela deserção em massa do exército medo. Isto ocorreu em aprox. 550 a.C., enquanto Nabonido reinava na Babilônia. Ciro tomou Ecbatana e levou o seu espólio para sua cidade.

Croesus, rei da fabulosa Lídia na Ásia Menor, alarmado e ambicioso, fez alianças gregas poderosas e cruzou o rio Halys para invadir os domínios dos medos e persas. Ciro o subjugou, conquistando a Lídia e tornando Croesus cativo.

O grande teste foi a Babilônia, com seus muros sólidos e seu prestígio de séculos de governo. Ela foi particularmente impenetrável por causa da vasta área dentro dos muros, onde podia se armazenar e até produzir alimentos, por causa da sua grande riqueza e do rio Eufrates que passava pela cidade. Diz-se que Ciro colocou uma parte do seu exército no lugar onde o rio entrava na cidade, e outra, onde o rio terminava. O resto do exército aprofundou os canais no vale do Eufrates e desviou o rio temporariamente. Em outubro de 539 a.C., o exército marchou pelo leito do rio sob a liderança de Gobryas (do acádio, Ugbaru), que morreu uma semana depois (ANET, p. 306).

Cisterna e altar no lugar alto, Petra

A invasão parece ter acontecido sem batalha. Insatisfeito com o reinado de Nabonido e Belsazar, o povo fez uma súplica pela paz, e esta foi concedida. Eles foram governados por um oficial também chamado Gobryas (mas do acádio, Gubaru; ANET, p. 306 não esclarece esta distinção), que Ciro escolheu como vice-governador da cidade. Ele pode ser provavelmente identificado com Dario, o medo (Dn 5.31; 6; 9.1; veja John C. Whitcomb, Jr., *Darius the Mede*).

Junto com o trono da Babilônia veio a decisão do destino dos cativos hebreus. Ao manter a política generosa de devolver ao povo suas terras e religião, Ciro permitiu que os judeus retornassem do exílio. Outra razão para esta concessão pode ter sido a intenção de criar uma nação divisora entre o Egito e os sátrapas persas.

A maneira como se deu a morte de Ciro é incerta. Ele cruzou o rio Arax ao norte e atacou os massagetas. Seu exército foi destruído pelos citas. Acredita-se que ele tenha perdido a vida em uma batalha. Depois de um reinado de 29 anos, ele foi sucedido pelo seu filho Cambises, em 530 a.C.

Ciro é considerado pela maioria dos comentadores como o indivíduo da visão de Daniel, do carneiro com dois chifres, representando as divisões da Pérsia e da Média que faziam parte de seu império (Dn 8.3,4,20).

*Veja* Babilônia; Dario Histaspe; Pérsia.

***Bibliografia.*** Ronald E. Manahan, *"The Cyrus Notations of Deutero-Isaiah"*, Grace Journal, XI (Outono de 1970), 22-33. A. T.

Olmstead, *The History of the Persian Empire,* Chicago. Univ. of Chicago Press, 1948, pp. 34-58.

W. T. D.

**CIS** A forma grega de Quis (*q.v.*), o pai do rei Saul (At 13.21).

**CISMA** *Veja* Heresia.

**CISNE** Veja Animais: Cisne III.17.

**CISTERNA** A palavra hebraica *bor* quer dizer "fossa, calabouço, sepulcro".

Normalmente, as cisternas eram tanques feitos de calcário poroso, ou fossas construídas artificialmente, de dimensões variadas, com as laterais e o fundo selado com argamassa, inventados em aproximadamente 1200 a.C. A maioria das cisternas tinha um formato de garrafa, com uma ou mais aberturas no topo, através das quais a água era retirada em vasilhames. Em uma região onde chove pouco, é extremamente importante que o suprimento da água, coletado durante a estação chuvosa (novembro a abril) seja cuidadosamente preservado. A água era essencial para uso doméstico, para a irrigação e para as purificações cerimoniais. Escavações revelam que não era incomum que as cisternas tivessem degraus que levam ao fundo, principalmente para ajudar nas operações de limpeza, ou nas purificações cerimoniais.

Nos tempos antigos, os usuários das cisternas freqüentemente fechavam a abertura com pedras achatadas ou tábuas, sobre as quais espalhavam areia, para evitar o seu uso por mãos ilícitas. Uma pedra rachada, um muro rachado ou uma fossa insuficientemente vedada, resultando em uma cisterna quebrada, rota, eram vistos como uma grande calamidade (Jr 2.13). A referência à roda quebrada junto ao poço (Ec 12.6) não apenas simboliza o fim da vida, como sugere a maneira como a água era retirada para o uso.

As cisternas foram usadas como calabouços. Exemplos podem ser vistos nas experiências de José (Gn 37.22-24) e Jeremias (Jr 38.6-13). Também era habitual responsabilizar os homens por suas cisternas, pois se um animal de um homem caísse em uma cisterna aberta de um vizinho, o dono da cisterna deveria pagar pela perda (Êx 21.33,34; cf. Jos *Ant.* iv. 8.37). Com um discurso persuasivo, Rabsaqué, o ardiloso comandante assírio, tentou seduzir o povo de Judá a entregar Jerusalém, oferecendo a cada homem "a sua própria figueira e a sua própria cisterna" (2 Rs 18.31). Ainda podem ser vistas ruínas de antigas cisternas.

R. V. U.

**CITA, ÁRVORE DE; ACÁCIA** *Veja* Plantas.

**CITAS** Tribos nômades Indo-Arianas que andavam a cavalo, primeiramente identificadas na Ásia Central perto da fronteira da Sibéria e da parte externa da Mongólia em aprox. 1700 a.C. Câmaras de sepultamento congeladas, como no vale de Pazyryk nas Montanhas de Altai, construídas em aprox. 500-300 a.C., revelaram suas características em termos de arte, costumes, e propriedades. Os citas são provavelmente mencionados pela primeira vez no AT como "Asquenaz", e descenderam de Noé através de Jafé (Gn 10.3; 1 Cr 1.6). Quando tentaram se mudar para o sudoeste do mar Cáspio, eles foram impedidos pelos assírios, cujos registros os mencionam como *I/Ashguza.* Por volta de 715 a.C., os citas romperam com a tribo Manai (*veja* Mini) e sob o comando de Partatua se mudaram para Urartu (*veja* Ararate), capturando Sakiz. Esta ação pode estar por trás da profecia de Jeremias 51.27. No século VII a.C. Os citas foram fortemente influenciados pela cultura do nordeste do Irã, e agora se aceita de forma geral que a língua cita é um dialeto iraniano.

De acordo com Heródoto (*History* I, 104-105) os citas enfrentaram a Mesopotâmia, e em aprox. 611 a.C. foram subornados por Psamético I para não invadirem o Egito. Depois disso, permaneceram na parte oeste da Ásia por 28 anos. Afirma-se que durante este período eles saquearam o templo de Vênus em Asdode, e se estabeleceram em Bete-Seã, chamada Citópolis (Jd 1.27, LXX; cf. 2 Mac 12.29). É, portanto, assumido por alguns que este é o adversário cita descrito por Sofonias e Jeremias. Os eventos do período de aprox. 630-617 a.C. ao norte da Assíria são, no entanto, pouco conhecidos. Os citas podem ser incluídos na confederação das tribos (*umman-manda*) que ajudaram a Assíria contra os medos, e que mais tarde se aliaram aos babilônios contra estes em Harran, mas nenhum texto contemporâneo mostra quaisquer detalhes pelos quais eles possam ser identificados. É bem possível que os adversários do norte, descritos por estes dois profetas, sejam os babilônios.

Os guerreiros citas são descritos como bárbaros (2 Mac 4.47; 3 Mac 7.3). Uma vez que eles sacrificavam à espada (Heródoto, *History* IV, 62), alguns inferiram uma referência a eles em Habacuque 1.16, porém, isto é duvidoso. Por volta de 110 a.C., estes cavaleiros nômades tinham se estabelecido na Criméia (Neápolis) e negociado com os estepes russos mercadorias como grãos, cavalos e escravos; eles também se mesclaram com os gregos por meio do casamento. Em Colossenses 3.11, Paulo menciona os citas como bárbaros típicos, ou se refere a eles como um bem conhecido grupo de nômades livres.

***Bibliografia.*** M. I. Artamonov, "*Frozen Tombs of the Scythians*", *Scientific American,*

CCXX (Maio de 1965), 101-109. T. Talbot Rice, *The Scythians*, Londres. Thames & Hudson, 1957. Maurita Van Loon, revisão da obra *Die Skythen in Südrussland* por J. A. H. Potratz, Basle, 1963, em JNES XXIX (1970), 66-72.

D. J. W.

**CIÚME, ÁGUAS DO** *Veja* Ciúmes, Oferta de Manjares de.

**CIÚME** No Antigo Testamento a palavra heb. *qin'a* tem como idéia básica o profundo ardor emocional. Pode ser o ardor: (1) do ciúme (Nm 5.14; Ct 8.6), (2) do zelo (Nm 25.11; Is 42.13; 63.15), ou (3) da ira (Ez 35.11; 36.6). O ciúme de Deus é o ciúme daquele que ama e exige atenção exclusiva, adoração e fidelidade do seu povo (Êx 34.14; Nm 25.11; Dt 32.16-21; Jl 2.18; Zc 1.14; 8.2).
No Novo Testamento, a palavra grega básica é *zelos*, que pode ser usada no bom sentido do zelo (2 Co 7.11; 9.2; 11.2), ou no mau sentido do ciúme (Rm 13.13; 1 Co 3.3), podendo até mesmo trazer uma conotação de inveja. Um sinônimo, *phthonos*, é sempre empregado quando se deseja transmitir o sentido de inveja (Mt 27.18; Fp 1.15). *Veja* Inveja; Zelo.

**CIÚMES, IMAGEM DOS** Uma imagem mencionada em Ezequiel 8.3,5. A referência pode ser de uma "placa figurada", contendo cenas sectárias e mitológicas do tipo encontrado no norte da Síria, na Ásia Menor, e no norte da Mesopotâmia. Por outro lado, a referência pode ser a Tamuz (v. 14). O termo ciúme não era o nome de um ídolo, mas provavelmente um ídolo era chamado de "imagem dos ciúmes" porque de uma forma especial, esta imagem particular parece ter afastado as pessoas da adoração a Deus, provocando no criador um sentimento que seria humanamente semelhante ao ciúme.

**CIÚMES, OFERTA DE MANJARES DE** A base desta oferta deve ser encontrada em Números 5.11-31. Se um homem tivesse razão em suspeitar da infidelidade de sua esposa ou se um "espírito de ciúmes" o tomasse, era feita uma provisão para um julgamento. O homem deveria levar a sua esposa até o sacerdote junto com uma oferta prescrita, que consistia da décima parte de um efa de farinha de cevada. Nenhum óleo ou olíbano deveria ser derramado sobre a oferta, simbolizando que a ocasião não era de alegria. O objetivo da oferta era trazer a atenção de Deus ao crime que estava sob suspeita, para que Ele concedesse a melhor solução.
A mulher, com os cabelos soltos e a oferta em sua mão, era levada "perante a face do Senhor", onde, caso fosse culpada, recebia uma maldição como punição. Ela tomava as "águas amargas", que consistiam da água de um recipiente de barro à qual era adicionado do pó do solo do Tabernáculo, e cinzas de uma parte da cevada, que era queimada. As palavras da maldição eram escritas e lançadas na água. A mulher então tomava a água amarga. Se nenhum efeito maléfico ocorresse, ela era julgada inocente. Nenhum castigo seria prescrito para um homem que acusasse falsamente sua esposa.

R. O. C.

O imperador Cláudio. BM

**CLARO** Várias nuances de significado são encontradas no uso desta palavra.
1. Heb. *tahor* significa "brilhar", "ser brilhante"; desse modo, "limpo", "puro", e assim "claro". Ela é usada quanto à alvura física, moral ou ritual (Pv 22.11 com o sentido de "pureza"). Usada no sentido físico, a palavra é oposta a sujo (Zc 3.3-5).
2. Heb. *tob* significa "ser brilhante", "alegre", "bom", ou "bem". Também sugere beleza na expressão "moças virgens, formosas à vista" (Et 2.2).
3. Heb. *yapeh* se refere à "formosura", tal como uma figura formosa, no sentido de beleza de aspecto (Ct 1.15,16; 4.1,7; 6.10).
4. Heb. *leqah*, "aprendizado", é usada em relação a um falar honesto, e também encantos, aprendizado ou conhecimento cativantes (Pv 7.21; cf. Rm 16.18).
5. Heb. *zahab* significa "brilhar ou reluzir" como ouro, e sugere uma luz dourada como um "esplendor de ouro" (Jó 37.22); talvez a aurora boreal seja simbolizada deste modO No NT, a expressão "bom tempo" traduz o termo gr. *eudia* (Mt 16.2).

**CLÁUDIA** Uma mulher cristã que vivia em Roma, e que enviou saudações a Timóteo (2 Tm 4.21). Isto é tudo o que as Escrituras falam a respeito dela. A tradição diz que ela era a mãe de Lino, mencionado no mesmo versículo (*Apostolical Constitutions*, vii, 21), e identificado por Irineu e Eusébio como um bispo de Roma.
Um grande estudioso moderno como Alford (*Greek Testament*, III, 104-105) deu considerável atenção à hipótese de que Cláudia possa ter sido uma moça de origem britânica, convertida ao cristianismo, que mais tarde se casou com Pudente (mencionado antes de Lino em 2 Timóteo 4.21). Essa conjectura, baseada em uma inscrição encontrada na Inglaterra, é considerada bastante fantasiosa e muito duvidosa.

**CLÁUDIO** O quarto imperador romano, que reinou entre 41 e 54 d.C. Ele era sobrinho de Tibério César (14-37 d.C.), sob cujo governo o ministério de Cristo se desenvolveu. Entre estes dois imperadores veio o curto governo de Calígula, que grandemente antagonizou os judeus por suas políticas cruéis em relação a eles. Cláudio reviveu a atitude mais generosa de Augusto e Tibério, os dois primeiros imperadores romanos que haviam sido conciliatórios em relação aos judeus.
No início de seu reinado, Cláudio emitiu um decreto a favor dos judeus de Alexandria, que vinham sendo perseguidos. Josefo registra parte disto: "Eu desejo, portanto, que a nação dos judeus não seja privada de seus direitos e privilégios devido à loucura de Caio; mas que estes direitos e privilégios, os quais eles desfrutavam anteriormente, lhes sejam preservados, e que possam continuar em seus próprios costumes" (*Ant*. xix. 5.2). Josefo posteriormente relata que Cláudio enviou um decreto por todo o mundo, no qual escreveu: "Foi pedido pelo rei Agripa e pelo rei Herodes, que me são pessoas muito queridas, que eu permita que os mesmos direitos e privilégios que concedi àqueles de Alexandria sejam preservados aos judeus que estão em todo o império romano, o que de muito bom grado concedo" (*Ant*. xix. 5.3). "Agripa" era Herodes Agripa I, neto de Herodes o Grande. Cláudio lhe deu o território governado por seu avô, com o título de rei.
Cláudio é mencionado pelo nome apenas duas vezes no NT. Em Atos 11.28 uma fome é registrada como ocorrendo em seu reinado. Registros históricos indicam que as fomes eram freqüentes e severas neste período (Suetônio, *Claudius* 18). Na verdade, diz-se que a vida do imperador foi ameaçada neste relato (Tácito, *Annals* xii. 43). A situação devia-se em parte à negligência de seu antecessor.
Conta-se que Áqüila e Priscila foram compelidos a deixar Roma quando Cláudio fez um decreto expulsando todos os judeus daquela cidade (At 18.2). A exatidão desta referência é confirmada por Suetônio (*Claudius* 25).
O desafortunado imperador foi assassinado por sua esposa Agripina em 54 d.C.

R. E.

**CLEMENTE** Um colaborador de Paulo em Filipos que foi saudado pelo apóstolo em sua carta à igreja filipense como alguém cujo nome estava escrito no livro da vida (Fp 4.3). Tentativas de identificá-lo como Clemente de Roma fracassam grandemente porque Clemente de Roma viveu no final do século I, e o amigo de Paulo era evidentemente uma pessoa madura na época da carta, em 63 d.C.

**CLEOPAS** Um dos dois discípulos a quem Jesus se revelou no partir do pão em Emaús, na tarde de sua ressurreição (Lc 24.18). Alguns identificariam este Cleopas com Cléofas (KJV) ou Clopas (RSV/RC) em João 19.25, o marido de uma das Marias que estavam junto à cruz. Outros iriam além e identificariam a ambos como Alfeu (Mt 10.3; Mc 3.18; Lc 6.15; At 1.13), o pai de Tiago, o apóstolo (o segundo que tinha este nome). Embora Clopas e Alfeu possam vir da mesma raiz hebraica (Alford, *Greek Testament*, I, 101), não parece que estes homens devam ser identificados com Cleopas.

**CLOÉ** Uma mulher, evidentemente uma cristã, de cuja família os servos ou escravos informaram a Paulo, que estava trabalhando em Éfeso na época, das divisões partidárias e das desordens morais na igreja de Corinto (1 Co 1.11). Não se sabe se ela vivia em Corinto ou em Éfeso. No entanto, ela era conhecida por Paulo e pela igreja de Corinto.

**CLOPAS ou CLÉOFAS** Um parente próximo de uma mulher chamada Maria que estava junto à cruz (Jo 19.25). O texto grego não indica se o seu parentesco era o de marido, filho ou pai, embora seja mais provável que fosse seu marido. Em uma identificação posterior, foram feitas as seguintes tentativas.
1. Clopas ou Cléofas (Gr. *klopas*) foi identificado como Cleopas (*kleopas*, Lc 24.18), o que é duvidoso uma vez que o segundo é um nome completamente grego, enquanto o primeiro parece ser de origem semítica.
2. Clopas ou Cléofas também foi identificado como Alfeu (Mt 10.3), presumindo que ambos os nomes são transliterações do aramaico *halpay*. O fato de esta opinião ser baseada em várias pressuposições arbitrárias enfraquece esta possibilidade.
3. Pensa-se que Clopas ou Cléofas seja o irmão de José, como sugeriu Hegesippus, mas não há nenhuma indicação bíblica para tal relacionamento.
Em vista da falta de evidência, seria melhor

considerar Clopas, Cleopas e Alfeu como indivíduos diferentes.

D. W. B.

**CNIDO** Uma cidade grega de Caria, na costa sudeste da Ásia Menor. Estava localizada na extremidade da península longa e estreita, projetando-se para o mar por aprox. 150 quilômetros. Sua localização a colocava entre as ilhas de Rodes e Cós. Paulo navegou até Cnido em sua viagem a Roma (At 27.7). As ruínas de Cnido são, atualmente, os únicos objetos de interesse em relação a esta península.

**COA** Esta é uma das menores nações identificadas nos registros assírios mais antigos. Situava-se a leste do rio Tigre. Coa combinaria com os caldeus, homens de Pecode (o Puqudu) e Soa (o Sutu), e com os remanescentes assírios, todos mercenários da Babilônia, para castigar Oolibá, a meretriz sem pudor que personificou Jerusalém (Ez 23.22,23).

**COAR** A palavra grega *diulizo,* com o significado de "coar" foi usada pelo Senhor Jesus em Mateus 23.24 ao falar sobre os fariseus. "Coais um mosquito e engolis um camelo". Ela significa filtrar através de, ou coar completamente. A idéia é que um pequeno mosquito será coado ou filtrado antes do vinho ser usado. *Veja* Animais: III.45.

**COATE** Um dos três filhos de Levi que desceram ao Egito com Israel (46.11). Os filhos - ou mais provavelmente descendentes - de Coate eram Anrão, Isar, Hebrom e Uziel. Anrão, que se casou com a irmã de seu pai, Joquebede, foi o pai de Moisés e Arão; assim a linhagem sacerdotal posterior de Israel vem de Coate através de Arão (Êx 6.1-18). Os demais descendentes de Coate foram contados entre os outros levitas, e lhes foi concedido o mais alto privilégio, o cuidado dos utensílios sagrados do santuário (Nm 3.27ss.; 4.2ss.; 7.9).

**COATITAS** Descendentes de Coate (*q.v.*), o segundo filho de Levi; a ramificação da família à qual pertenciam Moisés, Arão e Miriã (Nm 26.57). Quando eles foram contados no Sinai, havia 8.600 homens (Nm 3.27,28), sendo 2.750 de 30 a 50 anos de idade (Nm 4.34-37). Na organização do acampamento de Israel, eles foram colocados com as outras famílias levíticas ao lado do Tabernáculo (Nm 3.29). Tinham a seu cargo a arca, a mesa, o candelabro, os altares, os utensílios do santuário e o véu (Nm 3.31). Quando os israelitas viajavam, os coatitas eram os responsáveis pelo transporte destes itens mais sagrados. Isto era feito sob a mais cuidadosa reverência, e só se aproximavam dos objetos depois que eram cobertos por Arão e seus filhos (Nm 4.1-20; 10.21). Em Canaã, os coatitas receberam 13 cidades sacerdotais em Judá, Simeão e Benjamim, e dez cidades levíticas em Efraim, Dã e Manassés (Js 21.4,5,10,20; 1 Cr 6.54). Certos coatitas foram designados por Davi para levar a arca até Jerusalém (1 Cr 15.4,5), e para o ministério da música (1 Cr 6.33ss.). Alguns estavam desempenhando um ministério de louvor na época de Josafá (2 Cr 20.19). Os coatitas se juntaram aos outros levitas para a purificação do templo nas reformas de Ezequias e Josias (2 Cr 29.12; 2 Cr 34.12). Depois do retorno do exílio, alguns foram responsabilizados pela preparação dos pães da proposição (1 Cr 9.32). *Veja* Coraítas.

R. S.

**COBERTOR** Termo encontrado em 2 Reis 8.15. Uma esteira ou pano áspero usado para asfixiar Ben-Hadade.

**COBIÇA** O décimo mandamento proíbe a cobiça de todo tipo quando fala da casa do vizinho, de sua esposa, servo, boi, jumento, ou de qualquer coisa que lhe pertença (Êx 20.17). O NT declara que a cobiça é uma forma de idolatria (Cl 3.5) ou adoração a deuses e posses, e a condena junto com outros pecados (Mc 7.22; Lc 12.15; Rm 1.29; Ef 5.3; Cl 3.5; 1 Ts 2.5; 2 Pe 2.3).

O Senhor Jesus viu cobiça no jovem rico quando lhe citou cinco dos seis mandamentos da segunda tábua da lei, e então o desafiou com o décimo mandamento ao ordenar que ele vendesse tudo que tinha e desse o dinheiro aos pobres (Lc 18.20-22). Barnabé, em contraste, provavelmente temendo a cobiça e conhecendo o caso do jovem rico, vendeu tudo o que tinha e ofertou todo o seu dinheiro à igreja (At 4.36,37).

Paulo cita a cobiça como uma ilustração chave da pecaminosidade, dizendo. "O pecado, tomando ocasião pelo mandamento, despertou em mim toda a concupiscência" (Rm 7.8). Em 1 Timóteo 6.10, lemos: "O amor do dinheiro é a raiz de toda espécie de males". No texto grego lê-se: "Uma raiz". Este amor se origina da cobiça e pode se tornar a origem de todos os tipos de males (por exemplo, Ananias e Safira, At 5.1-11; cf. Acabe e a vinha de Nabote, 1 Rs 21.1-19).

Algumas formas de cobiça são até mais sutis, como o jogo, as loterias, o bingo etc, onde o jogador ou participante falha ao analisar a sua própria motivação, não detectando a própria cobiça. É essencialmente a cobiça que faz com que uma pessoa queira se igualar a outra de nível financeiro muito superior, quando se sabe que isto só faz com que ela seja levada a uma condição irreal, fazendo com que compre aquilo que não precisa.

***Bibliografia.*** Gerhard Delling, "*Pleonektes* etc", TDNT, VI, 266-274.

R. A. K.

Colheita nos campos de Boaz em Belém. MPS

**COBRA** *Veja* Animais: Cobra IV.7; Serpente IV.30.

**COBRADOR DE IMPOSTOS** *Veja* Publicano.

**COBRE** *Veja* Minerais e Metais.

**COBRIR A CABEÇA** Em 1 Coríntios 11.2-16, Paulo ordenou que as mulheres cobrissem a cabeça durante uma adoração pública. No plano de Deus, o homem tem a liderança sobre a mulher. Assim, era indecente que em uma reunião onde homens e mulheres estivessem presentes na casa de Deus, as mulheres estivessem sem um sinal desta sujeição. As mulheres não deveriam, portanto, se opor ao uso do véu, porque este simplesmente correspondia à cobertura do seu próprio cabelo, que era longo. As mulheres que se opunham a usar um véu, manifestavam um espírito de independência, que era impróprio, e que teria como expressão lógica cortar o cabelo, de forma que a mulher passasse a se parecer com um homem (vv. 5,6). Esta condição era considerada por Paulo, contrária à natureza (vv. 14,15). Em nenhuma igreja daquela época era costume permitir que uma mulher estivesse sem o véu (v. 16). Na verdade, em uma análise final, a cobertura da cabeça representava a sujeição da mulher ao homem.

F. C. K.

**COCEIRA** *Veja* Doenças.

**CODORNIZ** *Veja* Animais: Codorniz III.18.

**COELHO** *Veja* Animais: Lebre II.26.

**COENTRO** *Veja* Plantas.

**COFE** A 19ª letra do alfabeto hebraico. *Veja* Alfabeto. Esta letra é usada em algumas versões como um título da 19ª seção do Salmo 119, onde cada versículo começa com esta letra.

**COFRE** Uma pequena urna ou caixa que os filisteus colocaram sobre o carro juntamente com a arca (1 Sm 6.8,11,15). Dentro dele eles colocaram os utensílios de ouro (os ratos e os tumores) quando devolveram a arca para os hebreus.

**COICEIRA ou ENCAIXE** Esse termo é usado para as duas projeções, uma em cada ponta das 28 tábuas verticais do Tabernáculo, feitas de acácia (*q.v.*). Cada ponta desse tipo se encaixa em uma abertura em uma base de prata. Os encaixes dentados se mantinham firmemente no lugar na parte baixa da estrutura do Tabernáculo (Êx 26.17,19; 36.22,24).

**COISA AGRADÁVEL** O termo gr. *charis*, "graça", "digno de graças, ou agradecimento," "digno de gratidão" (1 Pe 2.19) é traduzido como "aprovado" pela versão RSV em inglês. Em outras versões foi escolhida a tradução literal "graça", considerando que para se suportar o sofrimento injustamente, é necessário ter a graça de Deus.

**COISA DEDICADA** *Veja* Anátema; Maldição.

**COISA MÁ ou DEFEITO GRAVE** Esta expressão é encontrada em Deuteronômio 17.1. Ela declara a inadequação para os rituais de qualquer animal que possua um defeito de qualquer tipo. Isso inclui a falta de simetria ou a magreza, como foi definido em Deuteronômio 15.21. Deus exigia animais perfeitos nas ofertas sacrificiais. Essas duas características indesejadas: feiúra e magreza, se combinam em uma descrição das sete vacas vistas por Faraó em seu sonho (Gn 41.3 etc.).

**COLAÍAS**
1. Um benjamita cujos descendentes viveram em Jerusalém após o exílio (Ne 11.7).
2. Pai do falso profeta Acabe (Jr 29.21).

**COLAR** Corrente ou ornamento para o pescoço (em hebraico, *rabid,* Gn 41.42; Ez 16.11). Às vezes, era feito de ouro ou prata (Êx 35.22; Ct 1.10). Às vezes, de contas ou jóias em um cordão pendurado sobre o peito ou no cinto. Amuletos e meias-luas de ouro (Is 3.18; Jz 8.26) também eram, às vezes, acrescentados. *Veja* Jóias.

**COLCHETE[1]** Essa palavra significa um "gancho", especialmente feito para entrar em algum orifício para prender algo. A versão KJV em inglês traduz o termo como "presilha" (uma palavra de origem francesa) ou como "gancho", ao passo que as versões ASV e RSV em inglês traduzem a palavra como "colchete" (Êx 26.11; 35.11; 36.13; 39.33). Os colchetes eram ganchos de ouro (Êx 26.6; 36.13) ou de bronze (Êx 26.11; 36.18), por meio dos quais as cortinas de linho e as tapeçarias de pele de cabra do Tabernáculo eram presas.

**COLCHETE[2]** O termo hebraico parece ser um gancho ou prendedor que juntava dois conjuntos de cortinas no Tabernáculo (*q.v.*). Os dois conjuntos de cinco cortinas de linho cada eram unidos por 50 colchetes de ouro (Êx 26.6). Sob estes colchetes o véu era pendurado para fazer divisão entre o Lugar Santo e o Santo dos Santos (26.33). Cinqüenta colchetes de bronze uniam as cortinas de pêlo de cabra externas (26.11), que formavam uma tenda sobre a estrutura do Tabernáculo. *Veja* Prendedor.

**COLETA** A palavra coleta é encontrada em duas passagens (2 Cr 24.6,9; também oferta ou imposto; 1 Coríntios 16.1). No entanto, no AT o original é mais corretamente traduzido como "imposto". No NT é usada a palavra *logeia* (encontrada somente aqui) que se refere a uma arrecadação voluntária de fundos para propósitos caridosos. O uso desta palavra no sentido de "coleta" é abundantemente confirmado pelos papiros. Ela está intimamente ligada ao uso de *koinonia* em Romanos 15.26 (um texto que fala de contribuição). A coleta feita por Paulo entre as igrejas gentílicas para os santos pobres em Jerusalém, e entregue mesmo colocando a vida do apóstolo em perigo (At 21.17-36; 24.17) era um sinal visível da unidade interior e essencial do cristianismo apostólico. *Veja* Esmolas.

**COLHEITA** A estação da colheita era a época mais importante do calendário de Israel. Os hebreus eram basicamente dependentes daquilo que colhiam para a sua sobrevivência (Gn 45.6; Pv 10.5; 20.4; Jr 5.17). Os eventos eram datados de acordo com as colheitas (Gn 30.14; Js 3.15; Jz 15.1; Rt 1.22; 2.23; 1 Sm 6.13; 2 Sm 21.9; 23.13). As três festas principais dos judeus correspondiam às principais épocas das colheitas (Êx 23.14-17; 34.18,22,23): (1) A Páscoa (abril-maio) ocorria no início da colheita da cevada (cf. 2 Sm 21.9); (2) A Festa de Pentecostes, ocorria sete semanas mais tarde (maio-junho), depois da colheita do trigo (Êx 34.22); (3) A Festa dos Tabernáculos (ou Cabanas) ocorria durante a colheita das frutas, (setembro-outubro). (Cf. G. E. Wright, BA, pp. 180ss., para o Calendário Gezer).
Tanto no AT como no NT, a figura da colheita é usada para ensinar as verdades espirituais. Uma colheita destruída significava desespero ou aflição (Jó 5.5; Is 16.9; 17.11; Jr 5.17; 50.16). O "tempo da sega" podia significar o dia da destruição (Jr 51.33; Os 6.11; Joel 3.13). A "alegria da ceifa" sugeria abundância de alegria (Is 9.3); a "ceifa do Nilo" significava uma colheita abundante para um lucrativo comércio (Is 23.3).
A expressão "Passou a cega" queria dizer desapontamento (Jr 8.20) ou uma oportunidade perdida, enquanto uma "nuvem de orvalho no calor da colheita" (Is 18.4,5) falava sobre a tranqüilidade da estação da colheita do verão que se aproximava para ilustrar que o Mestre esperava tranqüilamente até aniquilar os iníquos. O Mestre freqüentemente se referia à colheita de almas (Mt 9.37,38; 13.30,39; Mc 4.29; Jo 4.35). Ele também empregava esse termo ao explicar a parábola do joio. "A ceifa é o fim do mundo" (Mt 13.39, cf. Ap 14.15).
*Veja* Agricultura.

D. W. D.

**COLHEITA, FESTA DA** *Veja* Festividades: Festa dos Tabernáculos.

**COLHER** *Veja* Incensário; Tabernáculo.

**COL-HOZÉ** Um homem de Judá cujo pai foi Hazaías (Ne 11.5). Seu filho Salum reparou a Porta da Fonte nos dias de Neemias (Ne 3.15).

**COLINA DE MARTE** *Veja* Areópago.

**COLÍRIO** O remédio ou o pó mencionado em Apocalipse 3.18 era um composto de ingredientes, aplicado às pálpebras, para fortalecer os olhos. De acordo com Galen, a escola de medicina em Laodicéia era famosa por esse preparado e pelo seu uso. A cegueira da igreja de Laodicéia, no entanto, era espiritual, e a instrução dada em Apocalipse 3.18 tinha o objetivo de levar aqueles que tinham um discernimento espiritual inadequado a procurar um remédio para sua condição.

**COLOCÍNTIDAS** Do heb. *p^eqa'im*. associada com flores abertas no trabalho em cedro dos muros do templo de Salomão (1 Rs 6.18) e sob a borda do "mar de fundição" (1 Rs 7.24).

**COLÔNIA** Um grupo de cidadãos romanos autônomos estabelecidos em comunidades estrangeiras. Colônias romanas foram estabelecidas primeiramente por três propósitos: (1) servir como postos avançados estratégicos; (2) restabelecer os cidadãos pobres e assim tirá-los das listas de assistência; (3) fornecer terra para os veteranos. Além disso, às vezes uma comunidade recebia de Roma a posição de colônia para homenagear seus habitantes e fortalecer seus laços com o governo imperial.

A palavra "colônia" ocorre apenas uma vez no NT (At 16.12). Filipos era uma colônia romana originalmente colonizada pelos veteranos da batalha realizada entre as forças de Antonio e Otávio (que posteriormente se tornou o imperador Augusto) e Bruto e Cássius em 42 a.C. Subseqüentemente, Otávio estabeleceu outros colonos ali.

**COLOSSENSES, EPÍSTOLA AOS** A Epístola aos Colossenses é quase que universalmente considerada um escrito genuíno do apóstolo Paulo. Três vezes o escritor refere-se a si mesmo por Paulo (Cl 1.1; 1.23; 4.18). Os grandes conceitos da pessoa e da obra de Cristo, a morte e a ressurreição com Cristo, os relacionamentos domésticos harmoniosos, e o novo homem em Cristo são indubitavelmente paulinos. Repetidamente a autenticidade de Efésios é discutida por causa da sua similaridade com Colossenses, que se assume, sem dúvida, ser paulina. Além disso, "o atestado externo a Colossenses é tudo o que pode ser desejado" (H. C. Thiessen, *Introduction to the New Testament*, p. 229).

Um dos quatro escritos geralmente chamados de Epístolas da Prisão, Colossenses é uma epístola que faz par com Filemom, e ambas foram aparentemente escritas aproximadamente na mesma época (60-61 d.C.), e levadas aos seus destinos pelo coooperador de Paulo, Tíquico (Cl 4.7-9), que deveria levar o escravo Onésimo de volta a Filemom. Por causa destas associações, discute-se que Filemom tenha vivido em Colossos e sido um líder daquela igreja, que pode ter se reunido em sua casa (Fm 2). Pelo que sabemos, Paulo nunca ministrou pessoalmente em Colossos; no entanto, a suposição de que seus colaboradores evangelizaram lá enquanto ele estava em Éfeso (At 19.1-10) é válida. Não se pode negar que ele sentia uma responsabilidade pessoal por esta igreja.

### Propósito ao Escrever

A ocasião imediata da escrita aos colossenses foi a missão planejada de Tíquico, juntamente com o relatório trazido de Colossos a Paulo por Epafras (1.7-9; 4.12). Aparentemente, este relatório informava a Paulo de erros insidiosos, tanto doutrinários como práticos, que haviam se introduzido sorrateiramente na igreja. Freqüentemente chamada de heresia colossense, estes erros combinavam elementos judaísticos com ensinos ascetas e gnósticos semelhantes àquelas características que mais tarde se transformaram em um sistema gnóstico desenvolvido. Designando-a como um exemplo de religião feita por homens, R. H. Lightfoot resume as características desta heresia: racionalismo, heresia do intelecto (Cl 2.8); cerimonialismo, heresia do instinto religioso (Cl 2.16,20-22); misticismo, heresia na consciência espiritual (Cl 2.18); e asceticismo, heresia da vontade moral (Cl 2.23) (*St. Paul's Epistles to the Colossians and to Philemon*, pp. 71-111).

O propósito básico de Colossenses é combater estas heresias, que Paulo encontra "não por uma controvérsia indignada, pois até este momento ainda não haviam se desenvolvido completamente; não por autoridade pessoal, pois estes cristãos não eram seus convertidos; mas pela mais nobre de todas as formas de controvérsia, que é a pura apresentação de verdades opostas" (F. W. Farrar, *Messages of the Books*, p. 312). Com isso, a idéia principal para toda a epístola está em 2.9,10 e 1.19,20. O Cristo completo, doador de uma salvação completa, quando experimentado pessoalmente, é a resposta completa para o erro – tanto teológico como prático.

### Plano da Epístola

A ênfase em Colossenses 1.12-20 é sobre Cristo, em cujo corpo habita toda a plenitude divina. Quanto à sua pessoa, Ele é a imagem – a aparência, a representação, a manifestação – do Deus invisível. Com referência à criação, Ele é seu Soberano, Criador, Sustentador, e lhe dá um significado essencial. Como o primeiro a ser ressuscitado dos mortos, Ele é o princípio, a Cabeça do Corpo, a igreja. A obra de Cristo é aqui descrita como a reconciliação, tanto universal quanto pessoal, e se tornou possível pela paz que ele assegurou através da sua morte.

Em Colossesnses 2.11–3.4, Paulo então mostra como é que "nele sois feitos completos". Esta experiência vital em Cristo é descrita negativamente como ser sepultado com Cristo, e é simbolizada pela circuncisão espiritual e pelo batismo. Positivamente, estar em Cristo é ressuscitar com Ele. O meio de se participar desta experiência é a fé na operação de Deus. Deus ressuscitou a Cristo dos mortos depois de nosso Senhor ter derrotado todos os inimigos espirituais e cancelado toda a acusação de pecado, assumindo totalmente as exigências de sua penalidade (2.11-15). Esta obra, então, constitui a base da salvação pessoal. Seguem-se, então, os benefícios práticos para a humanidade. Negativamente, elas são um resgate do erro e um repúdio ao erro com todas as suas características. Isto está envolvido em morrer para a velha maneira de viver (2.16-23). Positivamente, a experiência vital em Cristo significará um novo modo de viver – buscar o céu, pensar no céu – e uma nova esperança (3.1-4).

O que se segue em Colossenses 3.5–4.6 são expressões práticas detalhadas de uma nova vida em Cristo. Um novo caráter deve vir -a velha natureza deve morrer, uma vez que a pessoa se revista da nova natureza (3.5-14); novos princípios de vida devem ser adotados – a paz dominando o coração, a Palavra habitando no salvo, e a graça inspirando a canção do coração (3.15-17); uma nova conduta deve ser mostrada nos relacionamentos domésticos, e no evangelismo entre aqueles que são do mundo (3.18–4.6).

**Esboço**

O Cristão em Cristo — Antídoto para o Erro

I. O Evangelho em Ação Entre os Colossenses, 1.1-14.
II. A Pessoa e a Obra de Cristo, 1.15-23.
  A. Cristo é preeminente, e deve ser visto em todos os relacionamentos, vv. 15-20.
  B. A obra de Cristo é descrita como reconciliação, vv. 21-23.
III. O Ministério de Paulo, em relação ao Mistério de Cristo, 1.24–2.5; seu espírito, autoridade, mensagem, método, força e objetivo.
IV. A Experiência Pessoal de Cristo, 2.6–3.4.
  A. Religião feita pelo homem – o inimigo da fé.
  B. O Cristo completo e a experiência completa nele é a resposta para todo o erro.
  C. A Experiência Cristã Vital.
    1. Descrita negativamente: sepultado com Cristo.
    2. Descrita positivamente: ressuscitado com Cristo.
    3. Meio de realização: fé na operação de Deus.
    4. Fundamentos ou bases: a operação de Deus.
  D. As conseqüências práticas da experiência em Cristo, tanto negativas quanto positivas.
V. A Vida em Cristo Expressa no Caráter e nos Relacionamentos Pessoais, 3.5–4.6.
VI. Os Interesses e Saudações Pessoais de Paulo, 4.7-18.

***Bibliografia.*** John Eadie, *Commentary on the Epistle of Paul to the Colossians*, Grand Rapids. Zondervan, reimpresso. R. C. H. Lenski, *The Interpretation of St. Paul's Epistle to the Colossians*, Columbus. Lutheran Book Concern, 1937. J. B. Lightfoot, *St. Paul's Epistle to the Colossians*, Grand Rapids. Zondervan, reimpresso. Alexander Maclaren, "The Epistle of Paul to the Colossians", ExpB. H. C. G. Moule, *The Epistle of Paul the Apostle to the Colossians*, Cambridge. Univ. Press, 1894. W. R. Nicholson, *Oneness with Christ*, Grand Rapids. Kregel, 1951. A. T. Robertson, *Paul and the Intellectuals*, rev. por Archie Robinson, Nashville. Broadman, 1959. James S. Stewart, *A Man in Christ*, Nova York. Harper, 1935.

E. W. H.

**COLOSSOS** Uma cidade localizada em ambos os lados do Rio Lico, na Frígia, cerca de 20 quilômetros de Laodicéia na região sudeste da Ásia Menor. As histórias de Colossos, Laodicéia e Hierápolis estavam intimamente ligadas. A grande rota comercial de Éfeso para Tarso e Síria passava por Colossos e a tornou uma cidade próspera na época de Xerxes (Heródoto vii.30). A cidade devia sua riqueza principalmente aos tecidos de lã vermelhos ou violetas, chamados *colossinus*. Mas já estava declinando em importância nos dias de Paulo por causa da concorrência especialmente de Laodicéia (*q.v.*), e nenhuma carta foi enviada a esta cidade, por João, quando ele escreveu às igrejas na Ásia (Ap 1–3).

A igreja cristã em Colossos pode ter sido fundada por Epafras (Cl 1.2; 4.12). Paulo não havia visitado Colossenses antes de sua epístola a eles (Cl 2.1). A igreja parece ter conhecido, na casa de Filemom, um leigo proeminente (Fm 2).

**COLUNA DE FOGO E DE NUVEM** Essa sucinta frase ocorre em Êxodo 14.24. Existem algumas ocorrências em frases separadas como "coluna de nuvem" e "coluna de fogo" (cf. Êx 13.21,22; Nm 14.14; Ne 9.12,19; Sl 99.7).

*Símbolos da presença Divina.* Os israelitas encontraram a coluna na fronteira do deserto, e ela serviu como guia por toda a sua travessia do deserto. A nuvem durante o dia, e a coluna de fogo à noite, avançavam à frente dos israelitas revelando-se como uma contínua e perpétua orientação (Êx 13.21,22). Quando o inimigo se aproximava de Israel, a coluna de nuvem se movia da frente para a retaguarda do acampamento dos israelitas, separando-os dos egípcios (Êx 14.19,20). Esse fenômeno protegia os israelitas e fazia com que os egípcios não enxergassem.

*Os vários fenomenos.* No Pentateuco existem vários fenômenos ligados à nuvem como indicadores da presença Divina. Em um lugar, o Senhor guiou continuamente o povo movimentando-se à sua frente em uma coluna de nuvem durante o dia e de fogo durante a noite; Ele "nunca tirou [essa] coluna de diante da face do povo" (Êx 13.22) até chegarem a Canaã (Êx 40.38; Nm 14.14). Uma nuvem também acompanhou a teofania (aparição de Deus) no Sinai quando o Senhor desceu e conversou com Moisés (Êx 34.5). Em outra passagem bíblica, a ardente aparição da nuvem não é mencionada como um guia caminhando à frente do povo. Ela aparecia periodicamente e se colocava à frente da "tenda da congregação" que estava montada fora do acampamento (Êx 33.7-11; os verbos hebraicos são freqüentativos e significam uma ação reiterada; cf. Nm 11.25; 12.5,10; Dt 31.15). O texto em Deuteronômio 1.33 também se refere à nuvem sobre a montanha (Êx 19.16; Dt 4.11; 5.22). E ainda em outra pasagem, o relato começa com a aparição de uma nuvem que envolvia a gloriosa presença do Senhor no Monte Sinai (cf. Êx 24.16-18). Ela só apareceu no acampamento depois do término do Tabernáculo, e encobriu a tenda da congregação. Ela sempre cobriu a tenda até o término da jornada (Êx 40.34-38; Nm 9.15ss.) e sinalizava que era a hora de mudar o local do acampamento elevando-se acima da tenda (Nm 9.17-23; 10.11ss.). Entretanto, as suas várias aparições se completam, assim como os Evangelhos em relação à vida do Mestre.

*O costume da época.* Na antiguidade, braseiros queimando madeira eram transportados à frente de um exército ou caravana, e à noite o fogo servia para indicar o caminho

Modelo de um navio usado pela rainha Hatshepsut do Egito em expedições comerciais por volta de 1500 a.C. Galeria de Arte e Museu, Glasgow

da marcha, como foi ilustrado pela marcha de Alexandre através da Babilônia e pela prática generalizada dos persas.

Esse costume ainda prevalece nas caravanas árabes. Também durante as festas as duas colunas (ou cruzetas ardentes), Boaz e Jaquim, emitiam nuvens de fumaça e chamas de dia e de noite. A diferença é que este é o relato de uma teofania. Deus fornecia a Israel a luz que os homens deveriam fornecer a Alexandre. A coluna de nuvem e a coluna de fogo são símbolos da presença protetora de Deus. Mais tarde vemos referências em Neemias 9.12; Salmos 78.14 e 105.39; cf. 1 Coríntios 10.1ss. Nosso discernimento espiritual também é ampliado quando nos lembramos de que o fenômeno de "uma nuvem de dia, e uma fumaça, e um resplendor de fogo chamejante de noite" serão vistos sobre Jerusalém quando o Senhor ali morar durante o Milênio (Is 4.5).

***Bibliografia.*** A. H. McNeile, *The Book of Exodus,* Londres. Methuen & Co., 1908. J. Pedersen, *Israel,* Londres. Oxford Univ. Press, 1926, III-IV, 1940. J. C. Rylaarsdam, "Exodus", *The Interpreter's Bible,* Nova York. Abingdon-Cokesbury Press, 1952. R. de Vaux, *Ancient Israel,* trad. por J. McHugh, Nova York. McGraw-Hill, 1961.

D. W. D.

**COMBUSTÍVEL** Na versão KJV em inglês, "combustível" representa duas palavras heb. que significam "alimento"; nestes casos, alimento para o fogo (Ez 15.4,6; 21.32; Is 9.5,19). O combustível nos tempos bíblicos era madeira, carvão vegetal ("carvão" em Provérbios 26.21; brasas para o fogo do fundidor em Isaías 44.12 e 54.16), talvez palha (Mt 3.12), e erva seca (Mt 6.30). Para cozinhar, poderiam ser usados espinhos (Sl 58.9; Ec 7.6), e nas cidades que sofriam de escassez durante um cerco, eram usados excremento animal e até mesmo humano (2 Rs 6.25; Ez 4.12,15).

**COMER** *Veja* Alimentos: Banquete.

**COMÉRCIO** Embora esta palavra não seja usada na versão KJV em inglês, ela inclui em seu escopo os termos "mercador", "mercadoria" e "intercâmbio comercial". *Veja* Ocupações: Mercador.

A palestina estava localizada nas proximidades das principais estradas comerciais do mundo antigo, sendo cortada por estradas que ligavam a Babilônia e o Egito, e o Extremo Oriente com a área do Mediterrâneo. *Veja* Viagem e Comunicação. O comércio internacional logo beneficiou aqueles que viviam em Canaã. Abraão, por exemplo, era rico em gado, prata e ouro (Gn 13.2). W. F. Albright sugere que Abraão pode ter estado envolvido no rentável comércio de caravanas, liderando caravanas de jumentos do Neguebe para o deserto do Sinai (e vice e versa) e entre a Palestina e o Egito (*Yahweh and the Gods of Canaan*, 1968, pp. 58-73).

O patriarca tinha vindo de um dos grandes centros comerciais do mundo antigo, Ur, a capital de Sinar. As cidades sumérias tinham um comércio abrangente. Tábuas da dinastia Ur III (2070-1960 a.C.) tratam da troca de escravos e casas, do empréstimo de artigos de primeira necessidade, e do empréstimo de grãos, tâmaras e prata a juros. Mesmo antes disso, Gudea, rei de Lagash, conta ter obtido ouro de Anatólia e do Egito, prata dos Montes Taurus, cedro do Líbano, cobre das cordilheiras Zagros, diorito da Etiópia, e madeira de Dilmun, que pode referir-se a Bahrein ou à civilização do Vale Indus (S. N. Kramer, "Sumer", IDB, IV, 457). De aprox. 1950 a 1750 a.C. os assírios comercializaram extensivamente com a Ásia Menor onde estabeleceram nove colônias mercantes. Mais de 3.000 tábuas de Kanesh (Kültepe) revelam que comerciantes assírios viveram sob a proteção de príncipes nativos enquanto permutavam suas mercadorias em troca de ouro e prata, que eram muito abundantes no lado leste de Anatólia.

O relato bíblico mais antigo de barganha e venda é a transação de Abraão com Efrom, o heteu (Gn 23.3-20). O uso da palavra "mercadores" (v. 16) sugere que o padrão da prata pesada era fixado pelo uso entre os mercadores daquele período. Reparações ou compensações poderiam ser feitas por danos intangíveis por meio de tal dinheiro (Gn 20.16). Ouro ou prata na forma de barras ou anéis, como também vasos e jóias fabricadas, eram de uso entre os habitantes estabelecidos naquela área, embora os metais fossem provavelmente importados. Eliezer deu presentes de prata e de ouro para Rebeca (Gn 24.22,53 – "Pendentes e pulseiras de ouro" v. 22; "Vasos de prata e de ouro" v. 53). A *qesitah* era uma forma específica de dinheiro no início do segundo milênio a.C., provavelmente um lingote de metal precioso (heb., Gn 33.19; Jó 42.11). O livro de Jó menciona ferro, bronze, chumbo, cristal, jóias, a arte de tecer, mercadores, ouro de Ofir, safira (*lapis lazuli*) cuja única fonte antiga era o Afeganistão, topázio da Etiópia, todos indicando um estado avançado de comércio durante o período patriarcal. Os habitantes da Arábia, que viviam entre a Índia e o Egito, parecem ter tido um monopólio comercial entre estes países, incluindo em seus produtos as especiarias cultivadas no sul da Arábia.

O Egito era proeminente entre as nações comerciais, juntamente com os ismaelitas ou midianitas. Foi uma caravana destes últimos, carregando especiarias, bálsamo e mirra, que levou José ao Egito (Gn 37.25; 39.1). Os escravos obviamente também faziam parte de sua mercadoria. Grãos eram exportados do Egito e eram pagos com prata (Gn 41.57; 42.3,25,35). O tecido colorido usado no Tabernáculo era provavelmente feito e tingido no Egito (Êx 25.4,5). Evidências de um amplo comércio com a Babilônia e a Síria, conhecidas das tábuas Amarna, são vistas em Números 31.50; Josué 7.21; Juízes 5.30; 8.24.

Após seu estabelecimento em Canaã, os israelitas se envolveram no comércio. A princípio, eles tinham uma economia natural auto-suficiente. Cada família cultivava o seu alimento e confeccionava todas as ferramentas e vestimentas necessárias. Outros artigos e metais necessários eram fornecidos por ferreiros viajantes, como os queneus (*q.v.*; Jz 1.16; 4.11 – este nome significa "ferreiro") e outros mercadores. Estes últimos eram em sua maior parte cananeus ou fenícios. A palavra "cananeu" tornou-se um sinônimo de "mercador", "comerciante" ou "negociante" (Jó 41.6; Pv 31.24; Is 23.8; Os 12.7; Zc 14.21). Antes do exílio, Israel não era notada pelo comércio; o comércio não era a ocupação de muitos do seu povo. A lei fazia poucas regras quanto a isto. Antes, negociações justas e honestas eram enfatizadas de forma geral (Lv 19.35,36; Dt 25.13-16; 28.12). Esta ausência de qualquer código de fabricação é, em si, um testemunho do primeiro período das leis do Pentateuco. As tribos próximas ao mar e aos territórios fenícios podem ter tido algum comércio marítimo (Gn 49.13; Dt 33.18; Jz 5.17).

Durante o reinado de Salomão, porém, Israel desenvolveu um extenso comércio exterior. Vários ditados sábios em Provérbios dizem respeito a assuntos de negócio, tais como advertências em relação à segurança (Pv 6.1; 11.15; 17.18; 20.16; 22.26). A esposa virtuosa é elogiada por seus esforços comerciais de pequena escala (Pv 31.13-18,24). Salomão arrecadava tarifas sobre os negociantes (1 Rs 10.15). Ele aparentemente explorava os depósitos de cobre no Arabá e também era um grande exportador de trigo e azeite, que era pago a Hirão de Tiro pela madeira e pelo uso de trabalhadores capacitados e habilidosos (1 Rs 5.6ss). Tiro e Sidom, com as montanhas circunvizinhas, forneciam a melhor e a mais durável madeira para a construção de navios. Seus artífices construíam navios e faziam outros produtos para exportação. Os fenícios liderados por Tiro eram considerados a grande nação comercial, e eram famosos por seu conhecimento em navegação (Ez 27).

Salomão também agiu como intermediário no lucrativo comércio de cavalos e carros entre Kue (Cilícia) e o Egito, e seus mercadores reais, como agentes, vendiam muitos destes animais aos principados heteus e sírios (1 Rs 10.28,29). A cada três anos, ele enviava de Eziom-Geber (*q.v.*) navios para Ofir em busca de ouro, prata, marfim, bugios e pavões. Salomão havia construído para si uma frota de navios de carga, projetados como aqueles que os fenícios estavam utilizando para as suas colônias de mineração em Társis, na Espanha (1 Rs 10.22). Ele também promoveu o comércio de especiarias com a Arábia (1 Rs 10.15). Seu exemplo aparentemente não poderia ser seguido em larga escala por seus sucessores, embora Josafá em vão tenha tentado reativar o comércio com Ofir (1 Rs 22.48). Jonas teve que embarcar em um navio com marinheiros gentios para Társis, mostrando que seus compatriotas não eram ativos em assuntos marítimos naquela época.

Após a divisão do reino, Israel comercializou com a Fenícia e com a Síria, enquanto Judá negociava com o Egito, seu vizinho do sul, sendo o azeite o seu principal artigo de exportação (Os 12.1). Acabe, de Israel, ganhou o direito de estabelecer mercados ou "bazares" de comércio de rua em Damasco da Síria (1 Rs 20.34). Os tesouros dos reis devem ter sido acumulados, em parte, e no mínimo, através do comércio. Isaías (3.18-24) fala da exuberância dos trajes femininos não nativos de Israel. O tributo era freqüentemente pago em espécie, como ovelhas e lã de Moabe (2 Rs 3.4). Ezequias pegou Senaqueribe com prata e ouro tirados da casa do Senhor (2 Rs 18.15,16).

Durante este período, certas cidades parecem ter se especializado em certos tipos de comércio, tal como a indústria de tinturas, o que é evidenciado pelos muitos tanques de pedra para tingimento encontrados nas escavações de Beit Mirsim. Gibeão desfrutou de um negócio próspero de fazer e vender vinho. *Veja* Ocupações.

É provável que a genialidade comercial dos judeus tenha começado a aparecer durante o exílio. Eles adquiriram tanto riqueza quanto posições de importância na Babilônia (Ne 1.11; 5.17). Muitos daqueles que permaneceram ali tornaram-se clientes ou agentes de grandes firmas comerciais, como a casa de negócios dos filhos Murashu em Nippur, de acordo com tábuas escritas no reinado de Artaxerxes I (ANET, pp. 221ss).

Depois do retorno do exílio, a comunidade judaica em Judá estava pobre e havia poucos negócios exceto em Jerusalém. Esdras (3.7) menciona a exportação de azeite para Tiro e a importação de cedro. Tiro enviava peixes para a Palestina (Ne 13.16). A exortação de Neemias para que o povo parasse de profanar o sábado, indica que a compra e venda prosseguiam.

O comércio doméstico em Israel incluía o transporte de sal do Mar Morto, gado e lã das pastagens a leste do Jordão, e grãos da planície de Esdraelom (forma grega de Jezreel). Estes eram enviados para vários mercados. Sofonias sugere que um deles estivesse em Jerusalém (1.11).

Os mercados da cidade eram principalmente espaços abertos perto das portas para os quais o produtor trazia suas mercadorias para a venda direta ao consumidor (2 Rs 7.1; Ne 13.15,16; Sf 1.10). Posteriormente, os comerciantes invadiram o templo, utilizando os pátios externos (Zc 14.21; Mt 21.12; Jo 2.14).

Durante o período helenístico, os judeus fizeram negócios com as colônias em Alexandria, Antioquia da Síria, Ásia Menor, Grécia e até mesmo em Roma. Tropas mercenárias, artesãos e mercadores gregos estiveram ativos ao longo do leste da costa Mediterrânea durante séculos (Edwin Yamauchi, *Greece and Babylon*, pp. 26-93). Herodes construiu o porto de Cesaréia, assim como Simão Macabeu havia construído Jope, para cuidar do comércio marítimo.

Na época de Macabeu, havia se tornado costume para os aldeões levar produtos para a cidade uma vez por mês. Mais tarde, os mercados funcionavam tradicionalmente duas vezes por semana, na segunda-feira e na quinta-feira. Cultos especiais aconteciam nas sinagogas nestes dias.

Embora sua posição fosse extremamente desfavorável para o comércio, Jerusalém era o centro comercial de todo o país na época de Cristo. Trajes de lã eram produzidos ali e vendidos nos mercados da cidade. Os curtidores obtinham peles dos sacrifícios do templo. As azeitonas eram processadas em Jerusalém e em seus arredores em prensas como a do Getsêmani, e o azeite era provavelmente o único produto de exportação da cidade. As especiarias eram transformadas em ungüentos e estes vendidos em seus mercados (Mc 16.1; Lc 23.56; Jo 19.39). Os artesãos eram organizados em associações e reuniam suas pequenas lojas, abertas para a rua ou bazar, em seções ou locais separados. O comércio da construção desenvolveu-se nos dias de Jesus, e as pedras eram facilmente extraídas dos arredores. Como Joachim Jeremias conclui, foi a importância religiosa da Cidade Santa que fez florescer o seu comércio, e os enormes rendimentos do templo permitiram que Jerusalém importasse o alimento que lhe era necessário (*Jerusalem in the Time of Jesus*, p. 28; veja os capítulos sobre a indústria e o comércio, pp. 3-57).

***Bibliografia.*** G. A. Barrois, "Trade and Commerce", IDB, IV, 677-683. "Trade", CornPBE, pp. 687-691. Walter Duckat, *Beggar to King*, Garden City. Doubleday, 1968, Apêndice I. "Commerce and Trade", pp. 287-298. Donald Harden, *The Phoenicians*, Londres. Thames & Hudson, 1962, pp. 157-179. Joachim Jeremias, *Jerusalem in the Time of Jesus*, Filadélfia. Fortress Press, 1969. J. L. Kelso e E. M. Blaiklock, "Trade and Commerce", NBD, pp. 1287-1290. W. F. Leemans, "Old Babylonian Letters and Economic History", *Journal of the Economic* *and Social History of the Orient*, XI (1968), 171-226. Nimet Özgüe, "Assyrian Trade Colonies in Anatolia", *Archaeology*, XXII (1969), 250-255. H. W. F. Saggs, *The Greatness That Was Babylon*, Nova York. New American Library, a Mentor Book, 1962, pp. 262-287. Edwin Yamauchi, *Greece and Babylon*, Grand Rapids. Baker, 1967.

I. R.

**COMÉRCIO** *Veja* Comércio; Empréstimo; Ocupações: Negociante.

**COMINHO** *Veja* Plantas.

**COMISSÃO, A GRANDE** A ordem pós-ressurreição de Jesus Cristo aos seus discípulos como registrado em Mateus 28.19,20; Marcos 16.15-18; Lucas 24.46-49; Jo 20.21-23 e Atos 1.4,5,8.

*Sua integridade*. A autenticidade e a veracidade das passagens da Grande Comissão, especialmente como encontradas em Mateus e Marcos, foram atacadas por representantes do racionalismo e da alta crítica, a primeira com base teológica e a segunda com evidências manuscritas. Estudiosos evangélicos, porém, têm defendido a veracidade como também a autenticidade das passagens e defenderam bem a questão com base nas evidências internas e externas.

*Sua interpretação*. A interpretação das passagens da Grande Comissão diferenciou-se grandemente através dos séculos e causou uma considerável discussão. Os debates giraram em torno de várias questões. Estas palavras foram faladas aos discípulos como apóstolos de Jesus Cristo? Elas constituíram uma parte da atribuição singular para o ofício apostólico? Ou elas foram dirigidas aos apóstolos como representantes da igreja de Jesus Cristo, e dessa forma são parte da comissão da igreja até o final dos tempos? Novamente, qual é a inter-relação entre batizar e ensinar? A segunda atividade está coordenada com a primeira ou subordinada a ela, uma vez que a conjunção "e" está faltando entre os versículos 19 e 20 de Mateus 28? Ou o ensino está associado ao batismo, não sendo algo meramente subseqüente a ele? E como o batismo e o ensino estão relacionados a fazer discípulos? Qual é o real significado de batizar "no" nome? Por que a palavra "nome" é usada no singular quando ela é seguida por uma enumeração de três pessoas da Divindade?

Os estudiosos evangélicos têm procurado sempre responder a estas perguntas mantendo a apresentação que se segue, crendo que a comissão é dirigida à igreja e deve ser obedecida até o final dos séculos, e que deve ser interpretada à luz de uma revelação completa. Poucos comentadores lidam exaustivamente com as passagens da Grande Comissão. Recentemente surgiram dois estudos exegéticos de relevância. O primeiro é de Karl Barth, e o segundo de Robert D. Culver. Nenhum destes homens tenta investigar o escopo completo da Grande Comissão; ambos limitam os seus estudos à passagem do Evangelho de Mateus. Desse modo, estas são somente considerações parciais da Grande Comissão.

*Sua relação com o cristianismo*. A Grande Comissão não é um mandamento isolado, arbitrariamente imposto sobre o cristianismo. Ela é uma soma lógica e um fluxo natural do caráter de Deus à medida que Ele é revelado nas Escrituras (Ez 33.11; 1 Tm 2.4; 2 Pe 3.9), bem como do propósito e impulso missionários de Deus conforme revelado no AT (por exemplo, Is 49.6; 56.3-8; Jo 3.10; 4.2,11), e historicamente encarnado na chamada de Israel (Gn 12.1-3; Êx 19.5,6; Is 42.6,7,19); da vida, teologia e obra salvadora de Cristo como é revelada nos Evangelhos (Mt 9.35–11.1; Lc 19.10; Jo 10.16); da natureza e obra do Espírito Santo como predito por nosso Senhor e manifestado no Pentecostes e depois dele (At 2.17; 13.2,4; 16.6-10); e da natureza e projeto da igreja de Jesus Cristo como é revelado em Atos (2.9-11,21,39; 13.46-49; 15.7-18) e nas epístolas (Rm 10.18; Ef 2.11-22; 3.8-11; Cl 1.6,23). Cristo declarou profeticamente que seu Evangelho será pregado por todo o mundo como um testemunho para todas as nações antes que venha o fim (Mt 24.14). O cumprimento desta profecia está previsto na cena celestial descrita em Apocalipse 7.9,10. A comissão está, dessa forma, firmemente baseada no corpo total da revelação, tanto no AT como no NT. Ela forma uma unidade orgânica e uma parte integral dentro desta revelação, e só recebe o seu significado e força verdadeiros se vista neste relacionamento mais amplo.

A Grande Comissão não faz do cristianismo uma religião missionária. O cristianismo é assim por causa de sua fonte, natureza, e projeto como um todo. Os apóstolos tornaram-se missionários não por causa de uma comissão, mas porque o cristianismo é o que é, e por causa da habitação interior do Espírito Santo que é um espírito de missões. O próprio Senhor Jesus Cristo fala da missão do Espírito Santo como uma missão de testemunho (Jo 15.26; 16.8-15). Desse modo, se as palavras específicas da Grande Comissão nunca tivessem sido pronunciadas, ou se tendo sido pronunciadas elas não tivessem sido registradas ou preservadas, o impulso e a responsabilidade missionária da igreja não seriam sequer minimamente afetados. O impulso das missões prospera onde quer que o cristianismo seja verdadeiramente conhecido, totalmente crido e genuinamente experimentado.

*Seu valor*. No entanto, é de imenso valor que a Grande Comissão tenha sido ordenada pelo nosso Senhor, e registrada pelo Espírito Santo, através dos escritores dos Evangelhos. Embora não crie novas obrigações para o cristianismo, esta ordem final de Jesus Cristo concentra-se fortemente no impulso e responsabilidade missionária além da dúvida e da disputa razoável. Novamente, sua singularidade como o principal mandamento do Senhor em seu ministério ressurrecto a destaca como única entre as suas palavras, e a torna mais do que apenas uma comissão entre muitos outros mandamentos aos discípulos. A sua reafirmação por cada um dos escritores dos Evangelhos testemunha sua tradição viva na igreja primitiva, e o livro de Atos demonstra sua dinâmica no movimento original do cristianismo.

*Sua natureza composta.* A Grande Comissão é um mandamento composto. Seu registro em todos os quatro Evangelhos e em Atos é singular entre as palavras de Cristo e destaca sua importância na mente de cada escritor, sua riqueza e plenitude de conteúdo, e a unidade e estilo de cada um dos Evangelhos. Todos eles culminam na Grande Comissão e apontam para uma direção comum. O cristianismo é centrífugo em natureza e impulso. O fato de que cada um dos quatro evangelistas entrega a Grande Comissão de uma forma ou de outra, precisa ser observado. Nenhum deles a entrega em sua totalidade. Embora cada um dos evangelistas a apresente sob o seu próprio ponto de vista e com sua própria ênfase, juntos eles completam uns aos outros, trazendo uma totalidade, como mostra o seguinte esquema.

Mateus – a autoridade, o objetivo com total inclusão e a extensão de tempo da obra.

Marcos – o método e o escopo geográfico da obra.

Lucas – a mensagem e a universalidade da obra.

João – o equipamento espiritual e a natureza espiritual da obra.

Somente quando vemos todo o esquema como é apresentado nos quatro Evangelhos, é que enxergamos a Grande Comissão em sua totalidade.

*Seu alcance e padrão.* Uma análise da Grande Comissão revela dois imperativos no grego original que dão direção à comissão. Estes são encontrados em Mateus e Marcos nas palavras "fazei discípulos" e "pregai o evangelho". Assim, a Grande Comissão é como uma elipse com seus focos duplos. Enquanto que nos anos anteriores ao movimento missionário moderno iniciando com William Carey, a ênfase estava sobre o enfoque de Marcos – "pregai o evangelho" - e o evangelismo era o impulso total das missões, a ênfase hoje é sobre o enfoque de Mateus – "fazei discípulos" – e a implantação das igrejas chegou ao seu primeiro plano. A Bíblia iria enfatizar ambos e mantê-los em um correto equilíbrio. Os dois imperativos são completados pelos termos "ide" (Mc 16.15; Mt 28.19), "batizando" (Mt 28.19; cf. Mc 16.16), e "ensinando" (Mt 28.20). Não há verbos imperativos relativos a testemunho ou pregação em Lucas, João ou Atos. No entanto, há uma força bíblica ("assim está escrito", Lucas 24.46) e espiritual ("recebei o Espírito Santo", João 20.22) por trás destas palavras, de forma que um mandamento para testemunhar não é necessário; na verdade, pareceria até mesmo deslocado. A dinâmica da Palavra e do Espírito substitui o imperativo.

Então, um estudo da Grande Comissão composta como registrado nos quatro Evangelhos, produz os seguintes fatos. O *objetivo* que inclui tudo é *"fazei discípulos"* de todas as nações. Para que este propósito se cumpra, deve acontecer o seguinte.

1. Os cristãos devem se engajar em uma proclamação intensiva e extensiva do Evangelho entre as nações do mundo, comunicando significativamente o Evangelho de Deus como está registrado nas Escrituras.
2. Os cristãos devem conduzir as pessoas a uma experiência da graça de Deus que se torna disponível através da morte e ressurreição de Jesus Cristo, oferecendo o perdão dos pecados em seu Nome a todos os que crerem no Evangelho.
3. Os cristãos devem separar as pessoas de seus velhos relacionamentos pecaminosos (sem tirá-las de sua própria cultura) e edificá-las dentro da nova congregação de Deus através da prática do batismo.
4. Os cristãos devem doutriná-las nos preceitos do Mestre, e, assim, pela renovação de suas mentes, moldá-las no verdadeiro discipulado cristão.

Este é o padrão do nosso ministério de acordo com a Grande Comissão. Nenhuma das coisas essenciais podem ser omitidas ou negligenciadas. Nem o tempo exaure a dinâmica ou a validade da comissão. Os mandamentos de Cristo ligam cada cristão a esta tarefa, até a consumação dos séculos. *Veja* Evangelistas; Testemunho.

***Bibliografia.*** Karl Barth, *The Theology of the Christian Mission*, ed. por Gerald Andersen, Nova York. McGraw-Hill. Robert D. Culver, "What Is the Church's Commission? Some Exegetical Issues in Matthew 28.16-20", *Bulletin of Evangelical Theological Society*, X (1967), 115-126. Joachim Jeremias, *Jesus' Promise to the Nations*, trad. S. H. Hooke, Naperville, Ill.. Allenson, 1958, (esta obra traz uma excelente bibliografia). George E. Mendenhall, "Missions", IDB, III, 404ss. John R. W. Stott, "The Great Commission", ChT, XII (1968), 723-725,778-782, 826-829. John M. L. Young, "Theology of Missions, Covenant-centered", CT, XIII (1968), 162-165.

G. W. P.

**COMITIVA** A "comitiva" ou "exército" da rainha de Sabá ao visitar Salomão, se refere ao poder ou riqueza e aos recursos exibidos na caravana de homens e animais que ela levou consigo (1 Rs 10.2). Esta é a palavra *hayil* usada em Zacarias 4.6, "Não por força...", e que aparece em Deuteronômio 8.17,18 como "riquezas" ou "poder".

P. C. J.

**COMPAIXÃO** *Veja* Misericórdia.

**COMPANHEIRO** Um termo denotando, como em Gênesis 38.12, um amigo, parceiro, colaborador, isto é, um amigo companheiro; ou, de forma menos pessoal, um concidadão ou o próximo (Lv 19.18). O feminino no heb., *r^euth*, significa companheira ou vizinha (Êx 11.2). O nome Rute, significando "amizade", vem da mesma raiz. O termo "companheiro", às vezes, denota desprezo quando usado como zombaria, como no caso de 2 Samuel 6.20, onde significa "vadios". Outros termos do AT são *haber* (Ez 37.16), e *'amith*, que é usado profeticamente em relação a Cristo em Zacarias 13.7. Os sinônimos do NT são encontrados em Mateus 11.16; 20.13 (*hetairos*); Lucas 5.7; Hb 1.9 (*metochos*). Cf. também co-herdeiro (Rm 8.17); conservo (Mt 18.28); condiscípulo (Jo 11.16).

**COMPASSAR** Várias palavras hebraicas são usadas para designar uma circunferência: As formas substantivas sugerem um círculo ou esfera (Pv 8.27; Jó 26.10); uma circunferência, circuito ou rebordo (Êx 27.5; 38.4); compasso ou instrumento para descrever um círculo (Is 44.13); o que é cilíndrico (1 Rs 7.35). As formas verbais freqüentemente significam circundar, rodear (Gn 2.11; Dt 2.1; Jr 31.22; Sl 18.4; Is 50.11); estar cercado ou cercar (Js 15.10; 18.14; 19.14); cercar (1 Sm 23.26; 2 Rs 6.14; Lc 21.20); e outras variações.

**COMPELIR** Esta palavra traz consigo a idéia tanto de força como de persuasão. Várias palavras transmitem vários aspectos destas idéias: (1) Ela pode significar "rogar ou constranger" (1 Sm 28.23); (2) "forçar" (impelir ou seduzir; 2 Crônicas 21.11), "pressionar" (forçar ou constranger; Et 1.8), "obrigar" ao serviço (Mt 5.41; 27.32), "constranger" por força ou súplica (Lc 14.23).

**COMPLETO** *Veja* Perfeito.

**COMUNHÃO** Comunhão (gr. *koinonia*) significa companheirismo ou parceria com outros baseado em algo que se tenha em comum. A comunhão cristã pode ser considerada sob vários aspectos.

*Participantes.* A comunhão do cristão é em primeiro lugar com Deus (1 Jo 1.6); com Cristo (1 Co 1.9), com o Espírito Santo (Fp 2.1; 2 Co 13.13), com o Pai e o Filho (1 Jo 1.3; Jo 14.6,23,26). Em segundo lugar com os companheiros cristãos (Jo 15.12; 1 Jo 1.3,7).

*Base.* A comunhão do cristão com os homens deve, porém, ser baseada, em primeiro lugar, em sua clara confissão de que Cristo é o Messias prometido e que verdadeiramente teve um corpo humano de carne e ossos (1 Jo 4.2,3; 2 Jo 7-11); e em segundo lugar, o cristão não deve estar em comunhão com aqueles que vivem em pecados patentes abertos tais como fornicação, idolatria, cobiça e embriaguez (1 Co 5.11). Contudo, o cristão pode se associar ou conviver com não-salvos que tenham estes pecados, e terá de fazê-lo porque ele faz parte do mundo. Porém, o fato de os cristãos não poderem agir da mesma forma que aqueles que não conhecem a Cristo, mostra o perigo de tais pecados patentes não apenas para os cristãos que vivem no pecado, mas também para os demais. Além disso, ao cristão é proibido ficar preso ao mesmo jugo dos incrédulos (2 Co 6.14-18). Neste contexto, Paulo está falando com aqueles que recentemente deixaram o paganismo. Mesmo assim, o princípio da separação do paganismo é difícil de distinguir da separação daqueles que defendem doutrinas erradas a respeito de Cristo, particularmente uma vez que João proibiu a comunhão com tais enganadores (1 Jo 4.2ss.; 2 Jo 7-11).

*Meio de comunhão.* Existem pelo menos cinco tipos específicos de comunhão ou do ato de compartilhar, que são desfrutados pelo cristão.

1. A comunhão na Ceia do Senhor (1 Co 10.16-21), na qual o crente professa sua fé no sangue expiatório de Cristo e manifesta sua morte até que Ele volte (1 Co 11.23-26). Paulo dá instruções muito cuidadosas no que diz respeito a esta comunhão, e nos adverte a examinarmos a nós mesmos antes de participarmos da Mesa do Senhor (1 Co 11.27,28).

2. A comunhão como membro da igreja. O nosso Senhor estabeleceu sua igreja do NT, ou o corpo dos chamados crentes, declarando-se publicamente como o Salvador (Mt 16.18). Ele estabeleceu uma unidade vital em Si mesmo, fazendo tanto de judeus como de gentios um novo "homem" ou "corpo" (Ef 2.14-16). Ele amou a igreja como sua própria noiva, e deu a si mesmo por ela (Ef 5.25ss.). Nas igrejas ou assembléias locais, os cristãos devem ser alimentados (Hb 10.24,25; cf. Ml 3.16) e desfrutar a comunhão na Palavra e na oração (At 2.42).

3. Dar; este é um mandamento (1 Tm 6.18; Hb 13.16) que pode consistir de uma doação sistemática regular (Rm 15.26; 2 Co 8.4; 9.13), ou pode ocorrer na doação de grandes somas ou até mesmo de tudo o que alguém possui em um determinado momento (At 4.36,37; 5.1-11). Nos casos em que há oportunidade de se ofertar tudo, a doação estará inteiramente a critério do doador (At 5.4).

Esta é, em alguns casos, necessária, para que o indivíduo em particular possa estar efetivamente se afastando de seu pecado costumeiro de cobiça (cf. o jovem rico, Lucas 18.18ss.).
4. Ministração aos santos, tais como fundos de socorro para outras igrejas (At 11.29; Rm 15.25), ajuda a cristãos que estejam passando momentos de necessidade (Rm 12.13; 2 Co 8.4; e talvez a outras pessoas também Hb 13.16), suportando e compartilhando os fardos de outras pessoas (Rm 15.1; Tg 5.16).
5. Comunhão no sofrimento. Isto se refere ao sofrimento como membro do corpo de Cristo, da participação nos sofrimentos e aflições de Cristo (Fp 3.10; cf. Cl 1.24).
Não há uma outra comunhão, isto é, aquela comunhão dos bens ou o "comunismo cristão" mencionado em Atos 4? A experiência de ter todas as coisas em comum foi tentada imediatamente após o Pentecostes. Uma vez que este procedimento não foi ordenado para uso futuro, nem foi condenado, e pelo fato de desde então nunca mais ter sido praticado por ninguém exceto por alguns pequenos grupos de cristãos, o consenso geral é que ele deva ter sido um fracasso, ou apenas um procedimento temporário. *Veja* Comunidade de Bens.
*Limites da comunhão.* A questão sobre até que ponto a doutrina da comunhão cristã exige que a igreja prossiga na remoção dos limites denominacionais através da fusão e da união, tem recebido uma atenção crescente durante os últimos 50 anos. Em 1923, todos os metodistas, os congregacionalistas e 55 por cento dos presbiterianos uniram-se para formar a Igreja Unida no Canadá, e desde então muitas outras uniões têm ocorrido nos Estados Unidos. Atualmente, 25 milhões de protestantes nos Estados Unidos estão trabalhando em um plano de união da igreja. Embora, sem dúvida alguma, muitas divisões dentro do corpo de Cristo sejam desnecessárias e prejudiciais, a homogeneização quase que universal de todas as diferenças a fim de atingir uma grande igreja unida apresenta questões e perigos reais.
O Senhor Jesus Cristo de fato orou "para que todos sejam um... " assim como Ele e o Pai são um (Jo 17.21,22); entretanto, a base na qual a união está sendo adotada deve ser examinada. Qualquer união – baseada no ajuntamento daqueles que verdadeiramente crêem que Cristo é o único Filho de Deus, que se fez carne, morreu na cruz para tomar sobre si os pecados dos crentes, e ressuscitou corporeamente no terceiro dia – com homens ou igrejas que não creiam nestes fundamentos da fé, não é bíblica.
O movimento que visa promover uma união do protestantismo com o catolicismo romano também levanta o problema da verdadeira comunhão bíblica, embora de uma outra forma. Não é a questão da identidade de Cristo que separa os católicos dos protestantes, mas sim a questão relacionada ao que Cristo fez. Ele ofereceu o único e suficiente sacrifício para salvar o pecador dos pecados praticados, ou um sacrifício que é ineficaz sem as nossas boas obras? Cristo é o único mediador entre Deus e o homem, ou devemos depender também da obra intercessória de Maria e dos santos? Cristo orou por uma unidade de *comunhão*, não de *organização*; uma unidade no Espírito e na nova vida que Ele concede (2 Co 13.13), na qual todos os membros de seu único corpo são diferentes (1 Co 12); o Senhor não orou por uma uniformidade estrutural. A distinção e a pluralidade eternas das pessoas da Trindade indicam que ao fazer sua comparação, Cristo leva em consideração e permite a diversidade dentro da unidade de seu corpo (Jo 17.21-23). *Veja* Comunhão dos Santos.

***Bibliografia.*** Friedrich Hanck, "*Koinos* etc.", TDNT, III, 789-809.

R. A. K.

**COMUNHÃO** *Veja* Ceia do Senhor.

**COMUNHÃO DOS SANTOS** Gr. *koinonia*, um termo que pode ser traduzido como "comunhão" ou "amizade", designa um compartilhamento comum ou a participação em algo. Ela (e suas formas cognatas) descreve a comunhão dos verdadeiros crentes com o Senhor e uns com os outros. Os ensinos essenciais relativos a esta verdade podem ser assim apresentados.
A comunhão surge com o novo nascimento (Jo 3.1-12), e é, portanto, restrita àqueles que estão "em Cristo" (2 Co 5.17). Sua paternidade espiritual comum faz deles uma irmandade comum (Hb 2.11-13).
Dessa forma, a comunhão representa a unidade espiritual que liga os crentes a Jesus Cristo e uns com aos outros (Jo 15.1-10; 17.21,23; Ef 4.3-16). Esta unidade transcende os laços naturais (Gl 3.28; Cl 3.11), embora não venha a abolir as diferenças providenciais entre os crentes (1 Co 7.20-24; Ef 6.5-9).
Esta comunhão encontra um resultado visível no compartilhamento mútuo das bênçãos materiais (Rm 12.13; 15.26,27; 2 Co 8.4; 9.9-14; Gl 6.6; Fp 4.14-16). Na comunidade apostólica, no Pentecostes, este compartilhamento tomou a forma de uma comunidade de bens, embora não seja evidente que esta inovação tenha se tornado um precedente para as épocas seguintes (mas cf. 1 Tm 6.18; Hb 13.16).
Em um nível mais elevado, a comunhão prepara para o uso livre dos dons espirituais, embora estes dons não sejam igualmente conferidos a todos os crentes (Mt 25.15; 1 Co 12.1-31). Dentro da comunidade cristã, as posições de liderança são tão importantes quanto as posições de submissão (Fp 2.29; 1 Ts 5.12,13; 2 Ts 3.14; Hb 13.7,17).

Restrita aos regenerados, a comunhão dos santos exclui necessariamente todos os outros relacionamentos que não lhe sejam compatíveis. O filho de Deus não pode mais participar, no nível espiritual, dos planos e programas da humanidade pecaminosa (Sl 1.1,2; 26.4,5; 1 Co 5.9-11; 2 Co 6.14-18; Ef 5.7,11; 1 Tm 5.22).

Esta comunhão pode ser interrompida ou perturbada pelo pecado (1 Co 5.1-7; 1 Jo 1.6-10), ou por algum erro de conduta (2 Ts 3.6-15), ou em relação à doutrina (1 Jo 2.19; 2 Jo 9-11). É, portanto, muito necessário para o crente guardar sua vida escrupulosamente (1 Co 6.1-20).

Na vida atual, a comunhão dos santos encontra sua maior realização na comunhão com o Deus Trino (1 Co 1.9; 2 Co 13.14; Fp 2.1; 1 Jo 1.3). Nos sofrimentos de Cristo (Fp 3.10; 1 Pe 4.13) o crente encontra sua comunhão que é visivelmente retratada na Ceia do Senhor (1 Co 10.16,20,21; 11.20-34).

Esta comunhão abençoada atinge sua consumação na comunhão eterna dos crentes com o Deus Trino e uns com os outros (Sl 73.23-26; Mt 8.11; Hb 12.22-24). Esta comunhão constitui uma bênção suprema da glória dos céus (Ap 5.9-14; 7.9-17). *Veja* Amizade.

W. B.

**COMUNIDADE DE BENS** Com um grande segmento da população do mundo sob o controle político e econômico do comunismo, e com uma crescente discussão largamente difundida da teoria comunista em todos os lugares do mundo, a pergunta que sempre surge é se a Bíblia recomenda ou até mesmo ordena a propriedade comum de bens.

É verdade que Jesus ordenou a um jovem governante rico que vendesse os seus bens e desse o dinheiro aos pobres (Lc 18.18-30), mas a razão para a ordem era testar a extensão de sua fé, e não forçar um nivelamento social e econômico. Deve ser lembrado que em outra ocasião, quando os discípulos discutiam que a unção de Maria ao Mestre fora um desperdício, e que seria melhor que o dinheiro do perfume fosse dado aos pobres, Jesus disse: "Porquanto sempre tendes convosco os pobres, mas a mim não me haveis de ter sempre" (Mt 26.11).

No que diz respeito à igreja primitiva e às Escrituras neste particular, há apenas um lugar onde a propriedade comum de bens era praticada e apenas duas passagens referindo-se a isto. Em Jerusalém, após a descida do Espírito Santo no Pentecostes, os irmãos da nova comunhão dos cristãos desfrutavam de uma extraordinária unidade, chegando a ter tudo em comum. Aqueles que tinham riquezas dividiam-nas entre si, e todos tiravam do tesouro comum à medida que tinham necessidades (At 2.44,45).

Após uma deflagração de perseguição, o Espírito Santo novamente moveu-se entre os crentes em Jerusalém. Novamente é dito que eles tinham tudo em comum; ninguém estava em necessidade. Barnabé foi apontado como uma pessoa abastada que vendeu uma propriedade e contribuiu para o tesouro comum. Neste contexto aparece o relato da morte de Ananias e Safira. Eles também venderam uma propriedade, mas estavam mais preocupados com a reputação pela filantropia, do que com a honestidade. Eles retiveram parte do dinheiro da venda, embora tenham dito que haviam dado tudo ao apresentarem sua contribuição ao tesouro comum. Deus não iria tolerar o pecado na igreja primitiva que estava nascendo, mais do que nos dias antigos na ocupação nacional hebraica de Canaã (quando Ele julgou Acã, Josué 7), e então aniquilou tanto Ananias quanto Safira. O poder estava ligado à pureza na inauguração da igreja cristã (At 4.32–5.11).

Que conclusões podem ser tiradas, então, com respeito à abordagem bíblica ao comunismo? Em primeiro lugar, a Bíblia certamente não apóia o Comunismo Marxista com sua filosofia anti-Deus e seu conceito de guerra de classes. Várias passagens (por exemplo, Ef 6.5-9; Cl 3.22–4.1) admoestam os trabalhadores a ter boas relações com os seus patrões, e vice versa. Segundo, a posse pública da propriedade entre os crentes parece ter sido restrita a Jerusalém. Seja em Antioquia da Síria, Filipos ou Tessalônica, os crentes praticavam a posse privada da propriedade, e não há nenhuma indicação de que fossem incentivados a partilharem seus recursos. Eles eram, porém, exortados a contribuir com várias coletas para os santos pobres em Jerusalém. Além disso, não há nenhuma prova de que a posse pública da propriedade tenha continuado indefinidamente em Jerusalém. Além do mais, aparentemente, a posse pública da propriedade era opcional em Jerusalém. Em seu julgamento, Pedro concentrou-se na desonestidade de Ananias. Ele deixou claro que Ananias não tinha que vender sua propriedade; e uma vez que o tivesse feito, não era obrigado a doar o produto da venda ao tesouro comum. O seu pecado consistiu em ter afirmado que deu tudo, quando na verdade reteve uma parte (At 5.3,4).

Parece ter havido uma necessidade especial e temporária para uma posse pública da propriedade em Jerusalém. Muitos judeus da Dispersão, presentes em Jerusalém para a festa judaica do Pentecostes, se converteram e se demoraram ali desfrutando das bênçãos espirituais. Havia poucos meios de sustento para eles. Provavelmente, muitos deles teriam sido excluídos de suas famílias socialmente e economicamente se tivessem voltado para suas casas. Semelhantemente, muitos judeus palestinos foram excluídos de sua sociedade após a conversão, e assim não mais possuíam um meio de sustento. Além disso, na melhor hipótese, os judeus de Jerusalém na época do NT tinham uma situação econômica difícil. Esta situação econômica difícil dos crentes eli era realmente grande. Um tesouro comum parecia necessário para aquele momento, quando várias coletas foram feitas por Paulo "para os pobres dentre os santos" que estavam "em Jerusalém".

Se os crentes hoje desejarem viver em um acordo onde os cristãos tenham a posse pública dos bens, eles devem se sentir livres para assim proceder; mas a Escritura não os obriga a viver desta maneira, e eles não devem julgar os outros crentes que preferem usufruir a posse privada da propriedade. Todos devem se lembrar de que são meramente mordomos de tudo o que Deus lhes tem dado, e que são exortados a exercitar a mordomia fiel das posses que lhes foram confiadas. *Veja* Comunhão; Mordomo.

H. F. V.

**CONANIAS**[1] Um dos chefes dos levitas no reinado do rei Josias (2 Cr 35.9).

**CONANIAS**[2] Um levita, nomeado juntamente com seu irmão Simei por Ezequias, o rei, e Azarias o chefe da Casa de Deus, para supervisionar as ofertas, os dízimos e as coisas consagradas (2 Cr 31.12,13).

**CONCÍLIO DE JERUSALÉM** *Veja* Conselho Apostólico.

**CONCISÃO** (Gr. *katatome*, "reduzir ou extirpar", "mutilar").

Usado por Paulo uma vez em Filipenses 3.2, onde ele desdenhosamente fala da circuncisão física, considerada pelos judaizantes como necessária para a salvação, como um tipo de mutilação em comparação à verdadeira circuncisão espiritual daqueles que adoram a Deus em Espírito. Ele sugere que aqueles que estavam perturbando os gálatas deveriam mutilar-se (gr. *peritome*; Gl 5.12). Esta passagem pode se referir à emasculação, como é encontrado no culto a Cybele-Attis. Em Colossenses 2.10,11 Paulo fala de uma circuncisão "não feita por mãos", em Cristo, e a iguala ao batismo na morte de Cristo (cf. Rm 6.3-5). A verdadeira circuncisão, então, é a fase do batismo na qual o Espírito Santo identifica o crente com tudo o que Cristo fez para sua justificação. *Veja* Batismo; Circuncisão.

**CONCUBINA** Embora unida legalmente a um homem no casamento, a concubina era um tipo secundário de esposa e inferior a uma esposa completa. A concubina era parte natural de uma sociedade polígama. O costume era reconhecido e regulamentado no código de Hamurabi (século XIII a.C.) e também nas leis de Moisés (Êx 21.7-11; Dt 21.10-14). As concubinas eram geralmente escolhidas dentre as escravas hebréias ou estrangeiras, ou dentre as cativas estrangeiras. Elas não desfrutavam de nenhum direito em particular nos assuntos familiares, e poderiam ser mandadas embora com um mero presente. Seus filhos eram excluídos do direito a uma herança (por exemplo, os filhos de Agar e Quetura, Gn 25.1-6). Embora seus filhos fossem considerados legítimos, eles eram tratados como secundários quando se tratava de heranças.

Nos tempos patriarcais, seguindo os costumes mesopotâmios, as concubinas serviam particularmente para dar continuidade à linhagem de uma família, quando a verdadeira esposa era estéril (Gn 16.3). O casamento levirato, por outro lado, supria esta necessidade quando o marido morria sem descendentes. O irmão do falecido deveria tomar a viúva como esposa (Dt 25.5-10; cf. Mt 22.23ss.) e suscitar-lhe descendência.

Alguns homens que tinham concubinas no AT eram Naor (Gn 22.24), Abraão (Gn 25.6), Jacó (Gn 35.22), Elifaz (Gn 36.12), Gideão (Jz 8.31), Saul (2 Sm 3.7), Davi (2 Sm 5.13; 15.16; 16.21) e Salomão (1 Rs 11.3). Os problemas e os perigos desta prática são mostrados no AT, particularmente no caso de Salomão, onde suas muitas esposas e concubinas fizeram com que ele permitisse a adoração pagã e assim pecasse (1 Rs 11.1-8).

Os profetas posteriores incentivavam a monogamia (Ml 2.14ss.). Provérbios 31 apresenta esta exortação como sendo o ideal. Em seu ensino sobre o casamento (Mt 19.3-9) o Senhor Jesus Cristo sugere que a poligamia estava entre aquilo que Moisés permitia, apenas por causa da dureza dos corações dos homens (Mt 19.8), mostrando, assim, que esta prática está excluída para todos os cristãos. O ensino das epístolas é claro ao orientar que qualquer líder de uma igreja deve ser marido de apenas uma mulher (1 Tm 3.2,12; Tt 1.6), e que cada crente deve amar sua esposa (singular) como a si mesmo (Ef 5.33). *Veja* Família; Casamento.

R. A. K.

**CONCUPISCÊNCIA**[1] A palavra luxúria, empregada em várias versões da Bíblia Sagrada, abrange uma grande variedade de desejos. Em 1611 d.C. ela não estava restrita ao sentido moderno de paixão sexual.

1. Forte desejo. Pode ser um desejo ardente (heb. *nephesh*), como o do exército egípcio para alcançar e destruir Israel no Mar Vermelho (Êx 15.9); ou dos negociantes ansiosos (*epithumias*) para auferir os lucros de seus empreendimentos comerciais (Ap 18.14); ou simplesmente um desejo (gr. *epithumia*) ou uma ambição por outras coisas (Mc 4.19).

2. Desejo excessivo, forte anseio, luxúria no sentido de excesso (heb. *ta'awa*, Nm 11.4,34;

Sl 78.30). Muitas coisas boas quando feitas em excesso para a autogratificação se tornam luxúria, como por exemplo, comer demais, gastar tempo demais com o prazer (Rm 13.14).
3. Um desejo consumidor pelo que é bom, isto é, zelo pelo que é correto. O termo gr. *epithumia*, quando usado para o que é verdadeiramente um zelo piedoso, foi traduzido como "desejo" em Lucas 22.15; Filipenses 1.23; 1 Tessalonicenses 2.17. Este uso do termo grego mostra claramente que é o objeto de desejo de uma pessoa ou sua motivação (e não sua intensidade), que torna esse desejo certo ou errado.
4. A luxúria como um anseio por aquilo que é proibido. Esse é o uso mais comum do termo. Paulo revela que Deus entregou o homem caído às suas próprias concupiscências (*epithumiais*, Rm 1.24). Ele cita o mandamento do AT, "Não cobiçarás" (Êx 20.17; Dt 5.21), em Romanos 7.7, mostrando que cobiçar aquilo que não é seu é uma forma de luxúria. Aparentemente, esse era o próprio pecado costumeiro de Paulo com o qual ele teve que lutar mais vigorosamente após sua conversão (Rm 7.7-25).

A concupiscência (*epithumia*), Tiago declara, é uma causa raiz do pecado (Tg 1.14,15), que por sua vez leva à morte. O caminho de derrocada da luxúria é retratado em Romanos 1.24-32. Tiago também usa um outro termo, o gr. *hedone*, em 4.1,3 para explicar que as discussões e conflitos entre os crentes resultam da luxúria e dos prazeres que combatem nos próprios membros de seus corpos. A palavra também ocorre como "deleites da vida" em Lucas 8.14 e como "escravos de toda sorte de paixões [*epithumiais*] e prazeres" ou "servindo a várias concupiscências [*epithumiais*] e deleites" em Tito 3.3.

*Veja* Cobiça; Pecado.

***Bibliografia.*** Friedrich Büchsel, "*Thumos, Epithumia* etc.", TDNT, III, 167-172. Gustav Stahlin, "*Hedone*", TDNT, II, 909-926.

R. A. K.

**CONCUPISCÊNCIA**[2] Um termo usado teologicamente para expressar os desejos malignos e lascivos que assediam os homens caídos (Rm 7.8; Cl 3.5; 1 Ts 4.5).

Existe uma grande diferença de opinião entre os próprios católicos romanos sobre a verdadeira natureza desta palavra, e também entre os católicos e os protestantes em geral. Agostinho a restringiu à lascívia sexual; outros a estenderam a todos os desejos irregulares, daí então a falta de concordância. Aquino a via como pecado, mas em geral os católicos romanos não consideram a concupiscência em si um pecado. O Concílio de Trento falou em termos negativos e vacilou quanto à questão. Ela foi considerada como algo que provoca o pecado. Entenderam que o homem foi criado com esta característica em si, e com o *donum superadditum*, o dom adicional da justiça original, que manteve o controle até que o homem caiu. Ela está contraposta no batismo e por *gratia infusa* (infusão da graça), na regeneração. Esta linha de raciocínio leva à conclusão de que a concupiscência é algo pelo que o homem não pode ser julgado responsável.

A opinião bíblica Reformada vê a concupiscência como a lascívia que leva a pecar, desenvolvida quando o homem rebelou-se contra Deus e caiu. Ela é pecaminosa em si, e revela a corrupção de toda a natureza do homem e o pecado que está nele. Não só as ações voluntárias são pecado, mas os pensamentos intencionais (Gn 6.5; Mt 5.28). Paulo fala disto em Romanos 7 quando reconhece sua própria fraqueza e tendência a pecar.

A concupiscência só pode ser vencida através do reconhecimento de que a natureza caída em nós está julgada (Rm 8.3); e então devemos passar a andar no Espírito, e deixar que Ele mantenha a lei de Deus em nós (Rm 8.4). Isto significa ter uma vida cheia do Espírito. *Veja* Cobiça; Lascívia.

R. A. K.

**CONDENAÇÃO (CONDENAR)** Uma decisão desfavorável ou sentença pronunciada por Deus ou por um ser humano. No AT, o verbo "condenar" em quase todos os casos traduz a palavra heb. *rasha'*, significando "condenar como culpado", e é usado tanto em relações civis (Dt 25.1; Sl 94.21; Jó 34.17) quanto em relações éticas e religiosas (Jó 9.20; 10.2; Sl 37.33; Pv 12.2; Is 50.9; 54.17).

No NT, ocasionalmente as palavras "condenar" e "condenação" são usadas para traduzir a palavra grega mais curta "julgar" e "julgamento" (*q.v.*). O contexto deixa claro se é simplesmente uma decisão pronunciada ou uma sentença desfavorável imposta por Deus ou pelo homem (cf. Jo 3.17,19; 5.24; Lc 23.40; Tg 5.12).

A palavra grega mais freqüente é *katakrino* e deve ser distinguida das palavras anteriormente mencionadas no que se refere à sentença ou à punição que se segue à sentença (MM, p. 328) ao invés do simples ato de decidir em julgamento. Somente o contexto pode determinar a exata natureza da sentença. Por exemplo, em Marcos 10.33 e Mateus 20.18 a condenação ou sentença é para a morte física; em 2 Coríntios 7.3, Paulo se refere a uma condenação ou repreensão de comportamento diante dos outros. Em algumas passagens a referência é à condenação de Deus, e parece referir-se à sentença de Deus de juízo eterno sobre o pecador e tudo o que isto implica (Mt 12.41,42; 1 Co 11.32; 2 Co 3.9; 2 Pe 2.6).

Em Romanos 5.16,18, Paulo refere-se à condenação divina de toda a raça humana em Adão. Enquanto aqui alguns fazem uma distinção entre a sentença e sua punição ou execução legal (por exemplo, Deissmann, *Bible Studies*, pp. 264ss.), outros talvez corretamente assinalam que na condenação divina em distinção à humana, a sentença e sua execução - o início pelo menos - nunca podem estar separadas (TWNT, p. 951). Para os que estão "em Cristo Jesus", a sentença divina ou a punição legal pelos pecados cometidos no passado já não pesa mais sobre eles (Rm 8.1). A difícil expressão de Paulo. "Deus... condenou o pecado na carne" (Rm 8.3) parece afirmar que Deus tanto julgou como executou o castigo pelo pecado do homem sobre o Cristo que se fez carne (o Cristo encarnado).

Uma outra palavra (*katadikazo*) é usada basicamente no mesmo sentido que *katakrino* para os ricos senhores punindo os pobres lavradores inocentes (Tg 5.6); para as palavras falsamente faladas e mantidas como evidência para sentenciar aqueles que rejeitam a Cristo (Mt 12.37); para o ato de julgar as pessoas pessoalmente culpadas ao invés de absolvê-las (Lc 6.37); e para o pronunciamento dos fariseus contra os discípulos, por serem culpados de debulhar e comer grãos no sábado (Mt 12.7).

Uma palavra um tanto diferente (*katagi-nosko*) é usada em 1 João 3.20,21 com relação ao nosso coração nos condenando. A palavra significa "desprezo" e é usada quanto ao autojulgamento, talvez com a idéia de "sentimento de culpa", e admite o sentido de que Deus está por trás do sentimento de culpa nos mostrando que algo está errado, ou que o conhecimento de Deus é maior que o nosso próprio sentimento de culpa e que devemos persuadir os nossos corações levando-o ao ponto de vista de Deus (cf. Rm 14.22; Gl 2.11).

A. F. J.

**CONFECÇÃO (ou PREPARAÇÃO)** Fabricação de um perfume pelo boticário (perfumista) do templo (Êx 30.35). As diferentes versões da Bíblia Sagrada se referem a este perfume como "ungüento" ou "incenso", e falam de "confecção" referindo-se a uma mistura de substâncias ou perfumes feita pelos filhos dos sacerdotes (1 Cr 9.30).

**CONFECCIONADOR** *Veja* Ocupações: Perfumista.

**CONFECCIONISTAS** Este termo é encontrado apenas uma vez no AT, na versão KJV em inglês. Em 1 Samuel 8.13, lê-se: "E tomará as vossas filhas para confeccionistas. Na versão RC em português, lê-se: "E tomará as vossas filhas para perfumistas". Parece que estas faziam parte de um grupo de perfumistas (Ne 3.8; 2 Cr 16.14).

**CONFIANÇA** *Veja* Ousadia.

**CONFISSÃO** A palavra significa fazer uma admissão (geralmente com voz fraca) de uma mudança de posição. Quase todas as passagens bíblicas podem ser classificadas sob dois aspectos. uma confissão de pecado, ou uma confissão de fé. A confissão de pecado é feita a Deus (Sl 32.3-6; 1 Jo 1.9), àquele que sofreu o dano (Lc 17.4), a um conselheiro espiritual (2 Sm 12.13), ou à congregação de crentes (1 Co 5.3ss; cf. 2 Co 2.6ss). A confissão de fé deve ser feita abertamente diante dos homens (Mt 10.32; Rm 10.9; 1 Tm 6.12,13; Hb 3.1; 4.14; 10.23). No final, todos os homens serão obrigados a confessar o senhorio de Cristo (Fp 2.11). *Veja* Perdão.

***Bibliografia.*** Otto Michel, "*Homologeo*, etc.", TDNT, V, 199-220. John R. W. Stott, *Confess Your Sins. The Way of Reconciliation*, Filadélfia. Westminster Press, 1964.

**CONFORTO** Os termos do AT *naham*, "suspirar com", e *sa'ad*, "apoiar e refrescar", sugerem uma expressão de solidariedade e encorajamento. Os termos do NT expressam a idéia de fortalecimento, ânimo, falar com consolação. O mais comum, *parakaleo*, significa "ficar ao lado de alguém", particularmente para ajudar. Homens se confortam (Gn 37.35; Jó 6.10; Fp 2.19), e Deus é a fonte divina de conforto (Sl 119.76; Is 49.13; 2 Co 1.4). A verdadeira experiência de conforto na comunhão da igreja é a obra do Espírito Santo, apropriadamente chamado de "O Consolador" (Jo 14.16,26; 15.26; 16.7). *Veja* Paracleto. O conforto (ou a consolação) é um dos três principais resultados da profecia (1 Co 14.3). A maioria das versões freqüentemente traduz os termos originais como "consolação" (*q.v.*). *Veja* Exortação.

***Bibliografia.*** Gustav Stählin, "*Paramytheomai* etc"., TDNT, V, 816-823.

**CONFUSÃO DE LÍNGUAS** *Veja* Babel; Línguas, Confusão de.

**CONGREGAÇÃO, MONTE DA** Esta frase é encontrada em Isaías 14.13, que coloca a montanha dos lados ou recantos do norte. Não se refere a Sião, pois Sião não estava nem na parte norte da terra, nem estava localizada ao norte de Jerusalém. Em sua canção profética de escárnio, Isaías retrata os reis das nações falando com o rei da Babilônia (cf. v. 4) em termos do pensamento do povo, que não tinha o trono de seu deus entre eles como tinham os israelitas. Os babilônios colocavam a habitação de seu deus no pico das montanhas do norte que estavam perdidas nas nuvens. O grande motivo de orgulho de autodivinização do rei da Babilônia, inspirado por Satanás (Lúcifer), condenou-o a ser "lançado por terra" às profundezas mais baixas. Vários termos em Isaías 14.12-14 tais como "estrela da manhã", "filho da alva", "o Altíssimo" e o "monte da congregação" dos deuses, são comuns também na mitologia cananéia como é conhecido dos textos Ras Shamra (*q.v*). Os cananeus localizavam esta montanha em Jebel 'Aqra, ao N de Ugarite. *Veja* Lúcifer.

W. B.

**CONGREGAÇÃO, TABERNÁCULO DA** *Veja* Tabernáculo.

**CONGREGAÇÃO** As palavras hebraicas *qahal* ("assembléia") e *'edaa* ("congregação") são os termos mais freqüentes usados para designar uma reunião de Israel com propósitos religiosos ou políticos (BDB). Foi suposto, com base em Êxodo 12.6 e Números 14.5 (que trazem os termos congregação ou ajuntamento), que a "assembléia" constituía apenas uma parte da "congregação"; mas esta distinção, à luz de Levíticos 4.13 e Números 16.3 não tem grande sustentação. O texto em Provérbios 5.14 usa os termos como sinônimos ("congregação e ajuntamento" ou "assembléia e congregação").

A única distinção válida entre estes termos parece residir no fato de que *qahal* representa Israel como o povo ideal de Deus, ao passo que *'eda* designa a nação como uma entidade política sobre a terra. Este significado latente de *qahal* em certas passagens messiânicas nos Salmos (22.22,25; 35.18; 40.9,10; 89.5; 107.32; 149.1) coloca este termo em primeiro plano como o protótipo espiritual da *ekklesia* ("igreja") cristã. A justificação para este paralelismo de palavras pode ser vista na citação do Salmo 22.22 em Hebreus 2.12, onde *qahal* é traduzida por *ekklesia*. No entanto, *'eda* também tem as suas implicações espirituais (Sl 1.5; 74.2).

Deve ser notado que a versão ASV em inglês traduz *qahal* como "assembléia" em todas as passagens exceto em Gênesis (28.3; 35.11; 48.4), Jeremias (31.8; 44.15; 50.9) e Ezequiel (16.40; 17.17; 23.24,46,47; 26.7; 27.27,34; 32.3,22,23; 38.4,7,13,15). O termo "assembléia" ou "congregação" é usado em Jeremias 26.17 e 2 Crônicas 31.18. O termo "companhia" é usado em passagens que são consideradas como exceções. Por outro lado, a versão ASV em inglês traduz *'eda* como "congregação" em todas as passagens exceto onde, intencionalmente, ela usa "enxame" (Jz 14.8), "multidão" (Sl 68.30) e "companhia" (Nm 16.5ss., 11,16,40; 27.3; Jó 15.34; 16.7; Sl 22.16; 86.14; 106.17,18).

A condição para que um homem se tornasse membro da congregação de Israel, estava baseada na circuncisão (Gn 17.1-14). No entanto, os "estranhos" poderiam se tornar membros submetendo-se a esse mesmo ritual (Êx 12.48ss). Eles assim assumiam os mesmos direitos e responsabilidades dos israelitas natos (Êx 12.19; Nm 9.14; 15.15-29). A condição de membro poderia ser perdida ("excluído") pela rebelião contra as leis de Deus (Gn 17.14; Êx 12.15,19; 31.14; Lv 17.10,14; Nm 9.13; Ed 10.8). Alguns eram automaticamente excluídos por causa de deformidades físicas, ou pecados cometidos por seus ancestrais (Dt 23.1-8; Ne 13.1-3; Lm 1.10).

A congregação era convocada através do toque de trombetas (Nm 10.2-8). Tais propósitos como os que se seguem justificavam a convocação da congregação. para receber uma nova legislação (Lv 8.1-4); para realizar cerimônias religiosas (Êx 12.47; 2 Cr 30.1-13); para ouvir mensagens importantes (Js 23.2; 24.1; Ed 8.15ss.); para agir em questões morais (Jz 20.1; Ed 10.1-19); para ratificar uma aliança (2 Cr 15.9-15); para coroar um rei (1 Sm 10.17-25; 2 Sm 5.1-3; 1 Rs 12.20). Freqüentemente, porém, a nação era representada por anciãos e/ou chefes (Êx 3.16; 4.29ss.; 12.21; 17.5; 24.1,9-11; 34.31ss; Nm 31.13). Suas decisões eram aceitas como finais (Js 9.15,18; 22.30-34; Ed 10.14,16).

A congregação de Israel durante e depois da conquista de Canaã reuniu-se em lugares tais como Siloé (Js 18.1; 22.12), Siquém (Js 24.1,25) e Mispa (Jz 10.17; 11.11; 20.1; 1 Sm 10.17). A congregação reuniu-se em Hebrom para coroar Davi como rei (2 Sm 5.1-3), mas depois disso Jerusalém se tornou o ponto focal das reuniões nacionais (1 Cr 13.2; 15.29; 2 Cr 23.2ss; 30.1-13,25,26). Os judeus continuaram a fazer de Jerusalém seu centro nacional após retornarem do exílio na Babilônia (Ed 10.1,9).

Em duas passagens do NT (Hb 10.25; Tg 2.2), a reunião cristã é chamada de sinagoga (*synagoge*). Israel foi chamada de *ekklesia* (At 7.38). Mas *ekklesia*, "chamados para fora", acabou se tornando o termo específico para a igreja cristã à medida que a divisão entre a igreja e o judaísmo foi crescendo. Embora algumas características da igreja como, por exemplo, ser liderada por anciãos (At 15.2,23), indubitavelmente vieram do heb. "congregação", a igreja era uma nova sociedade, uma comunidade separada. Ela era formada por homens de várias nações e classes, que pela salvação foram transformados em "um só corpo em Cristo"; eles não eram mais judeus ou gentios, servos ou livres (Gl 3.28,29; Cl 3.11,15). A sua nova cidadania era do céu (Fp 3.20).

Aos membros desta nova congregação foi ordenado que se guardassem "da corrupção do mundo" (Tg 1.27), porque a amizade com o mundo (Tg 4.4) exclui o amor a Deus (1 Jo 2.15-17). Eles poderiam esperar a perseguição por parte do mundo. Embora não pertencessem ao mundo, seu Líder não escolheu tirá-los do mundo (Jo 17.14,15) e lhes havia dado uma responsabilidade de ganhar, do mundo, tantos quantos fosse possível (*veja* Comissão, Grande). Assim, a igreja cristã como um todo não se isolou do resto da sociedade humana. *Veja* Assembléia; Igreja; Sinagoga.

***Bibliografia.*** John W. Flight, "Man and Society", IDB, III, 250ss. Marvin H. Pope, "Congregation, Assembly", IDB, I, 669ss. J. A. Selbie, "Congregation", HDB, I, 466-467.

W. B.

**CONHECER ou SABER, CONHECIMENTO** *Termos bíblicos.* O verbo "conhecer" é usado tanto com relação a tornar-se conhecido e familiarizado com um objeto pela experiência, como a ganhar um conhecimento teórico ou geral em um sentido científico. No AT o segundo sentido está quase que totalmente ausente. O verbo heb. mais comum, *yaada'*, encontrado mais de 900 vezes, significa, basicamente, conhecer por experiência. O substantivo *da'at* é derivado dele e é freqüentemente quase que sinônimo de sabedoria, ocorrendo freqüentemente nos livros de sabedoria (por exemplo, Jó 15.2; 33.3; Pv 1.4; 1.7 com 9.10; Ec 1.16,18; 2.21,26). O verbo *nakar* significa conhecer, discernir, perceber, ou reconhecer (por exemplo, Gn 37.33; 42.7,8; Rt 3.14; 1 Sm 26.17; Jó 2.12).

No NT existem dois verbos básicos traduzidos como "conhecer". O primeiro, *ginosko*, tem uma variedade de usos, mas parece enfatizar o ganhar ou ter conhecimento baseado na experiência pessoal (Jo 17.3; Ef 3.19; Fp 3.10). O outro, *oida*, o tempo perfeito de *eido*, "ver", significa conhecer por ver ou por observar, e pode significar uma percepção puramente mental (por exemplo, o conhecimento que o Senhor Jesus tinha dos pensamentos dos fariseus ou dos seus discípulos, Mt 12.25; Lucas 6.8; 11.17; Mc 12.15; Jo 6.61). Ele é freqüentemente usado em relação, a saber, um fato ou verdade familiar (por exemplo, Mt 20.25; Mc 4.13; 10.19; Jo 9.29,31). Um outro verbo, *epistamai*, significa entender ou ser inteligente (At 10.28; 1 Tm 6.4; Tg 3.13). O substantivo *gnosis* é a palavra grega geral para conhecimento. O verbo *epiginosko* e seu substantivo *epignosis* sugerem um conhecimento total, completo ou real (Lc 1.4; Cl 1.9; 2 Pe 1.2,3,8).

*Definições.* Conhecimento é, de acordo com o dicionário Webster (*New Collegiate Dictionary*, 1958): "1. Familiaridade obtida por experiência real; habilidade prática. 2. Familiaridade com o fato... 3. O ato ou o estado de compreender; a clara percepção da verdade... 4. Que é obtida e preservada através do saber; esclarecimento; aprendizado". James Orr define o termo da seguinte forma. "Conhecimento é, rigorosamente, a apreensão pela mente de algum fato ou verdade em concordância com sua verdadeira natureza; em uma relação pessoal o ato intelectual está necessariamente conjugado ao elemento de afeição e vontade" (ISBE, III, 1816).

*A natureza do conhecimento do homem.* Tanto os sentidos como a compreensão têm o seu papel: os sentidos são os canais para a informação sobre os quais o conhecimento pode ser baseado; a compreensão é o fundamento de todo conhecimento obtido, e a fonte de conhecimento alcançada pelo raciocínio. O conhecimento deve ser diferenciado da opinião por sua maior certeza.

A natureza ou caráter do conhecimento varia com o objeto. O conhecimento de objetos e aparências exteriores vem através dos sentidos; o conhecimento dos princípios que governam estas aparências vem através do intelecto; e o conhecimento moral vem tanto através da revelação como da habilidade dadas por Deus para distinguir entre o certo e o errado. O conhecimento mais fundamental de todos, que explica a origem e a relação do mundo e do homem com o seu Criador, Deus, vem através da revelação (*q.v.*). Este conhecimento exige uma capacitação espiritual que é concedida por Deus (1 Co 2.10-14). É particularmente deste conhecimento que as Escrituras falam.

A obtenção de algum conhecimento transmite simplesmente a percepção dos fatos. Por exemplo, eventos na história; outros requerem compreensão e entendimento; e ainda outros, precisam de percepção, compreensão e aceitação pessoal. A revelação geral fornece ao homem o conhecimento suficiente de Deus, através de compreensão e entendimento, para torná-lo inescusável (Rm 1.19,20). A revelação especial dá ao homem o conhecimento suficiente para que através da compreensão e do entendimento ele possa saber a respeito de Deus e de seu plano de salvação para a humanidade. Mas somente pela aceitação pessoal de tal conhecimento é que ele pode verdadeiramente conhecer a Deus através de Jesus Cristo como seu Redentor, e experimentar a vida eterna (Mt 11.27; Jo 17.3).

O elemento de participação pessoal no conhecimento aparece de forma proeminente no uso do termo heb. *yada'* e do gr. *ginosko* para expressar as relações sexuais. Entretanto, é perigoso argumentar a partir disto, como fez Paul Tillich, que, portanto, todo conhecimento consiste em uma união com a pessoa ou coisa conhecida. Embora Cristo tenha orado por seus discípulos "para que sejam um, assim como nós" (Jo 17.11) e "que também eles sejam um em nós" (Jo 17.21), isto não significa que deva sempre existir uma união com o objeto de conhecimento a fim de que o conhecimento exista. E quanto ao conhecimento do que é mau? A mentira de Satanás foi que Adão seria como Deus, conhecendo o bem e o mal, se agisse malignamente e se aceitasse se unir a Satanás contra Deus (Gn 3.5).

Nenhum homem que se une ao mal o conhece adequadamente; somente aquele que evita todo o mal e o conhece somente pelo entendimento é que o conhece como Deus o conhece. Portanto, há um falso conhecimento assim como há um que é verdadeiro (Is 47.10). Além disso, o conhecimento intelectual em oposição ao conhecimento moral e espiritual pode servir como um instrumento ao orgulho de uma pessoa. O desejo de conhecimento e o uso dele devem ser motivados pelo amor, pois "A ciência incha" (ou "o saber ensoberbece"; 1 Co 8.1, cf. 13.2). A grande atração do gnosticismo (*q.v.*) na igreja primitiva era sua promessa de conhecimento esotérico oculto ao adorador comum de Deus (cf. 1 Tm 6.20 os "clamores vãos e profanos" e as "oposições da falsamente chamada ciência"; Colossenses 2.8,18).

*O contraste com o conhecimento de Deus*. As Escrituras falam do nosso conhecimento como sendo apenas parcial (1 Co 13.9,12). Contudo, ele é um conhecimento real, mesmo que não seja completo. Somente Deus tem o conhecimento total e perfeito. Seu conhecimento abrange todas as coisas do passado, do presente e do futuro. Ele se estende por todas as coisas, até mesmo pelos pensamentos e interesses do coração do homem (Sl 139.1-24), assim como demonstrado pelo Senhor Jesus Cristo (Mt 9.4; Jo 2.24,25; cf. Jo 6.64). Assim falamos da onisciência (*q.v.*) de Deus. Seu conhecimento é infinito (Sl 147.5) e eterno. Ele nunca deixou de conhecer algo e não precisa aprender. Pode-se dizer que o seu conhecimento é intuitivo, diferente do aprendizado racional e empírico do homem (BDT, pp. 314ss.).

Coordenados com o conhecimento pessoal que o homem tem da salvação, de Jesus Cristo e, portanto, de Deus como o nosso Pai Celestial, existe a eleição (*q.v.*) de Deus e o conhecimento pessoal do crente como seu filho (2 Tm 2.19; Jo 10.14; 1 Co 8.3; Sl 1.6; Jr 1.5; cf. Mt 7.23) e de Israel como o seu povo da aliança (Am 3.2).

*A condição do conhecimento*. A fim de que o homem tenha o mais elevado conhecimento (*epignosis*) possível para uma criatura finita – o conhecimento do próprio Deus e de seu Filho Jesus Cristo (Os 6.6; Ef 1.17; 4.13; Fp 1.9; Cl 1.10; 2 Pe 1.2,3,8), e de sua vontade (Cl 1.9) – duas condições devem ser atendidas. (1) a fé, crendo que Deus existe e que é galardoador daqueles que diligentemente o buscam (Hb 11.6); e (2) a obediência ou a boa vontade para conhecer e submeter-se à sua vontade (Jo 7.17).

***Bibliografia.*** Rudolf Bultmann, "*Ginosko* etc., TDNT, I, 689-719. Stephen Charnock, *Discourses upon the Existence and Attributes of God*, Londres. Henry Bohn, 1849, Discourses VIII and IX (pp. 259-396). Gordon H. Clark, "Knowledge", BDT, pp. 314ss. Otto A. Piper, "Knowledge", IDB, III, 42-48 (com extensa bibliografia).

R. A. K.

**CONIAS** Este rei de Judá é chamado Conias ou Coniá em Jeremias 22.24,28; 37.1, mas ele também era conhecido por Jeconias e Joaquim (*q.v*).

**CONQUISTA** *Veja* Êxodo, O; Josué; Josué, Livro de.

**CONSAGRAÇÃO**[1] Esta é primeiramente uma palavra utilizada no AT, e traduz vários verbos heb. e seus substantivos derivativos (*haram*, "dedicar"; *qadash*, "pôr de lado"; *male*, "encher a mão"; e *nazar*, "separar"). A idéia comum destas palavras hebraicas parece ser a de separar algo ou alguém para o serviço peculiar ao Senhor: sacerdotes (Êx 28.1-3; 30.30), coisas (Js 6.19), dias de festa (Ed 3.5), sacrifícios (Lv 7.37), ganhos (Mq 4.13). A palavra também é usada para descrever o procedimento pelo qual alguém que foi contaminado pode recuperar o acesso à presença do Senhor (Nm 6.7-12).

No NT, a versão KJV em inglês usa esta palavra para traduzir duas palavras gregas. Hb 10.20 declara que Jesus consagrou (*enkainizo*, "renovou") um novo e vivo caminho para Deus. A passagem em Hebreus 7.28 mostra que Jesus é eternamente consagrado (*teleioo*, "aperfeiçoado") como o nosso grande Sumo Sacerdote.

A versão RSV em inglês prefere usar esta palavra para traduzir *hagiazo*, geralmente traduzida na KJV como "santificar" ou "santificação". A idéia em sua raiz ainda é a de separar do uso secular (mundano) para o serviço divino. Há alguns exemplos de coisas sendo separadas para Deus (cf. Mt 23.17,19), mas primeiramente a idéia é de separar as pessoas para Deus. A ênfase é mudada do indivíduo excepcional para todo o corpo de cristãos. O ato da consagração ocorre primeiramente no momento da conversão. O agente é sempre Deus; o objeto é o homem (cf. Hb 2.11). No entanto, a idéia de separação e capacitação para o serviço é encontrada no caso de Jesus (Jo 17.19), pois consagrou a si mesmo, e dos apóstolos (Jo 17.17) a quem Deus assim consagrou. Algumas passagens parecem envolver o crescimento ou o desenvolvimento do cristão em uma vida santa (cf. 1 Ts 5.23).

De interesse particular é o fato de que o adjetivo para este verbo (*hagios*) é uma das designações mais comuns para o crente. Geralmente traduzida como "santo". A idéia no mundo é que todo crente é um santo, alguém consagrado, alguém que está separado do mundo e que pertence a Deus. Ser um santo é a nossa vocação, e nos tornarmos santos é o nosso objetivo na vida. A prática moderna de aplicar a palavra apenas para grandes cristãos, especialmente dos períodos antigos, é totalmente antibíblica. O uso bíblico nos justifica ao dizer que cada crente verdadeiro é um santo; ele foi consagrado por Deus para Si mesmo através de Jesus Cristo. *Veja* Santo; Dedicado.

F. L. F.

**CONSAGRAÇÃO²** O ato pelo qual o ofício sagrado é conferido. No AT os sacerdotes eram consagrados (ou ordenados) por imposição de mãos (Êx 28.41; 29.9,33; Nm 3.3); a cerimônia era solenizada com o sacrifício de um carneiro (Êx 29.22-34; Lv 8.22-33). A consagração ou ordenação no NT, da mesma forma simbolizada pela imposição das mãos, era conferida aos diáconos (At 6.6), presbíteros (At 14.23) e missionários (At 13.3).

Na igreja católica romana ela é considerada "verdadeiramente e propriamente um sacramento, instituído por Cristo, o Senhor" (Concílio de Trento, sess. VII, Can. 9). A consagração ou ordenação é comumente realizada apenas por um bispo, que diz. "Receba o Espírito Santo".

João Calvino condenou "a cerimônia em si" (*Institutes*, IV, xix, 29), mas se esta for despida de seus abusos ("contanto que ela não se torne um abuso supersticioso"), ela se torna benéfica pela dignidade do ofício, e uma advertência para aquele que é ordenado, "indicando que ele não é mais uma lei para si mesmo, mas que daquele momento em diante está comprometido com a sujeição a Deus e à igreja" (*Institutes*, IV, iii, 16). Ele citou com aprovação o decreto do Concílio de Nicéia, o qual conclamava à ordenação por todos os bispos vizinhos (*Institutes*, IV, iv, 14). Na convocação e eleição dos ministros, a consagração ou ordenação deve ser usada, de acordo com a Segunda Confissão Helvética (Cap. XVIII). Esta acrescenta. "Condenamos aqui, portanto, todos aqueles que agem de acordo com os seus próprios impulsos, não sendo escolhidos, enviados, nem consagrados".

A Apologia Luterana da Confissão de Augsburg (Art. XIII) permite a designação (ou "sacramento") para o ritual da consagração ou ordenação, "se a consagração ou ordenação for interpretada em relação ao ministério da Palavra". Os Artigos Smalcald (Pt. III, Art. X) evocam o exemplo das igrejas antigas e dos patriarcas por consagrarem/ordenarem pessoas adequadas. No "Tratado sobre o Poder e a Primazia do Papa", a afirmação de que o bispo de Roma tem o direito supremo de consagrar ou ordenar alguém é negado. Ela declara que não é a ordenação por um bispo que torna uma ordenação válida; a consagração ou a ordenação é a confirmação da eleição para o ofício ministerial. As Confissões Luteranas não falam de nenhuma sucessão apostólica através da ordenação.

A comunhão anglicana tem uma elevada estima por sua consagração/ordenação, e em muitos casos ela está relacionada à sucessão apostólica. As igrejas livres como por exemplo os anabatistas, os pentecostais e outros grupos, também utilizam a consagração/ordenação, ministrando-a, freqüentemente, em uma cerimônia de imposição de mãos.

C. S. M.

**CONSCIÊNCIA** A consciência é a faculdade de uma pessoa que diz que ela deve fazer o que acredita ser certo, e que não deve fazer o que acredita ser errado. Não é aquilo pelo que distingue-se o certo do errado, uma vez que isto é aprendido a partir do ensino ou do ambiente, mas o que estimula alguém a fazer o que é certo e se afastar do que é errado. O apóstolo Paulo pode ter, em determinada ocasião, errado; contudo em uma "boa consciência" (At 23.1), o que significa que ele estava desinformado quanto à conduta correta, mas ainda assim fez o que julgava ser o certo naquele momento.

A consciência é uma característica inata, encontrada universalmente nos homens, que se torna ativa quando se alcança a idade da responsabilidade. É o "senso da consciência moral" ou da *obrigação moral* no homem, chamada de "imperativo categórico" por Kant. A palavra vem da mesma raiz das palavras cônscio e conscientização, mas em seu uso comum no NT significa consciência moral. A consciência serve para: (1) nos acusar ou nos desculpar (Rm 2.14,15); (2) nos punir quando transgredimos; e (3) nos dar um sentimento de aprovação divina como também de auto-aprovação quando fazemos o que é certo. Isto é verdadeiro, uma vez que a própria existência da consciência requer a existência de um Governador Moral do universo, a quem todos nós devemos um dia prestar contas. *Veja* Lei.

***Bibliografia.*** Christian Maurer, "*Synoida, Syneidesis*", TDNT, VII, 898-919. Roy B. Zuck, "The Doctrine of the Conscience", BS, CXXVI (1969), 329-340.

J. D. T.

**CONSELHEIRO** *Veja* Ocupações: Conselheiro.

**CONSELHO** Esta é a tradução para três palavras bíblicas: (1) Heb. *rigma*, "multidão", "reunião" (Sl 68.27); (2) Gr. *symboulion*, "uma junta de conselho" (Mt 12.14; At 25.12); (3) Gr. *synedrion*, constantemente transliterado como "Sinédrio". Exceto em Mateus 10.17 e Marcos 13.9, onde se refere às cortes inferiores, esta última forma sempre representa o tribunal máximo dos judeus, localizado em Jerusalém (Mt 26.59). Este corpo era composto por 70 membros do conjunto de anciãos, escribas e sacerdotes, mais o atual sumo sacerdote que o presidia. Embora o Conselho exercesse autoridade religiosa sobre todos os judeus, seu poder civil era restrito à Palestina e tratava apenas daqueles assuntos que não tivessem o direito de preempção pelas autoridades romanas. *Veja* Sinédrio; Conselho Apostólico.

**CONSOLAÇÃO** *Veja* Conforto; Espírito Santo.

**CONSOLADOR, O** *Veja* Espírito Santo.

**CONSTELAÇÕES** *Veja* Astronomia; Estrela.

**CONSTRUTOR DE NAVIOS** *Veja* Ocupações: Construtor de Navios.

**CONSTRUTORES** *Veja* Ocupações.

**CONSUMADOR** Esta palavra (gr. *teleiotes*) é usada em relação a Jesus em Hebreus 12.2. Ela é derivada de *teleioo* que significa "terminar completamente", e, desse modo, "tornar perfeito". Talvez a idéia contida em Hebreus 12.2 seja que Jesus, como autor ou líder pioneiro da vida de fé "cumpriu o ideal da fé em sua própria vida, e assim, tanto como uma oferta vicária como um exemplo, Ele é o objeto da nossa fé... Nisto Ele é distinto de todos aqueles exemplos de fé do cap. 11 de Hebreus" (JFB), que não seriam perfeitos (*teleiothosis*) sem nós (Hb 11.40).

**CONTAMINAÇÃO** Palavra rara em algumas versões, embora os termos "impureza" e "impuro" ocorram freqüentemente. Em Ezequiel 22.10 essa palavra é usada em conexão com os pecados do povo de Jerusalém, pouco antes de sua destruição. Em Atos 15.20 Tiago fala sobre as "contaminações dos ídolos", e em 2 Pedro 2.20 o apóstolo Pedro refere-se às "corrupções [ou contaminações] do mundo". Essa palavra significa "corrupção" física, moral ou espiritual. Se uma pessoa ou coisa é boa e pura, ela será passível de ser poluída ou de poluir se for contaminada com o pecado. O culto aos ídolos constitui uma poluição de seu adorador, e o mundanismo traz a poluição a qualquer crente.

**CONTENDA**[1] Palavra muitas vezes utilizada na Bíblia Sagrada. Foi utilizada em 1 Timóteo 1.6 na expressão "vãs contendas" (cf. Tt 1.10). Há versões que trazem a expressão "discursos vãos". Uma boa tradução da palavra é aquela que transmite a idéia de discussão. Evidentemente significa orgulho, presunção, falar contra aquilo que Deus revelou e falar contra o próprio Deus.

**CONTENDA**[2] Várias palavras gr. e heb. são usadas para sugerir contenda, luta e briga. A contenda pode ser física, oral ou espiritual. Ela pode descrever a natureza de um homem (Jr 15.10; Hc 1.3). O orgulho pode trazer a contenda (Pv 13.10). Os cristãos são admoestados a evitar as brigas contenciosas (1 Co 1.11; Tt 3.9). A intensa disputa entre Barnabé e Paulo (At 15.39) pode referir-se mais a um caso de irritação e incitamento interior do que a uma expressão exterior de contenda.

**CONTENTAMENTO** "A aceitação das coisas como elas são, como a providência sábia e amorosa de um Deus que sabe o que é bom para nós, que nos ama e sempre busca o nosso bem" (IDB).
Moisés se contentava em morar com Jetro (Êx 2.21). Os irmãos de José se contentaram ao ouvir Judá propor a venda de José (Gn 37.27). O Senhor Jesus exorta ao contentamento (Mt 6.19-34) com relação aos desejos pelas coisas materiais. João Batista exortou os soldados romanos a se contentarem com seus soldos (Lc 3.14). Paulo lembra Timóteo de que a piedade com o contentamento é um grande ganho (1 Tm 6.6-8). O segredo do contentamento reside na comunhão e união do cristão com Deus (Fp 4.11-13; 3.8,9).

**CONTRATO** *Veja* Aliança.

**CONTRIÇÃO** A palavra contrito só é encontrada no AT (cf. Sl 34.18; Is 57.15; Sl 51.17; Is 66.2). O significado literal da palavra é estar machucado ou quebrantado. O uso bíblico é limitado a uma descrição do adorador que se aproxima de Deus com um espírito "quebrantado" por causa de seus pecados. A implicação é sempre que Deus irá receber e perdoar aquele que vai a Ele com tal espírito. Um paralelo do NT é encontrado em 2 Coríntios 7.10 onde a "tristeza segundo Deus" pelo pecado é vista como uma pré-condição do verdadeiro arrependimento. Possivelmente paralela em pensamento é a beatitude, "Bem-aventurados os que choram, porque eles serão consolados" (Mt 5.4).

**CONTUSÕES** *Veja* Doenças.

**CONVENIÊNCIA, CONVENIENTE** A palavra conveniente tem dois significados: (1) a qualidade ou princípio de adaptar-se a uma finalidade que visa aquilo que é bom; (2) o princípio de fazer o que parece vantajoso ou conveniente sob circunstâncias particulares, desconsiderando princípios morais, e que é freqüentemente chamado de pura conveniência.
O amplo escopo da palavra e o seu duplo significado causam muita confusão. O segundo significado não é encontrado na idéia de conveniência que é usada nas Escrituras. Portanto, deve ser feita uma distinção entre o uso bíblico da palavra grega *sympherei*, o significado básico daquilo que "é lucrativo", e a idéia de conveniência pura. Quando Caifás diz, "considerais que nos convém [é conveni-

ente] que um homem morra pelo povo e que não pereça toda a nação" (Jo 11.50), e quando Cristo diz "vos convém [é conveniente] que eu vá" (Jo 16.7), a idéia de proveito ou vantagem, e de um bem comum, ao invés do que é adequado às circunstâncias, é soberana. As Escrituras nunca nos ensinam a tomar decisões desconsiderando os princípios morais. Novamente, quando Paulo diz, "Todas as coisas me são lícitas, mas nem todas as coisas convêm", quando aparece para reclamar a liberdade absoluta dos cristãos, ele ainda dá duas razões como base da sua decisão. "eu não me deixarei dominar por nenhuma [das coisas]"; "mas nem todas as coisas edificam" (1 Co 6.12; 10.23). Ambas as razões são morais, e mostram que a aparente amoralidade de Paulo nesta situação se deve a bons argumentos morais, e os seus atos são determinados por aquilo que provará ter um valor verdadeiro, ou uma vantagem real, não apenas para ele próprio mas também para os demais. Então, será que a pura conveniência não estará presente, em nenhum sentido, no Novo Testamento? Sim, no sentido de que comer ou não os alimentos oferecidos aos ídolos, e realizar ou não a circuncisão são basicamente assuntos da liberdade cristã. Mas isso é imediatamente ajustado pela reação da consciência das outras pessoas (Rm 14.13ss.). Em outras palavras, embora a palavra grega *sympherei* não seja usada para expressar a pura conveniência, existe uma área de conveniência revelada nas Escrituras. Como a lei cerimonial havia sido extinta, já não havia nada considerado impuro em si; como o antítipo veio e cumpriu a lei, a circuncisão foi cumprida nele (Cl 2.11) e se revelou como algo que é do coração. Desta forma, a "conveniência" no Novo Testamento se baseia naquilo que é vantajoso e moralmente bom, em primeiro lugar para os outros, a quem não podemos fazer tropeçar, por fazermos algo que não edifique (1 Co 10.28), e em segundo lugar para nós mesmos, para que não nos tornemos escravos de costumes ou de "coisas", como a bebida etc. (1 Co 6.12). *Veja* Carne; Ídolos, Coisas Oferecidas aos.

R. A. K.

**CONVERSÃO** Esta palavra significa literalmente "fazer a volta" ou "mudar de direção", e é usada para traduzir a palavra heb. *shub*, e a palavra gr. *strepho* e seus derivados, especialmente *epistrepho*. Estas palavras são às vezes usadas na Bíblia em um sentido literal de virar-se fisicamente para algo (cf. Mt 9.22; At 9.40). O significado primário e espiritual denota uma revolução espiritual. É usada no mau sentido de converter-se do certo para o errado em duas passagens (Gl 4.9; 2 Pe 2.21). No entanto, o bom significado de voltar-se do indesejável para o desejável é o usual. Neste sentido, é usada tanto em relação a incrédulos como a cristãos.

Quando usada com relação a incrédulos, ela denota a mudança de coração ou de pensamento (relacionado ao arrependimento e à fé) que permite que alguém receba a graça de Deus na salvação (cf. At 3.19). Embora se pense na conversão como sendo o ato de um homem, em contraste com a justificação e a regeneração que são atos exclusivos de Deus, a implicação está sempre presente de forma que a conversão completa só pode ser conquistada com a ajuda do Espírito Santo. A conversão implica em um completo repúdio ao pecado e uma fiel rendição a Cristo como Senhor. *Veja* Arrependimento.

Quando usada com relação a crentes, ela denota um retorno ao correto relacionamento com Deus, que pode ter estado rompido por um fracasso moral (como no caso de Pedro, em Lucas 22.32) ou devido ao abandono da doutrina verdadeira (cf. Tg 5.19,20). O uso espiritual desta palavra ilustra o fato de que o vocabulário cristão, a princípio, era primeiramente figurativo. A necessidade de expressar conceitos espirituais sem um vocabulário determinado, levou os apóstolos a adotarem muitas palavras comuns e convertê-las aos seus próprios usos.

***Bibliografia.*** Georg Bertram. "*Strepho etc*", TDNT, VII, 714-729.

F. L. F.

**CONVICÇÃO** Usada apenas no NT e primeiramente com o significado de trazer alguém a uma percepção de sua própria culpa ou de tentar fazê-lo. A palavra gr. *elegcho* pode ser traduzida de diversas formas como, por exemplo, "convicto", "convencer", "reprovar", "censurar" e "apontar o erro de alguém". Os vários meios pelos quais a convicção é causada são. a repreensão de um irmão que sofreu um dano (Mt 18.15); a mensagem do pregador (cf. Lc 3.19; 1 Tm 5.20; 2 Tm 4.2; Tt 1.9,13; 2.15); o Espírito Santo habitando na congregação (Jo 16.8); revelando-se (Jo 3.20; Ef 5.13); a lei (Tg 2.9); o Senhor (Hb 12.5; Ap 3.19); a igreja (Ef 5.11; 1 Co 14.24); e a vinda do Senhor Jesus (Jd 14,15).

A fé é o meio pelo qual os homens se tornam convictos da verdade da criação (Hb 11.3). Os judeus foram desafiados a convencer Jesus de qualquer pecado (Jo 8.46); talvez a idéia judicial de convencer pela evidência em um tribunal esteja implícita nesta passagem. De modo geral, pensa-se na convicção no NT como uma pré-condição necessária para o arrependimento e a conversão.

F. L. F.

**CONVIVÊNCIA (ou CONVERSAÇÃO)** A tradução do termo heb. *derek*, "modo (de vida)" em Salmo 37.14; 50.23, e do gr. *anastrophe, politeuma* e *tropos* (uma vez, Hb 13.5). Este significado de convivência do século XVII sempre sugeriu uma conduta,

Pesagem do coração do escriba Ani na vida após a morte, uma cena do Livro dos Mortos egípcio

comportamento e estilo de vida ético e moral, em contraste com o significado moderno do termo como uma relação social e um diálogo amigável.

As palavras gr. traduzidas como "convivência" em Filipenses 1.27 (*politeuo*) e 3.20 (*politeuma*) refere-se a descartar-se das obrigações como cidadão em sua vida civil e em sua "cidadania", respectivamente.

A versão KJV em inglês traduziu de modo uniforme as 13 ocorrências do substantivo *anastrophe* como "conversação", ao passo que as versões inglesas modernas empregaram uma variedade de termos para traduzir a palavra; por exemplo, "modo de vida", "comportamento", "conduta". Nas epístolas de Paulo, temos as seguintes traduções para este termo: "ouvistes qual foi antigamente a minha conduta" (Gl 1.3); "quanto ao trato passado, vos despojeis..." (Ef 4.22); "sê o exemplo... no trato" (1 Tm 4.12). Paulo usou o verbo *anastrepho* em 2 Coríntios 1.12, "temos vivido no mundo"; em Efésios 2.3, "antes, andávamos..."; e em 1 Timóteo 3.15, "para que saibas como convém andar na casa de Deus". Pedro empregou o substantivo freqüentemente ao exortar os seus leitores a demonstrarem uma conduta santa, honrosa e casta permanecendo em uma vida santa (1 Pe 1.15; 2.12; 3.2,16; 2 Pe 3.11). Por seu comportamento piedoso a esposa cristã pode, sem murmurações, ganhar seu marido que é desobediente à Palavra de Deus (1 Pe 3.1). Tiago usou o substantivo em 3.13 para ensinar que as ações individuais do homem, com sabedoria e temor ao Senhor, devem se originar de um comportamento bom e consistente. A passagem em Hebreus 13.7 fala do comportamento modelo dos líderes cristãos. "A fé dos quais imitai, atentando para a sua maneira de viver". Colocada em um cenário contemporâneo, a vida cristã dinâmica é relevante. Através de suas palavras e ações, o cristão transmite significativamente a verdade de Deus, na qual ele creu e a qual recebeu em sua própria vida. A honestidade e o amor são as experiências normais da vida cristã (Hb 13.18), em contraste com o estilo de vida enganoso, vão e corrupto dos não-cristãos (1 Pe 1.18; 2 Pe 2.7,18). *Veja* Exemplo; Liberdade.

H. W. N.

**CONVOCAÇÃO** Uma reunião religiosa em um sábado ou em certos dias sagrados. Geralmente, o termo "santo" precede a palavra (Lv 23.2-4,7,8,21,24,27,35-37; Nm 28.18). Ela é uma frase técnica nas regulamentações sacerdotais. As mesmas palavras heb. aparecem em outras passagens (Êx 12.16; Is 1.13; 4.5) significando uma "assembléia solene". É uma assembléia convocada sob circunstâncias particularmente santas para a observância de cerimônias e ocasiões sagradas; tal convocação fazia parte das grandes festas em Israel. Estas eram chamadas de sábados e eram consideradas como dias de descanso. Tais assembléias pertenciam ao quadro da esperança escatológica (Is 4.5). A mesma palavra heb. (sem o qualificante "santo") é usada uma vez no sentido de "ler em voz alta" o Torá (Ne 8.8). Os judeus passaram a usar o termo como sinônimo de Escritura.

**COORTE** A décima parte de uma legião, geralmente com cerca de 600 homens. Algumas versões traduzem este termo como "bando" ou "tropa", enquanto outras o traduzem como "coorte" (Mt 27.27; Mc 15.16; Jo 18.3,12; At 10.1; 21.31; 27.1). Uma coorte foi designada em Jerusalém na torre de Antonia, adjacente ao templo (Josefo, *Wars* v.5.8). *Veja* Exército; Legião.

**COPEIRO** *Veja* Ocupações: Copeiro.

**CÓPIA** *Veja* Tipo.

**COR** *Veja* Cores.

**COR** *Veja* Pesos, Medidas e Moedas.

**CORÁ/CORÉ**
1. Filho Esaú nascido de Oolibama, sua mulher hitita; ele se tornou um chefe tribal (Gn 36.5,14,18; 1 Cr 1.35).
2. Um dos "chefes" descendentes de Esaú e de sua mulher hitita Ada, através de seu filho Elifaz (Gn 36.16).
3. Um dos filhos de Hebrom, incluídos na tribo de Judá (1 Cr 2.43).
4. Um descendente de Levi através de Coate e Isar, e contemporâneo mais jovem de Moisés (Êx 6.16,24; Nm 16.1ss.; 1 Cr 6.22) que foi um líder em uma rebelião contra a liderança de Moisés e Arão. Ele tinha parentesco com Arão e Moisés, cujo pai foi Anrão; o pai de Corá foi Isar, sendo tanto Anrão como Isar filhos de Coate.
De acordo com o relato em Números 16,17 a revolta foi inspirada por inveja. Juntaram-se à revolta de Corá, Datã e Abirão (filhos de Eliabe) outros levitas, e Om da tribo de Rúben, junto com 250 representantes das tribos. Os seguidores de Corá acusaram Moisés e Arão de se separarem da congregação, e de reivindicarem uma "santidade" que se limitava a eles mesmos. Eles argumentaram que toda a congregação era "santa" e não apenas dois homens; eles defendiam o "sacerdócio para todos os crentes" insistindo que toda a congregação era um "sacerdócio santo" (cf. Êx 19.6). Moisés contra-atacou dizendo que Deus defenderia a liderança existente. Mais especificamente, ele acusou Corá e os levitas de terem a ambição de se tornarem sacerdotes. Ele argumentou que eles deveriam ficar satisfeitos com o elevado privilégio de serem levitas, ao invés de aspirarem ser sacerdotes, posição que havia sido atribuída apenas a Arão (Nm 16.5-11).
Uma segunda acusação foi feita por Datã e Abirão quando se recusaram a obedecer à convocação de Moisés. Eles o acusaram de incompetência, quebra de promessa e egoísmo, conduzindo a nação de uma situação de segurança a um deserto mortal, fracassando em dar-lhes uma terra que manasse "leite e mel", e fazendo-se rei (Nm 16.12-14).
No dia seguinte, eles se reuniram para a prova, para determinar que incenso Deus aceitaria. Enquanto isso, Corá conseguiu a simpatia de toda a congregação, de forma que Moisés e Arão estavam praticamente sozinhos. Quando o Senhor decidiu castigar toda a congregação, Moisés e Arão intercederam por eles; conseqüentemente o Senhor dirigiu Moisés e Arão a isolarem os rebeldes da congregação como um todo (Nm 16.20-24). Aparentemente havia quatro grupos neste dramático confronto: juntaram-se a Moisés e Arão os 70 anciãos de Israel; Corá, Datã e Abirão com suas famílias foram separados de todos; os 250 levitas rivais com incensários estavam sozinhos em um grupo; e o resto da congregação permaneceu à distancia observando. O desafio era que Deus defendesse, através de seu juízo Divino, aqueles que estivessem do seu lado. De repente a terra se abriu e "engoliu" os três líderes rebeldes e suas famílias; então o fogo do Senhor consumiu os 250 rebeldes com seus incensários (Nm 16.28-35).
Onze salmos (Sl 42,44-49,84,85,87,88) foram dedicados aos filhos (ou descendentes) de Corá, que são descritos como cantores no coro do templo (2 Cr 20.19). *Veja* Coraítas (ou Coreítas).

G. A. T.

**CORAÇÃO** O coração era considerado pelos egípcios o órgão central da vida física. Como os hebreus tinham a mesma opinião, ao invés de encarar o fígado como o principal órgão interno, como faziam todos os povos da Mesopotâmia, aqui está uma evidência não planejada da longa permanência dos israelitas no Egito. Assim, a palavra "coração", tanto em grego quanto em hebraiço, chegou a significar aquilo que é central. É o alicerce da vida física, mental e espiritual. Normalmente é usado com referência a coisas, mas nessas ocasiões tem o sentido de "ponto central" (Êx 15.8). Raramente a palavra "coração" é usada como uma referência ao órgão físico (2 Sm 18.14; 2 Rs 9.24). Como o centro da vida física, o "coração", no sentido do corpo inteiro, pode ser fortalecido com comida e bebida (Gn 18.5; Jz 19.5; At 14.17; Tg 5.5). Como o centro da vida mental e espiritual, o termo é usado de várias maneiras.
1. O homem interior. Com este sentido, o coração tem segredos e é inescrutável (Sl 44.21; Pv 25.3).
2. O centro mental. O coração conhece (Dt 29.4; Pv 22.17), entende (Is 44.18; At 16.14), medita (Lc 2.19), considera (Êx 7.23) e se lembra (Is 42.25).
3. O centro emocional. É o trono da alegria (Is 65.14), da coragem (Sl 27.14; 2 Sm 17.10), da dor ou aflição (Pv 25.20), da ansiedade (Pv 12.25), do desespero (Ec 2.20), da tristeza (Ne 2.2) e do medo (Dt 28.28). O medo também é expresso como "estar desfalecido ou ferido" (Lm 5.17; Sl 109.22).
4. O centro moral. Deus prova o coração (Sl 17.3; Jr 12.3), vê o coração (Jr 20.12), aperfeiçoa (Sl 26.2) e esquadrinha o coração (Jr 17.10). O homem pode ter um coração mau (Pv 26.23), pode ser ímpio no coração (Jó 36.13) e pode ser perverso ou enganoso no coração (Pv 11.20; 17.20). No entanto, a obra de Deus lhe dá um coração puro (Sl 51.10) e novo (Ez 18.31; 36.26). O coração também é

o trono da consciência (Hb 10.22; cf. 1 Jo 3.19-21) e é o que recebe o amor e a paz de Deus (Rm 5.5; Cl 3.15). É a residência do Espírito e do Senhor (2 Co 1.22; Ef 3.17). *Veja* Dureza de coração; Mente.

***Bibliografia.*** Johannes Behm, "*Kardia* etc.", TDNT, III, 605-614.

E. C. J.

**CORAGEM** O conceito de coragem é raramente expresso, de forma verbal, no AT. O verso de Provérbios 28.1 afirma, realmente, que "O justo está confiado como o filho do leão", onde o verbo *batah* denota sua segurança, que está baseada em uma confiança ativa no Senhor. Da mesma maneira, a coragem no AT não é considerada uma virtude independente, mas uma força interior, e uma determinação inspirada por Deus (Dt 31.7; Sl 27.14; 31.24).

Entretanto, no NT existem três raízes diferentes de palavras que transmitem a idéia de coragem. O verbo *tolmao* contém um elemento de ousadia, de um ato que se coloca acima do medo (Mc 12.34; 15.43; At 7.32; Rm 5.7; 2 Co 11.21; Fp 1.14). A segunda, *tharrheo*, denota confiança e esperança em Deus (2 Co 5.6,8; Hb 13.6), confiança nos homens (2 Co 7.16) e coragem nas relações humanas (2 Co 10.1,2). A terceira palavra, *parrhesia*, entretanto, caracteriza, de forma surpreendente, os cristãos primitivos. Ela tem a conotação de falar livre e corajosamente e traz consigo a antiga tradição ateniense de um discurso democrático e desembaraçado. Os discípulos seguiram o exemplo de seu Mestre, que falava abertamente (Jo 7.26) e cla-

A sinagoga de Corazim. HFV

ramente (Mc 8.32; Jo 11.14). Em numerosas ocasiões os apóstolos mostraram grande coragem ao falar perante seus oponentes (At 4.13,29; 9.27; 13.46; 14.3; 28.31). Essa coragem é atribuída à presença do Espírito Santo, que enchia a vida de cada um deles (At 4.31). Paulo dá testemunho de sua própria coragem ao pregar e ensinar o Evangelho a seus convertidos (1 Ts 2.2; 2 Co 3.12; Fm 8). Entretanto, ele às vezes sentia a necessidade de orar para poder continuar falando corajosamente a respeito do Senhor (Ef 6.19s.). Essa nova e sincera coragem foi a marca dos cristãos em cada fase de sua vida (Fp 1.20). Totalmente destituídos de confiança em sua própria capacidade, estavam plenamente seguros da obra de Cristo a favor de cada um deles, de seu contínuo poder e presença entre eles, e das poderosas promessas de Deus. Dessa maneira, o cristão sabe que pode se aproximar diretamente de Deus com total confiança, e assim obter uma audiência imediata (Hb 4.16; 10.19,22). Isso proporciona uma inabalável confiança na oração (1 Jo 3.21s.; 5.14s.). O crente não precisará se retrair perante Cristo por ocasião de sua segunda vinda, mas terá corajosa confiança nele no dia do juízo, contanto que o amor ao Senhor tenha se aperfeiçoado em seu interior (1 Jo 2.28; 4.17). É através de se manter seguro em sua confiança em Cristo (*parrhesia,* Hb 3.6; Ef 3.12) – sem rejeitá-la (Hb 10.35) – que o crente poderá entrar no repouso que Deus lhe preparou através de Jesus Cristo, que realizou a obra necessária, e que consistiu em vencer todos os inimigos dos cristãos (Hb 3.14; 4.3,11).

***Bibliografia.*** Heinrich Schlier, "*Parrhesia* etc", TDNT, V, 871-886.

J. R.

**CORAÍTAS ou COREÍTAS** Uma família do clã coatita dos levitas. Informações genealógicas são dadas em 1 Crônicas 6.22-38; 9.19-32; 26.1-19; Êxodo 6.24 e Números 26.58. Às suas classes pertenciam homens famosos como Samuel, o profeta, e Hemã, o cantor (1 Cr 6.22,28,33).

Coraítas de Benjamim se juntaram a Davi em Ziclague como guerreiros habilidosos (1 Cr 12.6). Os coraítas eram porteiros no Tabernáculo e no templo (1 Cr 9.17ss.; 26.1ss.). Eles faziam parte de uma elaborada organização para os serviços musicais do templo, que teve início com a preparação de Davi (1 Cr 6.31ss.; 15.17ss.; 2 Cr 20.19ss.; 29.13ss.). Seu nome aparece no título de onze salmos (42,44-49,84,85,87,88). *Veja* Coatitas.

Uma ostraca encontrada em Arade (*q.v.*) em 1967 menciona os "filhos de Corá" juntamente com os nomes de outras famílias e numerais. Esta parece ser uma lista de doações ao templo israelita na base militar de Ara (Y. Aharoni, "Arad. Its Inscriptions and Temple", BA, XXXI [1968], II. Veja também J. Maxwell Miller, "The Korahites of Southern Judah", CBQ, XXXII [1970], 58-68).

R. S.

**CORAL** *Veja* Animais: Coral V.2; Jóias.

**CORASÃ** Esta palavra só é encontrada em 1 Samuel 30.30. Várias versões referem-se a esta cidade como Borasã. Ela é, provavelmente, a própria Asã. Localizada na Sefela, a princípio foi designada a Simeão, mas na administração de Davi tornou-se uma cidade levítica em Judá (Js 15.42; 19.7; 1 Cr 4.32; 6.59). *Veja* Asã.

**CORATITAS** *Veja* Coraítas.

**CORAZIM** Uma cidadezinha nas colinas, cerca de três quilômetros ao norte de Tell Hum (Cafarnaum), e a essa mesma distância do Mar da Galiléia. Identificada com Kerazeh, a cidade apresenta extensas ruínas do século III ou IV d.C., incluindo uma sinagoga de pedras de basalto negro, ricamente decorada com esculturas de animais e representações de colheita e esmagamento de uvas. Jesus realizou muitas grandes obras ali, sem cativar discípulos, e censurou os habitantes por sua falta de fé (Mt 11.20-22; Lc 10.13).

**CORBÃ** Uma oferta, dinheiro ou serviço sagrado, dedicado a Deus para ser usado para um propósito religioso (Lv 1.2; 2.1; 3.1; Nm 7.12-17; Mc 7.11). Os fariseus, que eram zelosos pelo templo, defendiam que quando uma pessoa dissesse a seu pai ou à sua mãe a respeito de suas posses, "Aquilo que poderias aproveitar de mim é Corbã" (Mc 7.11), as posses eram consagradas a Deus e a pessoa era desobrigada de usar qualquer uma delas para beneficiar os seus pais. Jesus condenou esta prática como um uso casuísta da religião para evitar a obrigação do mandamento de honrar pai e mãe, ajudando-os em suas necessidades. Josefo (*Wars* ii.9.4) mostra que o Corbã em dinheiro não poderia ser desviado para o uso secular, nem mesmo para o bem-estar público. *Veja* Votos.

***Bibliografia.*** K. H. Rengstorf, "*Korban*", TDNT, III, 860-866.

**CORÇA, CERVA** *Veja* Animais: Veado II.40.

**CORÇA** *Veja* Animais: Gazela II.19.

**CORCUNDA** *Veja* Doenças.

**CORDA** As cordas são representadas por cinco palavras hebraicas (*hebel, 'abot, yether, metar, hut*) e por uma palavra grega (*schoinion*). Vários materiais e métodos utilizados pelos fabricantes de cordas têm feito com que os tradutores forneçam, às vezes, traduções indistintas. A corda de um arco (Sl 11.2) e os vimes frescos (Jz 16.7), eram provavelmente fabricados da mesma maneira (ambos em hebraico são representados pela palavra *yether*), de tendões ou de tripas de animais. Dez "cordas" (Is 33.20), cordas de navios (Is 33.23), e as cordas relacionadas trabalho dos capitães dos navios (lit. o chefe daqueles que manejam as cordas em Jn 1.6) são a mesma palavra (heb. *hebel*, tanto nesta quanto na próxima sentença), e todas estas cordas eram provavelmente feitas de fibras trançadas. Elas eram suficientemente fortes para suportar o peso de um homem (Js 2.15; Jr 38.11-13), para o trabalho de transportar pedras de construção de uma cidade até um vale (2 Sm 17.13), e ainda para prender animais ou homens (Jó 18.10). O cordão de três dobras de Ec 4.12 (heb. *hut*) era forte, possivelmente feito de fibras de palmas trançadas, pelos de cabras, ou tiras de couro.

Os homens colocavam cordas em torno da própria cabeça, como também se vestiam de panos de saco, como um sinal de tristeza, arrependimento, ou rendição (1 Rs 20.31,32). Josefo se refere a esta prática, intitulando-a: "O antigo modo de súplica entre os sírios" (*Ant.* viii.14.4).

J.W.W.

**CORDA** Usada para traduzir as palavras heb. *hebel, hut, yeter, metar, 'abot* e a palavra gr. *schoinion*, sendo a mais freqüente *hebel*. Seu significado inclui não só corda, mas também cordão, fio, barbante, linha de medir, corda de arco etc. Os materiais usados dependiam do que estava disponível para a força exigida. Estes incluíam linho, pêlos de cabra, pêlos de camelo, fibras de tamareira, juncos e canas. Cordas fortes eram feitas de pele de camelo; também eram usadas pelos beduínos para extrair água.

A seguir estão alguns dos usos desta palavra no AT: (1) Baixar homens sobre muros e Jeremias à cisterna (Js 2.15; Jr 38.6,11-13). (2) Arrastar pedras para destruir uma cidade, ou para puxar um carro (2 Sm 17.13; Is 5.18). (3) Como as enxárcias (cordas) de navios (Is 33.23). (4) Trançar roupas ou tapeçarias caras de um palácio (Ez 27.24; Et 1.6). (5) Como uma linha de medir (Am 7.17; Mq 2.5). (6) Como um fio facilmente quebrado (Jz 16.12). (7) Como um fio escarlate, ou literalmente, um "cordão de fio de escarlata" (Js 2.18). (8) Como uma corda tripla (Ec 4.12). (9) Como uma corda de arco (Jó 30.11). (10) Sustentar uma tenda, ou algo como as cordas do Tabernáculo (Êx 35.18; 39.40; Nm 3.26,37; 4.26,32; Is 54.2; Jr 10.20). (11) Como uma corda torcida usada como um grilhão (Jz 15.13,14; Sl 118.27). (12) Como cordas torcidas ou correntes de ouro no peitoral do sumo sacerdote (Êx 28.14,22; 39.15).

A corda, no NT, é feita de canas e usada apenas uma vez, na passagem que fala que Jesus fez um chicote (ou azorrague; Jo 2.15). No entanto, a mesma palavra grega é usada para os cabos que seguravam o bote de um navio no lugar (At 27.32).

Os usos figurativos de corda incluem o seguinte: (1) Alguém que está preso com os seus pecados (Pv 5.22). (2) As cordas da iniqüidade (Is 5.18) ou aflição (Jó 36.8). (3) A corda da vida (Ec 12.6). (4) As cordas de um pai treinando o seu filho a andar, o que é figurativo para um princípio de direção (Os 11.4). (5) Uma figura de autoridade e restrição (Sl 2.3; 129.4).

E. C. J.

**CORDÃO ou FITA** Um fio ou laço, assim como a "fita" azul que atava o peitoral do sumo sacerdote às argolas da estola sacerdotal (Êx 28.28; 39.21), e da lâmina de ouro da mitra de Arão (Êx 28.37; 39.31). A palavra heb. *pathil* também se refere aos fios de ouro na estola sacerdotal (Jz 16.9 fio); um cordel de linho para medir (Ez 40.3); um fio para amarrar uma tampa (Nm 19.15); o cordão em torno do pescoço usado para pendurar o anel de sinete (Gn 38.18,25).

**CORDÃO** A palavra hebraica *hut* em Jeremias 52.21 é traduzida como "cordão". Há versões que a traduzem como "fio". Gesenius dá o significado de "um fio, linha ou corda". A palavra *hishshaq* em Êxodo 38.28 tem o significado de "moldura" em algumas versões, e, em outras, o significado de fazer "as vergas". Gesenius emprega o termo "junções", isto é, as varas ou hastes usadas para unir o topo das colunas do pátio do Tabernáculo. Em Êxodo 27.10,11,17, foi prescrito que estes cordões fossem feitos de prata.

**CORDÃO** Forma arcaica utilizada para traduzir o termo *pathil,* que significa "fio" (Nm 15.38). Ele se refere ao fio azul que deveria ser trabalhado nas orlas das barras das vestes israelitas.

**CORDEIRO** *Veja* Animais: Ovelha I.12.

**CORDEIRO DE DEUS** Três palavras gregas no NT são traduzidas como "cordeiro". *amnos* (Jo 1.29,36; At 8.32; 1 Pe 1.19); *arnos* (Lc 10.3); *arnion* (Jo 21.15; Ap 5.6,8 etc.) Cordeiros e carneiros novos formavam uma parte importante dos sacrifícios do AT (Nm 6.14; Lv 4.32). *Veja* Sacrifícios. Um estudo do conceito do cordeiro sacrificial e do cordeiro Pascal, como é desenvolvido ao longo de toda a Bíblia, pode sozinho fazer justiça ao tema do Cordeiro de Deus.

*O cordeiro no AT.* A primeira menção de cordeiro na Bíblia é encontrada com o oferecimento das primícias do rebanho por Abel, e sua aceitação por parte de Deus (Gn 4.3-5). O cordeiro da Páscoa de Êxodo 12 deveria ser morto e comido na noite da Páscoa, e o seu sangue deveria ser espargido nos umbrais das portas. O Senhor Jesus Cristo associou a Santa Ceia à festa da Páscoa judaica (Mt 26.17-19; Lc 22.14-30). Dessa forma, a Páscoa está tipificando que Cristo é a nossa Páscoa (1 Co 5.7).

O cordeiro a ser oferecido não deveria ter manchas ou defeitos (Êx 12.5; cf. 1 Pe 1.19), e nenhum osso deveria estar quebrado (Êx 12.46; Nm 9.12; Sl 34.20; Jo 19.36), o que nos mostra que nenhum osso de Cristo seria quebrado em sua morte na cruz.

O conceito do Cordeiro de Deus foi tão completamente desenvolvido em Isaías 53 que estava claro para os santos do AT que Ele não era outro senão o Servo do Senhor. Parece que Isaías 53 é o capítulo que contém mais referências cruzadas com o NT em toda a Bíblia Sagrada.

*O Cordeiro de Deus no NT.* No primeiro capítulo de seu Evangelho, João registra como João Batista aponta para Jesus como "o Cordeiro de Deus que tira o pecado do mundo" (Jo 1.29,36). Pedro, em sua primeira epístola, diz que Cristo foi o cordeiro conhecido antes da fundação do mundo (1 Pe 1.19,20). Portanto, o conceito do AT do cordeiro sacrificial revela tipicamente e profeticamente o plano de Deus para oferecer Cristo como o sacrifício propiciatório pelos pecados do homem.

*O Cordeiro no livro de Apocalipse.* O Senhor Jesus Cristo é citado 28 vezes como o *arnion,* "o cordeiro", no livro de Apocalipse. Neste livro é revelada a futura história do Cordeiro (5.9; 7.14). Ele é o Deus-Homem que se ofereceu como o sacrifício propiciatório e, portanto, o único que pode abrir o livro dos últimos dias (5.2-5). Ele fará de seus servos reis e sacerdotes de Deus, e estes reinarão com Ele na terra (5.10). Os 144.000 judeus das 12 tribos de Israel serão selados com o seu Nome, e testemunharão durante o período da Grande Tribulação (7.3-8; 14.1-5). Ele tem o livro da vida (13.8) e conduzirá o juízo final do Grande Trono Branco (Jo 5.22; Ap 20.11-15).

Satanás, aquele procura falsificar tudo o que Deus faz a fim de enganar a humanidade, apresentará seu próprio "cordeiro" durante a ascensão do Anticristo (Ap 13.11). As bodas do Cordeiro, a união final de Cristo com sua igreja, ocorrerá após o arrebatamento dos santos (1 Ts 4.13-18; Ap 19.7,8). Por toda a eternidade vindoura, o nome mais maravilhoso de Cristo será Cordeiro (Ap 22.3). *Veja* Animais: Ovelha I.12.

***Bibliografia.*** Joachim Jeremias, "*Amnos* etc"., TDNT, I, 338-341.

R. A. K.

**CORÉ** Uma forma grega ou variante de Corá que algumas traduções trazem em Judas 11 (*q.v.*). Corá era um primo de Moisés e Arão (Êx 6.21), que liderou uma rebelião contra a liderança destes (Nm 16.1-49).

**CORÉ/CORÁ**

1. Um levita da casa de Corá cujos filhos eram porteiros do santuário (1 Cr 9.19; 26.1,19).
2. Um levita encarregado das ofertas voluntárias durante o reinado de Ezequias (2 Cr 31.14).

## CORES

1. A palavra abstrata para cor não ocorre na verdade no AT ou no NT. Em cada caso onde os tradutores empregaram a palavra, principalmente nas traduções para o inglês, a palavra sozinha, no original, tem um significado básico diferente e foi utilizada como expressão ou ilustração.

Na maioria das ocorrências do AT a palavra hebraica significa simplesmente "aparência" (cf. Lv 13.55; Nm 11.7; Ez 1.4,7,etc.; Dn 10.6). A túnica de muitas cores de José (Gn 37.3) e de Tamar (2 Sm 13.18,19) eram muito provavelmente túnicas compridas que iam até os tornozelos com mangas longas que, como ilustra a referência a Tamar, eram usadas pelas classes mais elevadas. A túnica comum ia somente até os joelhos e não tinham cavas nas mangas. Várias palavras hebraicas com significados como "variado", "diversas cores", "de várias cores" também ocorrem (cf. Ez 16.16; 17.3; 1 Cr 29.2; Pv 7.16).

As referências do NT não são palavras gregas separadas, mas extensões das cores básicas mencionadas.

2. A cor como um fenômeno de luz específico tanto no AT como no NT. Quando procuramos identificar os vários nomes de objetos coloridos na Bíblia, ficamos perplexos quanto à escassez de palavras usadas e a dificuldade de associar os termos com os objetos padrão coloridos que conhecemos. Isto não significa necessariamente que os orientais careciam de senso de apreciação para a cor, mas sim que falhavam em analisar e definir os efeitos das cores. A indefinição bíblica deve ser entendida como parte da herança cultural geral do antigo Oriente Próximo, e não como um defeito específico dos hebreus.

No antigo uso das cores em cerâmica, tijolos vitrificados, artigos de vidro, lajes de túmulos, sarcófagos, madeiras e tecidos não parecem ser a mistura elaborada de cores que caracteriza a coloração moderna, mas sim os efeitos admiráveis produzidos ao destacar as cores básicas. Pode ser observado nesta ligação que, freqüentemente, a principal distinção em referência à cor de um objeto não é um tom específico, mas sim sua classificação como sombrio ou brilhante, claro ou escuro. Esta preocupação pelo valor ou brilho das cores é aparentemente um fenômeno notado em outra literatura antiga como nas obras de Homero, e na poesia inglesa antiga (R. W. Corney, "Colors", IDB, I, 657).

O que segue é uma tentativa de identificar as principais cores específicas mencionadas no AT e no NT.

**Amarelo** – Uma palavra que descreve a cor do ouro no Salmo 68.13, mas que em outras passagens é mencionada como um amarelo-esverdeado, e assim traduzido por esverdinhada ou verde em Levítico 13.49; 14.37. Em Levítico 13.30,32,36, uma palavra heb. diferente descreve a cor do cabelo de uma pessoa sofrendo de lepra na região da cabeça ou da barba.

**Azul** – Provavelmente um azul-púrpura obtido a partir de moluscos ou crustáceos do Mediterrâneo e, embora considerado inferior à tintura púrpura real, era uma cor muito popular usada nas franjas e véu do Tabernáculo e dos vestidos sacerdotais (Êx 25.4; 26.1; Nm 4.6,7,9; 15.38) e no templo de Salomão (2 Cr 2.7,14; 3.14). Esta cor também aparece no palácio de Assuero e em suas túnicas reais (Et 1.6; 8.15). Os sacerdotes de Qumran (essênios) usavam um cinto bordado com estofo púrpura e azul por ocasião das batalhas (1QM 7.10; cf. Êx 39.28,29). A palavra azul não ocorre no NT nas versões inglesas KJV e RSV.

**Baio** – ou vermelho. Provavelmente melhor entendido como uma referência à força ou ao vigor dos cavalos referidos em Zacarias 6.3,7 e não à cor em si (na RSV em inglês lê-se "corcéis", v. 7; cf. JerusB).

**Branco** – Há várias palavras heb. traduzidas como branco. A mais comum é *laban*, que pode ser detectada na palavra "Líbano" e que provavelmente tenha sido assim chamada por causa dos picos cobertos de neve do Monte Líbano. É geralmente a cor natural de vários objetos, tais como os dentes (Gn 49.12), a neve (Is 1.18), o cabelo (Mt 5.36), os cavalos (Zc 1.8; 6.3), galhos de árvore (Jl 1.7), trajes alvejados (Ec 9.8; Dn 7.9). No NT a palavra "caiados" ou "branqueados" (Mt 23.27; At 23.3) é usada metaforicamente de uma forma muito parecida com o nosso uso, quando fazemos uma tentativa deliberada de retratar algo como exteriormente bom, mas que, na realidade, é ruim. Pode também representar a autêntica santidade. trajes brancos vestiam o Cristo transfigurado (Mt 17.2), e os anjos (Mt 28.3; Jo 20.12; At 1.10). Eles também vestem vários personagens no livro de Apocalipse (3.4; 4.4; 7.9; 19.8,14).

**Carmesim** – Uma cor vermelha de vários tons derivada dos ovos de insetos quermes ou cochinilhas. Depois que os ovos eram removidos de debaixo da concha externa do inseto fêmea, eles eram cuidadosamente enrolados em uma grande esfera de onde a tintura era então extraída. Esta cor foi aplicada em materiais usados no templo de Salomão (2 Cr 2.7,14; 3.14); e é metaforicamente relacionada à cor vermelha do sangue inocente derramado pelos pecados de Israel (Is 1.18), e aparentemente à pintura do rosto de uma meretriz (Jr 4.30). *Veja* Escarlate; Animais: Pulgão escarlate ou Cochonilha carmesim IV.25

**Cinza** – Aplicado à cor do cabelo dos idosos (Gn 42.38; 44.29,31; Dt 32.25; 1 Sm 12.2; Jó 15.10; Sl 71.18; Pv 20.29; Is 46.4; Os 7.9). A mesma palavra é traduzida como "grisalho" ou "cãs" em outras passagens (cf. 1 Rs 2.6,9; Is 46.4 etc.).

**Cor de Canela** – Encontrada em Zacarias 1.8 na versão RSV em inglês como uma das cores dos cavalos do Apocalipse. Nas versões em português ela aparece como vermelho. A palavra heb. está relacionada à palavra assíria e árabe para "vermelho sangue" ou "cor vermelha". Pode referir-se a uma cor ruiva sobre o branco (BDB).

**Escarlate** – Uma cor de tintura que, na Bíblia, é indistinguível do carmesim (*q.v.*) e derivada da mesma maneira do corpo de alguns insetos fêmeas e usada para tecidos e fios (Gn 38.28,30; Js 2.18,21; 2 Sm 1.24; Na 2.3; Pv 31.21); lábios (Ct 4.3); figurativamente para pecados (Is 1.18). O escarlate também fazia parte do traje dos sacerdotes de Qumran (1QM 7.11). No NT o escarlate é usado para designar a cor da lã (Hb 9.19); a túnica colocada sobre Jesus pelos soldados romanos com uma atitude de zombaria (Mt 27.28); e combinado com púrpura compõe a vestido usado pela mulher simbólica em Apocalipse (17.4), que pode significar sua magnificência. Os mercadores da terra pranteiam sobre a perda de seu mercado de escarlate quando a mulher é destruída (Ap 18.12).

**Malhado** – ("salpicado" ou "grisalho"). O termo denota, literalmente, "manchados com granizo" e é usado para denotar a cor cinza "sarapintado", "manchado" ou talvez "salpicado" de certos cavalos apocalípticos e bodes (Zc 6.3,6; Gn 31.10,12).

**Marrom** – A versão KJV em inglês utiliza a mesma palavra para preto (*q.v.*) no sentido de "queimadura de sol" ou "moreno" em Gênesis 30.32,33,35,40.

**Preto** – A palavra é traduzida de oito palavras heb. diferentes indicando tons escuros, do marrom escuro ao cinza, e ao preto. O preto é usado para descrever a cor do cabelo (Lv 13.31,37; Ct 5.11), da pele (Jó 30.30; Ct 1.5,6, onde a referência não é necessariamente racial mas a um "bronzeado" ou marrom escuro), rostos humanos (Lm 4.8), cavalos (Zc 6.2,6), rebanho (Gn 30.32ss.), céus (1 Rs 18.45, como um sinal de chuva), ribeiros por causa do gelo (Jó 6.16). A palavra grega para o preto no NT é usada em referência ao cabelo (Mt 5.36), um dos quatro cavalos do Apocalipse (Ap 6.5), e o sol escurecido (Ap 6.12). Em Hebreus 12.18 uma palavra grega diferente significa a negridão ou as trevas do Monte Sinai quando a lei foi entregue, e a mesma palavra literalmente descreve a "escuridão [ou negridão] das trevas" (2 Pe 2.17; Jd 13; a versão RSV em inglês traz a expressão "escuridão inferior das trevas").

**Púrpura** – Provavelmente, esta cor fosse considerada a mais valiosa das tinturas antigas. Suas várias tonalidades de púrpura-avermelhado eram provenientes de moluscos e crustáceos do Mediterrâneo da classe dos gastrópodes. Os fenícios (do gr. *phoinos*, "púrpura-avermelhado") foram citados em documentos antigos como os descobridores desta cor de tintura (cf. Ez 27.7). O nome Canaã ("terra da púrpura") aparentemente se originou desta tintura. De acordo com Plínio, a tonalidade mais valiosa era a do sangue coagulado. Trajes tingidos desta cor foram usados no Tabernáculo (Êx 26.1,31) e nas vestes sacerdotais (Êx 28.4-6; 39.1,28,29; cf. 1QM 7.11, onde juntamente com o vestuário azul, branco e escarlate, os sacerdotes de Qumran vestiam-se para a batalha). Os trajes reais costumeiramente continham os tecidos tingidos de púrpura (cf. reis midianitas, Jz 8.26; o assento do carro de Salomão, Ct 3.10; o traje dos reis babilônios e persas, Dn 5.7; Et 1.6), como também os dos ricos (Pv 31.22; Jr 10.9; Ez 27.7,16). Aparentemente, os primeiros reis romanos não usavam púrpura (cf. 1 Mac 8.14).

Lídia de Tiatira no NT (At 16.14) era vendedora da cara tintura púrpura. O homem rico estava vestido de púrpura na história que Jesus contou sobre o mendigo Lázaro (Lc 16.19). O significado simbólico da púrpura denotando figuras reais na túnica que, por escárnio, vestiram em Jesus por ocasião de seu julgamento (Mc 15.17,20; Jo 19.2,5), e a meretriz mencionada em Apocalipse (cf. 17.4; 18.12,16). *Veja* Púrpura; Animais: Molusco Roxo, V.8.

**Verde** – Várias palavras heb. são traduzidas assim. Em cada caso a referência usual é à cor da vegetação e, juntamente com o vermelho e o branco, forma uma das palavras de cor definidas no AT (cf. Gn 1.30; 9.3; Êx 10.15; Jó 39.8; Sl 37.2). Às vezes a cor é verde-amarelado como um "verde dourado" (Sl 68.13, na RSV em inglês – ou "ouro amarelo" na versão RC em inglês) ou a cor esverdeada das manchas leprosas (Lv 13.49; 14.37). No NT as referências são todas à relva ou às árvores verdes (Mc 6.39; Ap 8.7; 9.4). Um uso metafórico ocorre em Lucas 23.31 onde Jesus aparentemente assemelha a aflição futura que virá sobre o povo judeu rebelde, à rápida queima de uma árvore "seca", contrastando-a com a aflição injusta que Ele iria enfrentar em seus açoites e em sua crucificação, aos quais Ele se referiu como a queima de uma árvore "verde".

**Vermelho** – Embora esta cor possa ser uma tintura obtida artificialmente a partir dos insetos, vegetais e minerais (Êx 25.5; 26.14 etc.), o uso mais freqüente na Bíblia tem a finalidade de designar a cor natural de certos objetos. Por exemplo, o vermelho é usado para a cor da pele (de Esaú, Gn 25.25; de Davi, "ruivo", 1 Sm 16.12; 17.42); a cor dos olhos depois de se consumir vinho (Gn 49.12; Pv 23.29); do guisado (Gn 25.30); da novilha para a purificação sacrificial (Nm 19.2,5,6,8-10 [bezerra ruiva ou novilha vermelha]); das manchas dos suspeitos de lepra (Lv 13.19); dos escudos de guerra (Na 2.3). Em Isaías 63.1,2, existe um trocadilho entre a palavra

Edom ("vermelho", v. 1) e a cor vermelha em. "Por que está vermelha [heb. *'adom*] a tua vestidura? E as tuas vestes, como as daquele que pisa uvas no lagar" (v. 2). A segunda declaração refere-se às vestes salpicadas de sangue do Messias, resultando de sua obra de julgamento (v. 3). Uma palavra heb. diferente (*hamar*) ocorre no Salmo 75.8 e é traduzida em algumas versões como "vermelho", mas o seu significado mais provável é "espumar" ou "fermentar".

No NT a palavra grega *pyrros* (e cognatos) é usada quanto à cor do céu como um "vermelho sombrio" (Mt 16.2,3 [rubro ou avermelhado]); um dos quatro cavalos do Apocalipse (Ap 6.4); e a cor do dragão satânico (Ap 12.3).

**Vermelhão** - Um pigmento vermelho brilhante feito em tempos modernos a partir de óxido de mercúrio, mas provavelmente de óxido de ferro nos tempos antigos, e que era conhecido como vermelho ocre. Era uma cor brilhante e aparentemente relacionada a pinturas caras de ambientes e cerâmicas. Jeremias acusou o rei Jeoaquim de construir para si uma casa pintada de vermelhão, enquanto negligenciava a justiça e praticava a opressão (Jr 22.14). Está relacionado às figuras dos homens babilônios pintados na parede, pelos quais o adúltero Judá foi seduzido a copular (Ez 23.14). Estas figuras eram cenas de guerra, retratando as procissões triunfais dos governantes babilônios - os palácios assírios eram adornados com esta cor (cf. Keil, *Ezekiel*, KD). Ídolos pagãos são descritos como tendo sido pintados com esse ocre vermelho no livro apócrifo da Sabedoria de Salomão (13.14) e os gregos usavam esta cor para pintar cerâmicas (Plínio, *Nat. Hist.*, XXXV.152).

**Violeta** - Encontrada na versão RSV em inglês em Jeremias 10.9 (em outras versões é traduzida como azul ou roxo). Esta palavra hebraica é, nas demais passagens, traduzida como "azul".

### Simbolismo das cores

É muito difícil atribuir um significado simbólico específico para as cores encontradas na Bíblia, por causa da falta generalizada de ênfase sobre tons distintos na maioria dos casos, e porque apenas algumas cores em algumas passagens recebem algum significado definido no texto. Além disso, não há nenhum princípio que exija que uma vez que a cor seja mencionada em um certo sentido simbólico, ela sempre mantenha o mesmo sentido uniformemente ao longo dos períodos bíblicos. Os escritores bíblicos parecem ter sido mais influenciados pela importância cultural contemporânea das cores, do que pela estabilidade e uniformidade bíblica. As seguintes cores parecem ser identificadas em alguns contextos com estas associações.

**Azul:** laços de sabedoria comparados com um tecido de cordas azuis no livro apocalíptico de Eclesiástico (6.30). Esta cor está associada aos reis, sendo, portanto, uma figura de realeza.

**Branco:** símbolo de pureza, santidade, justiça (Dn 11.35; 12.10; Is 1.18).

A maioria das outras designações simbólicas que são feitas, não pode oferecer mais do que pressuposições educadas. Mesmo dizendo respeito às cores do rico Tabernáculo, alguns pensam que elas não sugerem mais que a presença do Rei dos reis, em oposição a outros que encontram um significado simbólico em cada uma das cores usadas.

**Carmesim:** o pecado é assim descrito (Is 1.18).

**Escarlate:** associada com pecados (Is 1.18); alguns a sugerem como a cor do sacrifício ou do derramamento de sangue.

**Preto:** pranto (cf. Jr 4.28; 8.21; 14.2; Is 50.3; Jó 30.30), traição (Jó 6.15,16), talvez a falta de esperança (Mq 3.6; Jd 13).

**Púrpura:** geralmente associada com reis e com os ricos, sendo, dessa forma, a cor da realeza, da honra e da posição social.

**Verde:** ocasionalmente usado para referir-se a lugares de práticas idólatras (cf. Dt 12.2; 1 Rs 14.23), e eram lugares que tinham árvores exuberantes. Uma vez que a cor está associada à exuberância e abundância de vegetação, ela facilmente sugere o que era florescente e saudável (cf. Jó 15.32; Sl 23.2; 37.35; Jr 11.16).

A. F. J.

**CORÍNTIOS, 1 e 2.** Estas cartas pertencem ao segundo grupo dos escritos de Paulo, geralmente consideradas soteriológicas por causa de sua preocupação com a mensagem da salvação. As outras, no mesmo grupo, são Gálatas e Romanos.

No curso de sua missão européia, Paulo veio a Corinto vindo de Atenas e começou seus trabalhos na sinagoga. Sem dúvida, Priscila e Áqüila o ajudaram. Mais tarde, Silas e Timóteo ajudaram no trabalho (2 Co 1.19). Após a partida de Paulo, no final de um ministério de 18 meses, Apolo veio e continuou por um certo tempo (At 18.24,27,28; 1 Co 3.5). A igreja parece ter sido formada principalmente por gentios, pois o testemunho na sinagoga foi logo interrompido pela oposição dos judeus (At 18.6,7). Esta conclusão é apoiada em vários aspectos pela primeira epístola (por exemplo, 1 Co 12.2).

Conforme o seu costume, Paulo fez contato com a igreja após sua partida. O conhecimento da condição entre os seus convertidos chegou até ele pelos da casa de Cloé (1 Co 1.11), por meio de uma carta que lhe fora enviada pela congregação (1 Co 7.1) e pela chegada de três homens (1 Co 16.17). Além disso, Apolo, que havia retornado a Éfeso antes de Paulo ter escrito 1 Coríntios, pode ter fornecido informações (1 Co 16.12). Paulo havia escrito uma carta, provavelmente breve e limitada em seu alcance, e que não foi preservada (1 Co 5.9). Levando-se tudo em consideração, a igreja em Corinto trouxe ao apóstolo mais problemas do que qualquer outra que ele havia fundado. As cartas do apóstolo a esta congregação o demonstram claramente. Apesar da necessidade de correção e advertência, Paulo não deixa de misturar a estas sua garantia de amor e preocupação.

### Esboço de 1 Coríntios

Introdução, 1.1-9
I. Problemas na Congregação, 1.10 6.20
  A. Espírito de divisão, 1.10–4.21
  B. Desordeiros, 5.1–6.20
II. Questões Práticas e Doutrinárias, 7.1–15.58
  A. A respeito do casamento, 7.1-40
  B. A respeito das coisas sacrificadas aos ídolos, 8.1–11.1
  C. A respeito da conduta das mulheres na assembléia, e a Ceia do Senhor, 11.2-34.
  D. A respeito dos dons espirituais, 12.1–14.40
  E. A respeito da ressurreição, 15.1-58
Conclusão, 16.1-24

Seguindo-se a introdução (1.1-9), o apóstolo passa imediatamente a lidar com um grave problema, o espírito de divisão que estava ameaçando a igreja (1.10–4.21). Alguns tinham uma grande fidelidade a Paulo, como o fundador da assembléia; outros se ligaram a Apolo, e ainda outros a Cefas (Pedro), embora, pelo que se sabe, ele não havia sequer visitado aquela cidade. Um quarto segmento, desgostoso com seus companheiros, se voltou contra toda a liderança humana (1.12). Paulo mostra que somente Cristo merece a devoção deles. Jesus Cristo morreu por eles. Eles foram batizados em seu nome. O ministério tem o seu lugar e importância, mas somente quando os obreiros trabalham juntos e estão sujeitos a Deus (3.9). Todo o ministério pertence à igreja como um todo, e não a uma facção dela (3.21,22). O cristianismo não é uma filosofia com várias escolas de pensamento dirigidas por professores que têm seus próprios círculos seletos de discípulos.

O bema em Corinto, onde Paulo compareceu perante Gálio

O próximo problema a ser enfrentado era um grave caso de imoralidade (5.1-13). Ao ser negligente em relação à disciplina e até mesmo envaidecendo-se desta situação, a igreja como um todo compartilha a culpa. A culpa também recai sobre os crentes que levam as suas queixas, uns contra os outros, a magistrados pagãos em busca de soluções (6.1-8). Voltando ao problema da moralidade em linhas mais abrangentes do que no cap. 5, o apóstolo ensina sobre a santidade do corpo (6.9-20).

O casamento e os assuntos correlatos requerem atenção (7.1-40); e, a seguir, a questão de comer alimentos que foram oferecidos aos ídolos (8.1–11.1). Foi difícil para estes jovens cristãos romperem com as amarras de seu ambiente anterior. Eles também precisavam de ajuda, com relação à conduta das mulheres na assembléia e a observância correta da Ceia do Senhor (11.2-34).

Os coríntios, sendo gregos, amavam a autoexpressão. Por esta razão, tinham em alta estima o dom de línguas. Paulo trata de toda a questão dos dons espirituais, não proibindo o falar em línguas, mas requerendo um maior interesse pelo dom da profecia, e uma preocupação suprema pelo amor, que é maior do que todos os dons (12.1–14.40).

A carta chega a um clímax com seu ensino sobre a ressurreição (15.1-58). A filosofia grega não era receptiva a uma doutrina de ressurreição do corpo. Mas, como Cristo ressuscitou (e os coríntios haviam aceitado isso, 15.3-11), a ressurreição dos crentes está garantida.

O capítulo final trata dos planos e personalidades (16.1-24).

Esta carta foi escrita por volta de 55 ou 56 d.C. Não se sabe com certeza quem foi o seu portador.

### Esboço de 2 Coríntios

I. Gratidão pela Consolação de Deus, 1.1–2.13; 7.5-16
II. A Glória e o Sofrimento do Ministério Cristão, 2.14–7.4
III. A Doação Cristã, 8.1–9.15
IV. O Ministério de Paulo Contrastado com o dos Falsos Apóstolos, 10.1–13.14

A oposição a Paulo, que havia sido promovida até certo ponto pelas facções (1 Co 4.18-21) e que se centralizava em seu apostolado e autoridade (1 Co 9.1-3), foi insuflada pela chegada a Corinto de homens que afirmavam pertencer à comunhão cristã e de terem posições apostólicas (2 Co 11.13). Um dos crentes, aparentemente enganado pela propaganda destes embusteiros, voltou-se contra Paulo e estimulou os outros a fazerem o mesmo (2 Co 2.5ss.; 7.12). Parece que o apóstolo sentiu que era necessário deixar tempo-

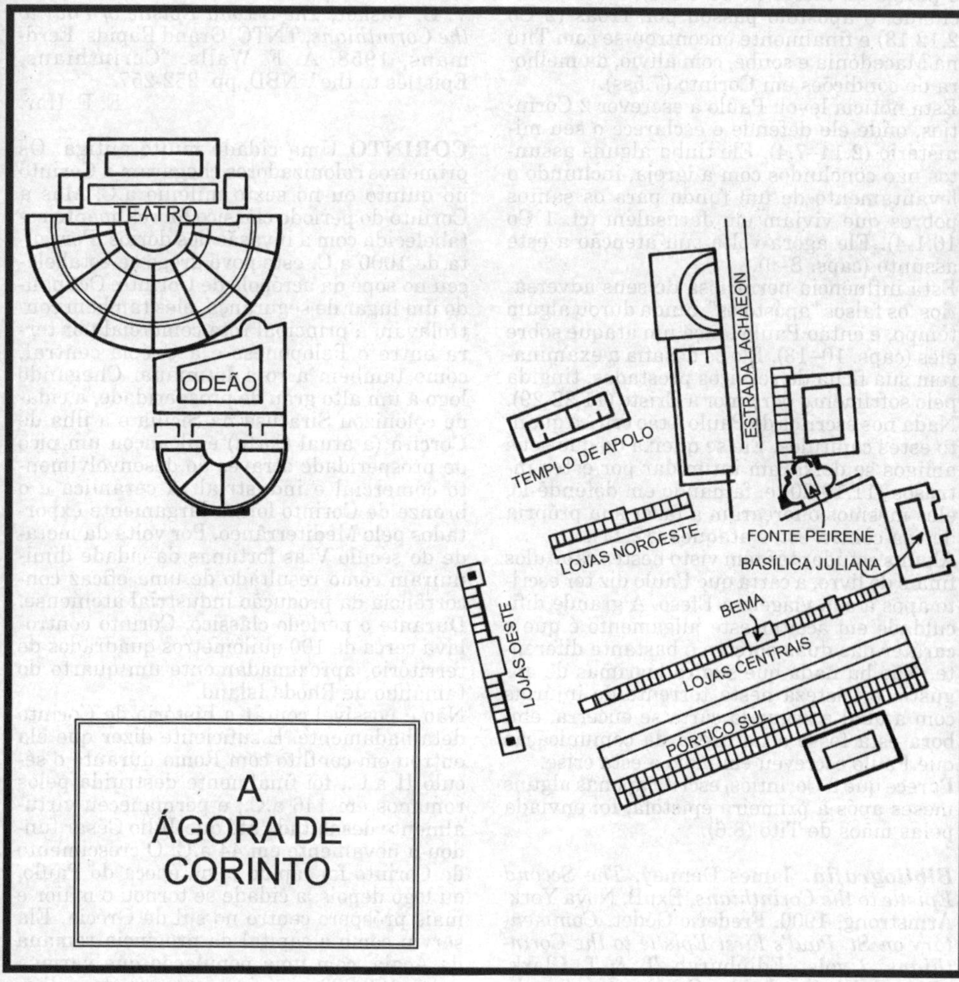
TEATRO
ODEÃO
TEMPLO DE APOLO
ESTRADA LACHAEON
LOJAS NOROESTE
FONTE PEIRENE
BASÍLICA JULIANA
LOJAS OESTE
BEMA
LOJAS CENTRAIS
PÓRTICO SUL
A ÁGORA DE CORINTO

rariamente o seu trabalho em Éfeso, para fazer uma viagem às pressas a Corinto com a finalidade de resolver aquela situação (2 Co 2.1; 12.14; 13.1,2). Porém nem mesmo este encontro face-a-face foi bem-sucedido. Em seu retorno a Éfeso, Paulo escreveu uma carta repleta de angústia e lágrimas (2 Co 2.4; 7.8), e a enviou pelas mãos de Tito. A ansiedade pelo resultado piorou a situação perturbadora em Éfeso, onde ele enfrentou o perigo de morte (2 Co 1.8ss). Deixando a cidade, o apóstolo passou por Troas (2 Co 2.12,13) e finalmente encontrou-se com Tito na Macedônia e soube, com alívio, da melhora de condições em Corinto (7.5ss).

Esta notícia levou Paulo a escrever 2 Coríntios, onde ele defende e esclarece o seu ministério (2.14–7.4). Ele tinha alguns assuntos não concluídos com a igreja, incluindo o levantamento de um fundo para os santos pobres que viviam em Jerusalém (cf. 1 Co 16.1-4). Ele agora volta sua atenção a este assunto (caps. 8–9).

Esta influência perniciosa de seus adversários, os falsos "apóstolos", ainda durou algum tempo, e então Paulo lança um ataque sobre eles (caps. 10–13). Ele os desafia a examinarem sua ficha de serviços prestados, tingida pelo sofrimento por amor a Cristo (11.22-29). Nada nos escritos de Paulo é tão crítico quanto estes capítulos. Ele se queixa de que seus amigos se deixaram intimidar por estes intrusos (11.19,20) e, falhando em defendê-lo, eles mesmos o forçaram a fazer sua própria defesa contra estes ataques (12.11).

Alguns estudantes têm visto nestes capítulos finais do livro, a carta que Paulo diz ter escrito após a sua viagem a Éfeso. A grande dificuldade em aceitar este julgamento é que o caráter das duas porções é bastante diferente. Não há nada que sugira lágrimas de angústia e tristeza nesta torrente de injúrias com a qual a segunda carta se encerra, embora esta fosse a natureza da comunicação que Paulo escreveu em meio a esta crise.

Parece que 2 Coríntios, escrita apenas alguns meses após a primeira epístola, foi enviada pelas mãos de Tito (8.6).

***Bibliografia.*** James Denney, *The Second Epistle to the Corinthians*, ExpB, Nova York. Armstrong, 1900. Frederic Godet, *Commentary on St. Paul's First Epistle to the Corinthians*, 2 vols., Edinburgh. T. & T. Clark, 1889. F. W. Grosheide, *Commentary on the First Epistle to the Corinthians*, NICNT, Grand Rapids. Eerdmans, 1953. Charles Hodge, *An Exposition of the First Epistle to the Corinthians*, 1857, Grand Rapids. Eerdmans, 1950 (reimpressa); *An Exposition of the Second Epistle...*, 1859, Eerdmans, 1950 (reimpressa). P. E. Hughes, *Paul's Second Epistle to the Corinthians*, NICNT, Grand Rapids. Eerdmans, 1962. G. Campbell Morgan, *The Corinthian Letters of Paul*, Nova York. Revell, s.d. Leon Morris, *The First Epistle of Paul to the Corinthians*, TNTC, Grand Rapids. Eerdmans, 1958. Alfred Plummer, *A Critical and Exegetical Commentary on the Second Epistle of St. Paul to the Corinthians*, ICC, Nova York. Scribner's, 1915. Archibald Robertson e Alfred Plummer, *A Critical... Commentary on the First Epistle... Corinthians*, ICC, 2ª ed., Scribner's, 1911. A. T. Robertson, *The Glory of the Ministry*, Nova York. Revell, 1911. R. V. G. Tasker, *The Second Epistle of Paul to the Corinthians*, TNTC, Grand Rapids. Eerdmans, 1958. A. F. Walls, "Corinthians, Epistles to the", NBD, pp. 252-257.

E. F. Har.

**CORINTO** Uma cidade muito antiga. Os primeiros colonizadores chegaram a Corinto no quinto ou no sexto milênio a.C. Mas a Corinto do período clássico foi realmente estabelecida com a invasão dos dórios. Por volta de 1000 a.C. este povo grego se estabeleceu no sopé da acrópole de Corinto. Ocupando um lugar de segurança, eles também controlavam a principal rota comercial por terra entre o Peloponeso e a Grécia central, como também a rota Istmiana. Chegando logo a um alto grau de prosperidade, a cidade colonizou Siracusa na Sicília e a ilha de Corcira (a atual Corfu) e alcançou um pico de prosperidade através do desenvolvimento comercial e industrial. A cerâmica e o bronze de Corinto foram largamente exportados pelo Mediterrâneo. Por volta da metade do século V as fortunas da cidade diminuíram como resultado de uma eficaz concorrência da produção industrial ateniense. Durante o período clássico, Corinto controlava cerca de 100 quilômetros quadrados de território, aproximadamente um quarto do tamanho de Rhode Island.

Não é possível contar a história de Corinto detalhadamente. É suficiente dizer que ela entrou em conflito com Roma durante o século II a.C., foi finalmente destruída pelos romanos em 146 a.C., e permaneceu virtualmente desabitada até que Júlio César fundou-a novamente em 44 a.C. O crescimento de Corinto foi rápido e, na época de Paulo, ou logo depois, a cidade se tornou o maior e mais próspero centro no sul da Grécia. Ela serviu como a capital da província romana da Acaia, com uma população que variava entre 100.000 a várias centenas de milhares de pessoas.

A história posterior de Corinto não possui nenhum valor especial para os estudantes do NT. A cidade sofreu várias catástrofes até que em 1858, quando foi destruída por um terremoto, ela se moveu para um novo local no golfo de Corinto; por isso escavadores da Escola Americana de Estudos Clássicos foram capazes de descobrir como era o lugar na época do NT.

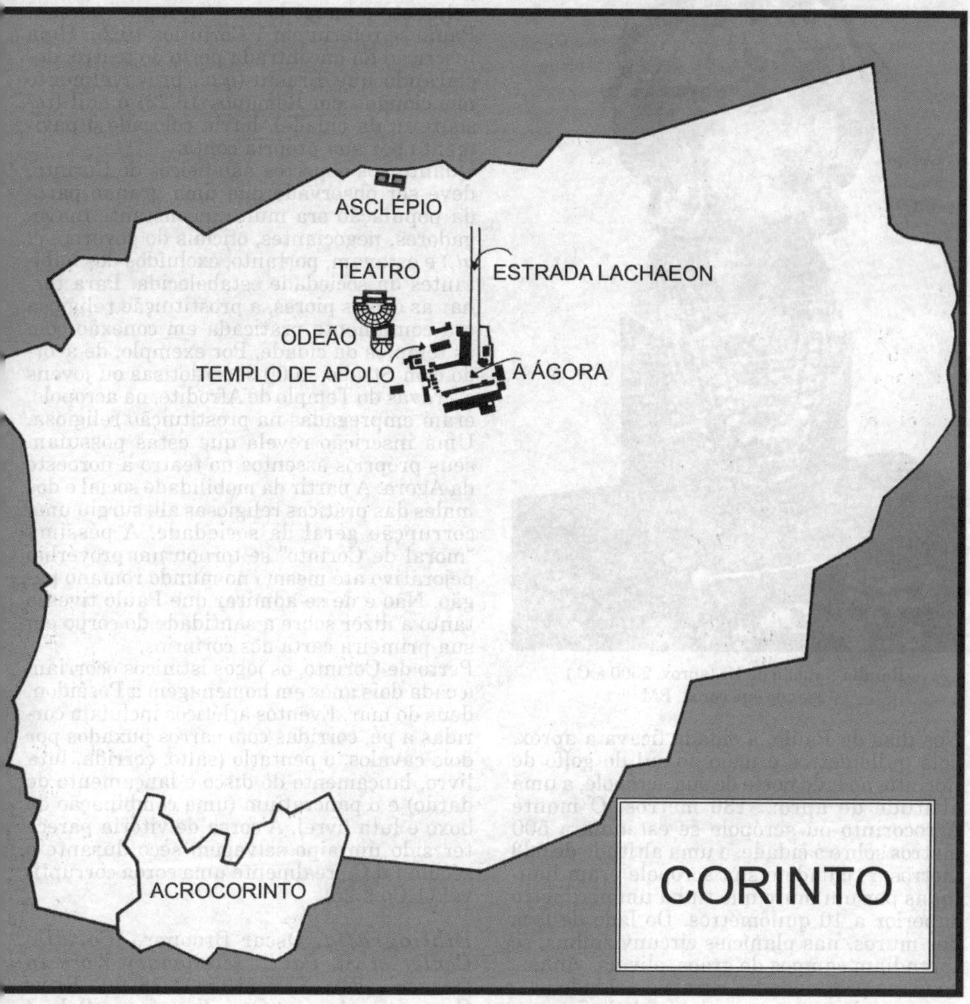
ASCLÉPIO
TEATRO
ESTRADA LACHAEON
ODEÃO
TEMPLO DE APOLO
A ÁGORA
ACROCORINTO
CORINTO

Rainha Shubad de Ur (aprox. 2500 a.C.) usando sua coroa. BM

Nos dias de Paulo, a cidade ficava a aprox. dois quilômetros e meio ao sul do golfo de Corinto, no lado norte de sua acrópole, a uma altitude de aprox. 130 metros. O monte Acrocorinto ou acrópole se estendia a 500 metros sobre a cidade, a uma altitude de 623 metros. A cidade e sua acrópole eram limitadas por um muro que tinha um perímetro superior a 10 quilômetros. Do lado de fora dos muros, nas planícies circunvizinhas, se estendiam campos de grãos, olivais, vinhas, e outras propriedades rurais da cidade.

Ao norte da parte central da cidade ficava a Ágora, o centro nervoso da metrópole. A Ágora tinha aproximadamente 230 metros de leste a oeste, e cerca de 100 metros de norte a sul. Seguindo a configuração natural da terra, a seção sul era cerca de 4 metros mais alta que a parte norte. Na linha divisória dos dois níveis, havia uma fileira de prédios baixos flanqueando um rostro ou bema, que funcionava como um púlpito para proclamações públicas e assentos de julgamento (*q.v.*) para magistrados. Aqui Paulo compareceu perante Gálio (*q.v.*), governador da Acaia, como resultado das acusações dos judeus de que ele havia violado a lei (At 18.12,13). Ao longo do lado sul da Ágora, havia um pórtico ou colunata que era um centro de compras, medindo cerca de 150 metros de comprimento. Aqui e no lado noroeste perto do templo de Apolo, havia lojas para os vendedores de carne e vinho, provavelmente o mercado ou o "açougue" ao qual Paulo se referiu em 1 Coríntios 10.25. Uma inscrição foi encontrada perto do teatro, declarando que Erasto (*q.v.*; provavelmente mencionado em Romanos 16.23) o edil (tesoureiro da cidade), havia colocado o pavimento por sua própria conta.

Quanto aos aspectos não-físicos de Corinto, deve ser observado que uma grande parte da população era muito inconstante (navegadores, negociantes, oficiais do governo, *et al.*) e estavam, portanto, excluídos dos habitantes da sociedade estabelecida. Para tornar as coisas piores, a prostituição religiosa era comumente praticada em conexão com os templos da cidade. Por exemplo, de acordo com Strabo, 1000 sacerdotisas ou jovens escravas do Templo de Afrodite, na acrópole, eram empregadas na prostituição religiosa. Uma inscrição revela que estas possuíam seus próprios assentos no teatro a noroeste da Ágora. A partir da mobilidade social e dos males das práticas religiosas ali, surgiu uma corrupção geral da sociedade. A péssima "moral de Corinto" se tornou um provérbio pejorativo até mesmo no mundo romano pagão. Não é de se admirar que Paulo tivesse tanto a dizer sobre a santidade do corpo em sua primeira carta aos coríntios.

Perto de Corinto, os jogos ístmicos ocorriam a cada dois anos em homenagem a Posêidon, deus do mar. Eventos atléticos incluíam corridas a pé, corridas com carros puxados por dois cavalos, o pentatlo (salto, corrida, luta livre, lançamento de disco e lançamento de dardo) e o pancratium (uma combinação de boxe e luta livre). A coroa de vitória parece ter sido um aipo selvagem seco durante o século I d.C., realmente uma coroa corruptível (1 Co 9.25).

***Bibliografia.*** Oscar Brooner, *"Corinth, Center of St. Paul's Missionary Work in Greece"*, BA, XIV (1951), 78-96. Rhys Carpenter, *Ancient Corinth*, rev. por Robert L. Scranton e outros, sexta ed., Atenas. Escola Americana de Estudos Clássicos em Atenas, 1960. William A. McDonald, *"Archaeology and St. Paul's Journeys in Greek Lands*, Part III. Corinth", BA, V (1942), 36-48.

H. F. V.

**CORNALINA ou SÁRDIO** *Veja* Jóias.

**CORNÉLIO** Este homem representa dois

aspectos importantes em particular: ele é o primeiro gentio (que foi registrado) a se converter ao cristianismo; e a história de sua conversão é contada duas vezes. Sem contar a tripla repetição da memorável conversão de Saulo, esta é única em Atos. A conversão de Cornélio é relatada em Atos 10. Pedro, quando censurado em Jerusalém por comer com gentios incircuncisos, contou novamente o incidente como a sua melhor defesa (At 11.1-18). No famoso Concílio de Jerusalém (48 d.C.), ele fez alusão a este significativo evento como prova da intenção de Deus de salvar os gentios pela graça, de forma independente da lei mosaica (At 15.7-11).

Cornélio é identificado como um centurião da corte italiana estabelecida em Cesaréia (At 10.1). Visto que em 82 a.C. Públio Cornélio Sulla libertou 10.000 escravos, dando a eles o nome de família Cornélio, este era um nome comum no império romano desta época, e também muito honrado.

O centurião é descrito como um homem "piedoso e temente a Deus, com toda a sua casa, o qual fazia muitas esmolas ao povo e, de contínuo, orava a Deus" (At 10.2). Há uma disputa considerável sobre o que isso significa exatamente. Seria ele um verdadeiro prosélito do judaísmo? A maioria dos estudiosos concorda que não, e ele tem sido normalmente rotulado como um "prosélito de portão". Mas Kirsopp Lake afirma que não existia uma categoria como esta. Os adoradores gentios nas sinagogas judaicas eram considerados prosélitos apenas se fossem circuncidados e observassem todas as regras da lei mosaica ("Prosélitos e Tementes a Deus", *Beginnings of Christianity,* V, 74-96). Cornélio não era um prosélito, mas um homem temente a Deus. A palavra grega para "temente" significa "pio, piedoso". Fica evidente que Cornélio havia aceitado o monoteísmo, e adorava ao Deus verdadeiro na sinagoga. E também fica igualmente claro que, antes disso, ele não tinha ouvido o Evangelho Cristão de forma explícita. Na visão que teve, ele foi instruído a buscar Pedro, que lhe declararia como poderia ser salvo (At 11.12-14). Pedro pregou sobre a salvação através do nome de Jesus (At 10.43). Cornélio e seus companheiros aceitaram a mensagem de Cristo e o Espírito Santo foi derramado sobre eles (At 10.44).

R. E.

**CORNETIM** *Veja* Música.

**COROA** Uma argola decorada ou uma cobertura simbólica, indicando realeza ou uma elevada posição e alcance social, que se colocava na cabeça dos monarcas.

*Origem*. As coroas, no antigo Oriente Próximo, são a evolução de dois toucados comuns, o turbante e o lenço ou faixa de couro. A faixa logo deu lugar ao diadema de metal, assim como às grinaldas decoradas com ouro, contas e pingentes de ouro, ou rosetas da rainha Shubad de Ur, datando do séc. XXV a.C (ANEP #72). Uma faixa de cobre pertencente a um líder amorreu de aprox. 2000 a.C. foi encontrada em uma tumba de Jericó, e Flinders Petrie encontrou um diadema com uma tira de ouro com modelo pontilhado na antiga Gaza (Tell el-'Ajjul). Estas coroas eram muitas vezes feitas com pedras preciosas (Zc 9.16). Entre os gregos e os romanos a faixa se tornou uma guirlanda de folhas ou flores, entregue aos atletas vitoriosos ou aos cidadãos proeminentes. Em uma imitação às práticas helenísticas, alguns judeus da época anterior a Cristo se coroavam com grinaldas de rosas e oliveiras nos tempos de festa e alegria (Sabedoria 2.8; Judite 15.13).

Antigos monarcas do mundo bíblico usavam uma grande variedade de coroas ou turbantes (*q.v.*). Os turbantes em forma de cone dos reis assírios consistiam de um tecido enrolado muitas vezes em volta da cabeça e adornado com faixas com bordados coloridos ou pedras preciosas. O turbante e o diadema às vezes se combinavam formando uma coroa composta (Ez 21.26). A elaborada coroa dupla do Alto e do Baixo Egito, incorporou a coroa vermelha do Baixo Egito (um gorro

Coroa do rei Tutancamom do Egito. Trata-se de uma faixa de ouro decorada com rosetas incrustadas com cornalina. Na parte frontal estão os emblemas reais do abutre e da cobra.
LL

semelhante a um chapéu turco com um fio enrolado na frente e uma projeção alta atrás), e a coroa branca do Alto Egito (alta, um gorro cônico com o topo em forma de bulbo). Qualquer que fosse a coroa do Faraó, a insígnia real do *uraeus* (ou cobra), sempre adornava a frente para simbolizar poder e terror aos seus inimigos.

*No Antigo Testamento.* A coroa oficial do sumo sacerdote dos israelitas, e mais tarde do rei deles (2 Sm 1.10; 2 Rs 11.12), é representada pelo termo hebraico *nezer*, que significa "consagração" (Lv 21.12). Ele descreve o diadema ou lâmina de ouro, com a inscrição das palavras "Santidade ao Senhor", e preso ao turbante (ou mitra) do sacerdote com um fio azul (Êx 29.6; 39.30; Lv 8.9; cf. Êx 28.36-38; *veja* Diadema). O *nezer* significava não apenas o grau de autoridade de quem o usava, mas também a natureza sagrada do seu ministério. Tanto no caso do sacerdote (Êx 29.6,7) como do rei (2 Rs 11.12), a coroação envolvia a unção com o óleo sagrado (IDB, I, 746). A coroa de Davi era o emblema do reinado concedido por Deus a Israel (Sl 21.3; 132.18). Quando a coroa era removida e profanada, sendo lançada por terra, o reino visível chegava ao fim (Sl 89.39; cf. Pv 27.24; Lm 5.16; Ez 21.26).

A palavra hebraica 'atara é uma palavra mais geral para coroa, usada para coroas e ornamentos de cabeça de vários tipos. Ela denota a coroa enfeitada de ouro tirada do rei Amom por Davi em Rabá (2 Sm 12.30). Pode ser tanto a coroa de uma rainha assim como a de um rei (Jr 13.18), a coroa de ouro de Mardoqueu (Et 8.15), ou do rei Salomão no dia do seu casamento (Ct 3.11). Esta última pode estar se referindo a uma guirlanda de flores usada tanto pelo noivo como pela noiva (Ez 16.12), um hábito ainda observado em algumas partes do Oriente. Foi ordenado a Zacarias que fizesse uma coroa de prata decorada e anéis de ouro para a cabeça de Josué, o sumo sacerdote, provavelmente uma coroa dupla para simbolizar a futura união do sacerdócio e do ofício real em uma única pessoa, o Messias (Zc 6.11-14).

Esta palavra usada para coroa também era usada metaforicamente em livros poéticos e proféticos para designar honra e glória (Jó 19.9; Pv 4.9), uma colheita abundante (Sl 65.11), a riqueza dos sábios (Pv 14.24), uma esposa virtuosa (12.4) e os netos (17.6), e o cabelo grisalho na cabeça do justo (16.31). Deus coroou o homem, representado agora por Jesus, o Filho do homem, com glória e majestade (Sl 8.5; Hb 2.7,9). O Senhor coroa o crente "de benignidade e de misericórdia" (Sl 103.4), e Ele próprio será a bela coroa do seu povo ao invés da coroa de orgulho usada pela nobreza ébria de Efraim (Is 28.1,3,5). A Jerusalém do milênio será uma coroa de glória, um diadema real nas mãos do Senhor (Is 62.3).

A realeza persa usava uma tiara ou coroa (heb., keter) na forma de um gorro rodeado por um diadema de ouro com saliências dentadas, decorado com rosetas e representações de jóias (ANEP #462; Et 1.11; 2.17; 6.8). O termo diadema significava originalmente uma faixa azul enfeitada com branco em volta da tiara, significando realeza entre os persas (Arndt, p. 181). Figurativamente, o prudente faz do conhecimento a sua coroa (heb., *yaktiru*, Pv 14.18).

Outras palavras hebraicas traduzidas como "coroa" são *zer*, uma borda ou moldura de ouro nos cantos da arca, na mesa da proposição e no altar do incenso (Êx 25.11,24; 30.3); e *qodqod*, a coroa ou o alto da cabeça (Gn 49.26; Jó 2.7 etc.).

*No Novo Testamento.* Fora do livro de Apocalipse a "coroa" (*stephanos*) se refere a uma grinalda, seja literalmente a coroa de espinhos que serviu como uma zombaria à afirmação da majestade de Jesus (Jo 19.2,5), ou à guirlanda de folhas simbolizando vitória e recompensa. Nos jogos Ístmicos em Corinto, os vencedores eram premiados com uma coroa de folhas de louro, que logo murchavam – esta era a "coroa corruptível" pela qual Paulo disse que os atletas daquela época lutavam (1 Co 9.25; Oscar Broneer, "O apóstolo Paulo e os jogos Ístmicos", B. A. XXV [1962], 16ss.). Ao invés disso, os cristãos buscam a coroa de glória que não é perecível (1 Pe 5.4), cujo fundamento é a vida eterna (Tg 1.12; Ap 2.10). Como os atletas, devemos competir de acordo com as normas (2 Tm 2.5), para que a coroa não nos seja tomada (Ap 3.11). Paulo afirma que há uma coroa ou recompensa para os justos, que será dada por ocasião da volta do Senhor Jesus a todos aqueles que amarem a sua vinda (2 Tm 4.8). É a esperança de ver Jesus em sua vinda de glória que faz com que os crentes busquem a santificação (1 Jo 2.28; 3.2,3). O apóstolo Paulo também escreve que os convertidos eram a sua "coroa de glória"; um prêmio do qual o apóstolo podia se orgulhar (1 Ts 2.19; Fp 4.1).

A *stephanos* de ouro no Apocalipse é usada por seres de alto escalão: os 24 anciãos (4.4,10), o cavaleiro no cavalo branco (6.2), as criaturas demoníacas com aspecto de gafanhoto (9.7), a mulher Israel representando o povo de Deus (12.1) e Cristo esperando para vir como juiz (14.14). Em 19.12, entretanto, Ele usa a coroa real de muitos diademas (diadema). Fingindo ser Cristo, e se opondo ao governo soberano de Deus, o diabo e o anticristo usarão muitos diademas antes de caírem (Ap 12.3; 13.1).

*Veja* Diadema; Grinalda; Julgamento; Recompensas.

***Bibliografia.*** Walter Grundmann, *"Stephanos etc.", TDNT, VII, 615-636.*

J.R.

**COROA DE ESPINHOS** *Veja* Plantas.

**CORPETE ORNAMENTADO** Termo que designa uma veste decorada usada sobre a parte da frente do corpo. Algumas versões chamam-na de "veste larga" ou "veste suntuosa" (Is 3.24).

**CORPO** Existem, na versão KJV em inglês, pelo menos 14 palavras hebraicas traduzidas como "corpo" no AT. Mas a maioria delas indica apenas partes do corpo. Cinco delas significam literalmente "costas". Uma palavra comum, *beten,* significa "barriga" ou "ventre". Outra se refere à "coxa". Outra descreve o corpo como um "revestimento". Há ainda outra que significa "osso" ou "esqueleto". A palavra hebraica *geshem* é geralmente traduzida como "chuva". Mas a palavra aramaica que aparece cinco vezes é identicamente traduzida como "corpo" em Daniel 3–7. Outra palavra utilizada significa "carcaça". A palavra hebraica *nephesh* é traduzida como "corpo" quatro vezes, mas sua tradução mais comum é "alma" (428 vezes) e "vida" (119 vezes). Ela significa um organismo vivo. Os hebreus não tinham o conceito do corpo físico como temos atualmente. E também não pareciam fazer uma sensível diferença entre o corpo e o espírito, como nós. Talvez a palavra *basar*, "carne", seja a que mais se aproxima dessa distinção.
No NT a palavra grega para "corpo" é *soma* (145 vezes). Aqui a diferença entre corpo e espírito é mais evidente. Mas a palavra *soma* é usada principalmente em sentido figurado no NT - para o homem como um todo, para o corpo do pecado e para a igreja.

***Bibliografia.*** E. Schweizer e F. Baumgärtel, "*Soma* etc." TDNT, VII, 1024-1094.

R. E.

**CORPO DE CRISTO**
1. Um corpo humano foi preparado para o eterno Filho de Deus para que Ele pudesse viver entre os homens (Hb 10.5). Ele assumiu esse corpo na encarnação (*q.v.*) quando o Verbo se fez carne (Jo 1.14; 1 Jo 4.2). Para alcançar a nossa salvação, era essencial que Ele assumisse um corpo humano real (Hb 2.14-16; 10.20); assim, Ele é o perfeito Sumo Sacerdote (Hb 2.17–3.1; 4.14–5.10) e o perfeito substituto (Hb 9.12-14,26-28; 1 Pe 2.24). A transformação de seu próprio corpo na ressurreição é um protótipo e uma garantia de uma semelhante ressurreição do corpo de cada crente (Fp 3.21; 1 Co 15).
2. O pão que foi partido e indicado para ser comido na Ceia do Senhor (*q.v.*), e sobre o qual Cristo disse as seguintes palavras: "Isto é o meu corpo" (Mt 26.26 etc.), representava o seu corpo que seria ferido e açoitado para que nós fôssemos sarados (Is 53.4,5; Mt 8.17; 1 Pe 2.24).
3. Uma bela imagem do corpo humano, com as partes que o compõem, foi usada por Paulo em 1 Coríntios 12 (cf. Rm 12.4-8; 1 Co 10.17; Ef 1.22,23; 2.16; 4.15,16; 5.23; Cl 1.18,24; 2.19; 3.14,15; Hb 13.3) para descrever o relacionamento e a unidade de todos os crentes na igreja de Jesus Cristo (cf. Gl 3.27). A igreja é *metaforicamente* o corpo de Cristo em relação à sua autoridade (Ef 1.22s.). Mas o NT não indica, em nenhuma passagem, que a igreja seria a continuação da encarnação, ou que deveria ser identificada com o corpo encarnado de Cristo ou com o próprio Cristo. Com referência a esse corpo único, todos os crentes têm o Espírito Santo habitando dentro de si, e têm à sua disposição o batismo neste precioso Espírito (1 Co 12.13). A cada crente são concedidos dons espirituais em particular, com os quais ele deve servir neste corpo (v.11); cada um deles preenche alguma função muito necessária em relação aos outros membros do corpo (vv. 14-31), e essa função é determinada por Deus de acordo com seu próprio plano e vontade (vv. 11,18). O pleno conhecimento espiritual dessa figura – que expressa a vida bem como as ministrações e a ordem da igreja – é o segredo para se ter uma igreja bem sucedida e que opera com eficiência. *Veja* Igreja, Cabeça da Igreja, Dons Espirituais.

***Bibliografia.*** Alan Cole, *The Body of Christ. A New Testament Image of the Church*, Philadelphia. Westminster, 1964.

R. A. K. e J. R.

**CORPO ESPIRITUAL ou CORPO TERRENO** Em sua discussão clássica sobre a ressurreição, Paulo fala da questão da natureza do corpo da ressurreição (1 Co 15.35). O corpo desta vida é chamado de corpo natural ou corpo animal (*psuchikon*, 15.44), um membro da classe de corpos conhecidos como corpos terrestres (15.40). Em outras palavras, é um corpo que é adaptado à vida como ela é realmente vivida nesta terra. O corpo natural está sujeito à corrupção, à falta de honra, à fraqueza e à morte. Em resumo, é feito à imagem do homem terreno, Adão.
Em contraste, o corpo de ressurreição é um corpo espiritual, o que provavelmente significa que é transformado e governado pelo Espírito e desta forma adequado às condições do céu e da eternidade. Conseqüentemente, ele é incorruptível, crescido em glória e em poder, e não mais sujeito à morte. Em resumo, levará a imagem de Cristo, o Celestial (15.42-54). Isso não significa que existam dois corpos distintos, porque há uma continuidade incorruptível entre o corpo natural e o espiritual apesar das diferenças entre eles (cf. 15.36-38,42; Fp 3.21). Como o corpo ressuscitado transforma-se à semelhança do corpo ressuscitado de Cristo, talvez algo de suas características específicas

O porto em Cós. E. W. Saunders

possa ser discernido em Lucas 24.29-43. Mas a imagem é incompleta e confusa, e está além do campo da nossa experiência e compreensão atual.
*Veja* Ressurreição do Corpo.

S. N. G.

**CORPO TERRESTRE** *Veja* Corpo Espiritual.

**CORPOS CELESTES** *Veja* Astronomia.

**CORREÇÃO** Esta palavra é usada para regenerar, emendar, restaurar, disciplinar. A correção é uma função e uma responsabilidade do pai para com os seus filhos (Pv 23.13; 29.17; Jr 2.30; Hb 12.9) e de Deus para com o seu povo (Jó 5.17; Pv 3.12; Hb 12.7,9). Tanto os termos em hebraico como em grego sugerem um significado duplo: instruir, guiar, argumentar; e, também, punir, castigar, reprovar. A correção é visível em todo o processo de criação dos filhos, como sugere o termo grego mais comum *paideuo,* " educar um filho", envolvendo tanto a orientação positiva, como a disciplina negativa, no caso de má conduta. A expressão que mostra que a Palavra de Deus é útil para a correção (2 Tm 3.16), ressalta o seu valor na melhoria de vida e do caráter do crente. O termo grego aqui significa "restauração a um estado de retidão". *Veja* Punição.

**CORREDOR** Tradução do termo que se refere aos 50 homens que corriam à frente da biga de Absalão em 2 Samuel 15.1. Os guardas reais israelitas eram chamados de *harasim* que, literalmente, significa "os corredores", isto é, a escolta real (1 Sm 22;17; 1 Rs 1.5; 14.27,28; 2 Rs 10.25; 11.4,6,11,19). Eles vigiavam as portas do palácio, cuidavam da sala onde o rei guardava seus tesouros e acompanhavam a biga real. *Veja* Guarda 2. Para o conceito de corrida como esporte (1 Co 9.24-27; Hb 12.1), *veja* Jogos.

***Bibliografia.*** Otto Bauernfeind, "*Trecho* etc.", TDNT, VIII, 226-235.

**CORREIA** Fita de couro ou correia que segurava as sandálias nos pés (Gn 14.23; Is 5.27; Mc 1.7; Lc 3.16; Jo 1.27). As mais antigas referências à sandália e à correia são encontradas nas pinturas do túmulo de Benihasan no Egito (século XIX a.C.) que mostram uma correia entrelaçada ou em volta do calcanhar ou simplesmente amarrada em torno dele. No norte da Síria, nos séculos IX e XIII a.C., os sapatos construídos em volta do calcanhar eram presos com uma correia sobre o peito do pé, e outra sobre os dedos. As correias ou cordões eram amarrados através de orifícios nas extremidades do couro ou das solas de madeira. O fato de João Batista sentir-se indigno de desatar as correias das "sandálias" de Cristo deve ser entendido como uma avaliação de si mesmo em comparação a Cristo, embora João ocupasse uma importante posição (Jo 1.27). Abraão não aceitaria nem a correia dum sapato do rei de Sodoma porque não queria que o rei tivesse alguma influência sobre ele (Gn 14.23). Isaías descreve a presteza das nações vingadoras de Deus, de cuja atenção não escapa sequer o menor detalhe (Is 5.26,27). *Veja* Sandália; Sapatos; Cordão.

**CORRIDA** *Veja* Jogos.

**CORRUPÇÃO** Esta palavra traduz vários substantivos da raiz hebraica *shahat* (AT) e da raiz grega *phtheiro* (NT), como por exemplo "destruir", "arruinar". A corrupção pode ser física: animais manchados (Lv 22. 25); rostos desfigurados (Dn 10.8); profanação do santuário, cujo local passa a ser chamado de "monte de corrupção" (2 Rs 23.13); corpos perecíveis/corruptíveis (1 Co 15. 42,50; At 13.36; Is 38.17, cova de *b*[e]*li*, "vazio", aniquilação corporal); ou a criação sob o cativeiro da corrupção ou uma maldição (Rm 8.21). A importante passagem em Salmo 16.10 prediz a ressurreição de Cristo (At 2.27,31; 13.34,35,37), a decomposição (Jó 17.14, comido por vermes; Sl 49.9; Jo 2.6). A versão RSV em inglês interpreta o Salmo 16.10, como uma referência à salvação de Davi da aproximação da "cova" da morte (a partir de outra raiz hebraica *shuah,* "enterrar", "afundar", e daí o termo "cova" como uma armadilha, Ezequiel 19.4,8; cf. *The Biblical Expositor*, II, 58-60). A corrupção também denota uma depravação moral (2 Pe 1.4; 2.19) e o julgamento espiritual final (Gl 6.8; 2 Pe 2.12*b*, Arndt, p. 865). *Veja* Morte; Imortalidade; Cova; Seol.

**CORRUPÇÃO, MONTE DA** Um monte próximo de Jerusalém, a leste desta cidade, onde Salomão construiu santuários para adoração a Astarote, Quemos e Milcom (1 Rs 11.7). Josias os destruiu (2 Rs 23.13). O local evidentemente se referia ao alto ao sul do Monte das Oliveiras. Mais tarde, a tradição cristã se referiu a ele como o "Monte da

Ofensa". Também era chamado de "Monte da Unção", um termo usado para o Monte das Oliveiras (*q.v.*).

**CORTAR** Dois verbos hebraicos, basicamente diferentes, são usados. Um em conexão com a madeira: e o outro, com a pedra. A palavra hebraica *hatab* significa derrubar (uma árvore) ou cortar e juntar (lenha). Rachadores de lenha (Dt 19.5; 29.11; Js 9.21,23,27; 2 Cr 2.10) eram trabalhadores não especializados, freqüentemente escravos, cuja tarefa era enfadonha e indigna. Por outro lado, a palavra hebraica *hasab* significa extrair e cortar pedras para construções (1 Cr 22.2; Pv 9.1), escavar sepulcros (Is 22.16) ou cavar uma cisterna vedada (cf. Jr 2.13). O cortador de pedras profissional era considerado um negociante talentoso e era bem pago pelo seu trabalho (2 Rs 12.11,12). *Veja* Ocupações: Rachador de Lenha.

**CORTE DE JUSTIÇA** *Veja* Pretório; Gabatá.

**CORTE, JUDICIAL** *Veja* Lei, Administração da.

**CORTINAS** Dez cortinas cobriam o Tabernáculo de Moisés e se tornaram um sinônimo dele (*q.v.*). Suportes também eram usados para a porta e o portão da corte, ao redor do Tabernáculo (Êx 26.1-14,31-37; 27.9-18). Um véu ou cortina separava o Santo dos Santos do Lugar Santo.
Na morte de Jesus Cristo, o véu foi rasgado de alto a baixo (Mt 27.51; Mc 15.38; Lc 23.45), então foi aberto o acesso ao interior do véu, ao santuário interior (cf. Hb 6.19). Esta era a simbologia do acesso direto a Deus assegurado por Cristo, uma vez que Ele abriu o caminho através do véu, isto é, através de sua carne (Hb 10.20). *Veja* Véu.

**CORUJA** *Veja* Animais: III.19-21; Monstro Noturno.

**CORVO** *Veja* Animais: Corvo III.22.

**CORVO MARINHO** *Veja* Animais: Águia marinha III.9.

**CÓS** Uma ilha distante da costa da Ásia Menor, perto da província de Cária, com uma área de aprox. 250 quilômetros quadrados. Localizava-se na entrada do Golfo Termaico. A ilha é famosa por ser um lugar fértil e um empório para vários produtos e para transações bancárias. Cós fica na principal rota de transporte entre a Grécia e o leste. Josefo declara que Herodes o Grande era responsável por ganhos anuais perpétuos para o povo de Cós, para manter a gestão de Gymnasiarch (veja sua obra *Wars* i.21.11). Nesta ilha foi encontrada uma importante inscrição que menciona Herodes Antipas, tetrarca da Galiléia. Esta inscrição pode ser assim traduzida. "Para Herodes [o] Tetrarca, filho de Herodes o Grande. Filo, filho de Aglaos [por adoção?], mas por natureza física, filho de Nikon, seu anfitrião [lit., 'amigo convidado'] e amigo de Herodes o Tetrarca [que erigiu este monumento]".
Não se sabe com certeza quando Herodes Antipas fez uma viagem a Cós, mas foi provavelmente em conexão com uma parada que ele também fez na ilha de Delos, em algum momento durante 6 e 10 d.C. Por volta do ano 6 d.C., Arquelau, seu irmão, que havia sido etenarca da Judéia, foi removido e provavelmente Herodes Antipas fez uma viagem a Roma naquela época para proteger seu próprio interesse, que poderia estar sendo ameaçado, uma vez que por volta desta época ele fez uma doação ao templo de Apolo na ilha de Delos. É altamente provável que nesta época ele também tenha dado novos benefícios os quais seu pai Herodes o Grande havia anteriormente concedido (veja a referência acima em Josefo). É provável, portanto, que a inscrição date desta época.
Cós é mencionada no NT em Atos 21.1 em conexão com a viagem final de Paulo a Jerusalém. Era natural que a famosa ilha de Cós fosse mencionada em conexão com este importante evento. Era uma ilha bem conheci-

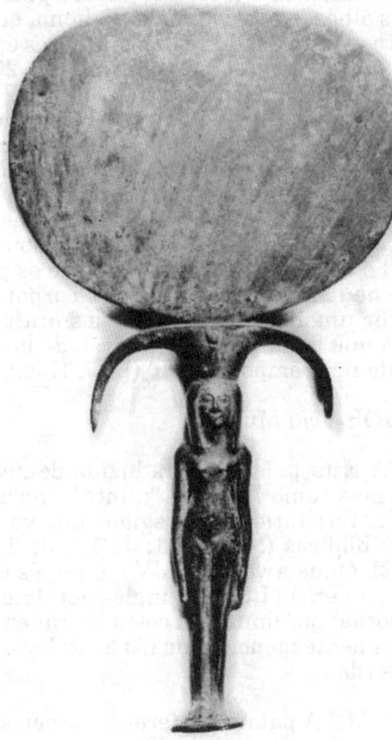

Um espelho de bronze do período do Império Egípcio. LM

da e histórica (é mencionada nos dias de Homero) e como tal era um marco famoso. Cós foi o local da primeira escola de medicina científica. Aqui o grande Hipócrates, pai da medicina, praticou esta atividade no início do século IV a.C.
Uma das melhores e breves descrições de Cós é a de W. M. Ramsay em HDB. A ilha é citada em Strabo, *Geography*, p. 657ss.

E. J. V.

**COSÃ** Um antepassado do Senhor Jesus, filho de Elmadã, e o pai de Adi, da quinta geração antes de Zorobabel (Lc 3.28).

**COSBI** Uma princesa midianita morta por Finéias, que assim impediu a praga (Nm 25.6-15). No acádio *kuzbu* significa "voluptuosidade".

**COSCORÕES ou OBREIAS** Um pedaço de pão fino e chato. O termo heb. *raqiq* é usado para descrever um bolinho não fermentado, oferecido em cerimônias de consagração de sacerdotes (Êx 29.2,23; Lv 8.26), no cumprimento do voto do nazireu (Nm 6.15,19) ou como parte da oferta de grãos ou de manjares (Lv 2.4; 7.12). Em heb. a palavra *sappihit* é usada uma vez para descrever o sabor do maná (Êx 16.31). *Veja* Pão; Sacrifícios

**COSMÉTICOS** Materiais utilizados para embelezamento. Óleos, perfumes, pintura para os olhos, e possivelmente a hena, eram produtos muito usados pelas mulheres egípcias e judias nos tempos bíblicos (Pv 27.9; Ap 18.13). Jezabel pintava os olhos (2 Rs 9.30). Os utensílios de beleza eram valorizados por muitos (Jr 4.30). Pentes de marfim, presilhas, frascos de alabastro, pincéis para ungüentos, espelhos de bronze, e potes de ruge foram encontrados em várias escavações. O clima quente e seco tornou essencial o uso de loções para a pele, e os perfumes neutralizavam os odores corporais. Oferecer ungüentos aos hóspedes era uma prática que fazia parte do padrão de hospitalidade nos tempos do NT (Lc 7.37ss.).

**COSMOS** *Veja* Mundo.

**COSTA** Esta palavra é traduzida de diversas formas como "borda", "limite", "termo", "costa", "território", ou "região" nas várias versões bíblicas (Nm 34.11; Js 1.4; Jz 1.18; At 27.2). Onde a versão KJV em inglês traz "costa", a versão RSV em inglês geralmente traz "borda" ou "limite". A costa litorânea em si é raramente mencionada (At 27.2; Lc 6.17). *Veja* Borda.

**COSTUME** A palavra refere-se, no seu sentido amplo legal, a todas as regras da lei que não são diretamente derivadas de atos específicos daqueles que elaboram as leis. Em um sentido mais restrito, ela se refere ao uso popular que, sob certas condições, pode servir como uma fonte de leis.
No Antigo Testamento, ela está entre um certo número de palavras relacionadas que são traduzidas de diversas formas, como por exemplo "taxa", "imposto", "tributo", ou "direitos", dependendo da versão usada (cf. Ed 4.13,20; 7.24). No Novo Testamento ela é a tradução do termo grego *telos*, que geralmente significa uma taxação indireta sobre os bens, o contrário do imposto sobre a propriedade ou a pessoa (Mt 17.25; Rm 13.7). *Veja* Taxas.

**COSTURA** A túnica do Senhor Jesus, pela qual os soldados lançaram sortes, era "tecida toda de alto a baixo, não tinha costura" (Jo 19.23,24).

**COTA DE MALHA** *Veja* Armadura.

**COURAÇA[1]** Armadura defensiva para o corpo. Obviamente se refere à cobertura de proteção do peito, abdômen e costas. Pode ser chamada de peitoral e capa. Este tipo de armadura era usado pelos operários de Neemias (Ne 4.16), pelos soldados do rei Uzias (2 Cr 26.14), por Golias (1 Sm 17.5), e por Acabe (1 Rs 22.34). Paulo usa esse termo de modo figurado (Ef 6.14). *Veja* Armadura.

**COURAÇA[2]** Um manto de ferro ou peitoral feito de fios ou elos de metal pesado entrelaçados (1 Sm 17.5; Jó 41.13; Ne 4.16; 2 Cr 26.14). *Veja* Armadura; Peitoral; Manto de Ferro.

**COURAÇA[3]**
1. Termo obsoleto para cota de malha ou peitoril (2 Cr 26.14; Ne 4.16) para proteger o pescoço e os ombros e que mais tarde chegou até a coxa ou joelho. A cota de malha de Golias (Couraça, 1 Sm 17.5) parece ter sido feita de couro coberto com escamas de bronze, pesando cerca de 60 quilos. Foi encontrado um fragmento desse tipo de armadura, do século XV a.C., coberto com escamas de bronze em Nuzu (Yigael Yadin, *The Art of Warfare in Biblical Lands*, Nova York. McGraw Hill, 1963, I, 196ss.). Davi considerou essa armadura pesada demais para si (1 Sm 17.38). *Veja* Armadura.
2. O termo usado em Jó 41.26 provavelmente signifique uma lança pontiaguda ou um dardo.
3. Em Êxodo 28.32; 39.23, a cota de malha corresponde à couraça. Em traduções que não utilizam esta terminologia (por exemplo a versão RSV em inglês), o termo utilizado deve corresponder a algum tipo de vestuário. Pode ser uma palavra emprestada do idioma egípcio, referente a vestuários usados em cultos e rituais para cobrir a estátua ou imagem de um deus em determinadas festas.

**COURO** Na preparação do couro, o pêlo era removido da pele. Usualmente da pele de carneiro ou de cabra, com o uso de cal ou qualquer substituto. A pele então era seca ao sol, e tratada com sementes de caneleira, pinho, cascas de carvalho ou folhas. Para um couro mais fino usavam alume. Às vezes as peles eram tingidas. Vários tipos de couro eram empregados na produção de artigos de vestuário para civis e soldados, garrafas para água e vinho, revestimento de cadeiras, camas e bigas, e também para alguns artigos de luxo como bolsas feitas de pele de toninha.

**COVA** Vários termos gregos e hebraicos são traduzidos por "cova", "gruta", "fosso", "fenda", "toca" ou "abrigo". Nas montanhas de calcário da Palestina existem muitas covas ou grutas, tanto grandes quanto pequenas. Mesmo nas planícies há vários fossos ou "pias de calcário" que eram às vezes usadas pelos árabes para estocar palha ou grãos. Talvez José tenha sido jogado por seus irmãos no interior de alguma delas (Gn 37.20). Chacais, lobos e outros animais selvagens habitavam estas covas ou grutas. Até mesmo pessoas, freqüentemente, faziam suas casas nelas (Jz 6.2), e aqui também ladrões se escondiam (Jr 7.11). *Veja também* Gruta; Caverna; poço.

**COVA DOS LEÕES** O relato de Daniel na cova dos leões (Dn 6.7,12,16-24) está de acordo com o contexto persa deste capítulo. Os governantes persas, sendo zoroastrianos, consideravam o fogo sagrado, de forma que para eles seria impróprio executar através do fogo (Dn 3). Os reis no primeiro milênio a.C. freqüentemente mantinham leões em cativeiro. Assurnasirpal II (883-859 a.C.) os criava e mantinha um grande número deles em Calá. A construção de tais covas de leões não é conhecida, mas, baseando-se no texto, Edward J. Young (na obra *The Prophecy of Daniel*, Grand Rapids. Eerdmans, 1949, pp. 136ss.) sugere que era um fosso subterrâneo com uma pequena abertura no topo, como uma cisterna. Possivelmente havia também uma outra abertura na lateral através da qual as feras entravam e eram normalmente alimentadas. É muito provável que esta entrada lateral tenha sido fechada pela pedra, e selada, no episódio de Daniel (Dn 6.17). O buraco no topo era evidentemente alto demais para que um homem escapasse sem a ajuda de outros (6.23).

J. R.

**CÔVADO** *Veja* Pesos, Medidas e Moedas.

**COXA** Esta palavra é usada para descrever parte do animal sacrificial (Êx 29.22), e a parte do corpo humano que vai das pernas ao tronco. Era a parte que a arma cobria quando estava presa à cintura (Jz 3.16,21. Sl 45.3). A coxa de um cavaleiro que estivesse no dorso de um cavalo podia ser protegida por uma espada e um cinturão folgado, cujo nome podia ser bordado (Ap 19.16).

Quando o anjo tocou a coxa de Jacó, a sua junta foi deslocada (Gn 32.24-32). Esta experiência mostrou a Jacó que ele tinha vivido a sua vida anterior por suas próprias forças, ao invés de se apoiar em Deus. Ao lutar com o anjo, Jacó iniciou um novo estágio de sua vida, como é mostrado através da mudança de seu nome de Jacó para Israel. Tornou-se um costume dos descendentes de Jacó não comer o *nervus ischiadicus* (cf. Gn 32.32), o principal nervo na área do quadril que é facilmente machucado por uma violenta tensão durante uma luta. *Veja* Nervo.

A frase "perna juntamente com coxa" é uma expressão que denota um massacre devastador e cruel (Jz 15.8). "Bater na coxa" denota penitência (Jr 31.19), pesar e luto (Ez 21.12). A palavra é também utilizada de modo eufemista para lombos (*q.v.*) ou, então, para os órgãos sexuais como o assento de uma força procriativa (cf. Gn 35.11; 46.26). Portanto, era costume colocar a mão embaixo da "coxa" ao fazer um juramento, talvez significando que se o juramento fosse violado, os filhos do homem, ainda que não tivessem nascido, vingariam no futuro os atos de deslealdade (WBC, p. 28). Abraão exigiu este gesto de seu servo quando o enviou para buscar uma esposa para Isaque (Gn 24.2,9), e Jacó exigiu este gesto de seu filho José quando lhe pediu que não o sepultasse no Egito (Gn 47.29).

O ato de "descobrir a coxa" (ou "as pernas", Isaías 47.2), um gesto que exporia a área genital da prisioneira, seria um sinal de grande vergonha (v. 3). Parte da maldição pronunciada pelo sacerdote contra uma mulher acusada de infidelidade, era que a "coxa" desta deveria "descair" ou ser "consumida" (Nm 5.21,22). Se ela fosse culpada, sofreria uma perda ou definhamento (heb. *naph*[e]*la*) de seu órgão reprodutivo (Nm 5.27). Por outro lado, a queda da coxa pode significar um nascimento prematuro ou aborto. A palavra *nephel*, que vem da mesma raiz de "apodrecer" ou "perder" significa "nascimento fora de hora" ou aborto em Jó 3.16; Salmo 58.8; Eclesiastes 6.3. Em Isaías 26.18, o verbo *naphal* é também utilizado para nascimento, no contexto do v. 17 (veja WBC, p. 120).

E. C. J.

**COXEADURA** *Veja* Doenças.

**COXO** Um homem que fosse coxo estava desqualificado para exercer o ofício de sacerdote para não contaminar o altar (Lv 21.18). Um animal coxo não poderia ser oferecido em sacrifício (Dt 15.21; Ml 1.8,13). Mefibosete, filho de Jônatas, que se tornou membro da casa de Davi devido à profunda amizade entre aqueles dois servos de Deus, era coxo devido a um acidente ocorrido no dia da morte de Jônatas (2 Sm 4.4; 9.3-13). As alusões aos coxos são freqüentes: por exemplo, nos dias mais felizes de Jó ele era como "os pés do coxo" (Jó 29.15); foi dito que o provérbio na boca dos tolos é como as pernas do coxo, que pendem frouxas (Pv 26.7). A cura de coxos estava entre as obras miraculosas do Senhor Jesus e de seus discípulos (Mt 11.5; 15.30,31; 21.14; Lc 7.22; 14.13). *Veja* Doenças.

**COZ** Pai de Anube e Zobeba. O nome Coz só é encontrado em 1 Crônicas 4.8.
Um descendente de Arão. Seus descendentes foram incapazes de estabelecer a sua genealogia depois do retorno do exílio, e assim foram impedidos do serviço sacerdotal (Ed 2.61ss.; Ne 7.63ss.). Evidentemente, no final a sua descendência foi reconhecida, pois eles possuíam uma atribuição sacerdotal na reedificação dos muros (Ne 3.4,21).

**COZEBA** Uma cidade de Judá, cujos homens eram descendentes de Selá (1 Cr 4.22). Deve ser identificada com Quezibe (Gn 38.5) e Aczibe (Js 15.44). *Veja* Quezibe; Aczibe.

**COZINHA** Um termo que não aparece em algumas versões, mas que em outras é encontrado em Ezequiel 46.24. É usado em relação aos quatro pequenos subátrios nos cantos do átrio exterior do futuro templo. Nestes "lugares para cozer" havia lareiras onde os sacrifícios do povo poderiam ser cozidos (vv. 21-24), separado do lugar onde os sacerdotes cozinhavam as ofertas pela culpa, pelo pecado e a oferta de manjares (vv. 19,20).

**COZINHAR¹** O verbo hebraico *bashal* significa cozinhar por fervura ou refogando os alimentos, seja o maná (Êx 16.23), vegetais (2 Rs 4.38), carne (Êx 29.31) ou ossos (Ez 24.5). Os israelitas eram proibidos de cozinhar um cabrito novo no leite de sua mãe (Êx 23.19; 34.26; Dt 14.21), o que, de acordo com as tábuas de Ras Shamra (*q.v.*) era um ritual de fertilidade cananeu para assegurar um bom cultivo aspergindo-se sobre o campo um molho obtido através do cozimento.
Outra palavra hebraica, *zid* também pode significar aquecer ou ferver (Gn 25.29). Ela expressa o ruído ou o borbulho da água em fervura. Geralmente significa "agir arrogantemente ou presunçosamente" como quando alguém deixa extravasar as suas emoções (Dt 1.43; 18.20; Ne 9.10). A forma adjetiva se referia à força das ondas (Sl 124.5), e às pessoas insolentes ou arrogantes (Ml 3.15; 4.1).

Uma entrada reconstruída do palácio em Cnossos, Creta. Mimosa

**COZINHAR²** *Veja* Alimentos; Ocupações: Cozinheiro.

**CREDOR** *Veja* Débito; Empréstimo.

**CRENTES** Um termo (do gr. *pisteuo*, "confiar em", "contar com") aplicado aos convertidos cristãos (At 5.14; 1 Tm 4.12). B. B. Warfiled entende que o termo "crente" foi o primeiro nome dado aos cristãos ("The Biblical Doctrine of Faith", *Biblical Doctrines*). Certamente, o grande destaque nos ensinos de Cristo é que os homens devem crer nele (Jo 3.16,38; 5.24; 10.26-30; cf. Rm 10.9,10; 1 Jo 5.1; Hb 11.6). O carcereiro filipense perguntou o que poderia fazer para ser salvo e recebeu a seguinte resposta. "Crê no Senhor Jesus Cristo e serás salvo, tu e a tua casa" (At 16.31). Em Romanos e em Gálatas, Paulo destaca que Abraão foi justificado pela fé, ou seja, crendo em Deus, e que esta é a única forma pela qual um homem pode ser salvo (Rm 3.28; Gl 2.16,21).
Crentes são aqueles que colocam em prática a fé salvadora, recebendo Cristo como o seu Salvador pessoal conforme a autoridade da Palavra de Deus, a Bíblia Sagrada, recebendo, deste modo, uma posição de filiação em relação a Deus. Eles são tidos como aqueles que "estão em Cristo" (Ef 1.3; 1 Co 1.2; Rm 8.1). Sua posição em Cristo está selada no Espírito Santo, em quem eles foram batizados na morte, sepultamento e ressurreição de Cristo (Ef 1.13; 1 Co 12.13; Rm 6.3; Gl 3.27). Esta posição é a base de todas as posses espirituais dos cristãos. Por causa de sua filiação, o crente é obrigado a viver de acordo com a sua posição e com o caráter de seu Pai Celestial (Ef 4.1; Mt 5.48; Rm 6.11).
R. A. K.

**CREPITAR** Barulho produzido pela queima de espinhos ou restolho, às vezes usado como lenha, que acende e se queima rapidamente não deixando nada além de cinzas (Ec 7.6).

**CREPÚSCULO** *Veja* Tempo, Divisões do.

Um grande jarro de armazenagem (de aprox. 1,30 a 1,65 metros de altura) do palácio de Cnossos (1500–1400 a.C.) no Museu Britânico. BM

**CRER** A forma do verbo está relacionada à fé, significando "ter confiança em", "confiar", "aceitar como verdadeiro e confiável". No Novo Testamento, este termo tem sempre a força de "obedecer". Por exemplo "crer no Evangelho" (Mc 1.15; 1 Ts 2.13) e "obedecer ao Evangelho" (Rm 10.16; 2 Ts 1.8; 1 Pe 4.17; cf. Rm 1.5).

O termo "crer" é usado para traduzir o termo hebraico *'aman*, que significa "construir ou apoiar", "permanecer firme ou fiel", "confiar", "ficar firme"; e também o termo grego *pisteuo*, que significa "depositar a confiança em", "comprometer"; ou mais raramente o termo *peithomai*, um termo passivo que significa "consentir, confiar", "ter confiança em", "ser persuadido".

Quando usado tendo Deus ou Cristo como seu objeto, crer significa três coisas: (1) consentir com a verdade do que Ele diz ou torna conhecido; (2) recebê-lo e confiar nele pessoalmente; e (3) comprometer-se com Ele em obediência. "Crer" é um termo freqüentemente usado com a preposição "em" ou "no". Por exemplo, "crê no Senhor Jesus Cristo, e serás salvo" (At 16.31); esta construção gramatical enfatiza os elementos da verdade e de um compromisso. Crer é algo que não deve ser intelectualizado e considerado somente em termos de aceitação da verdade. Conhecer a verdade a respeito de Deus é algo necessário ("Porque é necessário que aquele que se aproxima de Deus creia que ele existe e que é galardoador dos que o buscam", Hb 11.6), mas não é o suficiente ("Tu crês que há um só Deus? Fazes bem; também os demônios o crêem e estremecem", Tiago 2.19 – e estes continuam sendo demônios!).

No sentido religioso, crer depende da revelação divina, e está sempre relacionado com esta revelação no sentido pessoal e na Palavra escrita. O ato de crer é a resposta humana à iniciativa que Deus tomou em sua obra de redenção, que é conhecida pelos homens através da palavra escrita e pregada. "Porque todo aquele que invocar o nome do Senhor será salvo. Como, pois, invocarão aquele em quem não creram? E como crerão naquele de quem não ouviram? E como ouvirão, se não há quem pregue? E como pregarão, se não forem enviados?.... De sorte que a fé é pelo ouvir, e o ouvir pela palavra de Deus" (Rm 10.13-15,17). Em sua oração sacerdotal, o Senhor Jesus disse: "Eu não rogo somente por estes, mas também por aqueles que, *pela sua palavra*, hão de crer em mim" (Jo 17.20).

Uma vez que a fé é a resposta à graça, ela não envolve elementos de mérito. Falando com bastante precisão, nós não somos salvos *pela* fé; antes, somos salvos *através* da fé. "Porque pela graça sois salvos, *por meio da fé*; e isso não vem de vós; é dom de Deus. Não vem das obras, para que ninguém se glorie" (Ef 2.8,9).

*Veja* também Fé.

W. T. P.

**CRER** *Veja* Acreditar; Fé.

**CRESCENTE** Crescente foi o assistente

Um fragmento da epopéia babilônica da criação, do palácio do rei Assurbanipal da Assíria. BM

de Paulo mencionado em 2 Timóteo 4.10. Ele foi para a Galácia, mas não se sabe por que razão. Não há nenhuma tradição confiável referente a ele, embora a tradição sugira que ele tenha sido um dos 70 enviados pelo Senhor Jesus, e que fundara a igreja de Viena.

**CRETA** A quarta maior ilha do Mediterrâneo (Sicília, Sardenha e Chipre são maiores do que ela). Localizada a aprox. 100 quilômetros ao sul do Cabo Malea no Peloponeso e 180 quilômetros a oeste do cabo Krio na Ásia Menor, Creta se tornou um centro de distribuição e o berço das culturas do Oriente Próximo do quarto até o primeiro milênio a.C. Compreendendo uma área de aprox. 8200 km², Creta possui uma forma alongada - 256 km de leste a oeste e 10 a 56 km de norte a sul. No centro da costa sul está o Cabo Lithinos, que constitui o extremo sul da ilha. A leste deste está a pequena baía de Kali Limenes ou Bons Portos, onde o navio que levava Paulo se refugiou (At 27.8). A pouco menos de 40 km a sudoeste do Cabo Lithinos estende-se a rochosa planície da ilha de Cauda (ou Clauda; a moderna Gavdo), por onde o navio de Paulo passou quando começou a lutar contra a tempestade que finalmente o impeliu até Malta (At 27.16).
Durante o segundo milênio a.C., Creta era o centro da famosa civilização Minóica (Corn PBE. pp. 13-17). Caftor (*q.v.*), a casa dos Filisteus (Jr 47.4; Am 9.7), é comumente identificada com Creta. *Veja também* Quereteus. Roma conquistou a ilha em 68/67 a.C., e fez dela uma província separada. Paulo deve tê-la evangelizado na quarta viagem missionária. De qualquer modo, ele enviou Tito para organizar a igreja neste local (Tt 1.5). Ele citou um dos filósofos de Creta, Epimenides (aprox. 600 a.C.) que falou sobre seus compatriotas. "Os cretenses são sempre mentirosos, bestas ruins, ventres preguiçosos" (Tt 1.12), uma linha do mesmo poema que Paulo também citou em Atos 17.28.

H. F. V.

**CRETENSES** *Veja* Creta.

**CRIAÇÃO** A obra de Deus ao trazer à existência todas as coisas. A passagem definitiva é Gênesis 1.1, sob a qual deve se colocar toda a teologia bíblica. Deus, o Criador, é uma trindade pessoal, onipotente, onipresente e onisciente. Deus sozinho é eterno, tanto quanto imanente e transcendente com respeito à sua criação.
A verdadeira criação deve ser *ex nihilo* (do nada). A idéia de que o presente universo evoluiu de materiais anteriores, embora seja comumente sustentada em outras religiões e filosofias, não tem base nem nas Escrituras nem na ciência física. A tradução de Gênesis 1.1 como uma sentença dependente (isto é, "Quando Deus começou a criar os céus e a terra, a terra era sem forma e vazia) é inadmissível. Este versículo de abertura é mais exatamente uma afirmação absoluta, que sustenta a criação inicial dos céus e da terra a partir do nada. Ele também não é um simples título ou índice do que se segue; mas é a primeira afirmação da narrativa da ordem dos eventos da criação.
Uma vez que Gênesis 1.1 é o único versículo no capítulo que menciona a criação dos céus, ele deve ser compreendido dentro do escopo da afirmação resumida de Gênesis 2.1, que confirma a conclusão da criação tanto do céu como da terra.
*Criação Completa.* É de suprema importância reconhecer que as Escrituras ensinam a respeito de uma criação *concluída.* Este fato é enfatizado pelas repetidas afirmações deste efeito em Gênesis 2.1-3, e pela instituição do sábado como um memorial da obra concluída de Deus (veja também Êx 20.11; 31.17; Sl 33.6,9; Ne 9.6; Hb 4.4,10; 2 Pe 3.5). Assim, a criação não está mais acontecendo, exceto em atos ocasionais de natureza miraculosa. Os processos normais, constantes da natureza pelos quais Deus providencialmente agora sustenta todas as coisas (Hb 1.3; 2 Pe 3.7) não são, de forma alguma, processos de criação. Estudos científicos de processos atuais não podem, entretanto, levar ao entendimento de qualquer um dos eventos do período da criação, mesmo porque estes eventos aconteceram pelos processos criativos Divinos, e não temos a capacidade de investigá-los agora.
Este ensino das Escrituras é sustentado cientificamente pela lei da conservação da massa e energia, a primeira lei da termodinâmica, que é a lei mais básica e bem comprovada de toda a ciência. Nem a energia nem a massa (exceto nas trocas de massa-energia) estão sendo agora criadas ou destruídas. O reservatório universal de energia (que inclui realmente tudo no universo físico) deve, portanto, datar de um período primitivo da criação, assim como afirma a Bíblia.
*Idade aparente.* Se a criação não ocorreu através dos processos atuais, então a *única* forma pela qual podemos saber qualquer coisa sobre os acontecimentos, maneira, ordem ou data da criação é através da revelação que Deus nos concede a respeito destes temas. É exatamente isto que Ele fez no registro da criação em Gênesis 1 e 2, assim como em muitas ouras passagens das Escrituras. Não há, portanto, nenhuma razão válida para duvidar, de alguma forma, da exatidão ou da precisão dos eventos registrados nestas passagens. Estes grandes acontecimentos se deram em um período de seis dias. Cada ação foi completa e julgada por Deus como "boa". Ele chamou tudo que criou de "muito bom" (Gn 1.31). Estes seres criados deveriam, necessariamente, no ins-

tante da criação, ter uma "idade aparente". Isto é mais evidente no caso de Adão e Eva, que foram criados como indivíduos maduros, mas também deve ser verdade no caso de todas as outras coisas, tanto animadas como inanimadas. O universo inteiro foi estabelecido como um todo em funcionamento desde o instante da criação. De fato, é filosoficamente e escrituralmente impossível conceber uma substância verdadeiramente criada, sem alguma idade aparente. Isto não envolve Deus em alguma fraude, como alguns poucos alegam, uma vez que Ele revelou claramente, em sua Palavra, que tudo ocorreu deste modo.

*Evolução.* Pode-se, portanto, afirmar categoricamente que os processos de evolução, quer sejam ateístas ou não, não podem ser levados em conta para a constituição do universo e seus habitantes. A evolução por definição abrange um aumento geral de ordem e organização, desde o simples até o complexo, e do mais baixo ao mais alto. Em sua estrutura científica comumente apresentada, ela implica em grandes idades de mudanças lentas, passadas adiante pelo processo da seleção natural. Isto é pretensamente explicado pelo princípio da uniformidade operacional dos processos presentes – um princípio que é explicitamente contraditado pelo relato da criação.

Além do mais, as Escrituras indicam que por causa da entrada do pecado, agora existe uma maldição universal sobre a terra (Gn 3.17-19; Rm 8.19-22), manifestada em uma tendência universal ao envelhecimento e à morte. Assim, embora a mudança seja evidente em todo lugar no mundo, esta mudança não é evolucionária, mas, sim, degenerativa. Este ensino das Escrituras é cientificamente verificado através da segunda lei da termodinâmica, que afirma que há em todos os sistemas – sejam físicos ou biológicos - uma tendência inata em direção à diminuição da ordem e da complexidade. A evolução pode, no máximo, ser apenas um fenômeno local e temporário, porém é impossível que atinja a condição de uma lei universal como as leis de conservação e deterioração. Assim, é impossível atribuir a criação a qualquer forma de evolução.

*Resumo.* A Criação, de acordo com as Escrituras, foi realizada como uma série de atos Divinos, trazendo os seres materiais à existência, a partir do nada. Desde o início, eram altamente organizados e em total funcionamento, e assim foram formados com uma aparência de idade. A criação foi completa e terminada durante um período especial no passado, resultando naquele período ou dia em que Deus "descansou" e não está mais criando, exceto em casos isolados de intervenção sobrenatural. Os processos físicos e biológicos do presente são providenciais e não criadores, e assim não podem dar nenhuma informação sobre qualquer coisa relacionada ao período da criação. Esta informação só pode vir através da revelação Divina, que é fornecida na Bíblia Sagrada.

Assim, não resta uma razão pela qual não possamos ou não devamos aceitar o relato da criação que nos é fornecido pelo Gênesis como histórico, literal e concreto dos eventos específicos que se passaram durante aquele período. *Veja* Adão; Gênesis.

***Bibliografia.*** J. O. Buswell, Jr., *A Systematic Theology of the Christian Religion*, Grand Rapids. Zondervan, 1962, pp. 135-137. J. O. Buswell, III, "Adam and Neolithic Man", *Eternity*, XVIII (1967), 29-30,39,48-50. Alexander Heidel, *The Babylonian Genesis*, Chicago. Univ.of Chicago Press, 1951, pp. 89-92. W. G. Lambert e A. R. Millard, *Atra-Hasis. the Babylonian Story of the Flood*, Nova York. Oxford Univ. Press, 1969. James M. Murk, "Evidence for a Late Pleistocene Creation of Man", JASA, XVII (1965), 37-49. Robert C. Neville, *God, the Creator*, Chicago. Univ. of Chicago Press, 1968 (uma defesa filosófica da teoria da criação Divina). J. Barton Payne, *The Theology of the Old Testament*, Grand Rapids. Zondervan, 1962, p. 133. A. E. Wilder Smith, *Man's Origin, Man's Destiny*, Wheaton. Shaw, 1968. John C. Whitcomb e Henry M. Morris. *The Genesis Flood*, Nutley, N.J.. Presbyterian and Reformed Pub. Co., 1961, pp. 223-227, 232-234, 344-346. Edward J. Young, "The Relation of the First Verse of Genesis 1 to Verses 2 and 3", WTJ, Maio de 1959, pp. 134-145. R. Laird Harris, *Man - God's Eternal Creation*, Chicago. Moody, 1971, pp. 25-71.

**CRIANÇAS** A paternidade, como a Bíblia a vê, é uma prova incontestável da generosidade de Deus. O israelita pio, assim, respondia ao nascimento dos seus filhos com gratidão e alegria (Sl 127; 128.3), e a sua esposa compartilhava essas emoções (Sl 113.9). Realmente, quanto maior a família, maior era a gratidão de um casal abençoado pelos céus. No contexto de uma economia simples e baseada na agricultura, isto é facilmente compreensível. Como conseqüência, o assunto da paternidade planejada nunca apareceu nos horizontes da antiga Palestina. Da mesma maneira, a falta voluntária de filhos era vista como algo repreensível.

O nascimento de um menino, no entanto, era muito mais bem-vindo do que o de uma menina. Para os judeus, a prática pagã de destruir os bebês do sexo feminino era considerada como anátema, mas o entusiasmo era moderado quando chegava uma filha.

Poderíamos supor que as mães dos hebreus se orgulhavam de ter os seus filhos sozinhas e com facilidade (Êx 1.19), embora, ocasionalmente, tivessem a ajuda de parteiras (Gn 35.17; 38.28; Êx 1.15-19). Imediatamente depois do parto, os bebês eram banhados; eram então esfregados com sal para que a pele endurecesse; depois disso, eles eram embrulhados em faixas (Ez 16.4; Lc 2.7). A amamentação era a regra e não a exceção (1 Sm 1.21-23; Is 49.15; cf. Êx 2.7; 2 Rs 11.2). O desmame de uma criança com dois ou três anos de idade era ocasião tanto para festa como para sacrifício (Gn 21.8).

Com apenas oito dias de idade, os meninos eram circuncidados – um ritual que Yahweh [Senhor/Jeová ou Deus] ordenou explicitamente em Gênesis 17.10. A circuncisão não era somente um ato de purificação; era essencialmente um ato de incorporação, o sinal de que um menino tinha se tornado um membro da comunidade da aliança (Lv 12.3). Desenvolveu-se uma cerimônia equivalente para as meninas, para assinalar sua entrada oficial para o povo de Deus.

Os nomes eram dados, normalmente, nesta mesma ocasião (Lc 2.21). Como na cultura semita os nomes estavam ligados a um significado espiritual e a um tipo de influência divina. O pai tinha o privilégio de decidir como seu filho seria chamado. Mas, sem dúvida, na prática, a escolha era um assunto de acordo mútuo entre marido e mulher (Lc 1.57-63).

O primogênito de uma família ocupava uma posição única: seu status como o futuro chefe da família era indicado por uma designação especial, *bekor*, o termo hebraico que Maria deve ter aplicado ao seu próprio Filho (Lc 2.7). Em memória ao julgamento do Egito no episódio do Êxodo, o primogênito pertencia ao Senhor. Dentro de um mês depois do seu nascimento, entretanto, seguindo-se à apresentação oficial no templo, o primogênito era resgatado por meio de uma oferta (Êx 13.12-16; Nm 8.17; Lc 2.22,23).

Durante os primeiros anos de vida, tanto os meninos quanto as meninas estavam sob os cuidados de suas mães. A menina, naturalmente, permanecia sob a supervisão materna, ajudando na casa, tirando água, aprendendo a tecer ou, talvez, cuidando do rebanho e da colheita. O crescimento do menino era supervisionado pelo pai, e ele geralmente trabalhava como aprendiz da profissão paterna.

Também a educação era responsabilidade do pai, e deveria ser principalmente religiosa e moral por natureza (Êx 13.8; Dt 4.9,10; 6.4-7; 7.9; Js 4.4-8), um ensino completo em história, na Torá e nos rituais. Pode-se vislumbrar um pouco da ternura do crescimento de uma criança em Israel em passagens como Isaías 66.12; Oséias 11.3; cf. Marcos 9.36,37. Um pouco da severidade que igualmente prevalecia, uma severidade que nascia da autoridade absoluta dos pais, pode ser vista em passagens como Êxodo 21.15-17 e Deuteronômio 21.18-21. E alguma informação sobre as brincadeiras das crianças pode ser obtida através de passagens como Zacarias 8.5 e Mateus 11.16,17.

As escolas formais parecem ter aparecido aproximadamente cem anos antes do nascimento de nosso Senhor. Como uma extensão da sinagoga, elas admitiam o menino aos cinco anos de idade, e submetiam-no a um programa de memorização por meio da repetição, concentrada na Torá. Aos treze anos, essa instrução terminava, pois o menino tornava-se legalmente maior e entrava no grupo dos homens, e assumia as obrigações de recitar o Shema, jejuar regularmente e fazer peregrinações. Alguns rabinos argumentam que as meninas não deveriam ser educadas, mas elas parecem ter adquirido um conhecimento bastante completo das Escrituras; por exemplo, as repetidas alusões de Maria ao Antigo Testamento em seu cântico (Lc 1.46-55).

Os deveres dos pais (*q.v.*), com respeito aos seus filhos estão definidos, por exemplo, em Provérbios22.6; Efésios 6.4; Colossenses 3.21; 1 Timóteo 5.8; Tito 2.4. Os deveres dos filhos, por outro lado, estão declarados, por exemplo, em Êxodo 20.12; Efésios 6.1-3; e Colossenses 3.20.

Na Bíblia, as referências à infância são, algumas vezes, usadas psicologicamente para denotar um estágio de ignorância e imaturidade (Lc 7.32; 1 Co 13.11; Ef 4.14; Hb 5.13); algumas vezes são usadas eticamente para denotar um estado de inocência, simplicidade e confiança (Mt 7.9-11; 18.1-5; 19.13-15; 1 Co 14.20); e algumas vezes elas são usadas espiritualmente para denotar um relacionamento de fé com Deus (Mt 5.9; Jo 1.12; Rm 8.14-17).

*Veja* Família: Educação.

**Parte superior do Código de Hamurabi, mostrando Hamurabi recebendo suas leis do deus-sol**

***Bibliografia.*** Henri Daniel-Rops, *Daily Life in the Time of Jesus*, Nova York. Hawthorn, 1962, pp. 118-133. Edith Deen, *Family Living in the Bible*, Nova York. Harper, 1963, pp. 86-93. Albrecht Oepke, *"Pais* etc.", TDNT, V, 636-654.

V. C. G.

**CRIATURA(S)** Em hebraico, uma criatura, *nepesh*, é qualquer ser vivente (Gn 1.21,24; 2.19), como por exemplo, quando Deus soprou "o fôlego da vida" no homem, ele se tornou uma "alma" vivente (*nepesh*, Gn 2.7). A palavra também é usada para se referir a todos os seres animados criados, tanto humanos como animais, em toda a criação (Gn 2.19; Rm 8.19-22). Porém, nas demais passagens, aplica-se especificamente a animais ou criaturas aquáticas (Gn 1.20,21,24; 9.10,12,15,16; Lv 11.46).

No NT a palavra assim traduzida (gr. *ktisis*) também significa: (1) uma coisa individual ou um ser criado, "coisa criada" ou "criatura" (Rm 8.39; Hb 4.13); (2) a soma total de todas as coisas criadas, "criação" (Mc 13.19; 2 Pe 3.4).

Paulo descreve um homem redimido como uma "nova criatura" (2 Co 5.17; Gl 6.15). Uma vez que a palavra grega é *ktisis*, o apóstolo quer dizer que um homem redimido é uma "nova criação".

*Veja* Seres viventes.

**CRIATURAS LÚGUBRES** Animais ou pássaros de identidade incerta (Is 13.21). O termo heb. *'ohim* significa criaturas uivantes ou "horríveis animais".

**CRIME E PUNIÇÃO** Um crime é um ato ou omissão que viola a lei que proíbe tal ato. A punição (*q.v.*) impõe um castigo ao responsável pelo crime. O crime, no sentido secular, é considerado como uma ofensa contra a sociedade, e a punição é imposta em nome da sociedade. Entretanto, na administração bíblica da justiça, a punição varia amplamente em extensão e refinamento, desde a condenação por parte dos indivíduos prejudicados como no tempo dos patriarcas (Gn 38.24), a uma bem definida denúncia e processo por parte da sociedade através de um corpo reconhecido de juízes e cortes como no NT. Todo este desenvolvimento ocorreu com base em um fundamento religioso.

O corpo da lei no AT provê a base bíblica fundamental para a definição de crime e punição. Materiais tradicionais judeus extrabíblicos no período intertestamentário, fornecem uma ampliação e modificação destas bases que estão refletidas no NT. A presença da lei penal Romana também é vista no NT. O corpo da lei no AT também deveria ser visto frente a um plano mais amplo da antiga lei do Oriente Médio, que está de acordo com esta em muitos aspectos, mas que também diverge dela devido ao distintivo laço teocrático com a revelação especial de Israel.

## Uma Teologia do AT de Crime e Punição

*A visão de crime do AT.* Visto que Israel era uma teocracia, a lei criminal no AT difere dos procedimentos legais do outros povos antigos do Oriente Médio. Os crimes são considerados como uma ofensa contra Jeová e, portanto, todo crime é pecado. A teocracia tinha o corpo de uma lei dada por Deus e detinha a responsabilidade por sua prática. Se houvesse qualquer indolência ao disciplinar os indivíduos ofensores, Deus consideraria toda a comunidade responsável e traria um julgamento sobre ela (Lv 26.3-45; Dt 28). Estas passagens indicam que a idolatria, a imoralidade e o assassinato eram crimes que abrangiam a comunidade inteira na sua parcela comum de culpa e, portanto, a punição estava envolvida em uma atitude pública.

Assim, as leis existiam no relacionamento teocrático entre a nação e Jeová, e diziam respeito à responsabilidade da comunidade assim como às escolhas morais individuais. Havia também uma sobreposição das duas considerações que traziam alguns problemas reais no procedimento legal de determinação de culpa e punição: por exemplo, no caso da morte pelo "vingador do sangue" daquele que estivesse envolvido em um homicídio acidental, quando este deixasse a cidade de refúgio antes do tempo determinado. Mesmo sendo uma atitude que poderia ser considerada errada, o vingador não seria responsabilizado, visto que considerar "culpado pelo sangue" era uma séria responsabilidade da comunidade.

As palavras mais usadas para descrever os crimes vinham da raiz dos verbos *hata'* ("errar o alvo", geralmente interpretada como "pecado"), *pasha'* ("revolta", ou "recusar-se à sujeição à autoridade de direito", interpretada normalmente como "transgressão"), e *'awa* ("inclinação", ou "desonestidade" geralmente interpretado como "cometer iniqüidade"). As palavras são interpretadas de forma diferente em várias situações. assim, os contextos precisam ser examinados para se determinar se o criminoso agiu contra Deus ou contra o homem.

Uma variedade de termos é usada para descrever aqueles que cometem pecados e crimes. Há os "injustos" ou "culpados" (Dt 25.2), e "culpados" ou "traidores" (1 Rs 1.21). Um culpado de crime capital era "culpado de morte" (Nm 35.31), e a ofensa poderia ser descrita como merecedora de morte (Dt 19.6). Outro castigo era ser "extirpado/eliminado" (Lv 7.20), e este parece implicar em pena de morte (cf. Lv 18.8,29; 20.11). Mais tarde com o progresso da lei na

CRIME E PUNIÇÃO

*Mishnah Makkoth* 3.1,2 surgiu a implicação de que "eliminar" sugeria outro castigo, como açoitar etc. Outras referências a crimes mencionam: "cometer ofensa contra o Senhor" ou "transgredir contra o Senhor" (Lv 6.2), "castigo" e "mal" (1 Sm 28.10) e cometer "loucura" (Js 7.15). Uma lista mais completa de crimes e suas respectivas punições é mostrada mais adiante.

*A visão de punição do AT.* "O juízo é de Deus" (Dt 1.17) e o castigo dos malfeitores é uma expressão da justiça Divina. Considerava-se que uma pessoa que fôra punida por um crime havia comparecido a um julgamento perante o Senhor (Dt 19.17). As leis penais eram feitas para serem obedecidas, trazendo terríveis punições como conseqüências da desobediência, porque observar a lei era fazer "o que é reto aos olhos do Senhor" (Dt 13.18). Outras expressões na administração da justiça precisam ser reconhecidas. por exemplo, se o ladrão não for encontrado, o dono da casa será levado à presença de Deus [ou dos juízes]... (Êx 22.8). "Deus" é entendido aqui como o próprio juiz, chamado Eloim, e que era o representante de Deus.

### Fontes Materiais

*O Pentateuco.* No estabelecimento da teocracia, pode-se ver a limitação do exercício de determinadas funções, pois esta tira das mãos da família o poder de vida e morte exercido na época dos patriarcas (Gn 38.24; Êx 21.20). Ainda se conservava a vingança de sangue, mas esta estava restrita ao controle teocrático. No Sinai e em Abel-Sitim, Deus deu à nação teocrática uma detalhada revelação da legislação, codificada nos escritos Mosaicos.

O desenvolvimento histórico da lei criminal parece abranger os 4 maiores códigos: (1) o Decálogo (Êx 20.2-17); (2) a elaboração das especificações ritualísticas e judiciais do "livro do testamento" (Êx 20.22–23.33), que uniu a nação em sua vida política e religiosa; (3) os códigos sacerdotais (compreendendo principalmente Levítico e Números 5; 6; 9.1-14; 10.1-10; 15; 18; 19); (4) os códigos de Deuteronômio.

Moisés, entretanto, recebeu todos estes materiais durante o período da experiência no deserto, começando com o Decálogo no Monte Sinai em 1447 a.C., e terminando com os materiais de Deuteronômio dados nas planícies de Moabe em 1407 a.C., pouco antes de Israel entrar em Canaã. Pode-se discernir o desenvolvimento de uma lei em detalhes, por exemplo o da lei do homicídio acidental, que recebeu um material adicional do livro do testamento a Deuteronômio (Êx 21.13; Nm 35.9-15,22-28. Dt 19.1-10). Dependendo também de necessidades particulares, um dado aspecto judicial era enfatizado mais em uma área do que em outra, ou era mencionado em um código e não discutido em outro. Por exemplo, os materiais do Êxodo tratam em detalhes as ofensas à pessoa e à propriedade, mas lidam com apenas um aspecto da imoralidade em relação à sedução; Deuteronômio trata das questões dos crimes contra as mulheres, casadas ou solteiras, mas não menciona a sedução. Isto não quer dizer, entretanto, que ofensas envolvendo a castidade não fossem conhecidas durante o acampamento do Sinai.

O corpo da lei Mosaica, em geral, também enfatiza que Deus é Aquele que dá a lei e Aquele que valida a lei; que a morte acidental e o assassinato devem ser tratados de formas diferentes; que não há pena capital em um crime relacionado ao direito de propriedade; que a punição nos casos em que se deveria utilizar o princípio *lex talionis* (a lei de Talião; "olho por olho, dente por dente") exclui a prática de um homem morrer pelo outro; e que não se observa nenhuma distinção de classes na determinação da punição.

O corpo da lei também é distinto, em sua compreensão e aplicação, de outros códigos de lei dos povos do Oriente Médio no segundo milênio a.C. (veja abaixo).

*A Lei do Oriente Médio.* Para estabelecer um posicionamento e um contraste, é necessário ter um conhecimento de outros códigos de lei de países contemporâneos do Oriente Médio com os patriarcas e Moisés. As seguintes leis são pertinentes a este período. as leis de Eshunna do séc. XIX a.C., o código de Hamurabi do séc. XVIII a.C., as leis da Média Assíria dos séculos XV a XIII a.C., e as leis hititas dos séculos XIX a XIII a.C.

Ao discutir o conhecido *lex talionis* de Hamurabi, que surgiu antes do livro do testamento, alguns estudiosos questionaram a origem Divina das leis de Moisés. Garante-se que havia padrões legais como uma parte da cultura comum do Oriente Médio, e uma herança familiar a todos os povos da região. Entretanto, havia pontos importantes de contraste entre os códigos do Pentateuco, o código de Hamurabi, e outros códigos do antigo Oriente Médio. Assim, era Deus quem sancionava os materiais Mosaicos, enquanto o Código de Hamurabi não existia em tal forma (Exceto por uma referência inicial, de acordo com a qual este código teria sido supostamente recebido do deus-sol). A lei de Moisés tinha um padrão de justiça para todos, enquanto o material de Hamurabi apresentava uma elaborada distinção de classes. O Pentateuco insistia na pureza sexual, com o divórcio permitido apenas por uma causa específica (Dt 24.1), mas o código de Hamurabi reconhecia as prostitutas do templo como uma classe social, e o divórcio era comum. As leis de Moisés tinham uma única consideração para a consciência social que alcançava até mesmo os inimigos (Dt 23.7); ela proibia a substituição do morto por outra pessoa, e o sacrifício da vida para proteger a propriedade.

O que se aponta no código de Hamurabi se aplica em maior ou menor extensão aos outros códigos. A força primária da lei penal era econômica, e um sistema legal secular representava o estado e o rei como aqueles que davam e validavam os códigos, ao contrário da lei Mosaica.

*Novo Desenvolvimento no AT.* Materiais extrabíblicos da Palestina cobrindo o período dos juízes, até o final da monarquia do AT são quase nulos, quando comparados com a riqueza dos materiais na Mesopotâmia, de documentos da corte, casos criminais etc. Em 1960, um fragmento da época de Josias, foi encontrado em Israel perto de Yavneh-Yam. Trata-se do apelo de um trabalhador agrícola recrutado ao governo local, em que o seu superior confiscou injustamente a sua roupa, por não entregar toda a cota de grãos (S. Talmon, "The New Hebrew Letter from the Seventh Century a.C. in Historical Perspective". BASOR # 176 [Dez de 1964, pp. 29-38]. As poucas referências extrabíblicas na literatura para situações criminais no período indicado são rápidas, e tratam apenas de algumas circunstâncias pouco usuais.

Nas referências feitas aos pontos da lei nos Profetas e Escritos, algumas vezes encontra-se um tratado com o código criminal e alguns desvios, que, em sua maior parte, eram exemplos que resultavam da sincretização das práticas cananitas pelo povo. Estas tiveram um efeito completamente adverso sobre os princípios morais públicos, o que levou a um aumento das práticas criminosas. Os profetas denunciaram estas práticas, e defenderam uma maior fidelidade à Palavra que lhes havia sido revelada. Porém a maior parte do material bíblico sobre ética, que por sua vez ajudaria no controle das situações criminais, estava em Provérbios de Salomão. Este livro deveria ser considerado o segundo dos códigos do Pentateuco a explicar e ampliar os preceitos contidos nas leis. Salienta-se a prevenção ao crime em Provérbios ao se considerar a santidade da vida, a propriedade privada, e o uso do sexo conforme a prescrição de Deus.

Literaturas extrabíblicas dão algumas formas de emprego da lei acerca de crimes envolvendo o estado e o rei. Saul abusou do código criminal – que era contrário ao conceito da punição vicária – no episódio da matança dos sacerdotes de Nobe (1 Sm 22.19), enquanto, em outra ocasião, condenou a prática do espiritismo (1 Sm 28.9). Davi se envolveu em um ato criminoso em seu caso com Bate-Seba. Ele também demonstrou um conhecimento do código penal na história de Natã, no roubo da ovelha do homem pobre (2 Sm 12.1-6). Um relato completo de um procedimento legal, ainda que seja um abuso, é o caso de Nabote e a falsa acusação de blasfemar contra Deus e o rei (1 Rs 21.10,13). Durante o seu reino, Josafá viu que Judá precisava da aplicação de um bom sistema judicial (2 Cr 19.4-11). Um julgamento por traição aparece em Jeremias 26; as acusações e as defesas se alternaram no caso de Jeremias, que foi acusado como "réu de morte". Jeremias foi absolvido, mas Urias, outro profeta, foi injustiçado. O período da monarquia terminou com uma grande distância entre a prática legal positiva e as exigências da lei Mosaica.

*Materiais Judaicos Tradicionais.* O período pós-exílio começou a ver, sob o período de Esdras, uma restauração das ordenanças da lei nas experiências de vida de um povo reestabelecido. Não havia monarquia oficial, mas Esdras e aqueles que o sucederam cercaram o sistema legal com novas restrições, para se prevenir contra o desvio dos mandamentos. O final do período intertestamentário e o primeiro século d.C. viram a produção e o novo desenvolvimento de um corpo de literatura e materiais sob a ótica da lei bíblica. A literatura *hisonim* (aquela que estava fora dos cânones) – a Apócrifa (por exemplo, Tobias e Judite) e a Pseudoepígrafa (por exemplo, Jubileus) – é uma testemunha valiosa. A principal linha do judaísmo tinha a sua origem legal nos materiais próprios do Tannaim (legisladores rabinos do primeiro século a.C. ao ano 200 d.C.). Este material surgiu em uma forma escrita no Mishná, no ano 200 d.C. (primeira parte do Talmude). Juntamente com o Mishná estão os comentários do período tanaítico sobre a literatura legal nos livros do Pentateuco (como por exemplo o *Mekilta* sobre o Êxodo, a *Sifra* sobre Levítico, e a *Sifre* sobre Números e Deuteronômio). Esta literatura ainda é usada como fonte de material para interpretação judicial, em pontos da lei judaica em conexão com textos bíblicos. Os escritos de Filo (*On the Special Laws*) e Josefo (*Ant.*, iv.8) também são pertinentes.

## Crimes e Punições no AT

*Crimes contra a sociedade como um todo.* Estes eram crimes que afetavam toda a nação; um deles era *desafiar a lei*. Era um crime brutal agir com insolência e rebeldia contra o sacerdote e juiz, visto que estas autoridades procuravam servir. A punição neste caso era a morte, a fim de afastar o mal de Israel (Dt 17.12). Isto servia como advertência para o resto do povo, mostrando que eles também não deveriam agir em rebeldia para com a lei.

Outro crime desta natureza abrangia a *perversão e obstrução da justiça.* Falsas queixas não deveriam ser recebidas, e ninguém poderia se juntar com o perverso para ser uma testemunha injusta. Ninguém poderia se unir a uma falsa causa para torcer o julgamento, principalmente quando um pobre estivesse envolvido, à medida que este não pudesse se defender (Êx 23.1,2,6,7). Deveria haver imparcialidade; a igualdade de justiça deveria prevalecer tanto para pobres como para ricos (Lv 19.15). Aqui havia um contraste único com outros códigos do Oriente Médio, que aparentemente respeitavam todos os tipos de classes, porém muitas vezes favoreciam os mais ricos.

*O suborno* era proibido, pois era um crime contra a sociedade; considerava-se que cegava os que o recebiam (Êx 23.8).

Intimamente associado ao o suborno estava o *perjúrio* (Dt 5.20), que era estritamente proibido. A pena para o *perjúrio* consistia em punir a falsa testemunha, do mesmo modo que ela pensou em fazer com a vítima (Dt 19.16-20).

*Crime contra os indivíduos.* Dentro do contexto bíblico, a vida do indivíduo está associada à dignidade e à graça, e qualquer dano àquela vida é de séria natureza. Portanto, foram abordadas várias áreas que poderiam prejudicar o indivíduo.

No topo da lista de crimes que poderiam resultar em danos corporais estava o *homicídio*. O Decálogo mostrava que ninguém poderia tirar a vida de outra pessoa (Êx 20.13), isto era como desfigurar a imagem de Deus (Gn 9.6). Considerava-se o sangue derramado sem razão como uma profanação da terra (Nm 35.33). Alguns dos casos de assassinato premeditado eram: ir até o seu vizinho maliciosamente, e matá-lo traiçoeiramente (Êx 21.14); ferir alguém com instrumento de ferro com ódio ou má intenção resultando em morte (Nm 35.16-21). Quem ferisse pai ou mãe era considerado assassino (Êx 21.15). Era considerado homicida quem ferisse uma mulher grávida causando aborto (Êx 21.22,23). Era considerado homicídio sacrificar o filho a um deus estrangeiro (Lv 20.2,3). A punição para todos esses casos era a morte. Em casos de homicídio, não podia ser aceito resgate pela vida do assassino (Nm 35.31-33). Não há paralelos neste assunto entre os códigos bíblicos e outros códigos do Oriente Médio, por exemplo assírios, heteus, e os códigos de Hamurabi. O texto bíblico enfatiza a santidade da vida humana.

Eram reconhecidos diferentes graus de culpa quando a vida humana era tirada. Quando a morte não era premeditada, o crime era chamado homicídio culposo. Quando havia morte acidental, a parte ofensora deveria fugir para uma cidade de refúgio (Êx 21.13; Nm 35.15). Uma pena apropriada seria então estabelecida pelos juízes (Nm 35.22-28). A morte como resultado de legítima defesa era reconhecida, e aquele que matou não era considerado culpado (Êx 22.2).

Amaldiçoar o pai ou a mãe era considerado abominação, e o sangue do ofensor recaía sobre si (Lv 20.9); esta era uma forma de assassinato. Um filho rebelde, que não ouvisse seus pais, e ainda que, castigado, não lhes desse ouvidos, estabelecendo para si mesmo um padrão de perversidade mesmo sob contínua correção e castigo, era considerado como assassino; esta atitude era merecedora de pena de morte (Dt 21.18-21).

*O estupro e a sedução* também eram considerados crimes contra o ser humano (veja a próxima parte que trata de crimes de natureza sexual).

O código também tratava de várias categorias de *agressões*. No caso de uma luta entre dois indivíduos, onde um fosse ferido mas não morresse, a parte ofensora teria que pagar por qualquer prejuízo, assim como por perdas e danos (Êx 21.18,19). Se o senhor batesse em um servo até que este morresse, então o servo deveria ser vingado; mas se o servo continuasse a viver, o patrão não seria punido (Êx 21.20,21). Pode ser vista aqui uma lei sem paralelos no Oriente Médio, pelo seu interesse pelo escravo como um ser humano, e não como um objeto em posse de alguém. Entretanto, se o patrão batesse no servo de forma que ele viesse a perder um olho ou dente, o servo deveria ser libertado (Êx 21.26,27). Quando um homem fosse a causa do aborto de uma mulher grávida, mas a mulher não morresse como conseqüência, o ofensor tinha que pagar pelo dano, conforme fosse estipulado pelo marido prejudicado e pelos juízes (Êx 21.22). Caso alguém sofresse uma agressão por parte de um animal, o animal deveria ser morto (Êx 21.28-32; veja a seção abaixo sobre as punições para os assassinos).

Um chefe de família poderia matar um ladrão que entrasse em sua casa à noite, mas era proibido fazê-lo se o episódio ocorresse durante o dia (Êx 22.2,3). A suposição era de que o ladrão à noite não hesitaria em matar; esta era a explicação desta lei. O código de Hamurabi não fazia esta distinção, visto que só o roubo já era suficiente para justificar a morte do agressor. Outras leis do Oriente Médio faziam distinção de roubo à noite e de dia, assim como a lei bíblica o faz.

Crimes de natureza ética também eram considerados uma afronta contra o indivíduo. Não se deveria usar *mentiras* com o próximo (Lv 19.11b). Na mesma categoria, a *calúnia* e os *mexericos* (ou difamações) eram expressamente proibidos (Êx 23.1; Lv 19.16).

Deveria se usar pesos e medidas justas ao lidar uns com os outros, e qualquer *falsificação* também era considerada injustiça contra Deus. A punição inferida aqui é a de que a habitação na terra seria comprometida (Dt 25.13-16).

*Roubar* e *vender um homem* era uma extrema violação ética, e uma desgraça para a dignidade do homem. Esta prática implicava em pena de morte (Êx 21.16; Dt 24.7).

*Crimes específicos de natureza sexual.* Severos procedimentos regulatórios eram definidos na área da moralidade, cujas medidas de punição soariam como excessivas sob o ponto de vista moderno. Entretanto, os desvios morais eram considerados com elevada seriedade, especialmente porquê a estrutura básica da sociedade esta envolvida; a unidade familiar. Embora fossem aparentemente semelhantes sob várias formas, a distinção entre a lei bíblica em relação aos códigos do Oriente Médio, é que esta considerava que os laços matrimoniais tinham uma sanção Divina.

No caso do *estupro*, a pena para o homem que cometia este crime era a morte (Dt 22.25,26).

Em relação à *sedução*, se um homem seduzisse uma donzela solteira de modo a manter relações sexuais, ela deveria se casar com ele. Entretanto, se o pai da moça se recusasse a permitir o casamento, então o homem deveria pagar uma indenização em dinheiro conforme o dote das virgens (Êx 22.16,17).

*O adultério* era considerado crime e era proibido (Êx 20.14). Vários exemplos de adultério foram declarados na lei. Se houvesse uma relação sexual entre uma mulher casada e um homem que não fosse o seu marido, e eles fossem apanhados, então ambos sofreriam a pena de morte (Dt 22.22). O mesmo se aplicaria se uma moça virgem comprometida, em um ambiente urbano, tivesse relações ilícitas com um homem que não fosse o seu noivo; ambos sofreriam a pena de morte (Dt 22.23,24). Entretanto, se uma mulher comprometida estivesse no campo, e fosse forçada a se deitar com um homem, só ele deveria ser morto, visto que a mulher gritou e não houve quem a livrasse (Dt 22.25-27).

Em outro caso, se uma virgem não comprometida fosse forçada a manter relações sexuais, então o homem teria que pagar uma indenização de 50 siclos de prata, e ela teria que se tornar sua esposa; o homem não poderia mandá-la embora durante toda a sua vida (Dt 22.28,29). Em uma situação mais curiosa, se um homem suspeitasse das atitudes de sua mulher, ele poderia apelar para a "lei dos ciúmes". Havia uma instrução específica para os casos de ciúmes (Nm 5.29,30). Sob juramento perante o sacerdote, a mulher suspeita beberia água misturada com a terra do solo do Tabernáculo, e apresentaria o seu caso perante o Senhor. Se ela fosse culpada, ficaria doente, e assim ficaria estabelecida a sua culpa (Nm 5.12-31). Caso um homem e uma escrava desposada com outro homem fossem surpreendidos em imoralidade, deveriam ser açoitados, mas não mortos, pois a escrava não era livre. Neste caso o homem poderia obter perdão através do sacrifício apropriado (Lv 19.20-22).

Relações sexuais com parentes próximos eram expressamente proibidas. A lista de pessoas consideradas parentes próximos incluía a família direta, madrasta ou padrasto, tias, tios, sobrinhos, sobrinhas, ou casamentos envolvendo a mãe e a filha, ou duas irmãs (Lv 18.6-18). A pena nestes casos de *incesto* era a morte (Lv 20.11,12,14,20,21).

*A sodomia* (Lv 18.22) era punida com a morte das duas pessoas (Lv 20.13). No caso de bestialidade (Lv 18.23), tanto o animal quanto o homem seriam mortos (Lv 20.15,16).

*A ofensiva indecente* de uma mulher contra um homem, mesmo que estivesse defendendo o marido, resultava em uma pena específica para a mulher (Dt 25.11,12).

O caso de *relações intencionais* com uma mulher durante o seu período menstrual resultava em pena de morte (Lv 15.24; 18.19; 20.18).

*A vestimenta imprópria*, o caso em que uma pessoa se vestisse com roupas do sexo oposto, é descrita como abominação ao Senhor; entretanto nenhuma pena é ordenada na lei (Dt 22.5).

Na questão da *prostituição*, a lei proibia a consagração ou o culto que envolvia a prostituição de ambos os sexos entre os israelitas (Dt 23.17). Embora os pais fossem proibidos de vender suas filhas para serem prostitutas (Lv 19.29), reconhecia-se que tal atitude não podia ser rigorosamente controlada (Dt 23.18).

*Crimes de natureza religiosa*. Por causa da seriedade desses crimes, primeiramente contra Deus, as punições resultavam em sentenças de morte.

*A apostasia* envolvia uma tentativa de um indivíduo de levar membros da família ou amigos íntimos a se desviar e adorar outros deuses, abandonando o verdadeiro Deus, o Senhor Deus de Israel (Dt 13.6-11). A apostasia também ocorria no caso de subversão comprovada, onde comunidades inteiras eram levadas a servir divindades pagãs (Dt 13.12-16). Além disso, havia o conceito de *herem* relacionado a um objeto proibido para o uso comum ou "condenado à destruição" (anátema). Isto está relacionado a qualquer coisa associada ao paganismo, os ídolos e suas decorações (Dt 7.25), pessoas envolvidas em sacrifícios a eles (Êx 22.20), ou como mencionado, comunidades pervertidas. Alguém ligado a *herem* se tornaria *herem* e, portanto, alguém que se apropriasse de objetos considerados *herem* se tornava *herem*, uma pessoa amaldiçoada ou sob anátema (Js 7.11-26).

*A blasfêmia* contra o Nome do Senhor, o Deus de Israel, por um israelita apóstata ou por um estrangeiro, era considerado um crime abominável (Êx 20.7; Lv 24.16).

*Os falsos profetas e sonhadores* profetizando em nome de deuses estrangeiros não poderiam ser ouvidos. Até mesmo em casos onde estes indivíduos expressassem profecias que seriam cumpridas a curto prazo, e que mais tarde de alguma forma viessem a ser cumpridas, não se deveria dar atenção a eles. Suas previsões eram permitidas por Deus para provar a lealdade dos israelitas a Ele (Dt 13.1-5).

*A violação do sábado* era outro crime que trazia sérias conseqüências, porque não era permitido que se fizesse nenhum trabalho no dia particularmente escolhido para adoração (Nm 15.32-36).

Homem ou mulher *possuídos por espíritos familiares* (ou entendidos como possuídos por demônios) não deveriam ser tolerados; deveriam ser executados (Lv 20.27). A *feitiçaria* também não era permitida (Êx 22.18).

*Crimes relativos à propriedade.* A propriedade pessoal era tida como inviolável e cada um deveria respeitar as posses dos outros. Esta alta consideração levava a um grande número de situações que eram tratadas a fim de demonstrar este respeito. Em todos estes casos, deveria ser feita uma restituição específica (veja a seguir, a pena para os crimes).

O oitavo mandamento afirmava definitivamente que ninguém podia roubar e, portanto, o *furto* era condenado (Êx 20.15). Casos específicos de roubos eram citados, como por exemplo roubar gado ou ovelhas (Êx 22.1,7), e tirar mais da vinha ou da plantação do próximo do que poderia ser consumido no momento (Dt 23.24,25).

*O roubo* era reconhecido como um caso específico de furto, onde o ladrão entrava na propriedade de alguém para roubar algo para si (Êx 22.1-4). *Incêndio* premeditado (ou culposo) era um crime contra a propriedade e uma perda onde se ateava fogo em construções contendo grãos assim como nas plantações de grãos (Êx 22.6).

*Matar o animal de carga de alguém* era proibido (Lv 24.18,21). Se um buraco ou cova estivesse descoberto, de modo que um animal se machucasse ou morresse, então a parte negligente teria causado uma perda de propriedade (Êx 21.33,34). O cuidado para que um animal não ferisse nem matasse o animal de um vizinho, era considerado um cuidado relacionado à propriedade. Se um incidente ocorresse, o animal vivo deveria ser vendido e o dinheiro dividido; caso o proprietário negligente não tivesse guardado devidamente o animal desgovernado, então se fazia o pagamento de animal por animal (Êx 21.35,36).

*A Remoção de marcos* ou mudança de fronteiras entre vizinhos era condenada (Dt 19.14).

Era considerado como invasão deixar um animal pastar em um campo alheio sem a permissão do dono, deixando-o comer no campo de outrem, causando prejuízo ou destruição (Êx 22.5).

*Penas para crimes.* O código criminal reconhecia níveis de crimes e, portanto, recomendava níveis de penas. Algumas destas sentenças parecem desumanas do ponto de vista atual, mas deve-se reconhecer que alguns desses crimes, se fossem permitidos ou deixados sem punição, teriam sérias conseqüências para a nação. Educar uma nação em seu sistema legal, levaria as pessoas a reconhecer a posição sagrada de sua teocracia, em que o próprio Deus era considerado o principal governante.

A regra do *lex talionis* limitava a punição a uma retaliação restrita a fim de prevenir a vingança excessiva. No caso de homicídio, era vida por vida, ou a pena de morte, como conhecemos hoje (Gn 9.6). Observe que isto se aplicava até mesmo antes da aliança Mosaica. Mas a lei Mosaica também especificava olho por olho, dente por dente, mão por mão, e assim uma vida por uma vida (Êx 21.24,25; Nm 35.33). Contudo, homicídio à parte, muitas vezes dava-se uma ênfase à interpretação sob uma visão negativa. A Escritura Sagrada enfatizava positivamente a eqüidade na punição. Por exemplo, se havia um olho ferido, a vida da parte ofensora não poderia ser tirada; ou no caso de um incêndio premeditado, o ofensor não poderia ser morto ou mutilado. Deveria existir uma justiça igual e restrita, o que deve ser a intenção da lei.

No caso de homicídio, não era permitido nenhum resgate ou multa. Nem havia qualquer sacrifício especificado no sistema sacrificial para o assassino. Por exemplo, Davi só poderia se colocar à disposição da misericórdia de Deus quando foi confrontado com seus pecados de adultério e assassinato (2 Sm 12.13). A pena para o assassino era a morte. Em apenas um caso havia uma exceção (Êx 21.28-32). Era no caso de um proprietário negligente, que mesmo sabendo que o seu boi era selvagem, não o prendera, causando a morte de alguém. Neste caso, tanto o boi como o proprietário deveriam morrer. Entretanto, ele poderia pagar o seu resgate se houvesse consentimento e fosse determinada uma quantia pelo parente da vítima. No código de Hamurabi, nos casos de negligência onde por exemplo alguma criança morresse por causa de um boi que as chifrasse, o filho do dono do animal agressor deveria ser morto. Os textos em Êxodo 21.31 e Deuteronômio 24.16 repudiam esta prática na lei Mesopotâmia, e enfatizam um procedimento mais humano.

Uma punição extrema *de queimar* os transgressores estava reservada para aqueles que estivessem envolvidos em casos incomuns de imoralidade; como por exemplo um homem que coabitasse com sua mulher e sua sogra, ou a filha do sacerdote que se prostituísse (Lv 20.14; 21.9). Porém mesmo antes da lei ser dada, a queima era uma pena reconhecida pelos patriarcas para uma mulher que fosse oferecida para os rituais dos cultos de fertilidade como prostituta-sacerdotisa (*q*[e]*desha*; Gn 38.24).

*A mutilação* era infringida à mulher que tentasse ajudar seu marido, caso ela tocasse as partes íntimas daquele que estivesse lutando com ele. Ela deveria perder a sua mão por ter atacado o homem de uma forma imoral (Dt 25.11,12). Há poucas penas corporais específicas na lei bíblica. As leis do Oriente Médio contêm muitas especificações de mutilação baseadas em retaliação, que envolviam orelhas, olhos, nariz, lábios, face etc. Modos pouco usuais de execução, como o desmembramento apontado nas leis hititas, ou ser lançado às feras (Dn 6.12), não faziam parte do código penal de Israel.

*Ser eliminado ou extirpado do povo* era outra forma geral de punição, mas o tipo específico de punição muitas vezes não era descrito. Poderia ser a morte, a expulsão ou perda de herança, porque não haveria filhos para dar continuidade à linhagem da família. Em alguns poucos casos o contexto oferece maiores esclarecimentos, assim como o tipo de punição.

Alguns exemplos de transgressões que mereciam ser punidas com a eliminação eram: comer sangue junto com a carne violando a santidade do sangue (Lv 17.14); estar envolvido em muitos desvios morais praticados pelos pagãos (Lv 18.29; 20.17,18); sacrificar crianças como ofertas queimadas aos deuses pagãos (Lv 20.3); tornar-se cúmplices daqueles que ofereciam seus filhos como ofertas queimadas aos deuses pagãos (Lv 20.4); envolver-se com aqueles que possuíssem espíritos familiares (Lv 20.6); desconsiderar a Páscoa (e por conseguinte todo o sistema religioso da lei, Nm 9.13); desconsiderar continuamente e espontaneamente a Palavra de Deus (Nm 15.30,31); e desprezar a pureza cerimonial que estava implícita na lei (Nm 19.13,20). Veja Extirpar.

*Pendurar o corpo* era uma punição utilizada em alguns casos onde o crime era passível de pena de morte; depois da morte o corpo era pendurado ou espetado em um madeiro, o que indicava que estava debaixo de uma maldição especial de Deus (Dt 21.22, 23). A única especificação era que o corpo não poderia permanecer no madeiro durante a noite, mas deveria ser sepultado no mesmo dia da execução, para que a terra não fosse contaminada.

*O apedrejamento* era o juízo destinado àqueles que fossem comprovadamente apóstatas (Dt 17.5), que blasfemassem o nome do Deus de Israel (Lv 24.16), que sacrificassem os seus filhos como ofertas queimadas aos ídolos pagãos (Lv 20.2), que tivessem espíritos familiares ou que fossem feiticeiros (Lv 20.27). Além disso, o apedrejamento era o castigo pela rebeldia e teimosia contínua (Dt 21.19,20), para uma noiva que não fosse capaz de refutar uma acusação de imoralidade (Dt 22.21), e para aquele que profanasse o sábado (Nm 15.32-36). Na punição por apedrejamento, a testemunha do crime tinha o privilégio de atirar as primeiras pedras (Dt 17.7).

Nos casos onde os juízes determinavam *açoites e espancamento* como castigo para o culpado em uma controvérsia, era designado um número de açoites entre 1 e o máximo de 40 açoites. O limite de 40 era específico, ou não haveria justiça e a dignidade do ofensor seria totalmente degradada (Dt 25.2,3).

*A expulsão (ou o banimento)* era uma pena do período pós-exílico para aqueles que desobedecessem algumas das leis de Deus ou da terra (Ed 7.26). Naquela época, o *confisco de propriedades e a excomunhão* da congregação eram as penas para aqueles que se recusassem a romper com seus cônjuges não israelitas (Ed 10.8).

*O aprisionamento* citado na aliança Mosaica durou apenas um curto período, até que pudesse ser determinada pelo Senhor a pena que deveria ser aplicada ao culpado nos casos de profanação do sábado e blasfêmia (Nm 15.34; Lv 24.12). Em uma etapa posterior da história de Israel, a prisão e o tronco fizeram parte do sistema penal do governo, uma vez que alguns profetas de Deus foram presos deste modo, como por exemplo Micaías (2 Cr 18.25,26) e Jeremias (Jr 20.2; 29.26).

*Mandado de busca e apreensão* e sanções eram permitidas no caso de alguém que guardasse algum objeto do seu vizinho por algum tempo, e não o devolvesse quando pedido, indicando que *fora* roubado (Êx 22.8).

*A restituição* era uma parte importante do código criminal. Se um animal de carga matasse outro, seria feita uma restituição – animal por animal (Lv 24.18). Furtar, negar ao seu próximo o que este lhe deu em depósito, ou negar que encontrou o que se havia perdido, arrombar para roubar etc., eram todas as bases para restituição que deveria ter um pagamento extra de vinte por cento. Os textos em Levítico 6.1-7 e Números 5.5-8 tratam da devolução voluntária da propriedade. Em comparação com toda a lei do Oriente Médio, havia especificações legais de pena de morte por furto. No código de Hamurabi havia uma exceção, onde havia instruções para prejuízos somando de 10 até 30 vezes a quantia roubada. Entretanto, isto era quase o mesmo que a pena de morte, porque se a restituição não fosse feita, o ladrão seria morto. Prosseguindo, a restituição em espécie deveria ser feita por propriedade roubada ou tomada emprestada; por exemplo, no caso de animais roubados que foram entregues para serem guardados, ou animais e objetos que foram destruídos quando o proprietário não estava lá para presenciar o fato (Êx 22.12,14,15).

*Em outros casos de compensação e/ou danos*, a parte ofendida em uma luta tinha que pagar pelos danos e despesas médicas da parte ferida (Êx 19.21). Uma multa de 30 siclos de prata era determinada junto com a perda do boi, caso este tivesse escorneado um servo (Êx 19.32); pelo roubo de um boi para alimento ou lucro requeria-se 5 bois em pagamento, enquanto 4 ovelhas eram o pagamento pelo roubo de uma ovelha (Êx 22.1). Aquele que roubasse deveria fazer a restituição completa do bem roubado; caso não tivesse dinheiro suficiente para tanto, seria vendido como escravo para pagar tal prejuízo (Êx

22.3). Um ladrão encontrado com um animal roubado tinha que pagar em dobro (Êx 22.4). Um homem que alimentasse seus animais no campo do vizinho, tinha que pagar em espécie o melhor do seu campo ou vinha (Êx 22.5), e o que provocava um incêndio premeditado tinha que pagar por toda plantação ou propriedade destruída (Êx 22.6).

A punição deveria ser atribuída apenas aos culpados dos crimes; nenhuma pena deveria ser paga pelos pais ou filhos (Dt 24.16). A punição deveria ser controlada pelos juízes ou anciãos, e ninguém podia se vingar quando prejudicado (Exceto no caso de vingança de sangue, nos homicídios premeditados, Lv 19.18; Dt 25.2).

**Crime e Punição no Novo Testamento**

*Lei judaica.* Deve-se reconhecer que o Novo Testamento não é uma espécie de conjunto de leis. Muitas situações e instruções no NT tocam em pontos do código legal; o que se mostra é a prática da lei pelos judeus e romanos (ou a falta dela) naquele período. Situações legais são difíceis de determinar; os autores do Novo Testamento não escreveram uma súmula legal compreensível, e dão as opiniões da maioria e da minoria. Apesar do espaço dedicado aos relatos, existem diferenças de opinião sobre pontos da lei em passagens cruciais, tanto no julgamento de Jesus, como nos extensivos julgamentos de Paulo. Entretanto, há inúmeras fontes na lei romana e judaica que dão uma visão geral dos materiais do Novo Testamento com relação aos crimes e às punições.

No início de 37 a.C., a Judéia era governada por Herodes o Idumeu em nome de Roma, e por procuradores romanos no início do ano 6 d.C. Apesar da ocupação, havia uma tolerância à autonomia interna dos judeus pela atuação do sumo sacerdote e da hierarquia dos saduceus, nas questões que envolvessem os costumes e a lei judaica. A jurisdição religiosa também parecia ter sido concedida pelos romanos às comunidades judaicas na Diáspora, pela qual as questões judaicas poderiam ser controladas pela liderança competente, sob a supervisão do alto sacerdócio de Jerusalém.

A pena de morte, ou *jus gladii*, estava em grande parte sob a jurisdição romana, e fôra retirada da autoridade dos judeus durante o governo de Pilatos *(Shabbath 15a).* Mesmo assim havia casos de julgamentos de penas capitais e execuções sem a interferência romana; registros tanaíticos indicam execuções na fogueira no caso de questões estritamente religiosas (*Mishnah Sanh.* 7.1,2). O Novo Testamento relata o julgamento de Pedro com a possibilidade de execução e poder de execução (At 5.27-33) por parte do sumo sacerdote (At 26.10). Qualquer estrangeiro, incluindo os romanos, poderia ser morto, se ultrapassasse no interior do templo uma área bem definida; o aviso contra a entrada sob pena de morte estava claramente exposto em grego (Jos Ant. xv. 11.5). Fazendo a acusação capital de blasfêmia sob o código Mosaico, o Sinédrio votou pela pena de morte quando os seus membros entenderam que Jesus testemunhara falsamente, dizendo ser o Messias e alguém igual a Deus (Mt 26.63-66). Nesta ocasião, a autoridade romana se envolveu até mesmo na pena de morte, visto que Pilatos finalmente concordou com a decisão. Entretanto, o *Mishnah Sanh.* 7.5 não cobre a questão da blasfêmia abrangendo todos os tópicos envolvidos no julgamento de Jesus.

O Mishna prescreve chicotadas como punição física no tratado de Makkoth. Ofensas contra os códigos acarretavam alguns castigos. Quando não se especificava o castigo, prescreviam-se 40 chibatadas, embora 39 ou menos fossem aplicadas também para mostrar indulgência ao réu. A pena de açoite servia para intimidar o culpado e era freqüentemente aplicada (Mt 10.17; At 5.40). As autoridades religiosas também usavam a pena da excomunhão das sinagogas, como meio de impor a conformidade aos códigos e tradições (Lc 6.22; Jo 9.22).

*A Lei romana.* Era dentro da jurisdição dos governadores e procuradores romanos, que se tratava de todas as situações relacionadas à paz e à ordem. Josefo ilustra os pronunciamentos dos romanos sobre sedição nos casos de Teudas e Judas, o galileu (At 5.36, 37; Ant. xx.5.1). Uma ilustração semelhante é fornecida no caso da execução de João Batista por Herodes Antipas (Ant. xviii. 5.2). A inscrição "Rei dos Judeus" indica que a acusação de Pilatos e a base para a execução de Jesus deve ter sido a traição. Havia alguns que consideravam os discípulos de Jesus como rebeldes contra Roma (At 5.34-39), enquanto Paulo foi apanhado pelas autoridades como um líder da sedição (At 21.38). Tanto romanos como judeus podiam prender e investigar, mas executar era uma prerrogativa exclusiva dos romanos.

A pena de morte executada pelos romanos era a crucificação quando havia escravos e pessoas de classe mais baixa envolvidas, mas a decapitação também era usada ocasionalmente (*Mishnah Sanh.* 7.3; Mt 14.10). A condenação a uma vida de trabalho nas minas, chamada vincula ou "prisão" (este era o contexto de Atos 23.29), era praticamente uma pena de morte em vida. O açoite também era muito usado como uma medida punitiva, ou para obter uma informação necessária para os procedimentos judiciais (Ant. xv.8.4; At 22.24). Era comum a detenção na cadeia, à espera dos procedimentos da corte ou da execução (At 24.26,27), e às vezes a prisão de braços e pernas a troncos era usada para restringir ainda mais a liberdade dos prisioneiros (At 16.23,24).

Uma lei aprovada durante o reinado de Augusto proibia o açoite do prisioneiro caso este fosse um cidadão romano. Paulo, tendo nascido na cidade livre de Tarso, era um cidadão romano, e apelou para esta vantagem em várias ocasiões (At 16.37; 22.25-29). Entretanto, algumas vezes Paulo não pôde evitar o açoite (2 Co 11.25), ou talvez tenha se recusado a apelar a este privilégio (2 Co 11.24). Os cidadãos romanos nas províncias, quando processados por crimes capitais, tinham o direito a um julgamento perante um conselho, incluindo o governador da província e outros líderes da província (no caso de Paulo, At 25.12,23). Entretanto, o cidadão romano nesta situação também poderia recusar este procedimento, e buscar uma audiência judicial com o imperador em Roma. No caso de Paulo, vários fatores tanto técnicos quanto indesejáveis o induziram a finalmente apelar diretamente ao imperador romano (At 25.11,12; 26.31,32).

***Bibliografia.*** *H. J. Cadbury, "Romam Law and the Trial of Paul",* The Beginnings of Christianity, *V, Nova York. Macmillan, 1933. H. Danby, trad.,* The Mishnah, *Nova York. Oxford Univ. Press, 1933. D. Daube,* Studies in Biblical Law, *n.p.. 1937. G. R. Driver e J. C. Miles.* The Assyrian Laws, *Nova York. Oxford Univ. Press., 1935;* The Babylonian Laws, *I e II, Oxford. Clarendon Press, 1952 e 1955. E. W. Edersheim,* The Laws and Polity of the Jews, *Londres. Religious Tract Society, s.d., H. E. Goldin,* Hebrew Criminal Law and Procedure, *Nova York. Twayne, 1952. M. Greenberg, "The Biblical Conception of Asylum". Journal of Biblical Literature, LXXVIII, Filadélfia. Society of Biblical Literature, 1959. A Gulak, "Law, Jewish",* Encyclopedia of the Social Sciences, *IX, Nova York. Macmillan, 1937. F. Josephus.* Antiquities of the Jews, *Loeb Classical Library, Cambridge. Putnam, 1930. J. Z. Lauterbach, trad.,* Mekilta, *Londres. Routledge, 1949. P. L. Maier,* Pontius Pilate, *Nova York. Doubleday, 1968. G. F. Oehler,* Theology of the Old Testament, *Grand Rapids. Zondervan, s.d., J. B. Payne,* Theology of the Older Testament, *Grand Rapids. Zondervan, 1962. Philo,* On the Special Laws, *Loeb Classical Library, Cambridge. Harvard Univ.Press, 1937-38. J. B. Pritchard, ed., ANET, Princeton. Univ. Press, 1955. H. W. Saggs,* The Greatness That Was Babylon, *Nova York. Hawthorne, 1962. A. N. Sherwin-White.* Roman Society and Roman Law in the New Testament, *Oxford. Clarendon Press, 1963. J. M. P. Smith,* The Origin and History of Hebrew Law, *Chicago. Univ. of Chicago, 1931.*

L. Go.

**CRISOL** Esta palavra hebraica significa "refinar ou fundir". O termo "cadinho" também é usado. Era um recipiente, provavelmente feito de cerâmica espessa, usado para derreter prata (Pv 17.3; 27.21). *Veja* Refinar.

**CRISOL** Um recipiente para refinar metais, como a prata (Pv 17.3; 27.21). *Veja* Minerais e Metais; Prata; Ocupações: Metal, Artífices de.

**CRISÓLITA** *Veja* Jóias.

**CRISPO** O líder da sinagoga em Corinto (*archisynagogos*) que "creu no Senhor com toda a sua casa" (At 18.8). Ele era aquele que Paulo batizou, junto com Gaio e a casa de Estéfanas (1 Co 1.14,16). A tradição registra que ele se tornou bispo de Egina (*Apostolic Constitutions*, VII, 46). *Veja* Sinagoga.

**CRISTAL** *Veja* Jóias.

**CRISTÃO** Aquele que pertence, ou se dedica a Cristo. Este é um dos diversos termos que o Novo Testamento aplica aos seguidores de Cristo. Ele é formado por Cristo (Messias) e o sufixo - *ianos*, que vem do latim, e é usado somente com nomes próprios (cf. os herodianos, em Marcos 3.6). Aparece somente três vezes no Novo Testamento: Atos 11.26; 26.28 e 1 Pedro 4.16. Foi usado pela primeira vez em Antioquia, em aprox. 43 d.C., e parece ter sido atribuído aos discípulos por outras pessoas. (Para uma opinião contrária, Veja Elias J. Bickerman, "The Name of Christians", *Harvard Theological Review*, XLII [1949], pp. 109-124). É mais provável que este nome tenha sido usado pelos gentios, uma vez que os judeus ainda estavam procurando o Messias. A ocasião foi, provavelmente, aquela em que os gentios, em grande número, tornaram-se seguidores de Cristo.

Diversos estudiosos pensam que o nome foi dado por inimigos dos cristãos. A favor deste ponto de vista se argumenta que os usos da palavra no Novo Testamento exibem algo de hostilidade, e que o termo *chrestianos* era freqüentemente aplicado aos cristãos. A palavra *chrestianos* quer dizer "gentilmente", e é mais provável que tenha sido usada com escárnio. Embora seja verdade que no Novo Testamento a palavra "cristão" é usada em relação ao mundo exterior, ela não transmite, necessariamente, a implicação de hostilidade em qualquer uma daquelas três ocasiões. Adicionalmente, a palavra *chrestianos* pode ter sido uma confusão da palavra *christianos*, e não a origem dela. Se for assim, o termo *christianos* era provavelmente usado de maneira geral pelas pessoas de fora, para designar os seguidores de Cristo, e não somente pelos inimigos. Diversas considerações mostram a adequação do termo para designar os seguidores de Cristo: a profecia de um novo nome (Is 65.15); as referências de Jesus (Mc 9.41; Lc 6.22); os apóstolos falavam em nome de Jesus (At 5.40); e os crentes eram batizados em nome de Jesus (At 2.38).

D. R. S.

**CRISTIANISMO** A religião fundada pelo Senhor Jesus Cristo. Depois de sua ascensão, os apóstolos, sob o poder do Espírito Santo, pregaram em seu Nome. Eles ensinaram que Ele é o Filho de Deus, o Messias; reuniram uma comunidade de fiéis, e exortaram todos a uma nova vida, uma vida de santidade.
Existe tanto uma continuidade como uma descontinuidade do cristianismo com a religião do Antigo Testamento. A vida e os ensinos de Jesus, sobre os quais o cristianismo foi fundado, são a culminação e o cumprimento do Antigo Testamento; e, ao mesmo tempo, eles representam a encarnação do Espírito de Deus, de uma maneira radicalmente diferente de tudo o que a precedeu. Embora acreditando na divindade de Cristo e na realidade do Espírito Santo nos assuntos humanos, o cristianismo tem uma ênfase fortemente monoteísta.
O desenvolvimento histórico do cristianismo teve uma grande liberdade e alcance. É possível, no entanto, dizer que os seguidores de Cristo ressaltaram principalmente a natureza histórica e factual da revelação bíblica, e tentaram segui-la como o seu guia para a fé e para a prática. Se contarmos todos os adeptos da fé cristã, na atualidade existem mais de um bilhão de cristãos, a maior de todas as religiões do mundo.

D. R. S.

**CRISTO** *Veja* Jesus Cristo.

**CRISTO, APARIÇÕES DE** *Veja* Aparições de Cristo.

**CRISTO, ASCENSÃO DE** *Veja* Ascensão de Cristo.

**CRISTO, CRUCIFICAÇÃO DE** *Veja* Cruz.

**CRISTO, DIVINDADE DE** Jesus Cristo é o Filho de Deus, e a essência do Deus verdadeiro. Ele é constituído da mesma essência que o Pai e que o Espírito Santo, e igual em poder e em glória (*Veja* Divindade). Desta forma, tudo o que pode ser dito do Pai e do Espírito Santo poderá ser dito do Filho. Ele é o Criador (Jo 1.1-3; Cl 1.16; Hb 1.2), assim como o Pai (Gn 1.1; Ap 4.11) e o Espírito Santo (Gn 1.2) criaram. Ele é o que mantém e que sustenta todas as coisas (Cl 1.17; Hb 1.3), assim como o são o Pai (Gn 8.21,22) e o Espírito Santo (Jó 27.3; 33.4). Ele é o Redentor (Ap 5.9; Rm 3.24; Tt 2.14), assim como o Pai (Is 63.16).
*Provas bíblicas da Divindade de Cristo.* A Divindade de Cristo é provada por algumas afirmações expressas nas Escrituras (Emanuel, ou "Deus conosco", em Is 7.14 e Mt 1.23; Jo 1.1; Jo 1.18; Rm 9.5; Tt 2.13; Hb 1.8). Ele reivindicou ser capaz de perdoar os pecados (Mc 2.5,10.11; Lc 7.48), o que é uma prerrogativa exclusiva de Deus, que assim era reconhecida (Mc 2.7; Lc 5.21). Ele curou os enfermos (Mt 4.23,24; 8.14-17; 9.18-35; Lc 5.17-26; 7.18-23), e ressuscitou os mortos (Lc 7.11-15; 8.41,42,49-55; Jo 11.38-44; cf. 5.25-29). Ele controlou a natureza acalmando as ondas (Mt 8.23-27). Ele agiu com criatividade, multiplicando os pães e os peixes (Mt 14.19-21; 15.32-38). Ele afirmou ser Deus (Jo 10.33); e existir, com Deus, antes que o mundo existisse (Jo 8.58; 17.5). Ele é igual ao Pai (Jo 14.9; Fp 2.5-8) e um, em essência, com o Pai (Jo 10.30). Somente Ele, dentre todos os homens, é digno de ser adorado, um ato proibido quando dirigido aos seres criados e reservado exclusivamente a Deus (Jo 9.38; Fp 2.9-11; Ap 5.11-14; 19.10; 22.8ss.; At 10.25ss.).
*Provas filosóficas e teológicas.* Se devemos ter um Deus que é infinito em sua pessoa e em seus relacionamentos, esse Deus deve ter uma natureza trina. *Veja* Trindade; Teísmo. Qualquer visão – como a da fé muçulmana, a do judaísmo, a das Testemunhas de Jeová – que afirme que existe somente uma pessoa na Divindade prova ser inadequada. Tal visão apresenta um Deus que só teria conhecido um verdadeiro relacionamento sujeito-objeto (o relacionamento Eu-isso), um relacionamento pessoal real (o relacionamento Eu-Você) ou um verdadeiro relacionamento social (o relacionamento Nós-Você), depois de ter criado tanto o mundo como o homem. Este é o problema fatal em todas as visões unitárias. Pelo fato do homem conhecer e desfrutar de todos esses relacionamentos ele seria, nesses aspectos, maior do que um Deus não trino seria antes de criar o mundo e o homem. Assim, a eterna filiação e Divindade de Cristo são filosoficamente convincentes e necessárias.
A divindade de Jesus Cristo é de extrema importância para a nossa salvação. Somente uma pessoa infinita poderia oferecer um sacrifício infinito, suficiente para satisfazer a justiça de Deus, e para expiar os pecados de todos aqueles que têm fé. Embora o pecado tenha começado com um ato único de desobediência, como um incêndio na floresta pode começar com uma única faísca, ele se espalhou por toda a humanidade; e a sua expiação – depois que o pecado envolveu toda a natureza e toda a humanidade – exigiu não um simples ato de um homem, mas do Todo-Poderoso, em Seu próprio Filho Onipotente. *Veja* Encarnação.

R. A. K.

*O Credo Niceno.* Nos séculos II e III d.C., visões extremamente divergentes do relacionamento de Jesus com Deus foram expressas nos escritos de diversos líderes cristãos. Justino Mártir afirmou que o Logos encarnado em Jesus Cristo era um segundo Deus. Irineu enfatizou a unidade de Deus, ou o monoteísmo, ao passo que Paulo de Samosata enfatizou a humanidade de Jesus, dizendo que Ele foi um homem sem pecado desde o seu nascimento. Sabelio acreditava que o Pai tinha nascido como Jesus Cristo, e sofrido como o Pai; pois o Pai, o Filho e o Espírito Santo eram três modos ou aspectos de Deus. Tertuliano declarou que Deus é uma única essência, mas três pessoas ou partições, na atividade administrativa divina, e que Jesus era ao mesmo tempo Deus e homem, uma única pessoa que possuía duas essências ou naturezas. Orígenes era essencialmente ortodoxo, mas ensinava que embora o Filho seja co-eterno com o Pai, Cristo como a imagem de Deus é dependente do Pai e subordinado a Ele.

No início do século IV, Ário, um presbítero na igreja da Alexandria, afirmou que o Filho tinha um começo, e que não era uma parte de Deus. O Pai tinha criado o Filho para que Ele pudesse criar o mundo. Tal foi a controvérsia desenvolvida na parte leste do Império Romano, que o imperador Constantino convocou um concílio de toda a igreja, que se reuniu em Nicéia, na Ásia Menor, em 325 d.C. Este foi o primeiro concílio ecumênico, com a presença de mais de 300 bispos. O jovem Atanásio, um diácono de Alexandria, advogou a posição ortodoxa. O credo adotado por esse concílio afirma que o Filho é da mesma essência (*homoousios*) que o Pai. Ele diz o seguinte.

"Nós cremos em um único Deus, o Pai Todo-Poderoso, criador de todas as coisas visíveis e invisíveis, e em um só Senhor, Jesus Cristo, Filho unigênito de Deus, o único gerado do Pai, da mesma essência (*ousias*) do Pai, Deus de Deus, Luz da Luz, Deus verdadeiro de Deus verdadeiro, gerado, não criado, da mesma essência (*homoousion*) do Pai, por quem todas as coisas foram feitas, tanto as do céu quanto as da terra, que para nós - seres humanos - e para a nossa salvação desceu dos céus e se fez carne, sofreu, ressuscitou no terceiro dia, subiu aos céus e virá para julgar os vivos e os mortos" (K. S. Latourette, *A History of Christianity*, Nova York. Harper, 1953, p. 155).

Embora Ário fosse banido e a sua posição anatemizada, nas décadas que se seguiram os seus discípulos tentaram anular a decisão do concílio. Durante algum tempo, Atanásio teve tão pouco apoio dos outros, que os historiadores falam de *Athanasius contra mundum*, "Atanásio contra o mundo". Ele morreu em 373. Três bispos notáveis da Capadócia – Gregório de Nazianzo, Basílio de Cesaréia e Gregório de Nissa – se encarregaram da discussão e argumentaram que existe somente uma *ousia* (substância, essência) que o Pai, o Filho e o Espírito Santo compartilham, mas que existem três *hypostases* (traduzida ao latim como *personae*, pessoas). Um segundo concílio ecumênico foi realizado em Constantinopla em 381, para trazer um final à controvérsia de Ário. A doutrina ortodoxa estabelecida em Nicéia foi confirmada, e o credo Niceno foi modificado e aumentado para a sua forma atual.

J. R.

***Bibliografia.*** G. C. Berkouwer, *The Person of Christ*, Grand Rapids. Eerdmans, 1954, pp.155-192. Loraine Boettner, *Studies in Theology*, Eerdmans, 1947, pp. 140-182. H. P. Liddon, *The Divinity of Our Lord and Saviour Jesus Christ* (Bampton, 1866), 15ª ed., Londres. Longmans, Green & Co., 1891. Wilbur M. Smith, *The Supernaturalness of Christ*, Boston. Wilde, 1940.

**CRISTO, HUMANIDADE DE** As Escrituras dão testemunhos, de diversas maneiras, da humanidade de Jesus Cristo. Ele era "Filho de Abraão" (Mt 1.1); "da descendência de Davi segundo a carne" (Rm 1.3), concebido pela virgem Maria (Lc 1.31), "nascido de mulher" (Gl 4.4), nascido de Maria (Mt 1.25; 2.11; Lc 2.7), "se fez carne" (Jo 1.14; cf. Rm 1.3; 1 Tm 3.16). Ele foi um bebê (Mt 2.11, 14,20,21; Lc 2.7,16), Ele "crescia em sabedoria, e em estatura" (Lc 2.52), trabalhou como carpinteiro (Mc 6.3), teve fome (Mt 4.2; Mc 11.12), teve sede (Jo 4.7; 19.28), viveu as emoções da alegria e da tristeza (Lc 10.21; Jo 12.27), foi crucificado, morreu, e ressuscitou dos mortos. Ele é claramente chamado de homem (Jo 1.30; At 17.31; Rm 5.15; 1 Co 15.21,47; 1 Tm 2.5; Hb 2.6-9). Quatro caracterizações resumem a doutrina da humanidade de Cristo.

1. A *realidade* deve ser enfatizada em oposição a qualquer ponto de vista que afirme ou implique em mera aparência ou semelhança. Foi essa heresia que João foi obrigado a combater, dizendo que ela era do anticristo (1 Jo 4.1-3). No entanto, existem maneiras mais sutis, com as quais a realidade da humanidade de Cristo pode ser comprometida. A natureza humana é finita e, portanto, existem limitações inseparáveis da humanidade de Jesus. O significado de muitas das suas palavras e ações no tempo em que Ele estava em carne estarão perdidas, se não forem levadas em conta as suas palavras e ações em termos de sua natureza humana, e desta forma com as limitações correspondentes a estas. Evidente a esse respeito é o texto em Mateus 24.36, onde, sem representar um problema, é um indicador claro do conhecimento limitado que a sua consciência humana possuía, e da sua dependência das revelações para enfrentar tudo o que viria em seu raio de ação.

2. A *integridade* da humanidade de Cristo quer dizer que Ele possuía todas as qualida-

des essenciais à humanidade. Ele era corpo e espírito. Tinha conhecimento, sentimento e vontade humanos, que não estavam submersos nas qualidades da Divindade que Ele também possuía. O zelo com que a igreja deve manter essa integridade aparece naquilo que era central em sua missão. Ele sofreu e morreu em uma natureza humana. Seria uma infração contra a realidade da expiação tentar enfraquecer, de qualquer maneira, a inteireza com que Ele agiu, em termos de sua natureza humana.

3. A *pureza* de Jesus (que jamais pecou) distingue a sua natureza humana da de todos os demais. As limitações não devem ser comparadas com fraquezas de pecados nem com a falibilidade. Desde a sua concepção, Ele foi gerado de modo santo (Lc 1.35); nascido de uma virgem. Ele foi santo, inocente, imaculado e separado dos pecadores (Hb 7.26), e ninguém poderia condená-lo por algum pecado (Jo 8.46). Embora tentado de todas as maneiras, como nós também o somos, ainda assim é o adjetivo "sem pecado" que lhe confere a capacidade de compadecer-se e conceder a sua graça e a sua virtude incomparáveis (Hb 4.15).

4. A *continuidade* da Sua humanidade é indispensável para o cumprimento do seu ministério celestial. Na morte, o corpo e o espírito foram separados, o corpo permaneceu no sepulcro e o espírito partiu para junto do Pai. Mas o corpo e o espírito se reuniram na ressurreição. Na integridade da natureza humana, constituída tanto física quanto mentalmente, Ele subiu aos céus, e continua o seu ministério mediador até que no seu segundo advento Ele retorne com essa mesma natureza humana, para julgar o mundo e consumar o reino de Deus.

*Veja* Encarnação.

J. M.

**CRISTO, HUMILHAÇÃO DE** O título "Cristo" quer dizer "ungido": refere-se ao ofício que é desempenhado como conseqüência do propósito de salvação e redenção oferecidos por Deus. É mais adequado, portanto, falar, em primeiro lugar, em termos da humilhação do Filho de Deus. Aquele título evidencia a sua identidade eterna e Divina, e a sua humilhação só pode ser entendida no contexto de tal dignidade.

Teria sido uma humilhação para o eterno Filho de Deus vir a este mundo e tornar-se homem sob as condições terrenas mais ideais, uma humilhação simplesmente por causa da disparidade entre Deus e o homem. No entanto, não foi a um mundo ideal que o Filho de Deus veio, mas a este mundo de pecado, de sofrimento e de morte. Todas as circunstâncias da sua vinda foram condicionadas por esses fatos. Ele não veio somente para lidar com o pecado, o sofrimento e a morte; Ele os tomou sobre si, como aquele que pagaria pelos pecados, para dar fim ao pecado e abolir a morte para o seu povo. A cruz de Cristo foi uma auto-humilhação que chegou aos níveis mais baixos que se pode imaginar. Devido à dignidade da sua pessoa como aquele que sempre foi "em forma de Deus" e "igual a Deus" (Fp 2.6), e à condenação que Ele tomou sobre si mesmo, como aquele que pagaria pelos pecados, não existe um paralelo para essa humilhação; ela é inimitável e impossível de se repetir.

A humilhação começou com a geração no útero por meio do Espírito Santo e na concepção por uma virgem. A entrada e o desenvolvimento no útero de uma mulher que era pecadora, como todos os demais membros da sua raça, indicam a sua condescendência. Jesus não compartilhou do pecado de Maria, mas compartilhou a sua essência. As condições nas quais Jesus nasceu em Belém expressam a humilhação por meio da qual Ele deveria cumprir o plano da sua vinda. A humilde condição de vida em Nazaré, o batismo por João no Jordão, a tentação no deserto, os sofrimentos com o cansaço, a fome e a sede, as perseguições, as zombarias e os insultos durante o seu julgamento perante o sumo sacerdote e Pilatos, a agonia no Getsêmani – tudo exemplifica a humilhação sofrida, que chegou ao seu clímax no Calvário.

A humilhação não terminou na cruz. O seu espírito foi para o paraíso, mas o seu corpo ficou no sepulcro. O Filho de Deus estava no sepulcro, no que diz respeito ao seu corpo, e Ele esteve sob o poder da morte durante algum tempo. A humilhação terminou somente com a ressurreição. A ressurreição foi a primeira etapa daquela honra por meio da qual lhe é conferida a maior exaltação que se possa imaginar (Fp 2.9).

*Veja* Esvaziamento.

J. M.

**CRISTO, INFÂNCIA DE** O conhecimento da infância de Cristo depende de três fontes: histórica, cultural e das evidências indiretas.

1. *Fatos registrados*. Estes são os acontecimentos registrados que envolvem o nascimento e os primeiros anos da infância de Cristo, seguidos por um silêncio completo até o seu décimo segundo ano de vida, quando Ele foi ao templo com José e Maria, para participar da festa da Páscoa em Jerusalém. Os principais acontecimentos do seu nascimento incluem a época e o lugar (Mt 2.1ss.; Lc 2.1ss.), a anunciação aos pastores e a visita destes à manjedoura para adorar o Cristo menino (Lc 2.8-20). No oitavo dia, Ele foi circuncidado, e nessa ocasião lhe foi dado o seu nome (Lc 2.21). Na sua apresentação no templo, aos quarenta dias de vida, Maria fez a oferta de um par de rolas ou dois pombinhos, o que era apropriado para as pessoas pobres (Lv 12.8; Lc 2.22-24).

Esta última cerimônia foi marcada pela profecia de Simeão, de que Jesus era o meio de salvação que fora proporcionado por Deus tanto para os judeus como para os gentios, embora a sua vinda fosse rejeitada por muitos em Israel (Lc 2.25-35). Essa profecia foi confirmada por Ana, uma mulher idosa que servia a Deus dia e noite no templo, com jejuns e orações, e que predisse que Jesus era aquele que foi enviado para a redenção de Jerusalém (Lc 2.36-38).

Foi provavelmente depois da circuncisão e da consagração que os magos se informaram em Jerusalém e então visitaram Maria, José e o Bebê em Belém, pois a fuga para o Egito seguiu-se rapidamente a essa visita (Mt 2.1-14). Após a morte de Herodes, José, Maria e o Bebê retornaram à Palestina e viveram tranqüilamente em Nazaré (Mt 2.19-23). Podemos perfeitamente imaginar que José e Maria tenham contado a Jesus os acontecimentos surpreendentes e as profecias que envolveram o seu nascimento, e que esses detalhes tenham enriquecido enormemente a sua infância.

Em Lucas 2.42-50, o menino Jesus, com 12 anos de idade, mostrava ter uma grande compreensão de seu relacionamento peculiar com Deus. A pergunta que Ele fez a José e a Maria, "Não sabeis que me convém tratar dos negócios de meu Pai?" mostra uma consciência de que Deus, e não José, era o seu verdadeiro Pai. Estas primeiras palavras mencionadas por Jesus, quando Ele se refere à sua filiação, são o registro do conhecimento que Ele tinha de sua missão na terra.

2. *Cultura e costumes.* Um estudo dos costumes judeus e da sua cultura, particularmente como são registrados no Antigo Testamento, e revelados a Israel como a vontade de Deus, acrescenta muito ao nosso conhecimento sobre a infância de Cristo. As festas e a observância religiosa ocupavam uma grande parte da vida dos israelitas (*veja* Adoração). A festa da Páscoa era celebrada em todas as famílias, seguida pelas festas dos Pães

O sepulcro no horto, onde muitos acreditam que Cristo foi sepultado

A cripta do sepulcro no horto, onde acredita-se que Cristo foi sepultado. Foto Leon, Jerusalém

Asmos, das Primícias, de Pentecostes, das Trombetas, do Dia de Expiação e da Festa dos Tabernáculos. Algumas dessas festas duravam uma semana. Embora as principais celebrações acontecessem em Jerusalém, algumas festividades de natureza menor devem ter ocorrido em sinagogas locais.

As casas dos judeus tinham as Escrituras nos batentes das portas, e ali haviam ensinamentos e discussões diários da Bíblia (Dt 7.6-9; 11.18-20). Havia ainda a memorização das Escrituras hebraicas, além dos rituais semanais aos sábados nas sinagogas. Sabemos que Cristo aprendeu a ler (Lc 4.17) e escrever (Jo 8.6-8). Como qualquer menino judeu, Ele aprendeu um ofício, e com a carpintaria Ele provavelmente sustentava a si mesmo, à sua mãe Maria e à família após a morte de José, até que foi batizado e levado pelo Espírito Santo ao seu ministério público (Mt 3.13-17; Lc 4.1,14). Justino Martir diz que Ele confeccionava "arados e jugos" (*Dial.* 88).

3. *Conclusões a partir das referências de Cristo à sua própria infância.* Jesus deve ter sido intensamente interessado pela natureza, por causa das suas referências a raposas, pássaros (Mt 6.26; 8.20; 13.32; Lc 9.58; 12.6), galinhas e pintinhos (Mt 23.37), flores (Mt 6.28-30) e o clima (Mt 16.2,3; Lc 12.56). Supomos que Ele deva ter participado das mesmas brincadeiras de que as outras crianças participavam (Mt 11.16,17).

Em resumo, Jesus teve uma infância muito normal e saudável. Os seus pais eram humildes, honestos, trabalhadores e devotos. A sua mãe, em especial, era um exemplo de paciência e amor (Lc 2.19,51). José era um homem íntegro, e também compassivo (Mt 1.19-25); um homem de verdadeira fé. As experiências da infância de Cristo sem dúvida foram as de um menino que passa muito tempo fora de casa, unidas a um aprendizado completo de um ofício. Com isso Ele se desenvolveu tanto mentalmente quanto fisicamente. Os seus ensinos provaram o desenvolvimento mental, e a sua resistência física o desenvolvimento físico. Além disso, Ele amadureceu espiritualmente em seu relacionamento com Deus, e socialmente nos seus relacionamentos com os companheiros (Lc 2.40,52).

Os chamados evangelhos da infância, o protevangelho de Tiago e o evangelho de Tomé são escritos apócrifos do século II d.C. Estes contêm acontecimentos puramente lendários tais como milagres realizados por Jesus quando menino. Nos séculos seguintes, outros escritos copiaram e aumentaram essas histórias imaginárias.

R. A. K.

**CRISTO, MORTE DE** *Veja* Expiação; Cristo, Paixão de; Cruz.

**CRISTO, OBEDIÊNCIA DE** *Veja* Obediência de Cristo.

**CRISTO, PAIXÃO DE** A expressão "paixão de Cristo" tem a sua origem na tradução do infinitivo aorista do verbo *pascho* em Atos 1.3, onde Lucas diz que Cristo "depois de ter padecido, se apresentou vivo, com muitas e infalíveis provas". O verbo aqui colocado no particípio significa "sofrer", e é freqüentemente usado para se referir aos sofrimentos e à morte de Cristo (Mt 26.21; 17.12), e especificamente à morte de Cristo em Lucas 22.15; 24.26. A expressão não deve ser confundida com as "paixões dos homens", que se referem às emoções humanas (At 14.15; Tg 5.17). O seu uso em relação a Cristo personifica a idéia dos seus sofrimentos e da morte na cruz.

**O cumprimento das profecias**

A morte sacrificial de Cristo foi antecipada no sistema de sacrifícios do Antigo Testamento, e também foi o assunto freqüente das profecias do Antigo Testamento (Sl 22.69; Is 53; Zc 12.10; 13.7; cf. Ap 1.7). Cristo predisse constantemente os seus próprios sofrimentos e a sua morte, ao longo do ministério da sua vida e especialmente à medida que se aproximava do seu final (Mt 16.21; 17.22,23; 20.17-19; 26.12,28,31; Mc 9.31; 14.8,24,27; Lc 9.22,44,45; 18.31-34; 22.20; Jo 2.19-21; 10.17,18; 12.7). Também houve uma antecipação no anúncio de João Batista (Jo 1.29), quando Cristo foi apresentado como "o Cordeiro de Deus, que tira o pecado do mundo", e especialmente no Evangelho de João em diversas passagens clássicas (3.14-16; 6.51; 10.11; 11.49-52; 12.24; 15.13).

A crucificação – uma morte atormentadora prescrita pela lei romana para aqueles que não eram cidadãos romanos – juntamente com o sepultamento de Cristo, estão descritos nos quatro Evangelhos (Mt 27.31-56; Mc 15.20-41; Lc 23.26-49; Jo 19.16-37). A ordem dos acontecimentos nos Evangelhos inclui a tentativa de Jesus de carregar a cruz até o lugar da crucificação. Por Ele não ter conseguido fazer isso, Simão, de Cirene (uma cidade no norte da África), foi obrigado a carregar a cruz (Mt 27.32; Mc 15.21; Lc 23.26). Somente João não menciona Simão. O lugar da crucificação, descrito como Gólgota, é interpretado como "o lugar da Caveira" (Mt 27.33; Mc 15.22; Jo 19.17). Somente Lucas o chama de Calvário (Lc 23.33).

A ordem dos acontecimentos que se seguiram ao ato da crucificação é a seguinte: (1) Cristo recusando o vinagre com fel (Mt 27.34; Mc 15.23); (2) a crucificação de Cristo juntamente com dois ladrões (Mt 27.35-38; Mc 15.24-28; Lc 23.33-38; Jo 19.18-24); (3) a sua primeira frase na cruz "Pai, perdoa-lhes" (Lc 23.34); (4) os soldados lançando sortes sobre as suas vestes, como cumprimento da profecia (Sl 22.18; Mt 27.35; Mc 15.24; Lc 23.34; Jo 19.23,24); (5) a zombaria dos judeus (Mt 27.39-44; Mc 15.29-32; Lc 23.35-37); (6) a zombaria dos dois ladrões, embora mais tarde um deles viesse a crer (Mt 27.44; Mc 15.32; Lc 23.39-43); (7) a segunda frase de Cristo "hoje estarás comigo no Paraíso" (Lc 23.43); (8) a terceira frase de Cristo "Mulher, eis aí o teu filho" (Jo 19.26,27); (9) as três horas de escuridão (Mt 27.45; Mc 15.33; Lc 23.44); (10) a quarta frase de Cristo "Deus meu, Deus meu, por que me desamparaste?" (Mt 27.46,47; Mc 15.34,35); (11) a quinta frase de Cristo "Tenho sede" (Jo 19.28); (12) a sexta frase de Cristo "Está consumado" (Jo 19.30); (13) a sétima e última frase de Cristo "Pai, nas tuas mãos entrego o meu espírito" (Lc 23.46); (14) Cristo entregando o seu espírito (Mt 27.50; Mc 15.37; Lc 23.46; Jo 19.30); *Veja* Cruz.

Imediatamente após a sua morte, o véu do templo rasgou-se em dois, de alto a baixo, e os sepulcros se abriram. Mais tarde, os soldados quebraram as pernas dos dois ladrões, mas como encontraram Cristo morto, eles lhe perfuraram a lateral do corpo, como cumprimento das Escrituras (Jo 19.31-37; cf. Zc 12.10; Ap 1.7). O corpo de Cristo foi solicitado por José de Arimatéia, que, juntamente com Nicodemos, preparou-o para o sepultamento e colocou-o num sepulcro novo, em um horto. Ao sepultamento de Cristo seguiu-se a sua ressurreição no primeiro dia da semana.

A Importância Teológica da Morte de Cristo

O significado central da morte de Cristo está contido em três palavras importantes - redenção, propiciação e reconciliação. De acordo com Romanos 3.24, os que crêem em Cristo são "justificados gratuitamente por sua graça, pela redenção que há em Cristo Jesus". A idéia da redenção é a do resgate por meio do pagamento de um preço. A imagem envolve tanto a redenção pelo pagamento, como a libertação do objeto da redenção. Cristo, em sua morte, também constituiu uma propiciação ou uma satisfação da justiça de Deus (Is 53.11), como explicado pelo apóstolo Paulo em Romanos 3.25,26. Da mesma forma, em seu sacrifício, "Deus estava em Cristo reconciliando consigo o mundo, não lhes imputando os seus pecados" (2 Co 5.19). Por meio da morte de Cristo, o pecador desfruta uma transformação, tanto em sua situação como em sua natureza, recebe a vida eterna e conseqüentemente se reconcilia com Deus e com os seus santos padrões. *Veja* Propiciação; Reconciliação; Redenção.

### As Diferentes Teorias Sobre a Expiação

Na história da igreja, foram apresentadas várias teorias sobre a expiação. A ortodoxia histórica apoiou o conceito de uma *expiação substitutiva*, também descrita como vicária ou penal. Isto se refere à morte de Cristo, como basicamente dirigida a Deus e à satisfação do seu caráter santo, e das suas justas exigências em relação aos pecadores (cf. Jo 1.29; 2 Co 5.21; Gl 3.13; Hb 9.20; 1 Pe 2.24). A expiação substitutiva é indicada por meio do uso das preposições *peri*, *hyper* e *anti*, usadas em relação ao sacrifício de Cristo em benefício do pecador. O ponto de vista de A. H. Strong, chamado de "reconciliação ética", e o de Louis Berkhof, são variações deste ponto de vista.

Muitos pontos de vista alternativos surgiram. Os patriarcas da igreja, tais como Orígenes, Agostinho e outros, conservaram a *teoria do resgate*, que diz que a morte de Cristo foi uma penalidade paga a Satanás na forma de um resgate, um ponto de vista largamente abandonado hoje em dia. A *teoria da recapitulação*, sustentada por Irineu, encarava a morte de Cristo como uma fase do restabelecimento, por Cristo, de todas as fases da vida humana, inclusive a de ser feito pecado, sem excluir a idéia da satisfação da justiça divina.

A *teoria comercial*, defendida por Anselmo no século XI, considera a expiação como algo essencialmente comercial, ou uma das satisfações a Deus, no sentido de que ela satisfaz a honra de Deus. Embora não contradiga, necessariamente, a visão substitutiva, fracassa em ser penal.

A *teoria da influência moral*, apresentada por Abelardo em oposição à de Anselmo, é baseada em uma premissa de que Deus não exigiu a morte de Cristo como uma expiação do pecado, mas apenas para demonstrar o seu amor e comunhão no sofrimento. Este ponto de vista é seguido por estudiosos neo-ortodoxos modernos e liberais, na sua forma moderna como a *teoria do exemplo*, segundo a qual Cristo morreu meramente como um exemplo.

Várias combinações dessas teorias foram apresentadas, tais como a de Tomás de Aquino, geralmente considerada a norma da teologia católica romana, que aceita a expiação substitutiva com algumas modificações. Aquino afirmava que Deus não precisava oferecer a expiação. Outro ponto de vista, o de Duns Scotus, nega a necessidade da expiação, no que diz respeito à natureza de Deus, e diz que se trata de uma escolha arbitrária por parte de Deus, ao aceitar o sacrifício de Cristo como suficiente, quer este seja ou não de fato suficiente.

Schleiermacher e Ritschl oferecem a *teoria da experiência mística*, uma variação da teoria da influência moral, em que a morte de Cristo, de uma maneira mística, influencia o pecador para o bem.

A *teoria governamental* de Grotius é outro compromisso entre a teoria do exemplo e a expiação substitutiva ortodoxa, na qual a morte de Cristo se origina da ordem de Deus e não do caráter de Deus.

A *teoria da confissão vicária* baseia-se na idéia de que Deus poderia perdoar, se o homem pudesse arrepender-se adequadamente, e confessasse os seus pecados. Como ele não poderia fazê-lo, Cristo o fez em seu lugar.

As Escrituras apóiam o conceito substitutivo de que Cristo realmente morreu no lugar no pecador, e que isso trouxe uma base de justiça para que Deus perdoasse e salvasse os pecadores arrependidos (Is 53.11; Rm 3.25,26; 1 Pe 2.24). A morte de Cristo é, portanto, essencial, não somente para a fé e para a salvação humana, mas para o programa divino de redenção, e constitui um fundamento da doutrina cristã.

*Veja* Expiação.

***Bibliografia.*** Lewis Sperry Chafer, *Systematic Theology*, Dallas. Dallas Seminary Press, 1948, III, 35-164. James Denney, *The Death of Christ*, ed. por R. V. C. Tasker, Londres. Inter-Varsity, 1952. Leon Lamb Morris, *The Apostolic Preaching of the Cross*, Grand Rapids. Eerdmans, 1955. Andrew Murray, *The Power of the Blood of Jesus and the Blood of the Cross*, Londres. Marshall, Morgan & Scott, 1951.

J. F. W.

**CRISTO, PUREZA DE** Esta expressão se refere à perfeita pureza e isenção de Cristo em relação ao pecado, não somente em seu aspecto exterior, quanto aos atos de pecado, mas também em seu aspecto interior, no que se refere à inclinação ao pecado.

*Afirmações das Escrituras.* A perfeita pureza de Cristo é profetizada no Antigo Testamento através da imagem da santidade e da justiça do Messias que viria (Sl 45.7; 89.19; Is 11.5; 32.1; 49.7; 53.9; 59.17; Jr 23.5; Zc 9.9). No Novo Testamento, ela é declarada em muitas passagens (Mc 1.24; Lc 1.35; 4.34; 23.40,41; Jo 1.29; 8.46; 10.36; 16.10; At 3.14; 4.27,30; 13.28; Rm 8.3; 2 Co 5.21; Hb 4.15; 7.26,27; 9.14; 1 Jo 3.5; 1 Pe 1.19,23; 3.18; 1 Jo 2.29; 3.5; Tg 5.6; Ap 3.7).

A pureza de Cristo é exemplificada no Antigo Testamento pela perfeição exigida nos sacrifícios (Êx 12.5; Dt 15.21; cf. Jo 1.29; 1 Pe 1.19).

Ela é declarada no Novo Testamento por meio do testemunho dos demônios (Mc 1.24; Lc 4.34); pela mulher de Pilatos, quando ela lhe disse, "Não entres na questão desse justo" (Mt 27.19); por Pilatos, quando disse: "nenhuma culpa... acho neste homem" (Lc 23.14); por Judas, quando clamou: "Pequei, traindo sangue inocente" (Mt 27.4); pelo centurião, quando disse, "Verdadeiramente, este era o Filho de Deus" (Mt 27.54; cf. Lc 23.47). A pureza de Cristo é evidenciada pelo fato de que enquanto as outras pessoas admitiam ser pecadoras, Cristo se conservava sem pecado (Jo 8.46); enquanto os outros tinham pecados para confessar, Cristo não tinha nenhum; enquanto os outros precisavam nascer de novo, Ele nunca disse que teria esta necessidade. Jesus não estava, como nós, morto em ofensas e pecados (Ef 2.1); ao invés disso, Ele era a ressurreição e a vida (Jo 11.25).

*Aspectos teológicos da pureza de Cristo.* O homem é culpado de três tipos de pecado: (1) o pecado de Adão, que passa a todos os homens (Rm 5.12ss.); (2) uma natureza pecadora e caída, que leva o homem a querer pecar (Rm 7.17ss.); (3) atos pecaminosos individuais. Como o homem, sob a autoridade de Adão, pecou com Adão, o Novo Testamento diz "por um homem entrou o pecado no mundo... por isso que todos pecaram" (Rm 5.12), e "todos morrem em Adão" (1 Co 15.22). Mas Cristo não veio ao mundo sob a autoridade de Adão. Ele introduziu uma nova autoridade, a sua própria (1 Co 15.20,22,45-49). Para que isso acontecesse, era necessário que Ele não seguisse a descendência de Adão, mas que nascesse de uma virgem. O anjo deixou isso bem claro a Maria quando disse. "Descerá sobre ti o Espírito Santo... pelo que também o Santo, que de ti há de nascer, será chamado Filho de Deus" (Lc 1.35). Uma boa tradução apoiada por Nestle, Westcott e Hort, é: "portanto também aquele que irá nascer será santo, o Filho de Deus". Essa leitura responde à pergunta de Maria. "Como se fará isso, visto que não conheço varão?" (O Filho de Deus pode ser nascido de Maria e, ao mesmo tempo, ser santo, porque isso ocorrerá pelo poder do Espírito Santo). Este é o testemunho do anjo Gabriel quanto à encarnação de Cristo com sua santidade inata.

*Alguns problemas.* Algumas passagens têm originado problemas. Por que Cristo disse ao jovem príncipe, no Evangelho de Marcos: "Por que me chamas bom? Ninguém há bom senão um, que é Deus" (Mc 10.18; cf. Lc 18.19)? E por que Ele faz uma pergunta diferente no Evangelho de Mateus: "Por que me perguntas acerca do que é bom? Bom só existe um" (Mt 19.17). A resposta, possivelmente, é o fato de que Cristo fez duas perguntas separadas. Ele estava conduzindo o príncipe, gradualmente, da pergunta "Por que me perguntas sobre o que é bom?" (Mateus) para "Por que me chamas bom?" (Marcos e Lucas), em um esforço para evocar a fé salvadora e a resposta, "Porque Você é Deus!" Visto deste modo, não há nenhuma indicação dada por Cristo de que Ele não seja Deus; mas, ao invés disso, Ele apresenta algumas perguntas persuasivas para levar o jovem príncipe à conclusão de que Ele é Deus.

Falando do batismo de Cristo, o batismo de João não era para o arrependimento dos pecados? Sim, mas Cristo identificava-se com aqueles que Ele veio salvar: "Mas, vindo a plenitude dos tempos, Deus enviou seu Filho, nascido de mulher, nascido sob a lei" (Gl 4.4), e, portanto, Ele deveria manter a lei em sua forma integral. Ele foi circuncidado no oitavo dia (Lc 2.21), apresentado no templo após o término dos dias de purificação (Lc 2.22-24), e batizado para "cumprir toda a justiça" (Mt 3.13-17; Lc 3.21,22).

A afirmação em Hebreus 5.7,8, com respeito a Cristo aprender a obediência, implica em uma época em que Cristo não era obediente? Cristo aprendeu obediência em conexão com o seu sofrimento. Ele teve que vir para fazer a vontade de Deus (Hb 10.7-9), mas isso acarretava um terrível sofrimento e a agonia do Filho puro de Deus tornar-se pecado, aquele que tomaria sobre si os pecados de todos os pecadores (2 Co 5.21). Aqui está o contraste entre a desobediência de Adão e a obediência de Cristo (Rm 5.19). Para a natureza da pureza de Cristo, *veja* Tentação de Cristo.

R. A. K.

**CRISTO, RESSURREIÇÃO DE** *Veja* Aparições de Cristo; Ressurreição de Cristo.

**CRISTO, SEGUNDA VINDA DE** *Veja* Cristo, Vinda de.

**CRISTO, TRANSFIGURAÇÃO DE** *Veja* Transfiguração de Cristo.

**CRISTO, VINDA DE** A primeira e a segunda vindas de Cristo como o Messias são preditas em muitas profecias do Antigo Testamento. Ele teve que vir na primeira vez como o Messias que sofreu e morreu em um sacrifício de reconciliação (Is 7.14; 52.13-53.12; Sl 16; cf. At 2.22-31; Sl 22.1-21; 31; 40.5-8; 41.9; 69.8,9,21). Ele virá na segunda vez como o Messias reinante, cujo reino será literalmente um reino na terra (Is 9.6,7; 11.1ss. 66.15ss. Zc 12.10; 13.6; 14.1ss.). O livro de Apocalipse diz que este reino na terra durará mil anos (Ap 20.4-6).

Todos os cristãos concordam quanto aos detalhes da sua primeira vinda. Quanto aos detalhes da sua segunda vinda, existe uma grande divergência de opiniões. Os pós-milenialistas dizem que a igreja irá iniciar um período de perfeita paz, um milênio, e então Cristo virá. Os amilenialistas dizem que não existe um milênio terreno literal; para eles, as passagens que falam de um governo físico do Messias na terra não devem ser consideradas literalmente. Os pré-milenialistas dizem que, uma vez que as profecias da sua primeira vinda seriam literalmente cumpridas, mesmo que os líderes judeus rejeitassem a sua interpretação literal e não recebessem a Cristo, as profecias da sua segunda vinda devem ser aceitas literalmente.

Quatro palavras gregas são usadas como referência à segunda vinda de Cristo: (1) *erchomai*, "vir" (Mt 24.3; 25.27; Lc 12.45; 18. 5; 19.23); (2) *epiphaneia*, "aparição", "presença", que ocorre seis vezes, uma em 2 Ts 2.8 e cinco vezes nas epístolas pastorais (1 Tm 6.14; 2 Tm 1.10; 4.1,8; Tt 2.13); (3) *apokalypsis (apocalypto)*, "revelação" (apocalipse) ou "desvelar" (Lc 17.30; 1 Pe 1.13); (4) *parousia*, que quer dizer "presença", e é usada com maior freqüência, expressa a chegada e subseqüente visita de um rei ou de um imperador (Mt 24.3,27; 1 Co 15.23; 1 Ts 2.19. 3.13; 4.15; 2 Ts 2.1,8,9; Tg 5.7,8; 2 Pe 1.16; 3.4,12; 1 Jo 2.28). Veja Albrecht Oepke, "*Parousia* etc.", TDNT, V, 858-871.

A segunda vinda de Cristo inclui duas fases: a sua vinda nos ares, para buscar os seus, no arrebatamento (Jo 14.3; 1 Co 15.51-53; 1 Ts 4.13-18; Ap 16.15), e a sua vinda para governar sobre as nações do mundo (Zc 14.1ss.; Ap 20.4-6).

A época do arrebatamento é uma questão para a qual são possíveis três respostas: Pode ser imediatamente anterior à Grande Tribulação – a visão do arrebatamento pré-tribulacionista; no meio da Tribulação – a visão do arrebatamento no meio da tribulação; ou depois do período principal da Grande Tribulação, mas antes das sete últimas pragas - a visão do arrebatamento pós-tribulacionista.

O importante, e nesse ponto todos os pré-milenialistas concordam, é que as Escrituras, tanto as do Antigo Testamento quanto as do Novo Testamento, ensinam que Cristo irá governar sobre a terra no seu reino milenar. Eles baseiam as suas conclusões em uma interpretação gramatical e histórica tanto das profecias cumpridas quanto das não cumpridas, do Antigo e do Novo Testamento. *Veja* Escatologia; Arrebatamento.

R. A. K.

**CRISTOS, FALSOS** Aqueles que afirmam ser o Messias, mas não o são. Jesus advertiu os seus discípulos contra estes durante a semana da Paixão, dizendo que muitos viriam em seu Nome, dizendo ser o Messias, e enganariam a muitos. Não se deveria dar crédito a esses mentirosos (Mt 24.4,11,23-25; Mc 13.21-23; Lc 21.8). *Veja* Anticristo.

**CROCODILO** *Veja* Animais: Crocodilo V.3.

**CRÔNICAS, LIVROS DE** Na Bíblia em hebraico, o livro de Crônicas é chamado *dibre hay-yamim*, "as palavras (acontecimentos) dos dias", querendo dizer "os anais" (Cf. 1 Cr 27.24). Outros anais (agora perdidos) são mencionados em Reis (por exemplo, 1 Rs 14.19,29); mas eles não podem ser os livros de 1 e 2 Crônicas da atualidade, que foram escritos um século depois de 1 e 2 Reis. Jerônimo (400 d.C.) foi o primeiro a intitular esses livros como "Crônicas". Escritas como um único livro, as Crônicas foram divididas em dois livros, 1 e 2 Crônicas na Septuaginta (LXX) em aprox. 180 a.C. Na Bíblia em hebraico, Crônicas conclui o cânone do Antigo Testamento. Portanto, o Senhor Jesus Cristo (Lc 11.51) se referiu a todos os mártires desde Abel, no primeiro livro (Gn 4), até Zacarias, no último (2 Cr 24).

### Autoria

Os livros de Crônicas não afirmam explicitamente quando foram escritos, nem por quem. O último acontecimento registrado é o decreto de Ciro em 538 a.C., libertando os judeus do seu cativeiro na Babilônia (2 Cr 36.22). A genealogia do livro se estende a Pelatias e Jesaías (aprox. 500 a.C., 1 Cr 3.21), dois netos de Zorobabel, o líder dos exilados que retornavam. O estilo e o assunto de Crônicas são, em grande parte, um paralelo a Esdras, que dá prosseguimento ao relato da história dos judeus a partir de Ciro e até o ano 457 a.C. Ambos enfatizam as listas e a genealogia, as atividades dos sacerdotes e o respeito pela lei de Moisés. Além disso, os últimos versículos de 2 Crônicas (36.22,23) reaparecem como os primeiros versículos de Esdras (1.1-3). Alguns estudiosos, como Albright (JBL, 40 [1921], 104-124), portanto, confirmam a antiga tradição hebraica de que Esdras poderia ter escrito tanto as Crônicas como o livro de Esdras. A sua história total teria então terminado em aprox. 450 a.C.

Sua autoria por um "escriba" (Ed 7.6) poderia explicar o repetido reconhecimento das fontes escritas das Crônicas. Estas fontes incluem os registros de Samuel (1 Cr 29.29), Isaías (2 Cr 32.32), e inúmeros outros (2 Cr 9.29; 12.15; 20.34; 33.19), mas, particularmente o "livro da história dos reis de Judá e Israel" (2 Cr 16.11; 25.26 etc.). Esta última fonte não pode ser o nosso livro de Reis, pois alguns versículos, como 1 Crônicas 9.1 e 2 Crônicas 27.7, referem-se a ela com informações detalhadas sobre assuntos dos quais não se diz nada em 1 e 2 Reis. Este deve ter sido um extenso registro da corte, do qual os escritores de Reis e Crônicas extraíram informações antes da sua extinção.

### Conteúdo

Os livros de Crônicas parecem ter sido escritos como uma parte da cruzada de Esdras para revitalizar a Judá pós-exílio na devoção à lei de Moisés (Ed 7.10). Começando em

458 a.C., Esdras fez uma campanha para restaurar a adoração no Templo (Ed 7.19-23,27; 8.33,34), para salvar os judeus dos casamentos mistos com os seus vizinhos pagãos (Ed 9–10) e para reconstruir Jerusalém e as suas muralhas (Ed 4.8-16; 9.9). Portanto, os livros de Crônicas consistem nas quatro partes descritas a seguir:

I. Genealogias: Adão até 500 a.C., 1 Crônicas 1–9
O estabelecimento das descendências das famílias (cf. Ed 2.59)

II. O reino de Davi, 1 Crônicas 10–29
O estado teocrático ideal

III. A glória de Salomão, 2 Crônicas 1–9
Ressaltando o Templo e a sua adoração

IV. A história do reino do sul, 2 Crônicas 10–36.

Especialmente as reformas religiosas e as vitórias militares dos reis mais fiéis de Judá Embora sejam paralelos aos eventos de Samuel e de Reis, os anais sacerdotais de Crônicas dão maior ênfase à construção do templo (1 Cr 22 etc.), à arca sagrada, aos sacrifícios mosaicos, aos levitas e aos cantores (1 Cr 13; 15–16). Ao mesmo tempo, eles omitem alguns atos moralistas e pessoais dos reis (2 Sm 9; 1 Reis 3.16-28) e biografias dos profetas (1 Rs 17.1–22.40; 2 Rs 1.1–8.15). Isto torna adequada a colocação de Crônicas na terceira parte do cânone hebr. (não-profética), em contraste com a localização dos livros profeticamente escritos e mais preocupados com a arte de pregar (homilética) que são Samuel e Reis, e que estão na segunda divisão (a profética). Finalmente, o Cronista parece ignorar deliberadamente a deterioração do reino de Saul (1 Sm 8–30, exceto a sua morte, cap. 31), a disputada ascensão de Davi, e a sua posterior vergonha (2 Sm 1–4; 11–21), os fracassos de Salomão (1 Rs 11) e toda a história do reino do norte de Israel que esteve fora dos padrões. Os judeus desiludidos e relutantes de 450 a.C. estavam dolorosamente conscientes dos resultados do pecado; o que eles necessitavam era o incentivo e a inspiração das suas antigas vitórias, dadas por Deus (como em 2 Crônicas 13–14; 20 e 25).

### Autenticidade

No entanto, estas mesmas ênfases fizeram com que a maioria dos críticos modernos rejeitasse Crônicas como uma mera propaganda levita, sonhos sobre "o que deveria ter acontecido" (IB, III, 341), com inúmeras revisões conflitantes até 250 a.C. (por exemplo, Robert H. Pfeiffer, Adam C. Welch e W. A. L. Elmslie). Os números elevados do livro (por exemplo, um milhão de etíopes invasores, 2 Crônicas 14.9) foram particularmente ridicularizados, apesar dos esclarecimentos de estudiosos fiéis (*Veja* Edward J. Young, *An Introduction to the Old Testament*, pp. 420-421). Mas basta que um escritor liberal negue a origem mosaica do Pentateuco e da religião do Antigo Testamento, como todos eles o fazem, para que se torne impossível uma avaliação das Crônicas com a mente aberta. As validações repetidas das leis do Pentateuco por parte das Crônicas, não deixam alternativa senão a de rejeitar a sua historicidade. Ainda assim, escavações em Ras Shamra, a antiga cidade cananita de Ugarite da época de Moisés, confirmaram a autenticidade de tais práticas religiosas (J. W. Jack, *The Ras Shamra Tablets. Their Bearing on the Old Testament*, pp. 29ss.). Albright adicionalmente observa que os descobrimentos arqueológicos estabeleceram a historicidade de muitas das afirmações que anteriormente só eram encontradas em Crônicas (BASOR #100 [1945], 18). Embora as Crônicas realmente enfatizem o lado melhor da história de Israel, é um relato que não ignora as derrotas (cf. 1 Crônicas 29.22, sobre a incontestável segunda unção de Salomão, e 2 Crônicas 17.3 sobre os "primeiros caminhos" mais honrosos de Davi). Tanto as calamidades proféticas de Reis quanto as esperanças sacerdotais das Crônicas são verdadeiras e necessárias. Embora os sermões moralizantes de Reis sejam indispensáveis, é a redenção sacrificial das Crônicas que constitui a distinção do cristianismo do Novo Testamento.

***Bibliografia.*** William F. Albright, "The Date and Personality of the Chronicler", JBL, XL (1921), 104-124. Willis J. Beecher, "Chronicles", ISBE, I, 629-635, Edward L. Curtis e A. A. Madsen, ICC. H. L. Ellison, "I and II Chronicles", *The New Bible Commentary*, ed. por Francis Davidson, Grand Rapids. Eerdmans, 1953, pp. 339-364. W. A. L. Elmslie, *The Books of Chronicles* (*Cambridge Bible for Schools and Colleges*), Cambridge. Univ. Press, 1916; "The First and Second Books of Chronicles, IB, III, 339-548. J. K. F. Keil e F. J. Delitzsch, KD. J. Barton Payne, "Chronicles", *Wycliffe Bible Commentary*, Chicago. Moody 1962. A. M. Renwick, "I and II Chronicles", *The Biblical Expositor*, ed. por Carl. F. H. Henry, Filadélfia. Holman, I (1960), 351-377. Israel W. Slotki, *Chronicles* (*Soncino Books of the Bible*), Bournemouth, Inglaterra. Soncino, 1952.

J. B. P.

**CRONISTA** Um ofício do gabinete real de Israel. Originado por Davi (2 Sm 8.16), o ofício de cronista continuou a ser significativo durante todo o período da monarquia (2 Rs 18.18). Ao desenvolver a sua corte, Davi aparentemente seguiu um padrão estabelecido no Egito. Este ofício em particular era equivalente ao arauto real egípcio. Aquele que ocupava a função de relações públicas organizava cerimônias reais, marcava compromissos de outros oficiais com o rei, e fazia os preparativos para as viagens do rei.

## CRONOLOGIA DO ANTIGO TESTAMENTO

A cronologia bíblica em geral, e especificamente a do Antigo Testamento, apresentam muitos problemas intrincados que, em alguns casos, são insolúveis. Para alguns períodos da história bíblica, não existem fontes cronológicas disponíveis, e mesmo quando é possível obter tais informações, os dados freqüentemente parecem contraditórios ou incompreensíveis. É por essa razão que os estudiosos imaginaram muitos esquemas cronologicamente diferentes, e a absoluta unanimidade no assunto ainda não foi alcançada, embora um estudo intensivo tanto dos dados da Bíblia quanto das informações externas a ela tenham levado a um bom acordo sobre os últimos períodos da história do Antigo Testamento.

Muitas edições da versão KJV em inglês contêm, nas margens, datas do Antigo Testamento, que são o resultado dos cálculos feitos pelo Arcebispo James Ussher, publicados pela primeira vez em sua obra *Annales* (1650-58). De acordo com o seu método de cálculo, a criação do mundo teve lugar em 4.004 a.C., exatamente quatro mil anos antes do nascimento de Cristo. Uma vez que as datas de Ussher foram calculadas em uma época em que ainda não estavam disponíveis os dados cronológicos das nações vizinhas a Israel, ou eram mal interpretados, não causa surpresa descobrir que aquelas datas já não podem ser consideradas como um sistema cronológico válido. Três séculos de conhecimento crescente no campo da história antiga os deixaram completamente obsoletos.

### Da Criação ao Dilúvio

Os únicos dados bíblicos deste período estão contidos na lista genealógica de Gênesis 5, à qual deve-se acrescentar Gênesis 7.11. Essa lista contém a idade de um patriarca representativo de cada uma das dez gerações consecutivas. Somando-se as idades que cada patriarca tinha na época do nascimento do seu primeiro filho, obtemos o valor total de 1.656 anos, de acordo com os números do texto hebr. Massorético. Esses 1.656 anos representam o tempo decorrido entre a criação de Adão e o Dilúvio, no ano 600 da vida de Noé. No entanto, o Pentateuco Samaritano, a versão Septuaginta (LXX) e as afirmações do historiador judeu Josefo variam enormemente com respeito a esses números, como mostra a Tabela I. Na LXX, a seis dos dez patriarcas são atribuídas idades, na época do nascimento dos seus filhos, cem anos acima dos números do texto Massorético. Esse aumento da idade faz com que o período entre a criação e o Dilúvio, segundo LXX, seja de 2.242 anos. Por outro lado, os números da versão Samaritana são menores em muitos casos, e isto faz com que o período entre a criação e o Dilúvio, segundo esta versão, seja de 1.307 anos. De acordo com Josefo, que segue de perto os números da LXX, mas não completamente, esse período teve a duração de 2.256 anos. Essas grandes divergências entre as fontes antigas fazem com que seja compreensivelmente difícil estabelecer um caso convincente para a aceitação de um conjunto de números, e para a rejeição dos outros.

Além disso, deve-se ressaltar que os comentaristas diferem no seu entendimento dessas listas genealógicas. Alguns pensam que elas indicam uma sucessão direta, de uma geração a outra, de pai para filho, ao passo que outros assumem que algumas partes destas genealogias foram perdidas, e que só estão listados alguns patriarcas representativos. Um terceiro grupo de intérpretes considera os nomes dados como dinastias, e não pessoas. Os dois últimos grupos mencionados, portanto, negam que os números expressos em Gênesis 5 forneçam a base para uma estimativa da duração do período entre a criação e o Dilúvio.

Em relação a isto, deve ser dito que os métodos antigos de composição das listas genealógicas da Bíblia são desconhecidos para nós. Uma comparação dessas listas mostra que quase nunca duas listas paralelas estão em total concordância entre si. A partir da recomendação de Paulo de que se deve evitar discussões a respeito de "genealogias intermináveis" (1 Tm 1.4), podemos concluir que o conhecimento dos métodos empregados já tinha sido esquecido na época dos apóstolos, e assim o estudo das genealogias apresentava enormes dificuldades e causava diferenças de opinião.

Há uma completa falta de registros seculares para esse período, e os dados que constam nas listas posteriores dos reis sumérios não passam de lendas. Algumas listas afirmam que dez reis reinaram na região antes do Dilúvio; outras listas falam de oito reis, e a duração média desses reinos seria superior a vinte anos.

Portanto, deve-se concluir que nem os registros bíblicos, nem os documentos seculares podem dar uma resposta final e definitiva à pergunta: "Há quanto tempo o homem está na terra?"

### Do Dilúvio até Abraão

As fontes bíblicas para a cronologia desse período e os problemas relacionados com elas são semelhantes aos da era anterior. Novamente, não há nada disponível, exceto as listas genealógicas (Gn 11.10-26) e há uma grande divergência entre os Textos Massoréticos, a versão LXX, o Pentateuco Samaritano e Josefo, como mostra a Tabela II.

Uma dúvida adicional está no fato de que a

## TABELA I

### GENEALOGIA DOS PATRIARCAS DA CRIAÇÃO ATÉ O DILÚVIO

| | *Heb.* | | *Samaritano* | | *LXX* | | *JOSEFO* | |
|---|---|---|---|---|---|---|---|---|
| | **Idade no nascimento do filho** | **Idade na sua morte** | **Idade no nascimento do filho** | **Idade na sua morte** | **Idade no nascimento do filho** | **Idade na sua morte** | **Idade no nascimento do filho** | **Idade na sua morte** |
| Adão | 130 | 930 | 130 | 930 | 230 | 930 | 230 | 930 |
| Sete | 105 | 912 | 105 | 912 | 205 | 912 | 205 | 912 |
| Enos | 90 | 905 | 90 | 905 | 190 | 905 | 190 | 905 |
| Cainã | 70 | 910 | 70 | 910 | 170 | 910 | 170 | 910 |
| Maalalel | 65 | 895 | 65 | 895 | 165 | 895 | 165 | 895 |
| Jarede | 162 | 962 | 62 | 847 | 162 | 962 | 162 | 962 |
| Enoque | 65 | 365 | 65 | 365 | 165 | 365 | 165 | 365 |
| Metusalém | 187 | 969 | 67 | 720 | 167* | 969 | 187 | 969 |
| Lameque | 182 | 777 | 53 | 653 | 188 | 753 | 182 | 777 |
| Noé | 500 | 950 | 500 | 950 | 500 | 950 | 500 | 950 |
| Idade de Noé na ocasião do Dilúvio | 600 | | 600 | | 600 | | 600 | |

*Edições posteriores da LXX informam que Metusalém tinha 187 anos de idade na época do nascimento de Lameque, em um esforço para evitar a dificuldade óbvia de se informar que Matusalém teria vivido catorze anos após o Dilúvio.

## TABELA II

### GENEALOGIA DOS PATRIARCAS DO DILÚVIO ATÉ ABRAÃO

| | *Heb.* | | *Samaritano* | | *LXX* | | *JOSEFO* |
|---|---|---|---|---|---|---|---|
| | **Idade no nascimento do filho** | **Anos restantes** | **Idade no nascimento do filho** | **Anos restantes** | **Idade no nascimento do filho** | **Anos restantes** | **Idade no nascimento do filho** |
| Sem (2 anos de idade depois do Dilúvio) | 100 | 500 | 100 | 500 | 100 | 500 | (omitida) |
| Arfaxade | 35 | 403 | 135 | 303 | 135 | 430* | 135 |
| Cainã | 30 | 403 | 130 | 303 | 130 | 330 | 130 |
| Salá | 34 | 430 | 134 | 270 | 130 | 330 | 134 |
| Éber | 30 | 209 | 130 | 109 | 134 | 370* | 130 |
| Pelegue | 32 | 207 | 132 | 107 | 130 | 209 | 130 |
| Reú | 30 | 200 | 130 | 100 | 132 | 207 | 132 |
| Serugue | 29 | 119 | 79 | 69 | 130 | 200 | 120 |
| Naor | 70 | 135 | 70 | 75 | 179* | 129* | |
| Tera | | | | | 70 | 135 | 70 |
| Tera (na ocasião do nascimento de Abraão) | 130 | 75 | 70 | 75 | 130 | 75 | |

*Edições antigas da LXX não estão de acordo com esses números. Os números aqui expressos foram extraídos dos textos mais antigos da LXX de que se tem conhecimento.

## TABELA III

| TENTATIVA DE ESTABELECIMENTO DE UMA CRONOLOGIA PARA O PERÍODO DOS JUÍZES | |
|---|---|
| | a.C. |
| Invasão de Canaã | c.1405 |
| Israel sob o governo de Josué e dos anciãos (Jz 2.7) | c.1405c.1364 |
| Libertação, com Otniel, da opressão de oito anos de Cusã-Risataim (Jz 3.8) | c.1356 |
| Trégua de 40 anos (Jz 3.11) | c.1356c.1316 |
| Libertação, com Eúde, dos 18 anos de opressão moabita (Jz 3.14-15) | c.1298 |
| 80 anos de trégua para as tribos do sul e do leste (Jz 3.30) | c.1298c.1218 |
| Libertação, com Débora e Baraque, depois dos 20 anos de opressão de Jabim no norte (Jz 4.3) | c.1258 |
| Trégua de 40 anos no norte (Jz 5.31) | c.1258c.1218 |
| Libertação, com Gideão, da opressão midianita de sete anos (Jz 6.1ss.) | c.1211 |
| Governo de Gideão por 40 anos (Jz 8.28) | c.1211c.1171 |
| Reinado de Abimeleque sobre Siquém (Jz 9.22) | c.1171c.1168 |
| Tola, Jair (Jz 10.1-3) | c.1168c.1123 |
| Libertação com Jefté da opressão amonita de 18 anos (Jz 10.8-11.33) | c.1105 |
| Jefté, Ibsã, Elom e Abdom (Jz 12.7-9,11,13-14) | c.1105c.1074 |
| Opressão dos filisteus por 40 anos (Jz 13.1) | c.1119c.1079 |
| Proezas de Sansão (Jz 14.1-15.20; 16.31) | c.1101c.1081 |
| Captura da arca, morte de Eli (1 Sm 4.18) | c.1099 |
| Batalha de Ebenézer, derrota dos filisteus (1 Sm 7.2-12) | c.1079 |
| Samuel como juiz (1 Sm 7.15-17) | c.1079c.1050 |

## TABELA IV

| CRONOLOGIA DOS REIS DE ISRAEL E JUDÁ | | | |
|---|---|---|---|
| ISRAEL | | JUDÁ | |
| | a.C. | | a.C. |
| Jeroboão I | 931 - 910 | Roboão | 931 - 913 |
| | | Abias | 913 - 911 |
| Nadabe | 910 - 909 | Asa | 911 - 869 |
| Baasa | 909 - 886 | | |
| Elá | 886 - 885 | | |
| Zinri | 885 | | |
| Onri | 885 - 874 | | |
| (Tibni | 885 - 880) | | |
| Acabe | 874 - 853 | Josafá | 872 - 848* |
| Acazias | 853 - 852 | Jeorão | 854 - 841* |
| Jorão | 852 - 841 | Acazias | 841 |
| Jeú | 841 - 814 | Atalia | 841 - 835 |
| Jeoacaz | 814 - 798 | Joás | 835 - 796 |
| Jeoás | 798 - 782 | Amazias | 796 - 767 |
| Jeroboão II | 793 - 753* | Azarias (Uzias) | 791 - 739* |
| Zacarias | 753 - 752 | | |
| Salum | 752 | | |
| Menaém | 752 - 742 | Jotão | 750 - 731* |
| Pecaías | 742 - 740 | | |
| Peca | 752 - 732* | Acaz | 735 - 715* |
| Oséias | 732 - 722 | Ezequias | 729 - 686* |
| | | Manassés | 696 - 641* |
| | | Amom | 641 - 639 |
| | | Josias | 639 - 608 |
| | | Jeoacaz | 608 |
| | | Jeoaquim | 608 - 598 |
| | | Joaquim | 598 - 597 |
| | | Zedequias | 597 - 586 |

As datas estão de acordo com Edwin R. Thiele, exceto quando se trata do rei Ezequias.

*Os reinos marcados com (*) se sobrepuseram, isto é, os primeiros anos de um reinado coincidem com os últimos anos do reinado anterior, representando co-regências. A única exceção é Peca, cujos anos parecem ter sido calculados a partir de 752 a.C., dez anos antes que ele tivesse o verdadeiro controle do reino, assassinando Pecaías, o filho de Menaém.

idade de Tera, na época do nascimento de Abraão, não é claramente definida. Gênesis 11.26 parece afirmar que Tera tinha 70 anos de idade quando nasceu Abraão, mas uma comparação com Gênesis 11.32; 12.4; Atos 7.4 indica que Abraão nasceu provavelmente quando seu pai tinha a idade de 130 anos. Assumindo este último número, os dados do Texto Massorético levam a um total de 352 anos entre o Dilúvio e o nascimento de Abraão, o Pentateuco Samaritano leva a 942 anos, e a LXX a 1.232 anos. Tanto os textos samaritanos quanto os gregos atribuem a diversos patriarcas, na ocasião do nascimento do primeiro filho, uma idade maior do que a atribuída pelo Texto Massorético. Além disso, a versão LXX adiciona Cainã, com 130 anos, à lista, colocando-o entre Arfaxade e Salá. Esse nome adicional também é encontrado em Lucas 3.35,36, onde a mesma lista genealógica é preservada. Este fato fornece um fundamento poderoso às opiniões daqueles que vêem as listas genealógicas de Gênesis 5 e 11 não como registros absolutamente completos, mas somente extratos de listas de gerações mais longas.

As cronologias exatas do Egito e da Mesopotâmia antigos, dois países dos quais estão disponíveis registros históricos antigos, ainda não foi estabelecida, mas todas as evidências disponíveis indicam que a história baseada em registros escritos teve início, em ambos os países, ao redor de 3.000 a.C. Portanto, o Dilúvio, que precedeu o estabelecimento do Egito histórico e da Suméria, deve ter ocorrido em uma época anterior.

### De Abraão até o Êxodo

Para esse período não somente existe informação genealógica, como também alguns dados cronológicos, mas eles também apresentam problemas. Uma afirmação essencial para esse período afirma que a peregrinação de Israel no tempo do Êxodo durou 430 anos (Êx 12.40). No entanto, o Pentateuco Samaritano e a LXX incluem nesse número não somente os anos passados no Egito, mas também os anos da permanência dos patriarcas em Canaã; aparentemente o apóstolo Paulo aceitou essa argumentação, como se vê em Gálatas 3.16,17. Aqui, Paulo mostra claramente que ele considera os 430 anos como iniciados na época em que as promessas foram feitas a Abraão (Gn 12.1-4), e concluídos com a entrega das tábuas da Lei no Sinai.

Se esta interpretação for correta, então a duração efetiva da permanência dos israelitas no Egito, a partir da época em que Jacó entrou no Egito até o Êxodo, teria sido de apenas 215 anos, porque a migração da família de Jacó ao Egito ocorreu 215 anos depois da vinda de Abraão a Canaã, como pode ser visto a partir dos dados que mostraremos a seguir. Abraão tinha 75 anos de idade quando chegou a Canaã, e recebeu as promessas de Deus (Gn 12.4). Abraão tinha 100 anos de idade quando Isaque nasceu (Gn 21.5), portanto, 25 anos após a entrada de Abraão em Canaã. Isaque tinha 60 anos na época do nascimento de Jacó (Gn 25.26), e Jacó tinha 130 na época da sua migração para o Egito (Gn 47.9,28). Pela soma de 25, 60 e 130 anos, o resultado obtido é de 215 anos, desde o início da permanência em Canaã até o início da permanência no Egito; e se 215 anos são uma parte do total de 430 anos, o tempo passado pelos israelitas no Egito é de outros 215 anos.

Não foram preservados outros dados cronológicos desse período, e os dados genealógicos da época da permanência de Israel no Egito são de valor duvidoso. Algumas das pessoas que viviam na época do Êxodo, tais como Moisés, Arão e Miriã, parecem estar afastadas de Jacó por apenas quatro gerações (Nm 3.17-19; 26.57-59 etc.), enquanto outros, tais como Josué, parecem estar afastados de Jacó por onze gerações (1 Cr 7.20-27). Conseqüentemente, as listas não podem decidir a questão, elucidando se os israelitas passaram, no Egito, o longo período de 430 anos ou o período mais curto de 215 anos. [Na verdade, a leitura da LXX e do Pentateuco Samaritano de Êxodo 12.40 simplesmente mostra que "os filhos de Israel" - sem incluir Abraão ou Isaque - peregrinaram em Canaã e no Egito durante 430 anos. Um pouco mais de 30 anos se passaram desde o retorno de Jacó de Padã-Arã, até que ele e os seus filhos migrassem para o Egito. - Ed.]

Há muitas discussões em relação à data do Êxodo. Muitos estudiosos admitem que o Êxodo tenha ocorrido no século XIII a.C., durante o reinado dos reis da décima-nona dinastia, enquanto outros preferem colocá-lo no século XV a.C., durante o reinado dos poderosos reis da décima-oitava dinastia. O texto crucial para determinar a data do Êxodo é 1 Reis 6.1, segundo o qual Salomão começou a construir o templo no quarto ano do seu reinado, o qual coincidiu com o 480º ano após o Êxodo. As datas do reinado de Salomão estão bem definidas (veja as seções sobre os Reinos Divididos e os Reinos Não divididos), e o quarto ano do seu reinado foi o ano 967/6 a.C. O mês de Zive, no qual o trabalho teve início, era um mês de primavera, portanto as atividades começaram na primavera de 966 a.C. Como este era o 480º ano após o Êxodo, a saída dos filhos de Israel do Egito deve ter acontecido no ano 1.445 a.C. *Veja* Êxodo, O.

A invasão de Canaã ocorreu quarenta anos após o Êxodo (Nm 33.38; Dt 1.3; Js 5.6), portanto depois de 1.405 a.C., quando os hebreus começaram a fazer as suas investidas contra Canaã, durante o período de Amarna. A destruição final da muralha de Jericó, reaproveitada de uma construção dos hicsos, pode ser possivelmente atribuída a essa invasão, assim como o fato de que o cemitério de Jericó mostra que não houve sepultamentos ali após aprox. 1.375 a.C. Da mesma forma, a destruição de uma passagem na Área K, em Hazor, e na área C em Debir, podem ser atribuídas às campanhas israelitas sob o comando de Josué (Js 6.20–21; 10.39; 11.13). A destruição de Hazor e Debir no século XIII a.C., claramente evidenciada pelas ruínas, deve, portanto, ter ocorrido no período dos Juízes. Descobertas recentes em diversos pontos da Transjordânia revelaram que em alguns lugares uma população sedentária ocupou o leste da Palestina, em oposição às afirmações anteriores de que essa região esteve desocupada do século XVIII até o século XIII a.C. Essas evidências e outras não mencionadas aqui tornam plausível acreditar que o Êxodo ocorreu no século XV a.C.

Usando o ano de 1445 a.C. como o final do período que começa com Abraão e termina com o Êxodo, a migração de Abraão a Canaã ocorreu em 1875 a.C., o seu nascimento em 1950 a.C., e a migração da família de Jacó ao Egito em 1660 a.C. – durante o período hicso. A posição de José como vizir do Egito pode ser mais bem visualizada sob os governos hicsos estrangeiros, do que em qualquer outro período da história do Egito. O fato de cavalos e carros também serem pela primeira vez mencionados na Bíblia, em conexão com a história de José (Gn 41.43; 47.17), está de acordo com o fato histórico de que os hicsos introduziram pela primeira vez os cavalos e os carros no Egito.

## O período dos Juízes

Não é possível estabelecer uma cronologia definida para o período dos juízes, pelas seguintes razões: (1) Não há informações disponíveis a respeito da duração do período compreendido entre o começo da conquista de Josué (40 anos depois do Êxodo), até o início da opressão de Cusã-Risataim, pouco tempo depois da morte de Josué; (2) a duração do juizado de Samuel é desconhecida; e (3) o total de todos os números fornecidos no livro de Juízes para os períodos de opressão e de trégua sob o governo dos Juízes, excede consideravelmente o período total que se admite como possível para esse período. Portanto, deve-se concluir que alguns dos períodos de opressão e de trégua se sobrepuseram.

Evidências arqueológicas mostraram que Siquém e o seu grande templo de Baal foram destruídos em aprox. 1150 a.C., o que ajuda a definir a data aproximada do reino de Abimeleque, uma vez que ele foi o rei responsável pela destruição de Siquém (Jz 9.46-49). Além disso, as escavações de Siló revelaram que a cidade foi destruída em aprox. 1100 a.C., e assim se obtém uma data aproximada para a morte de Eli, que ocorreu depois da batalha de Afeca e da captura da Arca (1 Sm 4.11,18), pois deve-se supor que Siló foi nessa ocasião destruída pelos filisteus vitoriosos (Jr 7.12,14; 26.6,9).

O período dos juízes começou com a opressão de Cusã-Risataim, o resultado de uma apostasia dos israelitas. Essa apostasia instalou-se algum tempo depois da morte de Josué e dos anciãos, e neste período Israel não serviu ao Senhor (Jz 2.7-11; 3.7,8) - talvez durante 30 ou 40 anos após a conquista (aprox. 1.370 a.C.). Esse período terminou em aprox. 1050 a.C., quando Saul foi eleito rei (veja a seção seguinte). Conseqüentemente, todo o período dos juízes, desde Otniel até Samuel, durou aproximadamente 320 anos.

A Tabela III fornece as datas dos diversos períodos de opressão, de trégua política e dos anos de reinado dos diversos juízes. Todas as datas são apenas aproximadas, e têm como base o ano 1445 a.C. como sendo o ano do Êxodo, assim como a afirmação do juiz Jefté de que, no seu tempo, já haviam se passado 300 anos desde a conquista da terra prometida (Jz 11.26). Se o Êxodo ocorreu 200 anos mais tarde, isto é, no século XIII a.C., como muitos estudiosos acreditam, o período dos juízes teria durado apenas aprox. 120 anos, e todas as datas apresentadas na Tabela III teriam que ser revisadas de forma adequada.

## O Reino Unido

O Antigo Testamento não fornece informações sobre a duração do reinado de Saul, mas, em um dos seus sermões, Paulo afirma que este reinado durou “40 anos” (At 13.21). Como o seu assunto aqui não é a cronologia exata, é perfeitamente possível que o termo “40 anos”, como o termo “450 anos” do versículo anterior, seja intencionalmente um número arredondado.

No entanto, o reinado de 40 anos de Davi, pode ser encarado como definido, uma vez que o número 40 é a soma dos sete anos de reinado em Hebrom e dos 33 anos de reinado em Jerusalém (2 Sm 5.4,5; 1 Rs 2.11; 1 Cr 29.27). Um acontecimento está datado do seu 40º ano (1 Cr 26.31).

Salomão também reinou 40 anos (1 Rs 11.42), o que outra vez pode ser um número arredondado. O seu reinado teve início após a morte do seu pai (1 Rs 1.32-48), mas não existe nenhuma informação sobre a duração da sua co-regência. No entanto, o contexto da história e as expressões usadas em 1 Crônicas 23.1 dão a impressão de que a coroação de Salomão aconteceu pouco depois da morte de Davi. Conseqüentemente, não deveríamos pensar em uma grande sobreposição dos reinados dos dois reis. A morte de Salomão, que marca a divisão do reino, ocorreu em 931 a.C. (veja a seção seguinte). Esta data pode ser considerada razoavelmente precisa, ao passo que as outras datas dadas aqui para os reinos de Saul, de Davi e de Salomão são apenas aproximadas, uma vez que elas dependem da precisão do número 40 para a duração do reinado de cada um dos três reis, e da suposição de que Salomão subiu ao trono no ano da morte de Davi.

Saul aprox. 1050 – 1011 a.C.
Davi aprox. 1011 – 971 a.C.
Salomão aprox. 971 – 931 a.C.

Na seção em que avaliamos o período de Abraão ao Êxodo, foi feita referência ao início da construção do templo por Salomão na primavera de 966 a.C., o que segundo 1 Reis 6.1 deu-se 480 anos depois do Êxodo, marcando, portanto, esta data. A precisão desta data depende da exatidão da duração do reinado de Salomão. Embora o ano da sua morte (913 a.C.) esteja razoavelmente definido, o início do seu reinado em 971 a.C. está baseado em 1 Reis 11.42, que menciona 40 anos como a duração do reinado de Salomão. Se Salomão subiu ao trono em 971 a.C., o seu primeiro ano começou com o próximo dia de Ano Novo no outono de 970 a.C., e o seu quarto ano foi 967/66 a.C. (de outono a outono). Como o mês de Zive, durante o qual teve início a atividade de construção, era um mês de primavera, temos que concluir que o início da construção do templo deve ser datada na primavera de 966 a.C.

**Os reinos divididos – Israel e Judá**

Para este período estão disponíveis dados cronológicos precisos, dando a duração do reinado de cada rei, e também muitos sincronismos por meio da datação do começo de um reinado de um rei no ano do reinado do monarca que naquela época reinava no reino rival. A menção dos reis assírios nos registros que tratam da história dos reinos divididos também fornece evidências cronológicas, como o faz também a menção dos reis de Israel ou de Judá nos registros assírios. Além disso, diversos sincronismos entre os reis de Judá e da Babilônia são encontrados no Antigo Testamento, que serve como um auxílio para estabelecer uma cronologia precisa para o último período do reino de Judá.

Um estudo de todas as evidências disponíveis leva a certas conclusões com respeito aos métodos cronológicos empregados pelos escribas antigos, que produziram o material fonte que forma a base da reconstrução da história dos reinos hebreus. Os anos de reinado de todos os reinos sempre coincidem com os anos do calendário, e não existiam anos de aniversário, como existem para os monarcas modernos. No entanto, os anos oficiais dos reis no antigo Oriente Próximo foram calculados de acordo com pelo menos dois métodos diferentes, e ambos os métodos eram empregados no Antigo Testamento com respeito aos reis de Israel e Judá. Um dos métodos de cálculo consistia em contar o ano no qual um rei subiu ao trono como o seu "ano de ascensão", e depois começava o seu "primeiro ano" no próximo dia de Ano Novo. Segundo o outro método, um rei começava a contar o ano da sua ascensão como "primeiro ano", e começava o "segundo ano" no próximo dia de Ano Novo. No segundo caso, o ano do calendário em que um rei subia ao trono era oficialmente contado duas vezes, isto é, como o último ano do monarca morto e como o primeiro ano do novo rei. Um estudo de todas as evidências disponíveis mostra que os reis de Israel aplicaram o sistema do "não-ano-de-ascensão" de Jeroboão I a Jeoacaz, mas passaram ao sistema do "ano de ascensão" de Jeoacaz até o final dos reinos, ao passo que os reis de Judá empregaram o sistema do "ano de ascensão" ao longo de toda a sua história, exceto durante um curto período entre Jeorão e Joás quando, sob a influência do reino norte, foi seguido o sistema do "não-ano-de-ascensão".

A cronologia deste período é complicada por dois fatos: (1) O reino de Israel adotava o ano calendário que começava na primavera do mês que mais tarde chamou-se Nisã como o seu mês inicial, ao passo que o reino de Judá empregava um ano calendário que começava no outono, e o seu mês inicial foi mais tarde chamado Tisri. (2) Os escribas de ambos os países registraram sincronismos e outros dados dos seus próprios reis assim como os dos reis do país rival, de acordo com o sistema empregado no seu próprio país.

Diversos reis associaram-se aos seus filhos no trono e assim foram criadas co-regências. Somente uma co-regência desse tipo é mencionada expressamente nos registros bíblicos, aquela entre Azarias (Uzias) e Jotão (2 Rs 15.5), ao passo que outras co-regências podem ser reconhecidas, seja por duplos sincronismos, como aquela concedida a Jorão (2 Rs 1.17; 3.1) e a Oséias de Israel (2 Rs 15.30; 17.1), seja por um estudo minucioso de todos os dados disponíveis. Em Israel, o rei Peca evidentemente contou uma grande parte dos seus anos de reinado simultaneamente com os seus dois rivais, Menaém e Pecaías.

Devido aos contatos entre os reis hebreus e os governadores dos impérios da Assíria e da Babilônia, cujas cronologias a partir do século X a.C. estão bem definidas, uma cronologia razoavelmente precisa, em termos de datas antes de Cristo, pode ser obtida. O primeiro desses contatos é a batalha de Qarqar, no sexto ano de Salmaneser III, da qual participou, segundo os registros assírios, o rei Acabe de Israel. O segundo contato é o pagamento dos tributos do rei Jeú ao mesmo rei assírio, no seu décimo-oitavo ano. A cronologia assíria desse período está firmemente definida por meio das listas epônimas assírias, quando elas mencionam um eclipse solar que ocorreu em 15 de junho de 763 a.C. *Veja* Eclipse. Combinada com os sincronismos bíblicos e com os anos de reinado dos reis israelitas envolvidos, a informação dada por Salmaneser III nos possibilita, com razoável certeza, datar a morte de Acabe em 853/52 a.C. e a ascensão de Jeú em 841/40 a.C. Um resultado adicional dessa informação é a fixação da cronologia dos reis de Israel e de Judá antes do reino de Acabe e depois do de Jeú. Os cálculos baseados nessa evidência levam ao ano 931 a.C. como sendo o ano da ascensão de Jeroboão I de Israel, e de Roboão de Judá no ano da morte de Salomão. Essa data foi usada nas seções desde Abraão até o final do período dos Juízes, como base para o cálculo das datas cronológicas dos primeiros períodos bíblicos.

Além disso, o reinado de alguns dos últimos reis de Judá pode ser datado com razoável precisão por meio dos sincronismos com Nabucodonosor II da Babilônia, tais como aqueles mencionados em Jeremias 25.1-3 e em 2 Reis 24.12,17 e 25.1,2,8,9, uma vez que os anos do reinado de Nabucodonosor estão bem determinados por uma tábua astronômica do seu 37º ano, por muitos registros econômicos datados e pela Crônica da Babilônia.

A Tabela IV apresenta os resultados dos estudos mais recentes de todos os dados aplicados à cronologia dos reis de Israel e de Judá. As datas apresentadas seguem, na sua maioria, os estudos de E. R. Thiele (veja a bibliografia), e só se desviam deles quando se trata do período do rei Ezequias. (O autor acredita que tenha uma solução mais satisfatória do que a de Thiele para os problemas cronológicos).

### Períodos do Exílio e Pós-exílio

O Antigo Testamento contém registros de três capturas sucessivas de Jerusalém por Nabucodonosor II, cada uma delas acompanhada pela remoção dos prisioneiros. A primeira captura ocorreu no terceiro ano do rei Jeoaquim (Dn 1.1-3), em 605 a.C. A segunda captura ocorreu em 16 de março de 597 a.C., quando o jovem Joaquim rendeu-se a Nabucodonosor (de acordo com a Crônica da Babilônia e com 2 Rs 24.12), e a terceira e última queda de Jerusalém ocorreu no 11º ano do rei Zedequias (2 Rs 25.2), em 586 a.C.

A Babilônia caiu sob Ciro da Pérsia em 12 de outubro de 539 a.C. O mesmo rei permitiu que os judeus retornassem à sua pátria, com a publicação de um decreto para esse efeito no seu primeiro ano (2 Cr 36.22; Ed 1.1). O primeiro ano do reinado de Ciro, de acordo com os cálculos persas, durou desde a primavera de 538 a.C. até a primavera de 537 a.C., mas segundo os cálculos judeus, durou desde o outono de 538 a.C. até o outono de 537 a.C. Neemias 1.1 e 2.1 apresentam evidências de que os judeus nos tempos pós-exílio calculavam os anos dos reis persas de acordo com o seu próprio calendário, que começava em Tisri, e não segundo o calendário persa, que começava em Nisã. Os papiros aramaicos de Elefantina forneceram evidências de que o mesmo costume era adotado pelos judeus egípcios no século V a.C. (veja a bibliografia, sob Horn e Wood). Conseqüentemente, pode-se concluir que o decreto de Ciro foi publicado em 537 a.C., e que o retorno dos judeus ocorreu durante o ano seguinte, que foi o 70º ano após o início do primeiro cativeiro, cumprindo assim a profecia de Jeremias com respeito à duração do Exílio (Jr 25.12; 29.10).

Depois do retorno dos judeus, sob o governo de Ciro, o trabalho de reconstrução do templo foi iniciado imediatamente; mas, devido a várias dificuldades, logo se fez uma pausa. No entanto, no segundo ano de Dario I (520/19 a.C.), a atividade de reconstrução foi retomada, principalmente como resultado dos apelos feitos pelos profetas Ageu e Zacarias (Ed 4.24; 5.1,2; Ag 1.1-15; 2.1-9). A construção foi concluída no dia 3 do mês de Adar, no sexto ano de Dario (Ed 6.15), que corresponde a 12 de março de 515 a.C.

Os últimos acontecimentos registrados no Antigo Testamento ocorreram sob o domínio de Artaxerxes I (465-423 a.C.). Esdras foi enviado a Jerusalém como plenipotenciário no sétimo ano de Artaxerxes (Ed 7.7-9). Se o cálculo de Esdras 7 segue o de Neemias - como parece haver razão para se crer, pois Esdras e Neemias eram originalmente um único livro - o sétimo ano de Artaxerxes foi calculado como tendo início no outono de 458 a.C., estendendo-se até o outono de 457 a.C. Da mesma maneira, Esdras começou a sua jornada na primavera de 457 a.C., e chegou a Jerusalém no verão daquele mesmo ano. Depois que Neemias, um cortesão real judeu, ouviu sobre a triste situação em Jerusalém no mês de quisleu, no vigésimo ano de Artaxerxes (Ne 1.1), ele conseguiu uma reunião com o rei como governador de Judá, no mês de Nisã, no mesmo vigésimo ano (Ne 2.1-8). Isso aconteceu em abril de 444 a.C. A última data mencionada no Antigo Testamento é o 32º ano de Artaxerxes (433/32 a.C.), quando terminou o primeiro período de Neemias como governador de Judá (Ne 13.6).

***Bibliografia.*** W. F. Albright, "The Chronology of the Divided Monarchy of Israel", BASOR #100 (dezembro de 1945), 16-22. Joachim Begrich, *Die Chronologie der Könige von Israel und Juda*, Tübingen. J. C. B. Mohr, 1929. S. H. Horn e L. H. Wood, "The Fifth Century Jewish Calendar at Elephantine", JNES, XIII (1954), 1-20; "The Chronology of King Hezekiah's Reign", *Andrews University Seminary Studies*, II (1964). P. van der Meer, *The Ancient Chro-*

*nology of Western Asia and Egypt*, 2ª edição, Leiden. E. J. Brill, 1955. R. A. Parker e W. H. Dubberstein, *Babylonian Chronology* 626 a.C.- 75 d.C., Providence. Brown Univ. Press, 1956. L. Pirot e V. Coucke, "Chronologie biblique", *Supplément au Dictionnaire de la Bible*, ed. por L. Pirot, A. Robert e H. Cazelles, Paris. Letouzey et Ane, I (1928), cols. 1244-1279. Edwin R. Thiele, *The Mysterious Numbers of the Hebrew Kings*, 2ª edição, Chicago. Univ. of Chicago, 1955; "The Question of Coregencies Among the Hebrew Kings", *A Stubborn Faith*, ed. por Ed. C. Hobbs, Dallas. Southern Methodist Univ. Press, 1956, pp. 39-52; "Synchronisms of the Hebrew Kings", *Andrews University Seminary Studies*, I, (1963), 121-138; II (1964). D. J. Wiseman, *Chronicles of the Chaldean Kings (626-556 a.C.) in the British Museum*, Londres. British Museum, 1956.

S.H. H.

## CRONOLOGIA DO NOVO TESTAMENTO

O Novo Testamento contém uma cronologia, no sentido de que ele registra a sua história com precisão e em ordem seqüencial. Mas não apresenta uma crônica cuidadosamente datada. Por isso, existem esforços para tomar seus dados históricos, compará-los com as informações provenientes de outras fontes e determinar, se possível, as datas específicas para os seus principais acontecimentos.

### Datas na Vida de Cristo

*O seu nascimento*. Os fatos das Escrituras que estão envolvidos na data do nascimento de Cristo são os seguintes:

1. Herodes era o rei da Judéia (Mt 2.1). O nascimento de Cristo ocorreu quando Herodes ainda era vivo, e não muito tempo antes da sua morte (Mt 2.20,22), possivelmente dois anos antes, no máximo (Mt 2.7,16). O historiador judeu Josefo identifica o ano da morte de Herodes como IV a.C. Ele até mesmo diz a época do ano, pouco antes da Páscoa, e registra um eclipse da lua que precedeu a sua última doença. Esse eclipse foi datado astronomicamente em 12 de março de IV a.C. Assim, a primavera de IV a.C. foi a data da morte de Herodes e a última data possível para o nascimento de Jesus. Levando-se em conta a preocupação de Herodes com a hora exata do aparecimento da estrela e a sua ordem de matar todos os meninos de Belém "de dois anos para baixo, segundo o tempo que diligentemente inquirira dos magos" (Mt 2.16), parece provável que o nascimento tenha ocorrido pelo menos um ano antes, talvez dois, portanto em VI ou V a.C. Fica claro, então, que o monge Dionysius Exiguus, que em aprox. 525 d.C. introduziu o atual método de datar para o futuro e para o passado "a partir do ano da encarnação de nosso Senhor Jesus Cristo" cometeu um erro nos seus cálculos. Com base nos dados que possuía, ele fixou o nascimento de Cristo no ano 754 da era romana, ao invés de no ano 750 ou em um ano anterior.
2. O alistamento sob o governo de Cirênio (Lc 2.2). O que se sabe deste oficial romano a partir de informações externas à Bíblia está de acordo com o que as Escrituras dizem a seu respeito, mas não se fixa a data desse alistamento. *Veja* Censo; Cirênio.
3. A idade de Jesus na ocasião de seu batismo (Lc 3.23). "E o mesmo Jesus começava a ser de quase trinta anos" na época do seu batismo. Supondo-se que isto queira dizer que a sua idade estava próxima dos trinta anos, é possível calcular a data do nascimento de Jesus. A data do início do ministério de João é cuidadosamente fornecida por Lucas (veja abaixo) e, como demonstrado mais adiante, foi provavelmente 26 d.C. Se o batismo de Jesus ocorreu pouco tempo depois, que é a impressão que se tem ao fazer a leitura, então subtrair "quase trinta anos" nos leva a "aproximadamente" V a.C., como sendo a data do seu nascimento. Obviamente, este é um cálculo muito impreciso, mas coincide com a data calculada a partir da morte de Herodes.
4. A estrela de Belém. Foram feitas tentativas para fixar a data da natividade por meio da identificação da estrela vista pelos magos como sendo um fenômeno natural. Os astrônomos destacam o fato de que houve conjunções incomuns de planetas em VII ou VI a.C. Na China existe um registro de um cometa ou de uma estrela nova que ocorreu em março de V a.C., e em abril de IV a.C. No entanto, diversos argumentos são contrários a esta identificação. A conjunção de planetas nunca esteve suficientemente próxima para ser chamada de "uma estrela", e a data é muito adiantada, a menos que se assuma que os magos a viram muito tempo antes da sua chegada a Jerusalém. O mais importante, no entanto, é a afirmação de Mateus de que a estrela "se deteve sobre o lugar onde estava o menino". Isto seria impossível para qualquer estrela natural; isso requer um fenômeno sobrenatural, e deixa a explicação natural sem comprovação. Talvez o acontecimento natural incomum possa ter servido para despertar o interesse por parte dos magos, mas não ajuda a estabelecer a data do nascimento de Cristo.
5. E o que dizer do dia 25 de dezembro? Aqui devemos admitir livremente que a data é meramente tradicional, e é a última tradição nesse aspecto (século IV d.C.) Até mesmo a última tradição se divide entre 25 de dezembro e 6 de janeiro (que é a data ainda hoje observada pela igreja oriental para comemorar tanto o nascimento como o batismo de Cristo). Ambas as datas eram anteriormente comemorações pagãs, e provavel-

mente foram assumidas em uma tentativa para substituir as cerimônias pagãs pelas cristãs. As Escrituras não dão nenhuma pista. A estação do inverno não se encaixa bem no Evangelho. É improvável que os pastores estivessem nos campos com os seus rebanhos no meio do inverno.

### O início do ministério público do Senhor Jesus Cristo

1. O 15º ano de Tibério (Lc 3.1,2). Lucas dá aqui uma detalhada referência à data do começo da pregação de João. O batismo de Jesus aconteceu pouco tempo depois. Esse décimo-quinto ano de Tibério pode ter um cálculo variável; ele depende do início da contagem dos anos. Se esta contagem começou a partir de quando ele sucedeu Augusto, em 19 de agosto ou em 17 de setembro de XIV d.C., ou de quando ele foi nomeado governador conjunto das províncias do leste, em co-regência com Augusto, em XII d.C. Lucas, como um provinciano, pode ter escolhido o segundo método. Para complicar ainda mais os cálculos, é incerto se os anos do seu reinado foram calculados de acordo com o sistema do "ano de ascensão" ou com o sistema do "não-ano-de-ascensão". Assim, as datas possíveis para o "ano quinze do império de Tibério César" (Lc 3.1) são quatro: 26,27,28 ou 29 d.C. Desses, o primeiro é o mais provável.
2. O 46º ano do templo (Jo 2.20). Esta referência ao templo não pode querer dizer que no passado haviam sido gastos 46 anos para concluí-lo, porque a construção ainda estava em andamento, e não foi concluída até quase quarenta anos mais tarde. Da afirmação normalmente se entende que o templo havia sido iniciado 46 anos antes daquela época. "Em quarenta e seis anos, foi edificado este templo". Josefo diz que ele começou no 18º ano de Herodes, ou seja, em 19 a.C. A Páscoa do 46º ano, portanto, seria a primavera de 27 d.C. Se o batismo de Jesus ocorreu no outono anterior, em 26 d.C., isso coincide com a data acima e a confirma como sendo o 15º ano de Tibério.
A duração do ministério público do Senhor Jesus Cristo.
1. Nos Evangelhos Sinóticos. Esses Evangelhos não fornecem nenhuma informação que permita determinar a duração do ministério público do Senhor. Sempre se afirma que eles refletem um ministério que durou somente um ano. Mas uma conclusão como esta é certamente equivocada, pois mesmo nesses Evangelhos existem indicações de pelo menos duas outras primaveras além da Páscoa durante a qual Ele foi crucificado (Mt 12.1; Mc 2.23, "colher espigas"; Mt 14.19; Mc 6.39, "erva verde").
2. As Páscoas mencionadas no Evangelho de João. João cuidadosamente lista algumas das festas judaicas anuais e as relaciona com o ministério público do Senhor. Essa lista inclui pelo menos três Páscoas (Jo 2.13; 6.4; 12.1), o que torna necessário um ministério público de pelo menos dois anos. Assumindo que a festa não denominada de João 5.1 seja outra Páscoa – e existem muitos argumentos para assim entendê-la – isto significaria mais um ano. Uma vez que o batismo e o começo do ministério de Cristo na Galiléia precederam aquela primeira Páscoa pelo menos em seis meses, o período total do ministério público do Senhor seria de três anos e meio.

### A data da crucificação do Senhor Jesus Cristo

1. De descobertas anteriores. Se, conforme indicado acima, o ministério público de Cristo começou em 26 d.C. e durou por quatro Páscoas, então a morte de Cristo ocorreu na Páscoa do ano 30 d.C. Este é o método de cálculo mais satisfatório e frutífero. Todos os outros métodos aqui apresentados somente confirmam os resultados obtidos, ou são de tal natureza que podem ser idealizados para adequar-se a qualquer resultado previamente obtido por este método.
2. Pôncio Pilatos. O governo de Pilatos, de acordo com Josefo, foi de 26 a 36 d.C. No julgamento de Jesus, parece que Pilatos já tinha tido problemas com os judeus, com os galileus e com Herodes; portanto, o julgamento não deve ter ocorrido no início do seu governo. Dificilmente seria possível tratar-se de uma Páscoa anterior a 28 d.C.
3. Anás, o sumo sacerdote. O sacerdócio de Anás oferece outro ponto de contato. Josefo afirma que ele foi deposto na época da morte de Herodes Filipe, ou em aproximadamente 34 d.C. Portanto, esta se torna a última data possível para a crucificação.
4. Cálculos astronômicos. Esforços elaborados foram realizados para estabelecer o ano, calculando-se em que ano a Páscoa coincidiu com uma sexta-feira. Assumindo que a crucificação ocorreu em uma sexta-feira, e que a última ceia era a refeição de Páscoa, seria possível chegar a uma data exata. Mas esse método de cálculo enfrenta muitas dificuldades: (a) Embora a tradição universal tenha colocado a crucificação em uma sexta-feira, houve e ainda há estudiosos que discutem essa interpretação, colocando-a em uma quinta-feira, ou quarta-feira. (b) Novamente, existe um desacordo quanto à natureza da última ceia, se a ocasião representava uma refeição comum, ou a refeição da Páscoa. (c) Existe um desacordo quanto ao primeiro dia da festa, se foi 14 ou 15 de Nisã. Claro que qualquer pessoa pode adotar a sua própria, entre as alternativas, e chegar a calcular uma data exata. Na verdade, as muitas pessoas que tentaram fazer isso terminaram com resultados totalmente divergentes. No entanto, a objeção

fatal e principal a este método é (d) a incerteza quanto à maneira como os judeus definiram o seu calendário. Se eles calculavam o primeiro dia do mês astronomicamente, o método deveria funcionar. Se eles o faziam pela observação da aparição da lua nova, o que é muito mais provável, então é impossível ter certeza. Os fatores desconhecidos envolvidos, portanto, parecem tornar este método praticamente inútil na determinação da data da crucificação.

**Datas na História da Igreja Primitiva**

*Pontos de contato.* Diversas referências nas narrativas históricas do livro de Atos mencionam contato com pessoas ou acontecimentos da história extrabíblica. Aqui serão fornecidos somente uma lista e um breve sumário da informação que eles forneceram. Para maiores detalhes, consulte a bibliografia.

1. Aretas, rei dos nabateus (At 9.23-25; 2 Co 11.32). Não existe evidência fora da Bíblia de que Damasco estivesse sob um governador nabateu, indicado por Aretas; mas, se estivesse, isso deve ter acontecido depois de 34 d.C., pois existem evidências claras de que os romanos governavam a cidade antes dessa época. Mas caso se tratasse de um governador somente para o segmento nabateu da população de Damasco, esta referência poderia ser verdadeira, inclusive quando os romanos governavam a cidade, e assim não é possível estabelecer uma data.
2. A morte de Herodes Agripa I (At 12. 21-23). Josefo e quase todas as demais fontes concordam que a morte de Herodes ocorreu em 44 d.C. Um esforço para determinar a data pela identificação da ocasião da apresentação e discurso de Herodes não parece convincente. Atos 12.1-4,19 dá a entender que este evento aconteceu depois da Páscoa.
3. A fome sob o governo de Cláudio (At 11.28-30). A história secular confirma que houve muita fome, ou escassez de alimentos, marcando o reinado de Cláudio, mas não especifica nenhuma data. Josefo fala da "grande fome na Judéia", e da generosa ajuda da rainha Adiabene, mas infelizmente suas datas não estão claras; ou no governo de Fado (44-46 d.C.), ou no de Alexandre (46-48 d.C.), provavelmente não antes de 46.
4. Sérgio Paulo, pró-cônsul em Chipre (At 13.7-12). Existem inscrições que confirmam tanto o nome como o posto desse oficial romano em Chipre, mas não fixam a data.
5. O decreto de Cláudio (At 18.2). Novamente, as fontes extrabíblicas mencionam o decreto de Cláudio da expulsão dos judeus de Roma. O historiador Orósio, do século V, indica a data do nono ano de Cláudio, ou seja, aproximadamente 49 d.C.
6. O pró-consulado de Gálio na Acaia (At 18.12). Aqui existe uma forte possibilidade de que a data exata possa ser determinada por meio de fontes extrabíblicas. Uma inscrição em Delfos menciona Gálio com o título oficial usado em Atos, e ela está datada da primeira metade do ano 52 d.C. Como os pró-cônsules romanos normalmente chegavam aos seus postos e tomavam posse no início do verão, essa data pode representar tanto o final como o começo do seu cargo. O incidente em Atos parece ter ocorrido pouco tempo depois da chegada de Gálio; portanto, os 18 meses que Paulo passou em Corinto coincidem totalmente ou parcialmente com o ano entre os verões de 51 e 52 d.C.
7. A procuradoria de Félix (At 23–24). Félix tornou-se procurador da Judéia em 52 d.C. Existem algumas evidências de que ele tinha uma posição subordinada ao seu predecessor, de maneira que a afirmação de Paulo de que ele há muitos anos era juiz (At 24.10) não conduz a uma data posterior a 55 ou 56 d.C. Além disso, Drusila (At 24.24) não poderia ter sido sua esposa antes de 54 d.C. (ela havia sido dada em casamento a outro em 53 d.C.). Assim, a primeira aparição de Paulo perante Félix deve ter sido entre 55 e 56 d.C., mas não antes de 54 d.C.
8. Festo sucedeu Félix (At 24.27). Infelizmente, a data dessa referência crucial não pode ser definida com exatidão. Existem muitas informações de Josefo e de outras fontes, mas essas informações foram interpretadas de maneiras muito diferentes. Para uma discussão detalhada, veja as obras relacionadas na bibliografia e E. M. B. Green, "Festus", NBD, p. 421. A melhor conclusão que se pode obter é a de que Festo (*q.v.*) substituiu Félix entre 57 e 60 d.C., mais provavelmente no início do que no final deste período.
9. Os dias dos pães asmos (At 20.6,7). Houve tentativas para retroceder os cálculos, a partir da segunda-feira, quando Paulo saiu de Trôade, até a quinta-feira, quando ocorreu a Páscoa daquele ano; a partir daí, tentou-se identificar o ano por cálculos astronômicos; o resultado foi o ano de 57 d.C. Pelas razões indicadas anteriormente (veja a data da crucificação), esta linha de raciocínio não é convincente.
10. O comandante pretoriano único (ou "general dos exércitos"; Atos 28.16). Segundo Conybeare e Howson, depois da morte de Burro (62 d.C.), Rufo e Trogelino foram comandantes pretorianos conjuntos. Como quando Paulo chega a Roma é mencionado somente um comandante pretoriano, este fato não poderia ter acontecido depois de 61 d.C.

*Um Esclarecimento.* Apesar desses muitos contatos com a história extrabíblica e muitas outras referências a períodos de tempo contidas em Atos e nas epístolas, ainda existe somente uma cronologia relativa. Ainda não foi possível determinar a data precisa de nenhum acontecimento, embora a ordem dos eventos e a sua posição relativa tenham sido cuidadosamente verificadas e confirmadas.

Uma ilustração poderia ajudar. Os vários eventos descritos no livro de Atos podem ser comparados aos elos de uma corrente. Alguns desses elos, que representam os pontos de contato descritos, estão presos de tal maneira que eles podem mover-se para um lado ou para o outro somente dentro de certos limites. É fácil perceber que essa corrente seria bastante flexível, e poderia ser comprimida ou esticada dentro de diferentes padrões, segundo um puxão de um elo até a sua última posição, ou um empurrão de outro elo até o seu primeiro limite. Mas com toda essa flexibilidade, os elos ainda permaneceriam na mesma ordem, e na mesma posição uns em relação aos outros, e em relação aos fatos externos aos quais estão relacionados. Para melhorar esse exemplo, se os diversos elos tivessem o seu tamanho reduzido por deduções razoáveis dos próprios eventos, a corrente se tornaria cada vez mais imóvel. Mencionaremos esta possibilidade mais adiante.

*Dados Adicionais do Novo Testamento*. Além dos diversos pontos de contato com a história secular, existem muitas indicações no livro de Atos e nas epístolas que ajudam a determinar a data dos acontecimentos com alguma certeza.

1. O concílio de Jerusalém (At 15), Existem duas possibilidades de raciocínio. É possível calcular a partir da fome da época de Cláudio que, como vimos anteriormente, este evento não deve ter sido anterior a 46 d.C. Em Atos 13.1, sugere-se que Paulo e Barnabé devam ter passado algum tempo em Antioquia antes de sair em sua primeira viagem missionária, e Atos 14.28 indica um período considerável após a sua volta, e antes da convocação do concílio em Jerusalém. A primeira viagem deve ter durado pelo menos um ano e meio (esta é a estimativa de Turner; Ramsay pensa em dois anos e três ou quatro meses). Se todo o intervalo for estimado como no mínimo de três anos, o ano 49 d.C. seria a primeira data provável para o concílio. Ou, retrocedendo no tempo a partir do ano 52 (ou 51), do julgamento de Paulo perante Gálio (o intervalo inclui toda a segunda viagem e os 18 meses em Corinto), qualquer data para o concílio posterior ao ano 49 parece improvável.

2. A visita de Paulo a Jerusalém. O livro de Atos relaciona cinco visitas de Paulo a Jerusalém, ao passo que em sua epístola aos gálatas Paulo menciona duas, e fornece alguns dados cronológicos importantes sobre elas. Parece não haver dúvida de que a primeira visita de Gálatas 1.17,18 seja a primeira visita de Atos 9.26. Ela data de três anos depois da sua conversão. Mas existe muita diferença de opinião com respeito à visita mencionada em Gálatas 2.1. O ponto de vista tradicional relaciona-a com Atos 15 e com o concílio de Jerusalém. Outros argumentam que ela seria mais bem identificada com a visita para socorro da fome, de Atos 11.27-30; 12.25. Paulo diz que essa visita

| Uma Tabela Com os Resultados das Datas Aproximadas | |
|---|---|
| Nascimento de Cristo | 6 ou 5 a.C. |
| Morte de Herodes | Março de 4 a.C. |
| Início do ministério de João | 26 d.C. |
| Batismo de Jesus | 26 d.C. |
| Duração do ministério público de Jesus | 3 anos e meio |
| Crucificação e ressurreição | Páscoa de 30 d.C. |
| Conversão de Paulo | 32 |
| Martírio de Tiago, morte de Herodes Agripa I | 44 |
| Visita de Paulo e Barnabé a Jerusalém para socorro da fome | 46 |
| Primeira viagem missionária de Paulo | 47-48 |
| Concílio de Jerusalém | 49 |
| Segunda viagem missionária de Paulo | 49-52 |
| Dezoito meses em Corinto | Verão de 50 - Primavera de 52 |
| Terceira viagem missionária de Paulo | 52-56 |
| Três meses em Corinto | Inverno 55/56 |
| Prisão em Jerusalém | Primavera de 56 |
| Aprisionamento de Paulo em Cesaréia | 56-58 |
| Viagem a Roma, naufrágio | Final do outono e inverno de 58 |
| Primeiro aprisionamento romano de Paulo | 59-61 |
| Libertação e viagens finais de Paulo | 61-63 |
| Segundo aprisionamento romano, martírio | 64/65 |

aconteceu "passados quatorze anos" (Gl 2.1). Se Paulo fez essa viagem para comparecer ao concílio de Jerusalém em 49 d.C., então começando nessa data, e usando o método inclusivo de cálculo, a conversão de Paulo teria ocorrido em 35 d.C. Se considerarmos os quatorze anos como adicionais àqueles três, então a sua conversão teria sido em 32 d.C. Ao invés disso, se considerarmos a visita identificada com o socorro da fome em 46 d.C., a conversão de Paulo teria sido em 32 d.C. Naturalmente, a forma de cálculo 143 seria impossível neste caso.

3. A data do martírio de Paulo. Pode-se concluir, a partir de diversos fatores, que Paulo não foi martirizado no final do seu aprisionamento de dois anos, de Atos 28. A maneira como são mencionados os "dois anos" em Atos (v. 30), dá a impressão de que o período chegou a um fim. A carta de Paulo aos filipenses, que normalmente se supõe ter sido escrita durante esse aprisionamento, reflete a própria expectativa de Paulo de que logo seria solto. As epístolas pastorais parecem mais bem explicadas por meio da teoria de que Paulo foi libertado e realizou um ministério contínuo durante algum tempo, e então foi novamente aprisionado em Roma. Esta reconstrução dos últimos anos da vida de Paulo é fortemente confirmada pela tradição do início do cristianismo.

A única evidência da data da morte de Paulo é encontrada nessa tradição, e é bastante clara e definida. Ela associa o martírio de Paulo e de Pedro com a perseguição de Nero que se seguiu ao grande incêndio de 64 d.C. Para uma data posterior a 64 d.C., um dos argumentos em que se insistiu muito é uma suposta dificuldade para encaixar a libertação do primeiro aprisionamento, uma carreira missionária posterior mais ou menos longa, uma nova prisão, tudo isso no período entre o primeiro aprisionamento de Paulo e o ano 64. Essa dificuldade se destacava principalmente no antigo e tradicional sistema de determinação de datas, que aceitava uma data posterior para a procuradoria de Festo. Se Paulo compareceu perante Festo no ano 60 d.C., ele teria chegado a Roma em 61 e os dois anos do seu aprisionamento seriam 61-63. Não sobra tempo para essas viagens antes de 64. Mas se o encontro entre Paulo e Festo ocorreu em 57 ou em 58, e como vimos acima isso é possível e provável, então o seu primeiro aprisionamento romano teria terminado em 60 ou em 61, e haveria tempo suficiente para as demais atividades antes de 64 d.C.

***Bibliografia***. James L. Boyer, *New Testament Chronological Chart*, studygraph chart, Chicago. Moody Press. Jack Finegan, *Handbook of Biblical Chronology*, Princeton. Univ. Press, 1964. F. R. M. Hitchcock, "Dates", HDCG I, 408-417. W. M. Ramsay, *St. Paul the Traveller and the Roman Citizen*, Grand Rapids. Baker, 1951. Merrill C. Tenney, *New Testament Times*, Grand Rapids. Eerdmans, 1965, pp. 134-138, 158ss., 164-178, 203, 206ss., 216, 242-246, 275ss., 294ss. C. H. Turner, "Chronology of New Testament", HDB I (1903), 403-425.

J. L. B.

**CRUCIFICAÇÃO** Veja Cruz; Jesus Cristo.

**CRUZ** Um pilar vertical com uma viga horizontal fixada perto do topo, onde os condenados eram executados no mundo romano.

*Formas:* (1) *Crux simplex*, a cruz simples, a saber, um pilar único ou estaca vertical; (2) *crux commissa* ou *crux humilus*, a de Santo Antônio, na forma de um "T"; (3) *crux decussata*, a de Santo André, na forma de um "X"; (4) *crux immissa*, a cruz latina; (5) Cruz de São George, formada por dois pedaços de mesmo comprimento; (6) cruz tripla, 3 cruzes em uma fileira, usada pelos sacerdotes e dignatários da igreja a partir do século V.

Aceita-se de forma geral que Cristo foi crucificado na *crux immissa*, ou cruz latina, visto que as Escrituras declaram que a inscrição "Este é Jesus, o rei dos judeus", foi colocada sobre a sua cabeça (Mt 27.37; cf. Mc 15.26; Lc 23.38; Jo 19.19). Acredita-se que na cruz de Santo André, e na cruz de Santo Antônio isso não poderia ter sido feito. As tradições cristãs primitivas afirmam que Jesus morreu sobre uma cruz latina (Irineu, *Against Heresies*, ii.24.4; Justino, *Trypho*, 91).

A cruz de tau consistia de galhos ou *estacas* verticais plantadas permanentemente no campo de execução. Seu topo se afilava até um determinado ponto. O *patíbulo* era uma barra de madeira que pesava pouco mais de 56 quilos, com uma cavidade redonda esculpida no seu centro que se ajustava à ponta da *haste*. Algumas autoridades acreditam que esta era a cruz preferida pelos executores romanos, e que o título da placa podia ser fixado em um pedaço de madeira e pregado no *patibulum*, acima da cabeça do criminoso.

A cruz, como um sinal, pode ter sido usada pelos primeiros cristãos judeus de Jerusalém, antes da destruição da cidade em 70 d.C. Ossuários (caixas retangulares de pedra onde se depositavam ossos humanos) foram encontrados em 1945 no subúrbio de Talpioth, sendo que um deles estava marcado em cada um dos quatro lados com uma cruz rudimentar, como um sinal de mais. Um ossuário marcado de forma similar foi encontrado em um cemitério aparentemente cristão no Monte das Oliveiras (FLAP, pp. 331ss.). Na cidade de Herculano, destruída em 79 d.C. pela erupção do Monte Vesúvio, uma casa escavada mostrava uma cruz latina gravada na parede de cimento em cima de um pequeno gabinete de madeira, considerado como um local de oração ou altar (FLAP, pp. 363ss.).

*Símbolo ou emblema.* A cruz é o símbolo de uma morte sob a maior culpa e a pior maldição. Thayer diz que a cruz era "um instrumento conhecido como a punição mais cruel e vergonhosa, emprestada aos gregos e romanos pelos fenícios; a ela foram condenados - entre os romanos, desde o tempo de Constantino o Grande - os criminosos mais execráveis, os piores escravos, assaltantes, autores e cúmplices de revoltas, e ocasionalmente nas províncias, para o divertimento arbitrário dos governadores, também os homens justos e pacíficos, e até mesmo os próprios cidadãos romanos" (J. H. Thayer, *A Greek-English Lexicon of the New Testament*, p. 586). Por isso a cruz, para nós cristãos, se tornou o sinal de que Cristo tomou sobre si a culpa, e assim pagou a penalidade pelos nossos pecados.

No Antigo Testamento, a morte era por apedrejamento (Dt 21.20,21), e assim o corpo morto era pendurado sobre uma árvore ou estaca como uma advertência às pessoas (Dt 21.22,23; Js 10.26). Este ato de pendurar o corpo em uma árvore era considerado como uma marca particular de maldição (Dt 21.23), isto explica o texto de Gálatas 3.13. "Cristo nos resgatou da maldição da lei, fazendo-se maldição por nós, porque está escrito. Maldito todo aquele que for pendurado no madeiro". A cruz (*stauros*, "estaca") é também chamada "árvore" ou "madeiro" (*xylon*) no Novo Testamento (At 5.30; 10.39; 1 Pe 2.24) e assim é relacionada à concepção do Antigo Testamento de profunda humilhação e vergonha (Hb 12.2). Aqui pode ser vista a continuidade de uma idéia de vergonha e maldição, expressa em duas culturas diferentes.

Aquele que era condenado à crucificação era primeiro espancado ou açoitado com um *flagrum*, um chicote com várias tiras de couro, em cujas pontas eram colocadas bolas de chumbo ou ossos de carneiro. Após este flagelo, a vítima nua era forçada a carregar o pesado *patibulum*, ou a barra transversal da sua cruz, ao lugar da sua execução. A intensidade dos sofrimentos de Cristo, até mesmo antes da sua crucificação, é revelada pelo fato de que, depois de uma noite de tortura e açoites, Ele estava fraco demais para carregar a sua própria cruz. Ela foi, então, colocada sobre Simão, de Cirene (Mt 27.32; Mc 15.21; Lc 23.26).

No Gólgota, os soldados devem ter lançado Jesus ao chão e esticado os seus braços sobre a barra para que fosse pregado. O algoz deve ter usado pregos fortes e grandes, de forma quadrada, cujos lados deveriam medir aproximadamente um terço de polegada, e dado um simples golpe entre o osso carpal ou ossos do pulso na altura da mão da vítima (não atravessando a palma). Geralmente rasgava-se o nervo mediano. Edward R. Bloomquist, M.D., explica que "o tecido da palma da mão não pode sustentar o peso do corpo, e a vítima cairia no chão poucos minutos depois de ter sido levantada" (p.48). Ele ainda explica que os pés eram pregados (pelo espaço do segundo metatarsiano) a fim de dar à vítima um "degrau" cruel para se suportar, de forma que ainda pudesse respirar. De outra forma, o corpo sucumbido pendurado pelos braços entraria em um espasmo tetânico que impediria a exalação. A vítima, então, seria rapidamente sufocada devido à incapacidade de usar seus músculos respiratórios. À medida que as horas se passavam, o corpo ficava banhado pelo suor, a sede se tornava intensa, e a dor e o choque eram tremendos. *Veja* Prego. Ali é dada como exemplo a descoberta, em 1968, de um túmulo nas proximidades de Jerusalém, onde um prego de ferro atravessou os ossos do calcanhar de uma pessoa que fôra crucificada. Quebrar as pernas significava que a vítima não poderia mais se sustentar sobre o prego a fim de poder respirar, e assim ela morreria logo (Jo 19.32). Como Jesus já estava morto quando os soldados quebraram as pernas daqueles que haviam sido crucificados à sua direita e à sua esquerda, simplesmente deram *seu golpe de misericórdia* ao apunhalar com uma lança o lado direito do esterno, chegando ao seu coração ("A Doctor Looks at the Crucifixion", *Christian Herald* [Março de 1964], 35,46-48).

Quando se descobre o que significava ser pendurado em uma árvore, na revelação do Antigo Testamento, e ser crucificado nos dias de Cristo, entende-se uma das razões pelas quais a cruz era uma pedra de tropeço para os judeus (1 Co 1.23; Gl 5.11). Outra razão era que ela significava a total impossibilidade de justificação pelas obras, até mesmo ao manter-se a perfeita lei de Deus (Rm 9.31-33). Ao mesmo tempo, para os gregos com suas filosofias, a pregação da cruz era uma loucura. Contudo, ela libera o poder de Deus para salvar o homem e revela a infinita sabedoria do Senhor (1 Co 1.24). Quanto mais o crente entende o pecado, sua origem, natureza e poder, a queda do homem e a devastação resultante, mais ele enxerga quão maravilhosa e suficiente foi a morte substitutiva de Cristo na cruz.

### Significados figurados da cruz

1. Tomar a própria cruz. Cristo diz: "Se alguém quiser vir após mim, renuncie-se a si mesmo, tome sobre si a sua cruz [Lucas acrescenta, cada dia] e siga-me" (Mt 16.24; Mc 8.34; Lc 9.23). Eis aqui uma analogia clara de se carregar o patíbulo, citado acima. O Senhor Jesus Cristo conclama os crentes a estar prontos para sacrificar os seus interesses egoístas e suportar diariamente reprovações, mal-entendidos e vergonha ao trabalhar para Ele, como Ele fez em sua vida e

morte (Mt 10.38; 16.24-26; Ml 8.34-38; Lc 9.23-26).

2. A pregação da expiação substitutiva. Este é o significado ligado à cruz em muitas passagens nas epístolas de Paulo (1 Co 1.18; Gl 6.14; Fp 3.18; Cl 1.20). Ela expressa todo o conceito da obra de Cristo, de ter tomado sobre si mesmo todos os nossos pecados, como nosso representante (2 Co 5.21; 1 Pe 2.24). Através da cruz, Cristo reconciliou o pecador com Deus, e fez a paz entre Deus e o pecador (Cl 1.20), de maneira que Deus agora está propício ou bem disposto em relação ao pecador, e Paulo poderia, portanto, escrever. "Rogamos-vos, pois, da parte de Cristo que vos reconcilieis com Deus" (2 Co 5.20; cf Rm 5.10). Veja Leon Morris, *The Apostolic Preaching of the Choss*, 1955.

3. Um símbolo da união do crente com Cristo, e o compartilhamento de uma nova vida Divina. Na morte de Cristo, o crente morreu, nele, para o pecado e para o sistema do mundo (Rm 6.4ss.; Gl 6.14), e agora deve viver como Paulo, que escreve: "Já estou crucificado com Cristo; e vivo, não mais eu, mas Cristo vive em mim; e a vida que agora vivo na carne vivo-a na fé do Filho de Deus, o qual me amou e se entregou a si mesmo por mim" (Gl 2.20).

Veja Sepultamento; Cristo, Paixão de; Gólgota.

***Bibliografia***. Johannes Schneider, *"Stauros etc", TDNT, VII, 572-584.*

R. A. K. e J. R.

**CUBE** Um lugar ou uma nação em aliança com o Egito e mencionada juntamente com a Etiópia, a Líbia e a Lídia (Ez 30.5). A versão RSV em inglês traduz a leitura corrigida como "Líbia" (*q.v.*).

Monte Tabor, uma boa ilustração dos cumes de formato redondo da Palestina. ORINST

**CUBO DA RODA** Essa palavra é usada com dois sentidos na Bíblia Sagrada.

1. Em 1 Reis 7.33 (única ocorrência com esse sentido), as versões KJV e NEB em inglês trazem o termo "cubos" no plural, significando a parte central da roda na qual os raios estão fixados em seus lados e no eixo central. A palavra hebraica é *gab*, que significa "vazio" ou "curvado". Outras versões traduzem essa palavra hebraica como "cambas" ou "bordas" das rodas (cf. Ez 1.18; 10.12) e traduzem outra palavra hebraica, *hishshuq* (a única ocorrência no AT hebraico) em 1 Reis 7.33 como "cubo" ou "centro".

2. Há versões que usam a expressão "nave" no sentido de entrada do templo, aquele lugar sagrado que é distinto do santuário interior, traduzido do termo hebraico *hekal* (cf. 1 Rs 6.3,5,17,33; 7.50; Ez 41.1,4,15,21,23,25; essa palavra é traduzida em outras passagens como templo ou palácio).

A versão RSV em inglês também traduz a palavra hebraica *bayit* (cf. 2 Cr 3.4,5,13; 4.22; Ez 41.17; que tem o significado geral de "casa"). Finalmente, o termo "nave" é utilizado para transmitir o sentido do sufixo em Ezequiel 41.2 ("comprimento de", "comprimento da nave", nas versões inglesas KJV, ASV, RSV e NASB).

G. W. K.

**CUCO, CORUJA** *Veja* Animais: Cuco III.24.

**CUCHÃ-RISATAIM** *Veja* Cusã-Risataim.

**CULPA** *Veja* Pecado.

**CULTOS/SEITAS** Cultos são sistemas particulares de adoração religiosa com referências especiais a rituais e cerimônias. O culto é o ponto central de uma religião e eventualmente assume formas e símbolos que revelam mais claramente o caráter distinto da religião. Como foco da vida religiosa, o culto se torna o ponto onde o senso do sagrado é mais concentrado, e assim serve como um indicador da qualidade mais interior da religião.

O termo seita descreve grupos religiosos menores, de crenças consideradas não ortodoxas ou artificiais, e neste sentido foi aplicado ao cristianismo primitivo pelas autoridades da religião do estado romano.

A religião de Israel estava em constante conflito, mas finalmente triunfou sobre as seitas e cultos de seus vizinhos, como por exemplo a adoração a Baal e Asera com seus muitos profetas e sacerdotes (1 Rs 18.19). Estas seitas tinhan uma natureza extremamente degradada. Seus templos e cultos envolviam a prostituição (veja Prostituta) e os sacrifícios de crianças, e tudo era feito de forma assustadoramente clara de acordo com as tábuas cananéias encontradas em Ras Shamra (q.v.) e em sepulturas fenícias nas proximidades de Cartago.

A igreja cristã primitiva sem dúvida herdou várias formas e costumes de adoração provenientes das sinagogas judaicas; mas duvida-se de que tenha havido algum tipo de adoração pagã, como por exemplo nas religiões de mistério, e é notório que estas sequer exerceram qualquer influência considerável na adoração cristã primitiva. Pesquisas conclusivas mostraram que semelhanças externas e superficiais não provam necessariamente uma relação ou uma dependência. Em alguns exemplos particulares, o que parece mais provável é uma similaridade de terminologias, onde o cristianismo lhes dá um novo teor e significado. *Veja* Falsos deuses; Adoração.

T. M. B

**CUM** Uma das cidades de Hadadezer, rei da Síria, de onde Davi saqueou o cobre e o bronze para usar na construção do templo (1 Cr 18.8). A passagem paralela em 2 Samuel 8.8 apresenta "Berotai" (*q.v.*).

**CUME, MONTE, OUTEIRO**

1. A palavra hebraica comum para cume é *gib'a*, derivada de uma raiz que sugere uma elevação e gera outras palavras tais como: "cavidade" e "corcovado". É particularmente aplicada a muitos cumes arredondados na Palestina. Pode-se referir em geral a um terreno elevado em Efraim (Gn 49.26; Dt 33.15), ao platô de Moabe (Nm 23.9), ou a elevações específicas como o outeiro de Moré (Jz 7.1) e o outeiro de Haquila (1 Sm 23.19; 26.1,3). Como Isaías 31.4 indica, este pode ser um sinônimo do termo mencionado no item 2 abaixo.

2. A palavra hebraica *har* muito freqüentemente se refere a uma cadeia de montanhas ou a um topo em particular, mas é traduzida como "cume" 61 vezes na versão KJV em inglês, e uma vez como "montanha" (Js 13.6). A tradução apropriada de *har* requer um certo conhecimento da geografia da Palestina. Uma vez que as montanhas da Palestina e da Transjordânia raramente têm uma altitude superior a 900 metros, é muitas vezes preferível referir-se a elas como "país montanhoso". Por essa razão, a versão RSV em inglês tem representado o termo repetidamente dessa maneira quando a zona montanhosa de uma área é indicada (cf. "na montanha de Seir" Gn 36.8; "nas montanhas de Efraim", Js 17.15,16,18). Toda a região montanhosa de Judá, Benjamim e Efraim, e talvez da Galiléia, uma vez habitada pelos amorreus, é apresentada como *hahar,* "a montanha" (Nm 13.29). Por outro lado, em 2 Reis 1.9; 4.27 o uso da pa-

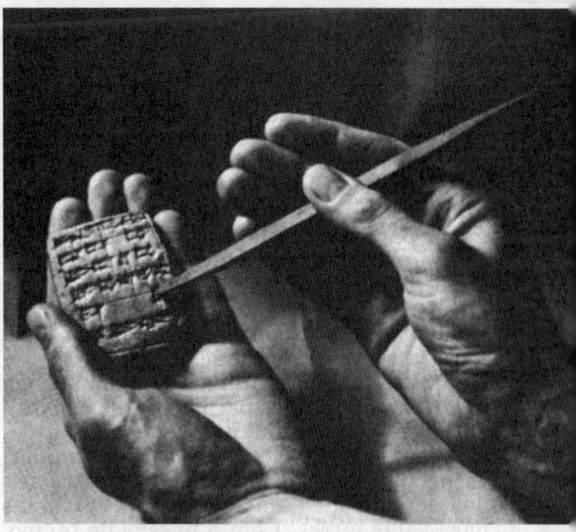

Tábua de argila babilônica com o estilete na posição correta para a escrita cuneiforme.
ORINST

lavra 'cume" para *hahar* obscurece a alusão ao Monte Carmelo, que em outras passagens relacionadas a Elias e Eliseu (por exemplo, 1 Rs 18.19; 2 Rs 4.25) tem a tradução "monte" corretamente incorporada a si. *Veja* Palestina II. A. 5; B.2.

3. A palavra hebraica *ma'aleh* é uma vez traduzida como "cume" (1 Sm 9.11), mas também pode ser traduzida como "subida" ou "encosta", a rampa inclinada ou o caminho que conduz ao portão da cidade.

4. A palavra grega *bounos* é usada duas vezes no Novo Testamento, e é traduzida como "outeiro" (Lc 3.5; 23.30).

5. A palavra grega *oros* é traduzida 62 vezes como "monte" ou "montanha", mas 3 vezes como "cume", e todas estas traduções são corretas (Mt 5.14; Lc 4.29). A terceira passagem (Lc 9.37) deve ser traduzida como "monte" para concordar com o uso de *oros* em Lucas 9.28.

6. A palavra grega *oreinos* é corretamente traduzida como "montanha" ou "região montanhosa" em Lucas 1.39,65.

J.R.

**CUMEEIRAS (ou "beiras do teto")** Um termo obscuro de arquitetura usado em conexão com a construção do templo de Salomão (1 Rs 7.9). Ali se lê: "Todas estas construções eram de pedras de valor, cortadas à medida... desde o fundamento até às beiras do teto". Este termo evidentemente se refere à fiada mais alta ou de cobertura na parede. *Veja* Arquitetura.

**CUMI** *Veja* Talitá Cumi.

**CUMPRIMENTO** *Veja* Saudação.

**CUMPRIR** *Veja* Profecia, Cumprimento de.

**CUNEIFORME** Nome dado à escrita peculiar desenvolvida na Mesopotâmia por volta de 3000 a.C., usada de forma modificada por muitas línguas desde o século II a.C. O nome significa, literalmente, "cunha", visto que os caracteres são compostos por grupos em impressões em forma de cunha, feitas por um estilete triangular em argila macia. Embora fosse usada em sua maior parte na argila, esta escrita também era feita na pedra, em metal e terracota (bem mais tarde foram inventadas outras escritas bastante independentes, que utilizavam caracteres em forma de cunha. *Veja* Escrita Ugarítica e Persa, abaixo).

Desenvolvida aparentemente na sua forma pictográfica original para comunicar a propriedade pessoal das mercadorias, e especialmente ofertas depositadas nos templos, as primeiras pinturas feitas foram raspadas em torrões de argila macia, e usadas para selar jarros. Com o passar do tempo, como elas mudaram para símbolos lineares, a base dos pictógrafos se tornou totalmente irreconhecível. Mais tarde, os símbolos passaram a ser constituídos de grupos complexos de impressões em forma de cunha, de vários tamanhos.

Gradualmente, o número e o tamanho das cunhas diminuíram até que no século VI a.C., um sinal que era composto por 20 ou mais cunhas passaram a exigir apenas cinco.

O fato de os sumérios terem inventado a escrita é atestado pelo fato de que a leitura original dos sinais era expressa em língua suméria. Por exemplo, a figura de um peixe era lida *ha*, que significava peixe em sumério, e a figura de uma cabeça humana era lida *sag*, que significava cabeça em sumério. Em pouco tempo, as figuras de objetos passaram a ser utilizadas para representar as idéias abstratas associadas aos objetos. Por exemplo, a figura de um pé (*DU*, no idioma sumério) também era lido como *gub*, "ficar em pé" e *gin*, "ir". Uma nova evolução foi o uso de sinais individuais para as palavras que soavam como a palavra que representava o objeto gravado originalmente, apesar de não estarem completamente relacionadas. Note o uso do sinal *BI* (um jarro) para o elemento pronominal "dele" que também é pronunciado *bi* em sumério. Depois, os sinais passaram a ser usados sozinhos, com o seu valor silábico, sem nenhuma referência ao objeto gravado, mas simplesmente como parte de uma palavra soletrada. Por exemplo, o sinal RA, originalmente a figura de uma rede, era usado como -ra, um sufixo dativo em sumério.

Junto com este desenvolvimento no uso da escrita da língua suméria, a forma se adaptou para que também fosse usada para escrever o idioma semítico e o acádio. Esta evolução seguiu as mesmas linhas. Além disso, as traduções acádias foram substituídas por várias leituras sumérias de sinais, e, ao mesmo tempo, o processo de silabação foi acelerado. Os cinco tipos básicos de sinais nos documentos acádios eram: sinais de palavra, sinais silábicos, determinativos (símbolos indicando que a palavra seguinte era um nome pessoal, um termo geográfico, um tipo de pedra, planta, animal, utensílio etc.), complementos fonéticos (uma sílaba escrita depois de um sinal de palavra para indicar a sua pronúncia), e numerais.

Talvez o sistema silábico cuneiforme pareça sem importância para nós, mas era suficientemente flexível para se tornar a escrita básica de muitas línguas além da língua dos seus inventores. Ela era usada pelos escribas para escrever elamita, hurriano, hitita, e urartu. Por outro lado, os hieróglifos egípcios permaneceram como locais e nunca foram usados em qualquer outra língua. Na verdade, as escritas cuneiformes silábicas continuaram em uso muito tempo depois que os alfabetos foram inventados.

Sua flexibilidade pode ser vista de outras formas. Os documentos escritos desta forma estão incluídos em quase todo tipo concebível de literatura: cartas comerciais, contratos, recibos, listas, cartas pessoais, mitos, hinos, poemas, provérbios, crônicas históricas, inscrições monumentais, textos matemáticos, textos gramaticais e vocabulários. Literalmente, centenas de milhares de documentos comerciais foram recuperados. Dados de tais documentos juntamente com registros do governo permitiram uma reconstrução detalhada considerável da vida cotidiana e de eventos políticos de mais de 3000 anos atrás; e, em alguns casos, em um grau muito maior do que pode ser feito em relação a muitas partes da Europa de apenas alguns séculos atrás.

Mas as primeiras inscrições cuneiformes tinham que ser decifradas. Esta foi uma tarefa difícil realizada com esplendor e diligência, principalmente por Grotefend, Rawlinson e Hincks, na metade do século XIX. Eles começaram com as inscrições reais persas de Dario e seus sucessores em um manuscrito totalmente diferente daquele que foi desenvolvido pelos sumérios. O manuscrito parece similar; entretanto, nele estão compostos sinais feitos por grupos de cunhas. Mas a similaridade termina aqui. O manuscrito persa é formado por 36 caracteres semelhantes a alfabetos, mais alguns sinais de palavras especiais, divisores de palavras e determinativos.

Estas inscrições reais foram notadas por aqueles que viajavam ao Oriente no século XVII depois de permanecerem desconhecidos por séculos. A comparação de nomes reais persas encontrados nestas inscrições com os mesmos nomes nos registros gregos e sassânidas forneceram pistas vitais. O grande número de sinais em inscrições neobabilônicas paralelas indicou um manuscrito mais complexo. Concluiu-se que tinham caráter alfabético, e apresentavam muitos sinais. O grande número de barras de argila descobertas por Botta em Corsabade em 1843, e por Layard em Nínive em 1845, ajudou consideravelmente, especialmente por fornecerem antigas listas de sinais com suas leituras compiladas pelos escribas assírios havia muitos anos. Na verdade, sem as centenas de barras similares encontradas mais tarde em Nippur, provavelmente muito pouco da língua suméria seria conhecida hoje.

Outra escrita cuneiforme de desenvolvimento independente formada por 36 sinais alfabéticos surgiu na Síria no século XV a.C. Ela registra uma língua semítica chamada ugarítica que está intimamente relacionada ao hebraico. As barras (ou tábuas) foram descobertas em Ras Shamra por Claude F. A. Schaeffer em 1929 e foram decifradas por Hans Bauer, Edward Dhorme, e Charles Virolleaud, dentre outros. Os textos são principalmente poemas de mitos, épicos e lendas. Eventualmente, manuscritos alfabéticos cananeus com modificações posteriores feitas pelos gregos e romanos, substituíram completamente os escritos cuneiformes e estes caíram no esquecimento, até que os arqueólogos os ressuscitaram e recuperaram as informações neles contidas. Veja Escrita; Ras Shamra.

***Bibliografia.*** Edward Chiera, *They Wrote on Clay, Chicago. Univ. of Chicago Press, 1938.* Johannes Friedrich, *Extinct Languages, Nova York. Philosophical Library, 1957.* Samuel Noah Kramer, *From the Tablets of Sumer, Indian Hills, Colo.. Falcon's Wing Press, 1956.*

F. R. S.

**CUNHA** Uma barra (heb. *lashon*, "língua") de ouro, provavelmente usada como uma forma de dinheiro. Uma cunha de 50 siclos em peso foi tirada de Jericó por Acã (Js 7.21,24). Uma barra de metal, parecida com a de ouro, com aprox. 25 centímetros de comprimento, 2,5 centímetros de largura e quase 4 centímetros de espessura, foi encontrada em Gezer por R. A. S. Macalister. Uma cunha semelhante é indicada nas cartas de Amarna (Nº 27, linha 61; e Nº 29, linha 39) do rei mitaniano Tushratta ao Faraó Amenotep IV. Uma fina tira de ouro, com ornamentos incrustados, usada como um enfeite para a testa, foi descoberta em Tell el-Ajjul em uma tumba da Idade Média do Bronze. (VBW, II, 32).

**CUNHADA** A cunhada deve ser respeitada e sua pessoa não pode ser violada (Lv 18.16; 20.21). *Veja* Casamento Levirato.

**CURA** *Veja* Doenças; Cura, Saúde.

**CURA DIVINA** *Veja* Cura, Saúde.

**CURA, SAÚDE**

### Princípios de Saúde

A Bíblia tem muito a dizer sobre cura e saúde. Em suas páginas podem ser encontrados muitos princípios sólidos para uma vida saudável, tanto do ponto de vista médico quanto do psicológico. A resistência física e o bem-estar do corpo nunca são desprezados nem rejeitados, mas são habilmente resumidos na oração do apóstolo: "Amado [acima de tudo], desejo que te vá bem em todas as coisas e que tenhas saúde, assim como bem vai a tua alma" (3 Jo 2).

A lei de Moisés definiu regras específicas que serviram para prevenir doenças, e ela continua sendo um "modelo de critério sanitário e higiênico" (R. K. Harrison, "Healing, Health", IDB, II, 542). O Código Sanitário Mosaico estipulou o descanso físico periódico por meio da observância do sábado; regras alimentares que diminuíam a possibilidade de contaminação com solitária e doenças tais como triquiníase e tularemia; profilaxia sexual e proibição de relações incestuosas, comuns entre povos vizinhos; limpeza, por meio da lavagem do corpo e das roupas; e normas sanitárias para os exércitos nos campos, que evitavam o surgimento de epidemias de doenças infecciosas (Dt 23.12,13).

A prevenção de doenças psicossomáticas é assegurada pela obediência à Palavra de Deus. "Favo de mel são as palavras suaves: doces para a alma e saúde para os ossos" (Pv 16.24; cf. 3.8; 4.22; 12.18; 13.17; 15.1,4). O conceito de saúde inclui todas as áreas da existência individual – o corpo, a mente e o espírito – como sugere o salmista: "Por que estás abatida, ó minha alma, e por que te perturbas dentro de mim? Espera em Deus, pois ainda o louvarei. Ele é a salvação da minha face e o meu Deus" (Sl 42.11). O perdão dos pecados e a purificação trarão saúde e cura (Jr 30.12-17; 33.6-8). A obra redentora de Cristo é a maior força curativa conhecida pelo homem; pois a culpa, a amargura, o ódio, a inveja e outras atitudes negativas são removidas, pois elas mesmas são doenças e causam todo tipo de enfermidades físicas e mentais. Os psiquiatras reconhecem o amor como sendo "o único antídoto que pode salvar o homem das inúmeras doenças produzidas pelas emoções da nossa natureza má" (S. I. McMillen, *None of These Diseases*, p. 78). Portanto, o novo mandamento do Senhor Jesus Cristo (Jo 13.34) e as diversas exortações dos apóstolos (por exemplo, Ef 4.25-32; Fp 4.4-8; 1 Pe 3.8-12) são a base para a cura e a saúde física e mental.

### A Cura Divina

Adicionalmente aos princípios de saúde, a Bíblia ensina que o ser humano pode recor-

rer a Deus para uma cura direta, quando outras possibilidades de cura falharem. A cura divina é um assunto sobre o qual existem diferenças de opinião desde o princípio da história da igreja cristã. Os protestantes e a igreja católica afirmam a sua prática, assim como os adeptos da Ciência Cristã e outras seitas ditas cristãs, juntamente com os muçulmanos e muitas das religiões pagãs.
Todos os cristãos concordam que a Bíblia ensina que Deus curou e pode curar os homens de todos os tipos de doenças; o fato de que no Antigo Testamento Miriã foi curada da lepra (Nm 12.10-15) e de que o Senhor Jesus Cristo curou muitos leprosos (Mc 1.40-44; Lc 17.12-19) prova, uma vez que essa doença ainda é muito difícil de controlar, e às vezes impossível de curar, que não se exclui nenhuma doença. Ao proclamar: "Eu sou o Senhor, que te sara", Deus prometeu aos israelitas que como resultado da sua obediência, Ele não lançaria sobre eles nenhuma das doenças que havia lançado sobre os egípcios (Êx 15.26; cf. 23.25; Sl 105. 37). Davi deu testemunho com respeito ao homem temente a Deus. "O Senhor o sustentará no leito da enfermidade; tu renovas a sua cama na doença" (Sl 41.3). O salmista repetidamente ora e agradece a Deus pela cura (Sl 6.2; 30.2; 103.3; 107.20; 147.3). A obediência à Palavra de Deus e uma atitude misericordiosa são comprovadamente essenciais para a cura e para a saúde (Sl 107.20; Pv 4.20-22; Is 58.6-8).
Algumas das curas registradas na Bíblia Sagrada ocorreram com o uso de algum expediente, como no caso de Ezequias, por meio de uma pasta de figos (2 Rs 20.2-11; cf. 1 Tm 5.23; Tg 5.14,15; Êx 15.23-26; Jr 8.22; 1 Sm 16.16; Mt 9.12). Outras ocorreram sem nenhum expediente, como por exemplo, no caso de Miriã.
Certamente, a Bíblia não se opõe ao uso de expedientes para a cura, uma vez que o próprio Senhor Jesus Cristo considerava normal que as pessoas fossem aos médicos (Mt 9.12). No caso de Asa, que tem sido citado como uma prova do contrário, os "médicos" que ele buscou na realidade eram o equivalente a mágicos pagãos (2 Cr 16.12). O ato de Asa revelou uma falta de fé em Deus e uma dependência de homens que eram muito parecidos com os curandeiros modernos. Na parábola do bom samaritano, o Senhor Jesus afirma que azeite e vinho foram aplicados sobre as feridas do viajante espancado (Lc 10.34). A mulher que tinha um fluxo de sangue sofria de uma doença que ultrapassava o conhecimento da medicina daquela época, e não justifica a rejeição que alguns cristãos demonstram em relação aos remédios comprovadamente eficazes (Mc 5.25,26; Lc 8.43). É significativo que Paulo tenha escolhido Lucas, um médico (Cl 4.14) como o seu companheiro de viagem.
Também existe um tipo de cura do qual participam alguns fatores adicionais, embora eles não sejam verdadeiramente terapêuticos, mas simplesmente simbólicos. Por exemplo, na cura de Naamã, o leproso, a sua entrada no Jordão parece falar da fé por parte de Naamã e da purificação, por parte de Deus (2 Rs 5.14). Também na cura de um cego, o Senhor Jesus cuspiu nos seus olhos (Mc 8.23), e no caso do homem que era cego de nascença, Ele fez uma mistura de terra e saliva (Jo 9.6). A imposição das mãos sobre o corpo do doente, realizada pelo Senhor Jesus e pelos discípulos (Lc 13.11-13; Mc 6.13), e a unção da pessoa enferma com azeite são símbolos da presença Divina, e do poder curativo Divino (Mc 6.13; Tg 5.14).

**Várias Teorias Sobre a Cura Divina**

Essas teorias se baseiam em algumas suposições de caráter geral:
1. Ao procurar a cura, estamos escolhendo entre Deus e os médicos. Por exemplo, A. B. Simpson escreveu: "Se você não consegue confiar no Senhor, então chame o médico... se você não consegue escolher o melhor de Deus, então escolha o segundo melhor dEle" (R. V. Bingham, *The Bible and the Body*, p. 20).
A rejeição ao uso de remédios revelados por Deus ao homem, como os usados na medicina moderna, a favor da cura divina direta, não é em si mesma um ato razoável de fé na providência maravilhosa de Deus. Deus pode levar alguns indivíduos a glorificá-lo com tal confiança e dependência, mas as Escrituras não parecem indicar que essa deva ser a regra geral para todos os crentes. Muitos cristãos estão vivos hoje devido às modernas descobertas da medicina e especialmente das práticas cirúrgicas.
2. A cura é uma parte da salvação possibilitada por Cristo na cruz, tanto quanto é o perdão dos pecados. Como uma prova, podemos citar Isaías 53.4*a* e 5*c*: "Verdadeiramente, ele tomou sobre si as nossas enfermidades e nossas dores levou sobre si... pelas suas pisaduras, fomos sarados", juntamente com Mateus 8.16,17. "E ele, com a sua palavra, expulsou deles os espíritos e curou todos os que estavam enfermos, para que se cumprisse o que fora dito pelo profeta Isaías, que diz. Ele tomou sobre si as nossas enfermidades e levou as nossas doenças".
É verdade que a palavra hebraica *holi* traduzida como "sofrimento" normalmente significa doença ou enfermidade, e a palavra *mak'oboth* significa dor, seja física ou mental. A. J. Gordon apóia a idéia de cura com a reconciliação na obra *The Ministry of Healing*, ao escrever: "Aqui existe uma referência a alguma coisa além do companheirismo solidário com os nossos sofrimentos. O jugo da sua cruz, pelo qual Ele nos liberou das nossas iniqüidades, também levou as nossas do-

enças; de modo que, de alguma maneira, é verdade que 'Aquele que não conheceu pecado, [Deus Pai] o fez pecado por nós'. O Senhor também fez com que Aquele que não conheceu enfermidades... ficasse enfermo por nós. A passagem parece ensinar que Cristo suportou por delegação tanto as nossas doenças quanto as nossas iniqüidades" (pp. 16-17). No entanto, grande parte dos evangélicos discorda dessa interpretação. Eles pensam que as passagens mencionadas somente provam que Cristo suportou as nossas doenças como uma carga pesada de sofrimento. É verdade que a palavra grega *bastazo* usada em Mateus 8.17 é usada no sentido de levar cargas (Gl 6.2; Rm 15.1), e é usada por Galen no sentido de remoção das doenças (Arndt, p. 137), mas nunca para referir-se a Cristo suportando o pecado imputado. Somente em um outro trecho único do Novo Testamento existe uma sugestão de cura pela expiação. Em 1 Pedro 2.24, o apóstolo conecta a expressão "pelas suas feridas fostes sarados" com o sacrifício da morte de Cristo na cruz, mas não existe menção explícita a uma doença física. O argumento também estabelece que Cristo nos redimiu da maldição da lei (Gl 3.13), da qual as enfermidades são um aspecto definido (Dt 28.21-27,59-61). Além disso, a cura, como uma primeira bênção da ressurreição, é prometida para os nossos corpos mortais por meio do Espírito Santo que habita em nós (Rm 8.11; cf. 6.12 no tocante a "corpo mortal").

3. As enfermidades podem ser o resultado do pecado.
Embora seja verdade que muitas enfermidades são uma punição pelo pecado enviada por Deus – por exemplo, as pragas que afligiram Israel quando eles se rebelaram contra Deus na peregrinação pelo deserto (Nm 11.33; 14.37; 16.47; 25.8,9,18), algumas são usadas por Deus para a sua própria glória (Jo 9.3) e outras para o bem da pessoa que as sofre (2 Co 12.7-10; *veja* Espinho na Carne).

4. A enfermidade pode ser atribuída ao diabo. William Branham, um evangelista que pregava a cura divina, por exemplo, orava da seguinte maneira: "Saia dele/dela, demônio do câncer". F. F. Bosworth explicava as enfermidades como sendo causas pela "opressão do demônio" (*Christ the Healer*, p. 1). Ele baseou o seu argumento no que Pedro disse aos gentios sobre o ministério de Jesus: Ele "andou fazendo o bem e curando a todos os oprimidos do diabo" (At 10.38). Oral Roberts concorda com Bosworth (Oral Roberts, *If You Need Healing*, p. 16). Há outros trechos que dão suporte a esta afirmação, como Lucas 13.16 que fala da mulher "a qual há dezoito anos Satanás mantinha presa". O argumento de Cristo de que Ele não expulsava demônios por Belzebu (Lc 11.14-23); a permissão de Deus para que Satanás afligisse Jó com chagas malignas (Jó 2.7), assim como algumas referências ao poder de Satanás (Jo 12.31; Hb 2.14,15; 1 Jo 3.8; 5.19) são usados para corroborar esse ponto de vista.
Embora esteja claro pelas Escrituras que Satanás freqüentemente inflige doenças sobre os homens, está igualmente claro que isso só ocorre com a permissão de Deus. Deus, como soberano, pode usar o sofrimento infligido por Satanás, e pelo homem, para os seus próprios objetivos e glória, e o faz (Rm 8.18,22,23,26,28). Muitas enfermidades, no entanto, derivam de outras causas que não são o resultado de uma ação direta de Satanás.

**Causas das Enfermidades**

Podem ser encontradas quatro principais razões para as enfermidades:

1. Uma conseqüência da maldição que caiu sobre a raça humana depois do pecado de Adão e Eva. Neste sentido, todas as enfermidades derivam do primeiro pecado do homem, embora isso não signifique que uma enfermidade de um indivíduo seja devida ao seu próprio pecado. O fato de que existe uma árvore com todos os tipos de frutas para a cura das nações em Ezequiel 47.12 e Apocalipse 22.2, indica que as enfermidades são o resultado do pecado de Adão e Eva, e que devem ser removidas, assim como a maldição trazida por aquele pecado será removida (Rm 8.18-23; cf. Gn 3.18,19).

2. Ignorância e falta de cuidados. Existem muitos casos em que a doença é causada pela ignorância do homem e até mesmo pela sua própria falta de cuidados. Uma prova do primeiro caso é a alta taxa de mortalidade de recém-nascidos até que Semmelweis e Lister descobrissem os anti-sépticos; porém a doença constante nos lares de alguns cristãos, em contraste com a maravilhosa saúde desfrutada por outros, se deve freqüentemente ao segundo caso. Com o progresso do conhecimento da medicina, diminui a ocorrência de vários tipos de doenças e a expectativa de vida do homem aumenta.

3. Pecado individual. A doença pode ser diretamente causada pelo pecado do homem, como no caso da disseminação de uma doença venérea, ou uma doença crônica causada pelo alcoolismo. A doença também pode ser enviada por Deus como uma punição, como no caso do pecado da presunção de Uzias (2 Cr 26.19,20). O Senhor Jesus Cristo ordenou a um dos doentes crônicos que Ele tinha curado. "Eis que já estás são; não peques mais, para que te não suceda alguma coisa pior" (Jo 5.14).

4. Como um castigo, para o desenvolvimento do caráter. Este uso particular da doença e dos acidentes, para treinar e desenvolver os filhos de Deus, não pode ser ignorado. O Senhor corrige àquele a quem ama (Hb 12.6). O crente deve encarar a sua passagem por diversos testes e provas (que podem incluir doenças) como uma bênção, por-

que se ele suportá-los pacientemente eles irão resultar no fruto aprazível da justiça, e ele receberá a coroa da vida como uma recompensa (Tg 1.2-4,12). Jó foi levado ao reconhecimento do seu orgulho e da sua atitude de autojustificação por meio das suas aflições, e arrependeu-se no pó e nas cinzas (Jó 40.4; 42.6). Paulo viu o espinho na sua carne como algo que Satanás poderia usar para esbofeteá-lo (2 Co 12.7), mas também como algo que Deus usava para conservá-lo humilde e fazer com que ele confiasse no Espírito Santo, em sua graça e em seu poder (vv. 9,10); conseqüentemente, o apóstolo se regozijou com isso. O fato de a doença poder ser usada por Deus para o desenvolvimento do caráter, da fé e da humildade nos seus próprios filhos faz com que seja impossível continuar a vê-la como sendo sempre o resultado imediato do pecado.

Nas ocasiões em que o Senhor Jesus Cristo não apenas curava os enfermos, mas também os perdoava dos seus pecados, como no caso do paralítico trazido por quatro amigos (Mt 9.2-8; Mc 2.3-12; Lc 5.18-26), não fica provado que a doença do homem era devida aos seus pecados, mas que Cristo estava exercendo a sua própria prerrogativa, como Deus, de perdoar pecados. E foi sob esse enfoque que os escribas e os fariseus enxergaram a situação (Mt 9.3; Mc 2.7; Lc 5.21). Ao mesmo tempo, como foi visto acima, é verdade que alguns estão doentes devido aos seus próprios pecados.

O fato de Paulo ter curado tantos outros (At 19.11,12), mas ele próprio não ter sido aliviado, mesmo tendo orado por isso três vezes, mostra que a vontade de Deus é a de que alguns sofram, para o seu próprio bem (2 Co 12.10). Isto também prova que a cura não depende exclusivamente da nossa fé em Deus; mas também depende da vontade de Deus. A "oração da fé" que cura o doente em Tiago 5.15 é aquela oração despertada por Deus, na qual o filho de Deus tem a certeza, antes de pedir, de que o seu pedido está de acordo com a vontade de Deus, e que será atendido. Isto fica claro em 1 João 5.14,15, onde se lê: "E esta é a confiança que temos nele: que, se pedirmos alguma coisa, segundo a sua vontade, ele nos ouve. E, se sabemos que nos ouve em tudo o que pedimos, sabemos que alcançamos as petições que lhe fizemos."

### As Curas Realizadas pelo Senhor Jesus Cristo e Pela Igreja Primitiva

Como as enfermidades não faziam parte da criação original, ao contrário eram uma coisa má, o Senhor Jesus nunca hesitou em curar os enfermos. Quando um leproso questionou se era a sua vontade purificá-lo da doença, o Senhor Jesus imediatamente baniu esse pensamento e curou o homem (Mc 1.40-42). Em sua missão de desfazer as obras do diabo (1 Jo 3.8), Ele fez todos os esforços possíveis para expulsar os demônios e curar os enfermos. Portanto, o seu ministério destinava-se tanto à mente e à alma quanto ao corpo. O seu objetivo era a restauração de toda a personalidade. Assim, a cura bíblica inclui as necessidades do homem como um todo.

De certo modo, as curas realizadas pelo Senhor Jesus Cristo devem ser classificadas em uma categoria especial. Através delas, Ele demonstrou e provou que era o Filho de Deus. Ele as realizou com o seu poder peculiar, e com o do Espírito Santo, que Ele possuía de forma ilimitada. Elas confirmaram a sua Pessoa e também o seu poder (Lc 4.14-21 com Is 61.1,2; Mt 11.2-5; 15.30,31 com Is 35.5,6). Os milagres e os dons espirituais de cura (1 Co 12.9,28) dos discípulos e da igreja primitiva eram semelhantes, no sentido de provar que esses homens eram verdadeiros seguidores de Cristo, e assim corroboravam com eles e com o seu ministério. Os milagres de Filipe em Samaria, a cura do mendigo coxo na porta do templo, e do coxo de Listra abriram as portas para a oportunidade de testemunhar a respeito de Cristo (At 3,4; 8.6-8; 14.8-18).

Por outro lado, nem os milagres de Jesus nem os dos apóstolos eram simplesmente sinais; eles eram uma função salutar do reino de Deus. Com a sua compaixão, o Senhor trazia verdadeiro alívio às multidões de sofredores que necessitavam de cura. Os escritos dos líderes da igreja dos três primeiros séculos dão testemunho do fato de que a oração e a expulsão dos demônios, como meios de cura, continuavam sendo eficientes, pelo menos em parte (*veja* a pesquisa de A. Harnack, *The Mission and Expansion of Christianity*, pp. 120-146).

Tanto o Senhor Jesus Cristo, como no caso do homem cego de nascença (Jo 9.1-38), quanto os apóstolos, como no caso do coxo curado por Pedro no templo (At 3.1-11), curaram aqueles que inicialmente não tinham nenhuma fé. Mas Cristo e os apóstolos também curaram outras pessoas com base na fé que elas possuíam (Mt 9.29; Mc 5.34; 10.52; Lc 7.50; 8.48; 17.19; At 14.9). Isto prova que as curas do Novo Testamento somente algumas vezes se basearam na fé da pessoa que foi curada. O mesmo é verdade quando ocorrem as curas genuínas por meio do ministério dos servos de Deus dos nossos dias.

*Veja* Enéias; Demonologia; Enfermidades; Milagres; Dons espirituais.

***Bibliografia.*** Paul E. Adolph, *Health Shall Spring Forth*, Chicago. Moody Press, 1956. Rowland V. Bingham, *The Bible and the Body*, 3ª edição, Londres. Marshall, Morgan e Scott, 1939. F. F. Bosworth, *Christ the Healer*, 7ª edição revisada, Miami. F. N.

Bosworth, 1948. C. B. Eavey, *Principles of Mental Health for Christian Living*, Chicago. Moody Press, 1956. Arno C. Gaebelein, *The Healing Question*, Nova York. Our Hope, 1925. A. J. Gordon, *The Ministry of Healing*, Nova York. Revell, 1882. Adolf Harnack, *The Mission and Expansion of Christianity in the First Three Centuries*, Nova York. Harper Torchbook, 1961. R. K. Harrison, "Healing, Health", IDB, II, 541-548. D. Martyn Lloyd-Jones, *Spiritual Depression. Its Causes and Cure*, Grand Rapids. Eerdmans, 1965. T. J. McCrossan, *Bodily Healing and the Atonement*, Youngstown, Ohio. C. Humbard, 1930. S. I. McMillen, *None of These Diseases*, Westwood, N. J.. Revell, 1963. Andrew Murray, *Divine Healing*, Fort Washington, Pa.. Christian Literature Crusade, s.d. A. Oepke, "*Iaomai*, etc." TDNT, III, 194-215. T. C. Osbron, *Healing the Sick*, Tulsa. Osborn Evangelistic Assoc., 1959. A. P. Waterson, "Disease and Healing", NBD, pp. 316ss.

R. A. K. e J. R.

**CURIANGO** Um falcão noturno. *Veja* Animais: III.25.

**CURTIDOR** *Veja* Ocupações: Curtidor.

**CUSÃ** Um nome originado de Cuxe, cujo significado não é conhecido com certeza. É usado como um paralelo a Midiã (Hc 3.7) e pode ser um nome mais antigo, poético, para esta terra ou para os seus habitantes, que eram descendentes de Cuxe. Alguns dizem que o nome significa Cusã-Risataim (q.v.), um rei mesopotâmio que oprimiu Israel cerca de 8 anos antes de ser destruído por Otniel (Jz 3.8-10). Isto é bem improvável, apesar de Josefo referir-se a este rei como Cusã (Ant.v.3.2).

**CUSAÍAS** Um dos cantores do santuário na época de Davi; um levita merarita (1 Cr 15.17). Em 1 Crônicas 6.44 ele é chamado de Quisi.

**CUSÃ-RISATAIM** Um rei da Mesopotâmia (Arã-Naaraim, "Síria dos dois rios"), que oprimiu Israel durante oito anos, não muito tempo depois da época de Josué. Foi derrotado por Otniel, o primeiro dos juízes (Jz 3.7-11). A identidade do rei é um mistério. Mesmo o seu nome é na verdade um epíteto, "Cusã duplamente ímpio", que provavelmente lhe foi atribuído pelos seus súditos israelitas. A identificação mais provável é com um obscuro conquistador heteu de Qusana-Ruma, um distrito do norte da Síria. Ele tinha conquistado Mitani (Mesopotâmia. *Veja* Hurrianos) na Síria, e então se dirigiu ao sul, contra Israel (cf. Unger, *Israel and the Aramaeans of Damascus*, pp. 40ss.).
Como Cusã é usado como um paralelo a Midiã em Habacuque 3.7, alguns imaginam que o rei era desse país e derrotou somente Judá, de onde veio o libertador Otniel.

**CUSI**
1. Bisavô de Jeudi, um príncipe dos dias de Jeremias (Jr 36.14).
2. O pai do profeta Sofonias (Sf 1.1)
3. Em 2 Samuuel 18.21-32, o mensageiro enviado por Joabe para anunciar a Davi o sucesso da batalha contra Absalão, assim como a morte deste. Aqui a versão RSV em inglês traduz o termo hebraico o Cushi como "o cuxita", isto é, o etíope.

**CUSPIR, SALIVA** O ato de cuspir sobre alguém, ou em direção a uma pessoa, é uma expressão de um extremo desprezo e rejeição em toda a Bíblia (Nm 12.14; Jó 17.6; 30.10). Um homem que se recusasse a participar de um casamento levirato (que impunha à viúva o casamento com o irmão do seu falecido marido) deveria ser humilhado publicamente e a viúva do seu irmão deveria cuspir em seu rosto (Dt 25.9). Isaías profetizou que o Servo Sofredor seria submetido a essa indignidade (Is 50.6), e o próprio Senhor Jesus previu que Ele seria humilhado deste modo (Mc 10.34; Lc 18.32). Tanto os judeus como os soldados romanos zombaram dEle desta maneira (Mt 26.67; 27.30; Mc 14.65; 15.19). Os essênios castigavam, cuspindo durante as suas reuniões, com uma penitência de 30 dias (Josefo *Wars* ii.8.9; *Manual of Discipline*, vii.13, *veja* Rolos do Mar Morto).
A saliva (ou o "cuspe") é mencionada em 1 Samuel 21.13 (heb. *rir*) e Jó 7.19. Era considerada viscosa ou repugnante como a clara *(rir)* de um ovo (Jó 6.6). O Senhor Jesus aplicou a sua saliva (grego *ptysma*) em diversos casos quando estava curando uma pessoa (Jo 9.6; Mc 7.33; 8.23). Agindo deste modo, o Senhor fez com que se lembrassem de uma prática amplamente difundida e muito comum entre os curandeiros judeus, e também entre os curandeiros greco-romanos. Por exemplo, de acordo com o Talmude, os rabinos condenavam o uso da saliva somente quando acompanhada por feitiçarias. Portanto, o Senhor indubitavelmente empregou a saliva não como um remédio, mas sim como um auxílio para a fé daquelas pessoas.

J. R.

**CUTA** Uma antiga cidade da Babilônia, aprox. 25 quilômetros a nordeste da Babilônia. Em 1880, Hormuzd Rassam identificou o local como Tel-Ibrahim, uma colina de aprox. 1000 metros de diâmetro, e pouco mais de 90 metros de altitude.
A única menção de Cuta no Antigo Testamento é encontrada em 2 Reis 17.24,30 onde é registrada como uma origem da população mesclada de Samaria. Quando Sargão II, rei da Assíria, deportou o povo do reino do norte

de Israel, ele trouxe os habitantes de outras áreas para tomar o lugar destes. Dentre eles, os habitantes de Cuta eram tão proeminentes que os judeus rabínicos aplicavam seu nome aos samaritanos em geral, e as palavras peculiares aos samaritanos eram chamadas de Cutias. Tábuas de contratos, o grande templo E-meš-lam (dedicado a Nergal, o deus do submundo), as ruínas da própria cidade, e as ruínas exteriores que se prolongam por quilômetros, indicam que aquela era uma cidade em crescimento com fundações que remetem à época dos sumérios. Há marcas de um grande aumento do desenvolvimento depois da destruição da Babilônia.

Em 2 Reis 17.30, é feita uma referência à introdução do culto pagão de Nergal em Samaria. A mistura racial e a apostasia das religiões trazidas para Samaria são suficientes para explicar a animosidade do povo de Judá em relação aos Samaritanos durante a restauração.

W. T. D.

**CUXE**

1. Possivelmente o filho mais velho de Cam, e neto de Noé (Gn 10.6-8). Ele era o pai de vários filhos, ou nações, incluindo Ninrode.
2. Um inimigo benjamita de Davi, de acordo com o título antigo do Salmo 7.
3. O povo e a terra de Cuxe. A palavra é geralmente (mas não consistentemente) traduzida como Etiópia na versão KJV em inglês. A designação Etiópia não é a melhor tradução, porque este termo não se refere ao estado moderno da Etiópia ou Abissínia. A Cuxe bíblica (a egípcia Kosh) circundava o Egito ao sul, a terra de Núbia ou o moderno Sudão. A linha divisora parece ter sido a primeira catarata, na cidade de Sevene, a moderna Assuã (Ez 29.10). A 23ª Dinastia Egípcia foi cuxita, e um dos seus reis é mencionado como adversário de Senaqueribe (2 Rs 19.9). Veja Etiópia.
4. Outra terra que se descreve como rodeada pelo rio Giom (Gn 2.13). Visto que este rio corria pela mesma região do Tigre e do Eufrates (Gn 2.10-14), esta terra se localiza a oeste do Irã, e era a terra dos cassitas, um povo poderoso que dominou a Babilônia na época de Moisés.

P. C. J.

**CUZA** Procurador de Herodes Antipas, provavelmente cuidava de sua propriedade. Ele era o marido de Joana, uma galiléia que, tendo sido curada de uma doença ou da possessão de um espírito mau, seguiu Jesus e lhe prestava assistência com os seus bens (Lc 8.2,3; 24.10).

# D

**DÃ, DANITAS** Um dos filhos de Jacó com Bila (Gn 30.5,6). Ele teve um único filho, Husim (Gn 46.23) ou Suão (Nm 26.42). A última bênção profética de seu pai Jacó era figurativa para ele e seus descendentes: "Dã julgará o seu povo, como uma das tribos de Israel. Dã será serpente junto ao caminho, uma víbora junto à vereda, que morde os calcanhares do cavalo e faz cair o seu cavaleiro por detrás" (Gn 49.16,17). Geralmente, sua interpretação lhe confere o significado de que Dã iria lidar com os inimigos de Israel juntamente com as outras tribos. Moisés se referiu a Dã como um leãozinho que saltará de Basã (Dt 33.22).

A tribo de Dã recebeu uma área na parte central de Canaã, em frente ao Mar Mediterrâneo. Ao norte tinha uma fronteira comum com Efraim, a oeste, com Benjamin e, ao sul, com Judá. Seu território compreendia as cidades de Zorá, Aijalom, Ecrom, Elteque e as fronteiras de Jafo (ou Jope; Js 19.40-46; 21.5,23,24; cf. Jz 5.17).

Parece que os amorreus limitaram os esforços de Dã de tomar posse da área que lhe havia sido designada. Pressionados pela necessidade de ter um espaço maior para viver, os danitas enviaram espiões ao extremo norte da fronteira da Palestina, próximo aos contrafortes ao sul do Monte Hermom, a fim de procurar um novo território. Encontraram o lugar desejado na vizinhança de Laís e, com uma expedição de soldados, tomaram conta desse território. Em seguida, assassinaram os habitantes e reconstruíram a cidade dando-lhe o nome de Dã (Js 19.47; Jz 18).

A expressão "de Dã até Berseba" às vezes é usada para denotar os limites norte e sul da área habitada da terra prometida (Jz 20.1; 2 Sm 3.10, etc.).

H. A. Han.

**DÃ[1], CAMPO DE** Localidade a oeste de Quiriate-Jearim, na região sudoeste da Palestina. Na historia de Sansão (Jz 13.25) existe uma faixa de território onde a tribo de Dã, o último dos grupos israelitas a tentar se estabelecer em Canaã ergueu acampamentos temporários, mas não foi capaz de ali se fixar permanentemente por causa dos filisteus. Na historia de Miquéias (Jz 18.11,12), entretanto, esse nome foi dado ao lugar onde os guerreiros de Dã acamparam durante sua marcha para o norte. Portanto, é possível que o mesmo nome seja aplicado tanto a um lugar como a um território.

**DÃ[2], CIDADE DE** Cidade localizada próximo às nascentes do Rio Jordão, geralmente identificada com Tell el-Qadi porque o nome árabe significa "túmulo do juiz", que corresponde a Dã ou "juiz" (veja AASOR, VI, 16). Proverbialmente, era o ponto mais distante ao norte de Israel, como foi exemplificado pela expressão "de Dã até Berseba" e suas variações (Jz 20.1; 1 Cr 21.2 *et al.*).

O nome original da cidade era Laís (Laíe) ou Lesém (Js 19.47; Jz 18.7). Sob esse nome (que se escreve *rws* na língua egípcia) ela aparece antes de Hazor na relação das cidades conquistadas por Tutmósis III (nº 31) e é encontrada no segundo grupo de textos de Execração Egípcia de cerca de 1825 a.C. Uma tábua de Mari, datada de cerca de 1780-1760 a.C., registra uma remessa de estanho enviada da cidade de Eufrates ao governador de Laís, com o nome hurriano de Wari-taldu (A Malamat, "*Syro-Palestinian Destinations in a Mari Tin Inventory*", IEJ, XXI [1971], 35ss.). Foi capturada pelos danitas que lhe deram o nome de sua tribo (Js 19.47; Jz 18). Em sua perseguição aos invasores da Mesopotâmia, Abraão viajou até Dã (Gn 14.14). Alguns sugeriram que esse era um outro lugar, conhecido em 2 Samuel 24.6 como Dã-Jaã. Entretanto, parece ser mais provável

O local da antiga Dã. JR

que Dã-Jaã seja uma variação textual que deva ser corrigida com base em 1 Reis 15.20 e interpretada como "Dã e Ijom".

A cidade havia ficado conhecida por sua associação política e cultural com Sidom (Jz 18.7,28). Depois de conquistada pelos danitas, Jônatas, filho de Gérson, e seus descendentes serviram como sacerdotes até o "dia do cativeiro da terra" (Jz 18.30). Jeroboão I estabeleceu o culto ao bezerro de ouro (1 Rs 12.28-30) que continuou a se propagar mesmo depois da reforma de Jeú (2 Rs 10.29; Am 8.14). Foi conquistada por Ben-Hadade, juntamente com outras cidades da região a mando de Asa, rei de Judá, que precisava de uma ação divisionária que lhe permitisse evitar a pressão de seu rival Baasa, rei de Israel (1 Rs 15.20; 2 Cr 16.4). Em Dã, foi encontrada uma vasilha com a inscrição: "pertence aos açougueiros (ou cozinheiros)", em aramaico, indicando a ocupação síria de Ben-Hadade I (PEQ, C [1968], 42ss.).

Em 1966, o *Israeli Department of Antiquities* começou a investigar a muralha de 22 metros de altura que havia sido edificada no início da Era do Bronze. Suas principais fortificações haviam sido construídas na época dos hicsos. Nos períodos posteriores, toda ocupação se desenrolou na própria muralha, exceto por um edifício monumental, da Idade do Ferro II, nas encostas da muralha e anexado ao muro da cidade. Uma espessa camada de cinza indicava a destruição dessa cidade, da última fase da Idade do Bronze, confirmando o relato existente em Juízes 18.27 sobre a captura e o incêndio de Laís pelos danitas (IEJ, XVI 144ss.).

Nas três temporadas seguintes, foi escavada a porta da cidade, localizada do lado leste da muralha, a maior já descoberta na Palestina. Provavelmente construída durante o reinado de Jeroboão I, essa porta tinha um caminho pavimentado com pedras para as procissões, desde as proximidades da muralha até a cidade. Perto da entrada, existia um banco de 5 metros de comprimento, encostado na parede externa de uma das torres da muralha, com uma estrutura semelhante a um pálio, com colunas decoradas com capitéis em seus quatro cantos. Provavelmente, o rei sentava-se nesse lugar de honra (cf. 1 Rs 22.10) durante suas visitas a Dã, ou pode ter servido como base para uma estátua de algum culto religioso. É provável que os remanescentes encontrados junto ao canto noroeste da muralha tenham sido parte da instalação do lugar de honra de Jeroboão. Delicados trabalhos de alvenaria, que exigiam ferramentas e esticadores, rodeavam a estrutura. Essa construção, e toda a cerâmica encontrada, inclusive cinco lâmpadas de óleo com sete bicos, são típicos do período da monarquia israelita (I.EJ. XIX [1969], 121ss., 239ss.).

A. F. R.

**DABERATE** Cidade mencionada em Josué 21.28.
Cidade dos levitas situada na linha fronteiriça entre Zebulom (Js 19.12) e Issacar (Js 21.28), provavelmente a moderna Deburiyeh, aos pés do Monte Tabor. Por sua localização estratégica, pode ter sido o local onde Sísera foi derrotado por Baraque (Jz 4.14-22).

**DABESETE** Cidade montanhosa (seu nome significa "corcova") de localização incerta na fronteira de Zebulom (Js 19.11).

**DAGOM** *Veja* Falsos deuses.

**DÃ-JAÃ** *Veja* Dã, Cidade de.

**DÁLETE** Quarta letra do alfabeto hebraico. *Veja* Alfabeto. Ela foi usada no Salmo 119 para designar a quarta parte, onde cada verso começa com uma letra. A palavra hebraica "dálete" significa "porta" e tinha a aparência de uma porta em sua forma pictográfica mais primitiva.

**DALFOM** O segundo dos dez filhos de Hamã que foram condenados à morte pelos judeus após o triunfo da rainha Ester (Et 9.6-13).

**DALILA** Uma mulher filistéia que vivia no vale de Soreque em aprox. 1100 a.C., a quem Sansão revelou o segredo de sua força (Jz 16.4-22). O Uádi Soreque é a principal passagem que leva a oeste descendo de Jerusalém, pela Sefela ou contrafortes da planície marítima. Embora tenha havido pelo menos três mulheres na vida de Sansão, foi Dalila quem recebeu maior atenção nas Escrituras. Ela teve êxito onde todos os outros falharam em derrotar o campeão de Israel. Sansão a amava (Jz 16.4) e a via freqüentemente. Notando isto, o líder dos filisteus procurou, através de suborno, realizar o que eles haviam sido incapazes de fazer pela força. O suborno pelo qual eles a persuadiram a enganar Sansão era tão grande, que pode sugerir que ela tivesse sua lealdade voltada a Israel. No entanto, sua ligação com Sansão pode ter sido tão forte, que uma grande soma foi necessária para que ela traísse o seu amante, mesmo que ele fosse um inimigo de sua nação. Cada um dos cinco governantes filisteus prometeu pagar a ela 1.100 siclos de prata (Jz 16.5). Em siclos de prata, a quantia total era quase quatorze vezes mais elevada do que o preço pago por Abraão por um lugar para sepultar sua esposa (Gn 23.15).
Sansão suspeitou que Dalila estivesse interessada em outra coisa que não o romance e, por três vezes, a enganou quanto à fonte de sua força. Na terceira tentativa, Sansão aparentemente dormiu nos seus joelhos enquanto ela tecia suas tranças com a urdidura da teia e com o pino do tear. Desta vez ele escapou com o pino do tear e tudo. Em sua quarta tentativa, Dalila o acusou de falta de amor dia após dia, até que ele cedeu e lhe contou a verdade. O segredo de sua força residia em seu voto de nazireu que o separava para Deus para um serviço especial, sendo que o cabelo não cortado era o símbolo deste voto. Dalila agora percebeu que seu segredo estava revelado, e com confiança convocou os filisteus, que vieram trazendo o dinheiro. Ela novamente o colocou para dormir nos seus joelhos e então chamou um homem para cortar seu cabelo. Por causa disso, Dalila conquistou a fama permanente, de sedutora astuta que traiu seu amante por uma grande soma de dinheiro.
G. A. T.

**DALMÁCIA** Nome originalmente aplicado à terra dos dálmatas, tribo guerreira da Ilíria. Mais tarde, a porção ao sul da província de Ilírico recebeu esse nome. Finalmente, ele foi aplicado a todas as províncias localizadas na praia oriental do Mar Adriático. Em 2 Timóteo 4.10, Paulo registrou a partida de Tito para essa província. Não se sabe se nesse lugar haviam sido estabelecidas igrejas antes dessa visita.

**DALMANUTA** Lugar onde Jesus e seus discípulos desembarcaram depois que o Senhor alimentou mais de 4.000 pessoas (Mc 8.10). Sua localização é desconhecida, mas acredita-se ser uma praia no lado ocidental do Mar da Galiléia, um lugar ao sul da planície de Genesaré. Provavelmente, o mesmo que Magdala (ou Magadã) em Mateus 15.39. Às vezes, esse lugar é identificado como a cidade de Maria Madalena, mas não existe nenhuma evidência disto.

**DAM** Nome comum para designar a fêmea de quadrúpedes com cria. A lei hebraica proibia a execução, ao mesmo tempo, da fêmea e de seus filhotes quando estavam no ninho (Dt 22.6-7). Uma ave só podia ser retirada do ninho (para o sacrifício) depois de ter passado sete dias com sua mãe (Êx 22.30; Lv 22.27).

**DÂMARIS** Mulher ateniense que, com Dionísio, o areopagita, e mais alguns outros, foram convertidos quando Paulo lhes falou no Areópago (At 17.34). O fato de seu nome ser identificado junto com o de Dionísio pode indicar alguma distinção pessoal social (cf. At 13.50; 17.12).

**DAMASCENOS** Os habitantes de Damasco (q.v.) sob Aretas, o governante árabe ou nabateu, eram chamados de damascenos (2 Co 11.32).

**DAMASCO** Damasco (em grego *damaskos,* em hebraico *dammaseq* e em aramaico *darmeseq*, 1 Cr 18.5; 2 Cr 28.5), principal cidade da antiga Síria (Is 7.8), tem uma longa tradição que pode ser identificada até o período pré-histórico. A *'Aram Darmeseq* [Síria de Damasco] de 1 Crônicas 18.6 corresponde à moderna cidade de Damasco. Essa cidade era conhecida pelos egípcios como Apum, de acordo com os textos Saqqara Execration (século XIX a.C.) e aparece tanto nos registros de Tutmósis III (século XV) como nas cartas de Amarna (século XIV). Os assírios conheciam essa cidade com o nome de *Dimashqi* e *Bit-Haza'-ili* (Casa de Hazael). Ela era bem servida de águas através dos rios cristalinos chamados Abana e Farpar (ou Farfar; 2 Rs 5.12).

No AT, ela foi mencionada primeiramente em Gênesis 14.15 como cenário do resgate de Ló por Abraão. É possível que seu servo Eliézer tenha vindo dessa cidade (Gn 15.2; veja William F. Albright, *Yahweh and the Gods of Canaan*, Garden City. Doubleday, 1968, pp. 65ss., n. 30). Na época de Davi, Damasco era uma cidade-estado muito influente e o local de várias coalisões. Quando a cidade enviou tropas para ajudar Hadadezer de Zobá que lutava contra Davi, Davi capturou a cidade e lá colocou uma guarnição (2 Sm 8.5,6; 1 Cr 18.5).

Na época de Salomão, Rezom de Zobá capturou Damasco e fez dela a capital da cidade-estado da Síria (1 Rs 11.24). Seus sucessores Heziom e Tabrimom fortaleceram a cidade. Asa, de Judá, fez uma aliança com Ben-Hadade, filho de Tabrimom, quando foi atacado por Baasa de Israel (1 Rs 15.18,19). Esse mesmo rei, ou Ben-Hadade II (em acádio, língua Assírio-babilônica, Adad-idri), devolveu para Acabe as cidades que haviam sido tomadas de Israel e deu concessões a Acabe em Damasco, talvez para assegurar sua ajuda em uma coalizão antiassíria (1 Rs 20.34). Na grande batalha de Qarqar, em 853 a.C., Acabe de Israel lutou ao lado de Ben-Hadade e outros dez reis contra a Assíria. Algum tempo depois, Acabe foi morto lutando contra o "rei da Síria" (1 Rs 22.29-36).

"Rua chamada Direita", Damasco. HFV

Damasco.HFV

O profeta Elias foi enviado por Deus para ungir um certo Hazael como futuro rei da Síria (1 Rs 19.15). Mais tarde, Elizeu, que havia curado o general Naamã (2 Rs 5) foi para Damasco e Ben-Hadade, que estava enfermo, enviou Hazael para perguntar ao profeta se poderia se recuperar da doença. Hazael assassinou o velho rei e tomou o seu lugar (2 Rs 8.15). Nos anos seguintes, Hazael invadiu as terras israelitas. Quando Jorão, de Israel, se opôs a ele, foi ferido em uma batalha (2 Rs 8.29).

Durante alguns anos antes de 800 a.C., Damasco sofreu repetidos ataques dos assírios. Em 843 a.C., Hazael foi sitiado por Salmaneser III. Ele suportou o cerco, mas com terríveis perdas. Quando os assírios se retiraram, Hazael atacou Israel novamente e ocupou toda a Transjordânia (2 Rs 10.32ss.). Ele alcançou até as terras costeiras de Judá nos dias de Joás (2 Rs 12.17; 835-796 a.C.). Em 805-803 a.C., os assírios, sob o governo de Adade-Nirari III, atacaram Hazael e, novamente em 797 a.C., o rei Salmaneser IV atacou Damasco. Esses repetidos ataques enfraqueceram tanto a cidade, que Jeoás de Israel foi capaz de recuperar as cidades que

Israel havia perdido para Hazael (2 Rs 13.25).
Durante os anos seguintes, estados sírios lutavam entre si enquanto a Assíria também era ocupada. Então, em 739 a.C., tanto Menaém de Israel quanto Rezim de Damasco, tornaram-se vassalos de Tiglate-Pileser da Assíria. Eles conseguiram escapar algum tempo depois e procuraram formar uma coalizão contra a Assíria. Quando Judá recusou-se a se unir a eles, Peca de Israel e Rezim de Damasco marcharam sobre Judá (2 Rs 16.5; 2 Cr 28.5-8). Acaz apelou para a ajuda de Tiglate-Pileser e esse último lançou uma série de ataques em 734-732 a.C. que terminaram com a morte de Rezim, a conquista de Damasco em 732 a.C., e a perda de áreas do território israelita (2 Rs 15.29; 16.9ss). Esse resultado havia sido previsto por Amós (1.4ss.) e Isaías (8.4; 17.1).
Nessa época, Acaz de Judá foi convocado a ir a Damasco a fim de prestar reverência, sendo obrigado a colocar no templo de Jerusalém uma cópia do altar pagão que lá existia (2 Rs 16.10-12; 2 Cr 28.23). A partir daí, Damasco tornou-se uma cidade da província assíria de Hamate, e perdeu toda a sua importância política, embora fosse um centro comercial (Ez 27.18). Ela foi considerada a fronteira ideal de Israel (Ez 47.16ss.; 48.1; Zc 9.1ss.). *Veja* Síria; Sírios.
Sob os governantes selêucidas, Damasco era apenas a segunda cidade da Síria. Em 111 a.C, Antíoco IX fez dela a capital da Coele-Síria e foi conquistada pelos nabateus em 85 a.C., que a perderam para Tigranes, o rei armênio. Finalmente, tornou-se uma cidade romana de 64 a.C. até 33 d.C. Mais tarde, foi governada pela tribo de Aretas IV (9 a.C. – 40 d.C.), o rei nabateu (2 Co 11.32). Paulo visitou as sinagogas aqui, após sua conversão (At 9.8-25), mas teve que escapar pelos muros da cidade quando surgiram os problemas (At 9.25; 2 Co 11.33). O apóstolo retornou mais tarde, depois de passar um período na Arábia (Gl 1.17).
A atual Porta Oriental da cidade velha, data, provavelmente, do período romano. Ela consistia de três arcos, porém dois deles foram agora fechados com tijolos. A partir dessa Porta, a rua que se dirige para o oeste é sede de um dos bazares da cidade e ainda é chamada de "Rua Direita"; provavelmente ela ainda conserve as características da "rua chamada Direita" de Atos 9.11.
Na primeira parte da era cristã, Damasco ocupava o segundo lugar em importância, atrás da Antioquia. Damasco caiu nas mãos dos árabes em 634 d.C.

Porta oriental, Damasco. HFV

***Bibliografia.*** A Dupont-Sommer, *Lés Araméens*, Paris. A Maisonneuve, 1949. A Jepsen, "Israel und Damaskus", *Archiv. für Orientforschung*, XIV (1942). 153-172. Merrill F. Unger, *Israel and the Aramaeans of Damascus*. Grand Rapids. Zondervan, 1957. WHG, pp. 219, 234-239, 255-257.

J. A. T.

**DAMASCO** *Veja* Plantas.

**DAMIM** *Veja* Efes-Damim; Pas-Damim.

**DANÁ** Cidade na montanha de Judá a sudoeste de Hebrom, talvez associada com a moderna Idnah (Js 15.49).

**DANÇA** Essa palavra ocorre, de uma forma ou de outra, 25 ou 30 vezes na Bíblia, principalmente no AT como tradução de várias palavras hebraicas e duas palavras gregas. Uma das palavras hebraicas significa "rodar ou torcer"; outra, "pular ou saltar", e, ainda outra, "girar, rodopiar". Das duas palavras gregas, a mais comum sugere um "movimento regular" e a outra "cantar" (Lc 15.25), de onde vem a palavra "coro".
Existem vários tipos de dança na Bíblia, geralmente executada por mulheres: aquela que representa alegria, aquela que representa adoração e aquela que pode ser classificada como diversão. Exemplos de danças de alegria podem incluir a dança citada em Juízes 11.34, quando a filha de Jefté vai ao seu encontro depois da grande vitória sobre os filhos de Amom, "com adufes e com danças". Também pode ser incluído o júbilo das mulheres na vitória de Davi sobre Golias, quan-

Dançarinos acrobáticos retratados na tumba de Mereruka, Sakkara, Egito. LL

do dançaram e cantaram com instrumentos de música (1 Sm 18.6; 21.11; 29.5).

Exemplos de danças relacionadas com a adoração são encontrados em Êxodo 15.20; 32.19; Juízes 21.19-23 e 2 Samuel 6.14-16. Na primeira dessas referências, Miriã e outras mulheres estão celebrando “com tamboris e com danças” a segura travessia do Mar Vermelho por Israel. Na segunda, o povo dança, desnudo, perante o bezerro de ouro confeccionado por Arão para ser adorado. Na terceira, no lugar onde estavam localizados o Tabernáculo e a Arca, as filhas de Siló vão para o campo e dançam. Essa era provavelmente uma dança religiosa. No último exemplo, o rei Davi, tendo levado a arca até Jerusalém e estando profundamente agitado pelo acontecimento, salta e dança “perante o Senhor”. Também os Salmos fazem ocasionais referências ao ato de dançar (30.11; 149.3; 150.4).

O único exemplo que a Bíblia oferece sobre a dança como diversão parece ser o da filha de Herodias (Mt 14.6; Mc 6.22). Ela foi um prelúdio para o assassinato de João Batista.

A dança, como a conhecemos atualmente, executada por pares de pessoas de sexos opostos, parece ser inteiramente desconhecida na Bíblia.

Devem ser mencionadas outras duas referências sobre dança no NT. Uma delas é o comentário de nosso Senhor em Mateus 11.17 e Lucas 7.32 sobre a rejeição de João Batista e dele próprio. Ele faz uma comparação com a recusa das crianças sentadas nas praças de responder a músicas alegres ou tristes. Ele diz: “Tocamo-vos flauta, e não dançastes; cantamo-vos lamentações, e não chorastes”. Esta passagem, e também Jó 21.11ss., indicam que era bastante comum para as crianças pelo menos dançar de alegria nos tempos bíblicos. Provavelmente isso sempre foi verdade. O outro exemplo tem uma importância semelhante. Em Lucas 15.25, o filho mais velho ouve música e danças na casa depois da volta de seu irmão mais novo – novamente um exemplo de dança de alegria.

Portanto, exceto no caso da filha de Herodias, a dança na Bíblia parece estar pouco relacionada com a sensualidade e está, ao contrario, geralmente associada ao sentimento de alegria, ou por causa das circunstâncias ou por causa da gratidão pelas bênçãos do Senhor.

*Veja* Jogos.

J. A. S.

**DANIEL** Herói do AT e principal personagem do livro de Daniel. De linhagem nobre e real (Dn 1.3), foi levado como prisioneiro para Babilônia por Nabucodonosor em 605 a.C. juntamente com outros jovens judeus com as mesmas qualidades e capacidade (1.1-7). Ali passou os resto de sua vida e ganhou destaque como profeta e estadista.

Daniel foi instruído sobre a língua e a civilização dos caldeus (1.4). Ele e seus amigos Hananias, Misael e Azarias foram agraciados com o generoso menu da corte pagã. Como o alimento real era contra a lei de Moisés, e poderia torná-lo menos eficientes, Daniel “assentou em seu coração não se contaminar com a porção do manjar do rei, nem com o vinho que ele bebia” (1.8). Como uma concessão ao seu pedido, Daniel e seus amigos tiveram permissão de apenas comer vegetais e beber água durante dez dias, e demonstraram ter ficado mais saudáveis que os demais companheiros. Os supervisores perceberam que esses jovens judeus possuíam grande habilidade e sabedoria. Ao final de seu período de treinamento foram reconhecidos pelo rei como superiores a todos os homens sábios da corte real.

Através da divina revelação, Daniel contou o sonho que o rei havia esquecido e também deu a interpretação, que incluía a destruição do reino de Nabucodonosor (Dn 2).

O rei elogiou Daniel, honrou o seu Deus e o recompensou com presentes preciosos (2.46,47) e também "o pôs por governador de toda a província de Babilônia, como também por principal governador de todos os sábios de Babilônia" (2.48). Mais tarde, Daniel interpretou outro sonho de Nabucodonosor e disse ao rei que, durante algum tempo, ele perderia seu trono, mas que este seria recuperado depois que ele tivesse se humilhado completamente (Dn 4).

Deus revelou, através de Daniel, certos aspectos do reino messiânico que poderiam interferir no curso da história e da eternidade. *Veja* Daniel, Livro de.

Durante mais de 20 anos (561-539 a.C.) nada foi registrado a respeito de Daniel; pode ser que ele tenha perdido sua posição e o favor real. Então, na festa de Belsazar (q.v), que era o co-regente com seu pai Nabonido, a rainha (provavelmente mãe de Belsazar, e filha de Nabucodonosor) lembrou-se de Daniel, que foi convocado para interpretar uma estranha inscrição na parede (Dn 5.10-28). De acordo com sua interpretação, a Babilônia seria conquistada naquela noite (539 a.C.) por Dario, o medo. Embora a história secular não tenha, até o momento, conhecido um personagem medo com o nome de Dario, ele foi identificado por competentes estudiosos como sendo Gobryas, governador da Babilônia no reinado de Ciro (John C. Whitcomb, *Darius the Mede*). Dario reconheceu a habilidade de Daniel e o fez chefe de um conselho de três presidentes e "pensava constituí-lo sobre todo o reino" (Dn 6.3).

Em sua religião, Daniel manifestava a mesma fidelidade incondicional. Ele desafiou o decreto de Dario e orava a Deus ao invés de fazer petições ao rei. Foi lançado na cova dos leões e milagrosamente salvo (Dn 6). Ele nunca transigiu as suas convicções, nem hesitou em sua lealdade a Deus. Viveu até o terceiro ano do reinado de Ciro (536 a.C.), chegando, provavelmente, a 90 anos de idade e ainda bastante ativo.

Ezequiel se referia a Daniel como um homem de grande sabedoria e piedade (Ez 28.3) e o colocava ao lado de pessoas tão dignas quanto Noé e Jó (Ez 14.14,20), homens de renomada virtude. Jesus se referiu a Daniel pelo menos uma vez (Mt 24.15).

C. J. H.

## DANIEL, LIVRO DE

### Características Gerais

O livro de Daniel ocupa um lugar único no AT. Ele introduz predições maravilhosas sobre a vinda do Messias e do Reino de Deus. Na Bíblia Sagrada (tanto em português quanto em inglês), ele se encontra entre os maiores profetas depois de Ezequiel; na Bíblia hebraica, ele se encontra entre os Escritos, a terceira divisão do cânon judeu. Na Bíblia hebraica, as passagens em hebraico de Daniel 1.1–2.4*a* e 8.1–12.13 revelam o significativo papel de Israel nos desenvolvimentos internacionais; a passagem em aramaico de Daniel 2.4*b* – 7.28 indica a ordem de sucessão, o caráter e o destino das nações pagãs.

### Esboço

I. A história de Daniel, capítulos 1–6
   A. A juventude e a educação de Daniel, capítulo 1
   B. A imagem do sonho de Nabucodonosor, capítulo 2
   C. Fidelidade dos companheiros de Daniel, capítulo 3
   D. A árvore do sonho de Nabucodonosor, capítulo 4
   E. A festa de Belsazar, capítulo 5
   F. Daniel na cova dos leões, capítulo 6
II. Visões de Daniel, capítulos 7–12
   A. A Visão dos quatro animais, capítulo 7
   B. Visão do carneiro e do bode, capítulo 8
   C. A oração de Daniel; visão das 70 semanas, capítulo 9
   D. A última visão de Daniel, capítulos 10–12
      1. O anjo aparece para encorajar Daniel e predizer o futuro, capítulo 10
      2. Pérsia e Grécia; lutas entre os ptolemaicos e os selêucidas; opressão sofrida sob Antíoco Epifânio, capítulo 11
      3. A Era Messiânica e sua consumação, capítulo 12

### Data e Autoria

Desde a antiguidade a tradição judaico-cristã tem declarado que Daniel escreveu esse livro durante o exílio no século 6 a.C. O fato de os homens da Grande Sinagoga terem escrito o livro de Daniel durante o período de Esdras e Neemias, de acordo com o Talmude, significa apenas que eles o copiaram. O livro pretende revelar uma historia séria e afirma que Daniel pronunciou as profecias ali contidas. Jesus referiu-se à "abominação da desolação, de que falou o profeta Daniel" em Mateus 24.15.

Até o momento, a opinião tradicional tem sido seriamente questionada. Porfírio, um filósofo platônico do século III depois de Cristo, afirma que o livro foi escrito no século II a.C. Muitos estudiosos modernos consideram que um escriba piedoso usou a figura de Daniel (o uso de pseudônimos era um costume antigo), para estimular lealdade a Deus e manter o entusiasmo pela causa nacional durante a revolta dos macabeus de 167-164 contra o governante selêucida Antíoco Epifânio. Segundo essa opinião, o livro de Daniel consiste de historias espúrias sobre Daniel na corte Babilônica durante o perío-

A cidade de Babilônia tal como Daniel deve ter conhecido. O zigurate está situado em primeiro plano e a rua da Procissão estende-se até o centro do quadro. ORINST

do do Exílio e as visões atribuídas a ele, que atravessam a história de Israel desde esse período até o período do próprio escritor, estão concentradas nos anos da perseguição, e sua consumação no reino de Deus.
Apesar dessa prevalecente opinião crítica contra conferir ao livro a data do século VI, uma gradual inclinação tem sido registrada em direção a uma data anterior. A descoberta do nome de Belsazar (q.v.) nas tábuas de argila da Babilônia, e a provável identificação feita por Whitcomb em relação a Dario, o medo (q.v.) com sendo Gubaru (em grego, Gobryas), foram muito longe para reivindicar a precisão histórica desse livro para o século VI Supostos problemas lingüísticos e exegéticos têm sido mais que adequadamente respondidos por estudiosos conservadores (SOTI, pp. 368ss.). Fragmentos de Qumran do livro de Daniel (150 a.C.) também estão exercendo forte pressão para localizar a data de sua autoria dentro de uma opinião conservadora.

### Interpretações

Podemos observar três principais interpretações competindo entre si.
1. A primeira opinião diz que o livro foi escrito para encorajar os judeus a conspirar contra as perseguições de Antíoco Epifânio. Ela trata da historia anterior a 164 a.C. O quarto reinado que aparece nos capítulos 2 e 7 é principalmente grego, com principal referência a Antíoco como "o pequeno chifre" de 7.8 que é um paralelo a 8.9. O ungido que foi morto (9.26) provavelmente se refere ao assassinato do sumo sacerdote Onias III, em aprox. 170 a.C. (2 Macabeus 4.33-38). Aquele que causa desolação em 9.27 é Antíoco, e a abominação desoladora refere-se à sua profanação do altar em Jerusalém em 167 a.C., na metade da septuagésima semana de Daniel (capítulo 9). Os sacrifícios haviam cessado, mas foram reinstituídos em 164 a.C., no final da septuagésima semana. A promessa do capítulo 12 é que Deus irá vindicar os fieis e ressuscitar os mártires dentre os mortos para gozar as bênçãos de um reino eterno.
2. A segunda interpretação entende que a morte de Cristo aconteceu no meio da septuagésima semana, em um momento em que os sacrifícios judeus haviam cessado e prevalecia um pacto com a maioria. Conseqüentemente, depois da morte do Messias, o desolador aparece sobre o templo que, tendo agora se convertido em uma abominação, é destruído. O quarto reino dos capítulos 2 e 7 é Roma; os dez chifres são os dez primeiros imperadores romanos; o "pequeno chifre" é Tito Vespasiano que destruiu Jerusalém no ano 70 d.C. A ênfase dessa interpretação está no Messias que, ao ser morto, trouxe a eterna justiça e fez a reconciliação devido à iniqüidade do povo.
3. A terceira interpretação diz que a septuagésima semana de Daniel ainda pertence ao futuro. A atual era da igreja estava escondida dos profetas do AT, mas pode ser considerada como um "parêntesis". A profecia de que "será tirado o Messias" ou "será morto o Ungido" (9.26) olha para a morte de Cristo como o final da sexagésima nona semana. Israel receberá o perdão por não ter reconhecido o seu Messias quando "terminarem os tempos dos gentios", e o Filho do Homem aparecerá uma segunda vez. A segunda metade da septuagésima semana é idêntica à Grande Tribulação de Mateus 24.15-28. O quarto reino de Daniel 2 e 7 é Roma. O "pequeno chifre" é o Anticristo, o grande líder do renascido Império Romano que irá aparecer ao final da era, no meio da septuagésima semana. Ao final da septuagésima semana começará o reino do milênio.
*Veja* Nabucodonosor.

***Bibliografia.*** G. L Archer, "The Aramaic of the 'Genesis Apocryphon' Compared with the Aramaic of Daniel", NPOT, pp. 160-169. RD. Culver, *Daniel and the Latter Days,* Nova York. Revell, 1954. A C. Gaebelein, *The Prophet Daniel,* Nova York. "Our Hope", 1911. E W. Heaton, *The Book of Daniel,* Londres. SCM 1956. G. R King, *Daniel,* Grand Rapids. Eerdmans, 1966. H. Leupold, *Exposition of Daniel,* Columbus. Wartburg Press, 1949. D. J. Wiseman, *et.al. Notes on Some Problems in the Book of Daniel*, Londres. Tyndale Press, 1965. E M Yamauchi, "The Greek Words in Daniel in the Light of Greek Influence in the Near East" NPOT, pp. 170-200. E J. Young, *The Prophecy of Daniel*, Grand Rapids. Eerdmans, 1963.

C. J. H.

**DANO** A condição de ser condenado ao castigo eterno é o conceito subjacente à tradução da palavra "dano" para três diferentes palavras gregas: *apoleia* em 2 Pedro 2.1 (perdição e destruição); *krima* em Marcos 12.40 (condenação e juízo) e Romanos 3.8 e também em outras passagens; e *krisis* em Mateus 23.33 (condenação) e João 5.29 (juízo). Esse significado tornou-se tão completamente identificado com a palavra, que o termo dano é quase universalmente associado à condenação ao castigo eterno. O significado da raiz *krima* e *krisis* é simplesmente "condenação" ou "castigo", e o de *apoleia* é "destruição". A idéia de um castigo eterno não está propriamente contida nessas palavras, mas aparece às vezes nas Escrituras por meio de adjetivos modificadores ou frases preposicionadas como, por exemplo, em Mateus 23.33 "condenação do inferno [Geena]". Em certas passagens, particularmente em 1 Coríntios 11.29, seria um erro entender condenação eterna ao traduzir *krima* como dano, pois o contexto indica claramente que o apóstolo está falando sobre a pena do castigo que recai sobre aqueles que participam da Ceia do Senhor de maneira indigna ou hipócrita. *Veja* Julgamento.

R. G. R.

**DARA** Nome encontrado em 1 Crônicas 2.6. Outra possível ortografia é Darda (q.v.).

**DARCOM** Um antepassado de Jaala, servo de Salomão. Os "filhos de Darcom" retornaram do Exílio com Zorobabel (Ed 2.56; Ne 7.58).

**DARDA** Um dos quatro homens, filhos de Maol ("membros da corporação orquestral", IDB), notável pela sua sabedoria, que só foi ultrapassada pela de Salomão (1 Rs 4.31). Ele é mencionado em 1 Crônicas 2.6 como filho de Zerá, filho de Judá, e tem o nome de Dara (q.v.).

**DARDO** Arma pontiaguda, como uma flecha ou lança leve, usada para golpear. Joabe usou três dardos (varas pontiagudas) para matar Absalão (2 Sm 18.14). Dardos ou flechas eram mecanicamente lançados no período dos macabeus (1 Macabeus 6.51). Às vezes esses dardos podiam estar embebidos em materiais inflamáveis incendiados (Ef 6.16; cf. Sl 120.4). *Veja* Armadura.

**DARDO DE ARREMESSO** *Veja* Dardo.

**DARICO** Moeda de ouro que pesava 8,4 g (1Cr 29.7), também chamada no AT de dracma. Moeda de ouro da Pérsia, com valor aproximado de 5 dólares, conhecida pelos judeus quando retornaram da Babilônia (Ed 8.27). Presume-se que esse nome tenha derivado de "Dario", o rei persa (552-486 a.C.), e que seja traduzido como "dracma". Foi a primeira moeda mencionada na Bíblia. O autor de 1 Crônicas 29.7 pode ter convertido o valor monetário do período de Davi à quantia equivalente aos daricos de seus dias. As referências em Esdras 2.69 e Neemias 7.70-72 a daricos de ouro, durante o reinado do rei Ciro (550-530 a.C.), antes da época de Dario, pode ser semelhantemente explicada. *Veja* Pesos, Medidas e Moedas.

**DARIO (I) HISTASPES** Na antiga língua persa esse nome era *Darayavaush*; em babilônio, *Da-ri-ya-mus* e, em grego, *Dareios*. Ele também é conhecido como Dario o Grande. Através de seu pai, Dario era descendente de Histaspes de Ariaramnes, que era descendente de Hakhmanish (Achaemenae), um ancestral de Ciro, mas sem direito à sucessão real. Dario nasceu em 550 a.C., e governou de 522 a 486 a.C.

Em sua inscrição Behistun, Dario afirma ter oito reis como seus antepassados, porém somente chegou ao trono depois de exigir energicamente o título do lado mais antigo de Hakhmanish. Com a morte de Cambises, em 522 a.C., a revolta estourou através de todo o império com protestos em Susiana, Babilônia, Média, Sagartia e Margiana. Fazendo uma aliança com os chefes das seis famílias mais importantes da Pérsia, e começando com um ataque surpresa, Dario assassinou Gaumata que pretendia se passar por Bardiya (em grego, *Smerdis*, ou o irmão assassinado de Cambises), em 521 a.C. Por volta de 519 ele havia suprimido todas as rebeliões.

Dario estendeu o seu império até o Cáucaso e, em 513 a.C., marchou além do Bósforo e atravessou o Rio Danúbio. Entretanto, vários ataques dos Scitianos impediram um completo controle persa sobre toda a área. Embora tivesse anexado a Macedônia ao seu reino, ele deixou de acrescentar a Grécia quando seu exército foi derrotado em Maraton em 490 a.C. Ele registrou suas conquistas em uma inscrição em três línguas no alto de um rochedo perto de Behistun (Bisitun), ao longo da principal rota comercial entre Ecbatana (Acmetá, Ed 6.2) e Babilônia.

Em seguida, Dario prosseguiu com a reorganização de seu império, colocando-o sob o regime de uma burocracia centrada em si mesmo, e eliminando muitos dos funcionários nativos que haviam sido instalados por Ciro.

Dario I caçando leões. ORINST

Tumba de Dario, Naksh-i-Rustam.
ORINST

Determinou a cunhagem de moedas e introduziu o darico. Devido a seu interesse pelo comércio com o ocidente e o oriente, mandou escavar um canal desde o Rio Nilo até o Mar Vermelho e enviou navios para navegar através dele, de acordo com inscrições em hieróglifos.

Ele corresponde ao Dario mencionado pelo profeta Ageu. Em seu segundo ano, reafirmou a política benevolente de Ciro, respeitando os judeus contra a opressão de Tatenai, governador da Samaria (Ed 4.5; 6.6). Por solicitação dos judeus, ordenou uma busca nos registros, e em Ecbatana (moderna Hamadan) foi encontrado o decreto para restaurar o templo de Jerusalém. A esse decreto, ele acrescentou a ordem de que dinheiro e gado fossem fornecidos ao projeto proibindo, ao mesmo tempo, qualquer possível interferência nos planos. O templo foi terminado em seu sexto ano, isto é, 515 a.C. (Ed 6.1-15).

*Veja* Ciro; Pérsia; Ageu.

H. G. S.

**DARIO, O MEDO** Governante do "reino dos caldeus" (Dn 9.1) sob Ciro (Dn 6.28), imediatamente depois da morte de Belsazar (Dn 5.30,31), ele é sempre lembrado pelo decreto que resultou no lançamento do profeta Daniel na cova dos leões (6.7-28). Não deve ser confundido com o monarca persa Dario I Histaspes (521-486 a.C.), pois era da linhagem dos medos ("da nação dos medos", Dn 9.1) e o nome de seu pai era Assuero (equivalente hebraico de Xerxes. cf. nome do filho de Dario I cf. Et 1.1). Dario, o medo, nasceu no ano 601/600 a.C., pois na data da queda da Babilônia (Outubro, 539 a.C.) ele tinha sessenta e dois anos de idade (Dn 5.31).

Uma das doutrinas cardeais da crítica negativa tem sido que o livro de Daniel foi escrito por um autor desconhecido da época dos macabeus (cerca de 165 a.C.) que, por engano, pensou que um reino Medo independente, governado por Dario, o medo, seguiu-se à queda da Babilônia e precedeu a restauração da Pérsia sob Ciro. Mas Dario, o medo, não foi retratado nesse livro como um monarca universal. Na verdade, sua condição de subordinado está claramente implícita na afirmação de que ele "foi constituído rei sobre o reino dos caldeus" (Dn 9.1) Também, pelos seguintes fatos: (1) de que o reino de Belsazar foi dado "aos medos e aos *persas*" (5.28); (2) de que Dario, o medo, *recebeu* o reino (5.31); e (3) que Dario se viu desamparado ao procurar fazer com que a "lei dos medos e dos persas" (6.15) fosse alterada.

A publicação, durante as primeiras décadas desse século, de textos cuneiformes complementares desse período, permitiu aos estudiosos da Bíblia chegar a um conhecimento muito mais claro sobre a queda da Babilônia em 539 a.C. Parece muito provável que Dario, o medo, tenha sido o mesmo Gubaru, governador sob Ciro, que nomeou subgovernadores para a Babilônia imediatamente depois de sua conquista ("Nabonidus Chronicle", ANET, p. 306. cf. Dn 6.1). Esse mesmo Gubaru (que não deve ser confundido com Ugbaru, governador de Gutium, o general de Ciro que conquistou a Babilônia e lá morreu três semanas depois, de acordo com o Nabonidus Chronicle) é mencionado freqüentemente em documentos cuneiformes, durante os 14 anos seguintes, como governador da Babilônia e da Região-Além-Rio (isto é, de todo o Crescente Fértil). Dessa forma, Gubaru reinou sobre os vastos e populosos territórios da Babilônia, Síria, Fenícia e Palestina e seu nome representava uma ameaça derradeira aos criminosos em toda essa área (cf. John C. Whitcomb, *Darius the Mede,* Presbyterian and Reformed Pub. Co., 1963, pp. 10-24). O fato de ele ter sido chamado de "rei" em Daniel 6 não representa uma imprecisão, embora fosse um subordinado de Ciro. Da mesma forma, Belsazar foi chamado de "rei" embora fosse o segundo governante do reino sob Nabonido (Dn 5.29).

O livro de Daniel nos dá mais informações relacionadas ao cenário pessoal de Dario, o medo, do que de Belsazar ou mesmo de Nabucodonosor. Ele é o único monarca presente no livro cuja idade, parentesco e nacionalidade foram registrados. Embora fosse um governante subordinado, tal como Belsazar, é evidente que governou a Babilônia com maior zelo e eficiência do que seu devasso predecessor.

J. C. W.

**DARIO, O PERSA** Mencionado uma vez no AT, em Neemias 12.22, ele foi ou Nothus, Dario II (423-404 a.C.) ou Dario III Codomano (336-331 a.C.). Dario II autorizou os judeus a observar a Páscoa em Elefantine, no Egito (ANET, p. 491). Dario III foi o rei cujo império foi conquistado por Alexandre o Grande. A evidência dessa identificação se baseia no fato de que os sacerdotes Joanã (ou Jonã) e são mencionados no mesmo verso. Um Joanã aparece como sumo sacerdote em Jerusalém em um papiro Elefantine, datado de 407 a.C. (ANET, p. 492) o que pode favorecer sua identificação com Dario II Por outro lado, é mencionado um Jadua como sendo o sumo sacerdote que saudou Alexandre (Josefo *Ant.* xi.7.2 e 8.4,5), o que levou muitos estudiosos a se inclinarem em favor de uma identificação com Dario III

A recente descoberta dos papiros samaritanos do século IV, que indicam que houve uma seqüência de governadores chamados Sambalate, abre uma nova solução. Podemos presumir que Dario, o persa, era Dario II e que o Jadua mencionado em Neemias não era o mesmo indivíduo mencionado por Josefo, mas o avô desse último. *Veja* Frank M Cross, "The Discovery of the Samaria Papyri", BA, XXVI (1963), 121. "Aspects of Samaritan and Jewish History in Late Persian and Hellenistic Times", HTR, LIX (1966), 203ss.

E. M. Y.

**DATÃ** Descendente de Rúben que, com seu irmão Abirão e mais outros, acompanharam

Davi experimentando a armadura de Saul, retratado em uma travessa bizantina de prata, de cerca de 625 d.C. MM

Corá, o levita, na rebelião contra a autoridade de Moisés e Aarão no deserto. Datã e Abirão, juntamente com suas famílias e pertences, foram engolidos pela terra. (Nm 16; Dt 11.6; Sl 106.17).

**DAVI, CIDADE DE** *Veja* Cidade de Davi.

**DAVI** Segundo rei de Israel, fundador da monarquia unida (1000-962 a.C.).

### Fontes

A principal fonte da vida e da época de Davi encontra-se no material encontrado nos livros de 1 e 2 Samuel e 1 Reis 1–2. Esses relatos, principalmente 2 Samuel 9.20 (a história da corte de Davi) formam uma representação realista de Davi feita por um historiador contemporâneo. O livro de 1 Crônicas 11.29 contém um relato paralelo a Samuel-Reis com alguns acréscimos e algumas omissões. É mais completo que eles em relação a detalhes da organização do templo e faz uma lista dos funcionários reais, apresentando Davi de forma mais idealista do que Samuel-Reis.

Também são encontradas numerosas referências a Davi em outros livros do AT e do NT. As fontes secundárias são historias no Talmude, Alcorão e nas tradições rabínicas e cristãs. Elas ajudam a ilustrar, se não a iluminar, a figura mais amada de Israel depois do patriarca Abraão.

### Nome e Família

O nome Davi pode significar "amado", do nome hebraico *dod* (cf. Jedidias, "por amor do Senhor" ou "porque o Senhor o amava", 2 Sm 12.25). Algumas décadas atrás, alguns estudiosos pensaram que esse nome poderia ser um título, como "capitão". O termo *dawidum*, "oficial do exército", ocorre algumas vezes nos textos Mari, e a palavra *dwdh* ocorre uma vez na Pedra Moabita. Essa possível variação do nome de Davi, entretanto, está sendo atualmente posta em dúvida e rejeitada (K. A. Kitchen, *Ancient Orient and Old Testament*, pp. 84ss.).

Davi nasceu em Belém de Judá, uma cidade a cerca de 10 quilômetros ao sul de Jerusalém, mencionada nas cartas de Tel el Amarna. Era a cidade de Boaz e Rute, e tornou-se mais conhecida como cidade natal de um filho de Davi, o Messias de Israel.

Davi era o caçula de uma família que tinha dez filhos (1 Sm 16.10,11; 1 Cr 2.13-16 relacionam apenas nove, talvez um filho tivesse morrido na infância). Os nomes de seus irmãos eram Eliabe (Eliú), Abinadabe, Siméia, Natanael, Radai e Ozém. Os nomes de suas irmãs eram Abigail e Zeruia. De acordo com 2 Samuel 17.25, essas meninas eram filhas de Naás. Aparentemente, a mãe de Davi teve essas filhas em um casamento anterior, e seu nome é desconhecido. Seu

O vale de Elá, cenário da luta entre Davi e Golias. HFV

pai, Jessé, era um ancião rico e muito respeitado em Belém, e que reivindicava ser da linhagem de Boaz. Davi era um filho da velhice de Jessé (1 Sm 17.12).

## Os Anos de sua Juventude

A primeira menção a Davi ocorre no relato da visita do profeta Samuel a Belém para escolher um sucessor para o rei Saul. No sacrifício ao qual Jessé havia sido especialmente convidado, Samuel começou a entrevistar os seus filhos como possíveis candidatos ao reino. Um por um, Jessé apresentou seus meninos, mas nenhum parecia atender às especificações divinas que Samuel procurava no futuro líder. Finalmente, Samuel pediu a Jessé que lhe apresentasse o filho caçula; portanto, Davi foi convocado de sua tarefa de cuidar das ovelhas e ganhou a aprovação do profeta como o homem de Deus para a nação.

Embora Davi tenha sido ungido na presença de seus irmãos (1 Sm 16.13) o propósito exato dessa unção permaneceu desconhecido de todos os presentes. Muitos estudiosos acreditam que aqueles que estavam presentes à festa interpretaram o ritual desse ato como a representação da escolha Davi para suceder Samuel em seu ministério profético, da mesma forma como o profeta Elias havia ungido o jovem Eliseu como seu sucessor.

O texto em 1 Samuel 16.12 afirma que Davi era ruivo (*'admoni*, "vermelho" também usado para Esaú, levando muitos a acreditar que Davi tivesse cabelos vermelhos), tinha belos olhos e era encantador. Muito mais importante para Samuel e para Israel era a garantia de que "desde aquele dia em diante o Espírito do Senhor se apoderou de Davi". Ele foi o escolhido do profeta e de Deus para a tarefa que aguardava a nação. Ele se tornaria o escolhido do povo algum tempo depois.

Davi ficou conhecido em Israel por causa de dois importantes acontecimentos, um relacionado com a música e o outro relacionado com sua competência física. Na busca de um habilidoso músico que pudesse aliviar a melancolia de Saul, Davi foi recomendado por um membro da corte para ocupar essa posição. O texto em 1 Samuel 16.18 relaciona, entre suas qualificações, que Davi "sabe tocar e é valente, e animoso, e homem de guerra, e sisudo em palavras, e de gentil presença; o Senhor é com ele". Além da boa aparência e do excelente talento musical, ele tinha um bom antecedente familiar, podia lutar se fosse chamado, sabia como contornar situações difíceis e possuía o carisma que é necessário para alguém que presta um serviço público. Parece que Davi possuía todos os requisitos de um jovem destinado a um grande futuro. Note-se, novamente, que "o Senhor" era "com ele". A versatilidade de Davi chamou a atenção de Saul, de forma que ele rapidamente ganhou um duplo papel na corte; portador da armadura do rei e seu músico particular. Como Belém estava apenas a um dia de viagem de Gibeá, o domicílio do rei Saul, acredita-se que Davi retornava sempre à sua casa para continuar a cuidar dos rebanhos de seu pai (1 Sm 17.15). Seu prestígio cresceu, com grande velocidade, tanto em Benjamin como em Judá.

Nos primeiros anos de sua juventude, outro acontecimento que chamou a atenção de toda a nação, foi sua vitória sobre Golias, o gigante filisteu, na batalha que teve lugar no vale de Elá (ou vale do Carvalho; 1 Sm 17). O capítulo 17 pode estar referindo-se a eventos anteriores à contratação Davi para tocar na corte de Saul, incluídos de forma intercalada pelo autor, para explicar as qualificações de Davi (1 Sm 16.18). Davi deixou sua casa em Belém para levar alimento aos seus irmãos guerreiros, e levar notícias a Jessé sobre como a batalha estava evoluindo. Ao chegar ao campo de batalha, ficou sabendo que Golias estava desafiando o exército hebreu havia quarenta dias, para apresentar um hebreu que pudesse lutar sozinho com ele e, assim, determinar o resultado da guerra. Nas guerras gregas era costume que dois guerreiros lutassem em duelo para determinar o resultado de uma batalha, ao invés de dois exércitos participarem de um combate direto (Aquiles e Héctor finalmente decidiram a Guerra de Tróia através de um duelo). Como os filisteus controlavam a indústria do metal e tinham sido guerreiros habilidosos desde a juventude, o exército hebreu estava em grande desvantagem. Seu equipamento e táticas militares eram inferiores aos do gigante filisteu soberbamente treinado. Apresentar-se como voluntário para lutar contra ele era puro suicídio. Saul conhecia as poucas chances de uma vitória e ofereceu elevadas recompensas a qualquer um que pudesse se apresentar: isen-

ção de impostos para a casa de seu pai e a mão de sua filha em casamento.
Davi ofereceu-se para aceitar o desafio de Golias, e Saul lhe deu o melhor equipamento militar que o exército hebreu conseguiu reunir. Davi recusou a armadura por ser difícil de manejar e escolheu as suas próprias armas, as armas de um pastor, a pedra e a funda. Com esses instrumentos ele havia protegido os rebanhos de seu pai terreno, e com eles tentaria proteger o povo do rebanho de seu Pai Celestial. Ele aceitou a oferta de Golias como uma oportunidade para expressar sua heróica fé na vitória que Deus tinha reservado para o seu povo. Golias foi derrotado por um menino pastor, sua cabeça foi levada para a metrópole de Jerusalém como um troféu de guerra, e sua armadura colocada na tenda de Davi (alguns interpretam "tenda" como a tenda em Nobe).
A vitória de Davi sobre Golias serviu para introduzi-lo ainda mais na corte de Saul. Lá ficou conhecendo Mical, a filha de Saul, que se tornaria sua esposa e também o encantador príncipe Jônatas. A história dessa mútua amizade e lealdade é uma obra prima da literatura bíblica. Sua amizade era igual a uma única alma em dois corpos. O laço que unia Jônatas a Davi não era uma mera admiração pela sua heróica coragem e extraordinária habilidade em manejar a funda, nem uma mera simpatia pelo fervente amor que dedicava ao país e um ódio comum aos incircuncisos filisteus, mas principalmente sua fé comum na aliança de amor entre Deus e Israel. Essa unidade de espírito conquistou Jônatas, que estabeleceu com Davi um pacto de amizade simbolizado pela troca de presentes (1 Sm 18.1-4).

### Fugitivo do Rei Saul

Davi exerceu sua função tão bem, que sua fama espalhou-se através do país. Ele se tornou o filho favorito do povo comum e da corte (1 Sm 18.5). Hinos foram compostos por mulheres cantoras enaltecendo sua bravura, e estes eram muito melhores do que aqueles entoados para o próprio rei. Isso levou ao desenvolvimento de uma ruptura entre Saul e Davi. Em várias ocasiões, Saul tentou assassiná-lo (1 Sm 18.11; 19.10), encorajou sua corte a afastá-lo, enviou-o a perigosas missões e até propôs um feito aparentemente impossível com o pretexto de que poderia se distinguir de tal forma em sua realização que se tornaria um genro digno para o rei (1 Sm 18.20-29). Nenhum plano de Saul, nem de qualquer membro de sua corte, foi capaz de eliminar Davi, pois "o Senhor estava com ele". O receio de Saul era legítimo, pois via claramente que Davi, e não Jônatas, seria seu sucessor no reino. Jônatas conhecia a realidade do receio de seu pai, mas tinha um espírito bondoso e via em Davi um homem muito mais adequado para sucedê-lo no trono de Israel naqueles dias tão tumultuados. Jônatas tentou várias vezes remediar a rixa entre Saul e Davi, mas não teve sucesso. Finalmente, Davi precisou fugir para salvar a própria vida. Sua esposa Mical o ajudou a escapar da armadilha do rei Saul por meio de um artifício. Ela colocou a imagem de um ídolo (deus do lar) na cama de Davi, aumentou o dorso da imagem com um acolchoado feito de pele de cabra e cobriu tudo como se fosse um vestuário. Em seguida, comunicou aos homens que haviam recebido ordens de Saul para prendê-lo, que Davi estava doente. Saul mandou, então, que os homens trouxessem Davi em seu leito até a corte, e só então o artifício foi descoberto. A pergunta de Saul a Mical foi respondida com uma mentira cuidadosamente explicada (1 Sm 19.11-17). Até a família de Saul parecia ter se inclinado em favor do jovem Davi.
Primeiramente, Davi fugiu para Samuel em Ramá (1 Sm 19.11-17). Estava, sem dúvida, procurando a influência e a proteção que aquele grande líder religioso poderia proporcionar. Também precisava ter a certeza de que Deus tinha um futuro para ele na estrutura de governo da nação. Alguns têm argumentado que Davi se ofereceu para acompanhar Samuel e desistir do espinhoso caminho para o trono. As repetidas tentativas de Saul para capturar Davi em Ramá redundaram em total insucesso (1 Sm 19.18-24). A parada seguinte de Davi foi o santuário de Nobe, para garantir armas e alimento para uma fuga até a cidade dos filisteus chamada Gate (1 Sm 21). Seu método de assegurar ajuda tem sido seriamente questionado, pois mentiu para conseguir pão e uma espada.
Davi fez uma sábia escolha ao fugir para a terra dos filisteus. Lá ele recebeu o treinamento básico de um recruta do próprio povo que, mais tarde, iria desafiar pelo direito de um completo controle sobre a Palestina. Seu

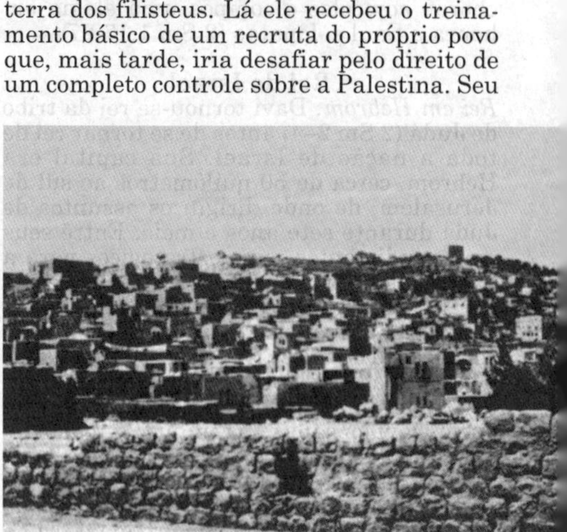

Davi governou em Hebrom durante sete anos antes de tornar-se rei de toda a nação de Israel.
HFV

recém adquirido conhecimento militar poderia, certamente, equipá-lo para lutar contra o mais temido inimigo de Israel.
Enquanto fugia do rei Saul, Davi foi formando um exército heterogêneo. Os miseráveis, os que estavam em débito e o descontentes juntaram-se a ele e, dessa estranha mistura, Davi formou um sólido núcleo de companheiros leais. Muitos deles não eram hebreus. Mas com eles, começou uma série de movimentos na área do Neguebe, em Judá. O fato de ter fugido de Saul lhe oferecia numerosas oportunidades de conquistar os clãs de Judá para sua causa. Muitos estavam desiludidos com o programa de Saul e com as suas preferências tribais, e estavam de forma vagarosa, mas segura, se inclinando em favor do movimento que via em Davi o grande defensor da causa de Israel. Davi fez muitos gestos de amizade para obter o apoio dos clãs de Judá com seus presentes e políticas de proteção. Os casamentos de Abigail e de Ainoã (1 Sm 25) fortaleceram as alianças com poderosos clãs das montanhas ao sul de Judá.
A paciência de Davi e seu respeito para com o rei Saul eram admiráveis. Ele nada fez que pudesse derrubar seu trono, mas simplesmente manteve um passo à frente daquele rei que o perseguia. Seu respeito religioso e sadio por aquele que havia sido ungido por Deus e, ao mesmo tempo, um constante desenvolvimento de seu próprio programa a fim de estar preparado quando Deus o chamasse para assumir a liderança, eram seus objetivos paradoxais. Esse tempo chegou com a morte de Saul e Jônatas na batalha do Monte Gilboa. Quase toda a nação de Israel lamentou a trágica morte de seu rei. Davi chorou com eles e compôs uma elegia em honra a Saul e Jônatas (2 Sm 1.17-27).

### Rei de Israel

*Rei em Hebrom.* Davi tornou-se rei da tribo de Judá (2 Sm 2–4) antes de se tornar rei de toda a nação de Israel. Sua capital era Hebrom, cerca de 50 quilômetros ao sul de Jerusalém, de onde dirigiu os assuntos de Judá durante sete anos e meio. Entre seus empreendimentos mais estratégicos para a expansão de seus domínios vemos os gestos de amizade para com os homens de Jabes-Gileade, na Transjordânia (2 Sm 2.4-7), a convocação de Mical, sua esposa, e seus atos de cortesia dirigidos aos principais líderes de Benjamin. De forma vagarosa, porém segura, Davi foi capaz de conquistar toda a legião de colaboradores do reino de Saul para o sólido apoio que havia conquistado em Judá. Finalmente, Davi foi coroado rei de todo o Israel. Ele foi o primeiro monarca de um império unificado e o fundador de uma dinastia que permaneceu no poder durante 425 anos. Poucas dinastias no mundo conseguiram igualar os recordes da família de Davi. O NT revela a natureza eterna do reino de Deus no verdadeiro Filho de Davi, o Rei dos reis, o Senhor Jesus Cristo.
*Rei em Jerusalém.* Davi teve muitas esposas e concubinas que lhe deram muitos filhos e filhas. Seus filhos mais famosos foram Absalão, Adonias, Amom e Salomão. Tamar foi sua filha mais famosa. Sua família foi duramente e freqüentemente atingida pela tragédia. A intriga e a rivalidade sempre acompanham a carreira dos filhos que nascem de pais que têm várias esposas. Absalão matou Amom pelo estupro de Tamar; Joabe, sobrinho de Davi, assassinou Absalão por traição, e Salomão expulsou Adonias por razões políticas. Os problemas familiares de Davi eram a tragédia de sua vida. Ele era capaz de unir uma nação de tribos obstinadas, enquanto seus filhos criavam um caos bem debaixo de seus olhos.
O primeiro ato de Davi, como rei de Israel, foi escolher um determinado lugar para a capital, que pudesse ser aceito tanto pelas tribos do norte como do sul; Jerusalém tornou-se esse lugar. Davi construiu o seu palácio no Monte Sião, uma colina situada a sudoeste, que havia sido capturada dos jebuseus (2 Sm 5.6-9), e ergueu inúmeros edifícios governamentais para abrigar os seus escritórios. Sua própria experiência e o período dos Juízes provavam que a nação não podia depender de um exército formado pelo povo. Por esta razão, Davi criou um exército de soldados profissionais. Este era composto por muitos quereteus e peleteus sob a liderança de Benaia, de Cabzeel e de 600 homens sob Itai de Gate, um velho amigo do período em que Davi era um fugitivo. Davi empreendeu vitoriosas guerras contra os filisteus, contra Edom, Moabe, Amom e Aram ou Síria (2 Sm 5; 8; 10; 12).
Suas duas mais significativas contribuições para a vida de Israel foram: (1) a unificação das 12 tribos em uma monarquia cuja capital estava situada em Jerusalém, e (2) os planos para a centralização da adoração do povo de Israel em um templo nessa capital. Ele o fez estabelecendo a adoração do povo de Israel de acordo com a lei Mosaica, como se pode ver no ritual da arca. Colocando a arca, símbolo do Deus invisível, no centro do país, Davi centralizou a adoração em Jerusalém e preparou o caminho para o templo. Vitórias subseqüentes lhe creditaram não somente os materiais para sua construção, como muitas das músicas que iriam fazer parte dessa adoração no templo (cf. 1 Cr 6.31; 16.7,41,42; 25.1).
Os judeus que viveram depois de Davi o consideraram como o rei ideal, e retrataram, como um segundo Davi, o governante dos dias felizes que esperavam.

### Avaliação

Davi não era isento de defeitos. O caso que

manteve com Bate-Seba e o assassinato de Urias são indicadores de sua fraqueza humana. Ele demonstrava, muitas vezes, um certo desrespeito pelos homens que haviam sido seus constantes apoiadores (por exemplo, Joabe e o exército de Israel na rebelião de Absalão). Entretanto, era fiel aos compromissos, intensamente leal a seus amigos e mais acessível à direção dos profetas do que Saul. Tem sido chamado de doce cantor de Israel; o fundador de uma dinastia de reis; um profeta; e um homem amado por Deus, pois o seu coração estava inclinado a Ele, e sabia como se arrepender e implorar a graça divina.

***Bibliografia.*** William F. Albright, *The Biblical Period from Abraham to Ezra,* Nova York. Harper Torchbooks, 1963, pp. 50-53. John Bright, "The Age of King David", *Union Seminary Review,* Vol. 53 (1942) 87-109; *A History of Israel,* Philadelphia. Westminster, 1959, pp. 171-190. David Cooper, *David,* Los Angeles. Biblical Research Society, 1943. William J. Deane, *David. His Life and Times,* Nova York. Revell, s.d. L Kelso, *Archaeology and Our Old Testament Contemporaries,* Grand Rapids. Zondervan, 1966, cap. 5. Rudolf Kittel, *Great Men and Movements in Israel,* Nova York. KTAV Publishing House, 1968, cap. 6. F. B. Meyer, *David.* Londres. Morgan e Scott, 1910. Alan Redpath, *The Making of a Man of God. Studies in the Life of David.* Westwood, N. J.. Revell, 1962. Samuel J. Schultz, *The Old Testament Speaks,* Nova York. Harper, 1960, pp. 124-141.

F. E. Y.

**DEAVITAS** Mencionado entre os grupos para quem Reum, o chanceler, escreveu em aramaico (siríaco) para Artaxerxes, o rei persa, apresentando uma queixa contra aqueles que haviam retornado recentemente da Babilônia para Jerusalém (Ed 4.6-10). Juntamente com outros, eles são identificados como aqueles que anteriormente haviam sido transplantados pelo grande Asnapar (Assurbanipal) da Babilônia e das regiões vizinhas para a região da Samaria.

Antigamente, os deavitas haviam sido identificados como um grupo particular, como os persas, babilônios etc. Portanto, supunham que eles eram os Daoi mencionados por Heródoto ou os Dahae de Plínio e Virgílio. Isso fazia deles uma tribo que estava na área do lado oriental do Cáspio. A dificuldade dessa teoria é que essa região está muito longe das fronteiras da Assíria e, além disso, não existe nenhuma menção a seu respeito nos documentos assírios existentes. A tendência mais recente é seguir uma sugestão baseada em fontes extra bíblicas, isto é, ler *di-hu'* (ou Targum *dihu*) ao invés de *dehawe',* significando "isto é" (cf. *hoi eisin* do Codex Vaticanus).

A tradução resultante seria: "Os de Susã, isto é, os elamitas..." (cf. Ed 4.9 na tradução NTLH, "naturais de... Susã, na terra de Elão").

H. E. Fi.

**DEBATE** Essa palavra inglesa vem do latim *de,* "abaixo" e *batuere,* "bater" e atualmente significa discutir de maneira amigável e aberta. No inglês primitivo ela correspondia à sua origem latina e queria dizer discutir, brigar ou lutar por alguma coisa. Na versão KJV em inglês ela só é usada nesse último sentido de disputa como pleitear ou contender (Pv 25.9; Is 27.8; 58.4; Rm 1.29; 2 Co 12.20).

**DEBIR** Nome dado a um rei e a três cidades de Canaã. Essa palavra podia significar "sala interior de um santuário", depois "cidade sagrada" e, por último, pode ter sido substituída por um nome mais antigo, da mesma maneira que Sião ("cidadela") e se tornou um sinônimo de Jerusalém.

1. Rei de Eglom, de acordo com o Texto Massorético hebraico (Js 10.3). Foi um dos cinco reis (da coalizão amorita) que tentaram impedir a invasão de Josué.

2. Cidade real de Canaã (Js 10.38ss; 12.13), habitada pelos anaquins (Js 11.21). Está relacionada como Kirjah-sannah (q.v.) na região montanhosa de Judá (Js 15.49) e também era conhecida antigamente como Quiriate-Sefer (Js 15.15; Jz 1.11). A cidade de Debir foi mais tarde designada aos levitas (Js 21.15). Ela foi inicialmente conquistada por Josué (Js 10.38,39), mas depois recapturada por Otniel, genro de Calebe (Js 15.15-19; Js 1.11-15).

Têm sido feitas tentativas de identificá-la com Tell Beit Mirsim, a 20 quilômetros a sudoeste de Hebrom. Escavações feitas nesse local (1926-1932) mostraram que a cidade foi fundada em cerca de 2200 a.C., tornou-se uma cidade fortificada dos hicsos e, mais tarde, sofreu várias destruições, inclusive aquelas provavelmente lideradas por israelitas, por Sisaque do Egito e por Nabucodonosor. Durante os séculos IX e VIII a.C., Tell Beit Mirsim era um centro industrial da tinturaria têxtil, de acordo com numerosas cubas encontradas pelos escavadores sob a direção de M. G. Kyle e Albright (W. F. Albright, "Debir", TAOTS, pp. 207-220).

Duas outras cidades que podem ter sido Debir, que possuem fontes de água superiores e inferiores (Js 15.19) e estão localizadas no alto da região montanhosa (Js 15.48,49) são Khirbet Terrameh, cerca de nove quilômetros a sudoeste de Hebrom e Khirbet Rabud, 15 quilômetros a sudoeste de Hebrom (GTT., p. 282). Investigações feitas nesse último local, desde 1967, revelaram uma ocupação datada da última fase da Idade do Bronze.

3. Cidade da tribo de Gade (Js 13.26), tam-

bém chamada Lo-Debar (q.v.), situada na parte oriental de Gileade. Foi mencionada na história que descreve a fuga de Davi de Absalão (2 Sm 17.27) e foi a razão da disputa entre a Síria e Israel nas guerras de Jeroboão II (Am 6.13).
4. Local na fronteira norte de Judá (Js 15.7), perto do vale de Acor. Talvez seja a cidade de Thoghret ed-Debr, localizada 12 quilômetros a noroeste de Jerusalém, na estrada que liga Jerusalém a Jericó.

S. C. e J. R.

**DÉBITO, DEVEDOR** Na época do AT o devedor era digno de pena. Na verdade, era marca do divino favor pertencer à classe daqueles que emprestavam (Dt 15.6; 28.12, 44). Muitas vezes, o castigo pelo não pagamento de uma dívida era a escravidão (Lv 25.47; Is 50.1; Am 2.6; 8.6). O rigor desse costume foi literalmente retratado no caso dos dois filhos da viúva (2 Rs 4.1-7). Vários devedores juntaram-se aos descontentes e desesperados que acompanharam Davi (1 Sm 22.2).
Muitas vezes, as dívidas envolviam penhores e usura e essa última era difícil de suportar. O verbo *habal*, significa literalmente "tomar como penhor" (Dt 24.6,17; Jó 24.3,9) e também denota alguma coisa vinculada e dolorosa. Os juros, ou a usura, (da palavra hebraica *neshek*) significa, literalmente, "alguma coisa mordida" (observe Hc 2.7 – "Não se levantarão de repente os que te hão de morder?") As privações provocadas por credores em busca da usura podem ser vistas em Neemias 5.11.
Por outro lado, a opressora severidade da vida de um devedor israelita devia ser aliviada através de regulamentos da lei Mosaica. O sétimo ano era o ano de libertação de todas as obrigações pecuniárias (Dt 15.1,2). Ao assumir um penhor, o credor não podia se apossar das vestes de uma viúva (Dt 24.17), nem de uma pedra de moinho (Dt 26.6). Roupas recebidas de um pobre como prova de garantia deviam ser devolvidas antes do final do dia (Êx 22.26,27). Também não era prerrogativa do credor determinar a natureza do penhor (Dt 24.10-12).
A usura, especialmente em relação aos pobres, era condenada (Êx 22.25; Lv 25.35-37 etc.). Ela estava ligada ao ganho injusto em Provérbios 28.8. Os justos emprestam (Sl 37.26) e um parente rico poderá resgatar seu irmão (Lv 25.47-49). Sob a economia predominantemente agrícola da cultura israelita do período do AT, os empréstimos não tinham um propósito comercial, mas caridoso, e eram concedidos para amenizar as dificuldades de um pobre camponês durante um período de necessidade. Daí porque as leis do Pentateuco não regulavam as atividades mercantis, mas dirigiam a atitude das pessoas ao próximo que estivesse atravessando momentos de dificuldade. *Veja* Empréstimo; Hipoteca; Garantia; Usura.
De acordo com o NT, não devemos dever nada a ninguém (Rm 13.8), e devemos mostrar bondade e generosidade (Mt 5.42; 6.12; Lc 6.35). As dívidas devem ser perdoadas (Mt 18.23-35; Lc 7.41,42). Por outro lado, a parábola do mordomo injusto prova a existência de um sistema de crédito comercial na civilização greco-romana (Lc 16.1-7) e as parábolas sobre os talentos e as minas condenam o infiel por não ter obtido ganhos pela usura através das facilidades de um banco (Mt 25.27; Lc 19.23).
Esse assunto tem ricas implicações teológicas. O pecador e o devedor estão certamente relacionados. Observe a palavra usada para devedor, *opheiletes,* em Lucas 13.4 (cf. v.2) e seu emprego em Lucas 11.4 e Mateus 18.21, 24. O pecado nos transforma em devedores a Deus, e causa uma escravidão da qual não existe liberação a não ser através de uma divina redenção e do perdão que, por sua vez, deve ser expresso através de nós e a favor de nossos semelhantes.

I. G. P.

**DÉBORA**
1. Ama de Rebeca, que foi com ela a Canaã (Gn 24.59). Sua morte em Betel está registrada em Gênesis 35.8.
2. Profetiza que "julgou" Israel nos séculos XIII ou XII a.C. Foi uma das raras pessoas que tinha o dom do Espírito de Deus (cf. Jz 6.34; 11.29; 14.6) e, como tal, foi reconhecida como profetisa. Tinha sua sede "debaixo das palmeiras de Débora", entre Ramá e Betel (Jz 4.5), lugar para onde as pessoas ou líderes de várias tribos dirigiam-se para ter suas disputas arbitradas e ajustadas. Embora tivesse provavelmente alcançado sua reputação como uma juíza comum e não militar, ela foi principalmente lembrada pelas gerações posteriores como aquela que foi capaz de reagrupar as dispersas tribos de Israel, levando-as à lealdade a Jeová e, dessa maneira, foi sua salvadora e libertadora da opressão de Jabim, rei dos cananeus (cf. Jz 5). Seus próprios contemporâneos a respeitavam como uma "mãe em Israel" (Jz 5.7).
O cântico de Débora (Jz 5.2-31) celebra a vitória de Débora e Baraque sobre Sísera, e é uma das mais antigas peças de literatura do AT. Estudos recentes feitos por W. F. Albright, Frank M. Cross, Jr. e outros demonstraram o estilo e a forma arcaicos desse poema ao compará-lo com antigas tábuas de Canaã obtidas em Ugarite (*veja* Ras Shamra). Assim, esse poema adquire muita importância não só pela descrição contemporânea de uma situação histórica e uma perspectiva teológica do período dos Juízes, como também pela forma e estilo da poesia e da linguagem desse mesmo período.

R. L. S

**DEBULHA** *Veja* Plantas.

**DECÁLOGO** *Veja* Dez Mandamentos.

**DECÁPOLIS** Do grego *deka* ou "dez" e *polis*, "cidade", significa uma liga de dez cidades. Plínio chamou esse território de "Decapolita régio" (*Natural History*, V, 16). Ela começava no lado oeste do Jordão, onde a planície de Esdraelom se abre no vale do rio, tornando-se às vezes uma parte da Galiléia. Ela avança através do Jordão até o lado oriental, e inclui o território concedido à tribo de Manassés na época da divisão da terra (Nm 32.33-42).
Como o seu próprio nome indica, havia originalmente dez cidades nessa liga. A maioria delas fora construída pelos seguidores de Alexandre o Grande e, até certo ponto, foram reconstruídas pelos romanos em 65 a.C. Isto concedeu a essas cidades o privilégio de cunhar moedas, além de ter uma corte e um exército. Outras cidades foram anexadas à liga chegando a um total de 18. As cidades originais eram Scythopolis (Bete-Seã), Hippos, Gadara (Extensas ruínas chamadas atualmente de "Um Qeis" são ali visíveis), Pella (a moderna Khirbet Fahil), Filadélfia (Rabá e a moderna Amã), Gerasa, Dion, Canata (ou a Quenate do AT), Raphana e Damasco, a única que tem permanecido continuamente como uma cidade até os nossos dias. Scythopolis (a moderna Beisan) foi a única cidade a oeste do Jordão (Foi escavada pela Universidade da Pensilvânia, 1921-33; cf. BW, pp. 143-5).
Os Evangelhos indicam repetidos contatos de Jesus com esse território durante seus itinerários. No início de seu ministério, ele era seguido por multidões que vinham de Decápolis (Mt 4.25). O endemoninhado gadareno foi testemunha de suas curas nessa região (Mc 5.20) por onde Jesus viajou em muitas ocasiões (Mc 7.31). *Veja* Bete-Seã; Gadara; Gerasa.

H. L. D.

**DÉCIMA PARTE** A palavra heb. *'issaron*, "décima", ocorre 28 vezes nas instruções sacerdotais do Pentateuco em relação à quantidade de farinha para as ofertas de manjares. A palavra inglesa "porção", "parte", ou "medida" (em Êx 29.40) não ocorre no texto hebraico, mas é fornecida por algumas traduções com a finalidade de transmitir o sentido desejado. Contudo, apesar da exceção mencionada, a versão RSV em inglês traduz o termo hebraico pela fração e acrescenta a expressão "de um efa", o que as versões RSV e NASB em inglês apresentam em itálico. A palavra inglesa "fração" significa parte ou porção, mas é obsoleta como uma tradução expletiva do termo hebraico. *Veja* Pesos, Medidas e Moedas.

**DECISÃO, VALE DA** A palavra hebraica *'emeq heharus* pode ser traduzida como "vale do juízo" ou "vale da Decisão" (Jl 3.14). O verbo hebraico *haras* é usado em Isaías 10.22,23; 28.22 no sentido de que a destruição já foi decidida ou decretada para os povos rebeldes. O vale da decisão é idêntico ao vale de Josafá (*yehoshaphat*, "Jeová julgou", Jl 3.12). É o lugar onde, um dia, o próprio Deus irá julgar todas as nações.
Antigamente, na época de Eusébio de Cesaréia (cerca de 340 d.C.), esse lugar foi identificado com o vale de Cedrom (a leste de Jerusalém). Mas isso era apenas uma conjectura. Nenhum vale da Palestina jamais teve esse título. Entretanto, quando nosso

O fórum circular e a rua principal de Gerasa, uma das cidades de Decápolis. G. Trimboli

Senhor voltar para o julgamento, o Monte das Oliveiras será fendido em dois, e um outro vale irá se estender do oriente para o ocidente (Zc 14.4). *Talvez* esse seja o enigmático vale da decisão.

**DECRETO REAL** Decretos reais são proclamações públicas, geralmente feitas por escrito, emitidas pelos governadores aos seus súditos. Isaías (10.1) condena os governantes que proclamam leis injustas. Parece que elas eram inscritas em pedras, a mando do rei.
Ezequias emitiu um decreto relativo à celebração da Páscoa, depois que ela havia sido negligenciada por algum tempo (2 Cr 30.5). Nabucodonosor emitiu vários decretos, como por exemplo, o da pena de morte para os sábios que se mostraram incapazes de decifrar os seus sonhos (Dn 2.9,13,15) e para que todas as pessoas adorassem a imagem que havia instalado na planície de Dura (Dn 3.10). Dario, o medo, foi enganado e levado a publicar um decreto contra qualquer pessoa que fizesse petições a algum deus, e não a ele mesmo (Dn 6.7-15).
Ciro, o rei da Pérsia, emitiu um decreto permitindo aos judeus reconstruir o templo (Ed 5.13), um decreto que mais tarde foi confirmado por Dario (Ed 6.1-12). Quando o rei persa Assuero divorciou-se de Vasti, esse fato se tornou conhecido através do reino por um decreto (Et 1.19-22). Ele também permitiu que fosse emitido um decreto em seu nome, para destruir todos os judeus que estivessem em seus domínios (Et 3.8-15; 4.3,8). Isso foi evitado por um decreto subseqüente que Mardoqueu enviou em nome do rei para que os judeus pudessem se defender (Et 8.8–9.1).
O decreto para a realização de um censo, emitido por César Augusto, levou Maria e José a Belém antes do nascimento de Jesus (Lc 2.1). Em Tessalônica, os inimigos de Cristo acusaram o apóstolo Paulo de estar agindo contra os decretos de César (Cláudio) ao afirmar que havia outro rei, chamado Jesus (At 17.1-7). Isso antecipou a perseguição dos cristãos até a época de Constantino, pois os cristãos eram considerados cidadãos desleais por rejeitarem os deuses do estado, inclusive o imperador, que era adorado como um deus.
O Salmo 2.7 fala de um decreto real do Próprio Senhor Deus, declarando que o seu Ungido (o Messias, o Cristo) é seu Filho. O Deus Altíssimo anunciou o seu decreto de humilhação a Nabucodonosor através de uma visão que foi interpretada por Daniel (Dn 4.17,24).

C. F. P.

**DEDÃ** Os dedanitas (Is 21.13) eram um povo árabe descendente de Cam através de Cuxe (Gn 10.7; 1 Cr 1.9), que se casaram com os descendentes de Abraão através de Quetura (Gn 25.3; 1 Cr 1.32). Parece certo que o nome Dedã não representa dois povos separados nessas genealogias pelo fato de, nos dois casos, o irmão de Dedã ser chamado de Seba. Eles construíram a cidade de Dedã a 160 quilômetros a sudoeste de Tema (q.v.), em um grande oásis (el-'Ula, a 280 quilômetros a noroeste de Medina e 560 quilômetros a sudeste de Petra), na rota das caravanas para o sul da Arábia usadas pela rainha de Sabá. Assim, ficaram conhecidos por suas caravanas e pelo seu comércio (Is 21.13; Ez 27.20; 38.13).
A cidade de Dedã é mencionada nas profecias contra Edom (Jr 49.8; Ez 25.13) indicando seus laços íntimos com os edomitas, e levando à especulação de que alguns dedanitas haviam se estabelecido em Edom. Ela também é mencionada em algumas inscrições na língua proto-árabe de Sabá e de Minean (que fica no sul da Arábia), o que mostra contactos próximos com esses sucessivos governantes do sul da Arábia (W. F. Albright, "Dedan", *Geschichte und Altes Testament*, Tübingen, 1953, pp. 1-12). *Veja* Arábia.

J. R.

**DEDICAÇÃO, FESTA DA**
*Veja* Festividades.

**DEDICAR, DEDICAÇÃO** Reservar ou dar – algo ou alguém – a uma divindade ou a uma causa. Vários termos hebraicos foram traduzidos de acordo com esse conceito, nas formas verbais e substantivas. O termo hebraico mais freqüente, da raiz *qodesh* que significa "isolado", "sacro" ou "santificado" se aplica a homens e coisas dedicadas ao serviço divino. Assim, temos em Êxodo 13.2 o seguinte texto: "Santifica-me todo primogênito". As coisas dedicadas a Deus incluíam o tesouro (Jz 17.3), os despojos de guerra (1 Cr 26.27), um campo (Lv 27.18) e o templo (2 Cr 7.5).
De uso especial é *herem*, um antônimo que denota um objeto irrevogavelmente dedicado ao Deus por parte de uma pessoa, ou separado para ser destruído. Qualquer objeto ou pessoa que tivessem sido consagrados ou associados a uma outra divindade deveria ser "amaldiçoado" e removido do uso por um leigo (Dt 7.25-26; 20.17-18; Pedra Moabita, linha 17, ANET, p. 320). Geralmente, essa exclusão significava morte ou destruição, embora certos objetos capturados em uma guerra pudessem ser retirados do uso comum e dedicados ao uso religioso no santuário pelos sacerdotes (Nm 18.14; Js 6.19). *Veja* Maldição. Acã ignorou o desterro imposto sobre Jericó e tudo que lá existia, e tornou-se um "dedicado" (neste caso, com o sentido de anátema; Js 7.20-24; 8.26-27), enquanto Raabe escapou de um destino semelhante ao se juntar ao povo da aliança de Deus (Js 2.9-14).
*Veja* Consagração; Santificação; Separação.

G. A T.

**DEDICAR, DEDICADO** (Heb. *herem*). Este

é um termo ligado à santidade, exclusão, separação, tabu, isto é, coisas colocadas sob um banimento e proibidas para o uso comum. O *harim* era a área proibida para todos, exceto ao marido e eunucos.

No AT, aquilo que era "dedicado", era separado ao Senhor e, portanto, não pertencia mais ao dono, nem poderia ser usado para o sacrifício (Js 6.18,19; 7.10-15; 1 Sm 15). O homem não poderia ser oferecido em sacrifício, mas certas pessoas e nações foram condenadas (dedicadas) por Deus, pois só Ele tem a prerrogativa de tomar a vida, bem como de dá-la. O sacrifício se baseia em outro fundamento, isto é, na oferta voluntária da vida inocente de uma criatura sem culpa, aprovada por Deus para representar o Grande Sacrifício. Os pagãos confundiam as duas idéias da coisa dedicada sob o banimento (como criminosos e cativos), e o sacrifício do rebanho de alguém como uma oferta voluntária em adoração; mas aqueles que redigiram as Escrituras as mantém distintas. *Veja* Anátema; Maldição.

R. L. D.

**DEDO** Esta palavra é usada literalmente para uma das cinco extremidades dos membros de uma mão em relação ao sacerdote do AT e seu ministério com o sangue do sacrifício (Lv 4.6 etc.); o homem rico no Hades (Lc 16.24); Jesus escrevendo no chão (Jo 8.6); o incrédulo Tomé (Jo 20.25-27).

O termo também é usado figurativamente ou metaforicamente para se referir ao poder ou ao Espírito de Deus. Os magos egípcios disseram em relação às pragas: "Isto é o dedo de Deus" (Êx 8.19). As tábuas de pedra foram escritas pelo dedo de Deus (Êx 31.18; Dt 9.10). Os céus são as obras dos dedos de Deus (Sl 8.3). Jesus expulsava os demônios pelo "dedo de Deus" (Lc 11.20).

**DEFINHAMENTO**

1. Heb. *shahepheth*, "definhar". Um castigo que se seguiria à desobediência a Deus e às suas leis (Lv 26.16; Dt 28.22). Outras doenças e castigos também são listados.
2. Heb. *kala*, "destruição", "término", ou "fim total". Há versões que utilizam o termo "consumir", porém outras utilizam os termos "destruição" (Is 10.23; 28.22), "fim decretado" ou "consumação (Dn 9.27).
3. Em Isaías 10.22, "definhamento" ou "destruição determinada" é a tradução de um termo heb. diferente daquele que é utilizado nas referências acima.

**DEGRAUS, CÂNTICO DOS** Esta é a tradução dos títulos dos Salmos 120–134 em algumas versões. As versões RSV e NASB em inglês chamam cada um deles de "Cântico de Ascensão (ou de Subida)". A palavra hebraica *ma'alot* significa, literalmente, "subir". Essa expressão tem sido interpretada de diferentes maneiras. Alguns vêm nela uma referência a cânticos dos peregrinos ao subir ("ascender") para Jerusalém (cf. Sl 122.4). Outros sugerem que está fazendo uma referência específica a um suposto festival de ano novo com uma subida cerimonial ao templo, momento em que esses Salmos eram cantados. O *Mishnaic Tractate Middoth* (ii.5) afirma que eram cantados em cada um dos degraus que levavam da corte das mulheres à corte dos homens no segundo templo, um dos 15 Salmos de Ascensão. Os levitas cantavam esses Salmos, de acordo com o Mishna, durante a cerimônia da primeira noite (que durava a noite inteira) na Festa dos Tabernáculos.

***Bibliografia.*** J. Liebreich, *"The Songs of Ascents and the Priestly Blessing"*, JBL, LXXIV (1955), 33-36.

C. F. P.

**DELAÍAS[1]** Nome encontrado apenas em 1 Crônicas 3.24.

**DELAÍAS[2]**

1. Um descendente de Davi através de Zorobabel; um dos sete filhos de Elioenai (1 Cr 3.24).
2. Um sacerdote que serviu durante o reinado de Davi, líder do vigésimo terceiro turno (1 Cr 24.18,19).
3. Um príncipe ou oficial, filho de Semaías, na corte de Jeoaquim. Depois de ouvir as palavras proféticas do rolo de Jeremias, ele com Elnatã e Gemarias insistiram com o rei para que não queimasse o rolo (Jr 36.12,25).
4. O ancestral de uma das famílias do período pós-exílio. Tendo perdido a genealogia da família, seus filhos não puderam provar que suas famílias e sua linhagem eram de Israel (Ed 2.59,60; Ne 7.62).
5. O pai de Semaías, um contemporâneo de Neemias. O edificador rejeitou o conselho de Semaías para que fugisse e o acusou de aceitar suborno de Tobias e Sambalate (Ne 6.10-13).

R. O. C.

**DEMAS** Mencionado três vezes no NT (Cl 4.14; 2 Tm 4.10; Fm 24). Esta pode ser uma forma encurtada de Demétrio (q.v.). Ele era um crente, e estava evidentemente com Paulo quando escreveu Colossenses e Filemom. Mais tarde, quando escreveu 2 Timóteo, Paulo registra o fato desolador de que Demas o havia abandonado, "amando o presente século".

**DEMÉTRIO** Pelo menos cinco pessoas tinham este nome nos tempos bíblicos.

1. Demétrio I, sucessor de Antíoco Epifânio (162 a.C.), conhecido por suas intrigas, malícia e crueldade. Em geral ele praticava medidas repressivas em relação aos judeus na Palestina (1 Mac 10.1-21).

2. Demétrio II, filho de Demétrio I, que concluiu um tratado favorável com Jônatas Macabeus, e que ele mais tarde violou. Seus generais foram derrotados em Hazor (1 Mac 11.53ss.).
3. Demétrio III, governante da Síria na época de Alexandre Janeu. Durante a amarga disputa deste último com os fariseus, ele tomou a parte deles, e assim estendeu o seu reino. Posteriormente, ele foi preso e submetido à fome por Herodes Filipe.
4. Um cristão altamente endossado por João (3 Jo 12).
5. Um ourives da prata em Éfeso que acusou Paulo de ameaçar o seu negócio e de colocar em perigo a devoção à deusa Diana ou Artemis (At 19.24ss.). Por causa desta acusação, seguiu-se o tumulto em Éfeso que quase fez com que Paulo e seus companheiros perdessem a vida. Com o aparecimento de um escrivão da cidade, porém, a sanidade foi restaurada quando ele falou aos alvoroçadores sobre seus direitos diante dos tribunais e de suas responsabilidades como cidadãos (vv. 36-41).

J. F. G.

**DEMÔNIOS** *Veja* Demonologia.

**DEMONOLOGIA** O estudo da existência e atividade dos demônios ou espíritos malignos pode ser classificado teologicamente sob a doutrina dos anjos caídos. Os textos em 2 Pedro 2.4 e Judas 6 e 7 declaram que alguns dos anjos caídos estão sendo mantidos em cadeias eternas aguardando julgamento. Alguns estudiosos consideram este confinamento meramente uma metáfora para expressar o fato de que tais seres estão apenas especialmente restritos por Deus quanto a suas atividades. Contudo, a ida de Cristo em espírito durante o período de seu sepultamento, para proclamar seu triunfo aos espíritos em prisão, que foram desobedientes nos dias de Noé (1 Pe 3.18-20,22*b*) aponta para um aprisionamento real de seres espirituais. Por dedução pode-se inferir que os demônios que têm causado sofrimento à humanidade desde o Dilúvio são o restante dos anjos que seguiram a Satanás (Mt 25.41; Ap 12.7-9), pois ele também é chamado de príncipe dos demônios (Mt 12.24; cf. v. 26). Os demônios eram considerados anjos caídos no judaísmo antigo.

Os demônios (ou diabos) são indubitavelmente reais, seres individuais tendo personalidade e conhecimento sobre Deus e os homens (Tg 2.19; At 19.15). Seu domínio atual é o reino espiritual ou a esfera sobrenatural (Ef 6.12), mas eles desejam ser incorporados a seres humanos vivos ou a animais. Os demônios são capazes de invadir ou influenciar as mentes de professores humanos a fim de sugerirem doutrinas falsas (1 Tm 4.1; 1 Jo 4.1-6; Tg 3.15). Eles na verdade comungam com as almas de homens no caso de médiuns que se entregam a eles. Os demônios atrairão os governantes da terra para que se juntem à batalha do Armagedom (Ap 16.14).

Estatueta de bronze do deus-demônio Pazuzu, aprox. 800–600 a.C. ORINST

No AT, espíritos malignos ou mentirosos possuíam uma certa liberdade de ação para tentar e assim testar os homens, como revelado no caso de Jó (Jó 1,2). Contudo, eles permanecem sob o controle final de Deus que usa ou permite a atividade deles para castigar as pessoas por seus pecados (1 Sm 16.14-16,23; 18.10; 19.9; 1 Rs 22.21-23). Os demônios (*shedim*) eram a realidade por trás dos deuses ou ídolos cananeus que muitos israelitas foram tentados a adorar (Dt 32.17; Sl 106.37; cf. 1 Co 10.20,21; Ap 9.20). Uma forma específica de tal adoração eram os "sacrifícios aos demônios" (a matança de animais) ou os bodes-ídolos (*s*[e]*'irim*, Lv 17.7; 2 Cr 11.15). Ao traduzir *shed* do grego *daimonion* na LXX, os judeus alexandrinos deram claras evidências de que eles consideravam os deuses como sendo mais do que meros objetos de madeira, pedra ou metal. Na LXX, o termo *daimonion* também é encontrado no Salmo 96.5 para "ídolos" e no Salmo 91.6 para "mortandade" com uma aparente alusão ao demônio do calor do meio-dia conhecido na Grécia antiga como Pan ou

Artemis-Hecate. Os tradutores da LXX usaram o termo *daimon* para se referir à deusa cananéia *Gade* (versão NTLH em português) em Isaías 65.11 (na KJV lê-se: "tropa"; nas versões RA e RC em português lê-se: "Fortuna").

No NT, é freqüentemente dito que os demônios tomam posse dos homens, e que Cristo, portanto, os expulsa (por exemplo, Mt 4.24; 8.16; 9.33; 15.22). Às vezes, mais de um demônio pode possuir uma pessoa, como nos casos do endemoninhado de Gadara (Mc 5.1-17; Lc 8.30-33,36) e de Maria Madalena (Lc 8.2). Tais demônios freqüentemente produzem impureza, seja ritual, moral ou espiritual (Lc 4.33-36; 6.18; 8.27-29; 9.42; 11.24-26). Os discípulos foram capacitados e comissionados para curar toda sorte de doenças e para expulsar demônios (Mt 10.8; Lc 9.1; 10.17-20). Porém, eles tiveram sérios problemas com certos demônios e foram informados por Cristo que estes só poderiam ser expulsos após oração e jejum (Mc 9.14-29). Os apóstolos libertaram as vítimas de opressão demoníaca através do uso do nome de Jesus (At 16.16-18; 19.12-17). Os escritos dos patriarcas pré-nicenos indicam que a igreja continuou a expulsar demônios bem depois da era apostólica. Mesmo que a promessa de Cristo em Marcos 16.17 "E estes sinais seguirão aos que crerem: em meu nome, expulsarão demônios..." (parte do final de Mc 16.9-20, que é contestado por alguns) não fosse canônica, ela então seria descritiva das condições do início do século II d.C.

Pastores e missionários estrangeiros testificam da possessão demoníaca entre muitos povos do mundo hoje, de tribos primitivas e pagãs com crenças animistas até pessoas altamente educadas na Europa e na América. Em vários casos aqueles que cometem assassinatos em massa ou o suicídio parecem ter sido impelidos por espíritos malignos. É urgente que os obreiros cristãos levem a sério esta doutrina e aprendam a exercer a autoridade de Cristo para libertar aqueles que estão oprimidos ou possessos por demônios. *Veja* Anjos; Diabo; Adivinhação; Exorcismo; Espírito Familiar; Loucura; Principados.

***Bibliografia.*** Paul Bechtel, "Witches in the Air"; Ray B. Buker, Sr., "Are Demons Real Today?" Derek Prince, "Release from Depression", *Christian Life*, XXIX (Março de 1968). William H. Chisholm, *Vivid Experiences in Korea*, Chicago. Moody Press, 1938, pp. 42-46. Werner Foerster, "*Daimon, etc*", TDNT, II, 1-20. Kurt E Koch, *Christian Counseling and Occultism*, trad. por Andrew Petter, Grand Rapids. Kregel, 1965. Russell J. Meade, *Victory Over Demonism Today*, Wheaton. Christian Life Publications, 1962. John L Nevius, *Demon Possession and Allied Themes*, 5ª ed., Revell, s.d. Charles R Smith, "The New Testament Doctrine of Demons", *Grace Journal*, X, 26-42. Merrill F. Unger, *Biblical Demonology*, Wheaton. Van Kampen Press, 1953.

R. A. K. e J. R.

**DENÁRIO** *Veja* Pesos, Medidas e Moedas.

**DENTE** Esta palavra é usada para os apêndices ósseos duros na mandíbula do homem, usados para morder, cortar e mastigar (Nm 11.33; Ct 4.2; Ap 9.8). Os dentes são brancos (Gn 49.12), e são irritados por ácidos (Pv 10.26). A palavra também é usada com relação aos animais (Dt 32.24), incluindo o crocodilo e o leão (Jó 41.14; cf. 4.10; Jl 1.6). Um outro uso tem como finalidade descrever os ímpios (Jó 29.17; Sl 3.7; 58.6; 124.6), os falsos profetas (Mq 3.5), e os inimigos (Zc 9.7). Os dentes afiados dos ímpios são comparados às suas armas (Sl 57.4; Pv 30.14). A palavra também é usada para denotar aquilo que, devido à sua forma, lembra um dente, como por exemplo, as extremidades ou dentes de um garfo (1 Sm 2.13), e os penhascos (dentes) dos rochedos (Jó 39.28).

Existem várias expressões importantes na lei de Moisés, incluindo o *lex taliones* (a lei da retaliação), "dente por dente" (Êx 21.24; Lv 24.20; Dt 19.21; Mt 5.38). Isto significa que a parte ofendida deveria ser compensada apenas na mesma medida, sem se promover uma vingança indevida. Um "dente quebrado [ou ruim]" denota a decadência (Pv 25.19) e "quebrar o dente" significa desgraçar e incapacitar (Sl 3.7). A frase, "Por que razão tomaria eu a minha carne com os dentes?" significa risco de perder a vida (Jó 13.14), e a expressão "pele dos meus dentes" pode significar que Jó quase não tinha uma parte sadia em seu corpo, ou que a carne que circunda os seus dentes na mandíbula (gengivas) estava destruída por sua enfermidade (Jó 19.20).

Dentes formosos são comparados a ovelhas recém lavadas (Ct 6.6) e "dentes de ferro" são um símbolo de poder destrutivo (Dn 7.7,19). A "limpeza de dentes" é um sinal de escassez e fome (Am 4.6). O "ranger de dentes" denota o sofrimento e a angústia do inferno (Mt 13.42, 50; 22.13; 24.51; 25.30; Lc 13.28).

E. C. J.

**DEPÓSITOS** A versão KJV em 1 Cr 26.15,17 translitera esta palavra como um nome próprio (Asupim). Literalmente, significa "acúmulos", "lojas". As várias versões o traduzem como "casa das tesourarias" ou "casa de depósitos", e em Neemias 12.25 como "tesourarias das portas" ou "depósitos das portas".

**DEPRAVAÇÃO** *Veja* Queda do Homem; Réprobo; Pecado.

**DEPUTADO** Embora esta palavra não seja comum nas traduções em português, no AT a palavra ocorre uma vez (1 Rs 22.47) como uma tradução do verbo *nissab*, que significa ser eleito como deputado ou oficial; e duas vezes (Et 8.9; 9.3) como tradução de *peha*, que era um governador subordinado a um oficial de posição mais elevada. A versão RSV em inglês traduz *seganim* como "deputados" (Jr 51.28 – a versão KJV em inglês traduz este termo como "governantes").
No NT, o termo "deputado" é a tradução do termo gr. *anthypatos*, "no lugar de um superior", e é uniformemente traduzido como "procônsul" na versão RSV em inglês. Sob o sistema romano, os procônsules eram eleitos pelo senado para presidir sobre as diferentes províncias senatoriais. No caso das províncias imperiais havia uma diferença: estas eram administradas por oficiais diretamente designados pelo imperador. Os procônsules mencionados no NT eram Sérgio Paulo, de Chipre (At 13.7,8,12), e Gálio, da Acaia (At 18.12). Veja em Atos 19.38 a outra única menção de procônsules no NT. *Veja* Governador.

**DERBE** Uma cidade na Ásia Menor, localizada na extremidade sudeste da Licaônia, na estrada principal de Listra a Laranda. Na primeira viagem missionária de Paulo, ele foi a Derbe depois de ser apedrejado em Listra e de fazer muitos discípulos ali (At 14.6,20). Paulo passou por Derbe em sua segunda viagem da Silícia até Listra (At 16.1) e provavelmente visitou-a em sua terceira viagem. Gaio, um dos discípulos e companheiros de Paulo, era de Derbe (At 20.4). Desde que Sir William Ramsay identificou Derbe com Gudelisin em 1890, esta opinião tem sido geralmente aceita. Mas duas inscrições encontradas em anos recentes demonstraram de forma bastante conclusiva que Kerti Hüyük é o local correto da antiga Derbe. Gudelisin fica cerca de 50 quilômetros a oeste da moderna cidade turca de Karaman (106 quilômetros pela estrada a sudeste de Konya), e Kerti Hüyük fica cerca de 25 quilômetros a noroeste de Karaman.

***Bibliografia.*** M Ballance, *Anatolian Sudies*, VII (1957), 147-151. B. Van Elderen, "Derbe", BW, pp. 195ss.

H. F. V.

**DESANIMADO** Em 1 Tessalonicenses 5.14 os crentes são instruídos a "consolar os de pouco ânimo", isto é, encorajar aqueles que estão temerosos ou desencorajados (gr. *oligopsychos*, freqüentemente na LXX). Na LXX o termo abrange uma ampla gama de atitudes, desde ser temeroso ou turbado de coração (Is 35.4), humilhado ou abatido (Is 57.15), triste ou deprimido em espírito (Is 54.6; Êx 6.9), ferido ou quebrantado em espírito (Pv 18.14), até ser irritadiço, de ânimo precipitado (Pv 14.29). Assim a palavra sugere a pessoa que está passando por tantos problemas que seu coração se abate dentro dela, ou alguém que está entristecido por causa da morte de entes queridos.
*Veja* Joelhos Vacilantes.

**DESCALÇO** Duas palavras são usadas em heb.; *yahep*, "descalço" (2 Sm 15.30; Is 20.2-4); e talvez *sholal* em Miquéias 1.8 e em Jó 12.17,19 ("despojado").

**DESCANSO** Esta palavra tem freqüentemente um significado especial nas Escrituras. Por exemplo, foi dito que Deus descansou de sua atividade criadora no sétimo dia (Gn 2.2-3). Quando instituído para Israel, o sábado tinha a finalidade de ser um dia de descanso (Êx 31.15). O descanso foi prometido aos israelitas se eles obedecessem (Dt 3.20). A terra prometida deveria descansar a cada ano sétimo (Lv 25.4). O templo deveria ser o lugar de repouso do Senhor entre o seu povo (1 Cr 28.2; Sl 132.8,14).
O escritor aos Hebreus apresenta a mais completa exposição de descanso em seu sentido teológico especial. Em sua segunda seção parentética (3.7–4.13) ele adverte contra os perigos da incredulidade (que ele compara com a desobediência). Tendo feito alusão ao fracasso de Israel quanto a entrar na terra de descanso em Cades-Barnéia por causa da incredulidade, o escritor adverte aqueles que professam a fé a se certificarem de não responder com incredulidade às boas novas que lhes foram pregadas (3.7–4.2). O autor então continua expondo estes pontos: (1) Os crentes estão atualmente no processo de entrar no descanso (4.3*a*). (2) Este descanso tem, contudo, que ser alcançado, visto que os israelitas no deserto falharam em alcançá-lo, e nem mesmo Josué os conduziu à sua totalidade. (3) Este descanso, cuja totalidade ainda está para se cumprir, é semelhante ao descanso sabático de Deus (Hb 4.3,4,9,10). Assim como Deus descansou de sua obra no sétimo dia, o crente descansou das obras que estavam relacionadas à sua salvação. Assim podemos entender que a incredulidade (a confiança nos próprios esforços ao invés da fé em Cristo) será a causa do fracasso de se entrar no descanso agora, assim como foi com os israelitas. Este conceito de descanso descrito na carta aos Hebreus está relacionado com Mateus 11.28, e com a promessa de Cristo de descanso para aqueles que se chegam a Ele. O descanso que Ele oferece era um contraste com as pesadas cargas de obras de justiça impostas pelos ensinos legalistas dos fariseus. (4) Finalmente, os crentes que completam seus trabalhos terrenos entram no descanso (Ap 14.13; cf. Is 57.1,2; 2 Ts 1.7; Ap 6.11).

S. N. G.

**DESCENDÊNCIA** Em heb. *yalad*, um uso especial deste verbo hebraico que significa "gerar" ou "dar à luz", traduzido na expressão "declararam sua descendência" em Números 1.18.

**DESEJADO DE TODAS AS NAÇÕES** Esta frase, encontrada em Ageu 2.7, tem sido tradicionalmente interpretada como uma profecia relacionada a Cristo. Aqui, expositores cristãos estavam seguindo uma interpretação rabínica que a aplicava ao Messias. Uma outra interpretação antiga, encontrada já na LXX, tem sido aceita em épocas recentes. Embora o substantivo "desejado" seja singular, pelo fato de o verbo "vir" estar no plural (embora haja versões em português em que se lê "virá"), a frase é traduzida como "coisas preciosas" ou "coisas preciosas de todas as nações virão". O contexto da passagem é certamente messiânico, uma vez que o esplendor do templo pós-exílico se encontra não em sua beleza, mas na vinda de Cristo. As duas interpretações são aceitáveis. A passagem fala ou da vinda de Cristo ou do tributo que todas as nações prestarão a Ele. O texto em 1 Samuel 9.20 ilustra como a expressão "desejo de Israel" pode se referir a uma pessoa da realeza; e Daniel 11.37 infere que "o desejo de mulheres" está relacionado à sua preferência por um ser Divino.

P. C. J.

**DESERTO**

1. Uma terra estéril. A palavra é usada freqüentemente em um sentido geográfico geral, mas há diversas áreas especialmente chamadas de desertos, como por exemplo Sur, Zim, Parã, Cades (q.v.).

Algumas palavras hebraicas apresentam uma descrição variada dessas áreas. A palavra mais comum, *midbar*, significa uma terra de pastagem, uma terra não habitada, inapropriada para a agricultura, mas suficiente para a pastagem de animais (1 Cr 5.9; Jó 38.26ss.). A palavra *'araba* significa literalmente "seco" (Jó 39.6), e é usada como um substantivo próprio para se referir àquele estepe árido que se estende do Vale do Jordão e do Mar Morto ao sul, até o Golfo de Ácaba (*veja* Arabá). O termo heb. *siyya* também significa "seco" e é traduzido como "deserto" em Jó 30.3 e Salmo 78.17. A palavra *tohu* é usada em Gênesis 1.2 para descrever o caos que havia por ocasião do início da criação de Deus, e também o "ermo", o deserto virgem por onde Israel peregrinou (Dt 32.10; Jó 6.18; 12.24; Sl 107.40). A palavra *y^eshimon*, representa um local desolado (Dt 32.10; Sl 68.7), ela também é usada como um substantivo próprio (*veja* Jesimom). As palavras gregas *eremos* e *eremia* significam "inabitado, desértico" (Lc 4.1; 5.16; 8.29; 15.4).

*Veja* Deserto; Peregrinação no Deserto.

P. C. J.

No Egito o deserto começa na margem do solo rico depositado ao longo dos séculos pela inundação do Nilo. HFV

2. Várias palavras hebraicas do AT são traduzidas como "deserto" ou "ermo". *Midbar*, a mais comum, é encontrada aproximadamente 280 vezes na versão KJV em inglês. Ela é geralmente traduzida como "ermo" (q.v.), mas nesta versão é traduzida 12 vezes como "deserto". A palavra é derivada de uma raiz que significa "guiar", isto é, guiar o rebanho para os campos (cf. HGHL, p. 656. Selbie, HDB, IV, 917). Deve ser lembrado que os pastores devem conduzir as ovelhas de um lugar a outro, para fornecer suficiente pastagem, para que o rebanho sobreviva apesar da vegetação escassa do deserto (cf. Lc 15.3-7).

O termo Jesimom (Nm 21.20 – Heb. *y^eshimon*) é mais expressivo, porém é encontrado com menos freqüência (14 vezes). Aparentemente é derivado de uma raiz que significa "estar desolado" (*yasham*). O monte Pisga tinha vista para esta área de Jesimom (Nm 21.20) e para o cume de Peor (Nm 23.28). A região em torno de Zife (possivelmente nas proximidades de Hebrom) é semelhantemente designada (1 Sm 23.19,24; 26.1,3). É assim um termo vivo para a extensão de

Uma cena típica no deserto da Judéia. HFV

deserto conhecida pelos escritores sagrados, particularmente o terreno irregular que circundava o Mar Morto.

Arabá, heb. *'araba* (Is 35.1,6; 40.3; Jr 2.6; 17.6 etc.), é um termo amplo que se refere freqüentemente a planícies em depressão, tais como aquela na qual o Rio Jordão está localizado, bem como a região baixa do deserto ao sul do Mar Morto. Hoje em dia, este grande vale é chamado de Arabá. A versão KJV em inglês traduz este termo hebraico 42 vezes como "planície".

Um outro termo, *horba*, é traduzido como "deserto" em várias versões no Salmo 102.6; Isaías 48.21; Ezequiel 13.4, mas geralmente significa uma cidade ou área arruinada.

O termo gr. usado na LXX e no NT para deserto é, normalmente, *eremos*, que significa um lugar deserto, abandonado e solitário. Em textos peregrinos posteriores em latim, este termo é transliterado como *heremus* ou *eremus*.

O deserto judaico tem exercido freqüentemente influências significativas sobre a maré de mudança da história da Palestina. Muitas evidências da importância desta região têm sido reveladas recentemente na forma de documentos antigos dos tempos bíblicos. A recuperação dos Rolos do Mar Morto, por causa da atmosfera inteiramente seca em certas áreas nesta redondeza, é uma das contribuições mais dramáticas do deserto judaico em nossos dias. Materiais escritos foram encontrados especialmente na área do Mar Morto (em Uádi ed-Daliyeh, ao norte de Jericó; Qumran; Khirbet Mird; Nahal Tse'elim; Nahal Hever; Masada etc.) e em certos centros do Neguebe também (Nessana etc). Assim, o monopólio prático que o deserto egípcio guardou nos anos passados sobre tais materiais escritos antigos não existe mais. *Veja* Rolos do Mar Morto.

As pesquisas de Glueck no Neguebe revelaram muitos fatos esquecidos sobre as áreas desertas entre Berseba e o Golfo de Ácaba (onde Salomão, Uzias e Jotão tinham um grande armazém e um centro de distribuição em Eziom-Geber). Ele estudou os centros onde se desenvolveram numerosas populações (especialmente sob os nabateus), que utilizaram cuidadosamente os seus recursos naturais. Glueck e seus assistentes também ajudaram os pesquisadores bíblicos modernos a descobrir novamente os locais e as rotas que Abraão e os israelitas seguiram como suas estadas no deserto.

Por ser bem próximo (a vegetação desaparece completamente a 10 quilômetros a leste de Jerusalém quando se viaja em direção ao Mar Morto), o deserto propiciava a criminosos (cf. Lc 10.30), exilados políticos (1 Sm 22–26, Davi fugindo de Saul), bem como a falsos messias (Mt 24.26; At 21.38; Josefo *Wars*, ii.13.5; vii.11.1) uma base apropriada para as suas operações.

O deserto também lembrava aos santos poetas os maravilhosos poderes criativos de Deus, florescendo, como ocorre quando é inundado pelas chuvas sazonais (Is 35.1). Por esta razão, uma palavra que é às vezes usada para deserto é *tohu*, um termo descritivo do antigo caos ("sem forma", Gn 1.2) que existia em abundância antes de Deus trazer a ordem ao seu mundo criado (veja "ermo", Dt 32.10; "deserto", Jó 12.24; Sl 107.40).

Herodes, o Grande, percebendo a importância estratégica dos postos de defesa, manteve várias fortalezas no deserto, tais como Masada, Macaero, a leste do Mar Morto, e Herodium nas proximidades de Belém. João Batista, criado no deserto, fez ilustrações sobre a vida no deserto (víboras fugindo de diante de uma brasa etc; cf. Mt 3.7).

Planície de el-Merkah, possível deserto de Sim. JR

***Bibliografia.*** Frank M. Cross, Jr., "A Footnote to Biblical History", BA, XIX (Fev., 1956), 12-17. Gustav Dalman, *Sacred Sites and Ways*, Nova York; Macmillan, 1935, IV, 81-98. B. Z. Eshel, *The Dead Sea Region*, Jerusalém. Kirjath Sepher, 1958. Nelson Glueck, *The Other Side of the Jordan*, New Haven. ASOR, 1940; *Rivers in the Desert*, Nova York. Farrar, Straus e Cudahy, 1959. Edward Robinson, *Biblical Researches in Palestine, Mt. Sinai and Arabia Petraea* (vários registros, veja esp. II, 218-222). Beno Rothenberg. *God's Wilderness. Discoveries in Sinai*, Londres. Thames & Hudson, 1961. George Adam Smith, HGHL, 26ª ed., pp. 263-265, 269-273, 312-317.

E. J. V.

**DESERTO DE SIM** A região desértica compreendida entre Elim e o Sinai, através da qual os israelitas passaram em seu caminho para o Monte Sinai (Êx 16.1; 17.1; Nm 33.11,12). Sua localização exata é incerta, embora seja freqüentemente identificada com Debbet er-Ramleh, uma região arenosa na borda do altiplano Et Tih, na península que está a sudoeste. Era próximo a Dofca (Nm 33.12), provavelmente nas proximidades das minas egípcias em Serabit el-Khadem. A similaridade entre os dois nomes sugere que "Sim" e "Sinai" estão relacionados, sendo "Sinai" uma palavra derivada de "Sim", que por sua vez parece estar relacionada com a adoração ao deus-lua Sim. O nome não deve ser confundido com o do deserto de Zim (q.v), que está mais ao norte, no sul de Judá. *Veja* Peregrinação Pelo Deserto.

**DESMAMAR, DESMAMADO** *Veja* Crianças.

**DESOBEDIENTE** Tradução de várias palavras heb. significando "contrário", "perverso", "subversivo" etc. O termo heb. *haphakpak* ("tortuoso", Pv 21.8) e *tahpukot* ("rebelde", Dt 32.20; "perverso", "pervertido", Pv 2.12,14; 6.14; 8.13; 10.31,32; 16.28; 23.33) são derivados de *haphak*, "virar, subverter", e enfatiza uma persistência obstinada ao desviar ou subverter o que é certo ou bom. Os termos hebraicos *'iqqesh* ("tortuoso" ou "torto", Pv 2.15; Sl 18.26; Pv 17.20) e *'iqq$^e$shut* ("discurso torto" ou "tortuosidade da boca" Pv 4.24; 6.12) descrevem o perverso como algo ou alguém torto ou torcido em sua forma, não alinhado com os caminhos de Deus. Outras palavras traduzidas como "desobediente" também revelam a natureza rebelde e a depravação obstinada da humanidade caída.

**DESOLAÇÃO, ABOMINAÇÃO DA** *Veja* Abominação da Desolação.

**DESPEDAÇAR, DEVORAR** Em sua forma verbal, o termo despedaçar vem de *sarap*, que é especialmente descritivo do lacerar e rasgar dos animais selvagens (Gn 37.33). Jacó empregou esta palavra ao descrever o caráter de Benjamim (Gn 49.27). A palavra também retrata aqueles que ansiosamente aguardarão a morte do Senhor Crucificado (Sl 22.13), e os profetas e príncipes da apóstata Judá (Ez 22.25,27).
A palavra também pode ser aplicada ao objeto de presa como em Naum 2.12. Algumas versões traduzem os termos *harpage* e *harpax* como "rapina" e "devorador" (Lc 11.39 e Mt 7.15, respectivamente). Thayer sugere "rapina" ou "pilhagem" como uma tradução da primeira, enquanto Deissmann acredita que "roubador" ou "trapaceiro" seja um bom equivalente para a segunda quando o adjetivo é usado como um substantivo em Lucas 18.11. Na verdade, é difícil melhorar a tradução do termo como "extorquidor", empregado nas versões KJV e ASV em inglês.

**DESPOJO** Mais de uma dezena de palavras hebraicas e gregas foram traduzidas como despojo na Bíblia Sagrada. O despojo, às vezes mencionado como saque de guerra, podia consistir das várias mercadorias contidas em uma cidade. De especial importância eram artigos como armaduras e todas as classes de vestuário, dinheiro, jóias, metais, animais de vários tipos e até seres humanos de ambos os sexos.
Certas restrições haviam sido feitas à nação de Israel com respeito ao despojo. O padrão normal era de que não podiam fazer escravos dentro dos limites de Canaã (Dt 20.14-16); entretanto, no caso de haver resistência nas guerras, todos os homens deveriam ser executados e as mulheres e as crianças escravizadas. Porém esse padrão normal não era sempre obedecido pela nação (cf. 2 Sm 8.2; 2 Rs 15.16).
Depois que o despojo ou o saque estava assegurado, algumas regras haviam sido estabelecidas para sua distribuição. Em primeiro lugar, ele deveria ser distribuído igualmente entre o exército e o povo da nação. Porém, foi incluída uma outra distinção para o exército, no sentido de que ele deveria ser dividido entre os que haviam realmente tomado parte na batalha e aqueles que haviam ficado para trás para tomar conta do acampamento (1 Sm 30.24-25). Uma parte de todo o despojo era reservada para o Senhor, da seguinte maneira: do despojo do exército uma parte entre 500 era dada ao Senhor e do despojo do povo, uma parte em cada 50 deveria ser reservada para Ele (Nm 31.26-47). As partes do Senhor eram distribuídas aos levitas. Sob a monarquia, uma parte do despojo também era reservada para o rei que, por sua vez, podia dedicá-la ao Senhor ou dela fazer uso de acordo com sua vontade (1 Cr 18.7,11). Existem algumas evidências intertestamentárias indicando que o despojo podia ser distribuído a pessoas em dificuldades, idosos, viúvas e órfãos.

L. B.

**DESTRUIÇÃO** Dos 33 termos usados no AT, os mais comuns são os hebraicos *'abaddon*, "destruição", "queima"; *'ed*, "calamidade", "aflição"; *m$^e$hitta*, "terror", "ruína"; *m$^e$huma*, "perturbação", "destruição"; *sheber*, "quebra", "ruptura". No NT quatro termos vêm basicamente de dois termos gregos. *apoleia*, "ruína", "perda"; *olethros*, "morte", "destruição".
A palavra *'abaddon* refere-se a um lugar de destruição, um abismo, e é muito próxima em significado a Seol (Jó 26.6; 28.22; 31.12; Sl 88.11; Pv 15.11). No NT, *apoleia* enfatiza a idéia de uma perda total (Mt 7.13; Rm 9.22; Fp 3.19; 2 Pe 2.1; 3.16) e pode ser mais bem entendida à luz da advertência de Cristo em Lucas 9.25. "Porque que aproveita ao homem granjear o mundo todo, perdendo-se [Gr. *apolesas*] ou prejudicando-se a si mesmo?"
O texto em Apocalipse 9.11 fala do anjo do abismo: seu nome em hebraico é Abadom, e na língua grega ele tem o nome de Apoliom (isto é, o Destruidor). *Veja* Abadom; Apoliom; Destruidor; Seol.

**DESTRUIÇÃO, CIDADE DA** Em Isaías 19.18, empregando a frase *'ir haheres*, "A Cidade da Destruição", o profeta parece estar fazendo uma deliberada alusão através de um jogo de palavras com uma forma semelhante a *'ir haheres*, e que significa "a Cidade do Sol", uma designação para a cidade egípcia de Om (q.v), a qual os gregos chamavam de Heliópolis. Com base em evidências de certos manuscritos, a versão RSV em inglês adotou a segunda frase, sem, no entanto, mencionar ou destacar a correção.

**DESTRUIDOR** Este termo refere-se ao anjo da morte empregado na destruição dos primogênitos no Egito que não se achavam sob a proteção do sangue (Êx 12.23; Hb 11.28); também está relacionado ao castigo pelo pecado de Davi ao contar o povo (2 Sm 24.15,16); ao ataque ao acampamento dos assírios (2 Rs 19.35); e ao ataque contra Herodes em Atos 12.23. *Veja também* Destruição.

**DEUEL** Um gadita, o pai de Eliasafe, que era o líder da tribo de Gade no Êxodo (Nm 1.14; 7.42, 47; 10.20). O nome provavelmente vem de um termo heb. significando "conhecimento de Deus". Em algumas versões, o texto em Números 2.14 traz o nome Reuel, talvez resultando da dificuldade e até mesmo das confusões relacionadas às letras heb. utilizadas para "d" e "r". *Veja* Reuel.

**DEUS** A Bíblia enfatiza que o homem, como uma criatura, foi especialmente feito para conhecer seu Criador, que se revela ao homem na natureza, na consciência e, adicionalmente, em acontecimentos históricos em particular. Esta revelação divina, que culmina em Jesus Cristo como a auto-revelação de Deus em carne, está narrada e interpretada com autoridade pelas Escrituras. O Deus da teologia bíblica é, portanto, decisivamente conhecido a partir das informações das Escrituras, isto é, da revelação profética-apostólica, centrada em Jesus Cristo como a revelação encarnada da divindade. Em contraste, as exposições de filósofos especulativos procuram esboçar a natureza de Deus somente a partir das suas obras, sejam elas a natureza ou o homem, ou a partir dos movimentos gerais da história.

O Deus auto-revelado se apresenta pelo nome. Apesar da queda de toda a raça humana no pecado, Ele não se afasta do cenário da história, mas desafia os intérpretes especulativos que apresentam a divindade simplesmente por meio dos seus próprios pontos de vista esquemáticos (por exemplo: o conceito que Platão tinha do "Bom"; o Movimento Inicial de Aristóteles; o Absoluto de Hegel; a Base do Ser de Tillich). Os termos e os nomes de Deus mostrados na Bíblia Sagrada – genéricos, próprios e pessoais – na verdade fornecem uma dramática apresentação do Criador, Preservador, Redentor e Juiz da vida.

1. *O termo genérico. Deus (Elohim).* O livro de Gênesis imediatamente atribui a criação do universo e do homem a *Elohim*, (um nome genérico para divindade, cujo equivalente é *theos* em grego, *Deus* em latim, e *Deus* também em português). O substantivo plural (*'eloah, 'elohim*) no uso pagão significava a pluralidade de deuses, ao passo que o Antigo Testamento exclui o politeísmo de uma forma bastante específica: (*a*) Na prosa, a forma plural *elohim* era normalmente usada para divindade (monoteísta ou politeísta), e a rara forma singular *eloah* era especialmente reservada para a poesia (cf. Jó, onde *eloah* aparece mais freqüentemente do que em todo o resto do Antigo Testamento). (*b*) Exceto quando usada em relação a deuses pagãos (por exemplo, em Gn 31.30; Êx 12.12), a forma plural *elohim* é uniformemente usada no Antigo Testamento, mas, com um adjetivo no singular, para excluir a má interpretação politeísta. A intenção, ou o conteúdo é, portanto, mais importante do que a etimologia ou a derivação para determinar o significado. (*c*) A narrativa da criação no livro de Gênesis atribui a criação do universo e, especialmente do homem, a *Elohim*, cuja atividade criadora o diferencia dos mitos pagãos de divindades múltiplas que competem entre si. (*d*) Embora algumas vezes a doutrina da Trindade tenha sido atribuída à forma plural *Elohim*, é mais provável que o termo seja uma expressão hebraica que sugere pluralidade de majestade, ou plenitude de poder, em vista da criação de Deus e da sua soberania sobre o homem e o mundo. Quando, no Antigo Testamento, *elohim* traz a idéia da pluralidade de pessoas, a referência é ao politeísmo pagão, e não às distinções pessoais dentro de uma única divindade. Sem outras indicações no Antigo Testamento, e sem os ensinos explícitos do Novo Testamento, o Trinitarismo dificilmente poderia ser subentendido a partir do termo *elohim*. (*e*) Como resultado das suas associações com o Antigo Testamento, *elohim* não continua sendo simplesmente um termo genérico para divindade, mas se torna também um nome próprio.

O título *Adonai*, que vem de *'adon*, "mestre", "senhor", "soberano", é uma designação atributiva em vista da divina soberania. A palavra finalmente entrou em uso como um termo genérico para Deus. O termo correspondente no Novo Testamento é *Kurios*, "Senhor".

2. *Nomes próprios. El Elyon, El Shaddai, Yahweh.* A reviravolta notável na teologia bíblica é a de que o Deus vivo é progressivamente conhecido por meio dos acontecimentos históricos reais, nos quais Ele revela tanto a si mesmo quanto os seus objetivos. Com isso, os termos genéricos para divindade ganham um conteúdo mais específico, tornam-se nomes próprios e, sucessivamente, abrem caminho para designações posteriores que

refletem mais plenamente a natureza de Deus, que é progressivamente revelada.

A palavra *El*, termo mais comum para divindade, nas línguas semitas (mas que não é a palavra usual no Antigo Testamento), vem freqüentemente associada a um substantivo ou a um adjetivo (cf. *'el 'elyon*, "Deus Altíssimo", ou *'el shaddai*, "Deus Todo-Poderoso"). Como conseqüência, tornou-se um nome próprio de Deus.

*El Shaddai* tornou-se o nome patriarcal característico para Divindade, como conseqüência do concerto divino com Abraão. Enquanto *Elohim* representa Deus especialmente na função do Criador, Formador e Preservador do homem e do mundo, *El Shaddai* se concentra nos limites divinos dos processos naturais para os propósitos da sua graça. O nascimento de Isaque, o filho prometido, na ausência de qualquer possibilidade natural, mostra Deus como materializando de forma onipotente o seu objetivo de graça em uma criação finita e pecadora, decaída. Na LXX e no Novo Testamento, *El Shaddai* é traduzido como *pantokrator*, "O Todo-Poderoso", "O Onipotente" (cf. 2 Co 6.18; Ap 1.8; 4.8).

Com a evolução da história religiosa hebraica, os primeiros nomes de Deus passaram para um plano secundário em vista da auto-revelação de Deus que ocorria. Mesmo assim, o nome *El Shaddai* não substitui completamente *Elohim*, uma vez que os hebreus conservam todas as designações de Divindade, algumas vezes intercambiando-as, conforme as circunstâncias possam sugerir – um ou outro. O uso literário de nomes divinos, portanto, não fornece uma indicação inequívoca do desenvolvimento literário e da autoria dos escritos sagrados.

O nome por excelência para o Deus de Israel é *Jeová (Yahweh)*, encontrado 6.823 vezes no Antigo Testamento. Por meio da libertação de Israel da escravidão no Egito, de sua adoção como uma nação, e de sua condução até a Terra Prometida, o Deus Redentor é especialmente conhecido por esse nome. O Deus auto-revelado se revela de maneira redentora de uma forma especial (EU SOU O QUE SOU, Êx 3.14). *Veja* Eu Sou.

O Deus vivo, que havia anteriormente se manifestado aos patriarcas como *El Shaddai* (Êx 6.2ss.), não era totalmente desconhecido deles como Jeová, sendo esse nome encontrado freqüentemente em Gênesis e pronunciado pelo próprio Senhor Deus, e mesmo na bênção de Jacó (que nenhum redator teria alterado!). A partir de Abraão, o nome de Jeová aparece periodicamente nos registros sagrados. Mas com o resgate de Israel e com o estabelecimento da teocracia, Jeová torna-se o nome inconfundível no Antigo Testamento para o Deus vivo, que não apenas adapta a natureza pecadora à graça, mas também molda um novo tipo de graça em meio a este curso natural das coisas. Conseqüentemente, o nome Jeová (uma reconstrução artificial em português para a palavra hebraica YHWH, originalmente pronunciada Yahweh ou Yahveh) enfatiza, em particular, a atividade redentora de Deus. Devido às superstições, os hebreus chegaram a evitar pronunciar a palavra de quatro letras YHWH, substituindo-a por *Adonai*. Nos séculos mais recentes, *Jeová* tem servido como o equivalente a *Yahweh* na literatura, nos hinos e nas traduções da Bíblia em português. A Bíblia de Jerusalém adotou o nome *Yahweh*.

Sobrepondo uma estrutura de desenvolvimento naturalista sobre a Bíblia, a crítica elevada diz que os múltiplos nomes de Deus, particularmente *Elohim* e *Yahweh*, refletem fontes literárias divergentes. Esta suposição foi, durante muito tempo, um alicerce da hipótese JEDP, agora desacreditada, que reduz o Pentateuco (q.v) a fontes originais conflitantes. A tentativa de explicar o nome composto *Yahweh-Elohim* por meio da combinação de documentos provou ser insustentável, e a hipótese JEDP é cada vez mais reconhecida como um grupo de fontes artificialmente projetadas (em um contexto preciso, sobre o qual os próprios críticos não entraram em acordo). *Veja* Deus, Nomes e Títulos de; Senhor.

3. *Termos pessoais. Pai, Filho, Espírito.* No Antigo Testamento, Deus se revelou como o Criador de todas as coisas, o Senhor da história, o Juiz dos homens e das nações, e o Redentor de um povo escolhido. O Novo Testamento leva a revelação de Deus a dimensões ainda mais elevadas. Contra as superstições pagãs e a especulação sobre o sobrenatural, o Antigo Testamento declarou Deus como sendo transcendente à natureza e ao homem. Estavam expressamente proibidas as imagens esculpidas que, além de situarem a divindade no tempo e no espaço, a materializavam, negando a espiritualidade (invisibilidade e falta de matéria) de Deus. A revelação do Novo Testamento, mostrando que Deus é Espírito (Jo 4.24) acrescenta a dramática ênfase de que o Deus invisível tornou-se encarnado – de uma forma única – em Jesus Cristo (Jo 1.14,18).

A revelação de Deus em Cristo mostra que Deus é um ser social. No Deus único existe uma associação de pessoas divinas; além disso, este Deus precioso procura restaurar os pecadores condenados a uma comunhão pessoal consigo mesmo, ainda que esta bênção lhe custe uma morte sacrificial. A revelação do "nome de Jesus", da eterna paternidade e da eterna filiação no próprio ser de Deus, prossegue com a revelação de que em Deus há três pessoas em uma única dividade: "em nome do Pai, do Filho e do Espírito Santo" (Mt 28.19). A afirmação cristã característica a respeito de Deus é a doutrina da Trindade. Em uma série de ações poderosamente redentoras, dá-se a conhecer o segredo íntimo do ser de Deus. O Deus do Sinai, o Criador que foi ofendido pelas transgressões à sua lei, também é o Deus do Gólgota, é o "Deus conosco", confirmado tanto pelo presente do Cristo encarnado quanto pelo presente do Espírito interior, por meio dos quais o Pai se aproxima. *Veja* Divindade; Filiação de Cristo; Trindade.

[O Novo Testamento enfatiza a paternidade de Deus. A maneira mais comum pela qual o Senhor Jesus se referia a Deus era "Pai". Na teologia cristã, este termo é originalmente reservado à primeira pessoa da Trindade. Mas, a designação Pai é algumas vezes usada em relação ao Deus Supremo (1 Pedro 1.17; Isaías 9.6, onde "Pai da Eternidade" conota a verdadeira divindade do Messias). O conceito de Deus como Pai está presente no Antigo Testamento que descreve um relacionamento criativo e redentor, ou de aliança. Os contemporâneos de Malaquias perguntam: "Não temos nós todos um mesmo Pai? Não nos criou um mesmo Deus?" (Ml 2.10). Isaías compara as idéias de pai e de oleiro chamando Deus de Criador (64.8). Em um sentido único, Deus é o Pai de Jesus Cristo pela geração eterna, expressiva de um relacionamento essencial e de duração infinita.

Mais comum no Antigo Testamento é expressar a paternidade de Deus no seu relacionamento de aliança com seu povo, Israel. Em seu amor, Ele escolheu Israel e libertou a nação do Egito para que, coletivamente, esta nação pudesse ser considerada como um filho de Deus (Is 63.16; Êx 4.22; Os 11.1). Nessa relação adotiva, Israel deveria chamar a Deus de "Pai" (Jr 3.19) e deveria honrá-lo como Pai (Ml 1.6). Como a maioria se recusou a demonstrar amor filial por meio da obediência, o Senhor tornou-se particularmente um pai para aqueles que lhe demonstravam temor entre a nação (Sl 103.13).

No Novo Testamento, a redenção de Deus alcança o indivíduo, primeiramente na vida espiritual. A salvação é vista sob dois aspectos. o de se identificar com Cristo, e o da obra regeneradora do Espírito Santo na vida do crente. Através da identificação com Cristo, por meio da fé, o crente é adotado por Deus, passando a fazer parte de sua família, tendo todos os privilégios de um herdeiro, inclusive o de chamar a Deus de "Aba, Pai!" (Rm 8.15-17). *Veja* Aba. No outro aspecto, ele é visto como alguém que nasceu no reino de Deus, compartilhando a natureza divina e sendo amado pelo Pai (Jo 3.3-7; 2 Pe 1.4; 1 Jo 3.1,2). Em nenhum ponto Cristo afirma que exista essa relação entre Deus e aqueles que não crêem. O Salvador nunca ensina que uma paternidade redentora de Deus inclua todos os homens, mas Ele propositadamente diz aos judeus que o censuravam: "Vós tendes por pai ao diabo" (Jo 8.44). *Veja* Pai, Deus O – J. R.]

4. *Os nomes ou a perfeição divina que são imputáveis a Deus.* Enquanto os nomes pessoais se aplicam aos respectivos centros de consciência do único Deus, os atributos ou as virtudes qualificam a Trindade como um todo. Os teólogos normalmente fazem uma distinção entre os atributos incomunicáveis (a auto-existência, a eternidade, a imutabilidade, a infinitude, a onisciência, a onipresença, a onipotência e a unidade) que enfatizam a transcendência de Deus, e que são imputáveis somente a Deus, e os atributos comunicáveis que expressam a imanência de Deus e que são compartilhados, em certa medida, pelas suas criaturas.

Através da influência de Kant e Schleiermacher, grande parte da teologia protestante no passado recente foi de temperamento antimetafísico. A preocupação da teologia estava voltada ao relacionamento entre Deus e o homem (conseqüentemente, aos atributos comunicáveis), e ao amor sacrificial do próprio Deus. A ortodoxia protestante repudiou essa "centralização experimental" modernista da teologia que substitui uma exposição "relacional" da natureza de Deus por uma "metafísica". Ao invés de rebaixar a teologia a uma inferência ou indução a partir de uma experiência religiosa (como fez o liberalismo protestante), ou de tentar interpretar os atributos divinos em uma base racional especulativa (como o escolasticismo medieval), a ortodoxia protestante extrai originalmente da Bíblia Sagrada o conteúdo de sua doutrina a respeito de Deus, considerando as Escrituras como uma revelação proposital, comunicada de forma objetiva. A moderna e recente descrença em uma revelação divina proposital significa também a perda de um conhecimento objetivo de Deus. Karl Barth, em seus últimos trabalhos, procurava fugir da subjetividade desta neo-ortodoxia. Porém Barth fracassou por não afirmar a inspiração objetiva das Escrituras, e apelou de uma forma vulnerável a um milagre interior da divina graça, por meio do qual o crente verdadeiramente conhece Deus.

Os atributos comunicáveis podem ser classificados como espirituais (espiritualidade), mentais (sabedoria, veracidade), morais (bondade, amor, santidade, justiça) e volitivos (desejo, poder de ação). Os teólogos tiveram que lutar contra numerosas tentações ao expor, ou ao tentar explicar essas perfeições. Alguns consideram estas qualidades como distinções meramente verbais e sem base objetiva na natureza de Deus (o filósofo panteísta Espinoza reduziu os atributos da divindade simplesmente ao pensamento e à extensão). Outros consideram cada termo bíblico característico como uma base suficiente para atribuir uma perfeição diferente à natureza divina.

Subordinando a justiça ou a santidade de Deus ao amor de Deus, o liberalismo protestante anula a ira divina. Quando a justiça é reduzida a uma forma de benevolência, a revisão resultante do caráter de Deus leva, logicamente, ao repúdio das doutrinas de expiação propiciatória e do inferno, e convida a especulações escatológicas sobre a salvação universal e a reconciliação definitiva dos perdidos. A teologia neo-ortodoxa reafirma a realidade da ira de Deus; porém ela continua, de uma maneira ainda mais complexa, a fazer com que a justiça divina esteja submersa no amor divino. A teologia histórica protestante afirma que existe uma base na natureza de Deus para se separar a justiça e o amor como dois atributos divinos distintos, que se complementam ao invés de se excluírem mutuamente.

*Veja* Eleição; Trindade; Santidade; Santo; Encarnação; Soberania de Deus; Vontade de Deus.

C. F. H. H.

***Bibliografia.*** Robert Anderson, *The Silence of God*, Grand Rapids. Kregel, 1952. J. Oliver Buswell, Jr., *A Systematic Theology of the Christian Religion*, Grand Rapids. Zondervan, 1962, I, 29-182. Stephen Charnock, *Discourses upon the Existence and Attributes of God*, Londres. Henry Bohn, 1849. Gordon H. Clark, "God", BDT, pp. 238-248. R A Finlayson, "God", NBD, pp. 474-477. Charles Hodge, *Systematic Theology*, Nova York. Scribner, 1873, I, 191-441. H. Kleinknecht, G. Quell, E Stauffer e K. G. Kuhn, "*Theos*, etc.", TDNT, III, 65-123. Robert C. Neville, *God, the Creator*, Chicago. Univ. of Chicago Press, 1968 (uma defesa filosófica da transcendência e da imanência de Deus). James Orr, *The Christian View of God and the World*, Nova York. Scribner, 1907, pp. 73-115. J. Barton Payne, *The Theology of the Older Testament*, Grand Rapids. Zondervan, 1962, pp. 120-176, e uma bibliografia comentada. J. B. Phillips, *Your God Is Too Small*, Nova York. Macmillan, 1961. Norman H. Snaith, *The Distinctive Ideas of the Old Testament*, Londres. Epworth Press, 1944. Augustus H. Strong, *Systematic Theology*, 11ª edição, Filadélfia. Judson Press, 1947, pp. 51-110, 243-443. Geerhardus Vos, *Biblical Theology*, Grand Rapids. Eerdmans, 1948.

**DEUS DESCONHECIDO** Inscrição de um altar em Atenas usada por Paulo como base de seu sermão no areópago. "AO DEUS DESCONHECIDO" (em grego, *agnosto theo*; At 17.23ss.). Esse altar havia sido aparentemente erguido em honra a um suposto benfeitor divino cuja identidade era desconhecida. Nesta confissão de ignorância, o apóstolo enxergava uma ocasião oportuna para tornar conhecido o verdadeiro Deus. Em várias obras da antiguidade são encontradas muitas referências a altares a deuses desconhecidos. Pausânias fala sobre altares "a deuses chamados desconhecidos" (*Description of Greece*, i.1.4), Filostrato afirma que tais altares podiam ser vistos em Atenas (*Life of Apollonius of Tyana,* vi.3.5). Diógenes Laércio relata a matança de ovelhas em vários lugares de Atenas para afastar uma praga. Em cada um desses lugares era erguido um "altar anônimo" (*Lives of Philosophers,* i.110). O fato de existirem altares anônimos foi confirmado por uma multidão de inscrições gregas de Pérgamo, cuja interpretação parece ser "a deuses desconhecidos" (Deissmann, *Paul*, pp. 287ss.). Autores modernos, como Eduard Norden e Albert Schweitzer discutiram a historicidade do sermão do areópago, baseando-se na ausência de evidências da existência de um altar a um deus desconhecido (singular) fora do livro de Atos. Entretanto, esse é um argumento ligado ao silêncio, insuficiente para provar qualquer coisa ligada ao assunto.

D. W. B.

**DEUS, NOMES E TÍTULOS DE** Cinco palavras hebraicas do Antigo Testamento são de essencial importância na discussão dos vários nomes e títulos simples e compostos de Deus. No Antigo Testamento, como na literatura religiosa dos cananeus, nomes divinos sinônimos freqüentemente aparecem para a mesma divindade, como também apelações usadas com paralelismo na poesia. Nenhuma inferência de politeísmo pode ser extraída de tal uso. Para o significado do conceito de "nome" na época da Bíblia, *veja* Nome(s).

**1. Adonai.** Um título honorário usado tanto como um plural intensivo de posto, significando "Amo", "Soberano" ou "Senhor", como um apelativo significando "Meu Senhor". Sua forma alternativa aparece em Salmos 110.1 onde se lê: "Disse o Senhor [*Yahweh*] ao meu Senhor [*'adoni*]". O texto em Mateus 22.41-45 mostra como Cristo identificou este título consigo mesmo. O equivalente grego é *Kyrios*, "Senhor", representando tanto *Yahweh* como *Adonai* na versão LXX do Antigo Testamento. No Novo Testamento, é aplicado igualmente a Cristo, ao Pai e ao Espírito Santo.

**2. El.** A palavra hebraica *'el*, que tem formas cognatas em outras línguas semitas, significa "aquele que é forte", um ser ou líder poderoso, um Deus no sentido mais amplo, seja verdadeiro ou falso. Como *theos*, Deus é a palavra genérica para divindade. A forma plural *'elim* em muitos contextos deve ser traduzida como "deuses". Estes deuses podem ser meros ídolos de madeira, metal ou pedra (Is 44.10,15,17; 46.6). *El* era o nome do "deus elevado" ou chefe do panteão dos cananeus. Entre os israelitas, *El* era freqüentemente usado para falar sobre o seu Deus, para descrevê-lo, e como um elemento de nomes compostos (por exemplo, *El Shaddai* "Emanuel"). *Veja* El.

**3. Elohim.** Esta forma plural da palavra similar *'eloah* (encontrada 42 vezes em Jó) é usada para deuses e deusas das nações vizinhas, mas principalmente significando o verdadeiro Deus de Israel com o sentido de única Divindade suprema (Gn 1.1 etc.; 3.5; Dt 4.35,39; Jr 10.10). Como a palavra hebraica comum para Deus, ela corresponde ao substantivo comum "deus", e, portanto, é aplicável ao conceito da divindade em contraste com o homem e com os seres criados. A forma plural com referência a uma divindade em particular não é exclusiva do Antigo Testamento hebraico, mas seu uso muito freqüente na versão hebraica era quase certamente encorajado pela crença dos israelitas de que o seu Deus era o único Deus verdadeiro e, portanto, a soma e a totalidade da divindade eram inerentes a Ele. *Veja* Elohim; Deus.

**4. Elyon, El Elyon.** *Elyon,* o "Altíssimo", é encontrado como uma designação para Deus em Números 24.16; Deuteronômio 32.8; 2 Samuel 22.14; Salmo 9.2 e mais 11 vezes; Isaías 14.14; Lamentações 3.35,38. Na LXX e no Novo Testamento, esse título aparece como a palavra grega *hupsistos* (por exemplo, em Lc 1.32; At 7.48). A expressão *'El 'Elyon,* "o Deus Altíssimo", é particularmente significativa quando usada por Melquisedeque (Gn 14.18-20). A expressão referese aos seres divinos na literatura sagrada dos cananeus encontrada em Ras Shamra (q.v.). *Veja* Altíssimo.

**5. Yahweh.** Este é o nome mais significativo de Deus do Antigo Testamento, porque é o nome próprio pessoal que Israel tinha para o seu Deus. Por essa razão, na época pós-exílio, começou a ser considerado tão sagrado que nunca era pronunciado. Ao invés disso, se usava em substituição ao termo *Adonai.* Nos séculos VI e VII d.C., os estudantes judeus masoréticos combinaram as vogais de *Adonai* com as consoantes YHWH para lembrar o leitor da sinagoga de que deveria pronunciar o nome como *Adonai.* Mas aquelas consoantes e vogais formam o nome Jeová, uma forma atestada pela primeira vez por volta do ano 1220 d.C. Quanto às versões inglesas da Bíblia Sagrada, Jeová é a grafia normalmente usada na versão ASV, seguindo suas poucas ocorrências na versão RSV, como tradução de *Yahweh.* A substituição das vogais só pode ser compreendida se percebermos que as Escrituras originais em hebraico não continham vogais escritas. As palavras hebraicas consistiam somente de consoantes, e as vogais eram acrescentadas pela exigência do contexto, ou de memória.

*Yahweh* era, sem dúvida, a pronúncia aproximada do tetragrama, da palavra de quatro letras YHWH, uma vez que foram encontradas transliterações para o grego na antiga literatura cristã, na forma de *iaoué* (Clemente de Alexandria) e *iabé* (Teodoreto) pronunciada "iave". A palavra é uma variação conectada com o verbo *haya,* "ser", de uma forma mais antiga *hawa.*

No sentido exato, esse é o único nome pessoal de Deus que pertence somente a Ele. Quando Moisés perguntou a Deus qual era o significado do seu nome, Ele respondeu: "EU SOU O QUE SOU". O Senhor também disse: "Assim dirás aos filhos de Israel. EU SOU me enviou a vós" (Êx 3.14). Assim, Deus revelou a Moisés o significado mais íntimo deste seu precioso Nome, *Yahweh.* Deus prosseguiu com a declaração: "Assim dirás aos filhos de Israel. O Senhor, o Deus de vossos pais, o Deus de Abraão, o Deus de Isaque e o Deus de Jacó, me enviou a vós; este é meu nome eternamente, e este é meu memorial de geração em geração" (Êx 3.15). Seu próprio nome foi sua promessa para o povo da sua aliança. "Ele está" com eles (cf. 3.12) para ser o seu Deus e para prover cada necessidade. Ele não tinha explicado aos patriarcas a importância deste seu nome, Yahweh (cf. Êx 6.2,3).

Existem fortes razões para acreditar que Jesus tivesse em mente o conceito inerente ao nome divino, quando disse: "Antes que Abraão existisse, eu sou" (Jo 8.58). Esta identificação de Si mesmo com a declaração de Deus em Êxodo 3.14 teria sido tão surpreendente na ocasião, que os judeus pegaram imediatamente em pedras para apedrejá-lo (Jo 8.58,59). *Veja* Eu sou.

**6. Nomes compostos de Deus.** Existem, no Antigo Testamento, caracterizações especiais de Deus, tanto expressando como confessando verdades tais como:

*a.* O poder de Deus – *'El Shaddai,* "Deus Todo-Poderoso", provavelmente significando originalmente o "Deus da(s) montanha(s)" (Gn 17.1). O termo Shaddai aparece sozinho 31 vezes em Jó, como um apelativo para Deus.

*b.* A eternidade de Deus – *El 'Olam,* "o Deus eterno" (Gn 21.33) e *'Attiq Yomin,* "ancião de dias", Aquele que julga e domina os impérios do mundo (Dn 7.9,13,22).

*c.* O relacionamento especial de Deus com Israel. Ao aceitar Israel como o seu novo nome (cf. Gn 32.28), Jacó reconheceu *'El-'elohe-Israel,* "El (é) o Deus de Israel", quando ele comprou uma porção de terra e erigiu um altar em Siquém (Gn 33.18-20, JerusB). Da mesma maneira, Josué, ao estabelecer o concerto no Monte de Ebal (Js 8.30), Débora, após sua vitória (Jz 5.3) e os profetas e salmistas (Is 17.6; Sl 59.5; Sf 2.9) reconheceram Yahweh como sendo o "Deus de Israel". "O Santo de Israel" era um título favorito (*q[e]dosh Yisra'el*) para Isaías, que o usou 29 vezes. Ele também falou de Deus como o "Forte de Israel" (Is 1.24) e como o "Forte de Jacó" (Is 49.26; 60.16), seguindo Gênesis 49.24. *Veja* também a "Força de Israel" (1 Sm 15.29).

*d.* A provisão de Deus para as necessidades do crente. Abraão chamou a colina de *Jehovah-jireh* [O Senhor proverá] quando estava prestes a oferecer Isaque em sacrifício. Assim, ele confessou que Deus tinha provido o sacrifício necessário no carneiro preso no arbusto que poderia ser o substituto como uma oferta queimada, ao invés do seu filho (Gn 22.13,14). *Yahweh Roph'eka*, "eu sou o Senhor, que te sara" (Êx 15.26) foi a promessa de Deus a todos aqueles que o obedecessem diligentemente.

*e.* A liderança de Deus – *Jehovah-nissi*, "O Senhor é minha bandeira", o nome que Moisés deu ao altar que ele construiu para comemorar a derrota dos amalequitas (Êx 17.15). *Yahweh Ro'i*, o nome mais amado ou a melhor descrição de todas, é a frase tão conhecida. "O Senhor é o meu pastor" (Sl 23.1), com as suas diversas aplicações à liderança, à provisão e à proteção.

*f.* A paz de Deus – *Yahweh-shalom*, "O Senhor é (a minha) paz", exclamou Gideão depois de receber a visita do anjo do Senhor, ao erigir um altar em Ofra e conhecer a paz de Deus no seu coração (Jz 6.24).

*g.* O mais precioso nome do Messias, *Yahweh-tsidkenu*, "O Senhor, Justiça Nossa" (Jr 23.6; cf. 33.16); o nome e o atributo pelos quais Jesus Cristo, o Messias, deveria ser particularmente conhecido (1 Co 1.30; 2 Co 5.21; Fp 3.9; 2 Pe 1.1; 1 Jo 2.1).

*h.* O nome da Nova Jerusalém, *Yahweh-shammah*, "O Senhor está ali", uma profecia de Ezequiel 48.35, que será cumprida na Nova Jerusalém de Apocalipse 21.22 e 22.3.

*i.* O título celestial de Deus, *Yahweh Sabaoth*, "O Senhor dos Exércitos". Este título divino, encontrado pela primeira vez em 1 Samuel 1.3, foi usado por Davi quando ele foi se encontrar com Golias: "Tu vens a mim com espada, e com lança, e com escudo; porém eu vou a ti em nome do Senhor dos Exércitos, o Deus dos exércitos de Israel, a quem tens afrontado" (1 Sm 17.45). Como Senhor dos exércitos, Ele é poderoso na guerra (Sl 24.8,10). Os profetas usavam este termo com freqüência. Ele é encontrado 88 vezes em Jeremias, na versão KJV em inglês, como "o Senhor dos exércitos" ou como "o Senhor, Deus dos exércitos", onde a expressão implica que os "exércitos" são forças angelicais do céu, constantemente prontas para obedecer as ordens de Deus" (cf. Sl 89.5-8; 148.2; Mt 26.53). A expressão "O Senhor de Sabaoth" aparece em Romanos 9.29 e Tiago 5.4. *Veja* Exército Celestial.

**7. Outros nomes.**

*a.* Rocha (heb. *sur*, por exemplo em Dt 32.4,15,18,31; 1 Sm 2.2; 2 Sm 22.3,32,47; 23.3; Sl 92.15; heb. *sela'*, por exemplo em Sl 18.2; 31.3; 42.9).

*b.* Pai (por exemplo, em Is 63.16; 64.8; Ml 1.6; Mt 5.16,45,48; 6.9 etc.). *Veja* Deus Pai; Aba.

*c.* Rei (Sl 10.16; 24.7-10; 44.4; 47.7; cf. 1 Sm 12.12). No antigo mundo semita, era prática comum referir-se à divindade como "Rei". Isaías viu o Senhor sentado em um trono e exclamou "os meus olhos viram o rei, o Senhor dos Exércitos!" (Is 6.1,5).

*d.* Juiz (por exemplo, em Gn 18.25; Jz 11.27; Sl 50; 75.7; At 10.42; 2 Tm 4.8; Hb 12.23). Este título se referia a uma das funções de um rei como governante (Is 33.22).

*e.* Pastor. Este título era freqüentemente assumido pelos monarcas antigos para significar o seu governo benevolente sobre o seu povo (por exemplo, Hamurabi, no prólogo do seu código). Deus é chamado de Pastor de Israel (Sl 80.1) e é comparado a um pastor em Isaías 40.11; Ezequiel 34.11-16. Assim, este se tornou um título importante do Senhor Jesus Cristo, como o grande Pastor das ovelhas (Hb 13.20; cf. 1 Pe 2.25; 5.4).

*f.* O Primeiro e o Último. Isaías emprega esta expressão para descrever o eterno governo de Yahweh sobre todo o curso da história, desde o princípio até o final (Is 44.6; 48.12; cf. 41.4; 43.10; 45.21; 46.9,10). O Cristo ressuscitado, glorificado, assume o título quando fala com João na ilha de Patmos (Ap 1.11,17; 2.8; 22.13).

*g.* A palavra grega *despotes*, "senhor", "amo", "dono", denota absoluta propriedade e poder ilimitado sobre os escravos. É usada como um título para Deus em Lucas 2.29; Atos 4.24; Apocalipse 6.10, e para Cristo em 2 Pedro 2.1 e Judas 4. *Veja* Deus.

***Bibliografia.*** William F. Albright, *Yahweh and the Gods of Canaan*, Garden City. Doubleday, 1968. B. W. Anderson, "God, Names of," IDB, II, 407-417. Ada R Habershon, *The New Testament Names and Titles of the Lord of Glory*, Londres. Nisbet, 1910. Andrew Jukes, *The Names of God in Holy Scripture*, Londres. Longmans, 1888. C. J. Labuschagne, *The Incomparability of Yahweh in the Old Testament*, Leiden. E J. Brill, 1966. G. T. Manley, "God, Names of,", NBD, pp. 477-480. Herbert F. Stevenson, *Titles of the Triune God*, Westwood, N.J.. Revell, 1956. Nathan J. Stone, *Names of God in the Old Testament*, Chicago, Moody, 1944. H. W. Webb-Peploe, *The Titles of Jehovah*, Londres. Nisbet, 1901.

R. A. K.

**DEUSA** Uma palavra usada somente duas vezes na Bíblia: a palavra hebraica *'elohim* usada para se referir a Astarote, deusa dos sidônios, em 1 Reis 11.5,33; e a palavra grega *thea* para se referir à deusa Diana em Atos 19.27,35,37.

Astarote era o nome hebraico da deusa Astarte dos cananeus. É relacionada com Ishtar, a deusa babilônica da sensualidade, da maternidade e da fertilidade. A adoração a Astarote incluía as práticas mais licenciosas. Israel começou a servir a Baal e a

Astarote na época dos juízes (Jz 2.13; 10.6). Salomão sucumbiu à sua adoração voluptuosa e construiu altos para ela e para outros deuses pagãos (1 Rs 11.5,7,8,33; 2 Rs 23.13), apesar das advertências anteriores de Deus (1 Sm 7.3; 12.10).

Diana (q.v.), assim conhecida entre os romanos, e conhecida entre os gregos como Ártemis, representava o mesmo poder sobre a fertilidade e a maternidade que era atribuído a Astarote na Palestina. Ela era vista como a deusa mãe da terra, com seu lugar principal de adoração no templo de Éfeso, onde era servida por eunucos e virgens vestais. O ritual do templo consistia em sacrifícios e prostituição cerimonial.

As duas, Astarote e Diana, que são basicamente a mesma deusa-mãe da Ásia, são exemplos das imagens femininas que o homem estabeleceu para si mesmo – das suas autoprojeções – e adorou. São mencionadas em Romanos 1.21-23. Os deuses pagãos são exemplos masculinos. Eles personificam as paixões e luxúrias desenfreadas do homem. E são divindades feitas à imagem decaída do homem, e à sua própria semelhança.

*Veja* Falsos deuses.

R. A. K.

**DEUTERONÔMIO, LIVRO DE** Este é o último dos cinco livros do Pentateuco. Este nome vem da Vulgata latina, do título da LXX *deuteronomion*, "repetição da lei", que às vezes foi confundida com "cópia desta lei" em Deuteronômio 17.18.

Antigos escritores judeus e cristãos unanimemente atribuem este livro a Moisés. O Senhor Jesus Cristo e os vários escritores do NT citam passagens do livro e fazem alusão a ele aproximadamente 100 vezes, freqüentemente indicando que a citação veio de Moisés (por exemplo, Mc 12.19; Mt 19.8; Rm 10.19; 1 Co 9.9). Os críticos modernos negam que Moisés tenha escrito Deuteronômio, atribuindo o livro, em sua forma presente, a vários escritores e editores durante um período de séculos.

A unidade literária deste livro de Moisés é inequivocamente evidenciada por sua notável estrutura. Isto se mostra em seu padrão total, e nas inúmeras ênfases temáticas da forma legal característica dos antigos tratados heteus e assírios; particularmente, aquelas do tipo servil. Além disso, houve uma evolução na forma documentária destes tratados. Deuteronômio corresponde à forma clássica do Oriente Próximo atestada na época de Moisés contra a do primeiro milênio a.C. Como contratos legais selados, estes tratados não estavam sujeitos a alteração.

O fato de Deuteronômio poder ser tão identificável confirma as suas próprias e claras reivindicações quanto à sua autoria mosaica, e a ocasião para a qual ele foi pro-

A deusa Deméter em Izmir. HFV

duzido (veja Dt 1.3; 31.9,22,24); e pelo mesmo sinal ele desmente todo o complexo das altas teorias críticas modernas com respeito à origem deste livro. A crítica negativa desde os dias de Wellhausen considera Deuteronômio como o produto de um prolongado processo de expansão e alteração, completada, de acordo com a opinião da maioria destes críticos, no século VII a.C., embora alguns o datem dos tempos pós-exílicos e outros pensem que ele remonte à anfictionia pré-monárquica.

O livro pode der esquematizado da seguinte forma:

I. Introdução: Mediador da Aliança, 1.1-5.
II. Prólogo Histórico: História da Aliança, 1.6–4.49.
III. Condições: Vida da Aliança, 5.1–26.19.
IV. Sanções: Ratificação da Aliança, 27.1–30.20.
V. Arranjos de Sucessão: Continuidade da Aliança, 31.1–34.12.

Os tratados servis iniciavam-se com a autoidentificação do suserano dirigindo-se ao seu vassalo. Assim, a introdução de Deuteronômio (1.1-5) identifica Moisés como o orador e o mediador-representante do Rei Celestial que era o verdadeiro Senhor desta aliança. A introdução também indica a ocasião da assembléia final de Israel, convocada por Moisés, pouco antes de sua morte. Como era de costume na administração de alianças, a aproximação da morte do chefe dinástico (isto é, Moisés) era o sinal da renovação da aliança, exigindo do vassalo (isto é, Israel) o reconhecimento do sucessor dinástico eleito (isto é, Josué).

O propósito do prólogo histórico era citar os benefícios anteriormente concedidos pelo Grande Rei, para que a fidelidade dos vassalos pudesse ser motivada por um senso de gratidão. Começando a relembrar a história do relacionamento do Senhor com Israel na cena do estabelecimento sinaítico da aliança, Moisés relembra a fiel proteção de Deus para com Israel apesar de sua rebeldia durante os anos em que vagaram pelo deserto, e das conquistas transjordanianas; então apresenta o relato na presente cerimônia solene com palavras de exortação (1.6–4.49).

As condições ditadas pelo suserano como regras para a vida dos vassalos, formavam uma terceira divisão padrão nos tratados. A exigência fundamental era sempre a perfeita lealdade dos vassalos, e a exclusão da fidelidade a qualquer outro senhor. De forma satisfatória, as leis de Deuteronômio começam com o grande mandamento de amar ao Senhor com todo o coração, porque só Ele é o Deus de Israel (5.1–11.32). O fato de os suseranos – por ocasião da renovação de suas alianças – repetirem as suas exigências anteriores com tais modificações que poderiam ser necessárias, explica a nova versão do Decálogo (5.6ss). Na lembrança da legislação (caps. 12–26), o primeiro princípio era aplicado a áreas específicas da teocracia israelita em leis que tratavam da consagração da lei cerimonial (12.1–16.17), da retidão judicial-governamental (16.18–21.23), da santidade da ordem divina (22.1–25.19), e da confissão de Deus como o Rei-Redentor (26.1-19).

Segue-se a seção usual apresentando as sanções do tratado. Começa com instruções para uma fase conclusiva na renovação da aliança a ser dirigida por Josué dentro de Canaã (cap. 27). As maldições e as bênçãos dos caps. 28–30 fornecem uma visão profética da história israelita, culminando no exílio e restauração. Elas também constituem a ameaça e as promessas divinas nos termos em que Israel fez seu juramento de fidelidade naquele dia.

Reunidos nos capítulos finais (31–34) estão elementos relacionados à continuidade da aliança. preparativos para a sucessão de Josué; o compromisso com as testemunhas da aliança, ou seja, o texto do tratado depositado no santuário, e a canção de testemunho colocada nos lábios de Israel; as bênçãos testamentárias de Moisés; e o registro da morte de Moisés. Esta morte iminente era a razão da urgência da cerimônia da qual Deuteronômio é a testemunha documentária. *Veja* Aliança.

***Bibliografia.*** CornPBE, pp. 258-262, para teorias de autoria recentes. Kenneth A Kitchen, "Ancient Orient, 'Deuteronism,' and the Old Testament", NPOT, pp. 1-24. Meredith G. Kline, *The Treaty of the Great King*, Grand Rapids. Eerdmans, 1963. Dennis J. McCarthy, *Treaty and Covenant*, Roma. Pontifical Biblical Inst., 1963. Gerhard von Rad, *Studies in Deuteronomy*, Nova York. Henry Regnery, 1953. Adam C. Welch, *The Code of Deuteronomy*, Londres. Oxford, 1924; *Deuteronomy. The Framework to the Code*, Londres. Oxford, 1932. Samuel J. Schultz, *Deuteronomy, The Gospel of Love*, Chicago. Moody Press, 1971.

M. G. K.

**DEVER** Termo encontrado de quatro a oito vezes nas versões da Bíblia Sagrada (excluindo o termo "devido"). O dever do casamento é discutido em Êxodo 21.10 e Deuteronômio 25.5,7 em duas situações diferentes. O dever diário em relação ao ritual religioso é discutido em 2 Crônicas 8.14 e Esdras 3.4. Esta palavra também é encontrada em Eclesiastes 12.13. O dever total de um homem sob a lei era temer a Deus e guardar os seus mandamentos. Em Lucas 17.10 Jesus disse que quando fazemos o que nos foi ordenado, estamos apenas cumprindo nosso dever. Em Romanos 15.27, Paulo fala do dever dos gentios de ministrar as coisas materiais aos judeus que lhes ministraram as coisas espirituais.

## DEZ MANDAMENTOS

### História da Interpretação

O AT sustenta que a lei é o padrão do comportamento aceitável. Ocasionalmente o aspecto cerimonial é proeminente, mas os profetas enfatizam os aspectos éticos. As mensagens deles são mais bem compreendidas contra o contexto do Decálogo (por exemplo, Jr 7.9).

Jesus aplicou o Decálogo ao plano da motivação. Paulo em suas epístolas aos Romanos e Gálatas enfatizou que a lei é escrita no coração e é proclamada para dar conhecimento do pecado. O NT, assim como o AT, liga o Decálogo a Moisés.

Exceto pelos Gnósticos (*veja* Gnosticismo), os Patriarcas da Igreja geralmente reconhecem a origem Mosaica da lei. Justino mantinha uma diferença entre a lei moral e a cerimonial. Acadêmicos medievais tanto cristãos como judeus ensinavam a origem Mosaica da lei. Aquino introduziu uma divisão tripla da lei: moral, cerimonial e judicial.

Os reformadores explicaram o Decálogo, declararam sua autoria Mosaica e fizeram ecoar a ênfase Paulina. Wesley promulgou os pontos de vista de Paulo. Justino e os reformadores sustentaram que a lei leva ao Evangelho, enquanto que o Evangelho leva a uma maior obediência à lei.

A "crítica elevada" levou à primeira negação da tradição Mosaica. Partes do Decálogo foram consideradas como o resultado do desenvolvimento evolutivo de adoração ancestral, ambiente nômade, ou de uma vida agrícola fixa. Alguns pensavam que Moisés inicialmente criou a lei, e que ela evoluiu. Outros sustentavam que a lei é tão altamente evoluída que Moisés não tinha ligação com ela, mas que Moisés criou apenas um Decálogo ritual.

As tendências atuais dos estudos bíblicos indicam um crescente apoio à origem Mosaica. As qualidades nobres do Decálogo estão sendo datadas como cada vez mais antigas.

### A Visão Tradicional da Origem

O ponto de vista tradicional afirma que Deus deu a lei através de Moisés. As duas versões do Decálogo vieram de Moisés – a versão do Êxodo (Êx 20.1-17) como citada nas tábuas de pedra, e o relato de Deuteronômio (Dt 5.6-21), da forma que Moisés as transmitiu. A visão tradicional é apoiada por três milênios de tradição, e por argumentos estilísticos. A versão de Deuteronômio tem um estilo exortativo. A tradição Mosaica coincide com esse fato. Todas as variações em Deuteronômio 5.6-21 podem ser interpretadas como exortativas. Além do mais, a maioria dos acadêmicos reconhece um estilo subjacente comum às duas versões.

O testemunho da história consubstancia a posição tradicional. Na própria história de Israel, o ministério dos profetas torna-se um enigma sem a existência da lei. Os profetas declaram o ideal ainda não atingido por Israel, acusando-o de quebra da aliança. Mendenhall declara que os tratados de suzerania hitita do 2º milênio a.C. contêm paralelos com o Decálogo. Isso significa que o Decálogo era historicamente apropriado à era Mosaica. *Veja* Aliança.

Alguns alegam que o Decálogo em Êxodo 20 interrompe a narrativa, mas que uma leitura de Êxodo 20.19,22 indica que o Decálogo não é uma interrupção. Wellhausen procura enfatizar aparentes contradições sobre autoria em Êxodo 34.1 (indicando que Deus escreveu nas tábuas) e em 34.28 (que Moisés escreveu nelas), alegando que tal flagrante inconsistência em tão curto espaço é improvável. Mas o Senhor, e não Moisés, é o sujeito lógico da expressão "E escreveu..." na segunda metade do versículo 28.

### Opiniões Críticas Sobre a Origem

Existem duas visões críticas básicas sobre a origem do Decálogo. Alguns o consideram um código legislativo primitivo copiado por Moisés, e que se expandiu com o passar dos anos. Outros alegam que o Decálogo não foi precedido de dez rígidos mandamentos Mosaicos, mas por um decálogo ritual.

A primeira opinião enfatiza a brevidade de vários mandamentos, e o fato de que nos mais longos um mandamento breve é evidente. Contudo, quando as supostas adições são removidas, existem 13 mandamentos. Assim, três mandamentos devem ser arbitrariamente eliminados. O chamado material interpretativo é essencial para se ter dez mandamentos.

Aqueles que acham que o precursor do Decálogo foi ritualístico apelam para Êxodo 20.23-26; 22; 23.10-19; 34 para prová-lo, mas não concordam quanto a quais são os dez mandamentos originais. Aqueles que têm esta opinião não conseguem justificar as sessões narrativas satisfatoriamente. Além disso, os dois mandamentos supostamente "tardios", o segundo e o quarto, estão em evidência nesses decálogos rituais.

Todas as posições críticas sobre a origem do Decálogo têm um compromisso subjacente com o desenvolvimento evolutivo da lei e da religião, e com uma descrença na revelação sobrenatural.

### Divisão do Decálogo

Os judeus, os católicos e os luteranos combinam as proibições contra o politeísmo e a idolatria em uma só. Os judeus estabeleceram a afirmação introdutória (Êx 20.2) como o primeiro mandamento, enquanto os católicos e os luteranos dividem o mandamento contra a cobiça. As igrejas Ortodoxa e Reformada consideram Êxodo 20.2 como introdutório, a proibição contra o politeísmo como o primeiro mandamento, e a proibição da idolatria como o segundo mandamento.

A segunda opinião é superior porque ela faz uma distinção entre politeísmo e idolatria. Essa visão evita artificialmente que se divida o décimo mandamento, e que se faça um mandamento de Êxodo 20.2, que não é nem um mandamento nem uma proibição.

### Conteúdo dos Mandamentos

1. *Primeiro mandamento* (Êx 20.3; Dt 5.7). Esse mandamento declara a obrigação da lealdade a Jeová. O israelita não deveria ter outro deus. Deus esperava uma fidelidade única a si mesmo. O termo "diante" significa estar perante a face de alguém. Assim ele significa "em frente a" ou "na presença de". Não deveria haver rival para o Senhor em se tratando da afeição do coração.
2. *Segundo mandamento* (Êx 20.4-6; Dt 5.8-10). Essa é uma ordem dupla que proíbe que se faça e que se adore imagens. Como Jeová é o Criador, representá-lo como um ser criado é uma blasfêmia. O mandamento nos relembra que a nossa vida está envolvida com a vida de outras pessoas, e não podemos escapar deste fato. Nossa conduta tem implicações para nós mesmos e para outros, não em termos de culpa, mas de conseqüências.
3. *Terceiro mandamento* (Êx 20.7; Dt 5.11). Esse mandamento clama por reverência a Jeová. Ninguém deve abusar do nome dele, e isto revela sua natureza. As palavras "em

vão" têm vários significados possíveis. Alguns sugerem que seu Nome não poderia ser usado em conjunto com a feitiçaria. Outros mantêm que o Nome de Deus não poderia ser usado em assuntos sem grande importância. Outros ainda acreditam que a idéia estava voltada aos juramentos profanos, e que a expressão "em vão" significa aparecer de mãos vazias perante a Divindade, ou usar o Nome de Deus em um juramento e não cumprir o prometido. O mandamento provavelmente não tem em vista um tipo específico de mau uso do Nome de Deus, mas proíbe qualquer mau uso de seu Nome.

4. *Quarto mandamento* (Êx 20.8-11; Dt 5.12-15). Esse é um mandamento positivo concernente ao uso apropriado do tempo. O trabalho de um homem deveria ocupar 6 dias, mas o sétimo deve ser consagrado a Deus, seguindo o padrão da criação.

As passagens em Êxodo 20.11 e Deuteronômio 5.14,15 não são contraditórias. Ambas recomendam um dia em sete e declaram o sábado como uma ocasião para descanso. O livro de Deuteronômio não dá nenhuma razão para o padrão de um dia em sete. Deuteronômio 5.14,15 repete a ordem sem o padrão, citando o ímpeto do Êxodo. Em Deuteronômio, o Êxodo é constantemente citado como uma motivação para diversas observações religiosas, e assim ele não é de uma importância particular aqui. Os textos em Êxodo 20.2 e Deuteronômio 5.6 também mencionam o Êxodo como o ímpeto à obediência. Esse mandamento no Êxodo é redigido em linguagem universal. Contudo, quando Moisés exorta, "lembra-te", ele o adapta a Israel (Êx 5.15).

Existem muitas opiniões quanto à maneira de se observar o sábado. Contudo o Decálogo simplesmente manda que ele seja santificado, isto é, separado para Deus. Isso envolve descanso físico de trabalhos diários para homens e animais. As referências à criação e ao Êxodo implicam em que deve ser atribuído um conteúdo religioso ao sábado. O chefe da família é responsável pela observação do sábado em todo o seu domicílio.

5. *Quinto mandamento* (Êx 20.12; Dt 5.16). O israelita deve honrar seu pai e sua mãe. O quarto mandamento cita a responsabilidade que os pais têm de prover um ambiente apropriado que inclua o descanso para seus filhos, embora esse mandamento lide com a responsabilidade dos filhos. Honrar aos pais envolve respeito e obediência. Os filhos têm o dever de viver de modo que honre a seus pais.

6. *Sexto mandamento* (Êx 20.13; Dt 5.17). A tradução mais precisa seria: "Não assassinarás" (de *rasah*). Ele não proíbe que se tire a vida de um animal, nem mesmo a vida humana sob certas circunstâncias. Ele se refere aos assassinatos que se originam do ódio.

7. *Sétimo mandamento* (Êx 20.14; Dt 5.18). Esse mandamento proíbe o adultério. Alguns acreditam que o adultério é cometido com a esposa de outro homem, enquanto as relações com uma mulher solteira são permissíveis (fornicação). Outros sustentam que o mandamento bane relações com qualquer pessoa que não seja o seu próprio cônjuge. As palavras para adultério e fornicação são às vezes utilizadas como mutuamente intercambiáveis, de modo que não há uma distinção completa. Oséias e Jeremias condenam a fornicação, mas mesmo assim em suas listas de pecados, o único pecado de natureza sexual é o adultério, sugerindo que ele é inclusivo (cf. Os 4.2,12; Jr 2.20; 7.9; 23.14). Como o adultério é a única perversão sexual mencionada no Decálogo, deve-se entender que ele inclua a fornicação.

8. *Oitavo mandamento* (Êx 20.15; Dt 5.19). Esse mandamento proíbe o furto, isto é, tomar para si algo que pertença a outrem. Assim, ele aprova o direito de propriedade. O homem pode possuir aquilo que é o resultado justo de seu trabalho, ou um presente. Porém ao homem se proíbe furtar aquilo que é de propriedade de outro.

9. *Nono mandamento* (Êx 20.16; Dt 5.20). Esse mandamento é uma exortação à fala honesta. Embora lide especificamente com o testemunho em uma corte, ele proíbe todo o falso testemunho como sendo impróprio ao povo de Deus. As palavras dos homens são do interesse de Deus.

10. *Décimo mandamento* (Êx 20.17; Dt 5.21). Esse mandamento traz o padrão divino da vida interior. O mandamento não se opõe a todo desejo, mas apenas proíbe o desejo ardente, por coisas que não são nossas, de forma tão intensa que se torne a dinâmica de nossa vida. Os desejos do coração devem estar de acordo com os desejos de Deus para a vida de cada um (Sl 37.4; 10.17).

R. B. D.

### A Atitude do NT Quanto ao Decálogo

Deve-se lembrar que o Decálogo não é uma unidade por si só e isolada, mas uma parte integrante da lei Mosaica. Os contextos de Êxodo e Deuteronômio são suficientes para indicar isso, mas o quarto mandamento (a observação do sábado) torna isso especialmente óbvio, pois é em outra parte da lei Mosaica que encontramos as recomendações detalhadas concernentes à sua observação. Em um sentido, esse mandamento, apesar de incluído no que é comumente chamado de lei ética ou moral, é mais cerimonial do que moral, e sua violação era punível com sanções civis. O ponto é que a divisão da lei Mosaica em moral, cerimonial e civil pode se tornar bastante artificial. A lei como um sistema de governo do povo de Deus pode se manter ou cair como um sistema integral (cf. Tg 2.11,12); os próprios judeus a considera-

vam uma unidade indivisível. Esse sistema como tal chegou a um fim ao ser cumprido por Cristo, que era o seu objetivo e sua finalidade (Rm 10.4; Gl 2.19-21; 3.13; 5.11).
Isso não significa, entretanto, que os mandamentos relativos à moralidade na lei sejam anulados no sentido de que a imoralidade seja agora legítima. Muito pelo contrário, pois os princípios atemporais de certo e errado, incorporados no Decálogo, são em essência repetidos no NT como parte das regras da vida para os cristãos (não há um mandamento que corresponda ao quarto mandamento). Mas nem isso é simples repetição, já que há um avanço que supera as afirmações do AT. Apesar de Cristo citar do quinto ao nono mandamento como um resumo dos deveres do homem para com os homens, é seguindo a Jesus que se chega à salvação (Mt 19.16-30; Mc 10.17-29; Lc 18.18-30).
No Sermão do Monte, o Senhor Jesus Cristo se coloca como a autoridade superior à lei, corrigindo a errônea interpretação judaica desta, esclarecendo o seu verdadeiro intento e significado (Mt 5.17-46; cf. Mt 15.3-6; Mc 2.23-28). Ele cita especificamente o sexto e o sétimo mandamentos e, então, afirma que a ira está na raiz do assassinato e que a luxúria é adultério no coração. Assim, o Senhor radicaliza as afirmações do Decálogo nesses pontos estendendo os mandamentos ao reino dos pensamentos (Mt 5.21-32). Ele também resumiu as obrigações do homem para com Deus e seus irmãos através da palavra "amor", pois o homem que tem em seu coração amor por Deus e pelo próximo não pecará contra nenhum deles (Mt 22.36-40; cf. Jo 13.34,35). Paulo desenvolveu o mesmo conceito (Rm 13.8-10; Gl 5.14).
Embora existam princípios de certo e errado nos Dez Mandamentos que são eternamente válidos, o NT não repete simplesmente os preceitos que ainda são os deveres do crente, mas também os internaliza e indica o amor como sendo a essência que preenche todos os requisitos para com o próximo e para com Deus. O Decálogo não deve ser considerado o ponto mais alto do dever cristão. Este conceito pode ser entendido a partir do NT, que especifica a implicação de se experimentar e viver o amor enquanto se é guiado pelo Espírito Santo.
*Veja* Aliança; Graça; Lei de Moisés.

***Bibliografia.*** Alva J. McClain, *Law and Grace*, Chicago. Moody Press, 1967. G. Schrenk, "*Entole*", TDNT, II 544-556.

S. N. G.

**DEZ** *Veja* Número.

**DIA** *Veja* Tempo: Tempo, Divisões do.

**DIA (ou DIAS) DE FESTA** Uma expressão que é assim traduzida no Novo Testamento em Colossenses 2.16. Na realidade, era um dia de festa ou de banquete embora utilizado com um propósito reverente e sagrado. Em todos os demais casos no Novo Testamento, esta expressão é traduzida como "festa" (por exemplo, em Lc 2.42; Jo 5.1; 7.2 etc.). No Antigo Testamento, por outro lado, o sábado é mencionado como um dia santificado em Êxodo 35.2, no sentido de ser um dia sagrado.

**DIA DE CRISTO, O** Expressão do NT que ocorre (com seu equivalente) em 1 Coríntios 1.8; 5.5; 2 Coríntios 1.14; Filipenses 1.6,10; 2.16. Parece ser mais um instante do tempo do que propriamente um período de tempo, sendo que o instante se inicia quando os crentes se encontram com o Senhor. Corresponde àquele instante culminante quando a peregrinação da igreja estará terminada, e ela se juntará ao seu Senhor. Está relacionado apenas com os crentes e associado às bênçãos e não ao juízo, como no dia do Senhor (q.v.).

**DIA DE DEUS, O** Expressão encontrada apenas em 2 Pedro 3.12: "Aguardando e apressando-vos para a vinda do Dia de Deus, em que os céus em fogo se desfarão; e os elementos, ardendo, se fundirão" (q.v.) mencionado em Isaías 2.12-21; 13.9ss. (cf. Jr 46.10; Ez 30.3; Jl 1.15; 2.1,11. 3.14; Am 5.18; Ob 15; Sf 1.7,14; Zc 14.1). Começa com os acontecimentos que precedem imediatamente a segunda vinda de Jesus Cristo, e continua através do milênio até a criação dos novos céus e da nova terra. Que sua duração será de, pelo menos mil anos, está implícito na afirmação de 2 Pedro 3.8, "Que um dia para o Senhor é como mil anos, e mil anos, como um dia". Esse termo foi considerado por outros, especialmente por aqueles cujo ponto de vista é "amilenial", como referindo-se apenas à renovação dos céus e da terra através do fogo, como preparação para a criação de novos céus e de uma nova terra. *Veja* Escatologia; Dia do Senhor.

R. A. K.

**DIA DE EXPIAÇÃO** *Veja* Festividades.

**DIA DO JULGAMENTO** *Veja* Julgamento.

**DIA DO SENHOR** Essa expressão é encontrada em Apocalipse 1.10 e em outras passagens. O adjetivo *kuriakos* é usado em conexão com a Ceia do Senhor em 1 Coríntios 11.20. A maioria dos comentaristas explica que essa expressão significa "dia consagrado ao Senhor" e não o futuro dia escatológico do Senhor. O fato de Paulo usar "o primeiro dia da semana" em 1 Coríntios 16.2 parece mostrar que o "dia do Senhor" não era uma expressão amplamente usada na era Apostólica. Na literatura pós-apostólica ela foi usada. por Inácio, *To the Magnesians* ix. 1; no

Evangelho de Pedro, vv. 35,50; e na Epístola a Barnabé 15.9.
A origem da expressão "dia do Senhor" pode ser rastreada e identificada por sua associação com o dia da ressurreição de Cristo. Esse termo também foi marcado pela aparição de Cristo aos discípulos em um domingo (Jo 20.26), e pela descida do Espírito Santo no primeiro dia da semana (At 2.1). Embora no princípio as reuniões diárias dos cristãos fossem feitas em Jerusalém (At 2.46), o domingo tornou-se gradualmente o dia da adoração (At 20.7; 1 Co 16.2). Dessa forma, essa frase era, provavelmente, a ousada substituição cristã do "dia do Imperador" como era conhecido o primeiro dia do mês no Egito e na Ásia Menor, em honra ao imperador romano. Embora o NT não apresente, em nenhuma passagem, o dia do Senhor como uma prática semelhante ao sábado judaico, muitos membros da igreja cristã consideram sua celebração como o cumprimento do quarto mandamento. *Veja* Sábado.
O relato em Atos 20.7 mostra que a prática da Ceia do Senhor era, evidentemente, uma característica própria da adoração no dia do Senhor. A coleta também fazia parte das atividades desse dia (1 Co 16.2). Justiniano (150 d.C.) descreve as suas atividades, incluindo a leitura das cartas dos apóstolos e dos profetas, exortação, oração, Ceia do Senhor e coleta (*Apology* i. 67). Anteriormente, o *agape* (banquete do amor, q.v) fazia parte dos cultos (1 Co 11.33,34), mas essa cerimônia foi evidentemente interrompida na época de Justiniano.

***Bibliografia.*** Paul K. Jewett, *The Lord's Day*, Grand Rapids. Eerdmans, 1971. C. C. Richardson, "Lord's Day", IDB, III, 151-154. Willy Rordorf, *Sunday. The History of the Day of Rest and Worship in the Earliest Centuries of the Christian Church,* trad, por A A K. Graham, Filadélfia. Westminster, 1968.

C. C. R.

**DIA DO SENHOR, O** Essa expressão (e outras equivalentes, como "aquele dia", é o objeto da revelação do AT e do NT. Uma ocorrência anterior (Am 5.18-20) mostra que essa frase já era usada popularmente. Corresponde ao tempo do julgamento de Israel (Am 5.18-20), do castigo das nações (Is 13.6,9; Ob 15) e da verdadeira vinda do Senhor e da salvação para aqueles que se arrependerem (Jl 2.28-32). Sua vinda será como a visita de um ladrão durante a noite e precedida por sinais (1 Ts 5.1,2; 2 Ts 2.2). Assim, o dia do Senhor inclui um período de tribulação e o reino do milênio (2 Pe 3.10). *Veja* Dia de Deus.

**DIABO** (Gr. *diabolos*, "caluniador", "falso acusador"). Idêntico a Satanás, Adversário. Ele é uma vez chamado de *kategor*, "acusador", em Apocalipse 12.10, e é chamado de Belzebú (q.v.) em Mateus 12.27.
O diabo é um ser criado, pessoal, sobre-humano, maligno, um anjo caído, sem uma forma material corpórea. Ele é representado nas Escrituras como tendo sido o mais elevado de todos os arcanjos antes de sua queda.
Embora não seja popular hoje em dia acreditar na personalidade do diabo, as Escrituras ensinam tanto sua realidade como sua personalidade. A Bíblia credita a Satanás os atributos, obras e nomes de um ser pessoal. É dito que ele "engana todo o mundo" (Ap 12.9), envolvendo o intelecto; ele avança com "grande ira" (Ap 12.12), mostrando emoção; ele "peleja" ou "guerreia" (Ap 12.17), fazendo, assim, as obras de uma pessoa. Além disso, ele possui vários nomes que descrevem o seu caráter. "Satanás", "Diabo", "antiga serpente", "acusador" (Ap 12.9,10; 20.2).
Além das Escrituras, o argumento mais forte para ele ser uma pessoa real é que a negação da sua existência destruiria nossa crença na Divindade de Cristo: "... se Ele [isto é, Cristo] não fosse tentado externamente pelo mal... se aquelas sugestões malignas de transformar as pedras em pães... não viessem até Ele de uma inteligência viva... externa a Ele mesmo, então elas deveriam vir de *dentro*; e, sendo este o caso, Ele mesmo precisaria de um Salvador ao invés de sê-lo" (F. C. Jennings, *Satan*, p. 5).
Em 1 Pedro 5.8, Satanás é mencionado como o nosso "adversário". Ele pode e realmente se transforma em um anjo de luz (2 Co 11.14). Pelo menos algumas formas de enfermidades são causadas pelo diabo, pois Paulo disse que o seu "espinho na carne" (2 Co 12.7) era um "mensageiro de Satanás" (veja também Lc 13.16; Jó 2.7).
O diabo assumiu a forma de uma serpente para tentar Eva (Gn 3.1). Ele engana e tenta os homens para que pequem (Ef 6.11; 1 Tm 3.7; Mt 4.1ss).
Satanás foi um anjo criado que aparentemente foi incluído entre os filhos de Deus (Jó 1.6). Sua habitação original era no céu como o "querubim ungido para proteger" (Ez 28.14,16). A menção do príncipe de Tiro em Ezequiel 28.2ss. parece fazer referência a Satanás, pois é dito que ele esteve no Éden (v. 13), e "Perfeito eras nos teus caminhos, desde o dia em que foste criado, até que se achou iniqüidade em ti" (v. 15). Este texto não parece se referir meramente ao príncipe terreno de Tiro, mas ao diabo que habitava nele. Há alguns que não vêem isto como uma referência a Satanás.
O diabo caiu do seu estado elevado pelo pecado do orgulho, e por procurar usurpar o trono de Deus. Jesus viu Satanás caindo do céu como um raio (Lc 10.18; cf. Is 14.12-14). Ele é agora chamado de "o príncipe das potestades do ar" (Ef 2.2), e "o príncipe deste mundo" (Jo 14.30). Alguns pensam que antes de seu po-

der ser derrotado pela morte e ressurreição de Cristo, Satanás enganava as nações, mas, agora, antes da segunda vinda de Cristo, ele está limitado quanto a enganar as nações, embora não quanto a tentar as pessoas; e que no final desta era ele será solto para enganar as nações mais uma vez (Ap 20.2,7,8; cf. Mt 12.26-29). Outros interpretam que na futura Era Milenar Satanás será amarrado como se lhe fosse retirada toda a atividade contra Deus, e que hoje ele não está apenas tentando as pessoas, mas também enganando as nações, seduzindo-as a uma total independência de Deus (2 Co 4.4; 11.3).

Satanás é o "pai da mentira", um "homicida" e o pai, mentor ou mestre espiritual dos homens ímpios (Jo 8.44). Porém, por mais iníquo que seja, ele ainda deve se curvar diante da soberania de Deus (Jó 1.10).

O diabo não é onisciente, nem onipresente e nem onipotente. Então, ele aparentemente depende de seus seguidores, os malignos anjos caídos (demônios) que estão sujeitos a ele, para ser seus agentes para tentar os homens e habitar naqueles que são possuídos pelos demônios (Mc 1.23-27,32,34; 3.11,12 etc.). Ele é chamado de "o acusador de nossos irmãos" (Ap 12.10; cf. Jó 1).

Ele já está julgado por Deus e aguarda o seu destino no juízo final (Ap 20.10; Mt 25.41). Aparentemente não há nenhuma evidência bíblica para a crença comum de que o diabo esteja agora no inferno, presidindo sobre as torturas dos amaldiçoados. Em 2 Pedro 2.4 Pedro declara que Deus lançou os anjos pecadores no inferno e os entregou às cadeias da escuridão, reservando-os para o Juízo, mas este é diferente do lago de fogo e enxofre (cf. 2 Pe 3.7).

*Veja* Acusador; Adversário; Anticristo; Belial; Enganador; Demonologia; O Maligno; Lúcifer; Satanás.

***Bibliografia.*** Donald G. Barnhouse, *The Invisible War*, Grand Rapids. Zondervan, 1965. Lewis S Chafer, *Satan*, Chicago. Moody, 1942. Werner Foerster e Gerhard von Rad, "*Diabolos*", TDNT, II, 72-81. F. C. Jennings, *Satan. His Person, Work, Place and Destiny*, Nova York. A C. Gaebelein, s.d. Merrill F. Unger, *Biblical Demonology*, 2ª ed., Wheaton, Ill.. Van Kampen Press, 1963, especialmente as pp. 182-208.

F. E. H.

**DIACONISA** Tradução da palavra grega *diakonos* usada para um auxiliar, ou um diácono como funcionário da igreja. Em Romanos 16.1, Febe é mencionada como *diakonos* na igreja de Cencréia. Isso não implica, necessariamente, que esse fosse um cargo oficial. Pode ter sido apenas um ato ocasional ou temporário de serviço, ou um ofício da igreja. Não existe um claro reconhecimento da função de diaconisa nas Epístolas Pastorais. Nas versões KJV e ASV em inglês, em Romanos 16.1 o sentido expresso foi o de "serva". Outras traduções apresentam o termo "diaconisa" (como por exemplo, a versão NTLH em português).

É provável que existisse, em diferentes igrejas, grupos de mulheres encarregadas de visitar os membros de seu próprio sexo, da mesma forma que os diáconos cumpriam os seus deveres. Os regulamentos contidos em 1 Timóteo 3.11 e Tito 2.3-5 referentes à conduta das mulheres, estão relacionados ao cargo de diaconisa. O texto em 1 Timóteo 5.9,10 tem sido sugerido como contendo os requisitos para esse cargo. Não é seguro que essas passagens se refiram a esse cargo, embora sempre tenha existido essa ordem na história da igreja. Pliny, o Mais Jovem, escrevendo como governador de Bitínia ao imperador Trajano, em 112 a.C., indicava que naquela época havia diaconisas entre os cristãos a quem ele havia mandado torturar naquela província.

D. L. W.

**DIÁCONO** Sua forma verbal (*diakonein*) significa "servir", particularmente "servir às mesas" (cf. Arndt, p. 183). Tem a conotação de um serviço muito pessoal, intimamente relacionado com servir por amor. Para os gregos, o serviço era raramente dignificado; o desenvolvimento próprio deveria ser a meta de uma pessoa ao invés da humilhação própria. Enquanto a LXX não usa a palavra *diakonein* ("servir"), o judaísmo conserva uma visão diferente sobre o serviço. Isso está exemplificado no segundo mandamento: "Amarás o teu próximo como a ti mesmo" (Lv 19.18; cf. Mc 12.31). Foi isso que o nosso Senhor ensinou quando lavou os pés de seus discípulos, acrescentando: "Porque eu vos dei o exemplo, para que, como eu vos fiz, façais vós também" (Jo 13.15).

O uso generalizado da palavra "diácono" no NT foi classificado por H. W. Beyer ("*Diakoneo*, etc.", TDNT, II. 81-93) e foram sugeridas as seguintes formas adaptadas: (1) "o servente em uma refeição" (Jo 2.5,9); (2) "o servo de um mestre" (Mt 22.13; Jo 12.26); (3) "o servo de um poder espiritual", bom (Cl 1.23; 2 Co 3.6; Rm 15.8) ou mau (2 Co 11.14ss; Gl 2.17); (4) "o servo de Deus" (2 Co 6.3ss.) ou de Cristo (2 Co 11.23) como no caso de Paulo, ou como foi aplicado a seus companheiros de trabalho (1 Ts 3.1-3; 1 Timóteo 4.6; Cl 1.7; 4.7); (5) "os [gentios como] servos de Deus" (Rm 13.1-4); (6) "um servo da igreja" (Cl 1.24,25; 1 Co 3.5).

Nos escritos gregos esse nome está relacionado muito de perto com o sentido do verbo. Ele descreve um atendente à mesa, um servo, um mensageiro, um garçom e ainda era usado com referência a ocupações específicas, como padeiro ou cozinheiro. O termo aparece poucas vezes na LXX e sempre com um sentido secular. Ele descreve os servos do rei em Ester 1.10; 2.2; 6.3,5. Em Provérbios 10.4 (na LXX) o tolo deve ser "servo" do sábio. Josefo, o historiador da nação judaica, caracterizou Eliseu como "discípulo e servo" de Elias".

Quando a palavra diaconato apareceu pela primeira vez na igreja primitiva? Foi em Atos 6.1-6? Na passagem que trata da escolha e nomeação dos sete, a palavra "diácono" não aparece. E enquanto os termos *diakonia* ("ministério" ou "serviço") e *diakonein* ("servir a uma mesa") realmente aparecem (At 6.1,2,4) eles são usados, segundo parece, em um sentido não técnico, isto é, eles se referem a trabalhadores e não aos ocupantes de um posto. Isso está indicado pela expressão "servir às mesas" e pela referência ao ministério da Palavra, onde o mesmo termo aplica-se a ambos os tipos de serviço.

Lightfoot (na obra *Philippians*, pp. 188ss.) considera os sete como os primeiros diáconos, pois (1) seus deveres eram semelhantes àqueles que desde essa época haviam caracterizado o "diaconato"; por exemplo, o cuidado para com as viúvas e os órfãos, e a prática de atos de caridade. (2) Era uma função recém criada sem se igualar ao ministério levítico, nem ao ministro da Sinagoga (o Chazan). E, (3) o ministério de ensinar como, por exemplo, o de Estevão e Felipe, era um incidente do ofício introduzido apenas pela necessidade das circunstâncias.

Rackam (na obra *Acts*, pp. 82-86) conclui que o "ofício" em Atos 6 era "único, isto é, único no mesmo sentido do apostolado". Os sete diáconos correspondem aos 12 discípulos, e a lista completa de seus nomes mostra essa relação. Portanto, nesses dois grupos estão os ancestrais dos presbíteros e dos diáconos.

Em Romanos 16.1, Paulo refere-se a Febe como *diakonon* ("diaconisa" *q.v.*) da igreja de Cencréia. Seria ela uma ocupante do cargo ou a palavra simplesmente descreve seus serviços na comunidade? É impossível dizer. Por exemplo, no caso da referência às mulheres em 1 Timóteo 3.11 seriam elas esposas dos diáconos ou seriam "diaconisas"?

Com referência a uma pessoa que ocupa um cargo específico na igreja, a palavra *diakonos* ("diácono") ocorre em apenas duas passagens do NT. Filipenses 1.1 e 1 Timóteo 3.8,12. O texto em Filipenses 1.1 contém a saudação de Paulo aos "bispos e diáconos". Embora nenhuma atividade esteja especificada aqui, elas representam duas funções existentes e relacionadas, consideradas como distintas no corpo dos santos em geral.

Em 1 Timóteo 3.13, podemos observar a mesma relação: o "bispo" (vv. 1-7) e o "diácono" (vv. 8-13). Os diáconos deviam ser homens de caráter disciplinado e de elevada reputação moral (vv. 8,9), deviam estar qualificados para o cargo por se mostrarem "irrepreensíveis" (v. 10) e ter o controle de seus próprios lares (v. 12). O fato de em seus ministérios de caridade e de auxílio entrarem em contato com o povo e com posses materiais, exigia qualidades especiais de caráter. Não deviam ser de "língua dobre" nem "cobiçosos de torpe ganância" (v. 8).

Paulo não especifica como os diáconos deveriam ser escolhidos, no entanto eles deviam ser primeiramente "provados" e Timóteo esperava, certamente, estar capacitado a aprová-los. O desenvolvimento histórico do cargo do diácono está ligado ao do bispo. *Veja* Bispo para a questão da seleção.

Em outras passagens do NT, Paulo usa o termo ministro para indicar a presença de seus companheiros no ministério do Evangelho – Timóteo (1 Ts 3.2), Tíquico (Cl 4.7), Epafras (Cl 1.7). O ministério do próprio Paulo (1 Co 3.5; 2 Co 3.6; 6.4; 11.15) assim como o ministério de Cristo (Rm 15.8) também são designados dessa maneira. Essas últimas referências indicam que esse termo não era, de forma alguma, aplicado a serviços inferiores.

W. M. D. e A. F. J.

**DIADEMA** Um diadema não é propriamente uma coroa, mas uma faixa mais estreita que uma coroa; uma argola ou anel para a cabeça. O diadema era, originalmente, uma faixa de pano branco amarrada em torno da cabeça; mais tarde passou a ser de cor azul, e também ornamentado com ouro. O diadema (coroa) do sumo sacerdote era uma placa de ouro atada ao seu turbante por um cordão azul, e nela estavam escritas as seguintes palavras: "Santidade ao Senhor" (Êx 39.30). Na Bíblia de Jerusalém lê-se: "Também fizeram uma placa, o santo diadema, de puro ouro, e nela inscreveram, como gravuras de um selo, Santidade a Jeová".

A concessão do diadema por Deus é uma marca de sua graça e favor, particularmente a marca do Messias (Is 62.3). Quando Israel for restaurada à sua glória milenial, Deus será para ela o formoso diadema (Is 28.5). Ao contrário, a retirada do diadema indica o rebaixamento daquele que o usava, a remoção do favor do rei ou de Deus (Ez 21.26).

Jó fala de vestir-se com a retidão e a justiça como manto e diadema (Jó 29.14). No NT a palavra diadema (Gr. *diadema*) ocorre apenas três vezes (Ap 12.3; 13.1; 19.12) como coroa(s); ela denota um ornamento circular. A última referência enumera as coroas do Filho de Deus, denotando sua soberania sobre todas as nações.

*Veja* Coroa.

H. G. S.

**DIAMANTE** *Veja* Jóias; Minerais e Metais.

**DIANA** Este é o nome em latim para a deusa virgem da caça, também identificada com a lua e Hécate, e protetora do parto. Seu nome gr. era Ártemis (significando

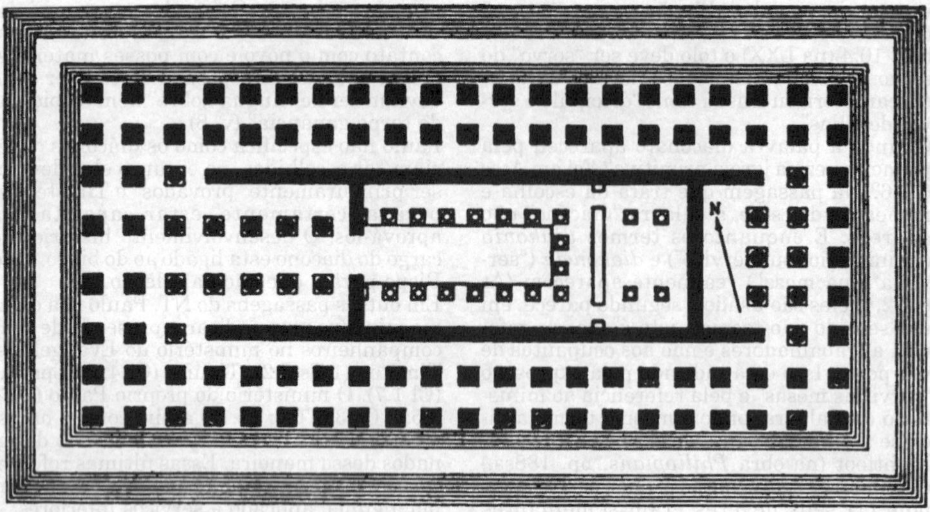

Planta do templo de Diana em Éfeso. De I. H. Grinnell, *Greek Temples*, Metropolitan Museum of Art

"imediato", "seguro", ou talvez "pendente"). Esta irmã gêmea do deus-sol, Apolo, deusa casta da natureza e protetora dos animais, especialmente dos seus filhotes, também era considerada como a protetora dos caçadores. Armada com um arco e flecha e acompanhada por um animal macho amarrado, era considerada a deusa que dava luz à noite (posterior à lua); era considerada uma caçadora poderosa. Antes de cada batalha, os espartanos sacrificavam um bode como oferta a ela. As jovens a consideravam como a guardiã dos seus anos de solteira. Mas na Ásia Menor, durante os tempos romanos, ela foi identificada como a deusa-mãe da Frígia, Cibele, uma deusa de natureza sensual, embora as imagens feitas do antigo templo de calcário amarelo em Éfeso a retratem de uma forma menos degradante.

A Diana dos efésios (At 19.24-37), como é conhecida através de muitas estátuas que trazem sua imagem, e como é retratada em moedas, tinha seu tórax coberto por três ou quatro fileiras de seios pendentes, ou possivelmente ovos de avestruz, sendo todos eles um símbolo de fertilidade. A parte frontal de seu traje era adornada com uma seqüência de leões, bodes e outros animais utilizados nos sacrifícios. Nas laterais de seu traje havia fileiras alternadas de ninfas, conchas do mar, esfinges, abelhas e rosas. Sua coroa mural era decorada com signos do zodíaco denotando as estações, diferente da tiara simples simbolizando a lua crescente que era característica da caçadora virgem grega, Ártemis.

Originalmente, a Ártemis adorada em Éfeso não era uma divindade grega, mas sim asiática. Em última instância, as várias deusas do amor na Síria e na Ásia Menor, todas deviam sua origem à antiga Istar babilônica e assíria, através da ligação da Astarte fenícia. Ela personificava os poderes reprodutivos de homens e animais, e de todos os outros tipos de vida. Pensava-se que ela ajudava no parto. Associada assim com vários cultos ligados à fertilidade, ela se tornou protetora da prostituição cerimonial, que fazia parte de sua adoração em Éfeso.

O grande templo da Diana dos efésios, chamado Artemision e considerado uma das sete maravilhas do mundo helenístico, era o cenário de uma festa anual em sua homenagem durante o mês de Artemísios (março-abril). As cerimônias religiosas incluíam competições atléticas, dramáticas e musicais (*veja* Jogos). A cidade de Éfeso orgulhava-se de sua posição como "guardiã do templo" de Diana (At 19.35), um orgulho que foi encontrado nas inscrições escavadas ali. A tesouraria do templo agia como um banco onde depósitos eram feitos por cidades, reis e pessoas particulares (WHG, p. 362). Aqui os jônios vinham com suas esposas e filhos, trazendo ofertas e presentes caros para os sacerdotes. Sua adoração era caracterizada por orgias sensuais. Grandes multidões compareciam. Uma grande quantidade de mulheres escravas do templo, ou "sacerdotisas" que vinham como virgens eram aqui dedicadas ao serviço no templo, que deveria incluir a prostituição ritual ou sectária.

Os artífices de prata de Éfeso dirigiam um negócio rentável através da confecção e venda da imagem desta deusa (At 19.23ss). Conseqüentemente, era inevitável que a mensagem do cristianismo que Paulo anunciava provocasse a indignação por parte deles, por colocar o seu comércio em perigo. *Veja* Demétrio; Éfeso; Falsos deuses; Ártemis; Deusa.

***Bibliografia.*** E J. Banks, "Diana, Artemis", ISBE, II, 842ss. C. Cobern, *New Archaeological Discoveries*, Nova York. Funk & Wagnall, 1921, pp. 461-482. W. K. C. Guthrie, *The Greeks and Their Gods*, Boston. Beacon Press, 1951, pp. 99-106. Jane E Harrison, *Prolegommena to the Study of Greek Religions*, Cambridge. Cambridge Univ. Press, 1922. C. H. Moore, *The Religious Thought of the Greeks, from Homer to the Triumph of Christianity*, Cambridge. Harvard Univ. Press, 1916. M P. Nilsson, *A History of Greek Religion*, Oxford. Clarendon Press, 1925. Cf. também os artigos de M M Parvis e F. V. Filson sobre Éfeso em BA, VIII (1945), 61-73, 73-80.

R. E. Pr.

**DIARIAMENTE** Refere-se ao que é feito, ocorre, ou resulta a cada dia. Os israelitas mediam seu dia a partir de um pôr-do-sol até o seguinte (Êx 12.18; Lv 23.32). Mas eles também entendiam como "dia" o período durante o qual a terra recebia luz, em contraste com a noite (Gn 1.5; Dn 8.14).
Para a expressão "pão de cada dia", na Oração do Senhor, *veja* Alimentos: Pão.

**DIBLAIM** Gomer, esposa de Oséias, era "filha de Diblaim" (Os 1.3). O nome vem de um termo heb. e significa "caroço ou bolos duplos de figos e passas". Alguns pensam que o nome é figurativo, isto é, "Gomer a filha dos bolos de passas", significando que ela era totalmente entregue à prostituição, uma vez que bolos de passas eram usados em certos rituais pagãos de fertilidade.

**DIBOM, DIBOM-GADE**
1. Dibom era uma das principais cidades de Moabe, e sob o governo de Mesa tornou-se a capital do reino. A cidade localizava-se na moderna Diban, uma colina baixa que fica no planalto de Moabe a uma curta distância a oeste da estrada principal entre Amã e Kerak, e cerca de 16 quilômetros ao norte do vale de Arnom (Js 13.9).
Antes da conquista israelita da Transjordânia sob a liderança de Moisés, Diblom e toda a terra de Moabe ao norte de Arnom eram governadas por Seom, rei dos amorreus (Nm 21.30). Uma das paradas de Israel na viagem para Canaã (Nm 33.45), Dibom foi tomada de Seom com as suas outras propriedades e dadas por Moisés a Rúben (Js 13.17). A cidade, porém, foi reconstruída pela tribo mais forte de Gade e recebeu o nome de Dibom-Gade (Nm 32.34). Mais tarde ela foi conquistada pelo rei Mesa de Moabe, que se rebelou contra Israel após a morte de Acabe em aprox. 853 a.C. (2 Rs 1.1; 3.4,5). De acordo com o relato bíblico (2 Rs 3), Israel foi inicialmente vitorioso sobre Mesa; porém posteriormente (aprox. 830 a.C.) Mesa colocou uma estela em Dibom (a famosa Pedra Moabita [q.v] encontrada ali em 1868), vangloriando-se de ter derrotado Israel. Parece que ele deu o nome de Qarhoh à cidadela de Dibom. Isaías (15.2) e Jeremias (48.18,22) pronunciaram juízo sobre Dibom em suas profecias contra Moabe.
De 1950 a 1956 o local de Diban foi sondado e partes escavadas pela Escola Americana de Pesquisa Oriental. Os níveis mais antigos de ocupação pertencem à Era Primitiva do Bronze. A descoberta mais importante foi a seção de um muro da cidade e imensas torres do portão com guaritas de esquina, construídas com grandes blocos de alvenaria, cada um medindo em média cerca de 80 centímetros de comprimento, por 60 centímetros de largura, por 45 centímetros de altura, e datando de entre os séculos X e VIII a.C. Este muro foi reconstruído, com toda probabilidade, pelo rei Mesa, depois do reinado de Acabe em Israel. No ponto mais

Uma estátua de Diana escavada em Éfeso. HFV

elevado deste local, foi descoberta a fundação de um edifício oficial moabita com muros medindo cerca de 1 metro e meio de espessura e pisos pavimentados de pedra. Uma vez que a sala central continha uma plataforma para incenso fino e duas salas adjacentes tinham figuras de fertilidade, o edifício pode ter sido um templo ou um palácio com uma capela real. Dentro dos muros da cidade foi descoberta uma estrutura nabateana do século I a.C., como também as ruínas de uma sala de banho romana aprox. do século III d.C., e as fundações de uma igreja do período bizantino. O local foi ocupado pela última vez pelos árabes no início do período Umayyad e parece ter sido abandonado em alguma época durante o século IX d.C. Veja William H. Morton, "Dibom", BW, p. 200ss.

2. Uma aldeia em Judá re-habitada por alguns dos judeus que retornaram do cativeiro babilônico (Ne 11.25), talvez seja Dimona (Js 15.22) no Neguebe.

D. C. B. e R L D.

**DIBRI** Um danita, pai de Selomite e avô do blasfemador que foi executado por apedrejamento (Lv 24.11).

**DICIONÁRIOS BÍBLICOS** Nos últimos 300 anos já existiram aproximadamente 300 dicionários bíblicos publicados na língua inglesa – alguns pequenos e alguns contendo muitos volumes, alguns levando os nomes de muitos dos grandes estudiosos bíblicos de suas respectivas gerações, enquanto que alguns aparecem de forma anônima.

Agostinho, no início de 367 d.C., expressou um desejo de que alguém produzisse uma obra sobre os nomes encontrados nas Escrituras, "Assim como Eusébio fez em consideração à história do passado". Mas a igreja teve que esperar 12 séculos até que um volume assim aparecesse.

### Os Primeiros Dicionários

A obra mais antiga deste tipo provavelmente foi feita por John Marbeck (1550), seguido de um dicionário latino da Bíblia elaborado por um alemão luterano, M. I. Flacius (1567). O princípio de um dicionário da Bíblia em inglês foi um trabalho de William Patten. Este surgiu em Londres em 1575 (200 páginas), e seu título indica sua abrangência – *O Calendário das Escrituras, onde os nomes de Hebreus, Caldeus, Árabes, Fenícios, Sírios, Persas, Gregos e Latinos – Homens, Mulheres, Ídolos, Cidades etc., na Bíblia Sagrada – são Colocados e Transformados em Língua Inglesa*.

O primeiro dicionário bíblico realmente importante a surgir em inglês foi compilado por Thomas Wilson, intitulado *Complete Christian Dictionary (Dicionário Cristão Completo)*, publicado pela primeira vez em 1612, e tendo quatro outras edições em um período de 35 anos. O texto estende-se por 948 páginas não numeradas, concluindo com um dicionário único de 131 páginas para o livro de Apocalipse, e um dicionário de Cantares de Salomão de 49 páginas.

O maior dicionário bíblico a surgir na Europa antes da metade do século XIX foi de um dos grandes estudiosos católicos da Europa, Augustin Calmet (1672-1757), publicado em Paris em 1722. Ele foi traduzido para o inglês e publicado em Londres em 1732 em seis volumes paginados com o título *An Historical, Critical, Geographical, Chronological, and Etymological Dictionary of the Holy Bible (Um Dicionário Histórico, Crítico, Geográfico, Cronológico e Etimológico da Bíblia Sagrada)*. Este foi o ideal das enciclopédias bíblicas a partir do momento de sua primeira aparição. Ele foi publicado de uma forma revisada em quatro volumes, então em cinco volumes, e novamente em edições abreviadas, sendo até mesmo publicado em Boston em 1832 e em Londres em 1847, sendo assim ainda publicado 125 anos após sua primeira aparição. O último volume contém uma imensa bibliografia de literatura bíblica estendendo-se por 600 colunas. Este foi provavelmente o único grande dicionário bíblico em inglês traduzido de uma língua européia.

John Brown de Haddington (1722-1787) publicou *Um Dicionário da Bíblia Sagrada Contendo Definições de Todos os Termos Religiosos e Eclesiásticos... e um Esboço Biográfico de Escritores na Ciência Teológica*, no meio do século XVIII. Uma quinta edição da obra de Brown surgiu em 1839 abrangendo cerca de 95.000 palavras. No início do século XIX, Charles Buck (1771-1815) publicou seu *Dicionário Teológico*, em Londres, no ano de 1802, em dois volumes. Ele foi freqüentemente reimpresso e revisado até o final de 1850. Esta é uma obra de grande erudição.

O mais antigo e importante dicionário bíblico escrito por um americano foi *O Dicionário da Bíblia* de Howard Malcolm (1799-1879), Londres, 1828; terceira edição, Boston, 1830; e uma edição ampliada, em Boston, no ano de 1853. Foram vendidas 130.000 cópias em um período de 20 anos.

### Uma Nova Era para Dicionários Bíblicos

Poderia se dizer que uma nova era para dicionários bíblicos começou com o surgimento, em 1845, da *Enciclopédia da Literatura Bíblica* de John Kitto (1804-1854). Sua edição ampliada de 1862-67 estendia-se por cerca de 3.340.000 palavras. Aqui, pela primeira vez, uma edição de um dicionário bíblico fez uso de um grande número de estudiosos bíblicos contemporâneos, mais de 40 deles da Grã Bretanha, Alemanha e América. Alguns assuntos bíblicos são tratados com mais abrangência do que qualquer outra obra semelhante; por exemplo, dez páginas com duas colunas cada são dedicadas ao assunto de Adão, 45 páginas são dedicadas ao "Sepultamento em Tumbas", e há um soberbo estudo de concordâncias bíblicas etc. Um resumo de uma terceira edição surgiu no final de 1894.

Nesta mesma década (1849), surgiu ali uma excelente obra de um volume, *A Enciclopédia Bíblica* de John Eadie (1810-1876), e requereu 17 edições em um período de 40 anos. Em 1860, foi publicado o primeiro volume do *Dicionário da Bíblia*, editado por Sir William Smith (1813-1893). Este provou ser o dicionário bíblico mais influente do século XIX. A obra completa de três volumes contém mais de 3.100 páginas. Este dicionário teve inúmeras edições, sendo que a mais importante delas foi a revisão americana editada pelo Professor H. B. Hackett, com a qual uma equipe adicional de 27 estudiosos contribuíram. Com esta obra teve início a forte ênfase em artigos relacionados com assuntos históricos e geográficos, incorporando os resultados constantemente multiplicadores das descobertas arqueológicas. O dicionário de Smith surgiu de muitas formas – revisada, abreviada etc. – e partes dele foram roubadas por outros dicionários posteriores.

Na mesma década, Patrick Fairbairn (1805-1874) publicou seu *Dicionário Bíblico Imperial* (1865), que na edição posterior de 1885 surgiu em seis volumes in-quarto (formato). Este ainda é um depósito de riquezas do conhecimento bíblico.

O famoso comentador bíblico A. R. Fausset (1821-1910) publicou o seu *Englishman's Critical and Expository Bible Encyclopedia*, Londres, em 1878, uma obra de cerca de 950.000 palavras, com excelentes artigos sobre assuntos proféticos, e com tratamento completo e incomum de assuntos como Davi, O Senhor Jesus Cristo, etc. Este foi reeditado por uma empresa americana em 1949.

Em 1873, William Blackwood, um clérigo americano, publicou seu *Potter's Complete Bible Encyclopedia* em dois volumes in-quarto (formato) de 2.000 páginas, certamente o mais bonito dicionário bíblico que havia sido publicado até aquele momento, com mais de 3.000 ilustrações.

O mais importante dicionário bíblico de um só volume editado por um americano foi o *Dicionário da Bíblia* de John D. Davis (1854-1926), aparecendo pela primeira vez em 1898; a quarta edição em 1924, que foi reimpressa em 1954. Uma revisão feita por H. S . Gehman apareceu em 1944 sob o título *The Westminster Dictionary of the Bible* e era mais liberal do que o trabalho original de Davis.

Em 1899 começou a aparecer ali, em quatro grandes volumes, o mais liberal de todos os dicionários bíblicos até aquela data. *A Enciclopédia Biblica*, editada por T. K. Cheyne e J. S. Black, Londres, 1899-1903. Um grande número de artigos nesta enciclopédia foi escrito pelo racionalista alemão P. W. Schmiedel, que repudiava todos os milagres bíblicos incluindo a ressurreição. Um notável crítico comentou: "Este não é um dicionário da Bíblia; é um dicionário da crítica histórica à Bíblia".

**Dicionários do Século Vinte**

Na primeira década do século XX, começou a aparecer a extraordinária série de dicionários editados por James Hastings (1852-1922). A obra *A Dictionary of the Bible*, em cinco volumes, foi publicado em 1898-1904, seguido de um volume único em 1909, realmente uma melhoria em relação ao trabalho anterior. Uma edição totalmente revisada, editada por F. C. Grant e H. H. Rowley surgiu em 1963, com 150 editores colaboradores. Este último é uma linda obra tipográfica, com excelentes mapas coloridos, mas com falta de bibliografias.

Em 1908 surgiu o trabalho de dois volumes *A Dictionary of Christ and the Gospels*; e na década seguinte, 1916-1918, *The Dictionary of the Apostolic Church*, também em dois volumes. Estas duas últimas obras são muito mais importantes para o estudante da Bíblia hoje do que o antigo trabalho de cinco volumes. Alguns dos melhores estudiosos do mundo ocidental contribuíram para estes volumes sobre os assuntos do NT. Os volumes relacionados aos Evangelhos incluem artigos escritos por B. B. Warfield; "Teoria e Fato" de C. W. Hodge; um artigo sobre o Espírito Santo, de James Denny; e um extenso artigo sobre "O Caráter de Cristo", de T. B. Kilpatrick.

Uma obra de um volume, *A Standard Bible Dictionary*, editada por Nourse e Zenos, surgiu em 1909, revisada por M. W. Jacobus como *A New Standard Bible Dictionary*, Nova York, 1936, com 55 colaboradores, estendendo-se a quase um milhão de palavras.

O dicionário bíblico conservador mais útil deste século, até a data de sua publicação, foi a *International Standard Bible Encyclopedia* (ISBE), editada por James Orr, Chicago, 1915, em cinco volumes, com mais de quatro milhões de palavras. Ele inclui artigos de 200 colaboradores, com discussões sobre assuntos tais como Cronologia, Astronomia, o Senhor Jesus Cristo, Inspiração etc. Ele tem sido uma bênção para os estudantes das Escrituras nos últimos 50 anos, e uma revisão está agora sendo cuidadosamente preparada. Um dos pontos valiosos desta obra são os cinco índices exaustivos que se estendem por mais de 840 colunas.

Passando necessariamente por vários dicionários bíblicos, certamente a obra de um volume mais importante publicada nos últimos 50 anos é *The New Bible Dictionary* sob a edição da equipe da Inter-Varsity Fellowship of London, uma obra com mais de 1.400 páginas, surgindo em 1962, produzido por 140 colaboradores, com muitas ilustrações e os mais modernos mapas. São de grande valor os ricos artigos sobre os assuntos históricos do AT por K. A. Kitchen e Donald J. Wiseman, juntamente com tabelas cuidadosamente preparadas apresentando as mais importantes descobertas arqueológicas desde o início do século XIX, repleta de referências bibliográficas.

O maior dicionário bíblico que se tentou compor desde a ISBE foi intitulado *The Interpreter's Dictionary of the Bible* (1962), em quatro volumes, em formato moderno, um trabalho de 253 estudiosos bíblicos e autoridades em vários assuntos correlatos. Esta obra traz algo em torno de 1.000 ilustrações, juntamente com uma série dos mapas de Westminster em cores. Assuntos históricos e arqueológicos são considerados de forma completa, satisfazendo os estudiosos em geral. Em muitos pontos, no entanto, a obra é extremamente liberal, com a negação da autoria mosaica do Pentateuco, insistindo que Daniel foi um produto do século II a.C. etc. Os artigos relacionados ao NT são bem mais conservadores e satisfatórios do que os do AT.

Outros importantes dicionários bíblicos de um volume que já apareceram desde a Segunda Guerra Mundial incluem *Harper's Bible Dictionary* (1952) de Madeleine S. e J. Lane Miller; *Unger's Bible Dictionary* (1957) de Merrill F. Unger, uma revisão completa da obra *Bible Encyclopedia* (1900) de Charles R. Barnes; o *Seventh-Day Adventist Bible Dictionary* (1960) de Siegfried H. Horn; *The Zondervan Pictorial Bible Dictionary* (1963) editado por Merrill C. Tenney com mais de 65 colaboradores; e o *Pictorial Biblical Encyclopedia* (1964) editado por Gaalyahu Cornfeld e ajudado por mais de duas dezenas de estudiosos bíblicos e arqueólogos israelitas.

### Estudos das Palavras

Deve-se mencionar alguns volumes que são dedicados exclusivamente ao estudo de palavras específicas encontradas nas Escrituras. Entre estes, um dos mais largamente usados foi *The Bible Word Book, a Glossary of Archaic Words and Phrases in the Authorized Version of the Bible*, compilado por William Aldis Wright, publicado pela primeira vez em Londres, em 1866, com uma segunda edição revisada em 1884. Há também o *The Theological Word Book of the Bible* editado por Alan Richardson, Londres, 1950. Alguns dos artigos aqui são bastante extensos, como um artigo sobre o Espírito Santo que tem 26 colunas, e uma boa bibliografia. Uma outra obra muito útil é a de W. E. Vine, *An Expository Dictionary of the New Testament Words* publicado em Londres em 1940, em quatro volumes.

Alguns dos mais importantes dicionários de teologia incluem um de extrema importância, *The Dictionary of Doctrinal and Historical Theology* de J. H. Blunt, segunda edição 1872, uma obra de 800 páginas de duas colunas. Embora pouquíssimos provavelmente a consultem agora, ainda há grandes tesouros na obra *The Cyclopedia of Biblical, Theological, and Ecclesiastical Literature* editada por John M'Clintock (1814-1870) e James Strong (1822-1894), Nova York, 1867-1881, dois volumes, com dois volumes suplementares. Há também ainda a valiosa obra *The New Schaff-Herzog Encyclopedia of Religious Knowledge (A Nova Enciclopédia do Conhecimento Religioso de Schaff-Herzog)*, publicada em 12 volumes, aparecendo em 1908. Uma obra que contém uma grande quantidade de informações de valor inestimável, mas hoje está quase que totalmente esquecida é *The Concise Dictionary of Religious Knowledge* editada por Samuel Macauley Jackson (1851-1912), aparecendo pela primeira vez em dois volumes, em 1889 e 1890, com uma terceira edição em 1898.

Geoffrey W. Bromiley está prestando um grande serviço aos leitores de língua inglesa traduzindo a volumosa obra alemã *Theologisches Wörterbuch zum Neuen Testament* editada por Gerhard Kittel (1888-1948) e Gerhard Friedrich (1908- ). O trabalho original começou em 1932.

Um excelente volume recente é o *Baker's Dictionary of Theology* editado por Everett F. Harrison, 1960. Esta é uma obra valiosa sob um ponto de vista conservador, com artigos de 140 colaboradores. As bibliografias são bastante recomendáveis, dignas de grandes elogios.

De tempos em tempos, várias denominações têm publicado enciclopédias eclesiásticas separadas. Uma obra ainda muito importante, *The Catholic Encyclopedia*, foi publicada em Nova York de 1907 a 1914 em 16 volumes. A obra *The Jewish Encyclopedia*, em 12 volumes, surgiu anteriormente, 1901-1906.

W. M. S.

**DICLA** Um descendente de Joctã (Gn 10.27; 1 Cr 1.21), e provavelmente uma tribo habitando em torno de um oásis (Dicla significa "arvoredo de palmeiras") na Arábia, talvez no extremo sul do Uádi Sirhan, cerca de 400 quilômetros a sudeste do Mar Morto.

**DÍDIMO** Uma transliteração do gr. *didymos*, um nome alternativo para o apóstolo Tomé (Jo 11.16; 20.24; 21.2), provavelmente usado pelos cristãos de fala grega. Aparece nos papiros como um nome próprio bem como um substantivo comum significando "gêmeo". Este é também o significado do aramaico *t*[e]*'oma'* (Gr. *thomas*). Ao invés do nome Dídimo, na versão RSV em inglês e na NTLH em português, lê-se: "o Gêmeo". *Veja* Tomé.

**DIDRACMA** *Veja* Pesos, Medidas e Moedas.

**DIETA** O termo aplicado à pensão diária de alimento dada por Evil-Merodaque, rei da Babilônia, ao seu cativo real Joaquim, rei de Judá (Jr 52.34). A mesma palavra heb. *'aruha* é traduzida, em várias versões, como "pensão" em 2 Reis 25.30.

**DILACERAR A CARNE** O padrão bíblico não dá lugar, na adoração, a cortar, talhar, ou desfigurar o corpo de qualquer forma (veja Circuncisão, uma prática completamente diferente). Mesmo que não houvesse uma crença de que a vida é sagrada, havia pelo menos um profundo respeito pelo corpo como uma criação de Deus e, portanto, não havia espaço para a mutilação ou qualquer processo de desfigurar o corpo em nome de Jeová. A prática comum do luto entre os não-israelitas, pela qual arranhavam os braços, a cabeça, e o rosto foi proibida por Moisés (Lv 19.28; 21.5). Além disso, a lei Mosaica proibia que alguém tatuasse o corpo (Lv 19.28). O respeito pela manutenção da saúde, e de um corpo completamente saudável é enfatizado quando a Palavra trata dos defeitos físicos de nascença, ou danos ocorridos depois do nascimento, o que desqualificava do sacerdócio qualquer pessoa da família de Arão (Lv 21.18-24). Entretanto, entre os adoradores de Baal e Asera, cortar e desfigurar o corpo era um costume bastante comum. Isto é ilustrado pela atitude nervosa dos sacerdotes de Baal durante a competição entre Elias e os sacerdotes de Jezabel no Monte Carmelo (1 Rs 18.28). Adoni-Bezeque arrancou os dedos polegares das mãos e dos pés dos seus inimigos (Jz 1.6,7); os filisteus arrancaram os olhos de Sansão (Jz 16.21) e dos homens de Jabes-Gileade (1 Sm 11.2).

H. E. F.

**DILEÃ** Uma cidade de Judá na Sefela, ou contrafortes, perto de Laquis (Js 15.38). Sua identificação é incerta.

**DILÚVIO** O dilúvio de Noé, ou Inundação, foi um golpe único, o maior já desferido por um Deus santo contra esta terra e seus habitantes. Foi provocado pela apostasia e corrupção universal do homem, de quem está escrito: "Toda imaginação dos pensamentos de seu coração era só má continuamente" (Gn 6.5). Mais espaço é dedicado à descrição desta catástrofe aquosa universal nos primeiros capítulos de Gênesis, do que à criação e à queda do homem. O termo técnico para "dilúvio" usado em Gênesis 6–11 (e no Sl 29.10) é *mabbul*, que é traduzido como *kataklysmos* na LXX, e a mesma palavra grega é usada em várias referências do NT ao Dilúvio (Mt 24.38,39; Lc 17.27; 2 Pe 2.5). Também há referências ao dilúvio em Salmos 104.6-9; Isaías 54.9; Hebreus 11.7; 1 Pedro 3.20; 2 Pedro 3.3-7; e possivelmente em Jó 12.15.

### A Ordem Cronológica de Eventos

Cento e vinte anos antes de vir o dilúvio, Deus começou a advertir os homens sobre sua iminente condenação, instruindo Noé a construir uma grande arca (Gn 6.3,14; 1 Pe 3.20). Quando o dilúvio começou, apenas 40 dias foram necessários para que as águas atingissem o seu nível máximo, que foi mantido por mais 110 dias (Gn 7.24). A arca fixou-se no topo do pico mais alto, nas montanhas do Ararate, e em 74 dias os topos das montanhas foram avistados (Gn 8.5). Quarenta dias depois, Noé enviou o corvo, e então a pomba três vezes com intervalos de sete dias. A cobertura da arca foi removida 29 dias depois disso, e um período final de 57 dias transcorreu antes que a terra estivesse suficientemente seca para o desembarque (Gn 8.14). Dessa forma, o período total do dilúvio foi de 371 dias (cf. E. F. Kevan, na obra *The New Bible Commentary*, p. 85).

### A Extensão Geográfica do Dilúvio

Uma extraordinária quantidade de evidências bíblicas está disponível para determinar a extensão geográfica do dilúvio. É primeiramente a esta evidência, ao invés das teorias dos cientistas modernos, que os estudantes cristãos devem prestar atenção para chegar à resposta correta para esta

Parte do relato babilônico da inundação, do palácio de Assurbanipal. BM

O herói Gilgamesh, em cuja narrativa épica ocorre o relato babilônico da inundação

questão altamente controversa. Que a Bíblia claramente ensina um dilúvio geograficamente universal nos dias de Noé pode ser visto pelas seguintes considerações:

1. Gênesis 7.19,20 declara que "todos os altos montes que havia debaixo de todo o céu foram cobertos". Mesmo que apenas um ao invés de *todos* os altos montes tivesse sido coberto pelas águas, o dilúvio teria coberto o planeta inteiro, pois a água busca o seu próprio nível.

2. Algumas das inundações mais destrutivas de que temos registro na história, chegaram e se foram em questão de poucos dias. Mas, o dilúvio bíblico continuou por um período de um ano, sendo que foram necessários sete meses deste período para que as águas baixassem suficientemente para que Noé desembarcasse da arca no monte Ararate.

3. Gênesis 7.11 declara que "todas as fontes do grande abismo" (*$t^e$hom rabba*) "se romperam" no início do dilúvio, e Gênesis 8.2 (cf. 7.24) indica que este sublevantamento geológico continuou por cinco meses. Visto que neste contexto o "grande abismo" refere-se às profundezas oceânicas (cf. Gn 1.2), o Dilúvio não poderia ter sido uma mera catástrofe local.

4. Presumindo que um côvado tinha 44,4 cm de comprimento, os três conveses da arca tinham uma área de 10.421 metros quadrados, um volume de 50.168 metros cúbicos, e um peso bruto (calculado com base em uma capacidade de 3,59 metros cúbicos de espaço de estocagem usável por tonelada) de 13.960 toneladas (*veja* Arca de Noé). Parece fantástico que Deus tivesse pedido a Noé para construir um barco tão gigantesco meramente com o propósito de escapar de uma inundação local.

5. Ainda mais interessante é a consideração de que, se o dilúvio tivesse uma extensão local, não seria necessário construir uma arca! Noé e sua família, sem falar dos animais, poderiam ter se mudado para alguma outra região para fugir da inundação local. Mas o fato dela ter sido ordenada para prover refúgio para os representantes de *todos* os animais terrestres no mundo, constitui a prova final de que o dilúvio foi geograficamente universal, pois ninguém teria interesse em defender a opinião de que todos os animais terrestres poderiam ter sido destruídos por uma inundação local.

6. O conceito de inundação local não pode se harmonizar com as declarações divinamente inspiradas do apóstolo em 2 Pedro 3.3-7, para o evento único que ele apresenta como tendo trazido uma transformação, não só da terra como também dos *céus*, isto é, o dilúvio. Foi o dilúvio que forneceu a transição dos céus e da terra para "os céus e a terra que agora existem". Foi ao dilúvio que Pedro recorreu como sua resposta final e incontestável para aqueles que escolheram permanecer em ignorância voluntária quanto ao fato de Deus ter certa vez, no passado, demonstrado sua santa ira e indignação contra o pecado, sujeitando "todas as coisas" a uma catástrofe esmagadora e cósmica (*kosmos*, 2 Pe 3.6) que estava em igualdade com o dia do juízo final, no qual Deus consumirá a terra com fogo e fará com que os elementos ardendo se dissolvam. Não seria fácil desculpar o apóstolo por um erro tão grosseiro ao retratar o dilúvio em termos tão cósmicos e em um contexto tão universal, se o dilúvio tivesse sido apenas uma inundação local.

7. A Bíblia ensina enfaticamente que *todos os homens* fora da arca foram destruídos pelo dilúvio (Mt 24.37-39; Lc 17.26,27; 1 Pe

3.20; 2 Pe 2.5; e freqüentemente ao longo de todo o texto em Gn 6 e 7). Mas é impossível presumir que a raça humana estivesse restrita ao vale da Mesopotâmia (onde uma inundação presumivelmente teria ocorrido) durante os dezesseis séculos, ou mais, que transcorreram entre Adão e o dilúvio, por no mínimo três razões: (*a*) a longevidade e a fecundidade dos antediluvianos seria responsável pelo rápido aumento da população; (*b*) o predomínio da luta e da violência encorajaria uma larga distribuição ao invés do confinamento a uma única localidade; (*c*) evidências de fósseis humanos, em partes largamente dispersas do mundo, tornam difícil presumir que os homens não tenham migrado para além do Oriente Próximo antes do período do dilúvio. Portanto, teria sido necessário uma inundação geograficamente universal para destruir uma raça humana largamente dispersa (cf. John C. Whitcomb, Jr., e Henry M. Morris, *The Genesis Flood*, pp. 1-35).

Um comentário significativo sobre a clareza do testemunho bíblico para a universalidade do dilúvio, é que nenhum comentador conhecido, judeu ou cristão, jamais tenha sugerido a opinião de uma inundação local antes de 1655 d.C., e que mesmo naquela época não se encontrou quem apoiasse a idéia até o surgimento da geologia moderna em meados do século XIX (cf. Don Cameron Allen, *The Legend of Noah*, Urbana, III. Univ. of Illinois Press, 1949, pp. 66-112).

## As Fontes das Águas do Dilúvio

Em Gênesis 7.11, somos informados de que, no mesmo dia em que o Dilúvio começou, "romperam-se todas as fontes do grande abismo, e as janelas dos céus abriram-se". A partir disso, podemos presumir, em primeiro lugar, que um grande sublevantamento suboceânico fez com que os mares passassem dos limites das costas continentais e terras baixas. Segundo, todo o vapor antediluviano e invisível do céu, que havia ficado suspenso na atmosfera superior desde o segundo dia da criação (Gn 1.6-8), caiu sobre a terra. É agora conhecido que se toda a água presente em nossa atmosfera fosse repentinamente precipitada, seria suficiente apenas para cobrir a terra em uma profundidade média inferior a cinco centímetros. Portanto, para produzir uma chuva contínua por 40 dias e 40 noites (aproximadamente 1.000 horas) sobre a maior parte da terra, teria sido necessário um mecanismo completamente diferente daquele que está disponível hoje.

O fato de a climatologia antediluviana ter sido certamente diferente da que conhecemos hoje, é reforçado por alusões bíblicas a uma vasta cobertura de vapor de água suspensa no alto da atmosfera antediluviana ("águas que estavam sobre a expansão", Gn 1.7), e também pela ausência de chuvas como conhecemos hoje (Gn 2.5), e pelo aparecimento do arco-íris pela primeira vez após o Dilúvio ("O meu arco tenho posto na nuvem; este será por sinal do concerto entre mim e a terra", Gn 9.13). Uma expansão de vapor de água tão vasta teria, necessariamente, criado um efeito estufa em todo o mundo, proporcionando climas quentes mesmo nas regiões polares. (A presença de grandes depósitos de carvão e os restos congelados de animais tropicais em regiões polares claramente aponta para uma mudança climática repentina em uma escala global).

Recentemente, cientistas descobriram uma região na atmosfera superior, chamada de mesosfera (de cerca de 40 a 80 quilômetros de altura), onde as temperaturas ultrapassam os 10 graus Celsius (cf. Arthur Beiser, *Life Nature Library. The Earth*, p. 58). Um cobertor de vapor de estupenda magnitude poderia ser suportado nesta região. Uma vez que o vapor d'água pesa apenas 62,2% do ar seco nas mesmas condições, ele não seria significativamente afetado pela presença ou ausência de ar ou outros gases na região; as temperaturas permaneceriam altas tanto de dia como de noite, e os núcleos de condensação tais como as partículas de sal (sem as quais o vapor d'água não pode se condensar) não atingiriam este nível (cf. Whitcomb e Morris, *The Genesis Flood*, pp. 255-58).

Quando a hora do juízo finalmente chegou, Deus fez com que este oceano superior viesse a desabar sobre a terra na forma de chuvas torrenciais que continuaram sem interrupção por seis semanas.

## A Geologia e o Dilúvio

Um Dilúvio universal que atingiu uma profundidade suficiente para cobrir as montanhas dentro de 6 semanas, manteve este nível por 16 semanas, e baixou em recém formadas bacias oceânicas em 31 semanas adicionais, deve necessariamente ter realizado um grande trabalho geológico na crosta terrestre.

1. Em primeiro lugar, a erosão e a re-sedimentação devem ter ocorrido em uma escala gigantesca. A rápida elevação do nível da água em 40 dias teria criado grandes correntes que carregaram sedimentos. As Escrituras declaram especificamente que as águas "escoar-se-iam continuamente de sobre a terra" (Heb., Gn 8.3) quando elas começaram a se abrandar. A estabilidade anterior da crosta, qualquer que tenha sido o tipo, deve ter sido inteiramente abalada pela grande complexidade das forças hidroestáticas e hidro dinâmicas liberadas pelas águas da inundação, resultando, muito provavelmente, em grandes movimentos da terra. Associado aos sublevantamentos vulcânicos, e às grandes chuvas, deve também ter havido tremendos efeitos da maré, tempestades de vento, e uma grande complexidade de cor-

rentes, contracorrentes, redemoinhos e outros fenômenos hidrogênicos. Por décadas, e até séculos depois que o Dilúvio acabou, muito mais trabalho geológico deve ter sido realizado, quando as massas de água fixaram-se em novas bacias e a terra ajustou-se a uma nova estabilidade fisiográfica e hidrológica.

2. Visto que o Dilúvio destruiu todos os seres que havia sobre a face da terra (Gn 7.23), e tendo em vista as grandes massas de sedimentos que foram movidas para frente e para trás e finalmente depositadas pelas águas da inundação ("eis que os desfarei *com a terra*", Gn 6.13), um imenso número de plantas e animais deve ter sido enterrado pelos sedimentos, e sob condições eminentemente favoráveis para a preservação e fossilização. Esta conclusão torna-se inevitável, quando percebemos que os fósseis estão raramente sendo formados na terra hoje (cf. Wm. J. Miller, *An Introduction to Historical Geology*, 6ª ed., Nova York. Van Nostrand, 1952, p. 12). Pelo fato do dilúvio ter sido mundial e comparativamente recente (cf. abaixo, "A Antigüidade do Dilúvio"), a maior parte dos fósseis que são agora encontrados nas camadas de rochas sedimentares da terra devem ter sido enterradas ali durante o período do dilúvio.

3. Finalmente, pode ser inferido com muita clareza, a partir do registro bíblico, que seria agora impossível discernir geologicamente boa parte da história da terra anterior ao dilúvio, ao menos sob a pressuposição da continuidade das condições atuais. Quaisquer depósitos geológicos que possam ter existido antes do Dilúvio, devem ter sido quase que completamente desgastados, retrabalhados e redepositados durante o dilúvio e, talvez, por várias vezes. Tais "relógios geológicos" como podemos usar para datar eventos subseqüentes ao dilúvio, não podem, portanto, ser legitimamente usados para estender cronologias anteriores à época pós-diluviana. Até mesmo a datação por cabono-14, que presume basicamente condições atmosféricas indefinidamente inalteradas no passado, só é válida a partir da formação de um reservatório de C-14 na atmosfera posterior ao colapso da cobertura de vapor antediluviana. A premissa básica de todas essas cronologias é a uniformidade; e, sendo o registro bíblico do dilúvio verdadeiro, a premissa da uniformidade é, pelo menos neste ponto, falsa. Por outro lado, a relação do dilúvio com as geleiras da terra deve ser levada em consideração. Embora muitos problemas ainda permaneçam, tais como a cronologia exata do período glacial do Pleistoceno, a pressuposição da catástrofe da criação, baseada no relato inspirado da história da terra em Gênesis, provou ser proveitosa na abordagem destes problemas.

**A Antigüidade do Dilúvio**

As culturas do Oriente Próximo têm, aparentemente, um registro arqueológico bastante contínuo (baseado na cronologia de cerâmicas e níveis de ocupação) que remonta no mínimo ao quinto ou sexto milênios a.C.; portanto, parece impossível inserir uma inundação universal em uma estrutura arqueológica. Também, a migração do homem após o dilúvio para o hemisfério ocidental, provavelmente pela região do estreito de Bering, e a expansão da população para as extremidades tanto da América do Norte como da América do Sul, requer uma considerável quantidade de tempo. Mas há várias evidências bíblicas que apontam para intervalos bastante longos na genealogia de Gênesis 11, o que nos permitiria datar o dilúvio como um fato ocorrido muito tempo antes da época de Abraão.

(1) Em primeiro lugar, as Escrituras não fornecem um número total que represente os anos entre o dilúvio e Abraão, como acontece no caso da permanência de Israel no Egito (Êx 12.40), embora sejam dados os totais para os dois números na vida de cada patriarca antediluviano. (2) As genealogias de Gênesis 5 e 11 são simétricas em forma (dez patriarcas em cada lista, com o décimo em cada caso tendo três filhos importantes citados), sugerindo a omissão de outros nomes, como no caso paralelo de Mateus 1. (3) Se não houvesse intervalos na genealogia de Gênesis 11, *todos* os patriarcas pós-diluvianos, incluindo Noé, ainda teriam que estar vivos quando Abrão tinha 50 anos de idade. *Três* daqueles que nasceram antes da "terra ser dividida" no julgamento de Babel (Sem, Selá e Éber) teriam na verdade sobrevivido a Abraão. Éber, o pai de Pelegue, não apenas teria sobrevivido a Abrão, mas também teria vivido dois anos depois de Jacó chegar à Mesopotâmia para trabalhar para Labão. Mas Josué disse que os pais de Abrão eram idólatras, sugerindo que Noé, Sem e provavelmente a maior parte dos outros citados em Gênesis 11 já haviam morrido havia muito tempo (Js 24.2,14,15). (4) O registro bíblico sugere que o julgamento de Babel foi um evento remoto nos dias de Abrão, pois ele encontrou civilizações antigas tanto em Canaã como no Egito. A rígida opinião cronológica, por outro lado, dataria o Dilúvio em cerca de 2460 a.C., vários séculos depois da construção das grandes pirâmides do Egito. (5) O termo "gerar" às vezes refere-se a relacionamentos ancestrais na Bíblia. Uma comparação cuidadosa de Êxodo 6.20, com Números 3.17-19,27,28 indica que Anrão foi um ancestral de Moisés e Arão, separado deles por um espaço de 300 anos. Palavras similares em Gênesis 10.25, mais o fato de que os espaços de tempo da vida patriarcal caíram repentinamente entre Éber e Pelegue (Gn 11.16-19), sugerem um grande interva-

lo de gerações entre Éber e Pelegue.
Por outro lado, argumentos igualmente irrefutáveis requerem uma data posterior a 7000 a.C. para o dilúvio: (1) A analogia da cronologia bíblica estaria seriamente forçada se 5000 anos tivessem transcorrido entre o dilúvio e Abraão. Intervalos de vários séculos nas genealogias do AT não são um fato desconhecido, mas intervalos de milhares de anos estariam inteiramente fora de proporção. (2) Por causa do confinamento da raça humana a uma única região, é altamente improvável que Babel tenha sido julgada mais de um milênio após o dilúvio. Porém a metade dos patriarcas pós-diluvianos listados em Gênesis 11 viveu neste período anterior a Babel, deixando apenas Reú, Serugue e Naor como a ligação do juízo de Babel nos dias de Pelegue (cf. Gn 10.25) com os dias de Tera. Assim, é difícil imaginar como mais de três ou quatro mil anos poderiam ter transcorrido entre o juízo de Babel e o nascimento de Abrão, ou mais de quatro ou cinco mil anos do dilúvio até Abrão. (3) As admiráveis similaridades entre os relatos bíblicos e babilônicos do dilúvio obstruem a possibilidade de uma vasta antiguidade para o dilúvio, pois os babilônios não poderiam ter comunicado tantos detalhes exatos somente pela tradição oral por mais de alguns milhares de anos (cf. Alexander Heidel, *The Gilgamesh Epic and Old Testament Parallels*). Pode ser concluído, então, que o juízo do grande dilúvio tenha provavelmente ocorrido de seis a sete mil anos antes de Cristo. *Veja* Cronologia do Antigo Testamento; Gênesis.

## Paralelos Arqueológicos e Cuneiformes

Nos locais de várias cidades antigas da Mesopotâmia, notadamente Ur, Ereque, Quis, Lagash e Nínive, foram descobertos níveis de sedimentos de várias espessuras depositados pela água, que podem ser datados do quarto e terceiro milênios a.C. Os contextos arqueológicos em cada caso indicam que as várias destruições foram de caráter local, e nem todas datam do mesmo século. Dessa forma, estes níveis de inundação apontam para inundações de gravidade incomum causadas por enchentes dos rios Tigre e/ou Eufrates, mas não para um dilúvio mundial nas proporções indicadas em Gênesis na época de Noé.
De maior importância para um estudo da narrativa bíblica, são as várias histórias sobre a destruição do mundo por uma grande inundação que persistem entre muitas tribos em cada continente e até em ilhas do Pacífico (Byron C. Nelson, *The Deluge Story in Stone*, pp. 165-190). A distribuição mundial de tais histórias de inundação não pode ser acidental e deve ser considerada como uma evidência da historicidade do relato de Gênesis.
A mais importante entre as principais narrativas extrabíblicas da grande inundação é a tábua XI do épico Gilgamesh, que faz parte de um conjunto de 12 tábuas, escrito em acádio cuneiforme. Este conjunto foi descoberto pela primeira vez em 1872 por George Smith entre as tábuas de barro levadas de volta para o Museu Britânico, provenientes da escavação do palácio de Assurbanipal em Nínive. Em suas viagens em busca da vida imortal, Gilgamesh conheceu Utnapishtim, de quem ouviu a história da grande catástrofe da humanidade. O herói do dilúvio era chamado Ziusudra na versão sumeriana mais antiga, escrita por volta de 2000 a.C., mas que circulou na Mesopotâmia por muitos séculos antes disso. Há vários paralelos próximos entre as experiências de Noé e Utnapishtim, bem como alguns pontos óbvios de divergência. Um outro épico babilônico denominou o herói de Atra-Hasis.
Em cada caso, o herói foi avisado pela divindade da inundação iminente, construiu um barco no qual abrigou sua família e os animais, soltou pássaros depois que a chuva cessou, e sacrificou à divindade após o desembarque. Mas, o politeísmo do relato babilônico, coloca-se em um forte contraste com o sóbrio monoteísmo de Gênesis 6–9. Os deuses do épico Gilgamesh discordam uns dos outros. Eles se agacham como cachorros e se ajuntam como moscas em torno do sacrifício de Utnapishtim. A curta duração da inundação – apenas sete dias, e a proximidade do Monte Nisir (na região noroeste da Pérsia onde a embarcação de Utnapishtim veio a repousar) com a Mesopotâmia, leva a crer que os detalhes de uma inundação local mais recente no vale Tigre-Eufrates podem ter sido confundidos com a tradição oral do grande dilúvio da época de Noé. Certamente, os muitos elementos fantasiosos nos relatos cuneiformes mostram que estes são bem menos confiáveis do que a narrativa de Gênesis.
Para uma tradução completa da história babilônica para o inglês veja ANET, pp. 93-95, e para uma tradução do relato sumeriano, veja ANET, pp. 42-44.

***Bibliografia.*** Douglas A Block, "Geology", *Christianity and the World of Thought*, Chicago. Moody Press, 1968, pp. 235-247. Alexander Heidel, *The Gilgamesh Epic and Old Testament Parallels*, Chicago. Univ. of Chicago, 1949. W. G. Lambert e A R Millard, *Atra-Hasis. The Babylonian Story of the Flood*, Nova York. Oxford Univ. Press, 1969. Jack P. Lewis, *A Study of the Interpretation of Noah and the Flood in Jewish and Christian Literature*, Leiden. Brill, 1968. Byron C. Nelson, *The Deluge Story in Stone*, Mineápolis. Augsburg, 1931. André Parrot, *The Flood and Noah's Ark*, Londres. SCM, 1955. Donald W. Patten, *The Biblical Flood and the Ice Epoch*, Seattle. Pacific Meridian

Publishing Co., 1966. A M Rehwinkel, *The Flood*, St. Louis. Concordia, 1951. Merrill F. Unger, *Archaeology and the Old Testament*, 3ª ed., Grand Rapids. Zondervan, 1956. J. R van de Fliert, "Fundamentalism and the Fundamentals of Geology", JASA, XXI (1969), 69-81. John C. Whitcomb, Jr., e Henry M Morris, *The Genesis Flood*, Filadélfia. Presbyterian and Reformed, 1961.

J. C. W.

**DIMNA** Uma cidade levítica em Zebulom (Js 21.35), provavelmente uma transcrição errada para o nome de Rimono, como encontrado em 1 Crônicas 6.77. Rimom (q.v) pode ter ficado cerca de 10 quilômetros a noroeste de Nazaré.

**DIMOM, ÁGUAS DE** Uma torrente a leste do Mar Morto na terra de Moabe (Is 15.9), possivelmente o rio Arnom (Is 16.2; Nm 21.13,26). Na Vulgata, e nos famosos Rolos do Mar Morto (IQIsa[a]) lê-se Dibom para Dimom. Jerônimo afirma que os dois nomes eram usados de modo intercambiável em seu tempo. Alguns estudiosos pensam que Isaías intencionalmente usou o nome Dimom para fornecer um trocadilho com o som da palavra heb. *dam*, "sangue", em sua frase "as águas de Dimom estarão cheias de sangue". A versão RSV em inglês e a NTLH em português fazem uma correção e trazem o termo Dibom.

**DIMONA** Uma cidade no Neguebe de Judá, perto de Edom (Js 15.22), não identificada. Ela pode ser a Dibom de Neemias 11.25.

**DINÁ** A filha de Jacó e sua esposa Léia (Gn 30.21). Enquanto andava desacompanhada para visitar suas amigas cananéias, foi violentada por Siquém, filho de Hamor, o heveu (Gn 34.2). Mais tarde, aquele que a atacara quis tomá-la em casamento honrado, e os irmãos dela concordaram com isso, contanto que os heveus se submetessem à circuncisão. A condição foi aceita e executada. Mas, apesar do acordo, os dois irmãos de Diná, Simeão e Levi, filhos do mesmo pai e da mesma mãe, fizeram um ataque sanguinário sobre a cidade dos heveus e mataram todos os homens, incluindo Hamor e Siquém (Gn 34.1-29).
Jacó considerou este ato traiçoeiro e injustificado (Gn 34.30), e o condenou com horror pouco antes de morrer (Gn 49.5-7). Por causa desse massacre, a terra passou a Jacó, como o cabeça da tribo. Em sua morte, ele deixou esta terra em herança a José (Gn 48.22).

**DINABÁ** Uma cidade de Belá, rei de Edom (Gn 36.32; 1 Cr 1.43). Sua localização é incerta.

**DINAÍTAS** Um nome encontrado em Esdras 4.9, anteriormente entendido como o nome de um povo trazido como colonizadores por Assurbanipal (Asnapar) para Samaria. A palavra, porém, é um título aramaico oficial significando "os juízes", como têm mostrado os papiros elefantinos do século V a.C.

**DINHEIRO** *Veja* Pesos, Medidas e Moedas.

**DINHEIRO, AMOR AO** Do grego *philarguria*, lit, "o amor à prata". Paulo exorta os cristãos a estarem contentes com o que têm, porque, em primeiro lugar, não trouxemos nada para o mundo quando nascemos, e não levaremos nada quando partirmos dele (1 Tm 6.7ss.). Em segundo lugar, as riquezas trazem muitas tentações. O *amor* ao dinheiro é a raiz, ou causa, de todos os males. Este era o pecado que constantemente afligia o jovem governante rico, e que o afastou de Cristo (Lc 18.23ss.). Judas Iscariotes vendeu seu Senhor por 30 moedas de prata (Mt 26.15). Barnabé, ao contrário, tendo terras vendeu-as, trouxe o dinheiro, e depositou-o aos pés dos apóstolos (At 4.37). Ele não deu à sua riqueza a possibilidade de tornar-se um laço para sua vida. As Escrituras não condenam a posse das riquezas, mas consideram o crente que as possui como um mordomo, e não simplesmente como uma pessoa abastada. Ele deve distribuir o que tem para a glória de Deus, e com a devida consideração pelas necessidades dos outros – tanto crentes como não crentes (1 Tm 6.17-19; Gl 6.10; Fp 2.4).

R. A. K.

**DIONÍSIO O AREOPAGITA** Um ateniense que confessou a Cristo durante o ministério de Paulo (At 17.34). Como um "areopagita" ele era um cidadão proeminente, sendo um dos 12 juízes que formavam o mais elevado concílio. *Veja* Areópago.
A tradição de um outro Dionísio, o bispo de Corinto em 171 d.C., através de Eusébio e das Constituições Apostólicas, declara que o areopagita foi o primeiro bispo de Atenas, mais tarde sofrendo o martírio sob o governo de Domiciano. Uma tradição errada também declara que ele migrou para Roma, foi enviado a Paris, e deve ser identificado como o santo protetor da Franca, São Denis (IDB). Um corpo considerável da literatura neoplatônica portando o seu nome, não passa de mera invenção.

**DIÓTREFES** Mencionado apenas em 3 João 9,10, como alguém que procurava ter entre a igreja o primado, e que se opunha à autoridade do apóstolo João. Com relação àqueles que não concordavam com Diótrefes, foi dito que este os expulsava da igreja – um antigo "excomungador"!

**DIREÇÃO, GUIA** *Veja* Guiar, Líder.

**DIREITO** Existem pelo menos seis palavras

hebraicas distintas no AT que transmitem o conceito de tudo que é moralmente bom, justo, legal, próprio ou adequado. As duas palavras mais importantes são *yashar* e *mishpat*.

Junto com suas palavras cognatas, a raiz *yashar* significa o que é suave, igual, reto, direito e, dessa forma, aquilo que é justo (por exemplo, 1 Sm 6.12; Sl 107.7; Is 45.2; Jr 31.9). Aquele que anda sobre esse caminho é reto, justo, direito (1 Rs 9.4; Jó 1.1,8); fazendo o que é "reto" aos olhos do Senhor (Êx 15.26). Esse caminho equivale ao caminho da sabedoria (Pv 4.11). Deus se apraz com a virtude ou a sinceridade do homem (1 Cr 29.17), e essa atitude do coração é um produto da verdadeira sabedoria e do temor ao Senhor (Pv 14.2). A palavra grega correspondente é *euthus*, um caminho ou vereda que são "direitos" (Mt 3.3; cf. Is 40.3; At 9.11), o caminho "direito" (2 Pe 2.15), um coração "reto" diante de Deus (At 8.21).

A palavra *mishpat* é um termo jurídico originário da raiz *shapat*, "julgar, governar", e significa o que é legal e juridicamente correto, "Não faria justiça o Juiz de toda a terra?" (Gn 18.25); "Sei que o Senhor sustentará a causa do oprimido e o direito do necessitado" (Sl 140.12). É a justiça social que Deus exige do homem; "agir justamente" ou "praticar a justiça" (Mq 6.8).

No NT, a palavra grega *dikaios* transmite a idéia semelhante de ser direito ou justo; um salário justo (Mt 20.4), julgar o que é direito (Lc 12.57), o homem justo e cumpridor da lei (1 Tm 1.9), um homem justo, honesto e bom como José (Mt 1.19) e que faz o que é eticamente correto (Ef 6.1; Ap 22.11).

Entretanto, no NT, geralmente, o adjetivo grego e o substantivo *dikaiosyne* têm o significado de justiça (q.v.) em um sentido moral, religioso e teológico, baseado nos termos hebraicos *s^edeq* e *s^edaqa*. A palavra grega *orthos*, em Lucas 10.28, significa responder "corretamente", uma resposta que seja reta (cf. At 14.10) e, dessa forma, direita ou correta. (Lc 7.43; 20.21). Em 2 Timóteo 2.15 uma "divisão correta" (de *orthotomeo*) traz o significado de abrir caminho em uma direção reta através de um país que está repleto de florestas ou de outros obstáculos. Seu significado nessa passagem parece ser guiar e ensinar a Palavra da Verdade ao longo de um curso reto sem se desviar por causa de argumentos inúteis a respeito de palavras ou conversas mundanas (Arndt, p. 584).

*Veja* Justiça.

J. R.

**DISÃ** Um horeu, o sétimo e último filho de Seir, que possuía montanhas ao sul do Mar Morto. Disã tornou-se um "príncipe" ou "chefe" (Heb. *'allup*), isto é, líder de "mil" (Gn 36.21,30; 1 Cr 1.38). O nome provavelmente também designa um clã horeu. O termo heb. *dishan* tem sido comparado com o nome hurriano Tai-sheni. *Veja* Horeus. Deus permitiu que os descendentes de Esaú, isto é, Edom, desapossassem os horeus (Dt 2.12,22).

**DISCERNIMENTO DE ESPÍRITOS** Um dos dons do Espírito Santo (1 Co 12.8-10; Ef 4.7-11). O discernimento era a avaliação de alguém que profetizava, falava em línguas, operava milagres etc., pela qual se entendia se a pessoa estava ou não agindo através do Espírito Santo. A palavra gr. *diakrisis* ("distinção", "discernimento", "julgamento") é usada apenas em duas outras passagens do NT. Em Hebreus 5.14, "Discernir tanto o bem como o mal", e Romanos 14.1, "Quanto ao que está enfermo na fé, recebei-o, não em contendas sobre dúvidas". No NT, o uso indica que o significado de 1 Coríntios 12.10 é a habilidade para julgar se alguém falava ou agia pelo Espírito Santo ou por um falso espírito. *Veja* Dons Espirituais.

**DISCÍPULO** A palavra gr. *mathetes* empregada para discípulo é usada aproximadamente 270 vezes nos Evangelhos e no livro de Atos. Ela denota um pupilo que se submete aos processos de aprendizado sob a responsabilidade de um professor. Esta palavra grega entrou nas línguas inglesa e portuguesa como o termo matemática (em inglês *mathematics*), que significa literalmente, "disposto a aprender". Na prosa ática, notadamente em Platão, ela faz alusão ao estudante treinado por um filósofo ou orador retórico. O conceito prevaleceu no AT e é exemplificado pelos "filhos dos profetas", que foram os aprendizes que mais tarde substituíram Samuel, Elias e Eliseu. Algo semelhante ocorre mais tarde, no caso de Paulo, que foi "criado... aos pés de Gamaliel". No NT, o termo é usado como uma alusão aos discípulos de João Batista (Mt 9.14), dos fariseus (Mc 2.18) e de Moisés, indicando os adeptos contemporâneos de seus ensinos (Jo 9.28).

Nas epístolas, o termo *mimetes*, "seguidor", "imitador", ocorre em exortações para seguir o modelo de vida proposto por Deus (Ef 5.1), descreve o escritor como um apóstolo (1 Co 4.16; 11.1; Fp 3.17; 2 Ts 3.7,9), e se refere ainda a outros crentes (Hb 6.12; 13.7). *Veja* Exemplo.

Em um sentido amplo, Jesus usou a palavra "discípulo" como descrição de todos os seus seguidores vindo sob a influência de seu ensino, esforçando-se para conformar-se aos seus princípios. Lucas refere-se a "toda a multidão dos discípulos" (19.37). Em Atos 6.2, ele declara que os Doze convocaram a multidão dos discípulos. Jesus disse: "Se vós permanecerdes na minha palavra, verdadeiramente, sereis meus discípulos" (Jo 8.31). Os discípulos de Jesus naqueles dias, e sempre, são aqueles que respondem ao seu con-

vite, "Aprendei de mim" (Mt 11.29).
Em um sentido restrito, discípulo (também apóstolo) aplica-se ao círculo interno dos Doze, chamados em meio a um grupo maior para que pudessem estar com Cristo, ouvi-lo expor os mistérios do reino que foram reservados para um grupo seleto, testemunhar e posteriormente operar sinais e maravilhas que serviriam como uma autenticação, e proclamar o Evangelho ao mundo.
Os doze eram os seguintes: Simão Pedro, André, Tiago de Zebedeu, João, Filipe, Natanael (também conhecido como Bartolomeu), Tomé, Mateus (chamado Levi), Tiago filho de Alfeu, Simão o zelote ou cananeu, Judas o irmão de Tiago e, às vezes, chamado Tadeu, e Judas Iscariotes.
Embora carecessem de uma educação mais elevada, como hebreus estes homens tinham uma base completa das doutrinas e da história de sua fé. Sua obtusidade tentou mas nunca exauriu a paciência de Jesus, que não é menos tolerante para com as nossas limitações em seu serviço. A lentidão da compreensão destes homens constitui uma apologia à validade histórica daquilo que os Evangelhos relatam a respeito de Jesus. O Dr. A B. Bruce disse: "Eles eram pessoas de mente lenta; muito honestos, mas muito inaptos para receber novas idéias... Sabemos que nada além dos fatos poderia fazer com que tais homens cressem naquilo que, atualmente, alguns lhes acusam de ter inventado".

***Bibliografia.*** G. Kittel, "*Akolutheo*", TDNT, I, 210-216. K. H. Rengstorf, "*Manthano* etc.", TDNT, IV, 390-461.

G. H. T.

**DISCÍPULO AMADO** *Veja* João, o Apóstolo.

**DISCURSO** *Veja* Orador.

**DISENTERIA** *Veja* Doenças.

**DISOM** O nome de dois descendentes de Seir, o horeu. O termo heb. *dishon* pode significar "antílope" ou "cabra montês" (cf. Dt 14.5), mas talvez seja derivado do nome hurriano Tai-sheni.
1. O quinto filho de Seir, e o príncipe de uma das tribos edomitas originais (Gn 36.21,30; 1 Cr 1.38).
2. Neto de Seir, o único filho de Aná, e irmão de Oolibama, a segunda esposa de Esaú (Gn 36.25; 1 Cr 1.41).

**DISPENSAÇÃO** A palavra gr. *oikonomia* significa mordomia, administração de uma casa, uma economia ou uma dispensação. O maior interesse e importância centralizam-se em torno do último significado.
Embora o termo "dispensação" seja usado por todos os teólogos, para expressar o método de Deus de tratar com os homens durante diferentes eras da revelação bíblica, antes e desde a queda do homem, grandes diferenças existem quanto ao significado correto do termo. O Dr. L. S. Chafer escreve: "Uma dispensação é uma administração específica e divina, um compromisso de Deus com o homem de uma responsabilidade de dispensar o que Deus lhe destinou" (*Systematic Theology*, VII, 122). A Bíblia Scofield declara: "Uma dispensação é um período de tempo durante o qual um homem é testado com relação à sua obediência a alguma revelação específica da vontade de Deus" (p. 5). Scofield também diz: "Cada uma das dispensações pode ser considerada um novo teste do homem natural, e cada uma termina em juízo" (*Rightly Divinding the Word of Truth*, p. 20).
Aplicando as definições acima, muitos teólogos dispensacionalistas chegam à conclusão de que há sete dispensações, isto é: (1) Inocência – que vai até a queda do homem; (2) Consciência – da queda até Noé; (3) Governo Humano – de Noé até Abraão (Gn 8.20–9.27); (4) Promessa – de Abrão até Moisés (Gn 12.1– Êx 19.8); (5) Lei – de Moisés até Cristo (Êx 20.1–31.18); (6) Graça – da morte de Cristo até sua segunda vinda (Rm 3.24-26; cf. Ef 3.1-10); (7) Reino – o reino milenial de Cristo na terra (Ap 20.4ss.; cf. 2 Sm 7.8-17; Lc 1.31-33).
Os teólogos reformistas em geral rejeitam tanto a dispensação da consciência como a do governo humano, uma vez que a consciência sempre esteve presente no homem (Rm 2.15), e a ordem para sujeitar a terra já havia sido dada na criação (Gn 1.28). Eles ensinam de duas a cinco dispensações: (1) duas: AT e NT (L. Berkhof); (2) três: AT, NT e o Reino (alguns teólogos reformistas pré-milenialistas); (3) quatro: Adão a Abraão, Abraão a Moisés, Moisés a Cristo, e a dispensação do Evangelho (Charles Hodge); (4) cinco: as quatro de Hodge mais o Reino Milenial (alguns teólogos da aliança pré-milenialista).
Os teólogos reformistas em geral estão insatisfeitos com Chafer e Scofield porque estes ensinam que o homem está sob provação em cada dispensação desde a queda, e que ele poderia ter satisfeito o teste específico de qualquer das eras dispensacionais, e então a série teria acabado. Se fosse assim – pensam os teólogos reformistas – a salvação seria possível para o homem sem a cruz, e Cristo, portanto, não teria que morrer. No entanto, deve ser notado que há muitos que baseiam sua teologia em um estudo de dispensações, mas rejeitam a definição dada por Scofield e Chafer. Estes grupos podem incluir a maior parte dos evangélicos.
Embora os teólogos reformistas difiram em suas opiniões quanto ao número de dispensações, eles concordam em afirmar que apenas um plano de salvação tem existido através de

todas as dispensações desde a queda do homem. As divisões feitas – tais como duas de Berkhof e quatro de Hodge – dependem da quantidade de detalhes que cada um quer agregar ao seu estudo da administração da salvação (feita por Deus) no AT, e não a qualquer desacordo em termos de princípios. Elas também dependem da questão da ênfase colocada nas dispensações ou nas alianças, ou se há uma apresentação equilibrada de ambas.
É comprovadamente difícil construir uma teologia sobre o uso bíblico da palavra gr. *oikonomia* uma vez que ela é usada no sentido de mordomia em quase todos os casos no NT (Lc 16.2-4; 1 Co 9.17; Ef 3.2; Cl 1.25), exceto em Efésios 1.10 onde Paulo fala de Deus reunindo todas as coisas em uma "na dispensação da plenitude dos tempos". No entanto, um grande proveito pode advir de um estudo da crescente revelação da aliança da graça de Deus – ou seja, a salvação pela graça, através da fé – nas diferentes eras ou dispensações do AT e do NT.
Um estudo do plano de salvação sob cada dispensação acrescenta facetas com respeito à soteriologia que nenhum sistema totalmente desenvolvido pode negligenciar.
*Veja* Aliança.

***Bibliografia.*** Louis Berkhof, *Systematic Theology*, Grand Rapids. Eerdmans, 1949, pp. 290-301. Lewis S Chafer, *Systematic Theology*, Dallas. Dallas Sem. Press, 1948, IV, 16-21; VII, 121-123. Charles Hodge, *SystematicTheology*, Grand Rapids. Eerdmans, II (1952), 371-377. Charles C. Ryrie, *Dispensationalism Today*, Chicago. Moody Press, 1965.

R. A. K.

**DISPERSÃO DA HUMANIDADE** Por meio da confusão das línguas das pessoas em Babel, Deus espalhou a humanidade por toda a terra (Gn 11.5-9). Assim, a posteridade de Noé foi dividida (do heb. *palag*, Gn 10.25; heb. *parad*, 10.32) após o dilúvio. Esta dispersão ocorreu nos dias de Pelegue, provavelmente dentro de dois ou três séculos após o dilúvio de Noé (cf. Gn 10.25 com 11.10-19). Historicamente, o evento deve ter ocorrido antes da migração dos povos para o hemisfério oeste, (e a fundação das aldeias neolíticas no Oriente Médio) e para as cidades antigas como Jericó na Palestina, Jarmo na Mesopotâmia, e Catal Hüyük em Anatólia (todas datando arqueologicamente antes de 6000 a.C.), pois estes locais não fornecem nenhuma evidência de distúrbio por águas de inundação.
É compreensível que muito conhecimento cultural tenha se perdido para a humanidade como resultado da confusão das línguas, uma vez que um homem não podia mais transmitir o conhecimento de sua habilidade específica para um outro. Assim, muitas artes e habilidades – agricultura, metalurgia, música (cf. Gn 4.20-22), talvez até mesmo a escrita – desapareceram, apenas para serem redescobertas, por um processo trabalhoso, muito mais tarde, talvez após milênios de uma era negra, e de uma existência primitiva.
O texto em Gênesis 10 e 11 apresenta uma lista dos principais descendentes de Noé que poderia provavelmente ser conhecida dos israelitas, incluindo um relato do evento que culminou na divisão de muitas nações. Os principais critérios para classificar as subdivisões da humanidade nesta assim chamada Tabela de Nações foram geográficos ("nas suas terras"), lingüísticos ("segundo as suas línguas") e políticos ("em suas nações", Gn 10.5,20,31). Porém, a base era essencialmente etno-geográfica, porque o idioma pode mudar completamente como resultado das conquistas e da migração.
Assumindo a autoria mosaica para estes capítulos, pode-se mais prontamente entender que a lista dos 70 grupos étnicos restantes mencionados em Gênesis 10 foi compilado a partir do conhecimento disponível para alguém educado nas cortes do Egito na metade do segundo milênio a.C. Naquela época, o Egito tinha amplos contatos diplomáticos e comerciais com a Líbia, Chipre, Cilícia, Creta, acima e abaixo do Mar Vermelho, com os heteus em Anatólia e com os cassitas na Babilônia. Como resultado das conquistas de Tutmósis III, ele controlou a Núbia e grandes áreas de Canaã e Síria. Isto pode ajudar a explicar porque os filisteus estão agrupados sob Mizraim (Egito, Gn 10.13,14) e Canaã vem sob Cam, embora todas as evidências provem que os cananeus falavam a língua semítica de 2000 a.C. em diante. A tabela definitivamente reflete uma época anterior a 1200 a.C., pois é dito que Gaza pertence aos cananeus (Gn 10.19), e não aos filisteus. As raças: marrom, amarela e vermelha não são mencionadas, provavelmente porque estas não tiveram nenhum contato com o Egito nem com os israelitas naqueles dias. *Veja* Gentios; Nações.

***Bibliografia.*** Gleason L Archer, SOTI, pp. 201-203. T. C. Mitchell, "Nations, Table of", NBD, pp. 865-869. E. A. Speiser, "Man, Ethnic Divisions of", IDB, III, 235-242. Merrill F. Unger, *Archaeology and the OT*, Zondervan, 1954, pp. 73-104.

J. R.

**DISPERSÃO DE ISRAEL** Desde a época em que Deus deu a Palestina a Abraão e a seus descendentes como uma possessão permanente (Gn 13.14-17), a posição da nação de Israel tem sido determinada por sua relação com esta terra. Os habitantes daquela terra estavam no lugar da bênção. Os de fora da terra estavam no "cativeiro" (*gola*, Ed

1.11; 2.1), ou na "dispersão" (*diaspora*, Jo 7.35). Os primeiros falam de sua relação com a Palestina; e, os demais, de sua relação com os povos entre os quais eles foram cativos. Tiago (1.1) e Pedro (1 Pe 1.1) escreveram aos convertidos que estavam entre os judeus dispersos.

A primeira ausência da nação da terra foi predita em Gênesis 15.13, onde o Senhor informou a Abraão sobre o destino de seus descendentes. Uma promessa de restauração veio logo em seguida (Gn 15.14). Esta profecia foi cumprida através da permanência da nação no Egito.

Na época do retorno do cativeiro egípcio, Deus revelou a Moisés, e através dele à nação, que a dispersão seria seu método de castigá-los pela desobediência e apostasia. Isto é claramente declarado em Deuteronômio 28.15,25; 30.1-4. Assim, a nação foi advertida de que a incredulidade e a desobediência seriam julgadas com a expulsão da terra da promessa. Os profetas enviados tanto para o reino do norte quanto para o do sul os advertiram quanto a tal expulsão (Os 9.3; Jr 8.3; Ez 4.13) e declararam claramente a causa de tal juízo (Jr 16.11-15), isto é, que a nação havia seguido e servido a outros deuses, e que havia abandonado o Deus verdadeiro e se recusado a obedecer as suas leis.

O reino do norte (Israel) foi levado para o cativeiro pelo rei da Assíria, que fixou os deportados em Hala, e em Habor, junto ao rio Gozã, e nas cidades dos medos (2 Rs 17.6). Esta deportação começou em 722 a.C., quando os assírios conquistaram Samaria. A acusação contra Israel, listando as causas do exílio, é dada em 2 Reis 17.7-20. Apesar das advertências feitas pelos profetas ao reino de Judá à luz do que havia acontecido ao seu vizinho do norte, o reino do sul continuou na desobediência e apostasia, e, em 586 a.C., foi levado cativo para a Babilônia por Nabucodonosor (2 Rs 24.14; 25.6,11). A razão para esta dispersão foi claramente declarada. Ela consistiu na rejeição que demonstraram para com as advertências dos profetas, e sua continuidade na idolatria (2 Cr 36.13-16).

Seguiram-se outras deportações e recolocações menos importantes dos judeus (*veja* Papiros Elefantinos). Ptolomeu I do Egito (322-285 a.C.), na época de sua invasão da Palestina e da captura de Jerusalém, transportou muitos judeus para Alexandria, que mais tarde tornou-se um importante centro judaico. De acordo com Josefo, Antíoco da Síria (223-187 a.C.) transportou cerca de 2.000 famílias da Babilônia, e as relocou na Frígia e Lídia (cf. as localidades em 1 Pe 1.1). Pompeu, após capturar Jerusalém em 63 a.C., levou muitos judeus para Roma para serem vendidos como escravos. Estes últimos, porém, ganharam novamente a liberdade e os direitos civis. Após a destruição de Jerusalém em 70 d.C., por Tito, houve uma outra dispersão.

Além destas deportações involuntárias, muitos judeus deixaram a Palestina voluntariamente em busca de interesses comerciais. Isto os levou a importantes centros econômicos do mundo, e, assim, a maioria das grandes cidades tinha uma colônia judaica. Por esta razão, não é surpresa ler em Atos 2.9-12 que os judeus vieram – de todas as partes do mundo da época – a Jerusalém para a Festa do Pentecostes. Embora os deportados tivessem se ajustado à língua e à cultura da sociedade na qual haviam se fixado, eles mantiveram os laços com a Palestina e com o judaísmo através (1) de suas peregrinações às três festas anuais, (2) pelo pagamento do imposto do templo [de meio siclo] enquanto o templo existisse, e (3) pela submissão aos decretos do Sinédrio enquanto este funcionasse.

Durante o primeiro século da era cristã, estima-se que um milhão de judeus residiam na Mesopotâmia, outro milhão em Antioquia de Orontes e por toda a atual Turquia, um milhão no Egito concentrando-se em torno de Alexandria, cem mil na Itália, cem mil no norte da África, e dois milhões e meio na Palestina. Filo, o Judeu (20 a.C.- 40 d.C.) listou dezenas de países onde os judeus foram dispersos (*Legatio Ad Caium* 36).

Enquanto estavam dispersos, os judeus acomodaram-se freqüentemente em arredores confortáveis (Jr 29.4-7), e tornaram-se uma parte valiosa da comunidade de negócios. As circunstâncias eram tão agradáveis na Babilônia que, quando foi concedida permissão para retornarem a Jerusalém e reconstruir o templo, apenas um pequeno remanescente desejou incumbir-se dos rigores da obra. Na época do cativeiro babilônico, o número de judeus fora da Palestina ultrapassava grandemente aqueles que permaneciam naquela terra.

Uma outra característica da dispersão não deve ser ignorada. Embora a dispersão fosse um juízo sobre Israel e Judá, pela incredulidade e apostasia, ela foi uma bênção para os gentios. De acordo com Êxodo 19.6, a nação foi separada por Deus para ser um reino de sacerdotes, isto é, eles deveriam ser mediadores entre Deus e os gentios. Eles deveriam disseminar a revelação do verdadeiro Deus, que lhes fora confiada. A bênção de Deus sobre a semente de Abraão deveria alcançar todos os homens (Gn 12.3). Contudo, a nação não cumpriu a responsabilidade que lhe fora confiada. A lei, que separava Israel dos gentios, foi usada para esconder a verdade que Deus havia revelado a Israel, e que deveria ser anunciada aos gentios. No entanto, apesar da dispersão, o conhecimento de Deus foi levado, involuntariamente, para as nações. Uma expectativa mundial de um Messias-Redentor surgiu quando a dispersão trouxe o conhecimento das promessas de Deus aos gentios. Escritores como Tácito,

Suetônio e Virgílio anteciparam um Abençoador que apareceria na Judéia. Sem dúvida, os magos foram à Judéia em busca do Rei dos judeus por causa da estrela, e também pelo conhecimento adquirido através da nação dispersa (Mt 2.1-12).
A dispersão de Israel também teve seus efeitos na pregação do Evangelho na era do NT. O apóstolo Paulo, ao divulgar o Evangelho pelo mundo romano, sempre começava seu ministério em uma nova cidade na sinagoga dos judeus, pois se sentia obrigado a anunciar as Boas Novas primeiro aos judeus, informando-os que o Messias de Israel tinha vindo. Em qualquer comunidade, os judeus dispersos eram os primeiros a ouvir o Evangelho. Somente após a rejeição de sua mensagem por parte destes, é que Paulo voltava-se para os gentios (como em At 18.6).
Em Mateus 12.31-37, Cristo advertiu a nação quanto aos terríveis resultados de seguirem os líderes que o rejeitaram como o Messias, e concluiu com uma advertência de juízo (Mt 12.41-45). Ele profetizou uma dispersão futura para a nação, predizendo a desolação vindoura de Jerusalém (Mt 23.37-39), que se cumpriu em 70 d.C., e prometendo que a cidade seria ocupada pelos gentios até o seu segundo advento (Lc 21.24). No sermão no Monte das Oliveiras, Cristo profetizou a então futura destruição de Jerusalém (Mt 24.15-21). Esta é uma reafirmação da profecia de Zacarias 13.8–14.2, onde o profeta predisse uma invasão durante o período da Tribulação no qual Jerusalém seria destruída e muitos dos habitantes seriam mortos ou dispersos.
Esta dispersão escatológica é o castigo final de Deus à nação antes do milênio. No início da Tribulação, o chefe do Império Romano fará uma aliança com a nação de Israel, garantindo segurança na terra da Palestina (Dn 9.27). A nação irá ocupar a terra, confiando nesta aliança política para defendê-la. Ela irá ainda além e reconhecerá que este governante é o seu Messias e Deus, e o adorará (Ap 13.11-18). Deus fará com que as nações gentílicas voltem-se contra Jerusalém para destruí-la e para espalhar os seus habitantes, assim como já puniu Israel anteriormente, por sua apostasia.
As previsões da dispersão contêm também uma promessa de restauração da terra. Foi ao manter a promessa de Deuteronômio 30.3-5 que a nação retornou da dispersão babilônica. Como cumprimento de uma promessa em Deuteronômio 30.1-10, e daquela encontrada em Amós 9.14,15, Israel será restaurada no segundo advento de Cristo e novamente colocada em sua terra. Finalmente, a resposta para a dispersão de Israel é sua completa conversão (Is 66.6-9; Jr 31.31-34) e sua restauração à Palestina sob o governo de seu Messias (Is 54.1-17; 60.1-6; 62.1-12), o que ocorrerá na segunda vinda de Cristo.

***Bibliografia.*** Karl L Schmidt, "*Diaspora*", TDNT, II, 98-104. Merrill C. Tenney, *New Testament Times*, Grand Rapids. Eerdmans, 1965, pp. 88-91, 182ss. A. F. Walls, "Dispersion", NBD, pp. 318ss.

**DIVERSOS** Este é um termo arcaico que geralmente significa "vários", "muitos" (por exemplo, Hb 1.1) ou "diferentes em espécie" (por exemplo, Dt 22.9). É a tradução de várias palavras hebraicas e gregas.
Os israelitas, provavelmente para evitar as práticas idólatras dos cananeus, foram proibidos de misturar diferentes espécies de materiais, animais ou produtos, tais como: (1) tecer roupas de dois tipos de material, particularmente de lã e linho; (2) semear um campo com sementes misturadas; (3) colocar um boi e um jumento, juntos, sob o mesmo jugo; (4) cruzar animais de diferentes espécies; por exemplo, um jumento e um cavalo para conseguir mulas (Lv 19.19; Dt 22.9-11).

**DIVERTIMENTO** *Veja* Jogos.

**DIVINDADE** A palavra "divindade", em inglês "godhead", composta pelos termos "God" (deus) e "hood" (capuz ou abrigo), mais tarde alterada para "head" (cabeça), refere-se àquilo que qualitativamente faz parte da natureza da divindade. Ela se refere não a alguma pessoa da Trindade, mas à Divindade como um todo. O discipulado básico usa o termo ao perguntar, "Quantas pessoas existem na Divindade?" Três palavras gregas podem traduzir este termo:
1. *Theion* é usada uma vez em Atos 17.29, por Paulo, quando ele fala com os gregos instruídos no Areópago a respeito do Deus desconhecido que eles de forma ignorante adoravam, e contrasta sua "Divindade" ou "Natureza Divina" com as imagens de ouro, prata e pedra formadas a partir da arte e da imaginação do homem.
2. *Theiotes* em Romanos 1.20 é um termo de especial qualidade e destaca a natureza de Deus como Divina. Ao olhar para a criação, o homem deveria chegar a duas conclusões: a existência de um Deus que é suficientemente poderoso, que traz todas as coisas à existência, e a "Divindade" ou "Natureza Divina" deste maravilhoso Ser. Através do uso de *theiotes* as qualidades ou os atributos invisíveis de Deus são indicados.
3. *Theotes* aparece em Colossenses 2.9 e destaca a essência divina ao invés dos atributos. "Nele habita corporalmente toda a plenitude da divindade". Somente em Cristo - uma vez que Ele foi o único componente da Trindade a encarnar – é que a Divindade absoluta e perfeita, toda a Essência Divina, habita em Alguém que possui um corpo.
O termo "Divindade" enfatiza o monoteísmo e a unidade das três pessoas da Trindade, e protege contra uma visão politeísta de Deus.

O Antigo Testamento afirma categoricamente. "O Senhor, nosso Deus, é o único Senhor" (Dt 6.4). No Novo Testamento, Cristo declara "Eu e o Pai somos um" (Jo 10.30). A doutrina da divindade vai mais além no desenvolvimento deste conceito monoteísta.
A doutrina das três pessoas na única Divindade satisfaz algumas necessidades filosóficas muito importantes. Se Deus fosse uma pessoa unitária, e não uma trindade de pessoas, o mundo e o homem lhe acrescentariam novas dimensões básicas. Ele conheceria os relacionamentos acrescentados quando estes viessem a acontecer. Nesse ponto, o conceito unitário de Deus fracassa porque o Deus proposto por todos os unitários – sejam eles judeus, muçulmanos ou cristãos – necessita do mundo e do homem totalmente desenvolvidos. O mundo acrescenta um relacionamento "eu-isto"; o homem acrescenta um relacionamento "eu-você" e um "nós-vocês", ou um relacionamento social. A trindade cristã, por outro lado, possui todos eles. O Pai se interessa pelo Filho e pelo Espírito; O Filho se interessa pelo Pai e pelo Espírito; O Espírito se interessa pelo Pai e pelo Filho. O Pai e o Filho sempre tiveram o relacionamento "eu-você", o encontro pessoal. Quaisquer duas pessoas da Trindade podem ministrar à terceira, e assim Deus sempre conhece o "nós-vocês", ou o relacionamento social.
*Veja* Deus; Eu Sou; Trindade.

R. A. K.

**DIVÓRCIO** *No AT*. Em Deuteronômio 24.1-4, Moisés permitia que o marido divorciasse de sua esposa, se encontrasse nela *'erwat dabar*, "alguma impureza" (lit., "um caso de nudez"). A natureza de tal acusação era tão geral que isto levava a duas interpretações na época de Cristo: uma mais estrita ensinada pela escola de Samai, que a restringia à infidelidade; e uma opinião mais ampla, ensinada pela escola de Hilel, que a estendia até a inclusão de qualquer coisa que pudesse desagradar o marido. A exigência que marido desse à esposa uma carta de divórcio, deu ao ato uma posição legal e oficial, uma vez que era necessária a ajuda de no mínimo um levita para executá-la de forma apropriada. A regra adicional que proibia o marido de tomar sua esposa de volta depois que dela estivesse casada com outro, mostrava a gravidade do ato (Dt 24.4).
Havia várias circunstâncias, entretanto, nas quais o divórcio era proibido. Quando um homem, aberta e erroneamente, acusasse sua jovem noiva de infidelidade pré-marital, ele deveria indenizar o pai da noiva e, então, "em todos os seus dias" não a poderia "despedir" (Dt 22.19). Outrossim, se um homem tivesse relações pré-maritais com uma jovem, ele deveria primeiramente pagar uma indenização ao pai da moça e então se casar com ela. Por tê-la humilhado, ele também jamais poderia se divorciar dela (Dt 22.28,29; Êx 22.16,17).
No caso de adultério com uma pessoa casada, ou entre uma pessoa casada e uma solteira, a penalidade do AT era a morte (Lv 20.10; Dt 22.22). A mesma penalidade se aplicava até mesmo para uma esposa que tivesse praticado a fornicação antes do casamento (Dt 22.21; cf. v. 23). Dessa forma, a possibilidade de divórcio foi substituída pela pena de morte em tais casos. *Veja* Fornicação.
Resta ainda mais um exemplo de divórcio. Esdras e Neemias mandaram que os israelitas expulsassem as esposas pagãs incrédulas (Ed 9 e 10; Ne 13.23ss.; cf. Ml 2.10-16), uma vez que estas esposas os estavam desviando da verdadeira fé. O mandamento de 2 Coríntios 6.14,17 para não se associarem com descrentes trata do mesmo problema, mas em ambos os casos seria aplicado somente quando a esposa ou o marido estrangeiro estivesse levando o crente à incredulidade ou ao paganismo. (Veja a obra de William R. Eichhorst, "Ezra's Ethics on Intermarriage and Divorce", *Grace Journal*, X [1969], 16-28).
*No NT*. Os fariseus abordaram a Cristo com relação às opiniões de Samai e Hilel: "É lícito ao homem repudiar sua mulher por qualquer motivo?" (Mt 19.3ss). Sua resposta lança luz sobre Deuteronômio 24.1-4. Moisés não "ordenou" que fosse dada uma carta de divórcio, como eles afirmavam (v. 7). Ele simplesmente o permitiu por causa da dureza dos seus corações (v. 8). Desde o princípio, isto é, a partir da primeira revelação da natureza e do significado do casamento em Gênesis 2.23,24, o homem deveria ter apenas uma esposa – "e serão ambos uma carne", e permanecer com ela durante toda a sua vida (Mt 19.6) – "e apegar-se-á à sua mulher" (Gn 2.24). A única exceção para a permissão do divórcio, que Cristo mencionou neste ponto, era a fornicação (v. 9; Mt 5.32).
Em 1 Coríntios 7.10, Paulo expressa o ensino adicional de Cristo com respeito ao casamento e ao divórcio quando escreve: "Todavia, aos casados, mando, não eu, mas o Senhor..." Paulo está dizendo que está escrevendo o que Cristo ensinou. A esposa não deve deixar seu marido por ele ser um descrente, pois o marido descrente é santificado pela esposa (vv. 10,14). Para expressar isto em termos teológicos, a aliança familiar feita por um crente com Deus em benefício de si mesmo e de seus filhos, alcança o casamento e cuida dele. Se o cônjuge crente vai embora, ele não deve se casar novamente (v. 11) a não ser que o descrente rompa o voto de casamento por adultério ou se case novamente (cf. Mt 5.32; 19.9). No entanto, se o descrente se apartar de seu cônjuge crente, então o crente parece ser considerado livre para se casar novamente: "porque neste caso o irmão, ou irmã, não está sujeito à servidão" (1 Co 7.15). Alguns entendem que a

homossexualidade também é uma razão para o divórcio, uma vez que está listada como um pecado ainda maior que o adultério, sendo algo "contrário à natureza" (Rm 1.26,27).
Duas dificuldades têm surgido quanto ao ensino do Senhor Jesus Cristo sobre este tema nos Evangelhos.
1. Em Marcos 10.11,12 e Lucas 16.18, Cristo não deixa espaço para o divórcio, em quaisquer bases. Somente em Mateus (5.32; 19.9), Ele menciona que o divórcio é permitido em caso de fornicação. Aqui temos que aplicar o princípio de que todos os detalhes devem ser reunidos e as várias passagens das Escrituras devem ser comparadas entre si antes de chegarmos a uma conclusão final. Uma síntese indutiva completa requer que tudo o que Cristo ensinou sobre o divórcio, como registrado tanto nos Evangelhos como em 1 Coríntios 7.10ss., seja reunido antes que uma decisão final seja tomada sobre os seus ensinos. A isto deve ser acrescentado tudo o que se encontra sobre este assunto no NT, a fim de se ter certeza da doutrina do divórcio do NT.
Como a posição de Cristo quanto ao divórcio deve ser reconciliada com o AT? Como Moisés pode ter sido instruído por Deus a dar uma permissão tão geral? A condição da humanidade naquela época precisa ser levada em conta. Estas instruções foram dadas a Moisés por causa das atitudes desmoralizadas do homem desde a queda. As condições ideais que existiam quando Deus deu as ordenanças originais do casamento não existiam mais. Foi dito a Moisés que promulgasse uma lei civil que regulasse o divórcio ao invés de uma lei divina, como a que foi revelada mais tarde por Cristo, a qual eles não poderiam jamais manter em seu estado pecaminoso. Sendo este o caso, esta lei civil pode ser um guia para o homem quando ele lida com pessoas não salvas e para as leis civis ainda hoje, mas ela não pode ser estabelecida como o padrão espiritual da igreja. No NT, Cristo removeu o juízo de adultério e fornicação do reino da lei civil, onde eram puníveis com a morte física, e o colocou inteiramente sob o juízo da lei moral e do próprio Deus. Visto que a lei moral é um tribunal mais elevado que a civil, Ele a coloca sob um juízo ainda mais severo.
2. Cristo não mencionou o adultério como base para o divórcio, mas apenas a fornicação. Este, portanto, não está incluído? Isto pode ser explicado primeiro pelo fato de que a admissão de um pecado de menor importância como a fornicação sugere a inclusão de um pecado maior como o adultério. Além disso, o adultério já havia sido considerado, tanto na lei judaica quanto na romana, uma razão legítima para o divórcio e, portanto, não precisava ser mencionado. A isto deve ser acrescentado o fato de que embora a fornicação e o adultério sejam mencionados separadamente em muitos casos (Mt 15.19; 1 Co 6.9; Gl 5.19), a fornicação é freqüentemente usada sozinha envolvendo ambos (At 15.20; 21.25; Rm 1.29; Ef 5.3). A opinião geralmente defendida, portanto, é que pelo uso do termo fornicação, o nosso Senhor quis abranger as duas transgressões. Isto é também confirmado pelo fato da conduta pecaminosa de Israel como a esposa de Jeová ser às vezes chamada de adultério (Jr 3.8; Ez 23.45), e, às vezes, de fornicação (Jr 3.2,3; Ez 23.43). Novamente, em 1 Coríntios 7.2 o termo fornicação é usado para abranger estes dois pecados.
Resumindo o ensino do NT, encontramos que o divórcio é permitido onde houve fornicação ou adultério, e no caso de deserção voluntária; mas não por causa de algum capricho ou mesmo incompatibilidade. Neste caso, apenas a separação é permitida (cf. 1 Co 7.10 ss.).
Algumas perguntas práticas surgem para a igreja. Como se deve considerar o adultério e as relações pré-nupciais? Esta última é claramente um pecado, porém no Antigo Testamento sua punição era menos severa. Em 1 Coríntios 7.1ss., Paulo estava provavelmente respondendo à seguinte pergunta: "Seria bom que o homem tocasse em mulher?" quando respondeu em um tom imperativo: "mas... cada um tenha sua própria mulher, e cada uma tenha o seu próprio marido", ou como o Dr. J. O Buswell, Jr., o traduz, "Todo homem deve ter sua própria esposa" (*Systematic Theology*, p. 386). O AT era muito severo com relação à fornicação – os jovens que a houvessem cometido deveriam se casar; contudo era tolerante quando se compara o caso do adultério, pois, neste, os transgressores deveriam ser apedrejados até à morte. A igreja deve ter isto em mente ao agir. *Veja* Incontinência.
O que a igreja deve fazer no caso de pessoas divorciadas que desejam se casar? Apenas a parte inocente pode ser considerada aceitável para um casamento na igreja. Alguns pensam que o mesmo é verdadeiro para os membros da igreja. Outros solicitariam uma série de confissões e disciplina seguidas por uma reconciliação. Muitas igrejas se recusam a dar ao divorciado a condição de membro da igreja, embora, pelo fato da Santa Ceia ser servida abertamente, tal pessoa não estar privada da mesa do Senhor. As igrejas em que a Santa Ceia é servida de uma forma fechada, apenas aos seus membros, tendem a adotar a primeira opção, que é a da disciplina e reconciliação; aquelas em que a Santa Ceia é servida abertamente, tendem a adotar a segunda.
*Veja* Carta; Família.

***Bibliografia.*** J. Oliver Buswell, Jr., *Systematic Theology*, Grand Rapids. Zondervan, 1963, I, 385-396. W. Fisher-Hunter, *The Divorce Problem*, Waynesboro. MacNeish

Publishers, 1952. John Murray, *Divorce*, Committee on Christian Education, Orthodox Presbyterian Church, 1953; *Principles of Christian Conduct*, Grand Rapids. Eerdmans, 1957.

R. A. K.

**DI-ZAABE** Um dos vários lugares mencionados em Deuteronômio 1.1 definindo a rota que os israelitas seguiram entre Parã ou Horebe (Monte Sinai) e Moabe na Transjordânia onde Moisés estava falando aos israelitas. Uma vez que o nome significa "ter ouro", pode ser que tenham encontrado ouro neste local. Não se conhece sua localização exata.

**DÍZIMO** A palavra hebraica *'asar*, "dizimar" é derivada da palavra que significa "dez" e que também significa "ser rico". O princípio básico do dízimo é o reconhecimento de que tudo pertence por direito a Deus, inclusive as propriedades dos homens, das quais eles são apenas os guardiões. O dízimo corresponde a um testemunho oferecido em honra a Deus, e em reconhecimento de que tudo pertence a Ele.

O costume de pagar o dízimo era muito comum entre os povos semíticos, e era anterior à lei de Moisés. Abraão deu a Melquisedeque um décimo de todo o despojo conquistado de Quedorlaomer (Gn 14.20. cf. Hb 7.4-10). A forma como este fato foi mencionado parece indicar que se tratava de um costume estabelecido. O voto de Jacó (Gn 28.22) acrescenta ainda mais peso a esta opinião.

O dízimo de Israel consistia de um décimo de toda a produção anual de alimentos e do crescimento dos rebanhos de ovelhas e gado. Era um costume considerado sagrado para Jeová, da mesma forma que o aluguel ou imposto feudal dedicado a Ele que era, realmente, o dono da terra. Certas Escrituras sugerem que esses dízimos consistiam de um décimo de tudo que restava das "primícias de todos os frutos da terra", depois que a oferta sacerdotal havia sido separada (Êx 23.19; Dt 26.1ss.). Como a lei não estabelecia a quantidade a ser oferecida como uma oferta das primícias, alguns consideram as regras do dízimo como a definição do que deveria ser pago. Outros consideram o dízimo um complemento destes primeiros frutos. Fontes judaicas indicam que essa segunda hipótese é verdadeira e que as "primícias dos primeiros frutos" geralmente representavam uma quinta parte da produção.

No Pentateuco, a legislação sobre os dízimos era a seguinte:

1. Levítico 27.30-33. Um décimo de toda a produção (safras, frutas, azeite, vinho) e de todos os animais deveria ser dedicado ao Senhor. O dízimo da produção da terra podia ser compensado (ou "remido") se a ele fosse acrescido um quinto de seu valor. O dízimo dos animais não podia ser compensado. O crescimento do rebanho era calculado e todo décimo animal era considerado santificado para o Senhor. Isso estava de acordo com as instruções dadas a Israel, anteriores ao Sinai, de que os primogênitos dos rebanhos pertenciam ao Senhor (Êx 13.12, 13). Qualquer tentativa de trocar uma coisa boa por outra ruim era passível de ser punida com o confisco de ambas (Lv 27.32, 33). Tudo o que passasse "debaixo da vara" (Lv 27.32) era designado aos levitas para fazer o que bem entendessem, pois não haviam recebido nenhuma parte da terra como herança (cf. Nm 18.21-32). Além desse dízimo, os levitas pagavam um dízimo (ou oferta alçada) aos sacerdotes, que deveria ser levado ao templo de Jerusalém. Neemias 10.38 sugere que havia uma supervisão dessa divisão de dízimos.

2. Deuteronômio 12.5,6,11,18 (cf. Am 4.4). O dízimo das festas correspondia a um décimo dos nove décimos que restava. Devia ser separado e levado a Jerusalém onde era consumido como refeição sagrada pelo ofertante e seus familiares, junto com o levita que está dentro das suas portas (Dt 12.15). Se a distância era proibitiva, os dízimos podiam ser vendidos e o dinheiro usado para a compra de alimentos ou animais para servirem como ofertas em Jerusalém (cf. Dt 14.22-27).

3. Deuteronômio 26.12-15; 14.28-29. O dízimo trienal ou dízimo da caridade, oferecido duran-

Usando as antigas "estacas", um portão moderno foi instalado na portão norte de Micenas. HFV

te o terceiro ano, era destinado aos levitas, aos estrangeiros, aos órfãos de pai e às viúvas. As opiniões diferem em relação a esse terceiro dízimo. De acordo com Josefo ele era, na verdade, um terceiro dízimo oferecido a cada três anos, do qual os levitas e os sacerdotes eram obrigados a participar. Outros afirmam que a cada três anos o segundo dízimo, ou dízimo da festa, era oferecido aos pobres em casa, ao invés de ser levado a Jerusalém.

O pagamento do dízimo não era obrigatório, mas uma questão de consciência perante o Senhor. O povo deveria obedecer a estes decretos com todo o coração e alma (Dt 26.16). A cada três anos deveria ser feita uma solene declaração no último dia da Páscoa, dizendo o seguinte: "Obedeci à voz do Senhor, meu Deus; conforme tudo o que me ordenaste, tenho feito" (Dt 26.14).

I.R.

Por causa da negligência de Israel durante o período dos juízes, os levitas muitas vezes não recebiam dízimos suficientes para viver. Como resultado, alguns começaram a se desviar da fé a fim de encontrar alguma forma de substituir estes ganhos, e chegaram até a praticar relacionamentos idólatras (Jv 17.7-10; 18.18-20). As leis do dízimo não tinham o propósito de trazer qualquer dificuldade, porém as despesas extras do reino mudaram esse quadro. Geralmente era necessário pagar aos reis um imposto equivalente a um décimo, acrescido de uma parte do trabalho escravo (1 Sm 8.11-18). Somente em épocas de avivamento, o povo entregava os seus dízimos fielmente e com abundância (2 Cr 31.5-12; Ne 10.37-38; 12.43-47). Durante os períodos de ocupação estrangeira, como a dos romanos, os impostos eram especialmente pesados. Entretanto, apesar disso, os fariseus eram escrupulosamente cuidadosos no pagamento de seus dízimos (Lc 18.12). Eles foram repreendidos pelo Senhor Jesus porque se orgulhavam de seus próprios atos de justiça, negligenciando os princípios mais importantes da lei mosaica: a justiça, a misericórdia e a fidelidade (Mt 23.23; Lc 11.42).

Outro ensino do AT em relação ao princípio dos dízimos como um serviço ao Senhor, pode ser encontrado na oração de ação de graças de Davi pelos materiais para o futuro templo: "Porque tudo vem de ti, e da tua mão to damos" (1 Cr 29.14). O princípio de alguém honrar a Deus a partir de sua riqueza e como símbolo de toda a sua renda, por sua vez acompanhado pela promessa das bênçãos do Senhor, é ensinado em Provérbios 3.9,10. Na época pós-exílio, o povo estava roubando a Deus porque não pagava seus dízimos e ofertas. A advertência profética ordenava que todos os dízimos fossem entregues ao celeiro do templo (cf. Ne 13.12,13), e Deus iria abençoá-los até que não tivessem mais necessidades (Ml 3.8-11).

Embora o NT não prescreva o dízimo como uma obrigação legal para os seguidores de Cristo, ainda assim ele é ensinado no sentido de uma contribuição a ser feita de forma sistemática, liberal, abundante e alegre (1 Co 16.2; 2 Co 9.6,7). Os cristãos devem pregar o Evangelho e praticar atos de caridade sem exigir qualquer pagamento, porque eles próprios os receberam gratuitamente do Senhor (Mt 10.7,8). Por outro lado, o princípio de que o trabalhador é digno de seu alimento foi extraído do AT e aplicado aos servos do Senhor (Mt 10.10; Lc 10.7; 1 Co 9.7-14; 1 Tm 5.17,18).

Como o dízimo era praticado desde antes de Moisés receber a lei de Deus, muitos têm argumentado que para o cristão ele possui um padrão atemporal, ao invés de ser meramente uma parte da lei cerimonial do AT que já foi cumprida. O crente do NT, assim como o israelita, deve reconhecer que ele é apenas um mordomo (por exemplo, 1 Co 4.1,2; *veja* Ocupações: Mordomo) e que Deus é o dono de tudo.

***Bibliografia.*** B. E Cowell, "Should a Christian Tithe?" *Nota de Rodapé*, Wheaton College Graduate School, V (1965), 17-25.

J. R.

Os orifícios podem ser vistos na base e na verga do portão do Leão em Micenas, para encaixar o "pino" ou estaca (dobradiça) do portão. Também podem ser vistos os orifícios onde eram inseridas as barras para trancar o portão. HFV

**DOBRADIÇA ou COICEIRAS** Duas palavras são traduzidas como "dobradiça" na versão KJV em inglês. A palavra hebraica *pot* provavelmente significa "dobradiça" (1

Rs 7.50), e *sir* refere-se ao "pino" ou peça de ponta de uma antiga porta palestina (Pv 26.14; também chamada de gonzo). Em contraste com as dobradiças de ouro nas quais as portas do templo de Salomão giravam (1 Rs 7.50), as dobradiças eram geralmente um simples orifício na madeira ou lintel de pedra sobre a soleira da porta. Dobradiças de portas de pedra foram encontradas em escavações palestinas. O pino, ao qual a porta se fixava, era um pino vertical de madeira ou metal encaixado entre as dobradiças.
Em Provérbios 26.14, um preguiçoso que se revolve em sua cama é comparado a um pino se revolvendo em suas dobradiças.
*Veja* Porta.

**DOBRO, DUPLO** Do gr. *diplous* (1 Tm 5.17; Ap 18.6; Mt 23.15) e várias palavras heb. da raiz do verbo *kapal* (Êx 26.9; 28.16; 39.9) e *mishneh* (Gn 43.12,15; Ex 16.5,22). A palavra heb. mencionada também significa uma "cópia" (Dt 17.18; Js 8.32) e até mesmo indica "segundo" em posição (Gn 41.43; 2 Cr 35.24), assim como "segundo" em idade (1 Sm 8.2; 17.13).
Na igreja, os obreiros que governam bem merecem ser pagos assim como elogiados (1 Tm 5.17, "duplicada honra"; o termo gr. *time*, "honra", também significa "pagamento"). Um homem de mente dupla (do gr. *dipsukos*, "coração dobre"; Tg 1.7,8; 4.8 cf. Sl 119) é alguém dividido em seu pensamento. Alguém que tem uma língua dobre não é confiável; não se trata de uma pessoa prolixa ou repetitiva (1 Tm 3.8).

**DOCUMENTO**
1. Em hebraico, *sepher k<sup>e</sup>ritut*, "rolo", "documento de exclusão"; na LXX *biblion apostasion*, "uma carta de divórcio" (cf. Dt 24.1,3; Is 50.1; Jr 3.8). De acordo com a lei de Moisés, as transações de divórcio deveriam ser formalmente certificadas por documentos escritos. Descobertas arqueológicas forneceram a estudantes modernos, da Bíblia, muitas evidências destes materiais de forma que é possível estudar cópias reais destes contratos de divórcio. O documento 19, publicado em *Les Grottes de Murabba'at* (*Descobertas no Deserto da Judéia*, II, Oxford. Claredon Press, 1961) conta de um certo casal "Maria e José" que se divorciaram. O documento é preparado em duplicata, testemunhas o atestaram, e a mulher estava livre para se casar com qualquer outro judeu. Cada documento era escrito duas vezes, para que se um parceiro divorciado perdesse uma cópia da carta, uma outra cópia original pudesse ser fornecida! (Veja também V. A. Tcherikover e A. Fuks, *Corpus Papyrorum Judaicarum*, II, Cambridge, Mass.. Harvard Univ. Press, 1960, p. 10, No. 144 e referências). No período helenístico, os contratos de divórcio judaicos escritos fora da Palestina usavam as formas legais costumeiras dos mesmos contratos pagãos de acordo com o tempo e o lugar.
2. No NT grego *biblion apostasion*, "um documento de divórcio" (Mc 10.4) segue a expressão da LXX. Jesus mostrou familiaridade com as cláusulas mosaicas de divórcio, mas foi além de Moisés, como interpretado por certos rabis de seus dias, ao tomar uma posição contra a complacência com a qual o divórcio era concedido.
Do grego *gramma*, "escritura", "contrato", "conta" (Lc 16.6). Os papiros fornecem aos estudantes milhares de exemplos de recibos, vales de caixa, contratos de negócios, contas etc. A. Deissmann levanta a possibilidade de que talvez a "conta" de Lucas 16.6 deva ser explicada pela prática de elaborar tal documento em duas cópias, uma "interna" (fechada) e a outra "externa" (aberta). Ele descreve um recibo no qual no texto externo lê-se: *30* dracmas, enquanto que no texto interno lê-se: *40* (Deiss LAE, p. 33, n. 3).
E. J. V.

**DODAI** Um aoíta (1 Cr 27.4). *Veja* Dodô 2.

**DODANIM** Uma família ou raça descendente de Javã, filho de Jafé (Gn 10.4). Se o modo de escrever *dodanim* em heb. estiver correto, este povo pode ter sido o mesmo que os antigos Danaoi (ANET, p. 262), ou dardânios que eram relacionados aos gregos e viveram nos arredores de Troy ao longo da costa Noroeste da Ásia Menor. Na LXX, entretanto, consta *Rodioi*, e no Texto Massorético (TM) do versículo paralelo em 1 Crônicas 1.7 consta o termo heb. *rodanim*, que eram rodianos ou gregos da ilha de Rodes (q.v.). A incerteza é causada pela confusão das letras "r" e "d" que são muito semelhantes em hebraico. Fundações minoanas, micênicas e também dos Dórios têm sido identificadas com a Rodes do período do Antigo Testamento.

**DODAVÁ** Um homem de Maressa em Judá. Seu filho Eliézer profetizou para o rei Josafá, dizendo-lhe que se caso se unisse ao perverso rei Acazias de Israel para uma especulação marítimo-comercial, suas frotas de navios naufragariam (2 Cr 20.37).

**DODÔ** O nome ocorre em acádio, como Dudu.
1. Um descendente de Issacar, avô do juiz Tola (Jz 10.1).
2. Um aoíta, pai de Eleazar, um dos valentes ou poderosos de Davi (2 Sm 23.9; 1 Cr 11.12). Ele parece ser o Dodai mencionado em 1 Crônicas 27.4 como o comandante da divisão das tropas reais do segundo mês.
3. Um belemita, pai de Elanã, um dos trinta valentes de Davi (2 Sm 23.24; 1 Cr 11.26).

**DOEGUE** Um edomita que servia o rei Saul.

**DADOS CLÍNICOS ATUAIS DAS DOENÇAS CONSIDERADAS COMO A LEPRA BÍBLICA***

| Doença | Grau de Contágio | Agente Causador |
|---|---|---|
| Lepra | ++ | Lepra bacilo de Hansen |
| Sífilis | ++++ | Treponema pallidum – bactéria |
| Varíola | ++++ | Vírus |
| Sarna | ++++ | Acarus scabei – um parasita |
| Favo | +++ | Achorion Schoenleini – fungo |
| Tinha do Couro Cabeludo | ++++ | Microsporum audoini ou fungo lanosum |
| Profundas ou sistemáticas Infecções por fungo | +++ | Por exemplo, Actinomysosis devido à Actinomyces bovis ou Nocardia |
| Tumores e furúnculos | ++ | Estafilococo e estreptococo – bactéria |
| Pênfigo | desconhecido | Desconhecido |
| Dermatite herpetiforme | desconhecido | Desconhecido |
| Câncer de pele | desconhecido | Vírus? |

*Harold M. Spinka, M.D., "Leprosy in Ancient Hebraic Times" (*A Lepra nos Tempos Hebraicos Antigos*). Trabalho apresentado na 13.º convenção anual da American Scientific Affiliation no Iowa State College, agosto de 1958. Extraído do *Journal of American Scientific Affiliation*, março de 1959

Seu nome significa "tímido, ansioso". Ele era "o mais poderoso dos pastores de Saul" (1 Sm 21.7). "Como os rebanhos eram a parte principal da riqueza de Saul, seu chefe seria uma pessoa importante" (*Pulpit Commentary*, IV, 396). Quando Davi fugiu da ira insana de Saul, recebeu ajuda de Aimeleque, o sumo sacerdote de Nobe, e Doegue estava presente "detido perante o Senhor" (1 Sm 21.7), talvez devido a algum voto que havia feito. Depois ele relatou o incidente a Saul (1 Sm 22.9,10), que ordenou a execução de todos os sacerdotes. Quando os guardas de Saul se recusaram a obedecer à ordem perversa, a missão foi transferida para Doegue, que a cumpriu com diligência (v. 18), matando 85 sacerdotes. (a LXX aumenta este número para 305, enquanto Josefo menciona 385.) Embora tivesse sido ordenado por Saul, este foi um crime revoltante e revelou a natureza sanguinária de Doegue. Evidentemente, Davi, devido a alguma experiência anterior com este edomita, não ficou surpreso quando recebeu a triste narrativa de Abiatar, filho de Aimeleque, que escapou (1 Sm 22.22). No título do Salmo 52 é feita uma alusão a Doegue e à sua participação neste terrível acontecimento.

G. C. L.

**DOENÇA** É difícil discutir as doenças mencionadas na Bíblia com qualquer grau de certeza. Uma razão para isto é que elas recebem o nome de acordo com os sintomas e não por processos patológicos. Assim, a paralisia poderia ser desencadeada pela pólio, trauma, desequilíbrio nervoso, ou várias outras causas. Não é absolutamente certo que o definhamento de Levítico 26.16 e Deuteronômio 28.22 fosse tuberculose. Em segundo lugar, as referências às doenças são quase sempre incidentais na narrativa. Elas são registradas mais pelo seu significado histórico do que médico. Finalmente, não temos certeza de quais doenças existiam na época do AT, embora autópsias em múmias egípcias tenham mostrado evidências de tuberculose, arteriosclerose, artrite, câncer, pedras na vesícula, pedras na bexiga, esquistossomose e varíola. Para um estudo informativo sobre o conhecimento e a prática médica na antiga Mesopotâmia e no Egito antigo, veja A. Dudley Dennison, "Medicine", BW, pp. 368-373.

Os israelitas obviamente tinham um conhecimento prático de anatomia. Isto é visto em suas descrições dos órgãos de animais sacrificados. Acreditava-se corretamente que o sangue era o princípio vital: "A vida [a alma] da carne está no sangue" (Lv 17.11). As funções emocionais eram, às vezes, atribuídas a certos órgãos. O coração, por exemplo, era considerado o centro do pensamento e da vontade (Ez 18.31). A expressão "entranhas de misericórdias" (Cl 3.12) enfatiza a relação entre *psyche* ("alma") e *soma* ("corpo"), o que tem sido corroborado em nossos dias pela pesquisa psicossomática.

As palavras heb. para doença e enfermidade vêem das raizes *hala* ("estar doente" ou "fraco") e *dawa* ("estar enfermo"). Estas palavras são sempre modificadas por outras frases descritivas tais como "doente e a ponto de morrer". As palavras heb. para cura vêem da raiz *rapa'* ("curar", "costurar", "consertar"), e *haya* ("reviver", "restaurar à vida"), e *'arak* ("prolongar").

O NT usa expressões gr. tais como *astheneia*

("fraqueza", "fragilidade"), *malakia* ("moleza", "debilidade"), e *noseo* ("estar doente" ou "enfermo"). As palavras gr. para saúde e cura vieram das raízes *hygiaino* ("estar saudável" ou "forte"), *therapeuo* ("servir", "atender a", "cura", "restaurar a saúde"), e *iaomai* ("curar", "tornar sadio").

### Causas das Doenças

A doença é apenas parte de um conceito maior – o sofrimento do homem. Nas Escrituras é dito que o sofrimento é um dos resultados do pecado. Deus ameaçou enviar doenças sobre Israel se o povo o desobedecesse (Dt 28.15,22,27,28). Embora a doença fosse freqüentemente considerada um castigo direto pela desobediência (por exemplo, o homem enfermo no tanque de Betesda, Jo 5.14), ela também poderia vir de Satanás, como aconteceu no caso de Jó (Jó 2.7). Cristo falou da mulher paralítica "a qual há dezoito anos Satanás mantinha presa" (Lc 13.16). Além disso, a doença poderia às vezes vir para o próprio bem do homem e para a glória de Deus (por exemplo, o "espinho na carne" de Paulo, q.v., e 2 Coríntios 12.7-9).

Os discípulos, olhando para a doença apenas como um castigo pelo pecado, perguntaram a Jesus sobre um homem que havia nascido cego: "Quem pecou, este ou seus pais, para que nascesse cego? Jesus respondeu: Nem ele pecou, nem seus pais; mas foi assim para que se manifestem nele as obras de Deus" (Jo 9.1-3).

Nem sempre pode ser possível distinguir se uma doença é o resultado de causas puramente naturais, um ato de Deus, ou a operação maligna de Satanás. Talvez estas três possam estar ativas ao mesmo tempo. Porém, seja qual for a causa da doença de um cristão, lhe é prometido que um dia o sofrimento será removido, quando Deus "limpará de seus olhos toda lágrima" e não haverá mais dor (Ap 21.4).

### Os Médicos e a Medicina

Existe cerca de uma dúzia de referências a médicos na Bíblia. A raiz heb. é *rapa'* ("curar"). A Bíblia Sagrada refere-se a Jeová como "o Senhor que te sara" (Êx 15.26). A primeira referência a um médico está em Gênesis 50.2 (embora estes médicos egípcios possam ter sido apenas embalsamadores dos mortos). Nos tempos bíblicos, assim como agora, os médicos eram solicitados a curar as doenças e aliviar o sofrimento (Jó 13.4; Jr 8.22; 2 Cr 16.12).

Os médicos eram considerados em alta estima pelos judeus. O filho de Sirac escreveu por volta de 190 a.C.: "Honre um médico de acordo com a necessidade dele, com as honras devidas a ele, pois verdadeiramente o Senhor o criou; pois do Altíssimo vem a cura; e do rei ele deve receber uma dádiva. A habilidade do médico deve levantar sua cabeça; e à vista dos grandes homens ele deve ser admirado" (Sir 38.1-3).

Na época do NT havia duas maneiras de treinar os médicos. Era muito comum que um homem auxiliasse como aprendiz a um médico estabelecido. Ele também poderia ir a um tipo de escola de medicina, geralmente associada a um templo pagão. As duas escolas que mais conhecemos eram as escolas de medicina de Pérgamo e Alexandria.

Os remédios usados nos tempos bíblicos eram rudimentares e na maioria dos casos não muito eficazes. Entre aqueles que são mencionados na Bíblia, estavam ungüentos aplicados no local (Is 1.6), emplastos (Is 38.21), e bálsamos (Jr 8.22; Gn 37.25). As folhas de certas árvores eram aparentemente usadas como ervas medicinais (Ez 47.12). Pensava-se supersticiosamente que a mandrágora, um membro da família da batata, desenvolvia a fertilidade (Gn 30.14-16). Os cidadãos de Laodicéia são conhecidos por terem tido uma escola de medicina e de terem preparado um pó ou pomada para olhos fracos. Ao falar-lhes, o Senhor usou uma alusão a um colírio (Ap 3.18).

O vinho era sugerido como estimulante (Pv 31.6), e também usado como um anti-séptico. O bom samaritano atou as feridas de seu paciente "aplicando-lhes azeite e vinho" (Lc 10.34). Paulo recomendou um pouco de vinho para o alívio do desconforto gástrico de Timóteo (1 Tm 5.23). O vinho azedo misturado com fel e mirra teria algumas propriedades sedativas. Ele foi oferecido a Cristo, provavelmente para aliviar o seu sofrimento (Mc 15.23).

O tratamento cirúrgico era geralmente mínimo. As únicas operações mencionadas na Bíblia são a circuncisão, a castração e o fechamento de feridas. Mas o código de Hamurabi regulamentava a cobrança dos médicos para grandes operações e cirurgias dos olhos na Babilônia, como também para o restabelecimento de um osso quebrado e para a cura de um tendão distendido (ANET, pp. 175ss.). O papiro de Edwin Smith, do Egito, descreve 48 casos cirúrgicos incluindo contingências como ferimentos acidentais, e feridas de batalha.

O escritor do terceiro Evangelho e de Atos era médico? As evidências internas sugerem que sim. Ele usa vários termos médicos encontrados em Hipócrates, Galeno e em outros escritos médicos, embora não sejam encontrados no restante do NT. Ele também observa algumas particularidades médicas, tais como a intensidade da febre, se uma doença era congênita ou adquirida, ou qual lado do corpo estava afetado (Lc 4.38; At 3.2; Lc 6.6). Ao escrever sobre a mulher que tinha um fluxo de sangue (Lc 8.43), ele honestamente declara que ela não poderia ser curada pelos médicos; entretanto, é mais polido em relação à sua profissão do que Marcos, que acrescenta que ela "havia padecido muito com muitos médicos, e despendido tudo quanto tinha, nada lhe aproveitando isso, antes indo a pior..." (Mc 5.26). Estes fatos tendem a corroborar com a outra evidência de que Lucas, "o médico amado" (Cl 4.14), foi o autor do terceiro Evangelho e do livro de Atos.

### Leis Mosaicas de Saúde

A lei dada por Deus a Moisés continha regras extraordinárias com relação à saúde pública. Embora o principal propósito destas regras fosse tornar um homem cerimonialmente limpo, a limpeza higiênica, no entanto, estava envolvida. Quais são as principais preocupações de um fiscal de saúde pública hoje? Contaminação da água e dos alimentos, descarte de esgoto, doenças infecciosas, educação quanto à saúde – todos estes assuntos são tratados nas leis mosaicas de saúde.

Tem sido dito que algumas das leis de saúde eram muito rígidas e talvez desnecessárias para a saúde pública, mas deve ser lembrado que o homem antigo não possuía o nosso entendimento sobre as doenças. Ser exageradamente rígido por amor à simplicidade é melhor do que errar na direção oposta. Com a nossa habilidade médica para distinguir entre o perigoso e o inofensivo, não precisaríamos observar algumas destas mesmas precauções, mas isto não seria verdadeiro naquela época. Novamente, deve ser lembrado que a razão inicial para estas ordenanças era a pureza cerimonial.

As leis mosaicas de saúde (Lv 11–15) incluem regras de circuncisão, consumo de carne, parto, infecções de pele, contaminações por secreções e excrementos, procedimentos para remoção e disposição dos mortos, limpeza pessoal e relações sexuais.

### Milagres de Cura

Vários milagres de cura estão registrados na Bíblia. Outros milagres, embora não sejam de cura, mas de juízo, são de natureza médica. Estes incluem as pragas no Egito (Êx 9.13-15; 12.12,13), a matança dos filisteus diante da arca (1 Sm 5.6), a dizimação do exército de Senaqueribe (2 Rs 19.35), a mão ressequida de Jeroboão (1 Rs 13.1-6) e a lepra de Geazi (2 Rs 5.27). Embora Deus possa ter usado processos de doenças naturais, o sobrenatural é envolvido no momento certo.

No AT, os milagres parecem centralizar-se em torno da época do êxodo e do ministério de Elias e Eliseu. Aqueles que foram registrados são mais freqüentemente milagres da natureza, com menos de uma dúzia envolvendo a cura (por exemplo, Abimeleque, Gênesis 20.17; Miriã, Números 12.10-15; a serpente de bronze, Números 21.5-9; o filho da viúva, 1 Reis 17.17-24; o filho da sunamita, 2 Reis 4.18-37; Naamã, 2 Reis 5.1-14; Ezequias, 2 Reis 20.1-7).

Por outro lado, o NT registra uma proporção maior de milagres de cura. Estes foram operados por Cristo ou por seus seguidores, em seu nome. Dos 35 milagres de Cristo registrados no NT, 26 envolvem curas. Em seis destes casos, demônios foram expulsos. Detalhes cuidadosos são dados sobre muitos destes casos, especialmente por Lucas, o médico. Algumas destas pessoas são até identificadas pelo nome (Bartimeu, a filha de Jairo, Maria, Lázaro; também Enéias, Êutico e o pai de Públio em Atos).

Alguns tentaram explicar os milagres de cura de Cristo através de uma base psicológica. De acordo com esta teoria, as doenças curadas eram apenas funcionais ou psicossomáticas. É verdade que as pessoas podem ter as suas doenças aliviadas pela "fé" em homens ou coisas. Mas este tipo de cura está muito distante da cura de doenças orgânicas realizadas por Cristo como cegueira congênita (Jo 9.1), artrite avançada da espinha (Lc 13.11), hemorragia prolongada (Lc 8.43), lepra (Lc 5.12; 17.12) e até mesmo a morte (Lc 7.12; 8.49-55; Jo 11.1-44). Somente negando a confiabilidade dos documentos do NT é que se poderia imaginar que as curas realizadas por Cristo eram de caráter psicológico.

Além de sua natureza predominantemente orgânica, as curas realizadas pelo Senhor eram completas e instantâneas (com exceção do homem cuja visão foi restaurada em duas etapas, Mc 8.22-25). Além disso, elas consistiam de várias doenças diferentes que são difíceis de tratar até mesmo com as técnicas médicas de hoje. Poucas – se é que alguma – poderiam ter uma recuperação espontânea. E não há nenhuma evidência da ocorrência de uma recaída após as curas realizadas por Cristo. *Veja* Cura, Saúde.

### Possessão Demoníaca

A possessão demoníaca é um fenômeno que parece ter ocorrido com mais freqüência na época de Cristo. Das 26 pessoas curadas por Cristo, seis são mencionadas como tendo sido possuídas por demônios. Muitas outras pessoas sem nenhuma enfermidade física aparente foram libertas de opressão demoníaca (Mt 8.16; Mc 1.34,39; Lc 6.18). Pouca ou nenhuma menção é feita à possessão demoníaca no AT. Cristo e o NT parecem distinguir entre as doenças comuns e aquelas que são acompanhadas pela possessão demoníaca (Mt 10.8; Mc 1.34; At 5.16). A possessão demoníaca podia ser acompanhada por sintomas físicos (por exemplo, cegueira, surdez e mudez, Mt 12.22; Mc 9.25), manifestações neurológicas (por exemplo, epilepsia, Lc 9.39,42), ou sintomas mentais (Lc 4.33; 8.27; Mc 7.25).

O diagnóstico da possessão demoníaca, porém, levanta alguns problemas difíceis. O que a distinguia das doenças naturais? Como uma pessoa poderia reconhecê-la como tal? Se não há nenhuma característica distinta que tipifique a condição, elas são tendências suicidas e o uso da pessoa pelo demônio como porta-voz.

Por outro lado, nas Escrituras, a doença física é freqüentemente atribuída a Satanás. Cristo falou da mulher que andava curvada como alguém a quem "Satanás mantinha presa" (Lc 13.16). Ela estava possuída por demônios? Jesus não se dirigiu a nenhum demônio quando a curou. A solução sugerida por *A Rendle Short* é a seguinte: "Não é que os escribas e fariseus e as pessoas comuns diagnosticassem a possessão demoníaca com muita freqüência; o fato é que suas idéias eram muito imaturas, e eles falhavam em reconhecer que poderia existir uma obra do diabo muito mais ampla" (*The Bible and Modern Medicine*, p. 121).

Se isto é verdade, então pode não ser sempre possível encontrar sinais específicos para diagnosticar e distinguir a possessão demoníaca de outras doenças. *Veja* Demonologia.

### Doenças de Pele

Várias lesões de pele são mencionadas no AT. Algumas delas foram infligidas como aflições sobre Israel por desobediência ao Senhor (Dt 28.27). A *coceira* é provavelmente sarna, ainda conhecida por este nome descritivo. É causada por um inseto, o *Acarus scabei*. O *escorbuto* não é o que conhecemos hoje como escorbuto (causado pela deficiência de vitamina C), mas sim uma "crosta de ferida". A palavra vem de uma raiz que significa "coçar" ou "ficar áspero". Isto possivelmente cobre uma gama de doenças de pele que inclui eczema e psoríase. A *aspereza* ou o *tumor* vem de uma raiz significando "estar inflamado" ou "quente". Os tumores são comuns hoje embora melhor controlados, graças a antibióticos modernos. A úlcera de Ezequias pode ter sido um carbúnculo ou possivelmente antraz (2 Rs 20.1,7). O antraz é contraído do gado ou de couros e pêlos secos de animais infectados. Sem tratamento pode ser fatal.

A *lepra* é freqüentemente mencionada na Bíblia. Miriã, Naamã e o rei Uzias contraíram esta doença. As instruções para o seu diagnóstico são dadas em Levítico 13; ela aparentemente incluía mais do que aquilo que hoje chamamos de lepra (causada pelo *Lepra bacillus* de Hansen). Infelizmente, o termo lepra teve seu significado mudado nas línguas inglesa e portuguesa. Mesmo na Idade Média, a palavra era usada para descrever várias disfunções na pele, tais como a tinha. Harold M. Spinka declara: "Minha opinião é que a lepra, como também as doenças mencionadas nos diferentes diagnósticos – por exemplo, a psoríase crônica, a sífilis, o pênfigo, a dermatite herpetiforme, a varíola, o fungo infeccioso e a pioderma – eram incluídas sob o título geral de lepra" ("Lepra nos Tempos Hebraicos Antigos", JASA, XI [março de 1959], 17-22). Também é demonstrado que a lepra do AT não é idêntica à lepra de hoje, pelo fato de que havia a lepra de casas e das roupas (Lv 13.47; 14.37) – provavelmente algum tipo de mofo ou fungo. *Veja* Lepra.

A *aflição de Jó* tem sido objeto de muita especulação. É improvável que ele tenha tido tumores comuns, pois eles não se estenderiam da cabeça aos pés e não coçariam tão severamente (Jó 2.7,8). A descrição pode ser da varíola, que é de ataque repentino, extensiva, e pode coçar em um estágio. No entanto, uma pessoa com varíola estaria provavelmente doente demais para falar, como Jó foi capaz de fazer. Pelagra, psoríase, eczema, dermatite herpetiforme e demartite esfoliativa, foram sugeridas como possibilidades. Dermatite herpetiforme, uma rara doença de pele, iria coçar intensamente, e não afetaria gravemente a saúde geral de Jó. A dermatite esfoliativa é generalizada, crônica, terrível, produz muita coceira e é associada a tumores provenientes da própria coçeira.

### Doenças dos Olhos e Ouvidos

Tanto a cegueira congênita quanto a adquirida são mencionadas na Bíblia. A infecção por *tracoma* ainda é uma causa comum de cegueira adquirida em muitas partes do mundo. Este vírus causa uma saída de líquidos de má aparência e pode ter sido o problema de Léia (Gn 29.17). Talvez seus olhos fossem estrábicos (*strabismus*). O tracoma poderia ter sido o espinho na carne de Paulo (2 Co 12.7-10); suas próprias palavras sugerem algum tipo de problema nos olhos (cf. Gl 6.11 com 4.14,15; At 23.2-5). A varíola também pode causar uma ulceração repugnante e uma mancha na córnea, com perda de visão.

A *catarata* era provavelmente a causa da cegueira de Isaque e Eli em sua idade avançada. Esta se caracteriza por uma opacidade progressiva do cristalino dos olhos. Em Levítico 21.20, a palavra heb. para "belida" (q.v) sugere uma mancha que causa uma visão confusa, provavelmente uma catarata.

A *oftalmia neonatal* (*Ophthalmia neonatorum*) causa uma conjuntivite grave e cegueira em crianças recém-nascidas. É geralmente o resultado de uma infecção por gonorréia na mãe. Esta provavelmente era responsável por boa parte da cegueira infantil. Também existem muitos tipos de anomalias congênitas dos olhos, que poderiam resultar em cegueira total a partir do nascimento. *Veja* Cegueira.

A surdez também era comum nos tempos bíblicos, embora seja difícil determinar sua causa.

### Deformidades Ortopédicas

As deformidades ortopédicas teriam sido comoventes em uma época em que pouco poderia ser feito para corrigi-las. O mendigo coxo que foi curado naquele encontro com Pedro é um destes casos (At 3.2-8). Uma vez que era coxo de nascença, ele poderia ter tido um pé torto congênito, *spina bifida*, ou paralisia cerebral. A mulher curada por Cristo de uma enfermidade que a acometia por 18 anos, tinha provavelmente uma forma grave de artrite que fazia com que ela se curvasse para frente (Lc 13.11-13). Isto soa como artrite reumática, que atinge mais as mulheres do que os homens.

A coxeadura de Jacó, adquirida por sua luta corporal com o anjo de Deus, pode ter sido causada por um deslocamento de quadril (Gn 32.25,31,32). Pode-se caminhar com uma coxeadura por um deslocamento anterior. A dor aguda e a deficiência podem também indicar uma ruptura de disco intervertebral, produzindo a dor ciática.

### Doenças Neurológicas

A *paralisia* era evidente na população judaica dos dias de Jesus. Era, sem dúvida, freqüentemente, causada por acidentes bem como pela tuberculose da espinha e pela pólio. A paralisia é raramente mencionada no AT.

O paralítico curado por Cristo (Lc 5.18) tinha, possivelmente, um ferimento ou uma lesão no osso da espinha, que causava pressão na medula espinhal. Isto resultaria em paralisia da parte inferior do corpo. O homem curado no tanque de Betesda (Jo 5.5-8) era alguém parcialmente paralisado. Um ferimento de nascença, pólio, esclerose múltipla, ou um derrame poderia ter causado esta paralisia. O homem que tinha a mão ressequida também era parcialmente paralisado (Lc 6.6-10). Sua atrofia muscular poderia ter resultado de uma incapacidade de usar uma das mãos. Ele pode ter sido vítima de algum ferimento, pólio, ou possivelmente esclerose lateral amiotrófica, que afeta os pequenos músculos da mão. O fato clinicamente significativo é que Cristo o curou de forma instantânea e completa.

O servo do centurião (Lc 7.2; Mt 8.5) também estava paralisado. No entanto, sua condição era aguda; ele estava perto da morte, e sofrendo grande dor. Isto sugeriria tétano ou uma grave compressão da medula espinhal proveniente de um tumor, abscesso ou hemorragia.

O filho da mulher sunamita teve um ataque repentino de dor de cabeça (2 Rs 4.18-20). Ele morreu dentro de seis horas como conseqüência daquilo que pode ter sido uma insolação, meningite, hemorragia subaracnóide, ou mais provavelmente de malária cerebral.

### Obstetrícia

A *esterilidade* era um problema que afligia muitos casais nos tempos bíblicos, assim como acontece hoje. Sara, Raquel, a esposa de Manoá, Ana, a mulher sunamita e Isabel, tinham esta enfermidade.

Os *partos* no Israel antigo eram geralmente executados com a mãe em um "assento de nascimento" (Êx 1.16), ou sentada no colo de outra mulher (Gn 30.3). [Nesta segunda passagem a prática referida pode ser a de colocar a criança recém-nascida nos joelhos daquela que poderia dar legitimidade ou o direito de herança – Ed.]. Após o nascimento do bebê, o umbigo era cortado, o bebê era lavado com água, esfregado com sal, e enrolado em panos (Ez 16.4). Tamar deu à luz habilmente a gêmeos com um deles em uma posição transversal (Gn 38.27-30).

### Doenças Mentais

Há apenas algumas referências às doenças mentais no AT. Davi fingiu estar louco, de uma forma convincente (1 Sm 21.12-15); Saul tinha depressões recorrentes e mostrava sintomas de paranóia (1 Sm 16.14,23; 18.8-11,28,29; 19.9,10). Nabucodonosor teve sintomas psicóticos, vivendo como um animal por sete anos. R. K. Harrison classifica sua doença como licantropia ou boantropia, uma forma específica de paranóia (IOT, pp. 1114-1117).

O escritor de Provérbios 17.22 relacionou as emoções ao corpo, e assim antecipou a medicina psicossomática quando escreveu: "O coração alegre serve de bom remédio, mas o espírito abatido virá a secar os ossos".

A relação entre a doença mental e a possessão demoníaca é incerta e controversa. O "homem com espírito imundo", de Gadara (Mc 5.2-5), lembra o que classificaríamos hoje como psicótico, embora os outros "endemoninhados" curados por Cristo tivessem sintomas orgânicos de doenças físicas.

### Doenças Internas

A *febre alta* é um sintoma e não propriamente uma doença. Ela poderia estar relacionada à malária, à tifóide, à paratifóide, à varíola, à insolação, ao tifo, ou a várias outras doenças (Lv 26.16; Dt 28.22; Lc 4.38).

A *pestilência* enviada por Deus sobre os filisteus (1 Sm 5.6,9-12; 6.5) era provavelmente a peste bubônica. Esta doença foi descrita por Hipócrates 400 anos antes de Cristo. Ela devastou a Europa na Idade Média e tem as características de alta mortalidade, incidência repentina, transmissão por roedores mortos, e a presença de glândulas inguinais aumentadas (na virilha). É interessante notar que os filisteus colocaram cinco imagens de ouro dos tumores e ratos ao lado da arca. [Alguns têm sugerido que os "tumores" eram hemorróidas, de acordo com a versão KJV em inglês, "emerods". – Ed.]

Uma outra peste foi usada por Deus para destruir o exército de Senaqueribe (2 Rs 19.35). Existem duas doenças que poderiam matar um grande número de pessoas dentro de 24 horas – cólera e a praga pneumônica. Provavelmente tenha havido alguns casos no acampamento antes do pico da epidemia.

O *gigantismo* é causado por um desarranjo de ordem endócrina. Golias é um exemplo familiar e possivelmente tinha um tumor pituitário anterior. Ogue, rei de Basã, precisava de uma cama de aprox. 4 metros de comprimento (Dt 3.11). Um gigante com 12 dedos nas mãos, e 12 dedos nos pés é descrito em 2 Samuel 21.20.

A *hidropisia* é causada pela fluidez dos tecidos. É sintomático de certas doenças, sendo a mais comum a insuficiência cardíaca. O homem a quem Cristo curou com esta condição pode ter sofrido de câncer, doença do coração, fígado ou rins (Lc 14.2).

A *disenteria* foi a doença que causou a febre debilitante do pai de Públio (At 28.8). Em casos fulminantes de disenteria bacilar, há evacuação de sangue e muco (daí o "fluxo de sangue" mencionado na versão KJV em inglês), e a morte pode vir rapidamente.

A ciência médica traz o esclarecimento sobre várias *mortes* descritas na Bíblia. O rei Asa morreu com uma grande doença em seus pés (2 Cr 16.12-14). Seu caixão foi cheio com perfumes. Isto sugere uma gangrena de seus pés que teria causado um odor fétido. A gangrena (também "cancro" ou "câncer") era reconhecida como uma doença destruidora que consome o tecido em uma parte do corpo, geralmente um membro (2 Tm 2.17). Ela pode ser causada por um ferimento ou por uma falha no sistema circulatório sanguíneo.

O rei Jeorão foi acometido por uma doença incurável que causou um prolapso do reto (2 Cr 21.18,19). Esta pode ter sido uma grave disenteria amebiana ou um câncer do reto.

Nabal era, provavelmente, um alcoólatra crônico. Após um episódio de alcoolismo agudo, ele aparentemente teve um acidente vascular cerebral (derrame). Ficou em coma por dez dias e morreu sem recobrar a consciência (1 Sm 25.36-38).

Ananias e Safira morreram repentinamente e sem aviso (At 5.1-10). Eles podem ter sido atacados por uma trombose coronária.

Herodes Agripa foi consumido por vermes intestinais (At 12.23). Ele provavelmente tinha uma obstrução intestinal causada por vermes parasitários e pode ter morrido devido a uma perfuração intestinal, e sua peritonite resultante.

**Os Sofrimentos e a Morte de Cristo**

A forte tradição cristã declara que o suor de Jesus caiu ao chão como gotas de sangue como o resultado de sua angústia no Getsêmani (Lc 22.44). Isto pode ter sido a rara emissão de sangue pelas glândulas sudoríparas. Discute-se se os versículos 43 e 44 foram escritos por Lucas, de acordo com a evidência daquele que é considerado o melhor manuscrito (*veja* Suor de Sangue).

Há mais de 100 anos, foi sugerido por Stroud que Cristo morreu de hérnia cardíaca (isto é, uma ruptura do coração). Esta se tornou uma opinião comumente defendida, mas é bastante improvável. A hérnia cardíaca, além do trauma, é rara, e quando ocorre afeta aqueles cujos corações já estão seriamente debilitados. É improvável que o coração de Cristo estivesse enfermo à luz de sua atividade energética anterior, e de sua perfeita condição física para cumprir as exigências sacrificiais (1 Pe 1.19).

Também foi sugerido que Cristo morreu de asfixia pela debilitação da respiração enquanto estava na cruz. Uma posição ereta prolongada também poderia levar a uma coagulação venosa e a uma insuficiência circulatória periférica. Uma diminuição do rendimento cardíaco e a conseqüente diminuição do fluxo de sangue para os tecidos causariam um nível de oxigênio mais baixo no cérebro.

Também compatível tanto com a história bíblica como com a probabilidade médica é a dilatação aguda do estômago. Isto é visto hoje como uma complicação pós-operatória rara e fracamente compreendida. Ela também pode seguir um estado de choque. O golpe da lança teria liberado o fluido aquoso acumulado no estômago dilatado de nosso Senhor. O sangue provavelmente tenha vindo do coração perfurado e dos grandes vasos. Após um golpe como este, não se pode ter qualquer dúvida quanto à sua morte.

A despeito de qual tenha sido a causa imediata de sua morte, a importância da crucificação reside no significado da morte de Cristo. Podemos dizer com Isaías: "Mas ele foi ferido pelas nossas transgressões e moído pelas nossas iniqüidades; o castigo que nos traz a paz estava sobre ele, e, pelas suas pisaduras, fomos sarados" (Is 53.5).

***Bibliografia.*** Charles J. Brim, MD., "Job's Illness - Pellagra", *Archives of Dermatology and Syphilology*, XLV (fev. de 1942), 371-376. A Dudley Dennison, "Medicine", BW, pp. 368-373. Roland K. Harrison, "Disease", IDB, I, 847-854; "Medicine", IDB, III, 331-334; *Introduction to the Old Testament*, Grand Rapids. Eerdmans, 1969, pp. 607-610 (sobre a lepra). Louis A M Krause, "Biblical Medical References", *Transactions of the New Jersey Obstetrical and Gynecological Society*, I (1956), 42-50. S I McMillen, *None of These Diseases*, Spire Book, Old Tappan, N.J.. Revell, 1967. "Medicine, Disease, Health", CornPBE, pp. 516-520. Albrecht Oepke, "*Iaomai*, etc.", TDNT, III, 194-215. A Rendle Short, *The Bible and Modern Medicine*, Chicago. Moody Press, 1967. C. Raimer Smith, *A Physician Examines the Bible*, Nova York. Philosophical Library, 1950. Jacob Taub, MD., F.C.AP., "Endocrinology in the Bible", apresentado na terceira Assembléia Mundial da Assoc. Médica de Israel, Jerusalém, 16 de agosto de 1955. J. V. Kinnier Wilson, "Gleanings from the Iraq

Medical Journals", JNES, XXVII (1968), 243-247 (para uma comparação das doenças antigas e modernas). Nellie B. Woods, *The Healings of the Bible*, Nova York. Hawthorne Books, 1958.
C. W. C.

**DOFCA** Uma área onde os israelitas acamparam localizada entre o deserto de Sim, às margens do Mar Vermelho, e o oásis do vale de Refidim (Nm 33.12,13). A identificação não é precisa, mas as sugestões são: (1) a área de Serabit el-Khadim, um centro de mineração egípcio de turquesa e cobre, ou (2) provavelmente o Uádi Magharah, que leva ao Uádi Feiran e ao Monte Sinai. *Veja* Sim, Deserto de.

**DOLMENS** Antigas estruturas em forma de cabanas, com paredes feitas de grandes pedras verticais, geralmente com uma única pedra horizontal maciça como teto, pesando várias centenas de quilos cada uma. Elas são encontradas em muitas partes do hemisfério leste, da Europa ocidental ao longo do norte da África e Malta ao sul da Rússia e sudeste da Ásia. Na Palestina há inúmeros dolmens individuais localizados em dezenas de lugares dos quais é possível ver o vale do Jordão de ambos os lados.

Embora os dolmens sejam normalmente interpretados como tumbas, não há uma prova real de que as pessoas que os construíram tinham realmente este propósito. Devido ao fato de nenhum artefato ter sido encontrado dentro ou ao lado dos dolmens vazios, é impossível saber quem os construiu ou quando, de acordo com James L. Swauger na obra "Dolmen Studies in Palestine", BA, XXIX (1966), 106-114. Contudo, baseando-se em todas as evidências disponíveis, David Gilead acredita que os dolmens da Palestina foram usados no quarto milênio a.C. para sepultamentos primários, e que depois da decomposição completa os esqueletos eram removidos e enterrados em cavernas de sepultamento comunitárias ("Burial Customs and the dolmen Problem", PEQ,C [1968], 16-26,84; veja também D. Webley, "A Note on the Dolmen Field at Tell el-Adeimeh and Teleilat Ghassul", PEQ,CI [junho de 1969], 42ss.). Tem sido sugerido que as enormes pedras foram levantadas por alguns dos aborígenes que vagaram pela Palestina em uma época anterior a Abraão. Povos de elevada estatura, como gigantes, conhecidos como anaquins, emins, refains e zamzumins são mencionadas em Deuteronômio 2.10, 11,20,21; 3.11. Veja Anaquim; Gigante; Refaim.

Em 1967, depois da guerra dos seis dias, arqueólogos israelitas investigaram o vasto campo de milhares de dolmens de tamanhos diferentes nos altos de Golan. O local é chamado Rujum Hiri, e está situado cerca de 25 quilômetros a leste da extremidade norte do Mar da Galiléia. Como Stonehenge na Inglaterra, a estrutura megalítica é formada por grandes pedras brutas de basalto em uma série de anéis concêntricos cujo círculo externo tem mais de 150 metros de diâmetro. Os círculos têm aproximadamente dois metros de altura, e no centro há uma pedra de dez metros de altura. O propósito servido pela estrutura não é conhecido, e sua data é incerta, embora seja assumido que pertença ao terceiro ou quarto milênio a.C.
J. R.

**DOM** Diversas palavras com o significado básico de "dádiva" vêm da raiz hebraica *nathan* significando "dar". Elas são usadas com relação a dotes (Gn 24.53; 34.12); a parte de uma herança (Gn 25.6; 2 Cr 21.3); uma oferta religiosa sacrificial (Nm 18.11); um incentivo para se obter o favor de outra pessoa (Pv 18.16; 21.14) e um suborno (Pv 15.27; Ec 7.7). A assistência pecuniária (Et 2.18) e um presente dado em sinal de respeito (2 Sm 19.42) são derivados da raiz hebraica *nasa*, que quer dizer "angariar". É traduzida como "imposto" e "oferta" em 2 Crônicas 24.6,9. Em 2 Samuel 11.8 é traduzida como "iguaria" ou "presente". A palavra hebraica *minha* é usada quando se trata de uma oblação (2 Sm 8.2,6; 1 Cr 18.2,6); *shohad* sempre quer dizer um suborno, um presente com o objetivo de escapar de uma punição (Êx 23.8; Dt 10.17).

As palavras gregas no Novo Testamento se estão relacidas ao verbo *didomi*: *dosis* pode ser usada com um sentido ativo de "dar" (Fp 4.15) ou com um sentido passivo de "dádiva" (Tg 1.17); *doron* é usada especificamente para "presente", "dádiva" ou "oferta" (Mt 2.11), embora nem sempre necessariamente voluntário; *dorea* denota um presente (Rm 3.24).

O presente supremo de Deus para a humanidade é o seu Filho (2 Cr 9.15; Jo 3.16). O Espírito Santo é o presente prometido do Pai, enviado pelo Filho, que deve ser recebido com uma fé ativa pelos cristãos fiéis (Jo 14.16,26; 15.26; 16.7; At 1.4,5; 2.33,38,39; Gl 3.14). Os dons espirituais manifestam-se por meio do Espírito (1 Cr 12.1-11). *Veja* Dons Espirituais.

***Bibliografia.*** Friedrich Büchsel, *"Didomi* etc.", TDNT, II, 166-173.
D. L. W.

**DOM DE LÍNGUAS** *Veja* Línguas, Dom de.

**DOMINGO** *Veja* Dia do Senhor.

**DONINHA** *Veja* Animais: IV.8.

**DONS ESPIRITUAIS** Três palavras gregas estão envolvidas na discussão do apóstolo Paulo sobre os dons espirituais em 1 Coríntios 12-14: (1) *ta pneumatika* (1 Co 12.1; 14.1; veja também Rm 1.11), "dons, poderes ou manifestações espirituais". (2) *ta pneumata* (1 Co 14.12), "espíritos" ou manifestações do Espírito. (3) *ta charismata* (1 Co 12.4,9, 28,30,31; veja também Rm 1.11; 12.6; 1 Co 1.7; 1 Tm 4.14; 2 Tm 1.6; 1 Pe 4.10), "dons da graça".

Um dom espiritual ou carismático é uma capacidade ou um poder sobrenatural conferido a um cristão fiel pelo Espírito Santo, que lhe dá a capacidade de desempenhar sua função como um membro do corpo de Cristo (1 Co 12.4-27). Estes dons não devem ser considerados talentos naturais, mas sim manifestações sobrenaturais do próprio Espírito (v. 7). Eles não devem ser confundidos com graças espirituais ou com as várias partes do fruto do Espírito – facetas do caráter de Cristo que todos os crentes devem cultivar (Gl 5.22,23). Eles não são idênticos aos postos ou posições espirituais na igreja, seja para a supervisão temporal ou espiritual dos seus assuntos (presbíteros, diáconos, 1 Timóteo 3.1-13), seja para o ministério público (apóstolos, profetas, evangelistas, pastores e doutores, Efésios 4.11). Somente determinados crentes são indicados para esses ofícios espirituais (1 Co 12.28*a*, 29*a*) - os dons de Cristo (*domata*) para sua igreja (Ef 4.8) - em vista dos dons espirituais específicos já evidenciados em suas vidas.

Em 1 Coríntios 12.14, Paulo explica a unidade, a diversidade, a distribuição, a ordem, a motivação, a permanência, o valor relativo e o uso adequado dos dons espirituais. Com relação à sua unidade, todos eles são dados, administrados e energizados ou inspirados pelo mesmo Deus trino e Uno (12.4-6,11). O único propósito do Espírito Santo ao outorgar esses poderes aos cristãos é sempre o de glorificar a Cristo (12.3), para o benefício e o bem comum de todos (12.7).

Com relação às suas diversidades ou diferenças, eles são chamados "dons" (*charismata*) do Espírito (12.4), "ministério" ou atos de serviço da parte do Senhor (12.5) e "operações" ou atividades de Deus Pai (12.6). O apóstolo então fala de nove dons: a palavra de sabedoria, a palavra da ciência, a fé (não a fé salvadora, mas uma fé excepcional para realizar as obras de Cristo, Jo 14.12), os dons carismáticos da cura, a operação de maravilhas, que são milagres ou realizações milagrosas, a profecia ou as declarações proféticas, o discernimento dos espíritos, a capacidade de falar uma variedade de línguas e a interpretação das línguas (12.8-10). Outros dons carismáticos são mencionados em 12.28-30 (socorros, governos), e em Romanos 12.6-8, de modo que nenhuma lista é isoladamente completa.

É possível fazer várias classificações dos dons. Porém, a de 1 Pedro 4.10,11 talvez seja a mais satisfatória. Pedro descreve duas categorias principais – os dons da expressão vocal, de modo que o possuidor do dom fala como se fossem palavras ditas pelo próprio Deus, e os dons de um serviço prático em um nível sobrenatural. Paulo faz uma classificação semelhante quando afirma que os crentes coríntios estavam enriquecidos com todas as bênçãos e com todo o conhecimento, e não lhes faltava nenhum dom carismático (1 Co 1.5-7; cf. 2 Co 8.7).

Quanto à distribuição dos dons, Paulo diz que eles são outorgados a "cada um", isto é, a cada crente (1 Co 12.7; veja também 1 Pe 4.10). O Espírito é soberano na concessão desses dons, "repartindo particularmente a cada um como quer" (1 Co 12.11). É possível que um indivíduo manifeste mais do que um dom, e que tenha mais de um ministério. Paulo, por exemplo, foi ricamente dotado, e tinha a capacidade de falar várias línguas, de profetizar e de realizar milagres, e foi primeiramente um professor (At 11.25,26; 13.1) e, depois, um apóstolo (At 14.4,14). Normalmente, como na igreja em Corinto, os dons são amplamente distribuídos entre os santos (1 Co 1.5-7; 12.29,30).

Quanto à ordem dos dons, Paulo ensina que alguns têm maior utilidade do que outros (1 Co 12.28,31; 14.1-25). Apesar disso, nenhum deles deve ser dispensado ou desprezado (1 Co 14.39; 1 Ts 5.20). Os coríntios tendiam a valorizar o dom de línguas como sendo o mais desejável, talvez devido ao amor dos gregos pela oratória. Mas Paulo coloca esse dom no final de suas listas (1 Co 12.8-10,28-30).

Quanto ao motivo adequado para a vontade de ter os dons, e a motivação correta para usá-los, Paulo deixa bastante claro que o amor pelos outros é a única base verdadeira. "eu vos mostrarei um caminho ainda mais excelente" (1 Co 12.31*b*, trad. orig.), um caminho *par excellence* (por excelência; *kath' hyperbolen*). Se os dons de línguas, de profecia, de ciência ou dos socorros não estiverem enraizados no amor, eles não terão valor (1 Co 13.1-3).

Quanto à continuidade ou permanência dos dons, existe muita diferença de opiniões. Obviamente, o ofício do apostolado em seu sentido básico foi retirado. Não existe prova nas Escrituras da sucessão apostólica dos líderes da igreja indicados por Cristo. Em um sentido secundário, no entanto, muitos missionários fizeram o trabalho dos apóstolos com extraordinários dons e bênçãos de Deus. Novamente, o dom da profecia, em seu sentido original de anunciar e escrever a inspirada e infalível Palavra de Deus foi soberanamente retirado; mas os crentes ainda podem anunciar uma mensagem impressa por Deus quando estão à disposição do Espírito ou sob sua unção. Paulo ensina que mesmo o amor não cessando nem falhando, os dons espirituais serão interrompidos "quando vier o que é perfeito" (1 Co 13.10). Alguns ensinaram que dizendo *to teleion*, "o que é perfeito", Paulo refere-se ao cânone completo das Sagradas Escrituras; entretanto, a consideração do versículo 12, que diz que então veremos face a face e teremos o conhecimento completo, assim como somos conhecidos, parece indicar que Paulo está antecipando o estado perfeito das coisas prenunciado pelo retorno de Cristo dos céus (J. H. Thayer, *A Greek-English Lexicon of the New Testament*, p. 618).

Um estudo da história da igreja revela que muitos dos dons carismáticos continuaram a se manifestar muito tempo após a morte de todos os apóstolos (Adolf Harnack, *The Mission and Expansion of Christianity*, Harper Torchbooks, 1962, pp. 129-146, 199-205), e que nos novos campos de missão e nas épocas de avivamento espiritual, o Senhor ainda confirma sua Palavra por meio da operação de dons sobrenaturais do Espírito. Certamente os dons de ensinar, de exortar, de repartir e de presidir (Rm 12.6-8), ou os dons dos socorros e dos governos (1 Co 12.28) são funções contínuas, pois a igreja sempre precisará de crentes com tais talentos.

Quanto ao valor relativo dos dons de profecia e de línguas, Paulo destaca as limitações e o valor do último dom para o indivíduo, para seu próprio crescimento espiritual, e para sua oração e adoração individual (1 Co 14.2,4*a*, 14-18,28*b*), assim como para a congregação, para o seu fortalecimento quando acompanhado do dom de interpretação (14.5,13,26-28). Aquele que profetiza, no entanto, ajuda a congregação mais diretamente e mais claramente dando uma mensagem de edificação, exortação e consolação (14.3). Uma terceira função do dom de línguas é o de agir como um sinal. Isto é evidente quando uma língua desconhecida àquela pessoa que a está falando é reconhecida por um "estrangeiro" ou por alguém não crente, presente na reunião (14.22; Mc 16.17,20), como no Dia de Pentecostes (At 2.4-12).

Quanto ao uso adequado dos dons espirituais, Paulo instrui cuidadosamente a igreja de Corinto quanto à manifestação ordenada dos dons de expressão oral nas suas reuniões. Somente deve falar um por vez – e este deve permitir que os outros coloquem sua mensagem à prova – para evitar confusões e para que todos possam ser edificados (1 Co 14.26-40). Para corrigir os abusos, ele não proíbe a prática dos dons, mas termina dizendo: "faça-se tudo decentemente e com ordem" (v. 40).

***Bibliografia.*** Arnold Bittlinger, *Gifts and Graces*, traduzido por H. Klassen, Londres. Hodder & Stoughton, 1967, um comentário sobre 1 Coríntios 12–14. Donald Gee, *Spiritual Gifts in the Work of the Ministry Today*, Springfield, Missouri. Gospel Publ. House, 1963. James G. S. S. Thomson, "Spiritual Gifts, BDT, pp. 497-500.

F. C. K.

**DONZELA, SERVA** Diversas palavras hebraicas e gregas são traduzidas como "virgem" ou "donzela". Na maioria dos casos, a palavra favorece uma idéia mais específica do que simplesmente o gênero feminino.

1. A palavra heb. *'ama* traz em si a idéia de servidão e assim é interpretada como "serva" em Gênesis 20.17; Êxodo 20.10; Deuteronômio 5.14; Juízes 19.19.

2. A palavra heb. *b^ethula* traz a idéia da exuberância do mundo feminino, da maturidade sexual, ou da maturidade que geralmente implica virgindade (cf. *b^ethulim* que significa "símbolos de virgindade") e assim é interpretada como "moça" ou "virgem" (Gn 24.16; Êx 22.16; Dt 22.28; Jz 21.12). Mas em Joel 1.8 a palavra hebraica refere-se a uma jovem viúva. De forma figurada, a nação de Israel era geralmente mencionada como a "virgem" ou a "filha virgem" (Is 23.12; 37.22; Jr 14.17; Am 5.2), embora culpada de adultério espiritual (Jr 18.13; 23.14). A palavra também é aplicada à "virgem filha de Babilônia" (Is 47.1).

3. A palavra heb. *na'^ara* (feminino do termo comum *na ar*, "menino") cobre meramente a idéia genérica de feminino. É interpretada simplesmente como "moça" ou "donzela" (Êx 2.5; Rt 2.8; 1 Sm 9.11; 2 Rs 5.2).

4. A palavra heb. *'alma* traz a idéia de castidade sexual e virgindade, e de uma pessoa que não é casada (cf. 2 acima), e é interpretada como "moça" em Êxodo 2.8 moça e Provérbios 30.19, mas (corretamente) como "virgem" em Gênesis 24.43; Cantares 1.3; 6.8; Isaías 7.12. *Veja* Virgem.

5. A palavra heb. *hipha* traz, assim como o tópico 1 acima, a idéia de servir, e por esta razão é interpretada como "solteira" e "serva" em vários contextos (Gn 16.2; 24.35; 33.6; Sl 123.2; Ec 2.7).

6. A palavra gr. *doule* traz a idéia de servir e é interpretada como "serva" em Lucas 1.38,48. Atos 2.18.

7. A palavra gr. *korasion* refere-se a uma mulher jovem, e portanto é interpretada como "menina" em Mateus 9.24,25 e "jovem" em Mateus 14.11; Marcos 5.42; 6.22,28.

8. A palavra gr. *pais* (com um artigo feminino) significa basicamente o gênero feminino e é interpretada como "donzela, menina" (Lc 8.51,54).

9. A palavra gr. *paidiske* é o diminutivo da palavra mencionada no ítem 3 acima, e é interpretada como "criada" em Marcos 14.66,69; Lucas 12.45; 22.56.

R. L. R.

**DOR** Uma cidade cananéia na costa Mediterrânea entre Cesaréia e o Monte Carmelo, no local de el-Burj nas proximidades da cidade portuária de et-Tanturah. As escavações lideradas por John Garstang em 1923-24 provaram que a ocupação do local foi iniciada na Era do Bronze (1500-1200 a.C.). O rei de Dor era membro da confederação dos reis cananeus do norte liderados por Jabim de Hazor, que foram derrotados por Josué (Js 11.2; 12.23). A cidade foi designada a Manassés (Js 17.11; 1 Cr 7.29), mas não foi dominada pelos israelitas (Jz 1.27) até os reinados de Davi e Salomão. Salomão fez de Dor o centro de um de seus distritos administrativos (1 Rs 4.11). Enquanto Dor estava sendo ocupada por Tjekker, que havia invadido a zona da costa com os filisteus em aproximadamente 1200 a.C. (ANET, p. 262), o emissário egípcio Wenamon os encontrou vivendo ali em aprox. 1100 a.C. (ANET, p. 26). Os assírios reivindicaram ter conquistado Dor no século VIII a.C. Esta cidade caiu nas mãos dos selêucidas durante a luta com os macabeus (veja o livro apócrifo 1 Mac 15.12,13,25). Em 64 a.C., Dor recebeu autonomia de Pompeu. Josefo afirma que os gentios adoravam Apolo em Dor (Josefo, *Apion*, II10).

**DORCAS** Uma mulher cristã de Jope, pela qual Pedro orou e Deus a ressuscitou (At 9.36-42). *Veja* Tabita.

**DORMIR** Esta palavra é usada tanto no Antigo quanto no Novo Testamento para descrever o sono ou repouso do corpo (1 Sm 26.7; Jo 1.5,6; Mc 14.37). Deus dá um sono tranqüilo para aqueles que confiam nele (Sl 4.8; cf 127.2); não dormir é um sinal de prontidão (Sl 121.4; Is 5.27). Estar atormentado na cama significa grande angústia da mente e do corpo (Jó 33.19; Sl 41.3; Is 28.20).

É interessante o fato de Deus ter colocado Adão em um sono profundo enquanto criava Eva (Gn 2.21,22). A revelação divina também foi manifestada a muitos homens enquanto dormiam (Gn 15.12; 28.12; Dn 8.18; 10.9; Mt 1.24).

Um sentido metafórico para dormir é a expressão "sono da morte", que é aplicada tanto aos ímpios quanto aos salvos (Dn 12.2; 1 Ts 5.10). Este é o significado da frase do Antigo Testamento, "dormirás com teus pais" (Dt 31.16; 1 Rs 2.10; 11.43) e a descrição fornecida pelo Novo Testamento sobre o corpo que o crente terá entre a morte e a ressurreição (1 Ts 4.14; 1 Co 15.51).

Esta palavra também denota indolência espiritual e indiferença. Por isto o Senhor Jesus repreendeu Pedro (Mc 14.37), e Paulo advertiu os cristãos (Rm 13.11; 1 Ts 5.6). A condição espiritual daqueles que não são salvos é representada pela citação de um antigo hino desconhecido (Ef 5.14).

***Bibliografia.*** Christian Maurer, "*Hypnos*, etc.", TDNT, VIII, 545-558, Albrecht Oepke, "*Katheudo*", TDNT, III, 431-437.

E. C. J.

**DORMITÓRIO** Duas expressões em hebraico são assim traduzidas:

1. As palavras heb. *hadar mishkab*, que significam recinto ou quarto para se deitar (Êx 8.3; 2 Sm 4.7; 2 Rs 6.12; Ec 10.20).
2. As palavras heb. *hadar hammittoth*, que significam quartos para (guardar) camas (2 Rs 11.2; 2 Cr 22.11). *Veja* Quarto.

**DOSSEL** Em hebraico *huppa*, significa uma cobertura, como em Isaías 4.5. A forma do verbo significa "cobrir". Este termo se referia originalmente e evidentemente à tenda armada em separado para a noiva. Mais tarde significou o aposento da noiva (Jl 2.16). No NT o termo grego *tameion* (Mt 6.6; Lc 12.3,24) refere-se a um aposento ou quarto. O NT enfatiza as idéias de privacidade, e até mesmo de segredo e armazenamento, como é sugerido nos termos aposento, câmara superior, câmara secreta, sala interior e sala privativa.

**DOTÃ** Um local pitoresco situado pouco mais de 900 metros a leste da atual estrada da Samaria (Sebaste) para Jenin, que Eusébio disse estar cerca de 20 quilômetros ao norte de Sebaste. O topo desta possui uma área de aprox. 40.000 metros quadrados, dominando uma ampla planície fértil, 330 metros acima do nível do mar. Do topo pode-se observar uma vista impressionante de uma ampla terra fértil cultivada e sob cultivo, ao sul e a oeste. Uma fonte abundante, e grandes cisternas ainda fornecem água para os vários rebanhos e povos da região.

Dotã entra na história bíblica com José e a traição que sofreu, quando foi visitar seus irmãos que apascentavam os rebanhos em um local próximo à cidade (Gn 37). Depois dos irmãos mais velhos terem lançado José no poço seco ou em uma cisterna, decidiram vendê-lo a uma caravana de comerciantes de especiarias que seguiam para o Egito. Naquela época como agora, a área de Dotã possuía excelentes pastagens, especialmente na estação da estiagem.

Depois disso, Dotã testemunhou a invasão de egípcios sob o comando de Tutmósis III (1504-1450 a.C.), e fez parte da lista de cidades conquistadas (ANET, p. 242). Dotã não é novamente mencionada nas Escrituras até o período dos reis.

Durante o século IX a.C., Eliseu, o profeta, avisou repetidamente o rei de Israel quanto aos movimentos das tropas sírias. O rei sírio suspeitava que seus próprios homens o estivessem traindo, relatando aos inimigos o seu paradeiro, mas foi informado de que Eliseu conhecia os seus segredos mais íntimos e os relatava a Jorão, rei de Israel. Ao ouvir tal relato, Ben-Hadade enviou um exército para capturar o profeta. Dotã foi cercada durante a noite. O texto bíblico mostra que pela manhã, em resposta à oração de Eliseu, o exército sírio foi tomado por uma cegueira, depois da qual Eliseu os levou a Samaria, onde o rei de Israel os alimentou e os enviou para casa (2 Rs 6.8-23). Dotã é mencionada várias vezes na estória fictícia de Judite (Jt 3.9; 4.6; 7.3,18; 8.3). Embora o desconhecido autor trate a geografia da Palestina de modo despreocupado, ele parece localizar Dotã nas proximidades da planície de Esdraelom e da área das colinas atualmente conhecidas como Monte Carmelo e Monte Gilboa. Sua freqüente menção de Dotã indica que esta era uma cidade proeminente na época em que a estória foi escrita, em aprox. 100 a.C.

Assim, Dotã, localizada nas proximidades da fronteira de Manassés com a planície de Megido, estava próxima à rota das caravanas e também do cenário dos conflitos relacionados a limites e fronteiras. Desde o final de 1967 a proximidade a Jenin e à fronteira entre a Jordânia e Israel, fez de Dotã uma testemunha dos conflitos armados.

Dotã tem sido o cenário de nove escavações, 1953-64, sob a direção de Joseph P. Free com a assistência de um grupo de funcionários do Wheaton College (Illinois). Aproximadamente vinte níveis de ocupação foram identificados. Durante a primeira fase de escavações, com cerca de dez metros de profundidade, no cume do declive sul, o local revelou 11 níveis de ocupação da Era Calcolítica (3000 a.C) à era do Ferro I (1200-900 a.C.). Um muro do início da Era do Bronze foi exposto, tendo uma base de mais de 3 metros de largura, quase 3 metros de largura na parte superior e mais de cinco metros de altura; a face externa deste muro era vertical, e do lado interno havia um declive. Uma grande escadaria, de quatro metros de largura com dezoito degraus, foi descoberta fora do muro da cidade e, provavelmente, conduzia os habitantes às fontes e poços.

No nível da idade Média do Bronze, foi descoberto o esqueleto de uma criança de dois anos, enterrado com uma pequena jarra e dois potes, todos típicos da Idade do Bronze. Visto que havia sido colocado na vala da fundação debaixo do canto quadrado do grande muro, que era provavelmente parte da torre de defesa, este pode ter sido o sepultamento do sacrifício de uma criança incorporado à parede durante a consagração (cf. Js 6.26; 1 Rs 16.34). A escavação produziu quase quatrocentos artefatos, incluindo lâminas de pederneiras, assentos de moinhos manuais, peças de teares, lâminas de bronze, um cabo de jarra contendo a impressão de um escaravelho hicso, e inúmeras outras jarras, potes, e tigelas durante a estratificação.

A segunda e a terceira estação se concentraram no topo do local. Achados na área da acrópole incluíram lamparinas, moedas e jarras de Rodes com cabos inscritos em grego. Os achados da Idade do Ferro permanecem nas proximidades da extremidade das escavações e incluem uma grande tigela com

472- O monte de Dotã. HFV

catorze cabos, e uma tigela assíria que era um "artigo de palácio" do segundo nível da Idade do Ferro, uma evidência muda das invasões assírias do século VIII a.C.

A expedição de 1955 revelou uma seção da "Wall Street" da cidade da era do Ferro II, tendo em média um metro e trinta centímetros de largura e extensão. A expedição de 1956 revelou uma seção de mais de 30 metros; as paredes das casas em qualquer um dos lados ainda tinham cerca de dois metros e trinta centímetros de altura. Também foi encontrada uma pequena jarra ou estojo da Idade do Bronze II, ou da idade do Ferro II, contendo 15 pedaços de objetos de metal, a maioria dos quais eram anéis, pulseiras e jóias.

Durante as escavações de 1956 foram descobertas evidências de uma próspera cidade da Idade do Ferro durante o período dos reis de Israel. Evidências de destruições pelo fogo são abundantes. Um pedaço de madeira chamuscada no nível da Era do Ferro foi testado pelo processo rádio-carbono e datado pelos cientistas da Universidade da Columbia como sendo de 885-725 a.C., a mesma época em que viveu o profeta Eliseu. No cume do monte foi descoberto um palácio árabe com 25 quartos arranjados ao redor de um pátio central, datado de 1200-1400 d.C. Cinco depressões adjacentes representando outros pátios sugerem que este edifício pode ter possuído mais de 150 quartos.

A expedição de 1958 começou a descobrir um grande edifício ornamentado com o piso coberto por uma laje ou gesso, portas de entrada feitas de pedras cortadas e um cômodo contendo 96 jarras de armazenagem quebradas, todas do mesmo tamanho, que poderiam ser empilhadas. Vestígios de dezenas de outras jarras foram encontrados em outros cômodos. Algumas das jarras continham grãos e caroços de azeitona. Pelo menos dois canos partiam do edifício. Escavações subseqüentes mostraram a área da cozinha com uma bacia de pedra de água para os serventes ou guardas. Vários depósitos com mais de quatro metros e meio de diâmetro continham o trigo coletado nas jarras de armazenagem. O acúmulo de evidências indica que este era um edifício administrativo primeiramente construído durante o reinado de Salomão e reconstruído em aprox. 800 a.C. Casas próximas mostraram uma reconstrução posterior da época da monarquia dividida, e uma reconstrução final depois da conquista assíria da terra em 725-722 a.C. As cerâmicas assírias e os jarros utilizados nos sepultamentos sugerem que os conquistadores ocuparam Dotã.

No final da temporada de escavações de 1959, foi descoberto sob o muro da cidade do Início da era do Bronze, na inclinação oeste, um poço que leva à entrada de uma grande caverna-túmulo do período dos juízes. O teto desta havia desmoronado sobre mais de 3.200 vasos de cerâmica, incluindo pelo menos três lamparinas de sete orlas, mais de 50 objetos de bronze como adagas, pontas de lança, anéis, tigelas, e uma lamparina. A tumba tinha quatro diferentes níveis de sepultamento de 1400 a 1110 a.C., é a tumba mais rica já encontrada na Palestina.

***Bibliografia.*** Joseph P. Free, BASOR, números 131, 135, 139, 143, 147, 152, 156, 160.

G. A. T.

**DOTE** Quando era feita a organização de um casamento, podiam ocorrer vários tipos de trocas de propriedades.

1. Poderia se esperar que o pretendente desse um certo "presente" (heb. *mohar*) aos pais e/ou irmãos da noiva (Gn 34.12; Êx 22.16; 1 Sm 18.25). Isto podia requerer uma extensa negociação (Gn 34.8-12). Alguns vêem isto como um possível costume antigo de adquirir uma esposa (Gn 24.53; 31.15; Êx 22.16,17; 1 Sm 18.25; Rt 4.10; Os 3.2). Isto é mais bem explicado como uma compensação dada à família da noiva, uma vez que ela não era comprada nem vendida. A quantia dada (ou paga) variava de acordo com a posição e a riqueza da noiva, como por exemplo, no caso do serviço de Jacó a Labão (Gn 29.18,27). O dote poderia ser substituído por atos valorosos (Js 15.16; 1 Sm 18.25; Jz 1.12).

2. Presentes (heb *mattan*) eram oferecidos pelo próprio noivo à noiva, como no caso de Isaque e Rebeca (Gn 24.22,53; cf. Gn 34.12; Os 2.19,20). Em acádio, o dote do noivo é *zubullu*; a forma cognata em aramaico é *zebed*, e foi usada por Léia quando ela disse que Deus lhe havia concedido um excelente dote (Gn 30.20), e então chamou o seu sexto filho de Zebulom, que é um nome baseado na forma acadiana (E. A. Speiser, *Genesis, Anchor Bible*, p. 231).

3. O dote era freqüentemente dado pelo pai da noiva para sua filha que estava prestes a se casar, como no caso da terra para Acsa (Jz 1.15) e para a filha do Faraó (1 Rs 9.16), ou a criada para Rebeca (Gn 24.61) e para Léia (Gn 29.24).

R. A. K.

**DOUTOR, DOUTOR DA LEI** *Veja* Ocupações: Médico, Advogado.

**DOXOLOGIA** (do grego, *doxologia*, de *doxa*, "glória", e *logia*, "palavra"). Usada no grego eclesiástico para descrever fórmulas de expressão de louvor e glória à Trindade. Embora a palavra em si não ocorra na Bíblia, as expressões de louvor são freqüentemente encontradas. Na adoração judaica, expressões como "para a tua glória, para sempre", acompanham orações hebraicas. Fórmulas semelhantes são encontradas no Novo Testamento e caracterizavam a adoração na igreja primitiva (cf. 1 Co 14.16). Mesmo exibindo uma considerável variedade de expressões, elas demonstram uma estrutura básica.

Westcott (na obra *Epistle to the Hebrews*, pp. 466-467) menciona dezesseis doxologias no Novo Testamento (Rm 11.36; 16.27; Gl 1.5; Ef 3.21; Fp 4.20; 1 Tm 1.17; 6.16; 2 Tm 4.18; Hb 13.21; 1 Pe 4.11; 5.11; 2 Pe 3.18; Jd 25; Ap 1.6; 5.13; 7.12). Estas doxologias são classificadas como os três grupos principais: aquelas que atribuem a glória somente a Deus, quer esta seja diretamente direcionada a Ele, ou lhe seja dada através do Senhor Jesus Cristo (Rm 16.27; Jd 25); e aquelas que atribuem a glória ao Senhor Jesus Cristo (2 Tm 4.18; 2 Pe 3.18; Ap 1.6). Somente três doxologias são encontradas no encerramento das epístolas (Rm 16.27; 2 Pe 3.18; Jd 25). Todas as doxologias, com apenas uma exceção (2 Pe 3.18, de acordo com os melhores manuscritos), terminam com o Amém característico. Alguns estudiosos incluem entre as doxologias os textos que começam com a expressão "Bem-aventurado".

Na história posterior da igreja, o texto em Lucas 2.14, juntamente com outros, era chamado de "a grande doxologia" enquanto que o "Gloria Patri" (totalmente extrabíblico) era chamado de "a doxologia menor".

**DOZE, OS** *Veja* Apóstolo.

**DOZE** *Veja* Número.

**DRACMA** Veja Pesos, Medidas e Moedas.

**DRAGA, REDE** Uma grande rede de pesca ou rede de arrasto, equipada com pesos na parte inferior e bóias na superior, de forma que a mesma pudesse ser arrastada pelo fundo do lago ou rio. As duas extremidades eram puxadas juntas, encerrando qualquer peixe pego pela rede. Os exércitos babilônios são descritos como pescadores que sacrificavam às suas redes de arrasto (heb. *mikmereth*),

divinizando as armas utilizadas para o seu êxito militar (Hc 1.15,16). Em Ezequiel 32.3, uma palavra mais geral para rede, *herem* é empregada em um sentido específico de rede de arrasto, e usada de forma figurada como o modo escolhido por Deus para capturar Faraó, o monstro do Nilo.
*Veja* Pesca; Rede.

**DRAGÃO** *Veja* Animais: II.15; V.8.

**DROMEDÁRIO** *Veja* Animais: Camelo I.5.

**DRUSILA** A esposa de Félix (q.v.), governador e procurador da Judéia diante de quem Paulo foi levado em Cesaréia (At 24.24). Nascida em 38 d.C., ela era judia, anteriormente casada com Azizo, rei de Emesa, a quem ela deixou por causa de Félix (Josefo, *Ant.* xx.7.1,2). Como filha mais nova de Herodes Agripa I, Drusilla pertenceu à família infame de Herodes. Na ocasião em que esteve diante de Félix e Drusila, Paulo falou "acerca da fé em Cristo". Félix ficou "espavorido" à medida que o apóstolo falava "da justiça, e da temperança, e do Juízo vindouro" (At 24.25). O efeito em Drusilla não foi registrado. *Veja* Herodes.

**DUGONGO, DUGÃO** *Veja* Animais: V.4.

**DUMÁ**
1. Um filho de Ismael, e talvez o ancestral de uma tribo na Arábia (Gn 25.14; 1 Cr 1.30) que deu o seu nome a um oásis agora chamado Dumat ej-Jendel, capital do distrito conhecido como Jauf. Dumá fica na metade do caminho entre o Golfo de Ácaba e o Kuwait, no Golfo Pérsico. Parece ser o *Adumatu* conquistado por Senaqueribe (ANET, p. 691) e o *Adummu* aniquilado por Nabonido da Babilônia em sua campanha contra Tema (ANET, p. 305). Esta pode ser a Dumá de Isaías 21.11 (mas veja o item 2 adiante) se durante o século VIII a.C. os edomitas realmente estenderam o seu controle sobre 350 quilômetros a leste para incluir o oásis de el-Jauf.
2. Este talvez seja um nome simbólico para Edom (Is 21.11); a palavra heb. traduzida significa "silêncio". Na LXX consta *Idoumaias*, isto é, Edom. Mas veja o item 1.
3. Uma cidade no distrito montanhoso de Judá (Js 15.52), provavelmente a atual ed-Dômeh, dezesseis quilômetros a sudeste de Hebrom. O nome Ruma em 2 Reis 23.36 talvez seja uma variante da Dumá, que está em Judá.

J. R.

**DUQUE** Por volta de 1611, quando a versão KJV em inglês foi traduzida, "duque" não era um título, e sim, um termo que se referia a um governante, a um chefe de família ou de uma nação. Por esta razão, em Gênesis 36.15-43; Êxodo 15.15; 1 Crônicas 1.51-54 a KJV usa o termo "duque" para traduzir o heb. *'alluph,* um líder tribal ou de um clã dos edomitas ou horeus. Em Josué 13.21 (na KJV), o plural do heb. *nasik* foi traduzido como "duques", aqueles que foram ungidos por Seom, isto é, os príncipes que eram seus vassalos.

**DURA** Nome de uma planície na província da Babilônia onde Nabucodonosor colocou a imagem de ouro (Dn 3.1). O termo aramaico *dura'* é provavelmente derivado do acádio *duru* significando "muro", "circuito", talvez se referindo a algumas das fortificações fora da Babilônia. O nome sobrevive em Nahr Dûra, um rio que flui para o Eufrates aproximadamente oito quilômetros abaixo de Hilla. Nas proximidades estão alguns montes ou pequenas colinas chamadas Tulul Dura.

**DUREZA DE CORAÇÃO** Expressão encontrada, várias vezes, no NT descrevendo uma certa atitude moral e firmeza de espírito. Essa condição de teimosia, impenitência (Rm 2.5) e indiferença é o resultado da iniqüidade e do pecado (Êx 9.34; Hb 3.13). Jesus Cristo se condoeu pela dureza *(porosis)* ou insensibilidade do coração dos fariseus quando estava prestes a realizar um milagre no sábado (Mc 3.5). Essa insensibilidade ou ossificação resultava muitas vezes da incapacidade de entender (Ef 4.18, é uma "cegueira", ou "dureza", cf. o verbo *poroo,* Mc 6.52; 8.17; 2 Cr 3.14). Outro termo grego (*sklerokardia)* significa uma qualidade de espírito árida, rija e inflexível tanto na fé (Mc 16.14; cf. o verbo *skleruno* usado em At 19.9; Hb 3.8,13,15; 4.7) quanto na prática (Mt 19.8; Mc 10.5).
Na Bíblia Sagrada, o ato de endurecer o coração é atribuído tanto ao homem (Êx 8.15; Hb 3.8) como a Deus (Êx 9.12; Dt 2.30; Js 11.20; Is 63.17; Rm 9.18). Muitas passagens que fazem referência a essa atitude relatam a recusa do Faraó de deixar o povo de Deus partir do Egito. Os verbos hebraicos *qasha,* "aguçar, endurecer, obstinar" (Êx 7.3; Pv 28.14; 29.1); *kabed,* "ser pesado, insensível" (Êx 7.14; 8.15,32; 9.7,34; 10.1; 1 Sm 6.6) e *hazaq,* "tornar forte, determinado, rijo, impassível" (Êx 4.21; 7.13,22; 8.19; 9.12,35 etc.) são usados de forma variada tanto para as ações do Faraó, como do Senhor, que causam essa dureza. Embora o Senhor tenha dito a Moisés que Ele endureceria o coração do Faraó (Êx 4.21; 7.3) sete vezes, é dito que o rei do Egito também endureceu o seu próprio coração (7.13 - "o coração de Faraó se endureceu" – 7.14,22; 8.15,19,32; 9.7,12). Assim, tanto no AT (1 Sm 6.6, onde até os gentios reconheceram que os egípcios e o Faraó eram responsáveis pela dureza de seu coração) como no NT (Rm 9.17,18) é mencionado que essa insensibilidade do Faraó era típica.

O problema teológico sobre quem tem a responsabilidade pela dureza de coração fica assim resolvido através de um detalhado estudo do exemplo do Faraó. Os homens, agindo através de seu livre arbítrio, executam historicamente a vontade de Deus. O Senhor finalmente confirmou a atitude do Faraó, para que através de uma simples fraqueza humana o rei não cedesse antes que Deus tivesse realizado sua vontade completa, que consistia em julgar o Egito. No deserto, Israel era responsável pelo endurecimento de sua cerviz (Ne 9.16,17,29), ao manifestar sua falta de fé e um espírito desobediente e rebelde (Sl 95.8; Hb 3.7–4.11).
Em relação à salvação, seria bom lembrar que Deus não sente nenhum prazer na morte dos pecadores, e não deseja que algum deles venha a perecer (Ez 33.11; 2 Pe 3.9; cf. 1 Tm 2.4). No entanto, a mesma manifestação da divina misericórdia sensibiliza o coração daqueles que se arrependem e encontram o perdão em Cristo, mas endurece o coração daqueles que resistem e obstinadamente se recusam a atender o convite de Deus. Em Romanos 9.14-18, não está sendo especificamente falado sobre a graça soberana que leva o homem à salvação, mas sobre aquela que escolhe certos homens através de quem Deus pode fazer sua vontade na terra. *Veja* Coração.

***Bibliografia.*** K. L e M A Schmidt, "*Pachuno, ..., Skleras*", ..., TDNT, V, 1022-1031.

J. R.

**DURO ou GROSSEIRO** A palavra quer dizer "severo", "rude" ou "áspero". Nabal, cuja viúva Abigail mais tarde casou-se com Davi, foi descrito como "duro e maligno", "duro e maligno em todo o seu trato" (1 Sm 25.3).

**DÚVIDA** A dúvida é o estado de indecisão no qual alguém pode hesitar entre duas conclusões opostas. Aquele que duvida pode ter algum grau de crença, enquanto oscila em suas opiniões. Assim era Pedro, que foi chamado de homem de pouca fé pelo Senhor Jesus, após ter começado a afundar sob as ondas (Mt 14.31). O mesmo ocorreu com alguns que viram o Cristo ressuscitado e ainda assim duvidaram (Mt 28.17). Nestas passagens é usado o termo gr. *distazo*, "ficar dividido". Em tais casos, a dúvida pode ser de caráter provisório, esperando por mais esclarecimentos (por exemplo, At 10.17-20).
A menos que a pessoa sincera que duvida se esforce para ter uma fé completa, esta dúvida torna-se um pecado, pois "tudo o que não é [ou provém] de fé é pecado" (Rm 14.23). Devemos orar "com fé, não duvidando" (Tg 1.6). Assim foi com Abraão (Rm 4.20), sobre quem há referências de que não titubeou, hesitou, ou duvidou (*diakrino*) devido à descrença ou falta de fé (*apistia*). Este patriarca, sem dúvida, não tinha dúvidas no coração, e isto o capacitou a reivindicar as promessas de Deus (Mt 21.21; Mc 11.23). Devemos agir do mesmo modo, conforme o seu bom exemplo.
Outras palavras gregas com o sentido de "dúvida" ou de uma de suas formas verbais, podem ter ênfases diferentes, como ocorre, por exemplo, na versão KJV em inglês. A raiz do termo grego *poreomai* tem a conotação de incerteza (Jo 13.22; At 25.20) ou perplexidade ao invés da dúvida com fundamento (At 2.12; 5.24; 10.17; Gl 4.20). Em João 10.24 perguntaram a Jesus por quanto tempo Ele os manteria sob suspense. A palavra grega *meteorizo* (Lc 12.29) sugere aqueles que têm mentes ansiosas, oscilando entre a esperança e o medo.

J. R.

# E

**EBAL**
1. Uma forma alternativa de Obal (q.v. 1 Cr 1.22).
2. Um dos filhos de Sobal, filho de Seir, o horeu (Gn 36.20,23; 1 Cr 1.40).
3. O Monte Ebal, o centro de Canaã, é o pico mais alto na região montanhosa de Samaria. Ao norte do Monte Gerizim e Siquém, na passagem no meio, chega a uma altitude de 1.000 metros acima do nível do mar. Íngreme, improdutiva e pedregosa, Ebal foi o local onde Josué ergueu o altar de pedras naturais e escreveu em pedras caiadas uma cópia da lei como Moisés havia ordenado (Dt 11.29; 27.2ss.; Js 8.30ss.). As doze tribos foram divididas sobre os montes Gerizim e Ebal para as bênçãos e as maldições, respectivamente, conforme a lei.

**ÉBANO** *Veja* Plantas.

**EBEDE** Esta palavra significa "servo". Do heb. *'ebed*, é um elemento de muitos nomes compostos. Os seguintes nomes podem ser formas reduzidas de *'ebed-'el*, "servo de Deus", ou *'ebed-yah*, "servo de Yahweh:"
1. O pai de Gaal que liderou a rebelião contra Abimeleque em Siquém (Jz 9.26-35).
2. O líder do clã de Adim, que retornou com Esdras do cativeiro na Babilônia com cinqüenta homens (Ed 8.6).

**EBEDE-MELEQUE** Este nome, que significa "servo do rei", pode também ter sido um título equivalente a "ministro do rei". Ele era um etíope (cuxita) eunuco na corte do rei Zedequias de Judá, talvez responsável pelo harém real, um cargo que lhe daria acesso particular ao rei. Ele obteve permissão de Zedequias para resgatar Jeremias do fundo lamacento de uma cisterna vazia (Jr 38.6-13). Foi auxiliado por outros homens (conforme um manuscrito heb. e a LXX, v. 10) usando cordas feitas com roupas e trapos velhos para proteger as axilas do profeta. Mais tarde, Jeremias profetizou para Ebede-Meleque, dizendo-lhe que por sua bondade sua vida seria salva do dia da destruição de Jerusalém que estava próximo (Jr 39.15-18).

**EBENÉZER** ("pedra da ajuda"). O nome é mencionado três vezes na Bíblia (1 Sm 4.1; 5.1; 7.12). De acordo com 1 Samuel 7.12, este era o nome dado a uma pedra colocada por Samuel para comemorar a assistência divina dada a Israel na batalha. Através desta assistência, a nação alcançou a vitória sobre os filisteus. Sua posição foi cuidadosamente definida como um lugar entre Mispa e Sem, nas proximidades de Afeca. De acordo com 1 Samuel 4.1 e 5.1, vinte anos antes a nação de Israel havia sido derrotada neste mesmo local pelos filisteus, e a arca de Deus foi tomada e levada para Asdode. O escritor usou o nome Ebenézer porque o lugar era assim conhecido na época.

**ÉBER**
1. Éber era um descendente de Sem (Gn 10.21,24). Ele foi o pai de Pelegue e Joctã, e o ancestral de vários povos chamados de "todos os filhos de Éber" (Gn 10.21; cf. Nm 24.24); esta frase provavelmente significa "hebreus" em um sentido mais amplo. Através de Pelegue, Éber tornou-se um ancestral de Abraão (Gn 11.16-26) e, assim, passou a fazer parte da linhagem messiânica (Lc 3.35). *Veja* Povo Hebreu.
2-5. Eber é também o nome de um descendente de Gade (1 Cr 5.13), de dois descendentes diferentes de Benjamim (1 Cr 8.12; cf. 1 Cr 8.17), e o nome de um sacerdote do período pós-exílico (Hb 12.20). *Veja* Héber.

**EBES** Nome usado para a cidade de Ebes (veja Js 19.20) localizada no território de Issacar.

**EBIASAFE** Um antepassade de Hemã, um músico da época de Davi (1 Cr 6.23,37; 9.19). Provavelmente o mesmo que Abiasafe (q.v.).

**ECLESIASTES, LIVRO DE** Um tratado sobre a filosofia correta de vida, e um excelente exemplo da Literatura de Sabedoria do Antigo Testamento.

**Título**

O título deste livro chegou até nós através da Vulgata. Na LXX, significa um membro da *ecclesia*. A forma heb. *qohelet*, que os estudiosos freqüentemente transliteram, é um particípio feminino usado de forma idiomática sobre aquele que convoca e discursa em uma assembléia ou escola pública, isto é, o oficial de uma *qahal*, uma palavra comum para assembléia.

Teatro natural no lado sul do monte Ebal. JR

### Autor

Será que o escritor reuniu vários provérbios (cf. 1 Rs 4.32)? Em determinadas seções, parece que sim (por exemplo, 7.1-13; 10). Ou será que ele era um orador ou um debatedor? Mas o livro parece ser mais uma reflexão do que uma discussão. A maioria dos estudiosos traduz a palavra como "pregador" (Ec 1.1,2; 12.8-10).

Qoheleth é declarado como sendo "filho de Davi, rei em Jerusalém" (1.1). O escritor do livro é o próprio Salomão, ou alguém que simplesmente menciona um dito de Salomão no v. 2 como tema de seu estudo? Os estudiosos têm opiniões dividas quanto à autoria de Salomão. Contudo, em 1.12 lê-se: "Eu, o pregador, fui rei sobre Israel em Jerusalém", ou seja, na ocasião em que o livro foi escrito. O argumento crítico contra a autoria de Salomão é ilógico, porque a declaração acima é natural para quem escreve uma autobiografia. Começando com o cap. 3, Salomão usa provérbios que são baseados em sua experiência. Ele disse, "Sabedoria adquirirei; mas ela ainda estava longe de mim" (7.23; em contraste com 1.16). Foi uma época pobre comparada com dias anteriores (7.10), porque o governo era corrupto próximo ao fim de seu reinado, e os súditos do rei tirano se consideravam oprimidos (3.16; 4.1; 8.9; 10.5-7).

Qoheleth era uma só pessoa ou três pessoas distintas? Alguns modernistas dizem que o pregador escreveu com pessimismo; assim, ele teria sido auxiliado por um homem Sábio conhecedor de provérbios (10.1–11.4), e este por um homem piedoso com mais sentimentos religiosos ortodoxos (2.26). Um apêndice final (12.13ss.) recomenda a prática da religião judaica como o dever de todo homem. Mas não poderia alguém com uma mente perspicaz elaborar um caso, adaptar provérbios e também discutir dúvidas?

Qoheleth nunca é mencionado no Novo Testamento; mas Romanos 8.20, abordando o assunto da criação até a vaidade, pode ter seu tema como base; e a parábola que nosso Senhor contou sobre o rico tolo (Lc 12.16-21) está relacionada à sentença final do livro de Eclesiastes (Ec 12.14). Embora alguns estudiosos sugiram o contrário, o epílogo é feito pelo próprio pregador. Ele havia questionado se, com a morte, o espírito do homem realmente iria para Deus (3.21), mas agora ele tem a certeza de um juízo final (12.14; cf. 11.9).

### Época em que Foi Escrito

Alguns estudiosos entendem que o livro foi escrito no período Persa (que terminou em 333 a.C.), ou mesmo no período grego que o sucedeu, devido à ocorrência de várias palavras que parecem ser aramaicas ou persas. Porém as referências a acontecimentos históricos específicos parecem ser um tanto indistintas. Salomão teve mais contatos internacionais do que qualquer outro depois dele (veja Archer, SOTI, pp. 462-471).

### Tema

O pensamento destes doze capítulos dá voltas, sobe e desce. Às vezes, parece pessimista, às vezes otimista. Embora Deus seja mencionado vinte vezes, vinte e sete fatos preocupam o autor trazendo quatro problemas principais: a vida é injusta (2.12-26); o mundo é impenetrável (8.17); o futuro é incerto (11.2,6,8ss.); a morte é obscura (9.4-6,10). Contudo, parece haver uma progressão nos caps. 1–12 de uma ênfase sobre a vaidade (heb. *hebel*, "respirar", névoa", qualquer coisa transitória, frágil, ilusória, vazia), a uma ênfase sobre a sabedoria e ser sábio.

O texto, "Vaidade de vaidades! É tudo vaidade" (1.2; 12.8), é verdadeiro para o humanismo realista. A vida sem Deus não tem significado real. O secularismo não pode trazer uma satisfação duradoura. A fé, entretanto, abraça o governo divino. Resumindo, "Afasta, pois, a ira do teu coração e remove da tua carne o mal, porque a adolescência e a juventude são vaidade. Lembra-te do teu Criador nos dias da tua mocidade..." (11.10–12.1).

### Esboço

O Prólogo, 1.1-11

A vida, embora não seja má em si, é um ciclo sem significado e é vã, enquanto vivida separadamente de Deus, e não usada para a glória dele.

I. A Vaidade de Todas as Coisas, 1.12–6.12
- A. O fracasso de todas as tentativas humanistas de dar significado à existência, 1.12–2.23
- B. O contraste de uma vida que é vivida de acordo com as ordens de Deus, 2.24–3.22
- C. Os desencantos da vida terrena, 4.1-16
- D. Os esforços fúteis de uma busca egocêntrica da vida, 5.1-20
- E. A inadequação dos valores mundanos, 6.1-6
- F. Conclusão. Por que discutir com seu Criador? 6.7-12

II. Palavras de Sabedoria para Viver em meio à Vaidade, 7.1–12.8
   A. Conselho geral sobre a preservação de valores, 7.1-29
   B. Exortação a obedecer aos reis terrenos e temer o Rei Celestial mesmo em situações de dificuldade e perplexidade, 8.1-17
   C. Como enfrentar o fato da morte, 9.1-12
   D. A sabedoria é melhor do que a tolice, 9.13–10.20
   E. Exortação à benevolência e à alegria apesar dos possíveis problemas, 11.1-8
   F. Exortação à juventude. Começar a viver para Deus enquanto ainda jovens, antes da velhice chegar, 11.9–12.7
   G. Conclusão: Repetição do tema de abertura – tudo é vão e transitório, 12.8

O Epílogo, 12.9-14
   Resumo: Temer a Deus, e obedecer aos seus mandamentos.

*Veja* Sabedoria.

***Bibliografia.*** Gleason L. Archer, *A Survey of Old Testament Introduction*, Chicago. Moody, 1964, pp. 459-472; "The Linguistic Evidence for the date of Ecclesiastes", JETS, XII (1969), 167-182. H. L. Ginsberg, "The Structure and Contents of the book of Koheleth", *Supplements to OT*, III (1955), 138-149. Robert Gordis, *Koheleth – The Man and His World*, Nova York. Block Publ. Co., 1955. G. S. Henry, "Ecclesiastes", NBC. Ernst W. Hengstenberg, *Commentary on Ecclesiastes*, trad. por D. W. Simon, Edinburgh. T & T. Clark, 1876. Herbert C. Leupold, *Exposition of Ecclesiastes*, Columbus. Wartburg Press, 1952. J. Stafford Wright, "The Interpretation of Ecclesiastes", EQ, XVIII (1946), 18-34.

W. G. B. e J. R.

**ECLESIOLOGIA** (Do gr. *ekklesia*, "chamados para fora", "a igreja"). A doutrina da igreja é baseada no estudo indutivo das Escrituras. *Veja* Igreja. A questão mais básica envolvida é a da origem da igreja. Duas principais opiniões são sustentadas pelos teólogos ortodoxos.

1. De acordo com alguns teólogos, a igreja começou com o Novo Testamento. Foi predita por Cristo por ocasião da confissão de Pedro (Mt 16.18). Após a ressurreição de Cristo, Ele foi exaltado e "sujeitou todas as coisas a seus pés e, sobre todas as coisas, [Deus] o constituiu como cabeça da igreja, que é seu corpo" (Ef 1.22,23). O Pentecostes foi o dia em que a igreja verdadeiramente teve início, pois, enviando o Espírito Santo, Deus formou um único corpo (1 Co 12.13) do qual fazem parte todos os crentes, quer judeus ou gentios. Esta opinião é apoiada pelo argumento de que a igreja era um mistério, que não havia sido "manifestado aos filhos dos homens", mas estabelecido e revelado por Cristo (Ef 3.5). Nele não há judeu nem grego; não há servo nem livre; não há macho nem fêmea; porque todos somos um em Cristo Jesus (Gl 3.28), a parede de separação que estava no meio foi eliminada através da morte do Senhor Jesus (Ef 2.14,15). Aqueles que estavam separados, agora, através de Cristo, têm "acesso ao Pai em um mesmo Espírito" (Ef 2.18). Este novo relacionamento é baseado na promessa feita por nosso Senhor, de que o Espírito habitaria em cada cristão (Jo 14.16,17).

2. De acordo com a outra opinião, aquela que é sustentada pelos teólogos reformistas, a igreja é composta por todos os eleitos, de todas as épocas. Havia uma igreja no deserto (At 7.38). Os crentes do Novo Testamento formam uma "universal assembléia e igreja dos primogênitos, que estão inscritos nos céus" (Hb 12.22,23). O mistério de que "os gentios são co-herdeiros, e de um mesmo corpo" com os judeus (Ef 3.5,9) tornou-se conhecido dos crentes do Antigo Testamento por revelação (Is 42.1-4; 60.3; Lc 3.6; At 13.47; 15.17), mas, não completamente, "como, agora, tem sido revelado pelo Espírito" (Ef 3.5). Uma vez que as promessas feitas a Abraão devem ser compartilhadas com os crentes de todas as épocas (Rm 4.13-16; Hb 11.39,40), os teólogos reformistas não vêem uma possibilidade de distinção entre os crentes do Antigo e do Novo Testamento, nem em suas bases de salvação em Cristo e na justificação por meio da fé (a união da aliança com a graça), ou de seu futuro destino e recompensas.

R. A. K.

**ECLIPSE** A Bíblia não contém informações históricas sobre um eclipse. As três horas de escuridão começando ao meio dia durante a crucificação de Cristo não podem ser logicamente atribuídas a um eclipse do sol, porque a lua está sempre cheia na época da Páscoa.

Porém as descrições escatológicas do "dia do Senhor", possivelmente prevejam um ou mais eclipses no futuro. Isaías escreveu, "O sol escurecerá ao nascer, e a lua não resplandecerá sua luz" (13.10). De forma semelhante, Joel disse, "O sol e a lua se enegrecerão, e as estrelas retirarão seu resplendor" (Jl 2.10; 3.15); "O sol se converterá em trevas, e a lua, em sangue, antes que venha o grande e terrível dia do Senhor" (Jl 2.31; At 2.20). Amós previu com ainda mais clareza o eclipse solar. "Farei que o sol se ponha ao meio-dia e a terra se entenebreça em dia de luz" (Am 8.9). Outras profecias que podem sugerir tal fenômeno são Jeremias 4.23; Ezequiel 32.7,8; Sofonias 1.15. O discurso do Senhor Jesus Cristo no Monte das Oliveiras refere-se a estas perturbações astronômicas (Mt 24.29), e Apocalipse 6.12 repete o pensamento, "E o sol tornou-se negro como saco de cilício, e a lua tornou-se como sangue". Ao soar da quarta trombeta haverá uma restrição parcial da luz do sol, da lua e das estrelas (Ap 8.12).

Tiago (1.17) pode estar referindo-se, por contraste, à sombra de um eclipse quando escreveu, "... o Pai das luzes, em quem não há mudança, nem sombra de variação" (isto é, na posição de corpos celestes, Arndt, pp. 97, 834). Jó parece ter tido consciência do fenômeno do eclipse; em sua maldição do dia de seu nascimento ele exclamou: "Que a escuridão e as trevas o dominem; que as nuvens o cubram e apaguem a luz do sol!" (3.5, NTLH, Jerus B).

A Bíblia é marcada pela ausência da crença na mitologia, inclusive na astrologia tal como o mito babilônico do eclipse da lua, onde o pecado do deus da lua é atacado por sete deuses perversos e este deve ser salvo por outras grandes divindades.

Na antiga Assíria, os eclipses solares eram observados e registrados, e considerados de forma especial. Houve um caso em que o eclipse foi considerado o principal evento do ano e, por isso, este ano recebeu uma distinção nas listas anuais oficiais do *limmu*. Estes registros têm sido relacionados com as listas dos reis assírios, fornecendo a seqüência e a duração dos reinados. Determinando uma estrutura cronológica de uma história da época do Antigo Testamento, a chave é a nota daquele eclipse do sol no mês de *Simanu* no *limmu*-ship de Bur-Sagale, o nono ano do rei Assur-Dã III. Pelo cálculo astronômico, isto ocorreu em 15 de Junho de 763 a.C., de acordo com o sistema do nosso calendário.

Outros eclipses que podem ter sido vistos em Jerusalém ocorreram em 9 de Fevereiro de 784; 5 de Junho de 716; e 30 de Setembro de 610 a.C. Jeremias estaria fazendo alusão a este último em Jeremias 15.9? Heródoto descreveu uma batalha que deve ter acontecido em torno desta data, entre os lídios e os medos, quando "o dia de repente tornou-se noite" (*The Histories*, Penguin Classics, 1954, p. 42). Em seu cânon ou Almagest, o estudioso egípcio Ptolomeu (70-161 d.C.) registrou um grande número de datas astronômicas, incluindo oito eclipses entre 721 e 491 a.C. Todas estas datas têm sido confirmadas pelos astrônomos modernos. *Veja* Sol; Cronologia do Antigo Testamento.

J. R.

**ECROM** Dentre as cinco cidades mais importantes da Filístia (Js 13.3), Ecrom era a que estava situada mais ao norte na região. Foi primeiramente atribuída a Judá (Js 15.11,45,46), em seguida a Dã (Js 19.43). Antes que essa tribo se mudasse para o norte, foi temporariamente tomada por Judá (Jz 1.18). Teve um papel proeminente em todos os estágios da história de Israel, desde o tempo em que a arca lá esteve (1 Sm 5.10) até a época do profeta Zacarias (cf. Zc 9.5,7). Senaqueribe tomou Ecrom de um grupo de rebeldes que havia entregado seu rei, Padi, a Ezequias, evidentemente o líder da oposição aos assírios (ANET, pp. 287ss.).

Atualmente, sua localização precisa está sendo discutida. Edward Robinson, no século XIX, sugeriu que a cidade de Ecrom fosse identificada com 'Akir, dezesseis quilômetros a noroeste de Asdode. Outros a identificaram com Khirbet el-Muqenna', dez quilômetros a sudoeste de 'Akir (BW, p. 219). Esse último era, provavelmente, o local onde estava a maior cidade da Idade do Ferro na Palestina, uma cidade murada que se estendia ao longo de 40 acres (J. Naveh, "Khirbat al-Muqanna'-Ekron", IEJ, VIII [1958], 87-100, 165-170).

**EDAR** *Veja* Éder 1.

**EDE** um nome que consta em Josué 22.34, transliterado do heb. *'ed*, "testemunha". A palavra heb. veio do Texto Massorético (TM), mas é obviamente requisitada pelo contexto (veja os versículos 27,28,34*b*, onde a palavra de fato aparece). É o nome que duas tribos e meia do leste deram a um altar que construíram no Vale do Jordão, talvez nas proximidades da foz do Vale de Jaboque. Seu desejo de ter um monumento para testemunhar o fato de que eles tinham uma parte no Senhor e em Israel era sem fundamento, porque o método de Deus de preservar a unidade era fazer com que *todas* as tribos se reunissem três vezes ao ano ao redor do altar do sacrifício em *Siló* (Êx 23.17).

**ÉDEN** ("planície" ou "deleite").

1. "E plantou o Senhor Deus um jardim no Éden" (Gn 2.8). O tamanho e as fronteiras do jardim não foram dadas. Adão, o primeiro homem, foi colocado lá para cultivar e manter o local. Eva lhe foi dada como uma auxiliar. Havia muitas árvores boas ali: "E o Senhor Deus fez brotar da terra toda árvore agradável à vista e boa para comida, e a árvore da vida no meio do jardim, e a árvore da ciência do bem e do mal" (Gn 2.9). Foi dito ao homem que ele podia comer do fruto de todas as árvores, "mas da árvore da ciência do bem e do mal, dela não comerás; porque, no dia em que dela comeres, certamente morrerás" (Gn 2.17).

O termo Éden fornece a localização geográfica do jardim como uma área anexa. Eden (heb. *'eden*) provavelmente seja um substantivo comum na língua suméria, *edin*, e no acádio, *edinu* ("plano", "terreno de estepe"), adequado ao pasto ou ao cultivo, e característico da planície mesopotâmia. "E saía um rio do Éden para regar o jardim; e dali se dividia e se tornava em quatro braços" (Gn 2.10). E. A. Speiser comenta que as quatro partes separadas, os braços ou fontes, imergiam no Éden e seguiam como um rio (uso locativo do heb. *min*) *no próprio* Éden para molhar o jardim (*Genesis*, The Anchor Bible, 1964, pp. 16-20). Duas destas partes são bem conhecidas: o Eufrates (q.v.), chamado nas Escrituras de "grande rio", e o Hidéquel, o antigo nome do rio Tigre (q.v.). Os outros dois, o Pisom (q.v.) e o Giom (q.v.), que "circundam" ou que fazem um curso sinuoso ao longo de suas respectivas terras, não são conhecidos. Alguns reivindicam que estes são os quatro principais rios do mundo antigo, e os dois posteriores podem ser o Indo e o Nilo, respectivamente.

Muitos locais têm sido sugeridos para o Éden, mas o local exato não pode ser determinado porque a superfície da terra, depois do dilúvio, provavelmente mantém pouca semelhança com a aparência que tinha antes do dilúvio. Um local provável pode ser a área da Babilônia onde o Tigre e o Eufrates unem-se, e o Diyala flui para o Tigre a partir do norte, e um grande uádi escoa em direção à planície a partir do norte da Arábia (provavelmente Havilá).

Nos textos sumérios o termo *edin* referia-se à área de pasto dos pastores sumérios, e parece denotar a região gramínea entre as terras aradas irrigadas por canais do sistema do Tigre-Eufrates, especificamente no triângulo entre Nippur, Uruk (Ereque), e Umma (Thorkild Jacobsen, "Mesopotamian Mound Survey", *Archaeology*, VII [1954], 54).

A literatura suméria contém o mito das divindades Enki e Ninhursag cujas ações são centradas ao redor de Dilmun, um distrito fictício nas proximidades da cabeça do Golfo Persa e Árabe. O mito diz que a terra de Dilmun é pura, limpa, e brilhante; ali não há morte, doenças ou velhice; porém falta água fresca. Enki ordena que o deus-sol traga água boa da terra para Dilmun (cf. Gn 2.5,6). Mais tarde, no mito, uma deusa é criada curar a costela de Enki (*veja* Eva). Quando Enki come oito plantas especiais, Ninhursag o amaldiçoa, sugerindo um paralelo com o fruto da árvore da ciência do bem e do mal ingerido por Adão e Eva, e a maldição pronunciada contra eles (veja ANET, pp. 37-41; Samuel N. Kramer, *History begins at Sumer*, pp. 144-149). Embora alguns estudiosos sugiram que os hebreus tenham tomado emprestado o conceito de Éden dos sumérios por meio dos babilônios ou cananeus, é mais provável que ambos os relatos refiram-se a um local real e a um acontecimento real; porém a versão suméria tornou-se grosseiramente distorcida pelos acréscimos mitológicos que lhe foram agregados ao longo dos séculos.

O paraíso foi, aparentemente, um local de curta duração (cf. Gn 2.8–3.24). Após pecarem, Adão e Eva foram expulsos do jardim para que não estendessem sua mão, e tomassem também da árvore da vida, e comessem, e vivessem eternamente (Gn 3.22). A visão que passaram a ter daquela bela morada era a de uma espada flamejante guardando o caminho da árvore da vida.

Ainda mais surpreendente era uma outra espada, "a espada do Espírito, que é a palavra de Deus" (Ef 6.17), que abriu para o pecador o cumprimento da promessa de um Redentor, feita primeiramente no Jardim do Éden (cf. Gn 3.15). O novo paraíso é visto no capítulo final da Bíblia Sagrada. Ali o pecador redimido pode comer da árvore da vida e viver para sempre (cf Ap 22.14).

2. Um local ao norte da Mesopotâmia (2 Rs 19.12; Is 37.12; Ez 27.23; Am 1.5) mencionado como um mercado de bordados de Tiro; identificado com Bit-adini nos registros assírios, um estado sírio entre o Eufrates e o rio Balikh. Há versões que trazem o termo Bete-Éden em Amós 1.5.

3. Um filho de Joá, um levita gersonita (2 Cr 29.12; 31.15).

L. A. L. e J. R.

**EDER, EDAR, ADER**

1. Uma torre de vigia entre Belém e Hebrom, onde Jacó acampou após a morte de Raquel e onde Rúben teve relações sexuais com Bilhah (Gn 35.21,22). A versão KJV em inglês traz o nome Edar. Devido à sua proximidade a Belém, onde Davi nasceu, Miquéias (Mq 4.8) refere-se a ela (*migdal 'eder*, "a torre do rebanho"), e a Ofel "a fortaleza", onde a cidadela de Davi foi construída em Jerusalém, como símbolos da residência real de Davi.

2. Uma cidade no Neguebe de Judá (Js 15.21), talvez el-'Adar, oito quilômetros ao sul de Gaza. A LXX, contudo, sugere que Arade (q.v.) seja, possivelmente, o termo correto.

3. Um benjamita (1 Cr 8.15), mencionado como Ader na versão KJV em inglês.

4. Um levita descendente de Musi, filho de Merari (1 Cr 23.23; 24.30).

**EDIFICAÇÃO** O substantivo gr. *oikodome*, "edifício", "construir", "edificar", "edificação", denota os edifícios do templo em Mateus 24.1; Marcos 13.1,2, e aparece de forma metafórica doze vezes ou mais nas epístolas de Paulo. Os crentes, como pedras vivas (1 Pe 2.5), estão sendo edificados na igreja como um grande "edifício" unido e bem ajustado, crescendo e formando um santo templo junto com o Senhor Jesus Cristo (Ef 2.21).

Cada crente deve ser desenvolvido e edificado para este propósito supremo, fortalecido e unido com todos os outros crentes. O Cristo que ressuscitou e subiu ao céu deu à sua igreja homens com ministérios especiais para equipar os santos para este trabalho de "edificar" o corpo de Cristo (Ef 4.12). Este era o propósito da autoridade dada por Deus a Paulo, e seu objetivo em todo o tempo (2 Co 10.8; 12.19; 13.10). Por isso, cada cristão deve agir com desprendimento, sem qualquer egoísmo, para edificar os seus companheiros fiéis com uma atitude de amor (Ef 4.15,16; Rm 14.19; 15.2; 1 Co 8.1). Suas palavras devem ser sempre usadas para edificar (Ef 4.29), especialmente em reuniões da igreja local (1 Co 14.26). As manifestações dos dons do Espírito devem sempre ser controladas de forma que os ouvintes sejam edificados. O ato de profetizar serve melhor a este propósito, embora duas ou no máximo três pessoas falando em línguas, desde que seguidas por uma interpretação em cada caso, também podem edificar a congregação (1 Co 14.3-13,27-33).

***Bibliografia.*** Otto Michel, "*Oikodomeo*", TDNT, V, 136-144.

J. R.

**EDIFÍCIOS** Os edifícios incluem casas, templos, muros da cidade e outras fortificações. *Veja* Arquitetura. Tijolos de barro secados ao sol (*veja* Tijolos) eram usados para casas comuns ou quando não havia pedras disponíveis. A vigas do telhado eram cobertas com argila ou palha.

Os templos de Salomão e de Herodes eram feitos com materiais dispendiosos, pelos artesãos treinados da época. Os discípulos compartilhavam o grande orgulho dos judeus pelo seu magnífico templo (Mc 13.1).

Muitas vezes, as fundações eram dispostas sobre ruínas niveladas de antigas cidades ou vilas destruídas por invasores, ou pelo fogo.

A palavra "edifício" também é usada em sentido figurado. Pode referir-se à linhagem de uma família, como na promessa de Deus de edificar uma casa a Davi (2 Sm 7.27) ou ao edifício que é a igreja de Deus (1 Co 3.9) ou ao edifício do caráter cristão (Jd 20).

*Veja* Ocupações.

**EDOM** O termo Edom significa vermelho. Ele tem três possíveis origens: (a) os rochedos de arenito vermelho do país (há evidências de que o país pode ter sido chamado de *'edom*, ou "vermelho", antes de Esaú ter subjugado os horeus); (b) o cabelo vermelho de Esaú por ocasião de seu nascimento; (c) ou o guisado vermelho que Esaú recebeu em troca de sua herança (Gn 25.25-30).

Esaú parece ter se estabelecido em uma parte do Neguebe, ao sul de Berseba (Gn 28.9) que naquela época era chamada de Seir (Gn 32.3; 33.16; 36.8). Esta continuou sendo a morada dos edomitas mesmo depois da época de Moisés e Josué, que tiveram contato com eles a leste de Cades-Barnéia (Nm 20.14-21; 34.3; Dt 2.1-8) e ao sul da divisão das tribos de Judá (Js 15.1,21). *Veja* Esaú.

A área montanhosa que os edomitas (q.v.) invadiram, e da qual fizeram sua sede do século XIII até o século VI a.C. estende-se ao sul de Moabe, com sua fronteira no rio Zerede, por cerca de cento e dez quilômetros até o Golfo de Ácaba. Este território é formado por pórfiro e montanhas de arenito coloridas, sendo o mais formidável e imponente panorama de pedras do mundo. Destas montanhas da Transjordânia, os edomitas olhavam para baixo e avistavam um labirinto de rochedos íngremes, precipícios, saliências pedregosas, e vales estreitos. Esta extensão a leste da depressão de Arabá é, na verdade, a extremidade do cume de um planalto deserto, coberto de pedras e salpicado de porções de terra fina e pedaços de madeira dispersos. Os muros dos rochedos a oeste são íngremes e expostos, negros e vermelhos, surgindo da areia amarela pálida do solo do deserto de Arabá. O terreno do vale onde se localiza Petra é tão sulcado que pode ser alcançado por um profundo desfiladeiro, que em alguns trechos é tão estreito que só permite a passagem de dois cavaleiros lado a lado. Além das plantações de trigo no planalto leste, os desfiladeiros mais largos proporcionam alguns campos férteis e plataformas para vinhedos. Seus promontórios de mais de 1600 metros de altitude precipitam algum tipo de umidade dos ventos oeste, que são predominantes, e que naquele ponto já passaram pelo Neguebe, de forma que esta é comparativamente uma terra bem irrigada. E assim, o Monte Seir (q.v.) era um forte bem suprido, com suas minas de cobre e de ferro no Arabá. Ele era tão alto, imponente e cercado pelo precipício e montanhas recortadas, que podia ser considerado praticamente inconquistável. Foi a este aspecto que o profeta Obadias referiu-se nos versos 3 e 4 quando escreveu sobre a localização de Edom nas fendas das rochas, fazendo seu ninho em meio às estrelas, e vangloriando-se, "Quem me derribará em terra?"

Vivendo nesta terra rica e tão fortificada, os edomitas usufruíram de uma civilização superior à das tribos dos desertos que os circundavam. Além disto, eles consideravam os seus parentes na Palestina, os israelitas, que por causa de suas fronteiras vulneráveis foram compelidos a fazer alianças com as nações vizinhas para que pudessem sobreviver. Os edomitas naturalmente absorveram algo proveniente das características de suas montanhas. Eles eram solitários, reservados, antipáticos e indiferentes em relação às reivindicações de piedade e parentesco. Por isto o Senhor os julgou: "Por três transgressões de Edom e por quatro, não retirarei o castigo, porque perseguiu a seu irmão à espada e baniu toda a misericórdia; e sua ira despedaça eternamente, e retém sua indignação para sempre. Por isso, porei fogo a Temã, e ele consumirá os palácios de Bozra" (Am 1.11,12). Esta passagem menciona as duas principais cidades de Edom por volta de 750 a.C.; Bozra (atual Buseireh), 30 quilômetros a sudeste do Mar Morto, e Temã, identificada por Nelson Glueck como um local coberto por fragmentos da cerâmica edomita conhecida como Tawilan, a leste do vale de Petra. A auto-suficiência de Edom foi acentuada por sua posição geográfica. está situada em várias rotas de comércio do mundo antigo. Os senhores do Monte Seir em certas ocasiões controlavam os portos de Ácaba, aos quais os navios de Salomão chegavam com ouro de Ofir. Eles às vezes atacavam rapidamente as caravanas árabes e interrompiam o caminho para Gaza e Damasco. Os edomitas eram principalmente comerciantes, intermediários entre a Arábia e a Fenícia. Assim enchiam as suas cavernas com riquezas do leste e do oeste. Esta posição privilegiada acendeu o sentimento de inveja dos israelitas – especialmente pelo fato da terra de Edom ser tão separada e difícil de atacar. Mesmo assim, os reis de Judá como Davi, Amazias, e Uzias invadiram Edom com êxito, e obtiveram o controle do comércio oriental que fluía através dos portos de Elate e Eziom-Geber.

***Bibliografia.*** D. W. Deere, *The Twelve Speak*, Nova York; American Press, 1958, I, 45-50. Nelson Glueck, "Transjordan", TAOTS, pp. 433-445. G. A. Smith, *The Book of the Twelve Prophets*, Nova York. Harper, 1929, II, 177ss.

D. W. D.

**EDOMITAS** Os edomitas eram um povo semítico descendente de Esaú (q.v.), que se estabeleceu no sul da Palestina e da Transjordânia por volta do segundo milênio a.C. Seu reino era cercado ao norte pelo deserto da Judéia, pelo Mar Morto, e pelo rio Zerede (atual Uádi el-Hasa); a leste pelo deserto Sírio; a oeste pela Península do Sinai; e ao sul, pelo Golfo de Ácaba. Este território, chamado de Monte Seir (q.v.), foi anteriormente ocupado pelos horeus (Gn 14.6), aos quais os edomitas espoliaram e se estabeleceram em seu lugar (Gn 36.8,15-21). *Veja* Edom.

Os edomitas são pela primeira vez mencionados fora da Bíblia nas Tábuas Ugaríticas de Ras Shamra. Na lenda do rei Keret de Sidom é dito que este avançou contra o rei de Edom, mas o último o pagou com alguns presentes valiosos e lhe deu sua filha Mersheb-Hori em casamento. Registros egípcios do final do século XIII a.C. mencionam tribos beduínas de Edom que tinham permissão para entrar no Egito para adquirir comida durante o período de severa escassez (ANET, p. 259).

Os edomitas figuram de forma proeminente na Bíblia, freqüentemente no papel de oponentes dos israelitas. O primeiro contato histórico entre os dois povos ocorreu quando os

Um terreno edomita típico. JR

israelitas estavam avançando na Palestina a partir da península do Sinai. O território edomita está situado ao longo da rota proposta por Moisés, de forma que os israelitas buscavam permissão para passar pacificamente através de seu território: "Não passaremos pelo campo, nem pelas vinhas, nem beberemos a água dos poços; iremos pela estrada real; não nos desviaremos para a direita nem para a esquerda, até que passemos pelos teus termos". O rei de Edom recusou este pedido mesmo tendo recebido de Moisés a seguinte garantia: "... se eu e o meu gado bebermos das tuas águas, darei o preço delas" (Nm 20.14-21).

A principal fonte de renda dos edomitas originava-se do comércio e das taxas cobradas para "proteger" as caravanas que levavam incenso do Sul da Arábia para a costa do Mediterrâneo. Eles também praticavam a agricultura, e cultivavam trigo em uma pequena extensão; porém a chuva é muito escassa na área. Eles plantavam videiras e oliveiras nas proximidades das regiões irrigadas por fontes naturais. Uma outra fonte de renda surgia do cobre retirado da mina de Arabá. A religião dos edomitas parecia ser politeísta. Entre as divindades que podem ser identificadas pelos nomes dos seus reis estão Qos e Hadade.

Os edomitas alcançaram o ápice de sua prosperidade quando os grandes impérios do passado foram enfraquecidos pelo ataque e pela invasão dos egeus, e desfrutaram os últimos dias quentes de outono nos séculos XII e X a.C. Durante o século XIII, os edomitas haviam expandido seu território passando a incluir as montanhas e florestas da Transjordânia. Para proteger sua fronteira leste dos ataques repentinos daqueles que habitavam no deserto, eles ergueram uma série de fortalezas próximas o suficiente umas das outras para possibilitar a comunicação por sinais de fumaça. Nelson Glueck ao passar por estes locais, vendo as ruínas das cida-

D. C. B.

Uma estátua de pedra de calcário pintada de um escriba egípcio sentado segurando um rolo de papiro aberto sobre os seus joelhos. LL

des, recolheu um grande número de fragmentos de cerâmica deste período.

Com a ascenção de Davi, os edomitas tornaram-se vassalos do reino de Israel. Foi provavelmente Davi quem destruiu os fortes dos edomitas na fronteira oeste de Arabá, como no caso de dois deles no séc. XI a.C., nas proximidades de Jebel Usdum, o “Monte de Sodoma”. Eles permaneceram naquele estado durante o reinado de seu filho Salomão (1 Rs 11.14-17), que construiu o porto de Eziom-Geber (atual Tell el-Kheleifeh próximo ao atual porto de Ácaba), no coração do território edomita (1 Rs 9.26). Salomão também abriu inúmeras minas e construiu uma grande indústria de fusão de minérios que tem sido estudada por arqueólogos judeus nos últimos anos.

Umm el Biyara ou Acrópole de Petra

Com a morte de Salomão e a divisão do reino de Israel, os edomitas tornaram-se novamente independentes. Entretanto, com a ascensão do império Assírio no século IX a.C., os edomitas começaram a pagar tributos à Assíria, e se envolveram nas inúmeras revoltas contra os governantes assírios que foram instigadas pelo Egito. As dificuldades dos edomitas eram, de fato, maiores do que as de seus vizinhos, já que sempre se encontravam pagando tributos à Assíria com uma mão, e ao reino de Judá com a outra.

Uma revolta contra Judá parece ter ocorrido em torno do século IX a.C., mas ela foi debelada por Amazias com grande severidade (2 Rs 14.7); Amazias eliminou muitos dos edomitas lançando-os do alto do rochedo da fortaleza em Petra (2 Cr 25.12), um local agora conhecido como Umm el-Biyara. Este ato de fato enfraqueceu os edomitas, e assim deixaram de ter um papel de grande importância na história do Oriente Próximo.

Todavia, os edomitas regozijaram-se quando Nabucodonosor capturou a cidade de Jerusalém (Sl 137.7), e os profetas os denunciaram por tratarem mal sua nação irmã, Judá (Jr 49.7-22; Ez 25.12-14). Devido à semelhante insensibilidade de Edom quando Jerusalém foi saqueada em seus dias, Obadias advertiu a casa de Esaú que o julgamento cairia sobre eles, e assim nunca mais se regozijariam sobre Judá (Ob 10.14).

Deve ter sido logo após este evento que os nabateus começaram a desalojar os edomitas de seu país e ocuparam-no. Já em 646 a.C., Assurbanipal da Assíria havia conhecido os nabateus (q.v.) em sua campanha contra os árabes, nas proximidades da terra de Edom (ANET, pp. 297-300). Parece que com a redução de seu número e a perda da maior parte de seu território, os edomitas foram para o sul da Palestina, que mais tarde passou a ser chamada de Iduméia (q.v.). Ali parece não ter havido nenhum relacionamento entre os nabateus e os edomitas, ou idumeus. Antipater e seu filho Herodes o Grande, eram ambos idumeus, e viam os nabateus como um povo hostil, e de natureza diferente da sua.

D. C. B.

**EDREI**

1. Uma cidade na terra de Basã, a atual Dera‘a, localizada a aproximadamente 50 quilômetros a leste do Jordão. Ogue, o rei de Basã, veio de Edrei, que foi construída em uma costa íngreme (de onde se podia avistar o rio Jarmuque), e evidentemente na fronteira sul de seu reino, para interceptar

a invasão dos israelitas. Ele perdeu a batalha e a vida, e todo o seu território foi subjugado (Nm 21.33-35; Dt 1.4; 3.1).
De acordo com a maior parte das referências bíblicas, Ogue aparentemente usou tanto Edrei como Astarote (q.v.) como capitais (Js 12.4; 13.12,31). Em uma passagem (Js 9.10) é simplesmente declarado que ele viveu em Astarote. Pode ser que esta seja apenas uma variação textual, pois Deuteronômio 1.4, de acordo com o texto hebraico, poderia ser traduzido como: "depois que feriu a... Ogue, rei de Basã, que habitava em Astarote, em Edrei". O texto grego está em harmonia com as passagens acima, e diz: "... que vivia em Astarote *e* em Edrei". Astarote era sem dúvida a cidade mais importante, e Edrei era uma capital secundária.
Depois da ocupação israelita de Basã, Edrei foi aparentemente destruída (Dt 3.1-6) e não é mais mencionada na Bíblia. Entretanto, era conhecida pelas fontes romanas como Adra ou Adraene. Eusébio (*Onomasticon* 8.84) a menciona como uma cidade bem conhecida da Arábia, situada cerca de 40 quilômetros de Bosora e 10 quilômetros de Astarote. Embora a antiga narrativa tenha recebido apenas uma investigação superficial, fragmentos de cerâmica testemunham que a ocupação data do início da Era do Bronze, com uma grande porção de cacos do início da Era do Ferro. É provável que, na época Helenística ou romana, uma cidade subterrânea com ruas, lojas, e cisternas tenha sido construída de forma subjacente a cavernas nas rochas de basalto (HGHL, p. 576; UBD, p. 287).
2. Uma cidade da herança da tribo de Naftali, que faz parte da lista das suas cidades fortificadas (Js 19.37). Muitas variações são conhecidas entre os textos gregos: *Ias(s)eir, Assapei, Edrain, Edraei, et al.* Na lista, ela aparece entre Quedes e En-Hazor. Sua localização geral também pode ser inferida por seu lugar na lista de cidades conquistadas por Tutmósis III (Número 91) onde seu nome é escrito como *'itr'* (ANET, p. 242). Ali ela aparece entre as cidades do norte da Galiléia, tais como Abel (-Bete-Maaca). Uma possível localização para a cidade antiga é Tell Khureiba, ao sul de Quedes. Contudo, pesquisas recentes têm apontado para a sugestão de que Edrei esteja localizada nas proximidades da moderna Aitaroun.

A. F. R.

**EDUCAÇÃO[1]** A palavra grega *paideia*, "treinamento infantil", "instrução", "alimentação", é usada três vezes no NT. Ela abrange todo o cultivo da mente e da moral de uma criança, e o emprego de ordens e admoestações, censura e castigo, com a finalidade de atingir este objetivo (Ef 6.4). Quando aplicada a adultos, ela fala daquilo que desenvolve a alma, corrigindo erros e controlando paixões através da "instrução" na justiça (2 Tm 3.16). Quando aplicada a crianças, tem o sentido de treinamento infantil ou "castigo" (Hb 12.5,7,11; cf. Pv 3.11,12; 15.5).

## EDUCAÇÃO[2]

### Mesopotâmica

A educação Mesopotâmia envolvia o árduo processo da aprendizagem da escrita cuneiforme. Os estudantes geralmente pertenciam a classes privilegiadas da sociedade. Em raras ocasiões as garotas recebiam educação conforme evidência de algumas poucas escribas do sexo feminino.
As primeiras escolas estavam provavelmente associadas a templos, mas a famosa escola em Mari localizava-se no palácio. Aqui foram encontradas fileiras de bancos junto com uma coleção de materiais de escrever. Esta escola era chamada de *e-dubba*, "a casa das tábuas". O ummia, "diretor", tinha sob si assistentes especializados, tais como *dubshar nishid*, "o escriba dos cálculos", o *dubshar kengira*, "o escriba do Sumério" etc. A maior parte da supervisão geral ficava por conta de um estudante mais velho, o *sheshgal*, "irmão mais velho".
Os alunos aprendiam vários símbolos cuneiformes copiando tábuas preparadas pelo professor, escrevendo com um buril em uma tábua de argila úmida. Depois, eles copiavam partes de textos literários e estudavam matemática e a divisão da terra. Depois do segundo milênio a.C., quando o sumério não era mais uma língua utilizada, os escribas tinham que memorizar listas bilíngües de palavras sumérias e de seu equivalente em acádio.
Os alunos acordavam cedo, com medo de se atrasarem, e levavam consigo dois rolos de pão para o almoço. A disciplina era rígida. Um rapaz em um teste lembra-se como recebeu sete sovas de sete diferentes membros da equipe por escrever mal, por falar sem permissão etc. As punições mais severas incluíam ficar preso por dois meses.

A "escola" em Qumran

O ginásio em Salamina, Chipre. A palestra, ou área de luta, estava localizada no retângulo cercado pelas colunas. HFV

## Egípcia

A educação egípcia preparava uma classe de escribas que eram servidores civis. Alunos de origem humilde podiam ter sucesso em posições eminentes, em virtude de sua educação. Além disso, os professores sempre lembravam os seus alunos de que uma posição como esta significava uma vida livre de impostos, de pobreza e de trabalho físico.

As escolas localizavam-se em templos nos arredores, tal como Ramesseum. Eles eram supervisionados por altos oficiais dos departamentos para os quais os alunos estavam sendo treinados. A criança ia para a escola dos quatro ou cinco até os dezesseis anos de idade.

Ela aprendia a copiar com precisão os hieróglifos pictográficos. Seus primeiros esforços eram feitos em lascas de pedra calcária pautada ou em fragmentos de cerâmica. Só mais tarde é que ela aprenderia a escrever nos papiros, e primeiramente em palimpsestos, isto é, papiros que já haviam sido usados e apagados.

Era necessário aprender um vocabulário específico relativo à sua futura profissão, incluindo, por exemplo, noventa e seis nomes de cidades egípcias, e quarenta e oito tipos de assados diferentes. Se planejasse trabalhar com o exército, ele tinha que aprender a geografia da Palestina, a organização de uma campanha militar, e a distribuição de provisões. No período do Novo Reino, o escriba também tinha que aprender nomes semíticos, cretenses, e outros nomes estrangeiros.

As aulas tinham a duração da metade de um dia. Quando o meio dia era anunciado, as crianças saíam da escola "gritando de alegria". O almoço consistia em três rolos de pão e uma jarra de cerveja.

A palavra egípcia para educação era *sb3jt* e se origina da raiz *sb3*, "castigar", "punir". O lema do professor era: "O ouvido do jovem está em suas costas. ele só ouve o homem que bate nele". Um estudante recorda como foi preso no templo da escola por três meses.

Apesar das recompensas da carreira de escriba, havia delinqüentes. Um professor lamentou por um ex-aluno: "Eu soube que você quer escrever, e dar prazer a si próprio... você senta-se em casa e as moças o rodeiam... uma guirlanda de flores está pendurada em seu pescoço, e um tambor em sua barriga".

## Judaica

A educação judaica era primeiramente religiosa e, até a época do Novo Testamento, dava-se em casa. Era dever do pai instruir seu filho sobre as tradições religiosas (Êx 12.26,27; Dt 4.9; 6.7).

Era essencial que a criança aprendesse a ler as Escrituras. Felizmente, o alfabeto hebraico com suas vinte e duas letras era muito mais fácil do que as centenas de caracteres cuneiformes e hieroglíficos dos vizinhos de Israel. Em Isaías 28.10, "mandamento e mais mandamento" é literalmente "*s* após *s*, e *q* após *q*", uma referência ao ensino do alfabeto. Em Isaías 10.19, lemos: "E o resto das árvores da sua floresta será tão pouco, que um menino as poderá contar". O homem jovem de Juízes 8.14 "escreveu" os nomes dos anciãos da cidade.

O ensino formal longe de casa não foi atestado até a era intertestamentária. Ben Sirach (aprox. 180 a.C.) fala de uma "casa de aprendizagem" (gr. *oikos paideias,* em heb. *bethmidrash*). Sob Jason (175-171 a.C.), o sumo sacerdote helenizante, um ginásio foi estabelecido em Jerusalém (1 Mac 1.14; 2 Mac 4.9; Josefo, *Ant.* xii.5.1). No helenismo, o ginásio era a principal instituição educacional.

Simon ben Shetah (aprox. 75 a.C.) decretou uma lei que estabelecia que as crianças deveriam ir à escola. O desenvolvimento decisivo, entretanto, veio com a ordem de Josué ben Gamala, sumo sacerdote em 63-65 a.C., de que cada cidade deveria ter uma escola para crianças a partir de seis anos de idade.

De acordo com a declaração de Judah ben Tema (século II a.C) em *Pirke Aboth* 5.21, o programa de estudos a ser desempenhado era: (a) as Escrituras – aos cinco anos; (b) o Mishnah – tradições orais – aos dez anos; (c) a chegada da idade – aos treze anos; e (d) o Talmude – comentários sobre o Mishnah – aos quinze anos. Esperava-se que os rapazes se casassem aos dezoito anos.

As meninas recebiam educação em casa, e freqüentemente eram feitos casamentos arranjados quando tinham doze ou treze anos. Elas iam à sinagoga, e algumas conheciam bem as Escrituras (cf. alusões do Antigo Testamento no "Magnificat" de Maria, Lc 1.46-55).

A maioria dos pais não podia permitir que seus filhos tivessem mais do que o ensino primário. Alguns rabinos desprezavam aqueles que haviam estudado somente as Escrituras, tendo-os como ignorantes, *'am-ha'arets*, "pessoas da terra" (cf. Jo 7.15; At 4.13). Aqueles que estudavam para se tornarem rabinos continuavam sua educação na academia de Jerusalém, e eram ordenados com aproximadamente vinte e dois anos de idade.

As classes do primário reuniam-se nas sinagogas, tendo o *hazzan*, ou responsável pelos rolos, como professor. O professor tinha que ser um homem casado; nenhuma mulher tinha permissão para ensinar (cf. 1 Tm 2.12). As crianças de várias idades sentavam-se no chão diante do professor. A criança aprenderia a ler as Escrituras em voz alta, começando por Levítico. Em continuação, a criança prosseguia no conhecimento da maior parte das Escrituras, embora alguns livros do AT, como, por exemplo, Cantares de Salomão, não eram ensinados aos alunos imaturos.

A ênfase era colocada na memorização, e o método era a repetição. Dizia-se que um professor do Mishnah chegava a repetir uma lição 400 vezes! Os açoites eram usados nos casos de alunos recalcitrantes. O Mishnah não considerava o professor culpado se o aluno morresse em conseqüência de tais repreensões. A palavra heb. para educação, *musar*, origina-se da raiz *ysr*, "castigar, disciplinar".

O ensino dos meninos começava ao amanhecer e freqüentemente continuava até o pôr-do-sol. Algumas pessoas têm questionado se eles tinham horário de almoço! O período de aulas era reduzido para quatro horas durante os meses quentes de julho e agosto. No dia que antecedia o sábado havia apenas meio período de aulas, e as aulas eram suspensas por ocasião das festividades religiosas.

A academia de Jerusalém para futuros rabinos era famosa por ter professores como Hilel e Samai (século I a.C.). Aqui Paulo estudou aos pés do ilustre neto de Hilel, Gamaliel (At 22.3). Gamaliel era um dos poucos rabinos que permitia que os alunos aprendessem o grego. Os rabinos, como regra geral, não recebiam qualquer pagamento por ensinarem, mas se sustentavam trabalhando como moleiros, sapateiros, alfaiates, oleiros etc. (cf. At 18.3). De fato, cada pai tinha o dever de ensinar um ofício a seu filho.

### Grega

A educação grega ou *paideia* (no Novo Testamento a palavra tem um sentido de "correção" em passagens como Hebreus 12.5, 7,8,11) era primeiramente aristocrática ou atlética. Depois de aprox. 450 a.C, os sofistas que ensinavam retórica recebendo um pagamento por isto, revolucionaram a educação. No século IV a.C., as grandes escolas filosóficas de Platão e Aristóteles estavam estabelecidas em dois ginásios nos subúrbios de Atenas; a academia e o liceu.

No período Helenístico, o estabelecimento de ginásios em cada cidade fundada pelos gregos no Oriente Próximo serviu como o principal meio de preservação da tradição helenística, e de assimilação do helenismo pelas sociedades que não eram helenistas.

A educação espartana era um fenômeno por si. Diferente da situação em outras cidades, a educação em Esparta era paga pelo Estado. As garotas recebiam treinamento atlético para se tornarem mães robustas. Com sete anos de idade, os garotos eram separados de seus lares para viverem em barracas, estando sujeitos a uma severa disciplina para que se tornassem soldados fortes e obedientes. Os espartanos aprendiam apenas os rudimentos da leitura e da escrita, e eram considerados incultos pelos atenienses.

Em Atenas, as garotas aprendiam as artes domésticas em casa. Os garotos iam à escola

com sete anos. A verdade evidente era que os meninos ricos chegavam à escola mais cedo e saíam mais tarde do que as crianças pobres.
A maioria das famílias tinha *paidagogos*, geralmente um escravo mais velho, que carregava o equipamento dos meninos, acompanhava-os até a escola, e auxiliava nos deveres de casa. Ele era uma combinação de "enfermeiro, lacaio, acompanhante e tutor" (cf. 1 Co 4.15; Gl 3.24,25).
A educação grega enfatizava a *gymnasia* (1 Tm 4.8) para o corpo e a "música" – um termo que incluía a literatura – para a alma. A instrução padrão era conduzida em *palaistras* (palestras) particulares, ou "arenas de luta" sob a orientação de um *paidotribes*, literalmente, "fricção de meninos", devido à prática de esfregar o corpo com óleo e pó antes dos exercícios. A corrida e o arremesso de dardos eram praticados nos ginásios públicos. Estes ginásios também continham salões onde os professores, como, por exemplo, Sócrates, ministravam as suas aulas.
Todos os rapazes tinham que aprender a cantar e a tocar lira. Eles aprendiam a *stoichea*, isto é, o ABC ou os rudimentos do ensino fundamental (cf. Hb 5.12). Seu texto principal era Homero, seguido pelos dramaturgos e poetas líricos.
Os alunos iam à escola ao nascer do dia acompanhados por seus pedagogos, que carregavam a lamparina nas manhãs escuras de inverno. As escolas tinham de sessenta a cento e vinte alunos. Estes se sentavam em bancos com suas tábuas de escrever de cera em seus joelhos. O professor sentava-se em uma cadeira em uma plataforma. Os pedagogos, geralmente, também se sentavam na sala de aula. Pelas ilustrações em cerâmica podemos ver que as crianças levavam seus animais de estimação como gatos, cães e até leopardos!
Da Mímica de Herondas (século III a.C) podemos constatar o que acontecia com os garotos preguiçosos ou faltantes. Uma mãe reclama que seu filho deveria brincar ao invés de ir à escola. Ele não é capaz de escrever a partir de um ditado, e só consegue ler com hesitação. Quando o criticam, corre para sua avó. Ela, por conseguinte, faz com que o professor açoite seu filho até que sua pele fique tão mosqueada quanto a de uma cobra d'água.
Quando o garoto chega aos dezoito anos e se torna maior de idade, fica livre dos cuidados restritivos de seu pedagogo. No período dos dezoito aos vinte, os jovens de Atenas, chamados *ephebes*, eram submetidos a um curso de treinamento militar e atlético compulsório. Na época helenística, os que se formavam nos treinos adultos, passavam a fazer parte da alta classe de cidadãos helenísticos. Na época dos romanos, a instituição de efebos em Atenas formava a base da universidade.

**Romana**

Mesmo antes que a Grécia se tornasse uma província romana em 146 a.C., sua influência cultural era sentida em Roma. A história registra que Cato, o ancião (234-149 a.C.), que se opunha ao aprendizado do grego, aprendeu o grego no final de sua vida.
Os romanos imitaram os gregos no uso de pedagogos para seus filhos, freqüentemente empregando escravos gregos. O grande Cícero (106-43 a.C.) era bem versado tanto em grego como em latim, tendo sido educado em Rodes (assim como César e Antônio) e em Atenas. Quintiliano (40-118 d.C.), a grande autoridade da Educação Romana, dizia que as crianças romanas deveriam aprender o grego antes do Latim. O satirista Marcial (40-104 d.C.) e seu colega Juvenal reclamaram que as mulheres passaram a fazer até mesmo amor em grego!
A visão pragmática romana introduziu algumas diferenças notáveis. Matemática, Geometria e música eram ensinadas somente à medida que tivessem aplicações práticas. A retórica, e não a filosofia, era a matéria classificada como a mais importante em estudos de nível superior. Os romanos não gostavam muito da nudez dos atletas gregos, eles preferiam as corridas de cavalos no hipódromo e os jogos de gladiadores no coliseu.
As meninas freqüentavam a escola primária com os meninos. Além disso, algumas mulheres tinham conhecimento da literatura por si próprias, a ponto de Juvenal reclamar: "Como eu as odeio. As mulheres, que sempre voltam às páginas da Gramática de Palaemon, mantendo todas as regras e são pedantes o suficiente para citar versos que nunca ouvi".
As aulas eram às vezes ministradas em uma *pérgula*, ou "abrigo", em frente a uma casa separada do público por uma fina divisória. Os alunos sentavam-se em bancos, enquanto o professor sentava-se em uma cadeira. Para escrever, eles começavam com tábuas de cera; depois, usavam papiros ou mesmo pergaminhos de manuscritos sem importância. Para aritmética, o aluno usava o ábaco com *calculi*, e seixos.
As crianças freqüentavam a escola primária, que era chamada de *ludus* ou "jogo", dos sete aos dez ou onze anos de idade. O professor primário era conhecido como *ludi magister*. Os pais exigiam muito dele, mas pagavam pouco e, às vezes, somente por ordem dos tribunais. Era tarefa dele ensinar "os três R". Para ensinar a ler, eles usavam textos das fábulas de Esopo, que eram muito populares.
As aulas começavam cedo – cedo demais para Marcial, que reclamava que a repreensão do professor o impedia de dormir. Apressado para a escola sem sequer poder tomar o café da manhã, o jovem comprava um pequeno

bolo quando passava por uma padaria. Na chegada ele diria: "Bom dia para todos! Permitam-me tomar meu lugar. Apertem um pouquinho". Depois de suas aulas matinais, ele ia para casa almoçar pão branco, azeitonas, figos secos, e nozes. Então voltava para a escola, onde o mestre, examinando suas cópias, dizia, "Você merece ser açoitado! Tudo bem, desta vez eu deixarei passar..."

Disciplina era sinônimo de educação. A frase *manum subducere ferulae*, "abandonar a vara", significava deixar a escola. Quintiliano protestou contra a prática universal de açoites. Ele pensava que os elogios, o espírito de competição, e até mesmo os jogos, eram melhores do que o medo.

Os meninos tinham férias de Julho a Outubro, no verão, e extensos feriados em Dezembro e Março. A cada oito dias também havia um dia de folga. Isto não era suficiente para algumas crianças, que fingiam estar doentes, esfregando os olhos com azeite de oliva ou usando cominho para se fingirem de pálidos e poderem ausentar-se.

Dos doze aos quinze ou dezesseis anos de idade, quando o jovem romano atingia a maioridade, e vestia sua *toga virilis* branca, ele passava a freqüentar a escola secundária (ou a escola de gramática). Esta era chamada de *ludus litterarius*, e o professor era chamado de *litteratus* ou de *grammaticus*. As matérias principais eram a gramática técnica e a literatura, principalmente Homero e outros textos gregos. Somente depois do ano 25 a.C é que os textos em latim, tais como Virgilio e Cícero, também foram introduzidos.

Além da escola de gramática até os dezoito ou vinte anos, os rapazes recebiam treinamento em retórica. Quando Roma passou de república a império, com a conseqüente restrição de liberdade política, o treinamento em retórica tornou-se cada vez mais artificial. Era exigido que os alunos declamassem a obra *suasoria*, que propunha alguma ação, como por exemplo: "Deveria Agamenon sacrificar sua filha?" ou a obra *controversia*, que lidava com alguns casos fictícios que envolviam conflitos de leis.

Várias formas de discurso e figuras de linguagem eram ensinadas. Paulo usa cerca de trinta tipos diferentes de figuras retóricas em seus escritos. F. W. Farrar sugere que ele pode ter recebido algum tipo de treinamento rudimentar de retórica em Tarso. Por outro lado, a escassez de alusões clássicas (At 17.28; 1 Co 15.33; Tt 1.12) e a qualidade de seu grego mostram que o apóstolo evitou os excessos para que sua mensagem fosse a mais direta e inteligível para todos os tipos de leitores, não utilizando todo o seu conhecimento clássico recebido na afamada instituição em que estudou. Ele foi provavelmente enviado a Jerusalém antes de completar treze anos. Alguns estudiosos têm discutido o fato da palavra *anatethrammenos*, "criado", em Atos 22.3, significar que Paulo já vivia em Jerusalém até mesmo antes desta idade. Embora tenha tido um grande treinamento, Paulo repudia (1 Co 2.1) o uso da linguagem retórica elaborada e pomposa tão comumente usada pelos oradores de sua época para ganhar o aplauso dos ouvintes (por exemplo, Tértulo, Atos 24.1-8). Nem mesmo os escritores romanos estavam satisfeitos. Petrônio, um contemporâneo de Paulo, escreveu: "Ninguém se importaria com este artifício se apenas colocasse os nossos alunos no caminho da verdadeira eloqüência... Ação ou linguagem são a mesma coisa: grandes frases como bolas de mel, cada sentença parecendo ter caído e se enrolado em sementes de papoula e gergelim".

*Veja* Filhos; Família; Escola; Hebraico; Ensinar.

***Bibliografia Geral.*** W. Barclay, *Educational Ideals in The Ancient World*, Londres. Collins, 1959. Georg Bertram, "*Paideuo*, etc.", TDNT, V, 596-625. E. B. Castle, *Ancient Education and Today*, Baltimore. Penguin, 1964. H. I. Marrou, *A History of Education in Antiquity*, Nova York. New American Library, 1964. Karl H. Rengstorf, "*Didasko*, etc.", TDNT, II, 135-165. W. A. Smith, *Ancient Education*, Nova York. Philosophical Library, 1955.

Mesopotâmia. Cyril J. Gadd, *Teachers and Students in the Oldest Schools*, Londres. Univ. of London, 1956. Samuel N. Kramer, "Schooldays", *Journal of the American Oriental Society*, LXIX (1949), 199-215; *The Sumerians*, Chicago. Univ. of Chicago, 1963, cap. 5.

Egípcia. Adolf Erman, *Life in Ancient Egypt*, Nova York. Macmillan, 1894, cap. 14; *The Ancient Egyptians*, Nova York. Harper & Row, 1966, pp. 54-85, 189-242. T. Säve-Söderbergh, *Pharaohs and Mortals*, Indianapolis. Bobbs-Merrill, 1958, pp. 195-205.

Judaica. Nathan Drazin, *History of Jewish Education*, Baltimore. Johns Hopkins, 1940. Eliezer Ebner, *Elementary Education in Ancient Israel During the Tannaitic Period*, Nova York, Block, 1956. Nathan Morris, *The Jewish School*, Londres. Eyre & Spottiswoode, 1937. Fletcher H. Swift, *Education in Ancient Israel*, Chicago. Open Court, 1919.

Grega. F. A. G. Beck, *Greek Education, 450-350 a.C.*, Londres. Methuen, 1964. W. W. Capes, *University Life in Ancient Athens*, Nova York. Stechert, 1922. C. A. Forbes, *Greek Physical Education*, Nova York. Century, 1929. Kenneth J. Freeman, *Schools of Hellas*, Londres. Macmillan, 1922. E. Norman Gardiner, *Athletics of the Ancient World*, Oxford. Clarendon, 1955, cap. 6. Moses Hadas, *Hellenistic Culture*, Nova York. Columbia Univ. 1959, cap. 6. W. Jaeger, *Paideia*, 3 vols., Oxford. Blackwell,

1936-45. H. Michell, *Sparta*, Cambridge Univ., 1964, cap. 6. Paul Monroe, ed., *Source Book of the History of Education for the Greek and Roman Period*, Nova York. Macmillan, 1910. W. W. Tarn, *Hellenistic Civilization*, Londres. Edward Arnold, 1959, cap. 8. John W. H. Walden, *The Universities of Ancient Greece*, Nova York. Scribner's, 1912. Romana. Jerome Carcopino, *Daily Life in Ancient Rome*, New Haven. Yale Univ., 1960, cap. 5, Donald L. Clark, *Rhetoric in Graeco-Roman Education*, Nova York. Columbia Univ., 1957. George Clarke, *The Education of Children at Rome*, Nova York. Macmillan, 1896. A. Gwynn, *Roman Education from Cicero to Quintilian*, Oxford. Clarendon Press, 1926. Jack Lindsay, *Daily Life in Roman Egypt*, Londres. Frederick Müller, 1963, cap. 5.

E. M. Y.

**EFÁ**
1. Um ramo dos midianitas (Gn 25.4. 1 Cr 1.33) que habitava no noroeste da Arábia, região rica em camelos e dromedários (Is 60.6). São chamados de Haiapâ nas inscrições assírias de Tiglate-Pileser III.
2. Mulher da família de Calebe (1 Cr 2.46).
3. Filho de Jadai, da família de Calebe, de Judá (1 Cr 2.47).
4. *Veja* Pesos, Medidas e Moedas.

**EFAI** Jeremias 40.8 menciona Efai, o netofatita, como pai de alguns dos capitães das forças que foram deixadas para trás em Judá para levar os prisioneiros para a Babilônia. Esses capitães foram identificados com Gedalias, governador dos judeus empobrecidos e dispersos em Mispa. Concomitantemente com o assassinato de Gedalias, eles também foram condenados à morte por Ismael, filho de Netanias (Jr 41.3).

**EFATÁ** Uma transliteração do termo aramaico usado por Jesus quando curou o surdo-mudo em Decápolis (Mc 7.34). É a forma imperativa, "Abre-te"; e com a palavra soberana de Jesus, a boca e os ouvidos do homem foram libertos da aflição.

**EFER ou HÉFER**
1. Segundo filho de Midiã, descendente de Abraão através de seu casamento com Quetura (Gn 25.4).
2. Terceiro filho de Esdras da tribo de Judá (1 Cr 4.17).
3. Um dos cinco chefes da casa de seu pai na meia tribo de Manassés que habitava entre Basã e o Monte Hermom (1 Cr 5.24). Era considerado como um homem famoso e poderoso, um homem de valor.

**EFES-DAMIM ou TERMO DE DAMIM**
Lugar de um acampamento dos filisteus para preparar seu ataque aos israelitas (1 Sm 17.1) Estava localizado entre Socó e Azeca. Golias abandonou o acampamento a fim de desafiar Israel a enviar um guerreiro que representasse essa nação. Foi sugerido que esse nome, isto é "fronteira de sangue", veio dos sangrentos encontros entre os israelitas e os filisteus. Outro conflito entre essas duas nações está registrado em 1 Crônicas 11.13, onde foi usada a forma abreviada Pas-Damim. A terra, quando recentemente arada, tem uma profunda coloração vermelha, e isso pode justificar seu nome. *Veja* Pas-Damim.

**EFÉSIOS** *Veja* Éfeso.

**EFÉSIOS, EPÍSTOLA AOS** Décimo livro do NT, classificado juntamente com Filipenses, Colossenses e Filemom como uma das epístolas da prisão, escrita por Paulo.

### Autoria

Até a época da alta crítica no século XIX, a Carta aos Efésios era universalmente considerada como obra de Paulo. Atualmente, ela está entre as quatro epístolas que os liberais geralmente negam como sendo uma obra de autoria paulina (as outras são 1 e 2 Timóteo e Tito). Durante os três primeiros séculos, ela foi atribuída a Paulo por Marcion, Irineu, Clemente de Alexandria e Tertuliano. Entretanto, a recente negação da autoria de Paulo tem baseado-se em evidências internas mais do que externas. Geralmente, quatro argumentos são apresentados como suporte à posição dos críticos. (1) Dizem que o vocabulário da carta contém 38 palavras que não são encontradas em nenhuma outra passagem do NT, e 44 palavras que não foram usadas por Paulo. Esse argumento deixa de reconhecer a versatilidade de Paulo e a influência do assunto no vocabulário. (2) Seu estilo, foi observado, é suave e muito fluente, enquanto Paulo era um escritor de estilo vigoroso, ríspido e controvertido. Novamente, tais críticas não deixam espaço para a versatilidade do apóstolo. Não há dúvida de que a carta aos Efésios representa um exemplo do estilo de Paulo quando não estava envolvido em controvérsias, mas em um tipo mais reflexivo de escrita. (3) Sua semelhança com Colossenses foi usada para se argumentar que um posterior admirador de Paulo tenha usado essa obra como modelo, ao compor outra carta em nome de Paulo. Entretanto, seria muito mais natural entender que o próprio Paulo escreveu Efésios um pouco depois de Colossenses, usando, com várias modificações, alguns dos termos e conceitos empregados na carta à igreja que estava em Colossos. (4) Diferenças doutrinárias são interpretadas como indicadores de uma autoria não paulina. No entanto, uma análise cuidadosa revela que as diferenças sugeridas não são, de modo algum, inconsistentes com os ensinos de Paulo encontrados em outras passagens. Deve-se, novamente, dar lugar à versatilidade de Paulo. Com base no testemunho unânime dos escritores da igreja primitiva, e à luz da natureza pouco convincente dos argumentos dos críticos, podemos com toda certeza afirmar que Efésios é produto da pena de Paulo.

## Destinatários

Embora a versão KJV em inglês traga como destinatários os santos que estavam "em Éfeso", as evidências encontradas nos manuscritos e a natureza geral dessa epístola foram utilizadas para sugerir que essa carta não estava restrita a Éfeso. Dois dos melhores manuscritos, o Vaticanus (aprox. 350 d.C.) e o Sinaítico (aprox. 375 d.C.), assim como o Papyrus Chester Beatty $P^{46}$ (aprox. 200 d.C.) omitem as palavras geralmente traduzidas como "em Éfeso". Além disso, Basílio o Grande, (329-379 d.C.) disse que essas palavras não foram encontradas em nenhum dos manuscritos antigos. A natureza impessoal dessa epístola bem como as diversas passagens sugerindo que Paulo não estava pessoalmente familiarizado com seus leitores (1.15; 3.2; 4.21), parecem exigir uma leitura mais detalhada. Portanto, existe uma razoável possibilidade de que Efésios tenha sido originalmente uma carta circular, talvez enviada a todas as igrejas da província romana da Ásia, da qual a igreja de Éfeso representava a principal congregação. Com o passar do tempo, por causa da proeminência adquirida por essa igreja, a epístola pode ter passado a ser chamada pelo seu nome. A possibilidade de esta carta ter sido endereçada à igreja de Laodicéia e de ser a chamada epístola "perdida" aos laodicences, deve ser cuidadosamente considerada, particularmente porque ainda existe uma considerável necessidade de se ter mais evidências internas para que tal afirmação tenha o suporte necessário.

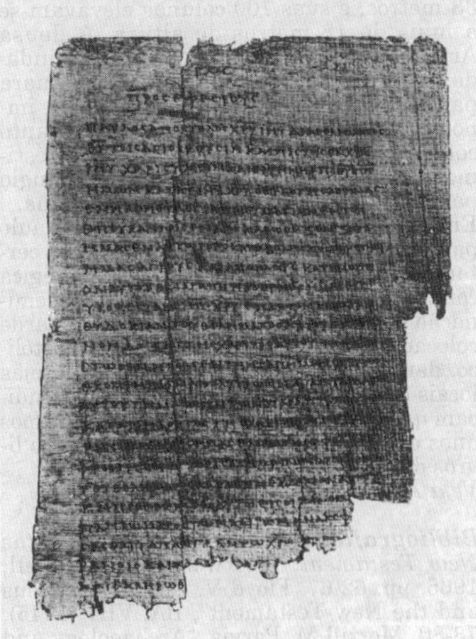

A primeira página de Efésios, dos papiros Beatty-Michigan. Biblioteca da Universidade de Michigan

## Data e Local da Obra

Essa carta contém provas de ter sido escrita durante uma experiência de prisão (3.1; 4.1; 6.20). Embora alguns, como George S. Duncan na obra *St. Paul's Ephesian Ministry*, tenham insistido que a epístola aos Efésios teve origem na prisão, juntamente com outras epístolas, a maioria dos estudiosos sustenta uma opinião tradicional favorável a uma origem romana. Tendo como base essa suposição, a epístola parece ter sido escrita durante o primeiro aprisionamento romano de Paulo (cf. At 28.16-31), talvez por volta do ano 60-61 d.C. Existem razões para se crer que ela tenha sido escrita pouco depois de Colossenses, e enviada junto com esta e Filemom pelas mãos de Tíquico (Ef 6.21,22; Cl 4.7,8).

## Mensagem da Epístola

O termo chave de Efésios é a palavra "mistério", sendo que sua primeira ocorrência é encontrada em 1.9,10. Aqui Paulo identifica o tema que controla a epístola, isto é, o desígnio do plano geral de Deus. O Senhor deseja a suprema união de todas as coisas em Cristo, e o principal instrumento que Ele está usando durante a presente era para alcançar seu objetivo é a igreja. Nessa nova comunidade de pessoas redimidas, Deus rompeu a barreira entre judeus e gentios e ambos foram unidos como um novo homem (2.14,15). Essa unificação de dois grupos, anteriormente opostos, representa o símbolo da unidade que deverá ser uma realidade entre todos aqueles que são membros do Corpo de Cristo. Nessa nova comunidade de santos não existem barreiras legitimas de nacionalidade, raça, cor ou cultura. A igreja é um único corpo em Jesus Cristo e, como tal, como afirma Francis W. Beare, "é o arauto da suprema unidade de toda a criação" ("The Epistle to the Ephesians", IB, X, 606). A partir desse primeiro passo de unificação Deus irá, no final, e de acordo com seu soberano propósito, unir todas as coisas em Cristo. Esse é o mistério do grande desígnio de Deus.

A unidade da igreja está representada em Efésios sob três grandes figuras. o templo (2.19-22), o corpo (4.11-16) e a noiva (5.21-33). Além disso, a fim de que essa unidade seja mais do que teórica, Paulo insiste que, em suas relações interpessoais, a igreja deve preservar a "unidade do Espírito pelo vínculo da paz" (4.3).

**Esboço**

I. Saudação, 1.1,2
II. Doxologia, 1.3-14
 A. A escolha de Deus Pai, 1.3-6
 B. A redenção feita por Cristo, o Filho, 1.7-12
 C. O selo de Deus, o Espírito Santo, 1.13,14
III. Ação de Graças e Oração, 1.15-23
IV. Discussão Doutrinária, 2.1–3.21
 A. A redenção dos gentios, 2.1-22
  1. Vista de forma pessoal, 2.1-10
  2. Vista de forma corporativa, 2.11-22
 B. O ministério aos gentios, 3.1-21
  1. A incumbência de Paulo, 3.1-13
  2. A oração de Paulo, 3.14-21
V. Discussão Prática, 4.1–6.20
 A. Exortação à unidade, 4.1-16
 B. Exortação a uma vida consistente, 4.17–5.20
 C. Exortações aos membros das famílias, 5.21–6.9
  1. Esposas e maridos, 5.21-33
  2. Filhos e pais, 6.1-4
  3. Escravos e senhores, 6.5-9
 D. Exortação para a preparação para a guerra espiritual 6.10-20
VI. Conclusão 6.21-24

***Bibliografia.*** F. F. Bruce, *The Epistle to the Ephesians,* Westwood, N. J.: Revell, 1961. Francis Foulkes, *The Epistle of Paul to the Ephesians,* TNTC. Charles Hodge, *A Commentary on the Epistle to the Ephesians,* Grand Rapids. Eerdmans, 1950. E. K. Simpson e F. F. Bruce, *Commentary on the Epistles to the Ephesians and the Colossians,* NICNT.

D. W. B.

**ÉFESO** A capital da província romana da Ásia, localizada na desembocadura do Rio Cayster na costa oeste da Ásia Menor. Por causa de suas boas instalações portuárias e das estradas que convergiam para aquele ponto, esta cidade de mais de 300.000 habitantes tornou-se o centro comercial mais importante da Ásia Romana. Ela vangloriava-se de vários armazéns que delineavam as margens do rio. Ruínas de um anfiteatro ainda podem ser vistas, medindo cerca de 160 metros de diâmetro e capaz de acomodar 25.000 pessoas.

A origem da cidade está oculta na antiguidade legendária. No entanto, por volta de 1044 a.C. colonizadores gregos, sob a autoridade de Androclo, expulsaram os antigos habitantes e estabeleceram uma cidade grega no local. Em 133 a.C., Éfeso, após uma história bastante diversa, tornou-se parte da província romana na Ásia.

A cidade ficou mais amplamente conhecida

Um pedestal de estátua com inscrições em uma das principais ruas de Éfeso. HFV

por seu templo de Ártemis (Diana), uma das sete maravilhas do mundo. Não se sabe quando o primeiro templo foi construído. A estrutura que havia nos dias de Paulo foi iniciada por volta de 350 a.C. Media 112 por 33 metros, e suas 100 colunas elevavam-se a mais de 18 metros de altura. A deusa Ártemis era originariamente uma divindade da fertilidade anatoliana que se tornara parcialmente helenizada. Além de sua importância religiosa, o templo servia tanto como um banco para depósitos e empréstimos de dinheiro, quanto como um refúgio para fugitivos. *Veja* Falsos deuses; Diana.

Em sua terceira viagem missionária, Paulo passou quase três anos em Éfeso (At 19), certamente por causa de sua posição estratégica como um centro propagador para a disseminação do Evangelho. Timóteo foi mais tarde colocado ali como um representante apostólico, dando assistência aos líderes das igrejas locais (1 e 2 Timóteo). Irineu e Eusébio indicam que o apóstolo João passou seus últimos anos em Éfeso, de onde escreveu os cinco livros do NT que lhe são atribuídos.

*Veja* Arqueologia.

***Bibliografia.*** E. M. Blaiklock, *Cities of the New Testament*, Westwood, N.J.. Revell, 1965, pp. 62-67. Floyd V. Filson, "Ephesus and the New Testament", BA, VIII (1945), 73-80. Merrill M. Parvis, "Archaeology and St. Paul's Journeys in Greek Lands", Part IV - Ephesus, BA, VIII (1945), 61-73. Howard

O grande teatro mencionado em Atos 19, capaz de comportar vinte e cinco mil pessoas

F. Vos, WHG, pp. 357-365. Alfons Wotschitzky, "Ephesus. Past, Present and Future of an Ancient Metropolis", *Archaeology*, XIV (1961), 205-212.

D. W. B.

**EFLAL** Um descendente de Judá através de Perez, Hezrom e Jerameel (1 Cr 2.37).

**ÉFODE**

1. Pai de Haniel, um líder da tribo de Manassés que ajudou a direcionar a distribuição da Canaã jordaniana oeste entre as tribos da ocupação (Nm 34.23).
2. Uma vestimenta de ombros sem mangas, usada pelo sumo sacerdote sobre outras roupas (Êx 28.28,29; 35.27; 39.2-21; Lv 8.7). *Veja* Vestuário. Era nas cores dourado, azul, púrpura e escarlate e fazia parte do traje cerimonial, ao qual a bolsa do oráculo contendo o Urim e Tumim era atado.

Nos textos assírios da Capadócia do século XIX a.C., as palavras semíticas *epadum* e *'epadu* aparecem em materiais ugaríticos (veja G. R. Driver, *Canaanite Myths and Legends*, pp. 102ss.). W. F. Albright interpreta o termo como uma túnica em forma de manto, atada ao ombro e deixando um braço livre. Ele acredita que o éfode sacerdotal era similar ao *ependytes* grego, um traje externo firmemente ajustado que era, freqüentemente, inteiramente coberto de ouro, prata e outra rica decoração (*Yahweh and the Gods of Canaan*, Garden City; Doubleday, 1968, p. 200-203).

3. Em 1 Samuel 2.18, o menino Samuel e, em 2 Samuel 6.14, o rei Davi são descritos como estando cingidos com um simples éfode de linho, talvez apenas um avental adequado para crianças jovens, tendo em vista que Mical repreendeu Davi por ter se despido em público (2 Sm 6.20). Assim, a roupa talvez cobrisse apenas a parte frontal do corpo.
4. Em várias passagens o significado é obscuro. O termo éfode refere-se a um objeto usado para obter-se oráculos (1 Sm 23.9-11; 30.7,8). Além disso, em 1 Samuel 14.18 na LXX lê-se: "Saul disse a Aías – Traze aqui o éfode; pois era ele quem o carregava na presença de Israel" (JerusB), onde "éfode" substitui o termo heb. para "arca de Deus" no Texto Massorético. O texto 1 Samuel 14.3 declara que Aías estava carregando (heb. *nose'*) não "vestindo" um éfode. Em 1 Samuel 2.28, Eli é lembrado de que a tribo de Levi foi escolhida, entre outros deveres, "para trazer o éfode" (JerusB; he. *lase'th*, de *nasa'*). Assim como Saul ordenou a Aías, em duas ocasiões Davi pediu que Abiatar lhe trouxesse o éfode (1 Sm 23.9; 30.7). Sendo assim, ele era portátil, embora fosse grande o bastante para esconder a espada de Golias que estava envolta num pano detrás dele (1 Sm

21.9) no santuário em Nobe.
Gideão fez um éfode com as argolas (ou pendentes) de ouro tomadas dos midianitas derrotados, e o colocou em sua própria cidade, Ofra; este se tornou um objeto de adoração idólatra para "todo o Israel" (Jz 8.26,27). Mica tinha um objeto de culto assim em seu santuário (Jz 17.5; 18.14-20) juntamente com terafins e outras imagens para o propósito de adivinhação. Assim se pode concluir que este tipo de éfode era um instrumento de culto oracular, do qual uma resposta podia ser obtida por meio da inserção da mão (1 Sm 14.19). Veja Anthony Phillips, "David's Linen Ephod", VT, XIX (1969), 485-487.

R. O. C. e J. R.

**EFRAIM**[1] O nome "Efraim" é construído sobre uma raiz significando "ser próspero" ou "frutífero" (Gn 41.52). Sua forma dupla e suas profecias acrescentadas por Jacó (Gn 48.19) e Moisés (Dt 33.17) indicam grande prosperidade.
1. *O filho de José.* O nome foi dado por José a seu segundo filho (Gn 46.20). Ambos os filhos foram adotados por Jacó e ele os considerava como seus próprios filhos (Gn 48.5). Embora Efraim fosse o segundo, Jacó insistiu em dar a ele a principal bênção (Gn 48.20).
2. *O território.* O nome Efraim também foi aplicado ao território conferido a esta tribo na terra prometida (Js 16; cf. 1 Cr 7.28,29). Os limites não foram determinados com precisão. Aproximadamente, porém, ia de Gilgal a Betel e à parte baixa de Bete-Horom, a oeste de Gezer, a norte de Lode, a oeste em direção ao mar, a norte do ribeiro de Caná, a leste por Tapua, Janoa e Taanate-Siló até Atarote, então ao sul a Naarate e Gilgal. Este território era um campo montanhoso com vales férteis e um período de chuvas melhor do que o que era desfrutado mais ao sul.
3. *A tribo.* A tribo de Efraim era proeminente por causa de seus números, de seus centros de influência, e dos líderes que dela surgiram. Seus números são revelados pelo censo descrito em Números 1.33 (40.500) e em Números 26.37 (32.500). Estes números cumpriram as predições de Jacó e Moisés.
Seus centros, em uma época ou em outra, incluíam: (1) Siquém, entre o monte Ebal e o monte Gerizim, perto do pedaço de terra deixado por Jacó como herança a José e no qual os ossos de José foram sepultados (Js 24.32), perto do qual as bênçãos e as maldições da lei foram proclamadas a partir dos declives mais baixos das montanhas (Js 8.33,34); (2) Siló, onde a arca foi mantida até os dias de Eli (1 Sm 1.3); (3) Betel, a cidade situada em sua fronteira sul, que se tornou a mais importante dos dois centros de adoração estabelecidos por Jeroboão I (1 Rs 12.26-33; Am 7.10-13).
Seus líderes extraordinários incluíam: (1) Josué, o filho de Num, capitão da batalha contra os amalequitas em Refidim (Êx 17.13), servidor de Moisés na tenda da congregação no Sinai (Êx 33.11), um dos 12 que espiaram a terra prometida e um dos dois que deram um relatório favorável (Nm 14.6), sucessor de Moisés como líder de todo o Israel, e que dirigiu tanto a conquista como a divisão da terra a oeste do Jordão (Js 14.1); (2) Samuel, o último dos juízes, o profeta de quem todo o Israel procurava receber a palavra de Deus, e o líder que preparou o caminho para o reino (1 Sm 12.6-25); (3) Jero-

Uma vista de uma das ruas pavimentadas com mármore em Éfeso, com o porto assoreado visível à distância entre as duas primeiras colunas à direita. HFV

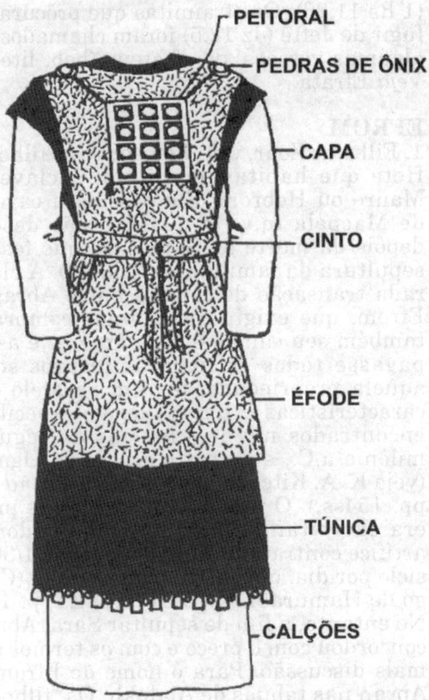


Éfode

boão, filho de Nebate, o primeiro rei sobre as dez tribos que se rebelaram contra a casa de Davi (1 Rs 12.19,20).

4. *O reino*. O nome Efraim foi freqüentemente usado nos dias posteriores para o reino do norte (cf. 2 Cr 25.7; Os 5.3; 6.10; 10.6; Is 7.2; Jr 7.15). A adoração ao bezerro, estabelecida por Jeroboão, o filho de Nebate, levou à corrupção moral que culminou com a destruição e o cativeiro, como fora profetizado por Amós, Oséias, Miquéias e Isaías. Os profetas, porém, predisseram a restauração de um pequeno remanescente no reino do Messias (Os 14.8; Is 11.13; Jr 31.7-9,20; Ez 37.16-23; 48.5; Zc 10.7).

J. W. W.

**EFRAIM**[2] Uma das cidades de Israel que Abias tomou durante o conflito com Jeroboão (2 Cr 13.19; Efrom, q.v.). É conjeturado que este é o mesmo lugar referido como Efraim na experiência de Jesus registrada em João 11.54. *Veja* Ofra; Efraim, Cidade de.

**EFRAIM, BOSQUE DE** De acordo com 2 Samuel 18.6, o conflito entre as forças de Davi e Absalão ocorreu nesta extensão de terreno escarpado que era coberto de árvores e arbustos. O contexto situa a área a leste do Rio Jordão nas cercanias de Maanaim. Uma vez que o território de Efraim ficava a oeste do Jordão, a origem do nome deste bosque é desconhecida. Talvez o nome Bosque de Efraim advenha da derrota dos efraimitas nas mãos de Jefté e dos gileaditas (Jz 12.1,4,5); ou o nome pode ainda ter sido dado em uma data posterior, depois que a batalha terminou, como um lembrete da loucura de Efraim. Uma outra hipótese é que alguns efraimitas estivessem insatisfeitos com sua porção na partilha, e por esta razão fizeram uma colônia na área de Manassés (Js 17.14-18). O motivo exato desta designação, porém, permanece incerto.

C. M. H.

**EFRAIM, CIDADE DE** A passagem em João 11.54 retrata Jesus deixando a Judéia e partindo para a região próxima ao deserto, para uma cidade chamada Efraim, por causa da ameaça de violência por parte dos sacerdotes após a ressurreição de Lázaro. O local pode ser a moderna et-Taiyibeh, situada em uma proeminente colina cônica que tem uma ampla vista do vale do Jordão e do Mar Morto. Fica cerca de 8 quilômetros a nordeste de Betel e cerca de 24 quilômetros de Jerusalém. Ela tem sido identificada com Ofra (q.v.) de Josué 18.23 e 1 Samuel 13.17, e também com Efraim (Efrom), a cidade capturada por Abias de Jeroboão (2 Cr 13.19). No entanto, a Efraim referida em 2 Samuel 13.23, para a qual Absalão convidou toda sua família para as comemorações relativas à festa da tosquia, pode ser o próprio monte de Efrom de Josué 15.9. Ela fica perto de Quiriate-Jearim que também é chamada de Baalá, correspondendo à Baal-Hazor de 2 Samuel 13.23.

C. M. H.

**EFRAIM, MONTANHAS DE** Uma comparação de Josué 17.15; 19.50; 20.7; 21.21; Juízes 2.9; 3.27 e 1 Samuel 1.1 revela o uso coletivo do termo. Isto é, nenhum único monte sequer é apresentado em cada caso, mas a referência é ao campo ou região montanhosa que caracterizava todo o território da tribo de Efraim. Este termo aplica-se à parte maior do cume central das montanhas da Palestina, no lado oeste do Jordão, do norte de Siquém ao sul de Betel.

**EFRAIM, PORTA DE** *Veja* Jerusalém: Portas e Torres 6.

**EFRAIMITA** Em Josué 16.10; Juízes 12.4,5,6, o termo efraimita é usado para denotar qualquer pessoa da tribo de Efraim (q.v.).

**EFRATA**

1. Efrata é o antigo nome de Belém (Gn 35.16,19; 48.7). Os textos de Rute 4.11 e Miquéias 5.2 parecem sugerir que Efrata

O vale do Líbano, ao norte de Siló na região das montanhas de Efraim. JR

era um distrito no qual Belém estava situada. Embora os nomes sejam diferentes, elas referem-se à mesma área. O Salmo 132.6 menciona a ocasião em que Davi encontrou a arca após ter ouvido que ela estava em Efrata. A questão é, qual era a intenção do uso deste termo? Significa um local na área de Belém, ou pode significar algum outro? Alguns supõem que ela aqui signifique Quiriate-Jearim, referida como Efrata. Uma vez que Quiriate-Jearim situava-se na fronteira ao norte de Judá, o termo também pode referir-se poeticamente aos territórios tribais ao norte de Judá. Elas são, às vezes, mencionadas coletivamente pelo nome de sua tribo mais forte, Efraim, cujo apelido era Efrata (significando "fertilidade"; cf. Gn 49.22) como é sugerido pelo uso do termo efrateu em 1 Samuel 1.1; Juízes 12.5 (heb.); 1 Reis 11.26.

2. A segunda esposa de Calebe (1 Cr 2.19,50).

C. M. H.

**EFRATEU** Um habitante de Efrata ou Belém (1 Sm 17.12; Rt 1.2). Elcana, um levita que habitava na área de Efraim, é chamado de efrateu ou efraimita (1 Sm 1.1). Jeroboão é identificado como um efraimita (1 Rs 11.26). Os efraimitas que procuraram fugir de Jefté (Jz 12.5) foram chamados, em algumas versões, de efrateus (heb. literal). *Veja* Efrata.

**EFROM**

1. Filho de Zoar, um chefe entre os filhos de Hete que habitavam em um enclave em Manre ou Hebrom. Ele possuía a caverna de Macpela (q.v.) a qual Abraão desejou depois da morte de Sara para que fosse a sepultura da família (Gn 23.8-18). A elaborada transação de compra entre Abraão e Efrom, que exigiu que Abraão comprasse também seu campo e suas árvores e assim pagasse todos os tributos futuros sobre aquela propriedade, faz um paralelo com características e termos legais específicos encontrados nas leis hetéias do segundo milênio a.C., e no texto acádio de Ugarite (veja K. A. Kitchen, *Ancient Orient and OT*, pp. 154ss.). O preço de 400 siclos de prata era exorbitante, pois um trabalhador ou artífice contratado ganhava apenas 1/30 de siclo por dia, ou 8 a 12 siclos por ano (Código de Hamurabi, #273-277; ANET, p. 177). No entanto, a fim de sepultar Sara, Abraão concordou com o preço e com os termos sem mais discussão. Para o nome de Efrom cf. Apran nas tábuas de Alalakh. Os "filhos de Hete" podem originar-se da migração proto-hetéia ou hatiana da Anatólia no terceiro milênio a.C. *Veja* Heteus.

2. Uma montanha ou distrito montanhoso entre Neftoa e Quiriate-Jearim, na fronteira entre Judá e Benjamim (Js 15.9), provavelmente na região de floresta entre Jerusalém e Bete-Semes.

3. Uma cidade perto de Betel que Abias, de Judá, capturou de Jeroboão I (2 Cr 13.9 com base no Texto Masorético escrito, um fragmento Cairo Geniza, LXX, e Vulgata). A indicação ou vocalização do Texto Massorético indica *'eprayin*, Efraim (q.v.). É provavel-

Os campos dos Pastores com Belém à distância. HFV

Verdadeiramente o "Egito é o Nilo". Além do sedimento de aluvião lançado anualmente pelo Nilo, a inundação alcança o deserto até onde os olhos são capazes de enxergar. HFV

mente Ofra (q.v.), uma cidade de Benjamim (Js 18.23), provavelmente sendo identificada com a aldeia de et-Taiyibeh, 7 quilômetros a noroeste de Betel.

J. R.

**EGITO, RIO DO** *Veja* Rio do Egito.

## EGITO

### Nome

O nome Egito é derivado da palavra grega *aigyptos* que, geralmente, acredita-se ser uma corruptela da palavra egípcia *Ht-k3-pth,* isto é, "a casa de Ptah", nome dado à antiga cidade de Mênfis, a mais antiga capital do Egito unificado. O nome hebraico para Egito era *Misrayim,* um termo cuja forma e significado são duvidosos. Muitas vezes, esse nome é adotado sob uma forma dupla e, como tal, reflete as "Duas Terras" egípcias, nome comum egípcio para o país, baseado em sua origem, isto é, a união do Egito Superior e Inferior. Os egípcios tinham vários nomes para sua terra. Uma designação geográfica, por exemplo, dizia Egito *Kemet*, "ou Terra Preta" para contrastar o escuro solo de aluvião do vale, com os tons avermelhados do deserto que o circundava.

### Geografia

Embora em certas ocasiões de sua antiguidade histórica, o Império Egípcio tenha estendido desde a Sexta Catarata do Nilo ao sul, incluindo a Palestina e a Síria no lado noroeste, e chegado até o Rio Eufrates, o Egito propriamente dito era limitado pela parte noroeste da África. Ao norte, seu limite era o Mar Mediterrâneo e do lado leste o Mar Vermelho; sua fronteira ao sul estava localizada em Assuã e na ilha Elefantina. A oeste o território egípcio alcançava o Deserto da Líbia, incluindo os importantes oásis daquela área. Na realidade, a nação egípcia parece ter sido um pouco mais restrita. Era um país essencialmente agrícola e sua terra arável e cultivável estava limitada ao Vale do Nilo, uma estreita faixa de solo extremamente fértil que variava de um a vinte quilômetros de largura. Como a distância da cidade do Cairo até Assuã é superior a 900 quilômetros, parece que a principal dimensão do Egito era seu comprimento, e que a característica dominante da sua geografia era o Rio Nilo.

É praticamente impossível exagerar quando se fala da importância do Rio Nilo para o Egito, pois sem suas águas todo o país seria um deserto árido e estéril. Os antigos estavam completamente conscientes do papel desse rio e, nas eras seguintes, Hecateu, ecoado por Heródoto, declarou que o Egito era a "dádiva do Nilo" (*veja* Nilo). O rio lacerava o vale, carregava o sedimento de aluvião e, anualmente, inundava a terra com sua torrente vivificadora. O país é quase desprovido de chuvas. Alguns centímetros de água caem todos os anos ao longo da costa do Mediterrâneo e a cidade do Cairo tem ocasionais aguaceiros de inverno, mas no Alto Egito a chuva é um raro fenômeno. A inundação anual do rio, saturando a terra, acrescentando um novo solo e levando algum material orgânico como fertilizante tem representado a base para a agricultura típica desse país. A irrigação e o controle da água eram muito importantes e até hoje a economia da nação está centrada nesse rio.

Exatamente ao norte da cidade do Cairo, o Delta abre-se com uma forma característica, com 200 quilômetros de comprimento e 185 de largura. Foi na parte oriental dessa área, ao longo do Uádi Tumilat, que estava

A pirâmide de degraus e seu templo. HFV

localizada a terra de Gósen.
Essas características, além do longo ducto do rio e seu Delta, constituíam a principal base geográfica para a divisão do país em Egito Superior e Inferior (termos baseados na altitude), embora o último consistisse do Delta mais uma pequena parte do vale em direção ao sul. Essa divisão já existia antes do período histórico e nunca foi esquecida, pois o nome "as Duas Terras" permaneceu como um nome popular para o Egito, lembrando, de várias maneiras, a dupla origem do país. Para as finalidades administrativas, ambas as áreas foram logo divididas em áreas menores, cada uma com um nome e um emblema distinto. Na época dos gregos, essas unidades eram chamadas de "*nomes*", ou províncias do antigo Egito, e existiam 20 delas no Egito Inferior e 22 em sua contrapartida ao sul.
A geografia em muito contribuiu para o curso do desenvolvimento do Egito como nação e centro cultural. Embora as dimensões da terra apresentassem uma desvantagem para a instalação de um governo estável e de uma cultura unificada, o rio era um excelente meio de comunicação e transporte e servia como fator de homogeneização e de unificação. No decorrer de sua longa história, o Egito viveu dentro de uma comparativa segurança e estabilidade, com a oportunidade de desenvolver-se internamente e de participar da troca de idéias e produtos com outras nações.
Por causa de sua especial localização, o país era admiravelmente protegido das periódicas e indiscriminadas invasões. O vale estava cercado por proibitivos desertos de areia estéril e de uma variedade de penhascos rochosos. No lado oeste encontrava-se o Deserto da Líbia e, além dele, a vastidão do Saara; no lado oriental, estava o Deserto do Sinai e, mais ao sul, ao longo do Mar Vermelho, o Deserto da Núbia. Ao sul, as cataratas dificultavam a invasão de estrangeiros pela rota das águas, e a localização de fortes em pontos estratégicos tornava muito fácil defender qualquer aproximação por esse lado. As seções mais vulneráveis estavam localizadas nas extremidades do Delta, particularmente nas proximidades do oceano. No lado noroeste, os habitantes da Líbia, às vezes, tornavam-se ameaçadores, mas, geralmente eram mantidos sob controle pela força das armas. O maior perigo vinha do nordeste, embora o Sinai formasse uma espécie de pára-choque, e a marcha, ao longo da costa desértica, representasse uma enorme proeza para qualquer exército. Na época do Reino do Meio essa fronteira era guardada por fortes e postos de controle fronteiriços, pois os reis invasores conheciam bem os perigos advindos desses acampamentos de soldados. A partir dessa direção, as raras invasões mais características eram feitas pelos asiáticos, Hicsos, Povos do Mar, Assírios, Babilônios, Persas e Gregos.
A geografia e o clima foram benévolos para com os egípcios. Embora a variação da temperatura fosse muito grande, ela não chegava a ponto de congelamento e o calor geralmente era moderado durante a noite. Até os ventos sopravam a favor da terra, pois o predominante vento do norte movia as embarcações a vela em sua viagem rio acima em direção ao norte, e proporcionava um agradável frescor nas casas orientadas para receber "as doces brisas do norte".
O meio ambiente fazia do Egito uma extraordinária área para a prática da arqueologia. A grande quantidade de pedras para a construção de edifícios e para a arte estimulava uma arquitetura e uma estatuária monumentais, de magníficas proporções e excelente acabamento. A ausência de chuva e

Estátua de Ramsés II no templo de Luxor. HFV

Deuses egípcios feitos de bronze incrustados com ouro e prata; Osíris à esquerda e Ptah à direita. LM

gelo preservava os monumentos desses perniciosos elementos, enquanto os ventos sopravam sobre as areias secas para protegê-las do sol e da atmosfera, de tal maneira que os frágeis fragmentos de papiros e as pinturas em gesso e barro conservaram-se intactos e com uma aparência de novos.

## Religião

O estudo da religião egípcia é extremamente complexo, pois (1) a fonte desse material é tão grande que chega a ser de difícil manuseio; (2) esses materiais variam enormemente quanto à natureza, isto é, de documentos em papiros até a arquitetura e a decoração de vários complexos de templos; (3) as fontes cobrem um tremendo espaço de tempo e (4) a maioria dos registros é muito heterogênea, pois os escribas combinavam indiscriminadamente escritos de diferentes lugares e épocas.

A história da religião do Egito tem recebido considerável atenção. Alguns estudiosos acreditaram que existiam provas de um monoteísmo primitivo no Egito, embora houvesse uma grande multiplicidade de deuses locais cujos destinos muitas vezes variavam com a história política. Com a reunião das duas terras, o rei foi identificado com Horus, o deus falcão do Egito Superior. Outras divindades de grande importância incluíam Ptah, o deus de Mênfis, Re, o deus sol de Heliópolis, que alcançou proeminência na época da Quinta Dinastia, Amon-Rá, o deus do Império de Tebas, Osíris e Ísis, depois adotadas pelas misteriosas religiões da Grécia e Roma; Set, o inimigo de Osíris e Horus, Hator, a deusa-vaca, Khnum (ou Khnemu), o deus de Elefantine e Thot o deus da escrita e da sabedoria. Muitas vezes, os deuses eram reunidos em grupos de três ou nove.

Muito tem sido escrito sobre as inovações religiosas de Amenotep IV (Akhenaton) que tentou promover o disco solar, Aton, como a única ou principal divindade. Depois de amplamente divulgada como uma espécie de monoteísmo, a religião de Akhenaton tem sido recentemente avaliada de forma mais crítica. Não há dúvida de que o movimento tinha implicações políticas, mas a maior parte de seu conteúdo não era original e sua prática era muito limitada. Com a morte de Akhenaton, o atonismo logo desapareceu e os sacerdotes de Amon recuperaram sua supremacia.

A religião egípcia tinha elevados conceitos éticos, mas a maior parte de sua literatura estava preocupada apenas com a vida depois da morte e é evidente, a partir das inovações introduzidas em vários períodos, que nenhuma resposta definitiva foi encontrada.

A vida religiosa no Egito não fez nenhuma contribuição à Bíblia, no entanto ela realmente afetou a história religiosa de Israel, pois os deuses do Egito eram uma fonte de grave apostasia (Ez 20.5-9; 23.3,8,19-21,27).

O bezerro de ouro, construído no Monte Sinai, e a posterior adoração do bezerro de Jeroboão I, representam exemplos concretos dessa idolatria.

### História

Em se tratando de alguns períodos, a cronologia do Egito ficou bem estabelecida, mas, para outros, como os conturbados "Períodos Intermediários", uma parte considerável de sua história ainda permanece desconhecida. Entretanto, o Egito é uma nação afortunada porque está de posse de abundantes materiais para estudos cronológicos. Para os primeiros períodos históricos existe a Pedra de Palermo, que fornece uma relação abreviada de governantes e de eventos significativos desde a Quinta Dinastia. O Papiro Turim amplia essa relação de reis, mas esse documento está incompleto e sofreu danos irreparáveis quando foi enviado ao Museu de Turim. Outras relações de reis ficaram conhecidas a partir de Sakkarah, Abydos e Karnak. Além disso, muitas referências históricas estão datadas em termos do ano do reinado de cada rei. Às vezes, os registros tinham datas cruzadas conforme o Sothic Cycle, um período de 1.460 anos determinado pela correspondência entre o início da inundação anual e o aparecimento helíaco da constelação de Cão (Sotis, Sirius).

As culturas, nas quais foi dividido o período pré-dinástico do Egito, foram nomeadas conforme os "sítios-típicos" segundo os quais uma particular cultura era a primeira ou a mais tipicamente encontrada pelos arqueólogos. Conseqüentemente, existem nomes como Merimdian, Tasian, Badarian, Gerzean etc. Não é possível atribuir datas absolutas a essas culturas, embora o Carbono 14 e outros testes semelhantes possam ser

A grande pirâmide. Herbert Lockyer, Jr.

Amenemhet III. LL

usados para determinar uma data aproximada. Datas relativas podem ser determinadas com base na tipologia e para alguns períodos a seqüência torna-se quase certa através da estratificação, embora a escavação estratificada de sítios seja rara no Egito. Sir Flinders Petrie, "o pai da Egiptologia", formulou um sistema seqüencial para datar a pré-história egípcia; este tem sido muito útil, mas, atualmente, precisa passar por uma revisão.

No século III a.C., um sacerdote e historiador egípcio chamado Manetho dividiu os reis do Egito em 30 dinastias, desde a unificação da terra até sua conquista por Alexandre o Grande. Embora muito pouco de seus escritos tenha chegado até nós, e o que chegou tenha sido o resultado da preservação por outros autores, as dinastias foram agrupadas em períodos bem padronizados que servem como títulos úteis para sua identificação e discussão até o presente. Apresentamos aqui esse resumo, acompanhado de uma breve discussão.

*Pré-dinástico* (Dinastias I-II; 3100-2700 a.C.). A tradicional relação de Manetho considera Menes como o primeiro rei das Duas Terras. Vindo de Thinis, ao sul, ele estabeleceu a reunião do Egito Superior e Inferior e localizou a capital na "Parede Branca", cidade que mais tarde ficou conhecida sob o nome de Mênfis. Alguns estudiosos acreditam que ele deve ser identificado com Aha e/ou Narmer. Grandes

Uma estátua da rainha Hatshepsut de Deir el-Bahri. LL

tumbas reais desse período foram encontradas em Sakkarah e Abidos.

*O Velho Reino* (VR, Dinastias III-VI; 2700-2200 a.C.). Esse período, a era dos grandes construtores de pirâmides, representou uma época notável na história egípcia. Suas conquistas arquitetônicas são particularmente famosas; porém igualmente notáveis são suas conquistas na medicina, literatura e artes. Os provérbios de Ptahhotep, um vizir da Dinastia V, foram preservados e um dos papiros médicos mais conhecidos, o *Edwin Smith Surgical Papyrus* teve sua origem no Velho Reino (*veja* Doença). Os cânons da arte egípcia foram estabelecidos, juntamente com outras tradições culturais que permaneceram basicamente imutáveis no decorrer da história do país.

O dogma político dessa época retratava o rei como um governante absoluto, indiferente, austero, remoto e impassível perante as vicissitudes da vida e do tempo. A renomada estátua de Khafre, no Museu do Cairo, transmite a impressão do rei como uma divindade encarnada e inacessível, uma excelente e efetiva obra de arte.

A dinastia III testemunhou a construção da pirâmide de degraus de Djoser, em Sakkarah. Imhotep, o arquiteto desse complexo, foi mais tarde considerado pelos gregos como semelhante ao seu deus da medicina. Outras pirâmides foram construídas, porém a maior delas ainda permanece em Gizé, a obra de três reis da Quarta Dinastia, Khufu, Khafre e Menkaure conhecidos pelo mundo grego como Quéops, Quéfren e Miquerinos. Os reis das últimas duas dinastias também tinham suas pirâmides em Sakkarah; dessas tumbas vieram os escritos religiosos conhecidos como *Pyramid Texts*. Dificuldades fiscais, problemas internacionais e fatores correlatos causaram a queda do Velho Reino.

*Primeira Desintegração ou Primeiro Período Intermediário* (Dinastias VII-XI; 2200-2050 a.C.). Esse período ficou marcado por um levante popular, confusão e incertezas. O rompimento de velhos valores produziu um pessimismo que se refletiu na literatura, porquanto os homens estavam tateando no escuro à procura de um significado para a vida. Trabalhos notáveis desse período incluem o Diálogo de um Homem Cansado da Vida, O Canto de Harper e os escritos de Ipuwer. As Dinastias VII(?)-VIII tinham sua capital em Mênfis, as dinastias IX-X em Herakleopolis e a dinastia XI em Tebas.

Por fim, uma situação política estabilizou-se quando Mentuhotep II, da Dinastia XI (cerca de 2060-2010 a.C.) esmagou o rei oponente em Herakleopolis e uma nova e próspera era sucedeu-se com o *Reino do Meio* (RM, Dinastia XI-XII; 2050-1786 a.C.). Muitos egiptólogos consideram essa era como o grande período do antigo Egito, com o reflorescimento da arte e da arquitetura. Este foi o período clássico da língua egípcia, e do RM vieram histórias como "O relato do camponês eloqüente", "as aventuras do nobre Sinuhe" e, na literatura religiosa, os Textos dos Sarcófagos. Todos os reis da Dinastia XII eram chamados de Amenemhet ou Senusert (Sesóstris). A capital estava localizada em It-towy, perto de Lisht, não muito longe de Fayum.

Esta foi uma época de projetos de engenharia – tais como as tentativas de controlar as águas do Nilo – e também de uma expansão imperialista. A Núbia, ao sul, estava ocupada e protegida por fortes, e do lado noroeste havia uma crescente atividade no Sinai. Durante os tenebrosos tempos da desintegração, os nobres haviam alcançado muito poder, de forma que o RM tornou-se uma espécie de monarquia feudal. Por volta da metade de seu reinado, Senusert III (1878-1843 a.C.) reduziu a posição dos nobres provinciais, passando a administrar todo o país através dos cargos de vizir. Os registros egípcios não revelam como isso foi possível, mas a compra da terra feita por José paro Faraó, durante a epidemia de fome (Gn 47.20), oferece uma possível explicação. O rei está representado em uma estátua como um governante aflito, como um preocupado e eficiente "pastor" do povo. Uma ênfase maior foi colocada no *ma'at*, "justiça, direito, a ordem própria das coisas".

*O Segundo Período Intermediário* (Dinastias XIII-XVII; 1786-1580 a.C.). As Dinastias XIII-XIV foram de menor importância; as Dinastias XV-XVI foram dos governantes hicsos dos quais os egípcios mais tarde falavam com desprezo. Os hicsos, "governantes de outros países", assumiram amplamente o modo de vida egípcio, e alguns estudiosos acreditam que foram hábeis administradores; sendo assim, as referências feitas a eles eram preconceituosas. Eles introduziram muitos elementos na cultura do país, inclusive um melhor armamento que os nativos adotaram e usaram contra eles. A Dinastia XVII, uma geração local de Tebas, iniciou a luta para expulsar os hicsos. Esse esforço teve uma vitoriosa conclusão através de Ahmose, o primeiro rei da Dinastia XVIII. *Veja* Hicsos.

O *Novo Reino ou Império* (Dinastias XVIII-XX; 1580-1090 a.C.) representou o ponto alto da expansão territorial egípcia, uma era de conquistas e de prosperidade material. Agora, o objetivo real estava dirigido à destreza física do divino rei, para fazer dele um homem de força insuperável e um habilidoso atleta. Dentre os governantes mais proeminentes desse período podemos destacar os seguintes. (Dinastia XVIII) Hatshepsut, a mulher rainha, possivelmente a princesa que encontrou o bebê Moisés (Êx 2.5-10), bastante conhecida por seu belíssimo templo mortuário em Deir el-Bahri, com delicados relevos mostrando a lenda de seu nascimento e uma viagem ao Punt (nome egípcio antigo para uma área não totalmente identificada que se acredita ser a Somália). Tutmósis III (1504-1450 a.C.) foi um hábil veterano militar cujas 17 expedições para a Palestina-Síria serviram para realmente estruturar o império. De acordo com a data inicial que se assume para o Êxodo (cerca de 1445 a.C.) ele teria sido o Faraó da opressão (Êx 2.15,23; *veja* Êxodo, O) e seu filho, Amenotep II, teria sido o faraó do Êxodo (Êx 5–14). Amenotep III, justamente apelidado de "O Magnífico" e notável pelo seu suntuoso modo de viver, que juntamente com Amenotep IV (Akhenaton) foi muito responsável pela perda temporária do império asiático através de sua rejeição aos pedidos de ajuda recebidos daquela área (*veja* Amarna, cartas de). Na Dinastia XIX, Seti I e Ramsés II (1304-1234 a.C.) renovaram a atividade egípcia nas províncias asiáticas. De acordo com a última data que se assume para o Êxodo, esses dois reis seriam os prováveis Faraós da opressão e do Êxodo, respectivamente. O último também ficou famoso por suas realizações no campo da construção; seus monumentos e inscrições o identificam como uma pessoa extremamente egoísta. Seu filho, Merenptá gabava-se de ter destruído Israel em uma campanha realizada na Palestina, a primeira menção feita fora da Bíblia a essa nação.

Ramsés III, o famoso governante da Dinastia XX salvou o Egito de uma invasão dos Povos do Mar (incluindo os filisteus) e construiu seu templo mortuário em Madinat Habu. O Período do Império foi uma era cosmopolita, uma característica que terminou com o colapso desse império. Influências externas minaram a força das características culturais que eram distintamente egípcias, e até o exército tornou-se uma força mercenária composta por estrangeiros.

O *Período Pós-Império ou Período de Declínio* (Dinastias XXI-XXX; 1090-331 a.C.) viu o

Tutmósis III. LL

Egito sob domínio estrangeiro por várias vezes. Na Dinastia Líbia (XXII), Sheshonk (o Sisaque da Bíblia) invadiu vitoriosamente a Palestina (926 a.C.). A dinastia XXV era cuxita ou etíope, mas seu povo estava imbuído de tradições egípcias, e era mais egípcio que os próprios egípcios daquela época.

A despeito das invasões assírias, houve um ressurgimento de energia nativa no *Período Saite* (Dinastia XXVI; 663-525 a.C.), mas ela foi acompanhada por uma visão retrógrada que geralmente impedia o progresso. Neco II (610-595 a.C.) tentou, sem sucesso, cavar um canal desde o Rio Nilo até o Mar Vermelho, mas, por fim, enviava navios fenícios para circunavegar toda a África.

Em 525 a.C., o Egito caiu sob domínio persa (Dinastias XXVII-XXX; 525-331 a.C.). Em 331, Alexandre o Grande, terminou com as Dinastias nativas e, depois de sua morte (323 a.C.) o Egito foi governado pelos Ptolomeus até se tornar uma província de Roma em 31 a.C.

### O Egito e a Bíblia

O Egito aparece na Bíblia desde o Gênesis até o Apocalipse. A maioria das referências tem uma natureza histórica ou profética e é encontrada principalmente no A.T. O Egito (*Mizraim*) é mencionado pela primeira vez em Gênesis 10.6, quando seu nome aparece na Tábua das Nações como um dos filhos de Cam. Ele figura nas narrativas patriarcais como lugar de refúgio para Abraão em uma época em que a epidemia da fome espalhava-se pela Palestina. Colheitas desastrosas eram raras no Egito e seu solo fértil produzia de forma regular e abundante. Era natural que esse país exercesse o papel de uma "cesta de pães" e grandes quantidades de trigo eram exportadas para a Itália na época de Roma.

A presença de asiáticos no Egito, aproximadamente na época de Abraão, foi ilustrada através de uma pintura mural na tumba de Khnumhotep II, em Beni Hassan, freqüentemente reproduzida. Nessa pintura são representados 37 asiáticos levando mercadorias para o Médio Egito. Os temores de Abraão a respeito de sua vida e da captura de sua esposa Sara para o harém do rei, aconteceram de forma parcial. A variada literatura originada do antigo Egito não fornece paralelo preciso desse incidente. Embora o Conto dos Dois Irmãos seja citado às vezes a esse respeito, uma leitura da história revela que as circunstâncias eram muito diferentes. A esposa de Bata queria que seu marido fosse morto para que ela passasse a fazer parte da casa do Faraó.

A menção de camelos no Egito (Gn 12.16), no início do 2º milênio a.C., representa atualmente um problema não resolvido, pois não existe nenhuma palavra para camelo nos hieróglifos e nenhum desses animais é representado nas cenas pintadas nas tumbas. Aguardamos futuras evidências. *Veja* Animais: Camelo I.5.

Como a narrativa de José e a primeira parte do Êxodo estão localizadas no Egito, as relações mais próximas entre esse país e a Bíblia são encontradas nessas seções onde palavras e nomes egípcios, práticas culturais, características geográficas e outros aspectos da vida egípcia aparecem em profusão. Alguns elementos desse cenário incluem a túnica de José (Gn 37) com o estilo usado pelos nobres de Canaã ao levar tributos ao Faraó, de acordo com pinturas encontradas em tumbas; a descrição de Potifar como um egípcio (Gn 39), o episódio da tentativa da sedução de José pela mulher de Potifar, um relato que tem numerosos paralelos no Conto dos Dois Irmãos e no seu conhecido e sórdido tema (Gn 39); as funções do mordomo e do padeiro do rei, o papel dos sonhos no Egito, o uso das uvas (Gn 40); a criação de gado, o relacionamento do gado com o Nilo, a produção de grãos (Gn 41); o ato de barbear-se (41.14); a força destruidora do vento oriental (41.27); a imposição e coleta de impostos (41.34); o presente de ornamentos de ouro como um prêmio pela prestação de serviços meritórios (41.42); o uso de carruagens pela realeza e pela nobreza (41.42); a figura religiosa do sacerdote de Om (Heliópolis) (41.45); a adivinhação (44.4,5); a localização da terra de Gósen (Gn 45ss.); além dos rituais funerários, e de embalsamar e mumificar (Gn 50).

Êxodo 1 menciona a fabricação de tijolos, o trabalho agrícola, o trabalho escravo e os métodos obstétricos. A descrição do Nilo em Êxodo 2 (infância de Moisés) e em Êxodo 7 (a primeira praga) é detalhada e interessante. O treinamento de Moisés no aprendizado da língua egípcia (At 7.22) era muito comum, pois filhos de nobres e oficiais semitas, quando estavam no ocidente, eram muitas vezes enviados ao Egito para serem educados nos círculos da corte. Os sinais e as dez grandes pragas (*veja* Pragas) contêm muitas evidências de um estreito relacionamento com o Egito que servem para testemunhar a autoria mosaica desse relato. A familiaridade com a excelência do artesanato egípcio em ouro e prata pode estar relacionada com a demanda dos israelitas por jóias em Êxodo 11.2. A visão da carruagem egípcia perseguindo os israelitas em fuga (14.9) lembra um dos relevos de cenas de batalha em muitos templos egípcios. A atitude de desespero dos israelitas reflete sua experiência na escravidão e seu profundo respeito pelos militares egípcios (14.10). A amarga ironia ao reprovarem Moisés, "Não havia sepulcros no Egito" (14.11) assume uma força considerável quando entendemos que os limites do deserto, em ambos os lados do Nilo, consistem virtualmente de um vasto e extenso cemitério, desde o Delta até a Núbia.

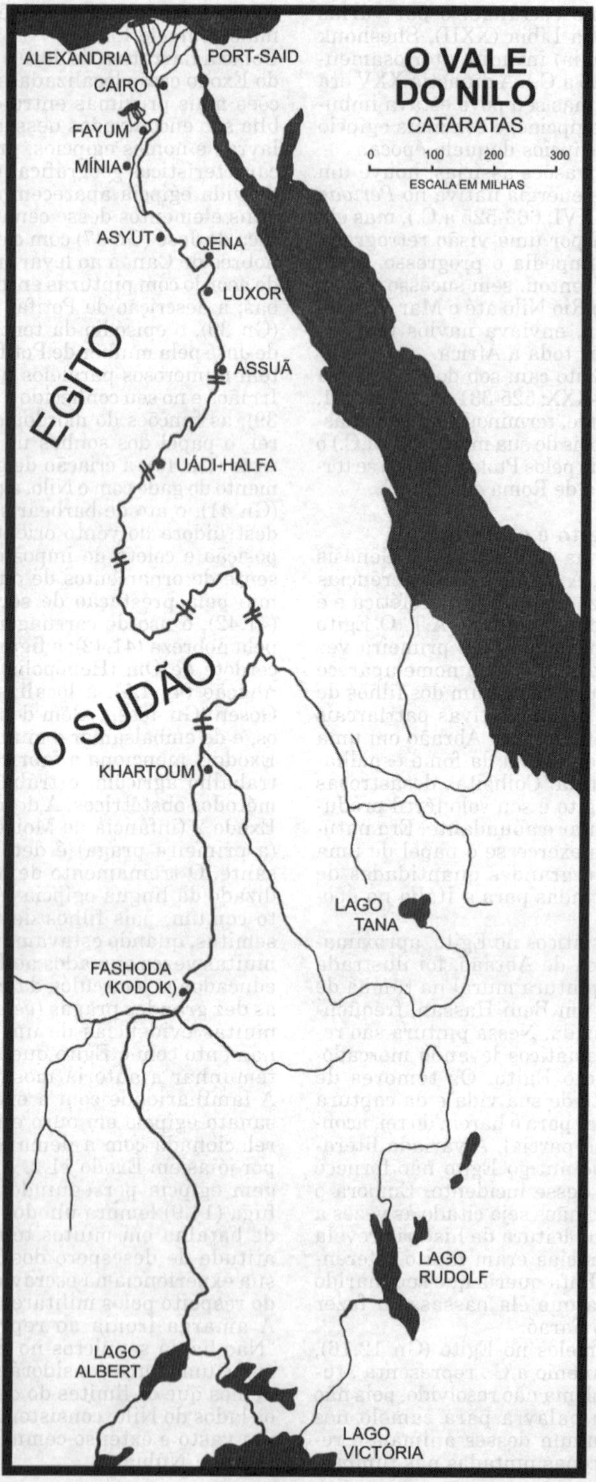
O VALE DO NILO
CATARATAS
0 100 200 300
ESCALA EM MILHAS
ALEXANDRIA
PORT-SAID
CAIRO
FAYUM
MÍNIA
ASYUT
QENA
LUXOR
EGITO
ASSUÃ
UÁDI-HALFA
O SUDÃO
KHARTOUM
LAGO TANA
FASHODA (KODOK)
LAGO RUDOLF
LAGO ALBERT
LAGO VICTÓRIA

Embora os israelitas tivessem sido vitoriosamente libertados da terra do Egito, eles não escaparam rapidamente de sua influência. Mesmo quando Deus estava em conferência com Moisés no Monte Sinai, o povo na planície abaixo estava adorando um bezerro de ouro (Êx 32), uma forma egípcia de adoração ao gado que permanecia como uma periódica tentação para Israel. Os prazeres do Egito também eram lembrados; enquanto suportavam as monótonas rações do deserto, os israelitas lembravam-se saudosos dos bons alimentos que haviam apreciado naquele país – peixe, pepinos, melões, alho-poró, cebolas e alho (Nm 11.5,6).

Tendo alcançado a Palestina, eles estariam relativamente livres da interferência egípcia durante alguns séculos. Alguns poucos estudiosos da Bíblia, entretanto, sugeriram um relacionamento no livro dos Juízes entre a opressão e a libertação e os períodos de força e fraqueza no Egito. Durante esse período, os egípcios estavam principalmente preocupados com a Grande Estrada, a artéria de comércio que existia na planície marítima da Palestina (*veja* Palestina II. B.1). O declínio do poderio egípcio, em aprox. 1100 a.C., está evidenciado através do relato feito por seu representante Wen-Amon que foi tratado com pouco respeito em sua viagem à Fenícia para obter madeira de cedro (ANET, pp. 25-29). Essa fraqueza ofereceu a oportunidade para um rápido crescimento da nação de Israel, particularmente sob o governo de Davi e Salomão. Os primeiros contatos registrados entre os governantes egípcios e israelitas aconteceram na época de Salomão, que se casou com a filha de um rei egípcio. O sogro capturou a destruiu a cidade de Gezer e deu-a de presente como dote (1 Rs 9.16). Salomão estabeleceu o comércio com o Egito (2 Cr 1.16,17) e sua sabedoria sobrepujou toda a sabedoria dessa nação (1 Rs 4.30).

Embora o Egito tivesse sido um lugar de opressão para Israel, esse país era muitas vezes considerado um lugar de refúgio. Na época de Salomão, ele tornou-se um paraíso para seus inimigos políticos e uma área de concentração da qual retornavam para atormentá-lo. Hadade, um edomita que havia fugido para o Egito durante uma incursão de Davi contra esta nação, voltou e se tornou um ativo inimigo de Salomão (1 Rs 11.14-20). Jeroboão, filho de Nebate, fugiu para o Egito para escapar da ira de Salomão. Quando voltou, tornou-se o primeiro rei das tribos do norte e "fez Israel pecar" introduzindo ídolos com a forma de bezerro em Betel e Dã (1 Rs 12.26-33), outra possível influência egípcia sobre a religião israelita. Com a divisão do reino, a Palestina logo ficou sujeita a uma invasão dos egípcios. Sheshonk (o Sisaque da Bíblia) saqueou os tesouros do templo no quinto ano de Roboão (926 a.C.; 1 Rs 14.25,26; 2 Cr 12.1-9).

O Egito continuou a exercer um importante papel na vida política de Israel. E foi excessivamente avaliado por aqueles que viam nesse país um possível aliado contra o crescente poder da Assíria e, mais tarde, da Babilônia. Oséias, o último rei de Israel, tentou em vão pedir Sô (cidade Delta de Sais) para o Faraó Tefnakhte (2 Rs 17.4). Isaías e Jeremias, como profetas estadistas, viram a loucura dessa atitude e reconheceram o Egito, sob o governo de um líder como Taharka (o bíblico Tiraca, 2 Reis 19.9), como apenas um "bordão de cana quebrada" (Is 36.6; cf. 2 Rs 18.21) do qual ninguém podia depender para conseguir apoio. O Egito ainda era forte demais para o poderio militar de Judá, e quanto Neco II marchou para ajudar os assírios em sua última luta contra os babilônios, o rei Josias, seguindo sua política contra os assírios, fez uma tentativa temerária contra os egípcios em Megido, em 609 a.C., na qual perdeu a própria vida (2 Rs 23.29,30; 2 Cr 35.20-27). Ironicamente, os babilônios venceram, e mais tarde novamente derrotaram Neco em Carquemis no ano 605 a.C. Apries (Hofra, na Bíblia) é mencionado em uma profecia de Jeremias (Jr 44.30).

Depois da captura de Jerusalém por Nabucodonosor e o assassinato de Gedalias, os palestinos remanescentes fugiram para o Egito a despeito do forte discurso de Jeremias contra essa atitude (Jr 44). Ao chegar ao Egito eles debandaram para muitos lugares. Registros posteriores, tais como os papiros aramaicos de Elefantina, indicam que até na fronteira ao sul do Egito havia um grupo de judeus que tinha um templo, realizava cultos religiosos e se mantinha em contato com a Palestina. Também durante o período intertestamentário, a tradução do AT para o grego (a Septuaginta, LXX) foi realizada no Egito (século III a.C.).

No NT as referências ao Egito estão relacionadas, principalmente, com o registro das tratativas de Deus com Israel no AT. Entretanto, o Egito fazia parte do cenário da época, pois Deus mandou José levar Maria e Jesus para esse país a fim de salvar a vida do Infante da fúria vingativa de Herodes (Mt 2.13-15; cf. Os 11.1). Entre os judeus estrangeiros que ouviram as línguas e a mensagem no Pentecostes, estavam habitantes do Egito (At 2.10). O Egito também foi importante na história da igreja primitiva; documentos procedentes desse país trazem tanto sua história como a transmissão do texto das Escrituras.

A última alusão bíblica ao Egito está em Apocalipse 11.8, onde Jerusalém é chamada de "Sodoma e Egito". O uso dessa alegoria torna o Egito o símbolo do pecado e da periclitante ordem mundial. A tipologia tem realçado esse aspecto do Egito, esquecendo-se do uso divino desse país na preservação de Israel no tempo de José (Gn 45.5-9) e da ordem dada a Jacó para que fosse ao Egito (Gn 46.3,4). Os profetas pronunciaram diversas e graves previsões contra o Egito, mas o Senhor também deu a Isaías um oráculo relativo ao Egito que incluía a promessa de que esse povo finalmente se voltaria para o Senhor e para as bondosas palavras do Senhor dos Exércitos. "Bendito seja o Egito, meu povo" (Is 19.18-25).

C. E. D.

***Bibliografia.*** Butrus Abd al-Malik, "Egypt", BW, pp. 207-218. I. E. S. Edwards, *The Pyramids of Egypt,* Baltimore. Penguin, 1961. Ahmed Fakhry, *The Pyramids*, Chicago. Univ. of Chicago Press, 1961; Henri Frankfort, *Ancient Egyptian Religion,* Nova York. Harper, 1961. Alan Gardiner, *Egypt of the Pharaohs,* Oxford. Clarendon Press, 1961. William C. Hayes, *The Scepter of Egypt,* 2 vols., Cambridge. Harvard Univ. Press, 1953, 1959; "The Middle Kingdom in Egypt", Fasc. 3 (cap. XX) para a ed. rev. da obra *The Cambridge Ancient History,* Vol. I, Cambridge. Univ. Press, 1964 (e muitos outros fascículos semelhantes sobre o Egito). Kenneth A. Kitchen, "Egypt", NBD, pp. 337-353 com excelente bibliografia. Martin Noth, "Thebes", TAOTS, pp. 21-35. Charles F. Pfeiffer e Howard F.Vos, "Egypt", WHG, pp. 47-93. George Steindorff e K. C. Seele, *When Egypt Ruled the East,* 2ª ed., Chicago. Univ. of Chicago, 1957. John A. Wilson, *The Burden of Egypt,* Chicago. Univ. of Chicago, 1951; "Egypt", IDB, II, 39-66.

**EGLÁ** Esposa de Davi e mãe de Itreão. Esse filho de Davi nasceu em Hebrom (2 Sm 3.5; 1 Cr 3.3). Segundo uma tradição judaica, ela foi identificada como Mical, filha de Saul.

**EGLAIM** *Veja* En-Eglaim.

**EGLOM**

1. Rei de Moabe que ficou conhecido por sua obesidade. Associado aos amonitas e amalequitas, subjugou Israel como castigo divino por seus pecados (Jz 3.12-14), ocupando a cidade das palmeiras, Jericó. Tendo ficado sob seu jugo durante 18 anos, os israelitas lhe pagavam tributos. Eglom foi mais tarde assassinado por Eúde (Jz 3.15-25), o segundo libertador no livro de Juízes, que levantou o povo de Israel e o levou à vitória contra Moabe (vv. 26-30). *Veja* Eúde.

2. Cidade real de Canaã que fez parte da herança de Judá, depois da conquista da Palestina sob Josué (Js 15.39). Depois da derrota de Ai, e da pacífica capitulação de Gibeão e Debir, o rei de Eglom formou uma liga com os reis de outras quatro cidades para declarar guerra a Gibeão. Essa coalizão composta por amorreus foi desbaratada pelos israelitas na batalha travada a oeste de Gibeão (Js 10.5-10). Os cinco reis foram capturados e executados (10.22-26). Em seguida, Josué marchou sobre as cidades da liga capturando e destruindo todas elas, inclusive Eglom (10.34,35).

É muito provável que a cidade de Eglom seja identificada como Tell-el-Hesi, 11 quilômetros a sudoeste de Laquis. Escavando em 1890-93, Petrie, acompanhado por Bliss, aplicou primeiramente o método estratigráfico a esse local. Uma tábua de argila, selos com a forma de um escaravelho e um jarro com gravações, provam que essa cidade era habitada na época de Josué.

R. B. D.

**EÍ** Um filho de Benjamim (Gn 46.21). Provavelmente trata-se de uma contração do nome Airão (*q.v.*) ou uma distorção do texto.

**EIRA** Um bom solo firme (heb. *goren*) era essencial para uma trilha eficiente (*veja* Trilhar). De formato circular e aprox. 16 metros de diâmetro, seria melhor ainda se tivesse uma suave elevação central que permitisse que a umidade fosse drenada. A superfície podia ser tanto de terra batida endurecida (Jr 51.33), quanto pavimentada com pedras duras. Davi edificou um altar em uma eira que comprou de Araúna, o jebuseu (2 Sm 24.18-25). A eira geralmente pertencia a toda a comunidade. Um exemplo é o caso da eira de Samaria, onde Acabe e seu visitante Josafá, sentavam-se em seus tronos portáteis (1 Rs 22.10). A eira estava freqüentemente situada fora dos portões da cidade, localizada de forma que pudesse receber o vento oeste para ajudar no processo de peneiramento (Os 13.3). Durante a estação de trilha, os proprietários das safras dormiam no solo para evitar roubos (Rt 3.2; cf. 1 Sm 23.1). Por ser um solo batido e a céu aberto, Gideão colocou seu velo de lã em uma eira para receber orvalho (Jz 6.37).

N. B. B.

**EIRADO ou TERRAÇO** O telhado plano de uma casa onde a família poderia encontrar descanso no frescor da noite, ou onde várias atividades podiam acontecer, como secar o linho (Js 2.6) e orar (At 10.9). A superfície era geralmente de barro amargoso. Era mantido como um abrigo às águas da chuva e utilizado em conjunto com roletes de pedra. Os parapeitos eram exigidos em torno do terraço para evitar as quedas acidentais (Dt 22.8). Na época do NT, passaram a ser usadas telhas do tipo curvado (Lc 5.19).

**EL**

Nome genérico para Divindade, compartilhado por hebreus (*'el*) e cananeus, aparecendo na forma cognata *ilu* em acádio e *allah* em árabe. Esse nome é raramente encontrado no AT exceto em passagens poéticas. Quan-

do realmente ocorre nas narrativas em prosa, aparece geralmente nos títulos, tal como El Roi (Gn 16.13), El Shaddai (Gn 17.1), El Elyon (Gn 14.18) ou em frases descritivas como. "Deus, o Deus de Israel" (Gn 33.20), ou "Jeová, Deus dos deuses" (Js 22.22, heb.). O significado original da palavra é duvidoso. Alguns o consideram como trazendo a idéia de "à frente" ou "primeiro", pois a palavra usada para o "cordeiro líder do rebanho" lhe é semelhante. Outros procuram derivá-la da mesma raiz da preposição "em direção a", no sentido de descrever o objeto de toda adoração. Ainda outros procuram seu significado no verbo "ligar" denotando assim aquele que mantém todas as coisas unidas. A maioria dos estudiosos prefere identificar a idéia essencial como aquela da expressão "no poder da minha mão", literalmente, "no *'el* de minha mão" (Gn 31.29; também Dt 28.32; Mq 2.1; Pv 3.27; cf. Ne 5.5). Deus é o Todo-Poderoso, o Onipotente (*q.v.*). O único sufixo encontrado nessa palavra está no singular comum "meu". Na história posterior de Israel, a palavra Elohim (*q.v.*) foi geralmente preferida a El, mas esse título anterior foi mantido como um antigo e honorável termo de apreço. *Veja* Deus, Nomes de.
Nas tábuas de Ugarite, a palavra El representa um nome próprio, o "deus altíssimo" dos cananeus. Sua posição como rei do panteão de Canaã foi evidentemente usurpada pela divindade amorita Ba'al-Hadad na revolução religiosa que sucedeu a vinda dos amorreus do platô do deserto sírio, em aprox. 2000 a.C. *Veja* Deus; Deus, Nomes e Títulos de.

***Bibliografia.*** William F. Albright, *Yaweh and the Gods of Canaan,* Garden City. Doubleday, 1968, pp. 119-121, 124-128. Ulf Oldenburg, *The Conflict Between El and Ba'al in Canaanite Religion*, Leiden. Brill, 1969.

C. T. F.

**ELÁ**
1. Príncipe do clã dos edomitas (Gn 36.41; 1 Cr 1.52).
2. Pai de Simei, um dos oficiais administrativos de Salomão (1 Rs 4.18).
3. Rei israelita (aprox. 886-885 a.C.), filho de Baasa (1 Rs 16.6,8,13,14). Foi assassinado pelo seu sucessor, Zinri.
4. Pai de Oséias, último rei de Israel (2 Rs 15.30; 17.1; 18.1,9).
5. Família ancestral de Calebe (1 Cr 4.15). Possivelmente, essa referência, assim como a nº 1 acima, corresponda ao lugar de Elate (q.v.).
6. Família ancestral de Benjamim que vivia em Jerusalém no período pós-exílio (1 Cr 9.8).

**ELÁ, VALE DE - ou VALE DO CARVALHO** Um vale que foi o cenário do duelo entre Davi e Golias (1 Sm 17). Como a narrativa indica que houve o confronto entre dois exércitos fortemente posicionados nas alturas, provavelmente se trate do vale Uádi es-Sant, uma ravina com profundas bordas, situada a oeste de Belém, correndo desde o coração de Judá até a planície dos filisteus.

**ELANÃ**
1. Em 1 Crônicas 20.5 está escrito que Elanã, filho de Jair, assassinou Lami, irmão de Golias o geteu, mas 2 Samuel 21.19 afirma que Elanã, filho de Jaaré-Oregim, o belemita, assassinou Golias, o geteu. "Oregim" talvez seja um erro cometido pelo escriba ao se basear na palavra "tecelão" na linha de baixo, fazendo com que Jair e Jaaré fossem a mesma pessoa. Esses dois versos, junto com 1 Samuel 17, apresentam o problema de quem matou Golias.
Alguns estudiosos têm afirmado, sem uma boa razão, que Elanã era o nome original de Davi. Outros afirmam que o texto em 1 Crônicas 20.5 deve ser preferido em lugar do texto de 2 Samuel 21.19. (O texto hebraico massorético de 1 e 2 Samuel apresenta algumas questões textuais). Há ainda outros que concluíram que Golias foi assassinado por Elanã e seu nome foi atribuído ao gigante anônimo assassinado por Davi no Vale de Elá.
2. Filho de Dodô de Belém, um dos 30 heróis da guarda de Davi (2 Sm 23.24; 1 Cr 11.26).

F.E.Y.

**ELÃO (PAÍS), ELAMITAS** O país de Elão estava localizado no sudoeste da Ásia, em uma planície a leste da Babilônia e ao norte do Golfo Pérsico, e era banhado pelos rios Karun e Kerka. Ele corresponde, aproximadamente, ao Cuzistão, no moderno Irã.
Datando do final do 4º milênio a.C., a conhecida história dos elamitas era de constantes rixas e guerras com seus vizinhos mais populosos – sumerianos, babilônios, assírios e, finalmente, os persas pelos quais os elamitas foram finalmente absorvidos. Entretanto, eles parecem ter mantido sua independência quase consistentemente, apesar das contínuas invasões que tinham o objetivo de assumir o controle das rotas comerciais em direção à planície iraniana.
A longa história dessa civilização ficou conhecida através de documentos da Mesopotâmia e de inscrições feitas pelos reis elamitas em sua própria língua. A maioria dessas inscrições foi recuperada em Susã, capital da antiga nação de Elão. Na primeira parte do 3º milênio existia uma escrita cuneiforme proto-elamita, ao lado da escrita cuneiforme sumeriana, mas ela desapareceu como resultado das conquistas de Sargão e do domínio de sua Dinastia acadiana (aprox. 2360-2180 a.C.). Foi durante esse período que a linguagem elamita produziu o mais antigo tratado de estado de que se tem conhecimento, estabelecido entre Naram-Sin (neto de Sargão) e a Dinastia Avan. Alguns textos bi-

língües proto-elamitas e acadianos chegaram até nós a partir de Puzur-Shushinak (2280 a.C.), um dos reis da Dinastia Avan. Mais tarde, os elamitas usaram sinais cuneiformes babilônicos para sua linguagem, como foi testemunhado por aquele código usado para decifrar a inscrição de Behistún escrita em babilônio, elamita e persa antigo pelo rei persa Dario I.

Muitas mudanças aconteceram na cultura elamita durante o governo acadiano (semita), pois não só sua forma peculiar de escrever como também sua cerâmica com pinturas distintas desapareceram. E, assim, a cultura sumero-acadiana foi adotada. Os semitas da Mesopotâmia começaram a instalar-se nessa área em números cada vez maiores. Assim, embora racial e lingüisticamente falando os elamitas não pareçam ter uma origem semítica, é provável, por causa dessa mesma influência, que a nação de Elão seja chamada de "filho" de Sem na Tábua das Nações (Gn 10.22; cf. 1 Cr 1.17).

Por volta do ano 2000 a.C., os elamitas capturaram diversas cidades da Babilônia, ajudando a colocar um fim na supremacia dos governantes sumerianos da Terceira Dinastia de Ur (2113-2006 a.C.), e ainda saquearam essa cidade. Foi nesse período de poderio elamita que Quedorlaomer (*q.v.*; Gn 14.1-17) muito provavelmente reuniu os confederados para marchar através da Transjordânia e recolher impostos de cidades localizadas na área do Mar Morto. Na época da Primeira Dinastia Amorita da Babilônia (cerca de 1894-1595 a.C.), cujo sexto rei foi Hamurabi, diversos governantes elamitas ficaram conhecidos e o primeiro nome deles era Kudur-. Esse fato tende a confirmar que Quedorlaomer era um autêntico nome real elamita daquele período.

Mais tarde, os elamitas passaram a incomodar periodicamente a Babilônia durante vários séculos (aprox. 1300-1120 a.C.). Shutruk-Nahhunte (aprox. 1200 a.C.) retornou de um repentino e vitorioso ataque contra a Babilônia trazendo o famoso código legal de Hamurabi como troféu; ele foi redescoberto em Susã em 1901-2. Nabucodonosor I da Babilônia reduziu mais uma vez a nação de Elão a um estado dependente da Babilônia, de modo que nada mais se soube dessa nação durante três séculos. Depois de aprox. 740 a.C., os elamitas aliaram-se aos babilônios como um inimigo quase constante dos assírios, até que Assurbanipal praticamente os exterminou (aprox. 645 a.C.). O vazio que eles deixaram foi preenchido pelos persas indo-europeus que transformaram a antiga cidade elamita de Susã em uma capital persa de inverno. Em algumas traduções ela foi chamada de Susa no livro de Ester; Neemias 1.1; e Daniel 8.2 (Como por exemplo na versão KJV em inglês e na versão TB em português).

Isaías falou dos arqueiros elamitas como tropas mercenárias prisioneiras do exército assírio que invadiram Judá (Is 22.6), e dos elamitas do exército de Ciro que sitiariam a Babilônia (21.2). A profecia de Jeremias contra Elão (Jr 49.34-39) é intrigante, a não ser que ela esteja se referindo aos persas que eram os dominadores da terra anteriormente chamada de Elão. Seu retorno do cativeiro (v. 39) então se referiria à elevação do império persa. A passagem em Esdras 4.9

Vista aérea das ruínas da antiga cidade elamita de Susã. ORINST

nomeia os "Homens de Susã", isto é, os "elamitas" como companheiros de Reum e Sinsai, oficiais do governo persa em Jerusalém que se opunham à reconstrução da Jerusalém do período pós-exílio. Os elamitas também são mencionados como estando presentes no dia de Pentecostes (At 2.9); estes eram os judeus da antiga região de Elão.
*Veja* Madai; Pérsia; Susã.

T. M. B. e E. B. S.

**ELÃO (PESSOAS)**
1. Filho primogênito de Sem (Gn 10.22; 1 Cr 1.17) que deu seu nome ao povo elamita. *Veja* Elão (país), Elamitas.
2. Chefe da tribo de Benjamim que viveu em Jerusalém (1 Cr 8.24).
3. Filho de Meselemias, um coraíta, e um dos porteiros do Tabernáculo na época de Davi (1 Cr 26.3).
4. Nome ancestral dos clãs que participaram do retorno do Exílio (Ed 2.7 e Ne 7.12; o "outro Elão", Ed 2.31 e Ne 7.34; Ed 8.7; 10.2,26).
5. Um dos "chefes do povo" (Ne 10.14). Possivelmente o mesmo descrito no tópico 4 acima.
6. Sacerdote que participou da dedicação do muro de Jerusalém, sob o comando de Neemias (Ne 12.42).

**ELASA**
1. Filho de Safã e um dos dois mensageiros de Zedequias a Nabucodonosor, que também entregou a mensagem de Jeremias aos judeus no Exílio (Jr 29.3).
2. Filho de Pasur, e um dos sacerdotes pós-exílicos que mandou embora as esposas estrangeiras (Ed 10.22).
Em outras passagens esse nome foi traduzido como Eleasá (q.v.).

**ELASAR** Cidade ou país governado por Arioque (q.v.) um aliado de Quedorlaomer (q.v.) que invadiu a Palestina na época de Abraão (Gn 14.1,9). A antiga identificação de Elasar com a cidade de Larsa ao sul da Babilônia deve ser abandonada porque a ortografia dos dois nomes é diferente. Também o texto cuneiforme que trazia o nome do rei de Larsa era lido antigamente como Eri-Aku, portanto, semelhante a Arioque; mas atualmente, ele é lido mais corretamente como Warad-Sin. Recentemente, os estudiosos sugeriram que Elasar pode ser a cidade de Ilanzura, entre Carquemis e Harã, ao norte da Mesopotâmia, mencionada nas cartas de Mari e no texto hitita.

**ELATE** Alternativamente Elote. Nos tempos bíblicos, a cidade de Elate estava localizada no alto do Golfo de Ácaba (q.v.). Esse nome ainda é usado pelo Estado de Israel para uma cidade igualmente localizada, e cuja contrapartida jordaniana próxima também é chamada de Ácaba. Essa área é extremamente aprazível no inverno, correspondendo à conotação de um local de veraneio sugerida pela significado do termo hebraico (*'elat*, "bosque das palmeiras"). Suas instalações portuárias tornaram-se muito importantes para a moderna nação de Israel quando a República dos Emirados Árabes fechou o Canal de Suez para os navios israelitas. A profunda baía natural de Elate permite aos maiores navios de carga e petroleiros carregar ou descarregar em suas docas. Toda a carga, assim como o petróleo, podem então ser transportados via terrestre e via oleodutos através do Neguebe até a cidade de Haifa, no Mediterrâneo.
A origem de Elate é desconhecida, mas essa cidade foi provavelmente um antigo centro edomita, conforme indicado em Deuteronômio 2.8, quando Moisés e os filhos de Israel atravessaram a planície edomita (de Arabá) que começava em Elate e seguia em direção ao norte, até Moabe.
Quando Davi conquistou os edomitas, essa área tornou-se importante para os israelitas. Salomão fez dela o principal porto da nação, embora ele também usasse os portos fenícios da costa do Mediterrâneo. Em 1 Reis 10.22 se faz menção das "naus de Tarsis" de Salomão, isto é, a uma frota de mar aberto como as usadas pelos fenícios que ajudaram a fornecer-lhe marinheiros e conhecimento náutico (2 Cr 8.17,18). Mais tarde, Josafá tentou reconstruir essa frota, mas essa tentativa terminou em desastre (1 Rs 22.48).
De acordo com 2 Reis 14.22, Azarias (Uzias) restaurou Elate, enquanto 2 Reis 16.6 relata que o rei Rezim da Síria expulsou os judeus de Elate nos dias do rei Acaz. Algumas traduções (por exemplo a RSV em inglês, e a JerusB) baseiam-se no texto hebraico da última passagem para dizer que foram os edomitas e não os sírios (*'dm* em lugar de *'rm*) que realmente ocuparam Elate por causa do ataque feito por Rezim e Peca contra Judá ao norte. De acordo com 2 Crônicas 28.17, os edomitas estavam compartilhando os despojos naqueles dias de trevas, o que sempre acontecia quando a nação de Judá estava fraca (2 Rs 8.20-22). *Veja* Eziom-Geber.

**EL-BERITE** *Veja* Falsos deuses: Baal-Berite.

**EL-BETEL ou "DEUS DE BETEL"** Esse nome foi dado por Jacó à cena de sua visão de uma escada em Luz (cf. Gn 28.10-15) quando retornava para Canaã (Gn 35.7). *Veja* Betel.

**ELCANA**
1. Um dos filhos de Corá que se tornou chefe de um clã (Êx 6.24; 1 Cr 6.23).
2. Pai de Amasai e Aimote; filho de Joel era descendente de Corá, através de Ebiasafe (1 Cr 6.25,36).

3. Pai de Zufe (Zofai) e Naate, era descendente da pessoa mencionada no item 2 acima (1 Cr 6.26,35).
4. Filho de Jeroão e pai de Samuel (1 Sm 1.1,4,8,19,21,23; 2.11,20; 1 Cr 6.27,34). Esse homem, descendente de Elcana, (ítens 2 e 3 acima), foi descrito como sendo um efraíta cuja casa estava localizada em Ramá, em Efraim (1 Sm 2.11) e que, com suas duas esposas, Ana e Penina, fazia todo ano uma peregrinação religiosa a Siló para oferecer sacrifícios (1 Sm 1.3). Ana era sua esposa favorita e isso, sem dúvida, contribuiu para despertar o ciúme de Penina (1 Sm 1.5-7).
5. Um dos sacerdotes levíticos que residia na região montanhosa da Judéia (1 Cr 9.16).
6. Guerreiro da tribo de Benjamim que desertou das forças de Saul e se uniu a Davi em Ziclague (1 Cr 12.6).
7. Levita da época de Davi, responsável pela custódia da arca (1 Cr 15.23).
8. Oficial da corte do rei Acaz, de Judá, que se tornou o segundo depois do próprio rei (2 Cr 28.7).

A freqüência desse nome e a complexidade das relações genealógicas levaram alguns estudiosos a concluir que esse termo é usado para identificar clãs ou famílias, assim como indivíduos. Portanto, em alguns casos não podemos ter certeza se está sendo mencionado um clã ou um indivíduo.

G. A. T.

**ELCOS** Terra natal do profeta Naum (Na 1.1). É difícil determinar qual cidade está sendo mencionada.Quatro sugestões foram apresentadas: (1) os escritores judeus do século XVI identificaram Naum como tendo nascido em uma das dez tribos do norte, no exílio na cidade de Al-Qush (Elcos), ao norte de Nínive. (2) Cafarnaum na Galiléia, a "aldeia de Naum". (3) A identificação que Jerônimo fez com Hilkesei (Elkoseh) no norte da Galiléia. (4) A posição mais defensável é Elcos, ao sul da Judéia, próximo a Beth-Gabre, a moderna Beit-Jibrin, entre Jerusalém e Gaza.

**ELCOSITA** *Veja* Elcos.

**ELDA** Quinto filho de Midiã e quarto filho de Abraão com Quetura (Gn 25.2,4; 1 Cr 1.32,33).

**ELDADE** Um dos 70 anciãos requisitados por Moisés para ajudar a assumir a responsabilidade do governo. Por alguma razão, Eldade não se apresentou formalmente no Tabernáculo para sua ordenação, mas apesar disso ele também foi cheio com o Espírito do Senhor, e também profetizava. Josué expressou sua preocupação pela honra de Moisés porque Eldade não havia sido formalmente ordenado. Moisés mostrou ter uma visão caridosa ao reconhecer que o Espírito do Senhor havia sido concedido e expressou o desejo de que o Senhor desse do seu Espírito a todo o povo (Nm 11.24-29).

**ELEADA** Um descendente de Efraim (1 Cr 7.20).

**ELEADE** Descendente de Efraim, morto pelos homens de Gate ao realizar um rápido ataque ao seu gado (1 Cr 7.21).

**ELEALE** Cidade da Transjordânia na área requisitada pelas tribos de Rúben e Gade. Foi reconstruída por Rúben (Nm 32.3,37); mais tarde tornou-se parte de Moabe (Is 15.4; 16.9; Jr 48.34). Atualmente pode ser identificada com uma colina chamada el-´Al.

**ELEASA** Esse nome tem a mesma forma hebraica do nome Elasa (q.v.).
1. Descendente de Judá, através de Hezrom e Jerameel (1 Cr 2.33,39,40).
2. Descendente de Saul (1 Cr 8.33,37; 9.43).

**ELEAZAR** Além de acompanhar as referências bíblicas, esse nome também aparece em um contrato legal judeu encontrado entre os Rolos do Mar Morto.
1. Terceiro filho de Arão e Eliseba (Êx 6.23; Nm 3.2). Foi consagrado ao sacerdócio com seu pai e seus irmãos no Sinai (Êx 28.1,4; Lv 8.2,13). Depois que Deus matou seus irmãos mais velhos por apresentarem um fogo estranho (Lv 10.1-7), Eleazar e Itamar continuaram a exercer as funções sacerdotais com Arão (Nm 3.1-4). Eleazar foi colocado sobre os levitas (Nm 3.32) e designado para cuidar do santuário, de seus utensílios etc. (Nm 4.16; 16.37,39; 19.3,4). Ele sucedeu o sumo sacerdote quando seu pai, Arão, morreu no Monte Hor (Nm 20.25-28; Dt 10.6). Josué foi nomeado como sucessor de Moisés perante o sacerdote Eleazar, que devia ser o conselheiro oficial de Josué, buscando e consultando ao Senhor (Nm 27.18-22). Ele tomou parte no censo em Sitim (Nm 26.1,63) e na divisão da terra entre as tribos do leste (Nm 32.2; 34.17) e mais tarde, juntamente com Josué, entre as tribos do lado oeste (Js 14.1; 17.4; 19.51; 21.1). Casou-se com uma filha de Putiel, e ela lhe deu um filho chamado Finéias (Êx 6.25). Eleazar foi sepultado perto da casa de seu filho, que o sucedeu como sumo sacerdote (Js 24.33; Jz 20.28). Eleazar foi o predecessor dos sacerdotes zadoquitas que, na época de Salomão, substituíram Abiatar, um descendente de Itamar, irmão mais novo de Eleazar (1 Cr 6.4-15; 1 Rs 2.26,27,35).
2. Um levita merarita que morreu sem deixar filhos. Suas filhas casaram-se com parentes a fim de conservar a herança da família dentro da própria tribo (1 Cr 23.21,22; 24.28), de acordo com o regulamento de Números 36.6-9.

3. Filho de Abinadabe, provavelmente um levita. Foi consagrado para cuidar da arca enquanto esta permanecesse na casa de seu pai, em Quiriate-Jearim, depois que os filisteus a devolveram (1 Sm 7.1).
4. Filho de Dodô, um dos "três homens poderosos" (ou "valentes") de Davi (2 Sm 23.9; 1 Cr 11.12).
5. Sacerdote que ajudou a fazer o inventário do tesouro de templo quando foi devolvido a Jerusalém por Esdras (Ed 8.33).
6. Membro do clã de Parós, relacionado entre os leigos de Israel que expulsaram as esposas estrangeiras durante a reforma de Esdras (Ed 10.25).
7. Sacerdote que participou da cerimônia de consagração dos muros de Jerusalém (Ne 12.42).
8. Antepassado de José, marido de Maria (Mt 1.15).

**ELEFANTE** *Veja* Animais II.16.

**ELEFE** Local na vizinhança de Jerusalém alocado à tribo de Benjamim. Na versão RSV em inglês ele é chamado de Há-eleph (Js 18.28). Mas sua exata localização é incerta.

## ELEIÇÃO

### Introdução

Eleição é a doutrina relacionada à divina escolha de Deus de alguns indivíduos de toda a humanidade, para se tornarem seus, através da regeneração e da salvação. A eleição deve ser relacionada, mas não diferenciada dos decretos de Deus em geral, da predestinação, da pré-ordenação e do conhecimento prévio.

*Eleição, os decretos de Deus, predestinação e pré-ordenação.* Os decretos de Deus abrangem tudo que irá acontecer e incluem tanto a pré-ordenação como a predestinação. A predestinação está confinada, no uso teológico, aos decretos de Deus relacionados com os indivíduos e sua salvação, enquanto a pré-ordenação cobre todos os outros acontecimentos. Elas constituem as duas partes dos decretos divinos em geral.

Alguns estudiosos da Reforma ensinam que há uma dupla predestinação, isto é, a predestinação à salvação para os eleitos e a predestinação à perdição para os condenados (Agostinho, Gottschalk, Calvino, Melanchthon e Lutero em seu período inicial; L. Berkhof). Outros ensinam a predestinação dos eleitos e a indiferença quanto aos réprobos (C. Hodge, J. O. Buswell, H. C. Thiessen, L. S. Chafer). Se Deus decretou a salvação para um homem e a condenação para outro, então a eleição e a reprovação são duas partes do mesmo decreto. Se a predestinação aplica-se apenas àqueles a quem Deus escolheu, então ela descreve o ato pelo qual Deus assina a página do projeto ou plano de vida do homem a quem Ele escolheu para ser salvo através da divina providência. Por outro lado, a predeterminação descreve o ato pelo qual Deus assina a página do projeto ou plano de vida de quem Ele escolheu afastar e deixar por sua própria conta, o que inevitavelmente irá levá-lo à perdição eterna.

Desse modo, vemos que para aqueles que acreditam em uma dupla predestinação, a predeterminação cobre os acontecimentos, mas não os indivíduos em algum sentido específico, enquanto para aqueles que acreditam em uma predestinação apenas para os redimidos, ela se aplica a todos os decretos de Deus, exceto àqueles que estão relacionados com a salvação de alguns homens em particular.

*Eleição e conhecimento prévio.* A eleição não é uma simples previsão, nem depende dela. Ela inclui a previsão de Deus quanto àquilo que o homem irá fazer com sua própria liberdade, mas depende, para sua realização, da graça soberana de Deus. As Escrituras ensinam que Deus aceita o que o homem fará com sua liberdade, acrescentando o que Ele fará através de sua graça para salvá-lo, para fazer efetiva sua eleição daquele individuo.

Duas controvérsias em particular têm surgido dentro da igreja com alguma influência sobre a eleição. Em primeiro lugar, Pelagianismo *versus* Agostinianismo. Pelágio afirmava a capacidade natural do homem de aceitar Cristo sem a soberana graça, enquanto Agostinho mantinha a doutrina da total depravação do homem e a necessidade da graça divina. A igreja Católica Romana preferiu uma posição semi-pelagiana, afirmando que o homem tem alguma capacidade, mas esta será insuficiente sem a ajuda dos sete tipos de degraus da graça ascendente. A opinião dos pelagianos leva à conclusão de que a eleição, isto é, a escolha de Deus de alguns indivíduos, depende do seu conhecimento prévio; os agostinianos dizem que ela depende de seu próprio prazer e graça. Armínio e os atuais arminianos afirmam, como Pelágio, que a eleição depende do conhecimento prévio de Deus.

*Eleição e chamada.* Encontramos nas Escrituras duas espécies de chamada. Uma chamada a todos para se arrependerem e serem salvos (Is 55.1; Mt 11.28) e uma chamada mais eficaz (Jo 6.37,44; Rm 8.29,30). A chamada geral torna o homem consciente e responsável por aquilo que deve fazer; a eficaz acrescenta a isso a soberana capacitação necessária para fazê-lo (Ef 2.8). É essa chamada eficaz que acompanha a eleição.

Agora estamos prontos para considerar as diferentes fases da doutrina bíblica da eleição.

R. A. K.

### O Vocabulário da Eleição

Uma ampla variedade de expressões é necessária para descrever os múltiplos aspectos da eleição. Principalmente no AT, a palavra *bahar* indica a seleção de uma dentre outras escolhas possíveis. Pode descrever uma escolha natural (Gn 6.2; Dt 23.16), uma escolha moral (Dt 30.19; Js 24.15,22; Sl 119.30,173) ou uma escolha divina (Dt 7.6; 1 Sm 10.24; Is 41.8,9). A palavra hebraica *bahar*, e seu cognato adjetivo *bahir*, são aplicados a tais objetos "escolhidos" como Abraão (Ne 9.7), Moisés (Sl 106.23), Arão (Sl 105.26), Israel (Ez 20.5), Davi e Salomão (1 Cr 28.4-6,10), Jerusalém (2 Cr 6.5ss.), o Messias (Sl 89.3ss., 19; Is 42.1), Zorobabel (Ag 2.23) e o novo Israel (Is 43.20ss.; 65.9,22). O verbo *yada*, "conhecer" é freqüentemente usado como um evidente sinônimo de eleição (Gn 18.19; Êx 33.12,17; 2 Sm 7.20; Sl 1.6; Jr 1.5; Am 3.2; Na 1.7).

No NT, o verbo grego *eklegomai*, "escolher para si" indica uma escolha discriminada feita depois de cuidadosa verificação (Lc 6.13; 10.42; 14.7; At 6.5). Das 21 ocorrências desse verbo no NT, Deus aparece como sujeito em sete ocasiões (At 13.17; 15.7; 1 Co 1.27 duas vezes, 28; Ef 1.4; Tg 2.5) e Cristo como sujeito em oito (Mc 13.20; Lc 6.13; Jo 6.70; 13.18; 15.16,19; At 1.2,24). O adjetivo *eklektos*, "eleito" é aplicado a Cristo (Lc 23.35; 1 Pe 2.4,6) aos anjos (1 Tm 5.21) e freqüentemente aos crentes. O substantivo *ekloge*, "eleição" é aplicado a Paulo (At 9.15), ao propósito de Deus (Rm 9.11), aos crentes remanescentes de Israel (Rm 11.5,7,28) e aos cristãos (1 Ts 1.4; 2 Pe 1.10).

A autenticidade da eleição também está envolvida em palavras como "propósito", *prothesis* (Rm 8.28; 9.11; Ef 1.11; 2 Tm 1.9), "dar" (Mt 20.14,23; Jo 1.12; 3.27; 6.37,65; 10.28ss.; 17.11; Hb 2.13), "saber" (Jo 6.64; 10.14,27; 2 Tm 2.19), "destinar" (1 Ts 5.9; 1 Tm 2.7; 1 Pe 2.8), "preparar" (Mt 20.23; 25.34,41), "determinar" (Lc 22.22), "invocar" (Rm 8.28,30; 9.11,24-26; 1 Co 1.2,9. 7.20-22; Ef 4.1,4; 1 Ts 2.12,4.7; 2 Tm 1.9; 1 Pe 1.15; 2.9; 5.10; 2 Pe 1.3; Ap 17.14) e "vocação" (Rm 11.29; 1 Co 1.26; Ef 1.18; 4.1,4; Fp 3.14; 2 Tm 1.9; Hb 3.1; 2 Pe 1.10).

Os eleitos são certamente designados por termos como "ovelha" (Sl 100.3; Ez 34.11-31; Mt 25.33; Jo 10.2-16,26ss.), "rebanho" (Is 40.11; Lc 12.32; 1 Pe 5.2), "um corpo" (1 Co 10.17; 12.12ss.; Ef 4.4), "o corpo de Cristo" (1 Co 12.27; Ef 4.12), "semente" (Sl 22.23,30; Is 41.18; 45.25; 53.10; 6.19; 65.23; Rm 4.16; Gl 3.29; Hb 2.16), "povo" (Os 2.23; At 15.14; Rm 9.25ss.; 2 Co 6.16; Tt 2.14; Hb 4.9; 8.10; 1 Pe 2.9ss.; Ap 21.3), "filhos", *teknia* (Jo 1.12; 11.52; Rm 8.16ss.; Gl 4.28), "filhos", *hyioi* (Rm 8.14,19; 9.26; 2 Co 6.18; Gl 3.26; Hb 2.10; Ap 21.7) e "irmãos" (Mt 12.49; 25.40; Rm 8.29; Hb 2.11ss.,17).

### Descrição da Eleição

*Sua seletividade.* A doutrina da eleição exclui todas as teorias da salvação universal. Os seguintes fatos confirmam essa afirmação: (1) A seletividade está presente nas palavras que designam a eleição. Por exemplo, Davi "escolheu", *bahar*, cinco pedras lisas para sua funda (1 Sm 17.40). Está perfeitamente evidente, é claro, que havia muito mais pedras que Davi poderia ter escolhido. Da mesma maneira, quando Deus nos "escolhe" na eternidade (Ef 1.4) está igualmente evidente que Ele não escolhe a todos. (2) A seletividade está confirmada pelo sentido de escolher "de" ou "do" nas passagens que tratam desse assunto (Jo 15.19; 17.6; At 15.14; Gl 1.4; Cl 1.13; 1 Pe 2.9; Ap 5.9; 7.9,14; 14.3ss.). (3) A seletividade está manifestada nas descrições contrastantes dos eleitos. Eles são "ovelhas" (Jo 10.3-5,11,14.16); outros não são (10.26), têm seus nomes "escritos" no Livro da Vida (Dn 12.1; Lc 10.20; Hb 12.23), outros foram excluídos (Ap 13.8; 17.8). Eles respondem a Cristo (Jo 6.37,39,44,65; 10.27ss.; At 13.48), outros ficam indiferentes (Jo 8.43,47; 10.26). (4) A seletividade está evidenciada nas trágicas descrições dos perdidos. Expressões como "não lhes é dado" (Mt 13.11), "não podiam crer" (Jo 12.39), "perdição" (Jo 17.12; 2 Ts 2.3), "preparados para a perdição" (Rm 9.22), "foram endurecidos" (Rm 11.7), "foram destinados" (1 Pe 2.8), "não têm... o sinal Deus" (Ap 9.4) indicam, através do contraste, a soberana vontade de Deus ao eleger quem Ele quer (Rm 9.14-24).

*Sua soberania.* A vontade de Deus é a soberana causa de seus atos na eternidade e no tempo. À sua vontade é atribuída sua soberania (Ef 1.11), a criação (Ap 4.11), o curso da história (Sl 115.3; 135.6; Dn 4.35; 6.27), a concessão de bênçãos (Mt 11.25-27; 20.14-16), a atividade do Espírito (Jo 3.8) a regeneração (Tg 1.18), a adoção (Ef 1.5), a eleição (Rm 9.11,18.24) e sua boa vontade (Fp 2.13). Dessa maneira, para sermos mais específicos, a soberania de Deus na eleição é vista através de sua escolha (1) à parte das obras do pecador (Rm 9.11; 1 Co 1.26; Tt 3.4-7); (2) antes do nascimento da pessoa (Jr 1.5; Rm 9.11-13; Gl 1.15); (3) de acordo com seu soberano propósito (Êx 33.19; Mt 11.25-27; Rm 11.33-36); (4) e pelo seu soberano discernimento (Rm 9.11-13,19-23).

*Sua eternidade.* Todos os atos salvadores de Deus originam-se na eternidade. Portanto, a eleição deve ser eterna. (1) O conhecimento prévio de Deus é eterno (Rm 8.29; 1 Pe 1.1,2); (2) Deus escolheu os eleitos na eternidade (Ef 1.4; 2 Ts 2.13,14); (3) Deus prometeu aos eleitos a vida eterna na eternidade (Tt 1.1,2); (4) Deus inscreveu os eleitos em seu Livro da Vida na eternidade (Ap 13.8; 17.8); (5) Deus escolheu os eleitos antes de sua existência nesse mundo (Jr 1.5; Gl 1.15; Ef 2.10; 2 Tm 1.9); (6) Deus deu os eleitos para Cristo na eternidade (Jo 17.2,6,24); (7) Deus preparou o céu, "a glória eterna" para os eleitos (1 Pe 5.10).

*Sua individualidade.* Nesse ponto, devemos reconhecer uma diferença que está claramente indicada nas Escrituras. (1) A Bíblia fala de uma eleição nacional na escolha de Abraão e sua posteridade (Gn 12.1,2; Dt 4.37; 7.6-8; 10.15; Sl 105.6-15; Is 41.8,9; Rm 9.4,5). Mas a eleição nacional não assegura uma eleição individual (Ml 1.2,3; Romanos 2.28,29; 9.27-33; 11.1-11; 1 Pedro 2.8). (2) A Bíblia também fala de uma eleição oficial, isto é, uma eleição para algum cargo ou função. Deus soberanamente escolheu Moisés (Sl 106.23), Arão (Sl 105.26), os sacerdotes (Nm 18.6ss.; Dt 18.5), os reis de Israel (Dt 17.15; 1 Sm 10.24), as nações (Is 45.1-7; Jr 27.5-7; Dn 2.37-40; 4.17,25), o Messias (Is 42.1; 1 Pe 2.4,6) e os apóstolos (Jo 15.16,19) para seus lugares em seu plano. Entretanto, às vezes, algumas pessoas que não foram eleitas para a salvação, foram escolhidas para uma função, como é mostrado na vida de Saul (1 Sm 13.14; 15.17-23) e de Judas (Jo 6.70; 13.2,27; 17.12). Além das limitações descritas acima, a Bíblia nunca fala da eleição envolvendo uma raça ou grupo; a eleição é sempre pessoal e individual. Aqueles que são eleitos para a salvação são descritos como indivíduos (Rm 16.13; Fp 4.2ss.), são mencionados através do uso de pronomes pessoais (Rm 8.28-30; Ef 1.4), são distinguidos de outros indivíduos (Mt 24.22,24,31; Rm 9.21-29; 1 Co 1.26-29), e são considerados como pertencentes aos mais variados grupos da humanidade (Ap 5.9ss.; 7.9).

*Sua certeza.* Os seguintes fatores demonstram que o plano de Deus para a eleição é definitivamente certo: (1) Os propósitos de Deus são definidos e seguros (Rm 11.29), ninguém pode resistir efetivamente à sua soberana vontade (2 Cr 20.6; Is 45.9; Dn 4.35). Deus tem, eternamente, decidido salvar alguns indivíduos (Rm 8.28-30). Esse propósito tem sido cumprido (Rm 11.1-10) e será concluído quando se completar o número dos redimidos (Rm 11.11-36; Hb 11.39,40; 12.22,23). (2) Os meios determinados por Deus para a salvação dos eleitos são absolutamente adequados. O Espírito Santo é soberanamente capaz de regenerá-los (Jo 3.1-8). O Evangelho é o poder de Deus para a salvação deles (Rm 1.16; 1 Co 1.18,24; 2.4; 1 Ts 2.13; Hb 4.12ss.; Tg 1.18; 1 Pe 1.3,23). Deus os convence e os leva à salvação (Jo 16.8-11; At 16.14; Ef 2.1-10; Fp 2.13). Tais pessoas vão a Cristo (Jo 6.37,39; 17.2,24) e são seguramente guardadas pelo poder de Deus (Jo 10.27-29; 1 Pe 1.5; Jd 24). (3) O plano final de Deus garante a salvação para aqueles que foram "ordenados à vida eterna" (At 13.48). Deus preparou o céu para eles (Jo 14.1-3) e Ele está agora tornando igualmente certo que alguns estarão lá, vindos da mais variada população da terra (Ap 5.9; 7.9).

*Seus meios.* Aqueles que foram escolhidos para a vida eterna vieram a conhecer a Cristo como seu Salvador através dos meios indicados por Deus. Eles, assim como outros, estavam em um estado de morte espiritual (Ef 2.1-3) antes que Deus criasse a fé em seus corações (Sl 110.3; At 11.18; 16.14; Ef 2.8), pelo Espírito (1 Co 2.1-5; 1 Ts 1.4,5) e pela sua Palavra (1 Ts 2.13; Hb 4.12; Tg 1.18). Esses meios preparados por Deus são os pré-requisitos da salvação (Rm 10.13-17). O Evangelho deve ser pregado a todas as nações (Mt 24.14; 28.19; At 1.8); assim, através desses meios, os eleitos serão reunidos de toda a terra (Mt 24.31; Ap 7.9). Através do ministério dos eleitos de Deus, outros serão levados ao reino divino (Jo 17.20). Paulo suportou extremos sofrimentos para que, através de seu ministério, os eleitos também alcançassem a salvação que está "em Cristo Jesus com glória eterna" (2 Tm 2.10). A divina atitude estabelecida em Atos 13.48 ("e creram todos quantos estavam ordenados para a vida eterna") não deve ser separada da atitude humana estabelecida em Atos 14.21 ("E, tendo anunciado o evangelho naquela cidade e feito muitos discípulos..."). O mistério da eleição e da atividade humana representa o mistério de Deuteronômio 29.29.

*Sua garantia.* É absolutamente seguro, é claro, que Deus conhece aqueles a quem Ele tem escolhido (Nm 16.5; Sl 37.18,28; Na 1.7). Da mesma forma, Cristo conhece aqueles que foram escolhidos para a vida eterna (M 7.23; Jo 10.14,27.30; 13.18; 2 Tm 2.19). Deus conhece todas as coisas desde a eternidade (Is 41.26; 42.9; 45.21; At 15.18). Entretanto, surge a questão: Será que os eleitos podem conhecer sua eleição e a eleição de outros? A resposta deve ser afirmativa pelas seguintes razões: (1) Deus revelou a eleição de certas pessoas. Ananias, por exemplo, sabia definitivamente que Paulo era um "vaso escolhido" (At 9.15). Paulo sabia que Rufo havia sido "escolhido" (ou "eleito"; Rm 16.13; cf. 2 Jo 13). (2) Certos cristãos evidentemente sabiam que estavam entre os eleitos de Deus (1 Ts 1.4; Tg 2.5; 1 Pe 1.1,2). Eles são até identificados como tais (Fp 4.3). (3) Os eleitos são idênticos aos regenerados; portanto como a regeneração é reconhecível, a eleição também deve ser (Rm 8.15ss.,29-33; 2 Tm 1.12; 1 Jo 5.1-5,13,19.20). (4) A Palavra de Deus declara que a certeza de eleição deve ser um dos objetivos de nosso crescimento cristão (Fp 2.12; 2 Pe 1.10). Os cristãos podem saber que pertencem ao povo eleito (1 Pe 2.9,10).

*Seus resultados.* A eleição é o lado positivo da predestinação e, dessa maneira, é a fonte de todas as coisas planejadas para os redimidos. Essas boas coisas são as seguintes: (1) Chamada. A eleição sempre precede a chamada histórica que convida o pecador a receber Cristo (Rm 8.28-30; 1 Co 1.26-29; 2 Ts 2.13ss.; 2 Tm 1.9; 2.10). Essa invocação torna-se uma parte viva da experiência cristã da salvação (Rm 9.23ss.; 1 Co 1.9,24; 1 Ts 2.12; 5.24; 2 Ts 1.11; 1 Pe 1.15; 2.9; 3.9; 5.10). (2) Fé. A fé é um dom de Deus (Ef 2.8) e o fruto do Espírito

(Gl 5.22). Os "vasos de misericórdia" são idênticos "àqueles que crêem" (Rm 9.23,24,33). Aqueles que foram ordenados para a vida eterna, crêem (Atos 13.48). Aqueles que foram dados a Cristo pelo Pai crêem em Cristo (Jo 17.2,6,20). Esses "que foram dados" são "atraídos" a Cristo por uma compulsão divina (Jo 6.37,44,47). (3) Justificação. A fé é o produto da justificação do crente (Rm 8.29,30,33). A fé é descrita como o meio da justificação (Rm 3.22-30; 4.5,20-24; 10.10; Gl 2.16; 3.11-14,22); mas a fé que justifica é a "fé dos eleitos de Deus" (Tt 1.1). (4) Segurança. Além do que foi dito acima a respeito da segurança, deve-se notar que existe um conhecimento recíproco (ginosko) entre Cristo e seu rebanho (Jo 10.14). A expressão de Paulo "eu sei" representa a resposta humana à afirmação, "o Senhor conhece os que são seus" (2 Tm 1.12; 2.19). (5) Perseverança. Um companheiro necessário da eleição é a perseverança. Os eleitos são "guardados na virtude de Deus" (1 Pe 1.1,5). Aqueles que Cristo conhece como suas ovelhas "nunca perecerão" (Jo 10.14,27ss.). Aqueles que foram chamados eternamente nunca serão separados "do amor de Deus" (Rm 8.30,33,35-39). (6) Glorificação. Aqui se encontra o ponto mais elevado da eleição do crente (Rm 8.30). O eleito de Deus irá obter "a salvação que está em Jesus Cristo com glória eterna" (2 Tm 2.10). Essa "glória eterna" virá após os sofrimentos da terra (1 Pe 5.10). Aqueles que foram redimidos foram descritos como "irrepreensíveis" (Ap 14.3-5; cf. Ef 5.27). Aqueles que foram "chamados, eleitos e fiéis" (Ap 17.14) são "vestidos de linho fino, branco e puro" (Ap 19.14).

**Conclusão**

Está bastante evidente que devemos observar certos princípios ao ensinar a doutrina da eleição: (1) Não devemos ir além da posição a que a Palavra de Deus nos leva. Sempre haverá alguns mistérios sobre a eleição que nunca poderemos explicar ou imaginar totalmente. (2) Nosso dever é pregar o Evangelho para todos, no poder do Espírito Santo (Mt 28.18-20; At 1.8; 1 Co 2.1-5); Deus conhece aqueles que são seus (2 Tm 2.19). (3) A eleição deve ser uma doutrina de esperança e conforto para o povo de Deus – não uma doutrina de horror e desespero. Os crentes devem ser encorajados a assegurar sua chamada e eleição (2 Pe 1.10).

Esses princípios, quando mantidos dentro de um equilíbrio apropriado, nos permitirão fugir dos extremos que estão tão freqüentemente associados a essa gloriosa verdade. *Veja* Escolhidos.

***Bibliografia.*** G. C. Berkouwer, *Divine Election,* Grand Rapids. Eerdmans, 1960. João Calvino, *Concerning the Eternal Predestination of God*, Londres. James Clarke, 1961. Hendley Dunelm, "Election", ISBE, III (1930), 925-927. John Gill, *The Cause of God and Truth,* Londres. W. H. Collingridge, 1855, G. E. Mendenhall, "Election", IDB, II, 76-82. G. Schrenk, "*Eklegomai,* etc.", TDNT, IV, 144-192. J. H. Thornwell, *Election and Reprobation*, Filadélfia. Presbyterian and Reformed, 1961. B. B. Warfield, "Predestination", HDB, IV (1902), 47-63. J. R. Willis, "Elect, Election", *Dictionary of Christ and the Gospels,* I (1906), 510-514.

W. B.

**ELEITO** "Escolhido" ou "selecionado". O principal verbo do AT para essa palavra é *bahar,* que significa uma escolha deliberada de alguma coisa ou alguém com contínua preferência ou prazer. O verbo *eklegomai,* do NT, significa escolher ou selecionar um grupo maior de coisas para si mesmo. Os adjetivos relacionados *bahir* e *eklektos* foram traduzidos como "eleito" ou "preferido", e são o resultado de um ato de selecionar. As palavras são usadas para escolhas humanas (Gn 6.2; Dt 30.19; Lc 10.42; 14.7), e divinas para a salvação (Ef 1.4) e para o serviço (Jo 15.16). Vários objetos têm o nome de "eleitos" ou "escolhidos" por Deus: a nação de Israel por especial favor e propósito (Is 44.1; 45.4); vários indivíduos tais como Abraão (Ne 9.7), Arão (Sl 105.26), Davi (1 Sm 16.8ss.), Jerusalém (2 Cr 6.6), os judeus remanescentes na segunda vinda de Cristo (Mt 24.22; Is 65.9), a igreja, o corpo de Cristo (1 Pe 2.9; 5.13; Cl 3.12; Tt 1.1), o Próprio Senhor Jesus Cristo (Is 42.1; 1 Pe 2.6), a "senhora eleita" (2 Jo 1) e os anjos (1 Tm 5.21). Os eleitos são escolhidos pela graça de Deus (Romanos 11.5) e pelo amor (Rm 8.33-39; 11.28; Ef 1.4,5), e de acordo com o conhecimento prévio do Senhor (1 Pe 1.2); nunca com base em algum mérito humano (Rm 9.11; cf. 2 Tm 1.9). *Veja* Escolhido; Eleição.

C. F. D.

**EL-ELOHE-ISRAEL** "Deus, [é] o Deus de Israel". O altar de Jacó em Siquém, depois que retornou de Padã-Arã (Gn 33.19,20). Nesse lugar Abraão havia erguido um altar (Gn 12.7). A Septuaginta (LXX) traduz Gênesis 33.20 da seguinte maneira: "Ele edificou um altar e invocou o Deus de Israel".

**ELEMENTOS**

1. Letras do alfabeto simbolizando os rudimentos de um estudo ou disciplina, como nos "primeiros rudimentos das palavras de Deus" (Hb 5.12).
2. Componentes físicos do mundo que enfrentarão a destruição pelo fogo (2 Pe 3.10-12).
3. Espíritos existentes atrás dos componentes físicos, que muitos gregos personificavam como elementos supremos de toda existência e da vida, e transformaram em objetos de adoração. Eles foram combatidos por Pau-

lo em Colossenses, particularmente em 2.8,20; possivelmente, também em Gálatas 4.3,9 – embora aqui ele talvez esteja referindo-se ao legalismo judaico como um pensamento religioso rudimentar ou infantil. *Veja* Rudimentos.

**ELI**
Último juiz do período de trevas de Israel. A dramática história de Eli está registrada em 1 Samuel 1–4, um livro que tem o nome de seu sucessor. Eli era um sacerdote da "Casa do Senhor" na antiga Siló (1 Sm 1.3,7,9 etc.), cerca de 35 quilômetros ao norte de Jerusalém, para onde foi levado o jovem Samuel como cumprimento do voto de Ana (1 Sm 1.1–2.11). A "casa do Senhor" era evidentemente o Tabernáculo de Israel (cf. Js 18.1; Jz 18.31) e o lugar onde residia a arca (1 Sm 3.3), sugerindo que ali fosse o santuário central dos israelitas.
O registro bíblico nada diz a respeito dos ancestrais de Eli. Portanto, surgiram duas tradições a respeito da sua árvore genealógica: uma diz que ele veio de Itamar, da Casa de Arão (Cf. Jos *Ant.* v. 11.5; 1 Cr 24.3); e outra, que ele veio da rival casa de Eleazar (cf. II Ed 1.2,3; Êx 6.23,25). Comparando 1 Reis 2.27 com 1 Crônicas 24.3 podemos concluir que seu filho Finéias e o próprio Eli eram provavelmente descendentes do filho mais novo de Arão, Itamar. Aimeleque, filho de Abiatar, é um dos "filhos de Itamar" (cf. 1 Cr 24.3 com 2 Sm 8.17). Não há dúvida de que a família de Eli vinha de uma antiga linhagem de sacerdotes que ministravam em Siló. Seus descendentes, através de Finéias e o outro filho Aitube, podem ter continuado o sacerdócio em Nobe durante algum tempo (1 Sm 14.3; 22.9ss.).
Associados a Eli em seu sacerdócio estavam seus dois incorrigíveis filhos, Hofni e Finéias (1 Sm 1.3). Ambos comportavam-se de forma ultrajante e causaram profundo desgosto entre o povo, transformando o serviço do Tabernáculo em um ato abominável aos olhos de todos (1 Sm 2.12-17,22). Eli estava ciente dessa conduta, mas se limitava a fazer reprovações suaves e ineficientes (1 Sm 2.23,24), quando, ao contrário, sua posição exigia ações severas e rigorosas (1 Sm 3.13). Por causa de sua conduta escandalosa e da lassidão da disciplina paterna, um homem de Deus pronunciou uma condenação sobre eles e sua posteridade (1 Sm 2.27-36). Essa profecia foi confirmada através de uma revelação feita ao jovem Samuel, que predisse o irremediável castigo que cairia sobre a casa de Eli (1 Sm 3.11-14).
Esse prenúncio de castigo cumpriu-se parcialmente com a morte de Hofni e de Finéias na batalha contra os filisteus em Afeca (1 Sm 4.11), e o cruel assassinato dos sacerdotes em Nobe pelo rei Saul (Cf. 1 Sm 22.9-20). Porém Abiatar escapou e dividiu o sacerdócio com Zadoque, sob o comando do rei Davi (2 Sm 15.24-29; 19.11). Entretanto, seu afastamento, ordenado pelo rei Salomão, restaurou a linhagem de Eleazar na pessoa de Zadoque, e essa foi a concretização final do antigo oráculo profético (cf. 1 Rs 2.26ss.).
O ocaso da vida de Eli foi de derrota, frustração e desastre. Seu fim acompanhou as tristes notícias da perda da arca para os filisteus na batalha próxima a Ebenézer. Ele caiu, quebrou o pescoço e morreu, por volta de 1000 a.C. "Eli caiu da cadeira para trás, da banda da porta, e quebrou-se-lhe o pescoço, e morreu, porquanto o homem era velho [noventa e oito anos] e pesado; e tinha ele julgado a Israel quarenta anos" (1 Sm 4.18). Seu neto prematuro recebeu o nome de Icabô, isto é, "foi-se a glória de Israel" (1 Sm 4.19-21). Eli levou ao clímax a longa e desastrada era dos juízes, e pavimentou o caminho para a nova era dos reis. Ele havia sido juiz de Israel durante 40 anos, e combinava em sua pessoa as funções de sumo sacerdote e de juiz (1 Sm 4.18). Entretanto, seu registro ficou arruinado e prejudicado pelas vergonhosas práticas de seus filhos profanos, e seu sinistro insucesso em afastá-los do ofício sacerdotal.

D. W. D.

**ELIÃ** Esse nome foi encontrado em um antigo selo hebraico.
1. Pai de Bate-Seba (2 Sm 11.3); chamado de Amiel (q.v.) em 1 Crônicas 3.5, os dois elementos básicos de seu nome, *'el* e *'am*, estão invertidos. Esse nome deveria significar "meu Deus é meu companheiro" ou "meu Deus faz parte de minha família".
2. Filho de Aitofel, e um dos "valentes" de Davi (2 Sm 23.8,13,34), possivelmente a mesma pessoa mencionada no item 1 acima.

**ELIABA** Um saalbonita que fazia parte da guarda especial de Davi, composta por 30 homens poderosos (2 Sm 23.32; 1 Cr 11.33).

**ELIABE** Esse nome ocorre em textos acadianos como *Ili-abi.*
1. Representante ou "príncipe" da tribo de Zebulom que ajudou Moisés a fazer o censo etc. (Nm 1.9; 2.7; 7.24; 10.16).
2. Um rubenita, pai dos rebeldes Datã e Abirão (Nm 16.1,12; 26.8,9).
3. Antepassado de Samuel que descendia do levita Coate (1 Cr 6.27), possivelmente o Eliel do verso 34 e o Eliú de 1 Samuel 1.1.
4. O filho mais velho de Jessé e irmão de Davi. Era alto e de magnífica aparência (1 Sm 16.6,7; 1 Cr 2.13). Esteve no exército de Saul e ficou furioso quando ouviu o jovem Davi perguntar a respeito da recompensa para quem matasse Golias (1 Sm 17.13-28). Sua filha Abiail casou-se com Jerimote, filho de Davi, e sua filha Maalate casou-se com Roboão (2 Cr 11.18).

5. Guerreiro gadita que se juntou ao proscrito Davi em sua fortaleza no deserto (1 Cr 12.8,9).
6. Cantor e harpista levita nomeado para acompanhar a procissão que levou a arca até Jerusalém (1 Cr 15.18,20).

**ELIADA**
1. Um dos filhos que Davi teve com uma esposa ou concubina em Jerusalém (2 Sm 5.16; 1 Cr 3.8). Ele é chamado de Beeliada em 1 Crônicas 14.7.
2. Pai de Rezom, da Síria, que foi um implacável inimigo de Israel durante o reinado de Salomão (1 Rs 11.23).
3. Homem de Benjamin, comandante de 200.000 homens do exército de Josafá (2 Cr 17.17).

**ELIAQUIM** Esse nome aparece em três selos do século VI a.C. na forma de um escaravelho como "pertencentes a Eliaquim, assistente de Yaukin" *(l'lyqm n' r ywkn)*. Esse Eliaquim, que não foi mencionado no AT, era mordomo de Joaquim.
1. Filho de Hilquias, o mordomo real ou funcionário que cuidava "de toda a casa" do rei Ezequias, e ocupava uma posição logo abaixo da do rei. Ele representou Ezequias durante uma entrevista com os oficiais de Senaqueribe (2 Rs 18.18,26,37). Foi enviado pelo rei a Isaías, juntamente com uma delegação, para solicitar seus conselhos (2 Rs 19.2-5). Deve ter sido um homem temente e obediente a Deus, e extremamente capaz, pois Isaías profetizou que Eliaquim viria a substituir Sebna em sua função (Is 22.20-24) e isso aconteceu por ocasião da invasão de Senaqueribe.
2. Filho do rei Josias. O Faraó-Neco colocou-o no trono de Judá (2 Rs 23.34) e mudou seu nome para Jeoaquim (*q.v.*).
3. Sacerdote que participou da cerimônia de dedicação dos muros da cidade (Ne 12.41).
4. Filho de Abiúde, descendente de Davi através de Salomão e Zorobabel (Mt 1.13).
5. Filho de Meleá, descendente de Davi através de Natã (Lc 3.30). Esses dois últimos homens aparecem na genealogia do Senhor Jesus Cristo.

J. R.

Elias e o filho da viúva. Vitral flamengo do início do século XVI. MM

**ELIAS**
1. Elias, o profeta, cujo nome significa "Yahweh [ou Jeová] é Deus", foi muito ativo durante os reinados de Acabe e de Acazias no reino do norte (aprox. 875-850 a.C.). O relato de seu ministério começa em 1 Reis 17 e termina com a ascensão de Elias registrada em 2 Reis 2. Nenhuma genealogia, chamada ao serviço, ou antecedentes são fornecidos, exceto o fato de ter sido identificado como um tisbita que residia na terra de Gileade, a leste do Rio Jordão.
Elias foi chamado para servir como portavoz de Deus na ocasião em que o reino do norte havia alcançado sua mais forte posição econômica e política desde a separação feita pelo governo Davídico em Jerusalém. Onri (885-874 a.C.), que introduziu uma política de boas relações de amizade com as nações vizinhas, selou essa aliança com a Fenícia casando seu filho Acabe com Jezabel, filha de Etbaal, o rei dos sidônios. Sob o real patrocínio de Acabe e Jezabel, floresceu em Israel a adoração ao deus Baal de Tiro e Sidom, ou Melqart de Israel. Acabe até construiu um templo para Baal na cidade de Samaria (1 Rs 16.32). Enquanto a liderança real estava comprometida com a adoração a Baal, Elias, através de suas mensagens e milagres, tinha a responsabilidade de lembrar aos israelitas que eram o povo de Deus.
Sua primeira missão foi enfrentar o rei Acabe com o aviso de uma seca iminente, lembrando que o Senhor Deus de Israel, a quem ele havia ignorado, tinha o controle da chuva na terra onde viviam (Dt 11.10-12). Em seguida, Elias isolou-se e caminhou em direção a leste do Rio Jordão. Nesse lugar, ele foi sustentado pelas águas do ribeiro de Querite e pelo pão e carne milagrosamente fornecidos pelos corvos. É possível que esse "ribeiro" *(nahal)* seja o profundo vale do Rio Jarmuque, ao norte de Gileade. Quando o suprimento de água terminou por causa da seca, Elias foi divinamente instruído a ir até Sarepta, na Fenícia, onde

seria sustentado por uma viúva cuja reserva de farinha e óleo havia sido milagrosamente aumentada até que a estação das chuvas fosse restaurada à terra. A identidade de Elias como profeta ou homem de Deus foi confirmada pela divina manifestação quando o filho da viúva foi restaurado à vida.

No terceiro ano dessa seca, Elias recebeu ordens divinas para entrar em contato com Acabe e anunciar que Deus estava prestes a enviar chuva. Durante esse período, Acabe havia feito intensas pesquisas sobre a água para sustentar seu gado, enquanto Jezabel havia mandado matar muitos profetas de Deus. Alguns dos profetas do Senhor, entretanto, haviam sido escondidos e alimentados secretamente por um dos oficiais de Acabe, chamado Obadias. Mais tarde, ao encontrar-se com Elias, Obadias mostrou-se muito preocupado porque Acabe havia intensificado a procura por Elias. Mas Elias o tranqüilizou, assegurando-lhe que não desapareceria; e assim Obadias conseguiu marcar um encontro entre Acabe e Elias.

Embora Acabe responsabilizasse Elias pelo problema da seca de Israel, o profeta corajosamente confrontou o rei mostrando que tanto o rei quanto sua casa eram os culpados pela transgressão do primeiro mandamento ao praticarem a adoração a Baal, ao invés de adorarem a Deus. Acabe rapidamente obedeceu às instruções de Elias e organizou uma reunião pública no Monte Carmelo com os 450 profetas de Baal e os 400 profetas de Aserá que eram sustentados por Jezabel.

No Monte Carmelo, a questão foi claramente apresentada por Elias. Os profetas de Acabe ficaram completamente indefesos e não conseguiram introduzir o poder de Baal para iniciar o sacrifício que haviam preparado. Neste ínterim, Elias reparou o altar do Senhor e preparou seu sacrifício. Depois de ter orado ao Senhor Deus de Abraão, Isaque e Israel, o sacrifício de Elias foi milagrosamente aceso perante a assembléia pública de israelitas. O povo respondeu a essa demonstração de poder e soberania de Deus, e confessou que Yahweh [ou Jeová] é Deus. Imediatamente, Elias ordenou a execução dos falsos profetas e instruiu Acabe a rapidamente procurar Jezreel antes que a chuva iminente chegasse, embora o céu estivesse completamente limpo. Após a oração de Elias, choveu com abundância. Através de uma capacitação divina, Elias foi capaz de correr mais do que Acabe e entrar em Jezreel, que distava de 30 a 35 quilômetros a leste do local onde haviam estado.

Ameaçado por Jezabel, o profeta Elias escapou em direção ao sul, a um dia de viagem de Berseba. Chegou a ficar desanimado a ponto de pedir a morte, mas foi divinamente alimentado e assim prosseguiu em direção ao Monte Horebe. Lá chegando, ele recebeu

Monte Carmelo e a moderna Haifa

três incumbências: (1) ungir Hazael como rei da Síria; (2) ungir Jeú como rei de Israel; (3) e ungir Eliseu como seu sucessor. Ao retornar, Elias chamou Eliseu para que o acompanhasse. A comunicação da divina mensagem a Hazael e Jeú foi em seguida complementada por Eliseu.

A mais corajosa confrontação pessoal com o rei Acabe aconteceu quando Elias encontrou o rei na vinha de Nabote. Jezabel havia tramado a execução de Nabote, ignorando o direito à herança da terra que existia na antiga nação de Israel (cf. R. de Vaux, *Ancient Israel*, trad. por John McHugh, McGraw-Hill, 1961, pp. 53ss., 166ss.). O juízo divino sobre a família real havia sido um veredicto, e Elias comunicou a mensagem de Deus. Como Acabe arrependeu-se, o castigo foi temporariamente adiado.

Elias sobreviveu a Acabe, que foi morto em uma batalha em 853 a.C. Sua profecia a respeito de Acabe cumpriu-se quando os cães lamberam o sangue do rei.

Acazias sucedeu a Acabe, seu pai, no trono israelita. Em uma certa ocasião, ele sofreu uma queda e ficou aleijado. Ao enviar seus servos para perguntar a Baal, o deus de Ecrom (ironicamente chamado de Baal-Zebube, ou "Baal das moscas", um trocadilho com seu nome, Baal-Zebul, que significa "Baal, o príncipe") se poderia recuperar-se, Elias foi divinamente encarregado de interceptar os mensageiros. Ele mandou que voltassem ao rei levando a repreensão por ter ignorado o Deus de Israel, e advertindo-o de sua morte iminente. Após o fracasso de várias tentativas para prender Elias, o profeta acompanhou o terceiro capitão enviado pelo rei. Dessa vez, Elias foi à presença do rei para transmitir diretamente sua mensagem. Acazias não se recuperou e morreu, como Elias havia predito.

Ao aproximar-se o final do ministério de Elias, Eliseu e alguns dos profetas associados a eles, perceberam que seu mestre estava prestes a

Ribeiro de Querite (ao pé da ravina) e o mosteiro de São Jorge, assinalando o lugar tradicional onde os corvos alimentaram Elias

deixá-los. Mas Eliseu prometeu que permaneceria com Elias. Depois de uma milagrosa separação das águas do Rio Jordão, de forma que os profetas puderam atravessá-lo sobre terreno seco, Eliseu pediu uma porção dobrada (que equivalia à porção do primogênito) do espírito de seu mestre, desejando, deste modo, tornar-se o principal herdeiro espiritual de Elias (cf. Dt 21.17). A concessão desse pedido lhe foi garantida ao ver Elias ascender ao céu em um rodamoinho.

Embora o ministério de Elias tivesse sido exercido principalmente no reino do norte, ele enviou uma comunicação por escrito ao rei Jeorão de Judá, que havia sucedido seu pai, Josafá. Jeorão foi censurado por ter ignorado o caminho do temor e da obediência a Deus – que fôra seguido por Asa e por Josafá – e ter decidido seguir o padrão idólatra dos reis de Israel (2 Cr 21.12-15).

O elemento miraculoso aparece de forma muito proeminente no ministério de Elias. Através deste, Elias foi confirmado como porta voz de Deus em uma época em que os reis de Israel deveriam, ao invés de dedicar-se à idolatria, ser o exemplo de alguém que assumiu um completo comprometimento com Deus, de todo o coração.

No AT existe uma outra referência a Elias, em Malaquias 4.5 onde é mencionado como precursor do "grande e terrível Dia do Senhor". É possível que uma das duas testemunhas de Apocalipse 11.3-12 seja Elias, reaparecendo como o cumprimento desta profecia. Os judeus esperam seu regresso, como está indicado em Ecclus 48.10, o Manual de Disciplina de Qumran (IX.11), e na literatura Mishnaítica.

Outras referências do NT para complementar este estudo são: Mateus 11.14; 16.14; 17.1-13; 27.47,49; Mc 6.15; 8.28; 9.2-13; 15.35,36; Lc 1.17; 4.25,26; 9.8,19,28-36,54; Rm 11.2-4; Tg 5.17,18.

2. Sacerdote que se casou com uma mulher gentílica (Ed 10.21).

3. Um dos "chefes de pais" de Benjamim (1 Cr 8.27,28).

4. Filho do sacerdote Elão, e um daqueles que havia se casado com uma esposa estrangeira (Ed 10.26).

***Bibliografia.*** CornPBE, pp. 273-276. Joachim Jeremias, "*Helias*", TDNT, II, 928-941. James L. Kelso, "Elijah, the Abraham Lincoln of the Israelites", *Archaeology and Our Old Testament Contemporaries*, Grand Rapids. Zondervan, 1966, pp. 105-113. F. W. Krummacher, *Elijah the Tishbite,* trad. por John Cairns, Londres. T. Nelson & Sons, 1886. William S. LaSor, "Elijah. Rival Altars", *Great Personalities of the Old Testament*, Westwood, N.J.. Revell, 1959, pp. 126-135. F. B. Meyer, "*Elijah and the Secret of His Power*", Londres. Morgan & Scott, 1917. J. A. Montgomery e H. S. Gehman, *A Critical and Exegetical Commentary on the Books of Kings,* ICC, pp. 292-354, Leon J. Wood, *Elijah, Prophet of God,* Des Plaines, Ill.. Regular Baptist Press, 1968.

S. J. S.

**ELIASAFE**

1. Líder de uma tribo de Gade, chamado de filho de Deuel (Nm 1.14; 10.20) ou Reuel (Nm 2.14). Ele apresentou as ofertas de Gade no Tabernáculo (Nm 7.42-47).

2. Filho de Lael, chefe dos gersonitas (Nm 3.24).

**ELIASIBE**

1. Sacerdote chefe do 11º turno dentre os 24 turnos em que Davi dividiu o sacerdócio (1 Cr 24.1,12).

2. Cantor levita do período pós-exílico que havia se casado com uma estrangeira (Ed 10.24).

3. Um leigo, filho de Zatu (Ed 10.27).

4. Outro leigo, filho de Bani (Ed 10.36), relacionado na mesma lista da pessoa mencionada no ítem 2.

5. Sumo sacerdote contemporâneo de Neemias; filho de Joiaquim e neto de Jesua, o sacerdote da época de Zorobabel (Ne 12.10). Sob Neemias, ele dirigiu os sacerdotes na reconstrução da "Porta do Gado" (Ne 3.1), porém, mais tarde, foi culpado de aliar-se ao hostil Tobias, designando a este uma sala na área do templo pela qual Eliasibe era o responsável (Ne 13.4-7). Teve até um neto que se casou com uma filha de Sambalate, outro oponente de Neemias (Ne 13.28).

6. Um descendente de Zorobabel (1 Cr 3.24).

**ELIATA** Filho de Hemã cuja família (filhos e irmãos) foi indicada para ser a vigésima divisão de músicos para servir no templo (1 Cr 25.4,27).

**ELICA** Um membro harodita entre os 30

valentes de Davi (2 Sm 23.25). Seu nome não está incluído na relação paralela de 1 Crônicas 11.26-47.

**ELIDADE** Filho de Quislom de Benjamim. Foi o representante de sua tribo no grupo que trabalhou sob a orientação de Josué e Eleazar na distribuição das terras a oeste do Jordão entre as tribos (Nm 34.21).

**ELIEL**
1. Um levita coatita (1 Cr 6.34), provavelmente o mesmo Eliabe de 1 Crônicas 6.27 e o Eliú de 1 Samuel 1.1.
2. e 3. Dois poderosos homens ou heróis do exército de Davi (1 Cr 11.46,47).
4. Sétimo dos guerreiros gaditas que se juntaram a Davi em sua fortaleza no deserto e se tornaram oficiais (1 Cr 12.11).
5. Levita mencionado em relação à remoção da arca da casa de Obede-Edom (1 Cr 15.9,11).
6 e 7. Dois chefes de família da tribo de Benjamim (1 Cr 8.20,22).
8. Chefe de uma família da meia tribo transjordaniana de Manassés (1 Cr 5.24).
9. Administrador levita nomeado por Ezequias para ajudar a coletar dízimos e ofertas (2 Cr 31.13).

**ELIENAI** Chefe de uma família da tribo de Benjamim (1 Cr 8.20).

**ELIÉZER** Nome que não deve ser confundido com Eleazar.
1. Eliézer de Damasco (Gn 15.2), servo e herdeiro da casa de Abraão. O hábito de casais estéreis adotarem um filho, que deveria servi-los enquanto vivessem, e depois de sua morte herdaria sua propriedade, tem sido conhecido há muito tempo através dos textos Nuzi (cf. John Bright, *A History of Israel*, p. 71; C. H. Gordon, "*Biblical Customs and the Nuzi Tablets*", BA, III [1940], 1-12).
2. Segundo filho de Moisés e Zípora que recebeu esse nome por causa da ajuda de Deus na libertação de Moisés da espada do Faraó (Êx 18.4; 1 Cr 23.15,17; 26.25).
3. Neto de Benjamim (1 Cr 7.8)
4. Um dos sete sacerdotes que tocaram a trombeta perante a arca quando ela estava sendo transportada por Davi da casa de Obede-Edom para Jerusalém (1 Cr 15.24).
5. Um governador de Rúben na época de Davi (1 Cr 27.16).
6. Um profeta que censurou Josafá por ter se aliado a Acazias, rei de Israel, em uma expedição a Társis (2 Cr 20.37).
7. O primeiro de um grupo de 11 líderes criteriosos enviados por Esdras a Ido para procurar levitas e levá-los de volta para Jerusalém (Ed 8.16ss).
8-10. Três homens, um sacerdote, um levita e um filho de Harim que, na época de Esdras, haviam se casado com mulheres estrangeiras (Ed 10.18,23,31).
11. Uma pessoa da genealogia de Jesus, conforme registrado por Lucas (3.29).

R. L. S.

**ELIFAL** Filho de Ur (1 Cr 11.35) e um dos 30 valentes de Davi. Alguns o identificam com Elifelete (*q.v.*), filho de Aasbai (2 Sm 23.34).

**ELIFAZ**
1. Filho mais velho de Esaú que teve um filho chamado Temã (Gn 36.9-11), do qual a área edomita recebeu seu nome. Alguns concluíram que ele era Elifaz (veja 2) amigo de Jó.
2. Primeiro e mais proeminente dos três amigos de Jó que vieram de longas distâncias quando souberam de suas tribulações (Jó 2.11). Ele é mostrado com um venerável sábio de Temã, em Edom, um lugar notável pela sua sabedoria (Jr 49.7).
Sem dúvida, a sabedoria de Elifaz deveria ser típica do mundo daquela época, e era produto de longos períodos de pensamento, experiência e estudo. Em seu primeiro discurso (Jó 4–5) ele afirma que a condição de Jó era o resultado natural de uma causa em que ele inclui impureza natural e devassidão moral. Ele promete a restauração depois da penitência. Em seu segundo discurso (Jó 15) Elifaz mostra-se irritado pelas palavras de Jó que acredita estar prejudicando sua devoção. Ele atribui a situação à iniqüidade, e reafirma sua doutrina de devassidão; em seguida descreve detalhes gráficos relativos ao destino daquele homem pecador. Em seu terceiro discurso (Jó 22), ele tenta, realmente, acusar Jó de ter cometido crimes e fraudes quando Deus estava demasiadamente distante para observá-lo.
Embora seus discursos fossem muito elaborados e sábios, faltava-lhes uma verdadeira compreensão humana e um critério divino, o que os tornava frios e sem utilidade. Seu erro residia em uma inflexível pressuposição da iniqüidade de Jó, e numa insensível fixação em sua teoria, que resultou na eliminação de uma amizade.

R. O. C.

**ELIFELETE**
1. Um filho de Davi nascido em Jerusalém (1 Cr 3.5,6; chamado de Elpelete em 1 Crônicas 14.5).
2. O último dos filhos de Davi nascidos em Jerusalém (2 Sm 5.16; 1 Cr 3.8; 14.7).
3. Um filho de Aasbai, um dos valentes de Davi (2 Sm 23.34; cf. Elifal [q.v.], 1 Cr 11.35).
4. Um descendente de Jônatas (1 Cr 8.33,39).
5. Um filho de Adonicão que retornou da Babilônia com Esdras (Ed 8.13).
6. Um filho de Hasum, que se divorciou de sua esposa gentílica depois do exílio (Ed 10.33).

**ELIFELEU** Um dos 14 porteiros especiais

"da segunda ordem" (1 Cr 15.18) que, entre outros, sob a liderança de Davi, foram escolhidos entre os levitas como acompanhantes instrumentais na cerimônia do transporte da arca do pacto desde a casa de Obede-Edom até Jerusalém.

**ELIM** Segundo acampamento de Israel no deserto de Sur, depois de cruzar o Mar Vermelho (Êx 15.22-27; Nm 33.8-10). Este local oferecia o frescor de 12 fontes de águas e de 70 palmeiras, em contraste com as águas amargas de Mara do acampamento anterior. Esse lugar é tradicionalmente identificado como Uádi Gharandel, o acampamento habitual dos viajantes que iam do Egito para o Monte Sinai.

**ELIMAS** Mágico judeu na corte do pró-cônsul Sérgio Paulo em Chipre, que tentou dissuadir Sergio de acreditar na mensagem levada por Barnabé e Paulo (At 13.6-11). Por causa de sua oposição, foi acometido de uma cegueira temporária. Esse nome parece ser igual ao nome árabe *'alim*, "sábio"; no texto ocidental do Codex D está escrito *Hetoimas. Veja* também Barjesus.

**ELIMELEQUE** Homem de considerável importância e fortuna em Belém de Judá na época dos juízes. Foi esposo de Noemi e pai de Malom e Quiliom (Rt 1.1ss.). Escapou da fome que sobreveio a Judá, mudando-se para Moabe juntamente com sua família. O casamento dos filhos com mulheres moabitas, e a morte destes três homens, levou Noemi e uma de suas noras, Rute, a retornarem a Belém. O casamento de Rute com Boaz e o nascimento de seu filho Obede, avô do rei Davi, foram relatados no livro de Rute.

**ELIOENAI** Chefe de uma família de 200 homens que retornaram a Jerusalém com Esdras (Ed 8.4).

**ELIOENAI**
1. Um dos filhos de Nearias, um descendente de Zorobabel e pai de sete filhos (1 Cr 3.23,24).

Oásis em Uádi Gharandel. JR

2. Um dos chefes simeonitas, cabeça de uma numerosa família (1 Cr 4.36).
3. Filho de Bequer da tribo de Benjamim e chefe da casa de seu pai (1 Cr 7.8).
4. Sétimo filho de Meselemias; um coraíta; um porteiro da casa do Senhor (1 Cr 26.3).
5. Sacerdote, um dos filhos de Pasur, que expulsou sua esposa de origem gentílica na reforma de Esdras (Ed 10.22).
6. Um israelita, dos filhos de Zatu, que expulsou sua esposa de origem gentílica (Ed 10.27).
7. Sacerdote músico que tomou parte na dedicação do muro, que foi feita por Neemias. Talvez a mesma pessoa mencionada no item 5 acima (Ne 12.41).

**ELIOREFE** Filho de Sisa que, com seu irmão Aías, serviu como escriba na corte de Salomão (1 Rs 4.3).

**ELISÁ**
1. Neto de Jafé, da lista dos "chefes das nações" em Gênesis 10.2-4 e 1 Crônicas 1.5-7. Josefo (*Ant.* i.6.1) identifica seu nome com os eólios.
2. Região costeira que vendia tinta azul e púrpura para Tiro (Ez 27.7). Essa região está associada a Alásia, nome comum nos registros cuneiformes encontrados em vários locais. Muitos dizem que é parte de Chipre, ao invés de Quitim (Ez 27.6), possivelmente uma área não fenícia. Também tem sido identificada como Itália, norte da África, Grécia e muitas outras áreas de menor importância.

**ELISAFATE** Um dos cinco "chefes das centenas" ou "capitães de cem" que se associou a Joiada, o sacerdote, para tomar o trono de Atalia e estabelecer Joás como rei (2 Cr 23.1).

**ELISAMA** Esse nome aparece em antigos selos hebreus e em inscrições do sul da arábia.
1. Filho de Amiúde, líder da tribo de Efraim na época do Êxodo (Nm 1.10; 7.28). Era avô de Josué (1 Cr 7.26).
2. Um filho de Davi que nasceu em Jerusalém (2 Sm 5.16; 1 Cr 3.8). O nome que está em 1 Crônicas 3.6 provavelmente esteja no lugar de Elisua (*q.v.*; cf. 2 Sm 5.15,16; 1 Cr 14.5).
3. Príncipe e secretário (ou escriba) do rei Jeoaquim (Jr 36.12,20,21), provavelmente idêntico ao real avô de Ismael que matou Gedalias, o governador da Judéia nomeado pela Babilônia (2 Rs 25.25; Jr 41.1).
4. Homem da linhagem de Judá (1 Cr 2.41).
5. Sacerdote entre o grupo de homens nomeados pelo rei Josafá para ensinar a lei nas cidades de Judá (2 Cr 17.7-9).

**ELISEBA** Filha de Aminadabe, um dos líderes da tribo de Judá. Era esposa de Arão e mãe de seus filhos Nadabe, Abiú, Eleazar e

Itamar (Êx 6.23). Dessa maneira, ela foi a mãe de toda a linhagem arônica de sacerdotes. (*Veja* Isabel).

**ELISEU** Auxiliar de Elias (q.v.) e seu sucessor como profeta em Israel. Seu nome hebraico *'elisha'* significa "Deus é salvação". Seu nome grego *Elissaios* consta em Lucas 4.27.
*Antecedentes.* Eliseu era filho de Safate, de Abel-Meolá (q.v.) no Vale do Jordão. Sua família deve ter tido recursos consideráveis, pois quando Elias chegou para lhe fazer um convite, Eliseu estava arando com um par de bois e acompanhava outros onze grupos que também aravam. Embora ainda fosse muito jovem, ele aceitou sem demora o convite e demonstrou sua formação religiosa sacrificando os bois (1 Rs 19.16,19-21).
*Escopo de seu ministério.* Seu ministério profético cobriu toda a última metade do século IX a.C., atravessando os reinados de Jorão, Jeú, Jeoacaz e Joás, do reino do norte. Sua influência estendia-se desde uma viúva endividada (2 Rs 4.1) até um homem rico e proeminente (4.8) e mesmo até dentro do próprio palácio de Israel (5.8; 6.9,12,21,22; 6.32–7.2; 8.4; 13.14-19). Além disso, outros reis (Josafá de Judá, 2 Reis 3.11-19, Ben-Hadade da Síria, 8.7-9) e altos funcionários do exército sírio 5.1,9-19 procuravam sua ajuda. Ele mudou o curso da história ao completar a missão de Elias (1 Rs 19.15,16) ao ungir Hazael como rei da Síria (cf. 2 Rs 8.12,13) e Jeú como rei de Israel (cf. 2 Rs 9.1-10). Sua maior contribuição ao bem estar espiritual de seu país pode ter sido seu trabalho como diretor das escolas de profetas em vários centros, seguindo a tradição de Samuel (2 Rs 4.38-44; 6.1-7; cf. 1 Sm 19.20; *veja* Filhos dos Profetas).
*Milagres.* Entretanto, Eliseu é mais lembrado pelos grandes milagres que ocorreram em seu ministério. Com exceção do Senhor Jesus Cristo, nenhuma outra pessoa da história sagrada ficou registrada como alguém que tenha realizado um maior número de sinais e maravilhas. Um profeta igual a Moisés (Dt 18.15), Eliseu sarou águas infectadas (2 Rs 2.19-22; cf. Êx 15.22-25) e fez brotar água no deserto (2 Rs 3.9,16-20; cf. Êx 17.1-6). Ele teve milagres semelhantes aos de Elias ao prover à viúva (2 Rs 4.1-7; cf. 1 Rs 17.8-16) e ressuscitar os mortos (2 Rs 4.18-37; cf. 1 Rs 17.17-24). Antecipando os milagres de Cristo, ele curou o leproso (2 Rs 5; cf. Mc 1.40-44; Lc 17.11-19) e multiplicou pães (2 Rs 4.42-44; cf. Mt 14.16-21; 15.32-38). Novamente, como nosso Senhor, ele estava motivado por uma profunda compaixão ao responder aos apelos de ajuda, realizando milagres como, por exemplo, fazer um machado emprestado flutuar (2 Rs 6.5-7) e ao prometer um filho à mulher sunamita (4.11-17) e, mais tarde, ao aconselhá-la a fugir da fome que ele havia predito (8.1).
*Caráter.* Diferente de Elias que tinha uma

Fonte tradicional de Eliseu em Jericó. JR

tendência ao ascetismo, e a se afastar dos olhos do público, Eliseu viveu próximo às pessoas que servia, e gostava da vida social. Tinha uma casa em Samaria, a capital (2 Rs 6.32), mas viajava constantemente pelo país, tal como Samuel havia feito antes dele. Freqüentemente parava para visitar seus amigos em Suném. Exatamente como Jesus fez, mais tarde, muitas vezes com Maria e Marta. Eliseu chorou quando falou com Hazael, pois conhecia muito bem o cruel sofrimento que este causaria a Israel (2 Rs 8.11,12). No entanto, pôde pronunciar o juízo de Deus contra os jovens que zombavam do novo profeta de Deus como um leproso calvo (2 Rs 2.23,24; cf. Lv 13.40-46), e sobre o funcionário real em Samaria por sua zombaria e descrença (2 Rs 7.1,2), tão severamente quanto Elias teria feito, e da mesma maneira que o Senhor Jesus expressou os "ais" contra os fariseus hipócritas (Mt 23). Certamente seu ministério foi reproduzido em João Batista (q.v.; Mt 17.10-13, *veja também* Elias); é evidente que muitos aspectos da pessoa e da obra de Eliseu são capazes de reproduzir em muitos aspectos o caráter e o ministério de nosso Senhor.
*Introdução ao seu ministério.* O primeiro serviço público de Eliseu, como capelão dos exércitos de Israel e Judá na época do rei Josafá (2 Rs 3.11-19) pode ter precedido a transladação de Elias (2.1-18), que viveu para escrever uma carta de punição ao rei Jeorão, filho de Josafá (2 Cr 21.12-15). Nessa campanha ele ainda era o ajudante de Elias, aquele "que deitava água sobre as mãos de Elias" (2 Rs 3.11). Ele ainda não havia sido dotado de todo poder e espírito de seu mestre. Talvez, isso possa explicar porque se inclinou para o costume da época de chamar um tangedor para tocar antes de pronunciar uma profecia (3.15; cf. 1 Sm 10.5,6; 1 Cr 25.1).
Na época da partida de Elias, o pedido de Eliseu, de uma porção dobrada, relembra a lei da herança expressa em Deuteronômio 21.17. Ele estava pedindo a porção e os direitos do filho primogênito, nesse caso o privilégio de ser o principal sucessor daquele poderoso profeta. De acordo com o texto hebraico,

*b^eruhaka 'elay,* ele especificou que essa porção dobrada poderia ser sob a forma de (*b^e*), ou seja, o Espírito de Elias permanecendo sobre ele (2 Rs 2.9). Portanto, não podemos inferir que Eliseu estava pedindo para ser usado duas vezes mais ou que pudesse ser duas vezes mais poderoso do que seu mestre. *Ministério final.* Depois que Elias ascendeu ao céu em um redemoinho, o jovem profeta reconheceu, em uma exclamação – "Meu pai, meu pai, carros de Israel e seus cavaleiros!" (2 Rs 2.12), que Elias havia sido um verdadeiro "exército", o baluarte da defesa espiritual de Israel em sua época de apostasia. Meio século depois, essa mesma exclamação foi dirigida pelo rei Jeoás a Eliseu (2 Rs 13.14). Em seu leito de morte, o profeta estava desempenhando sua última tarefa, isto é, encorajando o rei a defender Israel contra os sírios (13.15-19). Tais lições objetivas, como a de fazer o rei lançar uma seta e ferir repetidamente o solo, acompanhavam, freqüentemente, os oráculos proféticos do AT. Até mesmo em sua morte, a influência de Eliseu continuou. Um morto estava sendo enterrado rapidamente na mesma sepultura que Eliseu, durante uma invasão inimiga; assim que o corpo daquele homem tocou os ossos do profeta, foi milagrosamente ressuscitado (2 Rs 13.20,21).

J. R.

**ELISEUS** Forma do nome Eliseu usada em toda a versão Douay (por ex., Lc 4.27). *Veja* Eliseu.

**ELISUA** Sexto filho de Davi que nasceu de uma esposa ou concubina em Jerusalém (2 Sm 5.15; 1 Cr 14.5). Em 1 Crônias 3.6, o nome Elisama (q.v.) aparece em seu lugar na relação dos filhos de Davi.

**ELIÚ**
1. Avô de Elcana, pai de Samuel (1 Sm 1.1), chamado de Eliel em 1 Crônicas 6.34 e Eliabe em 1 Crônicas 6.27.
2. Capitão manassita que desertou do rei Saul para se juntar a Davi e seus guerreiros em sua jornada de volta a Ziclague (1 Cr 12.20).
3. Porteiro coraíta entre os hábeis descendentes de Obede-Edom (1 Cr 26.7).
4. Um dos irmãos de Davi (1 Cr 27.18), chamado de Eliabe na LXX e em 1 Samuel 16.6; 17.13,28; 1 Crônicas 2.13.
5. Jovem amigo de Jó (Jó 32.2-6; 34.1; 35.1; 36.1), filho de Baraquel do clã de Rão, um buzita (Jó 32.2), e portanto um parente distante de Abraão (Gn 22.21). Jeremias 25.23 indica que Buz estava na Arábia. Relacionado com os hebreus (o que pode implicar um profundo conhecimento de seu Deus), Eliú conduziu a discussão com Jó a um nível teológico muito elevado, mostrando que a grande sabedoria vem mais através da inspiração do que da experiência humana e da tradição (Jó 32.8,9). Ele insistiu para que Jó considerasse as maravilhosas obras de Deus (37.14). *Veja* Jó, Livro de.

J. R.

**ELIÚDE** Relacionado na genealogia de Jesus que foi expressa por Mateus como um antepassado de quatro gerações anteriores a José (Mt 1.15).

**ELIZAFÃ, ELZAFÃ**
1. Filho de Uziel que era um levita coatita primo (de primeiro grau) de Arão (Êx 6.22; Lv 10.4; Nm 3.30; em Êxodo e Levítico, o nome Elizafã foi encurtado e expresso como Elzafã). Com seu irmão Misael, ajudou a remover os corpos de Nadabe e Abiú do campo, depois que ofereceram um "fogo estranho" no altar de Jeová.
2. Filho de Parnaque que representou a tribo de Zebulom na divisão da terra de Canaã, sob a supervisão de Eleazar e Josué (Nm 34.25).

**ELIZUR** Chefe da tribo de Rúben que serviu como comandante militar da tribo (Nm 2.10; 10.18). Também serviu sob o comando de Moisés e Arão no censo de Israel, realizado no segundo ano da viagem do Êxodo (Nm 1.5), e apresentou as ofertas da tribo no Tabernáculo (Nm 7.30-35).

**ELMADÃ** Relacionado na genealogia de Lucas (3.28) como antepassado de Jesus, da sexta geração antes de Zorobabel e da vigésima quinta antes de José.

**ELNAÃO** De acordo com o texto hebraico de 1 Crônicas 11.46, ele foi pai de Jeribai e de Josavias, dois dos 16 homens acrescentados pelo cronista à relação dos guardas de Davi, os "trinta" que encontramos em 2 Samuel 23.24-39 (cf. 1 Cr 11.41ss.). A LXX diz, "Eliel, o maavita e Jeribai e Josavias, seu filho, e Elnaão e Itma, o moabita", o que torna o próprio Elnaão um dos soldados.

**ELNATÃ**
1. Um homem de Jerusalém, avô materno de Joaquim (2 Rs 24.8). Provavelmente, também era filho de Acbor, o oficial da corte de Jeoaquim (Jr 26.22) que lhe implorou para não destruir o rolo (papiro) de Jeremias (Jr 36.12-25).
2. Dois "chefes" (no texto hebraico de Ed 8.16) e um "mestre" convocado por Esdras de seu campo no rio para Aava. O texto em 1 Esdras 8.44 relaciona um "chefe".

**ELOHIM** Forma plural de um nome hebraico, *'^eloah,* que descreve a Divindade. Alguns erroneamente consideram que seja o plural de El (q.v.), mas esse nome não pertence à mesma raiz. Geralmente, é traduzido como "Deus", embora, às vezes, possa ser um verdadeiro plu-

ral e deva ser entendido como "deuses" (Êx 12.12; Gn 35.2,4; Dt 29.18; 32.17). Às vezes, é aplicado a homens como representantes de Deus (Êx 21.6; 22.8,9,28). Esse termo pode referir-se aos anjos (Sl 8.5; 82.1), embora essas passagens sejam discutíveis.
Geralmente, o termo Elohim exige um verbo no singular. Entretanto, parece que, ocasionalmente, governa uma forma verbal plural (Gn 20.13; 35.7; 2 Sm 7.23; Sl 58.11, Heb.). Qual seria a importância dessa aparente inconsistência? Alguns consideram como prova a origem politeísta do termo. Na verdade, outros povos da mesma época usavam títulos divinos de forma semelhante. O plural acadiano, *ilanu* (deuses) era aplicado a uma única divindade. O Faraó era chamado de *ilania* (meus deuses) por seus súditos de Canaã nas cartas de Amarna. No AT, a forma plural de Elohim é aplicada a Quemos, o deus dos amonitas (Jz 11.24), a Astorote, a deusa dos Sidônios (1 Rs 11.5) e a Baal-Zebube de Ecrom (2 Rs 1.2).
Entretanto, o fato significativo não é a origem da palavra, pois ela não pode ser definitivamente conhecida, e sim a maneira como é usada em relação ao Deus de Israel no AT. Quando se refere a Jeová, está referindo-se ao único Deus verdadeiro do mundo, que é tratado no plural como toda a plenitude da Divindade. Podemos estar certos de que nenhum elemento politeísta aparece em Gênesis 1. No entanto, é ali que o plural aparece de uma forma mais óbvia (Gn 1.26). Não podemos ignorar o claro significado dessa passagem, independente de qualquer explicação que possa ser dada para a ênfase no plural. De algum modo, Deus deve ser expresso no plural; no entanto Ele também é singular (cf. os verbos no singular no v. 27). Embora a doutrina cristã da Trindade não seja ensinada nesse capítulo, ela emerge dele.
*Veja* Deus; Deus, Nomes e Títulos de.
C. T. F.

**ELOÍ, ELOÍ, LEMÁ [LAMÁ] SABACTÂNI** Palavras hebraicas ou aramaicas do Salmo 22.1 proferidas por Jesus em sua quarta frase na cruz, citadas em Marcos 15.34, e também em Mateus 27.46 e que começam com "Eli, Eli...". Sob a agonia da crucificação, nosso Senhor pronunciou as palavras de abertura de um Salmo de Davi, descrevendo sofrimentos infinitamente maiores do que aqueles que Davi suportou pessoalmente em vida. Parece que Jesus disse essas palavras não em hebraico, mas em seu aramaico nativo da Galiléia, *'elohi, 'eloht, l ema, shebaqtani*, "Deus meu, Deus meu, por que me desamparaste?" Acredita-se que a palavra "Eloi" seja uma transliteração grega do aramaico *'elahi*, como em Daniel 6.22 (v. 23, aramaico), com o som provavelmente mudado para *'elohi* pela pronúncia provincial. O texto geralmente aceito em Mateus tem *eli*, que translitera o termo hebraico *'eli*; esta também é uma forma amplamente usada em aramaico.
O melhor manuscrito grego usa a palavra *lema* nas passagens de Marcos e Mateus, pois esta representa melhor o termo aramaico *l ema* do que o termo hebraico *lama*, que nos dois casos significa "por quê".
"Sabactâni" aparece como uma transliteração de uma palavra aramaica, pois a palavra original do Salmo 22 é a palavra hebraica *'azabtani*. O verbo aramaico *sh ebaq* "deixar, desamparar, abandonar" pode ser visto em Daniel 4.23 e Esdras 6.7 ("deixar"). O Targum do Salmo 22 (os Targuns eram traduções aramaicas do AT usadas nas sinagogas e ainda na forma oral no século I d.C.) tem essas palavras; por esta razão, elas devem estar baseadas na forma original citada por Jesus.
Entretanto, os estudiosos reabriram a discussão: "Jesus teria usado mais naturalmente o hebraico ou o aramaico?" Os documentos de Qumran e de Uádi Murabba'at indicam que uma forma de hebraico, influenciada pelo aramaico, pode ter sido falada de maneira geral na Palestina do século I d.C., especialmente em contextos religiosos.
J. R.

**ELOM, ELOMITA**
1. Um heteu, pai das esposas de Esaú, Basemate (Gn 26.34; 36.10) e Ada (Gn 36.2).
2. O segundo filho de Zebulom, chefe da família dos elomitas (Gn 46.14; Nm 26.26).
3. Um dos juízes da tribo de Zebulom que o serviu durante dez anos (Jz 12.11,12).
4. Cidade no território de Dã cuja localização é incerta (Js 19.43).

**ELOM-BETE-HANÃ** Cidade danita que, juntamente com outras três, provia um mês do sustento de toda a casa de Salomão (1 Rs 4.7-9). Pode ser a mesma que Elom 4 (q.v.).

**ELOTH** Forma alternativa de Elate (q.v.).

**ELPAAL** Chefe de uma família da tribo de Benjamim (1 Cr 8.11,12,18).

**EL-PARÃ (ou PARÃ)** Extremidade sul da marcha dos reis com Quedorlaomer (Gn 14.6), antes de dirigir-se ao norte através das cidades-estado, o que resultou na captura de Ló e sua libertação por Abraão. Muitos afirmam que esse é outro nome para Elate (q.v.).

**ELPELETE** Um filho de Davi que nasceu em Jerusalém (1 Cr 14.5). Foi chamado de Elifelete (q.v.) em 1 Crônicas 3.6, mas não foi incluído na lista dos filhos de Davi em 2 Samuel 5.

**El-SHADDAI**. *Veja* Deus; Deus, Nomes e Títulos de.

**ELTECOM** Cidade na região montanhosa de Judá (Js 15.59), provavelmente ao norte de Hebrom e a oeste de Belém. Sua localização é incerta, mas alguns a identificam com Khirbet ed-Deir.

**ELTEQUE** Cidade na área de Ecrom, Gibetom e Timna destinada à tribo de Dã (Js 19.44) e em seguida aos levitas coatitas (Js 21.23). Mais tarde foi conquistada pelos filisteus. Provavelmente seja o lugar chamado de Altaku por Senaqueribe (*Hexagon Prism*) onde ele derrotou um exército do Egito e seus aliados, durante sua invasão daquela área em 701 a.C., embora o local seja incerto.

**ELTOLADE** Cidade de Judá próxima à fronteira de Edom (Js 15.30), concedida à tribo de Simeão (Js 19.4). Provavelmente seja o local chamado Tolade em 1 Crônicas 4.29, mas sua localização não foi identificada.

**ELUL** Sexto mês do calendário sagrado hebraico e último mês do calendário civil (Ne 6.15). Começa com a lua nova de agosto e termina com a lua nova de setembro. O nome hebraico *'elul* parece ter sido adotado durante o exílio, porque não aparece nos escritos pré-exílicos. Escritos anteriores têm a tendência de referir-se aos meses pelos números. Esse nome provavelmente originou-se do nome do mês babilônio de Elulu ou Ululu. *Veja* Calendário.

**ELUZAI** Um dos vários guerreiros da tribo de Benjamim, todos notáveis por sua excelência com o arco e pelo uso ambidestro da funda. Eles juntaram-se ao grupo de Davi em Ziclague (1 Cr 12.5).

**ELZABADE**
1. Um dos vários guerreiros da tribo de Gade. Conhecido pelo uso do escudo e da lança, por sua ferocidade e velocidade dos pés. Juntou-se ao grupo de Davi em Ziclague (1 Cr 12.12).
2. Um dos seis filhos de Semaías, todos porteiros coraítas (1 Cr 26.7).

**ELZAFÃ** *Veja* Elizafã

**EMANUEL** Transliteração grega da palavra hebraica Immanuel ou "Deus conosco". Essa é a forma hebraica que aparece em Mateus 1.23, na qual o evangelista cita as palavras de Isaías ao rei Acaz (Is 7.14) e onde ela aparece como "Emanuel" no anúncio profético do nascimento virginal de Cristo.
*Veja* Edward E. Hindson, "Isaiah' s Immanuel", *Grace Journal,* X (1969), 3-15.

**EMAÚS** Povoado mencionado apenas em Lucas 24.13. Na ressurreição, uma das aparições de Jesus foi para dois homens que caminhavam de Jerusalém para Emaús. A passagem em Lucas localiza essa cidade a 60 estádios (aproximadamente 11 quilômetros) de Jerusalém. Alguns poucos manuscritos unciais sinaíticos do século IV trazem a expressão 160 estádios; N (século VI), K, Pi e Theta (século IX), assim como algumas miniaturas e duas versões; essa distância tem o apoio de Eusébio-Jerônimo na obra *Onomastikon.* A leitura de "60 estádios" é encontrada em P 75 (do final do século II ou início do século III), B (século IV), A e C (século V) e outros. A evidência do P 75 (no papiro Bodmer, que foi recentemente publicado) em conjunto com B (Codex Vaticanus) estabelece de forma praticamente definitiva a distância de "60 estádios".
Foram propostas três identificações para Emaús: (1) A moderna cidade de 'Amwâs (publicação definitiva. H. Vincent e F. M. Abel, *Emmaus: sa basilique et son histoire*, Paris. Librairie Ernest Lerous, 1932). Entretanto, essa localização exigiria a distância de "160 estádios" o que seria muito duvidoso à luz das mais recentes evidências dos manuscritos. (2) Uma colônia militar de Vespasiano, provavelmente a atual *Kaloniye*, chamada, por Josefo, de Ammaous. Ela está distante de Jerusalém cerca 34 estádios – um tanto difícil de se correlacionar com o registro bíblico. (3) A atual cidade de el-Kubêbe, na estrada para Jope (publicação definitiva. P. B. Bagatti, *I Monumenti di Emmaus El-Qubeibeh e dei dintorni,* Jerusalém, Jordan. Franciscan Press, 1947). Nesse caso, as ruínas são definitivamente do período do NT e a distância até Jerusalém adapta-se muito bem ao registro de Lucas, tornando essa identificação a preferível em relação às demais.

B. Van E.

**EMBAIXADOR** Na versão KJV em inglês, há três palavras hebraicas que podem ser traduzidas como "embaixador". *mal'ak*, que significa "mensageiro" (2 Cr 35.21; Is 30.4; 33.7; Ez 17.15); *m$^e$lis*, que significa "intercessor" ou "intérprete" (2 Cr 32.31) e *sir*, que significa "embaixador" (Js 9.4; Pv 13.17; Is 18.2; Jr 49.14; Ob 1). O uso normal da palavra no Antigo Testamento designava um mensageiro temporário enviado em uma missão especial, para representar um rei ou um governador (*veja* Arauto).
No Novo Testamento, a palavra grega *presbeia*, que pode ser traduzida como "embaixada" ou "embaixadores", é usada em Lucas 14.32 para referir-se a um grupo de embaixadores enviados com um pedido de solução pacífica para problemas (cf. Lc 19.14, onde *presbeia* é traduzida como "embaixadores"). Paulo empregou o verbo *presbeuo* (2 Co 5.20; Ef 6.20) em sentido figurado para descrever seu ministério como um representante de Cristo. Os papiros gregos mostram que essas duas palavras eram usadas normalmente no mundo helenístico, nas relações oficiais entre as cidades e os governan-

tes (MM). Deiss LAE, p. 374, indica que *presbeuo* e *presbeutes* eram os termos usados para designar o legado do imperador. Assim, Paulo reivindicava para si a elevada dignidade de representar o Rei dos Céus, Jesus Cristo, e como embaixador de Cristo ele trazia a mensagem de reconciliação a um mundo que estava em inimizade com Deus. Em Efésios 6.20 o apóstolo aparece como um embaixador na prisão, por causa da mensagem que proclamava.

D. W. B.

**EMBALSAMAR** Processo de preparação dos mortos para o sepultamento. Variava consideravelmente entre os países do Oriente Próximo durante o período bíblico. Na antiguidade, o embalsamamento diferia da prática usada atualmente, tanto na técnica como na finalidade. Originalmente, a palavra indicava o tratamento do corpo com aromas ou perfumes, como preservativos e desodorantes, e como um sinal de respeito ou honra. O clima, a geografia e a religião influíam na preservação dos mortos. No Egito, durante o período anterior às dinastias, os mortos eram enterrados em sepulturas rasas cavadas nos limites do deserto, Na areia seca, os corpos rapidamente desidratavam e ficavam admiravelmente bem conservados. Com o desenvolvimento das tumbas, algumas dessas vantagens se perderam.

Como os conceitos teológicos dos egípcios enfatizavam a sobrevivência do corpo, originou-se o processo da mumificação pelo qual vários órgãos do organismo eram removidos. Mais tarde, Heródoto descreveu métodos de mumificação com uma variedade de preços (II, 85-88). Na Bíblia, as únicas referências à palavra "embalsamar" estão relacionadas com o corpo de Jacó (Gn 50.2,3) e de José (v. 26). O verbo hebraico *hanat*, "embalsamar", significa temperar, ou tornar algo temperado. Esse trabalho era executado pelos *roph*[e]*'im*, os "médicos" ou "reparadores". Como os aromas – por exemplo, sódio (na forma de sal), resinas e compostos aromáticos - eram usados na mumificação, o contexto egípcio de Gênesis 50 indica que os corpos de Jacó e de José foram mumificados. Veja a obra de

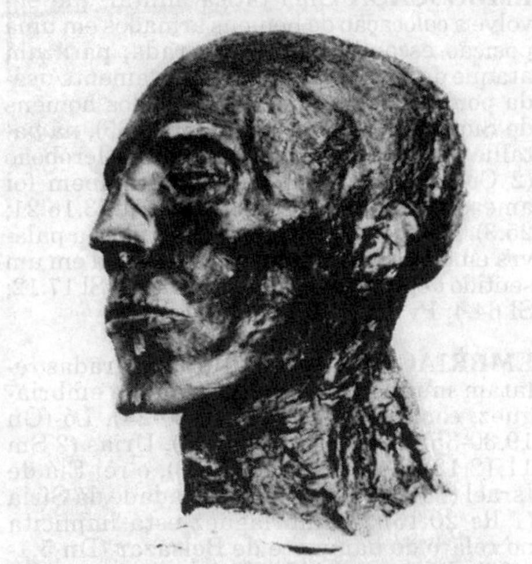

Cabeça mumificada de Seti I, aprox. 1300 a.C. LL

Alfred Lucas, "Mummification", *Ancient Egyptian Materials and Industries*, 4ª ed. rev. por J. H. Harris, Londres. St. Martin' s Press, 1962, pp. 307-390.

O NT menciona o uso de ungüentos na preparação para o sepultamento. A unção de Jesus é descrita como uma preparação para seu sepultamento (Mt 26.12; Mc 14.8; Jo 12.7). No sepultamento de Jesus, José de Arimatéia e Nicodemos usaram "cerca de cem libras de um composto de mirra e aloés" (Jo 19.39,40). As mulheres da Galiléia também pretendiam ungir o corpo de Jesus (Mc 16.1; Lc 23.55–24.1). O corpo era envolvido em um tecido de linho, juntamente com aromas, de acordo com o costume judeu (Jo 19.40; cf. Jo 11.44; At 5.6). Às vezes o cadáver era simplesmente lavado e vestido para o sepultamento (At 9.37). Os judeus não faziam incisões no cadáver, nem removiam órgãos, como no processo de mumificação. *Veja* Sepultamento; Morte, A; Funeral; Sepultura.

C.E. D.

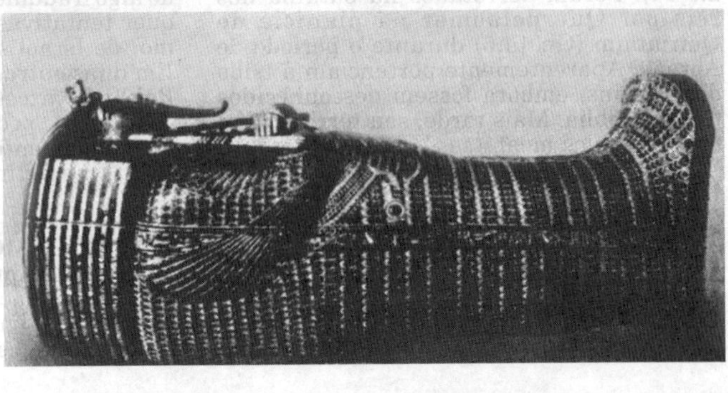

Sarcófago com formato de múmia do rei Tutancamom. LL

**EMBOSCADA** Uma tática militar que envolve a colocação de homens armados em uma posição escondida ou inesperada, para um ataque de surpresa. Ela foi efetivamente usada por Josué contra Ai (Js 8), pelos homens de Siquém e Abimeleque (Jz 9.25,35), na batalha contra Gibeá (Jz 20) e pelo rei Jeroboão (2 Cr 13.13). A vida de Paulo também foi ameaçada com uma emboscada (At 23.16,21; 25.3). Devido aos engodos envolvidos, a palavra emboscada é algumas vezes usada em um sentido depreciativo (como em Jr 9.8; Sl 17.12; Sl 64.4; Pv 1.11,18).

**EMBRIAGUEZ** As Escrituras Sagradas relatam muitos casos individuais de embriaguez, como o de Noé (Gn 9.20-24), Ló (Gn 19.30-35), Nabal (1 Sm 25.36), Urias (2 Sm 11.12,13), Amom (2 Sm 13.28), o rei Elá de Israel (1 Rs 16.8-10), e Ben-Hadade da Síria (1 Rs 20.16). A embriaguez está implícita no relato do banquete de Belsazar (Dn 5.1-4,23). Deve ter sido comum na época dos juízes, visto que Eli rapidamente suspeitou que Ana estivesse embriagada (1 Sm 1.13,14; veja também Pv 23.29-35; Is 5.11,22; 28.1,3,7,8).
O Senhor Jesus advertiu seus discípulos contra a embriaguez, a fim de que não fossem considerados despreparados para se encontrar com Ele na ocasião de sua volta (Lc 21.34). Paulo repreendeu severamente os cristãos coríntios por beberem em excesso na Ceia do Senhor (1 Co 11.20,21), e advertiu os crentes de Roma em relação à embriaguez (Rm 13.13). Ele ensinou sem rodeios que a continuidade no alcoolismo impede as pessoas de entrarem no reino de Deus (1 Coríntios 6.9-11; Gl 5.21). Sua advertência é clara e direta. "Não vos embriagueis com vinho, em que há contenda [ou dissolução]" (Ef 5.18).
*Veja* Bebida Forte; Bebida, Bêbado.

J. R.

**EMEQUE-QUESIS** *Veja* Quesis.

**EMINS** Gigantes que habitavam a terra de Moabe. Era um povo alto e poderoso que se comparava ao povo anaquim em estatura (Dt 2.9-11). Foram derrotados na batalha dos reis por Querdolaomer na planície de Quiriataim (Gn 14.5) durante o período de Abraão. Aparentemente pertenciam à tribo dos Refains, embora fossem desconhecidos fora da Bíblia. Mais tarde, seu território foi ocupado pelos moabitas. *Veja* Gigante.

**EMOR** Forma do nome hebraico Hamor no NT (q.v.) de acordo com a transliteração para o grego (At 7.16; cf. Js 24.32).

**EMPLASTRO**
1. Cataplasma feita com figos (Is 38.21) com fins medicinais. Era uma cataplasma feita com pasta de figos colocada sobre a chaga de Ezequias para amolecê-la e fazê-la formar cabeça.
2. *Veja* Minerais e Metais.

**EMPRESTAR, EMPRESTANDO** Em seu sentido usual nas Escrituras, emprestar significa o mesmo que em nossos dias. Os significados da raiz das palavras hebraicas "ser juntado (a outro)" (Dt 28.12; Sl 37.21; Ne 5.4) e "entrelaçar" (Dt 15.6) sugerem o íntimo relacionamento que existe entre aquele que empresta e o que toma emprestado. Não só emprestamos os nossos bens, mas também a nós mesmos, como também não tomamos emprestado apenas os bens de outra pessoa, mas passamos a fazer parte de sua vida. A razão disto é que, emprestar é uma transação comercial. *Veja* Banco; Empréstimo.
O principal interesse nesse termo resulta de uma infeliz tradução na versão KJV em inglês, em Êxodo 3.22; 11.2; 12.35, onde a palavra "pedir" foi traduzida como "emprestar"(*). As versões modernas traduziram este termo corretamente de acordo com o contexto. Essa palavra, assim traduzida nesses versos, é o termo hebraico usual "pedir". Em alguns casos, como aqui, ela implica "demandar".
(*) N. do T.: Este problema não ocorre na maioria das versões em português.
O uso da palavra "emprestar" deu origem a uma séria questão ética. Presume-se que o Senhor estava ordenando aos israelitas que enganassem seus vizinhos fazendo-os acreditar que sua intenção era apenas emprestar seus valores durante alguns dias, no entanto, partiram para sempre daquela terra levando esses bens obtidos de forma fraudulenta. Na verdade, os israelitas foram orientados a pedir aos seus senhores os bens que representavam o salário de muitos anos de escravidão, quando trabalharam sem qualquer pagamento. Deus disse, "não saireis vazios" (Êx 3.21). Eles deveriam "despojar" os egípcios (Êx 3.22; 12.36) de forma tão confiante, como se fossem um grande exército que conquista e despoja seus inimigos. Assim, a vitória de Deus sobre o Egito seria claramente marcada. É óbvio, então, que nessas passagens não existe nenhum problema moral, pois fica claro que Deus não está aconselhando algo fraudulento e nem um engodo. Quaisquer tentativas para justificar o "empréstimo" de Israel se tornariam desnecessárias. Em duas outras passagens (Êxodo 22.14 e 2 Reis 4.3 – exceto na versão RC em português) o verbo "pedir" parece ter sido traduzido adequadamente como "emprestar".
*Veja* Empréstimo.

P. C. J.

**EMPRÉSTIMO** Na ordem estabelecida por Moisés, os empréstimos tinham como base a caridade, e não o comércio. Naquela economia essencialmente agrícola, eles deveriam ajudar aqueles que estavam enfrentando uma crise de pobreza, necessidade ou pressão. O sistema de empréstimo comercial praticado na Babilônia não existia em Israel, nem era aconselhado por Deus. Os israelitas deveriam emprestar aos pobres (Lv 25.35-37; Dt 15.7-11) e estavam proibidos de cobrar qualquer juro de seus compatriotas (Êx 22.25; Lv 25.36; Dt 23.19), embora pudessem cobrar de um estrangeiro (Dt 15.3; 23.20). O único lucro que podiam esperar ao emprestar a outro israelita era a bênção prometida do Senhor em todos os seus outros empreendimentos (Dt 15.10; Pv 19.17). Emprestar ao pobre era uma característica do homem santo (Sl 37.26; 112.5).

Embora as leis dos empréstimos fossem brandas, os resultados da falta de pagamento eram rigorosos. Às vezes, era necessário vender os filhos como escravos, ou eles podiam ser confiscados por causa de dívidas não honradas (2 Rs 4.1; Ne 5.5,8). O devedor e sua esposa podiam ser forçados pelo credor a se tornarem escravos (cf. Êx 21.2-11; Lv 25.39-43; Dt 15.12-18), ou podiam escolher voluntariamente tornarem-se escravos de alguém.

A lei oferecia liberdade (q.v.) das dívidas a cada sete anos (Dt 15.1-3,7-10) e da escravidão depois de seis anos de serviços prestados (Êx 21.2ss.; Dt 15.12; Jr 34.14). A proximidade desse "ano de liberdade" não deveria interferir na disposição de emprestar ao pobre (Dt 15.9-11). Também havia o "ano do jubileu" que acontecia a cada 50 anos (Lv 25). Nesse ano, não só as dívidas eram canceladas e os escravos libertos, como as terras - fosse uma fazenda ou propriedade em uma cidade não murada – que tivessem sido alienadas por causa de dívidas ainda não pagas, deveriam ser devolvidas aos seus antigos donos (Lv 25.28). A propriedade em uma cidade murada, entretanto, só poderia ser resgatada durante um ano, e não estava sujeita às provisões do ano do jubileu (Lv 25.30).

*Garantias ou penhores devido a empréstimos.* Não havia qualquer proibição quanto a garantias, exceto em relação às necessidades primárias exigidas pelo pobre: (1) uma veste externa recebida como garantia deveria ser devolvida antes do pôr-do-sol

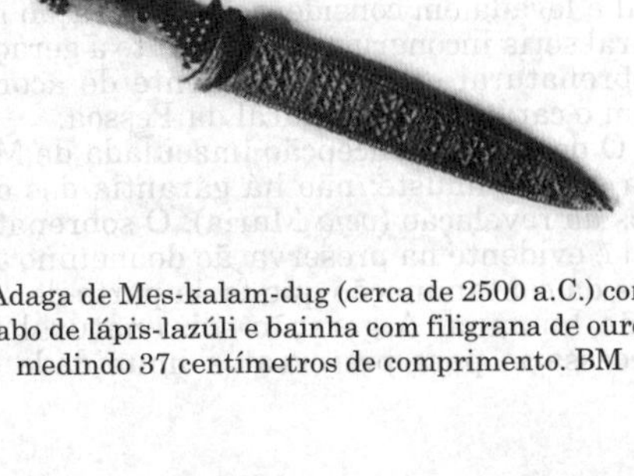

Adaga de Mes-kalam-dug (cerca de 2500 a.C.) com cabo de lápis-lazúli e bainha com filigrana de ouro, medindo 37 centímetros de comprimento. BM

(Êx 22.26); (2) as vestes de uma viúva não podiam ser aceitas como garantia (Dt 24.17), as mós (a menor), nem mesmo a mó de cima podiam ser aceitas como penhor, pois representavam o próprio meio de subsistência do devedor (Dt 24.6); (3) nenhum credor podia entrar na casa do devedor para se apossar de uma garantia – o devedor deveria entregá-la ao credor (Dt 24.10,11); (4) embora a escravidão não fosse excluída, ela estava limitada a seis anos (Êx 21.2; Lv 25.39-42; Dt 15.9).

Com o desenvolvimento das atividades comerciais da época de Salomão, os judeus devem ter feito empréstimos conforme o padrão dos mercadores fenícios. Dessa forma, em Provérbios existem graves advertências sobre o perigo de assumir a responsabilidade pela dívida de outros (Pv 6.1-5; 11.15; 17.18; 20.16; 22.26). As brutais injustiças devem ter sido cometidas contra os devedores no final da monarquia judaica, porque Deus havia classificado a cobrança de juros ao lado dos pecados da idolatria, homicídio e roubo (Ez 18.13; cf. vv. 8,17; Jr 15.10).

*A economia do Novo Testamento.* Embora o Senhor Jesus Cristo exortasse as pessoas à liberalidade, a dar aos necessitados, e a emprestar sem cometer a usura (Lc 6.32ss.), na economia comercial que havia surgido naquela época o Senhor reconheceu uma taxa justa de juros, e em suas parábolas sobre os talentos e as minas Ele encorajou um investimento sadio (Mt 25.27; Lc 19.23). *Veja* Emprestar; Débito; Terra e Propriedade; Hipoteca; Usura.

***Bibliografia.*** H. Gamoran, "*The Biblical Law Against Loans on Interest*", JNES, XXX (1971), 127-134.

R. A. K.

**EMPUNHADURA** Cabo de faca ou adaga que aparece apenas em Juízes 3.22 que relata a facada desferida por Eúde em Eglom, rei de Moabe. Essa palavra foi traduzida como "cabo com a lâmina".

**EN-** Em hebraico, esse prefixo, *'ayin*, em primeiro lugar significa "olho" e depois "fonte". Figurativamente, pode ser entendido como qualquer coisa que se pareça com um olho, com um olhar, com um relance, ou ainda com o aspecto ou aparência de algo. Assim foi derivado seu uso para "nascente" ou "fonte". Muitas cidades e lugares da Palestina e da Síria receberam o nome de fontes das suas vizinhanças, tais como En-Gedi e En-Ganim. Às vezes, as próprias fontes eram assim designadas como, por exemplo, En-Semes.

**ENÃ**

1. Um local em Judá, adjacente a Adulão e Timnate, na Sefelá (Js 15.34). Acredita-se que Enaim seja outra forma da mesma pa-

lavra (Gn 38.14). Foi na entrada de Enaim ou Enajim que Tamar sentou-se antes de conversar com seu sogro. Os finais -im e -jim são intercambiáveis; assim, os dois nomes referem-se ao mesmo lugar. Na versão KJV em inglês, esta palavra foi traduzida como "um lugar aberto". Esse nome significa "dupla fonte".

2. Um homem da tribo de Naftali cujo filho Aira era um príncipe na época da contagem dos filhos de Israel no deserto do Sinai (Nm 1.15; 2.29; 7.83; 10.27). *Veja* Hazar-Enã.

**ENCANTADOR** *Veja* Mágico.

**ENCANTAMENTO** Na versão KJV em inglês, esta é a tradução de várias palavras hebraicas. Foi usada para os truques dos mágicos egípcios (Êx 7.11,22; 8.7), para os agouros procurados por Balaão (Nm 24.1), para o encantamento da serpente (Ec 10.11) e para as palavras mágicas (Is 47.9,12).

A lei mosaica proibia a prática de tais encantamentos (Dt 18.10; Lv 19.26; Is 47.9). Eles constituíam uma tentação peculiar para levar a nação de Israel à apostasia.

*Veja* Magia; Mágico; Adivinhação.

**ENCANTO, ENCANTADOR, ENCANTAMENTO** *Veja* Magia.

**ENCARNAÇÃO** Um termo derivado da versão latina de João 1.14. A encarnação refere-se exclusivamente à ação pela qual o Filho de Deus, freqüentemente citado como a Segunda Pessoa da Divindade, tornou-se homem. Isto pressupõe a divindade essencial e a eterna filiação da Pessoa que se tornou encarnada. A doutrina torna-se pervertida se for concebida como o início da existência daquele que é, de forma inigualável, o Filho de Deus. Quando João escreve: "E o Verbo se fez carne" (Jo 1.14), o Verbo já havia sido identificado como eternamente subsistente, como eternamente com Deus, e sendo o próprio Deus (Jo 1.1-3). Quando Paulo diz que Cristo Jesus "aniquilou-se a si mesmo... fazendo-se semelhante aos homens" (Fp 2.7), ele quer dizer que esta Pessoa era originalmente em forma de Deus e, portanto, era igual a Deus (Fp 2.6).

*O fato*. A encarnação é um fato estupendo; é o mistério da Divindade, o grande milagre da fé cristã. Aquele que nunca começou a ser, mas que existia eternamente, e que continuou a ser o que eternamente foi, começou a ser o que eternamente não foi. Este foi um evento que ocorreu no tempo, com referência Àquele que foi e continua sendo eterno. Existem, portanto, os contrastes sustentados: o Eterno entrou no tempo e tornou-se sujeito às suas condições; o Infinito tornou-se finito; o Imutável tornou-se mutável; o Invisível tornou-se visível; o Todo-Poderoso tornou-se fraco e fragilizado; o Criador tornou-se a criatura; Deus tornou-se homem. Teria sido uma humilhação para o Filho de Deus tornar-se homem sob as condições terrenas mais ideais, por causa da discrepância entre a majestade de Deus, o Criador, e a humilde posição da criação mais dignificada. Mas não foi a um mundo ideal que Ele veio; foi a este mundo de pecado, de miséria, e de morte. O fato de Ele ter entrado em um mundo assim, indica a peculiaridade da humilhação sofrida, e o propósito redentor criado. Ele veio, portanto, "em semelhança da carne do pecado" (Rm 8.3), à relação mais estreita possível com a humanidade pecadora, sem, desse modo, tornar-se Ele mesmo pecador. *Veja* Cristo, Humilhação de.

*O modo*. O modo é geralmente citado como o nascimento virginal. Cristo de fato nasceu de uma virgem, porque Maria ainda não havia conhecido um homem. O modo foi, portanto, sobrenatural. Três considerações mostram o caráter sobrenatural.

1. Jesus não foi concebido pela conjunção de homem e mulher. Ele foi gerado no ventre de Maria pelo poder do Espírito Santo (Mt 1.20; Lc 1.35). O milagre aparece em primeiro lugar em uma procriação sobrenatural. A este respeito não é rigorosamente correto dizer que Jesus foi concebido pelo Espírito Santo. Foi Maria que concebeu e a nossa atenção é expressamente atraída para este fato (Lc 1.31). Isto é dito de Maria e também é dito de Isabel (Lc 1.24,36). Mas Maria só concebeu porque o Espírito Santo havia gerado Jesus em seu ventre e, conseqüentemente, o nascimento foi virginal. Paulo reflete esta doutrina em Gálatas 4.4 quando escreve: "Deus enviou seu Filho, nascido de mulher". A profecia de Isaías 7.14 predisse a maneira sobrenatural do nascimento de Jesus. *Veja* Virgem.

2. Não foi um mero bebê que fora concebido por Maria. Foi o Eterno Filho de Deus. Somente no que diz respeito à sua natureza humana Ele foi formado no ventre; mas se tratava dele mesmo, em sua identidade imutável. O aspecto mais estupendo do sobrenatural foi a concepção desta Pessoa sobrenatural e eterna. Dessa forma não há nenhum ponto no qual o sobrenatural não esteja presente, e não é apenas no fato da procriação sobrenatural que o milagre aparece. É somente quando este fato é examinado, que a dificuldade com a doutrina do nascimento virginal é levada em consideração. A geração natural seria incongruente, enquanto a geração sobrenatural está perfeitamente de acordo com o caráter sobrenatural da Pessoa.

3. O dogma da concepção imaculada de Maria é um embuste: não há garantia dos dados da revelação (*veja* Maria). O sobrenatural é evidente na preservação do menino Jesus da contaminação que fazia parte de sua mãe humana. A geração sobrenatural foi necessária para preservar a imunidade da

depravação hereditária, porque "o que é nascido da carne é carne" (Jo 3.6). Contudo, isto não parece ser de per si uma explicação adequada da pureza imaculada de Jesus. Ele era um descendente de Davi, segundo a carne. Esta semente era corrupta. Mas Jesus era santo, puro, e separado dos pecadores.

Jesus veio de um modo sobrenatural e, portanto, de um modo coerente com sua pessoa sobrenatural. O Senhor veio de um modo que garantiu que Ele não se contaminasse com o pecado e, portanto, de um modo coerente com sua perfeição divina e com o plano redentor de sua vinda. Mas Ele veio de um modo que preservou completamente sua ligação genética com a humanidade pecadora. Este é o sentido da concepção através de um nascimento virginal e de uma virgem que foi concebida em pecado, assim como todos os outros que vieram através de Adão pela geração natural. E isto pertence ao prodígio e graça da encarnação. *Veja* Cristo, Pureza de.

*A natureza.* A proposição "Deus tornou-se homem" não deve ser interpretada como significando que a divindade tenha sido trocada pela humanidade; isto não significa a subtração ou o despojamento irreversível. O Filho de Deus não deixou de ser o que era eternamente quando se tornou humano. A encarnação foi por adição. Em João 1.14, não há nenhuma sugestão de que o Verbo, tornando-se carne, tenha renunciado ao que havia sido definido nos vv. 1-3. João prossegue imediatamente prevenindo qualquer concepção deste tipo. É este Verbo, ele diz, que habitou entre nós, e vimos sua glória, como do unigênito do Pai. Para confirmar esta doutrina, João acrescenta que a revelação dada pelo Filho encarnado lhe foi confiada, pelo próprio Filho, em sua identidade como o Deus unigênito no seio do Pai (v. 18).

A idéia de auto-esvaziamento, derivada de uma má tradução de Filipenses 2.7, não tem base nas Escrituras. A tradução da versão KJV em inglês, de que Ele "a si mesmo se esvaziou", é demonstrada como correta pelo contexto e pelo uso do NT. Nosso Senhor não fez caso de si mesmo, e assim assumiu a forma de servo, e a si mesmo se humilhou, tornando-se obediente até à morte, e morte de cruz (vv. 7,8). *Veja* Kenosis.

A encarnação significa que o Filho de Deus assumiu a natureza humana em sua integridade primitiva, com todas as suas propriedades essenciais e limitações sem pecado, em união com sua pessoa Divina. O resultado é que a natureza humana agora pertence à sua pessoa, vida, e experiência pessoal. Ele pensa, deseja e age como Deus; e Ele pensa, deseja e age como homem. Ele possui todos os atributos e prerrogativas divinas igualmente com Deus Pai, e com Deus, o Espírito Santo. Mas também dele deve ser afirmado tudo o que pertence à criatura humana.

Esta grande verdade da coexistência tanto da divindade como da humanidade em uma única Pessoa divina foi expressa no credo de Calcedônia em 451 d.C., como se segue: "Nós, então... todos de comum acordo, ensinamos os homens a confessarem o único e o mesmo Filho, nosso Senhor Jesus Cristo... a ser reconhecido em duas naturezas, inconfundivelmente, imutavelmente, indivisivelmente e inseparavelmente; sendo a distinção das naturezas de modo algum separadas pela união, mas, antes, a propriedade de cada natureza sendo preservada, e coincidindo em uma única Pessoa... não separada ou dividida em duas pessoas, mas um único e o mesmo Filho, e unigênito, Deus o Verbo, o Senhor Jesus Cristo".

Uma grande discussão mais recente foi dedicada a esta questão. O homem Jesus deve ser considerado como uma pessoa humana? A ortodoxia católica, seguindo o credo de Calcedônia, defendeu que Jesus era uma pessoa, e uma vez que era divino, Ele era uma pessoa divina. Isto significa que sua natureza humana não deve ser considerada como pessoal. Isto não deve negar a realidade e a integridade da sua natureza humana, mas sim insistir que o centro da personalidade em seu caso foi a divindade. Esta doutrina reflete o testemunho do NT.

Nas várias situações registradas nos Evangelhos, Jesus sempre reconheceu a si mesmo como mantendo uma relação única com Deus Pai. Isto significa que Ele estava ciente da sua identidade divina. E mesmo quando as suas limitações, em virtude da sua natureza humana, estavam mais em evidência (cf. Mt 24.36), Ele identificou-se em termos de seu relacionamento divino. Quando os escritores do NT referem-se a estas ações de Jesus, que eram executadas na natureza humana, tais como a morte na cruz, eles sempre dizem que *Ele próprio* fez estas obras (cf. Fp 2.7,8; Hb 1.3; 1 Pe 2.24); e o pronome pessoal, como é aplicado a Ele, tem sempre em vista sua identidade divina, e esta jamais poderia ser considerada como meramente humana.

Esta doutrina de uma única pessoa em duas naturezas distintas está intimamente relacionada ao caráter e à eficácia das realizações redentoras do nosso Senhor. Foi o Deus-Homem que operou a salvação, e na mesma capacidade, em sua glória exaltada, Ele dá prosseguimento ao seu ministério celestial para a consumação do propósito redentor de Deus.

*Veja* Cristo, Humanidade de; Cristo, Pureza de; Jesus Cristo.

***Bibliografia.*** E. C. Blackman. "Encarnação", IDB, II, 691-697. A. B. Bruce, *The Humiliation of Christ*, Grand Rapids. Eerdmans, 1955. J. Gresham Machen, *The Virgin Birth of Christ*, Nova York. Harper, 1932. James Orr, *The Virgin Birth of Christ*, Nova

York. Scribner's, 1915. R. L. Ottley, "Incarnation, The", HDB, II, 458-467. H. C. Powell, *The Principle of the Incarnation*, Nova York. Longmans, Green & Co., 1896. W. Childs Robinson, "A Restudy of the Virgin Birth of Christ", EQ, XXXVII (1965), 198-211. Thomas A. Thomas, "The Kenosis Question", EQ, XLII (1970), 142-151, B. B. Warfield, *The Person and Work of Christ*, Filadélfia. Presbyterian and Reformed, 1950.

J. M.

**EN-DOR** Cidade localizada ao norte do outeiro de Moré e ao sul do Monte Tabor que foi designada à tribo de Manassés, embora estivesse no território de Issacar (Js 17.11). Esse antigo local estava provavelmente localizado em Khirbet Safsada, pouco mais de um quilômetro a noroeste da antiga cidade de Indur, que corresponde ao nome antigo. Nas proximidades existem várias cavernas antigas. A tradição poética preserva na memória que a vitória de Baraque aconteceu na vizinhança de En-Dor (Sl 83.10). Ali vivia uma necromante que foi consultada pelo rei Saul (1 Sm 28.7). *Veja* Espírito Familiar.

**ENDRO** *Veja* Plantas.

**EN-EGLAIM** Esse nome, encontrado apenas em Ezequiel 47.10, refere-se a um lugar junto a En-Gedi onde ficavam os pescadores. Sua exata localização é duvidosa. Entretanto, alguns acreditam ter sido na margem oeste do Mar Morto, em direção à foz do Jordão. A palavra Eglaim, de Isaías 15.8, é considerada como se referindo a um lugar diferente, porque a letra inicial é *alef* e não *'ayin*, e as duas letras são raramente trocadas (se é que alguma vez o são). A localização mais provável de En-Eglaim é 'Ain Feshkha, dois quilômetros e meio ao sul de Qumran.

**ENÉIAS** Nome de um "paralítico" que havia estado acamado durante oito anos, a quem Pedro curou dizendo "Jesus Cristo te dá saúde" (At 9.32-35). Essa cura resultou em um grande reavivamento espiritual tanto em Lida como em Sarona. Ela ilustra muito bem o propósito dos milagres do NT como um atestado de Deus ao ministério da igreja primitiva e identifica a obra dos discípulos com a de Cristo. *Veja* Cura, Divina. Milagres.

**ENFAIXAR, FAIXAS PARA ENFAIXAR** Enfaixar é enrolar de maneira firme e completa. Essa palavra foi usada na Bíblia Sagrada como uma referência ao costume de enfaixar um bebê com longas "fitas" ou "tecidos" a fim de cobri-lo completamente (Ez 16.4; Lc 2.7,12). Esse termo foi usado figuradamente em Jó 38.9 como uma referência às nuvens que envolvem e obscurecem as águas na escuridão.

Uma palavra hebraica diferente foi traduzida como "enfaixar" em Lamentações 2.22. Ela também poderia ser utilizada como "acariciar" ou "embalar", pois significa carregar nos braços ou nas mãos.

**ENFERMIDADE** *Veja* Doença.

**ENFERMO, ENFERMIDADE** *Veja* Doença.

**ENFORCAR** *Veja* Forca; Crime e Punição.

**ENGANADOR** Aqueles que levam outros a se desviarem do caminho através de suas artimanhas ou clamores, como na bruxaria ou em encantamentos (2 Tm 3.13; 1 Tm 4.1). Desviar ou seduzir (1 Jo 2.26; Ap 2.20; Mc 13.22) no sentido de apartar da verdade.

**ENGANAR** *Veja* Fraude.

**EN-GANIM**

1. Cidade na Sefelá de Judá, nas proximidades de Zanoa, Tapua e Enã (Js 15.34).

2. Josué 19.21 e 21.29 mencionam uma outra cidade igual a esta na tribo de Issacar. Os levitas gersonitas foram designados para possuir essa cidade bem como os seus subúrbios. Ela provavelmente corresponda à cidade de Ginea, mencionada por Josefo (*Ant*. xx. 6.1) e pode, com muita certeza, ser identificada com a moderna Jenin, uma próspera cidade no extremo sul da planície de Esdraelom, com belos jardins, pomares frutíferos e abundante suprimento de água de fontes locais. Sua localização é de aproximadamente 10 quilômetros a sudeste do Monte Gilboa, na estrada principal que vai de Esdraelom a Jerusalém, passando por Samaria. Bete-Hagã (2 Rs 9.27) seria provavelmente um outro nome para En-Ganim.

**ENGANO, ENGANADOR** Muitas palavras hebraicas e gregas aparecem na Bíblia como formas da palavra "engano". Basicamente, ela significa uma deturpação intencional da verdade, especialmente em assuntos morais e espirituais, a fim de iludir outra pessoa. A raiz hebraica mais freqüentemente usada, *rama* e seus derivados, implica deslealdade e traição (por exemplo, 1 Sm 19.17; 2 Rs 9.23). No NT, esse conceito é expresso principalmente pela palavra grega *dolos*, que também significa "astúcia", "traição" (Mc 7.22; Rm 1.29), por *apatao* ("enganar", "seduzir" ou "iludir"; "enganar com palavras vãs", Ef 5.6), por *apate*, que significa "sedução", "falsidade" (por exemplo, a dos ricos em Mateus 13.22 ou a do pecado em Hebreus 3.13); "concupiscências do engano" em Efésios 4.22, e ainda por *planao*, que significa "desviar-se", "levar ao erro" (por exemplo, Mateus 24.4,5,11,24).

Embora seja possível alguém enganar-se dizendo que não tem pecado (1 Jo 1.8; cf. 1 Co

3.18), ainda assim a fonte de todo engano e o arqui-enganador é o diabo (q.v.*)*, aquele que engana (em grego *planon*) todo o mundo (Ap 12.9; 20.3,8,10). No final dos tempos ele irá inspirar o falso profeta, juntamente com a Besta (q.v.), para aperfeiçoar sua obra de engano (Ap 13.14; 19.20; 20.10). O próprio Anticristo, o "homem do pecado", receberá energia de Satanás para iludir a muitos através de sinais e falsos prodígios (2 Ts 2.3,4,8-10).

Entrementes, muitos enganadores (*planoi*) já se espalharam por um mundo que se recusa a reconhecer a verdade a respeito de Jesus Cristo (2 Jo 7). João reconhece que eles são anticristos, precursores do derradeiro Anticristo que está chegando (2 Jo 7; 1 Jo 2.18). Paulo advertiu que haveria falsos apóstolos, obreiros fraudulentos que estariam disfarçados de apóstolos de Cristo (2 Co 11.13; cf. 2 Tm 3.13; Tt 1.10). Ele afirma também que nos últimos tempos alguns se afastarão da fé por darem atenção a espíritos enganadores e a doutrinas de demônios (1 Tm 4.1). Embora um cristão possa ser mal interpretado e chamado de enganador, como aconteceu com Paulo (2 Co 6.8) e com o próprio Senhor Jesus Cristo (Mt 27.63), ainda assim ele nunca irá recorrer ao engano ou à fraude para propagar o Evangelho (1 Ts 2.3; 2 Co 4.2).

*Veja* Fraude.

***Bibliografia.*** Herbert Braun, "*Planao* etc.", TDNT, VI, 228-253.

J. R.

**ENGASTES** Suportes ou peças que prendem as pedras preciosas (Êx 28.11,13,14,25; 39.6,13,16,18). Estes suportes no éfode de Arão não eram enchimentos sólidos, mas eram feitos entrelaçando fios finos de ouro batido (cf. Êx 39.2,3) em uma malha rendada ou bolsa em forma de rede, que poderia então ser entremeada no tecido do éfode.

**EN-GEDI** Na antiguidade correspondia a uma colônia agrícola abastecida por uma fonte copiosa ("fonte do cabrito" ou "fonte de águas abundantes") na margem ocidental do Mar Morto (Ez 47.10), a meio caminho entre os extremos norte e sul e na direção ou vizinhança de Hazazom-Tamar (2 Cr 20.2). Foi incorporada ao território de Judá (Js 15.62). Na época de Salomão, era um oásis fértil no meio do deserto onde eram cultivadas uvas e condimentos (Ct 1.14). Também era famosa tanto na literatura judaica quanto na romana, por suas elegantes palmeiras.

Saul perseguiu Davi até essa região; por esta razão, Davi e seus homens esconderam-se em uma caverna (1 Sm 23.29; 24.1) enquanto Saul dormia nas proximidades.

Na Idade Média, os seus jardins e edifícios foram abandonados e se tornaram ruínas do deserto. Atualmente, os viajantes conseguem aproximar-se dessa área depois de uma longa caminhada através das agruras do deserto situado ao longo das praias do Mar Morto. A planície de En-Gedi estende-se por cerca de 1.400 quilômetros entre dois uádis ou gargantas e desce até o Mar Morto. Ela está localizada em Israel, apenas alguns quilômetros ao sul da fronteira Israel-Jordânia de 1948-1967. Depois de subir algumas centenas de metros para o interior a partir do Mar Morto, é possível vislumbrar as belas cataratas de En-Gedi. Uma fonte de águas cristalinas, localizada acima do penhasco, cerca de 220 metros acima do nível do mar, cai em uma belíssima piscina que se encontra no nível inferior. A maior parte dessa água corre para o Mar Morto, mas nos últimos anos os membros de um *kibutz* (uma comunidade israelita agrícola que abriga principalmente imigrantes) tem usado uma parte dessa água para irrigação. A planície entre os penhascos é bastante produtiva, e lá é cultivada uma abundante variedade de vegetais e frutas, especialmente bananas.

Em cinco temporadas de escavação feitas por arqueólogos israelitas (1961-1965) na área de En-Gedi, foram feitas algumas importantes descobertas: um recinto fechado acima da fonte datado da fase final da Idade do Cobre (aprox. 3300 a.C.), provavelmente um lugar sagrado para nômades e moradores do deserto da Judéia e de seus oásis; uma colina fortificada (Tell el-Jurn) com cinco níveis de ocupação; uma torre de vigia quadrangular israelita ao lado da fonte; duas piscinas rituais anteriores a 70 d.C., e um banho romano do período de 70-135 d.C. Essa colina foi primeiramente ocupada desde o reinado de Josias até a época do controle de Nabucodonosor (cerca de 625-580 a.C.). Vasos incomuns de cerâmica sugerem que esse lugar tenha sido um centro industrial para a preparação de perfumes a partir de fragrâncias e bálsamos cultivados nas proximidades. É provável que En-Gedi tenha se tornado uma cidade real sob o reinado de Josias, onde os perfumistas organizavam-se em corporações. Níveis de escavação posteriores de Tell el-Jurn indicam que a cidade prosperou no período persa (cerca de 525-475 a.C.) sob os reis asmoneanos João Hircano e Alexandre Janeu (135-76 a.C.) até o início do século I, quando foi destruída por uma legião romana (1-68 d.C.). Tudo indica que a cidade também prosperou durante a era Bizantino-Romana (séculos III a V d.C.).

***Bibliografia.*** B. Mazar, "Excavations at the Oasis of Engedi", *Archaeology*, XVI (1963), 99-107; "En-gedi" TAOTS, pp. 223-230. Mazar e I. Dunayevski,"Third Season", IEJ, XIV (1964), 121-130; "Fourth and Fifth Seasons", IEJ, XVII (1967), 133-143. Mazar,

T. Dothan e Dunayevski, "En-gedi", *Excavations in 1961-1962,* Jerusalem. Dept. of Antiquities and Museums, 1966.

**ENGENHO** Tradução de duas palavras em hebraico: (1) *hishsh^e^bonot* (2 Cr 26.15), equipamentos de guerra para lançar pedras e setas, isto é, catapultas (q.v.); (2) *m^e^hiq^e^bol* (Ez 26.9), literalmente, "o golpe de uma máquina de ataque", isto é, as rajadas de um ariete. *Veja* Armadura.

**EN-HACORÉ** A passagem em Juízes 15.19 menciona a experiência de Sansão depois da façanha que alcançou utilizando a queixada de um jumento. Sua sede era grande e ele pediu água ao Senhor. Ele recebeu essa água em Leí e então chamou aquele local de En-Hacoré, isto é, "A fonte do que clama". Sua localização é desconhecida.

**EN-HADA** Cidade no território da tribo de Issacar, perto de Remete (Js 19.21). Talvez seja a moderna el-Hadetheh, 10 quilômetros a leste do Monte Tabor e 10 quilômetros a sudeste da extremidade sul do Mar da Galiléia.

**EN-HAZOR** O texto em Josué 19.37 localiza essa aldeia na tribo de Naftali, adjacente a Cades, Edrei e Irom. Sua localização é desconhecida, entretanto existe alguma especulação relativa à sua identificação com Khirbet Hazireh ou Hazzur, nos declives das montanhas, cerca de 15 quilômetros a oeste de Quedes.

**ENIGMAS** Os antigos gregos, romanos, egípcios, assírios e hebreus gostavam muito de enigmas. Às vezes, os empregavam como jogos (*q.v.*) e às vezes como "adivinhações", "palavras ocultas" ou "perguntas difíceis". Em certas ocasiões do AT, os enigmas aparecem com uma expressão direcionada ou incisiva mencionando alguma realidade mais profunda ou algum ensino, como nos casos dos enigmas apresentados ao sábio Salomão pela Rainha de Sabá (1 Rs 10.1). O historiador Josefo comenta que Salomão era, particularmente, um apreciador de enigmas (*Ant.* viii.5.3).
Um dos famosos enigmas de Sansão diz o seguinte: "Do comedor saiu comida, e doçura saiu do forte" (Jz 14.14). Sansão está desafiando seus convidados a identificar o significado do mel que encontrara na carcaça do leão abatido. Sua esposa contou a solução aos convidados: "Que coisa há mais doce do que o mel? E que coisa há mais forte do que o leão?" Presumindo que eles haviam sido informados anteriormente sobre o significado do enigma, Sansão acusou os convidados oferecendo-lhes ainda outro, "Se vós não lavrásseis com a minha novilha, nunca teríeis descoberto o meu enigma" (v. 18).
Os enigmas (*hidot*) não eram usados apenas como forma de diversão e desafio nos jogos, mas também como um teste de sabedoria (1 Rs 10.1; 2 Cr 9.1). Os sábios agem através de expressões "obscuras" ou "perplexas" (*hidot,* Pv 1.6; Sl 49.4,78.2). A Daniel foi mostrada, em uma visão, a figura de um futuro rei que seria "feroz de cara, e... entendido em adivinhações" (Dn 8.23), isto é, "alguém hábil em intrigas". Às vezes, o enigma representava um artifício literário para transmitir a revelação Divina ("solvendo dúvidas", Daniel 5.12, referindo-se, é claro, às habilidades proféticas de Daniel). Deus falou a Moisés sem empregar tais "figuras" (Nm 12.8).
A referência feita pelo NT em 1 Coríntios 13.12 à enigmática natureza de nossa "visão" ("enigmas", em grego) pode indicar que, embora Deus, em sua revelação, possa ser conhecido pelo homem, em sua natureza e comportamento Ele permanece parcialmente como um mistério até à vinda daquele que é perfeito (cf. 1 Co 13.10; Rm 11.33).
*Veja* Provérbios.

A. M.

**EN-MISHPAT** Gênesis 14.7 identifica esse lugar como Cades, provavelmente Cades-Barnéia (q.v.). Acredita-se que lá havia um santuário onde, na antiguidade, um sacerdote pagão proferia os seus oráculos e resolvia controvérsias. Os nomes Cades e Quedes estão ligados a cidades cananéias que tinham santuários pagãos.

**ENOM** João batizou nesse lugar porque nele havia muita água. Em João 3.23 foi mencionado que era próximo a Salim. Embora não se conheça o local exato, Eusebius (*Onomasticon* 40.1-4) o localiza a oeste do Jordão, aprox. 13 quilômetros ao sul de Sitópolis ou Bete-Seã.

**ENOQUE**
1. Chefe de um clã midianita cuja genealogia pode ser traçada até Abraão, através de Quetura (Gn 25.4; 1 Cr 1.33).
2. Filho mais velho de Rúben (Gn 46.9; Êx 6.14; Nm 26.5; 1 Cr 5.3).

**ENOQUE**
1. Filho de Caim (Gn 4.17) que deu nome a uma cidade.
2. Filho de Jarede (Gn 5.18) e pai de Metusalém (Gn 5.21; Lc 3.37). Ele é citado como um herói da fé (Hb 11.5).
É dito que "Enoque andou com Deus" (Gn 5.22) e como recompensa pela sua santa caminhada ele foi transladado ao céu sem provar a morte (Hb 11.5). Dessa maneira, a imortalidade ou a vida depois da morte foi ensinada claramente no primeiro período do Gênesis. Judas 14.15 apresenta trechos do Livro de Enoque (1.9; 63.8; 93.3) que revelam uma amostra precisa do castigo que foi

pregado por ele em seu período inicial. Embora muitos possam discutir sobre a fonte que Judas estava realmente utilizando (tradição escrita ou oral) podemos realçar que a inclusão dessa citação em um livro do NT é suficiente para canonizar essa mensagem e fazer dela um Decreto Sagrado. Alguns estudiosos acreditam que Judas estava citando uma literatura pseudoepígrafa usada por falsos mestres a fim de silenciá-los com seu próprio material.

O Livro de Enoque já existia no período apostólico. Depois de ter sido citado em Judas e conhecido por alguns patriarcas da igreja, esse livro desapareceu. Nenhuma parte do original hebraico chegou até nós, embora existam fragmentos em grego e etíope que os estudiosos associam a esse livro. Nas cavernas próximas ao mosteiro esseno, junto ao Mar Morto, foram encontradas partes de oito manuscritos de 1 Enoque escritos em aramaico.

H. A. Han.

**ENOS** Filho de Sete (Gn 4.26; 5.6) e pai de Cainã ou Kenan (Gn 5.9-10; 1 Cr 1.1; Lc 3.37,38). Pouco se sabe a seu respeito. Seu filho Cainã nasceu quando o pai tinha 90 anos e a duração de sua vida está registrada como sendo de 905 anos. Mais significativa é a afirmação de que em sua época os homens começaram a invocar o nome do Senhor (Gn 4.26). A implicação desse fato é que seu nascimento está associado ao despertar de uma reverência ou de um temor divino. O relato de Gênesis apresenta Sete e Enos como sucessores do "justo Abel". Em contraste com Caim e sua posteridade, Sete e seus descendentes são retratados como tementes a Deus e zeladores do relacionamento da aliança, e aí reside a importância de Enos.

O termo hebraico no singular também ocorre cerca de 40 vezes como um substantivo comum no AT, principalmente na poesia, com um significado paralelo ao de *'adam*, "homem, humanidade, ser humano".

G. A. T.

**EN-RIMOM** Alguns já sugeriram que o nome Rimom refere-se a um deus cananeu das condições climáticas. Neemias 11.29 considera En-Rimon como um dos lugares que os homens de Judá voltaram a habitar em seu retorno do cativeiro. A partir dos nomes das cidades vizinhas é possível que esse lugar seja igual àquele encontrado em Zacarias 14.10; Josué 15.32; 19.7; 1 Crônicas 43.2. Nas três últimas referências, os dois nomes são relacionados separadamente; entretanto estão muito próximos um do outro. Esse local tem sido identificado com Khirbet Umm er-Ramamin, cerca de 14 quilômetros a nordeste de Berseba.

**EN-ROGEL** Josué 15.7; 18.16 localiza esse lugar na fronteira de Benjamim e Judá. 2 Samuel 17.17 estabelece En-Rogel como o lugar onde ficaram Jônatas e Aimaás enquanto esperavam as mensagens que deveriam ser levadas a Davi durante a revolta de Absalão. O texto em 1 Reis 1.9 registra que, nesse local, ocorreu o evento da fracassada tentativa de ascensão de Adonias ao trono de Israel.

Existem algumas dúvidas relativas à sua localização. Alguns identificam esse lugar com Giom ou a Fonte da Virgem, Ain Sitti Miriam e 'Ain Umm ed-deraj. Seus argumentos foram expostos da seguinte maneira: (1) Trata-se da única fonte verdadeira próxima a Jerusalém. (2) Esse nome está mais adequadamente relacionado com a fronteira de Benjamim do que qualquer outro. (3) A tradição relata que Tiago foi arremessado do muro do templo e golpeado até à morte no vale de Cedrom. (4) Essa fonte está em frente a uma face do rochedo chamado Zahweileh, que, segundo se diz, é o equivalente à "pedra de Zoelete, que está junto à fonte de Rogel" (1 Rs 1.9).

Por outro lado, esse lugar tem sido identificado como Bir-Ayyub pelas seguintes razões: (1) Trata-se de um poço com cerca de 40 metros de profundidade, alimentado por uma fonte que existe em seu interior. (2) De acordo com o relato em 1 Reis 1.9, Adonias estava festejando em En-Rogel quando em 1 Reis 1.38 Salomão foi aclamado rei em Giom. Dessa maneira, parece que foram determinados dois lugares diferentes. (3) Como este local não estava na rota imediata entre Jerusalém e o Jordão, talvez houvesse um lugar melhor para se esconder entre as cavernas das proximidades, onde Jônatas e Aimaás poderiam ficar em segredo. Assim, En-Rogel foi estabelecido como estando nos arredores de Jerusalém, em algum lugar na extremidade sul do vale de Hinom. Esse é o lugar chamado pelos nativos de "Poço de Jó" ou Bir-Ayyub. A versão árabe de Josué 15.7 estabelece En-Rogel como a "Fonte de Jó" ou Ain Ayyub.

Uma descrição desse poço é bastante reveladora. O preenchimento gradual da parede

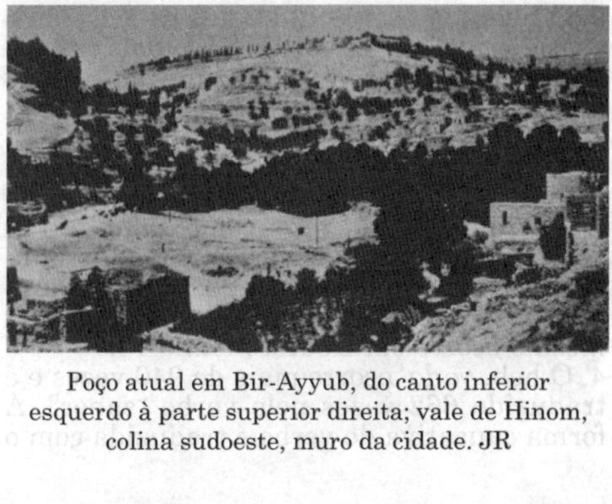

Poço atual em Bir-Ayyub, do canto inferior esquerdo à parte superior direita; vale de Hinom, colina sudoeste, muro da cidade. JR

para chegar até o topo do velho poço ou fonte demandava grandes pedras quadradas. O estágio inferior talvez seja da época romana. A água é pura e doce, mas não muito fria. Em certas épocas do ano o poço transborda, dando a sensação de ser uma "fonte". Embora existam algumas dúvidas a respeito da localização de En-Rogel, parece que seria mesmo Bir Ayyub. Alguns comentaristas identificaram o dragão ou chacal de Neemias 2.13 com Bir Ayyub, mas provavelmente estejam equivocados.

C. M. H.

**ENSEADA** Esta palavra é encontrada em Atos 27.39 como a tradução do termo grego *kolpos* que significa "baía", "golfo" do mar (Arndt, p. 443). Paulo naufragou na costa da ilha de Melita (q.v.) ou Malta. O golfo tradicional está localizado na extremidade nordeste da ilha, e é atualmente conhecido como "Baía de São Paulo".

**EN-SEMES** "Fonte ou riacho do sol". Josué 15.7 e 18.17 localizam En-Semes na fronteira entre Judá, Benjamim, En-Rogel e Adumim. Estava localizada a leste de Jerusalém, cerca de um quilômetro e meio após Betânia, em direção a Jericó. Foi identificada com 'Ain el-Hôd, também chamada de "o Poço dos Apóstolos" por causa de uma tradição do século XV que afirmava que os apóstolos teriam bebido água desse poço. Trata-se da última fonte na estrada para Jericó. Os raios do sol brilham sobre ela durante todo o dia, por isso foi apropriadamente chamada de "Fonte do Sol".

## ENSINAR, MESTRE, ENSINO

### No Antigo Testamento

*Terminologia.* Em várias versões, 12 termos hebraicos são traduzidos por alguma forma da palavra "ensinar" e seus derivados. As mais importantes são as seguintes:

1. O heb. *'alap*, "familiarizar-se com" (Jó 33.33; 35.11). O verbo é usado quatro vezes no AT e é traduzido em Provérbios 22.25 como "aprender", e em Jó 15.5 pelo verbo "declarar" ou "ensinar".
2. O heb. *bin* ocorre 125 vezes no AT com o sentido geral de "entender". Em dois casos o tempo causativo foi traduzido nas várias versões como "ensinou" ou "ensinavam" (2 Cr 35.3; Ne 8.9).
3. O heb. *dabar*. Aparecendo aproximadamente 1.500 vezes em suas várias formas no AT, é traduzido 814 vezes como "falar", e 119 vezes como "dizer". As várias versões traduzem o verbo em Jeremias 28.16 e em Jeremias 29.32 como ensinar, falar e pregar. O mesmo ocorre em Deuteronômio 13.5.
4. O heb. *yada'* ocorre mais de 940 vezes e é traduzido 662 vezes pelo verbo "saber". A forma causativa do verbo é traduzida com o sentido de ensinar em nove casos na versão KJV em inglês (Dt 4.9; Jz 8.16; 2 Cr 23.13; Jó 32.7; 37.19; Sl 90.12; Pv 9.9; Is 40.13; e Ed 7.25 onde está representado o cognato aramaico *y^eda'*). Além disso, a palavra "ensinar" ou "conhecer" é a tradução do tempo causativo em Salmos 51.6; 78.5; 143.8.
5. O heb. *yasar*, "disciplinar, corrigir, instruir", em um caso é traduzido como o verbo "ensinar" (Pv 31.1).
6. O heb. *sakal*, "ter conhecimento profundo", é traduzido com o sentido de ensino em 2 Crônicas 30.22 e de mestre em Provérbios 16.23.
7. O heb. *hakam*, "ser sábio", é o causativo em Provérbios 5.13 ("mestres"), e é traduzido no Salmo 105.22 com o sentido de "ensinar a sabedoria".
8. O heb. *yara*, "guiar, ensinar, instruir". A forma causativa do verbo é corretamente traduzida mais de 40 vezes em várias versões por alguma forma do verbo "ensinar".
9. O heb. *lamad* é traduzido 57 vezes na versão KJV em inglês por alguma forma da palavra "ensinar". Além disso, a versão RSV em inglês utiliza a palavra "ensinou" para traduzir o verbo em Isaías 50.4, onde ele ocorre duas vezes.

Podemos perceber claramente que algumas das palavras hebraicas mencionadas acima são traduzidas – utilizando-se perífrases – por alguma forma da palavra "ensinar", a fim de dar sentido à nuance da passagem específica. No entanto, *yara* e *lamad* são basicamente os termos hebraicos que podem ser geralmente equiparados com a palavra "ensinar" e seus cognatos.

*Deus como mestre.* Deus é o mestre incomparável (Jó 36.22). Ninguém pode lhe ensinar o conhecimento (Jó 21.22; Is 40.14). Ao contrário, é Ele quem ensina ao homem o conhecimento (Sl 94.10), e ao lavrador a arte da agricultura (Is 28.24-26). Deus ensinou a Moisés o que dizer e fazer (Êx 4.12,15), e Israel com respeito à lei e aos mandamentos (Êx 24.12). Ele prometeu ensinar aos herdeiros davídicos reais sua aliança e seus testemunhos (Sl 132.12) e como Israel poderia beneficiar-se (Is 48.17). Até mesmo a apóstata Judá, disse Jeremias, foi persistentemente ensinada pelo Senhor, mas sem nenhum proveito (Jr 32.33). Nos últimos dias, o Senhor será buscado pelas nações a fim de serem ensinadas por Ele (Is 2.3; Mq 4.2; cf. Is 30.20; 54.13).

Mas Deus ensina o indivíduo bem como a nação. Ele ensina o humilde e o pecador em seu caminho (Sl 25.8,9); o salmista em sua mocidade quanto à lei (Sl 71.17; 94.12); e aquele que o teme no caminho que deve escolher (Sl 25.12). O salmista louva ao Senhor por ter lhe ensinado os seus estatutos (Sl 119.171), e por causa de seu ensino ele não se apartou das ordenanças (Sl 119.102). Podemos pedir a Deus que nos ensine os seus estatutos (Sl 119.12,64,68,124,135), o bom juízo e o conhecimento (Sl 119.66), e como fazer sua vontade (Sl 143.10).

*O homem como mestre*. Moisés ensinou a Israel os estatutos, os mandamentos e as ordenanças (Dt 4.1,5,14; 5.31; 6.1; 11.19). Os pais, por sua vez, foram instruídos a ensinar estas coisas a seus filhos (Dt 4.10; 11.19). A ordem levítica era ensinar a Israel todos os estatutos, ordenanças e a lei do Senhor (Lv 10.11; Dt 33.10). O ministério de um sacerdote mestre foi mencionado (2 Cr 15.3; cf. Ml 2.6,7).

O cântico de Moisés deveria ser ensinado ao povo (Dt 31.19,22). Davi ensinou ao povo de Judá o lamento sobre Saul e Jônatas (2 Sm 1.18; cf. Jr 9.20 e o título do Salmo 60). Os juízes deveriam ensinar as instruções relacionadas às decisões (Dt 17.11). No pronunciamento que fez antes de entregar o governo do povo ao jovem rei Saul, Samuel prometeu continuar a ensinar Israel no caminho bom e reto (1 Sm 12.23). Josafá ordenou aos levitas que ensinassem as leis nas cidades de Judá (2 Cr 17.7,9), enquanto Esdras, por sua vez, ensinou ao povo os estatutos e as ordenanças do Senhor (Ed 7.10). O rei assírio solicitou ao monarca da Judéia que um dos sacerdotes israelitas ensinasse a lei do Deus da terra aos imigrantes assírios em Samaria (2 Rs 17.27ss.).

Davi convidou seus filhos a ouvi-lo enquanto ele os ensinava sobre o temor ao Senhor (Sl 34.11); mais tarde, ele fez um voto de que se o Senhor lhe concedesse uma renovação moral, ele ensinaria aos transgressores os caminhos de Deus (Sl 51.13). Davi também se propôs a ensinar ao penitente o caminho que deveria seguir (Sl 32.8).

Na literatura voltada à sabedoria, o pregador ensinou ao povo o conhecimento, pesando, estudando e arranjando provérbios com grande cuidado (Ec 12.9). Salomão revelou que seu pai lhe havia ensinado a adesão à instrução paterna (Pv 4.4), enquanto em outra passagem o escritor afirma que ensinou a seu filho ou discípulo o caminho da sabedoria (Pv 4.11). Jó rogou a seus amigos que lhe ensinassem qual havia sido seu erro (Jó 6.24). Bildade recomendou a Jó a experiência das épocas passadas como uma fonte de ensino autorizada (Jó 8.10). Jó indicou que até mesmo a fauna e a flora unem-se para instruir o homem (Jó 12.7,8), e se propôs a ensinar aos seus amigos o que era concernente à mão de Deus (Jó 27.11). Jeremias profetizou que o conhecimento do Senhor não seria ensinado nos dias da nova aliança porque todos o conheceriam pessoalmente (Jr 31.34; cf. Hb 6.11 e Is 54.13).

Infelizmente, porém, é possível ensinar coisas más bem como as coisas boas. As cidades capturadas deveriam ser colocadas sob condenação para que não ensinassem a Israel as suas abominações pagãs (Dt 20.18). O juízo é predito contra o profeta que ensina mentiras (Is 9.15) bem como sobre os sacerdotes que ensinam unicamente por interesses materiais (Mq 3.11). Uma pessoa indigna é representada ensinando (ou apontando) de forma insolente ou maliciosa com seu dedo (Pv 6.13). Os idólatras são expostos ao ridículo por sua crença de que os ídolos de madeira e pedra são capazes de ensinar algo aos seus devotos (Hc 2.19).

*Educação*. A educação principal ocorria em casa (Dt 4.10; 11.19). Os pais uniam-se neste treinamento inicial da criança (Pv 4.4,11; 31.1; Ct 8.2). Líderes da nação, sacerdotes, profetas, salmistas e sábios contribuíam para a educação geral de Israel. Além disso, alguns tiveram sem dúvida alguma a vantagem da instrução especializada na escola do palácio ou em outros locais de aprendizado, particularmente na história mais recente de Israel (por exemplo, Pv 1.1-4; 1 Cr 25.7ss.). Daniel freqüentou a academia real da Babilônia e foi ensinado no idioma e na literatura dos caldeus (Dn 1.4). As características de alguém que foi ensinado são a receptividade em relação à instrução, e a habilidade de incorporá-la e expressá-la (Is 50.4).

## No Novo Testamento

*Terminologia*. Alguma forma da palavra "ensinar" é usada em várias versões para traduzir cinco termos gregos, quatro dos quais são precisamente traduzidos pela versão RSV em inglês.

1. O grego *matheteuo*, "ser" ou "fazer um discípulo" (Mt 28.19; At 14.21).
2. O grego *paideuo*, "educar" ou "treinar" (At 22.3; Tt 2.12).
3. O grego *katecheo*, "instruir" (1 Co 14.19; Gl 6.6 duas vezes).
4. O grego *kataggello*, "proclamar" (At 16.21; RSV "advogar").
5. O grego *sophronizo*, "encorajar", "aconselhar" (Tt 2.4).

A versão RSV em inglês traz o termo "ensino" em Lucas 10.39 como a tradução do termo *logos*.

A idéia transmitida pela palavra "ensinar", por seus cognatos e compostos reside inteiramente sobre alguma forma do verbo *didasko*.

*Deus como mestre*. Paulo afirmou que sua pregação não consistia de palavras ensinadas pela sabedoria humana, mas pelo Espírito (1 Co 2.13). O apóstolo absteve-se de falar sobre o amor fraterno aos tessalonicenses, porque afirmou que eles foram instruídos por Deus a amarem-se uns aos outros (1 Ts 4.9). O Senhor Jesus encorajou seus discípulos a não se preocuparem com o que deveriam dizer nas ocasiões de perigo e perseguição, porque naquela mesma hora o Espírito Santo lhes ensinaria o que deveriam dizer (Lc 12.12). O Espírito Santo, disse o nosso Senhor, viria como um Paracleto e ensinaria todas as coisas aos seus discípulos (Jo 14.26). A unção do Espírito é o tutor perpétuo do crente (1 Jo 2.27).

*O Senhor Jesus como mestre.* O ministério de Jesus por toda a Palestina é descrito como sendo essencialmente de ensino, seja para as multidões casuais ou para os seus próprios discípulos; quer nas sinagogas, nos lugares públicos, ou na audiência dos líderes religiosos (Lc 5.17). O efeito sobre suas reuniões era impressionante e reforçava a convicção de que Ele ensinava não como os escribas, mas como alguém que possuía autoridade (Mt 7.28ss.; 13.54; Mc 1.22; 6.2; cf. Lc 4.32). *Veja* Autoridade. O Senhor Jesus afirmou que as palavras que Ele falava lhe haviam sido ensinadas por Deus Pai (Jo 8.28), e que seu ensino vinha do Pai (Jo 7.16ss.). Seu ensino foi caracterizado pelo uso freqüente de parábolas (Mc 4.2).

Nicodemos reconheceu que Jesus era um mestre vindo de Deus, e que isto fôra atestado por obras poderosas (Jo 3.2). Os principais dos sacerdotes e escribas o interrogaram quanto à fonte de sua autoridade de ensino (Mt 21.23; cf. Jo 18.19). Até mesmo os seus adversários admitiram francamente que o Senhor ensinava o caminho de Deus imparcialmente, independente do temor ou do favor do homem (Mc 12.14; Lc 20.21; Mt 22.16; cf. Jo 18.19). Certamente, todos estavam admirados com seu ensino (Mt 7.28; 13.54; 22.33; Mc 1.22; 11.18) e perguntaram se era um novo ensino (Mc 1.27). Em seu circuito inicial na Galiléia, Cristo foi glorificado por todos devido ao seu ensino (Lc 4.15). Nos últimos dias de seu ministério, Ele estava diariamente no templo ensinando (Lc 19.47; 20.1; cf. Mc 14.49; Jo 18.20). Seu ministério foi caracterizado pela atividade que os judeus – entendendo mal algumas de suas declarações – questionavam, não sabendo se Ele iria ensinar a Diáspora e os gentios (Jo 7.35).

A reputação do Senhor Jesus Cristo como mestre rapidamente lhe trouxe o respeitoso título de rabi (q.v.), ou raboni ("meu senhor", um extraordinário título para um mestre distinto) por parte de seus discípulos (Mc 9.5; 11.21; Jo 1.49), daqueles que o ouviam (Mc 12.14; Jo 3.2), e até mesmo de seus inimigos (Lc 10.25; 11.45; 19.39; 20.28). Este título aramaico às vezes é deixado sem uma tradução, às vezes é interpretado, porém é mais freqüentemente traduzido pela palavra grega *didaskalos* ("mestre" ou "professor"), que embora não seja uma tradução literal é verdadeira no sentido do contexto original. O Senhor Jesus aceitou este título como indicativo do verdadeiro relacionamento existente entre si mesmo, como mestre, e os seus seguidores, como discípulos (Jo 13.13; Lc 6.40; Mt 10.24ss.).

O tema central no ensino do Senhor Jesus era o reino de Deus (Mt 5.2; 9.35). Lucas descreveu o relato de seu Evangelho como pertencendo a tudo o que Jesus começou tanto a fazer como a ensinar (At 1.1). Dentre as muitas lições que o Senhor Jesus ensinou aos seus discípulos, os evangelistas escolheram várias para as suas menções particulares; por exemplo, o Sermão do Monte (q.v.); o pedido de seus discípulos para que lhes ensinasse a orar (Lc 11.1); sua rejeição, morte e ressurreição em Jerusalém (Mc 8.31; 9.31); e sua segunda vinda (Mt 24–25; Mc 13; Lc 17.20-27; 21).

*Os apóstolos como mestres.* Durante seu ministério, o Senhor Jesus enviou os seus discípulos para ensinar (Mc 6.30). Mais tarde, o Senhor mandou que fizessem discípulos de todas as nações, e ensinando-os a observar tudo o que Ele havia ordenado (Mt 28.20). Depois do Pentecostes, que ocorreu após a ascensão, os apóstolos ensinaram ao povo que o Senhor Jesus ressuscitou dos mortos (At 4.2). O concílio judeu mandou que Pedro e João desistissem de ensinar no nome de Jesus (At 4.18), uma ordem que eles não atenderam, e foram presos no templo enquanto continuavam a ensinar (At 5.21, 24ss.). Apesar de uma outra severa advertência das autoridades, os apóstolos continuaram a ensinar e pregar a Jesus Cristo (At 5.42) até que toda Jerusalém estivesse repleta de seu ensino (At 5.28).

Barnabé e Paulo ensinaram durante um ano inteiro na igreja que estava em Antioquia (At 11.26; cf. 15.35). O procônsul Sérgio Paulo ficou admirado com o ensino de Paulo sobre o Senhor Jesus (At 13.12). Quando os atenienses ouviram Paulo, eles o levaram ao Areópago para que pudesse lhes expor seu novo ensino (At 17.19). Paulo passou dezoito meses em Corinto ensinando a Palavra de Deus (At 18.11), e mais tarde lembrou aos presbíteros efésios que ele lhes havia ensinado publicamente e de casa em casa durante sua estada em Éfeso (At 20.20). Apolo, embora conhecendo apenas o batismo de João, ensinou diligentemente em Éfeso as coisas do Senhor (At 18.25). Os discípulos judeus acusaram Paulo diante de Tiago e dos presbíteros em Jerusalém, de ter ensinado os gentios a abandonar as leis de Moisés, a deixar a prática da circuncisão, e a abandonar os costumes judeus (At 21.21). Esta mesma acusação foi lançada pelos próprios judeus quando descobriram Paulo no templo e exclamaram contra ele como alguém que havia ensinado os homens em toda parte contra os judeus, a lei, e o templo (At 21.28). Pela palavra falada e escrita, os apóstolos ensinaram a mensagem do cristianismo aos seus contemporâneos.

*Mestres na igreja.* Paulo refere-se repetidamente à sua designação como mestre dos gentios na fé e na verdade (1 Tm 2.7; 2 Tm 1.11) e de sua doutrina (2 Tm 3.10; 1 Co 4.17). Ele negou que o Evangelho que ele pregava tivesse sido ensinado por um homem; antes, ele declarou que o recebeu pela revelação de Jesus Cristo (Gl 1.12). O ensino de Paulo foi dirigido a todos os homens em toda a sabedoria para que todo homem pudesse tornar-se maduro em Cristo (Cl 1.28; cf. Hb 6.1,2). Entre os dons e a capacitação do Cristo que subiu aos céus a fim de equipar e treinar os membros de seu Corpo, estavam a capacitação para se tornarem pastores e doutores (ou mestres; Efésios 4.11). Uma vez que os apóstolos, profetas e evangelistas tinham a princípio uma grande mobilidade, é provável que muitos dos mestres na igreja primitiva tenham tido um ministério de viagens, visitando os crentes em uma certa cidade por um período mais curto ou mais longo. É provável que a maioria ou todos os cinco homens citados em Atos 13.1 não estivessem residindo permanentemente em Antioquia.

O papel do mestre na igreja era designado e desempenhado através da indicação Divina e da capacitação do Espírito (1 Co 12.28). A integridade e a fidelidade para com a tarefa do ensino são enfaticamente ordenadas (Rm 12.7; 1 Tm 4.11,13,16), tanto em sua preparação como em seu conteúdo (Tt 2.1,7; 2 Tm 4.2). Aqueles que ensinam devem ser considerados dignos de duplicada honra (1 Tm 5.17), e merecem o apoio daqueles que são ensinados (Gl 6.6). O aspirante a mestre é solenemente advertido de que esta atividade, em última instância, o envolverá em um julgamento mais rigoroso (Tg 3.1).

Mas embora existam aqueles que são especialmente selecionados para ensinar na igreja, cada crente deve envolver-se neste ministério (Cl 3.16; 1 Co 14.6,26; Hb 5.12). Este deve ser para o benefício de todos, e não deve ser complacente com desordem na adoração da igreja (1 Co 14.6,19,26). O servo do Senhor deve ser apto para ensinar e evitar contendas (2 Tm 2.24). Embora as mulheres sejam proibidas de ensinar os homens na igreja (1 Tm 2.12), Paulo ordena que as mulheres idosas ensinem o que é bom enquanto educam as mulheres mais jovens (Tt 2.3).

*O ensino na igreja.* Há uma referência no NT a uma tradição cristã apostólica denominada diferentemente de sã doutrina (Tt 2.7) ou de palavra fiel (Tt 1.9), que havia sido entregue à igreja (Rm 6.17; 16.17; Ef 4.21; Cl 2.7; 2 Ts 2.15; 2 Tm 2.2; Tt 1.9). Os primeiros discípulos em Jerusalém dedicaram-se ao ensino dos apóstolos (At 2.42). Parte desta tradição era o AT, que é proveitoso, diz Paulo, para o ensino (Rm 15.4; 2 Tm 3.16; cf. 1 Tm 1.8-10). O ensino cristão, e somente ele (1 Tm 1.3), deve ser confiado aos homens que crêem, que por sua vez serão capazes de ensinar aos outros também (2 Tm 2.2; cf. 1 Tm 4.11). O presbítero, portanto, deve ser apto para ensinar (1 Tm 3.2), e deve permanecer firme na palavra fiel que lhe foi ensinada, para que possa dar instrução na sã doutrina e oferecer uma apologia eficaz para a fé (Tt 1.9). A obediência ao padrão da doutrina é creditada com o poder moral para libertar o crente da escravidão do pecado (Rm 6.17). A doutrina está de acordo com a piedade (1 Tm 6.3) e fornece o alimento espiritual necessário ao crente (1 Tm 4.6).

*Outros usos.* O menino Jesus foi encontrado por sua família sentado entre os doutores da lei no templo (Lc 2.46), Nicodemos foi chamado, por nosso Senhor, de mestre de Israel (Jo 3.10 etc.). João Batista ensinou a seus discípulos como orar (Lc 11.1). O Senhor Jesus adverte que aquele que infringe o menor mandamento e assim o ensina aos homens, será o menor no reino; e, ao contrário, aquele que observa e ensina corretamente aos homens será grande no reino (Mt 5.19). Jesus censurou os escribas e os fariseus por adorarem a Deus de forma vã, ensinando como doutrinas os preceitos dos homens (Mt 15.9; Mc 7.7; cf. Is 29.13).

*Falso ensino.* Entre os cristãos na Judéia havia aqueles que ensinavam a necessidade da circuncisão para a salvação, uma doutrina mais tarde repudiada pelo Concílio de Jerusalém (At 15.1). Paulo faz menção dos preceitos e ensinos humanos que prescrevem regulamentos rituais aos quais os cristãos não devem submeter-se (Cl 2.20-22). Ele adverte Timóteo que nos anos futuros alguns iriam afastar-se da fé dando ouvidos a doutrinas de demônios (1 Tm 4.1), enquanto outros reuniriam em torno de si mestres que se adequassem aos seus próprios desejos (2 Tm 4.3). Em outras passagens está previsto que os falsos mestres trarão heresias destrutivas à igreja (2 Pe 2.1).

Paulo rogou a Timóteo que ensinasse as sãs palavras de Jesus, e que rejeitasse aqueles que ensinam de outra maneira (1 Tm 6.2ss.). O apóstolo ensinou que havia aqueles que deveriam ser silenciados visto que estavam perturbando famílias inteiras ensinando basicamente o que não tinham o direito de ensinar (Tt 1.11), e também adverte Timóteo contra os judaizantes que desejavam, em vão, se tornar mestres da lei (1 Tm 1.7). O mesmo apóstolo exortou os efésios à integração espiritual e à participação vital de todos dentro da igreja, para que eles não fossem agitados de um lado para outro e levados ao redor por todo vento de doutrina (Ef 4.14).

O autor da epístola aos Hebreus adverte seus leitores a não se deixarem envolver por doutrinas várias e estranhas (Hb 13.9), enquanto João ordena aos seus leitores que não se associem a alguém que não permaneça na doutrina de Cristo (2 Jo 9,10). A igreja em Pérgamo é criticada por ter alguns que aderiram ao ensino de Balaão e à doutrina dos nicolaítas (Ap 2.14), enquanto a igreja em Tiatira é censurada por tolerar o ensino de Jezabel (Ap 2.20,24).

*Veja* Castigo; Discípulo; Educação; Liderar,

Líder; Parábola; Parábolas de Jesus; Rabi.

***Bibliografia.*** Karl H. Rengstorf, "*Didasko*, etc.", TDNT, II, 135-165.

E. R. D.

**EN-TAPUA** (A "fonte da maçã ou da cidra"). Estava localizada em Manassés, na fronteira de Efraim (Js 17.7). Esta é, provavelmente, a mesma fonte próxima a Tapua (*q.v.*) localizada nas proximidades da nascente do ribeiro de Caná. Tapua pode ser Sheikh Abu Zarad, cerca de 15 quilômetros no extremo sudeste de Siquém, e a "fonte de Tapua" provavelmente pode ser identificada com um riacho que está cerca de 5 quilômetros ao norte de Lebona.

**ENTENDIMENTO** Essa palavra revela a compreensão e o conhecimento que resulta da inteligência e da razão.
Ela implica uma percepção mental da natureza e da importância de alguma coisa, ao lado do discernimento e de um bom julgamento. Em suma, ela corresponde ao bom senso, algo muito próximo da sabedoria (*q.v.*), e não a uma mera acumulação e posse de conhecimentos. "Entender" e "entendimento" correspondem à tradução de inúmeras palavras hebraicas e gregas que significam perceber o pleno significado ou ter a sabedoria e a destreza para realizar uma tarefa (*ref.* Deus, no caso da criação e da providência, Salmo 147.5; Provérbios 3.19; Isaías 40.28; *ref.* Bezaleel como artesão, Êxodo 31.3; 35.31; 36.1). No AT as principais palavras são as hebraicas *bin* e *sakal* e seus derivados; no NT, as palavras gregas *nous* e *synesis*.
A palavra hebraica *bin* e os substantivos *bina* e *tᵉbuna* sugerem discernimento ou percepção através dos sentidos (2 Sm 12.19; Jó 6.30; Pv 7.7) e então uma cuidadosa atenção ou consideração (Dt 32.7; Sl 50.22; Pv 23.1; 24.12; Is 14.16). Finalmente, elas significam dar ou receber compreensão tanto na esfera intelectual (Jó 38.18; Dn 1.17,20) como nas esferas morais e espirituais da vida (Pv 2.11; 29.7; Is 6.9,10). Tal entendimento é dado pelo Senhor (1 Cr 22.12) através do conhecimento Daquele que é Santo (Pv 9.10; 2.6), e prestando atenção às instruções dos pais (Pv 4.1,5,7). A evidência de se ter adquirido entendimento ou sabedoria é apartar-se do mal (Jó 28.28), ou ser tardio para irar-se (Pv 14.29; 17.27), aceitar a repreensão (Pv 17.10) e ouvir sábios conselhos (Pv 1.5). Os homens de Issacar que se aliaram a Davi eram "destros na ciência dos tempos, para saberem o que Israel devia fazer" (1 Cr 12.32).
O substantivo *sekel* significa inteligência ou prudência (1 Sm 25.3) que leva à sabedoria e à compreensão da experiência, e é adquirida através da obediência aos mandamentos de Deus (Sl 111.10; 2 Cr 30.22).
Um terceiro termo do AT para "entendimento", a palavra hebraica *leb*, que significa "coração", é usada muitas vezes em sentido figurado para os "mais profundos recessos da personalidade humana onde os centros do ser humano e as questões da vida são determinados" (IDB, IV, 733; cf. Pv 4.23). Esse termo retrata claramente a natureza moral e espiritual do entendimento bíblico. Àquele que comete, ou que considera a possibilidade de cometer o adultério, falta o entendimento (Pv 6.32; 7.7; 9.16). Existem aqueles a quem falta "coração"; estas não são apenas pessoas fisicamente preguiçosas, mas moralmente também (Pv 24.30; Jr 5.21). Podemos adquirir entendimento ouvindo a repreensão (Pv 15.32).
A palavra grega *nous*, "pensamento", denota a faculdade de pensar e a percepção intelectual (1 Co 14.14; 15,19), e, portanto, a capacidade de fazer julgamentos morais. O Senhor Jesus "abriu" o entendimento ou a "mente" dos discípulos para poderem compreender as Escrituras a respeito dele (Lc 24.45). A paz de Deus supera todo o poder humano de raciocinar, compreender e entender (Fp 4.7). A palavra grega *synesis* denota o discernimento que leva à compreensão (Ef 3.4), como o menino Jesus evidenciou no templo (Lc 2.47). Paulo orou para que pudéssemos receber o entendimento espiritual, para que pudéssemos discernir plenamente a vontade de Deus (Cl 1.9); este entendimento é a base de uma completa garantia (Cl 2.2). É o Senhor que nos dá o entendimento em todas as coisas (2 Tm 2.7).
*Veja* Coração; Conhecimento; Pensamento; Sabedoria.

J. R.

**ENTRADA TRIUNFAL** A entrada do Senhor Jesus em Jerusalém, que deu início à semana da sua paixão. Os 4 escritores dos Evangelhos registraram o evento (Mt 21.1-11; Mc 11.1-11; Lc 19.28-44; Jo 12.12-19). Duas perspectivas do evento são apresentadas. Os escritores Sinóticos seguem Cristo a partir de Betânia, enquanto João registra a entrada como foi vista pela multidão que saiu de Jerusalém para encontrar aquele grande grupo.
O Senhor Jesus, ao aproximar-se de Jerusalém em sua última viagem à cidade, enviou dois discípulos em busca de um jumentinho, um filhote de jumenta para carregá-lo. Mateus adiciona o detalhe de que a mãe do filhote também deveria ser trazida. Alguns estudiosos alegam que Mateus tenha dado uma interpretação incorreta ao paralelismo dos sinônimos em Zacarias 9.9 ("pobre e montado sobre um jumento, sobre um asninho, [lit. filho] de jumenta") como referindo-se a dois animais diferentes, com Cristo cavalgando ambos como o cumprimento fantasioso de uma profecia mal interpretada.

Entretanto a informação de Mateus sobre a mãe do animal tem a finalidade de enfatizar que o jumentinho (heb. *'ayir*, gr. *polos*, um jovem e vigoroso animal pronto para ser usado, como em Juízes 10.4; 12.14) nunca fora montado. A presença da mãe poderia acalmar o jovem animal em meio ao tumulto da multidão, para que o Senhor Jesus pudesse utilizá-lo. Longe de inventar algo com a finalidade de cumprir de maneira fantasiosa uma profecia mal interpretada do AT, Mateus entendeu Zacarias 9.9 corretamente e incluiu os detalhes adicionais sobre a jumenta para esclarecer como um potro que jamais fôra montado teria permitido que o Senhor Jesus o cavalgasse em meio à multidão.

Depois que os animais foram trazidos, roupas foram colocados sobre eles, e o Senhor sentou-se sobre estas (Mateus 21.7, seguindo as melhores leituras gregas certificadas). Os discípulos tinham colocado as suas roupas sobre os dois animais, não sabendo em qual animal o Senhor Jesus montaria; mas Ele escolheu o jumentinho (Zc 9.9; Mc 11.7; Lc 19.35; Jo 12.14). Ao aproximar-se de Jerusalém, uma grande multidão veio ao seu encontro estendendo roupas e ramos de palmeira pelo caminho. Seguindo Cristo até a cidade, gritavam: "Hosana ao Filho de Davi! Bendito o que vem em nome do Senhor! Hosana nas alturas!" Estas palavras foram extraídas do Salmo 118 considerado messiânico pelos judeus.

Este evento foi importante, porque foi a oferta final e oficial que o Senhor Jesus fez de si mesmo a Israel como seu Rei e Messias (cf. Zc 9.9). A maneira como Ele chegou (e.g. em um jumento, ao invés de utilizar um cavalo), não era o que os judeus esperavam, mas era compatível com seu propósito de trazer salvação e paz. Fica claro através dos detalhes contidos nos Evangelhos, que aquela foi sua oferta oficial de si mesmo como o Rei-Messias para Israel: (1) A referência a "este dia" em Lucas 19.42 (cf. v. 44) sugere, pelo menos, a possibilidade de que as primeiras 69 semanas da profecia de Daniel estavam chegando ao fim (Dn 9.24-27). (2) O Senhor Jesus cumpriu intencionalmente Zacarias 9.9, e Mateus acreditava que Ele a havia cumprido (Mt 21.4,5). (3) Embora o entendimento do povo fosse limitado e deficiente, as palavras e atitudes que demonstraram indicam que eles estavam celebrando a chegada do seu Rei (Jo 12.13). Os fariseus reconheceram as implicações messiânicas e reais dessas palavras e ações, e pediram que o Senhor Jesus as repudiasse. Mas Ele rejeitou esta sugestão dizendo, "se estes se calarem, as próprias pedras clamarão!" (Lc 19.39,40). (4) O texto em Mateus 21.41-45 mostra que os líderes judeus haviam rejeitado a oferta de Cristo de si próprio à nação para ser seu Rei.

Alguns questionaram como o Senhor Jesus poderia ter recebido tão entusiástica recepção pelos habitantes de Jerusalém apenas uma semana antes de sua crucificação. A resposta parece estar na composição da multidão que foi ao seu encontro no Domingo de Ramos. João (12.12,13) indica que a maioria era composta por aqueles que tinham vindo a Jerusalém para a Festa da Páscoa. Josefo afirma que quase três milhões de pessoas vinham a Jerusalém para participar destas festas. Até mesmo a estimativa mais plausível de Joachim Jeremias de 125.000 peregrinos indica uma grande multidão (*Jerusalem in the Time of Jesus*, Filadélfia. Fortress Press, 1969, pp. 77-84). Aqueles, pois, não eram cidadãos de Jerusalém, cuja inimizade fôra manipulada, mas peregrinos desconhecidos cuja curiosidade fora despertada (observe a atitude diferente dos fariseus, Lc 19.39; Jo 12.19). Uma semana depois, entretanto, essas pessoas do interior e os judeus estrangeiros não ousaram resistir ao poder combinado do Sinédrio e de Roma.

P. D. F.

**ENTRANHAS** A palavra usual do AT para entranhas é *k^e^layot*, que é usada primeiramente nos livros poéticos e em Jeremias. Ela se refere aos rins (q.v.) e, figurativamente, ao interior, às partes secretas e aos sentimentos da alma. No NT a palavra aparece em Apocalipse 2.23 como "mente". A palavra gr. é *nephros*, usada na LXX para traduzir *k^e^layot*, e pode ser presumido que ela tenha a mesma abrangência geral de significado. A designação "entranhas" é uma maneira mais típica do AT de expressar a idéia de emoções, do que a palavra "coração" (q.v.).

**ENXADA** Arado, uma ponta afiada de metal afixada para cavar (do hebraico "cortar ou cavar). Os filisteus afiavam estas ferramentas para os israelitas antes do ferro tornar-se abundante na Palestina (1 Sm 13.20,21). *Veja* Arado.

**ENXADA** Tradução de três palavras hebraicas:

1. Em Isaías 7.25, a palavra hebraica *ma'der* significa "enxada" e refere-se a um instrumento (parecido com uma picareta) usado para cavar e soltar terra.
2. Em 1 Samuel 13.20,21 a palavra hebraica *maharesha* refere-se a um instrumento agrícola de metal com uma ponta, talvez o mesmo que a relha do arado.
3. No texto em 2 Crônicas 34.4-6 o uso da palavra hebraica *hereb* pode significar espada ou outro instrumento cortante; por exemplo, faca, navalha, instrumento de gravação ou picareta, que podem ser usados para depositar ou destruir resíduos. Entretanto, o significado desse verso em hebraico não é tão claro para vários estudiosos.

Na maioria das versões modernas de 1 Samuel 13.20,21, o termo "enxada" é a tradução de *'et*, que algumas versões traduzem como "sega de arado".

**ENXÁRCIA** Palavra usada no plural em Isaías 33.23 para descrever o cordame ou mecanismo de um navio consistindo de cordas ou cabos (heb. *hebel*) usadas como cabos fixos para manter o mastro firmemente em seu lugar e para controlar as velas. O mesmo significado geral é obtido do singular "armação" (gr. *skeue*) em Atos 27.19, mas também pode incluir todos os equipamentos dispensáveis (cf. Jonas 1.5, na Septuaginta).

**ENXERTO** Este é um processo de horticultura pelo qual os ramos de uma árvore cultivada podem ser inseridos e o enxerto ocorre. Em Romanos 11.17ss., o apóstolo Paulo emprega esta prática de forma reversa. os ramos selvagens, os gentios, são descritos como enxertados no tronco da árvore original, os israelitas. Esta inversão deliberada realça a pitoresca figura de linguagem, comunicando a verdade eterna da rejeição do Israel nacional e a formação do verdadeiro Israel – todos os crentes. No entanto, Paulo adverte que o novo ramo poderia ser cortado e lançado fora caso se mostrasse infiel.

**ENXOFRE** *Veja* Minerais e Metais.

**ENXÚNDIA** A única referência a este termo está em Jó 15.27. Nas versões KJV (em inglês) e na RC (em português) lê-se "criou enxúndia nas ilhargas", enquanto que na RSV (em inglês) lê-se "juntou gordura em seus lombos".

**EPAFRAS** "Amado conservo" e um "fiel ministro de Cristo" mantido em elevada estima por Paulo (Cl 1.7,8; 4.12,13). Em Filemom 23 ele é mencionado como "meu companheiro de prisão por Jesus Cristo". Embora esse nome seja uma forma abreviada de Epafrodito, a maioria dos estudiosos não faz sua ligação com o homem filipense do mesmo nome em Filipenses 2.25-30 (contra. Glover. *Paul of Tarsus)*.
Em Colosseses 1.6,7 parece que a cidade de Colossos tinha recebido "a graça de Deus em verdade", não do próprio Paulo, mas de Epafras. Com base em Colossenses 4.13, ele tinha sido o representante de Paulo na evangelização não só de Colossos, mas também de Laodicéia e Hierápolis. Ele mais tarde compartilhou o aprisionamento de Paulo, e enviou saudações a Filemom.

**EPAFRODITO** Um dos dois companheiros de Paulo, muito recomendado pelo apóstolo em Filipenses 2.25-30. Seus epítetos são admiráveis. "Meu irmão, e cooperador, e companheiro nos combates, e vosso enviado para prover às minhas necessidades" (Fp 2.25). Ele havia despendido grande energia em benefício da obra de Cristo e do próprio Paulo, chegando bem próximo à morte, "não fazendo caso da vida", arriscando-a ao ajudar o apóstolo (Fp 2.30) e, aparentemente, ao lhe transmitir a oferta de amor da igreja que estava em Filipos (Fp 4.18).

**EPÊNETO** A saudação de Paulo aos cristãos de Roma menciona Epêneto como amado e primeiro convertido a Cristo na Ásia (Rm 16.5). Esse nome não era raro e foi encontrado em inscrições tanto em Roma como na Ásia. Na verdade, as inscrições descobertas em Roma fazem referência a Epêneto como um nativo de Éfeso.

**EPICUREUS** Estes eram filósofos em Atenas que confrontaram Paulo juntamente com os estóicos (q.v.; At 17.18). Eles seguiam os ensinos de Epicuro (341-270 a.C.), um cidadão ateniense, embora nascido na ilha de Samos, perto de Éfeso. A familiaridade de Paulo com a filosofia é evidente. Menandro, escritor e amigo de Epicuro, é aparentemente citado por Paulo em 1 Coríntios 15.33ss. Os epicureus ensinavam que o bem supremo é o prazer ou a felicidade (gr. *hedone*); mas o prazer da mente e da vida inteira, não o deleite dos caprichos e instintos momentâneos. As conseqüências de todas as ações devem ser consideradas antes de se deleitar em uma atividade, ou mesmo aprová-la. Epicuro não era um sensualista, como é freqüentemente acusado. Ele negava a providência divina, os milagres, a profecia e a imortalidade, embora os escritores modernos afirmem que ele não fosse ateu (cf. N. W. DeWitt, *Epicurus and His Philosophy*). Epicuro repudiava a astrologia e ensinava que a religião era uma superstição; que para ser feliz era necessário ser liberto do medo dos deuses. Ele desenvolveu uma elaborada teoria "atômica". Lucrécio (98-54 a.C.) foi um dos mais conhecidos intérpretes do epicurismo.

R. L. J.

**EPILEPSIA** *Veja* Doença.

**EPÍSTOLA** No uso geral, o termo epístola refere-se à correspondência escrita, seja particular ou pública. Este uso amplo incluiria as cartas do AT, embora elas não sejam chamadas especificamente de epístolas (2 Sm 11.14,15; 1 Rs 21.8-11; Ed 4.11-22; Jr 29.1-29).
No NT o termo gr. *epistole* ocorre 24 vezes e é a designação de 21 dos escritos do NT. Destes, 13 são da pena de Paulo e sete ou oito, dependendo se Hebreus está incluído ou não, são classificados como epístolas gerais ou universais. As 13 cartas de Paulo são geralmente divididas em quatro grupos. escatológicas (1 e 2 Tessalonicenses), soteriológicas (Romanos, 1 e 2 Coríntios, Gálatas), da

prisão (Efésios, Filipenses, Colossenses, Filemom) e pastorais (1 e 2 Timóteo, Tito). As epístolas não-paulinas têm sido chamadas de universais (ou católicas) porque eram supostamente gerais quanto ao seu destino. Isto, porém, não é uma designação exata no caso de Hebreus, e de 2 e 3 João, que foram enviadas para pessoas e grupos específicos.
Em geral, as epístolas do NT seguem a forma padrão das cartas antigas, como pode ser visto pelo estudo da extensa correspondência em papiros que foi preservada. A ordem epistolar usual era: nome do escritor e destinatários, saudação, oração ou desejo de bem-estar dos leitores, corpo da carta e saudações finais.
Alguns, seguindo a sugestão de A. Deissmann, têm feito uma distinção entre cartas e epístolas. As cartas seriam pessoais, com trechos não-literários sem a intenção de uso permanente, ao passo que as epístolas seriam impessoais, com trechos literários, escritas para um público mais geral e com a intenção de permanência. Outros têm corretamente insistido que esta distinção é demasiadamente sofisticada e simplificada. A maioria das epístolas do NT combina elementos tanto de carta como de epístola, conforme distinguido por Deissmann. A correspondência do NT foi, em sua maior parte, escrita em resposta a cartas ou palavras pessoais com relação a problemas ou necessidades que exigiram um tratamento por parte de alguém que tivesse autoridade apostólica.

D. W. B.

**EPÍSTOLAS CATÓLICAS ou UNIVERSAIS** Uma designação tradicional das sete últimas epístolas do Novo Testamento. *Veja* Epístolas Gerais.
A palavra "católico" deriva do grego *katholikos*, que significa "geral", "muito difundido", "universal". Com a exceção da segunda e da terceira epístola de João, que são escritas para um indivíduo ou para uma igreja em particular, estas epístolas dirigem-se a um público mais amplo do que uma igreja local ou um indivíduo. Mais tarde, a palavra "católica" foi empregada para as epístolas que eram universalmente aceitas pela igreja e que continham doutrinas ortodoxas; assim, o termo tornou-se sinônimo de "genuíno" ou "canônico".

**EPÍSTOLAS ESPÚRIAS** Entre os escritos apócrifos do NT, há um pequeno número de epístolas imitando aquelas encontradas no cânon do NT, mas que não competem em importância com outros tipos de literatura apócrifa. As sete epístolas mais importantes são. a Epístola dos Apóstolos, Epístolas de Cristo e Abgarus, Epístola aos Laodicenses, Terceira Epístola aos Coríntios, Epístola de Lentulus, Epístola de Paulo e Sêneca, e a Epístola Apócrifa de Tito.
Na Epístola dos Apóstolos, 11 apóstolos (é feita uma distinção entre Pedro e Cefas!) supostamente se dirigem às "igrejas do oriente e do ocidente, do norte e do sul" e dão um resumo da vida e ressurreição de Jesus. A obra termina com um apocalipse do Senhor ressurrecto com relação ao futuro.
As Epístolas de Cristo e Abgarus, encontradas por Eusébio (*Ecclesiastical History*, I, 13), contêm uma carta endereçada a Cristo por Abgarus, rei de Edessa, pedindo-lhe para vir e curar o rei, e compartilhar seu reino. Cristo escreveu uma resposta na qual recusou o convite, mas prometeu enviar um apóstolo após sua ascensão. Tadeu foi enviado, curou o rei e fundou a igreja edesseana.
Tanto a Epístola aos Laodicenses quanto a Terceira Epístola aos Coríntios foram sugeridas por referências encontradas nas cartas de Paulo (Cl 4.16; 1 Co 5.9). Ambas tiveram uma circulação bastante grande no período medieval, embora tenham sido rejeitadas pelos antigos estudiosos. A epístola laodiceana contém 20 versículos copiados das cartas genuínas de Paulo. Esta provavelmente não é a mesma epístola mencionada no Fragmento Muratoriano. A Epístola Apócrifa de Tito é uma descoberta recente.
A Epístola de Lentulus, endereçada ao senado romano, fornece uma descrição física de Jesus extraída de pinturas medievais, embora reivindique ser de autoria de Lentulus, um oficial romano na Judéia no século I.
As Epístolas de Paulo e Sêneca são 14 breves cartas pessoais nas quais Paulo e Sêneca são representados como admiradores um do outro, e Sêneca elogia a inspiração de Paulo.

F. P.

**EPÍSTOLAS GERAIS** Sete cartas do NT – Tiago; 1ª e 2ª Pedro; 1ª, 2ª e 3ª João e Judas – são assim chamadas porque não contêm destinatários específicos (note o contraste com as epístolas paulinas). A descrição "sete epístolas universais" (isto é, com destino indefinido e abrangente) foi dada pela primeira vez por um patriarca da igreja, Eusébio (*Eccl. Hist.*, II, 23-25). No entanto, mesmo uma leitura superficial das cartas mostra que elas não são, todas, verdadeiramente "gerais" – 1 Pedro foi destinada a províncias específicas na Ásia Menor; 3 João foi enviada a um certo Gaio; e 3 João a uma igreja local ou a um indivíduo.
Não houve uma pronta aceitação destas cartas na igreja primitiva. No século IV, Eusébio afirmou que a maioria delas eram discutidas, embora tenham sido incluídas em várias listas e manuscritos importantes do NT no mesmo século. Algumas delas, especialmente 2 Pedro e Tiago, têm sido contestadas de um modo ou de outro em várias ocasiões até o dia de hoje. (Para detalhes *veja* Cânon das Escrituras – NT.)
No que diz respeito às ênfases maiores, Tiago

e 1 Pedro tratam do problema do sofrimento (veja, por exemplo, Tg 1.2-4; 5.4-11; 1 Pe 1.6,7; 2.18-20; 3.14-17; 4.12-16). Na verdade, as palavras "sofrer" ou "sofrimento" aparecem pelo menos 15 vezes somente em 1 Pedro. As outras cartas refletem o crescimento do falso ensino e como a igreja primitiva se opôs a ele (veja 2 Pe 2.2,3; 3.1-7; 1 Jo 1.6-10; 2.22,23; 4.1-6; Jd 3,4).

*Veja* artigos sobre as cartas individuais.

W. M. D.

**ÉPOCA** É corretamente o ponto inicial de uma era ou tempo, tal como a primeira ou a segunda vinda de Cristo. No entanto, o termo também é usado em um sentido mais flexível para significar um tempo ou era que foi introduzido por um acontecimento em particular, e é caracterizado por este evento. Assim podemos falar da época do Evangelho, significando o tempo da dispensação do Evangelho; e do reino, significando a época do reino de Cristo na terra. *Veja* Tempo.

**EQUER** Um descendente pós-exílico de Judá através de Hezrom e Jerameel (1 Cr 2.27).

**ER**

1. O filho primogênito de Judá (Gn 38.7), a quem a filha de Sua, um cananeu, deu à luz (vv. 3,12; 1 Cr 2.3). Embora Er fosse casado com Tamar (Gn 38.6), e não tivesse filhos, o Senhor o matou por causa de sua impiedade (v. 7) na terra de Canaã (Gn 46.12; Nm 26.19).
2. Um descendente de Judá (1 Cr 4.21), o homônimo de seu primogênito (cf. acima).
3. O filho de Josué e pai de Elmadã na genealogia de Jesus em Lucas (Lc 3.28,29).

**ERA** Uma era é definida pelo Webster (segunda ed. não abreviada) como "uma ordem ou sistema cronológico de notação computado a partir de uma data que é tomada como base". Não há nenhum exemplo incontestável de tal conceito no AT, embora algumas referências cheguem perto disto. O êxodo é usado como um ponto de partida para indicar a data da construção do templo de Salomão (1 Rs 6.1). Este mesmo acontecimento tão significativo é empregado em conexão com a data da morte de Arão (Nm 33.38). Pareceria natural que os israelitas tivessem continuado a fazer do êxodo – que marcou o início da nação hebraica – a base de sua datação. Porém, ao invés disso, eles mais tarde seguiram o costume predominante dos tempos ao datar eventos por um certo ano do reinado de um rei. Este método foi seguido durante o período dos reinados, como testificam os livros de Reis e Crônicas.

Aparentemente, a primeira era usada pelos judeus foi a era selêucida, que era amplamente observada na Síria. Ela datava de 312 a.C., quando Seleuco Nicátor tomou a Babilônia. A primeira era distintivamente judaica foi a dos Macabeus, datando de 24 de novembro de 166 a.C., e foi o início da ascensão macabeana contra os selêucidas.

A era cristã data do ano em que se supõe que tenha ocorrido o nascimento de Cristo. Mas este evento ocorreu, no mínimo, por volta do ano 4 a.C. Ao invés de a.C., os escritores judeus usam a sigla a.e.c. – antes da era comum (o mesmo que a era cristã). A era judaica oficial começa com a suposta data da criação, estabelecida como 3760 a.C. Isto tem sido usado pelos judeus desde o século XV d.C.

*Veja* Calendário.

R. E.

As planícies de Manre, nas proximidades de Hebrom, figuram de forma proeminente nas narrativas de Abraão e Isaque. HFV

**ERA PATRIARCAL**

### Os Patriarcas

A palavra grega *patriarches* foi às vezes usada na LXX e no NT em um sentido amplo como em Atos 2.29 sobre Davi, e em Atos 7.8,9 sobre os 12 filhos de Jacó. Entretanto, ela tornou-se mais comumente usada para restringir a palavra "Patriarcas" aos fundadores – Abraão, Isaque e Jacó. Portanto, a Era Patriarcal refere-se ao período da história israelita relativo a essas três gerações iniciais. *Veja* Gênesis.

### Ceticismo Crítico

Até o início das descobertas arqueológicas, a maioria dos críticos da Bíblia considerava as histórias dos Patriarcas com considerável ceticismo. S. R. Driver explicou que os Patriarcas representavam a personificação das tribos. Os estudiosos da Pan Babilônia, H. Winckler e J. Jeremias interpretavam sua presença como um reflexo das divindades astrais dos babilônios. Outros, inclusive E. Meyer, R. Weill, G. Hölscher, e C. A. Simpson (em 1948) consideravam os patriarcas como divindades dos cananeus transformadas. H. Gunkel acreditava que eram figuras da poesia folclórica. Mais recentemente, M. Noth e O. Eissfeldt concordaram que eram pessoas reais, mas, ao mesmo tempo, consideraram seus relatos sem qualquer valor histórico.

**Descobertas Arqueológicas**

Nos últimos 40 anos, o crescente fluxo de evidências arqueológicas vindas da Mesopotâmia, da Síria e da Palestina convenceu a todos, exceto alguns poucos remanescentes, da autenticidade das narrativas dos Patriarcas. Os dados geográficos, nomes, costumes sociais e condições políticas refletidos nas histórias mostram-se verdadeiros quanto às datas atribuídas aos Patriarcas.

Com algumas exceções (os assim chamados "anacronismos" discutidos na última seção abaixo), esses elementos concordaram com uma data do 2º milênio, e não do 1º milênio a.C. Isso representa um sensível contraste com a opinião de Wellhausen de que "não alcançamos nenhum conhecimento histórico dos Patriarcas, somente da época (o primeiro milênio a.C.) quando as histórias a respeito deles foram levantadas em meio ao povo israelita..."

**As Datas da Vida dos Patriarcas**

Para os estudiosos, é muito difícil calcular a data exata da Era Patriarcal. Êxodo 12.40 fala sobre a peregrinação no Egito, desde a época da entrada de Jacó no Êxodo, como tendo durado 430 anos (de acordo com a LXX os 430 anos cobrem tanto a permanência no Egito quanto a peregrinação prévia em Canaã). A data da entrada de Jacó depende, então, da data do Êxodo (*q.v.*). Os estudiosos mais conservadores, que preferem o século XV a.C. como a data do Êxodo, localizam Abraão no século XXI a.C., e a ida de Jacó para o Egito no século XIX a.C. Com base em informações arqueológicas, muitos estudiosos têm preferido os séculos XX a XVIII a.C. para Abraão – por exemplo, W. F. Albright, R. de Vaux, S. Yeivin, H. H. Rowley adotaram o século XVII a.C. como a data mais correta para a vida de Abraão.

C. H. Gordon, argumentou, a partir dos paralelos com o século XV a.C., que os textos Nuzu sugerem uma data próxima ao século XIV a.C., isto é, a Era Amarna e, baseado em outros fatos, O. Eissfeldt também concorda com o século XIV a.C.

Em geral, as evidências parecem indicar que o início do 2º milênio a.C. estaria muito de acordo com o cenário das narrativas dos Patriarcas, em particular com o período conhecido como Idade Média do Bronze I (M.B. I) datada de 2100-1900 a.C. por Glueck, e de 2000-1800 a.C. por Albright.

É sabido que alguns lugares associados aos Patriarcas estavam habitados nessa data. A cidade de Siquém é mencionada no século XIX a.C. Durante escavações, G. R. Albright

Betel, uma cidade muito importante nas vidas de Abraão e Jacó. HFV

encontrou textos da Execração Egípcia, e ruínas desse período. Depois de um intervalo de um milênio, Betel foi primeiramente reocupada nesse período. P. Hammond encontrou ruínas da M.B. I em Jebel er-Rumeideh, o local da antiga Hebrom. Pesquisas feitas por N. Glueck e B. Rothenberg produziram evidências de uma ocupação sazonal em locais do Neguebe, associados aos Patriarcas. Esses locais foram ocupados no período da M.B. I e não durante o milênio anterior ou posterior.

Os arqueólogos ainda não chegaram a um acordo sobre a terminologia e os limites da Idade Média do Bronze na Palestina. As datas desse período são consideradas por B. Mazar como estando no intervalo 2200-2000 a.C., e ele chama o período de 2000-1800 a.C. de M.B. II. A. Albright dá o nome de Início da Idade do Bronze IV ao período de 2200 a 2000 a.C., e o período de 2000-1800 de M.B. I. Kathleen Kenyon, que escavou Jericó e a primitiva Jerusalém, chama o período de 2300 a 1900 a.C. de E.B. Intermediária – M.B., considerando o período de 1900 a 1850 a.C. como o período M.B. I. Ela ainda atribui as colônias semi-nômades do período E.B. – M.B. aos amorreus, e o período seguinte aos cananeus. Algumas evidências recentemente publicadas relacionam alguns nomes dos hebreus primitivos às tribos de amorreus da Síria que estabeleceram a Primeira Dinastia na Babilônia no século XIX a.C.

O retrato dos patriarcas movendo-se no centro da montanhosa Palestina encaixa-se bem nos padrões populacionais dos séculos iniciais de segundo milênio a.C. Eles devem ter evitado se estabelecer em grandes acampamentos, nas planícies costeiras e nos vales, durante sua busca de pastagens para os seus animais.

**Nomes pessoais**

Muitos nomes pessoais das narrativas patriarcais foram encontrados em textos do início do 2º milênio a.C., particularmente nos arquivos do século XVIII de Mari. Abraão, viajando a partir de Ur no sul da Mesopotâmia até Harã (Gn 11.31ss.) no norte da Mesopotâmia, pode muito bem ter passado por Mari, no Eufrates, localizada cerca de 300 quilômetros a sudeste de Harã.

Semelhante ao nome de Abraão, é o nome *Aba(m)rama* de Dilbat, e comparável a Abraão é o nome *'Aburahana* dos textos da Execração Egípcia do século XIX. Semelhante ao nome Tera, do pai de Abraão, é o nome *Turakhi*, de um lugar perto de Harã. Semelhante ao nome do avô de Abraão, Naor (Gn 11.25) e a uma cidade de mesmo nome (Gn 24.10) é o nome de *Nakhur*, encontrado em Mari. O nome do bisavô de Abraão, Serugue, foi encontrado em *Sharugi*, nas proximidades de Harã. O nome de Ismael pode ser comparado ao nome *Yasmakh-el* de Mari. Nomes semelhantes a Jacó também foram encontrados, como em Ya'qub-il de Chagar-Bazar. Semelhante a Benjamim é o nome *Binu-*(ou *Maru-*) *yamina*, que significa "filho do direito", isto é, "filho do sul", também registrado em Mari.

Deve-se observar que nenhum desses exemplos pode ser interpretado como se estivesse referindo-se às próprias informações da Bíblia Sagrada. Entretanto, o testemunho de tais nomes, na época e na área associada aos Patriarcas, constitui uma valiosa evidência da autenticidade das narrativas.

### Viagens, Comércio e Nomadismo

A liberdade e o amplo escopo das viagens (*veja* Viagem e Comunicação) são especialmente atestados no Oriente Próximo, no período da Velha Babilônia (dos séculos XIX a XVI a.C.). A migração de Abraão de Ur até Harã significava a mudança de um grande centro comercial para outro. O nome Harã significa "Cidade Caravana". Talvez não seja um simples acidente que tanto Ur como Harã também fossem centros de adoração a Sin, o deus lua, da mesma forma que o nome Tera pode ser relacionado ao culto à lua (cf. Js 24.2).

A mudança de Abraão foi entendida por Gordon à luz do *tamkarum* ou do mercador viajante da Mesopotâmia, e por Albright à luz de sua interpretação dos *'Apiru* ou *Habiru* (q.v.) como caravaneiros de asnos (*veja* Animais, I. 1, Jumento). Por outro lado, outros estudiosos, inclusive Y. Aharoni, M. Greenberg, K. Kitchen e R. de Vaux, consideram o modo de vida dos patriarcas igual ao dos seminômades ou dos pastores-nômades que cuidavam de seus rebanhos e participavam de uma agricultura sazonal (cf. Gn 26.12-14). Os patriarcas percorriam as áreas montanhosas e cobertas de florestas do país a procura de pastos para os seus rebanhos. A história da procura de José pelos seus irmãos indica as longas distâncias a que os pastores levavam seus rebanhos à procura de pastos. José caminhou do vale do Hebrom (Gn 37.14) cerca de 80 quilômetros até Siquém para depois descobrir que seus irmãos haviam ido para Dotã, 30 quilômetros ao norte (Gn 37.17). Como nos tempos modernos, havia conflitos entre os pastores e os habitantes das cidades a respeito das fontes de águas (Gn 21.25ss.; 26.17-32).

### Costumes Sociais

Foram especialmente as descobertas de Nuzu (em aprox. 1500 a.C.) que trouxeram muitos esclarecimentos sobre os costumes sociais dos patriarcas. A provável adoção de Eliézer de Damasco por Abraão (Gn 15.2) pode ser esclarecida através dos textos Nuzu, mostrando que era comum para casais sem filhos adotar um homem para ser o herdeiro. Entretanto, se mais tarde nascesse um filho, a pessoa que havia sido adotada teria que ceder em favor do filho verdadeiro (Gn 15.4). O texto em Gênesis 16.1,2 que relata o incidente em que Sara deu a Abraão sua serva Agar a fim de lhe gerar um filho, foi registrado em um texto Nuzu de adoção que determina que uma mulher estéril deve providenciar uma escrava para seu marido, para que ele possa ter uma descendência (Cf. Gn 30.1-13). Essa tábua em particular, além do código de Hamurabi, exige que o filho da escrava seja mantido – uma regra que foi antecipadamente contrariada pela divina permissão de mandar Agar e Ismael embora (Gn 21.10-12). A venda do direito de primogenitura de Esaú foi exemplificada nos textos Nuzu pela transferência do direito à herança de um homem ao seu irmão; neste caso, um bosque foi trocado por três ovelhas.

A história de Jacó e Labão (Gn 29.31) tem sido ricamente ilustrada pelos textos Nuzu. Parece que Labão, que não tinha nenhum herdeiro do sexo masculino, pode ter adotado Jacó e lhe dado suas filhas Raquel e Leia como esposas.

O texto Nuzu mostra que quando Raquel roubou os deuses (terafins) ou ídolos da família (Gn 31.34), o fato não foi evidentemente provocado por razões sentimentais. A posse desses objetos assegurava o título à herança da família e, em alguns casos, à liderança do clã.

A explicação para essas admiráveis semelhanças entre as histórias dos patriarcas e os textos de Nuzu, pode ser em parte encontrada na herança cultural comum dos hurrianos. Os habitantes de Nuzu eram predominantemente hurrianos que haviam migrado do norte da Mesopotâmia e da Síria-Palestina, vindos da área da Armênia no segundo milênio. Eles também predominavam em Harã, onde viveu Abraão, e mais tarde Labão.

### A Invasão dos Quatro Reis do Oriente

Além das semelhanças gerais entre os costumes sociais, existe um incidente específico na vida de Abraão que pode ser estabelecido no início do 2º milênio. Trata-se da invasão dos quatro reis do oriente – Anrafel, Arioque, Quedorlaomer e Tidal – contra os reis de Sodoma e Gomorra, registrada em Gênesis 14.

Alguns estudos críticos, incluindo um artigo de autoria de Albright em 1918, questionava a historicidade desse relato. Ele foi rejeitado por Noth, em 1948, como se fosse uma tardia reconstrução escolástica. T. Nöldeke já havia anteriormente mostrado sua recusa pelo fato de não haver nenhuma rota dessa marcha a leste do rio Jordão, como descrito na narrativa. No entanto, essa rota foi agora encontrada por N. Glueck, que observa que ela acompanha a linha das cidades da M.B. I que foram destruídas no final do século XIX. Somente algumas delas foram posteriormente reocupadas. Na verdade, Glueck atribui sua destruição ao ataque violento dos quatro reis.

As cartas de Mari indicam que foi somente por volta do período de 2000-1750 a.C. que o sistema de alianças de poder, atestado nessa passagem, tornou-se realidade. Os nomes dos reis do oriente são estrangeiros e soam como autênticos. Anrafel não pode mais ser identificado com Hamurabi, como era geralmente aceito, está bem de acordo com várias combinações amoritas ou acadianas. Arioque corresponde ao nome *Arriwuk*, um contemporâneo de Hamurabi. Sua forma é rara e não foi comprovada depois do 2º milênio. O nome Quedorlaomer contém visíveis componentes elamitas (Elão estava situada no sudeste da Pérsia). Alguns estudiosos acreditam que Tidal representa o nome heteu *Tudkhaliya*.

A palavra hebraica usada para os servos armados de Abraão (*hanikim*, Gn 14.14) é encontrada nos textos de Execração do Egito dos séculos XIX e XVIII a.C. Speiser, que acreditava que Gênesis 14 veio originalmente de uma fonte não israelita, concluiu que essa passagem representa uma clara evidência de que Abraão foi uma pessoa muito real, e não uma obscura figura literária. Albright também se tornou um forte defensor da historicidade dessa narrativa.

## Religião Patriarcal

Os Patriarcas adoravam um Deus que apareceu pessoalmente a cada um deles. A aliança de Deus com Abraão (Gn 12,15,17) representou a promessa de que Ele abençoaria Abraão e sua posteridade, e as nações da terra através dele. A promessa de Deus foi recebida pela fé, em uma ocasião em que Abraão não tinha descendentes e Sara havia passado da idade de gerar filhos (At 7.5; Rm 4.16-22).

Por causa de sua fé inabalável, Abraão tornou-se o protótipo de todos os seus filhos espirituais que, da mesma forma, são salvos pela fé (Gl 3.7-29). Além disso, a fé de Abraão não era apenas uma fé improdutiva, mas uma obediente confiança (Tg 2.21-23).

Abraão parecia estar em termos tão íntimos com seu Deus, que foi chamado de "amigo" de Deus nas Escrituras (Is 41.8; 2 Cr 20.7; Tg 2.23). O conceito patriarcal de um "Deus dos Pais" (Gn 31.42; 49.24) é semelhante ao conceito que consta nas tábuas da Antiga Assíria do século XIX a.C., que foram encontradas em Capadócia.

Os críticos têm se acostumado a atribuir o gênesis do monoteísmo hebraico ao período Mosaico. Entretanto, as próprias Escrituras falam sobre a fé monoteísta dos patriarcas. Os paralelos fora da Bíblia, que se assemelham a vários elementos encontrados nas narrativas dos patriarcas recentemente convenceram Speiser, Cross e Albright de que não só as tradições sociais, mas também as tradições religiosas, dos patriarcas, nas Escrituras, devem ser consideradas como antigas e absolutamente confiáveis.

## Supostos Anacronismos

Embora muitos elementos das histórias dos patriarcas tenham se revelado autênticos, também existem certas características consideradas por alguns estudiosos como tardias e anacrônicas. A menção a camelos (q.v.) tem sido questionada porque a difundida domesticação de camelos parece ter ocorrido somente após o final do 2º milênio a.C. Embora os camelos sejam mencionados muitas vezes nos textos primitivos, na verdade não existem provas de sua domesticação na era patriarcal nas peças de arte e nas atuais ruínas (Kitchen, *Ancient Orient and Old Testament,* pp. 79ss.). *Veja* Animais I.5 Camelo.

Uma das questões mais controvertidas está relacionada com os hetus (q.v.) ou "filhos de Hete" das narrativas; em hebraico, os termos são respectivamente *hitti* e *b*ᵉ*ne het* (Gn 15.20; 23.3). Por um lado, M. Lehmann chamou a atenção para o que parece ser uma notável semelhança entre o código de leis heteu e as transações de Abraão com Efrom, o "heteu" pela caverna de Macpela em Gn 23. Por outro lado, não existem provas nos registros heteus de qualquer penetração desse povo do sul da Síria na Palestina, e há pouca evidência arqueológica para dar suporte à afirmação de que os heteus tenham estado nessa área. Gene Tucker mostrou que Gênesis 23 também tem paralelos com documentos de venda neobabilônios ("The Legal Background of Genesis 23", JBL, LXXXV [1966], 77-84). Isso não quer dizer, como ele afirma, que as narrativas patriarcais sejam posteriores. Quando existem paralelos e semelhanças, tanto primitivos como tardios, nenhum pode ser usado como uma prova única para determinar a data dos fatos. Harry Hoffner argumentou que os *hitti* da

Bíblia eram um grupo étnico sem relação com os hititas da Anatólia, e que a semelhança de seus nomes é simplesmente acidental. Speiser sugeriu que o termo bíblico pode na verdade estar se referindo aos hurrianos, visto que a LXX e o Texto Massorético, mesclaram, mais de uma vez, hurrianos, heteus e heveus. Existem consideráveis evidências indicando que os hurrianos penetraram na Palestina.

As referências aos arameus (traduzidos como "siros" em várias versões) em conexão com a história de Labão, têm sido consideradas por alguns estudiosos como anacrônicas.

Eles afirmam que o nome desse grupo semítico que se espalhou pelo leste da Síria só foi comprovado no século XI a.C., na época de Tiglate-Pileser I. Uma tribo nômade relacionada a eles, os *Akhlamu*, é mencionada no século XIV a.C. De Vaux poderia considerar os primeiros amorreus da Síria como "proto-arameus". Embora alguns estudiosos pudessem discutir essa identificação com os posteriores arameus nômades e seminômades, A. Dupont-Sommer destacou que os nomes "Arã" e "Aramu" já eram encontrados no final do século III a.C., como uma indicação de que a designação de Labão como arameu não é uma tradução posterior, e também pelo fato dele ser apresentado falando em aramaico (Gn 31.47).

Entretanto, a designação da cidade de Ur, de Abraão, na baixa Mesopotâmia, como a Ur "dos caldeus" seria mais bem explicada como uma interpretação posterior. Os caldeus não são mencionados nos textos da Mesopotâmia antes do século XI a.C.

As referências aos filisteus (q.v.) nas histórias dos patriarcas constituem uma dificuldade muito conhecida. As primeiras referências históricas aos filisteus encontram-se nos textos de Ramessés III (aprox. 1190 a.C.), embora eles tenham sido retratados com seus típicos penteados de "penas" ou "crina de cavalo" nos relevos ligeiramente anteriores dos Povos do Mar que atacaram o Egito. Alguns estudiosos compartilham a opinião de que o termo "filisteu" nas narrativas relativas a Abimeleque de Gerar e a Abraão (Gn 20–21), e também a um rei posterior de Gerar com o mesmo nome e Isaque (Gn 26), podem ter a intenção de revelar uma migração anterior de povos do Egeu e não a dos filisteus. Amós 9.7 descreve os filisteus como tendo vindo de Caftor, que é geralmente interpretada como Creta, mas ele pode, talvez, por extensão, ter incluído a área do Egeu, influenciado pela civilização minoana de Creta.

A presença do verdadeiro termo "filisteu" nas narrativas patriarcais pode ter se devido a uma tradução posterior que substituiu um termo mais antigo que não era mais compreensível. Talvez a base para a substituição do escriba tenha sido o fato dos reis de Gerar pertencerem a uma linhagem que era de uma área que foi posteriormente dominada pelos filisteus.

***Bibliografia.*** William F. Albright, "Abram the Hebrew. A New Archaeological Interpretation", BASOR, #163 (1961), 36-54; "The Patriarchal Background of Israel's Faith", *Yahweh and the Gods of Canaan,* Garden City, N. Y.. Doubleday, 1968, pp. 53-109. Millar Burrows, "The Complaint of Laban's Daughters", JAOS, LVII (1937), 259-276; "Patriarchs - in Genesis and in History", CornPBE, pp. 559-568, Frank M. Cross, "Yahweh and the God of the Patriarchs", HTR, LV (1962), 225-259. Roland de Vaux, "Les patriarches hébreux et les découvertes modernes", RB, LIII (1946), 321-343. LV (1948), 321-347; LVI (1949), 5-36; "Les patriarches hébreux et l'histoire", RB, LXXII (1965), 5-28; "Method in the Study of Early Hebrew History" e as respostas de George Mendenhall e Moshe Greenberg na obra *The Bible in Modern Scholarship,* ed. por J. Philip Hyatt, Nashville. Abingdon Press, 1965, pp. 15-43. A. Dupont-Sommer, "Sur le débuts de l'histoire araméenne", *Supplements to Vetus Testamentum* (1953), pp. 40-49. J. C. L. Gibson, "Light from Mari on the Patriarchs", JSS, VII (1962), 44-62. Nelson Glueck, "The Age of Abraham in the Negeb", BA, XVIII (1955), 2-9; *Rivers in the Desert,* Nova York. Grove Press, 1959. Cyrus H. Gordon, "Biblical Customs and the Nuzu Tablets", BA, III (1940), 1-12; "The Patriarchal Age", JBR, XXI (1953), 238-243; "The Patriarchal Narratives", JNES, XIII (1954), 56-59. M. Haran, "The Religion of the Patriarchs. An Attempt at a Synthesis", *Annual of the Swedish Theological Institute,* IV (1965), 30-55, Harry A. Hoffner, "Some Contributions of Hittitology to Old Testament Study", *Tyndale Bulletin,* XX (1969), 27-55, John M. Holt, *The Patriarchs of Israel,* Nashville. Vanderbilt Univ. Press, 1964. Kathleen Kenyon, *Amorites and Canaanites,* Londres. Oxford Univ. Press, 1966; *Palestine in the Middle Bronze Age,* Cambridge. Univ. Press, 1966. K. A. Kitchen, *Ancient Orient and Old Testament,* Chicago. Inter-Varsity Press, 1966; "Historical Method and Early Hebrew Tradition", *Tyndale Bulletin,* XVII (1966), 63-97. Manfred R. Lehmann, "Abraham's Purchase of Machpelah and Hittite Law", BASOR, #129 (1953), 15-18. Herbert G. May, "The God of My Father – A Study of Patriarchal Religion", JBR, IX (1941), 155-158. Benjamin Mazar, "The Historical Background of the Book of Genesis", JNES, XXVIII (1969), 73-83; "The Middle Bronze Age in Palestine", IEJ, XVIII (1968), 65-97. Andre Parrot, *Abraham and His Times,* Filadélfia. Fortress Press, 1968. H. H. Rowley, "Recent Discovery and the Patriarchal Age", *Bulletin of the John Rylands Library,* XXXII (1949-50), 44-79. Ephraim A. Speiser,

*Genesis,* Nova York. Doubleday, 1964. Gerhard von Rad, "History and the Patriarchs", ExpT; LXXII (1961), 213-216. Donald J. Wiseman, *The Word of God for Abraham and To-day,* Londres. Westminster Chapel, 1959. Samuel Yeivin, "The Age of the Patriarchs", *Rivista degli Studi Orientali,* XXXVIII (1963), 227-302.

E. M. Y.

**ERÃ, ERANITAS** O filho do filho mais velho de Efraim, Sutela (Nm 26.36). Ele foi o pai e o chefe da família chamada "os Eranitas".

**ERASTO** Nome de um amigo ou amigos de Paulo, usado três vezes no NT. O Erasto de Romanos 16.23 era um tesoureiro ou o procurador da cidade de Corinto, que enviou saudações aos cristãos em Roma. Ele parece ser o mesmo mencionado muito mais tarde em 2 Timóteo 4.20 como permanecendo em Corinto. É difícil dizer se o Erasto enviado por Paulo, de Éfeso para a Macedônia, é o mesmo homem (At 19.22). Ele é mencionado como alguém que ministrou especificamente a Paulo, e pode tê-lo seguido de Corinto a Éfeso a fim de ajudá-lo ali. Uma inscrição latina escavada em um bloco de pavimento de pedra perto do teatro de Corinto, afirma que por ter recebido a posição de *aedile* (tesoureiro) Erasto colocou este pavimento às suas próprias custas. Os estudiosos geralmente concordam que ele é o Erasto de Romanos 16.23.

**EREQUE** (Acádio, Uruk; Árabe, Warka). A cidade de Ninrode na terra de Sinar (Gn 10.10). Situada no Eufrates, há pouco menos da metade do caminho entre a Babilônia e o Golfo Pérsico, era considerada o lar de Gilgames, o herói da história da inundação mesopotâmia. As escavações de suas extensas ruínas mostraram que ela foi continuamente ocupada por quase 4.000 anos, e que gerou os mais antigos exemplos conhecidos de escritos, desde aprox. 3300 a.C. (cf. BW, pp. 605-6).

Esdras 4.9,10 declara que Osnapar (q.v.), o Assurbanipal assírio, deportou cidadãos (Arquevitas, q.v.) de Ereque a Samaria.

**ERI, ERITAS** O quinto dentre os sete filhos de Gade (Gn 46.16). Eri era o pai ou chefe da família chamada de eritas (Nm 26.16).

**ERRANTE** A palavra hebraica *nud* foi traduzia em várias versões como "errante" e se refere ao castigo de Deus a Caim (Gn 4.12,14). Acredita-se que Caim tenha vivido na terra de Node, isto é, "peregrinando" (Gn 4.16). A palavra "errante" não tem a conotação de uma pessoa desonesta ou de um velhaco preguiçoso, conforme a idéia transmitida pelo termo "vagabundo" em nosso idioma.

No Salmo 109.10, a palavra é usada como

Inscrição encontrada em Corinto mencionando Erasto

uma imprecação na tradução da palavra hebraica *nua.* Em Atos 19.13, ela refere-se às idas e vindas dos exorcistas judeus itinerantes.

**ERVA** *Veja* Plantas.

**ERVAS AMARGAS** *Veja* Plantas

**ERVAS VERDES** *Veja* Plantas.

**ERVILHACA ou ENDRO** *Veja* Plantas.

**ESÃ** Veja ESEÃ.

**ESAÍAS** Este termo significa Isaías no NT grego (q.v.).

**ESAR-HADOM** Um rei assírio, filho e sucessor de Senaqueribe (2 Rs 19.37; Is 37.38); reinou de 681 a 669 a.C. Esar-Hadom teve que lutar por seu trono quando seu pai foi morto. Após sua ascensão, ele começou a reconstruir a Babilônia, que seu pai havia cruelmente destruído, bem como outras cidades e templos da Babilônia, provavelmente por sua mãe ter sido uma princesa babilônica. Seus principais esforços militares foram direcionados a conquistar o Egito, que estava continuamente levantando rebeliões na Palestina e Síria. Em sua primeira expedição ao Egito, em 675 a.C., ele foi derrotado; mas, em sua segunda expedição, seu general ocupou todo o Delta, conquistou Mênfis, e levou o faraó Taharqa (o Tiraca bíblico) para o Vale do Nilo. Em seu caminho para sufocar uma revolta no Egito em 669, Esar-Hadom adoeceu e morreu.

Ele era um governante extremamente hábil, combatendo com êxito os reis assírios, os sumérios e os medos. Para evitar que seu sucessor tivesse os mesmos problemas que ele enfrentou, fez com que seu filho mais novo, Assurbanipal, fosse coroado príncipe, assumindo, deste modo, uma parte impor-

Esar-Hadom e sua mãe observam a reconstrução da Babilônia

tante das obrigações administrativas. Em 672 a.C. os altos oficiais da Assíria tiveram que fazer um juramento para assegurar a sucessão de Assurbanipal, que se tornou rei sem qualquer dificuldade após a morte de seu pai. Em suas inscrições, Esar-Hadom afirmou que Manassés, rei de Judá, lhe pagou tributos (ANET, p. 291). Uma vez que ele governou tanto na Babilônia quanto na Assíria, a declaração em 2 Crônicas 33.11 de que Manassés foi levado cativo à Babilônia não é historicamente incorreta. A Bíblia também fala de Esar-Hadom como um dos reis assírios que estabeleceram colonizadores estrangeiros em Samaria (Ed 4.2).

J. R.

**ESAÚ** O filho de Isaque e Rebeca, e irmão gêmeo (mais velho) de Jacó (Gn 25.24-26; 27.1,32,42; 1 Cr 1.34), é o ancestral tradicional dos edomitas (cf. Gn 36; Ml 1.2,3).

A teoria da origem da palavra "Esaú" está ligada à cobertura peluda sobre seu corpo por ocasião do seu nascimento. "E saiu o primeiro, ruivo e todo como uma veste cabeluda; por isso, chamaram seu nome Esaú" (Gn 25.25; cf. também Gn 27.11).

Estes gêmeos lutaram (lit., "esmagaram um ao outro") no ventre antes do nascimento (Gn 25.22). Este foi um prenúncio pré-natal do relacionamento de Esaú e Jacó na vida, como também entre os seus descendentes (cf. Gn 25.23). Este motivo da luta pré-natal de gêmeos também é encontrado nas tradições de outros povos antigos (IB, I, 665). Na ocasião do nascimento, Jacó segurou o calcanhar de Esaú, indicando a luta que no futuro seria travada entre estes irmãos e suas posteridades, os israelitas (os filhos de Jacó) e os edomitas (os filhos de Esaú, cf. Deuteronômio 2.4).

Desde o princípio, Jacó revelou uma ansiedade para alcançar uma vantagem sobre seu irmão (Os 12.3). Esaú era o primogênito, mas Jacó seria seu senhor. Esta profecia é reiterada em outras passagens relacionadas a Jacó-Esaú (Jr 49.8; Ob 6; Rm 9.10-13).

Jacó era do tipo introvertido e pensativo; mas Esaú era extrovertido e um homem do campo que se tornou um hábil caçador. Ele era o favorito de seu pai, Isaque, enquanto Jacó tornou-se o favorito de sua mãe, Rebeca. Esaú fornecia a seu pai as carnes favoritas conseguidas de suas expedições de caça, mas o amor de Esaú pela caça causou sua ruína. Um dia, quando Esaú retornou, cansado e com fome, Jacó estava esperando por ele com uma tigela quente de caldo de carne e legumes vermelhos. Quando o aroma desta comida chegou ao olfato de Esaú, ele exclamou, "Deixa-me, peço-te, comer desse guisado vermelho, porque estou cansado [ou faminto]" (Gn 25.30). Uma vez que Esaú tinha uma fraqueza desde o nascimento, a falta de domínio próprio, ele tinha que comer esta comida – e imediatamente – para satisfazer seu apetite! Ele pagou um preço alto ao concordar precipitadamente com as exigências de Jacó, abrindo mão de seu direito de primogenitura (Gn 25.30-34). A venda do direito de primogenitura de Esaú para Jacó tem um paralelo nas tábuas Nuzu, onde um irmão vende a um outro um bosque de árvores frutíferas por apenas três ovelhas (Cyrus Gordon, BA, III [1940], 5).

O termo primogenitura denota as vantagens e direitos normalmente desfrutados pelo filho mais velho. Estes incluíam o vigor natural do corpo e do caráter (Gn 49.3; Dt 21.17), uma posição de honra na direção da família (Gn 27.29), e uma porção dobrada da herança (Dt 21.15-17). Quando aplicado a tribos e nações, ele transmite a idéia de superioridade política e material. Este ato impulsivo tirou de Esaú a liderança do povo através do qual o propósito redentor de Deus iria fluir. Como castigo, também lhe foi confiscada a vantajosa porção do filho primogênito nos bens temporais do pai.

Com sua primogenitura perdida, Esaú ainda poderia receber de Isaque a bênção do filho mais velho, se a esperta e astuta Rebeca não tivesse surgido na ocasião (Gn 27.1-10). Jacó aceitou o plano de sua mãe, recebendo dela a garantia de que esta era a atitude apropriada e oportuna (Gn 27.13). Assim, com uma saborosa tigela de comida (lit., "caça") e sua peluda manta de disfarce, ele foi até o quase cego Isaque e solicitou a bênção final. As suspeitas de Isaque foram levantadas pelo rápido retorno e pela voz de Jacó; mas ele foi enganado pelo toque no corpo cabeludo. Fortalecida pela refeição, a alma de Isaque derramou toda a sua força dinâmica neste último ato profético. A palavra "alma" (*nephesh*) aqui significa a totalidade da força

de alguém. O AT freqüentemente faz alusão ao poder e à eficácia peculiar do pronunciamento de um homem de Deus que está morrendo (Gn 48.10-20; 49.1-28; 50.24; Dt 33; Js 23; 2 Sm 23.1-7; 1 Rs 2.1-4; 2 Rs 13.14-19). Como uma profecia, este pronunciamento aproximou-se da palavra divina que carrega em si mesma o poder de seu próprio cumprimento (cf. Is 55.11; Jr 23.29).
As bênçãos orais ou os testamentos no leito de morte eram reconhecidos como válidos em Nuzu bem como na sociedade patriarcal (Gordon, *op. cit.*, p. 8). Logo após a fraude bem sucedida e a bênção da aliança roubada, Esaú retornou do campo e ofereceu a seu pai sua tigela de carne favorita. Quando Isaque tristemente relatou o roubo, a tristeza pela perda repentinamente brotou em Esaú. Ele culpou Jacó por sua infelicidade (Gn 27.34,36), não reconhecendo que seu ato irreligioso anterior, ao vender sua primogenitura, havia se tornado uma parte fixa de seu caráter, e que ele mesmo foi incapaz de se arrepender (Hb 12.16,17). Assim, Esaú recebeu a bênção, mas ele não iria compartilhar a terra fértil da Palestina. "Eis que a tua habitação será longe das gorduras da terra e sem orvalho dos céus" (Gn 27.39).
Com 40 anos de idade, Esaú havia se casado com duas esposas hetéias, o que desagradou grandemente seus pais. Isaque acreditou ingenuamente no plano de Rebeca quando ela astutamente usou esta dor paternal e maternal para enviar Jacó para a Mesopotâmia. Esaú percebeu que casando-se com uma mulher não-cananéia ele iria agradar seus pais, e então casou-se com uma parente de Ismael (Gn 28.6,9) na "terra de Seir". Uma vez que a terra de Seir era um bom ambiente para alguém que vivia do arco, Esaú fez dela sua habitação permanente.
Esaú estava vivendo ali quando Jacó retornou da Mesopotâmia, anos mais tarde. À medida que aproximava-se da Palestina, temeu encarar seu irmão enganado e fez planos minuciosos para amenizar sua ira. Rogou a Deus para que aplacasse a atitude vingativa de Esaú (Gn 32.3-21; 33.1-3). Este, liderando seus 400 homens armados, misericordiosamente abraçou seu irmão culpado e o recebeu sem malícia ou recriminação (Gn 33.4-16). Embora Esaú tenha recebido seu irmão de forma cordial, Jacó tinha dúvidas quanto ao perdão completo de Esaú. Com dúvidas em seu pensamento, conseguiu, por meio de uma artimanha, viajar por um caminho diferente para Betel, parando por um tempo em Sucote e Siquém, enquanto Esaú retornava a Seir (Gn 33.12-18).
Quando jovem, Esaú vivia de acordo com uma visão distorcida; assim teve uma juventude voltada ao egoísmo e à impetuosidade. Porém, como um homem maduro, ele mais tarde demonstrou generosidade e perdão em relação a Jacó. Esaú encontrou seu irmão novamente cerca de 20 anos mais tarde, por ocasião da morte e sepultamento de seu pai (Gn 35.29). Não se sabe nada sobre os anos posteriores da vida de Esaú.
Se a velha animosidade foi sepultada no último encontro dos irmãos gêmeos, logo ela seria ressuscitada e passada de pai para filho de geração a geração pelos seus descendentes. A história de seus descendentes é uma das contínuas lutas fratricidas. Os inimigos de Israel levantaram-se e caíram como ondas, mas os edomitas sempre foram seus inimigos. Estes dois povos desprezaram-se e odiaram-se sem compaixão, e com uma ausência de trégua da qual não se encontra nenhuma analogia entre nações consangüíneas e vizinhas em nenhuma parte na história. De aprox. 1000 a.C., sob o governo do rei Davi, até aprox. 120 a.C., sob o governo dos asmoneanos, Israel esteve em guerra contra Edom. Entre estas duas datas, profeta após profeta rogou por vingança contra a cruel conduta de Edom. *Veja* Edom; Edomitas; Iduméia.

***Bibliografia.*** Herbert Lockyer, *All the Men of the Bible*, Grand Rapids. Zondervan, 1958, pp. 113ss. A. Pieters, *Notes on Genesis*, Londres. Methuen & Co., 1913, pp. 245ss., 255-263, 291-302, 312-321.

D. W. D.

**ESBÃ** O segundo de quatro filhos de Disom da linhagem de Seir, o horeu, da terra de Edom (Gn 36.26; 1 Cr 1.41).

**ESBAAL** O quarto filho de Saul no registro genealógico da tribo de Benjamim (1 Cr 8.33; 9.39). Ao comparar este registro com aquele encontrado em 2 Samuel 2.8, parece que Esbaal e Isbosete eram a mesma pessoa. Saul e três de seus filhos foram mortos em uma batalha (1 Sm 31.2). Apenas Esbaal ficou vivo para assumir o trono de seu pai. Por causa da posterior relutância em pronunciar o nome "Baal", o desamável apelido Isbosete, "homem de vergonha", foi substituído. *Veja* Isbosete.

**ESBOM**
1. Um filho de Gade (Gn 46.16), também chamado de Ozni (cf. Nm 26.15,16).
2. Um dos filhos de Belá, sendo assim um neto de Benjamim (1 Cr 7.7).

**ESCADA[1]** Palavra usada para traduzir três termos do AT: escadas em espiral (1 Rs 6.8); (2) uma ascensão, subir, degrau (2 Rs 9.13; Ne 3.15); e (3) inclinações acentuadas como ladeiras (Ct 2.14). A idéia básica é ascender, subindo degrau após degrau.

**ESCADA[2]** Uma referência direta à escada é encontrada em Gn 28.12. O termo heb. *sullam*, que vem de um verbo que significa "levantar ou subir" é usado, no AT, somente nesta passagem. H. C. Leupold afirma que a palavra "é bem estabelecida em seu significado 'escada'" (*Exposition of Genesis*, p. 772). D. Kidner (*Genesis*, pp. 158ss.), E. A. Speiser (*Genesis*, Anchor Bible, p. 218), e KB, p. 660, acreditam que o termo "degraus" seja uma tradução melhor. Existe uma palavra acádia cognata na história de Nergal e Ereshkigal na qual mensageiros divinos sobem "uma longa escada [*summiltu*] do céu". Além disso, uma escada do tipo zigurate permitiria que muitos anjos a utilizassem simultaneamente.

Uma alusão evidente à visão de Jacó é encontrada nas palavras do Senhor Jesus Cristo registradas em João 1.51. A escada é mostrada por esta declaração para representar o próprio Senhor Jesus Cristo, Aquele que liga o céu e a terra. "Quando ele vier pela segunda vez para assumir seu grande poder e reinado, as palavras deste texto serão literalmente cumpridas" (J. C. Ryle, *Expository Thoughts on the Gospels*, III, 87).

Alguns poucos versículos fazem aparentemente alusão a escadas usadas para escalar os muros das cidades cercadas. Nestes casos as escadas estão subentendidas (Pv 21.22; Jl 2.7).

G. C. L.

**ESCAMA¹** No contexto do livro de Jó, este termo tem o sentido de partes carnudas ou músculos. Em Jó 41.23 a declaração refere-se às "escamas" da carne do leviatã (crocodilo) (q.v.) que são unidas de uma maneira que não podem ser movidas. Uma boa tradução é "escamas epidérmicas pontiagudas" (ISBE). A mesma palavra heb. é traduzida como "refugo" ou "casca" em Amós 8.6.

**ESCAMA²** Os hebreus só podiam comer aqueles peixes que tivessem barbatanas e escamas (Lv 11.9-12; Dt 14.9,10).

As escamas do "leviatã" (q.v.) serviam como fortes escudos ou armaduras (Jó 41.15), o que sugere que este animal poderia ser um crocodilo.

**ESCAMAÇÃO** *Veja* Doença

**ESCARLATA** *Veja* Cores.

**ESCARNECEDOR** A palavra grega *empaiktes*, traduzida como "escarnecedor" em 2 Pedro 3.3 e em Judas 18, significa tratar como criança, tratar alguém de modo leviano como se a pessoa não tivesse valor, recusar-se a levar alguém a sério. A mesma raiz é uniformemente traduzida como "escarnecer" (Mt 2.16; 20.19; Lc 18.32; 22.63; 23.11,36), e ocasionalmente como "ridículo" (Lc 14.29) ou "iludido" (Mt 2.16).

**ESCARNECER** A palavra heb. *qalas*, que é traduzida como "escarnecer" em várias ver-

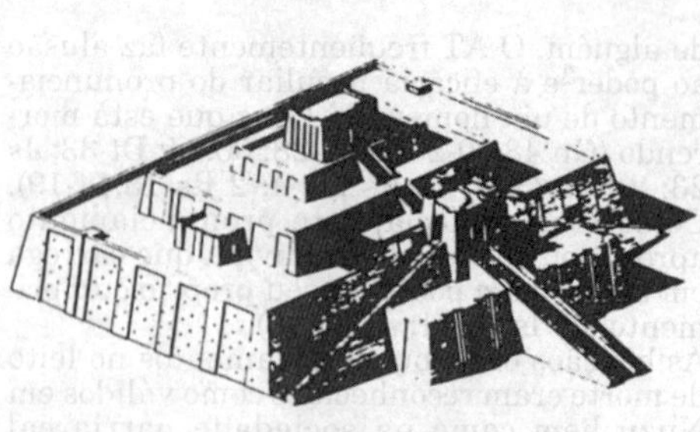

As largas escadarias do zigurate em Ur podem ajudar a ilustrar a escada vista por Jacó. Museu da Universidade da Pensilvânia

sões, significa desprezar, ridicularizar, como os Babilônios faziam para zombar dos reis que ousavam entrar em seu caminho (Hc 1.10). A palavra também é traduzida como "zombar" (2 Rs 2.23; Ez 22.4,5), e "escarnecer" (Sl 44.13; 79.4; Jr 20.8). Este termo contém mais a idéia de desprezo em relação ao valor de uma outra pessoa, do que de um tratamento leviano.

**ESCASSEZ** Essa palavra significa carência ou fome. Ela origina-se de "caro", aquilo que é precioso ou querido, que é raro, e é usada na versão KJV, em inglês, em Gênesis 41.54; 2 Reis 4.38; 2 Crônicas 6.28; Neemias 5.3; Jeremias 14.1; Atos 7.11; 11.28. Em muitas passagens de traduções posteriores, a palavra "escassez" foi substituída por termos como "raro", "fome" e "seca".

**ESCATOLOGIA** O termo escatologia (gr. *eschatos*, "último"; *logos*, "raciocínio"), significando "a teologia das últimas coisas," tem sido usado desde o século XIX para designar a divisão da teologia sistemática que lida com tudo o que era profeticamente futuro na época em que foi escrito, isto é, profecias que já se cumpriram, como também profecias que ainda não se cumpriram. Importantes assuntos de profecia incluem predições com relação a Jesus Cristo, tanto em sua primeira vinda como na segunda, Israel, os gentios, Satanás, cristianismo, os santos de todas as eras, a futura Grande Tribulação, o estado intermediário, a ressurreição dos mortos, o reino milenial, o juízo final e o estado eterno. Estes temas podem ser classificados como a revelação divina do programa quádruplo de Deus para: (1) Israel, (2) os gentios, (3) a igreja e (4) Satanás e seus anjos caídos.

*Princípios de Interpretação*. O conceito de previsão bíblica dos eventos futuros depende dos princípios interpretativos básicos adotados. Do ponto de vista da ortodoxia histórica, um sistema detalhado da escatologia é impossível sem assumir a autoridade e a exatidão das Escrituras. O liberalismo radical tem negado a possibilidade da previsão do futuro e tem tratado tais trechos das Escrituras como sendo tanto aparentemente proféticos como ilegítimos, expressando meramente a esperança humana, ou, na melhor hipótese, o propósito divino já cumprido. O liberalismo moderado, representado por A. Schweitzer, reconhece que o NT ensinou o final imediato dos séculos, mas sustenta que a profecia não é literalmente cumprida e que ela é apenas um veículo para ensinar um conceito geral da futura salvação divina e o juízo final. Um outro desvio da ortodoxia histórica é a opinião de C. H. Dodd que popularizou a "escatologia realizada", o ensino de que a escatologia é principalmente o propósito divino como foi cumprido na vida de Cristo ao invés de uma predição detalhada dos eventos. Karl Barth, o representativo estudioso neo-ortodoxo, considerou a profecia como uma antecipação da consumação, mas foi incapaz de dar claras particularidades. Estas variedades de interpretação dependem da premissa de que as Escrituras são registros falíveis do passado e incapazes de fazer predições exatas do futuro.

Dentro da ortodoxia que aceita a infalibilidade da profecia, existem duas principais escolas de pensamento, que são distinguidas pela extensão em que interpretam a profecia de forma literal. A opinião mais antiga interpreta a profecia com o mesmo grau de literalidade que as demais passagens das Escrituras. Uma opinião posterior usa uma forma dupla de interpretação. Embora seguindo a interpretação literal e gramatical das Escrituras como um todo, ela interpreta a profecia de uma maneira não literal. A aplicação destes dois princípios levou a uma tripla divisão da escatologia ortodoxa. A forma mais antiga e mais literal, de escatologia é a interpretação quiliástica ou pré-milenial, que defende que Cristo reinará na terra por mil anos após sua segunda vinda. O tipo não-literal de interpretação da profecia tornado popular por Agostinho levou a uma forma amilenial de escatologia, que primeiro tornou-se proeminente com Orígenes no século III. Esta opinião interpreta o reino de Deus como um reinado de Cristo nos corações dos crentes entre o primeiro e o segundo advento, e conseqüentemente nega um reinado milenial terreno seguindo o segundo advento.

O pós-milenialismo é um derivativo posterior do amilenialismo, freqüentemente creditado a Daniel Whitby (1638-1726), um inglês unitariano. Esta teoria, agora defendida apenas por alguns, interpreta o reinado milenial de Cristo mais literalmente do que o amilenialismo e o considera como os últimos mil anos do período entre a primeira e a segunda vinda de Cristo. Embora freqüentemente confundida com o amilenialismo, ela pode ser distinguida como sendo mais otimista, e até certo ponto mais literal, em sua interpretação. A opinião obtém seu nome do ensino de que Cristo voltará no final do Milênio terreno ou utopia para julgar toda a humanidade. A questão interpretativa mais importante em escatologia, fora a crença na autoridade das Escrituras, é o uso do princípio da interpretação literal. A doutrina mais determinante é se haverá um reinado literal de Cristo na terra depois do segundo advento.

*Profecias que dizem respeito a Jesus Cristo.* A profecia messiânica é o assunto mais importante do AT, e seu cumprimento é o tema mais proeminente do NT. Cristo deveria nascer como cumprimento da promessa de um Salvador (Gn 3.15), da linhagem de Abraão (Gn 12.1-3), Judá (Gn 49.10) e Davi (2 Sm 7.12,13); Ele deveria nascer em Belém (Mq 5.2; Lc 2.4-7) de uma virgem (Is 7.14; Mt 1.23). Cristo deveria ser um Profeta (Dt 18.15), o Divino Filho de Deus (Is 9.6,7), um Sacerdote (Sl 110.4) e Rei (Zc 9.9). Ele deveria sofrer uma morte vergonhosa na cruz pelos pecados de todo o mundo (Sl 22; Is 53), para ressuscitar dos mortos (Sl 16.10) e ser glorificado (Dn 7.14). Em seu nascimento, vida, morte e ressurreição, que são eventos históricos, muitas profecias foram cumpridas, e foi deixada a seus discípulos a promessa de que Ele voltaria para estabelecer seu reino na terra (Mt 24.3,27-31; 25.31-46; At 1.6,7,10,11; Ap 1.7; 19.11-16). *Veja* Cristo, Vinda de; Jesus Cristo.

*Profecias que dizem respeito a Israel.* Primeiramente anunciado a Abrão (Gn 12.1-3), o programa de Deus para Israel, os descendentes de Jacó, predizia sua continuidade como uma nação para sempre (Gn 17.7; Jr 30.11; 31.35-37), e sua última e permanente posse da terra prometida (Gn 12.7; 13.14,15; 17.8). Israel foi avisada de várias dispersões da terra, e lhe foi prometido um re-agrupamento final (Gn 15.13,14; Dt 28.63-67; 30.1-3; Jr 23.2-8; Ez 39.25-28; Am 9.14,15). O amplo esquema de seu programa profético é dado em Daniel 9.24-27. Os pré-milenialistas esperam um cumprimento literal destas profecias; os amilenialistas encontram um cumprimento não-literal na igreja hoje.

*Profecias que dizem respeito aos gentios.* O AT está repleto de profecias com relação aos gentios, começando com as predições que dizem respeito a Noé e à sua posteridade (Gn 9.25-27). Muitas profecias posteriores dizem respeito às nações que circundam Israel. De maior importância, porém, é a revelação dada através de Daniel (Dn 2, 7, 8, 11) com relação a quatro impérios: Babilônia, Medo-Pérsia, Grécia e Roma, cobrindo o período chamado por Cristo de "os tempos dos gentios" (Lc 21.24), isto é, o período durante o qual Jerusalém estará sob o domínio gentio começando em 605 a.C. e terminando na segunda vinda de Cristo. Muitos pré-milenialistas acreditam que a parte final do quarto império refira-se a um tempo ainda futuro, que ocorrerá pouco antes do segundo advento.

*Profecias que dizem respeito à igreja.* O programa divino para a era presente, anunciado por Cristo (Mt 16.18), é a convocação de um corpo de santos composto tanto por judeus como por gentios (Ef 2.11-16; 3.6) para formar a igreja (q.v.). Há várias figuras relacionadas a Cristo, tais como a vinha e os ramos (Jo 15), o corpo (Ef 1.22,23) e a noiva (2 Co 11.2; Ef 5.23-32), a igreja estará completa em seu arrebatamento para o céu (Jo 14.3; 1 Co 15.51,52; 1 Ts 4.13-17). Os pré-tribulacionistas consideram que o arrebatamento deverá ocorrer aproximadamente sete anos antes da segunda vinda de Cristo (Dn 9.27); os pós-tribulacionistas consideram-no como uma fase da segunda vinda. Os membros da igreja que estiverem vivos nesta ocasião serão trasladados, isto é, receberão corpos celestiais no arrebatamento, e nesta ocasião os mortos em Cristo também serão ressuscitados. Galardões serão dados à igreja após o arrebatamento (1 Co 3.11-15; 2 Co 5.10,11), e a igreja estará com o Senhor para sempre (1 Ts 4.17). Os amilenialistas consideram o arrebatamento e a ressurreição como ocorrendo no segundo advento e como incluindo todos os homens, para ser seguido do estado eterno, no qual os salvos serão abençoados e os não salvos serão punidos. *Veja* Igreja: Arrebatamento.

*O estado intermediário.* Os teólogos ortodoxos defendem que após a morte todos os homens vão para um estado intermediário, de tormento para os não salvos e de alegria para os salvos, aguardando a ressurreição e o juízo futuros (Lc 16.19-31; 23.39-43; 2 Co 5.8; Fp 1.23; Ap 6.9-11; 7.9-17). *Veja* Morto, O; Morte.

*O reino milenial.* De acordo com a opinião pré-milenial, Cristo reinará em pessoa na terra por 1.000 anos depois do seu segundo advento. Satanás será amarrado e tornado inoperante (Ap 20.1-3). O período será uma era de ouro no qual a justiça e a paz abundarão, a guerra será banida, e a prosperidade nos âmbitos espiritual, econômico e político será mundial (Sl 72; Is 2.2-4; 11.2-12; 65.17-66.24; Jr 23.2-8; 31.1-14,31-34; 33.14-18; Am 9.11-15). No final do Milênio, Satanás será novamente solto, e ganhará um grande número de seguidores que serão destruídos por um juízo de fogo dos céus (Ap 20.7-10). Os amilenialistas consideram estas profecias como tendo sido cumpridas na era presente. *Veja* Reino de Deus; Milênio.

*O juízo final.* De acordo com as Escrituras, todos os homens serão julgados (2 Tm 4.1; Hb 9.27). Os amilenialistas consideram este como um único evento relacionado ao segundo advento. Os pré-milenialistas consideram o juízo final como uma série de eventos, começando com o julgamento dos justos antes do Milênio, e terminando com o julgamento dos ímpios e de Satanás no final do Milênio (1 Co 3.11-16; 2 Co 5.10; Ap 20.4-6,9-15). O destino final dos ímpios é o lago de fogo. *Veja* Geena; Inferno.

*O estado eterno.* Descrito em Apocalipse 21–22, o local do estado eterno é um novo céu e uma nova terra na qual está situada a Nova Jerusalém. A cidade celestial é retratada como um lugar de grande beleza, amplamente construída com pedras preciosas, o lugar da habitação de Deus como também dos santos de todas as eras. *Veja* Vida Eterna; Estado Eterno e Morte; Céu.

Tomada como um todo, a escatologia é o clímax da revelação divina, a grande culminação de todo o programa de Deus para os séculos, e a razão principal da criação do mundo material. Nela os propósitos eternos de Deus para a humanidade serão cumpridos com grandes bênçãos para todos os santos.

***Bibliografia.*** Oswald T. Allis, *Prophecy and the Church*, Filadélfia. Presbyterian and Reformed, 1945 (amil.). Louis Berkhof, *The Kingdom of God*, Grand Rapids. Eerdmans, 1951 (amil.). Loraine Boettner, *The Millenium*, Filadélfia. Presbyterian and Reformed, 1958 (pós-mil.). John Bright, *The Kingdom of God*, Nashville. Abingdon, 1953 (neo-ortodoxo). Herman A. Hoyt, *The End Times*, Chicago. Moody Press, 1969 (pré-mil.). Alva J. McClain, *The Greatness of the Kingdom*, Chicago. Moody, 1959 (pré-mil.). René Pache, *The Future Life*, Chicago. Moody, 1962 (pré-mil.); *The Return of Jesus Christ*, Chicago. Moody, 1955 (pré-mil.). J. Barton Payne, *The Imminent Appearing of Christ*, Grand Rapids. Eerdmans, 1962 (pós-trib.). Charles C. Ryrie, *The Basis of the Premillennial Faith*, Nova York. Loizeaux, 1953; *Dispensationalism Today*, Chicago. Moody, 1965. Wilbur M. Smith, *The Biblical Doctrine of Heaven*, Chicago. Moody, 1968. John F. Walvoord, *The Church in Prophecy*, Grand Rapids. Zondervan, 1964; *Israel in Prophecy*, Grand Rapids. Zondervan, 1962; *The Millennial Kingdom*, Findlay. Dunham, 1959; *The Nations in Prophecy*, Grand Rapids. Zondervan, 1967; *The Rapture Question*, Findlay. Dunham, 1957.

J. F. W.

**ESCOL**

1. Um parente de Manre e Aner – que formaram uma aliança com Abraão em Hebrom – que juntou-se à sua campanha no resgate de Ló (cf. Gn 14.13-24).
2. Um vale ao norte de Hebrom onde os 12 espias enviados por Moisés tiraram vários cachos de uvas, símbolo da fertilidade da terra (cf. Nm 13.23,24; 32.9; Dt 1.24). As vinhas neste uádi ainda são notadas por suas uvas.

**ESCOLA** A única passagem em que esta palavra aparece na Bíblia Sagrada é Atos 19.9, onde foi dito que Paulo deixou a sina-

goga em Éfeso e continuou seu ministério na "escola de um certo Tirano". Esta palavra vem do termo grego *schole*, que significa lazer ou tempo livre, e indica o local onde os homens dedicavam algum tempo para ouvir e aprender por meio de discussões. Na época, isto não era o que geralmente entendemos por uma escola; assim sendo, talvez a tradução "classe" da versão NEB em inglês possa ser considerada uma boa tradução.
*Veja* Educação; Escolas Hebraicas.

**ESCOLAS HEBRAICAS** Embora não haja vestígios de escolas para a instrução pública na antiga nação de Israel, a instrução religiosa das crianças era uma responsabilidade dos próprios pais (Gn 18.19; Dt 6.7). Ler, escrever e aprender um pouco de matemática, eram também aparentemente parte das instruções oferecidas em casa (Dt 6.9; 11.20). Também eram criadas algumas oportunidades para a instrução religiosa do povo na época das grandes festas, que eram, por si mesmas, os meios para tal instrução (Dt 31.10-13; 31.19,30; 32.1-43; Ne 8.1-8,18). Muitos negócios e a maior parte das ações legais eram realizados em locais públicos, como por exemplo, o portão da cidade e as ruas das vilas. Assim o povo recebia um grande número de instruções, de forma constante, através do processo de observação.
Mais tarde, os profetas prestaram uma assistência à instrução religiosa do povo através de suas pregações públicas. As referências a um grupo de profetas em Ramá sob o comando de Samuel, e possivelmente em Gibeá, mesmo tendo sido chamadas de escolas de profetas não devem ser consideradas como as mais recentes escolas de escribas que caracterizavam o judaísmo. Estas foram ocasionadas em sua maior parte pelo declínio do sacerdócio sob o comando de Eli e seus filhos, e novamente durante a monarquia (1 Sm 10.5,10; 19.20; 2 Rs 2.3,5,7,15; 4.1; 9.1), e também da necessidade que o povo tinha de receber a instrução religiosa.

O Scriptorium de Qumran, onde grande parte dos Rolos do Mar Morto foi copiada

O vale fértil de Escol, onde os doze espias apanharam uvas

Estas associações de profetas não devem ser consideradas como monásticas, mas, na verdade, existiram com o propósito de trazer à tona uma maior influência religiosa sobre sua época. Devem ter existido alguns ensinos e treinamentos ligados a eles, mas nada como um currículo formal. Deve-se notar que, no entanto, o cultivo da música pode ter sido resultado destas atividades dos profetas (1 Sm 10.5).
Presume-se que, no tempo de Esdras, as instruções religiosas tenham sido um esforço escolástico entre os judeus (Ed 7.10). Associadas ao crescimento das sinagogas e outras instituições pós-exílicas, a educação primária, como um padrão de ensino, viria a tornar-se compulsória, conforme revelado no Talmude (Bab. Bath. 21, *a*)
Teoricamente, os pais ainda eram os responsáveis pela educação de seus filhos; mas, na prática, é provável que o que os pais faziam, de uma forma geral, era ensinar o Shema a seus filhos (Dt 6.4,5), deixando as matérias mais técnicas para a escola primária, quando o menino completava cinco ou seis anos de idade. A educação das filhas ficava quase que totalmente sob a responsabilidade da mãe, uma vez que os rabinos não aprovavam que as meninas tivessem o mesmo volume de instrução que era dada aos meninos. Além das tarefas do lar, as meninas aprendiam a lei escrita, mas não as leis orais.
A tradição testifica a existência de uma escola nas situações em que havia mais de 25 crianças para o aprendizado, ou 120 famílias residindo em um local. Esperava-se que um professor adicional fosse fornecido, cada vez que o número de alunos aumentasse, chegando a mais 25. Era proibido que a família enviasse seus filhos para escolas fora de sua própria cidade, aparentemente com a intenção de assegurar-se o suporte necessário para a escola local, elevando o padrão de educação.
De uma forma geral, a escola primária estava ligada à sinagoga, e o professor era geralmente um ministro da sinagoga. O salário

do professor vinha da congregação e, somente em circunstâncias muito raras, lhe era permitido receber algum dinheiro extra dos pais dos alunos que ele ensinava. Todos os outros gastos eram pagos pelas contribuições voluntárias. O professor tinha uma posição socialmente respeitável, embora humilde, e era chamado de "Rabi" pelos seus alunos. Não se empregava nenhum professor solteiro. Em questões de disciplina, o professor estava autorizado a punir o aluno com uma correia, porém nunca com ou vara. Se o professor fosse ineficiente ou inadequado, ele poderia ser removido de sua posição, e nada era mais valioso para uma escola do que a experiência de tal pessoa. O professor tinha duas responsabilidades básicas: prover a educação moral, e transmitir informações.

O dia escolar era uniformemente limitado, sempre das dez horas da manhã até às três horas da tarde, exceto no verão, uma época em que o período das instruções era reduzido para quatro horas diárias por causa do calor intenso.

O professor geralmente sentava-se de pernas cruzadas em uma plataforma com uma prateleira baixa diante de si, na qual ficavam os pergaminhos que seriam utilizados nos ensinos do dia.

Os alunos sentavam-se no chão, em um semicírculo de frente para o professor. A maior parte das instruções era transmitida sob a forma de perguntas e respostas. Depois que o professor falasse sobre o assunto, os alunos tinham permissão para fazer perguntas. Geralmente, empregava-se o processo inverso, no qual o professor levantava a questão e os alunos sugeriam as respostas.

A participação em tais escolas para meninos de seis a dezesseis anos de idade (cf. 2 Tm 3.15) tornou-se compulsória em aprox. 75 a.C., com exceção daqueles que eram muito ricos e que empregavam escravos e outros como tutores para os seus filhos (*veja* Ocupações: Mestre). Embora considerada um exagero, a história dos judeus diz que Jerusalém possuía 480 escolas organizadas de acordo com este padrão no tempo de sua destruição. Esta informação fornece uma indicação da importância da educação para os judeus nos tempos greco-romanos.

Alunos iniciantes eram confrontados com o alfabeto, que era ensinado por meio da escrita das letras em uma tabuinha até que a criança as memorizasse. Assim que a criança aprendia as letras, passava a trabalhar com as palavras. Além de soletrá-las, ela também tinha que aprender a pronunciar as palavras com reverência e de forma correta. Na época do NT, a língua hebraica, com a qual o treinamento nas escolas começava, era estranha aos alunos porque em casa eles falavam o aramaico. O hebraico era imprescindível para a sinagoga, mas os professores ensinavam os alunos a identificar palavras individuais das passagens das Escrituras que já tivessem sido memorizadas em casa. A língua grega do mercado, que os judeus podiam usar em diferentes graus de intensidade, não era ensinada nas escolas das sinagogas.

O livro de Levítico era o ponto em que iniciavam o estudo das Escrituras, provavelmente porque acreditavam que era necessário que todos os judeus conhecessem seu conteúdo, para que pudessem adequar sua vida e assim tornarem-se aceitáveis diante de Deus. Depois de Levítico, eles estudavam os outros livros do Pentateuco. Depois deste estudo vinham os Profetas, e depois os Hagiógrafos (os Salmos e os demais livros do AT). Por volta dos dez anos de idade, os alunos mais adiantados tinham seus estudos divididos em duas seções, estudando o AT e a Mishna. A Mishna só foi escrita por volta de 200 d.C., mas a forma oral já era uma matéria de estudo para os alunos, muito tempo antes disso. Aos 15 anos de idade o estudo do Talmude era adicionado; assim fazia-se uma divisão tríplice das ênfases dos estudos diários do aluno.

Depois de aprender a ler, o aluno iniciante era introduzido à escrita, provavelmente tanto no hebraico como no aramaico. Também eram dados alguns trabalhos de matemática. O estudo de línguas estrangeiras tinha sido até mesmo declarado ilegal, e por esta razão não fazia parte do currículo. Apesar da admoestação aos pais para que ensinassem os meninos a nadar, os exercícios de ginástica foram banidos, sem dúvida por causa da ênfase dos gentios e das práticas associadas a eles.

As escolas superiores e as escolas para escribas estavam à disposição dos estudantes mais talentosos. As principais estavam em Jerusalém (antes de 70 d.C.) e na Babilônia, embora existissem instituições similares em algumas outras cidades estrangeiras habitadas por judeus. Os professores de teologia mais famosos atraíam alunos de longe. Além da teologia, as instituições de ensino da Babilônia desenvolveram outras ciências e foram consideradas pelos judeus do leste como iguais, se não superiores, às da Palestina. De um modo geral, no entanto, os melhores professores estavam em Jerusalém. Eles trabalhavam com a lei escrita, as tradições orais e a interpretação de outros estudiosos. Estes foram os professores que estabeleceram os padrões para os judeus de todos os lugares. Na época do NT, os melhores e mais conhecidos destes estudiosos eram Hillel e Samai, que foram contemporâneos de Herodes o Grande. O nome do famoso Gamaliel (q.v.) que era um neto de Hillel, está associado a Paulo. Muitos dos ensinos destes grandes homens foram expressos em público, nos pórticos e câmaras do templo, tendo assim um efeito ainda mais amplo e significativo.

*Veja* Educação.

***Bibliografia.*** Nathan Drazin, *History of Jewish Education from 515 B.C.E. to 220 C.E.*, Baltimore. Johns Hopkins, 1940. K. A. Keith, *The Social Life of a Jew in the Time of Christ*, 3ª edição revisada; Londres. Church Missions to Jews, 1929, pp. 46-56. John A. Maynard, *A Survey of Hebrew Education*, Milwaukee. Morehouse Pub. Co., 1924.

H. L. D.

**ESCOLHIDOS** As palavras hebraica e grega, traduzidas como "escolhidos", com base nos verbos *bahar* e *eklegomai*, envolvem uma comparação entre dois ou mais objetos ou pessoas. A escolha sugere um determinado privilégio, posição ou propósito. Escolha de humanos, baseada no caráter ou na habilidade, é evidente nas Escrituras, tais como a escolha de esposas (Gn 6.2), de capitães e de soldados (Êx 15.4; 17.9; Jz 20.15,16), e quando uma pessoa passa a ter o Senhor como seu Deus (Js 24.15,22). A igreja em Jerusalém escolheu sete diáconos com base em sua espiritualidade e sabedoria (At 6.3,5); e a igreja escolheu homens que já tinham arriscado a vida por Cristo, para acompanhar Paulo e Barnabé a Antioquia, com a decisão do conselho de Jerusalém (At 15.22,26).

Deus também escolhe, mas sua escolha depende mais da graça do que do mérito. Israel não foi escolhida para ser seu povo especial por causa dos seus números (Dt 7.6,7; 10.15; Ne 9.7,8; Is 43.20; 44.1,2; At 13.17); assim como o crente não é escolhido por causa dos seus talentos naturais (1 Co 1.26-31), mas para a glória de Deus e para manifestar seu amor. Ele escolheu Davi para ser o rei de Israel não com base em sua aparência exterior (1 Sm 16.7,12). O Servo do Senhor (Is 42.1) não tinha uma aparência imponente nem majestosa, mas foi rejeitado e desprezado pelos homens (Is 53.2,3). Como crentes, nós fomos escolhidos "antes da fundação do mundo" (Ef 1.4; cf. Rm 8.29).

Alguém escolhido por Deus pode fracassar? O que dizer de Israel, por exemplo? Em Romanos 11, Paulo argumenta longamente sobre como o povo de Israel foi rejeitado durante um período, e sua redenção final, concluindo sua revelação com as palavras "assim, todo o Israel será salvo... porque os dons e a vocação de Deus são sem arrependimento" (Rm 11.26,29). De maneira similar, àqueles que Deus predestinou como sendo seus, Ele mesmo irá conduzir a salvo através de cada passo da salvação, em direção à sua glorificação final (Rm 8.29,30). *Veja* Eleição.

Surgem algumas questões difíceis com respeito à eleição ou escolha de Deus. Como pode o homem dizer-se livre se, somente aqueles que são escolhidos serão salvos? Em outras palavras, onde é que a soberania e a graça de Deus, e a liberdade do homem, encontram-se na salvação? De forma resumida, a liberdade do homem depois do pecado é basicamente a liberdade de fazer o mal. Sem a graça de Deus, ele pode desejar, mas não pode verdadeiramente escolher o bem. Ao mesmo tempo, Deus não ignora a liberdade do homem, mas a inclui na sua graça soberana quando Ele realmente salva um homem.

Novamente, como pode Deus ser justo e escolher alguns, ao passo que rejeita outros? A resposta é que Deus não precisa salvar nenhum; e, portanto, aqueles que são salvos são, na verdade, objeto do seu favor imerecido, ao passo que aqueles que Ele não considera são as vítimas da sua própria rebelião e do seu pecado.

*Veja* Chamada; Eleição.

R. A. K.

**ESCORBUTO** *Veja* Doença.

**ESCÓRIA** *Veja* Minerais e Metais: Prata.

**ESCORPIÃO** *Veja* Animais IV.10.

**ESCRAVA, ESCRAVO, SERVO** *Veja* Serviço

**ESCRAVO** *Veja* Serviço; Ocupações: Servo

**ESCRIBA** No AT o escriba (heb. *sopher*) era originalmente alguém que cuidava de algo, um inspetor (2 Cr 26.11; 2 Rs 25.19; cf. Gn 41.49; 2 Sm 24.10). Como um oficial real ou um "secretário" com o nível de ministro (2 Sm 8.17; 1 Rs 4.3; 2 Rs 18.18) tal escriba deveria servir como um tesoureiro do estado (2 Rs 12.10). No NT, o termo gr. *grammateus* era alguém que podia escrever os números e as letras (*gramma*) do alfabeto; portanto, um secretário ou assistente. Como tal, ele deveria ser um alto oficial, como por exemplo o "escrivão da cidade" de Éfeso (At 19.35).

A importância da Lei de Moisés estimulava os seus estudos e transmissões em Israel. A princípio, isto era feito pelos sacerdotes. Esdras era um sacerdote, mas também um antigo escriba (Ed 7.6) que estudou e ensinou a lei a Israel (Ed 7.11). Deste modo, as leis religiosas e civis foram aplicadas à vida do povo, e, ao mesmo tempo, as interpretações e decisões dos escribas tornaram-se leis orais e tradições.

Às vezes, o escriba parecia ser um mero secretário escrevendo uma carta (Ed 4.8); enquanto em outras ocasiões era alguém que transcrevia as Escrituras como Baruque (Jr 36.26,32; cf. v. 4). Portanto, um escriba podia tomar um ditado, copiar, estudar, interpretar, e ensinar as Escrituras (Jr 8.8,9).

Depois do exílio e do final do período dos profetas, a lei assumiu uma condição de proeminência. A influência dos escribas como professores e intérpretes da lei aumentou consideravelmente. Por volta do século II a.C., eles eram reconhecidos como tendo uma profissão honorável (1 Mac 7.12; Sir 39.1-11).

Escribas retratados na tumba de Mereruka em Sakkara, Egito, do terceiro milênio a.C. LL

No sentido moderno, eles eram os estudiosos religiosos ou os teólogos. No NT tais homens são às vezes chamados de *nomikos*, "doutor da lei" (Mt 22.35; Lc 10.25 etc), ou *nomodidaskalos*, "mestre da lei" (At 5.34; 1 Tm 1.7). Através do uso da palavra "escriba" em 1 Coríntios 1.20 o apóstolo Paulo está referindo-se a um especialista na lei. Além disso, a expressão "doutor da lei" é um sinônimo exato para "escriba", e os dois termos nunca são encontrados juntos.

Na época em que o Senhor Jesus Cristo veio a este mundo, os escribas exerceram uma poderosa influência religiosa como professores e, devido à habilidade que possuíam para tomar decisões judiciais baseadas na exegese escritural, ocuparam importantes posições no Sinédrio (Mt 16.21; 26.3). Nesta última habilidade, eles desempenhavam um papel muito importante que consistia em levar o Senhor Jesus Cristo à crucificação (Mc 14.43; 15.1). Estes, juntamente com os fariseus (q.v.), que formavam o partido a que os escribas pertenciam inicialmente (Mc 2.16; At 23.9), geralmente opunham-se ao Senhor Jesus (Mt 7.29) porque Ele expunha as tradições daqueles homens, bem como a falsa exegese que usavam a fim de preservar um sistema legal. Mais tarde eles perseguiram os apóstolos (At 4.5) e Estêvão (At 6.12) pela mesma razão.

No entanto, poucos deles seguiram o Senhor Jesus (Mt 8.19). Outros ajudaram a defender a posição de Paulo contra a dos saduceus (At 23.9). Os escribas convertidos eram capazes de usar seu conhecimento da Palavra de Deus para tirar "do seu tesouro coisas novas e velhas" (Mt 13.52; cf.23.34).

Os escribas judeus mais famosos eram os grandes professores, como Hillel, Samai, e Gamaliel I (At 5.34; *Veja* Gamaliel). Estes viviam em Jerusalém na época do nascimento do Senhor Jesus Cristo, e pouco tempo depois deste maravilhoso evento. Muitos acreditam que, por ter estudado aos pés de Gamaliel (At 22.3), o apóstolo Paulo tinha sido um escriba e um membro do Sinédrio (q.v.) antes de sua conversão. De acordo com Atos 26.10,11 ele parece ter servido em casos criminais como um juiz designado pelos sumo sacerdotes, que eram aqueles que comandavam o Sinédrio.

E. B. R

Na época de Cristo, existiam vários escribas por toda a Palestina. Lucas fala dos escribas como "doutores da lei que tinham vindo de todas as aldeias da Galiléia, e da Judéia, e de Jerusalém" (5.17). Também houve escribas entre aqueles que fizeram parte da Dispersão. Escribas da Babilônia, nos séculos subseqüentes, redigiram as grandes formulações rabínicas conhecidas como o Talmude.

Os escribas contribuíram de diversas maneiras para a continuidade do judaísmo. Em primeiro lugar, eles preservaram a lei. Eles eram escribas no sentido literal da palavra, e passavam boa parte de seu tempo copiando e transmitindo as Escrituras do AT. Trabalhando nesta atividade, eles inventaram vários artifícios de cálculo para garantir a preservação do autêntico texto hebraico. Além disso, tinham uma extrema preocupação em sustentar a lei oral – as diversas decisões legais não escritas que impactavam os vários aspectos da vida cotidiana. Eles aderiram estritamente a estas tradições, e as elevaram acima da lei escrita; por esta razão foram severamente repreendidos pelo Senhor Jesus (Mc 7.1-13).

Os escribas também ensinavam a lei. Como doutores da lei, eles sentavam-se como professores no templo e nas sinagogas (Lc 2.46). Deveriam ensinar de forma gratuita. O rabi Zadoque disse: "Não façam do conhecimento da lei uma coroa para a glorificação pessoal, nem uma pá com a qual se cava". Mas na prática os escribas recebiam, sem dúvida alguma, ao menos indiretamente, alguma forma de pagamento pelos seus serviços. Talvez isto esteja implícito em passagens como Mateus 10.10 e 1 Coríntios 9.3-18; certamente Jesus condenou os escribas pela ganância que demonstraram (Mc 12.38-40; Lc 16.14; 20.47).

Finalmente, os escribas agiam como juízes da lei. Eles eram considerados os verdadeiros intérpretes da lei. Suas interpretações legais tradicionais eram conhecidas como *Halachah*, e eram distintas de suas instruções religiosas devocionais, que eram conhecidas como *Haggadah*.

Os escribas gozavam de um extraordinário respeito por parte do povo. Eles eram honrados e orgulhavam-se do título de "rabi", que significa "meu senhor" ou "meu mestre" (Mt 23.7). Como professores, o povo os honrava mais do que aos próprios pais. Foi dito:

Escribas retratados na tumba de Mereruka em Sakkara, Egito, do terceiro milênio a.C. LL

A Pedra Roseta, usada por Champollion para decifrar o idioma egípcio. BM

"A honra concedida a teu professor deve ultrapassar a honra concedida ao teu pai; pois tanto o filho quanto seu pai devem honrar o professor". Eles vestiam-se com longas túnicas adornadas e sempre desejavam os lugares de eminência (Mt 23.5,6; Mc 12.38,39; Lc 20.46). O Senhor Jesus não contestou a autoridade destes homens, mas criticou severamente o exemplo que transmitiam (Mt 23.2,3).

N.R.L.

*Veja* Ocupações: Doutor da Lei, Secretário; Rabi; Escrivão

***Bibliografia.*** Matthew Black, "Scribe", IDB, IV, 246-248. Joachim Jeremias, *Jerusalem in the Time of Jesus*, Filadélfia. Fortress, 1969, pp. 233-245, 379-380.

**ESCRITA** A habilidade de registrar pensamentos por meio de marcas sobre um material mais ou menos durável, de forma que as marcas posteriormente lembrem estes pensamentos à mente do autor ou que os transmitam a uma outra pessoa. Esta é, facilmente, a maior realização da inteligência do homem. É provavelmente aos antigos sumerianos que devemos esta grande descoberta. As suas mais antigas tábuas conhecidas foram encontradas em Ereque, e datam de aprox. 3500 a.C.

### Desenvolvimento e História da Escrita nos Tempos Bíblicos

Na escrita sumeriana mais antiga, a figura de um objeto pode representar este objeto,

Uma inscrição em grego do teatro da Hierápolis bíblica. James L. Boyer

ou pode representar meramente o som do nome deste objeto, ou ela pode ainda representar algum conceito que é de alguma forma logicamente relacionado ao objeto. Dessa forma, a figura de uma estrela poderia representar o céu e trazer à mente a palavra *an* ou poderia representar a palavra para deus (associada com o céu) e ser lida como *dingir*. Este método de estender o valor de um dado sinal, abriu o caminho para a escrita de muitas palavras que não poderiam em si ser retratadas, mas isto também aumentou a dificuldade de leitura, tornando o valor dos sinais ambíguo. Para eliminar esta ambigüidade, os sumerianos e seus vizinhos na Mesopotâmia, os acadianos, desenvolveram um grupo dos chamados determinativos que indicavam a classe à qual a seguinte palavra pertencia.

Visto que os habitantes da Mesopotâmia faziam a maioria de sua escrita sobre o barro com um estilete de junco, as linhas curvas eram mais difíceis de se fazer do que as linhas retas, e logo as figuras originais foram riscadas em um grupo de impressões em forma de cunha formadas pela ponta do junco. Mais tarde o caráter pictórico da escrita foi completamente perdido e apenas um arranjo fixado de cunhas permaneceu. Este tipo de escrita, chamada cuneiforme (do latim *cuneus*, "cunha"), tornou-se muito difundida no Oriente Próximo. Os semitas que falavam acadiano (os assírios e os babilônios) a transmitiram aos hurrianos (*veja* Horeus) e heteus (q.v.). *Veja* Escrita Cuneiforme.

Enquanto isso, em relação ao final do quarto milênio a.C. os egípcios souberam das realizações dos sumerianos. Eles desenvolveram seu próprio método de escrita hieroglífica ao longo de linhas similares, usando figuras, determinativos e sinais para serem lidos foneticamente, mas com uma diferença muito importante em relação ao cuneiforme. Enquanto em cuneiforme um sinal, tomado foneticamente, poderia representar uma certa consoante mais uma certa vogal (e talvez uma segunda consoante), o sinal egípcio representava uma ou mais consoantes independente das vogais que as acompanhavam. Uma vez que o egípcio continha várias palavras que possuíam apenas uma consoante (além de uma ou mais vogais), os sinais para essas palavras virtualmente representavam simples consoantes.

A chave para decifrar o idioma de hieróglifos egípcios foi a Pedra Roseta. Ela foi descoberta em 1799 por um oficial do exército de Napoleão perto da foz da ramificação Roseta do Nilo. Ela havia sido escrita em 196 a.C. em três idiomas: hieroglífico, egípcio demótico e grego koine. O jovem estudioso francês J. F. Champollion recebeu o crédito por decifrar a escrita hieroglífica de forma bem sucedida.

Ainda não se sabe exatamente quando, onde e como o alfabeto (q.v.) foi originado. Talvez ele tenha se originado no Egito ou em Canaã. O mais antigo alfabeto conhecido é cananeu e consonantal. Ele certamente surgiu entre 2000 e 1500 a.C., e foi transmitido subseqüentemente pelos fenícios aos gregos, provavelmente no século VIII a.C. Os gregos adicionaram vogais e mudaram a direção da escrita para aquela que o ocidente segue agora - da esquerda para a direita. A ordem do alfabeto cananeu, essencialmente a mesma do alfabeto hebraico, é conhecida a partir de uma tábua de barro do século XIV a.C., de Ugarite (q.v.), escrito em sinais cuneiformes.

Os sistemas de escrita cuneiforme silábico da Mesopotâmia e o hieroglífico egípcio eram tão complicados, que um escrevente trabalhando em qualquer um dos sistemas levava anos para aprender a ler e escrever. Portanto, somente poucos poderiam dar-se ao luxo de tal educação. O alfabeto, porém, colocou a alfabetização ao alcance das massas, e há alguma indicação de que isto foi verdade mesmo na Antigüidade. O relatório casual em Juízes 8.14 que menciona que o jovem cativo de Gideão escreveu uma lista de 77 cidadãos principais de Sucote, parece sugerir que não era especialmente incomum que um jovem fosse capaz de escrever.

Não devemos nos surpreender pelo fato de Moisés ter sabido escrever (Êx 24.4; Nm 33.2;

Dt 31.22,24). Na verdade, uma vez que foi instruído na corte do Faraó, seria surpreendente que não soubesse escrever. Muito antes da época de Moisés havia escreventes no Egito que sabiam escrever acadiano, falar cananeu, e ao menos ler hurriano, sem mencionar o idioma egípcio. Dicionários multilingüísticos estavam em uso em Ugarite. *Veja* Idiomas.

O sucessor de Moisés também sabia escrever (Js 8.32), e, de acordo com Deuteronômio 17.18ss., qualquer pessoa que fosse reinar sobre Israel deveria ser capaz de ler e escrever, de forma que pudesse fazer e usar sua própria cópia da lei.

A escrita reteve sua importância em Israel por todo o período bíblico. Um relato interessante entre o profeta Jeremias e seu secretário Baruque é dado em Jeremias 36. Jeremias também menciona o uso legal de documentos selados (32.9ss.), uma instituição que agora sabe-se ter sido muito difundida no antigo mundo bíblico, especialmente na Mesopotâmia. O uso de documentos especiais pelo governo persa é mencionado diversas vezes no AT (por exemplo, Ed 1.1; 5.6ss.; Et 3.12-15; Dn 6.8-10), assim como a manutenção de um periódico oficial, tanto na corte persa (Et 6.1) quanto nas cortes de Israel (por exemplo, 1 Reis 22.39) e de Judá (por exemplo, 1 Reis 22.45).

No século I d.C., a escrita era muito comum, e é freqüentemente mencionada no NT. Naquela época, cartas ou epístolas seriam normalmente escritas em um texto não literário de estilo cursivo. Quando os livros do NT foram copiados séculos mais tarde, os escreventes naturalmente usariam um glossário literário com letras maiúsculas e unciais. Embora Paulo usasse um escrevente (Rm 16.22) ele também sabia escrever (Gl 6.11), e levava livros consigo em suas viagens (2 Tm 4.13). Milhares de papiros gregos do período romano foram descobertos nas areias secas do Egito, escritos por povos de todos os modos de vida. *Veja* Papiro.

G. G. S.

### Materiais de Escrita

Nos tempos bíblicos no Oriente Próximo, muitas variedades de materiais e implementos de escrita eram empregados pelos escreventes. Várias inscrições gravadas na superfície de pedras do templo, paredes de túmulos e faces de penhascos alisadas, como também sobre estelas, pertenciam a governantes tanto do Egito como da Mesopotâmia. Outros podiam usar uma pequena pedra, como fez o estudante que escreveu seu exercício heb. em uma tábua de calcário, hoje conhecida como o Calendário Gezer. Outra ilustração é constituída pelas duas tábuas da aliança em pedra contendo o Decálogo (Êx 24.12; 34.1; Dt 4.13).

Inscrições cuneiformes em sumeriano, acadiano, heteu e persa antigo, foram encontradas em objetos e placas de metal (cf. Êx 28.36). Um extenso rolo de cobre descoberto em uma caverna perto de Qumran afirma descrever os lugares ocultos de tesouros judeus que foram enterrados.

Um junco afiado era usado como um estilete para imprimir caracteres cuneiformes sobre tábuas de barro enquanto estas ainda estavam úmidas. O barro do solo aluvial do vale do Tigre-Eufrates era o material mais barato para a escrita na Mesopotâmia. Seu uso alastrou-se juntamente com a adoção do acadiano como o idioma da diplomacia internacional no segundo milênio a.C. Nas situações em que mais de uma tábua era necessária para completar a obra literária, cada texto, na série, era marcado com uma linha de ligação, ou colofão, a partir de sua tábua adjacente para indicar sua ordem correta.

As classes mais pobres freqüentemente utilizavam cacos de cerâmica, sempre disponíveis ao redor de qualquer cidade. Sobre eles eram escritas mensagens ou recibos com pena e tinta. Coleções importantes destas ostracas (q.v.) foram desenterradas em Samaria, Laquis e Arade na Palestina.

As pessoas também escreviam em pedaços de madeira e galhos (Nm 17.2,3; Ez 37.16,17). Tábuas de madeira cobertas com uma camada de cera eram usadas como pranchas de escrever; freqüentemente duas tábuas desse tipo eram ligadas. A cera podia ser alisada para proporcionar uma superfície nova. Tal prancha de escrita em cera, assim como o estilete, era conhecida de Isaías (8.1; 30.8), Habacuque (2.2) e Zacarias (Lc 1.63).

O papiro era feito no Egito separando juncos que cresciam em profusão ao longo do Nilo, e colocando as tiras lado a lado com uma segunda camada em ângulos certos. Quando batidas e alisadas, era produzido um material semelhante ao papel de embrulho pesado. Os egípcios usavam um junco cortado obliquamente e desgastado para formar uma pena de pincel (Sl 45.1; Jr 8.8) para aplicar uma tinta preta feita a partir da fuligem misturada com uma fina solução de goma. O escrevente carregava seu equipamento em seu quadril, dentro de um estojo de escrita (Ezequiel 9.2,3, chamado de "tinteiro"). Dos túmulos egípcios vieram conjuntos de tais instrumentos, incluindo uma paleta de ardósia para conter os pigmentos vermelho e preto, um cântaro de água, e um longo estojo tubular para penas e pincéis. O historiador romano Plínio menciona o uso de chumbo metálico para laminar uma folha de papiro com linhas que serviam como guias na preparação para a escrita de um texto a tinta.

Embora os rolos de papiro não sejam mencionados no AT, vários papiros foram encontrados entre os Rolos do Mar Morto. Muitos

acreditam que o rolo queimado pelo rei Jeoaquim era de papiro e não de couro (Jr 36.23), pois o mau cheiro de couro queimado teria sido insuportável. O papiro é quase certamente o papel de 2 João 12. Evidentemente havia alguns livros ou rolos de papiro além dos pergaminhos que Paulo pediu que Timóteo trouxesse (2 Tm 4.13).
O uso de peles curtidas remonta ao terceiro milênio a.C. no Egito. Peles de cabras e ovelhas eram mais resistentes que o papiro, e talvez mais disponíveis para os israelitas. O fato da maior parte dos Rolos do Mar Morto (q.v.) serem de couro, sugere que as Escrituras foram comumente escritas sobre este material no período do AT. O pergaminho, uma pele de animal melhor preparada e mais lisa, começou a substituir o couro por volta de 200 a.C. *Veja* Rolo.

***Bibliografia.*** Y. Aharoni, "Three Hebrew Ostraca from Arad", BASOR #197 (1970), pp. 16-42. CornPBE, "Alphabet and Writing", pp. 30-40; "Inscriptions", pp. 407-415. Frank M. Cross, Jr., "The Development of the Jewish Scripts", "*The Bible and the Ancient Near East*", ed. por G. E. Wright, Garden City. Doubleday, 1961, pp. 133-202. David Diringer, "The Biblical Scripts", *Cambridge History of the Bible*, I, ed. por P. R. Ackroyd e C. F. Evans, Cambridge. Univ. Press, 1970. G. R. Driver, *Semitic Writing from Pictograph to Alphabet*, Londres. Oxford Univ. Press, 1948. I. J. Gelb, *A Study of Writing*, Londres. Routledge & Kegan Paul, 1952. A. R. Millard, "The Practice of Writing in Ancient Israel", BA, XXXV (1972), 98-111. Joseph Naveh, "The Scripts in Palestine and Transjordan in the Iron Age", *Near Eastern Archaeology in the Twentieth Century*, Essays in Honor of Nelson Glueck, ed. por J. A. Sanders, Garden City. Doubleday, 1970, pp. 277-283. R. J. Williams, "Writing and Writing Materials", IDB, IV, 909-921. D. J. Wiseman, "Writing", NBD, pp. 1341-1351. *Veja também* Alfabeto.

J. R.

**ESCRITURA** *Veja* Bíblia. O termo "escritura" é derivado do latim *scriptura*, "uma escrita", e é usado para traduzir o termo grego *graphe*, "uma escrita, alguma coisa escrita", ou (como no caso de Daniel 10.21), o termo heb. *k*[e]*tab*. Esta palavra aparece quase invariavelmente com o artigo definido "a" (dessa forma, "a escritura" – *he graphe*, indicando a própria autoridade da palavra escrita, no caso a própria Bíblia). O termo *hakkatub*, "aquilo que foi escrito" é freqüentemente (como em Josué 1.8) usado para referir-se ao texto da Torá como constituindo um texto de autoridade final, que envolve tudo e todos.
No NT, a expressão *he graphe* pode pertencer a uma passagem específica nas Escrituras hebraicas, como em Marcos 12.10: "Ainda não lestes esta Escritura. A pedra que os edificadores rejeitaram..." – uma citação do Sl 118.22. Ou então, *he graphe* pode incluir o AT como um todo, como em Gálatas 3.22: "Mas a Escritura encerrou tudo debaixo do pecado". Em Gálatas 3.8, se pode ver que "a escritura" possui uma personalidade unificada e orgânica que participa da própria presciência e autoridade de Deus (precisamente porque é a Palavra de Deus escrita): "Ora, tendo a Escritura previsto que Deus haveria de justificar pela fé os gentios, anunciou primeiro o evangelho a Abraão, dizendo: Todas as nações serão benditas em ti" (*veja* Gn 12.3).
Mais freqüentemente, é claro, o termo é usado no plural: "as escrituras" (gr. *hai graphai*), sugerindo os vários e diferentes livros dos quais o AT é composto. Empregada deste modo, a palavra Escritura no NT tornou-se o equivalente ao nosso termo "Bíblia", e foi investida com a mesma conotação de autoridade divina. Em uma passagem (2 Pe 3.15,16) os escritos do NT (ou mais especificamente as epístolas de Paulo) são classificados com as escrituras hebraicas como tendo em si a autoridade Divina.
*Veja* Manuscritos da Bíblia; Versões, Antiga e Medieval; Bíblia, Versões em Inglês.

***Bibliografia.*** Gottlob Schrenk, "*Grapho* etc.," TDNT, I, 742-773.

G. L. A

**ESCRIVÃO** *Veja* Escrivão da Cidade.

**ESCRIVÃO DA CIDADE** O escrivão da cidade (*grammateus*) de Atos 19.35 era o oficial mais importante em Éfeso. Como secretário do conselho da cidade, ele era responsável por registrar com exatidão as minutas e arquivar as decisões, decretos, tratados e editos do conselho dos imperadores romanos. Ele atuava como um oficial de ligação entre a administração civil e a administração provincial romana, cujos comandos também ficavam em Éfeso. No caso mencionado em Atos, o escrivão da cidade apaziguou e dispersou a multidão, pois a administração provincial o teria acusado de permitir ou promover uma revolta. Ele encorajou Demétrio e os artífices a recorrerem às cortes romanas e aos procônsules, encaminhando a eles as suas queixas.

**ESCUDO** *Veja* Armadura.

**ESCULPIR** *Veja* Ocupações.

**ESCULTOR, ESCULTURA** *Veja* Ocupações: Escultor, Entalhador.

**ESCULTURA** Muitas esculturas antigas representavam imagens ou ídolos esculpidos (Dt 7.25). O texto em Juízes 3.19 faz uma

referência específica às "imagens de escultura" (ou "imagens de pedra") de um local nas proximidades de Gilgal. Outros usos eram trabalhos decorativos para templos e palácios (1 Rs 6.35) e estampas em selos (Êx 28.11). *Veja* Selos.
As esculturas sumérias têm aprox. 5.000 anos. A maior parte das estátuas esculpidas, monumentos, ídolos, e modelos encontrados em tumbas vieram do Egito antigo, da Assíria e da Babilônia (ANEP, *veja* o índice), assim como dos gregos e dos romanos. Era de se esperar que os israelitas tivessem produzido pouquíssimas esculturas. Este fato ocorreu não por causa da inaptidão artística dos israelitas, e sim por causa do mandamento que proibia as "imagens de escultura".
*Veja* Ocupações: Escultor, Gravador.

**ESCUMA ou ESCÓRIA** Uma mancha ou ferrugem descritas como estando do lado interno de um caldeirão (em um sentido figurativo, a cidade de Jerusalém). Como um símbolo de lascívia (Ez 24.13), Deus prometeu queimá-la fora da cidade (Ez 24.6,11,12). *Veja* Ferrugem.

**ESDRAELOM** Nome gr. derivado de Jezreel; a porção oeste do vale de Jezreel (q.v.), incluindo o vale de Megido (q.v.) ou Armagedom (q.v.). *Veja* Palestina, II, B. 2. b.

**ESDRAS**
1. Um sacerdote que voltou a Jerusalém com

Um busto de granito do rei Tutancamom, de Karnak, Egito. LL

Esta estátua de Gudéia é um bom exemplo da escultura sumeriana. LM

Zorobabel (Ne 12.1,13).
2. Um sacerdote da época de Neemias (Ne 12.33).
3. Um sacerdote-escriba, filho de Seraías (Ed 7.1), que liderou um grupo de exilados de volta a Jerusalém. Mais conhecido pelo livro que leva seu nome, Esdras é conhecido de diversas maneiras: como um sacerdote (Ed 10.10,16; Ne 8.2), como um escriba (Ed 7.6; Ne 12.36), e como um sacerdote e escriba (Ed 7.11,12,21; Ne 8.9; 12.26). Embora seu trabalho como escriba seja bastante conhecido, muitos deixam de admitir a afirmação (Ed 7.1-6) de que sua linhagem sacerdotal possa ter origem em Arão, passando por Zadoque e Finéias. Isto o coloca na principal corrente do sacerdócio de Jerusalém. Seu nome pode ser uma forma recente de *'ezra*, "ajuda", ou uma abreviatura de *'azaryahu*, "Jeová ajuda".
Muitas fontes de informação estão disponíveis para a reconstrução da vida e do ministério de Esdras. As memórias do livro de Esdras, na primeira pessoa, têm uma importância especial (cf. a maior parte de Ed 7.27–9.15). As cartas em aramaico, assim como os documentos em hebraico encontrados ao longo do livro, fornecem o contexto dos eventos. O material em Ne 8–10 acrescenta dados, embora ao mesmo tempo levante algumas questões. Também existem alusões à obra de Esdras na Apócrifa, em 1 e 2 Esdras.
*Sua missão.* No sétimo ano de Artaxerxes (cf. abaixo, a questão da data), Esdras foi encarregado, por decreto real, de ir a Jerusalém com o objetivo de avaliar as condições civis e religiosas da comunidade dos judeus e também instituir as medidas corretivas ne-

cessárias. Foi-lhe conferida autoridade, tanto em termos de recursos e bens para o templo como de isenção de taxação dos oficiais do templo. Alguns questionam a historicidade da autoridade geral dada a Esdras. Embora os seus poderes fossem amplos, o rei da Pérsia poderia perfeitamente ter necessitado do apoio das províncias. Ele poderia ganhar gratidão sem nenhum risco para seu império, simplesmente atendendo as necessidades dos grupos negligenciados.

Esdras também tinha autoridade para reunir um grupo de exilados que desejasse retornar com ele para Jerusalém. Depois de inspecionar o grupo, jejuar e orar, Esdras os liderou em sua jornada. Chegando a Jerusalém, quatro meses depois, ele apresentou as suas ordens para os governadores vizinhos e transferiu os vasos do templo para os sacerdotes oficiais. A comunidade de Jerusalém era pobre e atrasada, quando comparada com a cultura do grupo de judeus que estava na Babilônia. É difícil avaliar o quanto a chegada de Esdras significou para a comunidade de Jerusalém, que enfrentava grandes dificuldades.

*Data do seu retorno.* Uma leitura superficial dos livros de Esdras e Neemias não deixa dúvidas sobre a ordem cronológica destes livros. No entanto, uma controvérsia não resolvida surgiu em 1889, quando Maurice Vernes sugeriu que Neemias veio em primeiro lugar (cf. ensaio de H. H. Rowley, "Chronological Order of Ezra and Nehemiah", na obra *The Servant of the Lord and Other Essays on the Old Testament*, para uma lista abrangente das teorias e dos estudiosos envolvidos). Rowley resume o problema dizendo. "Portanto, fica claro que as audazes afirmações, de um lado e do outro, de que a questão estava definitivamente resolvida, são injustificadas" (p. 135). Na verdade, nada além de um equilíbrio de probabilidade é justificado sobre esse ponto.

Com base no texto bíblico, Esdras parece ter chegado em 458 a.C., o sétimo ano de Artaxerxes I Longimanus (465-424 a.C.). De acordo com muitos estudiosos, o rei da Pérsia mencionado deveria ser Artaxerxes II Mnemon (404-358 a.C.). Isto colocaria a volta de Esdras em 398 a.C., muito depois do governo de Neemias. Três passagens dão as razões primárias para a data posterior: (1) Esdras 9.9 menciona a reconstrução de um muro, e as muralhas de Jerusalém foram reconstruídas por Neemias depois do seu retorno em 444 a.C. (2) Ed 10.1 sugere uma população maior do que a que foi encontrada por Neemias (cf. Ne 7.4). (3) Esdras 10.6 refere-se a Jeoanã (ou Joanã) como contemporâneo de Esdras, ao passo que Eliasibe, avô de um sumo sacerdote posterior chamado Joana, era o sumo sacerdote na época de Neemias (cf. Ne 3.1,20; 12.22,23). Sabe-se, a partir de um papiro elefantino, que Joanã era o sumo sacerdote em 407 a.C. No entanto, os argumentos não são completamente conclusivos, e deixam a probabilidade a favor da ordem tradicional.

O longo intervalo entre os eventos em Esdras (458 a.C.) e a chegada de Neemias (444 a.C.) também apresenta um problema. Este fato tem sido explicado como algo que foi ocasionado pela alienação do povo com relação a Esdras por causa dos divórcios compulsórios. No entanto, Esdras pode ter retornado à corte da Pérsia e depois feito outra visita a Jerusalém, como um coadjutor de Neemias. A tarefa original de Esdras pode perfeitamente ter sido uma incumbência temporária, como no caso de Neemias. Certamente os lapsos morais que Neemias descobriu não teriam ocorrido se Esdras tivesse estado ali durante os anos intermediários (458-444 a.C.). *Veja* Neemias.

*Sua personalidade.* Esdras foi o representante daqueles que estavam na Babilônia, cuja preocupação era a herança sagrada da nação e os seus escritos. Ele foi um diligente estudioso da lei, um líder na nova ordem dos escribas que havia crescido durante o exílio. Há muitas características em Esdras que nos lembram de Neemias. Ambos demonstram notáveis qualidades de liderança, energia ilimitada, fé intensa e anseios espirituais semelhantes. No entanto, a maior obra de Esdras está em seu talento como professor, historiador, crítico e lingüista. Embora fosse rigoroso e estrito nos assuntos da lei, ele foi capaz de alcançar sucessos duradouros. Ele trouxe ao judaísmo a determinação e a perseverança, o que o tornou resistente à invasão do helenismo. Ele foi apaixonado e emotivo, mas sempre exibiu uma forte fé em Deus. Seu ascetismo era severo quando enfatizava o jejum e se disciplinava. Além disso, seu interesse em devolver os vasos e tesouros do templo o classificam como um patrono da arte sacra.

*Sua contribuição.* Como um escriba, Esdras é sempre lembrado por seu importante trabalho editorial em partes das Escrituras do Antigo Testamento. Embora muitas tradições tenham sido geradas em torno do seu nome, Esdras certamente foi um representante daqueles que ajudaram a coletar, organizar e editar a lei.

Como um líder religioso, Esdras tem um lugar exclusivo na tradição judaica, e é freqüentemente considerado o verdadeiro fundador do Judaísmo, o segundo fundador do estado judeu, ou o fundador da Grande Sinagoga. Seu trabalho de renovação do poder espiritual e da vitalidade de Israel foi verdadeiramente significativo. Grande parte do trabalho de transição das práticas litúrgicas pré-exílicas para a adoração judaica pós-exílio, pode ser atribuída à sua liderança espiritual.

Como um reformista, o nome de Esdras estará sempre ligado aos divórcios obrigatórios através dos quais ele tentou purificar as linhas raciais, para preservar a herança religiosa de Israel. É muito difícil justificar as medidas extremas que foram empregadas, através das quais foram separados os lares de 17 sacerdotes, 6 levitas, 1 cantor, 3 porteiros e 86 leigos. No entanto, deve ser lembrado que o casamento, nos tempos antigos, era considerado um assunto da comunidade.

***Bibliografia.*** John Bright, "The Date of Ezra's Mission to Jerusalem", *Yehezkel Kaufmann Jubilee Volume, Studies in Bible and Jewish Religion*, ed. por M. Haran, Jerusalém. Magnes Press, 1960, pp. 70-88. "Restoration and Persian Period; Ezra and Nehemiah", CornPBE, pp. 617-622. George Rawlinson, *Ezra and Nehemiah, Their Lives and Times*, Londres. Nisbet, 1891. H. H. Rowley, *The Servant of the Lord and Other Essays on the Old Testament*, Londres. Lutterworth, 1952. A. C. Welch, *Post-exilic Judaism*, Edimburgo. Blackwood, 1935. J. S. Wright, *The Date of Ezra's Coming to Jerusalem*, Londres. Tyndale, 1947.

K. M. Y.

**ESDRAS, LIVRO DE** O livro que leva o nome de Esdras estava originalmente combinado com o de Neemias, em um único volume. Isto era verdade nos manuscritos hebraicos, até que houve a separação em um manuscrito datado de 1448 d.C. No entanto, os livros eram conhecidos por Orígenes e Jerônimo como obras separadas em algumas versões de manuscritos gregos.

**Esboço**

I. O primeiro retorno, 1.1–2.70
   A. A permissão para retornar, 1.1-11
   B. O registro dos que retornaram, 2.1-70
II. A reconstrução do templo, 3.1–6.22
   A. Construção do altar e das fundações do templo, 3.1-13
   B. Empecilhos ao trabalho, 4.1-5,24
   C. Oposição posterior, 4.6-23
   D. Conclusão do templo, 5.1–6.22
III. A atividade de Esdras, 7.1–10.44
   A. A missão de Esdras, 7.1-28
   B. A chegada de Esdras, 8.1-36
   C. O problema dos casamentos mistos, 9.1–10.44

**Fontes**

A natureza combinada do livro é também evidente, especialmente no Texto Massorético. A alternância dos pronomes pessoais de primeira e terceira pessoas, e o uso alternado do hebraico e do aramaico são facilmente reconhecíveis. O livro fez as seguintes combinações:
1. Memórias de Esdras (7.27–9.15). Estas foram escritas em primeira pessoa. Podem ter sido um resumo do relato que Esdras teve que fazer à corte persa.
2. Documentos em aramaico (4.7-16; 4.18-22; 5.7-17; 6.3-12; 7.12-26). Estes incluem cartas e documentos oficiais e semi-oficiais.
3. Documentos hebraicos (1.2-4; 2.1-70; 8.1-14; 10.18-44). Estes vêm, sem dúvida, e principalmente, dos arquivos de estado.

**Autoria**

De acordo com o Talmude (*Baba Bathra* 15*a*) e outras evidências da tradição hebraica, Esdras escreveu tanto o livro que leva seu nome quanto o livro de Neemias. No entanto, é praticamente universalmente aceito hoje em dia que Crônicas, Esdras e Neemias formavam originalmente um único livro. Como os versículos finais do segundo livro de Crônicas também aparecem no início do livro de Esdras, provavelmente a ordem tenha sido invertida. A expressão "o cronista" é normalmente atribuída ao autor de toda a obra. Embora muitos estudiosos reconheçam Esdras como "o cronista", outros datam o trabalho de compilação desses livros como tendo ocorrido no final do século IV a.C. (aprox. 330 a.C.). No entanto, as grandes semelhanças lingüísticas com papiros em aramaico do século V, da comunidade judaica em Elefantina, no Egito, requerem uma data dentro da época de Esdras. *Veja* Papiros de Elefantina.

K. M. Y.

**ESEÃ** Uma escrita melhor é Esã. Uma das nove cidades incluindo Hebrom no campo montanhoso de Judá, agrupada na divisão da herança feita por Josué, de acordo com Js 15.52.

**ESEQUE** Um benjamita, irmão de Azel, descendente de Jônatas; ele tinha três filhos (1 Cr 8.39).

**ESEQUE** Um poço de água nascente (ou "águas vivas") cavado sob a direção de Isaque no vale de Gerar perto de Reobote, sobre o qual os pastores de Gerar contenderam (Gn 26.20). Isaque lhe deu o nome de Eseque por causa da contenda por ele. O local exato é desconhecido.

**ESER ou EZER***

1. Um filho de Seir, o horeu, um chefe nativo em Edom (Gn 36.21,27,30; 1 Cr 1.38,42).
2. O pai de Husa, um dos descendentes de Hur (1 Cr 4.4).
3. Um descendente de Efraim que, com seu irmão Eleade, foi assassinado pelos homens de Gate (1 Cr 7.21).
4. O mais notável guerreiro de Gate, que acompanhou Davi em Ziclague. Era um dos que ficaram famosos por terem, com ousadia, cruzado o Jordão na primavera, quando este transbordava pelas suas ribanceiras (1 Cr 12.8-15).
5. Um levita, o filho de Jesua, o governador

de Mispa, que ajudou na reconstrução do muro de Jerusalém (Ne 3.19).
6. Um sacerdote que participou da grande dedicação do muro de Jerusalém quando a obra foi terminada, nos dias de Neemias (Ne 12.42).
*Nota do tradutor: Este nome é traduzido de duas maneiras; às vezes a mesma versão o escreve de maneira diferente em diferentes passagens, e também há diferença na maneira de escrevê-lo de versão para versão no mesmo verso.

**ESLI** É listado como o filho de Nagai e o pai de Naum na genealogia de Jesus, na décima primeira geração antes de Jesus (Lc 3.25).

**ESMAGAMENTO** O sentido dessa palavra aparece algumas vezes na Bíblia como a tradução de várias palavras diferentes. É usada, principalmente, para denominar o grão que foi trilhado da espiga (Lv 2.14,16; 2 Sm 17.19) e das canas que foram quebradas (2 Rs 18.21). Porém, seu uso posterior sempre teve uma profunda importância e sentido religioso. (1) O Egito é a cana que deve ser esmagada (2 Rs 18.21); (2) discípulos fracos são canas trilhadas que recebem o cuidado de Deus (Is 42.3; Mt 12.20); (3) Satanás iria ferir o calcanhar de Cristo, isto é, causar-lhe sofrimento e morte; mas Cristo iria esmagar a cabeça de Satanás, isto é, destruir seu poder (Gn 3.15); (4) através do esmagamento de Cristo (isto é, da crucificação) a salvação do pecado tornou-se possível (Is 53.5,10; Lc 4.18); (5) Por fim, Deus irá esmagar Satanás (isto é, triunfar sobre) (Rm 16.20).

**ESMERALDA** *Veja* Jóias.

**ESMIRNA** Uma das sete cidades a que João se dirigiu (Ap 2.8-11). Localizada no mesmo lugar que a atual cidade de Izmir, na Turquia, na extremidade sudeste do Golfo de Esmirna. A cidade curvava-se ao redor da extremidade da baía, ao pé do monte Pagus,

A moderna Izmir está construída sobre o local da Esmirna do Novo Testamento. Foto Esen

Aqueduto romano em Esmirna. HFV

que tem mais de 170 metros de altura, com sua esplêndida acrópole. Suas ruas eram bem pavimentadas e traçadas em ângulo reto. Uma delas era conhecida como a "Rua do Ouro", e ia de leste a oeste e curvava-se ao redor dos declives mais baixos de Pagus. Esta famosa rua era ladeada de belas construções, e havia um templo em cada extremidade. O templo de Zeus estava provavelmente situado na extremidade oeste, e o templo da deusa mãe Cibele Sipilene (patrona da cidade) na extremidade leste. A cidade possuía diversas praças, uma biblioteca pública, numerosos templos e outros edifícios públicos.
Embora Esmirna disputasse com Éfeso e Pérgamo a posição de "Primeira da Ásia", algumas de suas moedas a definiam como "A primeira da Ásia em beleza e tamanho". Seu prestígio também aumentou pela sua reivindicação de ter sido o local de nascimento de Homero. Nos dias de João, a população pode ter atingido cerca de 200.000 habitantes.
Os crentes de Esmirna foram elogiados. Eles sofreram muito por seu testemunho cristão. Sir William Ramsay sugeriu que a palavra "fiel" (Ap 2.10) teria sido um apelo especial ao povo de Esmirna, porque eram conhecidos por sua fidelidade a Roma que já durava mais de dois séculos. As escavações na parte central da cidade revelaram a Ágora romana, com suas construções que foram reedificadas durante o século II d.C.

H. F. V.

**ESMOLA** Essa palavra só aparece no Novo Testamento, como a tradução do grego *eleemosyne*, derivado de *eleos*, "misericórdia"; *eleeo* "mostrar misericórdia" e *eleemon* "misericordioso". A palavra grega significa "piedade, compaixão, bondade" assim como o bondoso ato ou a própria obra, na qual os efeitos são tomados pela causa. A esmola é, essencialmente, o alívio aos pobres no sentido moderno de caridade. ("Caridade" é uma tradução de *agape*, "amor", e é um termo muito mais amplo, como por exemplo em 1 Coríntios 13.3).

O Antigo Testamento usa *sedeq* ou *sedaqa*, "honradez", "justiça" em várias ocasiões para significar o dever de cuidar dos pobres (por exemplo, Dt 24.13; Sl 24.5; Pv 10.2; 11.4; Mq 6.5), e esse termo é traduzido como *eleemosune* na versão LXX de Deuteronômio 25.15 e Daniel 4.27. A adequação desse uso dá-se em vista da constante preocupação que o Antigo Testamento expressa para com as viúvas, os órfãos, os estrangeiros e os pobres – em completo contraste com as antigas atitudes grego-romanas. Fazer o que a lei tão claramente exigia era *sedaqa*, "justo".

A lei de Moisés era definitiva com relação ao cuidado para com os pobres. No livro da Aliança (Êx 20–23), os pobres eram protegidos da agiotagem e da penhora de roupas para empréstimos (Êx 22.25-27; cf. Lv 25.35,36), e recebiam provisões no sétimo ano, que era o ano sabático (Êx 23.11). No Código de Santidade (Lv 17–22), deviam ser deixadas espigas no campo para os pobres (Lv 19.9,10; cf. Rt 2), e os salários deviam ser pagos pontualmente (Lv 19.13). Outras provisões em Levítico protegiam as propriedades dos pobres da alienação permanente (25.25-30). O livro de Deuteronômio está repleto de instruções relacionadas a um segundo dízimo para os pobres (14.28,29); à generosidade ao prover as suas necessidades (15.7,11); à provisão para estes nas Festas que haviam sido ordenadas (16.11-14) e à permissão para saciar a fome nos campos e nas vinhas (23.24,25). Veja também Deuteronômio 24.13,19-22; 26.12,13.

Em seu "voto de purificação", Jó cita sua generosidade para com os pobres (Jó 29.12-16). Bênçãos especiais eram prometidas àqueles que ajudassem aos oprimidos (Ne 8.10; Pv 19.17). Os profetas declaram que o cuidado para com os pobres é uma atitude que está de acordo com a vontade de Deus (Is 58.4-7; Ez 18.7; Dn 4.27; Am 2.6,7).

No Novo Testamento, a mesma preocupação está expressa. Jesus dá instruções quanto à prática de dar esmolas, como uma característica de um espírito religioso (Mt 6.1-4). Lucas enfatiza particularmente a simpatia do Senhor pelos pobres e desterrados (Lc 3.11; 6.30; 12.33). A igreja primitiva considerava as esmolas como uma evidência do amor cristão (At 9.36; 10.2,4; Rm 12.13; Ef 4.28; 1 Tm 6.18; Hb 13.16; 1 Jo 3.17-19). O Novo Testamento dá uma atenção particular ao motivo pelo qual a pessoa está dando a esmola, e não apenas à condição de fazêlo (Mc 12.42-44; 2 Co 8.12; At 11.29).

W. T. P.

**ESPADA** *Veja* Armadura.

**ESPALHAR ou ESTENDER** Essa palavra corresponde à tradução de três termos do AT com a idéia de: (1) desfraldar a vela de um navio (Ez 27.7); (2) um lugar onde as redes de pesca eram desenroladas ao sol (26.5); (3) e um ramo que cresce e continua a cobrir uma área maior (Ez 17.5,6).

**ESPANCADOR** Pessoa briguenta que está sempre à procura de brigas, um rufião. É uma das características que um obreiro não deve ter (1 Tm 3.3; Tt 1.7). Essa palavra também é traduzida como "violento" e "belicoso".

**ESPANHA** A palavra grega *spania* designa a península que na atualidade abrange a Espanha e Portugal, chamada pelos gregos de *Iberia* e pelos romanos de *Hispania*. As primeiras colônias fenícias na costa Sul (*veja* Társis) foram absorvidas por Cartago. Na segunda guerra púnica (218-202 a.C.), Roma conquistou a parte dominada por Cartago (cf. 1 Mac 8.3), mas a conquista do noroeste não se concluiu até a época de Augusto, que dividiu o país em três províncias. Os produtos da Espanha eram ouro, prata, estanho, cobre, chumbo, cereais, vinho, azeitonas, frutas e madeira. A população de iberos nativos, de celtas imigrantes e de colonizadores romanos tornou-se fortemente romanizada (particularmente no sul).

Alguns dos mais famosos contemporâneos de Paulo eram da Espanha. Gálio, Sêneca e Lucas. É natural que Paulo desejasse evangelizar a Espanha (Rm 15.24,28; cf. 2 Co 10.16). Essa visita de Paulo à Espanha está implícita na Primeira Epístola a Clemente (5) e é declarada no Cânon Muratoriano. Irineu (*Against Heresies,* I.x.2) e Tertuliano (*Against Jews,* 7) confirmam a presença de cristãos na região no século II d.C.

E. F.

**ESPANTO** Tradução de cinco palavras hebraicas e de uma palavra grega. O termo mais importante no AT é *shamma* ("espanto" ou "desolação", como em Jeremias 8.21) junto com *shamem, shimmamon, timmahon* ("pasmo" ou "consternação", como em Deuteronômio 28.28) e *tar'ela* ("consternação", "perturbação", ou "atordoar", como no Sl 60.3). Esta palavra sozinha no NT é *ekstasis* ("espanto", "admiração" ou "transe" como em Marcos 5.42). Existe ainda, particularmente no NT, um grande número de formas verbais relacionadas onde encontramos os termos *ekplessomai* (Mc 1.22), *existemi* (Lc 2.47), *thambeomai* (Mc 10.24) e *periecho* (Lc 5.9).

No AT, o termo *shamma* é usado 14 vezes, sendo dez em Jeremias e está intimamente associado a palavras como "desolação", "assobio" e "maldição". A maioria das referências aplica-se a uma nação israelita desobediente, e demonstra espanto sobre a condenação que conseqüentemente cairia sobre a nação. Moisés profetizou que se Israel não ouvisse a voz do Senhor seu Deus, ela seria espalhada sobre as nações da terra, e se tornaria uma nação "pasma", um "provérbio" e um "ditado" entre estas nações (Dt 28.37). Jeremias, vivendo na época da destruição babilônica da nação, descreveu seu destino iminente. Oito dessas referências (8.21; 25.9,11,18; 29.18; 42.18; 44.12,22) são aplicadas ao estado dos judeus sob julgamento. A mesma palavra é então aplicada aos seus dominadores babilônicos. A Babilônia por sua vez se tornaria, nas mãos do Senhor, um "espanto" entre as nações da terra (Jr 51. 37,41).

Assim, o termo "espanto" era geralmente relacionado ao pavor do julgamento, no qual estava freqüentemente incluída a idéia do inesperado ou do aterrorizador. Era o quadro do homem ímpio na presença de um Deus Santo e Justo.

A palavra *ekstasis*, com este sentido, só ocorre no NT em Marcos 5.42, onde está combinada com *existemi*: "Assombraram-se com grande espanto". Aqui o contexto inclui a reação a um dos milagres do Senhor Jesus (a ressurreição da filha de Jairo), onde aqueles que estavam presentes ficaram "sobremaneira admirados".

As pessoas ficavam admiradas (*ekplessomai*) diante dos ensinos de Jesus (Mt 7.28), porque eram cheios de vigor, e Ele as ensinava como tendo grande autoridade. Ainda como um garoto no templo, Ele causou admiração (*existemi*) por sua inteligência (Lc 2.47). Seus pais, também, ficaram maravilhados (*ekplesso,* Lc 2.48). O registro de sua ressurreição também fez com que os discípulos se maravilhassem (Lc 24.22). De fato, as principais reações humanas às manifestações da Divindade em Jesus Cristo, como enfatizado através do Evangelho de Marcos, são o medo, a admiração, o espanto e outros sentimentos semelhantes. O rápido final deste Evangelho mostra uma nota de temor e assombro nos corações das mulheres discípulas que tinham visto o sepulcro vazio (Mc 16.8).

Em Atos dos Apóstolos é descrito o mesmo tipo de resposta à intervenção Divina. Por exemplo, os judeus ficaram maravilhados quando Deus derramou o dom do Espírito Santo sobre os gentios (At 10.45). Os discípulos ficaram espantados quando Pedro foi libertado (milagrosamente) da prisão (12.16). Sérgio Paulo, o procônsul Romano de Chipre, ficou maravilhado quando viu e ouviu o poder de Deus através de Paulo (13.12), e tornou-se um crente.

Depois de Atos, há apenas uma ocorrência dos termos gregos citados acima. Em 2 Coríntios 5.13 *existemi* é traduzido como "enlouquecemos", no sentido de estar em êxtase e ser considerado insano. Evidentemente o mundo "espantado" (e seus termos relacionados) está primariamente ligado a uma descrição das maravilhosas obras sobrenaturais de Deus, através de nosso Senhor Jesus Cristo (nos Evangelhos) e de seus apóstolos designados (em Atos).

*Veja* Temor; Santidade.

***Bibliografia.*** Georg Bertram "*Thambos* etc.", TDNT, III, 4-7; "*Thaume* etc.", TDNT, III, 27-42.

W. M. D.

**ESPECIARIAS, AROMAS** As especiarias eram extensivamente utilizadas no antigo Oriente Próximo para uma ampla variedade de propósitos. A Bíblia menciona o uso de especiarias em conexão com óleos para unção e ungüentos (Êx 25.6; 35.8; 1 Cr 9.30), com os materiais que compunham o incenso (Êx 25.6; 35.8), perfumes (Ct 4.14,16), cosméticos (Et 2.12), misturadas ao vinho (Ct 8.2), na culinária (Ez 24.10) e na preparação dos mortos (2 Cr 16.14; Mc 16.1; Lc 23.56; Jo 19.40).

As especiarias eram de substância vegetal aromática ou a goma ou resina perfumada de várias plantas. Listas bíblicas (Êx 30.23,24,34; Ct 4.13,14) incluem uma grande variedade. mirra, canela, cálamo aromático, cássia, estoraque, ônica, gálbano, olíbano, nardo, açafrão, cálamo e aloé. A identificação de algumas destas substâncias está em questão. Adicionalmente, temperos como hortelã, endro e cominho (Mt 23.23) eram usados na preparação dos alimentos. *Veja* Plantas: Temperos; e os subtítulos separados das substâncias acima.

O comércio de especiarias era muito lucrativo (1 Rs 10.25), e muitas delas vinham em caravanas da Arábia (1 Rs 10.2,10; *veja* Sabá) ou da Índia, via Pérsia e Mesopotâmia. Houve uma grande rivalidade entre os séculos XIII a XVIII entre as nações européias. O rei Ezequias mostrou com grande orgulho os seus depósitos de especiarias aos embaixadores babilônios de Merodaque-Baladã (2 Rs 20.13; Is 39.2).

P. C. J.

**ESPELHO** Três passagens do NT (1 Co 13.12,2 Co 3.18; Tg 1.23) que usam o termo "espelho" são traduzidas como "vidro" na versão KJV em inglês. Por outro lado, a versão RSV em inglês traduz o termo como "vidro para se olhar" em Êxodo 38.8 e em Jó 37.18. O significado do termo hebraico em Isaías 3.23 é incerto, e a maioria das versões traduzem seu significado como espelhos, enquanto que na versão RSV em inglês (seguindo a LXX), lê-se "saias transparentes".

Os espelhos da época bíblica não eram feitos de vidro (os espelhos de vidro só estiveram disponíveis no final da época dos romanos), mas de metal polido brilhante, geralmente bronze. As pias para as abluções

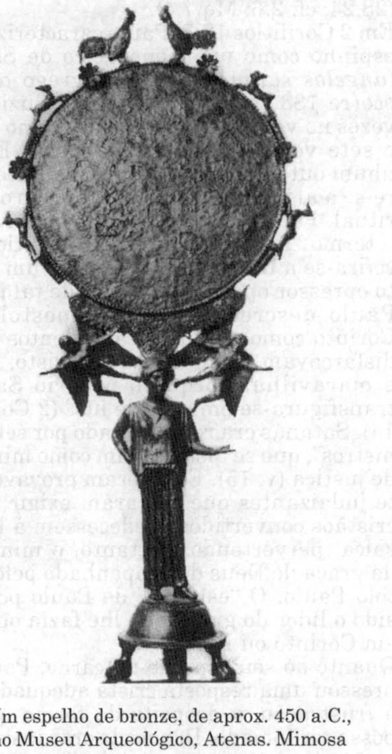

Um espelho de bronze, de aprox. 450 a.C., no Museu Arqueológico, Atenas. Mimosa

dos sacerdotes judaicos eram feitos de espelhos das mulheres israelitas (Êxodo 38.8; "espelho fundido" de Jó 37.18). Embora a princípio eles fossem objetos raros fora do Egito, a cultura helenística tornou seu uso mais comum. Espelhos redondos, tanto planos como artísticos, com cabos de madeira, metal e pedra, foram encontrados nas terras bíblicas. O metal tendia a manchar; era necessário esfregá-lo com esponja e pó de pedra-pomes. Em 1 Coríntios 13.12, provavelmente, se faz alusão à má definição de uma imagem produzida por um espelho manchado ou imperfeito.

**ESPELTA** *Veja* Plantas: Centeio.

**ESPERANÇA** No AT várias palavras heb. são traduzidas como "esperança", que significa "confiança", "expectativa", ou "perspectiva". Tanto no AT como no NT o objeto da esperança de uma pessoa varia de acordo com os desejos humanos (Pv 13.12; por exemplo, ganho, Atos 16.19; salvação física, Atos 27.20; um marido, Rt 1.12).

O principal uso teológico do termo "esperança" era o da confiança no sobrenatural, especificamente em Jeová como o Deus de Israel (por exemplo, Sl 130.5; 146.5; Jr 17.7,13). Esta confiança estava às vezes relacionada à segurança contra os inimigos (Sl 71.4,5; Jr 14.8,9), tendendo, em um uso posterior, à libertação no futuro dia do Senhor (Zc 9.12). Porém, de uma forma principal, a esperança dos israelitas piedosos era uma expectativa e confiança na bênção e provisão de Deus na vida presente (Ed 10.2; Jó 11.18,20; 14.7,19; Sl 33.18,19,22; 119.49,50; Lm 3.22-24).

No NT, a esperança do crente é Cristo (1 Tm 1.1). Ela reside em Deus (Rm 15.13; 1 Pe 1.21), que elegeu um povo (Fp 1.20; Ef 1.18) e lhes deu esperança através do Evangelho (Cl 1.23). De um modo próprio, isto não é meramente uma antecipação humana de dias melhores (e até mesmo a salvação, de certo modo, é "esperada", ainda não realizada, Rm 8.24; 13.11), mas da consumação final da salvação na ressurreição (At 23.6; Rm 8.18-25) e na revelação de Jesus Cristo (1 Pe 1.13). A habitação de Cristo no crente através do Espírito torna-se a "esperança de glória" do cristão (Cl 1.27; cf. 1 Jo 3.1-3). Esta esperança é descrita de forma variada. ela está "reservada nos céus" (Cl 1.5); é uma esperança de vida eterna (Tt 1.2); é viver (1 Pe 1.3); e é melhor do que as esperanças anteriores (Hb 7.19).

No NT a esperança está associada à aflição e à paciência. É certo que a aflição virá sobre o fiel; ela produz a paciência (Rm 5.3-5), e a paciência, a esperança. Tal esperança é uma âncora para a alma (Hb 6.18ss.). A esperança em tais contextos torna-se virtualmente sinônimo de confiança em Deus, uma certeza que reside além da dúvida terrena (cf. Rm 5.5 com 9.33). Em vista de sua esperança, os cristãos devem ser puros (1 Jo 3.3) e estar prontos para dar a "razão" sua de sua esperança (1 Pe 3.15). Enquanto vivem vidas sóbrias, retas e piedosas, os cristãos devem aguardar o cumprimento de sua esperança abençoada, o aparecimento glorioso de seu grande Deus e Salvador Jesus Cristo (Tt 2.12,13).

***Bibliografia.*** R. Bultmann e Karl H. Rengstorf, "*Elpis* etc"., TDNT, II, 517-535.

J. W. R.

**ESPETÁCULO** A palavra aparece duas vezes no Novo Testamento. Em Atos 19.29, é o lugar onde se realiza um show, ou seja, o teatro. Em 1 Coríntios 4.9, Paulo descreve a vida de um apóstolo como um espetáculo para o mundo.

**ESPEVITADORES ou ESPEVITADEIRAS**

1. O termo heb. *malqahayim* aparece em Êxodo 25.38; Números 4.9; 1 Reis 7.49; 2 Crônicas 4.21, onde se refere a um instrumento para segurar o pavio de uma lâmpada enquanto ela estava sendo usada. Algumas versões utilizam o termo "apagadores" em Êxodo 25.38 e Números 4.9. Em 1 Reis

7.50 (cf. 2 Cr 4.22) é mencionado um instrumento para podar a parte carbonizada do pavio.
2. O termo heb. *ma'asad*, traduzido como "espevitadeiras" em algumas versões em Isaías 44.12, pode ser traduzido como "machado" ou "ferramenta de corte".
E. R. D.

**ESPIAR** Termo que traduz diversas palavras do AT com os seguintes significados: (1) ver, por exemplo, "e viu que um varão egípcio feria a um varão hebreu", Êxodo 2.11; (2) pesquisar um país ou cidade com o propósito de invadi-lo (Nm 21.32).

**ESPINHEIRO** *Veja* Plantas.

**ESPINHO NA CARNE** Esta expressão é encontrada em 2 Coríntios 12.7 onde Paulo escreve que lhe foi dado "um espinho na carne, a saber, um mensageiro de Satanás", para o "esbofetear", com a finalidade de evitar que o apóstolo se envaidecesse por sua vida espiritual.
Foram sugeridos quatro principais tipos de interpretação: (1) desejos carnais persistentes ou tentações da carne; (2) o surgimento de sentimentos de culpa por ter perseguido a igreja; (3) algum tipo de enfermidade de natureza física ou nervosa; ou (4) um inimigo pessoal que procurou caluniá-lo e fazê-lo cair em descrédito. Várias doenças foram sugeridas, como epilepsia, oftalmia aguda ou algum problema nos olhos, febre devido à malária, histeria ou melancolia, dor de cabeça contínua, ou exaustão nervosa. Quanto á primeira hipótese mencionada acima, no apóstolo foi vencedor através do Espírito do Senhor que nele habitava (Rm 8.5-13). Quanto à segunda, ele sabia que a graça de Jesus Cristo o havia absolvido completamente dos crimes que havia cometido no passado (1 Tm 1.13-16). Qualquer que tenha sido a natureza de seu espinho, este não fez com que Paulo deixasse de desempenhar seu ministério, que era extremamente ativo, e que incluía até mesmo longas viagens a pé.
Um estudo da frase "espinho na carne" (gr. *skolops te sarki*), e de seu contexto em defesa de Paulo e de seu apostolado (2 Co 10–13), indica que ela provavelmente refere-se a uma pessoa e não a uma enfermidade. No AT, um "espinho" era uma expressão um tanto comum para um inimigo humano. Consideremos, por exemplo, a seguinte passagem. "Se não lançardes fora os moradores da terra [os cananeus] de diante de vós, então, os que deixardes ficar deles vos serão por espinhos [na Septuaginta, *skolops*] nos vossos olhos e por aguilhões nas vossas costas" (Nm 33.55; cf. Js 23.13). Ezequiel refere-se aos inimigos de Israel utilizando a expressão "espinho que a pique" (na Septuaginta, *skolops pikrias*) e "espinho que cause dor" (28.24; cf. 2.6; Mq 7.4).
Em 2 Coríntios 12.7, Paulo caracterizou seu espinho como um mensageiro de Satanás (*angelos satana*). O termo grego *angelos* ocorre 188 vezes no NT, e é traduzido 181 vezes na versão KJV em inglês como "anjo", e sete vezes como "mensageiro". Em nenhum outro versículo o termo *angelos* refere-se a algo além de um ser terreno ou espiritual. Por esta razão, é mais provável que o termo "mensageiro" em 2 Coríntios 12.7 refira-se a um ser humano, ou a um espírito opressor operando através de tal pessoa. Paulo descreve os falsos apóstolos em Corinto como obreiros fraudulentos que se disfarçavam de apóstolos de Cristo: "E não é maravilha, porque o próprio Satanás transfigura-se em anjo de luz" (2 Co 11.13, 14). Satanás era representado por seus "ministros", que se disfarçavam como ministros de justiça (v. 15). Estes eram provavelmente judaizantes que tentaram exigir que os cristãos convertidos obedecessem à lei Mosaica, pervertendo, portanto, o ministério da graça de Deus desempenhado pelo apóstolo Paulo. O "espinho" de Paulo pode ter sido o líder do grupo que lhe fazia oposição em Corinto ou Éfeso.
Quanto ao seu espinho na carne, Paulo expressou uma resposta cristã adequada para a frustração, a despeito da forma que ela possa ter tomado. Depois de orar insistentemente para que este espinho fosse removido, o apóstolo o aceitou e agiu da melhor maneira possível com o auxílio da graça de Cristo (2 Co 12.8-10).
*Veja* Paulo.

***Bibliografia.*** Norman V. Hope, "Paul's Thorn and Ours," CT, XIV (5 de dezembro de 1969), 222-223 [14-15]. Terence Y. Mullins, "Paul's Thorn in the Flesh", JBL, LXXVI (1957), 299-303.
J. R.

**ESPINHOS** *Veja* Plantas.

**ESPÍRITO** O princípio essencial e ativador ou a força animadora dentro dos seres humanos vivos.
*No Antigo Testamento.* O substantivo hebraico *ruah* ocorre 377 vezes no Antigo Testamento e normalmente é traduzido como "fôlego", "vento" ou "espírito" (por exemplo, Gn 6.17; 8.1; 41.8). Em Ezequiel 37.1-14 os três diferentes significados podem ser observados. no versículo 9*b* significa "ventos", nos versículos 5,6,8,10 "fôlego" e no 14, "espírito". O substantivo deriva de um verbo que significa expelir o ar pelo nariz com violência. Com respeito aos seres humanos, *ruah* algumas vezes representa o "centro da vida" e é praticamente um sinônimo de *nephesh*, "alma". No entanto, em geral, *nephesh* é a

própria pessoa como um indivíduo, ao passo que *ruah* deve ser entendido como o princípio animador (Jó 32.8,18; Sl 143. 4,7). O homem não tem poder para reter seu espírito (Ec 8.8; Sl 104. 29) e quando morre, seu espírito deixa seu corpo (Sl 146.4).

A palavra hebraica *ruah* também é usada como um termo psicológico para denotar vitalidade, animação ou vigor (Jz 15.19; 1 Rs 10.5), moral ou coragem (Js 2.11; 5.1; Is 19.3), temperamento ou ira (Jz 8.3), disposição básica (Nm 14.24; Sl 51.10; Is 54.6), caráter moral (Ez 11.19; 36.26) e impulso ou atitude dominantes (Pv 16.18,19; Nm 5.14; Is 57.15). Várias vezes um espírito mau ou demônio é indicado por *ruah* (1 Sm 16.14-16,23; 18.10; 19.9; Os 4.12; 5.4) e o espírito de mentira de 1 Reis 22.19-25 é obviamente um ser pessoal. Mais de 80 vezes a palavra refere-se ao Espírito de Deus, o Espírito do Senhor, o Espírito Santo.

*No Novo Testamento.* A palavra grega *pneuma* tem uma variedade de significados semelhante aos de *ruah*. "Vento" é obviamente o significado em João 3.8*a*: "O vento assopra onde quer, e ouves a sua voz". Em 2 Tessalonicenses 2.8 lemos a expressão "assopro da sua boca". Uma característica teologicamente mais importante, é que o espírito é o que dá vida ao corpo. O espírito da filha de Jairo retornou ao seu corpo e ela levantou-se imediatamente (Lc 8.55). Após a morte da pessoa justa, sua *pneuma* continua vivendo como um ser independente nos céus (Hb 12.23).

Psicologicamente, *pneuma* denota a parte não material da personalidade humana em expressões como "purifiquemo-nos de toda imundícia da carne e do espírito" (2 Co 7.1) e "para ser santa, tanto no corpo como no espírito" (1 Co 7.34). O espírito pode simplesmente significar o próprio ser de cada pessoa: "recrearam o meu espírito e o vosso" (1 Co 16.18; cf. 2 Tm 4.22). Mais especificamente, no entanto, *pneuma* é a fonte ou berço do discernimento de uma pessoa (Mc 2.8), das emoções (Mc 8.12; Jo 11.33; 13.21; At 17.16; 18.25) e da vontade (Mt 26.41; At 19.21). É o espírito do homem dentro dele que pode "conhecer" os seus pensamentos, ou seja, compreender seu estado humano (1 Co 2.11).

Através do novo nascimento, o espírito do homem torna-se vivo para Deus e sensível à voz interior do Espírito Santo (Rm 8.16). Como o espírito é constantemente renovado, ele é capaz de governar as atitudes da mente (Ef 4.23). O espírito capacita uma pessoa a pensar em termos espirituais, porque por sua vez é controlado pelo Espírito de Cristo que compartilha a mente e a atitude de Cristo com o crente (1 Co 2.16). Assim, o espírito humano regenerado, quando humildemente submisso a Cristo, é capaz de ter mansidão e bondade em relação às outras pessoas (1 Co 4.21; Gl 6.1). Tal disposição é caracterizada como um "espírito manso e quieto" (1 Pe 3.4).

O Novo testamento, freqüentemente, refere-se a espíritos como seres não físicos independentes. Normalmente estes seres-espíritos são iníquos, ou demônios; mas os anjos também são classificados como espíritos (Hb 1.4,14). Para uma discussão sobre o Espírito de Deus, *veja* Espírito Santo.

*Veja* Anjo; Antropologia: A natureza do homem; o homem interior; Espírito Santo; Alma; Demonologia; Ventos.

J. R.

**ESPÍRITO FAMILIAR** Uma expressão que ocorre 16 vezes na versão KJV em inglês, referindo-se a um espírito de adivinhação, ou a seu médium ou feiticeiro, traduzindo o heb. *'ob*. Este termo está relacionado a palavras similares em sumeriano, heteu, acadiano e ugarítico, todos provavelmente vindos de uma fonte comum. Originalmente, significava a cavidade ritual ou cova feita no chão para dar aos espíritos subterrâneos acesso ao praticante por um curto período de tempo. Mais tarde o termo foi aplicado aos espíritos que saíam desta cova, e também ao próprio ou à própria necromante (Harry A. Hoffner, Jr., "Second Millennium Antecedents to the Hebrew *'ob*", JBL, LXXXVI [1967], 385-401). A prática da necromancia no antigo Oriente Próximo está refletida no épico de Gilgames: "Imediatamente ele abriu uma cova na terra. O espírito de Enkidu, como um sopro de vento, saiu do mundo inferior" (ANET, p. 98); e em Isaías 29.4 lemos: "A tua fala desde o pó sairá fraca, e será a tua voz debaixo da terra como a de um feiticeiro [*'ob*], e a tua fala assobiará desde o pó". O termo "familiar" é usado para descrever o suposto espírito de uma pessoa falecida porque era considerado pelos revisores genevanos (1557-1560) como um servo (*famulus*) que poderia ser facilmente convocado por aquele que o possuía, ou que pertencesse à família (*familiaris*) e assim teria certa intimidade com a pessoa falecida (Merrill F. Unger, *Biblical Demonology*, p. 144).

Um termo paralelo em heb., sempre ocorrendo com *'ob*, é *yidd[e]'oni*, do heb. *yada'*, "conhecer", um espírito "conhecedor", um espírito com um conhecimento oculto. O termo é traduzido como "mágico" em várias versões, alguém que passa a ter conhecimento do mundo dos mortos por meio de um demônio. O mesmo médium poderia buscar dois tipos de demônios: o "espírito adivinhante", ou o "espírito mágico" (Dt 18.11, lit.). Tais demônios conhecem muito bem os seres humanos falecidos e podem imitá-los ou se fazerem passar por eles, enganando aqueles que desejam comunicar-se com o morto.

Outros termos envolvidos na necromancia são encontrados em Deuteronômio 18.11, *doresh el-hammethim* (lit., aquele que consulta os mortos; cf. Isaías 8.19) e Isaías 19.3

*ha'elilim* ("ídolos", ou provavelmente divindades atonianas) e *ha'ittim* ("encantadores"; ou melhor, "fantasmas", do acádio, *etimmu*), juntamente com *ha'oboth* e *hayyidd[e]'onim*.
O AT em lugar algum condena a necromancia pelo simples fato de ela ser irrelevante, vã e inútil, mas, acima de tudo, porque ela é rebelião contra Deus, de quem o crente israelita deveria depender unicamente (Lv 19.31; 20.6,27; Dt 18.9-14). O Senhor levantaria um profeta para revelar a sua Divina vontade (Dt 18.15-22). Manassés, assim como o rei Saul (1 Cr 10.13), era culpado de lidar com espíritos familiares e ocultos (2 Rs 21.6; 23.4). Apesar destas proibições, muitos hoje pensam que é correto reunir-se com médiuns espiritualistas em busca de supostas mensagens de entes queridos que partiram, ou como uma "prova" de que não haja um juízo futuro ou uma condenação.
O relato da ocasião em que Saul buscou conselho do falecido Samuel através da médium de Em-Dor (1 Sm 28) expõe a fraude do espiritismo. Na sessão espírita, a feiticeira, descrita como uma *ba'alath-'ob*, "meretriz de um espírito familiar", esperava manifestar o espírito de "controle" que se faria passar por Samuel, mas ao invés disso gritou aterrorizada pelo que aconteceu. Neste caso único Deus soberanamente permitiu que o verdadeiro espírito de Samuel falasse a fim de pronunciar uma séria censura ao rei apóstata. Normalmente o suposto espírito falaria algo um pouco favorável; neste caso único o inquiridor (Saul) foi condenado a morrer no dia seguinte, uma advertência válida para todo o tempo vindouro. *Veja* Demonologia; Advinhação; Magia; Necromancia.

***Bibliografia.*** Raphael Gasson, *The Challenging Counterfeit*, Logos International, 1966.

J. R.

**ESPÍRITO MAU** *Veja* Demonologia.

**ESPÍRITO SANTO, ENCHER COM O** As Escrituras ensinam que existe o Pai, o Filho e o Espírito Santo (1 Co 12.4-6; Ef 4.4-6), e que todos os cristãos são batizados no Espírito quando estão em comunhão com o Corpo de Cristo (1 Co 12.13). Além disso, o Espírito Santo distribui dons espirituais particulares a quem Ele desejar (1 Co 12.4-11). Ao mesmo tempo, a Bíblia fala de encher com o Espírito Santo, o que ocorre muitas e muitas vezes. Desta forma, embora exista somente um batismo no Espírito Santo (Ef 4.5), existem muitas ocasiões em que os cristãos são cheios com o Espírito (Ef 5.18).
O exemplo incomparável do batismo no Espírito Santo ocorreu no Pentecostes como o cumprimento da promessa de Cristo de revestir os seus discípulos de poder sobrenatural (Lc 24.49; At 1.4,5,8; 2.1-12). Exemplos semelhantes do batismo no Espírito Santo ocorreram em Samaria (At 8.14-17), com Saulo de Tarso quando Ananias impôs as mãos sobre ele (At 9,17), na casa de Cornélio (At 10.44,45) e em Éfeso, para os discípulos de João Batista (At 19.6). Em continuidade a estes batismos iniciais no Espírito, houve muitas ocasiões em que as pessoas foram cheias do Espírito Santo (por exemplo, At 4.8,31; 13.9,52); *Veja* Batismo no Espírito.
Diversas questões surgem com respeito a ser cheio do Espírito Santo.
1. Os crentes do Antigo Testamento puderam experimentar esta bênção? A resposta para esta pergunta é sim. De certo modo, quando Davi (2 Sm 23.2) e outros foram inspirados em seus escritos no Antigo Testamento, eles foram cheios como se fossem movidos (lit. "arrastados") pelo Espírito Santo (2 Pe 1.21). Assim foi o testemunho dado pelo profeta Miquéias: "Mas, decerto, eu sou cheio da força do Espírito do Senhor... para anunciar... a Israel seu pecado" (Mq 3.8). José (Gn 41.38), Josué (Nm 27.18; Dt 34.9), Bezalel (Êx 31.2,3) e Daniel (Dn 4.8,18; 5.11,14; 6.3) foram reconhecidos como tendo sido cheios do Espírito de Deus pelas suas respectivas habilidades para realizar tarefas específicas. O Espírito do Senhor veio sobre outros homens em determinadas ocasiões para dar-lhes poder para libertar o povo de Deus (por exemplo, Otniel, Jz 3.10; Gideão, Jz 6.34; Sansão, Jz 14.6,19; 15.14; Saul, 1 Sm 11.6), ou para profetizar (Nm 11.25,29; 1 Sm 10.6,10; 2 Cr 15.1; 20.14; cf. Lc 1.41,67). Na dispensação Mosaica, no entanto, os homens carismaticamente dotados de poder eram a exceção; pois como um resultado do Pentecostes, o Espírito havia sido derramado sobre "toda a carne", universalmente, sobre todos os crentes, sem distinção de raça, sexo, idade ou condição social.
2. Como pode o Espírito Santo habitar no cristão e enchê-lo, quando o Novo Testamento ensina que o crente ainda tem uma carne ou uma natureza pecadora (Gl 5.17)? A natureza pecadora do cristão é um assunto já julgado e continua condenado, porque "Deus, enviando seu Filho em semelhança da carne do pecado, pelo pecado condenou o pecado na carne, para que a justiça da lei se cumprisse em nós, que não andamos segundo a carne, mas segundo o Espírito" (Rm 8.3,4). O bendito Espírito Santo pode habitar ao lado da natureza pecadora porque ela é considerada como crucificada ou morta, e desta forma permanece como já julgada e os seus dias estão contados (Rm 6.6; Gl 2.20; 5.24).
3. Se o Espírito Santo está em nós, então como ocorre o enchimento? Como é que somos cheios com o Espírito? Por parte do homem, isso depende de que ele abra e renda todos os aspectos da sua vida, todos os ambientes da sua morada terrena para a presença e para o controle do Espírito (At 5.32; Rm 12.1,2; cf. Rm

6.11-13). Ele deve inicialmente receber o Espírito Santo por meio de um ato consciente de fé (Gl 3.2,5,14). Alguns comentaristas da Bíblia Sagrada consideram essa recepção como sendo o selo de Deus de sua divina propriedade sobre o crente (Ef 1.13), assim como o Pai colocou seu selo sobre seu próprio Filho, quando o Espírito Santo desceu sobre Ele na forma corpórea de uma pomba (Jo 1.30-34; 6.27). Por parte de Deus, isso depende do Espírito Santo ocupar, capacitar e guiar o crente em todos os aspectos de sua vida.

4. Ser cheio do Espírito, então, é uma opção ou não faz diferença? Faz muita diferença, porque esta é uma ordem das Escrituras, de que o crente seja continuamente cheio do Espírito Santo (Ef 5.18), e que ele ande *no* (ou *em*) Espírito (Gl 5.16-25; Rm 8.5-13). Ao mesmo tempo, os cristãos são advertidos de que não devem entristecer o Espírito (Ef 4.30), nem extingui-lo (1 Ts 5.19).

Os resultados de ser cheio do Espírito Santo são muitos, e maravilhosos. Os cristãos que foram cheios com o Espírito foram homens de "boa reputação", e cheios de sabedoria, fé, graça e poder (At 6.3,5,8). Aqueles que são cheios com o Espírito recebem o poder de falar e desta forma compartilhar uns com os outros as bênçãos em um nível espiritual, cantar alegremente louvores ao Senhor, agradecer a Deus por *todas* as coisas, e sujeitarem-se uns aos outros por reverência a Cristo (Ef 5.19-21). Eles possuem o fruto do Espírito (Gl 5.22,23) e demonstram as manifestações do Espírito por meio do conhecimento, da sabedoria e do poder espiritual (Rm 12.6-8; 1 Co 12.7-11; 1 Pe 4.10,11).

Quanto ao ponto de vista de que existe somente um enchimento com o Espírito Santo, sem a necessidade de subseqüentes enchimentos, veja a obra de Howard M. Ervin, *These Are Not Drunken As Ye Suppose* (Plainfield, N. J.. Logos, 1968).

R. A. K. e J. R.

**ESPÍRITO SANTO, PECADO CONTRA O** O ato de cometer o pecado de blasfêmia contra o Espírito Santo, ou o pecado imperdoável, foi praticado por alguns homens na ocasião em que o Senhor Jesus Cristo curou um homem que era cego, surdo e mudo devido a uma possessão demoníaca (Mt 12.24-32; Mc 3.22-30; Lc 11.15-20; 12.10). Os fariseus acusaram Jesus de estar associado com Satanás, e procuraram provar isso afirmando que Satanás estava ajudando Jesus a expulsar os demônios das pessoas. A resposta do Senhor veio em duas partes: um reino assim dividido não resistiria; e como então explicariam os fariseus o sucesso dos próprios judeus que expulsavam demônios? Neste episódio o Senhor Jesus Cristo declarou que essa acusação que os fariseus tinham levantado era um pecado imperdoável contra o Espírito Santo.

Trata-se de um pecado que é particularmente dirigido contra o Espírito. Um pecado semelhante, contra Cristo, o Filho do Homem, seria perdoável. A razão disto é simplesmente a de que embora os fariseus pudessem ter interpretado mal as palavras e as obras de Jesus como o Messias, eles deveriam ter sabido, através das suas Escrituras do Antigo Testamento, que o Espírito Santo era suficientemente poderoso para expulsar demônios. Portanto, este pecado é um pecado contra o conhecimento, ou um pecado "à mão levantada" (lit. de forma "atrevida") em contraste com um pecado cometido por ignorância (Nm 15.30). Tal pecado era imperdoável no Antigo Testamento, e as ofertas somente poderiam ser feitas pelos pecados cometidos por ignorância (Nm 15.22-31).

Entretanto, para cometer esse pecado imperdoável, é necessária uma condição especial. Não se trata simplesmente de blasfemar em nome do Espírito, mas afirmar ou acusar que as obras de Cristo originam-se em Satanás, e assim esta seria uma acusação de que Cristo seria um agente de Satanás. Mas Jesus foi ungido com o Espírito no rio Jordão, como o servo escolhido de Deus, e exerceu seu ministério público com o poder do Espírito (Lc 4.1,14). O ato de se cometer esse pecado pressupõe a presença pessoal de Cristo na manifestação do poder divino. O episódio não ensina, de maneira nenhuma, que alguns pecados podem ser perdoados no futuro, mas ensina enfaticamente que o destino eterno é determinado aqui e agora.

Alguns podem pensar que este pecado específico contra o Espírito Santo não possa ser cometido hoje, uma vez que o Senhor não está pessoalmente presente na terra. No entanto, cada um de nós deve estar alerta para não atribuir os miraculosos dons do Espírito (1 Co 12.4-11,28) às operações demoníacas ou satânicas. A rejeição a Cristo é, naturalmente, um pecado imperdoável em qualquer tempo (Jo 3.18). Alguns entendem que a passagem em 1 João 5.16 não está referindo-se a um pecado imperdoável, porque neste texto está sendo feita uma referência à morte física, e não à morte espiritual. *Veja* Pecado Para morte.

C. C. R.

**ESPÍRITO SANTO** No Novo Testamento, o Espírito Santo revela-se claramente como uma Pessoa e como Divino. Ele tem os atributos da personalidade. intelecto (Rm 8.27; 1 Co 2.10-13), emoções (Ef 4.30) e vontade (1 Co 12.11). Ele executa as ações da personalidade. Ele ensina (Jo 14.26), dá testemunho (Jo 15;26), orienta (At 8.29; 13.2), dirige (Rm 8.14), adverte (1 Tm 4.1). Ele é Divino porque é o Espírito de Deus e de Cristo (Rm 8.9), e origina-se eternamente do Pai (Jo 15.26; Gl 4.6).

As Escrituras posicionam o Espírito Santo

no mesmo nível de Deus Pai e de Deus Filho (2 Co 13.14; Mt 28.19; 1 Co 12.4-6; 1 Pe 1.2). Assim, as obras de Deus sempre envolvem as três Pessoas da Trindade (q.v.). Foi o Deus trino que criou o mundo e que se revela tanto nele quanto em sua Palavra ao homem. Foi o Deus trino que redimiu seu povo do pecado. Mesmo assim, algumas dessas obras são atribuições específicas do Espírito Santo. O Espírito Santo traz a realização das obras do Deus trino.

**Na Criação**

O Espírito movia-se sobre a face do abismo (Gn 1.2), e pelo seu Espírito Deus ornou os céus (Jó 26.13). O Espírito dá vida aos homens (Jó 33.4). Ele lhes dá excelentes talentos, tanto habilidades naturais quanto poderes espirituais ou carismáticos (Êx 31.2,3; 1 Co 12.8-11). Quando os homens pecam, Ele os convence que pecaram e luta para que retornem a Deus (Gn 6.3; Jo 16.8,9; Rm 2.4). É especialmente por meio do Espírito que o Deus trino dá testemunho de si mesmo aos homens.

**Na Revelação e na Inspiração**

O divino autor da revelação de Deus à humanidade é o Espírito Santo. Os profetas e os apóstolos, os instrumentos humanos, "falaram inspirados pelo Espírito Santo" (2 Pe 1.21). Foi claramente afirmado que os profetas do Antigo Testamento recebiam a Palavra do Senhor por meio do seu Espírito (Zc 7.12; Ez 2.2; Ne 9.30). Uma comparação de Atos 28.25 com Isaías 6.9,10 ensina que o Espírito Santo é a Pessoa especial da Trindade que entregou a revelação de Deus em palavras. O Espírito de Deus é Aquele que inspirou as Escrituras, isto é, ensinou as palavras (1 Co 2.12,13), de modo que elas fossem precisas, infalíveis e repletas de autoridade. O Senhor Jesus prometeu enviar o Espírito Santo para ensinar aos seus apóstolos todas as coisas, e trazer à lembrança tudo o que Ele lhes havia dito (Jo 14.26). *Veja* Inspiração; Revelação.

**Na Redenção**

No entanto, é especialmente quando o Deus trino vem para redimir seu povo que o Espírito Santo fica claramente evidente em sua obra de consumação.

No Antigo Testamento. No período da revelação do Antigo testamento o Espírito preparava o povo de Deus para aguardar a sua redenção por meio do Messias que viria. Ele inspirou Moisés e os profetas a falarem daquele que viria. Ele destruiu a atitude de rebelião por parte do Israel de Deus quando o povo recusou-se a obedecer à Palavra da promessa (Is 63.10-14; Mq 3.8). Ele ensinou Davi, o doce cantor de Israel (2 Sm 31.1,2), e por meio dele a muitos outros, a dizer: "... guie-me o teu bom Espírito por terra plana" (Sl 143.10).

Jesus e o Espírito. Na época da revelação do Novo Testamento, o Espírito estava ativo desde antes da vinda de Jesus (Lc 1.13-15) até o final de sua vida na terra (1 Pe 3.18). O Senhor Jesus foi humanamente concebido por obra do Espírito Santo (Lc 1.35). O Espírito desceu sobre Cristo na ocasião do seu batismo (Mt 3.16). Então, "cheio do Espírito Santo", Jesus "foi levado pelo Espírito ao deserto" (Lc 4.1). O Espírito deu poder e as qualidades ao Messias para o desempenho de sua tarefa oficial de destruir o reino de Satanás e de estabelecer o Reino de Deus. Pouco tempo depois de sua declaração de guerra contra Satanás, o Salvador, "pela virtude do Espírito, voltou... para a Galiléia" (Lc 4.14) para pregar o Evangelho do reino. Ele leu, na sinagoga, o pergaminho de Isaías sobre a vinda do Messias: "O Espírito do Senhor é sobre mim..." (Lc 4.18) e disse: "Hoje se cumpriu esta Escritura em vossos ouvidos" (Lc 4.21). Ele disse a Nicodemos que "aquele que não nascer da água e do Espírito não pode entrar no Reino de Deus" (Jo 3.5). Pelo Espírito Ele expulsou demônios (Mt 12.28). Assim, quando os fariseus atribuíram a Belzebu esse trabalho de libertação realizado pelo Espírito, Jesus os advertiu a não pecarem contra o Espírito para que não se tornassem como Satanás, de modo que seu pecado não pudesse ser perdoado (Mt 12.31,32). *Veja* Espírito Santo, Pecado Contra.

O Senhor Jesus prometeu aos seus discípulos que pediria ao Pai que lhes desse "outro Consolador", "o Espírito da Verdade" (Jo 14. 16,17). Por esse Espírito, os apóstolos teriam a capacidade de desempenhar as suas tarefas especiais como mestres da igreja (Jo 14.26). Quando o Senhor Jesus retornasse à glória, então o Espírito capacitaria os apóstolos a colocar em prática o completo significado de tudo o que Ele tinha vindo fazer pelo seu povo (Jo 16.13).

Sustentado pelo Espírito, o Senhor Jesus decidiu firmemente ir a Jerusalém. Tanto no início quanto no final, Jesus resistiu à constante tentação de Satanás de salvar seu povo e estabelecer seu reino por outros meios exceto por aquele de morrer por eles, pelos pecados deles. Sendo Deus, Ele mesmo havia concedido a palavra profética: "Mas ele foi ferido pelas nossas transgressões e moído pelas nossas iniqüidades; o castigo que nos traz a paz estava sobre ele, e, pelas suas pisaduras, fomos sarados" (Is 53.5). Ele sabia que "nesse dia" as Escrituras deveriam ser cumpridas por meio dele. Assim, o nosso Salvador esteve sustentado pelo Espírito durante toda a sua obra redentora (Hb 9.14). Por meio do Espírito Ele pode dizer "está consumado", e pode entregar seu espírito ao Pai.

*Pentecostes.* Estava realmente consumado. Jesus morreu, mas ressuscitou dos mortos. Ele subiu aos céus. Agora Ele está glorificado. De acordo com sua promessa, Ele enviou seu Espírito (At 2.3,4). *Veja* Pentecostes. Pedro "chorou amargamente" após ter negado Jesus. Mas a partir do Pentecostes, cheio do Espírito Santo como o Consolador, a vitória absoluta encheu seu coração. Agora, "cheio do Espírito Santo" como o "Espírito da verdade", Pedro teve a visão das "coisas que haviam de vir". Cheio do Espírito Santo, ele proclamou com ousadia que Jesus não tinha sido, em última análise, entregue à morte pelo povo, pelos fariseus, por Pilatos nem mesmo por Satanás. Foi "pelo determinado conselho e presciência de Deus" que tudo aquilo se realizou (At 2.23). Aquilo que as "mãos de injustos" tinham feito agora estava derrotado. Era impossível que Ele pudesse ser retido pelas "ânsias da morte" (2.24). Davi, o profeta, tinha dito que sua alma não ficaria no inferno e que sua carne não veria corrupção (Sl 16.10), e o Espírito ensinou Pedro a enxergar o Senhor como o Cristo ressuscitado (At 2.25-36).

*Na igreja.* No Pentecostes, a igreja tornou-se universal. Antes de subir aos céus, o Senhor Jesus disse aos doze: "Mas recebereis a virtude do Espírito Santo, que há de vir sobre vós; e ser-me-eis testemunhas tanto em Jerusalém como em toda a Judéia e Samaria e até aos confins da terra" (At 1.8).

Com a chegada do Pentecostes, a igreja entrou nos "últimos dias" (At 2.17). Os escravos ("servos") assim como os livres, e as mulheres ("filhas"), assim como os homens, iriam agora "profetizar" (At 2.18). Os judeus de Creta e da Arábia ouviram falar "das grandezas de Deus" nos seus próprios idiomas (At 2.11). *Veja* Línguas, Dom de.

Quando Pedro, que falou na ocasião do Pentecostes, explicou como o gentio Cornélio voltara-se para Cristo de um modo absolutamente convincente, ele disse: "Caiu sobre eles o Espírito Santo, como também sobre nós ao princípio" (At 11.15). A parede de separação que estava no meio entre judeus e gentios tinha sido finalmente removida (Ef 2.14) e a unidade do Espírito não somente tornou-se possível, mas também deveria ser preservada (Ef 4.3-6).

A partir de então, o Senhor, como o Espírito (2 Co 3.17), passou a ser a redenção do seu próprio povo. Com o rosto "descoberto", os crentes agora contemplam constantemente a "glória do Senhor", a glória daquele que morreu pelos seus pecados e ressuscitou para que fossem justificados. Fazendo isso, eles "são transformados de glória em glória, na mesma imagem, como pelo Espírito do Senhor" (2 Co 3.18). O "Espírito de vida em Cristo Jesus" os "livrou da lei do pecado e da morte" (Rm 8.2). Em todos os dias, a partir de então, eles saberiam que não receberam o espírito de escravidão, para, outra vez, estarem em temor, mas "o espírito de adoção", pelo qual clamam. "Aba, Pai" (Rm 8.15). Na era presente, o Espírito Santo habita nos crentes (1 Co 3.16; 6.19); sela-os (2 Co 1.22; Ef 1.13; 4.30); ensina-os (Jo 16.12-15); dirige-os (Rm 8.14); ajuda-os quando oram (Rm 8.26) e procura enchê-los (Ef 5.18).

*No mundo.* Jesus disse aos seus discípulos: "Mas recebereis a virtude do Espírito Santo, que há de vir sobre vós; e ser-me-eis testemunhas" (At 1.8). E por meio deles, Ele disse o mesmo a todos os seus seguidores. Como o mundo iria receber o Senhor Jesus e o Espírito Santo, bem como os seus discípulos e seu testemunho? Jesus lhes disse que tipo de recepção eles teriam: "Se chamaram Belzebu ao pai de família, quanto mais aos seus domésticos?" (Mt 10.25). "A inclinação da carne é inimizade contra Deus, pois não é sujeita à lei de Deus, nem, em verdade, o pode ser" (Rm 8.7; cf. 1 Co 2.14; Ef 2.1). Mas o Espírito Santo foi enviado para convencer o mundo do pecado, da justiça e do juízo (Jo 16.7-11).

Apesar da perseguição, nada podia deter o povo de Deus em sua pregação das "riquezas incompreensíveis de Cristo" (Ef 3.8). Os primeiros cristãos (como os de todas as épocas) puderam orar e se encher do Espírito Santo e anunciar a Palavra de Deus com ousadia (At 4.31). Com Pedro, eles puderam dizer ao conselho dos judeus: "Nós somos testemunhas acerca destas palavras, nós e também o Espírito Santo, que Deus deu àqueles que lhe obedecem" (At 5.32). Com Paulo eles puderam exclamar perante toda a oposição que é sempre inspirada por Satanás: "E graças a Deus, que sempre nos faz triunfar em Cristo e, por meio de nós, manifesta em todo lugar o cheiro do seu conhecimento" (2 Co 2.14). Eles sabiam que os gentios "andam... na vaidade do seu sentido, entenebrecidos no entendimento" (Ef 4.17,18). Mas pelo poder renovador do Espírito Santo (Tt 3.5) as mentes humanas estão libertas e as suas atitudes são renovadas (Ef 4.23; Rm 12.2). Portanto, a obra do Espírito Santo na evangelização é essencial para que os homens possam ouvir e receber o Evangelho.

Finalmente, O Espírito Santo, o Espírito que repousou sobre Cristo sem medida (Jo 1.32,33; 3.34) e fez dele uma testemunha fiel a Deus, irá sustentar os cristãos para que façam a boa confissão perante os homens até o fim, até o arrebatamento da igreja. Os "sete Espíritos" de Deus (uma expressão semita do Espírito em sete aspectos, cf. Is 11.2) estão diante do trono de Cristo, o Vitorioso (Ap 1.4). Ele, que "também nos selou e deu o penhor do Espírito em nossos corações" (2 Co 1.22; cf. Ef 1.14), selará o testemunho final da sua graça quando eles estiverem em confronto com o ódio de Satanás, que inspira a Besta. Conseqüentemente, o Espírito Santo testemunhará ao mundo por meio daqueles que são comprados para Deus pelo sangue do Cordeiro. Quando tudo estiver terminado, e a vitória ganha sobre Satanás, então "o Espírito e a esposa" dirão: "Vem!" (Ap 22.17). *Veja* Dons Espirituais; Espírito Santo, Encher com o; Espírito Santo, Pecado Contra o; Paracleto; Pentecostes; Espírito; Teísmo; Línguas, Dom de.

***Bibliografia.*** Geoffrey W. Bromiley, "The Holy Spirit", *Fundamentals of the Faith*, ed. por Carl F. H. Henry, Grand Rapids. Zondervan, 1969, pp. 143-165. Frederick D. Bruner, *A Theology of the Holy Spirit*, Grand Rapids. Eerdmans, 1970. Lewis Sperry Chafer, *He That Is Spiritual*, Chicago. Moody Press, 1943. James E. Cumming, *Through the Eternal Spirit*, Londres. Partridge & Co., 1891; Minneapolis. Bethany Fellowship, re-impresso em 1965. Hermann Kleinknecht, *et al.*, "*Pneuma*, etc.", TDNT, VI, 332-455. Abraham Kuyper, *The Work of the Holy Spirit*, Nova York. Funk & Wagnalls, 1900; Grand Rapids. Eerdmans, re-impresso. John Owen, *A Discourse Concerning the Holy Spirit*, Londres. 1674. Grand Rapids. Kregel, re-impresso em 1954. Rene Pache, *The Person and Work of the Holy Spirit*, Chicago. Moody Press, 1954. Charles C. Ryrie, *The Holy Spirit*, Chicago. Moody Press, 1965. John F. Walvoord, *The Holy Spirit*, Grand Rapids. Dunham, 1958; Zondervan, re-impresso.

C. V. T.

**ESPÍRITOS EM PRISÃO** A interpretação dos "espíritos em prisão" (1 Pe 3.19) tem sido discutida ao longo da história da igreja. Uma opinião é a de que os espíritos referem-se aos indivíduos não regenerados mortos, confinados na prisão do Hades, esperando seu destino final (cf. Lc 16.19-31). Para eles o Senhor Jesus anunciou a vitória sobre o pecado e a morte durante os três dias em que esteve no sepulcro (cf. 1 Pe 4.6; Ef 4.9,10). A objeção básica a essa opinião está centrada no objetivo da pregação de Cristo. A sua pregação assegurou a esses espíritos uma segunda oportunidade de salvação? (em Hebreus 9.27 esta possibilidade está excluída). Se não, que valor têm as notícias da sua vitória para eles?

Uma interpretação melhor nasce do contexto. O texto em 1 Pedro 3.20 dá mais explicações sobre esses espíritos. Eles eram pessoas que viviam na época de Noé, que tiveram a pregação do Espírito de Deus e de Cristo, que trabalhava na vida de Noé (cf. 2 Pe 2.5). Noé foi uma testemunha do fato de que existe um Deus que exige que os seres humanos tenham uma vida justa. As Escrituras, no entanto, relatam que esses indivíduos rejeitaram o testemunho de Noé e conseqüentemente morreram no dilúvio que Deus enviou. Por causa da sua rejeição, eles morreram e agora são espíritos confinados à prisão.

Uma terceira versão sustenta que os espíritos na prisão são anjos caídos ou seres demoníacos, os espíritos maus de Satanás, que dominava com maestria a corrupção e a maldade de toda a raça humana antes do Dilúvio (2 Pe 2.4; Jd 6). Cristo, como vitorioso sobre Satanás e sobre o pecado, desceu no seu Espírito até a prisão para fazer a proclamação do seu triunfo cósmico (Jo 12.31; 16.11; Cl 2.15; Hb 2.14; 1 Jo 3.8). E. G. Selwyn argumenta que, no Novo Testamento, o termo *pneumata*, a menos que qualificado de outro modo (como em Hebreus 12.23), só se refere aos seres sobrenaturais (como em Lc 10.20) e nunca aos espíritos humanos que partiram (*The First Epistle of St. Peter*, Londres. Macmillan, 1958).

L. B.

**ESPÍRITOS, DISCERNIMENTO DE** *Veja* Discernimento de Espíritos.

**ESPIRITUALIDADE** Deus, que é Espírito, regenera o homem pecador e também lhe dá a possibilidade de alcançar a verdadeira espiritualidade. "O espírito é o que vivifica, a carne para nada aproveita" (Jo 6.63). Deus dá ao crente o entendimento espiritual (Cl 1.9) e também um vocabulário espiritual para que ele possa expressar as verdades divinas em uma forma espiritual (1 Co 2.12,13). O homem espiritual é o cristão que atingiu a maturidade (1 Co 2.15; 3.1; Gl 6.1), no qual abunda o fruto do Espírito. O cristão carnal, ao contrário, é aquele que permanece imaturo e ainda é uma criança em termos espirituais. Ele só pode ser alimentado com leite. A sua vida é marcada por invejas, contendas, dissensões, orgulho, impureza (1 Co 3.1-3; 5.1,2). No entanto, é possível andar no Espírito, possuir seu poder, obter os seus dons – todos os sinais da verdadeira espiritualidade (Gl 5.16; Ef 5.18; At 1.8; 1 Co 12.7,11).

R. P.

**ESPIRRO** Termo anglo-saxão que ocorre em Jó 41.18 e em 2 Reis 4.35. Foi usado por Jó na descrição do leviatã ou crocodilo que se infla e, em seguida, elimina um vapor úmido e quente através das narinas, que brilha à luz do sol. Neste contexto, o ato não é um espirro nem um ronco. Não se sabe ao certo a intensidade da força de expressão pretendida pelos tradutores das várias versões, no entanto essa palavra é suficientemente descritiva.

**ESPONJA** *Veja* Animais V.5.

**ESPOSA** *Veja* Família; Casamento; Irmã; Véu; Mulher.

**ESPUMA** Três palavras são traduzidas dessa forma. O termo heb. *qesep* refere-se à espuma na superfície da água (Os 10.7). A referência marginal na versão ASV em inglês

Ruínas da comunidade de Qumran

traz "galhos" (ou lasca de madeira) como uma possível tradução. A palavra vem de *qasap*, que significa "cortar relações", ou "ficar com raiva". Dessa forma, esta palavra poderia significar galhos sendo arrancados, ou espuma como resultado de ondas bravias.

Espumar como tendo espuma na boca, é indicado pelo termo gr. *aphrizo* em Marcos 9.18,20 (cf. Lc 9.39). O uso da palavra gr. *epaphrizo* por Judas diz respeito à formação de espuma nas ondas do mar (v. 13).

**ESQUERDA** Essa palavra é usada principalmente em conexão com a palavra "mão". Geograficamente, esse termo é usado como sinônimo para o norte, isto é, quando uma pessoa está de frente para o leste, o norte estaria à sua esquerda (Gn 14.15; Ez 16.46; At 21.3). A mão esquerda era geralmente considerada mais fraca que a direita e, dessa forma, acreditava-se que representava um mau presságio. Isso ainda continua sendo refletido no uso de sua contrapartida latina, "sinistra". Em todos os aspectos, a esquerda era o exato oposto da direita. *Veja* Direita.

**ESROM** Esta é a forma de escrita gr. do nome Hezrom do AT (q.v.). Ele é encontrado na genealogia de Jesus (Mt 1.3 e Lc 3.33).

**ESSÊNCIA DIVINA** A nossa palavra "essencial" vem da palavra "essência". Ambas as palavras são derivadas do latim *esse* que significa "ser". A "essência" de alguma coisa é aquela qualidade ou característica que a torna o que ela é. Por exemplo, a essência de um bípede é que ele tem duas patas, da mesma forma que a essência de um quadrúpede requer um animal com quatro patas.

Por essência divina, entendem-se aquelas características que Deus possui, e que o fazem ser quem Ele é. Deus é espírito, santidade, amor, perfeição. Deus possui onisciência, onipresença e onipotência. Ele não depende de qualquer outro ser para sua existência; Ele é independente. Ele nunca muda em seu caráter; Ele é imutável. Ele não está sujeito ao processo do tempo do universo físico; Ele é eterno.

A revelação da essência divina vem através das ações de Deus. A sua revelação de si mesmo em Cristo é a manifestação mais autêntica de suas características, atributos e poder. A "essência divina" é apenas um termo generalizado para qualquer coisa, e também para todas as coisas que fazem com que Deus, e só Deus, seja quem Ele é.

A palavra "essência" pertence à filosofia e à teologia e não às Escrituras. Os teólogos têm discutido se o homem pode realmente conhecer a essência de Deus ou apenas os seus atributos. Na verdade, conhecer a Deus em tudo é conhecê-lo através de suas ações. As ações de Deus revelam seu caráter e poder. Podemos conhecer a Deus pelo que Ele fez e continua fazendo. Deus não quer que o conheçamos como uma essência, uma abstração filosófica; mas Ele revelou a si mesmo, sua essência divina, a nós, através de Jesus Cristo (Jo 14.9-11).

T. W. B.

**ESSÊNIOS** Para o judaísmo no período romano, havia duas alternativas para a questão do compromisso de devoção religiosa: uma vida de "partido" (o dos fariseus) e uma vida de "seita" (a dos essênios). Um partido consiste de pessoas que reúnem forças e esforços para causar um impacto sobre a sociedade através de reformas. O propósito do partido fariseu era restaurar uma vida sólida a Israel sendo uma boa influência, e este buscava seus objetivos através de uma cuidadosa organização, educação e disciplina.

As seitas, porém, costumam julgar que a sociedade está fora do alcance das reformas, e os sectários retiram-se a fim de se prepararem para o juízo de Deus que deve recair sobre um povo degenerado. Na vida sectária dos essênios, a divisão entre "os eleitos" e aqueles fora da seita era enfatizada por rituais de iniciação, disciplina severa, e a reivindicação de que ser membro da seita era como uma antecipação da comunidade messiânica.

Antes da descoberta e publicação dos rolos do Mar Morto, de Qumran, os essênios haviam se tornado conhecidos primeiramente através de referências feitas por Filo (*Quod omnis probus sit* xii-xiii 75-91), citado por Eusébio (*Praeparatio Evangelium* viii. 12; *Hypothetica apud* Eusébius, *Praep. Evang.* viii.11) e Josefo (*Wars* ii.8.2-3; *Ant.* xiii.5.9; xv.10.5; xviii.1.5). Estes autores concordam que os essênios mantinham-se afastados da sociedade normal, vivendo em comunidades que possuíam um único tesouro. Que eles praticavam a comunidade de propriedade, e viviam zelosa e moderadamente sob uma rígida disciplina. Ambos os escritores falam da profunda piedade dos essênios. Josefo descreve sua adoração diária; sua refeição compartilhada que era iniciada e terminada com graças, sempre pronunciadas por um sacerdote; e os vários estágios de um período de provas de três anos, culminado por juramentos rigorosos que precediam o direito de um candidato tocar a comida da comunidade (*Wars* ii.8.5, 7). Pouco mais era certamente conhecido, pois tanto Filo como Josefo expressaram-se em categorias helenísticas que davam margem a uma variedade de interpretações conflitantes.

A descoberta das ruínas de uma biblioteca sectária em 1947, perto da praia noroeste do Mar Morto, e do centro do deserto em Khirbet Qumran, de onde eles vieram, alterou esta situação. A maioria dos estudiosos envolvidos com o estudo dos Rolos do Mar Morto acredita que os essênios encaixam-se melhor nas pistas para a identidade dos monges de Qumram. Reunindo as evidências arqueológicas e literárias que se acumularam, os essênios surgem como uma seita sacerdotal judaica que se expressava em categorias completamente semíticas, familiar aos materiais bíblicos e apocalípticos, cuja história e organização, vida e esperanças compartilhadas, estão agora bastante claras. Assim, quando Filo declara que os essênios rejeitam qualquer filosofia lógica e natural exceto a que trata de Deus e da criação, e que eles são especialmente interessados na ética como uma ramificação da filosofia, os textos de Qumran esclarecem que os essênios estão interessados apenas na revelação e na lei bíblica.

O termo "essênio" é provavelmente um derivativo do aramaico, *'asen*, *'asayya*, plural de *'ase*, *'asya*, "aquele que cura"; ou pode ser o equivalente do heb. *hasidim*, "piedosos." Os *hasidim* são conhecidos do período macabeano, e até mesmo anteriores àqueles que eram dedicados à lei, e que escolhiam a morte a violarem sua aliança com Deus (cf. 1 Mac 1.62ss.; 2.29,38,42; 7.13-16; 2 Mac 14.6). Deste grupo descenderam, aparentemente, tanto os fariseus como os essênios, cada grupo desenvolvendo linhas distintas para si, mas reivindicando uma herança comum. O nome "essênio" foi dado à seita por alguém de fora, pois ele nunca ocorre dentro dos documentos sectários. Os monges de Qumran preferiam falar de si mesmos como "os Pobres", "os Exilados", "os Filhos da Luz", ou como "aqueles que entraram em aliança", do qual é derivado o nome popular para o grupo: "Contratantes".

Os essênios eram um movimento sacerdotal. Embora esteja claro que tanto os sacerdotes quanto os leigos deveriam ser encontrados dentro da seita, os sacerdotes dominavam seus concílios e tinham precedência em suas reuniões. O Manual de Disciplina (1QS), pelo qual a comunidade era governada no século I desta era, fala freqüentemente de "sacerdotes e levitas" (por exemplo, 1QS i.18-24; ii.1-5, 11,19,20), e mais especificamente dos "filhos de Zadoque, o sacerdote, que mantém a aliança" (1QS v.9; cf. ix.14; CD iii.21-iv.4). O Documento de Damasco (CD) fala dos "filhos de Zadoque" como "os escolhidos de Israel, os homens chamados com um nome que deve permanecer até o fim dos dias" (CD iv.3-4). A partir disto, e de evidências relacionadas, pode ser concluído que os essênios eram uma seita sacerdotal da linhagem dos zadoquitas da qual os sumo sacerdotes de Israel deveriam ser ungidos, mas que foram substituídos por outras linhagens nas intrigas sacerdotais que precederam e que acompanharam a revolta macabeana, em aprox. 175-141 a.C.

O fundador do movimento essênio é desconhecido pelo nome, mas nos documentos é chamado de "o Mestre Justo", ou talvez "o Mestre Legítimo" (por exemplo, CD i.10-12). Agora está claro que ele era um sacerdote (4QpPs 37 ii.14-16; cf. 1QpHab ii.7-8), presumivelmente da linhagem legítima, porém substituída, de Oniade-Zadoquitas. Pouco se conhece sobre sua vida, mas os textos indicam que ele viveu em um tempo de perturbação e foi perseguido por uma figura identificada como "o Sacerdote Ímpio", que o perseguiu em seu lugar de exílio e violou a observância do Dia da Expiação entre os "Contratantes" (1QpHab xi.4-16). O Mestre Justo era primeiramente lembrado pelos essênios como um homem de inspiração revelatória, a quem Deus revelou os segredos dos profetas, e mais especificamente o que ocorreria na última geração (1QpHab viii.1-5; CD i.10-12).

O Documento de Damasco fala do Mestre que foi "reunido" (CD xx.1, 14), uma expressão usada no AT para a morte natural, mas permanece incerto como e quando o Mestre morreu. Os textos não atribuem, em nenhuma passagem, uma importância especial à sua morte. As evidências combinadas dos textos e a seqüência de pedras angulares descobertas através de escavações do centro dos essênios em Qumran, sugerem que foi no final do período turbulento de 175-141 a.C., que o Mestre Justo levou os seus seguidores fiéis para o exílio, onde poderiam esperar que Deus os vindicasse como os seus escolhidos para conduzir Israel nos sacrifícios e na adoração.

Foi em 141 a.C. que o último dos irmãos macabeus, Simão da casa sacerdotal de Hasmon, foi confirmado como sumo sacerdote chefe permanente por uma nação grata pela liderança que os asmoneanos haviam fornecido à revolta bem sucedida contra a Síria. O fato de que a casa asmoneana não era da linhagem legítima dos zadoquitas não foi considerado um impedimento para esta ação. O decreto confirmando Simão no ofício proíbe expressamente qualquer interferência de leigos ou sacerdotes, e proíbe também o direito de assembléia sem a permissão de Simão (1 Mac 14.44,45). Para os essênios não havia opção senão aguardar a intervenção divina. É esta série de eventos que melhor explica o caráter da seita e a razão para sua fundação pelo Mestre Legítimo, cuja atividade é apresentada nos documentos sectários contra uma recaída de apostasia por parte de Israel.

Os homens da comunidade são descritos como aqueles que mostram fidelidade ao Mestre (1QpHab viii.2-3), isto é, que têm confiança em seu ensino. O Manual de Disciplina afirma que eles retiravam-se para o deserto "para se separarem da habitação dos homens perversos" (1QS viii.12-13), e manterem a prescrição levítica para a pureza que era imposta aos sacerdotes.

O caráter da vida coletiva dos essênios pode ser reconstruído a partir dos textos considerados iluminados, resultantes de várias temporadas de escavações em Qumran. O complexo de edificações, que era claramente o centro de uma comunidade monástica, continha uma série de tanques e cisternas, presumivelmente onde eram praticadas purificações. O grupo comia em uma mesa comum, de acordo com as prescrições apresentadas no Manual de Disciplina (col. vi). Eles desempenhavam um trabalho literário ativo, copiando manuscritos bíblicos e obras tanto familiares quanto as, anteriormente desconhecidas, apócrifas e pseudo-epigráficas. A descoberta de longos bancos de argamassa sugerindo serem mesas para escrita, e tinteiros, bem como a prática ostraca para jovens escribas, indica que as centenas de manuscritos e fragmentos encontrados em onze das grutas próximas foram colocadas ali por membros da seita. Cerâmicas encontradas nos arredores de fornos coletivos são do mesmo tipo daquelas que foram encontradas em algumas das grutas que continham os restos da biblioteca essênia.

A ocupação do centro dos essênios é marcada por duas grandes destruições. Embora a data exata para a fundação do centro no local de uma antiga fortaleza israelita seja incerta, ele foi provavelmente construído durante o reinado de João Hircano I (135-104 a.C.), a julgar a partir da seqüência de pedras angulares. O primeiro período da ocupação coletiva foi interrompido nos tempos herodianos pelo terremoto de 31 a.C., cujas ruínas ainda são visíveis nos degraus defeituosos que levam a uma das cisternas. O centro foi abandonado e não foi reocupado – a julgar novamente pelas pedras angulares – até os primeiros anos do etnarca Arquelau (6-14 d.C.).

A seita do deserto viveu sua existência persistente sem interrupção até os dias turbulentos da Primeira Revolta, quando a Décima Legião de Vespasiano destruiu o centro no verão de 68. Os muros deste período estão escavados, e nas ruínas seladas com uma camada de cinza, estão pontas de flechas de ferro usadas por legionários romanos. Antes da destruição, os essênios esconderam sua biblioteca em grutas próximas, com o objetivo de que o conhecimento da seita não fosse extinto juntamente com a própria seita. Embora seja errado ter uma idéia dos essênios como uma seita restrita à comunidade que vivia no deserto em Qumran, permanece o fato de que só conhecemos algo sobre sua vida e práticas a partir deste centro.

Está claro que os essênios consideravam-se o verdadeiro Israel, constituindo um remanescente dentro do Israel apóstata. Eles entendiam as promessas a Israel como sendo cumpridas em sua própria experiência como uma congregação justa, assumindo uma postura santa diante de Deus. Seus escritos refletem uma forte consciência de eleição, e eles ansiosamente anteciparam "o dia da vingança", quando Deus vindicaria os seus próprios eleitos (1QS i.11; ii.9; iv.12; v.12; ix.23). A perspectiva essênia pode ser vista especialmente em seus comentários bíblicos, que são interpretações de porções das Escrituras, que são entendidos como um enfoque significativo das experiências da comunidade.

O texto completo que foi preservado é o Comentário sobre Habacuque (1QpHab) contendo 13 colunas de texto fragmentado. A interpretação dos primeiros dois capítulos de Habacuque, versículo por versículo, é controlada pela convicção de que a profecia teve seu cumprimento na situação de vida da comunidade e de seu fundador, o Mestre Justo. Este entendimento foi o trabalho do próprio Mestre "a quem Deus fez conhecer todos os mistérios das palavras de seus servos, os profetas" (1QpHab viii.1-5). Foi ele

que deixou claro que o tempo geral que a profecia de Habacuque aguardava foi o extenso período no qual os participantes da aliança de Qumran haviam entrado. A sua geração era a última, e eles ardentemente anteciparam, em um grau mais elevado do que é atestado em qualquer outra passagem da literatura do período intertestamentário, a consumação. Estas expectativas tornaram-se concretas em termos de "a vinda de um Profeta e os Ungidos de Arão e Israel" (1QS ix.10-11), de quem viriam a libertação e a restauração ao ofício. Aqui, e em outras passagens (por exemplo, CD vi. 10; vii.21; xii.23; xiii.20; xiv.19; 1QSa ii.12-17), há uma referência a um Sumo Sacerdote Ungido, e a um Rei Ungido que parecem ser figuras messiânicas. É notório no pensamento essênio que o Sacerdote Ungido tem a precedência sobre a figura do rei. Uma projeção direta do caráter sacerdotal da seita.
Embora os essênios não sejam mencionados no NT, é possível que alguns aspectos do ensino de Jesus mostrem um alerta em relação aos conceitos dos essênios. Em Mateus 5.43,44 Jesus refere-se àqueles que ensinam "Amarás o teu próximo e odiarás o teu inimigo". O mandamento para odiar o inimigo não é encontrado no AT ou na literatura intertestamentária mais familiar, mas é encontrado nos documentos sectários (1QS i.10; ii.21ss.; cf. x.19ss.). Fica claro que a atitude de Jesus em relação a muitas questões era contrária à doutrina dos essênios, e especialmente com respeito ao sábado. Embora Jesus, como um argumento para ajudar um homem, pudesse recorrer ao costume comum de ajudar um animal que caísse em uma cova em um sábado (Mt 12.11ss.), os essênios ensinavam que nem um animal nem um homem poderiam ser ajudados em um sábado (CD xi.13-17). Para os essênios, a devoção à lei significava a exaltação da prescrição bíblica acima da própria vida humana. *Veja* Rolos do Mar Morto.

***Bibliografia.*** Frank M. Cross, *The Ancient Library of Qumran and Modern Biblical Studies*, Garden City. Doubleday, 1958. A. Dupont-Sommer, *The Essene Writings from Qumran*, Nova York. Meridan, 1962 (os textos em tradução). W. R. Farmer, "Essenes", IDB, II, 143-149. John L. McKenzie, "Qumran Scrolls", *Dictionary of the Bible*, Milwaukee. Bruce, 1965, pp. 710-716. Krister Stendahl, ed., *The Scrolls and the New Testament*, Nova York. Harper, 1957.

W. L. L.

**ESTÁBULO ou ESTREBARIA** Área fechada onde os animais eram alimentados, como por exemplo um estábulo de camelos (Ez 25.5). As grutas também eram usadas como estábulos e currais. É o lugar onde os animais podiam ser amarrados e abrigados durante o inverno. Salomão (1 Rs 4.26) e Ezequias (2 Cr 32.28) tinham grandes "estábulos" para os seus animais. A palavra hebraica *'urayoth* significa "aprisco", como por exemplo em 2 Crônicas 32.28. Os bezerros era guardados em "estábulos" (heb. *marbeq*, de *rabaq*, "amarrar firmemente") até que se completasse o processo de engorda, antes de serem mortos (Am 6.4; Ml 4.2; cf. Pv 15.17).

**ESTACA[1]** Mourão ou poste usado para fixar as tendas. Isaías refere-se às estacas de toda a cidade de Jerusalém (Is 33.20; 54.2).

**ESTACA[2]**
1. Haste de madeira que sustenta as tendas (heb., *yated*).
2. Arma com que Jael matou Sísera (Jz 4.21,22; 5.26).
3. Os pregos/estacas eram cravados nas paredes para servirem como cabides (Ed 9.8). Quando fixados em materiais sólidos, forneciam suportes adequados e confiáveis (Is 22.23).

**ESTAÇÃO** *Veja* Tempo, Divisão de.

**ESTÁDIO** *Veja* Pesos, Medidas e Moedas.

## ESTADO ETERNO E MORTE

### Morte

Na Bíblia Sagrada fala-se da morte em três sentidos.
1. *Morte espiritual*. Isto foi o que ocorreu com Adão e Eva, e passou deles para toda a raça humana por imputação quando pecaram e caíram, mesmo tendo sido advertidos por Deus (Gn 2.17; Rm 5.12). A continuidade do homem em um estado de morte espiritual é citada ao longo de toda a Bíblia (Rm 3.10-18; 5.12; 1 Co 2.14; Ef 2.1,5). Esta condição só é abolida pela regeneração ou pelo que é chamado de novo nascimento (Jo 3.3,5ss.; 1 Jo 5.1; cf. Ef 2.1,5). *Veja* Novo Nascimento.
2. *Morte física*. Esta é a porção designada de todo homem desde a queda de Adão (Hb 9.27), exceto para os cristãos que ainda estarão vivos no arrebatamento, por ocasião da segunda vinda do Senhor Jesus Cristo (1 Co 15.51,52; 1 Ts 4.14-17).
Alguns têm tentado explicar as profecias da volta de Cristo aos seus, especialmente em 1 Tessalonicenses 4.14-17, como Cristo recebendo o crente na morte. Porém, isto força o sentido do ensino claro das Escrituras com respeito ao retorno de Cristo de forma visível aos seus, como Ele mesmo prometeu (Jo 14.3,6; At 1.11). Tal interpretação também é conflitante com aquelas profecias que predizem o arrebatamento dos cristãos (Mt 24.36-41; 1 Co 15.51,52; 1 Ts 4.14-17; cf. a vinda de Cristo "como um ladrão" em Apo-

calipse 16.15 com Mateus 24.43; 1 Ts 5.2), e com a promessa de que o crente não sofrerá a terrível ira de Deus contra o pecado na segunda vinda de Cristo (1 Ts 5.9; 2 Ts 1.7-10; cf. Ap 3.10; cap. 16 e os cálices da ira de Deus).

3. *A segunda morte.* Esta é a separação final e irreversível dos ímpios, tanto de Deus quanto dos justos, ao serem lançados no inferno após o juízo do Grande Trono Branco (Ap 20.6,14; 21.8; cf. 2.11).

Apocalipse 20.6 declara: "Bem-aventurado e santo aquele que tem parte na primeira ressurreição; sobre estes não tem poder a segunda morte". De acordo com este versículo e com o v. 14, a segunda morte vem após o reinado de mil anos de Cristo na terra (cf. Ap 5.10). *Veja* Morto, O; Morte.

## O Estado Eterno

Existe uma discussão sobre quando, exatamente, o crente irá entrar no estado eterno. Alguns dizem que será imediatamente após a segunda vinda de Cristo. Estes ensinam que haverá um julgamento geral de todos os homens naquele momento. Outros dizem que Cristo primeiro estabelecerá seu reino visível na terra em sua segunda vinda, e que o estado eterno começará apenas após o Milênio. *Veja* Novos Céus e Nova Terra; Milênio; Arrebatamento.

Os pré-milenialistas sustentam que, com base em um estudo indutivo das Escrituras, a segunda opinião, como explicado nos artigos referidos, melhor se enquadra no ensino de toda a Bíblia.

1. *A natureza do estado eterno.* Esta pode ser mais bem entendida contrastando, primeiro, a diferença entre o estado do crente hoje e no Milênio; e então, a diferença entre o estado dos santos que entram e desfrutam o Milênio, e o dos santos em seu reinado eterno no novo céu e nova terra.

O governo de Cristo e seu reino, isto é, o reino de Deus, começou em forma de um "mistério" oculto durante o ministério de Cristo na terra (Mt 12.28; Lc 11.20; cf. parábolas do reino em Mateus 13). Ele continuou por toda a chamada Era do Evangelho. O reino entrará em sua segunda fase quando Cristo vier com os seus santos ressurrectos para governar em pessoa sobre toda a terra em sua segunda vinda (Is 66.15ss.; Zc 14.5; Jd 14; Ap 20.4). Naquele momento, os santos ressurrectos ministrarão com Cristo em corpos ressurrectos constituídos conforme o corpo ressurrecto de Cristo (Fp 3.20,21; 1 Ts 4.14-17; Ap 20.4). Eles terão sido libertos de suas naturezas caídas e a terra terá sido liberta da maldição (Is 11.6-9; 65.25; Rm 8.18-23). Contudo, o pecado e a morte ainda continuarão para as pessoas que estiverem vivendo na terra no início do Milênio e para aqueles que nascerem durante este período (Is 65.20; Ap 20.7ss.). A paz prevalecerá, mas será mantida somente pelo governo severo de Cristo, porque o homem ainda será pecador (Is 65.20; Ap 2.27; 19.15; 20.7-10).

O estado final e eterno começará com a criação do novo céu e da nova terra (q.v.) "nos quais habita justiça" (Ap 21.1; cf. 2 Pe 3.7-13). Nele os ímpios estarão eternamente separados dos justos (Ap 21.27; 22.14,15), os primeiros sendo finalmente confinados no lago de fogo e enxofre, que é a segunda morte (Ap 21.8).

Os ímpios não serão aniquilados pela segunda morte como juízo por seus pecados, assim como Cristo não foi aniquilado quando pagou a penalidade pelos nossos pecados. A Besta e o Falso Profeta, lançados no lago de fogo por ocasião da volta de Cristo (Ap 19.20), não sofrem a extinção do ser, pois ainda estarão lá em tormentos mil anos mais tarde (Ap 20.10). O NT ensina, claramente, que a retribuição terá uma duração infinita (Mt 25.41,46; 2 Ts 1.9; Jd 13; Ap 14.11; 19.3; 20.10). A natureza do castigo incluirá, além das formas de sofrimento físico que possam trazer. (1) a exclusão imediata da presença de Deus (2 Ts 1.9) sendo levados para as trevas exteriores (Mt 25.30); (2) o tormento da consciência e o remorso (o verme que não morre, Mc 9.47,48; pranto e ranger de dentes, Mateus 25.30); e (3) provavelmente o fogo interior queimando o espírito humano sem a oportunidade de expressar as suas paixões pecadoras. *Veja* Geena; Inferno.

2. *Bênçãos do estado eterno.* Estas incluem todas as bênçãos desfrutadas pelos santos ressurrectos quando reinarem com Cristo (veja acima), mais o conforto pessoal de Deus ao enxugar toda lágrima (Ap 21.4) e dar aos seus uma cidade especialmente preparada, a Nova Jerusalém (Ap 21.9–22.5). Naquela cidade está o rio da água da vida (Ap 22.1), a árvore da vida (Ap 22.2), e a própria presença de Deus e de seu trono (Ap 22.3; cf. 21.22,23).

Certas perguntas surgem com relação ao estado final do crente. Não haverá tristeza quanto aos entes queridos que morreram sem Cristo? Sim, mas Deus nos consolará sobre tais tristezas (Ap 21.4). Haverá tempo no céu ou o tempo cessará? O significado das palavras "Já não haverá demora" ou "Não haveria mais demora" em Apocalipse 10.6 não significa que o tempo em si irá cessar, mas que os eventos que foram preditos estarão acontecendo. A idéia de que Deus é um ser que não se relaciona com o tempo, ou que a eternidade é estática, não é necessariamente bíblica. Geerhardus Vos defende que o estado eterno será progressivo, descortinando cenário após cenário, porque a esperança, juntamente com a fé e o amor, permanecerá; e a esperança deve ter uma referência a um futuro mesmo que seja por toda a eternidade (Buswell, *Systematic Theology*, I, 46).

O filósofo Immanuel Kant entendia que Deus era uma pessoa sem tempo e espaço, mas apenas porque não conseguia explicar como os três infinitos – Deus, o tempo e o espaço - podiam existir ao mesmo tempo. Kant, portanto, disse que o tempo e o espaço são finitos. No entanto, este argumento é falso, uma vez que o tempo e o espaço não são entidades criadas – como ele supunha – mas são apenas relacionamentos, para o espaço entre os objetos, e para o tempo entre os acontecimentos. Deve ficar claro a todos que mais de um infinito podem existir ao mesmo tempo. Por exemplo, a infinita sabedoria, poder, santidade etc. de Deus, não são atributos de imensidão e, portanto, não se conflitam com o tempo e o espaço infinitos. *Veja* Eternidade; Tempo.

Os homens são seres criados, e assim são limitados pelo tempo e pelo espaço; mas Deus é livre tanto do tempo quanto do espaço no sentido de que sua onipresença supera o efeito limitador do espaço, e sua onisciência supera o efeito limitador do tempo. *Veja* Escatologia; Eternidade.

***Bibliografia.*** Rudolf Bultmann, *"Thanatos,* etc.", TDNT, III, 7-25. J. Oliver Buswell, Jr., *A Systematic Theology of the Christian Religion*, Grand Rapids. Zondervan, 1962, I, 29-54; II, 491-538. Harry Buis, *The Doctrine of Eternal Punishment*, Filadélfia. Presbyterian and Reformed, 1957. Herman A. Hoyt, *The End Times*, Chicago. Moody, 1969. C. S. Lewis, *The Great Divorce*, Nova York. Macmillan, 1946. S. D. F. Salmond, *The Christian Doctrine of Immortality*, 5ª ed., Edinburgo. Clark, 1913. W. G. T. Shedd, *The Doctrine of Endless Punishment*, Nova York. Scribner, 1886. Harry B. Swete, *The Life of the World to Come*, Nova York. Macmillan, 1918.

R. A. K.

**ESTADO INTERMEDIÁRIO** A doutrina do estado intermediário diz respeito à condição dos homens imediatamente após a morte física, e antes da ressurreição.

Uma vez que todos os cristãos que crêem na Bíblia crêem na ressurreição do corpo e no juízo futuro, segue-se que todos crêem em um estado intermediário entre a morte e a ressurreição. Nem todos os cristãos, porém, concordam quanto à condição dos mortos durante este intervalo. Todos reconhecem que ele é diferente da condição daqueles que vivem na terra, e alguns crêem que ele é, pelo menos em certos detalhes, bem diferente do que será após a ressurreição. O problema na doutrina do estado intermediário, então, é a natureza da existência dos justos e dos ímpios antes da ressurreição.

Assim como as Escrituras ensinam sobre a futura ressurreição tanto dos justos como dos ímpios, elas também ensinam sobre a contínua existência pessoal e consciente de ambos naquele período imediatamente após a morte e a dissolução do corpo físico. Nem os justos nem os ímpios recebem corpos antes da ressurreição. Os justos devem receber os seus corpos "ao ressoar da última trombeta" ou "ante a última trombeta" (1 Co 15.52), o que é identificado com o retorno pessoal do Senhor (1 Ts 4.16,17; cf. Ap 20.4,5). Também haverá uma ressurreição para os ímpios mortos (At 24.15; Jo 5.28-30).

### A Natureza da Existência no Estado Intermediário

*Os justos mortos.* Embora suas almas estejam sem corpos, o estado intermediário para os justos é um estado de alegria e exaltação consciente porque foram feitos perfeitos em santidade, estão livres do pecado e do sofrimento, e passaram para a presença do Senhor em glória. Seus corpos, que são do Senhor, jazem, ou dormem, em suas sepulturas até o dia da ressurreição. O apóstolo Paulo ensinou que os crentes tinham plena confiança e desejavam "deixar este corpo, para habitar com o Senhor" (2 Co 5.8). O marginal que estava morrendo na cruz ouviu dos lábios santos do Senhor Jesus Cristo. "Hoje estarás comigo no Paraíso" (Lc 23.43). Estar presente com o Senhor certamente sugere uma alegria consciente, uma vez que Cristo obviamente não dormiu de uma forma inconsciente. Embora seu corpo tenha sido tirado da cruz e colocado na tumba de José de Arimatéia, Ele entregara seu Espírito nas mãos de Deus (Lc 23.46).

De acordo com as Escrituras, o destino eterno do homem foi estabelecido em sua morte. Não existe uma passagem de um estado de existência para um outro, depois da morte. A parábola do rico e Lázaro deixa isto muito claro (Lc 16.25,26; cf. Hb 9.27). É, portanto, coerente com as Escrituras crer que os justos, cuja salvação foi realizada por Cristo através da oferta de si mesmo de uma vez por todas, sejam, na morte, imediatamente transformados da imperfeição à santidade perfeita. Era este estado que Paulo tinha em mente quando disse que desejava "partir e estar com Cristo, porque isto é ainda muito melhor" (Fp 1.23). Com este zelo fervoroso pela proclamação do Evangelho por toda a terra, Paulo certamente teria preferido viver e continuar seu trabalho na terra, se a morte tivesse lhe dado a perspectiva de inconsciência ou inatividade. Certamente, na presença de Cristo há "abundância de alegrias" (Sl 16.11) e livramento de "toda má obra" (2 Tm 4.18). À luz de 2 Coríntios 12.3,4 e Hebreus 12.23 o "Paraíso" em que Cristo e os justos que já morreram estão juntos só pode ser o próprio céu.

Porém, a certeza de que para o crente o estado intermediário não inclui a plenitude da bênção da ressurreição, é revelado no fato de que Paulo esperava evitar o período de "nudez" para a alma e viver até o arrebatamento na vinda do Senhor (2 Co 5.2-8). A suprema e gloriosa antecipação do cristão é a ressurreição. *Veja* Céu.

*Os ímpios mortos.* Com relação àqueles que morrem no pecado e na incredulidade, as Escrituras ensinam que eles estão em um estado definitivamente fixo e consciente de sofrimento e castigo, embora o grau deste castigo não seja identificado especificamente como o mesmo do estado eterno que virá após a ressurreição dos ímpios. O castigo eterno está ligado àqueles que estão em seus corpos (cf. Mt 10.28). Este castigo eterno é citado no NT em relação a um lugar específico, o Geena (q.v.), que é uma designação metafórica do lago de fogo; e os sofrimentos do estado intermediário nunca são mencionados como ocorrendo ali. Isto não significa, porém, que qualquer distinção fundamental deva ser feita entre os sofrimentos do inferno como um lugar de tormento eterno, e o sofrimento que os ímpios experimentam no mundo invisível antes da ressurreição. *Veja* Inferno.

Onde quer que a esfera de castigo no estado intermediário esteja localizada, ele é mencionado no vocabulário grego do NT como Hades (q.v.). Este é o equivalente ao Seol do AT (q.v.). Parece claro que as palavras Seol e Hades nem sempre indiquem um local nas Escrituras, mas freqüentemente denotam simplesmente o estado da morte, ou a separação entre a alma e o corpo (1 Sm 2.6; Sl 89.48; At 2.27,31). Existem também algumas passagens nas quais Seol parece simplesmente designar a sepultura em um sentido geral (Gn 37.35; 44.29; Jó 14.13; Sl 6.5).

A principal passagem na qual o Hades tem uma concepção de local é Lucas 16.23. Pelo fato desta palavra estar em uma parábola, pode ser argumentado que o Senhor, ao usar o termo, não pretendesse revelar qualquer verdade com respeito a uma localidade específica como diferente de Geena, por exemplo, mas simplesmente tenha usado uma ilustração que era bem conhecida em seus dias. Quer isto seja ou não verdadeiro, esta parábola prova que, para os ímpios, o estado intermediário não é um lugar permanente de caráter neutro onde eles aguardam o juízo final, mas, antes, um lugar de sofrimento e castigo consciente de onde não há retorno. O fato de que os que partem sejam citados como se possuíssem órgãos corpóreos, não significa que eles realmente tenham corpos antes da ressurreição, pois Deus e os anjos são citados da mesma maneira.

**Quatro Erros Comuns**

Ao considerar a doutrina do estado intermediário é necessário mostrar o fato de que as Escrituras nos permitem refutar quatro erros cometidos de forma comum, com respeito à habitação da alma depois da morte.

1. A doutrina de que as almas tanto dos justos como dos ímpios dormem entre a morte e a ressurreição. Esta opinião tem sido defendida por pequenas seitas desde os primeiros dias da história da igreja. Embora seja verdade que as Escrituras freqüentemente falam da morte como um sono (Mt 9.24; At 7.60; 1 Co 15.51; 1 Ts 4.13), e que há certas passagens que podem parecer ensinar que aqueles que partiram estão inconscientes (Sl 6.5; 30.9; Is 38.18,19), as Escrituras nunca falam da alma ou da pessoa entrando em um estado de sono, mas apenas do corpo. O termo *sono* é usado porque há uma grande semelhança entre um corpo dormindo e um corpo morto; e, além disso, o sono na morte do corpo deve ser interrompido pelo reavivamento na ressurreição.

As passagens das quais se pensa indicarem que os mortos estão inconscientes, na verdade não fazem nada além de enfatizar o fato de que os mortos não são mais capazes de participar das atividades do mundo dos homens. Nenhuma passagem nas Escrituras encoraja os vivos a buscar ou esperar qualquer tipo de diálogo com os mortos (Dt 18.9-12; 1 Sm 28.7-10; Is 8.19,20). Nunca deve ser esquecido que as Escrituras claramente retratam os justos desfrutando uma comunhão consciente com Deus e com o Senhor Jesus Cristo imediatamente após a morte (veja a seção sobre "Os justos mortos" acima).

2. A doutrina que diz que o estado intermediário é um estado de provação adicional. Esta teoria ensina que a salvação através de Cristo ainda é possível no estado intermediário para certas classes de pessoas, e talvez para todas. Alguns ensinam que este é o período em que a salvação será oferecida a todas as crianças que morreram na infância e aos pagãos que nunca ouviram o Evangelho. As Escrituras freqüentemente usadas para apoiar esta teoria são 1 Pedro 3.19 e 4.6. Embora elas sejam entendidas como ensinando que Jesus foi até o mundo dos mortos para pregar (cuja interpretação não é necessária), certamente elas não provam que qualquer oferta de salvação tenha sido estendida às almas que estavam ali.

A Palavra de Deus representa uniformemente o estado de todos os homens, sejam crentes ou descrentes, como completamente fixo e decidido quando morrem. A passagem mais importante é Lucas 16.19-31, mas deve-se sempre considerar João 8.21,24; 2 Pedro 2.4,9; Judas 7-13. Além disso, as Escrituras nunca representam o destino eterno da alma como determinado por aquilo que é feito no estado intermediário (veja Mt 7.22,23; Lc 12.47,48; Gl 6.7,8; 2 Ts 1.8; Hb 9.27).

3. A doutrina ensinada pela igreja de Roma, de que as almas em paz com a igreja, mas

Ruínas da tradicional estalagem do Bom Samaritano na estrada de Jericó. HFV

não perfeitamente puras na morte (e quase nenhuma é considerada pura), devem passar por um período de purificação antes de ser permitido que entrem na perfeita e ilimitada alegria do céu. Esta purificação é realizada em um lugar chamado purgatório, onde todas as almas passam por sofrimentos com o propósito de expiação e purificação. A doutrina romanista não coloca limites no tempo que as almas podem continuar no purgatório (porém este período não ultrapassa o juízo final), uma vez que a extensão de seu sofrimento é determinada por sua culpa e impureza. Elas podem ser ajudadas pelas orações de santos que estejam vivos, e especialmente pelo sacrifício da missa oferecida em favor delas.

A autoridade católica romana para a doutrina do purgatório é quase que exclusivamente o ensino da própria igreja de Roma. O Papa deve ter jurisdição sobre o purgatório. Nenhum apelo em suporte a esta doutrina pode ser feito às Escrituras, pois como foi mostrado acima, as Escrituras ensinam que a alma do crente é imediatamente transportada para a presença de Cristo ao morrer, da mesma forma que os ímpios entram em tormento eterno. Mais do que isto, porém, a doutrina do purgatório destruiria os ensinos mais claros e vitais do Evangelho, expressos no NT. A salvação do pecador não reside em suas próprias obras e méritos, mas inteiramente no sacrifício infinitamente meritório de Cristo, ao qual os pecadores nada podem acrescentar ao fazerem alguma penitência pelo pecado (Ef 2.8,9).

Existem outras doutrinas não bíblicas que surgiram na igreja de Roma em relação à doutrina do purgatório. Por exemplo, a doutrina da super-rogação, a idéia de que um homem pode ser mais que perfeito e com seus méritos excedentes ajudar aqueles que estão sofrendo no purgatório. De uma forma estranha, os romanistas acreditam que o mérito de uma pessoa possa ser imputado a uma outra, contudo eles não conseguem crer que a justiça perfeita de Cristo seja imputada aos pecadores. A doutrina romana do purgatório pressupõe duas impossibilidades: Primeiro, que qualquer homem possa ser melhor do que deveria ser. E segundo, que o homem possa acrescentar algo à perfeita obra de salvação que Cristo realizou através de sua morte e ressurreição.

4. Finalmente, existe o erro da doutrina do aniquilacionismo. De acordo com este ensino, não há nenhuma existência consciente para os ímpios após a morte. Uma distinção pode ser feita entre aqueles que ensinam que a alma do descrente é privada da imortalidade por um ato de Deus, e assim é privada de ter consciência após a morte, e aqueles que ensinam que a imortalidade é um dom de Deus apenas para aqueles que crêem; então a alma que não crê simplesmente deixa de existir.

As Escrituras são claras sobre o fato de que tanto os ímpios como os justos viverão para sempre, e que no caso dos ímpios sua existência será de sofrimento e castigo consciente (Ec 12.7; Mt 25.46; Rm 2.8-10; Ap 14.11; 20.10,12-15).

*Veja* Morto, O; Morte; Escatologia; Imortalidade.

R. G. R.

**ESTALAGEM** A estalagem dos dias bíblicos não era nem um pouco parecida com um hotel moderno, mas é geralmente considerada similar a um caravançará oriental, que alguns dizem ainda existir em áreas rurais da Ásia. O caravançará é um grande edifício quadrado construído em torno de um pátio interno aberto. No centro do pátio existe um poço. O edifício tem freqüentemente dois andares, com o mais baixo contendo estábulos para animais e o superior consistindo de pequenas salas para uso de pessoas que estão em viagem.

Várias versões referem-se ao lugar onde os irmãos de José pararam (Gn 42.27; 43.21) como uma "estalagem", como também um lugar semelhante àquele onde Moisés e sua família se alojaram (Êx 4.24). Mas *malon*, um acampamento para pernoite, era meramente um local de descanso, não uma estalagem em cada uma destas referências, como em Josué 4.3. Por outro lado, arqueologistas judeus descobriram traços de pequenos estabelecimentos no Neguebe e no deserto da parte central norte do Sinai, datando da Idade Média do Bronze I ou período patriarcal. Estes são considerados estações de caravanas na rota comercial para o Egito (W. F. Albright, *Yahweh and the Gods of Canaan*, Garden City. Dobleday, 1968, pp. 62-73).

A estalagem na qual não havia nenhum lugar para José e Maria (Lc 2.7), é tradicionalmente entendida como um caravançará, o qual eles encontraram completamente cheio de pessoas e animais, forçando-os a alojarem-se em uma gruta próxima usada como um curral de ovelhas. Algumas autoridades, porém, defendem que a palavra grega usada aqui (*katalyma*) não se refere, absolutamente, ao um caravançará, mas a uma câmara para hospedes ou um lugar de alojamento em uma casa particular. *Katalyma* obviamente se refere a algo deste tipo em seus demais usos únicos no NT (Mc 14.14; Lc 22.11). De acordo com esta opinião, José e Maria planejavam ficar hospedados na casa de amigos ou parentes, mas as pequenas habitações e suas câmaras para hospedes estavam tão cheias que eles tiveram que ser alojados na parte inferior, onde os animais eram guardados.

A estalagem da parábola do Bom Samaritano (gr. *pandocheion*, Lc 10.34) evidentemente era um caravançará entre Jerusalém e Jericó, sendo o anfitrião ou estalajadeiro, um homem que fornecia mantimentos e supria outras necessidades dos viajantes.

G. C. L.

**ESTANDARTE** Duas palavras são usadas em hebraico no sentido de estandarte: *degel*, "algo visível", e *nes*, "levantado, exaltado". Os estandartes dos tempos bíblicos eram postes ou pedestais com alguma marca ou figura de identificação, ao invés das bandeiras e flâmulas dos nossos dias. Eles eram usados como pontos de reunião, tanto na paz quanto na guerra (Nm 21.8,9) e serviam como identificação para as várias tribos e nações (Nm 1.52; 10.14,25; Sl 20.5). O antigo estandarte de Ur (de 2500 a.C.), um painel de madeira incrustado com um mosaico de concha e lápis-lazúli, mostra como os estandartes são antigos. Um pedestal de culto do século XIII a.C., feito de bronze com uma placa de prata, mostrando a cabeça de uma deusa com cobras, foi encontrado em Hazor. Os estandartes de Roma com suas águias e outros emblemas são símbolos familiares (q.v.). *Veja* Insígnia; Bandeira.

**ESTANHO** *Veja* Minerais e Metais.

**ESTAOL, ESTAOLEUS ou ESTAOLITAS** Uma das 14 cidades ocupando os contrafortes ou Sefelá de Judá (Js 15.33). A passagem em Josué 19.41 cita Estaol e Zorá como parte da herança de Dã. O fato de tanto Judá como Dã terem terras em Estaol pode ter sido um dos fatores que contribuíram para que os danitas se sentissem aglomerados, e procurassem mais espaço (Jz 18.2). Foi entre Estaol e Zorá, em Maané-Dã, que pela primeira vez o Espírito de Deus despertou Sansão a mover-se contra os filisteus (Jz 13.25). Na morte de Sansão (Jz 16.31), seus irmãos e parentes levaram seu corpo e o sepultaram entre Zorá e Estaol no lugar de sepultura de seu pai.

Provavelmente dois ou três séculos antes dos dias de Sansão, os danitas decidiram expandir seu território (Jz 18.2). Eles enviaram cinco homens de valor de Zorá e Estaol para espiarem a terra ao norte de Canaã. Retornando a Zorá e Estaol (Jz 18.8) eles

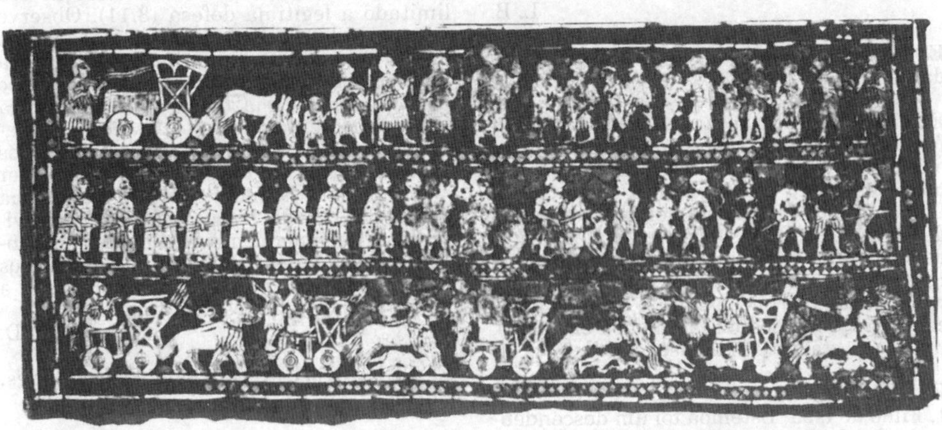

Aparentemente o estandarte de Ur, retratado aqui, servia como uma espécie de bandeira ou painel. BM

relataram que o povo vivia em segurança e que a terra era grande e boa. À luz de seu relatório, o povo de Zorá e Estaol enviou 600 homens de guerra (Jz 18.11) para garantir a terra. A localização da antiga Estaol pode ter sido o local da moderna Eshua, cerca de 20 quilômetros a oeste de Jerusalém.

C. M. H.

**ESTÁQUIS** Um cristão romano que era amigo de Paulo, e a quem o apóstolo enviou saudações (Rm 16.9).

**ESTÁTER** Esse termo foi usado apenas uma vez, em Mateus 17.27. Ele foi traduzido por algumas versões como "ciclo", e por outras como "moeda".
*Veja* Pesos, Medidas e Moedas.

**ESTATURA** As palavras hebraicas e gregas básicas para "estatura" sugerem a idéia de uma distância vertical, seja ela grande ou pequena. Obviamente, em algumas passagens está subentendida a medida de uma altura (cf. 2 Sm 21.20; Ez 17.6; Lc 2.52; 19.3). Entretanto, uma simples medida de altura não esgota todos os usos das palavras originais. Algumas referências implicam o princípio da própria vida, isto é, da duração da vida" (ISBE), conforme ilustrado em passagens como João 9.21,23 e Hebreus 11.11 onde a tradução das palavras "tem idade", "fora da idade", ou "idade avançada" corresponde à mesma palavra grega (*helikia*) traduzida em outras passagens como "estatura". A idéia da duração da vida está mais de acordo com as palavras do Senhor em Mateus 6.27 e Lucas 12.25 de que não é possível ao homem acrescentar um côvado (40 a 45 centímetros) à sua estatura ou ao período de sua vida. O Senhor está enfatizando o fato de que um homem nada pode fazer para prolongar a duração de sua vida, da mesma forma que jamais conseguiria acrescentar alguns centímetros à sua altura.

L. B.

**ESTATUTO** *Veja* Lei; Lei de Moisés; Mandamentos.

**ESTÉFANAS** Paulo chama Estéfanas e sua família de "primícias da Acaia" (1 Co 16.15) e o relaciona entre os poucos coríntios que ele havia batizado pessoalmente (1 Co 1.16). Como um dos principais membros da igreja de Corinto, Estéfanas foi enviado, com outros dois, a Paulo em Éfeso levando notícias da igreja, questões doutrinárias e práticas e, provavelmente, ofertas (1 Co 16.17). A primeira carta aos Coríntios foi, ao menos em parte, uma resposta a esses mensageiros.

**ESTEMOA**
1. Filho de Isbá, Estemoa foi um descendente de Calebe (1 Cr 4.17).
2. Um maacatita, filho de Hodias (1 Cr 4.19).
3. A palavra Estemoa é encontrada em Josué 15.50. Uma cidade aproximadamente a 12 quilômetros ao sul de Hebrom, é listada em um grupo de cidades que ocuparam o campo montanhoso de Judá. Mais tarde, ao distribuir as cidades e seus arredores para a ocupação pelos levitas (Js 21.14), Estemoa foi incluída. Assim, ela tornou-se uma cidade levita e uma cidade de refúgio no território de Judá. Uma família de levitas conhecidos como coatitas tornaram-se residentes de Estemoa (1 Cr 6.57). Durante o exílio da corte de Saul, Davi enviou parte do espólio que havia recapturado dos amalequitas para várias cidades em Judá incluindo Estemoa (1 Sm 30.28). O nome do local atual é es-Semû'a.

C. M. H.

**ESTER** Uma exilada judia que viveu na Pérsia durante o reinado de Assuero (Xerxes, 486-465 a.C.). O nome Ester vinha do persa *stara*, "estrela", ou de Ishtar, uma deusa babilônia. Seu nome heb. era Hadassa, que significa "murta". Ester era órfã e foi criada por seu primo Mardoqueu. Sua beleza foi o motivo de ter sido contada entre as virgens trazidas a Assuero para a seleção de uma rainha para reinar no lugar de Vasti. Foi escolhida, tornou-se rainha, e viveu no palácio em Susã (q.v.).
Ester também é notada por sua bravura e lealdade ao seu povo. Arriscando a própria vida, ao revelar, pela primeira vez, que era judia, fez uma súplica ao rei para assinar um novo decreto, desfazendo o decreto de Hamã contra os judeus.
Alguns a acusam de ser impiedosa e vingativa ao pedir que os judeus pudessem defender-se e matar os seus adversários. No entanto, um estudo cuidadoso não sustém essas acusações. Ela expôs a trama maligna de Hamã e procurou salvar seu povo, mas o decreto real obtido por sua interseção era limitado à legítima defesa (8.11). Observe que os judeus abstinham-se do despojo (9.10,16), e que nenhuma represália contra mulheres e crianças é mencionada. O único pedido que poderia trazer críticas contra Ester foi o de um segundo dia de derramamento de sangue, e a exibição dos corpos dos filhos de Hamã em forcas (9.3). Isto pode ter sido feito para estender o direito de legítima defesa dos judeus, se necessário, e para evitar mais derramamento de sangue, mostrando que os líderes da campanha contra dos judeus estavam mortos, indicando assim a insensatez de ataques posteriores.

R. B. D.

**ESTER, JEJUM DE** *Veja* Festividades; Purim.

**ESTER, LIVRO DE** Na Bíblia heb. este li-

Ester diante de Assuero (Vignon)

vro vem por último em um grupo de cinco livros portando o título de Megilote, após Rute, Cantares de Salomão, Eclesiastes e Lamentações.

**Considerações Textuais**

São poucos os problemas textuais neste livro. Ester é geralmente aceito como uma unidade. Apenas as passagens 9.20-32 e 10.1-3 são questionadas. Eissfeldt considera 9.20ss. uma adição explicando uma mudança de data para Purim; porém o fato desta passagem não mudar a data nega o ponto de vista de Eissfeldt. A natureza sumária de 9.20-32 é responsável por quaisquer diferenças de estilo.

Alguns rejeitam 10.1-3 como um texto cronista e deslocado em um romance histórico. No entanto, sua presença mostra que o livro de Ester é mais do que um romance. Se 10.1-3 fosse obviamente deslocado, nenhum redator o teria incluído desta forma. Assim, pode ser concluído que no Texto Masorético o livro de Ester está em boa condição textual, e que é uma obra de um único autor.

**Data**

Todas as evidências apontam para a metade do século V a.C. A passagem em Ester 10.2 indica que ele foi escrito após a compilação dos anais de Assuero (Xerxes, 486-465 a.C.). O autor tinha uma íntima familiaridade com o palácio de Susã; este palácio foi queimado em uma ocasião durante um período de 30 anos após a morte de Assuero (q.v.). Assim, uma data entre 465 e o final do reinado de seu sucessor, Artaxerxes I (464-424 a.C.), parece provável.

**Autor**

A descrição de Mardoqueu em 10.3 o impede de ser o autor. O escritor foi provavelmente um judeu desconhecido, com conhecimento pessoal de Susã, dos locais e edificações do palácio, e dos costumes persas (veja C. H. Gordon, *The World of the Old Testament*, Garden City. Doubleday, 1958, pp. 283ss., para a prática iraniana de *kitman* ou dissimulação em Et 2.10; 8.17). Ele tinha acesso aos escritos de Mardoqueu, anais de governo e decretos reais. Esdras ou Neemias têm sido sugeridos como os possíveis autores, e o estilo hebraico é bastante comparável ao de Esdras, Neemias e Crônicas.

**Esboço**

I. A Escolha de uma Nova Rainha, Caps. 1–2
  A. Vasti é deposta, 1.1-22
  B. Ester é feita rainha, 2.1-18
  C. Mardoqueu frustra uma trama contra o rei, 2.19-23

II. O Perigo do Povo Judeu, Caps. 3–7
  A. Hamã fica furioso com Mardoqueu, 3.1-5
  B. Hamã trama destruir os judeus, 3.6-15
  C. Mardoqueu convence Ester a intervir, 4.1-17
  D. Ester convida o rei e Hamã para um banquete, 5.1-14
  E. O rei faz Hamã honrar Mardoqueu publicamente, 6.1-14
  F. Ester revela ao rei a trama de Hamã, 7.1-6
  G. Hamã é enforcado e Mardoqueu é promovido, 7.7–8.2

III. A Defesa dos Judeus, Caps. 8–10
  A. Um novo edital é emitido permitindo aos judeus defenderem-se, 8.3-17
  B. Os judeus matam seus inimigos por toda a terra, 9.1-16
  C. A Festa do Purim é inaugurada, 9.17-32
  D. Mardoqueu é promovido e estimado por seu próprio povo, 10.1-3

Um capitel de touro de uma das colunas do palácio em Susã (Susã bíblica)

**Considerações Históricas**

Embora Assuero seja comumente associado com Xerxes I (486-465 a.C.), na LXX o nome Assuero aparece como Artaxerxes. Portanto, no livro de Ester, o rei foi identificado pelos estudiosos como Artaxerxes II (404-359 a.C.). A identificação tradicional parece correta pelas seguintes razões.

Heródoto vii.8 relata que Xerxes convocou uma assembléia de príncipes no terceiro ano de seu reinado para discutir uma campanha grega. Ester 1.3 refere-se a uma reunião principesca naquele ano. Xerxes retornou a Susã vários anos depois das derrotas de 480 e 479 a.C. Heródoto ix.108 declara que ele dedicou-se a assuntos privados. O livro de Ester confirma isto. Ester chegou ao harém no sexto ano (478 a.C.) e tornou-se rainha (2.16) no sétimo (477 a.C.).

O livro de Ester descreve com precisão o território governado por Assuero (1.1,3; 10.1). Nenhum outro governante persa controlou o mesmo domínio.

O caráter de Assuero é corretamente retratado. Ele desfrutava da luxúria e da sensualidade da vida da corte, e às vezes agia com brutalidade e crueldade. Assim, o Assuero do AT é caracterizado de modo semelhante ao Xerxes de Heródoto. Xerxes é conhecido como alguém capaz de tudo que foi atribuído a Assuero na Bíblia. Embora uma lei limitasse o governante persa a uma única esposa, as ruínas do palácio mostram que Dario e Xerxes tinham haréns.

O conhecimento exato do autor das seções da cidade e dos detalhes do palácio com seus acabamentos esplêndidos (1.2,5,6; 2.11,14; 3.15; 5.1; 6.4; 7.7,8) foi confirmado pelos arqueólogos franceses. *Veja* Susã.

Um comunicado com um ano de antecedência da permissão dada a Hamã por Xerxes para matar os judeus (Et 3.12-14) é historicamente compreensível. É necessário manter o valor depositado nos direitos entre os persas e nas preparações psicológicas e militares. Se for objetado que tanta notoriedade daria aos judeus a oportunidade de fugir, deve ser perguntado, para onde eles fugiriam? Não há evidências de nenhuma migração em massa de judeus durante o século V a.C. para contradizer Et 9.1,2. Eles permaneceram em suas cidades no império persa.

Em anos recentes, a precisão histórica da história de Ester tem sido desafiada em várias avaliações: (1) A história secular não sabe nada sobre uma rainha chamada Vasti ou Ester no reinado de Xerxes, mas sim sobre sua esposa Amestris, a filha de um general persa, de acordo com Heródoto (vii.61). (2) Mardoqueu parece ser mencionado (Et 2.5,6) como tendo sido levado cativo para a Babilônia (597 a.C.) por Nabucodonosor. Isto faria com que ele tivesse pelo menos 122 anos de idade quando foi elevado ao poder no décimo segundo ano de Xerxes, enquanto sua jovem prima Ester deveria ter sido no mínimo 100 anos mais jovem. (3) O edital de Xerxes permitindo que os judeus matassem 75.000 de seus súditos em um dia (Et 9.16) parece improvável. Estes, juntamente com outros problemas de natureza mais subjetiva, formam os principais argumentos contra a precisão histórica.

Em resposta a estas questões pode ser observado que. (1) Heródoto omite muitas pessoas e eventos importantes em seu relato. Um exemplo notável disto é a omissão de Belsazar (Dn 5), que recentes descobertas arqueológicas verificaram. (2) A passagem em Ester 2.5,6 pode ser interpretada significando que foi o bisavô de Mardoqueu, Quis, que foi levado cativo por Nabucodonosor. Uma inscrição cuneiforme publicada por A. Ungnad em 1941 leva o nome de Marduk-ai-a (Mardoqueu), um oficial e conselheiro persa em Susã durante o reinado de Xerxes. Inscrições babilônicas posteriores também revelam a ocorrência freqüente do nome Mardoqueu, indicando que era um nome comum deste período. *Veja* Mardoqueu. (3) A improbabilidade de 75.000 persas serem mortos em um dia não é uma impossibilidade. À luz da conhecida desconsideração persa pela vida humana, especialmente quando um membro da família real estava envolvido, e a completa força armada dos judeus por toda a província (Et 8.13; 9.5), "não é de forma alguma incrível que os judeus pudessem ter enfrentado e vencido um número tão grande de inimigos" (SOTI, p. 405).

A matança vingativa de 75.000 pessoas tem sido condenada por alguns como imoral. Deve ser lembrado, no entanto, que as leis medo-persas não poderiam ser revogadas (cf. Dn 6.8,12,15,17 com Et 1.19; 8.8). Tudo o que Xerxes poderia fazer era tomar providências para que os judeus se defendessem legitimamente. Embora a cidade de Susã tenha se regozijado pela exaltação de Mardoqueu, sua ascensão não poderia diminuir *todo* o sentimento anti-semita que havia por toda a terra (8.15-17). Em um império de 100 milhões de pessoas, não era excessivo que talvez três milhões de judeus matassem 75.000 inimigos. Oficiais do governo até ajudaram os judeus (9.3). Os judeus também, sem dúvida, sofreram algumas baixas, mas o costume geral do AT de mencionar apenas os mortos dos conquistados parece ter sido seguido (veja Keil, *The Books of Ezra, Nehemiah and Esther*, KD, pp. 307-310).

**A Falta da Menção do Nome de Deus**

Apesar dos acrósticos, Deus não é mencionado neste livro. Em uma atmosfera de ódio e oposição, não era sempre conveniente aos judeus mostrar sua religião publicamente. A população gentílica se ressentia da atitude judaica em relação aos ídolos, à religião, aos alimentos e aos casamentos mistos. Assim, sem alardear sua religião, o autor deste livro transmite uma ênfase espiritual. Mardoqueu é mostrado compartilhando a tradição de Sadraque, Mesaque e Abede-Nego ao recusar-se a prestar homenagens a Hamã (Et 3.2ss.). Sua recusa só é compreensível com base em sua estrita adesão ao Decálogo. O jejum é uma indicação adicional da prática religiosa judaica (4.16; 9.31). Et 9.31 fala do clamor dos judeus por ajuda. Ajuda de quem? Mardoqueu expressa sua fé em Deus dizendo a Ester que, se ela falhar, a ajuda virá de uma outra fonte.

A parte espiritual mais notável é a providência divina. Os judeus aprenderam sob uma aflição permitida por Deus, aquilo que eles não aprenderiam sob Sua paciência. O autor tece o padrão da providência. Antes de Hamã discutir com Mardoqueu, a deposição de Vasti forneceu a ocasião para Ester, uma judia, ganhar uma posição que lhe permitiu salvar seu povo. Mardoqueu havia ficado em dívida com o rei. Xerxes teve uma noite de insônia no momento certo e leu a porção certa do livro dos registros do governo. Tudo se encaixa. Nenhum judeu poderia ter escrito isto sem a intenção de apresentar a providência de Deus para poupar seu povo.

***Bibliografia.*** R. K. Harrison, *Introduction to the Old Testament*, Grand Rapids. Eerdmans, 1969, pp. 1085-1102. A. Macdonald, "Esther", NBC, pp. 380-386. L. B. Paton. "The Book of Esther", ICC, 1916. John C. Whitcomb, "Esther", WBC, pp. 447-457. J. Stafford Wright, "Esther, Book of". NBD, pp. 392ss; "The Toricity of the Book of Esther", NPOT, pp. 37-47.

R. B. D.

**ESTERCO** Na versão KJV em inglês, a palavra "esterco" é usada para se referir a nove palavras em heb. e a duas em grego. Embora possuam significados diferentes, todas são usadas para se referir a excremento – dispensado pelo corpo – de seres humanos ou de animais. Há várias formas de alusão ao esterco.

*Em uma conexão com os sacrifícios.* Na oferta pelo pecado, e no sacrifício do novilho, o esterco com outras porções era queimado "fora do arraial" (Ex 29.14; Nm 19.5). Malaquias 2.3 refere-se a tal esterco sendo passado no rosto dos hipócritas que ofertavam, significando que Deus permitiria que eles fossem tratados de modo vergonhoso.

*Como fertilizante.* A figueira improdutiva deveria ser "estercada" (Lc 13.8). Por várias vezes foi ameaçado que o corpo dos judeus ou de seus inimigos poderiam vir a "servir de estrume para a terra" (Sl 83.10; Jr 8.2).

*Como combustível.* Ezequiel usou esta palavra em conexão com um sinal profético (Ez 4.12,15). O esterco de gado ainda é usado como combustível na Mesopotâmia e em outras terras (sobre esta prática, veja as notas instrutivas em KD, *The book of Job*, I, 377; KD, *The Prophecies of Ezekiel*, I, 82; Doughty, *Travels in Arabia Deserts*).

*Como sltimo recurso alimentar durante a escassez.* (2 Rs 6.25). Documentos extrabíblicos também registram tais atos em épocas de extrema necessidade.

*Como figura de indignidade.* Em conexão com o julgamento divino, é dito várias vezes que os corpos de muitas pessoas serão lançados como esterco sobre a terra (1 Rs 14.10; Sf 1.17). A comparação é feita aqui com o uso do esterco como fertilizante. Em Filipenses 3.8, o apóstolo Paulo considera as honras materiais como "esterco" ("refugo") quando comparadas com o privilégio de conhecer a Cristo.

A Porta do Monturo (ou entrada do esterco; Ne 2.13; 3.13,14; 12.31) era aquela pela qual os refugos (ou o lixo) eram retirados da cidade de Jerusalém. *Veja* Jerusalém. Porta do Monturo.

G. C. L.

**ESTERCO DE POMBAS** "A quarta parte de um cabo" (medida hebraica que representa 284 mililitros ou ½ pinta) desta substância era vendida por um valor exorbitante em Samaria durante o cerco (2 Rs 6.25). As palavras heb. *hare yonim* são evidentes quando traduzidas, um exemplo da situação desesperadora e extrema que fôra provocada pelo cerco. Josefo registrou que diante da terrível situação que enfrentavam, as pessoas foram levadas a comer esterco de gado durante o cerco de Jerusalém, comandado por Tito (*Wars*, v. 13.7). Alguns comentaristas (por exemplo, WBC, p. 347) sugerem a possível comparação com uma erva árabe chamada "esterco de pardal", mas não foi encontrada uma planta hebraica que pudesse ser considerada como um paralelo. *Veja* plantas.

**ESTÉRIL, ESTERILIDADE** Para os judeus, os filhos eram uma grande bênção do Senhor (Sl 127.3-5), e não ter filhos era um sinônimo de aflição, um juízo da parte de Deus (Ex 23.26; Dt 7.14; Lv 20.21). Para uma mulher, ser estéril era a maior tristeza e vergonha. A mulher nesta condição sentia-se como alguém que tivesse fracassado em relação à sua principal razão de existir, e era vista como alguém que fôra ferida por Deus. A despeito da posição social ou de outras bênçãos que tivesse em sua vida, sentia-se profundamente triste enquanto não desse à luz (1 Sm 1). Nos dias de Abraão havia uma prática legalizada que tinha a finalidade de remediar a desgraça da esterilidade: a mulher estéril exigia do marido um filho com uma concubina, e este filho seria tratado como se fosse seu próprio filho (Gn 16.1,2; 30.3,4). *Veja* Família; Casamento.

**ESTERQUEIRA, MONTURO** Na versão KJV em inglês, o termo "esterqueira" é atribuído a várias palavras, significando: (1) uma fossa (Is 25.10) ou um monte (Ed 6.11; Lc 14.35); (2) um monte de cinzas ou lixo onde os pobres e mendigos freqüentemente ficavam (1 Sm 2.8; Sl 113.7; Lm 4.5).

**ESTÊVÃO** Membro grego da igreja primitiva de Jerusalém. Ele aparece primeiramente como um dos sete varões ou diáconos indicados para supervisionar a distribuição diária de alimentos às viúvas e a outros membros necessitados da igreja, assegurando que não houvesse injustiça na sua alocação entre os destinatários helenistas e hebreus. Parece que todos esses varões eram gregos (At 6.1-6).

Acompanhado a opinião de Abram Spiro, W. F. Albright e C. S. Mann afirmam que Estêvão era um samaritano que baseava seus argumentos no Pentateuco Samaritano (J. Munck, *The Acts of the Apostles*, Anchor Bible, 1967. Appendix V, pp. 285-300). W. Harold Maré, entretanto, refuta efetivamente essa opinião mostrando que as peculiaridades nas citações de Atos 7 favorecem o texto da LXX ("Acts 7. Jewish or Samaritan in Character?" WTJ, XXXIV [1971], 1-21).

Mas não foi como diácono que Estêvão deixou sua marca na história da igreja primitiva, mas como um inflexível apologista do cristianismo.

É evidente que ele percebia mais claramente do que muitos – incluindo até mesmo alguns dos apóstolos – o quanto a nova fé introduzida pelo Senhor Jesus contrariava a tradição judaica e o culto do templo. Ele transmitiu as suas convicções de forma a levantar uma veemente oposição entre os judeus helenistas de Jerusalém. Foi realizado um debate na Sinagoga, ao qual compareceram muitos judeus das províncias ocidentais (inclusive, provavelmente, Saulo de Tarso). Os argumentos de Estêvão sobre o caráter temporário da adoração no templo, e a substituição dos antigos costumes pelo Senhor Jesus, o segundo Moisés (Dt 18.15ss.), mostraram-se difíceis de refutar – sem dúvida por sua facilidade de mostrar que os registros dos profetas do AT confirmavam as suas palavras.

Portanto, as autoridades da Sinagoga levaram informações contra ele perante o Sinédrio. Fizeram duas acusações: (1) Que Estêvão havia cometido uma blasfêmia contra Deus ao dizer que Jesus de Nazaré iria destruir o templo (observe a grande semelhança entre essa acusação e a que foi feita contra o Senhor Jesus em Marcos 14.58); e, (2) que ele havia cometido uma blasfêmia contra Moisés ao dizer que Jesus iria mudar os costumes que o próprio Moisés lhes havia entregado (o fato dessa blasfêmia contra o legislador ter sido considerada uma ofensa capital em alguns círculos judaicos ficou evidente no relato dos essênios na obra de Josefo, *Wars* ii.8.9).

Conduzido perante o Sinédrio para responder a essa grave acusação, Estêvão foi convidado a se explicar. Sua resposta (At 7.2-53) não foi absolutamente uma defesa jurídica destinada a inocentá-lo, mas uma fundamentada apologia de seus ensinos, que adquiriu a forma de um retrospecto histórico do relacionamento de Deus com seu povo, Israel. Seus dois temas predominantes eram: (1) Deus nunca restringiu sua presença a apenas um lugar, e o pensamento de que Ele o tenha feito torna seu povo estático em suas idéias e práticas religiosas. Sua chamada a eles é para que levantem acampamento e caminhem na direção que o Senhor lhes indicar, assim como Abraão, mesmo sem saber para onde este direcionamento os está levando; (2) o povo de Israel sempre se rebelou contra Deus e perseguiu os seus mensageiros, e sua recente rejeição a Cristo é consistente com o tratamento dispensado àqueles que prenunciaram sua vinda.

Seu discurso concentrou-se em três fases da história israelita: (1) a era Patriarcal; (2) Moisés e a peregrinação pelo deserto; (3) o Tabernáculo e o templo.

1. Na Idade Patriarcal Deus revelou-se a Abraão na Mesopotâmia e esteve com José no Egito. Os Patriarcas eram peregrinos, não possuíam um centímetro quadrado de terra, estavam sempre se movendo em obediência à chamada de Deus, e nunca ficaram privados de sua preciosa presença. Entretanto, mesmo na era Patriarcal a oposição ao homem escolhido por Deus ficou evidente através da perseguição contra José que fora empreendida por seus irmãos; mas por fim José foi vindicado à vista deles (At 7.2-16).

2. Moisés também foi rejeitado por seu povo quando tentava protegê-lo, mas ele também foi vindicado. Ele recebeu a revelação de Deus – não na Terra Santa, mas no deserto do Sinai – e retornou ao Egito para livrar o povo de Deus da escravidão, mesmo quando estava sendo repudiado, embora fosse o profeta de Deus e o portador das suas leis; neste particular, Moisés era o predecessor do Próprio Cristo. A rejeição do povo a Moisés foi, portanto, uma rejeição a Deus no episódio em que adoraram o bezerro de ouro como havia sido prenunciado. Isto foi demonstrado em sua subseqüente inclinação idólatra (vv. 17-43).

3. O santuário móvel que tinham nos dias que passaram no deserto era mais adequado a um povo peregrino do que a estrutura permanente construída por Salomão. Essa estrutura fixa de Salomão levava o povo a imaginar que Deus estava sempre à sua disposição naquele lugar.

Porém agora o Senhor estava pedindo que deixassem a suposta segurança desse culto tradicional, e caminhassem para onde Ele quisesse levá-los (vv. 44-50).

As acusações de blasfêmia eram próprias daqueles cujos antepassados haviam adora-

A via Ápia nas proximidades de Roma. O topo das árvores cobre a estrada romana. HFV

do ídolos e blasfemado contra Moisés ao repudiarem sua liderança de origem divina! Além disso, não fazia muito que esses mesmos descendentes haviam mostrado que possuíam o mesmo espírito de seus ancestrais ao rejeitar a Cristo. O discurso de Estêvão como um todo era um magnífico exemplo da Apologética Helenista Primitiva do Cristianismo.

Estêvão sofreu a mesma pena de apedrejamento imposta àqueles que blasfemavam, mas em sua morte ele foi vindicado com a visão do Filho do Homem glorificado. Sua morte não foi em vão, pois foi rapidamente acompanhada pela missão aos gentios, liderada por cristãos gregos que possuíam o mesmo pensamento. Seus ensinos continuaram a produzir frutos, e ecoaram através da futura geração na Epístola aos Hebreus.

***Bibliografia.*** F. F. Bruce, *The Book of the Acts,* Grand Rapids. Eerdmans, 1954, pp. 127ss. W. L. Knox, *The Acts of the Apostles,* Cambridge. University Press, 1948, pp. 23ss., 71ss. W. Manson, *The Epistle to the Hebrews,* Londres. Hodder, 1951, pp. 25ss. M. Simon, *St. Stephen and the Hellenists in the Primitive Church,* Londres; Longmans, 1958.

F. F. B.

**ESTÓICOS** Filósofos que, junto com os epicureus, confrontaram Paulo em Atenas (At 17.18ss.). Os poetas citados por Paulo (At 17.28) eram os estóicos Aratus (*Phaenomena*) e Cleanthes (*Hino a Zeus*). Tendo começado como uma escola grega de filosofia com Zeno de Citium, em aprox. 336-260 a.C., ela foi posteriormente adotada por muitos romanos como Sêneca, tutor de Nero, e o imperador Marco Aurélio. Outros grandes estóicos foram Chrisipo, Epicteto, Cornuto e Musonio Rufo. Esse nome derivou da *stoa* (pórtico) de Atenas, onde Zeno lecionava. Essa filosofia, muito influente no período helenista, foi admitida por elementos como Sócrates, Aristóteles e pelas Escolas Cínicas. Essencialmente, tratava-se de um panteísmo racional embora apresentasse raras aproximações do monoteísmo. No estoicismo, Deus não era um ser pessoal, mas uma força espiritual ou energia mental imanente aos homens e às coisas. Ele recebeu muitos nomes – Logos ou Razão, Natureza, Providência, Espírito Divino e outros. Sua substância era o mundo todo e também o céu. Foi desenvolvido um grande panteão dedicado a corresponder à completa imanência de Deus. O bem supremo era obedecer à razão ou à virtude, suprimir as emoções e conduzir-se de acordo com o que a natureza ordenasse. No fim, haveria uma reabsorção no mundo da Alma, mas nenhuma imortalidade individual. A grandeza do estoicismo reside em seus elevados conceitos éticos e na doutrina da fraternidade humana.

R. L. J.

**ESTOJO** *Veja* Escrita.

**ESTOM** Filho de Meir e pai de três filhos, Bete-Rafa, Paséia e Teína (1 Cr 4.11,12), descendentes de Judá.

**ESTOPA** A palavra heb. *n*e*'oret* significa o refugo da fibra de linho produzido na manufatura do linho, e ocasionado pelos processos de bater e cardar as fibras. A sua natureza altamente inflamável era proverbial (Jz 16.9), e usada como um símbolo eficaz da rápida desintegração dos ímpios (Is 1.31). Algumas versões em Isaías 43.17 utilizam o termo "estopa" para traduzir o heb. *pishta* ("linho"), porém ele também pode ser traduzido como "um pavio". *Veja* Plantas.

**ESTORAQUE AROMÁTICO** *Veja* Plantas: Incenso.

**ESTORAQUE** *Veja* Plantas: Estoraque.

**ESTRADA ou CAMINHO** As estradas ligavam as antigas cidades bíblicas com a fi-

Pavimentação romana original de uma estrada em Ostia, Itália. HFV

nalidade de promover o comércio. Quando surgiam os impérios, essas rotas comerciais tornavam-se a principal preocupação dos reis para a estabilidade de seu governo. Elas atendiam às necessidades comerciais, militares e dos peregrinos. Jerusalém, Damasco, Harã, Babilônia e outras cidades da antiguidade eram importantes centros terminais dessas estradas.

A Palestina, situada entre a África e a Ásia era, inevitavelmente, atravessada pelas principais estradas sobre as quais fluía um grande tráfico entre essas áreas. Desde o início da história dessas terras, tornou-se óbvia a vantagem de cobrar tributos dessas caravanas. Para a proteção, de outros e de si mesmo, o coletor de impostos erguia fortalezas em pontos estratégicos para desempenhar sua função. Eram construídos albergues e hospedarias para servir às caravanas de peregrinos e viajantes. As fortalezas controlavam tanto o comércio como a imigração.

A estrada do Egito até a Babilônia atravessava o delta do rio Nilo ao longo da costa, ou seguia pelo Deserto de Sur e do Neguebe até a Sefelá (ou contrafortes das montanhas de Judá); depois continuava em direção ao norte, ao longo da Planície de Sarom desde a Filístia, pela passagem nas proximidades de Megido, em direção ao lado leste passando por Bete-Seã, através do Jordão, ou a noroeste passando por Cafarnaum ao norte do Mar da Galiléia (Is 9.1), subia a planície e continuava até Damasco. Suas ramificações estendiam-se a diversos lugares a oeste de Bete-Seã. Na época de Abraão, a Estrada do Rei atravessava em direção ao sul através dos planaltos a leste do Mar Morto (Gn 14). Mais tarde, Petra tornou-se uma cidade central dessa rota, e outra estrada fazia a ligação com Gaza depois de cruzar Arabá, ao sul do Mar Morto. Em direção ao oriente, outra rota levava à Arábia e ao Iêmen (cf. CornPBE, pp. 626-630).

Algumas estradas dentro das cidades assumiram um caráter sagrado. Em Jerusalém, é a Via Dolorosa, o caminho percorrido pelo Senhor Jesus Cristo desde o julgamento até a crucificação. Em Roma, é a Via Sacra, que vai do Fórum até os templos de Castor e Pólux. Na Babilônia, o caminho sagrado passava pelos Jardins Suspensos e dirigia-se para fora da cidade através do lindo portão de Istar. Cumas, Atenas e Delfos também tinham seus caminhos sagrados usados principalmente para procissões religiosas.

Os romanos construíram estradas pavimentadas com pedras para servir aos interesses do império, assim como haviam feito os heteus, assírios e persas antes deles, embora sem a utilização de pedras. Muitas das estradas romanas ainda podem ser vistas atualmente. Uma delas é a Via Ápia, que leva a Roma, e trechos de outra estrada entre Alepo e Antioquia. Os romanos também construíram marcos (que tinham uma distância aproximada de 1600 metros entre cada um deles) para mostrar as distâncias, o ano de sua construção e o nome do imperador.

Ramsay utiliza esses marcos para definir os limites das províncias romanas na Ásia Menor (veja as obras de William Ramsay, *Cities of St. Paul* e *St. Paul, Traveler and Roman Citizen*).

Em sentido *figurado*, a palavra "estrada" ou "caminho" revela a maneira de viver da humanidade (Gn 6.12), os propósitos e os atos de Deus (Êx 33.13; Sl 67.2), seus mandamentos (Gn 18.19; Êx 18.20), e as coisas que Ele está pronto para ensinar aos homens (Sl 25.8; Is 30.21; Mc 12.14).

Existe o "caminho" mal ou caminho da maldade (Sl 119.101; Is 53.6), o caminho da justiça (Mt 21.32), da paz (Lc 1.79), e do entendimento ou da ciência (Is 40.14).

Em relação ao caminho da justiça, o Senhor Jesus é a única porta para este, além de ser o próprio caminho (Jo 14.6), pois é definido como o caminho da verdade e da vida (eterna). De forma contrária à pergunta de Tomé, este caminho está bastante evidente a quem o procura (Is 35.8). No processo do arrependimento, os homens devem considerar os seus "caminhos" (Ez 20.43) e se afastar deles (2 Rs 17.13; Is 55.7).

H. G. S.

**ESTRADA REAL** Uma das principais rotas de comércio arterial, ao longo do planalto transjordaniano de Eziom-Geber, através de Carnaim até Damasco. Uma ramificação, talvez saindo da rota principal em Bozra e cruzando Arabá perto de Tamar, atravessava o Neguebe até Cades-Barnéia e talvez seguindo até o Egito através do território controlado pelos edomitas na época de Moisés (Nm 20.17). A estrada é mencionada por este nome apenas três vezes na Bíblia (Nm 20.17; 21.22; Dt 2.27). Vários segmentos também eram chamados de "o caminho do deserto de

A estrada real e as montanhas de Gileade. HFV

Moabe" (Dt 2.8) e "o caminho de Basã" (Nm 21.33; Dt 3.1). Como tal, ela servia como concorrência principal para a via Maris, no oeste, ao longo da planície costeira.

No planalto do sul da Transjordânia existe uma vertente dupla, cada uma com uma rota de caravanas. É possível segui-la por cerca de 24 quilômetros a leste de Arabá, e ela é marcada como uma ferrovia de nossos dias. Por causa dos profundos desfiladeiros cortados pelos rios Zerede e Arnom, a estrada deve seguir por outros 16 a 24 quilômetros a leste pelo deserto para cruzar estes vales. Nômades saqueadores do deserto fazem com que os povoados ao longo desta rota sejam irregulares, senão ausentes. A segunda vertente fica a oeste. Esta marcava a rota principal do grande comércio de importação de especiarias e perfumes da Arábia. Locais ao longo desta rota foram ocupados durante os períodos patriarcais e israelitas da história bíblica.

Com toda probabilidade, esta rota foi usada na invasão dos reis da Mesopotâmia (Gn 14.5,6) e certamente deve ter desempenhado um importante papel nas campanhas econômicas e militares do período do reino (cf. 2 Rs 10.33; 16.6). Em Rabate-Amom as duas linhas juntavam-se para continuar ao norte em direção a Damasco, apontando para além destes limites. Portanto, Rabate-Amom foi uma das cidades mais importantes na rota, juntamente com Bozra e Sela em Edom, Quir-Haresete em Moabe, Hesbom em Amom, Ramote-Gileade e Gerasa em Gileade, e Astarote e Carnaim em Basã.

*Veja* Viagem e Comunicação: Estrada, Rodovias e Rotas Marítimas.

P. W. F.

**ESTRADO/ESCABELO** O termo heb. *kebesh*, traduzido como "estrado", simplesmente significa aquele sobre o qual se anda, ou o que é pisado; portanto uma base, literalmente, "uma base para os pés" (heb. *hadom regel*). Na descrição do trono de Salomão, é dito que este "tinha seis degraus, e um estrado de ouro" (2 Cr 9.18).

O termo estrado é usado figurativamente, especialmente como o lugar dos pés de Deus, e refere-se ao templo que Davi pretendia construir para o Senhor, e à terra (1 Cr 28.2; Sl 132.7; Is 66.1). Também é aplicado aos inimigos de Deus; estes são o estrado dos pés do Senhor (Sl 110.1).

O termo gr. *hypopodion* significa "o que está debaixo dos pés". Tiago o usa uma vez (Tg 2.3) como um local para se sentar. Exatamente como no AT, também é usado em um sentido metafórico em Mateus 5.35; 22.44, e em passagens paralelas; Atos 2.35; 7.49; Hebreus 1.13; 10.13. Aqui o termo transmite a idéia de sujeição daqueles que estão sob os pés de Deus.

A. E. T.

**ESTRANGEIRO**[1] De maneira abrangente, trata-se de um gentio, alguém que não é israelita. A palavra incluía todos os que eram de outras nações, onde quer que residissem. O estrangeiro não podia participar da Páscoa (Êx 12.43), entrar no santuário (Ez 44.9), ser escolhido como rei (Dt 17.15), ou se casar com israelitas (Êx 34.15,16). Porém, os estrangeiros podiam ser recebidos no judaísmo através da circuncisão (Gn 17.27).

Um forasteiro (ou peregrino) era alguém que não tinha a cidadania completa, mas que vivia em um lar israelita, em contraste com um estrangeiro que permanecia em Israel temporariamente. Embora não fosse um israelita, o forasteiro tinha certos direitos e deveres. Deus admoestou seu povo a ser bondoso para com os forasteiros. "Não oprimirás o estrangeiro; porque vós conheceis o coração do estrangeiro, pois fostes estrangeiros na terra do Egito" (Êx 23.9). *Veja* Hospitalidade.

Muitos privilégios e proibições lhe eram imputados, mas não todos os deveres religiosos. Ele seria livre da circuncisão, se assim escolhesse. Ele poderia, a convite, comparecer a festas sacrificiais (Dt 16.11,14). Era-lhe permitido sacrificar ao Senhor como uma expiação pelos pecados da congregação, que foram praticados involuntariamente. Ele tinha o privilégio de trazer uma oferta pelo pecado, e também de desfrutar da proteção de uma cidade de refúgio. Pela circuncisão, era-lhe permitido participar da Páscoa (Êx 12.48). No início dos tempos do AT, os casamentos com estrangeiros eram freqüentemente realizados, embora não sancionados. Mais tarde, Esdras e Neemias tentaram vigorosamente proibir qualquer casamento com estrangeiros (Ed 10; Ne 13.23-31).

No período inicial do NT, entre o povo judeu, estrangeiros e forasteiros eram geralmente agrupados, como gentios (q.v.). Os judeus mais rigorosos não comiam nem bebiam com os gentios (At 11.3). Devido às condições existentes durante e logo após o exílio, uma atitude de ódio e escárnio desenvolveu-se entre os judeus e os gentios, que continuou durante a era cristã. Após a obra consumada de Cristo na cruz, um outro grupo, a igreja, é citado além dos judeus e gentios. A aceitação total como membro da igreja é aberta a todos os que aceitarem o sacrifício de Cristo na cruz pelo pecado. "Já não sois estrangeiros, nem forasteiros, mas concidadãos dos Santos e da família de Deus" (Ef 2.19). *Veja* Prosélito.

***Bibliografia.*** K. L. e M. A. Schmidt e Rudolf Meyer, "*Paroikos*, etc"., TDNT, V, 841-853. Gustav Stählin, "*Xenos*, etc"., TDNT, V, 1-36.

L. A. L.

**ESTRANGEIRO**[2] Esse termo do AT corresponde, geralmente, à palavra hebraica *ger* cuja tradução é "viajante" em várias versões.

Ela tem freqüentemente o significado de estrangeiro (q.v.). Havia um número significativo de estrangeiros entre os israelitas quando saíram do Egito (Êx 12.38; Nm 11.4), e esse número foi acrescido de grupos como os gibeonitas (Js 9).

O *ger* não tinha direitos hereditários com respeito à sua nova terra. Entretanto, os forasteiros ou estrangeiros residentes em Israel deviam receber hospitalidade, o inviolável direito de um viajante que se hospedava na tenda ou na casa de alguém (Jó 31.32). Em parte, porque os próprios israelitas haviam sido estrangeiros e peregrinos na terra do Egito (Êx 23.9; Lv 19.33ss.). Na verdade, eles pertenciam à mesma classe das viúvas e dos órfãos, e precisavam de uma consideração especial (por exemplo, Êx 22.21-24; Dt 10.18; 14.29; Jr 22.3). As pessoas migravam para residir em outros lugares e escapar da fome (Gn 12.10; 47.4; Rt 1.1), de seus inimigos pessoais (Êx 2.21,22), e também por razões religiosas (2 Cr 15.9).

Os estrangeiros de Israel tinham numerosas responsabilidades. Por exemplo, precisavam repousar no sábado (Êx 20.10; 23.12), observar o Dia da Expiação (Lv 16.29), e evitar o uso do fermento na Festa dos Pães Asmos (Êx 12.19). No entanto, eles tinham permissão para comparecer às três grandes festas hebraicas (Dt 16.11ss.).

A lei permitia alguns casamentos entre israelitas e estrangeiros, e isso parece ter sido bastante comum durante o período da monarquia. Entretanto, durante a restauração, Esdras e Neemias desenvolveram uma rigorosa campanha contra essa prática (Ed 10; Ne 13.23-31).

Alguns estrangeiros podiam obter uma completa cidadania em Israel, caso se submetessem à circuncisão e concordassem em obedecer à lei (Êx 12.48; Nm 15.14-16). No entanto, algumas restrições haviam sido estabelecidas para a obtenção da cidadania pelos edomitas e egípcios (Dt 23.7,8). Na época do NT, o estrangeiro naturalizado que se tornava membro da nação da aliança através da circuncisão e da adoção do Código Mosaico, era considerado um convertido ou prosélito (q.v.) do judaísmo.

Das outras três palavras hebraicas traduzidas como "peregrino", "estrangeiro" ou "forasteiro", a palavra *toshab* parece ser um grosseiro sinônimo de *ger*; *nokri* definitivamente corresponde a um estrangeiro fora da sociedade religiosa hebraica; a palavra *zar* deve ser entendida a partir do contexto como referindo-se a pessoas completamente estranhas a Israel (muitas vezes inimigos hostis), ou alguém que não era membro de alguma família definida (por exemplo, Deuteronômio 25.5).

O israelita era considerado um estrangeiro ou um peregrino do Senhor na terra de Canaã, pois esta pertencia a Ele (Lv 25.23; 1 Cr 29.15). O israelita era um "hóspede por pouco tempo" (Sl 39.12). Da mesma maneira, o cristão é um estrangeiro e um peregrino ou forasteiro na terra (1 Pe 2.11; cf. 1.17; Hb 11.9,13; Sl 119.19), pois sua verdadeira cidadania está no céu (Ef 2.19; Fp 3.20).

H. F. V.

**ESTRANGULAR ou SUFOCAR** Um meio de matar sufocando ou suprimindo a respiração. A lei judaica proibia o estrangulamento de animais para sacrifício ou alimento porque assim as pessoas iriam comer o sangue do animal ainda dentro de seu corpo (Lv 17.12).

A influência desse preceito foi transmitida à igreja primitiva, e o Concílio de Jerusalém incluiu a proibição contra comer animais estrangulados (At 15.20).

**ESTRANHO**[1] Palavra heb. comum para estrangeiro em algumas versões da Bíblia Sagrada em Neemias 13.26,27. Esta palavra significa uma pessoa que tem como origem um outro país.

**ESTRANHO**[2] Um estrangeiro (q.v.), alguém a quem são negados os privilégios de um grupo específico do qual ele não é considerado membro; algumas vezes tem o significado de "desconhecido".

**ESTRELA** Os hebreus agrupavam todos os corpos celestes, exceto o sol e a lua, sob o termo "estrela". Embora o AT faça numerosas referências às estrelas e planetas, os israelitas evidentemente não davam tanta atenção ao estudo da astronomia (q.v.) como os outros povos do Oriente Próximo. Isso, sem dúvida, devia-se em grande parte à injunção bíblica contrária à adoração de estrelas (Dt 4.19; 17.2-5; 2 Rs 17.16; Is 47.13; Jr 44.19, 25). Apesar dessa condenação, a astronomia foi introduzida em Judá pelo rei Manassés (2 Rs 21.5).

As Escrituras mencionam especificamente Arcturo ou Ursa, Plêiades e Órion (Jó 9.9; 38.31; Am 5.8), mas a maioria das referências às estrelas ou planetas é figurada ou simbólica. Sete estrelas representaram os anjos ou mensageiros das sete igrejas do Apocalipse (Ap 1.16,20). Onze estrelas representaram os irmãos de José que lhe prestaram obediência em seu sonho (Gn 37.9). Na batalha entre Baraque e Sísera, as estrelas eram vistas combatendo contra Sísera (Jz 5.20) indicando que o poder divino estava do lado dos hebreus.

A profecia de que uma estrela procederia de Jacó (Nm 24.17) foi interpretada como uma referência à primeira vinda de Cristo. O Senhor Jesus Cristo refere-se a si próprio como a resplandecente Estrela da manhã (Ap 22.16).

As estrelas também representavam os governantes da terra (Dn 8.10; Ap 6.13) e os anjos caídos (Ap 12.4). Lúcifer (Is 14.12) é chamado de "estrela da manhã" em várias versões. As inumeráveis estrelas são usadas para indicar a extensão da posteridade de Abrão (Gn 15.5).

Tem sido dedicada uma considerável atenção à estrela do "Oriente" (Mt 2.2,7,9). Embora muito esforço tenha sido despendido para comparar sua aparição com a conjunção de dois ou três planetas, não parece que essa explicação atenda aos requisitos da situação. E embora essa conjunção possa ter sido interpretada pelos magos como indicativa do nascimento do Rei dos Judeus, e possa tê-los levado à Palestina à sua procura, ela dificilmente poderia ter se colocado sobre a casa onde Ele se encontrava, e ter apontado especificamente para ela. Naturalmente, é possível que a primeira vez em que essa estrela apareceu, ela não tenha sido mais que uma conjunção de planetas e que na segunda vez (quando especificou essa casa) não representasse mais que uma luz sobrenatural.

H. F. V.

**ESTRELA DO DIA** (Do grego *phosphoros*, "que dá luz"). Significa o planeta Vênus (em latim Lúcifer), aquela estrela que precede ou acompanha o nascer do sol, a estrela da manhã. Em 2 Pedro 1.19 (cf. Lc 1.78; Ap 2.28; 22.16), esse termo é aplicado a Cristo. Isaías compara o rei da Babilônia a Lúcifer (q.v.), (Is 14.12). O mais brilhante planeta é retratado como tendo sido planejado para se elevar mais alto que as estrelas. No deserto, a estrela da manhã é tão brilhante que parece o sol, que está se levantando. Mesmo assim, Lúcifer pretende ser o sol que se levanta com seus raios curativos (cf. Ml 4.2). *Veja* Falsos deuses; Lúcifer.

**ESTRUTURA DE CAMA** *Veja* Cama.

**ESTÚPIDO** Alguém que é irracional e injusto. Esta palavra pode ser traduzida com o sentido de embrutecimento ou tolice (Sl 49.10; 73.22; 92.6; Jr 10.8,14,21; 51.17) e, portanto, direcionada a alguém que seja incapaz de aprender. Ela também pode ser traduzida como louco, néscio e estulto, o que transmite um sentido de alguém bruto, inculto e negligentemente ignorante. O conselho dos loucos ou néscios (Is 19.11) é tolo e desprovido de razão. Ao fazer uma autocrítica, Agur considera-se um bruto ou estúpido (Pv 30.2) indicando sua falta de conhecimento.

Tanques de Salomão perto de Etã

**ETÃ[1]**

1. Este nome próprio é dado tanto a um lugar no Egito como ao deserto a leste do Mar Vermelho. Êxodo 13.20 situa Etã entre Sucote e o deserto. Assim, sua localização deve ter sido nas proximidades da extremidade leste do Uádi Tumilat, e provavelmente ao norte do Lago Timsah. É muito provável que tenha sido uma fortaleza de fronteira, uma vez que o nome heb. *'etam* é cognato ao termo árabe *othom*, que significa "citadela," "fortificação de pedra". *'Etam* também pode representar a palavra egípcia *htm* significando "fortaleza". Cartas em papiro da Décima-nona Dinastia mencionam fortalezas nesta área (ANET, p. 259).

O texto em Números 33.6-8 fala da jornada de Israel entre Etã e Pi-Hairote, incluindo sua passagem através do Mar Vermelho. Do lado leste deste, eles foram para o deserto do Sinai, que era conhecido como o deserto de Etã.

2. Um filho de Zerá, filho de Judá com Tamar. Ele foi o pai de Azarias (1 Cr 2.6,8).

3. Um ezraíta da tribo de Judá, conhecido por sua grande sabedoria (1 Rs 4.31) e mencionado no título do Salmo 89.

4. Um levita da casa de Merari (1 Cr 6.44,47; 15.17,19) designado por Davi como um dos cantores do templo. Seu nome foi aparentemente mudado para Jedutum depois de ter sido designado no templo de Gibeão (1 Cr 16.38-41).

5. Um levita da casa de Libni (1 Cr 6.42,43; veja também o verso 20 e Nm 26.58).

**ETÃ[2]**

1. Uma das cinco cidades pertencentes a Simeão (1 Cr 4.32). Duas cidades adjacentes eram Aim e Rimom. Etã situava-se no extremo sul de Simeão, entre as montanhas do Neguebe, perto de Berseba. Sua localização exata é desconhecida.

2. Em 2 Crônicas 11.6 é mencionado um segundo local chamado Etã adjacente a Belém e Tecoa, construído por Roboão para defesa em Judá. Ela foi provavelmente fundada por um descendente de Hur da tribo de Judá ("pai de Etã", 1 Crônicas 4.3). A LXX inclui Etã em uma lista de 11 cidades no distrito montanhoso de Belém, não encontrado em Josué 15.59,60 no Texto Massorético hebraico. Josefo, ao falar da atividade e esplendor

de Salomão, relatou: "Havia um certo lugar, cerca de 10 quilômetros de distância de Jerusalém, chamado Etã, muito agradável; fica em meio a belos jardins, e é abundante em ribeiros de águas; de lá ele costumava sair pela manhã, sentando nas alturas" (*Ant.* viii.7.3).
Nos escritos do Talmude, 'Aim Etã é mencionado como sendo o lugar mais elevado na Palestina, e dele partia um aqueduto para o templo. Etã está localizado em um monte isolado, um pouco a leste de 'Aim 'Atã, três quilômetros a sudoeste de Belém. De acordo com Josefo (*Ant.* xviii.3.2), Pôncio Pilatos usou recursos do templo para construir um aqueduto de mais de 35 quilômetros de extensão até Jerusalém, evidentemente dos três reservatórios helenístico-romanos agora chamados de tanques de Salomão em Etã.
3. A rocha de Etã (Jz 15.8,11), onde Sansão permaneceu em uma caverna depois de atacar os filisteus, também ficava em Judá, mas era mais baixa em altitude ("e desceu", v.8) nos contrafortes da Sefelá. Uma caverna conhecida como 'Araq Isma'in, 4 quilômetros a sudeste de Zorá, atende as exigências da história e proporciona uma vista excelente de sua foz subindo as colinas do norte do Uádi Isma'in.
C. M. H.

**ETANIM** ("perene"). Em 1 Reis 8.2, o sétimo mês do ano judeu é chamado de etanim, que corresponde a tisri do calendário posterior. Era considerado o mês em que apenas torrentes perenes ainda estavam fluindo. É mencionado nas inscrições fenícias. Na época do exílio, o nome foi substituído pelo nome babilônico tisri. Corresponde ao nosso setembro-outubro e é considerado o início do ano civil para os judeus. *Veja* Calendário.

**ETBAAL** Rei dos sidônios e pai de Jezabel, mulher do rei Acabe de Israel (1 Rs 16.31). Josefo posteriormente o identifica como o rei dos tírios e dos sidônios (*Ant.* viii.13.1). Menander, o efésio, referiu-se a Itobalus, o sacerdote de Astarte, que reinou por 32 anos como rei de Tiro depois de assassinar Feles, o antigo rei (Josefo *Apion*, 1.18).

**ETE-CAZIM** Um lugar na fronteira de Zebulom (Js 19.13).

**ETER**
1. Na primeira divisão da terra, uma cidade chamada Éter foi conferida a Judá, juntamente com Libna e Asã, ao pé das montanhas ou Sefelá (Js 15.42). Esta cidade pode estar localizada em Khirbet el-'Ater, cerca de seis quilômetros ao norte de Laquis.
2. Ao lançarem sortes (Js 19.7), uma cidade chamada Eter foi atribuída (juntamente com Asa) a Simeão. Embora alguns geógrafos a considerem a mesma Eter atribuída a Judá, outros a identificam com Khirbet 'Attir, localizada 24 quilômetros a nordeste de Berseba.

**ETERNIDADE** No pensamento filosófico, tanto no antigo como no moderno, eternidade refere-se a alguma coisa fora ou em contraste com o tempo. No uso bíblico, porém, os termos heb. e gr. para a eternidade sempre representam o tempo, seja uma era específica ou um período de extensão desconhecida ou indivisível. A ênfase está na ausência do tempo, ou no tempo de duração indefinida.
O AT usa a palavra heb. *'olam*; o NT emprega o termo *aion* (Herman Sasse, "*Aion*, etc.", TDNT, I, 197-209). Estas palavras podem referir-se a períodos exatos, como também a durações indefinidas e incalculáveis. A eternidade de Deus, por exemplo, significa seu contínuo domínio sobre todo o tempo – passado, presente e futuro (Sl 10.16; 29.10; 90.1,2; 103.17-19; Is 40.28; Jr 10.10-12). A eternidade não deve ser considerada como algo que posiciona o Senhor *fora* do tempo, como faz a filosofia. Deus realizou a nossa redenção em um momento específico na história. "Vindo a plenitude dos tempos, Deus enviou seu Filho" (Gl 4.4). Cristo veio para remover os pecados "no clímax da história" (Hebreus 9.26, literalmente "na consumação dos séculos", e sua morte é vista como o evento principal que completa ou dá significado às eras), e Ele aparecerá uma segunda vez na história (Hb 9.28).
O NT grego freqüentemente emprega o plural *eis tous aionas*, "pelos séculos," ou *eis tous aionas ton aionon*, "pelos séculos dos séculos," para expressar a idéia de eternidade ou para sempre (por exemplo, Rm 1.25; 9.5; 11.36; 16.27). A referência a Deus como o "Rei dos séculos" em 1 Tm 1.17 realmente significa o "Rei eterno".
*Veja* Aeon; Estado Eterno e Morte; Tempo.
T. W. B.

**ETERNO** *Veja* Eternidade.

**ÉTICA** *Veja* Exemplo.

**ETIÓPIA, ETÍOPE** Cuxe (heb. *kush*, emprestado do egípcio *k3sh*), na maioria de suas ocorrências no AT, refere-se à terra diferentemente conhecida como Etiópia, Núbia ou o Sudão. Está localizada ao sul do Egito (daí, seu freqüente agrupamento com o Egito; cf. Gn 10.6-8; 1 Cr 1.8-10; Sl 68.31; Is 11.11; 20.3-5; 43.3; 45.14; Ez 30.4,9; Dn 11.43; Na 3.9) e em algumas épocas também compreendeu uma parte da península árabe ocidental (2 Cr 21.16 e certas inscrições assírias). A tribo Al Amran da Arábia chama a região de Zebid, no Iêmem, pelo nome de *Kush*. Ezequiel 29.10; 30.6-9 identifica sua fronteira norte como Sevene (moderna 'Aswân, na Primeira Catarata do Nilo). Sua fronteira sul não foi claramente definida, mas, provavelmente, situe-se perto de Khartum, na junção do Nilo Azul e Branco, uma pequena corrente acima da Sexta Catarata e cerca de hum mil e seiscentos quilômetros ao sul de Sevene. A etimologia popular definiu a designação gr. *Aithiopía* como a "Terra dos Rostos Chamuscados" do termo *aíthein*, "queimar," e *ops*, "face" (cf. Jr 13.23).

A Núbia sempre atraiu a atenção dos governantes egípcios por causa de suas minas de ouro e dos produtos do centro da África, tais como o marfim e o ébano, que entraram no Egito através de comerciantes núbios (cf. Is 45.14). O país foi conquistado pelos fortes reis da Décima-segunda Dinastia Egípcia, perdida durante o período dos hicsos, e reconquistada pelos faraós da Oitava Dinastia. Eles penetraram pelo sul da cidade de Napata na Quarta Catarata e colocaram Kush sob o domínio de um governador egípcio. O povo da antiga Etiópia – que eram negróides, como aparecem na arte egípcia – adotaram a religião e a cultura egípcias tão completamente, que o modo egípcio de vida permaneceu mais conservador e durou mais tempo ali do que no próprio Egito.

Por volta de 1000 a.C., Núbia readquiriu a sua independência e estabeleceu um reino com sua capital em Napata. Para uma inscrição contando da nomeação de um rei etíope deste período pelo deus egípcio Amon-Re, veja ANET, pp. 447ss. Quando o Egito enfraqueceu-se em aprox. 750 a.C., os núbios conquistaram a área superior do Egito com sua principal cidade, Tebas. Em uma única campanha, cerca de 750 pianquis trouxeram todo o restante do Egito sob o controle núbio, exceto por uma pequena porção no Delta. Assim, a Vigésima-quinta Dinastia (715-663 a.C.) consistia de uma série de governantes etíopes. Os nomes de quatro deles foram preservados: Shabako, Shabataka, Taharka (o Tiraca bíblico, q.v.), e Tanutamun. Estes dois últimos reis foram levados de volta para a Etiópia pelos reis assírios Esar-Hadom e Assurbanipal, que saqueou Tebas em 663 a.C.

Naum, que chamou a Etiópia de força de Tebas (Nô-Amom, 3.8,9), reflete com exatidão o controle núbio daquela grande cidade no Egito. Em relação ao início da Vigésima quinta Dinastia, Isaías pronunciou uma mensagem a respeito dos cuxitas (cap. 18) e uma profecia (20.3-6) para advertir Judá a não depender da ajudado Egito e da Etiópia. Sofonias (2.12) predisse a condenação final da Núbia, que foi efetuada pelos persas (Et 1.1; ANET, p. 316). Enquanto isso, as tropas etíopes lutaram com o Egito nos dias de Jeremias (46.9).

Por volta de 300 a.C., a residência real dos governantes etíopes foi transferida de Napata para Moroë na Quinta Catarata. Este reino, governado por uma sucessão de rainhas, cada uma das quais carregava o título de Candace (q.v.. At 8.27), durou até 355 d.C., e então cedeu lugar ao poder abissiniano de Aksum. Durante este período, a população tornou-se predominantemente negra. O isolamento do reino meroítico preservou sua antiga cultura egípcia de uma forma estagnada, como indicam recentes descobertas nos cemitérios reais núbios em Moroë e Barkal.

Outros nomes etíopes no AT são Zerá (q.v., o líder das forças mercenárias egípcias, 2 Cr 14.9) e o escravo Ebede-Meleque (Jr 38.7-12; 39.16). Joabe enviou um cuxita entre as suas tropas como um de seus mensageiros ao rei Davi (2 Sm 18.21-32). Soldados etíopes eram freqüentemente usados como mercenários nos exércitos egípcios tanto antes (2 Cr 12.3) como depois (Jr 46.9) de seu breve período de hegemonia sobre o Egito. A Pérsia mais tarde incorporou a Etiópia como a porção extrema a sudoeste de seu império (Et 1.1; 8.9). A esperança expressa no Salmo 68.31 de que a Etiópia estenderia suas mãos para Deus, cumpriu-se na conversão do eunuco etíope de Atos 8.26-39 que, de acordo com a tradição, tornou-se o primeiro cristão evangelista para seu povo. *Veja* Eunuco Etíope.

***Bibliografia.*** Edward Ullendorff, *Ethiopia and the Bible*, Nova York. Oxford Univ. Press, 1968.

R. Y. e J. R.

**ETNÃ** Um filho de Hela, e um membro da tribo de Judá (1 Cr 4.7).

**ETNARCA** A palavra grega *ethnarches*, um governador de um grupo étnico, ocorre em 2 Coríntios 11.32, referindo-se ao "governador" de Damasco sob o rei nabateano Aretas IV. "Etnarca" era, aparentemente, um título de realeza outorgado a um governador dependente, superior a "tetrarca", mas inferior a "rei". Arquelau, filho de Herodes, recebeu o título de etnarca da Judéia (Jos. *Ant.* xvii.11.4). Depois de ter sido deposto em 6 d.C., "o governo tornou-se uma aristocracia, e aos sumos sacerdotes foi confiado o domínio sobre a nação" (*Ant.* xx.10). Assim, Caifás tinha a maioria dos poderes de um etnarca, e era mais importante que o procurador Pilatos em todos os assuntos que não se relacionassem com a segurança do estado. O fato de Caifás ter enviado Jesus a Pilatos para julgamento, bem como a sentença, sugerem a natureza do crime atribuído ao nosso Senhor. *Veja* Governador.

**ETNI** Um levita da família de Gérson (1 Cr 6.41). Ele está incluído na genealogia de Asafe, um dos homens designados para o ministério da música na casa do Senhor, depois que o rei Davi recuperou a arca.

**EU SOU** O nome que Deus deu a si mesmo

quando encarregou Moisés de libertar os israelitas do Egito (Êx 3.14). Deus é o único Ser independente, inteiramente auto-subsistente no Universo. Tudo o que existe depende dele (Gn 1.1; cf. Cl 1.17; Hb 1.3,10). Ele não precisa de ninguém ou de nada, visto que Ele possui em si mesmo todos os relacionamentos possíveis – o Eu-ele ou o sujeito-objeto, o Eu-vocês ou o encontro pessoal, e o nós-você ou o relacionamento social (*veja* Divindade; Trindade). Tudo o que existe foi criado por Ele para sua própria glória.
Cristo declarou ser Ele mesmo o grande "EU SOU". Em João 8 Ele afirma que diz a verdade, e apóia isto declarando que está dizendo o que ouviu (v. 26), viu (v. 38), e foi ensinado pelo Pai (v. 28), e pode corroborar com Ele em qualquer momento (v. 29). Ele conclui seu argumento usando a expressão "Eu Sou" (v. 58). Quando Ele disse: "Antes que Abraão existisse, Eu Sou", os judeus perceberam que isto era uma reivindicação de divindade, particularmente porque Ele estava retornando ao "Eu Sou" do v. 24. "Se não crerdes que eu sou [a palavra 'Ele' não consta no texto grego], morrereis nos vossos pecados". Foi por isso que eles pegaram em pedras para o matar. Eles perceberam que Ele estava identificando-se com o "EU SOU O QUE SOU" de Êxodo 3.14.
Theodor Zahn encontrou expressões similares de "Eu Sou" em João 4.26; 9.9; 18.5; Mateus 14.27; Marcos 13.6; 14.62; Lucas 22.70; 24.39. Greijdanus objetou que nestas outras passagens um atributo é dado ou sugerido. No entanto, ao menos em Mateus 14.27, quando Cristo veio até os discípulos andando sobre as águas agitadas pela tempestade, Ele se anunciou dizendo: "Sou eu" (Gr. *ego eimi*). E novamente em Marcos 13.6 Ele usa o termo sem qualquer atributo, dizendo, "Muitos virão em meu nome, dizendo. Eu sou o Cristo [o texto gr. omite a palavra Cristo]; e enganarão a muitos". Por outro lado, Lucas 22.70 tem um atributo sugerido e, embora em Lucas 24.39, Cristo diga novamente "Sou Eu", Ele deixa claro que está simplesmente se identificando aos discípulos ao acrescentar a palavra *autos*, que significa "o mesmo", "Eu mesmo".

R. A. K.

**ÊUBULO** Paulo relacionou Êubulo entre os cristãos que estavam ativos no serviço em Roma, incluindo-o em um grupo que estava saudando Timóteo (2 Tm 4.21). Como esse era um nome grego, supõe-se que ele tenha sido gentio de nascimento. Nada mais se sabe sobre Êubolo.

**EUCARISTIA** *Veja* Ceia do Senhor.

**EÚDE**
1. Filho de Gera da tribo de Benjamim que foi notado por ser "um homem canhoto" (Jz 3.15). Eúde foi levantado por Deus para ser o segundo libertador dos judeus, pois sob sua liderança terminaram os 18 anos do governo moabita sobre Jerusalém. Isso foi conseguido através de um inteligente artifício. Com o objetivo de se tornar familiarizado com Eglom, o rei de Moabe e seu palácio, Eúde juntou-se àqueles que levavam para o rei o costumeiro tributo de Israel. Na viagem de volta, Eúde retornou sozinho para Jericó desde as esculturas de pedra ("imagens de escultura", Jz 3.19) de Gilgal. Nem mesmo Israel sabia a respeito dessa missão secreta a Eglom (*q.v.*) Ele foi capaz de obter uma audiência particular como rei ao informar que dispunha de uma informação secreta, e assim pode esfaquear o rei moabita em sua câmara, no alto do palácio com uma espada de dois gumes escondida, especialmente preparada para esse fim. Devido à inépcia dos servos de Eglom, Eúde escapou sem ser percebido. O juiz, então, conduziu os israelitas pelas montanhas de Efraim e os liderou na batalha contra Moabe. A estratégia militar de Eúde estava baseada no controle das travessias do Jordão. Sem a liderança de seu rei, Moabe foi derrotada. Em Juizes 3.28, Eúde reconhece a presença da mão de Deus nessa vitória. A terra, então, gozou de uma relativa paz durante 80 anos.
2. Nome de um dos filhos de Bilã e bisneto de Benjamim (1 Cr 7.10) que se tornou célebre por ser um poderoso guerreiro.

R. B. D.

**EUFRATES** O maior rio da Ásia ocidental. Nasce na Armênia central, formado pela união na Ásia Menor dos rios Kara-su e Murad-su, e a partir daí segue um curso para o sudeste até o Golfo Pérsico. Possui cerca de 2880 quilômetros de extensão. Em Korna, cerca de 160 quilômetros do golfo, ele une-se ao rio Tigre. Tem a correnteza muito lenta, exceto na estação das cheias, e não é muito profundo até sua união com o Tigre, quando forma um delta que tem lagos e baías. Quan-

Uma vista aérea do Eufrates

do a neve derrete, em meados de março, provoca a subida do seu nível gradualmente até junho. O nível continua alto durante 30 ou 40 dias até que começa a baixar. De meados de setembro até meados de outubro o nível está mais baixo.

A cheia do Eufrates e o uso de canais, como no Egito, tornaram possíveis generosas colheitas que sustentavam grandes populações. Desde as conquistas dos mongóis e dos muçulmanos, a região tem sido improdutiva em sua maior parte, mas agora o governo do Iraque está restaurando os canais e construindo barragens.

Antes da sua união ao Tigre, ele é navegável por cerca de somente 1900 quilômetros, em barcos pequenos. Depois da união, embarcações que saem para o mar podem ir até Basra. O Eufrates, juntamente com o Tigre, levou sedimentos para o Golfo Pérsico de modo que Ur, que alguns acreditam que ficava ao norte do golfo nos tempos de Abraão, está agora a mais de duzentos quilômetros de distância. Ao longo das suas margens, ou próximas a elas, havia grandes cidades no passado histórico, tais como Carquemis, Mari, Babilônia, Ur, Ereque e Eridu. Ele é mencionado no Antigo Testamento como "o rio" (Dt 11.24), "o grande rio" (Gn 15.18; Dt 1.7; Js 1.4) e duas vezes no Novo Testamento (Ap 9.14; 16.12). Era a fronteira entre os impérios egípcio e assírio (2 Rs 24.7) e foi profetizado que seria a fronteira leste da monarquia hebraica (Gn 15.18; cf. 1 Rs 4.24).

E. L. C.

**EUNICE** Este nome, que quer dizer "vitoriosa", aparece somente uma vez na Bíblia (2 Tm 1.5). Eunice era a mãe de Timóteo, e isso lhe confere uma certa importância. Ela, e sua mãe Lóide são descritas como mulheres de fé genuína no Senhor, e tinham, aparentemente, incentivado uma fé semelhante na vida do jovem Timóteo. Eunice era uma judia devota, casada com um grego. É improvável que ela fosse uma fiel cristã antes da primeira visita de Paulo a Derbe e Listra, onde vivia, mas tinha evidentemente ensinado, de maneira completa, as Escrituras do Antigo Testamento a Timóteo (2 Tm 3.15), embora ele não tenha sido circuncidado até a segunda visita de Paulo.

**EUNUCO** A palavra hebraica traduzida como "eunuco" (*saris*) também quer dizer "oficial". Normalmente, ela indica um oficial para os alojamentos das mulheres em uma corte real. Havia eunucos casados (Gn 39.1), mas normalmente eram castrados (q.v.). Esses homens podiam ser altos oficiais, como é o caso de Potifar, capitão da guarda, copeiro e padeiro de Faraó (Gn 37.36; 40.1). Havia eunucos (*saris*) servindo na corte de Acabe e Jezabel (1 Rs 22.9), e Assuero, um rei persa, tinha um eunuco cuidando do seu harém (Et 2.3,14). A lei hebraica proibia que eles trabalhassem no templo (Dt 23.1), mas havia aqueles que trabalhavam na corte de Davi (1 Cr 28.1). Os cativos passavam, freqüentemente, a ser eunucos, embora essa não fosse uma regra. Provavelmente aqueles que trabalhavam nesta condição nas cortes de Judá fossem estrangeiros. Isaías defendia a idéia de que os eunucos que desejassem manter a aliança deveriam ter os seus privilégios de adoração restaurados (Is 56.4ss.). Dois eunucos etíopes são especificamente mencionados. Ebede-Meleque, o qual pediu que Jeremias fosse libertado do calabouço (Jr 38.7-13); e o homem devoto, um oficial da rainha Candace, que foi batizado depois que Filipe lhe explicou as Escrituras na estrada de Gaza (At 8.27-40). *Veja* Eunuco Etíope.

Ser um "eunuco por causa de Cristo" ou "por causa do Reino dos céus" provavelmente significava desistir voluntariamente do casamento e da vida familiar para trabalhar para o reino dos céus (Mt 19.12).

A. W. W.

**EUNUCO ETÍOPE** A tradição etíope faz do homem mencionado em Atos 8.26-40 o fundador do cristianismo na Etiópia. Não identificável de nenhuma fonte externa confiável, ele foi possivelmente o ministro de estado responsável pela tesouraria sob o governo de Candace, rainha dos etíopes. A designação "eunuco" é traduzida em outra passagem como "oficial" ou "tesoureiro", e não carrega nenhuma sugestão especial de mutilação. No entanto, pelo uso, a palavra tornou-se sinônima da palavra latina *castratus*, significando alguém que foi emasculado. Se fosse fisicamente um eunuco, a lei expressa em Deuteronômio 23.1 o teria privado de uma plena comunhão com o judaísmo. Ele pode ter sido um "prosélito do portão". Isto é sugerido por sua viagem a Jerusalém para adorar. *Veja* Candace; Etiópia; Eunuco.

Enquanto viajava a caminho de sua casa, ele lia a Septuaginta (LXX), a tradução gr. do AT. Acredita-se que o local de seu batismo, após sua confissão de fé em Cristo, deva ter sido próximo a Gaza.

I. R.

**EUROAQUILÃO** A palavra era normalmente usada pelos marinheiros para designar um vento leste ou nordeste. Era um vento violento que, freqüentemente, originava-se nas águas de Creta, descendo rapidamente das montanhas em fortes rajadas. A palavra é formada a partir de duas outras, a palavra grega *eyros*, que quer dizer "vento leste", e a palavra latina *aquilo*, que quer dizer "vento nordeste". Assim, parece expressar um vento nordeste que se origina no leste. Ainda é comum que ventos tempestuosos vindos do leste, do sul e do nordeste agitem o Mediterrâneo.

Este foi o vento tempestuoso na ocasião do desastroso naufrágio de Paulo (At 27.14). A versão ASV em inglês traduz a palavra como Euraquilo.

**ÊUTICO** O jovem discípulo em Trôade, que estava sentado em uma janela aberta no terceiro andar de um edifício, onde Paulo estava pregando. Tendo adormecido, Êutico caiu no chão e foi dado como morto. Paulo, estendendo-se sobre o corpo, devolveu-lhe a vida (At 20.5-12).

Discute-se se Êutico estava realmente morto ou somente desmaiado, e, conseqüentemente, se foi realizado um milagre ou não. As palavras de Paulo parecem indicar que o jovem não estava realmente morto, mas as palavras de Lucas, o médico, são de que ele foi "levantado morto". Em Atos 14.19, Lucas, referindo-se ao apedrejamento de Paulo, disse que o povo considerou que o apóstolo estivesse "morto", e, por esta razão, arrastaram-no para fora da cidade. Esta não é a mesma frase que aparece em Atos 20.9, traduzida como "levantado morto". As palavras em Atos 20.9 são simples demais para justificar que elas sejam interpretadas como "levantado como se estivesse morto", que seria o necessário para entendermos que ele não estava morto.

D. L. W.

**EVA** ("vida" ou "a que dá vida"; o significado exato é incerto). Eva, a primeira mulher, esposa de Adão, e mãe de Caim, Abel, Sete e outros filhos cujos nomes não são mencionados, foi feita (literalmente "formada" Gn 2.22) por Deus a partir de uma das costelas de Adão. Ela era uma só carne com Adão, mas subordinada a ele; era sua ajudadora (cf. 1 Tm 2.12; Gn 2.20).

O nome Eva aparece somente duas vezes no Antigo Testamento (Gn 3.20; 4.1), ao passo que a palavra "mulher" é mais comumente usada. Existe uma conexão bíblica entre o nome Eva (de *hawwa*, "viver") e o fato dela ter sido a mãe dos "viventes". Como Eva comeu o fruto proibido, recebeu algumas sentenças apropriadas para sua feminilidade. (1) Ela, e sua semente, estariam envolvidas na inimizade entre Satanás e os redimidos. (2) O parto seria acompanhado pela dor. (3) Ela seria subordinada ao seu marido.

No poema sumério sobre a criação de divindades em Dilmun (*veja* Éden), o deus da água Enki está morrendo de uma doença que atingiu oito partes do seu corpo. A deusa Ninhursag traz uma cura para cada parte, inclusive para a costela, dando à luz uma deusa especial. Aquela criada para a cura da costela de Enki é chamada Nin-ti, "dama da costela". Mas em sumério, *nin-ti* também pode significar "a senhora que faz a vida". Possivelmente, este antigo jogo literário de palavras reflita, de alguma maneira, uma fonte comum com o relato de Gênesis sobre Eva (veja Samuel N. Kramer, *History Begins at Sumer*, p. 146). *Veja* Criação.

C. C. R.

**EVANGELHO** Uma palavra usada somente no NT para denotar a mensagem de Cristo. O termo gr. *euangelion*, significando "boas novas", tornou-se um termo técnico para a mensagem essencial da salvação. Ela é modificada por várias frases descritivas, tais como, "o evangelho de Deus" (Mc 1.14; Rm 15.16), "o evangelho de Jesus Cristo" (Mc 1.1; 1 Co 9.12), "o evangelho de seu Filho" (Rm 1.9), "o evangelho do Reino" (Mt 4.23; 9.35; 24.14), "o evangelho da graça de Deus" (At 20.24), "o evangelho da glória de Cristo" (2 Co 4.4), "o evangelho da paz" (Ef 6.15), "evangelho eterno" (Ap 14.6). Embora aspectos distintos da mensagem sejam indicados por vários modificadores, o Evangelho é essencialmente um. Paulo fala de "um outro evangelho" que não é um equivalente, pois o Evangelho de Deus é sua revelação, e não o resultado da descoberta (Gl 1.6-11).

O conteúdo do Evangelho é claramente definido no NT. É a mensagem proclamada e aceita da igreja cristã, pois foi recebida por todos os crentes, defendida por seu raciocínio, e constitui uma parte vital de sua experiência. É histórica em seu conteúdo, bíblica em seu significado, e transformadora em seu efeito. "Cristo morreu pelos nossos pecados, segundo as Escrituras... foi sepultado, e... ressuscitou ao terceiro dia, segundo as Escrituras... foi visto por Cefas...", são as palavras descritivas de Paulo (1 Co 15.1-6).

O Evangelho não é uma adição imprecisa de lendas antigas a respeito de Jesus, mas um conjunto bem organizado de ensinos sobre sua vida e seu significado, pregado por líderes da igreja primitiva na primeira geração após sua morte. Embora Ele não estivesse reduzido a uma formulação "catequética", era suficientemente uniforme para ser refletido nos escritos de Mateus, Marcos e Lucas, agora chamados de Evangelhos Sinóticos. Uma forma diferente da mesma pregação aparece no Evangelho de João. Por causa da qualidade e conteúdo únicos da mensagem, os escritos que o formam foram chamados de "Evangelhos". É provável, porém, que o uso técnico deste termo não apareça nas passagens narrativas do NT. Quando ele é usado, refere-se, invariavelmente, ao conteúdo ao invés do veículo; a aplicação do termo "Evangelho" à obra escrita é posterior ao século I d.C.

A verdade central do Evangelho é que Deus forneceu um modo de salvação para os homens ao dar seu Filho para o mundo. Ele sofreu como um sacrifício pelo pecado, venceu a morte, e agora oferece a oportunidade de compartilharmos seu triunfo; esta bênção está disponível a todos aqueles que o aceitarem. O Evangelho é uma boa nova porque é uma dádiva de Deus, e não algo que deva ser ganho por penitência ou por meio de alguma melhoria pessoal (Jo 3.16; Rm 5.8-11; 2 Co 5.14-19; Tt 2.11-14). O Evangelho apresenta Cristo como o mediador entre Deus e os homens, que foi ordenado por Deus para trazer uma humanidade desviada e pecadora de volta a si.

*Veja* Evangelista; Boas Novas; Lei de Moisés.

***Bibliografia.*** Gerhard Friedrich, "*Euaggelizomai* etc"., TDNT, II, 707-737.

M. C.T.

**EVANGELHOS, OS QUATRO** Os quatro primeiros livros do cânon do NT – Mateus, Marcos, Lucas e João – são chamados de Evangelhos porque são os registros escritos das primeiras pregações das boas novas a respeito de Cristo. Eles constituem um tipo distinto de literatura. Não são biografias completas, pois não tentam narrar todos os fatos da carreira de Jesus; nem são apenas histórias; nem são sermões, embora incluam pregações e discursos; também não são apenas relatos de notícias. Todos esses elementos aparecem neles, combinados em uma nova forma de organização que aparece apenas nos escritos cristãos. Estes escritos tinham a finalidade de expressar a mensagem básica dos primeiros pregadores cristãos que foi escrita para instruir os crentes na certeza de sua fé.

Os primeiros três, por causa de sua semelhança tão próxima uns com os outros em conteúdo e em pontos de vista, são chamados de Evangelhos Sinóticos. Embora sejam diferentes em muitos aspectos, eles seguem a mesma ordem geral de eventos, e lidam grandemente com o ministério de Jesus na Galiléia. João, o quarto Evangelho, contém uma seleção diferente de eventos, narra principalmente a obra de Jesus na Judéia, e interpreta sua vida sob um ponto de vista mais teológico do que os outros.

Desde o período inicial da igreja cristã os Evangelhos foram reconhecidos como registros válidos da vida de Jesus. O primeiro escritor a mencioná-los pelo nome foi Pápias de Hierápolis, que viveu no primeiro terço do século II. De acordo com o registro mostrado na obra *Historia Ecclesiae* de Eusébio (iii.39), de 350 d.C., Pápias relatou que "Mateus compôs sua história no dialeto hebreu...", e que "Marcos, sendo o intérprete de Pedro, registrou tudo com grande exatidão, porém não na ordem em que as palavras foram faladas ou na ordem em que as obras foram realizadas pelo Senhor...". Justino Mártir (aprox. 150 d.C.), mencionou "as memórias dos apóstolos, que são chamadas de Evangelhos", "compostas pelos apóstolos e por aqueles que os seguiram" (I *Apology* 66-67; *Dialogue with Trypho*, 10, 100, 103). Tatiano, um escritor gnóstico da metade do século II, combinou os quatro Evangelhos em uma harmonia. Eles devem, portanto, ter sido conhecidos e aceitos como uma obra de reconhecida autoridade antes do início do século II. Outras obras do início do século II, como o Didache, a Epístola de Inácio e a Epístola de Barnabé, contém alusões que podem ser identificadas como provenientes do Evangelho, principalmente do relato de Mateus. A recente descoberta do Evangelho Segundo Tomé, contendo exemplos muito antigos das palavras de Jesus, simplesmente confirma a existência prévia dos escritos básicos do Evangelho.

**A Origem dos Evangelhos**

A igreja cristã não começou seu evangelismo pela distribuição de literatura, mas pela pregação pública. O testemunho dos apóstolos estava centralizado na morte e ressurreição de Jesus Cristo (At 4.10), que, de acordo com Paulo, "por nossos pecados foi entregue e ressuscitou para nossa justificação" (Rm 4.25). Aonde quer que os primeiros discípulos fossem, eles proclamavam a vinda de Jesus como o Messias prometido do AT, e contavam a história de sua vida e obras. Os eventos progressivos de sua paixão constituíram a mensagem inicial pregada em qualquer localidade estabelecida. Paulo lembrou os coríntios de que ele lhes havia declarado, "primeiramente", que "Cristo morreu por nossos pecados, segundo as Escrituras, e que foi sepultado, e que ressuscitou ao terceiro dia, segundo as Escrituras, e que foi visto..." (1 Co 15.3-5). Sem dúvida alguma, porém, os apóstolos não se restringiram a estes poucos fatos, pois os seus ouvintes teriam desejado mais informações a respeito de Jesus. Os eventos significativos de sua vida devem ter sido narrados em ordem, trazendo um relato que geralmente corresponde ao conteúdo dos Evangelhos existentes.

Por causa do grande número de testemunhas e da ampla variedade de discursos, parábolas e episódios atribuídos a Jesus, deve ter havido muitas versões da história do Evangelho. Os fatos principais, porém, estavam bem claros e fixados nas mentes e nos corações, e, conseqüentemente, a tradição do Evangelho, como esta pregação oral pode ser chamada, tendia a ser uniforme em conteúdo.

Desde o início, os novos discípulos foram instruídos formalmente no "ensino dos apóstolos" (At 2.42), que deve ter contido a história e a interpretação da vida, morte e ressurreição do Senhor Jesus. Sem tal ensino, a igreja cristã teria perdido sua mensagem distinta. Embora a pregação oral possa não ter se tornado estereotipada, a constante repetição e uso do material na instrução dos crentes, provavelmente deram a ela uma forma relativamente estabelecida. Lucas faz alusão a tal procedimento ao escrever a seu amigo Teófilo: "... para que conheças a certeza das coisas de que já estás *informado*..." (do grego, *catequisado*; Lc 1.4). Este termo grego sugere a comunicação de conhecimento pela palavra falada, e pode referir-se ao ensino formal. Teófilo já havia sido informado oralmente sobre o conteúdo geral do Evangelho; Lucas fez um relato escrito deste material, para confirmar os fatos que já conhecia.

Uma vez que os novos crentes precisavam constantemente de instrução, e visto que as testemunhas originais estavam gradualmente tornando-se indisponíveis, seja por causa da dispersão ou por causa da morte, foi necessário ter um registro mais permanente. A transição da pregação para a literatura não foi preservada por nenhum relato único, e deve ser derivada por inferência das sugestões que sobrevivem nos Evangelhos existentes e em outros escritos antigos. Várias teorias foram apresentadas para explicar a origem dos Evangelhos, particularmente os Sinóticos, que apresentam a questão peculiar de semelhanças verbais próximas em algumas partes, e de conteúdo largamente diferente em outras. A existência destas similaridades e diferenças originou o "problema sinótico". Se estes três Evangelhos foram compostos independentemente, por que se assemelham de maneira tão próxima? Se não são independentes, por que diferem uns dos outros? *Veja também* Evangelhos Sinóticos.

*Tradição oral*. Os apóstolos de Jesus que haviam se associado intimamente com Ele durante os anos de seu ministério, teriam uma vasta riqueza de reminiscências das quais poderiam extrair o perfil de sua vida e as ilustrações de seus ensinos. Uma vez que seria impossível narrar em uma única mensagem tudo o que Ele fez e disse, os fatos teriam que ser selecionados para que apenas os mais significativos fossem usados. Ao pregarem, eles tendiam a repetir os eventos e ensinos essenciais, tais como o Sermão da Montanha, ou o relato da paixão, e omitir os eventos menores que pareciam de menor importância. Esta constante repetição cristalizava a mensagem de forma a tornar-se uniforme com variações ocasionais. Ao escrever, cada escritor repetiu a narrativa principal, tentando reproduzi-la de acordo com as necessidades de seu público e com seu propósito divinamente concedido. Os fatos gerais e seus respectivos significados seriam assim os mesmos para todos; a organização e as ilustrações seriam diferentes. As semelhanças nos Evangelhos dessa forma repetem os fatos comuns a todas as pregações da mensagem pela igreja; as diferenças são o resultado de uma seleção variada de episódios e pronunciamentos ajustados para o propósito do autor.

*As teorias interdependentes*. A explicação das semelhanças e diferenças nos Sinóticos pela reprodução de várias partes da tradição oral, algumas idênticas e algumas diferentes, não satisfez os estudiosos do final do século XVIII. Estes e seus sucessores mostraram que as semelhanças eram muito próximas para serem explicadas pela transmissão puramente verbal. Eles argumentaram que os Evangelhos devem ser dependentes uns dos outros. Todas as trocas de ordem possíveis foram sugeridas, mas nenhuma pôde provar um caso conclusivo. A interdependência tem sido geralmente abandonada como uma explicação do problema sinótico.

*As teorias documentárias*. Uma teoria mais recente propõe que os Sinóticos basearam-se em duas fontes primárias; o Evangelho de Marcos e uma coleção hipotética das palavras e parábolas de Jesus chamada "Q", do alemão *Quelle* significando "fonte". A teoria deve sua origem à observação de que quase todo o conteúdo de Marcos está embutido em Lucas e Mateus, e que embora Marcos e Mateus possam harmonizar-se contra Lucas, ou Lucas e Marcos contra Mateus, Mateus e Lucas nunca se harmonizam contra Marcos. "Q" foi presumidamente reconstruído a partir do material de discurso comum existente em Mateus e Lucas que não ocorre em Marcos. De acordo com esta teoria de "dois documentos", Marcos incorporou os fatos principais da vida de Jesus como foram correntemente pregados e ensinados na igreja. "Q" era composta por palavras e atos de Jesus que se tornaram conhecidos por proclamação, mas não era uma narrativa organizada. B. H. Streeter (*The Four Gospels*, 1936) estendeu sua hipótese para incluir duas outras "fontes", "M" para o material peculiar de Mateus, e "L" para a contribuição específica de Lucas.

Uma defesa plausível para a hipótese documentária geral pode ser oferecida com base em que quase toda a narrativa de Marcos está incorporada em Mateus e Lucas, e que se sabe que existiram coleções semelhantes a "Q". Fragmentos em papiro das palavras de Jesus foram descobertos em montes de entulho no Egito (veja B. P. Grenfell e A. S. Hunt, *The Logia of Jesus*, e R. M. Grant, *The Secret Sayings of Jesus*, Nova York. Doubleday, 1960).

Tal teoria, porém, levanta sérias dúvidas a respeito da independência e exatidão de Mateus e Lucas. Se os escritores destes documentos incorporaram Marcos na íntegra, ou com modificações e acréscimos quando consideraram ser adequado, eles produziram obras que podem ser classificadas com a dele por sua autoridade e importância? Além disso, nenhum traço de "Q" jamais foi encontrado. Sua existência é puramente conjectural, baseada na pressuposição de que Mateus e Lucas devem ter tido uma única fonte para seu material "não-marcosiano" comum. A construção da teoria é totalmente subjetiva, e há um desacordo entre os seus proponentes com relação à afirmação de que porções do texto do Evangelho podem ou não pertencer a "Q". E. F. Scott, que aceita a hipótese documentária, admite que "Q" não representa um único documento, mas uma série de coleções das palavras de Jesus que podem ter existido em muitas cópias ou edições (E. F. Scott, *Literature of the New Testament*, p. 41).

Embora seja possível que os escritores dos Evangelhos tenham usado fontes escritas, não há motivo para que eles não pudessem ter dependido grandemente do conhecimento direto ou de informações orais diretas para a redação da parte mais volumosa de seu material; e há pouca evidência convincente para o apoio das teorias que colocam a época da produção dos Evangelhos no final do século I ou no início do século II. Os próprios escritores poderiam ter fornecido a maior parte do material creditado às "fontes". A teoria de Streeter não necessita de duas fontes adicionais; ele simplesmente atribuiu as cartas aos próprios autores.

*Formgeschichte*. A teoria da *Formgeschichte*, uma palavra alemã que significa "história da forma" (cujo título em inglês é *Form Criticism*) foi proposta por Martin Dibelius em 1919, que tentou penetrar na tradição oral que está por trás das "fontes". Ele sugeriu que o material do qual os Evangelhos foram redigidos originalmente circulou como curtos relatos independentes que poderiam ser classificados por sua forma literária, para os quais ele propôs uma série de títulos: "A História da Paixão" quando se trata do final da vida de Jesus; "Paradigmas", ou histórias das obras de Jesus que foram usadas como ilustrações de sua mensagem; "Contos", ou eventos miraculosos que foram narrados por trazerem prazer aos ouvintes; "Lendas", ou histórias da vida de homens santos, citados como exemplos; "Palavras", pronunciamentos epigramáticos de Jesus que foram usados em exortações. De acordo com esta teoria, a partir da variada série de citações e ilustrações, os primeiros sermões foram compostos e mais tarde editados nos Evangelhos.

Embora não seja impossível que palavras e atos separados de Jesus possam ter sido citados e registrados nos Evangelhos, podemos ter dúvidas ao considerarmos se um processo tão complicado realmente ocorreu. Cada um dos Evangelhos possui marcas de uma organização intencional ao invés de ser um acúmulo acidental da tradição circulante.

A evidência mais clara disponível a respeito da origem dos Evangelhos Sinóticos pode ser compilada a partir da introdução de Lucas. O escritor reconhece logo de início que outros tentaram produzir narrativas da vida de Jesus (1.1), mas havia duas possibilidades: (a) ele não as considerava confiáveis, ou (b) não estavam disponíveis aos seus destinatários. A sua declaração, "Igualmente a mim me pareceu bem... dar-te por escrito uma exposição em ordem" (1.3), mostra que ele presumiu ter um direito igual ao dos outros de redigir um documento a respeito da vida de Jesus, e que ele possuía informações que eram superiores em qualidade. A essência de seu relato não seria um romance, mas dizia respeito aos fatos que entre eles se realizaram (fatos que já estavam totalmente estabelecidos; 1.1). Lucas tinha como certo que eles foram aceitos pela igreja como um todo, e afirmou que lhe haviam sido transmitidos por homens "que desde o princípio foram deles testemunhas oculares e ministros da palavra" (1.2). A palavra "ministro" é idêntica à palavra usada em Atos 13.5 para descrever João Marcos que era o auxiliar de Barnabé e Paulo no início de seu ministério. Visto que Lucas não estava com eles naquele momento, ele pode ter obtido de Marcos parte da informação contida em seu Evangelho – um fato que poderia explicar até certo ponto a identidade da redação. Qualquer que seja o caso, Lucas foi cuidadoso e utilizou informantes autorizados. Além disso, ele foi contemporâneo ao curso geral dos acontecimentos (1.3), alerta e consciencioso tanto na coleta quanto na transmissão da informação. Embora os outros dois escritores dos Evangelhos Sinóticos não expliquem seus procedimentos com uma clareza similar, a ordem e conteúdo gerais de suas narrativas revelam igual exatidão.

As palavras que concluem o quarto Evangelho vertem uma luz adicional sobre esta questão de composição. O escritor declara que "Jesus... operou também, em presença de seus discípulos, muitos outros sinais, que não estão escritos neste livro. Estes, porém, foram escritos para que creiais..." (Jo 20.30,31). João foi seletivo, tomando do grupo de fatos sobre a vida e o ensino de Jesus somente os itens que serviriam para seu propósito. Seu Evangelho tem um objetivo específico, e ele usou apenas os materiais que o capacitaram a atingir seu alvo. Uma vez que os Evangelhos não pretendiam ser exaustivos, não se deveria esperar que fornecessem um relato completo de tudo o que Jesus disse e fez, nem deveriam ser considerados imprecisos por diferirem entre si.

Talvez a melhor explicação do processo de escrita seja que cada um dos quatro autores tentou apresentar a mensagem central sobre Jesus ao seu próprio leitor, e conseqüentemente usou e organizou os materiais de forma independente. Por outro lado, a mensagem havia sido tão freqüentemente repetida que grande parte dela já estava fixa quanto à forma, e assim seria expressa em uma fraseologia idêntica por qualquer pessoa que a utilizasse. Além disso, não é impossível que os três autores, Mateus, Marcos e Lucas, possam ter se encontrado em um ou outro momento em suas carreiras, e trocado observações. A possibilidade de contato pessoal é ao menos tão válida quanto a da dependência documentária.

### O Evangelho de Mateus

Mateus é o Evangelho que se conhece há mais tempo, e o mais largamente usado dentre os demais Evangelhos. Como observado anteriormente, Eusébio, um historiador do século IV d.C., citou Pápias que disse que "Mateus compôs sua história no dialeto hebraico, e todos a traduziram como puderam" (Eusébio, *Historia Ecclesiae*, iii.39). Uma vez que Eusébio não citou tudo o que Pápias disse, o significado é incerto. Por "hebraico" Pápias poderia querer dizer aramaico, que era falado de forma corrente na Palestina judaica. Ele sugere que Mateus contribuiu com alguma informação clara a respeito de Jesus, que precedeu a expansão gentílica da igreja, e que conseqüentemente deve ter sido conhecida antes de 50 d.C. As citações ou alusões do Evangelho no Didache (125 d.C.), na Epístola de Barnabé (150 d.C.), na Epístola de Inácio aos Esmirnianos (118 d.C.), e no *Dialogue with Trypho*, xlix (aprox.140 d.C.) de Justino Mártir, está mais de acordo com Mateus do que com qualquer outro sinótico. O Evangelho deve ter estado em circulação no final do século I, e provavelmente em uma data bastante anterior.

Pouco é conhecido sobre o autor tradicional. Mateus (Levi, como os Evangelhos o chamam) era um cobrador de impostos, nas proximidades de Cafarnaum (Mt 9.9,10). Ele recebeu Jesus em um jantar em sua casa, e abandonou sua profissão para tornar-se um discípulo. Não há nenhuma outra menção dele exceto na lista geral de apóstolos (Mc 2.14; Lc 6.15; At 1.13). Ele deve ter sido culto, pois deve ter sido obrigado a cuidar de registros e contabilidade quando serviu ao governo. *Veja* Mateus.

A data do Evangelho de Mateus é desconhecida, mas seu silêncio quanto à destruição de Jerusalém, seu interesse pela profecia judaica, e sua consciência do sentimento judaico (Mt 28.15) apontam para uma origem não muito posterior a 50 d.C. Visto que o Evangelho atual existe somente em grego, pode ser que seu largo uso entre os cristãos gentios tenha começado com a dispersão de Antioquia, e que tenha sido extensivamente circulado pela primeira vez ali entre 50 e 65 d.C. Irineu (aprox. 180 d.C.) declarou que "Mateus também foi o autor de um Evangelho escrito entre os hebreus em seu próprio dialeto" (*Against Heresies* iii, 1.1), confirmando a declaração de Pápias. Talvez o Evangelho de Mateus tenha sido o primeiro a incorporar, em um único relato, os ensinos de Jesus que Mateus havia transcrito, e os atos de Jesus que formavam o ponto central da pregação apostólica, como proclamado por Pedro e mais tarde sintetizado por Marcos. Este pode ter sido o relato escrito mais antigo usado na transição da igreja aramaica de Jerusalém para a igreja grega da missão gentílica.

O tema do Evangelho é a apresentação de Jesus Cristo como o Messias, um tópico proeminente na pregação apostólica primitiva. A genealogia de abertura mostra que Jesus é o herdeiro das promessas feitas a Abraão e Davi. Por seis vezes nos primeiros quatro capítulos (Mt 1.22,23; 2.5,6,15,17,18; 3.3; 4.14) os eventos em sua vida estão ligados ao cumprimento de profecias. O Sermão do Monte enfatiza a relação de Jesus com a lei (5.17-20). Ele reivindicou ser um profeta maior do que Jonas, e um rei maior do que Salomão (12.41,42). Ele aceitou e elogiou a confissão de Pedro de que Ele era o Messias (16.13-20), e confirmou esta reivindicação estando sob juramento diante do sumo sacerdote (26.63,64).

O tratamento que Mateus dá ao Evangelho é predominantemente tópico. Ao invés de narrar as atividades de Jesus através de episódios curtos, como Marcos o faz, ele prefere usar grandes blocos de texto, cada um dos quais é dedicado a algum aspecto da vida e do ensino de Cristo. Os primeiros quatro capítulos dizem respeito, principalmente, à relação do AT com a vinda do Messias. O Sermão do Monte (caps. 5–7) é uma amostra da pregação de Jesus que afirma seus princípios éticos essenciais, e resume o principal conteúdo do seu ensino. Um outro conjunto de textos, de 8.1 a 11.1, forma uma lista de milagres de vários tipos. Todos ilustrando o poder de Jesus sobre a natureza, a enfermidade e a morte. O capítulo 13 contém oito parábolas do reino, retratando tanto os seus aspectos internos como externos. O conflito de Jesus com seus adversários ocupa os caps. 19–25, incluindo o famoso Discurso no Monte das Oliveiras (24–25). O restante do Evangelho é dedicado à narrativa da paixão.

A estrutura segue geralmente o padrão cronológico dos outros sinóticos. Na seqüência biográfica não se diferencia deles grandemente, embora contenha algum material que lhes falta. As duas maiores seções do livro são marcadas pela frase "desde então" ou "desde esse tempo/daí por diante" (4.17; 16.21), que introduzem em primeiro lugar o início do ministério público popular de Jesus, e, em segundo, a etapa que culminou com a crucificação. Mateus combina todas estas situações na carreira de Jesus com sua manifestação messiânica.

Várias características do Evangelho de Mateus não são duplicadas nos outros Evangelhos. O sonho de José (1.20-24), a visita dos magos (2.1-12), a fuga para o Egito (2.13-15), a matança dos meninos em Belém (2.16), o sonho da esposa de Pilatos (27.19), o suicídio de Judas (27.3-10), a ressurreição dos santos mortos por ocasião da crucificação

(27.52), o suborno dos guardas (28.12-15), e a responsabilidade batismal (28.19,20) não aparecem em nenhuma outra passagem. Dez parábolas são relatadas somente por Mateus. a do joio (13.24-30,36-43), a do tesouro escondido (13.44), a da pérola (13.45,46), a da rede (13.47-50), a do credor incompassivo (18.23-35), a dos trabalhadores na vinha (20.1-16), a dos dois filhos (21.28-32), a das bodas do filho do rei (22.1-13), a das dez virgens (25.1-13), e a dos talentos (25.14-30).
Este Evangelho enfatiza discursos e ensino. Sete discursos importantes são registrados. a pregação de João (3.1-12), o Sermão do Monte (5.1–7.29), a incumbência dos discípulos (10.1-42), as parábolas do reino (13.1-52), o significado do perdão (18.1-35), advertência e predição do fim (23.1–25.46), e a Grande Comissão (28.18-20). A ênfase está colocada muito mais no ensino do que na ação ou no desenvolvimento do caráter.
Este Evangelho é o único no qual a igreja é mencionada (16.18; 18.17). A inclusão das referências de Jesus à igreja indica que o autor estava interessado na ascensão e no crescimento da instituição. Talvez ele tivesse em mente o desenvolvimento da igreja em Antioquia.
*Veja* Mateus, Evangelho de.

### O Evangelho de Marcos

Começando com Pápias, os primeiros escritores da igreja unanimemente atribuem o segundo Evangelho a João Marcos, um jovem companheiro do grupo apostólico. A tradição corrente do século II foi bem resumida por Irineu (aprox. 180 d.C.): "Depois de sua partida [de Pedro e de Paulo], Marcos, o discípulo e intérprete de Pedro, também nos entregou por escrito o que havia sido pregado por este apóstolo" (*Against Heresies* iii. 1.1). Esta declaração é repetida em essência por Orígenes de Alexandria (aprox. 250 d.C.), por Tertuliano de Cartago (aprox. 200 d.C.) e por Jerônimo (aprox. 400 d.C.) o tradutor da Vulgata Latina. Nem em bases internas ou externas há qualquer boa razão para desafiar a autoria tradicional. A narrativa direta e simples de Marcos combina bem com o caráter conhecido de Pedro, e com o tipo de pregação que era empregada na Era Apostólica.
De acordo com os registros do NT, João Marcos era filho de uma mulher chamada Maria que possuía uma casa em Jerusalém, e era suficientemente próspera para ter servos (At 12.12,13). É possível que o "cenáculo" (salão construído em cima do andar térreo de uma casa) da última ceia tenha sido em sua casa, e que a reunião de oração pré-pentecostal tenha ocorrido ali. João Marcos devia ser conhecido de todos os apóstolos, e devia estar familiarizado com sua pregação. É provável que possa ter visto Jesus durante a última semana de sua vida, se não antes. Ele era primo de Barnabé, que o levou a Antioquia para trabalhar na igreja consigo e Paulo (At 12.25). Ele acompanhou Barnabé e Paulo em sua primeira viagem missionária (13.5), mas os deixou em Perge (13.13). Paulo recusou-se a levá-lo na segunda viagem missionária (15.36-39), mas Marcos continuou em serviço com Barnabé. Ele evidentemente teve êxito, pois nas cartas posteriores de Paulo, Marcos é recomendado como um obreiro cristão (Cl 4.10; 2 Tm 4.11). *Veja* Marcos.
Marcos estava qualificado a escrever uma narrativa da vida de Jesus, porque ele era conhecido pessoalmente do grupo apostólico, havia participado do ministério evangelístico da igreja, e pode ter sido testemunha ocular das últimas cenas da carreira do Senhor Jesus. Duas referências no Evangelho aparentemente apontam para Marcos. Uma faz alusão a um jovem que estava no jardim do Getsêmani quando Jesus foi capturado, e que escapou acanhadamente das garras do grupo que procurava prender os cristãos (Mc 14.51,52). O episódio não ocorre nos outros relatos, e é irrelevante para o ensino principal da passagem. Ele só assume um significado se for uma experiência do escritor, que fala a partir de um conhecimento direto. Talvez Marcos, curioso sobre o destino de Jesus, tenha ido ao jardim para investigar, e quase tenha sido envolvido na captura. Ele pode ter sido a única testemunha da oração que o Senhor fez naquela ocasião. A outra referência diz respeito a Simão, o Cireneu, que carregou a cruz de Jesus. Marcos informa ao leitor que Simão era pai de Alexandre e de Rufo (15.21). Não teria havido nenhum motivo para esta declaração se o autor não esperasse que os dois homens fossem conhecidos de seus leitores. Evidentemente ele era contemporâneo da geração que se seguiu imediatamente à geração de Jesus. Embora esta alusão não o identifique definitivamente como Marcos, ela o coloca no período e círculo ao qual Marcos pertencia.
O local da escrita é incerto, mas a tradição geral liga a publicação do Evangelho de Marcos com Roma. O estilo claro, conciso e elegante recorreria ao pensamento prático romano, pois ele enfatiza a ação ao invés do ensino. No texto grego há mais latinismos aqui do que nos outros Evangelhos, tais como as palavras "censo" para "tributo" (12.14); "especulador" para "executor" (6.27); *phragelloun* para o latim *flagellare*, "açoitar" (15.15); e *centurio* para "centurião" (15.39), onde Mateus e Lucas empregam um equivalente grego. Se Marcos não estivesse escrevendo para um público romano, ele pode ter sido influenciado por um ambiente romano. Possivelmente ele tenha composto a essência do Evangelho na Palestina e terminado em Roma. Pode ter sido escrito como um resumo da pregação apostólica para os gentios, para fornecer uma síntese da fé cristã para os primeiros convertidos.

O conteúdo do Evangelho é breve, mas inclusivo. Ele contém um mínimo de material de discurso e um máximo de ação, comprimido em uma série de episódios de retratos tirados de forma indiscreta e informal. Cada um apresenta Jesus em alguma apresentação ou ação, e requer uma reação pessoal por parte do leitor. Em muitos casos a reação do público a Jesus faz parte da narrativa.

Os últimos 12 versículos do Evangelho estão faltando nos manuscritos mais antigos do NT, o Códice Vaticanus e o Códice Sinaiticus, ambos do século IV. Várias outras cópias ou os omite, ou os marcam com um asterisco para indicar que eles não estão contidos em todas as fontes conhecidas ao escriba, e vários dos patriarcas da igreja primitiva nunca os citam. Na tradição do manuscrito existente há três finais diferentes: o final mais longo familiar à maioria dos leitores, e dois mais curtos que são obviamente tentativas de preencher uma lacuna. É possível que Marcos pretendesse concluir seu Evangelho em 16.8, como R. H. Lightfoot argumenta (*Locality and Doctrine in the Gospels*, pp. 1-23), mas o final é tão abrupto que alguns estudiosos consideram provável que tenha havido algum dano no manuscrito original. O final mais longo, que está impresso na maioria das traduções, pode datar do século II, e representa um resumo muito antigo dos eventos pós-ressurreição, seja de Marcos ou não.

O Evangelho de Marcos tem certas características bem definidas. Ele enfatiza a ação ao invés do ensino. Pouquíssimos discursos ou parábolas de Jesus são relatados, mas Marcos narra mais milagres do que qualquer dos outros escritores dos Evangelhos em proporção à sua extensão. Ele usa o tempo verbal presente histórico 151 vezes para tornar a história vívida. A sua linguagem é sucinta, porém ilustrativa: "Viu os céus *abertos*" (1.10); "A manada [de porcos] *precipitou-se* por um despenhadeiro no mar" (5.13); "E *riam-se dele*" (5.40); "Tinham também uns *poucos peixinhos*" (8.7). As palavras em itálico ilustram a qualidade concisa e vigorosa da escrita de Marcos. A narrativa move-se rapidamente, e está mais preocupada em mudar as cenas do que com a continuidade do raciocínio. Entretanto, este Evangelho transmite um quadro claro de Jesus, e, a partir da variedade de seus atos, compõe um retrato unificado de uma Pessoa sobrenatural que pode perdoar pecados, alimentar multidões famintas, curar os doentes, e debater com êxito com os intelectuais mais brilhantes de sua nação.

Marcos especializa-se em retratar Jesus através das reações populares que ele evocou. Ele observa repetidamente que as multidões ou discípulos "se admiraram" (1.27), ofendidos por suas reivindicações (2.7), queixosos sobre seu comportamento (2.16), temerosos de seu poder (4.41), "admirados" por seu ensino (10.26; 11.18), surpresos por sua sabedoria (12.34). Há 23 expressões de sentimento como estas que refletem as impressões que Jesus deixou sobre aqueles que o conheceram. Marcos não tenta fazer uma avaliação geral de Jesus; ele simplesmente registra as reações populares, e deixa que o leitor forme os seus próprios julgamentos.

O propósito deste Evangelho parece ser evangelístico. Ele contém menos ensino do que Mateus e é menos apologético do que Lucas. O estilo é o de um pregador de rua, que tenta manter o interesse de seus ouvintes por historietas vívidas, sentenças interessantes, e aplicações pungentes da verdade. Marcos faz com que os seus leitores sintam que ele testemunhou as cenas descritas no Evangelho, e evoca deles a resposta que o próprio Senhor Jesus teria criado.

*Veja* Marcos, Evangelho de.

### O Evangelho de Lucas

Existem mais informações a respeito da composição do terceiro Evangelho do que sobre a origem de Mateus e Marcos, pois o autor forneceu uma breve introdução (Lc 1.1-4) que explica seu método e propósito ao escrever. Este prefácio é uma chave para o livro, que propicia ao leitor entender os motivos que levaram à escrita do Evangelho e as circunstâncias sob as quais ele foi produzido. Uma comparação desta introdução com a do livro de Atos mostra que os dois documentos foram escritos pelo mesmo homem, pois ambos foram dirigidos a Teófilo; e a introdução de Atos (1.1-5) fala de um "primeiro tratado" contendo a vida e as obras de Jesus. Uma vez que o vocabulário e o estilo das duas obras são estreitamente parecidos, não pode haver nenhuma dúvida de que eles tiveram um autor em comum.

Este autor foi sem dúvida alguma Lucas, um companheiro de Paulo, que é mencionado nas epístolas como "o médico amado" (Cl 4.14). O local de seu nascimento é desconhecido, embora possa ter sido Antioquia da Síria, com o qual ele parecia estar familiarizado. Ele juntou-se ao grupo de Paulo em Trôade, por ocasião de sua segunda viagem (At 16.10), e viajou com ele a Filipos, onde provavelmente permaneceu como pastor da igreja até Paulo retornar em sua terceira viagem (At 20.6ss.). Por todo o resto do itinerário de Paulo, Lucas foi um companheiro constante, exceto que ele parece ter estado em liberdade durante o aprisionamento de Paulo em Cesaréia, pois não é mencionado no relato. Ele juntou-se novamente a Paulo na viagem a Roma (At 27.1,2 ss.) e permaneceu com ele pelo resto de sua vida (2 Tm 4.11).

*Veja* Lucas.

A tradição antiga unanimemente credita esta obra a Lucas. Justino Mártir (140 d.C.) definitivamente citou Lucas 23.46, e fez constar sua citação nas "memórias" (*Dialogue with Trypho* cv). O Fragmento Muratoriano (170 d.C.) atribuiu o terceiro Evangelho a Lucas. Tatiano (140-150 d.C.) o incluiu em sua obra *Diatessaron*. Marcion, o gnóstico (140 d.C.), aceitava Lucas como o único Evangelho em seu cânon, embora ele tenha alterado seu texto consideravelmente. Irineu (170 d.C.) o citou extensivamente e reconheceu Lucas explicitamente como seu autor (*Against Heresies* iii.1.1).

A opinião tradicional é apoiada pela evidência interna, pois Lucas é o único dos companheiros de Paulo que poderia ter escrito o livro de Atos e, conseqüentemente, este Evangelho. A linguagem de ambos os livros mostra o interesse de um médico pelos enfermos, e parte do seu vocabulário é o que um médico empregaria e não um leigo. Marcos (1.30), ao descrever a enfermidade da sogra de Pedro, diz que ela achava-se acamada com febre, mas Lucas (4.38) diz que ela achava-se enferma com "muita febre". Marcos (1.40) fala de um leproso; Lucas (5.12) diz que ele estava "cheio de lepra". Marcos (3.1), ao descrever um paralítico, diz que ele tinha uma mão mirrada; Lucas (6.6) observa que sua mão *direita* estava afetada. Marcos (5.25,26) diz que a mulher com o fluxo de sangue não foi ajudada pelos médicos, pelo contrário, piorou; Lucas (8.43,44) sugere que ela era um caso incurável.

Cadbury tinha a opinião de que a linguagem de Lucas não é um jargão técnico de um médico porque não havia nenhum nos dias do NT (*The Style and Literary Method of Luke*, em *Harvard Theological Studies*, VI, 39ss.). Cadbury pode estar certo ao pensar que os médicos gregos não tinham uma terminologia médica separada no século I, mas seu argumento não muda o fato de que o vocabulário de Lucas demonstra interesses e pontos de vista de um médico.

Além disso, o escritor parece ter tido acesso a alguns informantes que estariam disponíveis somente a uma pessoa que freqüentasse tanto os círculos oficiais como os primeiros companheiros de Jesus e os apóstolos. Os dois primeiros capítulos contêm fatos que só poderiam ser obtidos junto à família de Jesus. O autor conhecia alguns dos apóstolos; entre as mulheres ele menciona Maria Madalena, e Joana, a mulher de Cuza, o procurador de Herodes, que teria conhecido a corte de Herodes; e é possível que ele tenha se tornado conhecido de algumas das pessoas mencionadas neste Evangelho, tais como Zaqueu, o publicano de Jericó (19.2), e Cleopas, um dos dois que viajaram para Emaús no dia da ressurreição (24.13,18). Algumas destas testemunhas, por causa de suas convicções, haviam se tornado cooperadores ativos na igreja, "ministros da palavra" (1.2). Tanto por sua experiência como por sua posição, elas seriam uma fonte adequada de informações confiáveis. Lucas afirma que ele havia sido contemporâneo destes homens ("Tendo, pois, muitos empreendido pôr em ordem a narração dos fatos *que entre nós se cumpriram*") por um período considerável, e que ele estava, portanto, qualificado para escrever sobre seu testemunho.

A introdução de Lucas sugere que vários relatos da vida de Jesus já estavam em circulação quando ele compôs seu Evangelho (1.1). Não está muito claro se ele declarou este fato unicamente para justificar seu direito de produzir um outro relato, ou se estava insatisfeito com o alcance e a precisão daqueles que já haviam sido escritos. Seja qual for o caso, algumas tentativas de escrever os fatos a respeito de Jesus já haviam sido feitas, para que a igreja não ficasse desprovida de literatura. Este Evangelho pressupõe uma demanda para tais obras, e o uso de documentos para propagar a fé.

O conteúdo do Evangelho de Lucas, de acordo com seu próprio testemunho, consiste "dos fatos que entre nós se cumpriram" (1.1). Uma nota na margem da versão ASV em inglês traz a expressão "estabelecido totalmente", e esta significa "os fatos geralmente aceitos como estabelecidos". Lucas não estava tentando introduzir um novo ensino, mas estava transcrevendo a história geral da vida de Jesus como havia sido confirmado por sua própria investigação, ou pelo relato de testemunhas confiáveis. Estes fatos não eram novidades ao seu leitor, pois ele havia sido "instruído" neles. A palavra "instruído" significa literalmente, "ser informado através da palavra falada", e pode conotar um curso normal de instrução ou discipulado. Evidentemente Lucas não se restringiu a repetir o ensino da igreja, mas ele aparenta transmitir a essência da instrução oral comum fortalecida pela informação que ele havia adquirido, e motivado pela consciência de que ele possuía a autoridade da verdade.

Lucas não especificou se por "ordem" ele quis dizer seqüência cronológica, continuidade lógica, ou procedimento homilético. Em geral, sua narrativa seguiu a mesma ordem de Marcos e Mateus, com algumas inserções. Talvez Lucas tenha combinado a seqüência biográfica ou homilética da pregação corrente com seu próprio propósito didático, pois organizou o Evangelho que traz seu nome e o livro de Atos em torno do ministério do Espírito Santo na vida de Cristo e da igreja primitiva. O propósito dominante deste Evangelho era produzir certeza no raciocínio de seus leitores. O autor não poderia ter atingido este fim se tivesse construído sua narrativa sobre uma ficção ou sobre uma lenda.

Embora a data da produção não possa ser fixada com precisão, é mais provável que o Evangelho tenha sido escrito antes de 62 d.C. Como a primeira metade da obra de dois volumes de Lucas-Atos, ele deve ter sido escrito antes de Atos. O segundo foi provavelmente concluído enquanto Paulo ainda estava vivo, muito provavelmente no final de seu primeiro aprisionamento romano. Se o autor sabia mais a respeito do destino de Paulo do que o livro de Atos registra, seria improvável que ele tivesse terminado sua narrativa sem revelar os fatos. Provavelmente ele não tenha escrito mais por não haver mais o que contar. Os dois anos que Paulo passou em Roma devem ter terminado por volta de 62 d.C. Neste caso, a coleta de material para o Evangelho e sua composição provavelmente precederam esta época. Lucas teria tido ampla oportunidade de entrevistar as testemunhas da vida de Jesus e visitar as cenas de seu ministério durante a prisão de dois anos de Paulo em Cesaréia. Mesmo uma crítica tão radical quanto a de Harnack argumentou que o Evangelho de Lucas não seria posterior a 80 d.C. (veja Adolf Harnack, *Luke the Physician*, p. 163). Pode ser que ele represente de alguma forma o Evangelho que Paulo e outros membros da missão gentílica pregavam.

O local da publicação não está claro. Embora o Evangelho possa ter sido composto durante a primeira parte da prisão de Paulo, ele pode ter sido enviado em particular a Teófilo. Após o término de Atos, ambos podem ter sido dados às igrejas gentílicas gregas. Ambos foram provavelmente publicados antes da destruição de Jerusalém, pois não há nenhuma referência a este acontecimento em suas páginas.

O destinatário está claramente indicado na introdução. O Evangelho foi dedicado ao "excelentíssimo Teófilo" (Lc 1.3). "Excelentíssimo" era um epíteto geralmente reservado para a realeza e a nobreza (At 23.26; 24.3; 26.25). Teófilo era certamente um homem de elevada posição e cultura, provavelmente um oficial do governo, que havia se tornado amigo de Lucas e que era um novo cristão. Talvez a instrução que ele havia recebido na igreja conflitasse com os boatos a respeito de Jesus que lhe haviam sido familiares como um oficial do governo, e ele estava desejoso de certificar-se da verdade da questão. Lucas lhe escreveu como um amigo pessoal que poderia dirimir as suas dúvidas e levá-lo a uma fé inteligente.

O Evangelho de Lucas é o mais literário dos quatro. Sua introdução está intimamente de acordo com a forma literária clássica empregada para os livros. A genealogia, o nascimento, a juventude, e a introdução de Jesus em seu ministério público são descritos com mais detalhes do que nos outros Evangelhos. Na seção do Evangelho que é peculiarmente semelhante aos escritos de Lucas (9.51–18.14), há várias parábolas e ilustrações que são singulares, e que revelam o discernimento e o arranjo de um artista literário. As parábolas da ovelha perdida, da dracma perdida, e dos dois filhos em Lucas 15 são histórias curtas de alta qualidade. Levando-se em conta o fato de que elas foram originalmente proferidas por Jesus, sua transcrição mostra a mão de um hábil artífice que sabia como escrever eficazmente.

Lucas apresenta Cristo como o Salvador dos homens, que está interessado nos pobres e oprimidos, e que veio para lhes trazer livramento.

Por causa de seu desejo de tornar a mensagem de Cristo convincente a Teófilo, ele enfatiza o aspecto histórico do Evangelho. Explica totalmente o ambiente de onde Jesus veio, fornece sua genealogia pela descendência natural ao invés que traçar a linhagem real como faz Mateus, e coloca toda a narrativa em um cenário cronológico que tem relação com a corrente contemporânea dos assuntos do mundo (Lc 2.1,2; 3.1,2). Embora sua abordagem seja menos didática do que a de Mateus, ele inclui uma grande quantidade dos ensinos de Jesus de forma que seu pensamento seja adequadamente representado. Lucas lida mais com as personalidades do que os outros escritores sinóticos, tanto nos contatos com as pessoas, como nas características literárias de suas parábolas. A ligação do Evangelho com Atos revela sua perspectiva histórica, pois ele estava considerando a vida de Jesus não como uma unidade por si só, mas como uma primeira parte do ministério, que teve sua continuidade através dos líderes da igreja que, finalmente, levaram o Evangelho de Jerusalém, o centro do mundo judeu, para Roma, o centro do mundo gentílico. Ele enxergou no cristianismo a manifestação do plano de Deus para o mundo, e não simplesmente a origem de uma seita.

A tradição católica romana diz que Lucas foi um artista que pintou um quadro de Maria. Ele foi, seguramente, um artista nas palavras. Somente ele dentre os escritores dos Evangelhos preserva os quatro cânticos: o *Magnificat* (1.46-55), o *Benedictus* de Zacarias (1.68-79), o *Gloria in Excelsis* dos anjos no nascimento de Cristo (2.14), e o *Nunc Dimittis* de Simeão (2.29-32). Seu vocabulário é variado e colorido. Sua reprodução das parábolas de Jesus, particularmente na seção peculiar a Lucas (9.51–18.14), revela uma habilidade literária de altíssima qualidade.

O Evangelho é universal em seu apelo. Ele apresenta Jesus como o Filho do Homem, que pertence a toda a humanidade e que se compadece de todos. Somente Lucas relata a parábola do Bom Samaritano, que mostra que o próximo não é determinado pela raça ou pela cultura, mas pelo amor. As mulheres e as crianças obtêm um maior reconhecimento em seu Evangelho do que em qualquer outro. Ele amplia o ministério de Jesus

entre os pobres e oprimidos. O *Magnificat* (1.53) diz:
"Encheu de bens os famintos, despediu vazios os ricos".
As primeiras palavras de Jesus na sinagoga em Nazaré eram uma citação de Isaías 61.1. "O Espírito do Senhor é sobre mim, pois que me ungiu para evangelizar os pobres..." (Lc 4.18). Nas parábolas do rico tolo (12.16-21), da grande ceia (14.15-24), e do homem rico e Lázaro (16.19-31), Lucas refletiu a preocupação de Jesus pela difícil situação dos pobres.
Lucas enfatiza particularmente dois temas teológicos. A oração é um dos seus tópicos mais proeminentes. Ele observa a oração de Jesus em seu batismo (3.21), em sua retirada para o deserto (5.16), antes da escolha dos doze discípulos (6.12), antes da predição de sua morte (9.18), antes de ensinar os seus discípulos (11.1), em uma intercessão especial por Simão Pedro (22.32), na oração no Getsêmani (22.41), e na cruz (23.34,46). Um segundo tema é o Espírito Santo, que é mencionado mais vezes do que em Mateus e Marcos juntos. Lucas indica que tudo na vida de Jesus foi vivido pelo Espírito. O Espírito criou seu corpo (1.35); Ele foi batizado com o Espírito (3.22), provado pelo Espírito (4.1), comissionado pelo Espírito para a obra de sua vida (4.14,18), encorajado pelo Espírito em sua obra (10.21), e Ele ordenou que os seus discípulos aguardassem o Espírito antes que se incumbissem de seus trabalhos (24.49). Todos estes temas são mencionados pelo livro de Atos, que mostra que eles representam o interesse do autor, e também têm a finalidade de ser os fatos históricos.
O conteúdo doutrinário não é tão pronunciado quanto o de Mateus ou o de João, mas é suficiente para revelar a subcorrente da teologia cristã. Lucas apresenta Cristo como o Filho de Deus, cuja filiação é atestada pelos anjos (1.35), pelos demônios (4.41) e por Deus Pai (9.35). O conceito de salvação é declarado nas próprias palavras de Jesus: "Porque o Filho do Homem veio buscar e salvar o que se havia perdido" (19.10). No capítulo final, Lucas enfatiza a verdade de que Jesus é o Messias predito pelas Escrituras do AT: "Assim convinha que o Cristo padecesse e, ao terceiro dia, ressuscitasse dos mortos; e, em seu nome, se pregasse o arrependimento e a remissão dos pecados, em todas as nações..." (24.46,47). O clímax de seu ensino cumpre seu propósito declarado de conferir a certeza espiritual ao seu leitor.
*Veja* Lucas, Evangelho de.

### O Evangelho de João

O quarto Evangelho difere fortemente dos sinóticos em conteúdo e organização. A diferença é tão radical que alguns estudiosos têm desafiado sua autenticidade, dizendo que os relatos sinóticos e os de João a respeito da vida de Cristo não podem ser ambos verdadeiros. O Evangelho de João não contém parábolas, poucas das palavras epigramáticas de Jesus que são tão comuns nos sinóticos, apenas sete milagres, cinco dos quais os sinóticos não registram, e vários discursos longos e argumentativos relacionados com a pessoa de Jesus que os sinóticos não duplicam. O Evangelho de João é organizado mais como um sermão do que como uma biografia, e lida com a vida de Jesus como um incentivo à fé ao invés de ser uma tentativa de resumir as ocorrências históricas. A autoria de João tem sido negada pelos críticos do século XIX, a partir de Bretschneider (1820), até escritores mais recentes como James Moffatt (*Introduction to the Literature of the New Testament*, pp. 566-619) e Pierson Parker ("John the Son of Zebedee and the Forth Gospel", JBL, LXXXI [1962], 35-43).
A tradição de que João o filho de Zebedeu foi o escritor é antiga, e é apoiada por consideráveis evidências. O Fragmento Rylands, um pequeno pedaço de papiro contendo em seus dois lados algumas palavras de João, data do primeiro quarto do século II, e demonstra que o Evangelho foi copiado provavelmente em 125 d.C. Há alusões na Epístola de Barnabé (125 d.C.), na Epístola de Inácio (110 d.C.), e na de Justino Mártir (140 d.C.) que parecem ter tido sua origem neste Evangelho. Heracleon, um gnóstico que pertencia a uma escola de pensamento que surgiu entre 140 e 180 d.C., escreveu um comentário sobre o quarto Evangelho. Tatiano (140 d.C.) o utilizou em sua obra *Diatessaron*, e assim não pode haver nenhuma dúvida de sua existência antes da metade do século II. A partir da época de Irineu (170-180 d.C.) o testemunho dos patriarcas é quase unânime mostrando que o quarto Evangelho é uma obra autêntica de João, o discípulo amado.
O próprio Evangelho contém marcas de sua autoria. O escritor era familiarizado com os costumes e tradições judaicas, e conhecia o AT. Ele era familiarizado com os locais da Palestina, e havia vivido em Jerusalém e seus arredores. Ele professou ter visto Jesus, pois observou que viu "sua glória..." (1.14), e de ter estado presente na crucificação (19.35). Ele registrou a hora em que Jesus sentou-se perto do poço de Sicar (4.5,6), o número e tamanho das talhas de pedra no casamento em Caná (2.6), a relva no lugar onde o Senhor alimentou de mais de 5.000 pessoas (6.10), os vários detalhes a respeito da morte e sepultamento de Jesus (caps. 18–19). O capítulo final do livro o identifica com o anônimo "discípulo amado" que foi o companheiro de Pedro na expedição de pesca após a ressurreição (21.7) e também na investigação do túmulo (20.2). Ele deve ter sido um companheiro íntimo de Jesus, pois se reclinou perto dele na última ceia. Os discípulos de Jesus que são mencionados pelo nome – Pedro, André, Filipe, ou Natanael –

não podem preencher os requisitos e assim ser identificados como este discípulo amado, uma vez que são mencionados na terceira pessoa. Tiago e João, os filhos de Zebedeu, estavam presentes nas ocasiões mencionadas acima, mas Tiago não poderia ter sido o autor uma vez que foi martirizado em uma data anterior, provavelmente por volta de 44 d.C. (At 12.2). Pelo processo simples de eliminação, João, o filho de Zebedeu, é o candidato mais provável à autoria deste livro.

A objeção de que ele era "sem letra e indouto" (At 4.13), de que era galileu e não judeu, e de que seu caráter conhecido não está de acordo com o temperamento do autor, como deduzido a partir dos escritos, não é válida. Falava-se grego na Galiléia, e embora João possa não ter sido um homem culto, ele pode ter aprendido a expressar-se em grego simples, porém bom, como se vê no quarto Evangelho. Se o livro fosse escrito no final de sua vida, ele teria tido ampla oportunidade tanto de melhorar sua linguagem como seu conhecimento teológico. A linguagem do quarto Evangelho mostra que seu autor possuía um temperamento ardente que havia sido disciplinado pelo contato com o mundo, e que ele escreveu sob a perspectiva de alguém que passou muitos anos no ministério de Cristo. A explicação das palavras de Jesus a respeito da sua longevidade (Jo 21.22,23) sugere que ele deva ter sobrevivido até uma idade avançada, ou que não teria sido necessário que o autor incluísse a explicação.

As diferenças entre o conteúdo de seu Evangelho e o dos sinóticos, podem ser explicadas, em grande parte, presumindo que o autor estava familiarizado com a tradição sinótica, o relato da vida de Jesus correntemente pregado e incorporado em Mateus, Marcos e Lucas, e que ele estava tentando, conscientemente, acrescentar um suplemento ao Evangelho, enquanto integrava, por meio deste e simultaneamente, uma nova avaliação da vida de Jesus. Algumas dificuldades cronológicas, tais como colocar a purificação do templo no início do ministério de Jesus (2.13-22), e a seqüência das últimas horas da vida de Jesus, ainda não foram perfeitamente resolvidas. O Evangelho é, porém, uma história autêntica, e não deve ser descartada como se fosse uma mera "teologização".

Comparativamente pouco é conhecido a respeito de João, filho de Zebedeu. Seu pai era um próspero pescador galileu, que possuía barcos, e havia contratado empregados (Mc 1.19,20). Sua mãe era Salomé, que pode ter sido a irmã mais velha de Maria, mãe de Jesus (Mt 27.56; Mc 15.40; Jo 19.25). João era sócio no negócio da pesca com seu irmão Tiago, com Pedro e André (Lc 5.10). Os quatro homens provavelmente estavam entre os primeiros discípulos de João Batista; talvez João fosse o segundo membro dos dois que primeiro seguiram a Jesus (Jo 1.35-37). Se assim for, ele testemunhou o casamento em Caná (2.2), e mais tarde abandonou o negócio de pesca para seguir Jesus.

Mais tarde, durante o ministério, ele participou da pregação geral dos doze (Mt 10.1,2). Tanto ele como seu irmão eram tão agressivos que foram chamados de "filhos do trovão" (Mc 3.17), mas a censura de Jesus disciplinou o temperamento precipitado destes homens (Lc 9.49-55). João assumiu a responsabilidade pela mãe de Jesus por ocasião da crucificação (Jo 19.26,27), e foi um dos primeiros a perceber o significado da ressurreição (20.8). Tanto por seu conhecimento íntimo de Cristo como por sua longa experiência espiritual, ele estava bastante qualificado para escrever um Evangelho interpretativo. *Veja* João.

A data do quarto Evangelho tem sido colocada em vários intervalos de 40 a 140 d.C. Goodenough e Albright argumentam, por diferentes razões, que João pode ter escrito em 40 d.C. (Erwin R. Goodenough, "John a Primitive Gospel", JBL, LXIV [1945], 145-182; W. F. Albright, "Recent Discoveries in Palestine and the Gospel of John" em Davies e Daube, ed., *The Background of the New Testament and Its Eschatology*, pp. 153-171). Uma data mediana aceitável seria 85 d.C., uma época em que a tradição geral do Evangelho teria se cristalizado, e quando a interpretação e as controvérsias doutrinárias requereriam uma apresentação autorizada do significado da carreira de Jesus.

O local da produção é desconhecido. Várias hipóteses têm sido sugeridas: Palestina, Alexandria e outros. Irineu declara (*Against Heresies* iii. 1.1) que João publicou este Evangelho durante sua residência em Éfeso, na Ásia. Foi provavelmente escrito para uma igreja que havia amadurecido, e que estava confrontando a oposição da filosofia pagã. A explicação de frases e costumes judaicos (1.38; 2.6,13; 4.9; 9.22; 18.28 etc.) indica que ele pretendeu alcançar um público gentílico. É muito provável que o Evangelho e as epístolas tenham sido destinados à igreja grega na Ásia.

O quarto Evangelho é cuidadosamente organizado, com divisões literárias e cronológicas bem definidas. Embora o autor tenha seguido a seqüência do ministério de Jesus pelas sucessivas Páscoas, ele prestou menos atenção ao detalhe biográfico do que à interpretação da personalidade. Seu objetivo declarado era criar fé em Jesus como o Messias, e conduzir os seus leitores a uma nova vida à medida que cressem. Para este fim seu material ilustrativo e o progresso de seu argumento são dirigidos. O tema é a vida eterna, a vida de Deus manifestada entre os homens, e é desenvolvido de uma maneira sistemática apresentando episódios selecionados da vida de Jesus que ilustram seu significado.

O prólogo do Evangelho de João apresenta a pessoa de Cristo como a Palavra Eterna, a expressão do Pai, que se tornou carne a fim de manifestar a vida eterna aos homens. O plano do Evangelho é declarado desde o início nas palavras: "a luz resplandece nas trevas, e as trevas não a compreenderam [ou prevaleceram]" (1.5). A manifestação da vida, como luz, enfrentou as trevas, e um conflito seguiu-se imediatamente. A história deste conflito espiritual é o plano de interpretação para a vida de Jesus. Duas alternativas são apresentadas: crença, que significa receber a luz (1.11,12), e incredulidade, que significa rejeitar a luz (1.10,11). Nos episódios que se seguem através da narrativa, a crença e a incredulidade, com seus sintomas e conseqüências, são graficamente ilustradas.

A base da crença consiste de sete milagres ou "sinais" selecionados de Jesus. (1) a transformação da água em vinho (2.1-11); (2) a cura do filho do nobre (4.46-54); (3) a cura do homem aleijado (5.1-9); (4) a alimentação de mais de 5.000 pessoas (6.1-14); (5) a caminhada sobre as águas (6.16-21); (6) a cura do homem cego de nascença (9.1-41); (7) a ressurreição de Lázaro (11.1-44). Cada um dos sinais representa o poder soberano de Cristo em alguma área específica da necessidade humana, e mostram cumulativamente sua competência para enfrentar as forças que deprimem e degradam a vida humana. Cada milagre foi uma resposta à fé dos principais envolvidos, e pelo menos cinco deles foram realizados para educar os discípulos. João disse especificamente que estes sinais foram selecionados com o propósito de promover a crença de que Jesus é o Messias (20.30,31).

Neste Evangelho a pessoa de Cristo é mais importante do que as suas ações. As suas reivindicações estão declaradas em sete usos principais da frase, "Eu sou". Ele disse, "Eu sou" o pão da vida (6.35), a luz do mundo (8.12; 9.5), a porta das ovelhas (10.7), o bom pastor (10.11,14), a ressurreição e a vida (11.25), o caminho, e a verdade, e a vida (14.6), a videira verdadeira (15.1). Cada uma destas declarações o equipara figurativamente a um objeto comum que indica uma de suas funções. Como o pão, Ele é o alimento dos homens; como a luz, Ele é o guia dos homens; como a porta; Ele provê o acesso à segurança; como o pastor, Ele garante a proteção; como a ressurreição e a vida, Ele alcança a vitória sobre a morte; como o caminho, a verdade e a vida, Ele confere a certeza; como a videira verdadeira, Ele provê a vitalidade necessária para a frutificação.

Mais entrevistas pessoais são relatadas em João do que em qualquer dos outros Evangelhos. Umas são breves, como o diálogo com o nobre. Outras são longas, como o julgamento diante de Pilatos. Quase todas ilustram a tentativa de Jesus de evocar na pessoa com quem Ele estava conversando, a fé nele.

O vocabulário de João é tão distinto que trechos deste Evangelho são facilmente identificáveis. "Palavra", "vida", "carne", "hora", "sinal", "levantado", "obras", "amor" (duas palavras gregas diferentes), "glória", "glorificar", "habitar", "perecer", "Consolador", "o Pai" contêm conceitos que são exclusivamente de João e que criam uma nova representação da verdade.

O Evangelho enfatiza a divindade de Jesus Cristo, tanto nas reivindicações do próprio Evangelho, como nas confissões verbais de seus personagens. A introdução o chama de o Verbo de Deus (1.1,2); João Batista declarou que Ele é o Filho de Deus (1.34); Ele desceu do céu (3.13); Ele foi enviado por Deus (3.34); os samaritanos o chamaram de Salvador do mundo (4.42); Ele reivindicou ter a mesma honra que o Pai (5.23), e afirmou possuir o mesmo tipo de vida (5.26); os oficiais enviados para prendê-lo retornaram de mãos vazias, dizendo, "Nunca homem algum [em contraste com Deus] falou assim como este homem" (7.46). As suas declarações, "antes que Abraão existisse, eu sou" (8.58) e "Eu e o Pai somos um" (10.30), eram entendidas por seus inimigos como reivindicações de divindade. Ao mesmo tempo, sua humanidade é enfatizada. Ele "se fez carne" (1.14); ficou cansado (4.6), exasperado (4.48), repreendeu os insensatos (8.44), ficou comovido (11.33), agitado (12.27), mostrou-se afetuoso (13.1), generoso (18.8), leal aos laços de família (19.26). João retrata a perfeição de Deus manifestadas na perfeita humanidade de Cristo.

Os personagens são numerosos e variados. Entre os discípulos, o escritor caracteriza por alguns rápidos golpes de sua pena o Pedro impulsivo, André o tranqüilo, Filipe o materialista, Natanael o aluno, Tomé o cético, Judas Iscariotes o egoísta, e "o discípulo amado", o confidente de Jesus. Entre aqueles a quem Jesus encontrou em seu ministério estavam: Nicodemos, o mestre instruído de Israel; a perspicaz, mas espontânea mulher samaritana; o nobre desesperado de Cana; o irmão soberbo e incrédulo; a dedicada Maria de Betânia; o indiferente Pilatos e o leal José de Arimatéia. Estes e muitos outros de menor importância constituem a assembléia de homens e mulheres cuja fé ou incredulidade refletiu a influência que Jesus teve sobre eles.

A linguagem de João é simples, direta, e às vezes repetitiva por causa dos termos técnicos constantemente recorrentes que ele usa. A estrutura do grego mostra que o autor tinha um bom domínio de vocabulário e gramática, mas ele possivelmente pensou em aramaico. A introdução tem a forma de poesia hebraica, lembrando um pouco os Salmos em sua estrutura. O uso freqüente de "e" como um conectivo, o uso ocasional de nomes aramaicos tais como Cefas (1.42), e a reiteração de proposições em uma redação ligeiramente diferente (5.26,27) podem indicar uma origem semítica, embora não haja provas de que o Evangelho tenha sido escrito originalmente em aramaico.

A seleção a respeito da mulher surpreendida em pleno adultério (7.53–8.11) não é encontrada nos manuscritos mais antigos. Alguns a incluem, mas indicam que há controvérsias sobre sua autenticidade, porém um grupo de manuscritos a fixa após Lucas 21.38. Várias versões latinas antigas, três do siríaco antigo, o cóptico, gótico, e a versão armeniana mais antiga também a omitem; também não está contida no recém descoberto Papiro Bodmer do início do século III. Nenhum dos primeiros patriarcas da igreja a citam, embora tenha sido reconhecida a partir do século V. A. T. Robertson disse. "Considero que ela não é uma parte genuína do Evangelho de João" (*An Introduction to the Textual Criticism of the New Testament*, p. 210). Ela pode, entretanto, ser um episódio genuíno na vida de Jesus, que foi incluído neste texto porque se encaixava no contexto da narrativa. Sua introdução mostra que ela era anteriormente parte de uma narrativa maior, e parece estranho que esta breve história deva sobreviver à perda de seu contexto, se não foi aceita como verdadeira. Entendemos que ela é verídica.

*Veja* João, Evangelho de.

Cada Evangelho deste quarteto é necessário para que tenhamos um retrato perfeito de Cristo. Mateus o retrata como o Messias que cumpre as profecias do AT e realiza o propósito redentor de Deus. Marcos o apresenta como o homem de autoridade, que pode vencer a enfermidade, o pecado e a morte, e que é Senhor de todas as coisas. Lucas o retrata como o humanitário perfeito, interessado em cada aspecto dos assuntos humanos. João declara que Ele é divino, verdadeiramente homem e verdadeiramente Deus. Portanto, embora possam diferir em abordagem e detalhes, os quatro Evangelhos concordam quanto à identidade da pessoa de Cristo, e juntos testemunham sobre seu caráter sobrenatural.

***Bibliografia.*** F. F. Bruce, *Are the New Testament Documents Reliable?* Londres. Inter-Varsity, 1943. Austin Marsden Farrer, "On Dispensing with Q", *Studies in the Gospels*, ed. por D. E. Nineham, Oxford. Basil Blackwell, 1955, pp. 55-88. Edgar J. Goodspeed, *Matthew, Apostle and Evangelist*, Filadélfia. Winston, 1959. R. M. Grant e D. N. Friedman, *The Secret Sayings of Jesus, with an English Translation of the Gospel of Thomas,* por William R. Schoedel, Garden City, N.Y.. Doubleday, 1960. Adolf Harnack, *The Sayings of Jesus*, trad. por J. R. Wilkinson, Londres. Williams e Norgate, 1908; contém a reconstrução de Harnack de "Q". David Martin McIntyre, *Some Notes on the Gospels*, ed. por F. F. Bruce, Londres. Inter-Varsity, 1943. Edwin B. Redlish, *Form Criticism. Its Value and Limitations*, Nova York. Scribner's, 1939. A. T. Robertson, *Studies in Mark's Gospel*, Nova York. Macmillan, 1919; *Luke the Historian in the Light of Research*, Nova York. Scribner's, 1923. W. Graham Scroggie, *A Guide to the Gospels*, Londres. Pickering e Inglis, 1948. Vincent Henry Stanton, *The Gospels as Historical Documents*, Partes I, II, III, Cambridge. Univ. Press, 1923-1930. Burnett Hillman Streeter, *The Four Gospels*, quarta impressão rev., Londres. Macmillan, 1936, pp. xxiv, 624. Theodor Zahn, *Introduction to the New Testament*, ed. por M. W. Jacobus, Grand Rapids. Kregel, 1953; veja II, 307-617 e III, 1-354.

M. C. T.

**EVANGELHOS SINÓTICOS** Como o termo sinótico sugere (de *sin*, "junto com", e *ótico*, "uma visão"; assim, "uma visão conjunta"), Mateus, Marcos e Lucas fornecem uma apresentação de Jesus e de seu ministério que têm muito em comum. Estas características os separam do Evangelho de acordo com João, no qual a maior parte do material é peculiar a si mesmo. Nos sinóticos, o ministério público de Jesus é precedido pela obra preparatória de João Batista, o batismo e a tentação de nosso Senhor. O ministério em si é retratado como ocorrendo principalmente na Galiléia, consistindo das atividades de Jesus de ensino e cura, geralmente em termos de grandes aglomerações de pessoas, enquanto caminhava por vários lugares na companhia de seus discípulos. O clímax acontece na viagem a Jerusalém e nos eventos da paixão e ressurreição.

### O Problema Sinótico

Quando estes três Evangelhos são considerados separadamente de João e em relação uns aos outros, são reveladas certas concordâncias e diferenças que por sua vez levantam questões quanto à origem destes escritos. Eles surgiram independentemente uns dos outros, ou seus autores fizeram uso dos escritos uns dos outros até certo ponto? Se eles fizeram uso uns dos outros, isto pode ajudar a explicar as concordâncias, mas pela mesma prova as diferenças serão as mais intrigantes.

A medida de concordância entre os sinóticos é na verdade bem surpreendente, em vista do fato de que Jesus esteve envolvido por um período de aproximadamente três anos em um ministério quase que contínuo por palavra e ação. A quantidade de material disponível deve ter sido tremenda. Embora hiperbólico, o texto em João 21.25 é a afirmação de que o mundo em si não poderia conter os livros que seriam escritos se todos os atos de Jesus tivessem sido registrados. A clara intenção é mostrar que os relatos que temos em nossos Evangelhos são bastante fragmentados. Tudo o que temos é uma seleção.

O problema sinótico, assim chamado, está relacionado às relações mútuas nos relatos. Como as similaridades e também as diferenças nestes três Evangelhos podem ser explicadas? Antes que qualquer tipo de resposta possa ser tentada, é necessário examinar mais de perto o fenômeno dos sinóticos.

### Os Dados

Em primeiro lugar, quanto à concordância entre os sinóticos, deve-se considerar o *conteúdo* ou o assunto em questão. A análise de Westcott, embora apenas aproximada, é suficientemente precisa para o nosso propósito. Em Marcos, encontram-se 93% do material em comum com Mateus e/ou Lucas; apenas 7% é peculiar a este Evangelho. Mateus tem 58% em comum com os outros sinóticos e 42% que não aparece nos outros dois. Lucas tem 41% em comum com os outros dois e 59% é peculiar a este Evangelho. Para declarar as coincidências de forma diferente, quase dois-terços do material de Marcos é encontrado tanto em Mateus como em Lucas, e quase um-terço mais em Mateus ou Lucas. Marcos tem apenas trinta ou quarenta versículos que não aparecem em um ou outro dos dois sinóticos restantes.

Quanto à *ordem* ou seqüência do material, a disposição de Marcos é geralmente compartilhada tanto por Mateus como por Lucas. Onde este não é o caso, um ou outro concorda com Marcos. Mateus e Lucas não se unem contra Marcos. Quando a ordem "marcosiana" é compartilhada pelos outros, ela é geralmente compartilhada do início ao final da narrativa.

Com relação à *linguagem e ao estilo*, alguém que esteja em posição de estudar uma sinopse grega onde os relatos são colocados lado a lado pode melhor apreciar a situação, mas uma harmonia irá fornecer informações consideráveis. Uma boa passagem para testar, uma que contenha a tripla tradição (Mateus, Marcos, Lucas), é o relato da cura do paralítico (Mt 9.1-8; Mc 2.1-12; Lc 5.17-26). Embora haja alguma variação, especialmente nas declarações de abertura e encerramento, a parte principal da narrativa mostra uma notável concordância no vocabulário empregado pelos três escritores. O mais admirável é a preservação de uma construção secionada no relato da realização do milagre: "Ora, para que saibais que o Filho do Homem tem na terra poder para perdoar pecados (disse ao paralítico), a ti te digo. Levanta-te, e toma o teu leito, e vai para tua casa" (Mc 2.10,11).

Com relação às *diferenças*, deve ser observado que quanto ao conteúdo, Marcos tem pouco a relatar sobre a *didache* ou ao ensino de Jesus, ao passo que Mateus e Lucas contêm muitas parábolas e considerável material de discurso que não é parabólico. O texto em Lucas 9.51–18.14 tem grande parte do material que aparece apenas neste Evangelho. Vários detalhes da crucificação e das aparições após a ressurreição apresentam-se somente em um único registro. O relato de Mateus sobre o Sermão do Monte é muito mais extensivo do que o de Lucas. A ordem dos acontecimentos na tentação de Jesus varia entre Mateus e Lucas. O episódio da visita de Jesus à sinagoga em Nazaré é colocado antes na narrativa de Lucas, quando se compara a ordem deste livro com a dos outros dois Evangelhos. Muitos outros exemplos poderiam ser citados, incluindo o uso de termos sinônimos ao invés de palavras idênticas em relatos paralelos.

### Explicação

Embora várias tentativas tenham sido feitas para explicar a relação entre eles, nenhuma solução para o fenômeno dos Evangelhos Sinóticos ganhou, até o momento, a aceitação universal.

1. *Tradição oral*. B. F. Westcott e Arthur Wright sugeriram que a tradição oral foi a influência decisiva, visto que várias décadas passaram-se antes que nossos Evangelhos começassem a ser escritos. Durante este período, presume-se que a parte central do material tenha se tornado um tanto fixa devido à constante repetição da história. Esta poderia ser a razão das concordâncias nos sinóticos, que foram escritas para preservar esta tradição oral. As diferenças poderiam então ser atribuídas aos interesses especiais dos escritores individuais bem como às necessidades específicas das pessoas para quem eles escreveram.

Esta opinião, porém, tem as suas dificuldades. É difícil ver como a tradição poderia ter sido suficientemente protegida de alterações ao ser difundida nas regiões largamente separadas daquelas onde os Evangelhos escritos surgiram. Além disso, é difícil entender como Marcos, dependendo desta tradição comum, juntamente com Mateus e Lucas, poderia ter utilizado tão pouco do ensino de nosso Senhor. Ademais, esperar-se-ia maior uniformidade nos relatos do que aquilo que Jesus disse ao instituir a ceia de sua nova aliança. Deve ser admitido, porém, que a tradição oral deve ter desempenhado um papel importante, se não exclusivo, na preservação do material dos Evangelhos, e até na escolha de materiais escritos por cada escritor.

2. *Dependência literária direta*. As muitas concordâncias em conteúdo, em seqüência, e em construção (linguagem e estilo) são mais bem explicadas em termos de algum tipo de dependência literária (lembre-se especialmente de Marcos 2.10,11 e passagens paralelas). Pode haver pouca dúvida de que Marcos seja a fonte do material de Mateus,

e que Lucas também esteja de acordo com ele. Aqui é especialmente impressionante observar como os outros evangelistas seguiram a seqüência habitual de Marcos. A conclusão da prioridade de Marcos é apoiada pelo fato de que Mateus e Lucas contêm alterações de material em relação a Marcos, às vezes devido ao interesse da suavidade gramatical. Em outras palavras, o relato de Marcos parece ser o mais primitivo. Vale a pena notar, também, que onde os três Evangelhos têm o mesmo material, as narrativas de Marcos são geralmente mais longas e mais gráficas. Mateus e Lucas devem ter abreviado Marcos em tais casos a fim de deixar espaço para o material não derivado de Marcos. Os autores antigos precisavam ter cuidado para que seus livros, que eram em forma de rolos, não se tornassem pesados demais para os seus leitores, o que prejudicaria sua utilização.

Nos primeiros séculos da igreja houve pessoas como Agostinho, que ensinaram que Marcos abreviou o trabalho de Mateus. Se este fosse o caso, seria difícil conceber como Marcos poderia ter omitido tantos ensinos de Jesus, tais como aquele que está contido no Sermão do Monte. Assim, não tem sido possível sustentar esta opinião.

3. *Hipótese de dois documentos*. Fica claro, porém, que Mateus e Lucas poderiam não ter dependido de Marcos para tudo, uma vez que estes Evangelhos contém muito material que está ausente em Marcos. Há uma forte possibilidade de que eles dependessem de uma fonte, seja oral ou escrita, que se especializou nas palavras de Jesus. Estudiosos modernos freqüentemente se referem a tal fonte pela designação "Q" derivada da primeira letra da palavra alemã para fonte (*Quelle*). Admite-se que a existência objetiva de tal fonte não possa ser demonstrada historicamente, mas é sentido que os dados de Mateus e Lucas apontam para a necessidade de tal fonte. O possível apoio para esta teoria pode ser encontrado na declaração de Pápias, citada por Eusébio, de que "Mateus reuniu os oráculos (*logia*) na linguagem hebraica, e cada um os interpretou da melhor maneira que pôde". Porém não há nenhuma evidência clara de que Mateus tenha recorrido a Lucas ou vice-versa. Eles parecem ter escrito independentemente um do outro.

### Conclusão

Se Marcos e Q foram fontes para Mateus e Lucas, a maior parte do material nos últimos dois Evangelhos deve-se a estes, mas não todo. Julgando pelas suas narrativas de natividade e paixão, bem como outras características, cada um deles deve ter tido acesso às informações que não faziam parte da tradição central da igreja primitiva. Parte deve ter sido adquirido por investigação pessoal. A partir da introdução de Lucas (1.1-4) fica evidente que ele tinha disponível o testemunho oral das testemunhas oculares, mais os relatos daqueles que haviam escrito antes dele mesmo incumbir-se de seu Evangelho. A introdução nos informa que ele fez algumas investigações por conta própria. Assim, as possíveis fontes de materiais do Evangelho devem ter sido muitas e variadas. Aparentemente não havia preconceito contra o uso de fontes, e isto é bastante natural, visto que grande parte do material histórico no AT foi escrito com a ajuda de registros mais antigos (cf. Reis, Crônicas). Seria um erro, porém, considerar os autores humanos dos Evangelhos como meros editores. Cada um deles teve uma influência de moldagem, sujeitos a Deus, sobre os materiais usados, de forma que é possível detectar uma clara individualidade impressa em cada Evangelho.

A busca por fatores humanos que entraram na composição dos Evangelhos pode vir somente até este ponto. Além da esfera deste tipo de investigação reside a misteriosa e poderosa inspiração ou influência do Espírito Santo sobre os escritores, levando-os à seleção e à utilização de seu material. Isto é o que dá à sua obra a autoridade que é reconhecida pela igreja.

*Veja* Evangelhos, Os Quatro.

E.F.Har.

***Bibliografia.*** Everett F. Harrison, *Introduction to the New Testament*, Grand Rapids. Eerdmans, 1964, pp. 136-145. Ned B. Stonehouse, *Origins of the Synootic Gospels*, Grand Rapids. Eerdmans, 1963. B. H. Streeter, *The Four Gospels*, Londres. Macmillan, 1930. Merrill C. Tenney, *The Genius of the Gospels*, Grand Rapids. Eerdmans, 1951.

**EVANGELISTA** Aquele que é chamado para pregar o Evangelho em muitos lugares. Palavra derivada do verbo *euangelizo*. Evangelizar significa trazer boas novas a alguém, especificamente anunciar informações a respeito da salvação cristã (1 Co 15.1-4; *veja* Evangelho; Testemunha; Comissão, A Grande).

A palavra é encontrada três vezes no Novo Testamento. Os evangelistas estão relacionados junto com os apóstolos, profetas, pastores e doutores, como aqueles que são chamados para compartilhar a construção da igreja (Ef 4.11ss). Filipe foi chamado de "o evangelista" (At 21.8). Embora fosse um dos sete escolhidos para aliviar os apóstolos da tarefa de distribuir alimentos (At 6.5), ele foi especialmente notado por sua atividade evangelizadora. De Jerusalém, ele foi até Samaria e pregou com grande sucesso (At 8.4ss). Dali, foi enviado para evangelizar um oficial da corte etíope, que estava viajando

para casa depois de visitar Jerusalém (At 8.26ss). Então pregou o Evangelho desde Azoto até Cesaréia, onde tinha sua casa (At 8.40; 21.8).
Timóteo, o jovem ministro, foi exortado a realizar o trabalho de um evangelista (2 Tm 4.5) como um acompanhamento de sua supervisão pastoral. Está claro que, embora os apóstolos e outros compartilhassem o trabalho de evangelização, havia homens que Deus chamava especialmente para essa tarefa.
Nos anos posteriores, os escritores dos quatro Evangelhos foram chamados de evangelistas porque registraram, de forma persuasiva, os fundamentos do Evangelho de Cristo.

N. B. B.

**EVI** Um dos cinco reis de Midiã, assassinados pelos israelitas por ordem de Moisés (Nm 31.8). Em Josué 13.21, está escrito que a terra de Evi, juntamente com a dos príncipes de Seom e dos outros quatro chefes de Midiã, foi dada à tribo de Rúben como uma herança. Ficava no lado leste do Mar Morto.

**EVIDÊNCIA**
1. A palavra hebraica *sepher* quer dizer "escrito", "carta" ou "livro". Em Jeremias 32.10,11,12,14,16,44, o profeta registra a transação legal envolvida na compra de uma propriedade. Ele refere-se repetidamente à escritura da propriedade, ou à nota de venda que foi redigida, reconhecida por testemunhas e selada, como confirmação da compra do campo em Anatote que pertencia ao seu tio. Então ele colocou os documentos em um vaso de barro, para que fossem conservados ao longo do tempo, quando as propriedades seriam novamente compradas e vendidas na terra de Judá.
2. A palavra grega *elegchos* é traduzida como "prova" em Hebreus 11.1. Neste caso, a idéia é convicção, uma prova ou resultado ao submeter-se algo a um teste e prová-lo, uma persuasão no coração. A versão RSV em inglês faz uma paráfrase da palavra "boca" como "prova", na expressão "pela boca de duas ou três testemunhas" (Mt 18.16; 2 Co 13.1; Nm 35.30; Dt 17.6; 19.15), e introduz a palavra "testemunha" em 1 Timóteo 5.19.

C. M. H.

**EVIL-MERODAQUE** O acadiano *Amel-Marduk*, rei da babilônia (562-560 a.C.), filho e sucessor de Nabucodonosor. Sua existência foi confirmada durante escavações em Susa (a Susã bíblica). A Bíblia conta que Evil-Merodaque libertou Joaquim, rei de Judá, do cativeiro depois de quase 37 anos, e tratou-o benignamente, dando-lhe um lugar à sua mesa e lhe assegurando uma subsistência contínua pelo resto de sua vida (2 Rs 25.27-30; Jr 52.31-34). Tábuas de rações que mencionam Joaquim pelo nome foram encontradas na Babilônia, e comprovam a exatidão da afirmação da Bíblia. De acordo com o historiador Berossus, da Babilônia, o reinado de Evil-Merodaque foi "arbitrário e libertino", e ele foi a vítima de um complô de assassinato preparado por seu cunhado Neriglissar (Nergal-Sarezer, *q.s.*), que o sucedeu (Josefo, *Against Apion*, i.20, ed. Loeb). Nabonido não faz menção de Evil-Merodaque quando menciona Nabucodonosor e Neriglissar como seus antecessores e modelos.

J. R.

**EVÓDIA** Era uma mulher importante na igreja em Filipos (Fp 4.2), que tinha um problema com outra mulher chamada Síntique. Paulo as exortou a que acabassem com as suas diferenças, para o bem da igreja. Não se sabe quais podiam ser essas diferenças. Alguns imaginam que era uma questão religiosa e não um problema pessoal. Não se sabe se suas funções na igreja eram oficiais, como diaconisas, ou se elas eram mulheres em cujas casas a igreja reunia-se. No entanto, o problema era tão sério que foi levado a Paulo, e ele procurou até mesmo a intercessão de um companheiro de trabalho para sanar essa brecha na amizade. Um incentivo adicional para essa reconciliação foi a lembrança do seu serviço anterior com ele em prol do evangelho.

C. M. H.

**EXATOR** Esta palavra deriva de uma palavra hebraica que quer dizer "conduzir". Em Isaías 60.17 ("capataz", ou "magistrado") a palavra refere-se aos oficiais que tinham oprimido o povo. A mesma palavra é usada em Êxodo 3.7, onde é traduzida como feitores ou superintendentes.

**EXATORES** Oficiais egípcios de pouca importância (heb. *noges*, "exator", "opressor") que tinham a superintendência geral dos grupos de trabalho dos israelitas escravizados (Êx 3.7; 5.6,10,13ss.). Imediatamente subordinados a eles, encarregados do verdadeiro trabalho, estavam os capatazes israelitas (heb. *shoter*; Êxodo 5.14 chamados de exatores ou superintendentes). A crueldade dos intendentes egípcios está refletida no AT e é confirmada pelos relevos egípcios e pelo próprio nome que levavam (lit., "aqueles que obrigavam a trabalhar"; cf. o termo utilizado na Septuaginta, *ergodioktes*). A mesma palavra heb. é usada em relação a opressores em Jó 3.18 (feitor ou capataz), e "exatores" em Isaías 60.17. Um termo equivalente ao anterior é o heb. *sare missim*, capitães de corvéia ou de alistamento (Êxodo 1.11 também chamados de maiorais).
Davi e Salomão organizaram grupos israelitas de trabalhos forçados sobre os quais colocaram oficiais como Adorão e Adonirão (2 Sm 20.24; 1 Rs 4.6; 5.14,16). Quando o rei

Roboão determinou tornar este serviço ainda mais severo, o povo apedrejou seu intendente Adorão e rebelou-se (1 Rs 12.4-18). *Veja* Levi.

**EXCLUSÃO** No AT esta era a pena ou forma de punição usada primariamente, embora não exclusivamente, para muitas ofensas contra as leis cerimoniais (Lv 17.3,4). O agente da "exclusão" era o próprio Senhor Deus (Lv 17.10) ou a comunidade (Lv 18.29). Os intérpretes mais antigos sustentavam a visão de que este método de punição sempre envolvia a pena de morte. Isto não é muito correto apesar da implicação de uma passagem como Êxodo 31.14. Embora a pena de morte fosse às vezes associada à "extirpação" ou à "eliminação", o significado mais provável da exclusão era a expulsão da comunidade civil ou religiosa.

Este tipo de punição encontrada na comunidade israelita mais antiga, era sem dúvida a base para a "excomunhão" entre os judeus, o que mais tarde resultou na exclusão da sinagoga, mesmo temporária ou permanente, dependendo da natureza do pecado cometido. Evidências de uma forma semelhante de disciplina foram encontradas entre os membros da comunidade de Qumran. A disciplina nas primeiras comunidades cristãs foi naturalmente padronizada de acordo com a religião dos pais, e muitas práticas semelhantes foram encontradas no NT (2 Ts 3.14; 1 Co 5.1-5,13; 1 Tm 1.20).

Veja também Crime e Punição; Excomunhão.

T. M. B.

**EXCOMUNHÃO** Para os pecadores que não se arrependeram, esta é a exclusão judicial dos direitos e dos privilégios da comunhão dos santos, executada por uma congregação local. Depois que fracassa a repreensão de uma pessoa, seguida pela repreensão perante duas ou três testemunhas, e depois perante a congregação, de acordo com Mateus 18.16,17 o pecador deve ser considerado "um gentio e publicano", ou, de acordo com 1 Cortios 5.13, deverá ser "tirado de vós", ou ainda, segundo 1 Timóteo 1.20, "entregue a Satanás". O objetivo final é trazer o pecador à percepção da seriedade da sua ofensa e levá-lo ao arrependimento. Este procedimento também remove a ofensa da igreja. *Veja também* Remoção.

A excomunhão já era usada na época dos apóstolos. A igreja primitiva deu continuidade a esta prática. O assunto da restauração dos pecadores levantava sérios problemas. Vários concílios trataram da questão de quem deveria ser excomungado, dentre eles o Concílio de Elvira (aprox. 305 d.C.), o Concílio de Cirta, na Numídia (março de 305) e o Concílio de Ancira (aprox. 314-319).

Durante a Idade Média, a excomunhão "superior" e a "inferior" estavam em uso; a distinção foi abolida em 1884. A igreja romana considera a excomunhão uma prerrogativa do Papa, dos bispos, de poucos outros dignitários e dos concílios. Em alguns casos, uma sentença definitiva de excomunhão deve ser proferida (*ferendae sententiae*); em cerca de 50 outros casos, a excomunhão é automática (*latae sententiae*). Os reis e os príncipes eram excomungados, até mesmo por razões políticas. A bula *Clerices laicos* (1296) declarava que a imposição de taxas sobre a igreja, sem a autorização do papa, ou o pagamento de tais taxas "*ipso facto* acarretava a excomunhão".

Na era da Reforma, os anabatistas e os grupos correlatos davam grande ênfase à excomunhão ou expulsão, declarando que uma congregação na qual não aconteça a expulsão pública ou um processo ordenado de excomunhão, não é uma verdadeira congregação cristã. Surgiu uma controvérsia entre eles, a respeito de se "evitar" as pessoas expulsas ou "afastadas". Calvino e os seus seguidores sustentavam que o exercício da disciplina era uma das características da igreja. Ele desejava a moderação da disciplina e enfatizava o aspecto corretivo da excomunhão (*Institutes*, IV, 12, 10.11). A Confissão de Wetsminster (Capítulo XXX), os Trinta e Nove Artigos (artigo XXXIII), e a Apologia da Confissão de Augsburg (artigo XI) afirmam a obrigação que as igrejas têm de empregar a excomunhão. Em igrejas estatais ou estabelecidas, normalmente não se usa a excomunhão; até mesmo em igrejas voluntárias, nos anos recentes, ela caiu em grande desuso.

C. S. M.

**EXECUÇÃO** *Veja* Crime e Punição.

**EXECUTOR** Em Israel não havia a necessidade de nenhum oficial de execução, pois as execuções eram, em geral, realizadas pelo próprio povo (cf. Dt 17.5; 22.21,24; Js 7.25). A palavra "executor" raramente aparece nas versões da Bíblia em inglês. Ela aparece em Marcos 6.27, onde a palavra grega *spekoulator* (literalmente "espião, observador", mas também "mensageiro" e "executor") é usada em relação ao soldado que decapitou João Batista. Há versões em que a palavra "executor" é encontrada em Ezequiel 9.1, onde os homens eram comissionados para matar as pessoas em Jerusalém. Os líderes militares e em especial os guarda-costas dos governantes freqüentemente serviam como executores; Benaia, por exemplo, cumpriu essa função para Salomão (veja 1 Rs 2.25,46).

**EXEMPLO** Tradução das palavras gregas *typos, hypogrammos, hypodeigma* e *deigma*. A palavra em português "exemplo" é usada para ilustrar diferentes aspectos da conduta cristã. O estilo de vida e os valores adequados são dessa forma demonstrados individualmente e coletivamente, na vida de Cristo (Jo 13.15; 1 Pe 2.21), dos profetas (Tg 5.10), de Paulo (Fp 3.17; 2 Ts 3.9), das igrejas e dos seus líderes (1 Ts 1.7; 1 Tm 4.12; Tt 2.7; 1 Pe 5.3).

O exemplo negativo (*deigma*, "uma coisa mostrada, um espécime", Jd 7; *hypodeigma*, "figura, cópia, exemplo", 2 Pe 2.6) afirma a severidade do julgamento de Deus sobre a grave imoralidade sexual. Os exemplos de desobediência (Hb 4.11), idolatria e murmuração (1 Co 10.6-11) na peregrinação dos israelitas pelo deserto servem como advertências para os cristãos. As demais ocorrências da palavra "exemplo" são referências positivas de uma vida exemplar. Elas demonstram a relevância de se colocar Cristo como o centro da motivação ética de alguém, e os efeitos positivos de uma vida fiel, possibilitando que outros homens compreendam o significado da vida cristã.

O exemplo básico que o cristão deve seguir é o do próprio Senhor Jesus Cristo. Ele veio para cumprir a lei e aquilo que disseram os profetas (Mt 5.17), e assim Ele é o propósito da lei da justiça para todos aqueles que crêem (Rm 10.4). Somente em Cristo pode ser cumprido em nós o requisito da lei – o padrão divino da moralidade (Rm 8.4). Ele ensinou com autoridade (q.v.) e deu uma interpretação nova e profunda dos Dez Mandamentos, a essência da lei (Mt 5.17-48; *veja* Lei de Moisés) e "o núcleo da ética bíblica" (Murray, *Principles of Conduct*, p. 7).

O novo mandamento de Jesus aos seus discípulos é o de se amarem uns aos outros como Ele mesmo os havia amado (Jo 13.34). Nós sabemos o que é o amor, e como demonstrar amor, porque Deus nos amou primeiro em Cristo (1 Jo 4.19). A descrição clássica de Paulo sobre o amor em 1 Coríntios 13.4-7 é, muito provavelmente, baseada na vida de Cristo. Jesus tinha ensinado: "Ninguém tem maior amor do que este: de dar alguém a sua vida pelos seus amigos" (Jo 15.13), e assim Ele mesmo fez esse supremo sacrifício.

Cristo prometeu enviar o mesmo Espírito que permitiu que Ele nos capacitasse a fazer as suas obras (Jo 14.12; 16.7) e assim produzíssemos o fruto do espírito (Gl 5.22). Assim, o Espírito de Cristo é a fonte da moralidade cristã, pois Ele ilumina a consciência, que é a capacidade que alguém tem de fazer julgamentos morais.

O Senhor Jesus Cristo é também o nosso padrão de humildade (Fp 2.5-8), de não agirmos para satisfazer a nós mesmos (Rm 15.2,3), de mansidão e bondade (2 Co 10.1) e de liberalidade (2 Co 8.9). Devemos imitar a Deus (Ef 5.1) e ter a mesma perfeição do nosso Pai Celestial na esfera do caráter moral, do amor e da misericórdia (Mt 5.44-48; Lc 6.36). Cristo é o modelo missionário que a igreja deve seguir para cumprir sua missão (*veja* Comissão, A Grande), pois Ele disse: "Assim como o Pai me enviou, também eu vos envio a vós" (Jo 20.21).

Jesus esperava que seus discípulos se identificassem com Ele no seu propósito e destino, depois que Ele os purificou pela lavagem simbólica dos seus pés (Jo 13.1-17). Isso aconteceu durante a última noite em que Ele esteve com eles, antes de sua crucificação. O exemplo da lavagem dos pés (*hypodeigma*, "cópia") dado por Jesus, fornece uma demonstração audiovisual que leva os seus discípulos à essência da sua visão de vida e motivação (13.15). Jesus disse a Pedro que sem essa experiência de limpeza o apóstolo não teria parte com Ele (13.8).

Tempos depois, com o discernimento de uma vida de experiência cristã, Pedro se referiu ao padrão de Jesus para a nossa vida, dizendo: "Porque para isto sois chamados, pois também Cristo padeceu por nós, deixando-nos o exemplo (*hypogrammos*), para que sigais as suas pisadas" (1 Pe 2.21). A palavra grega indica que a própria vida de Cristo é a "cópia escrita" para os seus discípulos, levando-os ao íntimo envolvimento com Ele na sua vida de sofrimento, carregando a cruz. Pedro parece ter em mente a instrução que Jesus repetia, sobre o discipulado que requer a completa negação de si mesmo (Mt 10.38, 39; 16.24-26; Lc 14.26-33; 17.33; Jo 12.24-26).

Jesus apresentou sua própria vida modelo, como a base da ética cristã. Seguir a Cristo exigiria negar-se a si mesmo e tomar a cruz como o princípio de vida e como o objetivo de toda a vida (Mt 16.24). A vida cristã exemplar foi enfatizada por Jesus quando Ele disse, "eu faço sempre o que lhe agrada" (referindo-se ao Pai; Jo 8.29), e "não busco a minha vontade, mas a vontade do Pai, que me enviou" (5.30), e ainda, "eu desci do céu não para fazer a minha vontade, mas a vontade daquele que me enviou" (6.38). Esta é a essência da ética cristã – a vida que demonstra o princípio da cruz na conduta e no comportamento cristão.

No entanto, é necessário admitir que Cristo não fez nada apenas com a finalidade de dar o exemplo. O ideal da sua vida perfeita irá condenar apenas o pecador. A cruz tem o poder de levar os homens à santidade ao revelar, em primeiro lugar, a expiação feita pelos pecados que praticaram.

Tiago (5.10) ressalta o "exemplo" (*hypodeigma*) dos profetas do Antigo Testamento, que serviam como mediadores da revelação de Deus por meio da sua pregação e dos seus ensinos. O exemplo dos seus sofrimentos é um testemunho de paciência para todos os cristãos.

Paulo ilustra, com sua própria vida, o significado de "exemplo" para os cristãos do seu tempo. Ele declara sua identificação com

Cristo nos termos da cruz, quando escreve aos gálatas: "estou crucificado com Cristo; e vivo, não mais eu, mas Cristo vive em mim" (2.20). Mais tarde, ele afirmou, "para mim o viver é Cristo" (Fp 1.21).

Paulo personificou o "exemplo" identificando-se com ele em Filipenses 3.17, usando a palavra *typos*, "marca de um golpe, selo, impressão" (*veja* Tipo). Ele insistiu com os Filipenses para que observassem aqueles que andavam de acordo com o padrão que viam nele (3.17) e que eles mesmos também agissem de uma forma semelhante (4.9). Seu estilo de vida, e comportamento, estenderam-se a uma geração de testemunho e serviço cristão. Os cristãos filipenses receberam sua exortação quase no final do seu confinamento em uma prisão romana. Em uma de suas primeiras epístolas, ele havia escrito aos crentes de Tessalônica que tinha trabalhado "para vos dar em nós mesmos exemplo, para nos imitardes" (2 Ts 3.9; cf. 3.7). A conduta de Paulo, portanto, demonstra a validade da sua mensagem e a autoridade do Evangelho em sua vida.

Tal envolvimento em uma vida de sacrifícios pela fé em Cristo possibilitou que os dois apóstolos líderes falassem aos dois extremos da geração, cada um na sua época. Paulo a Timóteo, o representante da nova geração no Novo Testamento, e Pedro aos presbíteros. Paulo insistiu para que Timóteo não permitisse que nenhum homem desprezasse sua juventude; ao invés disso, Timóteo foi instruído a ser um exemplo para os fiéis (1 Tm 4.12). Pedro, por outro lado, ordenou que os presbíteros não somente governassem aqueles que estivessem sob os seus cuidados, mas também que servissem "de exemplo ao rebanho" (1 Pe 5.3).

Os cristãos tessalonicenses imitaram o apóstolo Paulo e o Senhor, tendo recebido a palavra, as revelações do Antigo Testamento, interpretadas e satisfeitas por Cristo, "em muita tribulação, com gozo do Espírito Santo". Conseqüentemente, eles tornaram-se um "exemplo para todos os fiéis na Macedônia e Acaia" (1 Ts 1.6,7). O escritor aos Hebreus descreve de forma similar a correlação entre sofrimento e alegria na vida de Cristo, "o qual, pelo gozo que lhe estava proposto, suportou a cruz" (Hb 12.2). Os tessalonicenses, em sua experiência de sofrimento (1 Ts 2.14; 3.3,4; 2 Ts 1.4-7) e alegria, pareciam satisfazer o pedido de Jesus relacionado à unidade nele e no Pai, e no testemunho do amor de Deus (Jo 17.21,23).

O testemunho dado pelo exemplo dos cristãos aos outros cristãos, inevitavelmente precede o testemunho aos não cristãos, em uma escala ainda mais ampla. Esse foi o caso em Tessalônica (1 Ts 1.7,8). Seu testemunho em relação a Cristo estava diretamente relacionado à sua mudança de comportamento. Sua nova conduta era claramente evidente à população geral da Grécia, no sentido de que eles "converteram-se dos ídolos a Deus, para servir ao Deus vivo e verdadeiro" (1.9).

A base para tal mudança de comportamento está estabelecida no discipulado sem igual demonstrado pelos mesmos crentes em Tessalônica, de quem Paulo disse "fostes feitos nossos imitadores e do Senhor" (1 Ts 1.6). A palavra chave do seu discipulado é "imitadores" (*mimetai*). A conduta cristã, resultante da mudança de comportamento, efetivada pela conversão à fé no Deus vivo, está baseada na imitação do Senhor e do seu apóstolo, Paulo (cf. também 1 Coríntios 4.16; 11.1). A fé e a paciência de outros crentes e líderes cristãos também deveriam ser imitadas (Hb 6.12; 13.7).

Em outras palavras, a ética cristã tem o seu alicerce no mesmo princípio de vida que teve o Senhor Jesus Cristo. Os mandamentos de Deus, por meio dos seus profetas, dos seus apóstolos e do seu próprio Filho, combinados com o exemplo perfeito de Cristo, fornecem ao crente uma ética absoluta melhor do que o relativismo ético de John A. T. Robinson, expresso em sua obra *Honest to God* (1963), e o mesmo ocorre em relação a Joseph Fletcher em sua obra *Situation Ethics. The New Morality* (1966). O único princípio de vida totalmente inclusivo não é o amor intuitivo, que se relaciona às necessidades de outro, no momento único do encontro pessoal, mas sim: "quer comais, quer bebais ou façais outra qualquer coisa, fazei tudo para a glória de Deus" (1 Co 10.31), e fazer tudo em nome do Senhor Jesus (Cl 3.17). O conteúdo da ética cristã está na vontade de Deus, que deve ser feita com amor, ou seja, "a fé que opera por caridade [ou amor]" (Gl 5.6).

Todo o comportamento de Cristo estava centrado em seu objetivo de servir e de dar sua vida como um resgate (Mt 20.28). Este era seu padrão para os seus seguidores (20.25-27). Paulo o aceitou. Também o fizeram os cristãos tessalonicenses. Eles tinham visto em Paulo o exemplo ("selo") de Cristo que lhes deu significado e entendimento. Eles tomaram esse exemplo para suas próprias vidas, incluindo a aflição (*thlipsis*, "pressão, tribulação"). Nesse contexto da ética cristã, em meio ao sofrimento, imitando a vida de Jesus e a conduta de Paulo, aqueles crentes coletivamente e espontaneamente compartilharam um testemunho dinamicamente significativo de Cristo pela Macedônia e pela Acaia.

O exemplo cristão, encontrado primeiramente em Jesus e em Paulo resulta no tipo de conduta fiel que efetivamente dá testemunho por meio do corpo combinado da igreja em qualquer outra área, fortalece o testemunho dos cristãos e possibilita que o comportamento dos obreiros (pastores e outros) inspire o rebanho

Modelos em madeira de um contingente de soldados egípcios encontrados em uma tumba, que data aproximadamente de 2000 a.C. LL

a seguí-los. O testemunho cristão bem-sucedido está centrado no exemplo.

*Veja* Conversação; Discípulo; Graça; Justiça; Lei; Liberdade; Amor; Obediência.

***Bibliografia.*** Harvey Cox, ed., *The Situation Ethics Debate*, Filadélfia. Westminster, 1968. W. D. Davies, "Ethics in the New Testament", IDB, II, 167-176. J. Hempel, "Ethics in the Old Testament", IDB, II, 153-161. John Murray, *Principles of Conduct*, Grand Rapids. Eerdmans, 1957. Sherwood E. Wirt, *The Social Conscience of the Evangelical*, Nova York. Harper & Row, 1968.

H. W. N.

**EXERCÍCIO CORPORAL** Paulo, freqüentemente, referia-se às disputas atléticas de sua época, para ilustrar a verdade espiritual (veja 1 Co 9.24-27; 1 Tm 6.12; 2 Tm 2.5; 4.7). Ele não se opunha ao exercício corporal (grego *gymnasia*, 1 Tm 4.8), mas sim à mortificação ascética do corpo, como praticavam os essênios e outros grupos fanáticos do seu tempo.

**EXÉRCITO** Os israelitas não foram designados por Deus para serem um povo de guerra, com um grande exército permanente. Entretanto, por causa de sua localização estratégica na estrada de ligação dos três continentes, eles consideraram necessário preparar adequadamente suas defesas contra ataques hostis. No AT duas palavras hebraicas freqüentemente significam "exército": *hayil*, que significa literalmente "força, poder" (cf. forças armadas), e *saba*, "exército, hostes". Deus é freqüentemente chamado de Yahweh das hostes, e o nome é transliterado como Senhor de Sabaoth ou Senhor dos Exércitos em Romanos 9.29 e Tiago 5.4.

O primeiro registro do uso de forças armadas na história dos judeus, dá-se no conflito de Abraão com o rei de Elão e seus confederados (Gn 14), em que Abraão mostrou heróica liderança militar com um grupo de 318 comandados.

A organização militar dos judeus começou com o êxodo do Egito. Não muitos, principalmente no início, estavam armados para a guerra, mas dispostos em tribos e divisões, como um corpo de tropas para a marcha pelo deserto. Depois do Sinai eles agruparam-se em divisões ou corpos do exército, com algumas gradações de fileiras militares. Com exceção dos levitas, os homens de 20 anos de idade e mais velhos, que estavam em condição de ir para a guerra, eram designados a um posto no exército (Nm 1.3,47-50; 31.14). Alguns indivíduos eram isentos do serviço militar: aqueles que eram recém casados, que haviam construído uma casa nova ou plantado uma vinha, além dos medrosos e desanimados (Dt 20.5-8). Como andarilhos no deserto, usavam armas simples de ataque e defesa. É evidente que a jornada deles no deserto preparou-os para a disciplina e as táticas de uma companhia militar.

Sob a brilhante liderança de Josué, e a subseqüente conquista de Canaã, houve um novo desenvolvimento da organização estratégica e do equipamento militar. Entretanto, a ação conjunta das forças armadas foi colocada em risco, devido aos ciúmes das tribos e às rivalidades, ameaçando a solidariedade nacional. As tribos individuais geralmente defendiam seu próprio território e povo; só as grandes emergências uniam os exércitos das várias tribos em uma ação conjunta. Não havia um exército regular ou permanente naquela época. Quando surgiam emergências, Deus levantava um líder, que convocava os homens de Israel para a guerra contra os inimigos. Quando passava a situação crítica, o exército era dissolvido.

Assim, o recrutamento do exército era dividido em companhias de mil, cem, e cinqüenta homens e, ainda, estendia-se às famílias que se tornavam subordinadas a oficiais escolhidos. As provisões para o exército eram de responsabilidade de cada tribo (Jz 20.10), que eram supridas pelos grandes donos de terras (1 Sm 25), ou pelos recursos naturais da terra. O pagamento dos soldados geralmente consistia apenas de suprimentos, mais uma porção do espólio.

Só a partir da monarquia é que Israel passou a ter um exército profissional ou constante. (Comparativamente, pouco progresso militar foi feito desde a época em que os judeus entraram na Palestina.) Saul e Davi tinham bandos de guerreiros selecionados, cujo núcleo servia como guarda-costas do rei. Davi desenvolveu uma milícia nacional de 12 regimentos, e cada uma delas era convocada durante um mês no ano, sob a autoridade dos oficiais nomeados. Em todo o exército havia um comandante chefe ou "general do exército" (1 Sm 14.50; 2 Sm 24.2), um papel raramente assumido pelo próprio rei depois do reinado de Saul.

Samuel advertiu os líderes de Israel de que

seria necessário uma tropa profissional se passassem a viver sob uma monarquia (1 Sm 8.10-12). Mas a severa opressão dos poderosos filisteus trazia a necessidade de preparações militares sistemáticas por parte do rei Saul para resistir às invasões e libertar o povo do seu pesado jugo de escravidão, assim como conquistar uma unidade nacional em Israel. O general Joabe, do exército de Davi, embora bruto e inescrupuloso, era bem conhecido por sua genialidade militar. Sua talentosa habilidade tática revolucionou as operações militares de Israel, particularmente sua habilidade na arte do cerco militar, que ensinou aos soldados de Davi.

Embora a paz geralmente prevalecesse durante o reinado de Salomão, não houve diminuição das forças armadas. Muitas cidades pareciam-se com fortalezas e requeriam guarnições pesadas para sua defesa. Sem considerar a proibição divina aos cavalos (Dt 17.16; 1 Rs 10.26-29), Salomão acrescentou grande número de cavalos e carros aos equipamentos do exército, e mais tarde lanceiros e flecheiros montados.

O interior montanhoso da Palestina não era apropriado para o uso de carros, mas como mais tarde as relações externas de Israel estenderam-se em direção à Síria e ao Egito, pensou-se que seria vantajoso e militarmente necessário empregar carros contra as forças inimigas, especialmente nas regiões planas. Mas esta foi comprovadamente uma aquisição dispendiosa e pouco prática às Forças Armadas de Israel. O custo opressivo, o serviço militar obrigatório e o trabalho criaram uma insatisfação intensa, que por fim contribuiu para a ruptura do reino. Tropas estrangeiras como os quereteus e peleteus, principalmente de origem filistéia, costumavam ser contratadas como tropas mercenárias.

Às vezes, fala-se em números extraordinariamente grandes para as estatísticas militares (por exemplo, 1 Sm 11.8; 2 Cr 26.12,13). Acredita-se que o termo hebraico *'eleph,* traduzido como "milhares", pode também significar, em vários contextos, clã' ou "chefe do clã, cabeça". Em algumas passagens estes homens são designados como varões valentes (2 Cr 14.8; 17.13-18). *Veja* Número.

Pouco se sabe sobre a ordem da batalha e a exata disposição das tropas no campo, mas parece que as tropas da infantaria pesada (lanceiros) vinham primeiro, seguidos por aqueles que manejavam as fundas e os flecheiros, com o suporte dos cavalos e carros. Menciona-se sempre uma divisão em 3 corpos, as tropas da infantaria pesada e duas divisões dos soldados da infantaria leve. Esta disposição servia para vários propósitos: a provisão de um centro e duas asas de combate; várias combinações estratégicas das divisões de acordo com necessidades especiais; e revezamento do vigia noturno. As manobras variavam de acordo com a estratégia das forças inimigas ou do relevo do terreno. Os combates geralmente limitavam-se à estação seca. As operações eram suspensas, quando o clima chuvoso do outono chegava, e recomeçavam novamente na primavera. As sentinelas eram escolhidas para vigiar e guardar o acampamento à noite. Quando o exército saía para a batalha, um destacamento permanecia para proteger o acampamento e servir, se necessário, de reserva ou para prover uma fuga para o chefe.

No NT, o exército romano é mais citado, especialmente as legiões romanas (que variavam de 3.000 a 6.000 soldados), que eram comandados pelos capitães ou tribunos. As legiões eram divididas em tropas, ou coortes, que eram subdivididas em grupos, que por sua vez eram divididos em centúrias (que eram originalmente formadas por 100 homens) sob o comando dos centuriões. Grupos especiais e coortes independentes de voluntários, são mencionados nas Escrituras, como a coorte Augusta e a Coorte Italiana (At 10.1; 27.1); havia também a guarda pretoriana (Fp 1.13).

*Veja* Armadura; Hoste; Legião; Guerra.

***Bibliografia.*** Yigael Yadin, *The Art of Warfare in Biblical Lands*, 2 vols., Nova York. McGraw-Hill, 1963.

**EXÉRCITO DOS CÉUS** A expressão heb. *s^eba' hashshamayim*, "exército dos céus", é encontrada 18 vezes no AT. A palavra heb. *saba'* ocorre aproximadamente 500 vezes no AT e geralmente significa "exército".

Uma vez que os reinos da terra e dos céus estavam intimamente associados no pensamento dos antigos, os vizinhos pagãos de Israel imaginavam os corpos celestes estando organizados em uma formação militar. O sol, a lua e as estrelas estavam sob o símbolo de um exército. O sol era o rei; a lua o vice-regente; e as estrelas e planetas, seus auxiliares (cf. Jz 5.20), isto é, um exército, o exército celestial. Pensava-se que estas criações fossem animadas por espíritos divinos constituindo um exército vivo que controlava o destino humano.

Embora os israelitas fossem advertidos contra tais crenças pagãs (Dt 4.19; 17.3), eles sucumbiram, durante os períodos assírio e babilônico, à tentação de adorarem os corpos celestes (2 Rs 17.16; 21.3,5; 23.4,5; 2 Cr 33.3,5; Jr 8.2; 19.13; Sf 1.5; At 7.42). A doutrina de Israel tendo o Senhor como o Criador do céu e da terra, aquele que enfileirava os corpos celestes mediante suas ordens, era o antídoto para esta prática pagã (cf. Gn 1.14-19; 2.1; Ne 9.6; Sl 33.6; 103.21; 148.2; Is 40.26; 45.12).

Os conceitos de corpos celestes e seres angelicais estavam intimamente relacionados. Os anjos (ou mensageiros) estão incluídos na idéia de exército celestial. Estes auxiliares celestiais estão intimamente ligados ao papel do Senhor como Rei. Eles são seu exército. Como Rei, Ele preside sobre seu concílio celestial, composto de servos angelicais ou "filhos de Deus" (cf. a visão de Miquéias em 1 Reis 22.19; também Gn 1.26; Jó 1–2; Sl 82; Is 6). Mensageiros divinos do concílio do Senhor foram despachados de tempos em tempos para realizar seu propósito (cf. a multidão angelical, Lc 2.13; o encontro de Jacó com um grupo de anjos, Gn 28.12ss.).

No AT, o Senhor é freqüentemente mencionado como "o Senhor (Jeová), o Deus dos exércitos", (cf. Jr 5.14; 38.17; 44.7; Os 12.5, *et al.*). Os apóstolos Paulo (Rm 9.29) e Tiago (Tg 5.4) usam o termo heb. *sabaoth*, "exércitos" ou "multidões", como um título para o Senhor. "Senhor dos Exércitos". *Veja* Deus, Nomes e Títulos de; Guerra.

D. W. D.

**EXILADO, EXPULSO, REJEITADO** A palavra é às vezes usada em relação às nações pagãs (Jr 49.36), porém mais freqüentemente em relação a Israel e à rejeição de Deus a ela em um sentido figurado; de uma esposa expulsa por seu marido (Jr 30.17; cf. Is 62.4); de Israel como dispersa entre as nações (Is 11.12; Sl 147.2); e de seu novo ajuntamento por ocasião da volta de Cristo - sua segunda vinda (Is 27.13; Mq 4.6; Sf 3.19).

No NT, Paulo considera a posição de Israel como a de uma nação proscrita sob a figura dos ramos naturais que foram tirados da boa oliveira. Embora os gentios convertidos tenham sido enxertados em seu lugar, e desse modo beneficiados, Israel será enxertada novamente (Rm 11.15-24), e assim a nação será salva na segunda vinda de Cristo, "porque os dons e a vocação de Deus são irrevogáveis" (vv. 25-29).

**EXÍLIO** *Veja* Cativeiro.

**EXISTENCIALISMO**

### O que é Existencialismo?

É uma filosofia que encontra seu ponto inicial em um homem com seus medos e suas esperanças, suas ambições oscilantes e sua ansiedade, sua culpa e seu pessimismo devastadores.

Uma filosofia completa abrange três áreas: (1) origem – a origem do mundo, do universo e do homem; (2) realidade – a natureza da realidade e a capacidade de conhecê-la e entendê-la; (3) destino – uma visão do objetivo ou do destino do universo e do homem.

A alguns sistemas filosóficos falta uma ou mais dessas condições. O materialismo e o pragmatismo não dão nenhuma explicação sobre a origem ou o destino, confinando-se nos fenômenos da existência. O existencialismo forma um sistema distinto de filosofia, porque ele é caracterizado por um ponto inicial no homem, e não apenas no universo, como no caso do materialismo. No entanto, ele começa não com o homem como um fenômeno - pois a psicologia do comportamentalismo e a filosofia do pragmatismo fazem isso - mas com suas esperanças e seus medos inatos, ou com seus problemas interiores relacionados ao conhecimento.

Definido negativamente, o existencialismo é o oposto do essencialismo. O essencialista começa com o Ser, o Absoluto, o Todo ou Deus; o existencialista começa com o homem e as suas lutas interiores. Definido positivamente, o existencialismo é aquela explicação de realidade e da origem e do destino do homem e do universo, que decide tomar como ponto inicial o homem e seus problemas com respeito à obtenção do conhecimento, juntamente com suas esperanças e seus medos, suas ambições oscilantes, suas ansiedades e sua culpa.

### Tipos de Existencialistas

Como todos eles começam com o homem, existem os existencialistas teístas, os ateus, e os agnósticos.

*Existencialistas teístas.* Eles acreditam em um Deus, mas começam com o homem, suas desavenças, sua culpa e sua ansiedade, por um lado; e por outro, seus problemas relacionados com o conhecimento da verdade eterna e de Deus. Eles podem ser subdivididos em: (a) os existencialistas teístas protestantes – alguns exemplos são Karl Barth e Emil Brunner; (b) os existencialistas teístas católicos romanos – como Jacques Maritain e Gabriel Marcel; e (c) os existencialistas panteístas – como Paul Tillich e John A. T. Robinson.

*Existencialistas ateus.* Um exemplo é Jean-Paul Sartre. Possivelmente Nietzsche também deva ser classificado com Sartre, pois ele começa com o homem e conclui, "Deus está morto".

*Existencialistas agnósticos.* Um exemplo é Martin Heidegger. A sua posição foi essencialmente de indecisão quanto à existência de alguma coisa além do homem e do universo.

### A História do Existencialismo

O existencialismo, como uma filosofia real, começou com Sören Kierkegaard (1813-1855). Elementos existencialistas apareceram em muitos filósofos anteriores, mas estes estavam combinados com outras tendências filosóficas. Nem o homem, nem os problemas do homem em relação ao conhecimento, foram tomados como o ponto inicial.

Immanuel Kant (1724-1804) tinha levantado o problema do conhecimento anteriormente à época de Kierkegaard, e isso formou uma grande parte da dificuldade na qual o primeiro existencialista completo encontrou-se.

Kant argumentava que por meio dos seus sentidos físicos, o homem recebe uma corrente de impressões que, ao penetrar na mente, fica impressa pela forma exterior da mente, ou seja, o espaço ou lugar, e pela forma interior da mente, ou seja, o tempo. Mas o tempo e o espaço, raciocinava Kant, não podem pertencer ao que é realmente real, o "noumenon", porque Deus é infinito e o tempo e o espaço são apenas finitos. Então, o homem, que conhece tudo por meio do seu aprendizado em finitas categorias de tempo e de espaço, não conhece nada como Deus conhece, nem pode por si mesmo conhecer Deus ou as suas verdades eternas, pois são infinitos e ilimitados. Mesmo pelo puro pensamento, isto é, por "puro bom senso", o homem não consegue conhecer como são as coisas de Deus, pois só Ele as conhece (porque elas estão em Deus), e porque todos os pensamentos do homem, inclusive o tempo – são a parte interior da mente. O resultado líquido do raciocínio de Kant é que o próprio Deus não consegue comunicar-se diretamente com o homem, porque o homem não tem compartimentos, não tem categorias infinitas ou ilimitadas onde possa receber a verdade totalmente verdadeira ou infinita e ilimitada, eterna.

Kierkegaard foi, por um lado, confrontado pelos argumentos de Kant sobre o conhecimento – e, por outro, pelos problemas do homem com o pecado. Seu complexo de culpa, que o levou a romper o compromisso com sua noiva Regina, deixou-o cheio de ansiedade, desespero e pessimismo. Tentando expressar a agonia da sua alma, ele falou sobre estar "enfermo até a morte". Os ataques à Bíblia Sagrada, bem como à historicidade de Jesus Cristo, abalaram sua fé.

Kierkegaard resolveu os seus problemas sobre os paradoxos e absurdos que surgiam em sua mente em relação à Bíblia, seu próprio complexo de culpa e sua necessidade de redenção, por meio de uma síntese do ponto de vista de Kant sobre o problema do conhecimento de Deus e dos seus próprios medos e esperanças existenciais. Ele dizia que Deus não consegue falar diretamente com o homem porque o homem não tem formas de pensamento adequadas para receber a verdade eterna, infinita e ilimitada. Só é possível uma comunicação indireta. Da mesma forma como Kierkegaard estava tentando falar indiretamente nos seus livros com sua noiva afastada, e dizer a ela por que ele teve que romper seu compromisso por causa do seu próprio pecado inconfesso de fornicação, assim é Deus falando indiretamente conosco.

Segundo Kierkegaard, o homem força a verdade eterna que recebe de Deus em categorias de tempo e de espaço. Ele pensou que isto pudesse ser visto nos supostos mitos encontrados na Bíblia. Satanás, o pecado etc., não seriam, para ele, figuras nem acontecimentos históricos, mas mitos que contêm alguma verdade eterna. Alguns existencialistas posteriores, tais como Barth, preferiram chamá-los de sagas, dizendo que os mitos são estórias de coisas que nunca aconteceram, ao passo que as sagas são fatos que acontecem repetidamente, e são verdadeiras. Nenhum teólogo ou filósofo da época de Kierkegaard o levou realmente a sério. A humanidade vivia em uma época de raciocínio e de esperanças sem limites, e o desespero e o pessimismo de Sören não acharam lugar no otimismo da época. Entretanto, estas idéias encontraram um ouvinte atento aproximadamente no final da Primeira Guerra Mundial, enquanto Karl Barth ouvia os combates do outro lado da fronteira com a pacífica Suíça, e lutava com a falência do evangelho social e do liberalismo.

Barth escreveu a obra *Romans* usando todos os termos e conceitos de comunicação indireta, contemporaneidade, disjunção, mito, saga etc., de Kierkegaard. Em breve ele conseguiu o posto de professor na Basiléia, e teve um grupo de teólogos ao seu redor, entre eles Thorneyson e Brunner. No entanto, Barth recebeu tamanha reação à sua teologia existencial, apresentada em sua obra *Doctrine of the Word of God* de 1927, que ele reescreveu o livro todo, e publicou-o como 1.1 de seu *Church Dogmatics*. Os termos de Kierkegaard foram eliminados e ele afirmou que o existencialismo tinha sido removido com eles; mas os pontos de vista de Kierkegaard ainda permaneceram fortemente enraizados nesta nova apresentação da doutrina da revelação.

Deus era descrito como *totaliter aliter*, "completamente outro", de modo que só era possível a comunicação indireta. Ele vive em um "eterno agora", infinito e ilimitado, na experiência subjetiva da revelação. A revelação e a salvação tornaram-se sinônimas. Elas seriam a mesma coisa. A revelação acontece sob a forma de um mito ou de uma saga, apesar das contradições etc. Cristo, como a Palavra, torna-se a revelação verdadeira, quando o homem lê ou ouve a leitura da Bíblia.

Emil Brunner defendeu com bravura a possibilidade de uma revelação geral. Mas ele não fez o mesmo esforço para eliminar os termos e para ocultar os conceitos de Kierkegaard.

O existencialismo continuou teísta na sua primeira forma teológica. Foi chamado de Teologia (enfatizando a idéia do julgamento de Deus sobre os homens e o pecado) e neo-ortodoxia (afirmando que era um retorno a uma nova forma de ortodoxia, em contraste com os antigos biblicismo e fundamentalismo) da Crise.

Foi um liberal, Paul Tillich, que teve a incumbência de fazer uma síntese entre o liberalismo e a neo-ortodoxia. Tillich era na verdade um panteísta, como Schleiermacher, seu precursor em teologia, e como Hegel, seu precursor em filosofia.

Outros, que eram agnósticos (Martin Heidegger) ou ateus (Sartre), e que portanto não admitiam nenhuma revelação, não tinham verdadeiros problemas epistemológicos sobre o tema. Eles partiram do sofrimento existencial da esperança e do medo, da liberdade e do destino, e desenvolveram suas próprias filosofias existenciais.

**Características do Existencialismo**

*O sofrimento do homem.* O homem encontra-se em um sofrimento triplo:

**1. Isolamento.** Ele está isolado do mundo, dos vizinhos e de si mesmo. Os teístas acrescentam que ele está isolado de Deus.

**2. Ansiedade.** Kierkegaard dizia que o homem deve evoluir, da ansiedade ao desespero, antes de poder dar o salto da fé para a salvação. Sartre faz o herói de *The Flies* dizer com amargura: "A vida humana começa do outro lado do desespero".

**3. Alienação e individualização extremas.** Existe uma singular falta de interesse no campo social e político. Karl Barth conclamava uma urgente oposição aos nazistas e a Hitler, porque eles negavam a Deus, mas não conclamava nenhuma oposição contra os comunistas, porque isto significaria entrar nos campos social e político. A extrema alienação individual manifesta-se em muitos dos existencialistas ateus e agnósticos. Por causa do seu panteísmo, Paul Tillich era uma exceção, e enfatizava o envolvimento na sua dialética tensional, entre a individualização e a participação.

*As possibilidades do homem.* São quatro:

**1. Liberdade.** Esta característica do humanismo renascentista é particularmente enfatizada pelos existencialistas ateus e agnósticos. Para os existencialistas teístas, e para os neo-ortodoxos em especial, a liberdade desaparece, excluída pela graça soberana de Deus. Por outro lado, como Kierkegaard deixou ao homem a iniciativa do salto, ele permitiu sua liberdade.

**2. Autonomia.** O homem faz suas próprias leis e estabelece seu próprio sistema ético. Os Dez Mandamentos não são a verdade e a revelação proposicionais, mas o meio pelo qual recebemos a nossa missão ou as nossas ordens.

**3. Decisão.** Uma importância maior é atribuída à tomada de decisões do que à natureza das decisões tomadas. Kierkegaard falava do salto de fé, a decisão de acreditar no que é contradição, paradoxo e absurdo. Uma decisão é importante dependendo do grau em que é tomada: por exemplo, se é tomada sem evidências, ou mesmo contra estas. Uma decisão é boa, de acordo com Tillich, quando o motivo pelo qual é tomada é o amor, mesmo que seja uma decisão errada.

**4. Conhecimento intuitivo.** O homem encontra o conhecimento dentro de si mesmo. Platão falava do conhecimento como sendo uma recordação, mas o existencialista o vê como alguma coisa intuitiva. Sendo um panteísta, Tillich vê o conhecimento brotando das profundezas da razão presente no homem, e aparecendo na arte e na cultura. Os neo-ortodoxos, que negam a revelação proposicional, porém afirmam conhecer a revelação, estão expressamente substituindo a revelação bíblica por alguma forma de autoconhecimento.

*Os problemas do homem.* Os maiores problemas do homem são o tempo e a verdade, e o efeito destes em sua existência.

**1. Dois tipos de tempo.** O tempo infinito, ou o "agora eterno" é vertical, e contemporâneo, ao passo que o tempo terreno é linear e contínuo.

**2. Dois tipos de verdade.** De acordo com os existencialistas teístas, a verdade compartilha a mesma dualidade que o tempo: a verdade eterna é infinita e ilimitada; a verdade terrena sofre os empecilhos das categorias da limitação, do tempo e do espaço. A verdade terrena é útil e de importância temporária, mas não tem significado eterno. A verdade celestial é de significado eterno e tem importância completa, mas é impossível expressá-la em termos humanos.

**3. Duas existências.** O homem pode simplesmente continuar a viver como a maior parte da humanidade, em uma existência falsa, ou pode transcender a si mesmo, e desfrutar a autêntica existência. Barth acrescentou ainda outra existência quando falou de cada homem existindo em Cristo como um "rejeitado" e como um "eleito". Esta é a existência "própria" do homem.

*Conseqüências pessoais.*

**1. Subjetivismo.** O conhecimento do homem de qualquer coisa que ele possa perceber por meio dos seus próprios sentidos depende inteiramente do que nasce dentro dele. Não existe uma revelação direta de Deus em palavras ou afirmações para o existencialista teísta (Barth, Brunner etc.). Tillich pensa que até mesmo os mandamentos e ensinos de Cristo foram posteriormente renunciados por Ele e não se aplicam a nós.

**2. Pessimismo.** O existencialismo é essencialmente uma filosofia de pessimismo, originando-se na frustração e na desilusão causadas pela Primeira Guerra Mundial. O ateu não tem esperança nem futuro. O existencialista teísta, com sua tendência à alienação e individualização extremas, não tem resposta para as necessidades sociais ou políticas do homem. O futuro que nos é oferecido após a morte é sem valor, por não poder ser descrito de forma significativa.

O destino do homem.

**1. Revelação.** Somente os existencialistas teístas podem oferecer alguma teoria sobre uma revelação celestial divina da verdade. A teoria da comunicação indireta que apresentam, combinada com a identificação da

revelação e da salvação, expressa a visão que têm do objetivo do homem na terra.
**2. Reconciliação.** A revelação, também, só é possível para os existencialistas teístas. Ela é alcançada por uma teoria realista da identificação do homem com a obra que Cristo realizou, conduzindo, dessa forma, à restauração de todas as coisas e à salvação universal (Barth).
**3. Autotranscendência.** Esta é a palavra usada pelos existencialistas ateus e agnósticos, e por Tillich, como um panteísta. O homem pode transcender a si mesmo e à matéria para tornar-se livre e desfrutar uma autêntica existência. Esta é a contraparte da salvação para o existencialista teísta.
**4. Esquecimento ou história estática.** Não há futuro, pois a morte é o fim de tudo para o existencialista ateu. O homem é absorvido pelo Ser ou pelo Poder do Ser, que absorve os relacionamentos sujeito-objeto, e que é identificado no panteísmo de Tillich. Os neo-ortodoxos podem oferecer pouca coisa além do esquecimento, com seu conceito de um agora eterno e contemporâneo. O futuro do homem em uma eternidade infinita e ilimitada é indescritível além da afirmação de que o passado, o presente e o futuro serão todos um grande presente, da mesma forma que os acontecimentos da história estão todos presentes em um conjunto interminável de livros de história.
*Veja* Deus; Liberalismo; Neo-ortodoxia; Teologia; Tempo.

***Bibliografia.*** H. J. Blackham, *Six Existentialist Thinkers*, Nova York. Harper, Torchbooks, 1959. Marjorie Grene, *Introduction to Existentialism*, Chicago. Univ. of Chicago Press, Phoenix Books, 1960. F.H. Heinemann, *Existentialism and the Modern Predicament*, Nova York. Harper, Torchbooks, 1958. Milton D. Hunnex, *Existentialism and Christian Belief*, Chicago. Moody, Christian Forum Books, 1969. Carl Michalson, *Christianity and the Existentialists*, Nova York. Scribners, 1956. J. C. Mihalich, *Existentialism and Thomism*, New York. Philosophical Library, 1960. David E. Roberts, *Existentialism and Religious Belief*, Nova York. Oxford Univ. Press, Galaxy Books, 1959. J. M. Spier, *Christianity and Existentialism*, Filadélfia. Presbyterian and Reformed Pub. Co., 1953.

R. A. K.

**ÊXODO, O** O Êxodo é o acontecimento crucial na história de Israel. Foi a poderosa libertação realizada pelo Senhor, para trazer todo o povo de Israel da escravidão no Egito e levá-lo à terra prometida. Esta saída do Egito e a conseqüente migração em direção a Canaã, sob a liderança de Moisés, foi marcada por muitos milagres, e resultou no estabelecimento dos israelitas como uma

Amenotep II, o faraó do êxodo de acordo com a datação antiga. HFV

nação em aliança com Deus, que era seu próprio governante teocrático. Em um sentido restrito, a palavra cobre o ano das dez pragas, a Páscoa e a travessia do Mar Vermelho (Êx 7.15).

### Historicidade

Nenhum registro egípcio conhecido refere-se aos israelitas no Egito ou à sua partida. Esta total falta de evidência contemporânea foi usada por alguns críticos para argumentar contra o Êxodo como um acontecimento histórico. Mas a libertação de Israel da escravidão, realizada por Deus, é mencionada com tanta freqüência nos livros posteriores do Antigo Testamento (veja as numerosas referências ao Egito em uma relação de tópicos da Bíblia) que os estudiosos agora admitem que realmente aconteceu uma migração de israelitas para fora do Egito. A opinião dos estudiosos varia enormemente, no entanto, quanto à data do acontecimento, e se toda a nação esteve envolvida no Êxodo, ou se apenas algumas das tribos de Israel.
Grandes movimentações de pessoas de uma terra para outra não eram raras na antigüidade. Deus relembra ao seu povo seus feitos soberanos do passado, ao perguntar: "Não fiz eu subir a Israel da terra do Egito, e aos filisteus, de Caftor, e aos siros, de Quir?" (Am

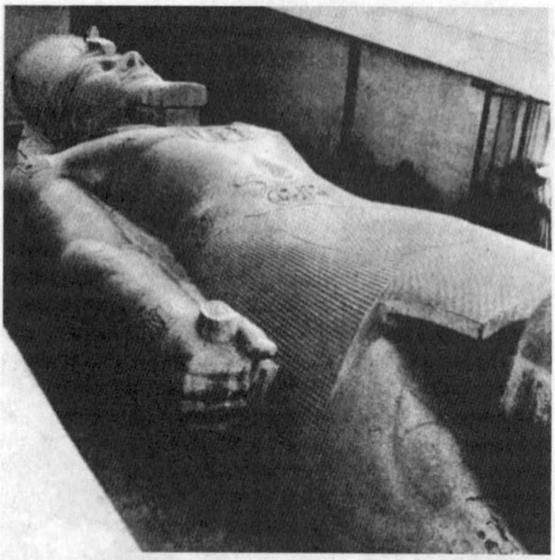

Grande estátua deitada de Ramsés II em Mênfis, candidato a ser o faraó do êxodo de acordo com a datação mais recente. HFV

9.7). No final do século XV a.C., hurrianos de cerca de 14 distritos, aparentemente, deixaram seus lares no reino heteu e foram para a terra de Isuwa, em território hurriano. No entanto, eles foram, mais tarde, forçados a retornar pelo poderoso rei heteu Suppiluliumas, e foi assinado um tratado com o rei hurriano Mattiwaza (K. A. Kitchen, "Exodus", NBD, p. 402; veja parte desse tratado em ANET, pp. 205 ss.).

Desta forma, o relato do Êxodo é o único, em toda a literatura antiga, que descreve um povo que, em sua totalidade, foi libertado com sucesso de um regime opressivo pelas ações sobrenaturais do próprio Deus.

### O Relato Bíblico

Jacó e os seus filhos foram ao Egito obedecendo a Deus (Gn 46.1-7), para procurar alívio para a escassez de alimentos que sobreveio a todo o Oriente Próximo. José, que tinha sido elevado à posição de vizir (41.41-43), instalou-os na terra pastoril de Gósen, perto da fronteira leste do Egito (46.31-34). Os israelitas vieram ao Egito cerca de 400 anos antes do Êxodo (Êx 12.40). Se o Êxodo ocorreu em 1445 a.C. (*veja* a seção sob o título "A Época"), então Jacó entrou no Egito em aprox. 1875 a.C. (ou em 1845 a.C., se for adotada a leitura "em Canaã e no Egito" da PS e da LXX) durante a ilustre 12ª dinastia, uma época de poder, de paz e de unidade em toda a região (Gn 41.43-48).

Algum tempo depois da morte de José, em aprox. 1800 a.C. (ou 1700), um novo rei subiu ao trono do Egito, e recusou-se a reconhecer o valor do ministério de José (Êx 1.8). Como os israelitas eram mais numerosos do que o novo rei e seu povo (1.9), é muito provável que Êxodo 1.8-12 refira-se à época dos reis semitas hicsos no Baixo Egito (aprox. 1730-1570 a.C.), e não aos reis egípcios posteriores. A antipatia entre os hicsos e os israelitas escravizados explicaria por que os últimos não decidiram deixar o Egito, ou não foram expulsos, juntamente com os governantes estrangeiros. Os poderosos faraós da 18ª dinastia continuaram a dura opressão por muitas gerações. A despeito disso, os escravos hebreus continuavam multiplicando-se (Êx 1.7,12, 20). Na época do nascimento de Moisés, haviam sido tomadas medidas para impedir esse crescimento, atirando os recém-nascidos no Nilo. O bebê Moisés, no entanto, foi resgatado por uma princesa egípcia que o adotou. Assim, ele foi educado nos círculos da corte (At 7.22), onde pôde aprender sobre os povos da época e as suas culturas.

Os israelitas precisavam ser libertados, não apenas da servidão econômica, mas também da escravidão espiritual. Eles tinham se voltado em larga escala para divindades pagãs, durante os seus quatro séculos de residência no Egito (Lv 17.7; Js 24.14; Ez 20.5-9; 23.3,19,27). Assim, no Sinai, mandamentos específicos foram dados para evitar que adorassem a outros deuses (Êx 20.5-9; 23.13). Ainda assim, a necessidade de um ídolo ao estilo egípcio rapidamente trouxe a produção do bezerro de ouro (Êx 32; At 7.39ss.).

Deus ouviu o clamor de seu povo oprimido, e chamou Moisés do seu exílio auto-imposto. Após ter matado um capataz egípcio, ele havia fugido do Faraó e permanecido no deserto do Sinai, até que aquele governador tivesse morrido (Êx 2.23). Pouco tempo depois do retorno de Moisés, Deus começou a enviar as pragas ao Egito, para forçar o novo Faraó a deixar partir seu povo. Esses desastres para a vida e para a economia do Egito também eram julgamentos sobre os deuses do Egito (Êxodo 12.12; *Veja* Falsos deuses). Embora as pragas fossem sobrenaturais em sua velocidade e severidade, algumas delas lembravam certos fenômenos que também eram naturais no Egito. O relato está repleto de autênticas descrições locais. Onde quer que estivesse a capital do Egito na época, podemos ter certeza de que o Faraó obviamente estaria nas proximidades da terra de Gósen (Êx 5.6,15-20). Ele deve ter vivido em uma residência secundária, como uma casa para hóspedes do templo em uma cidade (9.33) próxima ao Nilo (7.20-23; 8.3,24), se não no principal palácio real.

O Senhor deu a Moisés e a Arão instruções muito detalhadas sobre a escolha e a matança do cordeiro novo, e a aplicação do seu sangue na verga e nas ombreiras das portas. Este sacrifício foi extremamente importante tanto para a sobrevivência imediata de Israel quanto para a tipologia redentora (Êx 12.1-27,43-49; 13.1-16). Deveria ser uma páscoa ou uma oferta ao Senhor (12.11), uma oferta para assegurar sua proteção quando o Senhor viesse sobre a terra do Egito e matasse o primogênito em cada casa.

Os israelitas devem ter caminhado diversos dias e diversas noites depois de terem comido os cordeiros, antes de atingir a margem do Mar Vermelho (*Veja* a seção chamada "A Rota"). O poderoso milagre da libertação através das águas divididas não poderia ter ocorrido na mesma noite da Páscoa, embora o derramamento do sangue marque a ocasião do início da libertação (Êx 12.42,51; 13.3,4). É impressionante que em nenhuma outra literatura se afirme que o povo tenha empreendido uma fuga (Hebert, p. 14).

Deve-se enfatizar que o Antigo Testamento retrata uniformemente todas as tribos de Israel como tendo tomado parte no Êxodo. Todos os doze filhos de Jacó estavam com ele no Egito, juntamente com suas famílias, e tornaram-se as doze tribos (Gn 46.5-27; Êx 1.1-5). Todas o rodearam em seu leito de morte, quanto o patriarca profetizou sobre elas (Gn 49). Em Êxodo 12.41, afirma-se claramente que "todos os exércitos do Senhor saíram da terra do Egito". Moisés erigiu doze pilares ao pé do Monte Sinai para representar as tribos (Êx 24.4). Todos os doze nomes deveriam ser gravados nas duas pedras nas ombreiras do éfode, e cada uma das doze pedras preciosas deveria receber a gravação do nome de uma tribo (Êx 28.9-21; 39.6-14). Doze pães deveriam ser colocados sobre a mesa da proposição (Lv 24.5,6). O livro de Números menciona freqüentemente todas as doze tribos de Israel. Em Deuteronômio, referindo-se aos espias, Moisés diz: "tomei doze homens, de cada tribo um homem" (1.23). Todas as doze tribos receberam seus nomes em conexão com a ordem de pronunciar as bênçãos e as maldições entre os montes Ebal e Gerizim (Dt 27.12,13). O testemunho do livro de Josué é claro, e mostra que as doze tribos participaram da travessia do Jordão (3.12; 4.2,4,9,20-24).

Desta forma, o Antigo Testamento ensina que o Êxodo foi um movimento único de saída do Egito em que as doze tribos partiram juntas. Também podemos ver que a entrada em Canaã foi uma invasão de combatentes de todas as doze tribos, ao mesmo tempo. Qualquer evidência, portanto, com respeito à história de uma das tribos durante a segunda metade do segundo milênio a.C. é válida como evidência da história de toda a nação de Israel durante aquele período.

Estes dados bíblicos contrariam as teorias de muitos escritores que seguem a hipótese documental do Pentateuco (*Veja* Êxodo, Livro do; Pentateuco). A maioria deles também propõe uma data posterior para o Êxodo. Para controlar algumas evidências extrabíblicas, eles imaginaram um Êxodo e uma entrada na Palestina em duas etapas, em séculos diferentes; ou que algumas das tribos nunca estiveram no Egito. A interpretação do acontecimento do Êxodo, assim, não é simplesmente um problema de cronologia. Ela envolve a origem da religião de Israel, a

A inscrição do sonho de Tutmósis IV mostrada em uma estela entre as patas da esfinge

historicidade das narrativas e a própria inspiração das Escrituras.

### A Rota

É difícil determinar a rota exata tomada pelos israelitas. Praticamente todos os nomes de lugares mencionados em Êxodo 12–15 e o próprio significado da expressão "Mar Vermelho" estão em questão. Portanto, existem pelo menos três teorias principais sobre a rota do Êxodo. A atitude mais crítica geralmente é sobre o fato de que o relato do Êxodo parece incorporar mais do que uma tradição geográfica; assim, a narrativa atual seria uma reconstrução de diversas tradições, sem nenhum conhecimento certo sobre os lugares mencionados ou sobre a verdadeira rota.

Aqueles que acreditam que a palavra hebraica *yam suph* refira-se ao Mar Vermelho, propõem que os israelitas caminharam na direção sul, em direção ao promontório do golfo de Suez, e cruzaram o atual golfo ou os Lagos Amargos, conectados naquela época por um curso d'água com o Mar Vermelho.

Aqueles que propõem uma travessia central, acreditam que os israelitas seguiram a leste de Sucote para o pequeno Lago Timsa, o *yam suph*, que deveria ser traduzido como "Mar dos Juncos". Então os judeus teriam deixado o Egito pelo "caminho do deserto" (Êx 13.18), o que eles equiparam com o "caminho de Sur" (Gn 16.7), indo para Berseba.

A teoria de uma rota pelo extremo norte supõe que, depois de deixar Sucote, os israelitas não poderiam cruzar com segurança as fortalezas da fronteira egípcia, e assim voltaram-se para a direção nordeste, para o Mediterrâneo, para flanquear os muros do Egito. Eles evitaram o caminho dos filisteus (Êx 13.17), cruzando a península de areia que divide o Mar Sirboniano (o Mar de Juncos nesta visão), hoje chamado Lago Bardawil. Baal-Zefom (Êx 14.2,9) é supostamente o local de um templo comparável ao Monte Cássio, e Zeus foi mais tarde adorado nesta estreita faixa de terra. Mas esta conjetura é improvável, porque a proximidade desta rota com a estrada militar ou o caminho dos filisteus teria colocado os israelitas em perigo (Cassuto, p. 156). Além disso, uma investigação arqueológica israelita em 1967 não encontrou nenhum fragmento de cerâmica do final da Idade do Bronze no Monte Cássio (IEJ, XVII [1967], 279ss.).

Uma estranha variação da teoria do sul supõe que os israelitas cruzaram perto de Suez e continuaram rumo a leste até Eziom-Geber, depois ao sul pelas terras de Midiã na Arábia, até as montanhas vulcânicas. Esta teoria supostamente explica o fogo e a fumaça no Monte Sinai (Êxodo 19 – os picos ao sul da península do Sinai não são vulcânicos), com Horebe estando em Midiã (Êx 2.15; 3.1) e as referências a Seir, Parã e Temã em Deuteronômio 33.2; Juízes 5.4,5; Habacuque 3.3. Para todas estas rotas, veja Emil G. Kraeling, *Rand-McNally Bible Atlas*, Chicago. Rand McNally, 1956, Mapa V.

W. F. Albright e G. E. Wright defenderam uma visão do norte que afirma que Baal-Zefom é Tell Defneh (Tafnes, q.v.) e o Mar de Juncos é o Lago Manzala. Depois de cruzar o lago, os israelitas dirigiram-se ao sul para ir ao tradicional Monte Sinai, na extremidade sul da península. Mas a associação do deus Baal-Zefom com o porto de Tafnes está baseada em um papiro fenício posterior, do século VI a.C.

Os dados geográficos vêm a seguir. Os israelitas moravam na terra de Gósen, também chamada de "terra de Ramessés" (Gn 47.11). Como escravos, eles tinham construído para o Faraó os depósitos militares ou as "cidades de tesouros" de Pitom e Ramessés (Êx 1.11). A palavra hebraica *gosem* corresponde à palavra grega "gesem" (Gn 45.10; 46.34 na LXX), provavelmente a egípcia "Kesem do Leste". É quase certo que Gósen refira-se à região leste do delta do Nilo, incluindo os 48 quilômetros férteis ao longo do Uádi Tumilat, estendendo-se de Bubastis no ramo leste do Nilo até Ismailia, perto do lago Timsa.

Os arqueólogos examinaram dois lugares no Uádi Tumilat. Tell el-Maskhuta, cerca de quinze quilômetros a oeste do Lago Timsa, foi escavado por Naville em 1883; e Tell er-Retabeh, cerca de treze quilômetros em direção a oeste, foi explorado por Petrie. Inscrições hieroglíficas no primeiro local provavelmente o identificam com Tjeku ou com uma cidade na região de Tjeku, uma área próxima à fronteira do Egito. Papiros de Anastásio VI mencionam Tjeku como o lugar onde as tribos beduínas esfomeadas de Edom estavam sendo sustentadas depois de obterem a permissão de passar pela fortaleza de Merneptah (ANET, p. 259). Há outro papiro que fala do "muro que cercava Tjeku", evidentemente a linha de fortalezas que guardavam a fronteira com o deserto (*ibid.*). Em termos filológicos, Tjeku pode possivelmente ser equiparada a Sucote (Êx 12.37; 13.20). Este foi o ponto de congregação dos israelitas, seu primeiro acampamento (Nm 33.5) depois de deixar as suas moradias de escravos. A palavra hebraica *sukkoth* significa literalmente "barracas" ou "cabanas", e indica a natureza temporária dos seus abrigos durante a jornada.

Pitom (Pi-tum, o termo egípcio *Per-Atum*, "casa de Atum" foi identificada com Tell er-Retabeh por Sir Alan Gardiner. No entanto, este é um lugar pequeno, de modo que Uphill propõe que Tell Hisn (Heliopolis, a bíblica Om), nos subúrbios a nordeste do Cairo, seja Per-Atum (JNES, XXVII, 291-301). Desta forma, a localização de Pitom (só em Êxodo 1.11) permanece incerta.

Qantir está quarenta quilômetros a noroeste de Tell el-Maskhuta, e da área de Sucote. Esta é a provável localização de Per-Rameses, a nova cidade capital de Ramessés II (veja Uphill). Outros estudiosos equipararam Per-Rameses a Tanis (a bíblica Zoã, Sl 78.12,43), a antiga capital dos hicsos em San el-Hagar, 20 ou 25 quilômetros mais para o norte. Da região de Ramessés (Êx 12.37; Nm 33.5) vieram muitos israelitas que começaram o Êxodo. No entanto, o Antigo Testamento não indica que este Ramessés (ou Ramsés, Êxodo 1.11) fosse chamado Per-Rameses (que poderia ser Pi-Rameses, seguindo o padrão de Pitom = Pi-tum = Per-Atum, Êxodo 1.11). A transcrição hebraica omite o elemento *Pr* que sempre parece preceder o nome da cidade de Ramessés nas inscrições egípcias (Redford, VT, XIII, 409ss.). Não foram encontradas inscrições da 18ª dinastia nem em Qantir nem em San el-Hagar, de modo que a Ramessés bíblica pode ter designado, de forma mais ampla, uma região agrícola na época de Moisés.

A partir de Sucote, os israelitas saíram e foram acampar em Etã, na entrada do deserto (Êx 13.20). Como eles não estavam sendo levados para o norte, para entrar na rota mais curta até Canaã, para que não vissem a guerra (Êx 13.17), Etã (provavelmente igual à palavra egípcia *h t m*, "forte") não pode ser uma das fortalezas do norte da muralha do Egito. Seria esperado um lugar para o leste, a um dia de viagem (Nm 33.6). Ruínas de um forte como este estão em Serapeum, no meio do caminho entre o lago Timsa e os Lagos Amargos, conhecida mais tarde como a "fortaleza de Merneptah" (*veja* acima). Ela guardava a entrada para a rota para o Egito conhecida como o "caminho de Sur" (Gn 16.7).

Então o Senhor ordenou a Israel, "voltem e que acampem diante de Pi-Hairote, entre Migdol e o mar, diante de Baal-Zefom... junto ao mar" (Êx 14.2). O mar deve ser o Mar Vermelho, onde ocorreu a milagrosa libertação (15.4,22; Dt 11.4; Js 2.10; 4.23; 24.6; Ne 9.9; Sl 106.7,9,22; 136. 13-15), pois como Êxodo 13.17-19 resume toda a jornada, Deus não os conduziu pelo caminho mais curto, o caminho pelas terras dos filisteus, mas "fez rodear o povo pelo caminho do deserto perto do mar Vermelho" (tradução original de 13.18*a*).

A expressão hebraica *yam suph*, "Mar Vermelho", nas versões KJV e RSV em inglês tornou-se um enigma. Muitos estudiosos modernos a traduzem como "Mar de Juncos", porque em Êxodo 2.3,5 e em Isaías 19.6 *suph* é a palavra que designa uma planta que cresce em abundância nas margens do Nilo, e porque *suph* parece ser equivalente à palavra egípcia *twfi*. Esta correspondência etimológica, no entanto, não é certa, e, além disso, a expressão egípcia *pr twfi* é usada somente para um território, e jamais para um mar ou um rio (Simons, GTT, pp. 77ss.). Se o significado fosse "Mar de Juncos", então provavelmente não se referiria ao conhecido Mar Vermelho, porque não há juncos em parte alguma ao longo das suas margens.

Quando o termo *yam suph* aparece em uma passagem do Antigo Testamento, sem se referir ao milagre do Êxodo, pode designar o braço leste do Mar Vermelho, o golfo de Ácaba (1 Rs 9.26; Êx 23.31; Jz 11.16; Jr 49.21). O caminho do Mar Vermelho (Nm 14.25; 21.4; Dt 1.40; 2.1) é mais bem explicado como a rota de comércio através do deserto do Sinai, do Egito para a Arábia, conectando as duas extremidades do Mar Vermelho em Suez (Clysma) e Eziom-Geber (Elate), respectivamente. A Septuaginta (LXX; At 7.36; Hb 11.29) traduziu *yam suph* constantemente como *he eruthra thalassa*, o Mar Vermelho como nós o conhecemos hoje em dia, exceto em 1 Reis 9.26, onde o adjetivo *eschates* "última, mais distante, final" supõe a leitura *soph*. O termo hebraico *soph* quer dizer "final" (Ec 3.11; 7.2; 12.13; 2 Cr 20.16). Desta forma, o termo pode ter sido originalmente *Yam soph*, "o mar da fronteira", aquele mar no final do território egípcio (M. Copisarow, "The Ancient Egyptian, Greek and Hebrew Concept of the Rea Sea", VT, XII [1962], 1-13; N. H. Snaith, "*Yam-Soph*: the Sea of Reeds: the Red Sea", VT, XV [1965], 395-398).

De acordo com Êxodo 10.19: "um vento ocidental fortíssimo" jogou todos os gafanhotos de todo o território do Egito no *yam suph*. O "vento ocidental" é, em hebraico, literalmente, um "vento do mar", o que na Palestina poderia ser um vento oeste; aqui, no Egito, seria mais um vento noroeste. Somente o atualmente conhecido Mar Vermelho (não um lago pantanoso) está localizado adequadamente e tem tamanho suficiente para causar a morte de um bando gigantesco de gafanhotos. Se forem aceitos a rota sul e o tradicional Monte Sinai, *yam suph* em Números 33.10,11 é facilmente explicável como a linha da costa do Golfo de Suez, na qual encontra-se o oásis de Elim, na planície de el-Marhah.

Os três nomes de lugares em Êxodo 14.2 não podem ser identificados com certeza, sob nenhuma teoria. Mas, se nos mantivermos de acordo com a teoria mais provável, a do Sul, a provável rota poderá ser traçada. Depois de voltar da fronteira em Etã, os israelitas fizeram uma curva para um curso sudoeste pela costa noroeste da parte maior do Lago Amargo. Depois, passando Jebel Jenefeh pelo oeste, eles foram para o sudeste, entre Jebel Abu Hasan e "o mar", acampando em Pi-Hairote, que pode significar "casa dos pântanos". Existem pântanos ao redor da extremidade sul dos lagos Amargos, e naquela altura estão as ruínas de uma torre de pedra (em hebr. *migdol*, e em egípcio *mktl*), e uma das suas três salas é um relicário com textos hieroglíficos contendo os nomes de Seti I e Ramessés II.

Embora a possibilidade de identificação de Baal-Zefom com qualquer um dos diversos lugares sagrados no norte seja o fator crucial nas teorias do norte, a divindade dos cananeus, Baal, quando introduzida no Egito, foi adorada em muitos lugares. C. Bourdon observou que um papiro egípcio, que fornece um itinerário com os nomes geográficos dos lagos, lista quatro torres, uma das quais é a torre de Baal-Zefom (RB, LXI [1932], 370-392).

Em uma época tão antiga como a do reinado de Hatshepsut (1054-1483 a.C.), que enviou barcos via Nilo de Tebas para fazer comércio com Punt, na costa da Somália, deve ter havido um canal conectando os lagos Amargos com o Golfo de Suez, e um canal em Uádi Tumilat unia os lagos com o braço leste do Nilo perto de Bubastis. Logo, muitos estudiosos que apóiam a rota sul acreditam que os lagos Amargos podem apropriadamente ser chamados de parte do Mar Vermelho, e propõem que os israelitas cruzaram um lugar pouco profundo, na parte estreita dos lagos, onde o vento soprava e afastava a água (um fenômeno observado por Napoleão, antes da construção do Canal de Suez).

Por outro lado, o caminho da travessia deve ter sido muito largo, para permitir que todos os israelitas pudessem escapar em uma única noite. Além disso, as águas, de volta ao seu estado normal (Êx 14.27) devem ter sido suficientemente profundas para cobrir todas as forças e carros de Faraó. Embora as palavras do cântico de Moisés possam ser apenas figurativas, elas realmente falam das profundezas do mar, de descer às profundezas, do coração do mar e das águas veementes (Êx 15.5,8,10). Portanto, uma travessia através do atual Mar Vermelho, ao sul do porto de Suez ou Clysma é o que melhor se ajusta aos dados do texto. Aqui Israel teria sido impossibilitada de escapar caminhando mais para o sul ao longo da margem oeste do Mar Vermelho, porque as alturas de Jebel Ataqah vão direto para a água. Para o restante da rota para o Monte Sinai e Canaã, *Veja* Peregrinação Pelo Deserto.

## A Época

A chave para a cronologia dos acontecimentos bíblicos por todo o segundo milênio a.C. é a data do Êxodo. Existem dois pontos de vista principais com respeito a essa data: (1) os israelitas deixaram o Egito durante a 18ª dinastia, 1450-1440 a.C.; e, (2) eles não partiram antes da 19ª dinastia, durante o século XIII a.C. A data mais antiga está mais de acordo com os 480 anos entre o Êxodo e o início do templo de Salomão no quarto ano do seu reinado (967 a.C.; 1 Rs 6.1), com os 300 anos entre a conquista da Transjordânia e a época de Jefté (Jz 11.26), e com a duração do período dos juízes. Assim, Tutmósis III (1504-1450 a.C.) teria sido o Faraó da opressão, e Amenotep II (1450-1425 a.C.) o Faraó do Êxodo. Os principais argumentos para a data posterior são (1) a ocorrência do nome de Ramessés (ou Ramsés) em Êxodo 1.11 e 12.37, (2) o fato de que as explorações de superfície de Glueck na Transjordânia e no Neguebe não encontraram nenhuma ruína importante de acampamentos até depois de 1300 a.C., e (3) o nível de destruição de numerosos lugares no oeste da Palestina entre 1250 e 1200 a.C.

*A data posterior*. A explicação mais razoável para este ponto de vista é a de que o Êxodo ocorreu no início do reinado de Ramessés II (1304-1237 a.C.), entre aprox. 1290 e 1280 a.C. O sucessor de Ramessés, Merneptah (1236-1223) na sua placa da vitória fala de cidades e povos na Palestina que enterraram os restos de Israel, assim como sua semente (ANET, p. 378). Embora o termo “semente” possa referir-se a descendência, a concordância com o idioma egípcio é mais provável, significando a queima da colheita. Assim, Israel parece ter já entrado na terra prometida depois dos quarenta anos de peregrinação nômade pelo deserto. Mas G. E. Wright e outros insistem que Israel deva ter estado no Egito pelo menos durante a primeira parte do reinado de Ramessés II, para ter trabalhado na construção da cidade de Ramessés (Wright, *Biblical Archaeology*, p. 60). Eles também argumentam que poucas (se é que de fato houve alguma) construções de edifícios da época de Tutmósis III no delta do Nilo são conhecidas, e que a capital da 18ª dinastia estava muito longe, corrente acima, em Tebas.

O nome Ramessés em Êxodo 1.11 pode não se referir à capital Per-Rameses de Ramessés II (*Veja* a seção chamada “A Rota”). Pode ter sido um anacronismo, como alguns pensam que pode ter ocorrido em Gênesis 47.11, ou o nome Ramessés pode vir desde os tempos dos hicsos, mesmo porque os governantes da 19ª dinastia traçaram sua genealogia e tradição remontando até um deus ou rei hicso, chamado Sete, de acordo com a “Placa do ano 400”, encontrada em Tanis (ANET, pp. 252ss.).

A continuidade de Êxodo 1–2, obviamente, significa que o começo da escravidão e a construção de Pitom e de Ramessés ocorreram antes do nascimento de Moisés. Mas Moisés tinha oitenta anos de idade na época do Êxodo (Êx 7.7). Assim, se a última data está correta, Moisés deve ter nascido em 1370 a.C., na 18ª dinastia (1570–1320). Portanto, é impossível afirmar, ao mesmo tempo, que Ramessés II fosse o Faraó que ordenou que os israelitas construíssem as cidades de Êxodo 1.11, e que a idade de Moisés estivesse correta.

Os reis da 18ª dinastia eram muito ativos no Baixo Egito. Tutmósis III indicou dois vizires para este lugar, um residindo em Tebas e o outro em Heliópolis, perto da moderna Cairo, onde Tutmósis erigiu dois obeliscos de granito (que agora estão em Nova York e em Londres). Seu filho Amenotep II é conhecido por ter erigido um monumento ao deus Amon-Ra em Bubastis, na extremidade oeste de Uádi Tumilat. Aqui ele também construiu um templo para a deusa Bastet. Os exércitos desses dois Faraós devem ter usado as instalações dessa importante cidade no delta para as suas muitas campanhas asiáticas. Um pedaço de rocha em Tura mostra que no quarto ano de Amenotep seu supervisor de obras, Minmose, ainda estava ocupado com os templos do delta. Nascido e criado em Mênfis (ANET, pp. 244ss.), Amenotep teve um interesse veemente pelos assuntos do Baixo Egito.

Os que propõem a data posterior explicam os 480 anos de 1 Reis 6.1 sugerindo que esse número seria uma data artificial de origem secundária (Montgomery, *Kings*, ICC, p. 144). Eles estão supostamente baseados em 12 gerações hipotéticas de Arão até os sacerdotes da época de Salomão, usando o período de 40 anos para uma geração, o que era aceito na época. Mas nós sabemos que uma geração está mais próxima de 25 anos, resultando em um período de apenas 300 anos do Êxodo até Salomão. Embora 1 Crônicas 6.3-8 e 50-53 listem 11 sacerdotes de Arão até Zadoque (que ungiu Salomão) inclusive, 1 Crônicas 6.33-37 tem 18 gerações, de Hemã, na época de Davi, até Corá, na época de Moisés. Portanto, nenhuma cronologia exata pode ser calculada a partir das genealogias.

Nelson Glueck diz que nenhum rei edomita ou moabita teria sido encontrado por Moisés no Neguebe ou na Transjordânia, antes de construir as suas fortalezas no século XIII a.C. (*The Other Side of the Jordan*, New Haven. ASOR, 1940, pp. 146ss.; *Rivers in the Desert*, Nova York. Farrar, Straus & Cudahy, 1959, pp. 106, 109, 114ss.). Ele não encontrou nenhuma ruína nem fragmento de cerâmica que pudesse ser atribuído à Metade da Segunda Era do Bronze ou ao final da Era do Bronze (1900-1250 a.C.). As suas conclusões, no entanto, devem agora ser modificadas.

Um cuidadoso estudo geográfico das palavras Edom (q.v.) e Monte Seir, do livro de Gênesis ao de Juízes, revela que Esaú e os seus descendentes viveram na parte oeste do Neguebe, em Arabá, até depois da época de Moisés e de Josué. Antes dos registros bíblicos sobre Saul e Davi, os edomitas não foram mencionados como residentes na Transjordânia (1 Sm 14.47; 2 Sm 8.12-14; 1 Cr 18.11-13). Inscrições do reino de Tutmósis III contam do seu exército guerreando no Neguebe (ANET, pp. 241, 243). Nas proximidades de antigas minas de cobre em Timna (24 quilômetros ao norte de Elá, do lado oeste de Arabá), Beno Rothenberg escavou um templo egípcio, datado por ornamentações reais de Seti I (1318-1304 a.C.) e de Ramessés III (1198-1166). Muita cerâmica de fabricação local no templo, e nos campos de fundição e refino de metais nas proximidades, mostra que as tribos de Midiã e da parte montanhosa do Neguebe central trabalhavam nas atividades das minas egípcias (PEQ, CI [1969], 57ss.). O rei cananeu de Arade, que residia no Neguebe e que lutou contra Israel (Nm 21.1), evidentemente morou em Tell Malhata (doze quilômetros a sudeste de Tell Arad), que tem fortificações cananitas sólidas e bem feitas que incluem um declive de tijolos (IEJ, XIV [1964], 145ss.).

Além disso, as palavras "rei" de Edom (Nm 20.14) e várias "cidades" dos reis edomitas (Gn 36.32,35,39) não precisam provar que os edomitas ainda eram um povo sedentário que morava em cidades fortificadas. Os cinco reis de Midiã (Nm 31.8) dos tempos de Moisés e os dois reis de Midiã da época de Gideão (Jz 8.5,12) eram somente capitães nômades. Cades-Barnéia não tinha edifícios e fortificações permanentes durante a época da peregrinação de Israel, e mesmo assim é chamada de "cidade na extremidade dos teus [isto é, de Edom] termos" (Nm 20.16). Era somente uma cidade de tendas, como os "arraiais" (*mahanim*) de Números 13.19. Foi Deus quem proibiu Israel de cruzar os territórios dos edomitas e moabitas; não foi a força superior desses povos que impediu isso (Dt 2.4-9).

Desde a Segunda Guerra Mundial, numerosos sepulcros na região de Amman-Mount Nebo têm revelado centenas de recipientes de cerâmica e escaravelhos da metade da Segunda Idade do Bronze e do final da Primeira (1800-1400 a.C.). Um templo do final da Idade do Bronze, com uma grande quantidade de cerâmica importada de Chipre e de Micenas foi descoberto em 1955 no aeroporto de Aman (PEQ, XC [1958], 10-12; XCVIII [1966], 155-162; BA, XXXII [1969], 104-116). O início das escavações em Hesbom, em 1968, apresentou alguns fragmentos do Final da Idade do Bronze. Assim, parece que houve alguma ocupação sedentária na Transjordânia por volta de 1400 a.C. Os níveis de destruição no final do século XIII a.C. de Beitin (Betel?), Laquis, Tell el-Hesi (Eglom?), Tell Beit Mirsim (Debir?) e Hazor são atribuídos à conquista israelita de Josué 10–11 por autores como G. E. Wright (*Biblical Archaeology*, pp. 81-85). Embora o estilo pobre das casas acima dos níveis de destruição desses locais possa ou não provar a ocupação israelita, não pode provar que foi o exército de Josué que destruiu as cidades naquela época. As tribos continuaram a

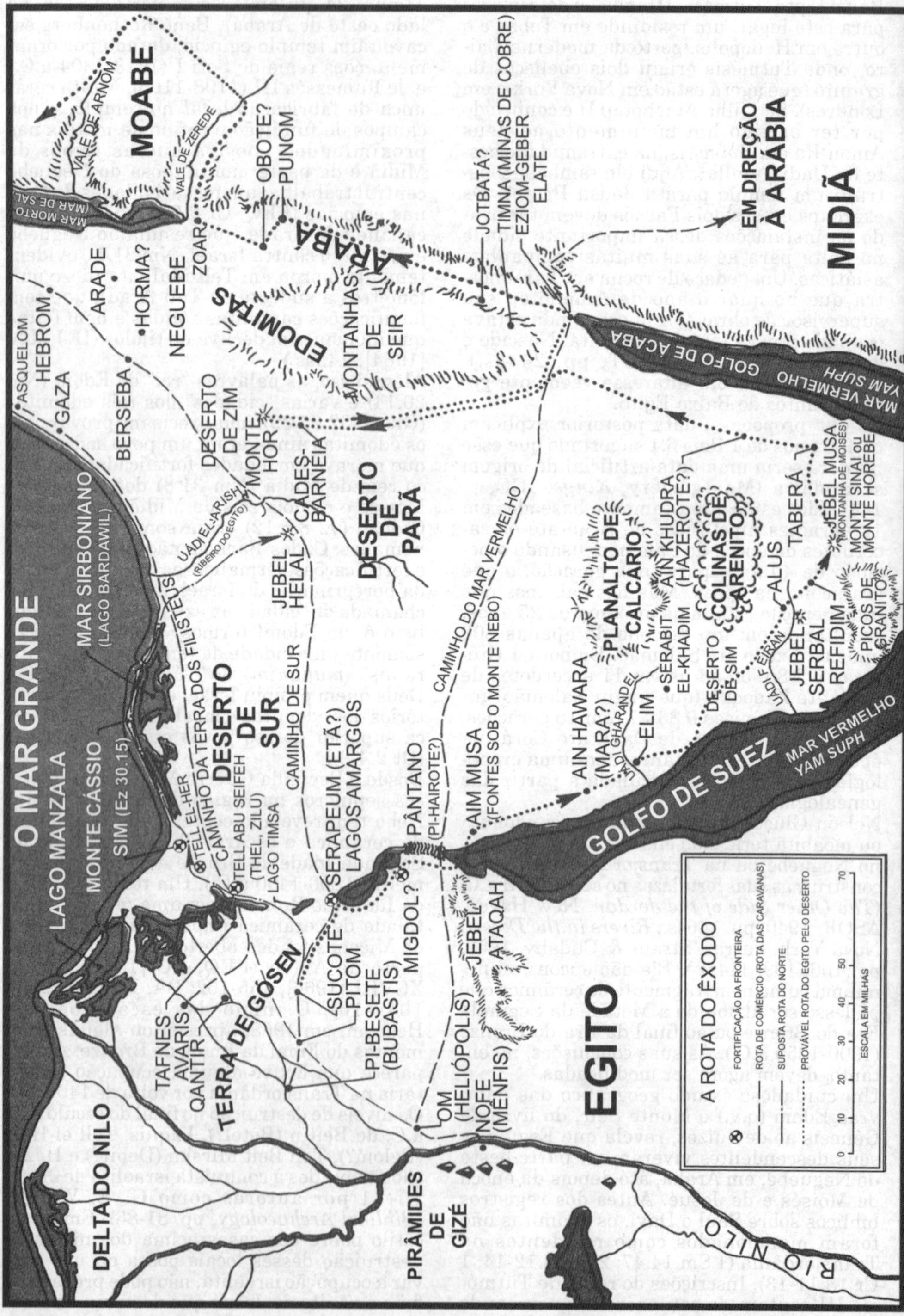
O MAR GRANDE
LAGO MANZALA
MONTE CÁSSIO
SIM (Ez 30.15)
MAR SIRBONIANO
(LAGO BARDAWIL)
DELTA DO NILO
TAFNES
AVARIS
QANTIR
TERRA DE GÓSEN
TELL EL-HER
TELL ABU SEIFEH
(THEL ZILU)
LAGO TIMSA
CAMINHO DA TERRA DOS FILISTEUS
DESERTO DE SUR
SUCOTE
PITOM
PI-BESETE
(BUBASTIS)
SERAPEUM (ETÃ?)
LAGOS AMARGOS
CAMINHO DE SUR
MIGDOL?
PÂNTANO
(PI-HAIROTE?)
OM
(HELIÓPOLIS)
NOFE
(MÊNFIS)
PIRÂMIDES DE GIZÉ
RIO NILO
JEBEL ATAQAH
AIM MUSA
(FONTES SOB O MONTE NEBO)
CAMINHO DO MAR VERMELHO
EGITO
AIN HAWARA
(MARA?)
UADI GHARANDEL
ELIM
SERABIT EL-KHADIM
PLANALTO DE CALCÁRIO
AIN KHUDRA
(HAZEROTE?)
COLINAS DE ARENITO
DESERTO DE SIM
UADI EIRAN
JEBEL SERBAL
REFIDIM
ALUS
TABERÁ
JEBEL MUSA
(MONTANHA DE MOISÉS)
MONTE SINAI OU MONTE HOREBE
PICOS DE GRANITO
GOLFO DE SUEZ
MAR VERMELHO
YAM SUPH
A ROTA DO ÊXODO
FORTIFICAÇÃO DA FRONTEIRA
ROTA DE COMÉRCIO (ROTA DAS CARAVANAS)
SUPOSTA ROTA DO NORTE
PROVÁVEL ROTA DO EGITO PELO DESERTO
0 10 20 30 40 50 60 70
ESCALA EM MILHAS
UADI EL-ARISH
(RIBEIRO DO EGITO)
JEBEL HEIAL
CADES-BARNEIA
DESERTO DE PARÃ
ASQUELOM
GAZA
HEBROM
BERSEBA
NEGUEBE
ARADE
HORMA?
DESERTO DE ZIM
MONTE HOR
EDOMITAS
MONTANHAS DE SEIR
ARABÁ
ZOAR?
OBOTE?
PUNOM
JOTBATÁ?
TIMNA (MINAS DE COBRE)
EZIOM-GEBER
ELATE
GOLFO DE ACABA
MAR VERMELHO
YAM SUPH
EM DIREÇÃO À ARÁBIA
MIDIÃ
MAR MORTO
(MAR DE SAL)
VALE DE ZEREDE
VALE DE ARNOM
MOABE

conquistar os seus territórios depois da morte de Josué. Ele queimou somente Jericó, Ai e Hazor (Js 6.24; 8.19; 11.13). Hebrom e Debir tiveram que ser recapturadas (15.13-17), porque Josué não deixou tropas nas cidades que tomou, mas levou todo o exército de volta a Gilgal (10.43). Ele não realizou manobras de sítio, mas, ao invés disso, executou ataques-relâmpago contra cidades importantes de Canaã, com o objetivo de destruir a moral e a capacidade de combate dos habitantes.

*A data anterior*. Um apoio positivo para este ponto de vista vem: (1) de uma comparação do exílio de Moisés com os longos reinados de alguns Faraós, (2) das condições de instalações em Gósen, (3) da placa do Sonho de Tutmósis IV, (4) da época de Balaão, (5) da queda de Jericó por volta de 1400 a.C., (6) da história de Hazor, (7) de menções egípcias de Aser, (8) da correspondência entre as cartas de Amarna e (9) do início do período dos juízes.

A combinação de Tutmósis III e de Amenotep II ajusta-se bem às exigências do Faraó da opressão e às do Faraó do Êxodo, respectivamente. Tutmósis seria o governante cuja morte está registrada em Êxodo 2.23, o mesmo de quem Moisés fugiu em 2.15 (cf. 4.19). Ele reinou sozinho por 34 anos (1483-1450 a.C.). Os únicos outros Faraós da 18ª e da 19ª dinastias cujos reinados foram suficientemente longos para incluir a maior parte do exílio de Moisés e a permanência com Jetro foram Amenotep III (1417-1379), Horemheb (1348-1320) e Ramessés II (1304-1237). Mas, cada um deles torna-se desqualificado, porque o governante que veio a seguir não poderia ter sido o Faraó do Êxodo. O efeminado Amenotep IV (Akhenaton, 1379, 1362) construiu uma nova capital em Amarna, 320 quilômetros acima de Gósen pelo Nilo, e negligenciou a região do delta, como também os príncipes cananeus que lhe pediam ajuda. Horemheb foi o último rei da 18ª dinastia e seu sucessor, Ramessés I, o primeiro da 19ª dinastia, reinou somente durante um ano e quatro meses. Merneptah, o filho de Ramessés [ou Ramsés] mostra em sua estela que Israel já estava em Canaã.

As pragas das moscas e da saraiva (chuva de granizo) vieram sobre toda a terra do Egito, mas não sobre Gósen (Êx 8.22; 9.25,26). Isto sugere que embora Gósen estivesse no limite das terras do Egito, foi, até certo ponto, separada do território onde os egípcios nativos residiam. Isto teria ocorrido durante a 18ª dinastia, cujos reis não deixaram vestígios no extremo leste do delta. Mas durante a 19ª dinastia, quando a capital provavelmente era Qantir (*veja* "A Rota"), muitos dos principais projetos de construção de Ramessés II estavam em Uádi Tumilat, ou na própria região de Gósen.

Tutmósis IV (1425-1417 a.C.), filho e sucessor de Amenotep II, deixou uma impressionante estela entre as pernas da Esfinge em Gizé. Em um sonho, foi-lhe dito que ele receberia o reino (ANET, p. 449). Se ele fosse o primogênito do seu pai, não teria sentido uma promessa divina de que ele seria rei um dia. Podemos inferir que o filho mais velho de Amenotep deva ter morrido antes de seu pai, deixando assim a sucessão para seu irmão mais novo. Isto está de acordo com a morte dos primogênitos, na última praga (Êx 12.29).

Em Números 22.5, lemos que Balaque "enviou mensageiros a Balaão, filho de Beor, a Petor, que está junto ao rio, *na terra dos filhos do seu povo*". Petor é a posterior cidade de Pitru, dos heteus, ao sul de Carquemis, no Eufrates. A estátua de Idrimi de Alalakh, datada entre 1450 a 1375 a.C., diz que ele encontrou filhos da terra de 'Amau e filhos da terra de Alepo quando estava exilado em Canaã (BASOR, #118, p. 16). Somente por volta de 1400 a.C. a terra de 'Amau ficou independente, não estando sob o governo nem dos egípcios nem dos heteus. Desde a época de Suppiluliumas (aprox. 1370 a.C.) Carquemis dominou a região, primeiramente dentro do sistema imperial dos heteus e mais tarde como uma cidade-estado independente.

A primeira cidade fortaleza a cair sob Josué foi Jericó. A senhorita Kathleen Kenyon provou que Sir John Garstang enganou-se quanto à data das paredes paralelas da fortificação que ele atribuiu à época de Josué. Apesar disso, evidências de cerâmica encontradas em ruínas ou em sepulcros mostram que houve uma ocupação de Tell es-Sultan no final da Primeira Idade do Bronze. As expedições de Garstang (1930-1936) descobriram 26 sepulcros, contendo 320 objetos de cerâmica do final da Idade do Bronze, incluindo uma série de selos de escaravelho reais egípcios, terminando com dois de Amenotep III (1417-1379 a.C.), mas nenhum de Akhenaton. Significativamente, exceto em conexão com o Edifício Central isolado e dois sepulcros que ele atribui à época do rei Eglom (Jz 3.12-14), ele não encontrou nenhuma cerâmica de Micenas nas ruínas de Jericó. Esta começou a entrar na Palestina por volta de 1400 a.C. Mesmo assim, Pritchard, em Tell es-Sa'idiyeh, e Franken, em Deir Allah, a 50 quilômetros ao Norte, no vale do Jordão, encontraram, cada um, razoáveis quantidades de tal cerâmica. (Veja a pungente análise das evidências de Jericó na obra de Wood, "Date of the Exodus", pp. 69-73).

Em sua campanha no norte, Josué matou Jabim, rei de Hazor, e incendiou a cidade (Js 11.10,11). Mais tarde, os israelitas, liderados por Débora e Baraque, destruíram outro rei de Canaã que reinava em Hazor, também chamado Jabim (Jz 4.2,23,24). É bastante lógico associar o último nível cananeu (1*a*) da imensa cidade inferior com Jabim II. Ela foi destruída pelo fogo na segunda metade do século XIII a.C., e nunca foi reocupada. Na área K da cidade inferior, um portão (provisionalmente do final da Primeira Idade do Bronze, do nível 2) foi destruído em um violento incêndio. Se as datas estiverem corretas, este incêndio, em aproximadamente 1400 a.C., pode ter sido o resultado de uma ação de Josué; não existe evidência de destruição antes do final da ocupação cananita. A tribo de Aser estabeleceu-se na Galiléia ao longo da costa. Uma inscrição de Seti I, datada de aprox. 1310 a.C., lista um nome em hieróglifos *'i-s-r* juntamente com Megido e Quedes (cf. Jz 4.6; J. Simons, *Handbook for the Study of Egyptian Topographical Lists Relating to Western Asia*, Leiden. E. J. Brill, 1937, p. 147, list XVII, 4). Esta pode ser a primeira referência extra-bíblica a uma tribo israelita específica. É mencionada novamente em papiros de Anastásio I, da época de Ramessés II (ANET, p. 477; Aharoni, *The Land of the Bible*, pp. 168, 171). Albright e K. A. Kitchen duvidam que o nome egípcio seja equivalente ao hebraico *asher*, mas A. H. Gardiner acredita que *'i-s-r* possa representar Aser (*Ancient Egyptian Onomastica*, I, 192ss.). Em 1953 Aharoni encontrou 19 pequenas ruínas da idade do Ferro na parte superior da Galiléia, que ele acredita que sejam israelitas e talvez da época de 1300 a.C. É verdade que os saques de pequena escala dos Habiru e as lutas entre cidades mencionadas nas cartas de Amarna (q.v.) não estão de acordo com a invasão unificada e as campanhas disciplinadas de Josué. A agitação em Canaã está em harmonia com o início do período dos juízes, quando os israelitas estavam se voltando aos ídolos e "cada qual fazia o que parecia direito aos seus olhos" (Jz 17.6; 21.25). Depois da morte de Josué, cada tribo foi responsável por derrotar os cananeus em seu próprio domínio, mas em muitos casos a tribo não tinha sucesso, e acabava co-existindo com os pagãos (Jz 1). Os Habiru parecem ter alguma conexão com os hebreus, embora isso seja difícil de definir (*veja* Povo Hebreu). É significativo que na época de Josué houvesse nove cidades-estado (cidades com um rei) no sul da Palestina, mas Albright encontra somente quatro grandes em aprox. 1375 a.C., de acordo com um estudo das tábuas de Amarna (BASOR, #87, p. 37ss.). Elas eram Gezer, Jerusalém, Laquis e a cidade e terra governadas por Shuwardata; as duas primeiras nunca foram capturadas por Josué, e Laquis pode ter sido reocupada pelos cananeus, como foram Hebrom e Debir. É importante destacar que Jericó, Ai, Betel e Gibeão não são mencionadas naquelas cartas.

Uma posição mediadora entre as datas anterior e posterior é a da senhorita Kenyon. Com base em suas escavações em Jericó, ela data a queda daquela cidade perante os israelitas entre 1350 e 1325 a.C. (*Digging Up Jericho*, Londres. Ernest Benn, 1957, pp. 260-263). Isto levaria à tendência de apoiar a tradução da LXX de 1 Reis 6.1, que diz que Salomão começou a construir o templo no 440º ano do êxodo dos filhos de Israel do Egito. Se a versão LXX estiver correta, o êxodo teria ocorrido em 1407 a.C., e a conquista de Jericó 40 anos depois, em 1367, uma data bastante próxima do ano 1350 a.C., conforme concluído pela senhorita Kenyon. No entanto, não existe apoio textual para a LXX a não ser o Texto Massorético hebraico em 1 Reis 6.1, e a senhorita Kenyon não encontrou vestígios suficientes do final do período do Bronze em Jericó para desconsiderar as primeiras descobertas de Garstang.

Em resumo, a evidência real pode ser mais bem explicada pela visão da data anterior; e para aqueles que acreditam fortemente na inspiração de toda a Escritura, as afirmações em 1 Reis 6.1 (Texto Massorético), em Juízes 11.26 e as passagens de apoio, são conclusivas e corroboram para que o Êxodo tenha ocorrido em aprox. 1445 a.C.

***Bibliografia.*** Gleason L. Archer, SOTI, p. 164ss., 210-223, 253-259 (data anterior). U. Cassuto, *Commentary on Exodus*, Jerusalém. Magnes Press, 1967 (rota sul, data posterior). Jack Finegan, *Let My People Go*, Nova York. Harper & Row, 1963 (rota sul, data posterior). L. H. Grollenberg, *Atlas of the Bible*, traduzido e editado por J. M. H. Reid e H. H. Rowley, Londres, 1956 (rota sul, data anterior). Gabriel Hebert, *When Israel Came Out of Egypt*, Londres. SCM Press, 1961 (data posterior, obra de tendência liberal porém útil para mostrar a importância teológica). Siegfried H. Horn, "Exodus", SDABD, pp. 330-333 (rota sul, data anterior). K. A. Kitchen, *Ancient Orient and Old Testament*, Chicago. Inter-Varsity, 1966, pp. 57-78 (obra de tendência conservadora, data posterior). John Rea, "The Time of the Oppression and the Exodus", BETS, III (1960), 58-59; "New Light on the Wilderness Journey and the Conquest", *Grace Journal*, II (primavera de 1961), 5-13. Donald B. Redford, "Exodus 1.11", VT, XIII (1963), 401-418. Irwin W. Reist, "The Theological Significance of the Exodus", JETS, XII (1969), 222-232. H. H. Rowley, *From Joseph to Joshua*, Londres. British Academy, 1950 (data posterior). J. Simons, GTT, pp. 233-266 (rota sul). E. P. Uphill, "Pithom and Raamses. Their Location and Significance", JNES, XXVII (1968), 281-316; XXVIII (1969), 15-39. C. De Wit, *The Date and Route of the Exodus*, Londres. Tyndale Press, 1960 (rota sul, data posterior). Leon Wood, "Date of the Exodus", *New Perspectives on the Old Testament*, ed. por J. Barton Payne, Waco. Word Books, 1970, pp. 66-87 (data anteri-

Tutmósis III, o faraó da opressão de acordo com a datação antiga. LL

or). G. Ernest Wright, *Biblical Archaeology*, edição revisada, Filadélfia. Westminster, 1962, pp. 53-85 (rota sul, data posterior).

J. R.

## ÊXODO, LIVRO DO

### O nome

O segundo livro da Torá (a lei) era chamado pelos judeus de *sh*[e]*moth*. Eles costumavam intitular os livros da suas Escrituras Sagradas com uma ou mais das palavras iniciais, que no caso deste livro são *w*[e]*'elleh sh*[e]*moth*, "e estes são os nomes...". O nome em português é derivado do seu nome latino *Exodus*, por sua vez derivado do grego *exodos* da versão LXX, que significa "saída" ou "partida" (que aparece na versão LXX em Êxodo 19.1; cf. Sl 104[105].38; 113[114].1; Hb 11.22).

### Tema e conteúdo

Este é o grande livro do Antigo Testamento que anuncia a redenção. Seu objetivo é descrever oficialmente como Israel tornou-se a nação da aliança com o Senhor. Embora as palavras hebraicas traduzidas como "redimir" apareçam somente em 6.6 e 15.13 (*ga'al*) e em 13.13-15 e 34.20 (*pada*), o conceito da libertação da morte, da escravidão e da idolatria é encontrado ao longo de todo o livro. Por repetidas vezes Deus declara a Si mesmo como sendo Jeová, apresentando-se como a Divindade Soberana que fez uma aliança com Israel (*v Veja* Deus, Nomes de; Senhor). Ele os libertou e os conduziu para fora das terras do Egito; Ele os levou a Si mesmo para que fossem seu povo e para que Ele fosse seu Deus; e Ele os conduziria à terra prometida a Abraão, Isaque e Jacó (por exemplo, em 6.6-8).

A continuidade do plano redentor de Deus é cuidadosamente – embora brevemente – apresentada no capítulo introdutório. Conectado com o livro de Gênesis por meio da conjunção hebraica "e", ele preenche a lacuna entre os tempos de José, no período patriarcal, até o nascimento de Moisés, durante a escravidão no Egito. Os seguintes capítulos descrevem o nascimento, a educação, o treinamento e o chamado deste homem que Deus escolheu para que fosse o libertador humano e o mediador do concerto para seu povo. Em uma série de confrontações, Moisés não conseguiu persuadir o Faraó a deixar que os israelitas partissem do Egito. Nem mesmo as nove pragas de severidade incomum mudaram a atitude implacável daquele governante; somente o deixaram mais intransigente. A advertência de Deus sobre uma décima praga que mataria o primogênito de cada casa e de cada rebanho, preparou o cenário para: (1) a cerimônia da Páscoa na qual as casas dos israelitas seriam protegidas, e (2) a conseqüente reunião do povo do Senhor e sua marcha para a fronteira do Sinai. Encurralados no Mar Vermelho, experimentaram a poderosa libertação de Deus, passando a pés enxutos pelo meio do mar, entre paredes de águas que foram separadas por Deus, e cantaram um hino de triunfo em honra ao Senhor (14.1–15.21). Moisés conduziu o povo através do deserto até que eles acamparam diante do Monte Sinai (19.1,2). Durante o caminho eles tinham visto as obras sobrenaturais do Senhor, diversas vezes, para satisfazer as suas necessidades de água, de comida e de vitória nas batalhas. Quando o povo concordou em respeitar o que havia sido estipulado na aliança, aquilo que Deus, como seu governante teocrático, estava prestes a fazer com eles (19.8), eles se purificaram e se reuniram ao pé do monte, no terceiro dia, para participar da cerimônia da aliança (19.9-19). Moisés subiu a montanha (19.20) para receber oralmente a afirmação de Deus do seu concerto com Israel (vv. 20-23). Então Moisés retornou (19.25) e repetiu ao povo as obrigações morais, sociais e religiosas do concerto, que eles aceitaram unanimemente (24.3). Ele então escreveu todas as palavras do Senhor e chamou-as de "o livro da aliança" (24.4*a*, 7), e mais tarde recebeu o código moral (os Dez Mandamentos) escrito pelo próprio Deus em duas tábuas de pedra (24.12; 31.18). Na cerimônia da ratificação do concerto, no dia seguinte, a presença de Jeová foi representada por um altar, e as doze tribos por doze pilares (24.4*b*-8). Então Moisés, como o mediador da aliança, os principais sacerdotes e setenta anciãos que representavam o povo subiram, viram a base do trono de Deus e compartilharam a refeição da aliança (24.9-11).

Moisés subiu novamente ao cume do monte e, desta vez, ficou ali por quarenta dias, durante os quais Deus lhe revelou os planos para o Tabernáculo (q.v.), seu mobiliário, o ministério sacerdotal a ser realizado nele, e a exigência de se observar o sábado como um sinal da aliança (capítulos 25–31). Enquanto isso, o povo ficou impaciente e exigiu que Arão lhes fizesse uma imagem de Deus (*veja* Idolatria), dessa forma quebrando os seus votos da aliança. Ao descer da montanha, Moisés quebrou as tábuas da lei para simbolizar esse rompimento, e mandou executar cerca de três mil dos piores pecadores (32.15-29). Depois que Moisés voltou ao cume do monte por outros quarenta dias e intercedeu pelo resto da nação, Deus revelou-se ao seu servo e prometeu dirigi-los pessoalmente a Canaã (33.14) e expulsar dali os gentios (34.11). A comunhão foi restabelecida (34.31-33) e o povo respondeu alegremente com ofertas para construir o Tabernáculo (35–39). Quando este estava terminado, no primeiro dia do ano, Deus enviou a glória da sua presença (Shekinah) para encher sua morada terrena que estava entre seu povo da aliança, os seus remidos (40.34).

### Esboço

Prefácio. Conexão com Gênesis, 1.1-7

I. A poderosa redenção da nação de Israel escravizada no Egito, 1.8–18.27
   A. Cenário da escravidão no Egito. 1.8-22
   B. Preparação do libertador. 2.1–4.31
   C. Disputa com o opressor. 5.1–11.10
   D. Libertação do Egito, 12.1–15.21
      1. Redenção pelo sangue dos sacrifícios, 12.1–13.16
      2. Salvação pelo poder milagroso, 13.17–14.31
      3. Cântico de triunfo, 15.1-21
   E. O treinamento no deserto, 15.22–18.27
      1. A prova dos remidos, 15.22–17.16
      2. Governando os remidos, 18.1-27

II. O relacionamento de Deus com a nação de Israel, redimida pela aliança no Monte Sinai, 19.1–40.38
   A. O concerto estabelecido com Israel, 19.1–24.18
      1. Preparativos para receber a aliança, 19.1-25
      2. Declaração da aliança, 20.1–23.19
      3. Sanções da aliança, 23.20-33
      4. Ratificação da aliança, 24.1-18
   B. A idolatria do povo da aliança, 25.1–40.38
      1. O plano divino para o Tabernáculo e o sacerdócio, 25.1–31.18
      2. A comunhão rompida e restaurada, 32.1–34.35
      3. Ofertas para o Tabernáculo, 35.1–36.7
      4. A sua construção e finalização, 36.8–40.38.

### Autoria e Época da Escrita

O livro do Êxodo, como parte do Pentateuco, foi atribuído pelos judeus à mão de Moisés, desde o tempo de Josué (Josué 8.31-35; cf. "um altar de pedras não lavradas"; Êxodo 20.25). O Senhor Jesus Cristo fez citações do livro do Êxodo (3.6) e chamou-o especificamente de "livro de Moisés" (Mc 12.26; cf. Lc 20.37).

Evidências internas sugerem que o "autor deva ter sido originalmente um morador do Egito (não da Palestina), uma testemunha visual contemporânea do Êxodo e da peregrinação pelo deserto, e possuía um nível de educação, de aprendizado e de talento literário muito elevado. Ninguém mais se encaixa tão bem nessas qualificações quanto Moisés, o filho de Anrão" (G. L. Archer, SOTI, p. 101).

O autor da narrativa de José (Gn 37–50) e do Êxodo estava bastante familiarizado com os nomes, títulos, palavras e costumes egípcios. Ele referiu-se corretamente à seqüência da colheita para o Baixo Egito (Êx 9.31,32). Ele falou somente da acácia ou "cetim" – a única árvore dura conhecida no deserto da península do Sinai– como a fonte de madeira para o Tabernáculo (Êx 25.5 etc.); a acácia não é nativa da Palestina, exceto ao longo da margem sul do Mar Morto. As peles de "texugo" usadas como cobertura exterior para o Tabernáculo (Êx 25.5; 26.14 etc.) eram na realidade obtidas do dugongo (hebr. *tahash*), um mamífero marinho que, no Oriente Próximo, só é conhecido nas águas do Mar Vermelho. Ele conhecia os tipos de junco nos charcos do delta do Nilo (2.3), e que a areia do deserto começa abruptamente à beira dos campos cultivados (2.12). Ele parece ter sido uma testemunha ocular dos acontecimentos e lugares mencionados em conexão com a jornada pelo deserto. Por exemplo, ele listou, sem nenhuma razão aparente, o número exato de fontes de água (12) e de palmeiras (70) em Elim (15.27). Moisés era um israelita de elevado nível educacional, que tinha vivido no Egito (At 7.22) e que estava completamente familiarizado com as várias partes da península do Sinai (para mais detalhes veja SOTI, pp. 101-109).

Além disso, o livro do Êxodo afirma que o próprio Moisés escreveu alguns acontecimentos e palavras logo depois da sua ocorrência. O "livro" no qual ele registrou a batalha contra Amaleque (17.14) foi provavelmente um rolo de couro. Seria similar em função aos "anais" do Egito e de outras nações antigas do Oriente Próximo, nos quais eram registrados todos os acontecimentos importantes (cf. os registros diários dos comandantes de Tutmósis III mantidos em um "rolo de couro" no templo de Amon, ANET, p. 237*a*). Moisés transcreveu pessoalmente todas as palavras do Senhor contidas no decálogo, e no chamado código da aliança (24.4). Mais tarde, o Senhor lhe disse para escrever as suas instruções adicionais quando Ele renovou a aliança, depois do episódio do bezerro de ouro (34.27).

Afirma-se claramente que Moisés escreveu, antes da sua morte, as palavras completas da lei quando ela foi renovada com Israel, e que ele entregou o registro aos sacerdotes para que fossem guardados ao lado da arca da aliança (Dt 31.9,24-26). Ele também escreveu o poema ou cântico encontrado em Deuteronômio 32 (Dt 31.19,22). Assim, não deveria haver qualquer dúvida de que Moisés sabia escrever, e que tinha o hábito de manter registros oficiais de acordo com os costumes da época, e que tinha as suas próprias fontes, que poderia ter usado para escrever o livro do Êxodo na sua forma atual.

A época da escrita, então, seria a época da vida de Moisés e a época do Êxodo (*veja* Êxodo, O: Época). Supondo que ele tenha sido o autor humano, Moisés poderia ter escrito o livro durante os 38 anos de peregrinação no deserto, nas proximidades de Cades-Barnéia, depois de deixar o Monte Sinai. Uma confirmação importante de uma data antiga para o livro vem de um estudo das antigas formas de aliança, ou de tratados, usadas pelos soberanos com as nações súditas na metade do segundo milênio a.C. no Oriente Próximo. O padrão ou formato da aliança de Deus com Israel corresponde notavelmente, por exemplo, aos tratados de suserania dos imperadores heteus, sugerindo que Deus empregou a estrutura predominante de alianças que era bastante familiar a Moisés, por sua educação na corte do Egito (*Veja* Aliança; G. L. Archer, "Old Testament History and Recent Archaeology from Moses to David", BS, CXXVII [1970], 103-106).

Outra característica peculiar e remanescente do Novo Reino Egípcio (18ª e 19ª Dinastias, 1570–1200 a.C.) é a estrutura do Tabernáculo. Suas cortinas de linho com figuras de querubins, entremeadas no azul, púrpura e carmesim do trabalho de tapeçaria (Êx 26.1-6) eram dispostas sobre uma estrutura feita de "tábuas" ou "armações" de madeira de cetim douradas (26.15-30). O correspondente mais próximo a este santuário portátil em termos de construção, que se conhece, eram os quatro relicários retangulares sagrados, um interior ao outro, sobre o sarcófago do Faraó Tutancamom (1360-1352). Eles representavam templos importantes na vida do rei. Foram construídos com painéis desmontáveis de madeira, cuidadosamente unidos por meio de juntas de encaixe e pinos deslizantes, exatamente como no Tabernáculo, e unidos para encaixar-se perfeitamente na câmara fúnebre real. Um dossel de linho ou um véu pontilhado com margaridas de bronze dourado ficava sobre o segundo relicário (C. Desroches-Noblecourt, *Tutankhamen*, traduzido por Claude, Garden City. Doubleday, 1965, pp. 49-54, 190-194). Como os artesãos treinados ou empregados no Egito (como Bezalel deve ter sido) podiam conhecer esse tipo de estrutura, não era necessário, naquela época, descrever cada detalhe do que para os artesãos modernos é uma descrição enigmática (*veja* Tabernáculo; R. K. Harrison, IOT, p. 403ss.).

Os membros das várias escolas da crítica elevada insistem que o Êxodo e os demais livros do Pentateuco são compostos por vários documentos e/ou tradições independentes, compilados e editados muitos séculos depois da época de Moisés. Os seguidores da escola de Graf-Wellhausen dividem o Êxodo em três níveis, as chamadas fontes J, E e P. Eles pensam que os sacerdotes da Jerusalém pós-exílio intercalaram material adicional e complementaram as antigas narrativas da parte de Deus com o relato da adoração da comunidade (Êx 25–31; 35–40). Wellhausen e outros estudantes sustentavam que o Tabernáculo do deserto era meramente uma idealização sacerdotal tardia da simples tenda para reuniões, combinada com o desenho e os adornos do templo de Salomão. Veja um quadro da complicada divisão dos outros capítulos, versículo por versículo, a partir de suas fontes, reproduzido por G. E. Wright na obra "Exodus, Book of", IDB, II, 193ss. Contudo, Wright reconhece que existem tantos fatores desconhecidos na transição de material, que considera difícil ser preciso em tal trabalho editorial (*ibid*, p. 194).

Outros estudiosos propuseram a existência de materiais adicionais que podem ser detectados, como uma fonte de um leigo (Otto Eissfeldt) e um texto queneu relatando a história de Moisés (Julius Morgenstern). Johannes Pedersen afirma que Êxodo 1–15 é o reviver anual de eventos históricos pelos veneradores nas festas da Páscoa, sob a forma de uma celebração litúrgica da grande vitória de Deus. Gerhard von Rad interpreta a tradição do Sinai (Êx 19–24) como uma lenda religiosa. Martin Noth acredita que o livro do Êxodo seja uma combinação de tradições: uma tradição oral da Páscoa, da libertação da praga e do milagroso resgate no mar, e que traz a história do nascimento de Moisés, da sua juventude e da sua chamada; a recitação, em certas festas religiosas em Israel, nas quais a aliança era regularmente reafirmada; narrativas das peregrinações; e algumas leis e resumos de crenças, inseridas na narrativa principal do Sinai (*Exodus*, pp. 9-18). Portanto, fica claro que não existe um consenso com respeito à autoria, entre os estudiosos que negam que Moisés tenha escrito o Pentateuco. *Veja* Cânone das Escrituras, O Antigo Testamento. Gênesis; Moisés; Pentateuco.

**O Texto Hebraico**

O texto Massorético do Êxodo está notavelmente livre de erros de transcrição (W. J. Martin, "Exodus, Book of", NBD, p. 405). São tão poucos, que praticamente não afetam a tradução. Em 11.1, duas palavras hebraicas, *k$^e$shall$^e$ho kala*, "ele vos deixará sair definitivamente", pode ter sido uma anotação de margem, feita por um escriba, que mais tarde foi incorporada ao texto (veja JerusB e nota marginal). Em 23.3, um *g* original da palavra *gadol* "um grande homem", pode ter sido lido erroneamente como um *w*, formando a palavra *w$^e$dal*, que significa "e um homem pobre"; Levítico 19.15 tende a confirmar esta correção, pois tem a mesma construção verbal *lo thedar* com *gadol*. Em Êxodo 34.19, o artigo definido hebraico *h* tornou-se aparentemente um *t* na forma incerta *tizzakar*; quatro versões antigas reconheceram este erro e traduziram a palavra como "o macho".

Muitos estudiosos de Êxodo e Números questionaram a magnitude dos números dos israelitas envolvidos nas jornadas. Como não é provável que a transmissão dos números possa ter sido mais exposta a erros que outras palavras no texto, não podemos concluir que os números elevados sejam automaticamente suspeitos. Existem problemas na logística da manutenção de tantas pessoas e nas táticas para se conseguir que um grande número de pessoas caminhe de forma rápida a partir de um determinado ponto (por exemplo, no Mar Vermelho), e através de alguns vales estreitos na península do Sinai. Ainda assim, é mais sábio manter tais dificuldades em suspenso, ao invés de declarar que haja algo errado no texto. *Veja* Número; Números, Livro de.

***Bibliografia.*** Gleason L. Archer, Jr., SOTI, pp. 209-226. Umberto Cassuto, *A Commentary on the Book of Exodus*, traduzido por Israel Abrahams, Jerusalém. Magnes Press, 1967. G. A. Chadwick, "Exodus", ExpB. Samuel R. Driver, *Exodus (Cambridge Bible)*, Cambridge. Univ. Press, 1911. Jack Finegan, *Let My People Go*, Nova York. Harper & Row, 1963. R. K. Harrison, IOT, pp. 566-588. Philip C. Johnson, "Exodus", WBC. H. R. Jones, "Exodus", NBC (edição revisada). C. F. Keil e Franz Delitzsch, *Biblical Commentary on the OT, The Pentateuch*, Vols. I e II, Grand Rapids. Eerdmans (re-impressão), 1951. John Peter Lange, *Exodus*, trad. por Charles M. Mead, Nova York. Scribner, Armstrong, 1876. James Murphy, *Commentary on Exodus*, Edimburgo. T. & T. Clark, 1866. B. Davie Napier, *Exodus, The Layman's Bible Commentary*, vol. 3, Richmond. John Knox Press, 1963. Martin Noth, *Exodus,* trad. por J. S. Bowden, Londres. SCM Press, 1962. J. Coert Rylaarsdam, "The Book of Exodus", IB, I, 831-1099.

J. R.

**EXORCISMO** Aquele que extrai uma praga, é considerado um exorcista; de *exorkizo, orkizo*, "extrair uma praga, conjurar". A forma verbal *exorkizo* é usada uma vez em Mateus 26.63, onde o sumo sacerdote diz a Jesus: "Conjuro-te pelo Deus vivo que nos digas se tu és o Cristo", ao passo que *orkizo* é usada três vezes com o mesmo significado (1 Ts 5.27; Mc 5.7; At 19.13). O substantivo é usado uma vez em Atos 19.13 referindo-se aos judeus ambulantes – "exorcistas".

A prática do exorcismo consistia no uso de palavras mágicas e cerimônias com o objetivo de expulsar demônios ou espíritos maus. Deve estar muito claramente distinto da expulsão dos espíritos malignos no ministério de Cristo, uma vez que Ele o fazia pelo seu próprio poder e pela sua autoridade como Senhor de tudo e de todos. Quando os discípulos expulsavam os espíritos malignos em Nome do Senhor, estavam dependendo do mesmo poder e da mesma autoridade (cf. At 3.6). A diferença entre a expulsão de espíritos malignos e o exorcismo é esclarecida por duas passagens que se complementam mutuamente, ou seja, Mateus 12.22-30 e Atos 19.13ss. Na defesa de Cristo contra a acusação dos judeus em Mateus 12, de que Ele expulsava os demônios por Belzebu, descobrimos que alguns judeus pensavam que Cristo estivesse trabalhando em colaboração com o demônio (v. 27). Jesus disse que se esse fosse o caso, o reino de Satanás estaria dividido contra si mesmo e não subsistiria (v. 26). O Senhor afirmou que tinha o poder de controlar e deter Satanás e expulsar os espíritos malignos pelo poder de Deus Pai, e que isto provava que o reino de Deus havia chegado (vv. 28,29). Para dar fim às críticas, o Senhor perguntou se os filhos deles estavam expulsando os demônios pelo poder de Satanás (v.27).

Cristo estava aparentemente referindo-se ao que eles ensinavam a seus filhos sobre o exorcismo. Pode-se aprender algo sobre este assunto em algumas fontes como Josefo, a Apócrifa, e também nos escritos rabínicos. Josefo escreve sobre a sabedoria que Salomão tinha sobre o exorcismo, atribuindo a ele práticas que eram claramente pagãs (*Ant.* viii.5). O livro apócrifo de Tobias fala da queima do fígado de um peixe nas brasas de incenso, para expulsar um demônio. Os escritores rabínicos entram em longos e detestáveis detalhes de métodos de exorcismo. Apesar desse conglomerado de idéias estranhas, os judeus certamente não estariam dispostos a admitir que estavam expulsando demônios pelo próprio Satanás, e ensinando os seus filhos a fazer a mesma coisa. Cristo usou este fato em sua autodefesa.

Em Atos 19.11, alguns dos exorcistas judeus, pensando que Paulo estivesse praticando um mero exorcismo, ao expulsar espíritos em nome de Jesus, decidiram imitá-lo. A resposta do espírito maligno, "Conheço a Jesus e bem sei quem é Paulo; mas vós, quem sois?" (v.15), mostra a diferença entre o uso "mágico" de um nome no exorcismo, e a expulsão de demônios pelo poder de Deus. O demônio reconhecia o poder de Jesus e a autoridade que Paulo tinha em nome de Jesus, mas não o exorcismo mágico em nome de Jesus. A expulsão de espíritos malignos é algo completamente diferente do exorcismo.

*Veja* Demonologia.

R. A. K.

**EXORTAÇÃO** A exortação refere-se à linguagem que se usa para incentivar e encorajar. Muitas idéias estão associadas à palavra grega *paraklesis* no Novo Testamento. É um dos dons do Espírito (Rm 12.8), mas parece ser um aspecto ou objetivo das profecias (1 Co 14.3). É usada como instrução e consolação incitativas (Lc 3.18; At 11.23; 13.15; 1 Tm 4.13; Hb 12.5; 13.22); como súplica, querendo significar um pedido fervoroso (2 Co 8.4); como consolo ou conforto (Lc 2.25; At 15.31; Rm 15.4,5; 2 Co 1.3,5-7); como motivos adequadamente inspiradores (Rm 12.8; 1 Tm 6.2; Hb 3.13); como conforto, no sentido de uma influência de ânimo e de apoio (At 9.31); e de conforto no sentido de dar alegria, contentamento e júbilo (2 Co 7.13). *Veja* Conforto; Profecia.

**EXPERIÊNCIA** Paulo escreve que "a tribulação produz a paciência; e a paciência, a experiência; e a experiência, a esperança" (Rm 5.3,4; cf. Tg 1.2-12), revelando uma progressão de desenvolvimento que freqüentemente ocorre na vida dos cristãos.

O relacionamento adequado entre a verdade revelada e a experiência deve ser cuidadosamente mantido, uma vez que a revelação precede a experiência cristã. Não baseamos nossas idéias e decisões cristãs na experiência, mas sim na revelação de Deus. E, a experiência confirma as decisões acertadas.

**EXPIAÇÃO** A palavra "expiação" é um termo anglo-saxão que possui a força de "transformar em um". Ela fala de um processo de trazer aqueles que são inimigos para uma harmonia e unidade, significando, assim, reconciliação.

No NT, o termo gr. *katallage*, "reconciliação", é traduzido uma vez como "expiação" em algumas versões (Rm 5.11); a palavra descreve o trabalho ou a ação de Deus em Jesus Cristo pelo qual o pecador é reconciliado com Deus. Esta reconciliação, porém, não é, meramente, uma reconciliação qualquer. Ela ocorre em um cenário definido do ensino e prática do AT, de forma que a Bíblia não usa injustamente a expressão "fazer expiação" para o verbo heb. *kipper*, que significa pacificação ou propiciação (q.v.).

Sob a lei mosaica a expiação pelo pecado era conseguida através da morte de uma vítima sacrificial. O derramamento de seu sangue era a evidência de sua morte. "Porque a vida da carne está no sangue. Eu vo-lo tenho dado sobre o altar, para fazer expiação pela vossa alma, porquanto é o sangue que fará expiação em virtude da vida [da vítima]" (Lv 17.11).

A expiação bíblica tem uma forma clara, e esta reconciliação específica é efetuada pela morte de Jesus Cristo em sua encarnação, vida, morte, ressurreição e ascensão. Portanto, esta expiação em particular deve ser entendida em termos de sua base e realidade específicas, ao invés de ser compreendida em termos do conceito geral. *Veja* Reconciliação.

*O conceito bíblico*. Tanto no AT como no NT, a necessidade de reconciliação é colocada pela decisão misericordiosa, sábia e onipotente de Deus, de satisfazer sua santidade e sua justiça, além de cumprir seu propósito a favor do homem pecador, culpado, alienado e impotente. O homem, em seu pecado, está obviamente em uma condição inapropriada para a comunhão com Deus, e um destino eterno junto dele. No entanto, o homem não é capaz de absolver a si mesmo da culpa, nem de se libertar da transgressão. Os sacrifícios do AT certamente não foram criados como um meio de auto-expiação humana. Eles apontavam para a expiação oferecida pelo Senhor Jesus Cristo. Para o cumprimento do propósito divino no homem, existe a necessidade de um sacrifício substitutivo como a base do perdão, da liberação e da restituição.

Em uma avaliação humana, isto poderia não parecer apresentar qualquer problema. Deus poderia simplesmente abandonar o homem por um lado, ou declará-lo e torná-lo justo por outro, em uma aceitação arbitrária apesar do pecado. Como auto-revelado nas Escrituras Sagradas, porém, Deus é santo e amoroso assim como justo e, portanto, Ele não desejaria que o homem perecesse. Mas sendo justo, Ele não iria nem poderia perdoar a culpa do homem ou recebê-lo em seu pecado. A reconciliação, da maneira que foi realizada por Deus, é sua ação autoconsistente para a restauração divina da comunhão entre si mesmo, um Deus absolutamente Santo, e o homem caído e pecador.

O problema da reconciliação era o de salvar o homem em um ato de justiça perfeita, e julgá-lo em um ato de amor. Deve ser enfatizado, porém, que isto não era um problema para Deus. Ele não estava sendo colocado diante de uma posição e forçado a buscar uma solução. Ele não foi confrontado por uma tensão interna em seu próprio ser que exigisse uma integração. Pode parecer que o amor e a justiça de Deus percorriam caminhos diferentes, de forma que a primeira reconciliação teve que ocorrer dentro do próprio Deus; mas este é um falso conceito. Nós percebemos o problema somente quando o vemos à luz da resposta, e este só era um problema em termos do entendimento humano.

Como poderia haver uma ação em que a justiça fosse feita de forma a satisfazer, simultaneamente, a justiça de Deus por um lado, e seu amor por outro, quando a questão era salvar homens culpados e impotentes? Em sua sabedoria e poder eternos, em sua consistência interna de seu próprio ser, Deus tinha em si mesmo, desde o princípio, a resposta para esta pergunta. Resolvida historicamente na ação registrada nas Escrituras, esta resposta residia na pessoa e na obra de Jesus Cristo, o Filho de Deus, encarnado, em quem todas as exigências de justiça foram atendidas, tanto ativamente, em sua vida, ao cumprir a lei perfeitamente em nosso lugar, como passivamente, em sua morte, ao morrer sob a penalidade da lei infringida (mesmo sem jamais ter pecado). Portanto, o propósito de justiça e amor absolutos foi cumprido, e o homem foi liberto da culpa e do poder do pecado, e restaurado à eterna comunhão com Deus.

Quatro aspectos de Jesus Cristo e de sua obra são aqui considerados:

1. Ele tanto era Deus quanto homem, para que pudesse agir junto a ambas as partes, como também em uma única causa. Embora a encarnação não tenha sido em si a expiação, ela foi sua base indispensável. Deus agora lidava com a humanidade apenas no único Homem que é em si tanto Deus como homem, de forma que já havia nesta nova obra um relacionamento indissolúvel.

2. Ele cumpriu a lei de Deus e atingiu a justiça, vencendo a tentação e manifestando uma constante obediência até mesmo na morte de cruz. Ele assim mereceu inteiramente o bom prazer divino, mas de um modo tal que não havia nele nenhuma falha entre o amor divino e a justiça divina.

3. Em cumprimento à sua obediência, Ele suportou o justo juízo do pecado, como um a favor de muitos. Dessa forma, o pecado não foi tolerado; entretanto foi julgado em um ato que em si foi a coroa da obediência e, portanto, aceitável ao Pai. Julgado no Salvador inocente, o homem pecador pode ser aceito nele mesmo em juízo. O ato de juízo foi, portanto, tanto um ato de graça como de salvação.

4. Ele ressuscitou ao terceiro dia, para que o pecador julgado nele seja também renovado vitoriosamente através dele. Em virtude da nova vida em Cristo, o pecador é assim liberto do poder como também da culpa e da penalidade do pecado, e pode viver a nova vida de comunhão para a qual foi restaurado.

*Formulações das Escrituras.* Para descrever a tremenda e inesgotável realidade desta grande obra de reconciliação, a Bíblia usa muitas formas de expressão. Foi um ato de redenção no qual o preço pago por um outro, e finalmente pelo próprio Deus, foi o precioso sangue de Cristo (cf. Mc 10.45; Gl 3.13; Ef 1.7; 1 Pe 1.18,19). Foi um ato de vitória, no qual os poderes do mal, isto é, o pecado, a morte, o diabo e o inferno, foram vencidos (cf. Rm 8.37; Cl 2.15). Foi um ato de propiciação sacrificial, no qual a auto-oferta agradável do Inocente foi aceita representando o culpado (cf. Rm 3.25; 5.12-21; Hb 2.17). Foi um ato de juízo penal, no qual o Justo sofreu a ira divina em favor do injusto (Is 53.10,11) e, portanto, em um único ato Deus foi justo e, contudo, também o Justificador daqueles que crêem em Jesus Cristo (Rm 3.26ss.).

Em todas essas declarações há um elemento metafórico. Elas são extraídas de situações sociais, militares, religiosas, forenses, e familiares. Entretanto isso não significa que as metáforas não representem fatos. Elas não devem ser consideradas simplesmente como os esforços dos escritores para expressar a obra de Deus em conceitos e categorias conhecidas. Elas não podem ser descartadas como expressões relativas que podem ser substituídas por outras novas e melhores, enquanto o conhecimento profundo na obra de Deus aumenta. À medida que a ordem divina reside por trás da vida humana em geral, há uma realidade de satisfação divina e eterna por trás dessas descrições da obra divina de reconciliação, embora alguns dos detalhes na sabedoria divina possam permanecer um mistério. O homem está de fato escravizado, e Deus o libertou por um preço. Há na verdade um conflito. E Jesus Cristo, na cruz, triunfou trazendo a derrota a Satanás e aos poderes do mal. A separação entre o Deus santo e o homem pecador é uma realidade, mas foi feita uma ponte pela oferta de Cristo, que foi agradável a Deus. Existe uma lei santa, sábia, justa e boa, e Deus é justo. A transgressão e a culpa existem e, portanto, trazem juízo. Mas o juízo foi executado quando a penalidade recaiu sobre o Justo no lugar do culpado. Estas são realidades sólidas e duradouras que não podem ser ignoradas em qualquer nova apresentação que se tente.

*A história da doutrina.* Na era patrística, a

discussão da doutrina da expiação era grandemente dominada pelos conceitos de redenção e vitória, embora outros motivos também fossem apresentados. Irineu enfatizou a plena identificação de Cristo com o homem como o segundo Adão, e a obra de libertação do homem das garras do diabo, que o Senhor realizou pagando o resgate através de sua morte. Posteriormente, escritores, como Atanásio e Gregório de Nissa, divulgaram a grande importância da encarnação sob este aspecto, citando o princípio da identificação de Deus com o homem, e o estratagema pelo qual o diabo foi enganado pela fiança da humanidade, e pego no anzol da Divindade (cf. também Agostinho e João de Damasco). Esta segunda idéia apresentou uma certa incongruência, como acontece também com a discussão se o resgate foi pago a Deus ou ao diabo (Orígenes). Talvez um perigo ainda maior estivesse oculto na aproximação de uma reconciliação cósmica e metafísica pela simples equação de Deus e o homem independente da cruz. Entretanto, o período mostra uma fina compreensão da reconciliação não só como uma grande vitória, mas também como uma libertação intelectual e física, bem como espiritual. Assim, em sua maior parte, a crucificação foi vista como sendo o ponto crítico em todo o movimento descendente e ascendente de Cristo, o Reconciliador.

O período medieval deu uma nova proeminência ao aspecto legal que Agostinho avaliou. Uma afirmação particularmente excelente é feita na famosa obra, *Cur Deus homo?* de Anselmo. Onde a grandeza do pecado, a importância da santidade divina, a exigência de satisfação e, portanto, a absoluta necessidade da encarnação e crucificação são todas convincentemente declaradas. Se Anselmo também adicionou elementos menos satisfatórios, por exemplo, a idéia de um pagamento equivalente e a transferência de uma recompensa merecida, mas supérflua, ele certamente deteve a essência de um verdadeiro conceito bíblico. Bernard de Clairvaux preferiu o entendimento patrístico mais comum, e Tomás de Aquino tentou uma síntese de larga escala em seu modo usual. Abelardo expressou uma nota nova, porém defeituosa, com sua sugestão de que a morte de Cristo foi uma demonstração de amor, que trouxe a reconciliação transformando o pecador. Scotus e Occam introduziram o elemento de arbitrariedade através de seu argumento de que a morte de Cristo foi uma base aceitável de perdão – tão somente por causa da inescrutável vontade divina.

A maioria dos patriarcas da Reforma seguiu a linha de Anselmo, embora com modificações significativas. Realmente, Lutero amava falar em termos de vitória e libertação, mas ele também falava claramente de Cristo suportando o verdadeiro castigo pelo pecado (diferente de oferecer uma satisfação equivalente). Melanchthon desenvolveu este pensamento de sofrimento penal na obra *Loci communes*, e Calvino apresentou uma formulação forçada na definição: "Cristo tomou sobre si e sofreu o castigo que pelo justo juízo de Deus pendeu sobre todos os pecadores, e por sua expiação o Pai foi satisfeito e sua ira aplacada" (*Institutes*, II, 16, 2). Para toda a ênfase legal, o entendimento de Calvino foi talvez aquele que destaca o principal aspecto bíblico. Cristo é o Sumo Sacerdote que nos reconciliou por sua auto-oblação, e que ainda ministra a nosso favor em sua intercessão celestial.

Na era pós-Reforma, Grotio tentou ver em Cristo um exemplo dado em uma base governamental para afastar o homem do pecado e, contudo, satisfazer os princípios do bom governo. Moberly tentou preservar o pensamento de uma oferta vicária, mas principalmente em termos de penitência ao invés de punição. Muitos escritores recentes, como por exemplo Rashdall, Storrs, Hanson, e até certo ponto Dodd, mostram grande hostilidade ao pleno entendimento bíblico da Reforma. Entretanto poucos estão preparados para torná-la inteiramente subjetiva, isto é, fazê-la residir na resposta do pecador separado da satisfação da santidade de Deus. Nos círculos mais diversos pode ser vista uma insistência na objetividade e até mesmo na natureza penal da obra de Cristo. B. B. Warfield, James Denney, J. K. Mozley, E. A. Knox e Leon Morris podem ser citados a este respeito. Mas também L. Hodgson e Vincent Taylor também podem ser citados até certo ponto, embora em termos mais reservados. Os exegetas são quase unânimes em que este é o testemunho das próprias Escrituras, conforme admitido por adversários declarados como Rashdall e Storrs, que explicaram sua posição afirmando que tiveram uma percepção "melhor" do que a dos apóstolos. Emil Brunner e especialmente Karl Barth, com sua obra completa de substituição, acrescentaram novamente algumas facetas bíblicas e históricas, mas caíram no erro de Schliermacher de uma visão realista da verdadeira expiação que, logicamente, nega a necessidade da fé pessoal em Cristo.

Três pontos podem ser levantados de forma resumida, como conclusão: Primeiro, a realidade da reconciliação é tão vasta que nenhuma afirmação única e simples de um aspecto pode reivindicar ser adequada. A própria Bíblia apresenta aspectos diferentes para melhor abranger o todo. Disto seguese, em segundo lugar, que não somos confrontados por alternativas nítidas em que a escolha de uma, necessariamente exclua todas as outras. Todas as várias apresentações revelam elementos da verdade da reconciliação de forma compreensível. Em terceiro lugar, porém, isto não significa que estejamos em uma esfera de relatividade na qual cada opinião dos patriarcas da igreja seja tão boa quanto uma outra, de forma que possamos escolher arbitrariamente ou aleatoriamente. Há uma realidade absoluta da expiação que pode ser expressa de forma total, apenas aceitando todos os aspectos ou formulações bíblicas. Um peso adequado deve ser dado, portanto, a cada um deles, e deve haver uma compreensão daquilo que o próprio Deus realmente fez para a redenção dos seus eleitos.

*Veja também* Cristo, Paixão de; Perdão; Salvação; Reconciliação.

***Bibliografia.*** Karl Barth, *Church Dogmatics*, IV, 1, 2, 3, trad. por G. T. Thomson, Edinburgh. T. & T. Clark, 1936. João Calvino, *Institutes of the Christian Religion*, 8ª ed. am., Grand Rapids. Eerdmans, 1949, I, 506-512, 551-585. Thomas J. Crawford, *The Doctrine of the Holy Scripture Respecting the Atonement*, 4ª ed., Grand Rapids. Baker, 1954. Robert H. Culpepper, *Interpreting the Atonement*, Grand Rapids. Eerdmans, 1966. James Denney, *The Christian Doctrine of Reconciliation*, Nova York. Doran, 1918; *The Atonement and the Modern Mind*, Londres. Hodder & Stoughton, 1903. Vernon C. Grounds, "Atonement", BDT, pp. 71-78. J. Hermann e F. Büchsel, "*Hilaskomai*, etc.", TDNT, III, 300-323. David Hill, *Greek Words and Hebrew Meanings*, Cambridge. Univ. Press, 1967, capítulo sobre *hilaskesthai*. Thomas H. Hughes, *The Atonement, Modern Theories of the Doctrine*, Londres. Allen & Unwin, 1949. R. B. Kuiper, *For Whom Did Christ Die?* Grand Rapids. Eerdmans, 1959. Leon Morris, *The Apostolic Preaching of the Cross*, Grand Rapids. Eerdmans, 1956, pp. 114-117, 142-156, 161-223, 277-280. John K. Mozley, *The Doctrine of the Atonement*, Londres. Duckworth, 1947. J. Barton Payne, *The Theology of the Older Testament*, Grand Rapids. Zondervan, 1962, pp. 246-257, 378ss.

G. W. Br.

**EXPIAÇÃO DA CULPA ou OFERTA PELA CULPA** *Veja* Sacrifícios.

**EXPIAÇÃO, DIA DA** *Veja* Festividades.

**EXPIAR, EXPIAÇÃO** Estas palavras são usadas como tradução do termo hebraico *hatta't* (Nm 8.7, "água da expiação") e *kaphar* (Nm 35.33; Dt 32.43; 1 Sm 3.14; 2 Sm 21.3; Is 27.9; 47.11), e dos termos gregos *hilasterion* (Rm 3.25), *hilaskomai* (Hb 2.17) e *hilasmos* (1 Jo 2.2; 4.10).

A idéia básica da expiação está ligada à reparação de um mal, à satisfação das exigências da justiça por meio do pagamento de uma penalidade. A propiciação ainda traz consigo a idéia de apaziguar a pessoa ofendida, de voltar a obter a graça de um indivíduo superior. A idéia de apaziguar a Deus, como poderíamos apaziguar a um tirano arbitrário, não faz justiça ao caráter de Deus, conforme revelado em Cristo. Por esse motivo, a palavra "expiação" é preferida, pelos estudiosos mais recentes, como a tradução para *hilasterion*. Deus jamais deve ser visto como um déspota temperamental e zangado exigindo sua "porção de carne". Ao invés disso, nós o vemos em sua santidade que não pode ser minada, porque Ele deve manter sua divina integridade. As exigências da santidade de Deus são cumpridas pelo seu amor e pela sua misericórdia, pela sua entrega de Cristo, seu único Filho, como uma expiação pelos nossos pecados.

No Dia da Expiação na história de Israel, o sumo sacerdote entrava no Lugar Santíssimo. Em primeiro lugar, ele espargia sobre o altar o sangue da oferta pelos pecados, e então sobre o propiciatório "dentro do véu", onde ninguém mais ousava entrar (Lv 16.14). O escritor da Epístola aos Hebreus faz diversas referências ao ministério de Cristo como o nosso Sumo Sacerdote. Depois da sua morte no Calvário, Cristo entrou no Lugar Santíssimo do paraíso definitivamente, não por sangue de bodes e bezerros, mas sim por seu próprio sangue (Hb 9.11-14,24,25; 10.10-14). A epístola aos Hebreus também nos conta que a encarnação ocorreu, para que Jesus pudesse "ser misericordioso e fiel sumo sacerdote naquilo que é de Deus, para expiar os pecados do povo" (Hb 2.17).

Outros escritores do Novo Testamento também enfatizam que por meio do espargimento (derramamento) do sangue de Cristo foi feita a reparação dos nossos pecados, foi pago um preço para remover o castigo que pesava sobre nós (1 Pe 1.18ss.). O perdão dos nossos pecados somente poderia ser obtido através da satisfação da santidade de Deus. A reação de Deus ao pecado não pode ser outra exceto o julgamento e a condenação, à qual Paulo refere-se como a ira de Deus (Rm 1.18ss.). A expiação feita por Cristo, sua oferta pelo pecado em nosso lugar, forneceu a base objetiva para o perdão de Deus para os nossos pecados; assim, estaremos justificados se recebermos, pela fé, o ministério sacerdotal de Cristo como o Cordeiro de Deus (Rm 3.25).

Podemos, então, dizer que Cristo fez propiciação à santidade de Deus tornando-se a expiação pelos nossos pecados. A expiação não significa o apaziguamento de um potentado arbitrário; é o amor de Deus que vem a nós por meio da autodoação de Cristo. Em seu ministério de expiação, Jesus é descrito como o nosso "advogado para com o Pai" (1 Jo 2.1,2). "Nisto está a caridade: não em que nós tenhamos amado a Deus, mas em que ele nos amou e enviou seu Filho para propiciação pelos nossos pecados" (1 Jo 4.10).

*Veja* Reconciliação; Propiciação.

T. W. B.

**ÊXTASE ou ARREBATAMENTO DE SENTIDOS** A palavra grega *ekstasis* denota um estado de espírito sobrenaturalmente induzido, no qual a consciência está totalmente ou parcialmente suspensa (Arndt). É causado por uma súbita emoção, e a pessoa é transportada, como se estivesse fora de si mesma, de forma que, embora esteja acordada, sua mente está afastada de todos os objetos ao seu redor e totalmente fixada nas coisas divinas, pensando perceber com seus olhos e ouvidos físicos as realidades que lhe são mostradas por Deus (Thayer).
A versão KJV em inglês utiliza esta palavra duas vezes no AT (Nm 24.4,16). Em ambos os casos ela foi fornecida pelos tradutores, já que não constava no original. Ela ocorre três vezes no NT nas versões KJV e ASV em inglês (At 10.10; 11.5; 22.17). Em outras passagens, ela é geralmente traduzida pelos termos admiração ou espanto (Mc 5.42; Lc 5.26). *Veja* Visão.

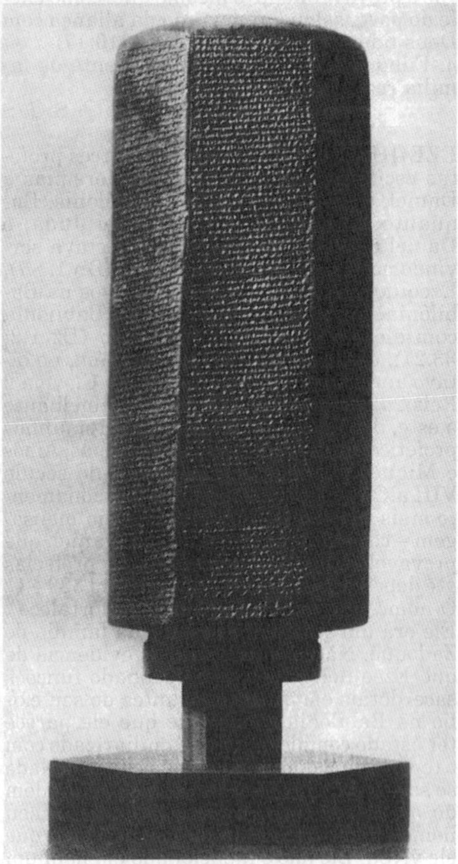

O prisma de Senaqueribe. ORINST

**EZBAI** Nome de um dos homens poderosos de Davi; foi o pai de Naarai (1 Cr 11.37).

**EZEL** Existe uma grande diferença de opiniões sobre o significado dessa palavra. Jônatas encontrou Davi em sua despedida (1 Sm 20.19,41ss.) junto à pedra de Ezel (hebr. *ha'azel*). Há versões que, seguindo a LXX, corrigem a passagem e a traduzem da seguinte maneira: "atrás do monte de pedras" (NTLH), e assim traduzem o versículo 41: "Davi saiu de trás do monte de pedras" (NTHL). A despeito do significado exato, o campo onde Davi escondeu-se fica entre Gibeá e Nobe.

**EZÉM** Uma cidade no distrito do Neguebe de Judá, posteriormente destinada a Simeão (Js 15.29; 19.3). É citada como Azém em algumas versões. Uma vez que é mencionada perto de Arade na lista de cidades saqueadas pelo Faraó Sisaque, ela pode ser identificada com Umm el-'Azam, 19 quilômetros a sudeste de Berseba.

**EZEQUIAS** Um rei de Judá (Mt 1.9,10).

**EZEQUIAS**
1. Um rei de Judá que reinou durante 29 anos (cf. 2 Rs 18–20; 2 Cr 29–32; Is 36.39). As referências cronológicas harmonizam-se melhor se estipularmos a época de seu reinado como desde 716/15 até 687 a.C. Ele pode ter sido co-regente com seu pai Acaz, a partir de aproximadamente 729 a.C. (2 Rs 18.1,9,10). A dominação assíria do Crescente Fértil apresentou o maior problema internacional desse período. Acaz, que recebeu o trono em Judá com o apoio de um grupo pró-assírio, estabeleceu e manteve uma política de amizade ou de submissão à Assíria ao passo que a Síria e outros reinos do norte capitularam. Damasco foi conquistada por Tiglate-Pileser III em 732 a.C., e Samaria por Salmaneser V em 723/22. Sargão II, o próximo rei da Assíria, 722-706 a.C., avançou em direção à Filístia para conquistar Asdode em 711. A época crucial para Judá veio durante o reinado do rei assírio Senaqueribe, 705-681 a.C. A influência pagã que acompanhou a aliança judaico-assíria pode ter causado uma reação durante a década anterior à morte de Acaz. Ezequias iniciou seu reinado com a mais ampla reforma na história de Judá. Profundamente consciente do fato de que o cativeiro do reino do norte era causado pela quebra da aliança e pela desobediência (2 Rs 18.9-12), Ezequias eliminou a idolatria, restaurou e purificou o templo, restabeleceu a adoração ao Senhor, e espalhou convites por toda Judá e pelas tribos do Norte para a observância da Páscoa que superou todas as celebrações desde o tempo de Salomão. Sob o ponto de vista religioso, esta reforma foi um grande sucesso.
Ezequias também foi um líder militar notá-

vel. Antecipando o ataque assírio contra Judá, ele concentrou a atenção em um programa de defesa, fortificando Jerusalém. Ao construir um túnel com mais de 550 metros de extensão através de duras rochas para ligar o tanque de Siloé ou cisterna– cuja entrada foi incluída dentro da cidade pela expansão do muro– à fonte de Giom (q.v.), ele assegurou a Jerusalém um suplemento de água adequado. Este túnel foi descoberto em 1880 e desde então tem sido uma atração para os turistas. Com as preparações religiosas e militares melhores do que nunca, Ezequias reuniu seu povo na praça da cidade e corajosamente manifestou sua confiança em Deus e em sua proteção (2 Cr 32.1-8).

Os avanços de Ezequias tanto no lado pessoal como nacionalista em 701 a.C. foram cruciais. Naquele ano, Senaqueribe avançou pelas planícies marítimas a oeste de Jerusalém, conquistando numerosas cidades e exigindo exorbitantes quantias como tributos de Jerusalém, enquanto sitiava Laquis (2 Rs 18.13-16). Encorajado por esta conquista, Senaqueribe enviou um grande exército para cercar Jerusalém e reivindicar sua completa rendição, porém não obteve sucesso. Tanto a Bíblia Sagrada (2 Rs 18.17–19.8) quanto os registros cuneiformes de Senaqueribe concordam em essência a respeito desta campanha. Por volta desta época, Ezequias ficou gravemente doente, a ponto de prever a própria morte. O profeta Isaías não somente assegurou ao rei de Judá que sua vida prolongar-se-ia por mais 15 anos, como também prometeu auxílio ao reino para aliviar a pressão dos assírios (2 Rs 20.1-7). Talvez os assírios tivessem deixado Jerusalém ao ouvir os rumores de uma revolta na Babilônia (2 Rs 19.7). De qualquer modo, os registros assírios mostram que um ano mais tarde Senaqueribe ocupou-se com a repressão aos babilônios, o que por fim levou à destruição da cidade da Babilônia em 689 a.C.

É provável que, em 688 a.C., embora não se tenha deixado um registro dessa campanha desastrosa, Senaqueribe tenha se voltado em direção ao Egito, sendo atemorizado por Tiraca, um rei etíope do Egito e Núbia, de 690 a 664 a.C. (2 Rs 19.9). Por carta o rei assírio enviou um ultimato a Ezequias, que foi ao templo para orar, confiante que Deus o salvaria novamente. Uma vez mais Isaías enviou um aviso assegurando a Ezequias que os assírios retornariam pelo caminho que vieram (2 Rs 19.9-34). Mais tarde, por uma intervenção milagrosa, o exercito assírio – que estava acampado no caminho da Babilônia ao Egito através do deserto árabe – foi dissipado, mesmo tendo 185.000 soldados. Senaqueribe retornou para Nínive para nunca mais ameaçar Ezequias novamente. Em 681 a.C. Senaqueribe foi assassinado por dois de seus filhos. *Veja* o tópico Senaqueribe para uma teoria alternativa da campanha.

Após a primeira crise em 701 a.C., Ezequias desfrutou de um período de paz e prosperidade. Aclamado como o líder que resistiu de modo triunfal às agressões assírias, Ezequias foi, provavelmente, patrocinado política e comercialmente pelas nações vizinhas, de modo que Judá desfrutou de uma rápida recuperação econômica. Ezequias foi repreendido, entretanto, por aceitar as congratulações dos babilônios sem dar testemunho do resgate divino. Isaías, que repetidas vezes tinha assegurado proteção a Judá contra as agressões dos assírios, em seguida advertiu que por fim os babilônios conquistariam Jerusalém, mas não durante a vida de Ezequias (Is 39).

Ezequias morreu em 686 a.C. e foi sucedido por seu filho Manassés, que havia sido provavelmente nomeado co-regente em 696 a.C.

2. Trisavô do profeta Sofonias (Sf 1.1) muito provavelmente o rei Ezequias, já que outros profetas mencionam somente seu pai.

3. Ancestral de um grupo de exilados que retornou com Zorobabel; seu nome babilônio foi evidentemente Ater (Ed 2.16; Ne 7.21). Ele é provavelmente o mesmo que, como chefe do povo, selou a renovação da aliança com Deus liderada por Neemias (Ne 10.17).

4. Filho de Nearias, um descendente da família real de Judá (1 Cr 3.23)

S. J. S

**EZEQUIEL** Ezequiel foi um dos três profetas escritores, juntamente com Jeremias e Daniel, na época do exílio na Babilônia. Enquanto Jeremias ministrava em Judá, e Daniel (deportado em 605 a.C.) estava servindo na corte de Nabucodonosor (Dn 1.1-7), Ezequiel pregava aos judeus cativos na Babilônia. Ele tinha sido levado à Babilônia com eles e com seu rei Joaquim (Ez 1.2; 33.21), depois do cerco de Jerusalém, no oitavo ano de Nabucodonosor (597 a.C.; veja 2 Reis 24.10-16). O único período semelhante a este, de tanta abundância de testemunhos proféticos, foi a época de Isaías, Oséias, Amós e Miquéias, na segunda metade do século VIII a.C. Ezequiel mostra um relacionamento mais próximo – em conceito e em mensagem – com Jeremias do que com Daniel, que provavelmente não escreveu suas profecias até depois da queda da Babilônia em 539 a.C.

O nome Ezequiel significa "Deus fortalece". Ele era um sacerdote (Ez 1.3) da família de Zadoque. Não existe nenhuma evidência de que Ezequiel tenha desempenhado funções sacerdotais em Jerusalém antes do seu exílio na Babilônia, apesar de que ele parece ter estado completamente familiarizado com o templo de Salomão e com sua cultura. Nada se sabe da história pessoal de Ezequiel além do que se encontra no livro que traz seu nome, e do que se sabe sobre a época em que ele viveu. Ele não é mencionado em nenhum outro livro do Antigo Testamento, nem recebe qualquer referência direta no Novo Testamento, embora grande parte do simbolismo do livro do Apocalipse esteja claramente baseada em suas visões.

Supõe-se que Ezequiel tenha sido um jovem na época do Exílio, porém muitos afirmam que seus escritos indicam ter sido ele um homem mais maduro. Muitas das suas profecias são cuidadosamente datadas da época do cativeiro de Joaquim. A data em Ezequiel 1.1 ("no trigésimo ano"), que tem sido a causa de muitas diferenças de opinião entre os comentaristas, deve referir-se à própria idade de Ezequiel, 30 anos, idade em que os levitas iniciavam as suas funções sacerdotais (Nm 4.23,30,39,43). Conseqüentemente, ele deve ter nascido em aprox. 627 a.C.

Ezequiel era casado (Ez 24.18) e, provavelmente, viveu na aldeia de Tel-Abibe, perto de Nipur, na Babilônia (3.15), em sua própria casa (3.24; cf. Jr 29.1-7), onde os anciãos de Israel vinham consultá-lo (8.1; 14.1; 20.1). A maioria dos cativos estava estabelecida ao longo do rio Quebar (1.3), agora identificado como um canal real de Nabucodonosor, que fluía desde a vizinhança da Babilônia, por Nipur até Ereque (*veja* Quebar). Tábuas de argila de Nipur, do século V a.C., mencionam os Filhos de Murashu, que eram mercadores que faziam negócios com os judeus durante a era persa; esta evidência conseqüentemente confirma a residência dos judeus nessa região.

A esposa de Ezequiel morreu repentinamente durante seu ministério, mas o Senhor proibiu expressamente que ele chorasse por ela (24.16-18). O livro está repleto de tais experiências pessoais do profeta (3.24-26; 4.4-8; 4.12; 5.1; 24.27). Deus pretendia que o profeta fosse um sinal para Israel, através das experiências da sua vida (24.24). Ele começou seu ministério profético em 592 a.C., no quinto ano do cativeiro de Joaquim, quando tinha 30 anos de idade (1.1,2), e profetizou por pelo menos 22 anos (29.17). Nada se sabe a respeito do final do seu ministério.

No início, as mensagens de Ezequiel não eram bem recebidas (14.1,3; 18.19,25), mas com o passar do tempo as suas profecias começaram a dar frutos, e finalmente a nação estava purificada da sua idolatria. Ele começou durante uma era de deterioração e erradicação. O profeta viu claramente que as condições em que estava seu povo trariam um novo julgamento por parte do Senhor, o que ocorreu com a terceira deportação de Judá em 586 a.C. Quando o julgamento havia atingido seu objetivo, então a necessidade do momento era o consolo para a nação ferida.

Baseando-se em passagens como 3.23–4.8, alguns têm dito que Ezequiel sofria de um distúrbio mental, e até mesmo de uma forma de catalepsia (H. Klostermann, *Theologische Studien und Kritiken*, 1877). Esse ponto de vista equivocado surge da incapacidade de compreensão da natureza das visões e experiências do profeta. Sua vida e ministério estiveram completamente sob a direção e instruções de Deus.

Ezequiel tem sido chamado de "pai do judaísmo", por causa da influência que ele parece ter exercido na adoração posterior de Israel. Pode ser feita uma comparação entre o apóstolo João, na ilha de Patmos, e Ezequiel, em Quebar; ambos estiveram em um lugar de isolamento e opressão pelas forças do sistema iníquo do mundo presente.

C. L. F.

**EZEQUIEL, LIVRO DE** Esta grande obra profética tem o nome do profeta e registra as suas mensagens e visões divinamente inspiradas. É o 12º livro (de 24) da Bíblia hebraica, e o 26º livro do Antigo Testamento tanto em inglês quanto em português.

### Autoria e Data

Até a década de 1920, nenhum estudioso desafiou seriamente a autenticidade e a unidade do livro de Ezequiel. J. Skinner escreveu em 1898 (HDB, I, 817*a*): "Nem a unidade nem a autenticidade de Ezequiel foi questionada por mais do que um número extremamente reduzido de estudiosos. Ele não só traz a marca de uma única mente em sua fraseologia, nas suas imagens e no seu modo de pensar, mas também está organizado segundo um plano tão claro e tão abrangente que a evidência do desenho literário na composição torna-se completamente irresistível". Apesar disso, os críticos falam de diversos problemas para acreditar que o livro seja o relato autêntico do ministério de Ezequiel e que ele tenha escrito todas as profecias incluídas no livro.

Em primeiro lugar, Gustave Hölscher, em 1924, afirmou que todos os profetas do período pré-exílio de Israel e de Judá proclamavam somente a ruína e os julgamentos contra as suas respectivas nações, de modo que qualquer passagem que prometesse uma restauração e uma época dourada deve necessariamente ter sido acrescentada durante o período persa. Hölscher apoiou sua crítica com uma análise literária, baseada principalmente em um contraste entre as seções de poesia e de prosa, e atribuiu a Ezequiel somente 170 versículos, do total de 1273. Mas diversos escritores, tanto antigos quanto modernos, escreveram belas poesias e também prosas. Além disso, praticamente todos os profetas do Antigo Testamento que advertiam contra a punição divina iminente também predisseram a derradeira concessão da graça divina sobre o remanescente redimido de Israel.

Em segundo lugar, Robert H. Pfeiffer, de acordo com V. Herntrich, insistiu que Ezequiel deve na verdade ter vivido em Jerusalém quando pronunciou as mensagens proféticas dos capítulos 4-24 (*Introduction to the OT*, Harper, 1948, pp. 535-543). Seu chamado para falar a uma casa rebelde (Ez 2) e para ser um atalaia (Ez 3), o conduziram de volta a Judá para falar pessoalmente aos judeus que foram deixados em Jerusalém. Ele representou as profecias para benefício deles; e isto não teria sido possível se o profeta estivesse na Babilônia (por exemplo, 12.1-12). Ezequiel também descreveu condições e acontecimentos de sua terra natal, como a súbita morte de Pelatias (11.13) e a consulta de Nabucodonosor aos terafins na encruzilhada, quando o exército da Babilônia se aproximasse de Jerusalém (21.18-23). Muitos estudiosos modernos adotaram a visão defendida por Pfeiffer, porque parece cientificamente impossível que um homem na Babilônia seja capaz de ministrar eficazmente a um povo a centenas de quilômetros de distância, separados por um deserto. Mas estes não levam em consideração a realidade do transporte visionário ou espiritual (8.1-3; 11.24) e da revelação direta de Deus sobre os acontecimentos imediatos em Jerusalém (por exemplo, 24.1,2). Além disso, as palavras de Ezequiel eram relevantes em Tel-Abibe, pois para Deus os dez mil ou mais judeus cativos na Babilônia (2 Rs 24.14) eram seu povo da aliança, tanto quanto aqueles que ainda estavam em Judá. Eles eram únicos, necessitando igualmente da purificação dos corações e da instrução sobre o motivo da destruição da sua cidade sagrada. Adicionalmente, como o texto em Jeremias 29 indica, existia uma comunicação contínua entre a Palestina e a Mesopotâmia por meio de viagens; como conseqüência, as palavras e os atos de Ezequiel poderiam ser relatados à comunidade de Jerusalém.

Existem porções inconscientemente designadas de evidências que falam de uma localização na Babilônia, nos capítulos 1–24, tais como o mapa de uma cidade desenhado em uma tábua de argila ou tijolo (4.1-4) – um mapa desse tipo foi encontrado nas ruínas de Nipur – e a escavação através de um muro (12.1-7), possivelmente um muro de barro ou uma casa feita com tijolos crús, comum na Babilônia, mas não o típico muro de pedra da região montanhosa de Judá. As muitas palavras, expressões e imagens da babilônia também sugerem que Ezequiel tenha falado e escrito em um ambiente tipicamente babilônico (R. Tournay, "A propos des babylonismes d'Ezeckiel", RB, LXVIII [1961], 388-393). E, como ressalta Carl G. Howie, os judeus deveriam ter ficado muito relutantes em admitir que um profeta genuíno estivesse falando fora da sua terra, a menos que existisse uma evidência irresistível para essa conclusão (IDB, II, 206*a*; cf. Harry M. Orlinsky, "Where Did Ezekiel Receive the Call to Prophesy?", BASOR #122 [1951], 34-36). Portanto, a interpretação de C. C. Torrey, de que o livro é pseudoepígrafo, escrito na Palestina em aprox. 230 a.C., um relato puramente fictício de acontecimentos do reinado de Manassés (*Pseudo-Ezekiel and the Original Prophecy*, 1930), pode ser descartada.

Em terceiro lugar, alguns estudiosos argumentaram que a presença de palavras em aramaico no livro devem provar que ele foi escrito no período pós-exílio. Mas o aramaico havia se tornado a língua franca do império assírio desde a segunda metade do século VIII, e a influência aramaica em Ezequiel não é nada além do que seria esperado de alguém que estivesse escrevendo na Mesopotâmia no século VI a.C.

Outros rejeitaram os capítulos 38–39 e/ou 40–48 como se não pertencessem a Ezequiel, por causa de sua natureza apocalíptica, pois alguns supõem que este tipo de literatura não teria se originado antes do período helenista. Estes atribuem os escritos de Daniel à época do período macabeu. Novamente, podemos ver uma tendência anti-sobrenatural em ação, recusando-se a admitir os argumentos a favor da data tradicional do século VI a.C. para essas profecias. A falta de importância relativa da Pérsia em Ezequiel 27.10 e 38.5 e sua completa ausência nos capítulos 1–24 sugerem fortemente que a época de sua escrita tenha sido anterior à ascensão de Ciro em aprox. 550 a.C. Os portões do futuro templo milenar (cf. 40.6-16), com três câmaras de cada lado, são representados pelo padrão dos portões salomônicos escavados em Megido, Gezer e Hazor, cujo esquema foi posteriormente descontinuado; isto sugere que esta arquitetura só tenha tido algum significado para alguém que tivesse visto o templo de Salomão antes da sua destruição, em 586 a.C.

**Tema e Propósito**

O tema de Ezequiel é a glória e a transcendência do Senhor. Os judeus no exílio deveriam perceber que seu Deus não tinha sido derrotado pelos poderes pagãos, mas tinha o pleno direito de julgar seu povo; o Senhor não estava limitado a agir apenas dentro dos limites da Palestina, mas estava presente com eles na distante Babilônia.

A visão do trono do Senhor sobre rodas (Ez 1) revela a capacidade do poder governante de Deus para ir rapidamente a qualquer lugar da terra ou sobre a terra – sua onipresença. Ele está entronizado sobre toda a criação – a inanimada (representada pelo vento, pela nuvem e pelo fogo, 1.4) e a animada (representada pelos quatro querubins; cf. Ezequiel 1.5-11 com 10.8; 1 Rs 6.23-28) – simbolizando sua onipotência. O Senhor não é apenas um soberano nos assuntos relacionados à sua nação escolhida, Israel, mas também nos assuntos relacionados às sete nações pagãs vizinhas que estão exultando sobre sua queda (Ez 25–32). Ele as destruirá pelo orgulho e pela aversão que demonstraram contra o povo de Israel (a Babilônia não está incluída, talvez porque essa nação seja o instrumento da justiça de Deus, cf. 29.17-20), mas purificará e corrigirá Israel, e a restaurará como um ato da sua graça que a levará ao arrependimento (36.16-32). O propósito de Deus é que Israel e as nações saibam que Ele é "o Senhor" – uma frase que aparece aproximadamente 30 vezes entre Ezequiel 6.7 e 39.28.

A nota triunfante na profecia de Ezequiel é anunciada nas últimas palavras do livro: "O Senhor Está Ali". Este será o nome – o próprio caráter – da nova e restaurada Jerusalém do futuro reino milenar na terra. Em um templo literalmente reconstruído, a adoração semelhante à de Salomão será conduzida por meio de sacrifícios de sangue que terão uma importância sacramental, mas não propiciatória (Gleason Archer, SOTI, pp. 362ss.). Esta será uma organização provisória, dirigida às formas de adoração puramente espirituais, eternas, sem um templo e prometida em Apocalipse 21.9–22.5.

Ezequiel foi o primeiro profeta a ressaltar a verdade da responsabilidade individual (18.1-32; 33.1-20). Embora cada indivíduo possa ser um membro da comunidade da aliança, não existe uma propriedade que seja herdada por meio de justiça própria. Reciprocamente, cada indivíduo pode escapar do julgamento de seus pais, afastando-se dos seus pecados e observando as leis de Deus.

### Estilo e Influência Literária

Ezequiel usa mais simbolismos e alegorias do que qualquer outro profeta do Antigo Testamento. Suas figuras de linguagem não são dependentes de fontes pagãs, mas têm seu fundamento no santuário de Israel, e nos conceitos dos seus predecessores, uma vez que ele foi educado sob a instrução dos levitas. Apesar disso, ele é insuperável pela vivacidade de suas descrições poéticas. Certamente, ele foi um verdadeiro místico, com uma imaginação artística que o Espírito de Deus pôde empregar para representar, em termos humanos, realidades do mundo espiritual invisível (por exemplo, o rei de Tiro evidentemente motivado por Satanás, Ezequiel 28.11-19). Ninguém é tão sensível à atividade sobrenatural do Espírito, e conseqüentemente nós nos voltamos a Ezequiel para obter grande parte da doutrina do Espírito Santo expressa no Antigo Testamento.

Ezequiel moldou um tipo de profecia conhecida como apocalíptica. Ela é caracterizada pela freqüência das visões e pela ênfase no futuro ou em um período escatológico, com as suas tremendas movimentações catastróficas e com as intervenções diretas dos céus. João dependeu de Ezequiel em muitas das figuras e em muitos dos conceitos expressos no Apocalipse (cf. Ap 1.15; 4.3,6 com Ezequiel 1.22-28; Gogue e Magogue em Apocalipse 20.8 com Ezequiel 38–39; a cuidadosa medição e descrição da cidade etc., em Apocalipse 11.1; 21.10-27 com Ezequiel 40–48; o rio da vida em Apocalipse 22.1,2 com Ezequiel 47.1-12). A importância do bom pastor (Jo 10.1-30) é dependente de Ezequiel 34, como também do Salmo 23. O Senhor Jesus parece ter mostrado a Ezequiel e também a Daniel 7.13,14 o título que Ele mais freqüentemente usava para si mesmo, isto é, o Filho do Homem. (Para uma completa discussão dessa expressão veja a obra de Andrew W. Blackwood, Jr., *The Other Son of Man. Ezekiel/Jesus*, Baker, 1966, pp. 11-25).

### Conteúdo

O livro divide-se facilmente em duas partes principais, separadas por uma coletânea de oráculos estrangeiros. A divisão está baseada nas notícias do cerco e da queda de Jerusalém (24.1,2; 33.21). Os capítulos 1–24 contêm denúncias das maldades durante o reinado de Zedequias, o último rei de Judá, ao passo que os capítulos 33–48 são ocupados por promessas voltadas ao futuro remanescente de Israel.

Também é possível dividir o livro em quatro partes:

I. A missão que Deus deu a Ezequiel, capítulos 1–3.

II. As profecias sobre os pecados de Judá (datadas de 592–588 a.C., antes da queda de Jerusalém), capítulos 4–24.

III. As profecias sobre a punição das nações vizinhas (datadas de 587–585 a.C.; 29.17-21 datadas de 571 a.C.), capítulos 25–32.
- A. Contra Amom, Moabe, Edom, e Filístia, 25.1-17
- B. Contra Tiro e Sidom, 26.1–28.26
- C. Contra o Egito, 29.1–32.32

IV. As profecias e as visões da nação de Israel restaurada na sua terra (datadas de 585-573 a.C., depois da queda de Jerusalém), capítulos 33–48
- A. Estágios da restauração e da renovação espiritual da terra e do povo, 33.1–39.29
- B. Visões do futuro templo e da adoração na terra gloriosa, 40.1–48.35

***Bibliografia.*** G. A. Cooke, *The Book of Ezekiel*, ICC. H. L. Ellison, *Ezekiel. The Man and His Message*, Grand Rapids. Eerdmans, 1956. Carl G. Howie, *The Date and Composition of Ezekiel*, JBL, séries monográficas, IV, 1950; "Ezekiel", IDB, II, 203-213. Anton T. Pearson, "Ezekiel", WBC, com bibliografia dos trabalhos anteriores. Samuel J. Schultz, *The OT Speaks*, Nova York. Harper, 1960, pp. 345-363. John B. Taylor, *Ezekiel. An Introduction and Commentary*, Londres. Tyndale Press, 1969. C. F. Whitley, *The Exilic Age*, Filadélfia. Westminster, 1957. Walter Zimmerli, "The Message of the Prophet Ezekiel", *Interp.*, XXIII (1969), 131-157.

J. R.

**EZER** Esta é a grafia do nome usado em lugar de Eser (q.v.), em 1 Crônicas 1.38, para um dos filhos de Seir, o horeu, na terra de Edom (cf. Gn 36.21).

**EZIOM-GEBER** Entre as atuais cidades de Elate e Acaba, na chamada terra de "ninguém", fica o antigo local do armazém fortificado de Salomão, que foi construído perto do porto antigamente chamado de Eziom-Geber. É identificada com Elate em Deuteronômio 2.8; 2 Crônicas 8.17; 1 Reis 9.26 e também é muito provável que seja identificada com El-Parã (ou Parã) de Gênesis 14.6. *Veja* Elate. Está situada na extremidade norte do braço leste do Mar Vermelho (*veja* Acaba, Golfo de). Os israelitas acamparam nessa região quando deixaram o Sinai, mais de um ano depois da sua saída do Egito. Daqui eles foram para Cades (Nm 33.35,36). Eziom-Geber não é mencionada novamente no Antigo Testamento até a época de Salomão. Nessa época (1 Rs 9.26-28; 2 Cr 8.17,18), Hirão (ou Hurão – 1 Crônicas 8.5), o rei de Tiro, de quem Salomão tinha obtido tanto artesãos quanto materiais para construir o templo, agora lhe enviou navios e marinheiros para navegar pelas águas do Mar Vermelho saindo de Eziom-Geber. Sem dúvida, esse comércio enriqueceu tanto Salomão quanto Hirão e fez bom uso das extrações das minas de cobre localizadas ao norte de Eziom-Geber ao longo de Arabá, que agora só é conhecida por meio de escavações arqueológicas. Estas "naus de Társis" (q.v.) levavam três anos para fazer a viagem de ida e volta desde Eziom-Geber até os portos estrangeiros ao longo das costas da África, Arábia e talvez até a Índia e o Ceilão (1 Rs 10.22). Junto com grandes quantidades de ouro (de Ofir) e prata, outros artigos de comércio eram marfim, especiarias, pedras preciosas, madeira (almugue, 1 Rs 10.11,12), macacos e pavões. Salomão e os seus mercadores enriqueceram enviando, desde Eziom-Geber, cobre, ferro, azeite de oliva e possivelmente muitos produtos fabricados no Egito, tais como linho e carros (1 Rs 10.28,29). Salomão não tinha grandes portos no Mediterrâneo, mas sua aliança com os fenícios lhe deu acesso aos portos daquele povo, assim como ele deu a Hirão de Tiro acesso a Eziom-Geber. *Veja* Hirão; Marinha.

Depois de Salomão, a atividade deste porto foi essencial para a prosperidade da terra. Aqueles reis de Judá, que desejavam mostrar-se poderosos, tentaram restabelecer a frota a partir de Eziom-Geber. Josafá quase teve sucesso, mas uma tempestade ou algum outro desastre natural destruiu os navios (1 Rs 22.48). Um profeta pouco conhecido, Eliézer de Maressa, interpretou este desastre como um castigo pela aliança de Josafá com a pecaminosa casa de Acazias naquele empreendimento (2 Cr 20.37). Por todo o resto da história dos reinos do sul, sempre que Judá esteve fraca os edomitas tomaram o controle do território de Eziom-Geber e Elate (cf. 2 Rs 8.20-22; 14.22; 16.6; 2 Cr 28.17).

O porto continuou, na época persa, a ser um elo importante entre o sul da Arábia, a costa de África e o mundo ocidental do Mar Mediterrâneo. As escavações de Eziom-Geber realizadas por Nelson Glueck, antes da Segunda Guerra Mundial (1938-40) provam amplamente esse ponto. Por exemplo, Glueck descobriu louça negra da Ática (Gr.) do século V a.C., e dois vasos gravados com escritos do sul da Arábia, em mineano, do século VIII a.C., o que ressalta a proeminência de Eziom-Geber como um elo de comércio (N. Glueck, BASOR #71 [1938], 15-16; #75 [1939], 19; #80 [1040], 3-10; #82 [1941], 3-16). A maior descoberta de Glueck foi a cidadela de Salomão, com um grande armazém para os bens que eram despachados por rotas de comércio terrestres e marinhas que se interceptavam em Eziom-Geber (BA, XXVIII [setembro de 1965], 70-87). Um selo, provavelmente estampado com o nome de Jotão, o filho de Uzias, testemunha a breve restauração do porto de Judá, de acordo com 2 Reis 14.22. *Veja* Arqueologia; Comércio; Elate.

***Bibliografia.*** Y. Aharoni, "Forerunners of the Limes. Iron Age Fortresses in the Negev", IEJ, XVII (1967), 15-17. V. R. Gold, "Eziom-Geber", BW, 233-237.

E. B. S.

**EZNITA** Esta palavra é usada em uma lista dos valentes de Davi, "Adino, o eznita" (2 Sm 23.8). Não se sabe ao certo qual é seu significado. *Veja* Adino.

**EZRAÍTA** Um descendente de Zerá da tribo de Judá, como Etã, o ezraíta (1 Rs 4.31; 1 Cr 2.16; Sl 89, título), cuja sabedoria só era inferior à de Salomão. Hemã, seu irmão, é chamado de "ezraíta" no título do salmo 88. O texto de 1 Reis 4.31 poderia significar que Etã era um *'ezrahi*, um nativo, ou seja, um israelita treinado e de boa formação, em oposição a Hemã, Calcol e Darda, membros de uma associação orquestral de Canaã ("filhos de Maol").

**EZRI** Um servo de Davi, o filho de Quelube, colocado na lavoura do campo (1 Cr 27.26).

# F

**FABRICANTE DE TENDAS** *Veja* Ocupações: Fabricante de Tendas.

**FÁBULA** A palavra fábula é usada no NT (não ocorre no AT) para traduzir a palavra *mythos*. Esta palavra grega também foi traduzida como "ficção" (Goodspeed), "mito" (NEB), "conto de fadas" (Phillips, Tt 1.14) etc. A palavra já foi quase sinônimo do gr. *logos* e *rhema*, "palavra" (cf. Trench, p. 337). Antes da época do NT ela chegou a significar o que era fictício em oposição a *logos* – a verdadeira expressão ou pronunciamento (Jo 1.1). No NT, ela transmite este sentido em todas as suas ocorrências (1 Tm 1.4; 4.7; 2 Tm 4.4; Tt 1.14; 2 Pe 1.16). Nestas cartas a palavra provavelmente se refira a histórias fictícias inventadas por mestres judeus (Tt 1.14), baseadas no AT e arquitetadas para desviar os cristãos da verdade.
Há fábulas no AT, embora o termo não seja usado para designá-las desta forma. Compare a fábula de Jotão sobre as árvores escolhendo o seu rei (Jz 9.7-21), e a fábula de Jeoás do cardo e do cedro do Líbano (2 Rs 14.8-10).
J. McR.

**FACA** Um instrumento manual afiado usado para cortar. Idiomas antigos dão designações imprecisas e há pouca consistência na meia dúzia de palavras hebraicas traduzidas como "faca", "espada", "navalha". O propósito para o qual o instrumento foi produzido, e a maneira de operação, parecem mais úteis para se decidir que palavra moderna utilizar na tradução.
As facas eram feitas, a princípio, de pedra (Js 5.2ss.), e, mais tarde, de bronze e ferro. Uma faca típica era uma lâmina reta de 15 a 25 cm de comprimento, com o cabo e a lâmina compostos por uma só peça.
Os principais usos eram: doméstico (para cortar carne e para preparar alimentos; não usada no ato de comer, Gênesis 22.6), profissional ("canivete de escrivão", Jeremias 36.23), e ritual (Js 5.2; 1 Rs 18.28). Somente uma vez a faca é usada metaforicamente (Pv 30.14), sendo a espada a figura usual.

**FACE[1]** O frescor e o formato redondo da face eram um sinal de beleza juvenil (Ct 1.10; 5.13). Ser ferido na face era considerado uma ofensa mortal (Jó 16.10; Mq 5.1; Mt 5.39). Até mesmo um escravo preferiria receber um soco a uma bofetada no rosto. A frase "Feriste a todos os meus inimigos nos queixos" (Sl 3.7) é um símbolo da sua completa destruição.

**FACE[2]** Palavra usada para indicar a parte mais exposta à vista; desse modo, a face do chão, da água, do céu etc. Nas Escrituras, ela freqüentemente indica a presença em um sentido geral; e quando usada em relação a Deus, significa a sua presença em um sentido vigoroso. Adão e Eva esconderam-se da "face de Jeová" ou da "presença do Senhor". Por causa da glória de Deus, foi dito a Moisés: "Não poderás ver a minha face, porquanto homem nenhum verá a minha face e viverá" (Êx 33.20). Assim, ninguém em seu estado de vida atual pode suportar o pleno esplendor da glória de Deus (1 Co 13.12; 1 Jo 3.2; Ap 22.4). No entanto, quando o esplendor da glória do Senhor está encoberto, o homem pode contemplar tal revelação (Gn 32.30; Jo 1.14). Os "pães das faces" eram os pães da proposição, que simbolizavam a presença de Deus. *Veja* Pão da Proposição.
A palavra também sugeria favor, ira, justiça, severidade (Sl 44.3; 67.1; Dn 9.17; Gn 16.6,8; Êx 2.15; Ap 6.16). "Esconder o rosto" ou "cobrir o rosto" expressava humildade e reverência (Êx 3.6; Is 6.2), e era um sinal de luto (2 Sm 19.4). Manifestar algo no semblante indicava determinação (Lc 9.51), e "desviar o rosto" expressava apatia ou discórdia (2 Cr 29.6; Ez 14.6).

***Bibliografia.*** Eduard Lohse, "*Prosopon* etc.", TDNT, VI, 768-780.
E. C. J.

**FAÍSCAS** Este termo é a tradução de diversas palavras hebraicas.
1. Heb. *b*$^{e}$*ne-reshep*, literalmente "faíscas das brasas" (Jó 5.7). Significa pedaços de carvão em brasa que saltam de um feixe de madeiras em chamas ou de um incêndio em um arbusto. Assim como é natural que as faíscas saltem do fogo, também é natural que o homem enfrente problemas na vida.
2. Heb. *shabib* (Jó 18.5) refere-se ao brilho remanescente do pavio de uma lâmpada pendurada em uma tenda (cf. Jó 18.6; 29.3). Quando ele se apaga, a tenda mergulha nas trevas (Jó 21.17). Essa imagem é usada de forma figurada para mostrar o que acontece com o homem ímpio e pecador que trilha os seus maus caminhos.

O deus assírio Assur. ORINST

3. Heb. *kidod* (Jó 41.19) refere-se àquilo que salta da boca do leviatã, quer este seja um fabuloso monstro do mar, quer seja um crocodilo. Em algumas ocasiões o crocodilo expele correntes de seu hálito como vapor das suas narinas com um espirro ou com um urro. Este fato, portanto, teria a aparência de fumaça, e talvez fizesse com que as pessoas o associassem à idéia de chamas ou faíscas.
4. Heb. *nisos* (Is 1.31) é uma figura da rápida passagem da pessoa forte ou arrogante pelo fogo consumidor do julgamento divino.
5. Faíscas, também tições ou dardos flamejantes, *ziqot* (Is 50.11), são símbolos das injúrias e blasfêmias que os pecadores lançam contra os servos de Deus. Eles podem ser comparados com o fogo infernal de uma língua ferina (Tg 3.6).

H. E. Fi.

**FALCÃO** *Veja* Animais: III.27.

**FALEQUE** A forma grega de Pelegue (*q.v.*; Lc 3.35).

**FALSO PROFETA** O Falso Profeta (Ap 19.20; 20.10), também chamado "a segunda besta" ou, ainda, "a outra besta" (Ap 13.11-18), é um líder religioso que é associado à primeira Besta, o líder político do período da Tribulação, como seu subordinado. Ele aparece no poder no meio da Tribulação, no momento em que a primeira Besta, ou o Anticristo (*q.v.*), assume o poder político mundial (Ap 13.7) e ele, o poder religioso.
Talvez seja um judeu, uma vez que Apocalipse 13.11 pode indicar que ele surge "da terra", ou da Palestina. (Em gr. a palavra *ge* pode significar "mundo" ou "terra"). Ele move-se no reino religioso, pois aparece como um cordeiro (Ap 13.11). É capacitado por Satanás, recebendo o seu poder da primeira Besta (Ap 13.12). Ele promove a adoração à primeira Besta, e força a terra a adorá-lá (Ap 13.12). Seu ministério e autoridade são autenticados por milagres e sinais que ele opera através do poder satânico (Ap 13.13,14). O mundo incrédulo é enganado por ele e adora a primeira Besta como se esta fosse o próprio Senhor Deus (Ap 13.14,15). Ele detém o poder da vida e da morte para forçar a adoração à primeira Besta (Ap 13.15). Sua autoridade estende-se ao reino econômico, e ele usa este poder econômico para impor a sua vontade (Ap 13.16,17). Se houver algum crente naquele dia, poderá reconhecê-lo por causa do sinal que foi dado para identificá-lo (Ap 13.18).
O Falso Profeta, junto com Satanás e a primeira Besta, formam um triunvirato do mal, a obra-prima do engano de Satanás. O mundo será dominado por eles durante a última metade do período da Tribulação nos âmbitos político, religioso e econômico, como uma imitação do governo mundial que Deus exercerá sobre a terra no Milênio, por intermédio de Jesus Cristo, o Messias.

J. D. P.

**FALSOS CRISTOS** Este termo é encontrado em Mateus 24.24 e Marcos 13.22. A idéia também é expressa de forma diferente em Mateus 24.5; Marcos 13.6; Lucas 21.8. Jesus disse que muitos viriam em seu nome reivindicando ser o Cristo. Eles mostrariam sinais e maravilhas, e assim convenceriam a muitos da alegada autenticidade deles. *Veja* Anticristo.

## FALSOS DEUSES

### Introdução

As palavras hebraicas mais comuns para "deuses" são *'elim* e *'elohim*, denotando homens de poder e distinção, anjos, deuses, e (somente *'elohim*) o Ser Supremo. É discutível o fato de que as duas palavras possam ter uma única

A deusa Sekhmet

raiz. A primeira vem provavelmente da raiz *'wl*, "estar na frente, preceder". Alguns acreditam que a segunda pode vir da raiz *'lh*, "sentir medo de". A palavra grega *theoi*, usada no Novo Testamento e na Septuaginta (LXX) para traduzir *'elim*, *'elohim*, pode ser relacionada com a raiz "suplicar, implorar".

O significado do termo deve ser determinado pelo seu uso real. O conceito de "deuses" no antigo Oriente Próximo variava, de alguma forma, em relação às idéias modernas de "deuses", como seres sobrenaturais que eram imortais. Isto também era verdade em relação aos conceitos das nações pagãs com as quais Israel esteve em contato. Por exemplo, alguns deuses, tais como Baal e Tamuz, podiam morrer; e realmente morreram.

Para os hebreus, os "deuses" das nações ao seu redor eram simplesmente os poderes nos quais os seus vizinhos e contemporâneos acreditavam. Esses poderes eram os ativadores das forças da natureza: o sol, a luz, a tempestade, a enchente, a doença etc. Cada acontecimento tinha o seu ativador. Conseqüentemente, poderia haver uma multidão de deuses de acordo com as concepções pagãs e primitivas. Como não existia o conceito de um cosmos organizado, não existia a idéia de um Ser Supremo solitário, embora cada religião tivesse o seu próprio chefe, ou deus-pai. Alguns deuses eram supostamente locais (1 Rs 20.28; 2 Rs 17.26ss.) e tinham poder limitado. Outros deuses eram imaginados como geograficamente ilimitados, de modo que alguns deuses proeminentes eram adorados além dos limites políticos e culturais (por exemplo, Astarote, Baal e Hadade).

A visão bíblica com respeito às divindades pagãs afirma a sua existência subjetiva (Jr 2.28) na mente e na vida do devoto, mas nega a sua realidade objetiva (Jr 2.11). Naturalmente, onde a divindade e a sua imagem, ou o seu ídolo, estivessem fundidos em um só, o ídolo era uma realidade objetiva que os escritores bíblicos reconheceram, embora tenham negado a existência objetiva da divindade por ele representada.

No estudo dos deuses da Bíblia, deve ser feita uma distinção entre as divindades propriamente ditas e os ídolos ou os objetos de culto pelos quais elas são representadas ou adoradas. Algumas vezes, ambos fundiam-se em um só, ao passo que em outras ocasiões a divindade era separada do seu objeto de culto. O baalismo, os bosques (árvores ou pomares sagrados), os bezerros, a serpente de bronze, e os terafins (ídolos do lar) eram todos objetos de adoração. É incerto que houvesse uma divindade por trás de qualquer das duas últimas. O baalismo consistia de representações dos baalins locais, possivelmente sob a forma de touros ou bezerros. Algumas vezes, a palavra é usada acerca das divindades sem nenhuma referência a uma representação sectária. O mesmo é valido para os bosques.

O templo de Baco, deus do vinho, em Baalbek. HFV

Os bezerros de ouro de Jeroboão (1 Rs 12.28-30) foram considerados por alguns como tendo sido pedestais para que Jeová subisse, substituindo a arca, que seria o lugar onde ele se encontraria com o seu povo. No entanto, com o uso amplamente difundido do touro como um símbolo sectário, parece mais provável que os bezerros tivessem a finalidade de ser uma fusão da divindade com a imagem, na qual talvez a divindade fosse uma fusão entre Jeová e o Baal local. O bezerro de ouro de Arão (Êx 32) pode ter sido uma fusão de Jeová com o deus egípcio Ápis, adorado sob a representação de um touro. A adoração ao bezerro foi condenada por Oséias (8.5,6; 10.5; 13.2).

Também é necessário fazer uma distinção entre deuses e demônios. Quando uma nação conquistava outra nação, ela freqüentemente classificava os deuses da nação derrotada como demônios e mitos. Podem ser encontrados vestígios de tal procedimento no Antigo Testamento, em figuras tão indefinidas como os sátiros (Lv 17.7; 2 Cr 11.15), "a bruxa" (Is 34.14) e Resefe (veja abaixo). No final, a divindade pagã degradada sobrevivia somente em uma linguagem, com meras indicações da sua existência anterior, como em um simbolismo poético (cf. Albright, *Yahweh and the Gods of Canaan*, pp. 183-193). Isto é evidente, por exemplo, no idioma inglês, em expressões como "love-struck" (que representa uma pessoa apaixonada), ou seja, alguém que foi "atingido(a) pelas flechas do Cupido". Algumas referências no Antigo Testamento – como, por exemplo, ao Leviatã, à serpente primitiva, ao dragão, a Raabe e ao mar – enquadram-se nessa categoria.

### Panteões Nacionais

O Antigo Testamento freqüentemente menciona os deuses das várias nações vizinhas a Israel em termos gerais. Aqui podemos encontrar praticamente todas as nações com as quais Israel teve contato. Normalmente a palavra “panteão” é usada na lista e na discussão dos deuses de qualquer grupo étnico ou político. No entanto, este é um anacronismo ilusório. A expressão semita significa “a assembléia dos deuses”. Este conclave deve ser visto como uma reunião para tomada de decisões ou ações (por exemplo, o senado de alguns países pode se reunir sem a presença de todos os senadores) e não como um catálogo formal e metódico das divindades adoradas por um povo em particular. Com esta distinção em mente, podemos observar os seguintes panteões mencionados na Bíblia.

1. Os deuses dos amonitas (Jz 10.6). O principal deus era Moloque ou Milcom.

2. Os deuses dos amorreus (Js 24.2,15; Jz 6.10; 1 Rs 21.26; 2 Rs 21.11). Como pouca literatura dos amorreus chegou até nós, precisamos depender de fontes secundárias e inferências para o nosso conhecimento desse panteão. Evidentemente, era parecido com o panteão cananeu posterior. O templo de Ishtar em Mari e o templo de Dagom na Babilônia eram, provavelmente, santuários dos amorreus. Dagom, Hadade e Anate parecem ter sido divindades dos amorreus, impostas por estes aos cananeus, quando invadiram a região do médio Eufrates, como se pode inferir das descobertas em Ras Shamra (Oldenburg, *The Conflict Between El and Ba'al*, pp. 146-163).

3. Os deuses dos assírios (Na 1.14) passaram a fazer parte da jurisdição do Antigo Testamento entre os séculos IX a VII a.C. O principal deus deste panteão era Assur, substituindo o sumério Ea. O panteão assírio era parecido com o da Babilônia. Nas duas localidades, as divindades semitas substituíram os antigos deuses sumérios, em alguns casos absorvendo as suas supostas funções e os seus títulos.

4. Os deuses dos babilônios (Is 21.9; Ed 1.7) foram importantes para Israel nos séculos finais do período dos reis e durante o exílio. Existiam mais de 700 divindades listadas na Babilônia. Os conquistadores semitas dos sumérios aceitaram os deuses nativos e adicionaram os seus próprios. Esta situação foi posteriormente complicada pelo fato de que cada cidade-estado passou a ter o seu próprio panteão.

Em Lagash, nos tempos antigos, Anu, o deus do paraíso, era adorado juntamente com Antu, a sua esposa. Em Eridu, o deus principal era Enlil, deus da terra, que mais tarde foi sucedido por Merodaque. A esposa de Enlil era Damkina, e o seu filho era Merodaque. Essas figuras (exceto Merodaque) eram todas sumérias. Outros deuses da Babilônia incluíam Sin (a suméria Nanna), o deus-lua; Shamash, o deus-sol e filho de Sin; Ningal, a esposa de Sin; Ishtar (a suméria Innina), a deusa da fertilidade, e o seu esposo Tamuz; Allatu (a suméria Ereshkigal), a deusa do inferno; Namtar, o mensageiro do deus da morte; Irra, o deus das pestes; Kingsu, a deusa do caos; Apsu, o deus das profundezas do mar; Nabu, o santo patrono da ciência e do aprendizado; e Nusku, o deus do fogo. *Veja* Babilônia.

5. Os deuses dos cananeus (*q.v.*) são mencionados juntamente com os dos demais habitantes de Canaã, em uma relação com a conquista da terra pelos hebreus. Outras tribos mencionadas em Êxodo 23.23; 34.11-17; Juízes 3.5ss., e outras passagens, incluem os amorreus, os heteus, os ferezeus, os heveus e os jebuseus. Exceto para os heteus, e possivelmente os heveus (talvez os horeus, ou hurrianos; cf. a versão grega de Gênesis 34.2; Josué 9.7), as demais tribos eram fortes aliadas dos cananeus e provavelmente adoravam as mesmas divindades. O mesmo era verdade sobre os sírios mencionados em Juízes 10.6, mas provavelmente houve alguma mudança naquele panteão nos últimos tempos (veja 11 abaixo). O panteão cananeu é o mais conhecido dos textos mitológicos de Ras Shamra, embora outras informações venham de Filo de Byblos e de fontes bíblicas, assim como de curtos textos literários em aramaico e em fenício.

O principal deus e criador era El. Seu filho (às vezes chamado de seu neto) Baal (veja abaixo)

Uma divindade síria em pé sobre o dorso de um leão. LM

O deus Amom. MM

era o deus das tempestades e da vegetação. Ele era chamado de "aquele que predomina", "o exaltado, deus da terra". Na mitologia, Baal é entronizado em uma montanha no norte. Durante o reinado de Acabe, ele tornou-se o principal deus de Israel. Aserá era a esposa de El e a mãe de 70 deuses. Nos textos de Ras Shamra, a deusa Anate é a irmã, e freqüentemente, a esposa de Baal, mas, no Antigo Testamento, Astarote (isto é, Aserá) é normalmente a sua esposa. Em Tiro, a pátria de Jezabel, Aserá é a esposa de Baal (1 Rs 15.13; 18.19; 2 Rs 21.7; 23.4). Outros deuses cananeus proeminentes eram Dagom, Moloque, Resefe e Rimom (veja abaixo), e Mot (a morte).

6. Os deuses do Egito são mencionados na história pré-monárquica antiga dos hebreus, e novamente no período entre os séculos VII e VI a.C. (Êx 12.12; Js 24.14; Jr 43.12,13; 46.25). Como os deuses do Egito estavam em constante modificação, fusão e sincretismo, dependendo parcialmente da sorte política da província ou cidade onde uma divindade em particular era soberana, é difícil fornecer uma breve pesquisa do "panteão" egípcio. No entanto, o principal deus era conhecido por diferentes nomes em diferentes lugares e épocas. Em Heliópolis ele era conhecido como Aten-Re-Khepri; em Elefantina, como Khnum-Re; em Tebas, como Amon-Re (veja abaixo); e em Amarna (*q.v.*), como Aton-Re. Re, o deus-sol, era assim fundido com o deus local da província. Observam-se tríades de deuses principais em várias épocas: Ptah, Sekhmet, Nefer Tem; Amon-Re, Mut e Khonsu; Osíris, Ísis e Horus. Todas estas são tríades pai-mãe-filho.

Segundo os textos das pirâmides, o Livro dos Mortos, e outros exemplares da literatura egípcia antiga, existiam mais de 1200 divindades conhecidas pelos egípcios. As principais eram as seguintes: Ápis, o touro de Mênfis (Êx 32; 1 Rs 12.25-33 podem se referir à sua adoração); Hapi, o deus do Nilo; Hator, a deusa do amor e da beleza; Ma'at, o deus da justiça e da ordem; Sotis, a estrela do cão; Sihor, o deus do inferno; Shu, o deus do ar; Thot, o deus escrivão.

7. Os deuses dos edomitas são, às vezes, mencionados como os deuses de Seir (2 Cr 25.14; cf. versículo 20).

8. Os deuses dos heteus, embora não mencionados pelo nome no Antigo Testamento, têm uma referência indireta em Êxodo 23.23,24; 34.11-15; Juízes 3.5,6. O principal deus heteu, Teshub, era um deus das tempestades, grosseiramente equivalente a Baal. Portanto, é possível que os heteus tenham adorado as divindades dos cananeus como um resultado de seu contato com este povo, embora os nomes

A deusa Ártemis, ou Diana, no Museu de Éfeso. HFV

Uma base de coluna do templo de Ártemis, ou Diana, em Éfeso, esculpida com figuras em tamanho real

próprios heteus indiquem que as divindades indo-européias foram adoradas pelo menos durante um breve período (cf. William F. Albright, *Archaeology of Palestine*, p. 183).

9. Os deuses dos moabitas são mencionados em Números 25.1,2; Juízes 10.6; Rute 1.15; Jeremias 48.35. O seu principal deus era Quemos, que também é chamado de Athtar. Na Babilônia do segundo milênio a.C., ele era comparado a Nergal, o deus do inferno.

10. Os deuses dos filisteus incluem Dagom, adorado em Gaza e em Asdode (Jz 16.23; 1 Sm 5.1-7; e no livro apócrifo de 1 Mac 10.83); Astarote, adorada em Asquelom (Heródoto i.105) e Baal-Zebube, adorado em Ecrom (2 Rs 1.2,6,16).

11. Os deuses dos sírios (2 Rs 17.31; 18.34; 2 Cr 28.23; Is 36.19), são provavelmente variações do antigo panteão cananeu. Nomes derivados de nomes de deuses, tais como Ben-Hadade e Tabrimom, dão testemunho da adoração a Baal sob a aparência do Hadade amorreu, também conhecido como Rimom.

12. Os panteões grego e romano não são mencionados, exceto de uma forma geral (At 17.16,18) no Novo Testamento.

A adoração às divindades astrais é mencionada em Deuteronômio 4.19; 2 Reis 23.5; Jeremias 19.13; Amós 5.26; Atos 7.43. Uma referência indireta a essas entidades pode ser encontrada em Neemias 9.6; Salmos 148.1-4. Algumas dessas divindades astrais são tratadas, de modo separado, a seguir.

O Antigo Testamento condena freqüentemente a adoração a divindades estrangeiras (Dt 6.14) e pronuncia julgamentos sobre a idolatria (Êx 20.3-5; 32.35; Nm 25.1-9; Dt 5.7-9). Por trás do terrível julgamento de Joel 1.4-20 estava a queda de Israel na idolatria (cf. Jl 2.12ss.). O cativeiro é representado como sendo o resultado da adoração a outros deuses (2 Rs 22.17).

## Os deuses individuais

**Adrameleque** – Uma divindade adorada pelo povo de Sefarvaim, que foi assentada em Samaria pelos assírios depois de 722 a.C. (2 Rs 17.31). Como "d" e "r" eram caracteres parecidos na antiga escrita hebraica, o nome pode ser uma confusão com um deus do noroeste da Mesopotâmia, Adad-Milki ("Adade é o meu rei"). Não existe evidência de um deus chamado Adar. Cf. Anameleque, abaixo.

**Amom** – A principal divindade de Tebas (Jr 46.25). Ele era representado por um carneiro com os chifres curvados para cima. Quando Tebas dominou o Egito, depois da queda do Reino Antigo, Amom tornou-se o deus mais importante, e passou a ser chamado Amon-Re. Seu grande templo em Karnak, com sua famosa entrada, tinha as colunas mais altas do mundo (aprox. 23 metros). Ele tornou-se o deus nacional por excelência, exceto por um breve período, durante a reforma de Akhenaton (*q.v*).

**Anameleque** – Uma divindade adorada pelo povo de Sefarvaim (provavelmente Sabraim, localizada entre Hamate e Damasco, 2 Rs 17.31), que foi assentada em Samaria pelos assírios depois de 722 a.C. O nome provavelmente significa "Anu é rei". Nessa época havia um templo dedicado a Anu e Adade em Assur. A adoração dos habitantes de Sefarvaim, que supostamente incluía a adoração a Anameleque, envolvia o sacrifício de crianças como ofertas queimadas.

**Anate** – O nome de uma deusa popular da fertilidade em Canaã, que era selvagem e que tinha um papel importante como a irmã e consorte de Baal no importante corpo da literatura semita de Ras Shamra do século XV a.C., conhecida como Tábuas de Ugarite. A Bíblia não faz referência direta a ela como uma deusa, mas sim à sua irmã, a deusa da fertilidade Astarte (Astarote, 1 Rs 11.5,33). As duas deusas estavam pelo menos parcialmente fundidas no pensamento dos cananeus, uma vez que Astarte e Anate eram ambas adoradas como esposas de Baal (cf. Jz 10.6; 1 Sm 7.4); esta pode ter sido a razão do silêncio bíblico sobre Anate.

**Ártemis** – Na mitologia clássica, a irmã de Apolo, filha de Leto e Zeus, equivalente à romana Diana, a deusa da lua, que era uma caçadora e a protetora das mulheres. No entanto, a Ártemis de Atos 19.23-40 tem pouco em comum com a sua homônima clássica. Ela era, na realidade, uma deusa-mãe de Lídia, adorada na foz do rio Caiter muito tempo antes que os gregos viessem a Éfeso. Em Éfeso, Ártemis (ou Diana) era a deusa da fertilidade. O cortejo do seu templo incluía sacerdotes, assistentes e escravos eunucos. A sua imagem (At 19.35) era provavelmente um meteorito. Os relicários de prata (At 19.24), assim como os modelos de argila e de mármore, podem ter sido réplicas do santuário primitivo. O templo da época de Paulo era uma das sete maravilhas do mundo.

A adoração a Ártemis estendeu-se de Éfeso à Grécia, Gália, Roma e Síria. Os nabateus do século I d.C. adoravam a divindade Atargatis, que é equiparada a Ártemis. Nos tempos do Novo Testamento havia um templo de Ártemis em Gerasa. *Veja* Diana; Deusa.

**Aserá** – Uma divindade cujo nome é mal traduzido na versão KJV em inglês, que segue de perto a LXX. Em uma inscrição suméria de Hamurabi, ela é chamada de "noiva de Anu (paraíso)". Era a principal deusa de Tiro em aprox. 1500 a.C. No panteão de Ugarite, é chamada de "*Athiratu-yammi*" ("Aquela que caminha sobre o mar"). Era a consorte ou esposa de El, e a mãe de 70 deuses, inclusive Baal. Sacrifícios de animais eram oferecidos a ela. Ela também tinha o título de "Santidade", inscrição de uma figura egípcia, em que ela aparece nua.

Nos registros da Babilônia, Ashratum era conhecida como uma divindade. Nas tábuas de Tell el-Amarna o seu nome aparece com o nome próprio "Abdi-Ashirta". O nome também é encontrado no sul da Arábia, indicando a ampla predominância de sua adoração. Esta deusa não deve ser confundida com Astarte, conhecida no Antigo Testamento, cuja forma plural era Astarote (*veja* Astarote adiante). No Antigo Testamento, a adoração a ela está associada à adoração a Baal (Jz 3.7; 1 Rs 18.19; 2 Rs 23.4). Gideão teve que destruir o altar que o seu pai havia erigido a Baal e à companheira Aserá, para qualificar-se como um líder de Israel (Jz 6.25-30). A adoração a ela durante a época dos reinos hebraicos é atestada pela imagem feita pela mãe de Asa (1 Rs 15.13) e pela imagem colocada por Manassés no Templo (2 Rs 21.7). Josias tentou extinguir a adoração a esta deusa (2 Rs 23.4-7).

Alguns trechos do Antigo Testamento indicam uma fusão da divindade com o objeto de culto usado na adoração a esta deusa (Êx 34.13; Jz 6.25-30; 2 Rs 18.4), um fenômeno comum em muitas religiões. Como um objeto de culto, um *'ashera* (pl. *'asherim, 'asheroth*) (*veja* Plantas: Pomar) poderia ser feito e destruído pelos homens (2 Rs 17.16; 23.6,15); este era feito de madeira (Êx 34.13; 2 Rs 23.6,7); podia ser queimado (Dt 12.3); ficava em pé (Is 27.9); e era usado na adoração a Aserá. Alguns estudiosos, baseando-se em Deuteronômio 16.21 e em outras evidências, julgam que se tratava de uma árvore viva. No entanto, a maioria dos estudiosos pensa que se tratava de uma imagem de Aserá, talvez uma árvore da vida estilizada, porque se não fosse assim o silêncio dos profetas sobre o assunto seria estranho. Mas eles efetivamente denunciaram e condenaram a idolatria, o que incluiria o *'asherim*.

**Asima** – Uma divindade adorada pelos colonos de Hamate, fixados em Samaria pelos assírios depois de 722 a.C. (2 Rs 17.30; Am 8.14). Pode existir alguma conexão com a divindade mencionada nos papiros de Elefantina, chamada Ashembethel.

**Astarote** – Uma divindade conhecida por vários nomes, tais como Ishtar, Astarte, Vênus, e algumas vezes chamada de "rainha do céu". Ela era a deusa da estrela vespertina, ou planeta Vênus, mas pode ter sido originalmente andrógina, e, desta forma, seria também o deus da estrela d'alva, da mesma forma que Vênus (cf. a palavra do sul da Arábia *'attar*, "deus da estrela d'alva"). Ela era principalmente a deusa do sexo e da guerra. O povo de Deus alterou o seu nome de Astarte para Astarote, pronunciado com as vogais da palavra hebraica *bosheth*, "vergonha", como também aconteceu com Moloque. A sua associação com Baal no Antigo Testa-

Baal do trovão, de Ras Shamra, Síria. LM

mento (Jz 2.13; 10.6; 1 Sm 7.4; 12.10) pode indicar ser ela equivalente a Aserá na Palestina. Astarte cresceu em importância na Fenícia e na Palestina, embora a cruel deusa da guerra, Anate, irmã e consorte de Baal, ocupasse o lugar proeminente nos textos de Ugarite (Albright, *Yahweh and the Gods of Canaan*, pp. 128-135).

No Antigo Testamento, Astarote é mencionada como sendo adorada entre os hebreus durante a época dos juízes (Jz 2.13; 10.6); em Bete-Seã, onde as armas de Saul ficaram expostas no seu templo (1 Sm 31.10; 1 Cr 10.10); pelos sidônios (1 Rs 11.5,33; 2 Rs 23.13); o pai de Jezabel era um sacerdote de Astarte. Filo de Biblos diz que ela era adorada em Biblos e em Tiro. O nome da cidade Asterote-Carnaim (Gn 14.5) sugere um santuário para a sua adoração que ficava a leste do Jordão. A sua fama espalhou-se pelo Egito, como foi evidenciado por roupas de Astarte e pela tradução do poema "Astarte e o dragão do mar". Em Moabe (inscrição moabita, ANET, p. 320), o nome do seu equivalente masculino Ashtar é composto com Quemos.

**Astarte** –*Veja* Astarote (no parágrafo anterior).

**Baal,** literalmente, "amo, dono, marido" – o mais importante deus do panteão dos cananeus (*veja* Canaã). Desde o terceiro milênio até cerca do ano 1500 a.C., o título é aplicado ao deus amorreu da chuva e da tempestade de inverno, Hadade (*veja* abaixo). Conseqüentemente, no panteão dos cananeus ele tornou-se o deus da fertilidade, tendo o touro como seu símbolo.

A ampla supremacia do seu culto é comprovada pela aparição do seu nome em fontes da Babilônia, aramaicas, fenícias, púnicas, de Ugarite e do Egito. Durante o período de Ramessés ele foi equiparado a Sete. Os seus títulos eram Zabûl, "exaltado, senhor da terra"; Ba'al Shamen, "senhor dos céus" (em fenício, mas não na antiga Ugarite); *Rokeb 'arufot*, "o que cavalga as nuvens". O lugar egípcio de nome Baal Saphon (lit. Baal do Norte, Baal do monte Cássio) indica que o seu culto era conhecido no Egito. O Antigo Testamento refere-se às muitas imagens locais de Baal como Baalins, a forma plural de Baal.

Nos textos de Ras Shamra ele é o filho de El (ou, em uma ocorrência, o filho de Dagom). Ele conquista as águas primitivas. No entanto, ele é morto por Mot e revive por Anate (fundido com Athirat/Astarte). Ele também pode ter sido identificado com Melcarte de Tiro, "o senhor da cidade".

No Antigo Testamento, a sua adoração tornou-se uma séria rival à de Jeová. Ele era adorado nos lugares altos de Moabe (Nm 22.41). Havia altares dedicados a ele na época dos juízes (Jz 2.13; 6.28-32). Talvez a sua adoração tenha atingido o seu ápice na época de Acabe e Jezabel (1 Rs 16.32; 18.17-40), embora tenham havido novas ocorrências posteriormente (2 Rs 3.2ss.; 10.18-28; 18.4,22; 21.3; 2 Cr 21.6; 22.3). A sua adoração foi abolida por Joiada (2 Rs 11.18) e Josias (2 Rs 23.4,5).

A adoração a Baal era acompanhada por rituais lascivos (1 Rs 14.24; 2 Rs 23.7). Está comprovado que a sua imagem era beijada (1 Rs 19.18; Os 13.2). O sacrifício de crianças no fogo era parte do seu culto (Jr 19.5).

A adoração a Baal estava associada à adoração de Astarote (veja acima; Jz 2.13). Ele também está associado à deusa Aserá (veja acima; 1 Rs 18.19; 2 Rs 23.4) e os seus altares freqüentemente tinham aserás nas proximidades (Jz 6.30; 1 Rs 16.32,33). Parece provável que durante a monarquia hebraica Astarote e Aserá estivessem fundidos em um único personagem. Acaz fez imagens a baalins (2 Cr 28.2), que podem ter sido touros ou bezerros de bronze. A adoração a Baal foi condenada pelos profetas (Jr 19.4,5; Os 2.17).

Além da influência direta do culto a Baal entre os hebreus, muitas das imagens aplicadas a ele são sublimadas e aplicadas a Jeová no Antigo Testamento. Jeová é aquele "que cavalga sobre as nuvens" ou céus (cf. Dt 33.26; Sl 68.4; 104.3). Como Marduque no conflito contra Tiamat, o Baal de Canaã era o conquistador das águas agitadas. Este conflito, algumas vezes com um monstro chamado Rahab ou Leviatã, é recontado por todo o Antigo Testamento onde Jeová é representado como o vitorioso sobre todos os seus adversários. O motivo do reinado de Jeová e da adoração no Ano Novo (Zc 14.16-19) foi relacionado por alguns com a idéia da revivificação de Baal, no final do combate, pela chegada da estação das chuvas.

**Baal-Berite,** "senhor do concerto" – Um deus amorreu com um santuário em Siquém (Jz 9.1-6). Ele é associado com os baalins locais (Jz 8.33), então talvez possa tratar-se de uma manifestação local do grande deus da fertilidade de Canaã. Talvez seja a mesma divindade El-Berite (ou Berite, Jz 9.46), e assim deverá ser equiparado ao deus semita do inferno, Haurom/Horom, cujo nome aparece em nomes próprios e de lugares em Canaã.

**Baal-Peor,** "o senhor do monte Peor" - Um deus dos moabitas e dos midianitas (Nm 25.1-5; Dt 4.3; Sl 106.28; Os 9.10).

**Baal-Zebube** – O deus de Ecrom, cidade dos filisteus (2 Rs 1.2,6,16). Existe uma variedade de opiniões quanto ao significado desse nome. Antigamente pensava-se que se originava da raiz hebraica *zbb*, "voar", e assim, conseqüentemente, conforme a LXX, "senhor das moscas". A maioria dos estudiosos agora acredita que o nome do deus era Baal-zebul, "senhor, príncipe" ou "Baal, o príncipe". Nos textos de Ugarite, Baal é repetidamente descrito como *zbl b'l 'ars* "príncipe, senhor da terra". A forma atual é explicada como sendo uma distorção de zombaria, como *bosheth,* "vergonha", é freqüen-

Um leão de bronze do templo de Dagom em Mari (Iraque), do segundo milênio a.C.

temente substituído por ba'al em nomes próprios. O nome de Jezabel, cujo pai tinha o nome de Etbaal, contém o elemento *zbl* como um equivalente de *ba'al*. Não é de surpreender que o seu filho Acazias preferisse Baal-Zebube a Jeová. Por outro lado, imagens douradas de moscas encontradas em escavações na Filístia podem indicar que realmente havia um deus conhecido como Baal-Zebube, adorado para apaziguar as incômodas moscas, ou que dava oráculos por meio do vôo ou do zumbido das moscas (T. H. Gaster, "Baalzebub", IDB, I, 332).

**Bel** – Nome do deus-sol nacional da Babilônia, Marduque ou Merodaque. Como Merodaque, o filho de Ea, ele assumiu o papel do sumério Enlil como o conquistador das águas agitadas. Ele recebe o crédito de ter concebido a idéia da criação do homem (ANET, p. 68) *contra* o cananeu El como o criador. No Antigo Testamento, Bel é associado com Nebo (Is 46.1) e com Merodaque (Jr 50.2). Outras referências a ele podem ser encontradas em Jeremias 51.44, o apócrifo Bel e o Dragão (3.22) e em Heródoto (i. 181).

**Belzebu** – Um nome aplicado a Satanás no Novo Testamento (Mt 10.25; 12.24,27; Mc 3.22; Lc 11.15,18,19). A versão KJV em inglês, seguindo a Vulgata, o traduz como Beelzebub, provavelmente uma regressão, errônea, ao deus filisteu de Ecrom, Baal-Zebube, como encontrado no Texto Massorético (TM) hebraico.

**Berite (Jz 9.46)** – *Veja* Baal-Berite.

**Castor e Pólux** – Divindades astrais, "os irmãos gêmeos", eram filhos de Zeus e Leda (esposa do rei de Esparta). Eles eram os deuses patronos dos marinheiros; o navio no qual Paulo saiu de Malta com direção a Putéoli tinha sua insígnia (At 28.11). Posêidon lhes deu o poder sobre o vento e as ondas. O seu templo em Roma ficava próximo à Basílica Julia, no Fórum.

**Diana** (At 19.24) – *Veja* Diana; *também* Ártemis, acima.

**Dagom** – Um nome supostamente relacionado ao hebraico *dagan*, "grão", por conseqüência, uma divindade da vegetação. Há alguma confirmação por uma referência de Ugarite a Baal como "filho de Dagom", talvez vendo Baal como a divindade da vegetação que morre e revive. A idéia de Dagom como um deus-peixe não é encontrada antes de Jerônimo, mas é provavelmente devida a uma falsa etimologia do termo hebraico *dag*, "peixe".

Dagom é comprovadamente uma divindade da Babilônia. O nome é encontrado em nomes derivados de divindades ao redor de 2200 a.C. entre os amorreus da Mesopotâmia. Existia um templo que tinha ao seu lado duas placas votivas em comemoração aos sacrifícios feitos a Dagom, mais antigo que aquele de Baal em Ras Shamra de 2000 a.C. Filo de Biblos diz que Dagom era associado a El, o maior deus fenício. Primeiramente El, e depois Dagom, podem ter sido adorados nesse templo.

Um nome de lugar baseado nessa divindade (Js 15.41; 19.27) indica a sua adoração em Canaã antes das invasões dos filisteus. No entanto, no Antigo Testamento ele era mais famoso como o deus dos filisteus (Jz 16.23, 24), que tinham sua imagem em Asdode (1 Sm 5.2-4). Ele também era adorado em Bete-Seã (1 Cr 10.10). O templo de Asdode foi o local onde os filisteus puseram a arca de Israel. Ele ainda era usado durante o período hasmoneano e foi destruído por Jônatas, o irmão de Judas Macabeu, em 147 a.C. (conforme o livro apócrifo de 1 Mac 10.83,84; 11.4).

**Estrela da manhã** (Lúcifer), heb. *helel*, "brilhante" (Is 14.12) – Era evidentemente uma divindade que queria subir mais alto que todas as outras estrelas, mas era obrigada a vir à terra. Um esclarecimento pode ser obtido com a história ugarítica de Ashtar (a estrela de Vênus), que foi indicado para ser o ocupante do trono de Baal quando ele estava vago, durante a estação da seca. No entanto, Ashtar era muito pequeno para encher o trono, e assim teve que descer (ANET, p. 140). A interpretação tradicional de Isaías 14.12 equiparou a estrela da manhã (Lúcifer) a Satanás. Isto se baseia na crença de que Lucas 10.18 refira-se a Isaías 14.15. Alguns intérpretes modernos entendem que estrela da manhã é um mero título para o rei da Babilônia.

**El-Berite** (Jz 9.46), "deus do concerto" – *Veja* Baal-Berite acima.

**Gade** – Um deus da sorte ou da fortuna (veja Isaías 65.11). Este nome de divindade é encontrado em fenício, em assírio e em aramaico. A LXX o traduz como *daimon*. Várias versões traduzem o nome, ao invés de apresentar sua transliteração, mas pelas maiúsculas demonstra-se que os tradutores acreditavam tratar-se de uma divindade ou de uma materialização. Em um texto bilíngüe aramaico-grego de Palmira, ele é identificado com *Tyche*, "fortuna". Evidentemente o seu culto era popular na região de Haurã.

**Hadade**, "o que faz trovejar" – Um deus semita também conhecido como Adade, Addu, Haddu, e Had. É equiparado a Rimom e Teshub (deus da tempestade dos heteus). Haddu/Hadade era originalmente o nome próprio de Baal. Nas artes da Babilônia e da Assíria, ele é representado como um touro. O seu nome é encontrado na inscrição Panamua, de Zinjirli, onde também havia uma estátua dedicada a Hadade. A sua adoração persistiu até os tempos helênicos. Em Tannur, na Transjordânia, havia um templo nabateano a Hadade, que assumia o papel de Zeus (ou vice-versa).

O nome Hadade pode estar por trás do nome "Hadar" na versão KJV em inglês, em Gênesis 25.15; 36.39. Era o elemento divino em nomes dados a reis e príncipes de Edom em Gênesis 36.35-39; 1 Reis 11.14-21; 1 Crônicas 1.46-51. Ele era adorado em Damasco (2 Rs 5.18). Cf. acima, sob o título "Baal".

**Hadadrimom**, - ou Hadade-Rimom – Uma divindade adorada com um pranto ritual em Megido (Zc 12.11). Talvez deva ser comparada com Anate chorando por Baal, seu irmão, no texto de Ugarite I AB (Cyrus H. Gordon, *Ugaritic Manual*, texto 49; ANET, p. 139). Cf. parágrafo anterior, e Rimom abaixo. *Veja também* Hadade-Rimom.

**Hermes** – Uma divindade grega mencionada com o seu nome romano, Mercúrio, em Atos 14.12, que reflete o seu caráter como o deus da eloqüência e o arauto divino. Era filho de Zeus e meio-irmão de Apolo. Como um malandro ou enganador, e deus da boa sorte (seja ela conseguida honestamente ou não), ele era o "santo" patrono dos comerciantes e dos ladrões. Na religião astral também era conhecido como Mercúrio. Na época helênica era equiparado ao deus escrivão egípcio Thot. Seu epíteto, "Hermes Trismegistus" ("três vezes grandioso") dá uma idéia da importância que ele teve na religião hermética da época posterior ao Novo Testamento.

Cabeça do deus Hadade, de Carquemis, Síria. LM

**Júpiter** – O deus do céu dos latinos, identificado como Zeus nos tempos helênicos. É mencionado em Atos 14.12,13 e no livro apócrifo de 2 Macabeus 6.2. *Veja* Zeus abaixo.

**Kaiwan**, ou Quium (Am 5.26) – É provavelmente o mesmo que Renfã, Rompha, ou Raifã de Atos 7.43 e era provavelmente uma divindade astral. Na Babilônia, o nome *kayawanu* é dado a Saturno; é traduzido como *Raiphan* em Amós, na Septuaginta (LXX). *Veja* Renfã abaixo.

**Lilith** – A "bruxa da noite" (ou "a bruxa do deserto", "a bruxa", "animais noturnos", "fantasmas" ou "mocho") mencionada em Isaías 34.14. Em acadiano *lilitu*, é um demônio da noite que tenta os homens durante o sono. Posteriormente, foi associada no pensamento semita com a bruxa que rouba crianças. Em Isaías, os seus companheiros são os pássaros impuros e os animais devoradores (ou "animais selvagens", "feras do deserto", ou ainda "cães bravos").

**Marduque** – O deus do estado da Babilônia e o filho mais velho de Ea. Na época de Hamurabi ele foi reconhecido como a principal divindade, com as funções do sumério Enlil. No ritual festivo de Ano Novo ele era vitorioso sobre as águas agitadas, reencenando, deste modo, a criação (cf. ANET, pp. 66ss.). Alguns estudiosos recentes vêem a influência destes motivos sobre o Antigo Testamento nos conceitos de entronização e reinado divino. Na época neobabilônica, Marduque é equiparado a Bel (cf. paralelismo de Jr 50.2). O nome Merodaque é o seu correspondente em hebraico (2 Rs 25.27; Is 39.1; Jr 52.31).

**Meni** – Um deus do destino e da fortuna (ou boa sorte), mencionado em Isaías 65.11. A palavra é traduzida como "aquele número", "Destino" ou "Sorte". Talvez o nome seja derivado do deus egípcio Menu. É possivelmente uma divindade astral, uma das plêiades. No entanto, há informações sobre a crença em um deus Manat na cultura árabe pré-islâmica (Alcorão, Sura 53.20). Durante o Império Assírio, ele era equiparado a Assur, o principal deus. Provavelmente não exista conexão com o deus Men da Frígia da época helênica, que tinha o seu principal templo em Antioquia da Galácia, e era o deus da cura e da agricultura próspera.

O deus Resefe

**Mercurus**, **Mercúrio** – Atos 14.12. *Veja* Hermes, acima.

**Merodaque** – *Veja* Marduque acima.

**Milcom** – *Veja* Meleque, Moloque.

**Meleque**, **Moloque** – Uma divindade amonita adorada com sacrifícios humanos (2 Rs 23.10; Jr 32.35). A primeira vocalização baseia-se na palavra hebraica *bosheth*, "vergonha". Existem evidências de um deus Muluk em Mari em aprox. 1700 a.C. Em Juízes 11.24 parece estar assinalada a identificação de Moloque com Quemos (veja abaixo), e Moloque seria então um título. O nome de Quemos foi composto com Ashtar na Pedra Moabita. Como Ashtar equivale ao planeta Vênus, a estrela vespertina, que aparece como Shalim, "crepúsculo" em Ras Shamra, Moloque poderia ser uma antiga divindade de Canaã, com outra aparência (cf. Jr 32.35).

Esta divindade é chamada Milcom (mesma raiz hebraica) em 1 Reis 11.5,33; 2 Reis 23.13; Jeremias 49.1,3 (LXX; a KJV em inglês o traduz como "rei" a partir das mesmas consoantes em hebraico). Isto é invertido em Amós 5.26, onde há versões que traduzem o termo como "rei" e outras como "Moloque". Estêvão cita este trecho em Atos 7.42,43, onde "Moloque" é conservado em algumas versões. Salomão construiu um santuário para Moloque (1 Rs 11.7,33), que foi destruído por Josias (2 Rs 23.13). Esta adoração foi reprovada por Sofonias (1.5) com palavras que indicam que se tratava de uma divindade astral.

A prática proibida do sacrifício humano (Lv 18.21; 20.2-5) parece ter sido muito difundida em Israel (2 Rs 16.3; 17.17; Sl 106.38; Jr 19.4,5 e muitas outras passagens). Não pareceu ser satisfatória uma tentativa recente feita por Eissfeldt (seguida por Albright na obra *Yahweh and the Gods of Canaan*, pp. 235-242) de remover Moloque da lista de divindades a quem se ofereciam sacrifícios humanos. Com base em inscrições púnicas, onde *mlk* significa um sacrifício para confirmar um voto, o autor alega que onde o Antigo Testamento diz "passar pelo fogo perante Moloque", o significado é: "como uma oferta relacionada a um voto". No entanto, embora isto possa explicar a associação entre Baal e Moloque em Jeremias 32.35, ainda assim Levítico 20.5 (onde a prostituição certamente se refere à adoração idólatra, e não a uma oferta) e 2 Reis 17.31 (onde "*a*" Adrameleque e Anameleque certamente não significa "*como*") mostram que Moloque e outros deuses que tinham nomes compostos que terminavam com " – meleque" devem ser vistos como divindades a quem eram oferecidos sacrifícios.

**Nebo** – provavelmente uma transliteração do acádio *nabu*, "anunciar"– Esta divindade da Babilônia era vista como filho de Merodaque. Sendo originalmente uma divindade das águas, foi posteriormente associado com a escrita e com a oratória. A sua imagem era levada na procissão do Ano Novo. O culto a Nebo foi popular durante o período neobabilônico (625-539 a.C.) onde o seu nome é o elemento divino nos nomes de três dos seis reis, como por exemplo, Nabucodonosor. Ele tinha um templo especial em Borsippa.

**Nergal**, provavelmente do sumério *Ne-uru-gal,* "senhor da grande cidade" – Uma divindade da Mesopotâmia (2 Rs 17.30) adorada pelos filhos de Cuta, assentados pelos assírios em Samaria depois de 722 a.C. Originalmente, era o deus do fogo e do calor do sol; depois, da caça e dos desastres; e finalmente, o deus do inferno. Era o consorte de Ereshkigal, a senhora do inferno. Era chamado de "senhor das armas", que pode ser relacionado ao hebraico "Reshepho do arco" (Sl 76.4[3]; "flechas do arco"). Como deus do inferno, ele pode ter sido equiparado a Mot de Ras Shamra. A divindade Melcarte de Tiro (literalmente, "rei da cidade") também era um deus do inferno.

**Nibaz** – Uma divindade adorada pelos colonos sírios, assentados pelos assírios em Samaria depois de 722 a.C. (2 Rs 17.31). Até hoje não existe prova arqueológica de tal divindade, e assim foi sugerido que o nome seja uma variante do hebraico *mizbeah*, "altar". O templo foi divinizado com o nome divino

"Betel", em Elefantina, dois séculos mais tarde. Os rabinos julgaram que o nome viesse do hebraico *nbh*, "latir", mas, provavelmente, isto não seja correto.

**Nisroque** – Uma divindade adorada por Senaqueribe (2 Rs 19.37; Is 37.38), que foi morto no seu templo. Existem diversas variações para a grafia do seu nome na LXX, todas começando com *spiritus asper*. Como o nome é desconhecido em fontes da Mesopotâmia, pode ser uma variante do assírio Nusku, que era o deus do fogo, o filho do deus-lua Sin e de Nergal. O seu culto foi confirmado neste período.

**Pólux** – *Veja* Castor e Pólux acima.

**Quemos** – O nome ou o título do deus dos moabitas (Nm 21.29; Jr 48.46). De acordo com 2 Reis 3.27 e a inscrição de Mesa (ANET, p. 320), ele era adorado por meio do sacrifício de crianças. Um santuário lhe foi erigido por Salomão (1 Rs 11.7) e foi destruído por Josias (2 Rs 23.13,14). Na inscrição de Mesa, ele é equiparado a Ashtar (*veja* Astarote acima). Falando ao rei dos amonitas, Jefté mencionou Quemos usando a expressão "teu deus" (Jz 11.24), embora a divindade amonita se chamasse Milcom/Moloque (veja acima). Mas Moloque pode ser simplesmente um título para Quemos, um deus adorado pelos dois povos mencionados. A referência de Jefté a Quemos, implicando que ele admitia a existência desse deus, foi provavelmente um argumento *ad hominem* para apelar ao rei amonita.

**Quium** – *Veja* Kaiwan.

**Rainha dos Céus** – [Uma deusa pagã a quem Israel, especialmente as mulheres, oferecia sacrifício e adoração nos últimos dias de Judá (Jr 7.18). Depois da queda de Jerusalém, e da viagem desobediente de muitos judeus ao Egito por motivos deturpados, eles insistiam que durante o tempo em que adoravam a rainha dos céus tudo ia bem com eles, e que os problemas só começaram quando Jeremias os convenceu a retornarem para Jeová (Jr 44.17ss.). A falsa deusa é a assíria Ishtar ou Astarte, a equivalente a Ashirat de Ugarite. Era uma deusa-mãe e um símbolo da fertilidade. A adoração à rainha dos céus supostamente assegurava a fertilidade dos campos, dos rebanhos e da família (cf. Jr 44.17, "tivemos, então, fartura de pão, e andávamos alegres, e não vimos mal algum"). No século V a.C., a colônia dos judeus no Egito, na ilha de Elefantina (Yeb), incluiu em sua estranha adoração sincretista uma deusa chamada Anate-Betel, que pode ter sido a mesma rainha dos céus. – P. C. J.]

**Renfã**, ou Raifã – Uma divindade astral adorada pelos israelitas no deserto (At 7.43). O nome deriva de Raiphan, da LXX (Am 5.26), onde é uma variante de Kaiwan (veja acima).

**Resefe** – Uma divindade de Canaã observada em listas de oferendas e nomes derivados de deuses de Ugarite, do Egito (Papito Harris, aprox. do século XIII) e em inscrições sírio-aramaicas do século VIII a.C. Foram encontradas esculturas no Egito, onde ele segura o símbolo *ankh* ("vida"). Por outro lado, no épico Keret ele é o deus da peste e da destruição em massa. Muitas passagens do Antigo Testamento traduzem o nome como um substantivo comum, "pestilência", "raio", "chama" etc., onde existe uma alusão oculta a este deus. Na teofania de Habacuque 3.5, "a pestilência segue os seus passos", alguns estudiosos acreditam que seja possível que o nome próprio faça parte da tradução. Nas inscrições de Chipre (George A. Cooke, *Northwest Semitic Inscriptions*, pp. 55, 57), Resefe é comparado a Apolo, que (*Ilíada* i.51, 52) também provocava pestes. Resefe foi identificado com Nergal, Hauron e Melcarte.

**Rimom** – Supunha-se que o nome originalmente viesse do hebraico *rimmon*, "romã", mas agora se vê claramente que deriva do acádio *ramanu*, "rugir", conseqüentemente, "o que faz trovejar". O principal deus de Damasco, era adorado por Naamã e pelo rei da Síria (2 Rs 5.18). Era o deus da chuva e da tempestade, conhecido entre os assírios como Ramanu, um título de Hadade (veja acima) e identificado com o sírio Baal (veja acima). O seu nome aparece no nome sírio Tabrimom, pai de Ben-Hadade (1 Rs 15.18).

**Sicute** – A grafia deste nome, que se baseia no Texto Massorético (TM) hebraico, é provavelmente uma variação (por *paronomasia* hebraica usando as vogais de *shiqqus*, "coisa abominável") do Sakkut da Mesopotâmia (Am 5.26). A Septuaginta (LXX) assume que este nome seja alguma forma do hebraico *sukkah*, "tabernáculo". Muitas versões seguem a LXX na citação que Estêvão faz de Amós (At 7.43). Na Mesopotâmia, Sakkut tem o mesmo ideograma que Ninib, sendo assim uma divindade astral.

Tábua de pedra que registra a segunda fundação do templo do deus-sol em Sippar, Babilônia, do século IX a.C. BM

Cabeça de Zeus no Museu de Éfeso. HFV

**Sucote-Benote** – Uma divindade adorada pelos colonos da Babilônia, assentados pelos assírios em Samaria depois de 722 a.C. (2 Rs 17.30). O nome em hebraico significa literalmente "barracas de garotas", mas isto deve ser algum erro de redação. Os estudiosos da Assíria, Rawlinson e Schroeder, supuseram que a divindade fosse Sarpanitu, a consorte de Merodaque, que era popularmente chamada *Zir-banitu*, "criadora de sementes". Franz Delitzsch julgou que o nome pudesse ser o equivalente hebraico de *sakkut biniti*, "juiz supremo", ou seja, Merodaque. O nome pode ter alguma relação com Sicute (adequadamente vocalizado) de Amós 5.26, que é o mesmo que o acádio Ninib.

**Tamuz** – Uma divindade da Mesopotâmia que deu o nome ao quarto mês judaico-babilônico (junho-julho). O nome aparece quando o profeta Ezequiel encontra algumas mulheres de Jerusalém chorando pelo deus Tamuz (8.14). Tamuz era famoso como o marido de Ishtar (*veja* Astarote, acima). Seu protótipo sumério, Dumuzi, era um rei de Ereque no princípio do terceiro milênio a.C., que foi deificado como o consorte da protetora da cidade, Inanna ou Innin (correspondendo ao acádio Ishtar). Gilgamesh acusou-a de trair Tamuz, o seu amor, no famoso épico (ANET, p. 84). Nos tempos helênicos, Tamuz foi equiparado a Adônis, e Ishtar a Afrodite/Vênus. Os porcos, freqüentemente associados com cultos demoníacos, eram os seus animais sacrificiais.

Durante muito tempo, supôs-se que o objetivo da descida mística de Inanna (ou Ishtar) ao inferno (ANET, pp. 52-57) tenha sido o de ressuscitar o seu amor. Conseqüentemente, ele foi identificado por Sir James Frazer em 1906, juntamente com Adônis, Attis e Osíris, como um exemplo do deus que morre e ressuscita. Embora ele fosse um pastor, e não uma divindade da vegetação, Tamuz era representado como um deus da fertilidade que, como a vegetação, morre no calor do verão (época em que havia um pranto cerimonial por ele) e ressurge na primavera.

Graças ao trabalho do especialista em assuntos sumérios, Samuel Kramer, agora temos claras evidências de que não se pensava que Dumuzi (Tamuz) ressuscitasse dos mortos. Em um poema recentemente traduzido, e intitulado "A Morte de Dumuzi", na realidade Innana tem o seu marido tragado para o mundo inferior por não ter lamentado adequadamente a ausência dela. Como conseqüência, todas as identificações de Tamuz com Adônis e com outros deuses ressuscitados tiveram que ser abandonadas (por exemplo, a obra de A. Moortgat, *Tammuz*), e, da mesma maneira, todas as tentativas de interpretar a Bíblia com base em tais identificações (por exemplo, Alfred Jeremias, sobre a história de José, e Theophile Meek sobre Cantares de Salomão [*q.v.*]). Existem evidências de um *hieros gamos* ou um rito de "matrimônio sagrado" para assegurar a fertilidade da terra (que não deve ser confundido com o rito *Akitu* de Ano Novo na Babilônia) entre o rei Iddin-Dagan (aprox. 1900 a.C.), a quem se referiam como Dumuzi, e Inanna, que era provavelmente representada por um escravo. Canções de amor sumérias também eram usadas no culto a Dumuzi-Inanna.

E. M. Y.

**Tartaque** – Uma divindade adorada pelos aveus, que foram assentados pelos assírios em Samaria depois de 722 a.C. (2 Rs 17.31). O nome pode ser uma variação de Atargatis,

Desenho que ilustra a idéia que o povo tinha de Hator e Ísis

uma deusa adorada na Síria pelos sírios da Mesopotâmia, cuja adoração persistiu até os tempos helênicos. Atargatis, por sua vez, pode ser uma composição entre Athirat (Astarote do Antigo Testamento) e a Anate do panteão de Ras Shamra.

**Zeus** – [o mesmo que o Júpiter romano] - O chefe do panteão do Olimpo grego, mencionado em Atos 14.12. A sua estátua no Olimpo era uma das sete maravilhas do mundo antigo. Seu templo em Atenas era o maior da Grécia. Sua adoração ainda era amplamente difundida nos tempos do Novo Testamento, com representações artísticas encontradas em Tarso e em templos em Gerasa, Tannur e Salamina. No panteão latino seu equivalente era Júpiter. A referência do Novo Testamento tem em vista a figura resultante da fusão entre Zeus e Júpiter. Bois e carneiros eram sacrificados a ele.

***Bibliografia.*** William F. Albright, *Archaeology and the Religion of Israel*, 3ª edição, Baltimore. Johns Hopkins Press, 1953; *Yahweh and the Gods of Canaan*, Garden City. Doubleday, 1968. Lloyd R. Bailey, "Israelite El Sadday and Amorite Bel Sade", JBL, LXXXVII (1968), 434-438. G. Cornfeld (ed.), "Canaan, Gods and Idols, Cult", CornPBE, pp. 179-191. G. R. Driver, *Canaanite Myths and Legends*, Edimburgo. T. & T. Clark, 1956. Henri Frankfort, *Ancient Egyptian Religion*, Nova York. Columbia Univ. Press, 1948. O. R. Gurney, "Tammuz Reconsidered", JSS, VII (1962), 147-159. Arvid S. Kapelrud, *Baal in the Ras Shamra Texts*, Copenhaguen. G. E. C. Gad, 1952; *The Violent Goddess. Anat in the Ras Shamra Texts*, Oslo. Scandinavian Univ. Books, 1969. Samuel N. Kramer (ed.), *Mythologies of the Ancient World*, Garden City. Doubleday Anchor Books, 1961; *Sumerian Mythology*, edição revisada, Nova York. Harper Torchbooks, 1961; *The Sacred Marriage Rite*, Bloomington: Indiana Univ. Press, 1969. Ulf Oldenburg, *The Conflict Between El and Baal in Canaanite Religion*, Leiden: Brill, 1969. Jean Ouellette, "More on El Sadday and Bel Sade", JBL, LXXXVIII (1969), 470ss. Raphael Patai, "The Goddess Asherah", JNES, XXIV (1965), 37-56. Edwin M. Yamauchi, "Tammuz and the Bible", JBL, LXXXIV (1965), 283-290; "Additional Notes on Tammuz", JSS, XI (1966), 10-15. Para bibliografia sobre a religião e as divindades gregas, *veja* Diana.

A. K. H.

## FAMÍLIA

*Terminologia.* Várias palavras expressando a idéia de família aparecem na Bíblia. No AT, o heb. *bayith* (lit., "casa") pode significar a família que vive na mesma casa (por exemplo, 1 Cr 13.14) e é freqüentemente traduzido como "casa" (por exemplo, Gn 18.19; Êx 1.1; Js 7.18, lembre-se do caso de Acã, que vivia em uma tenda). Mais freqüentemente encontrado é o termo heb. *mishpaha* com o significado de "parentesco" (por exemplo, Gn 24.38-41), "família" ou "clã", usualmente com uma conotação mais ampla do que a do termo "família" que usamos (por exemplo, Gn 10.31,32). O NT usa o gr. *oikia* ("casa", "lar", "os da casa", por exemplo, Lc 19.9; At 10.2; 16.31; 18.8; 1 Co 1.16) e *oikiakos* ("membros do grupo familiar de alguém", Mateus 10.25,36).

*Extensão.* A família ou casa judaica incluía não somente membros imediatos intimamente ligados por laços de sangue ou de casamento, mas abrangia também escravos, servos contratados, concubinas e até mesmo estrangeiros. Abraão circuncidou cada homem de sua casa, de Ismael até os escravos nascidos em sua casa e aqueles que foram comprados de estrangeiros (Gn 17.23,27). Note como era extensa a família de Jacó, sendo 66 o número de todos os seus filhos e netos, sem contar as esposas de seus filhos (Gn 46.5-7,26). Os filhos eram grandemente desejados e eram muito importantes na administração familiar, especialmente os meninos (Sl 127.3-5; 128.3; Rt 4.11).

*Posição social e papel.* Na família do AT, o pai exercia autoridade praticamente absoluta; daí a necessidade de, no NT, adverti-lo a não provocar a ira dos filhos (Ef 6.4; Cl 3.21). Ele simbolizava a tradição, a linhagem da família e sua esperança para o futuro. O seu dever era liderar a família em adoração. Quando ele o fazia, a sua integridade e devoção a Deus tornavam-se um exemplo para os seus descendentes (por exemplo, Jó 1.5); quando o pai falhava, ele era amargamente acusado (Sl 78.8; Am 2.6,7). A mãe também tinha grande influência nos bastidores, como no caso do conselho de Rebeca a Jacó (Gn 27.11-17). Ela confortava seus filhos (Is 49.15; 66.13) e era amada e respeitada por eles. O filho mais velho, ou primogênito, normalmente era preparado e treinado para o futuro papel de chefe da família. Talvez por causa das obrigações e responsabilidades extras como líder do clã, este recebia uma porção dobrada da herança.

*Princípios e bases bíblicas da vida familiar.* O padrão básico de Deus para o casamento está registrado em Gênesis 2.18-25. Como planejado originalmente, este relacionamento envolvia um homem e uma mulher, uma união física (Gn 1.28) e uma nova unidade social (Gn 2.24). A família era construída sobre estes princípios básicos, e, por todo o AT, a família era considerada no tratamento de Deus para com o homem. Os filhos eram considerados dádivas e bênçãos de Deus (Gn 4.1; 33.5; Sl 113.9; 127.3; 68.6). O pai e a mãe eram responsáveis por treiná-los (Dt 6.6-9; Pv 22.6), e o pai era particularmente responsável por fornecer um exemplo consistente de uma vida de temor e obediência ao Senhor. O fracasso neste aspecto traria resultados devastadores (Êx 20.4,5; Nm 14.18), bem ilustrados na apostasia de Israel (2 Rs 17.14; 2 Cr 33.22-25; At 7.51-53).

Os escritores do NT construíram sobre os princípios e ideais para a vida familiar estabelecidos no AT. Referindo-se ao relato de Gênesis, Jesus esclareceu e confirmou o conceito original de permanência na terra do relacionamento matrimonial (Mt 19.3-6). Embora o termo "apegar-se-á" (Gn 2.24) sugira fortemente que esta união deveria ser para toda a vida, Jesus não deixou dúvidas ao dizer: "Portanto, o que Deus ajuntou não o separe o homem" (Mt 19.6).

Paulo elevou o casamento ao seu nível mais alto ao comparar o marido a Cristo, e a mulher, à igreja (Ef 5.22,23). O marido, diz o apóstolo, deve amar a sua "mulher, como também Cristo amou a igreja", e a mulher deve sujeitar-se ao seu marido como a igreja deve sujeitar-se a Cristo (Ef 5.25,22-24). O homem, como um marido amável refletindo as atitudes generosas e sacrificiais do próprio Cristo, deve ser o "cabeça da mulher", dando-lhe segurança e proteção.

Jesus também elevou as crianças a uma posição proeminente em seu plano divino quando ensinou que elas não deveriam ser ofendidas (Mt 18.6), desprezadas (18.10) e tampouco proibidas de irem a ele (19.14). Paulo reitera um princípio do AT ao colocar a responsabilidade primária de treinar as crianças sobre os ombros dos pais (Ef 6.4).

Tanto o AT como o NT fornecem uma variedade de instruções práticas para um relacionamento matrimonial e familiar bem-sucedido. O livro de Provérbios está especialmente repleto destes ensinos. O efeito da criança sobre o estado de espírito da família (10.1; 15.20; 17.25; 23.24,25); o valor da disciplina rígida (13.24; 19.18; 22.15; 23.13,14; 29.15,17; cf. Hb 12.5-11); as advertências contra a desobediência aos pais (19.26; 20.20); e o agravo da mulher rixosa (19.13; 27.15) – estes são alguns dos sábios provérbios com relação às questões familiares.

A casa próspera é advertida a não se esquecer do Senhor (Dt 6.10-12). O casamento com incrédulos é proibido para o povo de Deus, a fim de evitar que se desviem para adorar outros deuses (Dt 7.3,4; 2 Co 6.14). O texto em 1 Coríntios 7 dá instruções práticas com relação ao problema do egoísmo no casamento (vv. 1-5), diz o que fazer quando um cônjuge não é convertido (vv. 12-16) e adverte contra o problema da lealdade dividida (vv. 32-35). Jesus trata da questão do divórcio (Mt 19.3-11), e Paulo dá instruções relacionadas ao casar-se de novo (1 Co 7.39,40; Rm 7.1-3). Conselhos práticos para esposas e mães podem ser encontrados em Tito 2.3-5 e 1 Pedro 3.1-6.

Além das instruções específicas, as Escrituras também fornecem muitas ilustrações significativas que, por sua vez, apresentam princípios para uma vida familiar como a vida de Cristo. Por exemplo, os filhos de Eli e os filhos de Davi são um forte lembrete quanto ao que acontece quando os pais falham (1 Sm 3.13; 2 Sm 12.10). José é, sem dúvida, o supremo exemplo do perdão familiar (Gn 50.15-21).

Jesus ilustrou as atitudes corretas do pai em relação ao filho que se desviou em sua parábola do filho pródigo (Lc 15.11-24), mas ele apresenta também motivos egoístas claros por parte dos pais (Mt 20.20-28).

Não há dúvida de que os ensinos da Bíblia elevam a família e sua função a um nível não alcançado em nenhuma outra literatura ou sociedade. Embora esta unidade social divinamente instituída tenha falhado em muitos casos, não funcionando em um nível correto dentro da comunidade cristã, o padrão santo de Deus para a vida da família não está invalidado.

*Uso figurativo do conceito da família.* Na nova criação há um novo relacionamento familiar, com um Pai, que está no céu (Mt 23.9). Um homem pode ter que renunciar aos seus velhos laços familiares (Lc 14.26,33) ou pode descobrir que seus inimigos são aqueles da sua própria casa (Mt 10.35,36). O próprio Senhor Jesus experimentou esta separação (Mc 6.4; Jo 7.5) e declarou que seus verdadeiros irmãos, irmãs e mãe, são aqueles que fazem a vontade de Deus (Mc 3.31-35).

A igreja torna-se a família ou a casa de Deus (Ef 2.19; 1 Tm 3.15; Hb 3.6; 1 Pe 4.17). Paulo considera Timóteo, Tito e Filemom como seus "filhos", e exorta Timóteo a tratar os membros da igreja em Éfeso como seus próprios parentes (1 Tm 5.1,2). Ele compara os presbíteros aos pais de uma família (1 Tm 3.5), e ele mesmo "gera" igrejas como um pai (1 Co 4.15; cf. 2 Co 6.13) e lhes dá à luz como se fosse uma mãe (Gl 4.19). Como povo de Deus, como seus filhos e filhas, devemos ficar separados e não tocar em nada imundo (2 Co 6.14-18).

*Veja* Adoção; Criança; Divórcio; Educação; Lar; Casa; Casa, Membros da; Marido; Pai; Mãe; Filho; Filha; Casamento; Herança; Mulher.

***Bibliografia.*** O. J. Baab, "Family", IDB, II, 238-241. "The Family", CornPBE, pp. 310-320. Larry Christenson, *The Christian Family*, Mineápolis. Bethany Fellowship, 1970. John W. Drakeford, *The Home. Laboratory of Life*, Nashville. Broadman Press, 1965. Alta Mae Erb, *Christian Education in the Home*, Scottsdale, Pa.: Herald Press, 1963. Oscar E. Feucht, *Helping Families Through the Church*, St. Louis. Concordia, 1957. Gene A. Getz, "The Christian Home", BS, CXXVI (1969), 16-21, 109-114. Ralph Heynen, *The Secret of Christian Family Living*, Grand Rapids. Baker,

Estátuas do faraó Amenotep III medindo 16,5 metros de altura – o famoso Colossi de Memnon. HFV

1965. E. A. Judge, *The Social Pattern of the Christian Groups in the First Century*, Londres. Tyndale Press, 1960. G. Quell e G. Schrenk, "*Pater*, etc.", TDNT, V, 945-1022.

G. A. G.

**FANUEL** O pai da profetisa Ana, uma mulher avançada em idade que vivia em Jerusalém (Lc 2.36).

**FARAÓ** (Heb. *pa'ro*; gr. *pharao*; acád. *pir'u*, *pir'u*; egípcio *pr-*", "a grande casa" ). No período do Reino Antigo, no início de aprox. 2500 a.C., o palácio foi chamado "a casa grande". Só a partir da 18ª Dinastia, em aprox. 1500 a.C., é que o título da pessoa que vivia no palácio passou a ser semelhante à nossa expressão, "sua majestade". Nos anos seguintes, tornou-se uma prática usar este termo sozinho ou junto como o nome de um monarca.

No Antigo Testamento, a palavra "Faraó" aparece freqüentemente em Gênesis e Êxodo; somente em alguns casos em outros livros do AT é que o nome pessoal é combinado com o termo Faraó. As ocorrências do termo Faraó no AT referem-se aos governantes das 30 dinastias listadas por Mâneton.

1. *Faraós de Gênesis*. Quando Abraão foi para o Egito por causa da fome na Palestina, Sara foi levada para a casa do Faraó (Gn 12.15). Outro Faraó é freqüentemente mencionado em incidentes da vida de José, e dos últimos anos de Jacó (Gn 37.36; 40.1ss.). Ao identificar estes Faraós, pelo menos duas considerações são importantes: a Bíblia não relata os seus nomes; a data da vida de Abraão e, conseqüentemente, dos outros patriarcas não pode ser determinada com precisão. W. F. Albright posiciona a migração de Abraão de Ur para Harã e para o oeste em algum período durante os séculos XX e XIX a.C. (*Archaeology of Palestine*, Harmondsworth. Penguin Books, 1960, p. 83). É possível apenas afirmar que a época dos patriarcas coincide com a dos vários Faraós da 12ª Dinastia (1991-1786 a.C.).

Uma discussão interessante desenvolveu-se com relação ao Faraó da época de José, se ele foi um dos últimos governantes da 12ª Dinastia ou um dos primeiros governantes do período dos Hicsos (aprox. 1720 -1570 a.C.). Se a cronologia mais antiga para o Êxodo estiver correta, há grandes chances de que ele seja Sesóstris III (1878-1843 a.C.; veja James R. Battenfield, "A Consideration of the Identity of the Pharaoh of Genesis 47", JETS, XV [1972], 77-85). *Veja* Era Patriarcal.

2. *Faraós do Êxodo*. O Faraó "que não conhecera a José" instituiu muitas medidas opressoras contra o crescimento de Israel (Êx 1.8ss.). Um Faraó seguinte continuou a opressão e tentou perseguir Moisés por ter matado um egípcio (2.15). Seu sucessor (veja 2.23) foi o Faraó das pragas e do Êxodo, (4.21 –14.31). A opressão e o Êxodo aconteceram nos reinados de determinados Faraós do Novo Reino (Dinastias XVIII–XX; aprox. 1580-1100 a.C.). Segundo a cronologia mais antiga (aprox. 1445 para o Êxodo) o Faraó da opressão foi Tutmósis III (aprox. 1482-1450 a.C.), e o Faraó de Êxodo foi Amenotep II (aprox. 1450-1425). Conforme uma cronologia mais avançada (aprox. 1280 para o Êxodo), o Faraó da opressão foi Seti I (aprox. 1318–1304), e o Faraó do Êxodo foi Ramsés II (aprox. 1304-1237). A cronologia mais recuada é, às vezes, chamada de bíblica, ou massorética, porque é estruturada em torno de certas afirmações cronológicas no AT; por exemplo, 1 Reis 6.1; Juízes 11.26. A visão da data mais recente, também fazendo uso das referências bíblicas, tem a sua base principal na compreensão atual das evidências arqueológicas com relação às viagens de Israel em torno de Edom e Moabe, e a conquista de Canaã. *Veja* Êxodo, O: A Época

3. *Faraós anônimos em outras passagens do AT*. Salomão (aprox. 971-931 a.C.) casou-se com a filha do Faraó (1 Rs 3.1), um casamento que aparentemente tinha como finalidade o estabelecimento de uma aliança política. O Faraó também deu Gezer à sua filha como

Templo de Ramsés II em Abu Simbel. LL

Amenotep II, possível faraó do êxodo conforme a cronologia mais antiga. ORINST

um dote (1 Rs 9.16). Estas duas passagens aparentemente referem-se a Siamun (aprox. 974-957 a.C.), o rei que sucedeu o último rei da insignificante 21ª Dinastia. Uma cena de alívio triunfal encontrada em Tânis ilustra este governante golpeando um estrangeiro, aparentemente um filisteu, e um escaravelho com seu nome vem de Tell el-Far'ah (Saruém), no sul da Palestina. Estes detalhes conferem com os do Faraó do reinado anterior ao de Salomão entrando em Canaã, até o ponto em que Gezer é aliada do rei israelita (*veja* KD sobre 1 Reis 3.1; cf. Alan Gardiner, *Egypt of the Pharaohs* [Oxford. Clarendon Press, 1961], p. 446).

O Faraó Amenemope ou Siamun da 21ª Dinastia foi aquele para quem o jovem príncipe Hadade, de Edom, fugiu, como refugiado de Davi (1 Rs 11.17,18). O Faraó que deu a irmã de sua esposa, a rainha Tafnes, a Hadade como esposa, pode ter sido Psusennes II (957-945) ou Sisaque (945-924), o primeiro rei da 22ª Dinastia. O Faraó da época de Ezequias (2 Rs 18.21) foi da 25ª Dinastia (Etíope).

Os Faraós mencionados por nome são: Sisaque (1 Rs 14.25 etc); Sô (2 Rs 17.4, mas reconhecido agora como o nome de um lugar); Tiraca (2 Rs 19.9), Faraó-Neco (2 Rs 23.29,30); e Faraó Hofra (Jr 44.30). *Veja* artigos individuais sobre estes governantes; Egito: História.

H. E. Fi.

**FARAÓ HOFRA** O quarto rei da 26ª Dinastia do Egito (Jr 44.30), que governou em Saís, no Delta (588–569 a.C.), chamado Apries pelos gregos. Hofra continuou a política antibabilônica dos seus predecessores, e no início do seu reinado mandou suas tropas para ajudar o rei Zedequias, de Judá, fazendo com que o exército babilônico levantasse temporariamente o cerco a Jerusalém (Jr 37.5-11; Ez 17.15,17). Estava acompanhado da sua esquadra (Heródoto, ii.161), mas os seus esforços fracassaram.

Em 587 a.C., Ezequiel profetizou várias vezes contra este Faraó (Ez 29.1-16; 30.20-26; 31.1-18), e novamente em 585 a.C. (32.1-32). Após Nabucodonosor destruir Jerusalém, vários judeus fugiram para o Egito levando Jeremias com eles, porém agiram de forma contrária à sua advertência (Jr 42.7–43.7). Eles estabeleceram-se ao redor de Tafnes, onde Hofra mantinha uma residência real (Jr 43.9). Jeremias profetizou (44.30) que Hofra morreria nas mãos de seus inimigos; e mais tarde foi assassinado em uma revolta liderada pelo seu co-regente Ahmose (Amasis). *Veja* Egito: História.

J. R.

**FARAÓ-NECO** Faraó do Egito (609–594 a.C.), geralmente identificado como Neco II, filho e sucessor de Psamético I (664–609), que fundou a 26ª Dinastia em Saís, no Delta. A versão KJV em inglês utiliza o nome Neco em 2 Crônicas 35.20,22; 36.4; 2 Reis 23.29,33-35; Jeremias 46.2.

Seguindo a política de seu pai de manter um equilíbrio de poder na Ásia via ajuda militar aos assírios (contra a Babilônia), que eram duramente pressionados, Neco marchou em direção ao norte para recapturar Carquemis em 608 a.C. (2 Cr 35.20). Ele tomou esta atitude para ajudar Assur-Ubalit II, o último rei da Assíria (2 Rs 23. 29), que foi sitiado em Harã. Neco capturou Gaza enquanto estava a caminho (Jr 47.1), mas teve que combater o rei antiassírio Josias, de Judá, em Megido. Este atraso do egípcio selou o destino dos assírios, mas custou a vida de Josias (2 Cr 35.20-24).

Cabeça de uma grande estátua deitada de Ramsés II, possível faraó do êxodo conforme uma cronologia mais recente. Herbert Lockyer, Jr.

Após Neco ter consolidado o seu poder sobre a Síria e a Fenícia, ele prendeu Jeoacaz, o filho antiassírio de Josias, em seu quartel sírio em Ribla. Ele depôs Jeoacaz e o deportou para o Egito. Então constituiu Eliaquim (mudando o seu nome para Jeoaquim), como um rei-vassalo em Jerusalém, sujeito ao pagamento de impostos (2 Rs 23.33-35; 2 Cr 36.3,4).
Durante alguns anos, Neco foi bem-sucedido no norte, mas entre maio e junho de 605 a.C., o exército da Babilônia, comandado pelo príncipe da coroa, Nabucodonosor (*q.v.*), derrotou as suas forças em Carquemis (*q.v.*), e eles fugiram de volta para o Egito (Jr 46.1-12). A perseguição de Nabucodonosor até o rio do Egito (2 Rs 24.7) só foi aplacada pela morte súbita de seu pai em agosto, pois foi obrigado a retornar logo para a Babilônia e assumir o trono. Só em 601 a.C. Nabucodonosor retornou contra o Egito, conforme a crônica babilônica. Neco o enfrentou em batalha, e ambos os lados sofreram severas perdas. Esta derrota do domínio babilônico da região aparentemente encorajou Jeoaquim a rebelar-se contra Nabucodonosor (2 Rs 24.1), mas Neco não se prontificou mais a ajudar.
De acordo com Heródoto (ii.158; iv.42), Neco fez concessões comerciais aos mercadores gregos, e iniciou a escavação de um canal, através do Uádi Tumilat, do Nilo até o mar Vermelho, que foi terminado por Dario I, da Pérsia. Ele enviou uma esquadra com navegadores fenícios que circunavegaram a África. *Veja* Egito: História.

J. R.

**FARDO ou CARGA**
1. A palavra hebraica *massa'* vem literalmente da raiz *nasa,* que significa "levantar" qualquer peso carregado por um animal (Êx 23.5) ou homem (Nm 4.15). De forma figurada, as pessoas podem tornar-se um fardo para um líder (Nm 11.11); um homem pode representar um fardo para si mesmo (Jó 7.20); o salmista fala (38.4) das iniqüidades como um fardo. Possivelmente os impostos também significavam um fardo em Oséias 8.10.
A palavra *massa'* é usada freqüentemente na mensagem e na elocução de um profeta contra as nações (Is 13.1; 15.1 etc), e foi traduzida como "oráculo" na versão RSV em inglês. Ela também foi utilizada nas palavras de Agur e Lemuel em Provérbios 30.1; 31.1. O termo *mas'et,* da mesma derivação, é usado para oráculos insensatos (Lm 2.14), ou seja, expressões transmitidas por falsos profetas.
2. Outras palavras, como por exemplo, *sebel* (Ne 4.17) e *sobel* (Is 9.4) originaram-se de *sabal*, "suportar um peso", e podem ser traduzidas como "fardo". Em Êxodo (1.11; 2.11; 5.4,5; 6.6,7), a palavra *s$^e$bala* é usada para se referir a toda a miséria que os egípcios impuseram sobre os hebreus.

E. F. Hai.

**FARÉS** Pronúncia grega de Perez (Mt 1.3; Lc 3.33). *Veja* Perez.

**FARINHA** *Veja* Alimentos.

**FARISEUS** Acredita-se que o termo fariseu deriva do verbo hebraico *parash*, isto é, "dividir ou separar". Portanto, os fariseus eram "o povo separado". Porém, tanto a origem desse grupo judeu como do nome que recebeu ainda são incertos. A "separação" da qual o nome está falando poderia referir-se a uma separação geral das impurezas ou do mundo, ou poderia estar ligada a alguma situação histórica em particular. Por exemplo, os fariseus poderiam ter surgido como a expressão de uma rígida abstenção dos costumes pagãos na época de Esdras e de Neemias (*q.v.*), ou da recusa de adotar costumes gregos mesmo sob a ameaça de morte na época de Antíoco Epifânio (*q.v.*), ou da ruptura que aconteceu em 165 a.C., após a reconquista do Templo, entre os macabeus (*q.v*) e os "piedosos" ou Chasidim, que estavam dispostos a lutar pela liberdade religiosa, mas não pela independência política. Todas essas possibilidades foram levantadas como teorias, e todas podem ser consideradas como a personificação de alguns aspectos do espírito farisaico; mas as evidências não são conclusivas para nenhuma delas.
A primeira referência aos fariseus, como um grupo existente em Israel, foi feita durante o reinado de João Hircano (135-104 a.C.). De acordo com Josefo, nessa época eles exerciam grande influência junto às massas. Hircano foi um de seus discípulos, mas por causa de desentendimentos ele separou-se e juntou-se aos saduceus (*Ant.* xiii.10. 5. f.). Em uma observação repleta de presságios, Josefo acrescenta: "Por causa disso, naturalmente, cresceu o ódio das massas por ele e seus filhos" (*ibid*). Consta, também, que Hircano deixou de observar certos "regulamentos" que os fariseus haviam estabelecido para o povo. Josefo explica que "os fariseus haviam transmitido ao povo certos regulamentos (*nomima*) herdados das gerações anteriores, mas que não haviam sido registrados na lei de Moisés (*nomoi*); por essa razão eles foram rejeitados pelo grupo saduceu" (10. xiii.6).
Esse relato serve para realçar o principal fator que existe em qualquer definição do farisaísmo – o conceito da *tradição,* de uma contínua expansão da lei oral. Ele também indica que, na época de Hircano, o farisaísmo já era um florescente movimento com grande influência sobre a população. Além disso, a referência à transmissão de regulamentos que haviam sido herdados das gerações anteriores sugere alguma continuidade com o passado. Portanto, aqueles que têm procurado acompanhar os fariseus desde os Chasidim, que lutaram ao lado de Judas Macabeu, até a nova dedicação do Templo

(1 Mac 2.42ss.; 7.13ss.; 2 Mac 14.6) podem ter chegado muito próximo da verdade. Embora algumas de suas características tenham raízes que se estendem até tempos remotos, o farisaísmo que conhecemos a partir de fontes disponíveis parece ter se originado como uma resposta judaica ao desafio da cultura grega no início do segundo século a.C.

Em uma época bastante posterior, quando o farisaísmo já havia se tornado a expressão normativa do judaísmo, os hiatos históricos foram preenchidos de forma a fazer crer que a lei oral havia sido estabelecida pelo próprio Moisés, via Josué, os anciãos, os profetas, os homens da Grande Sinagoga fundada por Esdras, e também por homens como Simeão, o Justo, e Antígono de Socho (séculos IV e III a.C.) até os "pares" (*zugoth*) de mestres investidos de autoridade (por exemplo, Semaías e Abtalion, Hilel e Shammai) e o rabinos que vieram depois deles (veja o tratado de Mishna, conhecido como *Pirke Aboth*, capítulo 1). Vale a pena notar que a origem dos "pares" coincide aproximadamente com o momento em que os fariseus começaram a constar em nossas fontes. É muito provável que a era dos macabeus tenha marcado o seu verdadeiro aparecimento, embora eles afirmassem que seus ancestrais espirituais haviam sido homens como Esdras, que haviam confirmado e explicado a Torá. Eles podem até ter possuído algumas tradições orais que remontavam até o início da época posterior ao Exílio.

Depois da ruptura com a casa real hasmoneana, representada por João Hircano, o destino político dos fariseus sofreu algumas flutuações. Eles tornaram-se os líderes de uma contínua oposição popular ao seu sucessor, Alexandre Janeu (103-76 a.C.), de forma que em seu leito de morte, impressionado pela influência que exerciam sobre as massas, Alexandre insistiu com sua esposa Salomé Alexandra (76-67 a.C.) que trabalhasse mais próxima deles (Josefo, *Ant*. xiii. 15. 5.). Os tradicionais regulamentos herdados "dos pais" foram restabelecidos, e os fariseus tornaram-se o poder por detrás do trono, livres para vingar as injustiças que acreditavam ter sido feitas contra eles por Alexandre (*ibid*., xiii. 16.1; cf. *Wars* i.5. 2. f.). Na luta pelo poder que se seguiu à morte de Alexandra, parece que os fariseus tornaram-se um terceiro partido que não apoiava nenhum de seus dois filhos; eles requisitaram aos romanos que abolissem o reinado judaico (que os sacerdotes haviam usurpado depois da revolta dos macabeus) e o retorno ao antigo tipo de regulamento sacerdotal (*Ant*. xiv. 3.2). Essa expectativa não se realizou, mas os romanos realmente puseram um ponto final a essa disputa entre facções quando Pompeu capturou o Templo, invadiu o santuário, exilou um dos filhos de Alexandra e indicou o outro (Hircano II) como sumo sacerdote e representante do rei. A independência política, conquistada de maneira tão nobre no século anterior, foi novamente perdida quando o povo judeu passou a sofrer o domínio romano em 63 a.C.

Os Salmos de Salomão representam a expressão mais refinada da piedade farisaica pré-cristã. A data da sua autoria corresponde ao período tumultuado que se seguiu à conquista de Pompeu, pois articulavam a ira piedosa dos fariseus contra os "pecadores" de Israel, cujos atos haviam provocado o terrível castigo de Deus (isto é, os últimos governantes da casta sacerdotal dos hasmoneus e os saduceus que os apoiaram), e contra os gentios que haviam invadido os limites impostos por Deus sobre eles ao castigar o seu próprio povo (Salmos de Salomão 2.16-29). O desconhecido autor desses Salmos delineou claramente a situação ("Nações estrangeiras ascenderam ao teu altar, eles orgulhosamente pisotearam sobre ele com suas sandálias", 2.2), e se mostrou jubiloso com a subseqüente morte violenta de Pompeu em 48 a.C. ("Deus me mostrou o insolente assassinado nas montanhas do Egito", 2.30). Os fariseus encontravam nestes versos a ilustração de um de seus temas clássicos, o conceito da retribuição; Deus vingando os "justos" (isto é, os próprios fariseus) e punindo os "pecadores". A doutrina de uma futura ressurreição, tão uniformemente atribuída aos fariseus (cf. At 23.6ss.; Josefo, *Ant*. xviii. 1.3ss.. *Wars* ii.8. 14), é simplesmente o produto da consistente aplicação de seu princípio da retribuição (cf. Salmos de Salomão 3.16).

A esperança messiânica dos fariseus foi estabelecida de uma forma bela na última parte do Salmo de Salomão 17. O Senhor "levantará entre eles o seu rei, o filho de Davi" (17.23) que "destruirá as nações ímpias com a palavra de sua boca" (v. 27).

Sobre Davi diziam: "Será um rei justo sobre eles, ensinado por Deus, e não haverá injustiças nesses dias em seu meio, pois todos serão santos e seu rei será o ungido do Senhor" (vv. 35ss.). Embora o rei e o reino que os fariseus estavam buscando fossem terrenos, eles também eram espirituais e não seriam alcançados "pela confiança no cavalo, no cavaleiro e no arco" (v. 37).

Depois da conquista de Pompeu, os fariseus, em sua maior parte, tornaram-se politicamente conformados. Embora houvesse alguns zelotes destacando-se entre eles, os fariseus formavam um grupo que procurava evitar conflitos com Roma, e somente depois de muita relutância foram finalmente arrastados para a malograda revolta do ano 70 d.C. Depois da destruição de Jerusalém, foram os fariseus que se incumbiram de recolher os fragmentos da fé e da vida judaica e reconstruir o judaísmo que conhecemos por meio dos escritos dos rabinos. A situação era análoga àquela que havia prevalecido após o exílio na Babilônia; não havia uma nação judaica e a unidade do povo expressava-se através da lei, da sinagoga e das boas obras. A esperança escatológica não estava ligada à atividade revolucionária, mas à intervenção divina, e isso em seu momento oportuno. Dessa forma, desde o ano 70 d.C. o judaísmo tornou-se o rebento daquilo que previamente havia sido apenas um grupo entre vários outros – os fariseus.

Se os Salmos de Salomão mostram o farisaísmo sob o seu melhor aspecto, o NT mostra o que de pior havia nele. Na época de Jesus, parece que os fariseus formavam um grupo de laicos (isto é, homens que não eram sacerdotes), em que alguns de seus membros haviam sido especialmente treinados no estudo das Escrituras. Havia os escribas, e foi contra estes e contra os fariseus que o Senhor Jesus dirigiu algumas de suas mais severas denúncias. O Senhor não contestava categoricamente aquilo que aqueles homens ensinavam na sinagoga: "Na cadeira de Moisés, estão assentados os escribas e fariseus" (Mt 23.2ss.); seus ensinos deveriam ser seguidos. Mas eles eram hipócritas porque não viviam de acordo com seus elevados padrões de justiça. Colocavam sobre o povo um jugo que eles próprios não estavam dispostos a suportar (Mt 23.4) e faziam uso da casuística para fugir ao espírito da lei, enquanto exigiam que ela fosse cumprida à risca (Mt 23.16-22; cf. Mc 7.9-13). Os fariseus gloriavam-se em sua justiça própria e só faziam boas obras para serem vistos pelos homens (cf. Mt 23.5-12; 6.1-6,16-18; Lc 18.9-14). João Batista havia chamado os fariseus de "raça de víboras" que se apoiavam de forma complacente sobre a filiação deles à Abraão (Mt 3.7ss.). O Senhor Jesus confirmou esse veredicto (Mt 23.33) acrescentando que eram como "sepulcros caiados" (23.27) e filhos, não dos "profetas e dos justos", para quem haviam construído túmulos bem elaborados, mas daqueles que haviam assassinado esses mesmos profetas e homens justos, desde Abel até Zacarias (23.29-36). Eram "condutores cegos" de outros cegos, que procuravam encontrar muitos prosélitos, mas na realidade deixavam os homens fora do Reino dos céus (Mt 15.14; 23.13-15).

Esse pensamento do NT é bem conhecido, mas não devemos nos esquecer de que naquela ocasião os fariseus eram vistos sob uma luz um pouco mais favorável (por exemplo, Lc 7.36ss.; 13.31ss.). Foram atribuídas a Gamaliel (*q.v.*) algumas das boas qualidades que Josefo encontrou nos fariseus – moderação, renúncia a castigos severos, consciência da soberania divina e também da responsabilidade humana (At 5.33-39; cf. Josefo, *Ant.* xiii. 5.9; 10.6; *Wars* ii.8.14). Paulo tinha sido um fariseu antes de sua conversão e aparentemente considerava esse grupo como a mais elevada expressão da "justiça que há na lei" (Fp 3.4-6; cf. Gl 1.14). Também não devemos nos esquecer de que mesmo sendo denunciados por Jesus, os fariseus eram capazes de pesquisar e de fazer uma rigorosa autocrítica. O Talmude descreve, de forma jocosa, sete classes de fariseus. Entre eles existiam os "fariseus de ombro" que levavam as suas boas obras em seus ombros, para que pudessem ser vistos pelos homens; os "fariseus pilão", cuja cabeça era curvada como o pilão em um almofariz como um sinal de falsa humildade. Porém, existiam aqueles que verdadeiramente amavam a Deus, e que eram como Abraão (veja, por exemplo, Ber. 9, 14b; Sot. 5, 20c; Sot. 22b, explicados de forma muito conveniente na obra de C. G. Montefiore e H. Loewe *A Rabbinic Anthology*, p. 1385).

Uma definição do farisaísmo poderia começar insistindo que ele era legal, mas não literal. Era uma religião que "construiu uma cerca em volta da lei" (*Pirke Aboth* 1.1), selecionando os regulamentos legais do AT, muitos dos quais eram dirigidos aos sacerdotes levitas e tornando-os relevantes e aplicáveis a cada judeu. Isso foi feito através de seu sistema de interpretação oral da tradição. Eles levaram a lei ao alcance de cada homem, de forma que em um sentido diferente de Martinho Lutero, o farisaísmo representou o "sacerdócio do crente". Para o fariseu sincero, a lei não representava uma "letra morta", como havia sido explicada e interpretada pelos escribas, mas a sua própria vida.

Então, por que o Senhor Jesus denunciou o farisaísmo? Em parte por causa da hipocrisia de alguns de seus representantes, que "diziam, mas não praticavam" (Mt 23.3), e em parte porque o farisaísmo, em sua honesta tentativa de adaptar a eterna lei de Deus às mutáveis condições humanas, havia comprometido a justa e absoluta exigência divina (Mt 15.3). Ao aplicarem a si mesmos e a seus seguidores certos deveres exteriores, eles haviam realmente dado uma forma mais fácil à justiça, um objetivo que seria alcançável através de uma certa obediência, para que quando esses atos fossem realizados os fariseus pudessem pensar que haviam feito tudo o que deles era exigido. Contra essa atitude, Jesus disse que mesmo quando tais exigências tivessem sido cumpridas, o servo de Deus ainda não poderia permanecer seguro. A exigência ética ainda estava presente; ele ainda seria um "servo inútil" (Lc 17.10). Portanto, Jesus disse aos seus discípulos: "Se a vossa justiça não exceder a dos escribas e fariseus, de modo nenhum entrareis no Reino dos céus" (Mt 5.20).

***Bibliografia.*** I. Abrahams, *Studies in Pharisaism and the Gospels,* Nova York. Ktav Pub. House, 1967. W. D. Davies, *In-*

*troduction to Pharisaism,* Brecon. J. Colwell and Sons, 1954. A. Finkel, *The Pharisees and the Teacher of Nazareth,* Leiden. E. J. Brill, 1964. L. Finkelstein, *The Pharisees,* 3 rd ed., Filadélfia. Jewish Pub. Society, 1962. R. T. Herford *The Pharisees,* Boston. Beacon Press, 1962. Joachim Jeremias, *Jerusalem in the Time of Jesus,* Filadélfia. Fortress Press, 1969, pp. 246-267. J. Z. Lauterbach, *Rabbinic Essays,* Cincinnati. Hebrew Union College Press, 1951. G. F. Moore, *Judaism in the First Three Centuries of the Christian Era,* Cambridge. Harvard Union Press, 1932-40. Jacob Neusner, *The Rabbinic Traditions About the Pharisees,* Leiden. Brill, 1971.

J. R. M.

**FARMASTA** Um dos dez filhos de Hamã (Et 9.9).

**FARPAR ou FARFAR** Rio do sul da Síria, próximo a Damasco (2 Rs 5.12).

**FAVAS** *Veja* Plantas.

**FAVO** O favo de mel (por exemplo, 1 Sm 14.27; Pv 24.13; Lc 24.42). *Veja* Animais: Abelha III.1; Alimentos: Mel.

**FÉ** Fé é uma palavra do NT. Ela ocorre apenas duas vezes no AT (Dt 32.20; Hc 2.4). A versão ASV em inglês traduz a primeira referência (heb.*' emun*) como "fidelidade". A versão ASV conserva o termo "fé" no segundo texto (trazendo "fidelidade" na margem, heb. *'emuna*), possivelmente por causa da freqüente citação do texto no NT, no qual a idéia é claramente a de fé no sentido ativo (cf. Rm 1.17; Gl 3.11; Hb 10.38). A palavra equivalente no AT é "confiança". A palavra "confiança" e suas formas correlatas ocorrem mais de 150 vezes no AT, como a tradução de várias palavras hebraicas diferentes. A palavra do NT *pistis* (veja Arndt) é usada tanto no sentido de fidelidade (Rm 3.3; Gl 5.22; Tt 2.10) quanto de confiança (Mc 11.22; Mt 8.10; Lc 5.20; Rm 3.22,28 etc.). *Veja* Fidelidade; Amém.

A fé é a virtude básica no NT (1 Co 13.13; Hb 11.6; 2 Pe 1.5-7). Mesmo assim, alguns entendem que não haja nenhuma definição formal de fé na Bíblia. Com relação à passagem às vezes mencionada como a definição da fé (Hb 11.1), Dean F. W. Farrar observou: "As palavras famosas com as quais este capítulo é aberto não são tanto uma definição, mas uma descrição. Elas não são uma definição, pois não indicam, como disse Tomás de Aquino, a essência da fé. Elas nos dizem o que a fé produz, e não o que ela é – suas questões, ao invés da sua natureza. A 'fé', diz o escritor, 'é a base das coisas que se esperam, a demonstração de objetos não vistos'. Isto é o que a fé é em seus resultados. Ela nos fornece fundamentos sobre os quais a nossa segurança pode seguramente repousar, com uma convicção de que estas coisas existem, não sendo ainda terrenas ou temporais, e que, portanto, ainda não as podemos ver".

Uma definição correta de fé deve levar em consideração a sua complexidade, pois enquanto pode ser dito que o exercício dela é a própria simplicidade, ela envolve toda a personalidade. O conhecimento é necessário (Rm 10.13-17). No entanto, embora o entendimento intelectual da verdade a ser crida não seja a fé, ele faz parte dela. A concordância com a verdade a ser crida é necessária (Mt 9.28; Tg 2.19); porém, a concordância pode não ser mais do que admitir a veracidade da coisa a ser crida, sem trazer nenhuma obrigação consigo. O elemento sem o qual não temos a fé bíblica, é o consentimento da vontade, ou "o consentimento da vontade para a concordância do entendimento" (cf. Jo 8.30,31).

A fé salvadora, portanto, envolve a confiança pessoal ativa, o compromisso de alguém para com o Senhor Jesus Cristo. Mas não é a quantidade de fé que salva, é o objeto da fé que salva. Uma grande fé no objeto errado não altera um til na condição perdida do homem. Pouca fé (desde que seja fé) no objeto certo deve resultar em salvação. Como um artigo de religião define: "Podemos assim confiar em Cristo, seja de forma tímida ou ousada; mas qualquer que seja o caso, esta será uma fé salvadora. Se, embora timidamente, confiarmos nele, em sua obediência por nós na morte, instantaneamente, entramos em comunhão com ele, e seremos justificados. Se, porém, confiamos nele com ousadia, então teremos o conforto da nossa justificação. É simplesmente pela fé em Cristo que somos justificados e salvos" (uso Episcopal Reformado). No uso bíblico geral, crer é ter uma fé madura em Cristo, a ponto de se entregar a ele. O primeiro termo que os cristãos usaram para se descrever foi "os que creram" (At 2.44; 4.32; 5.14 etc.). *Veja* Crer; Crentes.

Deve ser observado que existem resultados mais abençoados e reais quando um indivíduo realmente confia no Senhor Jesus Cristo. Há não apenas uma mudança de posição diante de Deus (justificação), mas há o início da obra redentora e santificadora de Deus. Embora a transformação da vida não seja a base da salvação, ela é a evidência da salvação. E sem tal evidência (em maior ou menor grau) deve ser levantada uma questão quanto à autenticidade da fé do indivíduo. Dentro de alguns limites, concordamos com a opinião de C. I. Scofield: "A fé que não leva à ação, que não resulta em uma mudança de relacionamento para com Deus e Cristo, que não opera de forma transformadora na vida, não é a fé bíblica". A incredulidade é, ao longo de toda a Bíblia, igualada à desobediência (cf.

Jo 3.36), e é considerada o mais grave dos pecados (Hb 3.12-18).

As boas obras de um cristão são o resultado e a evidência da autenticidade da sua fé. É o entendimento deste fato que resolverá o problema de alguns quanto a uma alegada discrepância entre Paulo e Tiago. Paulo certamente relaciona as boas obras com a fé (Ef 2.8-10). Fica claro que Tiago está falando da justificação diante dos homens (Tg 2.18 – "mostra-me", "te mostrarei"; v. 22 – "bem vês"; v. 24 – "vedes"; v. 26), e que a fé é provada pelas obras (v. 22).

A fé não está somente relacionada à salvação do pecado para o cristão, ela está ligada à providência e à direção de Deus (Mc 11.22; Hb 11.6; Pv 3.5,6; Sl 37.3; At 27.25), à santificação (Gl 3.1-3; At 26.18; 2 Co 5.7; Gl 2.20; Cl 2.6,7), ao serviço (Rm 12.6; Gl 5.6; 1 Ts 1.3; 2 Ts 1.11; 1 Tm 6.12; Hb 11.33; Tg 2.22) e à oração (Mt 21.22; Hb 11.6; Tg 1.5-8).

A relação entre o arrependimento e a fé é uma questão teológica freqüentemente discutida. Ao fazer uma síntese de seu ministério em Éfeso, Paulo expressou-se da seguinte forma: "Testificando, tanto aos judeus como aos gregos, a conversão a Deus e a fé em nosso Senhor Jesus Cristo" (At 20.21; cf. 11.17,18; 26.18-20). É provável que o conhecimento (*notitia*) e a concordância (*assensus*) precedam o arrependimento (uma mudança de pensamento) assim como precedem a confiança (*fiducia*). O arrependimento, neste aspecto, precede a confiança. Assim, a fé não será uma fé salvadora genuína a menos que ela envolva o arrependimento (*q.v.*).

Uma outra questão teológica envolvendo a fé é aquela que é levantada em qualquer *ordo salutis* (ordem de salvação). Uma questão que preocupa é a relação da regeneração com a fé. A diferença entre os evangélicos é representada pelas concepções luteranas, arminianas e reformistas. Na opinião luterana, o chamado, o arrependimento e a regeneração são preparatórios para a vinda do pecador a Cristo; uma vez que a salvação não é conferida até que o pecador exerça a fé, é necessário manter a fé. A opinião reformista considera a regeneração, o arrependimento e a fé como "bênçãos da aliança da graça", não meramente como preparatórias ou condições consumadas pela iniciativa humana. No conceito arminiano, Deus confere a todos os homens a graça que lhes permite crer e obedecer ao evangelho; um homem é justificado "por sua fé".

Seja qual for a opinião defendida, pode ser observado que deve haver a resposta da fé para se ter a experiência da salvação (At 8.37; 16.31; Ef 2.8). Certamente, tal conceito é ensinado no capítulo sobre o novo nascimento (Jo 3.14-16). Além disso, o próprio Senhor Jesus Cristo falou dos mortos ouvindo a sua voz, e esta deve ser uma referência àqueles que estão espiritualmente mortos (Jo 5.25-29; note o evidente contraste no v. 29). No entanto, não pode haver nenhuma contestação no que diz respeito à escolha soberana de Deus (At 13.48; Rm 8.29; Ef 1.4,5), ou à necessidade de Deus de iniciar a salvação de uma pessoa (Rm 3.10*b*-18; 1 Co 2.14; Ef 2.8,9).

A expressão "a fé" às vezes refere-se "àquilo em que se crê, *corpo de fé* ou *crença, doutrina*" (Arndt). O mesmo léxico diz que "esta objetivação do conceito de *pistis* já era encontrada em Paulo". Até mesmo os estudiosos que reconhecem o uso da "fé" neste sentido, diferem quanto às referências nas quais ele aparece. Segue uma lista sugerida: Lucas 18.8; Atos 3.16; 6.7; 13.8; 14.22; 16.5; 24.24; 1 Coríntios 16.13; 2 Coríntios 13.5; Gálatas 1.23; 3.23-25; Efésios 4.13; Filipenses 1.27; Colossenses 1.23; 2.7; 2 Tessalonicenses 3.2; 1 Timóteo 1.19; 3.9,13; 4.1,6; 5.8; 6.1o,21; 2 Timóteo 3.8; 4.7; Tito 1.13; Tiago 2.1; Judas 3; Apocalipse 14.12.

*Veja* Fé Cristã, A; Fé, Regra de.

***Bibliografia.*** Rudolf Bultmann e Artur Weiser, "*Pisteuo*, etc.", TDNT, VI, 174-228. J. Oliver Buswell, Jr., *A Systematic Theology of the Christian Religion*, Grand Rapids. Zondervan, 1962, II, 175-186 (com uma boa discussão sobre *pisteuo*, "crer", no Evangelho de João). Lewis Sperry Chafer, *Systematic Theology*, Dallas. Dallas Sem. Press, 1947-57, III, 372-378; VI, 293-294. Vernon C. Grounds, "The Nature of Faith", *Christian Faith and Modern Theology*, ed. por Carl F. H. Henry, Nova York. Channel Press, 1964, pp. 325-345 (incluindo uma discussão do entendimento de Kierkegaard sobre a fé, e uma bibliografia completa sobre os vários aspectos da fé). J. Gresham Machen, *What Is Faith?* Grand Rapids. Eerdmans, 1946 (o melhor livro sobre a fé, a partir de um ponto de vista evangélico). James I. Packer, "Faith", BDT, pp. 208-211. Benjamin B. Warfield, "Faith", HDB; *Biblical Doctrines*, Nova York. Oxford Univ. Press, 1929, Cap. 13; *Biblical and Theological Studies*, Filadélfia. Presbyterian and Reformed, 1952, pp. 375-444. O artigo sobre Teologia traz nomes e obras de outros teólogos recomendados.

W. C.

**FÉ CRISTÃ, A** O cristianismo é a interpretação da existência que, como um sistema completo de supernaturalismo, posiciona-se como a antítese do naturalismo ateísta. Um monoteísmo radical é também uma antítese polar do politeísmo. Ensinar que Deus é autosubsistente, pessoal, vivo, ético, dinâmico e soberano, é da mesma forma a antítese polar do panteísmo e do deísmo. Contudo, uma vez que a fé cristã defende a trindade da Divindade, ela deve ser fortemente diferenciada de tal espécie de monoteísmo como o judaísmo ou o islamismo.

Estruturada sobre as atividades misericordiosas da revelação e da redenção, ela postula a criação do homem conforme a imagem divina; sua apostasia, sua culpa, sua perdição; mas a sua possibilidade de perdão através dos milagres da encarnação, expiação e ressurreição – três eventos na divisão da história que têm seu ponto central em Jesus Cristo. Quando um pecador apropria-se da Pessoa e da obra do Mediador em um confiante autocomprometimento, um novo relacionamento com Deus é estabelecido. Esta experiência é teologicamente formulada nas doutrinas de regeneração, justificação e santificação (*q.v.*). O cristianismo espera a segunda vinda de seu Senhor e o seu juízo, que será aplicado a toda a humanidade. A vida, esta fé defende, continuará eternamente além da morte, não em mera sobrevivência de almas incorpóreas, mas em uma ressurreição de corpos transformados, com os crentes desfrutando da comunhão com Deus, enquanto os incrédulos sofrerão um castigo eterno. E o tema recorrente e dominante desse drama cósmico é *sola gloria Deo* (a Deus seja toda a glória)!

V. C. G.

**FÉ, REGRA DE** Originalmente usada para designar o resumo da doutrina cristã ensinada para novos convertidos antes do batismo, a frase *regula fidei* tornou-se rapidamente um termo técnico em Teologia; e como um sinônimo para a fonte e padrão da crença, da mesma forma tornou-se o foco de significativa controvérsia.

Qual é a norma da verdade salvadora, o critério definitivo de dogma e prática, o cânon do cristianismo? É a Escritura, mais a tradição, mais algum *magisterium* eclesiástico que funciona como um intérprete autorizado? Esta tem sido a opinião católico-romana e a ortodoxa grega, embora a ortodoxia não aceite o papado como uma base exclusiva de interpretação, nem considere os pronunciamentos de ninguém – exceto os dos concílios da igreja primitiva – como tendo autoridade. Este critério é alguma luz interior mística? Os discípulos de Robert Barclay, o principal teólogo *quaker*, têm argumentado assim. Será que este posicionamento é uma fusão da razão com a consciência? Com várias modificações, o liberalismo tem adotado esta posição. Será que apenas as Escrituras devem ser seguidas? Este foi o sinal de reconhecimento da Reforma, o seu *principium cognoscendi*, fazendo um paralelo com o princípio material da justificação que ocorre exclusivamente pela fé. O protestantismo histórico discutiu – e ainda discute – que a Escritura, interpretada pelo Espírito, é a única e suficiente norma do cristianismo, tornando desnecessário qualquer suplemento extrabíblico.

Concordando em termos apologéticos, calvinistas e luteranos têm-se dividido sobre esta questão de forma polêmica. Os calvinistas têm assumido uma posição rigorosa, argumentando que nada é garantido a menos que a Escritura o declare expressamente. Os luteranos têm sido menos inflexíveis, aceitando as práticas que não contradigam a Escritura. Mas todos os cristãos reformistas concordam com Chillingworth: "A Bíblia, e somente a Bíblia, é a religião dos protestantes".

***Bibliografia.*** Gabriel Moran, *Scripture and Tradition. A Survey of the Controversy*, Nova York. Herder & Herder, 1963. W. P. Patterson, *The Rule of Faith*, Londres. Hodder e Stoughton, 1912.

V. C. G.

**FEBE** Nome grego comum, *Phoibe* isto é, "radiante", "brilhante", encontrado na mitologia grega e confirmado em inscrições, ele está escrito como Febe em todas as versões modernas. A mulher de Romanos 16.1,2 era uma diaconisa da igreja de Cencréia, o porto oriental de Corinto. Ela foi recomendada por Paulo à igreja de Roma, e ele pode ter deixado aos seus cuidados a entrega da Epístola aos Romanos. O apóstolo pediu aos crentes romanos que dessem a Febe toda a assistência nas atividades que deveria realizar nessa cidade.

Existe uma discussão sobre o título de diaconisa de Febe, se este deveria ser considerado em um sentido não técnico para alguém que prestasse serviços ou ocupasse uma função formal na igreja. *Veja* Diaconisa.

Paulo também considerou Febe um "socorro" para muitos, inclusive para si próprio. A palavra grega *prostatis* significa "protetora", sugerindo que ela era uma mulher rica que cuidava das necessidades das pessoas menos afortunadas. Em Atenas, esse termo no gênero masculino designava a função de um homem que representava o povo sem direitos cívicos. Sob a lei romana, um patrono como esse podia representar os estrangeiros.

J. R.

**FEBRE** *Veja* Doença: Febre.

**FECHADURA** A palavra hebraica *man'ul*, "fechadura", refere-se a um dispositivo na porta que, quando solto, permitia a retirada da(s) barra(s) (Ne 3.3,6,13-15 e Ct 5.5), e indica que em alguns casos existia um orifício para permitir a passagem da mão, e para operar a chave do lado de fora quando a fechadura estava do lado de dentro. O exemplo comum de uma fechadura tem uma peça vertical com um certo número de pinos que caem sobre uma barra que passa através de travas. A chave adequada desloca os pinos (modernamente, ferrolhos) permitindo que a barra seja retirada. As possíveis variações no número e no tamanho de cada pino da chave permitiam todas as variações necessárias para trancar a porta das casas em qualquer cidade da antiga nação de Israel. Chamada na Inglaterra de fechadura egípcia, ela ainda é usada na Síria. *Veja* Chave; Ferrolho.

H. G. S.

**FEITIÇARIA** Um feiticeiro é alguém considerado como possuindo poderes sobre-humanos ou ocultos, em virtude de palavras mágicas, mágica ou conhecimentos ocultos obtidos de espíritos malignos. A palavra hebraica para "feitiçaria" é *k^eshapim* (Is 47.9,12), e é assim traduzida em várias versões em 2 Reis 9.22; Miquéias 5.12; Naum 3.4. A mesma raiz é traduzida como "encantador" (Êx 7.11; Jr 27.9; Dn 2.2; Ml 3.5) ou como "feiticeiro(a)/feitiçaria" (Êx 22.18; Dt 18.10; 2 Cr 33.6). Estes termos têm os seus cognatos nas palavras acadianas *kispu* e *kassaputu*, "feitiçaria, mágica". A outra raiz comum nas línguas semitas antigas para magia ou feitiçaria é *h-r-s*, um termo que pode ser encontrado na língua de Ugarite na Lenda do rei Keret (ANET, p. 148*b*), como também em aramaico e siríaco. Ela aparece em hebraico em Isaías 3.3 na frase *hakam harashim*, "encantador perito" ou "sábio entre os artífices", ou, literalmente, alguém com muito talento nas artes e poções mágicas.

A prática da feitiçaria era amplamente difundida nas antigas culturas das nações que estavam ao redor de Israel, mas a nação de Israel estava proibida de permitir a permanência de feiticeiros, adivinhadores, médiuns ou outros do gênero em seu meio (Êx 22.18; Lv 19.26,31; 20.27; Dt 18.10-14). Este era um crime que deveria ser punido com a morte (Êx 22.18); o mesmo ocorria sob o código de leis assírio da Era Média para os que fabricavam poções mágicas (ANET, p. 184*b*).

A razão pela qual Deus condena todas as práticas desse tipo é que a mágica e a feitiçaria são rivais da verdadeira religião. A vida do crente deve estar centrada em uma experiência pessoal com o Deus único, verdadeiro e vivo. O crente caminha de forma humilde e confiante com o seu Senhor, e olha somente para ele em oração buscando a provisão das suas necessidades. Ele aceita as suas circunstâncias como parte da soberana vontade de Deus para a sua vida. O mágico ou feiticeiro, por sua vez, procura alterar as circunstâncias tentando "impelir que um deus, demônio ou espírito trabalhe por ele, ou experimenta um padrão de práticas ocultas tentando fazer com que as forças físicas dobrem-se à sua vontade" (J. S. Wright, "Magic and Sorcery", NBD, p. 766).

Tornou-se aparente, no moderno renascimento do ocultismo, que a mágica e a feitiçaria, incluindo os horóscopos, tábuas de Ouija e diversos jogos de cartas, não são sempre superstições ou truques, mas têm uma realidade demoníaca por trás de si. Se alguém tiver contato com estas forças, deverá combatê-las e renunciar a elas, superando-as por meio do poder de Deus em nome de Jesus Cristo, aplicando a eficácia purificadora e protetora do sangue do Cordeiro de Deus (Ap 12.11).

*Veja* Demonologia; Espírito Familiar; Magia.

J. R.

**FEITICEIRO[1]** *Veja* Necromante; Magia; Saul; Feitiçaria.

**FEITICEIRO[2]** A palavra "feiticeiro" significa literalmente "aquele que adivinha" em hebraico. O conhecimento é de natureza esotérica e sobrenatural, e aqueles que o possuem são demônios (2 Rs 21.6; 2 Cr 33.6) ou aqueles que, através de poderes especiais, têm contato com os demônios (Lv 20.27; Dt 18.11). Os israelitas eram proibidos de ter contato com todos esses seres, e foram advertidos contra esse conhecimento inferior (Lv 19.31; Is 8.19; 19.3). *Veja* Demonologia; Adivinhação; Espírito Familiar

**FEIXE** *Veja* Plantas.

**FEIXE DE CEREAIS** Uma pequena quantidade ou monte de grãos colhidos. O termo heb. *gadish* é traduzido como "molho" em Juízes 15.5, "feixe" em Jó 5.26 e "meda" em Êxodo 22.6. Esta palavra heb. é usada para "túmulo" em Jó 21.32 e "feixe de trigo" sobre a sepultura em Jó 5.26.

**FEL**

1. Planta que produz frutos amargos ou venenosos (*veja* Plantas: Fel)
2. Órgão do corpo humano ou sua secreção. A palavra hebraica *m^erora* significa vesícula biliar em Jó 20.25 e bile, líquido amarelado e amargo, segregado pelo fígado e armazenado na vesícula biliar, em Jó 16.13; 20.14. Foi usada figuradamente em Jó 13.26 e traduzida como "coisas amargas".

**FÉLIX, ANTÔNIO** Procurador da Judéia sob os governos de Cláudio e Nero (52–60 d.C.), e aquele diante de quem Paulo foi levado a juízo em Cesaréia (At 23.24–24.27). As descrições de Tácito (*Annals* xii.54 e *Histories* v.9) são clássicas: "Ele pensou que poderia cometer qualquer ato maligno com impunidade", e "(ele) exerceu o poder de um rei no espírito de um escravo".

Félix ouviu a defesa de Paulo, e adiou qualquer decisão para quando recebesse mais informações de Lísias, o comandante romano em Jerusalém que havia originalmente prendido Paulo (At 21.33). Ele freqüentemente conversava com o apóstolo e o ouvia, mas o deixou na prisão, esperando por um suborno. Também desejava que os seus atos agradassem os judeus.

Montanhas do Líbano

Félix havia se casado com Drusila, uma judia, irmã de Agripa II, quando ela tinha cerca de 16 anos de idade, após tê-la persuadido a deixar seu marido e ficar com ele. A argumentação de Paulo com eles (At 24.25) pode ser análoga à acusação de João Batista contra Herodes Antipas e Herodias, por causa de seu relacionamento ilícito (Mc 6.18).
Em 60 d.C., Félix foi convocado por Nero e substituído, no governo, por Festo. *Veja* Festo.

W. M. D.

**FENDA**
1. Um espaço ou abertura, geralmente estreita, feita por uma rachadura, como as "fendas das rochas" (Êx 33.22; Is 2.21; Am 6.11; Mq 1.4).
2. A divisão no casco de um animal (Dt 14.6; cf. Lv 11.3).

**FENICE ou FÊNIX** Baía na costa sul de Creta (At 27.12; esse nome está escrito como Fênix em todas as versões modernas) que os responsáveis pelo navio de Paulo desejavam alcançar para passar o inverno. Os antigos escritores, inclusive Strabo e Ptolomeu, fizeram referência a ela. Sem dúvida, corresponde à moderna Loutro, na área de Cape Mouros, a única baía da costa sul que proporciona ancoragem anual e segura aos navios maiores, como o navio graneleiro de Alexandria, que tinha 276 pessoas a bordo. Esse antigo nome foi perpetuado por Phinikia, uma cidade moderna situada em um planalto, mais de 600 metros acima da baía.
Lucas descreve que a baía era "exposta a sudeste e a nordeste". Entretanto, Loutro está voltada para o leste, em uma estreita península que a separa de uma baía menor voltada para o oeste. É bastante provável que a baía ocidental tenha sido muito bem protegida durante um determinado período na Antiguidade, porém as transformações causadas por um terremoto aparentemente mudaram a costa nesse local. Uma baía voltada para o oeste teria proporcionado a proteção necessária contra o Euroaquilão (At 27.14), o vento leste-noroeste que causou o naufrágio (A. F. Walls, "Phoenix", NBD, p. 994).

J. R.

**FENÍCIA, FENÍCIOS** O termo "Fenícia" vem aparentemente de uma palavra grega que na forma singular é *phoinix*. Provavelmente, significa "vermelho escuro" ou "púrpura", e parece referir-se à intensa produção e exportação de uma tinta vermelho-púrpura obtida dos moluscos marinhos de Tiro.
*Geografia*. Durante a maior parte de sua história, a Fenícia ocupou uma faixa da planície costeira da Síria que hoje corresponde aproximadamente aos limites norte e sul do Líbano (*q.v.*). Mas no seu auge, a Fenícia estendia seu controle desde o sul do monte Carmelo até Arvade, no norte – uma distância de pouco mais de 300 quilômetros. Nenhum ponto dessa planície costeira – oposta às montanhas do Líbano – tem mais de 6 quilômetros de largura, sendo que a sua média atinge pouco mais de um quilômetro e meio.
Essa pequena área é cortada por espigões de montanhas que se projetam a partir do Líbano e quase atingem o mar, assim como por rios impetuosos com profundos desfiladeiros. Cada uma das antigas cidades-estado da Fenícia foi construída em uma área situada entre dois desses desfiladeiros ou espigões de montanhas. Dessa maneira, a planície de Sidom tinha cerca de 15 quilômetros de comprimento, e a planície de Tiro cerca de 25; nenhuma delas tinha mais do que 3 quilômetros de largura. *Veja* Líbano.
Embora as montanhas do Líbano não fizessem parte da Fenícia, elas realmente desempenharam um importante papel em sua história. Virtualmente intransponíveis, com picos que se elevavam a mais de 3.300 metros de altitude, seus habitantes ficavam isolados pelo mar. Na Antiguidade, elas forneciam aos fenícios alguns dos tipos mais valiosos de madeira para serem usados na construção de navios e no comércio internacio-

Sarcófagos fenícios e ruínas dos romanos e dos cruzados em Biblos. Photo Sport

Castelo dos Cruzados, Sidom. HFV

nal. Juntamente com o cedro (*veja* Plantas: cedro) os fenícios exportavam corantes extraídos do murex (ou molusco do mar) encontrado abundantemente em suas costas, e vinhos feitos com uvas produzidas em suas planícies bem servidas de água. Além disso, os fenícios fabricavam artigos de metal e vidro e tornaram-se prósperos intermediários entre o Oriente e o Ocidente e entre as comunidades do Mediterrâneo.

*História*. Embora alguns vestígios da era paleolítica tenham sido encontrados nessa área, a Fenícia somente começou a assumir alguma importância na esfera internacional depois do terceiro milênio a.C. Sua ascensão começou sob os cananeus, que ocuparam o litoral libanês por volta do ano 3000 a.C. De acordo com a Tábua das Nações, Sidom era a cidade primogênita de Canaã (Gn 10.15). A cidade fundada assumiu gradualmente o domínio da costa fenícia e o conservou durante vários séculos, até que finalmente esse domínio foi transferido para Tiro (*q.v.*).

Os cananeus fenícios são chamados muitas vezes de semitas, embora tenham sido relacionados em Gênesis 10 como descendentes de Cam. A explicação para essa mudança reside no fato de que aconteceu na Fenícia, em uma data anterior, uma mistura de semitas com cananeus que resultou em uma predominância dos semitas. Sua ascendência aconteceu como resultado de uma grande invasão dos amorreus na Fenícia, Síria e Palestina, um século ou dois antes de 2000 a.C.

Ocorreram antigos contatos entre a Fenícia e um poder estrangeiro no Egito antes de 3000 a.C. Gebal (gr. Biblos) era a capital comercial da Fenícia daquela época, situada 40 quilômetros ao norte de Beirute.

O volume dos rolos de papiro que os mercadores egípcios trouxeram para Gebal era tão grande, que a palavra grega (*byblos*) usada para a haste de papiro tornou-se sinônimo de um rolo de papiro ou "livro", e esse nome foi dado à cidade onde os comerciantes gregos viram pela primeira vez os "livros de papel". Dessa forma, a nossa palavra para Bíblia ("o livro") perpetua o nome desse antigo porto.

Durante o Reino Antigo do Egito (aprox. 2700-2200 a.C.), a influência egípcia sobre a Fenícia foi absoluta. Embora essa influência e o comércio tivessem declinado durante o Primeiro Período Intermediário do Egito, houve uma completa reabilitação durante a Reino Médio (aprox. 2050-1800 a.C.). Nessa época, os Faraós passaram a exercer uma soberania maior sobre a Fenícia, e também sobre a Síria e a Palestina.

Na seqüência, os hicsos controlaram a Fenícia juntamente com a Síria e a Palestina, e pelo menos parte do Egito. Mas quando os egípcios derrotaram os hicsos e estenderam o seu império até o norte, em cerca de 1570 a.C., eles ocuparam a Fenícia e exerceram sobre essa nação um controle militar que jamais haviam exercido anteriormente. Embora esse controle tenha escapado de suas mãos durante a Era de Amarna (aprox. 1400 -1360 a.C.) ele ainda se manteve presente até aprox. 1200 a.C.

O período da independência fenícia (aprox. 1200-880 a.C.), foi caracterizado pela ascensão de Tiro (*q.v.*), especialmente sob a liderança de Hirão I (*q.v.*). Aliando-se a Davi e Salomão, ele forneceu cedro para o palácio de Davi, e também para o palácio e o Templo durante o reinado de Salomão. Hirão também ajudou Salomão a construir sua marinha de guerra e o porto de Eziom-Geber (1 Rs 9.26-28).

O papel de Hirão no progresso de Tiro foi muito significativo. Ele merece o crédito de ter reunido as duas pequenas ilhas sobre as quais estava localizada a cidade original de Tiro, por ter reconstruído os templos da cidade, pela construção e ampliação da baía ao norte (sidônia) e da baía ao sul (egípcia), e, às vezes, também recebe o crédito por ter construído os muros do quebra-mar e as fortificações da cidade. Não se sabe ao certo se nessa época havia uma cidade de Tiro no continente.

O desenvolvimento da Fenícia durante o período de sua independência foi possível, em grande parte, pelo fato de a Assíria estar, na época, um tanto inoperante. Embora Tiglate-

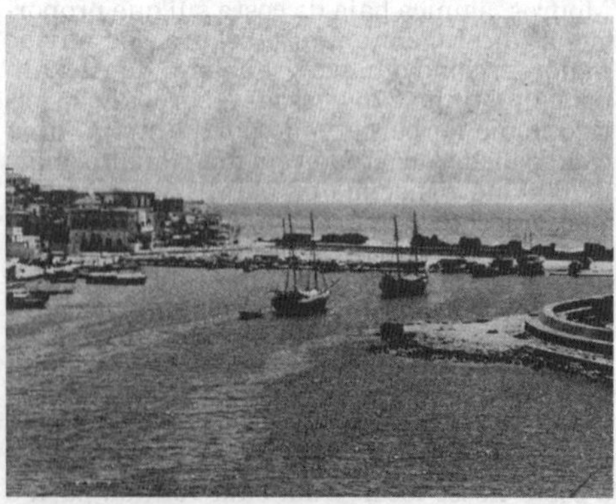

Porto fenício, Sidom. HFV

Templos fenícios em Biblos. HFV

Pileser I (aprox. 1114-1076 a.C.) tivesse prometido construir um formidável império, durante 200 anos seus sucessores não tiveram o mesmo ímpeto e foram apenas uma pequena ameaça às terras vizinhas. Entretanto, tudo mudou com o reinado de Assurnasirpal II (883–859 a.C.). Ele desenvolveu o exército assírio, guerreou nas terras do ocidente e recebeu tributos de Arvade, Biblos, Tiro, Sidom e de outras cidades vizinhas.

Embora submetidas à soberania assíria, as cidades fenícias gozavam de uma considerável autonomia local e alcançaram o auge de sua prosperidade durante o século VIII a.C. Entretanto, não se deve imaginar que a Fenícia tivesse aceitado de boa vontade essa posição de submissão. Numerosas revoltas eclodiram repentinamente durante o grande período assírio e, algumas vezes, determinadas cidades-estado fenícias chegaram a gozar uma certa independência.

Durante esse período, os fenícios estabeleceram numerosas colônias no Mediterrâneo, em parte por causa das vantagens comerciais e em parte por causa da opressão assíria. A mais conhecida delas era Cartago, mas também havia outras localizadas na Espanha, Sicília, Sardenha, Córsega e nas Ilhas Baleares.

Também nessa época, os fenícios transmitiram o alfabeto aos gregos (provavelmente em cerca de 750 a.C.), que o aperfeiçoaram e o propagaram ao mundo ocidental.

Embora muitas vezes tenha sido dado aos fenícios o crédito pela invenção do alfabeto, aparentemente trata-se de uma pretensão exagerada. *Veja* Alfabeto; Escrita.

Nesta mesma época, os fenícios também exportaram a adoração ao deus Baal (*veja* Falsos deuses: Baal) aos hebreus através do casamento de Jezabel de Tiro com Acabe de Israel, e de sua filha Atalia com Jeorão de Judá. Elias dedicou todas as suas energias para evitar que o culto a Baal exterminasse o culto a Jeová em Israel.

Depois da queda de Nínive (612 a.C.), o Império Assírio foi substituído pelo dos babilônios. O rei babilônio Nabucodonosor foi forçado a enfrentar uma determinada resistência ao seu governo na maior parte da Síria. Ele sitiou a cidade de Tiro durante 12 anos (585-572 a.C.) antes de destruir a cidade situada no continente e a sua prosperidade. Porém, como não dispunha de uma marinha, não podia forçar a capitulação da cidade de Tiro que estava localizada em uma ilha.

Quando a Babilônia caiu nas mãos dos persas em 539 a.C., a Fenícia passou tranqüilamente para esse domínio e permaneceu bastante dócil durante um século ou mais. A cidade de Sidom foi a mais importante desse período. Mas no século IV a.C., os fenícios tornaram-se pouco a pouco mais agitados e, em 352 a.C., eclodiu uma revolta geral durante a qual os fenícios contaram com a ajuda dos egípcios. Quando o exército persa estacionou perante as portas de Sidom, os líderes fugiram para salvar a própria vida. Desprovido de qualquer proteção, o povo resolveu incendiar as suas casas e morrer com elas. Diz-se que mais de 40.000 pessoas morreram nas chamas. Outras cidades fenícias não tiveram a mesma coragem para continuar a luta.

Quando Alexandre o Grande invadiu a Fenícia, nenhuma de suas cidades ofereceu qualquer resistência, exceto Tiro, que suportou o cerco durante sete meses do ano 332 a.C. Mas a esperança de sua vitória não era infundada. A cidade estava localizada em uma ilha que distava cerca de 800 metros da praia, e era defendida pela marinha e por fortificações. Porém, Alexandre utilizou táticas inesperadas. Ele resolveu construir uma passarela até a ilha, sobre a qual poderia instalar as máquinas do cerco. As ruínas da cidade de Tiro no continente forneceram o material para essa passarela. Embora tenham lutado de forma heróica, os habitantes foram finalmente derrotados, e a sua cidade foi completamente destruída. A maior parte da população foi morta ou vendida como escravos. As terríveis profecias de Ezequiel 26 cumpriram-se plenamente.

Embora as cidades fenícias tenham sido reconstruídas a ponto de alcançarem um certo grau de prosperidade durante os períodos helênico e romano, a antiga glória havia cessado. Os romanos incorporaram a Fenícia, e também a Palestina e a Síria, à província da Síria. As cidades de Aradus (Arade), Sidom, Tiro e Tripolis (atual Trípoli) receberam o direito de ter uma autonomia de governo. As suas atividades industriais e comerciais tornaram-se, novamente, amplamente conhecidas; a púrpura, o vinho e o linho eram os principais produtos de exportação das cidades-estado.

O cristianismo chegou à Fenícia pouco depois do Pentecostes. A perseguição que se seguiu ao apedrejamento de Estêvão dispersou os crentes para a Fenícia e outros lugares (At 11.19). Barnabé e Paulo fizeram breves pregações lá ao retornarem a Jerusalém, depois de seu período de ministério em Antioquia (At 15.3). Ao término de sua terceira viagem missionária, Paulo parou durante uma semana em Tiro para que seu navio pudesse descarregar, e parece que ele entrou em contato com um número considerável de crentes ali (At 21.2-7). Em Sidom, o apóstolo interrompeu brevemente a sua viagem a caminho de Roma, e lá encontrou alguns amigos (At 27.3).

### Importância Cultural

Apesar de os homens julgarem a importância de um país pelo seu tamanho ou capacidade de controlar os seus vizinhos, a Fenícia não pôde ser submetida a esse tipo de julgamento. Se não inventou o alfabeto, pelo menos foi capaz de desenvolvê-lo e transmiti-lo aos gregos. Alcançou significativos progressos na fabricação de vidro moldado e soprado, e alguns chegam até a dar-lhe o crédito pela invenção desses processos. Tendo aprendido com os astrônomos babilônios a usar as estrelas para servir como guia na navegação, eles transferiram esse conhecimento aos gregos e romanos, e dessa forma revolucionaram a navegação. Os navios fenícios controlaram o Mediterrâneo por quase meio milênio, e o mar Egeu durante aproximadamente três séculos.

Em seu papel de mercadores, os fenícios faziam o intercâmbio de mercadorias e também de idéias, levando novos conceitos do Oriente para o Ocidente e vice-versa. Dessa forma, eles propagaram a cultura do mundo antigo. O estudante da Bíblia também deve ficar atento ao impacto da Fenícia sobre o desenvolvimento cultural e religioso dos hebreus. Tão notável foi o envolvimento dos hebreus no aspecto religioso, que o nome Jezabel tornou-se um objeto de desprezo generalizado na cultura cristã ocidental – como esposa do iníquo Acabe, e como sinônimo de uma mulher desprovida de pudor.

***Bibliografia.*** W. F. Albright, *Yahweh and the Gods of Canaan*, Garden City: Doubleday, 1968, pp. 208-264. Dimitri Baramki, *Phoenicia and the Phoenicians,* Beirute: Khayats, 1961. John P. Brown, *The Lebanon and Phoenicia. Ancient Texts Illustrating Their Physical Geography and Native Industries, Vol. I., The Physical Setting and the Forest,* Beirute: American Univ. of Beirut, 1969. Lionel Casson, *The Ancient Mariners,* Nova York: Macmillan, 1959. Georges Contenau, *La Civilisation phénicienne*, Paris: Payot, 1926. CornPBE, "Phoenicia and Its Cities", pp. 585-592. Frederick C. Eiselen, *Sidon,* Nova York: Columbia Univ. Press, 1915. Wallace B. Fleming, *The History of Tyre,* Nova York: Columbia Univ. Press, 1915. Donald Harden, *The Phoenicians,* Nova York: Praeger, 1962. Phillip K. Hitti, *Lebanon in History*, Londres: Macmillan, 1957. Sabatino Moscati, *The World of the Phoenicians,* Nova York: Praeger, 1968. E. A. Speiser, "The Name Phoinikes", *Oriental and Biblical Studies,* Filadélfia: Univ. of Pennsylvania Press, 1967, pp. 324-331.

H. F. V.

**FENO** Tradução do termo hebraico *hasir* em Provérbios 27.25 e Isaías 15.6, que ocorre em outras passagens do AT como "grama". *Veja* Plantas: Grama. Provavelmente os hebreus não faziam uma distinção cuidadosa entre as diferentes formas de grama e as ervas gramíneas. No Oriente Próximo, a grama não é geralmente cortada e secada para ser usada como feno.

A grama, que adquire a cor marrom durante a estação seca de verão, é usada para simbolizar a brevidade da vida humana sobre a terra (Sl 90.5; 103.15; Is 51.12). Paulo usa figurativamente a palavra "feno" (*chortos*), isto é, grama, para denotar a qualidade inferior e de curta duração da obra que alguns homens estão edificando sobre o fundamento de Cristo (1 Co 3.12).

**FERAS DO CAMPO** *Veja* Animais: II.

**FÉRETRO ou ESQUIFE** Encontrado apenas duas vezes na versão KJV em inglês, e apenas uma vez nas versões RC, RA e TB em português. O rei Davi seguiu o féretro que levava o corpo de Abner (2 Sm 3.31). Cristo tocou o esquife do filho único de uma viúva em Naim (Lc 7.14). A palavra significa "caixão" e refere-se a uma simples maca aberta ou a uma armação de madeira plana sobre a qual o corpo morto era levado da casa para a sepultura. *Veja* Funeral.

**FEREZEUS** Um dos seis povos cananitas que habitavam na terra desde o tempo de Abraão (Gn 13.7; veja também Gn 15.20; Êx 3.8; Dt 7.1; Js 3.10 etc., para uma enumeração de outros grupos). Jacó temeu a represália deles depois do massacre de Siquém realizado por seus filhos (Gn 34.30), o que refletiu em sua aliança com os cananeus. As tribos de Judá e Simeão lutaram contra eles nos arredores de Jerusalém (Jz 1.1-7). Eram habitantes da região montanhosa (Js 9.1; 11.3; 12.8) no território das tribos de Efraim, Manassés e Judá. O termo ferezeu talvez venha de *peraza,* "vilarejo", "aldeia", porque os ferezeus foram habitantes das montanhas de Canaã, e não um grupo étnico.

Deus mandou que Israel os exterminasse (Dt 7.2) e não se casasse com eles (7.3), devido aos pecados que este povo praticava. Se seus pecados fossem adotados por Israel, a nação desviar-se-ia do Senhor (7.4). A arqueologia revelou as práticas sexuais abomináveis a que esse povo se entregava, e a autocorrupção que trouxe a destruição sobre eles.

Os israelitas não os exterminaram totalmen-

te, e ainda se misturaram com este povo através de casamentos (Jz 3.5,6), trazendo a idolatria para Israel. Esta foi a razão pela qual os israelitas foram entregues à escravidão, da qual foram mais tarde libertados pelos juízes. Salomão impôs o trabalho escravo aos ferezeus (1 Rs 9.20,21; 2 Cr 8.7,8).
No tempo de Esdras (Ed 9.1), os ferezeus ainda estavam na terra e eram um perigo para os exilados que retornavam do cativeiro.

H. G. S.

**FERIDA, FERIDAS** *Veja* Doença.

**FERMENTO** *Veja* Alimentos: Fermento.

**FERRAMENTA** As duas palavras traduzidas como "ferramenta" na Bíblia Sagrada são muito gerais. A primeira (heb. *hereb*), em Êxodo 20.25, refere-se a qualquer instrumento de corte, e é a palavra comum para "espada". A segunda (heb. *k*[e]*li*) é ainda mais geral e poderia ser traduzida como "coisa". Em 1 Reis 6.7, ela significa qualquer tipo de ferramenta para construção. *Veja* Ocupações: Artífice.

**FERREIRO** *Veja* Ocupações: Ferreiro.

**FERRO** *Veja* Minerais e Metais.

**FERROLHO**
1. Um pedaço de madeira ou metal (Heb. *beriah*) usado como um suporte, presilha ou obstáculo (por exemplo, Êx 26.26-29; Ne 3.3; Jn 2.6).
2. Um pino ou ferrolho (Heb. *min'al*, "trancar"). Este termo é usado apenas em Deuteronômio 33.25 na versão ARA em português (o termo "calçados" é utilizado na versão ARC em português). *Veja* Fechadura.

**FERRUGEM** No NT, o termo *brosis* ("comer", "devorar", Mt 6.19,20) e *ios* ("ferrugem metálica", Tg 5.3) são as palavras gregas utilizadas para "ferrugem", referindo-se ao deslustre dos tesouros terrenos, do ouro e da prata, respectivamente. Em Ezequiel 24.6-13, a ferrugem de uma panela era símbolo da imunda impudicícia de Jerusalém (v. 13), que nem mesmo repetidos aquecimentos em temperaturas elevadas poderiam remover. A palavra hebraica *hel'a* deriva da raiz de um verbo que significa "estar doente, enfermo" e indica o óxido esverdeado do cobre, assim como a ferrugem marrom do ferro. Dessa forma, o uso dessa palavra na Bíblia Sagrada é uma referência geral à corrosão de vários metais.

Sacerdotes samaritanos celebrando a Páscoa.
Richard E. Ward

**FESTA** *Veja* Alimentos: Banquete. Quanto às várias festividades judaicas do AT, *veja* Festividades.

**FESTA DA FRATERNIDADE** Este evento é conhecido como *agape* (da palavra grega que significa amor). Estritamente falando, o termo *agape* no NT é usado no sentido especial de "festa de caridade" ou "festa de fraternidade" em Judas 12 (e também em uma leitura variante em alguns manuscritos de 2 Pedro 2.13), onde são feitas algumas advertências quanto ao seu mau uso. Tudo o mais sobre as festas de caridade ou fraternidade no NT deve ser derivado de possíveis implicações de passagens como Atos 2.42,46; 6.1; 1 Coríntios 11.20ss.
Mesmo que a passagem em 1 Coríntios 11.20ss. indique tanto a festa *agape* (vv. 20,21) como a Ceia do Senhor, celebradas no mesmo evento, elas são partes distintas e com ênfases diferentes. Na refeição coletiva, os crentes deveriam compartilhar seu alimento com os pobres e as viúvas de uma forma afetuosa, e não se banquetearem como se fossem glutões.
A festa *agape* é encontrada separadamente da Santa Ceia em algum momento no século II (Tertuliano, *Apology* 39.16), embora escritos mais antigos não sejam claros sobre estes detalhes (Inácio, *Smyrnaeans* 8.2; *Didache* 9,10).
A descrição de Tertuliano (*Apology* 39.16) de elementos de uma festa *agape* cristã mostra grande similaridade com as primeiras festas judaicas (cf. o tratado talmúdico *Berakoth*; Filo, *Contemplative Life* 10-11; Rolos do Mar Morto, *Manual de Disciplina*), na qual está incluída a oração, a refeição, conversas religiosas, o ritual de lavar as mãos, o ato de acender as lâmpadas e os cânticos (cf. At 2.42,46; Ef 5.19; Cl 3.16).
Pode ser concluído que a igreja primitiva, desenvolvendo-se a partir de uma formação judaica, possuía festas *agape* de comunhão semelhantes às festas das comunidades judaicas que estavam à sua volta, mas com uma ênfase centralizada em Cristo.
*Veja* Ágape; Ceia do Senhor.

W. H. M.

**FESTIVIDADES** As observâncias dos períodos sagrados e das festividades religiosas judaicas constituíam um aspecto sig-

## QUADRO DAS FESTIVIDADES JUDAICAS

| MESES | FESTIVIDADES | MESES | FESTIVIDADES |
|---|---|---|---|
| ABIBE (heb. *'abib*, "espigas" verdes), ou NISÃ. Trinta dias; primeiro mês do ano *sagrado*, sétimo do ano *civil*.<br>(Março-Abril) | 1. Lua nova (Nm 10.10; 28.11-15).<br>10. Seleção do cordeiro pascal (Êx. 12.3).<br>*Jejum* por Miriã (Nm 20.1), e em memória da escassez de água (20.2).<br>14. Cordeiro pascal morto ao entardecer (Êx. 12.6).<br>Início da Páscoa (Nm 28.16).<br>15. Primeiro dia dos pães asmos (Nm 28.17).<br>Após o pôr-do-sol um feixe de cevada era levado ao Templo.<br>16. "Primícias", o feixe era oferecido (Lv 23.10, sq.).<br>Início da colheita, cinqüenta dias para o Pentecostes (Lv 23.15).<br>21. Encerramento da Páscoa, fim dos pães asmos (Lv 23.6).<br>15 e 21. Santas convocações (23.7).<br>26. *Jejum* pela morte de Josué. | ETANIM (heb. *'athanim*, permanente), ou TISRI. Trinta dias; sétimo mês do ano *sagrado*, primeiro do ano *civil*.<br>(Setembro-Outubro) | 1. Lua nova; *Ano Novo*; Rosh Hashaná *Festa* das Trombetas (Lv 23.24; Nm 29.1,2).<br>3. *Jejum* pelo assassinato de Gedalias (2 Rs 25.25; Jr 41.2); o sumo sacerdote é separado para o dia da expiação.<br>10. Dia da expiação (Yom Kipur), "*o jejum*" (At 27.9), isto é, o único imposto pela lei (Lv 16; 23.27-32); o primeiro dia dos anos do jubileu.<br>15-21. *Festa* dos Tabernáculos, ou Ajuntamento (Êx. 23.16; Lv 23.34-43).<br>22. Santa convocação, traziam palmas, oração pela chuva (Lv 23.36,40; Nm 29.35).<br>23. *Festa* pela lei ter sido terminada; dedicação do Templo de Salomão. |
| ZIVE (heb. *ziv*, brilho), ou IYYAR. Vinte e nove dias; segundo mês do ano sagrado, oitavo do ano civil.<br>(Abril-Maio) | 1. Lua nova (Nm 1.18).<br>10. *Jejum* pela morte de Eli e captura da arca (1 Sm 4.11, sq.).<br>14. "Segunda" ou "pequena" Páscoa, para aqueles incapazes de celebrar em Abibe; em memória de terem entrado no deserto (Êx. 16.11).<br>28. *Festa* pela morte de Samuel (1 Sm 25.1). | BUL (heb. *bul*), ou MARQUESVÃ. Vinte e nove dias; oitavo mês do ano sagrado, segundo do ano civil.<br>(Outubro-Novembro) | 1. Lua nova.<br>17. Orações pela chuva.<br>19. *Jejum* por falhas cometidas durante a Festa dos Tabernáculos.<br>26. *Festa* em memória da recuperação, após o cativeiro, dos lugares ocupados pelos cutitas. |
| SIVÃ (heb. *sivan*). Trinta dias; terceiro mês do ano sagrado, nono do ano civil.<br>(Maio-Junho) | 1. Lua nova.<br>6. "*Festa* do Pentecostes", ou "*Festa* das Semanas", porque acontecia sete dias após a Páscoa (Lv 23.15-21).<br>22. *Jejum* em memória da proibição de Jeroboão das pessoas levarem as primícias para Jerusalém (1 Rs 12.27).<br>27. *Jejum*, Chanina sendo queimada com os livros da lei. | QUISLEU (heb. *kisleu*). Trinta dias; nono mês do ano *sagrado*, terceiro do ano *civil*.<br>(Novembro-Dezembro) | 1. Lua nova.<br>2. *Jejum* (três dias) se não houver chuva.<br>6. *Festa* em memória do rolo queimado por Jeoaquim (Jr 36.23).<br>14. *Jejum*, absoluto se não houver chuva.<br>25. *Festa* da dedicação do Templo, ou das Luzes (oito dias), em memória da restauração do Templo por Judas Macabeus (cf. Jo 10.22). |
| TAMUZ (heb. *tammuz*). Vinte e nove dias; quarto mês do ano *sagrado*, décimo do ano *civil*.<br>(Junho-Julho) | 1. Lua nova.<br>14. *Festa* pela abolição de um livro dos saduceus e betusianos, que pretendiam subverter a lei e as tradições orais.<br>17. *Jejum* em memória das tábuas da lei quebradas por Moisés (Êx. 32.19); e da tomada de Jerusalém por Tito. | TEBETE (heb. *te'beth*). Vinte e nove dias; décimo mês do ano *sagrado*, quarto do ano *civil*.<br>(Dezembro-Janeiro) | 1. Lua nova.<br>8. *Jejum* pela lei ter sido traduzida para o grego.<br>10. *Jejum* por causa do cerco de Jerusalém por Nabucodonosor (2 Rs 25.1). |
| ABE (heb. *'ab*, frutífero). Trinta dias; quinto mês do ano sagrado, décimo primeiro do ano civil.<br>(Julho-Agosto) | 1. Lua nova; *jejum* pela morte de Arão, comemorado pelos filhos de Jetuel, que forneceram a madeira para o Templo depois do cativeiro.<br>9. *Jejum* em memória da declaração de Deus contra os murmuradores, que não entrariam em Canaã (Nm 14.29-31).<br>18. *Jejum*, porque na época de Acaz a lâmpada do entardecer se apagou.<br>21. *Festa* quando a madeira foi armazenada no Templo.<br>24. *Festa* em memória da lei que conferia igualmente aos filhos e às filhas a herança da terra dos pais. | SEBATE (heb. *sh'bat*). Trinta dias; décimo primeiro mês do ano *sagrado*, quinto do ano *civil*.<br>(Janeiro-Fevereiro) | 1. Lua nova.<br>4 ou 5. *Jejum* em memória da morte dos anciãos, sucessores de Josué.<br>15. Início do ano das *Árvores* (*q.v.*).<br>23. *Jejum* pela guerra das dez tribos contra Benjamim (Jz 20); também pelo episódio do ídolo de Mica (Jz 18).<br>29. Memorial da morte de Antíoco Epifânio, inimigo dos judeus. |
| ELUL (heb. *'elul* "bom para nada", inútil). Vinte e nove dias; sexto mês do ano sagrado, décimo segundo do ano civil.<br>(Agosto-Setembro) | 1. Lua nova.<br>7. *Festa* da dedicação dos muros de Jerusalém por Neemias.<br>17. *Jejum*, morte dos espias que trouxeram um relatório desfavorável (Nm 14).<br>21. *Festa*, oferta da madeira.<br>(Durante todo o mês, a trombeta é tocada para avisar da aproximação do novo ano civil). | ADAR (heb. *'adar*, fogo). Vinte e nove dias; décimo segundo mês do ano *sagrado*, sexto do ano *civil*. (ADAR SHENI, 7 vezes em 19 anos).<br>(Fevereiro-Março) | 1. Lua nova.<br>7. *Jejum* por causa da morte de Moisés (Dt 34.5).<br>8, 9. A trombeta era soada em ação de graças pela chuva, e oravam pelas chuvas futuras.<br>13. *Jejum* de Ester (Et 4.16). *Festa* em memória de Nicanor, inimigo dos judeus (1 Mac 7.44).<br>14. O primeiro *Purim*, ou a menos importante *Festa* das Sortes (Et 9.21).<br>15. A grande *Festa de Purim*.<br>20. *Festa* pela chuva obtida em tempo de seca, na época de Alexandre Janeu.<br>23. *Festa* pela dedicação do Templo de Zorobabel (Ed 6.16).<br>28. *Festa* para comemorar a revogação do decreto dos reis gregos que proibia os judeus de circuncidarem seus filhos. |

**Um mapa das festividades**

nificativo da religião hebraica. Estes dias santos e períodos sagrados foram decretados por Deus como seus dons para Israel. Deus propôs preservar com eles a lembrança de eventos sagrados tais como sua eleição e livramento divino (a celebração da Páscoa), sua estada no deserto (Festa dos Tabernáculos), sua constante dependência dele em relação a todas as bênçãos e prosperidade temporais (Pentecostes), sua preservação na Pérsia (Festa do Purim), sua necessidade de purificação e perdão (Dia da Expiação). Muitas outras lições e bênçãos espirituais deveriam também ser derivadas das várias festividades e dias santos tais como o sábado, as luas novas, o ano do jubileu, dentre outros. Assim, os períodos sagrados eram baseados em grande parte em algum evento histórico significativo relacionado com a vida nacional ou religiosa de Israel. Além disso, assim como o Templo e as Escrituras, as festividades religiosas nacionais eram ligações importantes da unidade espiritual e nacional para o povo hebreu.

### Períodos Sabáticos

*Sábado semanal.* Além das festividades anuais, a celebração do sábado semanal (*shabbat*) e os dias de festa sabática também são chamados de "santas convocações" (*miqra'e qodesh*) em Levítico 23.2ss. Durante as peregrinações no deserto, uma santa convocação parece ter sido uma convocação religiosa de todos os israelitas do sexo masculino ao Tabernáculo. Depois do estabelecimento hebreu na Palestina, porém, a ordem universal para comparecer ao santuário tinha referência apenas às três peregrinações festivas nas quais todos os homens deveriam comparecer às festas da Páscoa, do Pentecostes e dos Tabernáculos em Jerusalém (Êx 23.14-17; Dt 16.16). A santa convocação ordenada para o sábado semanal deveria acontecer *em todas as suas habitações*, isto é, o sábado deveria ser observado onde o povo vivia.

1. Origem. A narrativa da criação em Gênesis é concluída com um relato da santificação do sétimo dia por Deus, que descansou de toda a sua atividade criadora naquele dia. Embora o termo "sábado" não ocorra neste relato, a sua raiz verbal (*shabat*), significando "ele descansou", ocorre (Gn 2.3). O Decálogo em Êxodo 20.8-11 indica como a razão para exigir que Israel observasse o sábado o fato de Deus ter descansado neste dia depois de seis dias de trabalho criador. Embora não haja nenhuma menção distinta da observância do sábado em Gênesis, alguns estudiosos defendem que Moisés aparentemente o trata como uma instituição com a qual eles já estavam familiarizados, como indicado pelas palavras: "Lembra-te do dia do sábado, para o santificar" (Êx 20.8); além disso, um período de sete dias é mencionado em Gênesis 1.1–2.3; 7.4-10; 8.10-12; 29.27,28.

A primeira menção clara do sábado como uma instituição religiosa é encontrada em Êxodo 16.21-30 em conexão com a dádiva do maná. Deus ordenou a Israel no deserto que a nação deveria observar o sétimo dia como um sábado de descanso de todo o trabalho, juntando uma porção dobrada do maná no sexto dia. Alguns crêem que este dia já era conhecido deles, o que é evidenciado pela repreensão do Senhor àqueles que desobedecessem: "Até quando recusareis guardar os meus mandamentos e as minhas leis?" (Êx 16.28). Pouco tempo depois, a observância foi imposta como o quarto mandamento no Sinai (Êx 20.8-11). A crítica moderna atribui a origem do sábado a duas fontes diferentes, que supostamente trariam motivos conflitantes para a sua instituição. É argumentado que Êxodo 20.11 faz do sábado um memorial do descanso de Deus no término da criação, ao passo que Deuteronômio 5.15 declara que o sábado é um memorial da libertação de Israel do Egito. No entanto, esta opinião ignora o contexto de Deuteronômio. O sábado deveria ser uma aliança perpétua entre Deus e Israel como sua dádiva de descanso renovador; como tal, ele servia como um memorial do descanso do Senhor da atividade criadora, e não era especificamente um memorial do êxodo. A referência ao evento do êxodo em Deuteronômio tinha o propósito expresso de lembrar Israel de que, em meio à gratidão por sua liberdade e descanso após um longo período de trabalho servil, eles também deveriam permitir o descanso para os seus servos, que agora estavam em uma situação semelhante à que estiveram anteriormente no Egito como escravos (cf. Êx 5.14,15). Dessa forma, as duas passagens ligam o sábado ao descanso.

Alguns estudiosos têm traçado paralelos entre o *shabbatu* babilônico e o sábado hebreu, mas nenhuma relação é indicada a partir das evidências disponíveis. Além disso, Ezequiel 20.12,20 indica que os sábados foram sinais que Deus deu à nação de Israel para distingui-la de outras nações.

2. Caráter e observância. O sábado deveria ser observado por meio da abstenção de qualquer trabalho físico, quer fosse feito por um homem ou por um animal. Mas o sábado não foi criado para um uso egoísta na ociosidade; era uma oportunidade divinamente concedida, com a liberdade dos trabalhos seculares, para fortalecer e renovar o homem em sua totalidade, tanto física quanto espiritualmente. O sábado tinha um aspecto benevolente e foi planejado para ser uma bênção, e não um fardo para o homem (cf. Dt 5.14,15; Is 58.13,14; Mc 2.27). A legislação do sábado é encontrada em várias passagens do AT; por exemplo, Êx 16.23ss.; 20.8-11;

31.12-17; Lv 19.3,30; Nm 15.32-36; Dt 5.12-15. *Veja* Sábado.

*Lua nova mensal.* O primeiro dia de cada mês era designado como *ro'sh hodesh*, "princípio dos meses", ou simplesmente como *hodesh*, "lua nova" (Nm 10.10; 1 Sm 20.5). Diferentemente da lua nova do sétimo mês, que era o primeiro dia do ano novo civil e celebrado com uma grande festa, as luas novas mensais regulares eram dias de festa subordinados, celebrados com ofertas queimadas adicionais (Nm 28.11-15), o toque de trombetas (Nm 10.10; Sl 81.3), festas familiares (1 Sm 20.5), edificação espiritual (2 Rs 4.23) e sacrifícios familiares (1 Sm 20.6). Como em todos os dias sabáticos de festa, todos os trabalhos servis cessavam, exceto a preparação necessária da comida (cf. Êx 12.16). A lua nova e o sábado estão intimamente ligados em várias passagens (por exemplo, Is 1.13; Ez 46.1; Os 2.11; Am 8.5).

A lua ocupava um lugar importante na vida dos hebreus, uma vez que ela era o guia de seu calendário, que se baseava no mês lunar ou no período das fases da lua. Por causa disso, e devido à importância da celebração uniforme de várias festividades religiosas periódicas pelos judeus em toda parte, era extremamente importante determinar o momento exato do aparecimento da lua nova. Dessa forma, o aparecimento do quarto crescente significava o início de um novo mês e era anunciado com o toque do shofar ou chifre de carneiro.

*Ano sabático.* O *sh<sup>e</sup>nat shabbaton*, "ano de descanso" ou ano sabático, assim como o sábado semanal, foi criado por Deus com um propósito benevolente em vista. No sétimo ano, as dívidas deveriam ser canceladas e a terra deveria permanecer sem cultivo; havia uma parte que deveria ser deixada para os israelitas pobres.

1. Observância: De acordo com 2 Crônicas 36.21, a observância do ano sabático havia sido negligenciada por cerca de 500 anos. Assim, os 70 anos de cativeiro permitiram que a terra desfrutasse dos sábados de descanso que lhe foram negligenciados: "...Até que a terra se agradasse dos seus sábados; todos os dias da desolação repousou, até que os setenta anos cumpriram-se". Após o cativeiro, o povo sob o governo de Neemias dedicou-se à observância fiel do sétimo ano, fazendo a aliança de que "abririam mão da colheita e de toda e qualquer cobrança" (Ne 10.31). Sua observância continuou durante o período intertestamentário (1 Mac 6.48-53) e depois deste (Josefo, *Ant.* xiv. 10.6).

2. Propósitos: (*a*) Um descanso para a terra (Lv 25.1-7). Após a terra ter sido cultivada, semeada e colhida por seis anos consecutivos ela deveria "descansar" ou permanecer sem cultivo no sétimo ano. Isto incluía as vinhas e também os olivais (Êx 23.10). Esta provisão assegurava grande produtividade para o solo através da interrupção periódica do incessante semear, arar e colher. (*b*) Permitir que os pobres comessem (Êx 23.10,11). Durante este ano, no qual a lavoura crescia naturalmente nos campos, as vinhas e os olivais não deveriam ser colhidos, mas deixados "...para que possam comer os pobres do teu povo, e do sobejo comam os animais do campo". O texto em Levítico 25.6-7 também inclui o dono, seus servos, os estrangeiros, o gado e os animais, e também os pobres de Êxodo 23.11, como aqueles que tinham a preferência para consumir o produto natural do ano sabático. (*c*) As dívidas deveriam ser canceladas (Dt 15.1-6). Cada credor deveria cancelar as dívidas de um irmão israelita ao final de cada sete anos, pois este também era chamado "o ano da remissão" (Dt 15.9; 31.10). Isto não se aplicava ao estrangeiro, de quem a dívida poderia ser cobrada (Dt 15.3). A remissão era para que a pobreza absoluta e a dívida permanente não existissem entre os israelitas. Além disso, eles não deveriam desprezar as necessidades de seus irmãos mais pobres, recusando-se a emprestar meramente porque o ano de remissão estava próximo (Dt 15.7-11). (*d*) No ano sabático, a lei deveria ser lida para a instrução do povo na Festa dos Tabernáculos (Dt 31.10-13). (*e*) Não simplesmente no ano sabático, mas também no final do período de seis anos, aqueles israelitas que por causa da pobreza tivessem se tornado servos de seus irmãos, deveriam ser colocados em liberdade (Dt 15.12-18). Neste caso, o ano da remissão deveria ser determinado a partir do primeiro ano de contrato. A legislação com respeito ao ano sabático era restrita aos israelitas na Terra Santa, e passava a vigorar ao chegarem ali (Lv 25.2).

*Ano do Jubileu.* Sete ciclos de anos sabáticos (isto é, 49 anos) terminavam no ano do jubileu (*sh<sup>e</sup>nat hayyobel*), lit. "o ano do chifre do carneiro"; no qüinquagésimo ano costumava-se soar o chifre de carneiro (*yobel*) anunciando a sua chegada (Lv 25.8-17). O qüinquagésimo ano é chamado de "ano da liberdade" (*d<sup>e</sup>ror*) em Ezequiel 46.17 (cf. Jr 34.8,15,17) com base em Levítico 25.10: "E santificareis o ano qüinquagésimo e apregoareis liberdade na terra... Ano de Jubileu vos será".

1. Natureza da celebração: De acordo com Levítico 25.9, o ano do jubileu era anunciado pelo soar de chifres de carneiro por toda a terra no décimo dia do sétimo mês, que era também o grande Dia da Expiação. O ano do jubileu não era, como pensam alguns, o quadragésimo nono ano, e assim simplesmente um sétimo ano sabático, mas era, como Levítico 25.10 declara, o qüinquagésimo ano, dessa forma fornecendo dois anos sabáticos sucessivos nos quais a terra teria descanso. Certos regulamentos entravam em vigor durante o ano do jubileu: (*a*) Descanso para

a terra (Lv 25.11,12). Como no ano sabático anterior, a terra deveria permanecer não cultivada e o povo deveria comer daquilo que crescesse naturalmente. Para compensar isto, Deus prometeu: "Eu mandarei a minha bênção sobre vós no sexto ano, para que dê fruto por três anos" (Lv 25.21). Além disso, outras fontes de provisão estavam disponíveis, tais como a caça, a pesca, os rebanhos e as abelhas, dentre outras. (*b*) No ano do jubileu, terras e propriedades hereditárias deveriam ser devolvidas à família original sem qualquer compensação (Lv 25.23-34). Desta maneira, toda a terra e as suas benfeitorias seriam no final devolvidas a seus detentores originais, a quem Deus as havia concedido, pois Ele disse: "A terra não se venderá em perpetuidade, porque a terra é minha" (Lv 25.23). Este regulamento não se aplicava a uma casa dentro de uma cidade murada, que não tinha relação com a terra que era a herança de uma família (vv. 29,30). (*c*) A liberdade dos servos deveria ser concedida no ano do jubileu. Todo israelita que por causa da pobreza havia se sujeitado à escravidão deveria ser liberto (Lv 25.29ss.).
2. Propósito: Havia vários propósitos divinos nestes regulamentos e provisões para o ano do jubileu: (*a*) Tinha a finalidade de contribuir para a abolição da pobreza, permitindo que os desafortunados e as vítimas das circunstâncias pudessem ter um novo começo. (*b*) Iria desencorajar o acúmulo excessivo e permanente de riqueza e prosperidade, e a conseqüente privação de um israelita de sua herança na terra: "Ai dos que ajuntam casa a casa, reúnem herdade a herdade..." (Is 5.8; cf. Mq 2.2). (*c*) Preservaria as famílias e tribos, visto que devolveria os servos libertos para os seus parentes e familiares consangüíneos, e desse modo a escravidão, em um sentido permanente, não existiria em Israel.
*Sábados de festividades especiais*. Além do sábado semanal e da lua nova mensal, havia sete dias de festas anuais que também eram classificados como sábados. Eles eram o primeiro e o último dia da Festa dos Pães Asmos (Lv 23.7,8), o Dia do Pentecostes (Lv 23.21), a Festa das Trombetas (Lv 23.24,25), o Dia da Expiação (Lv 23.32) e o primeiro e o último dia da Festa dos Tabernáculos (Lv 23.34-36). Havia uma distinção principal entre estes sábados de festa, o sábado semanal e o Dia da Expiação. Neste último, todo trabalho era rigorosamente proibido, ao passo que nos outros sábados era exigido apenas o descanso do trabalho "servil".

### Festas de Peregrinação

*Festa da Páscoa e Festa dos Pães Asmos*. A Páscoa (*pesah*) era a primeira das três festividades de peregrinação anuais e era celebrada no dia 14 de Nisã (nome pós-exílico; antigo Abibe, Êx 13.4, aproximadamente o nosso abril), depois disso continuando como a Festa dos Pães Asmos, do dia 15 até o dia 21. Nisã marcava o início do ano novo religioso ou sagrado (Êx 12.2). O termo heb. *pesah* vem de uma raiz que significa "passar (ou saltar) por cima", e significa a "passagem sobre" (poupando) as casas de Israel quando os primogênitos do Egito foram mortos (Êx 12). A Páscoa em si refere-se apenas à ceia pascal na noite do dia 14, ao passo que o período seguinte, 15 a 21, é chamado de Festa dos Pães Asmos (Êx 12; 13.1-10; Lv 23.5-8; Nm 28.16-25; Dt 16.1-8).
1. Instituição e celebração: O propósito para a sua instituição era comemorar o livramento de Israel da escravidão egípcia e também o fato de os primogênitos de Israel terem sido poupados quando Deus feriu os primogênitos do Egito. Em observância à primeira Páscoa, no dia 10 de Nisã o chefe de cada família separava um cordeiro sem defeito. Na noite do dia 14, o cordeiro era morto e um pouco de seu sangue era espargido nos umbrais e nas vergas da porta da casa na qual eles comiam a Páscoa, como um sinal contra o juízo vindouro sobre o Egito. O cordeiro era então assado inteiro e comido com pães asmos e ervas amargas. Se a família fosse pequena demais para consumir um cordeiro, então uma família vizinha poderia compartilhá-lo. Qualquer porção que restasse deveria ser queimada na manhã seguinte. Cada um deveria comer depressa com os lombos cingidos, sapatos nos pés e com o cajado na mão.
2. Observância posterior: Após o estabelecimento do sacerdócio e do Tabernáculo, a celebração da Páscoa se diferenciava em algumas particularidades da Páscoa egípcia. Estas diferenças eram: (*a*) o cordeiro da Páscoa deveria ser morto no santuário e não em casa (Dt 16.5,6); (*b*) o sangue era espargido sobre o altar e não mais nos umbrais; (*c*) além do sacrifício da família para a refeição da Páscoa, havia sacrifícios públicos e nacionais que eram oferecidos em cada um dos sete dias da Festa dos Pães Asmos (Nm 28.16-24); (*d*) o significado da Páscoa era recitado na festa a cada ano (Êx 12.24-27); (*e*) o cântico do Hallel (Sl 113–118) durante a refeição foi instituído posteriormente; (*f*) uma segunda Páscoa, no dia 14 do segundo mês, deveria ser celebrada por aqueles que eram cerimonialmente impuros ou por aqueles que estivessem distantes, em viagem, na época de sua celebração normal no dia 14 de Nisã (Nm 9.9-12).
A Páscoa era uma das três festas nas quais era solicitado que todos os homens fossem ao santuário. Eles não deveriam comparecer de mãos vazias, mas sim levar ofertas que fossem proporcionais à prosperidade que o Senhor lhes havia concedido (Êx 23.14-17; Dt 16.16,17). Era contra a lei ingerir alimentos levedados depois do meio-dia do dia 14, e todo o trabalho, com poucas

exceções, cessava. De acordo com Josefo (*Wars* vi.9.3), cada cordeiro deveria servir de dez a vinte pessoas, sendo que nenhum homem ou mulher cerimonialmente impuro seria admitido na festa. Após as bênçãos apropriadas, uma primeira taça de vinho era servida, seguida pelo consumo de uma porção de ervas amargas. Antes que o cordeiro e o pão sem fermento fossem comidos, uma segunda taça de vinho era fornecida no momento em que o filho, em concordância com Êxodo 12.26, perguntava ao pai o significado e a importância da festa da Páscoa. Um relato da escravidão e da libertação egípcia era recitado em resposta. A primeira porção do Hallel (Sl 113–114) era então cantada e a ceia pascal era comida, seguida da terceira e quarta taças de vinho e da segunda parte do Hallel (Sl 115–118).

3. Festa dos Pães Asmos: Tanto a Páscoa quanto a Festa dos Pães Asmos, que se seguia imediatamente, comemoravam o Êxodo, sendo a primeira a lembrança da "passagem" de Deus sobre os israelitas quando Ele matou os primogênitos do Egito, e a segunda, para manter viva a memória de sua aflição e do modo como Deus os tirou rapidamente do Egito ("pão de aflição", Deuteronômio 16.3). O primeiro e o último dia desta festa eram sábados nos quais nenhum trabalho servil poderia ser feito, exceto a preparação necessária da comida. O período da Páscoa marcava o início da colheita de grãos na Palestina. No segundo dia dos Pães Asmos (dia 16 de Nisã), um molho das primícias da colheita da cevada era apresentado como uma oferta movida (Lv 23.9-11). A cerimônia veio a ser chamada de "a cerimônia do ômer", uma referência à palavra heb. para feixe, *'omir*.

*Festa de Pentecostes*. Pentecostes, que é a palavra grega para "qüinquagésimo", é chamado em hebraico *ḥag shabu'ot*, isto é, "Festa das Semanas" (Êx 34.22; Lv 23.15-22). O nome derivou-se do fato de que ela era celebrada sete semanas depois da Páscoa, no qüinquagésimo dia (Lv 23.15,16; Dt 16.9,10). Também é chamada de "Festa da Colheita" (Êx 23.16) e "dia das primícias" (Nm 28.26).

O Pentecostes era uma festa de um dia na qual todos os israelitas do sexo masculino deveriam comparecer ao santuário, e um sábado no qual todo o trabalho servil era suspenso. A característica central do dia era a oferta de dois pães pelo povo a partir das primícias da colheita de trigo (Lv 23.17). Como a cerimônia do ômer significava que o período da colheita havia começado, a apresentação dos dois pães indicava o seu término. Era um dia de ação de graças no qual ofertas voluntárias eram feitas (Dt 16.10), o regozijo era expresso diante do Senhor, e uma consideração especial era mostrada ao levita, ao estrangeiro, ao órfão e à viúva (Dt 16.10-12). O dia da festa significava a dedicação da colheita a Deus como o provedor de todas as bênçãos. *Veja* Primícias 3.

O AT não dá especificamente qualquer importância histórica para o dia, sendo o Pentecostes apenas uma das três grandes festas agrícolas que não comemora nenhum evento na história judaica. A tradição posterior, com base em Êxodo 19.1, ensinava que a entrega da lei no Sinai ocorreu cinqüenta dias após o Êxodo e a Páscoa, e como resultado *shabu'ot* também se tornou conhecido como a festa da Torá. O livro de Rute, que descreve o período da colheita, é lido no Pentecostes. A importância do dia para o NT é apresentada em Atos 2, pois no dia do Pentecostes a Igreja teve o seu início. *Veja* Pentecostes.

*Festa dos Tabernáculos*. A Festa dos Tabernáculos (*hag hassukkot*), a terceira das festas de peregrinação, era celebrada durante sete dias, do dia 15 ao dia 21 de Tisri, o sétimo mês (equivalente a outubro). Era seguida por um oitavo dia de santa convocação com os sacrifícios apropriados (Lv 23.33ss.; Nm 29.12-38; Dt 16.13-15). Também era chamada de "Festa da Sega", "Festa da Ceifa" ou "Festa da Colheita" (Êx 23.16), pois nesta ocasião ocorria a sega do outono, das frutas e azeitonas, com a colheita da eira e a prensa no lagar (Lv 23.39; Dt 16.13). Era a notável festa de regozijo no ano, na qual os israelitas, durante o período de sete dias, viviam em tendas ou cabanas feitas de ramos em comemoração às suas peregrinações no deserto, quando seus pais habitavam em abrigos temporários. De acordo com Neemias 8.14-18, as tendas eram feitas de oliveira, murta, palmeira e outros ramos, e eram construídas sobre os telhados das casas, em pátios, no pátio do Templo e nos lugares amplos das ruas da cidade. Os sacrifícios eram mais numerosos durante esta festa do que em qualquer outra, consistindo da oferta de 189 animais pelo período de sete dias.

Quando a festa coincidia com um ano sabático, a lei era lida publicamente para toda a congregação no santuário (Dt 31.10-13). Como Josefo e o Talmude indicam, novas cerimônias eram gradualmente adicionadas à festividade, sendo a principal a *simhat bet hasho'ebah*, "a festa da retirada da água". Nesta cerimônia, um jarro de ouro era enchido no tanque de Siloé e retornado ao sacerdote no Templo em meio aos brados alegres dos celebrantes; em seguida, a água era derramada em uma pia no altar (cf. Jo 7.37,38). À noite, as ruas e o pátio do Templo eram iluminados por inúmeras tochas carregadas pelos peregrinos, cantando e dançando. As tendas eram desmanchadas no último dia, e o oitavo dia que se seguia era observado como um sábado de santa convocação. A festa é mencionada por Zacarias como uma alegre celebração que ocorrerá no Milênio (Zc 14.16).

### Festividades e Dias Santos do Sétimo Mês

*Festa das Trombetas.* A lua nova do sétimo mês (primeiro dia de Tisri) constituía o início do ano novo civil e era designado como *ro'sh hashshana*, "o primeiro dia do ano", ou *yom teru'a*, "o dia do soar" (da trombeta). Levítico 23.23-25 e Números 29.1-6 são as únicas referências do AT ao Rosh Hashaná, os regulamentos, orações e costumes acerca dos quais tantos livros foram escritos. O toque do shofar, ou chifre de carneiro, ocupava um lugar significativo em várias outras ocasiões, tais como a lua nova mensal e o ano do jubileu, mas especialmente nesta ocasião, no início do ano novo; daí o seu nome – Festa das Trombetas. O calendário hebreu (*q.v.*) na verdade começava com Nisã, na primavera; este era o início dos meses (Ex 12.2). Mas como o final do sétimo mês, Tisri, geralmente marcava o início do período de chuvas na Palestina, quando o trabalho de arar e plantar começava, Tisri constituía o início do ano econômico e civil. Transações comerciais, anos sabáticos e os anos de jubileu eram todos determinados a partir do primeiro dia do sétimo mês. Mais tarde, o judaísmo associou muitos eventos importantes com Rosh Hashaná: a criação do mundo; a criação de Adão; os nascimentos de Abraão, Isaque, Jacó e Samuel; o dia da libertação de José da prisão etc. (Ben M. Edidin, *Jewish Holidays and Festivals*, pp. 53-54).

O dia era observado como um dia de festa sabático com sacrifícios especiais e que aguardava o solene Dia da Expiação, dez dias depois. O Rosh Hashaná (Dia do Ano Novo) e o Yom Kippur (Dia da Expiação) constituem o que são chamados de "dias altamente santos" no judaísmo. Rosh Hashaná chegou a ser considerado como um dia de julgamento pelas ações que as pessoas tiveram no ano anterior. Era um dia para reflexão, oração e arrependimento. Neste dia Deus julga todos os homens por suas ações e decide quem deve viver ou morrer, prosperar ou sofrer a adversidade.

*O Dia da Expiação.* O Dia da Expiação anual (*yom hakkippurim*) é apresentado em Levítico 16; 23.27-32 como o ato supremo da expiação nacional pelo pecado. Ocorria no dia 10 do sétimo mês, Tisri, e o jejum era ordenado desde o entardecer do dia 9 até o entardecer do dia 10, acompanhando a santidade incomum deste dia. Neste dia era feita uma expiação pelo povo, pelo sacerdócio e pela tenda da congregação, porque esta morava "com eles no meio das suas imundícias" (Lv 16.16).

1. O ritual. Este era dividido em dois atos, um desempenhado em favor do sacerdócio, e um em favor da nação de Israel. O sumo sacerdote, que havia se mudado uma semana antes desse dia de sua própria habitação para o santuário, apresentava-se no Dia da Expiação, e, tendo se banhado e posto de lado o seu traje normal de sumo sacerdote, vestia-se com uma roupa de linho branco sagrada, e apresentava um novilho como uma oferta pelo pecado, por si mesmo e pela sua casa. Os outros sacerdotes, que em outras ocasiões serviam no santuário, neste dia tomavam seus lugares com a congregação pecadora por quem a expiação deveria ser feita (Lv 16.17). O sumo sacerdote matava a oferta pelo pecado por si mesmo e entrava no Santo dos Santos com um incensário, para que uma nuvem de incenso pudesse encher o ambiente e cobrir a arca para que ele não morresse. Então ele voltava com o sangue da oferta pelo pecado e o aspergia sobre a frente do propiciatório, e sete vezes diante do propiciatório para a purificação simbólica do Santo dos Santos, contaminado por estar presente entre o povo pecador. Tendo feito a expiação por si mesmo, ele retornava ao pátio do santuário.

Em seguida, o sumo sacerdote apresentava os dois bodes, que haviam sido trazidos como a oferta pelo pecado do povo, ao Senhor, à porta do Tabernáculo e lançava sortes sobre eles, sendo que um era destinado a Jeová e o outro a Azazel (ou bode emissário). O bode sobre o qual a sorte havia caído era morto para o Senhor, e o sumo sacerdote repetia o ritual de espargir o sangue como antes. Além disso, ele purificava o lugar santo espargindo o sangue sete vezes, e, no final, purificava o altar de ofertas queimadas.

2. O bode de Azazel. Na segunda etapa da cerimônia, o bode vivo, o bode para Azazel, que havia sido deixado no altar, era trazido para frente. O sumo sacerdote, colocando as suas mãos sobre ele, confessava todos os pecados do povo; depois disto, o bode era enviado para um ermo, um local desabitado, portando a iniqüidade da nação de Israel.

A importância exata desta parte da cerimônia é determinada pelo significado que está ligado à expressão "para Azazel" (ou "para o bode emissário"). Existem basicamente quatro interpretações: (*a*) Azazel era um *lugar* para o qual o segundo bode era enviado. Mas tal lugar teria sido deixado para trás à medida que Israel dirigia-se do Egito para a Palestina. (*b*) Azazel era uma *pessoa*; poderia ser Satanás ou um espírito maligno. Mas o nome Azazel não ocorre em nenhuma outra passagem nas Escrituras, o que é esquisito, tratando-se de uma pessoa tão importante, a ponto de dividir com Deus o sacrifício pelo pecado; esta sugestão traz em si mesma uma conotação ofensiva. Além disso, a adoração ao demônio é condenada pela própria lei em Levítico 17.7-9. (*c*) Azazel era um *substantivo abstrato* significando "despedida" ou "remoção total". (*d*) É mais provável que Azazel refira-se ao próprio bode.

Esta opinião foi defendida por Josefo, Símaco, Áquila, Teodócio, Lutero, Bonar, pela Septuaginta (LXX), pela Vulgata, pela versão KJV em inglês ("bode emissário"), e outras. Dessa forma, no hebraico o bode foi chamado Azazel, significando "o bode da remoção": "Arão tirará a sorte entre os dois bodes, usando duas pedras, uma com o nome do SENHOR, e a outra com o nome de Azazel", *para o bode da remoção*, isto é, para aquele que remove os pecados (Lv 16.8). Ambos os bodes eram chamados de expiação, e ambos eram apresentados ao Senhor. Portanto, ambos eram considerados como *uma oferta*. Uma vez que era fisicamente impossível retratar duas idéias com um único bode, eram necessários dois bodes como uma única oferta pelo pecado. O primeiro bode simbolizava, por sua morte, a expiação dos pecados; o outro, por ser enviado para longe após terem sido confessados sobre ele os pecados de Israel, simbolizava a total remoção dos pecados da nação. Compare a analogia em Levítico 14.4-7. *Veja* Azazel.

*Festa dos Tabernáculos.* A terceira e última observância sagrada no sétimo mês ordenada pelas Escrituras era a Festa dos Tabernáculos. Visto que esta também era uma das três festas às quais os homens deveriam comparecer no santuário, ela é discutida sob esta categoria (veja acima).

**Festividades do Período Pós-Exílico**

*Festa do Purim.* Esta festa foi instituída por Mardoqueu para comemorar a preservação dos judeus da Pérsia da destruição que lhes sobreviria por intermédio da conspiração de Hamã, conforme registrado no livro de Ester. O termo Purim (*purim*), que significa "sortes", foi dado à festividade porque Hamã havia lançado sortes para determinar em qual dia ele iria executar o decreto do massacre dos judeus. A festividade deveria durar dois dias (14 e 15 de Adar) e ser celebrada com "dias de banquetes e de alegria e de mandarem presentes uns aos outros e dádivas aos pobres" (Et 9.20-22). A festa sempre foi popular entre os judeus, como Josefo atesta (*Ant.* xi.6.13), e a sua celebração continua até o presente. Gerações posteriores começaram a observar apenas um dia (14). O dia anterior (13) é conhecido como o Jejum de Ester em comemoração ao jejum de Ester antes de comparecer à audiência com o rei em favor dos judeus (Et 4.15,16). Os cultos nas sinagogas por ocasião do Purim incluem a leitura do livro de Ester. *Veja* Purim.

*Festa da Dedicação.* A Festa da Dedicação (*hanukka*, "dedicação"), também chamada de Festa das Luzes, é uma festa significativa, embora extrabíblica, originada durante o período macabeu em comemoração à purificação do Templo e à restauração do altar por Judas Macabeus em 164 a.C. (1 Mac 4.36-61). A dedicação do altar era observada oito dias a partir do dia 25 de Quisleu (dezembro) e, a partir de então, deveria ser observada anualmente. De acordo com 2 Macabeus 10.6,7, esta festa era comparada à Festa dos Tabernáculos e celebrada carregando-se ramos, palmas e galhos, e cantando salmos. Josefo chamou a festa de "Luzes", pois escreveu: "Celebramos esta festividade, e a chamamos de Luzes. Suponho que a razão tenha sido esta liberdade [isto é, a liberdade política e religiosa restaurada] que nos foi concedida, e que superou até mesmo as nossas esperanças" (*Ant.* xii.7.7). O uso das luzes durante as celebrações do Hanukah sempre representou um papel significativo, especialmente nas casas, sinagogas e ruas da Palestina. A festa é mencionada em conexão com o ministério de Jesus em João 10.22ss.

*Períodos sagrados judaicos extrabíblicos subordinados.* O sétimo dia de Sucote (Tabernáculos), no dia 21 de Tisri, veio a ser conhecido como *hosha'na' rabba'*, "Grande Hosana" ou "Grande Ajuda". O oitavo dia é também chamado *sh$^e$mini 'aseret*, "Oitavo Dia de Assembléia Solene", uma santa convocação na qual eram oferecidas orações pela cidade natal. O dia seguinte (23 de Tisri) é *simhat tora*, "Festa da Lei", um dia de regozijo e celebração marcando o encerramento do ciclo anual de leitura da Torá nas sinagogas. O "Décimo quinto Dia de Shebat", ou *Hamisha 'Asar Bishebat*, marca o início da primavera na Palestina e é celebrado com a plantação de árvores (cf. Lv 19.23; Dt 20.19). *Hag Be'omer* é celebrado no trigésimo terceiro dia do período "ômer" (18 de Iyar) para comemorar a tentativa dos judeus de reconquistar a sua independência sob Simão bar Kokheba (132-135 d.C.).

Os jejuns incluem, além do Jejum de Ester (*Ta'anit Esther*), *Asara B$^e$tebet*, "Dia 10 de Tebete", um jejum em memória do início do cerco de Jerusalém pela Babilônia (2 Rs 25.1; Jr 39.1); *Shib'a 'Asar B$^e$tammuz*, "Dia 17 de Tamuz", como um sinal do dia em que a cidade foi invadida (Jr 39.2; 52.6,7); *Tisha Be'ab*, "Dia 9 de Abe", para lamentar o dia da destruição da cidade e do Templo (2 Rs 25.8,9; Jr 52.12,13); e o Jejum de Gedalias (dia 3 de Tisri) para prantear pela morte de Gedalias em 586 a.C. *Veja* Jejum.

***Bibliografia.*** Andrew A. Bonar, *A Commentary on the Book of Leviticus*, Grand Rapids: Zondervan, 1959. Ben M. Edidin, *Jewish Holidays and Festivals*, Nova York: Jordan Publ. Co., 1940, *Jewish Encyclopedia*, Nova York: Funk e Wagnalls, 1906. S. H. Kellogg, "The Book of Leviticus", ExpB. G. F. Oehler, "The Sacred Seasons", *Theology of the Old Testament*, Grand Rapids: Zondervan, s.d., pp. 323-352. J. Barton Payne, *The Theology of the Older Testament*, Grand Rapids: Zondervan, 1962, pp. 394-410, 524ss.

H. E. Fr.

**FESTO, PÓRCIO** O sucessor de Antônio Félix como procurador da Judéia sob o governo de Nero. De acordo com E. Schurer, ele foi incapaz de desfazer o dano feito por seu predecessor, embora ele mesmo estivesse disposto a governar bem. Josefo (*Ant.* xx.8.9-11) apresenta Festo como um oficial sábio e justo, um contraste apropriado entre Félix e Albino, seu sucessor.

A data geralmente aceita para a sua ascensão é 60 d.C., mas em virtude de muitos problemas cronológicos estarem envolvidos, tem sido aceito, de forma geral, que o início do mandato de Festo tenha ocorrido entre 55 d.C. e o final de 60 d.C. Veja pontos de vista representativos na bibliografia abaixo:

De acordo com Atos 24.27, Paulo estava na prisão havia dois anos quando Festo chegou a Cesaréia. Quando o procurador, ansioso por ganhar o favor dos judeus, perguntou a Paulo se ele concordaria com um julgamento em Jerusalém (At 25.9), o apóstolo opôs-se ao que (em seu pensamento) seria uma situação arriscada, e então deu a sua clássica resposta: "Apelo para César" (At 25.11). Pelo fato de Festo não ter nenhuma acusação para enviar a Nero juntamente com o prisioneiro (At 25.25-27), ele solicitou que Herodes Agripa II ouvisse o caso. *Veja* Agripa II.

Quando ouviu o veemente testemunho de Paulo, Festo exclamou: "Estás louco, Paulo!" (At 26.24). Aparentemente o que o apóstolo disse pareceu absurdo ao procurador, ou ele havia chegado "perto demais" na questão da convicção do pecado.

**FIANÇA** No AT hebraico, o termo *'arab* significa garantir ou tornar-se uma garantia (Gn 43.9; 44.32; Jó 17.3; Sl 119.122; Pv 6.1; 11.15; 20.16); o termo *'arruba* significa penhor, garantia (Pv 17.18); o termo *taqa'*, que significa um aperto de mãos, é a garantia de algo que foi tratado (Pv 11.15). A essas palavras podemos acrescentar outras palavras hebraicas traduzidas como "penhor", pois penhor e fiança são termos quase sinônimos: *habol,* ou aquilo que compromete, um penhor (Ez 18.12,14,16); *'abot* (Dt 24.10-13); *'erabon,* fiança (Gn 38.17,18,20). No NT, a palavra grega *'egguos* ocorre apenas uma vez para "fiador" (Hb 7.22). O fiador é aquela pessoa que assume a responsabilidade por outra pessoa, ou por suas responsabilidades ou dívidas.

As Escrituras advertem contra alguém se tornar repentinamente um fiador, assumindo as responsabilidades ou dívidas de outros (Pv 11.15; 17.18; 22.26,27). Judá tornou-se o fiador da segurança de Benjamim (Gn 43.9; 44.32). Os reféns eram oferecidos como fiança (2 Rs 18.23; Is 36.8). O Senhor Jesus Cristo tornou-se o fiador da nova aliança que substituiu a aliança da lei de Moisés (Hb 7.22).

O penhor era alguma coisa oferecida como garantia de que uma dívida seria paga. Nenhum homem podia apossar-se de alguma coisa da casa de alguém como penhor (Dt 24.10). O proprietário deveria oferecer algo como penhor. O penhor que o pobre fazia de suas roupas, ou de seu cobertor, deveria ser devolvido ao pôr-do-sol (Dt 24.12, 13), e a desobediência a esta ordem era um grave pecado, severamente punido por Deus (Ez 18.12,18). *Veja* Débito; Empréstimo; Hipoteca.

R. A. K.

**FIAR, FIAÇÃO** *Veja* Vestuário; Ocupações: Fiação.

**FICOL** Principal capitão do exército de Abimeleque, rei filisteu, na época de Abraão (Gn 21.22,32) e Isaque (Gn 26.26).

**FIDELIDADE**[1] (Gr. *pistis*, "fidelidade", "confiabilidade"). O adjetivo *pistos* é geralmente traduzido como "fiel". A palavra *pistis* é traduzida como "fidelidade" ou "lealdade" apenas uma vez no NT (Tt 2.10), embora seja possível que em Gálatas 5.22 ela devesse ser traduzida dessa forma. Em Romanos 3.3, "a fidelidade de Deus" expressa a justiça de Deus.

Há uma possibilidade de que em Lucas 18.8: "Quando, porém, vier o Filho do Homem, porventura, achará fé na terra", o significado deva ser "fidelidade". Mais duas passagens que trazem a palavra fé – 1 Timóteo 6.11: "a piedade, a fé, a caridade, a paciência, a mansidão", e 2 Timóteo 2.22: "Segue a justiça, a fé, a caridade" – fariam melhor sentido se fossem traduzidas como "fidelidade". Em todos os outros usos de *pistis* no NT o significado parece ser "fé" ou "a fé" (*q.v.*).

Quando a palavra "fidelidade" é usada em relação a Deus, como em Romanos 3.3, o significado é que podemos confiar que Deus jamais mudará o seu caráter ou a sua disposição. Ele possui o atributo da "fidelidade". Em Tito 2.10: "Mostrando toda a boa lealdade", os escravos (ou os servos) são exortados a demonstrar a qualidade da fidelidade. Como cristãos, devemos todos permanecer fiéis a Cristo, isto é, termos fidelidade em nossa vida e em nossa fé cristã, e manifestar "a perseverança dos santos". Desta maneira também nos tornamos "dignos de confiança". *Veja* Fé.

F. E. H.

**FIDELIDADE**[2] Deus, como revelado na Bíblia, é vivo e pessoal, e, dessa forma, possuidor de um caráter determinado. Um ponto central neste caráter é a fidelidade ou a possibilidade de se ter total dependência dele. A passagem em Tiago 1.17 apresenta a constância de Deus, que é a antítese de tudo o que é instável e variável. Um texto muito semelhante é 2 Timóteo 2.13, onde se declara que a fidelidade de Deus é o corolário da sua autocoerência. Estas passagens do NT destacam a mesma característica que é metaforicamente expressada nos textos do AT que chamam o Senhor de Rocha (Dt 32.4, 15,18). Em outras palavras, o caráter de Deus é o fundamento sólido e inabalável da realidade. Desse modo, a sua aliança é inviolável (Dt 7.9), a sua palavra é mais firme que a estrutura da natureza obediente à lei (Mt 7.24-27; 24.35; Lc 21.33). Pelo fato de Deus ser fiel, suas promessas são infalivelmente confiáveis (Hb 10.23). Deus permanece firme para com os seus compromissos auto-impostos e leva a cabo os seus acordos auto-iniciados. O perdão, portanto, está enraizado na fidelidade divina (1 Jo 1.9), assim como a vitória de seu povo sobre as mais duras provações da vida (1 Co 10.13; 1 Pe 4.19), como também a sua perseverança (1 Ts 5.24).

Como a auto-revelação do caráter divino, Jesus Cristo é adequadamente designado como Fiel e Verdadeiro (Ap 19.11), aquele que com absoluta fidelidade cumpre todas as responsabilidades de Sumo Sacerdote (Hb 2.17), Apóstolo (Hb 3.1,2) e Testemunha (Ap 1.5; 3.14).

Esta qualidade do caráter divino encontra o seu reflexo humano em homens de fé (Hc 2.4). Como o seu Divino Exemplar, eles manifestam uma firme confiabilidade em todas as suas obrigações (Mt 25.21; 1 Co 4.2); eles são tenazmente leais, a ponto de enfrentar o martírio (Ap 2.10). Em resposta à fé, o Espírito Santo produz nos homens este traço de fidelidade (Gl 5.22).

*Veja* Deus.

V. C. G.

**FÍGADO** A palavra hebraica *kabed* significa, basicamente, "pesado", portanto o fígado era considerado, por excelência, o órgão mais pesado do corpo. Perfurar o fígado de um homem com uma flecha era considerado um ato fatal (Pv 7.23). O fígado do animal era uma parte importante da oferta sacrificial (Êx 29.13,22; Lv 3.4,10,15; 4.9; 7.4; 8.16,25; 9.1o,19). *Veja* Rede ou Redenho.

O fígado era considerado o órgão mais importante no costume pagão da adivinhação através das entranhas, e é mencionado em relação a um príncipe pagão (Ez 21.21). *Veja* Adivinhação; Hepatoscopia; Magia.

O fígado também era considerado a sede das emoções, portanto tem o sentido figurado de alegria, tristeza etc. (Sl 16.9, "glória"; Lm 2.11).

**FÍGELO** Este nome, juntamente com Hermógenes, é mencionado em 2 Timóteo 1.15 como aquele que repudiou ou deu as costas ao apóstolo Paulo, porém não se conhecem as exatas circunstâncias desse fato. Quando Paulo afirma que "todos" os asiáticos o haviam abandonado, ele não está se referindo a todos os asiáticos cristãos, mas provavelmente aos asiáticos de Roma, na ocasião de seu julgamento, liderados por Fígelo. Quando o apóstolo precisou deles, eles o abandonaram. Em seguida, os asiáticos voltaram para casa e foi provavelmente através deles que Timóteo foi informado sobre a prisão de Paulo. A ajuda de Onesíforo serviu de contraste para o vergonhoso comportamento de Fígelo (2 Tm 1.16-18).

**FIGO, FIGUEIRA** *Veja* Plantas.

**FIGURAS** Esta palavra corresponde aos termos hebraicos *maskit* (Nm 33.52; Pv 25.11) e *s^ekiyya* (Is 2.16). Esses termos podem referir-se a imagens visuais em geral. Pinturas e desenhos executados em cerâmicas e paredes são costumes muito antigos. Os egípcios, em particular, eram notáveis por suas belas pinturas e bom gosto na escolha das cores. *Veja* Pintura.

Os israelitas da Bíblia deixaram pouca evidência arqueológica do seu desenvolvimento nessa área. A posterior habilidade artística dos judeus pode ser confirmada pelas pinturas da Sinagoga de Dura-Europos (século III d.C.).

**FILACTÉRIOS** A designação grega *phylakterion* para o lembrete judaico da oração não é apropriada, pois seu significado é "salvaguarda" ou "amuleto" e transmite a idéia de proteger contra a má sorte. Mas essa palavra tem sido adotada universalmente. Ela passou por muitas versões antigas e chegou até versão igual à equivalente grega. O termo aramaico usado pelos rabinos, *t^ephillin*, significa literalmente "orações", isto é, caixas de orações.

A primeira referência feita aos filactérios está na pseudo-epígrafa Carta de Aristeas (aprox. 100 a.C.). Josefo também faz referência a eles (*Ant.* iv.8.13). Eles foram mencionados uma vez no NT, no discurso de Cristo contra os fariseus: "E fazem todas as obras a fim de serem vistos pelos homens, pois trazem largos filactérios..." (Mt 23.5). Na defesa das práticas dos fariseus, os rabinos interpretaram Deuteronômio 28.10: "E todos os povos da terra verão que és chamado pelo nome do Senhor", fazendo a ligação do texto ao "filactério da cabeça" (*Berakot 6a*). Foi encontrado um filactério em uma das cavernas de Qumran junto com passagens apropriadas das Escrituras e do Decálogo, confirmando a indicação do NT para o uso de tais lembretes no século I d.C.

O termo "filactérios" era aplicado a dois cubos de couro preto medindo quase 4 centímetros de lado. Cada um dos cubos tinha longas tiras de couro que passavam através de extensões ocas e saiam por detrás das caixas dos filactérios.

Um dos cubos, chamado *shel yad*, "da mão",

Um pilar da igreja de São João que se eleva acima de uma moderna cobertura em Filadélfia. HFV

era colocado no braço esquerdo em frente ao coração e o outro cubo, *shel rosh,* "da cabeça", era colocado no centro da testa.

A palavra *Shaddai,* "Todo-poderoso", um dos nomes de Deus no AT, estava representada nos dois filactérios através de várias combinações das letras inscritas, e das curiosas formações das tiras.

O filactério da cabeça tinha quatro compartimentos pequenos. Quatro passagens das Escrituras – Êx 13.1-10; 13.11-16; Dt 6.4-9; 21.13-21 – eram escritas em pedaços separados de pergaminho, que eram amarrados e inseridos em seu compartimento particular. O filactério da mão tinha apenas um compartimento no qual eram colocados os quatro parágrafos sobre um único pedaço de pergaminho.

A base escriturística para o costume de usar filactérios estava nas quatro passagens acima. Em cada uma delas ocorre uma fraseologia quase idêntica exigindo esta atitude da parte do judeu: "Também as atarás por sinal na tua mão, e te serão por testeiras entre os teus olhos" (Dt 6.6-8).

O contexto da passagem de Êxodo trata da Festa dos Pães Asmos e da redenção do primogênito. Portanto, essas duas instituições deveriam ser um sinal sobre a mão e um lembrete (Êx 13.9), e também um sinal sobre a mão junto com os filactérios (frontais) entre os olhos (v. 16).

As outras passagens de Deuteronômio descrevem o mesmo procedimento que trata de um conjunto maior de assuntos a serem conservados na mente. Em Deuteronômio 6.8, as referências ao sinal sobre a mão e aos frontais sobre a testa são geralmente aceitas como dando ênfase aos versículos 4 e 5, a confissão de Israel de que só existe um Deus único e verdadeiro, o *Sh^ema'*. A fraseologia do sinal e dos frontais de Deuteronômio 11.18 refere-se à lei em geral. Nas passagens desse livro a ênfase está na lembrança perpétua dessas palavras. Deve-se notar que para a palavra "lembrança" em Êxodo 13.9 as outras três passagens usam "testeiras" (ou filactérios, em hebraico *totafot*). O significado dessa palavra hebraica não é muito certo, mas ela foi traduzida como *t^ephillin* pelos Targumim e mais tarde por Mateus 23.5 como "filactérios". Portanto, as quatro Escrituras básicas falam sobre sinais, frontais/testeiras e lembranças como representações das palavras da revelação de Deus.

O uso dos filactérios também tinha a finalidade de insistir na santidade e proporcionar uma sincera atitude de espírito. Dessa forma, toda leviandade deveria ser evitada quando a pessoa estivesse envolvida na oração ou devoção perante Deus.

"Alargar os filactérios" (Mt 23.5) significava que os pergaminhos deveriam ser maiores, e isso exigia que os cubos fossem conseqüentemente maiores. Alguns também mencionaram que as correias presas às caixas dos filactérios também deveriam ser maiores. Portanto, o Senhor Jesus censurou os líderes judeus por deliberadamente atraírem a atenção de todos ao usarem filactérios maiores com franjas ou borlas mais longas que o necessário.

Os judeus ortodoxos também procuram cumprir literalmente a exigência de Deuteronômio 6.9 e 11.20. Um pedaço de pergaminho, chamado *mezuzah,* com Deuteronômio 6.4-9 e 11.13-21 escrito em 22 linhas, é enrolado em uma caixa e preso ao batente da porta de sua casa como o símbolo identificador de um morador judeu. Nenhum gentio, a despeito de quão amigo ou generoso fosse em relação aos judeus, poderia fazer o mesmo.

*Veja* Vestuário; Testeiras.

L. Go.

## FILADÉLFIA

1. Cidade da Lídia (moderna Alasehir), pouco mais de 40 quilômetros a leste de Sardes pela estrada romana. Estava localizada em uma vasta colina a 260 metros de altitude acima da estrada imperial que vinha de Roma, via Trôade, e levava ao oriente através da Frígia. Estava localizada junto a uma importante rota comercial, e ao controle de um grande distrito produtor de uvas, o que contribuiu muito para a sua prosperidade. Embora uma cidade de Lídia tivesse existido nesse local muito tempo antes, a importância de Filadélfia pode ser datada de aprox. 150 a.C., quando foi novamente fundada por Átalo II de Pérgamo. Ela foi destruída pelo terremoto ocorrido no ano 17 d.C., e Tibério enviou grandes somas de dinheiro para a sua reconstrução. João escreveu à igreja de Filadélfia (Ap 3.7-13). Porém, sem a ajuda de escavações, será impossível recriar uma visão da cidade como o apóstolo a conheceu.

2. Nome dado por Ptolomeu Filadelfo, no início do século III a.C., à antiga Rabate-Amom (a moderna cidade de Amã), situada 32 quilômetros a leste do Jordão.

H. F. V.

**FILEIRA** Como um substantivo, fileira pode significar uma "cadeia" de montanhas (Jó 39.8; heb. *y^etur*), ou possivelmente aquele que percorre as montanhas. O termo *s^edera* do AT é usado para uma fileira ou classe de soldados (2 Rs 11.8,15).

**FILEMOM** Com a ajuda da Epístola aos Colossenses, podemos afirmar com razoável certeza que Filemom residia em Colossos. Acredita-se que Onésimo, cuja relação com Filemom foi revelada na carta que Paulo lhe enviou, pertencia a essa comunidade (Cl 4.9), e Arquipo, que também é um destinatário da carta a Filemom, e recebe uma incumbência de Paulo em Colossenses 4.17. Pelo fato de a igreja reunir-se na casa de Filemom, podemos concluir que ele era um líder entre os crentes e possivelmente um homem possuidor de alguns bens. Pelo menos ele tinha um escravo, Onésimo. A carta que Paulo lhe enviou nos dá motivos para acreditar que ele deve ter sido um cristão de boa posição social.

## FILEMOM, EPÍSTOLA A

### Ocasião e Propósito

A mais curta das cartas de Paulo foi escrita por dois motivos: a fuga do escravo Onésimo (*q.v.*) de seu senhor Filemom (*q.v.*), que residia em Colossos, no vale Lico da Ásia Menor, e a conversão de Onésimo por intermédio de Paulo. O apóstolo escreve a epístola para influenciar a reconciliação entre eles, a fim de que o escravo fugitivo possa ser recebido pelo seu senhor e perdoado por sua deserção.

Não se sabe se Onésimo conhecia o paradeiro de Paulo quando o apóstolo deixou Colossos e deliberadamente foi à sua procura, ou se, conhecendo a reputação do apóstolo em Colossos, saiu à procura de Paulo quando, acidentalmente, ficou sabendo que o apóstolo estava na mesma cidade. Pode ser que a combinação de necessidades financeiras, medo da prisão e dor de consciência pelos erros que havia perpetrado o teriam levado a procurar Paulo para pedir o seu auxílio. O apóstolo foi capaz de enviá-lo de volta transformado em um novo homem em Cristo Jesus.

O endereçamento da carta é de certa forma peculiar, pois foram incluídos membros da família de Filemom, e ela também estava dirigida à igreja que se reunia em sua casa (v. 2). O propósito da carta era com certeza levar ao conhecimento de Filemom o pedido que Paulo lhe fazia para perdoar e, talvez, até conceder a alforria ao escravo (v. 21), e ele teria que tomar essa decisão à luz do fato de que outras pessoas também conheciam a situação. De qualquer forma, seria difícil negar esse pedido de Paulo, e mais difícil ainda resistir à pressão da família e também dos amigos.

### Local e Data da Composição da Epístola

O local mais provável é Roma, logo depois do ano 60 d.C., onde Paulo encontrava-se acessível aos visitantes (At 28.30,31).

Onésimo naturalmente estaria menos exposto à prisão em meio à população flutuante de uma grande cidade do que em algum lugar mais acanhado do Oriente Próximo. Alguns adotaram Éfeso como o local de origem dessa carta, mas não existem provas concretas de que Paulo tivesse sido preso nessa cidade. O versículo 22 pode ser considerado como o mais favorável à hipótese de Éfeso, mas, por tudo o que sabemos, Paulo pode ter abandonado seu plano de ir de Roma para a Espanha, ou mesmo adiado essa viagem, em favor de um rápido regresso ao Oriente, logo depois de ser libertado pela corte real. Essa carta, assim como a Epístola aos Colossenses, pode ter sido levada por Onésimo, quando Paulo o enviou de volta a Filemom.

### Esboço

I. Saudação, vv. 1-3
II. Ação de graças por Filemom, vv. 4-7
III. Apelo por Onésimo, vv. 8-21
IV. Conclusão, vv. 22-25

### Importância

Esta epístola tem dois aspectos. Por um lado, oferece uma visão da vida interior de Paulo, pois a vemos exposta ao olhar atento de seus amigos mais próximos. Essa carta representa uma encantadora mistura da confiança que o apóstolo depositava em Filemom, de que ele concordaria em aceder ao seu pedido, com a irresistível abordagem de um humilde suplicante. Paulo recusa-se a abusar da vantagem de sua amizade e conservar Onésimo para ajudá-lo em sua situação (vv. 11-14). Ele até se oferece para compensar qualquer prejuízo causado por algum eventual roubo cometido pelo escravo (vv. 18,19).

Não menos impressionante é o amor de Paulo por Onésimo, a quem havia gerado espiritualmente durante a sua prisão (vv. 10,12).

Por outro lado, a epístola também é importante por mostrar a atitude do cristianismo primitivo em relação à escravidão. Embora fosse impossível lutar pela sua abolição, era possível amar um escravo e tratá-lo como um irmão em Cristo.

***Bibliografia.*** G. W. Barker, W. L. Lane e J. R. Michaels, *The New Testament Speaks*, Nova York: Harper & Row, 1969, pp. 210-217. P. R. Coleman-Norton, "Paul and the Roman Law of Slavery", *Studies in Roman Economic and Social History in Honor of A. C. Johnson*,

Princeton: Univ. Press, 1951, pp. 155-177. J. Knox, *Philemon Among the Letters of Paul,* Chicago: Univ. of Chicago Press, 1935. J. J. Muller, *The Epistle to the Philippians and to Philemon,* Grand Rapids: Eerdmans, 1955. T. Preiss, "Life in Christ and Social Ethics in the Epistle to Philemon", *Life in Christ,* Chicago: Allenson, 1954, pp. 32-42.

E. F. Har.

**FILETO** Esse nome foi mencionado apenas uma vez na Bíblia Sagrada (2 Tm 2.17). Paulo previne contra ele e contra Himeneu, cujos ensinos minavam a verdadeira fé cristã. Eles eram gnósticos, e seu erro específico era o ensino gnóstico de que não havia uma futura ressurreição do corpo – criam que o corpo é totalmente pecaminoso, portanto, irrelevante –, mas apenas uma "experiência espiritual" que ocorre com a salvação. Dessa forma, eles diziam que aqueles que experimentaram o esclarecimento espiritual já desfrutaram da verdadeira bênção da ressurreição. Essa negação que o gnosticismo fazia da ressurreição do corpo estava enfraquecendo a fé de alguns na época de Paulo.

**FILHA** (Em hebraico, *bath*, "filha", "criança", "descendente"). Não se pode determinar o significado exato da palavra hebraica *bath* até considerarmos cuidadosamente o seu contexto, da mesma forma que acontece com a palavra *ben*, "filho", à qual ela corresponde como a contrapartida feminina.

A palavra hebraica *bath* aparece cerca de 150 vezes no AT em contextos que podem sugerir uma relação biológica comum. Não existe nada de especial em seu significado. Coletivamente, o termo pode referir-se a todas as mulheres de uma comunidade (Gn 34.1; Lc 23.28). Servia também como uma forma familiar de comunicação, exprimindo respeito e até compaixão (Mc 5.34). *Veja* Família. Existem, entretanto, usos figurados da palavra que são de grande importância. Setenta ou mais vezes nos Salmos e nos Profetas a palavra é assim usada, especialmente nas obras de Jeremias, onde aparece 41 vezes. Às vezes, a palavra "filha" representa uma cidade (por exemplo, Isaías 1.8; 10.32, referindo-se a Jerusalém como a filha de Sião). Em outras ocasiões, ela se refere aos habitantes de uma cidade ou reino (como em Isaías 47.1ss.; Jeremias 6.26; 46.24). Certas características são realçadas quando usadas juntamente com o termo filha (beleza feminina, Jeremias 6.2; grito de angústia, Jeremias 8.19ss.; espírito de desobediência, Jeremias 31.22; ou decreto de castigo, Jeremias 51.33). Esta palavra também é aplicada a pequenas vilas anexadas à cidade-mãe em uma comunidade típica de uma cidade-estado (Nm 21.25; 32.42).

J. W. C.

**FILHA DE SIÃO** *Veja* Sião, Filha de.

**FILHO** Existem mais de 3.700 ocorrências dessa palavra no Antigo Testamento (heb. *ben*) e mais de 350 no Novo (gr. *huios*).

1. O uso natural é evidentemente muito numeroso. A primeira aparição é a de Gênesis 4.17, usada para Enoque, filho de Caim. Um genro era considerado como um filho; por exemplo, Davi para Saul (1 Sm 24.16). *Veja* Família.

2. Os descendentes diretos são chamados de filhos, como os netos de Labão (Gn 31.28), ou Jesus em relação a Davi e Abraão (Mt 1.1).

3. A palavra "filhos" geralmente denota descendência étnica ou racial, como em "os filhos de Israel perguntaram ao Senhor" (Jz 1.1), isto é, os israelitas; o mesmo ocorre em outras expressões: "filhos de Amom" (Jr 49.1); "filhos dos gigantes" (Dt 1.28). O uso étnico pode tornar-se geográfico, como em "filhos de Jerusalém" (Jl 3.6).

4. A frase "filho de [ou do] homem" pode ser usada geralmente para referir-se a qualquer ser humano, como em: "Deus não é homem, para que minta; nem filho de homem, para que se arrependa" (Nm 23.19; também Sl 146.3; Is 51.12). Também é usada em relação a Ezequiel, a quem Deus refere-se como filho do homem mais de 80 vezes, e uma vez a Daniel (Dn 8.17).

5. O termo "filhos" pode ser referência a membros de uma classe ou grupo, como em "filhos dos profetas" (*q.v.*; 2 Rs 2.3-5), ou a participantes de uma festa de casamento (Mt 9.15).

6. Algumas vezes refere-se a uma pessoa que é considerada com afeto por alguém superior, como Samuel por Eli (1 Sm 3.6), ou Timóteo por Paulo (1 Tm 1.2).

7. Usada com algum substantivo qualificativo, descreve uma característica moral daquela pessoa, como em "é rei sobre todos os filhos de animais altivos" (Jó 41.34), isto é, homens orgulhosos; "se ali houver algum filho de paz" (Lc 10.6), isto é, um homem pacífico.

8. Infinitamente mais significativas são as expressões "Filho do Homem" e "Filho de Deus", os epítetos messiânico e redentor do Senhor Jesus. *Veja* Filiação de Cristo; Filho do Homem. Como Filho do Homem, o Senhor Jesus estava sujeito às condições e experiências humanas: "não tem onde reclinar a cabeça" (Mt 8.20); Ele era um com os seus discípulos quando os enviava (Mt 10.1,18-25,40); Ele comeu e bebeu com pecadores (Lc 7.33,34); poderia ser perdoada a blasfêmia "contra o Filho do Homem" (Mt 12.31,32); Ele passou pela morte e pela sepultura, como todos os homens (Mt 12.40); Ele veio para servir aos outros, não para ser servido (Mc 10.45).

A expressão "Filho de Deus" é usada menos da metade do número de vezes de "Filho do Homem" nos quatro Evangelhos, mas aparece 17 vezes de Atos até Apocalipse. Outro contraste é o de que nos Evangelhos o termo é usado por outros a respeito de Jesus, exceto em João 5.25; 9.35; 10.36; 11.4, e possivelmente em 3.18. Como Filho de Deus, o Senhor Jesus explicitamente declarou aos seus apóstolos que Ele é o Messias (Mt 16.16-20). A função redentora é clara, especialmente nos escritos de João, nas epístolas de Paulo e em Hebreus. Os testemunhos dos pagãos e endemoninhados, entretanto, acerca de Jesus como o Filho de Deus, são inusitados: Satanás (Mt 4.3,6), o endemoninhado gadareno (Mt 8.29), o centurião (Mt 27.54). Como Filho do Homem, Ele foi tentado em todos os aspectos como nós somos, e nem assim pecou (Hb 4.15). Como o Filho de Deus, Ele é o Cordeiro de Deus que tira o pecado do mundo (Jo 1.29,34). Sendo ambos, Ele é o mediador da nova aliança (1 Tm 2.5; Hb 8.6; 9.15; 12.24).

***Bibliografia.*** Peter Wülfing von Martitz, *et al.*, "*Huios*, etc.", TDNT, VIII, 334-399.

L. R. E.

**FILHO DA PERDIÇÃO** Veja Judas 8; Perdição.

**FILHO DE DEUS** *Veja* Filiação de Cristo.

**FILHO DO HOMEM** Uma tradução do aramaico *bar'enas* e do grego *huios tou anthropou*. A expressão tem vários significados nas Escrituras, dependendo do contexto. Em Salmos 8.4, significa "homem" em geral; em Ezequiel 2.1, enfatiza a diferença entre o profeta humano e o Senhor que fala com ele e por meio dele; em Daniel 7.13, a expressão refere-se a uma figura semelhante a um ser humano, mas também sobrenatural, líder dos santos do Altíssimo (Dn 7.18); enquanto no Novo Testamento a expressão é normalmente usada como um título para o Senhor Jesus (exceto em Apocalipse 1.13; 14.14). *Veja* Filho.

O título aparece mais de 80 vezes no Novo Testamento, todas nos Evangelhos, exceto uma (veja Atos 7.56, a única passagem em que não é usada por nosso Senhor; João 12.34 não é uma exceção verdadeira, porque aqui é usada como uma citação das palavras do Senhor Jesus). Alguns autores (como R. Bultmann, *Theology of the New Testament*, I, 30; B. M. Metzger, *The New Testament*, p. 153) descobrem outros três significados para a expressão: 1) como uma descrição daquele que virá (escatológica, Mt 24.27); 2) como referência ao sofrimento e à morte do Senhor Jesus (Mc 8.31); e 3) como uma descrição do seu ministério de ensino e cura na terra (Mc 2.10,28). Outros (como O. Cullmann, *Christology of the New Testament*, p. 155), diferenciam duas categorias: 1) as palavras escatológicas; e 2) as palavras que se referem à missão do Senhor Jesus na terra. Um recente estudo de J. M. Ford (JBL, LXXXVII [1968], 257-266) argumenta que o Senhor Jesus usava o título como um eufemismo para "o Filho de Deus", pois na Palestina a última expressão poderia soar como uma blasfêmia perante um público semita. Quando o cristianismo espalhou-se pelo mundo gentílico, a última expressão foi utilizada, e é notável que a expressão "o Filho do homem" nunca apareça nas cartas do Novo Testamento. O que foi original no uso do título pelo Senhor Jesus? W. Barclay (*The Mind of Jesus*, p. 155) argumenta que foi o fato de que Ele conectava o título com os seus sofrimentos e a sua morte (veja também A. M. Hunter, *The Work and Words of Jesus*, p. 87; O. Cullmann, p. 161). Porém outros consideram que essa idéia *já* esteja presente em Daniel 7, ou seja, que é por meio do sofrimento que "aqueles que são como o Filho do homem" (aqui identificados com os "santos do Altíssimo") são absolvidos e glorificados (R. Longenecker, JETS, XII [1968], 154).

Por que o Senhor usa um título tão enigmático como este? Talvez ao menos por duas razões: 1) o título era suficientemente genérico para incluir todos os aspectos da sua pessoa e da sua obra, quer presentes ou escatológicos; e 2) tomava de surpresa os seus ouvintes, chamava a atenção deles e os obrigava a perguntar: "Quem é esse Filho do Homem?" (Jo 12.34).

Embora alguns negassem que o Senhor Jesus tivesse usado esse título para si mesmo, a igreja palestina o atribuiu a Ele (por exemplo, Bornkamm, *Jesus of Nazareth*, p. 230), e a maioria dos autores da atualidade o aceitam como uma autodesignação genuína, na verdade a mais notável das autodesignações do nosso Senhor (como Hunter, Barclay, Klausner, Cullmann). E. Stauffer (*New Testament Theology*, p. 108) chega a escrever: "Mas a contribuição da história das religiões nos ensinou mais do que isso. 'Filho do Homem' é simplesmente a mais audaciosa autodescrição que qualquer homem no antigo Oriente poderia ter usado".

***Bibliografia.*** W. Barclay, *The Mind of Jesus*, Londres: SCM, 1960. G. Bornkamm, *Jesus of Nazareth*, trad. por I. e F. McLuskey e J. M. Robinson, Nova York: Harper, 1960. R. Bultmann, *Theology of the New Testament*, trad. por K. Grobel, Vol. I, Nova York: Scribner, 1951. R. H. Charles, *The Book of Enoch*, Oxford: Clarendon Press, 1893. Carsten Colpe, "*Ho Huios tou Anthropou*", TDNT, VIII, 400-477. O. Cullmann, *The Christology of the New Testament*, trad. por S. C. Guthrie e C. A. M. Hall, Londres: SCM, 1963. J. M. Ford, " 'The Son of Man' - An Euphemism?" JBL, LXXXVII (1968), pp. 257-266. E. D. Freed, "The Son of Man in the Fourth Gospel", JBL, LXXVI (1967), pp. 402-

409. A. M. Hunter, *The Work and Words of Jesus*, Londres: SCM, 1950. F. J. F. Jackson e K. Lake, *The Beginnings of Christianity*, Part I, Vol. I, Londres: Macmillan, 1920. J. Klausner, *Jesus of Nazareth*, trad. por H. Danby, Boston: Beacon Press. 1964. R. N. Longenecker, " 'Son of Man' as a Self-Designation of Jesus", JETS, XII (1969), pp. 151-158. I. Howard Marchall, "The Son of Man in Contemporary Debate", EQ, XLII (1970), 67-87. B. M. Metzger, *The New Testament*, Nova York: Abingdon, 1965. E. Stauffer, *New Testament Theology*, trad. por J. Marsh, Londres: SCM, 1963. William O. Walker, "The Origin of the Son of Man Concept as Applied to Jesus", JBL, XCI (1972), 482-490. B. F. Westcott, *The Gospel According to St. John*, Londres: J. Clarke & Co., 1958.

W. M. D.

**FILHO PRÓDIGO** A parábola do filho pródigo (Lc 15.11-32) foi muito apropriadamente chamada de o "Evangelho dentro do Evangelho", e "a coroa e a pérola" de todas as parábolas do Senhor Jesus Cristo, por causa de seu lúcido retrato da verdade evangélica. Em resposta às murmurações dos escribas e fariseus (15.1,2), Cristo estruturou uma parábola em torno do costume judeu pelo qual um pai podia designar suas posses aos herdeiros ainda em vida. Na verdade, ele podia fazer a partilha ainda em vida (cf. o filho mais novo, 15.12), ou podia entregar a posse, mas reter o direito ao usofruto (cf. o filho mais velho, 15.31).

As atitudes e os atos dos personagens da parábola descrevem as várias facetas do evangelho: 1) o filho mais novo (15.12-20), isto é, os coletores de impostos e os pecadores recebidos por Jesus (NB, o pecado do pródigo, sua miséria e arrependimento); 2) a alegre e entusiástica recepção do pai pelo retorno do filho pródigo (12.20-24); e 3) o desgosto e a amargura do irmão mais velho (15.25-28), isto é, a murmuração, o descontentamento e a pobreza espiritual dos escribas e fariseus, que acreditavam que a salvação era uma questão de obras meritórias e de piedade aparente. Poderíamos talvez dizer que havia *dois* filhos pródigos!

S. N. G.

**FILHOS DE DEUS** Com poucas exceções, esta frase é equivalente a "descendentes de Deus" ou "família de Deus". No Antigo Testamento, ela denota principalmente um relacionamento com Deus por meio da aliança, e não pela descendência física como ocorre em outras religiões semitas ou pagãs. O homem foi *criado* à imagem de Deus, e não gerado; e a herança de Israel dependia da graça, e não da natureza. Adicionalmente, nem todos os homens são chamados de filhos de Deus. O povo de Israel, coletivamente, pode ser chamado de filho de Deus (Êx 4.22), ou a nação pode ser chamada, de maneira geral, de filhos de Deus (Dt 14.1), mas somente o Rei Verdadeiro e Messiânico pode ser chamado de Filho de Deus (Sl 2.7).

No Novo Testamento, a nossa filiação está indissoluvelmente ligada à filiação de Cristo (Rm 8.17; Jo 1.12). Por ser "o Filho" (Mt 2.15; 3.17), Ele também conduz muitos outros filhos à glória (Hb 2.10).

Na linguagem de Paulo, os homens tornam-se filhos de Deus por adoção (Rm 8.15,23; Gl 4.5; Ef 1.5). Isto se torna possível quando as pessoas vão a Deus Pai por meio de Cristo (Gl 3.26). A filiação é confirmada pelo Espírito (Rm 8.14,16). Embora ela possa parecer imperfeita ou incompleta enquanto estivermos na terra, na ressurreição, após a volta de Cristo, a filiação tornar-se-á perfeita na vida de cada cristão (Rm 8.21,23,29; 1 Jo 3.1).

Na linguagem de João e de Pedro, a filiação é descrita em termos de um novo nascimento (Jo 1.12,13; 1 Jo 3.9; 4.7; 5.1,4; 1 Pe 1.23). Alguns insistem que no Novo Testamento deveria haver uma diferença entre os filhos de Deus (*tekna*) no sentido do nascimento natural, e os filhos adotivos de Deus (*huioi*); ou seja, uma diferenciação entre o nascimento natural e a adoção em Cristo Jesus. Deve-se prosseguir em tal distinção com extremo cuidado. É verdade que João usa o termo *tekna* para os cristãos, e reserva o termo *huios* para Cristo. No entanto, Paulo parece utilizar *huioi e tekna* alternadamente quando se refere aos cristãos.

G. W. Ba.

**FILHOS DE ISRAEL** *Veja* Israel

**FILHOS DO LESTE, FILHOS DO ORIENTE** O termo heb. *b^e^ne-qedem*, "filhos do leste" ou "filhos do oriente", era uma antiga designação genérica dos povos, na maioria nômades, que viviam no leste da Palestina. Estes iam até o norte, a Padã-Arã, onde Labão (Gn 28.2; 29.1) e Balaão (Nm 23.7) viveram, e ao sul até Moabe e Edom (Is 11.14) e além (Ez 25.4,10), a Quedar entre as tribos árabes (Jr 49.28). Muitos destes eram descendentes de Abraão com Quetura (Gn 25.1-6). Eles invadiram Israel junto com nômades midianitas e amalequitas na época de Gideão (Jz 6.3,33; 7.12; 8.10,11).

A região de Qedem é mencionada na literatura ugarítica assim como no conto egípcio de Sinuhe, o qual reflete as condições na região Palestino-Síria no século XX a.C. (ANET, p. 19). A Bíblia diz a respeito de Jó: "Este homem era maior do que todos os do Oriente" (Jó 1.3). Os homens do Oriente tinham uma reputação especial de sabedoria (1 Rs 4.30), que está de acordo com a classificação do livro de Jó como parte da Literatura Sapiencial, ou da Sabedoria.

J. R.

**FILHOS DO TROVÃO** *Veja* Boanerges.

**FILHOS DOS PROFETAS** Esta frase aparece primeiramente em uma associação com Elias e Eliseu. Estes filhos dos profetas estavam em Betel, Jericó, Gilgal e em outros locais (1 Rs 20.35; 2 Rs 2.3,5,7,15; 4.1,38; 6.1). Ao invés de indicar uma descendência física, a frase parece referir-se a grupos ou escolas de profetas que podem ter tido a sua origem na época de Samuel. O texto em 1 Samuel 10.5,10 utiliza a expressão "rancho de profetas" (*hebel n*[e]*bi im*) como um grupo que estava em Gibeá, e o texto em 1 Samuel 19.20 fala de uma "congregação de profetas" (*q*[e]*hillath hann*[e]*bi' im*) que estava em Ramá. Tanto Samuel como os profetas posteriores que desfrutavam da confiança do povo, parecem ter atraído a si mesmos os jovens que tinham uma chamada profética, e que desejavam aprender com estes valiosos homens de Deus. É possível que vários profetas cujos escritos fazem parte de nossa Bíblia Sagrada – muitos dos quais parecem ter sido bem instruídos – tenham sido treinados nestas escolas. Por outro lado, não podemos nos esquecer que o Senhor Deus levantou homens (Am 7.14) que jamais freqüentaram uma destas escolas.

Existe uma outra interpretação, segundo a qual os filhos dos profetas haviam se tornado uma corporação hereditária, na qual os jovens eram treinados na arte exterior da profecia e se juntavam aos principais santuários de Israel como profissionais. Veja a obra de H. L. Ellison, *The Prophets of Israel* (Grand Rapids: Eerdmans, 1969), pp. 36-42.

H. W. H.

**FILIAÇÃO DE CRISTO** Três principais pontos de vista são apresentados quanto à filiação de Cristo.

1. *Criação em uma época passada*. Esse foi o ponto de vista de Ário ao argumentar que Jesus Cristo foi criado em uma época passada, à semelhança de Deus Pai, e é *homoiousios* com Ele. Essa opinião foi rejeitada no Concílio de Nicéia porque transformava Cristo em um ser criado e negava a sua divindade. Embora talvez afirmasse que Cristo era o primeiro e o maior, não reconhecia que Ele é verdadeiramente Deus, e que faz parte da essência do Deus verdadeiro. O Concílio disse que Ele era *homoousios*, isto é, da mesma essência do Pai, mas adotou a visão de Orígenes de que Ele vem do Pai por meio de uma "geração eterna". Esta opinião refuta, portanto, os argumentos de Ário com base nas evidências das Escrituras de que Cristo é eterno e de que nunca houve uma época em que Cristo não existisse.

2. *Geração eterna*. Orígenes e outros que sustentaram essa opinião consideravam a palavra grega *monogenes* como derivada de *gennao*, "gerar" (vários tradutores seguiram os seus passos), e traduziram o termo como "Unigênito" (Jo 1.14,18; 3.16,18; Hb 11.17; 1 Jo 4.9). No entanto, trata-se na verdade de um derivado de *genos* e, portanto, significa "único" ou "único do seu gênero". Por causa disso, a Bíblia Francesa o traduz como "*Son Fils Unique*", o que significa "o seu único Filho" (veja NASB marg. em João 3.16,18). Em Hebreus 11.17, com referência a Isaque, *monogenes* deve significar "único", porque Abraão teve outros filhos (Ismael e os filhos de Quetura).

3. *O Filho Único de Deus*. Esta opinião tem o apoio dos argumentos acima. Exemplos de tal uso podem ser encontrados na expressão hebraica do Antigo Testamento: "filhos de...", que significa "da ordem de..." em frases como "filhos dos profetas" (1 Rs 20.35; 2 Rs 2.3,5,7,15; 4.38; 5.22 etc.); "filho de um dos boticários" (Ne 3.8); "filhos dos cantores" (Ne 12.28). A partir daí pode-se compreender como os contemporâneos do Senhor Jesus Cristo no Novo Testamento entenderam a sua declaração de que Ele era o Filho de Deus, significando que Ele afirmava ser igual a Deus, ou o próprio Deus.

O Evangelho de João mostra que este é o caso. Cristo disse que Deus era seu próprio Pai e os judeus, portanto, procuravam matá-lo, pois concluíam que Ele estava fazendo-se "igual a Deus" (Jo 5.18). Ele também afirmou ser digno de uma honra igual àquela que é dedicada a Deus Pai, e disse que "todos devem honrar o Filho, como honram o Pai", pois "Quem não honra o Filho não honra o Pai, que o enviou" (Jo 5.23). Quando Ele disse: "Eu e o Pai somos um", os judeus também o acusaram de blasfêmia e pegaram pedras para o apedrejarem, dizendo: "sendo tu homem, te fazes Deus a ti mesmo" (Jo 10.30,33). Naturalmente, deve-se admitir que em outros contextos a expressão "filho de" pode ter outros significados, como quando as Escrituras falam dos crentes como filhos de Deus por regeneração (Jo 1.12; 1 Jo 3.1,2; Rm 8.14; cf. 8.29).

Contudo, qual é o significado da declaração em Salmos 2.7: "Tu és meu Filho; eu hoje te gerei"? Ela é citada em Hebreus 1.5 e 5.5. A palavra grega *gennao* é usada e aplicada a Cristo, mas é difícil determinar a ocasião e o significado da frase. No entanto, em Atos 13.33, Paulo a conecta com a ressurreição de Cristo. Fazendo isso, ele deixa claro que o significado deve estar relacionado com a declaração da divina filiação de Cristo, e não com o fato de que Ele se fez homem através da encarnação.

Nunca a Igreja, nem os hereges, falaram do Espírito Santo como sendo o Pai de Jesus Cristo, embora Ele tivesse sido "concebido pelo Espírito Santo, nascido da virgem Maria" (Credo dos Apóstolos). Em Lucas 1.35*b*, o Senhor Jesus Cristo é especificamente chamado o Filho de Deus. A pontuação deste

versículo, feita por Westcott e Hort, apoiada pela nota marginal de Nestle, faria com que esta fosse a resposta à pergunta de Maria, sobre como ela poderia vir a ser a mãe do Messias: "Descerá sobre ti o Espírito Santo, e a virtude do Altíssimo te cobrirá com a sua sombra; pelo que também o Santo, que de ti há de nascer, será chamado Filho de Deus". A santidade de Cristo foi preservada pelo seu nascimento através de uma virgem. O seu relacionamento único e a sua igualdade única com Deus foram expressos pela designação "Filho de Deus", e o termo "unigênito" é aplicável a Ele após a sua ressurreição (cf. Sl 2.7ss.), e é utilizado como uma referência à sua ressurreição (cf. At 13.33) e exaltação. A definição do termo "primogênito", *prototokos*, é mais fácil. Este se refere claramente ao fato de o Senhor Jesus ter sido o primeiro a ressuscitar dos mortos (Rm 8.29; Cl 1.15,18; cf. Hb 1.6; Ap 1.5), e faz parte da revelação expressa em 1 Coríntios 15.22,23: "Porque, assim como todos morrem em Adão, assim também todos serão vivificados em Cristo. Mas cada um por sua ordem. Cristo, as primícias; depois, os que são de Cristo, na sua vinda".
*Veja* Cristo, Divindade de; Cristo, Humanidade de; Jesus Cristo.

R. A. K.

**FILIAÇÃO DOS CRENTES** *Veja* Adoção.

**FILIPE** No NT, quatro homens trazem esse nome (significa "que ama cavalos").

1. Filipe, o tetrarca, irmão de Herodes Antipas e governador da Ituréia e Traconites (Lc 3.1). Era filho de Herodes o Grande com sua quinta mulher, Cleópatra de Jerusalém. Nomeado por Augusto, ele reinou durante 37 anos (de 4 a.C. até 34 d.C.). Josefo (*Ant,* xviii. 4.6) relata que sua benevolência e justiça ganharam o favor de seus súditos e também o distinguiram de sua família (!). Ele construiu Cesaréia de Filipe (Mt 16.13) e deu o nome de "Júlia" (em honra à filha de Augusto) a Betsaida. Casou-se com Salomé, filha de Herodias, e sua simpatia por Roma era muito conhecida. *Veja* Herodes: Herodes Filipe.

2. Filipe (Herodes), filho de Herodes o Grande, e de Mariane, foi o primeiro marido de Herodias (Mc 6.17). Ele não chegou realmente a reinar, e viveu como um cidadão em Roma. Seu meio-irmão Herodes Antipas casou-se com Herodias depois de divorciar-se de sua esposa. Nada mais se sabe sobre a sua pessoa através do NT, e Josefo se refere a ele apenas como Herodes.

3. Filipe, o apóstolo, um dos doze discípulos de Jesus. Ele é mencionado apenas formalmente nos três primeiros Evangelhos e em Atos (Mt 10.3; Mc 3.18; Lc 6.14; At 1.13), e ocupa a quinta posição na relação dos apóstolos. É no Evangelho de João que ele desempenha um papel mais proeminente e simbólico (de acordo com o método de ilustração de João).

Possível local de reunião de oração que Paulo freqüentou em Filipos. HFV

Era de Betsaida, a mesma cidade de André e Simão (Jo 1.44). Foi dito que Jesus o "encontrou", e ele, por sua vez, encontrou Natanael, falou-lhe sobre Jesus e o convidou dizendo: "Vem e vê" (Jo 1.43,45,46). Mais tarde, o Senhor Jesus lhe perguntou como conseguiriam pão para alimentar a multidão (Jo 6.5). Sua resposta mostrou que era uma pessoa prática e realista (Jo 6.7) e alguém que ainda não havia entendido plenamente o poder de Jesus. Depois, ele foi abordado por "certos gregos" que desejavam ver Jesus (Jo 12.20,21). Pode ter sido apenas uma coincidência, ou pode ser que eles já conhecessem o seu nome grego (Philippos). Sua reação foi relatar o fato a André, que, por sua vez, o relatou a Jesus. Finalmente, ele pediu a Jesus que mostrasse o Pai (Jo 14.8). Assim como em 6.7, aqui ele usou a palavra "basta" para caracterizar a sua afirmação. Dessa forma, parece que ele tinha uma mente objetiva que calculava antes de falar. Aparentemente, foi confundido pelos patriarcas da Igreja com Filipe, o evangelista. *Veja* abaixo.

4. Filipe, o evangelista, morava em Cesaréia (At 21.8) e era pai de quatro filhas virgens que profetizavam na igreja primitiva (21.9). Junto com Estêvão, ele foi um dos sete diáconos mais importantes nomeados originalmente para cuidar das viúvas (At 6.1-6) na igreja de Jerusalém. Ele foi descrito como uma pessoa de boa reputação, cheio do Espírito Santo e de sabedoria.
Durante a perseguição sob Saulo de Tarso, Filipe foi forçado a fugir de Jerusalém para Samaria, proclamando o Cristo (o "Messias") aos samaritanos (At 8.5). Seu ministério teve muito sucesso ali, e até influenciou Simão, o mágico, a acreditar e receber o batismo cristão (8.9-13). Mais tarde, foi em direção à velha Gaza e orientou um oficial etíope quanto à fé em Jesus (26.38). Dessa forma, como um judeu helenístico (que falava o grego), ele es-

O grande teatro em Filipos. HFV

tabeleceu uma importante ligação entre a igreja de Jerusalém e as regiões vizinhas. Referências feitas a ele pelos patriarcas da Igreja, especialmente Eusébio e Clemente de Alexandria, parecem mostrar que houve uma confusão entre esse Filipe e o apóstolo Filipe. Lucas, entretanto, tomou o cuidado de fazer uma distinção entre ambos por meio da localização de um acontecimento específico (At 8.1, "exceto os apóstolos") e do título (1.13; 21.8).

W. M. D.

**FILIPENSES, EPÍSTOLA AOS** Carta de exortação escrita pelo apóstolo Paulo e dirigida à igreja de Filipos. Juntamente com Colossenses, Efésios e Filemom, ela forma o conjunto das quatro Epístolas da Prisão.

### Contexto e Data

A Epístola aos Filipenses encontra sua estrutura histórica de referência em Atos 16.12-40. Depois que Paulo e Silas avançaram até Trôade, eles pararam em Filipos aguardando a orientação do Espírito Santo, que já havia proibido a sua entrada na província da Ásia (v. 7).

Em Trôade, Paulo teve a visão de um "varão da Macedônia" que implorava: "Passa à Macedônia e ajuda-nos!" (v. 9). Eles imediatamente responderam e foram para Filipos. Sua primeira convertida foi Lídia, de Tiatira, que era vendedora da caríssima tinta púrpura (At 16.14). Ela então os acolheu em sua casa. Em seguida, como resultado da libertação de uma jovem possuída por demônios, eles foram falsamente acusados e enviados à prisão (vv. 16-23). Demonstrando grande coragem, os dois apóstolos transformaram o aspecto sombrio de seus alojamentos em um lugar de louvores, cantando a Deus. Aconteceu um terremoto, e assim Paulo e Silas foram libertados, mas só depois de terem recebido satisfações sob a forma de desculpas, pela ofensa de que foram vítimas como cidadãos romanos (vv. 35-40).

Em relação à própria epístola, Epafrodito veio de Filipos para visitar Paulo e trazer presentes ao idoso apóstolo (Fp 4.10-19). A referência à "casa de César" em Filipenses 4.22 parece indicar Roma como lugar de origem, assim como a passagem em Filipenses 1.13, onde o autor menciona a "guarda pretoriana" ("palácio"). Dessa forma, essa epístola foi evidentemente escrita em Roma próximo ao clímax da primeira prisão de Paulo nessa cidade (cf. At 28.30,31). Portanto, ela pode ser datada de aprox. 60 d.C.

Por outro lado, certos estudiosos, inclusive evangélicos como F. F. Bruce (*The Letters of Paul*, Grand Rapids: Erdmans, 1965. pp. 160ss.), sugeriram que Paulo devia estar preso em Éfeso quando escreveu aos Filipenses. Eles acreditam que não teria havido tempo suficiente para toda a viagem de ida e volta indicada na epístola, se Paulo estivesse em Roma. Nesse caso, a carta deve ter sido escrita alguns anos antes.

### Esboço

I. Cristo, a Alegria dos Crentes, 1.1-30
 A. Identificação e saudação, vv. 1,2
 B. A oração pelos Filipenses, que são uma fonte de inspiração e alegria, vv. 3-11
 C. Alegria, apesar dos sofrimentos e dos enganadores, vv. 12-18
 D. Alegria, apesar da possibilidade de uma morte iminente, vv. 19-30

II. Cristo, o Exemplo dos Crentes, 2.1-30
 A. Apelo à unidade, vv. 1-4
 B. Apelo à humildade, vv. 5-11
  1. Na humilhação de Cristo, vv. 5-8
  2. Na exaltação de Cristo, vv. 9-11
 C. Exortação a uma vida cristã positiva , vv. 12-18
 D. Paulo recomenda seus companheiros à igreja, vv. 19-30

III. Cristo, a Esperança dos Crentes, 3.1-21
 A. Advertência contra o legalismo, vv. 1-3
 B. Paulo descreve sua vida antes e depois da conversão, vv. 4-14
 C. Exemplo pessoal de uma atitude adequada, vv. 15-19
 D. O destino do verdadeiro crente, vv. 20,21

IV. Cristo, a Suficiência dos Crentes, 4.1-23
 A. Uma chamada a alegrar-se, vv. 1-4
 B. Uma exortação a confiar as questões da vida a Cristo, vv. 5-7
 C. A fórmula cristã para um correto pensamento e modo de agir, vv. 8,9
 D. Nota de agradecimento aos filipenses, vv. 10-20
 E. Bênção e palavras finais, vv. 21-23.

### Ocasião e Propósito

Essa carta não se preocupa em oferecer uma

Ruínas de uma igreja do século V em Filipos. Pode-se ver claramente a entrada, a nave central e as duas naves laterais. HFV

severa reprimenda, apesar das gentis reprovações a Evódia e Síntique por sua falta de harmonia (4.2). Aparentemente, essa era a causa da desunião na igreja, que precisava de uma exortação de Paulo para que entrasse em acordo (1.27; 2.1-4,14). Com suas inúmeras referências a indivíduos, certamente essa é a mais pessoal das suas cartas. Ela pode ser considerada uma inspirada carta de agradecimento pela oferta que a igreja de Filipos havia enviado ao apóstolo (4.10-20), e também uma epístola de elogio aos seus companheiros de trabalho, Timóteo e Epafrodito.

### Destaques da Epístola

As valiosas contribuições dessa epístola são: 1) a passagem da "kenosis" (2.5-11, *veja* Kenosis); 2) notas sobre a autobiografia de Paulo (3.4-9) – sem estas, estariam faltando dados importantes a respeito do apóstolo; 3) a ressurreição final dos crentes baseada na experiência atual do conhecimento de Cristo (3.10,11); 4) a "cidadania celestial" (3.20,21); 5) o padrão cristão de pensamento e vida (4.8,9); e 6) a ênfase geral de Paulo sobre a alegria e o júbilo. A palavra "alegria" e suas formas cognatas ocorrem 16 vezes nessa epístola.

***Bibliografia.*** F. W. Beare, *A Commentary on the Epistle to the Philippians,* Nova York: Harper, 1959. J. B. Lightfoot, *St Paul's Epistle to the Philippians,* Londres: Macmillan, 1868 (edição de 1903, reimpressa pela editora Zondervan, 1968). Ralph P. Martin, *The Epistle of Paul to the Philippians,* TNTC, Grand Rapids: Eerdmans, 1959; *An Early Christian Confession. Philippians ii.5-11 in Recent Interpretation,* Londres: Tyndale, 1960. H. C. G. Moule, *Philippian Studies,* 6ª ed., Londres: Hodder & Stoughton, 1908. J. J. Muller, *The Epistles of Paul to the Philippians and to Philemon,* NIC, Grand Rapids: Eerdmans, 1955. A. T. Robertson, *Paul's Joy in Christ,* Nova York: Revell, 1917. John F. Walvoord, *Philippians. Triumph in Christ,* EBC, Chicago: Moody Press, 1971.

J. F. G.

**FILIPOS** Cidade da Macedônia a 20 quilômetros de distância do mar Egeu, e servida pelo seu porto de Neápolis. A cidade de Filipos foi fundada por Filipe da Macedônia e recebeu o seu nome em 360 a.C. Era muito importante para os macedônios por ser o principal centro de mineração dos campos auríferos da Pangéia; esses campos estavam quase totalmente exauridos quando a Macedônia caiu sob o controle de Roma em 168 a.C. Foi estabelecida uma colônia (At 16.12) de veteranos romanos em Filipos, depois de 42 a.C., quando Otávio e Antônio derrotaram Bruto e Cássio nesse local.

Foi nessa cidade que Paulo desenvolveu o seu ministério durante a segunda viagem missionária, falando primeiro para alguns judeus devotos em uma reunião de oração às margens de um rio (At 16.13), o Gangites. Lídia, de Tiatira, foi a primeira a se converter (At 16.14), e a conversão de uma "adivinha" levou seus aproveitadores a provocar uma violenta revolta contra Paulo e Silas. A Ágora, de aprox. 100 por 50 metros, que foi o cenário do julgamento deles antes da prisão, foi completamente escavada pela Escola Francesa em Atenas. Através da Ágora passava a estrada Egnátia, que ligava Roma à Ásia. Em seu lado norte estava localizado o *podium* onde os magistrados faziam os seus julgamentos. Acima dela, elevava-se uma acrópole da cidade, com aprox. 300 metros de altura, em cuja encosta leste havia sido construído um teatro grego. Nenhuma das ruínas das igrejas atualmente conhecidas, como resultado das escavações em Filipos, têm uma data anterior ao ano 400 d.C. *Veja* Arqueologia.

A Igreja de Filipos, a primeira a ser estabelecida na Europa, era muito liberal com o seu fundador e enviou-lhe ofertas em várias ocasiões (Fp 4.14-17; 2 Co 11.9). A Epístola aos Filipenses é, em parte, uma nota de agradecimento por esse ato de bondade. Mais tar-

Ribeiro no vale de Elá, onde Davi pode ter recolhido as pedras para matar Golias

A moderna cidade israelense de Asdode, construída no local que pertenceu antigamente aos filisteus. IIS

de, Paulo visitou Filipos, onde passou a Páscoa com os irmãos (At 20.6).

H. F. V.

**FILISTEU** Povo gentio originário de Creta (Egeu) que residia na planície da costa sul da Palestina.

*Filístia.* O nome do território ocupado pelos filisteus recebeu várias designações no AT: "terra dos filisteus" (Gn 21.32,34; Êx 13.17), "regiões dos filisteus", "termos dos filisteus" (Js 13.2) e "Filístia" (Êx 15.14; Sl 60.8; 87.4). O vocábulo Palestina é derivado de filisteus. O território dos filisteus ocupava, no máximo, um pequeno setor. A terra havia sido anteriormente delimitada com uma extensão de 100 a 110 quilômetros a partir de Sior (ou o riacho do Egito) até a fronteira ao norte de Ecrom (Js 13.2,3). Sua fronteira oriental acompanhava os contrafortes das montanhas da Judéia, na direção de Bete-Semes, com o mar na faixa ocidental. Era uma terra extremamente fértil, apesar da ameaça das dunas de areia que permeavam a costa. Seu território abrigava muitas cidades populosas e vilas, sendo que as mais importantes formavam as "Cinco Grandes", isto é, Gaza, Asdode, Asquelom, Gate e Ecrom.

*Etimologia.* A forma egípcia *prst* é a primeira referência feita aos filisteus como um dos "povos do mar" que invadiu o Egito durante o oitavo ano de Ramessés III (aprox. 1200 a.C.). Esse nome ocorre em fontes assírias como *Pilisti* e *Palastu.* Sua forma hebraica é *p*[e]*lishtim*. Trata-se, provavelmente, de um adjetivo étnico baseado na designação territorial *pelesheth,* uma vez que não existem sinais de uma etimologia semítica aceitável para esse nome; ele poderia até mesmo ter uma origem indo-européia.

*Origem.* Os filisteus "saíram" dos Casluim, os descendentes de Mizraim, filho de Cam (Gn 10.14; 1 Cr 1.12). É provável que tenham chegado à Palestina através de Chipre, a partir de Caftor (nome hebraico para Creta; cf. Jr 47.4; Am 9.7; Dt 2.23). *Veja* Caftor. Na segunda metade do 2º milênio a.C., grupos chamados nos registros egípcios de "povos do mar" devastaram o território heteu, a Cilícia, a costa norte da Síria, Carquemis e Chipre. Escavações feitas na Anatólia e na Síria revelaram a destruição de muitas cidades (por exemplo, Ugarite e a capital hetéia, Khattushash) no final da Última Idade do Bronze (aprox. 1200 a.C.).

Esse bando ardiloso tentou invadir o Egito durante os reinados de Merneptah e Ramessés III. Alguns se retiraram para a Palestina, e um deles instalou-se em Dor, na planície de Sharon (ou Sarom; cf. A História do Egito de Wen-Amon, ANET, pp. 25-29). Ao sul de Gerar, instalou-se outro grupo chamado queretitas (1 Sm 30.14; Ez 25.16; Sf 2.5). O mais importante dos povos do mar era, sem dúvida, o grupo dos filisteus, que se aglomerou em volta de sua pentápolis formada por Gaza, Asquelom e Asdode, na costa; Gate, na Sefelá ocidental; e Ecrom, cerca de 10 quilômetros em direção ao interior. Os gregos foram gradualmente aplicando o nome Palestina a toda a terra de Canaã.

*Língua.* Não existe nenhum documento sobre a língua dos filisteus, porém algumas palavras da Bíblia podem ter sido emprestadas desta língua (cf. *seren*, isto é, "senhor";

Cerâmica filistéia de Gezer. Museu Arqueológico, Istambul

*koba,* "capacete", *'argaz,* "cofre, caixa", 1 Sm 5.8; 6.8; 17.5). Sua língua logo se misturou ao dialeto cananeu que, mais tarde, foi substituído pelo aramaico (cf. Ne 13.24, "a língua de Asdode"). Alguns acreditam que o "Minoano(a) Linear A" de Creta seja uma língua relacionada à dos filisteus. Em 1964, em Deir 'Alla, no vale do Jordão, foram encontradas três tábuas com inscrições, datadas do século XIII a.C. Sua escrita é semelhante às sílabas do Linear A (Veja BA, XXIX [1966], 73ss.).

*Religião.* Como os filisteus não eram circuncidados, foram naturalmente desprezados pelos israelitas (Jz 14.3; 15.18; 1 Sm 17.26; 18.25). No entanto, os nomes de seus deuses conhecidos eram semitas (por exemplo, os templos de Dagom em Gaza e Asdode, Jz 16.21-30; 1 Sm 5.1-5; um de Astorete em Asquelom, Heródoto I, 105, e um templo dedicado a Baal-Zebube em Ecrom, 2 Rs 1.2-6). Existem aqui indicações adicionais de que os filisteus foram em sua maioria assimilados pela cultura cananéia que os rodeava. Alguns desses templos ainda existiam na Época Helenística (cf. 1 Mac 10.83; Diodoro da Sicília 11.4). Os filisteus também possuíam reputados adivinhadores (Is 2.6).

*Exército.* Até serem aniquilados pelo rei Davi (aprox. 1010-971 a.C.), os filisteus moravam principalmente em suas cinco cidades governadas pelos *s*[e]*ranim*, "senhores" (ou "tiranos"). Esses senhores formavam um conselho que, em nome do bem comum, podia anular a decisão de qualquer senhor (cf. 1 Sm 29.1-7). Depois de sua derrota, o termo "rei" veio a substituir esse conselho "dos príncipes" (cf. Jr 25.20; Zc 9.5). Em seus dias de apogeu, os filisteus reuniram um número impressionante de tropas bem equipadas, formadas por infantaria, flecheiros e condutores de bigas (cf. 1 Sm 13.5; 29.2; 31.3). Também obrigavam ao serviço militar os escravos e mercenários contratados (cf. Davi em 1 Sm 27–29; os Refains em 2 Sm 21.18-22). E também eram empregados alguns gigantes (cf. Golias em 1 Sm 17.4-10) e tropas de choque ("saqueadores" ou "destruidores", cf. 1 Sm 13.17,18; 14.15).

*Arqueologia.* Documentos descobertos em Ugarite revelam que essa cidade do norte de Canaã importava artigos têxteis de Asdode nos séculos XIV e XIII a.C., e também fazia comércio com Asquelom e Aco.

No início de 1962, foram realizadas escavações em grande escala em Tell Asdode, no território filisteu. As camadas mais antigas revelaram cerâmica de fabricação local muito semelhante – em modelo e devido às suas gravuras pintadas – àquelas da Última Era Micena III (c. 1230-1050 a.C.), feitas em Chipre. Vários selos foram descobertos, e estavam gravados com símbolos parecidos com a escrita cipro-minoana, usada no século XIII e início do século XII a.C.; essa foi a primeira evidência escrita de um contexto filisteu definitivo. Também foram encontrados oito selos lenticulares minoanos do final do 2º milênio a.C. na área de Gaza, no início do século passado. Descobertas feitas em áreas adjacentes, como Tell Jemmeh, Tell Qasileh, Ain Shems (Bete-Semes), Tell Jezer (Gezer) e Tell el-Far'ah, ajudaram a preencher a lacuna histórica.

Cenas de baixos-relevos em Medinet Habu, no Egito, mostram que os filisteus usavam carroças, bigas e navios. Seu estilo de construção naval era único, com a quilha esculpida, a popa e a proa elevadas, e um mastro ereto erguido no meio do navio. Os guerreiros vestiam um saiote do estilo egeu, um capacete emplumado preso ao queixo com correias, como o capacete do Disco Phaistos (de aprox. 1700 a.C.) encontrado no sul de Creta. Em 1 Samuel 17.5-7, há uma descrição de Golias armado até os dentes. Suas armas feitas de ferro foram, sem dúvida, fabricadas por um dos ferreiros filisteus que mantinham o monopólio dessa profissão (1 Sm 13.19-21). Fornalhas para fundir ferro foram encontradas em Tell Qasileh, Tell Jemmeh e Ain Shems.

Foi comprovada a presença de colonizadores anteriores que vieram do Egeu através de Chipre, por meio de câmaras mortuárias de dois segmentos em Tell el-Far'ah, ao sul de Laquis, e em Chipre, todos aprox. do período 1600-1525 a.C. (AJA, 74 [1970], 139-143).

Textos heteus revelam que soldados e bigas dos exércitos de Ahhiya (da Acaia) haviam invadido o território heteu antes de 1400 a.C., e que Chipre estava sendo atacada por esses povos do Egeu muito antes do período de Amarna (AJA, 75 [1971], 169).

Descobertas feitas em Bete-Seã, Tell el-Far'ah e Laquis revelaram caixões feitos de argila do século XII a.C., cada um deles com um rosto esculpido na cabeceira. Eles foram atribuídos aos filisteus e têm relação com caixões antropóides semelhantes do Egito (em Tell Yehudiyeh no Delta).

*História bíblica.* Durante muito tempo os filisteus foram como um espinho cravado na carne dos israelitas. As Escrituras fazem alusão a numerosos incidentes.

Patriarcas. Abraão e Isaque entraram em contato com os filisteus por intermédio de Abimeleque, rei de Gerar, e de seu general Ficol (Gn 20, 21 e 26). Embora os últimos filisteus fossem extremamente agressivos, Abimeleque era um homem razoável. Ele praticava a política da coexistência pacífica, adotando muitos costumes dos cananeus, usando um nome semita e estabelecendo alianças com Abraão e Isaque. Atualmente, os estudiosos acham muito difícil explicar quando ou como esses primeiros filisteus alcançaram a Palestina. Provas agora disponíveis sugerem que eram mercadores minoanos que já haviam estabelecido colônias comerciais em vários pontos do Mediterrâneo oriental no início do 2º milênio a.C.

Êxodo e Juízes. Quando os israelitas deixaram o Egito, os filisteus encontravam-se espalhados ao longo da faixa costeira entre o Egito e Gaza, de modo que Moisés precisou dar uma volta pelo interior a fim de evitar "o caminho da terra dos filisteus" (Êx 13.17). A área adjacente ao Mediterrâneo era conhecida como o mar dos filisteus (Êx 23.31). Os filisteus dessa região eram provavelmente os caftorins de Deuteronômio 2.23.

Os israelitas não entraram em combate contra os filisteus durante a conquista da Terra Prometida, mas na velhice de Josué eles estavam firmemente estabelecidos em suas cinco cidades fortificadas (Js 13.1-3). Na história subseqüente, esse povo do mar foi muitas e muitas vezes usado pelo Senhor para aguilhoar e castigar os israelitas (Jz 3.2,3). Sangar foi capaz de expulsá-los temporariamente (Jz 3.31), mas eles constantemente forçavam a passagem para o interior e os israelitas até adotaram os seus deuses (Jz 10.6,7). Os filisteus capturaram a arca, aprox. no ano 1070 a.C., na desastrosa batalha em Afeca, e destruíram o santuário de Siló (1 Sm 4).

Sansão foi o grande juiz e herói israelita do último período dos Juízes (Jz 13–16). Evidentemente, a Filístia e Israel estavam coexistindo durante sua juventude, porque Sansão casou-se com uma filistéia. Mais tarde, ele teve relações com Dalila (provavelmente uma filistéia, ou uma mulher intimamente relacionada com os filisteus). Sua suicida destruição do templo em Gaza, com muitos de seus líderes (Jz 16.27-30), em aprox. 1050 a.C., pode ter aberto o caminho para a vitória israelita sob o governo de Samuel, na segunda batalha de Ebenézer (1 Sm 7.7-14).

Saul e Davi. Apesar do sucesso de Samuel, os filisteus rapidamente passaram a controlar a planície costeira de Esdraelom, o Neguebe e a maior parte da região montanhosa. Também controlavam a distribuição de ferro, evitando que os israelitas viessem a possuir armas úteis (1 Sm 13.19-22). Essa contínua presença exigia um grande líder entre os israelitas; então Samuel ungiu Saul como rei.

Logo no início de seu reinado, Saul impôs uma esmagadora derrota em Micmás e expulsou esses “tiranos” para as montanhas. Entretanto, seu reinado repleto de tolices permitiu que os filisteus voltassem a perturbar a nação. Eles desafiaram Israel em Efes-Damim, onde Davi matou Golias (1 Sm 17–18). De forma néscia, Saul começou a hostilizar Davi, forçando-o a se tornar um fora da lei e até mesmo um vassalo de Aquis, rei de Gate (1 Sm 27). Davi não foi obrigado a lutar na batalha do monte Gilboa, onde o rei Saul e seus filhos perderam a vida (1 Sm 29).

Quando Davi assumiu o governo de Israel, ele ao menos coexistia com Gate. Na verdade, mantinha até mesmo um guarda-costas filisteu (veja quereteus e peleteus). Finalmente, Davi expulsou os filisteus da região das montanhas, desferiu pesados golpes contra a própria Filístia (2 Sm 5.25) e cortou as suas asas como sérios inimigos.

A monarquia dividida. Os filisteus continuaram a aguilhoar os israelitas durante a monarquia. Depois da morte do rei Davi, e o subseqüente enfraquecimento do reino, as cidades filistéias (exceto Gaza, 2 Cr 11.8) conquistaram a sua independência, e novamente ocorreram conflitos na fronteira (2 Cr 17.11). Entretanto, sob a condução de Jorão, a cidade fronteiriça de Libna declarou a sua independência (Is 9.8-12). Depois, os filisteus invadiram Judá durante o reinado de Acaz (2 Cr 28.18), e o rei Ezequias lhes causou uma tremenda derrota (2 Rs 18.8). No capítulo 47, Jeremias profetizou sua iminente destruição pelo poderoso exército de Nabucodonosor. A última vez que eles são mencionados nas Escrituras é em Zacarias 9.5,6, depois do retorno do Exílio.

*Inscrições.* Os filisteus foram mencionados primeiramente nos registros de Ramessés III (aprox. 1200 a.C., e nos anos seguintes). Eles apareceram em seu templo em Medinet Habu, perto de Tebas, no qual ele descreve a sua campanha contra a invasão de líbios e “outros povos do mar” (ANET, pp. 262ss.). Esses povos do mar também são mencionados nas inscrições de Merenptah, no século XIII a.C. Os assírios referem-se à Filístia como uma terra que está sempre em revolta. Inscrições de Adade-Nirari (810–783 a.C.) mencionam a Filístia, dentre outros estados (inclusive Israel), pagando-lhe impostos. Mais tarde, Tiglate-Pileser III, Sargão II, Senaquerribe e Esar-Hadom mencionaram repressões às revoltas dos filisteus (ANET, pp. 282-291). Um conjunto de documentos cuneiformes da época do Exílio, encontrados na Babilônia, registra a questão de porções para os expatriados, dentre os quais estão os filisteus.

As referências assírias (aprox. 735–586 a.C.) complementam a história bíblica da monarquia. Durante o reinado de Acaz, os filisteus novamente invadiram o território de Judá e se apropriaram de cidades na Sefelá e no Neguebe (2 Cr 28.18; Is 9.11; 14.28-30). Mas essa ocupação durou pouco tempo. Durante a guerra sírio-efraimita (735–732 a.C.), Tiglate-Pileser III (745–727 a.C.) atacou violentamente Asquelom e Gate por causa de sua deslealdade, e destituiu Mitinti do governo de Asquelom. Hano, de Gaza, fugiu para o Egito, mas foi capturado por Sargão II (722–705 a.C.) em 720 a.C. e deportado para a Assíria. Em 713 a.C., quando Azuri de Asdode recusou-se a pagar impostos, ele foi substituído por Sargão II que colocou seu irmão Ahimiti em seu lugar. Porém mais tarde ele foi deposto pelos moradores de Asdode, que colocaram o usurpador Iamani no trono. Este, por sua vez, liderou uma aliança contra a Assíria que incluía Filístia, Judá, Edom e Moabe. Sargão II, eliminou vigorosamente a revolta, transformou Asdode em uma província assíria (Is 20.1) e invadiu Gate, Gibeton e Ecrom. Ezequias invadiu a Filístia e atacou Gaza (2 Rs 18.8). O povo de Ecrom entregou-lhe Padi, o seu rei pró-Egito. Em 701 a.C., Senaquerribe (705–681 a.C.) invadiu a região ocidental e capturou as cidades de Bete-Dagon, Jope, Banai-barqa e Azuru. Durante o reinado de Esar-Hadom (681–668 a.C.) as cidades filistéias (especialmente Asdode) foram grandemente pressionadas pelo Egito (cf. Heródoto II, 157). Elas foram aniquiladas pelos

citas, que saquearam o templo de Astarote, em Asquelom (Heródoto I, 105). Mais tarde, eles foram destruídos pelo Faraó- Neco, que capturou Gaza (em aprox. 609 a.C.; cf. Heródoto II, 159; Jr 47.1).
Cartas aramaicas encontradas em Saqqarah, nas quais Adom pede ajuda ao Faraó durante o ataque de Nabucodonosor sobre Asquelom em 604 a.C., revelam que os filisteus eram aliados do Egito durante a luta final. Depois da batalha de Carquemis, Nabucodonosor eliminou todas as centelhas de liberdade que ainda restavam nos filisteus deportando seu governante e o povo (veja D. F. Weidner, *Mélanges syriens offerts à M. René Dussand*, Paris. Paul Geuthner, 1939, II, 923-935; também Jr 25.20; 47.2-7; Zc 2.4-7; Sf 9.5,6).
No período helenístico ocorre a última visão das cidades de Asdode (Azoto), Asquelom (Ascalom) e Gaza, habitadas por uma população extremamente mista. Atualmente, apenas a palavra Palestina faz a ligação entre elas e o antigo e glorioso império dos filisteus.

***Bibliografia.*** CornPBE, pp. 580-585. Moshe Dothan, "Ashdod of the Philistines", *New Directions in Biblical Archaeology*, ed. por D. N. Freedman e J. C. Greenfield, Garden City: Doubleday, 1969, pp. 15-24. Trude Dothan, "Archaeological Reflections on the Philistine Problem", *Antiquity and Survival*, II (1957), 151-164. V. Hankey, "Late Mycenaean Pottery at Beth-shan", AJA, LXX (1966), 169-171. James E. Jennings, "The Problem of the Caphtorim", *Grace Journal*, XII (primavera de 1971), #2, pp. 23-43. R. A. S. Macalister, *The Philistines, Their History and Institutions*, Londres: 1913 (reimpresso, Chicago: Argonaut, 1965). T. C. Mitchell, "Philistia", TAOTS, pp. 403-427. Hayim Tadmor, "Philistia Under Assyrian Rule", BA, XXIX (1966), 86-102. G. Ernest Wright, "Philistine Coffins and Mercenaries", BA, XXII (1959), 53-66; "Fresh Evidence for the Philistine Story", BA, XXIX (1966), 70-86.

D. W. D.

**FILÍSTIA** *Veja* Palestina II. B. I. *f*; Filisteu.

**FILO, O JUDEU** Filo, um judeu de Alexandria (de aprox. 20 a.C. –50 d.C.), foi o único judeu de sua época que, fora da Palestina, escreveu obras que sobreviveram integralmente. Se Josefo tinha a intenção de converter pagãos ao judaísmo com suas obras históricas e apologias, Filo tentou fazer o mesmo, porém ficou mais famoso por seus escritos filosóficos (*De Aeternitate Mundi, De Providentia*) e bíblicos (*Legum, Allegoriae, De Vita Mosis*). Da mesma forma que Josefo, ele juntou-se a uma embaixada em Roma que visava beneficiar os seus compatriotas. E, também como Josefo, sua influência era especialmente forte entre os cristãos, começando com

Estatueta de mármore de Sócrates. BM

o episódio envolvendo Filo e os alexandrinos (Clemente e Orígenes), desde o final do século II até o início do século III d.C.
A maior parte dos elementos gnósticos que mais tarde apareceram no cristianismo já estavam presentes nas obras de Filo. Ele representa a tendência sintetizadora entre a cultura judaica e a helênica, na medida em que essa última continuava a existir no antigo cadinho de Alexandria, e de outros locais, entre os judeus da Dispersão (*veja* Dispersão de Israel). Se "Platão foi como Moisés, porém falando grego..." (Carrington), Filo, por outro lado, encontrou grande parte da filosofia grega no AT. Foi, por exemplo, o Logos (ou Palavra Divina) que falou na sarça ardente, e estava representado pelo sumo sacerdote.
Embora numerosas, as obras de Filo não são sistemáticas; são apenas comentários sobre o AT, onde ele exibe as alegorias com as quais ficou famoso e por meio das quais foi capaz de evocar o espírito grego a partir do texto hebraico. Por meio desse mesmo artifício, ele foi capaz de eliminar a mitologia da criação, reinterpretar o caso do grande peixe de Jonas, honrar a lei judaica e torná-la palatável aos gentios.
Para Filo, Deus é transcendente e indefinível, desprovido de atributos que possam ser

completamente conhecidos. Ele é descrito principalmente por meio da *via negativa*, pela explicação daquilo que Ele não é. Deus é um ser puro que só pode ser apreendido através da intuição. A matéria (em grego, *hule*) é totalmente diferente e separada de Deus. Nesse sistema, os seres intermediários entre Deus e a matéria são *logoi*, e entre eles o principal é o *Logos*, ou Mediador, que é, ao mesmo tempo, agente da criação e da revelação. Presumivelmente, esta é a forma pela qual o Transcendental transforma-se no Pai da providência. Embora em sua maior parte esse ensino esteja implícito e tenha a forma impessoal em Filo, ele torna-se explícito e pessoal na doutrina joanina da Encarnação.

A ética gnóstica é geralmente libertina ou ascética; tudo depende de o tópico ser aceito por ser irresistível, ou evitado por não ter nenhum valor. O sistema de Filo é ascético. Uma conseqüente e rígida doação de si próprio tem o propósito de levar a uma experiência estática (em grego, *ekstasis*), a única forma de comunhão com o Deus indescritível, e que não se pode conhecer. O elemento fundamental no êxtase, tal como foi concebido por Filo, é a substituição da razão humana pelo Espírito Divino, que se apodera totalmente da personalidade humana e a utiliza para as mais elevadas finalidades divinas (H. A. A. Kennedy). Nisso podemos observar muito mais diferenças do que semelhanças com a doutrina paulina da comunhão entre Cristo e os crentes.

Filo viveu e morreu como judeu, e parece que nunca ouviu falar de Jesus. No entanto, ele exerceu uma influência muito maior sobre a religião cristã do que talvez sobre a sua própria, pois escritores cristãos depois do século II d.C. muitas vezes usavam seu método alegórico de interpretar o AT como uma tentativa para se descobrir a verdade cristã nele contida; às vezes, esse método era usado tanto para o AT como para o NT, em uma tentativa de levá-los a se harmonizar com a filosofia grega (como fez Orígenes).

***Bibliografia.*** Norman Bentwich, *Philo-Judaeus of Alexandria,* Philadelphia: Jewish Pub. Society, 1940. P. Borgen, *Bread From Heaven. An Exegetical Study of the Concept of Manna in the Gospel of John and the Writings of Philo*, Leiden: E. J. Brill, 1865. James Drummond, *Philo Judaeus,* 2 vols., Londres: Williams, 1888. Erwin R. Goodenough, *An Introduction to Philo Judaeus*, New Haven: Yale Univ. Pres, 1940. Donald A. Hagner, "The Vision of God in Philo and John. A Comparative Study", JETS, XIV (1971), 81-93. Philo, *Works,* 10 vols., trad. por F. H. Colson, G. H. Whitaker e R. Marcus, Nova York: Loeb, 1929ss. Sidney G. Sowers, *The Hermeneutics of Philo and Hebrews*, Richmond: John Knox Press, 1965. Harry A. Wolfson, *Philo, Foundations of Religious Philosophy in Judaism, Christianity and Islam,* 2 vols., Cambridge: Harvard Univ. Press, 1947.

J. H. G.

**FILÓLOGO** Cristão romano cuja esposa ou irmã era Júlia. Junto com outros, ele formou uma congregação ou grupo de adoradores na comunidade cristã de Roma (Rm 16.15).

**FILOSOFIA** A palavra grega *philosophia*, "amor à sabedoria", abrangia a procura de todos os tipos de sabedoria. Em Colossenses 2.8, ela refere-se ao ensino de certos judeus ascéticos que se ocupavam em fazer especulações relativas aos anjos (Cl 2.18) e ensinavam rituais muito mais rígidos do que a lei de Moisés (Cl 2.20-23). No Areópago de Atenas, Paulo encontrou membros das duas principais filosofias de sua época, o epicurismo e o estoicismo (At 17.18ss.).

Em 1 Coríntios 1.18ss., Paulo discute a busca dos gregos pela sabedoria, referindo-se claramente ao seu amor à filosofia, e fazendo um contraste entre esta e a verdadeira sabedoria de Deus, que foi revelada quando Ele enviou o Senhor Jesus Cristo e a pregação da cruz. Embora o evangelho seja tão simples, a ponto de qualquer indivíduo inculto poder aceitar e acreditar na vida eterna (1 Co 1.26ss.), ele é tão complexo e revela tanta profundidade em seus raciocínios, que o mais sábio dos homens nunca poderá penetrar inteiramente em sua profundidade (1 Co 1.24,25. cf. Rm 11.33-36).

Deveria então o cristão preocupar-se com a filosofia da maneira como esse termo é usado atualmente? A resposta depende do atual significado da filosofia, e é difícil encontrar uma boa definição. B. A. G. Fuller a descreve como "uma busca refletida e consciente de definir o caráter e o conteúdo do universo em sua totalidade, e como um único conjunto, a partir da observação e do estudo das informações apresentadas em todos os seus aspectos" (*A History of Philosophy*, Nova York: Holt, 1952). Essa é uma boa afirmação, à medida que propõe a necessidade de se estudar indutivamente a realidade para defini-la e explicá-la, mas nada fala sobre oferecer uma explicação sobre a origem ou o destino do homem e do mundo.

A seguinte definição é breve, mas adequada. Uma filosofia plenamente desenvolvida oferece uma explicação para a origem do homem e do universo, uma visão da realidade, exatamente como ela é e como funciona, e uma descrição do objetivo ou destino tanto do homem como do universo. Muitos filósofos, assim como alguns sistemas filosóficos, limitam-se à realidade (empirismo, positivismo, positivismo lógico), enquanto outros também oferecem explicações sobre a origem (materialismo); porém, uma filosofia plenamente desenvolvida também acrescenta o

destino (platonismo, neoplatonismo e ontologismo; por exemplo, Paul Tillich).
Quando o cristão oferece uma explicação sobre a origem do mundo e do homem, da realidade e o que ela é (realismo dualístico – o mundo é real e tenho um confiável conhecimento dele), e sobre o destino, baseada nas Escrituras e coordenada com o estudo da ciência e da realidade, ele é um filósofo, o único filósofo que pode apresentar tanto a análise quanto a resposta mais abrangentes. Quando o cristão penetra na arena da filosofia, ele não precisa pedir desculpas pela sua posição, pois ela repousa sobre dois sólidos pilares: a observação científica e a revelação divina.

R. A. K.

**FIM DO MUNDO** *Veja* Escatologia.

**FINÉIAS**
1. Filho de Eleazar (*q.v.*). Depois de Arão, ele foi o mais notável sacerdote do AT, o terceiro sumo sacerdote da linhagem de Arão, que ganhou essa posição depois do incidente fatal de Nadabe e Abiú (Lv 10.1-3). Muitas vezes mencionado em genealogias (Êx 6.23,25; 1 Cr 6.4,50; 9.20; Ed 7.5; 8.2) e lembrado pelo seu zelo e consideráveis feitos, ele era um sacerdote com o carisma de um profeta, pois está escrito que o Senhor estava com ele (1 Cr 9.20). Ele agiu decididamente quando matou Zinri e Cosbi na ocasião em que Israel estava sofrendo os efeitos de uma praga, como conseqüência de muitos terem se deixado dominar por Baal-Peor (Nm 25.7-15). "Nas campinas de Moabe, que estão junto do Jordão, em Jericó" (Nm 31.12) e na função de um sacerdote oficial, ele acompanhou os 12.000 homens que Moisés havia enviado contra Midiã para vingar Israel (Nm 31.5,6). Ele foi o porta-voz oficial e o árbitro de uma situação explosiva que havia se desencadeado por causa da construção do altar por guerreiros da Transjordânia que estavam de regresso (Js 22.13,30-32).
Aparentemente, seu nome foi dado a uma cidade, o mesmo local onde seu pai Eleazar foi sepultado (Js 24.33).
2. Filho de Eleazar e sacerdote-chefe perante a arca em Betel, durante a época da guerra benjamita. Seu oráculo, recebido do Senhor como resposta aos israelitas, era que eles deveriam lutar contra Benjamim e que o Senhor lhes daria a vitória (Jz 20.27,28). Uma sugestão útil para essa passagem com respeito à referência "Finéias, filho de Eleazar, filho de Arão" foi oferecida por W. F. Albright: "Essa não é necessariamente uma inserção errada ou tardia. Pelo contrário, os nomes Finéias e Eleazar são característicos da linhagem de Arão; esse Finéias pode ser considerado como Finéias II, talvez o predecessor de Eli" (*veja* "Excavations and Results at Tell el-Ful", AASOR, IV [1924], 47-50).
3. Filho de Eli (1 Sm 1.3; 2.34). Um dos dois filhos de Eli que tinham a responsabilidade de tomar conta da arca em Siló (1 Sm 4.4). Ele perdeu a vida acompanhando a arca em uma segunda batalha entre Israel e os filisteus (1 Sm 4.17).
4. Pai de Eleazar, um sacerdote do segundo Templo que ajudou a pesar os vasos de ouro e prata (Ed 8.33).

H. E. Fi.

**FIO** O único uso da palavra "fio" na versão KJV em inglês aparece na expressão "fio de linho" de 1 Reis 10.28 e 2 Crônicas 1.16. A palavra heb. *miqweh*, assim traduzida, também pode ser interpretada de outra forma. Ela pode ser lida como "de Cue" (cf. LXX, *ek thekoue,* e Vulgata, *de Coa*). Cue é um nome que corresponde à Cilícia (*q.v.*).
O fio e/ou a linha nos tempos bíblicos eram torcidos em um fuso de fibra de lã e linho e de pêlo de cabras e camelos. O "linho fino" de Ester 1.6 pode ter sido algodão. Outra fibra aparece em Ezequiel 16.10,13. Nele, o significado do termo heb. *meshi* (que algumas versões traduzem como "seda") é incerto. *Veja* Ocupações: Tecelão, Tecelagem.

**FIRMAMENTO** Esse termo, derivado de *firmamentum* na Vulgata, expressa inadequadamente o termo hebraico *raqia'*, que significa "expansão" e descreve a grande abóbada ou a expansão de céu estendida em volta da terra.
O firmamento, ou atmosfera, foi criado no segundo dia para separar "águas e águas" (Gn 1.6,7), isto é, para separar as águas que estavam sobre a terra dos extensos vapores de água (nuvens) que circundavam a sua superfície. Dentro desta expansão, que Deus chamou de "céus" (Gn 1.8), o sol, a lua e as estrelas foram estabelecidos (Gn 1.14-18). A LXX traduz o termo heb. como *stereoma*, significando uma estrutura firme ou fixa. Em Colossenses 2.5, esta palavra gr., usada metaforicamente, é traduzida como "firmeza". No entanto, é a idéia de expansão ou extensão, ao invés de solidez, que *raqia'* representa, um termo derivado de *raqa'*, "bater, estampar ou espalhar".
A cosmogonia hebraica, argumenta a escola crítica, representava conceitos pré-científicos, supostamente visualizando o firmamento como um domo rígido e sólido (Jó 37.18; Pv 8.28) apoiado em pilares (2 Sm 22.8; Jó 26.11), e contendo estrelas fixas. As chuvas desciam das águas acima do firmamento através de janelas (Gn 1.7; 7.11; Ml 3.10). Tal interpretação é hermeneuticamente fraca, uma metáfora poética confusa e uma linguagem fenomenal com prosa literal. A metáfora poética óbvia, expressando a expansão do firmamento, é vista em Isaías 40.22 – Deus "estende os céus como cortina e os desenrola como tenda" (cf. Is 45.12). O AT des-

Flecheiros da guarda do rei Assurbanipal em Nínive, século VII a.C. LM

creve o firmamento como brilhante e transparente como o cristal, a safira, ou o vidro (Êx 24.10; Ez 1.22; Dn 12.3; Ap 4.6), revelando a obra das mãos de Deus (Sl 19.1) e o trono do seu poder (Sl 150.1).

H. E. Fr.

**FIVELA** *Veja* Broche.

**FLAUTA** *Veja* Música.

**FLECHA** Uma flecha, seta ou dardo, usada pelo Servo do Senhor como uma expressão de sua prontidão para ministrar (Is 49.2). *Veja* Armadura; Arco e Flecha.

**FLECHEIRO** Homens armados com arcos e flechas. Por muitos séculos, os flecheiros a pé, ou montados em cavalos ou em bigas, formaram o principal apoio dos exércitos do antigo Oriente Próximo. No Antigo Testamento, o flecheiro participava de atividades militares, e os arcos e flechas eram parte integrante dos equipamentos militares em geral (Gn 49.23,24; Sl 127.4,5; Os 1.5; R. de Vaux, *Ancient Israel*, pp. 243-244). Quando Jó desejou dizer que Deus estava fazendo uma guerra contra ele, ele disse que era um alvo dos flecheiros de Deus (Jó 16.12,13). Saul, Urias e Josias foram atingidos por flecheiros (1 Sm 31.3; 2 Sm 11.24; 2 Cr 35.23).
Os arcos eram geralmente de madeira. O fio do arco era feito com tripa de boi, uma extremidade era presa com o pé enquanto estava sendo envergado, por isso o flecheiro era quem "armava o arco" (1 Cr 8.40; Jr 51.3). As pontas das flechas eram feitas de osso, pedra, bronze ou ferro, e eram chamadas de "flechas da sua aljava" (Lm 3.13), ou como no rodapé da versão ASV em inglês: "filhas do arco" (Jó 41.28).
*Veja* Arco e Flecha.

**FLEGONTE** Cristão romano a quem Paulo enviou saudações (Rm 16.14).

**FLORES** A palavra heb. *perah* é usada figurativamente para falar dos perversos que, como uma flor, esvaem-se como pó (Is 5.24). Também é usada para falar da flor como símbolo da Etiópia, pronta para a poda do juízo (Is 18.5), e da flor do Líbano murchando como uma figura de juízo (Na 1.4). Em outra passagem, esta é a palavra para as flores na vara de Arão que brotaram (Nm 17.8), e é usada para falar dos ornamentos como flores nos ramos do castiçal de ouro (Êx 25.31-34; 37.17-20; Nm 8.4; 2 Cr 4.21). A borda da imensa bacia no Templo de Salomão (mar de fundição) tinha o formato de flor ou cálice de um lírio (1 Rs 7.26; 2 Cr 4.5).
O termo heb. *sis* é usado ao comparar um homem, a sua fragilidade, bondade e obras, com uma flor desvanecendo (Sl 103.15). O termo heb. *sisa* é usado de uma forma semelhante à gloriosa beleza de Efraim (Is 28.4).
O termo gr. *anthos* é encontrado no NT em um sentido figurado ao se comparar a vida e a glória do homem com a fragilidade de uma flor (Tg 1.10,11; 1 Pe 1.24).
A palavra heb. *'anashim* é traduzida em 1 Samuel 2.33 como "na flor da idade" ou na "idade varonil", denotando que alguém atingiu a maturidade. Semelhantemente, o termo gr. *huperakmos* é usado por Paulo (1 Co 7.36) ao falar de uma menina que se tornou uma mulher, "na flor da idade".
O termo *nidda* é traduzido como "flor" em algumas versões, mas o seu sentido mais exato é o de "imundícia" (Lv 15.24,33).
*Veja* Plantas

A. E. T.

**FLORESTA** *Veja* Plantas.

**FLOTES** *Veja* Jangada.

**FLUXO** *Veja* Doença.

**FLUXO DE SANGUE** *Veja* Doença.

**FOCA, PELE DE FOCA** *Veja* Animais: Texugo II. 36; Dugongo V. 4.

**FOCINHO** A palavra hebraica *'aph*, "nariz, narina", foi traduzida como "focinho" em Provérbios 11.22. O provérbio destaca que é um absurdo encontrar uma jóia de ouro em um focinho de porco; o mesmo ocorre com uma mulher formosa sem discrição. O focinho suíno com uma argola de ouro é algo inadequado, e equivale a uma bela mulher sem discernimento moral e intelectual.

**FOGAREIRO** Como um termo relacionado ao preparo de alimentos, o *kirayim* em Levítico 11.35 é provavelmente um fogareiro de barro para apoiar duas panelas (marg. NASB).

**FOGO** Palavras representando o fogo são usadas cerca de 450 vezes nas Escrituras, tanto no sentido literal como no sentido figurativo. O uso literal inclui o seu emprego para propósitos domésticos ao cozinhar (Is 30.14); claridade e aquecimento (Jr 36.22; Mc 14.54; Jo 18.18; At 28.2); para derretimento, fundição, trabalho e purificação dos metais (Zc 13.9; Ml 3.2); para a queima de detritos e artigos contaminados (Lv 13.52, 57); como meio de destruição de objetos de idolatria (Dt 7.5; 1 Cr 14.12); como uma força destrutiva na forma de raio (Sl 29.7) e na queima de cidades em tempos de guerra (Is 1.7; Jr 34.2); como um meio severo de castigo para ofensas graves (Ap 16.8,9); como o meio comum de fazer sacrifícios a Deus. (O costume pagão de queimar crianças no fogo como um sacrifício era condenado.) *Veja* Fogo, Adoração do.

Usos figurativos ou simbólicos incluem a representação da presença, santidade, glória, direção e proteção divinas (Ez 1.4,13,27; 8.2); do ciúme de Deus (Ez 36.5); da ira contra o pecado e o seu castigo (Is 10.16,17; Mc 9.48; Ap 18.8; 19.20; *veja* Geena); do mal (Is 9.18); da luxúria (Pv 6.27) e da cobiça; da guerra, da dificuldade, do sofrimento e da aflição (Jó 5.7; Is 29.6); da purificação e da provação (1 Pe 1.7; 4.12); do poder da Palavra e da verdade de Deus (Jr 5.14; 23.29); da inspiração profética (Jr 20.9); do zelo dos santos (Sl 39.3; 119.139) e dos anjos (Sl 104.4; Hb 1.7); do Espírito Santo (At 2.3) e do Cristo glorificado (Ap 1.14); e do juízo escatológico (Ap 20.9-15; 21.8).

O aspecto mais importante do fogo na Bíblia é o seu uso na adoração e nos sacrifícios para consumir as ofertas queimadas e o incenso. A primeira referência explícita é a oferta de Noé a Deus (Gn 8.20,21). Mais tarde, o fogo passou a ser a parte central dos sacrifícios contínuos e da constante adoração, tanto no Tabernáculo quanto no Templo, e o fogo sobre o altar nunca poderia se apagar (Lv 6.12,13). O fogo sobre o altar era milagrosamente enviado por Deus (Lv 9.24; 2 Cr 7.1-3). Qualquer fogo iniciado pelo homem ou conseguido de qualquer outro lugar que não fosse o altar ("fogo estranho", Lv 10.1,2) era ritualmente inaceitável e incorria na ira divina. Nadabe e Abiú foram punidos com a morte pelo fogo, vinda de Deus, por usarem um fogo estranho no altar (Lv 10).

O fogo perpétuo do altar deveria ser reabastecido com madeira todas as manhãs (Lv 6.12). A aceitação dos sacrifícios era indicada pelo fogo de Deus consumindo repentinamente a oferta. O fogo de Deus significava a aceitação de certos sacrifícios especiais (Jz 6.21; 1 Rs 18.24,38; 1 Cr 21.26) – Jeová é "o Deus que responde com fogo". Os animais mortos para as ofertas pelos pecados eram consumidos pelo fogo fora do arraial (Lv 4.12,21; 6.30). Ao completar o seu voto, um nazireu raspava a sua cabeça e colocava o cabelo dentro do fogo do altar no qual as ofertas pacíficas estavam sendo sacrificadas (Nm 6.18).

A lei proibia que qualquer fogo fosse aceso no dia de sábado, até mesmo para cozinhar (Êx 35.3). Por causa da secura da terra durante a estação mais quente, a lei dizia que uma restituição deveria ser feita por qualquer pessoa que acendesse um fogo que causasse danos e prejuízos a um campo ou a uma safra de grãos (Êx 22.6).

***Bibliografia.*** Friedrich Lang, "*Pyr*, etc.", TDNT, VI, 928-952.

R. E. Po.

**FOGO ESTRANHO** *Veja* Fogo.

**FOGO, ADORAÇÃO DO** Como um símbolo de pureza, ou da presença e do poder de Deus, ou um dos elementos fundamentais da natureza, ou tipificando as forças destrutivas da natureza, o fogo tem sido adorado por muitos povos desde os tempos mais antigos. A idéia da adoração do fogo toma pelo menos três direções na Bíblia.

Em primeiro lugar, há uma nítida relação do fogo com Deus. Isto é evidenciado pelo aparecimento de Deus a Abraão ao ratificar a sua aliança (Gn 15.17), a Moisés na sarça ardente (Êx 3.2), e na presença manifesta de Deus na coluna de fogo sobre o arraial de Israel (Êx 13.21). No monte Sinai Deus "desceu em fogo" (Êx 19.18) e o aparecimento de sua glória era como um fogo consumidor (Êx 24.17). O texto em Levítico 9.24 declara que saiu fogo de diante do Senhor e consumiu a oferta queimada. Levítico 10.2 relata que fogo do Senhor destruiu os dois filhos de Arão. Por causa da murmuração do povo contra Deus, o fogo de Deus ardeu entre eles (Nm 11.1). Estes são apenas alguns dos muitos casos onde Deus está associado com fogo no AT. No NT, João Batista disse que o Senhor Jesus Cristo iria batizar com o Espírito Santo e com fogo (Mt 3.11). Quando o Espírito Santo veio no Pentecostes, a sua presença foi descrita como línguas repartidas, como que de fogo (At 2.3). Paulo declara que o serviço cristão deve ser provado pelo fogo (1 Co 3.13). Ele diz posteriormente que o Senhor voltará em chamas (ou labaredas) de fogo (2 Ts 1.8). Deus adverte especificamente que o seu povo deve lhe oferecer uma adoração aceitável, com reverência e temor, "porque o nosso Deus é um fogo consumidor" (Hb 12.29, citando Dt 4.24).

Em segundo lugar, o fogo está relacionado à adoração de um modo especial no AT. Todo o sistema das ofertas queimadas e, talvez de um modo menos importante, o incenso queimado, indicam que o fogo era instrumental em certas etapas da adoração. As ofertas eram consumidas pelo fogo, e o aroma era simbolicamente levado pelo ar até a presença de Deus. *Veja* Fogo.

Em terceiro lugar, a adoração do fogo como

tal não entrou no conceito e uso israelita do fogo. No entanto, havia um perigo com o qual o povo de Deus deparava-se, porque os seus vizinhos pagãos perverteram o uso do fogo na adoração de suas divindades. Muitos se prostraram diante de Moloque, o deus dos amonitas. Em Levítico 18.21 e 20.1-5, Moisés proíbe especificamente a adoração a Moloque. Uma parte daquela adoração pagã consistia em oferecer crianças àquele suposto deus, queimando-as no fogo. Os israelitas, às vezes, eram seduzidos por essa idolatria. Salomão chegou a edificar um alto para Moloque (1 Rs 11.7). Jeremias revela uma prática desta adoração (Jr 19.5; 32.35), e da mesma forma Ezequiel (20.31), embora Josias tenha, aparentemente, purificado completamente a nação dessa prática (2 Rs 23.10).

*Veja* Falsos deuses: Moloque. O artigo sobre a adoração do fogo no *Unger's Bible Dictionary* dá detalhes de sacrifícios pelo fogo a deuses, tanto no México quanto no Peru antigos.

A. E. T.

**FOGO, BATISMO DE** *Veja* Batismo com Fogo; Falsos deuses: Moloque.

**FOGUEIRA** Em Isaías 24.15, a palavra heb. *'urim* é traduzida como "fogueira" em algumas versões, e como "oriente" em outras. O termo vem da palavra heb. traduzida como "urim", em Urim e Tumim, e significa um brilho como que de fogo – daí a idéia de oriente como no pôr-do-sol. Onde algumas versões trazem a expressão "queimar (ou acender) com fogo" (Ez 39.9,10), outras trazem a expressão "fazer fogo".

**FOICE[1]** As palavras hebraicas *hermesh* (Dt 16.9; 23.25) e *maggal* (Jr 50.16; Jl 3.13) significam simplesmente "foice". A palavra grega *drepanon* foi definida por Thayer como "foice, podadeira, faca curva de vinha" (Mc 4.29; Ap 14.14-19). A foice consistia de uma lâmina feita conforme os diferentes períodos: de pedra, bronze ou ferro, presa em um cabo de osso ou de madeira. O fio de corte poderia ser tanto liso quanto serrilhado. Uma foice grande era usada para os grãos, e uma menor, para as uvas. Em sentido figurativo, ser colocado na foice simbolizava a aflição do julgamento.

**FOICE[2]** Pequena faca de lâmina curva. A palavra hebraica *mazmeroth* aparece apenas sob esta forma plural. A Bíblia faz referência à fabricação dessas facas a partir das lanças, e nada existe de irreal nessa possibilidade. Essa expressão tem a finalidade de retratar condições pacíficas e tranqüilas, quando os homens podiam preocupar-se com a atividade da horticultura, em lugar da horrível perspectiva da guerra. Essa palavra ocorre em quatro passagens (Is 2.4; 18.5; Mq 4.3; Jl 3.10), com uma idéia inversa no texto de Joel. Flinders Petrie descobriu em Tell Jemmeh uma lâmina de ferro, que tinha o formato de uma foice pesada, com orifícios rebitados para poder ser ajustada a um cabo. Ele atribuiu a este objeto uma data aproximada de 800 a.C.

**FOLES** Embora a palavra *mappuah*, "foles", ocorra somente em Jeremias 6.29, há alusões ao uso de foles em Isaías 54.16 e Ezequiel 22.21. Uma vez que a madeira e o carvão queimam facilmente e podem ser abanados de forma simples, os foles eram usados em fornalhas e caldeiras para fins de fusão e refino. Fotos de foles podem ser vistas na tumba de Senusert II (aprox. 1892 a.C.). Eles eram feitos com duas bolsas de couro presas e atadas a uma armação, sendo que de cada uma saía um grande tubo de junco que conduzia o ar até o fogo. Estes funcionavam sob o comando do pé do operador, que pressionava alternadamente as duas bolsas de couro até que fossem esvaziadas, e então puxava as bolsas por meio de um fio em cada mão. Dois pares de foles eram usados para cada fornalha, um de cada lado.

**FOLHA** A versão KJV em inglês usou essa palavra de três maneiras: (1) a folhagem de uma árvore ou de uma trepadeira (veja abaixo); (2) a folha de uma porta dobrável (1 Rs 6.34; Ez 41.24; *veja* Porta); e (3) a coluna de um rolo (Jr 36.23); *veja* Rolo.

A palavra hebraica *'aleh* (folha, folhagem) foi traduzida seis vezes na versão KJV em inglês como "ramo" (Ne 8.15 [cinco vezes], Pv 11.28), e 12 vezes como "folha" (Gn 3.7; 8.11; Lv 26.26; Jó 13.25; Sl 1.3; Is 1.30; 34.4; 64.6; Jr 8.13; 17.8; Ez 47.12 [duas vezes]). A palavra hebraica *terep* ("presa, alimento, folha") foi traduzida como "folha" em Ezequiel 17.9. A palavra aramaica *'opi* foi traduzida como "folhas" em Daniel 4.12,14,21. A palavra grega *phyllon* foi traduzida seis vezes como "folhas" (Mt 21.19; 24.32; Mc 11.13 [duas vezes]; 13.28; Ap 22.2).

As folhas ou ramos das seguintes árvores ou trepadeiras são mencionadas: da figueira (Gn 3.7; Mc 11.13), da oliveira (Gn 8.11; Ne 8.15), da oliveira, murta e palmeira selvagens (Ne 8.15), do carvalho (Is 1.30) e da videira (Jr 8.13; cf. Is 34.4). *Veja* Plantas.

As folhas foram descritas com as seguintes palavras: rebentos (Ez 17.9), folhas verdes (Jr 17.8), folhas formosas (Dn 4.12,21), arrancadas (Gn 8.11), sacudidas (Dn 4.14), movidas (Lv 26.36; Jó 13.25), não murchas (Sl 1.3; Ez 47.12), caídas (Is 34.4), murchas (Is 1.30; 64.6; Jr 8.13) e curativas (Ez 47.12; Ap 22.2).

As folhas transmitem verdades, de forma literal ou figurada, como por exemplo: (1) o estado de pecado do homem: sua culpa é indicada pelo desejo de cobrir a nudez do corpo (Gn 3.7; cf. 2.25), o temor (Lv 26.36), a

A fonte Peirene em Corinto. HFV

morte (Is 1.30), a mortalidade (Is 64.6), a glória mundana (Dn 4.12,14,21), a pomposa religiosidade do rei ou da nação de Israel representadas pela vinha ou pela figueira (Ez 17.9; Mt 21.19; Mc 11.13); (2) o estado redimido do homem: a fecundidade (Sl 1.3; Pv 11.28; Jr 17.8), a vida eterna (Ez 47.12; Ap 22.2); e (3) as relações cósmicas do homem: com a terra (Gn 8.11), com os juízos de Deus (Is 34.4; Jr 8.13), com a volta de Cristo (Mt 24.32-36).

W. B.

**FOLHAGEM ou RAMAGEM** Esta palavra aparece apenas uma vez no AT da versão KJV. Em Ezequiel 31.3 ela é usada para traduzir a palavra heb. *horesh*, uma mata, ou um bosque. Outras versões a traduzem como "sombra". Ela também pode significar uma cobertura, um abrigo, um lugar arborizado. Algumas versões a traduzem como "bosque" em 2 Crônicas 27.4, e "ramo" em Isaías 17.9.

**FOLHAS DE FIGUEIRA** *Veja* Vestuário: Materiais.

**FOME** Esta palavra é usada de três formas nas Escrituras: (1) com referência à inanição fisiológica ou morte pela fome (Êx 16.3; Lc 15.17); (2) com referência ao desejo fisiológico normal por alimento (Rm 12.20); (3) com referência ao desejo por satisfação e sustento espiritual (Mt 5.6). Veja L. Goppelt, "*Peinao*", TDNT, VI, 12-22.

**FOME** Uma condição de extrema escassez de comida. A história bíblica menciona vários casos de fome durante os dias de Abraão (Gn 12.10), Isaque (Gn 26.1), José (Gn 41.56,57), Elimeleque e Noemi (Rt 1.1), Davi (2 Sm 21.1), Elias (1 Rs 18.2; Lc 4.25), Eliseu (2 Rs 6.25; 8.1) e do cerco final de Jerusalém (2 Rs 25.3).

Durante uma extrema fome em terra distante, o filho pródigo foi trazido de volta à razão (Lc 15.14). Uma grande fome ocorreu nos dias do imperador romano Cláudio (At 11.28). Em seu sermão no monte das Oliveiras, o Senhor Jesus predisse que haverá fome durante o período da tribulação no final dos tempos (Mt 24.7), e o Apocalipse faz alusão à fome que virá sobre a Grande Babilônia (Ap 18.8). Uma das bênçãos para o Israel restaurado é que não haverá mais fome (Ez 36.29,30).

Há uma referência a pessoas, durante períodos de fome, pagando altos preços por alimentos intragáveis como cabeças de jumento e esterco de pombas (2 Rs 6.25), e até mesmo praticando o tipo mais horrendo de canibalismo (Dt 28.53-57; 2 Rs 6.28,29).

Evidentemente, nos dias bíblicos as causas naturais responsáveis pela fome eram principalmente a seca (1 Rs 18.1,2) e a guerra em seus vários aspectos (Ez 6.11; 2 Rs 25.2,3). No entanto, ela é muitas vezes retratada como um juízo divino pelo pecado (2 Sm 21.1; 24.13; 1 Rs 8.37; 2 Rs 8.1; Is 51.19; Jr 14.12-18; Ez 5.12). Neste sentido, ela é citada como os "quatro maus juízos" de Deus (Ez 14.21).

Contudo, é feita uma promessa de que Deus manterá vivos os justos em tempos de fome (Jó 5.20,22; Sl 33.19; 37.19), e, melhor que tudo, é afirmado que a fome e outras provações e tribulações não nos separarão do amor de Cristo (Rm 8.35-39). Em um sentido figurado, a "fome... de ouvir as palavras do Senhor" (Am 8.11) é uma ameaça para aqueles que desprezam e rejeitam a mensagem do Senhor. Este é o pior tipo de fome.

G. C. L.

**FONTE[1]** Essa palavra é a tradução de inúmeras palavras diferentes no AT, como fonte, origem, fluxo (Js 15.19; Sl 104.10), e também de verbos de ação como na expressão "os pastos reverdecerão" (Jl 2.22). *Veja* Fonte; Água; Poço.

**FONTE[2]**

1. Uma fonte de água corrente; uma nascente. Deve ser distinguida de um poço cavado na terra, ou uma cisterna. Uma das principais palavras heb. traduzidas como "fonte" é *'ayin*,

A fonte de Jacó

que também significa "olho". Em sua forma composta *en* (*q.v.*), esta palavra ocorre nos nomes de muitas cidades palestinas, como En-Rimom (Ne 11.29), pois a Palestina, diferentemente do Egito, abundava em nascentes (Dt 8.7; 11.10). O termo heb. *mabbua'* traz a idéia de borbulhar ou jorrar, como em Isaías 35.7, onde é traduzido como "mananciais de águas".
2. Uma fonte de algo que não seja literalmente a água. O termo heb. *maqor* é freqüentemente usado desta forma. Assim, é encontrado nas expressões "manancial da vida" (Sl 36.9), "fonte de Israel" (Sl 68.26) e "fonte de seu sangue" (Lv 20.18). Em Provérbios 16.22 e 18.4 o termo é traduzido como "fonte". O termo gr. *pege* denota tanto uma nascente de água literal (Tg 3.11,12) como uma fonte de alguma outra coisa (Mc 5.29; Ap 21.6).

C. J. W.

**FONTE DE JACÓ** Esta fonte só é mencionada em João 4.5-12, onde Jesus falou com a mulher samaritana. Pela tradição unânime, o local mais provável é *Bir Ya'qub*, aproximadamente 1 quilômetro a sudeste do vilarejo árabe de 'Askar (talvez a Sicar do NT, *q.v.*) e pouco mais de 250 metros a sudeste de Tell Balatah, o local da Siquém do Antigo Testamento. Neste local, a estrada que vem de Jerusalém, 65 quilômetros ao sul, faz uma bifurcação. O ramo oeste segue em direção ao Mediterrâneo e à cidade de Samaria. O ramo leste continua e leva a Tirza e Bete-Seã, que estão ao norte. O Senhor Jesus deve ter ido a Cafarnaum por este caminho. Pode-se olhar diretamente ao oeste para o monte Gerizim (*q.v.*), onde os samaritanos adoraram durante 2000 anos (Jo 4.20).
Evidentemente, a fonte (ou poço) foi cavada por Jacó depois que ele adquiriu a terra nas proximidades de Siquém (Gn 33.18-20), para que tivesse seu próprio suprimento de água independente da cidade. *Bir Ya'qub* tem dois metros e meio de diâmetro, com sua parte superior alinhada com alvenaria, e sua parte inferior cortada por pedras de calcário. G. Ernest Wright relata que depois de limpar o poço em 1935, sua profundidade era de aproximadamente 45 metros, com o nível da água no verão chegando a 25 ou 26 metros abaixo da superfície (*Shechem: The Biography of a Biblical City*, Nova York: McGraw-Hill, 1965, p. 216). Ela é descrita tanto como um poço alimentado por uma fonte (gr. *pege*, Jo 4.6) como uma cisterna (gr. *phrear*, Jo 4.11,12), porque aparentemente também é alimentada pela água da superfície.
O local é agora rodeado por uma igreja ortodoxa não terminada, construída sobre a cripta de uma igreja dos cruzados que contém o poço. No século IV d.C., uma igreja foi erguida no local, tendo o poço no centro do transepto. *Veja* Sicar.

J. R.

**FONTE DO DRAGÃO** Identificada por muitos como a fonte En-rogel (*q.v.*), a sudeste da cidade jebusita e davídica de Jerusalém (Ne 2.13). Mesmo sendo uma fonte muito distante do vale de Hinom, ou um poço agora seco no vale Tiropeano, ela estaria mais de acordo com a possível localização dos portões que Neemias mencionou em sua jornada noturna de inspeção. A versão RSV em inglês traduz a expressão como Poço do Chacal.

**FORCA** Mastro de onde se projeta um braço para pendurar o corpo de um morto (Et 5.14; 6.4; 7.9,10; 8.7; 9.13,14,25; cf. Gn 40.19,22; 41.13). No livro de Ester pode significar espetar o corpo em uma estaca. Geralmente, a vítima já estava morta antes do corpo ser colocado na forca. *Veja* Crime e Punição; Cruz.

**FORÇAS** Um termo militar significando um exército, recursos, poderes ou fortalezas militares. Exemplos do uso significando uma força militar são encontrados em Jeremias 40.7,13; 41.11,13,16; como recursos, em Isaías 60.5,11 ("riquezas"); e como fortificações, em Daniel 11.38 ("fortalezas").

**FORMA** *Veja* Imagem de Deus.

**FORMIGA** *Veja* Animais IV.11.

**FORNALHA** Cavidade, ou depressão, para se fazer fogo no solo sujo das casas pobres, descoberta em muitas escavações arqueológicas. A fumaça pungente resultante da queima da madeira, da vegetação ou do esterco de vaca seco escapava por meio de uma janela ou porta.
1. Um fogão (*'ah*) no qual Jeoaquim queimou tiras do rolo em que estava escrita a Palavra de Deus (Jr 36.22,23). *Veja* Braseiro.
2. Uma panela (*kiyyor*, Zc 12.6). Os chefes de Judá serão panelas de carvão que irão atear fogo em seus inimigos no futuro.
3. Um lugar onde arde fogo (*moqed*, Sl 102.3). Os ossos queimam como o lugar onde se ateou fogo.
4. Uma lareira (*yaqud*, Is 30.14). Ao quebrar o vaso do oleiro, não se encontrará nem um pedaço que seja suficientemente grande para levar o carvão da fornalha para dar início a outro fogo.
5. A lareira de um altar (*'ari'el*, "fornalha de Deus"), uma fornalha quadrada e ornada com chifres (Ez 43.15,16). Assim será Jerusalém quando for invadida, ensopada com sangue e queimada com o fogo do juízo de Deus (Is 29.1,2). *Veja* Ariel.

H. G. S.

**FORNALHA, FORNO** A palavra "fornalha" traduz várias palavras hebraicas e uma palavra grega. Algumas delas referem-se a braseiros usados para assar pão ou fornecer calor a residências; outras, referem-se

Uma peixaria na antiga Ostia, Itália. Um tanque para peixes frescos aparece no centro e um forno para assar peixes, à direita. HFV

a fornos para fundição nos quais o metal é refinado, ou fornos onde tijolos, cerâmica etc. são endurecidos.

Em algumas passagens, o termo é usado literalmente; por exemplo, Daniel 3, onde três jovens hebreus foram lançados em uma fornalha usada pelos babilônios para a pena de morte, e Êxodo 9.8,10, onde Moisés recebeu ordens para aspergir "os punhos cheios da cinza do forno", em conexão com o sexto juízo sobre o Egito.

Porém, a palavra é mais freqüentemente usada como uma figura de linguagem: 1) como um símbolo do próprio Deus em sua glória, santidade e ira (Gn 15.17; Êx 19.18; Is 31.9); 2) como um símbolo de intenso sofrimento, visto como um processo de purificação (Dt 4.20; 1 Rs 8.51; Is 48.10; Jr 11.4; Ez 22.18, 20,22); 3) como uma alegoria para descrever um violento incêndio (Gn 19.28); 4) como uma alegoria para retratar a absoluta pureza da Palavra de Deus (Sl 12.6); 5) como uma descrição do horror do lugar onde os ímpios sofrerão o futuro castigo (Mt 13.42,50).

G. C. L.

**FORNALHAS, TORRE DE** *Veja* Jerusalém: Portas e Torres 8.

**FORNICAÇÃO** Termo usado para as relações sexuais ilícitas em geral (Mt 5.32; 19.9; At 15.20,29; 21.25; Rm 1.29; 1 Co 5.1). Em um sentido técnico, ela deve ser distinguida do adultério ou da promiscuidade social depois do casamento (gr. *moicheia*; Mt 15.19; Mc 7.21; Jo 8.3; Gl 5.19), e do estupro, que é um crime violento por não ter a concordância da outra parte. *Veja* Adultério; Divórcio; Meretriz.

A fornicação e o adultério são usados figurativamente na Bíblia para expressar a deslealdade de Israel a Deus quando a idolatria está em foco (Jr 2.20-37; Ez 16; Os 1–3). Os termos são muito adequados, porque a adoração idólatra do culto à fertilidade praticada pelos cananeus, como também pelos gregos (*veja* Corinto), freqüentemente envolvia a fornicação com prostitutas "sagradas" ou com "sacerdotisas". Em Apocalipse 17, a idolatria da igreja apóstata final, formada pela união de muitas religiões, é comparada com uma mulher adúltera por causa do completo mundanismo da igreja e sua síntese com o paganismo através de uma forma de pan-deísmo.

***Bibliografia.*** F. Hauck e S. Schultz, "*Porne*, etc.", TDNT, VI, 579-595.

R. A. K.

**FORNO** Uma câmara de ar quente ou pequena fornalha para assar pães (Lv 2.4; 26.26). Nas representações pictóricas egípcias e assírias era uma estrutura cerâmica arredondada com 60 ou 90 cm de diâmetro com uma camada de seixos no fundo, sobre a qual era feita uma fogueira. Também foram encontrados fornos com o formato de colméia com uma abertura lateral para o combustível, ou para introduzir o pão. O forno era aquecido com abrolhos, ervas (Mt 6.30), ou esterco misturado com palha. Quando o forno estava suficientemente aquecido, as cinzas eram remexidas e a massa era introduzida nas laterais ou deitada sobre os seixos para assar.

Tais processos de aquecimento escureciam o interior do forno (Lm 5.10). O forno quente (Os 7.4,6,7) denota a prontidão daqueles que são mencionados perseguindo os seus maus caminhos, assim como a prontidão deste utensílio para receber a massa de pão para assar. O poder destrutivo e consumidor de Deus é simbolizado pelo forno (Ml 4.1).

A Torre dos Fornos (Ne 3.11; 12.38) era a torre em Jerusalém perto da qual os padeiros públicos assavam os seus pães. Os fornos eram encontrados nas casas, sobre pisos ou plataformas, nos pátios, ou agrupados em algum canto da aldeia.

H. G. S.

**FORQUILHA** Literalmente, um garfo de três dentes, uma ferramenta agrícola semelhante ao forcado, usado uma vez na versão KJV em inglês em uma passagem obscura (1 Sm 13.21). Há versões que traduzem *mizreh* como "garfo" ou "pá" (Is 30.24), enquanto outras traduzem *mazleg* (1 Sm 2.13,14) e *mizlaga* (Êx 27.3; 38.3; Nm 4.14; 1 Cr 28.17; 2 Cr 4.16) como "garfo", um utensílio do Tabernáculo e do Templo.

A "pá" de Mateus 3.12 e Lucas 3.17 (gr. *ptuon*) era um "garfo de joeirar". *Veja* Pá.

**FORRAGEM**[1] A palavra heb. *b*[e]*lil* era usada com relação a uma mistura de vários tipos de grãos, como "trigo, cevada, ervilhaca e ou-

A porta do Rei nos muros da fortificação maciça em Boghazköy, capital do Império Heteu. O portão tem um vão no muro e os muros são duplos, o que torna necessário um portão duplo. HFV

tras sementes" (Gesenius), usados para alimentar o gado. A idéia de "misturada" é indicada na palavra. Ela é traduzida como "forragem" em Jó 6.5, "pasto" em Jó 24.6, e "forragem" em Isaías 30.24 em várias versões.

**FORRAGEM**[2] Mistura de capim cortado, grãos e palha para alimentar animais domésticos. Uma adequada hospitalidade exigia que fosse oferecida forragem aos jumentos ou camelos do viajante (Gn 24.25,32; 43.24; Jz 19.21). Uma pessoa que viajasse por áreas desertas deveria levar sua própria forragem (Gn 42.27; Jz 19.19). Para exprimir a bondade e a generosidade da provisão de Deus, depois que seu povo havia retornado para Ele, o profeta fala não só do "farto e nutritivo" fruto e dos pastos "espaçosos", como também da forragem "com sal" para os bois e os jumentos (Is 30.23,24). Essa última corresponde às "provisões" (*q.v.*; *veja* também Plantas) misturadas com sal ou ervas aromáticas.

**FORTE, FORTIFICAÇÃO, FORTALEZA** O local fortificado mais antigo descoberto até aqui é a cidade palestina de Jericó, que em aprox. 7000 a.C. era circundada por uma sólida fortificação de pedra, fortalecida ao menos em um lugar por uma grande torre de pedra. Outras cidades da Palestina são conhecidas por terem sido solidamente fortificadas a partir da Idade do Bronze, que começou em aprox. 3300 a.C. e abrangeu o início do sistema cidade-estado na Palestina até o período romano. Os construtores mais antigos tendiam a ocupar locais facilmente defensáveis, fortificando as suas cidades com muros. As fortificações geralmente seguiam os contornos irregulares das colinas e picos nos quais as cidades eram construídas.

Durante a Média Idade do Bronze (aprox. 2100-1550 a.C.), as fortificações tornaram-se mais elaboradas e poderosas do que em qualquer outra época na história da Palestina. Em conexão com os movimentos hicsos deste período, um novo tipo de fortificação surgiu no Egito e na Siro-Palestina. Como cercados para carros puxados a cavalo, grandes áreas retangulares de até 800 metros de comprimento foram construídas. Estes cercados eram circundados por enormes parapeitos inclinados de terra batida (*terre pisée*). O melhor exemplo de tal área na Palestina

Uma reconstrução do castelo de Antônia. Irmãs de Sião, Jerusalém

está em Hazor. Um pouco mais tarde, parapeitos similares, desta vez feitos de tijolo e pedra, e recobertos com barro comprimido ou com argamassa de cal, eram usados para fortificar os muros da cidade. Eles serviam para evitar a erosão, como também para desencorajar invasores de tentar escalar os muros. Além disso, eles provavelmente serviam como uma proteção eficiente contra o recém-introduzido aríete. Outras inovações da Média Idade do Bronze incluíam novos métodos de construir muros, portões e torres que eram feitos de maneira a forçar o soldado inimigo, ao entrar na cidade, a expor o lado de seu corpo que não estava protegido pelo escudo. Tais técnicas aumentaram grandemente a dificuldade de se aproximar e atacar os portões das cidades.

As cidades cananéias da Posterior Idade do Bronze (aprox. 1500-1200 a.C.) eram bem fortificadas (cf. a descrição *'arim besurot*, "cidades muradas" ou "cercadas", usada em relação a tais cidades, como por exemplo em Números 13.28; Deuteronômio 1.28; 3.5; 9.1). No início da Idade do Ferro I (aprox. 1200-900 a.C.), entretanto, a construção de fortificações na Palestina repentinamente se deteriorou. A organização feudal dos cananeus havia sido capaz de fazer um uso eficaz da corvéia (trabalho obrigatório por um dia para um senhor feudal) em operações de construção, enquanto que o sistema israelita frouxamente organizado foi impotente para coagir seus trabalhadores. Além disso, a introdução de alvenaria aparelhada tornou as técnicas anteriores de construção sólida menos necessárias; e, certamente, o castelo de Saul em Gibeá (a moderna Tell el-Ful), embora rudemente construído, demonstra que os israelitas eram capazes de erguer edifícios fortes e relativamente grandes no final do período dos juízes (segunda metade do século XI). Era uma fortaleza construída de alvenaria poligonal maciça, medindo aprox. 55 por 40 metros e cercada por um muro duplo casamatado (aparentemente com uma torre em cada um dos quatros cantos).

As fortificações de casamata em Bete-Semes e Debir (a moderna Tell Beit Mirsim) podem ser convictamente atribuídas a Davi. Após capturar Jerusalém dos jebuseus, ele passou a fortificá-la (a Jerusalém de Davi é referida como "fortaleza" em 2 Samuel 5.9 [*m$^e$suda*] e 1 Crônicas 11.7 [*m$^e$sad*]. Salomão, o grande construtor do Israel unido, tomou parte, da mesma forma, no fortalecimento das cidades fortificadas deste período (cf. 2 Cr 8.5). Os notáveis resultados de seus trabalhos ainda são visíveis em Hazor, Gezer e Megido. Defesas descobertas em Azeca (uma das "fortes cidades" de Judá mencionada em Jeremias 34.7) e Maressa, foram atribuídas a Roboão (cf. a impressionante lista de cidades fortificadas preservada em 2 Crônicas 11.5-10).

Na região da Transjordânia, muitas ruínas das fortificações da Idade do Ferro I foram descobertas em anos recentes. Edomitas e moabitas semelhantemente guardavam as suas fronteiras com fortalezas (cf. as "fortalezas" moabitas de Jeremias 48.18). As ruínas dos característicos fortes com torres arredondadas dos amonitas durante o mesmo período são freqüentemente designadas pelo termo árabe *rujm el-malfuf* ("monte circular"). As fortalezas da Transjordânia eram comumente situadas deste modo; assim, cada uma das mais próximas, em ambos os lados, eram visíveis.

O melhor exemplo das fortificações na Palestina da Idade do Ferro II (aprox. 900 – 550 a.C.), escavadas até o momento, é o muro maciço duplo de Tell en-Nasbeh (provavelmente a Mispá bíblica) com seus revestimentos de cal e seu portão bem preservado. As fortificações de Judá neste local testemunham o mau relacionamento que prevalecia entre Israel e Judá após a morte de Salomão, e que freqüentemente eclodia em guerras civis. Durante este período, Israel "edificou palácios" e Judá "multiplicou cidades fortes" (Os 8.14).

As informações a respeito das fortificações da Idade do Ferro III (aprox. 550-330 a.C.) são relativamente escassas por causa da falta de ruínas físicas, embora Neemias tenha restaurado os muros de Jerusalém durante este período. Posteriormente, o fortalecimento das comunidades palestinas estratégicas foi estimulado pela luta dos macabeus pela independência (cf., por exemplo, as ruínas da fortaleza de Bete-Zur e as do castelo de Alexandre Janeu em Qarn Sartabeh, com vista para o vale do Jordão).

A chegada dos romanos à Palestina introduziu mudanças na arquitetura militar que sacrificou o valor estético em troca de maior eficiência. Pode-se observar por toda a Palestina as ruínas de áreas romanas, caracteristicamente quadradas, sendo que muitos destes exemplos podem ser encontrados na região da Transjordânia. A mais importante das fortificações maciças deste período foi construída por Herodes o Grande, incluindo particularmente a sua fortaleza residencial em Jerusalém e o castelo de Antônia (localizado no canto noroeste da área do Templo). Ele também fortaleceu as defesas de Samaria (a moderna Sebaste). Outro governante posterior, seu homônimo, Herodes Agripa I, é geralmente considerado o responsável pela construção do chamado terceiro muro de Jerusalém.

Uma vez que a nação de Israel era essencial e idealmente uma teocracia (cf. Sl 118.9), o AT enfatiza que a verdadeira força é encontrada não em fortificações, mas no Senhor (Jr 5.17; Os 8.14). De fato, Deus é chamado de *ma'oz* ("fortaleza", "força", "refúgio") em 2 Samuel 22.33; Provérbios 10.29; Isaías 25.4; Jeremias

O Fórum romano hoje. HFV

16.19; Joel 3.16; Naum 1.7; de *m$^e$suda* ("rochedo", "lugar forte") em 2 Samuel 22.2; e de *misgab* ("alto retiro", "refúgio") em 22.3. Os três termos também são freqüentemente usados em relação a Deus no livro de Salmos. O caráter de Jeremias lembrava a natureza inflexível das defesas militares (Jr 1.18; 15.20), enquanto Paulo, em sua famosa metáfora em 2 Coríntios 10.4, usou a palavra gr. *ochyroma* ("fortaleza") em uma referência aos argumentos exaltados usados pelos homens para se oporem ao conhecimento de Deus.

Para descrições dos sistemas de fortificação assírios, babilônicos e romanos *veja* Babilônia; Calá; Nínive; Roma.

*Veja também* Baluarte; Cidadela; Cidade Cercada; Portão; Torre; Muro.

***Bibliografia.*** Millar Burrows, *What Mean These Stones*? Londres: Thames e Hudson, 1957, pp. 97-104. Roland de Vaux, *Ancient Israel*, trad. por J. McHugh, Nova York: McGraw-Hill, 1961, pp. 229-236. Yigael Yadin, "Hyksos Fortifications and the Battering Ram", BASOR 137 (fev. de 1955), pp. 23-32; *The Art of Warfare in Biblical Lands*, 2 vols., Nova York: McGraw-Hill, 1963.

R.Y.

**FORTUNATO** Mencionado apenas uma vez (1 Co 16.17), Fortunato está ligado a dois outros homens que, presumivelmente, vieram de Corinto encontrar Paulo em Éfeso. Os três são mencionados como tendo ministrado a Paulo de alguma maneira, e Paulo usa este fato para administrar uma gentil repreensão aos cristãos colossenses em geral. Ele escreve: "Estes supriram o que da vossa parte me faltava". Paulo estava evidentemente alegre pela vinda deles.

**FÓRUM** Quando a menção do fórum é feita, geralmente se pensa no Fórum Imperial em Roma. Mas toda cidade romana tinha um fórum (praticamente equivalente a uma ágora grega), e algumas cidades orientais (por exemplo, Atenas) tinham uma ágora ou fórum romano perto da antiga ágora grega. Além disso, perto do Fórum Imperial em Roma, Júlio César, Augusto, Nerva, Domiciano e Trajano construíram um fórum adicional, quando as necessidades comerciais e outras exigiram mais espaço. O fórum em toda cidade romana era verdadeiramente o centro dinâmico dela. *Veja* Ágora; Mercado; Roma.

O Fórum Imperial em Roma era cercado pelas colinas do Palatino, Quirinal, Esquiline e Capitólio. Era localizado onde os caminhos descendo os vales entre os montes de Roma encontravam-se. O Fórum crescia à medida que Roma crescia e era reconstruído de tempos em tempos. A área foi drenada pelos etruscos durante o século VI a.C. e tornou-se o centro político, religioso, social e econômico de Roma. À medida que Roma crescia, as características mais objetáveis dos negócios romanos foram removidas do primeiro Fórum. O cheiro do mercado de peixe e o tumulto do mercado de vegetais foram removidos por volta do ano 300 a.C. No início, não havia nenhum plano em particular; o Fórum era apenas um aglomerado de edifícios. De 200 a.C. até a época de Augusto, ocorreu uma quantidade considerável de regulamentações. Augusto e Tibério (por volta da época de Cristo) deram ao Fórum seu plano básico final, mas não seus edifícios definitivos.

Durante estes 200 anos, templos foram reconstruídos em uma escala maior e mais monumental e tendiam a assumir o estilo grego. Além disso, os romanos introduziram a basílica, provavelmente da Síria, com seu grande átrio central e estreitos corredores laterais. A basílica Emília, a mais antiga em Roma, foi construída no Fórum em aprox. 170 a.C. A basílica Júlia foi iniciada por Júlio César e concluída por Augusto. Os romanos usavam as basílicas como cortes de justiça e centros de negócios.

O Fórum Imperial começou a perder o seu uso regular nos séculos V e VI d.C. Durante o período medieval e no início do período moderno, a área era usada como uma pedreira. As pedras passaram a ser utilizadas como blocos de construção, mesmo em locais longínquos, como na Abadia de Westminster em Londres.

Como se pode perceber, o Fórum esteve sujeito a freqüentes reconstruções. Assim, é preciso muito esforço para classificar os seus edifícios principais. Consideremos, por exemplo, a ocasião em que o apóstolo Paulo compareceu diante de Nero. Se ele tivesse entrado no Fórum pela via Sacra do leste, teria passado pela grande casa das virgens vestais, a oeste da qual ficava o templo de Vesta. Vesta era a deusa da fornalha e era considerada a patrona do fogo, simbolizando a perpetuidade do estado. Era responsabilidade das sacerdotisas manter este fogo sagrado e renová-lo anualmente no primeiro dia do ano.

Bem em frente ao templo de Vesta ficava a Régia ou a residência oficial do chefe da religião do estado. Em seguida, o apóstolo teria caminhado ao lado do templo do Divino Júlio (César). Quando Paulo chegou à esquina do templo, a via Sacra tinha uma curva à esquerda, passava em frente ao templo de Júlio e conduzia diretamente aos degraus do templo de Castor e Pólux. Ali a via Sacra tinha uma curva à direita e passava pela basílica Júlia, onde Paulo pode ter sido julgado por César (2 Tm 4.16ss.).

Da mesma forma que o fórum municipal da Itália, o Fórum romano foi construído em uma extremidade. Em Roma, a extremidade oeste dominava. Aqui no monte Capitolino havia um templo para Júpiter e, em níveis mais baixos, templos para Saturno e Concorde. Diante deste último ficava a Rostra, onde os oradores faziam discursos públicos. Sob a rampa norte do Capitolino havia a prisão Mamertine, onde Paulo foi provavelmente preso (2 Tm 1.16ss.; 2.9; 4.6). No lado norte do Fórum, ficavam as câmaras do Senado e a basílica Emília.

H. F. V.

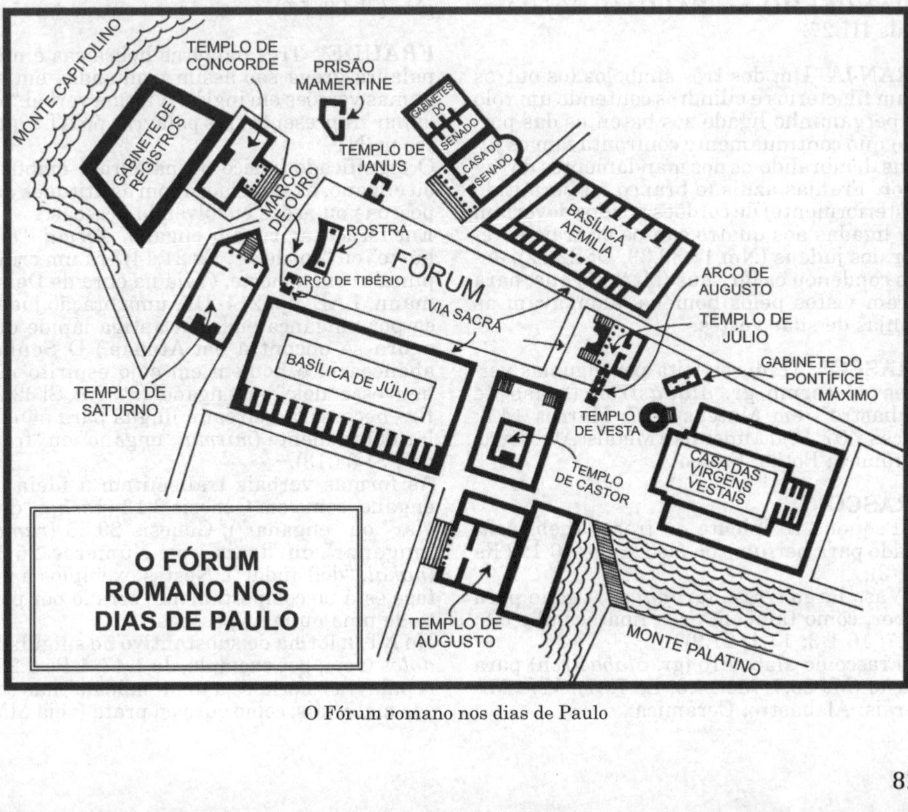


O Fórum romano nos dias de Paulo

Extremidade oeste do Fórum romano reconstruído

**FÓRUM DE ÁPIO** *Veja* Praça de Ápio.

**FRANCELHO ou FALCÃO** *Veja* Animais III.27.

**FRANJA** Um dos três símbolos (os outros eram filactérios e cilindros contendo um rolo de pergaminho ligado aos batentes das portas) que continuamente confrontavam os judeus, lembrando-os dos mandamentos do Senhor. Franjas azuis (o branco foi permitido posteriormente) de cordões tecidos deveriam ser ligadas aos quatro cantos do traje exterior dos judeus (Nm 15.38,39; Dt 22.12). Jesus condenou os fariseus (Mt 23.5) que, para serem vistos pelos homens, alongavam as franjas de suas vestes.

**FRASCO**[1] Tradução feita por algumas versões do termo gr. *alabastron* ("vaso de alabastro") em Mateus 26.7; Marcos 14.3; Lucas 7.37. *Veja* Minerais e Metais: Alabastro; Cerâmica; Botija; Frasco[2].

**FRASCO**[2]
1. Pequeno recipiente ou frasco (heb. *pak*) usado para perfume ou óleo (1 Sm 10.1; 2 Rs 9.1-3).
2. Vaso largo e raso (gr. *phiale)* usado para beber, como também para libações (Ap 5.8; 15.7; 16.1-3; 17.1; 21.9).
3. Frasco de alabastro (gr. *alabastron)* para unção (Mt 26.7; Mc 14.3; Lc 7.37). *Veja* Minerais: Alabastro; Cerâmica.

**FRAUDE**[1] Palavra obsoleta para mentira (*q.v.*), usada duas vezes na versão KJV em inglês (Sl 4.2; 5.6), mas não em outras versões.

**FRAUDE**[2] Três palavras hebraicas e uma palavra grega são assim traduzidas em algumas versões em inglês. A forma verbal "enganar" representa três palavras no AT e quatro no NT.

O significado básico da palavra é embuste ou engano, e tem relação com as atitudes das pessoas ou ações envolvendo pessoas.

Em Israel, agir "com engano" (*'orma*, "embuste" ou "sutileza", Êx 21.14) era um crime punido com a morte. (Veja na obra de Deissmann, LAE, pp. 214-217, uma oração judaica por vingança em uma antiga lápide que agora se encontra em Atenas.) O Senhor abençoaria o homem em cujo espírito não houvesse "dolo" ou "engano" (*r^emiya*, Sl 32.2). Era necessário refrear a língua para não falar dolosamente (*mirma*, "engano" ou "fraude", Sl 34.13).

As formas verbais transmitem a idéia de engano, como em Gênesis 3.13 (*nasha*, "desviar" ou "enganar"), Gênesis 29.25 (*rama'*, "enganar" ou "trair") ou Números 25.18 (*nakal*, "defraudar"). Nestes exemplos a ênfase está no comportamento errado por parte de uma ou mais pessoas.

No NT, a forma do substantivo no singular é *dolos* (veja, por exemplo, Jo 1.47; 1 Pe 2.22). A palavra referia-se a uma "mácula" nas coisas materiais, como ouro ou prata (veja MM,

*Lexicon, s.v.*). Por aplicação, ela significava "engano", "astúcia" ou "traição" nas atitudes ou no trato de uma pessoa. Os motivos de uma pessoa (At 13.10), a sua maneira de falar (1 Pe 3.10) ou suas ações (Mt 26.4) são assim descritos.

As formas verbais traduzidas como "enganar" são variadas. Em Colossenses 2.4, o termo *paralogizomai* significa iludir por meio de raciocínios falsos; em 2.18, *katabrabeuo* significa conceder uma decisão judicial, e neste texto significa mais precisamente roubar as verdadeiras recompensas de alguém. Em 2 Coríntios 11.3, o termo *exapatao* transmite a idéia de ser completamente enganado (cf. Gn 3.13). O texto de 2 Pedro 2.14 tem *deleazo*, um termo dos pescadores que significa apanhar por meio de uma isca.

*Veja* Engano.

W. M. D.

**FRAUDULENTO** Esta palavra aparece somente em Isaías 32.5,7. Ela provavelmente significa "avarento", além de fraudulento. A versão RSV em inglês traduz esta palavra como "patife". O termo "usurário" também se encaixa bem no contexto.

**FREIO** As várias palavras hebraicas e gregas para "freio" são usadas um pouco livremente na Bíblia para se referir a repressão, freio, rédea ou cabresto, isto é, qualquer coisa usada para guiar ou reprimir um animal. Geralmente, não era mais que uma correia de couro com um laço na ponta superior. Às vezes um anel era colocado no nariz ou no beiço para que se pudesse conduzir o animal. Uma cesta feita com corda trançada também era usada como uma espécie de focinheira.

As referências nas Escrituras são muito figurativas. As nações, particularmente Israel, são mencionadas como se fossem animais obstinados que devem ser treinados e controlados, ou até punidos (2 Rs 19.28; Is 30.28; 37.29; Ez 29.4). No entanto, o fato dessas expressões não serem totalmente figurativas pode ser visto em alguns dos monumentos assírios nos quais os prisioneiros de guerra eram realmente levados por uma correia com um anel nos lábios.

A lei de Deus também é mencionada como aquela que controla e guia (Sl 32.8,9). Em Salmos 39.1, o salmista está enfatizando: "Enfrearei minha boca".

P. C. J.

Cântaro frígio de Gordium, de aprox. 700 a.C.
Museu Arqueológico, Ancara

**FREIO** Uma parte do cabresto inserido na boca do animal, no qual as rédeas foram fixadas para controlar o seu movimento (Sl 32.9; Tg 3.3). *Veja* Cabresto.

**FRENTE** A parte frontal de um edifício, de um lugar ou de uma batalha. Algumas versões da Bíblia Sagrada traduzem vários termos heb. como "frente": *panim*, "face" (2 Rs 16.14; Ez 40.19; 47.1), mas a versão KJV em inglês traduz Ezequiel 40.15 como "face"; *mul panim*, "diante ou em frente à face" (Êx 26.9; 28.37); *ro'sh*, "cabeça" (2 Cr 20.27); e *shen*, "dente" (ou defronte, 1 Sm 14.5). A versão RSV em inglês geralmente traduz as duas primeiras expressões como "frente", enquanto traduz *ro'sh* literalmente e *shen* como "penhasco".

**FRESSURA** Tradução do termo *qereb* em Êxodo 12.9, em algumas versões. A versão ASV em inglês o traduz como "interiores", e a RSV em inglês como "partes internas". A noção de "entranhas" fica bastante clara. Um estudo de mais de 100 ocorrências dessa palavra, geralmente traduzida como "meio" ou "interior" na versão KJV em inglês, reflete que o seu uso em Êxodo 12.9 tem esta conotação.

**FRÍGIA** Grande região montanhosa no centro da Ásia Menor cujos limites são difíceis de determinar, como mostram as discussões históricas a seguir.

Os frígios atravessaram o Helesponto a partir da região que agora constitui a Turquia Européia, em aprox. 1200 a.C., e gradualmente se dispersaram pela Ásia Menor, destruindo o domínio heteu em muitas áreas. Estabeleceram um reino de considerável poder a partir da cidade de Gordium, um pouco distante da moderna Ancara, a oeste. Gradualmente, outros poderes invadiram seu território na Ásia Menor: os gregos ocuparam a região ocidental, os bitínios, a região noroeste, e os assírios, o leste. Pouco depois de 700 a.C., um povo originário da Trácia, os cimérios, destruiu o reino frígio, porém mais tarde eles deixaram de existir. Durante o período lídio, houve um renascimento da Frígia, mas sua civilização entrou em decadência sob o domínio persa.

Por volta do ano 275 a.C., a região oriental da Frígia caiu sob o controle de invasores celtas vindos da área do Danúbio, e ela passou a ser chamada de "Galácia". Aproximadamente ao mesmo tempo, o reino de Pérgamo invadiu o oeste da Frígia, que era seu incontestável domínio, depois da vitória romana em Magnésia em 190 a.C., pela qual os reis selêucidas da Ásia Menor foram expulsos, e os celtas foram obrigados a se estabelecer na Galácia. Quando o reino de Pérgamo tornou-se uma província da Ásia em 133 a.C., a maior parte da Frígia passou a ser controlada por Roma.

Em um sentido mais estrito, nessa época a Frígia era considerada como aquele planalto do interior da Ásia Menor (cerca de 1.000 a 1.600 metros de altitude) vagamente limitado pelo rio Sangarius (o moderno Sakarya) a norte e noroeste, pelo rio Hermus superior a oeste, pelo rio Maandro ao sul e sudeste, e pela Galácia a leste. Era uma região muito própria para a criação de gado. Na época de Paulo, a maior parte da área da Frígia fazia parte da província da Ásia, com exceção de uma pequena porção que pertencia à província da Galácia. Icônio e Antioquia (da Pisídia) eram cidades da Frígia gálata. O apóstolo Paulo ministrou na Frígia em suas três viagens missionárias (At 16.6; 18.23). Os judeus da Frígia estavam em Jerusalém na ocasião do Pentecostes (At 2.10).

H. F. V.

**FRIGIDEIRA** Uma travessa na qual a oferta de manjares era cozida (Lv 2.7; 7.9), mais propriamente uma panela funda ou caldeirão. A panela usada por Tamar (2 Sm 13.9) era provavelmente uma frigideira.

**FRUTO** O produto de muitas plantas e árvores. Os mais freqüentemente mencionados nas Escrituras são as uvas, os figos e as azeitonas, e ainda hoje são cultivados na Palestina. *Veja* comentários individuais no tópico Plantas.

*Figurativo.* O termo "fruto" é freqüentemente usado de forma simbólica. As crianças são mencionadas como frutos (Êx 21.22; Sl 21.10) em frases como "o fruto do ventre" (Sl 127.3; Dt 7.13; Lc 1.42) e "o fruto do corpo" (Sl 132.11; Mq 6.7). O louvor é poeticamente descrito como o "fruto dos lábios" (Is 57.19; cf. Hb 13.15), e as palavras de um homem são chamadas de "fruto da boca" (Pv 12.14; 18.20).

O termo "fruto" é aplicado às conseqüências das nossas ações e motivos: "Comerão do fruto do seu caminho [ou procedimento]" (Pv 1.31; Is 3.10). "O fruto da impiedade" é o juízo em que alguém incorre devido a ações erradas (Jr 6.19; 21.14); e os "frutos de justiça" são as boas obras que brotam do coração de um homem temente e obediente ao Senhor (Fp 1.11). "O fruto do Espírito" são os hábitos e princípios misericordiosos que o Espírito Santo produz em cada cristão (Gl 5.22,23; Ef 5.9). Assim, neste sentido pode ser dito que o "fruto" é o resultado total que procede de qualquer ação ou atitude específica. O fruto pode ser mau (Mt 3.10; 7.15-20; 12.33; Lc 6.43-46; Rm 7.5), porém ele é mais freqüentemente bom (Sl 104.13; Mt 3.8; 21.43; Rm 7.4; Tg 3.17).

Os discípulos foram incentivados a "produzir frutos" (Mc 4.20; Cl 1.10; Jo 15.4-8), e foram criticados por serem espiritualmente infrutíferos (Mc 4.19; Tt 3.14; 2 Pe 1.8; cf. 1 Co 14.14).

J. R.

**FUGITIVO** Uma tradução de cinco palavras hebraicas com variadas nuanças de significado. O termo heb. *bariah* significa "alguém que foge ou escapa" (Is 15.5), como também *mibrah* (Ez 17.21); *nua'* significa "nômade", "vagueador", "andarilho" (Gn 4.12,14); *nopel*, "um desertor" (2 Rs 25.11), e semelhantemente *palit* (Jz 12.4). *Veja* Cidades de Refúgio.

**FUNDA** Feita de uma tira de couro ou de diversas correias tecidas juntas, com uma bolsa larga para conter uma pedra. As duas pontas eram presas pela mão e a funda era girada em um círculo, tanto vertical quanto horizontalmente, em volta da cabeça e se soltava uma das pontas repentinamente para atirar a pedra. Era usada principalmente pelos pastores, como no caso de Davi contra Golias (1 Sm 17.40), mas também como arma de guerra pelos exércitos assírios, babilônios e egípcios. Um grupo de 700 benjamitas era capaz de atirar pedras contra um cabelo e não errar nenhuma (Jz 20.16). *Veja* Armadura. A funda é também usada metaforicamente (Jr 10.18; 1 Sm 25.29).

**FUNDAÇÃO, FUNDAMENTO** Literalmente, a base ou estrutura sobre a qual um edifício ou algum objeto é colocado, como a fundação do Templo (2 Cr 8.16), a base do altar (Êx 29.12), os fundamentos dos montes (Dt 32.22), uma cidade (1 Rs 16.34) ou os seus muros (Ez 4.12). O termo heb. *yasad*, com seus derivativos, e o gr. *katabole* são freqüentemente usados de forma figurada. Assim, o termo pode referir-se à segurança do justo descrita como um "perpétuo fundamento" (Pv 10.25), ou à fragilidade do homem "cujo fundamento está no pó" (Jó 4.19). A palavra descreve também o início do mundo; por exemplo, "a fundação do mundo" (Mt

Caixão de madeira com formato de múmia do rei Tutancamom do Egito. LL

25.34; Ef 1.4); e poeticamente, os fundamentos invisíveis dos céus (2 Sm 22.8) e da terra (Sl 104.15).

Cristo é designado em ambos os Testamentos como um "fundamento" (Is 28.16; 1 Co 3.11). No NT o termo é usado figurativamente como uma referência aos princípios fundamentais do evangelho (Hb 6.1,2); aos ensinos dos profetas e apóstolos (Ef 2.20); à cidade eterna (Hb 11.10; Ap 21.14); à eleição (Ef 1.4; 2 Tm 2.19); à vida cristã (1 Co 3); e é assunto de parábolas (Lc 6.48,49; 14.25ss.). A destruição dos fundamentos descreve a ruína do Egito (Ez 30.4), do homem ímpio, pela figura do alicerce de uma casa (Hc 3.13), e dos falsos profetas, pela ilustração de uma parede (Ez 13.14).

H. E. Fr.

**FUNDADOR** *Veja* Ocupações: Artífice em metal, Refinador, Artífice em prata.

**FUNDIÇÃO** *Veja* Ocupações: Artífice em metal.

**FUNERAL** Nos tempos bíblicos, a maneira de dispor do corpo dos mortos variava de país para país. No Egito, as famosas práticas fúnebres para os nobres e para a realeza consistiam no método de embalsamar (*veja* Embalsamar). Os órgãos internos eram removidos das cavidades corpóreas e substituídos por um tecido de linho misturado com resina. O corpo era, então, enrolado dos pés à cabeça em vários metros de ataduras de linho. Se o morto fosse um rei ou um alto funcionário da corte, o corpo era encerrado em um invólucro feito com uma substância semelhante ao gesso onde era pintado o rosto da pessoa morta ou cinzelado com diversos sinais. A múmia era, depois, colocada em vários caixões. Esse foi, sem dúvida, o método utilizado para embalsamar José (Gn 50.26), embora a preservação de Jacó tenha sido menos elaborada (Gn 50.2,3). No caso dos egípcios pagãos, o corpo era enterrado juntamente com itens que poderiam ser úteis na vida futura, muitas vezes com partes do Livro dos Mortos. Os reis eram enterrados em tumbas extremamente elaboradas, algumas das quais, na época da XII Dinastia, isto é, no período dos patriarcas, eram conservadas em pirâmides.

As tumbas escavadas na Babilônia também indicam um grande cuidado ao preparar o corpo para o enterro e para a vida futura. Itens pessoais, que poderiam ser necessários nessa vida, eram colocados ao lado do corpo, como nas tumbas reais de Ur (*q.v.*). Quanto maior fosse a dignidade do morto, maior seria sua tumba e mais extensas eram as provisões para a posteridade. As pessoas mais pobres eram enterradas em túmulos mais simples acompanhadas por alimentos e objetos pessoais. As tumbas de Canaã, em Jericó, tinham móveis bem preservados e alimentos secos. *Veja* Túmulo.

Os funerais hebreus, assim como em outros países de clima quente, geralmente eram realizados no dia da morte (Dt 21.23; At 5.5-10). Essa aparente pressa era, na verdade, uma medida sanitária ocasionada pelo calor, e também exigida pelas leis cerimoniais relativas ao que era puro e impuro, que proibiam tocar no corpo de um morto (Nm 19.11-14). Se a família fosse suficientemente rica para possuir uma

Sarcófago fenício de Biblos, do final do segundo milênio a.C. HFV

propriedade, poderia usar uma cova (Gn 49.29-31), ou então escavar uma sepultura na rocha, na qual faziam algumas prateleiras ou nichos para os vários membros da família (2 Rs 21.18,26; 23.30). Na época do NT, essa sepultura era muitas vezes fechada com uma pedra circular colocada em um encaixe ou ranhura inclinada, e assim poderia deslizar (Mc 16.3,4). As montanhas rochosas em volta de Jerusalém, assim como em outros lugares, continham muitas tumbas escavadas na rocha (Lc 23.53; Jo 19.41; Mc 5.3).

As pessoas mais pobres enterravam seus mortos em sepulturas cavadas na terra, que eram então cobertas com pedras. Um desses cemitérios foi encontrado nas proximidades de Qunram, no mar Morto, com 1.200 sepulturas dispostas em fileiras. Datando do início da Idade do Bronze, o cemitério de Bab edh-Dhra continha milhares de sepulturas. Somente homens importantes tinham permissão para serem enterrados dentro dos muros da cidade (1 Rs 2.10). Um cemitério para indigentes foi localizado do lado de fora dos muros ao sul de Jerusalém (Mt 27.7,8; At 1.19).

Sarcófago do período grego em Tiro. HFV

Os hebreus não embalsamavam nem cremavam seus mortos, exceto em raras circunstâncias (Gn 50.2,3,26; 1 Sm 31.11-13). Era costume lavar o corpo (At 9.37), aplicar ervas e ungüentos (Lc 23.56; Jo 19.39,40) e enrolá-lo em tiras de tecido de linho (Jo 19.40). O rosto era enrolado separadamente com um guardanapo e as mãos com tecidos de linho (Jo 11.44). O corpo era depois carregado para o local do enterro sobre uma padiola ou esquife (Lc 7.12,14). Quando as finanças da família permitiam, o uso de carpideiras profissionais era muito comum (Mc 5.38).

Negar a um homem um enterro adequado, ou lançar seu corpo em uma vala comum de cadáveres indicava que a maior desgraça havia caído sobre a reputação do falecido (Is 14.18-20; Jr 22.18,19). A queima do corpo era um castigo adequado a um criminoso (Lv 20.14; 21.9; Js 7.25). O Mishna proibia a cremação, porque isto seria uma idolatria ('Abodah Zarah I.3).

Sarcófago de Ramsés III do Egito

Na época do NT, o enterro cristão era visto à luz da esperança da ressurreição. A morte era considerada como um sono (1 Ts 4.13) e a sepultura, como um lugar de repouso (em grego, *koimeterion*, que vem de *koimao*, ou "eu durmo", e é a origem da palavra "cemitério"). O corpo, como templo do Espírito Santo (1 Co 6.19), era o sujeito da ressurreição (1 Co 6.13,14) e era considerado com muito respeito. A excessiva lamentação pagã era desaconselhada (1 Ts 4.13). O funeral também era usado simbolicamente para representar a identificação do crente com Cristo, pois ambos estão mortos para o pecado (Rm 6.4,5). Muitos também viam essa passagem como uma referência ao sepultamento nas águas do batismo.

A prática da Idade do Cobre de colocar os ossos de um cadáver decomposto em um ossuário (uma caixa de pedra ou barro, medindo de 60 a 90 centímetros) voltou a ser utilizada por volta do século III a.C. Em um túmulo datado aproximadamente do ano 50 d.C., encontrado entre as cidades de Jerusalém e Belém, E. L. Sukenik, em 1945, encontrou onze ossuários nos quais haviam sido feitas inscrições a carvão. Estas inscrições incluíam a cruz, possíveis lamentos dirigidos a Jesus e o nome Simeão Barsabás. Esse nome só é mencionado em Atos 1.23 (José Barsabás) e em Atos 15.22 (Judas Barsabás).

Um cemitério de indigentes localizado a leste do vale de Cedrom (ao centro) em Jerusalém. Algumas das covas nas quais se realizavam os sepultamentos são retratadas. HFV

Esta pode ser "a primeira evidência da presença de uma comunidade cristã em Jerusalém" (André Parrot, *Golgotha and the Church of the Holy Sepulchre,* p. 119). Em outro cemitério no monte das Oliveiras foram descobertos, em 1954, vários ossuários com nomes do NT como Jairo, Salomé, Marta, Maria, Simão, filho de Jonas, um deles com uma cruz cuidadosamente desenhada e outro com três letras entalhadas, I, X, B, que, sem dúvida, representam a frase *Iesous, Xristos, Basileus* (isto é, Jesus Cristo Rei). As catacumbas cristãs em Roma contêm muitas inscrições que exprimem a fé da igreja primitiva (*veja* FLAP, pp. 451-491).

*Veja* Féretro ou Esquife; Cruz; Morto, O; Embalsamar; Funeral; Sepultura; Lamentar ou Luto; Túmulo.

***Bibliografia***. Eric M. Meyers, "Secondary Burials in Palestine", BA XXXIII (1970), 1-29. Roland de Vaux, *Ancient Israel*, New York: McGraw-Hill, 1961, pp. 56-61.

D. W. B. e J. R.

**FUNERAL** Um funeral é a realização de uma cerimônia relacionada a um morto, especialmente na presença do corpo, quer se trate de um sepultamento ou de uma cremação. Na Palestina dos tempos bíblicos, poucos sepultamentos eram acompanhados de cultos elaborados. O sepultamento (*q.v.*) era realizado assim que possível após a morte, por causa da corrupção cerimonial dos vivos e por considerações práticas. Em locais onde a temperatura era freqüentemente alta e nenhum embalsamamento era praticado, a decomposição do corpo ocorria rapidamente (*veja* Embalsamar). Era costume sepultar o corpo dentro de poucas horas após a morte. Conseqüentemente, havia uma falta de cerimônias nos sepultamentos. (*Veja* CornPBE, pp. 338-346.)

Embora vários sepultamentos sejam mencionados na Bíblia, a palavra "funeral" não é mencionada na maioria das versões. O relato de Ananias e Safira ilustra a simplicidade do sepultamento e do pequeno intervalo entre a morte e o enterro. Quando Ananias morreu, os jovens o envolveram em panos, provavelmente nos trajes do próprio morto, e o levaram para fora e o sepultaram (At 5.6). Sua esposa não foi sequer informada sobre o que havia acontecido. Cerca de três horas mais tarde ela entrou, e em minutos também morreu e logo foi sepultada ao lado de seu marido (At 5.10).

Um cortejo freqüentemente acompanhava o corpo ao seu local de descanso. O tamanho do cortejo fúnebre de Jacó foi impressionante, porque Jacó foi o pai do governador do Egito (cf. Gn 50.4-14, especialmente os versículos 7-9). Um cortejo muito mais simples é mencionado em Lucas 7.12, onde o filho único da viúva de Naim estava sendo carregado para a sua cova, acompanhado por sua mãe e uma grande multidão da cidade (cf. 2 Sm 3.31). Geralmente não se usava um caixão; o corpo era transportado em um esquife e colocado diretamente dentro da tumba ou sepultura (*veja* Sepultura; Túmulo). O funeral de Asa, rei de Judá, foi excepcional; ele foi deitado em um esquife cheio de especiarias e uma grande fogueira foi feita em sua homenagem (2 Cr 16.14).

Os cultos fúnebres em outras partes do antigo Oriente Próximo eram freqüentemente bastante elaborados, particularmente os do Egito, por causa da importância das crenças funerárias na religião egípcia (veja Montet, *Everyday Life in Egypt*, pp. 300-301).

*Veja* Morto, O; Lamentar ou Luto.

C. E. D.

**FURADOR** *Veja* Sovela.

**FÚRIA** Usada particularmente para expressar a raiva e a ira abrasadora do homem (Gn 27.44; 2 Sm 11.20; Et 1.12; 2.1); do bode na visão de Daniel (Dn 8.6); e do Senhor Deus (Lv 26.28; Is 42.25; 51.17ss.; Jr 4.4; 10.25; Ez 5.13; Zc 8.2). *Veja* Ira.

**FURTO** A palavra grega *nosphizomai* foi assim traduzida em Tito 2.10. Paulo insiste na necessidade do servo cristão (*doulos*) evitar responder e "furtar". Essa palavra significa "roubar" ou se apropriar ilegalmente de alguma coisa ("furtar"), como Acã fez em Jericó (Js 7.1, na Septuaginta). O mesmo verbo grego é usado em Atos 5.2,3, onde Ananias apropriou-se ou conservou para si mesmo uma parte do preço de venda de uma propriedade.

**FURÚNCULO (Úlceras, ou Úlceras do Egito)**. *Veja* Doença: Doenças de Pele.

**FUSÃO** *Veja* Minerais e Metais; Mineração; Ocupações: Refinador, Fundidor.

**FUSO** Um instrumento parecido com uma lança usado para enrolar fibras soltas formando uma linha. O tamanho do fuso variava de 20 a 30 centímetros, e ele freqüentemente possuía uma pedra ou outro objeto pesado para manter o tempo de uma volta. Sessenta ou noventa centímetros de fio podiam ser fabricados enquanto o fuso fosse girado e o fio torcido ao seu redor. O fuso é mencionado em Provérbios 31.19 em conexão com a mulher virtuosa que estende as suas mãos ao fuso.

Várias versões traduzem a palavra hebraica *kishor* como "fuso para fiar" (*veja* Roca) e o termo paralelo *pelek* como "fuso". Acredita-se que o último refira-se à espiral do fuso, parte que permite ao fiandeiro girar o fuso.

*Veja* Ocupações: Fiação.

G. C. L.

# G

**GAÃ** Um dos quatro filhos de Naor (*q.v.*), gerado com sua concubina Reumá (Gn 22.24).

**GAAL** Filho de Ebede, evidentemente um cananeu, e líder de um grupo nômade formado por seus parentes, semelhante aos grupos de habiru, freqüentemente mencionados nas cartas de Amarna (*q.v.*). Organizou a revolta de Siquém contra o governo de Abimeleque, e foi derrotado fora da cidade quando, ao lado de seus rebeldes, avançou repentinamente para lutar contra o rei e seu exército que se aproximava. Zebul, tenente-governador de Siquém, trancou os portões para Gaal e seus irmãos fugitivos quando procuraram refúgio dentro dos muros da cidade (Jz 9.26-41).

**GAAR** Um dos chefes netineus cujos descendentes estavam entre aqueles que retornaram do cativeiro da Babilônia com Zorobabel (Ed 2.47; Ne 7.49). *Veja* Netineu.

**GAÁS** Colina ou elevação na região montanhosa de Efraim, no extremo sul de Timnate-Sera, onde Josué morou e foi sepultado (Js 24.30; Jz 2.9), provavelmente localizada cerca de 30 quilômetros a sudeste de Siquém. Hidai (ou Hurai) era um nativo do "ribeiro de Gaás" (2 Sm 23.30; 1 Cr 11.32), aparentemente uma referência aos cursos de água e às fontes nas vizinhanças do monte Gaás.

**GABA** Variação de Geba, em Josué 18.24; Esdras 2.26; Neemias 7.30. *Veja* Geba.

**GABAI** "Coletor de impostos", "arrecadador de tributos". Foi um proeminente benjamita entre as dez pessoas selecionadas para residir em Jerusalém depois do cativeiro da Babilônia (Ne 11.8).

**GABATÁ** Termo aramaico utilizado para aquilo que em grego tinha o nome de *lithostrotos*. Essa palavra grega quer dizer "pavimentado com pedras" e foi traduzida em algumas versões como "Pavimento" (*q.v.*). A palavra hebraica não corresponde exatamente à palavra grega. Ela indica o aspecto elevado do local ao invés de sua estrutura em mosaico ou xadrez. O texto em João 19.13 informa que este foi o local onde Pilatos proferiu a sentença formal contra o Senhor Jesus. Estava localizado ao lado do pretório, ou residência do governador em Jerusalém. Se o pretório (*q.v.*) pode ser identificado com a torre de Antônia, que pertencia a Herodes (*veja* Antônia; Castelo), então passa a ser muito provável que o antigo pavimento na base do convento de Nossa Senhora de Sião seja Gabatá. A área central desse pátio mede cerca de 2.300 metros quadrados, e é pavimentada com pedras de cerca de um metro quadrado por 30 centímetros de espessura.

D. L. W.

**GABRIEL** Anjo enviado a Daniel, na Babilônia, para explicar ao profeta a visão do carneiro e do bode e anunciar a profecia das 70 semanas (Dn 8.16-27; 9.21-27). Depois de um intervalo de vários séculos, Gabriel foi enviado a Jerusalém como arauto para anunciar a Zacarias o nascimento de João Batista (Lc 1.11-22), e a Nazaré para anunciar a Maria o nascimento do Messias (Lc 1.26-38). Identificando-se para Zacarias, ele descreve-se como alguém que vive na presença de Deus (Lc 1.19). No Livro de Enoque (uma obra apocalíptica judaica posterior), Gabriel aparece com Miguel, Rafael e Fanuel (Uriel) como um dos quatro maiores anjos (capítulos 9, 10, 40), ou como um dos sete maiores (capítulo 20). Na literatura muçulmana (Alcorão), ele é representado como o agente por meio do qual Maomé obteve seu "saber profético".

**GADARA** Gadara (a moderna cidade de Umm Qeis) estava localizada cerca de 400 metros acima do nível do mar Mediterrâneo e 620 metros acima do nível do mar de Tiberíades, que pode ser visto a uma distância de 10 quilômetros a sudoeste. Ela tem uma vista privilegiada do vale do Jordão e da área da Galiléia (das colinas situadas atrás dessa cidade pode-se ver todo o caminho para o Carmelo), estando situada na extremidade ocidental de uma cadeia de montanhas, entre o vale do Jarmuque ao norte, e o Uádi Arabe ao sul. Por ter seus três lados marcados por escarpados declives, foi idealmente projetada para ser uma poderosa fortaleza. Seu clima também era mais suportável que o do vale do Jordão durante o calor do verão, ou mesmo que o da região de Amata, cujas famosas fontes quentes estavam localizadas

cinco quilômetros a noroeste (estima-se que a fonte mais quente chegava a alcançar a temperatura de 115º).
Uma estrada estratégica levava de Damasco a Tiberíades através de Gadara, e outra estrada que dela se originava ia através de Edrei até o Golfo Pérsico. O aqueduto que fornecia água para a cidade vinha de Edrei, a uma distância superior a 50 quilômetros. Ruínas importantes, semelhantes às de Gerasa (*q.v.*) – teatros, ruas, edifícios, inscrições – ainda podem ser vistas, mas até agora praticamente nenhum trabalho arqueológico tem sido feito nesse local.
Gadara servia como uma importante fortaleza da época helenística desde aprox. 225 a.C., e foi conquistada por Antíoco o Grande, de Scopas, o general de Ptolomeu Epifânio. Mais tarde, foi tomada por Alexandre Janeu (cerca de 100 a.C.), que forçou seus habitantes a se tornarem prosélitos judeus. Pompeu, influenciado por seu escravo livre Demétrio, que era um gadareno, reconstruiu a cidade em 63 a.C. Ela foi uma das cidades originais de Decápolis (*q.v.)* e tornou-se a capital da Peréia. Mais tarde (em 30 a.C.), foi dada por Augusto a Herodes o Grande. Depois da morte de Herodes (4 a.C.) foi transferida para a província romana da Síria.
O estilo da cidade era principalmente grego, porém muitos judeus viviam tanto ali como em territórios vizinhos. No início da revolta judaica, seu distrito foi atacado pelos judeus e, como forma de vingança, os cidadãos judeus que moravam na cidade foram executados ou aprisionados. Os cidadãos solicitaram a Vespasiano que mandasse um destacamento romano para defender a cidade contra possíveis perigos, o que finalmente foi feito. Vários mestres famosos vieram de Gadara, como Filodemo (cujas obras foram encontradas em rolos de papiros carbonizados em Herculano), Meleager, Menipo, Teodoro (o famoso orador e tutor do imperador Tibério), Oemaus e Apsines.
No NT, o distrito dos gadarenos é mencionado como o lugar onde o endemoninhado foi liberto, com a conseqüente destruição da manada de porcos. Existe um difícil problema textual relacionado a esse incidente (o melhor manuscrito traz, em Mateus 8.28, o termo "gadarenos"; para Marcos 5.1, "gerasenos", e para Lucas 8.26-37, "gerasenos" ou "gergesenos").
W. M. Thomson descobriu uma vila na margem do lago chamada Khersa (Gerasa?) que se supõe ter pertencido ao distrito maior de Gadara, que também se supõe ter chegado até o lago da Galiléia. Como A. T. Robertson observa (*Harmony of the Gospels,* Nova York. Harper, 1950, p. 71 n.): "...então a localidade pode ser descrita como pertencendo ao país dos gadarenos, ou ao país dos gerasenos" (cf. também VBW, V, 36). Embora nesse ponto existam íngremes escarpas

O "pavimento" escavado sob o convento de Nossa Senhora de Sião. Irmãs de Sião

para o lago, nenhum túmulo foi encontrado ali até o presente. Muitos estudiosos (Schûrer, p. 104; G. A. Smith, p. 631; Wroth, p. lxxxvii, que também o admite) observaram o fato de que certas moedas de Gadara mostram desenhos de navios e interpretam esse fato como prova de que o território de Gadara chegava até o mar de Tiberíades. Mas Dalman (*Sacred Sites and Ways*, p. 178) adota uma visão contrária; em uma moeda que encontrou em Gadara está escrito que batalhas navais eram preparadas "*no rio*". *Veja* Gerasa.

***Bibliografia.*** G. Dalman, *Sacred Sites and Ways*, Nova York: Macmillan, 1935, pp. 176-180. E. Schürer, *History of the Jewish People,* II. 1, pp. 100-104 (ainda indispensável). G. A. Smith, *Historical Geography of the Holy Land,* Nova York: Harper, 1931, veja o índice. W. M. Thomson, *The Land and the Book,* Grand Rapids: Baker, 1954, pp. 375-378. C. Warren, "Gadara, Gadarenes". HDB, II, 79ss. W. Wroth, BMC, *Greek Coins of Galatia, Cappadocia and Syria*, Londres: 1899, pp. lxxxvi ss., 304ss.

E. J. V.

**GADE**

1. Gade, filho de Jacó ou um gadita. Sétimo filho de Jacó e Zilpa, serva de Léia (Gn 30.9,10). Na ocasião de seu nascimento, Léia disse: "Vem uma turba e chamou seu nome de Gade" (Gn 30.11). A referência à turba era profética, e revelava o elevado espírito e valor que caracterizariam os descendentes de Gade. Isso parece ter sido confirmado pela bênção de Moisés na qual ele afirmava que Gade habitava "como a leoa" e despedaçava "o braço e o alto da cabeça" (Dt 33.20ss.).
Qualidades de valor são atribuídas aos gaditas nessas palavras: "E dos gaditas retiraram-se a Davi, ao lugar forte no deserto, varões valentes, homens de guerra para pelejar, armados com rodela e lança; e seus rostos eram como

rostos de leões, e eles eram ligeiros como corças sobre os montes" (1 Cr 12.8).
Gade teve sete filhos (Gn 46.16) e, com exceção de Esbom, cada um deles fundou uma tribo (Nm 26.15-18). Embora muito tenha sido dito sobre os descendentes de Gade, pouco foi realmente registrado sobre o próprio patriarca. No início do Êxodo, desde o Egito até Canaã, a tribo de Gade era formada por 45.650 pessoas "dos de vinte anos para cima, todos os que podiam sair à guerra" (Nm 1.24). O território destinado à tribo estava localizado a leste do rio Jordão, mas foi estabelecido de comum acordo com as outras tribos que seus guerreiros iriam atravessar e ajudar a conquistar o resto do território antes de se estabelecerem (Nm 32.20-32). A terra dos gaditas incluía a região sul do monte Gileade, desde o ribeiro de Jaboque até Hesbom, e de Rabate-Amom até o lado oriental do rio Jordão.

H. A. Han.

2. Gade, o vidente. Um profeta que aconselhou Davi, quando fugitivo, a abandonar Moabe (1 Sm 22.5). Mais tarde, ele anunciou a Davi a decisão que o Senhor tomou de castigá-lo por ter feito um censo (2 Sm 24.11-17; 1 Cr 21.9-17) e sugeriu a construção de um altar "na eira de Araúna" (2 Sm 24.18,19; 1 Cr 21.18,19). Foi um dos historiadores do reino de Davi (1 Cr 29.29) e, ao lado de Natã, encorajou Davi a formar a orquestra levítica para a "Casa do Senhor" (2 Cr 29.25). *Veja* Profeta.
3. Gade, um deus da fortuna. *Veja* Falsos deuses.

**GADI**
1. Um dos 12 espias enviados por Moisés para pesquisar a terra de Canaã. Era filho de Susi e representante de Manassés (Nm 13.11).
2. Pai de Menaém que se tornou rei de Israel depois de assassinar Salum (2 Rs 15.14,17).

**GADIEL** Um dos 12 espias enviados por Moisés para pesquisar a terra de Canaã. Era filho de Sodi e representante de Zebulom (Nm 13.10).

**GADO** *Veja* Animais I. 8.

**GAETÃ** Chefe ou duque edomita, filho de Elifaz e neto de Esaú (Gn 36.11,16; 1 Cr 1.36).

**GAFANHOTO** *Veja* Animais: Locusta III.38.

**GAGUEIRA** No AT, a palavra hebraica *la'ag* implica um sentido de zombaria e escárnio (cf. Sl 2.4). Em duas passagens (Is 28.11; 33.19), ela transmite a idéia de Deus falando em juízo através das línguas estrangeiras dos exércitos conquistadores. Como Israel recusou-se a ouvir os profetas de Deus em sua língua nativa hebraica prometendo repouso e refrigério, Deus iria enviar contra seu povo os assírios e suas tropas mercenárias de várias nacionalidades, cujas estranhas palavras iriam soar como se tivessem sido proferidas por lábios gagos (heb. *b[e]la'age sapha*). Dessa forma, Israel teria sua descrença fortalecida pela língua dos invasores.

**GAIO** Esse nome romano, muito comum, ocorre cinco vezes no NT. No entanto, é incerto o número das diferentes pessoas mencionadas, mas provavelmente sejam apenas quatro.
1. Cristão macedônio que acompanhou Paulo em algumas de suas viagens e foi um dos dois homens capturados na rebelião de Éfeso (At 19.29).
2. Cristão de Derbe, na Licaônia, que estava com Paulo em seu regresso da Macedônia, provavelmente a caminho de Jerusalém (At 20.4).
3. Anfitrião de Paulo em cuja casa os cristãos costumavam se reunir (Rm 16.23). Não há dúvida de que era o mesmo homem mencionado em 1 Coríntios 1.14 como um dos poucos convertidos que Paulo havia batizado em Corinto.
4. Líder cristão a quem é dirigida a terceira epístola de João (3 Jo 1). João estava evidentemente certo da saúde espiritual desse homem, pois esperava que sua saúde física e sua prosperidade estivessem nas mesmas condições. Como essa epístola foi escrita mais tarde (cerca de 90 d.C.), parece provável que se trate de um Gaio diferente de qualquer um dos demais.

J. A. S.

**GAIOLA** Em Jeremias 5.27, a palavra hebraica significa a cesta de vime na qual o caçador colocava as aves capturadas. Tais cestos, abarrotados de pássaros vivos, provavelmente formavam uma cena familiar nos mercados das cidades antigas. *Veja* Cestos.

**GAITA DE FOLES** *Veja* Música.

**GAIVOTA** *Veja* Animais: Cuco III.24.

**GALÁCIA** Na época do NT, o termo Galácia tinha dois sentidos: um étnico e o outro provincial. Portanto, existem agora duas teorias a respeito da localização das igrejas às quais Paulo dirigiu-se na Epístola aos Gálatas.
1. Galácia étnica. Esse termo refere-se à região ao norte da grande planície interna à qual damos o nome de Ásia Menor. Seu nome é derivado dos gauleses ou dos celtas, que primeiramente invadiram a Itália por volta do ano 390 a.C. e que, mais tarde, atravessaram o mar de Bósforo devastando a Ásia Menor em aprox. 278-277 a.C. Foram derrotados pelo rei Átalo I, de Pérgamo, por volta do ano 239 a.C. e, como resultado, ficaram confinados em uma região a noroeste da Ásia Menor. Seu espírito aristocrático e vigoroso contribuiu para sua separação; no entanto, eles governaram numerosas tribos dos Frígios e Capadócios. O geógrafo Estrabão indica que os gálatas agrupavam-se em três

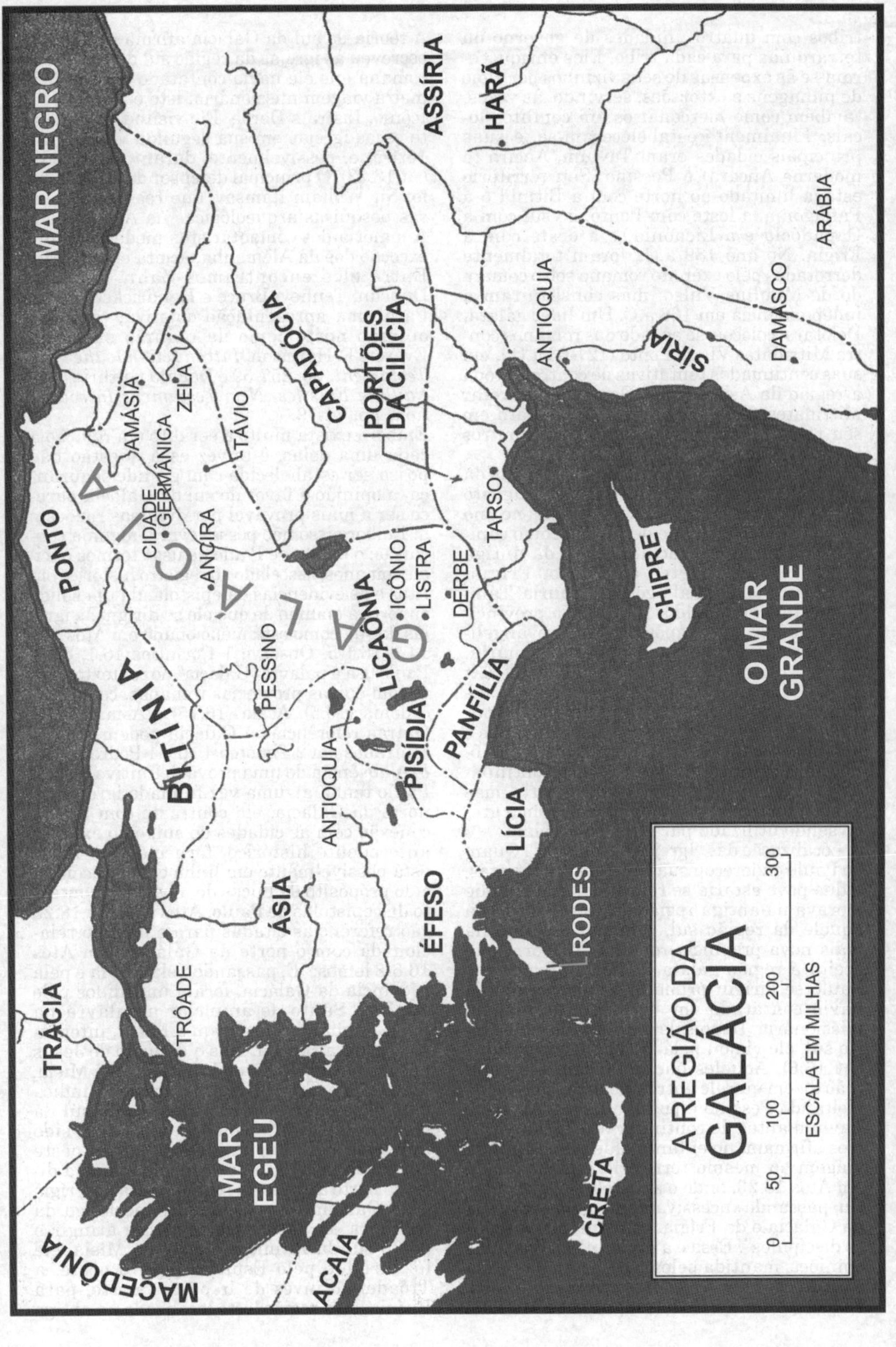

A REGIÃO DA
GALÁCIA
ESCALA EM MILHAS
0
50
100
200
300
MAR NEGRO
PONTO
TRÁCIA
MACEDÔNIA
BITÍNIA
GALÁCIA
AMÁSIA
ZELA
CIDADE GERMÂNICA
TÁVIO
ANCIRA
PESSINO
TROADE
ÁSIA
ANTIOQUIA
ÉFESO
PISÍDIA
LICAÔNIA
ICÔNIO
LISTRA
DERBE
PANFÍLIA
LÍCIA
RODES
CAPADÓCIA
PORTÕES DA CILÍCIA
TARSO
ASSÍRIA
HARÃ
ANTIOQUIA
SÍRIA
DAMASCO
ARÁBIA
CHIPRE
O MAR GRANDE
MAR EGEU
ACAIA
CRETA

tribos com quatro unidades de governo ou tetrarquias para cada tribo. Eles enriqueceram-se às expensas de seus vizinhos por meio de pilhagens e extorsões, servindo, às vezes, também como mercenários em conflitos locais. Finalmente estabeleceram-se, e suas principais cidades eram Tavium, Ancira (a moderna Ancara) e Pessino. Seu território estava limitado ao norte com a Bitínia e a Paflagônia, a leste com Ponto, ao sul com a Capadócia e a Licaônia, e a oeste com a Frígia. No ano 189 a.C., foram totalmente derrotados pelo exército romano sob o comando de Maulius Vulso, mas conseguiram a independência em 166 a.C. Um líder gálata, Deiotaro, colocou-se ao lado dos romanos contra Mitridates VI, de Ponto (121-63 a.C.), em suas continuadas tentativas de controlar toda a região da Ásia Menor. Depois de derrotar Mitridates, Pompeu confirmou Deiotaro em seu reino anterior e até acrescentou outros territórios aos seus domínios (63 a.C.).

2. A província romana da Galácia. Depois da morte de Amintas, seu último rei, Augusto fez da Galácia uma província romana no ano 25 a.C., tendo a cidade de Ancira como capital. Seu território incluía, além da antiga região étnica, partes do Ponto, Frígia, Licaônia, Pisídia, Paflagônia e Isauria. Também estavam incluídas na Galácia provincial as cidades que o apóstolo Paulo evangelizou em sua primeira viagem missionária, isto é, Antioquia, Icônio, Listra e Derbe (At 13–14). Listra e Antioquia tornaram-se colônias romanas e todas essas cidades atraíam um grande número de gregos, romanos e judeus por causa de sua importância econômica e geográfica. A língua céltica continuava a ser usada na vida privada ao norte, mas o latim tornou-se a língua oficial, com o grego sendo utilizado para fins comerciais.

3. Localização das "Igrejas da Galácia". Quando Paulo endereçou sua Epístola aos Gálatas, a que povo estaria se referindo? Àquele que morava na antiga região étnica ao norte ou àquele da região sul, também incluído na mais nova província romana? A teoria que aceita a região gálata do norte afirma que Paulo se dirigiu primeiro às igrejas que já havia contatado em sua segunda viagem missionária. Depois de ter visitado o território sul, ele viajou pela "região frígio-gálata" (At 16.6). Aqueles que defendem essa opinião dizem que ele entrou na antiga Galácia, visitando Pessino e possivelmente Ancira e Tavium antes de continuar até Trôade. Outros afirmam, no entanto, que uma segunda viagem ao mesmo território é mencionada em Atos 18.23, onde o apostolo diz que "partiu, passando sucessivamente pela província da Galácia e da Frígia, confirmando a todos os discípulos". Essa é a mais antiga das duas opiniões, mantida pelos patriarcas da Igreja e estudiosos mais recentes tais como Alford, Ellicott, Findlay, Godet, Lightfoot e Moffatt.

A teoria do sul da Galácia afirma que Paulo escreveu às igrejas da região sul da província romana que ele havia contatado em sua primeira viagem missionária, isto é, Antioquia, Icônio, Listra e Derbe. Ele visitou novamente essas igrejas em sua segunda viagem (At 16.1-5) e, possivelmente, durante a terceira (At 18.23). O principal defensor dessa opinião foi Sir William Ramsay, que realizou extensas pesquisas arqueológicas na Ásia Menor. A maioria dos comentaristas modernos, com exceção dos da Alemanha, aceita essa teoria. Entre eles encontramos Zahn, Burton, Duncan, Tenney, Bruce e Hendricksen.

Para uma apresentação objetiva, tanto da opinião norte como da opinião sul, veja Everett F. Harrison, *Introduction to the New Testament*, pp. 257-59 e Donald Guthrie, *The Pauline Epistles, New Testament Introduction*, pp. 72-79.

Embora exista muito a ser dito em relação a cada uma delas, e talvez essa questão não possa ser estabelecida com grande segurança, a opinião a favor do sul da Galácia parece ser a mais provável por diversas razões:

*a*. Embora isso não possa levar a alguma conclusão, o hábito de Paulo de usar termos oficiais romanos, associado ao registro histórico em Atos e às evidências da epístola, dá um sólido suporte à opinião de que ele se dirigiu às igrejas do sul, como está mencionado em Atos 13–14 e 16.1-5. Observe 1 Coríntios 16.1, onde Paulo usa a palavra "Galácia" no contexto, junto com outras províncias romanas, como Macedônia (16.5), Acaia (16.15) e Ásia (16.19). Outras referências à Galácia podem ser encontradas em 2 Timóteo 4.10 e 1 Pedro 1.1.

*b*. A ausência de uma prova definitiva de que Paulo tenha alguma vez fundado igrejas no norte da Galácia, em contraste com a fácil conexão com as cidades do sul, cujo extenso antecedente histórico, fornecido em Atos, está possivelmente em linha com o reconhecido propósito de Lucas de mostrar o contexto das epístolas de Paulo. Atos 16.6-8 e 18.23 são referências citadas para a opinião relacionada com o norte da Galácia. Em Atos 16.6-8 lemos: "E, passando pela Frígia e pela província da Galácia, foram impedidos pelo Espírito Santo de anunciar a palavra na Ásia. E, quando chegaram a Mísia, intentavam ir para Bitínia, mas o Espírito de Jesus não lho permitiu. E, tendo passado por Mísia, desceram a Trôade". Essa passagem indica que, depois de visitar as cidades do sul da Galácia (16.1-5), e como Paulo havia sido impedido pelo Espírito de ir para o oeste dentro da província da Ásia, ele tomou a direção norte através da região étnica da Frígia e da Galácia (provavelmente, ao longo da fronteira da antiga Galácia). Ao atingir o ponto sul da Bitínia e o leste da Mísia, ele foi dirigido pelo Espírito para o oeste, a Trôade, ao invés de ir para o norte, para Bitínia, ou à região leste localizada na antiga

Galácia étnica. Não existe aqui nenhuma referência a uma extensa evangelização ou fundação de igrejas, e nenhum apoio definitivo em favor da teoria do norte da Galácia. Em Atos 18.23, a ordem das palavras está invertida e a referência foi feita, muito provavelmente, a duas regiões adjacentes. Paulo partiu da cidade de Antioquia, na Síria, "passando sucessivamente pela província da Galácia e da Frígia, confirmando a todos os discípulos". Burton prefere a explicação da rota que leva Paulo a Tarso através das portas cilicianas e da parte ocidental extrema da velha Galácia e, em seguida, através da Frígia, a região oriental da Ásia. Isso seria consistente com o uso étnico de Lucas do adjetivo "gálata" em Atos 16.6. Observe que não existe nenhuma referência a cidades ou igrejas em qualquer parte da Galácia, seja no norte ou no sul. Lucas não dá nenhuma evidência de estar tentando fornecer um contexto em que Paulo esteja fundando igrejas. Portanto, não há provas, em qualquer passagem já citada, de que Paulo estivesse fundando igrejas na região norte.

c. Uma terceira razão a favor da opinião relativa ao sul da Galácia é a que melhor satisfaz as considerações exegéticas da epístola. Primeiro, a região sul da Galácia estaria, provavelmente, mais familiarizada com a religião judaica, de acordo com o julgamento de Paulo. Segundo, os mestres judaizantes que se opunham a Paulo teriam um acesso mais rápido e mais provável à região sul. Terceiro, a forma de Paulo argumentar seria mais compreensível se considerássemos que os decretos de Atos 15 teriam sido destinados às igrejas do sul, como em Atos 16.1-5, e que os erros apresentados aos gálatas não eram os de Atos 15 (Gl 2.1-10) relativos à salvação pela fé, mas estavam dirigidos principalmente aos cristãos que viviam sob a lei mosaica (como em Gálatas 2.11-21). É claro que a doutrina da justificação estaria logicamente afetada, mas a forma peculiar da argumentação em Gálatas 3–4 não a atinge diretamente como faz a Epístola aos Romanos.

***Bibliografia.*** E. D. Burton, *A Critical and Exegetical Commentary on the Epistle to the Galatians,* ICC. D. Guthrie, *The Pauline Epistles, New Testament Introduction,* Londres: Tyndale Press, 1961. Everett F. Harrison, *Introduction to the New Testament,* Grand Rapids: Eerdmans, 1964. M. J. Mcllinck, *"Galatia"*, IDB. II, 336ss. W. M. Ramsay, *A Historical Commentary on St. Paul's Epistle to the Galatians,* Nova York: Putnam's, 1990; *St. Paul the Traveller and Roman Citizen,* Londres: Hodder e Stoughton, 1898. Howard F. Vos, WHG, pp. 332-337, 347-356, 383ss.

C. F. D.

**GALAL** Nome de dois levitas cujos descendentes estavam entre os exilados que retornaram da Babilônia. Um era descendente de Asafe (1 Cr 9.15), o outro era filho de Jedutum, cujos descendentes eram moradores "das aldeias dos netofatitas" (1 Cr 9.16; Ne 11.17).

## GÁLATAS, EPÍSTOLA AOS

### Importância

Por várias razões, essa breve e fervorosa carta de Paulo é muito significativa. Quanto à sua interpretação, existe uma grande contribuição ao entendimento do evangelho e suas implicações práticas. Historicamente, ela salvou o cristianismo de se tornar uma seita do judaísmo nos dias de Paulo e, mais tarde, alimentou o fogo da Reforma. Doutrinariamente, ele argumenta que como a salvação só é alcançada pela fé, então a fé se torna a única e própria esfera da vida cristã. A nova vida não é o legalismo ou o abuso da liberdade, mas uma liberdade disciplinada pela graça e dirigida pelo Espírito de Deus em amor. Esta obra permanece, com extrema relevância, como um protesto contra a contaminação legalista do Evangelho da graça e a proclamação da liberdade cristã.

### Autoria e Canonicidade

Evidências internas (dentro do próprio livro) e externas (fora do livro) são ambas tão decididamente favoráveis à autoria do apóstolo Paulo, que não há razões para duvidar. Mesmo as críticas mais destrutivas reconheceram o livro de Gálatas como pertencente ao "grupo normativo" de Paulo (ao lado de Romanos e 1 e 2 Coríntios). O autor se autodenomina como Paulo (1.1; 5.2) e o livro é tão caracteristicamente seu quanto ao vocabulário, estilo e conteúdo, tão naturalmente desenvolvido na argumentação e alusões pessoais, um retrato tão fiel do coração e mente do grande apóstolo, que ninguém poderia ter forjado tal obra-prima. Não existe qualquer sugestão de valor, vinda da Antiguidade, de que qualquer pessoa, a não ser Paulo, poderia tê-la escrito, ou de que esta epístola não devesse estar no cânon das Escrituras. Ela foi encontrada nas primeiras relações dos livros canônicos, nas suas primeiras versões em referências feitas pelos patriarcas da Igreja e pelos heréticos. A Epístola aos Gálatas registra a Palavra de Deus revelada por meio do apóstolo Paulo.

### Data e Local da Escrita da Obra

Esses dados não podem ser seguramente fixados. Defensores da teoria do norte da Galácia geralmente colocam essa obra depois da segunda viagem missionária de Paulo, que vai do ano 52 d.C., em Éfeso, até o ano 57/58 d.C., na Macedônia ou Acaia. Teóricos do sul da Galácia têm opiniões que variam entre os anos 48/49 d.C., em Antioquia na Síria, até a mesma data e local posteriores descritos acima. *Veja* Galácia. Uma data mais exata vai depender das interpretações feitas a partir da visita a Jerusalém, mencionada em Gálatas 1–2. Os defensores de uma data anterior não aceitam que Gálatas 2.1-10 esteja se referindo ao Concílio de Atos 15, pois esses versos apresentam uma ênfase diferente, e o decreto do Concílio de Jerusalém não foi citado como suporte por Paulo; por conseguinte, Gálatas antecede o Concílio (48/49 d.C.). Uma data posterior, por qualquer das duas teorias, identifica Gálatas 2.1-10 com Atos 15.

Por diversas razões, podemos afirmar que Gálatas 2.1-10 refere-se a Atos 15. Lightfoot (em sua obra *St. Paul's Epistle to the Galatians*, pp. 123-24) observa as semelhanças determinantes de geografia, tempo, pessoas, assuntos da discussão, natureza da conferência e seu resultado. A ocorrência de dois incidentes tão semelhantes, em um período de poucos anos, é muito improvável e apresenta grande dificuldade para alcançar qualquer solução que não seja sua identidade. Aqueles que aceitam que isso não corresponde a Atos 15, mas a Atos 11.30; 12.25, geralmente deixam de entender que Paulo, em Gálatas 1.13-24, não tem a intenção de relatar todas as visitas feitas a Jerusalém, mas apenas aquelas que envolveram seu contato com os doze apóstolos. Não existe tal contato em Atos 11; os doze apóstolos podem ter fugido de Herodes (cf. At 12.1).

Mas, se Paulo escreveu depois de Atos 15, por que não apelou à decisão do Concílio de Jerusalém para resolver o problema dos Gálatas? A resposta é que ele havia feito isso pessoalmente (At 16.4); portanto, mais tarde, em sua epístola, o apóstolo se admirou do fato de terem desertado a Cristo (Gl 1.6). Referir-se ao decreto de Jerusalém não poderia resolver o problema que tinham naquela ocasião, que era diferente, como no caso de Pedro (2.11-21); e ambos representavam, logicamente, o próximo passo a partir da questão apresentada no Concílio. Essa questão havia progredido para a santificação através da fé e da relação entre a vida cristã e a lei mosaica. Em Gálatas 2.1-10, Paulo faz referência a um aspecto privado do Concílio de Jerusalém; em princípio, não em apoio à sua doutrina (recebida independentemente), mas como suporte à sua própria independência como apóstolo. Aí reside a diferença de ênfase.

Podemos afirmar que a Epístola aos Gálatas foi escrita durante a terceira viagem missionária, de Éfeso, nos anos 52/53 d.C., ou de Corinto ou da Macedônia, nos anos 54/55.

### Destinatários

Dirigida às "Igrejas da Galácia", essa é a única epístola paulina dirigida a um conjunto de igrejas. Todas elas haviam sido fundadas por Paulo (Gl 1.8,11; 4.13,14,19,20). Se considerarmos a teoria do sul e datarmos o livro depois do Concílio de Jerusalém, Paulo já havia feito a entrega dos decretos do Concílio e eles haviam prosperado (At 16.4,5). O núcleo das igrejas era judaico, embora fosse constituído principalmente de gentios. Nesse grupo tão heterogêneo, um compromisso judaizante entre o judaísmo e o cristianismo encontrava muitos pontos de contato. A questão dos cristãos viverem de acordo com a lei mosaica e o desenvolvimento de dois níveis de justiça (fé, e fé mais a lei) poderia surgir naturalmente e se tornar atraente para este grupo. Não existe qualquer evidência verdadeira da presença do caráter corajoso, assertivo e orgulhoso dos gálatas do norte; portanto, o tom dessa epístola e o tipo de problema que Paulo está enfrentando por meio dela seriam naturalmente mais esperados dos subservientes e suscetíveis gálatas do sul, que estavam agora à procura de um progresso sob o governo de Roma. Eles iriam receber muito bem seu novo e abrangente título: os "Gálatas".

### Ocasião e Propósito da Obra

Embora alguns vejam um duplo problema de legalismo e libertinagem, o peso da carta foi dirigido aos adversários legalistas e judaizantes. Ao exporem claramente sua crença em Cristo e a fim de evitarem a perseguição, os judeus procuravam promover a lei mosaica como o padrão da vida cristã. Fazendo isso, estavam diminuindo a autoridade de Paulo. Apelaram aos apóstolos de Jerusalém, a Abraão e à lei mosaica para retratar Paulo como um apóstolo renegado que, depois de ter recebido o evangelho dos Doze Apóstolos, removeu dele toda a lei para torná-lo atraente aos gentios e, com isso, conseguiu oferecer um evangelho que era apenas parcialmente aceitável diante de Deus. Insistiam que cada crente deveria também se tornar um "filho de Abraão" através da circuncisão e da obediência à lei. Somente assim poderiam alcançar um completo acesso à presença de Deus, e herdar a plenitude da bênção divina contida na aliança de Abraão.

Não existe qualquer prova de que os judaizantes negassem completamente a justificação pela fé. Provavelmente ensinavam que a fé em Cristo era apenas o passo inicial para alcançar o favor de Deus, e que o maior favor pertencia àqueles que viviam sob a lei. É possível que os gálatas tivessem recebido os decretos do Concílio de Atos 15 sobre a salvação pela fé independente da lei, e não podiam ser confundidos por um ataque frontal contra tudo aquilo que Paulo lhes havia entregado (At 16.1-5; Gl 1.9; 4.16). Mas esse ataque direto, na área da santificação, havia "fascinado" os "insensatos gálatas" (3.1), um discurso que acompanha, de forma imediata, a história do erro semelhante cometido por Pedro (2.11-21).

Como resultado, os gálatas estavam mantendo as tradições dos judeus (4.9,10). Estavam agora impedidos de ter uma vida cristã adequada (5.7), correndo o risco de se tornarem prisioneiros da lei (4.21; 5.1) e perdendo a comunhão com Cristo (5.2,4). Havia sementes de divisão entre eles (5.15; 6.1) e Paulo provavelmente havia sido informado sobre essas coisas por uma delegação de gálatas.

Portanto, o propósito de Paulo não era provar, em primeiro lugar, que a justificação é alcançada pela fé. Seu argumento considera esta afirmação como verdadeira e, apoiando-se no fato de que a justificação garante uma perfeita posição perante Deus, bem como a completa herança de Abraão, ele procura estabelecer que a santificação faz parte da fé, independentemente da adesão a qualquer parte da lei mosaica (2.19; 5.18). Essa é a argumentação apresentada em toda a carta, como se pode ver na principal exortação (5.1), na questão-chave (3.3) e no exemplo do problema semelhante de Pedro colocado de maneira significativa (2.11-21). Paulo considera esse erro uma perigosa heresia, pois a introdução de obras legalistas em qualquer parte de um sistema que vem da graça de Deus irá abalar a graça e convertê-la em um sistema de obras que é contrário ao evangelho (1.6-9).

Paulo deve, em primeiro lugar, restabelecer sua autoridade apostólica, em seguida esclarecer que a justificação pela fé já lhes assegurou de forma completa a posição que poderiam alcançar e, finalmente, exortá-los e instruí-los em relação a viver pela graça mediante a fé.

### Esboço

A maioria dos analistas reconhece três principais divisões de pensamento desde a saudação até a conclusão. A Epístola aos Gálatas pode ser resumida da seguinte maneira:

- I. Saudação e Denúncia, 1.1-10
  - A. Saudação, 1.1-5
  - B. Denúncia, 1.6-10
- II. Pessoal: Autenticação do Apóstolo da Liberdade, 1.11–2.21
  - A. Proposição: a mensagem de Paulo é independente dos homens e vem diretamente de Deus, 1.11,12
  - B. Prova: A história da independência de Paulo dos 12 apóstolos, 1.13–2.21
    - 1. Independência verificada: sua autoridade separada dos apóstolos, 1.13-24
    - 2. Independência reivindicada: sua autoridade exercida com os apóstolos, 2.1-21
      - *a.* Reconhecimento no Concílio de Jerusalém, 2.1-10
      - *b.* Refutação a Pedro em Antioquia, 2.11-21
- III. Doutrinária: Justificação da Doutrina da Liberdade, 3.1–4.31
  - A. Princípio discutido: Justiça e herança só podem ser alcançadas pela fé e não por qualquer forma de lei, 3.1–4.7
    - 1. Experiência pessoal, 3.1-5
    - 2. Progenitor Abraão, 3.6-9
    - 3. Declaração da lei, 3.10-14
    - 4. Precedência da promessa, 3.15-18
    - 5. Propósito da lei, 3.19-22
    - 6. Posição de superioridade da fé, 3.23–4.7
  - B. Apelo pessoal, 4.8-20
    - 1. Circunstância do apelo, 4.8-11
    - 2. Conteúdo do apelo, 4.12-16
    - 3. Causa do apelo, 4.17-20
  - C. Alegoria pertinente, 4.21-31
    - 1. Situação histórica, 4.21-23
    - 2. Exemplo alegórico, 4.24-27
    - 3. Aplicação pessoal, 4.28-31
- IV. Prática: Expressão da Vida de Liberdade, 5.1–6.10
  - A. Vida livre do sistema do legalismo, 5.1-12
    - 1. Mandamento e injunção, 5.1
    - 2. Questão crucial, 5.2-12
  - B. Vida de amor no Espírito de Deus, 5.13–6.10
    - 1. Exclusão da vida de amor: licenciosidade e luxúria, 5.13-15
    - 2. Capacitação à vida de amor: o controle do Espírito, 5.16-24
    - 3. Expressão da vida de amor: a direção do Espírito, 5.25–6.10
- V. Conclusão Apostólica, 6.11-18
  - A. Advertência final, 6.11-16
  - B. Exortação final, 6.17
  - C. Bênção final, 6.18

### Análise do Conteúdo

Depois de uma saudação dirigida na qual enfatiza sua autoridade apostólica, Paulo denuncia a heresia e adverte aqueles que desejam aceitá-la quanto às suas conseqüências.

A primeira e principal divisão (1.11–2.21) é uma extensa defesa de seu genuíno e independente apostolado e é também, de forma intrínseca, a defesa de seu evangelho. Seu ministério e sua mensagem são completamente independentes dos homens e se originam diretamente do Cristo ressuscitado.

Paulo apóia suas proposições sobre duas linhas importantes de provas (veja o esboço acima). A primeira prova representa, essencialmente, a história da independência de Paulo dos 12 apóstolos e de sua sede em Jerusalém. Sua independência é verificada (1.13-24) através da revisão de seu limitado contato com eles. Ele já era apóstolo mesmo antes de ter encontrado os demais. Depois de receber essa missão diretamente de Deus, Paulo a ninguém consultou em relação ao conteúdo de seu evangelho; antes, exerceu seu ministério de forma independente. Essa independência é reivindicada (2.1-21) em duas ocasiões quando realmente entrou em contato com outros apóstolos. Na primeira, em Jerusalém, os apóstolos cujo evangelho os judaizantes reivindicavam ensinar reconheceram a mensagem e a autoridade de Paulo. Na segunda, Paulo precisou censurar publicamente o apóstolo que era o líder para os judeus. E Pedro aceitou a censura. Nos dois casos, os apóstolos se submeteram a Paulo na questão da graça *versus* a lei. Entendemos que o problema de Pedro era, essencialmente, o problema dos gálatas – viver pela fé ou pela lei.

Em 3.1–4.31 Paulo estende seu discurso sobre o argumento que usou com Pedro. Primeiro, ele estabelece aquilo que a justificação pela fé já fez, e, em seguida, muda para a salvação pela fé. O princípio discutido é que a salvação pela fé é capaz de dar ao crente um perfeito acesso à presença de Deus, superior e que jamais pode ser melhorado por qualquer coisa supostamente alcançada por uma vida debaixo da lei. Paulo sustenta essa afirmação por meio de seis linhas de evidências (veja o esboço). Os gálatas devem reconhecer que sua salvação e sua experiência cristã anteriores estavam baseadas na fé, e não na lei. Como estavam sendo tolos por começarem na fé e depois procurarem complementar sua posição e prática por meio de uma estrita observância à lei!

O primeiro argumento doutrinário declara que, assim como Abraão foi considerado justo e herdeiro das promessas de Deus por meio da fé, da mesma maneira aqueles que crêem em Cristo são declarados justos e feitos seus herdeiros. Em seguida, Paulo mostra que a lei somente pode curar os pecadores, mas não os torna justos. Na verdade, Cristo nos redimiu da lei para podermos herdar as promessas. A promessa feita a Abraão, pela qual nós também somos abençoados em Cristo, tem precedência sobre a lei, quanto ao tempo e à sua natureza. A lei também foi concedida para revelar o pecado como uma transgressão e restringir o pecador à fé. Desde a crucificação não nos encontramos mais sob a lei como uma regra de vida, mas somos filhos maduros de Deus e, portanto, "filhos de Abraão" e "herdeiros da promessa", sem qualquer distinção racial, social ou sexual. Observe que essas bênçãos são dirigidas a todas as nações através do aspecto universal da aliança de Abraão (Gl 3.8) e não cumprem nem anulam os aspectos pessoal e nacional da aliança (Gn 12.1-3) em relação à nação e à terra de Israel. O principal argumento de Paulo termina em 4.7.

Um apelo muito pessoal e caloroso é seguido por uma história da lei ilustrando o princípio de que ela gera escravidão e não pode prover a herança, enquanto a promessa assumida mediante a fé gera liberdade e assegura a herança.

A quarta seção exorta à prática de uma vida de liberdade para a qual fomos salvos por Cristo. É uma vida de liberdade do legalismo, sob qualquer sistema ou forma, uma vida livre da licenciosidade e do domínio da natureza pecadora, e uma vida de fé expressa através do amor que é produzido pelo Espírito que em nós habita. O Espírito substitui a lei ao ser a órbita do cristão e o guia de sua vida. Ele não irá nos levar contra as permanentes demandas morais da lei, mas produzir uma vida espiritual que é um reflexo de Cristo e que a lei nunca poderia produzir. O Espírito é o poder e o diretor da nova vida de liberdade que honra a Cristo e serve aos homens.

A última seção contém uma advertência que estabelece o contraste entre a devoção dos judaizantes à carne e a devoção de Paulo à cruz; um último apelo para não seguirem os enganadores e uma bênção pedindo a graça, para que possam seguir a Cristo.

***Bibliografia.*** G. W. Barker, W. L. Lane e J. R. Michaels, *The New Testament Speaks,* Nova York: Harper & Row, 1969, pp. 185-191. Conybeare e Howson, *The Life and Epistles of St. Paul,* Londres: Longmans, Green and Co., 1901. C. J. Ellicott, *Commentary on St. Paul's Epistle to the Galatians,* Andover: Warren F. Draper, 1896. Charles R. Erdman, *The Epistle of Paul to the Galatians,* Filadélfia: Westminster, 1930. G. G. Findlay, *The Epistle to the Galatians,* ExpB., Everett F. Harrison, "Galatians", WBC, pp. 1283-1299. William Hendricksen, *New Testament Commentary, Exposition of Galatians,* Grand Rapids: Baker, 1968. C. F. Hogg e W. E. Vine, *The Epistle of Paul the Apostle to the Galatians,* Londres. Pickering e Inglis, 1922. J. B. Lightfoot, *St Paul's Epistle to the Galatians,* Londres: Macmillan and Co., 1896. H. N. Ridderbos, *The Epistle of Paul to the Churches of Galatia,* Grand Rapids: Eerdmans, 1953. J. H. Ropes, *The Singular Problem of the Epistle to the Galatians,* Cambridge: Harvard Univ. Press, 1929.

C. F. D.

**GÁLBANO** *Veja* Plantas.

**GALEEDE** Jacó deu esse nome hebraico (que significa "o monte do testemunho") ao monte de pedras que comemorava o pacto entre ele e Labão, seu sogro. Labão lhe deu o nome de Jegar-Saaduta, o equivalente, em aramaico, a Galeede em hebraico. Esse local estava em Gileade, onde Labão se encontrou com Jacó antes que ele alcançasse o Jaboque, e esse acontecimento foi comemorado com sacrifícios, uma refeição de pacto e uma última despedida em paz (Gn 31.47,48).

**GALERA** *Veja* Navios.

**GALERIA** Termo da arquitetura usado nas versões KJV e ASV em inglês como tradução de *'attiq*, palavra hebraica de significado incerto. Foi usada para descrever o templo de Ezequiel (Ez 41.16 e 42.3,5): "as galerias em redor dos três, defronte do umbral" (na versão RSV em inglês lê-se: "todas as três tinham janelas com caixilhos rebaixados"). É uma

palavra emprestada do acádio *etequ*, "passar"; portanto, tem o sentido de passagem em uma galeria ou varanda. Uma variante dessa palavra hebraica, *'attiq*, é encontrada em Ezequiel 41.15 ("paredes" ou "galerias").
A obscura palavra hebraica *rahat*, traduzida como "galerias", aparece como tranças em algumas versões (Ct 7.5).

**GALILÉIA** Entre as demais, é a região mais ao norte da Palestina, a oeste do rio Jordão. A Galiléia do norte é uma região montanhosa (cerca de 1.300 metros acima do nível do mar) e se estende para o sul desde o rio Leontes (Nahr el-Litani), que termina no Líbano, cerca de 50 quilômetros até Uádi esh-Shaghur e corre em direção a Aco (Ptolemaida). O sul e a baixa Galiléia são mais planos, portanto mais adequados para morar e para a lavoura, por estarem limitados ao sul pela fértil planície de Esdraelom. Estradas abertas em todas as direções através da Galiléia favoreciam o comércio com o Egito, Arábia e Síria. Pomares de frutas e de azeitonas floresciam nas colinas, e os grãos e os pastos se desenvolviam muito bem nos vales.
Os cananeus continuaram a dominar a Galiléia durante muito tempo depois da invasão de Josué (Jz 1.30-33; cf. 4.2). Na época de Salomão, a Galiléia tinha uma população heterogênea, de forma que ele sentiu que podia doar 20 de suas cidades a Hirão, de Tiro, sem que houvesse uma grande perda para Israel (1 Rs 9.11). Depois das conquistas assírias, em aprox. 732 a.C. (2 Rs 15.29), a Galiléia se tornou, outra vez, uma terra predominantemente habitada por gentios. Por isso Isaías lhe deu o nome de "Galiléia das nações" (Is 9.1; cf. Mt 4.15).
Depois que Herodes anexou a região ao seu reino, a Galiléia passou a atrair um grande número de judeus. Josefo afirmou que ela tinha 240 cidades e vilas (*Life*, 45) e podia formar um exército de 100.000 homens para lutar contra os romanos (*Wars*, ii.20.6).
No tempo de Jesus, a Galiléia fazia parte da tetrarquia de Herodes Antipas (4 a.C.–30 d.C.). Suas principais cidades eram Cafarnaum, Nazaré e Tiberíades, a capital. Os apóstolos de Jesus eram da Galiléia (exceto Judas Iscariotes), e a maior parte de seu ministério foi desenvolvida no norte e na extremidade oeste do mar da Galiléia, usando Cafarnaum como ponto central. A população era formada tanto por judeus como por gentios. A região norte era mais habitada por gentios do que a região sul, e tinha mais contato com as culturas grega e romana.

E. B. R.

**GALILÉIA, MAR DA** Chamado de mar da Galiléia em Mateus 4.18, também tinha o nome de mar de Quinerete (Nm 34.11), lago de Genesaré (Lc 5.1) e mar de Tiberíades (Jo 6.1). Estando cerca de 230 metros abaixo do nível do mar, e a 100 quilômetros de Jerusalém, na província da Galiléia, esse mar é um lago de água doce alimentado pelo rio Jordão, que recebe a neve do monte Hermom e do Líbano trazida pelas chuvas das montanhas e que formam um lago com aproximadamente 20 quilômetros de extensão, 12 quilômetros de largura máxima, com uma profundidade estimada entre 25 a 230 metros.
O clima temperado da planície de Genesaré, na região da praia a noroeste, permitia uma produção anual constante de vegetais, grãos e frutas. Em algumas regiões, escarpados rochedos e montanhas circundam o mar, elevando-se do lado leste até 900 metros no fértil altiplano de Haurã. Ventos frescos sopram sobre essas escarpas e alimentam freqüentes, repentinas e violentas tempestades sobre a morna superfície do lago (Lc 8.22ss.).
Nesse local se desenvolveu uma florescente indústria pesqueira por causa da abundante quantidade de peixes, cuja variedade chegava a 22 espécies conhecidas (Mc 1.20).
Apesar do escarpado contorno da praia, nove cidades de 15.000 habitantes (ou mais) se situavam às margens desse lago. As mais importantes eram Betsaida-Júlia, Tiberíades e Cafarnaum.
Betsaida-Júlia (*q.v.*), situada no lado noroeste da praia, foi construída pelo tetrarca Felipe, filho de Herodes o Grande, que lhe deu o nome de Júlia em honra à filha do imperador Augusto. O episódio em que Jesus alimentou mais de 5.000 pessoas ocorreu perto dali.
Tiberíades (*q.v.*), situada no lado oeste, foi construída por Herodes Antipas (em aprox. 25 d.C.) e recebeu esse nome por causa de Tibério César. Suas fontes de água mineral morna faziam com que essa cidade fosse muito procurada como um centro de tratamento de saúde e repouso. Ali prosperavam os hábitos e a moral helenística; portanto, a

Vista aérea da praia do lado noroeste do mar da Galiléia

Ruínas da antiga Corinto onde Gálio foi procônsul

maior parte dos judeus, inclusive o Senhor Jesus, procurava evitá-la.
Cafarnaum (*q.v.*), localizada a apenas 10 quilômetros ao norte de Tiberíades, era a cidade de Pedro e André. Jesus instalou ali sua sede e, assim, Cafarnaum tornou-se sua cidade (Mt 9.1). O Senhor realizou ali inúmeros milagres e convocou Mateus de sua tenda de coleta de impostos. Mas ainda assim a cidade não se arrependeu e sofreu a ruína (Mt 11.23,24).
Em suas margens, em volta do mar da Galiléia, Jesus realizou 18 dos 33 milagres registrados, transmitiu muitos ensinos e chamou seus discípulos.
*Veja* Tiberíades, mar de.

E. B. R.

**GALILEU** Nativo ou habitante da Galiléia (Mt 26.69; Mc 14.70; Lc 13.1; At 1.11). Jesus (Mt 26.69) e Pedro (Mc 14.70) foram chamados de galileus, e os apóstolos eram todos galileus, com exceção de Judas Iscariotes.
Os galileus eram pessoas muito comuns, generosas, impulsivas, piedosas, nacionalistas e muitas vezes mais helenísticas que os judeus. Embora a Galiléia e a Judéia estivessem separadas por apenas 100 quilômetros, seus habitantes eram diferentes em muitos aspectos. Uma das diferenças aparecia na língua, cuja pronúncia e acento aramaico da Galiléia foram suficientes para que a serva identificasse Pedro (Mt 26.73; Mc 14.70).
Os galileus tinham costumes diferentes e práticas religiosas mais simples que os judeus, de forma que o termo galileu significava uma censura usada pelos fariseus. As pessoas que viviam fora da Galiléia tinham uma opinião pouco lisonjeira sobre seus habitantes, portanto acreditavam que um profeta não poderia vir da Galiléia (cf. Jo 1.46; 7.41,52). Dessa maneira, o termo galileu significava não só uma localização geográfica como também um tipo cultural.

E. B. R.

**GALINHA** *Veja* Animais: Galinha doméstica III. 30.

**GALINHA DOMÉSTICA** *Veja* Animais III. 30.

**GÁLIO** Procônsul romano da Acaia, na Grécia, enquanto Paulo trabalhava em Corinto durante sua segunda viagem missionária (At 18.12-17). Era filho de M. Anneo Sêneca e nasceu em Córdoba, Espanha, aprox. no ano 3 d.C. Seus dois irmãos mais novos eram Sêneca, o filósofo e tutor de Nero, e Marcos Anneo Mela, geógrafo e pai do poeta Lucano. Nero, obrigou os três irmãos a cometer suicídio aprox. no ano 66 d.C.
Assumiu o nome de L. Júnio Gálio Anneo quando foi adotado pelo seu abastado amigo Lúcio Júnio Gálio e introduzido na carreira política. Além de ter sido cônsul na Acaia, onde o clima lhe fez adoecer (de acordo com uma carta enviada a Sêneca), Gálio se tornou um senador de Roma.
Uma inscrição encontrada aprox. no ano 1905 em Delfos (70 quilômetros a noroeste de Corinto) revela que Gálio tornou-se procônsul da Acaia depois da 26ª aclamação de Cláudio como imperador. Jack Finegan afirma, com muita convicção, que a chegada de Gálio a Corinto deve ter ocorrido em 1º de julho de 51 d.C., o que localiza a vinda de Paulo no ano 50 d.C. (FLAP, 2ª ed., pp. 362ss.).
Gálio se mostrou um juiz imparcial e um oficial romano digno quando Paulo foi trazido à sua presença. Recusou-se a se envolver em assuntos religiosos, não dando atenção à conseqüente manifestação dos judeus.

J. R.

**GALO** *Veja* Animais III.31.

**GALIM** Cidade na região de Benjamim, aparentemente próxima de Laís e Anatote, portanto ao norte de Jerusalém (Is 10.30). Talvez seja Khirbet Ka'kûl, pouco mais de um quilômetro a oeste de Anatote. Era a cidade de Palti, o segundo marido de Mical (1 Sm 25.44).

**GAMADITAS ou GAMADE** Termo obscuro encontrado apenas em Ezequiel 27.11. Foi traduzido como "homens valorosos" na versão ASV em inglês, mas o contexto parece implicar um nome próprio. Foram feitas sugestões a fim de identificar esse termo com a cidade de Kumidi das cartas de Tell el-Amarna, em algum lugar próximo a Arvade, no norte da Fenícia.

**GAMALIEL**

1. Gamaliel I ("o ancião") era filho de Simão e neto do famoso Rabino Hilel. Ocupava uma importante posição no conselho judaico e era muito respeitado (At 5.34-40). Foi o primeiro a

ostentar o título "raban" (nosso mestre), ao invés de "rabi" (meu mestre), um título muito mais comum. Certa vez, foi conselheiro de Herodes para assuntos legais e religiosos (Pesahim 88*b*). Sua importância pode ser vista na declaração: "Quando Raban Gamaliel, o Ancião, morreu, cessou a glória da lei, e a pureza e a abstinência morreram" (*Sotah* 9.15). Como era característico na escola de Hilel, Gamaliel era um liberal em sua aparência e mostrava opiniões moderadas em relação às leis do sábado, do casamento e do divórcio (Rosh ha-Shanah 2.5; Yebamoth 16.7; Gittin 4.2, 3). Atos 5.34-39 diz que ele aconselhou moderação no tratamento aos apóstolos. Isso pode ser interpretado como um exemplo de seu temperamento. Outra interpretação é que ele falou com ironia contra o ceticismo saduceu em relação à providência divina (James Moffatt, "Gamaliel", *Expositor,* 8ª série, 5 [1913], p. 96). Se este último estiver correto, essa passagem reflete o conflito entre a tradição farisaica de Hilel e a tradição dos saduceus de Shamai.

A menção feita por Gamaliel sobre Teudas, em Atos 5.36, levanta um problema em relação à cronologia. Josefo menciona um rebelde chamado Teudas que foi morto aprox. no ano 44 d.C., durante a procuradoria de Fado (*Ant.* 20.5.1ss.). Gamaliel, falando antes desse acontecimento, coloca Teudas antes do alistamento que teve lugar no ano 6 d.C. Swain havia sugerido que o discurso deveria ser colocado em Atos 12, pouco antes da morte de Herodes (Joseph W. Swain, *"Gamaliel's Speech and Caligula's Statue"*, Harvard Theological Review, 37 [1944] p. 342). Entretanto, isso não traz nenhuma ajuda para solucionar a questão, pois de acordo com Josefo, Teudas foi executado depois da morte de Herodes. É possível que Josefo esteja se referindo a outro Teudas. A confiabilidade das informações de Josefo também pode ser discutida, pois vários relatos feitos sobre as guerras judaicas nem sempre são completamente precisos.

A afirmação em Atos 22.3 de que Paulo foi criado aos pés de Gamaliel levanta outro problema. Se Paulo foi ensinado pelo moderado Gamaliel, por que demonstrou um ódio tão radical contra a Igreja? Por que não mencionou Gamaliel em suas cartas? E por que sua atitude em relação à lei era tão diferente? Alguns chegaram a sugerir que a frase *para tous podas gamaliel pepaideumenos* deveria ser traduzida como uma frase genérica: "Criado sob a influência de Gamaliel" (G. Corrie Clanville, *"Gamaliel",* ExpT, 39 [1918], pp. 39ss.). Outros dizem que Paulo não estudou em Jerusalém, e que sua localização nessa cidade se deve à inclinação teológica de Lucas (M. S. Enslin, "Paul and Gamaliel", *Journal of Religion,* 7 [1927], pp. 360-375). Entretanto, de certo modo, Paulo reflete a tradição farisaica de seu mestre. Por exemplo, ele chama o livro de Isaías de Lei (1 Co 14.21), uma expressão muito apropriada para um aluno de Gamaliel, pois os fariseus consideravam toda a Escritura como a Lei. Outra evidência de que Paulo estudou com Gamaliel são passagens do Talmude que fazem referência a um aluno de Gamaliel chamado de "aquele aluno". Essa designação possivelmente seja uma referência a Paulo (Joseph Klausner, *From Jesus to Paul*, p. 310ss.). Por que Paulo não menciona seu famoso mestre em suas cartas? Esta é uma pergunta que levanta outra questão. A experiência de sua conversão e sua nova orientação podem ter sido fatores importantes.

2. Príncipe da tribo de Manassés (Nm 7.54,59; 10.23). Foi nomeado assistente de Moisés na contagem do povo no Sinai (Nm 1.10; 2.20).

G. E. H.

**GAMO** *Veja* Animais II.18.

**GAMUL** Chefe dos levitas escolhido como líder do 22º turno dos sacerdotes, que foram organizados por Davi em 24 turnos (1 Cr 24.17).

**GANÂNCIA** *Veja* Cobiça.

**GANGRENA** *Veja* Doença: Doenças Internas.

**GANSO** *Veja* Animais III.32.

**GARÇA** *Veja* Animais III.33.

**GAREBE**

1. Um dos homens poderosos de Davi, incluído entre os 30 (2 Sm 23.38; 1 Cr 11.40). Um itrita (*q.v.*), membro de uma família de Quiriate-Jearim (cf. 1 Cr 2.53).

2. Nome de uma colina de localização incerta, próxima a Jerusalém, sobre a qual a cidade deveria se expandir, de acordo com uma profecia de Jeremias (Jr 31.39). Ela literalmente significa "Colina do Leproso".

**GANCHO**

1.Heb. *waw*, um colchete ou argola como a cabeça de um espigão colocada na madeira. Eles eram peças de ouro (Êx 26.32; 36.36) ou de prata (Êx 27.10; 38.10) que seguravam as cortinas e telas do Tabernáculo em seus devidos lugares.

2. Heb. *hah*, um colchete ou argola, tal como é colocado no nariz de um touro para conduzi-lo (2 Rs 19.28) ou em sua mandíbula (Ez 29.4; 38.4). Era um símbolo do juízo divino sobre Senaqueribe, Faraó e Gogue, e sobre os príncipes de Judá (Ez 19.4,9). A escultura assíria retrata os cativos reais com uma argola nos lábios, amarrados, e sendo segurados por meio de uma corda pelo monarca assírio (ANEP # 447), assim como aconteceu

O monte de Gate. HFV

com o rei Manassés de Judá (2 Cr 33.11).
3. Heb. *hakka*, um anzol usado na pescaria (Is 19.8; Hc 1.15), mencionado nas tentativas de capturar o leviatã (Jó 41.1).
4. Heb. *sinna*, um espinho ou gancho, em paralelo com *sir duga*, "anzóis", uma metáfora para trazer Israel cativo (Am 4.2), de acordo com a prática descrita em 2.
5. Heb. *sh*[e]*phattayim*, ganchos duplos ou bifurcados, sobre os quais as carcaças dos animais eram penduradas para se retirar a pele (Ez 40.43). A palavra, porém, é de significado duvidoso; as versões sugerem abas ou orlas, como visto em uma mesa sacrificial de pedra decorada para os bois Ápis em Mênfis, no Egito.
6. Gr. *agkistron*, um anzol para pesca (Mt 17.27).
*Veja também* Anzol; Gancho de Carne; Foice.
H. E. Fi.

**GANCHO DE CARNE**
As instruções dadas a Moisés para o altar de ofertas queimadas incluíam os "ganchos" (Êx 27.3); estes deveriam ser feitos de bronze no Tabernáculo e de ouro no Templo (1 Cr 28.17). O texto em 1 Samuel 2.13 descreve os garfos como tendo três dentes e sendo usados pelo sacerdote para pegar sua porção de carne das panelas enquanto estavam cozendo. *Veja* Gancho.

**GARMITA** Nome de significado incerto usado para Abiqueila (ou Queila), descendente de Calebe, da tribo de Judá (1 Cr 4.19).

**GARRAFA** Em Isaías 22.24, "garrafas" (heb. *n*[e]*balim*) se refere a um jarro de barro para armazenamento (Lm 4.2), ou a uma bolsa, geralmente feita de peles de bode completamente secas ou de um outro animal semelhante, e era usada para água, vinho, leite, ou outros líquidos.
Geralmente se entende que a palavra heb. *ashisha,* traduzida como "garrafa" no AT (2 Sm 6.19; 1 Cr 16.3; Ct 2.5; Os 3.1), designa um "bolo de passas" feito de uvas prensadas e levado em viagens. Era considerada uma iguaria e um importante item alimentar.

**GASMU** Variação de Gesém (*q.v.*) encontrada apenas em algumas versões em Neemias 6.6. Esse árabe era um associado de Sambalate e Tobias em sua oposição a Neemias.

**GATE** Nome de lugar amplamente usado no Levante com o significado de "prensa de vinho". Documentos administrativos de Ugarite relacionam 29 cidades diferentes com um nome onde o primeiro elemento é *gt* (Gate), seguido por um segundo elemento, por exemplo, *gt'ttrt,* "prensa de vinho de Astarote"; ou *gt gl'd*, "a prensa de vinho de Gileade". Portanto, não é nenhuma surpresa encontrar diversos lugares com o nome de Gate na Palestina, pois na Antiguidade a vinicultura representava uma importante atividade, assim como hoje em dia.
Existem inúmeras referências às cidades com o nome de Gate na Palestina, tanto em fontes bíblicas como seculares. Às vezes, era acrescentado ao nome um elemento adicional a fim de distingui-lo de outras Gates, mas em numerosos exemplos o nome Gate aparece sozinho tornando-se difícil para o intérprete decidir exatamente a qual Gate o texto está se referindo. As Gates bíblicas, que trazem essas designações adicionais, serão discutidas sob títulos diferentes (*veja* Gate-Hefer; Gate dos filisteus e Gate-Rimom). O final locativo *-ayim* pode ser acrescentado para produzir a forma Gitaim (*q.v.*). Às vezes, há referências a essa cidade apenas como Gate. O nome Moresete-Gate contém esse termo como segundo elemento, embora também possa ser simplesmente chamada de Gate (2 Cr 11.8; *veja* Moresete-Gate).
Pelo menos quatro, ou talvez cinco outras cidades com o nome de Gate são conhecidas na Palestina a partir de fontes extrabíblicas. Uma delas é chamada *Gittipadalla* nas tábuas de Amarna (EA 250.12) e foi escrita como *ddptr* na lista de Sisaque (Nº 34). A partir de sua posição no texto mais recente, entre Borim (Nº 33; Khirbet Burin) e Yahem (Nº 35; Khirbet Yamma), é evidente que essa Gate-padilla deveria ser identificada com a cidade de Jatt, na planície costeira ao sul do monte Carmelo. O mesmo lugar aparece como *knt* na lista de Tutmósis III (Nº 70) em íntima associação com outros lugares que se sabe estarem localizados ao norte de Sarom, como, por exemplo, Socó (Nº. 67; *swk*, Khirbet Shuweikat ar-Ras e Yehem Nº 68).
O *Gintikirmil,* Gate-Carmelo, das tábuas de Amarna (EA 288.26, 289.18), provavelmente esteja se referindo à mesma cidade de Gate dos filisteus, agora identificada como Tell es-Safi (Y. Aharoni, "Rubute and Gini-Kirmil", VT, XIX [1969], 137-145).
Outra Gate da Galiléia está indicada pelo número 44 da relação de Tutmósis III,

escrita como *kntisn* e relacionada depois de Ibleão (Nº 43; Khirbet Bal'ama), que aparece nas tábuas de Amarna (EA 319.5) como *Ginti-ashna*.
A quarta "Gate" na inscrição de Tutmósis, *kntit* (Nº 93), provavelmente representa a forma plural *Gattoth*. Devido à sua posição nessa relação, ao lado de outras cidades do norte da Galiléia, Aharoni a associou com Gate Aser, escrita como *qtisr* em duas listas topográficas de Ramsés II. Ele sugere que essa cidade de Gate seja identificada com Jatt, uma vila do antigo território tribal de Aser (Yohanan Aharoni, *The Settlement of the Israelite Tribes in Upper Galilee,* Jerusalém. Magnes Press, 1957, p. 65 [Heb.]).
A. F. R.

**GATE DOS FILISTEUS** Cidade natal de um dos cinco príncipes filisteus (Js 13.3). Era conhecida como uma cidade habitada por gigantes (Js 11.22), particularmente por Golias (1 Sm 17.4; 2 Sm 21.19,20; 1 Cr 20.4-8). Nessa cidade, Aquis (*q.v.*) governou como rei com uma aparente hegemonia sobre toda a região dos filisteus (1 Sm 21.10-15; 27.1-12; 28.1,2; 29.1-11). Y. Aharoni (VT, XIX [1969], 141-144) acredita que a cidade de Gate-Carmelo, que consta em duas cartas de Amarna, de 'Abdu-Heba de Jerusalém (#288-289. ANET, pp. 488ss.), seja idêntica à posterior Gate dos filisteus.
De acordo com uma passagem (1 Cr 18.1), Davi conquistou Gate, mas o texto paralelo tem uma outra interpretação (2 Sm 8.1). Um rei filisteu ainda reinava lá nos dias de Salomão (1 Rs 2.39). Essa cidade, fortificada por Roboão, era provavelmente Moresete-Gate (*q.v.*), que pertence a uma linha mais lógica com outras cidades daquela relação (2 Cr 11.8). Hazael capturou Gate em uma incursão contra a Palestina (2 Rs 12.17); Uzias neutralizou seu poder quando expandiu a própria influência de Judá (2 Cr 26.6) e os anais de Sargão II mencionam um Gimti na terra de Asdode (*q.v.*). Depois disso, a única referência a Gate consta em uma expressão proverbial (Mq 1.10; cf. 2 Sm 1.20).
Escavações mostraram que não existia nenhuma colônia de filisteus em Tell Sheik el-Areini (8 quilômetros a noroeste de Laquis), nem em Tell en-Najila (13 quilômetros a sudeste de Laquis). Para esses dois locais veja BW, pp. 571-574. Alguns estudiosos voltaram recentemente (Aharoni, *op. cit.*, p. 144) à sugestão mais antiga ("Gath", ISBE, II, 1177) de que Gate estava localizada em Tell es-Safi (33 quilômetros a oeste de Belém, 15 quilômetros ao norte de Laquis), o que colocaria essa cidade próxima a Ecrom (Tell Muqanna), estando com isso de acordo com o relato da LXX de 1 Samuel 17.52. Tell es-Safi está localizada na extremidade oeste do vale de Elá, no qual Davi matou Golias. Esse local, sobre o contraforte mais estreito das escarpas da Sefelá, projeta-se como um baluarte com suas pronunciadas escarpas situadas em seus lados norte e oeste.
Em 1960, Bliss e Macalister fizeram pesquisas nesse local e descobriram cerâmicas que corroboram com os dados bíblicos relacionados com sua ocupação. Verificaram a existência de uma muralha na cidade, do período do reinado de Judá, e um santuário cananeu circundando um local anteriormente mais elevado com uma série de pedras em posição vertical (*Excavations in Palestine, 1898-1900,* pp. 28-43). Porém, a existência de cemitérios muçulmanos sobre esse monte impediu que fossem feitas escavações em grande escala.
*Veja* Gate; Filisteu.
A. F. R.

**GATE-HEFER** Cidade localizada na fronteira de Zebulom (Js 19.13), relacionada depois de Daberate (Dabburiya) e Jafia (Yafa) e antes de Ete-Cazim (localização desconhecida). É conhecida como cidade natal do profeta Jonas, filho de Amitai (2 Rs 14.25). Jerônimo, em seu comentário sobre o livro de Jonas, afirma que Gate-Hefer estava situada a 3 quilômetros de Sephoris (Saffuriya), na estrada para Tiberíades, e que os habitantes locais daquela época indicavam o túmulo do profeta a qualquer passante interessado. Evidentemente isso representa uma referência à cidade de Meshhed, que até hoje exibe a sepultura de Nebi Yunas, uma honra que esta cidade compartilha com vários outros lugares da Palestina, sem mencionar sua famosa rival, Nínive. Essa cidade só foi habitada à partir do período romano, mas havia uma cidade da Idade do Ferro nas proximidades chamada Khirbet ez-Zurra', a sudeste de Meshhed.
A. F. R.

**GATE-RIMOM** Nome de uma ou duas cidades da antiga Israel.
1. Aparece na relação das cidades danitas (Js 19.45) em associação com Jeúde, Benê-Beraque e Me-Jarcom, ou "as águas de Yarkon". Entretanto, a própria cidade deveria ser uma cidade levítica (Js 21.24; 1 Cr 6.69). Talvez tenha se tornado um centro administrativo durante o período da monarquia unida, pois a área permaneceu livre das conquistas dos danitas (Jz 1.34,35). Somente durante a expansão realizada sob o governo de Davi é que Israel finalmente conseguiu controlar essa região (cf. 2 Sm 8.1; 1 Cr 18.1). A cidade chamada *knt* (nº 63), que está na lista topográfica de Tutmósis III, junto com Jope (Nº 62), Lode (nº 64), Ono (nº 65) e Afeca (nº 66), pode ser idêntica a Gate-Rimom por causa da semelhança do local (para a localização das outras cidades mencionadas acima, *veja* os respectivos artigos). A aparente importância dessa cidade, como cidade ar-

mazém dos levitas sob a administração de Davi, levou investigadores recentes a abandonar a antiga identidade de Gate-Rimom com a pequena, porém proeminente, Tell Abu Zeitûn, em favor de Tell Jerisheh ("A colina de Napoleão"), um grande local próximo à junção do Uádi Musrara com o rio Yarkon. Escavações realizadas nesse local revelaram que ele havia sido uma importante cidade no final da Idade do Bronze, e que continuou a existir até quase o final do século X a.C.

2. O nome de Gate-Rimom aparece ao lado de Taanaque como uma das grandes cidades de Manassés na Cisjordânia e que foi destinada a famílias coatitas dos levitas (Js 21.25). A validade dessa referência é discutida devido a uma dificuldade textual. Na passagem paralela em 1 Crônicas 6.70, constam duas cidades inteiramente diferentes em lugar de Taanaque e Gate-Rimom, isto é, Aner e Bileã *(q.v.)*. Esta interpretação é apoiada pela LXX em Josué 21.25, que traz *Iebatha* (uma possível mistura de *Ieblaa*[*m*] e *Baithsa* ou *Baithsan*, que aparecem como variações nos manuscritos da LXX em lugar de *Iebatha*). Qualquer que seja a solução para esse complicado problema textual, a existência de uma Gate-Rimom próxima a Taanaque recebe um apoio adicional das tábuas de Amarna, que fazem referência a uma Gimti-rimmunima (EA 250.46) em associação com Suném. A região norte de Gate-Rimom talvez possa ser identificada com Rummana (169-214), nas vizinhanças de Taanaque.

***Bibliografia.*** Benjamin Mazar, "The Cities of the Territory of Dan", IEJ, X (1960), 65-77; "The excavations at Tell Qasile", IEJ, I (1950), 63, n. 6. E. L. Sukenik, "Excavations in Palestine, 1933-1934; Tell el Jerishe", *Quarterly of the Department of Antiquities, Palestine,* IV (1934), 208-209.

A. F. R.

**GAVIÃO** *Veja* Animais: Gavião III.35.

**GAZA** Importante cidade portuária na costa sul da Palestina. O nome moderno Ghazzeh preserva a primeira consoante original (cf. o original hebraico *azza*, Dt 2.23). Durante o final da Idade do Bronze, essa cidade era o principal centro administrativo do Egito em sua província de Canaã, da qual representava o extremo sul (Gn 10.19; cf. At 8.26). Seus habitantes originais eram os aveus, mais tarde substituídos pelos caftorins (Dt 2.23; cf. Js 10.41). Judá deveria ter herdado essa cidade (Js 15.47), mas não conseguiu conquistá-la (Js 13.2,3; Jz 1.18; 3.3; na LXX). Daí, portanto, ela se tornou um importante centro dos filisteus (Js 13.3; Jz 16; 1 Sm 6.17; *et.al.*). Foi, muitas vezes, conquistada pelos assírios em sua luta para controlar a Palestina. O rei Ezequias subjugou Gaza (2 Rs 18.8), porém mais tarde Senaqueribe concedeu algumas cidades da Judéia ao seu rei. O Faraó Neco assumiu a cidade em sua marcha para o norte em 609 a.C. (Jr 47.1).

A cidade conservou sua importância nos períodos persa, helênico e romano. Foi sitiada por Alexandre durante cinco meses. Jônatas, Simão e Alexandre Janeu lutaram contra ela e o último conseguiu finalmente devastar essa cidade em 93 a.C., de forma que muitos escritores chamam-na de *eremos,* isto é, "desértica". Pompey coloca a região de Gaza sob a jurisdição da província romana da Síria (62 a.C.). Foi reconstruída pelo general romano Gabinius em 57 a.C., em uma nova localização à beira-mar, um pouco ao sul da antiga cidade. Assim, Lucas registrou corretamente que Filipe foi orientado pelo mensageiro divino a tomar a antiga estrada que descia de Jerusalém até Gaza, e que este era um caminho que estava deserto (At 8.26).

A. F. R.

**GAZÃO** Fundador da família dos netinins (ou netineus), cujos descendentes estavam entre os primeiros exilados que retornaram da Babilônia (Ed 2.48; Ne 7.51).

**GAZELA** *Veja* Animais II.19.

**GAZER** Forma alternativa de Gezer (*q.v.*) em 2 Samuel 5.25 e 1 Crônicas 14.16.

**GAZITAS** Designação aplicada aos habitantes de Gaza em Josué 13.3. Esta cidade estava localizada mais ao sul, entre as cinco principais cidades dos filisteus. A palavra também consta em Juízes 16.2.

**GEADA** A geada é comum nas áreas mais altas da Palestina durante o inverno, e pode danificar os rebentos dos grãos e das frutas (Sl 78.47; heb. *hanamal*). A geada (heb. *k^epor*) é citada em Êxodo 16.14; Jó 38.29; Salmos 147.16; e no livro apócrifo de Sir 43.19. É o termo que descreve as pequenas agulhas de gelo que se formam durante uma noite fria e calma. A palavra heb. *qerah* em Jeremias 36.30 é traduzida como "gelo" em Jó 37.10, e "frio" em Gênesis 31.40, em algumas versões da Bíblia Sagrada.

**GEAZI** Servo ou jovem (em hebraico *na'ar*) de Eliseu. Seu nome foi mencionado em três ocasiões (2 Rs 4.12ss.; 5.20; 8.4) e ele pode ser o servo cujo nome não foi mencionado em 2 Reis 4.43 e 6.15.

Foi Geazi que sugeriu a Eliseu que a hospitalidade da sunamita devia ser recompensada com a promessa de um filho, e que mais tarde carregou o bordão de Eliseu e o colocou sobre a face da criança morta em um vão esforço de restituir-lhe a vida (2 Rs 4.8-37).

A ambição de Geazi pode ser vista em sua falsa solicitação a Naamã de um talento de prata e de duas vestes de festa em nome de seu mestre, Eliseu, que anteriormente havia se recusado a aceitar qualquer recompensa por parte de Naamã (2 Rs 5.20-23). Como resultado de seu pecado, Eliseu lançou uma maldição sobre Geazi e seus descendentes para que a lepra de Naamã se alastrasse sobre eles para sempre (2 Rs 5.27). A lepra é um termo genérico no AT, usado para muitos tipos de doenças de pele. Evidentemente, esse tipo que Naamã e Geazi haviam contraído não exigia que ficassem isolados (cf. 2 Rs 8.1ss.; Lv 13;12,13). *Veja* Doença; Lepra.

A última aparição de Geazi no AT é aquela em que relata ao rei Jorão todas as grandes obras de Eliseu, especialmente a de ressuscitar o filho da sunamita (2 Rs 8.4-6). *Veja* Eliseu; Naamã.

R. L. S.

**GEBA** Palavra escrita como Gaba em Josué 18.24; Esdras 2.26; Neemias 7.30, em algumas versões.

Cidade herdada por Benjamim (Js 18.24), atualmente a cidade de Jeba, uma vila árabe localizada 10 quilômetros a noroeste de Jerusalém, entre er-Ram (Ramá) e Mukhmas (Micmás). Ocupa a colina (em hebraico a palavra geba significa "colina", "altitude") do lado sul da garganta do desfiladeiro do Uádi Suweinit, oposta a Micmás (*q.v.*), em sua margem norte (1 Sm 14.5). Geba é uma das quatro cidades dos benjamitas nas quais residiam famílias de sacerdotes (Js 21.17; 1 Cr 6.60). Alguns de seus habitantes podiam traçar sua linhagem até Eúde (1 Cr 8.6) e aparentemente podiam ser identificados com o juiz que tinha o mesmo nome (Jz 3.15ss.). A expressão "planície de Gibeá" (Jz 20.33) foi interpretada pela Peshitta, LXX e Vulgata como sendo a região "ao ocidente de Gibeá".

Sem dúvida essa cidade é o local que aparece no relato do corajoso ataque de Jônatas aos filisteus, porque em 1 Samuel 13.16 e 14.5 a palavra no Texto Massorético hebraico é *geba'*, "Geba", e não "Gibeá". A maioria dos estudiosos acredita que em 1 Samuel 14.2,16 a palavra *gib'a*, "Gibeá", seja um erro de ortografia e o correto seja *geba'*, porque não se pode ver Micmás a partir de Gibeá (Tell el-Ful), mas ela pode ser facilmente observada de Geba através de um vale profundo. Anteriormente, os filisteus haviam estabelecido uma guarnição militar em Geba (1 Sm 13.3), também conhecida como Gibeate-Elohim ("outeiro de Deus", 1 Sm 10.5) por causa de sua localização elevada.

Durante o reinado de Judá, o rei Asa derrubou as muralhas de Ramá para fortificar Mispa e Geba, localizadas nas duas principais estradas para Jerusalém, a partir do norte (1 Rs 15.22; 2 Cr 16.6). Essa cidade também é mencionada como um ponto de parada dos assírios em seu ataque contra Jerusalém (Is 10.29). Com os primeiros refugiados do exílio vieram 621 descendentes dos cidadãos de Geba e de Ramá (Ed 2.26; Ne 7.30). Essa cidade pertencia à província pós-exílica de Judá (Ne 11.31) e em seu território residiam muitos dos cantores do Templo (Ne 12.28ss.).

Benjamim Mazar ("Geba", EBi, II, cols. 411-412 [heb.] argumenta que deve ter existido uma outra cidade com o nome de Geba, na fronteira norte de Judá, provavelmente Khirbet et-Tell, em frente a Uádi Jib. O rei Josias profanou todos os lugares altos de "Geba até Berseba" (2 Rs 23.8). No mesmo capítulo está claro que Betel também pertencia aos limites de Judá durante esse período (2 Rs 23.4,16) e que Betel está ao norte da cidade de Jeba' discutida acima. Um expressão semelhante é "desde Geba até Rimom, ao sul de Jerusalém" (Zc 14.10), que parece apoiar a opinião de que Geba é o ponto mais ao norte do reino de Judá. Também é importante observar que na época romana os limites situados entre a Judéia e a Samaria não estavam localizados sobre a linha *Jeshanah* – Geba – Chanot – Barkai (cf. também 2 Cr 13.19).

Eusébio (em sua obra Onomasticon, 74.2) faz referência a uma Geba localizada 8 quilômetros ao norte de Gofna, no caminho de Jerusalém para Siquém. A identificação com et-Tel é apoiada pelo fato de terem sido encontradas nesse local algumas ruínas desde o período israelita até o bizantino.

Entretanto, como indica Y. Aharoni (*The Land of the Bible,* 1967, pp. 350ss.), não há necessidade de se acreditar que essa Geba estivesse localizada diretamente na fronteira. Na época do rei Josias, a cidade de Geba, assim como Berseba, eram centros administrativos próximos à fronteira onde haviam sido localizados santuários religiosos antes da reforma feita por esse rei.

A. F. R.

**GEBAL**

1. Antigo porto marítimo fenício, 40 quilômetros ao norte de Beirute e conhecido pelos gregos como Biblos; é a moderna cidade de Jebeil. Gebal é um dos locais mais antigos já escavados do Oriente Próximo, tendo produzido ossos humanos encerrados em grandes vasos de terra que datam da era neolítica (4000–3000 a.C.). Por volta do ano 3100 a.C., Biblos era um centro de influência egípcia, e navios conhecidos como viajantes de Biblos navegavam o Mediterrâneo entre a Fenícia e o Egito (BW., p. 154).

Um dos achados mais importantes de Gebal é o sarcófago de Airão (de aprox. 1000 a.C.), descoberto em 1923, e que contém uma inscrição redigida com antigos caracteres alfabéticos

Fortificações fenícias, Gebal

fenícios. Os gebalitas eram habilidosos artesãos (1 Rs 5.18) e forneciam a Tiro os calafates ou operários especializados em calafetar os navios (Ez 27.9). Por verem ali papiros em forma de rolos de pergaminho importados do Egito, os gregos deram à cidade o nome de Biblos, que significa "papiro". Biblos também significa "livro", e a palavra Bíblia tem a mesma origem. Veja N. Jidejian, *Byblos Through the Ages,* Leiden. Brill, 1968.

2. Área entre o mar Morto e Petra, mencionada no Salmo 83.7 como aliada aos inimigos de Israel. É a moderna cidade de Gibal. Para uma ilustração do sarcófago de Airão, *veja* Alfabeto.

D. D. T. e A. F. J.

**GEBALITAS** Habitantes de Gebal (*q.v.*).

**GEBER** Filho de Uri e um dos doze oficiais comissários de Salomão cujo dever era providenciar comida e suprimentos para o domicílio real. Estava encarregado do 12º distrito, que consistia de Gileade (1 Rs 4.19). Outro dos oficiais comissários era Ben-Geber ("filho de Geber", 1 Reis 4.13), que cuidava do 6º distrito, que consistia das 60 cidades de Gileade e Basã.

**GEBIM** Cidade de localização desconhecida na região de Benjamim, entre Anatote e Nobe, cujos habitantes foram retratados por Isaías como tendo fugido antes da aproximação do exército assírio (Is 10.31).

**GEDALIAS**

1. Governador de Judá, nomeado por Nabucodonosor depois da destruição de Jerusalém em aprox. 586 a.C. (2 Rs 25.22-26; Jr 40.6–41.18). Gedalias era membro de uma importante e proeminente família. Seu avô era Safã, provavelmente aquele que serviu como secretário de estado sob o rei Josias e que relatou ao rei a descoberta do livro da lei (2 Rs 22.10). Aicão, filho de Safã e pai de Gedalias, tornou-se protetor de Jeremias depois do famoso sermão do Templo (Jr 26.24).

Gedalias estabeleceu seu governo em Mispa, que estava localizada 8 a 10 quilômetros ao norte de Jerusalém, na moderna Tell en-Nashbeh ou Nebi Samwill. Não se conhece a duração de seu governo, e as sugestões variam entre dois meses a cinco anos. Ismael, que era líder de um grupo de fanáticos nacionalistas e membro da família real no exílio, assassinou Gedalias enquanto estava hospedado na residência oficial em Mispa (Jr 41.2).

Foi encontrado em Laquis um selo de argila, anexado a um papiro, que trazia uma impressão com as palavras "A Gedalias, que está sobre a casa". Esse selo poderia sugerir que Gedalias tivesse sido o último primeiro-ministro de Judá, ou o administrador do palácio, pois esse selo pertencia ao oficial-chefe do território vizinho ao do rei (cf. G. E. Wright, *Biblical Archaeology*, p. 178).

2. Filho de Jedutum, um instrumentista chefe do coro do Templo (1 Cr 25.3,9).

3. Neto de Ezequias e avô do profeta Sofonias (Sf 1.1).

4. Filho de Pasur, um dos príncipes de Jerusalém que defendeu a condenação de Jeremias à morte (Jr 38.1-6).

5. Um dos sacerdotes que expulsou sua esposa pagã (Ed 10.18).

R. L. S.

**GEDEON** Forma grega de Gideão.

**GEDER ou GEDERITA** Cidade não identificada ao sul da Palestina cujo rei foi capturado por Josué (Js 12.13). Provavelmente seja a mesma cidade de Bete-gader (*q.v.*); Baal-hanan, que estava encarregado dos olivais e das figueiras bravas (ou sicômoros) de Davi "que havia nas campinas" (Sefelá), era um gederita ou um nativo de Geder (1 Cr 27.28).

**GEDERA** Cidade em Sefelá de Judá (Js 15.36). Em 1 Crônicas 4.23, está escrito: "Estes eram oleiros e habitantes de Netaim e de Gedera; moravam ali com o rei para o servirem". Essa cidade pode ser provavelmente identificada com a moderna Jedireh, cerca de 15 quilômetros a sudeste de Lode. Alguns identificam Gedera com uma cidade de Benjamim, da qual veio Jozabade, um dos

Antigo porto de Gebal

homens poderosos de Davi. Pode ser a mesma Jedireh próxima a Gibeão, ou uma Jedireh cerca de cinco quilômetros a sudeste de Gezer.

**GEDERATITA** Habitante de Gedera. Esse termo foi aplicado a Jozabade em 1 Crônicas 12.4, um dos poderosos de Davi, e em 1 Crônicas 4.23 referindo-se aos oleiros e habitantes de Netaim e Gedera.

**GEDEROTAIM** Cidade em Sefelá de Judá, próxima a Zorá e Azeca (Js 15.36). O relato de Josué relaciona essa cidade como a décima quinta em uma enumeração que sugere "quatorze cidades e suas aldeias". Portanto, segundo alguns estudiosos acreditam, a expressão "e Gederotaim" deveria ser interpretada como "e seus apriscos de carneiros" ou "e seus lugares cercados". Assim, essa afirmação estaria se referindo às cidades precedentes deixando o número total em 14, como o versículo sugere.

**GEDEROTE** Cidade em Sefelá de Judá, cujo nome aparece ao lado de Bete-Dagom, Naamá e Maquedá em Josué 15.41. Foi mencionada junto com Bete-Semes e Aijalom como tendo sido conquistadas pelos filisteus durante o reinado de Acaz (2 Cr 28.18). Ela tem sido identificada com Cedrom, um lugar fortificado por Cendebeus, que lá foi derrotado por João, filho de Simão Macabeu (1 Mac 15.39; 16.9).

**GEDOR**

1. Um dos filhos de Jeiel, um benjamita, e "pai" ou fundador de Gibeão (1 Cr 8.31; 9.37).
2. Cidade na região montanhosa de Judá, designada por Josué a Judá na divisão da terra (Js 15.58). Homens provenientes de Gedor vieram a Davi em Ziclague (1 Cr 12.7). O texto em 1 Crônicas 4.4 afirma que Penuel era "pai" de Gedor, e 1 Crônicas 4.18 também afirma que Jerede era "pai" de Gedor. Como nessa seção outros homens também foram relacionados como "pais", ou reconstrutores de antigas cidades de Canaã, podemos concluir que Penuel e Jerede foram fundadores de cidades cananitas antigas – como Socó e Zanoa (1 Cr 4.18), que são apresentadas em Josué 15.34,35.
3. Cidade ou vale onde se estabeleceram alguns dos simeonitas (1 Cr 4.39). Sua localização é desconhecida. A versão LXX traz "Gerar" em lugar de "Gedor" nesse versículo.

**GEENA** Forma grega da palavra hebraica *ge-hinnom,* ou "vale de Hinom" (Js 15.8; 18.16); também chamada de Tofete (2 Rs 23.10). A forma *Gaienna* ocorre na LXX em Josué 18.16*b*. Essa palavra é usada como nome metafórico do lugar de tormento dos pecadores depois do Juízo Final. Esse vale era o lugar do culto idólatra a Moloque, o deus do fogo (Acaz... "queimou incenso no vale do filho de Hinom e queimou a seus próprios filhos" – 2 Cr 28.3; cf. 2 Cr 33.6; Jr 7.31; 32.35; Lv 18.21). Por essa razão, o Geena foi condenado por Josias (2 Rs 23.10) a se tornar um lugar de rejeição e de abominação.

O conceito de um lugar de eterno castigo espiritual é muito freqüente no AT (cf. Dt 32.22, "Porque um fogo se acendeu na minha ira, e arderá até ao mais profundo do inferno". Veja também Levítico 10.2; Isaías 30.27,30,33; 33.14; 66.24; Daniel 7.10; Salmos 18.8; 50.3; 97.3). Esse conceito, combinado com a profecia de Jeremias sobre o mal contra o vale (Jr 19.2-10), desenvolveu a crença sobre um lugar de castigo espiritual ao qual foi dado o temível nome de Geena. Gaster (IDB) sugere que a aplicação desse nome a um lugar segue a analogia de usar lugares da Palestina – como, por exemplo, o Armagedom (Ap 16.16; Zc 12.11), Jerusalém (Gl 4.26; Ap 21.2) ou Sodoma (Ap 11.8) – para representar conceitos espirituais.

A partir da literatura judaica podemos ver que a idéia era prevalecente (Enoque 10.12-14: "[Pecadores] serão levados ao abismo de fogo sofrendo torturas, e serão trancados por toda a eternidade na prisão". Também há referências neste sentido em Enoque 18.11-16; 27.1-3; Judite 16.17; 2 Esdras 7.36; Sir 7.17; Sibylline Oracles 1, 10.3; IQM 2.8; Talmude, Aboth 1.6; Assunção de Moisés 10.10). Alguns escritores judeus acreditavam que o povo escolhido deveria estar isento, e que a duração do castigo deveria ser limitada. Entretanto, Filo ensinou que judeus pecadores também deveriam ser punidos eternamente (De Praem. Et Poen. 921). A natureza espiritual do Geena ainda é indicada pelo fato de ter sido colocado no terceiro céu em livros apócrifos (Ascensão de Isaías 4.14; 2 Enoque 40.12; 41.2).

Mas a doutrina fica mais explicitamente afirmada nos ensinos de Jesus. O Senhor fala sobre o Geena (como um termo feminino) como um lugar de futuro castigo (veja as notas marg. da versão RSV em inglês em Mt 5.29; 18.8,9; Mc 9.45,47; Lc 12;5); "Geena de fogo" (Mt 5.22); pode fazer perecer na Geena (Mt 10.28); a "condenação da Geena" (Mt 23.33); "o tornais em dobro mais filho da Geena", isto é, alguém merecedor de sua punição (Mt 23.15). Esse nome também é usado em outra passagem do NT, em Tiago 3.6, "a língua... é incendiada pelo fogo da Geena". O NT ensina claramente que o castigo da geena é eterno (Mc 9.47,48; Mt 25.46; Ap 14.11).

O livro de Apocalipse dá ao Geena o nome de "lago de fogo" (19.20; 20.10,14,15; 21.8). Além disso, como Apocalipse assemelha o lago de fogo a uma "segunda morte" (20.14), ele também é, aparentemente, um sinônimo da descrição do Geena. No livro de Apocalipse, pode-se ob-

servar, em uma confirmação posterior da identidade desses termos com Geena, que homens incrédulos foram a ele consignados (20.15; 21.8), assim como o próprio Satanás (20.10). O Geena também é o lugar da eterna condenação (20.10*b*).
*Veja* Morto, O; Escatologia; Estado Eterno e Morte; Hades; Inferno; Hinom; Punição; Seol; Tofete.

***Bibliografia.*** Joachin Jeremias, *"Geena"*, TDNT, I, 657ss.

J. W. R.

**GELILOTE** Termo técnico hebraico para distritos administrativos, como o dos filisteus (Js 13.2), e traduzido como "fronteiras" ou "regiões". O Gelilote de Josué 18.17 estava situado nos limites entre Judá e Benjamim. Parece pouco provável que este local seja a Gilgal de Josué 15.7. Embora nenhuma identificação positiva seja possível, alguns entendem que Gelilote seja uma colina próxima à chamada Hospedaria do Bom Samaritano, em algum ponto da estrada entre Jericó e Jerusalém, como Tal'at ed-Damm. Ao falar sobre a distribuição de terras à tribo de Benjamim, o texto em Josué 18.17 diz o seguinte: "E ia desde o norte, e saía a En-Semes, e dali saía a Gelilote, que está defronte da subida de Adumim".

**GELO** A geada é um tanto rara na Palestina, exceto nas montanhas mais altas. Três referências bíblicas a gelo ou geada (Jó 37.10; 38.29; Sl 147.17) enfatizam o poder de Deus. Em sentido figurado, os falsos amigos são comparados a ribeiros "encobertos com a geada" (Jó 6.16).

**GEMALI** Pai do espião Amiel, da tribo de Dã, enviado por Moisés para espionar a terra de Canaã (Nm 13.12).

**GEMARIAS**
1. Filho de Safã, um escriba ou sacerdote que ocupou uma câmara na Porta Nova do Templo durante o reinado de Jeoaquim (Jr 36.10). Gemarias vinha de uma família ilustre, seu pai Safã era secretário ou importante ministro na época de Josias, a quem Hilquias trouxe o livro da lei depois de ter sido encontrado no Templo (2 Rs 22.8). Seu irmão era Aicão, que salvou a vida de Jeremias depois de seu sermão no Templo (Jr 26.24); e seu sobrinho, Gedalias, tornou-se governador de Judá depois da queda de Jerusalém (Jr 39.14). Gemarias testemunhou a ocasião em que Jeoaquim destruiu o primeiro rolo do livro de Jeremias. Junto com Elnatã e Delaías, insistiu que o rei não queimasse o rolo, mas o rei não lhes deu ouvidos (Jr 36.25).
2. Filho de Hilquias, enviado pelo rei Zedequias como embaixador a Nabucodonosor, e portador da carta de Jeremias aos judeus cativos na Babilônia (Jr 29.3).

**GENEALOGIA**

**Definição**

A palavra hebraica para genealogia, *yahas*, ocorre apenas uma vez no AT, na forma de um substantivo, na frase "livro da genealogia" (Ne 7.5), onde apresenta uma relação de exilados que retornaram da Babilônia a Jerusalém. O verbo *yahas*, "registrar", está sempre na forma causal *(hithpael)* e pode ser traduzido como "fazer com que o nome de alguém seja registrado (inscrito) em tábuas genealógicas" (1 e 2 Cr, Ed e Ne). No NT, a palavra grega *genealogia*, "genealogia", ocorre em 1 Timóteo 1.4 e Tito 3.9.
Essa idéia também é transmitida no AT pela palavra hebraica *tol^edoth*, "gerações" (*veja* Geração), ou pela frase "livro das gerações" (Gn 5.1), e no NT, pela palavra grega *biblos geneseos*, "livro da geração" (Mt 1.1). Dessa forma, o termo "genealogia" pode ser definido como uma relação de nomes indicando os ancestrais ou os descendentes de um indivíduo ou de vários indivíduos, ou pode significar ainda, por alguma razão, o registro de nomes de pessoas.

**Listas Genealógicas**

As principais listas são as seguintes:
1. De Adão a Noé (Gn 5; 1 Cr 1.1-4). Ela fornece a linhagem de Sete com dez nomes em cada passagem. Em Gênesis, esses nomes são relacionados sob a fórmula: *A* viveu *x* anos e gerou *B*, e *A* viveu depois de ter gerado *B y* anos e gerou filhos e filhas, e todos os dias de *A* foram *z* anos, e ele morreu. Existem muitas variações para "*x*" e para "*y*" entre o Texto Massorético, o Pentateuco Samaritano e a Septuaginta, enquanto as variações de "*z*", nos vários relatos, são menores.
2. Descendentes de Caim (Gn 4.17-22). Uma característica notável dessa primeira lista da Bíblia é que são mencionadas as profissões de algumas das pessoas que nela aparecem.
3. Descendentes de Noé (Gn 10; 1 Cr 1.4-23). Essa é a Tábua das Nações (*veja* Nações).
4. Linhagem de Sem até Abraão (Gn 11.10-26; 1 Cr 1.24-27). Essa lista é semelhante a Gênesis 5, exceto que o Texto Massorético e a Septuaginta não dão o total de anos que cada homem viveu (por outro lado, o Pentateuco Samaritano segue exatamente a fórmula de Gênesis 5).
5. Descendentes de Tera (Gn 11.27-31).
6. Descendentes de Naor, irmão de Abraão (Gn 22.20-24).
7. Descendentes de Ló, filho de Harã, outro irmão de Abraão (Gn 19.36-38).
8. Descendentes de Abraão (Gn 25.1-4; 1 Cr 1.28-33).
9. Descendentes de Ismael (Gn 25.12-17; 1 Cr 1.29-31).

10. Descendentes de Isaque (1 Cr 1.34).
11. Descendentes de Esaú (Gn 36; 1 Cr 1.35-54).
12. Descendentes de Jacó/Israel (Gn 46.8-27; 1 Cr 2–8).
*a*. Descendentes de Jacó com Léia (Gn 46.8-15).
(1) Rúben (Gn 46.9; Êx 6.14; Nm 26.5-11; 1 Cr 5.1-10).
(2) Simeão (Gn 46.10; Êx 6.15; Nm 26.12-14; 1 Cr 4.24-38).
(3) Levi (Gn 46.11; Êx 6.16-26). A genealogia de Levi é importante e extensa nos livros do período posterior ao cativeiro. A razão para isso é demonstrar a continuidade do sacerdócio levítico, antes, durante e depois do exílio. O sacerdócio levítico pode ser acompanhado nos livros pós-exílicos da seguinte maneira: a) Pré-exílio, antes de Davi (1 Cr 6.16-30); na época de Davi (1 Cr 6.31-48; 15.5-24); Josafá (2 Cr 17.8); Ezequias (2 Cr 29.12-14; 31.12-17); Josias (2 Cr 34.8-13; 35.8,9). b) Pós-exílio (Ed 2.40-42; Ne 10.2-13; 12.1-24). c) Linhagem arônica de sumos sacerdotes (1 Cr 6.1-15; Ne 12.26; Ed 5.2; Ag 1.1,12,14; 2.2,4).
(4) Judá (Gn 46.12; Nm 26.19-22; 1 Cr 2.34.22). Como acontece com a linhagem arônica, a linhagem de Judá é importante, pois era dessa linhagem que o Messias viria (Gn 49.9,10) e, mais particularmente, Ele viria da linhagem de Davi (2 Sm 7.12-16; Sl 89.3,4,28-30,32-37). Para a linhagem de Davi em particular, veja 1 Crônicas 3.10-20; Esdras 3.2,8; 5.2; Neemias 12.1; Ageu 1.1,12,14; 2.2,23; Mateus 1.6-16; Lucas 3.23-31.
(5) Issacar (Gn 46.13; Nm 26.23-25; 1 Cr 7.1-5).
(6) Zebulom (Gn 46.14; Nm 26.26,27).
*b*. Descendentes de Jacó com Bila (Gn 46.23-25).
(7) Dã (Gn 46.23; Nm 26.42,43).
(8) Naftali (Gn 46.24; Nm 26.48-50).
*c*. Descendentes de Jacó com Zilpa (Gn 46.16-18).
(9) Gade (Gn 46.16; Nm 26.15-18; 1 Cr 5.11-17).
(10) Aser (Gn 46.17; Nm 26.44-47; 1 Cr 7.30-40).
*d*. Descendentes de Jacó com Raquel (Gn 46.19-22).
(11) José (Gn 46.19,20; Nm 26.28-37). Entretanto, duas tribos vieram de José (cf. Gn 48.5,8-20), a saber, Manassés (Nm 26.29-34; 1 Cr 7.14-19) e Efraim (Nm 26.35-37; 1 Cr 7.20-27).
(12) Benjamim (Gn 46.19,21; Nm 26.38-41; 1 Cr 7.6-12; 8.1-40). O rei Saul era da linhagem de Benjamim (1 Cr 8.29-38; 9.35-44).
(13) Genealogias de períodos posteriores ao exílio. Aqueles que retornaram com Zorobabel (Ed 2.2-61; Ne 7.7-64) e com Esdras (Ed 7.1-7). Também existem várias listas fornecidas por livros do período pós-exílico, duas delas relacionam tanto os nomes como suas tribos (cf. 1 Cr 9.3-9; Ne 11.4-36). As genealogias pós-exílico são muito importantes por estabelecerem e preservarem a homogeneidade da raça. Elas deveriam mostrar a continuidade da nação mesmo em meio a um período de ruptura nacional.
(14) Genealogias de Cristo (Mt 1.1-17; Lc 3.23-38). Essas duas genealogias são adequadas ao propósito de cada um desses livros. Mateus demonstra que Jesus é o rei e o Messias de Israel; portanto ele acompanha sua linhagem desde Salomão e Davi para mostrar seu legítimo direito ao trono, e até Abraão, com quem Deus fez uma aliança eterna a respeito do próprio Abraão e sua semente. Ao mostrar que Jesus é o Filho do Homem, Lucas traça a linhagem de Jesus até Adão, o pai da humanidade.
Podemos ver que as listas genealógicas podem ter uma ordem descendente ou ascendente. Isso pode ser observado, por exemplo, na genealogia de Arão, que é apresentada na ordem descendente (isto é, *A* gerou *B*) em 1 Crônicas 6.3-14 e na ordem ascendente (isto é, *A*, filho de *B*) em Esdras 7.1-5. O mesmo fenômeno acontece na genealogia de Cristo (cf. Mt 1.2-16; Lc 3.23-38, respectivamente).

**Propósitos das Genealogias**

Primeiro, elas mostram a história de Israel. As primeiras genealogias mostram as relações familiares de Israel e a diferença com seus vizinhos. Adão é o pai de toda humanidade, mas depois as nações se desenvolveram. Naturalmente, Israel despertava o maior interesse dos escritores bíblicos, pois foi para o benefício dessa nação que os pactos com Abraão e Moisés foram celebrados.
Segundo, elas foram feitas para mostrar os ancestrais e a preservação das várias tribos de Israel.
Terceiro, as genealogias servem para a preservação e a pureza do sacerdócio arônico de Israel e da linhagem de Davi que, fundamentalmente, leva a Cristo, o tão aguardado Messias, tal como Ele aparece nos Evangelhos. Essas genealogias tinham não só a finalidade de preservar as descendências, como também provar a legitimidade da função dos indivíduos.
Quarto, as genealogias pós-Exílica servem para demonstrar a homogeneidade de Israel como nação depois de seu cativeiro. Dessa maneira, concluindo, podemos ver que essas genealogias eram, essencialmente, a estrutura sobre a qual repousava a história de Israel.

**Genealogias e Cronologia**

Desde o início fica muito evidente que existem lacunas genealógicas, pelo menos em algumas dessas genealogias. Por exemplo, embora tenham sido registradas apenas três gerações entre Jacó e Moisés (Êx 6.16-20; Nm 3.17-19), na linhagem de Josué existem onze gerações registradas entre Jacó e Josué (1 Cr 2.2; 7.20-29). Muitos outros exemplos poderiam ser citados (veja Kitchen, pp. 54ss.).

Poço de Abraão perto de Hebrom, que mais tarde foi incorporado ao templo de Adriano.
HFV

O ponto crucial do relacionamento entre a genealogia e a cronologia aparece nas genealogias de Gênesis 5 e 11. Dizer que outras genealogias têm falhas não prova que essas também tenham, embora Lucas 3.36 inclua o nome Cainã como sendo o filho de Arfaxade, encontrado na LXX em Gênesis 11.12,13, mas não no Texto Massorético (TM) hebraico. Essas são as únicas genealogias que fornecem a idade do pai na ocasião do nascimento de seu filho, e que servirá como a próxima ligação na genealogia. Pode ser que existam lacunas genealógicas em Gênesis 5, mas como é dada a idade do pai que gerou a criança, seria outra coisa dizer que possam existir tais brechas. Portanto, podem existir lacunas na genealogia, mas não na cronologia.

É ainda mais difícil ter lacunas genealógicas em Gênesis 11, pois é improvável que muitos tenham sido avós ou bisavós no final de seus 20 ou início de seus 30 anos, como seria o caso daqueles relacionados nesse capítulo! Como Green menciona, para estarmos seguros, essas genealogias podem mostrar a longevidade da vida no início da história da terra, mas isso não as impede de estar cronologicamente precisas. Concluindo, deve ficar registrado que esse problema é muito complexo, agravado ainda mais pelas grandes diferenças nos números constantes das versões do Pentateuco Samaritano (PS) e da Septuaginta (LXX). *Veja* Cronologia do AT.

***Bibliografia.*** R. A. Bowman, "Genealogy", IDB, II, 362-365. Philip W. Crannell, "Genealogy", ISBE, II, 1183-1196. E. L. Curtis, "Genealogy", HDB, II, 121-137. William Henry Green, "Primeval Chronology", BS, XLVII (Abril, 1890), 285-303. Marshall D. Johnson, *The Purpose of Biblical Genealogies,* Cambridge: Cambridge Univ. Press, 1969. K. A. Kitchen, *Ancient Orient and Old Testament*, Chicago: Inter-Varsity, 1966, pp. 53-56. Abraham Malamat, "King Lists of the Old Babylonian Period and Biblical Genealogies", JAOS, LXXXVIII (1968), 170. T. C. Mitchell, "Genealogy" NBD, 456ss. John C. Whitcomb e Henry M. Morris, *The Genesis Flood*, Nutley, N. J.: Presbyterian and Reformed, 1961. Appendix II, 474-489.

H. W. H.

**GENEALOGIA DE JESUS CRISTO** *Veja* Cronologia do Novo Testamento; Jesus Cristo; Genealogia.

**GENESARÉ** Forma grega do nome hebraico Quinerete (*q.v.*) para o mar da Galiléia, encontrada na LXX e em Mateus 14.34; Marcos 6.53; Lucas 5.1. *Veja* Galiléia, mar da; Palestina, II, B.3.*c*.

**GÊNESIS** O primeiro livro da Bíblia, e também o primeiro livro de Moisés, que recebeu esse título grego devido ao seu assunto. Esse nome significa "começo" ou podia se referir também às genealogias que são proeminentes nos primeiros capítulos (cf. Gn 2.4 e 5.1 com Mt 1.1). Em hebraico esse livro recebeu o nome de sua primeira palavra, $b^e$*re'shit,* de acordo com o costume hebraico geral. Essa palavra significa "no início".

Gênesis faz parte de um livro maior, dos cinco livros de Moisés chamados Pentateuco (*q.v.*). Existe um plano uniforme que pode ser visualizado no Pentateuco. A primeira história vai até o final do livro de Gênesis. Êxodo traz a história de Israel até os acampamentos no Sinai e a consagração do Tabernáculo. Levítico dá as leis, muitas das quais foram promulgadas no Sinai. O livro de Números começa com a preparação da primeira tentativa para invadir Canaã e apresenta a história até o final da peregrinação pelo deserto. Deuteronômio repete, em grande medida, as leis e as histórias do Sinai e do período no deserto sob a forma de um sermão como base para a renovação nacional dos votos feitos na aliança com Deus. Portanto, Gênesis parece ser parte de uma obra maior, do primeiro rolo do Pentateuco. É a única fonte do período que antecede o Êxodo; Deuteronômio não reproduz esse material. O livro de 1 Crônicas faz extensas citações a partir das genealogias de Gênesis, e outras passagens do AT fazem muitas referências a esse livro. Mas o livro de Gênesis é único quanto ao seu conteúdo.

### Data e Autoria

*Ponto de vista histórico***.** A opinião sobre a data e a autoria de Gênesis pode ser brevemente mencionada. Como uma única voz, os judeus e a Igreja Cristã reconheceram a autoria mosaica desse livro até o surgimento da Alta Crítica no século XIX. Quase não se pode duvidar de que essa seja a posição testemunhada em Neemias 8–9. O livro que orientava os levitas era chamado "Livro da Lei de Moisés" (Ne 8.1). Mas na oração de

Neemias (Ne 9), a história de Israel foi resumida, começando com a criação e a convocação de Abraão, continuando com o Êxodo, o Sinai, a rebelião em Cades-Barnéia, uma citação de Êxodo 34.6 (Ne 9.17), as experiências no deserto, a conquista da Transjordânia e, brevemente, a história posterior de Israel. Em suma, o tema abrange todo o Pentateuco, começando com o Gênesis. Esse testemunho está um tanto à frente da tendência de recentes estudiosos de concordar e atribuir as históricas datas do final do século V a Esdras/Neemias e aos livros das Crônicas (F. L. Cross, *The Ancient Library of Qumran* [1961], p. 189; John Bright, *History of Israel* [1959], p. 383).

O AT ensina repetidamente que Moisés escreveu a lei (cf. Js 1.7-9; 23.6; 1 Rs 2.3; 8.53,56; Ed 7.6 etc.). Com referência à história de Israel, os eventos de Gênesis são citados na mesma seqüência com Êxodo, Levítico, Números e Deuteronômio. Em adição à seqüência que temos em Neemias 9, o histórico Salmo 105 representa outro exemplo a esse respeito. As alusões feitas em Oséias à antiga história da nação também se referem com igual facilidade a Gênesis (Os 12.3,4,12), ao Êxodo (Os 12.13; 13.4), a Levítico (Os 12.9), a Números (Os 9.10), a Deuteronômio (ref. a Zeboim, Os 11.8) e aos livros posteriores. Está claro que Gênesis faz parte da história sagrada do início de Israel.

No NT, Cristo começou por "Moisés e por todos os profetas" a expor as profecias messiânicas em "todas as Escrituras" (Lc 24.27). Está claro que Jesus considerava o primeiro livro da Bíblia como mosaico. Na verdade, o Senhor Jesus se referiu ao AT como "Moisés e os profetas" (Lc 16.29,31; cf. Jo 5.46,47; Mt 5.17; Lc 24.44). Os apóstolos também usavam essa terminologia (At 26.22; 28.23). Ao mesmo tempo, Cristo se referiu a muitos tópicos registrados em Gênesis como partes das Escrituras inspiradas (Mt 19.4-6; 24.38; Lc 17.32; Jo 7.22). Está claro que Cristo e seus apóstolos consideravam a autoria mosaica de Gênesis. O historiador judeu Josefo afirmou expressamente a mesma opinião em aprox. 90 d.C. (*Against Apion* 1.8). Nenhuma autoridade antiga respeitável questiona essa autoria.

Quanto à data em que o livro de Gênesis foi escrito, ela foi estabelecida pela opinião conservadora como sendo do período da peregrinação pelo deserto, cerca de 1440–1400 a.C., por causa da autoria mosaica. A data tradicional do Êxodo, calculada a partir da referência feita em 1 Reis 6.1, é 480 anos antes de Salomão iniciar a construção de seu Templo. Aqui ainda existe espaço para alguma elasticidade. O texto da LXX traz 440 anos. O Templo de Salomão foi construído por volta de 960 a.C. Os dados em Juízes 11.26 concordam com esses números. Alguns insistem em uma data alternativa, cerca de 1250 a.C., baseando-se em certos dados arqueológicos; mas parece não existir uma razão suficientemente coerente para se abandonar a data mais adequada ao texto bíblico. *Veja* Êxodo, O: A Época.

*Ponto de vista crítico.* Com o acirramento do movimento nacionalista na Alemanha, por volta do ano 1800 d.C., foi questionada a autoria mosaica de todo o Pentateuco. Essas opiniões podem ser vistas em qualquer introdução padrão do AT (veja Gleason L. Archer, *Survey of OT Introduction,* 1974, pp. 66-219). O ponto de vista crítico passou por diferentes

Os patriarcas viviam em tendas e suas "famílias expandidas" devem ter criado vilarejos formados por tendas semelhantes àquelas que ainda podem ser vistas na Palestina

O problema do suprimento de água tem grande importância na narrativa patriarcal. Aqui está o tradicional poço de Abraão em Berseba. HFV

estágios. Primeiro, o Gênesis foi dividido em dois documentos baseados nos diferentes nomes divinos de Elohim e Jeová (as consoantes hebraicas desse nome são YHWH). Pensou-se de início que eram dois antigos documentos agrupados pelo próprio Moisés. Entretanto, em pouco tempo a análise se estendeu ao resto do Pentateuco onde aparece o mesmo fenômeno, e então passaram a acreditar que o compilador havia vivido muito tempo depois de Moisés. Assim a autoria mosaica de todo o Pentateuco foi negada.

Depois, observaram que o estilo geral de partes do documento de Elohim era diferente do documento de Jeová, enquanto o estilo de outras era, mais ou menos, igual. Dessa maneira, o documento de Elohim foi dividido em $E_1$ e $E_2$. O livro de Deuteronômio também foi isolado porque continha muitas citações de outra fonte. Havia agora quatro documentos, $E_1$, $E_2$, J e D. Alguns críticos, usando um critério semelhante – de que cada suposta diferença em estilo revelava um autor diferente – dividiram o Pentateuco em muitos fragmentos.

Restou para Wellhausen, em 1875, estabelecer padrões de pensamento que perduraram durante muitos anos. Ele argumentava que esses quatro documentos, aos quais dava o nome de J, E, D, P, podiam ser datados comparando suas referências legais e históricas à conhecida história da antiga nação de Israel. Se um documento fizesse referência apenas a uma legislação posterior, então não haveria dúvida de que também seria de um período posterior.

Um problema que surgiu com a teoria de Wellhausen era que naquela época os estudiosos lamentavelmente ignoravam a história da Antiguidade do Oriente Próximo (e conheciam menos ainda a história de Israel) e assim ele precisou muitas vezes reconstruir uma história artificial. Isso foi feito com toda confiança usando a filosofia de Hegel sobre o progresso evolucionário, que era o que havia de mais moderno nos dias de Wellhausen (1875). Portanto, não é de admirar que ao terminar seu trabalho, Wellhausen era capaz de exibir uma bela progressão, no pensamento e na cultura, desde o inculto despertar da história de Israel até sua florescente expressão nos profetas do século VIII. Essa foi uma nobre demonstração da ideologia vitoriana.

Duas coisas se associaram para derrubar o imponente edifício construído por Wellhausen. Primeiro, a filosofia de Hegel sobre o processo evolucionário da história tem em grande parte contribuído para um existencialismo mais pessimista desde a 2ª Guerra Mundial. Segundo, desde a 1ª Grande Guerra o estudo da arqueologia vem tendo um grande incremento com a descoberta de muitas outras barras de argila, e também com a escavação científica de cidades palestinas. Embora a história da Antiguidade tenha começado com Grécia e Roma, e Heródoto tenha sido chamado de "o pai da história", atualmente livros do curso colegial vão até o ano 3000 a.C., considerando ali o início da história escrita, porém ainda existe muito material de datas anteriores em uma seqüência estratificada.

Entretanto, o mais notável é que a riqueza da história da Antiguidade está extraordinariamente de acordo com o registro da Bíblia. Por exemplo, foram descobertos restos da população de Somer, que viveu na Baixa Mesopotâmia. A Bíblia lhe dava o nome de terra de Sinar, e a palavra hebraica correspondente é uma boa representação de "Somer" (Gn 10.10; 11.2; 14.1). Foi descoberto o povo hurriano com seus costumes e sua língua. A Bíblia lhes dava o nome de horeus. A antiga cidade de Uruk (Ereque na Bíblia) foi descoberta e lá foram encontradas as mais antigas tábuas escritas (de cerca de 3300 a.C.). Também foram descobertas as explorações do rei Sargão de Acade (cerca de 2350 a.C.). A cidade de Acade ainda não foi identificada, mas Acade, Ereque e Babel foram mencionadas em Gênesis 10.10.

Antigos reis, povos, cidades, culturas e línguas foram recuperados depois de séculos de esquecimento. Mas a Bíblia tem, o tempo todo, preservado reis, cidades e povos em sua exata seqüência e conexão, e refletido as antigas culturas sob as formas mais naturais. Isso deve ter sido quase um milagre para um escritor que, dispondo de conhecimento limitado, compôs sua obra a partir de uma mistura de fontes. Pelo menos a arqueologia provou a substancial historicidade dos registros bíblicos. E, em nenhum outro lugar, sua obra tem sido mais bem recebida do que no livro de Gênesis que, afinal de contas, está relacionado com a história de um passado longínquo. A luz da arqueologia está refletida em quase todas as partes do livro de Gênesis. Detalhes complementares são fornecidos sobre a discussão do conteúdo desse livro.

A história do Dilúvio, que consta das primeiras partes de Gênesis, foi dividida por Wellhausen em dois documentos, J e P; a primeira fonte escrita data de cerca de 850 a.C., e a segunda por volta de 450 a.C. Dessa época existe a descoberta da história de uma inundação na Babilônia. Sua data é muito anterior ao tempo de Moisés e a relação entre essa história e a Bíblia é duvidosa. Possivelmente, ambas dependiam de antigos registros sobre o próprio Dilúvio. Mas pelo menos o documento J e o documento P, que lhe é posterior, mostram interessantes paralelos com a história original da inundação da Babilônia. Uma conclusão natural seria que a divisão dos documentos é artificial e que as datas de Wellhausen são bastante arbitrárias.

As narrativas dos patriarcas sobre Gênesis têm sido especialmente sustentadas por tábuas provenientes da cidade de Nuzu, e de outros lugares, que revelam os costumes dos colonizadores hurrianos em terras semíticas (amoritas e aramaicas). Evidentemente, esses costumes eram conhecidos pelos patriarcas por causa de sua residência em Harã e Ur, e é admirável a grande semelhança das práticas patriarcais com as leis de Nuzu. As introduções ao AT podem dar mais detalhes e bastará um exemplo. Em Nuzu, o direito de herança, que incluía uma dupla porção ao herdeiro principal, ia para o filho mais velho. Mas esse direito podia ser vendido e há o caso de uma venda por três carneiros. Ele também podia ser transferido pelo pai e existe o registro de um caso de pronunciamento oral paterno sobre esse assunto (cf. Gn 48.17-20).

Observe que nenhuma dessas práticas ou provisões foi encontrada nas leis ou na história posterior de Israel. A única passagem da legislação mosaica que trata do direito de herança proíbe qualquer mudança em sua ordem natural (Dt 21.15-17). Somente nas famílias patriarcais esse costume pode ser testemunhado. Como poderia um posterior autor israelita, como "J" no ano 850 a.C., ou "P" no ano 450 a.C., fazer uma distinção tão precisa entre o cenário da antiga Mesopotâmia e os costumes dos patriarcas relativos à legislação mosaica existente em Israel?

Muitos exemplos semelhantes levaram os atuais estudiosos do AT a aceitar sua historicidade até nos detalhes das narrativas dos patriarcas. É muito difícil combinar essa conclusão com a afirmação de Wellhausen de que a data posterior dos supostos documentos foi determinada por meio da comparação das condições de seus cenários.

Um estudo crítico mais recente argumenta que o Pentateuco (e outros livros históricos) foram reunidos em uma data posterior a partir de tradições orais que eram fielmente preservadas e transmitidas. Mas as opiniões diferem. Será que essas tradições orais foram todas escritas em conjunto depois do exílio ou eram o cenário de J, E, D e P, os documentos usuais de Wellhausen que foram combinados depois do exílio? Em ambos os casos, essa teoria parece pouco natural. Escrever era um hábito extremamente comum em toda Mesopotâmia e no Egito, muito antes do período patriarcal. Por que deveríamos pensar que somente Israel, dentre todas as nações, não teria uma literatura escrita? Essa conclusão é particularmente singular se nos lembrarmos de que foi provavelmente na Síria e na Palestina que o alfabeto foi inventado – a ferramenta mais conveniente que se conhece para a expressão escrita!

É verdade que antigos documentos da Palestina se perderam quase completamente, exceto os Rolos do Mar Morto, que foram encontrados posteriormente. Mas a explicação não é que não tivessem uma literatura. É que sua literatura pereceu. Se tivessem utilizado sinais cuneiformes e escrito em tábuas de argila, o material teria perdurado. Mas está claro que escreveram em papiros e peles de animais. Esses objetos têm uma boa duração no clima seco do Egito, mas no clima chuvoso da Palestina eles logo desaparecem. Pode até ser verdade que o antigo povo hebreu memorizasse bastante e apreciasse recitar sua literatura épica e religiosa. Mas dizer que não tivessem uma literatura escrita é pura teoria. O suporte arqueológico para as histórias e as leis de Gênesis representa um impressionante argumento a favor do testemunho do AT e do NT de que o livro de Gênesis e o restante do Pentateuco são antigos, autorizados e mosaicos.

**Esboço de Gênesis**

I. História Pré-Abraâmica, Caps. 1–11
   A. Criação e Queda, 1–3
   B. Caim e seus descendentes, 4
   C. Genealogia anterior ao Dilúvio, 5
   D. O Dilúvio, 6–9
   E. Nações e genealogia posteriores ao Dilúvio, 10–11

II. História de Abraão, Caps. 12–25
   A. Chamada e estabelecimento na Pa lestina, 12–13
   B. Batalha com os quatro reis, 14
   C. Confirmação da aliança com Abraão, 15–17
   D. Sodoma e Gomorra, 18–19
   E. Abraão e Abimeleque, 20
   F. Nascimento e oferta de Isaque, 21–22
   G. Morte de Sara, 23
   H. Casamento de Isaque e morte de Abraão, 24–25

III. Isaque e seus Filhos, Caps. 26–36
   A. História de Isaque, 26
   B. Jacó e o direito de primogenitura, 27
   C. Jacó em Harã, 28–31

D. Jacó novamente na Palestina, 32–35
E. Os descendentes de Esaú, 36
IV. História de José, Caps. 37–50
A. Juventude e sonhos de José, 37
B. Vergonha de Judá, 38
C. Escravidão de José, 39–40
D. Exaltação de José, 41
E. José e seus irmãos, 42–48
F. Poema profético de Jacó, 49
G. Morte de Jacó e de José, 50

**Conteúdo do Livro**

*Plano.* Muitas vezes tem sido mencionado que o autor do livro de Gênesis escreveu de acordo com um plano unificado. Em quase todos os casos ele conta a história de Israel, partindo do geral para o particular. Primeiro ele fala sobre o mundo todo, ou sobre toda a raça, ou sobre todos os descendentes de um homem; em seguida, concentra-se no específico, em um jardim que ele representa com detalhes, ou no segmento de uma raça importante para a história, ou sobre a linhagem de um homem do qual está falando.

Dessa maneira, o primeiro capítulo trata da criação como um todo. Os capítulos 2 e 3 trazem o retrato de Adão, a origem da história. O capítulo 4 trata da história e da genealogia de Caim, do qual não se ouve falar mais. Entretanto, o capítulo 5 descreve a genealogia de Sete que faz a ligação com Noé. Depois do Dilúvio, a colonização de todo o Oriente Próximo é retratada no capítulo 10; então vem a genealogia que chega a Abraão. Nas histórias dos patriarcas, Ismael é tratado antes de Isaque; os descendentes de Esaú, antes de Jacó. Obviamente, o livro de Gênesis, como o conhecemos, é obra de uma mente privilegiada, de um autor competente que usa habilmente seu material, sob a inspiração do Espírito.

*Narrativas da criação.* Muitos volumes já foram escritos sobre o primeiro capítulo de Gênesis. Dois itens têm especial interesse: primeiro, a relação com o conjunto de doutrinas da Babilônia; e, segundo, a relação com a moderna ciência.

Em relação aos mitos babilônicos da criação, essa matéria foi discutida exaustivamente por A. Heidel na obra *The Babylonian Genesis* (1951). A história da Babilônia começa com uma batalha entre os deuses. A segunda geração de deuses se rebela contra a primeira. Marduque sai vitorioso, conquista a deusa Tiamat e divide seu cadáver em metades, fazendo o céu e a terra. Ele cria o homem a partir do sangue do aliado dela, Kingu. Não existe uma nítida relação entre o relato bíblico e as histórias da Babilônia.

Quanto às questões científicas, o relato de Gênesis nos dá poucos detalhes. Existe muito de verdade na afirmação de que a Bíblia não é um livro de ciência, mas de religião. Não obstante, esse livro deixa claro que Deus fez os mundos e é o Senhor da natureza, assim como dos espíritos. Portanto, onde a Bíblia se aproxima da ciência, deve-se aceitar que as informações estão corretas, quando interpretadas de forma precisa e fiel. Em Gênesis 1, assim como em outras passagens, a Bíblia declara que Deus criou os mundos a partir do nada. A matéria não é eterna. As atuais teorias da ciência não têm nenhum atrito contra esse ponto de vista. Uma grande reivindicação é que toda matéria teria se originado de uma vasta explosão nuclear acontecida cerca de dez bilhões de anos. A ciência não pode explicar o que poderia ter causado essa explosão. Gênesis diz: "No princípio criou Deus...".

A aparente antiguidade do universo tem sido um problema. Uma teoria recente diz que Gênesis 1.1 fala da distante criação da matéria; o v. 2 relataria uma catástrofe que teria dominado a criação em uma data bastante recente; e os versos seguintes descreveriam eventos recentes sobre a terra.

Outra teoria afirma que os dias criativos de Gênesis não devem ser considerados como dias reais nos quais os eventos aconteceram, mas dias nos quais Deus revelou certos itens a Moisés. Eles foram "dias reveladores". Essa opinião, juntamente com suas variações, não parece fazer justiça ao significado do texto bíblico.

Outra opinião, popularizada por J. Whitcomb e H. Morris em *The Genesis Flood* (1961), sugere que o universo não seja verdadeiramente velho. Ele parece velho porque Deus o criou "totalmente crescido" com a aparência de algo maduro. Essa opinião apresenta algumas características atraentes, mas também alguns problemas filosóficos. Será que Deus teria criado rochas sedimentares com fósseis já introduzidos nelas? Essa opinião está geralmente associada à idéia de que o Dilúvio provocou a formação de muitos fósseis que, portanto, teriam uma origem recente. Existe a questão: Será que essa opinião pode ser cientificamente sustentada?

Uma quarta opinião, sustentada durante muitos anos, é que os dias de Gênesis não tinham 24 horas, mas eram períodos de maior ou mais longa duração. Eles começaram antes de o sol ter sido estabelecido como marcador do dia, e aparentemente o sétimo dia do repouso de Deus ainda continua. Essa opinião está, em geral, de acordo com o conceito científico atual. Aqueles que o aceitam argumentam que Gênesis 1.14 se refere à remoção de densas nuvens para que o sol e a lua, que já existiam previamente, pudessem se tornar visíveis. O autor está de acordo com essa opinião, mas devemos nos lembrar que estimativas científicas sobre a idade da terra podem estar erradas. Atualmente, muitas estimativas dependem de teorias astronômicas e radioativas cuja origem é recente e nem sempre consistente. Ainda existe al-

gum espaço para ressalvas e estudos complementares sobre essas teorias.
Gênesis 2.4-25 fala sobre a criação separada e específica de nossos primeiros pais. O jardim do Éden estava localizado ao sul da Mesopotâmia, onde estão localizados os quatro rios (a Etiópia, Gn 2.13, é mais provavelmente Cuxe, o território a leste do Tigre). Provavelmente Gênesis 2.5 não esteja se referindo a toda terra, mas somente ao paraíso, que era abastecido com água vinda de fontes subterrâneas (em hebraico *'ed,* ou "névoa", da palavra acádia *edu,* que parece significar um fluxo subterrâneo). Nessa seção, não há nenhuma referência a qualquer coisa fora do Éden. Quanto à suposta origem evolucionária de todas as espécies a partir de um bacilo original e também à origem evolucionária do homem, cf. Carl F. H. Henry, "Theology and Evolution" em *Evolution and Christian Thought Today*, ed. por R. Mixter (1959). *Veja* Criação.
*Dados genealógicos.* Quatro principais genealogias são encontradas nos primeiros capítulos: a de Caim (capítulo 4), as genealogias anteriores e posteriores ao Dilúvio (capítulos 5 e 11) e a Tábua das Nações (capítulo 10). O contraste fica mais claro entre os capítulos 10 e 11. A assim chamada "Tábua das Nações" não é absolutamente uma genealogia. É apenas um resumo do resultado, na época de Moisés, da colonização do Oriente Próximo depois do Dilúvio. Algumas genealogias estão envolvidas no movimento das tribos e das nações, mas dizem que a ocupação de Canaã, por exemplo (10.15-18), "gerou" povos, não indivíduos. Hete era aparentemente indo-europeu, o jebuseu era provavelmente hurriano. O amorreu, naturalmente, era semítico, mas é encontrado entre os "filhos" de Cam. Um dos "filhos" de Cam era Mizraim. Esse era o antigo nome do Egito e esse nome tem uma formação dupla que se refere à união do Alto e Baixo Egito, cerca de 3000 a.C.
Uma opinião bastante difundida é a de que existem omissões nas genealogias encontradas nos capítulos 5 e 10. Outras numerosas genealogias mostram lacunas. Assim, 4 gerações foram reconhecidas de Levi a Moisés (Êx 6.16-20), mas os levitas da geração de Moisés e Arão chegavam a 22.000 homens (Nm 3.39). Além disso, se a genealogia em Gênesis 11 estiver completa, Sem e seu filho Arfaxade na verdade sobreviveram a Abraão! Esse não é o quadro que temos a partir da narrativa de Abraão. O reconhecimento desse e de outros pontos convenceu a muitos de que as datas de Ussher para a criação (4004 a.C.) e para o Dilúvio (2350 a.C.) devem ser retrocedidas em um número indeterminado de anos.
*A narrativa do Dilúvio.* A Bíblia diz claramente que houve uma inundação enviada por Deus, de âmbito universal, para erradicar a humanidade pecadora. Os povos da Mesopotâmia tinham a tradição de uma inundação, assim como muitas outras culturas. A história da Babilônia foi estudada e comparada com a Bíblia por A. Heidel, na obra *The Gilgamesh Epic* (1949). Seria razoável concluir que as semelhanças encontradas nos dois relatos reflitam o acontecimento verídico.
Se faltam provas científicas para o Dilúvio, deve-se considerar que, da mesma maneira, faltam provas contra ele. Foram feitos os cálculos da dimensão da arca, e se concluiu que ela tinha a capacidade necessária para comportar todos os animais (A. M. Rehwinkel, *The Flood,* St. Louis. Concórdia Pub. House [1951], pp. 68ss.). Pode ser que o Dilúvio não tenha sido simplesmente um fenômeno como alguns imaginam. Poderia ter sido uma grande inundação causada pela chuva, juntamente com o movimento da crosta da terra que fez elevar o nível do oceano e uma longa e continuada nevasca nas regiões mais altas e nas latitudes do norte. Parece bastante claro que houve uma grande modificação climática cerca de 10.000 anos atrás. Os extremamente populares mamutes da Sibéria aparentemente viviam em um clima onde haviam flores (encontradas em sua boca) e abundante vegetação. Estes foram imediatamente congelados, alguns ainda de pé, e assim permaneceram desde esse momento, de forma que sua carne ficou preservada! *Veja* Dilúvio.
*A vida de Abraão.* Sem dúvida ele era o único homem temente a Deus de sua época. Com certeza Deus havia falado com muitos indivíduos, tais como Enoque, antes do Dilúvio, e Melquisedeque, depois dele. Mas Deus determinou a Abraão que deveria fazer outra coisa – reunir seu povo em um único lugar e, através de uma intensa revelação de sua Palavra e graça, preparar um grande e coeso grupo de pessoas para o advento de Cristo e a bênção de toda a humanidade. Deve-se notar que a Palestina era uma grande ponte e caravanas de três continentes atravessavam suas fronteiras. Os judeus na Palestina, através de seu Messias, deveriam verdadeiramente ser uma luz para as nações (Is 42.6; 49.6; 51.4).
Deus escolheu Abraão, instruiu-o sobre os sacrifícios, e lhe deu o sinal da aliança: a circuncisão. A circuncisão era praticada no Egito e em outros lugares na idade da puberdade, mas, até onde sabemos, a circuncisão dos meninos hebreus era única na Antiguidade. Ela era o sinal da raça e da graça (Gn 17.14; Dt 30.6; Rm 2.29). Mais tarde, o clã de Abraão se consolidou como nação por intermédio de Moisés. Mas as bases da fé de Israel estavam claras em Abraão. Na verdade, o ritual do sacrifício era tão antigo quanto Adão. Ao acreditar em uma única verdade e em um Deus vivo, Abraão vivia um monoteísmo espiritual e ético. Ele reconhecia o pecado humano,

oferecia sacrifícios para a purificação, esperava a vinda do Redentor e acreditava em uma eterna comunhão com Deus (Gn 22.8,18; Jo 8.56; Hb 11.10). O cenário cultural de Abraão ficou agora grandemente iluminado por descobertas feitas em Ur, Mari, Nuzu, além de outras descobertas. *Veja* Abraão; Era Patriarcal.

*Isaque e Jacó.* A vida de Isaque é pouco conhecida, pois foi obscurecida pela de seu famoso pai e de seu filho; entretanto, ele era um homem pacífico que ofereceu a outra face a Abimeleque (Gn 26.17-31). Isaque também recebeu a promessa messiânica (26.4). *Veja* Isaque.

Talvez Jacó tenha sido tratado com mais rigor. Ele fez um plano (na realidade foi sua mãe que fez este plano) para receber o direito de primogenitura. Mas devemos nos lembrar de que isto havia sido prometido por Deus ao gêmeo mais novo (25.23) e, aparentemente, Jacó desejava esse direito mais por razões espirituais do que financeiras. Em Betel, Jacó se consagrou ao Senhor (28. 20-22) e, juntamente com suas esposas, atribuiu o nascimento de seus filhos à resposta de Deus às suas orações (Gn 30). Até o aumento do número de ovelhas de Jacó – embora devido em parte à sua dedicação, e em parte à sua superstição sobre a influência pré-natal (talvez observada nos princípios da hereditariedade) – em última análise, sem dúvida veio da providência divina (31.9,42). A oração de Jacó em Peniel estava baseada nas promessas de Deus, assim como na obediência aos mandamentos (32.9-12). Na luta com o anjo, Jacó pediu a bênção de Deus e não qualquer vantagem material (32.25-30). Ao lidar com Esaú ele atribuiu todo o seu progresso a Deus (33.11). *Veja* Jacó.

*José no Egito.* A história de José tem sido um tema favorito e de interesse permanente. Sua verdadeira mensagem não é simplesmente a história de indigentes que se tornam ricos, mas como Deus realiza através de sutis detalhes da providência sua perfeita vontade. O futuro de José havia sido previsto, embora tenha irritado o resto de sua família com seus sonhos.

Quando os jovens abandonam sua casa por causa do trabalho ou da guerra, muitas vezes eles crescem bastante ou sofrem terríveis quedas. José cresceu bastante, quando ninguém (exceto Deus) o estava observando. José viveu para Deus, embora sofresse por causa da sua integridade. Mas na prisão ele ainda acreditava e preservava seu caráter. Por fim, Deus o abençoou e o usou como a poucos outros indivíduos.

Aparentemente, José se tornou o grande governador do Egito sob um dos reis asiáticos dos invasores hicsos. O período dos hicsos durou de aprox. 1750 a 1570 a.C., embora muitas dinastias tenham reinado nesse período. Alguns afirmam que a ascendência de José aconteceu antes dos hicsos (o Êxodo em 1440 a.C., 1 Rs 6.1; a escravidão de 430 anos, Êx 12.40; estes fatos posicionam José em torno de 1870 a.C.). Essa opinião é discutida por Gleason Archer (*op. cit.* pp. 205-208), que segue John Rea ("Time of the Oppression and the Exodus", BETS, III [1960], 58-59).

Uma opinião alternativa, sustentada pela LXX, é que o período de 430 anos incluía tanto a residência patriarcal em Canaã (215 anos) como a escravidão no Egito (1655–1440 a.C.). Dessa maneira, o governo de José teria começado durante a dinastia dos hicsos. Os hicsos introduziram as carruagens no Egito (cf. Gn 41.43), e mudaram a posse da terra, de forma que ela passou a ser propriedade da coroa, com exceção das terras dos templos. Mais tarde, a coroa impôs uma taxa de 20 por cento (cf. Gn 47.20-26). Entretanto, os detalhes são obscuros, parcialmente porque pouco se sabe a respeito dos hicsos. A própria data do Êxodo está sob discussão, embora as evidências bíblicas fornecidas acima pareçam ser bastante claras (cf. 1 Rs 6.1; Jz 11.26).

O excelente caráter de José finalmente se revelou não na prosperidade, mas na adversidade, quando ele cuidadosa e sabiamente testou seus irmãos e, em seguida, os perdoou e *se esqueceu* dos danos que lhe haviam causado. Assim, pela sua magnanimidade, José estabeleceu as bases para que Israel se expandisse e se tornasse a nação que Deus havia previsto. Nenhum outro homem foi mais consciente da providência suprema e inabalável de Deus. *Veja* José.

O livro de Gênesis termina com uma grande profecia messiânica de Jacó (Gn 49.10, tratada pelo autor em um apêndice da obra de J. O. Buswell, *Systematic Theology of the Christian Religion* [1963], II, 544). A emocionante história da morte e sepultamento de Jacó na caverna de Macpela é brevemente relatada, assim como as ordens de José quanto ao traslado de seu próprio corpo; ele queria ser embalsamado e sepultado na terra de Canaã quando Deus cumprisse as promessas que havia feito a Israel.

***Bibliografia.*** Gleason L. Archer, *A Survey of Old Testament Introduction*, Chicago: Moodys Press, 1964. John Bright, *A History of Israel*, Filadélfia: Westminster Press, 1959. U. Cassuto, *Commentary on Genesis*, 2 vols., Jerusalem: Magna Press, 1964. Jack Finegan, *Light from the Ancient Past*, 2ª ed., Princeton: Univ. Press, 1959. Cyrus H. Gordon, *The World of the Old Testament*, Nova York: Doubleday, 1958. Alexander Heidel, *The Babylonian Genesis*, 2ª ed., Chicago: Univ. of Chicago Press, 1951; *The Gilgamesh Epic and Old Testament Parallels*, 2ª ed., Chicago: Univ. of Chicago Press, 1949. Walter C. Kaiser, "The Literary Form of Genesis 1-11", NPOT, pp. 48-65. Ernest F. Kevan, "Genesis", NBC, 1953. Derek Kidner, *Genesis*, Londres:

Tyndale Press, 1967. K. A. Kitchen, *Ancient Orient and the Old Testament*, Chicago: Inter-Varsity Press, 1966. H. C. Leupold, *Exposition of Genesis,* Columbus: Wartburg Press, 1942. E. A. Speiser, *Genesis* (Anchor Bible), Garden City, N. Y.: Doubleday, 1964. W. H. Griffith Thomas, *Genesis – A Devotional Commentary,* Grand Rapids: Eerdmans, 1946. J. A. Thompson, *The Bible and Archaeology*, Grand Rapids: Eerdmans, 1962. G. Van Groningen, "Interpretation of Genesis", JETS, XIII (1970), 199-218. John C. Whitcomb e Henry M. Morris, *The Genesis Flood,* Filadélfia: Presbyterian and Reformed Pub. Co., 1962. K. M. Yates, "Genesis", WBC, 1962; consulte para uma bibliografia adicional. Edward J. Young, *Genesis 3*, Londres: Banner of Tuth Trust, 1966.

R. L. H.

**GENTIOS** O plural da palavra "nação" (em hebraico *goy*; em grego *ethnos*) tem sido traduzido como "nações", outras vezes como "gentios", e também como "pagãos". "Gentio" é uma palavra que foi aplicada a todas as nações não judaicas, sem necessariamente refletir qualquer antipatia; ao contrário do termo "pagãos", que reflete uma forte antipatia (2 Rs 16.3; Ed 6.21; Sl 9.5,15,19).

Primeiramente, a palavra "gentios" ou "nações" *(goyim)* foi aplicada sem distinção para as divisões entre os descendentes de Sem, Cam e Jafé (Gn 10.5,20,31). O contexto para essas distinções aparecia nos ideais espirituais para Israel, e eram sustentados pelo próprio Senhor. A promessa relativa à semente de Abraão (Gn 12.3) foi interpretada pela primeira aliança no Sinai como sendo a transformação dos verdadeiros crentes de Israel em uma nação eleita, escolhida como reino de sacerdotes para ensinar outras nações a respeito do Senhor (Êx 19.4-6). Esses ideais serviam como uma garantia para a descrição dos israelitas que "mantinham a justiça" e "agiam com justiça" como "sua nação", isto é, a nação do Senhor (Sl 106.5), enquanto as outras nações eram simplesmente chamadas de "as nações", isto é, os gentios (Is 60.3; At 13.47). *Veja* Estrangeiros; Nações.

A perversão dos relacionamentos ideais levou a uma ênfase no fato de as "nações" serem identificadas com idolatria e corrupção (Lv 18.24). Os israelitas, por sua vez, muitas vezes esqueciam de ser os sacerdotes do Senhor. Esses israelitas sem memória consideravam os gentios meramente como "pagãos" (Sl 9.5; 10.16).

A amargura, de ambos os lados, foi marcada para remoção por meio das missões. O ódio é contrário ao coração de Deus (Jo 4.10,11). As nações dos gentios também devem fazer parte da herança do Messias (Sl 2.8; Is 42.1,6; 49.6). Os israelitas e os gentios devem ser aceitos como co-líderes no reino messiânico (Is 66.12,19-23). Os seguidores de Jesus, judeus ou gentios, receberam ordens de fazer discípulos de todos os povos (Mt 28.19,20). Paulo descreveu a redenção de Cristo e a fé em sua obra como o resultado da ruptura da "parede de separação que estava no meio" (Ef 2.14). Esta é uma referência ao muro da separação que isolava os gentios dos átrios internos do Templo de Herodes. *Veja* Parede de Separação; Comissão, A Grande; Dispersão da Humanidade; Nações.

J. W. W.

**GENTIOS, ÁTRIO DOS** *Veja* Templo.

**GENUBATE** Filho de Hadade, o príncipe edomita fugitivo (1 Rs 11.19,20) que foi criado no Egito com os filhos do Faraó. A conquista de Davi da terra de Edom exigiu sua fuga (1 Rs 11.15-20). A mãe de Genubate era irmã de Tafnes, rainha do Faraó do Egito.

**GERA**[1] *Veja* Pesos, Medidas e Moedas.

**GERA**[2]

1. Filho de Bela e neto de Benjamim. No livro de Gênesis ele é chamado de filho de Benjamim e relacionado junto àqueles que foram para o Egito (Gn 46.21; 1 Cr 8.3,5).
2. Um benjamita, pai de Eúde, o juiz (Jz 3.15).
3. Um benjamita de Baurim, pai de Simei, que amaldiçoou Davi (2 Sm 16.5; 19.16,18; 1 Rs 2.8).
4. Filho de Eúde, um benjamita que foi transportado ou levado cativo junto com seus irmãos para Manaate (1 Cr 8.7).

**GERAÇÃO**

1. A palavra hebraica *dor* ocorre cerca de 130 vezes no AT e dá a idéia de um círculo ou ciclo a ser completado. Portanto, ela significa o ciclo da vida de um homem. Pode dar a idéia do espaço da vida de um homem, como em Gênesis 15.16. Os descendentes de Abraão deveriam retornar a Canaã "na quarta geração", depois de terem sido afligidos durante 400 anos em uma terra que não era sua (15.13). Aqui a palavra *dor* parece ser equivalente à palavra acádia *daru*, uma vida, como consta de uma inscrição de Shamshi-Adad I da Assíria (veja Kitchen, p. 54, n. 99).

Entretanto, de forma geral, ela dá a idéia de um ciclo que começa com o nascimento de um homem e termina com o nascimento de seu filho. Pode falar das gerações do passado (Is 51.8,9), do futuro (Sl 49.11; Êx 31.16), do passado e do futuro (Sl 102.24), do presente (Gn 6.9) ou dos homens daquela geração (Êx 1.6). Além de seu significado normal, ela também é usada para uma classe de homens tanto em um bom sentido (Sl 14.5; 24.6) como em um mau sentido (Dt 32.5,20). Seu nome cognato em aramaico é usado apenas quatro vezes com esse significado geral de "geração" (Dn 4.3,34).

Rua principal, Gerasa. HFV

2. O termo *tol<sup>e</sup>doth* é usado cerca de 40 vezes no AT. A palavra está sempre no plural, portanto tem o significado de "proles" ou "gerações", sendo formada a partir de *yalad,* que significa "gerar" ou "produzir". Essa palavra está mais relacionada aos descendentes de um homem, sendo, portanto, o termo usado na história genealógica de um homem ou de uma família (cf. seu repetido uso em Nm 1.20-40). Essa palavra ocorre freqüentemente em Gênesis, e segundo essa base o livro pode ser dividido em 11 seções. Cada seção é caracterizada pelas palavras "as gerações de..." (2.4; 5.1; 6.9; 10.1; 11.10; 11.27; 25.12; 25.19; 36.1; 36.9; 37.2). Se o termo *tol<sup>e</sup>doth* está introduzindo o que vem a seguir (E. J. Young) ou concluindo o que o precedeu, como um colofão ou nota final em uma tábua cuneiforme (R. K. Harrison), esse é um ponto de caráter técnico, ainda em discussão.

3. A palavra grega *genea* ocorre cerca de 40 vezes no NT e é um termo comum na LXX como tradução de *dor*. Tem o conceito da soma total daqueles que nasceram no mesmo tempo – pessoas contemporâneas (Mt 11.16; 12.41), de um período (At 15.21; Ef 3.5; Cl 1.26), ou de um tipo de pessoas (Lc 16.8).

4. A palavra grega *genesis* ocorre cinco vezes no NT (Mt 1.1,18; Lc 1.14; Tg 1.23; 3.6) e é usada principalmente na versão LXX como tradução de *tol<sup>e</sup>doth.* Tem o significado básico de "origem", "nascimento" ou "existência". Nosso nome para o livro de Gênesis deriva do título grego "Gênesis", que tem também o significado de "origem" ou "geração". Todo o livro foi considerado como o "Livro das Gerações" a partir dessa frase encontrada na LXX em 2.4*a* e 5.1.

5. A palavra grega *gennema* é usada apenas quatro vezes no NT (Mt 3.7; 12.34; 23.33; Lc 3.7). Tem o significado básico de "prole" e, em cada caso, é usada na frase "geração de víboras" ou "raça de víboras".

6. Embora a palavra *genos* ocorra cerca de 20 vezes no NT, ela foi traduzida como "geração" na versão KJV em inglês apenas em 1 Pedro 2.9. Basicamente, esse termo dá a conotação de "raça", e foi traduzido dessa forma em várias versões.

Concluindo, o termo "geração" tem o significado básico de um período de tempo, que geralmente vai do nascimento de um homem ao nascimento de seu filho. Esse período varia nas Escrituras, pois de acordo com Jó 42.16 ele foi estimado em 30 a 40 anos; em Deuteronômio 1.35; 2.14 etc., seria o período de 40 anos que corresponde à peregrinação pelo deserto; e em Gênesis 15.13,16, corresponde a um período de aproximadamente 100 anos. A duração das gerações varia nos diferentes períodos da história.

***Bibliografia.*** P. R. Ackroyd, "The Meaning of the Hebrew Dôr Considered", JSS, XIII (1968), 3-10. W. F. Albright, "Abram the Hebrew: A New Archaeological Interpretation", BASOR #163 (outubro de 1961), 50-51. R. K. Harrison, *Introduction to the Old Testament,* Grand Rapids: Eerdmans, 1969, pp. 543-551. K. A. Kitchen, *Ancient Orient and Old Testament,* Chicago: Inter-Varsity, 1966, pp. 53ss. F. J. Neuberg, "An Unrecognized Meaning of Hebrew Dôr", JNES, IX (1950), 215-217. E. J. Young, *An Introduction to the Old Testament,* Grand Rapids: Eerdmans, 1949, pp. 52-66.

H. W. H.

**GERAR** Cidade localizada na extremidade sul da colonização cananita. Durante o período patriarcal, seus habitantes eram conhecidos como filisteus (Gn 20.1ss.; 26. 1,6,17, 20,26). Alguns estudiosos sugerem que a palavra Geder, em Josué 12.13, possa ter sido fruto de algum equívoco de escrita entre o *r* e o *d*, e deveria ser lida como Gerar. Isso deveria associar essa cidade com Horma (*q.v.*) e Arade (*q.v.*). Em 1 Crônicas 4.39-41, a LXX traz o nome Gerar, enquanto o Texto Massorético traz Gedor. Os simeonitas ocuparam essa área na época de Ezequias. Asa defendeu Zerá em Maressa e perseguiu suas tropas até Gerar (2 Cr 14.13,14). Aqui o Texto Massorético traz o nome Gerar, enquanto a LXX traz Gedor.

Eusébio (*Onomasticon*, 60.7ss.) descreveu Gerar como estando a 40 quilômetros de Eleutherópolis, o que combina com a localização de Tell Abu Hureira (25 quilômetros a noroeste de Berseba, do lado norte do Uádi esh-Sheri'ah). Pesquisas recentes encontraram cerâmicas nesse local mostrando que foi ocupado durante a Era Calcolítica e na metade da Idade do Bronze I e II, além de períodos da Idade do Ferro. Trata-se de uma grande montanha artificial de aprox. 162.000 metros quadrados coroada por uma cidadela e possivelmente circundada por um declive fortificado dos hicsos. A cidade de Gerar não é mencionada em nenhum registro egípcio existente, nem nas cartas de Amarna.

A. F. R.

**GERASA** Uma das dez cidades semi-independentes (a Decápolis de Mt 4.25; Mc 5.20; 7.31). Gerasa está situada em um vale agradável, aberto e fértil a leste do Jordão, isto é, na terra de Gileade do Antigo Testamento. Os seus espetaculares vestígios arqueológicos são agora prontamente acessíveis por meio da extensão norte da rodovia do mar Morto. O lugar foi ocupado durante a Idade do Bronze e deve ter existido ali uma cidade com um nome semita durante a Idade do Ferro, mas ela não é mencionada no Antigo Testamento. Os vestígios existentes são os da cidade grega, provavelmente fundada por Antíoco IV (175-163 a.C.) com o nome de *Antioch em Chrysorrhoas*, sendo Chrysorrhoas um afluente do rio Jaboque, ao norte. A cidade expandiu-se grandemente e teve muitos monumentos construídos durante os períodos romano e bizantino. Ela tinha seu próprio território e supostamente uma constituição própria. Nas suas inscrições são mencionados cidadãos da Macedônia. Alexandre Janeu (107-76 a.C.) a incorporou ao estado judeu, portanto seus habitantes eram judeus. Foi restaurada por Pompeu (63 a.C.) para desfrutar, como outras cidades de Decápolis, da mesma independência que teriam sob os governadores romanos da Síria e da Arábia.

Marcos 5.1, seguido por Lucas 8.26,37, associa a cidade à terra dos "gerasenos" (ou "gadarenos"), onde Jesus libertou um homem que era possesso por um espírito imundo, e o episódio implica em que o território da cidade estendia-se até a margem do mar da Galiléia. Mateus, de acordo com a "leitura preferida", substituiu-a por "província dos gadarenos" (Mt 8.28). Os escribas que copiaram os manuscritos dos Evangelhos adaptaram os textos de Mateus, Marcos e Lucas uns aos outros. O texto de César, influenciado por Orígenes, substituiu a expressão por "terra dos gergesenos", para complicar ainda mais a confirmação. Os limites dos territórios das cidades são pouco conhecidos, e os de Gerasa são totalmente desconhecidos. O fato de que Gadara e seu território estivessem entre Gerasa e o mar da Galiléia explica a leitura de Mateus, mas Gadara está muito ao sul do rio Jarmuque. A única cidade livre correspondente a leste do lago é Hippos. Não é conhecida a localização da Gergesa de Orígenes. *Veja* Gadara.

Com suas ruas com colunatas de acordo com o planejamento romano das cidades, Gerasa fornece o melhor exemplo de desenvolvimento urbano progressivo na Palestina na época romana. Os seus monumentos incluem um arco de triunfo, um hipódromo, templos de Zeus, de Ártemis e do deus árabe, uma fonte, dois balneários e dois teatros. Na época bizantina, o templo do deus árabe foi substituído por uma igreja conhecida como catedral cristã, e a fonte no seu átrio tornou-se o lugar da encenação anual do milagre de Caná, segundo Epifânio (*Panarion*, Her. 51.30, 1-2). Essa igreja, e dez outras, sendo uma delas uma sinagoga reconstruída, foram escavadas. As escavações (1927-1934) foram realizadas no local pela Universidade de Yale e pelas Escolas inglesa e americana de Jerusalém. Maiores esclarecimentos estão sendo providenciados pelo Departamento de Antiguidades do Jordão. Veja C. H. Kraeling, *Gerasa, City of the Decapolis*, ASOR, 1938. *Veja* Arqueologia.

C. H. K.

**GERASENO ou GADARENO** Uma palavra derivada de Gerasa, significando um habitante de Gerasa (*q.v.*) ou da sua região. Há duas cidades com esse nome. A Gerasa romana está muito distante do mar da Galiléia. Esta palavra descreve um distrito na costa leste do mar da Galiléia, onde Jesus libertou um homem possesso (Mt 8.28; Mc 5.1; Lc 8.26,37).

**GERGESA** *Veja* Gadara.

**GERGESENO** Identificado com geraseno. As expressões "terra dos gerasenos" e "terra dos gadarenos" (Mc 5.1; Lc 8.26,37) devem ser preferidas à expressão "terra dos gergesenos". *Veja* Geraseno.

**GERIZIM** Uma montanha com aprox. 940 metros de altura na Palestina Central, ao sul

Monte Gerizim. HFV

do vale no qual se localizava a cidade de Siquém. Às vezes é chamada de monte das bênçãos, porque Moisés disse que as bênçãos deveriam ser pronunciadas do monte Gerizim, ao passo que as maldições deveriam ser pronunciadas do monte Ebal, do lado oposto do vale (Dt 11.29; 27.12ss.; Js 8.33).

Uma saliência no topo da montanha é popularmente chamada de púlpito de Jotão, de onde ele supostamente gritou sua famosa fábula da árvore para o povo que estava embaixo (Jz 9.7ss.). As propriedades acústicas da região tornam possível que uma voz percorra grandes distâncias a partir de determinados pontos da montanha.

Os samaritanos construíram um templo no topo do monte Gerizim, provavelmente durante o século IV a.C. João Hircano, o rei judeu hasmoneano, destruiu esse templo em 128 a.C. No entanto, os samaritanos ainda adoravam no monte Gerizim durante a época de Jesus (Jo 4.20ss.) e continuam a fazê-lo até hoje. A sinagoga samaritana está localizada em Nablus, ao pé do monte Gerizim.

Muitas tradições originaram-se em torno do monte Gerizim. Os samaritanos acreditam que ainda é possível ver o lugar dos altares construídos por Adão, Sete, Noé e Abraão. Diz-se que o último desses altares foi erguido para o sacrifício de Isaque.

Robert J. Bull, da Drew University, escavou em Tell er-Râs, na encosta norte do monte Gerizim, em 1964, desenterrando as ruínas de um templo romano em honra a Zeus, erigido pelo imperador Adriano (117-138 d.C.), e as fundações de uma estrutura helênica, que pode ter sido o templo samaritano destruído por Hircano (BASOR #180 [1965], pp. 37-41; AJA, LXXI [1967], 387-393).

Em 1968, Robert Boling reescavou uma estrutura do final da Média Idade do Bronze em Tananir, localizada na parte inferior da encosta norte de Gerizim, aprox. 320 metros ao sul da antiga Siquém. As ruínas de quatro etapas de construção (1650–1540 a.C.) sugerem um templo com salas agrupadas ao redor de um pátio central, com um pedestal de rocha redonda como um pilar sagrado. Acredita-se que Jotão possa ter estado em pé sobre estas ruínas quando falou aos homens de Siquém. Um templo similar, com metade de suas dimensões, foi descoberto no aeroporto de Amã em 1955, também fora de uma cidade. Pode-se supor que esses santuários serviam a grupos de tribos aliadas umas às outras por meio de alianças (BA, XXXII [1969], 81-116).

R. L. S. e J. R.

**GERSITA** De acordo com a LXX e o termo *q*[e]*re,* visto do texto hebraico, este é o nome correto de uma tribo do deserto que viveu na região sul de Israel, na mesma região em que viveram os amalequitas e os gesuritas (1 Sm 27.8). Foi contra estas três tribos que Davi e seus homens fizeram ataques durante sua estada em Ziclague. Alguns textos da LXX não contêm essa palavra; outros contêm variações tais como *gezraion* ou *gesraion.* O que estava escrito no texto hebraico era *girzi*, ao passo que a leitura tradicional era *gizri*. Por esse motivo, algumas versões apresentam a palavra "girzitas" nessa passagem. Houve a sugestão de que os habitantes de Gezer sejam os mencionados nessa referência, mas Davi não poderia ter feito os ataques tão ao norte sem que o governante filisteu tivesse conhecimento desse fato.

**GÉRSON**

1. O primeiro filho de Moisés e Zípora, que nasceu em Midiã (cf. Êx 2.22; 18.3; 1 Cr 23.13-16).
2. O filho mais velho de Levi (cf. Gn 46.11; Js 21.6; 1 Cr 6.1,16,17,22,43; 23.6,7). Os seus descendentes são chamados gersonitas (*q.v.*) ou "filhos de Gérson" (cf. 1 Cr 6.62,71; 15.7).
3. Um descendente de Finéias, neto de Arão e sacerdote. Ele foi um dos "chefes de famílias" que retornaram com Esdras da Babilônia (cf. Ed 8.2).
4. O pai de Jônatas, que serviu como sacerdote da adoração idólatra praticada pelos danitas na época dos Juízes (Jz 18.30). Uma tradição textual alternativa diz: "Gérson, filho de Levi", desta forma igualando-o ao filho de Moisés (veja 1). A substituição de "Manassés" por "Moisés" é explicada no Talmude pela afirmação de que Jônatas fez o trabalho de Manassés e, portanto, foi contado em sua família. Os descendentes de Gérson foram separados da linhagem sacerdotal de Arão na genealogia pós-exílica (1 Cr 23.13-16), e seu filho Sebuel é chamado de "maioral dos tesouros" (1 Cr 23.16; 26.24).

D. W. D.

**GERSONITAS** Os descendentes de Gérson (1 Cr 6.17,62,71), um dos três filhos de Levi, sendo assim um dos três clãs ou divisões principais dos levitas. Aparentemente, pode-se observar três atitudes sobre a ordem de importância desses três clãs no Antigo Testamento.

1. Gérson, Coate e Merari são mencionados nesta ordem em Gênesis 46.11; Êxodo 6.16; Números 3.17; 26.57; 1 Crônicas 6.1,16; 23.6, provavelmente porque Gérson era o filho mais velho de Levi. Os gersonitas são mencionados em primeiro lugar em uma apuração do censo (Nm 26.57), na genealogia de 1 Crônicas 6.16-30, e na lista dos servos do Templo reunidos por Davi (1 Cr 23.7-11).
2. Os gersonitas aparecem em segundo lugar, depois dos coatitas, em Números 4.34-49 e Josué 21.6,27-33, provavelmente porque os últimos tornaram-se dominantes, já que a família de Arão pertencia a esse clã. A passagem de Josué mostra que as cidades designadas aos gersonitas ficaram distantes do lugar (Jerusalém) onde seria construído o Templo.

Em primeiro plano está a igreja de Todas as Nações com o jardim Católico Romano do Getsêmani à esquerda. Mais ao longe no cume do monte das Oliveiras está o jardim Ortodoxo Russo do Getsêmani. HFV

3. Eles são mencionados em terceiro lugar no relato das Crônicas de quando Davi trouxe a arca para Jerusalém (1 Cr 15.4-7), e também em 2 Crônicas 29.12. Nenhum gersonita é mencionado em 1 Crônicas 24; 2 Crônicas 20.19 e 34.12.

J. R.

**GESÃ** Em 1 Crônicas 2.47, Gesã é listado como um descendente de Judá, pela linhagem de Calebe.

**GESÉM** Um árabe que foi um dos principais oponentes ao plano de Neemias de reconstruir os muros de Jerusalém em 445 a.C. (cf. Ne 2.19; 6.1,2). É praticamente certo que ele seja o Gezém que algumas versões trazem em Neemias 6.6. Nesses versículos, ele é simplesmente mencionado como "o árabe", mas provavelmente fosse o governante (rei) de toda a província da Arábia.

Gesém é mencionado pelo menos em duas inscrições. Uma inscrição de Lihyan foi encontrada em al-Ula (a Dedã da Bíblia), no noroeste da Arábia (cf. R. A. Bowman, IB, III, 681-682). Uma inscrição em aramaico encontrava-se em uma tigela de prata descoberta em Tell el-Maskhutah (a Sucote da Bíblia), perto do canal de Suez no Egito. A inscrição diz: "Qainu, filho de Gesém, rei de Quedar". A tigela encontra-se hoje no Brooklyn Museum. G. Ernest Wright diz: "Acumulam-se evidências de que o território governado pela dinastia de Gesém era bastante extenso, incluindo o sul de Judá, onde Laquis era um centro importante, uma antiga região de Edom, o norte da Arábia, o Sinai e uma parte do Delta do Nilo" (*Biblical Archaeology*, ed. rev., p. 207). Ele provavelmente construiu a elegante vila ou palácio, e o assim chamado "templo solar", pertencente ao período persa e encontrado na parte nordeste das ruínas de Laquis.

R. L. S.

**GESSO** *Veja* Minerais e Metais.

**GESUR** Um pequeno reino ou uma cidade-estado aramaica localizada onde está agora Jaulan (Gaulanitis no período do Novo Testamento), no setor noroeste de Basã. É mencionada várias vezes na história de Absalão (2 Sm 3.3; 13.37; 14.23,32; 15.8), pois Maaca, a filha de Talmai, seu rei, era a mãe de Absalão, e Absalão fugiu para essa região depois de matar Amnom. Aparentemente, o reino foi mais tarde absorvido pelo grande reino aramaico de Damasco.

**GESURITAS** Os habitantes de Gesur, uma tribo aramaica na fronteira oeste de Basã (Dt 3.14; Js 12.5; 13.11). Os gesuritas não foram expulsos pela meia tribo de Manassés, a quem a terra havia sido dada (Js 13.13). Talmai, um governante de Gesur, deu a Davi sua filha Maaca em casamento (2 Sm 3.3). Os gesuritas e Arã tomaram as cidades de Jair na terra de Gileade (1 Cr 2.23). A terra dos gesuritas está listada como uma terra a ser conquistada (Js 13.2). Isso pode sugerir outro grupo de gesuritas no Neguebe.

**GETER** Um dos filhos de Arã (Gn 10.23), provavelmente um neto de Sem (1 Cr 1.17). Possivelmente uma cidade aramaica e um reino. Não se identificou qual foi o clã fundado por Geter.

**GETEU** Habitante de Gate. Os geteus são mencionados juntamente com os habitantes de outras cidades dos filisteus (Js 13.3). Alguns se encontravam em Judá servindo como guarda-costas a Davi, tendo Itai como seu comandante (2 Sm 15.18ss.; 18.2). Odebe-Edom, que cuidou da arca durante algum tempo, era um geteu (2 Sm 6.10ss.; 1 Cr 13.13). Golias e outros guerreiros filisteus eram geteus.

**GETSÊMANI** Derivado de uma palavra aramaica que provavelmente significa "prensa de azeite". É mencionado em Mateus 26.36 e em Marcos 14.32 como um "pedaço de terra fechado" ao qual Jesus retornou com seus discípulos. O texto em Lucas 22.39-41 o identifica apenas como um "lugar" (*topos*) no monte das Oliveiras. É chamado de "horto", e está localizado a leste do ribeiro de Cedrom, conforme João 18.1. Era uma região bastante extensa porque o grupo principal de discípulos descansou ali enquanto Pedro, Tiago e João subiram a montanha com Jesus. Jesus foi ainda mais adiante no bosque das oliveiras para ficar sozinho e orar, deixando os três entre Ele e os outros oito.
Existem quatro possibilidades para o lugar autêntico: o jardim Franciscano (Católico Romano), mais próximo da estrada, com oliveiras retorcidas de cerca de 900 anos de idade e a basílica da Agonia (a igreja de Todas as Nações), que abriga a tradicional rocha da Agonia; aquele que está próximo ao sepulcro da Virgem, ao norte; o Ortodoxo Grego, a leste; e o grande pomar Ortodoxo Russo, no alto da montanha, adjacente à igreja de Maria Madalena, sendo que este último é o local mais "tranqüilo".

G. A. T.

**GEUEL** O filho de Maqui, um membro da tribo de Gade. Ele foi enviado por Moisés como um dos doze espias à terra de Canaã (Nm 13.15).

O monte de Gibeá com um palácio inacabado do rei Hussein da Jordânia no seu cume. HFV

**GEZER** Uma cidade na fronteira da planície dos filisteus e ao norte de Sefelá (os pés das colinas de Judá). Dominava quilômetros de campos férteis e controlava a junção da estrada do Egito à Síria e a estrada principal desde o Mediterrâneo até o vale de Aijalom, na direção do interior da região montanhosa e de Jerusalém. A colina das suas antigas ruínas é agora chamada Tell Jezer.
Durante a Média Idade do Bronze e a Final Idade do Bronze, Gezer deve ter sido uma importante cidade-estado, como indicam a imponência das suas fortificações e variados registros. Ela aparece na lista das cidades conquistadas pelos Faraós da 18ª Dinastia, Tutmósis III e Tutmósis IV. As tábuas de Amarna revelam que os governantes de Gezer, Milkilu seguido de dois homens que possivelmente eram seus filhos, eram intermitentemente rebeldes e leais ao Egito (J. F. Ross, "Gezer in the Tell el-Amarna Tablets", BA, XXX [1967], 62-70). Em sua famosa estela, Merneptah se orgulha de ter capturado Gezer, aparentemente um ponto-chave na pacificação de Canaã (ANET, p. 378).
Na época da conquista israelita de Canaã, o rei de Gezer chamava-se Horão. Ele apressou-se a ajudar Laquis, mas foi derrotado por Josué no campo (Js 10.33), e desta forma está listado entre os governantes dominados (Js 12.12). No entanto, a cidade permaneceu nas mãos dos cananeus (Jz 1.29) até que Israel tornou-se suficientemente forte para sujeitar os habitantes ao trabalho escravo (Js 16.10). A intenção era ser uma cidade levita através da herança de Efraim (Js 21.21; 1 Cr 6.67; cf. Js 16.3; 1 Cr 7.28). Durante as guerras de Davi, Gezer foi um ponto estratégico na fronteira dos filisteus (2 Sm 5.25; 1 Cr 14.16; 20.4, embora em 2 Samuel 21.18 conste o termo "Gobe"). A versão KJV em inglês utiliza a grafia alternativa "Gazer" em 2 Samuel 5.25 e 1 Crônicas 14.16.
Gezer foi um dos mais importantes centros fortificados de Salomão depois que Faraó (provavelmente Siamun, da 21ª Dinastia) a conquistou e a deu como dote à sua filha, a esposa de Salomão (1 Rs 9.15-19). Descobertas recentes mostraram que um portão salomônico e um muro de fortificação de casamata de Gezer eram quase idênticos aos de Megido e Hazor, as outras duas principais fortificações dessa passagem (Yigael, Yadin, "Solomon's City Wall and Gate at Gezer", IEJ, VIII [1958], 80-86). O calendário de Gezer data do período de Salomão; trata-se de um pequeno fragmento de calcário inscrito em hebraico, e que descreve poeticamente as atividades da agricultura dos doze meses do ano (*veja* Calendário). Em um templo do Egito, o Faraó Sisaque lista Gezer como uma das suas conquistas

em sua campanha na Palestina (1 Rs 14.25; 2 Cr 12.2-4).
O assírio Tiglate-Pileser III conquistou a Filístia em 734 a.C. e registrou o cerco de *Gazru* (Gezer) em um relevo no seu palácio em Ninrode (Calá). Duas tábuas do século VII a.C., escritas em acadiano, e encontradas por Macalister em Gezer, confirmam a ocupação assíria da cidade. Em 142 a.C., Simão Macabeu capturou Gezer dos selêucidas, e mais tarde designou seu filho João Hircano como comandante do exército com seu quartel-general em Gezer (1 Mac 9.52; 13.43-53). Ruínas persas e helênicas no local e nos sepulcros atestam a ocupação nessa época. Veja H. Darrell Lance, "Gezer in the Land and in History", BA, XXX [1967], 34-47.
Grandes escavações foram realizadas em Gezer por R. A. S. Macalister, 1902-09 (para um resumo, veja a obra de Fred E. Young, "Gezer", BW, pp. 254-7), e mais recentemente pelo Hebrew Union College, começando em 1964 (Wm. G. Dever, "Excavations at Gezer", BA, XXX [1967], 47-62; "The Water Systems at Hazor and Gezer", BA, XXXII [1969], 71-78; "Further Excavations at Gezer, 1967-71", BA, XXXIV [1971], 93-132).

A. F. R. e J. R.

**GIÁ** Um lugar não identificado no caminho seguido por Abner em sua fuga, em que foi perseguido por Joabe (2 Sm 2.24). A versão LXX traduz a palavra hebraica *giah* como a grega *gai*, correspondendo à hebraica *gay'*, que significa "vale".

**GIBAR** Em Esdras 2.20, os "filhos de Gibar" são mencionados entre aqueles que retornaram do exílio com Zorobabel. No entanto, a passagem em Neemias 7.25 fala dos "filhos de Gibeão". É possível que Gibar seja uma variante de "Gibeão".

**GIBEÁ** Referindo-se a uma pessoa, seria um neto de Calebe, da tribo de Judá (1 Cr 2.49), cujo pai foi Seva e cuja mãe foi Maaca, a concubina de Calebe (1 Cr 2.48).
No entanto, alguns acreditam que o termo seja mais geográfico do que genealógico, e que se refira mais a uma cidade na região montanhosa ao sul de Hebrom do que a um indivíduo (Js 15.57).
Esta é uma palavra hebraica que significa "colina", especialmente uma colina usada para adoração pagã. Está em contraste com a palavra mais forte, *har*, "montanha".
1. Como nome de lugar, sua referência básica é a Gibeá de Benjamim, mais conhecida como a cidade de Saul (1 Sm 10.26) e que mais tarde se tornou a capital de Israel (1 Sm 11.4; 23.19). A referência primitiva a esta cidade ocorre na lista das cidades de Benjamim (Js 18.28), onde a ortografia é Gibeate.
Embora a vergonhosa história da concubina do levita apareça no final do livro de Juízes (caps. 19–20), o episódio (cf. Os 9.9; 10.9) ocorreu pouco tempo depois da conquista de Josué, quando Finéias, o filho de Eleazar, ainda era sumo sacerdote (Jz 20.28) e a arca estava em Betel (Jz 20.18). (Depois desse episódio, a arca foi levada para Siló.) A tragédia abateu-se uma vez mais sobre a cidade quando sete descendentes de Saul foram enforcados porque esse rei havia matado os gibeonitas (2 Sm 21.1-14). Aqui também se encontra a história da fiel Rispa.
Gibeá contribuiu com um dos "trinta" homens fortes do exército de Davi – Itai, filho de Ribai (2 Sm 23.29); e em Ziclague, dois outros guerreiros de Gibeá vieram ajudar Davi (1 Cr 12.1-3).
Em Isaías 10.29, está predito que a cidade cairia sob os assírios. Oséias também ouve a trombeta da guerra aqui (Os 5.8). A cidade de Gibeá também deu seu nome ao arvoredo sob o qual Saul estava (1 Sm 14.2; 22.6).
Tell el-Fûl, situada cerca de cinco quilômetros ao norte do portão de Damasco, em Jerusalém, cobre as ruínas da cidade bíblica. W. F. Albright realizou breves campanhas aqui em 1922–23 e em 1933. Escavações posteriores foram feitas em 1964 com a finalidade de verificar suas descobertas (BA, XXVIII, 2-10). A pequena aldeia que Albright descobriu diretamente sobre a rocha era, sem dúvida, aquela que fora descrita em Juízes 19–20. O lugar esteve inativo durante um século ou dois, até que os filisteus fortificaram o monte. A cidade foi capturada por Saul ou Jônatas (1 Sm 13–14), e Saul erigiu seu palácio-fortaleza, seguindo o esquema filisteu. Era um edifício grande, medindo pelo menos 55 por 35 metros, com quatro torres nos cantos.
Quando Davi transferiu a capital para Jerusalém, Gibeá sofreu um declínio e não foi reconstruída até aproximadamente o século VIII a.C. A nova cidade teve vida curta, tendo sido aparentemente destruída por Peca e Rezim em seu ataque a Jerusalém, em 735 a.C. Foi reconstruída no século VII, porém foi destruída durante a conquista de Jerusalém por Nabucodonosor. Posteriormente, houve uma ocupação helênica e também uma outra após a conquista romana da Palestina, em 63 a.C. A cidade foi finalmente destruída por Tito no dia anterior ao seu cerco a Jerusalém, em 70 d.C. O rei Hussein, da Jordânia, começou a construir um palácio no topo do monte pouco antes da Guerra dos Seis Dias, em 1967.
2. Esta pode ter sido uma cidade de pouca importância no platô sudeste de Hebrom, na tribo de Judá (Js 15.57).
3. Uma cidade de Benjamim (Js 18.28), normalmente identificada com Gibeá, a capital de Saul (*veja* 1). A palavra, que quer dizer "colina", é algumas vezes o primeiro elemento em nomes compostos de lugares. A colina (ou o outeiro) de Finéias (hebr. *Gibe 'ath-*

O monte de Gibeão

*Phinehas*) foi o lugar do sepultamento de Eleazar, o filho de Arão, na montanha de Efraim (Js 24.33); sua localização é desconhecida. Outras traduções de Gibeá são: outeiro de Moré (*q.v.*), Juízes 7.1; outeiro de Haquila (*q.v.*), 1 Samuel 23.19; outeiro de Amá (*q.v.*), 2 Samuel 2.24; outeiro de Garebe (*q.v.*), Jeremias 31.39.

Há versões que em 1 Samuel 10.5 transliteram o nome de uma cidade onde estava acampada uma guarnição dos filisteus como "Gibeá-Eloim", e na maioria das demais versões é traduzida como "o outeiro de Deus". Como 1 Samuel 13.3 afirma que a guarnição estava em Geba (*q.v.*), esta cidade também era, aparentemente, conhecida como "Gibeá-Eloim" devido à sua alta localização e ao seu grupo de profetas.

***Bibliografia.*** W. F. Albright, "Excavations and Results of Tell el-Fûl (Gibeah of Saul)", AASOR, IV (1924), 1-89; "A New Campaign of Excavation at Gibeah of Saul", BASOR #52 (1933), pp. 6-12. Paul W. Lapp, "Tell el-Fûl", BA, XXVIII (1965), 2-10. Lawrence A. Sinclair, "An Archaeological Study of Gibeah (Tell el-Fûl", BA, XXVII (1964), 52-64; AASOR, XXXIV-XXXV (1960), 1-52.

J. L. K.

**GIBEÃO, GIBEONITAS** ("colina, habitantes da colina"). Uma cidade e um povo no território de Benjamim, hoje identificado com a aldeia de el-Jib. Esta palavra aparece 45 vezes na Bíblia Sagrada, e a cidade é citada em 15 ocasiões diferentes na história bíblica. Gibeão (el-Jib) está localizada em uma colina, cerca de 850 metros acima do nível do mar, e perto da intersecção de três estradas que levam a Jope via vale de Aijalom. Fica cerca de dez quilômetros a noroeste de Jerusalém e a 6,5 quilômetros a sudoeste de Ramalá, próximo ao antigo aeroporto de Jerusalém.

A identificação de Gibeão com el-Jib foi proposta pela primeira vez por Franz von Troilo em 1666 d.C., e depois por Richard Pococke em 1738. Edward Robinson, em 1838, observou a correspondência entre o nome bíblico e o nome árabe moderno, e corroborou as primeiras sugestões. Albrecht Alt desafiou essa identificação porque acreditava que a Gibeão bíblica e Tell en-Nasbeh eram idênticas. As escavações em Tell en-Nasbeh afastaram esta hipótese, e as escavações em el-Jib, realizadas por James B. Pritchard (1956-62) confirmaram a identificação anterior. A identificação foi confirmada pela descoberta de 61 inscrições em alças de jarros, das quais 31 tinham o nome Gibeão gravado em paleo-hebraico. Poucos lugares bíblicos tiveram uma identificação mais exata.

O passado de Gibeão, reconstruído com base nas escavações, pode ser recuperado até três milênios antes de Cristo. Os habitantes de Gibeão no início da Idade do Bronze (3100–2100 a.C.) construíam sobre a rocha, como atesta a descoberta de um quarto desse período, contendo 14 jarros com alças inconfundíveis do Início da Idade do Bronze. Eles eram contemporâneos a jarros semelhantes encontrados nas ruínas do Início da Idade do Bronze em Tell en-Nasbeh, Jericó e Ai. Um sepulcro que continha muita cerâmica desse período foi descoberto na colina do declive leste da cidade.

Durante o primeiro período da Média Idade do Bronze (2100–1900 a.C.), seminômades que viviam em tendas cavaram sepulcros com poços, dos quais 55 foram limpos pelos arqueólogos na metade do declive oeste da colina. Cada um consistia de um poço cilíndrico, de 1,20 m de diâmetro e de 1 a 4 metros de profundidade, que conduzia a uma pequena abertura na câmara mortuária propriamente dita, que media cerca de 3 por 2 metros. Na câmara, em 26 desses sepulcros foram encontradas luminárias de quatro pontos, urnas funerárias, lanças e adagas de bronze, e outros artefatos característicos do primeiro período da Média Idade do Bronze.

No segundo período da Média Idade do Bronze, ou período hicso, a segunda cidade foi construída na colina. Um quarto pertencente a este período, descoberto na extremidade noroeste daquele local, continha 16 grandes jarros do segundo período da Média Idade do Bronze. A cerâmica desse período (1900–1550 a.C.) era muito superior à do primeiro período, tanto em desenho como em textura. Os artefatos de 29 sepulcros desse período incluíam facas de bronze, alfinetes, escaravelhos, desenhos com ossos e pérolas, além da cerâmica de qualidade. A ocorrência de múltiplos túmulos em um único sepulcro era um procedimento padrão do período. Este nível de ocupação terminou no final do período hicso, quando a cidade foi evidentemente destruída pelo fogo.

Foram encontradas evidências do final da Idade do Bronze (1550–1200 a.C.) em sete sepulcros, revelando comércio com o Egito e com Chipre. Entre esses achados, estavam escaravelhos de Tutmósis III (1504–1450 a.C.) e Amenotep II (1450–1425). Os artigos importados de Chipre incluíam os cântaros de gargalo longo característico (*bilbil*) de óleo perfumado; a cerâmica de uso doméstico e os artesanatos eram de técnica inferior às importadas. Durante esse período, a cidade iniciou um tratado de defesa mútua com Josué e os anciãos de Israel, evitando, desta forma, o destino que sobreveio aos seus contemporâneos, dentre os quais os amorreus (Js 9).

Gibeão foi a líder de um grupo de quatro cidades dos heveus da época da conquista de Josué, sendo as outras três Cefira, Beerote e Quiriate-Jearim (Js 9.17). Estas cidades dos heveus (ou horeus) fizeram um pacto de assistência mútua com Josué e os anciãos de Israel de uma forma enganosa, ao invés de permanecerem leais aos amorreus da região. Como resultado, uma coalizão de cinco reis amoritas atacou Gibeão, mas foi derrotada pelas forças de Josué que tinham vindo de Gilgal em resposta ao pedido de auxílio de Gibeão, conforme o acordo (Js 10.1-14). O episódio indica as obrigações de uma aliança feita em nome do Senhor, mesmo quando celebrada sem a sanção divina (Js 9.18). Para comentários sobre o sol que se deteve, e a lua que parou, *veja* Sol.

Gibeão estava entre as cidades incluídas no território de Benjamim (Js 18.25) e foi dada aos descendentes de Arão (Js 21.17). Os heveus que habitavam essas cidades foram poupados do destino dos demais cananeus, mas foram feitos cidadãos de segunda classe, e tornaram-se "rachadores de lenha e tiradores de água" (Js 9.27).

A Primeira Idade do Ferro (1200–900 a.C.) foi aparentemente a "idade áurea" de Gibeão. Descobertas arqueológicas que datam desse período incluem duas muralhas. A muralha mais antiga e externa tinha pouco mais de 1,5 metros de espessura e mais de 800 metros de perímetro, fechando a área de aproximadamente 65.000 metros quadrados daquele lugar. Uma muralha interior foi construída no século X a.C. muito mais resistente, com uma largura média superior a quatro metros de espessura.

A cidade aparece agora nos registros bíblicos como o cenário de uma disputa entre os soldados que seguiam Abner e os de Davi, de onde saíram vitoriosos os de Davi (2 Sm 2.12-17). Gibeão marcou a última vez em que os filisteus foram uma ameaça para Israel. Depois do ataque que fizeram no vale, os homens de Davi lançaram-se sobre eles e "feriram o exército dos filisteus desde Gibeão até Gezer" (1 Cr 14.16).

Mais tarde, no reinado de Davi, durante a rebelião de Seba, Joabe matou Amasa "na pedra grande que está junto a Gibeão" (2 Sm 20.8).

Gibeão parece ter sido o centro religioso durante os primeiros dias do reinado de Salomão. Lá, estavam situados o Tabernáculo, o altar das ofertas e o sacerdócio. Lá, eram feitos os sacrifícios diários e, lá, estava o "alto" (1 Cr 16.37-40; 21.29). Foi lá que Salomão participou do primeiro sacrifício público do seu reinado e recebeu uma visão da parte de Deus (1 Rs 3.4,5; cf. 9.2). O centro religioso nacional mudou de Gilgal (Js 5.10) para a área de Siquém (Js 8.30-35), depois para Siló (1 Sm 1.3), mais tarde para Gibeão (1 Cr 16.39) e, finalmente, para Jerusalém.

Como não se descobriu nenhum vestígio das instalações de Salomão para a adoração em el-Jib, Pritchard e outros pensam que elas podiam estar localizadas em Nebi Samwill, uma colina proeminente localizada um quilômetro e meio ao sul de el-Jib. Os moradores de Gibeão nessa época incluíam "Jeiel, pai de Gibeão" (1 Cr 8.29; 9.35). Durante a invasão do Faraó Sisaque, no início do reinado de Roboão (2 Cr 12.2-9), Gibeão esteve entre as muitas cidades de Judá e Israel que foram saqueadas, segundo os registros de Sisaque no Egito.

Durante o século VI, Gibeão uma vez mais aparece de forma breve na história do Antigo Testamento como a terra do falso profeta Hananias, um contemporâneo de Jeremias (Jr 28.1). Durante o exílio, em 582 a.C., Ismael tinha assassinado Gedalias e os da sua casa em Mispa, e estava retornando com cativos para os amonitas. Ele encontrou-se com forças leais a Joanã "ao pé das muitas águas que há em Gibeão". O resultado da batalha foi a libertação dos cativos; Ismael escapou fugindo com oito companheiros para o santuário dos amonitas na Transjordânia (Jr 41.1-16).

Escadaria interna para o tanque de Gibeão.
James Pritchard

Nas memórias de Neemias, os gibeonitas estão listados entre aqueles que ajudaram a construir os muros de Jerusalém (Ne 3.7). Os habitantes de Gibeão tinham aparentemente sido um povo temente a Deus desde os dias de Josué (cf. 2 Sm 21.4-6).
Josefo relata que no ano 66 d.C. o governador romano Cestio acampava em Gibeão quando viajava a Jerusalém e voltava, via Bete-Horom, a Jope e à costa (*Wars*, ii.19.1, 7).
Arqueologicamente falando, a época mais interessante de Gibeão ocorreu durante o período dos reinados (Idade do Ferro I e II, 1200–580 a.C.). O "grande tanque" da época de Davi pode ser o mesmo enorme tanque descoberto pelas expedições de Pritchard em 1956 e 1957. Este tanque, escavado talvez no início da Idade do Ferro, mede cerca de 12 metros de borda a borda e tem uma profundidade de aprox. 11,5 metros, com uma escadaria em espiral que consiste de 40 degraus e balaústres formados pelo leito rochoso remanescente da época de sua construção. Degraus adicionais conduzem, através de um túnel rochoso, a uma câmara de água maior, ou cisterna, 27 metros abaixo da superfície. Era possível atingir a maior das oito fontes próximas à cidade por meio de um enorme túnel aberto na rocha, com 93 passos levando do interior das muralhas da cidade até a fonte, em sua extremidade nordeste. Em suas paredes havia nichos onde se podiam colocar as lamparinas para os "tiradores de água" (cf. Js 9.27). Nas proximidades, foram descobertas mais de 60 adegas, em forma de sino, abertas na rocha, capazes de servir como lugar frio para armazenamento e envelhecimento do vinho – que era guardado em grandes cântaros – antes de ser exportado. As alças dos cântaros inscritas com o nome GB'N (*Gibeon*) indicam um grande ponto de distribuição do vinho fabricado, e ajudam a identificar o lugar com exatidão. Toda a instalação, incluindo numerosas prensas de vinho e bacias de fermentação, as adegas, muitos cântaros e mais de 40 rolhas de argila que se encaixavam nas bocas dos cântaros, poderia produzir e estocar pelo menos 30 mil galões (114 mil litros) de vinho. Este estabelecimento vinícola esteve em uso durante os três séculos anteriores ao exílio, indicando que Gibeão era uma cidade próspera, envolvida em atividades industriais e no comércio com seus vizinhos.

***Bibliografia.*** James B. Pritchard, "The Water System at Gibeon", BA, XIX (1956), 66-75; "Industry and Trade at Biblical Gibeon", BA, XXIII (1960), 23-29; "A Bronze Age Necropolis at Gibeon", BA, XXIV (1961), 19-24; "More Inscribed Jar Handles from El-Jib, BASOR #160 (1960), 2-6; *The Water System of Gibeon*, Filadélfia: Univ. of Penn. Museum, 1961; *Gibeon, Where the Sun Stood Still*, Princeton: Princeton Univ. Press, 1962; *The Bronze Age Cemetery at Gibeon*, Filadélfia: Univ. of Penn. Museum, 1963. W. L. Reed, "Gibeon", TAOTS, pp. 231-243.

G. A. T.

**GIBEATITA** Um habitante de Gibeá, uma cidade da tribo de Benjamim situada entre Jerusalém e Ramá (Jz 19.11-15; 1 Cr 12.3). Alguns dos poderosos de Davi eram "de Gibeá" (2 Sm 23.29; 1 Cr 11.31; 12.3).

**GIBETOM** Uma cidade da parte central ocidental da Palestina, no território de Dã, listada com Elteque e Baalate (Js 19.44). Foi designada aos levitas de Coate (Js 21.23). Nos primeiros dias do Reino do Norte, Gibetom pertenceu aos filisteus. Nadabe foi morto por Baasa quando sitiava a cidade (1 Rs 15.27). Onri a estava sitiando quando foi aclamado rei, como sucessor de Zinri. Pode ser possivelmente identificada com Kibbiah, que fica cerca de 25 quilômetros a sudeste de Jope.

**GIDALTI** Filho de Hemã (1 Cr 25.4,29), que foi um dos músicos de Davi, designado pelo rei para profetizar com música no santuário. O nome está incluído em uma lista que parece ter sido originalmente uma oração litúrgica.

**GIDEÃO** Um carismático herói de Israel, filho de Joás, do clã de Abiezer, da tribo de Manassés (Jz 6.11–8.35). Ele viveu em Ofra, a leste da colina de Moré, entre Bete-Seã e o monte Tabor, uma cidade em Issacar (cf. Js 17.11). Como tantos israelitas durante os ciclos de apostasia, no período dos juízes o pai de Gibeão tinha se voltado à adoração a Baal. Poucos se importavam em comparecer às solenidades do Senhor em Siló, o único fator unificador que Deus tinha ordenado para manter um sentido nacional de interdependência em Israel. Assim, em aprox. 1200 a.C., os hebreus eram presas fáceis para os bandos de beduínos saqueadores. Vindo em camelos, dos desertos de Uádi Sirhan, a leste de Amã, por sete anos consecutivos os midianitas invadiram as terras dos hebreus para roubar gado e saquear as colheitas maduras. Da mesma maneira que os amalequitas, provavelmente vindos do Neguebe, os ataques iam até a região de Gaza. Enquanto isso, os judeus empobrecidos, escondidos em montanhas e em cavernas, começaram a pedir a Deus sua libertação.
Durante essa opressão, o anjo do Senhor apareceu a Gideão, que provavelmente tinha trinta anos de idade nessa época (cf. Jz 8.20). Para conservar seu trigo escondido dos midianitas, Gideão o estava malhando em uma prensa de vinho, ao invés de debulhá-lo com animais em uma eira, normalmente próxima ao portão da cidade. O mensageiro divino o encarregou de derrotar os midiani-

tas, e manifestou sua verdadeira identidade fazendo com que o fogo consumisse o alimento que Gideão havia preparado. Naquela noite o Senhor pôs à prova a obediência de Gideão, ordenando-lhe que destruísse o altar a Baal que era do seu pai, e derrubasse o poste-ídolo, e depois construísse com esmero um altar ao Senhor (Jz 6.11-27).

O outro nome de Gideão, Jerubaal (*q.v.*), é introduzido no relato quando seu pai o defendeu da fúria do povo da aldeia devido ao seu ato, dizendo que Baal, se fosse um deus, seria capaz de lutar por si mesmo. Jerubaal pode ter sido o nome dado a Gideão ao nascer, pois "baal" quer dizer "senhor" e este é um título dado ao Senhor, com o seguinte sentido: "Que o Senhor possa lutar por mim"; ele aparece como seu nome verdadeiro em Juízes 7.1; 8.29,35 e ao longo de todo o capítulo 9 como o pai de Abimeleque. ("Gideão", que significa "lenhador", pode ter sido um apelido ou um título honorário que lhe foi conferido como resultado desse incidente.) Conseqüentemente, surgiu uma nova e popular explicação para Jerubaal, seu nome original: "Deixe Baal lutar contra ele" (Jz 6.28-32). Posteriormente, quando o nome Baal passou a ser detestado, esse nome foi alterado para Jerubesete ("Deixe o vergonhoso lutar", 2 Sm 11.21).

Na invasão seguinte dos midianitas e seus aliados, o Espírito do Senhor dotou Gideão de poder para uma campanha de libertação. Ele reuniu um exército das tribos de Manassés, Aser, Zebulom e Naftali. Sendo um novato nas táticas de guerra, antes de ir para a batalha ele procurou a orientação divina e o fortalecimento da sua fé. Deus respondeu por meio dos sinais de um orvalho milagroso, primeiramente no velo, e na noite seguinte no solo ao seu redor (Jz 6.35-40).

Como os midianitas, amplamente mobilizáveis com seus camelos, estavam acampados no vale de Jezreel, Gideão e seus homens posicionaram-se na montanha de Gilboa, nas proximidades da fonte de Harode (*'Ain Jalud*; cf. 1 Sm 29.1). Depois da ordem de Deus para evitar o orgulho, Gideão reduziu seu exército duas vezes, primeiramente dos 32 mil originais para 10 mil, enviando para casa os covardes (cf. Dt 20.8), e depois para apenas 300, eliminando os descuidados. Os guerreiros fiéis, alertas contra emboscadas, ficaram em pé e mantiveram uma das mãos em sua arma, enquanto imergiam a outra mão na água e dela bebiam, sempre preparados para agir (Jz 7.1-8).

Deus estava revelando a Gideão, passo a passo, as únicas táticas militares adequadas para que os soldados de infantaria pudessem derrotar a grande força de 135 mil homens montados em camelos (cf. 8.10). Como mostra A. Malamat, uma força pequena, mas muito unida e altamente disciplinada – conduzida por alguém completamente familiarizado com o terreno e conhecedor da moral do inimigo – teria melhor sucesso em um ataque noturno ("The War of Gideon and Midian – A Military Approach", PEQ, LXXXV [1953], 61-65). Tirando proveito do medo que os beduínos têm do escuro, Gideão começou o ataque perto da meia-noite, justamente após a troca de sentinelas dos midianitas, no momento de maior fragilidade da guarda. O elemento surpresa foi aumentado com cada israelita repentinamente tocando suas buzinas (trombetas feitas de chifre de carneiro), quebrando os cântaros que escondiam suas tochas (e desta forma permitindo que elas se acendessem), e gritando o famoso grito de guerra: "Espada do Senhor e de Gideão" (7.20). Mostrando ter uma excelente estratégia, Gideão enviou mensageiros para convocar os homens de Efraim para interromper a fuga do inimigo na travessia do Jordão (7.9-24). Eles capturaram dois príncipes midianitas e trouxeram suas cabeças a Gideão. Humilde e diplomaticamente, ele aplacou a amargura dos homens de Efraim, que o recriminaram por não ter pedido antes a ajuda deles (7.25–8.3).

Gideão continuou a perseguição pelo Jordão, capturando outros dois governantes midianitas. Como havia recusado a ajuda dos homens de Sucote e Penuel, ao retornar ele destruiu os dois lugares. Então executou Zeba e Salmuna pessoalmente para cumprir a vingança de sangue (cf. Nm 35.19), porque eles não haviam poupado seus irmãos que viviam perto do monte Tabor (Jz 8.4-21). A vitória foi tão completa, tão espantosa, tão completamente divina que "o dia dos midianitas" (ou o "dia de Midiã") parece ter se tornado um provérbio que significava a libertação divina (Is 9.4; cf. 10.26; Sl 83.11).

Gideão proporciona um esplêndido exemplo de como Deus pode usar o menor dos homens (Jz 6.15) quando este se submete totalmente à sua vontade, crendo que Ele faz milagres (6.13). Como Timóteo, Gideão tinha uma tendência a ser medroso (cf. 6.11,22,23,27; 7.10). Mas a confiança implícita em Deus e o dom conferido pelo Espírito fizeram dele um "varão valoroso" (6.12), um exemplo impressionante de alguém que "pela fé, venceu reinos" (Hb 11.32,33).

Gideão resistiu à tentação da realeza hereditária que lhe foi oferecida – esse foi seu melhor momento. Mas, sem a devida prudência, ele fez um éfode dos espólios dos midianitas que lhe foram trazidos (Jz 8.22-27). O éfode era provavelmente uma magnífica vestimenta feita do ouro e da púrpura que haviam sido tirados dos seus inimigos. No entanto, isto provou ser uma armadilha para ele e para sua família, porque Gideão consequentemente invadiu a prerrogativa do sacerdócio arônico, mesmo que talvez desejasse usar a roupa somente em seu ofício de

Monte Gilboa

magistrado civil (cf. 1 Cr 15.27). Esta atitude também foi um laço para toda a nação de Israel, que fez disso um objeto de adoração. Como Davi, Gideão sucumbiu à carne com a multiplicação de esposas e concubinas, trazendo uma conseqüente tragédia à sua descendência.

J. R.

**GIDEL**
1. Nome do chefe de uma família de servidores do Templo, chamada netineus (Ed 2.47; Ne 7.49).
2. Antepassado de uma das famílias de "servos de Salomão" entre os exilados que retornaram (Ed 2.56; Ne 7.58; cf. 1 Rs 9.21).

**GIDEONI** O pai de Abidã, que foi um líder de Benjamim no deserto (Nm 1.11; 2.22; 7.60,65; 10.24). Mencionado apenas em conexão com seu filho.

**GIDOM** O limite da perseguição à Benjamim pelas outras tribos de Israel (Jz 20.45). É um lugar no território de Benjamim, perto da penha de Rimom, no deserto a leste de Gibeá. Pode não ser um nome próprio. O termo não é mencionado em nenhuma outra passagem.

**GIGANTE** Um homem de proporções anormais, muito alto e forte, dos tempos antigos. "Gigante" é uma tradução de diversas palavras hebraicas.
1. Hebr. *gibbor* (Jó 16.14) indica simplesmente um homem grande em feitos ou em estatura (também chamado de valente ou guerreiro).
2. Hebr. *r$^e$pha'im* (*veja* Refains), uma raça que evidentemente incluía numerosos gigantes que estavam entre os habitantes originais de Canaã, Edom, Moabe e Amom. Quedorlaomer, na época de Abraão, os derrotou (Gn 14.5; cf. 15.20). Israel derrotou Ogue (*q.v.*), rei de Basã, que era dessa raça (Dt 3.11; Js 12.4; 13.12). Diz-se que sua cama (ou seu sarcófago) tinha 9 côvados de comprimento por quatro de largura (aprox. 4 metros por 1,80 metros). Outros nomes para essas pessoas são: anaquins (*q.v*; Dt 2.21), emins (Gn 14.5; Dt 2.11) e zanzumins (Dt 2.20). Quando Israel ocupou Canaã, os remanescentes desses gigantes refugiaram-se com os filisteus (Js 11.22). Golias (*q.v.*), de Gate, era um descendente desses gigantes. Outros gigantes são mencionados pelo nome em 2 Samuel 21.16-22; 1 Crônicas 20.4-8. A região próxima a Jerusalém, antigamente ocupada por esses gigantes ou refains foi, durante algum tempo, conhecida como o vale dos Gigantes ou o vale dos Refains (Js 15.8; 18.16; 2 Sm 5.18,22). Nas tábuas de Ugarite, Dan'el foi mencionado como o homem de Rapha ou o homem-Rapha (ANET, pp. 149-155). Os refains eram freqüentemente mencionados nas tábuas administrativas de Ugarite como um grupo étnico. Muitos acreditam que eles tenham erigido os dólmens (*q.v.*) na Palestina.
3. O termo hebr. *n$^e$philim* é usado apenas em duas ocasiões (Gn 6.4; Nm 13.33). A última passagem identifica os nefilins (*q.v.*) com os filhos de Anaque, que em Deuteronômio 2.10,11 estão relacionados com os emins, e em Deuteronômio 2.20 com os zanzumins.
A identificação dos nefilins com os refains, como nas referências anteriores, não se encaixa tão facilmente em Gênesis 6.4. Uma interpretação dessa passagem afirma que os "filhos de Deus" eram anjos caídos que se uniram fisicamente às "filhas dos homens" para gerar uma raça de gigantes na terra. Outra, oposta, sustenta que o relacionamento mencionado aqui é simplesmente a mistura do ramo divino da linhagem de Sete com o ramo pecaminoso da linhagem de Caim, e o resultado dessas uniões seriam homens ousados, pioneiros, indivíduos que não respeitavam as leis de Deus nem as da sociedade, como sugere a última parte do versículo: "estes eram os valentes [*haggibborim*] que houve na antiguidade, os varões de fama".
A interpretação de Gênesis 6.4 depende do significado atribuído a "nefilim". Talvez derivada de *naphal*, "cair", a conotação pode ser a de "caídos", referindo-se à sua natureza caída e enfraquecida. Outro significado poderia ser "aqueles que caem" sobre os outros, referindo-se à sua natureza violenta e tirânica.
Evidências extrabíblicas contribuem para a interpretação da mistura anjos-homens, tais como a mitologia da Babilônia com seu Gilgamesh, um semideus heróico sumério, e todo o panteão grego e romano com seu sistema de semideuses e heróis, tais como os rebeldes titãs, nascidos da união entre deuses e mortais. As Escrituras normalmente citadas como apoio a essa interpretação incluem Jó 1.6; 2.1; 38.7 (onde "filhos de Deus" são seres angelicais); Judas 6; 2 Pedro 2.4. Mas a última passagem implica que a queda e

a disposição dos anjos para o julgamento foram pré-diluvianas, ao passo que Gênesis 6.4 afirma que qualquer que tenha sido a maneira pela qual os "gigantes" tenham sido gerados, eles reapareceram depois do Dilúvio. Além disso, Mateus 22.30 afirma que os anjos são assexuados.
Meredith J. Kline sugeriu que os "filhos de Deus" ou "filhos dos deuses" de Gênesis 6.2 eram reis pré-diluvianos; estas expressões seguiam a terminologia pagã para os reinados divinos. Eles destacaram-se por sua tirania, pela construção de cidades e pelos haréns (cf. Gn 4.17,19,23). Ao tomar quantas esposas quisessem, estavam desafiando o padrão da monogamia que Deus havia ordenado (Gn 2.24), embora como reis atuassem como guardiões das leis gerais de Deus para o comportamento humano (WTJ, XXIV [maio de 1962], 187-204).

J. K. M. e J. R.

**GILALAI** Um músico levita que tomou parte na consagração dos muros de Jerusalém, reconstruídos sob a liderança de Neemias (Ne 12.36).

**GILBOA** Geralmente identificada com um conjunto de colinas, hoje chamadas Jebel Fuqû'ah, com uma elevação média de 528 metros no limite sudeste da planície de Jezreel (Esdraelom). Forma uma linha divisória entre o rio Quisom e o Jordão, quando seus quase 13 quilômetros fazem uma curva para o sudeste, e depois ao sul, quando se unem ao planalto central da Samaria. Entre Gilboa e a colina de Moré ao norte está o vale que desce de Jezreel até Bete-Seã. Nas proximidades dos seus penhascos ao norte está a fonte de Harode, onde Gideão acampou (Jz 7.1). A fama de Gilboa vem da morte de Saul e dos seus filhos em suas encostas do lado noroeste (1 Sm 28.4; 31.1-8; 2 Sm 1.21).
Outra teoria localiza Gilboa nas montanhas de Samaria, cerca de 25 quilômetros a leste de Jope, perto da Afeca de 1 Samuel 29.1 (*veja* Afeca 1), geralmente localizada em Ras el-'Ain (H. Bar-Deroma, "Ye Mountains of Gilboa", PEQ, CII [1970], 116-136).

A estrada real e as montanhas de Gileade. HFV

**GILEADE**
1. O fundador da família tribal que traz esse nome (Nm 26.29,30; Js 17.1).
2. O pai de Jefté (Jz 11.1).
3. Um gadita (1 Cr 5.14).
4. Uma região montanhosa a leste do rio Jordão com uma altitude média de aprox. 1.000 metros acima do nível do mar. Seus limites são: ao norte, Basã; a leste, o deserto da Arábia; e ao sul, Moabe e Amom (Dt 3.12-17). Também é conhecida como monte Gileade (mas é difícil identificá-la com uma montanha em particular), a "terra de Gileade" (Js 22.15,32), e "Gileade" (Sl 60.7; Gn 37.25).
O ribeiro de Jaboque divide essa região em duas partes (Js 12.2). Como recebe uma média anual de chuvas de 700 a 800 milímetros, o norte de Gileade tem muitas correntes perenes descendo até o Jordão. Uma grande parte dessa região ainda tem bosques espessos como nos dias de Absalão (2 Sm 18.6-9). Gade recebeu a parte central-sul de Gileade, e Manassés a parte norte. Rúben ocupou o extremo sul até Moabe. O último encontro entre Labão e Jacó aconteceu no monte Gileade (Gn 31.21). A região sul de Gileade é adequada para a criação de gado e foi bastante usada para esta finalidade pelos rubenitas e pelos gaditas (Nm 32.1-5). Moisés os repreendeu pela disposição que demonstraram de se estabelecer no lado leste do Jordão, antes que Canaã fosse finalmente conquistada pelo restante das tribos (Nm 32.6-15), mas com relutância permitiu que se fixassem ali. Para recentes discussões e bibliografia, veja Neslon Glueck, "Transjordânia", TAOTS, pp. 428-453.
5. Uma cidade na região de Gileade (Os 6.8).
6. Uma montanha na extremidade do vale de Jezreel (Jz 7.3) onde Gideão ordenou uma redução da quantidade dos homens que iriam lutar contra os midianitas. Outra interpretação da ordem "que volte e vá-se apressadamente das montanhas de Gileade" traduz a preposição hebraica *min*, "de", em seu sentido ocasional de "em direção a", como em Gênesis 2.8; 12.8; 13.11. Assim, o monte Gileade seria a mesma região descrita em 4.

H. A. Han.

**GILEADITAS** Quando as tribos dos hebreus chegaram à região leste do Jordão, Manassés, Gade e Rúben decidiram tomar posse daquele território porque acharam que era adequado para seus rebanhos. Manassés ocupou o norte, Gade o centro, e Rúben o sul, até o rio Arnon. As fronteiras exatas entre as três tribos não podem ser determinadas com certeza, porque muitas das cidades mencionadas nos registros da Bíblia não foram identificadas.

Entrada para a fonte da Virgem. JR

Uma referência identifica os gileaditas com os descendentes de Manassés (Nm 26.29). Jair e Jefté também são identificados como gileaditas (Jz 10.3; 11.1). Em termos gerais, supõe-se que os gileaditas eram os ocupantes da grande região de Gileade.

**GILGAL**

1. Gilgal foi o primeiro acampamento de Israel depois de cruzar o Jordão, e o principal centro de operações militares durante as campanhas da conquista (Js 4.19; 9.6; 10.6,43; 14.6). Pedras retiradas do leito do Jordão foram dispostas em um marco memorial. O nome Gilgal, no entanto, que significa "círculo", evidentemente já pertencia ao lugar, pois parece que Moisés já o conhecia (Dt 11.30). Talvez para assinalar um local de sepultamentos, como em Micenas, os cananeus tenham previamente instalado pedras esculturais em pé em um círculo nas proximidades de Gilgal (Jz 3.19); ao estabelecerem aqui um memorial ao Senhor, os israelitas neutralizaram as antigas práticas idólatras daquele lugar. Não obstante, Gilgal não teve um santuário israelita antes do século VIII a.C.; então, como em Betel, a adoração formal e ritualística resultou na condenação proferida por Amós (4.4; 5.5) e por Oséias (4.15; 9.15; 12.11). Tanto Gilgal como Betel haviam sido centros de treinamento dos jovens profetas com Elias e Eliseu (2 Rs 2.1,2; 4.38), e uma importante estrada ligava as duas cidades.

Uma vez que a palavra Gilgal pode ser derivada do verbo hebraico *galal*, "afastar", a mesma palavra foi usada por Deus, por intermédio de Josué, para servir como um lembrete a Israel, de que Ele havia afastado a reprovação ou a desgraça de toda a adoração dos ídolos egípcios e do desejo pelos produtos egípcios ainda existentes em seus corações. Como conseqüência, eles estavam formalmente reinstalados no relacionamento da aliança com o Senhor e cerimonialmente adaptados para tomar parte na Festa da Páscoa (Js 5.9-11). Posteriormente, Gilgal foi o lugar da coroação do rei Saul, do seu refúgio, do seu impetuoso sacrifício e da sua rejeição como rei (1 Sm 11.15; 13.4,7,12; 15.12,26,33).

É provável que Gilgal esteja localizada ao norte de Khirbet el-Mefjir, cerca de dois quilômetros a nordeste da Jericó do Antigo Testamento (cf. Js 4.19). James Müllenberg (BASOR #140 [1955], pp. 11-27) combina o testemunho das passagens do Antigo Testamento, as informações de Josefo sobre os dez estádios de Jericó, e sua própria pequena sondagem de 1954, com a cerâmica encontrada do período de 1200 a 600 a.C., para fazer desta uma identificação convincente.

2. Um lugar de mesmo nome mencionado depois de Dor em uma lista de reis conquistados (Js 12.23), talvez a Jiljulieh que se limitava com a planície de Sarom, a oeste de Siquém. No entanto, neste versículo, a versão LXX apresenta Galiléia ao invés de Gilgal.

3. Um lugar na fronteira de Judá que fica em frente à subida de Adumim (Js 15.7); possivelmente a mesma de 1.

4. Muitos geógrafos procuram localizar a Gilgal de 2 Reis 2.1 e 4.38, e talvez a de Deuteronômio 11.30, na região montanhosa de Efraim, talvez em Jiljulieh, treze quilômetros a noroeste de Betel.

J. R.

**GILO** Uma cidade nas colinas do sul de Judá, mencionada juntamente com Jatir, Socó, Debir e Estemoa (Js 15.48-51). Em 2 Samuel 23.34, lê-se "Gilo" ou "Gilonita". Aitofel veio dessa cidade (2 Sm 15.12). Normalmente é identificada com Khirbet Jala, localizada oito quilômetros a noroeste de Hebrom.

**GILONITA** Um habitante de Gilo. Aitofel é chamado gilonita (2 Sm 23.34; a expressão pode ser traduzida como "Eliã, filho de Aitofel, de Gilo").

**GINATE** O pai de Tibni, que fracassou em sua reivindicação ao trono de Israel contra Onri (1 Rs 16.21,22).

**GINETOI** *Veja* Ginetom.

**GINETOM** Variante de Ginetoi (Ne 12.4). O chefe de uma família de sacerdotes no período de Joiaquim (Ne 12.16). O nome também é mencionado como sendo o de um sacerdote que testemunhou a renovação da aliança com Esdras (Ne 10.6).

**GINZO** Uma cidade em Judá, na fronteira da Filístia, capturada pelos filisteus na época de Acaz (2 Cr 28.18). É a moderna Jimzu, uma pequena aldeia situada cerca de cinco quilômetros a sudeste de Lida.

**GIOM**
1. Giom (de *giah*, "que jorra") era o nome dado a um dos quatro rios emergentes do Éden que rodeava "toda a terra de Cuxe" (Gn 2.13), aparentemente significando a área leste da Mesopotâmia (ou possivelmente o Nilo, que se estenderia do Éden a todo o Crescente Fértil).
2. O Nilo em Jeremias 2.18 é traduzido na LXX como *Geon* (Giom), talvez influenciado por Gênesis 2.13.
3. Uma fonte, a única fonte de água natural de Jerusalém, e que fica no vale de Cedrom, a leste de Ofel, diretamente ao sul da região do Templo. Esta nascente inesgotável esclarece o fato de Jerusalém ter estado continuadamente ocupada por cerca de oito milênios. Como o nome indica, ela jorra uma quantidade extra de água duas ou três vezes por dia no final da estação seca, e quatro ou cinco vezes ao dia no final de um inverno chuvoso.
Salomão foi coroado em Giom depois que seu irmão Adonias tentou reclamar o trono em En-Rogel, algumas centenas de metros vale abaixo (1 Rs 1.33). Quando os exércitos assírios de Senaqueribe aproximaram-se, Ezequias tomou medidas para negar esta água aos invasores (2 Cr 32.3,4) e assegurar que os defensores tivessem acesso a ela, escavando um túnel através do muro que ia até a colina, de modo que este saía no lado oeste e na parte interior do muro, no local que agora tornou-se conhecido como o tanque de Siloé (2 Cr 32.30, cf. 2 Rs 20.20). Esse túnel sinuoso, que tem mais de 580 metros de comprimento, com quase 2 metros de altura por quase um metro de largura, é o mais famoso dos vários túneis escavados em rocha projetados para permitir o acesso de correntes de água.
Um conduto antigo, em um nível ligeiramente mais baixo, descia até a margem oeste de Cedrom. Este começava como um túnel, indo na direção sul a partir da caverna de Giom até emergir e tornar-se um canal de superfície. Shick o percorreu em 1901 até o limite sul da colina de Ofel, onde ele supostamente conduzia até um tanque mais antigo que o de Siloé (cf. o "viveiro velho" de Is 22.11). Uma coluna vertical, descoberta por Warren, parece ter sido usada pelos jebuseus em épocas pré-históricas (*Veja* Gutter com referência a 2 Sm 5.8). Um aqueduto ou canal escavado em rocha em um nível mais elevado foi descoberto por Schick em 1866 e pode ter sido usado para a irrigação dos jardins do rei (cf. 2 Rs 25.4), sendo provavelmente "as águas de Siloé que correm brandamente", mencionadas em Isaías 8.6. Na atualidade, Giom, agora conhecida como a "fonte da Virgem", está situada em uma gruta 30 passos abaixo do nível do solo, e ainda é visitada pelas mulheres que vivem nas redondezas em busca de água. *Veja* Siloé; Jerusalém; Ezequias.

G. A. T.

**GIRGASEU** Uma tribo de cananeus (Gn 10.16; 15.21; Dt 7.1; Js 3.10; 24.11; Ne 9.8; 1 Cr 1.14). Em hebraico, essa palavra sempre aparece no singular. Essas pessoas foram desalojadas pelos hebreus, sem uma indicação segura de onde procediam ou a que ramo dos cananeus pertenciam. A palavra é usada em relação ao quinto filho de Canaã (Gn 10.16).
Os girgaseus evidentemente habitavam terras a oeste do Jordão (Js 24.11). Alguns identificaram os girgaseus com os quirquishitas, a partir de uma tábua assíria. É mais provável que a similaridade seja entre os freqüentes nomes próprios *Grgshy, Grgsh* e *Grgshm* nos textos púnicos sem vogais de Cartago, e o nome grego *Grgsh* de uma tábua de Ugarite. Essas ocorrências tendem a confirmar o registro de Gênesis de que os girgaseus estavam fortemente relacionados com os cananeus, mais tarde conhecidos como fenícios, os quais por sua vez fundaram Cartago.

**GISPA** Um supervisor dos netineus (Ne 11.21). Uma comparação com Esdras 2.43 sugere que a palavra pode ser identificada com Hasufa. Essa palavra pode ser uma variação de Hasufa, uma família de servidores do Templo entre os exilados que retornaram. *Veja* Hasufa.

**GITAIM** Este é o nome Gate com uma terminação locativa comum, *-ayim*, que é idêntica em forma à inflexão dual do hebraico. Em 2 Samuel 4.3, é mencionado incidentalmente que os beerotitas (*q.v.*) tinham fugido para Gitaim, mas que sua cidade de origem, Beerote, havia sido anexada à tribo de Benjamim. No período pós-exílico, os benjamitas também tiveram a posse de Gitaim (Ne 11.33). Não é por coincidência que as cidades que seguem Gitaim nessa lista, isto é, Hadide, Nebalate, Lode e Ono, estejam situadas na planície costeira interior de Jope (para a localização dessas cidades, veja cada uma delas por seu respectivo nome). Eusébio (*Onomasticon* 72.2-3) localizou Gitaim entre Antipátride e Yabneh. A cidade à qual ele refere-se é Gitta, do mapa de Medeba, que está localizada entre Bete-Dagom e Lode (*q.v.*).
Com base nos textos escritos, fica claro que esta cidade existiu durante o período israelita, durante a época pós-exílica e até mesmo durante a época romano-bizantina. A comunidade judaica em Ramleh, durante a Idade Média, preservava a tradição de que Gitaim era sua própria cidade. Ramleh foi fundada no século VIII depois de Cristo pelo califa Suleiman Ibn Abd el-Malik dos Umayyads. Esta combinação de fatores favorece a identificação de Gitaim com Ras Abu Hamid, uma cidade que abrangia mais de 162.000 metros quadrados para o sudeste da cidade atual. Recentes investigações de superfície no local

mostraram que ali existiu uma grande cidade fortificada desde o início da Idade do Ferro até o início do período árabe.
Não é impossível que algumas das referências a Gate (*q.v.*) na verdade relacionem-se com Gitaim. Isto foi o que sugeriu Mazar ("Gath and Gittaim", IEJ, IV [1954], 227-235; "The Cities of the Territory of Dan", IEJ, X [1960], 65-77), e o que era altamente pertinente enquanto supunha-se que a Gate dos filisteus estivesse localizada na parte sul da planície dos filisteus. No entanto, com a tentativa de identificar Gate com uma localidade mais ao norte (Tell es-Safi), já não é mais necessária a suposta identificação de Gate com Gitaim. Não obstante, ela ainda é digna de consideração, especialmente em relação à campanha de Hazael (2 Rs 12.17,18).
A. F. R.

**GITITE** Uma palavra encontrada nos títulos dos Salmos 8, 81 e 84. É um adjetivo feminino derivado de Gate, mas de cujo significado não se tem certeza. Pode significar um instrumento musical fabricado em Gate. Se isto estiver correto, os títulos significariam "na lira que foi trazida de Gate". Alguns consideram que o termo queira dizer uma melodia ou uma marcha popular de Gate, ou "a marcha dos guardas geteus". A versão LXX tem a tradução "relativo à vindima". Pode indicar uma canção para a vindima, uma vez que a palavra hebraica *gat* significa "prensa de vinho".

**GIZONITA** Uma designação que aparece em 1 Crônicas 11.34, "...dos filhos de Hasém, o gizonita". Em nenhuma outra parte do Antigo Testamento se faz menção de Gizom.

**GLOBO** Bacia ou vaso para óleo, chamado *gulla* por causa de seu formato redondo (2 Cr 4.12,13). Sua raiz hebraica, *galal,* significa "enrolar". Na passagem paralela em 1 Reis 7.41 esse termo foi traduzido como "globos". Atualmente essa palavra é obsoleta para o sentido acima discutido. Nas passagens mencionadas, ela aparece como um tipo de ornamento redondo sobre os capitéis dos dois pilares em frente ao Templo de Salomão. A versão NEB em inglês combina as palavras "os dois globos dos capitéis" para formar a tradução de "dois capitéis com a forma de um globo".

**GLÓRIA** Um conceito importante da Bíblia, a palavra "glória" é a tradução de uma variedade de palavras hebraicas e gregas, sendo a mais comum *kabod,* no Antigo Testamento, e *doxa,* no Novo Testamento. Originada do conceito hebraico de "peso, dignidade, excelência", a palavra "glória", em sentido doutrinário, é usada referindo-se a Deus nos Salmos 19.1 e 63.2, falando de como Ele é magnífico, tremendo, inigualável.
Essencial ao uso da palavra no Antigo Testamento é a idéia da glória do Senhor (Is 6.3). Nesse sentido, a glória está ligada à revelação, e consiste na manifestação da natureza de Deus. O assunto específico de Isaías 6 é a revelação da santidade, e a majestosa santidade e glória de Deus, que estão intimamente relacionadas. Algumas vezes, no Antigo Testamento, esta manifestação aproxima-se de uma aparição física irresistível de glória, esplendor ou brilho (Lv 9.23; Êx 33.18ss.). Teologicamente, isto é representado pelos termos "presença", ou "glória Shekina".
No Novo Testamento, a glória do Senhor é vista em conexão com Jesus Cristo de várias maneiras. A narrativa do nascimento no relato de Lucas mostra que o primeiro advento do Messias foi marcado pela aparição da glória do Senhor (Lc 2.9,14,32). Esta glória, a soma de toda a perfeição da Trindade, esteve velada durante o ministério terreno do Cristo encarnado, exceto por um breve lampejo durante a transfiguração (Lc 9.28ss.), e em momentos cruciais do ministério de Cristo (Jo 2.11; 11.40). Em Hebreus 1.3, delineia-se Jesus Cristo como o resplendor ou a radiação da glória de Deus.
Pela graça soberana, o crente do Novo Testamento é visto compartilhando essa glória até certo ponto (Rm 8.30; 2 Co 4.6). Na ressurreição, o crente será transformado e assim será semelhante ao Salvador glorificado, em uma condição muito superior àquela que ele percebe ou imagina agora, e irá compartilhar a glória escatológica de Cristo (1 Pe 5.4; Ap 21.23). Cada crente estará livre da natureza pecadora e decaída, e terá um corpo ressuscitado.

***Bibliografia.*** R. Bultmann, "*Kauchaomai* etc.", TDNT, III, 645-654. Gerhard Kittel, "*Doxa*", TDNT, II, 233-255. Bernard Ramm, *Them He Glorified*, Grand Rapids. Eerdmans, 1963.
F. R. H.

**GLORIFICAR** Com referência às pessoas da divindade, glorificar significa exaltar, fazer glorioso, e honrar a Deus na vida humana do crente, seguindo as diretrizes prescritas na Bíblia Sagrada. O cristão deve glorificar a Deus em seu corpo (1 Co 6.20), isto é, manifestar a glória de Deus por meio de uma vida santa, fiel e completamente sujeita a Ele. A glorificação de Jesus Cristo veio por meio da sua ressurreição (Jo 12.16). O crente, compartilhando dessa vida ressuscitada e glorificada, deve manifestar sua semelhança com Cristo e com o fruto do Espírito Santo (Mt 5.16; Gl 5.22). O Espírito Santo fornece a fonte de poder para essa ação (2 Co 3.17,18; Rm 8.13). *Veja* Glória.

**GLUTÃO** Basicamente, significa alguém guloso ou desregrado. Tanto no Antigo como no Novo Testamento, este termo está também relacionado com a embriaguez (Dt 21.20; Pv 23.21). Como o nosso Senhor era amigável e ia às casas dos pecadores e publicanos, Ele foi acusado de ser um glutão e um bebedor de vinho (Mt 11.19; Lc 7.34).

**GLUTONARIA** Abuso ao comer ou beber que causa desregramento, intoxicação ou uma terrível dor de cabeça ou ressaca (Lc 21.34).

**GNOSTICISMO** O nome que se dá a (1) um amplo movimento religioso, basicamente dualista e sincretista, que se espalhou por todo o antigo Oriente Próximo imediatamente antes e após a época de Cristo; e (2) os sistemas religiosos exemplificados pelo "Grande Gnóstico", que floresceram entre os séculos II e IV d.C. O gnosticismo é usado aqui neste segundo sentido.

*Origens*. Embora muitos tenham tentado atribuir ao gnosticismo origens persas, gregas ou egípcias, atualmente aceita-se que o movimento surgiu em um ambiente judaico-cristão. Isto não nega a presença de prováveis elementos pré-cristãos no gnosticismo. No entanto, a síntese peculiar de idéias que deram origem ao "Grande Gnóstico" parece ter ocorrido no final do século I ou no início do século II d.C. É evidente que o movimento teve início em um ambiente hebraico-cristão, provavelmente na Síria-Palestina, por causa do grande número de nomes, expressões e idéias semitas que aparecem nos primeiros trabalhos gnósticos, tais como o Apócrifo de João, o Evangelho de Tomé, o Evangelho de Filipe; e a presença de idéias cristãs distintas, tais como os sacramentos, Cristo o Redentor, e o apelo às Escrituras do Novo Testamento.

*Crenças e práticas*. A mais proeminente das seitas do "Grande Gnóstico" ensinava um sistema de doutrinas que incluía (de formas diversas) as seguintes idéias básicas: (1) uma divindade transcendente indescritível, que é puramente espírito; (2) um dualismo básico entre o espírito e a matéria, que necessitava do Pleroma (a cadeia de coisas emanadas que conectam o Grande Deus à matéria), que seria responsável pela origem do universo; (3) uma divisão no Pleroma que resultou na criação das coisas materiais e do homem por um Demiurgo, o Deus do Antigo Testamento; (4) uma faísca de Deus implantada no homem em sua criação; (5) a redenção e a libertação dessa faísca divina por meio do esclarecimento, resultando na autoconsciência (algumas vezes chamada de "despertar do sono" ou "sair da embriaguez"); (6) um Cristo que redime por ser o Revelador ou o Iluminador (Esclarecedor), e não o Salvador-sofredor; e (7) a salvação por meio do conhecimento, basicamente pelo autoconhecimento.

Pouco se sabe sobre os rituais ou práticas sectárias dos gnósticos. O Evangelho de Filipe parece indicar que seus leitores praticavam cinco sacramentos: o batismo, a confirmação, a santa ceia, a crisma (unção com azeite de oliva) e a câmara nupcial. Todos esses, exceto o último, são encontrados no cristianismo ortodoxo. As práticas dos gnósticos iam desde o ascetismo extremo até a libertinagem extrema, ambos os extremos baseados na crença de que o corpo é essencialmente mau.

*Seitas*. Os principais grupos gnósticos eram os valentianianos (fundados por Valentino em Roma, em aprox. 140 d.C.); os setianos (adoradores de Sete); os ofitas ou naasenos (que eram adoradores da serpente); os barbelo-gnósticos (que enfatizavam o papel de Barbelo – ou a menos expressiva Sofia no valentianismo) e os marcionistas (seguidores de Marcião, aprox. 145 d.C.). Os grupos menores incluem os simonianos (supostamente seguidores de Simão de Samaria, At 8), os carpocracianos, os paulicianos, os febionitas e os peratitas. Estes últimos não estão bem representados na literatura gnóstica existente.

Outros grupos fortemente relacionados com os gnósticos incluíam os cerintianos e os encratitas do século II d.C., os herméticos e os docetistas. Pode-se provavelmente atribuir uma descendência linear do movimento gnóstico aos mandeanos, um grupo que ainda sobrevive no Iraque. Seja por meio dos mandeanos, seja diretamente, os maniqueístas (que surgiram entre os séculos III e V d.C.) adotaram algumas doutrinas gnósticas. Os maniqueístas deixaram manifestações medievais nos cátaros (albigenses) e nos bogomilos.

*Literatura*. Antes de 1955, os gnósticos eram conhecidos principalmente por meio (1) de descrições de suas crenças e práticas nos trabalhos dos patriarcas da Igreja, principalmente Irineu, Hipólito e Epifânio, e (2) da literatura gnóstica que existe no Códice Bruciano (dois Livros de Jeú e um trabalho sem título) e no Códice Askewiano (*Pistis Sophia*). Naquele ano, a publicação do Códice Berolinense 8502 tornou acessível o Evangelho de Maria, o Apócrifo de João e a Sabedoria de Jesus Cristo.

Paralelamente, os textos gnósticos de Nag Hammadi haviam sido descobertos em 1945, e com sua publicação (iniciada em 1956) uma abundância de documentos gnósticos propiciou aos estudiosos acesso em primeira mão à doutrina gnóstica e à sua seita (*Veja* Chenoboskion). Hoje em dia, documentos como o Evangelho da Verdade, a Epístola de Regino, a Epístola de Tiago, o Apócrifo de João, o Evangelho de Tomé, o Evangelho de Filipe e a Hipóstase de Archom podem ser encontrados em inglês. Foram publicados resumos de diversos outros tratados, e existe um projeto de tradução, para o inglês, de todos os 51 textos. *Veja* Agrapha – palavras de Jesus não registradas nos textos dos Evangelhos canônicos.

*Relacionamento com a Bíblia.* A literatura gnóstica demonstra a existência, no século II, de um cânone do Novo Testamento quase idêntico aos cânones formais adotados pelos Concílios de Laodicéia, Cartago e Hipo. Também destaca variações textuais e a história da transmissão textual. A maior importância dessa literatura provavelmente esteja no campo da interpretação do Novo Testamento.

Alguns estudiosos tentaram mostrar que determinados livros do Novo Testamento se devem ao gnosticismo (O Evangelho de João) ou são reações a este (Colossenses, Lucas e Atos, Coríntios, Efésios, Epístolas Pastorais (*q.v.*), Epístolas de João). No entanto, alguns desses estudiosos parecem estar usando a palavra "gnosticismo" em seu sentido amplo, e não como uma referência às diferenças centrais e não-bíblicas das grandes seitas gnósticas. *Veja* Heresia.

***Bibliografia.*** Francis Crowfoot Burkitt, *Church and Gnosis*, Cambridge: Cambridge Univ. Press, 1932. Robert M. Grant, *Gnosticism, A Sourcebook of Heretical Writings*, Nova York: Harper, 1961; *Gnosticism and Early Christianity*, 2ª edição, Nova York: Harper & Row, 1966. Andrew K. Helmbold, *The Nag Hammadi Gnostic Texts and the Bible*, Grand Rapids: Baker, 1967. Hans Jonas, *The Gnostic Religion*, 2ª edição, Boston: Beacon Press, 1963. G. van Groningen, *First Century Gnosticism, Its Origin and Motifs*, Leiden: Brill, 1967. Robert McLachlan Wilson, *The Gnostic Problem*, Londres: Mowbrays, 1958.

A. K. H.

**GOA** Uma localidade próxima a Jerusalém, aparentemente perto da extremidade sudoeste da cidade, listada depois da colina de Garebe em Jeremias 31.39. Nesta passagem, o profeta descreve a Cidade Sagrada restaurada passando ao seu redor em um sentido anti-horário. Assim, Goa pode ter estado na junção entre os vales de Cedrom, Tiropião e Hinom.

**GOBE** Não é conhecida a localização exata desse lugar, mas aqui os soldados de Davi lutaram duas batalhas contra os filisteus (2 Sm 21.18,19). A passagem paralela em 1 Crônicas 20.4 lista Gezer como sendo o lugar das contendas. Gobe, que é mencionada nas cartas de Amarna como Gubu, pode ter sido próxima à mais conhecida Gezer. *Veja* Gezer.

**GOGUE**

1. Um rubenita, filho de Semaías (1 Cr 5.4).
2. Príncipe de Meseque e Tubal (Mushku e Tabali nas inscrições assírias, Ez 38.3). Os termos "Terra de Magogue", de Ezequiel 38.2, e "Magogue", de Ezequiel 39.6, são discutíveis, pois o primeiro não encontra paralelo em 38.3 e o último é único, entre diversas referências a Gogue. Em Gênesis 10.2, Magogue era o segundo filho de Jafé, e aqui o lugar é substituído pelo nome próprio Gogue. Localizada entre Gomer (em assírio *Gimirrai*; D. D. Luckenbill, *Ancient Records of Assyria and Babylonia*, II, 298, 352) e os cimerianos, a terra de Gogue parece ter sido localizada no norte da Armênia, a oeste do mar Cáspio. *Veja* Gomer.

Gogue, como um poderoso comandante de muitas pessoas, virá do norte contra Israel "dentre muitos povos", "e todos eles habitarão seguramente" (Ez 38.8) em cidades sem fortificações, onde Gogue os atacará (vv. 11,12). Ele vem com muitos povos (v. 16), remanescentes dos citas (Asquenaz, Gn 10.3) que invadiram a Ásia Menor por volta de 630 a.C. O Senhor julgará Gogue com pestes poderosas e o destruirá por meio das calamidades da natureza (Ez 38.22,23). Os seus exércitos serão sepultados em uma quantidade incalculável de sepulcros (Ez 39.5-16). O texto em Apocalipse 20.8-15 coloca a invasão desse povo no futuro; assim, Gogue não poderia ter sido Gyges, rei da Lídia na Ásia Menor (morto em 662 a.C.). Como o último chamado de Israel do exílio será aquele pouco antes do Milênio, e uma vez que Satanás será libertado depois dessa ocasião para um último ataque contra Deus, alguns estudiosos acreditam que esta invasão vinda do norte ocorrerá depois do Milênio. As multidões seriam os milenários não convertidos descendentes dos habitantes da área norte da Turquia oriental. Outros sustentam que haverá uma invasão da atual Rússia liderada por Gogue antes da volta de Cristo (Ez 38–39), e outra liderada por Satanás, semelhante à de Gogue, depois do reinado de mil anos de Cristo (Ap 20.7-9). *Veja* Hamom-Gogue; Magogue.

H. G. S.

**GOLÃ** Uma cidade em Basã pertencente à meia tribo transjordaniana de Manassés. Moisés definiu que esta seria uma das três cidades de refúgio a leste do Jordão (Dt 4.43; Js 20.8) e ela foi uma das 48 cidades levíticas (Js 21.27; 1 Cr 6.71). Provavelmente deve ser identificada com a moderna Sahem el-Jolan, aprox. 27 quilômetros a leste do mar da Galiléia. Ela mais tarde deu nome à divisão de Basã chamada de Golanita (*q.v.*), uma planície fértil que era amplamente habitada nos tempos dos macabeus e de Herodes (Josefo, *Ant.* xiii.15.3-4; xvii.8.1; xviii.4.6; *Wars*, iii.3.5). Hoje em dia é chamada de Jolan pelos árabes.

**GOLA**

1. A abertura de uma túnica ou camisa através da qual a cabeça é introduzida (Jó 30.18; cf. Êx 28.32; Sl 133.2). *Veja* Vestuário.
2. Um ornamento decorativo pendurado em

volta do pescoço dos camelos midianitas (Jz 8.26; também coleiras).
3. Um pingente ou colar (Pv 1.9; Ct 4.9).
4. Um pelourinho ou instrumento de tortura no qual a cabeça de uma pessoa era colocada (Jr 29.26; Sl 105.18; também chamado de "coleira de ferro").

**GOLANITAS** Área a leste da Galiléia limitada pelo Jarmuque ao sul, pelo Hermom ao norte, pelo Jordão a oeste, e pelo deserto no lado oriental. Não foi mencionada por esse nome na Bíblia, mas deriva de Golã *(q.v.)*, uma das cidades de refúgio destinadas aos gersonitas (Js 21.27; 1 Cr 6.71).

**GOLFINHO** *Veja* Animais: Dugongo, V. 4.

**GOLFO DE ÁCABA** Um braço do mar Vermelho que alcança o Norte, localizado a leste da península do Sinai e a oeste de Midiã, na Arábia. Geologicamente, é parte da fenda de Arabá e da Jordânia que se estende em direção ao Norte. Elate (*q.v.*), um porto, está localizado na extremidade norte. *Veja* também Eziom-Geber.

**GÓLGOTA** Esta é uma palavra grega derivada da aramaica *gulgalta*, que quer dizer "uma caveira". Por três vezes o lugar da crucificação é chamado de "lugar da caveira" ou Calvário (Mt 27.33; Mc 15.22; Jo 19.17). Mas o que significa isso? Jerônimo disse que era um local de execuções públicas, onde ficavam as caveiras. No século passado, a visão de que este nome significa uma colina com a forma de uma caveira tornou-se bastante popular. O calvário de Gordon, com sua rocha em forma de caveira, mantém uma ligação sentimental com muitos protestantes. A tradição mais antiga identifica o Gólgota com a igreja do Santo Sepulcro, dentro dos muros. As duas versões são incertas. *Veja* Calvário.

**GOLIAS** Golias era um descendente dos refains (*q.v.*), um povo alto e aborígine que vivia na região de Amom, na Transjordânia, dos quais um grupo reduzido refugiou-se com os filisteus depois da sua dispersão pelos amonitas (Dt 2.20,21), ou era descendente dos anaquins (*q.v.*; cf. Nm 13.33; Js 11.22), conhecidos pela sua elevada estatura. A LXX (1 Sm 17.4) e Josefo (*Ant.* vi. 9.1) dizem que ele media quatro côvados e um palmo, ou seja, dois metros e vinte centímetros, ao passo que o texto hebraico afirma que ele media seis côvados e um palmo, ou seja, praticamente três metros e vinte centímetros de altura. Esqueletos de igual altura recuperados das escavações arqueológicas em Gezer e outros locais confirmam a excepcional altura desses indivíduos na Antiga Palestina, aproximadamente na mesma época.
A literatura rabínica registra muitas lendas sobre Golias. De acordo com elas, sua mãe era Orfa (cf. Rt 1.14), que caminhou 40 passos (aprox. 30 metros) com Noemi e Rute, e então voltou para uma vida libertina em Moabe. Golias foi seu filho ilegítimo. Ele orgulhava-se de ter assassinado os dois filhos de Eli (1 Sm 4.11), e de ter roubado a arca de Israel (1 Sm 4.17). Os quarenta dias do seu desafio ao exército de Israel (1 Sm 17.4-10) comparam-se aos 40 passos de sua mãe, Orfa, e ocorreram na época em que recitavam o Shema!
Na Vulgata, ele é chamado de *vir spurius*, um bastardo. A LXX refere-se a ele como "o intermediário" (1 Sm 17.23); o texto hebraico o chama de "homem dos intervalos" (1 Sm 17.4,23), isto é, o homem que se consagra campeão no espaço entre dois exércitos adversários. O termo cognato em um texto em prosa encontrado em Ugarite significa um intermediário (BASOR #150, p. 38).
O lugar onde Golias encontrou a morte foi o vale de Elá (ou vale do Carvalho, 1 Sm 17.2), entre Socó e Azeca, nas terras da tribo de Judá. Os israelitas, sob o comando do rei Saul, estavam acampados na encosta norte do vale de Elá, e os filisteus estavam entrincheirados na encosta oposta. Um vale estreito, por onde passava um riacho, separava os dois exércitos. Golias, o campeão filisteu, ostentando um capacete de bronze e uma couraça de escamas, levava uma espada e uma lança. Escamas de bronze de armaduras datando do século XV a.C. foram descobertas em Nuzu. Registros de tais armaduras e desenhos delas foram encontrados nas inscrições dos Faraós, gravadas nas paredes do templo de Carnaque, em Luxor, no Egito. A "lança" ou o "dardo" de bronze, heb. *kidon*, pode ter sido uma cimitarra curva, uma vez que *kidon* é assim descrito em um Rolo do mar Morto. Um escudeiro caminhava à frente de Golias no combate. O costume de dois guerreiros em duelo para definir uma batalha é bem representado nos épicos de Homero da Grécia e em um texto egípcio que data do século XX a.C. No último, Sinuhe atingiu à distância seu oponente Retenu com uma flecha; então ele matou seu adversário com a própria alabarda de Retenu e deu um brado de vitória por cima de suas costas ("The Story of Sinuhe", ANET, p. 20, linhas 109-145).
A importância religiosa da disputa é vista na falta de poder dos deuses dos filisteus para levar a cabo a maldição de Golias sobre Davi, e no grito de batalha de Davi: "Eu vou a ti em nome do Senhor dos exércitos, o Deus dos exércitos de Israel, a quem tens afrontado" (1 Sm 17.43,45). Também há o fato de que Davi colocou a espada de Golias, talvez como uma oferta, no santuário de Jeová em Nobe (1 Sm 21.9). Parece que os Salmos 144 e 151 (Na LXX e nos Rolos do mar Morto) foram escritos como um tributo à vitória de Davi.
Uma suposta contradição parece ocorrer em

Debulha na terra de Gósen

2 Samuel 21.19, onde se relata que "Elanã, filho de Jaaré-Oregim, o belemita, feriu Golias, o geteu, de cuja lança era a haste como eixo de tecelão", ao passo que 1 Samuel 17.50,51 (cf. 19.5; 21.9; 22.10,13) afirma que Davi fez isso. Adicionalmente, 1 Crônicas 20.5 é claramente um paralelo a 2 Samuel 21.19, e afirma que "Elanã, filho de Jair, feriu a Lami, irmão de Golias, o geteu, cuja haste da lança *era* como eixo de tecelão". Alguns entendem pelo texto hebraico que, na transmissão do texto, alguns erros de copistas podem ter ocorrido em 2 Samuel 21.19. Embora seja possível harmonizar o texto hebraico de 2 Samuel 21.19 e 1 Crônicas 20.5, fica claro que (*a*) Davi matou Golias e (*b*) Elanã matou o irmão de Golias. Para uma ampla discussão do assunto e possíveis correções, veja S. R. Driver, *Notes on the Hebrew Text of the Books of Samuel*, Oxford, 1913; E. J. Young, *Introduction to the Old Testament*, Eerdmans, 1949, pp. 181ss.; Archer, SOTI, p. 274.

F. E. Y. e J. R.

**GOMA** *Veja* Plantas: Resina ou Goma.

**GÔMER** *Veja* Pesos, Medidas e Moedas: Medidas de Secos.

**GOMER**

1. O filho mais velho de Jafé e o pai de Asquenaz, Rifate e Togarma (Gn 10.2,3; 1 Cr 1.5,6). Gomer representa o povo chamado de Gimirra pelos assírios e de cimerianos pelos gregos. Nômades indo-europeus do século VIII a.C., eles invadiram o Oriente Próximo a partir do norte da Europa, pelo Cáucaso, sob a pressão dos citas (*q.v.*). Os cimerianos atacaram Urartu (Ararate) e Tabal ao norte da Assíria, mas foram levados para o oeste, para a Capadócia, por Sargão II. Prosseguiram para destruir o reino Frígio (*veja* Meseque) em aprox. 695 a.C., e saquearam Lídia (*veja* Sardes) antes que Esar-Hadom e Assurbanipal da Assíria os derrotassem. Os aliados de Lídia (605–560 a.C.) finalmente os expulsaram da Ásia Menor. O seu contemporâneo, Ezequiel, profetizou sobre um povo chamado Gomer, evidentemente do antigo território dos cimerianos, que no final unir-se-ia a Gogue (*q.v.*) (Ez 38.6).

2. Filha de Diblaim, a infiel esposa do profeta Oséias (Os 1.3) e mãe de Jezreel, Lo-Ruama e Lo-Ami (a segunda filha e o terceiro filho podem ter sido ilegítimos). Sua infidelidade conjugal forneceu o cenário para a dramática parábola de Oséias sobre a infidelidade de Israel para com Deus. *Veja* Oséias.

J. R.

**GOMORRA** Informações diretas sobre essa cidade são muito escassas e podem ser obtidas principalmente por sua associação com as cidades que "se ajuntaram no vale de Sidim" perto do mar Morto. Elas são listadas como Sodoma, Gomorra, Admá, Zeboim e Zoar (Gn 14.2,3). As cidades irmãs de Sodoma e Gomorra estavam intimamente associadas como cidades onde havia muitos e graves pecados (Gn 18.20; Mt 10.15). A condenação de Sodoma foi compartilhada pela cidade de Gomorra (Gn 18.20; 2 Pe 2.6; Jd 7).

Geralmente supõe-se que estas cidades localizavam-se nas planícies entre as colinas da Judéia e a costa do mar Morto, em algum ponto da extremidade sul. Investigações arqueológicas foram realizadas nessa área, mas não foram encontradas evidências conclusivas para identificar Sodoma ou Gomorra com certeza.

Na atualidade, a extremidade sul do mar Morto é muito rasa. Um grande delta, ou língua de sal e pedras, conhecida em árabe como el-Lisan, foi trazido para esta área a partir da margem leste, de modo que a água entre a ponta de el-Lisan e a costa oeste tem apenas cerca de 5 quilômetros de largura, e sua profundidade não é muito maior do que a altura de um homem.

Jebel Usdum, uma montanha quase que de puro sal, está localizada na costa sudeste do mar Morto. W. F. Albright e Melvin G. Kyle, em 1924, realizaram uma abrangente exploração da linha da costa sul do mar Morto em el-Lisan. A conclusão foi que Sodoma e Gomorra devem ter estado no lado oeste da estreita planície, porque Zoar (*q.v.*; Gn 19.20-23,30), a leste em direção às colinas de Moabe, parece ter sido um lugar de refúgio seguro. Isso coloca as cidades condenadas em uma pequena planície, agora coberta pelo mar Morto, em frente ao lado leste do monte Usdum (veja Melvin G. Kyle, *Explorations in Sodom*, 1928, pp. 130-138). *Veja* Sodoma; Mar Morto.

H. A. Han.

**GORDURA** A camada subcutânea ao redor dos rins e outras vísceras que, como o sangue, era proibida (pela lei de Moisés) de ser usada como comida; antes era queimada como uma oferta a Deus (mencionada várias vezes em Lv 3, 4, 7, 8, 9). A oferta tinha que ser feita no mesmo dia em que o animal fosse morto, a fim de se evitar a tentação de comer esta parte. Os antigos consideravam a gordura e o sangue como a fonte da vitalidade e da força. A gordura era a parte mais rica do animal que seria sacrificado. Por esta razão, a gordura era oferecida ao Senhor como símbolo da melhor parte de cada sacrifício.

**GÓSEN**
1. Gósen era o território no Egito no qual Jacó e sua família receberam uma permissão real para se estabelecerem. É chamada de "terra de Gósen" ou simplesmente "Gósen", e é relacionada com a "terra de Ramessés" (Gn 47.11) e as cidades-celeiros (ou cidades de tesouros) de Êxodo 1.11.
Gósen estava localizada no extremo leste do Delta, a nordeste de Heliópolis (a cidade bíblica Om, Gn 41.45). Está associada com o Uádi Tumeilat, uma área muito fértil que liga o Nilo – em Bubastis (Pi-besete, *q.v.*) – ao lago Tinsa na moderna Isma'iliya, situada ao norte dos lagos Amargos. *Veja* Sucote.
A LXX relaciona Gósen (ou Gesém) ao nome egípcio de "Arábia" (o vigésimo nome do Baixo Egito, na fronteira leste do Delta, de acordo com o geógrafo Ptolomeu), preservando uma tradição dos judeus helênicos do Egito (cf. Gn 45.10; 46.34).
José selecionou Gósen como o local de residência para seus parentes para que estes pudessem ficar perto dele, e provavelmente porque o distrito era mais apropriado para a atividade pastoril que desempenhavam (Gn 45.10; cf. 47.4; para um paralelo posterior, veja Breasted, *Ancient Records of Egypt*, III, §§ 636-638, e ANET, p. 259). Quando Jacó chegou a Gósen, José foi encontrá-lo ali (Gn 46.28,29; a LXX acrescenta "em Heroonpolis"). José falou ao Faraó sobre a chegada de sua família a Gósen (Gn 47.1) e apresentou cinco de seus irmãos ao rei, que sugeriu que José fixasse seus parentes "no melhor da terra" (v. 6), em Gósen, de acordo com o pedido deles (v. 4). Aqui os israelitas prosperaram e multiplicaram-se (v. 27). Daqui um grande cortejo fúnebre seguiu para Canaã para sepultar Jacó (Gn 50.7-9). Na época do Êxodo, Gósen foi protegida das pragas dos "enxames de moscas" (Êx 8.22) e da chuva de pedras (Êx 9.26), que acometeu todo o resto do Egito. *Veja* Êxodo, O; Praga.
2. Um distrito chamado Gósen situado na parte sul de Judá, entre o campo montanhoso e o Neguebe (Js 10.41; 11.16).
3. Havia uma cidade com este nome no campo montanhoso ao sul de Judá (Js 15.51); sua localização é incerta. Aharoni (*The Land of the Bible*, p. 184) sugere que ela seja Tel el-Khuweilifeh, um lugar que outros têm identificado como Ziclague (*q.v.*).

C. E. D.

**GOTA** *Veja* Doença.

**GOVERNADOR** O termo é amplamente utilizado no AT por várias versões para uma variedade de palavras hebraicas especializadas que designam algum tipo de oficial delegado (por exemplo, Gn 42.6; 45.26; Jz 5.9; 2 Cr 1.2; 28.7; Jr 20.1; Zc 9.7). O termo heb. *peha* (do acádio *pahatu*) era um termo geral que veio a ser usado para governador desde o período assírio até o persa (1 Rs 10.15; Ed 5.3; 8.36; Ne 2.7; 5.15; Et 3.12). O *peha* freqüentemente exercia o controle através do poderio militar e é, portanto, chamado de "comandante" ou de algum termo equivalente como "capitão" ou "príncipe" (2 Rs 18.24; Jr 51.23,28,57). Esta palavra tem sido encontrada em várias alças de potes estampados do período pós-exílico nas escavações de Ramat Rahel (IEJ, IX, 273ss.), provando que ela foi usada como um título do governador da província de Judá durante a administração persa (Ne 5.14; 12.26; Ag 1.1; Ml 1.8). O Tirsata (*q.v.*) era o título honorário para o governador de uma província (Ed 2.63; Ne 7.65 etc.).
No NT, o termo "governador" ocorre mais freqüentemente para *hegemon*, significando "alguém que vai à frente", o que denota os administradores indicados pelo imperador nas províncias (Mt 10.18; 1 Pe 2.14) e especialmente os procuradores na Judéia (por exemplo, Pilatos, Mt 27.2; cf. At 23.24; 26.30). *Veja* Pilatos.
O termo "governador" também é usado em 2 Coríntios 11.32 como tradução do termo grego *ethnarches* ("etnarca") de Damasco; em Gálatas 4.2, ele traduz *oikonomos* ("curador"); em João 2.8,9, ele traduz *architriklinos* ("mestre-sala"); e em Tiago 3.4, ele traduz a forma *euthynontos* ("timoneiro"). *Veja* Deputado; Etnarca; Camareiro.

F. G. C. e J. R.

**GOVERNANTE** Tradução de cerca de 19 palavras na Bíblia Sagrada. Como governantes, eles eram os protetores (*magen*, "escudo", Os 4.18). O rei recebia essa designação (*mashal*, Sl 105.20) ou era chamado de "líder" (*nagid*, 1 Sm 25.30). O governante tinha o nome de *nasi* ("aquele que foi elevado", Êx 16.22), ou "capitão" (*qasin*, Is 1.10), ou "chefe" (*rosh*, Dt 1.13).
Na administração do reino, ele era mencionado como *sar*, "oficial" (Gn 47.6; Êx 18.21). Na época dos persas, os governantes locais eram chamados de "prefeitos" (*seganim*, "governantes", Ed 9.2). No NT, eles são chamados de *archon* (Mt 9.18) e de *politarchai* (At 17.6).
*Veja* Autoridade; Capitão; Governador; Rei; Liderar ou Líder; Oficial.

**GOVERNO DE DEUS** *Veja* Teocracia; Israel; Israel, Reino de; Rei.

**GOVERNO DE ISRAEL** *Veja* Israel; Israel, Reino de.

Um moedor de grãos de basalto em Cafarnaum

**GOVERNOS ou DIGNIDADES** Pessoas em alta posição de honra ou glória (gr. pl. de *doxa*, "glória"); provavelmente anjos como seres espirituais de proeminente dignidade (2 Pe 2.10; Jd 8). A versão RSV em inglês traduziu a expressão como "os gloriosos".

**GOZÃ** Uma região ao longo do rio Habor, nas proximidades do Eufrates, onde os israelitas deportados de Samaria estabeleceram-se (2 Rs 17.6; 18.11). É freqüentemente mencionada nos registros assírios como Guzani. A Assíria já a havia conquistado em 808 a.C. (cf. 2 Rs 19.12). Oppenheim a identificou como Tel Halaf naquele rio. Escavações revelaram documentos do século VII a.C., que continham nomes israelitas como Oséias e Ismael. *Veja* Habor.

**GRAÇA** O conceito de graça é multiforme e sujeito a desdobramentos nas Escrituras. No AT, *hen*, "favor", é o favor imerecido de um superior a um subalterno. No caso de Deus e do homem, *hen* é demonstrado por meio de bênçãos temporais, embora também o seja por meio de bênçãos espirituais e livramentos, tanto no sentido físico quanto no espiritual (Jr 31.2; Êx 33.19). *Hesed*, "benevolência", é a firme benevolência expressada entre as pessoas que estão relacionadas, e particularmente em alianças nas quais Deus entrou com seu povo e nas quais sua *hesed* foi firmemente garantida (2 Sm 7.15; Êx 20.6).

Na literatura grega a palavra *charis* tinha os seguintes significados: (1) Era usada para aquilo que causava atração, tal como a graça na aparência ou na fala. (2) Era usada quanto à consideração favorável sentida em relação a uma pessoa.(3) Era usada quanto a um favor. (4) Era usada para significar gratidão. (5) Era usada adverbialmente em frases como: "Por amor a alguma coisa", *charin tinos*.

Mas foi somente com a vinda de Cristo que a graça assumiu seu significado pleno. O seu auto-sacrifício é a graça propriamente dita (2 Co 8.9). Esta graça é absolutamente gratuita (Rm 6.14; 5.15-18; Ef 1.7; 2.8,9). Quando recebida pelo crente, ela governa sua vida espiritual compondo favor sobre favor. Ela capacita, fortalece e controla todas as fases da vida (2 Co 8.6,7; Cl 4.6; 2 Ts 2.16; 2 Tm 2.1). Conseqüentemente, o cristão dá graças (*charis*) a Deus pelas riquezas da graça em seu dom inefável (2 Co 9.15).

O apóstolo Paulo foi o principal instrumento humano para transmitir o pleno significado da graça em Cristo. O NT oferece a graça a todos, ao contrário do AT, que geralmente restringia a oferta da graça ao povo eleito de Deus, Israel. A graça em sua mais completa definição é o favor imerecido de Deus ao nos dar seu Filho, que oferece a salvação a todos, e dá àqueles que o recebem como Salvador pessoal uma graça acrescentada para esta vida e uma esperança para o futuro.

A graça soberana não é uma exibição arbitrária da graça de Deus. A fim de recebê-la, o homem deve crer. A fim de desfrutá-la, o crente deve ser obediente. A graça provê a justificação (Rm 3.24), a capacitação (Cl 1.29), uma nova posição (1 Pe 2.5,9), e uma herança (Ef 1.3,14). Pelo menos três motivos são indicados no NT quanto à razão pela qual Deus age com graça, especialmente na salvação. Ele o faz para expressar seu amor (Ef 2.4; Jo 3.16), para ser capaz de mostrar sua graça nos séculos vindouros (Ef 2.7), e para que o homem redimido produza bons frutos (Ef 2.10). A graça soberana é sempre intencional, pois a vida sob a graça é uma vida de boas obras.

***Bibliografia.*** Leo G. Cox, "Prevenient Grace – a Wesleyan View", JETS, XII (1969), 143-150. Charles C. Ryrie, *The Grace of God*, Chicago: Moody Press, 1970.

C. C. R.

**GRAL**

1. Um vasilhame de pedra (geralmente basalto) com um orifício, no qual o trigo, ou alguma outra substância, é triturado com um utensílio chamado pilão (*q.v.*). Diz-se que os israelitas trituravam o maná em tal utensílio (Nm 11.8). Um processo parecido é mencionado em Provérbios 27.22, no qual há um resultado benéfico na separação da casca e do grão, porém "ainda que pisasses o tolo

com uma mão de gral entre grãos de cevada pilada, não se iria dele sua estultícia".

2. Uma substância usada para unir materiais de construção como pedras e tijolos. O piche ou betume era usado como gral pelos construtores da torre de Babel (Gn 11.3). A palavra hebraica *homer* refere-se literalmente ao barro usado para o cimento. O texto em Êxodo 1.14 menciona tal barro sendo usado pelos israelitas em seu cativeiro egípcio, e Naum 3.14 adverte os ninivitas a usá-lo na reedificação de suas fortificações. Isaías (41.25) profetizou que Ciro viria "sobre os magistrados, como sobre o lodo"; isto significava que ele os pisaria debaixo dos seus pés, como o barro misturado com a água neste procedimento.

Outra palavra hebraica, *taphel*, é usada várias vezes em Ezequiel 13 e 22.28, sendo traduzida como "reboco de cal não adubada". A referência é aos falsos profetas que acalmavam o povo predizendo a paz, quando o verdadeiro homem de Deus avisava que o julgamento de Deus logo viria sobre Jerusalém. As pessoas estavam silenciosamente construindo uma parece baseando-se em suas esperanças vãs, e outros a rebocavam com "cal não adubada" (Ez 13.10). A argamassa aqui provavelmente refere-se à cobertura leve de alguma coisa como cal ou estuque, o que tenderia a encobrir os defeitos estruturais de uma parede. O Senhor prometeu que derrubaria uma parede como esta.

A "argamassa" em Levítico 14.42-45 representa a palavra hebraica *'aphar* utilizada para "pó", que é provavelmente seu significado verdadeiro tanto nestes versículos como em outros.

**GRALHA** *Veja* Animais, III.4.

**GRAMPOS PARA ENCARACOLAR** Acredita-se tratar de objetos de metal usados para enrolar os cabelos. A versão RSV em inglês traduz o termo heb. *haritim* como "bolsas" em Isaías 3.22; aqui provavelmente sejam bolsas bem decoradas usadas pelas mulheres. A expressão é definida como uma bolsa (originalmente feita de cascas ou peles) ou uma carteira. Naamã deu dois talentos de prata a Geazi em duas dessas bolsas (2 Rs 5.23). *Veja* Sacos.

**GRANADA** *Veja* Jóias.

**GRANDE CARNIFICINA ou GRANDE FERIMENTO** Expressão idiomática usada em Juízes 15.8 para indicar um massacre tão violento que os corpos são mutilados.

**GRANDE COMISSÃO** *Veja* Comissão, A Grande.

**GRANDE SANGUESSUGA** *Veja* Animais: Parasita V.11.

**GRANIZO, PEDRAS DE GRANIZO** Tempestades de granizo podem acontecer tanto em climas quentes como frios, e freqüentemente acompanham violentas chuvas. As gotas de chuva, dentro de nuvens do tipo cúmulo-nimbos, são levadas a grandes altitudes onde a temperatura, abaixo de zero Fahrenheit, as transforma em pedras de gelo que crescem à medida que são lançadas para baixo e para cima. Pedras de granizo, pesando acima de meio quilo, já foram encontradas depois de uma tempestade. Em outubro de 1937, pedras de granizo quebraram as telhas de uma casa nas proximidades de Tel Aviv, na Palestina.

Elas afetam uma área situada ao longo de uma linha estreita, de modo que a tempestade pode atingir um lugar, enquanto outro lugar próximo pode estar livre de sua presença (Êx 9.26; Js 10.11). Saraiva (Is 28.17), ventos tempestuosos (Ez 13.11) e neve (Jó 38.22) são muitas vezes acompanhados de tempestades de granizo. Uma extraordinária queda de granizo, no sétimo juízo contra o Egito, destruiu as colheitas e as árvores, feriu homens e animais (Êx 9.18-34), e tornou-se o protótipo dos castigos do fim do mundo nos livros de Ezequiel (38.22) e Apocalipse (8.7; 11.19; 16.21). A chuva de granizo sobre Bete-Horom (Js 10.10,11) era milagrosa por causa de sua intensidade e provavelmente estivesse fora de estação, considerando que a campanha de Josué contra os amorreus parece ter sido travada durante a estação seca do estio, alguns meses depois da Páscoa (Js 5.10).

A. T. P. e J. R.

O portão do Leão em Micenas. HFV

O templo de Hefesto (Vulcano) com vista para a Ágora em Atenas. HFV

**GRÃO** *Veja* Plantas.

**GRAU** A Bíblia fala de homens de grau elevado (1 Cr 17.17) e de grau inferior (Lc 1.52; Tg 1.9) ao referir-se à posição deles na sociedade humana, quer sejam nobres como Davi ou de humildes circunstâncias.

Os diáconos que servem bem "adquirirão para si uma boa posição" (1 Tm 3.13), isto é, eles alcançam uma elevada posição ou grau (em grego *bathmos*). Tais diáconos ganham uma respeitada reputação na igreja e também estão acumulando tesouros no céu, onde terão uma boa posição por ocasião do tribunal de Cristo (H. A. Kent, Jr., *The Pastoral Epistles*, Chicago. Moody, 1958, p. 143).

Quanto aos "dez graus" que a sombra do sol retrocedeu para o rei Ezequias (2 Rs 20.9-11; Is 38.8), *veja* Relógio de Sol. Para o cântico dos degraus (nos títulos dos Salmos 120–134), *veja* Degraus, Cântico dos.

**GRÉCIA** A reputação da Grécia como uma terra clássica foi estabelecida há muito tempo. A sua distinção como uma terra bíblica não está tão bem fixada. Contudo, a Grécia

O templo de Apolo e a Acrópole em Corinto. Mimosa

fornece o palco estratégico para boa parte do drama do NT. Nela, Paulo pregou no ponto de encontro de oração em Filipos, e pela primeira vez levou o Evangelho para a Europa, envolvendo-se mais tarde na cena ocorrida à meia-noite na prisão local. Nela, ele fez seu dramático convite à aceitação de Cristo diante da corte do Areópago, na colina de Marte, em Atenas. O apóstolo ministrou em Corinto durante 18 meses. Várias outras cidades gregas figuram no relato do NT.

Embora a Grécia represente uma entidade nacional para um observador contemporâneo, ela não se tornou um estado soberano completo até ganhar sua total independência da Turquia em 1829, e não atingiu seus limites territoriais atuais até 1947. Nos tempos antigos, Hellas (Grécia) era a área habitada por povos gregos, incluindo a península grega, as ilhas do Egeu, e por muitos séculos a costa da Ásia Menor. A Macedônia não fez realmente parte do mundo grego até o século IV a.C., quando Filipe II, e seu filho Alexandre o Grande, fizeram um esforço consciente para levar a cultura grega por todo o seu reino. Nos tempos mais antigos, a Grécia era uma coleção de reinos e cidades-estado; Alexandre nunca realmente a uniu. Sob o governo romano ela transformou-se em duas províncias, a Macedônia e a Acaia. Com o declínio de Roma no oeste, a Grécia permaneceu dentro do Império Bizantino, e com a queda de Bizâncio, passou para o Império Otomano, do qual ela fez parte até o século XIX.

*Geografia*. Se for incluída na Grécia a península grega estendendo-se ao sul de Tessália e Epiro, e as ilhas do Egeu, que consiste no que a Grécia era durante a maior parte dos tempos clássicos, estaremos lidando com uma área de mais de 76.000 quilômetros quadrados. Isto se aproxima do estado do Maine, nos EUA. Como o Maine, a Grécia é muito montanhosa; na verdade, as montanhas cobrem cerca de 70 por cento da superfície do território. Nenhum outro país na área mediterrânea apresenta uma superfície mais íngreme do que a Grécia. Embora a disposição das montanhas na Grécia seja caótica, há um certo grau de simetria. A cadeia de montanhas Magnesiana estende-se ao sul do Olimpo, no leste da Grécia; a cadeia Pindus localiza-se entre Tessália e Epiro, na Grécia central; e a cadeia Epiro estende-se ao longo da costa oeste. Estas são cortadas por outros cumes, dividindo o país em um vasto tabuleiro de pequenos vales, poucos dos quais têm mais de vinte quilômetros de comprimento por dez quilômetros de largura. Com comunicações tão dificultosas, um "provincianismo" desenvolveu-se na Grécia tal como provavelmente não existiu em nenhuma outra área historicamente importante do mundo.

A costa da Grécia é tão profundamente recortada, que ela tem o litoral mais longo em proporção à área fechada de todas as regiões

RIO VARDAR
RIO STRYMON
RIO NESTRUS
PELA
VIA EGNÁTIA
ANFÍPOLIS
NEÁPOLIS
FILIPOS
MACEDÔNIA
TESSALÔNICA
APOLÔNIA
THÁSOS
SAMOTRÁCIA
RIO HALIACMON
PIDNA
MONTE OLIMPO
BERÉIA
EPIRO
TESSÁLIA
FARSÁLIA
THERMOPYLAE
EUBOEA
ETÓLIA
FÓCIDA
QUERONÉIA
DELFOS
BEÓCIA
TEBAS
PLATÉIA
MARATONA
ACAIA
ELÊUSIS
ÁTICA
MEGARA
ATENAS
CORINTO
ELIS
MESSINA
OLÍMPIA
TIRINTO
MICENAS
ESPARTA
LAÇÔNIA
GRÉCIA
0
50
100
ESCALA EM MILHAS
CRETA
KNOSSOS

históricas importantes. Os muitos recortes litorâneos geraram vários portos. Assim os gregos, incapazes de obter o sustento de suas fazendas montanhosas, tornaram-se um povo de atividade marítima. É fácil, porém, enfatizar demasiadamente o lugar do mar na vida econômica grega. As montanhas às vezes cortam o acesso ao mar e, freqüentemente, eram áridas demais para fornecer boa madeira para navios. Durante boa parte do ano o mar era muito tempestuoso para a navegação. Além disso, o comércio além-mar não era vital nos dias antigos, quando a maior parte das comunidades da Grécia era autosuficiente. É importante observar que os melhores portos da Grécia e muitos de seus vales situam-se na costa leste. Portanto, as áreas do leste receberam, em primeiro lugar, influências civilizadoras do Oriente.

*História.* O desenvolvimento mais antigo da civilização no mundo grego ocorreu não no continente, mas na ilha de Creta. Ali começou a civilização minoana por volta de 3000 a.C. A cultura minoana, uma combinação de elementos orientais e nativos, era centralizada no palácio e atingiu sua maior prosperidade em 1600–1400 a.C. Freqüentemente chamados de "educadores de Hellas", os minoanos deixaram uma marca indelével no desenvolvimento do continente. Ali, em algum momento após 2000 a.C., uma onda de povos indo-europeus mudouse do norte e estabeleceu-se. Finalmente, estes ganharam poder suficiente para trazer os minoanos de Creta para seu controle (aprox. 1500 a.C.). Os melhores dias desses povos micenos duraram entre 1400 e 1200 a.C. Durante este período, eles percorreram todo o Mediterrâneo comercializando seus produtos, e na parte final do período entrelaçaram-se com Tróia.

Por volta de 1200 a.C., uma outra onda de povos indo-europeus mudou-se do norte e destruiu os reinos micenos. Os anos 1100–800 são freqüentemente conhecidos como a Idade Média Grega; naquela época a antiga ordem estava desaparecendo e uma nova ordem de cidades-estado estava surgindo. Homero escreveu seu grande épico por volta de 850 a.C. O período 800–500 é freqüentemente chamado de Idade Formativa, porque nessa época as típicas instituições políticas, econômicas, religiosas e sociais das cidadesestado da Era Clássica gradualmente apareceram em cena. Nessa época, povos gregos também migraram para toda a área mediterrânea – para a Itália, França, Espanha, Egito e outros lugares. Alexandre e seus sucessores fariam seus acréscimos a este depósito de cultura e povos gregos. E os romanos iriam absorver uma boa porção da herança cultural grega. Como resultado, o grego tornou-se o idioma de comunicação de todo o mundo mediterrâneo na época de Cristo, facilitando a difusão de um evangelho

Atena, divindade patrona da antiga Atenas.
Mimosa

pregado e escrito em grego. E nessa época, o AT havia sido traduzido para o grego (a Septuaginta [LXX]) e estava sendo estudado em algumas das 150 sinagogas do mundo romano, servindo assim como uma preparação para a vinda do evangelho.

Em 512 a.C., a Grécia enfrentou uma nova crise quando os persas cruzaram o Helesponto e invadiram a Trácia. Durante os anos subseqüentes, batalhas dramáticas foram travadas em lugares como Maratona, Termópilas, Salamina e Platéia, e como resultado os persas interromperam as tentativas de subjugar os gregos. Agora os gregos estavam livres para experimentar e desfrutar suas instituições singulares nas pequenas cidades-estado da Era Clássica. Tal experimentação teria sido impossível se a superpotência a leste tivesse optado por fazer mais esforços para dominar os helenos.

Durante o século V, Atenas transformou a aliança formada para rechaçar os persas em um Império Ateniense. E usou os recursos do império para tornar possível sua idade áurea (461–431 a.C.). Sob a liderança de Péricles, ela desenvolveu sua democracia, império, drama, as realizações arquitetôni-

cas da Acrópole, e outros aspectos da cultura. Enquanto isso, Esparta reuniu uma liga peloponesa para contrabalançar o poder ascendente de Atenas. Outras cidades-estado levantaram-se nessa época, mas não puderam operar sem a referência a um ou outro dos dois poderes principais de Hellas.
Talvez fosse inevitável que Atenas e Esparta acabassem tendo que ir à guerra. E elas foram; e o conflito arrastou-se de 431 a 404 a.C., terminando na destruição do Império Ateniense. Depois de algumas décadas do domínio de Esparta na Grécia, Tebas agarrou-se temporariamente à sua hegemonia. Enquanto isso, o poder macedônio estava se formando ao norte, e após 337 a.C. dominou a península. Filipe II esforçou-se bastante para construir uma força militar na Macedônia, e transmitiu ao seu filho Alexandre um grande exército com o qual lançou a guerra pan-helênica de vingança contra a Pérsia. Isto havia sido tramado algum tempo atrás por causa da interferência persa nos assuntos gregos. Por exemplo, os persas haviam fornecido aos espartanos a ajuda naval necessária para derrotar os atenienses durante a guerra do Peloponeso. Também deve ser observado que Filipe empregou Aristóteles como tutor para o jovem Alexandre, e Platão foi parcialmente contemporâneo de Aristóteles.
Após o assassinato de seu pai, Alexandre teve que lutar contra os persas. Ele lançou o ataque em 334 a.C., e dentro de cerca de três anos conquistou a maior parte do território de Colossos, ao leste. Antes que pudesse reorganizar o império, ele caiu vítima de uma febre na Babilônia, em 323 a.C. A luta pelo poder entre os principais membros do círculo de Alexandre finalmente levou a uma divisão do império, transformando-o nos reinos sírio, egípcio e macedônio. Após a morte de Alexandre, uma confusão reinou na Macedônia quando general após general tentou assegurar o trono. Finalmente, Antígono Gonatas, neto do grande Antígono do governo de Alexandre, assegurou o controle sobre a Macedônia e ali estabeleceu sua dinastia.
Embora a Macedônia fosse dominante na Grécia durante o século III, ela não controlava todo o país. Na Grécia central, as ligas Etólia e da Acaia organizaram-se, e no oeste surgiu o reino de Epiro. O rei Pirro de Epiro liderou um exército à Itália para ajudar os gregos da parte sul da península a tomarem uma posição firme contra os esforços romanos para unificar a Itália. Ele retornou à Grécia em 275 a.C. para enfrentar a Macedônia. Depois que Pirro foi morto em batalha, em 272, seu reino rapidamente declinou. No final do século III, a Macedônia aliou-se a Aníbal durante a segunda das guerras púnicas entre Cartago e Roma. Naturalmente esse ato trouxe a Roma uma determinação imortal para subjugar seus inimigos na Grécia.
A batalha romana na Grécia durou meio século e terminou com a anexação romana da Grécia e a criação das províncias da Macedônia (148 a.C.) e da Acaia (146 a.C.). A partir de então a Grécia deveria sofrer novos infortúnios, pois as guerras civis romanas do século I a.C. trouxeram uma terrível destruição para o solo grego. Tanto as batalhas decisivas entre Pompeu e Júlio César, como entre Antonio e César Augusto foram travadas na Grécia, assim como a batalha de Bruto e Cássio contra Augusto em Filipos. As condições mais estáveis sob o império, depois que Augusto trouxe a reorganização da paz e da política, restauraram um certo grau de prosperidade para a Grécia. Na época em que o apóstolo Paulo chegou lá com sua pregação, em meados do século I d.C., muitas das cicatrizes da guerra já haviam sarado. Mas a Grécia não estava destinada a recobrar a grandeza dos primeiros séculos.
*A Grécia como uma terra bíblica.* A reivindicação da Grécia de ser uma terra bíblica está grandemente ligada à primeira e à segunda viagens missionárias de Paulo. O trajeto de sua segunda viagem está associado com Neápolis, Filipos, Anfípolis, Apolônia, Tessalônica, Beréia, Atenas e Corinto (At 16.11–18.18). Mais tarde, o apóstolo escreveu duas epístolas para Tessalônica, duas para Corinto e uma para Filipos. Artigos separados são dedicados a cada uma dessas cidades e epístolas. Após sua primeira prisão em Roma, Paulo aparentemente retornou por pouco tempo à Grécia, e até realizou uma obra missionária em Creta (*q.v.*), para onde posteriormente enviou Tito (*q.v.*) para ministrar, dando-lhe as instruções necessárias na Epístola a Tito (*q.v.*).

***Bibliografia.*** M. Cary, *The Geographic Background of Greek and Roman History*, Oxford: Clarendon Press, 1949. N. G. L. Hammond, *A History of Greece to 322 B C.*, Oxford: Clarendon Press, 1959. M. L. W. Laistner, *A History of the Greek World from 479 to 323 B.C.*, 2ª ed., Londres: Methuen & Co., 1947. Carl Roebuck, *The World of Ancient Times*, Nova York: Scribner's Sons, 1966. Chester Starr, *A History of the Ancient World*, Nova York: Oxford Univ. Press, 1965.

H. F. V.

## GREGOS

1. Palavra utilizada no AT uma vez (Jl 3.6) para designar "os filhos de Javanim", sendo Javã a palavra heb. para Ionia ou Grécia. Os contatos dos judeus com os gregos nos tempos do AT eram limitados, mas se tornaram consideráveis no período entre os dois Testamentos. No início da era cristã, os três centros de população judaica fora da Palestina eram Babilônia, Síria e Egito, sendo que

as duas últimas áreas eram também centros do helenismo. Um número muito grande de judeus também estava localizado na Ásia Menor e em Roma. O contato dos judeus com a cultura grega encontrou uma expressão literária criativa em Alexandria, onde a tradução do AT para o grego foi iniciada no século III a.C. e onde Filo, no primeiro século cristão, expôs o AT em termos da filosofia grega. Mesmo os judeus palestinos vieram a ficar sob a influência helenista.

2. No NT, os "da Grécia" (gr. *Hellenistai*) são mencionados em Atos 6.1; 9.29, e em alguns manuscritos em 11.20, e como *Hellenes* no restante de Atos (14.1; 16.1,3; 17.4,12 etc.). Esta distinção é mantida pela tradução de *Hellenistai* como os "da Grécia" e *hellenes* como "gregos".

"Da Grécia" (gr. *hellenistai*) é uma expressão relativamente rara. Ela não é encontrada na literatura grega ou na literatura judaica helenística. A forma verbal *hellenize* é mais comum. Ela é usada pelos escritores cristãos significando "falar grego", "falar bom grego" (os significados clássicos), ou "praticar o paganismo", "ser pagão". Etimologicamente, o verbo não tem uma referência especial ao idioma, e na analogia de formações de palavras similares deve significar uma pessoa que pratica os modos gregos (seja grego ou estrangeiro). É este significado que está por trás do uso para "pagão".

Foram propostas as seguintes identificações dos "gregos" de Atos (6.1; 9.29; 11.20).

*a*) A explicação usual é que eles eram judeus de fala grega que eram contrastados com os judeus palestinos de fala aramaica (*Ioudaioi*). Esta interpretação remonta às homilias de Crisóstomo sobre Atos. Há uma dificuldade no contraste com "hebreus" em Atos 6.1. O termo "hebreus" não é comumente usado em um sentido lingüístico, e Paulo, um judeu de fala grega, considerava-se um hebreu (Fp 3.5; 2 Co 11.22).

*b*) A variação sobre o que é mencionado acima toma "gregos" e "hebreus" em Atos 6.1 querendo dizer, respectivamente, judeus que falavam *apenas* grego, e judeus que *também* sabiam um idioma semita, sem negar que em outros contextos ambas as palavras tinham conotações mais amplas. Esta distinção entre os dois grupos pode ter se refletido no idioma usado em seus cultos de adoração e na forma de ler as Escrituras publicamente. Tais diferenças poderiam ser responsáveis pela possibilidade de tensões, e ao mesmo tempo evitar o problema de que muitos judeus palestinos falassem o grego por preferência, o que traria uma distinção absoluta de idioma entre os judeus da Palestina e os da Diáspora.

*c*) "Gregos" eram judeus de fala grega da Diáspora vivendo na Palestina, em contraste com os *hellenes* do quarto Evangelho, que eram judeus de fala grega vivendo fora da Palestina. Parece natural ligar os sete diáconos, cujos nomes são todos gregos, com os "gregos" de Atos 6.1, e então ver uma ligação com as sinagogas dos residentes de Cirene, Alexandria, Cilícia e Ásia (At 6.9) com quem Estêvão estava discutindo (veja At 21.8,16 para uma associação de Filipe com os judeus cipriotas). O mesmo círculo vem à mente em relação aos antagonistas de Saulo, um nativo da Cilícia. Convertidos nativos dessas regiões inauguraram a missão gentílica em Antioquia (At 11.19ss.; cf. 13.1).

*d*) A interpretação mais radical é a que diz que os "gregos", judeus de fala grega, não são diferentes dos "gregos" gentios. Esta opinião desmonta toda a estrutura de Atos.

*e*) É improvável que estes sejam os prosélitos judeus, pois é mais natural distinguir Nicolau (At 6.5) como o único prosélito no grupo do que considerar todos os sete como prosélitos e distingui-lo somente como sendo de Antioquia. A sua presença mostra que os de pura cultura grega estavam incluídos entre os "gregos".

*f*) Tem sido discutido que os "gregos" era um grupo religioso, no judaísmo, contrários ao Templo e seus cultos sacrificiais, e que era assim chamado por seus adversários. O termo "gregos" aparece apenas na primeira metade de Atos, refletindo a tradição palestina.

*g*) A palavra pode ter seu significado literal de "agir como um grego", e assim pode descrever tanto judeus (nativos ou da Diáspora) que não se conformavam com os costumes e tradições palestinas (mas eram doutrinariamente ortodoxos) como gentios pagãos (em Antioquia).

*h*) A palavra pode ser deixada como uma palavra geral para "aqueles que falam grego", com o contexto decidindo qual tipo – cristãos-judeus em Atos 6.1, judeus das sinagogas em Atos 9.29, ou gentios em Atos 11.20. Em apoio a esta última e mais abrangente opinião, isto é, "aqueles que falam grego", em Atos 11.20 a evidência dos manuscritos pode ligeiramente favorecer "gregos" sobre outras variantes. Parece improvável que um escriba tivesse mudado uma palavra comum para uma palavra rara, e particularmente uma que apresenta uma leitura mais difícil. Ao mesmo tempo, o contexto exige que a pregação seja feita para não judeus. As exigências podem ser harmonizadas em "gregos" quando a palavra for utilizada no sentido de "aqueles que falam grego", ou referindo-se àqueles que imitavam os gregos no idioma, nos costumes, ou em ambos, e assim referindo-se à população geral de Antioquia.

Seguindo a mesma linha de pensamento, se, em Atos 6, Estêvão e seus companheiros podem ser identificados como o grupo de gregos, então a primeira investida da atividade missionária na igreja primitiva veio deste grupo e, como discutido anteriormente, este era composto por aqueles que falavam grego, quer fossem cristãos de origem judaica, judeus da sinagoga, ou gregos. Filipe iniciou a missão voltada a Samaria, e judeus anônimos da Dispersão lançaram a obra entre os gentios em Antioquia.

***Bibliografia.*** F. F. Bruce, *The Acts of the Apostles*, Grand Rapids: Eerdmans, 1952. Henry J. Cadbury, "The Hellenists", *The Beginnings of Christianity*, Londres: Macmillan, Vol. V, 1933. CornPBE, "Hellenism", pp. 379-388. C. F. D. Moule, "Once More, Who Were the Hellenists?" *Expository Times*, LXX (Jan., 1959), 100-102. Marcel Simon, *St. Stephen and the Hellenists in the Primitive Church*, Nova York: Longmans, Green, 1958. B. B. Warfield, "The Readings *Hellenas* and *Hellenistas*, Acts xi.20", JBL, III (Dez., 1883), 113-127. Hans Windisch, "*Hellen* etc"., TDNT, II, 504-516.

E. F. e R. A. K.

**GRELHA** Um crivo ou treliça de bronze para o altar de ofertas queimadas diante do Tabernáculo (Êx 27.4; 35.16; 38.4,5,30; 39.39). A grelha provavelmente contornava a metade mais baixa do altar como uma saia, atada às saliências na metade superior do altar, estendendo-se até o chão, talvez para evitar que os sacerdotes pisassem no sangue sacrificial derramado na base do altar (Lv 4.7). Cada canto da grelha tinha uma argola de bronze; através destas argolas eram passados dois varais cobertos de bronze para transportar todo o altar (D. W. Gooding, "Tabernacle", NBD, p. 1233; fig. 176). *Veja* Altar; Tabernáculo.

**GREVAS** *Veja* Armadura.

**GRILHÕES** Instrumentos usados para prender os pés e as mãos de prisioneiros. Os grilhões eram feitos em pares, geralmente de ferro ou bronze. A palavra é sempre usada no plural: "Mandou adiante deles um varão, que foi vendido por escravo. José, cujos pés apertaram com grilhões e a quem puseram em ferros" (Sl 105.17,18). A palavra é às vezes usada figurativamente, como em Jó 36.8,9: "E, se estão presos em grilhões e amarrados com cordas de aflição, então, lhes faz saber a obra deles e suas transgressões..."

**GRILO** *Veja* Animais: Besouro, IV.4.

**GRINALDA** Palavra encontrada em algumas versões em Atos 14.13, ocasião em que os sacerdotes de Júpiter (em grego, Zeus) trouxeram "touros e grinaldas" para adorar Paulo e Barnabé como divindades. Não está claro se as grinaldas (em grego *stemma*, "coroa") eram para os apóstolos ou para os bois.
A palavra hebraica *pe'er* ("turbante", "grinalda de flores", "coroa") foi traduzida como "grinalda", "ornamento" ou "atavios" em várias versões em Isaías 61.3 e também no verso 10.

**GRISALHO, ACINZENTADO** *Veja* Cores.

**GROU** *Veja* Animais III.36.

**GUARDA[1]** (*a*) Do hebraico *mishmar*. Neemias montou guarda para vigiar Sambalate e outros (Ne 4.9; 7.3; veja também Jó 7.12; Jr 51.12). (*b*) Do hebraico *mishmeret*. Pessoas específicas foram escolhidas para guardar o jovem rei Joás (2 Rs 11.5ss.; veja também 2 Cr 23.4-6; Ne 7.3; 12.24 ss.) Habacuque colocou-se na posição de guarda (Hc 2.1) para esperar e ouvir o Senhor. (*c*) Do hebraico *shomrah*. O salmista orou para que o Senhor pusesse uma guarda à sua boca (Sl 141.3). (*d*) Do *grego coustodia*, uma guarda de soldados. Uma guarda ou escolta escolhida por Pilatos para acompanhar aqueles que selaram a sepultura do Senhor Jesus (Mt 27.65,66; veja também 28.11).

**GUARDA[2]** Alguém que é responsável pela proteção ou manutenção de uma grande variedade de coisas.
1. Um termo freqüentemente utilizado para designar um pastor de ovelhas (Gn 4.2; 46.32,34; 47.3,6; 1 Sm 11.5; 17.20; 21.7), ou o lavrador de um campo (Jr 4.17), de vinhas (Ct 1.6; 8.11; Is 27.3), ou pomares (Pv 27.18). Aqui a produção é muito significativa.
2. Alguém que detém a confiança pública para guardar portas e entradas (2 Rs 22.4; 23.4), portões (1 Cr 9.19; Ne 3.29), muros (Ct 5.7), prisões (Gn 39.21,23; At 5.23; 12.6,19), uma casa (Ec 12.3), ou mulheres (Et 2.3). A ênfase aqui é à proteção. Caim negou a responsabilidade por seu irmão declarando: "Sou eu guardador do meu irmão?" (Gn 4.9).
3. Responsabilidade de impedir que algo errado seja feito, por exemplo, quanto à língua e aos lábios (Sl 34.13; 141.3).
Em todos estes sentidos o Senhor é quem nos guarda (Sl 121.3-8). Ele é aquele que nos protege dos perigos e de todos os tipos de males.

**GUARDA[3]** Um homem ou grupo de homens que protegia uma pessoa importante ou um objeto especial.
1. Heb. *mishma'at*, "guarda-costas", isto é, um grupo ligado a uma outra pessoa por obediência. Davi foi um comandante de guarda-costas no reinado de Saul (1 Sm 22.14); Benaia, o comandante do grupo sob o comando de Davi (2 Sm 23.23).
2. Heb. *rasim* (de *rus*, "correr"), "guardas", corredores ou acompanhantes reais para Absalão (2 Sm 15.1) e para Adonias (1 Rs 1.5); o guarda-costa real que não apenas protegia o rei, mas também executava seus desejos (1 Sm 22.17; 1 Rs 14.27; 2 Rs 10.25; 11.4 etc.).
3. Heb. *mishmar*, "cadeia ou prisão" (Gn 40.3 etc.); em épocas posteriores o homem que estava em guarda (Ne 4.22,23) e também

um guarda ou vigia aguardando ordens (Ez 38.7).
4. Heb. *tabbah*, “guarda” (lit., “carrasco”, “executor”), exclusivamente de não-israelitas; de Potifar, o egípcio que estava acima de José (Gn 37.36), de Nebuzaradã (2 Rs 25.8).
No NT, há versões que trazem o termo “guarda” ao invés de “vigia” em Mateus 27.65,66; 28.11, e “executor” em Marcos 6.27.

**GUARDA DO SÁBADO** *Veja* Sábado, Cobertura do.

**GUARDANAPO** Transliteração da palavra latina que significa “transpirar”. Portanto, essa palavra é aplicada ao tecido usado para enxugar a transpiração do rosto, e corresponde à palavra lenço (*q.v.*). No NT, essa palavra foi traduzida três vezes como lenço; uma vez para o tecido usado para guardar a mina do servo (Lc 19.20), e duas vezes como o tecido que era enrolado na cabeça da pessoa morta para o sepultamento (Jo 11.44; 20.7). A mesma palavra (tanto grega quanto latina) foi traduzida como lenço (no plural) em Atos 19.12.

**GUARDA-ROUPA** *Veja* Vestuário.

**GUARNIÇÃO** Posto ou fortaleza militar que conta com um grupo de homens. No AT, a palavra “guarnição” corresponde à tradução de duas palavras hebraicas, ambas derivadas da raiz *nsb*: (1) a palavra hebraica *massab* (1 Sm 13.23; 14.1,4,6,11,15; 2 Sm 23.14) e sua variante *massaba* (1 Sm 14.12). Uma forma semelhante, *masseba*, foi corretamente traduzida como “colunas” por várias versões em Ezequiel 26.11, onde a versão KJV em inglês traz o termo “guarnições”. (2) A palavra hebraica *n^esib* (1 Cr 11.16; e provavelmente 2 Sm 8.6,14; 1 Cr 18.13; 2 Cr 17.2). Essa palavra pode ser traduzida como “oficial”, “governador”, “deputado” em 1 Reis 4.19; 2 Crônicas 8.10, mas também como “pilar” ou “estátua” por causa do castigo da mulher de Ló (Gn 19.26). Os estudiosos têm um problema. Como a palavra deve ser traduzida em 1 Samuel 10.5 e em 13.3,4? Será que Jônatas derrotou uma guarnição de filisteus (conforme várias versões em português e inglês), um oficial (IB, II, 931ss., 946) ou uma coluna (conforme a Bíblia de Jerusalém)?
Em 2 Coríntios 11.32, a versão KJV traduz a palavra grega *phrourein* como parte da expressão “manter uma guarnição”, enquanto outras versões trazem, simplesmente, o termo “guarda”.

D. D. T.

**GUDGODA** Um local de acampamento israelita no Neguebe depois da morte de Arão (Dt 10.7), provavelmente o mesmo que Hor-Hagidgade (*q.v.*).

Amenotep II do Egito (possível faraó do Êxodo) atirando com arco de sua carruagem. A carruagem era efetivamente usada nas guerras pelos egípcios, heteus, assírios e babilônios. ORINST. Para outras ilustrações veja: Armadura; Assurbanipal; Arco e Flecha; Cativeiro; Tiglate-Pileser

**GUERRA** Parte da história do homem, conforme registrado na Bíblia Sagrada. O ideal descrito pelo salmista: “Oh! Quão bom e quão suave é que os irmãos vivam em união!” (Sl 133.1) foi difícil tanto para ele quanto para o homem moderno. A guerra foi uma parte muito significativa da experiência dos israelitas, especialmente durante a época da conquista de Canaã, dos juízes e dos reis. Ela também forneceu uma linguagem figurada para os comentários dos escritores do NT sobre a luta espiritual.
A principal raiz hebraica para palavras de guerra no AT, *l-h-m*, “lutar, batalhar”, é principalmente utilizada através da raiz *niphal* como um verbo, *nilham*, “travar guerra”. O termo heb. *milhama*, “guerra”, é um substantivo comum. Dois verbos usados freqüentemente no NT são: (1) o grego *polemeo*, “travar guerra, lutar”, e seu substantivo cognato *polemos*, “guerra, batalha, conflito, disputa”; e (2) *strateuomai*, “guerrear, travar guerra”.

### História das Guerras no AT

*O início do período bíblico* (até aprox. 1700 a.C.). Durante o início do período bíblico, a civilização desenvolveu-se e irradiou-se a partir de dois principais centros, um ao longo do Nilo, na África, e o outro na Mesopotâmia, ao longo do Tigre e do Eufrates. As cidades-estado surgiram e expandiram-se, tornando-se impérios, em alguns casos através do uso da força. Armas, soldados, estratégias, batalhas, campanhas – todos os elementos de guerra tornaram-se vitais para o estabelecimento e continuidade da existência de povos como os sumérios, elamitas, acádios, amorreus, antigos babilônios e assírios da Mesopotâmia, e egípcios ao longo do Nilo, na

África. A história desses povos constitui o contexto dos registros bíblicos iniciais.

Homens matando homens; este é um problema que tem sua origem na queda de Adão e Eva (Gn 3). O primeiro incidente relatado na Bíblia Sagrada em que ocorre o derramamento de sangue é obviamente o de Caim e Abel (Gn 4.1-15). As matanças em massa tornaram-se parte da trágica experiência do homem muito antes dos dias de Abraão. Embora a Bíblia não faça referências específicas às guerras e batalhas antes da época de Abraão, existe uma alusão à antiga tirania militar: "Como Ninrode, poderoso caçador diante do Senhor" (Gn 10.9).

*Durante a época de Abraão e seus descendentes*. A expressão "fez guerra" aparece inicialmente na Bíblia na descrição do ataque de uma aliança de quatro reis da Mesopotâmia, na Palestina, que despojou as cidades da região fértil, no extremo sul do mar Morto, levando Ló entre seus prisioneiros (Gn 14). Abraão liderou seus 318 "homens treinados" (*hanikim*, Gênesis 14.14, ou seja, servos ou mercenários, conforme o significado desta palavra em textos contemporâneos encontrados no Egito e em Taanaque), dentre os quais havia criados nascidos em sua casa, para perseguir estes reis e resgatar Ló (Gn 14.13-16). De acordo com o contexto daqueles dias, Abraão deveria ter seu próprio contingente de homens armados que ficariam de prontidão para proteger seus direitos e posses, e que lutariam por ele quando necessário.

Outros homens também tinham seus seguidores treinados. Por exemplo, Esaú e 400 homens no tempo em que Jacó estava prevendo uma batalha com seu irmão (Gn 32.6). Simeão e Levi mataram todos os homens de Siquém à espada, e saquearam a cidade como uma vingança pelo estupro de sua irmã Diná; por esta razão Jacó temeu um ataque geral dos cananeus e perizeus (Gn 34.25-30).

*Da peregrinação à morte de Moisés*. A residência temporária de Jacó e seus descendentes no Egito foi, durante a maior parte do tempo, uma coexistência com os egípcios sem uma guerra propriamente dita. Durante o tempo de paz da peregrinação e o tempo da opressão, os israelitas aparentemente não estavam em condições de travar uma guerra, se assim desejassem. No entanto, os egípcios estavam preparados para enfrentar a guerra ou lutar, como está ilustrado na citação da prontidão das carruagens que foram utilizadas para perseguir os israelitas durante o Êxodo (Êx 14.6-9). As carruagens militares leves foram introduzidas no Egito pelos hicsos nos tempos patriarcais.

Liderados por moisés, os israelitas percorreram seu caminho à terra prometida, e lutaram diversas vezes nas batalhas que aconteceram pelo caminho. Eles foram forçados a lutar com Amaleque em Refidim, no caminho para o monte Sinai (Êx 17.8ss.). Os israelitas obtiveram ou tomaram posse de alguns tipos de armas (provavelmente, em sua maioria, pequenas espadas) de fontes inexplicáveis; foram vitoriosos, pois Deus lhes deu a vitória por intermédio de Moisés.

Eles também lutaram contra o rei Arade, do Neguebe, que veio ao seu encontro e tomou alguns israelitas como prisioneiros (Nm 21.1). Eles juraram destruir "totalmente" (da raiz *h-r-m*, "consagrar, sacrificar, destruir totalmente") as cidades de Arade (Nm 21.2). Deus lhes deu a vitória, permitindo que destruíssem estas cidades. A região foi então chamada de Horma (Nm 21.3), da raiz *h-r-n*, "destinados à destruição". Este incidente marcou o início da prática israelita empregada na conquista de Canaã, que trouxe a destruição total às cidades cananéias, e a qualquer coisa que pudesse corromper a vida durante a aliança mosaica. O requerimento de *herem*, "consagrar à espada", ou "colocar sob proibição", significava que qualquer coisa que tivesse sido dedicada a qualquer divindade pagã era hostil à verdadeira teocracia, e deveria ser destruída ou rededicada ao Senhor, mas não seria permitido que fosse usada na vida civil (Js 6.17-19,21,24). *Veja* Consagração. Na Transjordânia, ao norte de Moabe, os israelitas lutaram e venceram Seom, rei dos amorreus (Nm 21.21-32), e Ogue, rei de Basã (Nm 21.33-35).

Nestes casos, tudo indica que as batalhas de conquistas eram decididas e empreendidas sob uma motivação religiosa subjacente, pois se acreditava que Deus estava dirigindo todas as coisas, e que Ele entregaria o inimigo nas mãos de Israel (por exemplo, Nm 21.34).

*A conquista da margem oeste do Jordão*. Na conquista do território a oeste do rio Jordão, Josué conduziu os israelitas com a convicção de que Deus manteria sua palavra e lhes daria a terra e, assim, Ele os direcionaria em seus movimentos contra os cananeus (Js 1.2-9). Mais tarde, eles prosseguiram tendo em mente a ordem divina para "destruir por completo" as cidades cananéias com seus reis e habitantes. Eles fizeram isto com Jericó (6.17), Ai (8.24-29) e com os cinco reis que estavam sob o comando de Adoni-Zedeque em Maquedá (10.22-27), com muitas outras cidades e reis na parte sul de Canaã e do Neguebe (10.28-43), assim como Hazor e as cidades do norte (11.1-20). Estas foram vitórias que Deus havia concedido ao seu povo. Israel foi livre das mãos dos inimigos (Js 3.10; 10.8,25; 11.6) "porquanto o Senhor, Deus de Israel, pelejava por Israel" (10.42). Mais tarde, o Senhor lutou por Israel em algumas ocasiões, criando terror nos corações dos cananeus, e fazendo deles uma presa fácil para Israel através de rumores ou saraivas (Js 2.9; 10.10; cf. também "os vespões" enviados diante deles, Dt 7.20; Js 24.12).

*O período dos juízes*. O período dos juízes,

como apresentado no livro dos juízes, foi um tempo de novos incidentes de guerras e de um novo entendimento do propósito da guerra. Este foi aparentemente um período que afirmou o ponto de vista bíblico da guerra. Primeiro, foi um meio de estabelecer a reivindicação das tribos em relação ao seu território, que os cananeus de tempos em tempos recuperavam e tentavam tenazmente manter; por exemplo, Judá contra os cananeus (Jd 1.1-10). Em segundo lugar, a opressão forçada por um inimigo era uma forma do juízo divino sobre a nação idólatra e rebelde de Israel (Jz 2.11-15). Em terceiro lugar, o uso dos braços era o meio escolhido por Deus para libertar a nação de Israel quando esta se arrependia, e esta libertação era feita através de um juiz ungido pelo Espírito de Deus, também chamado de "libertador" (Jz 2.16-18; Otniel, 3.7-11; Eúde, 3.15-30 etc.). Em quarto lugar, as guerras ou as disputas internas eram os meios pelos quais os líderes indesejáveis eram removidos, e os erros que eles haviam cometido eram corrigidos, como por exemplo, no caso de Abimeleque (Jz 9). Em quinto lugar, a luta entre as forças combinadas de outras tribos e da tribo de Benjamin era um exemplo da utilização da guerra como um meio de lidar drástica e radicalmente com uma condição social intolerável (Jz 19–20). Em sexto lugar, as batalhas de Israel contra os filisteus durante o tempo de Eli e Samuel resultaram em derrota quando Israel mostrou-se autoconfiante e descrente (1 Sm 4), ou na vitória de Israel quando a nação creu e foi obediente (1 Sm 7.5-14).

*O período dos reis.* As idéias que foram expressas para a compreensão e a explicação da guerra durante o período dos reis são basicamente as mesmas que foram utilizadas nas lutas iniciais de Israel com outros povos. Existem talvez mais explicações relacionadas às responsabilidades da aliança de Israel e seu destino como nação entre as nações do que nas explicações sobre os períodos iniciais de sua história. Isto é perfeitamente compreensível, pois este período foi crucial para Israel como um povo especial, e as guerras foram o fator determinante para alcançar ou não seu destino.

Inicialmente, as vitórias em campos de batalhas foram compreendidas como um aspecto do favor e da bênção de Deus ao seu povo; por exemplo, a vitória de Davi sobre Golias (1 Sm 17); as grandes conquistas de Davi e a expansão de seu reino (2 Sm 8); as vitórias sobre os sírios na época de Elias (1 Rs 20) e de Eliseu (2 Rs 6.8–7.20).

Mais tarde, as derrotas sofridas em várias batalhas e a queda dos Reinos do Norte e do Sul foram compreendidas como aspectos da ira divina, como juízos punitivos sobre pessoas ou povos infiéis e apóstatas. Alguns exemplos são: no caso de uma pessoa, os movimentos de Hadade, o edomita, e Rezom, da Síria, contra Salomão (1 Rs 11.14-25); abrangendo a nação, temos por exemplo a queda de Samaria sob os golpes da Assíria (2 Rs 17.1-23), e a queda de Jerusalém (2 Rs 24.1–25.21; veja também 2 Rs 23.26,27).

### A Guerra Santa

[Todos os aspectos da vida sob o governo teocrático da antiga nação de Israel estavam definitivamente ligados a Deus. Portanto, até suas guerras foram travadas sob a direção dele (2 Cr 6.34,35). O próprio Senhor era considerado um guerreiro (Ex 15.3; Is 42.13; Sf 3.17) poderoso nas batalhas (Sl 24,8), que despedaça e dispersa seus inimigos (Ex 15.6; Nm 10.35; Sl 68.1). Ele apareceu a Josué como o "príncipe do exército do Senhor" (Js 5.13-15). Deus marchou adiante como o chefe do exército de seu povo (2 Cr 13.12; cf. 1 Sm 17.45-47), e virá com seu exército celestial para executar o juízo (Jl 3.11*b*; Is 13.3,5). Tal guerra é o resultado da ira de Deus contra seus inimigos (Nm 31.3; Sl 110.5; Is 13.9), contra aqueles cuja imoralidade e idolatria possam corromper a vida de seus escolhidos.

[Quando Israel era fiel ao seu relacionamento pactual com o Senhor, seus inimigos eram os inimigos de Deus. Assim, suas guerras eram guerras santas. Israel entendia a guerra como "um esforço divino-humano, cósmico-terrestre" (P. D. Miller, VT, XVIII [1968], 103) no qual as forças cósmicas (Jz 5.20), os carros celestiais (2 Rs 6.17), e o próprio Senhor lutavam a seu favor (2 Cr 20.17). Portanto, o chamado: "preparai a guerra" (Jr 6.4; Jl 3.9) significava literalmente santificar (heb. *qadd$^{e}$shu*) a guerra, ou declarar uma guerra como santa (Mq 3.5). O campo militar era mantido cerimonialmente puro (Dt 23.9-14). Os soldados consagravam-se ao Senhor (Is 13.3) neste serviço, abstendo-se de relacionamentos sexuais, e eram considerados "vasos santos" ou "corpos santos" durante a campanha (1 Sm 21.4,5). Por esta razão, Urias, o heteu, recusou-se a visitar sua esposa enquanto Rabá estivesse sitiada (2 Sm 11.11). A guerra santa era conduzida com o total encorajamento por parte do sacerdote (Dt 20.2), que por vezes usava o Urim e o Tumim do éfode para verificar a liderança do Senhor na batalha seguinte (1 Sm 28.6; 30.7; cf. 2 Sm 5.19,23). Até os gritos de guerra tinham um significado religioso; por exemplo, "Espada do Senhor e de Gideão" (Jz 7.20).

### Métodos de Guerra

[O término da estação das chuvas na primavera era a melhor estação para se começar uma guerra (2 Sm 11.1). A guerra não era declarada. Um comandante militar marchava até o território inimigo, acampava com seu exército perto de uma cidade, e mandava que esta se rendesse, geralmente estabelecendo condições cruéis (1 Sm 11.1,2). Devido à segurança das fortificações da cidade, várias guerras da Antiguidade centraram-se em torno das táticas de cerco. Israel recebeu instruções específicas para este tipo de guerra (Dt 20.10-20), mas durante as campanhas de Josué outras táticas provaram ter ainda mais sucesso.

[Para se protegerem contra carruagens e flechas dos invasores durante a Média Idade do Bronze II (1900–1550 a.C.), as cidades aumentavam suas defesas por meio de taludes que serviam como barreiras, portões mais fortes, e muros mais largos. Aqueles que atacavam a cidade procuravam bloqueá-la e entrar nela escalando os muros com escadas, empregando aríetes (Ez 21.22), abrindo túneis com a finalidade de minar os muros (2 Sm 20.15), ou fazendo uma entrada de surpresa através de algum poço de água existente (por exemplo, os meios utilizados por Joabe para entrar em Jebus, 2 Samuel 5.8; 1 Crônicas 11.5,6). Geralmente era feito um monte ou rampa do lado de fora do muro (Ez 4.2) com a finalidade de permitir que os invasores conseguissem atravessar o muro e promover um combate corpo-a-corpo com os defensores da cidade (veja ANEP #159-181; e várias ilustrações pertinentes em VBW, 5 vols).

[Espias eram enviados para verificar a prontidão militar da nação (Nm 13), e as fortificações de cidades específicas, como por exemplo, no caso de Jericó (Js 2) e Ai (Js 7.2). Nas batalhas havia aqueles que atacavam utilizando fundas (Jd 20.16; 2 Rs 3.25), e também os flecheiros; mas as tropas de Josué confiavam principalmente nas espadas curvas para cortar os soldados inimigos, ou ainda na espada de dois gumes para mutilá-los. Ataques ousados (1 Sm 14.1-4) e invasões de surpresa pelo deserto eram táticas freqüentes (1 Sm 30.1,2). As tropas reunidas eram enviadas à batalha por meio de sinais de trombetas (Nm 10.9; Js 6.4-20; Jz 6.34; 7.18; 2 Sm 2.28). Eram utilizados sinais de fumaça ou de fogo para enviar mensagens além do alcance do olhar (Jd 20.38; Jr 6.1).

[As grandes vitórias de Josué foram alcançadas pela combinação da desmoralização dos cananeus (Js 2.9-11) e ataques de surpresa ou emboscadas. Ao chegar pelo deserto, os israelitas não tinham cavalos nem carruagens, muito menos equipamentos pesados que pudessem ser utilizados em uma operação de cerco. Foi Deus quem interveio para derrubar os muros de Jericó. Os estratagemas e as emboscadas funcionaram em Ai (Js 8). Uma marcha forçada durante toda a noite permitiu que Josué atacasse aqueles que estavam sitiando Gibeão no amanhecer, colocando-os em fuga (Js 10.9). Os israelitas surpreenderam os carros de ferro de Jabim na região montanhosa da Galiléia antes que eles pudessem lamentar-se na ampla planície de Jezreel. Esta tática brilhante permitiu que Josué lidasse com os exércitos de Canaã no campo antes que eles pudessem alcançar suas cidades fortificadas. Quando o exército de Israel rodeou estas cidades, os defensores se renderam por medo, tornando desnecessário um longo período de cerco (*veja* Josué). – J. R.]

### Lutas Escatológicas e Figuradas

As guerras históricas não são tratadas pelos escritores bíblicos do período pós-exílico e dos tempos subseqüentes da mesma forma que foram registradas em livros anteriores. Existem duas formas principais pelas quais os escritores posteriores consideraram as guerras. Em primeiro lugar, apocalíptica e escatologicamente. A profecia contra Gogue e Magogue expressa por Ezequiel (caps. 38–39), e as visões de Daniel, assim como partes de escritos proféticos anteriores, fornecem a base para o desenvolvimento da literatura apocalíptica de tipos canônicos ou não-canônicos que falam sobre conflitos entre as forças de Satanás e do mal, e as de Deus e da justiça. No livro de Apocalipse (especialmente nos caps. 12, 16, 19), a vitória nas guerras é vista como um meio pelo qual Deus colocará um ponto final no domínio do maligno, e estabelecerá a paz no mundo, o que corresponde ao estabelecimento do reino de Deus na terra.

Em segundo lugar, figuradamente. A guerra é aplicada de forma figurada à vida espiritual, particularmente pelo apóstolo Paulo. O seguidor de Cristo, como um bom soldado, suporta as dificuldades e não se envolve de forma exagerada com os assuntos desta vida (2 Tm 2.3,4). Aquele que é temente e obediente veste "toda a armadura de Deus" para que possa estar firme e resistir às forças espirituais opostas que, de outro modo, o derrotariam (Ef 6.10-20). O cristão não trava uma guerra contra a carne e o sangue; portanto, as armas de sua luta não são materiais ou humanas, e sim divinamente poderosas para destruir fortalezas de especulações e sofismas, e tudo aquilo que se levanta de forma orgulhosa contra o conhecimento de Deus (2 Co 10.4,5). A Igreja de Jesus Cristo deve lutar contra as portas do inferno, pois estas não serão capazes de resistir (Mt 16.18). *Veja* Demonologia; Diabo; Satanás.

*Resumo.* A guerra fez parte da história de Israel, e recebeu uma interpretação religiosa. Não existem bases, no entanto, para a compreensão e explicação das guerras atuais, de qualquer nação, da mesma forma que as guerras da antiga nação de Israel. Além disso, não existem declarações específicas na Bíblia Sagrada relacionadas ao pacifismo moderno. Muitos cristãos deduziram que não poderiam se defender baseando-se em mandamentos como "não matarás" (Rm 13.9), e "embainha a tua espada" (Mt 26.52), além da condenação

de Tiago aos combates em Tiago 4.1-4. Por outro lado, nosso dever como cidadãos de obedecer à chamada de nosso governo para pegar em armas parece ter sido ensinado em Romanos 13.1-7 e 1 Pedro 2.13-17.
*Veja* Armadura, Armas; Inimigo; Fortificação; Valente.

***Bibliografia.*** Otto Bauernfeind, "*Polemos* etc.", TDNT, VI, 502-515; "*Strateuomai*, etc.", VII, 701-713. Richard Gale, *Great Battles of Biblical History*, Londres: Hutchinson, 1968. Norman K. Gottwald, "'Holy War' in Deuteronomy: Analysis and Critique", *Review and Expositor*, LXI (1964), 296-310. Abraham Malamat, "The *Herem* in Mari and in the Bible", *Yehezkel Kaufmann Jubilee Volume*, ed. por M. Haran, Jerusalém: Magnes Press, 1960. Patrick D. Miller, Jr., "God the Warrior", *Interpretation*, XIX (1965), 39-46; "The Divine Council and the Prophetic Call to War", VT, XVIII (1968), 100-107. Gerhard von Rad, *Studies in Deuteronomy*, trad. por David Stalker, Londres: SCM, 1953, pp. 45-59; *Der Heilige Krieg im Alten Israel*, 3ª ed., Zurich: Zwingli-Verlag, 1958. Rudolf Smend, *Yahweh, War, and Tribal Confederation*, trad. por Max G. Rogers, Nashville: Abingdon, 1970. Ethelbert Stauffer, "*Agon* etc.", TDNT, I, 134-140. L. E. Toombs, "War, Ideas of" e J. W. Wevers, "Wars, Methods of", IDB IV, 796-805. Roland de Vaux, *Ancient Israel. Its Life and Institutions*, trad. por John McHugh, Nova York: McGraw-Hill, 1961, pp. 213-267. Yigael Yadin, *The Art of Warfare in Biblical Lands*, 2 vols., Nova York: McGraw-Hill, 1963.

H. E. Fi.

**GUERRAS DO SENHOR, LIVRO DAS** Um livro perdido, evidentemente uma coleção de canções que seguia a ordem do livro de Jasar (*q.v.*), também chamado de Livro do Reto, Livro dos Justos, ou Livro do Justo. A única referência a esse livro no AT está em Números 21.14. A menção nos versículos 14 e 15 vem deste texto, assim como é possível que dele venham as canções nos versos 17,18 e 27-30. Há estudiosos que consideram o livro como uma composição não tão antiga (de aprox. 800 a.C.), que seria uma coletânea de trechos de outras fontes. E. J. Young (na obra *An Introduction to the OT*, edição de 1960, p. 98) defende a possibilidade de sua composição ter ocorrido na era mosaica.

**GUÍMEL** A terceira letra do alfabeto hebraico, usada no Salmo 119 para designar a terceira seção, sendo que cada versículo dela começa com essa letra. *Veja* Alfabeto.

**GUNI, GUNITAS**
1. O segundo filho de Naftali, fundador da família dos gunitas (Gn 46.24; 1 Cr 7.13; Nm 26.48).
2. Pai de Abdiel e avô de Aí, que era um chefe dos gaditas (1 Cr 5.15).

**GUR** Uma subida junto a Ibleão, entre Jezreel e Bete-Hagã, onde Acazias, rei de Judá, foi ferido mortalmente por Jeú, rei de Israel (2 Rs 9.27). É igualada por Albright à palavra acádia *Gurra* (BASOR, 94 [1944], 21). J. Simons, não encontrando nenhuma localidade antiga nessa curta extensão, adota a leitura da LXX, "na subida do vale (*Gai*), que é Jeblaão" (*The Geographical and Topographical Texts of the Old Testament*, Leiden: E. J. Brill, 1959, pp. 916-918).

**GUR-BAAL** Uma cidade no Neguebe cujos ocupantes árabes foram derrotados pelo rei Uzias (2 Cr 26.7). Possivelmente a mesma Jagur de Josué 15.21 (Khirbet Gharra), 16 quilômetros a leste de Berseba. H. G. S.

# H

**HÃ** Cidade de Zuzim, derrotada por Quedorlaomer e seus aliados na época de Abraão (Gn 14.5).

**HAASTARI** Filho de Naara e Asur, o "pai" ou fundador de Tecoa e descendente de Judá (1 Cr 4.6).

**HABACUQUE** As informações sobre Habacuque estão limitadas ao livro que traz seu nome. Duas referências atribuem o oráculo que o autor viu (1.1) e a oração que fez (3.1) ao profeta Habacuque. A única e bem clara referência histórica nesse livro foi feita aos caldeus (1.6) e fornece a base para determinar a época desse profeta como próxima do final do século VII a.C.

Provavelmente Habacuque tenha sido testemunha do declínio e da queda do Império Assírio. Também pode ter conhecido a derrota de Nínive em 612 a.C. e pode ter estado ciente do crescente poder dos babilônios quando essa mensagem lhe foi revelada. As condições prevalecentes em Judá, depois da morte de Josias em 609 a.C., e antes da invasão dos caldeus em 605 a.C., tornam esse período muito favorável como a data da profecia de Habacuque.

**HABACUQUE, LIVRO DE** A singularidade desse livro pode ser reconhecida por causa de duas características diferentes. Em primeiro lugar, Habacuque registra seu diálogo com Deus, no qual levanta problemas teológicos e ouve as respostas. Além disso, o capítulo 3 tem a forma de um salmo com termos musicais anotados no primeiro e no último versículo.

A mensagem de Habacuque pode ser resumida da seguinte forma:

I. Por que Deus Tolera a Violência? (1.1-4)
II. Os Caldeus Irão Trazer o Castigo a Judá (1.5-11)
III. Por que os Gentios Deveriam Ser Usados para Castigar o Povo de Deus? (1.12–2.1)
IV. O Justo Confia na Justiça de Deus (2.2-20)
V. Oração de confiança e louvor (3.1-19)

Por meio da oração, Habacuque (*q.v.*) faz um apelo a Deus a respeito da violência, injustiça, destruição e indiferença aos ensinos da lei que prevaleciam em Judá. Ele não podia entender porque um Deus justo poderia tolerar isso. Quando Deus respondeu, indicando que os invasores caldeus iriam trazer castigo aos culpados cidadãos de Judá, Habacuque ficou ainda mais preocupado. Será que os caldeus, cujo poder estava em seu deus, teriam permissão de castigar os judeus que, na verdade, eram menos pecadores que esses invasores pagãos? Na resposta, Habacuque é convidado a registrar que no final os pecadores iriam cair, mas que os justos viveriam pela sua fé e fidelidade. O justo não deveria tirar conclusões baseadas em uma limitada perspectiva temporal, mas deveria esperar e contemplar o resultado final. Os iníquos que o rodeavam – agressores, malfeitores, assassinos, trapaceiros e idólatras (2.6-19) – no final iriam perecer, enquanto os justos iriam viver, pois o Senhor está em seu santo Templo. Portanto, toda a terra deve ficar em silêncio perante Ele (2.20).

Na oração em que faz um apelo a Deus para que em sua ira lembre-se da misericórdia, o profeta expressa seu louvor e ações de graças a Deus. Ele está determinado a continuar dessa maneira, mesmo que tudo que é temporal venha a se extinguir.

Um midrash, ou comentário sobre o livro de Habacuque, foi encontrado entre os Rolos do mar Morto na Caverna 1 de Qumrã. Aparentemente, foi escrito por um sectário judeu da Palestina que interpretou os dois primeiros capítulos à luz da história da seita de Qumrã. Ele não oferece muitos esclarecimentos quanto ao significado da profecia.

A teoria atual adotada por muitos estudiosos do AT diz que o capítulo 3 não fazia parte do livro original. Mas o fato de o comentário de Qumrã não incluir esse capítulo não é suficiente para provar essa teoria. Como o capítulo 3 tem a forma de um salmo, ele não serve para esse uso, como aconteceu com os dois primeiros capítulos do midrash. Existe a probabilidade deste comentário nunca ter sido concluído. A LXX tem os três capítulos e não existem provas para negar que o profeta tenha composto um salmo em louvor e ação de graças. Os escritos dos profetas tinham, freqüentemente, uma intensa forma poética.

***Bibliografia.*** W. F. Albright, "*The Psalm of Habakkuk*", na obra *Studies in Old Testament Prophecy,* ed. por H. H. Rowley, Edinburgh: T. & T. Clark, 1950, pp. 1-18. Gleason L. Archer, SOTI, pp. 343-346. Millar Burrows, *The Dead Sea Scrolls,* Nova York: Viking

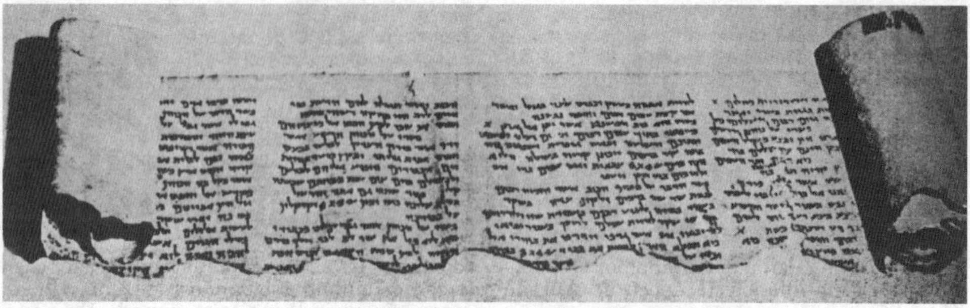

O Comentário de Habacuque. Y. Yadin e o Santuário do Livro

Press, 1955. Frank E. Gaebelein, *Four Minor Prophets,* Chicago: Moody Press, 1970. David W. Kerr, "*Habakkuk*", WBC, pp. 871-881. D. Martin Lloyd-Jones, *From Fear to Faith,* Londres: Inter-Varsity, 1953. Samuel J. Schultz, *The Old Testament Speaks,* Nova York: Harper and Row, 1960, pp. 406ss.

S. J. S.

**HABAÍAS** Pai de uma das famílias que retornaram do exílio e que alegavam ser de descendência sacerdotal, mas foram excluídas do sacerdócio pois seus nomes não foram encontrados no registro genealógico (Ed 2.61; cf. vv. 62,63; Ne 7.63).

**HABAZINIAS** Avô de Jazanias e de seus irmãos recabitas que foram submetidos a um teste pelo profeta Jeremias no Templo (Jr 35.3).

**HABITAÇÃO** Tradução de 20 palavras diferentes na Bíblia, que inclusive dão a idéia de uma morada temporária (no caso de uma peregrinação), permanente (local de moradia), local de residência fixa e local de repouso.

O Templo é chamado de habitação de Deus (*z*[e]*bul,* 2 Cr 6.2). O céu também é seu lugar de habitação (*shibto,* de *yashab,* Sl 33.13,14). Da mesma forma, a justiça e o juízo também são a sua habitação (*makon,* ou "lugar fixo", Sl 89.14). No NT, a Igreja tem o nome de "habitação de Deus" ou "morada de Deus" (*katoiketerion,* Ef 2.22).

Canaã era a habitação de Israel (*moshab,* 1 Cr 4.33 etc.). Depois do exílio, Deus prometeu o retorno de Israel à sua habitação (*naweh,* ou "lugar de repouso", Is 32.18; 33.20; Jr 50.19). Deus também determinou os limites da habitação do homem (*katoikia,* ou "lugar de moradia", Atos 17.26). O discípulo cristão pode esperar ser recebido na habitação eterna ou nos "tabernáculos eternos" (*skene,* "tenda", Lucas 16.9). *Veja* Caverna; Habitar; Casa; Palácio; Tabernáculo; Tenda.

**HABITAR** Tradução de aprox. 15 palavras hebraicas e gregas. A palavra heb. *gur* é freqüentemente usada para a estadia de um estrangeiro ou alguém que esteja de passagem entre as pessoas (Lv 19.34).

O termo heb. *yashab* refere-se à habitação de alguém, seja em uma tenda no campo ou em uma casa na cidade (Gn 13.12; Lv 18.3).

O termo heb. *shakan* é freqüentemente usado como a habitação do Senhor entre seu povo ou em Jerusalém e significa "estabelecer e permanecer ou habitar permanentemente".

O termo grego *katoikeo* (At 7.4) é semelhante ao heb. *shakan.* Termos mais extensos de estadia são denotados por *meno,* "permanecer", "ficar por mais tempo". *Oikeo* denota "ter uma casa". *Veja* Casa; Tenda.

A palavra grega para tenda (tabernáculo) é a raiz (*skene*) de um verbo utilizado no Novo Testamento, *skenoo,* descrevendo o propósito da vida de Cristo: como Tabernáculo, Ele é a residência e a manifestação da presença de Deus e da sua glória entre seu povo ("E o Verbo se fez carne e habitou ["tabernaculou"] entre nós"; Jo 1.14). O Espírito Santo permanecerá (*meno*) no cristão para sempre (Jo 14.17). O local normal de habitação ou modo de vida do cristão é no amor do Pai (1 Jo 4.16).

H. G. S.

**HABOR** O moderno rio Khabur, do lado oriental dos dois principais afluentes do Eufrates superior e que desemboca pelo norte, próximo a Tirqah. Os cativos de dez tribos foram deportados ao distrito de Gozã, nas proximidades de suas nascentes, por Tiglate-Pileser III, em 732 a.C., e por Sargão II, no nono ano do rei Oséias, 722 a.C. (2 Rs 17.6 e 18.11; 1 Cr 5.26), *Veja* Gozã, Hala.

**HACALIAS** Pai de Neemias e governador da Judéia depois do cativeiro (Ne 1.1; 10.1).

**HACATÃ** Pai de Joanã, chefe da família de Azgade, que retornou do exílio da Babilônia com Esdras (Ed 8.12). O nome significa Catã, ou "pequeno", e é precedido pelo artigo definido. Esse nome ocorre no acádio como *Qitinu* e *Kuttunu.*

**HACOZ** *Veja* Coz.

**HACUFA** Os filhos de Hacufa estavam entre os servos do Templo no período pós-exílico e pertenciam às fileiras inferiores entre os que retornaram da Babilônia com Zorobabel (Ed 2.51; Ne 7.53).

**HACMONI** ("aquele que é sábio"). Era pai ou antepassado de Jasobeão (*q.v.*), o ilustre primeiro homem entre os poderosos de Davi (1 Cr 11.11, literalmente, "Jasobeão, filho de *Hakmoni*"). Em 2 Samuel 23.8, seu nome de família foi mencionado como Taquemoni e ele foi referido como taquemonita, provavelmente uma variação ortográfica da expressão "o hacmonita" por parte de algum escriba. Em 1 Crônicas 27.33, foi mencionado outro filho de Hacmoni, Jeiel, que estava com os filhos de Davi como conselheiro. O verdadeiro pai de Jasobeão deve ter sido Zabdiel, ou Zabdiel teria sido um antepassado mais distante (1 Cr 27.2). Essa família provavelmente pertencia à tribo de Levi porque Jasobeão é chamado de coraíta (1 Cr 12.6).

**HADADE**
1. Oitavo filho de Ismael (Gn 25.15, "Hadar" [*q.v.*] em hebraico; 1 Cr 1.30).
2. O quarto dos primeiros reis de Edom (em Avite) que derrotou Midiã (Gn 36.35ss.; 1 Cr 1.46ss.).
3. Oitavo (e último) rei de Edom (Gn 36.39; 1 Cr 1.50ss.), em Paú ou Paí.
4. Príncipe edomita que Deus levantou para ser um adversário de Salomão (1 Rs 11.14-25). Quando criança, ele refugiou-se no Egito para escapar da matança de Joabe, durante o reinado de Davi. Foi protegido pelo Faraó, que lhe concedeu como esposa a irmã da rainha, e também a educação de seu filho. Depois da morte de Davi, obteve a permissão do Faraó e retornou para liderar os edomitas em sua luta contra o domínio de Israel. Por indicação divina, tornou-se o agente de Deus no castigo contra Salomão, constituindo-se sua maior ameaça e um contínuo tormento.
5. Hadade era o nome de um antigo deus semita da tempestade entre os assírios e os babilônios. Esse nome foi adotado por dois reis, por exemplo, Ben-Hadade (1 Rs 15.18; 2 Rs 13) e Hadadezer (2 Sm 10.16, 19). Essa divindade também era chamada de Hadade-Rimom (Zc 12.11) segundo a identificação feita pelos assírios com Ramanu, seu deus do vento e da tempestade. *Veja* Falsos deuses.

**HADADE-RIMOM ou HADADRIMOM**
Uma combinação dos nomes de dois deuses, do aramaico Hadade ("tempestuoso") e do acádio Rimom, ou *Ramanu* ("tempestade"; cf. 2 Rs 5.18), a quem foi realizada uma lamentação pública na planície de Esdraelom, em Megido (Zc 12.11). Na mitologia de Ras Shamra, o deus cananita Baal, o mesmo deus amorita da tempestade, Hadade, foi retratado como um guerreiro a cavalo vestido com um saiote, carregando uma clava e um raio, e com um elmo adornado com chifres de boi. Também era o deus da vegetação. Lamentar um Hadade-Rimom, ou Baal morto, e Tammuz (Ez 18.14) era motivo comum na mitologia da Mesopotâmia. *Veja* Falsos deuses. Antigamente pensava-se que Hadade-Rimom fosse o nome de um local próximo a Megido, onde a morte do rei Josias teria sido lamentada depois de ele ter sido mortalmente ferido em Megido; mas ele morreu em Jerusalém, onde ocorreu essa lamentação (2 Cr 35.22-25).

**HADADEZER** Filho de Reobe, foi rei de Zobá (2 Sm 8.3), uma região da Síria situada ao norte de Damasco. Na época de Davi, Hadadezer procurou vários aliados para conquistar Israel, mas não teve sucesso. O texto em 2 Samuel 8 descreve duas ocasiões em que foi derrotado por Davi, sendo que em sua segunda campanha Davi o despojou trazendo muitos saques de ouro e cobre. Salomão usou esse cobre para fazer o mar de cobre, isto é, os pilares e os vasos de cobre para o Templo (1 Cr 18.8). O texto em 2 Samuel 10 descreve uma terceira campanha vitoriosa de Davi contra Hadadezer, que havia se aliado aos amonitas e sírios.

**HADAR**
1. Forma alternativa de Hadade (*q.v.*), filho de Ismael (Gn 25.15). As letras *reche* (r) e *dalete* (d) são semelhantes em hebraico e eram freqüentemente confundidas. Ele fundou a tribo de mesmo nome, o que está provado através de registros cuneiformes como o Hudadu.
2. Variante de Hadade, último dos antigos reis da monarquia eletiva de Edom, cuja cidade era Paú (Gn 36.39).

**HADAREZER** Ortografia alternativa de Hadadezer (*q.v.*), rei da cidade de Zobá. Foi derrotado pelo rei Davi (2 Sm 10.16,19; 1 Cr 18.3,5,7-10; 19.16,19; 2 Sm 8.3-12).

**HADASA** Cidade de Judá na Sefelá ou distrito dos contrafortes, provavelmente entre Laquis e Gate (Js 15.37).

**HADASSA** Nome anterior de Ester, que se tornou rainha por ter se casado com Assuero ou Xerxes I (Et 2.7). Em hebraico, esse nome significa "murta". Provavelmente, seja um título que lhe foi dado, derivado da palavra acádia *haddassatu*, ou "noiva". Também foi usado para Ishtar. *Veja* Ester.

**HADATA** Parte do nome de uma cidade, Hazor-Hadata, em Judá (Js 15.25), localizada no Neguebe, talvez em el-Hudeira, ao sul de Tuwâni, cerca de 30 quilômetros a leste de Berseba em direção ao mar Morto.

**HADES** Hades é outro nome de Plutão, deus gregodo submundo ou inferno. Esse nome foi transferido para o próprio reino dos mortos. O Hades dos gregos tinha duas partes. A parte mais profunda, onde as almas eram castigadas, às vezes era chamada de Tártaro e o lugar das almas abençoadas tinha o nome de Campos Elíseos (Edith Hamilton, *Mythology*, p. 39). Devemos tomar cuidado ao incluir essas idéias pagãs gregas no vocabulário cristão. Assim como a palavra grega *theos*, ou "deus", adquiriu um novo significado no conceito judaico e cristão, a palavra hades também não deve ser definida a partir de seu uso grego, mas do NT.

A palavra *hades* é usada cerca de dez vezes no NT:

1. Em Mateus 11.23 e Lucas 10.15. Aqui, como ressaltado na versão ExpB, céu e *hades* são expressões proverbiais para a maior exaltação e a maior degradação.

2. Em Mateus 16.18, a expressão "portas do inferno" (cf. Jó 38.17; Is 38.10) é totalmente figurada. Provavelmente seja a imagem de uma cidade murada com portões e barras. Esse verso poderia referir-se a um ataque do reino de Satanás – que será derrotado.

3. Em Lucas 16.23, ela representa uma clara referência. A palavra *hades* é usada para o lugar de tormento em contraste com o lugar de bem-aventurança. Alguns a chamam de parábola, mas não existe nenhuma indicação a esse respeito. Mas, de qualquer modo, a palavra é usada para designar um lugar de punição.

4. Em Atos 2.27,31, essa passagem fica complicada pelo fato de existir uma citação do AT com um significado bastante discutido. A opinião geral é que ela refere-se à descida de Cristo ao reino dos mortos para pregar aos pecadores ou libertar os justos do compartimento superior do Hades e levá-los ao céu. O problema com essa explicação é que Cristo já havia falado que Hades era um lugar de tormento. E, em outra passagem, Ele disse que depois de sua morte não estaria nesse lugar, mas no paraíso (Lc 23.43), junto com Deus Pai (Jo 16.28).

Uma opinião alternativa poderia interpretar essa passagem de acordo com a sua forma original expressa no AT, no Salmo 16.10. Ali, a afirmação "não deixarás a minha alma no inferno" certamente não está referindo-se à condenação da natureza espiritual ao mundo dos mortos. A palavra *nepesh* significa freqüentemente apenas o "indivíduo" e raramente "a natureza espiritual". O paralelo seria: "Nem permitirás que o teu Santo veja corrupção". Seria lógico adotar a primeira parte como um paralelo sinônimo de "não deixarás a minha alma na morte" (Veja o tratamento dado por C. F. H. Henry, ed., "*The Biblical Expositor*", II, p. 59ss.). Assim, a palavra *hades* nessa citação do AT teria sido usada com seu significado hebraico original, isto é, *sh[e]ol*, que muitas vezes significa simplesmente "sepultura" (*q.v.*).

5. Em Apocalipse 1.18; 6.8; 20.13,14, esses versos também estão em sentido figurado. No primeiro (Ap 1.18), Cristo está segurando as chaves da morte e do *hades*. Essa expressão lembra as "portas do inferno [*hades*]" de Mateus 17.18. O hades é retratado como uma cidade murada, nesse caso provavelmente uma prisão. Na passagem seguinte (Ap 6.8), a palavra *hades* também está ligada à morte e personificada como inimiga de Deus e dos homens. Em Apocalipse 20.13,14, as palavras morte e *hades* aparecem ligadas novamente, trazendo os ímpios que estão presos e aguardando o juízo final. Esse uso é uma reminiscência da passagem em Lucas 16.23 e fortalece a idéia de que a palavra Hades do NT significa a residência dos pecadores mortos.

*Veja* Morto, O; Geena; Inferno; Seol.

R. L. H.

**HADIDE** Cidade da tribo de Benjamim, na fronteira noroeste da Sefelá, próxima à entrada do vale de Aijalom, provavelmente a moderna el-Hadithih, cerca de 5 quilômetros a noroeste de Lode ou Lida (Ed 2.33; Ne 7.37; 11.34). Na lista Karnak de Tutmósis III está incluída uma antiga cidade com o mesmo nome.

**HADLAI** Pai de Amasa, um dos chefes de Efraim no reino de Peca (2 Cr 28.12).

**HADORÃO**

1. O quinto filho de Joctã (Gn 10.27; 1 Cr 1.21), um semita, o sexto a partir de Noé.

2. Filho de Toú (Toí), rei de Hamate, enviado com presentes de congratulação para Davi por ter derrotado Hadadezer (1 Cr 18.10; chamado de Jorão em 2 Sm 8.10).

3. Mordomo de Salomão (1 Rs 4.6, chamado Adonirão, *q.v.*) e Roboão que foi apedrejado até à morte ao entregar a mensagem desse último às dez tribos (2 Cr 10.18; chamado de Adorão em 1 Rs 12.18).

**HAFARAIM** Cidade de Issacar, mencionada como localizada entre Suném e Siom (Js 19.19). Foi escrita com o nome de *hprm* na relação das cidades da Palestina conquistadas por Sisaque. Estava provavelmente localizada em et-Taiyibeh, a noroeste de Bete-Seã e 11 quilômetros a nordeste de Jezreel.

**HAGABA** Fundador de uma família de netineus, ou servos do Templo, que retornaram a Jerusalém com Zorobabel depois do exílio (Ne 7.48; Ed 2.45). Evidentemente, trata-se de uma pessoa diferente de Hagabe, em Esdras 2.46.

**HAGABE** Chefe de uma família de netineus que retornou com Zorobabel a Jerusalém (Ed 2.46). Esse nome foi omitido na relação de Neemias (Ne 7.48). Foi mencionado um homem com esse mesmo nome na época de Jeremias, em referência a Ostracon I, das cartas de Laquis.

**HAGARENOS** Variante de Hagaritas, Hageritas e Hagrites.
Uma tribo, ou confederação de tribos, que residia na Síria e ao norte do deserto da Arábia. Fazia parte da raça dos beduínos, não se sabe se árabes ou sírios, e sua riqueza era constituída pelo gado (1 Cr 5.20,21). Durante o reinado de Saul, os rubenitas declararam guerra contra eles (1 Cr 5.10). O texto em 1 Crônicas 5.18-22 indica que os rubenitas formaram uma coalizão com os gaditas e com a meia tribo de Manassés contra os hagarenos, Nodabe, Jetur e Nafis. Esses dois últimos nomes correspondiam a duas tribos árabes que foram chamadas de filhos de Ismael em Gênesis 25.15. Os itureus, da época romana, tiveram seu nome a partir de Jetur. Por causa da íntima associação dos hagarenos com essas tribos árabes, e da semelhança com o nome Agar, acreditou-se muitas vezes que esse povo descendesse da mãe de Ismael (veja também Sl 83.6). Entretanto, a região destinada aos seus descendentes era próxima a Berseba. Além disso, tanto a lista de Tiglate-Pileser III como a de Senaqueribe registram os *Hagaranu* (hagarenos) com outras tribos como sendo sírios (ou arameus). Os geógrafos gregos Estrabão e Ptolomeu mencionam que os *Agraioi* viviam no norte da Arábia. Um hagarita de nome Jaziz foi mordomo do rei Davi "sobre o gado miúdo" (1 Cr 27.31).

R. E. H.

**HAGARITAS** *Veja* Hagarenos.

**HAGI, HAGITAS** Segundo filho de Gade, fundador de um clã chamado hagitas (Gn 46.16; Nm 26.15). Esse nome ocorre em um texto fenício e foi encontrado em várias inscrições hebraicas antigas.

**HAGIAS** Um descendente de Merari, filho de Levi (1 Cr 6.30).

**HAGIÓGRAFO** São escritos sagrados – mais precisamente os "livros do Antigo Testamento". Palavra adotada do grego, esse é um nome alternativo para a última das três divisões tradicionais (veja Lucas 24.44) das Escrituras hebraicas (*K$^e$tubim,* os Escritos) e compreende os livros que não foram incluídos sob a Lei e os Profetas. Essa divisão era tão declaradamente arbitrária, que nunca foi aceita pelos patriarcas da Igreja como adequada.
Essa coleção, uma miscelânea de 11 livros (em hebraico), inclui o seguinte: (1) três grandes livros poéticos: Salmos, Provérbios, Jó; (2) os cinco rolos ou *Megilloth,* que eram lidos nas sinagogas em cinco ocasiões sagradas: Cantares de Salomão, na Páscoa; Rute, na Festa das Semanas (Pentecostes); Lamentações, no dia nove de Abe (aniversário da destruição do Templo); Eclesiastes, na Festa dos Tabernáculos; e Ester, na Festa de Purim; (3) três livros narrativos posteriores: Daniel, Esdras-Neemias e Crônicas. A ordem, nas Bíblias que seguem a LXX e a Vulgata, difere consideravelmente do hebraico. *Veja* Cânon das Escrituras – AT.

A. T. P.

**HAGITE** Esposa do rei Davi e mãe de seu quarto filho, Adonias, que mais tarde reivindicou o trono (2 Sm 3.4; 1 Rs 1.5,11; 2.13; 1 Cr 3.2).

**HAGRI** Pai ou antepassado de Mibar, um dos heróis de Davi (1 Cr 11.38).

**HALA** Cidade ou distrito, não identificado, da Mesopotâmia, talvez perto de Gozã, na bacia do rio Habor, para onde foram deportadas algumas das tribos do norte de Israel pelos reis assírios em 732 e 722 a.C. (2 Rs 17.6; 18.11; 1 Cr 5.26). Como as portas da cidade de Nínive que estavam orientadas para a direção noroeste eram chamadas de "Portas da terra *Halahhu*", Hala pode ter sido uma cidade situada no lado oriental das demais localidades para onde foram levados os cativos de Israel. *Veja* Habor.

**HALAQUE ou MONTE CALVO** Monte que recebeu o mesmo nome do limite sul das conquistas de Josué e que se elevava em direção a Seir (Js 11.17; 12.7), provavelmente Jebel Halâq, no Neguebe, cerca de 50 quilômetros a sudeste do mar Morto e a meio caminho para Cades-Barnéia. Aparentemente, o monte Halaque estava defronte de Avdat e do terreno montanhoso de Seir, localizado ao sul do Uádi Zin (Uádi Fuqrah), pois antes da expansão dos edomitas no século XIII a.C., seu território de Seir estava localizado a oeste de Arabá, no caminho entre Horebe e Cades-Barnéia (Dt 1.2).

**HALEL** Esse termo vem de um verbo hebraico que significa "louvar" (por exemplo, Ed 3.11; 2 Cr 7.6). Mais tarde, tornou-se um termo litúrgico judaico que se referia a certos Salmos. O Halel "egípcio" (Sl 113–118) era entoado nos lares por ocasião da Páscoa (Mt 26.30), no Templo e nas sinagogas durante as grandes festas anuais e no dia da lua nova. O Halel "grande" (Sl 120–136 ou 135–136, ou apenas o 136) louva a Deus pelas chuvas (135.1,7) e pelo alimento (136.25). *Veja* também Aleluia.

**HALI** Cidade na fronteira de Aser, localizada entre Helcate e Béten (Js 19.25). Sua localização é desconhecida.

**HALOÉS** Pai de Salum que governou parte

de Jerusalém e ajudou Jeremias a reconstruir o muro da cidade (Ne 3.12). Também colocou seu selo em uma aliança com Esdras e Neemias para adorar ao Senhor (Ne 10.24).

**HALUL** Um vilarejo no terreno montanhoso de Judá, ao lado de Bete-Zur e Gedor (Js 15.58), cerca de cinco quilômetros a norte de Hebrom.

**HALL** *Veja* Átrio; Pretório.

**HAMÃ** "Filho de Hamedata, o agagita". *Veja* Agagita. Hamã era um influente oficial da corte do rei Assuero (Et 3.1). Um dos personagens menos admiráveis do AT, esse príncipe encarnava as mais ignóbeis ilusões de grandeza. Depois de receber uma promoção, sua vaidade foi gratificada pela adulação de seus associados, com exceção de Mardoqueu que, sendo um judeu monoteísta, não o venerava (Et 3.2).
Em sua fúria infantil, Hamã estava determinado a destruir não somente Mardoqueu como também todos os judeus. Seus planos foram prejudicados pelo heroísmo da rainha Ester e, com exemplar justiça, a sua vida terminou na forca que ele mesmo havia preparado para Mardoqueu (Et 7).

**HAMATE, ENTRADA DE** *Veja* Lebo-Hamate.

**HAMATE**
1. Chefe ancestral do clã dos recabitas (1 Cr 2.55).
2. Cidade fortificada no território de Naftali (Js 19.35), provavelmente localizada em Hammam Tabariyeh, uma cidade com fontes de água quente situada ao sul de Tiberíades, na praia do lado ocidental da Galiléia. Quase todos concordam que Hamote-Dor (*q.v.*; Js 21.32) e a Hamom (*q.v.*) de 1 Crônicas 6.76 são a mesma Hamate.
3. Este nome está expresso em 1 Crônicas 13.5 e Amós 6.14.
Cidade e estado (Is 11.11; Jr 39.5; Zc 9.2) da Síria, localizada ao norte da fronteira ideal de Israel (Nm 13.21; 34.8; Js 13.5, *veja* Lebo-Hamate). O local da atual cidade de Hama, no Nahr el-Asi (o antigo Orontes), foi escavado por H. Ingholt (1932-38), que descobriu 12 níveis de ocupação. A cidade foi fundada na era neolítica. O nível H corresponde à era de Hamurabi da Babilônia, mas Hamate permaneceu desabitada durante o período dos hicsos (1750-1500 a.C.). Foi capturada por Tutmósis III do Egito (ANET, p. 242). Durante o período Amarna, ela foi a capital de um reino amorreu. Mais tarde, progrediu na condição de cidade-estado hitita e, por fim, tornou-se uma cidade síria sob o influxo de imigrantes ou por causa de conquistas.
Estando localizada em uma importante rota comercial entre Damaso e Alepo, tendo estados vizinhos mais poderosos, como por exemplo, Israel e Síria (Arã), Hamate precisava defender sua independência fazendo alianças de um tipo ou de outro. Seu rei Toí procurou fazer amizade com Davi depois deste último ter derrotado os siros (2 Sm 8.9ss.). Salomão construiu cidades na terra de Hamate que serviam como depósitos (2 Cr 8.4).
Em 853 a.C., ela foi o terceiro estado na coalizão que enfrentou Salmaneser III da Assíria, na batalha de Qarqar (ANET, p. 279). Uma inscrição de seu rei Zakir, em aprox. 800 a.C., mostra uma vitoriosa guerra travada contra um grupo de reis chefiado por Ben-Hadade de Damasco (ANET, pp. 501ss.). É possível que esse Zakir tenha sido o desconhecido "salvador" que ajudou Israel contra os sírios na época de Jeoacaz (2 Rs 13.5). Jeroboão II reconquistou as terras de Damasco e Hamate, que haviam anteriormente pertencido a Davi (2 Rs 14.28).
O profeta Amós, que era muito ativo em aprox. 760 a.C., mostrou que Hamate estava em ruínas em sua época (Am 6.2), possivelmente como resultado do ataque dos siros. Em seguida, Hamate foi conquistada por Sargão II da Assíria em aprox. 721 a.C. (segundo a alusão feita em Isaías 10.9), e seus habitantes foram transportados para outros países. Alguns deles foram enviados para repovoar cidades do território de Samaria, onde, durante algum tempo, adoraram seu deus Asima (2 Rs 17.24,30).

S. C.

**HAMATE-ZOBA** Provavelmente Hamate de Zobá. Esse nome só foi mencionado em 2 Crônicas 8.3 em conexão com as conquistas de Salomão, pois ele a conquistou. Esse local ainda não foi identificado. Alguns acreditam que a expressão Hamate-Zoba refirase aos reinos vizinhos de Hamate e Zobá, ou que seja idêntica a Hamate (*q.v.*; Nm 34.8), e que o nome Zoba tenha sido usado aqui em um sentido mais amplo. Talvez seja melhor aceitar esse nome como uma outra Hamate localizada no território de Zobá.

**HAMEDATA** Pai de Hamã, o inimigo dos judeus no livro de Ester (Et 3.1,10; 8.5; 9.10, 24). Seu nome é tipicamente persa, e possivelmente veio de *mah,* ou "lua", e *data,* ou "dado" – "dado pela lua".

**HAMELEQUE** É um nome próprio, mas essa palavra é melhor traduzida como a palavra que designa "rei" em hebraico. Jerameel e Malquias recebem, ambos, a designação de "filho do rei" (Jr 36.26; 38.6), o que os torna príncipes reais.

**HAMOLEQUETE** Filha de Maquir e irmã de Gileade, neto de Manassés. Gideão, o juiz, era seu descendente (1 Cr 7.17,18).

**HAMOM**
1. Cidade fronteiriça de Aser (Js 19.28), possivelmente Umm-el-'Awamîd, 15 quilômetros ao sul de Tiro, onde foram encontradas duas inscrições fenícias mencionando a adoração ao deus Baal-Hamom.
2. Cidade levítica em Naftali (1 Cr 6.76), provavelmente seja a própria Hamate (*q.v.*).

**HAMONÁ** Tem o significado de "multidão". Nome simbólico de um lugar onde as multidões de Gogue deveriam ser enterradas depois da grande matança (Ez 39.16).

**HAMON-GOGUE** Vale estreito e profundo previamente conhecido como "vale dos viajantes" ou "vale dos que passam" do outro lado do mar (provavelmente o mar Morto) onde serão assassinadas e enterradas as multidões trazidas por Gogue (Ez 39.11,15) *Veja* Gogue.

**HAMOR** Governador de Siquém na época do retorno de Jacó de Padã-Arã. Siquém, filho de Hamor, havia humilhado Diná, filha de Jacó. Os irmãos dela, Simeão e Levi, vingaram a ofensa matando todos os homens de Siquém (Gn 34.1-31).
Jacó comprou um pedaço de terra de Hamor, no qual estendeu a sua tenda (Gn 33.19). Mais tarde, José foi enterrado nesse local (Js 24.32). Na época dos juízes, o nome Hamor ainda estava ligado a Siquém (Jz 9.28). *Veja* Siquém.
Esse nome significa "asno", fato que levou muitos estudiosos a considerar o termo como o nome do "totem de um clã". Entretanto, essa teoria não é necessariamente verdadeira. Na Antiguidade, era muito comum o uso de nomes próprios baseados em nomes de animais; por exemplo, Calebe significa "cão", e Raquel significa "ovelha". É possível que Hamor tenha sido um amorreu ou um heteu que praticou o sacrifício de um asno como parte do estabelecimento de uma aliança (Cf. Mendenhall, BASOR, # 133 [1954], p. 26, n.3.).

**HAMOTE-DOR** Cidade de Naftali destinada aos gersonitas e designada como cidade de refúgio (Js 21.32). É chamada de Hamom em 1 Crônicas 6.76; é possivelmente a moderna Hamam-Tabariyeh, de fontes de água quente, ao sul de Tiberíades e na orla ocidental do mar da Galiléia, que no entanto, aparentemente não exibe suficiente antiguidade. Provavelmente seja a própria Hamate (*q.v.*).

**HAMUEL** Filho de Misma, um simeonita, da família de Saul (1 Cr 4.26).

**HAMUL, HAMULITAS** Filho mais novo de Perez, filho de Judá com Tamar. Hamul foi o fundador de uma família tribal (Gn 46.12; Nm 26.21; 1 Cr 2.4,5).

**HAMURABI** Nome amorreu comum, do início do segundo milênio a.C. Pelo menos dois reis de Yamhad (Alepo) e um governante de Qurda tinham esse nome. Mas seu mais famoso portador foi o sexto governante da Primeira Dinastia da Babilônia que reinou por volta de 1792-1750 a.C. (de acordo com Sidney Smith) ou 1728-1686 a.C. (de acordo com W. F. Albright).
Anrafel, rei de Sinar, cujos aliados atacaram Sodoma (Gn 14.1ss.), que alguns anteriormente acreditavam ser uma tradução hebraica de Hamurabi, deveria ser comparado com as formas amoritas de Amud-pi-el ("suportar é a palavra para El") encontradas em Mari, em aprox. 1750 a.C.
O Hamurabi da Babilônia, como todos os governantes das cidades-estado no período antigo do Oriente Próximo, registrava todos os casos legais que julgava. Ao chegar ao término de seu reinado, ele submeteu à sua divindade, Shamash, um relato de sua sabedoria mostrada através da lei e da ordem que havia feito prevalecer em sua terra. Casos selecionados, e novas leis, foram inscritos em monolitos de pedra erigidos nos principais Templos da Babilônia. Um desses monolitos, um pilar de granito negro (diorito), com 2 metros e meio de altura, produto de um saque feito em Susã, foi recuperado por arqueólogos franceses em dezembro de 1901. Atualmente, ele encontra-se no Museu do Louvre, em Paris. É possível que registros escritos semelhantes, descrevendo decisões legais, tenham sido conservados pelos reis de Israel e Judá (JSS, VII [1962], 161-172).
Desde o prólogo até as leis de Hamurabi, assim como as referências feitas em textos contemporâneos de seu reinado (veja Mari), podem ser traçados os principais eventos de sua época. Primeiramente, o rei dedicou-se a estabelecer a economia interna; em seguida, o poder da Babilônia estendeu-se gradualmente até as cidades localizadas ao sul de Uruque (Ereque) e de Isin, em uma série de campanhas militares. A captura de cidades da região de Diyala e do Eufrates inferior redundou em um contato direto com os poderosos reis da Assíria, Mari e Alepo. Uma carta de Mari relata que nessa época Hamurabi dispunha de 10 a 15 governantes vassalos sob as suas ordens, aproximadamente a metade do número reivindicado pelo rei de Alepo. Por volta de seu trigésimo oitavo ano, Hamurabi havia derrotado seu rival Rim-Sin de Larsa, as tribos dos Gutianos e Eshnunna que viviam nas montanhas, e capturado Mari, no médio Eufrates, a partir de Zimri-Lim. Dessa maneira, havia conquistado um império cuja área nunca foi excedida por nenhum rei da Babilônia, a não ser na época de Nabucodonosor II (605-562 a.C.).
As leis de Hamurabi (ANET, pp. 163-180), que em grande medida davam continuida-

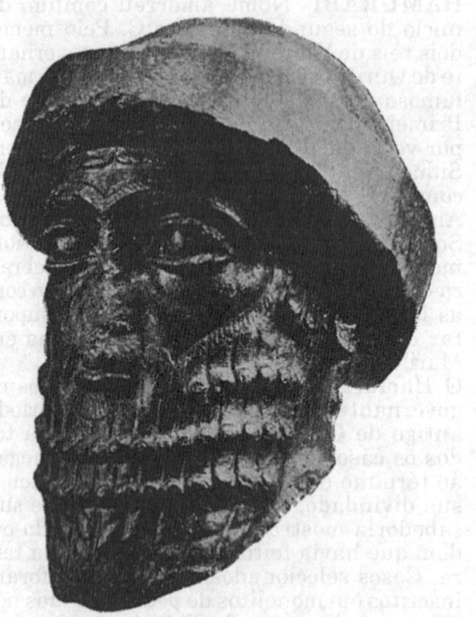

Suposta cabeça de Hamurabi. LM

de à tradição legal de seus predecessores Urukagina de Lagash, Lipit-Ishtar de Isin e Bilalama de Eshnunna, davam testemunho de sua habilidade administrativa. Essas 282 decisões e cláusulas jurídicas cobriam um grande espectro de assuntos: casamento, divórcio, adoção, aprendizado, roubo, assalto, agricultura, comércio, propriedade e salários. As penas impostas variavam de acordo com a posição do acusado ou da parte prejudicada, homens livres, dependentes do palácio ou escravos.

Eram impostos: a pena capital e castigos físicos (*lex talionis*), o confisco de propriedades e multas financeiras. As mulheres tinham direitos específicos. Tudo isso mostra uma boa e definida tradição legal que, em seus numerosos aspectos de forma e detalhe, oferecem um paralelo próximo às seções legais do AT. Por exemplo, a lei sobre a sangria dos bois (Êx 21.28ss.) ou sobre o incesto (Lv 20.14). Dessa forma, as leis de Hamurabi proporcionam uma visão extrabíblica das habituais tradições legais existentes na maior parte do antigo Oriente Próximo.

***Bibliografia.*** G. R. Driver e John C. Miles, *The Babylonian Laws*, 2 vols., Oxford: Clarendon Press, 1952, 1955.

D. J. W.

**HAMUTAL** Filha de Jeremias de Libna, uma das esposas do rei Josias e mãe do rei Joacaz e do rei Zedequias (2 Rs 23.31; 24.18; Jr 52.1).

**HANÃ**

1. Filho ou descendente de Sasaque, um dos principais homens de Benjamim (1 Cr 8.23).
2. Um dos seis filhos de Azel de Benjamim (1 Cr 8.38; 9.44).
3. Filho de Maaca. Foi um dos poderosos de Davi (1 Cr 11.43).
4. Os filhos ou descendentes de Hanã estavam entre os netineus, ou servidores do Templo, que retornaram com Zorobabel (Ed 2.46; Ne 7.49).
5. Um levita muito ativo nos dias de Esdras e Neemias. Foi um daqueles que ajudaram o povo a entender a lei, à medida que ela era lida por Esdras (Ne 8.7). Provavelmente se trate do mesmo levita que assinou o grande pacto de Neemias, e que foi nomeado assistente dos tesoureiros dos armazéns que distribuíam as rendas do Templo entre os sacerdotes e levitas (Ne 10.10; 13.13).
6. Um dos chefes do povo que assinou o pacto de Neemias (Ne 10.22).
7. Outro chefe que assinou o pacto (Ne 10.26).
8. Filho de Jigdalias; foi um funcionário do Templo. Jeremias trouxe os recabitas à câmara dos filhos de Hanã para testar a fidelidade deles.

P. C. J.

**HANANEL, TORRE DE** Torre situada na parte norte do muro de Jerusalém, entre a

Código de Hamurabi

Porta das Ovelhas e a Porta do Peixe (Ne 3.1; 12.39; Jr 31.38. Zc 14.10). Junto com a Torre de Meá (*q.v.*), ela provavelmente fazia parte da fortaleza do Templo. Mais tarde, o rei Herodes substituiu essas torres pela Torre de Antônia (*q.v.*). *Veja* Jerusalém: Portas e Torres.

**HANANEL** Filho de Salum e primo de Jeremias, o profeta, que comprou para si um campo ancestral em Anatote durante o cerco de Jerusalém (Jr 32.7-9,12).

**HANANI**

1. Um dos filhos de Hemã, escolhido para o serviço de música do santuário. Ele e sua família foram escolhidos como o 18º turno na ordem de serviços organizada por Davi (1 Cr 25.4,25).
2. Profeta que censurou o rei Asa e proclamou o castigo de Deus sobre ele por ter apelado à ajuda da Síria em sua luta, ao invés de buscar ao Senhor. O rei, impenitente e furioso, colocou o profeta na prisão (2 Cr 16.7-10). Provavelmente se trate do mesmo homem que era pai do profeta Jeú, que condenou o rival de Asa, Baasa, e aconselhou seu próprio sucessor, o rei Josafá (1 Rs 16.1,7; 2 Cr 19.2; 20.34).
3. Sacerdote da época de Esdras. Acusado de ter se casado com uma mulher pagã, prometeu expulsá-la (Ed 10.19,20).
4. Irmão de Neemias. Foi ele que liderou o grupo que informou a Neemias sobre a deplorável condição de Jerusalém (Ne 1.2). Depois da restauração da cidade, Hanani, juntamente com Hananias, o governador do palácio (ou o "maioral da fortaleza"), foi incumbido de governar a cidade de Jerusalém (Ne 7.2).
5. Sacerdote dos dias de Neemias que junto com outros tocava os "instrumentos músicos de Davi" na grande festa de dedicação pelo término do muro (Ne 12.36).

P. C. J.

**HANANIAS**

1. Filho de Hemã. Foi nomeado para tocar um instrumento musical nos cultos reais e no Templo (1 Cr 25.4,5) e chefiar o 16º turno dos músicos levitas (1 Cr 25.23). *Veja* Hemã.
2. Capitão do exército sob o rei Uzias (2 Cr 26.11).
3. Pai de Zedequias, príncipe de Judá no reinado de Jeoaquim, rei de Judá (Jr 36.12).
4. Filho de Azur e falso profeta no quarto ano de Zedequias, rei de Judá. Proclamou falsa e publicamente no Templo que ao final de dois anos o despojo de guerra levado por Nabucodonosor seria devolvido junto com Jeconias e os prisioneiros. Quando Jeremias o denunciou como falso profeta, Hananias tirou o jugo que Jeremias usava no pescoço como um símbolo de seu conselho para se submeterem à Babilônia. Daí por diante, declarando que o jugo de madeira de Hananias deveria tornar em ferro, isto é, que o controle da Babilônia se tornaria cada vez mais forte, Jeremias predisse a morte de Hananias dentro de um ano. Ele morreu dois meses mais tarde (Jr 28).
5. Avô de Jerias que prendeu Jeremias, estando este na "porta de Benjamim" quando procurou fugir para Nabucodonosor em obediência à Palavra de Deus (Jr 37.13).
6. Filho de Sasaque, chefe de uma família de Benjamim (1 Cr 8.24).
7. Nome hebraico de Sadraque, um dos três jovens levados à Babilônia juntamente com Daniel (Dn 1.6,7,11,19; 2.17).
8. Filho de Zorobabel e antepassado do Senhor Jesus (1 Cr 3.19,21).
9. Filho de Bebai, que voltou à pátria com Esdras (Ed 10.28).
10. Boticário (ou perfumista) que ajudou a consertar os muros (Ne 3.8).
11. Filho de Selemias que, junto com Hanum, ajudou a consertar os muros (Ne 3.30).
12. Governador do palácio (ou "maioral da fortaleza") na época de Neemias (Ne 7.2).
13. Aquele que selou a aliança que consistia em obedecer aos mandamentos de Deus (Ne 10.23).
14. Sacerdote da época de Joiaquim, o sumo sacerdote (Ne 12.12,41).

H. G. S.

**HANATOM** Cidade na fronteira norte de Zebulom (Js 19.14). Seu nome é mencionado duas vezes nas tábuas de Amarna (EA 8.17; 245.32) do século XIV a.C., onde é chamada de Hinatuni e Hinatuna, respectivamente, e uma vez nos registros de Tiglate-Pileser III. Talvez estivesse localizada em Tell el-Bedeiwîyeh, local situado a aproximadamente 10 quilômetros ao norte de Nazaré. Alguns o identificam com el-Harbaj, na extremidade sul da planície de Aco.

**HANES** Cidade do Egito à qual Judá enviou alguns mensageiros (Is 30.4) e quase certamente situada ao sul de Fayyum, 90 quilômetros ao sul de Mênfis, na margem ocidental do Nilo, ainda conhecida como Ahanas. Os gregos identificavam a divindade local, Herishef, com Hércules e chamavam essa cidade de Heracleopolis Magna. Hanes era a capital da XXII Dinastia (935-735 a.C.), e permaneceu como uma cidade de grande importância. Durante o reinado de Psamtik I (663-609 a.C.), era o centro do governo do Egito Superior. Entretanto, com base no targum aramaico dessa passagem, alguns estudiosos identificaram Hanes com Tafnes, uma fortaleza na fronteira oriental.

**HANIEL**

1. Filho de Éfode e príncipe de Manassés que ajudou a dividir Canaã entre as tribos. Foi nomeado como superintendente da distribuição

do território ocidental da Jordânia entre as dez tribos que deveriam instalar-se naquela área (Nm 34.23).
2. Filho de Ula, príncipe e herói da tribo de Aser (1 Cr 7.39).

**HANUM**
1. Filho e herdeiro de Naás, rei dos amonitas. Quando Davi enviou uma mensagem de consolo a Hanum, depois da morte de seu pai, o novo rei resolveu interpretar isso como um ato de espionagem. Os embaixadores foram presos e caíram em desgraça porque tiveram metade de suas barbas raspadas e suas vestes rasgadas pela metade, antes de serem expulsos de Amom pelo rei. Davi considerou esse insulto como um ato de guerra e preparou seu exército para invadir Amom. Prevendo essa invasão, Hanum já havia pedido ajuda aos sírios. O exército de Davi, liderado por Joabe e Abisai, ficou encurralado entre os amonitas e os sírios, mas com valentia derrotou ambas as forças. Esse foi o início de uma guerra contra Amom que continuou depois por mais algum tempo (2 Sm 10; 1 Cr 19).
2. Sexto filho de Zalafe, que consertou parte do muro de Jerusalém (Ne 3.30).
3. Outro Hanum que, ajudado pelos habitantes de Zanoa, reparou a Porta do vale de Jerusalém, e parte de seus muros (Ne 3.13).
P. C. J.

**HAPISES** Um descendente de Arão que participava dos turnos de sacerdotes sob o governo do rei Davi (1 Cr 24.15). Na versão TB em português aparece como Hapizes.

**HAQUILA** Colina situada no deserto da Judéia, a leste de Zife, a sudeste de Hebrom, e em frente ao distrito de Jesimom ("desolado"), onde Davi se refugiou quando fugiu de Saul (1 Sm 23.19; 26.1,3). É uma área deserta repleta de rochedos e desfiladeiros a oeste de En-Gedi.

**HARÃ** Importante cidade comercial da Síria, localizada no cruzamento de várias estradas, cerca de 30 quilômetros ao sul de Édessa, às margens do rio Belias (agora Belikh), na estrada principal que levava de Nínive até Carquemis e depois até as praias do Mediterrâneo. Seu nome (em hebraico *haran*, em acádio, *harranu*) significa "estrada, rota, caravana". Na língua dos heteus, essa palavra tornou-se *harvana*, que é a base do termo caravana.
O nome Harã é mencionado primeiramente na Bíblia como sendo o lugar para o qual Tera viajou a partir de Ur dos Caldeus. Tera morreu nesse lugar e foi lá que Abraão recebeu a chamada de Deus para deixar seus parentes e ir para Canaã. Abraão partiu com sua mulher e seu sobrinho Ló, enquanto os outros membros do clã permaneceram na cidade (Gn 11.31–12.4). Embora não esteja especificamente afirmado, Harã era aparentemente o lugar onde o servo de Abraão, ao procurar uma esposa para Isaque, encontrou Rebeca junto ao poço; ainda pode ser visto o local tradicional desse poço. Mais tarde, Jacó fugiu para seu tio Labão que vivia em Harã, ou em suas proximidades (Gn 28.10), e lá permaneceu durante 20 anos antes de retornar à sua casa (Gn 28–30).
Os demais registros bíblicos sobre Harã dizem que foi destruída pelos assírios (2 Rs 19.12), e que os seus mercadores exportavam vestes azuis bordadas e tapetes finos (Ez 27.23,24).
O nome Harã é freqüentemente mencionado em outras fontes, além da Bíblia Sagrada. Ele aparece em uma carta de Mari, escrita em aprox. 2000 a.C., próximo à época de Abraão. Esta cidade era um centro de adoração ao rei-lua Sin. Um outro grande centro de adoração a esse deus era Ur, na Caldéia; portanto, é muito provável que Harã tivesse sido fundada por colonizadores que haviam saído de Ur. Também é possível que Tera tenha feito essa longa viagem, das terras férteis e prósperas da Babilônia para a região menos favorável da Síria, como líder desse grupo de colonizadores. Nos primeiros séculos do segundo milênio a.C., a cidade de Harã estava situada nas proximidades do centro da ocupação dos hurrianos. Portanto, é provável que os patriarcas tenham entrado em contato com esse dominante elemento social que conhecemos por meio das tábuas de Nuzu (*veja* Horeus; Nuzu). Registros posteriores mostram que a cidade passou por várias vicissitudes; ela esteve, de forma alternada, sob o domínio dos mitanianos, dos assírios e dos sírios.
Quando o Império Assírio gozava da supremacia na Ásia ocidental, depois de 730 a.C., Harã era uma poderosa fortaleza e residência de um *turtan* ("comandante", geralmente de sangue real). De acordo com *Crônica Babilônica*, quando Níneve foi derrotada pelos medos e babilônios em 612 a.C., o *turtan* de Harã, Assur-Uballit II, chefiou um reino assírio de curta duração. A cidade de Harã foi sitiada e tomada pelos babilônios e, embora os assírios contassem com a ajuda do Egito, não conseguiram recuperá-la; assim terminou o Império Assírio.
O nome Harã aparece novamente na história de Nabonido, o último rei da Babilônia (555-539 a.C.), que restaurou o famoso Templo de Sin, chamado Ehulhul, pretendendo que este se tornasse o principal centro religioso de seu império. Os romanos conservaram essa cidade como uma fortaleza (Carrhae); em suas proximidades, o exército de Crasso foi aniquilado pelos partos em 53 a.C.
A cidade atual revela o lugar da antiga colonização. Inscrições antigas foram encontradas em Eski-haran (no idioma turco, "velha Harã"), situada 10 quilômetros ao norte;

portanto essa pode ter sido a localização do famoso templo de Sin.

***Bibliografia.*** William Hallo, "Haran, Harran", BW, pp. 280-283.

S. C.

**HARA** Mencionada em 1 Crônicas 5.26, juntamente com Hala, Habor e o rio Gozã, para onde Tiglate-Pileser III da Assíria exilou as tribos hebraicas de Rúben, Gade e a meia tribo de Manassés.
Em 2 Reis 17.6; 18.11, onde o texto hebraico traz "cidades dos medos", a versão LXX traz "montanhas dos medos". Talvez a palavra hebraica *Hara'* em 1 Crônicas 5.26 seja uma variação dessa forma. Outros sugeriram que a palavra Hara deveria ser escrita como Harã.

**HARADA** Local de parada na viagem dos israelitas desde o Sinai até Cades-Barnéia (Nm 33.24,25). A sua localização exata é desconhecida.

**HARAÍAS** Pai de Uziel que, sob a coordenação de Neemias, ajudou a reparar os muros de Jerusalém (Ne 3.8).

**HARARITA** Designação de três dentre os poderosos de Davi, conhecidos como "os trinta", talvez significando que cada um deles fosse um "montanhês": (1) Agé (2 Sm 23.11); (2) Sama (2 Sm 23.33; Sage em 1 Cr 11.34); (3) Sarar (2 Sm 23.33; Sacar em 1 Cr 11.35).

**HARÁS** Avô de Salum, marido de Hulda, a profetisa que foi consultada a respeito do livro da lei encontrado durante o reinado de Josias (2 Cr 34.22). É mencionado em 2 Reis 22.14.

**HARBONA** Terceiro dos sete eunucos que serviam a Assuero (Xerxes) como secretários particulares. Foi mencionado em Ester 1.10. Ele sugeriu que Hamã fosse enforcado na forca preparada para Mardoqueu (Et 7.9).

**HAREFE** Um chefe da tribo de Judá, descendente de Calebe, que fundou Bete-Gader em algum lugar da região de Belém e Quiriate-Jearim (1 Cr 2.51).

**HARIFE**
1. Chefe de uma família cujos 112 membros do sexo masculino retornaram a Jerusalém após o exílio (Ne 7.24). Aparentemente chamado Jora em Esdras 2.18.
2. Um daqueles que selaram a aliança de Neemias (Ne 10.19).

**HARIM**
1. Sacerdote escolhido por meio de sortes e que, dessa forma, deu seu nome à terceira das 24 divisões ou turnos nos quais os sacerdotes eram separados para o serviço (1 Cr 24.8). Os 1.017 "filhos de Harim" que voltaram da Babilônia (Ed 2.39; Ne 7.42) simplesmente pertenciam a esse turno de Harim. Cinco deles casaram-se com mulheres estrangeiras (Ed 10.21). O Harim que assinou a aliança de Neemias (Ne 10.5) e o sacerdote Adna (Ne 12.15) parecem ter pertencido a essa família. Se for correta a conjectura de que Reum (Ne 12.3) seja uma variante do nome Harim, podemos concluir que esse nome também está relacionado entre os sacerdotes que retornaram da Babilônia com Zorobabel.
2. Ancestral de uma grande família de israelitas leigos que levavam seu nome. Acompanhando Zorobabel, 320 membros do sexo masculino desse clã retornaram do exílio (Ed 2.32; Ne 7.35). Um deles estava entre os líderes que selaram a aliança com Neemias (Ne 10.27). Oito desses homens leigos eram culpados de casarem-se com mulheres estrangeiras (Ed 10.31; cf. 10.44). Um dos oito, Malquias, ajudou a reparar os muros de Jerusalém (Ne 3.11).

P. C. J.

**HARNEFER** Um dos filhos de Zofa, chefe da tribo de Aser (1 Cr 7.36); uma transliteração da palavra egípcia *hr-nfr,* que significa "Horus é misericordioso".

**HARODE** A tradução deste termo como "fonte" é preferível à tradução como "poço". O termo está relacionado ao local onde esteve o acampamento de Gideão enquanto ele preparava-se para a batalha contra os midianitas (Jz 7.1). Possivelmente a fonte onde Saul acampou na ocasião da batalha contra os filisteus (1 Sm 29.1). Foi identificada por alguns como sendo 'Ain Jalud, uma fonte localizada na encosta noroeste do monte Gilboa, 13 quilômetros no extremo noroeste de Bete-Seã. A água brota de uma caverna natural para uma grande piscina onde, provavelmente, os homens de Gideão saciaram sua sede. É uma das fontes copiosas da Palestina. Um ponto estratégico para quaisquer movimentos militares em sua vizinhança.

**HARODITA** Dois dos homens de Davi (Sama e Elica) são chamados de haroditas em 2 Samuel 23.25. "Harorita" (1 Cr 11.27) é uma variação comum para Harodita.

**HAROÉ** *Veja* Reaías.

**HARORITA** Esse termo (1 Cr 11.27) provavelmente deva ser interpretado como harodita (cf. 2 Sm 23.25), porque o *r* e o *d* são muito semelhantes na língua hebraica. *Veja* Harodita.

**HAROSETE DOS GENTIOS** Esta expressão é equivalente a Harosete-Hagoim e Harosete-Hagojim. Ela ocorre apenas em Juízes 4.2,13,16 em conexão com a batalha que aconteceu entre os israelitas, sob o comando de Débora e Baraque, e Sísera, o general do exército cananeu. Se Harosete era uma cidade, esse texto está referindo-se ao rio Quisom nas proximidades do limite ocidental da planície de Esdraelom, de onde esse rio podia fluir até o local que aparece em Juízes 5.21, isto é, uma passagem de aprox. 15 quilômetros no extremo noroeste de Megido. Esse local é geralmente identificado com as cidades próximas de *el-Harithiyeh* ou *Tell 'Amr,* o que parece ser muito duvidoso porque as investigações realizadas indicam que nenhuma delas é suficientemente antiga. Alguns estudiosos preferem *Tell Harbaj*, cinco quilômetros ao norte de *el-Harithiyeh.* O fato de Sísera ter "habitado" (*yosheb*; Jz 4.2) nesse local pode significar que ele tenha sido o governador (militar) dessa área, e isso explicaria porque seria tão difícil encontrar uma cidade tão específica (cf. o uso de *yosheb* em Números 33.40; Juízes 4.5; 10.1, e na Pedra Moabita *l*.8, que diz que Onri "habitou" ou ocupou a terra de Medeba, ANET, p. 320).

P. W. F.

**HARPA** *Veja* Música: Instrumentos Musicais.

**HARSA** Nome de uma família de servidores do Templo que retornaram da Babilônia com Zorobabel (Ed 2.52; Ne 7.54).

**HARUFITA** Designação de Sefatias, um dos guerreiros de Benjamim que se juntaram a Davi em Ziclague (1 Cr 12.5). É possível que exista alguma relação entre essa designação e o descendente de Calebe, o Harefe de 1 Crônicas 2.51, ou com a família de Harife de Neemias 7.24; 10.19, pois não se conhece nenhum lugar com esse nome.

**HARUM** Pai de Aarel, relacionado entre os descendentes de Coz (1 Cr 4.8), da tribo de Judá.

**HARUMAFE** Pai do Jedaías que ajudou a reparar os muros de Jerusalém na época de Neemias (Ne 3.10).

**HARUR** Um chefe ancestral de uma família de servidores do Templo, relacionado entre aqueles que retornaram do exílio (Ed 2.51; Ne 7.53).

**HARUZ** Avô materno de Amom, rei de Judá (2 Rs 21.19). Seu lugar de origem era Jotbá.

**HASABIAS**
1. Pai de Maluque e filho de Amazias, um levita da família de Merari, um músico do Templo (1 Cr 6.45).
2. Um exilado entre os que retornaram, pai de Azricão e filho de Buni, da família levita de Merari (1 Cr 9.14; Ne 11.15).
3. Um dos seis músicos filhos de Jedutum, nomeado por Davi para chefiar o 12º turno dos cantores do Templo (1 Cr 25.3,19).
4. Hasabias de Hebrom, nomeado por Davi para supervisionar Israel a oeste do Jordão; 1.700 homens trabalhavam sob as suas ordens (1 Cr 26.30).
5. Filho de Quemuel, chefe da tribo de Levi na época de Davi (1 Cr 27.17).
6. Líder entre os levitas, na época de Josias, que contribuiu com liberalidade para a grande Páscoa (2 Cr 35.9).
7. Um dos principais levitas que acompanhou Esdras a Jerusalém (Ed 8.19) e a quem foi confiado o grande tesouro que foi trazido a essa cidade (Ed 8.24). Era provavelmente o mesmo Hasabias que se tornou o governante de metade do distrito de Queila (Ne 3.17). Era muito ativo nos dias de Neemias, consertou os muros, selou o pacto (Ne 10.11) e tomou parte na dedicação dos muros depois de consertados (Ne 12.24).
8. Um levita, filho de Matanias e pai de Bani, depois do exílio (Ne 11.22).
9. Chefe da família sacerdotal de Hilquias nos dias do sumo sacerdote Joiaquim (Ne 12.21), talvez a mesma pessoa referida no item 7.

P. C. J.

**HASABNA** Um dos chefes do povo que, ao lado de Neemias, colocou seu selo na renovação do pacto de Esdras (Ne 10.25).

**HASABNÉIAS**
1. Pai de um certo Hatus, que ajudou a reparar os muros de Jerusalém na época de Neemias (Ne 3.10).
2. Membro de um grupo de levitas que participou de uma oferta a Deus na época de Esdras como uma preparação para selarem a aliança (Ne 9.5).

**HASADIAS** Um dos filhos de Zorobabel (1 Cr 3.20).

**HASBADANA** Um dos homens que se colocou à esquerda de Esdras quando a lei foi lida para o povo em uma grande assembléia (Ne 8.4).

**HASÉM** Um gizonita entre os 30 poderosos do exército de Davi (1 Cr 11.34), chamado de Jasém (*q.v.*) em 2 Samuel 23.32.

**HASMONA** Um dos lugares onde os israelitas acamparam em sua jornada do Sinai para Canaã (Nm 33.29,30), talvez possa ser identificado com o Uádi Hashim, na vizinhança de Cades-Barnéia.

**HASSENAÁ** O mesmo que Senaá (Ed 2.35; Ne 7.38) em passagens onde aparece sem o artigo. *Veja* Senaá. Os "filhos", ou homens de Hassenaá, reconstruíram a Porta do Peixe quando os muros de Jerusalém foram consertados, depois da volta dos exilados da Babilônia (Ne 3.3). O nome Hassenaá é semelhante a Hassenuá (*q.v.*) em 1 Crônicas 9.7, ou Senua em Neemias 11.9, que aparecem como nomes próprios. Mas o número de filhos de Senaá, quase 4.000 (Ed 2.35; Ne 7.38), é extraordinariamente grande para uma única família ou clã. Portanto, o nome Senaá pode referir-se a um termo ou a uma categoria de pessoas que vieram de diversos lugares ou famílias (GTT, I, 1035, pp. 382ss.).

**HASSENUÁ** Esse nome significa "pessoa odiada".
1. Um benjamita, pai de Hodavias (1 Cr 9.7).
2. Sem o artigo definido, esse nome em hebraico é Senua, um benjamita cujo filho Judá era o segundo no comando de Jerusalém (Ne 11.9). Os textos em Neemias 11.9 e 1 Crônicas 9.7 podem se referir à mesma pessoa.
*Veja* Hassenaá.

**HASSUBE**
1. Um levita, filho de Azricão, da família de Merari. Seu filho Semaías era um dos supervisores do Templo na época de Neemias (1 Cr 9.14; Ne 11.15).
2. Filho de Paate-Moabe, um reparador de parte dos muros de Jerusalém (Ne 3.11).
3. Outro homem que trabalhou nos muros sob o comando de Neemias (Ne 3.23).
4. Um dos líderes israelitas que selou o pacto com Neemias. Pode ter sido o número 2 ou 3 acima (Ne 10.23).

**HASTE** Tradução da KJV da palavra hebraica *nes* (geralmente "bandeira", "insígnia" ou "estandarte") em Números 21.8,9. As versões modernas geralmente traduzem este termo como "estandarte". A sugestão de que o relato em Números 21 refere-se a um mastro afiado na ponta, em que fixou a serpente de bronze, é bastante atraente. O NT considera esse evento como uma tipificação da morte de Cristo (Jo 3.14).
Os assim chamados "bosques" de culto pagão absolutamente não o eram, mas existiam mastros sagrados ou postes chamados *'ashera* que representavam a deusa Asera (*veja* Falsos deuses).

**HASUBA** Um dos filhos de Zorobabel e descendente de Jeoaquim, rei de Judá (1 Cr 3.20).

**HASUFA** Chefe ancestral de uma família de netineus (*q.v.*) que retornou do exílio com Zorobabel (Ed 2.43; Ne 7.46).

**HASUM**
1. Os "filhos de Hasum" estavam entre os israelitas que retornaram com Zorobabel para reconstruir o Templo (Ed 2.19; Ne 7.22). Eles também estão listados entre aqueles que despediram as suas esposas estrangeiras no tempo de Esdras (Ed 10.33).
2. Um dos homens que permaneceram ao lado de Esdras à medida que este lia a lei perante o povo (Ne 8.4).
3. Um dos chefes do povo que selou a aliança feita por Neemias, que consistia na obediência à lei de Deus (Ne 10.18).

**HATAQUE** Um mordomo (eunuco) do rei Assuero que foi indicado para atender a rainha Ester. Por meio dele, Mardoqueu informou Ester sobre o plano de Hamã para destruir os judeus (Et 4.5,6,9,10).

**HATATE** Filho de Otniel, da família de Calebe (1 Cr 4.13).

**HATIFA** Ancestral e chefe de uma família de netineus (servidores do Templo) que retornou do cativeiro com Zorobabel (Ed 2.54; Ne 7.56).

**HATIL** Um dos servos de Salomão. Alguns de seus descendentes retornaram da Babilônia com Zorobabel (Ed 2.57; Ne 7.59).

**HATITA** Chefe ancestral de uma família de porteiros (Ed 2.42; Ne 7.45). Alguns desses membros retornaram da Babilônia.

**HATUS**
1. Um dos filhos de Semaías, descendente de Zorobabel (1 Cr 3.22).
2. Um dos descendentes de Davi que foi com Esdras a Jerusalém (Ed 8.2). Pode ser a mesma pessoa mencionada em 1 ou 3.
3. Filho de Hasabnéias que ajudou a construir o muro sob as ordens de Neemias (Ne 3.10).
4. Um daqueles que selou o pacto de Neemias. Pode ser o mesmo que 3 (Ne 10.4).
5. Sacerdote que retornou a Jerusalém com Zorobabel (Ne 12.2).

**HAURÃ** Distrito da Palestina situado a leste do mar da Galiléia, ao sul de Damasco, nos limites do deserto da Arábia e ao norte do rio Jarmuque.
Algumas vezes foi incluído em Basã, o reino de Ogue (Nm 21.33-35). Na época do AT, esse território era praticamente idêntico à região de Auranites, na tetrarquia de Filipe. Em primeiro lugar, trata-se de uma bacia fértil, de aproximadamente 80 quilômetros quadrados, situada a mais de 650 metros acima do nível do mar. Essa área, praticamente desprovida de árvores, é conhecida por sua produção de trigo. Seu solo é rico por causa dos depósitos de lava, e algumas crateras de origem vulcânica permanecem até hoje. No lado oriental, essa bacia é protegida das areias do deserto por uma cadeia de montanhas (Jebel Hawran). Essa região ainda tem o nome de

el-Hauran. Na Bíblia, o nome Haurã é mencionado apenas por Ezequiel ao descrever os limites situados a nordeste de um Israel ideal (Ez 47.16,18).

**HAVILÁ**

1. Terra associada com o jardim do Éden e citada como fonte de ouro, resina de bedélio e pedra de ônix ou sardônica, cercada ou drenada pelo rio Pisom (Gn 2.11,12). A maioria das autoridades localiza Havilá na Arábia central, ao norte do Iémen. A base para essa localização é a associação feita com o termo Hazar-Mavé (uma área agora chamada de Hadramaut) e Sabá (Gn 10.26-29), que são seções ao sul da Arábia. E também o fato de os produtos dessa área serem iguais aos produtos da Arábia central. É provável que essa área se estendesse para o norte por várias centenas de quilômetros (1 Sm 15.7; Gn 25.18). Alguns estudiosos acreditam que existam dois lugares com essa mesma designação por causa da dificuldade de localizar o rio Pisom na península da Arábia. Além disso, a palavra Havilá se referia originalmente a uma área a oeste do Paquistão, sendo que Pisom seria o rio Indus. *Veja* Pisom.

2. Um filho de Cuxe e descendente de Cam (Gn 10.7; 1 Cr 1.9).

3. Um filho de Joctã e neto de Éber (Gn 10.29; 1 Cr 1.23), da família de Sem.

G. A. T.

**HAVOTE-JAIR** Grupo de vilas formadas por tendas na fronteira entre Basã e Gileade, a leste do Jordão, conquistadas por Jair, o manassita, que lhes deu seu nome (Nm 32.41; Dt 3.14). O texto em 1 Crônicas 2.21-24 mostra que Jair era um descendente de Judá, mas que a sua avó era filha de Maquir, da tribo de Manassés. Vinte e três cidades continuaram a pertencer a Jair e aos seus descendentes em Gileade. Mais tarde, entretanto, Gesur e Arã conquistaram essas "aldeias de Jair" que estavam em Basã (inclusive Quenate; 1 Cr 2.23). Evidentemente, essa perda aconteceu depois da época de Salomão, que governou sobre os vilarejos de tendas de Jair, e sobre as 60 cidades muradas em Basã (1 Rs 4.13). Talvez este fato tenha ocorrido durante o reinado de Hazael (2 Rs 10.32ss.). Em Juízes 10.3,4, existe uma referência a Jair, o gileadita, provavelmente um descendente direto do primeiro Jair, como um dos juízes que teve 30 filhos e governou sobre 30 cidades na terra de Gileade. Alguém pode pensar que existe alguma confusão quanto ao número de cidades que pertenceram a Jair. Em Deuteronômio 3.4, Moisés afirma que Israel havia capturado as 60 cidades de Ogue, em Basã; Jair conquistou toda essa região e lhe deu o nome de Havote-Jair (Dt 3.14 Berkeley; veja também Josué 13.30); Juízes 10.4 menciona 30 cidades, e 1 Crônicas 2.22 menciona 23. Esse número estava sujeito a flutuações porque essas vilas estavam em uma terra freqüentemente disputada (1 Cr 2.23), e também por causa da própria natureza de tais acampamentos; sendo formados por tendas, eram móveis e temporários.

F. B. H.

**HAZAEL** Governante de Damasco, aprox. durante os anos 843-796 a.C., e contemporâneo de Jorão, Jeú e Jeoacaz de Israel. Ele perturbou muitas vezes a Israel durante o reinado de vários reis. No AT, ele é primeiramente encontrado em 1 Reis 19.15, quando Elias foi encarregado de nomeá-lo como um dos agentes de Deus para a destruição do culto a Baal em Israel. Nessa época, Damasco era governada por Ben-Hadade II. Mais tarde, Hazael aparece novamente em sua visita a Eliseu, estando em Damasco, fazendo investigações a respeito do rei que estava enfermo, procurando saber se este sararia (2 Rs 8.7-10). Nessa ocasião, Eliseu chorou ao revelar que o rei iria morrer, e que Hazael seria o próximo rei e opressor de Israel (2 Rs 8.11-14). Hazael cumpriu essa profecia ao assassinar Ben-Hadade (2 Rs 8.15). Não havia passado muito tempo, e ele entrou em conflito com Jorão em Ramote-Gileade (2 Rs 8.28,29; 9.14,15). Jorão foi ferido e, enquanto descansava em Jezreel, foi assassinado por Jeú, capitão do exército israelita que, em seguida, assumiu o trono de Israel (2 Rs 9.16-26).

Durante o reinado de Jeú (841-814 a.C.), Hazael continuou a atacar Israel até que conquistou toda a Transjordânia, e chegou até o sul, junto ao rio Arnom (2 Rs 10.32,33). Seus ataques continuaram (2 Rs 13.3,22-25) na época de Jeoacaz (814-798 a.C.) e, na verdade, ele chegou a penetrar no sudeste da Palestina, capturando Gate e ameaçando Jerusalém. Joás, rei de Judá, conseguiu persuadi-lo de seu intento por meio dos tesouros do Templo (2 Rs 12.17,18). Nos dias de Jeoacaz, em um determinado momento durante as campanhas de Hazael contra Israel, o antigo e poderoso exército de carruagens de Israel havia sido reduzido a 50 cavaleiros e dez carruagens (2 Rs 13.7). Jeoacaz implorou a Deus pela libertação de Israel, o que finalmente aconteceu devido a uma mudança na situação internacional (2 Rs 13.4,5).

Durante esses anos, a chave para a libertação de Israel era a atividade dos assírios. Em 843 a.C., no início de seu reinado, Hazael precisou enfrentar renovados ataques feitos por Salmaneser III da Assíria e suportou um prolongado cerco durante o qual suas terras sofreram demasiadamente. Nos anos que se seguiram, conseguindo ficar relativamente livre dos ataques dos assírios, ele dirigiu suas campanhas contra Israel. Mas em 805-803 a.C., Adade-Nirari III da Assíria atacou Hazael novamente e, pouco tempo depois, em

797 a.C., Salmaneser IV deu continuidade a esse assalto.
Hazael ficou tão enfraquecido por essas repetidas campanhas que Israel foi capaz de recuperar várias cidades localizadas em sua fronteira norte, que anteriormente haviam sido perdidas para Hazael nos dias de Jeoás (798-792; 2 Rs 13.25). Nessa ocasião, Hazael estava aproximando-se do final de sua vida e, provavelmente, deve ter morrido logo depois de Jeoás, talvez em 797 ou 796 a.C. Durante seu reinado de mais de 40 anos, ele foi o flagelo de Israel. Mesmo um século depois, Amós falava que os governantes de Damasco eram da casa de Hazael e profetizava dizendo que eles ainda iriam experimentar o fogo do castigo de Deus (Am 1.4).
Hazael era conhecido pelos assírios e seu nome aparece em vários textos como inimigo de Salmaneser. Era conhecido como usurpador e, em um desses textos, ele é chamado de "filho de ninguém" (ANET, p. 280). Adade-Nirari refere-se a ele como *mari'*, ou senhor (ANET, pp. 281ss.). Uma peça de marfim encontrada em Ninrode, e que traz a inscrição "pertencente ao nosso senhor Hazael", pode ter sido parte dos espólios assírios de Damasco.
*Veja* Síria.

***Bibliografia.*** Merrill F. Unger, *Israel and the Arameans of Damascus*, Londres. James Clark, 1957.

J. A. T.

**HAZAÍAS** Ancestral de Maaséias, líder judeu leigo que vivia na Jerusalém pós-exílica (Ne 11.5). Filho de Adaías e pai de Col-Hozé, era descendente de Perez, filho de Judá.

**HAZAR** Termo que significava povoado sem muros (Lv 25.31; Js 19.8). A palavra Hazar era freqüentemente prefixada ao nome de uma cidade próxima; por exemplo, Hazar-Adar; Hazar-Enã; Hazar-Gada; Hazer-Haticom; Hazar-Mavé; Hazar-Sual; Hazar-Susa.

**HAZAR-ADAR** Localidade na região sul da Palestina, próxima a Cades-Barnéia e Azmom (Nm 34.4), e chamada simplesmente de Adar em Josué 15.3. Provavelmente corresponda à moderna 'Ain Qedeis, oito quilômetros a sudeste de 'Ain el-Qudeirat (Cades-Barnéia; Y. Aharoni, *The Land of the Bible*, p. 65).

**HAZAR-ENÃ** De acordo com Números 34.7-10, corresponde a uma localidade situada no extremo do limite norte entre a Palestina e Hamate (cf. Ez 47.16,17), onde a fronteira se dirige para o sul. Pode ser identificada com o oásis no deserto de el-Qaryatein, a meio caminho entre Damasco e Palmira.
*Veja* Hazar-Haticom.

**HAZAR-GADA** Cidade da região sul de Judá (Js 15.27), próxima a Molada e Hesmom.

**HAZAR-HATICOM** Chamada por Ezequiel de última fronteira a noroeste de Israel (Ez 47.16). Seria, possivelmente, uma forma alternativa de Hazar-Enã (*q.v.*).

**HAZAR-MAVÉ** Nome encontrado na Tábua das Nações (Gn 10.26; 1 Cr 1.20). Um dos filhos de Joctã e ancestral de uma tribo do sul da Arábia que deu seu nome ao Uádi Hadhramaut. Por volta do século V a.C., essa área abrigou um próspero estado cuja capital era Shabwa, 350 quilômetros a noroeste de Aden. A cidade de Hadhramaut era famosa por seu comércio de incenso.

**HAZAR-SUAL** Cidade de Simeão no extremo sul de Judá, sempre mencionada em conexão com Berseba (Js 15.28; 19.3; 1 Cr 4.28). Foi reocupada pelos judeus depois do exílio (Ne 11.27).

**HAZAR-SUSA** Cidade de Simeão na região sudeste de Judá (Js 19.5). Chamada de Hazar-Susim ("cidade dos cavalos") em 1 Crônicas 4.31, talvez abrigasse estábulos onde Salomão mantinha alguns dos cavalos que importava do Egito e vendia aos heteus e sírios (1 Rs 4.26; 9.19; 10.29; cf. cidade dos cavaleiros em 2 Cr 8.6). É possível que corresponda à moderna cidade de Sbalat Abû Sûsein, 32 quilômetros a oeste de Berseba. Pode ser que os hicsos e os cananeus também conservassem cavalos nesse local. Sir Flinders Petrie descobriu cemitérios de cavalos, da época do Final da Idade do Bronze, que podem ter sido sacrificados em Tell el-'Ajjul, a sudeste de Gaza e junto ao litoral.

**HAZAZÃO-TAMAR** *Veja* Hazazom-Tamar.

**HAZAZOM-TAMAR** Cidade identificada com En-Gedi em 2 Crônicas 20.2, mas isso pode apenas indicar uma direção genérica. Depois de uma conquista de doze anos das cidades da planície por Quedorlaomer e os outros quatro reis da Mesopotâmia, seus cidadãos rebelaram-se e expulsaram esses reis, que agora ficaram derrotados. Parece que estes reis atacaram as pequenas nações do sul e das vizinhanças do monte Seir, inclusive os habitantes de Asterote-Carnaim, Hã, Savé-Quiriataim etc. (Gn 14.1-6). Mais tarde, eles retornaram a Sodoma e Gomorra e, durante o caminho, derrotaram os amorreus que residiam em Hazazom-Tamar (Gn 14.7, nome escrito como Hazazão-Tamar em outras versões). En-Gedi (*q.v.*) é um oásis situado abaixo de uma belíssima cachoeira, cerca de 40 quilômetros ao longo da costa oeste do mar Morto, a partir da extremidade sul (2 Cr 20.2). Hazazom-Tamar também pode ser a Tamar (*q.v.*) que foi fortificada por Salomão para

Escavações em Hazor

proteger a rota comercial desde Arabá até o Neguebe, que de acordo com M. Harel ("The Roman Road at Ma'aleh 'Aqrabbim", IEJ, IX, 175-179) estaria localizada em 'Ain Hasevah, próxima à base do Passo Scorpion (Acrabim, *q.v.*).

H. A. Han.

**HAZELELPONI** Irmã de um dos filhos de Etã, descendentes de Judá (1 Cr 4.3).

**HAZERIM** Eram aldeias sem muros. Os haveus (*q.v.*) viviam em cidades desprovidas de muros (Hazerim) que se prolongavam até Gaza, e foram destruídas pelos caftorins (Dt 2.23). A palavra hebraica *haser* significa freqüentemente um povoado ou cidade dependente de uma cidade fortificada próxima para a proteção de seus habitantes (Lv 25.31; Js 15.45-47; 19.8).

**HAZEROTE** Lugar de acampamento dos israelitas depois que deixaram Quibrote-Hataavá (Nm 11.35; 12.16; 33.17,18; Dt 1.1). Foi nesse local que Miriã e Arão queixaram-se de Moisés por ele ter casado com uma mulher cuxita (etíope), e por causa de sua autoridade única como mediador entre Deus e o povo (Nm 12). Esse local tem sido identificado com 'Ain Khadra, cerca de 56 quilômetros a nordeste do monte Sinai (GTT, pp. 255ss.).

**HAZIEL** Chefe de um clã de levitas gersonitas, e filho de Simei (1 Cr 23.9).

**HAZO** Quinto dos oito filhos de Naor e Milca (Gn 22.22) e ancestral de uma tribo síria. Esse nome tem sido identificado com a região montanhosa de *Hazu*, no norte da Arábia ou do deserto da Síria, mencionado na campanha árabe de Esar-Hadom.

**HAZOR** Nome de pelo menos cinco cidades mencionadas na Bíblia.

1. Cidade cananita governada por Jabim (Js 11.1) nos dias de Josué. Nessa época, Hazor era considerada "a cabeça [ou a capital] de todos esses reinos" (v. 10), em uma referência às pequenas cidades-estado do norte da Palestina e do sul do Líbano. Jabim chefiou um ataque com suas carruagens contra Josué e estas quase foram aniquiladas depois de terem sido surpreendidas nas águas do rio Merom. Atualmente acredita-se que este seja um riacho que corre para o sul, formado por fontes originárias das montanhas mais elevadas da Galiléia. Josué voltou e capturou Hazor, matou Jabim e queimou a cidade (vv. 10,11). Mais tarde, outro Jabim (Jz 4), governante de Hazor, foi considerado rei de Canaã; mas usando Débora e Baraque, Deus também o venceu e o destruiu. Essa cidade, estrategicamente localizada na principal rota comercial entre Damasco e o Mediterrâneo, foi fortificada por Salomão (1 Rs 9.15). Seus habitantes israelitas foram levados cativos (2 Rs 15.29) para a Assíria por Tiglate-Pileser III em sua campanha de 732 a.C.

Esse antigo lugar foi localizado por John Garstang em escavações feitas em 1926 e 1928 em um local chamado Tell el-Qedah, no Uádi Waqqas, 8 quilômetros a sudeste do atualmente drenado Lago Huleh e 16 quilômetros ao norte do mar da Galiléia. O nome Hazor é mencionado desde o início do século XVIII a.C. em textos de execração que relacionam potenciais inimigos do Egito; nas cartas de Mari; nos registros de Faraós que conquistaram cidades palestinas (Tutmósis III, Amenotep II, Seti I); em quatro das cartas de Amarna (século XIV a.C.); e nos Papiros Anastasi I do Egito, do século XIII a.C. Nesse local, começaram a fazer escavações sistemáticas durante os trabalhos de Yigael Yadin, em 1955, que também dirigiu outras pesquisas em 1956, 57, 58 e 68-69. A cidade de Hazor era constituída por duas áreas distintas: a colina da acrópole com aprox. 121.500 metros quadrados, e mais de 40 metros de altura, situada na extremidade sudeste da cidade, chamada de cidade alta; e um imenso recinto retangular fechado, do lado norte, que abrangia cerca de 710.000 metros quadrados e onde viviam aproximadamente 40.000 habitantes. Esta era, sem dúvida, a maior cidade da Palestina na época do AT. A cidade baixa foi primeiramente colonizada antes de 1750 a.C., provavelmente pelos hicsos que, em seguida, fortificaram-na com poderosas trincheiras de terra na Média Idade do Bronze, nos períodos II B e C (1750-1550 a.C.).

Depois da destruição sofrida na metade do século XVI a.C., Hazor atingiu seu clímax no Final da Idade do Bronze I (1550-1400), que coincide com o reinado do primeiro Jabim, de acordo com a data mais antiga do Êxodo (*veja* Êxodo, O: A Época). As portas da cidade, com três pares de pilastras e uma grande torre de cada lado, davam acesso à cidade baixa. Nessa área, os arqueólogos descobriram uma série de quatro Templos cananeus superpostos do Final da Idade do Bronze, alinhados com grandes pedras basálticas e que revelavam um plano arquitetônico de solo semelhante ao do Templo de Salomão. Um desses Templos continha a figura esculpida de um deus sentado em um trono colocado dentro de um nicho central elevado. Essa figura foi encontrada decapitada e sua cabeça estava colocada nas proximidades. Do lado esquerdo, em uma fileira de estelas, a estela, do meio mostrava duas mãos erguidas em uma oração dirigida ao disco do sol colocado em um crescente. Esse monumento, ou memorial da estela é, provavelmente, um exemplo do *yad* hebraico (literalmente, "mão", Isaías 56.5, há versões que trazem o termo "lugar"; 57.8, memoriais). A cidade baixa foi destruída em aprox. 1230 a.C. (que corresponde à data de Débora e Baraque) e nunca mais foi reconstruída.

Durante a Idade do Bronze I foi levantada na acrópole uma grande estrutura que era provavelmente o palácio. Ao seu lado encontrava um Templo retangular de 15 metros de comprimento, cuja entrada fora construída com grandes pedras basálticas. Esse edifício foi demolido e abandonado durante o final da Idade do Bronze I. Os primeiros fundamentos dessa elevação, ou do "stratum" da cidade alta, datam da época do Início da Idade do Bronze. Depois da destruição feita por Tiglate-Pileser, eles continuaram ocupados por uma pequena e desprotegida colônia nos séculos VIII e VII a.C. Essa ocupação foi seguida por fortes assírios, persas e helênicos. Yadim escavou o portão da cidade de Salomão e mostrou que era idêntico aos de seu reino em Megido e Gezer (cf. 1 Rs 9.15). Um edifício público do período do rei Acabe, medindo 15 por 20 metros, continha duas fileiras de colunas de pedra, com nove pilares em cada uma. Na quinta temporada de escavações, foi descoberto o elaborado sistema de fornecimento de água de Hazor. Evidências mostram que quando Acabe reconstruiu a cidade alta de Hazor, fortificando-a para enfrentar longos períodos de sítio, seus homens, primeiramente, fizeram uma escavação com mais de 30 metros de profundidade, com uma escada esculpida na rocha lateral medindo pouco mais de 3 metros de largura, e depois um túnel que media cerca de 4 metros, tanto na altura como na largura, e que descia até encontrar a superfície da água. Maior do que os comparáveis sistemas de água de Megido, Gezer e Gibeão, esse modelo permaneceu em uso até 732 a.C.

***Bibliografia.*** John Gray, "Hazor", AT, XVI (1966), 26-52. Yigael Yadin, Hazor articles, BA, XIX. I (fevereiro de 1956), XX. 2 (maio de 1957), XXI. 2 (maio de 1958) e XXII. I (fevereiro de 1959), editados como um relatório contínuo em *The Biblical Archaeologist Reader,* Garden City: Anchor Books, 1964, pp. 191-224; "The Fifth Season of Excavations at Hazor", 1968-1969", BA, XXXII. 3 (setembro de 1969); "Hazor", TAOTS, pp. 245-263.

2. Cidade no extremo sul de Judá, mencionada apenas em Josué 15.23. Identificada talvez com el-Jebariyeh, no Uádi Umm Ethman, próxima a Bir Hafir, cerca de 15 quilômetros a sudeste de el-'Auja.
3. Outra cidade ao sul de Judá (Js 15.25). Possivelmente a mesma que Queriote-Hezrom. Localizada no distrito de Berseba, no Neguebe; possivelmente identificada com Khirbet el-Qaryatein, sete quilômetros ao sul de Maom. Há versões que mencionam "Queriote e Hezrom".
4. Cidade ao norte de Jerusalém, habitada pelos benjamitas durante a restauração (Ne 11.33). Seu nome foi preservado em Khirbet Hazzur, a oeste de Beit Hanina.
5. Região no norte da Arábia, próxima a Quedar (*q.v.*), habitada por nômades que usavam camelos como montaria, contra os quais Jeremias pronunciou uma sentença de condenação (Jr 49.28-33).

L. L. W.

**HAZOR-HADATA** Cidade no extremo sul do Neguebe de Judá (Js 15.25). Há versões que mencionam as palavras separadamente, Hazor Hadata.

**HÊ** Quinta letra do alfabeto hebraico, usada como título da quinta seção do Salmo 119, onde cada verso da seção começa com essa letra.

**HÉBER**
1. Filho de Berias, neto de Aser (Gn 46.17; 1 Cr 7.31,32). Os seus descendentes eram chamados heberitas (Nm 26.45).
2. Um queneu dos descendentes de Hobabe (*q.v.*), cunhado de Moisés (Jz 4.11). Héber havia se separado dos queneus e se estabelecido na planície de Zaananim, perto de Quedes, quando Débora era juíza de Israel. Ela profetizou a Baraque que Sísera, capitão do exército dos cananeus, seria entregue em suas mãos. Sísera atacou Israel, mas Deus interveio e ele foi derrotado por Baraque. Sísera tentou escapar a pé e correu para a tenda de Jael (*q.v.*), esposa de Héber. Enquanto ele estava dormindo, ela lhe cravou uma estaca nas têmporas, matando-o (Jz 4).
3. Filho de Merede e de uma mulher da tribo de Judá, o fundador de Socó em Judá (1 Cr 4.18).
4. Um dos filhos de Elpaal e um chefe na tribo de Benjamim (1 Cr 8.17).
*Veja também* Éber.

R. H. B.

Um fragmento de papiro do século III d.C. mostrando Hebreus 12.1-11. BM

**HEBREU DE HEBREUS** Quando Paulo afirmou que ele era "um hebreu de hebreus" (Fp 3.5, gr.), ele quis dizer mais do que "nascido de hebreus" (ou de sangue hebreu). Usando uma expressão semita normal (como, por exemplo, "santo dos santos"), ele indicava o grau superlativo.

**HEBREUS, EPÍSTOLA AOS** Uma epístola anônima do Novo Testamento, colocada depois daquelas identificadas como sendo de Paulo e antes das Epístolas Gerais. É uma exortação a uma experiência completa de salvação, apresentada em um estilo grego clássico e retórico. A epístola é única, repleta de questões e características peculiares a si mesma. Não obstante, ela contém uma profunda visão teológica sobre a natureza da salvação que Deus possibilitou por meio de Seu Filho, Jesus Cristo. Isto é pregado por meio de uma argumentação do tipo rabínica das instituições e afirmações do Antigo Testamento a respeito da salvação de Deus. Por toda a epístola encontram-se exortações e princípios úteis para a alegria da salvação. A igreja primitiva esteve durante algum tempo em um dilema quanto ao que fazer com ela, por causa da incerteza quanto à sua origem; e alguns cristãos contemporâneos a vêem como um enigma, por não compreenderem a profundidade de seu alcance.

**Autoria e Canonicidade**

A incerteza sobre o autor resultou em uma lenta admissão ao cânon. Os esforços combinados dos patriarcas da Igreja para atribui-la a Paulo foram mais motivados pelo zelo quanto à canonicidade do que pelo desejo de conhecer a sua autoria. No entanto, depois da sua admissão, a sua inspiração e a sua autoridade são claramente certificadas pela Igreja. Como a autoria não é afirmada no texto, ela é um assunto de interesse dos estudiosos e não um comprometimento teológico.

Quando a Igreja Ocidental mencionou pela primeira vez essa epístola, nada foi dito sobre a sua autoria. Da Igreja de Alexandria vieram sugestões de que Paulo era o autor; no entanto, Orígenes de Alexandria concluiu: "Mas quanto a quem realmente escreveu a epístola, Deus sabe a verdade sobre esse assunto". A história subseqüente da questão atesta a sabedoria da conclusão de Orígenes, pois alguns estudiosos do assunto na época da Reforma sugeriram como autores, além de Paulo, Barnabé, Clemente de Roma e Lucas.

Lutero foi o primeiro a sugerir Apolo. Como os estudos da Bíblia desenvolveram-se na época da Reforma, cada vez menos estudiosos sustentaram a autoria de Paulo, de modo que poucos a defendem de forma séria hoje em dia. No entanto, ela continuou a ser homileticamente conveniente, e é assim com freqüência afirmada de forma inquestionável. Também são sugeridos como autores Filipe, o diácono, Priscila e Áquila, Aristion, Silas, Marcos e Judas.

Entre as evidências apresentadas para a autoria de Paulo, estão a menção de Pedro a uma carta escrita por Paulo, possivelmente aos judeus (2 Pe 3.15,16); a associação com Timóteo (cf. Hb 13.23) e Roma (cf. v. 24); um final parecido com os finais de Paulo; e muitos pontos de concordância teológica. A evidência mais freqüentemente oferecida, no entanto, é simplesmente a tradição. Na verdade, este é provavelmente o argumento mais forte e não deve ser descartado sem razão. O fato é que Paulo é o candidato sugerido mais amplamente aceito, e ele tem sido aceito por mais pessoas e durante um período de tempo mais longo do que qualquer outro candidato.

Entretanto, um grande número de razões tem sido apresentadas para descartar a tradicional autoria de Paulo. A Igreja levou um longo tempo para sugeri-la, e a sugestão veio da parte da Igreja que provavelmente tinha menos conhecimento, e sem uma cuidadosa argumentação, ao passo que a parte que provavelmente tinha mais conhecimento se absteve. Contudo, foi considerada tradicional durante a época dos estudiosos menos críticos. A falta de assinatura e saudações pessoais, e o uso exclusivo da LXX não são típicos das epístolas assinadas por Paulo. O estilo não é semelhante ao daquelas, no sentido de que utiliza retórica esmerada, espírito helenista, idéias completas e sentenças equilibradas. Também existe um vocabulário diferente e um ponto de vista teológico peculiar. Paulo representa Cristo habitando em cada crente, ao passo que, em Hebreus, Ele está representado "à destra do Pai"; Paulo mostra a lei como sendo eticamente impossível, ao passo que Hebreus argumenta que ela é cerimonialmente impossível. Além disso, esta epístola não se encaixa facilmente no itinerário de Paulo (cf. Hb 13.23). O argumento mais forte contra a autoria de Paulo é o de que parece impossível para o mesmo homem reconhecer uma fonte secundária de informações (2.3) e, em outros pontos, insistir nas revelações em primeira mão e diretas (Gl 1.11-24).

Apolo é o personagem apostólico cuja descrição bíblica (At 18.24-28; 1 Co 1.13; 3.4) mais se aproxima do tipo de homem que escreveria uma epístola como Hebreus. Ele era um judeu de Alexandria, um "varão eloqüente e poderoso nas Escrituras", e intimamente associado com Paulo. Primeiramente sugerida por Lutero, esta se tornou a versão aceita por um número crescente de estudiosos, em que estão incluídos T. W. Manson, W. F. Howard, C. Spicq, Alford, F. W. Farrar e Hugh Montefiore. Contudo, isso não justifica a omissão do seu nome, e parece estranho que a Igreja de Alexandria não conheça nem defenda fervorosamente a autoria de Apolo.

## Data

Diversas afirmações indicam que a epístola foi escrita durante a segunda geração do período apostólico, o que se deve, por exemplo, ao processo de transmissão (2.1-4), à época do crescimento (5.12), aos "dias passados" (10.32), aos líderes mortos (13.7), e à prisão de Timóteo (13.23). Contudo, as instituições judaicas ainda estavam em operação e o Templo ainda existia (13.10,11), embora em breve deixaria de existir (12.27) e a perseguição fosse iminente (10.32ss.; 12.4). Estes fatores parecem colocar a escrita ao redor do final dos anos 60 d.C., aprox. entre 67 e 69.

## Destinatários e Leitores

É difícil identificar os destinatários e o público leitor, uma vez que não existem afirmações internas nem externas. O título e o uso do Antigo Testamento foram tomados como indicações de um público leitor judeu-cristão. Mas esta suposição é cada vez mais desafiada, e foi sugerido que o público leitor era o dos gentios convertidos do paganismo (Moffatt, E. F. Scott). Outros estudiosos recentes sugerem judeus não-palestinos (William Manson, F. F. Bruce), essênios ou antigos essênios (C. Spicq, Yadin). A representação é da experiência do deserto dos hebreus e do Tabernáculo, e não do estado de restauração e do Templo, e nada é dito sobre a ênfase característica do judaísmo sobre a circuncisão. As citações e as referências do Antigo Testamento não são tão obscuras a ponto de não serem compreendidas por alguém que tenha estudado o Antigo Testamento. Mas as advertências parecem encaixar-se melhor nos cristãos que estavam correndo o risco de recair nas práticas do judaísmo. Talvez se possa supor que, embora o público leitor não necessariamente devesse ser judeu, provavelmente era judeu, ou pelo menos fortemente influenciado pelo judaísmo. A cidade de Roma, agora, parece estar descartada como o lugar da escrita (veja 13.24), mas poderia ser a destinatária.

De maior importância que esses assuntos, tanto quanto a interpretação da epístola e sua aplicação contemporânea, é a condição espiritual do público leitor. Os leitores foram convertidos ao cristianismo por meio do testemunho daqueles que tinham conhecido Jesus (2.3ss.) e, portanto, eram os crentes da segunda geração. Mesmo não vindo do judaísmo (ou provavelmente de algum contexto não palestino), eles adquiriram um forte respeito pelas antigas instituições dos hebreus e pelas promessas de Deus a Israel (evidentemente a partir de um estudo da LXX e não da observância da adoração no Templo em Jerusalém). Logo tiveram que suportar uma perseguição significativa (10.32ss.), embora não tão severa quanto aquela que era iminente (12.4). A crise criou neles uma expressão prática de sua fé, e assim preocupavam-se em servir aos seus irmãos – em especial àqueles que estavam sendo mais afetados pela perseguição (6.10; 10.34).

Apesar dessas experiências precoces, eles não estavam mais crescendo (5.11–6.20) e, na verdade, estavam começando a retroceder (2.1ss.). Não porque estivessem rebelando-se conscientemente contra o evangelho da fé, ou voltando-se propositalmente a outra coisa; mas sim assumindo a salvação como sendo uma bênção garantida, e abusando da graça de Deus, que exigiu o sacrifício de Seu Filho (10.26-31). Eles estavam letárgicos e preguiçosos com respeito à sua fé (3.7–4.13) e suscetíveis aos falsos ensinos (13.7-9). Estavam propensos a exagerar na questão da importância dos anjos (1.5-14) e da efetividade da lei, e a depreciar a suficiência do sacrifício de Cristo (9.11–10.31) e a sua perfeição (4.14–5.10; 7.1–8.13), assim como o valor da realidade suprema que lhes fora prometida (11.13-16). Eles possuíam a salvação, mas estavam sendo negligentes em termos de vivê-la. Portanto, estavam em perigo, correndo o risco não apenas de deixar de alcançar a plenitude da sua salvação, mas também de perder o privilégio de experimentá-la no presente. Ao invés de receberem as "coisas melhores" que lhes estavam prometidas, corriam o risco de perder as bênçãos já recebidas, ficando apenas com as coisas menores, do passado.

### Argumento e Propósito

Esta epístola fornece uma contribuição significativa à teologia do Novo Testamento, mas seu principal objetivo não é teológico. O escritor refere-se a ela como "a palavra desta exortação" (13.22), e este é seu objetivo ao longo de toda a carta. Ele escreve sobre a compaixão daquele que se preocupa com os cristãos como um grupo, e tem algum tipo de responsabilidade pastoral para com eles. Ele os exorta a uma prática determinada e ativa para a sua salvação, de modo que possam alcançar aquilo que a salvação tem para lhes dar, evitando as conseqüências desastrosas da negligência.

Podemos considerar que o autor está tentando oferecer um estudo coletivo das advertências, e conseqüentemente das passagens exortativas. Ele adverte seus leitores sobre as conseqüências inevitáveis da negligência à salvação (2.1-3), a perda do repouso de Deus (3.7-19), a desqualificação para o repouso (4.1-11), a impossibilidade do retorno de uma apostasia consciente (6.4-8) e a inexistência de uma provisão para o pecado deliberado e consciente (10.26-31).

Intimamente ligadas a estas são suas exortações: estejam alertas, para que não se desviem (2.1-4); tenham cuidado, para não perderem a fé (3.7–4.13); prossigam, não dando lugar a qualquer retrocesso (5.11–6.20); aproximem-se, não dando lugar a qualquer afastamento (10.19-39); edifiquem-se, não dando lugar à queda ou à ruína pessoal (12.12-29).

Se seus leitores eram judeus ou gentios, ou se era ao judaísmo ou ao paganismo que eles estavam em perigo de retornar, não é tão claro quanto à condição espiritual do momento, e o perigo no qual o autor os encontrou. Ele faz a comparação não com o judaísmo nem com o paganismo, mas com a peregrinação dos hebreus no deserto entre o êxodo da escravidão do pecado e a entrada na terra prometida. A condição em que estavam poderia ser classificada como tão pobre e tão infrutífera quanto o deserto. Como seus leitores eram culpados pelo mesmo tipo de descrença e desobediência que os hebreus na época de Moisés, eles corriam o mesmo perigo de morrer onde estavam, sem jamais entrarem no repouso prometido. Eles não se pareciam com os judeus das sinagogas, trabalhando por sua religião, mas sim com os hebreus do deserto, deixando de colocar em prática sua salvação. O objetivo da Epístola aos Hebreus é o de exortar os cristãos a se tornarem ativos na sua experiência atual com a salvação de Deus, para que possuíssem tudo o que Deus havia prometido, enquanto houvesse tempo.

### Esboço

Uma exortação a respeito da salvação concedida por Deus

I. Descrição da Salvação de Deus, 1.1–4.13
  A. Provisão da salvação de Deus: o Filho de Deus, 1.1–3.6
    1. Sua superioridade sobre os anjos, 1.1-14
    2. As razões para a sua humanidade, 2.1-18
    3. Considerações a respeito dele como Apóstolo e Sacerdote, 3.1-6
  B. O fim da salvação de Deus: o repouso de Deus, 3.7–4.13
    1. O perigo de perder aquele repouso, 3.7-9
    2. A perda da qualificação para aquele repouso, 4.1-11
    3. A Palavra de Deus como a guardiã do cristão, 4.12,13

II. O Sacerdócio da Salvação de Deus, 4.14–7.28
  A. Introdução ao sacerdócio, 4.14–5.10
  B. Instruções suplementares, 5.11–6.20
  C. Sacerdócio do tipo daquele que tinha Melquisedeque, 7.1-10
  D. O perfeito sacerdócio do Senhor Jesus, 7.11-28

III. O Sistema da Salvação de Deus, 8.1–10.18
  A. A nova e melhor aliança, 8.1-13
  B. O contraste entre o Tabernáculo terreno e o celestial, 9.1-14
  C. A ratificação da nova aliança, 9.15–10.18

IV. A Vida da Salvação de Deus, 10.19–13.16
  A. A exortação conseqüente, 10.19-39
  B. Os heróis da fé, 11.1-40
  C. A nossa vida de fé, 12.1–13.16

V. Encerramento, 13.17-25

### Teologia

A teologia da epístola é tão única que muito tempo tem sido gasto na comparação e no contraste com o resumo da teologia do Novo Testamento (especialmente com a teologia de Paulo). Uma investigação ainda maior foi realizada para encontrar raízes ideológicas nas religiões contemporâneas e nos sistemas filosóficos. As primeiras associações foram feitas com Filo, em seguida com o gnosticismo, e mais recentemente com o essenismo judeu. Em cada caso, semelhanças impressionantes foram superadas por divergências mais significativas. O autor mostra familiaridade com uma variedade de escolas de pensamento, mas a sua teologia é distinta e própria. Encontrando uma analogia no dualismo matéria/ideal de Platão, ele fala da realidade presente como sendo apenas uma sombra da realidade suprema. Assim, para os gregos dualistas, Hebreus apresenta Cristo como permitindo o acesso à suprema realidade em Deus. Outra analogia vem do temor a Deus demonstrado pelos hebreus. A epístola mostra que Cristo inaugurou o caminho para Deus no santuário supremo do céu, por meio de sua própria reconciliação "de uma vez por todas". Assim, para os judeus tementes a Deus, Hebreus apresenta Cristo como permitindo amplo acesso à presença de Deus.

Os conceitos teológicos da epístola são, todos, aplicações dessas suposições básicas: Cristo permite acesso à realidade e acesso a Deus. Não é desenvolvida nenhuma preocupação teológica que não faça uma contribuição conceitual à exortação a viver a salvação de Deus.

A cristologia é importante porque o conceito da perfeição nasce da soteriologia, que se baseia solidamente na cristologia. A salvação é uma bênção porque foi proporcionada na pessoa do Filho de Deus. A epístola tem um dos mais elevados conceitos da filiação de Cristo que se pode encontrar em qualquer passagem da Bíblia. O Filho é superior aos patriarcas, aos profetas, e até mesmo aos anjos, cuja magnitude era exagerada pelos rabinos. E o Filho de Deus identifica-se com o homem tornando-se homem. O crente, então, torna-se um irmão do Filho de Deus e, portanto, torna-se um filho de Deus.

O Filho tornou-se o Sacerdote Supremo e Perfeito para todos os homens (e não exclusivamente o representante do povo da antiga aliança). Ele é o Sacerdote Supremo porque sua reconciliação não precisará jamais ser repetida, ano após ano, e pelos mesmos pecados, mas foi feita "de uma vez por todas". Ele é o perfeito Sacerdote-Salvador porque verdadeiramente realizou a remoção real do pecado e a redenção do pecador ao invés de simplesmente cobrir o que ainda permanece na consciência. Mantendo a imagem do Dia da Expiação, o Senhor Jesus é representado como o Supremo Sumo Sacerdote. Para mostrar seu sacerdócio inigualável, o autor o chama, por analogia, de "sacerdote segundo a ordem de Melquisedeque".

A soteriologia de Hebreus não representa a salvação como um objetivo para os perdidos ou como uma possessão dos fiéis, mas exorta os cristãos a fazerem uso da sua salvação. Embora a crucificação e a ressurreição sejam efetivamente assumidas e estejam claramente implícitas, a Epístola aos Hebreus concentra-se no sacrifício, e não na maneira como a vítima é morta no altar. Ela destaca a maneira como o sacrifício é conduzido até o Santíssimo (a mão direita do Pai) e mediado por constante intercessão. A salvação é descrita em termos cerimoniais (sacerdócio supremo) e forenses (nova aliança), e não apenas éticos (Paulo). Então Hebreus mostra a imagem do sumo sacerdote levando o sangue da vítima do altar até o Santo dos Santos (através do véu do Templo), ano após ano, sendo substituído por Jesus levando seu próprio sacrifício da cruz através do véu, entre a realidade imperfeita e a realidade suprema, até o céu, de uma vez por todas.

A santificação é descrita em termos altamente peculiares nesta epístola, centrando-se em um conceito de perfeição que é remanescente da insatisfação de Platão com a imperfeição do presente e a antecipação da perfeição do futuro. O objetivo da salvação de Deus é que o homem desfrute o repouso de Deus, do qual fala de várias formas, como a chegada a um destino, como a realização de uma tarefa e como a paz com Deus. O repouso de Deus pode ser definido, então, como a companhia perfeita e eterna de Deus. Mas a perfeição e o repouso são concebidos em termos dinâmicos, de modo que o crente esteja sempre no processo da perfeição e chegando ao seu repouso. A perfeição não é um prêmio a ser conquistado, mas uma experiência a ser perseguida. A apostasia deve ser temida porque não se trata da perda de uma possessão, mas sim de uma experiência.

A Epístola aos Hebreus não discute a segurança eterna, uma vez que os leitores estavam completamente convencidos dela e, na verdade, estavam supondo que ela fosse o ponto de negligência da atual experiência da salvação. A epístola mostra que a apostasia é o fracasso no processo da salvação do pecado. Quando uma pessoa não está sendo salva dos seus pecados atuais, ela não está vivendo a salvação. Se persistir nessa condição durante tempo suficiente, ela se tornará tão endurecida que nunca mais retornará à aquela experiência anterior de estar no processo de salvação.

O autor, ao invés de ser considerado culpado pela falta de apreço ao recebimento da salvação, deveria receber os créditos por levar a sério a sua utilização. Ele não ensina a segurança eterna porque isso é desnecessário. Ao invés de deixar os leitores à vontade com respeito ao fim, ele os coloca na benéfica tensão entre a segurança sobre a eternidade e as perdas do presente, e essa tensão possibilita a posse da primeira e a fuga da segunda, ao mesmo tempo em que assegura uma salvação completa do começo ao fim.

***Bibliografia.*** William Barclay, *The Letter to the Hebrews*, Filadélfia: Westminster Press, 1957. F. F. Bruce, *The Epistle to the Hebrews*, NIC, Grand Rapids: Eerdmans, 1964. Marcus Dods, "The Epistle to the Hebrews", EGT, IV, Grand Rapids: Eerdmans, reimpressão, 1956. William Manson, *The Epistle to the Hebrews*, Londres: Hodder & Stoughton, 1951. Andrew Murray, *The Holiest of All*, Londres: Nisbet & Co., s.d. (devocional). Alexander Nairne, *The Epistle to the Hebrews*, Cambridge: Univ. Press, 1921. William R. Newell, *Hebrews Verse by Verse*, Chicago: Moody Press, 1947. John Owen, *Hebrews: The Epistle of Warning*, Grand

Hebrom. HFV

Rapids: Kregel, 1953 (uma condensação da obra de 8 volumes de Owen). Adolph Saphir, *The Epistle to the Hebrews*, 2 volumes, Nova York: Loizeaux Bros., s.d. (exposição acalorada por um professor cristão de origem judaica). B. F. Westcott, *The Epistle to the Hebrews*, Grand Rapids: Eerdmans, reimpressão, 1950. Ronald Williamson, *Philo and the Epistle to the Hebrews*, Leiden: Brill, 1970.

W. A.

**HEBROM**

1. O terceiro filho citado de Coate, filho de Levi (Êx 6.18; Nm 3.19,27; 1 Cr 6.2,18; 23.12). Os seus descendentes eram chamados de hebronitas (Nm 3.27; 26.58; 1 Cr 26.23,30,31).

2. Um descendente de Calebe (1 Cr 2.42,43).

3. Uma cidade muito antiga, 30 quilômetros ao sudeste de Jerusalém, no caminho para Berseba via Belém. Está aprox. 1.000 metros acima no nível do mar, a cidade de maior altitude da Palestina. Era originalmente chamada de Quiriate-Arba ("cidade de Arba" ou "cidade dos quatro", em referência a um grande herói dos anaquins [Js 14.15] ou, assumindo *'arba'* como um numeral, aos quatro clãs que ali viviam, Anaque e seus três filhos [Js 15.14]). O nome Quiriate-Arba pode ter sugerido uma lenda curiosa de que Adão foi enterrado ali, e de que Abraão, Isaque e Jacó desejavam ser enterrados junto com ele. Em Números 13.22, fala-se de Hebrom como construída, ou reconstruída, sete anos antes de Zoã (ou Avaris, Sl 78.12) no Egito. Alguns estudiosos acreditam que este versículo implique em uma conexão com os hicsos (*q.v.*), que construíram a sua capital no delta noroeste do Egito em Avaris, em 1700 a.C.

A principal fama de Hebrom está relacionada ao fato de Abrão ter residido muito tempo em sua vizinhança, em Manre (Gn 13.18). Ele estava vivendo ali quando uma confederação de reis dominou as cidades da planície e capturou Ló (Gn 14.1-13). Em Hebrom, seu nome foi mudado para Abraão. Ali também ele recebeu os visitantes celestiais que lhe falaram do nascimento de Isaque (Gn 18.1-15). Sara morreu em Hebrom (Gn 23.2) e Abraão comprou a caverna (ou cova) de Macpela nas proximidades para ser seu sepulcro (Gn 23.9). É provável que Efrom, o heteu, e os "filhos de Hete" (Gn 23.5,10) não tenham nenhuma conexão racial ou política com os poderosos heteus indo-europeus (*q.v.*). Isaque viveu em Hebrom (Gn 35.27). Mais tarde, José foi enviado dessa região aos seus irmãos por Jacó (Gn 37.14). Abraão, Sara, Isaque, Rebeca, Jacó e Léia (Gn 49.31; 50.13) foram todos sepultados na propriedade que Abraão tinha comprado, nas proximidades de Hebrom.

Os doze espias hebreus viram Hebrom (Nm 13.22). Josué matou o rei da cidade durante o período da conquista (Js 10.3-27). Calebe a reivindicou como sua herança, e expulsou os anaquins (Js 14.12-15; 15.13,14). Hebrom foi designada para ser uma cidade de refúgio (Js 20.7). Davi foi bem recebido pelos hebronitas (1 Sm 30.31) e reinou ali durante sete anos e meio (2 Sm 5.5). A revolta de Absalão teve início em Hebrom (2 Sm 15.7-12). A família de Roboão fortificou a cidade como uma das cidades fortes para proteger suas fronteiras ao sul e a oeste contra invasões egípcias como a de Sisaque (2 Cr 11.5,10; 12.2-4). Alças estampadas de jarros reais dos séculos VIII e VII a.C. com o nome Hebrom, dentre quatro cidades, sugerem que ela era a principal cidade de suprimentos para rações do exército no sistema de defesa militar iniciado pelo rei Uzias (2 Cr 26.10; Y. Yadin, "The Fourfold Division of Judah", BASOR #163, pp. 6-12).

Alguns dos judeus no período pós-exílico preferiram viver em Hebrom (Quiriate-Arba) e nas vilas à sua volta a ir morar em Jerusalém (Ne 11.25). Mais tarde, os idumeus ocuparam Hebrom até que Judas Macabeu a capturou (1 Mac 5.65). Durante a primeira revolta dos judeus, ela foi ocupada por um breve período por Simon bar-Giora, mas os romanos a atacaram e a queimaram (Josefo, *Wars*, iv.9.7, 9).

A cidade atual é conhecida pelos árabes como el-Khalil ("o amigo", referindo-se a Abraão como amigo de Deus; cf. Isaías 41.8 e Tiago 2.23). Ela rodeia o terreno muçulmano sagrado ou Haram, com uma grande mesquita sobre o lugar tradicional da cova de Macpela. A reputação de Hebrom é a de grande conservadorismo e quase fanática dedicação ao islamismo.

Uma colina a oeste da cidade atual, chamada Jebel er-Rumeideh, foi a localização de Hebrom até a época das Cruzadas. Em 1964, Phillip C. Hammond iniciou escavações que descobriram evidências da ocupação desde aprox. 3000 a.C., um muro de meados da Idade do Bronze (2000-1550 a.C.), materiais do século XV a.C., ruínas estratificadas do período israelita, e evidências dos períodos romano (final), bizantino e islâmico (BA, XXVIII [1965], 30-32).

W. C. e J. R.

**HEBRONITAS** Uma família de levitas descendentes de Hebrom, o terceiro filho de Coate (Nm 3.27; 26.58; 1 Cr 26.23, 30,31). *Veja também* Hebrom.

**HÉFER, HEFERITAS**
1. Filho de Gileade e pai de Zelofeade, da tribo de Manassés. Seus descendentes são chamados heferitas. Embora Zelofeade tenha tido somente filhas, a herança lhes foi concedida como se fossem filhos, e desta forma a sua descendência permaneceu em Israel (Nm 26.32; 27.1; Js 17.2,3).
2. Um homem da tribo de Judá e filho de Asur com a sua mulher Naara (1 Cr 4.6).
3. O mequeratita, um dos poderosos de Davi (1 Cr 11.36). Pode ser o Elifelete, um maacatita, que aparece na lista paralela (2 Sm 23.34).
4. Uma cidade na planície de Sarom, a noroeste de Jerusalém. O rei de Héfer foi dominado por Josué, e a cidade foi usada por Salomão como uma cidade de armazenamento (Js 12.17; 1 Rs 4.10). Ela pode ser Tell Ibshar, perto da costa sul de Cesaréia.

**HEFZIBÁ**
1. Esposa do rei Ezequias de Judá, mãe de Manassés (2 Rs 21.1).
2. Juntamente com os três outros nomes femininos com significados descritivos em Isaías 62.4 – Azubá, "desamparada", Shemamah, "desolada", e Beulá, "casada" – Hefzibá é um nome atribuído simbolicamente à Jerusalém restaurada, ocasião em que Deus se agradará da sua cidade. Seguindo a LXX, várias versões traduzem aqui a palavra com um significado equivalente a "minha alegria está nela" (ou "o Senhor se agrada de ti").

**HEGAI** O oficial [eunuco] do rei Assuero encarregado das belas virgens dentre as quais seria escolhida a sucessora da rainha Vasti, que fora deposta (Et 2.8,15). Em algumas versões inglesas, escreve-se Hege (Et 2.3).

**HEGE** O mesmo que Hegai (*q.v.*).

**HEGLAM** Um nome alternativo para Gera (*q.v.*), filho de Eúde (1 Cr 8.7). Entretanto, várias versões inglesas (KJV, ASV, JerusB e Anchor) tratam o nome como um verbo e o traduzem como "ele os removeu", "ele os conduziu ao exílio" etc.

**HELA** Esposa de Asur, descendente de Hur (1 Cr 4.5, 7).

**HELÃ** Uma cidade a leste do rio Jordão, provavelmente na fronteira sul da Síria. Joabe, o comandante do exército de Davi, derrotou os aliados sírios de Amom neste local (2 Sm 10.16,17). Esta cidade parece constar no texto de execração egípcio (BASOR #83, p. 33) e é provavelmente a Alama de 1 Mac 5.26, que pode ser a moderna 'Alma, na planície de Haurã.

**HELBA** Uma cidade no território da tribo de Aser (Jz 1,31). Sua localização exata é desconhecida. É possível que seja Ahlab, na costa do Mediterrâneo, a norte de Tiro.

**HELBOM** Uma cidade da Síria, aprox. 25 quilômetros a noroeste de Damasco, famosa nos tempos antigos pela excelência do seu vinho (Ez 27.18). É a moderna Halbûn, localizada em um vale íngreme. Ainda é conhecida pelas extensas videiras em seus taludes próximos.

**HELCAI** Um sacerdote da família de Meraiote (Ne 12.15) entre os sumos sacerdotes de Joiaquim nos primeiros anos do século V a.C. Esta é provavelmente uma abreviatura do nome Hilquias (Ne 8.4).

**HELCATE** Uma cidade de Aser na fronteira sul, próxima ao monte Carmelo (Js 19.25). Foi designada aos levitas da família de Gérson (Js 21.31). A sua localização exata é desconhecida. Em 1 Crônicas 6.75, é chamada de Hucoque (*q.v.*).

**HELCATE-HAZURIM** ("campo dos fios de espada" ou "campo das espadas"). Um campo junto ao tanque de Gibeão onde o exército de Davi, liderado por Joabe, se encontrou com o exército de Isbosete, liderado por Abner. Doze homens de cada exército se enfrentaram em combate individual, e morreram; em seguida, o exército de Davi expulsou as forças de Isbosete (2 Sm 2.16).

**HELDAI**
1. Um herói subordinado a Davi. Heldai foi o capitão dos serviços do Templo no 12º mês (1 Cr 27.15). O seu nome também aparece como Helede (*q.v.*; 1 Cr 11.30) e como Helebe (*q.v.*; 2 Sm 23.29).
2. Um homem que retornou do exílio na época de Zorobabel (aprox. 520 a.C.). O seu nome também aparece como Helém (*q.v.*; Zc 6.14), além de Heldai (Zc 6.10).

**HELEBE** Filho de Baaná, o netofatita, um dos poderosos de Davi (2 Sm 23.29). Chamado Helede em 1 Crônicas 11.30 (*q.v.*). *Veja também* Heldai 1.

**HELEDE** Este nome só é encontrado em 1 Crônicas 11.30. *Veja* Helebe; Heldai 1.

**HELEFE** Uma cidade fronteiriça de Naftali nas proximidades do monte Tabor (Js 19.33). A sua localização exata não é conhecida.

**HELÉM**
1. Bisneto de Aser (1 Cr 7.35). É chamado de Hotão (*q.v.*) em 1 Crônicas 7.32.
2. O mesmo que Heldai 2 (*q.v.*).

**HELENISTAS** *Veja* Gregos.

**HELEQUE, HELEQUITAS** O segundo filho de Gileade, da tribo de Manassés, e o fundador da família dos helequitas (Nm 26.30; Js 17.2).

**HELES**
1. Um descendente de Judá, do clã de Jerameel (1 Cr 2.39).
2. Um comandante de 24 mil soldados do exército de Davi, responsável pelo turno que trabalhava no 7º mês. É identificado como sendo da tribo de Efraim (1 Cr 27.10). A sua aldeia pode ser indicada pelos adjetivos "paltita" (2 Sm 23.26) e "pelonita" (1 Cr 11.27; 27.10), mas nenhum termo se refere a uma aldeia conhecida; eles se referem a Bete-Palete, perto de Berseba, no sul de Judá.

**HELI** Forma grega do nome hebraico *'Eli.* Foi o pai de José, o marido de Maria, de acordo com o texto ininterrupto da genealogia de Jesus expressa por Lucas (3.23). No entanto, o versículo pode ser traduzido como: "Jesus, ao começar seu ministério, tinha cerca de trinta anos, sendo filho (como se julgava) de José, filho de Heli" (TB). R. C. H. Lenski interrompe a frase principal "sendo filho (como se julgava de José), filho de Heli" (TB). A expressão *hos enomizeto*, "como se julgava", pode ter o sentido de "segundo a tradição". Como comenta Norval Geldenhuys: "Como não era habitual (entre os romanos, assim como entre os judeus) inserir o nome de uma mulher em uma árvore genealógica, [Lucas] adicionou as palavras '(como se cuidava) filho de José'. Ele não tinha receio de que os seus leitores pudessem ter a impressão de que a árvore genealógica era a de José, e não a de Maria, porque em Lucas 1 e 2 ele havia expressamente ressaltado que Jesus era unicamente o filho de Maria, e não de José e Maria" (*Commentary on the Gospel of Luke*, p. 151; veja também os seus argumentos adicionais, pp. 150-155). Conseqüentemente, Heli (na versão TB em português) ou Eli (nas demais versões) era o sogro de José e o avô materno do Senhor Jesus.

J. R.

**HELOM** Pai de Eliabe, chefe da tribo de Zebulom, que foi escolhido para servir como um ajudante de Moisés (Nm 1.9; 2.7; 7.24, 29; 10.16).

**HEMÃ**
1. O equivalente a Homã (Gn 36.22), um horeu. *Veja* Homã.
2. Um sábio, um dos filhos de Maol (1 Rs 4.31), isto é, membros da associação orquestral, ou *cantores*, solistas da sinagoga. Em 1 Crônicas 2.6, ele é mencionado como um filho de Zerá (ou Zera), da família de Judá. Um sobrescrito atribui a ele a autoria do Salmo 88.
3. Um dos músicos do Templo no reino de Davi. Era um coatita, filho de Joel e descendente do profeta Samuel (1 Cr 6.33; 15.17, 19; 16.41,42). Foi chamado de vidente de Davi (1 Cr 25.5). Os filhos de Hemã também participavam dos serviços musicais do Templo (1 Cr 25.1-8; também 2 Cr 5.12; 29.14; 35.15). Talvez o termo "filhos" refira-se aos membros do coro sob a sua direção.

**HEMORRÓIDAS** *Veja* Doença: Doenças Internas.

**HENA** Uma cidade conquistada pela Assíria. Não se conhece a sua localização exata. Como a palavra significa "baixo", e a cidade é mencionada com duas outras cidades no rio Orontes, Hamate e Arpade, é provável que Hena estivesse na mesma área geral (2 Rs 18.34; 19.13; Is 37.13).

**HENA** *Veja* Plantas.

**HENADADE** O chefe de uma família de levitas na comunidade da Jerusalém pós-exílica (Ed 3.9; Ne 3.18,24; 10.9).

**HENDÃ** Filho de Disom (ou Disã; Gn 36.26). Na genealogia paralela das Crônicas (1 Cr 1.41), ele é chamado de Hanrão, aparentemente devido a alguma variação de escrita.

**HEPATOSCOPIA** Do genitivo *hepatos*, do termo gr. *hepar*, "fígado", e *skopeo*, "olhar para". Eram adivinhações baseadas no exame do fígado de um animal sacrificado. Era um costume amplamente difundido entre babilônios, gregos e romanos. Por meio dele, os sacerdotes pagãos obtinham orientações e previsões. O fígado (*q.v.*) era considerado por alguns como a base da vida; por outros, como um órgão que refletia o universo e a sua história. O prognóstico era provavelmente baseado nas condições de saúde do fígado, indicadas pela intensidade e uniformidade de sua cor, ou na sua falta de saúde revelada pela falta de cor e por manchas, tudo isso unido ao elemento do acaso na escolha de um determinado animal para sacrifício.
A hepatoscopia é mencionada em Ezequiel 21.21 como tendo sido praticada pelo rei da Babilônia, mas nunca foi usada pelos israelitas, exceto quando eles degeneravam-se caindo no paganismo. Inúmeros modelos de fígados de animais, em argila, normalmente apresentando inscrições cuneiformes para ensinar esta arte aos adivinhos do Templo, foram encontrados na Babilônia, e alguns em Hazor e em Megido, nas camadas cananitas do fim da Idade do Bronze.
*Veja* Adivinhação; Magia.

R. A. K.

**HERA** *Veja* Plantas: Hera.

**HERANÇA** Enquanto o AT desenvolve a lei hebraica da herança legal, a importância teológica da herança é proeminente no trato de Deus para com o homem, tanto no AT como no NT.

A idéia básica é a posse estabelecida de terra e propriedade pessoal através de uma escritura estável e permanente, independentemente de como a propriedade foi adquirida. Freqüentemente, inclui-se o conceito da aquisição por sucessão de propriedade pertencendo a um antepassado de certa pessoa, tendo a alocação ou distribuição dessa propriedade sido efetuada por Deus. Intimamente relacionadas à herança estão as idéias de aliança (no AT) e filiação (no NT).

**A Herança no Antigo Testamento**

Embora a análise estatística das palavras hebraicas para herança seja difícil (uma vez que o termo herança nas várias versões nem sempre represente a mesma palavra hebraica, nem as palavras hebraicas pertinentes sejam sempre traduzidas como herança), observa-se que *nahal* ("entregar herança", "receber propriedade") e *nahala* ("herança") são as palavras hebraicas mais relevantes e freqüentes. Note também: *heleq* ("porção", Salmo 16.5); *y[e]rushsha* ("possessão", "coisa ocupada", Juízes 21.17; Jeremias 32.8); *morasha* ("possessão", "coisa ocupada", Deuteronômio 33.4); *yarash* ("conquistar", "ocupar", "possuir", "herdar", Josué 1.11).

*A Terra Prometida, a herança de Israel.* A herança material na lei e no costume do AT não pode ser entendida fora da importância teológica da herança, como algo derivado da aliança de Abraão. A promessa feita a Abraão (Gn 12.1-3; 13.14-17 etc.) tinha um objetivo duplo: um herdeiro (Isaque, então a nação, e por fim Cristo) e uma herança (a terra de Canaã). A expectativa messiânica de Israel e o aprofundamento gradual do tema da herança no AT são provenientes da promessa feita a Abraão.

Embora toda a terra pertença a Deus (Êx 19.5; Dt 10.14), e Ele como Criador a tenha entregado ao homem para que este a possua, cultive e dela desfrute (Sl 115.16), Ele selecionou um povo específico como a sua herança e selecionou uma porção de terra específica para dar a este povo como herança (1 Rs 8.36). Embora Israel não tenha inicialmente recebido Canaã de seus pais, ainda que as promessas de Deus sejam uma realidade quando pronunciadas, a terra deveria ser a sua herança por todas as gerações, e é vista retrospectivamente como uma herança da época da concessão original de Deus. Portanto, a posse de Canaã, em seu todo ou em suas várias porções, pertence à nação de Israel, ou a cada tribo, família ou indivíduo.

A base dessa possessão é a graça de Deus no cumprimento da promessa. Deus supervisionou a conquista, confiando a tarefa a Josué (Dt 1.38) e intervindo em favor de Israel (Js 21.43-45). Desse modo, a natureza dessa herança da terra não é uma simples sucessão de geração a geração, mas uma herança que Deus concedeu a Israel (Dt 12.9,10).

Deus não apenas cumpriu a sua promessa supervisionando a conquista da terra que Ele destinou para Israel, mas Ele também a cumpriu direcionando a sua partilha entre as tribos por meio de sortes, o que era considerado como uma decisão divina (Nm 33.54; Js 14.2). Nessa divisão, cada tribo recebeu a sua parte ou porção na herança (Js 14.2; 15.1; 16.1; 17.1; 18.1-11). A partilha estendia-se a cada família (Js 15.1,20) e a indivíduos (Calebe, Js 15.13; Josué, Js 19.49,50). No entanto, a tribo de Levi não teve nenhuma herança, embora tenha assumido 48 cidades (Nm 35.2-8).

Embora a promessa final de Deus a respeito da terra seja imutável, a possessão total da terra por qualquer geração de israelitas em particular está condicionada à obediência aos mandamentos divinos (1 Cr 28.8; cf. Dt 4.1). A punição pela desobediência inclui a perda da terra (Dt 4.25,26; 1 Rs 14.15), como ilustrado no caso do cativeiro babilônico. Conseqüentemente, o arrependimento está relacionado à restauração da terra (Ez 36.8-15; 37.21-28). A destituição da posse a qualquer geração de israelitas em particular por causa da incredulidade não invalida a promessa incondicional de Deus, pois aqueles que fizerem parte da geração que estiver vivendo por ocasião da segunda vinda de Cristo, "para sempre herdarão a terra" (Is 60.21), e a desfrutarão em perfeita felicidade, uma promessa que terá o início do seu cumprimento no futuro reino messiânico ou milenial (Dt 30.1-6). Neste sentido, o Rei Davídico também é prometido às nações como a sua herança (Sl 2.8).

*Israel, a terra e o povo, a herança de Deus.* Visto que Deus deu a terra, Ele é o Proprietário definitivo da terra e a terra é vista como a sua herança (Lv 25.23); não que Ele a tenha recebido de outra pessoa, mas ele a escolheu para a sua própria possessão, e ela é sua por direito. Portanto, Israel é o ocupante estabelecido por Deus, e deve viver na terra não para si mesmo, mas para Deus. Da mesma forma, o povo a quem Deus escolheu é considerado como a sua herança, a qual Ele destinou para si mesmo, para sua possessão eterna (Dt 4.20; 32.9). A herança está mais uma vez ligada ao relacionamento da aliança, pela fórmula da aliança: "E ser-me-ão por povo, e eu lhes serei por Deus" (Jr 24.7). *Veja* Terra e Propriedade.

*Herança na lei e no costume do Antigo Testamento.* Em geral, a propriedade herdada incluía tanto a terra como as posses pessoais, tais como gado, produtos domésticos, servos e, até mesmo, esposas. Uma vez que a terra era dada por Deus e mantida em confiança para Ele, ela corretamente pertencia à família e somente ao herdeiro individual como representante da família. As posses pessoais, porém, poderiam ser distribuídas entre todos os filhos. Uma vez dada por Deus, a terra não deveria ficar alienada (Lv 25.23) e, embora vendida temporariamente, a terra deveria ser devolvida ao proprietário original no ano do jubileu (Lv 25.25-34). Uma exceção era a residência em uma cidade murada que, se não fosse redimida dentro de um ano de venda, não retornaria ao proprietário original no ano do jubileu (Lv 25.29,30).

O filho primogênito herdava uma porção dobrada de todas as posses de seu pai (Dt 21.17), sendo que o restante era dividido igualmente entre os outros filhos. O pai, às vezes, transferia a sua propriedade ainda em vida (Gn 24.35,36; 25.5,6), e a bênção patriarcal parecia funcionar de forma muito semelhante aos testamentos dos tempos modernos. Embora o pai fosse proibido de privar arbitrariamente seu primogênito do direito de nascimento (Dt 21.15-17), este poderia ser tirado dele por causa de alguma transgressão contra o pai (1 Cr 5.1). Os casos de transferência do direito de nascimento aparecem como exceções que exemplificam a eleição divina (Ismael e Isaque, Gn 21.10; cf. 21.12; Esaú e Jacó, Gn 27.37; cf. Ml 1.2,3; Rm 9.13; Rúben e José, 1 Cr 5.1; cf. Gn 49.22-26; Adonias e Salomão, 1 Rs 1.5 ss.; cf. 1 Cr 22.9,10).

Em princípio, uma filha não poderia receber a herança (Jó 42.15 é um caso excepcional), mas uma mudança foi introduzida após a morte de Zelofeade, de modo que as filhas foram autorizadas a herdar se não houvesse nenhum filho na família (Nm 27.1-11). Mas mesmo nesse caso, as herdeiras teriam que se casar somente dentro da tribo de seu pai. Se não houvesse nenhum herdeiro direto, então os irmãos, os tios paternos, ou o parente mais próximo poderia herdar. Uma viúva não tinha nenhuma posição imediata na sucessão, mas se esta fosse deixada sem filhos, o parente mais próximo do lado de seu marido tinha o direito de casar-se com ela para gerar filhos em nome de seu irmão morto (Dt 25.5-10; cf. Rt 3.12,13; 4.1ss.). *Veja* Casamento, Levirato.

*Outros costumes relativos à herança no Antigo Testamento.* O próprio Deus veio a ser visto como a herança dos justos (Sl 16.5,6; 73.26), como Ele havia sido, de um modo particular, a herança dos levitas (Dt 10.9). A própria lei (Dt 33.4), e até mesmo os filhos (Sl 127.3), são citados como uma herança. A herança também descreve a porção destinada ao homem no sentido do seu destino pessoal (Jó 20.29; 27.13).

### A Herança no Novo Testamento

Os termos gregos *kleronomos* (herdeiro) e *kleronomia* (herança), e seus cognatos ocorrem cerca de 45 vezes no NT, principalmente nos Evangelhos sinóticos, nas Epístolas de Paulo (especialmente Gálatas) e Hebreus. Embora o termo herança seja usado no sentido comum (Lc 12.13) e com referência ao uso do AT da posse da Terra Prometida (At 7.5; Hb 11.8), o conceito de herança é desenvolvido de duas maneiras no NT: (1) o herdeiro está relacionado à filiação (Cristo é especialmente Filho e Herdeiro), e (2) a herança está relacionada ao reino que Cristo inaugura. Ambos os elementos estão presentes lado a lado na parábola dos lavradores maus (Mt 21.33-46; Mc 12.1-12; Lc 20.9-19), onde Jesus Cristo é visto como o Herdeiro em virtude de ser o Filho (Mc 12.6,7; cf. Hb 1.2), e a herança é o reino (Mt 21.43).

Cristo não é apenas o Filho e o Herdeiro, mas em Cristo os crentes também são filhos e, portanto, herdeiros (Rm 8.17; Gl 4.7). Este conceito paulino de herança espiritual não é baseado no conceito hebreu de herança, porém, antes, na lei romana, pela qual todos os filhos herdavam igualmente. Como na lei romana, onde o testador vivia no grupo de seus co-herdeiros, assim Cristo vive nos crentes que obtêm sua herança, sendo co-herdeiros com Ele (Rm 8.17). Embora o Espírito Santo agora habite no crente como o penhor de sua herança (Ef 1.14), a herança em si é futura (1 Co 6.9,10; Gl 5.21; Ef 5.5; Tg 2.5; 1 Pe 1.3,4), e os crentes entrarão nessa herança eterna após a ressurreição (Hb 9.15).

A herança aguardada inclui a glória (Rm 8.17,18) e a incorrupção (1 Co 15.50-57; cf. 1 Pe 1.4) da vida ressurrecta na qual o crente entrará, depois da qual ele irá reinar com Cristo no reino milenial. A herança dos crentes ressuscitados também inclui uma cidade celestial em um novo céu e uma nova terra (Hb 11.10,16; 12.22-24; Ap 21.1 ss.).

*Veja também* Adoção; Sorte; Família; Patrimônio.

***Bibliografia.*** François Dreyfus e Pierre Grelot, "Inheritance", *Dictionary of Biblical Theology*, Xavier Leon-Dufour, ed., Nova York: Desclee Co., 1967. Werner Foerster e J. Herrmann, "*Kleronomos* etc"., TDNT, III, 758-785. J.-Cl. Margot, "Inheritance", *A Companion to the Bible*, J. J. von Allmen, ed., Nova York: Oxford Univ. Press, 1958, pp. 181-185. Merrill F. Unger, "Inheritance", UBD, pp. 525ss.

F. D. L.

**HERANÇA CULTURAL** *Veja* Herança.

**HERDEIRO** *Veja* Herança.

**HEREGE** *Veja* Heresia.

**HERES**

1. Montanhas de onde a tribo de Dã não conseguiu expulsar os amorreus (Jz 1.35).

Provavelmente ficava na fronteira entre Judá e Dã.
2. Em Juízes 8.13, é mencionado o retorno de Gideão da batalha "pela subida de Heres", porém outras versões traduzem a passagem como "antes do nascer do sol". Esta é uma passagem na montanha que sobe a partir do Jordão ou do rio Jaboque.
3. Um levita mencionado juntamente com aqueles que retornaram do exílio (1 Cr 9.15).

**HERESIA**
1. Esta palavra significa originalmente escolha. Ela é usada com este sentido na LXX.
2. Um modo de pensar ou uma ação escolhida; conseqüentemente, uma opinião ou um ponto de vista mantido por um indivíduo (1 Co 11.19) ou por um grupo, como os fariseus (At 15.5; 26.5), os saduceus (At 5.17), ou os cristãos (At 24.5,14; 28.22).
3. Uma divergência dentro da igreja devido a um ponto de vista diferente (1 Co 11.19; Gl 5.20).
4. Um desvio da doutrina da verdade biblicamente revelada, ou uma visão equivocada (Tt 3.10; 2 Pe 2.1). Paulo diz que as heresias, no sentido de opiniões divergentes, devem surgir como um passo necessário para o desenvolvimento da doutrina verdadeira (1 Co 11.19). As maiores disputas que levaram aos Concílios de Nicéia e Calcedônia ilustram bem essa afirmação.
A igreja primitiva lutou contra algumas heresias doutrinárias perigosas e rejeitou aqueles que as ensinavam (cf. Tt 3.10).
*Os judaizantes.* Paulo escreveu as cartas de Romanos e Gálatas para refutar as opiniões daqueles que insistiam que o cristianismo deveria fazer uma síntese entre a conservação da lei e a fé em Cristo. Ele insiste para que os gálatas fiquem firmes na liberdade que receberam de Cristo, e diz: "Separados estais de Cristo, vós os que vos justificais pela lei; da graça tendes caído" (Gl 5.4). A circuncisão física havia sido substituída pela circuncisão espiritual em Cristo (Cl 2.11; Fp 3.2,3).
*Os gnósticos.* As Epístolas de Colossenses e 1 João foram escritas para refutar os erros destes. Eles ensinavam que Cristo era uma emanação panteísta, inferior a Deus, e que a sua "aparição" em carne era apenas semelhante a uma visão. João afirma que prega um Cristo que ele viu, ouviu e tocou, e exige que o cristão coloque a ortodoxia em prova com base em uma confissão de que Cristo de fato encarnou e viveu em um corpo humano de carne (1 Jo 4.2,3). *Veja* Gnosticismo.
*Os sincretistas.* Estes tentaram fazer uma síntese entre a revelação e a filosofia. Filo, anteriormente à época de Cristo, tentou combinar a religião judaica com o conceito estóico de um Logos imaginado com base na "idéia das idéias" de Platão. Exemplos de esforços sincretistas similares posteriores são a união do neoplatonismo com o cristianismo na igreja medieval, cujas influências ainda aparecem nas visões católico-romanas do mal; o hegelianismo e o cristianismo no liberalismo alemão do século XIX; e o existencialismo de Kierkegaard e o cristianismo que são vistos na neo-ortodoxia moderna.

R. A. K.

**HERETE** Floresta localizada entre Adulão e Gilo na qual Davi se escondeu depois de sua curta permanência em Moabe (1 Sm 22.5). Este local foi, possivelmente, o cenário do incidente narrado em 2 Samuel 23.14-17 e 1 Crônicas 11.16-19.

**HERMAS** Um cristão que estava em Roma, e que foi saudado por Paulo (Rm 16.14).

**HERMES**
1. Um cristão em Roma saudado por Paulo (Rm 16.14). Não deve ser confundido com Hermas.
2. O deus grego da eloqüência que era o porta-voz dos deuses. Em Listra, Barnabé era chamado de Zeus e Paulo de Hermes. Há versões que traduzem o nome como Mercúrio, porém, outras mantêm Hermes (At 14.12). *Veja* Falsos deuses.

**HERMÓGENES** Um daqueles que estavam "na Ásia", e que se separaram de Paulo quando o apóstolo enfrentou dificuldades (2 Tm 1.15). O fato de ter sido mencionado pode indicar que ele era um dos líderes.

**HERMOM** Este nome significa "montanha sagrada" ou "lugar consagrado" (de *haram,* no *hiph'il,* "devotar", "consagrar") e é provavelmente derivado dos santuários a Baal localizados ali desde os tempos antigos, anteriormente ao Êxodo (Js 11.17). Foi chamado de Senir pelos amorreus, Siriom pelos sidônios (Dt 3.9), Siom (Dt 4.48) e Jebel esh-Sheik pelos árabes.
Hermom formava a fronteira norte do país, que Israel tomou dos amorreus (Dt 3.8), e é o extremo sul da região do Anti-Líbano. As montanhas do Hermom têm cerca de 32 quilômetros de comprimento e três picos que fazem com que ele seja mencionado, ocasionalmente, como os "Hermonitas" (Sl 42.6) ou os "Hermons". Dois desses picos estão a mais de 2.900 metros acima do nível do mar, e são de longe os picos mais altos da Palestina ou em sua redondeza, e estão cobertos de neve durante todo o ano. A neve derretida do Hermom constitui o principal manancial do rio Jordão. O pico mais alto do Hermom está situado cerca de 50 quilômetros a sudeste de Damasco, e 65 quilômetros a nordeste do mar da Galiléia.
Muitos acreditam que o Hermom foi o local da transfiguração de Jesus (Mt 17.1-9; Mc 9.2,9; Lc 9.28). Cerca de uma semana antes da transfiguração, o Senhor esteve na região

Monte Hermom

de Cesaréia de Filipe, ao sul do Hermom, e alguns consideram que Ele se dirigiu para o norte, para as colinas do Hermom, ao invés de ir para o sudeste, para o monte Tabor, o local tradicionalmente aceito como o monte da transfiguração.

H. L. D.

## HERODES

### Herodes o Grande

O mais famoso dentre aqueles que levavam o nome Herodes, nos tempos bíblicos, foi Herodes o Grande, o progenitor de um grande clã. Embora seu nome apareça nos textos sagrados somente em conexão com o cenário histórico do nascimento de João Batista (Lc 1.5), e no relato da vinda dos magos (Mt 2), a sua influência na Palestina durante seu longo governo como rei da Judéia foi tão considerável, que um conhecimento da sua carreira torna-se essencial para uma verdadeira compreensão dos tempos do Novo Testamento. O fato de Josefo dedicar tanto espaço a Herodes em sua obra *Jewish Antiquities* e em *The Jewish Wars* é prova suficiente da importância que aquele historiador atribuía a esse monarca.

*Antecedentes familiares.* Herodes era natural da Iduméia, um país ao sul da Palestina (Neguebe) que foi ocupado pelos edomitas quando seu antigo território nas proximidades de Petra foi tomado pelos árabes ou nabateus. Estes, por sua vez, foram conquistados pelos governadores hasmoneus dos judeus, e foram forçados a aceitar o judaísmo, incluindo a circuncisão. O pai de Herodes, Antípatas, que parece ter sido o chefe dessa nação, embora a sua posição oficial não seja determinada por Josefo, casou-se com uma mulher árabe. Dessa união nasceram cinco filhos, e somente Herodes recebeu um nome grego. O seu nascimento pode ser estimado como tendo ocorrido em aprox. 73 a.C., ou em alguma data próxima desta.

Em pouco tempo Antípatas, um homem que tinha bens e que era ambicioso, envolveu-se nos assuntos políticos dos judeus. Nessa época, dois irmãos da linhagem de sucessão real, Aristóbulo e Hircano, estavam disputando o poder, e o primeiro venceu a disputa. Antípatas interveio para patrocinar a causa de Hircano. No entanto, coube aos romanos colocar um ponto final na disputa e encerrar o período da independência dos judeus.

Quando Pompeu chegou, Herodes tinha aproximadamente dez anos de idade. Sendo um garoto, ele teve uma impressão viva do poderio militar romano e também testemunhou a sagacidade de seu pai Antípatas, ao dar seu apoio à disposição do regime romano, e como resultado ser recompensado com a responsabilidade e a influência sobre os negócios dos judeus. Antípatas, que gostava de pensar que era um judeu, poderia mostrar com orgulho os generosos favores que um líder romano posterior, Júlio César, concedeu ao povo judeu, uma vez que eles eram, em grande parte, devidos à ajuda que ele tinha dado a César em sua campanha no Egito.

Embora Hircano permanecesse como o chefe nominal da nação judaica e ocupasse o posto de sumo sacerdote, o controle ativo dos negócios passou para Antípatas, que agora tinha o cargo de procurador. Ter um homem como Antípatas no comando foi de grande vantagem para Roma, pois ele conhecia os judeus muito melhor do que os romanos, e era digno de confiança, pois tudo levava a crer que ele iria permanecer leal aos seus chefes supremos. Este se tornou o princípio fundamental da própria política de Herodes nos anos posteriores. No entanto, não importando o quanto um nativo da Iduméia fosse capaz e o quanto pudesse estar interessado na prosperidade dos judeus, ele não podia competir na afeição do povo com alguém do seu próprio grupo, e muito provavelmente seria acusado de estar a serviço do odioso conquistador do Oeste (Pompeu havia sitiado Jerusalém, matando milhares de seus

Teatro romano em Cesaréia. IIS

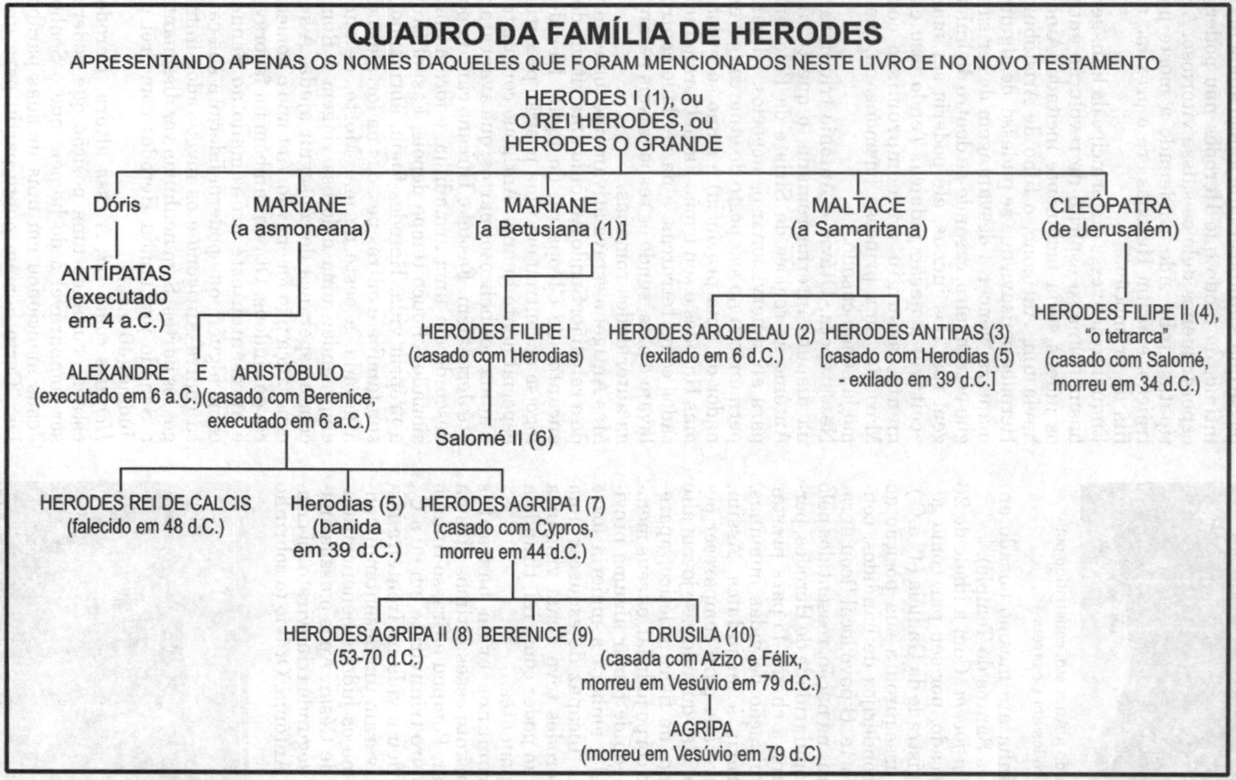


(1) "O Rei Herodes"; Mt 2; Lc 1.5.
(2) Herodes "Arquelau"; Lc 19.12-27; Mt 2.22.
(3) "Herodes" Antipas, "o tetrarca"; Mt 14.1; Lc 3.1,19; Mc 6.14.
(4) Herodes "Filipe", "o tetrarca"; Mt 14.1,6; Lc 3.1,19; 9.7; Mc 6.34.
(5) "Herodias"; Mt 14.3,6; Mc 6.17.
(6) Salomé, Mt 14.6; Mc 6.22,28; Lc 3.19.
(7) "Herodes" Agripa I (conhecido simplesmente como Herodes Agripa), "o rei"; At 12.1,2.
(8) Herodes "Agripa" II, At 25.13-27; 26.
(9) "Berenice", At 25.13,23; 26.30.
(10) "Drusila", At 24.24.

Templo dedicado a Augusto, construído por Herodes em Cesaréia

habitantes, e tinha até mesmo ousado entrar no Santo dos Santos do Templo).

*Herodes como um jovem*. Com a idade de 26 anos ele foi indicado, por seu pai, como governador ou magistrado da Galiléia (47 a.C.), e rapidamente assegurou a sua posição ao descobrir os esconderijos de bandidos, condenando-os à morte. O povo local ficou agradecido, mas outros na nação, ressentidos pelo sucesso e pela popularidade de Herodes, persuadiram Hircano a chamá-lo para prestar contas pela eliminação de vidas humanas, de forma contrária à lei judaica. Assim, Herodes foi convocado para comparecer perante o Sinédrio. Mas quando esse jovem alto e bem apessoado, de físico atlético, apareceu perante esse corpo judicial, os seus membros tiveram medo de tomar alguma providência contra ele, embora a maioria fosse favorável a isso. Incapaz de esquecer uma indignidade, Herodes teve a sua vingança quando chegou ao poder como rei, tirando a vida dos seus oponentes.

Os negócios romanos eram bastantes intranqüilos durante esses últimos dias da República. César, Pompeu e Crasso tinham formado o primeiro triunvirato em 60 a.C., mas Crasso perdeu a vida na fronteira leste, e os outros tiveram um desentendimento. Sabemos como os judeus beneficiaramse da ditadura de César. Após o assassinato de César, um segundo triunvirato foi criado entre Marco Antônio, Otávio (o sobrinho

Ruínas do pátio do palácio de Herodes na Jericó do Novo Testamento

de César) e Lépido. O primeiro objetivo era punir Bruto e Cássio pelo assassinato de César. Herodes tinha lealdade de ambos os lados, uma vez que Cássio era seu amigo e tinha lhe prometido o reino da Judéia, ao passo que Antônio era um amigo ainda mais íntimo, de modo que Herodes não poderia esperar menos dele se saísse vitorioso. Antípatas tinha sido condenado à morte por traição, e assim Herodes era o próximo na fila da promoção.

Enquanto houvesse um príncipe da linhagem hasmoneana, o espírito de revolução entre os judeus seria facilmente incitado. Ainda havia um, Antígono, o filho de Aristóbulo. Herodes pensava que se pudesse, de alguma maneira, vencer a desvantagem de ter sangue estrangeiro, casando-se dentro da linhagem real dos judeus, ele poderia ser mais aceitável à nação judaica. Tendo isso em mente, assumiu um compromisso com Mariane, uma princesa hasmoneana, mesmo já sendo casado.

Nessa época, Otávio e Antônio triunfaram na disputa interna romana, o que trouxe Antônio às regiões da Síria e da Palestina para ali supervisionar os negócios. Hircano permaneceu no seu posto de etnarca (governador de uma província) e sumo sacerdote, mas Herodes e seu irmão Fasael foram indicados como tetrarcas, e na verdade controlavam o país, sendo os responsáveis perante as autoridades romanas.

Mas Antígono estava ativamente fomentando a rebelião. Sendo Antônio uma vítima dos encantos de Cleópatra, do Egito, Herodes logo se encontrou em uma posição precária, especialmente quando Antígono conquistou a ajuda dos belicosos partos, que avançaram até Jerusalém. Fasael e Hircano caíram por descuido em uma armadilha, e foram aprisionados. Pouco tempo depois, Fasael tirou a própria vida. Herodes fugiu, abrigando a sua família e outras pessoas na fortaleza de Massada, a oeste do mar Morto, de onde empreendeu uma dolorosa viagem a Roma com a esperança de conseguir ajuda. A sua esperança não foi em vão. Antônio o nomeou rei dos judeus. Otávio também foi favorável e apresentou este pró-romano ao Senado como alguém que poderia liderar a sua causa contra Antígono e os inveterados inimigos, os partos. Sem nenhuma voz dissonante, o Senado proclamou Herodes como rei da Judéia (40 a.C.).

*Herodes como rei*. A essa altura, Herodes estava ocupando uma posição que poderia ser comparável à do homem que o Senhor Jesus mencionou em uma de suas parábolas: "Certo homem nobre partiu para uma terra remota, a fim de tomar para si um reino e voltar depois" (Lc 19.12), embora a parábola se aplique melhor a Arquelau do que a Herodes. Ele tinha o título, mas não o reino. Chegando a Ptolemaida, Herodes reuniu

ACO
GALILÉIA
CAFARNAUM
MONTE CARMELO
NAZARÉ
DOR
CESARÉIA
PLANÍCIE DE SAROM
PELLA
SAMARIA
GERASA
MONTE EBAL
SIQUÉM
MONTE GERIZIM
ANTIPÁTRIDE
JOPE
LIDA
PERÉIA
JERUSALÉM
BETÂNIA
JUDÉIA
QUMRAN
ASCALOM
BELÉM
MEDEBA
GAZA
HEBROM
EN-GEDI
A PALESTINA SOB OS HERODES
BERSEBA
0 10 20
ESCALA EM MILHAS

Os pilares do pátio do palácio de Herodes no Herodium, nas proximidades de Belém.

exércitos, resgatou a sua família em Massada, e começou a árdua tarefa de subjugar o país. Os galileus desertavam assim que ele virava as costas, e os generais romanos enviados para ajudá-lo foram subornados para permanecer em virtual inatividade. Mas ele foi finalmente capaz de conseguir ajuda romana na forma de duas legiões enviadas por Antônio, sob o comando de Sóssio. Antígono foi cercado em Jerusalém. Sentindo que agora a captura da cidade era uma questão de tempo, Herodes aproveitou a oportunidade para casar-se com Mariane em Samaria. Depois de um cerco de cinco meses, Jerusalém caiu e Antígono foi morto. Com ele morreram as esperanças de independência dos nacionalistas judeus.

Os problemas de Herodes não foram todos resolvidos com esta vitória. Uma nova ameaça surgia das ambições de Cleópatra, que governava o Egito. Antônio, que recebeu a Ásia como sua esfera de influência, caíra vítima, como César antes dele, da beleza e das lisonjas dela. A rainha astuta induziu Antônio a assegurar-lhe diversas das cidades de Herodes e a insistir com Herodes a que empreendesse uma guerra contra os árabes, esperando desta forma enfraquecer ambos os lados cujos territórios poderiam ser prontamente tomados. Após uma inesperada reviravolta, Herodes saiu vitorioso desse conflito.

O verdadeiro objetivo de Cleópatra era o de erigir um estado soberano no Levante (leste) em oposição ao poder de Roma no oeste. Quando ficou evidente que Antônio tinha se unido a ela, a guerra com Roma se tornou inevitável. Herodes, como amigo de Antônio, tinha o desejo de ajudá-lo, e teria ido à batalha ao seu lado; porém Cleópatra, sempre com ciúmes de Herodes, não o permitiu. Na batalha marítima em Actium (31 a.C.), Otávio teve sucesso. O exército de Antônio, acampado na Grécia, foi forçado a se render. Cleópatra navegou para o Egito e Antônio foi com ela. Mais tarde, ambos suicidaram-se.

A lealdade de Herodes para com Antônio deixava-o em uma posição precária perante o vitorioso. Mas ao invés de implorar por misericórdia, ele corajosamente admitiu abertamente a sua amizade com Antônio, dando a impressão de que seria tão leal e útil a Otávio quanto tinha sido a Antônio. A tática foi eficaz. Otávio não apenas o perdoou, como também lhe devolveu as cidades que Cleópatra tinha conseguido encampar, e por fim aumentou seu território com a inclusão de diversas áreas a leste e a noroeste do mar da Galiléia.

Após eliminar esse obstáculo, Herodes parecia estar pronto para um reinado longo e próspero, pois a vitória de Otávio (que se tornou César Augusto), possibilitou a *pax Romana*. As disputas internas que tinham desfigurado os últimos dias da República estavam chegando ao fim. Mas a tragédia abateu-se sobre o lar do rei dos judeus. A sua esposa Mariane afastou-se dele devido às persistentes reclamações da sua mãe Alexandra. Para complicar, Salomé, a irmã de Herodes, que tinha amargos ciúmes da mulher hasmoneana, semeou a desconfiança na mente de Herodes com respeito à fidelidade de Mariane. Embora as acusações fossem infundadas, Herodes acabou crendo nelas, e finalmente enviou sua esposa à morte. Em seguida, ele arrependeu-se de seu ato, e teve tanto pesar que adoeceu. Os seus médicos pensaram que ele fosse morrer. Embora o passar do tempo e a diversidade de atividades tenham lhe trazido a cura, ele nunca mais foi o mesmo, porque o lado agradável de sua natureza havia desaparecido. Ele passou a ser um homem sombrio e desconfiado, e mais do que nunca um alvo fácil para os dardos de intriga que lhe foram dirigidos pelas mulheres de sua casa, especialmente nos tempos que se seguiram.

Herodes encontrou algum alívio para seu espírito mergulhando em um vasto programa de obras públicas, que tornaria memoráveis tanto sua energia quanto a magnificência do seu regime. A mais notável dentre elas foi o Templo judaico, que ele reconstruiu e ampliou, empregando mil sacerdotes treinados como pedreiros, além de milhares de outros trabalhadores. Iniciada em 20 a.C., a obra ainda não havia sido inteiramente concluída nos dias do Senhor Jesus Cristo. Na extremidade noroeste ficava o castelo (ou fortaleza) de Antônia, assim chamado em honra ao seu velho amigo Antônio. O palácio de Herodes foi concebido com linhas espaçosas e era profusamente decorado. As suas duas alas tinham recebido os seus nomes em honra a César Augusto e seu ministro Agripa. Samaria transformou-se em cidade e fortaleza proeminentes, e recebeu o nome Sebaste, o equivalente, em grego, a Augusto. Na torre de Strato, no mar Mediterrâneo, o rei introduziu um quebra-mar, e dessa forma passou a existir um porto, algo que faltava à linha costeira palestina. Tendo recebido novamente o nome de Cesaréia, esta cidade incluiu em sua construção um amplo anfiteatro, onde periodicamente se realizavam jogos. A alguns quilômetros ao sul, Herodes fundou, como uma homenagem ao seu pai, a cidade de Antipátride, que servia como uma parada no caminho a Jerusalém (At 23.31). Mais ao norte, ele construiu um Templo a Roma e ao imperador em Paneion, a Cesaréia de Filipe dos Evangelhos. Precavendo-se contra rebeliões, ele construiu fortalezas em diversos pontos. Uma delas, perto de Jericó, recebeu o nome de Cipro em homenagem à sua mãe.

Pela sua munificência, o rei dos judeus edificou Templos em comunidades além das fronteiras dos seus domínios, pois apesar da piedade que ele assumia com relação ao Deus dos hebreus, ele era, no fundo, um pagão. Para se alinhar aos judeus, ele afirmava que como um rei a serviço de Roma, deveria estar de acordo com as suas práticas. Ele também subsidiou os Jogos Olímpicos, que tinham passado por um período difícil e que precisavam de ajuda.

O seu liberalismo para com as comunidades estrangeiras, que incluíam Atenas e Esparta, visava, parcialmente, mostrar a sua devoção para com a cultura grega, e dessa forma receber uma medida de gratidão que raramente lhe era estendida pelos seus próprios súditos, e parcialmente para ajudar os judeus na Dispersão. As cidades pagãs eram menos relutantes em permitir que os judeus do seu meio enviassem grandes somas de dinheiro para o Templo em Jerusalém quando elas recebiam as doações do rei dos judeus.

Herodes governava os seus súditos com mão de ferro. Josefo relata que ocasionalmente ele se vestia como um cidadão comum e se misturava com a multidão para descobrir o que estava sendo dito a seu respeito. Qualquer conspiração encontrava uma retribuição rápida. Por outro lado, em um ano de ameaçadora escassez de alimentos, o rei, com grande sacrifício pessoal, trouxe cereais do Egito e salvou a vida de muitos do seu povo. Josefo resume os dois aspectos do seu reinado dizendo: "Ele mantinha os seus súditos submissos de duas maneiras; pelo medo, porque era inexorável na punição, e ao mostrar-se generoso em sua preocupação por eles quando surgia alguma crise".

A glória exterior do reinado de Herodes era contrabalançada por problemas domésticos que continuavam a atormentá-lo. Salomé, depois de ter deposto Mariane, agora tramava contra os seus dois filhos, Aristóbulo e Alexandre, afirmando a Herodes que eles estavam conspirando contra ele. Para contrabalançar a suposta influência deles, o rei conduziu Antipas, seu filho com a sua primeira esposa Dóris, a uma posição de favoritismo e proeminência. A perversidade crescia em ambos os lados. Herodes acusou os dois filhos de Mariane na presença de Augusto. A reconciliação foi apenas temporária. Ao final, os dois jovens foram executados. O ressentimento popular pelo tratamento de Herodes aos seus filhos tornou a sua vida miserável e a sua posição mais insegura do que antes.

Durante a última década de sua vida, Herodes tornou-se crescentemente irritável e muito difícil de lidar. Augusto afastou-se dele, o que o atingiu em vários aspectos. Apesar de todos os seus esforços, ele continuava incapaz de obter o apoio dos fariseus. Acima de tudo, a sua situação doméstica havia piorado consideravelmente. Herodes tinha um total de dez esposas. Salomé, sua irmã, era uma conspiradora inveterada que mantinha a água fervendo, pensando que o fazia em benefício dos interesses de Herodes. Antipas estava ocupado no mesmo jogo, e pensando nos seus próprios interesses. Este plano de Antipas era tolo, uma vez que ele estava indicado, no testamento de Herodes, como seu sucessor, e simplesmente se sentia muito impaciente pelo fato de o velho rei estar durando tanto. Um dos últimos atos de Herodes foi ordenar a execução de Antipas, modi-

ficando seu testamento em favor de outro filho, Arquelau.
O massacre das crianças de Belém (Mt 2.16), já próximo ao final do seu reinado, está rigorosamente de acordo com dois fatos: sua sede de sangue, que é comprovada por inúmeros episódios, e seu medo de possíveis aspirantes ao seu trono. Sua condição mental e física nesses últimos dias da sua vida tornou-o, praticamente, um louco. Prova disso foi a possibilidade de outro ato do velho rei, então próximo dos 70 anos. Ele convocou os líderes da nação, os anciãos de várias comunidades, para que o encontrassem em Jericó; então ele os trancou no hipódromo, dando ordens para que fossem mortos quando ele próprio morresse, pois assim haveria um lamento geral por ocasião de sua própria morte. Este maldoso decreto de um homem amargo e desapontado felizmente não se concretizou.
Um procurador romano ligado à Síria, chamado Sabino, foi a Jerusalém e tentou obter o controle dos registros e propriedades de Herodes, querendo com isso alcançar algum ganho pessoal. Ele conseguiu inflamar a população, aumentada pela multidão que tinha vindo para a Festa de Pentecostes. As tropas de Sabino, encontrando-se em grave perigo, atearam fogo aos pórticos do Templo onde muitos judeus tinham se posicionado para o combate. Varus, o governador da Síria, respondendo ao pedido de ajuda de Sabino, marchou sobre a Judéia e encontrou a região em terrível desordem. Depois de subjugar as revoltas e crucificar dois mil judeus, ele partiu, deixando após si uma mágoa ainda maior contra Roma.
Augusto tinha que tomar uma decisão difícil. Além de atender às queixas dos reivindicadores, ele tinha que considerar o pedido feito por 50 homens que tinham vindo da Judéia, apoiados por outros 8.000 na própria Roma, de que a lei de Herodes fosse abandonada, e diretamente substituída pela lei de Roma. Sem dúvida, ele desejava honrar os desejos de Herodes, mas sentia que Arquelau era jovem e não tinha habilidades de liderança. Torná-lo rei só promoveria a insatisfação e os atritos com os outros irmãos. Finalmente, o veredicto foi que Arquelau poderia ter a Judéia, Samaria e Iduméia, com o título de etnarca, e poderia ter o título de rei no devido tempo, se fosse digno. A Antipas foram dadas a Galiléia e a Peréia. Um terceiro irmão, Filipe, que tinha seguido os irmãos até Roma, recebeu Batanéia, Traconites, Auranites e alguns territórios adicionais.
Arquelau recebeu a região mais rica, com um tributo anual equivalente a duas vezes a soma das rendas dos dois irmãos. Mas ele provou não estar à altura das suas atribuições, e cometeu alguns erros que lhe custaram caro. Para começar, desafiando a lei dos judeus, ele se casou com Glafira, que tinha sido esposa do seu meio-irmão Alexandre, e que tinha tido muitos filhos com ele. Isso ofendeu profundamente os judeus. Por volta do ano 6 d.C., os seus súditos já não o suportavam mais, e o acusaram perante César de crueldade e de tirania. Como os samaritanos juntaram-se aos judeus nessa acusação, é provável que as acusações tivessem fundamento. Irado, César o enviou ao exílio na Gália. A Judéia foi colocada sob a lei romana, governada por um procurador, e este arranjo perdurou a partir de então, exceto durante um período de três anos em que Herodes Agripa I (*q.v.*) tornou-se rei dos judeus, nomeado por um imperador posterior.

### Herodes Antipas

Este homem, que tem sido considerado como o menos cativante dos Herodes, era o filho mais jovem de Herodes o Grande e Maltace. Ele é mencionado diversas vezes nos Evangelhos. Os ministérios de João Batista e do Senhor Jesus ocorreram durante seu mandato como tetrarca da Galiléia e da Peréia (Lc 3.1).
Originalmente, Antipas fez de Seforis, entre Nazaré e Caná, a sua capital, porém mais tarde construiu para esse propósito Tiberíades, junto ao mar da Galiléia, dando-lhe esse nome em homenagem ao imperador Tibério, que havia sucedido Augusto.
Em uma visita a Roma, Antipas apaixonou-se pela esposa do seu meio-irmão Herodes Filipe, e em pouco tempo casou-se com ela (Mc 6.17). Ela insistiu para que ele se divorciasse da sua esposa anterior, a filha do rei de Petra. Quando a esposa soube das intenções de Antipas, ela retornou à casa de seu pai. *Veja* Filipe 2.
Não apenas os judeus estavam de modo geral irritados pelo comportamento de Antipas, mas também João Batista, em particular, teve a coragem de acusá-lo do pecado. João poderia ter ficado no território da Judéia e Samaria e ter atacado Antipas a longa distância, sem medo de represálias, mas ele ousou fazer suas acusações muito próximo, e por isso foi aprisionado (Mt 14; Mc 6).
O Senhor Jesus também não tinha medo desse Herodes, e por isso, quando o tetrarca espalhou a notícia, por meio dos canais dos fariseus, de que ele estava inclinado a matá-lo, o Senhor se recusou a ficar amedrontado e deu prosseguimento à sua obra. Ao chamar Antipas de raposa (Lc 13.31,32), o Senhor Jesus estava sem dúvida se referindo às táticas ardilosas do governante. Depois de ter lidado duramente com João Batista, ele não teve coragem de lidar da mesma forma com Jesus, e esperava amedrontá-lo com ameaças.
Antipas não tinha boas relações com Pilatos. Dentre outras coisas, Pilatos tinha assassinado alguns dos seus súditos quando eles ofereciam sacrifícios no Templo (Lc 13.1). Mas a condescendência de Pilatos, ao enviar-lhe Jesus em um intervalo no julgamento,

deixou-o tão satisfeito que a sua disputa com Pilatos acabou (Lc 23.12).

Então, surdo à voz da consciência, esse governante iria em breve começar a pagar por seus crimes. Seus exércitos encontraram derrota retumbante pelas mãos dos árabes, e seus súditos rapidamente atribuíram esse acontecimento à retribuição divina a sua situação marital irregular e ao assassinato de João Batista. Finalmente, incentivado por sua esposa Herodias a ir solicitar ao imperador o título de rei, que havia sido conferido a Agripa ao norte e ao leste dos seus domínios, Antipas pediu esse favor a Calígula, o novo imperador. Ele foi mal acolhido e banido para a Gália, onde viveu até o final de seus dias.

### Herodes Filipe

Não devendo ser confundido com o Herodes Filipe cuja esposa foi tomada por Antipas, este Herodes permaneceu solteiro durante a maior parte da sua vida. Os seus domínios, cujos territórios já foram mencionados, estão parcialmente indicados em Lucas 3.1. Pouco se sabe sobre seu reinado, além de ter tido características satisfatórias. Andando entre o povo, e possibilitando a justiça a este, ele ganhou a sua admiração. Posteriormente, ele tomou como sua esposa Salomé, a filha de Herodias, que dançou para Antipas e a sua corte. Um dos memoriais do seu reino é Cesaréia de Filipe, construída e nomeada em honra a César, a cujo nome o seu próprio está associado. *Veja* Filipe 1.

A morte chegou com uma doença que pode ter sido câncer nos intestinos. Seu funeral foi um acontecimento de grande magnificência do estado. O esquife foi levado para a fortaleza em Herodium, para o sepultamento. Com a sua grande fortuna ele tinha deixado um generoso presente para o imperador e outro para a sua esposa, e quantias menores para os seus próprios parentes.

*Avaliação de Herodes*. No conjunto, esse governante deve receber o crédito pela realização de um reinado aparentemente próspero e relativamente pacífico. Como administrador, ele possuía visão e iniciativa, e raramente cometia um erro de julgamento. Ele procurou manter os direitos dos não-judeus nos seus domínios, e também melhorar as condições dos seus súditos judeus.

A sua personalidade faz dele um tema fascinante para estudos psicológicos. Ele podia ser generoso diante de um erro, mas também terrivelmente cruel. Ele podia ser calmo em uma crise, mas também se mostrar completamente desequilibrado quando os sentimentos de depressão ou de ira tomavam conta dele.

Ele teve pouca educação formal, mas era humilde o suficiente para aprender aos pés do seu professor e diplomata da corte, Nicolau de Damasco, que tinha uma grande admiração por Herodes e tinha sido um bom servidor em diversas ocasiões.

A história de Herodes dá um testemunho da sua capacidade de amizade. O seu círculo incluía algumas das pessoas mais capazes e agradáveis da época, e a sua lealdade para com elas é uma das suas melhores qualidades.

Mas a sua sensualidade e seu comportamento mundano causaram a sua ruína. Da primeira ele obteve o castigo merecido dos ciúmes, animosidades e mortes que assombraram os seus últimos dias. Do segundo lhe veio seu fracasso em entender o significado mais profundo da fé religiosa à qual ele nominalmente havia se filiado.

Em um de seus escritos, Josefo o chama de "o grande", mas aparentemente somente em um sentido relativo, como superior em capacidade e realizações aos outros membros de sua família, que reinaram depois dele.

### Herodes Arquelau

Este filho de Herodes o Grande e Maltace, uma samaritana, é mencionado apenas uma vez no texto bíblico, e em conexão com sua ascensão ao poder sobre a Judéia, como conseqüência da morte de seu pai (Mt 2.22). Ele recebeu o nome do rei da Capadócia, com cuja filha casou-se Alexandre, o filho de Herodes e Mariane.

Herodes fez um total de quatro testamentos, e no último, redigido pouco tempo antes de sua morte, ele indicou como seu sucessor Arquelau, que na ocasião estava no final da adolescência. Quando o testamento foi lido para os exércitos e para o povo da cidade de Jericó, onde Herodes morreu, eles aclamaram Arquelau como rei, embora tivessem sido advertidos de que o testamento deveria ser ratificado por César antes que pudesse ser efetivado. Na realidade, os termos do testamento não atribuíam a totalidade do reino de Herodes a Arquelau, mas somente a Judéia e Samaria. Galiléia e Peréia foram designadas a Antipas, o irmão de sangue de Arquelau, e o restante do reino, que envolvia os territórios ao norte e a leste do mar da Galiléia, deveria ser entregue a Filipe, seu meio-irmão.

Depois de sete dias de luto por seu pai, Arquelau deu um banquete aos seus súditos de Jerusalém, depois colocou um trono de ouro sobre uma plataforma, do qual ele recebia os aplausos dos seus súditos e falava-lhes generosamente, prometendo ser mais gentil com eles do que seu pai. Sentindo que o rei era jovem e impressionável, o povo começou a pressioná-lo por benefícios, incluindo a diminuição de impostos e a destituição de alguns homens honrados por Herodes, especialmente o sumo sacerdote. O povo começou a prantear aqueles cujas vidas haviam sido tiradas por Herodes quando derrubaram uma águia de ouro que ele havia erigido em uma área do Templo. Os mensageiros enviados por Arquelau foram incapazes de dispersá-los, e a multidão aumentava pela chegada dos peregrinos que vinham de todas as partes para a festa da Páscoa. Para evitar qualquer revolta, o jovem rei enviou exércitos para lidar com a situação. A multidão, enfurecida, atacou os soldados. Mais tropas foram convocadas, incluindo a cavalaria. Aproximadamente três mil pessoas foram mortas antes do final da luta.

Pouco tempo depois, Arquelau partiu para Roma a fim de pedir a aprovação de Augusto com respeito ao arranjo feito por Herodes. Seu irmão Antipas, da mesma forma, fez a viagem com o intuito de contestar o testamento com base no fato de que o testamento anterior, feito quando Herodes estava lúcido, lhe dava a sucessão. César protelou a sua tomada de decisão, e, nesse ínterim, os acontecimentos na Judéia influenciaram o veredicto final.

**Herodes Agripa I**

Neto de Herodes o Grande, e filho de Aristóbulo, este governador recebeu seu nome em honra a Agripa, o hábil ministro de Augusto. Passou os seus primeiros anos em Roma, onde tinha ligações com a família real. A ambição pelo poder político foi reprimida pela sua falta de compromissos, e frustrada pelas dificuldades financeiras. Depois de ocupar posições menos importantes no leste durante algum tempo, ele retornou a Roma, onde cultivava a amizade com Gaio (Calígula). Uma observação descuidada ao seu amigo Gaio, dizendo que esperava que este se tornasse em breve o imperador, foi reportada a Tibério, que rapidamente o enviou à prisão.

Após a morte de Tibério e a ascensão de Gaio, Agripa recebeu a tetrarquia de Filipe, que morreu em 34 d.C., e obteve a permissão de ostentar o título de rei. Quando Antipas foi deposto, Agripa assumiu também seu território. No ano seguinte (41 d.C.), Gaio foi assassinado e sucedido por Cláudio. O novo imperador, grato pela ajuda prestada por Agripa, adicionou a Judéia e Samaria ao domínio de seu amigo, de modo que agora ele era o rei dos judeus como havia sido Herodes anteriormente.

Aparentando ser fervorosamente comprometido com a lei e os costumes judaicos, Agripa ganhou a confiança dos judeus. Ele arriscou a sua posição quando insistiu para que Gaio desistisse de seu plano de colocar uma estátua sua em Jerusalém, e exigir honras divinas. A sua perseguição à igreja primitiva e a sua morte prematura pouco tempo depois, em 44 a.C., em Cesaréia, são mencionadas em Atos 12.

**Herodes Agripa II**

Na ocasião da morte de seu pai, este seu filho era jovem demais, na opinião de Cláudio, para que a ele fosse confiado o reinado, de modo que uma vez mais se impôs aos judeus um governador romano.

Alguns anos mais tarde, Herodes foi o sucessor do trono do reino de Cálcis, no Líbano, que havia sido anteriormente governado por um representante do rei. Aproximadamente nessa época, Cláudio lhe concedeu o direito de indicar o sumo sacerdote e a supervisão do Templo e dos seus fundos, de modo que ele acabou envolvendo-se nos assuntos judaicos. O seu movimento seguinte fez com que ele passasse a estar mais próximo da Terra Prometida, pois herdou grande parte do domínio antigamente regido por Filipe. Posteriormente, Nero lhe adicionou uma parte do território próximo ao mar de Galiléia, e uma parte ao sul da Peréia. Assim como seu pai, ele foi chamado de rei. Foi na sua presença que Paulo fez a sua defesa (At 26).

Como no caso dos demais Herodes, ele procurou amizades em cidades gregas pagãs e ao mesmo tempo manteve os rituais do judaísmo. Ele é reconhecido por ter advogado a causa dos judeus de Alexandria que estavam sofrendo perseguições nesse período.

Ele se esforçou particularmente para destruir a crescente maré de nacionalismo entre os judeus da Palestina, e para dissuadi-los de atos de violência e de insubordinação contra Roma, mesmo quando provocados por oficiais romanos indignos. Não obteve sucesso nessa empreitada, e quando a guerra começou, os seus exércitos lutaram ao lado dos romanos contra os judeus. Josefo afirma que Agripa lhe enviou mais de 60 cartas com informações sobre a sua participação no conflito, auxiliando, desta forma, o relato de Josefo contido na obra *The Jewish Wars*. Pouco se sabe sobre os últimos anos da vida de Agripa, mas ele provavelmente viveu até o final do primeiro século da era cristã. Com a sua morte, a dinastia de Herodes chegou ao fim.

**Princesas da Casa de Herodes**

São três as princesas cujos nomes pontilham os registros sagrados – Herodias, Berenice e Drusila – e a reputação delas não é invejável.

*Herodias* era filha de Aristóbulo, filho de Herodes o Grande com Mariane. A sua mãe foi Berenice, a filha de Salomé, irmã de Herodes. Depois de algum tempo casada com Herodes Filipe, Herodias o abandonou para se casar com Antipas. Seu ódio por João Batista levou o profeta à morte (Mt 14.3-11) e à deterioração da personalidade de Antipas. *Veja* Herodias.

*Berenice* era filha de Herodes Agripa I. Primeiramente casou-se com um oficial judeu em Alexandria de nome Marco, mais tarde com Herodes de Cálcis, e finalmente foi viver com seu irmão Herodes Agripa II. Fortes rumores de sua relação incestuosa com ele vieram a público. Para acalmar esses rumores, ela casou-se com um certo Polemón, rei de Cilícia, mas voltou ao seu irmão depois de pouco tempo. No relato de Lucas sobre a audiência de

Hesbom

Paulo perante Agripa (At 25–26), Berenice aparece acompanhando-o. *Veja* Berenice. *Drusila*, irmã de sangue de Berenice e Agripa II (*q.v.*), estava comprometida em casamento com Epifânio de Commagene, mas o acordo foi desfeito quando o príncipe recusou-se a ser circuncidado. Azizo, rei de Emesa, estava disposto a converter-se ao judaísmo para obter a sua mão, mas o casamento não durou muito, porque Félix, o notório procurador que esperava ser subornado por Paulo, induziu-a a abandonar seu esposo e casar-se com ele. Sua presença com Félix é mencionada em Atos 24.24. *Veja* Drusila.

***Bibliografia.*** Félix Marie Abel, *Histoire de la Palestine depuis la conquête d'Alexandre jusqu'à l'invasion arabe,* Paris: Gabalda, 1952, I, 287-503. F. F. Bruce, "Herod Antipas, Tetrarch of Galilee and Peraea", ALUOS, V (1963-65), 6-23. A. H. M. Jones, *The Herods of Judaea,* Oxford: Clarendon Press, 1938. Flavius Josephus, *Jewish Antiquities; The Jewish War.* Stewart Perowne, *The Life and Times of Herod the Great,* Londres: Hodder, 1956; *The Later Herods,* Londres: Hodder, 1958. E. Schürer, *A History of the Jewish People in the Time of Jesus Christ,* trad. por John Macpherson, 2ª edição revisada, 5 volumes, Nova York: Scribner's, 1891.

E. F. Har.

**HERODIANOS** Os herodianos são mencionados em três passagens dos Evangelhos, com relação a dois incidentes: o primeiro na Galiléia (Mc 3.6); e o segundo, em Jerusalém (Mc 12.13; Mt 22.16), onde eles são associados aos fariseus em sua oposição ao Senhor Jesus. Além de uma referência em Josefo (*Wars,* i.16.6, *hoi Herodeio*; cf. *Ant.* xiv.15.10, "os do partido de Herodes"), eles não são mencionados em nenhuma outra fonte antiga, prova de que não representavam nenhuma seita religiosa nem um grupo político organizado.

A palavra é de formação latina (*Herodiani*), indicando partidários de Herodes, e descreve uma atitude comum de lealdade a Herodes em um país onde grande número de pessoas irritava-se ou impacientava-se sob seu governo. Em Josefo, o termo denota claramente aqueles que eram simpatizantes à sua causa, e que a apoiavam. É razoável entender o termo nos Evangelhos sob a mesma luz. As narrativas que mencionam os herodianos pressupõem que eles eram homens influentes que apoiavam lealmente a Herodes Antipas. De sua pergunta com respeito ao dinheiro dos tributos (Mt 22.17), fica claro que eles também eram leais ao governo romano do qual dependia a dinastia de Herodes.

W. L. L.

**HERODIÃO** Um cristão a quem Paulo enviou saudações. Paulo chamou-o de "meu parente", o que provavelmente significa que ele era um judeu, apesar de seu nome (Rm 16.11).

**HERODIAS** Filha de Aristóbulo e Berenice. Primeiramente, casada com Herodes Filipe, um cidadão que não era um homem público, filho de Herodes o Grande e Mariane II (que não deve ser confundido com Filipe, o tetrarca da Ituréia de Lucas 3.1, que era filho de Herodes o Grande com Cleópatra de Jerusalém). Ela o abandonou para se casar com seu meio-irmão Herodes Antipas. Foi por causa desse casamento que João Batista repreendeu Herodes Antipas e foi aprisionado (Mt 14.3; Mc 6.17; Lc 3.19ss.). Por fim, João foi decapitado a pedido de Salomé, a filha de Herodias (Mt 14.8; Mc 6.24) com seu primeiro marido. *Veja* Herodes.

**HESBOM** Construída sobre duas pequenas colinas na Transjordânia, contemplando o vale do baixo Jordão, Hesbom foi a capital de Seom, rei dos amorreus, que a tinha capturado dos moabitas (Nm 21.25-30). Tomada de Seom pelos israelitas depois que esse rei não permitiu que eles passassem pelas suas terras (Nm 21.23,24), Hesbom estava entre as cidades reconstruídas e povoadas pelos rubenitas e gaditas (Nm 32.37; Js 13.17,26). Ela foi uma das cidades designadas aos levitas (Js 21.39).

Hesbom foi recapturada por Mesa, de Moabe, e mantida pelos moabitas na época de Isaías e Jeremias (Is 15.4; 16.8,9; Jr 48.2,34). Aparentemente, caiu nas mãos dos amonitas durante os tempos de Jeremias (Jr 49.3). Fez parte do reinado nabateu durante o período helênico, mas foi posteriormente reconquistada por Alexandre Janeu; tornou-se uma

Teshub, o deus heteu do clima

cidade de munições na Transjordânia na época de Herodes o Grande (Josefo, *Ant.* xiii.15.4; xv.8.5). É conhecida hoje como *Hesban*, e está localizada 27 quilômetros a sudeste de Amã.

As escavações tiveram início em 1968 em *Hesban*, conduzidas pelo Dr. Siegfried Horn. Ruínas de uma igreja bizantina foram descobertas, assim como muita cerâmica das épocas romana e helênica. Outra porção de cerâmica foi encontrada representando todas as épocas em que Hesbom é mencionada no Antigo Testamento (Final do Bronze I, até Ferro III).

***Bibliografia.*** Yohanan Aharoni, *The Land of the Bible*, traduzido por A. F. Rainey, Filadélfia: Wetsminster Press, 1967, pp. 187-191. Siegfried H. Horn, "The 1968 Heshbon Expedition", BA, XXXII (Maio 1969), 25-41.

F. B. H.

**HESEDE** Pai de Ben-Hesede ("filho de Hesede"), um dos 12 oficiais comissionados por Salomão, encarregados de um distrito de Judá (1 Rs 4.10).

**HESMOM** Uma cidade no extremo sul de Judá, perto de Berseba (Js 15.27). Sua localização exata é desconhecida.

**HETE[1]** A oitava letra do alfabeto hebraico. *Veja* Alfabeto. Esta letra é usada na ARC como cabeçalho da oitava seção do Salmo 119, onde cada verso começa com essa letra.

**HETE[2]** Um descendente de Canaã (Gn 10.15; 1 Cr 1.13). Seus descendentes são identificados como heteus em várias versões (Gn 23.3,5,7,10; 27.46; 49.32).

**HETEUS, FILHOS DE HETE ou HITITAS** O termo heteu tem um duplo uso no Antigo Testamento. Ele geralmente designa um grupo étnico relativamente sem importância que morava na Palestina desde os dias dos patriarcas (Gn 15.19-21). Estas pessoas, chamadas de "filhos de Hete", foram descendentes de Cam, filho de Noé, diretamente por Canaã (Gn 10.15; 1 Cr 1.13), e estavam estabelecidos nas montanhas centrais da Palestina (Nm 13.29; Js 11.3).

Em poucos casos, entretanto, o termo heteu é usado no Antigo Testamento para designar intrusos, povos não semitas que viviam ao norte e eram respeitados e temidos como poderosos (1 Rs 11.1; 2 Rs 7.6,7; 2 Cr 1.17). Estes foram os heteus, famosos por sua fonte histórica extrabíblica. Embora se tenha sugerido que o pequeno enclave de heteus na Palestina central fosse parte dos heteus do norte que migraram para o sul no segundo milênio a.C., não há necessariamente uma conexão entre os dois grupos, exceto por uma coincidente similaridade do nome.

Os heteus indo-europeus que chegaram na Anatólia e no Oriente Médio por volta de 2000 a.C. das estepes do interior da Ásia receberam seu nome mais ou menos por acidente, em virtude do fato de que eles estabeleceram-se em território previamente defendido por um antigo grupo não indo-europeu chamado povo de Hatti (ou hititas). Neste artigo, a partir daqui, os três grupos serão chamados de "filhos de Hete", "heteus" e "hititas" (povo de Hatti), respectivamente, para evitar confusão.

[Os utensílios Khirbet Kerah vermelhos e pretos intensamente brilhantes na Palestina são praticamente idênticos à cerâmica da Anatólia Central e da terra natal Kurgan na

Entrada do grande templo da cidade baixa, Boghazköy. HFV

Transcaucásia, no terceiro milênio a.C. Isto sugeriria uma incursão ou migração dos hititas na Palestina no século XXIII a.C. – Ed. Veja BASOR # 189 (1968), pp. 28ss.]

Não há como saber quanto tempo os hititas viveram na Anatólia Central antes da chegada dos heteus em aprox. 2000 a.C. Embora os heteus tenham conseguido a supremacia territorial e política na Anatólia Central, ao redor do rio Halys, em parte por força das armas, não houve uma conquista organizada de terra como na conquista da Palestina por parte de Israel. Os hititas, depois de formar um grupo minoritário dentro da sociedade dos heteus, foram muito influentes em questões religiosas.

Embora seja possível que um rei anterior, Anitta de Kussar, que conquistou 5 cidades rivais e mudou a sua capital para Nesa (Kanesh), de certa maneira tenha sido associado aos últimos reis heteus. O Antigo Reino Heteu propriamente dito foi datado (cronologia de S. Smith) entre 1680 e 1460 a.C. Hattusili I (1650–1620 a.C.) invadiu e derrotou Alalakh, Urshu e Alepo, no norte da Síria. Mursilis I (1620–1590 a.C.) conduziu o exército heteu ao longo do Eufrates para conquistar Alepo, destruir Mari, e invadir e saquear a Babilônia, dessa maneira colocando um fim à dinastia babilônica fundada por Hamurabi, Após Mursilis, o poder dos heteus declinou. É possível que a primeira revisão das leis dos heteus date da época do reino de Telipinus (1525–1500 a.C.).

O restabelecimento do poder dos heteus começou com Tudhaliya II (1460–1440 a.C.), que em cooperação com Tutmósis III do Egito destruiu Alepo (em aprox. 1457 a.C.). Durante os anos que se seguiram, entretanto, o reino hurriano de Mitani estabeleceu-se no norte da Síria, restringindo os heteus às terras montanhosas na Anatólia Central.

O maior e mais famoso dos reis heteus foi Supiluliuma (1380–1340 a.C.), que reduziu o reino de Mitani a um estado vassalo e controlou o sul da Síria na região do Líbano. Supiluliuma preparou um sólido alicerce para a administração dos estados vassalos da Síria, ligando cada um deles a si próprio nos tratados de suserania, a forma literária à qual se assemelha intimamente a aliança que Deus deu a Israel no monte Sinai (cf. George Mendenhall, *Law and Covenant in Israel and the Ancient Near East*).

Durante o reinado de Muwatalli (1306–1282 a.C.), Ramsés II do Egito juntou-se à batalha com os exércitos aliados dos heteus em Cades, no Orontes. Ambos os lados reivindicaram a

Portão do Leão, Boghazköy, capital dos heteus. HFV

vitória em seus anais, mas Muwatalli manteve a Síria e adicionou Abina (Hobá) à sua possessão. Mais tarde, Ramsés aliou-se por meio de um tratado com Hattusili III (1275–1250 a.C.) contra a ameaça mútua representada pelo novo estado assírio.

O Império Heteu, centrado na Ásia Menor, chegou a um fim quando as tribos bárbaras da Trácia eliminaram-no das terras do oeste, e em aproximadamente 1200 a.C. destruíram a cidade principal de Hattusas (em Boghazköy, a aprox. 120 quilômetros a leste de Ancara, na Turquia). Povos litorâneos do oeste e do sul talvez também tenham participado do colapso dos heteus.

A designação política "Hatti" continuou por meio de um pequeno grupo das cidades soberanas do norte da Síria, entre as quais estavam Carquemis, Alepo e Hamate. Os heteus originários destas cidades podem ter servido no exército de Davi (1 Sm 26.6; 2 Sm 11.3), embora estes possam ter sido filhos de Hete, uma vez que Aimeleque é evidentemente um nome semítico, e Urias pode ser também semítico ou hurriano. Os próprios nomes semíticos, entretanto, não precisam excluir uma origem dos sírios ou dos heteus, uma vez que os heteus da Síria acomodaram-se, desde então, à predominante cultura aramaica.

Quando Ezequiel acusou a devassa Jerusalém de ser descendente de um pai amorreu e de uma mãe hetéia (Ez 16.3), ele tinha em mente os filhos de Hete, e não o grande império na Ásia Menor. Efrom, o heteu de Gênesis 23, também pode ter sido um dos filhos de Hete, embora alguns tenham detectado traços do procedimento heteu na transação imobiliária entre Efrom e Abraão (Lehmann, BASOR # 129, pp. 15-18; Tucker, JBL, LXXXV, 77-84).

O idioma dos heteus foi uma língua indo-européia associada ao antigo grego, latim e sânscrito. Outros grupos na Anatólia relacionados aos heteus falavam dialetos associados ao idioma dos heteus, chamados lúvio e palaico. O idioma dos "hititas" (povo de Hatti) não foi nem semítico nem indo-europeu. As leis dos heteus, inscritas em placas de barro em escrita cuneiforme, são muito similares em forma e conteúdo aos códigos de leis contemporâneos da Mesopotâmia (ANET, pp. 188-197). Mas, diferentes da lei semítica, com sua característica ênfase no *lex talionis,* estas leis destacam a compensação pelo dano, indubitavelmente um resquício da antiga instituição indo-européia *wergeld.*

Os heteus possuíam duas vantagens militares distintas sobre os seus adversários. Eles foram os primeiros a fundir o ferro em larga escala no Oriente Próximo, o que lhes deu armas de qualidade superior. Também estavam na vanguarda daqueles que transformaram em ciência a criação/procriação e o treinamento dos cavalos dos carros de batalha. Entre os registros em tábuas de argila dos arquivos heteus, foi encontrada uma extensa série de tábuas onde estavam descritos os procedimentos do treinamento de cavalos dos carros de batalha. O autor desses textos foi um hurriano chamado Kikkuli. Salomão mais tarde importou da Cilícia (Kue) cavalos de excelente qualidade para os seus carros de batalha (1 Rs 10.28,29).

*Veja* Arqueologia: Boghazköy.

***Bibliografia.*** Kurt Bittel, "Boghazköy. The Excavations of 1967 and 1968," *Archaeology*, XXII (1969), 276-279. O. R. Gurney, "Boghazköy", TAOT, pp. 105-116. Harry A. Hoffner, "Hittites", BW, pp. 290-294, com excelente bibliografia; "Some Contributions of Hittitology to Old Testament Study", *Tyndale Bulletin*, XX (1969), 27-55. Manfred R. Lehmann, "Abraham's Purchase of Machpelah and Hittite Law", BASOR # 129 (1953), pp. 15-18. Gene M. Tucker, "The Legal Background of Genesis 23", JBL, LXXXV (1966), 77-84.

H. A. Hof.

**HETLOM** Um lugar mencionado por Ezequiel como situado na futura fronteira norte de Israel (Ez 47.15; 48.1). Não se conhece sua localização exata; é possivelmente a moderna Heitelâ, a nordeste de Trípoli, na costa do Líbano. O "caminho de Hetlom" pode designar a rota através do vale ao norte da cadeia de montanhas do Líbano em direção a Cades, no Orontes. Hetlom se assemelha ao monte Hor de Números 34.7, um pico ao norte do Líbano (Y. Aharoni, *The Land of the Bible*, p. 67, nº 34).

**HEVEUS** Incluídos entre os descendentes de Canaã (Gn 10.17; 1 Cr 1.15), os heveus formavam um dos grupos étnicos que viviam em Canaã antes do estabelecimento dos israelitas (Êx 3.8; Dt 7.1; Js 3.10). As cidades e os assentamentos dos heveus são conhecidos por terem se situado nas adjacências de Tiro e Sidom (2 Sm 24.7), nas montanhas do Líbano (Jz 3.3), na cordilheira de Hermom e no vale na direção de Hamate (Js 11.3), na Palestina central em torno de Siquém (Gn 34.2) e em Gibeão ao norte de Jerusalém (Js 9.7; 11.19). Salomão recrutou os heveus para seus projetos de construção (1 Rs 9.20; 2 Cr 8.7).

Uma vez que em hebraico a grafia das palavras "heveus" (*hiwwi*) e "horeus" (*horri*) diferem pouco (as letras *w* e *r* são grafadas de maneira similar em hebraico), muitos estudiosos assumem que se tratava do mesmo povo, e assim igualam os heveus com os horeus. A confusão das duas grafias no curso da transmissão textual é evidente desde o próprio texto hebraico massorético, já que Zibeão é chamado de "heveu" em Gênesis 36.2

e de "horeu" em Gênesis 36.20. A LXX traz o termo "horeu", enquanto o Texto Massorético apresenta o termo "heveu" em Gênesis 34.2 e Josué 9.7. Além disso, os hurrianos (os "horeus" bíblicos) são conhecidos por terem se estabelecido na Palestina justamente nas áreas onde os heveus bíblicos estavam localizados. Nomes pessoais hurrianos são encontrados na Palestina central, no Líbano e na Síria. O príncipe de Jerusalém, por volta da metade do século XIV a.C., conhecido a partir das cartas de Amarna, possuía o nome hurriano de Abdi-Hepa.
Na época de Davi, um príncipe jebuseu da região de Jerusalém tinha o nome (ou título) de Araúna (2 Sm 24.16; uma variante do termo Ornã em 1 Cr 21.18), que em hurriano significa "o senhor". As variações textuais de 2 Samuel 24 no texto consonantal do Texto Massorético, *'wrnh* (v. 16) e *'rwnh* (vv. 20-24), pareceram refletir diferenças de dialetos, já que o termo "senhor" era pronunciado *iwri* em alguns dialetos hurrianos e *irwi* em outros. Entretanto, uma vez que o termo equivalente ao nome de Araúna é sempre grafado como *'wrn* no idioma ugarítico, e a LXX sempre apresenta *Orna* (mesmo em 2 Sm 24.20-24, correspondendo a *'wrnh* no texto hebraico), é provável que no Texto Massorético *'rwnh* em 2 Samuel 24.20-24 seja um erro transposicional para o antigo *'wrnh*. O fato de Araúna – com seu nome ou título hurriano – ser chamado de jebuseu (2 Sm 24.16), associado ao fato de que nas listas descritivas os heveus precedem imediatamente os jebuseus (Êx 3.8; Dt 7.1 etc), tem se constituído como uma evidência adicional de que os heveus eram hurrianos (ou horeus).
*Veja* Horeus.

H. A. Hof

**HEZIOM** Avô do rei sírio Ben-Hadade (*q.v.* 1 Rs 15.18).

**HEZI**
1. Chefe do 17º turno de sacerdotes na época de Davi (1 Cr 24.15).
2. Chefe da família que assinou a aliança na época de Neemias (Ne 10.20).

**HEZRAI** Um dos poderosos de Davi. Seu nome encontra-se apenas em 2 Samuel 23.35, mas é provavelmente o mesmo que Hezrom (*q.v.*).

**HEZROM, HEZRONITAS**
1. O terceiro filho de Rúben, o primogênito de Jacó (Gn 46.9; Êx 6.14; 1 Cr 5.3). Ele é o ancestral dos hezronitas (Nm 26.6).
2. Filho de Perez e neto de Judá. Foi o ancestral de Davi através de quem veio o Senhor Jesus (Gn 46.12; Nm 26.21; Rt 4.18,19; 1 Cr 2.5,9,18, 21,24,25; 4.1). Em Mateus 1.3, ele é chamado em algumas versões de Esrom, e de Hezrom em outras.
3. Cidade na fronteira sul de Judá entre Cades-Barnéia e Adar. Também chamada de Hazor (Js 15.3,25).

**HICSOS** Os hicsos foram os governantes estrangeiros do Egito que formaram a XV e XVI Dinastias no perfil histórico egípcio do sacerdote historiador Maneto, do século III a.C. Ele se referiu a eles como "reis pastores" e lhes atribuiu um governo de 511 anos. O nome "hicsos" é derivado do egípcio "governantes estrangeiros"; cronologias atuais lhes atribuem apenas cerca de 150 anos de dominação no Egito (aprox. 1730–1570 a.C). Os hicsos estabeleceram a sua capital no Delta do Nilo, em Avaris (mais tarde Tanis; a Zoã bíblica). Eles eram asiáticos que pensavam ter dominado a maior parte da área siro-palestina durante meados do período do Bronze II (1850–1550 a.C.), e que se infiltraram no Egito no final desse período ganhando o controle do país sem fazer uma guerra. Os nomes de alguns dos reis hicsos contêm elementos semitas. Este fator contribui para a opinião de que José, um escravo semita, foi elevado ao poder no Egito durante o período hicso. Josefo (*Agaist Apion*, i.14, 16) até confunde os hicsos e os israelitas (FLAP, p. 95).
Os hicsos tornaram-se bastante influenciados pelo Egito, mas também fizeram certas contribuições para a cultura egípcia. Eles deixaram o conhecimento de como usar o cavalo e o carro na guerra, e introduziram novos tipos de adagas e espadas, especialmente o forte arco asiático composto. As relações dos hicsos foram amplas, pois objetos levando o nome de um rei hicso foram encontrados em lugares distantes como Creta e Mesopotâmia. Os locais ocupados por eles geralmente mostram uma típica fortificação retangular com uma rampa em declive, feita de terra batida (*terre pisée*).
Os governantes egípcios nativos da área de Tebas, dirigida por Sekenenre, deram início à guerra de libertação contra os hicsos. Ahmose, seu filho, o fundador da XVIII Dinastia, cercou Avaris e derrotou os hicsos, que fugiram para a Palestina. Por meio de perseguições, Ahmose terminou com êxito três campanhas contra eles em Sharuhen, a oeste de Berseba. Um século depois, as expedições de Tutmósis III (1504–1450 a.C.) eram ainda atribuíveis em parte ao desejo de esmagar os hicsos.
*Veja* Egito; Êxodo, O; José.

C. E. D.

**HIDAI** Um dos poderosos de Davi que nascera em algum local no deserto próximo a Gaás (2 Sm 23.30). Ele é chamado Hurai na passagem correspondente em 1 Crônicas 11.32 (*q.v.*). Uma variação ortográfica provavelmente resultou de uma confusão entre *r* e *d* em hebraico, e entre a letra *h* sem qualquer

Hierápolis, aparecendo como uma cascata congelada. James L. Boyer

acentuação e a letra *h* acentuada com um ponto em sua base, que são letras muito semelhantes no hebraico do período pós-exílico.

**HIDÉQUEL** Versão hebraica do nome acádio *Idiqlat*, o segundo maior rio da Mesopotâmia (Gn 2.14; Dn 10.4). O *Idiqlat* era chamado *Diqlat* ou *Diglat* em aramaico, *Tigra* em persa antigo e Tigre (*q.v.*) em grego.

**HIDROPISIA** *Veja* Doença.

**HIEL** Um betelita (*q.v.*) que reconstruiu Jericó nos dias de Acabe (1 Rs 16.34). Entende-se que a maldição de Josué (Js 6.26) foi dirigida aos sacrifícios de seus filhos, tanto do mais velho quanto do mais novo.

**HIENA** *Veja* Animais II.20.

**HIERÁPOLIS** Cidade construída em um platô elevado contemplando o vale do rio Lico na parte oeste da província romana da Ásia, cerca de nove quilômetros ao norte de Laodicéia. Foi famosa por suas fontes de águas quentes, que a tornaram uma estância para o tratamento da saúde, e pelo plutônio, uma fenda nas rochas que emitia gases venenosos, sendo supostamente o domínio de Leto, a deusa frígia da fertilidade. A igreja em Hierápolis foi provavelmente fundada por convertidos de Paulo, e estava intimamente associada à igreja em Colossos (Cl 4.13). Há uma tradição onde consta que Filipe, o evangelista, e João, o apóstolo, visitaram esta cidade.

**HIGAIOM** Transliteração de um termo hebraico que aparece somente no Salmo 9.16, onde é uma nota musical ou instrução. Em algumas versões, o termo é traduzido como "meditação" no Salmo 19.14, "som solene" no Salmo 92.3, e "imaginações" em Lamentações 3.62.

**HILEL** O pai do juiz Abdom (Jz 12.13,15).

**HILÉM** *Veja* Holom.

**HILQUIAS**

1. Um levita da família de Merari, o filho de Anzi e pai de Amazias (1 Cr 6.45,46).
2. Um levita, filho de Hosa, um merarita, que foi designado por Davi como porteiro do Templo (1 Cr 26.11).
3. Pai de Eliaquim, o "mordomo", isto é, o primeiro ministro do rei Ezequias (2 Rs 18.18,26,37; Is 22.20;36.3,22).
4. Filho de Salum (ou Mesulão) e descendente de Zadoque que foi sumo sacerdote nos dias do rei Josias. Foi também um ancestral de Esdras (1 Cr 6.13; 9.11; Ed 7.1). Foi em parte sob a sua liderança que o grande avivamento teve lugar durante o reinado de Josias. Durante a reparação do Templo, Hilquias descobriu "o livro da Lei na casa do Senhor". Esta pode ter sido uma cópia "fundamental", assim como hoje colocamos pedras fundamentais, ou pode ter sido na verdade a cópia colocada na arca por Moisés (Dt 31.9-26). O livro foi trazido pelo rei, que após lê-lo, ficou convencido do grande pecado de seu povo. Ele pediu a Hilquias e a outros: "Consultai ao Senhor por mim". Hilquias dirigiu-se a Hulda, a profetisa, e por meio dela recebeu do Senhor o pronunciamento do julgamento sobre Judá, mas conforto e bênçãos pessoais a Josias. Hilquias desempenhou um papel de liderança na reforma que se seguiu, marcada por uma momentânea observação da Páscoa (2 Rs 22–23; 2 Cr 34–35).
5. Um sacerdote de Anatote em Benjamim, pai de Jeremias, o profeta (Jr 1.1).
6. Pai de Gemarias, com quem Elasa foi enviado à Babilônia pelo rei Zedequias, levando a carta de Jeremias para aqueles que já estavam no cativeiro (Jr 29.3).
7. Um dos sacerdotes que retornaram da Babilônia com Zorobabel. O pai de Hasabias, que foi sacerdote nos dias de Joiaquim (Ne 12.7,21).
8. Um dos sacerdotes que ficou de pé junto a Esdras enquanto ele lia a lei do Senhor para o povo (Ne 8.4).
9. O pai de Seraías, um dos sacerdotes-chefes de Neemias e "maioral da casa de Deus" (Ne 11.11).

P. C. J.

**HIM** *Veja* Pesos, Medidas e Moedas.

**HIMENEU** Provavelmente um mestre em Éfeso, mencionado em 1 Timóteo 1.20 e 2 Timóteo 2.17, condenado pelo apóstolo Paulo por ensinar falsas doutrinas. Ele parece ter rejeitado o ensino apostólico e os ditados da boa consciência. Por isso Paulo o entregou a Satanás (cf. 1 Co 5,5) para ensiná-lo quão errado é blasfemar. É difícil afirmar se este castigo foi limitado à exclusão da igreja, ou se envolvia também um sofrimento físico (cf. At 5.1-11; 1 Co 11.30). Aparentemente, esse castigo tinha um objetivo remediador, não sendo simplesmente de natureza penal.

(Veja mais detalhes em Deissmann, *Light from the Ancient East*, pp. 301-303, juntamente com exemplos de textos de execração na Antiguidade.)

O segundo erro de Himeneu foi a afirmação de que a ressurreição já havia ocorrido. Como um câncer, o erro estava aparentemente espalhando-se e causando danos à fé de certas pessoas. Esse caso foi possivelmente paralelo ao incidente em Corinto, onde alguns ensinavam que não há ressurreição dos mortos (1 Co 15.12). Ao menos para o pensamento grego, a idéia da ressurreição corpórea era um absurdo (cf. At 17.32).

Pode ter sido também o ensino de que a ressurreição era uma bênção de natureza espiritual, referindo-se à regeneração de alguém morto no pecado (veja Ef 2.6; Cl 3.1; Rm 6.3,4). Porém, tanto Paulo (1 Co 15.4,20-23,51-54; Fp 3.11,21) como nosso Senhor antes dele (Jo 5.28,29) ensinaram uma ressurreição corpórea. Este é o sentido comum da palavra gr. *anastasis* no NT. Alguns continuaram a espiritualizar a idéia, e essas opiniões heréticas estão registradas pelos escritores do século II (Justino Mártir, Irineu e Tertuliano). *Veja também* Ressurreição do Corpo.

W. M. D.

**HINO ANGELICAL** Um refrão litúrgico ou poético descrito como sendo cantado por mensageiros sobre-humanos ou servos de Deus. Exemplos incluem o Trisagion do serafim (Is 6.3), o Glória nas Alturas (Lc 2.14) e vários outros no livro de Apocalipse (por exemplo, Ap 5.9,10).

**HINO** *Veja* Música.

**HINOM** O vale de Hinom se inicia no lado oeste de Jerusalém, no Portão de Jope (Jafa), continua na direção sul até dobrar ao leste passando por toda a extensão dos limites sul da cidade. Próximo à extremidade sudeste e à Porta do Monturo, une-se ao vale de Cedrom. É uma ravina estreita e profunda, ladeada por degraus e rochas. *Veja* Jerusalém.

É mencionado pela primeira vez nas Escrituras como uma parte da fronteira entre Judá (ao sul) e Benjamim (ao norte) na divisão de terras entre as tribos (Js 15.8; 18.16). Neste local estava Tofete, onde os pais fizeram passar seus filhos pelo fogo em sua adoração idólatra a Moloque (2 Cr 28.3; 33.6). Jeremias advertiu que o Senhor puniria o povo tão severamente por causa de sua maldade, que o lugar tornar-se-ia conhecido como o vale da matança (Jr 7.31-34; 19.3-6; 32.35). O rei Josias procurou extinguir essas abominações idólatras ao criar o vale do lixo, onde deveria ser depositado o lixo da cidade (2 Rs 23.10,13,14; 2 Cr 34.4,5).

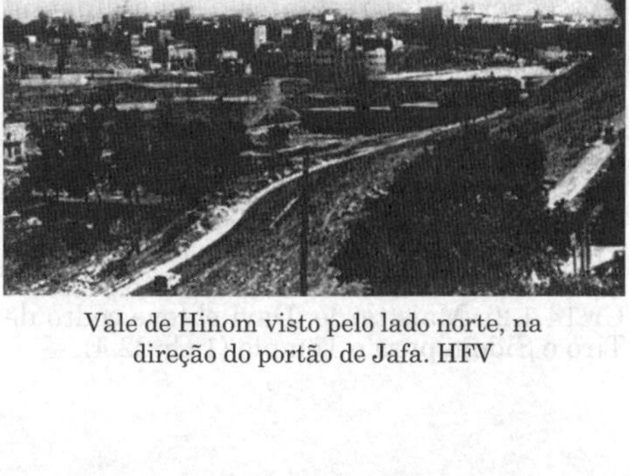

Vale de Hinom visto pelo lado norte, na direção do portão de Jafa. HFV

A palavra hebraica *Ge ben-Hinnom* (Ge-Hinom) foi traduzida para o grego como *geenna*. No Novo Testamento, ela se converte na palavra utilizada para designar o "inferno", que é encontrada 11 vezes nos Evangelhos, pronunciada pelo Senhor Jesus (Mt 5.22,29,30; 10.28; 18.9; 23.15,33; Mc 9.43,45, 47; Lc 12.5), e uma vez em Tiago 3.6. Este se tornou conhecido como um lugar de putrefação, decomposição e fogo, associado com a destruição dos resíduos, um símbolo conveniente para o destino final dos iníquos. As referências ao "lago de fogo" em Apocalipse 14.10; 19.20; 20.10; 21.8 provavelmente tiveram origem no conceito do Geena.

*Veja* Geena; Inferno.

H. L. D. e F. B. H.

**HIPOCRISIA, HIPÓCRITA** No contexto da dramaturgia grega, o termo hipócrita era aplicado a um ator no palco do teatro. Visto que um ator finge ser alguém que não ele mesmo, *hypokrites* era aplicado metaforicamente a uma pessoa que "atua em um papel" na vida real, fingindo ser melhor do que realmente é, alguém que simula a bondade. Na literatura gr. secular, portanto, *hypokrites* pode ser neutro ou indesejável, significando uma pessoa que coloca em prática um engano através da piedade fingida.

Este conceito de bondade dissimulada era estranho ao pensamento do AT. A raiz heb. *h-n-p*, traduzida como "hipocrisia" ou "hipócrita", foi traduzida na LXX como *anomos*, "sem lei", "criminoso", ou "ímpio", um paralelo a *poneros*, um "malfazejo" (Is 9.17); e como *asebes*, "ímpio", "irreverente" (Is 33.14).

No livro de Jó, fica claro que *hanep* é alguém que está em radical oposição a Deus, alguém que se esquece de Deus (Jó 8.13; 15.34,35; 20.5; 27.8). O verbo *hanap* significa poluir ou corromper (cf. Nm 35.33; Sl 106.38; Is 24.5; Jr 3.1). A tradução teodorita de Jó, posteriormente incorporada à LXX, traduziu o termo heb. *hanep* como *hypokrites* em dois versículos (Jó 34.30; 36.13). Assim, parece que os judeus de fala grega estavam empregando *hypokrisis* em um outro sentido além do seu significado metafórico de uma pessoa fingir ser o que não é.

Este pano de fundo no AT indica o sentido

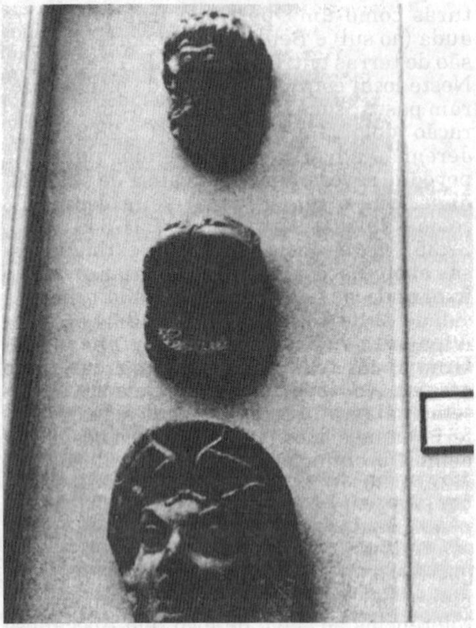

As máscaras utilizadas pelos atores gregos e romanos eram feitas de linho endurecido. Estas máscaras romanas foram confeccionadas em mármore para fins de decoração. BM

mais amplo no qual o termo é usado no ministério de nosso Senhor. O termo "hipócrita" ocorre 18 vezes e "hipocrisia" duas vezes nas palavras de Jesus. Ele advertiu os seus discípulos contra o "fermento dos fariseus, que é a hipocrisia" (Lc 12.1). Ele diagnosticou estes fariseus como parecendo justos aos homens, mas estando cheios de hipocrisia e iniqüidade por dentro (Mt 23.28). As passagens paralelas sugerem que Ele acusou os fariseus de algo mais do que um mero fingimento; por exemplo, a expressão "sua hipocrisia" em Marcos 12.15. Em Mateus 22.18, esta expressão é "sua malícia" ou maldade, e em Lucas 20.23, é "sua astúcia (ou ardil)". Somente em Lucas 20.20 o verbo *hypokrino* retém o significado gr. original de fingir; os escribas e os principais dos sacerdotes, tentando prender a Jesus, enviaram espias "que fingiam ser sinceros".

Fora dos Evangelhos, o termo *hypokrisis* ocorre três vezes. Paulo censurou Pedro por sua "dissimulação", a sua deliberada incoerência em primeiro comer com os convertidos gentios em Antioquia e depois, temendo o grupo da circuncisão, recusar se associar com eles mais tarde (Gl 2.13, verbo e substantivo) – e Pedro recebeu de Deus uma visão antes de sua visita a Cornélio (At 10). Paulo revela que nos últimos tempos haverá aqueles que seguirão espíritos malignos e doutrinas de demônios e que por hipocrisia falarão mentiras (1 Tm 4.1,2). O próprio cristão é advertido a se despojar de toda a hipocrisia em sua vida (1 Pe 2.1).

No NT, há seis ocorrências do adjetivo verbal *anupokritos*, "sem hipocrisia" (Tg 3.17; também Rm 12.9, "não fingido"; e 2 Co 6.6; 1 Tm 1.5; 2 Tm 1.5; 1 Pe 1.22, "sincero").

J. H. G. e R. A. K.

**HIPOPÓTAMO** *Veja* Animais II.21.

**HIPOTECA** Tradução do termo heb. *'arab*, "tomar ou dar em penhor", "trocar", "dar um imóvel como garantia" (Ne 5.3; cf. Pv 17.18). Nos dias de Neemias, os pobres recorreram ao seu último recurso e penhoraram temporariamente suas terras e casas. Ao ouvir que estes bens haviam sido penhorados para que as pessoas pudessem comprar comida e garantir o dinheiro para o tributo do rei, Neemias exigiu que os nobres e os governantes locais devolvessem as propriedades. Ele então chamou os sacerdotes para que fossem testemunhas da promessa de que o abuso seria corrigido (5.6-13). *Veja* Empréstimo; Fiança.

**HIRA** Um adulamita, amigo de Judá (Gn 38.1,12). Foi emissário de Judá para a suposta prostituta (Gn 38.20ss.). Nas versões LXX e Vulgata, lê-se "pastor" onde outras versões trazem o termo "amigo" em Gênesis 38.12.

**HIRÃO** Nome que em geral foi traduzido como Hirão em 1 Reis e 1 Crônicas, mas como Hurão em 2 Crônicas (*q.v.*).

1. Rei de Tiro. Com o reinado de Hirão I, começaram os grandes dias de Tiro (*q.v.*). Quando ele tomou o controle do governo, Tiro consistia de duas pequenas ilhas a aproximadamente 800 metros da costa fenícia (é incerto afirmar se havia ou não uma Tiro continental). Ele uniu as duas ilhas e reivindicou uma porção do mar situada a leste da ilha maior. O diâmetro total da ilha de Tiro passou a ser de aproximadamente 4 quilômetros. Mais tarde, Hirão começou a reconstruir e embelezar os Templos, ampliar e melhorar o porto e a fortificar a cidade.

Uma cronologia aceitável baseada nos textos de Josefo (*Ant.* viii.3.1; 5.3; *Against Apion* i.17-18) reconhece o reinado de 34 anos de Hirão, de 978 a 944 a.C. Seu pai foi Abi-baal e os governantes restantes de sua dinastia incluem Beleazaro, 7 anos; Abd-Astarto, 9 anos; Deleastarto, 12 anos; Astarto, 12 anos; Aserimo, 9 anos; e Feles, 8 meses.

Depois que Davi tornou-se rei de toda a nação de Israel, Hirão lhe enviou um mensageiro. O resultado disso foi um suprimento de cedro do Líbano (*q.v.*), carpinteiros e pedreiros de Tiro para edificar um palácio para Davi – em quais termos não sabemos (2 Sm 5.11,12; 1 Cr 14.1,2). Mais tarde, Davi obteve cedro de Tiro e Sidom para o Templo (1 Cr 22.4).

Quando Salomão assumiu a tarefa de construir o Templo em Jerusalém, ele enviou uma mensagem a Hirão para fazer os preparativos específicos para a construção. A correspondência entre os dois reis aparece em 2 Crônicas 2 e 1 Reis 5.1-12 (cf. 1 Rs 7.13,14). O quadro que obtemos é algo como o seguinte: Salomão precisava de madeira, ouro e artesãos de vários ramos. Em troca da madeira e da mão-de-obra especializada, Salomão daria produtos agrícolas; pelo ouro, ele daria uma parte de terra.

O valor total que Salomão combinou em fornecer anualmente pela madeira e pela mão-de-obra foi de 20.000 medidas (heb. *kor* = 10-11 alqueires cada) de trigo, 20.000 medidas de cevada, 20.000 medidas (heb. *bath* = 4 ½ galões cada) de vinho, e 20.000 medidas (batos) de azeite, embora alguns considerem que esta quantidade seja demasiadamente elevada (2 Cr 2.10).

O fato de este pagamento ser diferente do mencionado em 1 Reis 5.11 pode ser facilmente explicado. A última referência fala de um pagamento de 20.000 medidas de trigo e 20.000 de óleo puro, e diz que isto era para a casa de Hirão. As estatísticas de 2 Crônicas provavelmente também incluam receitas para despesas públicas. Pelo ouro, Salomão deu a Hirão uma extensão de terra na Galiléia; esta abrangia 20 cidades. Ao ver esta área, Hirão ficou muito infeliz e chamou-a de *Cabul*. De acordo com Josefo, esta palavra é um termo fenício significando "o que não agrada" (1 Rs 9.10-14; Josefo, *Ant.* viii.5.3).

Estabelecido o acordo para a construção, parece que Salomão e Hirão também assinaram um pacto de união de esforços comerciais. A conquista dos edomitas por Salomão deu-lhe acesso ao mar Vermelho. Lá, ele construiu o porto de Eziom-Geber (*q.v*), como também uma frota de naus para comércio em águas orientais e do sul (1 Rs 9.25-28). Até este ponto, os hebreus nunca tinham possuído boas instalações portuárias, nem tinham se dedicado extensivamente a viagens por mar. Durante a construção do porto e da frota, o mais natural para os hebreus era procurarem técnicos habilidosos na Fenícia, onde estavam os reconhecidos líderes neste assunto. E os fenícios ficaram satisfeitos em cooperar na construção da frota para o sul, porque, de certa maneira, ela não disputaria a supremacia que eles tinham no Mediterrâneo, já que não existia o canal de Suez. Por outro lado, os fenícios poderiam dessa maneira ter acesso às mercadorias da Arábia e da África pelo comércio mediterrâneo deles; antes disso, eles não tinham acesso a esses produtos. A terra de Ofir (1 Rs 9.28) estava localizada a sudeste da Arábia (o moderno Iêmem), ou talvez na costa adjacente da África, ou ainda é possível que estivesse na Índia ocidental. Os fenícios parecem também ter ajudado Salomão a desenvolver a sua indústria de fusão de cobre na área sul do mar Morto.

Hirão e Salomão não tiveram somente uma aliança comercial comum, mas parece que tinham disputas pessoais relacionadas à habilidade para solucionar enigmas. Josefo relata que os dois monarcas trocavam dizeres enigmáticos, com o acordo de que aquele que não solucionasse o problema seria multado em uma soma de dinheiro. A princípio, Hirão parece ter sido um grande perdedor; porém mais tarde, com a ajuda de um certo Abdemom de Tiro, conseguiu resolver os enigmas. Posteriormente, Hirão propôs alguns enigmas que nem mesmo o sábio Salomão conseguiu solucionar, e por esta razão pagou uma grande soma de dinheiro a Hirão (Josefo, *Ant.* viii.5.5; *Against Apion,* i.17). É incerta a relação que o rei Airão de Biblos (aprox. 1000 a.C.) pode ter tido com Hirão I de Tiro.

2. Um segundo Hirão de Tiro (não mencionado no Antigo Testamento) é mencionado por Tiglate-Pileser III (744–727 a.C) da Assíria como pagando tributos ao rei assírio.

3. Um artesão contemporâneo do rei Hirão I, que foi enviado pelo rei a Salomão para supervisionar a fundição do mar de cobre (a grande pia), dos pilares de cobre e outros utensílios para o Templo (1 Rs 7.13-47). Embora o pai de Hirão fosse de Tiro, sua mãe era da tribo de Naftali (1 Rs 7.14) ou de Dã (2 Cr 2.14). Talvez a discrepância seja resultado de alguma variação por parte de algum copista, ou é possível que a mãe de Hirão tenha sido uma descendente de ambas as tribos. Pelo visto, Hirão foi um excepcional artesão.

H. F. V.

**HISSOPO** *Veja* Plantas.

**HIZQUI** Um benjamita (1 Cr 8.17). Seu nome foi transliterado como Hizequi em algumas versões.

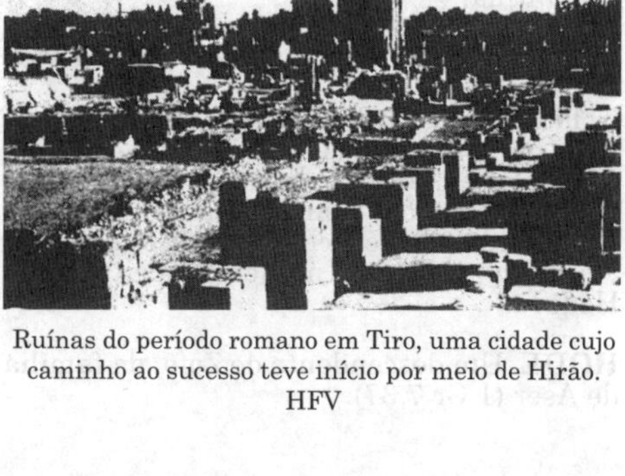

Ruínas do período romano em Tiro, uma cidade cujo caminho ao sucesso teve início por meio de Hirão.
HFV

**HOÃO** Rei amorreu de Hebrom que se uniu à coalizão contra Gibeão. A coalizão foi derrotada por Josué em Bete-Horom. Os reis fugiram, mas foram capturados e mortos em Maquedá (Js 10.3ss.).

**HOBÁ** O lugar até onde Abrão perseguiu o exército de Quedorlaomer "à esquerda (isto é, ao norte) de Damasco" (Gn 14.15). Não se conhece a localização exata.

**HOBABE** O filho de Reuel, o midianita (Nm 10.29), e, portanto, o irmão de Zípora e cunhado de Moisés (Êx 2.18,21; 3.1). A palavra hebraica *hoten*, traduzida como "sogro" (Nm 10.29; Jz 1.16; 4.11; *et al.*), vem do verbo *hatan*, "casar-se", e significa simplesmente um parentesco por meio de um casamento. Como ele não é mais específico do que isso, não existe contradição nos trechos de Juízes onde Hobabe é chamado de "parente" de Moisés. *Veja* Jetro.
Quando Israel deixou o Sinai, Moisés convidou Hobabe a acompanhá-los, prometendo que as bênçãos de Deus estendidas sobre Israel também seriam dele. Ele insistiu para que Hobabe viesse, pois poderia ser um guia e ser de grande ajuda para eles, uma vez que conhecia os caminhos do deserto (Nm 10.29-32). O registro em Números não indica se Hobabe foi ou não com eles na ocasião, mas a partir de então são encontradas pessoas da mesma família midianita, os queneus, entre os israelitas. Na época dos juízes, Héber, o queneu, foi chamado de descendente de Hobabe. Jael (*q.v.*), a mulher de Héber, foi a heroína que matou o opressor Sísera (Jz 4.11ss.).

***Bibliografia.*** William F. Albright, *Yahweh and the Gods of Canaan*, Garden City: Doubleday, 1968, pp. 38-42.

P. C. J.

**HODAÍAS** Variante de Hodavias (*q.v.*). É encontrado somente em algumas versões em 1 Crônicas 3.24, referindo-se a um descendente de Davi. Foi um dos sete filhos de Elioenai, dos descendentes de Zorobabel.

**HODAVIAS** Variante de Hodaías (*q.v.*). O nome aparece nas cartas em aramaico de Elefantina.
1. Um dos chefes de Manassés e um poderoso guerreiro, levado ao exílio pelos assírios (1 Cr 5.24).
2. Pai de Mesulão e filho de Hassenuá, da tribo de Benjamim (1 Cr 9.7).
3. Um levita, ancestral dos 74 que retornaram a Jerusalém com Zorobabel (Ed 2.40). Em Esdras 3.9 ele é chamado de Judá, e em Neemias 7.43 seu nome é escrito como Hodeva.

**HODE** Um descendente de Zofa, da família de Aser (1 Cr 7.37).

**HODES** Esposa de Saaraim, uma benjamita (1 Cr 8.9).

**HODEVA** *Veja* Hodavias 3.

**HODIAS** Este nome hebreu foi encontrado em um antigo selo da Palestina.
1. Um homem de Judá (*q.v.*; 1 Cr 4.19) cuja esposa era irmã de Naã. A ordem das palavras e a pontuação do texto da versão KJV em inglês dão a impressão errônea de que Hodias era uma mulher.
2. Um levita ativo na época de Neemias. Ele ajudou o povo a entender a lei à medida que Esdras a lia, e conduziu o povo em oração (Ne 8.7ss.; 9.5). Ele assinou a grande aliança de Neemias (Ne 10.10).
3. Outro levita que assinou a aliança de Neemias (Ne 10.13).
4. Um dos chefes do povo que assinou a aliança (Ne 10.18).

**HOFNI** Filho do sumo sacerdote Eli. A maldade de Hofni e de seu irmão Finéias trouxe uma maldição sobre a casa de Eli (1 Sm 2.34). Esta maldição lhes sobreveio na batalha de Afeca (1 Sm 4.11).

**HOFRA** *Veja* Faraó Hofra.

**HOGLA** Uma das cinco filhas de Zelofeade (Nm 26.33; 27.1; Js 17.3). Uma vez que este homem não tinha filhos, as filhas deveriam receber a herança com a condição de se casarem dentro de sua tribo (Nm 36.1-12).

**HOLOM**
1. Um povoado na região montanhosa de Judá (Js 15.51) dado aos levitas (Js 21.15). Também chamado de Hilém (1 Cr 6.58).
2. Uma cidade dos moabitas incluída no julgamento sobre um grupo de cidades enumeradas por Jeremias (Jr 48.21).

**HOMÃ** Filho de Lotã, um descendente de Seir e membro de um grupo conhecido como horeus (Gn 36.22; 1 Cr 1.39). É também chamado de Hemã na LXX nas duas passagens, e essa mesma ortografia é usada em Gênesis 36.22 na versão RSV em inglês.

**HOMEM** *Veja* Antropologia.

**HOMEM A PÉ** Este termo era usado para indicar o soldado de infantaria (Nm 11.21; 1 Sm 4.10; 15.4). Uma palavra heb. alternativa que também é utilizada destaca a atividade de correr e transmite a idéia geral de um corredor ou mensageiro (1 Sm 22.17). Da declaração em Jeremias 12.5, vem o conceito de que o homem a pé era sempre um corredor.

**HOMEM DO PECADO ou FILHO DA PERDIÇÃO** A frase ocorre no NT em 2 Tessalonicenses 2.3. Nos manuscritos, a evidência de homem do pecado é igualmente dividida entre *anomias* ("filho da perdição") e *hamartias* ("homem do pecado"). Ele é descrito nos vv. 3,4 como o "filho da perdição" ou "destruição" (cf. Jo 17.12) e aquele que "se opõe e levanta-se contra tudo o que se chama Deus ou se adora".

Alguns entendem que Paulo ensina que antes que chegue o dia do Senhor (ou o dia de Cristo, com base em alguns manuscritos gregos posteriores) deve existir um abandono (apostasia, NASB, vv. 2,3), a remoção da força restritiva de Deus (isto é, do governo legítimo do Espírito Santo, etc) contra o exercício total do poder da iniqüidade (v. 7), e o aparecimento do homem do pecado, de inspiração satânica, a quem o Senhor destruirá (v. 8).

A interpretação do homem do pecado como sendo Antíoco Epifânio, imperadores romanos (como Calígula, Nero) ou o papado não satisfazem o ponto de vista escatológico do NT. Antes, o homem do pecado é um indivíduo que incorpora o poder antideus, que ainda está para se manifestar antes do futuro dia do Senhor. *Veja* Anticristo; Besta; Iniqüidade *re* Impiedade.

W. H. M.

**HOMEM, FILHO DO** *Veja* Filho do Homem.

**HOMEM INTERIOR** O homem interior na tradução da versão KJV em inglês, de *ho eso anthropos* em Romanos 7.22; Efésios 3.16; 2 Coríntios 4.16 (na última referência apenas *ho eso* aparece, com *anthropos* devendo, claramente, ser entendido a partir do contexto imediato). É uma expressão paulina que se refere à natureza racional, moral e espiritual do homem, que é a esfera total na qual o Espírito Santo efetua a sua obra convincente, renovadora e santificadora. Em resumo, é o sinônimo da alma do homem. Desse modo, *não* é o "novo homem", isto é, a nova capacidade de servir a Deus e à justiça, que Deus misericordiosamente dá ao pecador na regeneração. *Veja* Nova Criatura.

Em Romanos 7.22, Paulo está descrevendo a sua atitude em relação à lei divina como um fariseu hipócrita, aquele que se gloria em sua própria justiça. (Para a defesa da opinião de que Romanos 7.14-25 descreve Paulo ainda como um fariseu legalista, veja J. Oliver Buswell, Jr., *A Systematic Theology of the Christian Religion*, II, 115-119.) Como um fariseu treinado, e possuindo um elevado respeito pela lei de Deus, Paulo poderia dizer que antes mesmo de sua conversão ele concordava e tinha prazer na lei de Deus. Mas não sendo regenerado na época de sua vida descrita em Romanos 7, Paulo teve que admitir que naquela época não possuía nenhuma capacitação, recebida pela graça, por meio da qual pudesse obedecer à lei conforme seu sentido *correto*. Sendo este o caso, Paulo poderia, entretanto, declarar que como um homem religioso altamente treinado, ele respeitava a lei divina em seu "homem interior".

[Para a opinião de que em Romanos 7.14-25 Paulo está descrevendo a sua contínua experiência como crente, veja Charles C. Ryrie, *Balancing the Christian Life*, Chicago. Moody Press, 1969, pp. 45-48. De acordo com esta interpretação, todos os crentes têm duas capacidades dentro de seu ser: servir ao pecado *e* deleitar-se na lei de Deus. Estas duas capacidades permanecem com o cristão durante toda a vida na terra, com a constante possibilidade de conflito. Por sua liberdade de escolha, o crente ativa a velha ou a nova capacidade. – Ed.]

Em 2 Coríntios 4.16, Paulo está simplesmente expressando sua confiança de que, embora seu corpo físico se desgastasse por causa do estresse e do esforço de seu trabalho, seu "homem interior", isto é, a sua alma (ou espírito) seria renovado diariamente.

Em Efésios 3.16, Paulo orou para que os crentes efésios pudessem experimentar um novo avivamento do Espírito Santo no "homem interior". Aqui ele estava meramente expressando seu desejo e a sua súplica de que eles crescessem espiritualmente.

R. L. R.

**HOMENS SÁBIOS** *Veja* Magos.

**HOMICIDA** Uma pessoa que comete homicídio, direta ou indiretamente, cuja causa seja ao menos parcialmente explicável. Tal pessoa estaria envolvida nos seguintes casos: (1) morte por um golpe em uma desavença inesperada (Nm 35.22; cf. Leis Hititas 1 e 2, ANET, pg 189); (2) morte por uma pedra ou um projétil lançados ao acaso (Nm 35.22,23), ou pela lâmina de um machado que escapou de seu cabo (Dt 19.5); (3) morte por queda de um telhado desprovido de um parapeito ou proteção (Dt 22.8); (4) morte por agressão em uma situação em que o matador não armou uma cilada (Êx 21.12,13; cf. Leis Hititas 3 e 4); (5) morte pelos chifres de um boi cuja ferocidade não era conhecida por seu dono (Êx 21.28-32; cf. Código de Hamurabi, 250-1, ANET, p. 176; as Leis de Eshnunna 54-55, ANET, p. 163); (6) a morte do ladrão durante um roubo, à noite, pelas mãos do dono da propriedade (Êx 22.2; cf. Leis de Eshnunna 12-13, ANET, p. 162, para a distinção entre dia e noite); (7) a morte pelas mãos do inimigo em batalha (2 Sm 2.18-23; 3.26-30; 1 Rs 2.5).

Ao diferenciar as situações de homicídio não intencional em oposição a assassinato, era importante levar em conta a arma envolvida (Nm 35.16-18) e a intenção (Nm 35.15). A fim de proteger do vingador de sangue alguém que se tornara um homicida, mas não um assassino, cidades de refúgio (*q.v.*)

foram designadas em diferentes locais ao longo de toda a terra, para onde o homicida poderia fugir e estar a salvo de seus perseguidores.

H. A. Hof.

**HONESTIDADE** Três palavras são traduzidas como honestidade:
1. Gr. *kalos*, aquilo que é excelente e, neste sentido, bom. Devemos nos esforçar para fazer o bem, agindo honestamente à vista dos homens (Rm 12.17), e de Deus e dos homens (2 Co 8.21), cuidando para que a nossa conduta (ou modo de falar) seja excelente diante dos não-salvos (1 Pe 2.12).
2. Gr. *semnos*, "venerável ou provado pelo tempo", "reverente". Paulo exorta o cristão a ter a mente repleta com tudo que é puro e que tem "a reverência da idade" (ou com o que é "honesto", Fp 4.8), e viver uma vida pacífica com "toda piedade e honestidade [ou respeito]" (1 Tm 2.2).
3. Gr. *euschemonos*, "decente", "decoroso". O cristão deve sempre agir de modo decoroso, assim como faria à luz do dia (Rm 13.13), e o que ele fizer deve ser decente e decoroso à vista dos não-salvos (1 Ts 4.12).

**HONRA** A honra é o alto respeito ou estima mostrada a uma outra pessoa ou recebida dela, ou ainda uma demonstração de tal respeito. O conceito é expresso figurativamente no AT por palavras que também são traduzidas como beleza, majestade, talento, preciosidade, valor e glória. Os paralelos são significativos: glória e honra (1 Cr 16.27; Sl 8.5); glória e majestade (Sl 21.5; 96.6; 104.1); honra e distinção (Et 6.3); dádivas, prêmios e grandes honras (Dn 2.6); riquezas e glória (1 Rs 3.13). Dessa forma, o conceito insere-se na adoração (*q.v.*), que é o reconhecimento do valor.
O próprio Deus merece toda a honra: o reconhecimento daquilo que Ele é, e a atribuição do louvor que lhe é devido. Deus também pode fazer com que os homens sejam reconhecidos pelos outros: "Deus deu riquezas, fazenda e honra" (Ec 6.2). Ele ordenou que fosse mostrado respeito aos pais (Êx 20.12) e aos mais velhos (Lv 19.32). Uma esposa virtuosa merece a estima de seu marido (Pv 31.25; 11.16; 1 Pe 3.7). Aqueles que honram a Deus serão por sua vez honrados (1 Sm 2.30). O homem que persegue a justiça e a lealdade da aliança encontrará a honra (Pv 21.21).
Uma sugestão para o motivo pelo qual Deus restaura a honra aos homens de modo redentor é dada no Salmo 8.5: Deus fez o homem um pouco menor do que os anjos. O homem mais representativo, o Senhor Jesus, coroado com glória e honra por seu sofrimento de morte, traz a redenção e a glória final para os seus redimidos (veja Hb 2.5-10).
A honra, como um subproduto da sabedoria e da piedade, é associada à vida no sentido de que só poderia encontrar seu cumprimento em uma imortalidade abençoada (Pv 3.16; 8.18; 21.21; 22.4; cf. Rm 2.7,10).
No NT grego, palavras significando valor e glória são traduzidos como honra. Os valores éticos estão em perspectiva. A honra descreve de forma majestosa a aprovação e a estima mútua entre o Pai e o Filho (2 Pe 1.17; Hb 2.9; Jo 8.49,54). A honra em glória redentora é concedida por Deus aos homens (Rm 2.10; 1 Pe 1.7; Jo 12.26). Os homens e os anjos dão glória e honra a Deus (1 Tm 1.17; Ap 4.9; 19.1) e a Cristo (Jo 5.23; Ap 5.12ss.). Os homens devem buscar a honra ou a aprovação que vem de Deus ao invés da aprovação dos homens (Jo 12.43). Entretanto, não devemos negar a honra que é devida aos outros (Rm 12.10): aos pais (Mt 15.4), às viúvas (1 Tm 5.3), aos mestres (1 Tm 6.1), e ao rei (1 Pe 2.17). O casamento, também, deve ser honrado por todos (Hb 13.4).

W. B. W.

**HOR, MONTE** Números 20.22-29 e 33.38,39 registram a morte e o sepultamento de Arão em "Hor ha-har" (lit. Hor, o monte), mas o local verdadeiro é bastante incerto. O relato em Números 20 poderia sugerir que ele fica em alguma parte na região leste do Uádi 'Arabah, especialmente se estivermos corretos ao identificar o local onde Moisés fez a serpente de bronze com o centro minerador de cobre de Punon, a moderna Feinan (Nm 21.6-9; cf. Nm 33.42,43).
O texto em Deuteronômio 10.6, porém, situa a morte de Arão em Mosera, que deve ser Moserote em Números 33.30. Este lugar é igualmente desconhecido, mas ficava aparentemente em algum lugar no deserto do Sinai, não muito longe de Cades-Barnéia, que é geralmente identificado com 'Ain Qadeis, nas proximidades da fronteira israelita-egípcia de 1948-1967. Tanto o monte Hor como Cades-Barnéia eram considerados como localizados "na fronteira de Edom" ou "nos termos da terra de Edom" (Nm 20.14-21,23). Parece razoável, portanto, olhar para o monte Hor nos arredores de Cades-Barnéia. Jebel el-Hamrah foi sugerido como um possível local, em grande parte porque um dos vales que se estende perto desta montanha é chamado de Wadi Haruniyeh, mas deve ser admitido que esta é uma evidência muito frágil. Somos, portanto, levados a dizer que não sabemos ao certo onde Arão foi sepultado.
O problema é ainda mais complicado pela dificuldade de que o "monte Hor" não possa sequer ser um nome próprio, pois *hor* parece ser uma variação de *har* (montanha), e o nome pode significar meramente "montanha das montanhas" ou "a montanha mais alta". Isso tem algum fundamento a partir do fato de que o mesmo nome, Hor ha-har, é dado a uma montanha proeminente na fronteira

norte do antigo Israel, possivelmente o monte Hermom (Nm 34.7). Seja qual for o caso, a identificação tradicional – que remonta no mínimo a Josefo – do monte Hor com a grande massa de arenito de Jebel Harun em Petra deve, com grande tristeza, ser abandonada. Ele é próximo demais de Sela, o antigo centro do território edomita, no qual, de acordo com o relato bíblico, os hebreus foram incapazes de penetrar durante as suas peregrinações no Êxodo.

D. B.

[Nota do editor: Yohanan Aharoni, como resultado de suas explorações no Sinai durante a curta ocupação israelita de 1956-57 daquela região, argumentou fortemente a favor de uma "montanha sagrada" notada primeiro por Nelson Glueck. Ela é chamada de 'Imaret el-Khureisheh, uma colina de topo achatado que tem pouco mais de 100.000 metros quadrados, murados para cercar sepulturas de vários períodos da ocupação do Neguebe. Ela dá vista para uma importante junção de estrada cerca de 13 quilômetros ao norte de Cades-Barnéia ("Kadesh-barnea and Mount Sinai", Beno Rothenberg, *God's Wilderness*, Londres. Thames & Hudson, 1961, pp. 139-141.]

**HORA** *Veja* Tempo, Divisões do.

**HORÃO ou HOÃO** O rei de Gezer (*q.v.*) a quem Josué derrotou e matou (Js 10.33).

**HOREBE** O nome do monte no qual Moisés recebeu a primeira teofania (Êx 3.1). Aqui também foi feita a aliança e a lei foi dada (Dt 5.2). O nome Horebe é usado como sinônimo de Sinai (*q.v.*). Tradicionalmente julga-se que este monte esteja a sudeste da península do Sinai, mas alguns estudiosos modernos acreditam que o local esteja situado ao sul de Edom.

**HORÉM** Uma cidade fortificada em Naftali (Js 19.38). Sua localização exata é desconhecida.

**HOREUS, HURRIANOS**

1. Os horeus eram habitantes do monte Seir (Gn 14.6) antes de os edomitas os expulsarem (Dt 2.12,22). Dizia-se que eram descendentes de Seir, o horeu (Gn 36.20), e eram governados por chefes ou líderes de clã (36.21,29,30). Em uma passagem (Gn 36.2), a leitura do Texto Massorético "heveu" ("Zibeão, o heveu") parece ser uma variação textual para "horeu" (cf. 36.20, onde Zibeão é listado como filho de Seir, o horeu). O termo heb. como é aplicado a este povo é de origem semita, e provavelmente significa "habitantes das cavernas" (*horim*, cf. "buracos", 1 Sm 14.11; Is 42.22; Na 2.12; "cavernas", Jó 30.6). *Veja* Heveus; Hori.

De acordo com E. A. Speiser, estes horeus não podem ser identificados com os hurrianos porque (*a*) seus nomes pessoais (Gn 36.20-30) não se conformam com os padrões hurrianos, antes são semitas (embora alguns estudiosos acreditem que Disom e Disã, *q.v.*, Gn 36.21, sejam nomes hurrianos); e (*b*) não há nenhuma evidência arqueológica de ocupações hurrianas no Neguebe (Seir) ou na Transjordânia ("Horite", IDB, II, 645). Tal distinção também parece válida sob o ponto de vista da cronologia: se os eventos de Gênesis 14 forem datados de 2000 a.C., isto seria cedo demais para a conhecida dispersão dos hurrianos para a Palestina em grande quantidade.

2. A LXX mostra "horeus" (gr. *chorraios*) para os "heveus" mencionados no Texto Massorético em Gênesis 34.2 e Josué 9.7. As duas passagens tratam os habitantes da Palestina central como se fossem um povo diferente dos horeus (veja 1) do monte Seir. Speiser mostra no mesmo artigo que, pelo contrário, a LXX traz o termo *euaioi*, "heveus", em Isaías 17.9, onde o Texto Massorético traz o termo *hahoresh*, o que ele considera ser uma evidente alteração de *hahori*, "os horeus". Desse modo, parece haver alguma confusão de interpretação dos vários textos do AT sobre a questão dos horeus. Estes horeus em Canaã (em Siquém e Gibeão) podem muito bem estar relacionados com os hurrianos extrabíblicos, embora no uso local eles fossem comumente designados como heveus (*q.v.*). Assim o uso duplo do termo "horeu" pode ser explicado por uma coincidente similaridade de som entre o nome dos horeus que eram habitantes de cavernas semitas e um povo não-semita que veio da Mesopotâmia pela Síria, que é conhecido de textos antigos como o *Hurru* (acadiano), *Hry* (ugarítico), e *H3rw* (egípcio). Speiser também explorou a possibilidade de os "filhos de Hete" (Gn 10.15; 23.3-19) e, às vezes, "heteus" (Ez 16.3,45) serem um outro termo bíblico para os hurrianos (E. A. Speiser, *Genesis: The Anchor Bible*, Garden City, N. Y. Doubleday, 1964, pp. 69, 172ss.). Várias tábuas cuneiformes de dezenas de locais revelam que os hurrianos devem ter vivido nas montanhas armênias ou curdas no terceiro milênio a.C., mas começaram a infiltrar-se no vale do Tigre-Eufrates antes de 2000 a.C. No século 19 a.C, nomes hurrianos foram encontrados em números consideráveis a oeste de Alalakh, perto de Antioquia da Síria, em Chagar Bazar no vale Habur (leste de Harã), em Mari no Eufrates, e a leste de Dilbat, perto da Babilônia. Tábuas da Ásia Menor encontradas em Boghazköy revelam que mesmo antes do século XVIII a.C., textos religiosos hurrianos foram traduzidos para o heveu. Não seria anacrônico, portanto, para Jacó, ter conhecido uma família hurriana em Siquém (Gn 34).

É certo que os hurrianos compartilhavam um modo de vida semelhante ao dos patriarcas, que passaram muitos anos na região ancestral de Harã (*q.v.*). O centro do estado hurriano posterior, o reino de Mitanni, ficava perto de Harã, no meio do vale do Eufrates, uma área que na época era chamada de Subaru. Um estudo das tábuas encontradas em Nuzu (Yorgan Tepe, aprox. 19 quilômetros a sudeste de Kirkuk no Iraque) revela os costumes legais dos hurrianos durante a metade do segundo milênio a.C. Muitas das ações incomuns de Abraão e Jacó com relação ao casamento e aos filhos podem agora ser entendidas como parte da cultura social e das leis predominantes que os hurrianos e os babilônios semelhantemente seguiram durante séculos no Oriente Médio. *Veja* Abraão; Arqueologia; Jacó; Nuzu; Era Patriarcal.

Sob a liderança de Mitani, os hurrianos alcançaram uma posição proeminente nas demais regiões da Síria (o que se conhece por meio das tábuas encontradas em Alalakh e Ugarite, e pelas tábuas de Amarna enviadas de Qatna e Tunip), e também no território heteu (tábuas de Boghazköy) a leste da Síria (tábuas de Nuzu), desde aprox. 1550 a aprox. 1150 a.C.

A pressão dos hurrianos sobre a Síria e a Palestina foi provavelmente responsável pela invasão do Egito pelos hicsos no século XVIII a.C. Os primeiros destes invasores eram evidentemente semitas, que talvez tivessem sido expulsos de suas próprias terras. As ondas posteriores eram hurrianos (*q.v.*), de acordo com um estudo dos nomes dos reis hicsos. Mesmo depois de os egípcios terem expulsado os hicsos do Egito em 1550 a.C., um forte povo hurriano permaneceu em Canaã, o qual os egípcios às vezes chamavam de *Huru*. Amenotep II (1450-1425 a.C.) afirma ter trazido cativos 36.300 kharu ou huru depois de uma campanha militar na Palestina (ANET, p. 247).

Nomes hurrianos são encontrados em tábuas cuneiformes escavadas em Taanaque e Siquém, datadas de aprox. 1400 a.C., e nas cartas de Amarna (*q.v.*), tais como 'Abdu-Heba de Jerusalém (ANET, pp. 487ss.). A longa carta de Tushratta, rei de Mitanni, ao Faraó Akhenaton foi composta inteiramente em hurriano clássico. O nome do rei jebuseu Araúna (*q.v.*) de Jerusalém (2 Sm 24.16) pode ser explicado como uma forma hurriana de *ewri-ni*, significando "o senhor". O nome hurriano mais antigo na Bíblia pode bem ser Arioque (*Ari-aku* ou *Ari-ukku*) em Gênesis 14.1. Os documentos do AT são corretos, portanto, ao aludir à prevalência dos hurrianos na Palestina durante o segundo milênio a.C.

***Bibliografia.*** I. J. Gelb, *Hurrians and Subarians*, Chicago: Univ. of Chicago Press, 1944. Cyrus H. Gordon, "Biblical Customs and Nuzi Tablets", BA, III (1940), 1-12. Roy Hayden, "Hurrians", BW, pp. 294-298.

J. R.

**HOR-HAGIDGADE** Um local de acampamento durante as peregrinações de 38 anos dos israelitas pelo deserto após a sua derrota em Horma (Nm 33.32,33). É chamado de Gudgoda (*q.v.*) em Deuteronômio 10.7. Está ao sul do Neguebe ou na península do Sinai, mas a sua localização exata é desconhecida.

**HORI**
1. Um horeu (*q.v.*), filho de Lotã (Gn 36.22; 1 Cr 1.39).
2. Pai de Safate, o espia simeonita enviado por Moisés a Canaã (Nm 13.5).

**HORIM** *Veja* Horeu.

**HORMA** Uma cidade perto de Ziclague. As tribos de Israel foram derrotadas ali quando tentaram mudar-se para a Terra Prometida depois da morte dos dez espias enviados por Moisés (Nm 14.45; Dt 1.44). Mais tarde, a cidade foi tomada pelos israelitas (Nm 21.3; Js 12.14); este feito também é atribuído a Judá e Simeão (Jz 1.17). Diz-se que o nome Horma, "destruição", vem da queda da cidade anteriormente conhecida como Zefate (Jz 1.17). A cidade é identificada como estando no Neguebe e pertencendo a Judá (Js 15.30). Davi dividiu o despojo dos amalequitas com esta cidade (1 Sm 30.30).

**HORONAIM** Uma cidade de Moabe, de localização incerta. É mencionada em Isaías 15.5; Jeremias 48.3,5,34, e na Pedra Moabita (11.31,32). As referências indicam que ela ficava provavelmente entre as regiões montanhosas de Moabe e Arabá.

**HORONITA** Um título dado a Sambalate, um adversário de Neemias (Ne 2.10,19; 13.28). Isto provavelmente indica que ele era nativo de Bete-Horom.

**HOSA**
1. Uma cidade fronteiriça de Aser, ao sul ou a sudeste de Tiro (Js 19.29). A localização exata é incerta; possivelmente deva ser identificada com a moderna Khirbet el-Hosh. Moore sugere a identificação com a assíria *Usu* do Cilindro Taylor de Senaqueribe (ICC, *Judges*, p.51), que por sua vez pode ser o estabelecimento em Tiro (ANET, p. 287*b*; cf. p. 300*b*).
2. Um levita que com sua família foi escolhido por Davi para ser um porteiro da arca da aliança depois de ela ter sido transferida para Jerusalém (1 Cr 16.38). Esta família tinha atribuições similares na organização posterior dos levitas em preparação para a adoração no Templo (1 Cr 26.10,11,16).

**HOSAÍAS**
1. O líder da metade dos príncipes de Judá na caminhada em torno do muro de Jerusalém, quando este foi dedicado por Neemias (Ne 12.32).
2. Pai de Jezanias ou Azarias, um comandante das forças de Judá depois da queda de Jerusalém (Jr 42.1; 43.2).

**HOSAMA** Filho de Jeconias (Joaquim) a quem o rei Nabucodonosor levou para o cativeiro com os 10.000 nobres em 597 a.C. (1 Cr 3.18).

**HOSANA** Uma exclamação indeclinável que parece significar "ajude (salve) agora!" Aparece sozinha (Mc 11.9; Jo 12.13), juntamente com a expressão "ao filho de Davi" (Mt 21.9*a*,15), e "nas alturas" (Mt 21.9*b*; Mc 11.10). O NT a utiliza apenas no episódio da entrada triunfal. O termo heb. *hoshi'a na'* e o aram. *hosha na'* ocorrem no Hallel (Sl 113-118) e era recitado ritualmente na Festa dos Tabernáculos (Sl 118.25, "Oh! Salva, Senhor, nós te pedimos"). É interessante notar que as versões latinas transliteraram o heb. desta expressão. O Hallel também era cantado na oferta da Páscoa, na ceia da Páscoa, e nas Festas do Pentecostes e Dedicação (Edersheim, *Life and Times of Jesus the Messiah*, II, 371ss.). O canto era acompanhado agitando-se ramos de palmeira, murta e salgueiro (o *Tulabh*).
Além dos usos litúrgicos, tanto o Hallel como os ramos eram usados para saudar os reis e visitantes nas festividades. O uso na entrada triunfal, portanto, deve ser interpretado como um reconhecimento (ou homenagem) prestado a Jesus pelo povo como seu rei prometido. A frase foi adotada pela igreja primitiva como parte de seu ritual (*Didache* 10.6, na oração da Ceia do Senhor: "Deixai a graça vir e deixai este mundo passar. Hosana ao Deus de Davi"). A partir disso, ela passou para o ritual da igreja moderna.

J. W. R.

**HÓSPEDE** *Veja* Hospitalidade.

**HOSPEDEIRO ou EXÉRCITOS**
1. Literalmente, o termo *xenos* (do grego), como o termo *hostis* (do latim), significavam um forasteiro; e então, "hóspede". Portanto, o hospedeiro seria uma pessoa que recebe forasteiros e cuida das necessidades deles, como Gaio em Romanos 16.23. *Veja* Hospitalidade.
2. Um estalajadeiro que age como um hospedeiro para seus hóspedes (Lc 10.35).
3. Várias palavras heb. usadas freqüentemente em um sentido militar com relação a um grande número de homens lutadores. *Veja* Exército.
4. O significado, na forma plural, de Sabaoth (*q.v.*) no título "O Senhor de Sabaoth [dos Exércitos]" (Rm 9.29; Tg 5.4). Esta palavra é transliterada do heb. *s*[e]*ba'oth*, "hostes", que ocorre centenas de vezes no AT como "o Senhor dos Exércitos" e "o Senhor Deus dos Exércitos". Deus é reconhecido como o Comandante Divino dos exércitos de Israel na terra (Js 5.14,15), e especialmente dos exércitos celestiais (Is 51.15; Jr 31.35), além de também comandar os anjos no céu (Ne 9.6; Sl 103.20,21; 148.1-6). *Veja* Exército dos Céus.

**HOSPITALIDADE** A recepção e o alojamento de viajantes eram vistos nas terras bíblicas como uma obrigação imposta, que deveria ser cumprida de forma consciente. O forasteiro deveria ser tratado de maneira cortês, como um convidado. Na verdade, as instalações das casas eram colocadas à sua disposição. Depois de comer a refeição com o convidado, o dono da casa considerava seu dever protegê-lo durante a sua estadia. Este tipo de hospitalidade oriental é vista na recepção de Ló a dois anjos (Gn 19.1-8; veja também Gn 18.2-8; Êx 2.15-20). Nos dias do NT, o Senhor Jesus mandou que os 70 discípulos fossem dependentes da hospitalidade do povo quando os enviou sem nenhuma provisão para a jornada (Lc 10.1-12). Na cena do julgamento de Mateus 25.31-46, o critério para o julgamento é a prática da hospitalidade em relação aos irmãos de Cristo. Durante a Era Apostólica, apóstolos e mestres itinerantes eram sustentados pela hospitalidade de pessoas cristãs enquanto estavam em viagem (At 16.15; 17.7; 18.7; 21.4-8,16; 28.7,14; 3 Jo 5-8). Veja 2 João 10,11 para um exemplo do uso errado dessa prática por propagadores de erros. Em Romanos 12.13 e Hebreus 13.2, a hospitalidade (*philoxenia*, "amor pelos forasteiros") é tratada como uma virtude cristã. O adjetivo correspondente (*philoxenos*, "amoroso com os forasteiros") expressa uma qualificação do bispo (1 Tm 3.2; Tt 1.8), bem como um dever de todos os cristãos (1 Pe 4.9). As viúvas que estavam sendo consideradas para receber ajuda financeira deveriam ser conhecidas por essa qualidade (1 Tm 5.10, "exercitou-se hospitalidade").

***Bibliografia.*** W. Ewing, "Hospitality", HDB, rev. G. Stählin, "*Xenos... Philoxenia...*" TDNT, V, 17-25.

D. W. B.

**HOTÃ** Este nome só é encontrado em algumas versões de 1 Crônicas 11.44. *Veja* Hotão 1.

**HOTÃO**
1. Um aroerita, pai de dois dos valentes de Davi (1 Cr 11.44). O nome está traduzido em algumas versões como "Hotã".
2. Um aserita (1 Cr 7.32). *Veja* Helém.

**HOTIR** Um filho de Hemã e chefe do vigésimo primeiro turno no serviço do Templo nos dias de Davi (1 Cr 25.4, 28).

**HUCOQUE**
1. Uma aldeia fronteiriça de Naftali (Js 19.34). Ela pode ser identificada com Yaquq, um local cerca de cinco quilômetros a oeste de Quinerete, perto do local onde as águas de Merom juntam-se ao mar da Galiléia (Herbert G. May, *Oxford Bible Atlas*, p. 62).
2. Uma cidade levítica em Aser (1 Cr 6.75), um nome alternativo para Helcate (*q.v.*).

**HUFÃ, HUFAMITAS** Um descendente de Benjamim; ancestral epônimo dos hufamitas (Nm 26.39). O termo "Hupim" em Gênesis 46.21 e 1 Crônicas 7.12,15 é provavelmente uma variação.

**HUL** Filho de Arã e neto de Sem, o filho de Noé (Gn 10.23). O paralelo em 1 Crônicas 1.17 o identifica como filho de Sem.

**HULDA** Mulher de Salum, guarda das roupas na corte de Josias, que viveu na cidade baixa de Jerusalém como uma reconhecida profetisa. Quando Josias sentiu-se condenado pelo livro da lei, encontrado durante a reforma do Templo, enviou oficiais para inquirirem de Deus quanto ao seu significado. Embora Jeremias fosse contemporâneo, eles foram até Hulda, que profetizou o juízo contra a nação, mas a paz para Josias; ele, então, iniciou as reformas (2 Rs 22.14-20).

**HUMANIDADE DE CRISTO** *Veja* Cristo, Humanidade de.

**HUMANO, SACRIFÍCIO** *Veja* Sacrifício Humano.

**HUMILDADE**
1. O termo aparece apenas uma vez na versão KJV em inglês (Cl 3.12), e nenhuma vez na versão RSV em inglês, porém aparece 11 vezes na versão ARC em português. A palavra gr. *tapeinophrosyne* é usada outras seis vezes e traduzida na versão KJV em inglês como "humildade" de pensamento (Fp 2.3; Ef 4.2), e como "humildade" (At 20.19; Cl 2.18,23; 1 Pe 5.5). Várias versões o traduzem, de forma geral, como "humildade" (Fp 2.3; At 20.19; 1 Pe 5.5; Ef 4.2; Cl 2.18,23).
2. Uma característica cristã, resumida em Romanos 12.3: "Porque... digo a cada um dentre vós que não saiba mais do que convém saber". A humildade (gr. *tapeinophrosyne*, 1 Pe 5.5) é uma atitude mental de inferioridade (Ef 4.2; Fp 2.3), o oposto do orgulho (*q.v.*). É aquela graça específica desenvolvida no cristão pelo Espírito de Deus, em que ele sinceramente reconhece que tudo o que tem e é deve-se ao Deus Trino, que opera de forma dinâmica a seu favor. Ele então se submete voluntariamente à mão de Deus (Tg 4.6-10; 1 Pe 5.5-7). Assim, a humildade não deve ser equiparada a um piedoso complexo de inferioridade. Ela pode ser fingida pelos falsos mestres (Cl 2.18,23) por meio de atos de auto-humilhação.
Esta qualidade é louvada no AT (Pv 15.33; 18.12; 22.4). O termo heb. *'anawa* (de *'anah*, "ser afligido") sugere que a humildade de espírito é freqüentemente o resultado da aflição. A vida de muitos reis de Judá e de Israel foram avaliadas de acordo com esta característica (1 Rs 21.29; 2 Cr 32.26; 33.23; 34.27; 36.12). Humilhar-se é o primeiro passo para o verdadeiro avivamento (2 Cr 7.14; cf. Mq 6.8). O próprio Deus, que é sublime e grandioso, deleita-se em habitar com aquele que tem um espírito contrito e humilde, a fim de avivá-lo (Is 57.15).
Jesus Cristo, como o supremo exemplo de humildade (Mt 11.29), forneceu aos seus discípulos uma demonstração visível de humildade ao lavar-lhes os pés (Jo 13.3-16). Uma importante passagem cristológica no NT (Fp 2.5-11) encontra seu ponto-chave no cultivo desse traço de Jesus Cristo por parte do crente. *Veja* Humildade; Cristo, Humilhação de.

F. R. H.

**HUMILHAÇÃO DE CRISTO** *Veja* Cristo, Humilhação de.

**HUNTA** Uma das nove cidades no campo montanhoso de Hebrom herdadas por Judá (Js 15.54). Não se conhece a sua localização exata.

**HUPÁ** Um sacerdote nos dias de Davi encarregado do décimo terceiro turno no Templo (1 Cr 24.13).

**HUPIM** *Veja* Hufã.

**HUR** Possivelmente um nome egípcio similar a Horus, um deus egípcio; ou talvez um apelido para uma criança (cf. acádio, *huru*, "criança"); ou uma forma abreviada para Asur.
1. Um descendente de Judá, filho de Calebe e Efrata, e um ancestral de Bezalel, o artífice (Êx 31.2; 35.30; 1 Cr 2.19,20). Ele também é listado como "o primogênito de Efrata, pai de Belém" (1 Cr 4.4), de forma que o nome pode ter sido usado para denotar uma tribo como os hurrianos ou horeus (Gn 36.20).
2. Auxiliar de Moisés que na batalha contra os amalequitas manteve levantada uma das mãos de Moisés enquanto Arão mantinha a outra, até o pôr-do-sol e até que Josué tivesse derrotado o inimigo (Êx 17.10,12). Ele também ajudou Arão na direção dos israelitas enquanto Moisés estava no monte por ocasião da entrega dos Dez Mandamentos (Êx 24.14). Pode ser a mesma pessoa mencionada no item 1 acima, e, de acordo com Josefo

(*Ant.* iii.2.4), pode ter sido o marido de Miriã, a irmã de Moisés. Porém, o AT não diz nada sobre isso.
3. Listado como um dos cinco reis de Midiã mortos por Moisés em uma batalha na qual este matou todos os homens midianitas e levou as mulheres cativas, enquanto os rebanhos foram somados aos dos hebreus (Nm 31.8; Js 13.21).
4. Pai de um dos oficiais de Salomão no campo montanhoso de Efraim (1 Rs 4.8).
5. Pai de Refaías, que ajudou a reconstruir os muros de Jerusalém (Ne 3.9).
A. W. W.

**HURAI** Um valente de Davi (1 Cr 11.32). Ele é chamado de Hidai (*q.v.*) na passagem paralela de 2 Samuel 23.30.

**HURÃO** Variação do nome Hirão (*q.v.*). Hirão é geralmente usado pelo escritor de Crônicas em todos os casos, exceto em 1 Crônicas 8.5.
1. Filho de Belá (ou Bela) e neto de Benjamim (1 Cr 8.5).
2. O artífice de Tiro empregado por Salomão (1 Rs 7.13; 2 Cr 4.11; também chamado de Hirão ou Hurã em algumas versões).
3. O rei de Tiro durante o reinado de Salomão (2 Cr 2.3,11; cf. 1 Rs 5.1ss.). A ARC registra Hirão.

**HURI** Um descendente de Gade e pai de Abiail (1 Cr 5.14).

**HURRIANO** *Veja* Horeu.

**HUSA** Mencionado em 1 Crônicas 4.4 como o filho de Eser (ou Ezer), da tribo de Judá. Alguns aceitam este nome como a designação de uma família ou lugar.

**HUSAI** Um arquita e amigo de Davi que ajudou o rei durante a rebelião de Absalão, agindo de forma contrária ao conselho que Aitofel dera a Absalão (2 Sm 15.32-37; 16.18,19; 17.5-14). Husai enviou um aviso dos planos de Absalão para Davi por meio de Aimaás e Jônatas, filhos dos sacerdotes Zadoque e Abiatar, respectivamente (2 Sm 17.15-17), e assim Davi escapou da conspiração de Absalão. Husai aparentemente deve ser identificado como o pai de Baaná, um dos 12 oficiais designados para fornecer alimento à casa de Salomão (1 Rs 4.16).

**HUSÃO** Temanita que sucedeu Jobabe como rei de Edom (Gn 36.34,35; 1 Cr 1.45,46).

**HUSATITA** Nome da família de Sibecai, um dos 30 seguidores heróicos de Davi (2 Sm 21.18; 1 Cr 11.29; 20.4; 27.11); aparentemente também chamado pelo nome de Mebunai (2 Sm 23.27).

**HUSIM**
1. Nome de família dos filhos de Dã (Gn 46.23), também chamado de Suão (Nm 26.42).
2. O nome dado a um dos filhos de Aer, um benjamita (1 Cr 7.12).
3. Uma das duas mulheres de Saaraim, um benjamita, e a mãe de Abitube e Elpaal (1 Cr 8.8,11).

**HUZABE** Um termo de significado duvidoso encontrado em Naum 2.7. Comentaristas mais antigos o tomam como um substantivo próprio referindo-se à rainha de Nínive ou a um ídolo feminino como Ishtar, ou talvez à personificação da própria Nínive; mas nenhum nome assim é encontrado nas inscrições assírias. Uma outra opinião o considera um verbo significando "está decretado". Outros o lêem como "campo de Zabe", ou "campo do rio", designando uma extensão de terreno fértil da Assíria, a leste do rio Tigre. A versão RSV em inglês lhe atribui o significado de "sua senhora".

# I

**IBAR** Filho de Davi, nascido em Jerusalém, de uma mulher não mencionada pelo nome e, portanto, desconhecida (2 Sm 5.15; 1 Cr 3.6; 14.5).

**ÍBEX ou CABRA SELVAGEM** *Veja* Animais II.7.

**ÍBIS** *Veja* Animais III.37.

**IBLEÃO** Uma cidade cananita ao norte de Manassés cujo território estendia-se até Issacar (Js 17.11), sendo chamada de Bileão (ou Bileã; *q.v.*) em 1 Crônicas 6.70. No entanto, os habitantes nativos nunca foram expulsos e continuaram a viver ao lado dos israelitas (Jz 1.27). O rei Acazias de Judá foi morto pelos homens de Jeú perto dali (2 Rs 9.27). De acordo com 2 Reis 15.10 na LXX, o rei Zacarias de Israel também foi morto ali. Esta cidade fica perto da moderna Jenin, na estrada de Jezreel para Dotã, agora chamada de Tel Bel'ameh. Seu nome ocorre como *ybr'm* na lista das cidades conquistadas por Tutmósis III, por volta de 1470 a.C.

**IBNÉIAS** Filho de Jeroão e chefe da tribo de Benjamim no primeiro estabelecimento em Jerusalém (1 Cr 9.8).

**IBNIJAS** Um membro da tribo de Benjamim e pai de Reuel (1 Cr 9.8).

**IBRI** Um levita merarita e filho de Jaazias, nos dias de Davi (1 Cr 24.27).

**IBSÃ** Um juiz de Israel por sete anos, após a morte de Jefté. Era nativo de Belém, porém não se sabe se era de Judá ou de Zebulom. Teve 30 filhos e 30 filhas, e todos se casaram com cônjuges que não pertenciam ao seu clã (Jz 12.8-10).

**IBSÃO** Filho de Tola e neto de Issacar (1 Cr 7.2).

**ICABÔ** ("Sem glória"). Filho de Finéias e neto de Eli (1 Sm 4.21). A chocante notícia da derrota de Israel pelos filisteus (1 Sm 4.19-22), com a conseqüente morte de Finéias, a tomada da arca, e a morte de Eli, provocou o parto da mulher de Finéias, que estava grávida, e ela deu à luz a um filho. Como a morte apoderou-se dela nessa experiência, ela chamou o menino de Icabô, parcialmente por conta de sua própria tragédia pessoal, mas principalmente pela catástrofe nacional e pela perda da arca, que era a representação visível da presença de Deus (1 Sm 4.22). Suas palavras de explicação para o nome foram: "Foi-se a glória de Israel" (v.21).

**ICÔNIO** Uma antiga cidade da Ásia Menor, agora chamada Konya, que foi visitada várias vezes por Paulo em suas viagens missionárias. A cidade principal da Licaônia no período helênico, Icônio estava localizada na fronteira dos distritos da Frígia e da Licaônia. Ela foi incorporada à província romana da Galácia em 25 a.C. Situava-se em um planalto, cerca de 1.100 metros acima do nível do mar, com montanhas de 1.600 a 2.000 metros de altitude, alguns quilômetros a oeste.

Paulo divulgou o evangelho ali durante sua primeira viagem missionária (At 13.51; 14.1-6,21) e voltou a esta cidade em sua segunda viagem (At 16.2), e provavelmente em sua terceira viagem também (At 18.23). Foi possivelmente para Icônio, bem como para outras cidades daquela região, que Paulo escreveu sua Epístola aos Gálatas, com o objetivo de combater o avanço dos judaizantes.

**IDADE** *Veja* Eternidade; Tempo.

**IDALA** Uma cidade fronteiriça de Zebulom (Js 19.15). O Talmude de Jerusalém (*Megillah* I, 1) a chama de Irala e a identifica com Heireiah. Ela pode ser representada pela moderna Khirbet el-Huwârah, um pouco mais de 800 metros ao sul de Beit Lahm, a Belém na Galiléia.

**IDBAS** Um homem de Judá que pertencia ao "pai" de Etã (1 Cr 4.3). O termo "pai" aqui provavelmente significa "fundador" da cidade de Etã, localizada três quilômetros a sudeste de Belém; Idbas foi provavelmente um de seus filhos.

**IDIOMA GREGO** O grego é um idioma indo-europeu provavelmente originado do dialeto sânscrito, que mostra uma estreita relação com o grego clássico.

O período literário começou com Homero (aprox. 850 a.C.), que introduziu o período clássico até Alexandre o Grande (330 a.C.).

Este período tinha muitos dialetos para as muitas tribos na Grécia, mas três famílias principais – o dórico, o eólico e o jônico – emergiram.

O ramo ático do jônico tornou-se dominante por meio do poder político de Atenas no século VI a.C.; das guerras contra os persas, com vitórias em Maratona, Salamina e Termópilas, que impediram a Grécia e a Europa de se tornarem orientais; e dos gigantes literários do século V a.C., Sófocles, Eurípides e Ésquilo. Mesmo depois do declínio de Atenas, o dialeto ático continuou através dos escritos de Platão, Aristóteles, Xenofonte e Tucídides. O pupilo de Aristóteles, Alexandre o Grande, expandiu o império e introduziu um programa de helenização, fazendo do grego ático um idioma universal até mesmo na Palestina, de forma que ele ainda existia ali na época de Cristo, embora modificado para a forma helenizada desde 300 a.C. Embora o grego helênico tenha sido seguido pelo bizantino (550–1453 d.C.) e o moderno (desde 1453 d.C.), os jornais da Atenas de hoje não poderiam, sem dúvida alguma, ser lidos por Platão.

O grego helênico consistia de uma forma literária e outra comum. Os escritores literários, tais como Josefo, Filo e Strabo, imitaram o ático, enquanto que o grego não literário, ou coiné, era o idioma do dia-a-dia das massas. O literário foi encontrado em inscrições de pedra e literaturas extrabíblicas, e aparece em Lucas no NT. O coiné foi encontrado em restos de cartas, testamentos e contratos em papiros, bem como em óstracos (fragmentos de cerâmica), sendo usado pela LXX e pelos escritores do NT.

O coiné destacava a clareza e a ênfase usando o tempo verbal presente histórico, acumulando preposições e advérbios antes e depois dos verbos, usando verbos compostos ao invés de simples, e usando preposições para casos simples e abandonando as formas duais e optativas. Por algum tempo, muitos estudiosos do NT pensavam que as diferenças de vocabulário e estilo entre as formas bíblica e clássica eram causadas por uma linguagem do "Espírito Santo" para transmitir uma verdade divina, mas a descoberta dos papiros e óstracos no Egito na década de 1890 mostrou ser esse o grego vivo cotidiano do povo, embora algumas palavras comuns tenham assumido novos significados ou usos no contexto religioso do AT e do NT.

E. B. R.

**IDIOMAS** Os três idiomas da Bíblia são o hebraico, o aramaico e o grego (*q.v.*). Além disso, vários outros idiomas são importantes nos estudos bíblicos. Um deles é o acádio, um idioma semita falado pelos antigos povos da Mesopotâmia. Seus dois dialetos principais são o babilônio e o assírio. Uma vez que tanto os babilônios como os assírios

Estela de calcário do rei Ahmose I, de aprox. 1600 a.C., mostrando a escrita hieroglífica egípcia. LL

desempenham papéis importantes na história registrada na Bíblia, os textos cuneiformes que foram encontrados nos dialetos acádios derramaram abundância de luz tanto no passado histórico como no contexto cultural da Bíblia Sagrada. Na Turquia, no Egito (em Amarna), na Síria (em Mari), e na Assíria (em Nínive etc.) foram feitas extraordinárias descobertas de tábuas de barro escritas em acádio. O conhecimento de acádio é uma condição *sine qua non* para um estudioso sério do AT.

Um outro idioma de particular importância para os estudos do AT é o ugarítico, um dialeto semita da região noroeste. Este idioma cananeu, como o acádio, usa o método cuneiforme para inscrever em tábuas, mas, diferentemente do hebraico, é escrito da esquerda para a direita. É diferente do acádio com seus sinais silábicos, pois o ugarítico era escrito com um alfabeto de 30 caracteres. As tábuas de Ras Shamra (descobertas desde 1929 em Ugarite, na costa síria), inscritas em ugarítico, tiveram uma tremenda influência nos estudos do AT. O estudo do ugarítico trouxe muita luz sobre a natureza da poesia heb., sobre a religião dos cananeus, um sistema ritual similar ao dos hebreus, e sobre várias palavras e frases hebraicas. Na verdade, poucos aspectos do estudo do AT não foram afetados pelas descobertas em Ugarite. *Veja* Ras Shamra.

O Egito também desempenhou um papel importante na história do AT. Seu idioma (egípcio antigo) é de origem mista. Ele é basicamente hamítico (ou camita; isto é, relacionado com os idiomas da costa norte da África), mas antes do início da história ele se misturou totalmente com um idioma semita. Cinco etapas distintas (com alguma sobreposição) são evidentes em sua história: (1) Egípcio antigo (terceiro milênio a.C.); (2) Egípcio médio (2200–1300 a.C., o idioma da maior parte da literatura clássica egípcia); (3) Egípcio avançado (séculos XVI a VIII a.C.); (4) Demótico (século VIII a.C. até os tempos romanos); (5) Cóptico (época romano-bizantina). Existem paralelos literários próximos e interessantes entre certos salmos hebreus e hinos egípcios (por exemplo, "Hino para Atena" de Akhenaton e o Salmo 104), e entre os provérbios heb. (Pv 22.17–24.22) e as palavras de sabedoria egípcias ("Instruções de Amenemope"). Os provérbios egípcios de Amenemope parecem ter sido traduzidos a partir da fonte hebraica original (*veja* Provérbios, Livro de).

Além dos idiomas bíblicos, o siríaco e o latim são importantes no estudo do NT. O siríaco é um dialeto do aramaico especificamente da região nordeste (o dialeto palestino), que começou a ser falado por volta do início do século II em Edessa. Este se tornou em seguida o idioma literário dos escritores cristãos no norte da Síria e no oeste da Mesopotâmia, e foi mencionado como o "aramaico cristão". As versões antigas do NT foram redigidas em siríaco (o *Diatessaron* de Taciano e as versões siríacas antigas).

Embora o latim não fosse falado na metade oriental do Império Romano, um número considerável de termos em latim passou a fazer parte do NT (transliterados para o grego). Alguns desses são *denarius* (do gr. *denarion*, "denário", Mt 18.28 etc.); *centurio* (do gr. *kentyrion*, "centurião", Mc 15.39,44, 45); *legio* (do gr. *legion*, "legião", Mt 26.53 etc.); *libertinus* (do gr. *libertinos*, "liberto", At 6.9); *speculator* (do gr. *spekoulator*, "executor", Mc 6.27). Algumas das versões mais antigas do NT foram traduções para o latim.

*Veja* Alfabeto; Escrita.

W. W. W.

## IDO

1. Um levita gersonita a quem Davi constituiu sobre o ofício do canto (1 Cr 6.21).
2. Filho de Zacarias e governante de metade da tribo de Manassés em Gileade, a leste do Jordão (1 Cr 27.21).
3. Pai de Ainadabe, um dos 12 oficiais de Salomão (1 Rs 4.14).
4. Um vidente (2 Cr 9.29; 12.15) e profeta (2 Cr 13.22) que viveu nos dias de Salomão, Jeroboão e Roboão, e registrou algumas de suas atividades. Seus registros a respeito de Salomão (2 Cr 9.29), Roboão (2 Cr 12.15) e Abias (2 Cr 13.22) são desconhecidos para nós, mas podem formar a base de parte dos livros de Crônicas.
5. O chefe dos judeus no cativeiro em Casifia (Ed 8.17). Esdras enviou a ele a requisição para buscar dos levitas e netineus um contingente para juntar-se à sua expedição a Jerusalém.
6. Avô do profeta Zacarias (Zc 1.1,7), que foi contemporâneo de Ageu (Ed 6.14) e autor do livro do AT que leva seu nome. Ido foi um daqueles que retornaram do exílio com Zorobabel, e está listado entre os chefes dos sacerdotes e chefes das famílias (Ne 12.4,16).

J. K. M.

Uma antiga inscrição hitita de Carquemis, Síria. Museu Heteu, Ancara

## IDOLATRIA

### Definição

Esta é uma transliteração da palavra gr. *eidololatria*, cujo significado entendemos ser "a adoração a ídolos; a adoração a imagens como divinas e sagradas". *Veja* Imagens de Escultura. Esse vocábulo gr. é uma composição de dois termos: O primeiro é *eido* (cf. o latim *video*), significando "ver" e "saber"; assim ele traz em si o conceito básico de "saber por ver". Com base nesse termo foi formada a palavra *eidolon*, "imagem", que veio a significar especificamente uma imagem de um deus como um objeto de adoração, ou um símbolo material do sobrenatural como tal objeto. O segundo termo é *latreia*, significando "culto" ou, mais especificamente, "culto ou adoração aos deuses".

Idolatria, então, é prestar honras divinas a qualquer produto de fabricação humana, ou atribuir poderes divinos a operações puramente naturais.

A deusa grega Afrodite, identificada com a deusa assíria Ishtar. Museu de Corinto. Mimosa

## Descrição

Como uma criatura ligada ao tempo e ao espaço, o homem tem estado especialmente inclinado a prestar adoração a algum tipo de símbolo visível de divindade. Ele parece anelar por manifestações tangíveis da presença divina. Durante a história humana, esta atitude tomou várias formas e manifestações. Mesmo que o homem tenha abandonado a adoração ao verdadeiro Deus, ele não renunciou à religião, mas procurou substituir o verdadeiro Deus por um deus falso que estivesse de acordo com seu próprio gosto.

O animismo era a adoração ou a reverência aos objetos inanimados, tais como pedras, árvores, rios, fontes e outros objetos naturais. Também havia a adoração a coisas animadas, tais como aos animais: touros ou bezerros sagrados, símbolos do princípio da reprodução e procriação; a serpente, como símbolo de renovação anual, uma vez que ela troca sua pele velha por uma nova; e pássaros, tais como o gavião, a águia e o falcão, como símbolos de sabedoria e conhecimento interior. Estas formas animais eram às vezes combinadas com formas humanas como objetos de adoração – o teriomorfismo. Havia divindades astrais, tais como o sol, a lua e as estrelas. Os elementos e as forças da natureza também eram reverenciados e adorados: tempestades, ar, fogo, água e terra. Conseqüentemente, os deuses da vegetação e o *genii loci* recebiam uma posição importante.

O princípio da fertilidade era freqüentemente divinizado como uma deusa-mãe (*veja* Diana), como as imagens de Éfeso indicam. Isso envolvia a adoração ao sexo e a glorificação da prostituição.

Havia a tendência comum da adoração aos heróis, que também incluía os ancestrais mortos da tribo ou do clã.

O totemismo representava não apenas a atividade em artes e ofícios, mas a adoração ao deus ou à deusa que eram patronos do clã, qualquer que fosse a imagem sob a qual a divindade tivesse sido concebida. Geralmente este era um animal selvagem ou um pássaro, ou ainda a combinação de uma das formas animais com a humana.

O idealismo envolvia a adoração a conceitos abstratos tais como a sabedoria e a justiça.

A adoração ao imperador deve ser incluída. Os reis, por terem o poder da vida e da morte sobre seus súditos, passaram a ser divinizados. "*Ave César*" significava mais que um desejo de "vida longa ao rei", assim como "*Heil Hitler*" ("Salve Hitler"); estes eram, na verdade, atos de adoração.

Somente o homem possui o dom de fazer imagens. Assim fazendo, ele busca a reprodução de impressões oculares que desaparecem, ou objetos sagrados imaginados. Assim a idolatria fica estreitamente relacionada ao avanço do homem em artes e ofícios. Sua história está repleta de tentativas de dar formas materiais a ideais e idéias religiosas. Uma vez que estes se tornassem objetos concretos, então a reverência e a adoração poderiam ser expressas em favor deles através da queima de incenso, curvando-se os joelhos, beijando-se a imagem, recobrindo-a com prata e ouro, adornando-a com jóias e pedras preciosas, ou vestindo-a com trajes suntuosos. Tudo isto consistia apenas em um outro passo para consultá-la como um oráculo de sabedoria divina e

Altar no templo de Vespasiano (Pompéia) consagrado ao culto imperial. Ele retrata um sacerdote que prepara os sacrifícios, um tocador de flauta e a administração dos votos sagrados. HFV

Assurbanipal, rei da Assíria (aprox. 650 a.C.), iniciando cerimonialmente a obra de reconstrução do templo de um deus

um meio de predizer o futuro de uma pessoa, ou o resultado de algum projeto militar ou político. Uma estátua de culto era, portanto, um objeto de adoração e deleite porque a imagem visível dava evidência da presença da divindade. Ela era regularmente guardada em algum santuário, e um completo culto para sua adoração era desenvolvido. *Veja* Imagens de Escultura; Imagens.
Em um sentido mais amplo, a idolatria em formas teóricas pode incluir as vãs filosofias dos homens, pois ela tira parte da glória de Deus (Rm 1.23) e confere honras divinas a outrem. Assim, o naturalismo, o humanismo, e o racionalismo são tipos de idolatria. Da mesma forma, ligar-se a horóscopos e qualquer prática oculta de feitiçaria e espiritualismo deve ser condenado como idolatria. *Veja* Magia; Feitiçaria.

### A Idolatria dos Vizinhos de Israel

Práticas pagãs entraram em Israel principalmente por intermédio dos egípcios, dos cananeus e das nações assírio-babilônicas.
A antiga arte e escrita egípcia deixaram evidências de milhares de divindades. Os próprios faraós eram considerados encarnações de alguma divindade. Além dos seres humanos, pensava-se que um touro, um crocodilo, um peixe, uma árvore, um gavião etc. também poderiam ser habitados por um espírito e, portanto, divinizados. Havia muitas divindades com cabeça de animal ou pássaro, porém com corpos de seres humanos.
Entre os cananeus, os muitos baalins com seus respectivos cultos de fertilidade eram os promotores de adorações orgiásticas da natureza e do princípio da produtividade.
A principal entre as divindades dos babilônios e assírios era a deusa imoral da luxúria e da procriação, a mesopotâmia Ishtar. Os babilônios pareciam estar dispostos a importar deuses de muitos vizinhos, ou de nações que eles haviam conquistado e sujeitado ao pagamento de tributos. Sendo assim, eles tinham um deus para quase tudo: aprendizado, guerra, fogo, maternidade, virgindade, fertilidade, céu, vento, água, terra, e o mundo dos mortos, juntamente com o habitual sol, lua e estrelas. O povo assírio era tão idólatra quanto o babilônio e, além disso, ganhou a reputação nada invejável de ser a mais cruel e mais sádica de todas as nações antigas do Oriente Próximo.

### A História da Idolatria Entre os Israelitas

Abraão viveu em um mundo de idolatria. Sua viagem para oeste tinha a finalidade de abandonar a idólatra Ur dos caldeus e procurar um novo lar no qual poderia adorar ao único Deus verdadeiro. É significativo notar que de seus descendentes tenham surgido as três grandes religiões monoteístas do mundo: o Judaísmo, o Cristianismo e o Islamismo.
A proibição da idolatria é um dos poucos conceitos absolutos e imutáveis no sistema judaico de ética (juntamente com o incesto e o assassinato). A adoração sem a imagem de Jeová anunciava não meramente que Ele era maior do que a natureza, mas que também não era limitado por ela. No AT, há muitos termos heb. usados como escárnio à idolatria, indicando sua infâmia e obscenidade, bem como seu absoluto vazio.
Todas as camadas da lei judaica dão testemunho da oposição a se fazer um retrato de Deus. Os dois primeiros mandamentos proíbem a adoração de imagens, bem como a adoração a qualquer outro deus (cf. Êx 20.1ss.; Dt 5.7,8; Lv 19.4). A idolatria era classificada como uma ofensa de estado e cheirava a traição, devendo ser punida com a morte (Dt 17.2-7).
A profecia heb. mostra, da mesma forma, uma hostilidade intransigente à idolatria. Qualquer imagem é uma mera obra das mãos do homem (Am 5.26; Os 13.2; Is 2.8), uma imitação das criaturas (Dt 4.16ss.) formada a partir de matéria sem vida (Os 4.12; Is 44.9,10; Sl 115). Portanto, sua adoração é absolutamente uma loucura. Só Deus deve ser adorado, visto que somente Ele é o Criador vivo de todas as coisas, e um Espírito

que não pode ser retratado de nenhuma forma. Contudo, mesmo entre os israelitas pode ser notada a adoração a Jeová sob a forma de alguma imagem ou símbolo; muitos deles se comportavam como se a adoração aos deuses das nações vizinhas sob qualquer símbolo fosse apropriada; e, além disso, adoravam as próprias imagens e símbolos (por exemplo, a serpente de bronze, 2 Rs 18.4).

A história da idolatria entre os hebreus começa com o relato do roubo – por parte de Raquel – dos ídolos do lar que pertenciam a Labão (Gn 31.19), que eram provavelmente estatuetas de deuses da família. Estes naturalmente não eram considerados como o Deus de Abraão e Naor (Gn 31.53). No entanto, Raquel pode não ter tido interesse pelos ídolos do lar por motivos de adoração, porque descobertas em Nuzu indicam que com a posse de um ídolo do lar vinha a chefia da família. Ela pode ter tentado transferir a chefia patriarcal da família de seu pai para seu marido.

Os anos no Egito resultaram na fascinação de Israel pelos ídolos egípcios (cf. Js 24.14; Ez 20.7,8), e assim Moisés considerou imperativo desafiar os deuses do Egito (Nm 33.4). Durante a ausência de Moisés do acampamento ao pé do monte Sinai, os israelitas clamaram por alguma representação visível de Jeová (Êx 32.1). Somente uma mente completamente acostumada ao profundo respeito prestado aos touros sagrados do Egito poderia inventar uma representação tão estranha de Jeová (Êx 32.4; veja JerusB). As pessoas que não estivessem familiarizadas com essa prática egípcia não poderiam ter respondido tão prontamente como fizeram esses israelitas. A festa que Arão proclamou para Jeová (Êx 32.5), que resultou no povo cantando e dançando nu diante do ídolo (32.6,18,19,25), era como a festa de Ápis; isto levou o povo à indecência – de uma forma pública ou privada (a palavra "divertir-se" ou "folgar", *saheq*, em 32.6 implica em gestos ou atos sexuais; cf. "acariciava", Gênesis 26.8). Portanto, a grande ira do Senhor e de Moisés é compreensível (32.4,8). Arão chamou ao bezerro de Senhor (32.5), mas representá-lo desse modo era idolatria (Sl 106.19,20).

Houve uma apostasia temporária em Sitim quando os homens de Israel, cedendo aos encantos das filhas de Moabe, deram lugar ao baalismo (Nm 25).

Ao entrar na Palestina, Israel teve contato com várias formas de idolatria. E embora tivessem recebido ordens expressas para destruir todos os ídolos (Dt 12.2,3), a ordem não foi obedecida integralmente em todos os casos (Jz 2.12,14).

O pai de Gideão havia levantado ou tomado posse de um altar a Baal, o qual Gideão foi obrigado a destruir (Jz 6.25-32). O éfode de Gideão pode ter sido uma oferta de voto a Jeová, mas ele tornou-se um laço para todo o Israel, bem como para toda a sua casa (Jz 8.27). Assim que Gideão morreu, Israel retornou à sua adoração idólatra a "Baal-Berite" (Jz 8.33; 9.4).

O episódio de Mica em Juízes 17 e 18 revela evidências de uma idolatria secreta por parte de muitas pessoas (Jz 17.1-6). Neste caso, um levita de todo o povo torna-se um sacerdote de imagens (cf. Dt 27.15). Samuel, ao assumir o ofício de juiz de Israel, considerou necessário repreender o povo pela posse de deuses estrangeiros (1 Sm 7.3,4).

Salomão já havia estabelecido o cenário para uma grande apostasia e idolatria por sua importação de tantas esposas estrangeiras, e com elas as suas respectivas formas de adoração pagã, cada uma com seu falso deus. Havia Astarote dos sidônios, Quemos dos moabitas, Milcom dos amonitas, só para citar alguns. Três dos cumes do monte das Oliveiras foram coroados com postes-ídolos para essas divindades, respectivamente, e o quarto ficou conhecido como o monte da corrupção (1 Rs 11.5-8; 2 Rs 23.13,14).

O filho de Salomão, Roboão, tinha uma mãe amonita, cuja religião introduziu algumas das piores características de idolatria licenciosa (1 Rs 14.21-24). Jeroboão, recém-saído de seu exílio no Egito, erigiu touros sagrados em homenagem a Jeová em Dã e Betel (1 Rs 12.26-33). Na prática, porém, a adoração parece ter sido dirigida aos animais de ouro ao invés de ser oferecida ao próprio Senhor (cf. Am 4.4,5). Esta adoração aos bezerros é tratada por Oséias como o "pecado de Israel" (Os 10.5-8).

Um dos maiores promotores da idolatria na história hebraica foi o rei Acabe, influenciada por sua esposa, a princesa sidônia Jezabel (1 Rs 21.25,26). Ele não só construiu um templo e um altar para o Baal dos sidônios – Melcarte, como se envolveu na perseguição ativa aos profetas de Jeová (1 Rs 16.31-33). Diante dos profetas de Baal e Asera, Elias proclamou seu famoso discurso em defesa do Deus verdadeiro (1 Rs 18).

A história do Reino do Norte então se torna, sucessivamente, com cada um de seus reis, um restabelecimento do pecado de Jeroboão. Isto veio a ser conhecido como o "caminho dos reis de Israel" (2 Rs 16.3; cf. 17.7-18). Assim houve uma longa linhagem de apóstatas reais na nação de Israel, o que não cessou até a conquista daquele reino pelos assírios.

Um propagador da idolatria no Reino do Sul foi o rei Acaz. Ele construiu um altar de acordo com o modelo que havia visto em Damasco, bem no local do altar de bronze do Templo judeu (2 Rs 16.10-15). Também fez seu filho passar pelo fogo (2 Rs 16.3) e ofereceu sacrifícios aos deuses de Damasco (2 Cr 28.23).

Um dos reinados mais longos e mais idólatras em Judá foi o do ímpio Manassés, que, embora tenha se voltado para o Senhor pouco antes de sua morte (2 Cr 33.10-17), não pôde desfazer os resultados de uma vida de apoio a encantamentos, adivinhações, feitiçaria, profanação dos pátios do Templo com altares às divindades astrais e uma imagem de Asera no Lugar Santo (2 Rs 21.1-9; Jr 32.34). Conseqüentemente, pouco antes de seu arrependimento e morte, seu próprio filho restaurou os altares de Baal e as imagens de Asera.

Contudo, como nos dias de Elias no Reino do Norte (1 Rs 19.18), também durante os reinados dos reis ímpios de Judá Deus parece ter conservado um remanescente justo que se recusou a dobrar os joelhos diante de Baal.

O tipo de idolatria mais deplorável era aquele dirigido pelos falsos profetas, que como líderes da apostasia juntaram-se a sacerdotes corruptos (2 Rs 23.5) e profetizavam por Baal e seguiam "coisas de nenhum proveito", isto é, ídolos desprovidos de qualquer poder (Jr 2.8, cf. 2 Cr 15.3).

Parece ter havido algumas tentativas de adorar ao Deus verdadeiro sob imagens idólatras e uma contaminação da verdadeira adoração com rituais idólatras (2 Rs 17.32; 18.22; Jr 41.5). Naturalmente, o casamento com pessoas oriundas de nações idólatras era quase sempre o primeiro passo em direção à idolatria (Êx 34.14-16; Dt 7.3,4; Ed 9.2; 10.18; Ne 13.23-27).

Ezequiel descreve um recinto de imagens em Jerusalém (Ez 8.7-12) que era sem dúvida alguma proveniente do Egito. A serpente de bronze parece ter se tornado um ídolo, e o povo lhe oferecia incenso (2 Rs 18.4). Até mesmo a adoração a Moloque foi algumas vezes restaurada (2 Rs 17.17), embora a prática de lançar seus filhos ao fogo fosse basicamente revoltante para a mente do povo hebreu.

O exílio babilônico veio como uma repreensão direta à idolatria do povo hebreu (Jr 29.8-10), como Deus havia prevenido nos dias de Ezequias (Is 39.6).

Nos tempos pós-exílicos, especialmente sob o governo de Alexandre e seus sucessores, os judeus mais uma vez depararam com a questão da idolatria (1 Mac 1.41-50,54-64). É bom lembrar, para crédito deles, que muitos judeus desse tempo escolheram a morte ao invés da idolatria (1 Mac 2.23-26,45-48).

Mais tarde, a águia de ouro de Herodes, colocada acima de uma das portas do santuário, provocou uma tempestade de protestos (Josefo, *Ant.* xvii.6.3).

### A Avaliação do Novo Testamento

Os primeiros cristãos inevitavelmente entraram em contato com a idolatria gentílica (At 17.16). Assim, eles freqüentemente tinham que encarar questões relacionadas aos alimentos e à carne oferecida aos ídolos durante as festividades (At 15.20; 1 Pe 4.3; Ap 2.14,20), especialmente em Corinto (1 Co 8; 10). Idólatra é o nome dado àquele que adora deuses pagãos e ídolos pessoais no NT (1 Co 5.10,11; 6.9; 10.7; Ap 21.8; 22.15). A idolatria é especificamente equiparada à cobiça, que faz do dinheiro um deus, e torna o homem infiel em sua mordomia (Mt 6.24; Lc 16.13; Cl 3.5; Ef 5.5). As advertências contra a concupiscência maligna certamente não se referem apenas à idolatria no ambiente dos primeiros cristãos, mas também à nossa era, que é obcecada por sexo (Gl 5.19,20; Fp 3.19; cf. Rm 16.18). A fonte da idolatria é basicamente um coração impuro e uma vontade impura (Rm 1.21). Paulo concorda com Isaías quando diz que o homem degenerou-se no paganismo ao invés de se desenvolver e abandoná-lo (cf. Rm 1; Is 44). Portanto, ele ordena que os cristãos fujam da idolatria (1 Co 10.14). João faz a mesma advertência (1 Jo 5.21).

***Bibliografia.*** João Calvino, *Institutes of the Christian Religion*, Grand Rapids: Eerdmans, I, Cap. XI, reimpressão de 1957. E. La B. Cherbonnier, "Idolatry", *Handbook of Christian Theology*, M. Halverson, ed., Nova York: Meridian Books, 1958, pp. 176-183. CornPBE, "Idol Worship in Israel", pp. 398-401. John Gray, "Idolatry", IDB, II, 675-678. Gerhard Kittel, "*Eikon*", TDNT, II, 381-397. Adolphe Lods, "Images and Idols (Hebrew and Canaanite)", Hastings' *Encyclopedia of Religion and Ethics*, VII, 138-142. McClintock e Strong, "Idolatry", *Cyclopedia of Biblical, Theological and Ecclesiastical Literature*, IV, 471-486. H. M. Schulweis, "Jewish Ethics", *Encyclopedia of Morals*, V, Ferm, ed., Nova York: Philosophical Library, 1956, pp. 253-265.

R. E. Pr.

**ÍDOLO** *Veja* Falsos deuses; Idolatria; Imagens.

**ÍDOLOS, COISAS OFERECIDAS AOS** A idéia de carne que foi oferecida aos ídolos é expressa por uma única palavra gr. *eidolothyton*. A palavra é usada dez vezes no NT. É traduzida uma vez como "coisas sacrificadas aos ídolos" (At 15.29), e "sacrifícios da idolatria" (Ap 2.14,20; cf. 1 Co 10.19,28). Esta expressão refere-se à carne de um animal que foi morto em sacrifício ao ídolo. Apenas certas partes da carcaça eram usadas na cerimônia sacrificial; o restante era vendido como comida nos mercados. A lei judaica proibia comer esta carne. O Concílio de Jerusalém (At 15.29) acreditava que os crentes gentios deveriam abster-se de carnes oferecidas aos ídolos em deferência a seus irmãos judeus. Paulo exortou (1 Co 8; Rm 14) os cristãos a considerarem seus irmãos mais fracos e absterem-se de comer esta carne. *Veja* Conveniência; Irmão Mais Fraco.

**IDUMÉIA** Este termo era usado por gregos e romanos (com escritas ligeiramente diferentes) ao se referirem à região habitada pelos

descendentes de Esaú – os edomitas do AT. *Veja* Esaú. A palavra aparece uma vez na Bíblia, em Marcos 3.8 (a versão KJV em inglês a utiliza em Is 34.5,6; Ez 35.15; 36.5, mas em outras traduções aparece como Edom).
Os edomitas estavam intimamente associados aos israelitas em sua origem, cultura e idioma. Sua importância primária no NT é que o pai de Herodes o Grande (Antipater) era idumeu. Sua mãe era nabatéia. Os nabateus formavam um grupo árabe que vivia ao sul dos idumeus (Josefo, *Ant.* xiv.1.3; 7.3). Os edomitas (*q.v.*) são freqüentemente mencionados no AT. *Veja também* Edom; Seir.
A região mais rica da terra de Edom ficava do lado oriental de Arabá (a continuação da fenda do Jordão-mar Morto), mas os nabateus tinham enviado os edomitas para o oeste no século IV a.C. Parece ter havido uma migração anterior para o oeste, pois até Hebrom era provavelmente uma cidade edomita na época de Esdras e Neemias. Visto que Hebrom, famosa pelo local de sepultamento dos patriarcas e certa vez a capital de Davi, não foi mencionada como uma das cidades de Judá reocupada depois do exílio, pode-se presumir que ela tenha sido ocupada pelos edomitas.
O período idumeu foi o último momento de grandeza na história dos edomitas, de aprox. 100 a.C. a 70 d.C. Judas Macabeu havia derrotado os idumeus e recapturado Hebrom em 164 a.C. (1 Mac 5.1-5,65), e João Hircano guerreou contra eles com êxito, os sujeitou, e os forçou a adotar o judaísmo e a serem circuncidados em aprox. 120 a.C. Contudo, foi a ascensão da dinastia herodiana que deu alguma proeminência aos idumeus, que de outra forma jamais teriam alcançado. Em 66–70 d.C., eles fanaticamente ajudaram a defender Jerusalém, de cuja queda seus ancestrais haviam se vangloriado 600 anos antes. Os últimos idumeus foram mortos por Tito em 72 d.C.

D. R. S.

**IFDÉIAS** Um descendente de Benjamim, filho de Sasaque (1 Cr 8.25).

**IFTÁ** Cidade de Judá na região da Sefelá, no mesmo distrito de Libna (Js 15.43).

**IFTA-EL** Vale na linha fronteiriça entre Zebulom e Aser (Js 19.14,27). Esse nome talvez seja encontrado em Jotopata, a moderna Tell Jefat, cerca de 15 quilômetros a noroeste de Nazaré.

**IFTAEL** *Veja* Ifta-El.

**IGAL ou JIGEAL**
1. O filho de José da tribo de Issacar e um dos 12 homens enviados por Moisés para espiar a terra de Canaã (Nm 13.7,17).
2. Um dos valentes guerreiros de Davi, filho de Natã (2 Sm 23.36), mencionado em 1 Crônicas 11.38 como "Joel, irmão de Natã".
3. Um dos filhos de Semaías, da casa real de Davi (1 Cr 3.22).

**IGNORÂNCIA** No AT, Deus fez provisão para o pecado cometido por "ignorância" (heb. *sh$^e$gaga*, "erro", "vagando perdido" ou "desviado"), como visto em Levítico 4.5; Nm 15.22-29, em distinção dos pecados causados por presunção. Tais pecados produziam culpa. Eles não eram necessariamente praticados de forma inconsciente, mas não eram intencionais. Eram cometidos devido a fraquezas ou falhas, e tinham que ser expiados. Esses pecadores não tinham a intenção de se rebelar contra o governo de Deus; mas aqueles que desprezavam sua Palavra deveriam ser cortados sem nenhuma hesitação (Nm 15.30,31).
A palavra gr. *agnoia* significa uma falta de conhecimento por não estar informado. Paulo freqüentemente escreveu que ele não desejava que os primeiros cristãos fossem ignorantes nesse sentido (Rm 1.13; 11.25; 1 Co 10.1; 12.1 etc.). O apóstolo declarou que recebeu misericórdia porque agiu na ignorância, na incredulidade, ao perseguir os cristãos (1 Tm 1.13). Em Atenas ele pregou que Deus não considera o tempo da ignorância dos gentios (At 17.30; cf. 3.17). Assim, vemos que existe uma tolerância especial tanto para os pecados cometidos pelo crente por ignorância como para a ignorância dos gentios.
Por outro lado, a ignorância dos inconversos está ligada à cegueira de coração (Ef 4.18) e à luxúria (1 Pe 1.14). Os gentios não têm desculpa para não adorarem ao único Deus verdadeiro, pois o que pode ser conhecido a respeito de Deus revela-se algo evidente a eles. Portanto, a rejeição que demonstram em relação a Deus é na verdade voluntária e deliberada (Rm 1.18-32; 2 Pe 3.5; cf. Rm 10.3).
A palavra *idiotes*, significando uma pessoa de pouca cultura no gr. comum, é usada uma vez em Atos 4.13 pelo Sinédrio em relação aos discípulos, no sentido de um leigo não instruído: "Eram homens sem letras e indoutos [homens comuns sem instrução rabínica]".

***Bibliografia***. Rudolf Bultmann, "*Agnoeo* etc"., TDNT, I, 115-121.

R. A. K.

**IGREJA**

### Origem da Palavra

No Novo Testamento, a palavra "igreja" é uma tradução da palavra grega *ekklesia*, que nunca se refere a um lugar de adoração, mas tem em vista uma reunião de pessoas. Na maioria esmagadora dos casos, *ekklesia* indica uma associação local de crentes.
Não se tem certeza das circunstâncias sob as

Igreja de São Pedro em Antioquia da Síria. Um revestimento dos cruzados serve como fachada de uma caverna que, segundo a tradição, foi usada pelos cristãos para fins de culto nos primeiros dias da Igreja

quais *ekklesia* tornou-se a palavra aceita para as congregações cristãs. A palavra aparece no Novo Testamento na declaração de Jesus registrada em Mateus 16.18 e 18.17. No entanto, a menos que Jesus tenha falado grego nessas duas ocasiões (uma possibilidade muito remota), é mais provável que *ekklesia*, nesse texto, reflita a terminologia de Mateus e da igreja primitiva. Além disso, não há como determinar quais palavras hebraicas ou aramaicas Jesus poderia ter usado, pois *ekklesia* poderia ser usada para traduzir pelo menos três palavras semitas diferentes.

Tampouco é provável que *ekklesia* deva sua origem aos primeiros fiéis de Jerusalém. Em Atos, existe uma variedade do que parecem ser autodenominações dos membros dessa comunidade, tais como "os irmãos", "os discípulos", "seguidores do caminho", ou "os santos"; mas não existe evidência de que eles se chamassem de "a igreja".

É mais que provável que tenha sido entre os cristãos judeus que falavam grego e os seus partidários gentios que a palavra tenha aparecido pela primeira vez, e no contexto da sua própria tradição cultural. No mundo grego, a palavra *ekklesia* normalmente se refere a uma reunião. Também era usada tecnicamente para referir-se às assembléias regularmente agendadas dos cidadãos de uma cidade grega. Em Atos 19.39, é fornecido um exemplo desse uso, quando o escrivão da cidade de Éfeso disse ao povo que eles deveriam encaminhar qualquer ação contra os companheiros de Paulo em um legítimo ajuntamento, ou *ekklesia*.

Também é possível que os cristãos judeus no mundo helênico tenham introduzido a palavra *ekklesia*, porque essa era uma das duas expressões básicas usadas na Septuaginta (LXX) para designar o povo de Deus. A palavra *ekklesia* traduz quase 100 vezes a palavra hebraica *qahal*, que significa "assembléia". A outra palavra usada para traduzir *qahal* era *synagoge*, mas esse termo já havia sido incorporado pela comunidade judia que falava grego para designar os seus lugares de reunião. *Veja* Assembléia.

Qualquer que tenha sido a maneira como *ekklesia* veio a chamar a atenção dos cristãos, seu rápido progresso, passando a ter um uso geral, e sua predominância sobre outros termos concorrentes não podem ser vistos como acidentais. Dois fatores parecem ser responsáveis por isso. O primeiro em importância é a consciência, por parte dos cristãos, do desenvolvimento paralelo que eles mantinham com o povo de Deus do Antigo Testamento. A "assembléia" do Antigo Testamento foi estabelecida quando Deus convocou Israel no monte Sinai (Dt 5.22; 9.10; 10.4; 18.16) e pela sua própria Palavra e por seus atos foi criada a comunidade da aliança. Daquela época em diante, os israelitas tornaram-se a *qahal* (*ekklesia*) de Deus, "ativamente engajada nos propósitos da revelação e da salvação concedidas por Deus, expressas pelos poderosos acontecimentos através dos quais Deus intervém na história de uma forma redentora, e impulsiona a aliança em direção ao seu cumprimento final e universal" (T. F. Torrance, "The Israel of God", *Interpretation*, X, 306).

Da mesma maneira, a *qahal* ou *ekklesia* do Novo Testamento foi convocada por Deus pela Palavra divina, o Eterno Logos. Ela também foi criada como uma comunidade de "aliança", e tendo recebido uma nova aliança por meio do sangue de Jesus, foi "alcançada" pelo grande programa redentor de Deus. Assim, os cristãos, pelo uso do nome de Jesus, dão testemunho de que são os sucessores diretos de Israel como herdeiros da esperança de Israel. O uso que os cristãos faziam de outras expressões que tradicionalmente se referiam a Israel confirma essa argumentação. Os primeiros cristãos são chamados, no Novo Testamento, de "os eleitos", "a semente de Abraão", "as doze tribos", "estrangeiros da dispersão", e "Israel de Deus".

O nascimento da Igreja foi reconhecido pelos cristãos como um cumprimento de parte da aliança feita com Abraão e Moisés. Deus tinha feito um pacto com os israelitas pelo qual Ele iria estabelecer um povo que seria seu, e que iria receber as suas promessas. Esse povo seria sua "propriedade peculiar", um "reino de sacerdotes", uma "nação santa", aquele que levaria sua luz às nações (Êx 19.5,6).

É exatamente nesses termos que Pedro dirige-se à comunidade do Novo Testamento em sua primeira carta. Eles são "eleitos segundo a presciência de Deus Pai, em santificação do Espírito, para a obediência e aspersão do sangue de Jesus Cristo... que... nos gerou de novo para uma viva esperança, pela ressurreição de Jesus Cristo dentre os mortos, para uma herança incorruptível, incontaminável e que se não pode murchar" (1.2-4). Eles são preciosos "... como pedras que vivem... edificados casa espiritual" para serem "sacerdócio santo", a fim de oferecerem "sacrifícios espirituais" (2.4,5). Eles tornaram-se "a geração eleita, o sacerdócio real, a nação santa, o povo adquirido", para anunciarem "as virtudes" daquele que os chamou "das trevas para a sua maravilhosa luz" (2.9).

O segundo fator para a escolha final do termo *ekklesia* pela comunidade cristã está relacionado com a rejeição do Messias pelos judeus. Um novo povo de Deus havia sido estabelecido. Para esse povo era adequada a escolha de uma palavra da versão LXX que historicamente se referisse ao povo de Deus, um nome familiar pelo seu uso e pelas suas associações, sagrado por fazer parte do Livro Divino, do qual a oposição judaica ainda não tivesse se apropriado.

G. W. Ba.

O que seria mais natural do que a escolha da palavra *ekklesia*, uma palavra suficientemente neutra para ser adaptada às muitas e novas compreensões que pertencem à nova esperança?

### A Origem da Igreja

Existe muita diferença de opinião a respeito da data de origem da Igreja. Ela teve início no Pentecostes, ou naquela época foi meramente constituída sob a forma que teria no Novo Testamento?

Aqueles que acreditam que a Igreja teve início no Pentecostes ressaltam que a afirmação de Cristo em Mateus 16.18, "edificarei a minha Igreja", apresenta o verbo no futuro e faz alusão a uma época pelo menos subseqüente a essa afirmação. Adicionalmente, eles argumentam que alguém se torna um membro da Igreja por meio do batismo no Espírito Santo, que assim o une ou o identifica com o corpo místico de Cristo (1 Co 12.13ss.). O batismo no Espírito Santo era um evento futuro nos Evangelhos (Mt 3.11; Mc 1.8; Lc 3.16; Jo 1.33) e em Atos 1.5. Porém, em Atos 11.15,16 ele já havia sido concedido pela primeira vez. Onde mais alguém poderia logicamente começar o batismo, a não ser no Pentecostes? Se o começo do batismo no Espírito Santo, por meio do qual alguém se torna membro da Igreja, ocorre no Pentecostes, então a Igreja deve ter começado ali.

Além disso, o apóstolo Paulo refere-se ao Espírito Santo em Efésios 3.2-11, e ressalta que ele fala do "mistério... o qual, noutros séculos, não foi manifestado aos filhos dos homens, como, agora, tem sido revelado pelo Espírito aos seus santos apóstolos e profetas" (vv. 3-5).

Outros respondem que essa passagem não nega claramente a existência anterior da Igreja, mas apenas afirma que sua extensão não tinha sido dada a conhecer a eles, como tinha sido aos apóstolos. Em outras palavras, embora o Antigo Testamento certamente tivesse dado indicações de que os gentios iriam receber o evangelho quando o Messias viesse (Is 9.2; 11.10; 42.6; 49.6; 60.3; 66.12; Am 9.12), ele não deixava clara a eliminação da divisão, ou da parede de separação entre os judeus e os gentios (Ef 2.14; 3.9).

A isto, eles acrescentam que a unidade da aliança da graça – de que a salvação, em todos os tempos e com todas as revelações, foi oferecida sobre a base da graça de Deus e por meio da fé – e o ensino de Romanos 4 a respeito da justificação pela fé, anterior à lei no caso de Abraão, sob a lei no caso de Davi, e na época do Novo Testamento, mostram a existência da Igreja no Antigo Testamento e sua continuidade no Novo Testamento.

R. A. K.

### A Natureza da Igreja

A verdadeira Igreja é única, como está indicado pelo uso singular da palavra em Efésios e em várias outras passagens, quando se faz referência a todos os fiéis (1 Co 15.9; Gl 1.13; Cl 1.18,24; 1 Tm 3.15). Apesar disso, havia muitos grupos locais conhecidos como "a igreja" naquele lugar. W. C. Robinson explica o paradoxo: "Onde quer que a igreja se reúna, ela existe como um todo, ela é a igreja naquele lugar. A congregação em particular representa a igreja universal, e por meio da participação na redenção de Cristo, abrange misticamente o todo, do qual faz parte a manifestação local" (BDT, p. 124).

A característica significativa de cada igreja local e da igreja universal é o seu relacionamento com Deus e com Jesus Cristo: "igrejas de Deus... em Cristo Jesus" (1 Ts 2.14). A Igreja é de Deus porque Ele a estabeleceu pelos atos sobrenaturais de vir à terra na Pessoa de seu Filho por meio do nascimento virginal, comprou um povo por meio do sacrifício substitutivo do seu Filho, ressuscitou o Filho dos mortos para promover a vida eterna, e enviou o Espírito Santo para abastecer e equipar os seus santos.

Há pelo menos oito imagens no Novo Testamento que representam a relação de Cristo com sua Igreja: (1) o Pastor e as ovelhas (Jo 10.1-30; At 20.28; Hb 13.20); (2) a Videira e os ramos (Jo 15.1-17); (3) a Pedra Angular ou a fundação e as pedras de um templo sagrado (Ef 2.20-22; 1 Co 3.9-17; 1 Pe 2.4-8); (4) o Sumo Sacerdote e o reino de sacerdotes (Hb 5.1-10; 6.13–8.6; 1 Pe 2.5,9; Ap 1.6); (5) a Cabeça e o corpo que tem muitos membros (Ef 1.22,23; 4.4,12,15; 5.23,30; 1 Co 12.12-27; Cl 1.18; 2.19); (6) o Noivo e a noiva (Jo 3.29; 2 Co 11.2; Ef 5.25-33; Ap 19.7,8);

(7) O Primogênito entre muitos irmãos, ou as primícias (Rm 8.29; 1 Co 15.20,23; Ap 1.5); (8) O Senhor e os servos (Ef 6.5-9; Cl 3.22–4.1; 1 Co 7.22-23; Rm 6.18,22; Fp 1.1). Estas e outras descrições revelam que a vida da Igreja, sua santidade e sua unidade estão em Cristo (Cl 3.3,4; 1 Co 1.30; Gl 3.28; Jo 17.21-23).

### Ministério e Missão da Igreja

Como um corpo, um organismo vivo, a Igreja deveria crescer para a maturidade, "à medida da estatura completa de Cristo" (Ef 4.13; cf. vv. 14-16). Como ajuda para esse desenvolvimento, Cristo deu alguns dons à sua Igreja, sob a forma de homens que realizariam várias tarefas. Alguns eram apóstolos, e outros eram profetas, evangelistas e pastores-doutores, para equipar os santos para a obra do ministério (Ef 4.11,12). Como os membros da Igreja eram batizados no Espírito Santo, cada um tinha um dom espiritual, ou mais, para edificar os outros na comunidade de crentes (1 Co 12.4-13; Rm 12.3-8; *Veja* Dons Espirituais). Cada um deveria servir de acordo com sua chamada e com sua habilidade (1 Pe 4.10,11).

A Igreja também deveria crescer no sentido de expansão. Cada crente deveria ser uma testemunha de Cristo por meio do poder do Espírito Santo (At 1.8), levando o evangelho a todas as criaturas, e fazendo discípulos em todas as nações (Mc 16.15; Mt 28.19; *veja* Comissão, A Grande).

Embora todos os crentes tivessem uma posição igual perante Cristo, o Cabeça, a Igreja organizou-se com a finalidade de assegurar seu funcionamento prático e ordenado aqui na terra. De certo modo, os apóstolos e os profetas eram sua fundação (Ef 2.20), os representantes autorizados por Jesus Cristo para completar a revelação de sua Palavra para seu povo. Nesse sentido básico do apostolado, não poderia haver sucessão dos apóstolos depois daqueles que haviam testemunhado o ministério e a ressurreição do Senhor Jesus (At 1.21,22; *veja* Apóstolo). Os apóstolos instituíram os diáconos (At 6.1-6) e os anciãos (ou presbíteros; At 14.23; 20.17-38; Fp 1.1; 1 Tm 3.1-7; Tt 1.5-9; 1 Pe 5.1-4; Tg 5.14) para presidir as igrejas locais e dar-lhes a orientação necessária.

Qualquer que fosse a função na qual cada crente servisse, é importante observar que ele era escolhido e então guiado e capacitado pelo Espírito. De uma forma não especificada, o Espírito Santo revelou que Barnabé e Paulo deveriam ser enviados como missionários (At 13.1-3). Da mesma forma, os anciãos de Éfeso foram estabelecidos como líderes da comunidade pelo Espírito (At 20.28). Uma declaração profética acompanhou os dons espirituais conferidos a Timóteo em sua consagração (1 Tm 4.14). Paulo e Silas foram conduzidos a Trôade pelo Espírito (At 16.6-8). Dessa forma, o principal ministério da Igreja consistia em servir ao seu Senhor (At 13.2*a*), adorá-lo como sacerdotes por meio do Espírito que habita dentro de cada um (Fp 3.3) e fazer sua vontade na terra, realizando sua obra por meio do poder do seu Espírito (Jo 14.12,16,17). A presença do sobrenatural tem caracterizado a Igreja em todos os momentos.

J. R.

***Bibliografia.*** James Barr, *The Semantics of Biblical Language*, Londres: Oxford Univ. Press, 1961, p. 119. J. Oliver Buswell, Jr., *Systematic Theology*, Grand Rapids: Zondervan, 1963, I, 418-429; II, 216-280. J. Y. Campbell, "The Origin and Meaning of the Christian Use of the Word *Ecclesia*", JTS, XLIX (1948), 130. Edmund P. Clowney, "Toward a Biblical Doctrine of the Church", WTJ, XXXI (Nov., 1968), 22-81. Charles Hodge, *Systematic Theology*, Grand Rapids: Eerdmans, 1952, III, 546ss. P. H. Menoud, "Church, Life and Organization of", IDB, I, 617-626. Paul S. Minear, "Church, Idea of", IDB, I, 607-617. Leon Morris, "Church Government", BDT, pp. 126ss. William Childs Robinson, "Church", BDT, pp. 123-126; "The Nature of the Church", *Christian Faith and Modern Theology*, ed. por Carl F. H. Henry, Nova York: Channel Press, 1964, pp. 389-399. K. L. Schmidt, "*Ekklesia*", TDNT, III, 501-536. T. F. Torrance, "The Israel of God", *Interpretation*, X., (1956), 305.

**IIM**

1. A forma contraída de Ijé-Abarim, um dos acampamentos dos israelitas durante seu êxodo do Egito (Nm 33.44,45).
2. Uma cidade no território de Judá e perto de Edom, cuja exata localização é incerta (Js 15.29).

**IJÉ-ABARIM** Um acampamento dos israelitas, perto de Moabe, durante sua viagem do Egito para a terra prometida (Nm 33.44).

**IJOM** Uma cidade de Israel no território de Naftali que foi capturada por Ben-Hadade, rei da Síria, por sugestão de Asa, rei de Judá (1 Rs 15.20; 2 Cr 16.4). Mais tarde, durante o reinado de Peca, seus habitantes foram levados cativos para a Assíria por Tiglate-Pileser. A cidade está situada cerca de 13 quilômetros a noroeste da moderna cidade de Banias.

**ILAI** Um aoíta, um dos valentes guerreiros de Davi (1 Cr 11.29), também chamado de Zalmom (2 Sm 23.28).

**ILEGALIDADE** *Veja* Iniqüidade.

**ILHA** A palavra hebraica *'i* é usada em um sentido muito mais amplo do que no nosso idioma, uma vez que ela é baseada na idéia de um marinheiro que vê do mar qualquer terra seca como um lugar de paz e descanso, seja simplesmente a costa litorânea ou uma ilha propriamente dita. Portanto, a palavra deve ser entendida no contexto em que ela encontra-se, para que o leitor possa decidir se deve ser traduzida como ilha ou simplesmente como costa. Há passagens onde o significado é claramente o de uma ilha (Is 40.15), e outras onde é simplesmente a terra na costa ou na praia (Is 20.6). A palavra também pode ser usada como uma referência a lugares distantes da terra, por exemplo, a costa estrangeira (Is 41.5; 66.19).

No NT, as ilhas específicas são designadas pelo termo *nesos*, e tais ilhas são mencionadas como Quios, Creta, Chipre, Malta, Rodes e Samos. João foi exilado na ilha de Patmos, onde recebeu a "Revelação de Jesus Cristo" (Ap 1.1,9).

R. A. K.

**ILHARGA** Esta palavra é usada apenas no plural, como em Jó 15.27. Ela refere-se à parte da carcaça do animal perto dos rins, chamada de lombos. Ela é usada cinco vezes em Levítico e é traduzida como "lombos" em algumas versões (Lv 3.4,10,15; 4.9; 7.4).

**ILÍRICO ou ILÍRIA** Uma província romana (também chamada Dalmácia) localizada ao norte da Macedônia, a oeste de Moésia, ao sul de Panônia, e a leste da costa do mar Adriático. Possuía um território aproximadamente equivalente ao da moderna ex-Iugoslávia. É mencionada apenas no NT como o limite ocidental das viagens de Paulo no final de sua terceira viagem missionária (Rm 15.19).

O geógrafo Estrabão (*Geography* VII.317) descreveu os habitantes do Ilírico como selvagens e dados à pirataria, e a terra como quente em sua costa, porém fria em seu interior montanhoso. Tanto os gregos como os romanos fizeram campanhas militares contra eles, freqüentemente sem muito sucesso. A terra foi finalmente incorporada como uma província do Império Romano na primeira década do século I d.C.

**ILUMINAÇÃO** Um termo teológico usado para expressar a maneira pela qual o Espírito Santo deixa claro para o homem a Palavra de Deus, seja pregada ou na forma escrita. Sem uma iluminação das Sagradas Escrituras, nenhum homem pode entender a revelação divina e infalível de Deus, porque as coisas espirituais são entendidas e discernidas apenas espiritualmente, isto é, pela ajuda do Espírito Santo (1 Co 2.11-14; Jo 16.13). Portanto, Paulo orou para que tivéssemos os "olhos" de nosso entendimento iluminados (Ef 1.18). A Bíblia, em seu texto original, é a Palavra de Deus inspirada e infalível. A inspiração, portanto, descreve a obra do Espírito nos autores das Escrituras e nas próprias Escrituras; a iluminação é o meio pelo qual as Escrituras tornam-se claras para o leitor.

A iluminação da mente obscurecida, seja de um judeu (Hb 6.4; 10.32) ou de um gentio (2 Co 4.4-6), é um aspecto necessário da experiência da salvação. Davi reconheceu que o Senhor iluminou as suas trevas (Sl 18.28). Ligando este conceito ao termo "mandamento", ele sugeriu que somente quando a Palavra de Deus é obedecida, é que vem uma iluminação posterior (Sl 19.8).

Karl Barth e os teólogos neo-ortodoxos tentam remover a inspiração dos escritores das Escrituras e das próprias Escrituras, e pensam que ela deve estar no ouvinte ou no leitor. Barth fala de homens sendo inspirados verbalmente e quer dizer com isso que a Bíblia falível e contraditória torna-se a Palavra de Deus quando o homem desfruta uma experiência subjetiva de revelação. Esta opinião nega tanto o ensino de Cristo a respeito da Bíblia, como a verdade que a Bíblia apresenta sobre si mesma. *Veja* Inspiração; Neo-ortodoxia.

R. A. K.

**IMACULADO ou INCONTAMINADO** No AT, a palavra hebraica *tam,* ou *tamim,* geralmente significa "perfeito" e foi traduzida em algumas versões como "imaculado" no Salmo 119.1, mas como "inocente" em outras. Cantares 5.2 e 6.9 foram traduzidos como "perfeito" ou "imaculado". No NT, a palavra grega *hamiantos* designa o Cristo imaculado ou irrepreensível em Hebreus 7.26; o ato do casamento como sem mácula em Hebreus 13.4; a perfeita religião em Tiago 1.27; e a herança celestial em 1 Pedro 1.4.

**IMAGEM** *Veja* Idolatria; Imagens.

**IMAGEM DE DEUS** O homem, criado à imagem de Deus, é distinto de todas as outras criaturas. Ele é único por ter sido feito para viver em comunhão com seu Criador, e ser responsável diante dele. Deus fez o homem com algumas características que Ele mesmo possui, como um ser pessoal, e para si mesmo, em um relacionamento "Eu-você" (Gn 1.26,27; 5.1,2; 9.6; 1 Co 11.7; Ef 4.24; Cl 3.10; Tg 3.9). Somente através de uma resposta obediente a Deus, é que o homem pode verdadeiramente cumprir o propósito para o qual foi criado. É somente em Jesus Cristo que a imagem de Deus pode ser vista perfeitamente; ele é o homem verdadeiro e perfeito (Cl 1.15; 2 Co 4.4).

Três aspectos dessa doutrina podem ser distinguidos:

1. *A imagem como foi criada por Deus.* A imagem de Deus tem uma semelhança natural ou formal com Deus, que consiste em personalidade, pois isto é essencialmente o que Deus é, um Espírito pessoal. Ela também tem

uma semelhança moral ou relacional, que consistia originalmente em santidade positiva e justiça original. O homem não foi criado meramente em um estado de inocência ou neutralidade moral; mas sua mente, afeições, e vontades eram positivamente direcionadas a Deus e ao seu propósito supremo. Como tal, a primeira natureza moral do homem era um reflexo finito da natureza moral de Deus. No entanto, o homem era capaz de enfrentar testes e provações, e de ter seu desenvolvimento e progresso através do exercício do livre-arbítrio diante da tentação. O homem seria responsável pela sua própria liberdade. Era possível para Adão escolher o bem ou o mal; sua condição moral não era imutável ou infalível.

Como um dom de Deus ao homem, criado à imagem de Deus, foi outorgada a imortalidade (isto não significa mera e naturalmente possuir uma existência infinita, em virtude da simplicidade de sua alma). Ele não estava sujeito à lei da morte, visto que não havia princípio de morte ou de pecado em ação em seu estado original de bondade criada.

Embora Deus seja Espírito, há um sentido sob o qual o corpo do homem está incluído na imagem de Deus, pois o homem é um ser unitário composto tanto de corpo como de alma e espírito. Seu corpo é um instrumento adequado da auto-expressão de uma alma feita para a comunhão com o Criador e está escatologicamente pronto para se tornar um "corpo espiritual" (1 Co 15.44). Não havia nenhum antagonismo ou contrariedade entre a alma e o corpo no estado original (o dualismo está excluído). O corpo não era algo a ser desprezado como inferior à alma ou como um obstáculo à vida mais elevada do homem. Não era algo fora do ego real de Adão, mas era essencialmente um com ele. Como tal, havia uma sujeição dos impulsos sexuais, que estavam sob o controle do espírito humano.

Incluído na criação de Adão à imagem de Deus, estava seu domínio sobre a criação mais baixa, os animais e o mundo da natureza. Isto indica a glória e a honra com as quais o homem foi coroado como o cabeça e o ápice de toda a criação. Os arredores do jardim do Éden eram adequados para trazer felicidade e favorecer o desenvolvimento da totalidade da natureza. *Veja* Antropologia; sobre Cristo como a imagem de Deus (2 Co 4.4; Fp 2.6; Cl 1.15), *veja* Cristo, Humilhação de; Kenosis.

2. *A imagem depois da queda.* A desobediência trouxe conseqüências desastrosas para a imagem original de Deus no primeiro homem. O pecado deteriorou toda a semelhança natural (personalidade), de forma que a mente, as emoções e vontades do homem tornaram-se corruptas (depravação total). Contudo, o homem não perdeu esta semelhança natural, embora ela tenha se tornado manchada por causa do pecado, pois é isto que o constitui como homem e o distingue de outras criaturas. Isto é intrínseco à natureza humana e constitui sua receptividade para a redenção. Mesmo os não regenerados retêm a imagem natural de Deus, pois, de outra forma, deixariam de ser homens (seres racionais e morais).

Embora a semelhança natural ainda esteja retida depois da queda, a imagem moral está inteiramente perdida. Agora o homem está destituído da justiça original; ele está morto em seus delitos e pecados. Os seus sentimentos e vontade não estão inclinados na direção de Deus e da santidade, mas na direção carnal. Ele perdeu a comunhão com Deus e tornou-se um estrangeiro e inimigo através da separação produzida pela desobediência (Gn 3.8-10; Rm 5.10*a*; Cl 1.21*a*). Cortado da Fonte da vida, ele tornou-se uma criatura que está morrendo (Gn 2.17; Rm 6.23*a*).

O corpo não é mais um instrumento ajustado da alma; ele é freqüentemente um obstáculo para a vida mais elevada do homem porque facilmente entra em aliança com seus sentimentos depravados e com sua vontade pervertida. A sujeição original do sensual ao espiritual inverteu-se devido à queda. Adão foi expulso do jardim do Éden, e o domínio sobre a natureza tornou-se difícil e trabalhoso. *Veja* Queda do Homem.

3. *A imagem restaurada por Cristo.* Por meio da redenção que está em Cristo, o crente é regenerado. Ele é renovado em conhecimento, seus sentimentos são reorientados, sua vontade é transformada, seu corpo torna-se o templo do Espírito Santo. A imagem de Deus é recriada em justiça e verdadeira santidade e são restaurados a comunhão e o favor com Deus; pela fé o homem herda a vida eterna. Na verdade, por meio da obra salvadora do Senhor, o crente ganhou de volta muito mais do que foi perdido com o pecado de Adão (1 Co 15.44-49). O cristão deve ser gradualmente transformado na própria imagem do Filho de Deus, que no final envolverá não só a perfeita semelhança moral e espiritual com Cristo, mas também um corpo glorificado como o do último Adão ressurrecto (Rm 8.29; 2 Co 3.18; 1 Co 15.42 ss.). *Veja* Nova Criatura.

*Opiniões divergentes com relação à imagem de Deus.* Na teologia católico-romana, uma distinção injustificada é feita entre os termos sinônimos "imagem" e "semelhança". Eles afirmam que o primeiro designa a imagem natural, e pertence à própria natureza do homem como homem, incluindo a espiritualidade, a liberdade e a imortalidade. O segundo designa a imagem moral, a justiça e a santidade, e é um dom adicionado, sobrenatural, concedido para tornar a obediência mais fácil em vista da concupiscência, que é uma tendência natural dos apetites mais baixos (mas não pecaminosos em si, de acordo com a teologia católica). Às vezes, a "semelhança" é descrita como um produto merecido da obediência, uma recompensa para o uso próprio da natureza, para que por ela o homem seja capacitado a merecer a vida eterna. Na queda, Adão perdeu apenas a semelhança; a imagem natural permaneceu inalterada. Assim, o homem natural está agora em uma condição moral semelhante à do Adão não-caído, mas antes de ser dotado com a justiça original. Os católicos pensam que esta justiça original pode ser novamente conseguida através dos sacramentos da Igreja Católica.

Entre outras opiniões modernas, encontra-se a doutrina muito influente de que a imagem de Deus não é de forma alguma substancial – como é a personalidade – mas é simplesmente relacional. Esta á a opinião de Sóren Kierkegaard, Karl Barth e de muitos teólogos contemporâneos. Eles ensinam que o homem permanece na imagem de Deus somente quando está espelhando a natureza espiritual de Deus em sua própria vida. Isto ocorre quando o homem, de modo obediente, responde positivamente à confrontação de Deus no ponto de contato entre Deus e o homem, o que é experimentado em um ato de verdadeira adoração. Em tal experiência, o homem, às vezes, lembra Deus e, assim (e então), permanece na imagem divina.

Uma opinião evolucionista faz a distinção entre a imagem que o homem originalmente possuía e que ele perdeu devido à queda (felicidade e obediência responsiva), e a imagem adquirida devido à queda (poderes racionais e responsabilidade moral). Aqueles que aceitam esse raciocínio pensam que isso aconteceu quando o *Homo*, ou o homem, tornou-se *Homo sapiens*, ou o homem racional, por meio do primeiro ato que envolveu a responsabilidade moral. Nesse ato, o homem teria perdido sua inocência e felicidade que eram semelhantes às dos animais, e alcançado uma natureza racional e moral.

***Bibliografia.*** J. Behm, "*Morphe* etc"., TDNT, IV, 742-759. G. C. Berkouwer, *Man - The Image of God*, Grand Rapids: Eerdmans, 1962. David S. Cairns, *The Image of God in Man*, Nova York: Philosophical Library, 1953. Gordon H. Clark, "The Image of God in Man", JETS, XII (1969), 215-222. Carl F.H. Henry, "Man", BDT, pp. 338-342. James Gresham Machen, *The Christian View of Man*, Nova York: Macmillan, 1937. James Orr, *God's Image in Man*, Grand Rapids: Eerdmans, 1948. J. Schneider, "*Homoios* etc"., TDNT, V, 186-199. A. H. Strong, *Systematic Theology*, 11ª ed. , Filadélfia: Judson Press, 1947, pp. 514-532, Charles L. Feinberg, "The Image of God", BS, CXXIX (1972), 235-246.

R. E. Po.

**IMAGEM DE NABUCODONOSOR** O único registro da imagem de ouro que Nabucodonosor mandou erigir encontra-se em Daniel 3. Imagens de deuses e dos próprios reis eram comuns na Babilônia, e encaixam-se com o conhecimento que temos das condições religiosas sob o governo de Nabucodonosor. Essa imagem na planície de Dura pode ter tido a forma de um obelisco, com uma base de três metros e altura de 30 metros, banhada em ouro brilhante. A recusa dos três amigos de Daniel de cumprir a ordem do rei e adorar essa imagem foi prontamente identificada. O método de castigar pelo fogo aqueles que não se inclinassem parece ter sido comum naquele período (cf. Jr 29.22). Embora Daniel não seja mencionado, é irracional inferir – levando-se em consideração o caráter de Daniel retratado no livro que leva seu nome –, que ele tenha adorado essa imagem.

É possível que a grande imagem que o rei viu em seu sonho, e que Daniel descreveu (Dn 2.31-35) e interpretou para ele, tenha sido a inspiração para o monumento de ouro que Nabucodonosor criou (3.1). Agindo desse modo, é possível que ele estivesse desafiando a declaração expressa de Deus de que seu reino cairia e seria sucedido por outros reinos (2.38-45), ou que estivesse erigindo um último monumento.

S. J. S.

**IMAGEM FUNDIDA** *Veja* Bezerro de Ouro; Imagens.

**IMAGENS** Muito cedo na história humana, passaram a ser empregadas várias representações artificiais de objetos, animais, pessoas ou deuses designados para serem usadas em adoração. Algumas eram símiles daquilo que realmente existe, outras eram representações pictóricas da imaginação, e ainda outras assumiam formas simbólicas. Elas eram freqüentes e simplesmente empregadas para propósitos ornamentais, como no Tabernáculo e no Templo, mas passaram a ser usadas comumente para práticas idólatras.

Os egípcios usavam imagens em cerimônias de sepultamento que eram distintas dos seus ídolos usados na adoração pagã, tais como miniaturas de servos, animais, alimentos, veículos etc. Através de fórmulas mágicas pintadas no interior do caixão ou escritas em um rolo de papiro enterrado com o morto, esperavam que o falecido trouxesse à vida essas imagens com o intuito de servi-lo no mundo em que viveria a seguir.

Repetidas e constantes denúncias e proibições expressas no AT contra imagens e semelhanças de coisas criadas mostram quão persistente era a tendência à idolatria entre os hebreus (por exemplo, Dt 5.8; 7.5; 16.22; Sl 97.7; Is 42.17; 44.9; Jr 10.14; Ez 7.20; Os 10.2; Mq 1.7; Hc 2.18). O uso de ídolos e imagens de escultura e de fundição era proibido para os israelitas pelo segundo mandamento (Êx 20.4,5), porque o ídolo tornava-se inevi-

A pedreira Sevene em Assuã fornecia grande parte do melhor granito para as construções egípcias. Um grande obelisco rachado foi deixado na pedreira milhares de anos atrás. HFV

tavelmente um rival e substituto de Deus (e não meramente um símbolo). A idolatria não só representa mal a natureza espiritual de Deus (toda representação corpórea é uma má representação), mas também divide ou transfere a devoção, colocando um objeto entre (e adiante de) Deus e o adorador. Ela é uma raiz do mal; a idolatria conduz a todo tipo de corrupção religiosa e moral. *Veja* Idolatria.

R. E. Po.

**IMAGENS DE ESCULTURA**[1] Uma imagem (heb. *pesel*) entalhada ou esculpida em pedra, madeira ou metal, mencionada no AT juntamente com a imagem de fundição (por exemplo, Dt 27.15; Jz 17.3,4; 2 Cr 34.3). Visto que os cananeus usavam essas imagens como ídolos – como constataram as descobertas arqueológicas na Palestina e na Síria –, elas eram proibidas aos israelitas (Êx 20.4; Lv 26.1 etc.). *Veja* Ídolo.

**IMAGENS DE ESCULTURA**[2] As "imagens de escultura" são mencionadas em Juízes 3.19,26. Visto que o termo heb. é *happ*$^{e}$*silim*, a tradução "pedras esculpidas" é bastante exata. Em outras passagens, há versões que traduzem o termo como "estátua" ou "imagem de escultura" (Dt 7.5,25; 12.3; Jz 17.3; 18.14,30; 2 Cr 33.22; 34.3 etc.). A referência pode ser a um círculo pré-israelita de ídolos de pedra entalhados (na LXX e na Vulgata lê-se "ídolos") em Gilgal, de onde o local originalmente derivou seu nome, pois não está declarado que Josué e seus homens entalharam as pedras que transportaram para Gilgal do leito do rio Jordão (Js 4.8,20). *Veja* Gilgal. Em 1 Reis 6.7, foi dito em algumas versões que o Templo foi construído com pedras preparadas na "pedreira" (heb. *massa'*), um substantivo baseado na raiz verbal *nasa'*, "extrair", "remover". Uma forma deste verbo significa "lavrar", como em 1 Reis 5.17 e Eclesiastes 10.9. Outras versões trazem a expressão pedra "lavrada" (*mahseb*) referindo-se à pedra "de cantaria" em 2 Reis 12.12; 22.6 etc. Esta última raiz da palavra aparece na expressão *hoseb bahar* (2 Cr 2.2,18), e é entendida em algumas versões como significando "para talharem pedras nas montanhas". É possível, porém, que a referência seja a lenhadores. Há versões que traduzem "caverna do poço" como "pedreira" em Isaías 51.1. A imensa caverna sob o atual muro norte da antiga Jerusalém é popularmente chamada de "Esculturas de Pedra de Salomão". Seu tamanho aproximado de 100 por 200 metros sugere que os blocos de calcário cortados aqui eram para um projeto de estado, embora provavelmente não tão antigos como para o Templo de Salomão. No antigo Oriente Próximo, as pedras eram lavradas cortando sulcos profundos com picaretas de ferro nos quatro lados, arrancando, encravando ou rachando as pedras soltas com golpes fortes.

Alguns estudiosos têm considerado o nome Sebarim (Js 7.5) como significando "pedreiras", mas a palavra também pode significar lugares acidentados ou desfiladeiros, nos penhascos que têm vista para o vale do Jordão.

J. R.

**IMAGINAÇÃO** É a formação de imagens mentais por uma síntese de elementos experimentados separadamente. Ela apresenta novas perspectivas e aplicações de idéias, eventos e verdades já experimentadas. O verbo "imaginar" na versão KJV em inglês tem o significado de "propósito, esquema, plano". Há versões que o traduzem como "pensar", "meditar", "divisar".

A palavra heb. *sh*$^{e}$*rirut* (Dt 29.19; Jr 3.17 etc.), lit., "firmeza", é geralmente usada no mau sentido de teimosia. O termo heb. *yeser* (Gn 6.5; 1 Cr 28.9; 29.18 etc.) significa "forma, conceito", aquilo que é estruturado na mente. As palavras gr. são *dialogismos*, "pensamento, opinião, raciocínio, criação" (Rm 1.21); *dianoia*, "entendimento, inteligência, mente, propósito, plano" (Lc 1.51); e *logismos*, "cálculo, raciocínio, reflexão, poder de raciocínio" (2 Co 10.5).

**IMATERIALIDADE** Imaterialidade é o termo negativo para o qual a espiritualidade é sua expressão positiva. Denota as qualidades da simplicidade (não divisível), não tendo partes (não composta), da indestrutibilidade (não pode ser dissolvida) e da incorporalidade (sem a natureza da matéria). A Bíblia descreve Deus e a alma humana em termos que indicam que ambos são imateriais.

Deus é puramente espírito (Jo 4.24); Ele coloca-se em contraste absoluto à matéria. Deus não pode ser separado em partes; Ele está livre das limitações de tempo e espaço. Ele é "eterno, imortal, invisível" (1 Tm 1.17; cf. 6.16). A imaterialidade divina é, às vezes, descrita como a base dos atributos de eternidade, onipresença e imutabilidade de Deus. O fato da imaterialidade da alma humana é geralmente usado como um dos argumentos para a imortalidade.

A imaterialidade, quando usada em linguagem bíblica e teológica, não deve ser entendida da mesma maneira como é freqüentemente usada na linguagem comum, como a característica de ser dispensável, inconsistente ou não importante.

R. E. Po.

**IMER**

1. Um sacerdote, chefe do décimo sexto turno de sacerdotes designados por Davi (1 Cr 24.14), o pai de Mesilemite (1 Cr 9.12) e fundador de uma família que foi muito ativa após o retorno do exílio. Um total de 1.052 de seus descendentes retornaram (1 Cr 9.12; Ed 2.37; 10.20; Ne 7.40; 11.13).
2. Entre aqueles que retornaram a Jerusalém com Zorobabel estavam alguns que não puderam provar sua descendência israelita. O registro não deixa claro se Imer é o nome de um de seus ancestrais (veja 1 acima) ou a aldeia na Babilônia da qual alguns deles tinham vindo (Ed 2.59; Ne 7.61).
3. Pai de Zadoque, o sacerdote que trabalhou no muro de Jerusalém (Ne 3.29). Se "pai" significa ancestral, ele pode ser a mesma pessoa mencionada no item 1 acima.
4. Pai de Pasur, o sacerdote que mandou surrar Jeremias e prendê-lo no tronco por causa de suas terríveis advertências (Jr 20.1). Se aqui o significado for "ancestral", ele pode ser a mesma pessoa mencionada no item 1 acima.

P. C. J.

**IMINAÍTAS** Nome usado apenas em Números 26.44. Descendentes de Imna (*q.v.*), um filho de Aser.

**IMITAR** *Veja* Exemplo.

**IMNA**

1. Filho de Helém, da tribo de Aser (1 Cr 7.35).
2. Filho mais velho de Aser (1 Cr 7.30; Gn 46.17; Nm 26.44).
3. Um levita, o pai de Coré nos dias de Ezequias (2 Cr 31.14).

**IMORTALIDADE** *Athanasia* ("imortalidade") e *aphtharsia* ("incorruptibilidade") são duas palavras gregas que designam imortalidade. *Athanasia* é encontrada em 1 Coríntios 15.53ss.; 1 Timóteo 6.16; *aphtharsia* é

O deus egípcio Osíris fundido em bronze. LM

encontrada em Romanos 2.7; 1 Coríntios 15.42,50,53ss.; Efésios 6.24 (traduzido como "sinceridade"); 2 Timóteo 1.10; e o adjetivo *aphthartos* ("incorruptível") é encontrado em Romanos 1.23; 1 Coríntios 9.25; 15.52; 1 Timóteo 1.17; 1 Pedro 1.4,23; 3.4.

A imortalidade pode ser definida pelo estado de ausência definitiva de morte e de absoluta incorruptibilidade que reside completa e eternamente em Deus, e de forma relativa e derivada no homem. Este artigo é limitado aos vários aspectos da imortalidade do homem conforme revelado nas Escrituras.

*O plano eterno de Deus*. O plano de Deus envolvia não apenas a criação do homem, mas também a redenção de parte da posteridade do homem caído, pela graça de Deus oferecida aos homens pecadores, através da morte expiatória de Jesus Cristo (Gn 1.26-28; 3.15; Is 53.1-12; Jo 3.14-16; Rm 3.21-30; Ef 2.1-10). Este plano considerava o homem como um ser criado cuja vida iria continuar para sempre. Aqueles que fazem parte da posteridade do homem pecador, que de forma salvadora entram no reino da graça de Deus, tornam-se herdeiros da vida eterna em Cristo Jesus (Jo 17.2,3; At 13.48; Rm 8.28-30; Ap 13.8); mas aqueles que fazem parte da posteridade do homem pecador, que rejeitam a oferta de salvação em Cristo, tornam-se objeto da ira eterna de Deus (Mt 25.41,46; Rm 2.5-9; 9.22; 2 Ts 1.8,9; 2 Pe 2.9; 3.7; Ap 14.9-11). Fica evidente, portanto, que os decretos de Deus desde a eternidade tinham em vista uma criatura chamada homem, cujo destino, quer no céu ou no inferno, seria eterno. Assim, a imortalidade do homem é parte integral do plano eterno de Deus.

*A criação do homem.* A imortalidade da natureza do homem está implícita na criação do homem à "imagem" de Deus (Gn 1.26,27). Embora este termo nunca seja definido dessa maneira, fica bastante evidente que a "imagem" descreve uma semelhança com Deus (cf. 2 Pe 1.4) que coloca o homem, e apenas o homem, em uma categoria singular entre as criaturas de Deus. Nem mesmo a morte pode destruir a alma do homem (Mt 10.28; Hb 12.23; Ap 6.9-11; 20.4). A interpretação de Paulo de Gênesis 2.7 em 1 Coríntios 15.45-48 de forma alguma invalida a doutrina da imortalidade original e inata do homem, pois Paulo está contrastando "a imagem do terreno", que agora possuímos como resultado do pecado no Éden, com "a imagem do celestial", que os redimidos possuirão como resultado da ressurreição de seus corpos na segunda vinda de Cristo. Dessa forma, fica bastante evidente que a "imagem" divina estabelecida na natureza do homem na criação incluía, como uma parte integral, a imortalidade do homem.

*A apostasia do homem.* A questão que surge neste ponto é se o pecado de Adão no Éden (Gn 3.1-21; Rm 5.12-14) despiu o homem de sua imortalidade essencial. Alguns crêem que o homem tenha perdido sua imortalidade no Éden. Esta opinião encontra um apoio aparente no fato de que a imagem divina recebeu alguns danos sérios como resultado do pecado de Adão. Fica evidente que a natureza moral do homem (Rm 1.18-32; 3.9-20; Ef 2.1-3,12; 4.18), e os seus poderes volitivos (Mt 12.34; Jo 3.19; 8.43,44; 2 Pe 2.14), foram radicalmente afetados pela apostasia do homem de um estado de integridade original.

Não pode ser deduzido, porém, a partir dessas devastações sobre a natureza original do homem, que ele tenha igualmente perdido sua imortalidade. Tal conclusão opor-se-ia a três fatos importantes: (1) a imagem de Deus, ainda residente muito tempo depois da queda no Éden (Gn 9.6), assim justificando o rigoroso castigo sobre o assassino voluntário e obstinado (Nm 35.33); (2) o ensino "mais do que" e "muito mais" de nosso Senhor a respeito do valor intrínseco do homem diante de Deus (Mt 6.25,26); (3) a provisão feita por Deus no evangelho para a salvação da humanidade perdida (Lc 19.10; Jo 3.14-16; 1 Tm 1.12-16).

Além disso, a morte ligada à desobediência de Adão (Gn 2.17) afetou primeiramente a *natureza* de sua existência ao invés do *fato* da sua existência. Este fato é confirmado pelo que a Bíblia descreve como o estado da morte espiritual resultante da Queda (Ef 2.1,5; Cl 2.13). Na verdade, Adão não morreu fisicamente no dia da sua desobediência; assim a morte ameaçada e realizada deve ter tido o significado de morte espiritual com sua conseqüência final na morte física (Rm 5.12-14). Mas nenhuma delas envolve a não existência da alma. O homem não perdeu sua imortalidade ao tornar-se um pecador no jardim do Éden.

*A redenção do homem.* As promessas que tinham o objetivo de efetuar a recuperação e restauração do homem começaram a fluir do coração de Deus assim que o homem pecou no Éden (Gn 3.15). Mas ligada a essas promessas está a advertência de que aquele que não crer no Filho de Deus "perecerá" (Jo 3.16,36).

Assim, a questão da imortalidade manifesta-se novamente, pois alguns insistem em que somente aqueles que de forma salvadora crêem em Jesus Cristo recebem a vida imortal ou eterna (isto é, a restauração da imortalidade considerada perdida no Éden), enquanto que todos os outros perecem (isto é, tornam-se fisicamente inexistentes por meio da morte). É perfeitamente verdadeiro que a Bíblia aplica termos como "perecer" (Lc 13.3,5; Jo 3.15,16; 2 Ts 2.10), "destruir" (Mt 10.28; 1 Co 3.17; Jd 5; Ap 11.18), "perdição" (Mt 7.13; Rm 9.22; Fp 1.28; 3.19; 2 Ts 1.9; 1 Tm 6.9; 2 Pe 3.7) "perder" (Lc 9.24,25; 17.33) e "perdido" (Lc 19.10; Jo 17.12; 2 Co 4.3) àqueles que rejeitam a Jesus Cristo como seu Senhor e Salvador. Contudo, em nenhum lugar nessas passagens é ensinada ou sugerida a teoria da aniquilação do descrente. Esta doutrina não está sequer implícita em algum desses versículos.

A "vida eterna" é a contrapartida do "pecado eterno" (Mc 3.29), do "tormento eterno" (Mt 25.46), e da "eterna perdição" (2 Ts 1.9). No entanto, a palavra "eterno", nestas descrições, designa não apenas a duração da existência, mas também o tipo ou a natureza da existência. Por exemplo, a "vida eterna" introduz o crente em um novo tipo de vida – uma vida que recebe sua energia e motivação da união com o Senhor que está vivo (Jo 10.10; 17.23; Gl 2.20; Cl 1.27; 1 Jo 5.11,12). Esta vida continua para sempre (Mt 25.34; Jo 6.37-51). Em contrapartida, a "destruição eterna" representa um tipo de vida já iniciada no mundo atual (Jo 3.36), que resulta na eterna separação do Deus vivo (Lc 16.23,26; Ef 4.18,19; 2 Ts 1.9).

Portanto, a oferta de misericórdia do evangelho em Cristo não restaura ao pecador arrependido uma imortalidade que ele supostamente perdeu no Éden; nem essa oferta, quando rejeitada, confirma a não imortalidade supostamente trazida sobre o homem pela sua transgressão no Éden. Em outras palavras, a imortalidade do homem como tal não é afetada pela aceitação ou rejeição da oferta de misericórdia do evangelho; mas o *tipo* de imortalidade que o homem experimentará é tremendamente afetada por sua atitude em relação a Cristo na vida atual (cf. Mt 26.24).

*O estado intermediário.* Tanto os justos como os ímpios morrem fisicamente como resultado da transgressão de Adão no Éden (Gn 3.17-19; 5.1-31; Rm 5.12-14). Mas a Bíblia ensina que a alma sobrevive à separação entre a alma e o corpo (que é dissolvido) na morte física. Os antigos patriarcas criam na continuidade da alma após a morte (Gn 25.8,17; 35.29; 49.29,33). Esses homens esperaram uma Cidade de Deus além da vida atual (Hb 11.10,13-16). A expressão "eu sei" de Jó (19.25-27) é reverberada pelo "eu sei" (ou "sabemos que") de Paulo (2 Co 5.1-10; 2 Tm 1.12; 4.18) séculos mais tarde. Davi acreditava que seu filho (2 Sm 12.23) entrara em um estado de bênção comparável àquele estado prometido ao criminoso arrependido na cruz (Lc 23.43). Verdadeiramente, o corpo morre e volta para o pó (Gn 3.19); mas a alma do justo retorna para Deus (Ec 12.7; At 7.59). Há passagens na revelação do AT onde o estado incorpóreo ou intermediário da alma é descrito de modo um tanto depreciativo (Sl 6.5; 30.9; 88.10-12; 115.17; Ec 9.10; Is 38.18). Por outro lado, há outras passagens (Jó 19.25-27; Sl 16.8-11) onde a fé em uma vida além da atual é apresentada em termos proféticos sob a plena luz da revelação do NT (2 Co 5.1-10; Fp 1.21-23; 2 Tm 4.8,18; Ap 6.9-11). Esta fé na imortalidade da alma após a morte é vívida e dramaticamente confirmada pelo aparecimento de Moisés e Elias com Cristo no monte da Transfiguração (Mt 17.1-8). Se uma confirmação adicional foi necessária, Paulo certamente a recebeu quando foi transportado deste mundo para o cenário celestial, para uma visão do mundo eterno (2 Co 12.1-7). E ainda uma confirmação adicional pode ser encontrada no fato de Lázaro (Jo 11.1-44) e outros (Mt 9.18-25; Lc 7.11-17; At 9.36-43) terem sido restaurados à vida atual depois de suas almas terem deixado seus corpos na morte. A própria ressurreição de nosso Senhor dá, naturalmente, a maior confirmação da continuidade da alma além da vida atual (1 Co 15.1-23).

O fato de o estado do crente após a morte ser às vezes chamado de "sono" (Dn 12.2; Mt 27.52; Jo 11.11; At 13.36; 1 Co 15.6,18,20; 1 Ts 4.13-18) não apóia de forma nenhuma a idéia de que a alma entra em um estado de inconsciência após a morte; na verdade, este mesmo estado incorpóreo é descrito como "muito melhor" (Fp 1.23) do que a vida atual. Há poucas informações na Bíblia Sagrada sobre a alma do descrente após a morte, mas há o suficiente para garantir a firme conclusão de que ele está em um estado de agonia implacável, incessante e impiedoso (Lc 16.22-31).

*A ressurreição dos justos.* O estado intermediário da alma será completado e consumado na ressurreição do corpo do redimido por ocasião da volta de Cristo em glória (1 Ts 4.13-18; 1 Jo 3.1-3). A beleza e a grandeza desta ressurreição são majestosamente descritas nas Escrituras (Jó 19.25-27; Is 25.6-8; 26.19; Mt 22.30; 1 Co 15.35-49; Fp 3.20,21). Haverá, naturalmente, uma geração de crentes que serão conduzidos imediatamente para a próxima vida sem experimentar a morte (1 Co 15.51-53; 1 Ts 4.15,17; 5.10).

Existe uma admirável similaridade entre a imortalidade do corpo ressurrecto e glorificado de nosso Senhor e a imortalidade do corpo ressurrecto e glorificado do crente (Rm 8.29; 1 Co 15.43,49; Fp 3.21; Cl 3.4; 1 Jo 3.2). Também existe uma admirável diferença no fato de que, embora o corpo de Cristo não tenha passado pela corrupção (Sl 16.10; At 2.27; 13.35), o corpo do crente deve voltar ao pó a menos que ele esteja naquela última geração sobre a terra, na época da segunda vinda de Cristo (Gn 3.19; Sl 90.3; Hb 9.27,28). "A redenção do corpo" é a última etapa na restauração total da personalidade do crente dilacerada pelo pecado (Rm 8.18-25). Esta imortalidade abençoada do redimido nunca terá fim (Ap 22.1-5). Este é o grande e glorioso clímax do plano eterno de Deus para a salvação de alguns da posteridade caída de Adão (Mt 25.34; Rm 9.23,24; Hb 12.22,24; Ap 7.9,10).

*A ressurreição dos ímpios.* A Bíblia positivamente afirma que haverá uma ressurreição dos ímpios (Dn 12.2; Jo 5.28,29; At 24.15; Ap 20.11-15). A ressurreição deles resultará no que é chamado de "segunda morte" (Ap 20.6,14; cf. 2.11; 21.8), de cujo estado não há a menor esperança de alívio, livramento ou restauração (Mt 10.15; 11.22-24; 25.41; 2 Ts 1.8,9; 2 Pe 2.9; 3.7; Ap 14.10ss.; 20.14; 21.8). Termos como "perecer" (Rm 2.12; 2 Ts 2.10), "destruir" (1 Co 3.17; Ap 11.18), e semelhantes (*veja* o tópico "A Redenção do Homem", acima) não dão nenhum apoio à teoria do aniquilamento; nem passagens bíblicas como Atos 3.21; 1 Coríntios 15.22; Efésios 1.10; Colossenses 1.20; 1 Pedro 3.18-20 dão a menor esperança, quando interpretadas corretamente, a qualquer teoria de "restauração".

*Conclusões.* As conclusões que se seguem a respeito da imortalidade do homem são justificáveis à luz da abordagem ilustrada acima: (1) Somente na Bíblia encontramos evidências suficientes para apoiar a doutrina da imortalidade do homem; todas as outras fontes de ajuda sobre este assunto são vãs e inúteis. (2) A evidência bíblica para a imortalidade da alma permeia as Escrituras desde o início dos tempos (Jó 19.23-27) e atinge seu clímax na ressurreição de Cristo dentre

os mortos (Sl 16.8-11; At 2.25-28; 1 Co 15.1-23). (3) Esta evidência não é somente casual e indireta (Gn 25.8; 35.29; Êx 3.6; Mt 22.31,32), mas também estudada e sistemática (Mt 22.29,30; Jo 5.28,29; 11.25,26; 14.1-3; Rm 2.1-11; 1 Co 15.1-58; 2 Co 5.1-10). (4) A Bíblia apresenta a imortalidade dos justos e a imortalidade dos ímpios de modo igualmente irrefutável; é, portanto, impossível negar uma sem negar a outra (Mt 25.34,41, 46; Lc 16.19-31).
*Veja* Antropologia; Morto, O; Estado Eterno e Morte Eterna; Incorrupção; Mortal, Mortalidade; Ressurreição do Corpo.

***Bibliografia.*** Loraine Boettner, *Immortality*, Grand Rapids: Eerdmans, 1956. P. T. Forsyth, *This Life and the Next: The Effect on This Life of Faith in Another*, Boston: Pilgrim Press, 1948, reimpresso. W. E. Hocking, *The Meaning of Immortality in Human Experience*, Nova York: Harper, 1957. E. E. Holmes, *Immortality*, Londres: Longmans, Green, and Co., 1908. A. Kuyper, *The Shadow of Death*, Grand Rapids: Eerdmans, 1929. Carroll E. Simcox, *Is Death the End? The Christian Answer*, Greenwich, Conn.: Seabury Press, 1959.

W. B.

**IMPETUOSA** Em várias versões, a palavra tem o sentido de "ir além do comum" (Pv 27.4). A idéia expressa pela palavra heb. utilizada para inundação ou dilúvio significa que a ira é um sentimento destrutivo e incontrolável como uma inundação. A expressão "O ódio é... destruidor" é uma tradução bastante precisa.

**ÍMPIO, IMPIEDADE** Estas palavras, junto com a palavra "impiamente", ocorrem mais de 500 vezes na versão KJV em inglês. No AT hebraico, os derivativos de *ra'a'* e *rasha'* são as palavras mais comumente traduzidas como "ímpio" e "impiedade", ao passo que no NT *poneros* e *poneria* têm esta distinção. Mas esta não é uma regra rígida, pois os idiomas, especialmente o hebraico, têm outras palavras que são mais ou menos sinônimas. Esta situação torna-se complicada pelo fato de o nosso idioma possuir outras palavras que são muito próximas em significado aos termos ímpio e impiedade. Tão próximas, a ponto de ser quase impossível diferenciá-las. E esses sinônimos são freqüentemente usados para traduzir as palavras gregas e hebraicas acima. Como resultado, é freqüentemente difícil encontrar no texto uma distinção clara de significado entre palavras como ímpio, maligno, iníquo e pecador, e os seus correspondentes nos idiomas originais.
Mas qualquer distinção feita de forma legítima indicará que a impiedade é uma forma ativa e virulenta do mal. É aquilo que é maligno ou falso diante de Deus (Gn 38.7; Is 5.20; Am 5.14,15); tudo aquilo que é contrário a Deus é ímpio. A perversidade no pensamento é iniqüidade (Pv 15.26). Nas palavras do Senhor Jesus, o termo "ímpio" (gr.) descreve o coração dos fariseus (Mt 12.34,35; 22.18). O ímpio é contrastado com os justos (Mt 13.49). As obras da impiedade alienam o descrente de Deus (Cl 1.21). Os apóstatas e os falsos mestres são ímpios (2 Tm 3.13; 2 Ts 3.2).
Em Romanos 1.29, a maldade é um dos termos da lista usada para descrever a completa depravação do homem (veja também Jr 17.9). A certeza de punição está diante dos ímpios (Sl 9.17; Mt 13.49). Neste particular, é significativo notar que o termo gr. *poneros* nunca é aplicado aos crentes (com a possível exceção de 1 Co 5.13, embora a pessoa neste caso possa ser apenas um cristão nominal). Do lado oposto está o fato de que *poneros* (normalmente usado na forma de um adjetivo) pode ser usado como um substantivo para se referir a Satanás (Mt 13.19; 1 Jo 2.13,14; 5.18). A completa impressão derivada desses usos é que a impiedade é aquilo que é específica e ativamente maligno no reino mortal e espiritual.
*Veja* Maligno; Iniqüidade; Pecado.

S. N. G.

**IMPLACÁVEL** Algumas versões traduzem o termo grego *aspondos* como "irreconciliável" em Romanos 1.31, seguindo o Textus Receptus, enquanto outras acompanham a leitura de Nestle, traduzindo-o como "sem misericórdia". Em 2 Timóteo 3.3, várias versões traduzem *aspondos* como "implacáveis", que pode ser considerada a tradução mais literal.

**IMPORTUNAÇÃO** O termo gr. *anaideia*, "descaro", "impudência", "importunação", aparece em Lucas 11.8 para descrever uma pessoa que é persistente em suas súplicas e exemplifica a perseverança na oração (cf. Lc 18.1-8; 1 Ts 5.17).

**IMPOSIÇÃO DE MÃOS** *Veja* Mãos, Imposição de.

**IMPOSTO(S)** Nos tempos patriarcais, para o hebreu quase nômade a taxação era algo esporádico. Em seu lugar, ofertas voluntárias eram feitas em troca de proteção ou outras vantagens (Gn 32.13-21; 33.10; 43.11; cf. 1 Sm 10.27). Devido à severa fome no Egito durante a gestão de José como governador, ele comprou para a coroa todas as terras, exceto a terra dos sacerdotes. O povo dava vinte por cento de sua colheita para o Faraó (Gn 47.20-26).
Israel é visto pela primeira vez exigindo um imposto compulsório quando os cananeus foram obrigados a servir sob o pagamento de tributos (heb. *mas*, "trabalhos forçados", Js 16.10; 17.13; Jz 1.28-35). É sabido que esta

O Obelisco Negro de Salmaneser III da Assíria, mostrando carregadores de tributo. BM

forma de corvéia ou trabalho forçado foi imposta às pessoas comuns da Palestina e da Síria no segundo milênio a.C., como mencionado nas tábuas de Amarna e Ugarítica. Jacó predisse que a tribo de Issacar estaria sujeita ao trabalho escravo (Gn 49.15).

*Sob a lei mosaica.* De acordo com a lei teocrática, cada homem acima de 20 anos era tributado com uma soma fixa que correspondia à metade de um siclo (Êx 30.11-16). Esta importância era designada ao serviço do Tabernáculo. Depois de algum tempo, ela foi retomada para a reedificação do Templo durante o reinado de Joás (2 Cr 24.6,9). Também havia dízimos, primícias, dinheiro de redenção do primogênito, e ofertas especiais.

*Sob a monarquia.* Os principais meios fixos de imposto eram: (1) o dízimo do produto da terra e do gado (1 Sm 8.15,17), similar ao imposto de um décimo arrecadado pelo rei de Ugarite; (2) serviço militar obrigatório de um mês a cada ano (1 Cr 27.1; cf. 1 Sm 8.12; 1 Rs 9.21,22); (3) presentes ou tributos anuais ao rei, pagos pelos povos que estivessem em submissão (1 Rs 4.21; 10.25) ou em épocas de guerra (1 Sm 16.20; 17.18); (4) taxas de importação (1 Rs 10.14,15); (5) monopólio de certos ramos de comércio, como ouro (1 Rs 9.28; 22.49), e cavalos e carros do Egito e de Cue (1 Rs 10.28,29); (6) Amós 7.1 sugere que a primeira colheita de ervas era apropriada para o uso do rei.

Um imposto especial era exigido em situações emergenciais (2 Rs 15.20); este parece ter sido anual (2 Rs 17.4). A isenção de impostos era dada como recompensa por um serviço militar (1 Sm 17.25).

A "glória" de Salomão exigia uma cobrança excessiva de impostos, o que causou uma rebelião posterior (1 Rs 12.4). Ele possuía 12 oficiais, sendo que cada uma tinha que fornecer as provisões da corte durante um mês do ano (1 Rs 4.7ss.). Pela primeira vez os israelitas tiveram que se sujeitar a trabalhos forçados (1 Rs 5.13ss.). Amós advertiu Israel dizendo que os homens de posição estavam exigindo tributos ilegais do povo pobre (Am 5.11).

O Obelisco Negro de Salmaneser III retrata em baixo-relevo a figura do rei Jeú de Israel, ajoelhado, apresentando tributo àquele rei assírio. Treze porteiros israelitas são mostrados trazendo vasos de prata e ouro, uma vara ou cetro real, e vários animais como camelos, antílopes e macacos (ANEP #351-355).

Menaém de Israel exigiu 50 talentos de prata de cada um dos homens ricos para pagar 1.000 talentos para a Assíria (2 Rs 15.20). Acaz de Judá roubou o tesouro do Templo para fazer o mesmo (2 Rs 16.8). Quando o tributo não era pago, o rei suserano invadia o país de seu vassalo para cobrá-lo e infligir uma punição (2 Rs 17.4,5; Os 8.10).

*Sob os persas.* Os judeus pagavam tributo em espécie para a manutenção da casa do rei. Era acrescentado um pagamento monetário de 40 siclos por dia (Ne 5.14,15). Esdras 4.13 indica três ramos de receita: (1) pedágio – provavelmente arrecadado em pontes e estradas principais; (2) tributo – pagamentos fixos para o governante suserano; (3) consumo – onerar os artigos consumidos com impostos. Os ministros da Casa de Deus estavam isentos do pagamento de impostos (Ed 7.24).

*Sob o Egito e a Síria.* Os ptolomeus introduziram uma forma de taxação relacionada à colheita, pela qual os maiores licitantes poderiam cobrar os impostos; estes ganhavam o direito de extorquir sua própria margem de lucro.

*Sob os romanos.* Na Judéia, impostos diretos eram coletados por oficiais imperiais. Um imposto individual, ou soma em dinheiro por cabeça, era arrecadado sobre todas as pessoas com idade até 65 anos, mulheres a partir dos 12 anos, e homens a partir dos 14. O imposto básico era um décimo de todo cereal, e um quinto do vinho e das frutas. O direito de cobrar impostos sobre o consumo, e pedágios em operações de importação e exportação, bem como a cobrança de taxas de produtos que cruzavam o país, eram vendidos para quem fazia a maior oferta. Estes homens eram os odiados publicanos ou cobradores de impostos (gr. *telones*), famosos por suas extorsões (cf. Mt 10.3; Lc 19.8). *Veja* Publicano.

Na época de Neemias, o povo concordava com uma contribuição anual de um terço de um siclo para a Casa de Deus (Ne 10.32; Ed 6.8). Uma vez que Êxodo 30.13 exige o pagamento de acordo com o padrão do santuário, os cambistas eram encontrados no Templo para converter as odiadas moedas romanas utilizadas nas transações comerciais diárias pelas menos ofensivas moedas cunhadas em Tiro (cf. Jo 2.14). Os judeus da Dispersão enviavam esse imposto do Templo para Jerusalém após completarem 20 anos de idade (Josefo, *Ant.* xiv.7.2). Foi com relação ao imposto do Templo de duas dracmas ou metade de um siclo que o Senhor foi questionado em Mateus 17.24.

*Veja* Pesos, Medidas e Moedas.

I. R.

**IMPOTENTE** *Veja* Doença.

**IMPRECAÇÃO** *Veja* Maldição.

**IMPRESSÃO** A história da moderna impressão é de particular interesse ao estudante da Bíblia. Na Europa, a invenção de uma maneira prática de duplicar um texto sem precisar copiá-lo à mão abriu caminho para um grande movimento de tornar a Bíblia amplamente disponível na língua de cada povo. Embora um antigo disco de argila com inscrições da antiga Festos, em Creta, pareça ter sido impresso com tipos móveis, este é um caso único no mundo antigo. A impressão moderna data da metade do século XV. A Bíblia de Gutenberg foi um dos primeiros livros impressos.

Em Levítico 19.28, a proibição contra imprimir sinais sobre o corpo refere-se a tatuagens. É provável que o significado de Jó 13.27*b* seja que Deus determina um limite preciso para as solas dos pés de Jó, e obviamente a referência em João 20.25 diz respeito às feridas visíveis deixadas pelos cravos nas mãos do Senhor ressuscitado.

**IMPRESSO** *Veja* Escrita.

**IMPUREZA** *Veja* Ablução; Imundícia.

**IMPURO, IMPUREZA** A palavra hebraica *tame'* tem o sentido de profano, impuro, ou contaminado. A palavra grega *akathartos* tem o sentido de impuro, idólatra ou demoníaco, enquanto *koinos* denota alguma coisa profana ou sacrílega (At 21.28) por ser comum ou por ter se tornado ordinária. Ser impuro significa estar contaminado por qualquer impureza física, ritual ou moral. A impureza é desagradável a Deus, e pode pertencer à esfera dos demônios (Zc 13.2; Mt 10.1; 12.43 etc.). A impureza ritual é contagiosa e transfere-se de um objeto ou de uma pessoa a outros (Ag 2.10ss.).

A idéia da impureza foi consistentemente definida em relação a Deus e à sua vontade. A impureza ritual é o oposto da pureza ou santidade e pode ser entendida como contrária ao que é santo por ter havido uma contaminação ou profanação através do contato com aquilo que é comum. Coisas como carnes, que não estejam consistentes com os requisitos da santidade, são declaradas cerimonialmente impuras. A impureza moral é entendida como oposta à bondade, justiça e virtude. A impureza clínica descreve as condições de uma enfermidade em oposição ao que está saudável (*veja* Doença).

A impureza exige medidas de purificação. A principal medida de purificação inclui a abstenção daquilo que é profano, como alimentos impuros, e de certas atividades, como as relações sexuais em ocasiões inadequadas como parto e menstruação; lavar-se com água depois de tocar objetos impuros; e oferecer um sacrifício para expiar a iniqüidade e recuperar a santidade perdida pela contaminação e pela profanação. Essas medidas podem ser aplicadas a um objeto, ao corpo, à mente, ao espírito e à alma da pessoa impura (Sl 79.9; Ez 43.20,26; Hb 9.14,22; 2 Pe 1.9).

A principal função do sacerdócio era definir a diferença entre o puro e o impuro (Lv 10.10; 11.47; 20.25; Ez 22.26). A prescrição sacerdotal e o sacrifício eram os meios para a purificação (cf. especialmente Lc 16). Portanto, é natural que a legislação sacerdotal abrangesse as principais indicações sobre o assunto no AT.

A principal coleção de regras relacionadas com a impureza é encontrada em Levítico 11–15. O capítulo 11 contém instruções divinas sobre animais puros e impuros.

A regra geral determinava que os animais que não tivessem cascos ou unhas fendidos ou não ruminassem os alimentos seriam impuros (vv. 3-8), assim como as criaturas do mar que não tivessem barbatanas ou escamas (vv. 9-12). Aves de rapina e algumas outras aves eram proibidas (vv. 13-19), junto com outras criaturas aladas com quatro patas, exceto gafanhotos e grilos (vv. 20-23). Os animais que rastejavam eram considerados um tabu (vv. 29-31,41-44). Deve-se observar que os animais impuros não deveriam ser comidos nem tocados (vv. 24-28,32-38,41, 42). Todos os animais mortos deveriam ser considerados impuros, quer pertencessem ou não a essas categorias (vv. 28,39,40). O texto em Deuteronômio 14.3-21 contém um paralelo muito mais resumido desse capítulo de Levítico.

O texto em Levítico 12 descreve as condições de impureza próprias de uma mulher na hora do parto, e é notável a diferença em termos de tempo entre o nascimento de um filho e de uma filha. O fato de o nascimento de uma criança contaminar é um exemplo do multifacetado quadro das impurezas. É provável que ele possa ser explicado junto com outros fluxos do corpo humano, como no capítulo 15.

O texto em Levítico 13–14 descreve minuciosamente as prescrições em relação à lepra. Ela também leva a erupções e fluxos do corpo que resultam mais dessa terrível doença do que de suas funções naturais. A lepra contamina não só a pessoa doente (Lv 13.1-46) como também as roupas (vv. 47-59) ou a casa (14.33-53). As cuidadosas medidas relacionadas ao exame sacerdotal e ao isolamento mostram o reconhecimento da natureza da doença. Devido a essa natureza, a impureza da lepra é geralmente permanente. Entretanto, são feitas provisões para que os suspeitos de ter contraído lepra possam mostrar as suas boas condições de saúde (14.1-3), e serem restaurados através de rituais de purificação (14.4-32). *Veja* Lepra, Leproso.

O texto em Levítico 15 acrescenta prescrições para o caso das impurezas que são causadas pelos fluxos do corpo (15.1-15), pela emissão de sêmen na relação sexual (vv. 16-18), ou pelo fluxo menstrual (vv. 19.30).

O texto em Números 19.11-19 trata da impureza resultante da morte. Qualquer pessoa que entrasse em contato com o corpo de um morto era considerada impura e um longo período era exigido para sua purificação. A lei mosaica ainda não havia tratado positivamente da morte e das questões dela emanadas. Ela reagia contra qualquer evidência de culto aos mortos (como era praticado no Egito) e decretava, simplesmente, que os israelitas deveriam ter o menor contato possível com o corpo de um morto. O povo de Deus ainda precisava aguardar futuras revelações a fim de entender a esperança da ressurreição.

Essas passagens descrevem as áreas mais importantes relativas às impurezas, isto é, a ingestão de carne, o sexo e o nascimento, a lepra e a morte. Elas definem os limites de comportamento para a vida de um israelita.

A interpretação da impureza é particularmente ambivalente. De um lado, ela é tratada como uma violação ao reino da santidade, como uma qualidade física que deve ser lavada ou queimada (Nm 19.20-22; Lv 15.31); e, por outro, ela é interpretada como uma violação da aliança, como uma infração pessoal ao relacionamento com o Deus Santo (Lv 11.44,45). Essa diferença surgiu por causa da semelhante ambivalência que existe no entendimento da santidade relacionada com um lugar ou objeto e as características pessoais de Deus.

A impureza é entendida como uma infração cometida nas relações pessoais, porque o pecado permite que ela transcenda os conceitos puramente rituais e impeça uma contribuição positiva ao conceito expresso ao longo da Bíblia Sagrada como um todo.

No entanto, devemos ter o cuidado de considerar isso como um desenvolvimento evolutivo. Os requisitos dos rituais contra a impureza tornaram-se mais severos no judaísmo recente do que na antiga nação de Israel, como agora mostram o Documento Zadoquita e o Manual de Disciplina dos Rolos do mar Morto (*q.v.*).

No NT, a impureza é considerada em termos espirituais interiores, ao invés de prescrições rituais exteriores (2 Co 7.1). A purificação deve ser entendida como a obra de Cristo através de sua morte expiatória (Hb 10.22; Tg 4.8; 1 Jo 1.7,9).

*Veja* Ablução; Limpo, Limpeza; Contaminação; Santidade; Pureza; Separação.

***Bibliografia.*** CornPBE, "Impurity and Purification (Ritual)", pp. 403-405, Edward Neufeld, "Hygiene Conditions in Ancient Israel (Iron Age)", BA, XXXIV (1971), 42-66.

J. D. W. W.

**IMPUTAÇÃO, IMPUTAR** No AT, este conceito é encontrado no verbo heb. comum *hashab*, "pensar, contar, ser contado" (Lv 7.18; 17.4; 2 Sm 19.19; Sl 32.2). No NT, este termo é representado pela palavra gr. *ellogeo*, "imputar, responsabilizar" (usada apenas duas vezes, em Rm 5.13 e Fm 18), e *logizomai*, "colocar a responsabilidade em/sobre, considerar, imputar" (Rm 4.6 etc.; 2 Co 5.19; Tg 2.23). O conceito é ilustrado de uma forma bela quando Paulo escreve a Filemom acerca do escravo fugitivo Onésimo: "E, se te fez algum dano ou te deve alguma coisa, põe isso na minha conta" (*touto emoi elloga*, Fm 18).

Existem dois tipos de imputação: a imediata e a indireta. A transmissão da natureza caída de Adão consecutivamente para e através de cada geração seguinte, dos pais para seus filhos, é indireta. Para esta, alguns teólogos nem sequer usariam o termo imputação. Eles reservariam o termo para os três atos separados de imputação imediata: (1) a imputação do pecado de Adão à sua posteridade (Rm 5.12; 1 Co 15.22); (2) a imputação dos nossos pecados a Cristo (2 Co 5.21; Gl 3.13); (3) a imputação da justiça de Cristo aos salvos (Rm 4.1-25; 1 Co 1.30). Estas três principais imputações são totalmente explicadas nas Escrituras.

1. A imputação do pecado de Adão à raça humana é claramente apresentada em Romanos 5.12. A morte passou a todos os homens, porque todos pecaram. Todos morreram em Adão, Paulo ensina em 1 Coríntios 15.22. A morte reinou exatamente desde a época de Adão, e não apenas desde a época de Moisés, quando a lei judaica foi dada pela primeira vez – embora o pecado não seja imputado quando não há lei – , porque o pecado de Adão foi o pecado de cada homem (Rm 5.13,14). Por causa da reconciliação (*q.v.*) que Deus realizou através de Cristo, Ele não imputa mais as transgressões dos homens contra eles (2 Co 5.19). Mas esta palavra deve ser pregada para que os homens possam apropriar-se dela.

2. A imputação dos pecados dos homens a Cristo acarreta necessariamente uma imputação judicial, visto que ela é a conseqüência, para Cristo, daquilo que não era anteriormente seu. Embora o termo teológico imputar não seja usado para expressar isso nas Escrituras, são empregadas expressões equivalentes, como: "Mas o Senhor fez cair sobre ele a iniqüidade de nós todos" (Is 53.6); "Levando ele mesmo em seu corpo os nossos pecados sobre o madeiro" (1 Pe 2.24); "Àquele que não conheceu pecado, o fez pecado por nós" (2 Co 5.21).

3. A imputação da justiça (*q.v.*) ao crente. A "justiça de Deus" é o tema de Romanos (1.17; 3.5,21,22,25,26). O termo é usado em dois sentidos em Romanos: (*a*) a própria justiça inerente de Deus (Rm 1.17; 3.5,25,26); (*b*) a justiça de Cristo que é imputada ao crente (Rm 3.21,22; 10.3; cf. 2 Co 5.21).

A justiça de Cristo é a base da aceitação e posição do cristão diante de Deus. Deus fez com que, para nós, Cristo fosse "feito... sabedoria, e justiça, e santificação, e redenção" (1 Co 1.30). Deus nos identifica posicionalmente com tudo o que Cristo fez em sua morte, sepultamento e ressurreição, e nos batiza em Cristo (Rm 6.3-6; 1 Co 12.13; *veja* Batismo). Assim nos tornamos os receptores da própria justiça de Deus: "Àquele que não conheceu pecado, o fez pecado por nós; para que, nele, fôssemos feitos justiça de Deus" (2 Co 5.21). Os crentes são aperfeiçoados em Cristo (Hb 10.14), completados nele (Cl 2.9,10; cf. Jo 1.16; Cl 1.19), e desse modo idôneos para comparecer à presença de Deus (Cl 1.12; Fp 3.9). Como no caso de Abraão, que creu em Deus e isto lhe foi imputado (heb. *hashab*, Gn 15.6; gr. *logizomai*, Rm 4.3) como justiça, de modo que a fé (não as obras) é a base para se receber esta justiça (Rm 4.9-25). *Veja* Justificação.

R. A. K.

**IMUNDÍCIA, IMUNDO** Uma tradução alternativa para o termo hebraico *so'a,* que normalmente significa "excremento" (Is 4.4, uma figura para o pecado). É também uma tradução para o termo grego *perikatharma,* que significa "refugo" ou "escória" (1 Co 4.13); ou para *rhypos* (1 Pe 3.21). A palavra imundo também pode ser usada tanto no sentido literal (Is 64.6; Ez 36.25) como no sentido moral (Jó 15.16; Sl 14.3; 53.3); ou pode ter o sentido de "indecente", "torpe" ou "vergonhoso" (Cl 3.8).

**IMUTABILIDADE** Este termo aparece em Hebreus 6.17,18: "Pelo que, querendo Deus mostrar mais abundantemente a imutabilidade do seu conselho aos herdeiros da promessa, se interpôs com juramento, para que por duas coisas imutáveis, nas quais é impossível que Deus minta...". Por imutabilidade de Deus, entende-se que Deus permanece constante em sua essência, atributos, consciência e vontade.

A doutrina da imutabilidade de Deus é posteriormente deduzida de passagens bíblicas como: "Eles... serão mudados. Tu, porém, és sempre o mesmo" (Sl 102.26,27); "Eu, o Senhor, não mudo" (Ml 3.6); "Jesus Cristo é o mesmo ontem, e hoje, e eternamente" (Hb 13.8); e "em quem não há mudança, nem sombra de variação" (Tg 1.17). Em tais versículos, a mudança é explicitamente negada a Deus. Porém, isto não significa que Deus seja imóvel, pois Ele age na história. Sua imutabilidade é dinâmica, e não estática.

A imutabilidade também é indicada em outros versículos onde a idéia está implícita ao invés de explícita. Por exemplo, todas aquelas passagens que ensinam a onisciência (*q.v.*) sugerem a imutabilidade; pois, se a quantidade de conhecimento na mente divina aumentasse ou diminuísse, haveria um momento em que Deus não saberia todas as coisas (mas veja Hb 4.13). A onisciência não permite mudança ou seqüência temporal de idéias na mente de Deus. Deus não pode esquecer o que sabe agora, nem pensar em algo adicional em que Ele nunca tenha pensado antes. A onisciência, portanto, envolve a imutabilidade.

A Bíblia ocasionalmente atribui a Deus um certo arrependimento ou tristeza. Em 1 Samuel 15.11,35 é declarado que Deus arrependeu-se (heb. *niham*, "sentir compaixão, pesar, tristeza") por ter feito Saul rei sobre Israel. Isso parece indicar uma mudança de idéia ou de emoções em Deus. Mas entre esses dois versículos, no v.29 lemos que "aquele que é a Força de Israel não mente nem se arrepende; porquanto não é um homem, para que se arrependa". A aparente mudança de idéia ou de atitude de Deus, portanto, deve ser entendida como um antropopatismo, a atribuição de emoções humanas a Deus, assim como entendemos os braços e olhos do Senhor como antropomorfismo.

Outras passagens que falam de Deus como se arrependendo em relação ao juízo (por exemplo, contra Israel, Êxodo 32.14; Nínive, Jonas 3.10) revelam que as suas ameaças são sempre condicionais ao arrependimento do homem (cf. Jr 18.7-10; 26.3,13,19). Portanto, Deus sustenta os mesmos princípios morais imutáveis em todas as dispensações de seu governo. *Veja* Arrependimento.

Uma dificuldade maior diz respeito ao ato da criação do mundo. Todos os cristãos ortodoxos admitem que Deus determinou eternamente, pela sua vontade, criar; mas visto que Ele na verdade criou em um momento específico, este ato parece ser uma mudança em Deus. Charnock, um teólogo puritano (VI, iv, 1 [p. 213]), tentou resolver a dificuldade dizendo: "Não houve mudança nenhuma em Deus pelo ato da criação, porque... não houve nenhum ato novo de sua vontade que não existia anteriormente. A criação começou no tempo, mas a vontade da criação existia desde a eternidade... Mas embora Deus tenha pronunciado aquela palavra que não havia pronunciado antes, em que o mundo foi trazido para a ação, Ele não desejou algo que não havia sido desejado antes. Deus não criou por um novo conselho ou nova vontade, mas por aquilo que já existia desde a eternidade (Ef 1.9)".

***Bibliografia.*** Tomás de Aquino, *Summa Theologica*, Livro 1, pergunta IX, respostas 1, 2. J. Oliver Buswell, Jr., *A Systematic Theology of the Christian Religion*, Grand Rapids: Zondervan, 1962, I, 40-71. Stephen Charnock, *Discourses upon the Existence and Attributes of God*, Londres: Henry Bohn, 1849, pp. 195-230. Charles A. Hodge, *Systematic Theology*, Nova York: Scribner's, 1872, I, v, 7.

G. H. C.

**INABILIDADE** As Escrituras descrevem o homem perdido de uma maneira a lhe negar a habilidade – por ele mesmo, sem a graça divina – de converter-se a Deus, para fazer perfeitamente a vontade de Deus, ou agradar totalmente a Deus (Jo 1.13; 6.44; Rm 7.18; 8.7,8; 1 Co 2.14; Ef 2.1). O pecado enfraqueceu tanto a vida e as forças do homem, que ele é por natureza moral e espiritualmente incapaz de executar um ato que seja verdadeira e inteiramente bom à vista de Deus. Quando observadas sob o ponto de vista de Deus, todas as obras do homem não regenerado são radicalmente defeituosas, porque essas não são motivadas pelo amor a Deus, e não são feitas para a glória de Deus.

**INALAR ou ASPIRAR** Duas palavras hebraicas foram traduzidas pelo termo aspirar. A primeira tem o sentido de "canseira" e é usada por Malaquias (1.13) para indicar o desrespeito que os judeus tiveram para com os sacrifícios de Deus na época do profeta. A segunda palavra significa "sorver o vento", como o jumento montês que ofega após a ventania (Jr 2.24; 14.6).

**INCENSÁRIO** A palavra hebraica *mahta*, normalmente traduzida como "incensário", é uma palavra comum que significa qualquer tipo de panela que vai ao fogo. É usada não apenas para verdadeiros incensários, ou seja, recipientes onde se coloca carvão em brasas para queimar incenso (Lv 10.1; 16.12; Nm 16.6ss), mas também para panelas comuns usadas para remover as cinzas do altar (Êx 27.3) e para as bandejas usadas para recolher os pavios dos lampiões quando eram cortados (Êx 25.38; 37.23).

Outra palavra hebraica, *miqtereth*, significa literalmente "um recipiente para queimar incenso" (2 Cr 26.19; Ez 8.11). Este utensílio especial pode ter uma haste decorada terminando em um pequeno recipiente com forma de mão, como os encontrados no Egito. No Novo Testamento, a tradução "incensário de ouro", que vem do termo grego *thumiaterion*, em Hebreus 9.4, refere-se provavelmente ao altar dourado de incenso no lugar santo do Tabernáculo, e não a um incensário. *Veja* Altar; Incenso.

Os incensários eram normalmente feitos de cobre ou de bronze, mas em alguns casos eram de ouro (2 Rs 7.50; 2 Cr 4.22; Ap 8.3,5). Como eram um objeto do Tabernáculo ou do Templo, eram considerados objetos sagrados (Nm 4.14), e eram sagrados até mesmo nas mãos de pecadores, porque tinham sido consagrados a Deus (Nm 16.36-40).

As Escrituras não contêm uma descrição do tamanho ou da forma dos incensários. Provavelmente eram panelas ou tigelas rasas quando usadas como verdadeiros incensários, ou utensílios achatados, parecidos com pás, quando usados como bandejas para cinzas. Os incensários de Corá e seu grupo podiam ser achatados e usados para cobrir o altar das ofertas sacrificiais (Nm 16.39). De acordo com a tradição judaica, eles eram de diversos tamanhos e tinham alças longas ou curtas (Mishnah Yoma iv. 4). *Veja* Panela.

Um utensílio similar era a pequena concha ou colher (*kaph*), literalmente uma "mão" ou "palma" (Êx 25.29; 37.16; Nm 4.7; 1 Rs 7.50; 2 Rs 25.14). Colheres de pedra ou de mármore

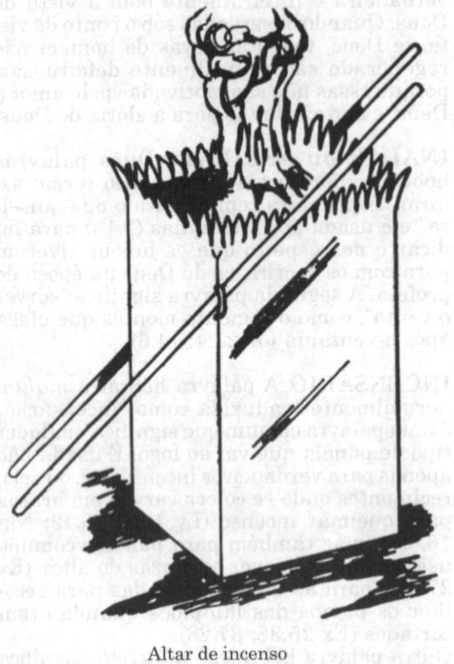

Altar de incenso

foram encontradas em Tell Beit Mirsim (ANEP, #592), em Megido (BA, IV [1941], 30) e em Hazor (BA, XX [1957], 40 e fig. 7). Em algumas delas, há uma mão esculpida, com os dedos agarrando a parte côncava da colher. Um tubo furado abre-se sobre a concha, talvez para permitir que alguém soprasse o incenso, para acelerar sua queima. O túmulo de Amenemete, da 12ª Dinastia, apresenta um sacerdote carregando uma alça longa e branca (talvez de marfim) que terminava em uma "mão" côncava, que sustentava uma tigela na qual está queimando incenso (*Illustrated Family Encyclopedia of the Living Bible*, II, 75).

P. C. J.

**INCENSO** Uma mistura de substâncias odoríferas e goma usada para queimar durante a adoração feita por Israel; às vezes era o odor adocicado proveniente da queima. A receita do incenso que deveria ser usado no Templo é dada em Êxodo 30.34-38. Ela inclui estoraque, ônica, gálbano e incenso (*veja* Plantas; Especiarias). O uso privado dessa fórmula era proibido, e qualquer pessoa que violasse a proibição deveria ser excluída da congregação de Israel. O uso de incenso não era peculiar a Israel, e na própria terra da promessa o incenso era oferecido por sacerdotes em altos profanos (1 Rs 13.1,2; 2 Rs 17.11 e outras passagens).

O incenso deveria ser queimado sobre o altar do incenso que ficava na tenda da congregação, no Lugar Santo, diante do santuário interior, o Santo dos Santos. O sacerdote levaria brasas do altar das ofertas queimadas com uma espécie de pá, espargiria o pó do incenso nas brasas de fogo, e colocaria tudo no altar do incenso. Isto deveria ser feito pela manhã e ao anoitecer (Êx 30.7,8). Uma vez por ano, no Dia da Expiação, o sumo sacerdote deveria tomar um incensário de brasas de fogo e trazê-lo para dentro do véu, no Santo dos Santos, e aspergir o incenso sobre o fogo diante do propiciatório, como uma preparação para a aspersão do sangue sacrificial (Lv 16.12-14).

Uma vez que a queima de incenso em incensários foi apresentada por Moisés para mostrar que somente a família de Arão estava autorizada a desempenhar as funções sacerdotais, aqueles que desafiassem esta prerrogativa receberiam uma penalidade extrema (Nm 16.17ss.). Nadabe e Abiú, filhos de Arão, foram mortos por sua própria culpa, por terem oferecido incenso de uma forma imprópria no começo da instituição (Lv 10.1-3). O rei Uzias foi acometido de lepra ao presunçosamente insistir em oferecer incenso no Templo contra os protestos dos sacerdotes (2 Cr 26.16-21). Foi enquanto oferecia o incenso no Templo que Zacarias, pai de João Batista, foi informado pelo anjo que teria um filho (Lc 1.8-13). A subida do aroma da fumaça docemente perfumada representa, de forma apropriada, as orações do povo de Deus subindo à presença do SENHOR (Sl 141.2; Ap 5.8; 8.3,4).

***Bibliografia.*** Gus W. Van Beek, "Frankincense and Myrrh", BA, XXIII (1960), 69-95.

N. B. B.

**INCESTO** O crime de coabitação ou relacionamento sexual com familiares ou parentes, que é proibido na lei de Moisés (Lv 18.1-18). A lista apresentada por Moisés é precedida por uma advertência de que Israel não deveria entregar-se aos pecados dos egípcios a quem eles haviam acabado de deixar, ou dos cananeus para cuja terra Deus os estava trazendo. A lista dos relacionamentos proibidos inclui: (1) mãe, (2) madrasta, (3) irmã ou meia-irmã, (4) neta, (5) filha de uma madrasta, (6) uma tia de ambos os lados, (7) a esposa de um tio por parte de pai, (8) nora, (9) cunhada, (10) uma mulher e sua filha, ou neta, (11) a irmã de uma esposa viva.

Uma filha e uma irmã por parte de pai e mãe não são mencionadas especificamente, uma vez que já são classificadas como "parenta da sua carne" (v.6). A sogra é mencionada e está incluída no item 10. As transgressões com as pessoas mencionadas nos itens 1, 2, 3, 8 e 10 deveriam ser punidas com a pena de morte (Lv 20.11,12,14,17) como crimes malditos. As transgressões com as pessoas mencionadas nos itens 6, 7 e 9 deveriam levar o

transgressor a carregar sua iniqüidade e morrer sem filhos (Lv 20.19-21).
No NT, um caso de incesto, um homem coabitando com a esposa de seu pai, é mencionado em 1 Coríntios 5.1. Paulo instruiu a Igreja de Corinto a julgar essa iniqüidade, e que o culpado fosse "entregue a Satanás para a destruição da carne", a fim de que o espírito fosse "salvo no Dia do Senhor Jesus" (v.5).

R. A. K.

**INCIRCUNCISO** Essa palavra ocorre freqüentemente na Bíblia Sagrada, e significa uma condição na qual existe a falta da circuncisão (*q.v.*), quer de forma literal ou figurada. A circuncisão literal era uma exigência para todos os descendentes masculinos de Abraão, além dos estrangeiros "comprados por dinheiro" (Gn 17.12-14). Aquele que não fosse circuncidado deveria ser extirpado "dos seus povos", porque havia quebrado a aliança do Senhor. Os israelitas desprezavam os gentios por estarem fora do âmbito e da graça do Senhor, e referiam-se a eles como "incircuncisos" (Gn 34.14; Êx 12.48; Jz 14.3; 1 Sm 17.26). Estêvão fala de seus irmãos judeus como sendo figuradamente "incircuncisos" de coração e ouvidos (At 7.51). A primeira expressão aplica-se a uma condição geral de ofensa a Deus, e a última aos ouvidos fechados à mensagem divina, como se estivessem fechados por meio de um "prepúcio" (cf. Lv 26.41; Ez 44.9; Jr 4.4).

**INCONTINÊNCIA** Falta de domínio próprio. Termo usado uma vez em 1 Coríntios 7.5, onde Paulo adverte aqueles que são casados a não se absterem da correta relação sexual regular, a fim de que Satanás não tentasse qualquer um dos cônjuges a ter relações extraconjugais. Uma vez que o imperativo: "cada um tenha sua própria esposa", é usado no v.2, nem o casamento nem as suas relações são desestimulados, mas sim encorajados por Paulo, exceto em certos casos e situações particulares.
*Veja* Divórcio.

**INCORRUPÇÃO** Um termo (gr. *aphtharsia*, "perpetuidade, incorrupção") usado por Paulo em 1 Coríntios 15.42,50,53,54 em relação ao corpo da ressurreição que os cristãos receberão no momento do arrebatamento, juntamente com os santos que partiram, pouco antes de estes retornarem para reinar com Cristo (1 Ts 4.13-18; cf. Ap 20.4-6). A palavra grega também é traduzida com o sentido de "imortalidade" em Romanos 2.7 e 2 Timóteo 1.10. Em Efésios 6.24, ela tem o sentido de "sinceridade" e "integridade", e em Tito 2.7, de "incorrupção". *Veja* Imortalidade.
O adjetivo *aphthartos* descreve a coroa incorruptível ou imperecível que o crente vitorioso receberá, em contraste com a coroa incorruptível de folhas de louro conquistada pelo atleta grego (1 Co 9.25). A nossa herança celestial é incorruptível (1 Pe 1.4); a Palavra de Deus também é vista como a semente incorruptível (1.23), e assim também o espírito da mulher temente e obediente ao Senhor (3.4). Deus é *aphthartos* no sentido da imortalidade (Rm 1.23; 1 Tm 1.17).

**INCHAÇO** Na versão KJV, essa palavra é a tradução de duas palavras hebraicas e duas gregas, todas elas trazendo em si o conceito básico de orgulho. No Salmo 46.3, a palavra hebraica *ga'awa* evidentemente refere-se ao inchaço causado pelo orgulho ou ao "tumulto" do mar, cujo rugido das águas faz tremer as montanhas. A palavra grega *physiosis* (2 Co 12.20) ocorre em uma lista de pecados relacionados ao ato de falar, e refere-se especificamente a estar dominado pela "presunção" ou "arrogância". Está escrito que a boca dos falsos mestres pronuncia "coisas mui arrogantes" (2 Pe 3.18; Jd 16), onde a palavra grega *hyperogkos* (literalmente, superinchado) significa algo "bombástico" ou "arrogante".

Um modelo de altar do século XI a.C., de Bete-Seã, utilizado como um local onde se queimava incenso. BM

A expressão a "enchente do Jordão" ocorre três vezes em Jeremias (12.5; 49.19; 50.44) e uma vez como "soberba do Jordão" (Zc 11.3). A palavra hebraica *ga'on* significa literalmente exaltação, e geralmente refere-se ao orgulho. Mas, nesse contexto, ela está referindo-se à majestade do Jordão, que consistia de árvores, arbustos e juncos que cresciam ao longo de suas margens, em sua área inferior (cf. 2 Rs 6.4). Portanto, algumas versões traduzem a expressão como "selva do Jordão", enquanto outras a traduzem como "matas do rio Jordão". Na época do AT, animais selvagens, inclusive leões, usavam essa região como abrigo e iam procurar suas presas nos apriscos dos rebanhos.

Para detalhes sobre o inchaço como uma enfermidade física (Nm 5.21,22,27), *veja* Doença.

J. R.

**ÍNDIA** Esta palavra é mencionada no livro de Ester (1.1; 8.9) e refere-se à extensão do reino de Assuero, o rei persa. Os estudiosos geralmente concordam que a palavra "Índia" (heb. *hoddu*; do persa antigo *hidauw* e *hinduish*; do sânscrito *sindhu*, "corrente" – isto é, o rio Indo), não se refere à península do Hindustão, mas ao território adjacente ao rio Indo, ou seja, o Punjab. Alguns a identificam com a terra de Havilá de Gênesis 2.11 e igualam o rio Indo ao Pisom. O país marítimo de *Meluhha*, freqüentemente mencionado nos textos sumerianos, era provavelmente a região de Gujerat, no oeste da Índia, onde a civilização hindu floresceu em aprox. 2000 a.C. (W. F. Leemans, *Old Babylonian Letters and Economic History*, Leiden: Brill, 1968, pp. 219-226).

**INDOLENTE** A palavra hebraica *'asel*, "estúpido, indolente, ser preguiçoso", é traduzida como "preguiçoso" em Provérbios 6.6,9; 10.26; 13.4; 20.4; 26.16 (em outras passagens e versões também é traduzido como "indolente"). Este termo é freqüentemente traduzido como "pessoa preguiçosa" na versão RSV em inglês. O caminho do preguiçoso deve ser evitado pelo homem diligente – os seus caminhos são opostos. O substantivo hebraico ocorre em Provérbios 19.15, que várias versões traduzem da seguinte forma: "A preguiça faz cair em profundo sono, e o ocioso vem a padecer fome."

A lesma pertence aos moluscos de movimentos lentos que são desprovidos de concha exterior. A "lesma que se derrete" no Salmo 58.8 pode ser um desses moluscos.

**INDOUTO** Os membros do Sinédrio que questionaram os discípulos em Atos 4.13 ficaram admirados com o fato de tais homens "indoutos" (em grego, *agrammatos),* particularmente Pedro, poderem apresentar tão bem os seus argumentos. O NT fala sobre os condenados como indoutos, usando a palavra grega *idiotes*, que significa indoutos e ignorantes sobre a verdade divina (1 Co 14.16,23,24).

Somos advertidos a evitar "questões loucas e sem instrução" (gr. *apaideutos*; 2 Tm 2.23). Existem pessoas ignorantes, *amathes*, "indoutos e inconstantes" que causam dissensões (2 Pe 3.16).

**INFERNO** No uso comum e teológico, o lugar para o futuro castigo dos que morreram no pecado. No entanto, como a versão KJV em inglês usa o termo "inferno" como a sepultura e o lugar dos espíritos desencarnados, tanto bons quanto maus, deve-se ter cautela para evitar erros e confusão.

O inferno, no sentido de um lugar para futuro castigo, certamente é ensinado de uma maneira distinta na Bíblia. Embora a doutrina não seja tão claramente expressa no Antigo Testamento quanto o é no Novo Testamento, é sugerida em trechos como Isaías 14.9-11 (cf. Ez 32.21ss.); Números 16.33; Deuteronômio 32.22; Jó 24.19; Salmos 9.17; Isaías 33.14; Daniel 12.2. No Novo Testamento é o Senhor Jesus Cristo, o nosso amado Salvador, que propicia o mais amplo ensino sobre o inferno. Somente daquele que amou tanto os homens a ponto de morrer por eles, é que se pode receber essa terrível verdade. Paulo aceita a doutrina, mas não se estende sobre o assunto nem o esclarece. O apóstolo João acrescenta detalhes no livro de Apocalipse (20.10,15).

Se há alguns que fazem objeções, dizendo que o ensino do fogo eterno do inferno não deve ser interpretado ao pé da letra, o mínimo que podemos concluir é que tais palavras e descrições são metáforas para expressar as terríveis agonias da alma quando ela sofrer o remorso interminável por toda a eternidade, separada de Deus e de tudo o que é bom, e confinada com tudo o que é mau. Mesmo nesta vida as agonias da mente podem ser iguais, se não superiores, às do corpo. O ensino bíblico do inferno não pode ser negado sem se contradizer as palavras de Cristo, ou sem alegar que Ele não o ensinou de forma completa. Se as suas palavras podem ser contraditadas, como então Ele sabe o suficiente para que confiemos nele para nos salvar? Se Ele não tivesse ensinado de forma completa, teria praticado uma fraude e assim não seria suficientemente santo para morrer por nós.

As quatro palavras traduzidas como "inferno" são:

1. *Sheol.* Duas derivações possíveis da palavra hebraica *she'ol* foram sugeridas: *sha'al*, "perguntar ou inquirir", e *sho'al*, "cavidade" (cf. Is 40.12, "concha de sua mão", e Nm 22.24, "vereda [ou concavidade] de vinhas"). No hebraico pós-bíblico, a última palavra é usada para a "profundeza" do mar. No Anti-

go Testamento, *sheol* é usada para a sepultura (Jó 17.13; Sl 16.10; Is 38.10) e para o lugar dos mortos, tanto os bons (Gn 37.35; Jó 14.13; Sl 6.5; Ec 9.10) quanto os maus (Sl 55.15; Pv 9.18). A idéia é a de um mundo abaixo do nosso mundo, onde prevalecem a escuridão, a decadência e a negligência, e onde se está distante de Deus (Sl 6.5; 88.3-12; Is 38.18).

2. *Hades*, a palavra grega que mais se aproxima de *sheol* e o nome do deus grego do submundo. O Senhor Jesus Cristo ensinou que o campo onde estão os espíritos dos humanos mortos está dividido em duas partes: aquela descrita como o seio de Abraão, distinta da outra que é chamada Hades e que é o lugar dos maus (Lc 16.23). Há versões que traduzem a palavra tanto como "inferno" quanto como "morte" nos dez exemplos onde é usada (Mt 11.23; 16.18; Lc 10.15; 16.23; At 2.27,31; Ap 1.18; 6.8; 20.13,14), porém outras versões utilizam a palavra "Hades". Parece claro que em alguns casos a tradução "inferno", com o sentido de lugar de punição, é satisfatória.

Em Atos 2.27,31, no entanto, Hades é a tradução de Sheol em Salmos 16.10 e refere-se simplesmente ao sepulcro ou à morte. Nas passagens de Apocalipse, Hades parece estar personificado como um sinônimo da morte em relação ao seu poder sobre os homens, provavelmente seguindo a metáfora de Mateus 16.18. O consenso das críticas textuais é de que o termo *hades* não aparecia originalmente em 1 Coríntios 15.55.

3. *Geena*, a forma adaptada ao grego da palavra hebraica *ge' hinnom*, o vale de Hinom. Uma ravina no lado sul de Jerusalém onde eram celebrados os rituais do deus pagão Moloque (1 Rs 11.7; 2 Cr 28.3; 33.6; Jr 7.32). Convertido por Josias em um lugar de abominação após espalhar ossos dos mortos (2 Rs 23.13), tornou-se a colina do lixo de Jerusalém e, como um lugar onde havia fogo constante, um símbolo dos espíritos perdidos atormentados. Em todos os trechos em que a palavra é usada, ela significa propriamente inferno (Mt 5.22,29,30; 10.28; 18.9; 23.15,33; Mc 9.43,45,47; Lc 12.5; Tg 3.6).

4. *Tartaroo*, um verbo grego que significa "enviar ao Tártaro", encontrada somente em 2 Pedro 2.4. Os gregos viam Tártaro como um lugar subterrâneo, inferior ao Hades, onde a punição divina era infligida; assim o termo veio a ser também empregado na literatura apocalíptica judaica.

Além dessas quatro palavras, existem vários sinônimos para inferno, tais como "fogo que nunca se apagará" (Mt 3.12); "negrura das trevas" (Jd 13); "fornalha de fogo" (Mt 13.42,50); tormento "com fogo e enxofre" (Ap 14.10); "lago que arde com fogo e enxofre" (Ap 21.8); local "onde seu bicho não morre" (Mc 9.48); o lugar "preparado para o diabo e seus anjos" (Mt 25.41).

*Veja* Abismo; Morto, O; Escatologia; Estado Eterno e Morte; Hades; Hinom; Seol.

R. A. K.

**INFINITO** Embora não ocorra na Bíblia nenhuma discussão abstrata sobre o infinito (ou o infinitésimo), o simples conceito literal do que é ilimitado em certos aspectos específicos de ser é assumido de forma consistente. Portanto, Deus é onipresente no espaço infinito em todas as dimensões. Cada parte de todo o espaço está imediatamente em sua presença (Sl 139.1-12). Deus é eterno no tempo infinito, tanto no passado como no futuro (Sl 90.1,2). Deus é infinito em poder, o Todo-Poderoso (*pantokrator*, 2 Co 6.18, e freqüentemente no Apocalipse). Ele é infinito em sabedoria e conhecimento, e também em onisciência (Sl 139; Cl 2.3).

Por outro lado, Deus nunca é considerado como "o Infinito" sem especificação. A idéia de Spinoza de que o "Infinitamente Infinito" é "o Todo" simplesmente significa panteísmo (assim como "o Absoluto" sem especificação significa absolutamente nada). Se Deus fosse infinito em todos os aspectos, Ele seria infinitamente mau, infinitamente cruel etc. Os matemáticos modernos, tais como Georg Cantor (*Contributions to the Founding of the Theory of Transfinite Numbers*, trad. por P. E. B. Jourdain, Nova York: Dover Publications, 1952), desenvolveram supostos paradoxos no conceito de infinito. É alegado que "... a série de números inteiros ímpares pode ser colocada em correlação uma a uma com a série completa de números inteiros, e é, portanto, do mesmo número. Esta capacidade de ter partes próprias que são iguais em números para o todo pode ser tomada como a definição de agregados transfinitos" (*Enciclopédia Britânica*, ed. de 1967, XII, 237).

O engano de tal paradoxo está no tratamento de uma série infinita como um todo que pode ser igual a um outro todo infinito. "Todo Infinito" é uma contradição palpável.

J. O. B., Jr.

**INFLAMAÇÃO** *Veja* Doença.

**INGREDIENTES** *Veja* Alimentos.

**INIMIGO** Uma pessoa que odeia a outra e procura seu mal; um antagonista ou adversário; também um exército ou nação hostil. Vários termos expressam, de diferentes maneiras, a idéia subjacente de inimigo. Na língua hebraica do AT, *'oyeb* – possivelmente a idéia original de respirar, soprar ou bufar foi muitas vezes aplicada à ira e ao ódio – foi traduzida como "inimigo" ou "antagonista". O termo hebraico *sar* (de *sarar*, "pressionar" ou "comprimir", portanto, "oprimir", ou, nesse caso, tratar alguém de maneira hostil) foi traduzido como "adversário" e "antagonista", além de inimigo.

O substantivo *shorer* (especificamente "difamador" ou "caluniador"), um estilo cananeu usado nas cartas de Amarna, de acordo com a obra de M. Dahood, *Salms II*, Anchor Bible, Garden City: Doubleday, 1968, pp. 25ss., também corresponde a "inimigo" nas versões KJV e RSV em inglês.

Outras palavras expressam a ação de um inimigo e são indicadas dessa maneira: *qum*, "levantar" contra alguém; *sane*, "odiar", e daí vêm os termos "odioso" ou "inimigo"; *shur*, "mentir em emboscada" contra alguém. No NT, a palavra grega *echthros* foi traduzida como "inimigo" ou "antagonista".

Em muitas ocorrências do NT, a palavra "inimigo" descreve os inimigos da nação de Israel (Jz 3.1-3 etc.), mas também existem referências a inimigos pessoais (Êx 23.4; 1 Sm 18.29; 1 Rs 21.10; Mq 7.6 etc.); observe particularmente os Salmos (7.5 etc.). No NT, na maioria das vezes, essa palavra indica um inimigo pessoal (Mt 5.44; 2 Ts 3.15 etc.), mas também descreve os poderes estrangeiros (Lc 1.71; 19.43).

O homem torna-se inimigo de Deus quando desobedece aos mandamentos divinos. Ele pode provocar a ira de Deus e seu ciumento zelo através da desobediência (Dt 5.8-10; 7.10). Os salmos imprecatórios expressam os sentimentos do autor ao considerar os inimigos de Deus como seus próprios inimigos; ele implora que Deus vindique sua própria honra e justiça ao julgar e castigar aqueles que zombam de seus mandamentos. Paulo chamou os pecadores de inimigos de Deus (Rm 5.8,10). O amigo do mundo é inimigo de Deus (Tg 4.4). Satanás (*veja* Demônio; Satanás) é o maior de todos os inimigos (Mt 13.39; At 13.10; cf. Jo 8.44); a morte é considerada como o último inimigo (1 Co 15.26) que estará sob o domínio de Cristo.

O AT descreve Deus como um inimigo, pois Ele foi inimigo dos inimigos de Israel (Dt 28.7; 2 Cr 20.29). Os profetas expressam seu ódio pelos inimigos de Israel e por aqueles que desprezam o Senhor. Essa não é, necessariamente, uma ética antibíblica, pois aqueles homens inspirados não estavam revelando nenhuma crítica violenta e pessoal contra os inimigos nacionais de Israel; suas palavras e escritos representavam os pensamentos e os sentimentos que o Deus santo pronunciou contra os *seus próprios* inimigos (Is 14.25-27; Ez 35.7; Obadias; Naum etc.). Assim, Deus estava a favor de Israel quando livrou essa nação do Egito (Êx 3.8), quando guiou seu povo através do deserto e, por fim, quando lhe deu a terra de Canaã. Isso é visto não só nos livros de Moisés como também nos livros dos profetas que continuaram a dar essa ênfase (Os 11.1; Am 2.9,10).

Deus também abandonou Israel, deixando-o à mercê de seus inimigos como uma forma de castigar seu povo (Is 10.5,6; Ez 14.13-21; Lc 19.41-44). Por essa razão, os profetas chamaram Israel de nação inimiga de Deus (Lm 2.5). Os profetas, porém, reconheceram o aspecto positivo desse castigo porque se Deus não castigasse Israel, este povo teria desaparecido no mar das nações. Embora fosse muito difícil, havia o predomínio do amor de Deus preservando o remanescente de seu povo (Is 54.7,8; Jr 30.14,18; Dn 9.16,24). Em uma ênfase peculiar ao nível pessoal, Jó chama Deus de seu inimigo (Jo 13.24; 19.11).

Por outro lado, existem muitos exemplos no AT onde Deus fez o bem aos inimigos de Israel (por exemplo, Nínive no livro de Jonas). Para o bem de seus conterrâneos, Jeremias instruiu os prisioneiros judeus a orar pelos seus senhores babilônios (Jr 29.7). De muitas maneiras, e em inúmeras circunstâncias, Israel deveria representar uma bênção para as nações estrangeiras, embora, às vezes, alguns países, sob certas circunstâncias, se tornassem seus inimigos (Gn 12.3).

O AT ensinou a cada israelita que devia amar seu próximo (Lv 19.18). Embora os israelitas não fossem ensinados a amar os seus inimigos, nunca lhes foi dito que não deveriam fazê-lo; na verdade, foram ensinados a lhes fazer o bem. Dessa maneira, Moisés ensinou os seus homens que deveriam devolver o gado ou o jumento que o inimigo havia perdido e até ajudá-lo com seu animal de carga (Êx 23.4,5). Saul disse que Davi era mais virtuoso que ele, pois havia recompensado com o bem o mal que lhe havia feito (1 Sm 24.17-19). Jó defendeu sua própria justiça, dizendo que estaria negando a Deus caso se alegrasse pelo infortúnio dos seus inimigos (Jó 31.28,29). O sábio autor de Provérbios 25.21,22 enfatiza o dever de todos os justos: "Se o que te aborrece tiver fome, dá-lhe pão para comer; e, se tiver sede, dá-lhe água para beber, porque, assim, brasas lhe amontoarás sobre a cabeça; e o Senhor to pagará".

O NT completou a lacuna existente no AT quando Jesus afirmou que devemos amar os nossos inimigos e orar por eles (Mt 5.43,44). Esse amor é demonstrado quando entendemos que Deus deu seu Filho para beneficiar um mundo de inimigos (Jo 3.16) e, dessa maneira, reconciliou consigo mesmo aqueles que lhe eram hostis (Cl 1.20-22). O Senhor Jesus Cristo (Lc 23.34) e Estêvão (At 7.60) são exemplos daqueles que oram pelos seus perseguidores. Paulo enfatizou o amor dos cristãos pelos seus inimigos quando transformou aquilo que no AT era imperativo (Pv 25.21,22) em algo que, no NT, é ético (Rm 12.14-21).

*Veja* Adversário; Pecado; Guerra; Ira.

L. Go.

**INIMIZADE** A palavra hebraica *'eba* aparece cinco vezes no AT (Gn 3.15; Nm 35.21,22; Ez 25.15; 35.5). Em Gênesis 3.15, a inimizade é entre a serpente e Eva, e entre sua semente e a semente de Eva, simbolizando uma guer-

ra espiritual entre Satanás e Cristo e seus seguidores. A hostilidade individual pode ser vista em Números 35.21,22. Nas passagens de Ezequiel, a inimizade é nacional.
O emprego de seis ocorrências da palavra grega *echthra* no NT também revela três tipos de inimizade – a hostilidade em relação a Deus (Rm 8.7; Tg 4.4), a inimizade entre indivíduos (Lc 23.12) e a hostilidade entre grupos de pessoas (Ef 2.14-16). Em Gálatas 5.20 (na versão ASV em inglês), o plural evidentemente refere-se às várias manifestações e formas de sentimentos hostis.

**INIQÜIDADE** Dezesseis palavras hebraicas e gregas são traduzidas como "iniqüidade" na versão KJV em inglês. As mais importantes são as seguintes: do heb. *'awen*, "iniqüidade, vaidade"; *'awel*, "perversidade, perversão"; *'awon*, "o que é torto, perversidade (mais comum), depravação, pecado"; do grego *adikia*, "injustiça"; *anomia*, "ilegalidade".
O termo heb. *'awon* refere-se primeiramente ao caráter de uma ação, como é visto em Isaías 64.6, onde as iniqüidades são comparadas aos atos de justiça própria que são como trapos de imundícia. A partir disso, ele expande-se para expressar a idéia de culpa (Gn 15.16; Nm 15.31; 2 Sm 14.32; Sl 32.5; Jr 2.22; 30.14,15), seguido do castigo pela culpa no sentido de Gênesis 4.13 – "É maior a minha maldade que a que possa ser perdoada" (cf. Lv 26.41,43; Lm 4.6,22; Ez 14.10).
No NT, o termo *adikia* enfatiza a idéia de uma justiça negativa, mas no sentido da injustiça real como é visto na referência às 30 peças de prata pagas a Judas como o "preço [ou galardão] da iniqüidade" (At 1.18), e a condenação da oferta de Simão, o mágico, para comprar o poder do Espírito Santo (At 8.23; cf. 1 Co 13.6; 2 Tm 2.19; Tg 3.6).
O termo gr. *anomia* enfatiza, em contraste, a rejeição e a quebra da santa lei de Deus. Jesus condena essa ilegalidade (Mt 7.23; 13.41; 23.28; 24.12), e Paulo faz o mesmo (Rm 6.19), além do escritor aos Hebreus (Hb 8.12; 10.17). Em 2 Tessalonicenses 2.7, aprendemos que o mistério da iniqüidade (*anomia*) – a verdadeira origem da ilegalidade é a revolta do Diabo e seus anjos, seguida da revolta do homem contra Deus – já está presente e continuará assim até que o Anticristo seja revelado e destruído pela vinda de Cristo como o cavaleiro sobre o cavalo branco de Apocalipse 19.11-20.
*Veja* Mal; Pecado; Ímpio, Impiedade.

***Bibliografia.*** W. Gutbrod, "*Anomia*", TDNT, IV, 1085ss.

R. A. K.

**INLÁ** Pai de Micaías, o profeta de Deus que foi consultado por Acabe e Josafá antes de irem à batalha contra os sírios em Ramote-Gileade (1 Rs 22.8,9; 2 Cr 18.7,8).

**INOCÊNCIA** Além desse substantivo e do seu adjetivo, "inocente", várias palavras são usadas na Bíblia Sagrada transmitindo a idéia de inocência, como por exemplo "inofensivo" e "inculpável". Juntas, elas expressam a idéia de liberdade da corrupção, mácula, iniqüidade ou culpa. Da mesma forma, vários termos heb. e gr. sugerem esse conceito. O verbo heb. *naqa* e seus derivativos têm o significado primário de esvaziado e limpo, conseqüentemente livre de culpa, inocente (por exemplo, Sl 19.13; Jr 2.35). Seu adjetivo freqüentemente aparece na expressão "sangue inocente" (por exemplo, Dt 19.10; 21.8). Seu substantivo é traduzido como "inocência" em Gênesis 20.5; Salmos 26.6; 73.13; Oséias 8.5. Na versão RSV em inglês, o termo heb. *sadiq* (*veja* Justiça) é traduzido oito vezes como "inocente" (por exemplo, Gn 20.4; Dt 25.1; Jó 9.15). A palavra heb. *tamim* significa inteireza, integridade e perfeição (por exemplo, Noé, em Gn 6.9; 7.1; Jó, em Jó 1.1; e Davi, no Sl 18.23).
A inocência absoluta (ou a incapacidade de pecar) é um atributo somente de Deus e de Cristo (Hb 7.26), e dos santos quando glorificados. Adão e Eva eram inocentes (ou "muito bons", Gn 1.31) antes da queda, mas ainda não confirmados em santidade. Em um sentido relativo, aqueles que não são moralmente responsáveis (crianças e deficientes mentais) podem ser considerados inocentes. A inocência também pode expressar a simplicidade, a infantilidade, a singeleza de pensamento e a devoção sincera a Deus que o nosso Senhor exige dos cidadãos de seu Reino (por exemplo, "símplices como as pombas", Mt 10.16; "irrepreensíveis e sinceros", Fp 2.15).

R. E. Po.

**INOCÊNCIA DE CRISTO** *Veja* Cristo, Pureza de.

**INOCENTES, MATANÇA DE** Este termo refere-se à matança ordenada por Herodes o Grande de todos os meninos de dois anos para baixo que havia em Belém e em seus arredores, em seu esforço para destruir o Cristo ainda menino (Mt 2.16). A descrição das crianças como "inocentes" pode ter se originado dos cipriotas do século III. Uma vez que Belém era uma aldeia pequena, o número de crianças mortas provavelmente foi menor que 50, um número não tão grande como às vezes se imaginava. Mateus considerou a matança como o cumprimento de Jeremias 31.15, provavelmente porque Raquel morreu no caminho para Belém, e sua sepultura é tradicionalmente considerada estando exatamente ao norte da cidade. Mas a ligação do versículo do AT com Belém não está clara, porque Ramá ficava no território de Benjamim e Raquel não foi a mãe de Judá, ancestral dos habitantes de Belém. Raquel,

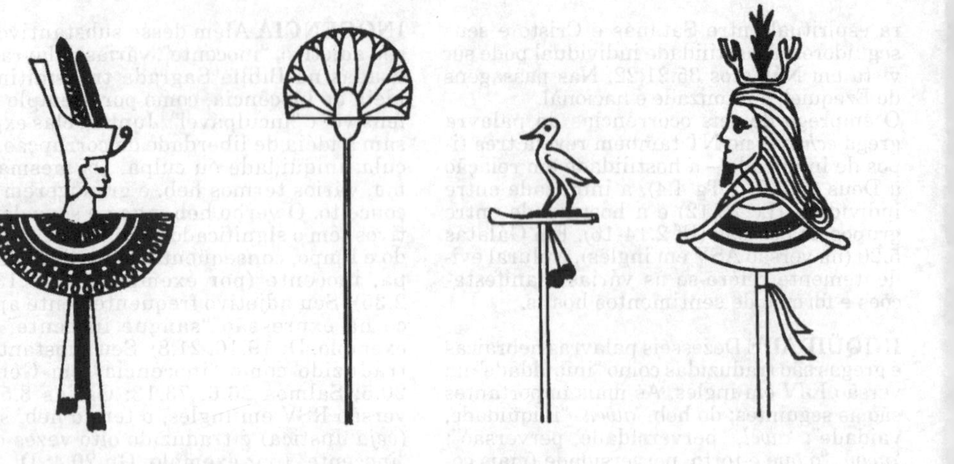

Estandartes egípcios

porém, *morreu* perto de Belém. O principal cumprimento de Jeremias 31.15 deve ser encontrado em Jeremias 40.1.
*Veja* Ramá 1.

**INRA** Um chefe proeminente da tribo de Aser e filho de Zofa (1 Cr 7.36).

**INRI**
1. Um descendente de Perez, o filho de Judá (1 Cr 9.4).
2. O pai de Zacur, que ajudou Neemias na reconstrução do muro de Jerusalém (Ne 3.2).

**INSCRIÇÃO** Título ou frase colocados sobre alguma coisa. Palavra usada para o nome encontrado em uma moeda (Mt 22.20; Mc 12.16; Lc 20.24) e que descreve a expressão afixada sobre a cruz de Cristo indicando o crime pelo qual Ele estava sendo executado (Mc 15.26; Lc 23.38). A forma verbal foi usada para indicar a inscrição que estava sobre um altar em Atenas (At 17.23), a lei de Deus que está inscrita no coração e na mente (Hb 8.10; 10.16) e os nomes das tribos de Israel inscritos nos portões da Jerusalém celestial (Ap 21.12).

**INSCRIÇÃO** *Veja* Escrita.

**INSETOS** *Veja* Animais IV.

**INSÍGNIA** Emblema ou bandeira; um sinal ou aviso de perigo.
1. A palavra hebraica *'ot* significa "sinal" ou símbolo "da casa de seu pai", portanto uma subdivisão tribal (Nm 2.2). O Salmo 74.4 faz referência aos emblemas (ou insígnias) idólatras (Veja ANEP #469-573) ou emblemas militares que os inimigos de Deus instalaram no lugar santo.
2. A palavra hebraica *degel* significa estandarte militar ou bandeira de uma unidade de combate (Nm 1.52; 2.2,3,10 etc.; 10.14,18,22, 25; Ct 6.10). Essa palavra veio a significar a divisão de um exército na literatura pós-bíblica. Dessa maneira, ela foi usada nos papiros Elefantinos e nos Rolos de Qumrã, e a LXX traduz *degel* como *tagma* ou *taxis*, um corpo de soldados (veja Roland de Vaux, *Ancient Israel*, Nova York: McGraw-Hill, 1961, pp. 226ss.). O emblema era amarrado a uma haste de madeira e levado por um porta-bandeira específico, como foi retratado em trabalhos artísticos sumerianos e egípcios (VBW, I, 202 f. sobre Nm 2.2,34).
A tradição rabínica, que continuou na moderna arte judaica, preservou parcialmente as figuras retratadas nos estandartes tribais da antiga nação de Israel. A bênção de Jacó fornece provavelmente uma pista dos emblemas originais – o leão de Judá (Gn 49.9); os navios de Zebulom (Gn 49.13) etc. De acordo com o rolo apocalíptico de Qumrã, a inscrição "A Guerra dos Filhos da Luz contra os Filhos das Trevas" nos estandartes deveria ser mudada em cada nova fase da guerra. Quando o exército dos justos marchava para a batalha, seu emblema, erguido bem alto, deveria dizer: "A Comunidade de Deus"; quando a batalha começasse, ele deveria ser mudado para: "A Guerra de Deus"; e quando o exército retornasse do campo de batalha, deveria ter escrito: "A Salvação de Deus".
O verbo *dagal* ocorre no grito vitorioso da batalha da fé no Salmo 20.5: "Em nome do nosso Deus, arvoraremos pendões". Em Cantares 2.4, o amado canta: "Seu estandarte em mim era o amor". *Veja* Estandarte.
3. A palavra hebraica *nes* quer dizer estandarte ou mastro que ergue um objeto. Um estandarte sectário de bronze, revestido de prata e encontrado em Hazor, traz o alto-relevo da cabeça de uma deusa com duas cobras de cada lado (VBW, I, 221 sobre Nm 21.9). Uma cabeça de bronze, coberta de ouro, do

Fim da Idade do Bronze, em Bete-Seã, provavelmente enfeitava o topo de um estandarte militar (VBW, IV, 51 sobre o Salmo 115.4). Moisés colocou uma serpente de bronze sobre um mastro (*nes)* como sinal de uma ampla libertação e cura (Nm 21.8,9). Em Números 26.10, a palavra traduzida como "sinal" indica que a morte de Corá aconteceu como uma forma de castigo, e com a finalidade de transmitir uma advertência. Somente a cópia de um estandarte de aviso, sobre o topo de uma colina, retrata a solitária condição da nação de Israel castigada (Isaías 30.17 – "emblema" nas versões KJV e ASV em inglês, e "sinal" na RSV). Os oficiais assírios iriam, cheios de pânico, desertar sua bandeira ou estandarte (Is 31.9).

Como um objeto erguido ao alto, acompanhado pelo som de uma trombeta em certas declarações proféticas, a palavra *nes* representa o sinal de Deus para convocar as nações inimigas para o castigo de Judá (Is 5.26; Jr 4.6,21) e para a derrota da Babilônia (Jr 50.2; 51.12,27). Deus conclama todo o mundo a observar a derrota de Cuxe ou Etiópia (Is 18.3).

A palavra *nes* faz parte de imagens proféticas nas predições relativas ao futuro reagrupamento de Israel: "Perguntarão pela raiz de Jessé, posta por pendão dos povos" (Is 11.10,12). Ela simboliza aquela disposição, movimento ou condição que Deus irá estabelecer entre as nações a fim de promover o retorno de seu povo à sua terra (Is 49.22) e representa o sinal que precederá a mensagem das boas novas dizendo que a salvação chegou para a filha de Sião (Is 62.10).

As formas verbais de *nasas*, consideradas como significando "levante um estandarte", ocorrem em Isaías 10.18 pela expressão "porta-bandeira"; em Isaías 59.19: "O Espírito do Senhor arvorará contra ele sua bandeira"; e no Salmo 60.4: "Deste um estandarte [*nes*] aos que te temem, *para o arvorarem no alto* pela causa da verdade".

H. E. Fi.

**INSOLAÇÃO** Condição física gerada pela exposição do corpo, e particularmente da cabeça, ao calor do sol. A exaustão e o desmaio podem ser o resultado de uma leve ocorrência de insolação, mas ela pode ser fatal nos casos extremos, como aconteceu com o filho da sunamita (2 Rs 4.19; cf. Sl 121.6; Jo 4.8; Is 49.10).

**INSPIRAÇÃO** O conceito teológico de inspiração refere-se ao fato de a Escritura Sagrada ser o pronunciamento do Deus que não pode mentir, e constituir, portanto, a infalível Palavra de Deus. O termo em si raramente ocorre nas Escrituras (Jó 32.8; 2 Tm 3.16).

### Definição

A palavra "inspiração" (latim, *inspiratio*) altera um pouco o sentido bíblico, sugerindo uma elevação meramente psicológica dos poderes do escritor, ao invés de enfatizar a "inspiração" divina das Escrituras. O adjetivo gr. *theopneustos* (traduzido em 2 Timóteo 3.16 como "é inspirada por Deus") tem apenas um sentido passivo, afirmando que as Escrituras foram "exaladas" por Deus de forma que elas são a sua Palavra e oráculo. Portanto, as Escrituras são aquilo que o Deus Espírito Santo diz (Hb 3.7), e também sabemos que: "Os homens santos de Deus falaram inspirados pelo Espírito Santo" (2 Pe 1.21).

A inspiração é o milagre da revelação redentora e divina pela qual os escritos sagrados foram compostos, o produto do fôlego criativo de Deus, possuindo autoridade divina absoluta. O fôlego ou o Espírito de Deus denota a exterioridade do seu poder dinâmico, seja na criação (Sl 33.6), preservação (Jó 34.14,15), revelação (Is 48.16), regeneração (Ez 36.26,27), ou juízo (Is 30.28). O fôlego de Deus criou as Escrituras para serem sua própria Palavra na linguagem do homem.

### Inspiração e Revelação

1. *Revelação – uma atividade divina.* A inspiração precisa ser entendida dentro e não fora da revelação especial de Deus. As Escrituras inspiradas desfrutam de sua dignidade como o meio, o registro e o testemunho da revelação divina. A natureza da inspiração é um aspecto no padrão da revelação. A revelação é a atividade divina da auto-revelação pela qual o Deus vivo revela algo do seu caráter e propósitos para a humanidade (Dt 29.29; 2 Co 4.6). As Escrituras são um produto daquela atividade reveladora, seu resultado lingüístico e sua incorporação escrita. Deus revela a si mesmo no plano da história por meio dos seus *atos* salvadores (At 2.11), e no plano da verdade por sua *Palavra* misericordiosa (Is 55.11).

2. *Equilíbrio bíblico*. O entendimento neoprotestante da revelação, *a priori* sob a influência da filosofia existencialista, menospreza o lado cognitivo da revelação e recusa-se a reconhecer as Escrituras como uma revelação escrita. Há uma mudança do proposicional para o pessoal, e do literário para o histórico. Mas as duas novas ênfases falham em observar o equilíbrio bíblico. Nas Escrituras, o encontro pessoal com Deus ocorre no contexto do conhecimento válido (Hb 1.1ss.), e os atos salvadores de Deus na história são acompanhados pela interpretação profética (Am 3.7). O ato divino e a palavra divina são conceitos correlativos de igual dignidade. Ato e interpretação estão perfeitamente mesclados.

3. *Propósito da revelação*. No neoprotestantismo, ao contrário, a *Palavra* de Deus é central à idéia bíblica de revelação (Jr 23.9,16,18,22,28). Os ídolos pagãos podem ser mudos, mas o Senhor é um Deus vivo e que fala (Am 3.8). A verdade é fundamental para

a confiança. A fé bíblica significa andar na luz das promessas divinas. Tanto os atos como as palavras são eventos divinos, formando uma unidade inseparável. A atitude do NT para com o AT é que as Escrituras redigidas são um produto primário da revelação divina, o local no qual a atividade reveladora agora acontece. Nas Escrituras, Deus dirige-se à Igreja (Mt 22.43; At 28.25; Hb 10.15). Desse modo, podemos dizer que a revelação *gera* as Escrituras.

4. *Propósito da inspiração*. A inspiração, em outras palavras, é o milagre da conservação por meio do qual as verdades da revelação divina foram *preservadas* de uma forma autêntica e suficiente. As Escrituras nada mais são do que a extensão da modalidade da revelação da palavra divina falada. Elas existem para que a Igreja possa conhecer a Palavra de Deus e distingui-la de sua própria autoconsciência pecadora.

O propósito das Escrituras é o mesmo da revelação, dar testemunho do plano divino aos pecadores redimidos (2 Tm 3.15). É uma túnica sem costura da linguagem sincera, criada para levar os homens a Cristo, o Salvador (Lc 24.27). Os cristãos amam e reverenciam as Escrituras Sagradas porque elas são o local de sua confrontação e comunhão com a Palavra viva. Elas contêm as verdades da revelação que conservam e aprofundam o nosso relacionamento com Deus.

A elevada doutrina da inspiração bíblica não é em absoluto o resultado de uma marca antiquada do raciocínio escolástico. Ela surge naturalmente do padrão de revelação no coração da fé cristã. A atividade divina de revelação levou à produção das Escrituras inspiradas, a transcrição escrita da verdade revelada.

## O Conceito Bíblico da Inspiração

1. *O testemunho bíblico de sua própria inspiração*. A confirmação da autoridade da Bíblia é, na verdade, formada pelos ensinamentos do Senhor Jesus Cristo e de seus apóstolos e profetas. Cristãos que foram convencidos de que Deus revelou-se de uma maneira histórica culminando em Cristo, só podem considerar esta evidência com profunda seriedade. Qualquer tentativa de silenciar as evidências dos textos é como tentar parar uma avalanche detendo uma pedra por vez. Há um testemunho forte, penetrante e completo da inspiração das Escrituras no registro bíblico. Toda a Escritura (inspiração plena) é de autoria divina (inspiração verbal) de acordo com Paulo (2 Tm 3.16), e pode ser personificada como o próprio Deus falando (Gl 3.8). As Escrituras registram o que Deus disse (At 13.32,33). Pedro afirma que as Escrituras do AT são o que o Espírito Santo falou de antemão (At 1.16). As Escrituras formam a Palavra de Deus escrita, e não podem errar porque Ele não pode mentir (At 4.25; Jo 10.35). As Escrituras não foram iniciadas pelos homens (2 Pe 1.21). O Espírito do Senhor falou por suas línguas (2 Sm 23.2).

2. *O testemunho de Cristo*. Jesus considerava as Escrituras, em toda a sua extensão e em todas as suas partes, como dadas por Deus e de autoridade plena (Mt 5.17ss.). É a Palavra de Deus (Mc 7.13), o mandamento divino (Mt 19.4ss.). Cumpriu-se, e cumpre-se em cada particularidade (Mc 14.49).

O próprio Senhor Jesus Cristo constituiu o cristianismo como uma religião de autoridade divina baseada nas Escrituras. A não ser que considerem seu ministério fundamentado em um engano de grande magnitude e sua autoridade divina uma ilusão, seus seguidores devem confiar em seus ensinos a esse respeito. É consistente aceitar tanto Cristo como as Escrituras, ou rejeitar a ambos; mas não é consistente nem honesto aceitar um e rejeitar o outro. Onde Cristo é reconhecido como Senhor, a questão da autoridade bíblica é estabelecida. O que as Escrituras dizem, Deus diz. As palavras da lei e dos profetas são consideradas as próprias palavras de Deus (Sl 119; Jr 1.4,9). O AT é um oráculo divino (Rm 3.2); e não meramente o registro daquilo que Moisés e Davi disseram, mas do que Deus falou através deles (At 28.25). O NT continuamente cita o AT como o pronunciamento de Deus (Rm 9.17). Assim, o testemunho dos profetas, de Cristo e dos apóstolos é uniformemente consistente.

3. *A autoria divina das Escrituras*. Embora pouco seja dito a respeito do método da inspiração divina, fica claro que o papel dos escritores bíblicos era transmitir aquilo que eles recebiam. Deus foi o autor das Escrituras, e sua mensagem é uma criação divina. As Escrituras são um corpo literário contendo um testemunho profético de Cristo (Jo 5.39ss.; 2 Co 3.14-18) e criado para instruir os crentes quanto às coisas divinas (Rm 15.4; 1 Co 10.11). Toda a Escritura é um depósito de instruções celestiais, a autêntica voz de Deus (Mt 4.4). As Escrituras do AT eram vistas como o complemento e o produto escrito da revelação da antiga aliança, chamada e gerada por esta atividade divina. Da mesma maneira, o NT encontra sua validade como a testemunha de uma nova e melhor aliança.

4. *Atributos da Palavra inspirada*. Com base em tais evidências, é possível construir um modelo doutrinário para a inspiração bíblica. As Sagradas Escrituras são a Palavra escrita de Deus ao homem (Mt 4.4). Todos os seus elevados atributos jazem neste único fato. As Escrituras *devem necessariamente* ser consideradas a Palavra de Deus (Mc 7.9-13). Elas constituem uma testemunha *divina*, e não meramente humana, da revelação. O AT é repetidamente citado no NT como a Palavra inequívoca de Deus (Mt 1.22). Como conseqüência disso, as Escrituras são

*infalíveis* (incapazes de se desviar da verdade) e *inerrantes* (não eivadas de enganos e erros), totalmente dignas de confiança e plenas de autoridade (Pv 30.5,6). Se as Escrituras enganassem os seus leitores ou errassem em seus ensinos, não seriam a Palavra de *Deus* (Sl 19.7). Um padrão errado não fornece uma medida exata da verdade e do erro. A exatidão é um complemento necessário da doutrina da inspiração. Como diz Wesley: "Se existe qualquer erro na Bíblia, pode bem haver milhares. Se existe uma única falsidade neste livro, ele não veio do Deus da verdade". Dificilmente qualquer teólogo sério não chegará a essa conclusão a partir das evidências que estão à disposição de todos. A inspiração divina é essencialmente incompatível com o erro. A atitude de Cristo em relação às Escrituras foi de *total confiança* (Mt 22.29).

5. *Inspiração dos manuscritos*. Estritamente falando, a inspiração tem a ver com o texto original (isto é, os manuscritos) das Escrituras, e não com as alterações que se introduziram no curso da transmissão textual. Por exemplo, ao ler-se Hamlet, é do maior interesse do estudante de Shakespeare saber qual parte do texto é autêntica e qual não é. A crítica textual da Bíblia tem mostrado que os textos hebraicos e gregos que possuímos são *praticamente* idênticos aos originais, e podem, portanto, ser considerados inspirados. A inspiração termina na *graphe* (Escritura redigida), não em cópias de escribas feitas a partir dela (2 Tm 3.16). A fé na providência de Deus e a evidência da crítica inferior garantem uma atitude de confiança de que o texto é suficientemente digno de confiança quanto a não nos fazer desviar.

6. *Inspiração verbal total*. A inspiração é *plena* e *verbal*, e as Escrituras são um depósito de linguagem inspirada no todo, não meramente em partes (Rm 15.4; 2 Tm 3.16). Sem a inspiração plena, a Bíblia seria uma autoridade equivocada. O controle do Espírito sobre os escritores bíblicos foi completo, de forma a assegurar que eles fossem os instrumentos da revelação infalível.

Embora alguns considerem a inspiração verbal uma teoria detestável, ela é na verdade a única teoria bíblica e significativa. A inspiração está relacionada com as *palavras* e com a linguagem: "As quais também falamos, não com palavras de sabedoria humana, mas com as que o Espírito Santo ensina, comparando as coisas espirituais com as espirituais" (1 Co 2.13). As Escrituras são os textos através dos quais Deus fala conosco: "E disse-me o Senhor: Eis que ponho as minhas palavras na tua boca" (Jr 1.9); "Mas tu lhes dirás as minhas palavras" (Ez 2.7). Este depósito de palavras é verdadeiro, e transmite com êxito a plena revelação divina. As palavras dão sentido e protegem o significado. Chegamos ao significado da Bíblia através das palavras que ela emprega. A inspiração nos garante que esse texto verbal é um veículo digno de confiança e suficiente da revelação divina.

7. *Autoria dupla*. A autoria das Escrituras é *dupla*, a Palavra de Deus nas palavras dos homens (por exemplo, Mt 2.15). Em certo sentido, os escritores humanos contribuíram muito para a elaboração das Escrituras (estilo, pesquisa, fervor), e em outro sentido eles não contribuíram com nada. O Espírito operou simultaneamente ao lado da atividade dos autores humanos (não escreventes); Ele mesmo sendo a causa do princípio e os autores sendo a causa instrumental, com o resultado de que seus escritos foram tanto livres como espontâneos por parte deles, e divinamente inferidos e controlados. O fato de a providência divina poder atingir seus fins *sem* desumanizar os agentes que foram empregados é um axioma do teísmo bíblico (cf. At 2.23). O ditado mecânico não está nem um pouco envolvido aqui. Os escritores sagrados retiveram sua total individualidade e fizeram uso de todo o alcance de suas capacidades. Eles podem ser comparados ao primeiro violinista, tocando com seu estilo próprio, em uma orquestra sinfônica, dirigido pessoalmente pelo compositor da música. A inspiração apenas assegurou que a humanidade das Escrituras não fosse alterada pela possibilidade de erro da raça humana. Assim como Cristo foi verdadeiramente humano, mas livre do pecado; assim as Escrituras são verdadeiramente humanas, mas livres de erros. Pelo fato de as Escrituras serem a Palavra de Deus, todo seu ensino é fidedigno, e possui as propriedades que se seguem.

8. *Propriedades inerentes das Escrituras*. A *autoridade* das Escrituras significa que elas desfrutam do direito de dirigir e comandar a nossa obediência. É o *principium cognoscendi* (o início do conhecimento) da teologia cristã, e a *causa media* (instrumento intermediário) do nosso conhecimento a respeito de Deus. Conseqüentemente, a inspiração estará para sempre no centro da discussão teológica.

A *suficiência* e a *clareza* das Escrituras apontam para o fato de que elas têm luz suficiente para salvar pecadores e dirigir a Igreja. Tudo o que os crentes precisam saber encontra-se nas Escrituras (2 Tm 3.17). Isto não significa que as Escrituras contenham toda a revelação possível, ou que um sistema teológico completo possa ser deduzido dela, ou que cada texto seja semelhantemente claro em tudo. Ela é, entretanto, uma "uma luz que alumia em lugar escuro" (2 Pe 1.19) e uma luz para o nosso caminho (Sl 119.105). Há nela uma verdade suficientemente clara para conduzir todo aquele que busca sinceramente a Deus através de Jesus Cristo (Jo 14.6; At 4.12; 1 Pe 3.18).

A Palavra de Deus é também *eficaz* (Hb 4.12). Ela possui a capacidade, à luz da fé e do Espírito, de convencer e converter os pecadores

(Is 55.11; 1 Pe 1.23). Portanto, ela é chamada de "martelo" e "fogo" (Jr 23.29), "semente" e "trigo" (Is 55.10; Jr 23.28), e "leite espiritual" (1 Pe 2.2). As Escrituras são um meio da graça, um veículo sacramental, dando um testemunho autorizado de Cristo, que é seu enfoque e tema central.

**Inspiração e Autoridade**

1. *As Escrituras como a fonte da teologia*. A teologia cristã é a ciência de articular o conteúdo da verdade da revelação divina. A igreja histórica desde o início deu à Bíblia um lugar de preeminência no fornecimento de *dados da revelação* para essa tarefa.
2. *O moderno abandono desta fonte*. Os teólogos sempre consideraram mais fácil aceitar a inspiração plena das Escrituras, do que acreditar que Cristo, seus discípulos e toda a Igreja, a partir do primeiro, erraram em suas opiniões. A razão pela qual a doutrina nunca foi incorporada em um credo formal pode ser encontrada no fato de que quase ninguém sonhou desafiá-la. As opiniões críticas modernas das Escrituras são, portanto, um rompimento deliberado com a opinião cristã histórica.

O caos e a ambigüidade dessa teologia moderna resultam da crise relacionada à autoridade bíblica. Repentinamente, só se ouve uma voz humana ao invés de uma Palavra divina (cf. Am 8.11ss.). Como uma religião histórica, o cristianismo depende de suas fontes históricas. Uma vez que a forte ligação entre a revelação divina e as Escrituras judaico-cristãs é rompida, a metodologia teológica fica em desordem.

3. *A base protestante da autoridade*. As Escrituras são a base epistemológica da teologia, isto é, o fundamento do nosso conhecimento a respeito de Deus. O lema de Lutero, *Sola Scriptura* ("somente a Escritura"), é o princípio protestante. As Escrituras constituem, determinam e governam todo o esforço teológico. A nossa fonte de autoridade é o Espírito Santo falando nas Escrituras, o produto de seu próprio fôlego criativo. Nelas, a Igreja tem um teste objetivo contra a auto-ilusão demoníaca e um recurso para sua correção. As Escrituras são o mapa autêntico da ordem espiritual. Através dela encontramos o Deus vivo em sua auto-revelação misericordiosa. O falar de Deus torna-se possível, porque é baseado na informação da revelação verificável, expressa na linguagem humana. As Escrituras são inspiradoras aos seus leitores porque são, em si mesmas, inspiradas por Deus.

***Bibliografia***. Theodore Engelder, *Scripture Cannot Be Broken*, St. Louis: Concordia, 1944. Loius Gaussen, *Theopneustia, The Plenary Inspiration of the Holy Scriptures*, Chicago: Moody Press, 1949. Carl F. H. Henry, ed., *Revelation and the Bible*, Grand Rapids: Baker, 1958. James Orr, *Revelation and Inspiration*, Grand Rapids: Eerdmans, 1952. René Pache, *The Inspiration and Authority of Scripture*, trad. por Helen I. Needham, Chicago: Moody Press, 1969. James I. Packer, *'Fundamentalism' and the Word of God*, Londres: Inter-Varsity, 1958. Clark H. Pinnock, *A Defense of Biblical Infallibility*, Filadélfia: Presbyterian and Reformed, 1967; *Sola Scriptura*, Chicago: Moody Press, 1970. Bernard Ramm, *Special Revelation and the Word of God*, Grand Rapids: Eerdmans, 1961. Ned B. Stonehouse e P. Wooley, ed., *The Infallible Word*, Grand Rapids: Eerdmans, 1946. John F. Walvoord, ed., *Inspiration and Interpretation*, Grand Rapids: Eerdmans, 1957. Benjamin B. Warfield, *The Inspiration and Authority of the Bible*, Filadélfia: Presbyterian and Reformed, 1948.

C. H. P.

**INSTAR, INSTANTE** Algumas versões usam esses termos ao traduzir várias e diferentes palavras hebraicas e gregas. Embora no idioma moderno elas refiram-se somente ao tempo, elas são usadas predominantemente em muitas traduções com o sentido de urgência (cf. Lc 23.23; 2 Tm 4.2). Em Isaías 29.5; 30.13 e Jeremias 18.7,9, o conceito de tempo é evidente.

**INSTRUÇÃO** *Veja* Discípulo; Educação; Família; Escola.

**INSTRUMENTO** No AT, a palavra "instrumento" tem três usos:

1. Utensílios usados em conexão com o santuário do Tabernáculo (cf. Nm 31.6) e, posteriormente, em conexão com o Templo. *Veja* Tabernáculo; Templo.
2. Armas de guerra (cf. 1 Cr 12.33). *Veja* Armadura.
3. Instrumentos musicais (cf. 2 Cr 7.6). *Veja* Música.

Paulo refere-se aos membros do corpo como instrumentos que devem ser usados na causa da justiça, embora anteriormente tenham sido usados na causa da injustiça (Rm 6.13).

**INSTRUMENTO DE TRILHAR** O equipamento para trilhar (heb. *morag*) composto por duas pranchas retangulares, ou ovais, e pesadas, seguras por duas peças em cruz e levemente suspensas na parte frontal (2 Sm 24.22). Era puxado por animais de tração sobre os grãos no solo da eira (Dt 25.4), e feitos com pedras pontiagudas (Is 41.15), ou pedaços de ferro (Am 1.3) na parte inferior. Ele deve ser distinguido da carroça de trilha com várias rodas (heb. *agala*, Is 28.17b; Pv 20.26). O instrumento de trilhar parece ter sido usado de forma figurativa para descrever o extermínio de populações inimigas (Am 1.3; Jz 8.7; 2 Rs 13.7) e, como tal, tornou-se uma metáfora da completa aniquilação de um adversário (Is 41.15). O crocodilo (leviatã), quando se arrasta sobre a lama, é comparado ao instrumento de trilhar (Jó 41.30). *Veja* Trilhar; Eira.

**INSTRUMENTOS DE CORDA** *Veja* Música.

**INSULTAR** A idéia de uma ofensa completa ou insulto é transmitida pelo termo heb. *harap* ("escárnio"). Um caso típico são as cartas ofensivas enviadas por Senaqueribe a Ezequias (2 Cr 32.17), e a ridicularização por parte dos inimigos do salmista (Sl 42.10). O termo hebraico *it* expressa a idéia de um pássaro de rapina (1 Sm 25.14; cf. 14.32 [*qere*], 15.19). O termo *blasphemeo* do NT e suas formas comuns são um paralelo muito próximo ao que foi descrito acima (Mc 15.29; Lc 23.39), e transmitem a idéia de irreverência para com Deus, um significado que não é inerente nas palavras em si. Uma palavra ainda mais forte é *loidoria,* e significa "injúria" ou "ofensa" (1 Pe 3.9; cf. 1 Co 5.11). *Veja* Reprovar, Zombar.

**INSULTAR (BLASFEMAR)** O termo aparece em Mateus 27.39, onde o gr. é *blasphemeo,* "blasfemar" ou "falar com reprovação", "vituperar", ou "caluniar". Este termo indica o desprezo e a absoluta irreverência em relação a Deus, ou às coisas sagradas (cf. Lc 23.39; Tt 3.2; Tg 2.7). Em Marcos 15.32, o termo *oneidizo* aparece significando "reprovar", "censurar", ou "insultar". O verbo *loidoreo* é usado para descrever o ataque abusivo contra o Senhor Jesus por parte de seus perseguidores (1 Pe 2.23). Esses termos mostram a completa falta de reverência pelo Salvador Sofredor expressada por aqueles que zombavam dele. Paulo foi acusado de falta de reverência em sua resposta ao sumo sacerdote (At 23.2-4). O apóstolo cita esse pecado na lista expressa em 1 Coríntios 6.10. O Senhor Jesus deu por preceito (Mt 5.11,12) e exemplo (1 Pe 2.23) a correta resposta do cristão a tal abuso verbal, e o apóstolo Paulo, seguindo o exemplo do Mestre, também o fez (1 Co 4.12). "Não retribuímos insultos, perseguições, e difamações; apenas bendizemos" (John Wesley, Notas, 416).

R. E. Pr.

**INTEGRIDADE** O estado ou qualidade de ser eticamente sólido, moralmente bem ajustado, do heb. *tom, tumma,* "inteireza, integridade". O termo heb. é usado em um sentido coordenado de simplicidade na frase "um homem entesou o arco, na sua simplicidade" (lit., em sua simplicidade ou inocência, 1 Rs 22.34; 2 Cr 18.33; cf. 2 Sm 15.11). O termo heb. é traduzido como "integridade" em todas as passagens onde significa sinceridade e honestidade de coração (por exemplo, Gn

Animais de carga puxando uma debulhadora perto de Amã. Uma mulher está em pé sobre o equipamento como peso extra para seu correto funcionamento. HFV

20.5; 1 Rs 9.4; Jó 2.3; 27.5; 31.6; Sl 7.8; 25.21; 26.1; 41.12; 78.72; Pv 11.3; 19.1; 20.7 etc.). No plural, é usado como uma das palavras ("tumim", *veja* Urim e Tumim) que se referiam a uma pedra que estava no peitoral do sumo sacerdote (Êx 28.30; Dt 33.8; Ed 2.63; Ne 7.65), indicando possivelmente inocência ou integridade. Embora a palavra não ocorra no NT, o conceito abrange termos como "sinceridade", "pureza de coração", "olhar sincero", e é sinônimo de honestidade, autenticidade e sinceridade.

**INTELECTO E ATITUDES** Em Filipenses 2.5, este tema é bem resumido: "De sorte que haja em vós o mesmo sentimento (de *phroneo*) que houve também em Cristo Jesus". Neste contexto Paulo também se refere ao *intelecto* ("Ele [de *hegeomai*] não teve por usurpação ser igual a Deus", v.6); ao *desejo* (Ele "esvaziou-se", ou "aniquilou-se", do termo *kenoo;* Ele "humilhou-se" do termo *tapeinoo,* vv. 7,8); às *atitudes* do Senhor Jesus Cristo, que demonstraram sua humildade de pensamento (*tapeinophrosune,* v.3) e consideração pelos outros (v.4); e às *emoções* (amor, compaixão e misericórdia, vv. 1,2). Esta epístola como um todo ensina muito sobre as atitudes corretas (veja 3.15).

Várias palavras em hebraico e grego, relacionadas à mente ou ao pensamento, incluem o conceito da atividade mental racional. E tais palavras podem freqüentemente ter em seu significado os dois conceitos de pensamento (o processo racional) e sentimentos (os fatores emocionais).

No AT hebraico, o termo *leb* ou *lebab* é freqüentemente traduzido como "mente" ou "entendimento" (como em Jó 12.3; 1 Rs 3.12; 1 Cr 22.7; Lm 3.21), embora estas palavras corretamente signifiquem "coração" (cf. Sl 27.3; Dt 6.5), e refiram-se ao centro da personalidade do homem, envolvendo o intelecto (Pv

15.14), a vontade (1 Sm 7.3), os afetos (Êx 4.14), e o caráter moral (1 Cr 29.17).
Da mesma forma, referindo-se ao homem interior e, às vezes, transmitindo o conceito de "mente", temos os termos hebraicos *nephesh* (alma), visto em Salmos 139.14; 2 Reis 9.15, e *ruah* (espírito, vento), encontrado em Êxodo 28.3.
Uma importante palavra do NT para mente e pensamento é a base *phrone-*, de onde vem o verbo *phroneo,* "ter [ou manter] uma opinião" (e, desse modo, pensar, 1 Co 13.11), não ambicionar coisas altas (Rm 12.16b), e ter o pensamento ou as atitudes adequados (Fp 2.5). Os substantivos *phronema* (Rm 8.6*a*,7) e *phronesis* (Lc 1.17; Ef 1.8) indicam uma forma de pensar ou entender, enquanto o verbo cognato *sophroneo* significa "estar no controle do pensamento e da vida de alguém" (Mc 5.15; Lc 8.35; 2 Co 5.13; Tito 2.6). Um verbo de outra base, *merimnao* (cf. também o substantivo *merimna),* acrescenta ao pensamento a dimensão adicional da ansiedade (Mt 6.25; Fp 4.6).
Outra palavra no NT para mente e pensamento, *no-*, tem como forma substantiva o termo *nous*, um clássico conceito filosófico grego, também usado exclusivamente por Paulo no NT (exceto em Lc 24.45; Ap 13.18; 17.9), transmitindo a idéia de capacidade de raciocinar (Lc 24.45; Rm 1.28), de fazer julgamentos morais (Ef 4.23), de ser corrompido (Rm 1.28; Cl 2.18; 1 Tm 6.5; 2 Tm 3.8), e de ser renovado (Rm 12.2), de maneira que este termo é praticamente equivalente ao caráter. O homem espiritual tem "a mente de Cristo" (1 Co 2.16). Os substantivos cognatos trazem um conceito similar, *noema,* indicando pensamentos, mente (Fp 4.7) e propósito (2 Co 2.11); *ennoia*, pensamento (1 Pe 4.1); e *dianoia*, inteligência ou mente com a capacidade de refletir (Mt 22.37), enquanto o verbo *noeo* significa "perceber" ou "entender" (Mt 16.9).
O termo *kardia*, freqüentemente usado para afeto (Lc 24.32), pode indicar pensamento (Rm 1.21; Ef 1.18), e ocasionalmente *pneuma* (espírito, 2 Co 2.13), *psuche* (alma, Fp 1.27), e *nephros* (rins, Ap 2.23).
As atitudes corretas semelhantes às de Cristo, que os apóstolos exortam cada crente a manter, envolvem: a humildade (Rm 12.3,16; Fp 2.3,5,8), unidade, cooperação e harmonia com seus irmãos, pela causa comum do evangelho (Fp 1.27; 2.2; 4.2; Rm 15.5; 2 Co 13.11; 1 Pe 3.8); a disposição de morrer ou sofrer por Cristo (1 Pe 4.1); a preocupação com os outros (Fp 4.10); e a espiritualidade (Rm 8.5-7; Cl 3.2). Todas essas atitudes são o oposto de uma atitude carnal e auto-indulgente (Fp 3.19; cf Mt 16.23). *Veja* Coração.

***Bibliografia.*** Johannes Behm e E. Wurthwein, "*Noeo, Nous* etc". TDNT, IV, 948-1022.

W. H. M.

**INTEMPERANÇA** Existem duas idéias básicas transmitidas pela palavra intemperança. Seu uso principal na Bíblia tem a finalidade de expressar excesso de prazer e lassidão moral. Dessa forma, ela foi usada para traduzir as palavras gregas *asotia* , "dissolução", "devassidão" (Tt 1.6; 1 Pe 4.4; Ef 5.18); *komos,* "orgia" (Rm 13.13), e *tryphe*, "deleite", "festança" (2 Pe 2.13). A palavra hebraica *zalal* é usada em Provérbios como uma referência à glutonaria (BDB, p. 272): "Não estejas entre os beberrões de vinho, nem entre os comilões de carne" (Pv 23.20). "O companheiro dos comilões [homens devassos] envergonha a seu pai" (Pv 28.7). O filho pródigo "desperdiçou sua fazenda, vivendo dissolutamente [*asotos*]" (Lc 15.13), isto é, de modo "dissoluto, libertino" (Arndt, p. 119).
O outro significado dessa palavra é encontrado em Atos 19.40 (em grego *stasis,* "sedição" ou "tumulto"). Esse significado também é transmitido pela palavra grega *thorybos* (Mt 26.5 e Mc 14.2; At 17.5 e 20.1, "alvoroço").

**INTENÇÃO** O propósito, intuito, alvo ou objetivo que é pretendido pela mente ou pelo coração (Hb 4.12, "propósitos"). A palavra freqüentemente envolve a determinação da vontade, como em Lucas 14.28. O alvo ou intento por trás de uma ação é muito importante tanto na ética como na lei criminal. Quando um homem é morto por alguém de forma "premeditada", isto consiste em assassinato, mas quando o assassinato é cometido por engano, consiste simplesmente em homicídio culposo ou involuntário.
O intento ou propósito, porém, não constitui em si um ato de bondade. Este foi o erro da ética de Paul Tillich, na qual ele defende que qualquer coisa feita com amor é justificável. Muitos erros sérios e muitos malefícios podem ocorrer quando a intenção e a lei moral estão separadas, como em sua teologia, ao negar que as leis de Deus e os mandamentos de Cristo aplicam-se a nós hoje. O ensino de Cristo é perfeitamente claro, pois de acordo com a Palavra de Deus somente aqueles que possuem os motivos justos no coração, e que fazem a vontade de Deus, entrarão no reino dos céus (Mt 5.17-20; 7.21). *Veja* Sermão do Monte.

R. A. K.

**INTERCESSÃO**
*Significado*. A palavra heb. para interceder (*paga'*) originalmente significava "incidir sobre", e desse modo veio a significar "atacar alguém com pedidos". Quando tal ataque era feito em favor de outros, esta atitude era chamada de intercessão.
A palavra gr. (*entygchano*) significa "apelo ou petição". O verbo é usado pelo menos cinco vezes no NT (At 25.24; "recorreu a mim", Rm 8.27,34; 11.2; Hb 7.25). O substantivo ocorre duas vezes (1 Tm 2.1; 4.5). Em 1 Ti-

móteo 2.1, a intercessão é contrastada com súplicas, orações e ações de graças. Sobre a diferença de significado destas palavras, Trench diz: "A 'intercessão', conforme a tradução da AV, não é aquilo que entendemos ser hoje uma tradução satisfatória. Pois *enteuxis* não significa necessariamente o que a intercessão atual comumente significa – ou seja, oração por outras pessoas (em 1 Timóteo 4.5 tal significado é impossível); uma apelação por eles ou contra eles... mas, como sua conexão com *entugchanein*, concordar com uma pessoa, aproximar-se dela de forma a entrar em um discurso e comunhão familiar com ela..., sugere, é uma oração familiar livre, tal como aproximar-se ousadamente de Deus" (*Synonyms of the New Testament*, pp. 189-90). A intercessão, portanto, destaca a naturalidade, a ousadia e a familiaridade na oração.

*Ilustrações de intercessão.* A súplica sincera de Abraão por Sodoma é uma admirável ilustração de intercessão do AT (Gn 18.23-33). Moisés orou com igual sinceridade e disposição de espírito por Israel depois de terem feito o bezerro de ouro (Êx 32.31,32). A ousadia de Elias em sua oração no monte Carmelo é similar (1 Rs 18.36,37). Há, igualmente, muitas ilustrações de intercessão no NT (*veja* abaixo).

*A intercessão de Cristo.* Um Cristo Sacerdote é retratado como se aproximando de Deus Pai e intercedendo por seu povo (Rm 8.34; Hb 7.25). Esse ministério tem dois aspectos: o de advogado, nos defendendo quando pecamos (1 Jo 2.1,2), e a obra preventiva de nos livrar do mal (Jo 17.15). Esta obra de Cristo é ilustrada em seu diálogo com Pedro, no qual o Senhor lhe assegura: "Mas eu roguei por ti, para que a tua fé não desfaleça" (Lc 22.32).

*A intercessão do Espírito Santo.* O Espírito também intercede a favor do crente (Rm 8.26) com gemidos inexprimíveis. "Assim, no momento em que o crente já sente que o impulso da esperança desfalece dentro de si, um gemido elevado, santo, e mais intenso do que qualquer coisa que possa sair de seu coração renovado é pronunciado dentro dele, vindo de Deus e indo para Deus, como uma respiração pura, e alivia o pobre coração abatido" (Godet, *Romans*, II, 102).

*A intercessão dos cristãos.* A obra intercessória dos crentes é em favor de todos os homens, com o propósito de que eles possam chegar ao conhecimento da verdade da salvação em Cristo (1 Tm 2.1-4). Nesse aspecto, todos os crentes são sacerdotes.

*Veja* Mediação; Oração.

C. C. R.

**INTERPRETAÇÃO DAS ESCRITURAS** *Veja* Bíblia, Interpretação da.

**INTERPRETAR, INTÉRPRETE** O substantivo "intérprete" (gr. *diermeneutes*, a pessoa que explica totalmente ou interpreta) é usado no NT apenas em 1 Coríntios 14.27,28. O verbo dessa raiz ocorre em 1 Coríntios 12.30; 14.5,13,27. No cap. 14, Paulo instrui que o falar em línguas em uma assembléia da igreja deve ocorrer de uma maneira ordeira, mas somente quando houver um "intérprete" presente, pois somente então isso será edificante. Aquele que fala em línguas deve orar para que ele mesmo possa interpretar (v.13). Um dos propósitos do dom de línguas era que um inconverso pudesse ouvir a mensagem em seu próprio idioma, como aconteceu com aqueles que estavam presentes no Pentecostes (At 2.8), e depois ouvi-la interpretada por um outro que não conhecesse aquela língua. Isto seria, portanto, um milagre duplo, contudo um milagre que correspondesse especificamente ao ouvinte. *Veja* Línguas, Dom de; Dons Espirituais.

O termo gr. *hermeneuo* e seu composto *methermeneuomai* podem ser entendidos como interpretar traduzindo de um idioma para outro (por exemplo, Mt 1.23; Jo 1.38,41, 42). Na época de Esdras, os decretos reais eram traduzidos (*m$^e$turgam*, Ed 4.7), e as traduções aramaicas com exposições das Escrituras Hebraicas tornaram-se conhecidas como os Targuns ou Targumim.

Em 2 Pedro 1.20, a palavra para "interpretação" é *epilusis*, libertar ou revelar. Interpretar as Escrituras não é uma questão relacionada à opinião própria ou particular de uma pessoa.

No AT, José atuou como um intérprete (do heb. *pathar*) de vários sonhos (Gn 40–41). Daniel convenceu Nabucodonosor de sua habilidade, dada por Deus, de fornecer a interpretação (aram. *p$^e$shar*) ou a explicação do sonho do rei, primeiramente dizendo ao rei o que este viu no sonho (Dn 2.5-45). Posteriormente, Daniel revelou a interpretação do sonho de Nabucodonosor da grande árvore que havia sido derrubada (4.8-27), e da escritura na parede do palácio de Belsazar (5.12-28). A palavra *pesher*, "interpretação" (Ec 8.1), tornou-se o termo padrão para as explicações, ou comentários, dos livros canônicos do AT pelos membros da comunidade de Qumrã. *Veja* Rolos do Mar Morto.

R. A. K.

**INTESTINOS ou ENTRANHAS** Essa é uma correta tradução de vários termos hebraicos, e também uma consistente tradução da palavra grega *splagchna*. Além de seu significado literal (2 Sm 20.10; At 1.18), essa palavra também é usada quando se refere à capacidade reprodutora do homem (2 Sm 7.12; Is 48.19) e ao centro de suas emoções (Ct 5.4), e equivale ao coração na literatura ocidental. A versão ASV em inglês traduz a palavra grega *splagchna* de várias maneiras para indicar emoção: (1) terna misericórdia

(Lc 1.78; Fp 1.8; 2.1); (2) afeições (2 Co 6.12; 7.15); (3) coração compassivo (Cl 3.12); (4) coração (Fm 7,12,20); e (5) compaixão (1 Jo 3.17).

Provavelmente, os intestinos eram considerados o centro das emoções por causa da reação do estômago a uma provocação. Embora "coração" seja uma palavra mais poética que "intestinos", ela não é mais corretamente usada, porque as emoções originam-se na mente.

**INTROMETIDO** Três termos gregos são utilizados, e todos têm o mesmo significado: (1) *periergos,* que significa "estar ocioso", "ser um intrometido" (1 Tm 5.13); (2) *periergazomai,* que significa "intrometer-se sempre", "ser um intrometido" (2 Ts 3.11); (3) *allotriepiskopos,* que significa "alguém que se intromete nos assuntos de outra pessoa", "causador de prejuízos". O uso do termo *episkopos* sugere que Pedro estava referindo-se a um "supervisor" ou "bispo" (1 Pe 4.15).

**INVEJA** A inveja é um princípio ativo de hostilidade dirigido maliciosamente a um aspecto de superioridade – real ou suposta – de outra pessoa. Originou-se da fracassada tentativa de Satanás de usurpar os atributos divinos (Is 14.12-20). Eva absorveu esse pernicioso pecado ao ceder às insinuações de Satanás (Gn 3.4-7). A inveja foi causadora do primeiro assassinato (Gn 4.5). Seu aspecto mais hediondo aparece em Raquel (Gn 30.1), nos irmãos de José (Gn 37.11, cf. At 7.9), em Saul (1 Sm 18.8ss), e em Israel (Sl 106.16). Ela até instigou os líderes judeus a entregarem Jesus a Pilatos (Mt 27.18; Mc 15.10).

A palavra grega *phthonos,* que designa "inveja" em todas as passagens, possivelmente exceto em Tiago 4.5, caracteriza a natureza humana (Rm 1.29; Tt 3.3) e a "carne" (Gl 5.19,21). Sua manifestação entre os cristãos é proibida (Gl 5.26; 1 Tm 6.4; 1 Pe 2.1). A palavra grega *zelos* ("zelo"), embora muitas vezes justamente motivado (2 Co 7.7,11; 9.2) pode, quando maldirecionado (Rm 10.2; Fp 3.6), tornar-se facilmente em inveja (At 13.45; 17.5; Rm 13.13; 1 Co 3.3; 2 Co 12.20; Tg 3.14,16). *Veja* Ciúme.

**INVERNO** O período chuvoso mais pesado na Palestina acontece no inverno. Isso se reflete tanto no uso das palavras heb. como das gr. O termo heb. *horeph* se refere à colheita e ao frio e à chuva que começa nessa época (Pv 20.4, "inverno").

O rei desfrutava de uma casa de inverno (*q.v.*) com seu braseiro aceso (Jr 36.22). O termo heb. *s[e]thaw,* do acad. *satu,* "seja regado", só é encontrado em Cantares 2.11, e aqui a idéia básica se apresenta: "Porque eis que passou o inverno: a chuva cessou e se foi". No Novo Testamento, a palavra gr. distintiva para inverno é *cheimon.* Seu significado básico é "tempestade de inverno" ou "clima tempestuoso". Isso é evidenciado pelo fato de que embora seja traduzida quatro vezes como "inverno", é também traduzida como "tempestade" (Mt 16.3; At 27.20). E, em duas das passagens onde é traduzida como "inverno" (Mt 24.20; Mc 13.18) significa "mau tempo para viajar" (cf. Atos 27.12, onde o verbo "invernar" é usado).

R. E.

**IQUES** Um homem de Tecoa, pai de Ira, um dos 30 valentes de Davi (2 Sm 23.26; 1 Cr 11.28; 27.9).

**IR** Um descendente de Benjamim (1 Cr 7.12), pai de Supim e Hupim.

**IRA[1]** A Bíblia pressupõe a ira como um sentimento forte de desagrado tanto por parte de Deus como por parte do homem. No caso do homem, a ira é freqüentemente misturada com a hostilidade e com o ódio. Os termos mais comuns do AT são *'aph,* derivado de uma raiz primitiva, "respirar difícil", traduzida por "ira" 171 vezes e "indignação" 42 vezes na Bíblia da versão KJ em inglês; e *ka'as,* "perturbar, provocar, ficar com raiva, angustiado". Cinco outros termos hebraicos são traduzidos por "ira" na Bíblia da versão KJ. O termo no NT é *orge,* traduzido por "ira" três vezes, "indignação" 31 vezes, além dos termos "ódio, vingança."

Em geral, o uso na Bíblia distingue indignação e ira, sendo o primeiro a manifestação mais explosiva e ativa de desagrado. A indignação e a ira não são incompatíveis com o amor. A ira carnal do homem é um sentimento no qual o ódio constitui uma grande parcela. A ira de Deus é essencialmente manifestada contra aquilo e aqueles que ameaçam destruir o objeto de seu amor; isso é descrito por Lutero como sua "obra estranha" (cf. Is 28.21). *Veja* Fúria.

W. T. P.

**IRA[2]** Enquanto os atributos favoráveis de Deus são sua sabedoria, poder, santidade, justiça, bondade e verdade, seu atributo desfavorável é a ira contra o pecado. Esta, assim como seu amor e misericórdia, faz parte de seu caráter. No entanto, diferentemente da ira no homem, a ira de Deus não é caprichosa, espasmódica ou mutante; mas constante e imutável contra o pecado, embora totalmente temperada pela sua justiça. A ira é um elemento essencial do amor divino, e a percepção dela produz um saudável temor a Deus.

A ira de Deus é contra aqueles que se recusam a crer que Ele existe, e que não reconhecem seu poder e divindade através da natureza. Ela é revelada tanto na Bíblia Sagrada como pelo fato de que Deus abandonou os homens aos mais profundos graus de degradação no pecado (Rm 1.18,21-32).

Em tempos diferentes e de maneiras diversas, Ele demonstrou sua ira; por exemplo, no Dilúvio (Gn 6.5-7); na destruição de Sodoma e Gomorra (Gn 19.1 ss.); na ruína de Nínive (Na 1.2-6). Ainda assim sua ira permanece temperada por sua misericórdia estendendo-se através dos tempos, até o dia em que Ele finalmente derramará as sete taças da ira no período da Tribulação (Ap 15–16). Este é particularmente o caso para Israel (Os 11.8ss.). Quando o pecador abusa da misericórdia de Deus e recusa-se a se arrepender, ele apenas acumula ira para o dia da ira (Rm 2.5).

Entretanto, as boas novas do evangelho devem ser pregadas aos homens. Deus reconciliou-se com o pecador através da morte de seu Filho. Deus está favorável e gentilmente disposto em relação ao homem. O pecador é, portanto, exortado a reconciliar-se com Deus (2 Co 5.20). É somente a contínua rejeição voluntária a Cristo que impede o homem de conhecer a paz e a redenção, pois o preço para alcançá-las foi pago no Calvário.

Em seu estado não redimido, o homem é um objeto da ira de Deus, um filho da desobediência e da ira (Ef 2.2,3), um vaso destinado à ira (Rm 9.22). Nem a lei resgata o homem dessa condição por suas próprias obras, porque "a lei opera (ou suscita) a ira" ao invés de operar a redenção (Rm 4.15), e é uma ministração de condenação (2 Co 3.9; cf. Rm 3.19,20) e morte (2 Co 3.7). Ela requer a obediência perfeita, que só poderia ser oferecida por Cristo, e uma expiação infinita pelo pecado que só poderia ser realizada na cruz redentora.

O amor de Deus pelos pecadores, quando Ele enviou seu Filho para suportar os pecados deles em seu próprio corpo sobre um madeiro, é o tema principal do NT. Cristo suportou o flagelo, o sofrimento e a morte em nosso lugar; e Deus promete a salvação imediata a todos aqueles que reconhecerem os seus pecados, crerem que Cristo morreu por eles, e o aceitarem como seu Salvador pessoal. Para esses não há condenação (Rm 8.1). Portanto, Jesus pode ser descrito como o libertador "da ira futura" (1 Ts 1.10), e Paulo pode dizer dos crentes: "Sendo justificados pelo seu sangue, seremos por ele salvos da ira" (Rm 5.9), embora a ira de Deus permaneça para aqueles que se recusam a aceitar seu plano revelado de salvação.

*Veja* Deus; Julgamentos; Amor; Salvação; Pecado.

***Bibliografia.*** H. Kleinknecht, *et al.*, "*Orge* etc.", TDNT, V, 382-447. R. V. G. Tasker, *The Biblical Doctrine of the Wrath of God*, Londres: Tyndale Press, 1951.

R. A. K.

**IRA**[3]

1. Um ministro ou sacerdote de Davi (2 Sm 20.26), também designado como um jairita, talvez um jetrita, de acordo com o texto siríaco.

2. Um itrita (talvez jetrita), um dos valentes de Davi e possivelmente a mesma pessoa mencionada no item 1 acima (2 Sm 23.38; 1 Cr 11.40).

3. Um outro dos seguidores heróicos de Davi, filho de Iques, o tecoíta (2 Sm 23.26; 1 Cr 11.28).

**IRÃ** Um "príncipe" ou chefe de Edom e descendente de Esaú (Gn 36.43; 1 Cr 1.54).

**IRADE** Um neto de Caim, filho de Enoque, e pai de Meujael (Gn 4.18).

**IRAERES ou CIDADE DA DESTRUIÇÃO** Um termo que aparece apenas no texto heb. de Isaías 19.18, onde é declarado que uma de cinco cidades egípcias seria chamada por esse nome ou título. Embora várias interpretações possam ser encontradas, o nome geralmente é tido como um jogo de palavras com relação à cidade de Heliópolis (a bíblica Om, Áven; egip. *Iwnw*), cujo nome significa "cidade do sol", e que pode ser escrito como *'ir haheres* em heb., como atestam o rolo completo de Isaías da Caverna 1 em Qumrã, 15 manuscritos hebraicos posteriores, o Símaco, a Vulgata e o Talmude. *Veja* Om. Mas o Texto Massorético declara que a cidade será chamada de *'ir haheres*, "cidade da destruição", possivelmente porque os templos e outros elementos físicos de adoração do sol terão sido destruídos. Para uma extensa discussão da questão textual, veja Carl W. E. Naegelsbach, *Isaiah, Lange's Commentary*, Grand Rapids: Zondervan, s.d., pp. 226 ss.

**IRI** Um benjamita, filho de Belá (1 Cr 7.7).

**IRMÃ** O termo é usado quase sempre, tanto no Antigo como no Novo Testamento, para significar a própria irmã de alguém ou pelo menos uma meia-irmã, filha de ambos os pais ou ao menos de um deles. A palavra também é usada poética e afetuosamente para se referir a um ente querido de alguém (Ct 4.9-12 *et al.*), e no Novo Testamento é usada diversas vezes para se referir a uma irmã(s) no Senhor (Mt 12.50; Mc 10.29,30; Rm 16.1; 1 Co 7.15; 1 Tm 5.2; Tg 2.15). Devido ao seu uso comum em passagens como Mateus 13.56 e Marcos 6.3 essa palavra deveria ser entendida como uma alusão às irmãs do Senhor Jesus, filhas de Maria e José. *Veja* Família.

**IRMÃO** Esse termo é usado extensivamente nas Escrituras para exprimir uma grande variedade de relacionamentos. Seu uso natural faz referência a um relacionamento de sangue, imediato ou remoto: (1) a filhos de mesmo pai ou mãe, ou dos mesmos pais (Gn 43.29; Gl 1.19); (2) a parentes próximos (Gn 29.15); (3) a companheiros da mesma tribo (Nm 16.10); (4) a tribos consangüíneas (Jz 20.23); (5) a compatriotas

(Êx 2.11); (6) a nações relacionadas (Ob 10); (7) uns aos outros como seres humanos (Gn 9.5).
Seu uso figurado exprime um relacionamento de afinidade ou semelhança que não está, necessariamente, baseado em uma relação física: (1) semelhança (Jó 30.29; Pv 18.9); (2) semelhança em grau ou função (Ed 3.2); (3) amizade (2 Sm 1.26); (4) relacionamento de aliados (Am 1.9).
O uso mais característico do termo "irmão" no NT é aquele que exprime um relacionamento espiritual. Trata-se da designação comum para um cristão (At 9.17; 1 Co 5.11; Fm 16), e sugere uma natureza familiar à comunidade cristã (Gl 6.10) da qual Deus é o Pai (Fp 1.2; 1 Jo 5.1) e todos os crentes são irmãos. Esse relacionamento não é meramente figurado, mas baseado em um nascimento espiritual que faz com que seus participantes tornem-se possuidores de uma nova vida (2 Pe 1.4). A comunidade cristã é chamada de fraternidade (1 Pe 2.17) e, como tal, é marcada pelo amor (1 Jo 5.1). Seus membros devem cultivar o amor fraternal (em grego, *philadelphia*) entre si (2 Pe 1.7). O fato de serem irmãos deve afetar, significativamente, sua conduta. Devem compartilhar os seus recursos com os seus irmãos necessitados (1 Jo 3.17,18), mostrar hospitalidade mútua (3 Jo 5,6), não devem levar uns aos outros a tribunais (1 Co 6.1-8); não podem colocar obstáculos diante de irmãos mais fracos (1 Co 8.9-13), e devem admoestar aqueles que pecam (2 Ts 3.15).
O cenário para esse característico uso do termo no NT pode, obviamente, ser encontrado em sua aplicação no AT para se referir a um companheiro israelita. Entretanto, o costume dos fariseus de se intitularem *haberim,* que significa "companheiros" ou "irmãos", também pode muito bem ter influenciado o uso desse termo por parte dos cristãos. O fato de os membros da comunidade de Qumrã chamarem uns aos outros de irmãos também pode ser muito significativo.

D. W. B.

**IRMÃO DO PAI** Abraão era o tio e guardião de Ló (Gn 12.5). Um tio (heb. *dod*) poderia agir como remidor de uma propriedade (Lv 25.49). Na herança, os tios paternos vinham logo em seguida aos irmãos de um falecido (Nm 27.10). Matanias (Zedequias), o tio de Joaquim, o sucedeu como rei (2 Rs 24.17).

**IRMÃO MAIS FRACO** Nos termos das descrições de Paulo, um irmão mais fraco é alguém que *é* ou que *está* "fraco na fé" (Rm 14.1). Este é um crente imaturo em relação à compreensão cristã, de forma que sua consciência o condena em relação a questões que são moralmente neutras (cf. Rm 14.1-15.1; 1 Co 8.7-13). As questões moralmente neutras que podiam ser importantes para um irmão mais fraco incluíam a abstinência de alimentos, e a conseqüente obrigatoriedade da alimentação com legumes (Rm 14.2), a observância especial de certos dias (Rm 14.5), e a abstinência de carnes que haviam sido sacrificadas aos ídolos (1 Co 8.4,10). Mas a lista não se limita somente a essas questões (cf. Rm 14.21), e sem dúvida incluiria outros itens em nossos dias.
Paulo dá importantes instruções tanto aos fracos quanto aos fortes. Aos fracos é dito simplesmente que não julguem os fortes (Rm 14.3). Porém os fortes têm uma responsabilidade maior. Eles devem aceitar os fracos sem fazer um julgamento crítico de suas opiniões, e sem desprezá-los (Rm 14.1,3). Os fortes devem suportar as fraquezas dos fracos, ao invés de simplesmente agradarem a si mesmos (Rm 15.1). Na prática, isto significa que os fortes devem andar em amor, sendo cuidadosos para não colocarem empecilhos (ou "pedras de tropeço") no caminho dos mais fracos. Os fortes devem até mesmo renunciar aos privilégios da liberdade, se necessário, em benefício do bem-estar daqueles que são genuinamente fracos (Rm 14.13-21; 1 Co 8.9,13), lembrando que devem fazer "tudo para a glória de Deus" (1 Co 10.31). No entanto, isso não significa que os fortes devam submeter-se aos padrões arbitrários que alguém que se constitua a si mesmo como "juiz" tente impor. *Veja* Exemplo.

S. N. G.

**IRMÃOS** *Veja* Irmão.

**IRMÃOS DE NOSSO SENHOR** O NT contém inúmeras referências aos irmãos de nosso Senhor Jesus Cristo (Mt 12.46ss., e passagens paralelas; Jo 2.12; 7.3,5,10; At 1.14; 1 Co 9.5; Gl 1.19). Seus nomes, conforme o texto em Mateus 13.55, eram Tiago, José, Simão e Judas.
Desde os dias da igreja primitiva, o relacionamento dessas pessoas com Jesus tem sido objeto de discussão. Alguns afirmam que eram meio-irmãos, filhos de um casamento anterior de José. Essa teoria, que foi desenvolvida por homens como Orígenes, Eusébio e Epifânio, está baseada na conjectura de que José era consideravelmente mais velho que Maria. Um ponto de vista semelhante postula que os irmãos eram filhos de José por intermédio de um casamento levirato com a viúva de Clopas, seu irmão. Nenhuma dessas teorias oferece uma base consistente que possa merecer qualquer consideração séria. Tem sido mais aceita a opinião oficialmente adotada pela Igreja Católica Romana de que os irmãos eram, na verdade, primos de Jesus. Tiago, o irmão do Senhor, identifica-se com Tiago, filho de Alfeu (Lc 6.15) e com Tiago, o menor (Mc 15.40) e, dessa forma, é considerado como um dos 12 apóstolos (Gl 1.19). Judas e Simão (Mt 13.55) também são

Um açude romano em Cesaréia

considerados apóstolos (Lc 6.15,16). Maria, a esposa de Clopas, é considerada irmã da mãe de Jesus (Jo 19.25) e Clopas é identificado com Alfeu (cf. também Mc 6.3; 15.40). Portanto, essa opinião defende que esses irmãos eram filhos de Maria, irmã da mãe de Cristo e, portanto, primos do Senhor.

Entretanto, esse ponto de vista está aberto a várias e sérias objeções: (1) Não é possível identificar os irmãos descrentes de Cristo (Jo 7.5) com os apóstolos; (2) As Escrituras fazem uma clara distinção entre os irmãos de Cristo e os apóstolos (Jo 2.12; At 1.13,14); (3) Não se pode imaginar que duas irmãs tivessem o mesmo nome. O texto em João 19.25 provavelmente se refira a quatro mulheres, e não a três; (4) Não existe uma base sólida para identificar Alfeu com Clopas; (5) Essa opinião, na realidade, está baseada no dogma da Igreja Católica Romana da perpétua virgindade de Maria.

A interpretação mais natural e correta dessa passagem considera os irmãos como sendo meios-irmãos de Jesus, isto é, nascidos de Maria, após o nascimento de Cristo. É muito significativo que, repetidamente, estejam associados à mãe de Jesus (Mt 13.55,56; Jo 2.12; At 1.14). Além disso, Lucas, ao escrever alguns anos mais tarde, chama Jesus de filho primogênito de Maria (Lc 2.7), indicando que ela teve outros filhos. Também a afirmação de Mateus de que José "não a conheceu até que deu à luz seu filho, o primogênito" (Mt 1.25) é contrária à idéia de uma virgindade perpétua. O NT não contém nada que possa exigir mais do que a interpretação natural do termo irmão. Na verdade, a história indica que foi o desenvolvimento da doutrina mariana da Igreja Católica Romana que fez com que se tornassem necessários esses desvios de uma visão natural.

Um aqueduto romano nas proximidades de Cesaréia. HFV

D. W. B.

**IR-NAÁS** Talvez uma cidade fundada por Teína, uma vez que ele é chamado de seu "pai" (1 Cr 4.12). Por outro lado, poderia referir-se a um homem, o filho de Teína.

**IROM** Uma cidade fortificada no território de Naftali (Js 19.38), chamada de Yiron na versão RSV em inglês. Provavelmente seja a atual aldeia de Yarun, 16 quilômetros a noroeste de Hazor. Tiglate-Pileser III capturou Irom e levou 650 cativos (ANET, p. 283).

**IRPEEL** Uma cidade de Benjamim. Sua identidade não é conhecida com precisão. Alguns a têm considerado como um local próximo à antiga Gibeão (Js 18.27).

**IRRIGAÇÃO** Esta palavra não é encontrada no heb. ou no gr., embora a prática de irrigação para regar plantas e árvores seja freqüentemente sugerida na literatura bíblica (cf. Gn 13.10; Ec 2.5,6; Is 58.11). O termo refere-se ao meio artificial de regar a plantação com água, ao longo de toda a narrativa bíblica, na forma de aquedutos, cisternas, represas, canais etc. O termo heb. *peleg*, traduzido como ribeiros e correntes, freqüentemente se refere a canais de irrigação (Sl 1.3; 46.4; Pv 21.1; Is 30.25; 32.2). Devido à falta de chuvas, a Babilônia e o Egito sempre tiveram que ser supridos com a água de seus respectivos rios. A água era conduzida do rio ao longo de canais por meio de vários instrumentos mecânicos, e com muito trabalho. Havia uma necessidade menor na Palestina e Síria do que na Babilônia e Egito (cf. Dt 11.10). Geralmente, as chuvas de inverno eram abundantes para as plantações de cereal; no entanto, as hortas e pomares seriam queimados pela longa seca de verão. Estes jardins eram sempre plantados perto de fontes naturais de água. Fazia-se com que a água fluísse de suas fontes (diretamente ou por um aqueduto, ou ainda que fosse elevada de um poço por uma série interminável de baldes puxados por um cavalo ou jumento (cf Nm 24.7; Is 40.15) em pequenos canais que corriam pelo jardim. Os açudes artificiais para os bosques são mencionados em Eclesiastes 2.6. Um reservatório de água era uma característica quase que universal em tais jardins. Um grande número de cisternas tem sido desenterrado em vários locais escavados na Palestina (cf. 2 Cr 26.10; Ne 9.25). Antes do desenvolvimento

Um *shaduf*, "máquina" de irrigação egípcia

de cisternas impermeáveis, o lavrador tinha que depender inteiramente de nascentes e correntes perenes, tais como o Jaboque e o Uádi Qelt, nas proximidades de Jericó, para a irrigação artificial. *Veja* Agricultura.

D. W. D.

**IR-SEMES** Uma cidade de Dã, aparentemente a mesma que Bete-Semes (*q.v.*) e relacionada com o monte Heres (Js 19.41).

**IRU** O filho mais velho de Calebe (1 Cr 4.15). Esta palavra talvez deva ser lida como "Ir", sendo o *-u* a conjunção "e" pertencente à palavra subseqüente.

**ISABEL** Esposa do sacerdote Zacarias (*q.v.*) e mãe de João Batista (Lc 1.5-66). Era descendente de Arão e tinha o mesmo nome da esposa dele, Eliseba (em hebraico *'elisheba*, "meu Deus prometeu", Êx 6.23). Ela e seu esposo, justos e irrepreensíveis em sua dedicação à Lei (Lc 1.6), podem ser incluídos entre os piedosos judeus que estavam ansiosamente esperando a vinda do Messias. O milagroso acontecimento (comparável ao nascimento de Isaías e Samuel) do nascimento de um filho a um casal estéril serviu tanto para confirmar o anúncio do anjo Gabriel à virgem Maria (Lc 1.35-37) como para dar ao mundo um novo profeta que deveria preparar o caminho para o Messias (1.76). Quando Maria, sua parente, visitou-a (em grego, *sungenis,* 1.36) ela foi cheia do Espírito Santo e fez uma previsão em voz alta de que Maria seria a mãe de seu Senhor (1.41-43). *Veja* João Batista; Maria.

J. R.

**ISAÍAS** O nome heb de Isaías é *Y*$^{e}$*sha'-yahu*, significando "o Senhor é (a fonte da) salvação". É apropriado que sua mensagem básica para a nação da aliança de Deus seja que a salvação virá a eles com base na graça e no poder divino, e não por seu próprio esforço e obras religiosas.

O fato de Isaías ser chamado de "filho de Amoz" 13 vezes no AT pode significar que seu pai era um homem proeminente. *Veja* Amoz. Isaías aparentemente morava em Jerusalém, visto que seu filho pequeno, chamado "Sear-Jasube", caminhou com ele para encontrar-se com o rei Acaz fora da cidade (Is 7.3). Sua esposa era conhecida como profetisa, e eles tinham um outro filho a quem o Senhor ordenou que se chamasse "Maer-Salal-Hás-Baz" (8.1-4). Estes nomes eram significativos, eram lembretes constantes ao rei e ao povo acerca da mensagem do profeta. O nome de seu filho mais velho significa "um remanescente voltará", uma promessa aos tementes e obedientes ao Senhor no reino de Judá. O nome do filho mais novo significa "rápido é o despojo, veloz é a presa" (Is 8.3), e apontava para o juízo próximo por intermédio do rei da Assíria.

Acredita-se que Isaías tenha ministrado de forma oral e escrita por 60 anos ou mais. Seu chamado para o ministério profético de advertência e censura veio no ano da morte do rei Uzias (739 a.C.). Não se sabe ao certo se ele já havia pregado antes daquele acontecimento. No primeiro versículo, ele declara que recebeu revelações de Deus durante os reinados de Uzias, Jotão (750–731 a.C.), Acaz (745–715) e Ezequias (729–687). Contudo, ele deve ter vivido mais tempo para ser capaz de registrar a morte de Senaqueribe em 681 a.C., e saber o nome do monarca assírio sucessor, Esar-Hadom (37.38). Conseqüentemente, Isaías também viveu no reinado de Manassés. Considerando que ele havia estado ativamente envolvido na vida da corte durante os reinados anteriores (veja caps. 7, 8, 20, 22, 28–31, 36–39 e 2 Rs 19.2-7,20; 20.1-19), neste momento ele havia, sem dúvida alguma, se retirado da vida pública e estava desobrigado de listar o nome do governante cuja maldade recebeu do profeta uma forte oposição em seus últimos escritos. O texto em 2 Reis 21 é um relato histórico sucinto da adoração apóstata dominante e da injustiça civil que evocou do profeta a advertência da vingança de Deus (56.9-12; 44.9-20; 57.1-21; 58.1-4; 59.1-15; 65.2-7,11-15). O texto em 2 Crônicas 33 indica que a violência idólatra de Manassés foi pior durante os seus anos iniciais antes de Esar-Hadom exibi-lo como um escravo acorrentado na Babilônia em 679 a.C. (2 Cr 33.11; cf. ANET, p. 291). Portanto, é possível crer na tradição de que Isaías foi serrado ao meio por ordem de Manassés (talvez Hb 11.37 seja uma alusão a este fato).

Os profetas Oséias e Miquéias foram contemporâneos de Isaías. O texto em Miquéias 4.1-3 é praticamente idêntico a Isaías 2.2-4; qual desses profetas citou o outro não podemos dizer. Talvez eles estivessem familiarizados com a pregação um do outro. Inúmeras outras semelhanças literárias podem ser vistas

Um dos documentos mais importantes dos Rolos do Mar Morto é o manuscrito completo de Isaías (IQIs[a]), cuja data é anterior a 100 a.C. Cortesia da *Biblical Archaeologist*

entre Miquéias e Isaías 40–66, um fato que fornece ainda mais crédito à unidade do livro de Isaías.

Isaías é, por consenso geral, o maior de todos os escritores hebreus. Suas palavras indicam que ele foi um homem refinado e culto, uma alma verdadeiramente poética, um admirador e um profundo observador da criação e da natureza humana, um estadista que visualizava o mundo como a cena da obra de Deus, que o visualizava com uma feroz indignação por causa da maldade e, contudo, com um toque de esperança e conforto para o arrependido e o remanescente temente a Deus. Assim, ele descreve a pessoa e os ofícios do Messias vindouro de um modo tão completo e surpreendente que, desde a época de Jerônimo, Isaías tem sido conhecido como o "evangelista" do AT. Sua reputação aumentou grandemente após o cumprimento de muitas de suas profecias quanto ao exílio babilônico, as vitórias de Ciro, e o livramento de um remanescente do cativeiro. De acordo com Josefo, Ciro foi induzido a libertar os judeus pelas profecias de Isaías a seu respeito (Josefo, *Ant.* xi.1.2).

O. T. A.

**ISAÍAS, LIVRO DE** Na Bíblia Hebraica, Isaías é o primeiro dos Profetas Maiores (Isaías, Jeremias, Ezequiel, os Doze).

### Contexto Histórico

O livro de Isaías está centralizado em um dos períodos mais turbulentos e trágicos da história judaica. Nos dias de Isaías, o reino de Judá esteve sob o governo de cinco reis, dos quais alguns eram bons e outros maus – Uzias, Jotão, Acaz, Ezequias e Manassés. Era uma nação pecadora. Embora fosse o povo de Deus, eles eram apóstatas e sem dúvida mereciam ser castigados. Durante o período da vida de Isaías, em um momento ou outro, vários inimigos poderosos estiveram inclinados à destruição de Judá: O Reino do Norte de Israel, governado por Peca; a Síria, cujo rei era Rezim; e a Assíria, sob reis guerreiros como Tiglate-Pileser III, Sargão II e Senaqueribe. Além disso, outros vizinhos, como os filisteus, os moabitas e os edomitas, de vez em quando atacavam o pequeno reino. O Egito era apenas uma "cana quebrada" sobre a qual tentavam apoiar-se em busca de ajuda contra o invasor assírio. Foi predito que a Babilônia, com quem Ezequias fez uma aliança, tornar-se-ia o futuro destruidor. Por meio de revelação, Isaías previu dois libertadores por vir: Ciro, como um libertador distante; e o Messias, como um libertador mais distante ainda. O profeta observou que tudo e todos seriam instrumentos de Deus tanto para o castigo quanto para a redenção de seu povo escolhido.

### Autoria e Data

O livro em si fornece poucas informações sobre a atividade literária de Isaías. De acordo com 8.1 e 30.8, ele fez anotações em uma tábua ou quadro de escrever, mas também recebeu ordens para escrever uma certa profecia em um livro ou rolo (30.8). A exortação divina para buscar e ler o livro do Senhor (34.16) sugere que toda a profecia a respeito de Edom foi registrada para que no dia de seu cumprimento, o leitor pudesse verificar cada detalhe com as Escrituras. O nome de Isaías está especificamente ligado aos caps. 1, 2 e 13. Este profeta é conhecido por ter sido um historiador da corte durante os reinados dos reis Uzias e Ezequias (2 Cr 26.22; 32.32). É provável, portanto, que Isaías tenha originalmente escrito o texto de 2 Reis 18.13–20.19, que é, em essência, um paralelo a Isaías 36–39.

Entretanto, teorias críticas da composição dessa profecia são abundantes hoje, e negam que Isaías de Jerusalém tenha escrito 66 capítulos sozinho. Sob a influência do deísmo, no final do século XVIII, J. C. Doederlein publicou em 1789 um argumento sistemático de que os caps. 40–66 foram compostos no século VI a.C. Desde então, tem sido comum os críticos falarem de um "segundo Isaías" que supostamente escreveu no período imediatamente anterior ao final do cativeiro babilônico (550–539 a.C.). H. F. W. Gesenius apoiou esta opinião em 1819, mas Ernst Rosenmuller atribuiu várias passagens dos caps. 1–39 (como os caps. 13 e 14) ao último escritor desconhecido. Em 1892, Bernhard Duhm foi além propondo um "terceiro Isaías" que teria escrito os caps. 56–66 em Jerusalém na época de Esdras. Em 1928, C. C. Torrey, em seu livro *The Second Isaiah*, defendeu um único escritor para os caps. 34–66 (exceto para os caps. 36–39). Estes teriam sido compostos por um escritor que viveu na Palestina perto do final do século V. Alguns estudiosos recentes, como W. H. Brownlee, defenderam que todos os 66 capítulos vêm de um círculo de discípulos que em seguida, ou mais tarde, estudaram Isaías e suas profecias orais. Estes escritos teriam sido coletados e arranjados por um membro habilidoso dessa escola de Isaías, que talvez tenha vivido no século III.

Várias evidências podem ser apresentadas em refutação dessas opiniões críticas, defendendo a unidade do livro e sua autoria pelo Isaías histórico.

1. A tradição judaica. Os profetas menores fazem alusão a expressões de Isaías (cf. Na 1.15 com Is 52.7; Sf 2.15 com Is 47.8,10). Em aprox. 180 a.C., no livro apócrifo Eclesiástico, o filho de Siraque fala de Isaías como alguém que "confortou aqueles que choraram em Sião" (48.22-25), uma clara alusão ao assunto de Isaías 40–66 e a 40.1 em particular. Esta é a primeira ocorrência de uma tradição relacionada à autoria de Isaías. Nenhuma palavra é dita a respeito de qualquer profeta menor do exílio ou da época de Esdras que acrescente algo aos escritos de Isaías. Nenhuma das muitas cópias do manuscrito de Isaías encontradas nas cavernas de Qumrã e transcritas antes e durante a época de Cristo dão qualquer indício de autoria dupla ou múltipla. Nem Josefo. A Septuaginta (LXX) tem um único título para o livro inteiro. E a tradição rabínica permaneceu uniforme no período da crítica racional moderna, afirmando que Isaías escreveu todos os 66 capítulos.

2. O testemunho do NT. Cristo referiu-se ao profeta Isaías como um indivíduo distinto (Mt 15.7-9). Os escritores do NT claramente consideravam o autor de todas as seções principais da profecia como único e o mesmo (veja Mt 3.3; 8.17; 12.17-21; 13.14,15; Mc 1.2; Lc 3.4; 4.17; At 8.28-32; 28.25-27; Rm 9.27-29; 10.16,20,21). "A citação mais conclusiva do NT é João 12.38-41. O versículo 38 cita Isaías 53.1; o versículo 40 cita Isaías 6.9,10. Então, o apóstolo inspirado comenta no versículo 41: "Isaías disse isso quando viu sua glória e falou dele". Obviamente o mesmo Isaías que viu a glória de Cristo na visão do Templo de Isaías 6 foi aquele que também fez a declaração que está registrada em Isaías 53.1: "Quem deu crédito à nossa pregação? E a quem se manifestou o braço do Senhor?" Se não fosse o mesmo autor que compôs tanto o capítulo 6 como o capítulo 53 (e os defensores da teoria Deutero-Isaías afirmam fortemente que não é), então o próprio apóstolo inspirado teria se enganado: "Portanto, segue-se que os defensores da teoria de dois Isaías devem, por implicação, reconhecer a existência de erros no NT" (Archer, SOTI, p. 336). É inconcebível que a identidade de um profeta tão grande como o autor de Isaías 40–66 tivesse sido totalmente esquecida tanto pela nação judaica como pela Igreja Cristã, por homens piedosos e tementes a Deus que creram, ensinaram, copiaram e lembraram os profetas bem como a lei de geração em geração. Era essencial entre os antigos hebreus saber o nome do profeta para que seu escrito fosse aceito e registrado na casa de Israel (cf. Ez 13.9).

3. O contexto palestino. Os críticos racionalistas afirmaram que os caps. 40–66 foram escritos na Babilônia, que é uma região plana. Mas as duas partes do livro de Isaías falam de rochedos, montanhas, ribeiros de vales, e rebanhos de Judá. Se a segunda parte tivesse sido escrita na Babilônia, teriam sido incluídas alusões à paisagem daquele campo. A coloração local em ambas as partes é judaica, mostrando que todo o livro foi escrito em Judá, dessa forma apontando para a autoria única de Isaías.

4. O contexto histórico e o religioso. O fato de a Babilônia ser mencionada em ambas as partes do livro não torna necessário uma data posterior à época de Isaías para esses capítulos. As advertências *re* Babilônia já *eram* relevantes em sua própria época (veja o cap. 39). Os eventos profetizados ou descritos em 21.9; 43.14; 46.1,2 e, em parte, em 47.1-6 foram cumpridos na história mais particularmente pela destruição da Babilônia por Senaqueribe em 689 a.C., e mais tarde pela captura da cidade por Ciro em 539 a.C. Além disso, as formas de idolatria condenadas em Isaías 57.5-9; 59.3-15; 65.3-5; 66.17 foram praticadas pelos judeus em Judá durante o reinado de Manassés (2 Rs 21.1-16), mas não pelos exilados judeus na Babilônia nem pelos judeus que retornaram no período pós-exílico. Além disso, é mais provável que a totalidade ideal da restauração de Israel retratada nos caps. 40–58 tenha sido escrita por alguém que estivesse contemplando o retorno dos exilados de longe, do que por algum contemporâneo que estivesse observando os resultados aparentemente escassos conforme registrado por Esdras, Neemias e Ageu.

5. Idioma e estilo. Todos os 66 capítulos são escritos em um hebraico perfeitamente puro, sem aramaísmos e termos babilônicos que caracterizam os livros pós-exílicos conhecidos. Da mesma forma, as semelhanças de estilo entre os caps. 1–39 e 40–66 são surpreendentes. Por exemplo, o título de Deus, "o Santo de Israel", usado em muitas versões apenas 31 vezes em todo o AT, é encontrado 25 vezes em Isaías; ele ocorre 12 vezes nos caps. 1–39, e 13 vezes nos caps. 40–66.

Uma outra característica marcante do estilo de Isaías é seu uso freqüente do chamado "tempo perfeito profético" do verbo; isto é, ele freqüentemente fala de eventos futuros próximos ou já ocorridos (por exemplo, 5.13; 8.23; 9.1-7; 10.28-31); de Ciro como já tendo iniciado sua carreira de conquistas (41.25; 45.13); ou da morte do Servo do Senhor como uma oferta pelo pecado (53.1-12). O profeta pôde falar desse modo porque viu esses eventos futuros como já realizados no propósito de Deus.

Esse modo vívido de falar, que Isaías compartilha com outros profetas, é especialmente significativo em seu caso por causa de sua postura quanto à questão da unidade do livro. Muitos estudiosos afirmam hoje que os caps. 40–66 não podem ser as palavras de Isaías, mas devem ser de um autor desconhecido que viveu no final do cativeiro babilônico (Deutero-Isaías) ou até mesmo depois deste período.

Muitos que aceitam a opinião acima falham por não perceber que esse argumento prova muitas coisas. Se o texto em 41.2-4 deve conter as palavras de um contemporâneo de Ciro, então o cap. 53 deve conter as palavras de uma testemunha da crucificação. Isto é naturalmente impossível. Conseqüentemente, aqueles que negam que Isaías poderia ter pronunciado as profecias a respeito de Ciro devem defender que o mesmo argumento não se aplica ao cap. 53, ou devem negar que Isaías 53 seja uma profecia messiânica, apesar do claro testemunho do NT ao cumprir-se na morte do Senhor Jesus (Mc 15.28; Lc 22.37; At 8.35; 1 Pe 2.22).

Por trás desse argumento contra a unidade de Isaías, está naturalmente a doutrina moderna a respeito da profecia, segundo a qual o profeta era um homem de seu próprio tempo que falou somente ao povo de seu próprio tempo, e não às gerações futuras. Esta é uma meia-verdade muito perigosa. Os profetas testemunharam muito seriamente aos homens de sua própria época. Mas eles também falaram sobre coisas futuras, sobre "aquele dia", "o dia do Senhor". Sem usar muitas palavras, essa definição modernista da profecia minimiza ou elimina dela o elemento profético. Contudo, de acordo com os claros ensinos das Escrituras, o cumprimento das profecias representa a evidência mais clara de que a palavra do profeta é uma mensagem de Deus; e nenhuma passagem declara esta verdade de uma forma mais clara do que os escritos do próprio Isaías.

A negação da predição através da profecia rompe a ligação entre o "e acontecerá" do AT e o "para que se cumprisse" do NT (cf. Jo 12.38-41). Os anti-sobrenaturalistas negam essa ligação. Mas aqueles que crêem na Bíblia, durante todos os séculos têm visto nas profecias a evidência clara e conclusiva de que Deus falou. Assim, eles regozijaram-se na unidade de todo o livro, e reconheceram Isaías como o "evangelista" do AT, que apontava adiante para um Messias sofredor que tomaria sobre si o pecado de toda a humanidade.

Para se prevenir contra a reivindicação de que Ciro é representado como alguém de quem o profeta é contemporâneo, deve ser notado que enquanto o profeta geralmente faz alusão a Ciro como alguém presente, ou prestes a aparecer, ele introduz o nome de Ciro no clímax de um notável poema (44.24-28). As palavras "Eu sou o Senhor" são seguidas pelos termos "que/quem...", que são arranjados em três grupos, cada grupo mais longo do que aquele que o precedeu. O primeiro grupo trata do passado (v.24*b*); o segundo trata do presente (vv. 25,26*a*); e o terceiro trata do futuro (vv. 26*b*-28). A estrutura do poema é climática e indica que as palavras "quem diz de Ciro: É meu pastor etc." referem-se a um futuro tão remoto que a clareza da predição deve ser considerada muito admirável. Ciro ainda não é uma figura conhecida, pois o profeta não declara sua nacionalidade em nenhuma passagem.

### Esboço do Conteúdo

I. Introdução, Caps. 1–6
II. O Livro do Emanuel, Caps. 7–12
III. Oráculos a respeito das Nações, Caps. 13–23
IV. O Pequeno Apocalipse, Caps. 24–27
V. O Livro dos Ais, Caps. 28–35
VI. O Livro de Ezequias, Caps. 36–39
VII. O Livro da Consolação, Caps. 40–66
- A. Libertação do pecado e do cativeiro, Caps. 40–48
- B. O Libertador – o Servo do Senhor, Caps. 49–57
- C. O povo libertado e sua futura glória, Caps. 58–66

### Análise do Livro

Os capítulos 1–6 são introdutórios. Na "grande acusação" (cap. 1), o povo de Deus é acusado de formalismo e hipocrisia, de cobiça e crueldade, de total desconsideração à sua relação de aliança com o Senhor seu Deus. Eles merecem o destino de Sodoma. Mas aqui, como em toda parte no livro de Isaías, há uma maravilhosa mistura de exortação e conforto com denúncia e condenação: "Sião será remida com juízo, e os que voltam para ela, com justiça" (1.27). A gloriosa promessa de paz universal (2.2-5) e de Renovo (4.2-6) aparece em meio a terríveis ameaças. A parábola da vinha (5.1-7) é seguida por seis "ais", terminando com a ameaça da espada, o castigo pela mão de exércitos invasores (cf. 1.20). O cap. 6 contém o chamado do profeta, uma visão da santidade de Deus, que faz do título "o Santo de Israel" o favorito de Isaías para o Deus a quem ele serve. Não está claro se sua ocorrência em 1.4; 5.19,24 justifica a inferência de que, na seqüência cronológica, a chamada de Isaías pertence a uma época anterior ao cap. 1.

Os capítulos 7–12, freqüentemente chamados de "livro do Emanuel", referem-se à primeira grande crise, a guerra siro-efraimita, que por causa da incredulidade de Acaz provocou a primeira invasão assíria. As referências desdenhosas a Rezim e Peca poderiam (excetuando-se 2 Crônicas 28.6) nos levar a minimizar a grandiosidade dessa ameaça, que é responsável pelo pedido de ajuda de Acaz à Assíria. As maravilhosas profecias do Emanuel (7.14; 8.8,10; 9.6ss.; 11.1-6) terminam com a bênção aos gentios (11.10) e com uma canção de louvor ao Deus de Israel (cap. 12): "Porque grande é o Santo de Israel no meio de ti" (v.6).

Os caps. 13–23 contêm "fardos" (profecias pesadas e dolorosas) contra as nações que ameaçam a própria existência de Israel. Babilônia (e Assíria), Filístia, Moabe, Damasco, Etiópia e Egito, Edom, Arábia, Jerusalém (cujo pecado faz dela seu pior inimigo) e Tiro. Aqui, como em outra parte, a compaixão e a esperança perfuram as nuvens tempestuosas da ira (14.1-3,24-27,32; 17.7ss.; 18.7 etc.). Especialmente admirável é 19.23-25, onde Isaías usa sua figura favorita da "estrada" para descrever a relação segura e amigável com os antigos inimigos. O Egito é chamado de "meu povo" (19.25; cf. Êx 5.1); a Assíria, de "obra de minhas mãos" (cf. 45.11); Israel, de "minha herança" (Zc 2.12) – uma profecia maravilhosa que desenvolve Isaías 2.2-5.

O cap. 24 é uma visão do juízo do mundo, um apocalipse, que termina em bênção; o Senhor reinará no monte Sião. O cap. 25, um hino de louvor, é seguido por uma canção que assim como a do cap. 12 será cantada pelo Israel redimido. O cap. 27 termina com uma promessa de livramento.

Os caps. 28–31 contêm outros juízos sobre as nações; aparentemente a Assíria, a Babilônia e o Egito. O "ai" sobre Samaria (cap. 28), provavelmente proferido antes de Sargão atacá-la, é seguido pela promessa da "pedra já provada, pedra preciosa de esquina" que o Senhor assentará em Sião (28.16). No cap. 29, o "ai" sobre Ariel (a lareira de Deus, onde o fogo do altar arde perpetuamente e, portanto, um nome figurativo de Jerusalém) termina da mesma forma com uma promessa (vv. 22-24). A seguir vêm as advertências contra as alianças com o Egito (caps. 30–31). Contudo, essa advertência também é combinada com uma promessa de bênção (30.18-33), e é seguida no cap.32 pela promessa de um rei (o Messias) que "reinará em justiça"; e "o efeito da justiça será paz". O cap. 33 é dirigido contra a Assíria, o "despojador que não foi despojado". Contudo, Jerusalém será uma "habitação quieta, tenda que não será derribada" (33.20). O terrível "ai" sobre Edom (cap. 34) é seguido de um quadro glorioso de bênção futura (cap 35).

Os caps. 36–37 falam da invasão de Senaqueribe, uma das histórias mais emocionantes da Bíblia Sagrada. O touro enfurecido que blasfemou contra o Santo de Israel será expulso com um anzol em seu nariz para morrer em sua própria terra pelas mãos de seus próprios filhos. A doença de Ezequias e a embaixada de Merodaque-Baladã (caps. 38–39) aparentemente dizem respeito a uma data anterior à dos caps. 35–37. Estes relatos são colocados depois dos outros; porém, esta ordem tem a finalidade de que a profecia ameaçadora de 39.6ss. pudesse ser imediatamente seguida pela grande mensagem de consolação para as gerações futuras; um livramento que Ezequias só poderia procurar em sua própria época.

O livro da consolação (caps. 40–66) pode adequadamente ser chamado de um sermão profético, tendo o nome de Isaías ("salvação do Senhor") como seu tema. Ele tem sua contrapartida nas palavras de João Batista e de Jesus: "Arrependei-vos, porque é chegado o Reino dos céus" (Mt 3.2; Mc 1.15). O horror do pecado humano e as maravilhas da graça divina são os seus temas recorrentes e alternados. Ele está aparentemente dividido em três partes pelas palavras de advertência de 48.22; 57.21, e termina com as terríveis palavras de 66.24 (cf. Mc 9.48). Os principais temas nesses capítulos são:

1. A transcendência do Senhor. Ele fez "todas as coisas" (44.24; cf. 45.12), "todas as nações são como nada perante ele" (40.17). "A quem... me comparareis?" (46.5) é seu desafio aos homens mortais. Ele criará novos céus e nova terra (65.17; 66.22; cf. 55.9).
2. A loucura do pecado da idolatria, o homem adorando a obra de suas próprias mãos (44.9-20; 46.1,2,6-8).
3. O Deus de Israel, o único que pode predizer os acontecimentos futuros e fazê-los acontecer (41.22-25; 42.9; 43.9-12; 44.7; 45.21; 46.10; 48.3-5).
4. Ciro – uma figura proeminente. Deus o levantou "do Oriente" (41.2-5); ele vem em justiça (45.13); vem como uma ave de rapina de uma terra longínqua (46.11); ele humilhará a Babilônia (43.14; 48.14); fará com que Jerusalém seja construída e o Templo restaurado (44.28; 45.1-7).
5. Uma figura ainda mais proeminente é o Servo do Senhor. Ele é chamado de Israel (49.3); Jacó (48.20), Jacó-Israel (41.8ss.; 44.1,21; 45.4). Ele é descrito como "surdo e cego" (42.18ss.), pecador e necessitando de redenção (43.25; 44.22), como tendo uma missão para Israel e para os gentios (42.1-7; 49.1-6), como alguém em quem o Senhor será glorificado (49.3), como alguém que sofreu, embora fosse inocente (50.5-9), como alguém que sofreu vicariamente pelos outros (52.13–53.12). A referência não pode ser a mesma em todas estas passagens. Onde a pecaminosidade é atribuída ao servo, este deve ser o Israel pecador; onde o sofrimento não merecido é descrito e é mencionada uma missão para Israel e para os gentios, o remanescente piedoso que o Senhor irá usar para trazer a bênção para Israel e as nações pode estar sendo em parte referido . No cap. 53, o Servo só pode ser o Messias, que em 61.1-3 fala de sua missão com palavras que Jesus tomou para si mesmo na sinagoga em Nazaré (Lc 4.17-21). *Veja* Servo do Senhor.
6. O alcance dessa salvação prometida, que abrange o mundo todo, é especialmente enfatizado nos capítulos finais. A expressão

"vós todos" de 55.1 tem seu eco na expressão "todo aquele que" de João 3.16; e as promessas de 56.7 e 66.1ss. têm seus cumprimentos em João 4.24.

***Bibliografia.*** Conservative: J. A. Alexander, *Commentary on the Prophecies of Isaiah*, 1846; Grand Rapids: Zondervan, reimpresso em 1953. O. T. Allis, *The Unity of Isaiah*, Filadélfia: Presbyterian and Reformed, 1950. Charles Boutflower, *The Book of Isaiah (Chapters I–XXXIX) in the Light of the Assyrian Monuments*, Nova York: Macmillan, 1930. Franz Delitzsch, *Biblical Commentary on the Prophecies of Isaiah*, 2 vols. 1866; Grand Rapids: Eerdmans, reimpresso em 1949. Seth Erlandsson, *The Burden of Babylon: A Study of Isaiah 13.2-14.23*, Lund: CWK Gleerup, 1970. F. Derek Kidner, "Isaiah", NBC, 2ª ed. H. C. Leupold, *Exposition of Isaiah*, vol. 1, Grand Rapids: Baker, 1968. G. L. Robinson, "Isaiah", ISBE, III, 1495-1508. E. J. Young, *Studies in Isaiah*, Grand Rapids: Eerdmans, 1954; *Who Wrote Isaiah?* Grand Rapids: Eerdmans, 1958; *The Book of Isaiah*, Grand Rapids: Eerdmans, Vol. I, 1965; Vol. II, 1969; Vol. III, 1972.

Críticos ou radicais: B. Duhm, *Das Buch Jesaja*, 1892; 3ª ed., Göttingen: GHK, 1914. G. B. Gray, *A Critical and Exegetical Commentary on the Book of Isaiah* (Caps. 1–27), ICC, Nova York: Scribner's, 1912. J. L. McKenzie, *Second Isaiah*, Anchor Bible, Garden City: Doubleday, 1968. C. R. North, "Isaiah", IDB, II, 731-744; *The Second Isaiah: Introduction, Translation and Commentary to Chapters XL-LV*, Oxford: Clarendon Press, 1964. J. Skinner, *The Book of the Prophet Isaiah*, 2 vols., ed. rev., Cambridge Bible, Cambridge: Univ. Press, 1925.

O. T. A.

**ISAQUE** O nome dado por Deus antes do nascimento da criança (Gn 17.19) significa "ele ri", "aquele que ri", ou simplesmente "riso". Veja referências a riso em Gênesis 17.17; 18.12-15; 21.6.

*História.* Isaque nasceu (provavelmente em Gerar) de Abraão e Sara quando estes tinham a idade de 100 e 90 anos, respectivamente. Ele foi o primeiro a ser circuncidado no período normal, quando tinha oito anos de idade (Gn 21.4), em reconhecimento à promessa da aliança (Gn 17.2-17). A presença de Agar e de seu filho Ismael foi um fator perturbador na família da aliança, e por ordem divina eles foram mandados embora. Se os eventos são narrados em ordem cronológica, Ismael teria nessa época cerca de 16 ou 17 anos; ele é retratado na história como um jovem imaturo que sofreu de exaustão antes de sua mãe (Gn 21.15,18). Mas já tinha idade suficiente para ser um zombador (v.9)!

Nada é conhecido sobre os dias da infância de Isaque. Em seguida, vemo-lo grande e forte o suficiente para carregar a madeira para o fogo do altar subindo a montanha, não sabendo que ele mesmo seria colocado no altar. A experiência de ter sido amarrado como uma vítima de sacrifício e então liberto pela intervenção divina deve ter afetado profundamente toda a sua vida.

Isaque tinha 37 anos de idade quando sua mãe morreu em Hebrom. Três anos mais tarde, seu casamento com Rebeca ocorreu em Laai-Roi. Nesse ponto ele aceitou o arranjo feito por seu pai, evidentemente como sendo a ordem do Senhor.

Para proteger a herança, Abraão despediu todos os seus outros filhos para longe, assim como havia feito com Ismael, fazendo de Isaque o único herdeiro (Gn 25.1-6). Isso evitaria qualquer disputa sobre o direito de primogenitura. A morte de Abraão com a idade avançada de 175 anos reuniu Ismael e Isaque, provavelmente pela última vez.

Isaque tinha 40 anos quando se casou, e esperou 20 anos por filhos. Então vieram os gêmeos Esaú e Jacó, trazendo um novo conflito para dentro do lar da aliança. O favoritismo dos pais promoveu nos filhos a luta pelo poder, culminando com a trapaça de Jacó pela qual ele assegurou a bênção patriarcal.

Enquanto isso, a peregrinação de Isaque em Gerar revelou uma semelhança comportamental dele com seu pai (Gn 26.6-11). Isaque fez Rebeca se passar por sua irmã, imaginando que um irmão não correria o mesmo perigo que um marido no caso de outro homem a desejar. Sua prosperidade em Gerar o tornou impopular, de modo que não apenas o chefe filisteu o incentivou a partir, mas os pastores do lugar disputavam seu direito aos poços que os seus servos cavavam.

O retorno a Berseba teve a bênção do Senhor e uma renovação da promessa divina (Gn 26.23,24). Mas ali também Isaque teve seus pesares. As esposas de Esaú afligiram tanto a ele como a Rebeca, porém ainda mais penosa foi a fraude de seu filho Jacó, instigado por sua mãe. Ali Isaque viu os seus dois filhos cortarem relações. Isaque já era velho e de visão fraca quando Jacó partiu para Padã-Arã. Vinte anos depois, quando Jacó retornou, Isaque ainda estava vivo, mas habitando em Hebrom, onde havia sepultado Rebeca. Ali ele morreu, com a idade de 180 anos, e ali seus filhos, parcialmente reconciliados, o sepultaram. *Veja* Era Patriarcal.

*Caráter.* Isaque não foi tão grande quanto Abraão, nem tão vívido quanto Jacó. Contudo, ele foi teve sua grandeza, e preencheu um lugar importante entre o pai da nação e o pai das tribos.

A mansidão de Isaque é vista em sua submissão sem resistência a seu pai ao tornar-se o sacrifício sobre o altar de Moriá, e em sua recusa a discutir quando os pastores de Gerar reivindicavam os poços.

Ele possuía uma natureza afetuosa, profundamente ligado à mãe, chorando por sua morte, e sendo depois confortado em seu amor por Rebeca. Seu espírito mediador pode ter contribuído para seu afeto expansivo.
Ele era um homem que vivia em contato com Deus. Embora não tendo as visitações dramáticas que foram concedidas a seu pai, Abraão, Isaque teve comunhão com o céu, e obedeceu aos mandamentos de Deus. O altar, a tenda e o poço simbolizam os principais interesses de sua vida.
Ele está incluído no rol de heróis da fé em Hebreus 11. Suas bênçãos sobre Jacó e Esaú estão ali declaradas como sendo atos de fé. Sem dúvida alguma sua experiência no monte Moriá ajudou a torná-lo um homem de fé.
Um outro traço admirável em Isaque foi sua disposição em não guardar rancores. Ele foi tratado de maneira muito má por Abimeleque e seus servos; contudo, quando Abimeleque, percebendo a força de Isaque, buscou um pacto de não-agressão, ele perdoou o que havia passado e demonstrou boa vontade.
Como todos os homens, Isaque tinha seus defeitos. Dois defeitos graves podem ser mencionados. Faltou-lhe sabedoria para evitar o favoritismo paterno. Talvez tenha sido a evidente parcialidade de Rebeca por Jacó que induziu Isaque a defender Esaú. Ao mesmo tempo ele admirava a coragem e o esportismo de Esaú – e incidentalmente apreciava a carne de caça! Sem dúvida alguma isso criou um sentimento de inferioridade em Jacó, e impeliu-o a compensar essa preferência do pai pelo irmão por meio da astúcia.
Mas Isaque também podia mentir, como seu pai antes dele. Uma mulher bonita era uma companhia perigosa. Um suposto pretendente daria um dote a um irmão na ausência do pai, mas poderia matar um marido para ganhar o prêmio. Assim Isaque usou as táticas de Abraão (embora com menor justificativa, pois Sara era na verdade meia-irmã de Abraão), e disse: "Ela é minha irmã". Isso não foi nem verdadeiro nem heróico.
*Aplicações espirituais*
1. Na sarça ardente, Deus apresentou-se a Moisés como "Eu sou o Deus de teu pai, o Deus de Abraão, o Deus de Isaque e o Deus de Jacó" (Êx 3.6), estabelecendo assim o relacionamento da aliança. O Senhor Jesus assumiu a tríplice designação de Deus para refutar os saduceus e para confirmar a fé na ressurreição (Mt 22.31,32). Note como a forma singular "pai" abrange Abraão, Isaque e Jacó. Aqui está uma distinção em unidade e uma unidade em distinção que não é geralmente atribuída aos homens.
2. Em Romanos 9.7, Isaque é apresentado como um caso típico de eleição soberana. No que diz respeito à aliança, Ismael foi excluído, como foram os filhos de Quetura. A geração natural não garante a uma pessoa um lugar no Reino de Deus. Este é um privilégio dos chamados, o que fica evidente pela fé que expressam.
3. O nascimento de Isaque foi o fruto da fé – não somente de Abraão, mas de Sara (Hb 11.11). Seu riso incrédulo deu lugar à fé, e o ventre senil reviveu. Assim, o nascimento espiritual é sempre uma operação miraculosa em resposta à fé.
4. A fé de Abraão também foi central na vida de Isaque. Ele creu na Palavra de Deus, a despeito de todas as impossibilidades naturais. Ele contemplou firmemente sua própria impotência e os 90 anos de idade de Sara, e ainda assim creu em Deus. Foi essa fé que deu a Abraão uma posição de justiça diante de Deus. Isaque, portanto, foi o fruto de uma fé justificadora (veja Rm 4.18-22).
A ordem de oferecer Isaque no altar testou a fé de Abraão. Como a morte de Isaque poderia encaixar-se em todas as promessas divinas? Abraão tinha a resposta de fé, de que "Deus era poderoso para até dos mortos o ressuscitar". Dessa forma, Isaque tornou-se uma figura da vida surgindo dos mortos; ou, dando a isto um aspecto do NT, uma figura da nova vida em Cristo (veja Hb 11.17-19; Rm 6.3-5). Ele também aparece aqui como um protótipo de Cristo, o Filho obediente, que foi "obediente até à morte e morte de cruz".
5. A aplicação espiritual mais elaborada encontra-se em Gálatas 4.21-31. Ali o contraste é entre Agar e Ismael por um lado, e Sara e Isaque por outro. Historicamente, vemos o conflito entre a escrava e a esposa, e entre seus filhos; mas foi o apóstolo Paulo que indicou que essa hostilidade era uma alegoria, mostrando os antagonismos entre a carne e o Espírito, entre a escravidão da lei e a liberdade da graça. Qualquer tentativa de coexistência entre eles está fadada a fracassar. Isaque nos fala da liberdade "com que Cristo nos libertou" (Gl 5.1).

J. C. M.

**ISAR, IZAR**
1. Um levita (heb. *yishar*), filho de Coate e pai de Corá (Nm 16.1), chefe da família tribal chamada isaritas e izaritas (veja também Êx 6.18,21; Nm 3.19,27; 1 Cr 6.18,38 etc.); chamado de Aminadabe em 1 Crônicas 6.22 (*veja* Aminadabe 2).
2. Um descendente de Judá (heb. *yishar*), cuja mãe era chamada de Hela (1 Cr 4.7). A versão KJV em inglês traduz seu nome como Jezoar.

**ISARITAS, IZARITAS** Os descendentes de Isar, filho de Coate e pai de Corá (Nm 3.27; 1 Cr 24.22; 26.23,29). Durante o reinado de Davi, estes levitas ajudaram a supervisionar os tesouros do Tabernáculo (1 Cr 26.23), e alguns também serviam como "oficiais e juízes" (1 Cr 26.29).

**ISBÁ** Um membro da tribo de Judá, pai de Estemoa (1 Cr 4.17).

**ISBAQUE** O nome dos descendentes de Isbaque, um dos filhos de Abraão e Quetura (Gn 25.2). De acordo com os Anais de Salmaneser III (858–824), eles parecem ter se estabelecido no norte da Síria (ANET, pp. 277ss.).

**ISBI-BENOBE** Um gigante filisteu que tentou matar Davi, mas que em vez disso foi morto por Abisai, irmão de Joabe (2 Sm 21.16,17). Seu nome em heb., *Yishbi-b^enob*, é a leitura *Qere* do texto, a vocalização corretiva dos massoretas. O *Kethib,* ou o texto heb. não apontado, também pode ser lido da seguinte forma: "E eles habitavam em Nobe, onde havia um entre os descendentes do gigante, o peso de cuja lança..." Se a segunda leitura for adotada, o nome desaparece.

**ISBOSETE** Um nome heb. que significa "homem da vergonha". A comparação de várias passagens do AT indica que este homem foi citado sob vários nomes. Em 1 Samuel 14.49, o nome é provavelmente Isvi ou Isui, a menos que este seja um outro nome para Abinadabe (1 Sm 31.2). Em 2 Samuel 2.8, o nome é Isbosete. Em 1 Crônicas 8.33, é Esbaal, um composto que foi provavelmente o nome original. Alguns pensam que ele exalta Jeová como Senhor, mas foi mudado para Isbosete, quando a história de seu assassinato vergonhoso foi relatada, para que se referisse profeticamente à maneira pela qual morreria.
Quando Saul e seus três filhos mais velhos foram mortos no campo de batalha no monte Gilboa (1 Sm 31.1 ss.), Abner, o capitão da guarda de Saul, levou Isbosete, o filho que restou de Saul, através do Jordão até Maanaim, e ali o proclamou rei sobre Israel (2 Sm 2.8,9). Visto que os homens de Judá reconheciam a soberania de Davi, tornou-se inevitável a disputa entre as forças que se opunham. O primeiro enfrentamento foi em Gibeão (2 Sm 2.12 ss.). Uma tentativa preliminar se fez para resolver a questão pelo resultado do combate entre 12 campeões representando cada lado. Todos os 24 caíram mortalmente feridos. Isto levou a uma batalha de larga escala, e resultou na derrota de Abner e na morte do irmão de Joabe, Asael.
Isbosete tinha 40 anos de idade quando foi investido de soberania sobre Israel (2 Sm 2.10). Isto aconteceu em aproximadamente 1011 a.C. Embora o relato bíblico declare que ele reinou apenas dois anos, parece que ele e seu general, Abner, exerceram um controle combinado sobre Israel por um período de sete anos, ou até 1004 a.C., quando Davi foi coroado rei sobre toda a nação.
Isbosete se indispôs com Abner ao perceber seu relacionamento com uma concubina de Saul, Rispa, e acusando-o de traição (2 Sm 3.6-11). Isto foi mais do que Abner poderia suportar, e um profundo ressentimento o levou a transferir sua lealdade a Davi.
Em represália pela morte de seu irmão Asael, Joabe traiçoeiramente matou Abner (2 Sm 3.27). Pouquíssimo tempo depois, Isbosete foi cruelmente assassinado por dois de seus oficiais. Pensando que alcançariam o favor de Davi por isso, estes homens foram acusados e condenados à morte imediata (2 Sm 4.5-12). Davi não teve nenhuma participação nas desgraças que ocorreram com Isbosete e seu general Abner, mas Deus usou estes acontecimentos para estabelecer Davi como rei sobre toda a nação de Israel.

H. A. Hoy.

**ISCÁ** Filha de Harã, o irmão de Abraão, e irmã de Milca e Ló (Gn 11.29). A tradição judaica, sem razões suficientes, a identifica com Sara.

**ISCARIOTES** *Veja* Judas 8.

**ISI** Um termo que consta em algumas versões, e que significa "meu marido". Ele simboliza o relacionamento dos israelitas com Deus depois de retornarem a Ele, abandonando a idolatria (Os 2.16). Isi também foi o nome de quatro homens:
1. Filho de Apaim, da tribo de Judá (1 Cr 2.31).
2. Um homem de Judá, pai de Zoete (1 Cr 4.20).
3. Um descendente de Simeão, pai de Pelatias, Nearias, Refaías e Uziel, que lutaram contra os amalequitas (1 Cr 4.42,43).
4. Um chefe da família da tribo de Manassés (1 Cr 5.24).

**ISIAS** Uma variante do termo Issias (*q.v.*). Um descendente de Issacar mencionado entre os valentes de Davi (1 Cr 7.3,5).

**ISMA** Um descendente de Hur de Judá através de Etã, irmão de Jezreel e Idbas (1 Cr 4.3).

**ISMAEL** Um nome que significa "que Deus ouça" ou "Deus ouve", e está relacionado com a experiência em que Deus ouviu a oração angustiada de Agar, quando saiu da casa de Abraão (Gn 16.11).
1. O filho primogênito de Abraão com Agar, a serva egípcia de sua mulher Sara. Abraão tinha 86 anos de idade na época, e tinha vivido em Canaã durante 11 anos. Sara, a esposa estéril, para manter os costumes de sua época, como é visto tanto no código da lei babilônica de Hamurabi (*q.v.*) como nas tábuas Nuzu, deu sua escrava Agar a Abraão para que esta gerasse um herdeiro para a família.
Quando Abraão estava com 99 anos de idade, Deus renovou sua aliança com ele e ordenou a circuncisão como um sinal exterior que o identificava como um membro da comunidade da aliança (Gn 17.1-14). Deus também anunciou que cumpriria a promessa de lhe conceder um filho através de sua mulher, Sara, embora Abraão sentisse um profundo amor por Ismael e tivesse orado para que ele

pudesse ser o herdeiro prometido (Gn 17.18). Quando Ismael foi circuncidado, Abraão e toda a sua casa – aqueles que nasceram dos homens e mulheres que vinham servindo a Abraão, bem como os recém-chegados à casa por intermédio da compra de estrangeiros – também foram circuncidados. Ismael tinha, nessa ocasião, 13 anos de idade. Muitas tribos árabes ainda circuncidam seus jovens com a idade de 13 anos.

Quatorze anos após o nascimento de Ismael, nasceu Isaque, o filho legítimo de Sara e Abraão. O ciúme que havia separado Sara e Agar chegou ao seu ponto culminante em um aniversário que celebrava o desmame de Isaque. Sara insistiu – contrariando os costumes da época, como fica evidente pelo desgosto de Abraão (Gn 21.11; cf. a tábua legal de Nuzu HV 67.22) –, que Agar e Ismael fossem mandados embora. Embora Agar e Ismael tivessem deixado a casa de Abraão e ido viver no deserto de Berseba, e mais tarde no deserto de Parã, não há registro de desenvolvimento de nenhuma animosidade entre Ismael e Isaque. Ambos cuidaram do sepultamento de Abraão na caverna de Macpela (Gn 25.9). Embora Isaque fosse seu único herdeiro, Abraão favoreceu os filhos de suas concubinas (Agar e Quetura) enquanto ainda estava vivo (Gn 25.6). Portanto, Ismael recebeu alguns dos bens materiais de Abraão. Os filhos de Quetura foram mandados para o Oriente, ao passo que Ismael foi para o sudeste.

Agar tomou para Ismael uma esposa egípcia e ele tornou-se o pai de 12 filhos e uma filha, chamada Maalate (Gn 28.9) ou Basemate (Gn 36.3). Ela tornou-se uma das mulheres de Esaú. Os nomes dos filhos de Ismael eram Nebaiote, Quedar, Abdeel, Mibsão, Misma, Dumá, Massá, Hadade, Tema, Jetur, Nafis e Quedemá (Gn 25.13-15). Uma vez que a maioria desses nomes ocorre como entidades tribais de considerável influência em outras passagens, alguns estudiosos consideram essa lista genealógica como étnica, e não apenas pessoal.

O epíteto “como um jumento selvagem” atribuído a Ismael em Gênesis 16.12 não deve ser considerado um opróbrio, mas um louvor. O onagro selvagem era o animal mais importante na lista de caça do rei assírio, e uma iguaria nos cardápios dos banquetes reais. Aqui ele retrata a liberdade beduína dos ismaelitas no deserto do sul (Gn 25.16-18).

Ismael morreu com 137 anos de idade (Gn 25.17). O local de seu sepultamento é desconhecido. Os mulçumanos afirmam que ele e sua mãe Agar foram sepultados na Caaba (*Ka'aba*), em Meca.

Em Gálatas 4.21– 5.1, Paulo interpreta as narrativas de Ismael e Isaque de forma alegórica. Ele usa a palavra “perseguia” (v.29; cf. zombava, Gn 21.9) para indicar a ação daqueles judeus que, embora apoiados nas ordenanças da lei de Moisés que deveriam ser abandonadas (como Ismael foi mandado embora), perseguem aqueles que são nascidos livres em Cristo, os verdadeiros herdeiros da promessa.

2. O terceiro filho de Azel, um benjamita descendente da família de Saul por intermédio de Mefibosete, filho de Jônatas (1 Cr 8.38; 9.44).

3. O pai de Zebadias, o governador da casa de Judá no reinado de Josafá (2 Cr 19.11).

4. O filho de Joanã, capitão de uma “centena”. Ele ajudou Joiada a restaurar Joás, o príncipe real, ao trono de Judá (2 Cr 23.1).

5. O terceiro filho de Pasur, que abandonou sua mulher gentílica durante as reformas de Esdras no período pós-exílico (Ed 10.22).

6. O filho de Netanias, um membro da casa real de Davi. Durante o cerco de Jerusalém por Nabucodonosor, ele fugiu com muitos outros para a Transjordânia e encontrou refúgio na corte de Baalis, o então rei de Amom (cf. Josefo, *Ant.* x.9.2). Ele fingiu ser amigo de Gedalias, o governador hebreu designado por Nabucodonosor para cuidar das necessidades daqueles que haviam sido deixados em Judá após o saque de Jerusalém em 586 a.C. O quartel-general de Gedalias estava em Mispa, poucos quilômetros ao norte de Jerusalém. Embora Gedalias tivesse sido avisado da conspiração traiçoeira de Ismael para matá-lo, e Jônatas tenha se oferecido para matar Ismael, Gedalias recusou-se a crer no relatório e preparou um banquete em homenagem a Ismael. Dez companheiros de Ismael, chamados de príncipes do rei, também compareceram ao banquete. Gedalias, o governador de Judá, e alguns dos soldados babilônios alocados em Mispa foram mortos na festa. Ismael e seus homens fugiram. O ato foi realizado tão secretamente que vários dias passaram-se antes que alguém detectasse o assassinato. Ismael teve tempo de raptar a filha do rei Zedequias e vários habitantes da cidade, e partir para Amom. Joanã o alcançou junto às muitas águas que há em Gibeão (Jr 41.1-12). Na batalha que se seguiu, o grupo raptado foi resgatado, mas Ismael e oito de seus homens fugiram para Amom. Nada mais é registrado a respeito de Ismael ou de suas atividades (2 Rs 25.25; Jr 40.7–41.18).

F. E. Y.

**ISMAELITAS** O termo ocorre em Gênesis 37.25,27,28; 39.1; Juízes 8.24 e Salmos 83.6 como uma designação geral para o povo que habitava no território do Egito até o Eufrates. De acordo com a tradição bíblica, os ismaelitas tinham sangue egípcio e também semita em suas veias, pois a mãe e a mulher de Ismael eram egípcias. Seus descendentes habitavam em doze colônias, em acampamentos móveis no deserto do norte da Arábia, na região entre Havilá, o Egito e o Eufrates. Estas tribos incluíam Nebaiote, Quedar, Abdeel, Dumá, Massá, e Tema – todas mencionadas nos textos assírios dos séculos VIII e VII a.C.; Jetur, Nafis e Quedemá – um grupo mais ou menos homogêneo; Mibsão, Misma e Hadade – até aqui não identificados em nenhuma fonte extrabíblica. Os nabateus (*q.v.*; provavelmente os descendentes de Nebaiote) nos tempos greco-romanos estabeleceram-se permanentemente em Petra e em Palmira, e desenvolveram uma civilização próspera. Os árabes mulçumanos, seguindo o exemplo de Maomé, reivindicam ser descendentes de Ismael.

Os ismaelitas viviam como comerciantes de caravanas itinerantes, moradores de tendas, e andavam em camelos (1 Cr 27.30). Eram caracterizados por seu espírito de independência e de aventura. Eles transportavam incensos aromáticos de Gileade para os mercados egípcios (Gn 37.25). Uma dessas caravanas comprou José e o vendeu como escravo no Egito. Seguindo a tradição da habilidade de Ismael com o arco, os filhos de Quedar eram notórios por sua destreza com o arco (Is 21.17).

O texto em 2 Samuel 17.25 declara que Amasa, comandante do exército de Absalão, era o filho de Itra, um israelita; de acordo com 1 Crônicas 2.17, o pai de Amasa era Jéter (Itra), o ismaelita. Talvez Jéter fosse um israelita que vivia na terra de Ismael (cf. Obede-Edom, o gitita).

F. E. Y.

**ISMAÍAS**[1] Chefe do contingente dos zebulonitas no exército durante o reinado de Davi (1 Cr 27.19).

**ISMAÍAS**[2] Um gibeonita, chefe dos 30 valentes de Davi, que vieram até ele em Ziclague (1 Cr 12.4).

**ISMAQUIAS** Um dos superintendentes ligados ao Templo durante o reinado de Ezequias (2 Cr 31.13).

**ISMERAI** Um descendente de Benjamim, filho de Elpaal, e um dos chefes da tribo (1 Cr 8.18).

**ISODE** Um membro da tribo de Manassés, cuja mãe era Hamolequete (1 Cr 7.18).

**ISPA** Um descendente de Benjamim e filho de Berias (1 Cr 8.16).

**ISPÃ** Um membro da tribo de Benjamim, filho de Sasaque (1 Cr 8.22).

**ISRAEL** O nome Israel aparece pela primeira vez em Gênesis 32.28, dado pelo Anjo do Senhor a Jacó (*q.v.*) durante seu encontro com ele em Peniel. Jacó havia se recusado a deixá-lo partir até que ele tivesse lhe dado uma bênção, e assim Deus lhe deu o novo título de Yis-ra'el, declarando que ele havia persistentemente lutado (*sarita* de *sarah*, "esforçar-se, persistir") com Deus (*'ᵉlohim*, cuja forma mais curta é *'El*) e prevalecido (isto é, em sua oração sincera). Portanto, parece que o nome significa: "O que luta [persiste] com Deus"; o mais óbvio, "Deus persiste", não se encaixaria muito bem nas circunstâncias desse episódio. De qualquer forma, este se tornou o nome específico para Jacó na aliança, da mesma forma que Abraão havia sido para Abrão (Gn 17.5).

A designação nacional do povo hebreu passou a ser "os filhos de Israel" (*bᵉne Yisra'el*), ao invés de "os filhos de Jacó", na época em que os membros da família de José multiplicaram-se (Êx 1.9,12) e estavam prontos a deixar o Egito e ir para a terra prometida sob a liderança de Moisés (Êx 2.23,25; 3.9 etc.). A expressão "filhos de Jacó", nunca aparece no Pentateuco depois do livro de Gênesis (onde ela só aparece ligada aos filhos imediatos de Jacó). Por amor à brevidade, a expressão "os filhos de" foi ocasionalmente omitida, e "Israel" por si só poderia referir-se aos hebreus como uma raça. Assim os perseguidores egípcios no mar Vermelho foram citados dizendo: "Fujamos da face de Israel", quando eles viram-se atolados e ameaçados de destruição (Êx 14.25).

Em registros sobreviventes egípcios, os israelitas são citados pela designação geral de *'Apiru* (que parece ter incluído outros grupos cananeus e semitas, e não apenas os hebreus; *veja* Povo Hebreu). Há uma referência, porém, ao nome de Israel na famosa "Estela de Israel" do rei Merneptah, da 19ª Dinastia. Depois de falar de seu êxito militar ao saquear Canaã, Asquelom, Gezer e Ianoã, o hino triunfal declara: "Israel está devastado, mas sua semente não" (ANET, p. 378). O modo egípcio de escrever este nome é "Y-s-r-'-r" (o idioma egípcio não fazia distinção entre o *l* e o *r* até a conquista grega), e é seguido pelo determinativo homem-mulher-plural, indicando que Israel era uma tribo ou nação, e não uma cidade-estado local. Esta inscrição data de aproximadamente 1230 a.C., e assim ela pode referir-se a uma incursão egípcia que deve ter ocorrido durante o período dos juízes.

De forma similar, há apenas uma referência ao nome Israel nas inscrições cuneiformes assírias descobertas até aqui, ou seja, na inscrição Balawat de Salmaneser III (ANET, p. 279), que registra a batalha de Qarqar (853 a.C.), travada contra Hadadezer de Damasco e Acabe de Israel (*A-ha-ab-bu Sir-'i-la-ai*).

Os registros assírios existentes referem-se a Israel (especialmente ao Reino do Norte) como "a terra de Onri" (*mat Humri*), aparentemente porque foi durante o reinado dessa dinastia que os assírios entraram pela primeira vez em contato com a monarquia hebréia (cf. ANET, pp. 281, 283-285). Mas na adjacente Moabe, o nome "Israel" era a designação usual, se pudermos julgar a partir das quatro ou cinco referências na inscrição do rei Mesa (aprox. 840 a.C.; ANET, p. 320). Na coleção comparativamente pequena das inscrições fenícias que sobreviveram até os nossos dias, nenhuma referência a Israel foi encontrada; o mesmo é verdadeiro quanto às antigas inscrições aramaicas.

No uso bíblico, como já foi mencionado, o nome Israel tem uma conotação de aliança ou teológica, mesmo nos lábios do próprio Jacó. Em Gênesis 49.2, ele reúne seus filhos em torno de si para uma bênção final: "Ajuntai-vos e ouvi, filhos de Jacó; e ouvi a Israel, vosso pai". Então se segue uma caracterização específica de cada um dos 12 filhos, acompanhada de uma profecia de seu papel na vida da futura nação. No versículo 28 lemos: "Todas estas são as doze tribos de Israel; e isto é o que lhes falou seu pai quando os abençoou". *Veja* Tribo; para as tribos individuais, *veja* os seus respectivos nomes.

Nos dias de Moisés, Yahweh ("Jeová") declara ser o Pai de Israel: "Israel é meu filho, meu primogênito" (Ex 4.22). Em 5.1 lemos: "Assim diz o Senhor, Deus de Israel. Deixa ir o meu povo..." Como "Israel", a nação hebréia deveria representar um papel especial como uma teocracia governada pela lei de Deus especialmente revelada, e Ele deveria ser seu único Rei. O poderoso líder Gideão reafirmou este princípio ao rejeitar a proposta de torná-lo rei sobre Israel, dizendo: "Sobre vós eu não dominarei, nem tampouco meu filho sobre vós dominará; o Senhor sobre vós dominará" (Jz 8.23). Mesmo quando um rei humano foi finalmente ungido pelo profeta Samuel, deixou-se claro que ele fora escolhido e eleito pelo Senhor, e estava sob a obrigação de obedecer à sua Lei (1 Sm 10.25; 12.13-15,24,25).

Em sua carreira subseqüente, porém, como o primeiro rei de Israel, Saul provou ser infiel à confiança nele depositada, substituindo a vontade revelada de Deus pela sua própria vontade e juízo. Em primeiro lugar ofereceu um sacrifício em Gilgal (1 Sm 13.9,10) como se ele fosse um sacerdote ordenado; e, em segundo lugar, ao poupar o rei dos amalequitas e seu gado, apesar da ordem do Senhor de destrui-los completamente (15.17-26). O resultado foi que o Senhor revogou sua designação como rei teocrático (1 Sm 13.13,14; 15.23), e enviou Samuel a Belém para ungir Davi, o filho mais novo de Jessé, embora sob uma condição sigilosa (16.13). Por fim, Saul começou a suspeitar que seu valente jovem harpista, o vencedor do gigante Golias, era seu sucessor escolhido por Deus, e o substituto de sua dinastia (18.29), tornando-se a partir daí obcecado pelo desejo de vê-lo morto (20.31). Uma grande parte do restante de seu reinado foi usada em uma tentativa fracassada de capturar e matar Davi. Finalmente Saul e seus filhos envolveram-se em uma campanha desastrosa contra os filisteus invasores, que o feriram de modo fatal na batalha do monte Gilboa. Após sete anos e meio de uma guerra civil intermitente, o filho mais novo de Saul, Isbosete, foi assassinado, e as dez tribos do norte reconheceram a Davi como seu rei, depois de ele ter reinado sobre Judá e Simeão a partir da época da morte de Saul. Toda essa situação confirmou o princípio de que o rei de Israel tinha que ser escolhido pelo próprio Deus, pois o Senhor seria o responsável por manter sua lei e seu agente sobre a terra.

Como um governante piedoso e dedicado sob o mandato divino, Davi reinou sobre a monarquia unida de Israel. Ele subjugou não só os filisteus, mas também as outras nações vizinhas (edomitas, moabitas, amonitas e sírios de Damasco e Hamate) em uma longa série de campanhas vitoriosas. Davi nunca experimentou uma derrota no campo de batalha. O Senhor o usou para dar a Israel "descanso" de todos os seus inimigos que o cercavam, e para tomar posse de todo o território originalmente prometido à semente de Abraão (Gn 15.18), por todo o caminho a partir do "rio do Egito" (o Uádi el-'Arîsh) até o Eufrates, em Tifsa (cf. 1 Rs 4.24). De certo modo, a conquista de Canaã não foi concluída até que o Senhor achasse em Davi um homem segundo seu próprio coração (1 Sm 13.14). Foi ele que, como um governante teocrático zeloso, subjugou todos os inimigos de Israel e tomou a cidade de Jerusalém de seus proprietários pagãos, os jebuseus, e assegurou um lugar de descanso adequado e permanente para o santuário do Senhor (de acordo com a promessa de Dt 12.10,11).

Contudo, por causa de seu envolvimento nas guerras sangrentas (que ele às vezes conduzia com severidade cruel, cf. 2 Sm 8.2; 12.31), foi negado a Davi o privilégio de construir o Templo (1 Cr 22.8). Entretanto, ele reuniu a maioria dos materiais caros necessários para sua construção, e arquitetou os planos da edificação para que seu filho Salomão executasse a obra (1 Cr 28.11-19). Foi-lhe prometido pelo profeta Natã, falando em nome do Senhor, que Salomão viveria para executar seu projeto e erigir uma linda estrutura para guardar a arca da aliança e servir como um ponto central para a adoração de todo o Israel (2 Sm 7.12,13; 1 Cr 28.5,6).

Ainda mais importante do que o Templo em si, era a promessa divina de que Salomão seria uma tipificação do Rei Messiânico que um dia viria para estabelecer o Reino de Deus na terra (2 Sm 7.13; 1 Cr 28.7). Esta promessa fazia parte do anúncio do anjo a Maria: "O Senhor Deus lhe dará o trono de Davi, seu pai, e reinará eternamente na casa de Jacó, e seu Reino não terá fim" (Lc 1.32,33).

Davi, então, agiu de acordo com o padrão de um rei teocrático responsável para com Deus, sob as condições da aliança. Mas embora tenha recebido cedo a aprovação de Deus em seu reinado, mais tarde ele caiu em um lamentável pecado pessoal na questão de Bate-Seba (com quem cometeu adultério) e no homicídio que tramou contra o marido dela, Urias (2 Sm 11). Depois que o profeta Natã o denunciou em particular por estes pecados, Davi sucumbiu em tristeza e arrependimento e, portanto, foi perdoado e restaurado à comunhão com Deus.

No entanto, ele havia violado tão gravemente seu papel como rei de Israel, que a conseqüência nociva foi pronunciada: "Agora, pois, não se apartará a espada jamais da tua casa, porquanto me desprezaste... Eis que suscitarei da tua mesma casa o mal sobre ti" (2 Sm 12.10,11). Isto significava que a violência, a crueldade e a traição iriam infestar a dinastia de Davi por todas as gerações seguintes. Durante a própria vida de Davi, ele sofreu a perda do primeiro filho concebido por Bate-Seba fora do matrimônio; a tristeza do sórdido episódio de seu filho primogênito, Amom, que estuprou sua própria meia-irmã Tamar; e a subseqüente vingança de Absalão, que mais tarde matou Amom como um convidado em sua mesa (13.28,29). Ainda mais séria foi a rebelião levantada contra Davi por Absalão, que o expulsou de Jerusalém, o que o levou a refugiar-se em Maanaim, do outro lado do Jordão (17.24). Embora o general de Davi, Joabe, tenha conseguido derrotar as forças perseguidoras de Absalão e matá-lo, os últimos dias de Davi foram vividos sob a nuvem desse pesar.

Davi também colocou Israel em dificuldades ao empreender um censo completo das 12 tribos, sem qualquer ordem divina para isso (como Moisés havia recebido nos dias do Êxodo). Na praga resultante que afligiu a nação, nenhum remédio pôde ser encontrado até que Davi comprou a eira de Araúna, o jebuseu (onde o anjo destruidor parou seu curso) e ofereceu sacrifícios ao Senhor no mesmo local que posteriormente serviu para o Templo de Salomão (2 Sm 24).

O filho de Davi com Bate-Seba, o sábio Salomão, assumiu a responsabilidade como rei teocrático de Israel sob a direção de Deus. Sua riqueza, sabedoria e prosperidade tornaram-se proverbiais, e seu prestígio era tal que ele deteve o controle das fronteiras ampliadas do império de Davi sem ter de usar suas grandes e tremendas forças de cavalaria em alguma guerra com os seus inimigos. Mas sua realização mais notável foi a edificação de um lindo Templo, duas vezes maior que as dimensões do Tabernáculo de Moisés (isto é, 60 x 20 côvados, ou aproximadamente 30 x 10 metros), e possuindo dez vezes mais castiçais e mesas da proposição (pois o Tabernáculo havia recebido apenas um de cada). Um enorme altar de bronze para o sacrifício substituiu o altar mosaico menor, e da mesma forma uma imensa pia (5 metros de diâmetro) tomou o lugar da antiga bacia em frente à porta do Templo. Esta estrutura de beleza e suntuosidade inigualáveis foi solenemente dedicada ao Senhor como o lugar de encontro entre o Senhor e seu povo da aliança, Israel. Assim, a shekinah (a glória) de Deus desceu sobre o santuário interior mais uma vez, como nos dias de Moisés (1 Rs 8.10,11). Sob o governo de Salomão, então, a monarquia unida de Israel desfrutou de seu mais alto grau de prosperidade e glória.

Infelizmente, porém, as limitações constitucionais de Salomão, sob a lei (Dt 17.14-20), não poderiam ser forçadas por nenhuma autoridade humana, tão absoluto era o seu poder. Assim, ele pôde violar com impunidade os mandamentos contra multiplicar cavalos e esposas; e foi a política de permitir que a filha do Faraó adorasse os deuses egípcios em Jerusalém que primeiro levou à introdução da idolatria em seu reinado. Este precedente levou a uma tolerância religiosa em relação a todas as suas outras esposas de formação pagã, e o testemunho do Senhor por parte de Israel foi grandemente prejudicado. Extravagantes programas de construção e dispendiosas despesas do palácio resultaram em uma excessiva cobrança de impostos e no emprego de trabalho forçado, o que fez surgir um antagonismo geral por todo o reino. Dessa forma, preparou-se o caminho para a divisão de Israel nos Reinos do Norte e do Sul assim que Salomão faleceu, e a sucessão caiu nas mãos de seu filho arrogante e violento, Roboão, que prometeu aos seus súditos um governo ainda mais opressivo do que o de seu pai. Isso marcou o fim da monarquia unida e o início do reino das dez tribos, conhecido depois como o Reino de Israel (em contraposição ao Reino de Judá). *Veja* Israel, Reino de; Judá, Reino de; Povo Hebreu.

***Bibliografia.*** John Bright, *A History of Israel*, Filadélfia: Westminster, 1959. F. F. Bruce, "Israel", NBD, pp. 578-588. "Government, Authority, and Kingship", CornPBE, pp. 354-369. G. von Rad., K. G. Kuhn, e W. Gutbrod, "*Israel, Ioudaios, Hebraios* etc"., TDNT, III, 356-391. H. H. Rowley, "Israel, History of (Israelites)", IDB, II, 750-765. Roland de Vaux, *Ancient Israel*, trad. por John McHugh, Nova York: McGraw-Hill, 1961.

G. L. A.

**ISRAEL, REINO DE** Em 930 a.C., depois da morte de Salomão e da ascensão de seu filho Roboão, a monarquia de Israel dividiu-se em dois reinos. Pensando que o jovem rei estava determinado a manter um governo ainda mais tirânico e opressivo do que Salomão havia feito (especialmente em seus

Tirza

últimos anos), as dez tribos do norte resolveram estabelecer um novo reino para si, sob a liderança de um jovem promissor eframita, Jeroboão, o filho de Nebate. Mas as raízes dessa divisão remontam aos dias de Saul e Davi, e o ciúme tribal que se manifestou quando a liderança passou de Benjamim para Judá. Durante sete anos depois da morte de Saul, na batalha do monte Gilboa, as tribos do norte haviam permanecido leais a Isbosete, o filho mais novo de Saul, mesmo depois que Judá estabeleceu a Davi como rei em Hebrom. Foi somente depois que Abner, comandante do exército de Saul, e o próprio Isbosete foram mortos, que as dez tribos resolveram submeter-se ao governo de Davi, e desfrutar os benefícios do sucesso que invariavelmente o acompanhava no campo de batalha.

Mesmo no caso de Davi, a lealdade do povo mostrou-se um tanto frágil durante a rebelião de Absalão contra seu pai. Após a derrota e a morte de Absalão, uma disputa surgiu entre Judá, cujas tropas haviam acompanhado Davi de volta, atravessando o Jordão, e as forças das tribos do norte. Estas últimas haviam insistido: "Dez partes temos no rei e até em Davi mais temos nós do que vós" (2 Sm 19.43). O ressentimento dessas tribos preparou o caminho para uma breve, mas fracassada revolta sob a liderança de Seba, um benjamita, que declarou: "Não temos parte em Davi, nem herança no filho de Jessé; cada um às suas tendas, ó Israel" (2 Sm 20.1). Praticamente com as mesmas palavras os representantes das dez tribos abandonaram sua lealdade à dinastia davídica em 930 a.C. (1 Rs 12.16), sentindo-se confiantes de que seu porta-voz, Jeroboão, seria capaz de liderá-los em uma defesa bem-sucedida de sua liberdade. Ele havia sido um oficial no governo de Salomão, alocado no departamento de obras públicas, mas depois de ter sido proclamado pelo profeta Aías como o escolhido do Senhor para governar as dez tribos (1 Rs 11.31-38), fugiu para o Egito e ali tornou-se um protegido do Faraó Sisaque. Após a morte de Salomão, Jeroboão voltou a agir como porta-voz e chefe para os israelitas do norte, e devido a loucura de Roboão ele tornou-se o rei escolhido pelas tribos revoltosas (somente Judá, Simeão e a parte sul de Benjamim adjacente a Jerusalém permaneceram leais ao filho de Salomão).

Jeroboão, filho de Nebate, havia sido encarregado por Deus para servir como um governante mantenedor da aliança, obediente à lei mosaica, em contraste com as tendências idólatras do reinado posterior de Salomão (1 Rs 11.33). Foi-lhe prometido uma dinastia longa e duradoura se ele provasse ser fiel e digno de confiança. Quando Roboão formou um exército de 180.000 homens para forçar a submissão das dez tribos, Deus o proibiu, por meio do profeta Semaías, de tentar essa invasão (1 Rs 12.21-24).

Mas quando Jeroboão enfrentou o problema das peregrinações anuais dos seus súditos ao Templo de Jerusalém, ele sentiu-se compelido pelo interesse nacional a acabar com essa prática (o que pode ter desgastado a lealdade do povo para com ele), e a construir novos santuários em Betel e Dã onde o povo poderia continuar sua adoração ao Senhor de acordo com o calendário da Torá. Não tendo a prestigiosa arca da aliança, que estava no santuário do Templo de Jerusalém, ele decidiu fazer um bezerro de ouro como um ponto focal de adoração nesses novos templos, e declarou: "Vês aqui teus deuses, ó Israel, que te fizeram subir da terra do Egito" (1 Rs 12.28). Na melhor hipótese, esse novo arranjo deveria ser considerado uma adoração idólatra ao Senhor. No entanto, a inauguração desse novo culto foi acompanhada por uma repreensão divina, administrada por um profeta anônimo de Judá (1 Rs 13.2), que profetizou que esse altar e santuário cismático um dia seriam destruídos por um rei chamado Josias (o que se cumpriu três séculos mais tarde, por volta de 630 a.C.). Apesar dessa advertência solene, acompanhada por dois sinais miraculosos (13.4-6), Jeroboão persistiu em sua política religiosa, e designou como sacerdotes quaisquer cidadãos que se candidatassem à ordenação (2 Cr 11.13-16), embora não fossem da tribo de Levi (a maioria dos levitas migrou para Judá após o cisma).

Este mau exemplo do primeiro rei de Israel foi seguido por todos os seus sucessores até a derrota final de Samaria em 722 a.C. Mesmo Jeú, um zeloso adorador do Senhor, falhou em se apartar dos "pecados de Jeroboão, filho de Nebate... dos bezerros de ouro, que estavam em Betel e em Dã" (2 Rs 10.29). Quanto ao próprio Jeroboão, ele foi duramente advertido por Aías de que sua linhagem seria inteiramente destruída, e que um dia todas as dez tribos seriam levadas em cativeiro para o oriente do Eufrates (1 Rs 14.10,15). Seu filho mais velho morreu antes

Samaria. HFV

dele devido a uma doença mortal, e seu filho mais novo, Nadabe, não sobreviveu a ele por mais de dois anos, quando foi morto por Baasa, o filho de Aías, da tribo de Issacar (1 Rs 15.25-28).

Após exterminar todos os descendentes de Jeroboão, Baasa deu continuidade a uma política de hostilidade contra Judá, fortificando Ramá como uma área de preparação para a invasão. O rei Asa, de Judá, se opôs a essa ação subornando Ben-Hadade, de Damasco, para romper seu tratado de aliança com Israel e atacar Baasa por sua retaguarda, destruindo as cidades mais prósperas de Naftali (2 Cr 16.2-4). Enquanto Baasa marchava para o norte a fim de enfrentar essa ameaça, Asa invadiu Ramá e removeu todas as suas fortificações. Após a morte de Baasa em 886 a.C., seu filho Elá não reinou mais do que dois anos e foi assassinado por seu comandante de cavalaria, Zinri, durante uma rodada de bebida. Depois de destruir todos aqueles que faziam parte da casa de Baasa, o próprio Zinri ficou sob o ataque de Onri, o comandante-chefe do exército, que o cercou em Tirza, a capital, levando-o ao suicídio. Onri assumiu a coroa em 885 a.C. e esmagou os seguidores de Tibni, um rival pretendente ao trono (1 Rs 16.15-22).

Onri provou ser um rei forte e bem-sucedido, e por fim o Reino do Norte passou a ser amplamente conhecido como "a terra de Onri" (ou "Humri" para os assírios). Ele transferiu a capital para um novo local, o monte facilmente defensável de Samaria, e adquiriu prestígio suficiente para assegurar em casamento uma "brilhante" noiva para seu filho Acabe, ou seja, Jezabel, a filha do rei Etbaal dos fenícios. Após 12 anos de governo, Onri morreu (874 a.C.), deixando seu trono para Acabe, que era quase completamente dominado por Jezabel.

Como uma zelosa adoradora de Baal, a rainha perseguia os profetas do Senhor que ainda permaneciam firmes na fé revelada. Apenas aqueles que se mantinham escondidos em cavernas eram capazes de sobreviver. Mas o profeta Elias pediu (Tg 5.17) uma seca total sobre todo o reino (que também afetou boa parte da Fenícia, a julgar pela fome que assolou Zarefate), e que durou três anos e meio. Elias finalmente saiu do esconderijo e desafiou Acabe e seus seguidores a uma disputa no monte Carmelo. Depois que os profetas de Baal e Asera, que obedeciam a Jezabel (totalizando 850), clamaram inutilmente durante todo o dia pedindo fogo para queimar sua oferta, Elias clamou por fogo do céu sobre seu sacrifício. Ele convenceu tão fortemente os seus concidadãos quanto à soberania do Senhor, que estes seguiram sua liderança e executaram todos os profetas de Baal. Apesar do miraculoso fim da seca com uma copiosa chuva, Elias fugiu para proteger sua vida por causa das ferozes ameaças de Jezabel, e ele não

O Obelisco Negro de Salmaneser III da Assíria, mostrando Jeú de Israel pagando tributo aos assírios no segundo registro. BM

parou até que se encontrou com Deus no monte Horebe.

Acabe estava sujeito a uma grande pressão por parte de Ben-Hadade, de Damasco, mas seguindo as instruções de alguns profetas anônimos do Senhor, ele conseguiu derrotar e até mesmo capturar Ben-Hadade em Afeca, apesar da esmagadora vantagem deste último em quantidade de homens e carros. Contudo, Acabe deixou seu cativo partir, em troca de uma promessa de concessões comerciais, e Ben-Hadade viveu para novamente assolar Israel. Depois do sórdido caso do assassinato judicial de Nabote (1 Rs 21), Acabe foi novamente confrontado por Elias quando estava se vangloriando da vinha confiscada, e foi advertido de que sofreria uma morte violenta. Isto foi cumprido mais tarde ao morrer pelo ferimento de uma flecha em Ramote-Gileade (853 a.C.), apesar de sua aliança com Josafá, de Judá, que tinha vindo para ajudá-lo contra os siros (1 Rs 22.29-37). Seu filho Acazias morreu dois anos depois como resultado de uma queda acidental, e a coroa passou para seu filho mais novo, Jorão, que empreendeu a luta contra os siros de Damasco.

Foi durante o reinado de Jorão que Moabe ganhou sua independência de volta sob o governo do rei Mesa, apesar de uma expedição punitiva em aliança com Josafá e auxiliada por Eliseu, o sucessor escolhido de Elias (2 Rs 3). Durante um intervalo de paz com Damasco, o general Naamã veio a Samaria e foi curado de sua lepra seguindo as instruções de Eliseu. Porém os siros, mais tarde, retomaram sua agressão, tentando inutilmente capturar o importuno Eliseu em Dotã (2 Rs 6.8-18), e sitiando Jorão em Samaria, até serem miraculosamente afugentados por um pânico repentino (6.24–7.16). Em seu leito de morte, o rei Ben-Hadade enviou Hazael, seu general de confiança, para buscar a cura junto ao profeta hebreu. Mas em seguida ele foi asfixiado na cama por Hazael, assim como Eliseu predissse, e Hazael tornou-se um agressor ainda mais perigoso contra Israel do que o seu predecessor havia sido. Foi da frente de batalha em Ramote-Gileade que Jeú, comandante do exército de Jorão, voltou rapidamente para matar seu rei (tendo sido ungido por um emissário de Eliseu), e da mesma forma o rei Acazias, de Judá, que estava visitando Jorão naquele momento (como parente de Jezabel, Acazias estava marcado para a destruição juntamente com todos os outros descendentes da casa de Onri).

Um zeloso partidário da adoração ao Senhor, Jeú (841–814 a.C.), deu prosseguimento ao extermínio dos 70 filhos de Acabe por meio de um massacre de todos os adoradores de Baal, a quem ele havia habilmente atraído para o grande templo de Baal em Samaria, sob o pretexto de ser ele mesmo um adorador de Baal. Contudo, ele falhou em remover o culto aos bezerros de ouro em Betel e Dã, e falsificou o favor divino por meio dessa tolerância que visava a conveniência. Ele não apenas sofreu revezes da parte de Hazael, mas no ano de sua ascensão ainda teve que pagar tributo ao assírio Salmaneser III (que havia batalhado com Acabe e Ben-Hadade em Qarqar, em 853 a.C.). Seu filho Jeoacaz (814–798) foi reduzido a uma humilhante vassalagem pelos siros (2 Rs 13.7), mas seu neto Jeoás (798– 782a.C.), em concordância com a profecia de Eliseu, alcançou três vitórias notáveis sobre Hazael e assim reconquistou a independência de Israel. Desafiado para uma batalha por Amasias de Judá (o pacto amistoso com o Reino do Sul havia cessado em 841), Jeoás o derrotou e o capturou em Bete-Semes, destruiu boa parte do muro de Jerusalém e saqueou os tesouros do seu templo e do seu palácio.

Jeroboão II (782–753 a.C.), o filho de Jeoás, foi ainda mais bem-sucedido na batalha. Ele teve êxito em reconquistar todos os domínios outrora sujeitos a Jeroboão I, e até sujeitou os reinos siros de Damasco e Hamate (2 Rs 14.28). Durante seu sucesso militar, porém, as classes ricas de Israel tomaram todo o despojo para si e os pobres tornaram-se ainda mais pobres. Foi durante esse período de contínuo declínio moral que os profetas Amós e Oséias começaram seus ministérios, inutilmente clamando por arrependimento e reforma. O filho incompetente de Jeroboão, Zacarias, foi morto por um oficial do exército chamado Salum em 752 a.C. Salum, por sua vez, foi derrotado e morto por um outro general chamado Menaém, no período de um mês, e assim a conquista de Jeroboão II abriu caminho para a guerra civil e o enfraquecimento nacional que pressagiava um rápido desastre para todo o reino.

De uma forma ignominiosa para Israel, Menaém (752–742 a.C.) considerou necessário pagar tributos ao poder ressurgente da Assíria sob o governo agressivo de Tiglate-Pileser III (744–727 a.C.) e seguir uma política pró-assíria até sua morte. Seu filho Pecaías foi logo derrubado (em 740) por um ajudante de campo chamado Peca, que havia aparentemente reivindicado o trono em Gileade em 752 a.C. (cf. 2 Rs 15.27). Isto levou a uma política antiassíria que uniu Peca e o rei Rezim de Damasco em uma coalizão defensiva contra Tiglate-Pileser. Quando Acaz de Judá recusou-se se unir a eles, lançaram invasões devastadoras que despedaçaram as forças armadas de Judá (2 Cr 28.5-8), embora não tenham capturado a cidade de Jerusalém. Subornado por Acaz, Tiglate-Pileser invadiu a Síria com uma força esmagadora, atacou a capital Damasco em 732 a.C., e reduziu Israel à vassalagem.

Naquele mesmo ano, o assassino de Peca, Oséias, foi empossado rei e forçado a ceder a Galiléia do norte para a Assíria. Ele buscou inutilmente a aliança egípcia contra Salmaneser V, o novo governante assírio. Mas Oséias foi capturado e preso, e sua capital saqueada. Samaria resistiu por quase três anos antes de finalmente sucumbir, aparentemente no início de 721 a.C., e foi totalmente destruída por Sargão II (721–705 a.C.). Toda a sua população sobrevivente foi removida de Israel e fixada pelos assírios em territórios a leste do Tigre. Apenas uma fração da população rural ficou para trás, e esta acabou sendo submergida por grandes contingentes de colonizadores de Cuta, Ava, Hamate, Sefarvaim (2 Rs 17.24), Babilônia, Susã, Elão e de outros lugares (Ed 4.9,10), para formar o povo e a cultura híbridos que mais tarde vieram a ser conhecidos como os samaritanos (*q.v.*). *Veja* Israel; Judá, Reino de; Cronologia do AT.

***Bibliografia.*** "Israel and Judah, Monarchies of", CornPBE, pp. 422-444. Edwin R. Thiele, *The Mysterious Numbers of the Hebrew Kings*, 2ª ed., Grand Rapids: Eerdmans, 1965.

G. L. A.

**ISSACAR** O nono filho de Jacó, o quinto de Léia (Gn 30.17,18; 35.23). Os filhos de Issacar eram "Tola, Puva, Jó e Sinrom" (Gn 46.13), e estavam entre aqueles que mudaram para o Egito quando José enviou os carros egípcios para buscar seu pai Jacó, e sua família.

Antes de morrer, Jacó chamou seus filhos à sua presença para pronunciar uma bênção e uma declaração profética sobre cada um deles. Jacó disse: "Issacar é jumento de fortes ossos, deitado entre dois fardos" (Gn 49.14). Os descendentes de Issacar desenvolveram-se em cinco famílias tribais, crescendo de 54.400 na primeira contagem (Nm 1.29), para 64.300 no segundo censo (Nm 26.25), e para 87.000 durante o reinado de Davi (1 Cr 7.1-5). Representantes da tribo de Issacar ficaram no monte Gerizim para abençoar o povo (Dt 27.12). Moisés predisse uma vida alegre e tranqüila para Issacar (Dt 33.18). Homens notáveis como o juiz Tola (Jz 10.1) e o rei Baasa (1 Rs 15.27) pertenceram à tribo de Issacar. Os descendentes dessa tribo eram "destros na ciência dos tempos, para saberem o que Israel devia fazer", e mudaram sua aliança política de Saul para Davi no tempo oportuno (1 Cr 12.32,38).

Na divisão da terra de Canaã, a quarta sorte foi conferida a Issacar depois que a arca foi levada para Siló. A tribo ocupava a maior parte da planície de Jezreel ou Esdraelom (Js 19.17-23). Esta planície baixa e fértil do Quisom mostrou ter vantagens, bem como desvantagens. Sua localização era desvantajosa porque os cananeus há muito tempo dominavam aquela área (Jz 1.27ss.), invasores estrangeiros freqüentemente saqueavam a plantação (por exemplo, Jz 6.3-6,33), e carros de guerra inimigos, mais de uma vez, envolveram-se em batalhas nesse lugar, cumprindo assim a profecia de Jacó expressa em Gênesis 49.15. Contudo, a história de Sísera indica que essa tribo possuía qualidades de valor (Jz 5.15). No lado positivo, o "caminho do mar" passava por meio da terra de Issacar e tornou-se uma fonte de receita lucrativa para seus ocupantes (Dt 33.19).

H. A. Han.

**ISSIAS** Algumas versões trazem os termos Isias e Jesias (*q.v.*) como uma variante de Issias.

1. Um levita, o filho mais velho de Reabias e bisneto de Moisés (1 Cr 24.21; cf. 23.14-17).
2. Um levita, filho de Uziel (1 Cr 24.24,25; cf. 23.20).
3. Um dos valentes de Davi cujo nome é escrito Jesias na versão KJV em inglês (veja 1 Cr 12.6).
4. Um homem da tribo de Issacar cujo nome é escrito Isias na versão KJV em inglês (veja 1 Cr 7.3,5).
5. Filho de Harim (Ed 10.31) que juntamente com outros expulsou sua mulher estrangeira por ordem de Esdras.

**ISTOBE** Istobe é o termo que a versão KJV em inglês emprega para "homens de Tobe". Era um lugar na Síria ou Palestina, talvez um pequeno estado, que forneceu 12.000 homens para apoiar os amonitas em sua guerra contra Joabe e suas forças (2 Sm 10.6,8). Jefté havia fugido de Gileade para este local (Jz 11.3,5). *Veja* Tobe.

**ISVÁ, ISVA** O segundo filho de Aser (Gn 46.17; 1 Cr 7.30).

**ISVI**

1. O terceiro filho de Aser (Gn 46.17; 1 Cr 7.30). Os seus familiares são chamados de isvitas em Números 26.44.
2. O segundo filho de Saul com sua mulher Ainoã (1 Sm 14.49). Seu nome é omitido na genealogia de Saul, em 1 Crônicas 8.9 (alguns afirmam que ele teria morrido jovem), e em 1 Samuel 31.2 seu lugar é tomado por Abinadabe (*q.v.*), com quem alguns estudiosos o identificam.

**ITAI**

1. Um benjamita, filho de Ribai, um dos valentes de Davi (2 Sm 23.29; 1 Cr 11.31).
2. Um geteu, nativo de Gate, e por essa razão um palestino, que se tornou um grande amigo de Davi e comandante de um terço das forças de Davi durante a revolta de Absalão, servindo com uma capacidade igual à de Joabe e Abisai (2 Sm 15.18-22; 18.2,5). Quando Davi lhe rogou que permanecesse em Jerusalém, em vez de arriscar sua vida, Itai recusou-se, escolhendo antes servir ao seu rei.

**ITÁLIA** Cortando diagonalmente o centro do Mediterrâneo, a Itália está estrategicamente localizada para o controle desse mar,

A Itália em paz, e rica em colheitas e rebanhos, como simbolizado no altar da Paz de Augusto em Roma. HFV

e Roma muito bem localizada para controlar a península da Itália. A área da Itália compreende cerca de 144.000 quilômetros quadrados e divide-se em duas regiões: a península e a região continental. A península, em formato de bota, estende-se por 1.120 quilômetros em direção à África e nunca tem mais do que 200 quilômetros de largura.

Os Alpes formam um arco irregular de aprox. 1.900 quilômetros, atravessando o norte e os montes Apeninos, e estendem-se em todo o comprimento da península em uma série com formato de arco, com cerca de 1.280 quilômetros de comprimento. Estas montanhas de 1.320 metros de altitude têm passagens que não atrapalham a comunicação e que lançam picos a oeste para dividir a terra em planícies como Etruria, Lácio e Campânia. Os rios da Itália (exceto o rio Pó) geralmente não são navegáveis e depositam lodo em sua foz, criando pântanos maláricos.

A agricultura e o pastoreio sempre foram a principal fonte de riqueza da Itália. Havia também notáveis campos de minas nos tempos antigos, especialmente cobre e camadas de ferro em Etruria e Elba. Mármore, calcário, madeira e abundância de barro de qualidade também estavam disponíveis durante os primeiros séculos depois de Cristo.

A Itália figura no NT na narrativa da viagem de Paulo a Roma e sua prisão ali (At 27.1,6). Áqüila e Priscila tinham vindo da Itália para Corinto (At 18.2). O escritor da Epístola aos Hebreus estendeu saudações dos cristãos da Itália (Hb 13.24), um fator que determina o lugar da composição e o destino daquela epístola. A unidade militar comandada pelo centurião foi chamada de coorte italiana (At 10.1). *Veja* Roma, Império Romano.

H. F. V.

**ITAMAR** O quarto filho de Arão e o mais novo (Êx 6.23). Ele foi consagrado para o sacerdócio juntamente com seus irmãos (Êx 28.1ss.), e depois da morte de Nadabe e Abiú, ele e Eleazar foram designados para tomar seus lugares no ofício sacerdotal (Nm 3.4; 1 Cr 24.2). Tesoureiro das ofertas do Tabernáculo (Êx 38.21), Itamar também era superintendente da obra dos gersonitas e meraritas (Nm 4.27,28,33). Ele foi o fundador da linhagem sacerdotal à qual Eli (*q.v.*) pertencia (1 Cr 24.5,6). Um descendente de Itamar chamado Daniel estava entre os exilados que retornaram da Babilônia (Ed 8.2).

**ITIEL**

1. Um benjamita, filho de Jesaías, nos dias de Neemias (Ne 11.7).
2. Um homem a quem, juntamente com Ucal, as palavras de Agur foram dirigidas (Pv 30.1).

**ITMA** Um moabita, um dos valentes de Davi (1 Cr 11.46).

**ITNÃ** Uma cidade no extremo sul de Judá, mencionada juntamente com Quedes e Hazor (Js 15.23).

OS ALPES
RIO PÓ
MONTES APENINOS
RIO ARNO
RIO RUBICON
ETRURIA
CÓRSEGA
RIO TIBRE
LÁCIO
VEIO
ROMA
OSTIA
TRÊS VENDAS
PRAÇA DE ÁPIO
CÁPUA
PUTÉOLI
VIA ÁPIA
CAMPÂNIA
POMPÉIA
BRINDISI
TARENTO
SARDENHA
ITÁLIA
0 25 50 100 200
ESCALA EM MILHAS
TRURIA
RÉGIO
MESSINA
SICÍLIA
SIRACUSA

**ITRA** Pai de Amasa, o comandante do exército rebelde de Absalão (2 Sm 17.25). Ele é chamado, de acordo com a versão, "Itra, o ismaelita" ou "Itra, o israelita" em 2 Samuel 17.25; porém, uma leitura mais precisa é "Jéter, o ismaelita", em 1 Crônicas 2.17. *Veja* Jéter. Sua mãe foi Abigail, irmã de Davi.

**ITRÃ**
1. Filho de Disom, um horeu (Gn 36.26; 1 Cr 1.41).
2. Filho de Zofa, um descendente de Aser (1 Cr 7.37).

**ITREÃO** O sexto filho de Davi, nascido em Hebrom. O nome de sua mãe era Eglá (2 Sm 3.5; 1 Cr 3.3).

**ITRITAS** Uma família em Israel que vivia em Quiriate-Jearim (1 Cr 2.53). Dois dos guerreiros valentes de Davi, Ira e Garebe, pertenciam a esta família (2 Sm 23.38; 1 Cr 11.40).

**ITURÉIA** Este termo aparece somente uma vez nas Escrituras (Lc 3.1), onde designa uma porção do território governado por Filipe, o filho de Herodes o Grande e irmão de Herodes Antipas. Era adjacente a Traconites, na região nordeste da Palestina, além do rio Jordão. Recebeu seu nome de Jetur, filho de Ismael (Gn 25.15,16), e, após a conquista pelos israelitas, foi ocupada pela tribo de Manassés (1 Cr 5.19,20).

**IVA** Uma cidade conquistada pelos assírios e mencionada juntamente com Hamate, Arpade, Sefarvaim e Hena, de acordo com a ostentação de Rabsaqué, um representante de Senaqueribe (2 Rs 18.34; 19.13; Is 37.13). Embora sua localização exata não tenha sido determinada, aparentemente ficava na Babilônia e talvez deva ser identificada com Ava (2 Rs 17.24), da qual os assírios tomaram pessoas para ocupar Samaria, depois de sua queda. *Veja* Ava.

**IZRAÍAS** Um descendente de Issacar e neto de Tola, um chefe tribal (1 Cr 7.3). *Veja* Jezraías.

**IZRAÍTA** Nome da família de Samute, um dos valentes de Davi e designado como o quinto capitão, para o quinto mês (1 Cr 27.8). O nome é possivelmente uma variação de "zeraíta", um descendente de Zerá de Judá (1 Cr 27.11).

**IZRI** Aparentemente um dos filhos de Jedutum e também chamado de Zeri (1 Cr 25.3), líder do quarto grupo de músicos no coral levítico existente durante o reinado de Davi (1 Cr 25.11).

# J

**JA *Yah(weh)** Forma reduzida do nome sagrado de Jeová (YAHWEH). É encontrado em algumas versões em passagens poéticas como nos Salmos 68.4 e 118.4, e em várias outras passagens onde, por exemplo, a versão KJV utiliza o termo SENHOR. (*N.R.: A expressão JA nada tem a ver com o advérbio de tempo [já] da língua portuguesa). *Veja* Deus, Nomes e Títulos de; Senhor.

**JAACÃ** Um descendente de um clã nômade dos horeus (hurrianos) do monte Seir que mantinha sua identidade entre os edomitas. Ele era filho de Eser, chamado Jaacã em 1 Crônicas 1.42 e Acã (q.v.) em Gênesis 36.27. O nome também é escrito como Beerote-Benê-Jaacã ou Benê-Jacã em Deuteronômio 10.6, onde é revelado que os israelitas haviam permanecido na área dos poços (Beerote) dos "filhos de Jaacã". Números 33.31,32 registra que os israelitas montaram tendas em Benê-Jaacã ("filhos de Jaacã"). Deve ser notado que os horeus são identificados com um povo culto conhecido como hurrianos, que migraram do sul para o norte da Mesopotâmia em torno de 2000 a.C., e depois se espalharam pela Síria e Palestina, de forma que na época de Moisés, os egípcios freqüentemente chamavam esta área de Kharu ou de Hurru.

**JAACOBÁ** Um descendente de Simeão (1 Cr 4.36).

**JAALA, JAALÁ** Um servo de Salomão cujos filhos retornaram do exílio na Babilônia sob o comando de Zorobabel (Ed 2.56; Ne 7.58).

**JAALÃO** Filho de Esaú com Oolibama, uma mulher hevéia (Gn 36.5). Ele é mencionado como "príncipe" ou chefe (Gn 36.18).

**JAARÉ-OREGIM** Nome dado ao pai de Elanã, um belemita que matou o irmão de Golias (2 Sm 21.19). O nome "Jaaré-Oregim" pode resultar de um escriba ter inserido a palavra *'or^e^im* da linha seguinte do mesmo verso, já que o mesmo homem é também chamado de Jair (q.v.; 1 Cr 20.5).

**JAARESIAS** Filho de Jeroão, e um chefe benjamita que vivia em Jerusalém (1 Cr 8.27).

**JAASAI** Também chamado de Jaasau. Era descendente de Bani e um dos judeus que expulsaram suas esposas estrangeiras sob o comando do conselho liderado por Esdras (Ed 10.37).

**JAASIEL**
1. Filho de Abner da tribo de Benjamim e um dos príncipes da tribo (1 Cr 27.21).
2. Jaasiel, o mezobaíta (1 Cr 11.47), um dos poderosos de Davi. Algumas autoridades identificam os dois como uma só pessoa.

**JAATE**
1. Filho de Reaías, da tribo de Judá, e pai de Aumai e Laade (1 Cr 4.2).
2. Filho de Libni da família levítica de Gérson (1 Cr 6.20,43). Na genealogia de 1 Cr 23.7-11, Jaate consta como filho de Simei (v. 10), o segundo filho de Gérson (v. 7), mas a passagem não traz maiores detalhes.
3. Filho de Selomite da família levítica de Isar, designado por Davi para o serviço no Templo (1 Cr 24.22).
4. Um levita da família de Merari, que foi designado como um dos supervisores dos reparos do Templo durante a reforma de Josias (2 Cr 34.12).

**JAAZIAS** Levita, filho ou descendente de Merari, na época de Davi (1 Cr 24.26,27). Há uma questão textual envolvendo esta passagem; na LXX lê-se *Ozeiá*, provavelmente significando Uzias.

**JAAZIEL[1]** Músico levita que foi designado por Davi para tocar um instrumento no episódio do retorno da arca, após sua captura pelos filisteus (1 Cr 15.18). Ele também é chamado de Aziel (q.v., 1 Cr 15.20), e aparentemente o mesmo homem é chamado de Jeiel (q.v., 1 Cr 16.5).

**JAAZIEL[2]**
1. Um dos poderosos guerreiros benjamitas que abandonou Saul para se juntar a Davi em Ziclague (1 Cr 12.4).
2. Um sacerdote designado por Davi para tocar a trombeta diante da arca depois dela ter sido trazida a Jerusalém (1 Cr 16.6).
3. O terceiro dos filhos de Hebrom, o levita, cujo nome é mencionado, e que foi designado por Davi para servir no Templo (1 Cr 23.19; 24.23).
4. Filho de Zacarias da família levita de Asafe. O Espírito do Senhor o inspirou a profetizar a grande vitória de Deus em favor de Josafá (2 Cr 20.14-17).
5. Pai de Secanias, um comandante que retornou com Esdras juntamente com 300 homens (Ed 8.5).

**JABAL** Filho de Lameque e Ada, e aquele que introduziu o modo de vida nômade. Também era criador de gado (Gn 4.20).

**JABES**
1. Pai de Salum, que matou Zacharias, o rei de Israel, e reinou em seu lugar (2 Rs 15.10,13,14).
2. Uma forma reduzida de Jabes-Gileade (q.v.; 1 Sm 11.1,3,5,9,10; 31.12,13; 1 Cr 10.12).

**JABES-GILEADE** Uma cidade em Gileade, aproximadamente 16 quilômetros a sudeste da antiga Bete-Seã, cerca de 3 quilômetros a leste do rio Jordão. Glueck identificou o local com Tell Abu Kharaz no Uádi Yabis, 3 quilômetros a leste do Jordão. Israel logo feriu a cidade com a espada pelo fato de seus cidadãos não terem participado da guerra contra Benjamim (Jz 21.8-15). Mais tarde, Saul resgatou a cidade quando Naás, o amonita, ameaçou arrancar o olho direito dos homens quando eles renderam-se em troca de terem suas vidas poupadas (1 Sm 11.1-11). Depois da morte de Saul na batalha de Gilboa, os filisteus o decapitaram e penduraram o seu corpo na fortaleza de Bete-Seã, mas os homens de Jabes-Gileade, que estavam cerca de 15 quilômetros, recuperaram o corpo em um ousado ataque noturno e fizeram um enterro honroso com seus restos mortais (1 Sm 31.8-13). Davi enviou-lhes uma mensagem elogiando-os por seu ato (2 Sm 2.4-7). Alguns entendem que, através desta atitude, Davi estaria ganhando o apoio destes homens para o seu reinado.

N. B. B.

**JABEZ**
1. Jabez era um descendente da tribo de Judá, mas não pode ser relacionado com nenhuma época ou família. Seu breve registro aparece como uma luz brilhante nas genealogias das Crônicas, tornando-as mais claras. Ele foi chamado de Jabez, um nome que

Ruínas de um edifício público dos dias de Acabe na cidade de Hazor

transmite a seguinte mensagem: "porquanto com dores o dei à luz". Ele mantinha a sua fé em Deus, buscava a sua bênção, e a sua fé triunfou, pois "Deus lhe concedeu o que lhe tinha pedido" (1 Cr 4.9,10).
2. Uma cidade, aparentemente em Judá, onde habitavam as famílias dos escribas (1 Cr 2.55).

**JABIM**
De acordo com W. F. Albright (*Yahweh and the Gods of Canaan*, Garden City. Doubleday, 1968, p. 49, n. 99), este nome é uma abreviatura do longo *Yabni-Hadad*, o nome do rei de Hazor do século XVII a.C. É semelhante a *Yabni-el*, nome de um príncipe de Laquis do século XIV a.C.
1. Rei de Hazor (q.v.) que fez uma aliança com vários outros reis para lutar contra os israelitas, mas que foi derrotado por Josué e suas forças nas proximidades das águas de Merom (q.v.). Após a batalha, Jabim foi assassinado e Hazor foi queimada (Js 11.1-14).
2. Um rei posterior de Hazor, possivelmente um descendente do Jabim anterior. Ele oprimiu Israel por vinte anos, durante a época dos juízes. Suas forças, lideradas por Sísera, foram vencidas pelas forças israelitas sob o comando de Baraque e Débora (Jz 4.1-24). O último nível da grande cidade cananita de Hazor pode ser associado ao seu reino. As escavações arqueológicas de Yigael Yadin indicam que ela foi destruída em aproximadamente 1230 a.C.

F. D. H.

**JABNÉ** *Veja* Jabneel 1.

**JABNEEL**
1. Uma cidade na fronteira noroeste de Judá (Js 15.11), 6 quilômetros em direção ao interior a partir do mar Mediterrâneo, e 15 quilômetros a noroeste de Asdode. Provavelmente deva ser identificada como Jabné, uma cidade filistéia capturada por Uzias (2 Cr 26.6). Jabné era chamada de Jamnia nos períodos grego e romano, e foi nesta cidade que o Sinédrio foi novamente formado após a destruição de Jerusalém em 70 d.C., e o cânone das Escrituras Judaicas foi confirmado (aprox. 100 d.C.).
2. Cidade de Naftali (Js 19.33), identificada por alguns como a atual Kirbet Yamma, aprox. 10 quilômetros ao sul do Tiberíades.

**JABOQUE** Um afluente leste do rio Jordão de aproximadamente 100 quilômetros de extensão. É agora chamado de Nahr ez-Zerqa devido à aparência azul de suas águas. Ele nasce nas proximidades da antiga Rabbath-Ammon, a capital amorita. Flui 30 quilômetros ou mais ao norte, gradualmente oscilando para o oeste, onde desce rapidamente ao longo de uma garganta íngreme. Isto forma uma corrente forte, especialmente na estação das chuvas. Ao alcançar o vale do Jordão, flui para o sudeste para desaguar neste rio, quase 40 quilômetros ao norte do mar Morto.
Era uma fronteira natural entre os reinos de Seom de Hesbom e Ogue de Basã, antes da conquista de Canaã, sob o comando de Josué (Nm 21.24); e era a fronteira oeste dos amonitas (Dt 3.16). Mais tarde, formou a fronteira sul do território da tribo de Manassés (Dt 3.12-17).
Jacó atravessou este rio com sua família, antes de ali lutar de noite com o anjo que lhe deu o nome de Israel (Gn 32.22-29). Os israelitas podem ter nomeado o rio em memória a este acontecimento, pois o termo Jaboque em hebraico é *yabboq*, enquanto a expressão "e lutou..." (Gn 32.24) é *way-ye'abeq*, que contém somente uma consoante adicional, um *álefe* silencioso.

N. B. B.

**JACÃ** Um chefe gadita, provavelmente chefe de uma família (1 Cr 5.13).

**JACÃ** *Veja* Jaacã.

**JACINTO** *Veja* Jóias.

**JACÓ** Em hebraico, o nome *ya'aqob* significa "apanhador de calcanhar", "malandro" ou "suplantador". No sul da Arábia e na Etiópia, a palavra significa "que Deus proteja" e vem do verbo *'aqaba*, "guardar", "cuidar", ou "proteger". A raiz *'aqab* é uma palavra semita geral que ocorre nos nomes árabes pessoais, em inscrições acádias e aramaicas, assim como nos idiomas siríaco e palmireno. O substantivo que significa "calcanhar" ocorre em hebraico (*'aqeb*), aramaico, siríaco, árabe, ugarítico e acádio. O nome de Jacó era, assim, um antigo membro da onomástica do Oriente ao invés de um nome unicamente bíblico.
1. O patriarca. O filho gêmeo mais novo de Isaque e Rebeca; mais tarde chamado de Israel.

O ribeiro de Jaboque. Richard E. Ward

*A vida na Palestina* (Gn 25–27). O nascimento de Esaú e Jacó está registrado em Gênesis 25.21-28. Isaque casou-se com Rebeca quando tinha quarenta anos de idade (veja este belo episódio em Gn 24). Rebeca, assim como Sara (cf. Gn 11.30; 16.1,2), era estéril. As orações de Isaque por sua esposa foram ouvidas e atendidas. Ela deu à luz dois meninos gêmeos, que lutaram no útero assim como a posteridade de suas nações fez na vida real (*veja* no tema Esaú a história desta longa e amarga luta). Esaú, o primeiro a nascer, foi assim chamado porque era peludo. O segundo foi chamado de Jacó porque saiu do útero agarrado no calcanhar de seu irmão. Os filhos gêmeos de Rebeca herdaram suas principais características. Esaú herdou sua mente aberta; Jacó, sua astúcia. Esaú tornou-se um hábil caçador, um homem do campo, a quem Isaque amava, porque este seu filho lhe dava carne de caça para comer. Em contraste, Jacó era calado, introspectivo, acomodado, um homem íntegro vivendo em tendas, amado por Rebeca, sua mãe.

Deus prometeu a Abraão que através de sua semente, Isaque, faria dele uma grande nação. Esta promessa foi renovada em Isaque. A questão era, através de qual semente, Jacó ou Esaú? Esta luta resultou em um conflito doméstico e forçou Jacó a viver sob constante tensão. Gênesis 25.23 declara que pela escolha divina, Jacó seria o herdeiro da promessa; mas dois eventos interessantes ocorrem para implementar o propósito divino.

O primeiro é a compra do direito de primogenitura de Esaú (Gn 25.29-34). Quando Esaú, o caçador, veio do campo faminto e de mãos vazias, desejou um pouco daquele guisado vermelho (Gn 25.30, lit.), um cozido que seu irmão pastor, Jacó, estava preparando. Em sua condição faminta, Esaú negociou o seu direito de primogenitura. Jacó insistiu em um juramento, considerado irrevogável (Gn 25.33; cf. Js 9.19). Então, através de uma providência sagaz (como quem tira vantagem de uma forma injusta), Jacó adquiriu a reputação de seu nome e ganhou o direito de primogenitura, que a sua ordem de nascimento não lhe dava. A intenção de Deus (Gn 25.23)

Jacó abençoando Efraim e Manassés. Pintura de Benjamin West

estava tornando-se realidade com a ajuda de Jacó, embora o Senhor a pudesse realizar de uma forma diferente e sem a ajuda deste. De qualquer forma, junto com a boa sorte de Jacó, sementes de hostilidade que trariam grandes aborrecimentos futuros a Jacó foram plantadas (Gn 27.41). As tábuas Nuzu descobertas a sudeste de Nínive em 1926 revelam que na cultura prevalecente na Mesopotâmia na primeira metade do segundo milênio a.C., o direito de primogenitura podia ser comprado e vendido. *Veja* Primogênito; Nuzu.

O segundo evento é o roubo da bênção da aliança (Gn 27.1-46). O já idoso Isaque, temendo a morte iminente (137 anos de idade – porém 43 anos antes de sua morte), instruiu Esaú para que preparasse para ele o seu prato favorito, para que pudesse transmitir ao seu primogênito a bênção patriarcal contida em sua alma (Gn 27.4). À medida que o inocente Esaú estava cumprindo a sua tarefa, Jacó cooperou com o plano de Rebeca a fim de tomar a bênção para si mesmo. Com audácia e mentiras grosseiras, Jacó executou a fraude conforme havia sido esboçado por sua mãe (Gn 27.19,24). Jacó acrescentou blasfêmias chocantes (v. 20: "Porque o Senhor, teu Deus, a mandou ao meu encontro"). O fato patético da ocasião torna-se ainda mais agravante devido à cegueira de Isaque. Tomado de suspeita e dúvida (a voz de Jacó, mas as mãos de Esaú, 27.22), o pai cego finalmente colocou sobre Jacó a sua bênção final, já no leito de morte (Gn 27.27-29; cf. 24.1-9; 49.1-33). Por ocasião do retorno de Esaú, quando Isaque tomou conhecimento do logro, a bênção não podia mais ser alterada nem retirada (27.37,38). Então, nada mais do que uma triste sorte restava para Esaú (27.39,40).

*A vida em Harã* (Gn 28–30). Quando a trama toda foi descoberta, Jacó foi enviado para junto de seus parentes em Harã. Em sua viagem a partir de Berseba, Jacó, como um exaurido, cansado, e fugitivo pecador, passou sua primeira noite nas proximidades do antigo santuário cananeu de Luz. Em uma visão noturna, Deus revelou-se a este peregrino como o Deus de seu pai. Ele também renovou a bênção da aliança (Gn 12.7; 13.14-17; 26.3-5), prometeu-lhe a terra, deu-lhe uma missão universal e assegurou-lhe que teria a orientação divina e uma vida próspera. Jacó respondeu com um voto pessoal e chamou o local de Betel (q.v.).

Jacó chegou a Arã-Naaraim (Mesopotâmia) e a misericórdia do Senhor veio resgatá-lo novamente. Lá, conheceu Raquel, no poço, e este foi um caso de amor à primeira vista. Ela, por sua vez, levou-o até à casa de seu pai, Labão, que era tio dele, e o apresentou (Gn 29.10,11,18,20). O amor de Jacó por Raquel garantiu-lhe um emprego permanente junto a Labão. Jacó trabalhou por sete anos para tê-la como esposa. Na manhã seguinte à cerimônia de casamento, ele descobriu que, ao invés de ter se casado com Raquel, que tinha uma voz suave, havia se casado com Léia, que tinha uma enfermidade nos olhos. O engodo de Labão era equivalente à ira de Jacó, por isso, ele concordou em dar-lhe Raquel após as festividades tradicionais de casamento que duravam uma semana, se este o servisse por mais sete anos. Jacó trouxe grande prosperidade a seu sogro (Gn 30.30), e o astuto Labão sempre era capaz de reconhecer um bom negócio.

A prosperidade de Jacó aumentou assim como sua família. Doze filhos nasceram a Jacó na Mesopotâmia. Léia era mãe de Rúben, Simeão, Levi, Judá, Issacar, Zebulom, e de uma filha, Diná (Gn 29.31-35; 30.17-21). Da criada de Léia, Zilpa, ele teve Gade e Aser (Gn 30.9-13). Da criada de Raquel, Bila, nasceram Dã e Naftali (Gn 29.31; 30.1,2; cf. 16.2; 25.21; 30.3-8). Finalmente, Deus abriu a madre de Raquel e ela teve José, e mais tarde, em Canaã, Benjamim (Gn 30.22-24; 35.16-18).

*A preparação de Jacó para voltar para casa* (Gn 31). Jacó desejava retornar à Palestina (Gn 30.25). Labão, percebendo que sua prosperidade havia sido alcançada por causa de Jacó, o exortou a ficar (Gn 30.27), e Jacó concordou sob uma condição (Gn 30.29ss.). Mas, agora, o Senhor havia instruído Jacó para que voltasse para casa (Gn 31.3,11-13). Jacó falou com suas esposas e as lembrou de que seu pai Labão havia mudado seus ganhos "dez vezes" (Gn 31.4-7). Elas lhe asseguraram a aceitação de seus planos (vv. 14-16).

Enquanto Labão estava pastoreando o seu rebanho, Jacó com suas esposas, filhos, servos e rebanhos partiram rumo à terra de seu pai (Gn 31.17-20). Eles cruzaram o rio Eufrates e seguiram em direção a Gileade. Depois de três dias, Labão, ouvindo sobre a fuga, os perseguiu durante sete dias, encontrando-os na montanha de Gileade a, aproximadamente, 650 quilômetros de Harã (vv. 21-25). Irado, Labão levantou três acusações contra Jacó (vv. 26-30): (1) que ele fugiu em segredo; (2) que seqüestrou suas filhas; (3) e, que roubara seus ídolos do lar (terafim; cf. G. E. Wright, *Biblical Archaeology*, p. 44). Jacó contava com vinte anos de serviço árduo e sofria a constante tentativa de Labão de defraudá-lo em seus ganhos. Depois de muitos discursos bombásticos, nos quais cada um tentava sobrepujar o outro exagerando nos erros cometidos pela outra parte, Labão sugeriu uma trégua, que foi marcada pelo estabelecimento de uma coluna e um monte de pedras, e que culminou em um banquete de aliança que durou a noite toda (vv. 31-54). Na manhã seguinte, Labão retornou a Harã e Jacó viajou em direção ao sul.

*O retorno à Palestina* (Gn 32–33). Vinte anos haviam se passado desde que Jacó havia enganado Isaque e roubado a bênção de Esaú. Quando Jacó aproximou-se da terra de seu coração, um grupo de anjos veio ao seu encontro (32.1,2), assegurando-lhe mais uma vez a proteção de Deus para recebê-lo, dando-lhe as boas vindas por seu auspicioso retorno. Passando pela parte rasa do ribeiro de Jaboque (q.v.) para proteger sua família de Esaú, Jacó encontrou-se com "um varão" que lutou com ele até o romper do dia (v. 24). Embora estivesse com seu quadril ferido, Jacó foi bem-sucedido e ganhou, do varão com quem lutou, uma bênção que mudou o seu nome de Jacó ("enganador") para Israel ("o que luta com Deus"; *veja* Israel). O estranho revelou sua verdadeira identidade abençoando Jacó e também mudando o seu nome – Ele era o próprio Eterno (cf. Gn 17.5; 35.9-15; Is 65.15; Os 2.23; 12.3,4).

O próximo obstáculo de Jacó era apaziguar seu injuriado irmão Esaú. O encontro de Jacó e Esaú está registrado em Gênesis 33.1-16. Temeroso de que a ira de Esaú ainda fosse intensa, Jacó enviara mensageiros para espionar os planos de Esaú, e estes relataram que Esaú estava marchando com 400 homens armados. Então, Jacó, sendo ainda o mais astuto, tinha a intenção de fazer as pazes com o seu irmão gêmeo e proteger a si e à sua família contra aquele possível ataque (Gn 32.3-8,13-21; 33.1-3). Além desta estratégia, ele havia orado (32.9-12) e feito seu pedido ao Deus de Abraão e Isaque – Aquele que combina os eventos passados (32.9), com as necessidades do presente (32.11), e as promessas do futuro (32.12). Em meio à confusão das ações humanas, Jacó reconheceu a necessidade da ajuda do Senhor. Ele não ganhou apenas a ajuda de Deus, mas também o coração de Esaú, apesar da presença de seus homens armados. Em uma cena de grande ternura, Jacó encontrou-se com Esaú, e a discórdia foi resolvida, pelo menos temporariamente, com magnanimidade e afeição.

*Vivendo pela segunda vez na Palestina* (Gn 33.17–45.5). Esaú foi a Seir e lá formou uma nação (Gn 33.16; cf. o cumprimento da promessa de Gn 25.23; 27.39-40; 36.1-43). Jacó passou a residir em Canaã para assumir sua herança. Ele agora era de fato um patriarca. Após a partida de Esaú, Jacó permaneceu a leste do rio Jordão e acampou próximo a Sucote; então foi para Siquém, onde comprou terras e reconstruiu um altar (Gn 33.17-20). Sob a ordem de Deus, foi para Betel e lá o Senhor renovou as promessas patriarcais (35.1-5). Jacó e sua caravana seguiram em direção ao sul, e, durante sua jornada, a amada Raquel morreu no parto (durante o nascimento de Benjamim) e foi sepultada no caminho para Efrata (Belém, 35.16-20). Jacó juntou-se a Esaú em Manre (Hebrom) e, lá, sepultaram seu pai na caverna de Macpela, o sepulcro da família (35.27-29; 49.30,31).

Os anos posteriores de Jacó demonstraram as advertências de Moisés a Israel: "... porém sentireis o vosso pecado...", ou ainda, como em outras traduções, "podeis estar certos de que o vosso pecado vos alcançará" (Nm 32.23). As provações domésticas seguiram Jacó até o final de sua vida. Primeiro, houve sérios conflitos entre seus filhos tempestuosos, Simeão e Levi, com os filhos de Hamor em Siquém devido ao problema de Diná (Gn 34.1-31). Então, Débora (a ama de Rebeca), a confidente e conselheira da família, morreu e a família inteira foi afetada (35.8). Raquel, objeto do amor profundo de Jacó, foi levada pouco tempo depois (35.16ss.). "Rúben foi e deitou-se com Bila, concubina de seu pai; e Israel soube-o" (35.22). José, seu filho predileto, foi levado e afastado dele; e o velho Jacó, já de cabelos grisalhos, foi tomado pelo sofrimento (37.34ss.). Por fim, o patriarca já idoso foi forçado a exilar-se no Egito para preservar sua própria vida e a de sua família (46.3).

*Os anos finais de Jacó*. Estes anos no Egito (Gn 46.6–50.13) também fazem parte da história de José (Gn 37–50). *Veja* José.

Quando os sete anos de escassez e fome atingiram Canaã, Jacó e seus filhos foram para o Egito. No caminho, em Berseba, ele foi assegurado do favor de Deus (46.1-4). José fez os preparativos para que Jacó e sua companhia se estabelecessem na terra de Gosén, onde permaneceu até sua morte. Com 130 anos de idade Jacó teve uma audiência com o Faraó e o abençoou (47.7-10).

Antes de morrer com a idade avançada de 147 anos (47.28), Jacó concedeu a bênção patriarcal aos filhos de José, Efraim e Manassés (48.8-20), e subseqüentemente a seus próprios filhos (49.1-33). A promessa de Deus a Jacó foi cumprida. Em sua morte, os egípcios lhe prestaram uma grande homenagem. Seus filhos, liderados por José, o primeiro ministro do Egito, levaram seu corpo de volta a Canaã, e o sepultaram em Macpela com Abraão e Isaque (49.29–50.13; cf. 25.9-10; 35.28-29), realizando um desejo comum dos antigos, de serem enterrados em sua terra natal (cf. o Sinuhe egípcio, ANET, pp. 20ss.). *Veja* Era Patriarcal.

Jacó é um típico exemplo da graça redentora de Deus. Ele era comum, egoísta, intrigante e um trapaceiro impetuoso com capacidade para os negócios. Mas, em seu coração, tinha tempo para Deus. Sua natureza era sensível ao toque do Senhor, e capaz de alcançar um grande desenvolvimento. Ele tinha sonhos e visões; anjos o visitavam e ele orava. Jacó desejava os melhores dons; ele desenvolveu princípios religiosos fixos; e, finalmente, tornou-se firme em seus hábitos. Mas a vida de Jacó era repleta de conflitos. A luta em sua alma foi longa e violenta – mas a graça venceu e por isso Jacó, o "enganador", tornou-se Israel, aquele "que luta com Deus".

*O uso do termo "Jacó" nas Escrituras*. O nome "Jacó" é mencionado muitas vezes na

Bíblia Sagrada. "Jacó" é retratado como um indivíduo marcado, como um filho favorecido (Ml 1.2; Rm 9.10-13), um herdeiro da promessa divina (cf. Hb 11.9), e um homem abençoado (Hb 11.20,21). Como o terceiro patriarca notável, Jacó é freqüentemente ligado a Abraão e Isaque. E assim, o nome do Deus dos três renomados e célebres patriarcas é El Shaddai (Êx 6.3) e Yahweh (Êx 3.6,15), aquele que é fiel à sua aliança (Êx 2.24; 32.13; Dt 29.12), e aquele que se compadece de Israel (2 Rs 13.23). Os patriarcas judeus habitam com Ele (Mc 12.26,27), e sentam-se à sua mesa, em seu reino celestial (Mt 8.11).

O portador do nome da nação de Israel, Jacó, aparece freqüentemente nas Escrituras. Israel é a "casa de Jacó" (Lc 1.33); o seu Deus é o "Rei de Jacó" (Is 41.21); o Templo do Senhor Deus é a habitação do Deus de Jacó (At 7.46). A figura de Jacó (Israel) é compendiada no título "servo do Senhor" (Is 41.8; 44.1,2,21; 48.20; 49.3), de quem o Messias era o cumprimento (Is 42.1-7; 49.1-10; 50.4-9; 52.13–53.12; Mt 8.17; 12.15-21; Mc 10.45; Lc 2.30-32; At 3.13,26; 4.27,30; 8.30-35; 1 Pe 2.21-25).

*Veja* Servo do Senhor.

***Bibliografia.*** S. R. Driver, *The Book of Genesis, Westminster Commentaries*, 9ª ed., Londres. Methuen Co., Ltd., 1913, pp. 244-401. L. Hicks, "Jacob (Israel)", IDB, II, 782-787. William S. Lasor, *Great Personalities of the Old Testament*, Nova York. Revell, 1959, pp. 31.39. A. R. Millard, "Jacob", NBD, pp. 593-596. John Muilenberg, "The birth of Benjamin", JBL, LXXV (1956), 194-200. Martin Noth, *The History of Israel*, Nova York. Harper, 1958, pp. 1-7, 53-84, 120-126. G. E. Wright, *Biblical Archaeology*, Filadélfia. Westminster, 1951, pp. 40-68.

2. O pai de José. O nome do pai de José, marido de Maria, de acordo com a genealogia de Cristo em Mt 1.15-16.

D. W. D.

**JADA** Um jerameelita, filho de Onã (1 Cr 2.28,32).

**JADAI**[1] Filho de Nebo, e um dos que foram compelidos por Esdras a deixar sua esposa estrangeira (Ed 10.43).

**JADAI**[2] Uma das esposas de Calebe, ou (mais provavelmente) um descendente de Calebe cujos seis filhos foram listados em 1 Cr 2.47.

**JADIEL** Um líder da meia tribo de Manassés a leste do Jordão (1 Cr 5.24). Ele é mencionado como um dos "homens valentes", ou "guerreiros valentes", e o líder de uma família.

**JADOM** Um meronotita que trabalhou com Melatias, o gibeonita, e os homens de Gibeão e de Mispa na reparação do muro de Jerusalém durante a época de Neemias (Ne 3.7).

**JADUA**

1. Um dos chefes do povo que selou a aliança de Neemias, comprometendo-se a manter a lei (Ne 10.21).

2. Filho de Jônatas e o último dos sumos sacerdotes mencionados no Antigo Testamento (Ne 12.11,22). De acordo com os papiros Elefantine, escritos na última década do século V a.C, o sumo sacerdote em 400 a.C era Jônatas (Joanã), o pai de Jadua. Josefo disse (*Ant.* xi. 8. 3-6) que Jadua era o sumo sacerdote quando Alexandre o Grande foi a Jerusalém em 332 a.C. Embora isto tenha sido possível caso Jadua tenha vivido aproximadamente 100 anos, é mais provável que este seja um outro sacerdote com o mesmo nome.

**JAEL** A esposa de Héber, o queneu, na época dos juízes (*veja* Héber). Os queneus eram midianitas da família da qual Moisés tomou uma esposa para si. Hobabe, cunhado de Moisés, chegou à terra prometida com Israel, e seus descendentes ainda viviam lá.

Na batalha entre Hazor e as tribos do norte, Héber, o queneu, não era considerado por Jabim, rei de Hazor, como um dos inimigos de Israel. E assim, Sísera, o general de Jabim, fugindo da sua derrota desastrosa pelas mãos de Baraque, sentiu-se seguro tomando certa distância para descanso e refúgio na tenda de Héber. Jael, tendo dado as boas vindas e descanso a Sísera, ficou de guarda na porta da tenda até que o homem, exausto, adormeceu. Então, ela tomou uma estaca da tenda e um martelo e, com alguns golpes vigorosos, matou o guerreiro adormecido. Quando os israelitas perseguidores chegaram, Jael os levou ao seu inimigo derrotado. Ela foi homenageada, segundo a profecia de Débora, como a verdadeira heroína da batalha (Jz 4.11–5.31).

P. C. J.

**JAERÁ** Um descendente do rei Saul através de Jônatas (1 Cr 9.42). Ao invés deste nome, o texto em 1 Crônicas 8.36 traz o nome Jeoada (q.v.).

**JAFÉ** O terceiro filho de Noé (Gn 10.1), pai de cerca de catorze nações que formam a família indo-germânica, que originalmente habitava o Cáucaso, espalhando-se pelo leste e pelo oeste. Seus descendentes formaram as civilizações dos medos e persas, produziram os jônios do oeste da Ásia Menor, os capadócios (inclusive os heteus), os cimérios, os citas e os reinos das ilhas do mar Egeu. Na época do dilúvio ele estava casado, mas não tinha filhos.

Quando seu pai, Noé, embriagou-se, Jafé tentou protegê-lo. Por isto foi abençoado por seu pai, que declarou: "habite nas tendas de Sem".

Isto significava: “encontre proteção e libertação” (Gn 9.27). A bênção de Noé incluía os seguintes pontos: o evangelho, revelado e desenvolvido no mundo judaico, foi escrito em grego e pregado aos gentios por Paulo, o semita. O evangelho chegou primeiro à Ásia Menor e depois à Macedônia (cf. At 16.9), Grécia, e finalmente a Roma, e depois a todo o mundo oriental, trazendo um incontável número de homens e mulheres do povo de Jafé para as “tendas de Sem”. Assim como a maldição de Cam, a bênção de Jafé era essencialmente religiosa.

H. G. S

**JAFIA**
1. Rei amorreu de Laquis que se uniu a quatro outros reis para fazer oposição a Josué. Eles foram completamente dominados na batalha de Gibeão, e mortos após terem tentado esconder-se em uma cova em Maquedá (Js 10).
2. Uma cidade na fronteira sudeste do território de Zebulom. Tem sido localizada como a atual Jafa, dois quilômetros e meio a sudeste de Nazaré (Js 19.12).
3. Um dos filhos de Davi nascido em Jerusalém; o nome de sua mãe não é mencionado (2 Sm 5.15; 1 Cr 3.7; 14.6).

**JAFLETE** Um membro da tribo de Aser e da família de Héber (1 Cr 7.32-33).

**JAFLETITAS** Os descendentes de um certo Jaflete; aparentemente não o mesmo aserita mencionado acima. A área de Jaflete é mencionada ao se declarar as fronteiras dos filhos de José. Os jafletitas viviam em uma área a leste de Gezer (Js 16.3).

**JAFO** Tradução de Jope em Josué 19.46. Pertencia aos filisteus e estava localizada na costa do mar Mediterrâneo, fazendo fronteira com o território dos danitas. *Veja* Jope.

**JAGUR** Uma cidade na parte sudeste de Judá, nas proximidades da fronteira de Edom (Js 15.21). O local é desconhecido; de qualquer forma, pode ser Gur-Baal, a atual Tell Ghurr, 13 quilômetros a leste de Berseba.

**JAIR**
1. Filho de Segube, que era da tribo de Manassés por parte de sua mãe, e da tribo de Judá por parte de seu pai. Durante a conquista da Palestina, Gileade foi dada a Manassés, e Jair ganhou por si inúmeras aldeias na planície de Argobe que se tornaram conhecidas como Havote-Jair, “aldeias de Jair” (Nm 32.41; Dt 3.14; 1 Rs 4.13; 1 Cr 2.22).
2. O gileadita que foi o oitavo juiz de Israel e descendente da pessoa mencionada no item 1 acima. Embora tenha julgado Israel durante 22 anos, nada é conhecido a seu respeito, exceto que tinha trinta filhos e as trinta cidades conhecidas como Havote-Jair (Jz 10.3-5).
3. Filho de Simei e pai de Mardoqueu, o guardião de Ester (Et 2.5).
4. Pai de Elanã que assassinou Lami, irmão de Golias (1 Cr 20.5).

**JAIRITA** *Veja* Ira.

**JAIRO** Nome de um dos principais de uma sinagoga (Mc 5.22; Lc 8.41), provavelmente em Cafarnaum. Sua filha foi ressuscitada pelo Senhor Jesus.

**JALEEL, JALEELITAS** O terceiro filho de Zebulom e fundador da família tribal dos Jaleelitas (Gn 46.14; Nm 26.26).

**JALOM** Descendente de Calebe, o espia, e filho de Ezra (1 Cr 4.17). Este Ezra é chamado de Esdras em algumas versões.

**JAMAI** Listado como neto de Issacar e filho de Tola (1 Cr 7.2).

**JAMBRES** *Veja* Janes e Jambres.

**JAMIM**
1. Um filho de Simeão, o segundo filho de Jacó (Gn 46.10; Ex 6.15; 1 Cr 4.24). Ele foi o fundador de uma família tribal chamada jaminitas (Nm 26.12).
2. Um membro da tribo de Judá e da família de Jerameel (1 Cr 2.27).
3. Um dos levitas que, sob a supervisão de Esdras, leu a lei para o povo e o ajudou a compreendê-la (Ne 8.7).

**JANAI ou JANNA**
1. Um ancestral de Jesus (Lc 3.24).
2. Um chefe da tribo de Gade (1 Cr 5.12).

**JANELA** *Veja* Casa; Janela ou Grade.

**JANELA ou GRADE** Tradução de várias palavras do AT.
1. A palavra hebraica *'eshnab,* “armação”, “caixilho” (Jz 5.28; Pv 7.6), denotando uma pequena janela através da qual podemos olhar sem sermos vistos.
2. A palavra hebraica *harakkim*, “grade” (Ct 2.9), significa a abertura da janela que facilitava a visão.
3. A palavra hebraica *s[e]baka*, “grade” (2 Rs 1.2), tem o sentido de uma rede como ornamentos sobre pilares (1 Rs 7.17), ou de uma rede ou armadilha para animais (Jó 18.8). Veja Trabalho em Xadrez.
4. A palavra hebraica *'arubba,* “janela”, significa a abertura de uma janela para ventilar a fumaça (Os 13.3), as aberturas de um pombal (Is 60.8), ou as janelas do céu em uma tempestade destruidora (Gn 7.11; Ml 3.10).
5. A palavra hebraica *hallon,* “janela” (Gn 8.6; Js 2.15; 1 Sm 19.12; Jl 2.9; 1 Rs 6.4 etc.),

Os pilares Jaquim e Boaz diante deste modelo do Templo de Salomão no Lebanonorama, nas proximidades de Beirute. HFV

é a palavra comum para uma janela na parede externa de um edifício, suficientemente larga para dar passagem a um homem. Ruínas arqueológicas mostram, muitas vezes, janelas recuadas com grades de barras cruzadas ou simplesmente barras verticais (veja ANEP #131). Devemos nos lembrar de que as janelas de vidro eram desconhecidas na época da Bíblia Sagrada, e que, devido às temperaturas do Mediterrâneo, não seriam necessárias. *Veja* Casa.

H. G. S.

**JANES E JAMBRES** Estes são citados por Paulo como os dois mágicos egípcios que opuseram-se a Moisés (2 Tm 3.8). A referência é aos incidentes descritos em Êxodo 7.11,12; 8.7,18,19; 9.11, onde os nomes dos mágicos não são citados, nem tampouco de quantas pessoas se tratava. Estes dois nomes aparecem sob várias formas no Talmude, no Targum e nos escritos rabínicos. Uma vez que em 2 Timóteo e na literatura da comunidade de Qumran eles são referidos como já conhecidos, parece que algum apócrifo judeu relativo à história deles estava em circulação no século I a.C. Esta, ou uma versão cristã dela, era conhecida no início dos séculos cristãos. Certas referências de Orígenes e na lei de Gelásio apontam para a existência de um escrito não canônico descrevendo e condenando suas atividades. A tradição cristã é largamente dependente de 2 Timóteo, e tem usado os dois mágicos como símbolo das artimanhas satânicas e da oposição à verdade.

J. A. R.

**JANGADA** A jangada era semelhante a uma balsa. Era formada por troncos de cedro amarrados juntos (1 Rs 5.9).

**JANGADA ou BALSA** No texto em 1 Reis 5.9 em algumas versões, a palavra "jangada" aparece como uma tradução do termo heb. *dobrot*. A versão Berkeley em inglês traz o termo "flutuador" e esta é de fato uma possível tradução. Outras versões traduziram o termo *rapsodot* como "jangadas" em 2 Crônicas 2.16. Como nenhuma palavra hebraica aparece em outro contexto, é difícil enxergar alguma diferença entre estes termos. Ambos referem-se a uma certa quantidade de toras de cedro provavelmente amarradas de algum modo com cordas, as quais eram transportadas flutuando na água por Hirão de Tiro, que as enviava a Salomão. Não existe um exemplo claro da palavra jangada no AT no sentido de transporte aquático.

**JANIM** Uma cidade na colina do distrito de Hebrom, nas proximidades de Bete-Tapua (Js 15.53). É possível identificá-la com a moderna Beni Na'im.

**JANLEQUE** Descendente de Simeão e um príncipe entre o seu povo (1 Cr 4.34,38).

**JANOA**

1. Uma cidade na parte norte de Naftali, próxima a Quedes. Foi tomada por Tiglate-Pileser III da Assíria na época de Peca, rei de Israel (2 Rs 15.29). A sua localização exata é incerta.
2. Uma cidade fronteiriça em Efraim (Js 16.6,7). Deve ser identificada como Khirbet Yanun, cerca de 10 quilômetros a sudeste de Siquém.

**JANTAR** *Veja* Alimentos: Banquete.

**JAQUE** Pai de Agur, autor das expressões registradas em Provérbios 30.1 (veja v.1).

**JAQUIM**[1]

1. Filho de Simeão, filho de Jacó, que foi ao Egito quando Jacó migrou para lá e tornou-se o fundador da família dos jaquinitas (Gn 46.10; Êx 6.15; Nm 26.12). Chamado de Jaribe (q.v.) em 1 Crônicas 4.24.
2. Jaquim e Boaz (q.v.) eram nomes dados a duas enormes colunas de bronze independentes que ficavam diante do Templo de Salomão (1 Rs 7.15-22; 2 Cr 3.17). Tais pilares gêmeos e independentes eram uma característica comum dos antigos Templos da Assíria ao longo da área Mediterrânea, como pode ser visto nas ruínas arquitetônicas, em moldes de argila, e por representações em moedas e selos. Cada nome pode ser a primeira palavra de uma promessa de Deus nelas escrita; por exemplo, "Yahweh estabelecerá [*yakin*] o teu trono para sempre", e "O rei se alegra em tua força [*b$^e$az*], Senhor" (cf. Sl 21.1; R. B. Y. Scott, JBL, LVIII [1939], 143ss.; P. Garber, BA, XIV [1951], 8). Os imensos pilares e seus capitéis ornamentados (capitel, q.v.) tinham cerca de 11,5 metros de altura e 6 metros de diâmetro. Os capitéis eram cobertos com esculturas

em forma de lírios, abaixo dos quais havia uma faixa com duas fileiras de romãs ornamentais (1 Rs 7.17-22).
Com base em recentes estudos arqueológicos, Albright sugere que estes eram altares de fogo gigantes, como grandes tochas que ficavam diante do Templo de Deus, lembrando o povo da coluna de fogo e da nuvem que conduziu os seus antepassados através do deserto (Êx 13.21ss.; Albright, *Archaeology and the religion of Israel*, pp. 144-148). Yeivin argumenta que a forma de "botão de punho de espada" dos capitéis proibia seu uso como lamparinas gigantes, e acredita que os pilares significavam que Deus estava presente em sua habitação sagrada (S. Yeivin, PEQ, XCI [1959], 6-22). *Veja* Templo.
3. Um sacerdote que morou em Jerusalém após o retorno do cativeiro (1 Cr 9.10; Ne 11.10).
4. Chefe do vigésimo primeiro turno de sacerdotes designado por Davi (1 Cr 24.17).
P. C. J.

**JAQUIM²**
1. Filho de Simei, um benjamita (1 Cr 8.19).
2. Um sacerdote e descendente de Arão. Sua família fazia parte do 12º dentre os 24 turnos entre os quais Davi dividiu os sacerdotes (1 Cr 24.12).

**JARA** Um escravo egípcio a quem o seu senhor, Sesã de Judá, não tendo um filho vivo, deu sua filha como esposa (1 Cr 2.34,35; cf. v. 31). Sesã deve ter primeiramente adotado Jara legalmente devido aos costumes revelados nas tábuas de Nuzu (q.v.).

**JARDIM** *Veja* Plantas: Jardim.

**JARDIM DO ÉDEN** *Veja* Éden.

**JARDIM DO REI** *Veja* Jerusalém: Portas e Torres 10.

**JARDINEIRO** *Veja*.Ocupações.

**JAREBE** Nome, ou epíteto, de um rei assírio que recebeu tributos de Israel (Os 5.13; 10.6). Não é seguro ser dogmático sobre o texto e seu significado. Mas, se considerarmos o texto atual, deveremos entender Jarebe como um apelido dado por Oséias ao rei assírio, que indicava o amor que este rei tinha pelos conflitos. Então, a expressão "rei Jarebe", é equivalente a "rei guerreiro", ou "rei lutador". Há versões que traduzem esta expressão como "poderoso rei". As evidências lingüísticas e históricas da atualidade são contrárias à idéia de que Jarebe seja um nome apropriado para um monarca assírio.

**JAREDE** Um patriarca que viveu antes do dilúvio, e que pertencia à linhagem de Sete. Ele era filho de Maalalel e pai de Enoque (Gn 5.15-20; Lc 3.37). Seu nome também aparece em 1 Crônicas 1.2.

**JARIBE**
1. Filho de Simeão e fundador de uma família tribal (1 Cr 4.24). Ele é chamado de Jaquim (q.v.) em Gênesis 46.10; Êxodo 6.15; Números 26.12.
2. Um dos líderes que ajudou Esdras a colocar os ministros do Templo em segurança antes do retorno à Palestina (Ed 8.16).
3. Um sacerdote que havia se casado com uma mulher estrangeira, e que foi compelido por Esdras a despedi-la (Ed 10.18).

**JARMUTE**
1. Uma cidade dos cananeus na Sefelá cujo rei foi derrotado, capturado, e morto por Josué (Js 10.3,5,23; 12.11). Depois de dominada, a cidade foi designada a Judá (Js 15.35) e foi habitada depois do cativeiro (Ne 11.29). É identificada com a atual Khirbet Yarmuk, cerca de 13 quilômetros ao norte de Beit Jibrin e 28 quilômetros a sudeste de Jerusalém.
2. Uma cidade de Issacar que foi dada aos levitas gersonitas (Js 21.29). Corresponde a Ramote (1 Cr 6.73) e a Remete (Js 19.21). A sua localização exata é desconhecida.

**JAROA** Um descendente de Gade através de Buz (1 Cr 5.14).

**JARRETE, JARRETAR** Na pata posterior de um quadrúpede, é a junta entre o joelho e o machinho. O verbo significa "cortar o tendão do jarrete de um animal", dessa forma aleijando-o permanentemente. A palavra "jarretar" aparece em Josué 11.6,9; 2 Samuel 8.4 e 1 Crônicas 18.4. Há versões que trazem o termo "jarretaram" em Gênesis 49.6, enquanto outras apresentam a expressão "arrebataram bois".

**JASAR, LIVRO DE** O livro de Jasar (lit., "Livro dos Justos" ou "Livro do Reto") pertence a uma antiga coleção de canções nacionais, agora perdidas, das quais os escritores bíblicos tiraram uma parte de seu material (*veja também* Guerras do Senhor, Livro das). Há duas referências conhecidas sobre Jasar na Bíblia: Josué 10.12,13 (o evento em que o sol e a lua pararam sobre Gibeão), e 2 Samuel 1.17-27 (o lamento de Davi sobre Saul). Um terceiro suposto extrato aparece em 1 Reis 8.12,13. Outras passagens podem ser Êxodo 15.1ss.; Números 21.17ss.; Números 21.27-30. Se a data assumida estiver correta, o material deste livro é muito antigo. Como uma coleção, entretanto, é provável que ele date do período entre 1000 e 800 a.C. Um outro ponto de vista relaciona o Livro de Jasar à Era Heróica do leste do Mediterrâneo (séculos XV a X a.C.). Seus cânticos devem ter sido usados como parte do treinamento militar. O texto em 2 Samuel 1.18 poderia ser: "Ele os instruiu para que treinassem os filhos de Judá no uso do arco. O poema para este treinamento está escrito no Livro de Jasar" (R. K. Harrison, IOT, Grand Rapids. Eerdmans, 1969, p. 670).

R. A. M.

**JASÉM** Pai de um dos valentes de Davi (2 Sm 23.32). Na lista paralela em 1 Crônicas 11.34, ele aparece como Hasém, o gizonita. *Veja* Hasém.

**JASIEL** *Veja* Jaasiel.

**JASOBEÃO**

1. Filho de Zabdiel, o hacmonita, chefe dos trinta valentes de Davi. Era conhecido como um grande guerreiro que lutou com sua lança contra 300 homens de uma só vez e matou a todos (1 Cr 11.11). Ele pode também ter sido um dos três heróis, cujos nomes não foram mencionados, que romperam as barreiras em Belém para levar a Davi água do poço da cidade (1 Cr 11.15-19). Quando o rei Davi organizou o seu exército, Jasobeão era o chefe de uma unidade do exército que tinha 24.000 homens em serviço no primeiro mês (1 Cr 27.2,3). O texto hebraico paralelo em 2 Samuel 23.8 é muito obscuro, mas parece referir-se ao mesmo homem. Há versões (como por exemplo, a RSV em inglês) que o traduzem como Josebe-Bassebete, o taquemonita que matou "oitocentos" homens. Alguns equívocos dos escribas ao receberem as informações históricas têm confundido o texto. Na passagem em 1 Crônicas 11.11, alguns manuscritos da Septuaginta (LXX) citam seu nome como Isbaal, que possivelmente era a forma original. *Veja* também Hacmoni; Josebe-Bassebete.

2. Um guerreiro que se uniu a Davi em Ziclague; da família levítica de Corá (1 Cr 12.6), residindo em território benjamita (v. 2). Talvez ele seja a mesma pessoa citada acima.

P. C. J.

**JASOM** Um morador de Tessalônica que hospedou Paulo e Silas. Como conseqüência, os cidadãos atacaram sua casa e o lançaram na prisão por não terem encontrado seus hóspedes. Mais tarde Jasom foi solto (At 17.5-9).

O Jasom que enviou saudações em Romanos 16.21 era um parente ou um compatriota de Paulo, isto é, um judeu. Se este for o mesmo indivíduo mencionado em Atos 17.5-9, podemos concluir que Jasom tinha então se mudado para Corinto.

**JASPE** *Veja* Jóias.

**JASUBE**

1. Um dos quatro filhos de Issacar e o fundador de uma família tribal chamada jasubitas (Nm 26.24; 1 Cr 7.1). Ele é chamado de Jó em Gn 46.13.

2. Um filho de Bani, que depois de retornar do êxílio foi persuadido por Esdras a despedir a sua esposa estrangeira (Ed 10.29).

3. Em Isaías 7.3, este termo é parte do nome Sear-Jasube.

**JASUBE-LEÉM** Um membro da família de Sala, e da tribo de Judá (1 Cr 4.22). Algumas versões trazem o texto: "ficaram morando em Belém".

**JATIR** Uma cidade levítica nas montanhas do sul de Judá (Js 15.48; 21.14; 1 Cr 6.57). Era uma das cidades com as quais Davi compartilhou o espólio quando chegou a Ziclague (1 Sm 30.26,27). O local é identificado como Khirbet 'Attir, cerca de 20 quilômetros a sudeste de Hebrom.

**JATNIEL** O quarto filho de Meselemias, da casa de Corá (1 Cr 26.2). Ele era um porteiro do Templo.

**JAVÃ** Este nome refere-se a um dos descendentes de Jafé (Gn 10.2; 1 Cr 1.5), de quem o povo da terra da costa originou-se (Gn 10.5), do noroeste da alta Mesopotâmia e da Síria (*veja* nações). O termo heb. *ya wan* aparece como *yamanu* nas inscrições cuneiformes de Sargão II da Assíria e de Dario I da Pérsia, e está sem dúvida relacionado aos *iaones* (jônios) da Ilíada de Homero (xiii.685). Há referências aos jônios nos registros egípcios da época de Ramsés II (aprox. 1300 a.C.). A conexão de Javã (Grécia) com o mercado de escravos (cf. Ez 27.13; Joel 3.6) talvez seja ilustrada por uma inscrição sul-arábica que traz *Ywnm* como um dos países nos quais as freqüentadoras femininas do Templo eram protegidas (cf. ANET 2, p. 508). Javã (ou Grécia) era um dos quatro grandes impérios de Daniel (Dn 8.21; 10.20; 11.2) e um dia receberia a declaração da glória de Deus (Is 66.19; cf. também Zc 9.13).

Em Ezequiel 27.19 na Septuaginta, lê-se *yyn* ("vinho") para *ywn* ("Grécia"; cf.; v. 18).

R. Y.

**JAVALI** Veja Animais II.22.

**JAZA** Este nome ocorre em várias passagens: Josué 13.18; 21.36; Jeremias 48.21; 1 Crônicas 6.78.

Jaza era uma cidade nas planícies de Moabe, onde Seom, o rei amorreu, foi derrotado por Israel (Nm 21.33; Dt 2.32; Jz 11.20). Na distribuição da terra, ela passou a pertencer a Rúben (Js 13.18) e foi designada aos levitas meratitas (Js 21.34,36). A área na qual Jaza estava localizada foi, depois, perdida para Israel, mas Onri a reconquistou. A Pedra Moabita (linhas 18-20) indica que a cidade foi finalmente tomada por Mesa, rei de Moabe, e acrescentada aos seus domínios. Ela pertencia a Moabe na época de Isaías e de Jeremias (Is 15.4; Jr 48.21,34). Jaza provavelmente ficava ao norte de Arnon e não estava distante do sul de Hesbom, mas a sua localização é incerta.

**JAZANIAS** O nome ocorre em um selo heb. de ágata, "Jazanias, servo do rei", encontrado em Tell-en-Nasbeh, e em uma das cartas de Laquis.
1. Filho de Hosaías, o maacatita. Era um dos oficiais do exército judeu que restaram depois da destruição de Jerusalém pela Babilônia. Com os outros líderes, ele garantiu seu apoio a Gedalias, e depois do assassinato de Gedalias, perseguiu e derrotou Ismael, recuperando todos os cativos. Todos os comandantes buscaram a direção de Deus em Jeremias, mas o desconsideraram quando ele os aconselhou a permanecerem na terra e confiarem em Deus. Jazanias finalmente aparece com outro "homem insolente" rejeitando a vontade de Deus e preparando-se para ir para o Egito, esquecendo-se do conselho recebido (2 Rs 25.23; Jr 40.8; 42.1; 43.2-5). Em Jeremias, o nome é escrito como Jezanias, e em Jeremias 43.2, ele é chamado de Azarias.
2. Líder dos recabitas (q.v.) na época de Jeremias, quando o profeta os tentou com o vinho, para que se tornassem um símbolo de fidelidade para Judá (Jr 35.3ss.).
3. Filho de Safã, contemplado por Ezequiel em uma visão adorando coisas abomináveis na companhia de outros anciãos de Israel (Ez 8.10-13).
4. Filho de Azur, um príncipe de Judá, contemplado por Ezequiel em uma visão adorando o sol, de costas para ao Templo (Ez 11.1-4).

P. C. J.

**JAZEEL JAZEELITAS** O filho primogênito de Naftali e fundador de uma família tribal (Gn 46.24; Nm 26.48). Em 1 Crônicas 7.13 ele é chamado de Jaziel.

**JAZÉIAS** Filho de Ticva e um dos quatro homens mencionados em ligação com a controvérsia sobre as esposas "estranhas" (ou estrangeiras; Ed 10.15). Existe uma discussão sobre o apoio ou a oposição de Jazéias e seus companheiros a Esdras.

**JAZER** Este nome ocorre em Números 21.32; 32.35. Era uma cidade localizada a leste do Jordão, pertencendo originalmente ao reino amorreu de Sião, conquistado pelos israelitas (Nm 21.32), e mais tarde entregue à tribo de Gade (Js 13.25). Ela provia e equipava guerreiros para Davi (1 Cr 26.31; 2 Sm 24.5). Foi capturada pelos moabitas no século VIII a.C. (Is 16.8,9; Jr 48.32). No século II a.C., foi capturada e destruída pelos macabeus (1 Mac 5.7,8). O local pode ser Khirbet Jazzir nas proximidades de es-Salt, aprox. 20 quilômetros a noroeste de Amã.

**JAZERA** Um sacerdote da família de Imer (1 Cr 9.12), e um ancestral de um sacerdote entre os exilados que retornaram. Este nome é um paralelo a Azai em Neemias 11.13.

**JAZIZ** Um hagerita que era um servo do rei e o responsável pelos rebanhos de Davi (1 Cr 27.31).

**JEALELEL** Esta palavra significa "ele deve louvar [ou louvará] a Deus".
1. Nome de um membro da tribo de Judá (1 Cr 4.16).
2. Um levita, descendente de Merari (2 Cr 29.12).

**JEARIM** Montanha na fronteira norte de Judá, identificada com Quesalom (Js 15.10) nas proximidades de Quiriate-Jearim. É a atual Kesla.

**JEATERAI** Um descendente de Gérson, filho de Levi (1 Cr 6.21). No verso 41 ele é chamado de Etni.

**JEBEREQUIAS** Pai de Zacarias, um amigo de confiança de Isaías, que viveu na época do rei Acaz (Is 8.2).

**JEBUS, JEBUSEUS** No Antigo Testamento, o termo Jebus refere-se ao nome de Jerusalém antes do reinado de Davi (Js 15.8; 18.28; Jz 19.10; 1 Cr 11.4). É derivado do nome do clã que ocupou o local durante a maior parte do segundo milênio a.C. (embora a designação "jebuseu" também seja usada para os seus descendentes em épocas posteriores; cf. 1 Rs 9.20,21; 2 Cr 8.7,8; Ed 9.1). Os habitantes de Jebus eram classificados como cananeus (Gn 10.15,16; 1 Cr 1.13,14), mas somente no sentido geográfico (compare Josefo, *Ant.* vii.3.1), já que em outras passagens eles são cuidadosamente distinguidos dos cananeus no sentido étnico (por exemplo, Gn 15.21; Êx 3.8,17). Seu governante, Adoni-Zedeque, consta como um dos cinco reis amorreus que faziam parte da liga contra Josué (Js 10.5). Melquisedeque, em Gênesis 14.18, também era um nome amorreu (*Malkisaduqa*). O único nome ou título puramente jebuseu no Antigo Testamento era o não semítico Araúna (Ornã; cf. 2 Sm 24.16,18; 1 Cr 21.15,18,28; 2 Cr 3.1). Os estudiosos acreditam que Araúna seja um título hurriano ou heteu que significa "senhor" ou "nobre". O príncipe de Jerusalém mencionado nas cartas Amarna (aprox. 1375 a.C.) também tinha um nome não semita heteu ('Abdu-Heba, ANET, pp. 487ss.). Estes detalhes estão de acordo com a declaração de Deus sobre Jerusalém, de que a sua população aborígene consistia de amorreus e de heteus (Ez 16.3,45). Jebus estava localizada na região montanhosa (Js 11.3) entre os vales de Cedrom e Tiropeano, em um longo e estreito contraforte (cf. Js 15.8; 18.16) que se estende ao Sul da área posterior do Templo, e que é naturalmente fortificada por precipícios íngremes em todos os lados, exceto ao norte. Situada na fronteira entre Judá e Benjamin, Jebus se defendia com êxito contra ambas as tribos durante o período da conquista e depois dela (Js 15.63; Jz 1.21). Apesar de sua ostensiva força, da qual se vangloriava, a cidade finalmente sucumbiu a Davi (2 Sm 5.6-9; 1 Cr 11.4-8) e se tornou a capital de seu reino. Davi foi clemente para com os jebuseus, mas Salomão os sujeitou ao serviço escravo (1 Rs 9.20-22). Eles parecem ter sido finalmente absorvidos em meio à população israelita.

R. Y. e J. R.

**JECABZEEL** Uma cidade na parte sul de Judá (Ne 11.25), provavelmente a cidade de Cabzeel (q.v.).

**JECAMEÃO** Filho de Hebrom, um descendente de Levi (1 Cr 23.19; 24.23).

**JECAMIAS**
1. O quinto filho do rei Jeconias, um descendente de Salomão (1 Cr 3.10,18).
2. Um homem de Judá, filho de Salum (1 Cr 2.41).

**JECOLIAS** Esposa do rei Amazias e mãe de Azarias (Uzias), rei de Judá (2 Rs 15.1-22). Em 2 Crônicas 26.3, seu nome é mencionado como Jecolias.

**JECONIAS** Outra forma de Joaquim (q.v.). O nome também é contraído como Conias. O nome Jeconias é encontrado em 1 Crônicas 3.16,17; Ester 2.6; Jeremias 24.1; 27.20; 28.4; 29.2; Mateus 1.11,12.

**JECUTIEL** Filho de Merede com sua esposa judia (1 Cr 4.18).

**JEDAÍAS**
1. Filho de Sinri e pai de Alom, ele faz parte da genealogia dos simeonitas que se estabeleceram no vale de Gedor na época de Ezequias (1 Cr 4.37).
2. Filho de Harumafe, um daqueles que trabalharam com Neemias na reconstrução do muro de Jerusalém (Ne 3.10).
3. Um sacerdote da época de Davi, chefe do segundo dos 24 turnos de sacerdotes (1 Cr 24.7).
4. Nome de um sacerdote que retornou do êxílio com Zorobabel, e cujos descendentes são mencionados até a época de Joiaquim. É difícil dizer se este se trata de um ou de vários sacerdotes com o mesmo nome (1 Cr 9.10; Ed 2.36; Ne 7.39; 11.10; 12.6,19).
5. Um outro sacerdote pós-exílico. Ele aparece na mesma lista do homem mencionado no item 4 acima, mas como uma pessoa diferente (Ne 12.7,21).
6. Um dos exilados levados por Zacarias como testemunha da coroação simbólica de Josué. Ele pode ser a mesma pessoa mencionada em 4 ou 5 (Zc 6.10-14).

P. C. J.

**JEDIAEL**
1. Um dos três filhos de Benjamim. Ele foi ancestral de uma grande família, cujos membros eram renomados guerreiros, possuindo 17.200 homens "que saíam no exército à peleja [ou guerra]" na época de Davi (1 Cr 7.6,10,11).
2. Filho de Sinri, é listado como um dos valentes de Davi (1 Cr 11.45).
3. Um dos homens da tribo de Manassés que desertou Saul e se juntou a Davi em Ziclague. Ele pode ter sido o mesmo homem listado no item 2 acima (1 Cr 12.20).
4. Filho de Meselemias, da família levítica de Corá, que foi designado por Davi como porteiro do Templo (1 Cr 26.2).

**JEDIAS**
1. Um descendente de Moisés na época de Davi. Ele era filho de Subael (1 Cr 24.20; cf. 23.16).
2. Jedias, o meronotita que era responsável pelos jumentos de Davi (1 Cr 27.30).

**JEDIDA** A mãe do rei Josias do Reino do Sul de Judá. Ela era filha de Adaías de Bozcate (2 Rs 22.1).

**JEDIDIAS** Davi chamou seu segundo filho com Bate-Seba de Salomão; mas o profeta Natã recebeu a palavra de Deus de que a criança deveria ser chamada Jedidias, que significa "Jeová é um amigo" ou "amado por Jeová", talvez para indicar o perdão divino (2 Sm 12.24,25).

**JEDUTUM** Um levita que era um dos grandes músicos de Israel. Ele foi designado por Davi junto com Asafe e Hemã para cuidar da música do Templo, e continuou a servir na época de Salomão. Os seis filhos de Jedutum e seus descendentes são mencionados, alguns dando continuidade à herança musical que receberam, e outros servindo ao Senhor com outras habilidades (1 Cr 16.38,41,42; 25.1,3,6; 2 Cr 5.12). Os descendentes de Jedutum são mencionados como ativos na reforma de Ezequias (2 Cr 29.14). Na época de Josias, a liturgia do Templo que fora preparada por três grandes músicos ainda estava sendo utilizada (2 Cr 35.15). Os descendentes de Jedutum ministraram uma vez mais após o retorno do exílio (1 Cr 9.16; Ne 11.17). As anotações editoriais dos Salmos 39, 62 e 77 os relacionam a Jedutum.

**JEEZQUEL ou JEEZEQUEL** Um sacerdote da época de Davi que foi designado para o vigésimo turno de serviço (1 Cr 24.16).

**JEFONÉ**
1. Pai de Calebe, um dos dois espias fiéis de Canaã (Nm 13.6). *Veja* Quenezeu.
2. Um aserita, filho de Jéter (1 Cr 7.38).

**JEFTÉ** Um dos líderes importantes do período dos juízes (Jz 11.1–12.7). Ele era da região de Gileade e era filho de um homem chamado Gileade. Sua mãe era meretriz, de forma que os filhos legítimos de Gileade afastaram Jefté de sua casa. Ele foi viver em Tobe, possivelmente a leste de Ramote-Gileade. Lá ele reuniu em torno de si um grupo de homens de caráter duvidoso, porém de grande coragem, que vivia saqueando outros grupos. Jefté era um guerreiro poderoso, um líder carismático cheio do Espírito do Senhor (11.29), que se orgulhava de ser justo e honesto em seu trato para com as pessoas.

Quando a área de Gileade teve problemas com Amom, seus líderes israelitas não foram capazes de lidar com a situação. Por dezoito longos anos, eles sofreram a dor aguda da cruel sujeição aos amonitas. Finalmente imploraram a Jefté que os ajudasse, já que tinham ouvido falar de sua grande coragem. Sem dúvida seus irmãos estavam no grupo dos anciãos de Gileade, porque após uma amarga denúncia, ele concordou em se tornar o líder de seu clã. A história sugere que eles sentiram que Jefté era uma pessoa especialmente próxima a Deus, porque devem ter notado como ele ensinou a sua fé à sua filha.

Quando Jefté se tornou juiz, pediu que a tribo de Efraim o ajudasse a derrotar os amonitas, mas eles o ignoraram. Antes que o resultado da batalha estivesse definido, Jefté fez um voto de que, se tivesse êxito, sacrificaria a primeira coisa que saísse de sua porta ao seu encontro, por ocasião de seu retorno. Alguns acreditam que este foi um voto precipitado, feito em um momento de êxtase ou de desespero, e que ele não imaginava o que poderia realmente acontecer. Outros sentem que ele tinha realmente consciência das prováveis conseqüências de seu ato. Alguns aceitam a tese de que ele esperava até mesmo fazer um sacrifício humano, considerando a alternativa do sacrifício de um animal. Não há razão para acreditar que um líder como Jefté mantivesse em sua casa animais que ele considerasse válidos para serem sacrificados como cumprimento de seu voto. Neste caso, aqueles que assim pensam, consideram que a vitória lhe era suficientemente importante para justificar uma retribuição de alto preço, mesmo se tratando de uma vida humana.

De qualquer modo, ele venceu os amonitas, e quando retornou à sua casa, foi saudado por sua jovem e amável filha. Esta tragédia quase partiu o coração de Jefté, mas ele foi leal a seu voto. Sua dor e o ato de fé da jovem são registrados de forma belíssima pelo narrador hebreu (11.34-40). Ela se retirou para as montanhas, onde passou dois meses orando e se lamentando por sua virgindade. Este pode ter sido um modo delicado de deixar o final da história por conta da imaginação do leitor, ou deve ter sido o modo dela dizer que não tinha marido nem filhos para defendê-la e proibir este terrível ato. A história pode ter sido um reconhecimento do fato de que os vizinhos pagãos faziam sacrifícios humanos, mas os hebreus não. Como o voto era sagrado, talvez Jefté realmente a tenha sacrificado (2 Rs 3.27). Ele também pode tê-la redimido com dinheiro (Lv 27.1-8), e então tê-la separado para viver o resto de sua vida no celibato. Este episódio pode ter dado início ao costume das mulheres de Israel ficarem afastadas por quatro dias do ano, para lamentar o triste destino daquela jovem (Jz 11.40).

Às vezes, a idéia apresentada é a de que Jefté a tenha entregado ao Tabernáculo, onde ela teria passado o resto de sua vida trabalhando como serva do sacerdote, nunca vindo a se casar; e assim seria dedicada aos deveres sagrados da religião como uma virgem santa (cf. Ex 38.8; 1 Sm 2.22). De qualquer forma, não existe um exemplo específico no Antigo Testamento para o conceito do celibato feminino no serviço do Templo, embora muitas mulheres tenham desempenhado diversas funções religiosas. Historicamente, esta interpretação aparentemente surgiu de explicações alegóricas dos rabinos Kimchi nos séculos XI e XII Esta interpretação foi subseqüentemente adotada por muitos cristãos expositores, mas tem pouca base bíblica.

Uma campanha final de Jefté está relacionada, desta vez, contra os efraimitas. Eles o acusaram de não convidá-los para participar da batalha contra os amonitas (Jz 12.1-6). Parece ter havido um ressentimento por não lhes ter sido dado um lugar importante na campanha contra os amonitas, já que eles reivindicaram a liderança das tribos do norte, e assim consideraram o tratamento recebido como uma questão de honra. Eles exigiram uma explicação imediata, e ameaçaram queimar a sua casa. Ele entrou em guerra contra eles e alcançou outra vitória. Os efraimitas foram dispersados, e quando alguns daqueles que escaparam tentaram ir para casa atravessando os vaus do Jordão, foram inquiridos pelos homens de Jefté se eram efraimitas. Se dissessem que não, o famoso teste chibolete/sibolete seria aplicado. Se pudessem dizer a palavra corretamente, poderiam seguir adiante. Se não, seriam imediatamente executados.

Jefté julgou Israel durante seis anos (Jz 12.7). Samuel o usa como ilustração de como Deus estabeleceu um líder para libertar Israel dos problemas (1 Sm 12.11). Ele foi incluído entre os heróis da fé em Hebreus 11.32.

A. W. W.

**JEGAR-SAADUTA** A palavra significa "multidão de testemunhas" ou "monte de testemunhas", e se refere ao monte de pedras levantado por Labão e Jacó como sinal de sua aliança (Gn 31.47). Labão o chamou Jegar-Saaduta, enquanto Jacó se referiu a ele como Galeede. A designação de Labão é aramaica e a de Jacó, hebraica. Ambos os termos têm o mesmo significado.

**JEÍAS** Um dos dois guardiões da arca quando esta foi levada por Davi a Jerusalém (1 Cr 15.24).

**JEIEL[1]**
1. "Pai" ou fundador de Gibeão, marido de Maaca e pai de vários filhos (1 Cr 9.35), inclusive de Quis, pai do rei Saul (vv. 36,39).
2. Filho de Hotão, o aroerita. Jeiel foi um dos valentes de Davi (1 Cr 11.44), junto com seu irmão Sama.
3. Um músico levita que foi designado com outros para tocar diante da arca quando esta foi trazida por Davi a Jerusalém (1 Cr 15.18,20). Mais tarde, ele foi designado para o ministério permanente da música no santuário (1 Cr 16.5).
4. Um levita, filho do gersonita Ladã. Ele era responsável pelo tesouro do Templo, um ofício que parece ter continuado em sua família (1 Cr 23.8; 29.8). Também escrito como Jeieli (q.v.) em 1 Crônicas 26.20-22.
5. Filho de Hacmoni que, com Jônatas, tio de Davi, "era do conselho, homem sábio e também escriba". Foi designado para estar com os filhos do rei, provavelmente como tutor (1 Cr 27.32).
6. Um dos filhos de Josafá. Ele e cinco irmãos foram assassinados por Jeorão quando este se tornou rei (2 Cr 21.2-4).
7. Um levita da família de Hemã; juntamente com outros, ele se dedicou à limpeza do Templo na época de Ezequias (2 Cr 29.14ss.). Pode ser o mesmo levita que foi designado para supervisionar a recepção e a distribuição das ofertas sagradas (2 Cr 31.13ss.).
8. Um dos oficiais-chefes do Templo que contribuiu com muitos sacrifícios para o culto da grande Páscoa de Josias (2 Cr 35.8).
9. Pai de Obadias, que com 218 membros da família de Joabe retornou do exílio com Esdras (8.9).
10. Um dos filhos de Elão, pai de Secanias, que propôs que as esposas dos gentios, que haviam afastado os judeus do Senhor seu Deus, deveriam ser expulsas (Ed 10.2). O próprio Jeiel foi um dos que se separaram de suas esposas (Ed 10.26).
11. Um sacerdote dos filhos de Harim que expulsou a sua esposa pagã (Ed 10.21).

P. C. J.

**JEIEL[2]**
1. Um chefe rubenita na época em que Tiglate-Pileser levou as tribos transjordanianas ao cativeiro (1 Cr 5.7).
2. Fundador da cidade israelita de Gibeão. Pai de Ner, que era avô do rei Saul (1 Cr 9.35).
3. Filho de Hotão, o aroerita, um dos poderosos de Davi (1 Cr 11.44).
4. Um levita designado por Davi como porteiro e músico (1 Cr 15.18,21). Ele foi participante no ministério da música diante da arca quando esta foi trazida a Jerusalém (1 Cr 16.5).
5. Um levita, bisavô de Jaaziel, que profetizou a vitória de Josafá (2 Cr 20.14ss.).
6. Um escriba que cuidava dos registros dos números do exército de Uzias (2 Cr 26.11).
7. Um levita, filho de Elizafã, que ajudava na retirada da impureza do Templo sob o comando de Ezequias (2 Cr 29.13; em algumas versões ele é chamado de Jeuel).
8. Um dos principais levitas que tomou parte na grande Páscoa de Josias (2 Cr 35.9).
9. Um dos descendentes, "filhos", de Adonicão que retornou com Esdras (Ed 8.13; em algumas versões ele é chamado de Jeuel).
10. Filho ou descendente de Nebo que havia se casado com uma estrangeira na época de Esdras (Ed 10.43).

**JEIELI** Um filho de Ladã, o gersonita, cujos dois filhos eram responsáveis pelos tesouros do Templo (1 Cr 26.22). *Veja* Jeiel 4.

**JEIZQUIAS** Um efraimita na época de Acaz que se opôs à escravização dos cativos de Judá, declarando que o julgamento de Deus cairia sobre o Reino do Norte, caso procedessem desta forma (2 Cr 28.12,13).

**JEJUAR, JEJUM** O jejum na Bíblia implica em total abstinência (q.v.) de toda comida por um certo período. Sua duração variava de algumas horas durante o dia ("jejuaram aquele dia até à tarde", Jz 20.26) a até 40 dias, como no caso de Moisés, Elias e Jesus. As pessoas também jejuavam em meio à necessidade durante uma escassez de comida (At 27.21,33-36), por causa da falta de apetite resultante de profundas emoções (como Ana e Jônatas, 1 Samuel 1.8,18; 20.34), ou por motivos religiosos.

As palavras heb. são *sum* (verbo) e *som* (substantivo) – não encontradas no Pentateuco. Os termos gr. correspondentes são *nesteuo* e *nesteia*, da raiz cujo significado é "fome". Outras expressões usadas no AT são "não comer pão" (1 Sm 28.20; 2 Sm 12.17) e "afligir a alma de alguém". Esta última é uma frase na lei mosaica que pode ter incluído o jejum (Lv 16.29,31; 23.27,32; *et al.*), e significa rebaixar-se ou humilhar-se pela autonegação como uma expressão própria de arrependimento.

A origem da prática religiosa do jejum está perdida em um passado obscuro, mas esta disciplina foi disseminada por todas as religiões da Antiguidade. Em culturas de armazenamento de alimentos (em oposição ao cultivo de alimentos), o jejum era freqüentemente compulsório devido à incerteza de se obter comida. É possível que a ignorância supersticiosa interpretasse a escassez de grãos silvestres, frutas e caça como uma expressão da vontade de Deus, e assim os homens tenham começado a considerar o jejum como um dever religioso. Pensando que os deuses estivessem enciumados pelos prazeres desfrutados pela raça humana, os homens talvez tenham presumido que a abstinência iria alcançar o favor destes. Por outro lado, a inclinação natural de privar-se de comida durante a dor da perda, pode ter feito com que o jejum tenha se originado de um sinal de luto.

O jejum aparece pela primeira vez no AT como um ato voluntário de piedade individual. Moisés por duas vezes jejuou 40 dias e 40 noites na presença do Senhor, no monte Sinai, não provando nem comida nem água (Dt 9.9,18; Ex 34.28). Enquanto a comida pode não ter estado disponível, a abstinência de água durante estes períodos era provavelmente voluntária, pois há um pequeno poço ou uma nascente em uma fenda que está 30 metros abaixo do topo de Jebel Musa. Contudo, Moisés deve ter sido sobrenaturalmente sustentado, porque o corpo humano não pode resistir à falta de água por tanto tempo. Sob condições ideais, um homem jejuou abstendo-se de toda comida por 90 dias e sobreviveu, de acordo com o Dr. Herbert M. Shelton, que supervisionou mais de 40.000 jejuns (*Fasting Can Save Your Life*, Chicago. Natural Hygiene Press, 1964, p. 57). Não está especificamente declarado que Elias (1 Rs 19.8) e o Senhor Jesus (Mt 4.2) não tenham bebido água durante seus respectivos jejuns de 40 dias. O fato de eles poderem continuar ativos e não se tornarem enfraquecidos é o aspecto extraordinário de seus casos (cf. Sl 109.24).

Em longos períodos de jejum, a fome geralmente cede no final do terceiro dia e não retorna até que as reservas de alimento armazenadas nos tecidos do corpo sejam consumidas ("E.. depois teve fome", Mt 4.2). Isto pode levar 40 dias ou mais; somente então tem início o processo de inanição (Shelton, pp. 15,23,29-32). Antes deste estágio, o jejum possui muitos efeitos benéficos permitindo ao corpo assegurar um descanso fisiológico e ser restaurado à saúde (*ibid.*, pp. 36-40,48-52).

Na maioria dos casos na Bíblia, o jejum pode ser visto como um resultado normal e voluntário do estado de espírito do homem. Em sua primeira estada prolongada no monte, Moisés estava completamente arrebatado pela espantosa presença de Deus, e absorvido demais com as revelações divinas que lhe foram dadas para que sentisse vontade comer. Em seu retorno, ele caiu prostrado diante de Deus, com o coração partido por causa da rebelião do seu povo (Dt 9.18). Os moradores de Jabes-Gileade e Davi pratearam e jejuaram após a derrota de Saul, Jônatas e seu exército (1 Sm 31.11-13; 2 Sm 1.12; 3.35).

O jejum parecia naturalmente reforçar a atitude de arrependimento e a confissão sincera, assim como quando alguém se vestia de saco e cinzas (1 Sm 7.6; Sl 69.10,11; Jn 3.5,8; Dn 9.3-5; Ez 10.1,6; Ne 9.1,2). Após a repreensão de Elias, o rei Acabe se arrependeu do crime que praticara contra Nabote (1 Rs 21.27-29). Perplexidade, medo e aflição evocaram, da mesma forma, uma resposta semelhante (Jz 20.26; Et 4.3).

Como um acompanhamento à oração, o jejum é freqüentemente algo desejável ao homem piedoso, e não meramente uma questão de rigorosa autodisciplina. Durante um jejum, as faculdades mentais e espirituais da pessoa parecem mais alertas e mais sensíveis ao Espírito de Deus, e a intercessão parece mais fácil, mais eficaz. Assim Davi jejuou enquanto orava por seu filho doente (2 Sm 12.16-23), e até mesmo por seus adversários, quando estavam enfermos (Sl 35.13). Neemias também jejuou quando intercedeu por Israel (Ne 1.4-11).

Os primeiros cristãos pensavam que o jejum era benéfico enquanto buscavam a vontade e a direção de Deus (At 13.2,3; 14.23). Durante um período de três semanas de autoquebrantamento, e buscando entender o futuro, Daniel não comeu nenhum "manjar desejável", isto é, iguarias, nem carne nem vinho (Dn 10.2,3). Tal jejum parcial pode ser uma ajuda eficaz para a concentração espiritual e para a oração. Pode ser aconselhável para aqueles que precisam se manter ativos, ou para aqueles que sejam fracos demais para suportar um jejum total.

Parece que Deus nunca ordena que o seu povo jejue regularmente, a menos que a "aflição da alma" no Dia da Expiação inclua o jejum (Lv 16.29). O AT enfatiza, antes, o deleite positivo de Deus e de suas bênçãos com alegria de coração (Sl 4.7; Pv 15.13; 17.22; Ec 3.13; 9.7-9). Deus não se impressiona com o jejum, especialmente quando este não significa uma mudança de comportamento em relação à discórdia ou à opressão (Is 58.3-5). O jejum só é aceitável se resultar em atos de justiça social e verdadeira caridade, e somente se o motivo da autonegação for oriundo do amor e do desejo de ajudar os pobres (vv. 6-11).

Entretanto, em tempos de emergência nacional, reis e líderes espirituais proclamavam dias especiais de jejum para buscar a ajuda do Senhor. Quando a invasão da parte leste do mar Morto era iminente, o rei Josafá convocou todo o povo de Judá a jejuar (2 Cr 20.3). Após os desastres das pragas do gafanhoto e da seca, Joel recebeu ordens para determinar que os sacerdotes santificassem um jejum (Jl 1.14; 2.11,15), embora ele tenha insistido que a principal necessidade era o arrependimento interior – que eles rasgassem os seus corações e não as suas vestes (2.13). Jeremias aproveitou um dia de jejum para ler a Palavra do Senhor ao povo (Jr 36.6,9). Esdras proclamou um jejum para orar por uma viagem segura a Jerusalém (Ed 8.21,23). A rainha Ester pediu que Mardoqueu e os judeus orassem com ela três dias e três noites antes que abordasse o rei Assuero (Et 4.16). Posteriormente, um jejum nacional que servia como uma preparação para a observância do Purim seguiu este padrão (Et 9.31).

Quatro jejuns anuais surgiram durante o exílio na Babilônia, mas foram aparentemente observados sem a autorização divina. Através de seus profetas anteriores, Deus já havia expressado o seu pensamento com relação à mera adoração cerimonial. A ênfase sobre uma comunhão saudável e positiva com Deus é claramente ouvida em sua declaração de que os quatro jejuns do exílio se tornariam "gozo, e alegria, e festividades solenes" (Zc 8.19; cf. 7.3-10; Jr 14.12).

O valor da disciplina do jejum é mostrado freqüentemente na literatura intertestamentária judaica, embora nenhuma menção específica do jejum religioso possa ser encontrada nos manuscritos de Qumran publicados até esta data. O Manual de Disciplina declara apenas que ofensas graves poderiam ser punidas reduzindo a porção da ração de comida de um membro da comunidade (1Q S vi. 25). No próprio Templo, Ana, uma mulher temente e obediente, servia ao Senhor com jejuns e orações (Lc 2.37). Os fariseus jejuavam muito, e consideravam esta prática como uma obra louvável. Tornou-se costume destes religiosos jejuar às segundas e às quintas-feiras (Lc 18.12). Se um homem começasse a jejuar, o seu jejum teria prioridade sobre a prática de fazer ofertas sacrificiais, e seria considerado um ato mais eficaz do que dar esmolas. *Veja* Festividades: Períodos sagrados judaicos extrabíblicos subordinados.

Jesus nunca pediu que seus discípulos jejuassem. A expressão "e jejum" não é encontrada nos melhores manuscritos gregos em Marcos 9.29 (nem em At 10.30; 1 Co 7.5); Mateus 17.21 é inteiramente omitido nos melhores textos. Contudo, enquanto denunciava a hipocrisia dos fariseus, Jesus enfatizou que o jejum feito em segredo, em meio à verdadeira devoção a Deus, seria recompensado (Mt 6.16-18). O Senhor estava certo de que, após sua ascensão, seus seguidores sentiriam necessidade de jejuar, assim como faziam os discípulos de João Batista (Mc 2.18-20). Não se sabe se os jejuns de Paulo eram voluntários ou resultado da falta de comida (2 Co 6.5; 11.27). A ausência de qualquer questão relacionada ao jejum nas cartas de Paulo sugere que isto não era algo proeminente nas igrejas gentílicas. Porém, de acordo com o Didaquê (8.1), no ano 100 d.C. os cristãos podem ter sido exortados a jejuar duas vezes por semana – às terças e às sextas-feiras! Nos séculos II e III os jejuns anteriores à Páscoa e ao batismo vieram a ser largamente praticados.

***Bibliografia.*** Johannes Behm, "*Netis* etc.", TDNT, IV, 924-935. Arthur Wallis, *God's Chosen Fast*, Fort Washington, Pa.: Christian Literature Crusade, 1968.

J. R.

**JEMIMA** A mais velha das três filhas de Jó, todas belíssimas, nascidas após a restauração de sua prosperidade (Jó 42.14). Seu nome talvez signifique "pomba" em uma alusão à tartaruga marinha egípcia, ou à expressão "casal de pombinhos" no sentido de namorados.

**JEMUEL** O filho mais velho de Simeão (Gn 46.10; Êx 6.15). A mesma pessoa é mencionada com o nome de Nemuel (q.v.) em Números 26.12; 1 Crônicas 4.24.

**JEOACAZ**

1. Forma contraída de Joacaz ou Acazias (q.v.), filho mais novo de Jeorão, rei de Judá (2 Cr 21.17).
2. Rei de Israel, filho de Jeú, que reinou durante 17 anos em Samaria (2 Rs 13.1-9). Esteve sujeito a Hazael, rei da Síria, ao longo de todo o seu reinado. Ele seguiu as práticas religiosas de Jeroboão I
3. Rei de Judá, filho de Josias. Embora não fosse o mais velho, foi escolhido pelo povo (2 Rs 23.30,31). Ele governou sob as trágicas circunstâncias da morte de Josias, que colocou um ponto final na esperança de um grande império da linhagem de Davi. Depois de apenas três meses, foi deposto pelo Faraó Neco e levado acorrentado para o Egito (2 Rs 23.32,33; Jr 22.10). O povo lamentou a sua morte, o primeiro rei de Judá a morrer no exílio.

**JEOADÃ** Esposa de Joás e mãe de Amazias, ambos reis de Judá (2 Cr 25.1; 2 Rs 14.1,2).

**JEOADA** Filho de Acaz, um descendente de Saul através de Jônatas (1 Cr 8.36). A mesma pessoa é mencionada em 1 Crônicas 9.42 como Jaerá (q.v.).

**JEOAQUIM** Rei de Judá, filho de Josias com sua esposa Zebida. Ele foi primeiramente chamado de Eliaquim, mas depois de depor Jeoacaz, o Faraó Neco o estabeleceu no trono de Judá e mudou seu nome para Jeoaquim, no final da segunda metade de 609 a.C. (2 Rs 23.34,36). Ele esteve subjugado ao Egito por quatro anos, e exigia a cobrança de altos im-

postos de seu povo. A batalha de Carquemis em maio-junho de 605 a.C. colocou um ponto final no domínio do Egito.
Nabucodonosor entrou em Jerusalém, recebeu a submissão de Jeoaquim (2 Rs 24.1; Jr 46.2) e levou para a Babilônia alguns cativos, incluindo Daniel e seus três amigos, além dos vasos de ouro do Templo (Dn 1.1,2,6). Nabucodonosor havia acorrentado Jeoaquim para levá-lo junto com os outros para a Babilônia (2 Cr 36.6), mas evidentemente o soltou depois de ter a certeza de sua lealdade como vassalo. Judá iniciou um período de decadência moral e religiosa. Baal e Astarote eram adorados até mesmo nos portões do Templo, e os insanos sacrifícios podem ter sido retomados no vale de Hinom. A corrupção, a crueldade, e a opressão eram fatos comuns na cidade.
Jeremias escreveu um protesto em um rolo, expressando claramente como o julgamento divino certamente chegaria a Judá (Jr 36); mas o rei, depois de ler algumas partes, pegou sua faca e cortou o rolo em tiras, e em seguida o queimou. Depois de três anos, Jeoaquim impulsivamente se rebelou contra a Babilônia enquanto Nabucodonosor estava ocupado demais com batalhas em outros lugares para que tomasse qualquer atitude na ocasião.
Jeoaquim morreu em 10 de dezembro de 598 a.C., de acordo com os cálculos baseados na crônica babilônica. O povo não lamentou a sua morte, e ele evidentemente recebeu um enterro vergonhoso conforme Jeremias havia profetizado (Jr 22.18ss.; 36.30). Seu jovem filho Joaquim (q.v.) herdou o seu trono e todos os problemas que ainda não haviam sido resolvidos.

A. W. W.

**JEOÁS** Forma alternativa de Joás.
1. Filho de Acazias, rei de Judá (2 Rs 11–12). *Veja* Joás 7.
2. Filho de Jeoacaz e pai de Jeroboão II, reis de Israel (2 Rs 13.9–14.16), *veja* Joás 8.

**JEOIARIBE**[1] Este nome também aparece como Joiaribe tanto em hebraico quanto em português. De qualquer forma, é difícil dizer se o nome refere-se a um indivíduo ou a um membro de algum turno sacerdotal.
1. Um sacerdote, o chefe do primeiro dos 24 turnos do sacerdócio na época de Davi (1 Cr 24.7).
2. Um sacerdote que retornou com os primeiros exilados da Babilônia (1 Cr 9.10).

**JEOIARIBE**[2]
1. Sacerdote da época de Davi (1 Cr 24.7).
2. Um dos "sábios" ou mestres enviados por Esdras a Casifia para exigir que ministros do Templo fossem enviados para os acompanhar a Jerusalém (Ed 8.16,17).
3. Filho de Zacarias da tribo de Judá cujos descendentes residiam em Jerusalém na época de Neemias (Ne 11.5).
4. Pai de Jedaías e fundador de uma das casas sacerdotais depois do exílio (Ne 11.10; 12.19; 1 Cr 9.10).
5. Um dos principais sacerdotes que retornaram a Jerusalém com Zorobabel. Seu filho Matenai foi contemporâneo de Joiaquim (Ne 12.6,19). Provavelmente o mesmo que 4.

**JEORÃO** O mesmo que Jorão (q.v.), que é e uma forma abreviada deste nome.
1. Filho de Acabe (2 Rs 3.1), rei de Israel, quase contemporâneo do rei de Judá que tinha o mesmo nome. Ele sucedeu seu irmão mais velho Acazias. Jeorão destruiu a imagem de Baal que seu pai havia feito (3.2), mas continuou a sustentar a adoração ao bezerro que Jeroboão I havia instituído. Israel e Judá eram nações amigas e aliadas durante o seu reinado, como resultado da aliança entre Acabe e Josafá. Juntos, eles dominaram a revolta do rei Mesa de Moabe (2 Rs 3.1-27). O registro feito por Mesa da campanha é encontrado na Pedra Moabita (q.v.). Jeorão deve ter sido o rei não identificado de Israel a quem Naamã foi enviado para ser curado de lepra (2 Rs 5.1-8); a quem Eliseu revelou os movimentos do exército assírio; que enviou as tropas inimigas derrotadas a Damasco depois de alimentá-las (2 Rs 6.8-23); e que testemunhou o cerco de Samaria pelos assírios (2 Rs 6.24–7.20). Ferido na batalha de Ramote-Gileade contra Hazael da Síria, Jeorão (ou Jorão) foi a Jezreel para buscar a cura (2 Rs 8.28,29), mas ao invés disso foi assassinado por uma flecha do arco de Jeú; assim terminou a dinastia de Onri na própria terra que Jezabel havia conseguido para Acabe através do assassinato Nabote (1 Rs 21).
2. Filho de Josafá, que serviu como regente de seu pai por cinco anos antes de sucedê-lo no trono de Judá em 848 a.C, com 32 anos de idade (1 Rs 22.50; 2 Cr 21.1,3,5). Para fortalecer a aliança política de seu pai com Israel (2 Cr 18.1), ele se casou com Atalia, mais velha, filha de Acabe e Jezabel, que evidentemente o influenciou a permitir a adoração a Baal-Melcarte (2 Rs 8.18). Ele assassinou os seus irmãos e alguns dos príncipes de Judá (2 Cr 21.4). Jeorão lutou contra os filisteus e os árabes (2 Cr 21.16,17), os quais capturaram suas esposas e todos os seus filhos, exceto Acazias (Jeoacaz). Em 841 a.C., ele morreu de uma doença prolongada e dolorosa, mas não houve lamento (2 Cr 21.18-20).
3. Um sacerdote designado pelo rei Josafá para ensinar a lei (2 Cr 17.8).

A. W. W.

**JEOSBATE** *Veja* Jeoseba.

**JEOSEBA** Também chamada de Jeosebate (2 Cr 22.11).
Jeoseba era filha do rei Jeorão de Judá e

irmã do rei Acazias. Provavelmente não foi filha da esposa infame de Jeorão, Atalia, mas descendente de uma outra esposa. Ela era esposa de Joiada, o sumo sacerdote na ocasião em que Atalia tentou matar todos os herdeiros de Acazias (que havia sido assassinado) para usurpar o trono. Jeoseba salvou o pequeno Joás e o protegeu por seis anos até que a rainha tirana pudesse ser seguramente vencida, e o pequeno Joás proclamado rei (2 Rs 11.1-3).

**JEOVÁ** Veja Deus; Deus, Nomes e Títulos de.

**JEOVÁ-JIREH**. A frase significa "Jeová [Yahweh] vê" ou "Jeová [Yahweh] proverá". Este termo se refere ao lugar assim chamado por Abraão onde lhe apareceu um carneiro em um mato, que foi sacrificado no lugar de Isaque (Gn 22.14). *Veja* Deus, Nomes e Títulos de.

**JEOVÁ-NISSI** A frase significa "Jeová [Yahweh] é minha bandeira" e é o nome do altar que Moisés construiu depois de vencer os amalequitas em Refidim (Êx 17.15). *Veja* Deus, Nomes e Títulos de.

**JEOVÁ-SHALOM** A frase significa "Jeová [Yahweh] é paz". É o nome do altar que Gideão construiu em Ofra afim de transformar em um memorial as palavras da mensagem de Deus: "Paz seja contigo" (Jz 6.23,24). *Veja* Deus, Nomes e Títulos de.

**JEOZADAQUE** Uma forma alternativa de Jozadaque. *Veja* Jozadaque.

**JERÁ** Filho de Joctã (Gn 10.26; 1 Cr 1.20), presumivelmente a origem de uma tribo árabe.

**JERAMEEL**
1. Filho de Herzom e neto de Judá (1 Cr 2.9).
2. Filho de Quis, um levita (1 Cr 24.29).
3. Um dos oficiais enviados pelo rei Jeoaquim para prender Baruque (Jr 36.26).

**JERAMELEUS** Este nome é um substantivo coletivo usado antes de um nome próprio. Refere-se à tribo das pessoas que foram atacadas por Davi quando este estava fugindo de Saul e havia se refugiado com Aquis, o filisteu (1 Sm 27.10).

**JEREDE** Filho de Merede com a sua esposa judia (1 Cr 4.18).

**JEREMAI** Um dos hebreus a quem Esdras persuadiu a se divorciar de sua esposa pagã (Ed 10.33).

**JEREMIAS**
1. Chefe de um clã na tribo de Manassés (1 Cr 5.24).
2, 3 e 4. Três guerreiros que se uniram a Davi em Ziclague. O segundo e o terceiro eram gaditas (1 Cr 12.4,10,13).
5. Um israelita residente de Libna, cuja filha Hamutal tornou-se esposa do rei Josias e mãe dos reis Joacaz e Zedequias (2 Rs 23.31; 24.18; Jr 52.1).
6. Um recabita e pai de Jazanias, um contemporâneo do profeta Jeremias (Jr 35.3).
7. Um sacerdote que retornou da Babilônia com Zorobabel (Ne 12.1,12).
8. Um dos sacerdotes que assinaram a aliança de Esdras para guardar a lei (Ne 10.2).
9. Um oficial de Judá que se juntou à cerimônia de dedicação do muro de Jerusalém sob o comando de Neemias (Ne 12.34).
10. O principal profeta durante o período do declínio e da queda de Judá nos séculos VII e VI a.C.

*Seu nascimento*. Na última parte do século VII a.C., Judá teve quatro profetas: Jeremias, o humanista; Sofonias, o orador; Naum, o poeta; e Habacuque, o filósofo. O maior deles, e o que exerceu a atividade profética por mais tempo, foi Jeremias.

O local de seu nascimento é Anatote, um pequeno vilarejo cravado na cordilheira de pedra calcária, aproximadamente três quilômetros a noroeste de Jerusalém. Jeremias nasceu em aprox. 650 a.C. (Jr 1.1,6), durante o período final do reinado de Manassés (aprox. 695-642 a.C.).

Aproximadamente setenta anos antes desta data caiu Samaria, a capital do Reino do Norte; e 65 anos depois desta data caiu Jerusalém, a capital do Reino do Sul. Pouco antes do nascimento de Jeremias, o Egito e os pequenos estados da Palestina formaram uma coalizão para se livrarem do jugo da assíria; e assim havia uma ameaça de guerra pairando sobre o horizonte. Este tumulto internacional pode ser responsável pelo nome do profeta. Como no caso de Isaías, há duas formas hebraicas de se escrever o nome Jeremias – a mais longa *yirm[e]yahu*, e a forma mais curta *yirm[e]ya* (em gr., *Ieremias*, e na Vulgata, Jeremias). Existem dois prováveis significados para o nome hebraico: "o Senhor [Yahweh] edifica" ou "estabelece"; e, "aquele que o Senhor [Yahweh] arremessa" ou "lança". Se a última interpretação for aceita, nenhum nome poderia ser mais descritivo do caráter ou da missão do profeta de Anatote. De fato, ele foi um míssil espiritual, lançado em um mundo de trevas. O nome de seu pai era Hilquias (Jr 1.1) – um nome hebraico comum que significa "o Senhor [Yahweh] é a minha porção". Ambos os nomes (Jeremias e Hilquias) sugerem que a família era fiel ao Deus de Israel durante o reinado tirânico do rei pagão Manassés.

*Seus anos de formação*. É provável que a família de Jeremias tenha descendido de Eli, porque Abiatar, o último descendente a exercer um ofício sacerdotal, possuía uma propriedade recebida por herança em Anatote, onde ele passou a viver como um aposentado depois de ser destituído por Salomão (1 Rs 2.26). E assim, Jeremias tinha como base as melhores tradições religiosas e cresceu na atmosfera de um lar hebreu temente e obediente ao Senhor. Tudo o que havia de bom na vida hebréia fazia parte de sua herança intelectual, moral, e espiritual.

Os primeiros escritos de Jeremias refletem um completo conhecimento e compreensão das profecias de Amós, Oséias e Isaías. O profeta Oséias gerou uma marca indelével no jovem profeta (Jr 2–4). Porém, quando Jeremias começou a profetizar, ele demonstrou logo de início uma consciência do conhecimento divino e da chamada divina. Como todos os grandes profetas (cf. Paulo no Novo Testamento), Jeremias libertou-se de todas as fontes secundárias e humanas de inspiração. Ele sabia em seu coração que Deus o havia chamado, porque tinha ouvido a voz do Senhor: "Antes que eu te formasse no ventre, eu te conheci; e, antes que saísses da madre, te santifiquei e às nações te dei por profeta" (Jr 1.5).

Desde a época de Davi, Anatote, o local de nascimento de Jeremias, era a residência dos sacerdotes (Jr 1.1; 29.27; 32.7). Ela é conhecida hoje como Ras el-Kharrubeh, aproximadamente a três quilômetros a noroeste de Jerusalém, em uma colina de onde se avista o vale do Jordão. Sua ampla extensão e a paisagem árida eram um bom berço para um profeta. Jeremias refletia o ambiente de seu país: o deserto quente, os rebanhos nos vilarejos, as colinas ressecadas, os animais selvagens etc. A cidade estava localizada no território de Benjamim, a tribo do demente Saul e do blasfemo Simei. Seu solo era duro e espinhoso, o que requeria que fosse arado de forma profunda. Os homens fortes são freqüentemente oriundos deste tipo de solo. "O que vocês podem cultivar aqui?", perguntou um cavalheiro inglês em visita à Nova Inglaterra, observando pela primeira vez o seu solo pedregoso. A resposta orgulhosa foi: "Aqui... nós criamos homens!" (G. A. Smith, *Jeremiah*, pp. 67ss.).

Como Jerusalém ficava a menos de uma hora de caminhada a pé de Anatote, Jeremias estava próximo do coração da nação e do pulsar do mundo. Todas as notícias políticas e sociais chegavam aos poucos ao vilarejo do profeta, e também a repercussão das campanhas incitadas pelos assírios, citas e babilônios.

Jeremias não era recluso. Ele era um homem tanto do campo quanto da cidade. Ele estava atento aos acontecimentos e a sua alma sensível sentia a impressão do Deus eterno. Jeremias possuía uma destreza para a trivialidade. A natureza imprimiu uma marca indelével em sua vida. Ele observou o fazendeiro no campo (Jr 4.3), as crianças na rua (6.1), os refinadores de prata e os oleiros trabalhando (6.28,30; 18.3,6). Também conhecia em primeira mão as desavenças entre credores e devedores (15.10), a humilhação dos ladrões quando eram presos (2.26), as lamentações pelos mortos (16.4), e a alegria das festas das noivas e dos casamentos (2.32; 7.34). Mais tarde, a sua própria alma refletira estas mudanças de disposição e de humor.

*A sua chamada*. Manassés morreu quando Jeremias tinha cerca de dez anos de idade. Amom, filho de Manassés, governou por dois anos (642-640 a.C.). Então, o jovem rei Josias (640-609 a.C.) assumiu o trono de Judá com apenas oito anos de idade. Treze anos depois, em aprox. 627 a.C. (Jr 1.2), durante o reinado de Josias, Jeremias foi designado pelo Senhor para ser o seu profeta para as nações da época.

O ano 627/626 a.C foi um ano memorável na história mundial. Assurbanipal, o último grande rei assírio, morreu; e Nabopolassar, o primeiro grande rei neobabilônio, assumiu o trono da Babilônia. Dez anos depois, os babilônios e os medos, junto com os citas, deram início a um ataque combinado a Nínive. O ruído da morte já podia ser detectado na garganta da soberana do mundo.

Durante esta instabilidade das nações, a mão de Deus permaneceu sobre Jeremias no sereno caminho da vida, e o habilitou conforme está registrado no capítulo 1. Por trás desta chamada estava a herança, a tradição e o treinamento; mas a experiência em si foi repentina, abrupta, e repleta de um incrível peso e significado. Jeremias também tinha uma consciência estupenda e estava consciente de que Deus era o dono de todo o seu ser. A partir daquele dia, Jeremias passou para um outro estágio da história, como uma alma possuída por Deus.

*Seu aprendizado*. O ministério profético de Jeremias começou em Anatote, e ele aparentemente permaneceu ali por vários anos, como se fosse um profeta insignificante. Em 622-621 a.C., ocorreu uma reforma religiosa. Josias havia tomado as rédeas do governo e decidido restaurar a fé no Deus de Israel. No 18º ano de seu reinado, ele emitiu um decreto para que o Templo fosse reparado. No processo de limpeza do entulho do Templo, o livro da lei foi encontrado pelo sacerdote Hilquias. Ele imediatamente o enviou a Josias, que o leu e "rasgou as suas vestes". O jovem rei decidiu fazer com que a vida religiosa da nação passasse a estar em conformidade com as leis do livro recém-encontrado. Então ele deu início ao seu grande movimento de reforma, com a intenção de trazer um avivamento nacional da verdadeira religião. Toda a adoração religiosa deveria ser centrada no Templo. Todos os altos ou outros lugares considerados "sagrados", onde na realidade se praticavam abominações, deveriam ser destruídos. Jeremias provavelmente se lançou a este movimento de renovação, e partiu em jornadas de pregação itinerantes. Porém mais tarde ele rompeu com o movimento, porque este não mudou a vida interior da nação. Ele compreendia a religião como algo do coração (veja J. Skinner, *Prophecy and Religion*, pp. 89-107).

*Seu início como profeta*. Há um estranho período de silêncio de aproximadamente 13 anos (621-609 a.C.) em relação à vida de Jeremias. Evidentemente, durante este período, ele mudou a sua base de operação de Anatote para a capital, Jerusalém. Ele tornou-se o profeta respeitado do estado.

Com a morte de Josias em 609 a.C. na batalha de Megido, o povo da Judéia ignorou Jeoaquim, o filho mais velho de Josias, e colocou Jeoacaz (que reinou apenas três meses) no trono de Judá. Este foi deposto pelo Faraó Neco do Egito, e Jeoaquim (609-598 a.C.) foi posto no trono de Judá como uma marionete do Egito. Jeremias imediatamente se opôs a este tirano, egoísta, mimado e ambicioso, filho do harém de seu pai, que cobriu o seu palácio com painéis de cedro (Jr 22.13,14). O famoso sermão do Templo (7.1–8.3), foi pregado durante o início do reinado de Jeoaquim. Como resultado, Jeremias foi banido do Templo e quase perdeu a vida (cf. Jr 7 com 26).

Em 612 a.C., Nínive caiu diante dos babilônios e, em 605 a.C., na batalha de Carquemis (Jr 46.2), os babilônios derrotaram a coalizão combinada do exército restante da assíria e do Egito. Agora os babilônios se tornaram, no cenário mundial, aqueles que possuíam uma incontestável superioridade.

Jeoaquim se tornou vassalo de Nabucodonosor (605-562 a.C.); Judá foi reduzida a um vassalo tributário da Babilônia. Jeoaquim permaneceu leal à Babilônia durante alguns anos. Então, o Faraó Neco do Egito o encorajou a se unir aos países do Oeste em uma revolta. Então, em 598 a.C., o rei de Judá se rebelou e se recusou a pagar o tributo anual a seu senhor babilônio. O exército babilônio marchou prontamente em direção a Jerusalém para suprimir a revolta. É provável que Jeoaquim tenha sido morto fora dos muros de Jerusalém, recebendo um sepultamento infame de uma pessoa ignóbil, exatamente como Jeremias havia previsto (Jr 22.18,19; 36.30). Joaquim, seu filho de 17 anos, subiu no trono de Judá. Em três meses ele capitulou incondicionalmente a Nabucodonosor. Os babilônios não destruíram Jerusalém, mas levaram consigo 3.000 cativos, o rei, a mãe do rei, e toda a corte do rei para a Babilônia como reféns. Zedequias foi designado como rei de Judá, e Jeremias continuou a pregar sobre o mesmo tema, que os babilônios eram instrumentos do juízo de Deus sobre Judá, pelos pecados que haviam praticado. Seria inútil resistir! Submeter-se era a atitude mais sábia, e o único meio de sobreviver! Aos olhos de Jeremias, o Senhor havia ordenado que a Babilônia invadisse Judá; então, diante do rei, dos sacerdotes, dos profetas e do povo, ele se opôs a qualquer aliança com o Egito, previu a supremacia da Babilônia, e a destruição do estado judeu. Jeremias também percebeu que a esperança da futura nação de Israel estava exclusivamente relacionada aos judeus cativos na Babilônia (Jr 31), e não a Jerusalém. Aqueles que foram deixados na cidade-capital não formavam o verdadeiro remanescente.

*Seus anos finais*. Em 588 a.C., Zedequias, que há muito tempo vinha conspirando contra a Babilônia, se rebelou abertamente contra o seu senhor babilônio. A vingança babilônica foi rápida e final. Eles marcharam através de Judá e Jerusalém em 588 a.C. Em julho de 586 a.C., após um longo e terrível cerco de 18 meses, a cidade foi tomada. A paciência de Nabucodonosor havia se esgotado, e ele então ordenou a destruição sistemática da cidade. O Templo foi saqueado e demolido. O rei foi levado para Ribla acorrentado, seus filhos e seus ministros foram assassinados, seus olhos foram cauterizados, e muitos judeus foram levados para o cativeiro – somente as pessoas mais pobres foram deixadas para trás para serem vinhateiros ou agricultores.

Jeremias foi solto da prisão por Nabucodonosor e deixado em Jerusalém para ficar com o povo da terra (Jr 39.11-14). Seu amigo Gedalias foi designado como governador da província da Judéia. Jeremias influenciou o governador e este começou a "reedificar" e a "replantar" a nação (veja 1.10).

Em 581 a.C., Gedalias foi assassinado por um fanático judeu, Ismael, que também massacrou os partidários de Gedalias. Isto trouxe o exército babilônico de volta à Palestina. No decorrer deste retorno, o povo ficou em pânico temendo a represália da Babilônia, e fugiu para o Egito. Os babilônios seqüestraram Jeremias e o levaram consigo (43.1-7). Nas margens do Nilo ele pregou contra a adoração fanática praticada pelas mulheres judias à "Rainha dos Céus" (44.15-30). É provável que o profeta de Anatote tenha perdido a vida sob uma avalanche de pedras lançada pelos maridos destas mulheres idólatras.

*Sua personalidade*. Jeremias tinha uma personalidade complexa – expressou protesto e agonia. Nosso conhecimento da história pessoal de Jeremias é mais extenso do que a de qualquer outro profeta do Antigo Testamento. Baruque, seu escriba, registrou extensivamente as batalhas espirituais de Jeremias.

Jeremias era também um homem honesto, de forma que as suas declarações expunham os sentimentos de sua alma diante de Deus. Espalhados ao longo dos caps. 1–20 de seu livro, estão fragmentos que compõem o cotidiano de sua vida interior, os quais são freqüentemente chamados de "as confissões de Jeremias" (Jr 1; 4.10,19; 6.11; 11.10-23; 12.1-

3,5-6; 14.17; 15.10-21; 17.9,10; 18.18-23; 20.7-18). Estas profecias revelam os conflitos que repetidamente acometiam a alma dos profetas, quando procuravam lutar com os problemas de sua época.
Embora estivesse certo do poder do Senhor Jeová (Jr 1.8,17ss.) para o ministério profético, quando Jeremias enfrentou a perseguição e o abuso, sentiu-se profundamente perturbado. Ele era alvo de riso e zombaria todos os dias, um objeto de escárnio (20.7,8); seus inimigos o feriam com suas línguas (18.18); todos o amaldiçoavam (15.10). Ele estava só e foi rejeitado pelos seus compatriotas (15.17; 16.18). Até mesmo os seus concidadãos conspiraram para assassiná-lo (18.18,22; 20.10). A sua reação foi de ressentimento, e ele proferiu imprecações contra os seus inimigos (11.20-23; 15.15; 17.18; 20.11,12). Ele foi perseguido e atormentado por um aparente fracasso, e era um homem constantemente pressionado: "Eis que eles me dizem. Onde está a palavra do Senhor? Venha agora!" (17.15; cf. também 15.15; 20.8). Às vezes a sua comunhão com Deus era uma fonte de profunda alegria espiritual (15.16), porém em outras ocasiões ele experimentava uma profunda depressão espiritual, imaginando que o Senhor o havia abandonado (15.17,18). Porém, ele deveria prosseguir (20.7,9) porque o Senhor era mais forte do que ele, sempre venceu e sempre vencerá!
Jeremias era um homem de oração, porém falava pouco sobre a oração; ele simplesmente orava! Ele derramava as aflições de sua alma na presença daquele que vê e ouve em segredo, mas que recompensa publicamente. Ele orava pela cura (17.14) – a cura espiritual de seu coração enfermo (17.9) – e pela remoção de complexos que o bloqueavam e consumiam a sua energia física. Ele orava para que fosse livre de seus adversários, pela causa à qual estava dedicando a sua vida, e pela vingança contra os seus perseguidores (18.18-23). As suas orações eram mais do que pedidos. Elas eram uma comunicação com Deus na qual a sua vida interior ficava exposta, com suas frustrações, lutas, tentações, e pecados. Era o exercício de sua alma, através do qual ele se aliviava das pesadas cargas da vida (15.15-18).
Mas Jeremias era um profeta, um porta-voz do Senhor. Enquanto Isaías era um voluntário (ele aceitou a sua missão e a assumiu com entusiasmo), Jeremias foi um escolhido. Ele se retraiu, protestou e almejou partir para se aposentar. Ele sentiu incisivamente o seu próprio senso de inadequação diante da ordem de ser "um profeta para as nações". Porém, em meio à pressão dos acontecimentos exteriores, e de seus próprios tumultos interiores, ele era a voz do Senhor – um homem possuído por Deus, controlado por Deus e dirigido por Deus. A palavra de Deus era um fogo aceso em seu coração (6.11; 20.9); ele pregava por uma compulsão interior. Jeremias se posicionou como uma pedra diante dos falsos profetas na Babilônia e em Jerusalém (23.9-40).
Jeremias também era um analista moral, um analista dos pensamentos, dos motivos e dos atos dos homens (5.1-5; especialmente 6.27: "Por torre de guarda te pus entre o meu povo, por fortaleza, para que soubesses e examinasses o seu caminho"). Ao examinar a sociedade, ele se auto-analisava (12.3; 15.10,15-18; 17.16; 18.20).
Mas Jeremias era também um cruzado. O que Lutero foi na Dieta de Worms, Jeremias foi para Israel em seu famoso sermão do Templo de 609/608 a.C. (o cap. 7 traz o conteúdo, e o cap. 26 a narrativa). A Palavra do Senhor vinha a Jeremias, e ele tinha que dar o golpe fatal para a destruição da superstição do Templo, e o esvaziamento do formalismo; estes erros estavam substituindo a verdadeira religião, que é algo que se deve praticar de coração.
Finalmente, Jeremias era um otimista. Ele acreditava que Deus seria vitorioso. Quando olhou para as gerações, ele foi pessimista. Mas quando olhou para os séculos, ele foi otimista, e assim falou de um novo Rei, de um Bom Pastor, e de um descendente Justo de Davi (Jr 23.5).
De acordo com o conceito que Jeremias tinha da justiça de Deus, ele sabia que a nação estava arruinada, que o exílio era certo, e que uma nova ordem era inevitável. Então, no livro da esperança (Jr 30–33, especialmente 31.31ss.), um novo dia iria raiar, um novo Israel iria retornar, e Deus iria realizar o seu propósito através do Israel de amanhã. Neste dia, a Palavra de Deus seria escrita nos corações dos homens. Os crentes teriam experiências diretas com o Deus vivo e verdadeiro. Esta é a concepção do novo nascimento no Antigo Testamento.
Pelo fato de Jeremias ter amado tanto a cidade de Jerusalém, e se aliado ao propósito de Deus, surgiu a tradição de que Jeremias ressuscitaria dos mortos. Os patriarcas da Igreja reportam a crença de que ele foi apedrejado pelos judeus até à morte em Tafnes. Alguns esperavam que ele aparecesse e restaurasse o Tabernáculo, a arca, e o altar do incenso que ele supostamente teria escondido em uma caverna (2 Mac 2.1-8). Assim, quando o Senhor Jesus pediu que os seus discípulos lhe respondessem uma pergunta fundamental, "Quem dizem os homens ser o Filho do Homem?", eles responderam: "Uns dizem... Jeremias..." (Mt 16.13-14).

D. W. D.

**JEREMIAS, LIVRO DE** O livro de Jeremias começa com a chamada do profeta (cap. 1) e se encerra com a queda de Jerusalém (cap. 52). Ele compreende o período histórico entre 626 e 581 a.C.

### O Enigma Cronológico

O livro de Jeremias é formado por discursos proféticos, materiais biográficos, e narrativas históricas que não são colocados em uma seqüência estritamente cronológica. Ilustrações vívidas são os caps. 21 e 24, que datam do período do reinado do rei Zedequias (597-586 a.C.), mas o capítulo 25 data da época do reinado de Jeoaquim (608-597 a.C.). Os caps. 27 e 28 são da época do reinado de Zedequias, enquanto os caps. 35 e 36 pertencem à época do reinado de Jeoaquim. E assim, todos os esboços de Jeremias são, de alguma forma, arbitrários.

Como Jeremias tinha um secretário fiel, Baruque, seria normal que se esperasse uma ordem mais precisa. Qual é o motivo da falta de uma ordem cronológica? Uma explicação plausível é que o material do livro de Jeremias circulou originalmente na forma de rolos separados, cada um ilustrando um de seus ensinos (cf. F. M Wood, *Fire in My Bones*, pp. 9-11). Mais tarde, estes rolos organizados por tópicos foram comprimidos e estão contidos no atual livro de Jeremias. Entre os vários rolos, várias narrativas têm sido misturadas com a bibliografia de Jeremias. Sete rolos principais podem ser identificados:

1. As primeiras profecias de Jeremias, caps. 1–6
2. A falsa e a verdadeira sabedoria, caps. 8.4–10.25
3. Mensagens de desencorajamento, caps. 11–20
4. Condenações contra os reis e os profetas, caps. 22–29
5. O livro da esperança, caps. 30–33
6. Seção histórica, o cerco de Jerusalém e a fuga para o Egito, caps. 37–44
7. Oráculos contra as nações estrangeiras, caps. 46–51

O famoso sermão do Templo (7.1–8.3) foi inserido em meio ao 1° e ao 2° rolo; e entre o 3° e o 4° rolo há uma narrativa (cap. 21) contendo o conselho de Jeremias durante o cerco da capital. Três narrativas (caps. 34–36) relativas à recepção da Palavra do Senhor por parte de Israel fornecem a ligação para os rolos 5 e 6. O conselho de Jeremias para o desencorajado Baruque (cap. 45) une a seção histórica às profecias estrangeiras. Os oráculos dos poderes estrangeiros aparecem nos caps. 46–51 (cf. livros de Isaías e Ezequiel para seções semelhantes), e são seguidos por um apêndice histórico (cap. 52), possivelmente extraído de 2 Reis 25. Como Jeremias passou a sua vida advertindo a cidade de Jerusalém, este é um clímax adequado para o romântico ministério do profeta de Anatote. Portanto, esta é uma explicação para a ausência de uma ordem cronológica (veja C. F. Francisco, *Studies in Jeremiah*, p. 13).

### A Composição

O ponto inicial da escrita do livro de Jeremias é narrado novamente em 36.1-8. A data do ponto central do rolo era 605 a.C. Jeremias estava sob a interdição do Templo quando proferiu o "sermão do Templo" em 609/8 a.C. No quarto ano do reinado de Jeoaquim (605 a.C.), a Palavra do Senhor veio a Jeremias e ele ditou a mensagem a Baruque, que a registrou em um rolo de um livro. Então Baruque o levou para a área do Templo, e leu o sermão durante várias das festas anuais. O rei ouviu falar da mensagem e pediu o rolo. Depois de ouvir as palavras de advertência, ele o cortou em tiras com um canivete (36.9-26). Baruque reportou o fato a Jeremias. Mais tarde, o Senhor ordenou a Jeremias que ditasse um outro rolo e acrescentasse muitas outras palavras a este (Jr 36.27-32). Este segundo rolo, aparentemente a primeira edição da profecia existente, provavelmente continha o âmago dos caps. 1–25, isto é, as profecias de Jeremias que se deram durante o período profético de 626-605 a.C.

As confissões de Jeremias estão intercaladas nesta seção (Jr 1.4 ss.; 4.10,19; 6.11; 11.18; 12.6; 15.10-16; 17.14-18; 18.23; 20.7-18) e expõem a alma do profeta. O mundo bíblico tem uma dívida para com o fiel amanuense de Jeremias, Baruque, por ter registrado estas sombras passageiras de uma grande alma.

Mais tarde, o seu fiel escriba, que acompanhou Jeremias passo a passo ao longo de sua peregrinação profética, acrescentou as biografias de Jeremias (25.45) e também a vida do profeta que despontou durante a crise judaica, de 604 a 581 a.C.

Também pode ter sido Baruque quem registrou os caps. 46–51 à medida que Jeremias os ditava. Talvez estes oráculos às nações estrangeiras tenham circulado entre os povos vizinhos, além de terem sido lidos pelos judeus. Esta seção pode ter sido escrita durante o cerco de Jerusalém (588-586 a.C.). Estas profecias estrangeiras consistem de oráculos contra o Egito (cap. 46), a Filístia (cap. 47), Moabe (cap. 48), Amom (49.1-6), Edom (49.7-22), Síria (49.23-27), Arábia (49.28-33), Elão (49.34-39), e Babilônia (cap. 50–51).

É possível que Jeremias e seu escriba Baruque tenham feito uma revisão do livro mais de uma vez, de modo que este tenha passado por sucessivas edições. Esta conclusão depende, em parte, das evidências da Septuaginta (LXX).

### O Relacionamento com o Texto da Septuaginta

Uma comparação dos manuscritos gregos e hebraicos revela algumas dificuldades textuais. A LXX (traduzida entre 250 e 100 a.C.) difere consideravelmente do Texto Heb. Massorético (TM). Faltam-lhe 2.700 palavras quando comparada ao TM, isto é, aproximadamente 120 versículos, o equivalente a quatro ou cinco capítulos de tamanho médio; o texto

grego tem aprox. 100 palavras que não são encontradas no TM. Onde ocorrem passagens paralelas, o significado pode ser freqüentemente entendido de uma forma diferente.
Várias explicações têm sido oferecidas para resolver estas diferenças: a LXX não é uma tradução literal do texto hebraico e, além disso, os manuscritos eram freqüentemente ilegíveis. Muitos erros eram cometidos de forma inconsciente pelos copistas. Sem dúvida, algumas destas mudanças eram intencionais (veja G. A. Smith, *Jeremiah*, pp. 11-14).
Estas apologias levam em conta diferentes leituras, mas nenhuma das duas discrepâncias mais evidentes entre a LXX e o TM: a ausência, no grego, de passagens que aparecem no TM, e o rearranjo dos oráculos que foram dirigidos às nações estrangeiras. Na LXX, os caps. 46–51 estão entre os versículos 13 e 15 do cap. 25. O verso 14 está ausente na versão grega. Evidentemente, os tradutores do grego estavam usando um texto hebraico que era diferente do TM atual.
G. L Archer sugere que a LXX representa uma edição anterior, compilada durante a vida do próprio profeta e circulada primeiro no Egito. Então, após a morte de Jeremias, Baruque teria preparado uma coleção mais completa dos sermões de seu mestre, que teria chegado às mãos dos judeus que retornavam do exílio na Babilônia – o Texto Massorético (SOTI, pp. 349ss.). Outros acreditam que havia duas compilações que continuaram até aproximadamente 200 a.C., ambas vindo de uma única fonte. Desde a descoberta dos rolos de Qumran, os textos questionáveis podem ser estudados à luz da LXX, do Texto Massorético, e dos rolos de Qumran.

### A Análise Literária

Desde 1901, o livro de Jeremias se tornou uma base interessante para a análise literária dos estudiosos. Naquele ano, B. Duhm designou ao próprio Jeremias apenas 60 poemas curtos. Ele argumenta que as palavras originais de Jeremias eram todas escritas na forma poética de *Qinah* (3.2 ritmo) em aproximadamente 280 versos. A biografia de Baruque também conta com aproximadamente 200 versos. Em termos aproximados, portanto, Duhm atribuiu algo em torno de dois terços do livro a editores posteriores e suplementadores (veja A. S. Peake, *The New Century Bible*, I, 48-57). Estudiosos menos radicais atribuem quase todos os capítulos a Jeremias e seu escriba Baruque. Felizmente, os estudiosos não destroem a mensagem. Para uma pesquisa mais completa sobre as várias posições críticas, veja R. K. Harrison, *Introduction to the Old Testament*, pp. 809-817. Ele conclui que o processo de transmissão dos lábios do profeta à forma presente do livro era consideravelmente menos complexo do que a maioria dos escritores liberais assumiu, e que foi concluída em 520 a.C.

### O Testemunho das Escrituras

A versão grega do Antigo Testamento atribui o livro de Lamentações a Jeremias. Mas os poemas em si não reivindicam a autoria de Jeremias. Ele é citado em 2 Crônicas 36.21-23 e Esdras 1.1,2. Siraque 49.6,7 reflete passagens tanto de Jeremias como de Lamentações. Daniel (9.2) refere-se ao "que falou o Senhor ao profeta Jeremias" (Jr 25.12), e 2 Mac 2.1-8 contém ecos do livro de Jeremias (cf. a relação de Jeremias 33.15 com Is 4.2; 11.1; 53.2; Zc 3.8; 6.12).
Os escritores do Novo Testamento mostram que o livro de Jeremias era muito apreciado e respeitado, sendo também considerado canônico, além de freqüentemente citado e referido (cf. a nova aliança em Jr 31.31ss. com Hb 8.8-13; 10.15-17; Jr 31.15 com Mt 2.17ss.; Jr 23.5 com Lc 1.32ss.; Jr 11.20 e 17.10 com Ap 2.23; Jr 51.7-9 com Ap 14.8; 17.2-4; 18.3-5; Jr 10.7 com Ap 15.4; Jr 51.6,9,45 com Ap 18.4; Jr 51.63ss. com Ap 18.21ss; Jr 25.10 com Ap 18.22ss.; Jr 9.23ss. com 1 Co 1.31; Jr 7.11 com Mt 21.13; Jr 22.5 com Mt 23.38).

### Os Ensinos

*A natureza e o caráter de Deus*. O Senhor Deus é único, íntegro e justo, puro e santo, misericordioso e cheio de graça, paciente. Porém, pune aqueles que fazem o mal e pecam.
*A mensagem de adevertência para Israel*.
1. Israel possui um relacionamento especial com o Senhor (Jr 2.2,3; 7.23; 11.2-5; 13.11). Oséias e Jeremias usaram metáforas sobre o casamento e a relação filial para refletirem este relacionamento (Os 2.2; Jr 31.9).
2. Israel foi infiel e era culpada de apostasia (Jr 2.5-8,13,28; 3.1; 5.11,23,24; 6.7; 7.30).
3. A nação de Israel era autocomplacente e confiava cegamente nas formalidades religiosas exteriores (Jr 6.20; 7.4,9,11; 8.8,12; 16.10-12).
4. A ameaça do julgamento de Israel devido aos seus pecados (Jr 4.3,4; 6.8; 7.16-20; 14.11,15.1-9).

*A mensagem de esperança*. A restauração futura era certa. A nação política de Judá poderia perecer, mas o povo escolhido de Deus sobreviveria. Os propósitos eternos de Deus seriam realizados (cf. o livro da esperança, caps. 30–33). Os elementos da glória futura são:
1. A preservação de um remanescente (Jr 4.27; 5.10,18; 29.11; 30.11; 46.28).
2. O retorno do exílio (3.11,21,22; 16.14,15; 25.11-14; 30.7-11; 31.23).
3. A nova Jerusalém (33.16, deve ser associado à expressão: "O Senhor É Nossa Justiça").
4. O governante ideal (23.4-6; 30.9,21).
5. A nova e duradoura aliança (31.31-34; 32.40; 33.8).
6. A espiritualidade da religião (24.7), de modo que os exilados na Babilônia (ou em qualquer outro lugar), separados da adora-

ção no Templo, possam buscar diretamente ao Senhor em oração (29.4-14).
7. A responsabilidade individual como o fundamento do caráter moral e da vida espiritual (31.29,30).
8. A salvação das nações (3.17; 4.2; 16.19; 33.9). A nação visível poderá cair, mas o verdadeiro Israel continuará a viver. Na profecia da nova aliança da graça e do perdão dos pecados (31.31ss.), o livro de Jeremias é igual à maioria das seções evangélicas de Isaías e de outros profetas do Antigo Testamento.

***Bibliografia.*** Kenneth L. Barker, "Jeremiah's Ministry and Ours", BS, CXXVII (1970), 223-231, S. H. Blank, *Jeremiah, Man and Prophet,* Cincinnati. Hebrew Union College, 1961. John Bright, *Jeremiah*, Anchor Bible, Vol. XXI, Garden City. Doubleday, 1965. F. Cawley, "Jeremiah", NBC, pp. 608-639. Clyde F. Francisco, *Studies in Jeremiah,* Nashville. Convention Press, 1961. J. P. Hyatt, *Jeremiah – Prophet of Courage and Hope*, Nashville, Abingdon, 1958. C. F. Keil, *The Prophecies of Jeremiah*, KD. Irving L Jensen, *Jeremiah. Prophet of Judgment, Chicago.* Moody, 1966. Theodore Laetsch, *Jeremiah,* St. Louis. Concordia, 1952. Elmer A. Leslie, *Jeremiah*, Nashville. Abingdon, 1954. A. S. Peake, ed., *Jeremiah and Lamentations,* The New Century Bible, Edinburgh. T. C. & C. C. Jack, 1910. George A. Smith, *Jeremiah*, 4ª ed., Nova York, Harper, 1940. A. Stewart, *Jeremiah, The Man and His Message,* Edinburgh. Henderson, 1936. C. von Orelli, *The Prophecies of Jeremiah,* Edinburgh. T. & T. Clark, 1889. A. C. Welch, *Jeremiah – His Time and His Work,* Oxford. Blackwell, 1951. Fred M Wood, *Fire on My Bones*, Nashville. Broadman, 1959.

D. W. D.

**JEREMOTE, JERIMOTE**
1. Um dos cinco filhos de Bela, filho de Benjamim. Ele era o cabeça de seu clã e um guerreiro na época de Davi (1 Cr 7.7).
2. Filho ou descendente de Bequer, filho de Benjamim, cabeça de outro clã benjamita (1 Cr 7.8).
3. Um benjamita, filho de Berias. Ele habitou em Jerusalém, era chefe de uma família (1 Cr 8.14,28).
4. Um guerreiro benjamita que se juntou a Davi em Ziclague. Ele poderia ser o mesmo que 1 ou 2 (1 Cr 12.5).
5. Um levita, filho de Musi da família de Merari (1 Cr 23.23; 24.30).
6. Um levita, filho de Hemã, o cabeça do 15º turno dos músicos levitas (1 Cr 25.4,22).
7. O filho de Azriel, chefe da tribo de Naftali durante o reinado de Davi (1 Cr 27.19).
8. Filho de Davi e pai de Maalate, a mulher de Roboão (2 Cr 11.18). Ele não é citado entre os filhos de Davi. A tradição judaica defende que ele era filho de uma concubina.
9. Um levita designado por Ezequias como um supervisor das ofertas do Templo (2 Cr 31.13).
10. Um israelita da família de Elão que expulsou sua esposa gentia nos dias de Esdras (Ed 10.26).
11. Um membro da família de Zatu; outro homem que expulsou sua esposa estrangeira (Ed 10.27).
12. Um dos filhos de Bani que expulsou sua esposa gentia (Ed 10.29; há versões que trazem o nome "Ramote", e em outras existe a variante Jeremote/Jerimote).

**JERIAS[1]** Um capitão da guarda que, estando na Porta de Benjamim, prendeu Jeremias durante o cerco dos caldeus, e tendo acusado falsamente o profeta de ter desertado para o inimigo, levou Jeremias de volta aos príncipes de Judá (Jr 37.13,14).

**JERIAS[2]** Um descendente de Levi através de Hebrom (1 Cr 23.19; 24.23; 26.31).

**JERIBAI** Um dos "valentes" de Davi, uma categoria usada para distingui-los dos "três" e dos "trinta" (1 Cr 11.46).

**JERICÓ** No estágio atual da pesquisa arqueológica, a Jericó do AT é considerada pela escavadora Kathleen Kenyon como o mais antigo exemplo de civilização urbana conhecida pelo homem. O local, situado no vale do Jordão, cerca de 13 quilômetros a noroeste da junção do rio Jordão com o mar Morto, era abastecido por um manancial excelente chamado 'Ayin es-Sultan e Fonte de Eliseu (baseado no incidente de 2 Rs 2.19-22). Mesmo antes que a cerâmica fosse usada, uma cultura sofisticada surgiu nas proximidades do manancial. Jericó era uma cidade murada com estruturas de pedras sólidas mostrando uma excelente técnica arquitetural, consistindo de grandes habitações e edifícios públicos. A característica mais notável desta cultura neolítica pré-cerâmica foi a presença de vários crânios humanos cobertos de argamassa moldada para formar os traços faciais, com olhos de conchas de insetos. Isto provavelmente representava uma forma de adoração ancestral, porque as feições se assemelham a retratos de indivíduos; conseqüentemente algum conceito da natureza espiritual do homem estava, sem dúvida alguma, presente. As fortes fortificações e evidências do comércio revelam que este povo antigo não era uma sociedade isolada. *Veja* Arqueologia.
A cultura que veio a seguir em Jericó foi um retrocesso. Pouco tempo antes de 5000 a.C. chegou um povo usando uma cerâmica tosca feita a mão, vermelha e polida. Não houve nenhuma continuidade de ocupação entre estas pessoas e a cultura pré-cerâmica; e, embora o uso da cerâmica tivesse sido uma

Vista aérea da Jericó do Antigo Testamento

vantagem distinta, a cultura posterior como um todo foi extremamente inferior. No entanto, é atribuído a este grupo um tipo de artes plásticas semelhante, embora diferente em outros aspectos, quando comparado à arte do crânio com argamassa do grupo anterior. Uma espécie de ídolo era feita com argamassa besuntada em uma base de juncos ao invés de um crânio. O formato é de um disco achatado sobre o qual estão moldadas feições imprecisas, ornadas com cabelos e barba pintados, e olhos, novamente feitos de conchas. Estas pessoas cavaram buracos em pedreiras no nível pré-cerâmico para obter barro para seus próprios tijolos de construção, feitos em um distinto formato de pão. Pouco, porém, é conhecido desta cultura neolítica do quinto milênio a.C., porque nenhuma sepultura foi descoberta. Houve duas fases desta cultura, sendo que a segunda possuía uma cerâmica melhor, feita a mão, o que pela primeira vez pode ser ligado com outra cerâmica neolítica de lugares como Biblos, ao norte de Beirute, e Sha'ar ha-Golan, na junção dos rios Jarmuque e Jordão. Certamente, estes rudes camponeses em Jericó faziam parte de um grande e largo movimento de pessoas por todo o Crescente Fértil e estavam fazendo progressos em relação à idade do metal, e ao início da história.

Uma conhecida cultura calcolítica chamada Ghassulian, que foi divulgada em toda a Palestina no quarto milênio a.C., está completamente ausente em Jericó. Após um período sem ocupação (parte do quarto milênio), Jericó recobrou a vida em aprox. 3200 a.C. Mas o povo era provavelmente seminômade porque a evidência vem em sua maior parte de tumbas em rochas com pouquíssimos túmulos na cidade. A cerâmica destas tumbas é de vários tipos, cada um dos quais pode ser associado a locais separados no montanhoso campo palestino. Conseqüentemente, no final do quarto milênio, a Palestina estava recebendo vários povos novos. Muitos deles entraram através de Jericó vindos do leste, uma experiência repetitiva desta antiga cidade. Este foi um período de fusão de culturas recém-chegadas na Palestina, que colocou os alicerces para a forte civilização urbana daquela que seria a Primeira Idade do Bronze.

Durante a Primeira Idade do Bronze (aprox. 2900-2300 a.C.), Jericó emergiu como uma cidade fortificada. A sua sucessão de defesas mostra a constante luta com os nômades ocidentais e possivelmente a disputa com outras cidades-estado como Jerusalém, Bete-Seã e Megido, que também ajudou a criar esta era de urbanização. Os muros de Jericó, da Primeira Idade do Bronze, dão evidências dramáticas de muitas destruições pelo fogo. Outras causas eram a erosão disseminada dos tijolos de barro dos quais estes muros eram feitos, e dos terremotos a que esta área está sujeita. Entre 1930 e 1936, escavadores de Jericó (dirigidos por Garstang) pensavam que dois destes muros eram um muro duplo do final da Idade do Bronze, destruído sob a liderança de Josué. A obra de Kenyon provou que os dois muros não eram contemporâneos, mas que ambos eram da Primeira Idade do Bronze.

Inovações arquiteturais interessantes aparecem em Jericó neste período: o uso de um fosso simples e às vezes duplo do lado de fora dos muros para torná-los menos acessíveis, e o uso abundante de madeira nos muros para lhes conferir mais estabilidade, mas também como vigas e suportes dos telhados nas casas

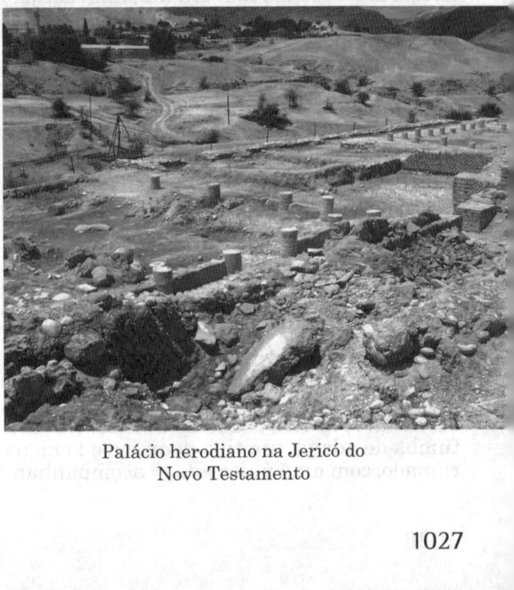

Palácio herodiano na Jericó do Novo Testamento

As principais ruínas da Jericó do Novo Testamento situam-se no monte à direita da mesquita que se encontra na parte central à esquerda

de tijolos de barro. Kenyon acredita que isto reflita o processo de desmatamento da Palestina que coincide com o período de maior erosão no final da Primeira Idade do Bronze.

Talvez a maior mudança de população na Palestina tenha vindo no final da Primeira Idade do Bronze. Na Idade Média do Bronze houve um considerável avanço técnico em cerâmica pelo uso da roda rápida e pela introdução de formas inteiramente novas. Em Jericó, esta mudança começa com uma forte incursão de um povo nômade cujas tumbas distintas contam a história. O último muro da Primeira Idade do Bronze foi construído de forma apressada, e destruído pelo fogo antes de ser terminado. Os recém-chegados se introduzem em um período intermediário ao qual Kenyon chama de Primeiro Bronze-Médio Bronze. Vivendo a princípio como nômades, eles não construíram nada, embora, no final, seus pobres esforços de construção tivessem sido feitos com um inigualável tijolo esverdeado. Sua cerâmica tinha alguma relação com o período inicial, e era geralmente feita à mão exceto para os gargalos e aros alargados que eram acrescentados em uma roda rápida. Grosseira e sem nenhum polimento ou pintura, a única decoração são incisões sulcadas onduladas e retas, que às vezes têm alças dobradas salientes. Uma casa deste período parecia ser um Templo; ela tinha estruturas semelhantes a um altar, e um sacrifício infantil em sua fundação.

Mas as várias tumbas de sepultamento único fazem a mais clara distinção entre as épocas iniciais e posteriores. Escavações nas colinas de calcário nas proximidades destas tumbas revelam vários tipos distintos de costumes funerários apontando para tribos separadas que se juntaram para destruir a Jericó da Primeira Idade do Bronze. Havia a tumba de adaga, um tipo pequeno e bem arrumado, com uma única adaga acompanhando os ossos sistematicamente ordenados. Então havia a tumba grande e grosseiramente cortada, onde o indivíduo era enterrado como um saco de ossos com uma porção de pequenos vasos e uma lamparina de quatro bicos colocada em um nicho. O terceiro tipo era um poço quadrado, tinha vasos e uma adaga, e às vezes uma lança com espigões enrolados. Uma destas tumbas continha um chefe tribal ainda usando uma faixa de cobre na cabeça. Finalmente havia um tipo de tumba muito grande envolvendo a remoção de mais de 150 toneladas de rochas, apenas para enterrar um ou dois indivíduos, que também podem ter sido personagens proeminentes.

Embora haja muito pouco de uma natureza artística sobre a cerâmica fosca grosseiramente entalhada, e armas muito úteis a estas pessoas, algumas inscrições na parede do poço de uma tumba se equiparam à pintura semelhante de cerâmicas no Oriente Próximo. Aqui estão esboços de árvores e animais do deserto com longos chifres como um íbex ou bode, e também dois guerreiros segurando lanças e pequenos escudos quadrados.

Kenyon data o início de sua incursão em aprox. 2300 a.C., e o identifica como aquele movimento de nômades que em várias fontes antigas são chamados de amorreus.

Por volta de 1900 a.C., a Idade Média do Bronze faz uma total aparição em Jericó. Desta vez o novo povo veio do norte, talvez expulsos de suas antigas casas, pois vieram com uma cultura urbana desenvolvida. A cerâmica era toda feita em uma roda rápida com muitos formatos originados de protótipos metálicos. O bronze, ao invés do cobre, tornava suas ferramentas e armas mais eficientes, e as técnicas de construção chegaram a seu ápice em Jericó.

Surge um tipo de sistema de defesa inteiramente novo, semelhante a outros como este na costa da Síria, Palestina e na região do delta do Nilo. Este consistia de uma imensa barragem de argamassa apoiada por uma pedra como muro de arrimo no fundo, e tendo o muro da cidade no topo. Tal fortificação está geralmente associada aos invasores asiáticos chamados hicsos pelos egípcios, talvez como uma defesa contra novos métodos de guerra.

O lado oriental da colina de Jericó produziu um testemunho abundante da vida da cidade no período final da Idade Média do Bronze. Aqui estão dez camadas de construções. Esta Jericó teve um final violento pouco depois da derrubada dos hicsos no Egito (aprox. 1570 a.C.). Os egípcios os perseguiram até a Palestina, e uma a uma destruíram muitas de suas cidades fortificadas, tais como Saruen, em 1550 a.C. Escavações da última camada descobriram muitas casas e duas "ruas" em ladeira íngreme com uma escada de pedras arredondadas construída no declive leste. Uma rua possuía uma drenagem subterrânea; nela havia muitas lojas ou depósitos no nível do solo com grãos carbonizados ainda em grandes jarros. Pesos de tear feitos de barro testemunham a atividade de tecelagem. Uma única residência, com dezenas de moinhos, talvez fosse o local de trabalho de um comerciante. As provas de que esta Jericó tinha fortes contatos com o Egito vem da presença de escaravelhos do tipo dos hicsos, mas também de móveis do tipo egípcio nas tumbas de família que eram abastecidas com comida e instrumentos para a vida após a morte. Artigos perecíveis como, por exemplo, longas e estreitas mesas de madeira, banquetas, travessas, uma cama, caixas, cestos, esteiras etc. representam a divergência mais incomum em relação à arqueologia palestina, onde a umidade geralmente coloca rigorosos limites àquilo que poderia ser encontrado. É provável que os gases vulcânicos tenham interrompido a decomposição nestas tumbas seladas.

Sobre o importante tema da Jericó da Idade do Bronze Final e da conquista de Josué, a escavação de Kenyon gerou poucas informações. As provas de uma ocupação entre os séculos XV e XIV são mostradas nas tumbas. Quanto ao monte, a erosão é novamente extensiva. Mas, na encosta leste, a erosão foi interrompida durante 150 anos através da cidade do Bronze Final de aprox. 1400 a.C. De acordo com Kenyon, não resta nenhum vestígio dos muros da época de Josué. A razão para isto parece ser que os muros eram de tijolos de barro, como era a maior parte dos muros de Jericó, e sujeitos à erosão bem como aos séculos de extração de partes dos tijolos de barro deteriorados, feitas por outros povos que se seguiram. A presença da moderna estrada sobre o lugar mais provável, onde o desgaste da erosão poderia ser encontrado, parece ser uma razão adicional para encontrar-se evidências esparsas do Final da Idade do Bronze. Também deve ser lembrado que as escavações de Garstang (1930-36) forneceram um considerável material não controverso do Bronze Final com pouca ou nenhuma cerâmica micênica que já estava entrando na Palestina em 1400 a.C. Contudo, grandes quantidades desta cerâmica foram recentemente encontradas em Deir Allah e em Tell es-As'idiyeh, 48 quilômetros na subida do Jordão. Dessa forma, Garstang datou a conquista de Jericó como um evento que ocorreu, no máximo, em 1385 a.C. Kenyon datou a vitória de Josué sobre Jericó em aprox. 1350-1325 a.C. (*Digging up Jericho*, pp. 261-63). *Veja* Êxodo, O: A Época.

A maldição de Josué (Js 6.26-27) foi cumprida sobre Hiel, o betelita, que reconstruiu Jericó (1 Rs 16.34) nos dias de Acabe (aprox. 800 a.C.). A maior parte desta camada da Idade do Ferro também sofreu erosão, sendo que as ruínas mais antigas mostram uma comunidade próspera no século VII a.C., que foi posteriormente destruída pelo exército de Nabucodonosor e reconstruída na época de Esdras e Neemias (cf. Ed 2.34; Ne 3.2; 7.36). As escavações de J. L. Kelso e J. B. Pritchard em 1950 e 1951 descobriram um palácio de inverno de estilo romano de Herodes o Grande em um local onde já houve uma cidade, localizada pouco mais de um quilômetro a sudoeste da colina do AT. Esta era a Jericó onde Zaqueu (q.v.), o principal cobrador de impostos, vivia na época de Jesus (Lc 19.1,2). Ela dependia das águas trazidas pelos mananciais no Uádi Qelt, nas proximidades do local onde a estrada romana seguia para Jerusalém. Outros judeus estavam evidentemente vivendo em uma aldeia também conhecida como Jericó, mas muito mais próxima desta fonte abundante, pois Mateus e Marcos relatam que o cego Bartimeu (q.v.) foi curado à beira do caminho quando Jesus estava deixando Jericó (Mt 20.29-34; Mc 10.46-52). Lucas, porém, declara que Jesus estava se aproximando de Jericó naquele momento (18.35). A mudança da Jericó medieval e da Jericó moderna para uma localização um quilômetro e meio mais próxima do Jordão deve nos fazer lembrar de que ela era um oásis, e não apenas uma colina do AT que recebeu o epíteto "Jericó" – provavelmente, este nome foi, em sua origem, uma referência ao deus-lua que era, ali, adorado pelos antigos habitantes cananeus.

***Bibliografia.*** John e J. B. E. Garstang, *The Story of Jericho*, Londres. Marshall, Morgan e Scott, 1948. Kathleen M. Kenyon, *Digging up Jericho*, Londres. Ernest Benn, 1957; "Jericho", TAOTS, pp. 264-275. Leon T. Wood, "Date of the Exodus", NPOT, pp. 69-73.

E. B. S.

**JERIEL** Um homem da tribo de Issacar, filho de Tola (1 Cr 7.2).

**JERIOTE** Uma das esposas de Calebe, filho de Hezrom (1 Cr 2.18).

**JEROÃO**

1. Filho de Eliú e pai de Elcana, o pai de Samuel (1 Sm 1.1; 1 Cr 6.27,34).
2. Um benjamita, pai de vários filhos, que viveu em Jerusalém depois do exílio (1 Cr 8.27).
3. Pai de Ibnéias, um chefe de Benjamim depois do exílio (1 Cr 9.8). Possivelmente a mesma pessoa mencionada no item 2 acima.
4. Um sacerdote cujo filho Adaías residiu em Jerusalém depois do exílio (1 Cr 9.12; Ne 11.12).
5. Jeroão de Gedor, uma aldeia de Judá. Seus filhos Joela e Zebadias se juntaram a Davi em Ziclague (1 Cr 12.7).
6. Pai de Azarel, chefe da tribo de Dã na época de Davi (1 Cr 27.22).
7. Pai de Azarias, um dos capitães que ajudaram Joiada a levar Joás ao trono de Judá (2 Cr 23.1).

Betel, onde Jeroboão estabeleceu um de seus centros de adoração ao bezerro. HFV

**JEROBOÃO** Dois reis de Israel tinham este nome. O nome aparece em um selo de jaspe encontrado em Megido com a inscrição "Sema, servo de Jeroboão", provavelmente um oficial de Jeroboão II

1. Jeroboão I (931-910 a.C.), da tribo de Efraim, filho de Nebate e Zerua. Sua energia e habilidade foram reconhecidas por Salomão com relação à construção da torre de Milo, e ele foi colocado como encarregado dos convocados efraimitas. A profecia de Aías de que Jeroboão se tornaria rei das dez tribos do norte, ao invés de Roboão, o filho de Salomão, chegou aos ouvidos do rei, e Jeroboão fugiu para o Egito, por segurança (1 Rs 11.26-40). Retornando para a Palestina após a morte de Salomão, ele chefiou a delegação das tribos do norte buscando de Roboão um alívio das opressões praticadas por seu pai. Quando isto foi recusado, as tribos do norte se afastaram da casa de Davi e estabeleceram Jeroboão como rei (1 Rs 12.2-15,19,20).

Jeroboão reconstruiu Siquém de Efraim, a qual Abimeleque, filho de Gideão, havia destruído, e fez dela a residência real. Em seguida ele construiu Penuel na Transjordânia (1 Rs 12.25), que serviu como uma residência de inverno ou como uma capital alternativa por causa da campanha do Faraó Sisaque em 926 a.C. Ele finalmente mudou sua residência real para Tirza (q.v.; 1 Rs 14.17), uma cidade a noroeste de Siquém. Seu treinamento sob o governo de Salomão o tornou um grande construtor. Ele é conhecido principalmente como "Jeroboão, filho de Nebate, que fez pecar a Israel". Seu pecado foi erigir bezerros em Dã e Betel, estabelecendo em Israel a adoração ao bezerro que eles sem dúvida haviam visto no Egito. Seu propósito era político, para manter o povo afastado do Templo de Jerusalém, onde seus corações poderiam ser atraídos de volta para a casa de Davi. Os sacerdotes e levitas cujas casas estavam em seu território não receberam nenhum lugar na nova adoração, sendo outros escolhidos indiscriminadamente para o sacerdócio. Ele não foi dissuadido de seu propósito pelas advertências do profeta de Judá, cujo nome não foi mencionado (1 Rs 12.25–13.10,33,34).

Embora seu reinado tenha sido próspero, seu pecado lhe trouxe o severo juízo de Deus, visto na morte de seu jovem filho Abias, e no trágico final de sua dinastia na segunda geração (1 Rs 14.1-20).

2. Jeroboão II (782-753 a.C.), filho de Joás, e terceiro na sucessão de Jeú. A duração de

A Estela de Amrith, Síria, do século VI a.C., ilustra como os pagãos da área oriental do Mediterrâneo viam freqüentemente seus deuses como estando de pé sobre as costas dos animais. Alguns pensam que Jeroboão procurou fazer com que os israelitas imaginassem o Senhor invisivelmente de pé ou sentado sobre seus bezerros de ouro. LM

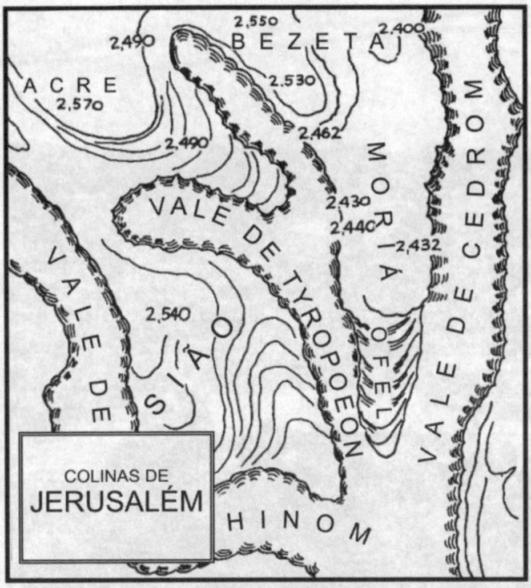


Mapa das colinas de Jerusalém

seu reinado, apresentada em 2 Reis 14.23 (41 anos), inclui uma co-regência com seu pai de aproximadamente 12 anos, 794-782 a.C. Seu reinado foi de grande prosperidade, militarmente e economicamente. Ele continuou com as conquistas que seu pai Jeoás havia começado, restaurando as fronteiras de Israel que haviam sido invadidas pelos sírios e, na verdade, subjugando Damasco. Assim como seu pai havia recebido o encorajamento de Eliseu neste assunto, Jeroboão foi encorajado pelo profeta Jonas. Foi um período de grande riqueza. Extravagâncias e luxos abundaram, como foi verificado nas escavações da capital Samaria (q.v.); contudo, os pobres eram oprimidos, e os padrões morais estavam se degenerando rapidamente. O livro de Amós apresenta um vívido retrato da paixão ímpia aos prazeres nos dias de Jeroboão. Embora fosse exteriormente próspero, seu reino estava na iminência de ser desintegrado. Por um lado, Jeroboão foi um salvador de Israel (2 Rs 14.27), mas, por outro, seu longo reinado levou a nação à beira do juízo. Cerca de 30 anos após a sua morte, o reino de Israel deixou de existir.

J. C. M.

**JERUBAAL** O nome significa "Que Baal se defenda", e foi o nome dado a Gideão por seu pai Joás quando o primeiro destruiu o altar de Baal (Jz 6.32; 7.1). *Veja* Gideão.

**JERUBESETE** Um nome para Gideão em substituição a Jerubaal, usado para evitar ligar Gideão à adoração a Baal (2 Sm 11.21). *Veja* Gideão.

**JERUEL** Uma seção do deserto de Judá, acima e a oeste dos penhascos com vista para o mar Morto (2 Cr 20.16), entre Tecoa e En-Gedi.

**JERUSA** A mãe de Jotão, esposa do rei Uzias, e filha de Zadoque (2 Rs 15.33; 2 Cr 27.1).

**JERUSALÉM** Esta cidade tem sido apropriadamente chamada de "capital espiritual do mundo", uma sentença sublinhada pela resolução de 1947 das Nações Unidas para designá-la como uma cidade santa internacional. Para os estudantes da Bíblia e de história, ela talvez seja a comunidade mais fascinante do mundo, sendo uma das cidades muradas mais bem preservadas, e sagrada para os três principais tipos de fé monoteístas – judaísmo, cristianismo e islamismo.

## Nome

A idéia de que o nome veio originalmente do hebraico *'Ir Shalem*, significando "cidade de paz", parece agora ser insustentável. As cartas de Amarna (q.v.) escritas em acádio cuneiforme possuem a palavra *Urusalim*; nas inscrições assírias de Senaqueribe está escrito *Urusalimmu*; e hieróglifos egípcios (séculos XIX-XVIII a.C.) possuem o equivalente de *Urushamem*. Estudiosos modernos entendem que estas palavras significam "fundada pelo deus Salém", um deus dos amor-

Museu Arqueológico da Palestina em Jerusalém, onde muitos dos tesouros escavados na Palestina têm sido guardados. HFV

Jerusalém a partir do monte das Oliveiras com a área do Templo em primeiro plano. HFV

reus cujo nome significa "aquele que faz prosperar" (cf. Ez 16.2). Seu antigo nome bíblico parece ter sido Salém (Gn 14.18; cf Hb 7.2; Sl 76.2), uma forma do hebraico *shalom*, "paz". O povo de Deus deve orar pela paz de Jerusalém (Sl 122.6). Na era futura, Deus estenderá a paz sobre ela como um rio (Is 66.12), e aqui Ele lhe dará a paz (Ag 2.9). A transliteração grega correta, *Ierousalem* (Mt 23.37), usada normalmente na LXX, segue a pronúncia aramaica, *y*[e]*rush*[e]*lem* (Ez 4.8,12 etc.). A forma alternativa do NT grego, *Hierosolyma*, é deliberadamente helenizada para fazer o nome soar como grego.

Depois da época da conquista, Jerusalém ficou conhecida como Jebus (Jz 19.10,11), e recebeu este nome por causa de seus habitantes, os jebuseus (q.v.), que eram descendentes dos heteus e dos amorreus. Outros nomes incluem "Ariel" (Is 29.1), "Cidade de Justiça" (Is 1.26), e "Cidade Santa" (Is 48.2; 52.1; Ne 11.1,18; Mt 4.5; 27.53). Hoje, os muçulmanos a chamam de *Al-Quds al-Sharif* ("santuário nobre"), ou simplesmente *Al-Quds*.

### Localização e Topografia

Jerusalém está localizada 53 quilômetros a leste do Mediterrâneo e 22 quilômetros e meio diretamente a oeste da extremidade norte do mar Morto, a aproximadamente 31 graus de latitude norte e 35 graus de longitude leste.

A cidade antiga foi construída no topo de uma colina (Sl 48.1,2; Zc 8.3) e, contudo, estava rodeada de colinas mais altas por todos os lados exceto um (Sl 125.1,2). A porção mais antiga – a cidade jebusita – estava situada em um pico rochoso projetando-se ao sul para a confluência dos vales de Cedrom e Tiropeano. Ela poderia ser facilmente defendida, e o único manancial adequado na redondeza poderia ser protegido. Ao norte, no mesmo pico, ficava o local do Templo, o monte Moriá. A oeste, cruzando o vale Tiropeano situa-se a "cidade alta", ligeiramente mais alta que o cume oriental. Assim a cidade tinha a forma de um U com a extremidade aberta para o sul em direção ao deserto da Judéia. A leste, cruzando o Cedrom, situa-se um cume em forma de cela, aprox. 100 metros mais alto, dominado pelo monte Scopus, a nordeste, e pelo monte das Oliveiras diretamente a leste. A vista para o oeste está obstruída pela bacia do campo montanhoso da Judéia, 924 metros acima do nível do mar. *Jebel Deir abu Tor* ("o monte do conselho do mal", cf. Mt 26.14-16) interrompe grande parte da vista para o sul, de forma que a única vista distante está voltada ao sudeste, ao deserto, um fato que pode ser responsável pela atmosfera de forte independência que se sente na cidade.

### Água

A principal fonte de água natural da cidade nos tempos do AT era a fonte de Giom (q.v.), no vale de Cedrom, ao pé do declive leste da fortaleza jebusita. Ela transborda intermitentemente de três a cinco vezes por dia. Isto é causado por cavidades subterrâneas que se enchem e começam um processo sifônico. A água desta fonte foi negada aos invasores assírios, e foi disponibilizada para a cidade cercada pelo famoso túnel de Ezequias, que ainda transporta a água para o Tanque de Siloé no topo sudeste do cume (2 Cr 32.3,4,30; Is 22.11; Jo 9.7).

Uma fonte conhecida como Bir Eyyub, a En-Rogel bíblica (Js 15.7; 1 Rs 1.9), foi logo escavada a sudeste da cidade, onde os vales de Cedrom e Hinom se encontram. Nos tempos romanos, a água era transportada por um aqueduto construído por Pilatos a partir dos "Tanques de Salomão", ao sul de Belém, e por um aqueduto de alto nível (165 d.C.) de Arrub, em direção a Hebrom. Nos tempos modernos, a água é bombeada de mananciais abundantes do norte de Anatote e de Ras el-'Ain na Sefelá a oeste.

### Os Muros de Jerusalém

Os muros originalmente incluíam a pequena e prolongada "cidade de Davi" na colina sudeste. Posteriormente, eles foram estendidos para incluir a cidade expandida e a área do Templo. As principais fontes do conhecimento atual dos muros antigos são Neemias e Josefo. No tempo do Senhor Jesus, o muro sul atravessava o vale Tiropeano e abrangia tanto a cidade de Davi quanto a cidade alta, onde agora existe uma igreja. O primeiro muro norte se estendia diretamente para o oeste a partir da área do Templo. O disputado "segundo muro" de Josefo se estendia a partir das redondezas da Porta de Jope ao norte, e então a leste para unir-se à fortaleza de Antônia a norte do Templo. O "terceiro muro", que começou, de acordo com Josefo, em 42 d.C., está situado sob o muro norte existente, ou pode ser a série de pedras maciças afastadas para o norte do muro atual, entre o Consulado Americano e a Escola Americana de Pesquisa Oriental. Os muros atuais são os de Suleiman, construídos em 1542 d.C., e provavelmente seguem os muros romanos de Aelia Capitolina.

### As Portas e Torres de Jerusalém

As portas e as torres do muro da cidade, na

Novas escavações nas proximidades do muro ocidental do Templo. HFV

O muro ocidental do Templo (Muro das Lamentações). HFV

época de sua reedificação, durante o governo de Neemias, são citadas em ordem, começando com a Porta das Ovelhas, perto da esquina nordeste da área do Templo, e prosseguindo no sentido anti-horário em torno das fortificações (Ne 3). Quer ligadas à inspeção preliminar de Neemias, à noite, ou à dedicação do muro de Jerusalém, a maioria das portas é mencionada novamente (Ne 2.12-15; 12.27-39).

1. *Porta das Ovelhas* (ou Porta do Gado; Ne 3.1,32; 12.39). Ficava no lado norte da cidade, entre a Torre dos Cem (ou Torre de Meã) a oeste, e a Porta de Mifcade (ou Porta da Guarda) a leste, que era próxima à "câmara do canto" ou "eirado da esquina", provavelmente significando a câmara do telhado na esquina nordeste da cidade (Ne 3.31). É provável que o "mercado das ovelhas" perto do Tanque de Betesda (Jo 5.2) seja, na verdade, a Porta das Ovelhas, e que a palavra "mercado" tenha sido acrescentada pelos tradutores da versão KJV em inglês. As compras e as vendas eram freqüentemente realizadas na área da entrada dos portões das cidades antigas.
2. *Torre de Meá* (Ne 3.1; 12.39). As versões modernas a traduzem como Torre dos Cem.
3. *Torre de Hananel* (Ne 3.1; 12.39; Jr 31.38). Esta torre e a Torre de Meá guardavam a área do Templo ao norte, como o "castelo" forte ou a Torre de Antônia construída pelo rei Herodes no período do NT (At 21.34 etc.; *veja* Castelo).
4. *Porta do Peixe* (Ne 3.3; 12.39; 2 Cr 33.14; Sf 1.10). Mencionada primeiramente em conexão com o muro exterior construído por Manassés, esta porta no muro do norte deve ter estado perto da atual Porta de Damasco, onde o muro atravessa a parte superior do vale Tiropeano. O nome provavelmente veio do fato de que peixes do mar da Galiléia entravam através dela, ou por causa de um merca-

do de peixes localizado perto dela. Esta poderia ser a Porta do Meio mencionada em Jeremias 39.3, onde os príncipes babilônios se sentaram, enquanto o rei Ezequias fugia pela porta que estava no lado sul da cidade (39.4).

5. *Porta Velha* (Ne 3.6; 12.39). A partir deste ponto até a Porta da Fonte, a linha que as fortificações seguiam é muito incerta, pois os arqueólogos ainda não foram capazes de escavar suficientemente a colina oeste para determinar que partes dela, e em que períodos, estavam incluídas dentro do muro da cidade durante os tempos do AT. A versão NEB em inglês translitera o nome desta porta como a Porta de Jesana, e sugere em uma nota de rodapé que ela era a porta da cidade antiga. Dependendo da extensão da cidade, ela pode ter feito parte do lado de dentro da área chamada Ofel, ou da área do Templo no seu lado oeste, perto da extremidade leste do Arco de Robinson. Por outro lado, uma vez que Neemias não menciona a Porta da Esquina (2 Rs 14.13; 2 Cr 25.23; 26.9; Zc 14.10), este pode ser um nome alternativo para a Porta Velha. A Porta da Esquina pode ter se situado perto da atual fortaleza e Porta de Jaffa, onde o palácio de Herodes se situava nos tempos do NT.

6. *Porta de Efraim* (2 Rs 14.13; 2 Cr 25.23; Ne 8.16; 12.39). A localização desta porta da Jerusalém pré-exílica é dada em 2 Reis 14.13 e 2 Crônicas 25.23 como 400 côvados, ou aproximadamente 180 metros da Porta da Esquina. Por causa de seu nome, é possível que estivesse localizada em direção ao norte, voltada ao território de Efraim, servindo dessa forma ao mesmo propósito da atual Porta de Damasco. O texto em Neemias 8.16 se refere a um lugar amplo defronte da porta, dentro dos muros da cidade, onde cabanas foram construídas para a observância da Festa dos Tabernáculos. Aparentemente, esta porta havia sido reconstruída antes de Neemias retornar a Jerusalém, visto que não é mencionada em Neemias 3, mas o texto em Neemias 12.39 fala a seu respeito. Nos tempos do NT, a porta que Josefo chamou de Genate ("jardim") ficava neste local ou perto dele (*Wars* v.4.2). Jesus pode ter sido conduzido por esta porta, carregando a sua cruz (Mt 27.31,32), uma vez que existia um jardim próximo ao local da crucificação (Jo 19.41).

7. *Muro Largo* (Ne 3.8; 12.38). Escavações realizadas em 1970 descobriram uma seção do muro da cidade com 35 metros de comprimento, provavelmente construído por Ezequias (aprox. 700 a.C.) na colina ocidental. A sua espessura incomum de sete metros sugere que ele pode ter sido o Muro Largo, ainda parcialmente em pé depois das destruições de Nabucodonosor em 586 a.C. Porém, este fica muito mais a leste do que o atual muro oeste construído por Suleiman em 1542 d.C., a seção recentemente descoberta com aprox. 275 metros a oeste do recinto do Templo e a 400 metros a leste da Porta de Jaffa – a atual Tel Aviv (N. Avigad, "Excavations in the Jewish Quarter", IEJ, XX [1970], 129-135).

8. *Torre dos Fornos* (Ne 3.11; 12.38). Esta torre pode ser uma daquelas que foram construídas durante o reinado de Uzias, talvez a torre para fortificar a Porta do Vale (2 Cr 26.9). Os "fornos" podem se referir aos fornos para cerâmica que estavam provavelmente localizados perto da "Porta do Oleiro" (ou "Porta do Sol") de Jeremias (Jr 19.2), a Porta do Vale.

9. *Porta do Vale* (Ne 2.13; 3.13; 2 Cr 26.9). A versão KJV em inglês traduz o termo hebraico *sha'ar haharsit* em Jeremias 19.2 como "Porta Oriental". Outras versões o traduzem como Porta do Oleiro, onde as cerâmicas quebradas dos oleiros eram jogadas fora no vale de Hinom, nos monturos. A Porta do Vale deve ter ficado no alto da colina ocidental e de frente para o sudeste, uma vez que ela ficava 1.000 côvados (aprox. 450 metros) a oeste da Porta do Monturo (Ne 3.13).

10. *Porta do Monturo* (Ne 2.13; 3.13,14; 12.31). Esta porta recebeu este nome porque o lixo da cidade era levado através dela para ser queimado no vale de Hinom. Josefo a chamou de Porta dos Essênios (*Wars* v.4.2). A sua localização pode ter sido no topo sul da cidade murada ou perto dele, um pouco ao sul do Tanque de Siloé, onde o muro deve ter atravessado a foz do vale Tiropeano. Ruínas de uma antiga porta foram encontradas aqui. Na época de Jeremias, a porta nesta seção foi descrita como "a porta que está entre os dois muros" (2 Rs 25.4; Jr 39.4; 52.7), através do qual o rei Zedequias fugiu em direção ao vale do Jordão. Perto desta porta ficava o "jardim do rei" (2 Rs 25.4; Ne 3.15).

11. *Porta da Fonte* (Ne 2.14; 3.15; 12.37). Esta porta pode ser localizada muito perto, uma vez que estava próxima ao Tanque de Siloé ou ao Tanque do Rei, dentro da cidade, e levava diretamente às "escadas da Cidade de Davi" (Ne 12.37). As ruínas de uma escada cortada na rocha, subindo do vale de Cedrom, mostram que a Porta da Fonte ficava exatamente ao norte da esquina sudeste da cidade. Seu nome pode indicar que ela se abria para a "Fonte do Dragão" (Ne 2.13), a fonte chamada En-Rogel (2 Sm 17.17; 1 Rs 1.9), descendo ligeiramente o vale de Cedrom.

12. *Porta das Águas* (Ne 3.26; 8.1,3,16; 12.37). Sem dúvida alguma esta porta, que era voltada ao oriente, fornecia, nos tempos de paz, uma rota de superfície para se descer até à fonte de Giom, ao pé da colina. Quando a cidade estava sob cerco, os defensores muravam a foz de Giom, e as suas águas fluíam através do túnel de Ezequias até o Tanque de Siloé. A porta pode ter sido situada consideravelmente ao norte de Giom, porém, muito mais próxima do Templo, como Neemias 8.1-5 pode sugerir. Os muros entre

as Portas da Fonte e das Águas devem ter estado em condições extremamente ruins, a julgar pelo número de homens que trabalharam em sua reedificação (Ne 3.15-26).

A senhorita Kenyon concluiu, através de suas escavações, que os terrenos que apoiavam as casas dentro do muro pré-exílico haviam se desgastado pela erosão e desmoronado após a destruição de Jerusalém pela Babilônia. Ela também descobriu que o muro norte da cidade jebusita encurvou-se do declive não distante do norte de Giom até o topo do cume, na direção noroeste. O muro israelita ligando esta parte da cidade à colina do Templo se estendia ao longo do pico leste em um curso nordeste, formando um ângulo reto com o muro da cidade onde ele começava (cf. 2 Cr 26.9; Ne 3.19,20,24,25).

Nas proximidades da Porta das Águas foi construída a "torre grande e alta" (Ne 3.27), uma grande torre que se projetava adjacente ao muro que guardava o lado leste de Ofel, a porção da cidade que estava ao sul da área do Templo.

13. *Porta dos Cavalos* (Ne 3.28; 2 Rs 11.16; 2 Cr 23.15; Jr 31.40). A rainha Atalia foi morta na Porta dos Cavalos, que naquela época conduzia do Templo ao palácio (2 Cr 23.15). Na época de Jeremias, uma porta da cidade com este nome marcava o limite oriental da cidade, provavelmente um pouco ao norte da "esquina" (Jr 31.40) onde o muro da cidade tornou-se o muro leste do recinto do Templo.

14. *Porta Oriental* (Ne 3.29). Uma vez que não foi dito que a Porta Oriental foi restaurada na época de Neemias, ela pode ter sido a porta oriental do Templo (cf. Ez 10.19; 11.1), que já havia sido reedificado sob o governo de Zorobabel. Ela ficaria do lado oposto do edifício do Templo, um pouco ao sul da atual Porta de Ouro murada. Quanto à "Porta do Oleiro" (ou "Porta do Sol") de Jeremias 19.2, *veja* a Porta do Vale no item 9 acima.

15. *Porta de Micfade* ou *Porta da Guarda* (Ne 3.31). Há versões que traduzem este nome como "Porta das Tropas", "Porta da Inspeção", "Portão da Guarda", "Porta de Hamifecade". Esta pode ter sido a Porta de Benjamim de Jeremias 20.2; 37.13; 38.7 e Zacarias 14.10, que parece certamente ter sido adjacente ao Templo e localizada nas proximidades da esquina nordeste da cidade, conduzindo ao território de Benjamim. A "porta superior de Benjamim" onde Jeremias foi preso (Jr 20.2) era provavelmente uma porta do Templo, talvez a Porta da Guarda (2 Rs 11.19). A Porta de Micfade deve ter se situado no local da atual Porta de Ouro ou perto dela. O Senhor Jesus pode ter entrado em Jerusalém através desta porta ou pela Porta do Oleiro em sua entrada triunfal. Exatamente ao norte da Porta de Micfade ficava a esquina da defesa da cidade, onde o muro se voltava à direção noroeste, tendo nesta seção a Porta das Ovelhas.

16. *Portas do Templo*. Além das portas do muro da cidade, certas portas do Templo são chamadas de (1) *Porta Sur* (2 Rs 11.6) – *Porta do Fundamento* (2 Cr 23.5); (2) *Porta dos da Guarda* (2 Rs 11.6,19; Ne 12.39, "Porta da Prisão"; cf. Jr 20.2); (3) *Porta [de] Salequete* (1 Cr 26.16), no lado oeste da área do Templo que se abre para o vale Tiropeano; (4) *Porta Nova* (Jr 36.10); (5) *Porta Formosa* (*veja* Porta Formosa; At 3.10), talvez a Porta de Nicanor do Mishnaic tractate Middoth, no lado leste do pátio das mulheres (cf. Josefo, *Wars* v.5.3); (6) a *Porta do Oleiro* (*veja* 14 acima).

### Escavações

O capitão Charles Warren, um engenheiro de mineração britânico, foi o primeiro homem a conduzir qualquer tipo de investigação científica em Jerusalém. Em 1867-70, ele escavou ao redor dos muros da área do Templo, examinando os quatro lados do *Haram esh-Sherif*, com um sistema de covas e túneis. F. J. Bliss e A. C. Dickie exploraram a extremidade sul da colina ocidental em 1894-97 e encontraram um grande muro do outro lado da entrada do vale Tiropeano. Embora o muro nunca tenha sido datado de forma exata, não parece ser da época do AT. Em 1909-11 Montague Parker, com a ajuda de Père L. H. Vincent, explorou e interpretou o labirinto de túneis que conduzem ao manancial de Giom, explicando assim como os jebuseus obtinham água durante um cerco. Raymond Weill escavou partes da colina sudeste em 1913-14 e demonstrou de uma vez por todas que este era o local da cidade dos jebuseus que Davi capturou e chamou de Sião.

Depois da Primeira Guerra Mundial durante os anos 20, Weill conduziu outras escavações no pico sul da cidade antiga. J. Garrow Duncan e R. A. S. Macalister investigaram o cume e o declive acima de Giom. Eles dataram uma parte do muro como sendo da época dos jebuseus, mas em 1961 foi provado que esta pertencia ao século II a.C. Dois outros arqueologistas britânicos, J. W. Crowfoot e G. M. Fitzgerald, cavaram uma trincheira na área de Ofel no topo da colina jebusita abaixo de sua ladeira oeste e atravessando o vale Tiropeano. Eles descobriram uma porta e um muro da cidade, ambos maciços, neste lado da colina sudeste, provando que ela havia sido rodeada por muros no período macabeu. Bem ao norte da antiga cidade murada, E. L. Sukenik e L. A. Mayer descobriram seções de um muro aparentemente construído por Herodes Agripa I (40-44 d.C.).

Em escavações que se estenderam entre 1934 e 1948, C. N. Johns realizou exames extensivos da fortaleza. O muro da cidade se encurvava por aqui a partir do cume acima do vale de Hinom, e então se estendia a leste em direção ao Templo. Nele havia três torres, a última herodiana e as outras helenista e asmoneana.

Algumas cerâmicas do século VII a.C. foram encontradas na área da fortaleza. Uma parte de um muro pré-asmoneano, provavelmente israelita, construído com blocos de pedra quadrados, porém grosseiros, foi encontrada sob a torre herodiana conhecida como Fasael em escavações posteriores a partir de 1967.

Depois da Segunda Guerra Mundial e do início do Estado de Israel em 1948, nenhuma escavação de larga escala foi empreendida em Jerusalém até 1961. Naquele ano e ao longo de 1967, Kathleen A. Kenyon e Pere R. de Vaux dirigiram campanhas anuais para investigar várias áreas de Jerusalém, usando as técnicas estratigráficas mais atuais. Estas escavações estabeleceram com razoável certeza a posição da cidade mais antiga e seu muro. As defesas jebusitas foram construídas bem abaixo da ladeira do vale de Cedrom a fim de proteger a entrada para o túnel que levava para a cova acima da gruta do manancial de Giom. Desde a sua origem, em aprox. 1800 a.C., o muro da cidade esteve localizado nesta posição, pelo menos até o século VII a.C., entrando no período israelita.

Desde a Guerra dos Seis Dias em 1967, arqueólogos israelenses dirigidos por Benjamim Mazar têm escavado o sul e o sudeste dos arredores do Templo. Uma rua herodiana lindamente pavimentada foi encontrada junto aos muros ao sul e a oeste do Templo de Herodes. As ruínas da grande ponte atravessando o vale Tiropeano, da área do palácio à colina ocidental até o Pórtico Real, na área do Templo (ligando-se ao "Arco de Robinson"), foram investigadas. Ao invés de uma série de arcos, o viaduto de quase 16 metros de largura se estendia por aprox. 13 metros acima da rua até um cais finamente construído no lado oeste do vale. Quatro salas pequenas, que provavelmente serviam como lojas, foram construídas dentro do cais e ficavam de frente para a avenida herodiana. Debaixo das lajes pavimentadas corria um grande aqueduto talhado em um leito rochoso pelos trabalhadores de Herodes (BA, XXXIII [1970], 47-60). Foram descobertas escadas monumentais que levavam da antiga cidade de Davi para uma das portas de Hulda, no muro sul do Templo de Herodes. Debaixo de uma destas portas foi encontrado um túnel talhado na rocha que, de acordo com o Mishnah, pode ter servido para o acesso sacerdotal ao santuário.

Outras escavações descobriram várias tumbas judaicas, incluindo um cemitério do século I d.C. ao norte da cidade antiga. Em uma destas tumbas havia ossos de um jovem judeu que havia sido crucificado (*veja* Cruz).

### História

A pré-história de Jerusalém remonta pelo menos ao início da Idade do Bronze, quando tribos nômades acamparam na colina sudeste, e deixaram panelas de cozinha e ferramentas de pedra para fazer fogo em uma caverna, em aprox. 3000 a.C. Ela deve ter sido considerada uma cidade santa nos tempos patriarcais, pois foi registrado que Abraão pagou o dízimo a Melquisedeque (q.v.), seu inigualável sacerdote-rei (Gn 14.18-20). Ela foi habitada durante o período de afluência dos amorreus à Palestina, citados como "Aushamem" nos textos de execração egípcia (aprox. 1900 a.C.), que agora estão no Museu de Berlim (ANET, p. 329).

Na época da invasão israelita (aprox. 1400 a.C.), Adoni-Zedeque, rei de Jerusalém, liderou uma coalizão que em vão desafiou o avanço de Josué (Js 10.1-26). Durante o período Amarna, seu governante, 'Abdu-Heba escreveu várias cartas ao Faraó solicitando ajuda militar (ANET, pp. 487ss.). Depois disso, os israelitas capturaram a cidade fora dos muros e a incendiaram (Jz 1.7,8); porém eles aparentemente não ocuparam a fortaleza, pois foi registrada como uma cidade dos jebuseus não conquistada (Jz 1.21; 19.10-12). Devido às suas defesas naturais, os jebuseus mais tarde se sentiram suficientemente fortes para desafiar Davi e seus homens. É bastante provável que Joabe e seus guerreiros tenham conseguido o acesso à fortaleza através do grande túnel de água que vinha da fonte de Giom (2 Sm 5.6-9; 1 Cr 11.6).

Em 1867, Charles Warren descobriu um poço vertical com aprox. 12 metros de altura dentro da colina. Ele permitia que os moradores tirassem água de um reservatório que era abastecido por meio de um túnel horizontal que voltava à fonte. Havia uma passagem irregular que ia do topo do poço até a superfície. A entrada para a passagem estava situada dentro do muro da cidade, que ficava a 50 metros do cume das montanhas e que foi originalmente construída na Idade Média do Bronze II (aprox. 1800 a.C.).

Com a captura da cidade por Davi, Jerusalém entrou na esfera da história mundial. A sua escolha de uma capital foi uma atitude comprovadamente sábia. Ela era uma cidade pagã, não reivindicada anteriormente por nenhuma das tribos de Israel e, portanto, não poderia ser uma fonte de ciúme. Ficava na fronteira de Judá e Benjamim, adjacente tanto à tribo de Davi quanto à de seu predecessor. Além destas vantagens políticas da época, havia os patrimônios de longo prazo de um local facilmente defensável, um suprimento de água seguro, e um clima saudável. Com uma elevação de 850 metros, ela permanece como uma das principais capitais nacionais do mundo. Mesmo durante o verão as noites são bastante frescas por causa da elevação e da brisa.

O primeiro ato de Davi foi reforçar as fortificações da cidade pela construção do Milo (q.v.), talvez uma fortificação do mesmo cume e ao norte da "cidade de Davi" na área chamada Ofel (Ne 3.26,27). A senhorita Kenyon acredita que o *millo* ou "aterro" era uma série de eirados com subestruturas maciças na ladeira oriental, construídas para aumentar a área residencial da populosa cidade. Com a ascensão de Salomão, extensivas operações de construção transformaram a colina norte de Ofel em uma das maravilhas arquitetônicas do mundo. Naquela colina foi erigido o Templo de Salomão, sobre o provável local do sacrifício de Isaque, que seria oferecido por Abraão (Gn 22), e o local da eira de Araúna, o jebuseu (2 Sm 24.16-25). Os imensos muros construídos durante a época de Salomão estão provavelmente enterrados sob o atual *Haram esh-Sherif*, o cercado em torno do Templo de Herodes cujas dimensões ele havia praticamente dobrado em relação ao seu tamanho anterior.

Jerusalém passou por várias vicissitudes após a "era de ouro" de Salomão. Em aprox. 926 a.C., Sisaque invadiu Judá e ameaçou Jerusalém (1 Rs 14.25,26), mas ficou satisfeito por extorquir um pesado tributo. Durante o reinado de Jeorão, a cidade foi atacada pelos filisteus e pelos árabes (2 Cr 21.16,17). Quando Amazias reinou, uma porção do muro da cidade foi destruída por Jeoás do Reino do Norte, e muito despojo foi tomado (2 Rs 14.8ss.). Durante o reinado de Uzias, porém, a cidade foi grandemente edificada e fortificada, e seu prestígio, em grande parte, restaurado (2 Cr 26.7,8). Uma outra crise na história da cidade ocorreu quando Acaz estava no trono na época da guerra siro-efraimita (cf. Is 7.1-9); então a nação foi ameaçada por uma coalizão de Israel e Síria (2 Rs 16.5,6).

Uma grande crise ocorreu em 701 a.C. Os assírios, sob o governo de Senaqueribe, invadiram Judá e cercaram Jerusalém (Is 36–37). Apesar de extensas precauções tomadas por Ezequias – fortificando os muros e protegendo o suprimento de água – a cidade só escapou da destruição por uma intervenção divina, como é declarado em 2 Reis 18.13–19.37 (cf. Is 22.1-14). O filho idólatra de Ezequias, Manassés, posteriormente fortificou as defesas (2 Cr 33.14), e assim ela era agora uma das cidades mais invencíveis do mundo.

No entanto, o início do fim pode ser visto na ocupação da cidade por Nabucodonosor em 597 a.C., quando ele levou para o cativeiro seus melhores cidadãos e seu tesouro (2 Rs 24.10-16). A tragédia final ocorreu em 587/6 a.C. com a completa destruição da cidade, e a transferência da maior parte dos cidadãos e artefatos para a Babilônia. A gravidade desta ruína mal pode ser estimada, e a profunda cicatriz jamais será apagada (Lm 1.1-19; Sl 79.1-9). A arqueologia confirma o relato bíblico da totalidade da destruição tanto da cidade como do campo.

Porém, a esperança não morreu com a cidade. Após a ascensão de Ciro (539 a.C.), os emigrantes judeus receberam permissão para voltar e reconstruir. Um de seus primeiros atos foi colocar as fundações do segundo Templo. Após um período de 20 anos de negligência e apatia, a casa do Senhor foi terminada e dedicada em 516 a.C. A cidade e seus arredores mantiveram uma existência precária depois disso, com apenas um vestígio de sua glória e influência anteriores (Esdras, Neemias, Ageu; *veja* Restauração e Período Persa).

No século II a.C., uma outra grande crise surgiu quando os selêucidas da Síria ganharam o controle da Palestina dos ptolomeus, e Antíoco IV começou uma campanha para forçar o helenismo sobre os judeus. Na luta resultante, Jerusalém foi capturada em 168 a.C., e seu Templo profanado. Mas ela foi recapturada em 165 a.C. por patriotas judeus liderados pela família macabeana de cinco irmãos. O Templo, purificado e novamente dedicado na Festa das Luzes, continuou a servir como o foco da vida religiosa e política judaica até os tempos do NT.

Pompeu, o general romano, chegou a Jerusalém em 63 a.C. a convite de uma das facções antagônicas dos fariseus. O governo romano permaneceu na Palestina depois disso até que o Império Bizantino se tornou dominante. Durante estes anos, Jerusalém permaneceu como o centro religioso dos judeus, tanto da Palestina quanto da Dispersão. Aqui, em ocasiões da Páscoa e outras festividades, multidões de peregrinos convergiam para a cidade. Nestes momentos, ela freqüentemente se tornava um cenário de violência, como na ascensão do sucessor de Herodes, Arquelau (quando 3.000 pessoas morreram), na morte do Senhor Jesus, e quando Paulo foi resgatado em meio a um grande tumulto (At 21.30).

O Templo de Herodes, que no modo de pensar dos judeus ainda era o segundo Templo, embora aumentado e completamente reformado, foi iniciado em 19 a.C. e terminado em 64 d.C., seis anos antes da total destruição da cidade em 70 d.C., seguindo uma rebelião de quatro anos contra Roma.

Jerusalém foi destruída após a segunda revolta judaica sob Bar Kochba em 134 d.C. e reconstruída por Adriano (Públio Hélio, imperador de Roma) como uma cidade pagã chamada Aelia Capitolina. Os cristãos se tornaram cada vez mais numerosos na cidade; as igrejas cristãs foram erigidas ali a partir do século IV d.C. até a conquista muçulmana em 637 d.C. A influência muçulmana tem sido dominante na cidade a partir de então (e até o presente) com exceção do período do Reino Latino (1099-1188 d.C.) e outros breves intervalos durante as Cruzadas. A Palestina foi ocupada pelo Império Otomano durante quatro séculos (1517-1917).

Desde o último trimestre do século XIX, a imigração judaica de todo o mundo tem aumentado grandemente o tamanho da cidade, sendo que até o presente momento exis-

te uma população de cerca de 300.000 judeus e 80.000 árabes.
Após o término do governo otomano na Palestina pela Primeira Guerra Mundial, a Grã-Bretanha deteve da Liga das Nações um mandato sobre a Palestina por 30 anos. Quando este terminou em 1948, árabes e judeus lutaram por uma pausa ao longo das linhas do armistício que dividiu a cidade até 1967. Após a Guerra dos Seis Dias em 1967, Israel anexou a cidade santa e declara que não desistirá da seção oriental independentemente da decisão que for tomada sobre os outros territórios ocupados.
Enquanto as capitais dos impérios poderosos – Tiro, Tebas, Nínive, Babilônia – permaneceram em ruínas durante milênios, Jerusalém sobrevive como um centro comercial e político, mas acima de tudo como um museu do passado e um símbolo de esperança para o futuro.

***Bibliografia.*** D. R. Ap-Thomas, "Jerusalem", TAOTS, pp. 276-295. M Avi-Yonah, *Jerusalem*, Nova York. Orion, 1960. Millar Burrows, "Jerusalem", IDB, II, 843-866. Joseph A. Callaway, "Jerusalem", BW, pp. 309-323. G. Cornfeld, "Ancient Cities. Jerusalem", CornPBE, pp. 80-89. G. Fohrer e E Lohse, "*Sion, Ierousalem* etc"., TDNT, VII, 292-338. John Gray, *A History of Jerusalem*, Londres. Hale, 1969. Joachim Jeremias, *Jerusalem in the Time of Jesus*, Filadélfia. Fortress, 1969. Kathleen M. Kenyon, *Jerusalem*, Nova York. McGraw-Hill, 1967; "Israelite Jerusalem", *Near Eastern Archaeology in the Twentieth Century*, ed. por J. A. Sanders, Garden City. Doubleday, 1970, pp. 232-253. André Parrot, *Golgotha and the Church of the Holy Sepulchre*, Londres. SCM Press, 1957. D. F. Payne, "Jerusalem", NBD, pp. 614-620. Stewart Perowne, *Jerusalem and Bethlehem*, Nova York. Barnes, 1965. Charles F. Pfeiffer, *Jerusalem Through the Ages*, Grand Rapids. Baker, 1967. J. Simons, *Jerusalem in the Old Testament*, Leiden. Brill, 1952. George A. Smith, *Jerusalem* 2 vols., Nova York. Armstrong, 1907-8. Wilbur M. Smith, "Jerusalem", ZPBD, pp. 417-427. Hermann Strathmann, "*Polis*, etc"., TDNT, VI, 516-536. L. H. Vincent, *Jerusalem de l' Ancien Testament*, Paris. Gabalda, 1954-6.

G. A. T. e J. R.

**JERUSALÉM, NOVA** A Nova Jerusalém (Ap 3.12; 21.1,10) foi aguardada por Abraão (Hb 11.10,16), prometida por Cristo (Jo 14.2,3), referida como o monte Sião e a cidade do Deus vivo (Hb 12.22), aludida por Paulo (Gl 4.26), empregada como um incentivo (Ap 3.12), e descrita em Apocalipse 21.1–22.5. Ela não é idêntica à Jerusalém terrestre do Milênio, nem é equivalente ao novo céu. Esta cidade descerá do céu, vinda de Deus depois do Milênio, e será o centro da nova ordem. Ela é a habitação de Cristo e da Igreja, e é acessível às nações salvas.
A cidade é descrita primeiro do ponto de vista de sua população, a Igreja (Ap 21.1-9); e então do ponto de vista de suas proporções materiais, um cubo de 2.400 quilômetros de cada lado, feita de ouro e pedras preciosas (Ap 21.10-23); e finalmente do ponto de vista de suas provisões eternas (Ap 21.24–22.5). Esta conquista arquitetônica divina possui uma realidade material – os santos ressurretos e Cristo habitarão nela com corpos fisicamente reais, embora seus detalhes simbolizem grandes realidades espirituais. *Veja* Cidade de Deus; Cidade Santa; Céu; Sião.

H. A. Hoy

**JESAÍAS**
1. Filho de Hananias, filho de Zorobabel (1 Cr 3.21).
2. Um levita, um dos filhos de Jedutum. Ele era um harpista e foi designado por Davi como o cabeça do 8° turno dos músicos (1 Cr 25.3,15).
3. Um levita, filho de Reabias. Um de seus descendentes, Selomite, foi encarregado dos tesouros que eram compostos pelas coisas que foram consagradas ao Senhor por Davi e outros líderes (1 Cr 24.21, Issias; 26.25,26).
4. Filho de Atalias, chefe da família de Elão. Ele retornou a Jerusalém com Esdras (Ed 8.7).
5. Um levita da família de Merari. Com Hasabias e 20 filhos e irmãos, ele juntou-se a Esdras em Aava no caminho para Jerusalém (Ed 8.19).
6. Um benjamita, pai de Itiel, cujos descendentes habitaram em Jerusalém após o exílio (Ne 11.7).

**JESANA** Uma das cidades tomadas pelo rei Abias de Judá em uma guerra com Jeroboão II (2 Cr 13.19). Várias versões traduzem Jesana como Sem em 1 Samuel 7.12. A localização mais provável é Burj el-Isaneh, cerca de 5 quilômetros ao norte de Jifneh.

**JESARELA** Um músico dentre os filhos de Asafe durante a época de Davi (1 Cr 25.14). Ele é chamado de Asarela no v.2.

**JESEBEABE** O líder do 14º turno dos sacerdotes (1 Cr 24.13).

**JESER** Um filho de Calebe (1 Cr 2.18).

**JESIAS**
1. Uma variação de Issias (q.v.). Um dos valentes de Davi quando ele estava em Ziclague (1 Cr 12.6).
2. Um levita, filho de Uziel (1 Cr 23.20).

**JESIMIEL** Um príncipe da tribo de Simeão (1 Cr 4.36).

**JESIMOM**
1. Um lugar deserto na extremidade nordeste do mar Vermelho a leste do Jordão ("Jesimom"; "deserto"). O monte Pisga e o monte Peor o vislumbram do alto; é mencionado em relação à viagem de Israel para Canaã (Nm 21.20; 23.28).
2. Um lugar ao norte do outeiro de Haquila e do deserto de Maom, e ao sul de Hebrom. Traduzido geralmente como "Jesimom" ou "deserto". Aparentemente parte do deserto geral de Judá, no qual Davi foi um fugitivo quando Saul o estava perseguindo (1 Sm 23.19,24; 26.1,3).

**JESISAI** Um membro da tribo de Gade, um descendente de Buz (1 Cr 5.14).

**JESOAÍAS** Um príncipe simeonita (1 Cr 4.36).

**JESSÉ** Um descendente de Obede, o filho de Boaz e Rute (Rt 4.17,22), no clã de Nasom, chefe da tribo de Judá na época de Moisés. Jessé teve oito filhos (dos quais Davi foi o mais novo), e duas filhas (1 Sm 17.12). As filhas eram de uma outra esposa, e não da mãe de Davi. Jessé viveu em Belém, e obtinha seu sustento do pastoreio de ovelhas e da criação de cabras.
A posição humilde de sua família é aludida pelo epíteto injurioso "filho de Jessé" dado a Davi por aqueles que não gostavam dele (por exemplo, 1 Sm 20.27,30; 22.7; 25.10; 2 Sm 20.1). Jessé buscou refúgio em Moabe durante o período em que Davi foi obrigado a fugir de Saul (1 Sm 22.3,4). As expressões "brotará um rebento do tronco de Jessé" e "raiz de Jessé" em Isaías 11.1,10, que indicam o passado insignificante e humilde da linhagem real de Davi, tornaram-se símbolos de messianismo.

F. E. Y.

**JESUA**
1. Um sacerdote na época de Davi a quem o 9° turno foi atribuído através de sortes (1 Cr 24.11). Os descendentes da casa de Jesua retornaram do exílio (Ed 2.36; Ne 7.39).
2. Um levita designado por Ezequias para distribuir as ofertas entre os seus irmãos (2 Cr 31.15).
3. Um levita cujos descendentes, "os filhos de Jesua", retornaram com Zorobabel (Ed 2.40; Ne 7.43). Talvez a mesma pessoa mencionada no item 2 acima.
4. O filho de Jozadaque, que retornou com Zorobabel para Jerusalém como sumo sacerdote. Ele tem uma importância histórica como um líder sob o qual o Templo foi reedificado e a adoração restaurada. Dele descenderam 14 sumo sacerdotes sucessivos. Jesua é mencionado com o príncipe Zorobabel como alguém do mesmo nível, não apenas no trabalho do Templo, mas nas relações dos judeus com outros povos (Ed 2.2; 3.1,8,9ss.; 4.3; 5.2; 10.18; Ne 7.7; 12.1,7, 10,26). A palavra do Senhor através do profeta Ageu foi dirigida a Zorobabel e Jesua (chamado de Josué em Ag 1.1,11,14; 2.1,4). Ele é usado por Zacarias como um símbolo do remanescente restaurado e perdoado, "um tição tirado do fogo" (Zc 3.1-3), e também como uma tipificação de Cristo, o "Renovo" e o "sacerdote no seu trono" (Zc 3.6ss.; 6.11-13).
5. Pai de Jozabade, o levita, designado por Esdras como um daqueles que estavam encarregados de receber o tesouro entregue para o Templo (Ed 8.33).
6. Da cidade de Paate-Moabe. Seus descendentes são mencionados juntamente com Joabe entre aqueles que retornaram com Zorobabel (Ed 2.6; Ne 7.11).
7. Ezer, filho de Jesua, maioral de Mispa, ajudou na reparação do muro de Jerusalém com Neemias (Ne 3.19).
8. Um levita proeminente durante a época de Neemias. Jesua, filho de Cadmiel, ficou com Esdras quando ele leu a lei e ajudou a explicá-la ao povo (Ne 8.7,8). Ele participou da grande oração de confissão na Festa dos Tabernáculos (Ne 9.4,5). É citado entre os cabeças das casas de seus pais entre os levitas (Ne 12.8,24).
9. Josué, o filho de Num. Em algumas versões é chamado de Jesua em Neemias 8.17.
10. Um levita, filho de Azanias, que selou a aliança de Neemias (Ne 10.9). É difícil distingui-lo da pessoa mencionada no item 8 acima.
11. Uma cidade de Judá habitada após o exílio (Ne 11.26).

P. C. J.

**JESUI** Filho de Aser, também chamado de Isvi (Nm 26.44). *Veja* Isvi

**JESURUM** Um termo poético para Israel significando "aquele que está no prumo". Se a terminação *-um* for um diminutivo, ele significa "pequenino que está no prumo" (Dt 32.15; 33.5,26; Is 44.2).

**JESUS CRISTO** Sob vários aspectos, Jesus Cristo é uma pessoa singular, sendo que o mais importante é que Ele centraliza o evangelho da graça de Deus. Ele mudou a face da história, pois através dele a eternidade invadiu o tempo. Deus se fez homem e a vida humana adquiriu, por meio de sua redenção, um significado que a eleva acima da ordem natural e a apropria para a comunhão e a obra de Deus.
Mas será que tal vida é possível? Um filósofo poderia estar inclinado a dizer que não, tomando como base o conceito de que o abismo existente entre Deus e o homem é tão grande que não poderia ser transposto por um único ser, e que os elementos envolvidos são demasiadamente distintos para serem combinados em uma única personalidade. No entanto, os

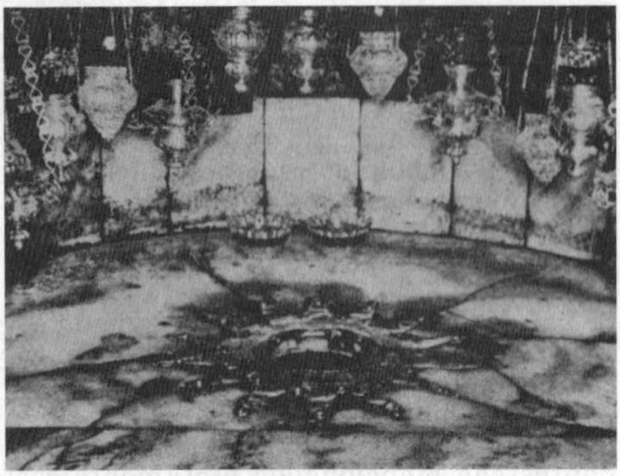

Local tradicional da manjedoura em que Jesus nasceu, no interior da igreja da Natividade, Belém. Giovanni Trimboli

registros dos Evangelhos nos apresentam tal personalidade. Temos a opção de escolher entre a suposição de um milagre literário fundamentado na imaginação ou aceitar um milagre histórico baseado na soberana obra do Deus Supremo, adequadamente comprovada por competentes testemunhos. *Veja* Cristo, Divindade de; Cristo, Humanidade de; Cristo, Humilhação de; Cristo, Pureza de.

Um historiador poderia sentir-se impossibilitado de dispensar Jesus Cristo como uma figura não histórica em vista do substancial caráter de todas as provas, entretanto ele se reconhece apreensivo perante a realidade de muitos elementos históricos presentes em nossas fontes. Afinal de contas, os primeiros Evangelhos surgiram cerca de 30 anos depois dos últimos eventos que lá estão relatados. Embora exista esse intervalo, ele não está totalmente vazio. Um grande número de recordações de Jesus de Nazaré permaneceu em centenas de vidas e essas recordações foram mantidas vivas através de freqüentes reminiscências estimuladas pela meditação e por sua proclamação.

Embora o Senhor Jesus nada tenha deixado escrito para a posteridade, Ele transmitiu aos seus mais próximos seguidores a certeza de que o Espírito de Deus teria uma participação especial em seu ministério de levar às mentes desses homens a lembrança das coisas que Ele havia dito (Jo 14.26). Mesmo que não levássemos em conta esta ajuda espiritual, os discípulos nunca puderam se esquecer das cenas dramáticas que compartilharam com o Mestre. Alguns incidentes envolviam apenas a pessoa de Jesus, tal como o da tentação, mas não existem razões para supor que Ele tivesse se isolado a ponto de não os informar sobre o que havia acontecido.

Não é possível demonstrar que as matérias dos Evangelhos estejam sempre organizadas dentro de uma ordem estritamente cronológica. Mas está claro que todos os registros preservam uma ordem de acontecimentos que, procedendo daqueles que fizeram parte do início do ministério, vão até os que caracterizam o seu término, de modo que existe um sentido de progressividade e também de simetria. Ninguém poderia ficar com a impressão de que houvesse alguma coisa errada, ou de uma composição imaginária.

O cenário para essa vida, a maior de todas as vidas, é a terra da Palestina em uma época em que Roma havia estabelecido a sua soberania sobre a maior parte do Oriente Próximo. Funcionários do governo, militares e coletores de impostos exibiam a realidade constante e desagradável de que Israel não era uma nação livre. A inquietação, principalmente entre os zelotes, estava gradualmente se avolumando em direção a uma visível revolta. Em uma tal atmosfera não seria fácil desempenhar um ministério fundamentado em considerações espirituais. Os ensinos e as alegações pessoais de Jesus podiam ser facilmente mal interpretados. Qualquer assertiva pessoal sobre direitos reais estaria sujeita a ser distorcida por alguns como uma tentativa de assumir algum poder temporal. Qualquer comentário sobre liberdade seria imediatamente isolado de seu contexto de escravidão ao pecado e aplicado à situação política reinante. Foi somente com grande dificuldade que os doze apóstolos foram afastados dessas noções e, na época em que esse ajuste havia sido concluído (Atos 1), Jesus estava prestes a partir desse mundo. Dessa forma, mesmo que o conceito temporal do reino de Deus houvesse persistido, a ele teria faltado qualquer possibilidade de realização, pois o Mestre estaria ausente desse cenário. Sob o controle do Espírito Santo, a Igreja conseguiu caminhar apenas ao longo das linhas estabelecidas por Jesus – um reino livre de razões e métodos mundanos. Roma não precisava temer nenhuma competição exercida por este.

Uma mesquita em Beerote, a um dia de viagem de Jerusalém, onde se acredita que José e Maria descobriram que Jesus estava ausente de sua companhia no retorno do Templo para Nazaré (Lc 2). HFV

Local tradicional do batismo de Jesus. HFV

Embora Jesus tenha passado os seus dias na terra sob a égide da águia romana, a sua vida era muito mais influenciada pela herança judaica. Tendo nascido de mãe judia, e sendo criado em um lar repleto de conceitos religiosos, possivelmente às portas da pobreza, Ele foi estimulado a amar as Escrituras e treinado na adoração e nas instruções da Sinagoga. Ele aprofundou sua mente na história e nas tradições de seu povo. A facilidade com que podia mencionar as Escrituras, assim como a fidelidade de suas referências, serve para atestar um prolongado e cuidadoso estudo. O desenvolvimento de sua infância, ao longo dessa linha, ficou oculto para nós; mas o que ficou bastante claro é que Ele procurou a Palavra não só como alimento espiritual, mas também para encontrar as indicações necessárias à sua própria missão (Lc 4.18,19; 22-37; 24.44-47). Desprovido de um treinamento rabínico formal, Ele foi capaz de determinar as necessidades espirituais de sua nação de maneira independente, e indicar os diferentes caminhos pelos quais os líderes haviam desviado o seu povo. Todo este raciocínio retrata a humanidade do Senhor Jesus Cristo; porém não podemos nos esquecer de que Ele era simultaneamente Deus e que estava consciente disto o tempo todo.

Essa habilidade de pertencer ao judaísmo, e ao mesmo tempo de se colocar contra ele, está refletida em uma certa dualidade que permanece constante no ministério de Jesus, principalmente quando se trata da lealdade a Israel (Jo 4.22; Mt 10.6; 15.24), da admiração pela fé daqueles que estavam afastados da nação da aliança divina (Mt 8.10), da compaixão pelos seus compatriotas (Mt 23.37) e de uma direta previsão de que outros iriam assumir a herança de Israel (Mt 8.11,12). De diferentes maneiras, Jesus, o judeu, era o menos judeu dos homens. Ele era, na verdade, um homem universal. Talvez isso representasse exatamente parte daquilo que Ele procurava transmitir ao se intitular Filho do Homem (*veja* Filho de Homem). Na verdade, Ele era filho de Davi e Abraão (Mt 1.1), mas também era filho de Adão (Lc 3.38). Não haveria nada de surpreendente nisso, pois Ele veio para cumprir a promessa feita aos pais e também assegurar que os gentios também poderiam ser capazes de glorificar a Deus pela sua misericórdia (Rm 15.8,9). *Veja* Messias.

*Nascimento e Infância.* Herodes o Grande ainda reinava quando Jesus nasceu (Mt 2.1). Sua ciumenta apreensão fazia com que os judeus ficassem temerosos de mostrar grande entusiasmo pela anunciada chegada de seu prometido Rei. No entanto, a resposta dos pastores (Lc 2.8-18) pressagiava uma majestosa recepção de caráter divino por parte das pessoas comuns, embora os magos constituíssem as primícias dos gentios.

As circunstâncias que cercavam a concepção de Jesus podiam levantar entre os incrédulos judeus rumores desagradáveis no sentido de que Ele seria um filho ilegítimo. Lendas judaicas medievais desenvolveram muito essa idéia. O relado feito por Mateus sobre a natividade parece destinado a responder a muitas dessas interpretações errôneas, e trata desse assunto particularmente do ponto de vista de José, enquanto o relato de Lucas, provavelmente contado pela própria Maria, apresenta a maneira especial pela qual o Senhor a tratou. Podem ter sido feitas insinuações ocasionais contra Jesus durante sua vida (cf. Jo 8.41). O relato da natividade deu à Igreja tudo que ela precisava conhecer sobre esse assunto. Embora a doutrina da virgindade também tenha encontrado seu lugar no Credo dos Apóstolos, não fazia parte das pregações apostólicas na medida em que foi revelada pelos registros. *Veja* Encarnação.

Poucas informações chegam até nós a respeito da infância de Jesus, e esse fato realça a verdade de que os Evangelhos não tinham a intenção de ser biografias no verdadeiro sentido dessa palavra. Embora forneçam al-

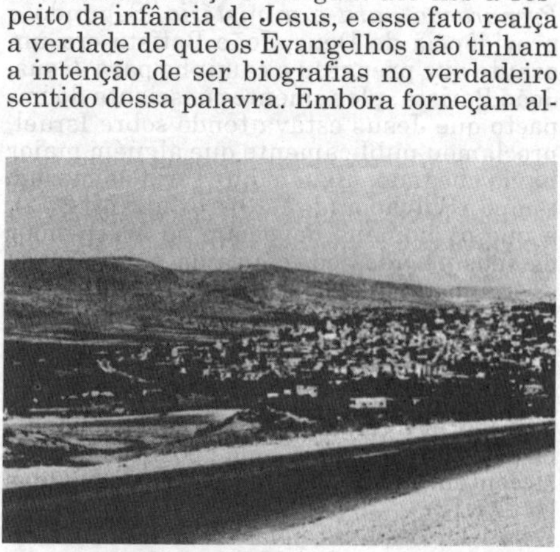

Moderna Caná, possivelmente no mesmo lugar da cidade bíblica onde Jesus realizou seu primeiro milagre. HFV

Igreja de São Pedro do Canto do Galo, que cobre o local tradicional do palácio de Caifás. Esta foto foi uma cortesia da própria igreja

gumas matérias sobre a vida de Cristo, eles não foram escritos sob um ponto de vista biográfico, mas tiveram a finalidade de fornecer informações que pudessem levar a um melhor entendimento da própria mensagem dos Evangelhos. O silêncio relativo a esse período da vida de Jesus é atenuado pelo relato da visita que Ele fez ao Templo aos doze anos, precedida e seguida de um resumo dos acontecimentos sobre o seu desenvolvimento (Lc 2.40-52). Em suas discussões sobre as Escrituras, o jovem Jesus aparece como um ouvinte da Palavra, e em sua contínua obediência aos pais, no lar de Nazaré, Ele é visto como aquele que as cumpria.

*Preparação para o ministério.* Segundo a providência de Deus, João Batista era um arauto que preparou o caminho para Jesus. João Batista, plenamente consciente do impacto que Jesus estava tendo sobre Israel, proclamou publicamente que alguém maior havia chegado, alguém que seria ao mesmo tempo o Salvador (Jo 1.29) e o Juiz (Mt 3.12), e que os homens deveriam se arrepender de seus pecados por causa da proximidade do reino (Mt 3.2). Anúncios semelhantes foram feitos pelo próprio Senhor Jesus. Embora ambos fossem muito diferentes em hábitos e aparência, eles eram muito semelhantes ao contar com grande número de seguidores e criar opositores nos principais círculos do judaísmo, uma oposição que não se contentou apenas em tirar as suas vidas (Mt 17.12).

O batismo de Jesus, pelas mãos de João, marcou o abandono da vida de isolamento em Nazaré e a assunção de seu papel como o Servo de Yahweh (Mt 3.17; cf. Sl 2.7; Is 42.10). Ao prepará-lo para essa missão, o Espírito Santo desceu sobre Ele e o céu o reconheceu. O detalhe principal dessa missão estava baseado na insofismável prontidão do Filho em identificar-se com a nação pecadora que Ele havia vindo para redimir (Mt 3.15). A plena implicação dessa identificação se tornaria aparente em seu batismo de sangue na cruz (Mc 10.38; Lc 12.50).

O Filho de Deus ainda não estava pronto para se lançar ao trabalho, embora tivesse a aprovação divina e o equipamento necessário para acrescentar a sua própria dedicação a essa tarefa. Primeiro, Ele deveria se sujeitar a uma exaustiva tentação nas mãos de Satanás. Jesus teria que lidar com mentes que o demônio havia cegado, com pessoas cujos corpos estavam ligados a ele e reduzidos a uma virtual inoperância, com vidas obscurecidas e torturadas pelos seus emissários de espíritos imundos. Ao enfrentar todas as provas do maligno, Jesus ganhou o direito de expulsar os demônios e livrar os homens do seu terrível domínio. Ele podia desafiar a influência do reino de Satanás porque derrotou o príncipe desse mundo, desviou todos os dardos contra a armadura da fé e impediu qualquer movimento do seu adversário através da espada do Espírito e da Palavra de Deus. Através da

Degraus romanos que levam à igreja de São Pedro do Canto do Galo, sobre os quais Jesus pode ter caminhado. HFV

Jardim do Getsêmani com a igreja de Todas as Nações (ao centro), que cobre a tradicional rocha da Agonia. Giovanni Trimboli

experiência da tentação, Ele alcançou o modelo de uma resoluta dependência de Deus, que permaneceu como uma constante característica de seu ministério.

*Local e duração do ministério*. Está faltando uma crônica diária das atividades de Jesus. Existem informações ocasionais sobre tempo e lugares, porém são insuficientes para proporcionar mais do que o esboço de um cenário. A partir dos Sinóticos, está claro que grande parte do ministério do Senhor teve lugar na Galiléia, com um considerável itinerário de viagens entre cidades e vilas. Cafarnaum mostrou ser um local adequado para o quartel-general por causa de sua situação central. Certa ocasião, uma viagem a Tiro e Sidom levou Jesus e seus discípulos para fora dos limites da Palestina (Mc 7.24). Outra viagem levou-os através de um setor da região de Decápolis, que consistia de um grupo de esparsas comunidades gregas localizadas a leste do mar de Galiléia (Mc 7.31). Além disso, houve uma retirada para o Norte, para Cesaréia de Filipe (Mc 8.27), e alguma atividade desenvolvida na Peréia, um território a leste do rio Jordão (Mc 10.1).

Por outro lado, a partir do Evangelho segundo João, ficamos sabendo pouco sobre a obra de Jesus na Galiléia, pois a maior parte da narrativa está centrada em visitas a Jerusalém, especialmente em conexão com as várias festas anuais dos judeus, como a Páscoa (Jo 2.23; 6.4; 13.1), Tabernáculos (7.2), Dedicação (10.22) e uma festa de nome ignorado (5.1). Os Sinóticos mencionam apenas uma Páscoa, a ocasião da paixão. A partir de Atos 10.37 é possível entender que Jesus exercia o seu ministério em outros lugares da Judéia, além de Jerusalém e suas vizinhanças.

Com a ajuda dessas referências a festas feitas por João, podemos calcular muito ligeiramente a duração do seu ministério. Ela deve ter excedido dois anos ou aproximadamente três. Alguns defendem um período de quatro anos (E. Stauffer, *Jesus and His Story*, pp. 6-7).

*Ensinos de Jesus*. Os escritores dos Evangelhos nos proporcionam muitos quadros de nosso Senhor cercado por grandes multidões, e mantendo a atenção destas pessoas através de seus fascinantes ensinos. As pessoas ficavam impressionadas pela maneira como Ele falava – com autoridade (Mc 1.22). Ele não mencionava as citações dos rabinos e colocava as suas próprias afirmações ao lado dos ensinos do AT, sobrepujando muitas vezes até as declarações do passado que tinham autoridade (Mc 7.9-14; Mt 5.33, 34, 38,39). Ao contrário da maioria dos mestres de seu povo, Ele não se perdia em um emaranhado de detalhes inconseqüentes nem recorria a excessivas minúcias, mas limitava o seu discurso a verdades essenciais. Uma grande simplicidade caracterizava as suas afirmações, e esta era auxiliada por sua aversão a termos técnicos e pelo uso freqüente de ilustrações especialmente relacionadas com as parábolas. Ele sabia como levar as pessoas do conhecido até o desconhecido.

Seus ensinos eram desenvolvidos em vários cenários – sobre o declive de uma montanha, à beira de um lago, nos lares, nas sinagogas e no Templo de Jerusalém. Tudo estava aberto ao público (Jo 18.20). O fato de Ele ensinar durante muitas horas de cada vez deve ter levado a um severo esgotamento de suas energias, pois o seu corpo era totalmente humano (Mc 4.36-38).

Em seus ensinos públicos, Jesus podia se apoiar no fato de que seus ouvintes eram crentes

Capela da Ascensão no cume do monte das Oliveiras. HFV

em Deus e muito familiarizados com o AT. Provavelmente por essa razão Ele dispensava uma instrução menos formal sobre a natureza de Deus, o que em outras circunstâncias talvez fosse necessário. A verdade de que Deus é Espírito foi revelada a um samaritano, e não a um judeu (Jo 4.24). O Senhor Jesus dedicava uma considerável atenção à bondade divina (Mt 5.45; 7.11; 19.17), ao cuidado que Ele tem para com os seus filhos (Mt 6.26,30,32) e à perfeição de seu amor (Mt 5.46-48). Ele dava a segurança do perdão divino àqueles que erravam em meio ao seu povo (Mc 11.25), e garantia a todos que estava sempre disposto a ouvir a oração que fosse feita com fé (Mc 11.22-24). Sua equidade é reconhecida (Mt 6.33) e também o seu trabalho como Juiz (Mt 10.28). Mas acima de tudo, Jesus estabelecia Deus como Pai. A linguagem paterna havia sido usada no AT com o sentido de um Criador (Is 64.8), mas Jesus transmitia a seus ouvintes uma grande riqueza de interpretações até então desconhecidas, especialmente na área dos relacionamentos pessoais dos quais podia falar com imediato e íntimo conhecimento (Mt 11.27). Com muita graça divina, Ele convidava seus verdadeiros seguidores a passar a fazer parte da família celestial, o que os capacitaria também a chamar Deus de seu Pai (Mt 6.9). *Veja* Deus.

Um ponto central nos ensinos de Cristo era a sua exposição sobre o reino de Deus. Aqueles que participam desse reino não são os poderosos desse mundo, nem os farisaicos, mas os pobres de espírito e os perseguidos (Mt 5.3,10). Na verdade Cristo, como Rei, exibe os mesmos traços exigidos de seus súditos (Mt 11.29; 21.5). Poderíamos dizer que Ele *é* o reino em sua essência. Através de sua vinda a esse mundo, o seu reino também adquiriu um sentido inicial. Em seus ensinos foram revelados os princípios desse reino. Depois de sua partida, o reino continuou a fazer o seu apelo (At 28.31) e, de acordo com a sua previsão, será consumado em poder e glória por ocasião de sua volta (Mt 25.31-34). *Veja* Reino de Deus.

A avaliação do homem, feita por Jesus, não deve ser apreendida apenas através das palavras que disse, mas de sua disposição de sacrificar sua própria vida para proporcionar a sua salvação à humanidade. Obviamente a humanidade deve, com toda a fé, ser declarada pecadora por aquele que conhece os corações melhor que ninguém (Mt 7.11). A corrupção vem de dentro e não de influências exteriores (Mc 7.18-23).

Dois defeitos da sociedade daquela época eram particularmente angustiantes para o Mestre. Um deles resultava de fatos religiosos centrados nos escribas e nos fariseus. Por causa de sua escrupulosa atenção às minúcias da lei e das tradições dos anciãos, e a comparativa negligência quanto às questões mais graves da justiça e do amor, esses líderes cegos estavam sufocando os impulsos religiosos da nação da aliança. O povo era como um rebanho sem pastor. Outra característica preocupante, muito influenciada pela primeira, era o desvio do homem comum em direção ao materialismo. Por demasiadas vezes, muitos haviam se inclinado a servir Mamom, imaginando que podiam se dedicar à avareza e ao mesmo tempo honrar a Deus de uma forma apenas tolerável. Jesus precisava prevenir as pessoas sobre o perigo de perder a alma na vã tentativa de ganhar o mundo (Mc 8.36,37).

Ninguém conseguia ouvir Jesus sem perceber nele um tremendo entusiasmo sobre a vida e a maneira como deve ser vivida. Ela é o vestíbulo da eternidade. Para Ele, o céu e o inferno eram solenes realidades. Ele desafiava seus ouvintes a considerar o destino que teriam à luz de suas crenças e práticas.

*Milagres de Jesus*. Não existe qualquer dúvida de que, juntamente com os seus ensinos, as poderosas obras de nosso Senhor foram muito influentes para despertar o entusiasmo popular, especialmente no auge da campanha da Galiléia. Ele não podia se esconder. Onde quer que fosse, as multidões o cercavam. Não seria possível estabelecer um modelo consistente do relacionamento que existia entre os seus ensinos e os milagres, nesse aspecto de atrair os seguidores; mas tendo Mateus 4.24–5.1 como guia, podemos razoavelmente concluir que as multidões estavam freqüentemente inclinadas a assegurar a cura para si próprias e seus entes queridos e, quando isso era alcançado, um grande número de pessoas permanecia para ouvir os ensinos do Senhor. Algo que se desprendia do mesmo poder sobrenatural, revelado nas obras de cura, se irradiava dos ensinos. Uma atividade complementava a outra.

Será que esses milagres podem ser constatados? Por serem prevalecentes nas narrativas dos Evangelhos, torna-se extremamente difícil considerá-los como piedosas criações dos escritores. Os milagres foram obviamente verídicos. Devemos ponderar sobre o fato de que a igreja primitiva, de acordo com o testemunho do livro de Atos e das epístolas, gozava do mesmo poder miraculoso que é atribuído ao Senhor Jesus Cristo (At 4.10; 9.34; Rm 15.18,19; Hb 2.4). Nossas fontes dão testemunho da transformação espiritual de um grande número de pessoas, inclusive dos apóstolos. São as mesmas fontes que proclamam o poder miraculoso de Jesus e de seus seguidores. Como seria possível ter ao mesmo tempo a verdade e a mentira? O quadro geral deve permanecer ou então se desintegrar em termos não de um único ingrediente, mas de todos. As vidas que foram transformadas não são menos maravilhosas que os sinais e os milagres, e sem estes a Igreja não poderia ter aberto o seu caminho nesse mundo. Devemos também nos lembrar de que os milagres foram tão patentes, que não foram questionados na época de Jesus; nem mesmo por aqueles que se encontravam entre os seus inimigos (Mc 3.22; Mt 27.42). Existe, por detrás desses fatos, um propósito intencional e motivador sugerido por um dos termos utilizados para os designar. Eram os sinais. Isso significa que os sinais visavam dar testemunho sobre o Senhor que os realizava, ou sobre a verdade que Ele proclamava. Eram calculados para assegurar, àqueles que os experimentavam ou testemunhavam, que o Ungido de Deus estava trabalhando no meio deles (veja Lc 4.16-21). Visavam aumentar o peso da palavra falada, que convidava os homens a se livrarem de seus pecados e voltarem-se para Deus com arrependimento e fé. O fato disso nem sempre acontecer logo após os milagres serem realizados, demonstra a indiferença do coração humano (Mt 11.20,21). Um dos Evangelhos faz uma conexão explícita entre a inclusão de certos sinais de Jesus em seus registros, e a expectativa de que, como resultado, a fé nele, que é o Cristo, o Filho de Deus (Jo 20.30,31) seria fortalecida.

Seria extraordinário esperar esse resultado da leitura dos Evangelhos se, com efeito, as pessoas não tivessem sido previamente levadas a essa fé através do testemunho desses sinais durante o ministério do Senhor Jesus. Mas insistir nesse propósito, como uma única reação aos milagres, não deixaria de ser uma atitude unilateral que pouco explicaria sobre a cura de todos os necessitados que constantemente se encontravam com Jesus. Mostrar o seu poder sobre alguns teria sido muito apropriado como demonstração de sua missão apostólica. Não podemos ignorar a clara insinuação feita pelas Escrituras da presença de um outro motivo. Nosso Senhor estava tão imbuído de compaixão pelas vicissitudes daqueles que a Ele afluíam que não podia deixar de ajudá-los. Como disse Pedro: “O qual andou fazendo o bem e curando a todos os oprimidos do diabo” (At 10.38). Portanto, os milagres são justamente considerados como revelações do amor de Deus em Cristo, assim como símbolos de um compromisso divino. *Veja* Milagres.

*Resposta ao ministério.* Assim evoluiu o espectro de uma feroz oposição a uma adorável devoção. Os principais adversários eram os escribas e os fariseus. A princípio contentavam-se em observar as suas ações, mas logo fizeram ouvir suas vozes através de desafios relativos a uma variedade de acusações. Ficaram ofendidos quando Ele os acusou de ignorar os mandamentos de Deus em favor de suas tradições (Mc 7.9). Sua censura era particularmente difícil de ser suportada porque Ele, não tendo sido treinado para ser rabino, tomava a liberdade de praticar julgamentos sobre eles. Atritos também surgiram por causa da insistência de Jesus de também praticar seu ministério de cura nos sábados, além dos outros dias (Mc 3.1-6). Aos olhos do Senhor, qualquer postergação do alívio do sofrimento humano carecia totalmente de sentido. Mas os líderes religiosos não tinham a mesma opinião sobre esse assunto. Ficaram tão furiosos que resolveram condenar Jesus à morte. Outra razão de afronta era a sua afirmação de poder perdoar os pecados. Aos seus opositores, isso representava uma blasfêmia absoluta, pois significava que Ele estava assumindo uma prerrogativa que pertencia exclusivamente a Deus (Mc 2.7). Essa acusação de blasfêmia agigantou-se perante os olhos do Sinédrio, especialmente por envolver a admissão, por parte de Jesus, de sua filiação divina (Mc 14.61-64).

Entre as pessoas, em geral, as respostas variavam da indiferença a uma fé genuína. Talvez a característica mais frustrante para o nosso Senhor fosse a absoluta motivação egoísta de muitos que o seguiam. Certa ocasião Ele acusou a multidão de o estar seguindo meramente por aquilo que Ele podia lhes proporcionar sob a forma de bens materiais (Jo 6.26).

No entanto, havia naqueles dias alguns que, de bom grado, esqueceram-se de suas posses, objetivos de lucro, lares e entes queridos a fim de se tornar seus íntimos seguidores (Mt 19.27). Seria demasiadamente precipitado afirmar que os doze apóstolos eram mais dedicados que os outros, tendo especialmente em vista o ministério desempenhado por certas mulheres (Lc 8.1-3) e os laços de amizade que ligavam Jesus a seus amigos em Betânia (Lc 10.38-42; Jo 11). No entanto, os Evangelhos enfatizam a fidelidade dos apóstolos e a correspondente atenção que Jesus lhes dedicava na preparação de seu futuro trabalho como líderes da Igreja. Ali existia um ministério dentro de outro ministério. Jesus lhes ensinou a confiar no Pai e orar a Ele pelas suas necessidades, a olhar com compaixão os sofrimentos e as adversidades daqueles que os rodeavam, e cultivar seu apostolado com permanente e profunda compreensão de suas implicações. Quanto mais claramente fossem capazes de entender, através do ministério de Jesus, as linhas mestras de seu próprio ministério, mais significativa se tornaria sua chamada.

Para esses homens foi um verdadeiro choque ouvir dos lábios de Jesus que Ele deveria ir a Jerusalém para ser rejeitado e condenado à morte (Mt 16.21,22). E todas as demais instruções sobre esse assunto deixaram a todos perplexos e perturbados, porém eles não abandonaram sua causa. Foi somente com muita dificuldade que Jesus lhes comunicou a natureza básica de sua missão – a obediência ao Pai e a entrega total até se oferecer como preço do resgate de muitos (Mc 10.45).

Naturalmente, os doze apóstolos enfrentavam dificuldades na área da própria humildade até serem capazes de aceitar a interpretação do ministério do Senhor e se ajustar a ele. Mas foi uma lição difícil de entender. Pouco antes daquelas sagradas horas finais da Ceia, ainda estavam disputando entre si quem seria o maior (Lc 22.24). Mas vendo o Senhor inclinar-se para lavar os pés de cada um, ouvindo-o falar mansamente sobre seu grande amor por eles, e sua oração para que fossem um nele, e depois de vêlo submeter-se tranqüilamente à prisão por seus algozes, e se dispor a beber do cálice que o Pai lhe havia oferecido – tudo isso lhes causou uma profunda impressão. Juntamente com a tristeza pelas suas numerosas fraquezas, inclusive pela deserção na hora da crise, estava seu pesar pela prisão, crucificação e sepultamento do Mestre.

Mas desse abismo de penitência e pesar veio o renascimento da alegria e um novo senso de prestação de serviços ao seu Senhor, quando o acompanharam em sua ascensão. A eles restou serem cheios com o Espírito Santo a fim de serem preparados para a obra apostólica. Jesus havia sido pai e amigo, mestre e também crítico. Agora que Ele deveria ser reconhecido como o Senhor universal, a fidelidade e a paciência demonstradas pelo Senhor nos dias do treinamento se avolumavam na mente dos discípulos. Que privilégio é servir a alguém como Ele! *Veja* Apóstolo; Discípulo.

*O clímax do ministério.* Assim como Cesaréia de Filipe representou uma pedra de moinho no progresso espiritual dos discípulos, ela também foi um ponto culminante na carreira terrena do Senhor Jesus (Mt 16.13-21). A partir desse local a paixão tornou-se difundida, não como uma tentativa, mas como alguma coisa já determinada e acatada. A partir desse momento o Senhor retornou mais de uma vez ao assunto, mostrando que ele estava monopolizando o seu pensamento.

A transfiguração, por todo o mistério que cobre o relato da glória visível da pessoa do Salvador, deve ser entendida em íntima relação com Cesaréia de Filipe. A voz divina, com sua grave advertência aos discípulos para que ouvissem atentamente ao Filho (Mt 17.5), encontra sua explicação na audácia de Pedro ao censurar Jesus por ter mencionado o assunto da cruz (Mt 16.22,23). Moisés e Elias haviam falado exatamente sobre isso no monte. A glória estava presente, também, com a finalidade de dramatizar a verdade da ressurreição e o triunfo que viria a seguir. Mais significativo ainda, para vincular a transfiguração à lembrança do ministério de Jesus, temos a observação de Lucas de que logo depois o Senhor se mostrou determinado a ir para Jerusalém (Lc 9.51). Jesus já estava prevendo o final, a despeito daquilo que ainda faltava para preencher esse ínterim. Ele desejava apressar o seu batismo de sangue (Lc 12.50).

O período que decorreu entre a transfiguração e a paixão apresenta vários problemas assim que alguém procura traçar os movimentos de Jesus. Basta dizer que parte desse intervalo foi passada ao longo da fronteira entre a Galiléia e a Samaria, e parte em Peréia. Grande parte daquilo que é peculiar a Lucas (9.51–19.27) pertence a esses lugares. Gradualmente, o Senhor preparou o seu caminho para Jerusalém. Crescentes multidões o cercavam (Lc 18.36; 19.3) de uma maneira que faz lembrar os seus dias mais ocupados na Galiléia.

Dois tópicos parecem dominar os seus ensinos à medida que a hora da paixão se aproximava (Jo 12.23-27). Um deles é a rejeição pelo seu próprio povo, e o outro é o seu regresso coberto de glória. Ele é o nobre que visita o campo para se apossar de seu reino e depois retorna. Os cidadãos o odeiam e insistem que não querem que ele os governe (Lc 19.14). Ele é o filho e herdeiro cujos súditos campesinos desejam matar para poderem se apossar de sua herança, mas com isso só conseguiram destruir a si próprios (Mt 21.33-41). Ele é a pedra que foi rejeitada pelos edificadores (Mt 21.42). Ele é o filho do rei, cujos convidados para o casamento rejeitam o convite a fim de darem prosseguimento aos seus próprios interesses (Mt 22.2ss.). Ele é o noivo que espera que haja vigilância em vista de seu retorno (Mt 25.1ss.). Ele é o Senhor que verificará a fidelidade de seus servos quando vier outra vez (Mt 25.14ss.), e o rei que irá julgar as nações (Mt 25.31ss.).

Se as palavras do profeta da Galiléia podiam ser consideradas provocadoras pelos judeus, seus atos não eram menos causadores de provocação – a audaciosa caminhada pela cidade, acompanhada pela entusiasmada aclamação do povo, a corajosa atitude de expulsar do Templo aqueles que comercializavam em seus pátios e o ofendiam, sendo casa de oração; e tudo isso acontecendo em plena luz do dia, sob os olhares dos sacerdotes que estavam se aproveitando desse comércio.

As perguntas dirigidas a nosso Senhor, durante a semana santa, refletem a ira e frustração dos líderes judeus. Pensar que um forasteiro pudesse invadir o seu território dessa maneira e perturbar a situação reinante! Isso era desesperador! No entanto, não eram capazes de fazer com que Ele se confundisse em um debate para dessa forma desacreditá-lo. Desesperadamente, deliberaram e confessaram a sua impotência. Aparentemente, o único caminho que se abria para eles era aceitar a sentença do sumo sacerdote Caifás, proferida algum tempo antes, de que essa vida devia ser sacrificada para que toda a nação não fosse mergulhada em tumulto e revolução. Ele havia falado além de seu próprio conhecimento e, dessa forma, cumpriu a profecia da morte do Salvador (Jo 11.49-51). Mesmo assim, os governantes dos judeus estariam perdidos, sem saber como implementar essa decisão sem incorrer na ira do povo, caso Judas não tivesse se adiantado com a oferta de trair o Mestre (Mt 26.2-5,14-16).

Consciente da intriga de Judas, o Senhor Jesus não lhe contou o lugar onde encontraria os discípulos para comemorar a Páscoa e, dessa forma, foi capaz de gozar um período sem interrupções ao lado de seus companheiros na Ceia. As palavras pronunciadas nessa ocasião (Jo 13–16), bem como a sua oração (Jo 17), fazem parte da mais preciosa coleção que nos foi deixada, de todo o seu ministério. Elas trazem a marca da pressão e da situação "patética" da hora que se aproximava para Jesus, mas também possuem a tranqüila segurança da vitória que Ele conquistaria e comunicaria para o benefício da vida e da obra daqueles que o serviam, nos dias que se seguiriam.

Então se seguiu a luta da alma no jardim de Getsêmani (q.v.). O fato de Jesus precisar agonizar para fazer a vontade do Pai, é a nossa melhor indicação da severidade de seu conflito. A cruz, como instrumento de tortura, pouco pode responder por isso, mas a cruz como foco do pecado de todas as eras sobre o Crucificado, nos fornece a chave necessária para a solução desta questão. Somente uma alma totalmente livre de pecado poderia sentir tamanho horror, como sentiu Jesus, ao tomar sobre si os pecados do mundo.

Não se passaram muitas horas e Ele estava sobre a cruz. Depois de prendê-lo, as autoridades judaicas passaram o resto da noite em deliberação e, no início da manhã, decretaram sua condenação sob a acusação de haver cometido uma blasfêmia (Mc 14.60-64). Levando-o às pressas até Pilatos, o governador romano, antes que a cidade tivesse despertado completamente, os principais sacerdotes estavam assegurando a sentença que se baseava ostensivamente na acusação de que Jesus havia se declarado Rei dos Judeus (Mc 15.26; cf. Jo 19.21). Por volta das nove horas daquela manhã, Ele estava pendurado no madeiro maldito. *Veja* Cristo, Paixão de; Cruz.

De seus lábios não foi pronunciada nenhuma execração, mas uma oração pelos algozes. Seus acusadores continuaram inflexíveis, mas outros foram para casa batendo nos peitos (Lc 23.48). Cheio de admiração e espanto, o centurião exprimiu seus sentimentos de que Aquele homem só poderia ser o Filho de Deus (Mc 15.39). Um dos ladrões descobriu que Jesus tinha a chave do Paraíso, e que a sua própria morte em uma cruz não representava uma barreira para a participação em suas alegrias (Lc 23.39-43). Não demorou muito para que o poder salvador do crucificado Filho de Deus se pronunciasse. *Veja* Expiação.

Como Jesus já havia afirmado (Jo 10.18), Ele morreu voluntariamente, entregando o seu espírito a Deus (Mt 27.50; Jo 19.30). Será que Ele seria capaz de conceder o pedido de seu companheiro de voltar à vida novamente? O paradoxo é que os discípulos, apesar dos diversos pronunciamentos que prometiam a ressurreição, não a estavam esperando, enquanto os inimigos de Jesus, baseando-se em muito menos, estavam determinados a não oferecer nenhuma base para essa afirmação (Mt 27.62-66). O primeiro grupo não duvidava de que Deus pudesse ressuscitá-lo, mas não esperava que o fizesse, enquanto o último contava apenas com a iniciativa humana, pela remoção do corpo, fornecendo assim uma base bastante ampla para a afirmação da ressurreição. O primeiro grupo, tomado de alegre surpresa, deu graças pela ressurreição porque amava o seu Salvador. O outro grupo tornou-se o protótipo daqueles que negam esse grande evento e permanecem alheios a esse poder transformador. *Veja* Ressurreição de Cristo.

As aparições que aconteceram após a ressurreição representavam ocasiões de renovada comunhão entre o Senhor e os seus discípulos, mas também davam uma oportunidade para a explicação daquilo que havia acontecido segundo os termos das profecias do AT, e para a incumbência dos apóstolos de pregar o evangelho em todos os lugares através da autoridade universal do Senhor (Lc 24.44-49; Mt 28.18-20). *Veja* Comissão, A Grande. Essas aparições terminaram com a Ascensão (*veja* Ascensão de Cristo) que, por sua vez, deu início a uma nova era caracterizada pela presença do Senhor no céu em benefício de seu povo (Hb 9.24). Como Cabeça da igreja, Ele continua a nos dar a sua verdadeira presença e poder sobre a terra, e sem dúvida cumprirá a sua promessa de retornar e consumar todas as coisas. *Veja* Cristo, Vinda de; Escatologia; Jesus, Ofícios de.

***Bibliografia.*** William Barclay, *The Mind of Jesus*, Nova York; Harper, 1961. G. C. Berkouwer, *The Person of Christ*, Grand Rapids. Eerdmans, 1955. Alfred Edersheim, *The Life and Times of Jesus the Messiah,* 2 vols., 8ª ed. rev., Nova York; Longmans, Green & Co., 1901. Werner Foerster, *"Iesous"*, TDNT, III, 284-293. Everett F. Harrison, *Short Life of Christ*, Grand Rapids; Eerdmans, 1968. A. M. Hunter, *The Work and Words of Jesus,* Filadélfia. Westminster, 1950. T. W. Manson, *The Servant-Messiah,* Cambridge. Univ. Press, 1953. G. Campbell Morgan, *The Crises of the Christ*, Nova York. Revell, 1936. A. T. Olmstead, *Jesus in the Light of History,* Nova York. Scribner's, 1942. A. E. J. Rawlinson, *Christ in the Gospels,* Londres. Oxford Univ. Press, 1944. Wilbur M. Smith, *The Supernaturalness of Christ*, Boston. Wilde, 1954. Ethelbert Stauffer, *Jesus and His Story*, Nova York. Knopf, 1960. James S. Stewart, *The Life and Teaching of Jesus Christ,* Nova York. Abingdon, s.d. Vincent Taylor, *The Names of Je-*

*sus,* Londres. Macmillan, 1953. Howard F. Vos, *The Life of Our Divine Lord,* Grand Rapids. Zondervan, 1958. John F. Walvoord, *Jesus Christ Our Lord,* Chicago. Moody, 1969 (com extensa bibliografia).

E. F. Har.

**JESUS, OFÍCIOS DE** As funções de Jesus, o Ungido de Deus, têm três aspectos: o de um profeta, sacerdote e rei. Essas eram as três funções entre os israelitas do AT cujos ocupantes recebiam investidura pela unção com óleo (profeta, 1 Rs 19.16; sacerdote, Êx 29.7; 30.25,30; rei, 1 Sm 9.16; 16.1,13).
Calvino foi o primeiro teólogo a reconhecer a importância de distingui-las e dedicar um capítulo a elas em sua obra *Institutes.* Teólogos luteranos foram um pouco relutantes e vagarosos em adotar essas tríplices funções. Eles aceitavam as funções proféticas e reais de Cristo, mas tinham a inclinação de rejeitar sua função sacerdotal. Teólogos liberais, como um todo, colocam tamanha ênfase em Cristo como mestre, que suas outras funções perdem todo valor. Os bartianos reinterpretaram a função profética de Cristo através de sua visão de uma revelação existencial, aqui e ali, pela audição ou leitura de uma "Bíblia contraditória e falível" ou por um sermão, de forma que as funções de Cristo ficam grandemente absorvidas na de um divulgador.
*Cristo como Profeta.* A função de profeta exigia que a pessoa fosse: (1) O porta-voz de Deus, seu comunicador junto aos homens. O ministério de profeta é encontrado em Êxodo 7.1, onde Deus disse: "Eis que te tenho posto por Deus sobre Faraó; e Arão, teu irmão, será o teu profeta". O profeta devia ouvir a palavra de Deus ou ter uma visão e comunicá-la (Dt 18.18). Seu ministério era ao mesmo tempo passivo ao receber, e ativo ao proclamar. Mas não era meramente passivo, pois Abimeleque, o Faraó e Nabucodonosor também receberam revelações e não foram considerados profetas. (2) Um prenunciador do futuro. O profeta fazia revelações relacionadas a eventos futuros. Ele previa o futuro.
Cristo exercia essas duas funções, mas de tal maneira que, em geral, elas se confundiam. Seu ministério como porta-voz e mestre foi mais claramente descrito por Ele mesmo em João 8, onde o próprio Senhor Jesus diz que fala o que ouviu do Pai (v. 26), o que viu (v. 38), o que lhe foi ensinado pelo Pai (v. 28) e que o próprio Pai está com Ele (v. 29). Seu ministério de prever o futuro pode ser encontrado em Mateus 24.2-31 e 25.31-46 (cf. Lc 21.6-28).
As Escrituras do AT prevêem que o Messias deveria ser um profeta (Dt 18.15; cf. At 3.22,23). Jesus falou sobre si mesmo como um profeta (Mt 13.57; Lc 13.33) e afirmou ter uma mensagem do Pai (Jo 8.26-28; 12.49,50; 14.10). O povo o recebeu como profeta (Mt 21.11,46; Lc 7.16; 24.19; Jo 3.2; 4.19; 6.14; 7.40; 9.17). *Veja* Profecia; Profeta.
*Cristo como Sacerdote.* O AT prevê seu ministério sacerdotal (Sl 40.6-8; 110.4). A função sacerdotal requer a oferta de sacrifícios (Hb 5.1-3), bem como a prática da intercessão (Dt 5.5; 9.18; 1 Sm 7.5 etc.), e o Senhor Jesus exerce estas duas funções. Entretanto, o sacrifício que Ele ofereceu não era de touros ou cabras, mas de si próprio, de seu próprio corpo (Sl 40.6-8; Hb 10.5-14; cf. Hb 9.25-28). A intercessão que Ele faz não é realizada em um Templo terreno, mas no próprio trono de Deus (1 Jo 2.1,2; Rm 8.34; Hb 7.25; 9.24). O sacerdócio e os sacrifícios do AT eram apenas tipos de Cristo e de seu sacrifício no Calvário, e o representavam como o Cordeiro de Deus (Jo 1.29).
*Cristo como Rei.* A terceira função é a de rei e governante. Cristo já exerce essa função sobre todos os membros de sua Igreja, e a exercerá de um modo mais amplo sobre toda a terra em sua segunda vinda (Zc 14.9,16,17; Ap 19.6; 20.4ss.). A ordem dos eventos que levam ao seu domínio final é: (1) A promessa da aliança de Davi (2 Sm 7.16; Sl 89.20-27; cf. Is 11.1-16; 55.3,4). (2) Sua proclamação e nascimento como rei (Mt 2.2; Lc 1.32,33). (3) Sua rejeição como rei (Mc 15.12,13; Lc 19.14). Sua morte como sacrifício para satisfazer a justiça divina (Is 53.11), e ainda como rei (Mt 27.37). (5) Sua volta em glória para reinar como rei em Jerusalém (Mt 24.27-31; 26.64; Zc 14.8,9,16,17). Seu soberano reinado durará para sempre (2 Sm 7.15,16; Sl 89.36,37; Is 9.6,7; Dn 7.13,14).

R. A. K.

**JÉTER**
1. O mesmo que Jetro, sogro de Moisés (Êx 4.18, heb.).
2. Filho primogênito de Gideão. Instado pelo pai para matar Zeba e Zalmuna, príncipes midianitas prisioneiros, Jéter que era muito jovem não concordou (Jz 8.20). Provavelmente morreu na conspiração de Abimeleque, quando todos os filhos de Gideão foram assassinados (Jz 9.18).
3. Pai de Amasa, comandante do exército de Absalão que foi feito capitão das forças de Davi depois da rebelião. Jéter era marido de Abigail, irmã de Davi. Em 2 Samuel 17.25, ele é chamado de Itra, o israelita. Provavelmente essa seja uma variação do nome de Jéter, o ismaelita (1 Cr 2.17; 1 Rs 2.5,32).
4. Filho de Jada da família de Hezrom de Judá (1 Cr 2.32).
5. Filho de Ezra da genealogia de Judá (1 Cr 4.17).
6. Principal príncipe e guerreiro da tribo de Aser (filhos de Jéter; 1 Cr 7.38,40).

**JETETE** Chefe de um clã dos edomitas (Gn 36.40; 1 Cr 1.51).

**JETLÁ** O mesmo que Itla. Cidade da tribo

de Dã (Js 19.42), provavelmente nas imediações de Aijalom.

**JETRO** Também foi aparentemente chamado de Reuel (Êx 2.18) e Hobabe ou Raguel (Nm 10.29). Era um sacerdote dos nômades midianitas (q.v.) que residiam nas proximidades do monte Sinai (Êx 2.16; 3.1; 4.18). Era descendente de Abraão com Quetura (Gn 25.1,2) e, por conseguinte, possuía os vestígios do verdadeiro conhecimento de Jeová (Êx 18.10-12).
Moisés se casou com Zípora, uma das sete filhas de Jetro, durante os 40 anos que permaneceu ao lado deste homem (Êx 2.22; 4.20; 18.3,4; At 7.29). Moisés pediu e recebeu de Jetro a permissão para retornar ao Egito (Êx 4.18-20). Foi acompanhado por Zípora e seus dois filhos, porém Moisés mandou-os de volta a Jetro por alguma razão desconhecida (Êx 4.24-26; 18.2).
Depois do êxodo do Egito, e enquanto os israelitas estavam nas proximidades do monte Sinai (cf. Êx 3.12 com 19.2,3), Jetro trouxe Zípora e seus dois filhos de volta para Moisés (18.1-6). Jetro fez coisas notáveis nessa reunião: (1) iniciou e observou, junto com os líderes de Israel, o sacrifício de ação de graças pela recente libertação do Egito (18.10-12); (2) sabiamente aconselhou Moisés a fazer certas mudanças em seu penoso sistema de julgar as pessoas que, aparentemente, foram adotadas imediatamente (18.13-26). *Veja* Juiz. Jetro então retornou à sua própria terra (18.27).
Seus futuros contatos com os israelitas estavam ligados ao problema quase insolúvel relacionado à identidade de Hobabe, mencionado em Números 10.29. Ele podia ser Jetro, seu filho, ou seu neto, de qualquer forma um parente de Moisés. Os descendentes dessa família viviam entre os israelitas depois da conquista de Canaã (Jz 1.16; 4.11; 1 Sm 15.6). *Veja* Hobabe; Reuel. (Veja também W. F. Albright, *Yahweh and the Gods of Canaan,* Garden City; Doubleday, 1968, pp. 38-40; Wick Broomal, "Jethro. Wise Counselor", *The Presbyterian Journal*, September 29, 1965, pp. 16-18).
W. B.

**JETUR** Um dos filhos de Isamel, fundador de uma tribo (Gn 25.15; 1 Cr 1.31; 5.19). *Veja* Ituréia.

**JEÚ**
1. Um servo de Davi nascido em Anatote, um dos principais arremessadores (com funda) de Davi que o encontraram em Ziclague (1 Cr 12.3).
2. Um profeta, filho de Hanani, que profetizou contra o rei Baasa (1 Rs 16.1,7,12), e que mais tarde registrou os acontecimentos do reino de Josafá nas crônicas de Jeú, mencionadas em 2 Cr 20.34.
3. Um homem da tribo de Judá, filho de Obede, descendente de Jerameel (1 Cr 2.38).

Jeú prestando homenagem a Salmaneser III, um painel do Obelisco Negro de Salmaneser

4. Um homem da tribo de Simeão, filho de Josibias (1 Cr 4.35).
5. O décimo rei de Israel, filho de Josafá, neto de Ninsi (2 Rs 9.2), o primeiro rei da quarta dinastia de Israel (841-814 a.C.).
Antes de se tornar rei, Jeú se mostrou calmo e subordinado a Acabe, Acazias e Jorão. Sua posição militar anterior conhecida era a de guarda-costas de Acabe; por esta razão ele estava presente no encontro de Acabe com Elias na vinha de Nabote, bem como na execução "legalizada" deste homem e seus filhos (2 Rs 9.25,26; cf. 1 Rs 21.15,16). Sob o comando de Jorão, ele foi capitão do exército de Israel na defesa de Ramote-Gileade (2 Rs 9.1-5). Durante a luta contra os sírios na Transjordânia, Jorão foi forçado a voltar a Jezreel devido a graves ferimentos (2 Rs 8.28,29; 9.15), deixando Jeú no comando da cidade sitiada.
*Sua unção.* O profeta Eliseu reconheceu a natureza estratégica das circunstâncias. Ele se lembrou de que seu predecessor, Elias, havia sido encarregado de ungir Jeú como o futuro rei de Israel. A razão para tão longa demora não é mostrada nos registros bíblicos. Agora as condições eram adequadas para uma revolução bem sucedida contra a casa de Acabe. Eliseu enviou um mensageiro para ungir Jeú como o novo rei. O jovem mensageiro de aparência selvagem (2 Rs 9.11) derramou secretamente um frasco de azeite sagrado sobre a cabeça de Jeú (vv. 6-10). Contudo, o segredo não durou muito porque Jeú logo revelou a missão do jovem profeta. O entusiasmo dominou os soldados, levando-os a lançar as suas vestes aos pés de Jeú; soaram suas trombetas e o proclamaram rei (vv. 12,13).
*Seu golpe súbito.* Jeú não desperdiçou tempo na questão do ataque à casa de Acabe. Certificando-se de que ninguém avisaria Jorão, ele reuniu um pequeno grupo de ho-

mens e partiu em direção a Jezreel. Jorão, vendo as tropas se aproximarem, enviou mensageiros que não retornaram. Então ele e Acazias, rei de Judá, questionaram a vinda de Jeú a Jezreel. A pergunta de Jorão, "Há paz?", foi respondida pela furiosa denúncia contra Jezabel. Com tranqüilidade e positivismo, Jeú deu início ao sangrento massacre que continuou por vários dias. Jorão foi perfurado pela flecha de Jeú enquanto os homens de Jeú feriam Acazias mortalmente. A caminho de Jezreel, Jeú ordenou que dois servos jogassem Jezabel da janela do palácio. Ele e seus homens consumaram a morte desta mulher com as rodas de suas bigas (2 Rs 9.14-37).

A seguir, Jeú desafiou os cidadãos líderes a constituir um dos príncipes em oposição ao seu governo. Uma vez que estes se submeteram a Jeú, ele ordenou que provassem sua lealdade comparecendo no dia seguinte com a cabeça dos setenta herdeiros de Acabe. As cabeças foram então empilhadas em ambos os lados do portão de Jezreel como um lembrete a qualquer pessoa que porventura ainda estivesse inclinada a resistir (2 Rs 10.1-11).

A implacável matança continuou com a morte de 42 homens dentre os parentes de Acazias que, para sua própria desgraça, foram visitar Judá nesta ocasião. O banho de sangue finalmente terminou com a decapitação em massa de todos os adoradores de Baal que estavam reunidos, e a erradicação do culto estrangeiro a Baal. Jeú mostrou seu lado astucioso e calculista ao fingir ser leal a Baal. Convocou uma assembléia solene e, liderando o ritual, retirou-se silenciosamente enquanto 80 de seus guardas de confiança mataram todos que haviam aceitado o seu convite (2 Rs 10.12-28).

*Sua política exterior*. Embora Jeú tivesse eliminado cruelmente seus inimigos potenciais, ele logo descobriu que não tinha amigos. Ele havia rompido completamente com a Fenícia assassinando a nobre rainha mãe, e arruinado a inspirada adoração fenícia. Ele destruiu todas as esperanças de ter laços com Judá quando matou Acazias e seus parentes próximos. Como Acabe já havia rompido os laços com a Síria e obrigado sua nação a servir à Assíria, Jeú não tinha muitas escolhas em relação à sua política estrangeira. Durante o primeiro ano do reinado de Jeú, 842 a.C, Salmaneser III dirigiu uma campanha triunfante contra Hazael de Damasco. Foi oportuno, senão corajoso, para Jeú seguir uma política de vassalagem em relação à Assíria. O Obelisco Negro de Salmaneser, encontrado por Layard em Nimrud descreve esta submissão em palavras e figuras. Ele fala do tributo pago por Jeú assim como pelos habitantes de Tiro e Sidom – ouro, prata, vasos de metal e objetos de madeira (ANET, pp. 280ss.). Também fornecem uma representação literal dos israelitas oferecendo seu tributo ao monarca assírio. Esta é a representação artística mais antiga que se conhece de um israelita (ANEP, #351, 355).

Nos anos que se seguiram, Israel foi constantemente ameaçada pela Síria, já que a Assíria falhou em manter os sírios afastados. Hazael foi capaz de ganhar poder suficiente para tomar todo o território de Israel que estava a leste do Jordão (2 Rs 10.32,33).

*Seu zelo religioso*. É difícil desvendar e esclarecer os vários motivos que estavam por trás dos atos de Jeú. De qualquer forma, uma profunda motivação religiosa é óbvia, já que a revolução foi inspirada pelos verdadeiros profetas do Senhor. Embora Elias não estivesse mais em cena, seu nome estava associado ao movimento através da memória das palavras que disse a Acabe na vinha de Nabote. Jeú tornou-se aquele que cumpriria a profecia de Elias, deixando o corpo de Jorão na vinha de Nabote e, também, cumprindo a promessa profética relativa a Jezabel. O nome de Elias estava inseparavelmente ligado à rebelião de Jeú, por ter ordenado a unção do jovem líder.

Na fase final de seus planos, Jeú se uniu a um outro elemento da herança religiosa de Israel. Ele levou Jonadabe, o recabita, consigo para Samaria como seu associado na erradicação dos adoradores de Baal (2 Rs 9.15,16,23). Mesmo tendo o endosso da melhor tradição profética na pessoa de Elias e de Eliseu, ele poderia reivindicar a sanção do grupo mais fanático – os recabitas.

Embora houvesse um apoio profético em relação à revolução, os escritores posteriores censuram a natureza extremista das ações de Jeú. O escritor de 2 Reis 10.29-31 enxerga os eventos à luz de sua tolerância quanto aos cultos religiosos estabelecidos por Jeroboão I em Betel e Dã. Oséias também critica a violência e o derramamento de sangue (Os 1.4).

*Seu caráter*. Jeú era um homem possuído por traços de personalidade dominantes. Na preparação da condução de seus propósitos, ele era prudente, calculando todos os seus passos com maestria e ambição. Ao executar os seus planos, ele era audacioso, ousado, impetuoso e severo. Seu zelo se aproximava do fanatismo cruel. Ele parecia carecer das qualidades da magnificência que inspiram o respeito, a confiança, e o apreço. Sua política extrema alienou amigos e inimigos, precipitando a derrota de Israel. O fato de ter permitido a continuidade da identificação de bois sagrados com a adoração ao Senhor, sugere que seu zelo profético por Deus foi provavelmente contaminado por um zelo ambicioso por si mesmo.

K. M. Y.

**JEUBÁ** Um aserita, filho de Semer (1 Cr 7.34).

**JEÚDE** Uma cidade no território da tribo de Dã na época de Josué. Sua localização parece ser aproximadamente 11 quilômetros a leste de Jope, nas proximidades da atual cidade de Tel Aviv (Js 19.45).

**JEUDI** A palavra refere-se a um homem de Judá, um judeu. Ele era o mensageiro do rei Jeoaquim (Jr 36.14,21,33) enviado a Baruque para pedir que ele trouxesse o rolo à presença do rei. Após Jeudi ter lido algumas folhas, o rei cortou e queimou o rolo.

**JEUDIA** Na versão KJV em inglês o termo jeudia parece constar como um nome próprio, mas é um adjetivo que significa "judia". O termo é usado como uma referência à esposa judia de Merede, e a distingue de sua esposa egípcia (1 Cr 4.18).

**JEUEL** Relacionado como chefe de uma das famílias de Judá que retornaram a Jerusalém depois do exílio (1 Cr 9.6). *Veja* também Jeiel 7 (escrito como Jeuel na versão RSV em inglês).

**JEUS ou JEUZ** Quinto dos sete filhos do benjamita Saaraim e sua esposa Hodes. Seus filhos são chamados de "chefes dos pais" (1 Cr 8.10), isto é, chefes de famílias.

**JEÚS**
1. Filho de Esaú com sua esposa hivita Oolibama, nascido na terra de Canaã. Foi um dos primeiros chefes ou xeiques edomitas (Gn 36.5,14,18; 1 Cr 1.35).
2. Um benjamita filho de Bilã, da família de Jediael (1 Cr 7.10).
3. Um benjamita filho de Eseque, descendente de Saul (1 Cr 8.39).
4. Um levita da família de Gersom, filho de Simei. Ele e seu irmão Berias foram contados como uma só família na "casa de seus pais" ou em seu clã, porque não tiveram muitos filhos (1 Cr 23.10,11).
5. Filho do rei Roboão por intermédio de sua segunda esposa, Abiail, filha de Eliabe, irmão de Davi (2 Cr 11.18,19).

**JEZABEL** Esposa de Acabe, rei de Israel (874-853 a.C.), era filha de Etbaal, rei dos sidônios. Jezabel foi uma devota de Baal-Melcarte, o deus da Fenícia (1 Rs 18.19). Ela encorajou Acabe a construir santuários para o culto a esse deus, e trouxe centenas de sacerdotes e profetas dessa religião para Israel. Ela perseguia os profetas do Senhor, e mandava matar aqueles que falassem contra seus atos de idolatria (1 Rs 18.4). Parece que tinha grande influência sobre Acabe, pois este permitia que ela fizesse tudo que desejava. Criou seus dois filhos para observar as mesmas práticas, e sua filha Atalia (2 Rs 8.18) até levou suas idéias para Judá quando se casou com o filho de Josafá.

O principal oponente de Jezabel em Israel era o profeta Elias (1 Rs 18.21-46), que realizou uma disputa no monte Carmelo para provar quem era o verdadeiro Deus. Depois de seu sucesso, ele foi ameaçado por Jezabel e precisou fugir para o monte Horebe. Sua falta de respeito pela propriedade alheia está demonstrada pela história de Nabote. A princípio, Acabe respeitou o desejo de Nabote de manter a terra de sua herança, mas Jezabel apossou-se dela de forma impiedosa.

Quando Jeú ascendeu ao trono, limpou a casa de Acabe do reino. Jezabel foi lançada da torre do palácio e atropelada pela sua carruagem. Mais tarde, ele enviou seus servos para enterrá-la, mas os cães já haviam se lançado sobre seu corpo, dando cumprimento, dessa forma, à profecia de Elias (2 Rs 9.30-37).

Em Apocalipse 2.20, o nome Jezabel é dado a uma profetisa ou a um grupo da igreja em Tiatira que encorajava a idolatria e a imoralidade. Evidentemente, esse nome já era um símbolo de apostasia.

A. W. W.

**JEZANIAS** *Veja* Jazanias.

**JEZER, JEZERITAS** O nome parece ser uma forma contraída de Abiezer (q.v.; Js 17.2). É o nome de um clã de Gileade (Nm 26.30) e é chamado Iezer em algumas versões.

**JEZER** O terceiro filho de Naftali. Foi o chefe do clã dos jezeritas (Gn 46.24; Nm 26.49; 1 Cr 7.13).

**JEZIAS** Forma de Izias na versão KJV em inglês. Israelita da família de Parós, ele foi um daqueles obrigados por Esdras a expulsar sua esposa pagã depois do exílio (Ed 10.25).

**JEZIEL** Filho de Azmavete e um dos habilidosos arqueiros e atiradores que desertaram Saul para se juntar ao grupo de Davi em Ziclague (1 Cr 12.3).

**JEZLIA** As versões ASV e RSV em inglês trazem o nome Izlias. Filho e descendente de Elpaal, um benjamita que vivia em Jerusalém (1 Cr 8.18).

**JEZOAR** As versões ASV e RSV trazem o nome Isar.
1. Filho de Hela, esposa de Asur e pai (fundador) de Tecoa (1 Cr 4.7). Um dos descendentes de Judá. *Veja* também Zoar.
2. Pai de Corá (Nm 16.1). Era um levita descendente de Coate, e cujos descendentes formaram uma família na tribo de Levi (Êx 6.18,21; Nm 3.19,27; 1 Cr 6.18,38). Também foi chamado de Aminadabe em 1 Crônicas 6.22.

**JEZRAÍAS** Supervisor dos cantores que se

Uma visão do vale de Jezreel mostrando a riqueza do solo e seu potencial agrícola. IIS

apresentavam na purificação do povo por ocasião das reformas de Neemias (Ne 12.42). *Veja* Izraías.

**JEZREEL**
1. Cidade na região montanhosa da Judéia (Js 15.56). Era o lar de Ainoã, a jezreelita (q.v.), que foi uma das esposas de Davi (1 Sm 25.43). Trata-se, possivelmente, da cidade de Khirbet Tarrama, cerca de 10 quilômetros a sudeste de Hebrom.
2. Um descendente de Judá (1 Cr 4.3) que pode ter sido um antepassado com o mesmo nome de Jezreel em Judá.
3. Uma cidade de Issacar (Js 19.18) na área localizada ao sul da fronteira com o território de Manassés. Foi identificada com a moderna Zer'in, cerca de 16 quilômetros a leste de Megido, uma cidade situada aos pés do contraforte noroeste do monte Gilboa, com uma ampla vista da planície de Jezreel (veja 4). Na Antiguidade, estava situada na interseção das rotas comerciais que vinham da costa do Mediterrâneo até o vale do Jordão, e daquelas que vinham do sul até o norte da Palestina. Salomão escolheu essa cidade como um dos seus doze centros administrativos, e Baaná foi o seu primeiro governador residente (1 Rs 4.12). Acabe fez dela uma de suas residências reais, pois era especialmente agradável no inverno (1 Rs 18.45,46). Foi o local do horrível assassinato de Nabote, perpetrado por Jezabel (1 Rs 21). Jorão buscou refúgio nessa cidade depois de ter sido ferido na batalha contra Hazael da Síria (2 Rs 8.29; 2 Cr 22.6). Ela foi testemunha de excessivos derramamentos de sangue durante a revolta de Jeú (2 Rs 9.1–10.11). A torre de Jezreel (2 Rs 9.17) era uma torre ou fortaleza que protegia a entrada da cidade de Jezreel.
4. Uma planície fértil que separava a Galiléia de Samaria (veja Js 17.16; Jz 6.33; Os 1.5). Era uma bacia geológica imperfeita coberta por uma profunda superfície de sedimento aluviano, bem irrigada e, portanto, bastante fértil. Em algumas fontes posteriores, Esdraelom foi designada como a porção ocidental dessa planície, e Jezreel a sua porção oriental. Toda essa planície foi ocupada pelos cananeus, instalados principalmente em Megido, antes da conquista israelita. Dessa maneira, a porção ocidental é, às vezes, chamada de vale de Har Megido ("monte de Megido") ou Armagedom (q.v.). *Veja* Palestina II.B.2 *b*.
5. Nome do primeiro filho de Oséias. Esse nome foi dado como símbolo do derramamento de sangue cometido em Jezreel, por Jeú, para se apossar do trono do Reino do Norte (2 Rs 9.17–10.11), assim como uma profecia do juízo divino sobre a dinastia de Jeú por causa desses assassinatos (Os 1.4,5).

H. E. Fi.

**JEZREELITA**[1] Nome aplicado a Nabote, um residente nativo da cidade de Jezreel (1 Rs 21.1,4,6,7,15,16; 2 Rs 9.21,25).

**JEZREELITA**[2] Nome usado por Ainoã, uma das duas primeiras esposas de Davi, uma nativa da cidade de Jezreel em Judá (1 Sm 27.3; 30.5; 2 Sm 2.2; 3.2; 1 Cr 3.1).

**JIDLAFE** Filho de Naor e Milca (Gn 22.22). Tornou-se o principal ancestral de um clã naorita.

**JIGDALIAS** O pai de Hanã, o profeta (Jr 35.4).

**JIMMA, JIMNAH**. *Veja* Imna.

**JÓ** A despeito do caráter quase poético do prólogo e do epílogo do livro de Jó, e da poesia do discurso central sugerirem que nem todas as características de sua história tenham sido descritas de forma absolutamente literal, a narrativa de Jó e suas experiências representam uma história verídica, e não uma ficção. Essa conclusão é necessária devido às referências feitas a Jó em outras passagens bíblicas (veja Ez 14.14,20; Tg 5.11), e é confirmada pela finalidade desse livro, que é a

Vale de Jezreel a partir das colinas de Nazaré

de exaltar o nome de Deus e suas soberanas realizações na história.
O lar de Jó estava localizado em algum lugar situado a leste da Palestina, nas proximidades da fronteira com o deserto. Existem várias indicações de que ele viveu na era patriarcal: sua longevidade (Jó aparentemente viveu cerca de dois séculos); o florescimento da verdadeira religião apoiada em uma divina revelação fora da comunidade da aliança de Abraão; e certas características sociais e étnicas primitivas como a condição de nômades dos caldeus e a forma patriarcal de prestar culto e oferecer sacrifícios. Além disso, ele tinha um nome usado por um grande número de semitas da região ocidental no início do segundo milênio a.C., mas que não é encontrado no primeiro milênio. Esse nome aparece nos textos de Execração de Berlim, do Egito, como Ayyabum (ANET, p. 239), e nas cartas de Amarna, como Ayal (ANET, p. 486), assim como nos textos acadianos de Mari e Alalakh.
Materialmente próspero e genuinamente piedoso, Jó viveu talvez durante 70 anos sob o manifesto favor dos homens e de Deus. Então, uma repentina e quase total reversão de todas as suas circunstâncias terrenas introduziu a grande crise que deu à sua vida um significado especial para a história da redenção (Jó 1 e 2). A partir da agonia e do enigma de seus sofrimentos levantou-se a queixa de Jó (Jó 3), e uma discussão longa e formal entre ele e seus três amigos filósofos (Jó 4–31). Esse debate serviu para mostrar a insensatez da sabedoria tradicional do mundo, que levou os amigos de Jó ao juízo totalmente falso de que seus sofrimentos eram uma condigna conseqüência de um radical abandono do temor a Deus.
Mas foi necessária a revelação da voz do próprio Senhor saindo do rodamoinho, uma revelação preparada pelo ministério de seu jovem servo Eliú (Jó 32–37) para levar o atormentado sofredor de volta à paz de uma humilde e confiante devoção ao Senhor (Jó 38.1–42.6). Dessa forma, e ao contrário das alegações do adversário maligno, ele foi submetido à prova para ser um troféu da graça divina.
Como um pedido de Jó perante os olhos de seus acusadores humanos, Deus coroou a vida terrena de seu servo com um duplo restabelecimento.

M. G. K.

## JÓ, LIVRO DE

### Cenário

Existe uma rica literatura antiga dedicada a investigar o mistério da vida humana e, particularmente, a relação existente entre a fidelidade religiosa e a prosperidade material. O motivo do virtuoso sofredor foi tratado na literatura sumeriana, desde o ano 2000 a.C. Um texto babilônio, da época dos cassitas (1600-1150 a.C.), com o título "Louvarei o Senhor da Sabedoria" é muitas vezes chamado de "Jó Babilônico".
Esse tema tem uma presença predominante no livro de Jó, e, embora subordinado a um grandioso tema de interesse teocêntrico, é tratado dentro do contexto da realidade histórica do pecado do homem e da dispensação redentora de Deus, que leva a respostas totalmente diferentes daquelas que são sugeridas nos poemas pagãos.

### Data e Autoria

É muito difícil determinar quando o livro de Jó foi escrito. As datas que variam desde o período mosaico até o período persa continuam a encontrar adeptos entre os modernos estudiosos do AT. A escola conservadora tem apresentado a tendência de associar a composição desse livro ao florescimento da Literatura de Sabedoria bíblica da época de Salomão. Embora a maior parte de importantes investigações críticas tenha favorecido uma data anterior ao exílio, uma significativa minoria tem argumentado a favor de uma origem no segundo milênio a.C.
Grande parte dos estudiosos não acredita que um único autor tenha sido responsável pela elaboração de todo o livro. Há trechos muitas vezes considerados como adições posteriores à obra original: a seção de Eliú, o poema sobre a sabedoria no capítulo 28 e parte dos discursos do Senhor. A integridade do prólogo e do epílogo também são discutidas. Entretanto, as evidências para essas dúvidas são completamente subjetivas. Por outro lado, será compatível com a própria visão das Escrituras reconhecer que o inspirado autor do livro canônico de Jó fez uso de uma tradição (provavelmente bastante extensa) relacionada com a vida do autor, que pode ter sido oral ou escrita.
[Para que esse livro tenha sido aceito como canônico em Israel, seu autor deve ter sido reconhecido como um israelita, segundo a tradição profética. Ele foi um poeta de rara inspiração, com uma alma profundamente sensível. A fim de escrever, da maneira como o fez, ele mesmo deve ter sofrido intensamente. Estava bem familiarizado com o Egito, assim como com os caminhos do deserto e a sabedoria e a erudição do antigo Oriente Próximo. Portanto, desde José até Moisés e Salomão, tem sido sugerido que cada israelita que conhecesse o Egito e possuísse extensos contactos e grande habilidade pessoal seria candidato a autor do livro de Jó. – Ed.]

### Esboço

I. Desolação: A Provação da Sabedoria de Jó, 1.1–2.10
II. Queixa: A Perda do Caminho da Sabedoria, 2.11–3.26
III. Juízo: O Caminho da Sabedoria Obscurecido e Iluminado, 4.1–41.34

A. Os veredictos dos homens, 4.1–37.24
1. Primeiro ciclo de debates, 4.1–14.22
2. Segundo ciclo de debates, 15.1–21.34
3. Terceiro ciclo de debates, 22.1–31.40
4. Ministério de Eliú, 32.1–37.24
B. A voz de Deus, 38.1–41.34
IV. Confissão: O Caminho da Sabedoria Recuperado, 42.1-6
V. Restauração: O Triunfo da Sabedoria de Jó, 42.7-17

### Propósito

A Literatura de Sabedoria, isto é, a finalidade do livro de Jó, é exaltar a Deus, o Criador, como o Senhor da Sabedoria e, particularmente, louvar a divina sabedoria revelada no poder redentor pela qual Deus liberta os escravos do poder do pecado e da falta de esperança da sepultura, e os estabelece como sua propriedade em um triunfante serviço de pura devoção. Como um corolário, o livro inculca o temor a esse Deus de toda a sabedoria como o verdadeiro caminho do conhecimento para o homem. *Veja* Literatura de Sabedoria.

### Conteúdo

O Prólogo revela como foi concedida uma demonstração do poder salvador de Deus através de Jó e seus sofrimentos. Deus declarou que Jó era seu servo, mas Satanás quis contradizer a divina afirmação. Um teste de força revelaria se Deus ou Satanás teria direito à fidelidade do coração de Jó. Portanto, é nessa terrível tentação que deverá ser encontrado o significado da sua firmeza, na moldura legal desse sofrimento e através da provação estabelecida entre Deus e o Acusador (Jó 1–2).

A doxologia de Jó marcou o início do fim para Satanás, mas antes de seu esmagamento final, Jó deveria ser totalmente subjugado pelo obscuro mistério de sua experiência. A chegada de três amigos, das fileiras dos sábios, precipitou o processo de filosofar que atraiu Jó para longe da simplicidade da fé. Temeroso agora de ter perdido o favor de Deus, ele começou a se queixar (Jó 3).

Respondendo à sua queixa, Elifaz, Bildade e Zofar procuraram defender a honra de Deus. Mas seu compromisso com a sabedoria tradicional do mundo, e sua doutrina da proporcionalidade do pecado e do sofrimento nessa vida, resultou na condenação do sofredor e, portanto, na defesa da causa de Satanás. Embora Jó conseguisse silenciar os três filósofos, e, no processo, alcançar novas visões da suprema beatitude daqueles que reconhecem a Deus como o seu Redentor, a queixa continuou a acompanhar o seu lamento e o seu desejo de uma imediata audiência perante o Grandioso Juiz tornou-se cada vez mais devastador (Jó 4–31).

A tranqüilidade do inflamado espírito de Jó devia preceder o desejado julgamento. E esse foi o serviço prestado por Eliú que, antecipando o juízo de Deus, censurou seus amigos e levou Jó ao silêncio e à humildade apropriada ao seu iminente confronto com Deus (Jó 32–37).

A voz do Todo-Poderoso convocou Jó para esse julgamento, que se transformou numa nova provação. E era através da vitória nesta questão de Jó que Deus se propunha a aperfeiçoar o seu triunfo sobre Satanás. A luta com Deus tomou a forma de um torneio de sabedoria, e Jó se viu incapaz de responder a qualquer uma das perguntas feitas pelo seu Criador (Jó 38.1–41.34).

Em sua confissão de arrependimento, embora ainda sem a insinuação de uma restauração terrena, havia uma confirmação final da veracidade de sua consagração. Dessa forma, Satanás ainda ficou exposto como mentiroso, mas o nome e a palavra de Deus foram honrados (Jó 42.1-6).

A restauração de Jó, descrita no Epílogo, defende o servo de Deus contra a despercebida reivindicação do Diabo, e serve como um sinal da validade da esperança da justificação final e da paz a que Jó havia se apegado pela fé (Jó 42.7-17).

***Bibliografia.*** Franz Delitzsch, *Job*, KD, 1869 (reimpresso em 1949). E. Dhorme, *A Commentary on the Book of Job*, trad. por Harold Knight, Londres. Nelson & Sons, 1967. H. L. Ellison, *From Tragedy to Triumph. The Message of the Book of Job*, Grand Rapids. Eerdmans, 1958; "Job", "Job, Book of", NBD, pp. 635-637. Robert Gordis, *The Book of God and Man. A Study of Job*, Chicago. Univ. of Chicago, 1965. W. H. Green, *The Argument of the Book of Job Unfolded*, Nova York. Carter, 1881. A Guillaume, *Studies in the Book of Job*, Leiden. Brill, 1968. R. K. Harrison, *Introduction to the Old Testament*, Grand Rapids. Eerdmans, 1969, pp. 1022-1046. Meredith G. Kline, "Job", WBC, pp. 459-490. Marvin H. Pope, "Job, Book of", IDB, II, 911-925; *Job*, Anchor Bible, Garden City. Doubleday, 1965. Nathan M. Sarna, "Epic Substratum in the Prose of Job", JBL, LXXVI (1957), 13-25. Elmer B. Smick, "Mythology and the Book of Job", JETS, XIII (1970), 101-108. Norman H. Snaith, *The Book of Job. Its Origin and Purpose*, Naperville. Allenson, 1968.

M. G. K.

## JOÁ[1]

1. Filho de Asafe, cronista da corte de Ezequias. Era membro da delegação que deixou Jerusalém para negociar com Rabsaqué, emissário de Senaqueribe (2 Rs 18.18,26; Is 36.3,11,22).

2. Um levita, filho de Zima, da família de Gérson (1 Cr 6.21); ele é chamado de Etã no v. 42. Tomou parte na purificação do Templo du-

rante a reforma de Ezequias (2 Cr 29.12ss.).
3. Terceiro filho de Obede-Edom, nomeado porteiro do santuário na época de Davi (1 Cr 26.4).
4. Cronista do rei Josias, nomeado como um dos diretores da obra de reparos do Templo (2 Cr 34.8).

**JOÁ²**
1. Filho de Berias, relacionado na genealogia da tribo de Benjamim (1 Cr 8.16).
2. Um tizita incluído, junto com seu irmão Jediael, entre os 30 poderosos de Davi (1 Cr 11.45).

**JOABE**
1. Filho de Zeruia, meia irmã de Davi (2 Sm 2.18), e irmão de Abisai e Asael. A única informação conhecida sobre seu pai é que o seu túmulo estava em Belém (2 Sm 2.32).
A primeira referência sobre as atividades de Joabe é a batalha realizada entre os homens de Davi, liderados por Joabe, e as forças de Isbosete, sob a liderança de Abner, nas proximidades do poço de Gibeão. Os homens de Joabe venceram os de Abner. Quando Abner, relutantemente, assassinou Asael, irmão mais novo de Joabe (2 Sm 2.23), desenvolveu-se uma vingança sangrenta entre os dois líderes que, em primeiro lugar, levou à morte de Abner (2 Sm 3.26,27), e depois à sentença de morte de Davi sobre Joabe por causa dessa morte (um crime duplamente infame porque Hebrom era uma cidade levítica de refúgio, 2 Samuel 3.28-39).
A captura da cidade jebusita de Jerusalém levou à sua nomeação como comandante-em-chefe dos exércitos de Israel (1 Cr 11.6). Naarai de Beerote era o seu principal pajem de armas (2 Sm 23.37) e dez ajudantes carregavam os seus equipamentos (2 Sm 18.15). Joabe também era o superintendente do programa de reconstrução de Davi em Jerusalém (1 Cr 11.8). Ele liderou os exércitos de Davi na guerra contra a Síria, Amom (2 Sm 10.7–11.1; 12.26) e Edom (2 Sm 8.13,16). Sua exagerada crueldade contra os edomitas pode ser entendida como uma tentativa de eliminar todos os edomitas do sexo masculino (1 Rs 11.15,16). Ele também liderou as forças de Davi na eliminação da revolta de Absalão (2 Sm 18) e Seba (2 Sm 20). Sua habilidade militar e suas estratégias cruéis eram evidenciadas pela maneira como eliminava todas as barreiras ao sucesso de seu chefe, Davi. Joabe desejava que Davi fosse o primeiro, e nos momentos mais difíceis sempre trabalhou para ser o segundo no comando. Abner e Amasa, potenciais ameaças à posição de Joabe, foram sumariamente executados de acordo com o modelo típico dos beduínos.
O maior erro de Joabe foi colocar-se ao lado de Abiatar na campanha de Adonias para se tornar o próximo rei (1 Rs 1.7,19,41). Em seu

O tanque de Gibeão, onde os homens de Joabe e Abner lutaram

leito de morte, Davi nomeou Salomão como seu sucessor, e Joabe fugiu para o refúgio de Gibeão em busca de asilo. Lá ele foi executado de acordo com um decreto real de Benaia, chefe da guarda real, o homem que veio a ocupar a sua posição (1 Rs 2.28-35). A vida de Joabe terminou no mesmo lugar onde sua carreira começou – em Gibeão!
2. Filho de Seraías, descendente de Quenaz (1 Cr 4.14; Ne 11.35), um "pai" ou fundador judaíta de Ge-Harasim, isto é, do vale dos Artífices.
3. Fundador de uma família relacionada entre os que retornaram do exílio com Zorobabel (Ed 2.6; Ne 7.11).
F. E. Y.

**JOACAZ**
1. Pai de Joá, cronista do rei Josias (2 Cr 34.8).
2. Forma alternativa de Jeoacaz (q.v.).

**JOANA** Esposa de Cuza, oficial de Herodes Antipas, uma das mulheres que serviam a Jesus (Lc 8.3) e que acompanhou as outras mulheres da Galiléia até o túmulo de Jesus (Lc 23.55–24.10).

**JOANÃ**
1. O sexto filho de Meselemias, um levita da época de Davi. Ele foi designado para o ofício de porteiro ou guardião da porta do Templo (1 Cr 26.3).
2. Um dos principais generais do exército de Judá na época de Josafá. Ele comandava uma tropa de 280.000 homens (2 Cr 17.15). Provavelmente foi seu filho, um outro soldado, que apoiou Joiada na derrota da perversa Atalia, colocando o menino Joás no trono (2 Cr 23.1).
3. Um israelita da época de Esdras que havia se casado com uma mulher gentia, da qual se divorciou na época da reforma (Ed 10.28).
4. Um sacerdote da família de Amarias, na

época de Jeoaquim. Amarias havia retornado do exílio com Zorobabel (Ne 12.13).
5. Um sacerdote na época de Neemias. Ele foi listado entre aqueles que tomaram parte na dedicação do muro de Jerusalém após a conclusão da obra (Ne 12.42; talvez o mesmo que 4).

P. C. J.

**JOANÃ**
1. Um dos capitães dentre os remanescentes que permaneceram em Judá depois da queda de Jerusalém. Era líder daqueles que preveniram Gedalias que sua vida corria perigo por causa de Ismael. Depois que o governador foi assassinado, Joanã liderou o exército que perseguiu Ismael e recuperou os prisioneiros. Temeroso daquilo que os babilônios poderiam fazer para se vingar do assassinato, Joanã e os outros capitães procuraram o conselho de Jeremias. Quando o profeta lhes disse que era vontade do Senhor que permanecessem na terra e confiassem na proteção de Deus, Joanã e "todos os orgulhosos" rejeitaram esse conselho e levaram as pessoas restantes para o Egito, de onde ele desapareceu dos registros (2 Rs 25.23; Jr 40–43).
2. Filho mais velho do rei Josias. Ele provavelmente morreu muito jovem porque não há nenhuma outra menção de sua pessoa (1 Cr 3.15).
3. Filho de Elioenai, um descendente de Zorobabel, depois do exílio (1 Cr 3.24).
4. Sacerdote, filho de Azarias e pai de outro Azarias (1 Cr 6.9,10).
5. Guerreiro benjamita que se juntou a Davi em Ziclague (1 Cr 12.4).
6. Poderoso guerreiro gadita que se juntou a Davi no deserto (1 Cr 12.11,14).
7. Pai de Azarias, um dos efraimitas que insistiram em devolver os cativos de Judá que haviam sido aprisionados por Peca (2 Cr 18.12).
8. Filho de Hacatã, um dos descendentes de Azgade, que retornou a Jerusalém com Esdras (Ed 8.12).
9. Um dos principais sacerdotes nos dias de Esdras e Neemias. Esdras retirou-se para os aposentos de Joanã para chorar e se lamentar por causa dos casamentos mistos (Ed 10.6; Ne 12.22,23).
10. Filho de Tobias, o amonita. Casou-se com a filha de Mesulão, o sacerdote (Ne 6.18).
11. Um ancestral do Senhor Jesus (Lc 3.27).

P. C. J.

**JOÃO** Esse nome, em sua forma hebraica *yohanan*, era antigamente muito comum entre os judeus (*veja* Joanã). Pelo menos quatro homens chamados João são mencionados em 1 e 2 Macabeus. Os seguintes aparecem no NT:
1. João, pai de Simão Pedro (Jo 1.42; 21.15,17). Jesus chamou Pedro de Simão Barjonas (Mt 16.17), que em aramaico seria "filho de Jonas". Não está claro se "Jonas" e "João" representam duas formas gregas do mesmo nome hebraico, ou se são dois nomes diferentes do pai de Pedro.
2. João Batista (q.v.).
3. João, o apóstolo (q.v.).
4. João Marcos (*veja* Marcos).
5. Um sacerdote judeu que ficou conhecido apenas por participar do interrogatório de Pedro e João (At 4.6).

**JOÃO, 1, 2 e 3 EPÍSTOLAS DE** Essas epístolas são descritas muitas vezes como universais, ou como epístolas gerais, mas essa designação está um pouco errada porque a segunda e a terceira carta são dirigidas a situações locais, enquanto a primeira é destinada aos crentes de uma área limitada, provavelmente uma porção da Ásia menor que tinha Éfeso como sua cidade central.

**1 João**

*Propósito.* Essa carta foi escrita parcialmente para instruir e encorajar os leitores e enfocava temas fundamentais como luz, verdade, conhecimento (verbo), crença (verbo), amor e justiça. Estes temas não foram desenvolvidos um depois do outro, de forma sistemática, mas entrelaçados de tal forma que aparecem repetidos pelo próprio autor. Não é difícil detectar, ao longo desse propósito positivo, o desejo de advertir contra os falsos ensinos (por exemplo, 2.26). O erro particular em vista é um tipo de gnosticimo (q.v.) de caráter judaico, que negava que Jesus era o Cristo (2.22) e que tinha vindo sob a forma humana (4.2,3). Os gnósticos tendem a ser orgulhosos e exclusivistas, proclamam seus critérios como se fossem superiores, e por essa razão instigaram o fogo do autor ao insistir que os verdadeiros crentes não são deficientes em conhecimento (2.20,21,27). Nem são deficientes no amor, em contraste com os mentirosos (4.20). É demoníaco afirmar possuir um conhecimento superior e viver em um plano moral e ético inferior (3.7-8).
*Autor.* A partir de várias referências dos patriarcas da Igreja, sabemos que a igreja primitiva atribuía essa epístola a João, o apóstolo (q.v.). Compatível com essa identificação é a semelhança entre a introdução (1.1-4) de 1 João e o prólogo do Evangelho de João. Grande parte do mesmo vocabulário é encontrada nas duas obras. Existem diferenças, é claro, mas elas são naturais em vista da diversidade da natureza das duas obras.
*Destinatários.* Os leitores dessa epístola não podem ser identificados com segurança. Se a palavra "ídolos", em 5.21, for interpretada literalmente, então os leitores eram cristãos de origem gentílica. Mas seria mais lógico entender essa palavra em um sentido mais amplo por causa da fascinação provocada pelos falsos ensinos e pelas fantasias que os acompanham. De qualquer forma, a proemi-

nência reservada à confissão de Jesus como o Cristo (2.22) sugere que os leitores eram cristãos de origem judaica (cf. Jo 20.31).

*Data*. A data exata da escrita desse livro não pode ser fixada. Podemos admitir que tenha sido elaborado na última década do primeiro século.

*Características*. A simplicidade da linguagem e a estrutura das sentenças são características próprias desse livro. Seu desafio reside em um claro enunciado dos ensinos sobre a natureza da vida cristã. Ou caminhamos na luz com Deus, ou nas trevas sem Ele. Professar uma coisa, mas ser outra, é a marca dos mentirosos. Nenhum homem pode viver na virtude se não tiver nascido de Deus (2.29; 3.9; 4.7; 5.4). A ênfase doutrinária está centralizada principalmente na cristologia – na unidade do Filho com o Pai (1.2,3; 2.23), em sua encarnação (1.2; 4.2), expiação (1.7; 2.2; 3.5), vitória sobre o maligno (3.8), e em sua futura volta (3.2). O Espírito também recebe atenção particularmente pela capacidade de ser testemunha da verdade (5.7,8; cf. 4.2) e pela sua divina presença interior no crente (3.24; 4.13). No Evangelho segundo João o mundo, eticamente considerado, está retratado como pecador e, portanto, deve ser evitado (2.15,17; 3.13; 4.5; 5.4,5,19).

**Esboço**

I. Introdução, 1.1-4
II. Comunhão com Deus (Andar na Luz), 1.5–2.28
  Provada por:
  1. Uma vida justa, 1.8–2.6
  2. Amor pelos irmãos, 2.7-17
  3. Crer em Jesus como o Deus encarnado, 2.18-28
III. Filiação Divina, 2.29–4.6
  Provada por:
  1. Justiça, 2.29–3.10*a*
  2. Amor, 3.10*b*-24
  3. Fé, 4.1-6
IV. O Mandamento do Amor Cristão, 4.7-21
V. A Necessidade da Fé Cristã, 5;1-12
VI. As Certezas da Vida Cristã, 5.13-20
VII. Exortações Finais, 5.21

**2 João**

O autor intitula-se apenas como "o ancião" (ou presbítero). Isso era suficiente, pois o destinatário, identificado como "senhora eleita", era evidentemente um amigo próximo. O ancião estava acompanhando fielmente o desenvolvimento espiritual de seus filhos e esperava vir visitá-los muito em breve. Outros acreditam que o termo "senhora" esteja se referindo a uma igreja local ou a uma comunidade cristã, talvez em Pérgamo, cujos membros são chamados de "seus filhos". *Veja* Senhora Eleita.

Se alguma razão especial existisse para escrever essa pequena carta, ela provavelmente poderia ser encontrada no conselho para não receberem mestres visitantes que não estivessem à altura da confissão da Igreja em relação à encarnação do Senhor (vv. 7-11). O ancião não pôde deixar de ressaltar também a necessidade de um contínuo amor para com os santos (vv. 5,6).

Várias características dessa carta sugerem que João, o apóstolo, foi seu autor. Exemplo: a ênfase na verdade e no amor e, especialmente, na insistência sobre a encarnação. Outros itens, no mesmo sentido, são a menção ao Anticristo (v. 7; cf. 1 Jo 2.18,22; 4.3) e à palavra "perseverar" (ou permanecer; v. 9). Seria um grande equívoco alegar que o termo "ancião" excluísse a sua condição de apóstolo (cf. 1 Pe 5.1). A igreja primitiva, em geral, aceitou que esse livro havia sido escrito por João. É provável que o destinatário vivesse muito próximo a Éfeso (v.12), e a carta deve ter sido escrita no final do primeiro século.

**Esboço**

I. Elogio pela Fidelidade à Verdade, 1-3
II. O Mandamento de Andar em Amor, 4-6
III. Importância de Permanecer na Doutrina de Cristo, 7-9
IV. Recusa à Comunhão com os Falsos Mestres, 10-11
V. Conclusão, 12-13

**3 João**

Essa pequena missiva, assim como aquela dirigida "aos anciãos", foi endereçada a um certo Gaio, um crente fiel (v.3) e líder de uma igreja local. Ele se distinguia pela hospitalidade aos obreiros cristãos viajantes (vv. 5-6), em contraste com Diótrefes, que pertencia à mesma igreja ou a outra igreja próxima. Esse homem havia não só recusado receber os irmãos que João havia enviado (desejando, aparentemente, mostrar sua autoridade sobre a situação local ao rejeitar a recomendação do ancião, contida nessa carta) como tinha ido longe demais a ponto de expulsar da igreja aqueles que recebessem esses visitantes (v. 10). Nessa carta o ancião escreve a Gaio fazendo-lhe um apelo para ajudar os missionários, mesmo correndo o risco de atrair para si a ira de Diótrefes.

Ruínas da igreja de São João em Éfeso. HFV

Essa carta traz sinais de semelhança com 2 João, não só na pessoa do autor como na acentuada ênfase sobre a verdade e a preferência a uma visita pessoal, ao invés de uma comunicação por carta (v. 13).
Com toda probabilidade, a data dessa carta é aproximadamente a mesma de 2 João, e seu destino deve ter sido algum lugar não muito distante de Éfeso.

**Esboço**

I. Introdução, 1-4
II. Elogio à Bondade para com os Irmãos Viajantes, 5-8
III. A Condenação de Diótrefes, 9-11
IV. A Recomendação de Demétrio, 12
V. Conclusão, 13-14

***Bibliografia.*** Donald W. Burdick, *The Epistles of John*, Chicago. Moody Press, 1970. Robert S. Candish, *The First Epistle of John,* Grand Rapids. Zondervan, s.d. C. H. Dodd, *The Johannine Epistles*, Nova York. Harper, 1946. George G. Findlay, *Fellowship in the Life Eternal,* Londres. Hodder & Stoughton, s.d. Robert Law, *The Tests of Life, A Study of the First Epistle of John,* Edinburgh. T. & T. Clark, 1909. Alexander Ross, *Commentary on the Epistles of James and John,* NIC, Grand Rapids. Eerdmans, 1954. Charles C. Ryrie, "I, II and III John", WBC, pp. 1463-1485. John R. W. Stott, *The Epistles of John,* TNTC, Grand Rapids. Eerdmans, 1964. B. F. Westcott, *The Epistles of John,* Cambridge. Macmillan, 1892. Reginald E. O. White, *Open Letter to Evangelicals, A Devotional and Homiletic Commentary on the First Epistle of John*, Grand Rapids. Eerdmans, 1964.

E. F. Har.

**JOÃO BATISTA** Nasceu (aprox. no ano 7 a.C.) de pais idosos, Zacarias e Isabel, ambos descendentes de uma família de sacerdotes. João cresceu no deserto da Judéia (Lc 1.80), onde (em aprox. 27 d.C.) recebeu o chamado para seu profético ministério (Lc 3.2). Podemos apenas especular sob quais influências ele viveu durante os anos de sua formação. Mesmo se tivesse tido alguma associação com os essênios no deserto (de Qumram ou outros; *veja* Essênios; Rolos do Mar Morto) foi uma nova experiência espiritual que o lançou nessa especial tarefa de "preparar ao Senhor um povo bem disposto" (Lc 1.17), o que, provavelmente, provocou uma ruptura com suas amizades anteriores. Ele rapidamente conquistou a fama de ser um pregador do arrependimento. Um grande número de judeus se reunia no deserto para ouvi-lo, vindos da Judéia ou das regiões vizinhas. Muitos recebiam dele o batismo do arrependimento no rio Jordão, confessando seus pecados.
A atitude de João em relação às "leis" judaicas daquela época era de radical condenação. A ordem existente não podia ser reformada. O machado já estava sendo posicionado para cortar a árvore pela raiz (Mt 3.10; Lc 3.9). Ele denunciou os fariseus e outros líderes religiosos da nação como uma raça de víboras, tentando escapar das chamas do juízo divino que os estava alcançando. Ele se negava a atribuir qualquer valor aos meros descendentes naturais de Abraão, e exigia um recomeço. Do povo judeu em geral, ele chamava um remanescente leal e arrependido que deveria estar pronto para o iminente advento de Alguém maior do que ele mesmo, e que daria início à obra de juízo. João referia-se a si mesmo como alguém que estava preparando o caminho para esse Alguém que viria, por quem se declarava indigno de executar até a mais humilde das tarefas. Seu próprio batismo nas águas seria seguido por um batismo mais poderoso com o Espírito e com fogo, realizado por Aquele que viria.

Ein Kerem, lugar de nascimento de João Batista, com a igreja de São João erguida sobre seu local tradicional de nascimento

Fica implícito que os convertidos de João formavam um grupo distinto em Israel, tanto pelo quarto Evangelho, com referências aos discípulos de João, como por Josefo quando registra que João convidou seus ouvintes a "reunirem-se através do batismo" (*Ant.* xviii.5.2.). É provável que Josefo esteja querendo dizer que João fez nascer uma comunidade religiosa através do batismo do arrependimento. Mas quando Josefo representa João ensinando que "o batismo era agradável a Deus desde que fosse realizado não para prover a remissão dos pecados, mas para a purificação do corpo, quando a alma já havia sido anteriormente purificada pela justiça", o seu relato se afasta da doutrina dos autores dos Evangelhos e, provavelmente, reflete a doutrina batismal dos essênios com os quais Josefo tinha alguma familiaridade.
Àqueles discípulos que procuravam orientação prática, João ensinava algumas regras simples de caridade e justiça, que não demandavam o abandono de sua vocação

normal, diferente do código essênio que era muito mais rigoroso.

Jesus estava entre aqueles que receberam o batismo de João. Por ocasião de seu batismo (que foi realizado a seu pedido), João reconheceu nele o Alguém que deveria vir e de quem havia falado – embora mais tarde, durante a sua prisão, ele tenha começado a levantar alguns questionamentos e precisou ser tranqüilizado de que as características do ministério de Jesus eram precisamente aquelas que os profetas haviam dito que iriam marcar a era da graça.

João exerceu o ministério do batismo em Samaria, e Enom próximo a Salim (Jo 3.23), assim como no deserto da Judéia. Esse ministério, que provavelmente foi de curta duração, poderia explicar algumas características que surgiram subseqüentemente na religião samaritana e também as palavras de Jesus aos seus discípulos em João 4.35-38 quando se referiu às atividades desenvolvidas naquela região: "Outros trabalharam, e vós entrastes no seu trabalho".

A última fase de sua carreira foi passada na região da Peréia, que fazia parte da tetrarquia de Herodes Antipas. João levantou a suspeita de Herodes por ser líder de um movimento popular que poderia ter implicações políticas. Ele também provocou a animosidade pessoal de Herodias, esposa de Herodes, ao denunciar a ilegalidade de seu casamento. Por esse motivo ele foi detido e aprisionado na fortaleza de Herodes na Transjordânia, chamada Macaero (q.v.), onde, alguns meses depois, foi decapitado (aprox. em 29 d.C.). Seus discípulos preservaram a sua identidade durante algumas décadas depois de sua morte.

Para os escritores do NT, a principal importância de João reside no fato dele ter sido um precursor de Cristo. Durante algum tempo, o seu ministério foi simultâneo ao de Cristo (Jo 3.22ss.). Sua prisão foi o sinal para o início do ministério de Cristo na Galiléia (Mc 1.14), e seu batismo marcou o ponto de partida para a pregação apostólica (At 10.37; 13.24ss.). Jesus declarou que ele era o prometido Elias de Ml 4.5,6 (Mc 9.13; Mt 11.14; cf. Lc 1.17), o último e o maior dos profetas (Lc 7.24-28; 16.16). Seu ministério concluiu a responsabilidade da revelação divina sob a antiga ordem: "A Lei e os Profetas duraram até João; desde então, é anunciado o Reino de Deus". Mas, embora insuperável quanto à estatura pessoal, João era inferior quanto aos privilégios, disse Jesus, ao mais humilde no reino de Deus. Como Moisés que do monte Pisga avistou a terra prometida, João permaneceu como um arauto no limiar da nova era, mas nela não penetrou em vida.

***Bibliografia.*** W. H. Brownlee, "John the Baptist in the New Light of Ancient Scrolls", *The Scrolls and the New Testament,* ed. por K. Stendahl, Londres. SCM, 1958, pp. 33ss. C. H. Kraeling, *John the Baptist*, Nova York. Scribner's, 1951. J. A. T. Robinson, *Twelve New Testament Studies*, Londres. SCM, 1962, pp. 11ss. J. Steinman, *Saint John the Baptist and the Desert Tradition,* Londres. Longmans, 1958.

F. F. B.

**JOÃO, EVANGELHO DE** Quarto Evangelho do NT, considerado por muitos como o mais profundo de todos os livros. Simples na linguagem e na estrutura, porém é uma exposição profundamente perceptiva da pessoa de Cristo em seu contexto histórico.

### Tema

Da mesma forma que os Evangelhos Sinóticos (*veja* Evangelhos Sinóticos) o Evangelho de João tem como tema a apresentação do ministério de Jesus Cristo à sua própria nação, inclusive a sua preparação por João Batista, a reunião dos discípulos à sua volta, a realização de milagres, o incitamento à oposição por parte dos líderes religiosos de Israel e a sua condenação à morte pelo conselho supremo dos judeus, implementada por Pilatos, o governador romano. Tudo isto levou à crucificação, ressurreição e às suas aparições, já ressuscitado, aos discípulos amados.

### Propósito

O propósito do autor está claramente especificado: levar as pessoas à fé em Jesus como o Cristo, o Filho de Deus, para que a vida lhes seja transmitida através de seu nome (20.31). Não a vida em algum sentido abstrato, mas a vida divina comunicada àqueles que se mostram desejosos de receber o Messias. Como a nação como um todo não estava disposta a fazê-lo (1.11; 18.35), ela foi abandonada aos seus próprios pecados. Apesar da fascinação de suas festas, do valor de sua lei e da autoconfiança de seus líderes, o judaísmo mostrava como a sua cegueira era patética. Aquele povo se recusava a reconhecer o seu Messias, privando-se de toda e qualquer reivindicação de um genuíno conhecimento do Deus que o havia enviado (capítulo 8).

O apelo do livro é principalmente dirigido à Diáspora Judaica, àqueles que por residirem fora da nação não tinham a oportunidade de um contato imediato com o Senhor Jesus. Será preciso fazê-los ver claramente a solenidade das questões envolvidas e escolher a vida no Filho e não a condenação que aguarda aqueles que o rejeitam. Um fato impressionante é que, apesar do "a quem possa interessar" do convite dos Evangelhos, o termo "gentios" não apareça sequer uma vez nesse livro – embora o termo "gregos" em 7.35 esteja, aparentemente, se referindo aos gentios, e os gregos que vieram visitar Jesus (12.20) fossem, sem dúvida, prosélitos dos gentios.

Fragmento John Rylands de João 18.31-33.
Biblioteca John Rylands

## Autoria e Data

Quem escreveu esse "Evangelho Espiritual", assim chamado por Clemente de Alexandria? A reposta tradicional é: João, filho de Zebedeu. Irineu foi o principal escritor patrístico a fazer essa afirmação, pois gozava de uma posição muito favorável por causa de seu contato com Policarpo e Potino, que estiveram associados a João na Ásia Menor durante os últimos dias de sua vida. Outras testemunhas do segundo século eram Teófilo de Antioquia, autor do Cânon Muratorium, e Clemente da Alexandria.

Esses testemunhos têm sido amplamente desafiados nos tempos modernos, em diferentes bases, como o silêncio de Inácio sobre João quando escreveu à igreja efésia no inicio do segundo século, a afirmação de que um efésio com o mesmo nome, João, o Ancião, poderia ter sido o autor, ou que registros de um imediato martírio de João eliminam a possibilidade de sua autoria. Essas objeções são facilmente respondidas.

Mais graves são as alegações de que um pescador não teria condições de exibir tal entendimento do conceito teológico como foi manifestadamente demonstrado pelo autor (cf. At 4.13). Também parece estranho que um galileu desse uma atenção tão superficial ao ministério de Jesus na Galiléia. E se o autor fosse membro do círculo apostólico, por que deixaria de registrar uma descrição da transfiguração e da agonia do Senhor Jesus no Getsêmani, das quais teria sido uma privilegiada testemunha?

Diante de tais questões, muitos concluíram que embora João tivesse fornecido a maior parte do material dos Evangelhos, outro – e provavelmente um de seus discípulos mais próximos – tenha sido o seu verdadeiro autor. Entretanto, ainda é possível sustentar a autoria de João porque nenhum argumento decisivo foi até agora apresentado, e nenhuma alternativa satisfatória tem sido oferecida. O autor estava familiarizado com Samaria (cf. 3.23; 4.5-12) e com Jerusalém antes de sua destruição em 70 d.C., conhecia seus detalhes, como foi verificado através de descobertas arqueológicas feitas no poço de Betesda (5.2) e no Tribunal (19.13). Parece que ele foi testemunha ocular de muitos acontecimentos (por exemplo, 6.10; 19.31-35), e era versado na terminologia religiosa corrente entre os judeus piedosos da Palestina, antes do ano 68 d.C., de acordo com a literatura Qumram.

Durante anos foi algo popular, de acordo F. C. Baur, da Escola de Tübingen na Alemanha, insistir que o Evangelho de João era um produto da metade do segundo século d.C. Mas o fragmento John Rylands ($P^{52}$) de um texto de seu Evangelho, encontrado no Egito na época moderna, e datado pelos paleógrafos da primeira metade do segundo século, ajudou a determinar a elaboração do quarto Evangelho como próxima ao primeiro século. O uso de João como Evangelho autorizado, juntamente com os outros três, foi atestado pelo Papiro Egerton 2, um tratado datado de antes de 150 d.C., publicado na obra *Fragments of an Unknown Gospel and Other Early Christian Papyri*, por H. I. Bell e T. C. Sheat (1935). Além disso, o quarto Evangelho parece ter sido citado pelo escritor gnóstico Valêncio, em seu Evangelho da Verdade, originalmente composto em aprox. 140 d.C. (*veja* Gnosticismo). Nas catacumbas de Roma também existem pinturas de Cristo como o Bom Pastor, e da ressurreição de Lázaro, que podem ser datadas de aprox. 150 d.C. Dessa forma, a origem do Evangelho de João pode ser datada aproximadamente da última década do primeiro século, embora alguns possam aceitar uma data anterior, tendo Éfeso como o principal local de seus escritos.

## Esboço

I. Prólogo, 1.1-18
II. O Filho de Deus Trabalhando e Testemunhado entre os Homens, 1.19–12.50
III. O Filho de Deus Ensinando sobre Si, 13.1–17.26
IV. O Filho de Deus Glorificando ao Pai em Sua Morte e Ressurreição, 18.1–20.31
V. Epílogo, 21.1-25

**Diferenças em Relação a outros Evangelhos**

Embora a natureza geral desse Evangelho seja semelhante aos Sinóticos em um amplo aspecto, ela difere deles em muitos aspectos. Cerca de nove décimos de seu material não é absolutamente encontrado nos Sinóticos, e muito maior ênfase é colocada no ministério de Jesus na Judéia do que na Galiléia. O Senhor é representado como tendo ido a Jerusalém em diversas ocasiões, especialmente para as festas do calendário judeu. Baseando nisso, será possível afirmar que o seu ministério deve ter durado cerca de três anos, enquanto os itens incluídos nos Sinóticos não devem cobrir mais do que um ano, e apenas uma Páscoa é mencionada.

Sentimos falta das parábolas tão abundantes nos ensinos de Jesus, tais como foram registradas nos Sinóticos. A matéria dos ensinos ocorre principalmente nos discursos e não está centralizada no reino de Deus, como nos outros Evangelhos, mas na pessoa de Cristo. É aqui que as expressões "Eu sou" devem ser encontradas. Com muita freqüência, são introduzidos diálogos entre Jesus e várias pessoas, como no caso de Nicodemos e da mulher samaritana. Também foi incluída uma limpeza do Templo, logo no início do Evangelho, e nada é mencionado em seu final, onde os Sinóticos a colocaram. A ressurreição de Lázaro, que não aparece nos Sinóticos, é introduzida em conexão com o agravamento da oposição ao Senhor Jesus. De forma mais aguda que nos Sinóticos, a questão de seu messianismo se torna o foco das discussões.

Na auto-revelação do Senhor Jesus, como foi aqui apresentada, a característica mais notável é a sua relação de Filho de Deus Pai. Ele está consciente de sua pré-existência (17.5) e afirma a sua igualdade com o Pai (10.30; 5.23). No entanto, ao lado dessa importante afirmação, acontece um reconhecimento muitas vezes repetido de sua subordinação e dependência do Pai: suas palavras (14.24) e suas obras (14.10) vêm do Pai. Sua glorificação não lhe foi reservada simplesmente pela ressurreição e pelo que veio a seguir (12.16; 7.39), mas inclui, na verdade, a sua morte (12.23; 13.31), pois ela é o cumprimento da vontade do Pai.

O fato de um Evangelho com esse caráter ter sido escrito no princípio da Igreja, e posteriormente aceito apesar de essa e de outras diferenças dos Sinóticos, sugere a variedade e a riqueza das tradições cristãs, como foram mencionadas por aqueles que haviam acompanhado o Salvador. É totalmente improvável que esse Evangelho tenha sido escrito para substituir os Sinóticos, pois é muito diferente deles. Embora pudesse ter sido destinado a suplementar os outros relatos, ele parece se colocar à parte, como se tivesse se originado de uma fonte que dispunha de informações independentes. *Veja* Evangelhos, Os Quatro.

***Bibliografia.*** C. K. Barrett, *The Gospel According to St. John,* Londres. SPCK, 1955. T. D. Bernard, *The Central Teaching of Jesus Christ,* Nova York. Macmillan, 1892. Raymond E. Brown, *The Gospel According to John,* Anchor Bible, 2 vols., Garden City. Doubleday, 1966, 1970. F. Lamar Cribbs, "A Reassessment of the Date of the Origin and the Destination of the Gospel of John", JBL, LXXXIX (1970), 38-55. C. H. Dodd, *The Interpretation of the Fourth Gospel,* Cambridge. Univ. Press, 1953. F. Godet, *Commentary on the Gospel of St. John,* 3 vols. 3ª ed., Edinburgh. T. & T. Clark, 1895. William Hendricksen, *The Gospel of John,* 2 vols., Grand Rapids. Baker, 1953. E C. Hoskyns, *The Fourth Gospel,* ed. rev., editado por F. N. Davey, Londres. Faber & Faber, 1940. W. F. Howard, *Christianity According to St. John,* Londres. Duckworth, 1943. Leon Morris, *The Gospel of John,* Grand Rapids. Eerdmans, 1971; *Studies in the Fourth Gospel,* Grand Rapids. Eerdmans, 1969. H. P. V. Nunn, *The Authorship of the Fourth Gospel,* Oxford. Blackwell, 1952. R. V. G. Tasker, *The Gospel According to St. John,* TNTC, Grand Rapids. Eerdmans, 1960. William Temple, *Readings in St. John's Gospel,* Londres. Macmillan, 1945. Merrill C. Tenney, *John. The Gospel of Belief,* Grand Rapids. Eerdmans, 1948. W. H. Griffith Thomas, "The Plan of the Fourth Gospel", BS, CXXV (1968), 313-323. George A. Turner e Julius R Mantey, *The Gospel According to St. John,* Grand Rapids. Eerdmans, 1964. B. F. Westcott, *The Gospel According to St. John. The Greek Text with Introduction and Notes,* Londres. John Murray, 1908.

E. F. Har.

**JOÃO MARCOS** *Veja* Marcos.

**JOÃO, O APÓSTOLO** De acordo com o testemunho do NT e da igreja primitiva, o apóstolo João foi um dos principais líderes que deram forma ao curso do cristianismo, seja pelas suas obras (o quarto Evangelho, três epístolas e o Apocalipse), como pelo seu trabalho

Túmulo tradicional de João dentro da igreja de São João em Éfeso. HFV

pastoral e missionário e a sua defesa da fé contra as ousadas investidas das falsas doutrinas dos gnósticos.

*História pessoal.* Os registros da Bíblia Sagrada fornecem consideráveis informações sobre ele, pelo menos mais do que está disponível sobre a maioria dos apóstolos. Seu pai era Zebedeu (Mc 1.2) e sua mãe era Salomé (Mc 15.40; Mt 27.56). Fazendo uma comparação com João 19.25, é provável que Salomé tenha sido irmã de Maria, a mãe de Jesus. É provável que João fosse mais novo que seu irmão Tiago, pois com exceção de algumas passagens de Lucas (Lc 8.51; 9.28; At 1.13), o seu nome vem geralmente depois do nome de Tiago. A família se dedicava à atividade da pesca, e havia servos que ajudavam ao pai e seus filhos (Mc 1.20). Uma sociedade havia sido formada com outra dupla de irmãos, Simão Pedro e André (Lc 5.10), e como os últimos viviam em Betsaida, na praia ao norte do mar da Galiléia (Jo 1.44), podemos concluir que este também era o lugar da moradia de João.

Embora o nome de João seja freqüentemente mencionado nos Evangelhos Sinóticos, especialmente em Marcos, isso não acontece com o quarto Evangelho, que pouco se refere aos filhos de Zebedeu (Jo 21.2). Entretanto, existem várias referências ao discípulo "a quem Jesus amava" (Jo 13.23; 19.26; 20.2; 21.7,20) e a "outro discípulo" (Jo 18.15), que levou Pedro ao pátio da casa do sumo sacerdote. Como o companheiro de Pedro, algum tempo depois, era o discípulo amado (Jo 20.2), e como João está intimamente associado a Pedro, tanto nos Evangelhos Sinóticos como em Atos, seria razoável supor que o discípulo amado fosse João. Essa teoria pode ser apoiada ao considerarmos que a ausência do nome de João no quarto Evangelho, em vista de sua proeminência nos Sinóticos, pode ser mais bem explicada pela suposição de ter sido ele o autor do quarto Evangelho e que por alguma razão, provavelmente por modéstia, tenha preferido manter o seu próprio nome fora dos registros (em João 21.24 o escritor do Evangelho se identifica como o discípulo amado).

É bastante provável que João fosse aquele discípulo anônimo que, em companhia de André, passou várias horas ao lado de Jesus, depois que João Batista o indicou (Jo 1.35-40). Se assim for, isso significa que ele e alguns dos outros discípulos de Jesus tinham sido seguidores de João Batista antes de transferir sua dedicação ao Nazareno. Entretanto, o apelo mais definitivo ao discipulado veio um pouco mais tarde, na Galiléia, quando João e seu irmão Tiago foram convocados a deixar as suas redes e se tornarem pescadores de homens (Mc 1.19). Ainda mais tarde, quando 12 homens foram escolhidos para ser apóstolos, João foi incluído entre eles. Ele aparece como pertencente ao círculo mais próximo formado pelos três (Pedro, Tiago e João) que estavam com Jesus quando Ele ressuscitou a filha de Jairo (Mc 5.37), na ocasião da transfiguração (Mc 9.2), e na noite da vigília no Getsêmani (Mc 14.33). Em outra ocasião, André esteve presente com os três (Mc 13.3). Junto com Pedro, João recebeu o encargo de preparar a festa da Páscoa para Jesus e os demais apóstolos (Lc 22.8).

Se a referência em João 18.15 às relações existentes entre um certo discípulo e o sumo sacerdote realmente se refere a João, então parece bastante natural que ele não seja considerado apenas um simples pescador. É bem possível que a família de João possuísse alguns recursos. Provavelmente, sua mãe era membro daquele grupo de mulheres que forneciam a Jesus os meios para a sua subsistência (Lc 8.2,3; cf. Jo 19.25). Em João 19.26,27, temos a impressão de que a família mantinha uma casa na área de Jerusalém. Jesus sabia que ao entregar a sua mãe aos cuidados de João, Ele estava assegurando o seu conforto assim como o seu alívio espiritual. Embora estas sejam apenas conjeturas, podemos concluir que talvez tenha sido durante os dias de João na Judéia, como discípulo de João Batista, que ele tenha se estabelecido em Jerusalém e também tenha feito amizade com o sumo sacerdote. Ele desejava estar o mais próximo possível do novo despertamento que estava centralizado no ministério de João Batista.

*Características.* Uma parte do caráter de João pode ser vislumbrada através do epíteto que o Senhor deu a ele e a seu irmão Tiago. Embora o nome de "filhos do trovão" não possa ser explicado através do texto, ele parece se referir à disposição ou ao zelo desses irmãos, ou a ambos. Felizmente, alguns episódios registrados podem preencher esse quadro. João, por iniciativa própria, proibiu um homem de continuar a expulsar demônios em nome de Jesus, sob a justificativa de que ele não pertencia ao seleto grupo dos discípulos do Senhor. Cristo não desejava que seus discípulos se comportassem com tamanha mesquinhez, e por esta razão não deixou de censurá-lo (Lc 9.49,50).

Em outras duas ocasiões, João se aliou ao irmão Tiago na exibição de indesejáveis traços de caráter. Usando a mãe como uma intermediária, eles solicitaram lugares exclusivos de honra ao lado de Jesus quando o seu reino de glória chegasse (Mc 10.35; Mt 20.20). Ainda não tinham aprendido a crucificar a sua egoísta ambição. Em outra ocasião, a caminho de Jerusalém, os irmãos ofereceram-se para fazer cair fogo do céu sobre uma cidade de Samaria que havia recusado hospitalidade a seu Mestre. Aparentemente não entendiam que, para aquele que os havia convocado ao seu serviço, o uso do poder miraculoso para uma vingança era uma atitude completamente estranha e inaceitável (Lc 9.51-55). Eles eram, realmente, "os filhos do trovão".

Apesar de sua fraqueza, e, talvez, até mesmo por causa dela, foi permitido a João desenvolver um íntimo relacionamento com o Senhor como o "discípulo amado", aquele que se reclinou sobre o peito do Senhor na última ceia. Ele foi o primeiro do grupo apostólico a acreditar na ressurreição, baseado naquilo que viu no túmulo vazio (Jo 20.8). Foi a sua percepção que o levou a entender o Senhor ressuscitado como o responsável pela grande coleta de peixes (Jo 21.7). Referindo-se a ele, o Senhor indicou que um futuro totalmente diferente poderia lhe aguardar, diferente daquele que estava reservado a Simão Pedro (Jo 21.22).

*Depois do Pentecostes*. As informações sobre João, relacionadas ao período posterior ao Pentecostes, estão centralizadas em sua associação com Simão Pedro. Regularmente, ele assumia um papel secundário, contentava-se em deixar a iniciativa do discurso e da ação por conta do amigo. Por causa de sua participação na cura do paralítico (At 3.1, 4,11), ele foi levado ao Sinédrio juntamente com Pedro, e é quase certo que tenha feito alguma declaração, porque a coragem de ambos impressionou o Conselho (At 4.13; cf. v. 19). Esses dois apóstolos foram encarregados pelos demais de ir a Samaria e verificar os resultados dos trabalhos que Felipe havia realizado ali (At 8.14).

Algum tempo depois, quando seu irmão Tiago foi decapitado por ordem de Herodes Agripa I, e seu amigo Pedro foi aprisionado com a perspectiva do mesmo destino, João não foi incluído na perseguição. Gradualmente, a tradição adotou a idéia de que ele sofreu o martírio, principalmente com base (pode-se supor) na profecia de Jesus (Mc 10.39); mas Lucas não tinha conhecimento disso, e assim essa tradição posterior pode ser seguramente descartada. Nossa última visão de João na área de Jerusalém é fornecida por Paulo, quando se encontrou com Tiago, irmão do Senhor, e também com Pedro e João, para discutir a natureza do evangelho e o relacionamento deles com este, como servos de Cristo (Gl 2.9). Nessa ocasião, João foi considerado como uma coluna da Igreja de Jerusalém. Pode ser que João tenha permanecido nessa cidade até os dias tumultuosos que antecederam o sítio da cidade pelos exércitos romanos, sob o comando de Tito, embora ele não tenha sido mencionado em conexão com a última visita de Paulo (At 21).

A partir do segundo século, os escritores cristãos falam sobre o trabalho de João na Ásia Menor, principalmente em Éfeso. De acordo com Apocalipse 1.9, João foi exilado na ilha de Patmos por causa de seu testemunho ao evangelho. Irineu afirma que isso aconteceu perto do final do reinado de Domiciano, que terminou em 96 d.C. (Eusébio, HE iii.18.3). O mesmo autor alega que João ainda viveu durante o reinado de Trajano, que começou no ano 98 d.C. (*Against Heresies* iii.3.4).

João pode muito bem ter supervisionado o trabalho realizado nas várias igrejas da Ásia Menor, como aquelas que foram citadas em Apocalipse 2–3. Clemente de Alexandria informa uma variedade de ministérios nessa área, mesmo depois do retorno de João da ilha de Patmos, quando já devia ter uma idade avançada, inclusive uma emocionante história de sua preocupação pastoral com um jovem que caiu em um comportamento ímpio depois de seu batismo. João se deixou capturar pelos ladrões, dos quais esse jovem era o novo chefe, aconselhou-o, orou com ele e o levou de volta ao Senhor e à Igreja (*The Rich Man's Salvation*, p. 42).

Naquela época, o gnosticismo (q.v.) estava ganhando terreno, desafiando seriamente a fé apostólica. João mostrou que era capaz não só de manifestar amor pelos seus irmãos como ainda era, de alguma forma, o filho do trovão. Irineu relata que, ao entrar em uma casa de banhos em Éfeso, ele saiu correndo dela, clamando: "Vamos sair da casa rapidamente pois ela pode cair, porque Cerinto, o inimigo da verdade, está lá dentro" (*Against Heresies* iii.3.4).

Veja a bibliografia em João, Evangelho de.

E. F. Har.

**JOAQUIM** Também chamado Jeconias (1 Cr 3.16-17; Et 2.6; Jr 24.1; 27.20; 28.4; 29.2) e Conias (Jr 22.24,28; 37.1). O texto em Mateus 1.11,12 usa a forma grega Jeconias.

Filho de Jeoaquim, Joaquim tornou-se rei de Judá em dezembro de 598 a.C. Quando tinha dezoito anos de idade (a frase "idade de oito anos" de 2 Crônicas 36.9 tem sido contestada por alguns que a consideram um erro de algum escriba), iniciou seu reinado, que durou três meses e dez dias (2 Rs 24.8). Ele subiu ao trono quando Judá estava sofrendo ataques de povos vizinhos que foram incitados por Nabucodonosor devido à precipitada busca de independência por parte de Jeoaquim (2 Rs 24.1-7).

O breve reinado de Joaquim foi uma pequena amostra do tipo de rei que ele seria, porém foi acusado de fazer o mal, como seu pai (2 Rs 24.9). Quando Nabucodonosor terminou a guerra com o Egito, ele mobilizou o seu exército para invadir Judá, e Joaquim foi forçado a capitular. Uma tábua cuneiforme na série das crônicas da corte dos reis babilônios declara a data exata em que Nabucodonosor o levou como cativo, e esta é equivalente a 16 de março de 597 a.C. Em 22 de abril ele deixou Jerusalém para dar início a seu exílio na Babilônia junto com 10.000 outros, incluindo sua mãe, os líderes e as mulheres de Judá, tais como Ezequiel, o profeta, e os tesouros reais. Restou apenas um pobre e fraco remanescente que foi deixado para trás, sem liderança ou proteção (2 Rs 24.10-16). Joaquim foi mantido cativo durante a maior parte do resto de sua vida. Pelo menos duas tábuas babilônicas datadas de 592 a.C. trazem Joaquim e seus cinco filhos entre aqueles que receberam as suas rações do rei na Babilônia (ANET, p. 308). Ele parece ter gozado uma certa liberdade dentro da cidade nesta época, mas depois foi preso, talvez durante o cerco final de Jerusalém. Depois de aprox. 36 anos, Evil-Merodaque o libertou da prisão e fez com que ele se sentasse à sua mesa (2 Rs 25.27-30). Joaquim permaneceu como uma figura da esperança nacionalista para o seu povo durante o seu longo cativeiro, uma vez que era um legítimo rei davídico, sendo até mesmo chamado de "rei de Judá". Durante o tempo em que viveu, ele manteve o espírito nacionalista de seu povo de forma muito fervorosa. Impressões em argila do selo de seu servo Eliaquim foram encontradas em Tell Beit Mirsim e Bete-Semes na Palestina (VBW, II, 297). Isto sugere que as propriedades de Joaquim não foram confiscadas durante o seu exílio, e continuaram a ser administrados em seu nome por seu principal servidor. A data de sua morte é incerta. Ele foi o último rei da linhagem de Salomão, conforme o que fôra predito por Jeremias (Jr 22.30), e a sucessão passou para a linhagem de Natã.

A. W. W.

**JOÁS, JEOÁS** Dois diferentes nomes hebraicos aparecem como Joás. O primeiro, *yo'ash*, significa "dado por Jeová" e é uma forma abreviada de Jeoás (q.v.). Pelo menos seis pessoas trazem esse nome hebraico no AT. Ele aparece como *Y'wsh* nos fragmentos de cerâmica da cidade hebraica de Laquis. O outro nome hebraico é *yo'ash*, que significa "Jeová ajudou" ou "Jeová sustenta". Um nome com a mesma ortografia também aparece nos fragmentos de cerâmica de Samaria. O nome hebraico *yo'ash* se refere aos nomes 3 e 5 abaixo; enquanto *yo'ash* se refere aos demais nomes relacionados.

1. Pai de Gideão, da tribo de Manassés (Jz 6.11). Joás deve ter sido um homem abastado e de certa posição porque Gideão comandou dez servos para destruir o altar de Baal e Asera, erguidos pelo seu pai (Jz 6.27-34).
2. Um filho de Sela, de Judá (1 Cr 4.21,22).
3. Um benjamita do clã de Bequer (1 Cr 7.8).
4. O segundo no comando daqueles que se juntaram a Davi em Ziclague (1 Cr 12.3).
5. Oficial de Davi encarregado do armazenamento de óleo de oliva (1 Cr 27.28).
6. Filho de Acabe, rei de Israel. Quando Micaías profetizou perante Josafá e Acabe, esse último ficou desgostoso e enviou o profeta para Joás, seu filho, para ser levado à prisão e receber rações limitadas a pão e água (1 Rs 22.26; 2 Cr 18.25).
7. Um filho de Acazias, rei de Judá, e sua esposa Zíbia (2 Rs 11.2; 12.1; 2 Cr 24.1); também chamado de Jeoás. Nasceu durante um período de excessivo derramamento de sangue real em Judá. Seu avô Jeorão havia mandado matar seis de seus irmãos (2 Cr 21.2-4), enquanto seus outros filhos foram mortos pelos árabes. Apenas Acazias ficou vivo, e reinou durante um ano (2 Cr 21.16ss.; 22.1ss.). Quando Acazias foi assassinado por Jeú, do Reino do Norte (2 Rs 9.27ss.), a rainha mãe, Atalia, aproveitou a oportunidade para usurpar o trono mandando matar todos os filhos de Acazias. Entretanto, o infante herdeiro Joás foi salvo por sua tia Jeoseba, esposa do sumo sacerdote Joiada. Essa criança foi escondida durante seis anos no Templo, até ser estabelecida uma boa resistência à cruel rainha. No sétimo ano (835 a.C.), Joiada organizou uma conspiração com súditos leais à família de Davi que, com bastante sucesso, proclamaram Joás como rei e condenaram Atalia à morte (2 Rs 11.1-16; 2 Cr 22.10–23.15).
Sob a liderança de Joiada, o reino de Joás foi bom e seguiu princípios de fidelidade ao Senhor. A adoração a Baal foi destruída, o Templo foi reparado e o retorno a Jeová difundido entre o povo.
Com a morte de Joiada, que era um homem de Deus, Joás mudou radicalmente. Influenciado pelos príncipes mundanos, ele se esqueceu do Senhor e se voltou à idolatria e à adoração aos aserins. Chegou a mandar apedrejar até à morte, no pátio do Templo, o seu primo Zacarias, filho de seu salvador Joiada, porque ele o havia censurado. Mas o castigo de Deus caiu sobre ele rapidamente. Os sírios, sob a liderança de Hazael, invadiram suas terras, tomaram Gate, e somente foram convencidos a não destruir Jerusalém em troca do imenso tesouro do Templo (2 Rs 12.17-18). Mais tarde, Hazael entrou em Jerusalém, massacrou os príncipes e feriu gravemente o rei Joás (2 Cr 24.23,24). Seus próprios servos conspiraram contra Joás e o assassinaram. Em um derradeiro gesto de desprezo, recusaram-se a enterrá-lo junto aos reis (2 Cr 24.23-25). Ambos os nomes, Joás e Jeoás, são usados de modo intercambiável em 2 Reis 11–12 e 2 Crônicas 23–24. Ele também é um dos três reis omitidos da genealogia real em Mateus 1.
8. Filho de Jeoacaz e pai de Jeroboão II, reis de Israel. Como terceiro rei da dinastia de Jeú, ele governou de 798 a 782 a.C. Joás subiu ao trono de Israel em uma época em que a nação estava completamente destruída. As repetidas derrotas sofridas nas mãos de Hazel e Ben-Hadade II, reis da Síria, durante os dias de Jeoacaz, fizeram com que a nação sofresse uma grande redução de suas forças (2 Rs 13.1-7). A glória de Joás foi ter, durante os seus 16 anos de reinado, capitalizado sobre a morte do poderoso Hazael (aprox. 800 a.C.); ele recuperou a posição e o poder de Israel e preparou a nação para a sua máxima prosperidade que ocorreu sob o reina-

do de Jeroboão II Embora tenha promovido a idolatria, Joás talvez pudesse ter feito coisas ainda maiores se a sua fé fosse igual à de Eliseu, que o exortou a lançar repetidas flechas ao solo como símbolo das vitórias sobre o inimigo sírio (2 Rs 13.14-25).
De certo modo a contra gosto, Joás também foi à luta contra o presunçoso e talvez ciumento rei Amazias de Judá. Joás derrotou Amazias, embora nesta batalha tenha destruído totalmente uma parte dos muros de Jerusalém e levado consigo muitos reféns e muitos tesouros (2 Rs 14.8-16; 2 Cr 25.17-24). Talvez o próprio Amazias tenha estado entre esses prisioneiros. Joás morreu de morte natural e foi sepultado em Samaria.
De acordo com um monolito escavado em 1967 em Tell al-Rimah, no Iraque, o rei assírio Adade-Nirari III (810-783 a.C.) recebeu tributos de Ia'asu (Joás), o samaritano (*Iraq*, XXX [1968], 139-153; VT, XIX [1969], 483ss.). Esse texto fornece a primeira menção conhecida de Samaria, com esse nome.

S. J. S. e P. C. J.

**JOBABE**
1. Filho de Joctã da família de Sem (Gn 10.29; 1 Cr 1.23).
2. Filho de Zerá, um dos primeiros reis de Edom (Gn 36.33,34; 1 Cr 1.44,45).
3. Rei de Madom, cidade cananéia do norte. Foi aliado de Jabim de Hazor contra Josué (Js 11.1; 12.19).
4. Filho do benjamita Saaraim com a sua esposa Hodes (1 Cr 8.8,9).
5. Outro benjamita, filho ou descendente de Elpaal (1 Cr 8.18).

**JOCDEÃO** Cidade não identificada na região montanhosa de Judá, relacionada ao lado de Maom, Carmelo e Zife em Josué 15.56.

**JOCMEÃO** Cidade em Efraim designada aos levitas coatitas (1 Cr 6.66, 68), talvez a mesma Quibzaim de Josué 21.22. Na versão KJV em inglês, em 1 Reis 4.12 esse nome está escrito como Jocneão. Essa passagem indica que Jocmeão está ao sul de Abel-Meolá, no vale do Jordão, provavelmente em Tell el-Mazar no lado sul do Uádi Far'ah, em frente a Adã (Tell ed-Damiyeh).

**JOCNEÃO** Cidade real cananita (Js 12.22) destinada aos levitas meraritas (Js 21.34). Localizada no lado oeste do ribeiro de Quisom, aos pés da cadeia de montanhas do Carmelo, na fronteira com Zebulom (Js 19.11), foi agora identificada como Tell Qeimun, 20 quilômetros a sudoeste de Nazaré e 10 quilômetros a noroeste de Megido. Esse local guarda o extremo leste da passagem mais ao norte e mais baixa através da cadeia do Carmelo, e liga a planície de Sarom ao vale de Jezreel. Jocneão é a cidade nº 113 na relação das cidades capturadas por Tutmósis III

**JOCSÃ** Um filho de Abraão e Quetura, e ancestral de Seba e das tribos de Dedã da Arábia (Gn 25.1-3; 1 Cr 1.32) A suposição de que a palavra Jocsã deva ser identificada com Joctã (Gn 10.25; 1 Cr 1.20) não tem suporte histórico ou filológico.

**JOCTÃ** Descendente de Sem, filho de Éber e irmão de Pelegue (Gn 10.25; 1 Cr 1.19). Era pai de 13 filhos ou grupos tribais semíticos que habitavam o sul da península da Arábia (Gn 10.26-30; 1 Cr 1.20-23).

**JOCTEEL**
1. Cidade não identificada na região da Sefelá, próxima a Laquis (Js 15.38).
2. Nome dado a Sela, agora Petra, depois de ser capturada do domínio dos edomitas pelo rei Amazias de Judá (2 Rs 14.7).

**JODE[1]** A décima letra do alfabeto hebraico. Esta letra consta no início de cada versículo da décima seção do poema acróstico no Salmo 119. Ela possui o valor numérico de 10. Uma vez que esta é a menor letra no manuscrito aramaico ou manuscrito quadrado do alfabeto hebraico, e é equivalente ao grego *iota*, muitos acreditam que o Senhor Jesus se referiu ao *yod* em sua declaração de que nenhum jota (gr. *iota*) ou til da lei cairia, mas que tudo seria cumprido (Mt 5.18). *Veja* Jota; Alfabeto.

**JODE[2]** Décima letra do alfabeto hebraico. *Veja* Alfabeto. Essa letra é usada na versão KJV em inglês como título da décima seção do Salmo 119, no qual cada verso começa com ela.

**JOEDE** Um benjamita que vivia em Jerusalém durante a época de Neemias (Ne 11.7).

**JOEIRAR** *Veja* Agricultura.

**JOEL** Esse nome, que significa "Jeová é Deus", era muito popular entre os hebreus.
1. Profeta que escreveu o livro de Joel (1.1; At 2.16). Não existe nenhuma referência feita a ele nos livros históricos do AT, mas seus escritos indicam que era filho de Petuel e vivia em Judá, provavelmente em Jerusalém. Sua época depende da data de seu livro (*veja* Joel, Livro de), talvez cerca de 835 a.C. Alguns o consideram como não pertencente à história e que o seu nome indica apenas o tema da profecia (2.26,27). Como isso é desnecessário e o NT faz referência a um personagem histórico, ele deve ser assim considerado.
2. Filho mais velho de Samuel (1 Sm 8.2) e pai de Hemã, o cantor (1 Cr 6.33; 15.17). Há versões que trazem o nome "Vasni" em 1 Crônicas 6.28, uma transliteração da palavra hebraica que, provavelmente, significa "e o segundo"; as versões ASV e RSV em inglês também fazem essa tradução e acrescentam a palavra "Joel" com base na revisão

de Luciano da LXX, em Siríaco, v.33 e em 1 Samuel 8.2. Ele e seu irmão mais novo, Abias, foram nomeados por Samuel para serem juízes em Berseba. A perversão de suas funções precipitou a exigência, por parte dos anciãos, de um rei para Israel.
3. Príncipe dos simeonitas que emigrou para o vale de Geder, em aprox. 715 a.C. (1 Cr 4.35).
4. Um rubenita (1 Cr 5.4,8).
5. Um chefe gadita em Basã (1 Cr 5.12).
6. Ancestral da pessoa mencionada no item 2 acima, e de Samuel, filho de Azarias e pai de Elcana (1 Cr 6.36).
7. Chefe em Issacar, filho de Izraías, na época de Davi (1 Cr 7.3).
8. Um dos poderosos de Davi (1 Cr 11.38), irmão de Natã (em 2 Sm 23.36 ele é chamado de Igal e mencionado como "filho").
9. Chefe gersonita dos levitas (filho de Ladã, 1 Cr 23.8), nomeado por Davi para ajudar no retorno da arca da casa de Obede-Edom (1 Cr 15.7,11) e guarda do tesouro do Templo (1 Cr 26.22).
10. Filho de Pedaías, e o principal chefe nomeado por Davi para governar a tribo ocidental de Manassés (1 Cr 27.20).
11. Um levita coatita que ajudou Ezequias na restauração dos serviços do Templo (2 Cr 29.12).
12. Filho de Nebo, relacionado como um daqueles que prometeram expulsar as esposas pagãs (Ed 10.43; também mencionado em 1 Esdras 9.35).
13. Um filho de Zicri, e supervisor dos benjamitas pós-exílicos em Jerusalém, em aprox. 456 a.C. (Ne 11.9).
14. Filho de Bani (chamado de Uel em Esdras 10.34, mas de Joel em 1 Esdras 9.34) na mesma relação mencionada no item 12, acima.
Às vezes, 4 e 5 são considerados como um único homem, e 9 como dois.

W. A. A.

## JOEL, LIVRO DE

### Autoria

Seu autor não pode ser identificado com nenhum dos outros personagens do AT que trazem esse nome, e nada se sabe sobre a sua pessoa além desse livro. Dessa maneira, sua identificação varia entre saber se esse nome é histórico ou simbólico (*veja* Joel). Embora seu nome ("Jeová é Deus") seja a expressão de sua mensagem, ele é geralmente aceito como histórico. Era filho de Petuel (1.1; LXX, Betuel) e Pedro fala a seu respeito como o autor desse livro (At 2.16).

### Data

Dispondo apenas de evidências internas, é muito difícil precisar a data desse livro. As sugestões variam entre os séculos X a II a.C., sendo que 830 e 400 a.C. são as mais comuns. Embora a data anterior seja mais característica dos conservadores, e a última a dos liberais, essa falta de concordância parece ser mais o resultado de uma honesta dúvida sobre as possibilidades históricas do que uma predisposição teológica. Os mesmos dados são apresentados em favor das duas datas. Será que os sacerdotes estariam de acordo (1.13ss.; 2.12-17) porque ainda não tinham caído em desgraça ou será que já desfrutavam novamente de uma posição de graça? É bastante significativo que nenhum rei seja mencionado. Isso implicaria uma regência sob Joiada, o sacerdote do início do reinado de Joás (835-796 a.C.), ou o período pós-monárquico depois do exílio. A presença de sacerdotes e anciãos como líderes poderia indicar tanto uma data anterior quanto uma data posterior. Um cenário pós-exílico para ambas poderia parecer mais correto. Qualquer menção à Assíria ou Babilônia poderia indicar uma data posterior, mas o silêncio relacionado com essas nações também pode ser admitido para a proposta de uma data anterior, antes que essas nações começassem a importunar o reino de Judá.
Povos dispersos, terras divididas (3.2ss.) e a presença de povos gregos (3.6), sem mencionar o Reino do Norte e uma suposta língua do período pós-exílico, favorecem a opinião de uma data posterior. Mas nenhuma dessas hipóteses é conclusiva, e cada uma delas levanta problemas adicionais, embora todas possam ser explicadas. A presença de fenícios, filisteus, egípcios e edomitas (3.4,19) como inimigos antigos, e Amós parecendo usar Joel (por exemplo, Joel 2.1,10; 3.16 com Amós 5.18,20; 8.8; 1.2; 9.13, respectivamente) também favorecem fortemente a opinião de uma data anterior. Ainda mais conclusiva é a sua antiga posição no cânon, que quase obriga um estudioso exigente a aceitá-la conforme seu valor de face até que evidências contrárias o obriguem a mudar de opinião. Sugerimos aqui que as evidências para uma data anterior – embora não conclusivas – são suficientes para se aceitar o antigo entendimento, e que os argumentos a favor de uma data posterior – embora substanciosos – não são suficientes para exigir uma renúncia. Além disso, a mensagem de Joel parece fazer sentido como uma afirmação anterior, que foi posteriormente desenvolvida pelos profetas posteriores (por exemplo, o conceito do dia do Senhor, cf. Sofonias; Joel 3.10, cf. Isaías 2.4; Miquéias 4.3). Portanto, a data de aproximadamente 830 a.C. parece ser a mais provável para o livro de Joel; dessa maneira ele pode ser considerado como um dos profetas mais antigos. Pode ter sido um dos profetas mencionados em 2 Crônicas 24.19 que Deus mandou para advertir Judá e Jerusalém depois do ressurgimento da idolatria que se seguiu à morte de Joiada.

### Ocasião e Propósito

Embora uma recente praga de gafanhotos e

uma seca fossem certamente incluídas como exemplos, a ocasião da mensagem profética de Joel deve ser mais propriamente considerada sob as condições espirituais daqueles dias. As pessoas tinham a necessidade de um reavivamento espiritual à luz da proximidade da vinda do dia do Senhor, da divina disposição climática do universo, e da sociedade humana. Nada existe sobre a amarga condenação pelos espalhafatosos pecados e pela grosseira corrupção encontrada em profetas posteriores, porque na época de Joel o povo de Judá havia simplesmente se afastado, e não se rebelado contra Deus. Embora continuassem a observar os mecanismos do antigo pacto, eles haviam permanecido indiferentes ao seu entendimento e descuidados na sua prática. Tinham ficado espiritualmente infecundos – assim como a terra depois do recente ataque de uma praga de gafanhotos. Essa situação não podia ser tolerada por muito tempo, e disso Joel estava convencido, porque o dia do Senhor estava chegando, quando Deus determinaria o destino final de Judá. Ele não só chamou a atenção para as presentes necessidades espirituais e a severidade do dia Senhor relacionada a elas, como também enxergou um glorioso futuro reservado àqueles que se voltassem ao Senhor. O propósito dessa profecia, portanto, era convocar Judá a voltar-se para Deus, antes da chegada do dia do Senhor, e assegurar o retorno das bênçãos e da promessa de uma futura restauração e justificação.

### Estrutura e Estilo

O texto hebraico é composto por quatro capítulos. Os dois primeiros capítulos hebraicos são considerados pertencentes principalmente ao momento presente, enquanto os dois últimos tratam apenas do futuro. No texto em inglês, a passagem em 2.28-32 corresponde ao capítulo 3 do texto hebraico, e o terceiro capítulo em inglês corresponde ao quarto capítulo do texto hebraico. Portanto, o texto em 2.28 na versão inglesa é um ponto divisório para a análise do texto, e a maioria dos estudiosos o utilizam deste modo.
Outra maneira de resumir o livro faz uma divisão maior antes de 2.18,19, onde o verbo hebraico indica um tempo passado. Porém o verbo traduzido como "farei partir", em 2.20, está em um tempo imperfeito, indicando um tempo futuro, de forma que os versículos 18 e 19 podem ser interpretados como perfeitamente proféticos e predizendo um período futuro, como nas versões KJV e NASB em inglês. Portanto, tudo que existe a partir de 2.18 até 3.21 representa o futuro na Era Messiânica.
Estudiosos mais liberais, considerando que a segunda divisão (por ser apocalíptica e não histórica) é marcadamente diferente da primeira, começaram anos atrás a sugerir que foi escrita por outro profeta bastante posterior. Mas nenhum outro fator sugere uma dupla autoria, e isso é adequadamente comprovado pelo duplo aspecto do juízo de Deus com a promessa de bênçãos futuras para aqueles que se arrependessem, depois da presente ameaça do castigo. Portanto, o valor de face da unidade do livro fica por si só comprovado.
O estilo de Joel, clássico entre os primeiros profetas escritores (cf. Amós, Oséias e Miquéias), inclui uma propositada estrutura, vívidas ilustrações e uma linguagem finamente trabalhada. A maior parte desse livro é constituída por poesia métrica com uma breve seção em prosa (3.4-8).

### Esboço

Introdução, 1.1

I. Declínio da Prosperidade de Judá, 1.2–2.11
- A. Descrição da crise atual, 1.2-20
  Reúnam-se e clamem ao Senhor, porque a praga de gafanhotos deixou a sua terra sem frutos e a sua casa sem ofertas – e o dia do Senhor está próximo.
- B. Descrição do dia do Senhor, que está próximo, 2.1-11
  O dia do Senhor está se aproximando com um terrível exército, e com uma inigualável destruição.

II. O Retorno do Senhor e de suas Bênçãos, 2.12-27
- A. As condições para o retorno, 2.12-17
  Que todo o povo se volte ao Senhor com arrependimento – talvez Ele tenha compaixão e abençoe o povo.
- B. A resposta do Senhor, 2.18-20
  Com ciúmes de sua terra e piedade para com o seu povo, Jeová prometeu abundância de alimentos e a eliminação da censura estrangeira e do inimigo do norte.
- C. O cântico de regozijo do profeta, 2.21-24
  Não temas ó terra, regozija-te e alegra-te porque o Senhor fará descer a chuva como antes.
- D. A restituição do Senhor ao seu povo, 2.25-27
  "E restituir-vos-ei os anos que foram consumidos pelo gafanhoto, e a locusta, e o pulgão, e a oruga, o meu grande exército que enviei contra vós. E comereis fartamente, e ficareis satisfeitos, e louvareis o nome do Senhor, vosso Deus, que procedeu para convosco maravilhosamente; e o meu povo não será mais envergonhado".

III. Reconstituição da Sociedade, 2.28–3.21
- A. O Espírito do Senhor e a salvação, 2.28-32
  Antes do dia do Senhor haverá uma sublevação cósmica, e acontecerá que derramarei o meu Espírito sobre toda a carne. E todo aquele que invocar o nome do Senhor será salvo.
- B. O julgamento do Senhor sobre todas

as nações, 3.1-15
Julgarei todas as nações pela sua opressão a Judá quando vierem sitiar Jerusalém.
C. A vindicação do Senhor a Judá, 3.16-21
E o Senhor bramará de Sião para expulsar as nações inimigas e guardar Judá na prosperidade.

**Os Gafanhotos**

A despeito da sua simples função como instrumento, os gafanhotos são descritos de forma tão dramática que às vezes sua importância pode parecer exagerada. As palavras *'arbeh, gazam, yeleq* e *hasil* referem-se a diferentes insetos, variedades ou estágios; mas, de qualquer modo, elas indicam o efeito cumulativo de seus ataques incessantes. *Veja* Animais: Locusta III.38. Embora as referências imediatas sejam literalmente feitas a insetos no capítulo 1, torna-se difícil ter certeza se eles ou cavalos estão sendo retratados em 2.1-11, pois a cabeça de um gafanhoto assemelha-se à cabeça de um cavalo em miniatura. A narrativa pode estar descrevendo igualmente bem, nuvens de gafanhotos fazendo aquilo para o que foram criados, ou esquadrões de cavalaria cumprindo de maneira obediente as instruções que receberam durante o seu treinamento. As características escatológicas dessa passagem que trata do dia do Senhor levaram muitos comentaristas a fazer uma ligação com os gafanhotos demoníacos de Apocalipse 9.1-11. Veja Hobart E. Freeman, *An Introduction to the Old Testament Prophets,* Chicago. Moody Press, 1968, pp. 150-154 para argumentos em favor do simbolismo apocalíptico em 2.1-11.

**O Dia do Senhor**

Esse é um evento de suma importância que foi anunciado com alarde e descrito como uma grande e tenebrosa destruição (1.15; 2.1,11), mas esse aspecto negativo fica equilibrado através do brilhante retrato da restauração (3.1,18). É a era na qual Deus deixa de limitar a plena execução de seu juízo e interfere diretamente na sociedade humana, e até no cosmos, de acordo com a análise da santidade e nos termos da execução da justiça. Embora o lado negativo seja realçado porque Judá precisava muito ser advertida, o lado positivo está presente como um encorajamento aos fiéis remanescentes, e uma maior motivação àqueles que foram advertidos. Entretanto, por mais obscuro que seja o entendimento teológico da seqüência temporal dessa profecia, sua implicação prática é bastante clara: o juízo de Deus está prestes a chegar. Existe tempo suficiente para um efetivo arrependimento, mas insuficiente para um seguro adiamento.

**O Derramamento do Espírito**

Tanto Pedro no Pentecostes (At 2.21), como Paulo aos Romanos (10.13), citam Joel 2.32. Entretanto, coube a Pedro fazer dele o máximo uso (At 2.17-21) ao citar Joel 2.28-32. Ao corrigir aqueles que pensaram que os discípulos de Jerusalém estavam embriagados por causa de sua glossolalia, (*Veja* Línguas, Dom de), Pedro disse: "Mas isto é o que foi dito pelo profeta Joel" (At 2.16). O apóstolo poderia estar fazendo uma referência específica somente àquela porção que fala do derramamento do Espírito e seu conseqüente dom de profetizar, pois os eventos do dia de Pentecostes parecem não ter cumprido a profecia como um todo. O efeito dessa referência parece mostrar que aquela situação era parte ou apenas o início daquilo que Joel tinha em mente. A partir desse dia, que representava a inauguração pública da Era Messiânica que continuará até o dia do Senhor, o prometido Espírito Santo será derramado sobre os crentes de todas as idades, raças, e de ambos os sexos (At 2.38,39). Dessa maneira, Joel foi o primeiro profeta a ligar o derramamento do Espírito com a vinda do Messias (cf. Is 11.2; 32.15; 42.1; 44.3; 59.21; 61.1-3; Ez 36.27; 39.29; Zc 12.10). Veja Freeman, *op. cit.*, pp. 154-156, para a discussão das várias opiniões sobre o cumprimento da profecia de Joel 2.28-32.

**O Apocalipse e a Restauração de Israel**

Já indicamos que os dois últimos capítulos hebraicos de Joel (que em nossa Bíblia estão contidos em 2.28–3.21) são claramente apocalípticos. A derradeira restauração de Israel na terra é óbvia, mas sua exata natureza e a ordem dos eventos são menos claros. O apocalipse de Joel é uma significativa afirmação da progressão da profecia escatológica, e não podemos formular a doutrina dos acontecimentos futuros sem a inclusão desses dados. Essa profecia oferece uma correção necessária àqueles que são ingenuamente otimistas a respeito da paz mundial por causa de suposições baseadas na promessa de que os homens irão um dia "converter suas espadas em enxadões e as suas lanças em foices" (Is 2.4; Mq 4.3). Joel convoca as nações a fazer exatamente o oposto (3.10) porque o dia do Senhor virá sobre o pecado que praticaram e a impiedade que demonstraram. Então, a promessa de Deus através de Isaías e Miquéias só será cumprida depois que a sua ameaça através de Joel tiver sido experimentada.

**Importância**

O significado e a importância contemporânea e escatológica da profecia de Joel é muito grande: primeiro, porque o povo de Judá de seus dias era muito parecido com os cristãos atuais, e, em segundo lugar, porque uma parte de sua profecia ainda não se cumpriu. Sua mensagem deve prevenir os cristãos, que estão começando a se afastar espiritualmente, de que as conseqüências já foram determinadas; e que caso se mantenham fiéis, as bênçãos de Deus podem ser revividas em sua vida e que eles podem aguardar bênçãos ainda maiores nos dias que virão.

***Bibliografia.*** J. A. Brewer, ICC. J. T. Carson, "Joel", NBC, Grand Rapids. Eerdmans, 1953. S. R. Driver, *Cambridge Bible*, 1934. A. S. Kapelrud, *Joel Studies*, Uppsala. Uppsala Univ., 1948. E. B. Pusey, *The Minor Prophets*, Vol. I, Nova York; Funk & Wagnalls, 1885. G. A. Smith, *The Expositor's Bible*, ed. rev., Nova York. Harper, 1928.

W. A. A.

**JOELA** Um dos filhos de Jeroão de Gedor que se aliou às forças de Davi em Ziclague (1 Cr 12.7).

**JOELHO** A palavra heb. como um verbo significa "ajoelhar-se" (2 Cr 6.13), bem como "abençoar" ou "pronunciar uma bênção", porque a pessoa abençoada se ajoelha. Desse modo, ela é usada como uma referência a fazer os camelos curvarem os joelhos para descansar (Gn 24.11). Ela é usada em relação aos homens bendizendo a Deus (Gn 24.48; 1 Rs 1.48); Deus abençoando aos homens (Nm 23.20), e homens abençoando outros homens (Gn 14.19; 27.4).
A palavra também significa "saudar", e está relacionada com abençoar (1 Rs 1.47; Sl 49.18; 62.4). Curvar os joelhos ou ajoelhar-se era um ato de adoração (1 Rs 8.54; 19.18; Ed 9.5). Ajoelhar-se era uma postura de oração (Dn 6.10; Lc 22.41; At 9.40; 20.36; 21.5; Ef 3.14). No entanto, Elias colocou a sua face entre os joelhos: em oração (1 Rs 18.42).
A fraqueza do corpo freqüentemente aparece primeiramente nos joelhos: "Os joelhos desfalecentes fortificaste" (Jó 4.4; cf. Is 35.3; Ez 7.17; 21.7; Hb 12.12). O bebê recém-nascido era colocado sobre os joelhos do pai (Jó 3.12, "Por que me receberam os joelhos?"), ou da esposa de direito (Gn 30.3), ou ainda de um parente adotivo (Gn 50.23; Rt 4.17) para significar a paternidade legal, visto que os joelhos estavam o mais próximo possível da fonte da vida.
*Veja* Adoração.

E. C. J.

**JOELHOS VACILANTES** A idéia expressa nestas palavras é encontrada três vezes na Bíblia Sagrada (Jó 4.4; Is 35.3; Hb 12.12). Em Jó, a palavra heb. é *kara'* e fala de dobrar os joelhos pela fraqueza. Não há indicação da causa, se por doença ou cansaço. Isaías usa o termo *kashal*, que significa vacilar em seus tornozelos, mas nenhuma causa é indicada. Na carta aos Hebreus, a palavra é *paralelumena*. Ela indica um tipo de paralisia resultante de uma interrupção da força vital. Em todos os usos, a idéia parece

Tabuleiro de jogos de Ur, aprox. 2500 a.C. BM

ser mais figurativa do que literal, sugerindo cansaço e desânimo.
*Veja* Desanimado.

**JOEZER** Um coraíta que se aliou ao exército de Davi, enquanto Davi estava exilado em Ziclague (1 Cr 12.6). Seu nome foi inscrito em um antigo selo hebraico como *Yhw'zr*.

**JOGBEÁ** Cidade fortificada de Gade (Nm 32.35). Gideão passou a leste dessa cidade quando atacou os midianitas (Jz 8.11). Ela corresponde à moderna cidade de Jubeihât, aprox. 10 quilômetros a noroeste de Amã.

**JOGLI** Pai de Buqui, um chefe danita (Nm 34.22).

**JOGOS** Parece que os hebreus não estavam interessados no atletismo como esporte. Não existem referências a quaisquer competições puramente atléticas no AT, tão abundantes na literatura greco-romana. Mesmo a referência encontrada no Salmo 19.5, "se alegra como um herói a correr o seu caminho", não está necessariamente falando de uma competição. Os povos semíticos, ao contrário, gostavam de se divertir e expressavam sua disposição através do canto e da dança (cf. Jó 21.11,12). *Veja* Dança; Música.
Sansão organizou um concurso para a solução de um enigma, para entreter os convidados em um casamento (Jz 14.12). *Veja* Enigmas. A horrível e repugnante disputa com espadas entre soldados escolhidos das tropas de Abner e Joabe não pode ser classificada como um jogo (2 Sm 2.12-17). No fim dos tempos, as ruas de Jerusalém ficarão repletas de meninos e meninas que nelas farão várias brincadeiras (Zc 8.5), como, por exemplo, cabo-de-guerra, já conhecido no Egito (ANEP #216, 217).
A luta (q.v.) era um esporte comum no antigo Oriente Próximo, como atestam figuras de barro e pinturas em sepulcros. Belíssimos tabuleiros esculpidos com motivos de jogos, alguns incrustados com marfim, conchas, ouro e vidros azuis foram encontrados em Ur, Megido, em outras cidades da Palestina e em túmulos egípcios. (ANEP #212-215; R. F.

Posições de largada para corredores dos Jogos Píticos no estádio de Delfos, Grécia

Schnell, "*Games, Old Testament*", IDB, II, 352ss.). Bonecas de barro, brinquedos, e peças de mobília conseguiram sobreviver à devastação do tempo para indicar que a vida de uma criança não era sempre totalmente monótona.

Os jogos tinham uma grande importância, mas apenas no mundo greco-romano. Os gregos tornaram-se notáveis pelos seus jogos públicos, cujos nomes ainda permanecem mesmo no contexto moderno: Olímpicos, Ístmicos, Nemeus, Píticos. Os Jogos Olímpicos representavam o principal festival nacional dos gregos, e eram celebrados em honra a Zeus, na cidade de Olímpia, a cada quatro anos, e abrangiam principalmente a ginástica, embora competições eqüestres e musicais tenham sido posteriormente acrescentadas. Os Jogos Ístmicos eram realizados em Corinto, em um bosque dedicado a Posêidon, no segundo e no quarto ano de cada Olimpíada. Os Jogos Nemeus eram realizados no vale de Nemea em honra a Zeus, no final do primeiro e do terceiro ano de uma Olimpíada, e consistiam de provas de ginástica, eqüestres e musicais, da mesma maneira que os outros. Os Jogos Píticos vinham depois das Olimpíadas em importância e eram realizados no terceiro ano de cada Olimpíada, em Delfos. O prêmio para os vencedores era apenas uma coroa de folhas como, por exemplo, de oliveira ou louro, mas grandes honras lhes eram prestadas pelos seus concidadãos.

Entre os romanos, o número de jogos foi crescendo até o final do império. Existiam sete grupos de jogos que ocupavam um total de 65 dias. Por volta da metade do século II da era cristã, um total de 135 dias do ano era dedicado a esses jogos, e no ano 354 d.C. eles ocupavam 175 dias por ano.

Os principais jogos romanos eram o Ludi Romani, o mais antigo, comemorado em honra a Júpiter; o Ludi Plebes, que incluía espetáculos teatrais; o Ludi Cerealis, em honra à deusa Ceres; o Ludi Apollinares, em honra a Apolo; o Ludi Megalenses ,em honra à Grande Mãe; e o Ludi Floralis. O Ludi Circenses e o Ludi Augustales eram celebrados durante o período do império em honra a César Augusto. Esses jogos estavam intimamente ligados ao culto religioso e eram dedicados a deuses e deusas. Estavam, freqüentemente, sob a direção de sacerdotes que faziam a supervisão dos jogos porque, em cada ocasião, serviam a um deus.

Nos jogos que o governo dedicava aos deuses, as despesas eram cobertas pelo tesouro público. Às vezes, as demandas do público eram tão extravagantes que o imperador precisava custear uma parte considerável das despesas com os jogos públicos utilizando fundos do tesouro imperial. Não somente Roma, como também outras cidades e vilas importantes como Éfeso, sofriam um considerável gasto financeiro relacionado aos jogos celebrados nessas localidades e que, de certa forma, representavam os jogos de Roma.

Além dos jogos públicos que envolviam toda a população, eram celebrados muitos jogos particulares oferecidos por indivíduos ou organizações em ocasiões de especial significado como nascimentos, casamentos e até funerais. Enquanto a admissão aos jogos públicos era sempre livre, os jogos particulares cobravam ingressos, e com freqüência eram usados por sociedades para levantar fundos. Às vezes, esses jogos particulares eram oferecidos ao público por cidadãos abastados com a expressa finalidade de ganhar a boa vontade da população. Os custos, tanto dos jogos públicos como particulares, se elevaram a proporções assustadoras na época do NT.

Os jogos de atletismo eram especialmente preferidos pelos gregos e menos pelos romanos. Os romanos preferiam aqueles combates que envolviam perigo e derramamento de sangue. Havia corridas, lutas, arremesso

O estádio em Rodes, do século II a.C., reconstruído pelos italianos antes da Segunda Guerra Mundial

de disco e dardo e, naturalmente, as lutas de boxe. Entre os romanos, as corridas de carruagem no circo eram muito mais populares que as corridas de atletismo. A grande arena de corridas em Roma, o Circus Maximus, podia provavelmente acomodar 250.000 espectadores. Durante o decorrer da disputa, a multidão quase enlouquecia e os tumultos eram freqüentes. Grandes somas de dinheiro trocavam de mãos, uma vez que o povo apostava em um ganhador. Este ganhador poderia amealhar grandes fortunas.

Entre todos os jogos, os espetáculos com gladiadores, que alcançaram grande popularidade entre os romanos, eram os que mais recebiam a objeção dos cristãos. Tais combates vieram a fazer parte de importantes ocasiões públicas. Em um dos festivais, Júlio César apresentou um combate com mais de 300 gladiadores, enquanto Trajano, cheio de júbilo por sua vitória na Dácia, apresentou um conjunto de 10.000 gladiadores. A grande maioria desses gladiadores era formada por prisioneiros de guerra ou escravos, embora ocasionalmente os criminosos também fossem condenados a lutar na arena. Na Espanha, África, Gália e no Oriente havia uma paixão semelhante à de Roma por essas lutas. Entretanto, elas nunca foram populares na Grécia, exceto em Corinto, que era uma colônia romana na época do NT.

Geralmente os jogos romanos eram realizados em um estádio ou na grande arena de um circo. Alguns tinham uma natureza temporária, outros eram permanentes; até hoje podem ser vistos nas ruínas das antigas civilizações. O anfiteatro ou arena circular era destinado aos combates de gladiadores e animais selvagens, e foi usado pela primeira vez na Itália. Por fim, toda cidade grande também tinha o seu anfiteatro. O mais famoso deles estava na própria Roma. Conhecido como Coliseu, sua construção foi iniciada por Vespasiano, consagrado por Tito (no ano 80 d.C.) e concluído por Domiciano. Tinha cerca de 50 metros de altura, e podia acomodar mais de 50.000 espectadores. Nessa arena, grandes grupos se envolviam em batalhas fictícias, lutas contra animais selvagens eram representadas e, ocasionalmente, a arena era inundada para que pequenos barcos pudessem representar batalhas navais sob os olhos da multidão.

A Antiguidade também tinha vários jogos sociais que alcançavam grande popularidade. Tanto os gregos como os romanos tinham jogos com bolas. Também existiam entre eles jogos populares de azar que empregavam dados. Havia um jogo muito semelhante ao xadrez, praticado sobre um tabuleiro dividido em espaços, e os movimentos sobre o tabuleiro eram feitos com pedras. Um jogo muito popular era chamado "Par e Ímpar" (em grego *artiasmos,* e em latim *ludere par impar*), no qual moedas, pedras ou nozes eram escondidas na mão; o adversário precisava adivinhar se o seu número era par ou ímpar.

Os líderes das primeiras igrejas cristãs condenavam as formas de entretenimento associadas à religião pagã, e que negavam a ética cristã. Nos tratados atribuídos a Cipriano foram condenados os jogos e os entretenimentos de sua época, pois se acreditava que a participação nestes envolvia a idolatria. Por causa da idolatria, falta de modéstia e crueldade dos jogos, Tatian, Tertuliano e Clemente os condenaram juntamente com as demais formas de entretenimento. Na verdade, foi a oposição por parte do cristianismo que pôs fim a estes jogos.

São muitas as referências feitas nas epístolas de Paulo comparando a vida cristã à trajetória de um atleta. Ele fala sobre a necessidade de autodisciplina e obediência às regras para aqueles que desejam ser vencedores (1 Co 9.24ss.). O apóstolo fala sobre a vida e o ministério como uma carreira que deve ser corrida (At 13.25; 20.24; Fp 3.14; 2 Tm 2.5; 4.7), e sobre correr em vão (Gl 2.2) ou correr bem (Gl 5.7). O autor de Hebreus compara até mesmo o Senhor Jesus Cristo a um corredor que já cumpriu a sua carreira antes de nós (Hb 12.1ss.). Mesmo hoje, essas referências a combates de força e perseverança nos

Um jogo talhado no piso da sinagoga de Cafarnaum

Jóias da rainha Shubad de Ur, de aprox. 2500 a.C. BM

estimulam a correr "com paciência, a carreira que nos está proposta".

**Bibliografia.** A. C. Bouquet. *Everyday Life in New Testament Times,* Nova York. Scribner's, 1953, pp. 180-190. Jerome Carcopino, *Daily Life in Ancient Rome,* New Haven. Yale Univ. Press, 1940. Henri Daniel-Rops, *Daily Life in the Time of Jesus,* Nova York. Hawthorne, 1962. E. Norman Gardiner, *Greek Athletic Sports and Festivals,* Londres. Macmillan, 1910. E. W. Heaton, *Everyday Life in Old Testament Times,* Nova York. Scribner's, 1956, pp. 75ss., 80, 91-94. Harold Mattingly, *Roman Imperial Civilization,* Nova York. Doubleday, 1959. Madeleine S e J. Lane Miller, *Encyclopedia of Bible Life,* Nova York. Harper, 1944, pp. 391ss.

H. L. D. e P. C. J.

**JÓIA DE NARIZ** Uma argola, usada normalmente pelas mulheres como enfeite no nariz, geralmente feito de ouro ou prata (Gn 24.47; Is 3.21). Tinha cerca de uma a três polegadas de diâmetro e era passada pela narina direita. *Veja* Amuleto; Jóias; Anel.

**JÓIAS** O amor aos adornos tem sido expressado através do uso de pedras preciosas e da fabricação de jóias desde o início da história. A prática de enterrar tais tesouros com os restos de seus proprietários tem sido de inestimável ajuda para os arqueólogos traçarem a história e a cultura de raças e civilizações desaparecidas.

*Termos usados nas Escrituras.* As seguintes palavras foram traduzidas como "jóia" nas Escrituras:

1. O termo hebraico *hali* significa "ornamento" e provavelmente vem do aramaico "adornar". Representa um colar ou jóia sem valor, um símbolo de graça e beleza, um ornamento (Ct 7.1; Pv 25.12).

2. O termo hebraico *helya* significa uma peça de joalheria, provavelmente um colar ou ornamento feminino (Os 2.13).

3. O termo hebraico *k*[e]*li* significa um artigo, utensílio ou vaso de qualquer tipo. Quando usado no sentido de jóia, refere-se a um artigo de prata ou de outro metal precioso (Gn 24.53; Êx 3.22; 11.2; 12.35; Nm 31.50,51; 1 Sm 6.8,15; Pv 20.15), dinheiro (Jó 28.17) ou ornamento de vestuário (Is 61.10; Ez 16.17, 39; 23.26).

4. O termo hebraico *nezem* significa um anel que é sempre de ouro quando o material é mencionado. Foi geralmente traduzido como "brinco" (Gn 35.4; Êx 32.2; Ez 16.12), mas também como um brinco de nariz (Pv 11.22; Is 3.21). Portanto, trata-se de um termo específico. Entretanto, não foi declarada a parte do corpo onde é usado. *Veja* Brinco.

5. O termo hebraico *s*[e]*gulla* refere-se a algo de valor (Ml 3.17) ou a um tesouro peculiar, uma referência utilizada no relacionamento entre Deus e o seu povo escolhido, Israel (Êx 19.5; Sl 135.4).

Conforme indicado, somente a palavra *nezem* é específica, enquanto as outras são de caráter geral. A versão KJV em inglês, por exemplo, geralmente traduz os tipos peculiares das jóias com seus próprios termos, como bracelete, colar, brinco, brinco de nariz etc. O termo "pedras preciosas" (*'eben y*[e] *qara*) ocorre 13 vezes no AT, assim como outras expres-

Colares da rainha Hatshepsut do Egito, de aprox. 1500 a.C., como retratados na parede do templo de Karnak, Luxor, Egito. HFV

sões como "pedras aprazíveis" (Is 54.12) e "pedras de uma coroa" (Zc 9.16).

*Materiais.* As jóias e outros materiais usados em sua fabricação eram feitos com as pedras preciosas e os metais disponíveis. Muitos dos termos hebraicos e gregos são difíceis de identificar porque alguns representam palavras estrangeiras emprestadas, e também porque os antigos descreviam suas pedras de acordo com a sua cor e dureza, e não de acordo com a sua estrutura química. A obra de Plínio, *Natural History* (de 77 d.C.), que descreve várias pedras de acordo com seu nome grego e está próxima da época em que João escreveu o livro do Apocalipse, é uma ajuda de valor inestimável neste assunto.

**Ágata** *(shebo,* Êx 28.19; 39.12; *kadkod,* Is 54.12; Ez 27.16 ("jaspe vermelho" na versão NEB em inglês). Dentre as muitas variedades de quartzo, a ágata se distingue pela sua forma criptocristalina translúcida com certas características distintas, geralmente sob a forma de camadas de cores variadas. O termo ágata é usado de maneira intercambiável com a calcedônia. Esse material foi amplamente usado desde a época do sumérios como jóia e como talismã por causa de seu suposto poder mágico. Peças de ágata puderam ser reunidas em certas áreas desérticas do Egito. O *kadkod,* cognato do árabe *kadkadatu,* isto é "vermelho reluzente", deve ser usado nos muros da futura Sião. Isso sugere que o jaspe vermelho era usado pelos assírios em suas construções.

**Ametista** (*'ahlama,* Êx 28.19; 39.12; *amethystos,* Ap 21.20). Uma variedade de cristal de quartzo de cor roxa clara, que varia de um tom quase imperceptível até o roxo intenso. Plínio observou sua ocorrência no Egito, mas as melhores ametistas vinham da Índia e do Ceilão.

**Berilo ou Turquesa** (*tarshish,* Êx 28.20; Ct 5.14; Ez 1.16; 28.13; Dn 10.6; *beryllos,* Ap 21.20). O berilo silicato de alumínio, um mineral, corresponde a um cristal de estrutura hexagonal, com dureza igual a 8. A cor serve para distinguir as variedades dessa pedra: esmeralda – verde; água marinha – azul claro; berilo dourado – amarelo. Somente o berilo verde era usado no Egito na época de Moisés, sendo que a água marinha e os berilos amarelos e brancos não eram conhecidos.

O *tarshish* pode ter sido outra pedra, entretanto o nome hebraico é o mesmo utilizado para a terra da Espanha; portanto, ele pode ter significado a "pedra da Espanha". Dentre as várias sugestões para a *tarshish,* vemos que a Espanha produz somente a "crisólita", de acordo com Plínio (*Natural History,* xxxvii, 43), um cristal de rocha amarelo ou quartzo na forma citrina.

**Carbúnculo** (*bareqet,* Êxodo 28.13,17, *'eben 'eqdah,* Isaías 54.12). De forma geral, qualquer uma das várias pedras vermelhas preciosas e semipreciosas, como por exemplo a granada vermelha. É necessário estar atento para não confundir o *bareqet* com as *nophek* na relação das pedras do peitoral dos sumo sacerdotes para não inverter o seu significado. Portanto, o termo *bareqet* deve ser traduzido como "esmeralda", ou mais corretamente como "berilo verde", porque a verdadeira esmeralda nunca foi encontrada entre as muitas pedras preciosas do Egito antigo.

**Cornalina** Variedade translúcida da calcedônia sem a forma de cristal, geralmente de cor vermelha, embora às vezes possa ser de cor vermelho-laranja ou vermelho-marrom. Uma das pedras encontradas com maior freqüência nas escavações da Palestina. Eram amplamente usadas para selos, colares e escaravelhos. Um túmulo ricamente decorado dos séculos XIII e XII a.C., descoberto em 1964 em Tell es-Sa'idiyeh, nas proximidades de Sucote, no vale de Jordão, continha o esqueleto de uma mulher usando um colar com 670 pedras de cornalina cor de laranja e 72 de ouro. O colar dourado da Rainha Shubad de Ur (aprox. 2500 a.C.) era formado por triângulos alternados de cornalina e lápis-lazuli. A versão NJPS em inglês identifica esse colar com o termo hebraico *'odem,* o sárdio mencionado em outras versões (Êx 28.17; 39.10; Ez 28.13). Os desertos da Arábia e do Egito eram fontes de excelentes cornalinas.

**Calcedônia** (gr. *chalkedon,* Ap 21.19). Variedade criptocristalina translúcida de quartzo. No uso comum, a calcedônia é de cor branco-leitosa, cinza claro ou azul claro. Os espécimes com características especiais são geralmente conhecidos como ágata, enquanto as variedades avermelhadas são chamadas de cornalina, sárdio ou sardo. Era muito usada nos trabalhos em que havia pedras incrustadas, especialmente pelos gregos nos séculos V e IV a.C., e é uma das pedras usadas como alicerce nos muros da Nova Jerusalém. Outra interpretação da palavra grega é que a pedra se referia ao diopsídio verde (silicato de cobre) das minas de cobre da Calcedônia, na Ásia Menor.

**Crisólito**. (gr. *chrysolithos,* Ap 21.20). O significado moderno desse termo corresponde à variedade de pedra do mineral chamado olivina, um peridoto. Sua composição química é silicato de magnésio ferroso, com índice de dureza igual a 7. O peridoto é muito valioso por causa de sua dureza, transparência e cor verde a amarelada. De acordo com o seu nome grego, essa antiga pedra era uma "pedra de ouro", provavelmente o nosso topázio ou alguma outra pedra de cor amarela, como o berilo ou o zircônio. Há versões (por exemplo, as inglesas NEB e NJPS) que traduzem o termo hebraico *piteda,* a segunda pedra do peitoral dos sacerdotes (Êx 28.17, "topázio"), como crisólito. O nome hebraico parece ser uma palavra emprestada do indiano por causa de seu cognato sânscrito *pita*, "amarelo". A versão RSV em inglês traduz o termo hebraico *tarshish* como crisólito em Ezequiel 1.16; 10.9; 28.13.

**Crisópraso** (gr. *chrysoprasos*, Ap 21.20). A moderna crisoprase é uma variedade cor verde-maçã da calcedônia colorida pelo óxido de níquel. Seu nome grego sugere uma pedra de cor de ouro ou verde. Pode ser esculpida como delicados camafeus e existe na forma de placas suficientemente grandes para a confecção do tampo de pequenas mesas. Ela é a 10ª pedra dos fundamentos dos muros da Nova Jerusalém.

**Coral** (heb. *ra'mot*, Jó 28.18; Ez 27.16). Esse sólido esqueleto calcário é secretado por uma classe de minúsculos animais marinhos celenterados. Sua cor varia entre o branco e o vermelho e vai até o raro coral de cor preta que vem do Oceano Índico. Foi recentemente encontrado no golfo de Ácaba. A palavra coral negro aparece na versão NEB em inglês como a tradução da palavra *ra'mot*. O coral de cor rosa escuro ou vermelha era tão apreciado no antigo Oriente Próximo que era considerado uma pedra preciosa. A tradução da versão NEB em inglês para a palavra hebraica *p^eninin* (na versão KJVem inglês, "rubis") é "coral" ou "coral vermelho" (por exemplo, Jó 28.18; Pv 3.15). O cognato árabe *fananu*, "ramo(s)", sugere que a palavra hebraica significa algo que possui ramos, como o organismo do coral (Lm 4.7). A superstição dizia que o coral, quando usado como amuleto, conferia benefícios mágicos ao seu portador. *Veja* Animais.

**Cristal** (heb. *z^ekokit*, Jó 28.17; *qerah*, Ez 1.22; em grego, *krystallos*, Ap 4.6; 22.1). Esse quartzo, transparente e incolor (dióxido de sílica), com dureza igual a 7 e resistente aos ácidos, não se quebra ao sofrer um impacto. O cristal era preparado para muitos usos diferentes, como jóias de adorno, esferas para serem admiradas e outras finalidades mágicas, e também como preciosos utensílios para o serviço de mesa. Os romanos esculpiam blocos de cristal na forma de grandes bacias ou vasos, assim como de pequenos cálices e taças para beber. A palavra hebraica *zekokit* pode não significar cristal, e sim vidro. Por volta de 2000 a.C. os egípcios estavam fazendo vasos de vidro opaco colorido e, antes ainda, já faziam colares de cristal. A palavra *qerah* deve ser traduzida como "gelo", como em Jó 6.16; 37.10; 38.29 e Salmos 147.17. Entretanto, a sexta pedra do peitoral (em hebraico *yaha-lom*, "diamante" na KJV) é provavelmente um cristal de rocha, porque a palavra hebraica significa uma pedra suficientemente dura para suportar o golpe de um pesado machado. Porém, o verdadeiro diamante era desconhecido no antigo Oriente Próximo.

**Diamante** (heb. *yahalom*, Êx 28.18; Ez 28.13; *shamir*, Jr 17.1). Esse mineral composto por carbono puro é a substância natural mais dura que se conhece e recebe o grau 10 na escala da dureza. Antes dos tempos modernos, as únicas fontes de diamante estavam na Índia e Bornéo. Seu conhecimento na Índia antecede a história escrita. O famoso diamante Kohinoor tem a reputação de ter pertencido a um rei da Índia, cerca de 5.000 anos atrás. A palavra hebraica traduzida como "diamante" significa "duro" e pode se referir a outras pedras de igual dureza (*veja* Jóias: Cristal; Minerais: Diamante). A ponta de diamante da ferramenta de esculpir de Jeremias era quase certamente o coríndon (Jr 17.1). No mundo mediterrâneo as descrições detalhadas para identificar positivamente os diamantes datam do século I d.C.

**Esmeralda** (heb. *nophek*, Êx 28.18; Ez 27.16; 28.13; gr. *smaragdos*, Ap 4.3; 21.19). Variedade de berilo verde brilhante e transparente, colorida por minúsculas quantidades de óxido de cromo. São extremamente raros os espécimes perfeitos e de boa cor, o que contribui para estabelecer a esmeralda como a mais preciosa de todas as pedras. As mais famosas vêm da Colômbia, onde eram extraídas pelos incas. É provável que a verdadeira esmeralda não fosse conhecida na época do AT, pois nenhuma foi encontrada em antigos túmulos ou ruínas. A palavra hebraica *nophek*, pode ser comparada à palavra egípcia *mfk33t*, que provavelmente significa turquesa, a pedra semi preciosa de cor azul esverdeada extraída na península do Sinai na época do AT; portanto, a versão NJPS traduz *nophek*. Alguns estudiosos acreditam que *bareqet*, a terceira pedra do peitoral (Êx 28.17), deveria ser traduzida como "esmeralda" (versão NJPS) ou "feldspato verde" (versão NEB). Muitas das pedras chamadas de "esmeralda" na joalheria egípcia são, na verdade, feldspato verde, embora os colares e os escaravelhos fossem esculpidos a partir de uma matriz de esmeralda. Cleópatra usou esmeraldas das minas do Egito Superior, portanto a palavra grega *smaragdos* pode significar uma esmeralda verdadeira. Por outro lado, a palavra grega provavelmente incluía todas as pedras de cor verde, desde a esmeralda até o jaspe verde e o crisópraso.

**Granada**. O grupo de minerais de nome granada contém várias espécies com dureza em torno de 7. A melhor pedra desse grupo é o piropo, um silicato de alumínio e magnésio, notável por sua profunda cor de vinho tinto. Ela pode ser a granada oriental relacionada nas Escrituras. Os colares da granada, descobertos pelos arqueólogos no Egito, eram fabricados com pedras nativas e translúcidas da cor vermelho escura ou vermelho-marrom. A versão NEB em inglês traduz a palavra hebraica *nophek*, a quarta pedra do peitoral, como "granada roxa".

**Jacinto** (gr. *hyakinthos*, Ap 9.17; 21.20). O

jacinto moderno é um zircônio colorido e transparente, geralmente de cor vermelha ou vermelho-marrom. A pedra mencionada no livro de Apocalipse era, certamente, uma pedra azul, possivelmente a água marinha, turquesa (versões NEB e TEV em inglês) ou ametista (Plínio, *Natural History*, xxxvii, 41).

**Jaspe** (heb. *yash$^e$peh*, Êx 28.20; Ez 28.13; gr. *iaspis*, Ap 4.3; 21.11,18,19). É a calcedônia tornada opaca pela inclusão de óxidos de ferro coloridos e brilhantes, com sombras de marrom, amarelo, vermelho ou verde. A última da relação de pedras do peitoral é, quase certamente, um jaspe. Foi a primeira pedra dura esculpida pelos babilônios; ela era geralmente verde e, às vezes, até transparente. O jaspe do NT era "claro como cristal" (Ap 21.11), isto é, ao menos translúcido. Portanto, o jade que havia sido sugerido (nefrita ou jadeita) foi uma possibilidade excluída.

**Liguro** (heb. *leshem*, Êx 28.19; 39.12). A identidade dessa pedra do peitoral de Arão é problemática. O âmbar e o jacinto podem ser duas fortes possibilidades. A safira dourada, o zircônio laranja, a turquesa, a ágata e a opala também foram sugeridos. O jacinto amarelo ou o zircônio laranja são as duas possibilidades mais prováveis.

**Ônix ou Sardônica** (heb. *shoham*, Gn 2.12; Êx 28.9,20; 1 Cr 29.2; Jó 28.16; Ez 28.13). Variedade não transparente de ágata, estruturada com camadas paralelas de cores alternadas, como vermelho e branco, marrom e branco ou preto e branco. O ônix tem sido usado há muito tempo para esculpir "olhos" de ágata, formas redondas que têm um olho em um lado ou em lados opostos. Os camafeus são esculpidos sob uma forma que lhes dá o desenho de uma cor sobre um fundo de outra cor. Como a Vulgata traduz, a décima primeira pedra do peitoral era provavelmente uma sardônica, uma variedade vermelha e branca. A versão NEB em inglês traduz *shoham* como "cornalina" (vermelha), uma pedra favorita do mundo antigo que podia ser recolhida no deserto, como sugere a sua presença na "terra de Havilá" (provavelmente o norte da Arábia, Gn 2.12). Tanto o ônix como a cornalina eram muito usados para fazer selos, onde as pedras eram lavradas com uma inscrição (escultura entalhada, o oposto de camafeu). As duas pedras do ombro do éfode do sumo sacerdote eram feitas desse material, com a inscrição dos nomes de seis das tribos em cada uma delas (Êx 28.9-12).

**Pérola** (heb. *gabish*, Jó 28.18; gr. *margarites*, Mt 7.6; 13.45 etc.). Densa e lustrosa massa esférica iridescente de carbonato de cálcio, formada no envoltório de muitas espécies de moluscos. As melhores pérolas sempre vieram de algumas espécies de ostra. Sempre foram muito apreciadas, ao longo de todo o registro da história. Por sua beleza, raridade, simetria de cor e calor e, por uma variedade de razões supersticiosas. Embora seja mais provável que *gabish* seja alabastro (conforme, por exemplo, a tradução da versão NEB em inglês em Jó 28.18, *p$^e$ninin* ("rubis" na versão KJV em inglês) eram pérolas do mar Vermelho, onde uma encantadora pérola rosa é às vezes encontrada. *Veja* Pérolas.

**Rubi** Essa pedra preciosa transparente, de cor vermelho escuro e extremamente dura, é uma variedade de óxido de alumínio (coríndon) colorido por traços de cromo. Um rubi realmente precioso é tão raro que vale mais que um diamante com o mesmo peso. Nesse sentido, o rubi não era conhecido no mundo bíblico até o século III a.C. Portanto, os rubis do AT (em hebraico *p$^e$ninin*) eram provavelmente pérolas de cor rosa do mar Vermelho ou corais vermelhos do mesmo mar (Jó 28.18; Pv 3.15; 8.11; 20.15; 31.10; Lm 4.7).

**Safira** (heb. *sappir*, Êx 24.10; 28.18; Jó 28.16; Ez 28.13; em grego *sappheiros*, Ap 21.19). Conhecida nos tempos modernos como uma pedra transparente de uma variedade de coríndon de qualquer cor. A aplicação mais comum desse nome descreve a safira como uma pedra de cor azul escuro e confere outros nomes para outras cores. O óxido de alumínio, normalmente incolor, torna-se colorido devido a traços de ferro ou titânio. O AT faz referências a esse nome como sendo o de uma pedra opaca salpicada de azul escuro, chamada de lápis-lazúli. Em Jó 28.6, encontramos uma indicação para a identidade desse mineral que era extraído das montanhas: "As suas pedras são o lugar da safira e têm pós de ouro". Essa pedra azul contém pigmentos dourados que são piritas de ferro. É um silicato de cálcio, alumínio e sódio.

Objetos feitos com lápis-lazúli têm datas anteriores a 3500 a.C., no antigo Oriente Médio. Molduras de madeira para harpas, incrustadas com lápis-lazúli, foram encontradas entre os preciosos tesouros recuperados por Leonard Woolley em um cemitério real em Ur, e datam de 2500 a.C. Um carneiro dourado, de pé junto a uma árvore, tinha sua crina, barba e o cilindro do selo da rainha feitos do mesmo material. Essa pedra relativamente macia (dureza igual a 5,5) podia ser facilmente esculpida e, portanto, era muito procurada para incrustações, móveis e esquifes. A máscara de ouro de Tutancamom, assim como o interior do sarcófago de sua múmia, estavam decorados com lápis-lazúli, cornalina e turquesa, e cada barba postiça era feita de sólido lápis-lazúli. Outros faraós do Egito também empregavam, em uma grande escala, essa pedra preciosa. Seu uso em uma estatuária intensamente decorada foi sugerido em Cantares 5.14: "As suas mãos são como anéis de ouro que têm engastadas as turquesas; o seu ventre, como alvo marfim, coberto de safiras".

O fato admirável a respeito dessa pedra, é que seu único depósito conhecido, do qual era extraída no antigo Oriente, fica em Badakshan no norte do Afeganistão. A descoberta de objetos feitos com lápis lazuli, em locais do Oriente Médio e nas lousas sumerianas, aponta para essa fonte e também testemunha seu intenso comércio no mundo antigo (V. I Sarianidi, "The Lapis Lazúli Route in the Ancient East", *Archaeology*, XXIV [1971], 12-15; G. Hermann, "Lapis Lazuli. The Early Phases of its Trade", *Iraq*, XXX [1968], 21-57; Joan C. Payne, "Lapis Lazuli in Early Egypt", *Iraq*, XXX [1968], 58-61).

**Sárdio, Sardônia** (em hebraico, *'odem,* Êx 28.17; Ez 28.13; em grego, *sardion,* Ap 4.3; 21.20). Atualmente, essa pedra, chamada sárdio ou sardônica, é uma variedade clara ou translúcida do quartzo da calcedônia, cuja cor varia de um vermelho-alaranjado escuro até um vermelho com uma tonalidade que tende ao marrom. É provável que o sardo da Bíblia incluísse o jaspe vermelho-sangue, o sárdio e a cornalina (*Veja* Jóias: Cornalina). O nome hebraico *'odem* representa uma pedra avermelhada ou vermelho-rubro que podia variar de um profundo marrom castanho a um vermelho sangue. Junto com a cornalina, o sárdio tem sido freqüentemente encontrado em túmulos escavados e em cidades do Egito, da Palestina e da Babilônia. É provável que essas pedras fossem extraídas de pedaços de calcedônia existentes na superfície dos desertos vizinhos. Acredita-se que os raios ultravioletas do sol produzem uma cor mais profunda porque afetam os sais de ferro incluídos como impurezas nesse mineral.

**Sardônica** (em grego, *sardonyx,* Apocalipse 21.20). É formada por camadas paralelas de calcedônia vermelha e branca. A décima primeira pedra do peitoral (Êx 28.20, em hebraico *shoham*) era, provavelmente, uma sardônica (*Veja* Jóias: Ônix).

**Topázio** (heb. *pit^eda,* Êx 28.17; Jó 28.19; Ez 28.13; gr. *topazion,* Ap 21.20). Esse mineral atualmente conhecido como topázio é um fluorosilicato de alumínio que tem formas de cor amarelo-marrom com cristais translúcidos de dureza igual a 8. O topázio do século I d.C., e de uma época anterior, era um material um pouco mais macio que "cedia ao fio" (Plínio) possivelmente um crisólito amarelo (*Veja* Jóias; Crisólito) Plínio dizia que o topázio vinha das ilhas do mar Vermelho.

**Turquesa** É um mineral formado pelo fosfato de alumínio de cobre de cor verde e azul, encontrado na água, de dureza igual a 6. Tem sido, de longa data, muito valorizado por sua beleza e por supostos benefícios mágicos que concede ao seu portador. Como a turquesa era uma das pedras favoritas entre os egípcios, e por ser facilmente obtida das minas do Sinai naqueles dias, parece provável que uma das pedras do peitoral de Arão fosse uma turquesa. A quarta pedra pode ser, provavelmente, mais facilmente identificada com uma turquesa, em hebraico *nophek* (traduzida como "esmeralda" na versão KJV em inglês). As esmeraldas eram desconhecidas na época de Moisés. A versão NEB em inglês traduz o jacinto azul de Apocalipse 21.20 como "turquesa". As famosas minas de turquesa no Uádi Maghara e em Serabit el-Khadem foram exploradas pelos egípcios desde as épocas anteriores às dinastias até a vigésima dinastia. Nesse último local havia um Templo da deusa Hator com muitas inscrições. Estas incrições também foram encontradas nas entradas das minas (ANET, pp. 229ss.). Algumas delas são as chamadas letras do alfabeto Proto-Sinaítico escritas e datadas do século XV a.C.

*Manufatura.* O método de fabricar jóias dependia da localização geográfica e da civilização. No Egito, a perfeição nessa arte foi alcançada muito cedo. A elegância do tesouro em jóias da 12ª dinastia ultrapassa os melhores trabalhos em pedras da Antiguidade. As jóias encontradas no túmulo de Tutancamom, da 18ª dinastia, eram magníficas. Embora a maioria dos túmulos tivesse sofrido a ação dos ladrões da antiguidade, grandes quantidades de jóias foram encontradas nesse local, depois que foi aberto em 25 de novembro de 1922. Entre os tesouros, havia três sarcófagos com múmias usando máscaras mortuárias, jarros de alabastro preciosamente esculpidos, arcas trabalhadas contendo vestuários, jóias ou cosméticos. A cadeira do trono, ornamentada, com seu encosto cheio de jóias, retratando o rei e a rainha. E muitos anéis de ouro, colares e braceletes cravejados de turquesa, pérolas, cornalina, feldspato verde, ametista, lápis lazuli, vidro e pasta de vidro colorido. A forma da joalheria egípcia que mais conhecemos é o selo em forma de escaravelho feito com pedra esculpida ou os artigos de vidro. Embora fossem úteis como selos, eles tinham propósitos religiosos e também significavam a crença na existência eterna.

Os artesãos fenícios e cananeus da Palestina eram provavelmente itinerantes, mas tinham lojas nas principais cidades (1 Rs 20.34), além de venderem seus artigos nos diversos povoados e cidades. Mesmo atualmente, esse costume pode ser observado no Oriente, onde os artífices fazem suas jóias a partir de moedas entesouradas pelo povo em suas fornalhas e cadinhos portáteis. Jóias de pessoas abastadas foram encontradas em Ugarite e nos túmulos reais de Biblos. Outras jóias exibidas no Museu Nacional do Líbano são evidências da habilidade dos fenícios. Uma grande quantidade de ouro e jóias feitas a partir de um composto de ouro e prata, e pertencentes aos séculos XIV e XIII a.C., foi encontrada por Petrie nos túmulos de Tell el-'Ajjul, nas proximidades de Gaza (ANEP, #74-75).

As jóias dos assírios e babilônios geralmente não eram tão graciosas ou delicadas como as do Egito; ao contrário, eram grandes, pesadas e pomposas. Entretanto, os suntuosos instrumentos musicais e as coroas ou grinaldas do túmulo da rainha Shubad em Ur (aprox. 2500 a.C.) representam uma exceção. Muitos dos vasos de ouro são verdadeiras obras-primas de desenho e harmonia. Colares de cornalina e contas de lápis-lazúli descobertos em Mari são exemplos do tipo de jóias, usadas por Sara e Rebeca. Os "cilindros caldeus", ou selos rolantes, eram populares em todo o Oriente Próximo e foram encontrados nas escavações feitas na Palestina. Eles eram principalmente usados para fins ornamentais. Heródoto menciona que eles faziam parte do guarda roupa dos homens da Babilônia (cf. Gn 38.18).

É provável que os israelitas tenham aprendido a fazer jóias com aqueles que exerceram sobre eles o domínio e a influência, sendo que, os primeiros, foram os egípcios. O artesanato associado ao Tabernáculo, especialmente com o peitoral do sumo sacerdote, tinha provavelmente um estilo e caráter egípcio. Em um período posterior, os israelitas ficaram sob o domínio dos fenícios e, finalmente, sofreram a influência dos caldeus.

Na Antiguidade, as pedras não eram lapidadas em facetas, mas na forma de *cabochão*, isto é, em formas arredondadas com superfícies convexas lisas ou polidas, não facetadas. Dessa forma, não havia, como hoje, a demanda por pedras transparentes capazes de emitir um clarão brilhante produzido pela reflexão ou refração da luz sobre as numerosas faces.

*Usos*. As Escrituras mencionam várias maneiras diferentes pelas quais as jóias eram usadas. Elas incluem: (1) adorno pessoal e ornamentação (Êx 11.2; Is 3.19,20); (2) presentes ou símbolos de amizade (Gn 24.21,53; Ez 16.11); (3) adorno de ídolos (Jr 10.4); (4) cerimônias políticas e religiosas de terras estrangeiras (Gn 41.42; Dn 5.7,16,29); e (5) como símbolo daqueles que são preciosos aos olhos do Senhor – as jóias sacerdotais (Êx 28 e 39).

*O peitoral de Arão*. O "peitoral do juízo" (Êx 28.15,30) era uma bolsa extremamente ornamentada para guardar as pedras sagradas, como o Urim e Tumim (q.v.), com as quais era feito o julgamento em certos casos. O "peitoral" era feito com uma peça retangular de linho ricamente tecido. Quando dobrado em dois, ele formava um quadrado de um palmo (aprox. 23 centímetros) de cada lado. Era preso por cordões de ouro às duas peças do ombro do manto do sumo sacerdote e, pela base inferior, era preso por um cordão azul às campainhas do próprio manto. Na frente do peitoral foram montadas quatro fileiras de pedras preciosas em engastes de ouro, e cada uma dessas fileiras tinha três pedras. As pedras eram lapidadas em forma de *cabochão* e cada uma delas tinha gravado, como se fosse um selo, o nome de cada uma das 12 tribos de Israel. Descrevemos abaixo a tradução da versão KJV em inglês para o nome hebraico dessas pedras e, provavelmente, seu verdadeiro significado e cor aproximada:

Fileira 1: Sárdio – *'odem*, cornalina ou sardo; vermelho alaranjado.
Topázio – *pit^e^da*, crisólito; amarelo.
Carbúnculo – *bareqet*, berilo ou feldspato; verde.

Fileira 2: Esmeralda – *nophek*, turqueza; azul esverdeado
Safira – *sappir*, lápis-lazúli; azul celeste.
Diamante – *yahalom*, cristal de rocha; transparente, incolor.

Fileira 3: Liguro – *leshem*, jacinto ou zircônio; âmbar amarelo ou cor de laranja.
Ágata – *sh^e^bo*, ágata; de cores variadas, preta e branca.
Ametista – *'ahlama*, ametista; roxo.

Fileira 4: Berilo – *tarshish*, quartzo de citrina; amarelo.
Ônix – *soham*, sardônica; cores variadas de vermelho e branco.
Jaspe – *yash^e^peh*, jaspe; verde.

*Ornamentos*. Além das jóias empregadas nas cerimônias de adoração, os israelitas usavam uma variedade de outros tipos de jóias na vida cotidiana. Muitos homens de negócio usavam um anel ou sinete que servia como a sua assinatura pessoal (Gn 38.18; Ct 8.6; Lc 15.22). Geralmente eles eram usados na mão direita ou pendurados no pescoço com um cordão. *Veja* Selo, Sinete. Entretanto, a posição do homem (príncipe etc.) exigia às vezes alguma coisa além da simples exibição de jóias (2 Sm 12.30).

As mulheres se enfeitavam de forma mais elaborada e usavam vários tipos de ornamentos (Ez 16.10-13). Os brincos faziam parte destes e eram universalmente usados pelas mulheres (Êx 32.2; Ez 16.12). Eram feitos de ossos, chifres ou metais e alguns entre os que foram encontrados são bastante grandes (com diâmetro de cerca de quatro dedos). Algumas mulheres furavam o lóbulo da orelha com o maior número possível de orifícios e, em cada um deles, colocavam um brinco. *Veja* Brinco. Os brincos nasais também eram apreciados e usados desde o início da Antiguidade (Gn 24.21,47). Eram feitos de marfim ou metal e, muitas vezes, decorados com jóias preciosas. Os homens, às vezes, também usavam brincos na orelha ou no nariz (Jz 8.24).

O colar era um ornamento favorito entre as mulheres e também era usado por homens de alta posição e governantes de países estrangeiros (Gn 41.42; Pv 1.9; Dn 5.29). Os colares eram feitos com metais preciosos, muitas vezes encravados com pedras preciosas ou pérolas ou contas penduradas em um cordão. Outros artigos de luxo eram, às vezes, entremeados nos colares como meias-luas ou crescentes (Is 3.18), caixas de perfu-

me (Is 3.20) e pregos de prata (Ct 1.11). Outro artigo favorito entre as mulheres da Antiguidade eram os braceletes ou pulseiras (Gn 24.22,30,47). Também eram usados por príncipes e nobres de alta posição (2 Sm 1.10). Eram feitos de marfim, metais preciosos, chifres, cordas ou correntes. Podiam ser usados nos dois braços e alguns cobriam desde o pulso até o cotovelo.
Uma argola era usada em volta do tornozelo (Is 3.18) e arranjada de maneira a emitir um som de campainha ou sino ao caminhar para chamar a atenção para a sua portadora, e torná-la orgulhosa (Is 3.16). Às vezes, pequenas correntes eram amarradas de um tornozelo ao outro a fim de assegurar um passo mais elegante (Is 3.20). Isaías relaciona esses ornamentos, assim como outros artigos de enfeite ao censurar as mulheres de Jerusalém (Is 3.18-26). Os nobres egípcios, assim como o povo em geral, tinham uma profusão desses ornamentos, que foram exigidos pelos escravos israelitas quando partiram no Êxodo (Êx 11.2; 12.35,36). Esses artigos de ouro e prata forneceram material suficiente para fabricar os utensílios sagrados para o Tabernáculo (Êx 35.4-29). *Veja* Minerais e Metais.

***Bibliografia.*** Howard Carter, *The Tomb of Tut-ank-Amen,* 3 vols, Londres. Cassell, 1923-1933. A. Paul Davis, *Aaron's Breastplate,* St. Louis. A. P. Davis, 1960. G. R. Driver, "Jewels and Precious Stones", HDB rev., pp. 496-500. Paul L. Garber e R. W. Funk, "Jewels and Precious Stones", IDB, II, 898-905. John S. Harris, "An Introduction to the Study of Personal Ornaments of Precious, Semi-Precious and Imitation Stones Used Throughout Biblical History", *Annual of Leeds University Oriental Society,* IV (1962-63), 49-83; "The Stones of the High Priest's Breastplate", ALUOS, V (1963-65), 40-62. Ruth V. Wright e R. L. Chadbourne, *Gems and Minerals of the Bible,* Nova York. Harper & Row, 1970.

E. C. J., G. H. H. e J. R.

**JOIADA**
1. Filho de Paséia que ajudou Neemias a reconstruir o muro de Jerusalém (Ne 3.6).
2. Sumo sacerdote e bisneto de Jesua (Ne 12.10,22). Um de seus filhos se casou com uma filha de Sambalate e por essa razão Neemias o expulsou do sacerdócio (Ne 13.28).

**JOIADA**
1. Pai de Benaia, o general de Davi (2 Sm 8.16,18; 20.23) que sucedeu Joabe depois de servir sob o comando deste (1 Rs 4.4), e sob Salomão (1 Cr 11.21,24). Ele é provavelmente o mesmo que levou muitos descendentes de Arão a unir forças com Davi em Hebrom (1 Cr 12.27).
2. Filho de Benaia, um dos conselheiros de Davi que sucedeu Aitofel (1 Cr 27.33,34), e deste modo um neto daquele citado acima, embora alguns acreditem que se trate da mesma pessoa.
3. O sumo sacerdote durante a época em que Atalia usurpou o trono de Judá. Ele a removeu do trono e estabeleceu o jovem rei Joás (2 Rs 11.4-21). Joiada fez uma aliança entre o Senhor e o rei de Judá (2 Rs 11.17), o que levou a algumas reformas religiosas e o capacitou a servir como conselheiro do rei. A esposa de Joiada era filha do rei Jorão e irmã do rei Acazias. Assim, o sacerdote era tio do jovem rei a quem ajudou. Joiada viveu até os 130 anos, e foi homenageado por seu serviço à nação através de seu sepultamento entre os reis de Judá na antiga cidade de Davi (2 Cr 24.15,16). Sem a valiosa influência de um homem temente e obediente ao Senhor, Joás rapidamente inclinou-se para a idolatria, e matou o filho de Joiada (2 Cr 24.1,17-22).
4. Um sacerdote durante a época de Jeremias, que foi sucedido por Sofonias como supervisor do Templo (Jr 29.26).
5. Um homem que ajudou a reparar o antigo portão de Jerusalém (Ne 3.6).

A. W. W.

**JOIAQUIM** Filho de Jesua, o sacerdote que retornou com Zorobabel (Ne 12.10,11,26).

**JOIO** *Veja* Plantas.

**JONÃ** Ancestral de Cristo (Lc 3.30) que viveu cerca de 200 anos depois de Davi. O nome Jonã está escrito corretamente com base na palavra grega *Ionam.*

**JONADABE**[1] Ele é mencionado em 2 Samuel 13; 2 Reis 10.15,23 e Jeremias 35. Existe no hebraico uma certa variação neste nome, porém as versões em português trazem Jonadabe.

**JONADABE**[2]
1. Filho de Siméia e sobrinho de Davi (2 Sm 13.3,5,31,35). Homem ardiloso, sugeriu a Amnom como poderia estuprar sua meia irmã Tamar. Mais tarde, revelou ao rei Davi os detalhes da morte de Amnom. Pode ter sido o mesmo, ou irmão de um homem chamado Jônatas, filho de Siméia, que assassinou um dos gigantes gititas (2 Sm 21.21).
2. Filho de Recabe e chefe titular dos recabitas (q.v.), um clã que observava os princípios rígidos da vida nômade e a abstinência de vinho em obediência aos ensinos de seu pai Jonadabe (Jr 35.6-19). Ele acompanhou Jeú a Samaria e com ele participou da destruição dos adoradores de Baal (2 Rs 10.15,23). Deve ter ficado conhecido pela sua piedade e fidelidade a Deus, pois foi convidado por Jeú para examinar os adoradores de Baal, reunidos no Templo a fim de ter a

certeza de que nenhum seguidor do Senhor estava com eles. A árvore genealógica da casa de Jonadabe pode ser identificada até os queneus (1 Cr 2.55).

**JONAS¹** Esta é uma forma do nome João (Jo 1.42) e que se harmoniza com Barjonas em Mateus 16.17.

**JONAS²** Filho de Amitai, de Gate-Hefer em Zebulom, que profetizou a restauração das fronteiras de Israel, o que foi cumprido por Jeroboão II (782-753 a.C.; 2 Rs 14.25), e herói do livro que traz o seu nome (1.1). Como Jonas provavelmente falou palavras relativas a Jeroboão em aprox. 790 a.C., durante a co-regência desse último com seu pai Jeoás, é quase certo que Jonas tenha conhecido Eliseu (falecido em 797 a.C.) e pode ter sido um dos "filhos dos profetas" treinados por ele (cf. 2 Rs 6.1-7).

Estudiosos mais liberais negam que os eventos de Jonas tenham realmente acontecido, e também que ele tenha escrito esse livro. Eles alegam que a história foi inventada por um escritor anônimo do século IV a.C., pois no início Jonas tinha um espírito exclusivamente nacionalista, muito comum entre os judeus do período pós-exílico; portanto, ele servia como um exemplo muito conveniente.

De acordo com o livro de Jonas, o Senhor ordenou que ele fosse a Nínive e clamasse "contra ela". Entretanto, o profeta foi para Jope onde embarcou em um navio que ia para Társis, que era talvez a Córsega ou parte da Espanha; estas cidades estavam a oeste de Israel, enquanto Nínive estava no extremo leste. Quando o Senhor enviou uma grande tempestade que ameaçava o navio, o capitão encontrou Jonas adormecido e ordenou-lhe que invocasse o seu Deus na esperança de que todos pudessem ser poupados. Ao lançarem sortes, Jonas foi declarado culpado daquela calamidade; ele mesmo mandou que os homens o lançassem ao mar, pois era o responsável pela tempestade. O Senhor havia preparado "um grande peixe, para que tragasse a Jonas", para dessa forma salvá-lo. Ele permaneceu no ventre daquele grande peixe durante três dias e três noites. Depois que Jonas orou um salmo de ação de graças, o peixe o vomitou numa praia, provavelmente muito distante na costa da Síria. Deus novamente ordenou que ele fosse a Nínive. Dessa vez, Jonas obedeceu e ali pregou: "Ainda quarenta dias, e Nínive será subvertida!" Como o povo se arrependeu e o rei proclamou um jejum, Deus suspendeu a calamidade; mas Jonas ficou muito zangado. Nesse ponto o motivo de Jonas ter saído da cidade foi revelado, isto é, ciúmes ou antipatia em relação ao povo pagão que era inimigo de seu próprio país. Ele disse que sabendo que Deus era bondoso, Ele desistiria do castigo sobre Nínive se as pessoas se arrependessem, e pediu ao Senhor que tirasse a sua vida. Deus fez crescer uma planta que deu sombra à sua cabeça enquanto observava a cidade à distância. No dia seguinte, Deus rapidamente destruiu a planta, de forma que Jonas ficou zangado novamente e mais uma vez pediu para morrer. Usando como exemplo a piedade de Jonas para com a planta, pela qual ele não era responsável (em contraste com a sua completa falta de piedade para com as pessoas a quem havia sido designado para ajudar), o Senhor lhe ensinou que era moralmente correto que Ele tivesse piedade do povo de Nínive.

Cidade de Jope (moderna Jafa), de onde Jonas começou sua viagem marítima. MPS

A história de Jonas termina abruptamente e não existe mais nenhum registro no AT a seu respeito. Podemos assumir que ele aprendeu a lição, pois a sua história foi escrita. O Senhor Jesus Cristo referiu-se aos três dias de permanência de Jonas no ventre do peixe, e também ao arrependimento de Nínive (Mt 12.39-41; 16.4; Lc 11.29-32).

W. A. A.

**JONAS, LIVRO DE** Colocado em quinto lugar entre os escritos dos doze Profetas Menores, o livro de Jonas é, talvez, o mais conhecido de todos. Ele é, ao mesmo tempo, o mais apreciado e também o mais controvertido.

### História

O principal problema da crítica desse livro é a sua historicidade. De forma quase unânime ele é proclamado pelos conservadores e negado pelos liberais, e é da solução desse problema que depende a maioria dos outros problemas desse livro. O fato é que o estilo e a linguagem usados fornecem todas as provas de uma narrativa histórica e tanto os judeus (cf. Tobias 14.4ss.; Jos *Ant.* ix.10.1) como os cristãos compreenderam esse sentido recentemente. A identificação de Jonas com o profeta histórico (2 Rs 14.25; *veja* Jonas) serve como outra indicação, assim como o testemunho de Jesus Cristo (Mt 12.38-41; 16.4; Lc 11.29-32). A história dos três dias e três noites de Jonas no ventre do grande peixe, e o arrependimento de Nínive, eram fatos aceitos não só por Jesus, que a eles referiu-se, mas também pelos escribas e fariseus com quem Ele o mencionou como sendo um sinal.

A alegação de que Jesus estava sendo complacente com a ignorância histórica de sua audiência não é muito convincente, pois isso resultaria no argumento cíclico que diria que Jesus não poderia estar certificando sua historicidade se este não tivesse sido um fato histórico. Além disso, deve-se ignorar o fato de que um "sinal" de ficção provavelmente nunca seria oferecido por Jesus como resposta suficiente aos escribas e fariseus que exigiam dele esse sinal. Entretanto, essa historicidade foi contestada pelos liberais, que se basearam nos elementos miraculosos, nas declarações sobre Nínive, na linguagem, na forma, e no aspecto político.

Embora esse livro tenha sido rejeitado como mitológico, simbólico ou fictício, seu caráter alegórico e parabólico tem sido sugerido muitas vezes pelos não historicistas. De acordo com a interpretação alegórica, toda característica tem um elemento correspondente na experiência de Israel. Jonas representa a nação, sua fuga representa a negação de sua missão junto aos povos, o navio no mar é o navio da intriga diplomática no mar do mundo, os marinheiros são os gentios, a tempestade é a transferência do poder da Assíria para a Babilônia, o peixe é o exílio e o vômito de seu corpo é o seu retorno. Muitos liberais acreditam que uma interpretação alegórica "depende demasiadamente das fantasias da imaginação do intérprete", e por esta razão têm afirmado que se trata de uma simples parábola, com uma analogia mais geral, do que um paralelismo preciso.

## Autoria

Aqueles que reconhecem a historicidade desse livro geralmente aceitam que Jonas foi o autor de sua própria história. Embora todo o livro, exceto o salmo (2.2-9) tenha sido escrito na terceira pessoa, isso pode apenas significar que, caso o próprio Jonas não seja o autor, uma outra pessoa (até mesmo um amanuense) o encomendou, porém os fatos realmente vieram de Jonas. Também é possível que este fosse um artifício literário usado por Jonas, característico da narrativa histórica (Moisés sempre usava a terceira pessoa quanto fazia referências a si mesmo em Êxodo e Deuteronômio). O salmo pode ter sido uma unidade literária do poeta, no qual a primeira pessoa foi conservada por causa de sua especial natureza pessoal. Entretanto, muitos liberais acreditam que o salmo tenha vindo de uma pena completamente diferente da do autor anônimo. O suposto autor sugerido é um escritor do século IV a.C. que teria simplesmente usado uma figura histórica anterior como um pretexto sobre o qual poderia apoiar a sua imaginação.

## Data

Parece que a aceitação da historicidade de Jonas exige que se date os eventos do livro durante o reinado de Jeroboão II (782-753 a.C.). É provável que esse livro tenha sido escrito antes de 745 a.C., quando os assírios, sob Tiglate-Pileser III, recuperaram o domínio sobre o Oriente Próximo. R Dick Wilson, G. L. Archer (SOTI, pp. 300ss.) e outros mostraram que certas palavras pouco comuns e prováveis aramaismos não provam uma data posterior ao exílio. Entretanto, os não historicistas entendem que a maior parte dos escritos seja do final do século IV a.C., e que o salmo tenha sido acrescentado no século II a.C. Aqueles que negam a historicidade desta obra nunca atribuem o livro a uma data anterior ao exílio, enquanto aqueles que a aceitam não encontram razões para colocálo como uma obra posterior.

## Estrutura e Estilo

Ao contrário dos demais Profetas Menores, esse livro apresenta uma narrativa inteiramente histórica, e não uma coletânea de oráculos proféticos. Na verdade, a única afirmação profética no livro é: "Ainda quarenta dias, e Nínive será subvertida" (3.4*b*). Somente o fato de Jonas ser reconhecido como um verdadeiro profeta pode explicar sua inclusão no canônico Livro dos Doze. Sua narrativa é vívida, mas não complicada, e a ação se desenrola sem descrições desnecessárias. A estrutura é extremamente simples, com quatro capítulos onde cada um contém uma unidade distinta de pensamento. A única complicação dessa estrutura de quatro capítulos é o fato de que a passagem em 1.17 do texto inglês corresponde a 2.1 do texto hebraico.

## Ocasião e Propósito

Durante o período do renascimento nacional, Israel precisava saber qual seria a atitude de Deus em relação aos outros. Embora a evangelização estrangeira não fosse a principal missão de Israel como povo escolhido (Veja Freeman, *An Introduction to the Old Testament Prophets*, p. 163), eles precisavam aprender que o Senhor ainda amava as outras nações, e desejava trazer a elas a salvação através (ou, pelo menos, por causa) do seu povo escolhido. Obviamente, esse livro estava dirigido ao Reino do Norte de Israel e, nesse sentido, assume o seu lugar junto com Oséias e Amós.

## Esboço

I. A Recusa a Obedecer a Ordem de Deus, ou a Luta contra a Vontade de Deus, 1.1-16
   A. Fuga por mar, 1.1-6
      Quando o Senhor lhe ordenou que pre-

gasse contra a iníqua Nínive, Jonas tomou um navio para Társis a fim de fugir da presença de Deus, e depois teve que enfrentar sua ameaça contra todos aqueles que estavam a bordo.

B. Lançado ao mar, 1.7-16
Reconhecendo a divina vingança por causa da fuga de Jonas, os marinheiros procuraram escapar da tempestade e, em seguida, lançaram Jonas ao mar.

II. Submetendo-se à Vontade de Deus, 1.17–2.10

A. Arrependimento, 1.17–2.1
Quando Jonas foi engolido por um peixe divinamente preparado, ele orou a Deus.

B. Oração, 2.2-9
"Na minha angústia, clamei ao SENHOR, e *ele* me respondeu; do ventre do inferno gritei, *e* tu ouviste a minha voz... eu te oferecerei sacrifício com a voz do agradecimento".

C. Libertação, 2:10
O Senhor fez com que o peixe vomitasse Jonas.

III. Fazendo a Vontade de Deus, 3.1-10

A. Uma profecia eficaz, 3.1-5
Obedecendo à segunda ordem de Deus para ir a Nínive, Jonas profetizou sua destruição e as pessoas creram em Deus.

B. Um arrependimento eficaz, 3.6-10
O rei se arrependeu e decretou: "Todo homem deve se arrepender"; assim Deus não enviou o castigo que planejara.

IV. O Egoísmo em Relação às Bênçãos de Deus, ou Entendendo a Vontade de Deus, 4.1-11

A. Objeção de Jonas à compaixão de Deus, 4.1-5
Irado, Jonas orou: "Sabia que és Deus piedoso"; mas Deus o censurou e ele aguardou do lado de fora da cidade.

B. A ilustração de Deus sobre a necessidade de compaixão, 4.6-11
O Senhor preparou uma planta para dar sombra a Jonas, e depois a destruiu. Em seguida, o Senhor, em outras palavras, fez a seguinte pergunta a Jonas: Como você pode ter compaixão de uma árvore e negar a minha piedade ao povo de Nínive?"

### A Questão do Milagre

O milagre tem sido considerado muitas vezes como o maior problema. Os estudiosos teologicamente conservadores têm cometido o erro muito freqüente de estarem demasiadamente preocupados em provar, através de paralelos históricos, que o peixe engoliu Jonas. Embora a sobrevivência a tal experiência esteja bem documentada em relação ao peixe, ela é desnecessária, pois 1.17 deixa claro que o Senhor *preparou* "um grande peixe".
Também existem milagres no arrependimento de Nínive e na planta. Todos eles estão envolvidos em um complexo de milagres. A confiabilidade de qualquer milagre depende da habilidade de Deus de realizá-lo, e não do homem ao explicá-lo. Jonas profetizou próximo à época de Eliseu e Elias no Reino do Norte, cujos contatos com a Fenícia (1 Rs 17.9-24) e a Síria (2 Rs 5) eram, da mesma forma, acompanhados por milagres.

### A Questão do Salmo

O salmo (2.2-9) projeta-se no decorrer da prosa do livro e apresenta não só um problema literário como também um problema lógico. Embora muitos comentaristas tenham citado uma variedade de salmos individuais que poderiam ter sido citados, suas palavras não se coadunam suficientemente bem para levar à conclusão de que fossem citações específicas. Muitos salmos, provavelmente, estavam na mente de Jonas e podiam ser livremente enunciados a fim de se ajustar àquela situação particular, e de maneira a expressar apropriadamente as suas emoções.
Novamente, os não historicistas atribuem essa porção a um autor do segundo século a.C., que teria vindo até mais tarde que o anônimo autor da narrativa.
Mesmo quando entendido como uma composição de Jonas, e formando uma unidade com o restante do livro, o problema continua existindo. Será que Jonas estava agradecendo a Deus por tê-lo livrado do mar através de um peixe? Será que um homem poderia orar de maneira tão eloqüente no meio de uma experiência tão traumática? Talvez Jonas orasse do peixe, agradecendo a Deus por tê-lo salvado do mar e, com base nessa salvação inicial, ele estivesse contemplando a sua conclusão. Além disso, o salmo encontrado no texto pode representar, em geral, os seus pensamentos naquele momento, e teve o seu estilo poeticamente aperfeiçoado mais tarde depois de alguma reflexão.

### As Questões de Nínive

Se esta história tiver sido a criação de um escritor do quarto século, ele foi tolamente descuidado ao elaborar as suas referências a Nínive, porque deixou que muitos pontos ficassem expostos e sujeitos a críticas. Alguns alegam que a cidade nunca teve um "rei" (3.6); que Nínive nunca foi tão grande para que uma pessoa levasse três dias para atravessá-la a pé (3.3); e Jonas nunca poderia ter falado sua própria língua ao pregar, porque não seria razoável que uma cidade se arrependesse tão facilmente, e porque não existe nenhum registro secular desse fato. Além disso, o tamanho da cidade é mencionado no tempo passado (3.3).
O termo "rei de Nínive" (3.6) é uma metoní-

mia com um adequado precedente no AT; por exemplo, havia reis em cidades como Samaria (2 Rs 21.1), Damasco (2 Cr 24.23), Salém (Gn 14.18) e Sião (Jr 8.19). Além disso, como Nínive ainda não era a capital da Assíria, o autor pode ter usado a palavra *melek* ("rei") como uma transliteração da palavra acádia, *malku,* que significa "governador".
O tamanho da cidade poderia se referir ao seu perímetro, assim como ao seu diâmetro; a área metropolitana da cidade poderia incluir as cidades vizinhas imediatamente próximas (por exemplo, Calá, Reobote-Ir e Resém de Gênesis 10.11ss.), ou a "viagem" poderia ter sido uma caminhada quando pregou sua mensagem nos domínios da cidade.
O aramaico já estava se tornando uma língua comercial bastante difundida (cf. 2 Rs 18.26), o que Jonas provavelmente já sabia e da qual já teria suficiente conhecimento para transmitir sua mensagem a Nínive. A questão deveria estar centralizada naquilo que Deus podia fazer, ao invés daquilo que o profeta não podia fazer.
As severas pragas de 765 e 759, e o eclipse total de 763 a.C., poderiam ter sido usados por Deus para alertar o povo sobre as necessidades que tinham; e quando combinados com o trabalho do Espírito de Deus, através de seu profeta, certamente haveria razão suficiente para o grande arrependimento que foi registrado. O fato desse arrependimento nacional não ter sido encontrado nos anais sírios existentes é um argumento a favor do silêncio. Muitos outros eventos e povos conhecidos através da Bíblia têm sido confirmados apenas recentemente através das modernas descobertas arqueológicas. Não é de admirar que esse arrependimento obviamente não tenha durado e isso fornece uma razão a mais para os assírios não o terem mencionado em seus registros oficiais. O modo passado do verbo relativo às necessidades de Nínive significa apenas que os eventos que ali tiveram lugar estavam no passado quando o registro foi escrito.

### Importância

Poucos livros do AT têm uma aplicação tão óbvia na igreja contemporânea. Eles podem ser usados para ajudar os cristãos a superar a barreira de sua estranheza quanto à missão evangelística, à medida que são informados e assegurados do amor de Deus pelo mundo e do seu desejo de usar os salvos para alcançar todos os que se encontram perdidos. Mas o livro de Jonas não ensina a simples disposição de ir a um país estrangeiro como missionário em busca da recompensa pela obediência. Na verdade, essa é uma das deficiências que o livro procura corrigir. Não basta obedecer a uma ordem; devemos sentir simpatia por ela. A evangelização é uma obra que é realizada em benefício dos perdidos, e não do evangelista. Devemos obedecer a Deus – mas pelas verdadeiras razões. A finalidade das missões é o reconhecimento da vontade de Deus – e também obediência e aceitação.

***Bibliografia.*** G. C. Aalders, *The Problem of the Book of Jonah,* Londres. Tyndale Press, 1948. J. A. Bewer, ICC, Hobart E Freeman, *An Introduction to the Old Testament Prophets,* Chicago. Moody Press, 1968, pp. 160-171. Frank E. Gaebelein, *Four Minor Prophets,* Chicago; Moody Press, 1970. Don W. Hillis, *The Book of Jonah,* Grand Rapids. Baker, 1967. James H. Kennedy, *Studies in the Book of Jonah*, Nashville. Broadman Press, 1956. G. Herbert Livingston, "Jonah", WBC, pp. 843-850. E. B. Pusey, *The Minor Prophets,* Grand Rapids. Baker, 1960 (reimpresso). George L Robinson, *The Twelve Minor Prophets,* Grand Rapids. Baker, 1962 (reimpresso).

W. A. A.

**JÔNATAS[1]** Esse nome ocorre freqüentemente na literatura bíblica.
1. Filho de Gérson e neto de Manassés (Jz 18.30). Os escribas massoréticos incluíram um *n* (*nun*) acima da linha do nome de Moisés, de forma que a escrita hebraica passaria a ter Manassés (*m-n-sh-s*) em lugar de Moisés (*m-sh-h*). Dessa forma estariam poupando Moisés da desgraça de ter um neto que se tornou um sacerdote idólatra. Jônatas era um levita de Belém, considerado como pertencente à tribo de Judá provavelmente pelo lado materno (Jz 17.7). Ele trabalhava como sacerdote local no santuário fundado pelo efraimita Mica e, mais tarde, fundou o sacerdócio que serviu aos danitas (Jz 17.18).
2. Filho mais velho do rei Saul de Israel.
*Sua bravura militar*. Depois da decisiva vitória sobre os amonitas (1 Sm 11), o rei Saul separou o seu exército em duas divisões: cerca de 2.000 homens ficaram estacionados em Micmás sob as suas ordens, e cerca de 1.000 ficaram acampados sob as ordens de seu filho Jônatas, a aprox. 8 quilômetros ao sul de Gibeá. Entre esses dois acampamentos militares ficava um posto avançado dos filisteus em Geba. Jônatas matou o chefe (ou governador) local, o que os filisteus interpretaram como uma revolta das forças israelitas (1 Sm 13.3). Decidiram atacar imediatamente, obrigando Saul e abandonar Micmás. O rei se retirou para Gilgal para recuperar as forças e, em seguida, retornou à região montanhosa para estabelecer base em Geba (1 Sm 13.16). Jônatas realizou um ataque surpresa contra os filisteus que estavam guardando a passagem ao sul de Micmás e, sozinho, matou a todos (1 Sm 14.6-14). Deus acompanhou o feito de Jônatas com um terremoto e os filisteus fugiram tomados de pânico. Os israelitas, que dispunham apenas de rudes instrumentos agrícolas (1 Sm 13.20), perse-

guiram o inimigo até derrotá-lo de forma completa.

Essa vitória foi maculada pelo rei Saul que, tomado de superstição religiosa, ordenou a todos os guerreiros que jejuassem até o anoitecer (1 Sm 14.24). Quando Jônatas, de forma desavisada, deixou de cumprir essa ordem, o rei ordenou que o príncipe fosse executado. Mas o povo, lembrando sua bravura militar, interveio e salvou a sua vida (1 Sm 14.25-45).

*Sua amizade com Davi.* A amizade entre Jônatas e Davi representa um épico inspirador. Depois que Davi matou o gigante filisteu Golias, e conquistou para si um lugar permanente na corte do rei, Jônatas passou a amar o jovem pastor com toda a sua alma. Ele reconhecia que Davi era um homem escolhido para o trono de Israel. Aceitando esse fato, estabeleceu um pacto com Davi e, como presente, deu-lhe suas próprias vestes de príncipe e sua armadura (1 Sm 18.1-4).

Entretanto, o meteórico progresso da fama militar de Davi, e a estima que gozava por parte do povo, estavam além do que o rei Saul podia suportar. Ele não só planejou matar Davi como tentou pressionar Jônatas e seus cortesãos a empunhar a lança contra seu potencial substituto. Não levou muito tempo para Saul afastar Davi, da corte. Jônatas ficou desgostoso com o comportamento do pai e interveio garantindo a Davi permissão temporária para que retornasse à corte de Saul (1 Sm 19.1-7). Essa trégua terminou abruptamente quando Saul sofreu um ataque de melancolia e lançou a sua lança contra Davi; este fugiu para Naiote, em Ramá. Durante a festa da lua nova, Jônatas descobriu que a ira de seu pai contra Davi era permanente e relatou essa triste notícia ao amado amigo através de uma seta lançada a um ponto combinado (1 Sm 20).

A última conferência entre os amigos teve lugar no deserto de Zife, ao sul de Hebrom, onde fizeram um pacto de que, quando Davi se tornasse o próximo rei, Jônatas seria o seu primeiro ministro e também renovaram o pacto de sempre proteger a posteridade de ambos (1 Sm 23.16-18; cf. 1 Sm 20.12-17,42; 2 Sm 9.1).

*Sua história final.* Durante os dias em que Saul perseguiu Davi, Jônatas permaneceu na retaguarda – evidentemente, ele se recusava tomar parte nessa fútil caçada. A atividade dos filisteus obrigou Saul a encerrar a perseguição a Davi e dirigir suas energias à batalha contra o perpétuo inimigo de Israel. Essa batalha foi curta e decisiva – Saul perdeu! E Jônatas, Saul e seus outros filhos Abinadabe e Malquisua foram mortos. No dia seguinte, seus corpos foram roubados e expostos pelos filisteus em um muro em frente à praça pública de Bete-Seã (2 Sm 21.12). Os jabes-gileaditas, cheios de gratidão porque o rei Saul, no inicio de seu reinado, havia salvado a sua cidade, atravessaram o Jordão, invadiram Bete-Seã e recuperaram os corpos e os sepultaram em Jabes (1 Sm 31; 1 Cr 10.1-12; cf. 2 Sm 2.5-7).

Quando as tristes informações sobre o desastre chegaram a Davi, ele pronunciou uma emocionante elegia lamentando a morte de Saul e a perda de seu verdadeiro amigo Jônatas (2 Sm 1). Mais tarde, Davi transferiu os restos de Saul e de seus filhos para a sepultura de Quis, pai de Saul, em Zela, no território de Benjamim (2 Sm 21.12-14).

*Seu caráter.* Jônatas tinha, sem dúvida, uma das maiores almas de todos os tempos. Seu caráter era firme como granito, era atlético e corajoso (1 Sm 14.13; 2 Sm 1.22,23). Rápido como a águia e forte como o leão, esse príncipe israelita inspirou e orientou os renomados flecheiros benjamitas na arte da guerra. Quando o segredo era obrigatório, ele conseguia manter os lábios cerrados! Sempre podia analisar uma situação, planejar uma estratégia e agir no momento mais favorável. Era também um grande amante. Seu irrestrito amor por Davi: no meio de pressões tão adversas da corte de seu pai, justificou a elegia de Davi: "Mais maravilhoso me era o teu amor do que o amor das mulheres" (2 Sm 1.26).

*Sua árvore familiar.* Jônatas teve um filho, cujo nome era Meribe-Baal (Mefibosete). Tinha apenas cinco anos de idade quando aconteceu o massacre em Gilboa (2 Sm 4.4). Davi, honrando o juramento que havia feito com Jônatas, assegurou a esse sobrevivente o direito de receber a herança de Saul, assim como a sua participação na corte real e a proteção à sua vida (2 Sm 9; 21.7). A posteridade de Jônatas, que se prolongava através desse príncipe defeituoso, continuou por várias gerações (1 Cr 8.33-38; 9.40-44; 2 Sm 9.12).

A mãe de Jônatas era Ainoã (filha de Aimaás), e foi caracterizada por Saul durante um de seus ataques temperamentais como uma mulher "perversa em rebeldia" (1 Sm 20.30). Além de Abinadabe e Malquisua, ele tinha outro irmão, Ish-baal (Isbosete ou Isvi, uma provável variação de Ishyahu, 1 Sm 14.49) e duas irmãs, Merabe e Mical. A primeira foi prometida a Davi, mas quem a recebeu foi Adriel, o meolatita (1 Sm 18.17-20); Mical, ao contrário de sua irmã, casou-se com Davi por um dote de cem prepúcios de filisteus (1 Sm 18.20ss.).

*A lealdade à sua família.* A solidariedade da família hebraica permaneceu intacta na família de Saul. A independência e a capacidade de Jônatas de tomar suas próprias decisões naturalmente entravam em conflito com a impetuosidade e a extravagância de seu pai, Saul. Mas, em meio a essas adversas pressões, o príncipe lutava para se adaptar o máximo possível aos fortes desejos do rei. Jônatas procurou, convencido da importante promessa de Davi e consciente da reação de Saul, ser o mediador entre a força irresistível e o objeto imóvel, e saiu parcialmente vitorioso (1 Sm 19.6). O dever filial, supremamente

O monte de Bete-Seã, onde os corpos de Jônatas e do resto da família de Saul foram expostos à ridicularização pública. As ruínas de um grande teatro romano podem ser vistas à direita

testado pela sua conduta em relação aos dois homens, era inquestionável. Quando Saul, sob grosseira provocação, contestou a honra de sua mãe e pensou até em matar o próprio Jônatas, a lealdade do príncipe se abalou temporariamente. Entretanto, esse desentendimento teve curta duração e Saul e Jônatas continuaram a ser unidos na vida e na morte (2 Sm 1.23) – pai e filho caíram juntos!

3. Filho de Abiatar e sumo sacerdote do conselho de Davi que permaneceu leal ao seu rei durante a rebelião de Absalão (2 Sm 15.27,36; 17.15-22). Abiatar e Zadoque foram enviados a Jerusalém para ajudar Husai a neutralizar a traição de Aitofel. Ao receber importantes informações de Husai, eles revelaram os segredos aos mensageiros Jônatas e Abiatar, respectivamente, que estavam aguardando em En-Rogel. Os jovens, por sua vez, deveriam transmitir essas informações ao rei Davi (2 Sm 15.24ss.). Quando esse ato de espionagem foi descoberto, eles fugiram com a mensagem para prevenir Davi em seu acampamento na margem ocidental do Jordão (2 Sm 17.15-21).

Durante os últimos dias de Davi, quando seus herdeiros estavam fazendo as suas manobras para conseguir o trono, Jônatas juntamente com seu pai Abiatar aliou-se ao plano de Adonias para conseguir se apoderar do trono israelita. Foi triste a sina de Jônatas de levar as frustrantes noticias à interrompida festa real em En-Rogel, de que Salomão havia sido nomeado, em Giom, o rei de Israel com as bênçãos e pelas fortes mãos de Davi (1 Rs 1.42-48). Aparentemente, esse envolvimento marcou Jônatas como um homem dispensável e, provavelmente, ele foi exilado junto com seu pai quando Abiatar foi despojado do sumo sacerdócio e banido para Anatote por Salomão (1 Rs 2.26,27).

4. Filho de Siméia, irmão de Davi, que matou o gigante filisteu que escarnecia dos israelitas em Gate (2 Sm 21.21; 1 Cr 20.7).

5. Filho de Sage, o hararita, que foi um dos heróis de Davi (os poderosos de Davi, conhecidos como "os trinta", 2 Sm 23.32; 1 Cr 11.34).

6. Filho de Jada e pai de Pelete e Zaza, membros da família de Jerameel da tribo de Judá (1 Cr 2.32,33).

7. Tio de Davi, sábio e confiável conselheiro e também escriba real (1 Cr 27.32).

8. Filho de Uzias que exercia a supervisão sobre os armazéns do rei Davi nas cidades, aldeias e vilas fora de Jerusalém (1 Cr 27.25).

9. Escriba em cuja casa Jeremias foi aprisionado durante o cerco de Jerusalém pelos babilônios (588-586 a.C.), quando os inimigos do profeta o acusaram de ter-se juntado aos inimigos (Jr 37.15,20; 38.26).

10. Filho de Careá, um capitão de campo da Judéia, que se estabeleceu com Gedalias em Mispa, depois da queda de Jerusalém em 586 a.C. (Jr 40.8; há várias versões que, de acordo com o Texto Massorético, relacionam tanto Joanã como Jônatas; enquanto outras versões trazem apenas o termo Joana. É provável que o nome Jônatas tenha uma grafia semelhante, pois foi omitido pela versão LXX e na passagem paralela em 2 Rs 25.23).

11. Pai de Ebede que, juntamente com 50 membros de sua família, retornou com Esdras em 457 a.C. (Ed 8.6).

12. Sacerdote descendente de Maluqui durante o sumo sacerdócio de Joiaquim (Ne 12.14).

13. Filho de Joiada e um dos sumo sacerdotes durante o período pós-exílico. Seu filho era Jadua, o último sacerdote mencionado no AT (Ne 12.11). No texto danificado pelo tempo é provável que estivesse escrito Joanã ou Jeoanã (Ed 10.6; Ne 12.22,23).

14. Filho de Semaías e pai de Zacarias que foi o sacerdote que tocava a trombeta durante a convocação de ação de graças na nova dedicação dos muros de Jerusalém, sob o governo de Neemias (Ne 12.35).

15. Filho de Asael, durante o período de Esdras, que se opôs à nomeação da comissão dos casamentos em Jerusalém para investigar os judeus que haviam se casado com esposas pagãs (Ed 10.15).

D. W. D.

**JÔNATAS²**

1. Filho de Uzias e um supervisor dos tesouros ou dos depósitos do rei Davi (1 Cr 27.25).
2. Um dos levitas enviados pelo rei Josafá às cidades de Judá para ensinar a lei do Senhor ao povo (2 Cr 17.8,9).
3. Um sacerdote, chefe da família de Semaías, na época de Neemias (Ne 12.18).

**JONATE-ELEM-RECOQUIM** Essa tradicional frase hebraica das versões KJV e ASV em inglês, e título do Salmo 56, talvez signifique "a pomba dos longínquos terebintos" (cf. Sl 55.6,7) e pode ser entendida de uma ou todas as seguintes maneiras: (1) referência enigmática a Davi entre os filisteus em Gate (1 Sm 21.10-15); (2) referência mística a Israel ou ao povo de Deus, geralmente exilado de seu verdadeiro lar (cf. Fp 3.20; Hb 11.8-10,13-16); (3) frase técnica que indica o ritmo ou a melodia do salmo.

**JOPE** A moderna cidade de Jafa, único porto marítimo da costa da Palestina, entre Haifa e o Egito, está agora situada no setor sul de Tel Aviv. Ela foi mencionada nas cartas Tell el-Amarna. Foi designada à tribo de Dã, na divisão das terras depois das conquistas de Josué (Js 19.46), embora os israelitas nunca tenham realmente tomado posse dela. A madeira para a construção do Templo de Salomão era colocada a flutuar desde Tiro até Jope (2 Cr 2.16), e também para a construção do segundo Templo durante a restauração (Ed 3.7). Na época do reino dividido, essa cidade era controlada pelos fenícios e Jonas fugiu de Israel via Jope (Jn 1.3).
Na época do NT, foi em Jope que Pedro orou e Dorcas teve a sua vida restituída (At 9.36-43). Pedro permaneceu na casa de Simão, o curtidor, onde recebeu a visão que o convocava a pregar na casa de Cornélio, o gentio (At 10.1-23).
A cidade foi construída sobre cumes rochosos acima da baía, formada por um quebra-mar de pedras. No primeiro século a.C., ela foi sucessivamente conquistada pelos sírios, macabeus, romanos e piratas que a transformaram em um centro da pirataria. A baía também é muito perigosa para a marinha mercante moderna, e não é muito usada atualmente.

M. C. T.

**JOQUEBEDE** Esposa de Anrão (q.v.) e mãe de Moisés, Arão e Miriã (Êx 6.20; Nm 26.59). A fé, a coragem e o desembaraço de Anrão e Joquebede não só preservaram a vida de Moisés como sua mãe obteve da filha do Faraó a permissão de amamentá-lo e cuidar de seu próprio filho (Êx 2.1-10; Hb 11.23).
Joquebede era tia de Anrão, irmã de seu pai (Êx 6.20). O casamento entre parentes próximos era proibido pela lei mosaica (Lv 18.12; 20.19), mas parece que não havia nenhuma lei contra isso nessa época, e parentes ainda mais próximos se casavam (Gn 20.12).
O nome hebraico de Joquebede, *yokebed*, significando "Yah é glória", revela que o nome de Jeová era conhecido e respeitado antes da experiência de Moisés, na ocasião da queima da sarça, quando Deus revelou o seu divino nome (Êx 3.1-15).

**JOQUIM** Filho ou descendente de Selá, filho mais novo de Judá (1 Cr 4.22).

**JORA** Chefe de uma família de israelitas que retornaram da Babilônia com Zorobabel (Ed

O Nahr Hasbani, uma das nascentes do Jordão.
HFV

2.18). Chamado de Harife em Neemias 7.24.

**JORAI** Um dos sete chefes gaditas descendentes de Abiail (1 Cr 5.13,14).

**JORÃO** Forma abreviada de Jeorão (q.v.).
1. Filho de Toí, rei de Hamate (2 Sm 8.9,10). Também chamado de Hadorão (1 Cr 18.10).
2. Rei de Judá, filho e sucessor de Josafá (2 Rs 8.21-24; 1 Cr 3.11; Mt 1.8). Também chamado Jeorão (*Veja* Jeorão 2).
3. Rei de Israel, filho de Acabe e sucessor de seu irmão Acazias (2 Rs 8.16; cf. 1.1,17). Também chamado de Jeorão.
4. Levita descendente de Eliézer, filho de Moisés (1 Cr 26.25; cf. 23.15,17).

**JORDÃO** Em hebraico, o nome do rio mais famoso da Bíblia é *yarden*. A maior parte dos estudiosos considera essa palavra como sendo de origem semítica, derivada da raiz "*yarad*" ou "descender". Portanto, o nome significa "descendente", que é uma fiel descrição desse rio. Outros especulam que a palavra pode ter uma origem indo-ariana, e nesse caso seu significado seria "rio perene". A forma mais antiga desse nome é encontra-

As fontes de Banias, que dão origem a outra nascente do Jordão

O rio Jordão, que flui do mar da Galiléia em sua extremidade sul. HFV

da como *ya-ar-du-na,* em registros da Décima Nona Dinastia do Egito (Simon Cohen, "Jordan", IDB, II, 973).

Uma série de gigantescas falhas na crosta da terra provocou um desmoronamento na região que agora forma o vale do Jordão. Dessa profunda depressão, chamada mar Morto (o mar de Sal do AT), a terra se eleva tanto para o norte como para o sul. Ela vai desde aproximadamente 860 metros abaixo do nível do mar, nas profundezas do mar Morto, até uma altitude superior a 260 metros em um dos picos na Arabá (uma área ao sul do mar Morto) e atinge uma altitude de aprox. 3.000 metros no monte Hermom, ao norte. Essa falha geológica se estende através do mar Vermelho até o interior da África oriental.

A distância aérea desde as nascentes do Jordão até o mar Morto é de aproximadamente 130 quilômetros, mas o próprio rio tem mais de 300 quilômetros de extensão por causa de seu curso sinuoso entre o mar da Galiléia e o mar Morto. Pode-se dizer que o vale começa ao norte, na Bacia Huleh, uma área de cerca 5 quilômetros por 15, que culminava, antes de ser recentemente drenada, em um pântano e em um lago pouco profundo, criado por um reservatório formado por rochas naturais.

O súbito declive, de aprox. 530 metros de altitude em Merj 'Ayun até 75 metros acima do nível do mar na Bacia Huleh, permite a dois pequenos riachos, Nahr Bareighit e Nahr Hasbani, despejar suas águas nessa bacia. As duas principais nascentes do Jordão fluem das rochas como consideráveis cursos de água sobre as encostas do monte Hermom. O rio Nahr el-Leddan se origina de fontes que nascem do solo em Tel el-Qadi, local da antiga Dã, cidade mais ao norte do país (a antiga Laís, Jz 18.7-27). O rio Nahr Banias tem a sua origem em uma grande gruta localizada mais acima da encosta, em uma vila chamada Banias (Paneas) cujo nome deriva do deus romano Pan. Na época do NT, essa cidade tinha o nome de Cesaréia de Filipe em honra a César e também porque estava na tetrarquia de Filipe. Nessa região, Jesus perguntou aos seus discípulos: "Quem dizem os homens que eu sou?" (Mc 8.27-29), e aconteceu a transfiguração perante três deles em algum lugar do monte Hermom (Mc 9.2). Três desses rios se encontram mais adiante, cerca de 3 quilômetros ao sul de Dã e, em seguida, dividem-se novamente para penetrar na Bacia Huleh como apenas dois cursos de água, o Tur'ah e o Jordão.

Em um planalto que contempla a Bacia Huleh encontram-se as ruínas da cidade do AT chamada Hazor (recentemente escavada), e as da cidade de Corazim (Khirbet Kerazeh) do NT. O rio Jordão corre a partir de Huleh por 3 quilômetros até a "Ponte das Filhas de Jacó", onde os viajantes que percorrem a estrada entre a Galiléia e Damasco podem atravessá-lo a pé. Depois desse ponto, o rio entra em uma garganta, flui com mais vigor até, finalmente, deixar esses paredões e suavemente penetrar no mar da Galiléia, em uma altitude de aprox. 230 metros abaixo do nível do mar. Esse mar é, na realidade, um lago quase totalmente cercado por colinas, mas aqui e ali essas colinas se afastam criando algumas planícies, como a famosa planície de Genesaré, na margem noroeste, nas proximidades de Cafarnaum. Além da ainda desabitada Tiberíades, várias cidades bíblicas podem ser identificadas à beira dos lagos, isto é, Cafarnaum em Tel Hum, a noroeste, e Magdala em Majdal, na margem oeste, ao pé do "vale dos Ladrões". Na época do AT, a parte norte da região do rio Jordão era controlada por uma liga de dez cidades independentes chamada Decápolis. As cidades situadas no vale desse rio ou nas suas proximidades eram Citópolis (Beisan ou Bete-Seã), Gadara (Umm Keis) e Pella (Fahil) do outro lado do rio em frente a Citópolis.

Nos primeiros 18 quilômetros, desde o mar da Galiléia, o vale do Jordão nunca atinge uma largura maior que aprox. 6,5 quilômetros. Acredita-se que a cidade de Betânia, do outro lado desse rio, onde João batizava (Jo 1.28), ou Bete-Bara (q.v.) devia estar nessas vizinhanças, aprox. 18 quilômetros ao sul do lago. Se Eliseu (q.v.) vivia em Suném, no monte Carmelo ou em Dotã na época da visita de Naamã, é provável que o general sírio tenha sido enviado a esse curso do Jordão para mergulhar sete vezes em suas águas lamacentas (2 Rs 5.10,14). Na planície de Bete-Seã, o vale vai se alargando até atingir 9 ou 10 quilômetros, elevando-se no lado oeste em planaltos em direção ao nível da planície de Esdraelom.

O próprio Jordão não é mais que um sulco recortado no leito desse vale que, segundo dizem, seria um antigo leito oceânico. Seu fluxo não parece rápido, mas pode ser traiçoeiro, com a água despencando no lado norte cerca de 10 metros por quilômetro, embora a média dessa queda esteja por volta de 2 metros. A formidável barreira criada pelo rio resulta de outros fatores além da sua largura e rapidez das águas. Na verdade, ao norte o rio não forma uma barreira porque as características distintas do vale são menos pronunciadas. O próprio vale representa a verdadeira barreira que consiste de três interessantes aspectos. Ghor ou terras baixas, Qattara ou colinas estéreis de calcário, e Zor ou densa vegetação.

Ghor é a própria superfície do vale, cercada por montanhas ou elevadas planícies em cada um de seus lados, onde existem camadas de depósitos de aluvião que exigem apenas alguma irrigação para se tornar uma rica região agrícola. O resultado dessa irrigação pode ser visto atualmente ao longo do lado oriental de Ghor, onde existe disponibilidade de água. Falhas geológicas encontradas em uma das extremidades de Ghor ajudam a formar os rios que se juntam ao Jordão. No lado oriental, o rio tem dois importantes afluentes, o Jarmuque (ou Yarmuk) e o Jaboque. O Jarmuque, ao sul do mar da Galiléia, despeja tanta água como o próprio Jordão. No lado norte da garganta desse rio, aprox. 10 ou mais quilômetros da sua confluência, existe a antiga el-Hammeh, uma famosa fonte de águas quentes. Nesse local, desenvolveu-se uma elevada cultura desde o quarto milênio a.C., e suas famosas águas curativas têm sido muito populares ao longo da história. Entre o Jarmuque e o Jaboque, outros nove riachos fluem, do leste, para o Jordão. Essa bem irrigada área explica porque muitas colônias se desenvolveram no lado oriental de Ghor, cidades como Pella, Jabes-Gileade, Zafom, Zaretã (ou Sartã) e Adã.

Depois de correr através da planície de Bete-Seã, cerca de 20 quilômetros do mar da Galiléia, o rio Jalud junta suas águas, do oeste, ao Jordão. Nesse ponto, o Ghor aumenta a sua largura até cerca de 11 quilômetros, para se fechar novamente mais ao sul ao passar pelas colinas da Samaria. Também mais ao sul, o Uádi Fari'a junta as suas águas a oeste, assim como o Jaboque, a leste, nas proximidades de Sucote. Foi desse local que os patriarcas entraram em Canaã, vindo de Harã e Padã-Arã mais a noroeste (Gn 12.5,6; 32.22; 33.17,18). Perto dali, os midianitas devem ter fugido através do Jordão com Gideão em sua perseguição (Jz 7.24; 8.4,5). O terreno se alarga novamente até atingir quase 13 quilômetros e continua a se alargar até pouco mais de 22 quilômetros em Jericó. 'Ain Fari'a, na parte superior de seu canal, nas proximidades da cidade de Tirza do AT, produz uma rica quantidade de água, porém somente uma pequena quantidade desta chega até o Jordão. O mesmo acontece com o Uádi Qelt, que ajuda a criar o verdejante oásis de Jericó. A irrigação da terra precisa fluir de riachos de água doce antes de atingir o Jordão, porque esse rio também recebe sais minerais que tornam as suas águas cada vez mais impróprias para a irrigação.

Nas proximidades de Gilgal, a noroeste de Jericó, existia uma passagem ou um vau muito conhecido que Davi usou quando fugiu de Absalão (2 Sm 17.22-24), e em seu vitorioso retorno (19.15-40). Talvez esse seja o mesmo lugar onde Elias e Eliseu atravessaram o Jordão antes da transladação de Elias (2 Rs 2.7,8,13,14). Foi também nessa região do baixo Jordão que os dois espias israelitas provavelmente atravessaram o rio, que estava em plena estação de cheias (Js 2.1,23) e logo depois toda a nação miraculosamente atravessou sobre o leito seco do rio (Js 3–4).

A Bíblia utiliza vários termos para descrever o Ghor. Muitas vezes, ele é chamado simplesmente de *'emeq,* isto é vale ou terras baixas, como em Josué 13.19,27. Mas em Deuteronômio 34.3, o Ghor é descrito como "o *kikkar*, o *biqw'a* de Jericó". *Kikkar* significa um circuito e *biq 'a* significa um amplo vale. Em Jericó, o Ghor tem pouco mais de 22 quilômetros de largura. O termo *'araba*, que significa "uma planície", também é usado para o vale do Jordão. O lado oriental do Ghor, do outor lado de Jericó, era chamado de "campinas de Moabe" (Nm 22.1), uma área bem irrigada e habitada desde a Era do Cobre, como em Teleilat Ghassul. Às vezes, a região do Ghor era tão densamente habitada que Gênesis 13.10 nos conta que Ló "levantou os seus olhos e viu toda a campina do Jordão, que era toda bem regada... e era como o jardim do Senhor". Quando alguém visita essa região, especialmente no verão, pode ficar impressionado com sua aridez. Entretanto, ela foi não só uma das primeiras regiões colonizadas do país, mas em uma certa ocasião uma das regiões mais ricas de toda a antiga Palestina. Nelson Glueck descobriu pelo menos 70 lugares onde, na Antiguidade, as pessoas tinham vivido e trabalhado no vale do Jordão, ao sul da Galiléia.

Cerca de 30 a 50 metros abaixo do solo do vale principal, existe uma depressão com o nome árabe de Zor, por onde flui o próprio rio Jordão. Essa depressão pode chegar a ter quase 2 quilômetros de largura quando o rio faz uma volta sobre si mesmo, embora a sua largura seja de apenas 30 a 35 metros, com uma profundidade de 1 a 4 metros. Esta depressão sempre represa as águas do rio quando ele extravasa na primavera (Js 3.15; 1 Cr 12.15), mas, ao contrário do que acontece com o rio Nilo, a inundação é violenta, levando a superfície do solo e deixando para trás uma grande quantidade de entulho, de forma que os viçosos tamarindeiros, oleandros, salgueiros, arbustos e vinhas que ali se desenvolvem recebem o apropriado nome de Zor ou bosque. O AT descreve Zor como *ge'on hay-yarden* ou "a selva do Jordão" ("Eis que, como leão, subirá da enchente [ou selva] do Jordão..." 'Jr 49.19; cf. 12.5; 50.44; Zc 11.3). Na verdade, o Zor estava infestado de leões na Antiguidade, e de elefantes na época pré-histórica e era, até pouco tempo, o abrigo dos porcos do mato ou javalis. Por causa da tortuosidade do curso do Jordão, a selva de Zor se tornou uma formidável barreira onde se incluem colinas estéreis de calcário argiloso da "qattara", que separa Ghor de Zor. Quando o NT fala do Jordão como uma barreira, está certamente incluindo todo o complexo do vale, e não apenas o pequeno rio. Josué 22.25 expressa seu receio de que Rúben, Gade e metade da tribo de Manassés poderiam se tornar alienados por causa da fronteira natural formada pelo vale: "Pois o Senhor pôs o Jordão por termo entre nós e vós, ó filhos de Rúben e filhos de Gade; não tendes parte no Senhor". Curiosamente, é verdade que não só na época do AT, mas também hoje, existe um curioso espírito de alienação entre aqueles que vivem de cada lado do vale do Jordão.

O rio Jordão flui para o mar Morto em uma condição de aproximadamente 430 metros abaixo do nível do mar. O mar Morto tem cerca de 70 quilômetros de comprimento por 15 de largura, e é invadido por uma saliência de terra em sua margem oriental. Em uma certa época ela formava seu limite sul, mas como o mar não tem um escoadouro, ele se elevou continuamente e cobriu cidades antigas localizadas em sua margem sul, incluindo provavelmente Sodoma (q.v.) e Gomorra. O próprio mar Morto é composto por um terço a um quarto de sais minerais provenientes em grande parte de muitas fontes de água fria e quente que se alinham no vale. Como poderíamos esperar, toda essa região forma uma área com atividades sísmicas acima do normal, com uma média de quatro terremotos por século. As encostas orientais do mar, assim como o deserto da Judéia, são quase totalmente desprovidos de chuvas para o suprimento de água, exceto algumas fontes subterrâneas (por exemplo, 'Ain Feshkha nas proximidades de Qumran e En-Gedi, a leste do Hebrom).

*Veja* Arabá; mar Morto; Galiléia, mar da; Palestina: II.B.3.*d*; Rio.

***Bibliografia.*** Denis Blay, *The Geography of the Bible,* Nova York. Harper, 1957, pp. 14-26, 193-216. Nelson Glueck, *The River Jordan,* segunda edição, Nova York. McGraw-Hill, 1968. Karl H. Rengstorf, "*Potamos...Iordanes*", TDNT, VI, 608-623;

E. B. S.

**JORDÃO, DALÉM DO, DALÉM DO RIO** A fenda profunda do rio Jordão divide a Palestina em leste e oeste. A expressão hebraica "dalém do Jordão" é usada inúmeras vezes para se referir à região a leste do rio (Dt 1.1; 3.8) e também, várias vezes, para referir-se à região a oeste do Jordão (Dt 3.20,25; 11.30). A frase assim adquire um sentido técnico significando algo como "Jordânia". Na versão KJV em inglês, a mesma frase hebraica é às vezes traduzida como "deste lado do Jordão" (Dt 1.1; 3.8 etc). Enquanto alguns sustentam que o termo indica a proximidade geográfica do autor, é uma suposição razoável que a frase tenha se tornado uma designação padrão para o território a leste do Jordão, independentemente de onde o autor estivesse (SOTI, p. 244). Nos casos em que a expressão se refere à área oeste, ela deve ser entendida literalmente, e não como um termo técnico.

No NT, a expressão grega "dalém do Jordão" é traduzida inúmeras vezes como o território leste do Jordão conhecido como Peréia (por exemplo, Mateus 4.25; 19.1) e apenas uma como a região que fica no lado oeste deste.

A expressão "dalém do Jordão" é a designação persa para a terra a oeste do Eufrates, e no reinado de Dario I incluía a Palestina-Síria entre as suas fronteiras (cf. Ed 4.10-20; 5.3; Ne 2.7,9; 3.7). Esta é a mesma expressão hebraica que é traduzida em algumas versões da Bíblia Sagrada como "deste lado do rio".

W. G. B. e A. F. J.

**JORIM** Um ancestral de Cristo (Lc 3.29) e descendente de Davi.

**JORNADA DE UM DIA** *Veja* Pesos, Medidas e Moedas.

**JORNADA DE UM SÁBADO** *Veja* Sábado, Jornada de um.

**JORQUEÃO** Filho de Raão e descendente de Calebe (1 Cr 2.44). Duas suposições são feitas em relação a esse nome: (1) que ele se refere a um local na tribo de Judá; (2) que deve ser identificado com Jocdeão (q.v.) em Josué 15.56.

**JOSA** Chefe simeonita que, juntamente com outros, invadiu o vale de Gedor na época do rei Ezequias e lá destruiu os nativos descendentes de Cam (1 Cr 4.34-41).

**JOSAFÁ[1]**

1. Cronista de Davi e Salomão. Filho de Ailude (2 Sm 8.16; 20.24; 1 Rs 4.3). Ele é listado como um dos principais oficiais do reino.
2. Um dos sacerdotes durante o reinado de Davi, designado para tocar a trombeta diante da arca quando esta foi trazida da casa Obede-Edom para a cidade de Davi (1 Cr 15.24; heb. *Yoshpat*).
3. Um dos 12 oficiais administrativos de Salomão cuja responsabilidade era fornecer alimentos para o rei e seus funcionários por um mês em cada ano. Ele era encarregado da coleta de impostos do distrito de Issacar (1 Rs 4.17).
4. Rei de Judá (873-848 a.C), filho de Asa e seu sucessor. Com 35 anos de idade ele se

tornou o co-regente com seu pai Asa, até a morte deste em 870, e governou por 25 anos (1 Rs 22.42). Sua mãe era Azuba, filha de Sili. Ele foi contemporâneo de Acabe, Acazias, e Jeorão de Israel. Fez uma aliança com Israel casando seu filho Jeorão com Atalia, a filha de Acabe e Jezabel (2 Rs 8.18). Apesar deste ato ter aberto a porta à adoração a Baal no reino de Judá, ele foi considerado um bom rei.
No terceiro ano de seu reinado, ele conduziu algumas reformas para melhorar a situação religiosa, instruindo pessoalmente o seu povo e enviando levitas com os livros da lei para ensinar nas cidades de Judá (2 Cr 17.7-9). Os filisteus e os árabes lhe pagavam tributos (vv. 10-11), e ele mais tarde fortificou as cidades de seu reino (vv.12-19).
Em 853 a.C, Acabe o persuadiu a se juntar a Israel em uma tentativa de desarraigar Ramote-Gileade da Síria. Acabe foi mortalmente ferido, mas Josafá sobreviveu (1 Rs 22.1-38; 2 Cr 18.1-34). Ele foi severamente reprovado pelo profeta Jeú por ter se associado ao rei Acabe (2 Cr 19.1,2). Judá ocupou uma clara posição subordinada, mas a aliança foi, temporariamente, a fonte da força de ambos os reinos. Em seu retorno, Josafá novamente encorajou a adoração ao Senhor Jeová (1 Cr 19.4).
Ele havia previamente fortalecido as defesas de Judá e trazido Edom ao seu controle (2 Cr 17.1-2; 1 Rs 22.47). Isto lhe deu o comando das rotas de caravanas da Arábia e lhe trouxe uma riqueza adicional (2 Cr 17.5; 18.1). Josafá tentou construir uma frota de navios em Eziom-Geber com a cooperação de Acazias, rei de Israel, mas os navios foram destruídos. Josafá recusou quaisquer novas parcerias, provavelmente com medo da invasão de seu território e pelo fato de ter sido repreendido por se unir a Acazias (1 Rs 22.48-49). Josafá introduziu importantes mudanças administrativas (2 Cr 19.5-11) designando juízes nas cidades fortificadas de Judá com a finalidade de substituir os anciãos, e estabelecer uma corte final de apelações em Jerusalém composta por levitas e sacerdotes, tendo o sumo sacerdote na liderança.
Mais uma vez o rei de Israel, desta vez Jeorão, persuadiu Josafá a um novo empreendimento, na tentativa de fazer com que Moabe se tornasse tributária a Israel, mas teve apenas um êxito parcial (2 Rs 3.5-7). Próximo ao final de seu reinado, os amonitas, os edomitas e os moabitas uniram forças para invadir Judá cruzando o que é atualmente o mar Morto em direção a En-Gedi. Josafá buscou ao Senhor e acatou as palavras do profeta Jaaziel, não se precipitando, mas acalmando-se e contemplando a salvação do Senhor a seu favor. Na confusão causada pelos cânticos de louvor de Judá, os inimigos começaram a emboscar uns aos outros até se destruírem mutuamente (2 Cr 20.1-30).
Durante os últimos cinco anos de seu reinado, Josafá teve seu filho Jeorão reinando junto a si (2 Rs 8.16 com 1.17). Josafá morreu com sessenta anos de idade, e foi sepultado na cidade de Davi (1 Rs 22.50).
5. Pai de Jeú, rei de Israel. Ele viveu no século IX a.C. (2 Rs 9.1,14).

A. W. W.

**JOSAFÁ²**
1. Um mitenita entre os poderosos de Davi (1 Cr 11.43).
2. Um dos sete sacerdotes que tocavam as trombetas perante a arca na época de Davi (1 Cr 15.24), de acordo com a lei de Moisés (Nm 10.8).

**JOSAFÁ, VALE DE** Um vale no qual o Senhor reunirá todas as nações para o julgamento (Jl 3.1,12). Este nome em si é importante, e significa "Jeová julga".
É chamado de vale da Decisão (v.14), significando a decisão judicial para determinar a punição, e não uma oportunidade para crer e ser salvo. O evento histórico de 2 Crônicas 20.20-26 parece ter sido usado aqui como símbolo de um acontecimento escatológico (*veja* Armagedom). Nenhum vale recebeu este nome na Antiguidade pré-cristã. Desde o século IV d.C., a tradição cristã o tem identificado como o vale de Cedrom (entre Jerusalém e o monte das Oliveiras). Alguns o identificaram com o vale de Beraca, nas proximidades de Belém. É provável que nenhuma das duas opções seja correta.
A localização geográfica exata do vale no qual os inimigos de Josafá foram destruídos não pode ser afirmada. Deve ter sido em algum lugar no deserto de Judá aos pés dos montes de Tecoa (2 Cr 20.20), na direção de En-Gedi (v. 2), e provavelmente deva ser identificado com o vale da "ladeira de Ziz" (*veja* Ziz) nas adjacências do deserto de "Jeruel" (*veja* Jeruel; 2 Cr 20.16).

A. F. R.

**JOSAVIAS** Filho de Elnaão, relacionado entre os poderosos de Davi (1 Cr 11.46).

**JOSBECASA** Membro da casa de Hemã que chefiou o 17º turno de músicos nomeados por Davi para os serviços do santuário (1 Cr 25.4,24).

**JOSÉ**
1. Décimo primeiro filho de Jacó, e primeiro filho com sua esposa favorita, Raquel, depois que sua irmã Léia já lhe havia dado seis filhos e uma filha. Estéril há muito tempo, e desejosa de ter filhos, Raquel chamou seu primeiro filho de José, em hebraico, *yosep* ou *yehosep,* que significa "Que Ele acrescente"; e como ela explica, "O Senhor me acrescente outro filho" (Gn 30.24).
José era o único filho de Raquel na época do

José é vendido pelos seus irmãos, pintado por Maggiotto. MM

retorno da região de Harã à Palestina, e tornou-se o filho favorito de Jacó. Quando Jacó foi ao encontro de Esaú, colocou Raquel e José no lugar mais seguro da caravana. Esse favoritismo é comentado em Gênesis 37.3, como conseqüência da idade avançada de seu pai. José era um pastor, assim como seus irmãos, e provocou sua hostilidade ao relatar ao pai informações sobre a má conduta destes. Jacó demonstrou sua parcialidade dando ao filho um longo manto ornado com mangas (literalmente, um manto especial). É possível que aquele manto tivesse sido confeccionado sob encomenda, com um tecido colorido (cf. vestimenta dos asiáticos, mostrada no túmulo de Khnumhotep II do Reino do Meio, em Beni Hasan). Esse presente indicava que Jacó pretendia fazer de José o seu principal herdeiro e, com isso, acirrou a ira de seus irmãos contra ele (37.4).

Na fogueira do ódio de seus irmãos foi colocada mais lenha quando José relatou os dois sonhos que tivera, nos quais o Senhor havia lhe mostrado que ele seria o chefe de todos eles. O ciúme dos irmãos os levou a tomar uma atitude contra ele. Quando José foi enviado para investigar as atividades de seus irmãos, encontrou-os em Dotã junto aos rebanhos. O plano deles era matar José (37.18,19), mas foram impedidos pelo irmão mais velho, Rúben, que desejava protegê-lo de qualquer mal (vv.22-24). Quando apareceu uma caravana de ismaelitas-midianitas (veja Kitchen, *Ancient Orient and the Old Testament,* pp. 119ss.) em sua rota de Gileade até o Egito, os irmãos conceberam a idéia de se livrar dele, e ainda com algum lucro. Venderam José aos mercadores e, insensivelmente, fizeram Jacó acreditar que ele havia sido morto por animais ferozes; para isso trouxeram de volta o manto de José, embebido no sangue de um cabrito.

Chegando ao Egito, os mercadores venderam José a Potifar, oficial do rei e capitão de sua guarda. O Senhor abençoou José com muito sucesso em seu trabalho, de forma que ele foi promovido à função de supervisor da casa, um título e uma função que eram típicos daquele país. A esposa de Potifar se sentiu atraída pelo jovem e procurava, continuamente, seduzi-lo (39.10). A estrutura doméstica do Egito, como foi demonstrada em escavações feitas em Amarna, indica que os deveres de José exigiam sua presença em diversas partes da propriedade onde, necessariamente, teria que encontrar a mulher. Embora estivesse longe de seu lar e de sua família, o jovem hebreu era fiel aos seus ideais e rejeitava as propostas daquela mulher por serem perversidade e pecado contra Deus (39.9).

Esse interessante relato (39.6-20) fornece muitos detalhes da vida dos egípcios. Com freqüência, romancistas e escritores populares apresentaram uma opinião pouco favorável a respeito da moralidade desse povo, a qual parece ter sido pouco recomendável na época e entre aquele povo, visto que uma conduta mais adequada estivesse, muitas vezes, baseada em importantes razões práticas. A civilização egípcia realmente teve um lado ruim e os papiros D'Orbiney contam uma história de sedução, muito comum a várias épocas e locais. A história tem o nome de "*The Tale of Two Brothers*" e confirma a atitude virtuosa desses irmãos que tinham uma atitude bastante superior, em contraste com o procedimento imoral da esposa do irmão mais velho. Embora os paralelos com o relato bíblico sejam interessantes, as diferenças são infinitamente maiores (veja ANET, pp. 23-25). *Veja* Egito.

Potifar aceitou o dramático testemunho da esposa, e José foi enviado à prisão destinada aos presos políticos. Mesmo estando na prisão, ele novamente recebeu as bênçãos divinas e logo alcançou uma posição de responsabilidade. Nesse lugar especial de aprisionamento, ele entrou em contacto com funcionários da corte do rei e interpretou os sonhos que o copeiro e o padeiro tiveram em uma mesma noite.

Esses sonhos continham muitos detalhes do contexto egípcio, pois a vinicultura era muito importante no antigo Egito e também já eram conhecidas técnicas para assar alimen-

Túmulo tradicional de José em Siquém. HFV

tos. Os sonhos eram geralmente considerados pressságios no Oriente Próximo. Um papiro hierático relacionado com a interpretação de sonhos mostra a data da 19ª Dinastia, podendo abranger até mesmo o Reino do Meio. Ele faz alusões através de um jogo de palavras, o que era típico da literatura egípcia e que também ocorrem em Gênesis 40 como uma característica local. Como a habilidade de José de interpretar sonhos era um dom de Deus, não existe nenhuma relação entre esse papiro e José (veja ANET, p. 495). Embora o copeiro fosse perdoado e o padeiro executado, José permaneceu na prisão por pelo menos mais dois anos (41.1). Quando os estranhos sonhos do Faraó não puderam ser interpretados pelos especialistas egípcios, o copeiro se lembrou de José que foi, então, convocado à corte do rei. Antes de comparecer à presença do rei, José se barbeou (41.14) de acordo com a boa tradição egípcia (veja ANET, p. 22). Em baixos-relevos e pinturas, vemos a figura de egípcios bem barbeados contrastando fortemente com os asiáticos, que usavam longas barbas. Muitas lâminas de barbear foram encontradas nas escavações realizadas no Egito. Os sonhos do Faraó incluíam o sempre presente rio Nilo, o gado que pastava ao longo de suas margens e os grãos que fizeram daquele país o celeiro do mundo Mediterrâneo. A interpretação de José indicava que sete anos de fartura seriam seguidos por sete anos de escassez. O Nilo era muito regular em suas inundações anuais (*veja* Nilo). Entretanto, havia algumas exceções a essa regra, e textos antigos guardam declarações de funcionários gabando-se de ter tomado medidas para os necessitados nesses anos magros (veja ANET, pp. 31-32).

José então sugeriu que deveriam ser feitas provisões para os anos ruins recolhendo-se um quinto de toda produção obtida nos anos de abundância. Essa proposta foi bem recebida pelo rei e seus conselheiros, e por isso José recebeu uma posição que estava logo abaixo da autoridade real. Essa função é bastante conhecida pelos documentos encontrados no Egito e, geralmente, ela recebe no Oriente Próximo o titulo de "vizir". O vizir era o principal funcionário administrativo e seus deveres eram muito variados: ele era encarregado do tesouro, da justiça e da execução de todos os decretos reais.

José recebeu um nome egípcio (*veja* Zafenate-Panéia) e se casou com Asenate, filha de Potífera, sacerdote de Om, o centro da religião solar, melhor conhecido como Heliópolis (*veja* Om). Durante os anos de prosperidade, Asenate teve dois filhos, Manassés e Efraim, que mais tarde assumiram o lugar de representantes de José entre os filhos de Jacó (Israel).

José fez os preparativos adequados para os anos de escassez, de modo que não só o Egito como também os povos das terras vizinhas vinham comprar grãos de suas mãos. É nesse ponto que as antigas profecias dos sonhos de José tornaram-se visíveis (42.9), pois entre aqueles que vieram comprar cereais estavam seus irmãos (42.5). José os reconheceu, mas eles não (42.7,8). Por esta razão, ele estava em condições de sujeitá-los a uma série de testes. Foram interrogados, acusados de serem espiões e, finalmente, enviados à prisão por três dias. Como prova de sua honestidade, José exigiu que deixassem um deles como refém e voltassem a Canaã para buscar Benjamim, o irmão mais novo, que, segundo afirmavam, ainda vivia lá. Os versos 21 e 23 descrevem os mecanismos da consciência dos irmãos de José ao argumentarem entre si. Simeão permaneceu no Egito enquanto os outros retornaram à Palestina.

Para aumentar a perplexidade dos irmãos, José fez com que lhes fosse devolvido o dinheiro gasto na compra dos grãos, dentro de suas próprias bolsas. Isso só foi descoberto quando já estavam a caminho de Canaã. Eles transmitiram ao idoso Jacó um relato de suas aventuras. O patriarca foi, assim, forçado pelas circunstâncias a concordar com a necessidade de levarem Benjamim consigo quando voltassem ao Egito para buscar mais grãos. Todos os esforços foram feitos para assegurar o favor do vizir, e Israel enviou seus filhos ao Egito abençoando-os e confiando em Deus (43.14).

Porém, muitos outros testes esperavam os irmãos de José (43.18). Foram convidados a comer em sua companhia, embora ele mesmo se servisse conforme o costume egípcio (43.32). A prova final constava de uma acusação de roubo, que trouxe os irmãos de volta ao Egito depois de terem iniciado o seu retorno à Palestina (capítulo 44). Como a taça de prata supostamente roubada foi encontrada no saco de grãos de Benjamim, caiu sobre eles a mais terrível angústia.

Por fim, José revelou sua identidade, e isso foi feito com uma considerável emoção de sua parte; ele chorou tão alto que todos os egípcios o ouviram (45.2; cf. 42.24; 43.30,31). Podemos observar claramente o sensível e compreensivo caráter de José pela segurança que deu aos irmãos, mostrando que os havia perdoado e estava preocupado com o seu bem estar. Além disso, José viu a mão de Deus em sua carreira, pois o Senhor o havia escolhido com a finalidade de preservar Israel através de sua pessoa (45.7,8).

Em seguida, José tomou providências para informar seu pai sobre o feliz desenlace dos acontecimentos e mudar toda a família para o Egito. Os títulos que José deu a si mesmo, "pai de Faraó, senhor de toda a sua casa, e regente em toda a terra do Egito" (45.8) são bastante típicos de um oficial egípcio de sua categoria. O Faraó ficou satisfeito com o relato da chegada dos irmãos de José e sugeriu pessoalmente as medidas para trazer a sua

família para a melhor parte do país (45.16-20). Foram providenciados os meios de transporte, sob a forma dos tradicionais e pacientes burros, que carregavam presentes e suprimentos, e de carroças destinadas ao transporte de pessoas. Nas cenas dos túmulos, parece que as carroças eram desconhecidas no Egito, e talvez fossem uma concessão devido à origem asiática da família de José. Alguns consideram as referências feitas a carroças e bigas (41.43) como a indicação de que José havia sido vizir durante o governo dos hicsos.
Jacó respondeu favoravelmente ao convite e também foi orientado por Deus a ir ao Egito, de onde Deus faria de Israel uma grande nação (46.2-4).
José foi a Gosén para encontrar o seu pai (46.29) e, depois, iniciou os planos para estabelecer os seus parentes naquela área (*veja* Gosén). Devido à antipatia que existia entre criadores de gado e pastores de ovelhas, José aconselhou sua família a mencionar seu gado (veja 46.6) quando fossem questionados pelo Faraó a respeito de suas ocupações (46.31-34), mas, apesar disso, seus irmãos falaram principalmente dos rebanhos (47.3,4). O Faraó os recebeu cordialmente, confirmou sua localização em Gósen e solicitou que os homens capazes dentre eles fossem designados para tomar conta de seu gado (47.6). Jacó foi apresentado ao rei e quando respondeu à pergunta do Faraó, disse ter 130 anos idade, porém comparaou-a com os anos de seus antepassados: "poucos e maus foram os dias dos anos de minha vida" (47.9).
Como a escassez continuava, José trocou grãos por terras, de forma que o trono se tornou o dono virtual de todo o Egito, com exceção das terras que pertenciam aos sacerdotes (47.20-22; veja Breasted, *History of Egypt*, pp. 229, 238, 244). Tem sido admitido que, por alguma razão, durante o reinado de Sesóstris III (1878-1843 a.C.), as províncias e seus nobres foram destituídos de seus direitos tradicionais e funcionários nomeados passaram a ser seus administradores (William C. Hayes, "The Middle Kingdom in Egypt", CAH, ed. rev., fasc. 3, pp. 44ss.). Os favores oferecidos pelos reis aos sacerdotes (47.22) ficaram bem conhecidos através de documentos antigos, tais como o longo Papiro Harris I, que relaciona os presentes de Ramsés III aos Templos (veja ANET, pp. 260-62; Breasted, ARE, IV, §§ 151-412).
Depois de morar durante 17 anos no Egito, Jacó ficou muito doente. Ele já havia exigido de José a promessa de ser enterrado na sepultura tradicional da família em Canaã (47.29-31). E também deu uma bênção especial aos filhos de José (Gn 48) e individualizou bênçãos proféticas a cada um de seus próprios filhos (Gn 49; quanto a José, veja os versículos 22 a 26). José cumpriu a promessa feita ao pai, mandou mumificar o seu corpo segundo o costume egípcio (50.2-13, *veja* Embalsamar) e o enterrou na cova de Macpela, nas proximidades de Hebrom. Depois da morte de Jacó, os irmãos de José ficaram temerosos de que ele poderia tentar se vingar, mas novamente foram assegurados de que Deus em sua providência, havia planejado tudo isso somente para o bem.
José morreu no Egito com a idade ideal egípcia de 110 anos (veja ANET, p. 414, n.33). Ele também foi mumificado e colocado em um sarcófago ou caixão de madeira para múmias (50.26). Ele havia pedido que, quando os israelitas deixassem o Egito, levassem consigo os seus restos mortais (50.25). Isso foi fielmente executado por Moisés na época do Êxodo (Êx 13.19). *Veja* Êxodo, O. José foi sepultado em Siquém, em um pedaço de terra que Jacó havia adquirido (Js 24.32).
José não é mencionado nos registros egípcios. Entretanto, é interessante observar que José-El aparece como o nome de um lugar palestino na relação das cidades conquistadas por Tutmósis III (veja ANET, p. 242; J. Simons, *Egyptian Topographical Lists*, pp. 112, 118, 127-128). *Veja* Cronologia do AT; Gênesis; Era Patriarcal.

***Bibliografia.*** K. A. Kitchen, "Joseph", NBD, pp. 656-660. H. H. Rowley, *From Joseph to Joshua,* Londres. British Academy, 1950. J. Vergote, *Joseph en Egypte,* Louvain. Publications Universitaires, 1959. W. A. Ward, "Egyptian Titles in Genesis 39-50", BS, CXIV (1957), 40-59; "The Egyptian Office of Joseph", JSS, V (1960), 144-150.

2. Os descendentes da pessoa mencionada no item 1 acima (Gn 49.22; Dt 33.13; Jz 1.22,23 etc.).
3. Pai de Igal ou Jigeal, um dos espias enviados por Moisés, da tribo de Issacar (Nm 13.7).
4. Filho de Asafe, cujo nome aparece duas vezes na descrição dos serviços religiosos sob Davi (1 Cr 25.1,9).
5. Homem da família de Bani (Binui) que se casou com uma estrangeira, mas despediu-a em resposta a um reavivamento religioso (Ed 10.41,44).
6. Sacerdote da época de Joiaquim, da família de Sebanias (Ne 12.14).
7 a 9. Três homens relacionados na genealogia de Lucas 3.24,26,30.
10. O marido de Maria, mãe de Jesus. Sua genealogia é apresentada em Mateus 1 (cf. Lc 3.23-38). Ele era um carpinteiro (Mt 13.55; Mc 6.3) que vivia em Nazaré (Lc 2.4). Mas, como descendente de Davi, sua casa ancestral estava em Belém. Estava noivo de Maria na época em que Jesus foi concebido pelo Espírito Santo (Mt 1.18; Lc 1.27; 2.5). Ao saber que Maria estava grávida, quis evitar que ela fosse exposta à vergonha pública, embora cogitasse divorciar-se e despedi-la secretamente. Mas em um sonho foi informado por Deus que a concepção de Maria era divina e

foi encorajado a se casar com ela (Mt 1.20-25). Para se registrarem e pagarem o imposto real, ele e Maria foram a Belém, onde Jesus nasceu. José é mencionado juntamente com Maria e Jesus na visita dos pastores (Lc 2.16) e na apresentação de Jesus no Templo (Lc 2.27,33). Em um sonho, Deus instruiu José a fugir da ira de Herodes, ir para o Egito, e lá permanecer durante algum tempo (Mt 2.13-15). A última participação de José é mencionada no evento dos Evangelhos relacionado com a visita feita à festa anual em Jerusalém, quando Jesus tinha 12 anos de idade (Lc 2.41-52). Ele não foi incluído com Maria e seus filhos em Mateus 12.46-50; Marcos 3.31-35 e Lucas 8.19-21 (cf. Mc 6.3), embora João 6.42 possa indicar que José ainda estivesse vivo durante parte do ministério de Jesus. José não aparece na crucificação quando Jesus entregou sua mãe aos cuidados do apóstolo João (Jo 19.26,27), portanto podemos concluir que José havia morrido antes desse acontecimento. Os judeus da época de Jesus consideravam que Ele era filho de José (veja Lc 3.23; 4.22; Jo 1. 45; 6.42).

11. José de Arimatéia, um homem rico (Mt 27.57), membro do Sinédrio (Lc 23.50) e discípulo secreto de Jesus por sentir medo dos judeus (Jo 19.38). Ele é caracterizado como uma pessoa honrada, corajosa e que esperava o reino de Deus (Mc 15.43; Lc 23.50,51). Depois da morte de Jesus, José foi a Pilatos para pedir o seu corpo (Mt 27.57,58; Mc 15.43; Lc 23.52; Jo 19.38). Junto com Nicodemos, José preparou o corpo de Jesus para o sepultamento e o colocou no túmulo que havia preparado para o seu próprio uso (Mt 27.60).

12. Meio irmão e Jesus (Mt 13.55; alguns manuscritos trazem "José" ou "João").

13. Um candidato ao lugar de Judas entre os apóstolos, identificado como "José chamado Barsabás, que tinha por sobrenome o Justo" (At 1.23).

14. Nome original de Barnabé (q.v.) um levita nascido em Chipre (At 4.36). A versão KJV, seguindo o Textus Receptus, chama-o de José.

C. E. D.

**JOSEBE-BASSEBETE** Nome do guerreiro mais iminente de Davi dentre os poderosos. Na passagem paralela em 1 Crônicas 11.11, esse homem é identificado como Jasobeão, um hacmonita. *Veja* Jasobeão.

**JOSEFO, FLÁVIO** A vida de Josefo (aprox. 37-103 d.C.) é um estudo de contrastes. Filho de um sacerdote e criado no judaísmo tradicional, Josefo ou Joseph ben Mathias (seu nome hebraico) podia vangloriar-se de ter sangue real através de sua mãe asmoneana. Ele estava tão desgostoso com as três seitas prevalecentes do judaísmo, que se retirou durante vários anos para um mosteiro nas proximidades de Jerusalém, dirigido pelo eremita Banus. Envolvido no movimento de resistência dos judeus contra Roma, do qual havia sido incapaz de se afastar, tornou-se o general encarregado da fortaleza de Jotapata na Galiléia (em 66 d.C.). Embora tenha se recusado a se entregar até que recebesse garantias de vida, foi sua feliz profecia de que Vespasiano se tornaria imperador que lhe trouxe o favor imperial. Recebeu permissão para acompanhar Tito a Jerusalém, mas não conseguiu persuadir a sitiada cidade a se entregar.

Afirmando ser fariseu e um verdadeiro patriota, era considerado pelos romanos, assim como pelos judeus, como um oportunista. Tinha os "abstratos princípios de um fariseu, mas com os princípios e o temperamento de um herodiano". Foi assim que ele viveu e mais tarde escreveu cheio de desdém pelo favor de Roma.

Depois da destruição de Roma, Josefo recebeu permissão para se retirar para perto de Jerusalém, mas preferiu voltar para Roma na companhia de Tito, onde lhe foi conferida a cidadania romana e o encargo de escrever a história do povo judeu.

Como os patriarcas apostólicos são praticamente a única fonte disponível dos acontecimentos do segundo século do cristianismo, se não fosse por Josefo, pouco saberíamos a respeito do judaísmo do primeiro século, ou da perspectiva que este judaísmo tinha em relação ao cristianismo. Essa é a principal razão da elevada consideração que os patriarcas da Igreja, como por exemplo Jerônimo, tinham por seus escritos.

O primeiro trabalho literário de Josefo foi sua *History of the Jewish War* (contra Roma) publicado nos últimos anos do reinado de Vespasiano. Escrito primeiramente em aramaico, em benefício dos judeus da Mesopotâmia e, depois, reescrito em grego. Contém um relato detalhado da luta inútil contra Roma. A narrativa começa no período intertestamentário com Antíoco Epifânio e a revolta dos macabeus, culminando com a insurreição contra Roma e a queda de Jerusalém no ano 70 d.C., e Masada no ano 73 d.C. Josefo escreve como um judeu de atitude moderada que tenta atribuir as faltas de seus compatriotas aos extremismos dos fanáticos, os zelotes. Embora ele descreva minuciosamente o sítio e a derrota de Jerusalém, com detalhes dolorosos, não existe qualquer referência explícita a Cristo ou aos cristãos no texto grego desse volume. A precisão histórica da maior parte do conteúdo de seus escritos tem sido confirmada através de várias descobertas como as de Macaero (q.v.).

A obra *Antiquities of the Jews* é o produto de sua liberdade erudita sob o patrocínio romano. Foi escrita em resposta a seu principal crítico, Justo de Tibério, e para ganhar os favores de seus superiores pagãos para a religião judaica. Isso pode justificar sua natureza naturalista e antimitológica, ao descrever os milagres do AT. Também tinha esperança de recuperar o favor de seus compatriotas que não depositavam nele confiança. O relato termina da mesma forma que a obra anterior, *The Jewish War*, isto é, com a derrota de Jerusalém, mas começa com a criação do mundo. Apoiando-se nas Escrituras hebraicas para o detalhamento da história primitiva, Josefo incorpora posteriormente outras fontes, inclusive a Apócrifa e demais tradições populares, porém com uma pequena referência ao NT. Em muitos aspectos, o "Testimonium Flavianum" (*Ant.* xviii.3.3) encontra em Josefo a mais significativa testemunha do cristianismo. Sua autenticidade tem sido seriamente questionada. Nesse testemunho muito celebrado e debatido fora do cristianismo da Antiguidade, Cristo é descrito como "um homem sábio, se na verdade alguém pudesse lhe chamar de homem". Como essa grave afirmação judaica não foi confirmada pelos escritores cristãos antes de Eusébio (*History of the Christian Church,* i.11.7ss.), ela poderia dar a idéia de não ser genuína. Entretanto, apesar disso, A. von Harnack, Rendel Harris e outros têm defendido a sua originalidade. Embora muitos estudiosos acreditem que ela seja espúria em sua presente forma, alguns se convenceram de que ela contém um ingrediente que é puramente de Josefo.

***Bibliografia.*** Norman Bentwich, *Josephus,* Filadélfia. Jewish Pub. Society, 1914. William R. Farmer, *Maccabees, Zealots and Josephus,* Nova York; Columbia Univ. Press, 1956. Frederick J. Foakes-Jackson, *Josephus and the Jews,* Nova York. R. R. Smith, 1930. J. Rendel Harris, *Josephus and His Testimony,* Cambridge, 1931. Hugh W. Montefiore, *Josephus and the New Testament,* Londres. A. R. Mowbray & Co., 1962. Henry St. John Thackeray, *Josephus the Man and the Historian,* Nova York. Ktav Pub. House, 1968. Solomon Zeitlin, *Josephus on Jesus,* Filadélfia. Dropsie College, 1931.

J. H. G.

**JOSÉS** Possivelmente uma forma grega de José, embora o nome *Ioses* também esteja presente em inscrições gregas.

1. Um irmão de Jesus (Mc 6.3). Chamado de "José" em Mateus 13.55 de acordo com a melhor evidência dos manuscritos.
2. Filho de Maria de Cléopas (ou Clopas conforme o melhor manuscrito grego em João 19.25) e irmão de Tiago, o menor (Mt 27.56 de acordo com TR; chamado "José" nas versões RSV e NASB em inglês, de acordo com um texto grego diferente. Marcos 15.40,47 tem o genitivo de *Ioses* em quase todos os manuscritos).
3. Nome dado a Barnabé por ocasião de seu nascimento. Ele foi um proeminente missionário e antigo companheiro de Paulo (At 4.36; é chamado de José nos mais antigos manuscritos gregos). *Veja* Barnabé.

**JOSIAS**

1. Neto de Manassés, filho e sucessor de Amom como rei de Judá. A principal informação bíblica relacionada com ele se encontra em 2 Reis 22 e 23; 2 Crônicas 34 e 35, em Jeremias (muitas referências) e em Sofonias. Seu nascimento e nome foram previstos de uma forma sobrenatural na época de Jeroboão I (1 Rs 13.2). Foi um dos bons reis de Judá que liderou uma reforma. Foi colocado no trono pelo "povo da terra" com a idade de oito anos e reinou de aprox. 639 a 609 a.C. No oitavo ano de seu reinado (com 16 anos de idade) ele "começou a buscar o Deus de Davi, seu pai" (2 Cr 34.3). No décimo segundo ano de seu reinado, deu início às suas reformas em Judá e Jerusalém e, evidentemente, também no norte de Israel (Jeremias recebeu o chamado para o seu ministério profético no décimo terceiro ano de Josias, em aprox. 626 a.C.).

No seu décimo oitavo ano (621 a.C.) Josias providenciou os reparos necessários ao Templo, e foi nessa época que aconteceu o evento mais importante de seu reinado. Hilquias, o sumo sacerdote, encontrou o "livro da lei" no Templo. Se essa obra não pode ser identificada exclusivamente com o livro do Deuteronômio, é bastante certo que ela pelo menos incluiu esse livro, ou partes dele. Esse livro da lei foi responsável pela renovação da aliança e por outras reformas, que certamente se estenderam até Betel e Naftali. Aparentemente, o controle dos assírios estava suficientemente enfraquecido a ponto de permitir uma limpeza e eliminação da idolatria daquela terra. Ao fazer isso, Josias centralizou a religião do povo em Jerusalém. Ele também fez a maior celebração da Páscoa de que se tem conhecimento desde a época dos juízes. Mas apesar de tudo isso, Jeremias (por exemplo, Jeremias 2–6 e 11) deixou bem claro que as reformas de Josias eram apenas superficiais, externas e temporárias. Esta obra não trouxe como resultado nenhum arrependimento genuíno, e nenhuma mudança duradoura interior nas pessoas.

Josias adotou uma política contrária aos assírios e, por esse motivo, padeceu uma morte precoce em 609 a.C., por ter imprudentemente liderado um pequeno exército contra Neco II, rei do Egito. Na verdade, esse último estava liderando uma marcha para ajudar os assírios em sua última trincheira contra os babilônios em Harã. Josias foi morto no início desse confronto contra o exército egípcio em Megido. Sua reforma religiosa foi logo esquecida e três meses depois o reino de Judá perdeu a sua independência política para o Egito.

No entanto, Josias foi o último rei bom e santo de Judá, antes da destruição de Jerusalém e do cativeiro na Babilônia. O melhor tributo lhe é rendido em 2 Reis 23.25: "E antes dele não houve rei semelhante, que se convertesse ao Senhor com todo o seu coração, e com toda a sua alma, e com todas as suas forças, conforme toda a Lei de Moisés; e, depois dele, nunca se levantou outro tal".

2. Um filho de Sofonias que retornou do exílio com outros judeus (Zc 6.10).

K. L. B.

**JOSIBIAS** Um simeonita (1 Cr 4.35).

**JOSIFIAS** Pai de alguém que retornou à Palestina com Esdras (Ed 8.10).

**JOSUÉ** Líder dos israelitas em sua conquista da terra prometida. Seu nome completo "Jehoshua" (Nm 13.16) significa "Jeová é salvação" e tem a mesma forma grega do nome de Jesus (At 7.45; Hb 4.8). Seu nome está escrito como "Josué" em Neemias 8.17, mas seu nome original era Oséias (Nm 13.8). Josué era filho de Num, da tribo de Efraim (Nm 13.8). Depois de dirigir a distribuição de terras, ele se instalou nas terras altas de Efraim em Timnate-Sera, onde foi sepultado (Js 19.50; 24.30).

Como tinha mais de 40 anos de idade quando deixou o Egito, e parecia bem qualificado para assumir o comando das forças israelitas que lutaram contra os amalequitas em Refidim (Êx 17.8-16), é possível que tivesse sido treinado pelo exército do Faraó. Durante aquele ano, no monte Sinai, Josué serviu como auxiliar direto de Moisés quando esse último recebeu as leis, e todas as vezes que ia à tenda onde encontrava e ouvia o Senhor (Êx 24.13; 32.17; 33.11). Mesmo depois de deixar o Sinai, Moisés considerava Josué como um "moço" e achava necessário censurá-lo por proibir dois anciãos do acampamento de profetizar (Nm 11.27-29).

Além dos possíveis contatos que pode ter tido antes do Êxodo com Canaã e seus habi-

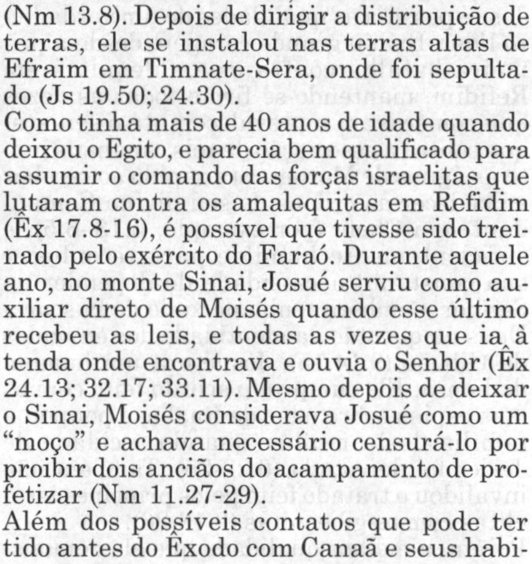

A colina de Gibeão, com cujos antigos habitantes cananeus Josué fez um tratado. HFV

Ruínas de uma casa do período israelita em Et Tell, geralmente identificada como Ai. HFV

tantes, que vinham comercializar com os egípcios, ou mesmo que pudesse ter viajado ao Egito em alguma campanha militar, Josué adquiriu experiência dessa terra por ser um dos doze espias. Foi escolhido para ser o representante da tribo de Efraim (Nm 13.8). Eles exploraram cuidadosamente desde o Neguebe até Reobe, perto de Lebo-Hamate (Lebweb, pouco mais de 20 quilômetros a noroeste de Baalbek, entre os limites do Líbano). Como Josué e Calebe se opunham ao difamatório relatório da maioria, e insistiam que os israelitas deviam entrar na terra que era "muito boa" (Nm 14.7) ao invés de se rebelar contra o Senhor, eles cresceram em sua estatura espiritual. Os outros dez que não creram na promessa da terra, que fora feita pelo Senhor, morreram devido à praga (Nm 14.36-38). Dos que iniciaram a jornada, somente Josué, Calebe e aqueles que tinham menos de 20 anos permaneceram vivos ao final dos 40 anos, e receberam permissão para entrar em Canaã (Nm 26.65; 32.12; Dt 1.34-40).

O Senhor ordenou a Moisés que desse a Josué o encargo de ser o novo pastor de seu povo, quando o legislador entendeu que logo morreria ao invés de entrar em Canaã (Nm 27.12-23; Dt 3.21-29). Moisés solenemente investiu Josué com honra e autoridade perante Eleazar, o sumo sacerdote, e toda a congregação, e compartilhou o espírito de sabedoria ao impor as mãos sobre ele (Nm 27.18,23; Dt 34.9). Como parte dos preparativos finais de Moisés para a continuidade da aliança, ele publicamente advertiu Josué a ser corajoso e forte a fim de levar Israel à terra de sua prometida herança (Dt 31.3,7,8). Quando Moisés e seu sucessor se dirigiram à porta da tenda, Deus comissionou Josué de uma forma direta (Dt 31.14,15,23). Depois da morte de Moisés, o Senhor bondosamente repetiu essa ordem particularmente a Josué, aumentando as suas promessas com a finalidade de encorajá-lo na véspera da invasão de Canaã (Js 1.1-9).

Acampado a leste do Jordão, Josué enfrentou dois imensos problemas: (*a*) como cruzar o rio transbordante; e (*b*) como vencer os adversários cananeus. Será que estariam esperando na margem oposta com espadas desembainhadas? Ele enviou dois espias para fazer o reconhecimento da fortaleza de Jericó e ordenou-lhes que mantivessem a missão em segredo caso seu relatório pudesse desencorajar o povo, como os dez espias anteriores haviam feito (Js 2; cf. Nm 13; 14). Deus lhes deu a vitória sobre os dois obstáculos, enchendo de terror os habitantes da terra (Js 2.9-11) e interrompendo as águas do Jordão, quando o povo marchou cheio de fé em sua direção e na hora em que os sacerdotes que carregavam a arca pisaram em suas águas (3.14-17).

Obedecendo ao Senhor, Josué ordenou a circuncisão de todos os homens que haviam nascido no deserto (5.2-9). A nação estava novamente disposta a caminhar pela fé com Jeová, o seu Deus, nas promessas da aliança que havia sido feita com Abraão, e se submeter à circuncisão, que era o sinal desta aliança. Dessa forma, Deus eliminou toda reprovação e desgraça que foram trazidas pelo comportamento idólatra e sensual que haviam demonstrado no Egito (5.9).

Josué demonstrou ser possuidor de grande disciplina ao obedecer às inusitadas táticas de Deus para vencer Jericó. Ele ordenou aos sacerdotes e ao povo que marchassem em volta da cidade e ignorassem os gritos e as réplicas mordazes cheias de visível deboche dos defensores cananeus (6.6-10). Exceto no caso de Acã, as tropas israelitas seguiram suas ordens de não saquear as ruínas em benefício próprio. Sentindo-se pessoalmente responsável, Josué teve um grande sofrimento pela derrota e pela perda de 36 de seus homens em Ai, e prostrou-se sobre a sua face, desesperado, perante o Senhor (7.6-9).

Os detalhes do segundo ataque a Ai demonstram o cuidadoso planejamento e a estratégia que estavam presentes nas campanhas de Josué. Ele era cuidadoso e decisivo em suas atitudes, como mostra a marcha noturna de Gilgal para aliviar o cerco de Gibeão (10.9). Quando as fileiras dos amorreus foram rompidas, ele induziu o seu exército a prosseguir rumo às vitórias (10.19,20). Josué havia pedido que Deus o ajudasse a destruir, em campo aberto, o potencial de luta do inimigo e, depois da saraiva que fora divinamente enviada, ele continuou a utilizar a vantagem alcançada, enquanto os exércitos amorreus fugiam para fortalezas situadas a 30 quilômetros de distância (10.10-14).

Com incrível velocidade, ele atacou as principais fortalezas do sul, uma após outra, com o objetivo maior de matar as tropas e não de ocupar e dominar as cidades (10.28-43). Ele contava muito mais com a direção e o suporte divino (10.25,30,31,42; 11.6-9,15), com a surpresa e a astúcia, a disciplina e o incentivo aos seus homens e com o colapso moral do inimigo, do que com a superioridade e a quantidade das armas e homens. Como o seu exército havia sido formado no deserto, e não estava treinado para operações de cerco, ele não podia se arriscar a ficar atolado do lado de fora de uma cidade murada. É provável que muitos cananeus tenham fugido para as montanhas e cavernas, para depois retornar e reocupar as suas cidades. Outras cidades, como Gibeão e seus aliados, capitularam imediatamente. Dessa forma, exceto no caso de Jericó, Ai e Hazor, que Josué incendiou (11.13), os arqueólogos podem esperar encontrar poucas e claras evidências da destruição de uma cidade por causa das incursões de Josué. Ele subjugou o país como um todo, e promoveu a necessária segurança para permitir que cada tribo entrasse e reclamasse a herança que lhe fora destinada. Gradualmente se seguiram a instalação dos israelitas e a construção dos edifícios durante o período que decorreu desde os juízes até Davi. *Veja* Êxodo, O

Josué possuía as qualidades de um verdadeiro líder. Exibiu grande coragem desde a primeira batalha contra os amalequitas em Refidim, mantendo-se firme todas as vezes que começavam a prevalecer, até o seu ataque contra a associação de reis cananeus junto às águas de Merom. Era rápido ao receber e obedecer às ordens de seu divino Comandante-em-Chefe (por exemplo, 5.13–6.5), e suficientemente humilde para reconhecer sua constante necessidade de depender do Senhor – embora tenha deixado de buscar a Deus na questão da identidade dos enviados de Gibeão (9.14,15). Josué era um homem de honra. Ele cumpriu o acordo feito com os dois espias sobre o lar de Raabe, e poupou a família desta mulher quando a cidade de Jericó foi derrotada (6.22-25). Também não invalidou o tratado feito pelos príncipes israelitas com os gibeonitas (9.18-26).

Porém, a melhor qualidade que ele demonstrava era a sua total devoção à lei de Deus. Saturava a sua mente e o seu coração com a Palavra do Senhor. Dessa maneira, a nação confiava em suas decisões (veja 1.13-18; 11.11,15; 14.1-5). Em meio às suas primeiras campanhas, Josué dedicou tempo ao estabelecimento da aliança de Israel com a nova lei da terra em seu próprio centro, em Gerizim e Ebal (8.30-35). Em seu discurso de despedida apelou ao povo, pedindo que cada um renovasse o compromisso de sua aliança com o Senhor, exortando-os a guardar e a fazer "tudo quanto está escrito no livro da Lei de Moisés" (23.6).

Seu santo exemplo de temor e obediência ao Senhor continuou a influenciar a nação mesmo depois de sua morte, e durante o período dos anciãos que a ele sobreviveram (24.31). Veja a bibliografia em Josué, Livro de.

J. R.

**JOSUÉ, LIVRO DE** O sexto livro do AT, e primeiro dos livros históricos, recebeu o nome de seu principal personagem, Josué. Sob a orientação de Deus, ele dirigiu a nação de Israel através do Jordão na conquista de Canaã, na ocupação dos territórios das tribos e na renovação do compromisso de sua aliança com o Senhor. Segundo a tradição judaica, esse livro é o primeiro dos Profetas, a segunda maior divisão da Bíblia hebraica, que encabeça a subdivisão conhecida como os Primeiros Profetas ou os Profetas Antigos (Josué, Juízes, 1 e 2 Samuel e 2 Reis).

### Posição no Cânon

Em 1792, Alexander Geddes propôs a teoria de que Josué era o sexto livro de uma coleção judaica posterior que os críticos modernos haviam intitulado de Hexateuco. Desenvolvendo essa opinião junto à teoria documental do Pentateuco (JEDP), alguns estudiosos como Bleek, Knobel e Nöldeke argumentaram que deve haver uma conclusão mais adequada à história dos primórdios de Israel descrita nos cinco primeiros livros do AT. Como a terra que Deus jurou dar aos patriarcas está mencionada na divina promessa desde Gênesis 12 até Deuteronômio 34, o cumprimento da promessa divina não teria sido possível sem Josué. Aqueles que analisaram as fontes acreditam poder detectar os estilos das supostas fontes pentateucas nesse sexto livro.

Entretanto, não existe qualquer evidência na tradição judaica ou nos manuscritos de que Josué tenha alguma vez formando uma unidade com os cinco livros da lei para constituir o assim chamado Hexateuco. A lei sempre se distinguiu dos outros livros. Josefo declara textualmente que os judeus de sua época tinham cinco livros de Moisés, 13 livros dos profetas que escreveram o que foi feito em sua época, desde a morte e Moisés até o reinado de Artaxerxes, e 4 outros livros que continham hinos a Deus e preceitos para a vida cotidiana (Josefo, *Apion* 1.8). Nem qualquer porção de Josué havia sido incluída alguma vez nos sistemas anuais e trienais da interpretação publica da lei.

O argumento mais incisivo contra um Hexateuco é que os samaritanos consideravam como canônicos apenas os cinco livros de Moisés, e jamais o livro de Josué. No entanto, esse livro contém várias características que poderiam ser úteis para a causa dos samaritanos sectários. Tanto o monte Gerizim (Js 8.33), onde os samaritanos posteriormente adoravam, como Siquém (Js 20.7; 24; 1,32), que era o local onde viviam (Josefo, *Ant.* xi.8.6), são mencionados sem qualquer insinuação de que Jerusalém se tornaria o centro da adoração de Israel. Portanto, como não havia razão para rejeitar o livro de Josué, e muitas razões para conservá-lo, Josué não poderia ter feito parte da Torá na época da separação dos samaritanos (veja G. L. Archer, SOTI, p. 253).

Mais recentemente, Martin Noth (*Das Buch Joshua,* 1938) e outros afirmaram que existia em Israel uma história teológica que se iniciou com Deuteronômio e continuou através de 2 Reis. Embora existam algumas semelhanças de estilo entre Deuteronômio e Josué, deve-se reconhecer que na história judaica o livro de Deuteronômio sempre foi considerado como parte da Torá, como um dos cinco livros da lei. Deuteronômio 24.16 é mencionado em 2 Reis 14.6, indicando um fato que foi "escrito no livro da lei de Moisés". Tanto o Senhor Jesus como os apóstolos citavam ou se referiam a trechos de Deuteronômio como fazendo parte da lei (cf. Mt 22.36-38 com Dt 6.5; Mt 19.8 com Dt 24.1-4; At 3.22 com Dt 18.15; 1 Co 9.9 com Dt 25.4; Hb 10.28 com Dt 17.6; 19.15; Hb 10.30 com Dt 32.35,36). Certamente, ninguém na igreja primitiva duvidava da inspiração do livro de Josué. Em Hebreus 13.5, a passagem em Josué 1.5 é citada como a Palavra de Deus. Numerosas outras referências podem ser encontradas no NT a pessoas e eventos que constam no livro de Josué, mostrando que os seus registros e acontecimentos são autênticos.

### Autoria e Data

Esse livro parece ser uma unidade literária que foi composta por um único autor. Estudiosos e críticos, entretanto, mantêm uma variedade de opiniões que levam à conclusão geral de que é uma obra composta por vários documentos de origem posterior, que depois foram compilados e editados pela escola Deuteronômica. Alguns acreditam encontrar neles traços dos escritores Elohistas (E) e Yahwistas (J), e afirmam que houve uma importante revisão Deuteronômica (D) durante o reinado de Josias, em que Sacerdotes escritores (P) acrescentaram a maioria do conteúdo dos capítulos 13–22 na época de Esdras. Outros estudiosos liberais, como Martin Noth e John Bright (IB, II, 541-548), rejeitam essa análise e reconhecem apenas o estilo deuteronômico nesse livro.

Não resta dúvida de que foram usadas várias fontes nos escritos de Josué. O autor se refere especificamente ao livro de Jasar, também conhecido como Justo(s) ou Reto (Js 10.13), e menciona que Josué havia ordenado que se fizesse a descrição da terra por escrito (18.8,9). O próprio Josué escreveu "no livro da lei de Deus" as determinações para a renovação da aliança como parte da cerimônia em Siquém (24.25,26).

No entanto, Josué não poderia ter sido o autor final do livro que leva o seu nome, porque ele faz o registro de sua morte (24.29,30).

Além disso, vários eventos foram registrados e, aparentemente, só aconteceram depois de sua morte: a conquista de Hebrom por Calebe (Js 15.13*b*,14; cf. Jz 1.1,10,20). A conquista de Debir por Otniel (Js 15.15-19; cf. Jz 1.1,11-15) e a migração dos danitas para Lesém (Js 15.17; 19.47; 24.31; cf. Jz 1.1,17.18). O nome Horma foi usado para a cidade de Zefate (Js 12.14; 15.30; 19.4), mas ele somente foi mudado na era seguinte (Jz 1.1,17) Mas o autor foi um contemporâneo de Josué e participou da travessia do Jordão ("[nós] passamos", Js 5.1). Raabe também estava viva na época desses escritos (6.25).

O livro dá outras provas de ter sido escrito antes de 1200 a.C., porque os filisteus são raramente mencionados (somente em Josué 13.2,3) e certamente ainda não haviam sido considerados uma ameaça. O autor só os conhecia como habitantes do "sul" do Neguebe, junto com os gesuritas e os aveus, e o território como um todo era considerado cananeu. Ramsés III (1198-1166 a.C.) se vangloriava de ter esmagado uma frustrada invasão do Egito por terra e mar feita pelos filisteus e seus aliados do Egeu em seu oitavo ano de reinado (ANET, pp. 262ss.). Desde essa época, os remanescentes foram obrigados a se instalar na planície costeira da Palestina. Por outro lado, a frase "toda a terra dos heteus" (Js 1.4; e não em Dt 11.24!), ao se referir à Síria e ao Líbano, não teria sido historicamente precisa até que o rei heteu Suppiluliumas (1380-1346 a.C.) esmagasse os Mitanni na Síria, em aprox. 1370 a.C. Além disso, esse termo pode ter sido menos significativo depois do tratado entre Ramsés II e Hattusilis III, em aprox. 1284 a.C. Todo o disseminado controle dos heteus havia desaparecido totalmente do sul da Síria antes de 1200 a.C.

Se o próprio Josué não escreveu a maior parte desse livro, ao qual foi acrescentado um breve apêndice após a sua morte, então um possível autor seria o sumo sacerdote Finéias, a última pessoa a ser mencionada nessa obra (24.33). Ele, ao invés de Josué, seria a pessoa proeminente na resolução da disputa sobre o altar que foi construído pelas duas tribos e meia na fronteira do Jordão (Js 22.10-34). Outra possibilidade seria a de um sacerdote anônimo, intimamente relacionado com Finéias, mas que residia em Judá. A longa relação de fronteiras e cidades de Judá (15.1-63) pode indicar que ele havia se instalado nesse território. Em comparação, as fronteiras de Efraim e Manassés são descritas apenas brevemente, embora tenham abrigado os importantes centros religiosos de Siló e Siquém (Js 16–17). Pode ser percebido um interesse especial pela cidade de Hebrom (14.6-15; 15.13-14; 21.11-13) sugerindo, talvez, que ela fosse a cidade onde o autor vivia.

Dados bíblicos, assim como descobertas arqueológicas, fornecem provas com as quais podemos chegar a uma data para o Êxodo e, dessa forma, para a Conquista (Veja Êxodo, O: A Época). Se Moisés liderou os israelitas através do mar Vermelho, em aprox. 1445 a.C., 480 anos antes de Salomão começar a construir o Templo (1 Rs 6.1), então a invasão de Canaã por Josué aconteceu em aprox. 1405 a.C., no final da Idade do Bronze I (1550-1400 a.C.). A divisão da terra começou 45 anos depois de Moisés ter prometido uma herança a Calebe, em Cades-Barnéia (Js 14.1-10), portanto em aprox. 1400 a.C. Depois de fazer a designação às tribos, Josué viveu até 1390-1380, ou até mais tarde. Portanto, é provável que o livro tenha sido escrito no início do período dos juízes, em aprox. 1370-1350 a.C. De acordo com a teoria de uma data posterior do Êxodo e da Conquista, os israelitas devem ter cruzado o Jordão em aprox. 1250-1230 a.C., ou até mesmo após este período. Entretanto, seria difícil conciliar essa opinião com uma data anterior a 1200 a.C. para a época dos escritos de Josué, que parece ser a preferida como foi discutido acima: em aprox. 1200 a.C. os filisteus vieram com toda força sobre a Palestina, e o império dos heteus entrou em colapso.

**Propósito**

Parece que o livro de Josué foi escrito como um registro oficial da providencial liderança de Deus no triunfo e estabelecimento de Israel na terra que Ele havia prometido a seus antepassados. Portanto, esse registro foi, sem dúvida, acrescentado aos papiros da lei já existentes e guardados na arca no Tabernáculo (Dt 31.9,24-27). Samuel, por exemplo, escreveu o material adicional "num livro" (1 Sm 10.25) e o apresentou ao Senhor. Como parte das Escrituras reconhecidas e aceitas, o livro de Josué deveria ser lido periodicamente nas festas anuais e nas ocasiões especiais da renovação da aliança (por exemplo, Neemias 8–9).

O livro de Josué declara a fidelidade do Senhor para com a aliança que fez com os patriarcas e com a nação, através da mediação de Moisés. Deus é mostrado como Aquele que mantém todas as suas promessas (Js 21.43-45). De sua parte, as futuras gerações são encorajadas a renovar o seu compromisso com a aliança e a imitar a fé, a unidade e a elevada moral da era de Josué.

**Esboço**

I. Entrada na Terra Prometida, 1.1–5.12
   A. A ordem de Deus a Josué, 1.1-9
   B. A mobilização de Josué para cruzar o Jordão, 1.10-18
   C. Missão dos espias, 2.1-24
   D. A travessia do rio Jordão, 3.1–5.1
   E Renovação da circuncisão e a comemoração da Páscoa, 5.2-12
II. Conquista da Terra Prometida, 5.13–12.24

A. Aparição do divino Comandante-em-Chefe, 5.13–6.5
B. A campanha central, 6.6–8.29
1. Captura de Jericó, 6.6-27
2. Rejeição a Ai por causa do pecado de Acã, 7.1-26
3. Segundo ataque e o incêndio de Ai, 8.1-29
C. Estabelecimento da aliança de Israel como a lei da terra, 8.30-35
D. A campanha do sul, 9.1–10.43
1. Tratado com a tetrápolis gibeonita, 9.1-27
2. Derrota e enforcamento dos cinco reis amorreus, 10.1-27
3. Ataque às cidades e destruição de toda resistência, 10.28-43
E. A campanha do norte, 11.1-15
F. Resumo da conquista, 11.16-23
G. Apêndice: catálogo dos reis derrotados, 12.1-24

III. Distribuição da Terra Prometida, 13.1–22.34
A. A ordem de Deus para dividir a terra, 13.1-7
B. Território das tribos da Transjordânia, 13.8-33
C. O início da divisão de Canaã, 14.1-15
D. O território da tribo de Judá, 15.1-63
E. O território das tribos de José, 16.1–17.18
F. Os territórios das sete tribos restantes, 18.1–19.51
G. A herança de Levi, 20.1–21.42
1. Distribuição das cidades de refúgio, 20.1-9
2. Designação das cidades aos levitas, 21.1-42
H. Resumo da conquista e da distribuição, 21.43-45
I. Apêndice: Reconciliação com as tribos da Transjordânia, 22.1-34

IV. Convocação Final à Lealdade à Aliança na Terra Prometida, 23.1–24.33
A. Discurso de despedida de Josué aos líderes de Israel, 23.1-16
B. A grande assembléia para renovação do compromisso da aliança em Siquém, 24.1-28
C. Apêndice: A morte de Josué e a conduta subseqüente de Israel, 24.29-33.

### Ensinos e Importância

Josué é o primeiro dos livros da história profética que descreve o relacionamento de Deus com o povo escolhido depois da morte de Moisés, o mediador da aliança do Sinai. Existe um forte senso de continuidade histórica no fato de Deus, em fidelidade à sua aliança com os patriarcas e as nações teocráticas, conduzir Israel à terra da bênção e estabelecer as tribos em sua terra prometida. Através de atos reais e poderosos de redenção, Ele exibe a sua presença e poder. Esses atos são, ao mesmo tempo, reais e proféticos do segundo Josué, isto é, do Senhor Jesus Cristo, o nosso Salvador.

A era de Josué representa o ápice da fé conjunta e da fidelidade no AT. E, como tal, ela também é profética em relação à fé dos remanescentes de Israel no final dos tempos, que irão triunfar sobre os seus inimigos no dia do Senhor. Da mesma forma, o livro de Josué ilustra o atual conflito do povo de Deus contra os poderes malignos – contra os iníquos reis e príncipes do mundo invisível, os governantes cósmicos dessa era de trevas, as hostes espirituais da maldade na esfera sobrenatural – e contra o próprio Satanás (Ef 6.10-18). Essa guerra espiritual é enfrentada quando o crente se esforça fervorosamente para possuir tudo o que Deus lhe prometeu em Cristo (Ef 1.3). Como em Josué 10, todas as fortalezas devem ser destruídas e todo pensamento levado cativo à obediência a Cristo (2 Co 10.4,5). Essa guerra é vencida pela fé na completa obra redentora de Cristo e em sua autoridade atual (Ef 1.19-22), da qual os crentes compartilham quando são conjuntamente entronizados com Ele no reino sobrenatural (Ef 2.6). Dessa forma, o livro de Josué está repleto de lições espirituais sobre como o crente pode viver uma vida vitoriosa, e como poderá entrar na terra do repouso de Hebreus 3–4. Nessa passagem do NT, o repouso em Canaã, das vãs lutas inglórias, é descrito como típico do atual repouso espiritual à medida que os crentes obedecem a Cristo. Foi Ele que realizou a completa expiação, e está constantemente intercedendo pelo crente para torná-lo capaz de dominar a si mesmo e a Satanás.

O livro de Josué não retrata apenas a fidelidade e o poder salvador miraculoso de Deus, mas também sua santidade pode ser vista em seu juízo contra os iníquos cananeus, e em sua insistência de que ao fazer uma guerra santa contra estes, Israel deve também lançar fora tudo o que for iníquo em sua própria vida e costumes. O ensino relacionado a *herem*, ou o "anátema" (Js 6.17-21; Dt 7.2-26), significa que cada pessoa ou coisa hostil à teocracia por estar associada a alguma outra divindade, deve ser dedicada ao Senhor, quer para ser completamente destruída, quer para ser retirada do uso comum e dedicada apenas ao uso sagrado.

### Conteúdo e Problemas

Para discussões específicas sobre a carreira de Josué, *veja* Josué; e sobre os vários problemas arqueológicos, teológicos e exegéticos desse livro, *veja* Guerra, na parte que trata do extermínio dos cananeus e a guerra santa; Jericó; Ai; Siquém; Hazor; *veja* a referência a Josué 10.12-14 no tópico Sol.

***Bibliografia.*** Carl Armerding, *The Fight for Palestine in the Days of Joshua,* Wheaton. Van Kampen Press, 1949. William G.

Blaikie, "Joshua", ExpB. Hugh J. Blair, "Joshua", NBC. John Bright, "Joshua", IB, "Conquest", CornPBE, pp. 230-236. John J. Davis, *Conquest and Crisis*, Grand Rapids. Baker, 1970. John Garstang, *Joshua-Judges. the Foundation of Bible History,* Nova York. Richard Smith, Inc., 1931; Irving Jensen, *Joshua. Rest-Land Won,* Chicago. Moody Press, 1966. Yehezkel Kaufmann, *The Biblical Account of the Conquest of Palestine,* Jerusalem. Magnes Press, 1953. Carl F. Keil, "Joshua", KD. William S. LaSor, *Great Personalities of the OT,* Westwood, NJ.: Revell, 1959, pp. 69-77. George E. Mendenhall, *Law and Covenant in Israel and the Ancient Near East,* Pittsburgh. The Biblical Colloquium, 1955. F. B. Meyer, *Joshua and the Land of Promise,* Londres. Morgan & Scott, s.d. John Rea, "Joshua", WBC. Alan Redpath, *Victorious Christian Living. Studies in the Book of Joshua,* Revell, 1955.

J. R.

**JOTA** Palavra usada em Mateus 5.18 para representar o termo grego *iota.* O termo *iota* foi usado aqui para designar *yod*, a menor letra do alfabeto hebraico e, portanto, para estabelecer a indestrutibilidade da lei em seus menores detalhes. A inviolabilidade de toda a revelação de Deus nas Escrituras fica, da mesma forma, mantida. A importância de um detalhe tão mínimo como *yod* pode ser levada em conta apenas quando se reconhece que Cristo considerava cada palavra das Escrituras como inspirada e revestida de autoridade, pois a mudança de uma letra pode muito bem mudar todo o seu significado.

As versões inglesas modernas oferecem uma grande variedade de traduções do termo *iota* em Mateus 5.18: "jot" (ASV), "iota" (Montgomery, Moffatt, Berkeley, RSV), "menor letra" (Weymouth, NASB), "pingo do *i*" (Goodspeed, Williams), "único pingo" (Phillips), "letra" (NEB), "último ponto" (Today's English Version) etc.

**JOTÃO** 1. Um rei de Judá, filho de Azarias (ou Uzias) e pai de Acaz (2 Rs 15.5,7,30-38; 2 Cr 27.1-9). Foi co-regente ao lado de seu pai, em aprox. 750-742 a.C., porque este sofria de lepra e estava incapacitado de administrar eficientemente os negócios do reino. Reinou sozinho, no período de 742-735 a.C., dando continuidade à política antiassíria de seu pai (*veja* Uzias). Abdicou do governo em favor de seu filho Acaz, que era a favor da Assíria, e morreu em 731 a.C.

Jotão conquistou uma vitória militar sobre os amonitas (2 Cr 27.5). Também foi responsável por vários projetos de edifícios. Por exemplo, construiu a Porta Alta do Templo (isto é, a porta norte do pátio interno), fortificou o muro de Ofel em Jerusalém, construiu cidades na região montanhosa de Judá e estabeleceu fortes e torres sobre as colinas (2 Rs 15.35; 2 Cr 27.3). Podemos corretamente supor, a partir de todas essas atividades, que este foi um período de prosperidade, o que também foi confirmado pelas descobertas arqueológicas.

Um anel sinete foi encontrado em Eziom-Geber (Elate) com a inscrição: "pertence a Jotão". Esse Jotão foi identificado como sendo filho de Uzias. O fato de ter sido descoberto em Eziom-Geber evidentemente indica que naquela época o controle de Judá se estendia até aquele porto marítimo no golfo de Ácaba.

2. Filho mais novo de Gideão que escapou do massacre de seus 70 filhos, ordenado por Abimeleque (Jz 9.5). Depois de sua fuga, e depois que Abimeleque foi feito rei pelo povo de Siquém, ele apareceu no monte Gerizim para protestar contra seus atos, relatando a parábola das árvores que escolheram o espinheiro para ser seu rei (cuja "honra" o cedro, a oliveira e a vinha já haviam recusado). Dessa forma, ele advertiu os de Siquém contra Abimeleque e pronunciou uma maldição contra eles, que se cumpriu três anos mais tarde (Jz 9.57).

3. Um filho de Jadai e descendente de Calebe (1 Cr 2.47).

**JOTBÁ** Cidade onde viveu Mesulemete, mãe do rei Amom de Judá (2 Rs 21.19). Sua localização exata é desconhecida, embora tenha sido identificada por alguns com Khirbet Jefat, conhecida como Jotapata na época romana, uma cidade próxima a Caná da Galiléia. Josefo tentou sem sucesso defender essa cidade contra o exército de Vespasiano (Josefo, *Wars* iii.7).

**JOTBATÁ** Local ou distrito onde Israel acampou duas vezes em sua peregrinação pelo deserto (Nm 33.33,34; Dt 10.7). As duas referências representam o início e o término do período da peregrinação pelo deserto. Esse local é geralmente identificado com algum vale ou leito de rio (Dt 10.7, "terra de ribeiros de águas"), ao norte do golfo de Ácaba, talvez Ain el-Ghadian, 40 quilômetros ao norte de Eziom-Geber, em Arabá. Outra possível localização é o luxuriante oásis em Taba, 10 quilômetros a sudeste de Eilat, na margem ocidental do golfo (Beno Rothenberg, *God's Wilderness,* Londres. Thames & Hudson, 1961, pp. 163ss.).

**JOTBATE** *Veja* Jotbatá.

**JOZABADE**[1]

1. Filho de Somer (ou Sinrite), uma moabita. Foi um dos dois servos de Joás, de Judá, que assassinou o rei na casa de Milo (2 Rs 12.20, 21; 2 Cr 24.26).

2. Um levita, o segundo filho de Obede-Edom.

Ele foi designado por Davi como porteiro do Templo (1 Cr 26.4).
3. Um soldado da tribo de Benjamim. Ele foi um dos generais de Josafá, comandando 180.000 homens (2 Cr 17.18).

**JOZABADE**[2]
1. Voluntário de Gedera, no exército de Davi em Ziclague (1 Cr 12.4).
2 e 3. Dois capitães manassitas do exército de Davi em Ziclague (1 Cr 12.20).
4. Supervisor levita sob o rei Ezequias (2 Cr 31.13).
5. Um dos principais levitas sob o rei Ezequias (2 Cr 35.9).
6. Sacerdote que se divorciou de sua esposa não judia (Ed 10.22)
7. Um levita, filho de Jesua (Ed 8.33).
8. Sacerdote que se divorciou de sua esposa não judia (Ed 10.23).
9. Um levita, comentador da Lei (Ne 8.7).
10. Um chefe dos levitas (Ne 11.16). A mesma pessoa pode estar representada em 7 a 10.

**JOZACAR** Filho de Simeate e um dos dois assassinos do rei Joás de Judá (2 Rs 12.21), identificado como Zabade em 2 Crônicas 24.26.

**JOZADAQUE** Pai de Josué e sumo sacerdote durante a era pós-cativeiro (Ag 1.1,11,14; 2.1,4; Zc 6.11; Ed 3.1,8; 5.2; 10.18; Ne 12.26). Esse homem, levado prisioneiro para a Babilônia por Nabucodonosor (1 Cr 6.14,15), provavelmente exerceu a função de sumo sacerdote durante a maior parte do cativeiro na Babilônia. Seu pai, Seraías, o último sumo sacerdote que oficiou no Templo antes de sua destruição em 586 a.C., foi assassinado pelos babilônios (2 Rs 25.18-21).

**JUBAL** Filho mais novo de Lameque com Ada, que foi o primeiro a tocar harpa e flauta. É possível que ele tenha sido o inventor desses instrumentos musicais (Gn 4.21).

**JUBILEU**. *Veja* Festividades.

**JUCAL** Filho de Selemias que foi enviado por Zedequias, rei de Judá, para rogar a Jeremias que orasse a seu favor (Jr 37.3). Depois de tê-lo ouvido, Jucal (dentre outros) encorajou o rei a ordenar a morte do profeta, pois a sua mensagem de juízo e destruição estava minando a segurança da cidade (Jr 38.1-6).

**JUDÁ**
1. O quarto filho de Jacó cuja mãe foi Léia (Gn 29.35). Ele se casou com uma cananéia, filha de Sua, de Adulão, e tiveram três filhos, Er, Onã e Selá. Por causa de sua maldade e desprezo para com Deus, os dois filhos mais velhos foram mortos pelo Senhor (Gn 38.1-10). Através de engano, Judá também se tornou pai de gêmeos (Gn 38.11-30), Perez e Zerá, de Tamar, viúva de Er. Deve ser observado que através de Perez, Judá se tornou o ancestral tanto de Davi (Rt 4.18-22) quanto do Senhor Jesus Cristo (Mt 1.3,16).
Judá foi o líder dos filhos de Jacó. Ele propôs que José fosse poupado ao invés de morto, e que ele fosse vendido como um escravo aos comerciantes midianitas que o levaram para o Egito (Gn 37.12,13,18-28). Judá pleiteou com o vizir do Egito (que ele nem sequer suspeitava ser José) que ele fosse mantido prisioneiro no lugar de Benjamim. Esta atitude fez com que José se fizesse reconhecer a seus irmãos (Gn 44.33,34; 45.1). Jacó escolheu Judá para ser o líder que mostrasse o caminho para Gósen (Gn 46.28), e concedeu o privilégio do direito de primogenitura (incluindo a genealogia do Messias) a Judá, a quem ele escolheu dentre os seus três irmãos mais velhos (Gn 49.8-12).
2. O nome da tribo que descendeu de Judá (Nm 26.19-21). Os homens de Judá não desempenharam nenhum papel muito importante no êxodo do Egito e nas peregrinações pelo deserto, exceto que eles lideraram na vanguarda (Nm 2.9). Eles totalizaram 74.600 pessoas (Nm 1.26,27) no primeiro censo no Sinai; e no segundo censo realizado em Sitim antes de entrarem em Canaã, eles haviam, em 40 anos, aumentado apenas para 76.500 (Nm 26.22). Quando as tribos se encontraram no monte Gerizim, Judá deveria permanecer ali para abençoar o povo (Dt 27.12).
Judá foi a primeira tribo autorizada a tomar posse do território que lhe foi conferido após a conquista inicial de Canaã (Js 14.6–15.63). Eles continuaram a expulsar os cananeus de suas cidades e do campo montanhoso (Jz 1.1-20). Calebe, um dos 12 espias, era da tribo de Judá e, com a ajuda de Otoniel, seu sobrinho, ele garantiu a sua parte. O território que Judá ocupou foi um dos maiores, medindo desde o oeste do mar Morto até o mar Mediterrâneo cerca de 50 quilômetros. Da fronteira norte, que se estendia da extremidade norte ao oeste do mar Morto por todas as montanhas e pelo deserto montanhoso para incluir o Neguebe, seu comprimento era de aproximadamente 130 quilômetros. O território de Simeão estava incluído no de Judá.
Durante o período dos juízes, Judá freqüentemente era excluída das outras tribos pelos povos pagãos restantes, tais como os gebeonitas, jebuseus etc., habitando na parte norte de sua porção que lhe coube na distribuição das terras.
Durante o período final dos juízes, eles estavam em constante conflito com os filisteus que viviam ao longo da costa e na Sefelá (Jz 3.31; 10.7; 13.1). Os homens de Judá se uniram na formação do reino das tribos combinadas de Israel. Depois que o rei Saul morreu, eles se voltaram para Davi e o co-

roaram rei, com a capital em Hebrom. *Veja* Judá, Reino de.
3. Um levita (ou levitas) que era um dos superintendentes dos trabalhadores de reedificação do Templo (Ed 3.9).
4. Um levita que expulsou sua mulher estrangeira (Ed 10.23).
5. Um benjamita, o segundo governante de Jerusalém na época de Neemias (Ne 11.9).
6. Um levita, um dos diretores do coral que retornaram com Zorobabel (Ne 12.8).
7. Um homem que marchou no desfile na dedicação dos muros restaurados de Jerusalém (Ne 12.34). Ele também pode ter sido um músico (v. 36).
8. Um ancestral de Jesus na linhagem de Maria, várias gerações depois de Davi (Lc 3.30).

C. L. F. e E. L. C.

**JUDÁ, REINO DE** Somente na época de Davi é que a proeminência de Judá profetizada por Jacó (Gn 49.10) começou a alcançar o seu cumprimento. Após sete anos e seis meses em Hebrom (2 Sm 5.5), Davi tomou Jerusalém dos jebuseus e fez dela a sua capital e o centro de adoração. Mas Jerusalém e a casa de Davi experimentariam a amargura da divisão. O rei Salomão, apesar de toda a sua genialidade administrativa, apenas aprofundou a desconfiança entre o norte e o sul, e seu filho, por insensatez, consumou a divisão por volta de 931 a.C. (1 Rs 12).

Os reinos de Judá e Israel lutaram durante os primeiros 60 anos após a divisão (1 Rs 14.30) até que Josafá ajudou Acabe com suas guerras contra Damasco. Infelizmente, isto resultou na tolerância da adoração a Baal em Judá. Sob o governo de Josafá, Judá foi forte o bastante para controlar Edom, mas Jorão, seu filho, perdeu tanto as minas de cobre como Elate, o porto marítimo no golfo de Ácaba, para os revoltosos edomitas.

Este mesmo Jorão se casou com Atalia, a filha de Acabe e Jezabel, cuja impiedade quase trouxe um fim à casa de Davi. Acazias, o filho desta união maligna, foi morto no extermínio que Jeú promoveu contra a casa de Acabe, e foi impiedosamente morto com o seu primo Jorão, rei de Israel. Atalia usou este incidente para usurpar o trono e matar toda a semente davídica, exceto o menino Joás, que foi salvo por sua tia e escondido por seis anos. Um plano de Joiada, o sacerdote, provocou a morte de Atalia, e o jovem Joás governou sob uma regência. Joás por um lado restaurou o Templo, mas por outro deu como tributo a Hazael da Síria muitos dos tesouros santificados da Casa do Senhor. Amazias, que ascendeu ao trono por volta de 800 a.C. teve um sucesso limitado na questão da restauração dos bens de Judá. Com a ajuda de mercenários, ele recuperou a cidade de Sela dos edomitas (2 Rs 14.7), mas o seu reinado foi manchado por um desafio insensato a Joás de Israel, que saqueou Jerusalém. Azarias (Uzias) recuperou o porto marítimo de Elate para Judá e o reconstruiu. O reinado indistinto de Jotão foi seguido pelo orgulhoso Acaz. Acaz reagiu infielmente a uma situação política desfavorável. Rezim da Síria e Peca de Israel estavam em uma disputa contra ele. Apesar dos pedidos e advertências de Isaías, Acaz firmou um tratado com o rei assírio, Tiglate-Pileser III, criado para protegê-lo contra seus vizinhos do norte. Tiglate-Pileser logo atacou a cidade de Damasco e colocou Samaria sob um pesado tributo, mas então invadiu Jerusalém e exigiu um grande resgate (2 Cr 28.16-21).

O bom rei de Judá, Ezequias, realizou um reavivamento espiritual. Ele finalmente mostrou o seu desprezo pelo poder assírio quando Senaqueribe entrou em Judá pela primeira vez em 705 a.C. Ezequias provavelmente pagou tributo desta vez, mas o rei assírio Senaqueribe tinha problemas em muitas partes de seu reino e deixou Judá. Sabaco, o etíope que uniu o Egito, e Merodaque-Baladã, o caldeu na Babilônia, encorajaram Ezequias a desprender-se do jugo assírio. Assim, em 701 a.C., mais uma vez Senaqueribe levou sua horda para o campo de Judá. Ele tomou Laquis e muitas outras cidades e usou uma guerra psicológica contra Ezequias (2 Rs 18; Is 36); mas, por intervenção divina, como predito por Isaías (Is 37.21-38), o exército de Senaqueribe estava tão enfraquecido que teve que desistir do cerco e partir novamente. Ezequias envolveu-se em atividades missionárias na metade norte da terra. O cronista nos conta que estas atividades tiveram algum sucesso na Galiléia, mas não em Efraim (2 Cr 30.1-11).

O poder assírio era tão completo que foi difícil para Judá escapar de sua influência. Conseqüentemente, Manassés, o filho de Ezequias, rendeu-se às forças gentílicas e construiu altares para adoração a Baal e, até, estabeleceu a prática da idolatria na casa do Senhor. Ele fez seus filhos passarem pelo fogo, usou feitiçaria e lidou com espíritos familiares, e a tradição diz que ele martirizou o profeta Isaías. Depois da morte de Assurbanipal (aprox. 630 a.C.), o poder assírio começou a declinar.

Josias, o novo rei de Judá, ascendeu ao trono com um forte instinto de realizar uma reforma. Ele também estendeu o seu reavivamento para o norte, especialmente para a Galiléia. Ao manter as instruções do livro da lei que Hilquias, o sacerdote, encontrou, Josias manteve a Páscoa e destruiu o culto em Betel que estava em ativa competição com o Templo. Josias também vislumbrava a restauração da soberania política de Judá sobre toda a terra. Então, quando o Faraó-Neco marchou pela terra para ajudar as brasas extinguíveis do Império Assírio, Josias o desafiou em Megido, mas perdeu a sua vida na batalha.

O filho de Josias, Jeoacaz, foi deposto pelo

Faraó-Neco, que estabeleceu Jeoaquim como um rei "marionete". Jeoaquim tornou-se vassalo do novo monarca babilônio, Nabucodonosor. Em uma atitude esperada ele se rebelou contra os caldeus, mas logo morreu, e seu filho de 18 anos, Joaquim, foi levado ao cativeiro por Nabucodonosor. Os babilônios levaram 10.000 cativos, todos os homens valentes de valor, os artífices e ferreiros, deixando apenas os mais pobres da terra (2 Rs 24.14).

Nabucodonosor, agora, estabeleceu Zedequias, o tio de Joaquim, como rei. Este estava destinado a ser o último rei da casa de Davi. Provocado por uma outra rebelião, Nabucodonosor atacou a cidade de Jerusalém, e no 11° ano de Zedequias, a fome prevaleceu tão severamente que Zedequias fez uma tentativa de fuga. Ele foi capturado e testemunhou a morte de seus filhos antes que seus próprios olhos fossem arrancados. A casa do Senhor e toda a cidade foram queimadas. Nem sequer uma cidade importante de Judá foi poupada; todas foram queimadas.

Em Laquis, pedaços quebrados de cerâmica foram encontrados, estando inscritos com mensagens de vários oficiais do exército, e trazem indicações das restrições ao movimento experimentado pelo exército de Judá durante os anos que precederam a queda de Jerusalém (ANET, p. 321). Documentos administrativos encontrados na porta de Ishtar, na Babilônia, revelam como Joaquim e seus cinco filhos e outros cativos com ele foram sustentados pelos babilônios (ANET, p. 308). Na verdade, a comunidade judaica pós-exílica na Babilônia passou bem por muitos anos e se tornou uma comunidade judaica muito mais importante do que aquela que estava na Judéia.

Com a queda de Jerusalém em 586 a.C., Judá deixou de ser um reino e tornou-se uma pequena província da satrápia Arabaia do Império Persa. Mais tarde, Zorobabel, um descendente de Davi, se tornou o governante civil desta província; porém nunca mais um rei de Judá, da casa de Davi, governou novamente em Jerusalém. Na época do NT, a esperança messiânica de restauração da monarquia sob a casa de Davi ficou em evidência, mas o NT ensina que este aspecto da promessa de Deus a Davi ainda aguarda o seu cumprimento (Lc 1.32,33; At 2.30,31; 15.15,16; Rm 11.26).

*Veja* Cronologia do AT; Judá; Israel, Reino de.

E. B. S.

**JUDAICO** Pertencente a um judeu (em hebraico, *y^ehudith*, advérbio que significa "em judaico", ou "na linguagem de Judá"). Palavra usada para a língua dos judeus ou para o povo de Judá que residia em Jerusalém quando os representantes de Ezequias imploraram aos assírios para não falarem ao povo em sua própria língua (2 Rs 18.26,28; 2 Cr 32.18; Is 36.11,13), e novamente em Neemias sobre os filhos dos remanescentes que retornaram e não podiam falar a sua própria língua (Ne 13.24). Paulo empregou esse termo uma vez quando falou sobre as fábulas judaicas (Tt 1.14).

**JUDAIZANTES** Um termo extrabíblico designando àqueles que agiam como judeus e/ou buscavam assim influenciar outros, baseado na acusação de Paulo de que a atitude de Pedro forçaria os gentios a "judaizarem-se" (gr. *ioudaizein*, "viver como judeus", Gl 2.14). Os comentários referem-se a homens como judaizantes que buscavam impor a circuncisão judaica e outros legalismos sobre os gentios como, por exemplo, os "falsos irmãos" que queriam levar toda a igreja para a escravidão da lei (Gl 2.4), e aqueles que ensinavam: "Se vos não circuncidardes... não podeis salvar-vos" (At 15.1ss.). Paulo atacou os judaizantes na Galácia que obrigavam os homens a se circuncidar (Gl 6.12). Em algumas passagens (At 11.2; Gl 2.12; Tt 1.10), a expressão "os da circuncisão" parece referir-se não aos judeus de forma geral, mas especificamente aos judaizantes (cf. "o partido [ou grupo] da circuncisão", conforme a citação da versão RSV em inglês).

Eles podem ter ensinado que a pessoa tinha que se tornar legalista no sentido judaico para receber a graça, e também que era necessário viver de forma legalista apesar da graça. O concílio de Jerusalém (At 15; e talvez Gl 2.1-10) apoiou Paulo contra aqueles que desejavam chegar ao extremo de se judaizarem.

W. A. A.

**JUDAS[1]** O nome é escrito deste modo no NT devido ao termo gr. *Ioudas*, que representa o nome heb. Judá (q.v.). Judá vem da raiz heb. *yada*, significando "dar graças, elogio, louvor".

1. Judá o filho de Jacó e pai da tribo que era conhecida por este nome (Gn 35.23; Mt 1.2,3).

2. Judas, um dos quatro irmãos de Jesus, citado juntamente com Tiago, José e Si-

O tradicional Aceldama ou campo de sangue comprado com o dinheiro da traição de Judas (At 1.19). Está localizado a leste de Jerusalém ao longo do Cedrom. HFV

mão, como filhos de Maria (Mc 6.3; Mt 13.55). Provavelmente é o autor da Epístola de Judas (q.v.).
3. Judas Lebeu, chamado de Tadeu (Mt 10.3; Mc 3.18), um dos 12 apóstolos, "não o Iscariotes" (Jo 14.22). *Veja* Lebeu (Tadeu). Ele é chamado "Judas, filho de Tiago" (Lc 6.16; At 1.13).
4. Um zelote galileu que em 6 d.C. provocou uma rebelião entre os judeus quanto ao direito dos romanos de impor um imposto direto sobre os judeus. Ele foi destruído e seus seguidores dispersos por Cirênio (q.v.), procônsul da Síria (cf. At 5.37; também Josefo *Ant*. xviii.1.6; xx.5.2; *Wars* ii.8.1; 18.8; vii.8.1). Embora seu movimento tenha fracassado, dele surgiu o grupo dos zelotes (q.v.).
5. Um homem em cuja casa Paulo se hospedou em Damasco na "rua chamada Direita" (At 9.11).
6. Um homem chamado Barsabás e um membro da delegação enviada da Igreja de Jerusalém para a Igreja em Antioquia da Síria (At 15.21,27,32). Ele e Silas tinham o dom de profecia com o qual encorajaram os irmãos.
7. Existem pelo menos cinco homens que possuem este nome na literatura apócrifa.
8. Judas Iscariotes. Gr. *Iskariotes*, significando "habitante de Queriote", derivado do heb. *'ish*, "homem", mais *q^e^riyot*, portanto "homem de Queriote". Queriote provavelmente deve ser identificada com a moderna Khirbet el-Qaryatein, localizada cerca de 30 quilômetros a nordeste de Berseba, a meio caminho entre Maom e Arade, aprox. 7 quilômetros ao sul de Tell-Ma'in.
Ele foi designado pelo estigma "aquele que o traiu" (Mt 10.4; Mc 3.19) e "que foi o traidor" (Lc 6.16; cf. Jo 18.1,5) na lista dos 12 apóstolos escolhidos pelo Senhor Jesus Cristo. Ao mesmo tempo, ele também é chamado de "um dos doze" (Mc 14.10,20; Jo 6.71; 12.4). Não há menção dele antes desta escolha por Cristo.
*Sua posição*. Judas foi designado como tesoureiro do Senhor Jesus Cristo e do grupo apostólico (Jo 12.4-6; 13.29). Porém, ele desviava os recursos sob seus cuidados, e assim foi um ladrão (Jo 12.6). Seu verdadeiro caráter, com sua avareza e cobiça, revelou-se na unção de Jesus por Maria com o valioso vaso de alabastro com ungüento. Ele fingiu, juntamente com outros discípulos, que sua preocupação estava relacionada a tal desperdício, e protestou que ele poderia ter sido vendido por 300 denários e dado aos pobres (Jo 12.1-8; cf. Mt 26.6-13; Mc 14.3-9).
*Sua carreira*. Embora tenha se tornado um discípulo e seguidor de Jesus, Judas não o aceitou como seu Senhor e Salvador. Ele nunca o chamou de algo mais do que Rabi (Mt 26.25). Judas esperava que Cristo estabelecesse um reino terreno no qual ele teria uma posição importante. Até que isto acontecesse, ele sentia-se feliz por se enriquecer com os recursos do fundo comum. Sem dúvida alguma ele ficou perturbado ao ouvir o Senhor declarar que seu reino era espiritual, um reino no qual ninguém poderia entrar exceto pela capacitação do Pai (Jo 6.44,63-65). Duas coisas enfureceram Judas: (1) a recusa de Cristo em aceitar um reino terreno; e, (2) a periódica referência de Cristo à sua morte. O incidente final que levou Judas a trair Jesus foi a dispendiosa unção em Betânia, juntamente com as claras declarações de Cristo: "Ela... fê-lo preparando-me para o meu sepultamento" (Mt 26.12; Mc 14.8); e sua admoestação: "Deixai-a; para o dia da minha sepultura guardou isto" (Jo 12.7). Vendo o fim de suas esperanças e planos, Judas determinou vender o seu Mestre pela quantia que pudesse conseguir.
*Sua responsabilidade*. Como podemos conciliar o conhecimento que o Senhor Jesus Cristo tinha sobre o caráter e perfídia de Judas com as profecias do AT a respeito deste apóstolo (Sl 41.9; 69.25; 109.8), e ainda com qualquer responsabilidade verdadeira da parte de Judas por sua própria ação? Duas coisas podem ser ditas.
Primeiro, a preocupação de Cristo. Embora Cristo tenha escolhido Judas sabendo que ele o trairia, mesmo assim Ele lhe mostrou uma compaixão constante, deu-lhe uma completa revelação de si mesmo e muitas advertências. Ele humildemente lavou os pés de Judas juntamente com os outros discípulos e então disse: "Ora, vós estais limpos, mas não todos" (Jo 13.10). Na última ceia o Senhor, com tristeza, disse a seus discípulos que um deles o trairia. Quando todos estavam confusos e perguntaram: "Sou eu?" Jesus sussurrou a João que era aquele a quem Ele iria dar o bocado de pão – o pedaço dado pelo anfitrião como uma honra em uma festa (Jo 13.21-26). Mas este sinal de amor foi inútil. Cristo não excluiu Judas de nenhuma de suas grandes mensagens, e nem mesmo da obra de evangelismo quando enviou os doze (Mt 10.1-11.1; Lc 9.1-6).
De tempos em tempos, desde o início, Jesus havia advertido Judas. Por exemplo, quando muitos haviam desertado, causando a confissão de Pedro, Jesus abertamente disse, "Não vos escolhi eu em número de doze? Contudo, um de vós é diabo" (Jo 6.67-70). Ele falou dos perigos da avareza, da cobiça e da hipocrisia (Mt 6.20; Lc 12.1-3, 15ss., 22ss.; Mc 7.17,21,22). Porém, todas estas preciosas palavras caíram em uma consciência empedernida. Certamente não foi culpa de Cristo o fato de Judas se recusar a abandonar o seu mau caminho. Judas é um exemplo daquilo que o pecado faz na vida do perdido, a menos que Deus exerça a sua soberana graça para a salvação.
Em segundo lugar, a verdadeira natureza da profecia e da predestinação. Como Judas poderia ser condenado pelo que fez se isto já havia sido predestinado e predito (Sl 41.9;

69.25; 109.8)? Judas agiu com total liberdade. Ele escolheu roubar os recursos destinados a suprir as necessidades do grupo; escolheu trair o seu Mestre por 30 moedas de prata, que era o valor pago por um escravo (Êx 21.32). Ele já devia conhecer a profecia de Zacarias (Zc 11.12). Se a conhecia, a ignorou. Deus previu esta ação da parte de Judas e escolheu deixá-lo agir de acordo com a sua liberdade caída – Deus predestinou que fosse assim. Não houve, portanto, nenhuma redução da liberdade de Judas ou de sua responsabilidade, assim como não há no caso de qualquer outra pessoa.

*O fim de Judas.* Antes da ceia, o Diabo já havia colocado no coração de Judas que traísse a Jesus (Jo 13.2) e assim que Judas tomou o bocado "entrou nele Satanás" (Jo 13.27). Correndo para os principais sacerdotes, ele disse que os levaria até Cristo e o identificaria com um beijo. Uma vez que conhecia o segredo do jardim, ele foi capaz de levar uma grande multidão com espadas e varapaus dos principais dos sacerdotes, e aproximando-se de Jesus "o beijou" (Mt 26.49; Mc 14.45). Jesus lhe dirigiu uma última palavra de amor e disse: "Amigo, a que vieste?" (Mt 26.50).

Depois que Judas viu Jesus ser condenado à crucificação, ele se encheu de remorso (Mt 27.3ss.), e dirigindo-se aos principais sacerdotes e anciãos, confessou o seu pecado, dizendo: "Pequei, traindo sangue inocente" (v. 4). Então ele saiu e cometeu suicídio, enforcando-se. Quando Pedro diz: "Ora, este adquiriu um campo com o galardão da iniqüidade e, precipitando-se, rebentou pelo meio, e todas as suas entranhas se derramaram" (At 1.18), podemos aceitar a conciliação de Edersheim dos dois relatos de Mateus e Atos. Em um sentido figurado Judas comprou o campo; os judeus o consideraram o comprador, uma vez que ele forneceu o dinheiro que eles utilizaram para a compra (*Life and Times of Jesus the Messiah*, II, 575 ss.).

Muitas razões têm sido cogitadas para as ações de Judas, como por exemplo: (1) Ele foi uma vítima das circunstâncias. (2) Ele estava predestinado para esta ação e fora escolhido para este ato; portanto, era impotente. (3) Ele era uma alma desiludida que pensou que através da traição poderia forçar Jesus a exercer o seu poder miraculoso e tomar o controle. (4) Ele era um verdadeiro amigo de Jesus tentando meramente desiludi-lo de suas reivindicações messiânicas. (5) Ele era um patriota judeu que pensou ser melhor que um homem morresse pela nação, para que esta não perecesse. (6) Ele era um verdadeiro herói que, como amigo de Cristo, tentou salvá-lo de uma lealdade equivocada para com o Deus do AT (cf. E. S. Bates, *The Friend of Jesus*, Nova York. Simon & Schuster, 1928). Todas estas explicações são inadequadas ou contêm erros e nos deixam insatisfeitos.

Judas tomou sua decisão livremente, como qualquer outro homem. "O amor do dinheiro é a raiz de toda espécie de males" (1 Tm 6.10), e a cobiça como seu pecado dominante o levou do roubo à hipocrisia e, finalmente à traição do Senhor da Glória por um punhado de dinheiro.

Uma coisa mais deve ser dita: Karl Barth argumenta a favor da salvação final de Judas, alegando que embora ele tenha pecado, não pecou de forma mais grave do que Pedro ao negar a Cristo três vezes. Afinal, Barth continua, ele arrependeu-se, como descreve o relato bíblico, e isto é tudo o que é exigido do pecador (*Church Dogmatics*, Edinburgh. T. & T. Clark, 1957, Vol. II, 2, 458-506). Por que Barth raciocina desta maneira quando as Escrituras dizem que ele foi para o seu próprio lugar (At 1.25), e o salmista pronuncia sobre ele a mais horrenda maldição emitida contra o ímpio registrada na Bíblia (Sl 109.6-20)? De acordo com Barth, a predestinação não é uma questão individual. Está inteiramente centrada em Cristo. Ele é o rejeitado e o eleito, e todos são tanto rejeitados como eleitos nele! Se Judas estivesse perdido, particularmente quando "se arrependeu", então a eleição cristocêntrica teria falhado.

O cristão evangélico deve rejeitar tal argumento favorável à salvação de Judas, visto que ele entra em conflito com a maldição profética sobre Judas no Salmo, remove toda a necessidade de se crer em Cristo para ser salvo, e leva à falsa doutrina da salvação de todos os homens, chamada de salvação universal ou reconciliação final. Além do mais, o arrependimento envolve uma "conversão" e, no caso de Judas, o "remorso" pode simplesmente descrever uma reviravolta relacionada a um ato repreensível, sem, necessariamente, um comprometimento pessoal com Cristo.

Quanto ao termo "filho da perdição" aplicado a Judas Iscariotes, *veja* Perdição.

***Bibliografia.*** A. B. Bruce, *The Training of the Twelve*, Nova York. Armstrong, 1902, Cap. XXIII Alfred Edersheim, *The Life and Times of Jesus the Messiah*, 2 vols., Nova York. Longsmans, Green & Co., 1901.

R. A. K.

**JUDAS[2]** É admirável o fato de que o escritor da última carta do NT, uma epístola que trata da apostasia, deva ter o mesmo nome do traidor e maior apóstata, e seja o último dos Doze a ser citado (Mt 10.4).

Como "irmão de Tiago", o irmão do Senhor (Jd 1; Gl 1.19), Judas também foi um irmão do Senhor, um dos "filhos de minha mãe" (Sl 69.8) que são citados em Mateus 13.55 e Marcos 6.3. Portanto, ele não deve ser confundido com o Judas de João 14.22 (cf. Lc 6.16), que é chamado de Tadeu e Lebeu em Mateus 10.3. Ao lembrar as palavras dos apóstolos (Jd 17), ele deixou implícito, porém de forma clara, que não era um deles.

Judas era caracterizado. pela humildade, reivindicando ser apenas o irmão de Tiago e um servo (lit.) de Jesus Cristo; pela diligência (v. 3), que pode ter sido uma razão pela qual o Espírito Santo o escolheu; por um conhecimento da verdade revelada (vv. 5-7,11,17), e por ter sido escolhido como vaso da verdade não registrada anteriormente pela pena da inspiração (vv. 9,14,15).

S. M. C.

**JUDAS, EPÍSTOLA DE** A última epístola do NT foi escrita por Judas (gr.), o irmão de Tiago. Eles provavelmente eram os irmãos de nosso Senhor (Mt 13.55; Mc 6.3; *veja* Judas; Tiago). É uma coincidência que o nome do autor, como um título, apareça como a primeira palavra do único livro inteiramente dedicado ao tema da apostasia, uma vez que Judas também foi o nome do maior apóstata.

### Data e Destinatários

A semelhança da epístola de Judas com 2 Pedro 2 levanta a questão da dependência literária. Se aceitarmos 2 Pedro como um escrito genuíno de Pedro (*veja* Pedro, Segunda Epístola de), então Judas é provavelmente posterior, depois da queda de Jerusalém (v. 17 refere-se aos apóstolos no passado). Mas não é provável que Judas seja diretamente dependente de 2 Pedro 2. É muito provável que as duas epístolas derivem de uma tradição comum da pregação contra os falsos mestres. Dois netos de um certo Judas (provavelmente este Judas) foram convocados pelo imperador Domiciano (81-96 d.C.) após este ter sido informado que eles pertenciam à dinastia de Davi. Ele os dispensou quando descobriu que eram simplesmente lavradores pobres, e não representavam nenhuma ameaça para Roma (Eusébio, Hist. Ecl. iii. 19.1-20.6). Este evento sugere a importância de Judas antes do reinado de Domiciano, uma vez que ele mesmo não estava envolvido no interrogatório do imperador.

[Parece claro que este livro foi escrito mais especificamente aos leitores cristãos judeus do que 2 Pedro. O Êxodo (v. 5) e figuras do AT como Miguel, Caim e os filhos de Corá (vv. 9,11) são mencionados em Judas, mas não em 2 Pedro. O apocalipse judeu do primeiro livro de Enoque também é citado como profecia (vv.14,15). Portanto, como Reicke (p. 191) argumenta, o público que Judas tinha em mente era provavelmente formado por cristãos de origem judaica. – Ed.]

### Propósito

Assim como o livro de Atos dos Apóstolos relata o início da história da Igreja na terra, Judas, nos "Atos dos Apóstatas", lhe dá um desfecho, e prepara o leitor para os juízos do livro de Apocalipse.

A inspiração da epístola está declarada no v.3. Enquanto o autor estava se preparando para escrever sobre nossa salvação comum, uma compulsão divina veio sobre ele para escrever, ao invés disso, sobre a peleja da fé apostólica contra uma forma antinomiana primitiva de gnosticismo (q.v.). A palavra "obrigado" (v. 3) é traduzida como "obrigação" em 1 Coríntios 9.16.

### Conteúdo

Um movimento extraordinário de revelação move o leitor do pecado, no início da história humana (v. 11), para seu futuro juízo por ocasião da volta de Cristo (v.15). Ele fala do mar e das estrelas (v. 13), do fogo eterno e das trevas sem fim (vv.7,13), do invisível mundo da atividade angelical (vv. 6,9).

As novas verdades reveladas através de Judas incluem detalhes sobre o pecado dos anjos caídos (v. 6), a disputa de Miguel com o Diabo (v. 9), e a profecia antidiluviana de Enoque (vv. 14,15). Ao citar o livro de Enoque e ao se referir ao combate de Miguel, que só era conhecido pela ascensão de Moisés, Judas não estava endossando uma literatura pseudoepígrafa. Antes, estava citando uma literatura usada pelos falsos mestres em questão, a fim de silenciá-los por meio de seu próprio material. Judas simplesmente defendeu que as passagens que citou contém vestígios de verdade (cf. Paulo em At 17.28; Gl 3.19; 2 Tm 3.8; Tt 1.12ss.). *Veja* Miguel.

O assunto é agrupado de maneira ordenada sobre um centro comum. A saudação combina com a bênção. Para que os crentes não temam que eles também possam se afastar da verdade, palavras de amor afetuoso e segurança aparecem nas sentenças de abertura e de encerramento. A salvação é o tema dos vv. 3 e 23. A luta pela fé (v. 3) coloca-se em contraste com a edificação na fé (v. 20). "Lembrai-vos do AT", é o sentido da seção que começa com o v. 5; "lembrai-vos do NT", é o sentido da seção que começa com o v. 17. A apostasia no reino sobrenatural (v. 9) é comparada com a apostasia no reino natural (vv. 12-13).

No coração de Judas (v. 11) aparece um antigo trio de homens que ilustram perfeitamente as três características notáveis da apostasia descrita nos vv. 4,16,19, que são mais adiante ilustradas por três exemplos corporativos nos versos 5 e 7. O verso 11 é típico do progresso do pensamento encontrado ao longo da epístola toda. Os apóstatas entram por um caminho errado, se precipitam por este, e perecem em seu final. O caminho errado começa com a divagação, e termina com uma rebelião aberta (v. 11). A *vereda* de Caim contrasta com Cristo, que é o Caminho; o *erro* de Balaão contrasta com Cristo, que é a Verdade; a *destruição* de Coré (ou Corá, q.v.) contrasta com Cristo, que é a Vida (Jo 14.6).

A regra quádrupla para o viver cristão expressa nos vv. 20 e 21 liga Judas a outros livros do NT. O cristão deve estar edificando, orando, perseverando e vigiando. A ajuda para os ganhadores de almas é encontrada em uma classificação tripla de pessoas não salvas (vv. 22,23). Alguns precisam de ternura misericordiosa porque têm dúvidas sinceras; alguns exigem uma ousadia urgente porque estão próximos do fogo; alguns precisam de uma ministração cautelosa para que a sua forma de pecado não contamine os outros crentes.

Em uma bênção gloriosa, Judas sugere o arrebatamento da Igreja passando repentinamente da possibilidade do tropeço no presente, no caminho de sua peregrinação, para a apresentação do povo de Deus, por seu Salvador e Senhor, diante da presença de sua glória no céu (v. 24).

**Esboço**

I. Saudação, 1-2
II. Ocasião e Propósito: Exortação à Defesa da Fé, 3-4
III. Ilustrações da Necessidade de se Defender a Fé, 5-16
  A. Três exemplos históricos de juízo na apostasia coletiva, 5-7
  B. Exemplos históricos e descrições de falsos mestres, 8-16
IV. Exortação para os Cristãos Verdadeiros: Como Defender a Fé, 17-23
V. Conclusão: Uma Doxologia, 24-25

***Bibliografia.*** Charles Bigg, *The Epistles of St. Peter and St. Jude*, ICC, Nova York. Scribner's, 1901. F. F. Bruce, "Jude, Epistle of", NBD, pp. 675ss. J. B. Mayor, *Epistle of St. Jude and the Second Epistle of St. Peter*, Londres. Macmillan, 1907, James Moffatt, *The General Epistles*, MNT, Garden City. Doubleday, Doran & Co., 1928. Bo Reicke, *The Epistles of James, Peter, and Jude*, Anchor Bible, Garden City. Doubleday, 1964, pp. 189-219. Robert Robertson, "The General Epistle of Jude", NBC, pp. 1161-1167.

S. M. C.

**JUDÉIA** No tempo dos persas, a Judéia era uma pequena província da satrapia Arabaia situada ao sul de Samaria e correspondendo aproximadamente ao primeiro reino de Judá, exceto que as cidades costeiras estavam excluídas. O termo Judéia (*Ioudaia*) representa o processo helenizador que ocorreu após as conquistas de Alexandre o Grande. Uma série de cidades helenísticas rodeava a província da Judéia e, pouco a pouco, enquanto a nação era helenizada, as cidades assumiram nomes gregos; muitos da classe superior, e judeus de educação elevada encorajaram este processo. O texto em 2 Macabeus 6.8 fala de cidades helenísticas dentro dos limites da

O deserto da Judéia

Judéia. Não é de se surpreender, então, encontrar o próprio território chamado Judéia, um equivalente grego da palavra aramaica para Judá, *y$^e$hud*.

Geograficamente o território tem limites naturais de todos os lados exceto no norte. No leste está a elevação íngreme do Jordão e o mar Morto com solo argiloso árido formando o deserto da Judéia ou Jesimom. No oeste, os contrafortes da Sefelá se juntam com os declives das montanhas centrais na depressão em forma de vala, que continua pela extremidade sul da Judéia, para juntar-se ao deserto de argila no leste. Ao sul há uma queda repentina de aprox. 200 metros a meio caminho entre Hebrom e Berseba. Nos dias de Judas Macabeus (165-161 a.C.), a praça-forte em Bete-Zur era a fronteira sul, até que ele tomou Hebrom e de forma geral derrotou os idumeus (1 Mac 5.3,65). A fronteira norte era ainda menos definida, pois ali não havia nenhum vale protetor. Desde os tempos antigos do AT a pequena tribo de Benjamim marcava a fronteira norte da Judéia (Judá).

Os macabeus, sob o governo de Jônatas, estenderam estes limites em todas as direções de forma que quando Pompeu, o conquistador romano, entrou no território judeu, a cidade no extremo norte no controle judaico estava em Koraea no Uádi Fari'a. Os romanos designaram vários governantes asmoneus sobre a Judéia até Herodes o Grande, que em aprox. 40 a.C. foi declarado pelo senado como sendo o rei da Judéia. Seguindo-se a morte de Herodes, a Judéia, até 64 d.C., esteve sob procuradores romanos (governadores imperiais) exceto pelo breve reinado de Herodes Agripa (At 26), que foi proclamado rei por Cláudio César em 41 d.C.

O termo Judéia pode ocasionalmente ser usado para representar toda a região ocupada pela nação judaica. Várias das referências de Lucas parecem ser as mais conclusivas, por exemplo: "por toda a Judéia, começando desde a Galiléia" (Lc 23.5; cf. At 10.37). O texto em Atos 26.20 poderia ser mais bem traduzido como "toda a nação judaica", enquanto Mateus 19.1 (cf. Mc 10.1) não deve ser tomado para sugerir que houvesse qualquer ter-

ra a leste do Jordão que fosse considerada uma parte da Judéia. Esta passagem deveria ser traduzida da seguinte forma: "no território da Judéia adjacente ao Jordão". O sentido mais amplo para Judéia, isto é, incluindo Samaria e Galiléia, parece ser empregado por escritores seculares dos tempos do NT, entre eles Strabo, Tácito e Filo.
*Veja* Judá, Reino de.

E. B. S.

**JUDEU** O nome hebraico *y<sup>e</sup>hudi* refere-se especificamente a um descendente de Judá; esse nome é aplicado a todos os membros da tribo que leva esse nome, ou àqueles que eram da terra de Judá (2 Rs 16.6; 18.26,28; 25.25; 2 Cr 32.18; Et 2.5; 3.6; Jr 32.12; 38.19; 52.28 etc.). O texto em 1 Crônicas 9.3 indica que havia membros das outras tribos residentes em Jerusalém, em Judá. Muitos do reino separado do Norte foram para Judá para adorar ao verdadeiro Deus (2 Cr 11.13-16; 15.9; 30.1-18).
Os judeus que terminaram a reconstrução do Templo, no reinado de Dario I, provavelmente incluíam membros de várias tribos, pois sacrificaram 12 cabritos para as 12 tribos (Ed 6.14-17). Portanto, depois do cativeiro da Babilônia, esse termo foi usado para todos os israelitas, pois Judá incluía, na ocasião, a maior parte dos que haviam retornado (2 Mac 9.17; Mt 2.2; 27.11; Jo 4.9; At 2.5,8-10; 10.28 etc.).
Como descendentes de Abrão, o hebreu (Gn 14.13), os judeus também eram chamados de hebreus; é por isso que Paulo, apropriadamente, se intitulava dessa maneira (Fp 3.5).
*Veja* Povo Hebreu; Israel.

R. A. K.

**JUDEUS** Tradução do termo aramaico *yehud,* a nação judaica, isto é, o reino de Judá (Dn 5.13), e no NT é a tradução do termo grego *Ioudaia,* Judéia, em contraste com a Galiléia (Lc 23.5; Jo 7.1).

**JUDIA** Mulher nascida judia ou convertida ao judaísmo. A mãe de Timóteo era de origem judaica e seu pai era grego (At 16.10). Drusilla, a esposa de Félix, governador romano que tremeu perante a pregação de Paulo, era judia (At 24.24).
Ela era descendente de Herodes o Grande, que também era descendente de convertidos ao judaísmo. *Veja* Drusila.

**JUDITE** O nome heb. *y<sup>e</sup>hudith* significa "judia", e é uma forma feminina de *y<sup>e</sup>hudi,* "judeu".
1. Uma das mulheres de Saul e filha de Beeri, o heteu (Gn 26.34); talvez também chamada de Oolibama em Gênesis 36.2.
2. A heroína do livro apócrifo de Judite (8.1; 9.2). Uma vez que seu nome significa "judia", ele sugere a personificação da piedade em relação à lei mosaica, e a devoção à causa de sua nação.

**JUGO** Uma estrutura de madeira colocada no pescoço do animal ou no pescoço de dois ou mais animais (Nm 19.2; Dt 21.3). O jugo (heb. *'ol*) era amarrado com cordas nos animais selecionados e também a uma barra ou haste (Lv 26.13; Ez 34.27) que era presa à estrutura de um equipamento para arar a terra ou carroça (1 Sm 6.7). Eram então puxados pelo ombro do animal (ou dos animais). Houve diferentes fabricações de jugos para propósitos diferenciados dependendo de quantos animais seriam utilizados, por exemplo, um, dois, ou quatro.
A palavra heb. *semed,* um casal ou par amarrados juntos, significa uma "junta" ou grupo de animais (1 Sm 11.7; 1 Rs 19.19,21; Jó 1.3). Por duas vezes, *semed* foi traduzido como "jeira" (1 Sm 14.14; Is 5.10), significando a quantidade de terra que um par ou junta de bois podia arar por dia. Jugos (heb. *mota,* "barra/trave") também eram utilizados em pessoas quando aprisionadas (Is 58.6,9; Jr 28.10,12), e na maioria das vezes colocava-se um jugo sobre os escravos (gr. *zygos*) para reprimi-los (1 Tm 6.1).
Em um sentido figurado, uma pessoa que está sobrecarregada por impostos está sob um jugo (1 Rs 12.11,14). Quando uma nação era dominada por outra, era considerada como estando sob o jugo da escravidão (Jr 17.8); e quando uma nação estava pronta para se livrar da servidão, a situação era entendida como "quebrar o jugo" (Is 9.4). No sentido religioso, uma pessoa podia ser submetida ao jugo "juntando-se" a Baal, o que era considerado um pecado (Nm 25.3,5), enquanto apostatar de Deus em rebelião é uma atitude considerada como a quebra de seu jugo (Jr 5.5). A soberania de Deus pode ser relacionada, por exemplo, à quebra de jugos (ou seja, ao seu poder, Ezequiel 30.18), como no caso de Israel no Egito. Uma marca do verdadeiro valor espiritual é o poder que alguém tem de quebrar o jugo da impiedade e deixar que os oprimidos sigam livres (Is 58.6).
Submeter-se ao jugo de Cristo em obediência é uma carga fácil e leve (Mt 11.29,30), mas estar sob o jugo do legalismo é escravidão (Gl 5.1; At 15.10). Os cristãos são aconselhados, "Não vos prendais a um jugo desigual com os infiéis" (2 Co 6.14; cf. Dt 22.10). Finalmente, um crente em Cristo que sirva junto a alguém como uma unidade, é considerado um companheiro de jugo (Fp 4.3). Alguns acreditam que Paulo esteja aqui se referindo a Lucas, que a princípio havia servido ao Senhor com os apóstolos em Filipos.

***Bibliografia.*** G. Bertram e K. H. Rengstorf, "*Zygos*", TDNT, II, 896-901.

L. Go.

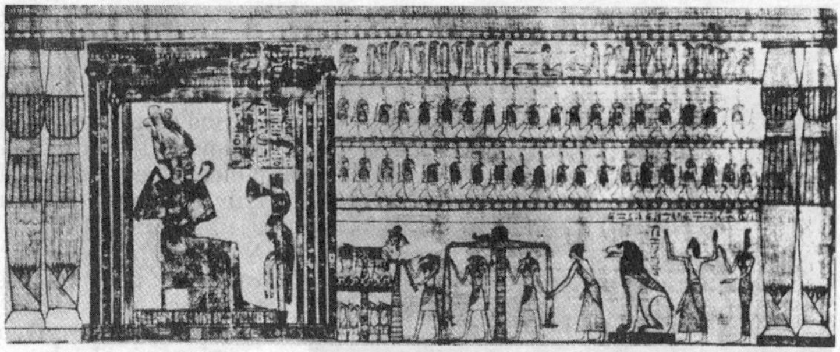

Cena de um julgamento, "pesagem do coração" após a morte, do Livro dos Mortos egípcio, conforme retratado em um antigo papiro. ORINST

## JUIZ, JULGANDO

### Deus como Juiz

Deus é o Juiz supremo e absoluto de toda a terra (Gn 18.25; Sl 94.2; Rm 3.6). O direito que Deus tem de ser Juiz é baseado primeiramente em três atributos divinos: (1) Deus é a justiça absoluta (Sl 9.8; 96.13; 98.1,9); (2) o conhecimento infinito de Deus sobre os segredos da vida do homem (Jó 34.21-28; Is 28.17; Rm 2.16); (3) o poder irresistível de Deus para conceder recompensas ou infligir punições (Sl 11.5-7; Rm 2.1-16).

O trono de Deus está eternamente estabelecido para julgar a humanidade "de forma justa" (Sl 9.4,7,8; 89.14; 97.2). Seu caráter irrepreensível torna qualquer tipo de erro em seu julgamento totalmente impossível (Gn 18.25; Dt 32.4; Jó 8.3; 34.10,12; Rm 3.5). Deus sempre julga "segundo a verdade" (Rm 2.2). Ele "recompensará cada um segundo suas obras" (Rm 2.6; Ap 20.12). Seu julgamento não está contaminado por defeitos humanos como o favoritismo (Rm 2.11; 1 Pe 1.17), a aparência superficial (1 Sm 16.7; Jo 7.24), os padrões carnais (Jo 8.15), ou o suborno (2 Cr 19.7). Portanto, a vontade de Deus, não a do homem, torna-se o padrão de todo o julgamento. *Veja* Vontade de Deus.

Embora possa parecer que os ímpios escapam por um momento do justo juízo de Deus (Sl 10; 73) ao ignorarem a bondade atual de Deus em favor deles (Rm 2.3,4; At 14.16,17), contudo há um dia inexoravelmente estabelecido no plano divino (Rm 2.1-16) para o julgamento de todos os homens (Mt 11.22-24; 25.31-46; At 17.31; 2 Pe 2.9; 3.7; Ap 20.11-15).

Exemplos dos juízos de Deus podem ser vistos nos seguintes casos: (1) o juízo pronunciado sobre Adão e Eva e sobre toda a humanidade no Éden (Gn 3; Rm 5.12); (2) a destruição do mundo antigo pelo dilúvio (Gn 6–8; Lc 17.26-27; 2 Pe 2.5; 3.5-6); (3) a destruição de Sodoma e Gomorra (Gn 19; Lc 17.28-30; 2 Pe 2.6); (4) a destruição do exército do Egito (Êx 14); (5) os castigos lançados sobre Israel no Sinai (Êx 32), no deserto (Nm 14; 16; 25), e em muitos momentos subseqüentes em sua história; (6) o juízo definitivo sobre Israel pela rejeição de seu Messias (Lc 21.20-24; 1 Ts 2.14-16); (7) o castigo final sobre todos aqueles que rejeitam o Senhor Jesus Cristo (Jo 3.36; 5.24; 2 Ts 1.8,9; Hb 10.26-31; 12.25; 2 Pe 2.1-10; 3.7).

### O Juiz no Sistema Judiciário de Israel

As seguintes etapas de desenvolvimento podem ser claramente vistas na história de Israel:

*O período patriarcal*. As funções judiciais estavam em sua maior parte nas mãos do chefe da família durante este período (Gn 21–22; 38.24). No entanto, a lei de Deus, embora não promulgada oficialmente como no Sinai, era conhecida pelos patriarcas. Este conhecimento era derivado do conhecimento geral da vontade de Deus mostrado a toda a humanidade (Rm 1.18-23), da lei de Deus escrita no coração do homem (Rm 2.14,15), e da legislação específica dada ao homem (por exemplo, Gn 9.5,6). Desse modo, o chefe da família tornou-se o principal agente no plano de Deus para a transmissão dos conceitos a respeito da retidão e da justiça de uma geração para a outra (Gn 18.19). Por trás de tudo isto havia a convicção permanente de que o Juiz de toda a terra sempre faria o correto (Gn 18.25).

*O primeiro período mosaico*. Moisés, totalmente preparado por seu grande conheci-

A entrada da basílica no fórum de Pompéia com suas colunas, onde as audiências civis e comerciais eram realizadas

A basílica Júlia em Corinto, onde provavelmente os cristãos abriam processos judiciais contra outros cristãos. HFV

mento dos assuntos terrenos (At 7.21,22), estava pronto para o ofício de juiz que logo deveria recair sobre ele como líder do povo de Deus, redimido do Egito. Mesmo enquanto no Egito, porém, ele foi acusado de assumir este ofício presunçosamente ao procurar fazer justiça com as suas próprias mãos (Êx 2.11-15; At 7.23-28,35). Entretanto, o êxodo do povo de Israel do Egito lhes impôs a necessidade imperativa de um juiz autorizado para julgar processos judiciais e disputas. Esta necessidade foi totalmente suprida por Moisés, que era universalmente reconhecido pelos israelitas como o porta-voz de Deus, isto é, como o agente através do qual a vontade de Deus era conhecida pelo povo (Êx 18.15; Nm 9.8; 27.5). Assim, depois do padrão de Moisés, a magistratura em Israel foi investida de direitos divinos que constituía o juiz humano como o representante da justiça de Deus sobre a terra (cf. Ex 21.6; 2 Cr 19.6; Sl 82.1,6; Jo 10.34).

*O episódio de Jetro no Sinai*. Jetro, o sogro de Moisés, instintivamente sentindo o fardo de que a natureza humana não poderia resistir por muito tempo sem ajuda, fez algumas sugestões muito sábias a Moisés para o aprimoramento do sistema legal entre os israelitas (Êx 18.17-26). Os elementos básicos na revisão proposta por Jetro eram estes: (1) Uma série de tribunais ascendentes; (2) Uma "suprema corte" implícita (no próprio Moisés); (3) O acesso aos tribunais para todas as pessoas em "todas as instâncias"; (4) Um programa instrucional com respeito à natureza e conteúdo das leis; (5) A qualificação para cada um daqueles a quem foi confiado o ofício de juiz.

Moisés enxergou imediatamente a sabedoria das sugestões de Jetro; todas elas foram adotadas como partes integrais do sistema de jurisprudência de Israel. A história e a legislação subseqüentes, mesmo enquanto no Sinai, simplesmente supriram os detalhes do memorável e sábio conselho de Jetro.

*A legislação do Sinai*. A lei do Sinai fortaleceu as revisões sugeridas por Jetro das seguintes maneiras: (1) destacando mais especificamente as qualificações dos juízes (Dt 1.13-18; 16.18-20); (2) dando preeminência à tribo de Levi como guardiões e intérpretes da lei (Dt 17.8-13,18-20); (3) fornecendo princípios específicos para o direcionamento do tribunal para se dar um veredicto (Dt 19.15-21; 21.1-9; 25.1-3).

No entanto, deve ser admitido que havia variações permissíveis no sistema de jurisprudência de Israel. Houve casos, por exemplo, quando a congregação de todo Israel tornou-se o juiz absoluto (Nm 35.11,22-28). Posteriormente, até mesmo o povo podia vetar um juramento insensato de seu rei (1 Sm 14.24-46). Parece bem certo, em períodos da história de Israel posteriores ao Sinai, que os fatores históricos e políticos influenciaram materialmente o tipo de justiça dominante em qualquer área em particular.

*O período dos juízes*. Este período descrito no livro de Juízes (q.v.), constitui uma transição do governo de Moisés e Josué para o governo dos reis de Israel. Durante este período, Deus levantou pessoas especialmente dotadas para julgar uma parte ou todo o Israel (Jz 2.16-23; 3.9,10; 1 Sm 12.9-11; 2 Sm 7.11). As seguintes declarações podem ser feitas a respeito destes juízes: (1) Eram levantados por Deus em tempos de crise (Jz 2.16-23; cf. Sl 106.43-45; At 13.20). (2) Eram especialmente capacitados pelo Espírito Santo (Jz 3.10; 13.25; 14.19; cf. Nm 11.25-29; 24.2). (3) Continuavam no ofício até a hora de sua morte (Jz 2.19; 1 Sm 4.18; 7.15). (4) Rejeitaram a tentação de estabelecer um governo hereditário sobre Israel (Jz 8.22,23). (5) Consideravam as suas funções judiciais como estando envolvidas em uma liderança espiritual sobre o povo (1 Cr 17.6; cf. 2 Sm 7.7).

*Os períodos dos reinos unidos e divididos*. É certamente difícil localizar qualquer sistema de jurisprudência consistente durante o longo período a partir de Samuel, o último juiz, até o final da dispensação do AT. Muitos dos protetores na legislação do Sinai contra a perversão da justiça foram sem dúvida alguma negligenciados sob o governo de reis ímpios ou em tempos de declínio religioso. Os profetas freqüentemente reclamaram contra tais perversões (Is 1.23; 5.23; 10.1,2; Am 5.12; 6.12; Mq 3.9-11; 7.3).

Embora Samuel tivesse impecavelmente realizado os seus deveres como juiz, e tivesse até estabelecido um sistema de tribunais itinerantes (1 Sm 7.15,16), seus filhos corromperam a justiça (8.1-3) e, assim, deram um peso adicional ao desejo do povo de mudar da magistratura para a monarquia (8.4-22; 12.1-25).

No entanto, mesmo depois que os reis se tornaram os juízes absolutos, depois do precedente fixado por Samuel, tribunais locais ou subordinados foram estabelecidos por Davi e Salomão (1 Cr 23.3,4; 26.29-32). Foi para o crédito de Salomão que ele sentiu a necessidade de ter a sabedoria divina ao julgar Israel (1 Rs 3.9). Esta sabedoria foi logo manifestada em um dos casos mais difíceis de julgamento que foi trazido perante ele (1 Rs 3.16-28). Entretanto, alguns reis foram notadamente ímpios na execução da justiça (1 Rs 21.1-16; 2 Rs 21.16). A impiedade surgiu espontaneamente nestes tempos (Hc 1.2-4).

Tanto Davi (2 Sm 1.15,16; 4.9-12) como Salomão (1 Rs 2.5-9,13-46) pronunciaram sentenças e executaram os transgressores de uma maneira muito decisiva. O precedente estabelecido por estes dois notáveis reis, provavelmente se tornou o padrão de justiça ao longo da maior parte da história do AT (por exemplo, 2 Reis 11.12-20), mesmo no caso de julgamentos injustos (por exemplo, 1 Reis 21.7-16).

Parece que Josafá foi o rei mais eficiente, pelo sistema de jurisprudência que estabeleceu por todo o seu reino (2 Cr 19.4-11). É até mesmo provável que os tribunais que ele colocou "em todas as cidades fortes, de cidade em cidade" (v.5) fossem o que chamaríamos hoje de tribunais superiores. Neste sistema, a própria cidade de Jerusalém tornou-se uma espécie de suprema corte, tendo Amarias, o sumo sacerdote, como o principal juiz (vv.8-11). Desse modo, Josafá concluiu, em grande parte, o sistema judicial do AT, um sistema que encontrou o seu cumprimento final no Sinédrio judaico da época do NT (por exemplo, At 5.27-41; 6.10-15; 23.1-10).

### Cristo como Juiz

Os vários aspectos da magistratura de Cristo podem ser apresentados da seguinte maneira:

*Como messianicamente dotado.* Os profetas retratam o futuro Messias como possuindo todos os atributos de um verdadeiro juiz (Sl 89.14; 97.2; Is 11.1-5). Este Messias estava destinado a trazer a "justiça eterna" (Dn 9.24) a um mundo onde a justiça dificilmente poderia ser encontrada (Is 59.1-21).

*Como legislador de um juízo verdadeiro.* Um dos primeiros atos a ser executado por Cristo depois que a sua missão na terra tivesse sido inaugurada, seria apresentar o verdadeiro significado da lei de Deus. Isto foi feito em seu Sermão da Montanha (Mt 5–7), no qual Ele categoricamente corrigiu os falsos dogmas dos judeus impostos sobre a lei de Deus. Todo o ministério de Cristo foi o de julgamento sobre os judeus por sua perversão da lei de Deus (por exemplo, Mateus 15.1-20).

*Como não-participante nos litígios dos homens.* Cristo recusou-se a se tornar um juiz em questões que afetavam as posses materiais dos homens (Lc 12.13,14). Mesmo quando estava perante Pilatos, Ele se manteve afastado de qualquer envolvimento nas acusações que lhe eram contrárias, pois o seu reino "não era deste mundo" (Jo 18.33-39).

*Como o refinador de falsos juízes.* Esta implicação da magistratura de Cristo teve antecedentes proféticos (Ml 3.1-6). Com toda a paixão de um verdadeiro juiz, Cristo pronunciou juízos devastadores contra os fariseus e outros líderes dos judeus como falsos juízes assentados "na cadeira de Moisés" (Mt 23; Lc 12.57-59; Jo 7.24).

*Como enviado para salvar ao invés de julgar.* A vinda de Cristo à terra foi planejada para trazer a salvação aos homens, e não para julgar os homens (Jo 3.16-21; 12.46,47). Isto não significa, porém, que Cristo se recuse a julgar o mal no presente (Jo 8.15,16). Mas o tempo presente é definitivamente o "dia da salvação" (2 Co 6.2).

*Como guardião do julgamento do Pai.* O Senhor Jesus Cristo ensinou abertamente que todo o juízo havia sido entregue a Ele por seu Pai Celestial (Jo 5.21,30). Mesmo agora, antes dos juízos futuros, há um exercício decisivo do juízo definitivo de Cristo contra aqueles que se recusam a aceitá-lo como Messias e Senhor (Lc 19.41-44; 21.20-24; Jo 9.39). Tais homens já estão julgados ou condenados (Jo 3.18; 5.24).

*Como o juiz final.* Cristo será o juiz de toda a humanidade (Mt 7.21-23; 25.36-46). O próprio Cristo será o justo juiz (2 Tm 4.8) naquele último dia quando a sua Palavra será a base do julgamento do homem (Jo 12.48). O Senhor Jesus foi constituído por Deus Pai como "Juiz de vivos e de mortos" (At 10.42; cf. 17.31; 2 Tm 4.1; 1 Pe 4.5).

### O Cristão como Juiz e como Julgado

Os vários aspectos deste assunto podem ser resumidos da seguinte forma:

*Julgamento severo.* Este tipo de crítica vem sob a proibição expressa por Cristo em Mateus 7.1-4 e Lucas 6.37-42. "Não julgueis" (o imperativo negativo aorista no grego) declara uma proibição definitiva contra o hábito pernicioso de criticar os outros, enquanto se ignora os próprios defeitos (cf. Tg 4.11,12).

*Litígios civis.* Dois lados deste assunto são apresentados no NT. Por um lado, Paulo estava certamente justificado ao exigir como um direito civil perante as autoridades romanas a sua completa defesa contra as falsas acusações dos judeus (At 25.9-12). Isto era ao menos um benefício mínimo de sua cidadania romana (At 16.37-39; 22.27-29; cf. Rm 13.1-7). Por outro lado, os cristãos são exortados a sofrer injustiças ao invés de se envolverem em processos judiciais contra outros cristãos perante descrentes (1 Co 6.1,5-8). O caso de Paulo diante das autoridades romanas foi inteiramente diferente da situação existente entre os crentes na Igreja de Corinto. O apelo de Paulo para César lhe foi imposto como a única alternativa para a morte quase certa em Jerusalém. Os cristãos em Corinto não estavam em uma situação tão difícil.

*Questões de consciência.* Os seguintes princípios podem esclarecer esta área um tanto difícil da conduta cristã: (1) A liberdade do novo homem em Cristo deve ser mantida (Jo 8.31,36; Rm 8.15; Gl 2.4; 5.1,13; Cl 2.16-23). (2) Esta liberdade, porém, não pode se degenerar em licença ou licenciosidade (Gl 5.13; 1 Pe 2.16; 2 Pe 2.7,10,14; Jd 4). (3) A área às vezes dúbia ou contestável entre a liberdade e a licenciosidade pode ser limitada pelo amor cristão para com "o irmão mais fraco" (Rm 14.1-23; 1 Co 8.9-13; 10.23-33; Gl 5.13-15), por uma preocupação adequada pela própria fraqueza de uma pessoa (Gl 6.1), pela predisposição em relação à superioridade (Tg 2.8-13), e por uma aplicação adequada da ordem "não julgueis" de Cristo (Mt 7.1-5; cf. Tg 4.11,12).

*Julgamento próprio.* O cristão é convocado a não somente julgar ou examinar a si mesmo (2 Co 13.5), mas também a perceber que o próprio Deus é o Examinador (1 Ts 2.4; cf. Sl 139.1-6,23). Este julgamento próprio deve ser uma parte da preparação espiritual para a Ceia do Senhor (1 Co 11.27-34). Quando conduzido adequadamente pela assistência do Espírito Santo (Rm 8.26,27), este autoexame coloca a Ceia do Senhor em sua perspectiva verdadeira, e assim evita o julgamento divino que vem sobre aqueles que falham em distinguir entre a refeição comum e a Ceia do Senhor.

*Julgamentos a respeito da fé e da prática.* Os cristãos são solicitados a examinar tudo e reter o bem (1 Ts 5.21). Eles também são obrigados a provar se os espíritos são de Deus (1 Jo 4.1). Mesmo nas reuniões cristãs eles devem "julgar" o que ouvem (1 Co 14.29). Os crentes coríntios receberam ordens para julgar imediatamente a imoralidade existente entre os seus membros (1 Co 5.1-8). Mesmo o estrangeiro de passagem não deve ser hospedado se for verificado que não se trata de uma pessoa alicerçada na verdadeira fé (2 Jo 10,11). E um anátema (ou maldição) deve ser proferido contra aqueles que apresentarem um tipo diferente de evangelho (Gl 1.9). O princípio por trás de toda esta diferenciação espiritual exigida, é que o cristão jamais deve trazer o juízo do Senhor sobre si, por causa da doutrina ou das práticas que aprova (Rm 14.22).

*O homem espiritual de 1 Co 2.14,15.* Este homem está acima do julgamento do homem pecador pela simples razão de que os dois homens estão em diferentes níveis de inspiração e habilidade espiritual. O homem pecador está: em uma condição de filho do Diabo (Jo 8.44; 1 Jo 3.10-12), destituído do Espírito Santo (Jd 19), espiritualmente morto (Ef 2.1,5; Cl 2.13), espiritualmente cego (Mt 23.16,24; Jo 9.39-41), e é um cativo voluntário do pecado (Rm 6.6,16-23; 2 Pe 2.14). Portanto, esta pessoa é moralmente incapaz de julgar um homem espiritual que foi ressuscitado, passando a ter uma nova vida em Cristo (Cl 3.1-3), sendo habitado pelo Espírito Santo (Rm 8.11) e por Cristo (2 Co 13.5), e completamente transformado como uma nova criatura (2 Co 5.17).

*Julgamento em expectativa.* Em 1 Coríntios 4.3-5 Paulo fala de três julgamentos: (1) pelo "juízo humano", isto é, por um dia em qualquer tribunal humano, ou pela opinião pública do mundo; (2) pela própria consciência, que mesmo que não o condene, é inadequada para justificar (isto é, aprovar definitivamente) o seu serviço; e (3) pelo Senhor Jesus Cristo, que em sua segunda vinda julgará plenamente. Dessa forma, o crente é exortado a não julgar nada, isto é, a não julgar o ministério de ninguém, até aquele evento futuro. Todos os fatores desconhecidos que agora motivam as ações do homem serão então revelados pelo Senhor; e então cada homem, olhando a justiça do veredicto proferido, terá o seu louvor da parte de Deus (cf. Tg 5.9).

*O cristão e os julgamentos futuros.* As Escrituras revelam uma relação tripla do crente com os julgamentos futuros: (1) como alguém que será julgado para a determinação de seu galardão (1 Co 3.11-15; 2 Co 5.10; 2 Tm 4.1,8), mas não dizendo respeito à sua salvação (Jo 3.18; 5.24); (2) como alguém que participará do julgamento do mundo e dos anjos (1 Co 6.2,3; cf. Dn 7.18,21,27; Mt 19.28; Ap 2.26,27; 3.21); (3) como alguém que não será julgado com os ímpios perante o Grande Trono Branco de Deus, porque o seu nome está escrito no livro da vida (Ap 20.11-15). *Veja* Vida, Livro da; Julgamentos.

***Bibliografia.*** William A. Beardslee, "Judging", HDB rev., pp. 541ss. A. Marzal, "The Provincial Governor at Mari", JNES, XXX (1971), 186-217. Donald A. McKenzie, "The Judge of Israel", VT, XVII (1967), 118-121.

W. B.

**JUIZ, O** Um juiz ou magistrado civil é mencionado pela primeira vez em Israel sob a liderança de Moisés, quando Jetro sugeriu que juízes fossem designados para aliviar Moisés em suas responsabilidades administrativas (Êx 18.13-26). Mais tarde, Israel se organizou em unidades dentro de cada tribo com um homem qualificado como juiz. Estes homens deveriam julgar corretamente, destemidamente e imparcialmente (Dt 1.16ss.). Somente os casos mais importantes eram trazidos diante de Moisés (Dt 1.12-18; 21.2). Observe também a organização de Israel em Números 1–10. Sob a liderança de Josué um plano similar foi seguido (Dt 16.18-20; 17.2-13; 19.15-20; Js 8.33; 23.2; 24.1; 1 Sm 8.1).

A era que se seguiu à morte de Josué re-

O vale dos Dançarinos, onde se presume que os eventos de Juízes 21.21 tenham ocorrido. HFV

trata uma situação modificada como é descrito no livro de Juízes. Aqui os líderes principais, ou juízes do povo, eram aqueles que tinham primeiramente a missão de livrar os israelitas das nações opressoras (Jz 2.16). Carismaticamente dotados pelo Espírito de Deus, eles eram "libertadores" (Jz 3.9), capacitados a livrar e preservar Israel (Jz 6.34-36).

A palavra heb. *shopet* traduzida como "juiz" parece ter sido um termo emprestado dos cananeus. Ela aparece na literatura ugarítica como *spt* com o sentido de "governante" ou "juiz" e um sinônimo para "rei". Posteriormente, os principais magistrados de Cartago, descendentes dos fenícios ou cananeus, possuíram este título por séculos, e eram conhecidos dos romanos como *sufetes*. Assim, o termo heb. corretamente inclui o conceito de líder bem como o de árbitro.

Durante a era entre a conquista e a monarquia em Israel, os invasores opressores foram sucessivamente mesopotâmios, moabitas, cananeus, midianitas, amonitas e filisteus. Os notáveis juízes que foram usados para agir contra estes foram Otniel, Eúde, Débora e Baraque, Gideão e Sansão, conforme narrado no livro de Juízes. Outros juízes a respeito dos quais pouca informação está disponível foram Sangar, Abimeleque, Tola, Jair, Ibsã, Elom e Abdom. *Veja* mais informações sobre cada um deles nos tópicos que trazem os seus nomes, individualmente. Alguns dos juízes desta era são mencionados no livro de Hebreus (cap. 11) como heróis da fé. Os capítulos iniciais de 1 Samuel (cf. 4.18) indicam que Eli serviu como juiz de Israel por 40 anos. Samuel não só guiou os israelitas em uma resistência bem sucedida à opressão dos filisteus, mas também estabeleceu um organizado tribunal itinerante. Embora ele tenha designado seus filhos como juízes, as condições em mudança marcaram uma transição para um reino organizado que trazia a necessidade da unção de um rei (1 Sm 7.15–8.5).

Durante a monarquia, o rei se tornou o supremo juiz em assuntos civis (2 Sm 15.2; 1 Rs 3.9,28). Os casos eram julgados pelo rei no portão do palácio (1 Rs 7.7), mas os tribunais locais estavam da mesma forma em funcionamento. Davi atribuiu aos levitas o ofício judicial e designou 6.000 homens como oficiais e juízes (1 Cr 23.4; 26.29). Josafá ampliou o sistema judicial em Judá, designando sacerdotes e juízes em cidades fortificadas com uma suprema corte em Jerusalém, onde as questões religiosas estavam sujeitas aos sacerdotes e as questões civis sujeitas ao príncipe de Judá (2 Cr 19.5-8).

Os profetas freqüentemente afirmavam que a justiça estava corrompida pelo suborno e pelos falsos testemunhos (Is 1.23; 5.23; 10.1; Am 5.12; 6.12; Mq 3.11; 7.3). Os reis eram freqüentemente injustos em seu modo de tratar os profetas que falavam da parte de Deus (1 Rs 22.26,27; 2 Rs 21.16; Jr 36.26). Veja também 1 Reis 21.1-13, onde a lei era desconsiderada por Acabe e Jezabel e falsas testemunhas eram usadas para trazer vantagens ao rei.

*Veja também* Juiz, Julgando; Juízes, Livro de.

S. J. S.

**JUÍZES, LIVRO DE** O título é derivado da palavra "juízes" (*shop$^e$tim*, Jz 2.16), uma vez que as atividades dos juízes estão registradas neste livro. Na seqüência histórica, ele abrange o período da história de Israel entre Josué e Samuel.

A era dos juízes foi um período no qual os

israelitas, como povo da aliança de Deus, estavam freqüentemente precisando dos livramentos divinos. Através de Moisés, os israelitas haviam experimentado a libertação da escravidão egípcia e recebido a revelação divina como está registrado no Pentateuco. Sob a liderança de Josué, a geração seguinte conquistou e ocupou parcialmente a terra de Canaã. Quando as gerações seguintes sucumbiram à apostasia e idolatria que resultaram na opressão, elas rogaram a Deus por livramento. Mais uma vez os atos poderosos de Deus foram manifestados quando vários juízes (*veja* Juiz, O) responderam ao chamado de Deus para guiar os israelitas em façanhas militares a fim de dispersar as nações opressoras. Estes ciclos religiosos-políticos de pecado, dor, súplica e salvação, ocorreram repetidamente, e podem ter sido geograficamente limitados. Ele também podem ter sido cronologicamente sobrepostos.

**Propósito**

Assim, o propósito do livro ao apresentar esta história é definitivamente didático – ensinar a retribuição divina sobre um povo pecador, a misericórdia de Deus sobre o arrependimento, e a futilidade de governos idólatras que são centrados no homem.

O ministério de Eli e Samuel, registrado nos primeiros capítulos de 1 Samuel, conclui esta era dos juízes. A religião havia alcançado um profundo declínio e Israel era ameaçado pelos filisteus apesar das proezas de Sansão. Apesar da liderança de Samuel, que serviu como juiz da lei, surgiu um reavivamento de forma que Israel estava suficientemente unificado para resistir aos agressivos ataques e à ocupação dos filisteus.

**Esboço**

I. Condições Durante o Período dos Juízes, 1.1–3.6
   1. Áreas desocupadas, 1.1–2.5
   2. Ciclos religiosos-políticos, 2.6–3.6
II. Nações Opressoras e Juízes Israelitas, 3.7–16.31
   1. Mesopotâmia – Otniel, 3.7-11
   2. Moabe – Eúde, 3.12-30
   3. Filístia – Sangar, 3.31
   4. Canaã (Hazor) – Débora e Baraque, 4.1–5.31
   5. Midiã – Gideão, 6.1–8.35
   6. Carreira tirânica de Abimeleque, 9.1-57
   7. Tola e Jair, 10.1-5
   8. Amom – Jefté, 10.6–12.7
   9. Ibsã, Elom e Abdom, 12.8-15
   10. Filístia – Sansão, 13.1–16.31
III. Apêndices: Resultados da Apostasia, 17.1–21.25
   1. Idolatria de Mica e a migração danita, 17.1–18.31
   2. Atrocidade de Gibeá e guerra benjamita, 19.1–21.25

**Cronologia**

A cronologia do livro de Juízes não é tão simples quanto pode parecer ao leitor casual. Uma simples adição dos anos distribuídos para cada juiz totaliza cerca de 410 anos. Mesmo com uma data antiga (aprox. 1400 a.C.) para Josué, é impossível incluir todos estes anos antes de Davi (aprox. 1000 a.C.) e permitir que haja tempo para Eli, Samuel e Saul. Conseqüentemente, as carreiras destes juízes se sobrepuseram ou podem até ter sido contemporâneas. Entre vários estudos desta cronologia está o de J. B. Payne (*An Outline of Hebrew History*, 1954, p. 79), que é responsável por esta era começando com Otniel em 1381 a.C. e terminando com a carreira de Samuel em 1050 a.C. Sansão e Jefté podem ter sido contemporâneos. Os estudiosos que defendem uma data de 1300 a.C. ou mais tarde para Josué, por necessidade comprimem o tempo para os juízes em dois séculos ou menos. As referências em 1 Reis 6.1 e Juízes 11.26 parecem favorecer a data mais antiga para Josué, permitindo um período maior entre a entrada de Israel em Canaã e o estabelecimento do reino.

**Arqueologia**

A arqueologia tem oferecido informações significativas para as cogitações sobre o desenvolvimento histórico na Palestina durante o período estudado no livro de Juízes. O sucesso inicial de Josué na conquista de Canaã pode ser refletido nas cartas de Tell el-Amarna escritas algumas décadas mais tarde. Várias cidades-estado foram derrotadas e haviam pedido ajuda ao Egito. Este pode ter sido o fator responsável pela captura de cidades como Laquis e Debir por Josué (aprox. 1400 a.C.), sua reocupação pelos cananeus, e sua subseqüente destruição pelo fogo (aprox. 1230-1200 a.C.), como indicado pela arqueologia. Débora e Baraque devem ter julgado no século XIII, porque lutaram contra Hazor; a ocupação da imensa cidade baixa e do Nível XIII do *tell* terminou na segunda metade daquele século. Abimeleque, o filho de Gideão, queimou Siquém, e esta destruição foi datada do século XII a.C. É muito provável que o Egito tenha continuado a controlar as principais rotas de comércio ao longo da costa da Palestina e através da Galiléia adentrando o século XII. Testemunhas disso são as inscrições do nome de Ramessés III (1198-1167 a.C.) em cidades como Bete-Seã e Megido. Garstang, em seu estudo (*Joshua-Judges*, 1931), sugere um sincronismo entre o controle egípcio e os períodos de descanso como indicado no livro de Juízes.

**Autor**

O autor deste livro é desconhecido. Evidências internas apontam para os anos posteriores à morte de Sansão e à coroação do rei Saul (Jz 17.6; 18.1; 19.1; 21.25); mas

O tribunal ou bema onde Paulo compareceu perante Gálio em Corinto (At 18)

estas evidências indicam que a obra foi escrita antes da conquista de Jerusalém por Davi (aprox. 1100-1000 a.C.; cf. Jz 1.21; 18.1; 19.1). A afirmação em Juízes 1.29 de que os cananeus ainda estavam no controle de Gezer data estes escritos como anteriores à época em que o rei do Egito conquistou esta cidade (aprox. 970 a.C.) e a deu a Salomão. Parte do conteúdo, como o cântico de Débora, reflete a data da composição como tendo ocorrido na época do evento. É possível que Samuel ou um de seus discípulos tenha compilado a história deste período como apresentado no livro de Juízes. *Veja também* Rute.

***Bibliografia.*** Gleason L. Archer, Jr., SOTI, pp. 262-267. C. F. Burney, *The Book of Judges*, 2ª ed., Londres. Rivington, 1930. Arthur E. Cundall, *Judges*, e Leon Morris, *Ruth*, Tyndale OT Commentaries, Londres. IVCF, 1968. John J. Davis, *Conquest and Crisis*, Grand Rapids. Baker, 1970. John Garstang, *Joshua-Judges*, Londres. Constable & Co., 1931. *Joshua, Judges, Ruth*, KD. C. F. Kraft, "Judges, Book of", IDB, II, 1013-1023. J. Barton Payne, "Judges, Book of", NBD, pp. 676-679. Charles F. Pfeiffer, "Judges", WBC, pp. 233-265. M. B. Rowton, "Chronology. Ancient Western Asia", CAH, 2ª ed., fascículo # 4, pp. 67ss. G. Ernest Wright, *Shechem. The Biography of a Biblical City*, Nova York. McGraw-Hill, 1964, pp. 123-128. Y. Yadin, "Hazor", TAOTS, pp. 244-263.

S. J. S.

**JULGAMENTOS ou JUÍZOS** Os principais termos traduzidos como "julgamento" são o heb. *mishpat* e os gregos *krima* e *krisis*. Derivada de *shaphat*, "julgar", a palavra heb. denota um dinâmico "fazer o certo" como resultado de distinguir entre o certo e o errado (1 Rs 3.9). Entre o povo da aliança de Deus, o julgamento é baseado em sua revelação e instrução (*tora*) para eles. Deve ser uma atividade religiosa (Mq 6.8) para punir o malfeitor, justificar o justo, e livrar o fraco da condenação injusta, a fim de realizar a verdadeira justiça (Is 1.17; Zc 8.16,17). *Mishpat* é o direito fundamental, freqüentemente ocorrendo no sentido da lei, sendo geralmente traduzido, então, como "ordenança" (2 Rs 17.34,37; Is 58.2). O juízo de Deus é perfeitamente justo, não arbitrário. É "uma mistura de confiança e misericórdia, de lei e amor" (Morris, *The Biblical Doctrine of Judgment*, p. 21). O juízo do Senhor é a operação de sua misericórdia e de sua ira, trazendo libertação para os mansos (Sl 25.9; Dt 10.18; Is 30.18ss.), bem como a condenação para os ímpios (Dt 32.41). O "conceito de juízo" do AT "tem uma base legal que emerge como aquela atividade judicial de discriminação, de acordo com o direito, que separa os justos dos ímpios e, como resultado, toma uma atitude" (*ibid.*, p. 29). No NT, quando as duas palavras gregas podem ser distinguidas em significado, *krisis* sugere mais o processo do julgamento, o seu funcionamento (Jo 3.19), enquanto *krima* denota condenação, a sentença proferida pelo juiz (Rm 2.2,3; Tg 3.1; Jd 4).

### Julgamentos dos Homens

As Escrituras ensinam que, sob as limitações adequadas, os homens deveriam ser livres para formar e expressar julgamentos privados relativos à Palavra de Deus, ao estado, e a seus companheiros. Os homens devem governar uns aos outros, bem como julgar a si mesmos.

1. Os protestantes geralmente defendem que a Bíblia é um livro para o povo, para ser lido e entendido pelo próprio povo. Os profetas do AT falaram para toda a nação, e os Evangelhos e as epístolas eram para o uso e instrução popular. O Espírito Santo é o Mestre Supremo para cada homem (1 Jo 2.20,21,27). Os católicos romanos têm sustentado que a Igreja é o intérprete infalível e divinamente autorizado da revelação das Escrituras, e que o indivíduo deve se submeter sem reservas ao julgamento da igreja. Os protestantes reivindicam que somente a Bíblia – e não a tradição e as decisões papais formais – é a regra única e suficiente de fé e prática.

2. O governo civil ou humano é claramente reconhecido pelas Escrituras como residindo na autoridade divina (Gn 9.5,6; Êx 18.13-26). A obediência ao estado em geral, portanto, é um mandamento de Deus (Rm 13.1-5; 1 Pe 2.13-15). Mas está igualmente claro que a fim de exigir a obediência de cidadãos ou indivíduos, o estado deve manter a sua ação em sua própria esfera. A função do governo humano é proteger a vida e a propriedade, e preservar a ordem social. Todos os legisladores e juízes devem se lembrar que estão sujeitos ao julgamento de Deus, e devem exercitar o seu ofício de forma imparcial, e com a devida moderação. Quando o estado, porém, tenta forçar a anuência a doutrinas religiosas, ou sancionar leis que exijam a desobediência aos mandamentos de Deus, então o direito de um julgamento privado deve ser declarado. Como Pedro declarou, "Mais importa obedecer a Deus do que aos homens" (At 5.29).

3. O juízo privativo e não oficial de outros é necessário a fim de proteger a própria vida e o caráter de uma pessoa. Devemos constantemente analisar a conduta e o caráter dos outros para a nossa própria direção, segurança e utilidade. Por exemplo, devemos ter cuidado com os falsos profetas aos quais devemos ser capazes de reconhecer por seus frutos (Mt 7.15-20). Devemos provar e examinar todas as coisas, retendo o que é bom e evitando o mal (1 Ts 5.21,22). Precisamos ser capazes de distinguir, abundando em conhecimento e discernimento (Fp 1.9,10). A proibição de julgar (Mt 7.1) não se opõe a isto (cf. 7.6), mas se refere a criticar e condenar. Somos proibidos de usurpar o lugar de Deus como juiz, ou de fazer julgamentos precipitados, injustos e severos sobre os outros (veja o tópico "Judgment", no *Unger's Bible Dictionary*, pp. 620ss.).

4. O cristão é exortado a examinar-se a si mesmo (2 Co 13.5), e a julgar o seu próprio caminhar. Este autojulgamento refere-se à crítica do crente quanto aos seus próprios caminhos (1 Co 11.31,32), e isto resulta em sua observação e na confissão de seu pecado (1 Jo 1.7-9). Segue-se então a restauração a uma plena comunhão através da defesa de Jesus Cristo (1 Jo 2.1,2).

### Juízos de Deus

1. A base do juízo divino. Para a pessoa não salva, este assunto depende inteiramente de suas obras. Eles não estão sem um conhecimento da verdade, pois são: (*a*) os destinatários da revelação geral e, portanto, indesculpáveis (Rm 1.18-20); (*b*) eles alguma vez conheceram a Deus, mas transformaram o que sabiam em uma mentira (vv. 21-24); (*c*) eles têm a obra da lei escrita em seus corações (Rm 2.15). Deus os julgará de acordo com a verdade (Rm 2.2); de acordo com os seus atos (v.6); pela lei se eles a possuírem, e pela obra da lei escrita em seus corações, se não a possuírem (vv.12-15).

Alguns serão punidos com alguns açoites e outros com muitos, de acordo com o grau de sua responsabilidade e a gravidade de seus pecados (Lc 12.48), mas nenhum deles será salvo (Rm 2.19,20; Ef 2.9).

Para os crentes resta apenas um juízo de avaliação e galardão, uma vez que o Senhor Jesus Cristo guardou a lei no lugar deles, sofreu e morreu em seu lugar (Is 53.5,10,11) sob a penalidade da lei infringida (2 Co 5.21).

2. A descrição dos juízos divinos. Os teólogos sempre sustentaram que há um julgamento geral. Este é um dogma fortemente arraigado na teologia cristã, e é um resultado que vem mais da racionalização do que de uma exegese bíblica completa. Mas um cuidadoso estudo indutivo de todas as Escrituras envolvidas, demonstra que há pelo menos sete juízos divinos distintos descritos na Bíblia.

*a.* O juízo da cruz. O Senhor Jesus Cristo, como a nossa expiação substituta, suportou o castigo pelos nossos pecados na cruz (Is 53; Hb 10.10-12; 1 Pe 2.24). Ele tomou sobre si a maldição do pecado (Gl 3.13) e se tornou o portador de nossos pecados (Jo 1.29; 2 Co 5.21; Hb 9.26-28), e antes de finalmente entregar o seu espírito a Deus, Ele pôde dizer "Está consumado" (Jo 19.30). Quando reconhecemos os nossos pecados e aceitamos a Cristo como o nosso Salvador, Deus nos identifica com o seu Filho e nos vê simultaneamente de duas formas: como tendo morrido através de nosso Representante, e ressuscitado com Ele em novidade de vida (Rm 5.12ss.; 6.3-5; 1 Co 15.22). Por esta razão lemos em Romanos 8.1: "Portanto, agora, nenhuma condenação [juízo de maldição] há para os que estão em Cristo Jesus". Como resultado, o crente nunca mais será julgado por seus pecados. Deus os lançou para trás de suas costas, e não se lembrará mais deles (Is 38.17; 43.25; Sl 103.12; Jr 31.34; Hb 10.17).

*b.* O juízo do caminhar do crente. Este vem na forma de correção divina e de castigo (1 Co 11.30-32; Jo 15.1-8; Hb 12.3-15). Deus o inflige sobre o cristão para que este não seja julgado com o mundo (1 Co 11.32). Ele pode tomar a forma de aflições severas nas mãos de Satanás a fim de subjugar a sua natureza carnal (1 Co 5.5). Pode terminar com a remoção do cristão pela morte, caso ele não se arrependa (1 Co 11.30). O "pecado para morte" mencionado em 1 João 5.16, porém, é punido com a morte eterna no caso daquele que deliberadamente continua em pecado (Hb 10.26) e persistentemente nega a encarnação do Filho de Deus (1 Jo 2.22; 4.3; 2 Jo 7) ou a sua divindade. *Veja* Pecado para Morte.

*c.* O juízo das obras do crente. Uma vez que os seus pecados já foram julgados na pessoa de seu substituto, o Senhor Jesus Cristo (Rm 8.3; 2 Co 5.21; 1 Pe 2.24), o cristão não é julgado novamente por seus pecados junto com o mundo (1 Co 5.5). Ele deve, porém, comparecer ou se apresentar perante o que é chamado de o tribunal (gr. *bema*) de Cristo (2 Co 5.10; Rm 14.10), "para que cada um receba segundo o que tiver feito por meio do corpo, ou bem ou mal". Suas obras devem ser manifestas abertamente no *bema* ou tribunal do juiz (cf. At 25.6,10,17). Este termo também se refere à base ou à plataforma em um anfiteatro onde os prêmios eram dados, como em Cesaréia (At 12.21). É altamente necessário que o serviço de cada filho de Deus seja examinado e avaliado (Mt 12.36; 2 Co 9.6; Gl 6.7,9; Ef 6.8; Cl 3.24-25). Como resultado deste julgamento das obras do crente haverá galardão ou perda dele. Mesmo no segundo caso, se sua obra for queimada, o crente verdadeiramente nascido de novo "será salvo, todavia como pelo fogo" (1 Co 3.12-15).

Visto que devemos reinar com Cristo e alguns serão designados governantes de cinco e alguns de dez cidades em seu reino milenial, este julgamento deve ocorrer antes do retorno dos santos para governar com Cristo (Zc 14.5; Jd 14; Ap 20.4). Este pode ser um processo contínuo, cada santo sendo julgado por suas obras imediatamente ao passar desta vida para estar com o Senhor (1 Co 3.12-15). Outra possibilidade é que o tribunal de Cristo seja estabelecido no céu depois do arrebatamento da Igreja e antes da volta gloriosa de Cristo à terra para estabelecer o seu reinado em Jerusalém. *Veja* Tribunal.

*d.* O julgamento de Israel. O Senhor julgará a sua nação escolhida, Israel, quando voltar com todos os seus santos, antes de estabelecer o seu reino (Ez 20.33-44; Ml 3.2-6). Esta ação é a etapa final de seu juízo contínuo da nação de Israel, predito com tanta freqüencia (por exemplo, Dt 28.15-68; Is 1; 3; 5 etc.; Jr 2–9) e executado de forma tão severa na história.

*e.* O julgamento das nações. Este é o julgamento mais difícil de localizar e definir. É mencionado em duas partes. Primeiro, o juízo derramado por Cristo ao vir para punir aquelas nações que se uniram sob o governo do Anticristo para destruir Israel (Jl 3.12-16; cf. Zc 12.1,9; 14.2ss.). Tal destruição é o clímax dos juízos de Deus contra nações específicas que prejudicaram o seu povo escolhido, Israel, como anunciado pelos profetas do AT (por exemplo, Is 13–23; Jr 46–51; Ez 25–32). Segundo, um julgamento de todas as nações depois da segunda vinda de Cristo (Mt 25.31-46).

O Senhor não pode assumir seu governo milenial sobre a terra sem primeiro julgar as nações pelo que têm feito. Em Mateus 25.32 a palavra "nações" é uma tradução do termo gr. *ethne*, o equivalente do termo heb. *goyim*, que também significa "povos", "gentios". Aqui eles parecem ser todos os povos civis não mortos na batalha do Armagedom, quando seus exércitos foram destruídos (Ap 16.14,16; 19.19-21). A base deste julgamento deve ser o modo como estes povos, como indivíduos, trataram "um destes meus pequeninos" (Mt 25.40), e se refere ao tratamento que dispensaram tanto aos cristãos (Hb 2.11-14) como ao povo mais antigo de Deus, Israel (Sl 22.22; 69.8).

O dilema da dificuldade em decidir a natureza deste julgamento, reside no fato de ele falar do povo anteriormente perdido recebendo a bênção eterna ou a condenação eterna com base nas suas obras. Visto que nenhum homem pode ser justificado por suas obras (Rm 3.19,20; Gl 2.16), não se pode formar uma parte de nenhum julgamento geral dos justos e dos ímpios. No entanto, por esta mesma razão, isto se adequa à situação existente na segunda vinda de Cristo e descreve o juízo devido às "nações" por suas ações em relação aos crentes e israelitas durante a Grande Tribulação.

A única dificuldade que permanece com qualquer interpretação é a declaração de que enquanto os bodes irão "para o tormento eterno", os justos irão "para a vida eterna" (Mt 25.46). Se estas passagens forem tomadas como uma simples referência à entrada no reino milenial sem implicar na salvação, então podemos compreender o veredicto. Ela pode significar uma vida que conduza à vida eterna uma vez que é uma e a mesma com o Senhor. A explicação mais provável é que as Escrituras falam de um arrependimento nacional de todo o Israel naquele tempo (Zc

12.10–13.1; Dt 30.1-10; Os 5.15–6.3; Ap 1.7), e da salvação daquela nação em um dia (Is 66.8; Zc 3.9; Rm 11.26); o mesmo irá ocorrer àquelas nações que trataram bem aos cristãos e aos judeus. Tendo a permissão de entrar no reino, eles irão imediatamente se arrepender, reconhecer a Cristo, ser salvos e, portanto, podem ser citados por Cristo como entrando na vida eterna.

*f*. O julgamento dos anjos. O cristão deverá tomar parte neste evento (1 Co 6.3). Parece ocorrer no momento do julgamento de Satanás e está ligado ao juízo do Grande Trono Branco (Ap 20.11ss.; cf. 2 Pe 2.4; Jd 6).

*g*. O julgamento dos ímpios. Não há nenhuma indicação de algum julgamento dos ímpios antes de Apocalipse 20.11, exceto no caso das nações ímpias em Mateus 25. Somente os mortos justos serão ressuscitados no início do reinado milenial de Cristo (Ap 20.4), e a segunda morte não terá poder sobre eles. Todos os ímpios, em contraste, chamados de "os outros mortos", não reviverão até que os mil anos tenham terminado (v. 5). Eles são os participantes do juízo final. Seu julgamento se baseia em duas coisas: em suas obras, que sozinhas não podem salvá-los; e na presença ou ausência de seus nomes no livro da vida. Todos aqueles que não forem encontrados no livro da vida deverão ser lançados no lago de fogo (v. 15).

*Veja* Crime e Punição; Estado Eterno e Morte; Juiz, Julgando; Justiça (de Deus).

***Bibliografia.*** F. Büchsel e V. Herntrich, "*Krino* etc"., TDNT, III, 921-954. Leon Morris, *The Biblical Doctrine of Judgment*, Londres. Tyndale Press, 1960. Norman H. Snaith, *The Distinctive Ideas of the Old Testament*, Londres. Epworth Press, 1944, pp. 74-77.

R. A. K. e J. R.

**JÚLIA** Uma mulher cristã de Roma a quem Paulo enviou saudações; provavelmente a mulher ou irmã de Filólogo (Rm 16.15).

**JÚLIO** Este centurião, citado várias vezes em Atos 27, e uma vez em Atos 28.16 de acordo com alguns manuscritos, mas não nos melhores textos, foi o homem designado como encarregado de Paulo, o prisioneiro, quando ele foi enviado a Roma após apelar para César. Júlio era supostamente seu nome de família. Não se tem certeza de que ele era um cidadão romano. Os soldados da Palestina não eram membros das forças legionárias, mas sim das tropas auxiliares recrutadas do *peregrini*, ou indivíduos da província. Júlio tratou Paulo com bondade (At 27.3) e poupou sua vida, quando seus soldados planejaram matá-lo antes do naufrágio (At 27.42,43).

**JUMENTO** *Veja* Animais: Antílope II.1; Jumento Selvagem II.24; Onagro II.30.

**JUMENTO MONTÊS** *Veja* Animais: Onagro II.30.

**JUNÇÃO** Usada para indicar união, como nas cortinas do Tabernáculo (Êx 26.4,5; 36.11,12,17). Uma palavra similar hebraica refere-se às vigas usadas para unir as paredes (2 Cr 34.11) ou aparelhar ferro (1 Cr 22.3). *Veja* Juntura.

**JUNCO** *Veja* Plantas: Junco.

**JÚNIA ou JÚNIAS** Um cristão em Roma (muito provavelmente um homem, embora a forma acusativa [Ioynian] em Rm 16.7 seja ambígua quanto ao gênero). Juntamente com Andrônico, ele é saudado por Paulo como um companheiro judeu (cf. Rm 9.3), um companheiro de prisão (durante algum período de prisão desconhecido; 2 Co 11.23), um homem "notável entre os apóstolos" (usando o termo "apóstolos" como uma referência aos mestres e evangelistas cristãos em geral; cf. At 14.4,14; Gl 1.19; 2.9), e um homem que já era cristão antes da conversão de Paulo.

**JÚPITER** *Veja* Falsos deuses.

**JURAMENTO** Um recurso por palavra ou ato para confirmar a verdade da declaração de uma pessoa ou o cumprimento de uma promessa (Gn 21.23,30; 31.53; Gl 1.20; Hb 6.16). Os juramentos nas Escrituras são de dois tipos, aqueles feitos por Deus e aqueles feitos pelos homens.

Os juramentos de Deus são afirmações solenes para seu povo, afirmações da aliança da absoluta verdade de sua Palavra (Nm 23.19) a fim de que possam depositar uma confiança implícita em sua palavra (Is 45.20-24). Suas promessas confirmadas por juramento foram feitas aos patriarcas (Gn 50.24; Sl 105.9-11), à nação de Israel (Dt 29.10-13), à dinastia davídica (Sl 89.35-37,49), e ao Sacerdote-Rei messiânico (Sl 110.1-4; Hb 7.15-22). O fiador de todas as promessas divinas é o Senhor Jesus Cristo, em quem elas encontram o seu cumprimento (2 Co 1.19ss.).

Um juramento feito pelos homens é um recurso solene a Deus para confirmar a veracidade de suas palavras, carregando a implicação expressa de castigo em caso de falha em falar a verdade ou cumprir a promessa. Nas Escrituras, os juramentos desempenharam um papel importante em tribunais legais (Êx 22.11; Lv 6.2-5) e em transações nacionais (1 Rs 18.10; 2 Rs 11.4; Ez 17.16), bem como em assuntos domésticos e religiosos (Gn 24.37; Jz 21.5; 1 Rs 2.43; Ed 10.5). O voto de uma virgem estava obrigado se seu pai não o desaprovasse (Nm 30.3-5); da mesma forma, o voto de uma mulher casada dependia da aprovação de seu marido (Nm 30.6-15).

A lei mosaica enfatizou a natureza obrigatória dos juramentos (Nm 30.2), e decretou o castigo para o perjurador, aquele que faz um juramento falso (Dt 19.16-19; 1 Tm 1.10). O falso juramento de uma testemunha ou uma falsa afirmação com relação a uma promessa ou a alguma coisa encontrada, exigia uma oferta pelo pecado (Lv 5.1-6; 6.2-6). A lei enfatizou a seriedade dos juramentos (Ex 20.7; Lv 19.2; Zc 8.16,17) e proibiu o juramento por deuses falsos (Js 23.7; Jr 12.16; Am 8.14).

As Escrituras citam alguns juramentos flagrantemente pecaminosos, tais como o juramento inconseqüente de Herodes Antipas (Mt 14.6-10), o juramento blasfemo de Pedro (Mt 26.72), e o juramento incitado pelo ódio dos inimigos de Paulo (At 23.12-15).

Os juramentos eram comumente feitos levantando-se a mão a Deus (Gn 14.22; Ez 20.5ss., Hb 3.18; 6.13; 7.21; Ap 10.5), e em casos excepcionais colocando-se a mão debaixo da "coxa" ou do escroto daquele a quem o juramento era prestado (Gn 24.2ss.; 47.29). Este era um modo solene de significar que, se o juramento fosse violado, a descendência da pessoa vingaria o ato de deslealdade (WBC, p. 28; *veja* Coxa).

Os juramentos às vezes eram prestados diante do altar (1 Rs 8.31; 2 Cr 6.22). Os solenes juramentos de aliança eram freqüentemente acompanhados por algum ato sétuplo (Gn 21.27-30), ou dividindo-se um animal em duas partes e passando entre as duas partes (Gn 15.8-18).

Os juramentos eram feitos pela vida da pessoa a quem estava sendo dirigido (1 Sm 1.26; 17.55; 2 Sm 11.11), pela própria cabeça (Mt 5.36), por Jerusalém (Mt 5.35), pelo Templo ou por suas diferentes partes (Mt 23.16-22), pela terra ou pelo céu (Mt 5.34ss.), pelo trono de Deus (Mt 5.34), ou pelo próprio Deus (Jz 8.19; 1 Rs 18.15). Várias fórmulas eram usadas, tais como: "Deus é testemunha entre mim e ti" (Gn 31.50), ou mais comumente, "Vive o Senhor..." ou "Tão certo como vive o Senhor" (Jz 8.19; Rt 3.13; Jr 38.16). Geralmente a penalidade invocada pela violação era apenas sugerida (Rt 1.17; 2 Sm 3.9; 2 Rs 6.31), mas, às vezes, ela era expressa (Jr 29.22).

O Senhor Jesus Cristo condenou o uso indiscriminado, leviano ou evasivo de juramentos que prevalecia entre os judeus (Mt 5.33-37; 23.16-22). Ele ensinou que os homens deveriam ser transparentes e honestos em seu falar, para que os juramentos entre eles se tornassem desnecessários (Mt 5.34-37). Em seu reino, a honestidade de seus membros elimina o uso dos juramentos (cf. Tg 5.12).

*Veja* Adjurar; Aliança; Maldição; Voto.

***Bibliografia.*** Marvin H. Pope, "Oaths", IDB, III, 575-577. Johannes Schneider, "*Omnuo*", TDNT, V, 176-185; "*Horkos* etc"., TDNT, V, 457-467.

D. E. H.

**JURAR** *Veja* Juramento.

**JUROS** *Veja* Usura.

**JUSABE-HESEDE** Um filho ou neto de Zorobabel (1 Cr 3.20).

**JUSTIÇA** No AT, várias palavras hebraicas estabelecem o conceito bíblico daquilo que é direito (q.v.). A palavra *yashar* denota o caminho "reto, direito, suave" (Pv 9.15; 15.21; Is 26.7), e aquilo que é agradável ou satisfatório para Deus por ser direito (Dt 12.25,28). Aquele que segue esse caminho e pratica tais obras é chamado de "reto" ou "justo" (Jó 1.1).

Espera-se que um juiz (*shophet*), ao decidir uma questão e exercer o julgamento (*mishpat*), deva ter o atributo do *mishpat*, isto é, da "justiça, do direito e da retidão". Jeová é um Deus de justiça (Is 30.18), e seria inconcebível que Ele, como Juiz de toda a terra, não agisse corretamente ou não praticasse a justiça (Gn 18.25). O Senhor exige que o homem, que foi criado à sua imagem, também procure e pratique a justiça (Is 1.17; 56.1; Mq 6.8).

Um terceiro termo, *sedeq,* designa o que é justo, direito ou normal como pesos e medidas plenos e justos (Dt 25.15). Deus está sentado em seu trono julgando "justamente" ou "retamente" (Sl 9.4), de modo que Davi mostrou confiança ao pedir que o Senhor ouvisse a sua "justiça" ou a sua "causa justa" (Sl 17.1). Os julgamentos de Deus são "corretos" ou justos, executados com fidelidade para o nosso supremo bem (Sl 119.75).

Um cognato dessa terceira palavra é o substantivo *s^e^daqa*, ou "justiça". Por causa de seu grande espectro de significados no AT, e de seu uso posterior na literatura intertestamentária e rabínica como um termo usado para uma conduta eticamente aprovada, Elizabeth e Paul Achtemeier afirmaram que tanto no AT como no NT a "justiça" é um conceito de relacionamento e que "aquele que é justo tem correspondido às exigências que lhe foram impostas pelo relacionamento no qual está inserido" (IDB, IV, 80).

A pessoa justa pratica o que é direito, justo ou necessário para sustentar relacionamentos harmoniosos dentro de sua família e da comunidade (por exemplo, Tamar, Gn 38.26). Ela está preocupada com os direitos dos pobres (Pv 29.7), e fala a favor destes, procurando defender a sua causa (Pv 31.8,9). A justiça está intimamente ligada ao atendimento aos pobres (Sl 112.9; 2 Co 9.9,10). Os profetas advertiram continuamente sobre a falta de justiça nos portões (onde os julgamentos eram geralmente realizados), pois os próprios fundamentos da vida comunitária estavam sendo destruídos (Is 29.21; 59.4,14; Am 5.10,11,15; Hc 1.4).

Com respeito a Deus, os israelitas eram considerados justos quando cumpriam as exigências de seu relacionamento pactual com o Senhor. Deus havia escolhido Israel em sua graça, e deu a essa nação a lei no monte Sinai afim de guiá-la, porque era o povo de sua aliança. Seu propósito era fazer dela uma nação santa, da mesma forma que Ele mesmo, o Senhor seu Deus, é santo (Lv 19.2; 20.26; 21.6-8). Portanto, um relacionamento justo com Deus incluía a obediência e o amor à sua lei (Dt 6.25; Sl 1). Mas o elemento essencial desse relacionamento pactual era a confiança no Senhor e a submissão da vida das pessoas à sua soberania. Dessa forma, o relacionamento pela fé era fundamental (Hc 2.4). "Aquele que pela fé não aceita o contexto da lei e a soberania do Senhor, não pode ser justo perante Ele, mesmo que cumpra todos os preceitos da lei" (IDB, IV, 82).

A justiça de Deus não é uma qualidade ou um atributo abstrato, mas o cumprimento de sua parte na aliança que Ele celebrou com o povo que escolheu (Ne 9.8,32,33; Sl 103.6,7,17,18). O Senhor sustenta aquele que é correto, e ajuda aqueles que têm seu direito suprimido quando julga os iníquos (Sl 72.2-4; 94.14-23). Seus justos juízos são julgamentos *salvadores* (Sl 36.6). Por ser um Deus justo, Ele é o Salvador (Is 45.12). "A salvação do Deus de Israel é a sua justiça, o cumprimento de sua parte na aliança que celebrou com essa nação" (IDB, IV, 83). Os "atos de justiça" ou as "justiças" do Senhor, os quais Samuel discutiu com todo o povo, eram os seus atos de libertação e de redenção quando retirou Israel do Egito (1 Sm 12.7; cf. Sl 65.5; Is 46.13; 51.5,6,8; 62.1). Ele continua a praticar o juízo a favor dos oprimidos, e a mostrar o seu amor pelos justos, cujos direitos haviam muitas vezes sido suprimidos em circunstâncias desafortunadas (Sl 146.7-9).

Entretanto, o povo de Deus não correspondeu em termos nacionais e individuais. Não existia ninguém que fosse verdadeiramente justo: "Não há ninguém que faça o bem" (Sl 14.1-3; cf. Rm 3.10-12; 7.18). "Não há homem justo sobre a terra, que faça bem e nunca peque" (Ec 7.20) e Isaías escreveu: "Todos nós somos como o imundo, e todas as nossas justiças, como trapo da imundícia" (64.6).

Dessa forma, qualquer justiça que um homem possa ter só será proveniente de seu relacionamento com Deus. Ele deve recebê-la de Deus. Os teólogos lhe deram o nome de justiça atribuída, e essa doutrina está baseada na experiência de Abraão em Gênesis 15.6: "E creu ele no Senhor, e foi-lhe imputado isto por justiça". Por ter praticado a fé no Senhor e nas suas promessas, Abraão – que de modo algum era um homem isento de pecados (cf. Gn 20) – esteve em um relacionamento pactual com Deus. Esse relacionamento, que se originava inteiramente na bondosa eleição divina e em sua chamada (Gn 12.1-3; Js 24.2,3; Ne 9.7,8), chama-se "justiça".

De maneira semelhante, todo pecador arrependido penetra nesse estado de justiça quando, pela fé, aceita a bondosa dádiva de Deus: "Sião será remida com juízo, e os que voltam para ela, com justiça. Mas os transgressores e os pecadores serão juntamente destruídos; e os que deixarem o Senhor serão consumidos" (Is 1.27,28). "Mas a salvação dos justos vem do Senhor... porquanto confiam nele" (Sl 37.39,40).

É Deus que afirma a sua justiça ao perdoar Israel. Ele conserva o povo que escolheu dentro do relacionamento pactual celebrado consigo mesmo, imputando-lhes uma justiça que eles não têm. Isso equivale a conceder-lhes a sua salvação (Is 46.12,13). Na nova aliança, Deus compartilha o seu Ser com eles, pois Ele será chamado de "O Senhor Justiça Nossa" (Jr 23.6; 33.16) e, através dessa justiça, os seus crentes remanescentes serão estabelecidos (Is 54.14).

J. R.

No NT, a palavra grega mais freqüente para justiça é *dikaiosyne,* que é a tradução regular da LXX para a palavra hebraica *s^e^daqa*. Da mesma maneira que no AT, a expressão "justiça de Deus" não se refere especificamente à inerente perfeição do caráter divino. Antes, ela fala sobre a sua justa provisão de salvação para os pecadores (Rm 1.17; 3.5,21,22,25,26; 10.3; 2 Co 5.21). No evangelho, que é o poder de Deus para a salvação de todo aquele que crê, foi revelada a justiça de Deus (Rm 1.16,17). Ela se torna efetiva entre os homens que, por causa de seu pecado, estão sujeitos à ira de Deus e muito longe dele. Através da bondosa extensão da justiça de Deus, eles são conduzidos a um relacionamento salvador com Ele.

A justiça de Deus depende, por um lado, do Senhor ser fiel à sua própria natureza – que é boa e santa – e, por outro, de tratar suas criaturas com justiça. Na justa provisão divina de uma forma de salvação, Ele não pode perdoar o pecado sem satisfazer sua justiça, e manter sua santidade. A justiça de Deus, manifestada em seu justo plano para a salvação através da morte expiatória e substitutiva de Cristo, satisfaz a ambas. A aceitação dessa provisão, por parte do pecador, permite a Deus atribuir-lhe tudo que Cristo fez por ele, para alcançar a sua salvação. Nessa aceitação de Cristo, como portador de pecados e Salvador pela fé, o homem recebe a "justiça que é pela fé", uma expressão que expressa a justiça de Cristo que é atribuída ao crente (Rm 4.5ss.; 9.30; Fp 3.9).

Na época do AT, os pecados do crente eram perdoados através da paciência (ou da tolerância) de Deus (Rm 3.25), pois Deus aplicava a expiação de uma forma antecipada e proléptica. Na Era do Evangelho, os pecados são remidos com base na salvação que já foi consumada no Calvário. Nesses dois casos, a justiça e a probidade de Deus foram satisfeitas. Primeiro, quando Deus aguardava o momento da cruz, e agora, quando Ele a recorda. Portanto, Paulo escreve a respeito do Senhor Jesus Cristo: "Ao qual Deus propôs para propiciação pela fé no seu sangue, *para demonstrar a sua justiça* pela remissão dos pecados dantes cometidos, sob a paciência de Deus; para demonstração da *sua justiça* neste tempo presente, para que ele seja justo e justificador daquele que tem fé em Jesus" (Rm 3.25,26; os itálicos foram acrescentados pelo autor).

Enquanto Deus Pai é chamado de "Justiça Nossa" no AT (Jr 23.6; 33.16), o Senhor Jesus Cristo, no NT, é especificado como a nossa justiça (1 Co 1.30). Ele é o ponto principal e a consumação da lei, que resulta em justiça para todo aquele que crê (Rm 10.4), para que todo aquele que tenha fé possa ser justificado. Essa justiça salvadora é imputada quando o homem crê, de coração, que Deus ressuscitou Cristo dos mortos (Rm 10.9,10).

*Veja* Imputação; Justificação; Direito.

R. A. K.

***Bibliografia.*** Elizabeth R. Achtemeier, "Righteousness in the Old Testament", IDB, IV, 80-85. Paul J. Achtemeier, "Righteousness in the New Testament", IDB, IV, 91-99. Abraham Cronbach, "Righteousness in Jewish Literature, 200 B.C.-A.D. 100", IDB, IV, 85-91. David Hill, *Greek Words and Hebrew Meanings*, Cambridge. Univ. Press, 1967, especialmente o capítulo sobre *dikaiosyne*. John Murray, *The Epistle to the Romans*, NIC, 2 vols., Grand Rapids. Eerdmans, 1963, 1965. J. Barton Payne, *The Theology of the Older Testament*, Grand Rapids. Zondervan, 1962, pp. 155-161, 415-418. Gottlob Schrenk, "*Dikaios* etc.", TDNT, II, 182-225. Norman H. Snaith, *The Distinctive Ideas of the Old Testament*, Londres. Epworth Press, 1944, pp. 51-93, 161-173.

**JUSTIÇA (ÉTICA)** Em dois diálogos de Platão, *A República* e *Gorgias*, o assunto justiça é discutido em um nível tão fundamental que as opiniões divergentes ocorrem periodicamente em todas as eras subseqüentes. O conflito reside entre aqueles que dizem que aqueles que detêm o poder fazem o que é correto, e aqueles que dizem que o poder pode ser usado de forma justa ou injusta, e que a justiça pertence a uma ordem mais elevada que a utilidade.

No século XVII, Hobbes e Spinoza tomaram uma posição semelhante à opinião de que os "poderosos fazem o que é correto". Em essência, eles defendem que o grupo mais forte não pode fazer injustiça ao servir aos seus próprios interesses, e o mais fraco não sofre injustiça se for inconveniente o bastante para sofrer quando resiste à vontade daqueles que têm o domínio sobre ele. Para Hobbes (*Leviathan*), a palavra justiça não tem nenhum significado até que os homens voluntariamente formem um estado investido de poder suficiente para coagir os homens a se submeterem a ela, homens que não obedecem às leis civis. De acordo com Spinoza, em um estado natural nada pode ser chamado de justo ou injusto, mas apenas em uma sociedade civil. Conseqüentemente, a justiça para o indivíduo consiste em guardar as leis do estado, e para o estado, ao forçar quaisquer que sejam as leis que ele tenha, o poder de promulgar no interesse de sua autopreservação. Esta é a opinião aceita pelos humanistas e naturalistas em nossos próprios dias, e colocada em prática pelos ditadores modernos.

A opinião oposta, à qual todos os cristãos junto com muitos outros subscrevem, é que a justiça transcende e julga a vontade do estado. Isto não nega que a preservação da justiça seja a tarefa do estado. Paulo declarou que as autoridades de governo foram instituídas por Deus (Rm 13.1-7; cf. 1 Pe 2.13-17). A justiça é o princípio organizador do estado, o laço que mantém os homens unidos em sociedades civis, sem a qual, como disse Agostinho, o estado não é melhor que um bando de ladrões. O princípio de justiça é mais elevado que a constituição do estado; portanto, a justiça não pode ser entendida como meramente certa de acordo com um critério que se baseia apenas no poder daqueles que são os responsáveis por ela.

Aqueles que defendem esta segunda opinião pensam que há uma justiça natural que transcende as relatividades da história e se mantém para todos os homens em toda parte. Para os fundadores dos EUA, esta justiça natural consistia em certos direitos conferidos pelo Criador a todos os homens. Estes direitos eram inalienáveis no sentido de que o estado poderia garanti-los, mas nunca negá-los. O filósofo Locke (*On Civil Government*) considerava um axioma auto-evidente da razão: todos os homens poderiam desfrutar todas as coisas em uma medida de igualdade e liberdade que proíbe o dano ao próximo em termos de vida, saúde e propriedade. Tomás de Aquino parece considerar esta justiça natural como uma parte do conceito da lei natural.

Analisando o conceito um pouco mais de perto, os pensadores que falam da justiça como uma lei natural da vida humana, consideram-na como algo que envolve a obrigação de retribuir ao próximo aquilo que lhe é devido como sendo seu próprio. A idéia de justiça como a retribuição aos outros daquilo que lhes é devido, reside nas proximidades da idéia de eqüidade. Este é um termo empregado para descrever a justiça na economia, quando se fala da troca de mercadorias de acordo com um valor equivalente, e a distribuição de mercadorias de acordo com as necessidades e os méritos.

Falando desta questão, Aristóteles emprega a noção de igualdade, distinguindo entre a igualdade aritmética (ou simples) e a geométrica (ou proporcional). Uma vez que a justiça aritmética ou simples inclui a justiça remediativa ou corretiva, ela pode envolver a remuneração em espécie pela perda ou dano de mercadorias, ou o castigo que é graduado em severidade de acordo com a gravidade de um crime. Isto é análogo ao *lex talionis*, uma limitação sobre a vingança sem medida que é expressa em um conceito do AT, "olho por olho e dente por dente" (Êx 21.22-25; Lv 24.17-20).

Desde que Marx escreveu a obra *Das Kapital*, muita atenção tem sido dada aos problemas especiais da justiça econômica. Para Marx este é um princípio auto-evidente da justiça; que a riqueza adquirida pela venda de mercadorias deveria recompensar apenas o trabalho daquele que produziu as mercadorias. Marx também presume que os homens originalmente possuíam todas as coisas em comum e que, portanto, a justiça distributiva exige uma recomposição de toda a ordem de propriedade privada em termos da posse pública dos materiais e meios de produção, para garantir ao trabalhador os frutos totais de seu trabalho. As Escrituras também dizem que o trabalhador é digno de seu salário (Lc 10.7; 1 Tm 5.18); porém mesmo na primeira comunidade cristã onde eles voluntariamente tinham todas as coisas em comum, está claro que o direito de propriedade privada jamais foi questionado (Ananias e Safira não eram obrigados a vender a sua propriedade e dividir o resultado da venda, At 5.1-4). *Veja* Comunidade de Bens. Além disso, as opiniões marxistas de justiça econômica, estruturadas em nome da igualdade, mostraram ser uma ameaça para a liberdade individual, e a liberdade nunca foi, desde os dias do Idealismo Grego, algo que pertencesse à mesma categoria básica do conceito de justiça.

Para o cristão, a justiça envolve conformidade com a lei de Deus como a norma final e imutável das ações corretas, em contraste com o marxista que está determinado pela propriedade e controle estatal comunista, e a opinião evolucionária de que a justiça é determinada pelo progresso social.

*Veja* Exemplo; Justiça de Deus; Lei.

***Bibliografia.*** Aristóteles, *Politics*, I, 6; III, 13; VI, 3; VII, 2. Agostinho, *City of God*, XIX, 21. Platão, *Gorgias*; *The Republic*, I-II; *Laws*, IV, X.

P. K. J.

**JUSTIÇA DE DEUS** A justiça é um atributo de Deus que manifesta a sua santidade. Várias palavras bíblicas são traduzidas como "justiça", heb. *s^e^daqa, sedeq*, gr. *dikaiosune*, e têm freqüentemente o sentido de "retidão". As palavras heb. às vezes aparecem juntas, logo depois de *mishpat*, um termo que pode ser traduzido como "julgamento", "juízo" ou "justiça" (por exemplo, 2 Sm 8.15). Outras versões a traduzem como "igualdade e justiça" ou "juízo e justiça" (1 Rs 10.9; Jr 22.15; 23.5).

Presumindo a doutrina uniforme da Igreja de que Deus é um Ser pessoal, a declaração significa "Deus é justo", e Ele sempre age de uma forma coerente com as exigências de seu caráter, conforme revelado em sua lei. Ele governa a sua criação com retidão, Ele mantém a sua Palavra, retribui a todas as suas criaturas o seu direito. "Justo és, ó Senhor, e retos são os teus juízos. Os teus testemunhos, que ordenaste, são retos e muito fiéis" (Sl 119.137-138). A justiça de Deus é um correlato necessário de sua santidade ou excelência moral. Uma vez que Deus é infinitamente perfeito, Ele deve ser imparcial em seus juízos e sempre tratar as suas criaturas com eqüidade. "Longe de ti", diz Abraão ao Senhor, "que faças tal coisa, que mates o justo com o ímpio; que o justo seja como o ímpio, longe de ti seja. Não faria justiça o Juiz de toda a terra?" (Gn 18.25).

A doutrina da justiça de Deus tem muitas ramificações, mas ela é mais freqüentemente discutida em relação ao pecado do homem, e nesta relação é mais próxima em significado à severidade de Deus. Severidade é o modo pelo qual o pecador sente a justiça de Deus. Com o surgimento e a disseminação do liberalismo alemão, este aspecto da atitude moral de Deus foi amenizado a ponto de ser esvaziado de todo o seu significado. A doutrina da satisfação vicária e especialmente do inferno eterno, foram repudiados como resquícios e vestígios do Deus irado do AT, características incompatíveis com o Pai Celestial a quem o Senhor Jesus revelou, que ama todas as suas criaturas e que é adorado pelos cristãos. As Escrituras, porém, não sustentam tal bifurcação. O Deus de Jesus e dos apóstolos é o Deus do AT. O próprio Senhor Jesus teve mais a dizer especificamente sobre o inferno do que pode ser encontrado em todo o AT reunido; provavelmente mais do que pode ser encontrado no restante do NT.

Quanto à satisfação vicária, ela está no âmago da interpretação de Paulo do significado da morte de Cristo. Como o principal pensador teológico da igreja apostólica, ele escreveu um tratado sobre a justiça de Deus (1.16,17) aos romanos, uma epístola que é vista, de forma muito justa, como a maior exposição do evangelho feita pelo apóstolo. A respeito da justiça ou retidão de Deus ele declarou: "Todos pecaram e destituídos estão da glória de Deus, sendo justificados gratuitamente pela sua graça, pela redenção que há em Cristo Jesus, ao qual Deus propôs para propiciação pela fé no seu sangue, para demonstrar a sua justiça pela remissão dos pecados dantes cometidos, sob a paciência de Deus; para demonstração da sua justiça neste tempo presente, para que ele seja justo e justificador daquele que tem fé em Jesus" (Rm 3.23-26). Esta passagem tem sido felizmente chamada de a "acrópole do evangelho", as boas novas de que através de Cristo os requisitos da justiça divina foram atendidos.

As Escrituras não ensinam que a justiça de Deus seja puramente corretiva. Ela não é uma expressão da benevolência de Deus. É a qualidade que faz parte de Deus, e que garante a todas as suas criaturas que o pecado deve ser castigado por causa de sua inerente apostasia, e que a retidão deve ser reconhecida e recompensada por causa do seu mérito e dignidade intrínsecos.

*Veja* Deus; Julgamentos; Justificação; Justiça; Pecado.

***Bibliografia.*** J. Barton Payne, "Justice", NBD, pp. 680-683.

P. K. J.

**JUSTIFICAÇÃO** Este é um termo (gr. *dikaiosis*) que se refere ao julgamento judicial. Não significa tornar reto ou santo, mas anunciar um veredicto favorável, declarar ser justo. Este significado é patente tanto no Antigo quanto no Novo Testamento (heb. tronco *hiphil* de *sadaq*, "declarar justo"; gr. *dikaioo*, "vindicar, inocentar, pronunciar e tratar como justo"). O ato de "justificar" é contrastado com o ato de "condenar" (cf. Dt 25.1; 1 Rs 8.32; Pv 17.15; Rm 8.33); e assim como condenar é o meio de tornar alguém ímpio, justificar é o meio de tornar alguém justo.

É esta força declarativa do termo que levanta a questão: como Deus pode justificar o ímpio? Na justificação que Deus faz dos pecadores, há um único ingrediente que não aparece em nenhum outro caso de justificação. Esta característica única é que Deus faz com que a nova relação declarada por Ele se torne realidade. Esta operação é expressamente declarada nas Escrituras, e é o ato pelo qual muitos são constituídos como justos (Rm 5.19), a concessão do dom gratuito da justiça (Rm 5.17), tornando-nos a justiça de Deus em Cristo (2 Co 5.21). É por esta ação que a sentença de condenação (q.v.) sob a qual repousamos como pecadores é mudada para uma ação de justificação; não há, portanto, nenhuma condenação para aqueles que estão em Cristo Jesus (Rm 8.1). Este ato constitutivo é corretamente mencionado como a imputação da justiça de Cristo a nós. Assim, fica patente que a sentença de condenação não tem nenhuma afinidade com o que é interiormente operado em nós, seja pela regeneração (q.v.) ou pela santificação (q.v.). A imputação é o crédito, em nossa conta, de uma justiça que não é a nossa própria, mas que é, na realidade, baseada na obediência de Cristo (Fp 3.9; Rm 5.17,19). Ela é, portanto, distinta do perdão dos pecados, embora o perdão esteja necessariamente incluído nela (At 13.38-39).

Como a *natureza* da justificação é, desse modo, mostrada como declarativa, constitutiva e imputativa, assim a *base* reside em nada mais além do que a obra realizada por Cristo, a *fonte* da graça gratuita de Deus. Somos justificados gratuitamente pela graça de Deus "pela redenção que está em Cristo Jesus" (Rm 3.24). Esta verdade passa à expressão focal na designação "a justiça de Deus" (Rm 1.17; 3.21,22; 10.3; 2 Co 5.21; Fp 3.9). A obra de Cristo foi a obediência (Rm 5.19; Fp 2.8; Hb 5.8,9). Deste modo, ela foi a justiça (Mt 3.15; Rm 5.17,18,21). Foi operada por Ele como o Deus-homem e é, portanto, uma justiça com uma propriedade divina, uma justiça de Deus contrastada não só com a *injustiça* humana, mas com toda a *justiça* humana. Somente esta justiça atende o desespero da nossa situação pecadora e fica à altura de todas as exigências da santidade de Deus. Ela não só garante a justificação de Deus, mas ao ser imputada em nossa conta, exige a nossa justificação. A graça reina "pela justiça para a vida eterna" (Rm 5.21).

Como a justificação é concedida pela graça, ela é recebida pela fé (Rm 1.17; 5.1). A fé é coerente com todas as outras características. Isto é verdade não apenas pelo fato da fé ser um dom de Deus, mas porque o caráter distinto da fé consiste em receber a Cristo e permanecer nele para a salvação. É a qualidade generosa e autoconfiante da fé que a torna o instrumento adequado de tudo o mais que envolve a justificação. É pela fé que somos justificados e somente pela fé, embora nunca por uma fé que esteja sozinha.

A justificação é a questão religiosa básica. Não vem agora a simples pergunta: Como o homem pode ser justo para com Deus? E ainda a pergunta mais forte: Como o homem, na condição de pecador, pode *tornar-se* justo para com Deus? A resposta é: Através da justificação pela graça, por meio da fé.

*Veja* Fé; Perdão; Imputação; Justiça; Salvação.

***Bibliografia.*** Veja comentários sobre Romanos. John A. Faulkner, "Justification", ISBE, III, 1782-1788. Leon Morris, *The Apostolic Preaching of the Cross*, Grand Rapids. Eerdmans, 1956, pp. 224-274. James I. Packer, "Just, Justify, Justification", BDT, pp. 303-308; "Justification", NBD, pp. 683-686. Gottlob Schrenk, "*Dikaios* etc"., TDNT, II, 182-225.

J. M.

**JUSTO** O cognome de três homens do período apostólico:

1. José chamado Barsabás que foi candidato, junto com Matias, a assumir a posição de décimo-segundo apóstolo no lugar de Judas Iscariotes (At 1.23).
2. Tito (ou Tício), um romano convertido e temente a Deus, que abriu a sua casa (que ficava perto da sinagoga de Corinto) para Paulo como um lugar de reunião, quando o apóstolo deixou

os judeus (At 18.7). A maioria dos manuscritos gregos posteriores traz apenas o nome “Justo”, porém os manuscritos e versões mais antigas trazem “Tito Justo” (ou Tício Justo).
3. Jesus (ou Josué) Justo, um judeu provavelmente de Colossos, que estava com Paulo durante a sua primeira prisão em Roma e que, junto com João Marcos e Aristarco, enviou saudações para a Igreja de Colossos (Cl 4.11).

**JUTÁ** Uma cidade em Judá (agora identificada como Yatta), cerca de oito quilômetros ao sul de Hebrom (Js 15.55), destinada aos filhos de Arão como uma cidade de refúgio (Js 21.16). Uma lista paralela em 1 Crônicas 6.59 omite esta cidade. A conjectura que equipara esta cidade a “Judá”, em Lucas 1.39, é agora rejeitada, de modo geral, por ser considerada lingüisticamente indefensável.

# K

**KENOSIS** Em Filipenses 2.7, Paulo diz que ao tornar-se homem, Cristo “a si mesmo se esvaziou”. O verbo gr. utilizado nesta passagem é *kenoo,* do qual se deriva a palavra kenosis.
Este termo tem sido usado para descrever um conjunto específico de teorias no que diz respeito à encarnação. Não se chegou a um acordo quanto aos limites exatos da discussão. O artigo “Kenotiker und Krypter” na *Real-Encyklopädie* de Herzog (Stuttgart, 1857) começa com o debate entre Lutero e o Suíço sobre a natureza da Ceia do Senhor e a presença de Cristo nos elementos da Ceia. Berkouwer, na obra *The Person of Christ*, se refere à kenosis como uma forma de pensamento teológico influente no século XIX, enquanto Donald Baillie, na obra *God Was in Christ* declara que a teoria da kenosis pertence distintivamente aos tempos modernos. Por causa desta ambigüidade de significado, este artigo toca, de uma forma breve, em todas as partes do debate.
No nível prático da controvérsia eucarística, o “como” da união entre o divino e o humano em Cristo foi claramente o problema na mente de Lutero, mas ele não foi capaz de atingir uma formulação dogmática satisfatória. O mesmo foi verdade quanto a Melanchthon e seus seguidores. Mas Johann Brenz de Tübingen (falecido em 1570), que defendeu a rígida posição luterana da presença real de Cristo nos elementos da ceia contra Oecolampadius, enfatizou o pensamento fundamental da total comunicação das naturezas e seus respectivos atributos na pessoa de Cristo (*communicatio idiomatum*). Isto levou à pergunta: como então a humilhação de Cristo difere de sua exaltação? A resposta dada foi que, na humilhação de Cristo, a majestade divina que desde o primeiro momento da encarnação pertencia à sua natureza humana, estava oculta aos olhos do mundo. Na exaltação de Cristo, por outro lado, esta glória divina que havia estado completamente comunicada com a natureza humana desde o início, embora oculta, foi novamente revelada. Para as perguntas: “Como isto poderia ser?”; “Como poderia a humanidade de Cristo ser gloriosa e, contudo, não parecer como tal?” Brenz respondeu que assim é, porque as Escrituras dizem que é assim!
No século seguinte, perguntas adicionais foram levantadas: “Será que Cristo, no estado em que se esvaziou a si mesmo, estava, em sua humanidade, presente a todas as criaturas, e será que mesmo em sua morte Ele governava todo o universo?” Alguns responderam que sim, outros que não. Os últimos insistiram que o esvaziamento de Cristo de si mesmo consistia em uma renúncia real, embora parcial, do uso da glória divina comunicada com a humanidade de Cristo através de *unio personalis*, especialmente a sua onipotência, onisciência e onipresença. Mas se isto foi assim, como puderam então ser mantidos a completa união das naturezas e o senhorio de Cristo sobre todas as coisas? A resposta dada foi que a união hipostática envolvida, no que diz respeito a estes atributos divinos, a posse interior destes, a possibilidade de serem exercidos, não requeriam nenhuma relação exterior com a criação. De alguma maneira Cristo poderia ser onisciente sem saber de tudo (temporariamente), e onipresente sem estar presente em todos os lugares (temporariamente) – ao menos parece ter sido assim.
Houve ainda outros teólogos luteranos que sugeriram que o esvaziamento de Cristo teve seu lugar (ou a sua localização própria) em

seu ofício sacerdotal. Como Rei, o Deus-Homem realmente governou a sua Igreja e o mundo, mesmo em sua humilhação; mas como Sacerdote, Ele se despiu de sua glória divina na medida em que isto era exigido para que realizasse a obra de salvação, sofrendo a pobreza, a dor e a morte.

No século XIX, quando a teoria kenótica foi assumida nos círculos teológicos britânicos, houve uma insistência de que a doutrina das duas naturezas levaria a uma dualidade intolerável – duas correntes de consciência, dois conjuntos de ações – na vida de Cristo, a menos que a doutrina da kenosis fosse assumida com seriedade. Não que o ser divino tivesse que ser abandonado, mas deve haver uma autêntica auto-limitação, uma troca de uma forma ou modo de existência por outra. Mas quando estes teólogos kenóticos procuraram explicar a sua doutrina, eles se viram envolvidos nas mesmas complicações insustentáveis a que os teólogos mais antigos haviam sido levados. Alguns disseram que Cristo colocou de lado todos os atributos divinos; outros, que Ele deixou os atributos relativos, mas não os essenciais. Alguns até chegaram a ponto de dizer que quando Deus tornou-se homem, a sua divindade foi transmitida à humanidade. Godet concluiu, a partir da liberdade de Deus, que Ele não estava necessariamente ligado ao seu modo divino de existência. Isto traz, naturalmente, uma teologia que é bastante compatível com a visão assumida no evangelho da crítica liberal a respeito do Senhor Jesus. Assim, Jesus Cristo se torna essencialmente um homem. Ele é totalmente humanizado. Neste caso, Deus só pode falar conosco através deste homem, mas o homem que está falando não é Deus.

Donald Baillie observa que é fácil ver por que a teoria da kenosis pertence peculiarmente ao mundo moderno e parece a muitos dos nossos contemporâneos tão promissora. "É porque ela aparentemente nos permite combinar uma fé plena na divindade de Jesus Cristo com um tratamento completamente liberal de sua vida na terra como um fenômeno humano, a vida de um homem" (*God Was in Christ*, pg. 95). Baillie então observa que para todos os seus recursos iniciais, a doutrina da kenosis é decepcionante sob uma análise cuidadosa e não pode ser de forma alguma harmonizada com as Escrituras. Como Charles Hodge uma vez observou, a doutrina em todas as suas formas é incompatível com a cristologia da Igreja, transmitida de geração a geração.

Concluindo, considere alguns dos problemas persistentes na kenosis que levaram os ortodoxos a rejeitá-la. Se analisada de forma consistente, a teoria ensina que Deus se tornou um homem, deixando de ser Deus; Deus se transformou em um homem na encarnação. Mas então não há realmente uma encarnação, nenhuma Divindade oculta na carne humana para se ver. Isto levaria, logicamente, como tem sido freqüentemente mostrado, à conclusão adicional de que a ressurreição e exaltação de nosso Senhor deveriam ser explicadas como o seu retorno à condição de Deus. Se a fim de se tornar um homem finito, Ele não pudesse exercer os seus atributos divinos distintos, como então Ele poderia ser exaltado como Deus sobre todos, bendito para sempre, e ainda não estar sujeito às limitações da humanidade? A doutrina da kenosis realmente não implica em uma união hipoestática do humano com o divino, mas em uma sucessão cronológica do divino, então do humano, e novamente do divino. Baur, falando da kenosis, observa: "Esta completa auto-renúncia é de fato a completa auto-dissolução dos dogmas". Berkhouwer cita o credo atanasiano como condenando explicitamente todo pensamento da kenosis, afirmando que a encarnação ocorre não por uma metamorfose da Divindade em carne, mas do ato de assumir a condição humana.

Mas, e quanto à declaração de Paulo em Filipenses 2.7 com a qual esta discussão começou? Como Warfield e outros já observaram, Paulo não diz, como dizem os teoristas kenóticos, que o nosso Senhor se esvaziou de tudo, de seus atributos relativos ou de sua glória essencial, ou do exercício externo de seus atributos. Ele simplesmente diz que Cristo "*a si mesmo* se esvaziou", o que dificilmente pode ser tomado literalmente, pois como Ele poderia se esvaziar de seu próprio ser? Uma expressão como esta deve ser entendida como uma maneira figurativa e dramática de expressar a maravilhosa condescendência de nosso Senhor, que "sendo em forma de Deus... aniquilou-se a si mesmo, tomando a forma de servo". Somente assim a passagem se encaixa satisfatoriamente no contexto, que é um apelo aos leitores a se desfazerem da rivalidade, vanglória e coisas semelhantes, e tomarem para si a mente de Cristo, que é repleta de humildade e infinita condescendência.

*Veja* Cristo, Humilhação de; Encarnação; Reputação.

***Bibliografia*** Donald Baillie, *God Was in Christ*, Nova York: Scribner's 1948, pg. 94ss. G. C. Berkouwer, *The Passion of Christ*, Grand Rapids: Eerdmans, 1955, pg. 27ss. Charles Hodge, *Systematic Theology*, Nova York: Scribner, Armstrong, 1872, II, 407ss. Charles M. Horne, "Let This Mind Be in You", BETS, III (1960), 37-44. Alva J. McClain, "The Doctrine of the Kenosis in Philippians 2:5-8", *The Biblical Review Quarterly*, XIII (1928), 506ss.; reimpresso em *Grace Journal*, VIII (1967), 3-13. Thomas A. Thomas, "The Kenosis Question", EQ, XLII (1970), 142-151.

P. K. J.

**KETHIB** Quando os livros do AT foram originalmente escritos, os escribas hebreus não tinham um sistema para escrever as vogais de seu idioma. Por volta da metade do primeiro milênio d.C., os escribas judeus conhecidos como massoretas inventaram um método de notação de vogais. No entanto, na época dos massoretas, algumas palavras eram tradicionalmente lidas de maneira que trazia uma variação em relação às consoantes escritas. Os massoretas, ao invés de alterarem as consoantes encontradas nos rolos que copiaram, simplesmente indicaram a leitura tradicional alternativa, colocando as vogais da palavra lida (Heb. *q[e]re*) com as consoantes como foram escritas (heb. *k[e]thib*). Estas leituras variantes totalizam aprox. 1.500. *Veja* Qere.

# L

**LÃ** A palavra heb. *gez* é traduzida como "lã" (Dt 18.4; Jó 31.20) e também como "erva ceifada" (Sl 72.6; Am 7.1). Ela fala daquilo que é tosquiado. A forma similar *gizza* também é traduzida como "lã" em Juízes 6.37-40, onde as experiências de Gideão com a lã são relatadas. Parece que a palavra refere-se primeiramente à lã depois de tosquiada.

**LÃ** *Veja* Vestuário; Animais: Ovelha I.12.

**LAADE** Um homem de Judá, filho de Jaate (1 Cr 4.2).

**LAAI-ROI** *Veja* Beer-Laai-Roi.

**LAAMÁS** Uma aldeia na Sefelá de Judá (Js 15.40) que talvez possa ser identificada com Khirbet el-Lahm, quatro quilômetros a leste de Laquis.

**LABÃO** Filho de Betuel, neto de Naor, irmão de Abraão e tio de Jacó. Ele viveu em Harã de Padã-Arã na Mesopotâmia (Gn 24.15; 28.2; 29.4,5). Quando Abraão enviou um servo à terra de Labão para encontrar uma esposa para Isaque, ele lançou um olhar cobiçoso para os anéis e braceletes de ouro concedidos como presentes a sua irmã Rebeca. Encorajou o casamento proposto e, então, compartilhou os presentes adicionais que o servo apresentou (24.22,29,30,53). Muitos anos mais tarde, Jacó fugiu de Esaú para a casa de Labão em Harã. Este deu-lhe boas-vindas e o empregou para cuidar de seus rebanhos, por sete anos, em retribuição por Raquel, sua filha caçula (29.18). Mas Labão enganou-o e fez com que recebesse sua filha mais velha, Léia, como mulher, em lugar de Raquel (29.21-26). Embora Jacó tivesse conseguido permissão para se casar com Raquel uma semana depois, Labão fez com que ele trabalhasse mais sete anos por ela (29.27-30). Jacó, então, desejou retornar para o seu antigo lar, mas Labão não queria perdê-lo, acreditando que Deus havia lhe abençoado por causa da presença do moço (30.25-27). Quando Labão permitiu que Jacó propusesse seu salário, ficou acertado que certos animais do rebanho seriam de Jacó devido ao acordo que Labão pensou ser lucrativo para si. No entanto, Jacó foi mais bem-sucedido. Labão sentiu-se ressentido, e Jacó voltou para casa após 20 anos de serviço (31.41). Tomou seu rebanho, agora numeroso, seus filhos e suas mulheres que sentiram que seu pai as tinha usado injustamente. Labão perseguiu Jacó com um grupo, mas Deus o advertiu a não fazer mal a Jacó (31.22-24). Ao alcançar Jacó, Labão o acusou de tê-lo enganado e forçado Léia e Raquel a partirem com ele. Labão posteriormente acusou Jacó de ter roubado seus ídolos do lar. Jacó era inocente nisto; Raquel os havia tomado secretamente e escondido, porque de acordo com a cultura predominante naquele período, a posse destes ídolos concedia direitos de herança. Labão fez uma aliança com Jacó pela qual ambos concordavam em respeitar os direitos um do outro, e então partiram pacificamente. Labão era um homem astuto e cobiçoso. Ele reconheceu o Deus de seu parente Abraão, porém mesclou este conhecimento com uma reverência idólatra aos ídolos do lar (ou terafins).

N. B. B.

**LAÇO** Duas palavras são assim traduzidas na versão KJV: *pah,* em Jó 18.9 e Isaías 8.14; e *moqesh,* em Salmos 140.5; 141.9; Amós 3.5. Ambas as palavras são normalmente traduzidas como "armadilha" ou "laço". *Pah* é a armadilha, e *moqesh* possivelmente seja a isca para a armadilha. Parece que havia laços de pêlos ou de arame para capturar vivos alguns pássaros selvagens, crina de cavalo para pequenos pássaros, e arame para os maiores. *Veja* Armadilha.

**LAÇOS** Provavelmente feitos com cordões de pêlos de cabra tingidos de azul, os laços deveriam ser amarrados às cortinas de linho do Tabernáculo para que a tenda fosse feita com uma única peça de tecido. Dez cortinas ou pedaços de tecido, cada uma com 28 por 4 côvados (considerando o côvado igual a aproximadamente 18 polegadas, ou 45 centímetros), deveriam ser amarradas formando uma superfície de 28 por 40 côvados. Essa ligação era feita costurando 50 laços em cada uma das longas laterais de uma cortina. Os laços eram então unidos por grampos para resultar em uma única peça de tecido. Veja Êxodo 26 e 36.

**LACUM** Uma cidade fronteiriça em Naftali (Js 19.33), provavelmente Khirbet el-Mansurah, perto do escoadouro do mar da Galiléia, a oeste do Jordão.

**LADA** Um descendente de Judá, o segundo filho de Selá, e "pai" ou fundador de Maressa (1 Cr 4.21).

**LADÃ**
1. Filho de Taã e pai de Elisama. Elisama foi príncipe de Efraim na época de Moisés e o avô de Josué (1 Cr 7.26).
2. O primeiro dos dois filhos de Gérson, filho de Levi, que é citado. Ele estabeleceu um dos clãs dos gersonitas pelos quais as genealogias foram traçadas por séculos (1 Cr 23.7-9; 26.21). Em 1 Crônicas 6.17, ele é chamado de Libni.

**LÁDANO** *Veja* Plantas.

**LADRÃO** Uma palavra hebraica e duas gregas são traduzidas desta forma em algumas versões, porém, a segunda palavra grega é traduzida como "salteador" em outras. O termo salteador combina melhor com o significado preciso desta palavra. O termo "ladrão" sugere alguém que comete um furto secreto. Já o termo "salteador" sugere violência. Em João 10.8, o Senhor Jesus fala de ambos, "ladrão e salteador", referindo-se àqueles que vieram antes dele reivindicando ser o Pastor de Israel, o Messias. Em Mateus 6.19,20, muitas versões trazem o termo "ladrões". Mas em Mateus 21.13; Marcos 11.17 e Lucas 19.46 a expressão covil de salteadores é adequada. Em Mateus 27.38,44 e Marcos 15.27, os "ladrões" crucificados com Cristo são "salteadores". Em Lucas 10.30,36, o homem que caiu nas mãos dos marginais, caiu, de fato, nas mãos dos "salteadores".
Os ladrões (ou salteadores) crucificados com Jesus são chamados de "malfeitores" em Lucas. Embora estes homens maus tenham procurado ridicularizar Jesus (Mt 27.44), um deles mais tarde arrependeu-se, repreendeu seu amigo criminoso, pediu misericórdia ao Senhor Jesus, e foi perdoado (Lc 23.39-43).
*Veja* Crime e Punição; Lei; Roubar, Assaltante.

J. A. S.

**LADRÃO, ROUBO** Roubar é se apossar da propriedade alheia pela força ou por meio de alguma ameaça. No AT, a palavra "ladrão" não representa nenhuma palavra hebraica em particular (cf. as diferenças entre as versões em passagens como Jó 5.5; 18.9; Pv 21.7; Na 3.1).
Os textos em Jó 1.15,17; Números 31.1-54 e o livro de Juízes nos dão testemunhos da freqüência dos roubos entre os nômades do antigo Oriente Próximo. Os profetas se queixavam constantemente a esse respeito (por exemplo, Os 4.2; 6.9 e Mq 2.8). O banditismo continuou através do período romano quando administradores corruptos fomentavam bandos de ladrões aceitando suborno. Bandos de saqueadores infestavam a Palestina. Alguns motivados pelo simples desejo de ganhos financeiros; outros, pelo desejo de independência nacional (Lc 10.30; At 5.36,37; 21.38).
O texto de Êxodo 22 contém a seção da lei mosaica que trata do roubo. A restituição era obrigatória, e a quantia variava de acordo com o animal que havia sido roubado, e com a situação, se tivesse sido morto, vendido ou recuperado. Se necessário, o ladrão e suas propriedades poderiam ser vendidos para fazer essa restituição (Êx 22.3). Matar um ladrão em flagrante durante a noite representava um homicídio justificado (22.2), e o seqüestro era punido com a pena capital (Êx 21.16; Dt 24.7). A propriedade roubada deveria ser devolvida com a adição de um quinto de seu valor (Lv 6.5). Era estritamente proibido alterar os limites da terra (Dt 17.17).
Na versão KJV em inglês, a palavra grega *lestes* foi traduzida 11 vezes como "ladrão" e 4 vezes como "salteador" (Jo 10.1,8; 18.40; 2 Co 11.26), significando um saqueador, um ladrão de estrada, um salteador ou bandido. Pode ter havido uma distinção entre o ladrão comum (em grego *kleptes*) que se apossava dos objetos alheios, e o "ladrão" que, na época do NT, era muitas vezes um rebelde contra o poder de Roma. Como Barrabás (Jo 18.40), os dois "ladrões" crucificados com o Senhor Jesus talvez fossem marginais ou rebeldes. A pena capital indica que eram culpados por crimes mais graves, e durante sua própria conversa podemos entender que consideravam a pena que lhes fora imposta como justa (Lc 23.41). *Veja* Crime e Punição; Lei; Ladrões.

I. R.

**LAEL** O pai de Eliasafe, um levita gersonita (Nm 3.24).

**LAGAR** Um tanque ou tina usados para comprimir o sumo das uvas. O termo hebraico *yeqeb*, usado cerca de 16 vezes no AT, vem de uma raiz que significa "escavar". "Todos os lagares [eram] depositados no chão, em um buraco que havia sido cavado ou lavrado na rocha" (Keil e Delitzsch, *Joshua, Judges, Ruth*, p. 331). Na parábola da vinha, contada pelo Senhor Jesus Cristo, o proprietário "construiu nela um lagar [gr. *lenos*]" (Mt 21.33). *Veja* Vinha. *Yeqeb* pode se referir ao lagar superior onde as uvas eram esmagadas; ou ao inferior, para o qual o sumo escorria. Este suco de uva em seu estado ainda não fermentado é, às vezes, chamado de "mosto" ou "vinho novo."

O método de espremer o suco das uvas dava-se pela aplicação de algo pesado ou, mais freqüentemente, pisando-se sobre elas com os pés descalços. "Era um arranjo simples, porém eficiente, e a engenhosidade moderna não melhorou muito nisso, nem qualquer substituto eficaz foi encontrado para o pé humano como um aparato para espremer o suco das uvas sem esmagar as sementes ou 'pedras'" (Fairbairn, *Imperial Standard Bible Encyclopaedia*, VI, 316). Este processo de espremer o suco pisando nas uvas com os pés é citado muitas vezes no AT (por exemplo, Jó 24.11; Ne 13.15).

O "pisar das uvas", tão familiar às pessoas nos dias bíblicos, é usado como uma figura para a terrível matança que ocorreu na destruição babilônica de Jerusalém (Lm 1.15). Visto que este foi um juízo de Deus, ele é retratado como "aquele que pisa o lagar" com o sangue dos jovens vertendo como o mosto no lagar. A mesma figura é aplicada ao Messias quando Ele vier pela segunda vez "como labareda de fogo, tomando vingança dos que não conhecem a Deus" (2 Ts 1.8; cf. Is 63.2,3; Jl 3.13; Ap 14.19,20; 19.15). Todas essas profecias têm em vista o terrível derramamento de sangue que ocorrerá na batalha do Armagedom. Alguns entendem que a passagem em Isaías 63.2,3 tem sido freqüentemente mal aplicada a Cristo, ao derramamento de seu próprio sangue por nós em sua primeira vinda, quando é dito que Ele "pisou sozinho o lagar". "A impossibilidade deste sentido na passagem original não pode ser afirmada com demasiada ênfase" (J. A. Alexander, *Commentary on the Prophecies of Isaiah*, II, 415). Biederwolf está certo quando escreve: "Ele pisa o lagar não como o sofredor, mas como aquele que inflige o sofrimento" (*The Millennium Bible*, p. 125).

G. C. L.

**LAGARTAS** *Veja* Animais: Gafanhotos, III. 29.

**LAGARTIXA** *Veja* Animais, IV. 16, 22.

**LAGO DE FOGO** *Veja* Geena.

**LAGO** A palavra gr. *limme* vem de *leibo*, "derramar", e expressa o conceito de água derramada de um rio para formar a água fresca de um mar ou lago.

O termo mais comum para o lago de Genesaré (Lc 5.1,2; 8.22,23,33) é mar da Galiléia (cerca de 30 vezes), que usa a palavra gr. *thalassa*, seguindo o termo heb. *yam*. O livro de Apocalipse fala do "lago de fogo" quando descreve o lugar final preparado para o diabo e seus anjos, e do destino de todos os não salvos (Ap 19.20; 20.10,14,15; 21.8). *Veja* Geena.

**LÁGRIMAS** *Veja* Lamento

**LAÍS** *Veja* Dã, Cidade de.

**LAMÁ ou LEMÁ** O termo interrogativo heb. e aram. *mah*, "o que", junto com a preposição *le*, "para", significa "Por que razão?" "Para que propósito?" Os evangelistas citam e traduzem para o grego as palavras de Jesus na cruz, "Eloí, Eloí, lemá [ou lama] sabactâni" (Mt 27.46; cf. Mc 15.34). *Veja* "Eloí, Eloí, lemá sabactâni".

**LAMACEIRO** A palavra utilizada em Ezequiel 47.11, tanto na versão KJV em inglês como em outras versões, é uma antiga forma de pântanos. *Veja* Pântano.

**LAMBER** Beber lambendo o líquido com a língua como fazem os cães e os gatos. Gideão recebeu instruções de Deus para usar esse teste a fim de diminuir o número de seus soldados e mais tarde os israelitas não se gabarem de ter conquistado uma vitória sobre os midianitas com suas próprias forças (Jz 7.2-7). Foi feita uma separação entre os 9.700 que se abaixaram "de joelhos a beber as águas", e os 300 que "lamberam, levando a mão à boca", isto é, levando a água à boca com a mão para depois lambê-la. A Bíblia Sagrada não informa por que os 300 que lamberam foram considerados superiores aos demais. Acredita-se geralmente que com esse ato eles estavam mostrando sua atenção e cautela em contraste com o descuido e a indolência mostrados pela maioria. A mesma palavra hebraica também foi traduzida como "lamber" no registro dos cães que lambiam o sangue do iníquo Acabe (1 Rs 21.19; 22.38).

G. C. L.

**LÂMEDE** A 12ª letra do alfabeto hebraico, que pode ser traduzida para o português como "L". É o caractere romano utilizado para o número "50". Ele aparece no título da 12ª seção do Salmo 119, onde (vv. 89-96) cada versículo no original começa com esta letra.

**LAMENTAÇÕES, LIVRO DE** O livro consiste de cinco poemas separados, similares em estilo, todos tratando da desolação de

Jerusalém e dos sofrimentos dos judeus, causados pela tomada da cidade por Nabucodonosor em 586 a.C. Cada um dos poemas consiste de 22 estrofes ou versos, o número de letras do alfabeto hebraico. Os primeiros quatro capítulos estão organizados em ordem alfabética (acróstico). No cap. 3, que possui 22 estrofes de três versos cada (66 versos ao todo), cada verso na estrofe começa com a mesma letra do alfabeto hebraico. A métrica peculiar à elegia hebraica caracteriza o livro – linha longa, um movimento vagaroso e solene.

Os poemas são anônimos. A tradição que os atribui a Jeremias pode ser identificada na LXX, onde a autoria de Jeremias é diretamente afirmada, porém a data da tradução é de aprox. 400 anos depois do profeta. É possível que os tradutores tivessem alguma autoridade documental ou uma tradição confiável para afixar o nome de Jeremias. Muitos estudiosos modernos rejeitam sua autoria com base em diferenças de estilo com relação ao livro de Jeremias. O autor, porém, parece ter sido uma testemunha ocular dos horrores da época da queda de Jerusalém. Imagens similares, e as mesmas causas para a destruição, podem ser encontradas em Jeremias e Lamentações, de forma que muitos comentadores ainda são a favor da autoria do profeta Jeremias.

O lamento não é simplesmente por Jerusalém estar destruída e o povo devastado. É que a catástrofe é um ato de Deus, executando um castigo merecido. Aqueles que deveriam ter sido líderes responsáveis não agiram corretamente, e o povo, voluntariamente, os seguiu. Deus está castigando Israel por seu pecado. Mas a adversidade não é apenas punitiva, é também corretiva. O amor e o propósito da aliança de Deus jamais falharam e jamais falharão.

R. S.

**LAMENTAR ou LUTO** Expressão de mágoa ocasionada por calamidade ou perda trágica como a morte de um parente ou amigo. É tão universal quanto a morte propriamente dita. No OrientePróximo, o choro veemente sempre fez parte do luto, embora muitas vezes acompanhasse qualquer emoção forte, como, por exemplo, a de José quando revelou sua identidade aos seus irmãos (Gn 45.2,14,15). Abraão lamentou e chorou por causa da morte de sua esposa Sara (Gn 23.2). Jacó chorou acreditando no falso relato de que José estava morto (Gn 37.35), e mais tarde José chorou quando Jacó morreu (Gn 50.1). Davi e seus homens choraram ao saberem da morte de Saul e Jônatas (2 Sm 1.12). As viúvas de Jope choraram enquanto mostravam os trabalhos manuais de sua falecida amiga Dorcas (At 9.39). Não podemos deixar de nos comover pelo pesar do Senhor Jesus, ao chorar pela morte de Lázaro, compartilhando a tristeza de seus amigos (Jo 11.33-35). Veja também Salmo 6.6,7; Lamentações 1.16; 3.48.

Muitas vezes, a lamentação era alta e não controlada, com gemidos, lamúrias e gritos acompanhados de soluços e derramamento de lágrimas (Gn 23.2; 2 Sm 1.12; 3.31-34; 11.26; 19.4). Carpideiras profissionais eram contratadas para aumentar o volume destas lamentações (possivelmente Jr 9.17ss.; Am 5.16). Talvez elas estivessem entre os verdadeiros lamentadores na casa de Jairo, pois quando Jesus veio "viu o alvoroço e os que choravam muito e pranteavam" (Mc 5.38) e Mateus menciona os tocadores de flauta (Mt 9.23; cf. cantores, 2 Cr 35.25) que certamente foram chamados para a ocasião.

Privação pessoal, negação ou insultos a si próprio muitas vezes caracterizavam os ritos de luto. Os ornamentos eram tirados (Êx 33.4-6); os enlutados rasgavam suas vestes como símbolo de pesar (Gn 37.34; 2 Sm 3.31). Freqüentemente, o rasgar as roupas e vestir-se com sacos representavam pesar e humildade (1 Rs 21.27; Et 4.1; Jr 4.8). Pó ou cinzas eram colocados sobre a cabeça (Js 7.6; Lm 2.10; Ez 27.30). A barba e os cabelos da cabeça eram arrancados (Ed 9.3) ou cortados (Is 15.2; Jr 7.29). Observava-se o jejum (2 Sm 1.12; Ne 1.4; Zc 7.5). Algumas práticas de luto eram expressamente proibidas a Israel, provavelmente por serem ritos pagãos. Os israelitas não se cortavam nem podiam fazer "marca alguma" em suas testas em homenagem aos mortos (Lv 19.28; Dt 14.1). As regras para os sacerdotes eram particularmente severas (Lv 21.1-5,10-12).

A literatura de outras terras bíblicas fornece algum conceito da tristeza na Mesopotâmia e no Egito. O Épico de Gilgamesh retrata o amargo luto do herói por seu companheiro Enkidu, "chorando amargamente como uma mulher que pranteia alguém" (Tábua VIII, col. ii, linha 3; veja ANET, p. 87). Em sua tristeza, ele vagou pelo deserto e confessou que tinha medo da morte (IX, i, 1-5; ANET, p. 88). Ele arrancou seus cabelos, tirou seus belos trajes e os lançou ao chão.

Os resquícios literários do Egito e as cenas das tumbas se combinam para apresentar a profundidade da tristeza (por exemplo, ANEP, números 634, 638). Isto é particularmente verdadeiro por causa da psicologia religiosa desse povo que, como nenhum outro, tentava escapar da realidade da morte. Enfatizar a vida presente era parte dessa tentativa. Outra parte era tentar fazer preparativos adequados para a morte, incluindo representar os serviços funerais apropriados nas paredes da tumba. Aqui, parentes aflitos são vistos chorando copiosamente e gesticulando largamente com seus braços. Carpideiras profissionais exibiam pesar e abandono. As mulheres eram especialmente efusivas: elas besuntavam seus rostos com lama, vestiam-se com trajes rasgados, choravam, gemiam, cobriam suas cabeças com sujeira, acenavam com suas mãos e batiam em suas próprias cabeças. Apesar do ritual, a consciência da perda e separação era inevitável, e os textos pungentes transmitem essa realidade de forma vívida (Pierre Montet, *Everyday Life in Egypt in the Days of Rameses the Great*, Nova York. St. Martin's Press, 1958, pp. 322ss.; Heródoto, ii, 20, 85).

O tempo dedicado ao luto variava. O período mais longo mencionado na Bíblia são os 70 dias durante os quais os egípcios choraram por Jacó (Gn 50.3), um período habitual entre os egípcios. Ao tempo do sepultamento de Jacó, os egípcios lamentavam-se na eira do espinhal com "um grande e gravíssimo pranto", que impressionou os cananeus por sua intensidade. Aqui José chorou sete dias por seu pai (Gn 50.10,11). Trinta dias de choro foram observados por Arão (Nm 20.29) e por Moisés (Dt 34.8). Os homens de Jabes-Gileade jejuaram por sete dias após cremarem e então sepultarem os restos de Saul e de seus filhos (1 Sm 31.13).

*Veja* Sepultamento; Morto, O; Funeral; Tumba.

***Bibliografia.*** Gustav Stählin, "*Threneo* etc", TDNT, III, 148-155; "*Kopetos* etc", TDNT, III, 830-852.

C. E. D.

**LAMENTO** *Veja* Lamentar.

**LAMEQUE**

1. Filho de Metusael, um descendente de Caim, que foi o primeiro polígamo, tendo se casado com Ada e Zilá (Gn 4.18-24). Seus filhos foram Jabal ("pai dos que habitam em tendas e têm gado"), Jubal (pai de todos os que tocam harpa e órgão), e Tubalcaim (mestre de toda obra de cobre e de ferro). Lameque cantou para suas esposas, vangloriando-se de ter matado os homens que o feriram ou o golpearam. Esta vanglória é geralmente entendida como sendo a confiança nas armas de metal de seu filho, em oposição à confiança em Deus. Estes filhos parecem torná-lo o pai dos nômades, músicos e artífices em metal.

2. O filho de Metusalém que, com a idade de 182 anos, se tornou o pai de Noé, e viveu até a idade de 777 anos (Gn 5.25-31). Por ocasião do nascimento de seu filho, ele expressou o desejo de que em Noé a maldição de Adão chegasse ao fim: "Este nos consolará acerca de nossas obras e do trabalho de nossas mãos, por causa da terra que o Senhor amaldiçoou" (Gn 5.29). Ele está incluído na genealogia do Senhor Jesus (Lc 3.36).

A teoria documentária liberal, às vezes, afirma que o filho de Metusael faz parte do documento J, o filho de Metusalém do documento P, e o filho de Lameque seria diferente destes dois. As três fontes foram então editadas para formar a presente narrativa. O Gênesis apócrifo dos rolos de Qumran, e o Livro dos Julibeus contêm tradições que se expandem a partir do relato bíblico.

W. A.

**LAMI** O irmão de Golias, o geteu, morto por Elanã, o filho de Jair em uma das guerras de Davi (1 Cr 20.5). A passagem paralela em 2 Samuel 21.19 diz: "Elanã feriu Golias, o geteu". Embora o texto tenha sido considerado por alguns como tendo alguma variação em umas poucas passagens, é possível que tenha existido um outro gigante chamado Golias de Gate além daquele que foi morto por Davi (WBC, p. 304).

**LÂMPADA** As palavras traduzidas como "lâmpada" em algumas versões são os termos hebraicos *lappid* e *ner*, e os gregos *lampas* e *lychnos*. O termo heb. *lappid* significa "tocha" (BDB, p. 542), e é traduzido na LXX (Gn 15.17) pelo termo gr. *lampas*, cujo significado básico é "tocha" (Arndt, p. 466). O termo heb. *ner* significa "lâmpada" (BDB, p. 632), e é traduzido na LXX (Êx 25.37) pelo termo gr. *lychnos,* que significa basicamente "lâmpada" (Arndt, p. 484). Estas palavras uniformemente designam um pequeno vaso contendo azeite queimado por meio de um pavio de linho, nunca uma vela de cera (que era desconhecida nos tempos bíblicos).

Em várias versões, o termo *lychnos* é constantemente traduzido como "candeia" em muitas passagens (Mt 5.15; 6.22; Mc 4.21; Lc 8.16; 11.33,34,36; 12.35; 15.8; Jo 5.35; 2 Pe 1.19; Ap 18.23; 21.23; 22.5), mas *lampas* é traduzido como "lâmpada" (Mt 25.1,3,4,7,8; Ap 4.5), "tocha" ou "archote" (Jo 18.3; Ap 8.10), e "luz" (At 20.8). Trench considera que seria melhor traduzir *lampas* como "tocha" e *lychnos* como "lâmpada" em todas as passagens (Trench, p. 165). Mesmo na parábola das dez virgens (Mt 25.1ss.), as *lampades* não precisam ser designadas simplesmente como "lâmpadas", porque eram abastecidas com óleo, "uma vez que no Oriente a tocha, bem como a lâmpada, são alimentadas desta maneira" (Trench, p. 166; cf. NBD, p. 709). No entanto, outras autoridades acreditam que o termo gr. *lampas* seja ambíguo, de forma que em Mateus 25.1-8 o significado é o de uma lâmpada verdadeira (BA, XXIX [1966], 4-7).

Outros termos associados incluem o gr. *phanos* (Jo 18.3), "lanterna"; e o heb. *m<sup>e</sup>nora* (Êx 25.31; *et al.*; Zc 4.2,11), e o gr. *lychnia* (Mt 5.15; Ap 1.12, *et al.*), ou "castiçais" (*q.v.*).

*Forma.* Não há nenhuma indicação na Bíblia quanto à forma das lâmpadas mencionadas. Seus formatos variaram de acordo com o período da história, juntamente com outros tipos de cerâmica. Na época de Abraão (Idade Média do Bronze I, 2100-1900 a.C.), as lâmpadas freqüentemente possuíam quatro pavios. Durante o período da conquista da Palestina, os hebreus adotaram a lâmpada cananéia de um único pavio para o uso comum. "Um pires para o óleo que tinha uma tampa com uma pinça para segurar o pavio" (BA, II [1939], 23). Este tipo com variações foi usado por mais de mil anos. Lâmpadas de sete bicos também foram encontradas em tumbas e nas ruínas de templos cananeus, e eram aparentemente usadas em cerimônias religiosas. Assim, o conceito de uma lâmpada sétupla para uso sagrado no Tabernáculo mosaico não era anacrônico, como os críticos do AT costumavam afirmar.

Sabe-se que lâmpadas babilônicas, de um tipo menor com um tubo fechado para o pavio, chegaram à Palestina no século VI a.C. Embora estas fossem mais econômicas com óleo, e, provavelmente dessem mais luz do que a lâmpada de pires cananéia, não eram amplamente utilizadas na Palestina, porque não eram bem conhecidas dos oleiros hebreus. No século IV a.C., a bonita e compacta lâmpada grega foi largamente imitada na Palestina. Esta era pequena e poderia ser carregada sem derramar o óleo. Durante o curto período de intenso interesse nacional no século II a.C., os judeus rejeitaram toda influência estrangeira e usaram novamente a lâmpada de pires. No entanto, com a chegada dos romanos no século I a.C. todas as novas lâmpadas eram de confecção estrangeira, ou criadas a partir de modelos estrangeiros (BA, II [1939], 24).

As lâmpadas eram feitas quase que inteiramente de barro até que o metal se tornou abundante. Então elas também apareceram em cobre, bronze e ouro. *Veja* Candelabro; Óleo; Cerâmica.

Ao menos uma lâmpada era mantida acesa, dia e noite, nas casas antigas, tanto para fornecer luz nas salas, que freqüentemente não possuíam janelas, como para manter ao alcance um meio de acender o fogo. As lâmpadas eram freqüentemente colocadas em nichos na parede da casa, bem como nas laterais das tumbas e de túneis que desciam até o suprimento de água das cidades.

*Figurativo*: A palavra "lâmpada" ou "candeia" é freqüentemente usada nas Escrituras de um modo figurado para indicar. (1) a Palavra de Deus (Sl 119.105; Pv 6.23; 2 Pe 1.19); João Batista, como a voz profética de Deus era "a candeia que ardia e alumiava" (Jo 5.35); (2) a direção de Deus (2 Sm 22.29; cf. Sl 27.1); (3) a consciência humana. "A alma do homem é a lâmpada do Senhor" (Pv 20.27); (4) salvação (Is 62.1, lit., "tocha"); (5) a vida em oposição à morte, e ao reino das trevas (Jó 18.5,6; 21.17; Pv 13.9; 20.20; 24.20); este conceito é responsável pela prática quase que universal de colocar lâmpadas em tumbas, demonstrando a crença em uma existência após a

Um soldado heteu de Carquemis com uma lança (século VIII a.C.). Museu Heteu, Ancara

morte; (6) bênção e prosperidade (Jó 29.3); e (7) a posteridade, ou a existência duradoura da linhagem ou dinastia da família de uma pessoa (1 Rs 11.36; 15.4; 2 Rs 8.19; Sl 132.17); Deus ordenou que houvesse uma série de descendentes de Davi, culminando com o Messias, a Luz do mundo.

***Bibliografia.*** R. W. Funk e I. Ben-Dor, *"Lamp"*, IDB, III, 63ss. Robert H. Smith, *"The Household Lamps of Palestine in Old Testament Times"*, BA, XXVII (1964), 1-31; *"... in Intertestamental Times"*, ibid, 101-124; *"... in New Testament Times"*, BA, XXIX (1966), 1-27. G. E. Wright, *"Lamps, Politics, and the Jewish Religion"*, BA, II (1939), 22-24.

J. McR.

**LANÇA** Uma arma de ataque usada em batalhas (Jr 50.42). O termo heb. *kidon* é traduzido como "lança" em cinco outras passagens na versão KJV em inglês. No Rolo de Guerra da caverna I de Qumran, a *kidon* é uma espada. O termo heb. *romah* é, mais corretamente, o nosso arpão leve, ou lança. *Veja* Lanceta; Armadura; Armas.

**LANÇADEIRA** Ferramenta de tecelão usada para arremessar a linha da trama de um lado para o outro por meio dos fios da urdidura. Em Jó 7.6, a palavra hebraica *'ereg*, "uma tecedura", foi traduzida como "lançadeira" em várias versões. Usada figurativamente para

A porta norte de Laodicéia. HFV

mostrar que os dias da vida de uma pessoa passam tão rapidamente quanto o movimento de vaivém da lançadeira na urdidura. Em Juízes 16.14, a palavra hebraica *'ereg* foi traduzida como "pino" ou "estaca" de tecelão. *Veja* Ocupações: Tecelão.

**LANCETA** Este termo aparece em várias versões em 1 Reis 18.28 como uma antiga forma da palavra "lança", traduzindo o termo heb. *romah*. Esta arma começou a tomar o lugar da lança mais pesada (*hanit*) no primeiro milênio a.C., embora *romah* estivesse em uso na época de Moisés (Nm 25.7, "lança" ou "dardo") e durante o período dos juízes (Jz 5.8, "lança"). *Veja* Armadura, Armas.

**LANTERNA** Essa palavra é usada apenas uma vez na Bíblia Sagrada (Jo 18.3), onde está registrado que Judas liderou um grupo de soldados carregando lanternas, tochas e armas até o jardim do Getsêmani a fim de prender Jesus. Não há uma real distinção entre a palavra grega *phanos* usada aqui e *lampas*, ou "lâmpada" (A-S, p. 466). Talvez houvesse uma espécie de proteção anexada a uma lâmpada (*q.v.*) para fazer dela uma lanterna. Originalmente, a palavra *phanos* significava "tocha". A palavra "lâmpada", e depois "lanterna", foram modificações posteriores introduzidas no uso dessa palavra (Arndt, p. 861).

**LAODICÉIA** Cidade da província romana da Ásia, na área da Frígia. Situava-se sobre uma colina de 280 metros de altitude, a dezesseis quilômetros de Colossos, no grande vale do rio Lico, um afluente do rio Meander. Estava cerca de 144 quilômetros a leste de Éfeso, na grande rota comercial que ia da costa até o interior da Ásia Menor. Laodicéia foi fundada pelo rei selêucida Antíoco II (261-246 a.C.), que lhe deu o nome de sua irmã e de sua esposa, Laodice. Ele a colonizou com povos sírios, e judeus trazidos da Babilônia.Sua grande riqueza provinha do comércio e da produção de uma mundialmente famosa lã negra de fina qualidade. Era uma cidade tão próspera que recusou um subsídio imperial quando foi destruída por um desastroso terremoto no ano 60 d.C. Seus cidadãos se apressaram a reconstruí-la com seus próprios recursos. O Senhor julgou os membros da Igreja de Laodicéia por sua confiança nas riquezas (Ap 3.17), e os aconselhou a ungir os olhos com um colírio (espiritual) para que enxergassem melhor (Ap 3.17). Esse conselho sem dúvida é uma alusão ao "pó frígio", um remédio para os olhos que parece ter se originado em Laodicéia, e cujo uso se tornou muito difundido entre os gregos.

A cidade era abastecida por fontes de água quente, situadas a uma certa distância, através de canos feitos com blocos cúbicos de pedra de três pés de largura, ligados e cimentados entre si. Quando a água chegava à cidade já não estava tão aquecida para banhos saudáveis, nem suficientemente fria para ser bebida, e só servia como um emético. Para muitos, isso explica a referência feita em Apocalipse 3.16: "Assim, porque és morno e não és frio nem quente, vomitar-te-ei da minha boca".

Já existia uma igreja em Laodicéia quando Paulo escreveu sua E pístola aos Colossenses, embora ele ainda não tivesse visitado essa cidade pessoalmente (Cl 2.1). A grande preocupação de Epafras com os cristãos sugere que ele pode ter sido o fundador dessa igreja (Cl 4.13). Paulo conclamou os crentes de Colossos a saudar os irmãos de Laodicéia e a trocar cartas com eles (4.15,16). Provavelmente, a epístola de Paulo a Laodicéia foi perdida, assim como outras de suas cartas (cf. 1 Coríntios 5.9), embora alguns estudiosos mais devotos tenham afirmado que o livro canônico dos Efésios foi originalmente enviado aos laodicenses (*veja* Efésios, Epístola aos). A última das cartas de João às sete igrejas da Ásia foi enviada a Laodicéia (Ap 2–3). Na época em que ele escreveu essa carta, a maior parte da congregação havia se tornado apóstata (Ap 3.14-22).

Canos de água feitos com blocos cúbicos de pedra (ao centro) em Laodicéia

Cerco de Laquis por Senaqueribe. BM

As ruínas dessa cidade, que cobrem centenas de acres, começaram a receber atenção dos escavadores em 1961.

H. F. V.

**LAODICENSES, EPÍSTOLA AOS** *Veja* Efésios, Epístola aos; Epístolas, Espúrias; Laodicéia.

**LAPIDADOR** *Veja* Ocupações: Pedreiro, Lapidador.

**LAPIDOTE** Marido de Débora, a profetisa (Jz 4.4). Seu nome significa "tochas" (cf. Jz 7.16; 15.4) ou "clarão do relâmpago" (cf. Êx 20.18).

**LÁPIS** *Veja* Escrita.

**LAPIS-LAZULI** *Veja* Jóias.

**LAQUIS** Identificada com Tell ed-Duweir, era a cidade mais importante da Sefelá. Situava-se nos baixos contrafortes entre a Filístia e a região montanhosa de Judá. O topo do monte mede aprox. 73.000 metros quadrados, igualando-se a Gezer, sendo maior que a Jerusalém ou Megido do AT. Está situada 50 quilômetros a sudeste de Jerusalém e 24 quilômetros a oeste de Hebrom.

Muitos escaravelhos da 18ª dinastia revelam a importância desta cidade para o Egito. Mas na época de Josué, a influência egípcia na Palestina estava desaparecendo rapidamente, e ele capturou Laquis na campanha que lhe deu todo o sul da Palestina, exceto a planície costeira (Js 10.1-43, especialmente vv. 31-33). Porém, Josué não deixou uma guarnição na cidade (*veja* Êxodo, O; Josué). A posse da cidade foi designada a Judá (15.39). Laquis é várias vezes mencionada como uma importante cidade-estado nas tábuas de Amarna (ANET, pp. 488ss.). Seus governantes são acusados de tramarem contra o Faraó e de favorecerem os 'Apiru (*veja* Cartas de Amarna; Povo Hebreu). G. E. Wright acredita que durante a Última Idade do Bronze, Laquis tenha sido protegida por uma série de pequenas cidades fortificadas cujas ruínas aparecem hoje como montes em formato de cones (BA, XXXIV, 80-85). Três templos cananeus sobrepostos (1500-1200 a.C.) construídos sobre um fosso hicso ou vala defensiva mostram algo sobre a prática de culto local, bem como a história deste lugar (ANEP #150, 731). Os mais antigos destes edifícios foram demolidos, sem nenhum traço de incêndio, e substituídos por uma segunda estrutura durante o reinado de Amenotep III (1417-1379 a.C.). Uma vasilha quebrada com inscrições em caracteres hieráticos egípcios menciona "ano quatro...", referindo-se quase certamente ao quarto ano do reinado de Merneptah (1236-1223 a.C.). Um escaravelho de Ramsés III (1198-1166) sugere que a Laquis cananéia só foi destruída no início do século XII a.C.

As escavações da expedição de Wellcome-Marston (1932-38) indicam que Davi ou Salomão fizeram de Laquis uma cidade importante. Roboão a refortificou (2 Cr 11.9), provavelmente após a invasão de Sisaque. O rei Amazias foi assassinado nela depois de tentar fugir de seus conspiradores de Jerusalém (2 Rs 14.19).

De acordo com a Bíblia Sagrada, o evento mais dramático na história da cidade foi a invasão de Senaqueribe em 701 a.C. De Laquis ele enviou uma delegação para exigir a rendição de Ezequias de Jerusalém (2 Rs 18.13-19,36; Is 36.1–37.38). Jerusalém foi poupada por um milagre, mas Senaqueribe afirmou que 46 cidades foram destruídas, incluindo Laquis (ANET, p. 288). Em seu palácio em Nínive ele retratou o episódio de Laquis. Descreveu o ataque sobre a cidade, sua tomada, e seus habitantes conduzidos à morte por tortura, ou ao cativeiro (ANEP #371-374). Uma cova no declive noroeste do monte continha ossos de pelo menos 1.500 corpos humanos misturados à cerâmica quebrada, e em seguida profanados por uma camada de ossos de porcos. Estes podem ter sido corpos levados para fora da cidade pelos vitoriosos assírios.

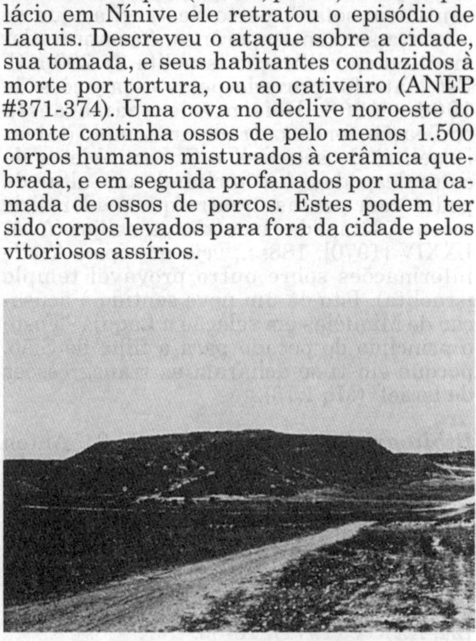

O monte de Laquis. HFV

Uma carta de Laquis. Expedição Arqueológica Wellcome

Uma nova cidade com muros duplos foi construída, e se tornou a segunda cidade do reino de Judá. Ela caiu nas mãos de Nabucodonosor em 597 a.C., mas não foi destruída. Ao dar fim à revolta de Ezequias dez anos mais tarde (Jr 34.7), Nabucodonosor aniquilou toda a cidade. Nas ruínas de suas sólidas portas duplas, os arqueólogos encontraram 21 cacos de louça de barro inscritos com tinta, as agora famosas cartas de Laquis (ANET, pp. 321ss.; ANEP #273). Estas demonstram por meio da similaridade de vocabulário e gramática que os escritos canônicos de Jeremias e seus profetas contemporâneos são obras literárias genuínas desta data.

A cidade foi reocupada no período pós-exílico (Ne 11.30). Os arqueólogos descobriram a vila ou palácio (ANEP #728) do governador persa, que pode ter sido Gesém, o arábio (Ne 6.1; *veja* Gesém). Um pequeno Templo ("o santuário solar") perto desta vila, que se pensava ser contemporâneo, é comprovadamente uma edificação israelita de 200 a.C. Este fato foi provado pelas escavações de 1966 e 1968. Dois níveis abaixo desta edificação, foi encontrado um templo (talvez israelita) do século X a.C. com objetos de culto despedaçados, incluindo um altar de pedra com pontas, quatro queimadores de incenso, lâmpadas e outros utensílios (AJA, LXXIV [1970], 188ss.; *veja* no tópico Arade informações sobre outro provável templo israelita). Isto dá um novo sentido à acusação de Miquéias em relação a Laquis: "Foste o princípio do pecado para a filha de Sião, porque em ti se acharam as transgressões de Israel" (Mq 1.13).

***Bibliografia.*** CornPBE, pp. 89-94. Anton T. Pearson, "Lachish", BW, pp. 343-349. D. Winton Thomas, "*The Prophet" in the Lachish Ostraca*, Londres. Tyndale Press, 1946. Olga Tufnell, "Lachish", TAOTS, pp. 296-308. G. Ernest Wright, "Judean Lachish", BA, XVIII (1955), 9-17; "A Problem of Ancient Topography. Lachish and Eglon", BA, XXXIV (1971), 76-86.

J. L. K. e J. R.

**LAR** *Veja* Família; Casa.

**LASA** Cidade incluída com Sodoma e Gomorra na descrição dos limites de Canaã em Gênesis 10.19. Jerônimo, erroneamente, acompanhou a tradição judaica ao identificar Lasa (que significa literalmente "estourar") com fontes de água quente que mais tarde ficaram conhecidas como Callirrhoe na margem oriental do mar Morto, perto de Macaero. Embora sua localização seja desconhecida, ela ficava possivelmente perto da extremidade sul dessa área.

**LASAROM** Essa cidade foi incluída na relação das cidades-estado conquistadas a oeste do Jordão (Js 12.18). Alguns sugerem que pode ser identificada com o distrito de Sarona (*Onomasticon* de Eusébio) na Baixa Galiléia, cerca de oito quilômetros a nordeste do monte Tabor. Se de fato Lasarom era um distrito, seria mais provável que o nome (literalmente "de" ou "em Sarom") fosse uma modificação de Afeca, que estava realmente na planície de Sarom (algo necessário, porque existem várias Afecas). Esse uso tem um precedente (cf. v. 22; registros de Tutmósis III), e nos textos de Amarna o rei de Sarom é igualado ao rei de Afeca (EA #241).

**LASCÍVIA**

1. A palavra grega *aselgeia* significa desenfreada luxúria, devassidão, licenciosidade, libertinagem, deturpação, impudência. Foi incluída pelo Senhor Jesus Cristo na relação das coisas más que nascem do coração ou da natureza pecadora do homem. Ela provavelmente envolve a fornicação e o adultério (Mc 7.22; cf. Rm 13.13). Foi usada com o sentido geral de intemperança e licenciosidade em 1 Pedro 4.3 e Judas 4; e de sensualidade em 2 Coríntios 12.21; Gálatas 5.19; Efésios 4.19 e 2 Pedro 2.2,7,18.
2. A palavra hebraica *zimma* significa plano, propósito ou desejo obscuro no interior de um pensamento ímpio e pecaminoso, especialmente com referência à imoralidade sexual (Jz 20.6; Jr 13.27; Ez 16.27,43,58; 22.9,11; Os 6.9).
3. A palavra grega *poneros* significa imoral, no sentido de imoralidade física ou moral. Ela foi traduzida uma vez como "lascivo" em algumas versões do NT (At 17.5), embora os termos "imoral" ou "iníquo" também sejam possíveis traduções.

**LASÉIA** Mencionada em conexão com a viagem de Paulo a Roma, o texto (At 27.8) indica que a cidade de Laséia estava localizada na região sul da ilha de Creta.

As muitas variantes nos manuscritos gregos do NT, da Vulgata e de Plínio, e sua ausência da onomástica parecem indicar que esse lugar não era muito conhecido. Por causa de sua proximidade com Bons Portos (*q.v.*) ela é geralmente identificada com um promontório a meio caminho da costa sul de Creta.

**LATÃO** *Veja* Minerais e Metais: Bronze.

**LATIM** A língua de Roma. Seu uso na Palestina estava limitado às comunicações legais, militares e governamentais, pois o grego era o idioma mais difundido.
O título colocado na cruz "estava escrito em hebraico, grego e latim" (Jo 19.20; Lc 23.38).

**LATRINA, PRIVADA** O termo gr. *aphedron* em Maeust 15.17 e Marcos 7.19 significa latrina ou vaso sanitário. *Veja* Esterco.

**LAVAGEM** *Veja* Ablução.

**LAVAGEM DOS PÉS** A lavagem dos pés era um costume comum nas terras do oriente. O efeito de estradas empoeiradas e enlameadas sobre os pés calçados, com sandálias abertas, fez com que fosse costumeiro que água e uma bacia estivessem disponíveis na entrada das casas. Um escravo, ou o próprio visitante, realizava a lavagem (Gn 18.4), embora o anfitrião pudesse fazer isto como uma marca de especial favor (1 Sm 25.41). Negligenciar esta prática significava falta de cortesia (Lc 7.44).
A lavagem dos pés dos discípulos por Jesus (Jo 13.1-17) teve um profundo significado. Sua admoestação a Pedro, "O que eu faço não o sabes agora" mostrou que a intenção do Senhor ia além do costume bem conhecido. Muitos defendem que Jesus estava dando uma lição de humildade por meio de seu exemplo. A humildade era certamente mostrada por aquele que lavava. Contudo, Jesus disse que se Ele não realizasse este ato, seria Pedro e não Ele que estaria em falta. Assim, Ele devia estar ensinando algo que Pedro precisava aprender, e não apenas mostrando as suas próprias virtudes.
A limpeza espiritual é algo básico para o propósito de Cristo (Jo 13.10,11), e a falta desta é especificada em relação a Judas. Todos, exceto Judas, haviam se banhado (*leloumenos* – banho completo), mas eles ainda precisavam ter os seus pés lavados (*nipsasthai* – lavagem parcial). O banho completo referia-se à salvação, conforme simbolizado pelo batismo. A lavagem dos pés retratava a necessidade que os crentes têm da limpeza da sujeira que vem do contato com o mundo pecador.
Podemos entender a partir de João 13.14,15 que Jesus pretendia que este ato fosse perpetuado pela igreja. A prática do *Pedilavium* pode ser vista na igreja primitiva em 1 Timóteo 5.10 e a partir de escritos de patriarcas como Tertuliano (*De Corona*, Cap, 8), Atanásio (*Canon 66*), e Agostinho (*Carta a Januário*). O sínodo de Toledo (694 d.C.) especificou que o rito deveria ser observado na quinta-feira santa. Ela ainda é praticada por alguns grupos protestantes, incluindo os menonitas, os waldensianos, os winebrenarianos e alguns poucos batistas.
Para as cerimônias religiosas judaicas de lavagens, *veja* Ablução.

H. A. K.

**LAVANDEIRO** *Veja* Ocupações.

**LAVOURA** Este termo refere-se à prática de cultivar a terra, ou à própria terra cultivada. Como tradução do hebraico *'aboda* ela significa "trabalho, serviço, labuta". É usada em 1 Crônicas 27.26 referindo-se à "lavoura da terra" ou à aragem do solo e, em Neemias 10.37, na frase "as cidades da nossa lavoura". Alguns questionam a tradução da palavra hebraica *nir* como lavoura ("terra arada") em Provérbios 13.23, alegando que esta tradução deveria ser "terra não cultivada" (cf. Jr 4.3; Os 10.12). *Veja* Agricultura.

**LAVOURA, LAVRADORES** *Veja* Agricultura; Ocupações: Lavrador.

**LAVRADOR** *Veja* Agricultura; Ocupações: Fazendeiro, Lavrador.

**LÁZARO** Forma abreviada do nome hebraico Eleazar (que significa "Deus ajudou" ou aquele "a quem Deus ajuda").
1. Na história do homem rico (Lc 16.19-31), o mendigo chamado Lázaro morreu e foi para o seio de Abraão, enquanto o anônimo homem rico partiu para o Hades. A história ensina que as pessoas devem determinar seu destino antes da morte e que esse destino não pode ser determinado por circunstâncias externas como a riqueza.
2. Irmão de Maria e Marta, de Betânia, que foi ressuscitado pelo Senhor Jesus Cristo (Jo 11.1-44) e que mais tarde esteve presente em um jantar em honra ao Senhor (Jo 12.1-3). Embora Cristo tivesse ressuscitado a filha de Jairo (Mc 5.22-42, disse que ela estava "dormindo", v. 39) e o filho da viúva de Naim (Lc 7.11-18), somente Lázaro havia sido sepultado já havia quatro dias. Esse foi o maior milagre de Cristo antes de sua crucificação, morte e ressurreição. E foi tão convincente a respeito da pessoa e da obra do Senhor, que os fariseus queriam condenar Jesus (Jo 11.47-57) e Lázaro à morte (12.9-11).
Alguns críticos questionaram sua autenticidade porque o milagre foi omitido dos evangelhos Sinóticos, porém seus autores podem ter sido movidos pelo temor dos inimigos que desejavam matar Lázaro, ou, por terem preferido relatar outros milagres.
Sua autenticidade é comprovada pelos seguintes fatos: (1) A história está registrada por uma testemunha ocular; (2) É uma descrição vívida e humana. Por exemplo, "Jesus chorou" (Jo 11.35). E não resulta do exagero

Túmulo tradicional de Lázaro em Betânia. HFV

fantasioso das histórias apócrifas; (3) Nada foi registrado sobre Lázaro em relação às suas experiências durante os quatro dias em que esteve sepultado, depois de sua ressurreição, e também não se registrou que ele tenha se tornado uma espécie de herói, antes, durante ou depois da paixão de Jesus.

H. W. H.

**LEABIM** O terceiro filho de Mizraim (Gn 10.13; 1 Cr 1.11). Os estudiosos têm discutido a correta ortografia dessa palavra. Alguns preferem considerá-la como uma variação de *Lubim* (2 Cr 12.3), enquanto outros acreditam que a forma correta seria *Lu'bim*. A versão LXX transcreve a palavra *Labieim*, que poderia refletir *Lubim*. Entretanto, existe pouca evidência textual para qualquer uma dessas identificações. Eles parecem ter sido vizinhos dos antigos egípcios com base nos agrupamentos de Gênesis 10 e 1 Crônicas 1.

**LEÃO** *Veja* Animais II 25.

**LEÃOZINHO** O filhote do leão (Na 2.11; Jó 4.11). Algumas versões utilizam este termo representando os filhotes dos chacais (Lm 4.3). Os leões tinham uma posição proeminente nas terras bíblicas. Seus filhotes foram usados para representar Judá (Gn 49.9), os príncipes de Israel (Ez 19.2-9), e os moradores da Babilônia (Jr 51.38).

**LEBANA ou LEBANÁ** Chefe de uma família de netineus que retornou da Babilônia com Zorobabel em aprox. 538 a.C. (Ed 2.45; Ne 7.48).

**LEBAOTE** *Veja* Bete-Lebaote.

**LEBEU** Nome de um dos apóstolos do Senhor Jesus, baseado em uma anotação diferente do texto ocidental (D) e escolhido pelo Textus Receptus para Mateus 10.3, ao invés da melhor anotação como *Thaddaios* que aparece no texto grego de Nestle e Souter. Mateus, entretanto, pode lembrar o nome hebreu de Tadeu. Marcos (3.18) relaciona o nome desse discípulo como Tadeu, e parece que copistas posteriores fizeram uma composição entre si em Mateus 10.3 e incluíram os dois nomes: "e Lebeu, apelidado Tadeu". Lucas o chama de Judas, filho de Tiago (Lc 6.16; At 1.13). Tanto Lucas como João (14.22) fazem uma cuidadosa distinção entre ele e Judas Iscariotes. Esses dois nomes, Lebeu e Tadeu, podem ser uma designação descritiva desse apóstolo, introduzida para evitar a confusão com o traidor.

O primeiro nome pode ter derivado da palavra hebraica *leb*, "coração", e o segundo do aramaico *thad*, o "seio" da mãe, e ambos significam um filho amado. *Veja* Tadeu; Judas 3.

R. A. K.

**LEBO-HAMATE** Nome de um lugar que marca a fronteira ideal ao norte de Israel (Nm 34.8; Js 13.5; Jz 3.3; Ez 48.1).

Há versões que traduzem essa expressão como "entrada de Hamate" ou "entrando em Hamate".

Textos egípcios e assírios deixam claro que *Lebo'* não significa "entrada", e se refere a uma cidade ao sul da Síria, a moderna Lebweh, cerca de 24 quilômetros ao norte de Baalbek, e 32 quilômetros a sudoeste de Cades, no rio Orontes, perto de Ribla. Como ela governa a bacia hidrográfica entre os rios Orontes e Leontes, no grande vale entre as montanhas do Líbano e Anti-Líbano, é possível que em alguma ocasião tenha sido utilizada como fortaleza para proteger a rota sul até a grande cidade de Hamate. Dessa forma, sua tradução pode ser "Lebo de Hamate".

Os 12 homens enviados por Moisés espionaram a terra até o norte de Lebo-Hamate (Nm 13.21). Davi reuniu israelitas desde essa longínqua região quando trouxe a arca para Jerusalém (1 Cr 13.5). O reino de Salomão se estendia desde Lebo-Hamate até o rio do Egito (Uádi el-'Arish) no Sinai (1 Rs 8.65; 2 Cr 7.8). Jeroboão II ampliou novamente as fronteiras do norte do reino de Israel até Lebo-Hamate (2 Rs 14.25), mas Deus advertiu que inimigos iriam importuná-los desde a entrada de Hamate até a fronteira ao sul (Am 6.14).

J. R.

**LEBONA** Uma vila, em forma de sela, situada em uma depressão na região montanhosa de Efraim, 5 quilômetros a oeste-noroeste de Siló, e 16 quilômetros ao sul de Siquém (Jz 21.19). Esse lugar, conhecido pelo nome árabe de Lubbân Sharqiya, está situado a oeste da estrada que liga Betel a Siquém.

**LEBRE** *Veja* Animais: II.26.

**LECA** Mencionado apenas em 1 Crônicas 4.21 como filho de Er, um descendente de Judá. Ele pode ser considerado o provável fundador de uma outra cidade também desconhecida no território de Judá.

**LEGIÃO** Principal unidade do exército romano na época do AT composto geralmente por 6.000 homens. A legião era dividida em dez coortes, cada uma formada por três tropas que, por sua vez, eram formadas por duas companhias de cem soldados (centúrias). No NT, esse termo só é usado como uma referência aos demônios (Mc 5.9,15; Lc 8.30) ou aos anjos (Mt 26.53). *Veja* Coorte; Exército.

**LEGISLADOR** "Aquele que faz a lei" (em hebraico *m[e]hoqeq,* em grego *nomothetes*). A palavra hebraica foi aplicada ao Messias (Gn 49.10), ao território da tribo de Gade (Dt 33.21), a Judá como tribo messiânica (Sl 60.7; 108.8), e ao próprio Deus (Is 33.22). A palavra grega foi aplicada somente a Deus (Tg 4.12). Seu plural foi usado em Juízes 5.14 ("legisladores" ou "comandantes").

Em Gênesis 49.10; Números 21.28; Salmos 60.7 e 108.8 várias versões traduziram *mehoqeq* como "cetro, bastão ou vara" do governador. O texto em Gênesis 49.10 é especialmente importante por indicar profeticamente que o Messias viria da tribo de Judá (cf. Hb 7.14; Ap 5.5), e que Ele seria o supremo Legislador, como foi previsto em Isaías 2.3.

**LEGUMINOSAS** *Veja* Plantas.

**LEI** A palavra lei foi usada para traduzir a palavra hebraica *tora* (que significa instrução), e a palavra grega *nomos* (que significa hábito estabelecido). *Veja* Torá. Fundamentalmente, as duas indicam alguma regra, ou regulamento, impostos sobre o homem ou a natureza por um poder superior. O legislador reserva-se ao direito de punir toda desobediência.

As forças invisíveis que residem na natureza, produzem a ordem e determinam o destino do universo são geralmente chamadas de *leis da natureza*. A Bíblia Sagrada raramente fala sobre tais leis de forma abstrata, e muitas vezes a razão oferecida é que ela não é um livro de ciências. Entretanto, apesar disso, a Bíblia tem muito a dizer sobre as leis científicas como reveladoras da natureza de Deus. Verbos como "fazer" (Jó 36.27-33), "dirigir" (37.3), "mandar" (37.12; 38.12), "causar" (37.13,15; 38.26,27), "guiar" (38.32), e substantivos como "caminho" (38.24), "ordenanças" (38.33) e "tempo" (39.1ss.) indicam, em uma linguagem não técnica, o controle de Deus sobre a natureza por meio de leis que Ele estabeleceu. Será impossível pressupor a existência de um verdadeiro conflito entre essas leis da natureza e as leis que Deus estabeleceu em outros reinos de seu poder universal.

Em um outro nível encontramos as *leis de Deus escritas no coração dos homens*. Nesse caso devemos fazer duas distinções: de um lado, as leis de Deus estão escritas no coração dos homens como resultado da imagem de Deus plantada no homem no momento da criação (Gn 1.26ss.). Essas leis, tão definitivas como a cor da pele, fazem com que até os pagãos "façam naturalmente as coisas que são da lei [mosaica]" (Rm 2.14). A evidência de tais leis se manifesta na consciência (2.15) e é confirmada pela natureza (Rm 1.26ss.; 1 Co 11.14). *Veja* Consciência. Por outro lado, as leis de Deus estão escritas no coração dos crentes pela nova aliança (Jr 31.31-33; Ez 11.19ss.; 36.25-27; 2 Co 3.3,7,8). Essas leis, implantadas pela "nova criação" (2 Co 5.17), são evidenciadas pelo fruto do Espírito (Gl 5.22ss.), e confirmadas pelo "verdadeiro amor" (1 Jo 4.17ss.).

Ainda em um outro nível estão as *leis do estado,* instituídas como agentes de Deus na sociedade humana (Rm 13.1-7; 1 Pe 2.13-15. Para uma coleção de leis e documentos legais da antiga Mesopotâmia, Egito e Ásia Menor, veja ANET, pp. 159-198, 212-222). Existem épocas, entretanto, em que o estado, inspirado por uma satânica hostilidade para com a verdade de Deus, elabora leis que devem ser desobedecidas pelos verdadeiros filhos de Deus (Dn 3.8-30; 6.1-28; At 5.26-29,40-42). Leis injustas promulgadas no reino do Anticristo trarão perseguição e morte aos seguidores do Cordeiro (Ap 13.1-17; 20.4). A suprema demonstração de obediência do crente deverá ser sempre dirigida a Deus e não ao homem (Atos 5.29; Ap 1.9; 12.11).

Em um nível mais elevado estão *aquelas leis instituídas por Deus para o presente estágio da existência humana*. Elas podem ser classificadas como judiciais e rituais. As judiciais se baseiam principalmente nos Dez Mandamentos (q.v.) e tratam do relacionamento dentro da sociedade onde restrições devem ser impostas sobre as inclinações pecaminosas da natureza humana (Rm 7.6; Gl 3.19). Essas leis ainda eram válidas na Era dos evangelhos, pelo fato de representarem os relacionamentos básicos da vida onde estão envolvidos o pecado e a justiça. As leis rituais, entretanto, têm o propósito divino de serem representações tipológicas das verdades dos evangelhos embutidas no

AT. Agora que Cristo já cumpriu toda a tipologia por sua morte na cruz, elas perderam a validade (Mt 27.51; Gl 5.1-9; Hb 9.1-28; 10.1-22).
Em um nível superior a todas as leis, estão *as leis morais de Deus resumidas nos Dez Mandamentos*. Essas leis são eternamente válidas porque estão baseadas na imutável natureza divina. O crente, finalmente, entrará em um reino de glória onde a desobediência às leis divinas será não só inadmissível como impossível. Essas leis Divinas, enunciadas nos Dez Mandamentos e reinterpretadas em termos de absoluto amor a Deus e ao próximo (Mt 22.36-40; Rm 13.8-11; Gl 5.14), encontram o seu cumprimento presente na vida do crente, e o seu cumprimento final quando este for viver na cidade celestial, desfrutando a eternidade junto com o Senhor.
Resumindo, podemos fazer as seguintes distinções: (1) As leis feitas por Deus (Êx 20.1-17) e as leis feitas pelo homem (Dn 6.6-9); (2) as leis de importância temporal (Hb 10.1-4) e as leis que terão uma duração eterna (2 Sm 7.12-26; Sl 1–4); (3) as leis escritas em tábuas de pedra (Dt 5.22) e as leis escritas no coração dos homens (Hb 8.10; cf. 2 Co 3.3); (4) as leis dirigidas apenas aos judeus (At 15.1,10) e as leis destinadas a toda humanidade (Gn 1.28; 9.5-7).
*Veja* Lei de Moisés; Lei, Administração da.

***Bibliografia.*** H. Kleinknecht e W. Gutbrod, "*Nomos* etc.", TDNT, IV, 1022-1091. G. Quell e G. Schrenk, "*Dike* etc.", TDNT, II, 174-225. A. N. Sherwin-White, "Roman Public Law", HDB rev., pp. 855-859.

W. B.

**LEI, ADMINISTRAÇÃO DA** O nono mandamento indica a existência de um sistema de jurisprudência em um estágio bastante antigo da nação de Israel.
O perjúrio, ou prestar falso testemunho em um tribunal (Êx 20.16), é considerado a própria ruína desse aspecto essencial da sociedade.
A primeira referência bíblica à administração da lei está em Êxodo 18.13-27. A fim de evitar a criação de inimizades familiares na inexperiente nação, as pessoas procuravam os julgamentos de Moisés, que tentava oferecer uma decisão que estivesse de acordo com os estatutos de Deus. Entretanto, havia casos em demasia para julgar, o que tornava a justiça demorada.
Com vistas ao bem estar de Moisés e à sua natural serenidade, Jetro sugeriu que fossem nomeados uma série de administradores ou juízes com vários níveis de autoridade. Esses homens podiam cuidar dos casos menos importantes, enquanto os mais importantes poderiam ser levados à atenção de Moisés. Esse foi o início da administração das leis cíveis em Israel. A prosperidade da nação dependia de uma eficiente e rápida justiça ministrada por homens que haviam sido treinados para essa tarefa.
Os juízes eram nomeados por alguém que tivesse autoridade, como Moisés (Êx 18.25), ou Samuel (1 Sm 8.1). Em uma época posterior ela se tornou uma função real (2 Cr 19.5), e os homens escolhidos eram geralmente sacerdotes (Dt 17.8-13; Ez 44.24).
No reinado de Josafá, depois da ditadura de Asa, o rei distribuiu juízes por toda a nação. Esses homens estavam a serviço de Deus, e eram ajudados por Ele em sua função de julgar. Deveriam se lembrar que também seriam julgados pelo Juiz Supremo que deveria ser o seu exemplo. Os julgamentos deveriam ser imparciais e honestos (2 Cr 19.5-7).
Depois do exílio, Artaxerxes incumbiu Esdras de nomear magistrados e juízes para julgar todas as pessoas e ensinar as leis de Deus (Ed 7.25,26), e destinou um prêmio às decisões mais rápidas. Afinal de contas, foi o grave atraso da administração da justiça que deu a Absalão a abertura de que precisava para afastar de Davi a lealdade das pessoas (2 Sm 15.4).
Moisés deu instruções para o estabelecimento de um tribunal superior, pois chegaria o dia em que ele não estaria mais presente Portanto, um tribunal de justiça deveria ser formado por levitas, sacerdotes e juízes no lugar em que o Senhor escolhesse, e as suas decisões seriam definitivas (Dt 17.8-13).
No deserto, a entrada do Tabernáculo era o lugar do tribunal. O texto em Deuteronômio 16.18 antevê a vida na cidade de Canaã e prescreve que os juízes deveriam ser nomeados em todas as "portas". Assim sendo, na prática, a porta da cidade tornou-se o local onde estavam os tribunais de Israel (Rt 4.1,2,11; Am 5.15).
Samuel era um juiz itinerante que ia de lugar em lugar para fazer justiça (1 Sm 7.16). E isso ele fazia além de servir como juiz de Israel em uma sede central em Ramá (1 Sm 7.17).
Na administração da lei, a Bíblia Sagrada proibia certos atos que poderiam perverter a justiça. Era essencial evitar a cobiça por parte dos juízes (Êx 18.21), e eles não podiam mostrar favoritismo ou parcialidade para com os pobres nem para com os ricos (Lv 19.15). O suborno era condenado, pois representava uma ofensa a Deus e prejudicava a existência da nação (Sl 26.9,10; Pv 17.23; Is 33.15; Am 5.12; Mq 3.11; 7.3). O perjúrio, da mesma maneira, não deveria ser tolerado (Pv 6.16,19; 21.28; 24.28; 25.18; Zc 8.17; Ml 3.5) e sua punição era obrigatória (Dt 19.16-19).
Outro requisito essencial envolvido era a exigência de duas testemunhas para a condenação (Dt 17.6). Apenas uma testemunha não era suficiente para a punição, pois o fator motivador podia ser a maldade de alguém.
O texto em Êxodo 22.9 descreve o direito de

ambas as partes de serem ouvidas, pois uma justa audição é imprescindível para a administração da justiça (Dt 1.17).
O texto em Êxodo 21.24 declara: "olho por olho, dente por dente" (cf. Lv 24.20; Dt 19.21). Esse é um bom princípio da jurisprudência, e foi ele o orientador da administração da justiça em Israel. O castigo deveria ser proporcional ao crime. Esse princípio reconhece a gravidade do crime, porém evita um castigo exagerado.
O AT estimula a resolução das controvérsias por meios legais e não de vinganças pessoais. Está claro, devido a denúncias feitas pelos profetas, que existia uma certa corrupção no sistema jurídico de Israel. Amós condenava aqueles que aceitavam suborno quando estavam à porta, e impediam a justiça em favor dos necessitados (Am 5.12,15; Mq 3.1,9-11). Dessa forma, os tribunais tornavam-se, às vezes, instrumentos de opressão e não de ministração de justiça.
No Novo Testamento, o conceito cristão do perdão desempenharia importante papel na busca da justiça por parte dos tribunais. Embora o cristão tenha o dever de acatar as decisões de um tribunal (Rm 13.1-3), ele não deve esperar deste a completa satisfação. O Senhor Jesus nos aconselha a caminhar uma segunda milha (Mt 5.38-41). Se o cristão for o ofensor e não o ofendido, ele deve procurar se reconciliar (Mt 5.23,24) para que não seja necessário recorrer a um tribunal.
Em 1 Coríntios 6.1-7, Paulo mostrou-se escandalizado com a freqüência com que os cristãos procuravam os tribunais para resolver as próprias controvérsias. Entre cristãos, tais controvérsias devem ser dirimidas dentro do círculo da igreja, e o uso dos tribunais só traz vergonha para o precioso nome de Cristo.
O julgamento de Cristo pode servir como um exemplo em que se seguiram alguns detalhes técnicos legais, embora a verdadeira justiça lhe tenha sido negada. Ele não foi executado pelos judeus, pois somente os romanos detinham o poder legal para fazê-lo. Como Jesus era galileu, Herodes Antipas, como governante da Galiléia, tinha o direito de julgá-lo por ser um habitante de sua jurisdição. Pilatos ofereceu a libertação do prisioneiro, como era costume nas festas, mas ainda assim o inocente foi assassinado.
O livro de Atos oferece vários exemplos da administração da lei. Em Filipos, Paulo e Silas foram aprisionados e açoitados por causa da acusação feita por aqueles que exploravam a jovem que era possuída pelo Diabo. Quando o magistrado procurou libertá-los pacificamente, Paulo insistiu em seu direito como cidadão romano. Da mesma forma, o cristão pode defender os seus direitos legais (At 16.35-39).
O escrivão da cidade de Éfeso apaziguou uma rebelião que poderia ter se transformado em tragédia, apelando para as funções normais dos tribunais. Se Demétrio tinha alguma queixa contra Paulo, o tribunal poderia resolver adequadamente a questão (At 19.35-40).
Afinal, foram alguns detalhes técnicos que enviaram Paulo a Roma e à sua execução. Depois de absolvido por Festo e Herodes Agripa, ele poderia ter sido libertado. Entretanto, o apóstolo havia apelado a César; o governante o ouviria e julgaria seu caso. Esse apelo, quando feito por um cidadão romano, não podia ser negado; mas também não podia ser cancelado depois de feito.
*Veja* Lei; Lei de Moisés.

R. D. B.

## LEI DE MOISÉS

### A Explicação da Lei de Moisés

Os vários aspectos da Lei de Moisés podem ser descritos pelas seguintes distinções:
(1) Algumas partes da lei estabelecem ordens como imperativos categóricos (Exemplo: os Dez Mandamentos, Êx 20.1-17); outras, tratam de casos específicos e geralmente são introduzidas por "se" (como em Êx 21–22). A primeira estabelece os princípios básicos de toda a lei (leis irrefutáveis e categóricas); e a última, aplica esses princípios, juntamente com as leis da consciência e da sociedade, a casos específicos (casuística ou jurisprudência). Essa é a forma dominante da lei conhecida na Antiguidade do Oriente Próximo (veja ANET, pp. 159-198).
(2) As mudanças introduzidas nas leis originalmente outorgadas no Êxodo, como encontramos em Deuteronômio, levantaram um problema para muitos. As diferenças que existem entre as leis do Sinai e aquelas que foram renovadas por Moisés, 40 anos mais tarde nas planícies de Moabe, e encontradas em Deuteronômio, devem ser explicadas pelas mudanças ocorridas nas circunstâncias e, conseqüentemente, nas leis especificas necessárias quando Israel passou da vida nômade no deserto, menos complexa e mais simples, para as condições mais difíceis que acompanhavam a residência fixa na Terra Prometida. Devemos, também, dar atenção ao que parece para muitos ser uma diferença entre a atitude em relação à lei de Moisés nos Sinóticos e no evangelho de João. Elas têm um aspecto legal – "Faze isso e viverás" (Lc 10.28), enquanto o evangelho de João é considerado cheio de amor e bondade. Esse problema fica resolvido quando observamos que a lei está expressa de duas maneiras nas Escrituras: negativamente nos Dez Mandamentos, pois foi distribuída a pessoas rebeldes; e, positivamente nos dois grandes mandamentos da lei, "Amarás, pois, o Senhor, teu Deus, de todo o teu coração, e de toda a tua alma, e de todo o teu poder" (Dt 6.5; cf. Mt 22.37) e "Amarás o teu próximo como a ti mesmo" (Lv 19.18; cf. Mt 22.39). Nos Sinóticos, o aspecto negativo da lei é mais acentuado. Em João, prevalece o posi-

tivo. Está evidenciado que ambos não devem ser considerados mutuamente excludentes, quando vemos Cristo reuni-los, ao fazer um resumo dos mandamentos das duas tábuas da lei e dizer: "Destes dois mandamentos dependem toda a lei e os profetas" (Mt 22.40).

(3) Uma distinção muito comum foi estabelecida entre as legislações moral, cível (ou judiciária) e cerimonial incluídas no Pentateuco. A lei moral está resumida nos Dez Mandamentos. A cível é encontrada nas muitas aplicações ou amplificações da lei moral a casos específicos (como em Êx 21–22). E a cerimonial está contida nos numerosos ritos relativos ao sacerdócio e aos sacrifícios (como em Êx 25.1–31.17; 35–40, em todo o livro de Levítico e Números 1.1–10.10; 15; 17–19; 28–36). Essa distinção recebe uma análise mais completa abaixo sob o título, "O Cristão e a Lei de Moisés".

(4) Podemos fazer uma distinção entre as leis que se originam à parte de um caso específico (como na entrega dos Dez Mandamentos), e as leis que se originam claramente de uma situação específica (como em Nm 27.1-11; 36.1-12).

(5) Outra diferença pode ser vista nas leis anteriores ao Sinai, como a circuncisão (Gn 17.9-27) e a Páscoa (Êx 12.1-28) e, por outro lado, nas leis que se originaram no Sinai como regulamentos completamente novos (como a legislação cerimonial mencionada acima).

(6) Também podemos ver uma diferença entre as leis que tratam principalmente de gentios, geralmente chamados de "estrangeiros" ou "forasteiros" (*gerim*, Êx 23.9; Lv 19.10 etc.), e as leis que tratam principalmente dos israelitas, como em Êxodo 20–23.

(7) Finalmente, pode ser feita uma distinção entre leis que tratam quase exclusivamente de sacerdotes e levitas (como em Levítico 1.10), e leis que tratam de toda a nação de Israel (como em Dt 19.26). Não devemos supor, entretanto, que qualquer das diferenças mencionadas acima esteja incluindo contradições ou uma autoria que não seja mosaica.

### A Importância dos Dez Mandamentos

A lei moral outorgada a Moisés no monte Sinai assume um lugar muito importante na revelação bíblica: (1) Esta lei foi especificamente escrita pela mão de Deus; portanto, foi recebida por Israel como o fundamento de sua teocracia (Êx 24.12; 31.18; 32.15,16; Dt 5.22; 9.10,11). (2) Essa lei foi colocada na arca do testemunho onde continuamente representou a base da aliança entre Deus e Israel (Dt 10.1-5; 1 Rs 8.9). (3) Provavelmente, essa parte da lei foi mencionada naquelas passagens que retratam o prazer que o justo sente pela lei de Deus (Sl 1 e 119). (4) Essa parte da lei estava provavelmente na mente dos profetas quando falavam sobre a lei de Deus escrita sobre o coração do homem na nova aliança (Jr 31.31-34; Ez 11.17-20; 36.25-27; 37.24-28).

(5) Nas questões e controvérsias sobre a lei de Deus, os Dez Mandamentos (q.v.) são citados como o receptáculo da essência de sua lei (Mt 19.16-20; Lc 10.25-28; Rm 2.17-23; 7.7; 13.9,10; 1 Tm 1.7-10). (6) Este é o componente da lei que Paulo descreve como: "santo, justo e bom" (Rm 7.12), e "espiritual" (7.14). Essa é a lei que revela o pecado do homem (7.7). (7) Cristo tinha em mente, em primeiro lugar, os Dez Mandamentos em sua restauração do verdadeiro propósito da lei quando exigiu a obediência do coração ao invés de unicamente a conformidade exterior (Mt 5.21-48; cf. Rm 13.9,10).

### Contraste entre as Opiniões Crítica e Conservadora da Lei de Moisés

Aproximadamente no final do século XIX, a opinião tradicional ou conservadora sobre a autoria mosaica da lei recebeu a oposição da comumente chamada opinião crítica. As diferenças radicais entre essas duas opiniões podem ser estabelecidas da seguinte maneira: (1) Os conservadores afirmam que a legislação do Sinai (Êx 10–Nm 9) e das planícies de Moabe (Deuteronômio) originaram-se na época histórica de Moisés; porém, os críticos liberais negam que tenha sido nessa época, insistindo, antes, que ela foi produzida por autores ou escolas (geralmente chamadas J, E, D, e P) no decorrer da história que se estende desde o retorno do exílio na Babilônia. (2) Os conservadores acreditam na historicidade dos acontecimentos relatados no Pentateuco, enquanto os críticos questionam ou negam os eventos dessa história, incluindo, com bastante firmeza, que esses eventos foram embelezados e exaltados por autores tendenciosos de uma era posterior.

(3) Os conservadores aceitam, sem questionar, os acontecimentos miraculosos da era mosaica, ao contrário dos críticos liberais que sutilmente insinuam que esses milagres se devem mais à invenção de um autor ou de autores posteriores do que ao sóbrio relato de um historiador contemporâneo. (4) Finalmente, os conservadores afirmam a superioridade e singularidade da legislação mosaica sobre todas as outras leis que se originaram na Antiguidade (como o famoso Código de Hamurabi, ANET, pp. 163-180), enquanto os estudiosos liberais, admitindo, muito a contra gosto, certa superioridade, procuram "distribuir" as leis de Israel ao longo de seus predecessores ou contemporâneos pagãos a ponto de asseverarem com audácia que certos ritos foram na verdade emprestados dos cananeus e de outros povos não israelitas. *Veja* Cânon das Escrituras – AT; Aliança; Pentateuco.

### A Lei na História de Israel

A difundida prevalência da legislação mosaica na história de Israel será prontamente reconhecida no breve resumo que fizemos abaixo: (1) As provisões da lei foram escrupulosamente elaboradas por Josué na geração seguinte à de Moisés (Js 1.13-18; 4.10; 8.30-35; 11.12,15,20,23; 14.1-4; 17.4; 20.2; 21.2,8; 22.2,4,5,9; 23.6). (2) As injunções da lei que conclamavam Israel à obediência são citadas em importantes ocasiões (1 Rs 2.1-3; 1 Cr 22.11-13; 28.8,9; 29.19). (3) A função legislativa da lei é insistentemente mencionada em ocasiões específicas (2 Rs 14.6 [cf. Dt 24.16]; 1 Cr 15.15 [cf. Nm 4.1-15; 7.9]; 1 Cr 23.13 [cf. Êx 28.1; 29.33-37,44; 30.6-10; Nm 6.23-27; 18.3-8]; 2 Cr 8.13 [cf. Êx 23.14-17; Lv 23.37]; 2 Cr 23.18 [cf. Nm 28.1-31]; 2 Cr 24.6-9 [cf. Êx 30.12-14]; 2 Cr 30.16-20 [cf. Nm 9.1-14]; Ed 3.1-4 [cf. Nm 29.16; Dt 12.5-7]; Ed 6.18-22 [cf. Nm 3.6-13; 8.6-19]; Ed 9.11,12 [cf. Lv 18.24-30; Dt 7.3]; Ne 13.1-3 [cf. Dt 23.3-5]. (4) Os castigos relacionados com a desobediência à lei são citados e executados em acontecimentos da história de Israel (2 Rs 18.11,12 [cf. Dt 29.24-28]; 2 Rs 21.8-15; 2 Cr 34.24,25,30-32 [cf. Dt 28.15-68]; Ne 1.7-9 [cf. Dt 30.1-6]; Ne 9.13-18; Dn 9.11-13 [cf.Dt 32.15-43]. (5) Ao longo de toda a história do AT a lei é sempre atribuída a Moisés (Js 1.7; 22.5; 23.6; Jz 3.4; 1 Rs 2.3; 2 Rs 18.6,12; 2 Cr 8.13; 34.14; Ed 6.18; 7.6,10; Ne 1.7,8; 9.14; Ml 4.4). As instituições de Israel (como o sábado e a adoração no Tabernáculo) são atribuídas à era mosaica (1 Cr 21.29; 2 Cr 1.3; Ne 9.14). Os profetas são considerados confirmadores do testemunho da lei (2 Rs 17.13,23; Dn 9.10-14).

### A Latente Espiritualização da Lei no AT

Até para o leitor ocasional do AT torna-se evidente que a lei de Moisés não é um fim em si mesma, nem a suprema adoração por parte do homem. O breve resumo abaixo mostra como a lei, corretamente entendida, preparou o caminho para a revelação do NT. (1) A legislação mosaica contém referências mostrando que a lei só pode ser cumprida devido a uma mudança radical da natureza da pessoa (Dt 10.16; 30.6; cf. Jr 6.10; 9.25,26). (2). Na história e nas profecias do Antigo Testamento, a obediência a Deus é descrita de maneira muito mais importante do que a obediência aos ritos e às cerimônias (1 Sm 15.21-23; Sl 40.6-8; Is 1.11-17; Os 6.6). (3) A incapacidade humana de cumprir a lei torna-se, muitas vezes, uma obrigação nas confissões do povo de Deus (Ne 9.13-38; Sl 51.1-9; Dn 9.4-19). (4) A obediência exterior à lei tornou-se tão deturpada que muitas vezes os profetas faziam o contraste entre a forma exterior e a obediência interior (Is 1.11-17; Jr 7.21-28; Am 5.21-24; Mq 6.6-8). (5) A incapacidade da lei de justificar é expressa tacitamente no exemplo de Abraão (Gn 15.6 [cf. Rm 4.1-25; Gl 3.9-29]), na afirmação de Davi (Sl 32.1,2), e nas declarações e símbolos dos profetas (Is 53.11,12; 60.21; 62.1,2; Jr 33.15,16; Hb 2.4; Zc 3.1-10). Dessa forma, o "evangelho" foi preparado antes da outorga da lei (cf. Gl 3.6-8). (6) Conseqüentemente, os profetas estão aguardando o momento em que a lei será escrita nos corações regenerados e não em tábuas de pedra (Jr 31.31,33; Ez 11.19,20; 36.24). (7) Tão extensa e precursora é a antecipação profética relacionada com a vinda do Messias, que eles antevêem uma completa transformação da adoração. O Templo de Jerusalém será restaurado na vinda do Messias (Ez 40–48), e dele os gentios participarão e oferecerão sacrifícios de louvor (Is 2.1-4; 56.3-8; Zc 6.13, 15; Ml 1.11; cf. Rm 15.9-12; Ef 2.11-22). (8) Com uma esperança tão gloriosa à sua frente, os profetas falam sobre uma lei que irá surgir em Jerusalém, e que, à luz do NT, deverá ser o evangelho propagado em todo o mundo pelos renascidos em Cristo (cf. Is 2.3; 51.4,5 com Lc 24.47; At 1.8; 13.46-48; Rm 10.18). Dessa forma, a lei introduz o evangelho (cf. Gl 3.19-25).

### Jesus e a Lei de Moisés

As inúmeras relações de Cristo com a legislação mosaica podem ser sucintamente descritas da seguinte maneira: (1) "Nascido sob a lei" (Gl 4.4). Aqui a palavra "sob" indica que Ele estava sujeito a obedecer às cerimônias da lei (Lc 2.21-27), que observava os rituais básicos da lei (Mt 1.21; 14.12), e ensinava os outros a obedecer a esses rituais (Lc 5.14; 17.14). Esses ritos e cerimônias foram válidos até a crucificação (Mt 27.51). (2) O Purificador da lei. Jesus purificou a lei moral das perversões que a ela foram anexadas pelos judeus (Mt 5.27-48) e purificou a lei cerimonial das mesmas perversões (Mt 15.1-11). Isso estava de acordo com a missão dele, que havia sido prevista (Ml 3.1-4). (3) O Defensor da lei. Jesus ensinou que a lei tinha autoridade divina (Mt 5.18; Lc 16.17). Ele colocou a lei no mesmo nível de suas próprias palavras (João 5.45-47). Ele mostrou que a lei tinha previsões a seu respeito (Lc 24.27,44; Jo 5.45,46).

O Intérprete da lei. Jesus resumiu a lei no absoluto amor a Deus e ao próximo (Mt 7.12; 22.34-40; Mc 12.28-34; Lc 10.25-37).

(5) O Cumpridor da lei. Jesus cumpriu a lei cerimonial ao observar os seus ritos (Lc 2.21-27). Ele praticou a lei cível (ou judicial) ao observar a lei romana (Mt 17.24-27; 22.17-22), e praticou a lei moral ao obedecer perfeitamente os mandamentos de Deus. Por essa obediência, Ele se tornou a perfeita justiça do pecador que infringiu a lei (Dn 9.24; Mt 3.15; Rm 10.3,4; 2 Co 5.21; Gl 4.4,5). (6) Aquele que aboliu a lei cerimonial. A morte de Cristo na cruz aboliu a legislação cerimonial (Mt 27.51); porém, mesmo antes desse acontecimento, Cristo havia feito declarações

que prepararam o caminho para uma adoração simplificada na Era dos evangelho (Mc 7.15,19; Lc 11.41; Jo 4.23,24; cf. At 10.15; 11.9; Rm 14.1-12; Cl 2.16; Hb 13.9-16).

### A Lei e o Evangelho

O relacionamento entre a lei e o evangelho deu margem a inúmeros erros e falsas interpretações no ensino, e na prática cristã, desde a época dos apóstolos até hoje. Portanto, seria bom descrever alguns aspectos desse relacionamento à luz de toda a revelação de Deus na Bíblia.

(1) A lei outorgada no Sinai não alterou a promessa da graça dada a Abrãao (Gn 12.3; 18.18,19; 22.18; 26.4,5; At 3.25,26; Rm 4.11-18; Gl 3.5-9,16-18). A lei foi dada para mostrar com mais clareza o pecado humano contra o cenário da graça de Deus (Rm 7.7-11; Gl 3.19-25). Devemos sempre nos lembrar de que, tanto Abraão como Moisés, assim como os outros santos do AT, todos foram salvos exclusivamente pela fé (Hb 11.1-40).

(2) A lei, dentro de sua natureza essencial foi escrita no coração dos homens no momento da criação e, ali, permanece para esclarecer a consciência humana (Rm 2.14). O evangelho, entretanto, só foi revelado ao homem depois que ele havia pecado (Gn 3.15; Jo 3.16; Rm 16.25,26; Ef 3.3-9). A lei leva a Cristo, mas somente o evangelho pode salvar (Gl 3.19-25).

(3) A lei declara o homem pecador com base em sua desobediência (Rm 3.19,20; 5.20), e o evangelho declara o homem como justo com base em sua fé em Jesus Cristo (Is 45.24,25; 54.17; Jr 23.6; 33.16; Rm 3.22-28; 4.6-8; 22-24; 5.19. 1 Co 1.30; 2 Co 5.21; Fp 3.9). (4) A lei promete a vida em termos de uma perfeita obediência (Lv 18.5; Lc 10.28; Rm 10.5; Gl 3.10,12; Tg 2.10), um requisito agora impossível ao homem (At 13.39; Rm 3.20; Gl 2.16), enquanto o evangelho promete a vida em termos da fé na perfeita obediência a Jesus Cristo (Is 53.10-12; Dn 9.24; Rm 5.18,19; Fp 2.8; Tt 3.4-7; Ap 7.9-17).

(5) A lei é uma ministração da morte (Rm 7.9-11; 2 Co 3.6-9; Hb 12.18-21); o evangelho é a ministração da vida (Jo 10.10,28; 17.2,3; 20.31; Rm 5.21; 6.23; 1 Jo 5.11-13,20). A lei conduz o homem à escravidão (At 15.10; Rm 8.15; Gl 4.1-7,9-11,21-31); o evangelho conduz o homem à liberdade em Cristo (Jo 8.36; 2 Co 3.17; Gl 2.4; 3.23-26; 5.1,13).

(7) A lei escreve os mandamentos de Deus em tábuas de pedra (Êx 24.12; 34.1,4,28); o evangelho coloca os mandamentos de Deus no coração do crente (Jr 31.31, 33; Ez 11.19, 20; 36.24-27; Rm 7.6; 8.1-10; 2 Co 3.3; 7.12; Gl 5.22,23; Hb 8.10; 10.16). (8) A lei estabelece para o homem um perfeito padrão de conduta, mas não fornece os meios pelos quais esse padrão pode ser alcançado (Rm 7.21-25); o evangelho fornece os meios pelos quais o padrão divino de justiça pode ser conquistado pelo crente por meio da fé em Cristo (Mt 5.10; Rm 8.1-4; 10.3-10; Gl 2.21; Fp 3.9). (9) A lei coloca o homem sob a ira de Deus (Rm 2.1-29; 3.19; 4.15); o evangelho livra o homem da ira de Deus (1 Ts 1.10; 5.10; Ef 2.3-6). *Veja* evangelho.

### O Cristão e a Lei de Moisés

Qual seria o relacionamento mais adequado entre o cristão atual e a lei de Moisés? Essa é uma questão que pode ser debatida interminavelmente. Posições opostas e extremas já foram adotadas e a solução de um dos lados poderá ser rejeitada pelo outro. Entretanto, nenhuma delas seria adequada sem considerar globalmente toda a legislação mosaica sem qualquer distinção. Como indicamos acima sob o título "A Explicação da Lei de Moisés", existe uma diferença válida entre as legislações moral, cível ou judicial e a legislação cerimonial recebida por intermédio de Moisés. Essa tríplice diferença leva certas questões a um foco mais apropriado.

*Lei moral.* A atitude do cristão em relação a essa parte da lei de Moisés pode ser resumida da seguinte maneira: (1) Ninguém pode ser salvo apenas obedecendo aos Dez Mandamentos. Esse fato não só é explicado claramente no NT (At 13.39; Rm 3.20; Gl 2.16), como também é aceito pela maioria dos cristãos. (2) Entretanto, esses mandamentos ainda estão válidos porque levam o cristão a descobrir a natureza e o poder do pecado. Essa verdade é ensinada por Paulo (Rm 3.20; 5.20; 7.7; Gl 3.19) e é universalmente reconhecida pelos cristãos. (3) Como a lei é "santa" (Rm 7.12), ela é uma fonte de prazer espiritual para os filhos de Deus. Essa abordagem da lei moral, ainda válida para o cristão de nossos dias, é magnificamente descrita no Salmo 119.97, "Oh! Quanto amo a tua lei! É a minha meditação em todo o dia!" (4) Ela também representa uma norma para a vida cristã porque quase todos os Dez Mandamentos são repetidos especificamente em um princípio aplicável ao crente (Mt 5.21-48; Rm 7.7; 13.9; 1 Co 8.1-6; 10.14-22; Ef 5.3-5; 6.1-3). No NT, só está faltando o mandamento referente à guarda do sábado. Assim sendo, a lei moral do AT funciona como um guia para conhecer a vontade de Deus, e faz parte do padrão de nossa santificação. Ao mesmo tempo, os requisitos da lei são exercidos apenas pelo Espírito Santo quando Ele opera no interior e por meio de cada crente (Rm 8.3,4),

*Lei cível ou judicial.* É difícil explicar o relacionamento da vida cristã com essa legislação. Por exemplo, até que ponto iria um cristão atual, se desejasse observar as leis relativas às restrições alimentares (Dt 14.1-21), ao vestuário (22.5), à mistura das sementes (22.9-11), e ao serviço militar (24.5)? Se tais leis fossem extensões ou aplicações dos Dez Mandamentos, em princípio elas ainda seriam válidas.

O apelo de Paulo à lei da natureza em um caso semelhante (1 Co 11.14) irá certamente justificar a obediência a Deuteronômio 22.5 em nosso mundo moderno. O discernimento espiritual do qual o NT está impregnado irá guiar o cristão sincero e protegê-lo contra os extremos, tanto do legalismo como da licenciosidade.

Devemos nos lembrar que essas leis específicas foram outorgadas principalmente à nação de Israel da Antiguidade, e a sua aplicação à vida cristã atual deve ser governada pelos princípios básicos estabelecidos no NT.

*Lei Cerimonial.* Aqui o cristão deverá observar certas verdades facilmente percebidas à luz do NT. (1) Os ritos e as cerimônias levitas eram válidos até a morte de Cristo (Mt 27.51), mas desde esse momento perderam essa validade na vida cristã (Gl 5.1-12; Cl 2.16-23). Esses ritos haviam sido impostos a Israel como exemplos da futura salvação por meio do Messias (Hb 9.9,10); porém agora, pela morte do Senhor Jesus Cristo, eles são completamente retirados e já não servem mais como instrumentos de adoração (Hb 10.8-10). Recorrer a tais coisas (como é feito por Roma no vestuário de seu clero) é algo totalmente contrário à espiritualidade da adoração do NT (Jo 4.23,24; Fp 3.3).

E que podemos dizer sobre o retorno aos prenunciados sacrifícios de animais, se admitirmos literalmente Ezequiel 40–48 para uma era futura (Ez 40.39-43; 42.13; 43.19-27; 45.15-25; 46.2-24; Zc 14.21)? Muitos afirmam que estas passagens devem ser consideradas de forma figurada. Certamente as palavras de Hebreus 10.18 devem ser cuidadosamente consideradas e, de forma alguma ignoradas: "Ora, onde há remissão destes, não há mais oblação pelo pecado". Duas respostas seriam possíveis: Talvez a passagem em Ezequiel 40–48 devesse ser considerada em sentido figurado. Entretanto, muitos acreditam que um ato tão drástico seria desnecessário.

Deus pode ter escolhido, em sua infinita sabedoria, reinstituir o sacrifício de animais durante o reino milenial de Cristo. Se assim for, este é um privilégio exclusivo do Senhor e, além de estar certo, deve ser absolutamente respeitado. No entanto, podemos certamente concluir, a partir de Hebreus 10.18, que este seria um ato meramente comemorativo. (2) O cristão não deve negligenciar o vasto significado espiritual e típico da legislação levítica. Ele irá compreender que Cristo é o verdadeiro Cordeiro Pascal (Jo 1.29; 1 Co 5.7) e que o crente, como um sacerdote (1 Pe 2.5,9; Ap 1.6) agora oferece "sacrifícios" aceitáveis a Deus (Ml 1.11; Rm 12.1; Fp 4.18; Hb 13.15,16).

*Veja* Aliança; Lei; Dez Mandamentos.

***Bibliografia.*** H. J. Brokke, *The Law is Holy*, Mineápolis. Bethany Fellowship, 1963. J. Oliver Buswell, Jr., *Systematic Theology*, Grand Rapids, Zondervan, 1962, I 345-418. "Law of Israel", CornPBE, pp. 487-496. W. D. Davies, "Law in the New Testament", IDB, III 95-102. Roland de Vaux, *Ancient Israel*, trad. por John McHugh, Nova York. McGraw-hill, 1961, pp. 143-163. P. Fairbairn, *The Revelation of Law In Scripture*, Edinburgh. T. & T. Clark, 1869. R.V. French, ed. *Lex mosaica, or The Law of Moses and the Higher Criticism*, Londres. Eyre e Spottiswoode, 1894. W. J. Harrelson, "Law in the Old Testament", IDB, III, 77-89. Archibald M'Caig, "Law in the New Testament", ISBE, III, 1844-1852. S. M. Paul, *Studies in "the Book of the Covenant" in the Light of Cuneiform and Biblical Law*, Leiden. E. J. Brill, 1970. W. S. Plummer, *The Law of God as Contained in the Ten Commandments*, Filadélfia. Presbyterian Bd. of Educ., 1864. Ulric Z. Rule, "Law in the Old Testament", ISBE, III, 1852-1858. A van Selms e J. Murray, "Law", NBD, pp. 718-723. E. C. Wines, *Commentaries on the Laws of the Ancient Hebrews*, Nova York. Putnam, 1853.

W. B.

**LEÍ** Local elevado de Judá que significa "queixada" (Jz 15.9), ao qual os filisteus vieram a fim de capturar Sansão. Ele recebeu esse nome por causa de uma série de rochedos recortados com essa aparência, ou porque Sansão usava o osso maxilar como arma. Foi mencionado como Ramate-Leí, "altura da queixada" (Jz 15.17), e estava, provavelmente, localizada algumas milhas a noroeste de Belém, nas proximidades de Malhah.

**LÉIA** Filha mais velha de Labão que se casou com Jacó por causa de um embuste armado por seu pai depois dele ter servido durante sete anos para conseguir a mão de Raquel, a filha mais nova. Léia tornou-se a mãe de seis filhos e de uma filha: Rúben, Simeão, Levi, Judá, Issacar, Zebulom e Diná (Gn 29.16-35; 30.17-21). Ela foi sepultada no sepulcro da família em Macpela, em Hebrom, antes da imigração de Jacó para o Egito (Gn 49.31). A Mesquita dos Patriarcas foi construída sobre a gruta onde ela foi sepultada.

*Veja* Jacó.

**LEITE** O leite e seus derivados (queijo, coalhada e manteiga) representavam uma grande parte da dieta dos hebreus desde os primórdios (Gn 18.8). O termo usado para leite é encontrado mais de 40 vezes no AT e 5 vezes no NT – predominantemente no sentido figurado. O leite de cabra era o mais comum (Pv 27.27), entretanto, também encontramos leite materno (Is 28.9), de vacas, ovelhas, jumentas (Dt 32.14; 1 Co 9.7), e camelas (Gn 32.15). O leite era ordenhado em baldes (Jó 21.24) e preservado em peles de animais (Jz 4.19; odre). *Veja* Alimento: Leite.

Metaforicamente, o leite é usado para descrever a fertilidade da terra de Canaã, "uma

terra que mana leite e mel" (18 vezes). O Egito (Gósen) é descrito com a mesma expressão pelos israelitas amargurados no deserto (Nm 16.13). Em outras passagens do AT, o leite é usado como símbolo de abundância (Dt 32.14), incluindo a da era escatológica (Is 55.1; Jl 3.18); para a brancura dos dentes (Gn 49.12) ou da pele (Lm 4.7); como defesa de Israel ("E mamarás o leite das nações", Is 60.16); e para a excelência dos amados (Ct 4.11; 5.12). No NT, o leite é usado para se referir às instruções fundamentais aos novos convertidos (1 Co 3.2; 1 Pe 2.2); entretanto Paulo (1 Co 3.2,3) e o escritor aos Hebreus (Hb 5.12,13) repreenderam seus leitores por não serem mais maduros.
A estranha proibição contra cozinhar o cabrito no leite de sua mãe (Êx 23.19; 34.26; Dt 14.21) provavelmente se dirigia contra os sacrifícios rituais dos cananeus. Referências a tais rituais de fertilidade foram encontradas nas tábuas de Ras Shamra (q.v.). "Os sacrificadores cozinhavam o cabrito no leite sete vezes sobre o fogo" (G. R. Driver. *Canaanite Myths and Legends,* Edinburgh. T. & T. Clark, 1956, p. 121; cf. p. 23). Desta proibição, que consta na Bíblia Hebraica, veio a ordem de não comer leite e carne na mesma refeição, estritamente seguida pelos hebreus.

R. L. S.

**LEME** *Veja* Navios.

**LEMUEL** Esse nome significa "pertencente a Deus". Lemuel é mencionado em Provérbios 31.1-9 como alguém que escreve os aforismos ou oráculos ensinados por sua mãe. Nada se sabe a seu respeito, mas alguns comentaristas rabinos o identificam com Salomão. Outros (como Gesênio) pensam que o nome refere-se a algum príncipe árabe, e ainda outros (como Grotio) preferem identificá-lo com Ezequias. Algumas versões colocam a palavra "oráculo" depois de seu nome, apresentando a tradução "rei de Massá" (Gn 25.14).

**LENÇO** Essa palavra ocorre somente no NT. Tecido usado para limpar o suor. Lenços tocados por Paulo eram levados para curar os enfermos (At 19.12). A mesma palavra grega foi traduzida como "guardanapo" em Lucas 19.20; João 11.44; 20.7. *Veja* Guardanapo.
A palavra "lenços", usada em algumas versões, provavelmente se refira a véus de diferentes tamanhos usados pelas falsas profetizas nas adivinhações, a fim de encobri-las das pessoas que as consultavam (Ez 13.18,21).

**LENÇOL** No AT, a palavra "lençol" (Jz 14.12,13) refere-se ao *sadin*, um simples pedaço de pano de linho fino usado como uma veste para a parte de cima do corpo (Pv 31.24). A palavra gr. usada nestas passagens na LXX (*sinon*) aparece no NT referindo-se ao tecido no qual o Senhor Jesus foi envolto (Mt 27.59), e a veste, ou talvez o lençol de cama, que envolvia o jovem quase preso no jardim com o Senhor Jesus (Mc 14.51).
Uma outra palavra gr. *othone*, usada em Atos 10.11; 11.5 como o grande lençol que desceu do céu na visão de Pedro, também significa um pano de linho, e é usada na literatura secular para a vela de um barco.

**LENDA** A opinião predominante da escola liberal é que a Bíblia Sagrada contém lendas que podem ou não ter um núcleo histórico, e das quais não se pode depender para obter uma confiabilidade histórica básica (um típico exemplo dessa abordagem pode ser encontrado no artigo "Legend" de Sigmund Mowinckel em IDB, III, 108-110).
Ao afirmar que a Bíblia contém lendas, esse estudioso liberal está aceitando o significado vinculado à palavra "lenda", usualmente anexado pelos críticos literários, e esse significado é muito amplo.
Os contos de fada são considerados lendas. Eles são histórias onde fadas, duendes, gigantes, demônios, animais ou plantas agem como pessoas, e a jumenta falante de Balaão é identificada por alguns como um dos contos de fada da Bíblia. O leitor deve fazer a distinção entre a lenda e o artifício literário conhecido como fábula ou parábola, deliberadamente usados como a história de Jotão sobre as árvores (Jz 9.7-20).
Os contos folclóricos também foram classificados como lendas. Foram identificados cerca de cinco ou seis tipos básicos desses contos, mas, essencialmente todos eram histórias relacionadas a: uma localidade, pessoa, acontecimento, coisa real; ou, referência sociológico-cultural. Portanto, existe a semente de um fato. Mas, a essa semente a tradição acrescentou toda sorte de contos de fada e artifícios poéticos. Muitos dos relatos do AT sobre Noé, Abraão, Isaque, Jacó, Moisés, os juízes, Saul ou Davi foram classificados como pertencentes a um dos cinco ou seis tipos de contos folclóricos.
Os mitos são às vezes classificados como lendas, embora sejam geralmente tratados como uma categoria separada. Mitos são contos nos quais as ações e os acontecimentos relacionados a Deus são especialmente proeminentes, particularmente seus atos salvadores como têm sido sucessivamente relatados e experimentados por aqueles que buscam a Deus. Naturalmente, o crítico liberal não iria concordar que Deus tivesse realmente agido da forma descrita pelo mito; no entanto, esta era a forma pela qual a religião expressava a fé em Deus e em suas obras.
O termo "lenda" também é usado em um sen-

tido mais restrito, juntamente com outros termos como "mito" e "conto de fadas". Nesse sentido, a lenda é uma história devotamente edificante a respeito de um grande herói religioso ou santo do passado, no qual a atividade de Deus desempenhou um importante papel. Embora as lendas possam ter um núcleo histórico, sua tendência é glorificar o indivíduo a fim de despertar a admiração e a imitação de suas virtudes religiosas e morais.

Dizer que a literatura comum contém lendas, na forma descrita acima, é fato óbvio e indiscutível. Entretanto, dizer que elas também estão presentes nas Escrituras, é um fato sujeito a discussões. Embora as lendas possam ter um núcleo ou semente de algum fato histórico, elas não são historicamente confiáveis. No entanto, os resultados dos trabalhos arqueológicos do século XX têm consistentemente comprovado as anotações históricas contidas nas Escrituras. Os estudiosos liberais, que alegam a presença de lendas na Bíblia Sagrada, parecem ignorar as implicações do crescente corpo de evidências sobre sua historicidade. E, embora aleguem a presença de lendas nas Escrituras, parecem ignorar a grande diferença entre esses relatos, aos quais dão o nome de "lendas" das Escrituras, e as lendas encontradas fora delas. Isto é, as histórias da Bíblia são contos racionais, consistentes, fundamentados e lógicos. Neles, não existe a tendência de glorificar o herói (às vezes, fazem exatamente o oposto!), não têm qualquer inclinação àquilo que é fantástico, e não dão provas de serem a criação de vôos de uma imaginação poética ou religiosa. A diferença entre as lendas do folclore popular e os relatos bíblicos é tão grande que pode ser constatada por todos.

Em vista dessas duas considerações, por que os estudiosos liberais ainda persistem em sua assertiva de que a Bíblia contém lendas? Aparentemente, porque esse tipo de estudioso é controlado por um preconceito anti-sobrenatural. A Bíblia, obviamente, contém muitas referências a Deus e às suas obras na história do homem. Na verdade, ela afirma ser a Palavra de Deus escrita – por meio de uma revelação escriturada. Sua orientação é consistente e profundamente sobrenatural (embora diferente da forma do folclore religioso popular).

Dessa forma, a mente fica controlada por pressuposições que rejeitam naturalmente o sobrenatural, e relegam aqueles elementos das Escrituras que transportam esse padrão de pensamento ao reino das lendas.

Em outras palavras, não é a análise literária ou a pesquisa histórica que determinaram a existência de lendas na Bíblia; ao contrário, foi o estudioso liberal que predeterminou a rejeição da historicidade da maior parte das Escrituras, e a classificação como lendária.

S. N. G.

**LENHADOR** *Veja* Cortar; Ocupações: Lenhador.

**LENTILHAS** *Veja* Plantas.

**LEOPARDO** *Veja* Animais: II.27.

**LEPRA, LEPROSO** O significado preciso da palavra lepra, tanto no AT como no NT, ainda está em discussão. É um termo bastante vago que, possivelmente, inclui a moderna doença que tem esse nome.

No AT, a palavra hebraica *sara'ath*, traduzida como "lepra" quer dizer: (1) uma condição escamosa da pele humana e de objetos inanimados; e, (2) uma doença humana, às vezes grave, e às vezes um sinal do desagrado divino ligado à impureza cerimonial, e à exclusão da comunidade. Em alguns contextos, *sara'ath* indica uma enfermidade que debilita e enfraquece as pessoas. A ênfase não está nas manifestações clínicas ou no contágio (embora as primeiras possam estar implícitas), mas em seu significado cerimonial. Os termos médicos e cerimoniais são usados indiscriminadamente em diferentes passagens.

A palavra *sara'ath* como é usada por médicos e leigos na moderna Israel, transmite a idéia de qualquer doença de pele repulsiva, inclusive a lepra. Em países bastante variados, a verdadeira lepra tem, durante anos, evocado profundas reações emocionais atribuídas a diversos elementos (complexo de culpa, violação de tabus, medo de deformidade, castigo divino ou temor de contrair uma doença supostamente muito contagiosa). Infelizmente, tal atitude pode resultar, ou ser reforçada, por uma errônea identificação da "lepra" bíblica com a verdadeira doença chamada lepra.

A lepra é uma doença pouco contagiosa causada por um germe (*Mycobacterium leprae*), descrita em 1874 por Hansen (daí o nome "Mal de Hansen" ou "Hanseníase", que significa lepra) e que afeta principalmente os nervos dos membros e a pele. Em 1847 ela foi clinicamente diferenciada das outras doenças por Daniellsen e Boeck. Seu período de incubação é muito longo e chega até 15 anos. Ela nunca é hereditária, porém a suscetibilidade à doença pode ser herdada.

Nenhuma evidência de lepra é encontrada em inscrições, remanescentes ósseos ou múmias das dinastias do Egito ou da Palestina. Os registros mais antigos (de aprox. 600 a.C.) vêm da Índia, e o mais antigo esqueleto com lesões leprosas data do século V d.C.

*Referências no AT*. Os detalhes revelados em Levítico 13 e 14 para ajudar os sacerdotes a fazer a distinção entre *sara'ath* e outras doenças benignas não têm, atualmente, nenhum valor diagnóstico, e o significado exato das palavras hebraicas em Levítico 13.2-10,30 traduzidas como "inchação, ou

pústula, ou mancha lustrosa" são muito duvidosas.
Os sinais da *sara'ath* (depressão central, descoloração da pele e do cabelo, escamas, infecção do couro cabelo) não são típicos da lepra. Por outro lado, os sinais característicos da verdadeira lepra (nódulos, face leonina, manchas indolores, ulceração irregular das extremidades) não são mencionados.
Em Levítico, a "lepra" podia ser uma infecção localizada da pele (13.3); uma erisipela adjacente a uma úlcera (v. 18); complicações de uma queimadura com fogo (v. 24); infecção por tinha ou pústulas no couro cabeludo ou na barba (v. 29), uma dermatite pustular (v.36); um favo ou ferida do deserto (v. 42); míldio das vestes ou do couro (vv. 47-59); ou um fungo que cresce nos muros de pedra (14.34). O sacerdote podia ordenar a expulsão do acampamento como medida provisória (que não seria quarentena) dependendo do aparecimento de sinais indubitáveis. A aparência da verdadeira lepra torna-se perceptível em uma ou duas semanas.
A mão de Moisés tornou-se "leprosa, branca como a neve" (Êx 4.6). "Miriã [tornou-se] leprosa como a neve" (Nm 12.10), e Geazi tornou-se um "leproso, branco como a neve" (2 Rs 5.27). Entretanto, a verdadeira lepra nunca é acromática e incolor, e a expressão "como a neve" pode caracterizar uma escamosidade e não uma ausência de cor.
As referências a uma vítima da lepra como "alguém que morreu", cuja carne está um tanto consumida, não podem indicar a benigna "lepra branca" (vitiligo, leucoderma) da Europa medieval e da Índia moderna.
As instruções em Números 5.2 e Deuteronômio 24.8 colocam a "lepra" em um ritual semelhante à poluição sexual e ao contato com um cadáver. A natureza da *sara'ath* de Naamã (2 Rs 5.1-14), que não o tornou socialmente "impuro" ou impróprio para a função pública, é desconhecida; é possível que se tratasse da sarna para a qual os banhos com enxofre de Rabbi-Mayer, perto de Tiberíades, são até hoje reputados como curativos, e os portadores dessa infecção são aconselhados a "mergulhar sete vezes", provavelmente expressando um ato de fé.
A doença transmissível que repentinamente acometeu Geazi também pode ter sido a sarna, contraída por causa das vestes que ele havia cobiçado (v. 27). Os quatro homens leprosos de Samaria (2 Rs 7.3) estavam vivendo fora da cidade, mas podiam se locomover. A lesão na testa do rei Uzias (ou Azarias) em 2 Crônicas 26.19-21, possivelmente era a verdadeira lepra que se tornava mais visível quando seu rosto ficava rubro de raiva.
*Referências no NT.* Ocorre uma imprecisão semelhante em relação à lepra no NT. A LXX traduz *sara'ath* utilizando a palavra grega *lepra*, um termo abrangente que cobre qualquer doença escamosa da pele. A verdadeira lepra era conhecida por Aristóteles (345 a.C.) com o nome de leontíase ou satiríase. Os médicos Alexandrinos descreveram a verdadeira lepra no século III a.C., e lhe deram o nome de elefantíase. Galeno (133-201 d.C.) a descreveu com o nome de *elephantiasis Graecorum*. Essa doença foi introduzida no litoral Mediterrâneo (inclusive na Palestina) e na Itália com o retorno dos soldados de Pompeu (62 a.C.).
Os evangelistas referem-se à *lepra* (Mt 10.8; 11.5; 26.6; Mc 1.40-44; 14.3) e não à *elephantiasis Graecorum* grega. Porém, o diagnóstico em Lucas 4.27 relembra a referência a Naamã em 2 Rs 5.1-27. Da mesma forma são imprecisas as referências ao "homem cheio de lepra" (Lc 5.12), aos dez leprosos (Lc 17.11-19) e a "Simão, o leproso" (Mt 26.6; Mc 14.3).
O desaparecimento da lepra era geralmente associado à purificação com ênfase no aspecto cerimonial. A palavra "cura" foi usada uma vez no NT (Lc 17.15) falando de um gentio. Entretanto, a frase neutra "a lepra desapareceu, e [ele] ficou limpo" (Mc 1.42; Lc 5.13) foi usada para os judeus, e a palavra "purificado" foi usada para um gentio (Lc 4.27).
Uma extravagante exegese investiu Jó e Lázaro, o mendigo (Lc 16.20,21), de lepra. Lázaro de Betânia também era considerado por alguns um leproso, e tornou-se em algumas religiões o santo padroeiro daqueles que sofrem dessa doença (daí as expressões casa de lázaro, lazarado, lazareto, lazarento lepra lazarena).
A crença anteriormente disseminada de que nosso Senhor tinha lepra pode ser atribuída a uma tradução errada, feita por Jerônimo (383 d.C.), da palavra hebraica *nagua'* – em sua obra Vulgata (a expressão correta é "ferido [de Deus] em Isaías 53.4) – como "*leprosum*", que a versão de John Wycliffe (falecido em 1384) traduziu como "leproso". Wycliffe usou a transliteração de Jerônimo da palavra grega *lepra* no NT, antecipando outras versões na maioria das línguas européias. O uso do termo "leproso" está de acordo com a terminologia medieval: a "lepra" incluía doenças sarnentas de animais, a ferrugem nas colheitas em crescimento ou armazenadas, as pragas, a varíola e a indigência. A palavra "lepra" era usada com o artigo definido ou indefinido e podia ser singular ou plural.
Por causa de sua implícita conotação de impureza cerimonial e castigo divino, e, em vista do terrível estigma social que a acompanha, a palavra "leproso" não deve ser usada atualmente para designar aqueles que sofrem da verdadeira doença. Da mesma forma, seu uso sob forma figurada em um sentido pejorativo deve ser evitado. Nosso Senhor mostrou verdadeira compaixão por aqueles que estavam cerimonialmente impuros e pelos socialmente excluídos quando

"estendeu a mão" e "tocou" (Mc 1.41) aqueles que sofriam de lepra. *Veja* Doença.

S. G. B.

**LEPTO** Uma pequena moeda de bronze ou cobre (gr. *lepton*, Mc 12.42; Lc 12.59; 21.2) usada na Palestina nos dias de Jesus. Foi assim traduzida porque era a menor de todas as moedas. É difícil equacioná-la com as moedas americana ou brasileira, mas valia apenas uma pequena fração de um centavo. *Veja* Pesos, Medidas e Moedas.

**LESÉM** Cidade também chamada Laís (q.v.) conquistada pelos danitas e depois rebatizada com o nome de Dã, seu ancestral (Js 19.47). Situada na Bacia do Huleh, no lado sudoeste do monte Hermom, ao longo dos afluentes da parte superior do rio Jordão, ficava na fronteira oriental da colônia tribal de Naftali.

**LESMA** Termo encontrado em Levítico 11.30. Foi traduzido como "lagarto" e "lesma" nas várias versões da Bíblia Sagrada. *Veja* Animais IV.18.

**LESTE, ORIENTE** (heb. *qedem*, lit., "frente" ou "diante"; e *mizrah*, "o local da aurora"; gr. *anatole*, "o nascer" do sol).
Os hebreus dividiam o mundo em quatro partes e as descreviam como "cantos da terra" (Is 11.12; Ap 7.1; 20.8), ou como os "quatro ventos" (Ez 37.9). Como muitos povos semitas, os hebreus olhavam para o leste, "o local da aurora" como sua direção básica. Ao descrever os quatro pontos cardeais, os "quatro cantos", a pessoa estaria diante do leste, fazendo daquela direção a frente; o oeste estaria atrás; o norte à esquerda; e o sul à direita. *Veja* Filhos do Leste.

**LETUSIM** Uma tribo (Gn 25.3) de descendentes de Abraão e Quetura, originada de Dedã, o progenitor de Assurim (q.v.) e Leumim (q.v.).

**LEUMIM** Uma das três tribos semíticas de descendentes de Abraão e Quetura originada de Dedã (Gn 25.3). Ela não foi positivamente identificada, mas provavelmente estava situada na Transjordânia ou na Arábia (cf. Gn 25.6).

**LEVANTAR** Tradução de 16 ou mais raízes hebraicas e seis gregas, e corresponde exclusivamente à tradução de formas verbais, nunca de substantivos. Portanto, transmite a idéia do ato de levantar ou erguer. Foi usada com respeito a muitas situações, de forma literal ou figurada.
O verbo mais freqüentemente traduzido como "levantar" é *nasa*, "levantar", "carregar", "suportar", "levar" (como em Is 53.4,12). Foi usado em se tratando de olhos, para se ter uma visão maior e mais clara (Gn 13.10); para a voz que grita em desespero e angústia (Nm 14.1); e para a alma ou as mãos erguidas ao Senhor, em oração, ou para apresentar ofertas (Sl 25.1; 28.2; 63.4; 86.4; 1 Tm 2.8).

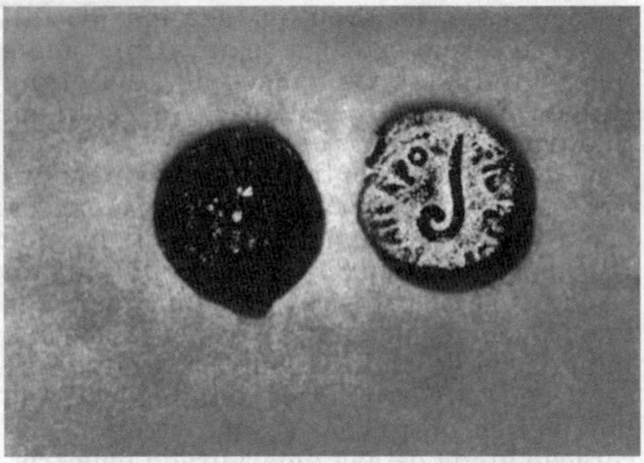

Uma moeda de baixíssimo valor datada do governo de Pôncio Pilatos. G. L. Archer; foto de W. LaSor

As expressões que apresentam maior dificuldade para serem entendidas pelo pensamento ocidental são:
1. Levantar ou exaltar a cabeça de alguém (Gn 40.13,19ss.; 2 Rs 25.27; Sl 3.3; 27.6; Jr 52.31), significando levantar a pessoa de uma condição de escravidão.
2. Levantar a fronte (Sl 75.4,5,10; Zc 1.21; 1 Cr 25.5; 1 Sm 2.1,10), isto é, exaltar alguém ou assumir uma atitude superior, sendo que essa figura foi tirada de um touro em posição de luta sacudindo (ou levantando) os chifres.
3. Levantar a mão (Gn 14.22; Êx 6.8; Dt 32.40; Ez 20.5; Ap 10.5,6) como sinal de assumir uma promessa, ou de fazer um juramento. Mas levantar a mão *contra* outra pessoa significa atacá-la ou lutar contra ela (2 Sm 18.28; 20.21; 1 Rs 11.26), ou talvez fazer um juramento contra ela.
4. Levantar o rosto em direção a alguém (Gn 4.4-7; 2 Sm 2.22; Ed 9.6; Jó 11.15; 22.26ss.) significa ousar ter confiança ou estar contente em sua presença.
5. Quando o coração de alguém se eleva, ou se levanta (Dt 8.14; 2 Cr 25.19; 26.16; 32.25; Ez 28.2,5,17; Dn 5.20; 11.12), a pessoa torna-se muito ousada, geralmente com orgulho de si mesma, mas ocasionalmente com uma santa coragem por confiar no Senhor (2 Cr 17.6).

H. E. Fi. e J. R.

**LEVANTAR E MOVER** *Veja* Sacrifícios.

**LEVANTAR OFERTAS, LEVANTAR OS OMBROS** *Veja* Sacrifícios.

**LEVI**
1. O terceiro filho de Léia e Jacó. Provavelmente, essa palavra está relacionada ao verbo *lavah*, "estar unido a". Quando o menino

nasceu, Léia declarou que seu marido talvez estivesse disposto a se aproximar mais dela (Gn 29.34). Os irmãos de Levi eram: Rúben, Simeão, Judá, Issacar e Zebulom. Sua irmã era Diná.

Levi adquiriu a reputação de ser um adversário impiedoso por causa da trágica experiência que se seguiu à desastrosa viagem de Diná a Siquém (Gn 34). A traiçoeira vingança de Levi e Simeão provocou uma guerra de feudos com os siquemitas, e incitou a justa indignação de Jacó. O velho patriarca não esqueceu os vergonhosos detalhes daquele horrível encontro com a tribo vizinha. Seu coração ainda estava amargurado pela tristeza quando fez o último pronunciamento aos filhos, antes de sua morte no Egito. Essa atitude explica porque ele ignorou Simeão e Levi e deu a bênção do primogênito ao seu quarto filho, Judá, pois Rúben havia perdido o seu direito (Gn 49.1-12).

Os filhos de Levi, que se tornaram chefes de clãs eram Gérson (1 Cr 6.16), Coate e Merari (Gn 46.11; Êx 6.16 etc.). Esses homens foram para o Egito com Jacó e seus descendentes, e morreram nas terras de Gósen. O nome Levi adquiriu uma estatura incomum porque esse homem e sua família foram escolhidos para ser uma família de sacerdotes (por exemplo, Êx 32.25-29; Dt 33.8-11). *Veja* Levitas.

2. Um outro Levi (Mc 2.14; Lc 5.27-32; Mt 9.9; 10.3) foi apresentado como discípulo do Senhor Jesus, e é geralmente identificado como o apóstolo Mateus (q.v.).

3 e 4. Dois descendentes de Davi, desconhecidos de outro modo, que aparecem na genealogia do Senhor Jesus que foi preparada por Lucas (Lc 3.24,29).

K. M. Y.

**LEVIATÃ** Uma coisa é descobrir o significado literal do termo Leviatã (*veja* Animais, V. 7), e outra muito diferente é determinar o seu uso em sentido figurado ou simbólico. Na mitologia dos povos mediterrâneos, parece haver uma referência bastante difundida a um grande monstro capaz de devorar em grande escala. Essa criatura de muitas cabeças também tinha as feições de uma serpente. Semelhante ao leviatã do Salmo 74.14 é o cananeu Lotã de sete cabeças, de Ras-Shamra, ou da literatura ugarítica de aprox. 1700-1400 a.C. (ANET, pp. 137ss.).

Embora Jó 41.1 e o Salmo 104.26 pareçam não ter qualquer importância simbólica, é possível que o Salmo 74.14 e, certamente Isaías 27.1, estejam realmente ligando o leviatã com as forças do mal (ou até mesmo especialmente com Satanás) que serão sem dúvida destruídas pelo poder de Deus no dia do Juízo Final. As palavras de Isaías ("o leviatã, a serpente veloz... que está no mar") trazem à mente uma fraseologia semelhante à do épico ugarítico Baal. "Quando tiveres matado Lotã, a veloz serpente, e colocado um fim na traiçoeira serpente, o poderoso ser com sete cabeças" (Charles F. Pfeiffer, "Lotan/Leviathan from Ugarit to Patmos", *Bulletin of the Near East Archaeological Society,* VIII [1965], 4). O profeta do AT estava se referindo a uma imagem poética conhecida por seu povo, da mesma forma que os autores cristãos fazem alusão à mitologia greco-romana sem encorajar a crença nas divindades pagãs. *Veja também* Raabe 1.

O NT reflete a figura do leviatã em Apocalipse 12.9, onde Satanás é chamado de "grande dragão" e "a antiga serpente" (*Veja* Animais, II.11. "Dragão).

***Bibliografia.*** Nicolas K. Kiessling, "Antecedent of the Medieval Dragon in Sacred History", JBL, LXXXIX (1970), 167-177. Howard Wallace, "Leviathan and the Beast in Revelation", BA, XI (1948), 61-68.

H. F. V.

**LEVIRATO** *Veja* Casamento, Levirato.

**LEVITAS** São os descendentes de Levi, filho de Jacó, portanto membros da tribo formada por seus descendentes. O AT os trata por esse foco.

Entretanto, existe uma opinião apresentada por Julius Wellhausen em 1878, que considera que o(s) autor(es) do Pentateuco e o Cronista estão em perfeito acordo, mas que Ezequiel, por estar em desarmonia com eles, seria uma ficção dos sacerdotes e dos levitas. Durante um século os estudiosos tiveram a tendência de dividir o Pentateuco em alguns fragmentos e declarar que o Cronista não merece confiança para apresentar um quadro preciso dos levitas. Eles transformaram Ezequiel em uma ligação importante para o estudo do desenvolvimento da vida levítica, e para eles o ponto crucial do relacionamento entre o sacerdote e o levita foi o rebaixamento dos levitas de sacerdotes a servos do Templo (Ez 44.6-16). Críticos modernos mais respeitados preferem descrever os levitas como sacerdotes profissionais que originalmente escolheram esse modo de vida por causa de seus pares e de suas aptidões. Na reconstrução de Wellhausen não havia nenhuma ligação com Levi, filho de Jacó. Pelo contrário, os levitas eram considerados uma "tribo artificial" de funcionários profissionais da religião, convocados para guardar a arca durante sua jornada e que, mais tarde, se anexaram aos santuários locais. Foi feita uma referência às inscrições mineanas da Arábia e a inferência é que os levitas surgiram como uma classe para atender as exigências dos rituais religiosos do sul da Arábia.

No entanto, parece ser mais prudente aceitar a apresentação feita pela Bíblia Sagrada, e considerar essas pessoas como descendentes de Levi, o escolhido por Deus no deserto durante a época de Moisés, encarregados de deveres específicos em relação ao Tabernáculo e, embora proibidos de ministrar diante do santuário sagrado, eles afirmavam ser servos especiais de Deus em assuntos da religião. Deviam ensinar o livro da Torá ao povo (Dt 33.10; 2 Cr 17.7-9) e ajudar os sacerdotes em todos os assuntos ligados à adoração no santuário. A eles não seria reservada qualquer herança na nova terra quando Josué fez a divisão oficial do território (Js 21; cf. Nm 18.20-24; Dt 10.9; 12.12), pois Deus seria a sua herança. Quarenta e oito cidades e vilas foram separadas como os lugares onde deveriam viver. *Veja* Cidades Levíticas.

Os três filhos de Levi – Gérson, Coate e Merari – foram relacionados como aqueles por quem fluiriam as bênçãos divinas. Nos primeiros anos da vida nacional, essas famílias receberam a função de cuidar do Tabernáculo e transportá-lo (Nm 3.5ss.). Quando Arão e seus familiares foram escolhidos como sacerdotes, foi necessário escolher um grupo de pessoas para ajudá-los (Nm 8.19), e toda a tribo se julgou diferenciada por ser um grupo sagrado designado para executar deveres relacionados com os ritos e as funções sacerdotais.

Durante a construção do Tabernáculo no Sinai, foram escolhidos alguns homens dessa ilustre família para trabalhar como porteiros e ajudantes em todas as fases da obra. Parece claro que eles transportaram os materiais do Tabernáculo na longa jornada até a Terra Prometida (Nm 4.1-33). Eles serviam aos sacerdotes quando necessário, deixando-os livres para os trabalhos no altar. O propósito original do Senhor para os levitas está resumido em Números 1.50, "Eles levarão o Tabernáculo e todos os seus utensílios; e eles o administrarão e assentarão o seu arraial ao redor do tabernáculo."

Os levitas recebiam uma posição apropriada no acampamento quando a nação viajava pelo deserto. Como estavam localizados imediatamente em volta do tabernáculo, eram considerados protetores em quem se podia confiar, e que dariam a própria vida para proteger a sagrada casa de Deus. Como haviam sido separados como uma propriedade especial de Deus (Nm 8.14-19; 18.6), eles eram considerados como dele, no lugar dos primogênitos de Israel e, se não fosse por eles, o povo teria sido privado da presença de Deus. Por causa da posição dos levitas em volta do Tabernáculo nenhuma ira divina chegaria até a comunidade (Nm 1.51,53).

Dessa forma, estavam localizados entre os sacerdotes e o povo. A maior parte de seu trabalho era pesada e servil. Não podiam entrar para ver o altar santo, nem tocar no santuário senão morreriam (Nm 4.15). Eram servos dos sacerdotes, e passavam a vida executando tarefas comuns que tornavam possível a realização dos serviços sagrados. Como pagamento por seu trabalho, recebiam um décimo da renda de todos os israelitas e, em troca, deviam pagar um dízimo dessa renda aos sacerdotes (Nm 18.21-28; Dt 14.27-29).

É claro que os deveres atribuídos aos levitas iriam mudar à medida que as condições de vida também se alterassem. Quando as tribos de Israel se assentaram na Palestina, os descendentes de Levi encontraram-se distribuídos por toda a terra, nos dois lados do Jordão, mas em geral estavam intimamente ligados ao santuário central em Siló (Js 21).

Os deveres e as responsabilidades geralmente associados aos membros dessa tribo não continuariam exatamente iguais aos deveres e às responsabilidades que tinham nos dias da peregrinação pelo deserto. Não há dúvida de que aqueles que estavam estabelecidos mais próximos a Siló receberam algumas das responsabilidades do sistema de culto e de sacrifícios, porém o trabalho de desmontar e transportar o Tabernáculo não era mais exigido deles. Aqueles que estavam engajados de outras formas, trabalhavam principalmente como mestres nas cidades onde estavam estabelecidos (cf. Dt 12.18,19; 14.27,29; 2 Cr 17.7-9; 35.3; Ne 8.7).

Depois que Davi transportou a arca para Jerusalém e estabeleceu um programa mais elaborado para a adoração, foi necessário formar um grupo maior de ajudantes na capital (cf. 1 Cr 15.1-15; 25-28; 2 Sm 15.24). Quando o Templo ficou pronto, e foram feitas provisões para os cantores e membros das orquestras, se fez necessário um maior número de levitas (1 Cr 6.16-31; 15.16-24; 16.1,4,37-42). Com tantos levitas disponíveis em toda a nação, parecia razoável esperar que tomassem o caminho em direção ao lugar central.

Quando Jeroboão assumiu as dez tribos do norte, deixou bem claro que os levitas e os sacerdotes não faziam parte de seus planos para a vida religiosa de sua nação. Ele usou homens de sua própria escolha em seus dois lugares de culto religioso (2 Cr 13.9,10). Essa mudança radical praticamente afastou de seu reino todos os levitas remanescentes.

Seria difícil calcular os efeitos dessa mudança no desenvolvimento religioso de Israel. Os levitas haviam sido encarregados de exercer um poder de preservação entre o povo. Se todo esse "sal" fosse eliminado, os resultados poderiam ser desastrosos. Os levitas também estavam encarregados de ensinar o povo a respeito do Senhor (por exemplo, 2 Cr 35.3). Não é de admirar que sem esses ensinos o povo de Jeroboão se inclinasse cada vez mais ao paganismo e a um comportamento indigno perante Deus.

Durante o reinado de Josafá em Judá, os levitas foram encarregados de percorrer o reino com o "livro da lei" e permanecer em cada localidade durante o tempo necessário para ensinar ao povo a respeito de Deus e de sua Palavra (2 Cr 17.7-9). Josafá também inaugurou um tribunal em Jerusalém sobre o juízo do Senhor e sobre as causas judiciais" (2 Cr 19.8-10), e selecionou os levitas que iriam formar aquele corpo de santos conselheiros.

Quando Joiada, o sumo sacerdote, procurou eliminar a influência do culto a Baal que Atalia havia introduzido em Jerusalém, ele foi ajudado pelos heróicos esforços dos levitas, e o cruel usurpador foi deposto e executado. Joás foi colocado no trono de Judá (2 Cr 23.1-21), e os levitas foram usados para ajudar a reparar o Templo.

Na reforma instituída por Ezequias, os levitas ficaram na vanguarda do movimento que restabeleceu o programa de Davi para a adoração espiritual (2 Cr 29.12-16). Eles foram responsáveis pela restauração do programa do coro que tinha muito a ver com a renovação que estava em curso. Os planos e as sugestões de Davi foram executados detalhadamente (2 Cr 29.25-30). Alguns levitas compuseram salmos durante esse período.

Quando Josias subiu ao trono, percebeu que era bastante fácil projetar as forças que iriam garantir suas reformas, porque os levitas haviam preparado o terreno com uma dedicação e fidelidade fora do comum (2 Cr 34.12,13). O movimento da reforma já estava progredindo por causa dos efetivos ensinos dos levitas (2 Cr 35.3); portanto, o programa completo de Davi tornou-se totalmente operacional. Cantores, mestres, porteiros, guardas da porta e ajudantes receberam funções específicas para executar sua parte nessa história que estava rapidamente se desenrolando. Entretanto, não podemos minimizar a influência dos sacerdotes Hulda e Jeremias, embora a vigorosa atitude de Josias tenha sido a grande propulsora desta reforma.

Nenhuma palavra confiável sobre o trabalho e a vida dos levitas durante o exílio chegou até nós. Durante mais de 50 anos em uma terra estranha e sem o templo, os cativos esperaram a prometida libertação. Daniel e Ezequiel exerceram uma importante influência sobre esses exilados, mas o que dizer a respeito dos sacerdotes e dos levitas? Essa reposta não é imediata. Durante esses anos nasceu a idéia da sinagoga, salmos foram escritos, e manuscritos foram copiados e preservados; provavelmente, foi dessa maneira que o programa de ensino dos levitas conseguiu progredir. Quando Zorobabel liderou o povo de volta para Jerusalém, poucos levitas foram relacionados como membros do grupo que retornava (Ed 2.40,70; 3.8-18; 6.16-20). Embora o número daqueles que voltaram com Esdras fosse pequeno demais, ele representava um contingente percentualmente maior do que aquele que esteve presente no primeiro grupo (Ed 7.7,13; 8.15-20,33; cf. Ne 11.18). Antes que os trabalhos de Neemias em Jerusalém tivessem terminado, o antigo programa que Davi havia estabelecido já havia sido restaurado e as obras estavam continuando em um ritmo mais aceitável (Ne 12.8,27,30,44-47; 13.10-31).

Sob a direção de Esdras, os levitas receberam um número crescente de responsabilidades. Eles estavam à sua disposição e participaram zelosamente de seu programa de ensino. O excepcional interesse de Esdras pelos manuscritos exigia muito trabalho na preservação e cópia desses primeiros documentos. Os levitas fizeram muito nessa área, e se mostraram muito úteis como instrutores, assumindo quase todas as funções de ensino no segundo Templo. Seria concebível entender que seus deveres também se estendessem aos trabalhos nas sinagogas.

O Cronista que viveu em aprox. 400 a.C. deu muita importância aos levitas e os apresentou como instrumentos extremamente favorecidos por Deus. Ele os retratou como guardiões especiais da arca da aliança, e como os únicos que tinham permissão de transportá-la (1 Cr 15.2). Quando a arca precisava ser transportada, os levitas eram chamados para executar essa tarefa especial. Mais tarde, alguns levitas escolhidos receberam a incumbência de ministrar perante o lugar santo (1 Cr 16.4), e de elevar louvores a Deus nas cerimônias públicas de adoração. Era uma posição muito distante das épocas anteriores, quando suas atribuições se caracterizavam pelas tarefas servis. Gradualmente, serviços mais especializados, como ensinar e exortar, foram acrescentados aos seus trabalhos, e eles ficaram desobrigados de executar deveres mais onerosos. Sua função se tornou um nobre ministério com muitos e agradáveis benefícios. Era uma grande alegria servir perante o santuário do Senhor.

Ao se descrever suas peculiares qualidades para ministrar perante Deus, foi dito: "Os levitas foram mais retos de coração para se santificarem do que os sacerdotes" (2 Cr 29.34). Dessa forma, os descendentes de Levi tornaram-se os provedores da cultura e da religião. O plano divino era que toda a nação fosse um "reino de sacerdotes", portanto um povo santo. Os sacerdotes e os levitas se tornaram os mediadores desta aliança sagrada. *Veja* Levi; Sacerdote.

***Bibliografia.*** R. Abba, "Priests and Levites", IDB, III, 876-889. Roland de Vaux, *Ancient Israel*, trad. por John McHugh, Nova York. McGraw-Hill, 1961, pp. 358-371.

K. M. Y.

**LEVÍTICO, LIVRO DE** O terceiro livro do AT, assim chamado pelas versões gregas e latinas por causa de sua ênfase no sacerdócio levítico. O título hebraico é *wayyiqra'* (E Ele chamou). Expressão que dá início ao livro. Parte integral do Pentateuco, a narrativa dos capítulos 8–10 e o capítulo 16 continuam a partir de Êxodo 40 e estão resumidos em Números 1. Os acontecimentos começam desde a construção do Tabernáculo, passam pela ordenação dos sacerdotes araônicos e pelo Dia da Expiação, e vão até o censo e a reorganização do povo. Entre eles aparecem quatro coleções de instruções e leis.

Os capítulos 1–7 contêm o único tratamento técnico do sistema sacrificial do AT. Essa seção aparece, muito propriamente, entre o término do Tabernáculo e a ordenação dos sacerdotes.

Além dos sacrifícios, os sacerdotes deveriam transmitir instruções a respeito da pureza ritual. E a descrição do puro e impuro é ensinada nos capítulos 11–15.

Esse tratamento completo e repleto de autoridade, representava o fundamento das instruções que o profeta Ageu procurou nos sacerdotes depois do exílio (Ag 2.10-14).

As palavras "Santos sereis, porque eu, o Senhor, vosso Deus, sou santo" nos capítulos 17–26 (Lv 19.2; 20.7. 26; 21.6-8) deram a essa seção o nome de código da santidade. O texto em Levítico 19.1-17 parece conter uma versão do Decálogo dentro desse código. Compare o código da aliança (Êx 21–23) com o código de Deuteronômio (Dt 12–26). Todos eles fazem o equilíbrio das exigências estritamente religiosas com as da moralidade pessoal e social. O livro de Levítico enfatiza sua inseparável relação com a santidade exigida das pessoas no meio das quais Deus habitará. A frase "Eu sou Jeová [o Senhor]" também é típica. Essas exigências são necessárias pela própria natureza de Deus.

O capítulo 27 é um apêndice das leis relativas aos votos.

**Esboço**

I. Instruções para o Sacrifício, caps. 1–7
II. Ordenação do Sacerdócio de Arão, caps. 8–10
III. Instruções Relativas ao que Era Puro e Impuro, caps. 11–15
IV. O Dia da Expiação, cap. 16
V. O Código da Santidade, caps. 17–26
VI. Apêndice Relativo aos Votos, cap. 27

Embora esse material sacerdotal esteja em uma ordem adequada, ele está inter-relacionado com bastante mobilidade, e está mutuamente ligado somente por uma repetida introdução para a narrativa e para as leis. "E o Senhor [Jeová] disse a Moisés". Jeová é a fonte do conhecimento de Israel sobre a aliança e também sobre todas as suas instituições; e Moisés é o mediador da sua vontade no manancial da existência de Israel como povo da aliança. Cada um dos chamados códigos encontrados em Êxodo, Levítico e Deuteronômio, seja em relação a sacerdotes, sacrifícios ou legislação geral, afirma ser de autoridade mosaica e, acima dela, de autoridade divina.

O tema básico de Levítico é santidade: a diferença entre santidade de Deus e do homem, até mesmo na aliança. O Tabernáculo, os sacrifícios, e o sacerdócio demarcam o contato entre Deus e seu povo, para impedir que as diversidades tornem-se intoleráveis. Embora ofereçam um contato mínimo necessário à vida, em conformidade com os ditames da aliança. O perdão e os ritos da purificação testemunham a disposição de Deus para remover os elementos inimigos de uma santa comunhão. A lei, com suas exortações, revela a vontade de Deus de que o seu povo seja verdadeiramente santo, também, em um sentido moral. As referências do NT a Levítico em Romanos 3.25, Hebreus e Marcos 12.31 mostram o valor desse livro para o cristão, ao expor a expiação do pecado e seus frutos em uma vida de santidade.

J. D. e W. W.

**Autoria e Data**

A questão da autoria e da data do livro de Levítico é parte integrante da crítica do Pentateuco. *Veja* Cânone das Escrituras, o AT; Lei de Moisés; Pentateuco.

A Escola Crítica, geralmente, localiza o livro de Levítico na época de Esdras. W. Möller, entretanto, mostrou que muitas passagens de Deuteronômio pressupõem a existência de Levítico de modo que, mesmo estando de acordo com a hipótese documental de Wellhauser, esse livro deve ter sido colocado sob a forma escrita antes, ou depois, do período do exílio (ISBE, III, 1878). O livro de Deuteronômio, por exemplo, leva em consideração tipos diferentes de sacrifício (cf. Dt 12.6,11,17,26,27), da mesma forma como foram descritos em Levítico 1–7. Ele menciona o direito que os sacerdotes tinham de receber recursos do povo (Dt 18.3-5) em forma de ofertas, com as quais os israelitas já deveriam estar familiarizados (veja Lv 7.32-34). O texto em Deuteronômio 24.8 refere-se diretamente às leis relativas à lepra, também encontradas em Levítico 13–14. Os regulamentos para não comer sangue, mesmo de animais selvagens, e para derramá-lo sobre o solo (Dt 12.15,16,22-25; 15.22,23) só podem ser entendidos à luz de Levítico 17.10-14.

Além disso, referências indiretas nas leis de Levítico apontam para uma época em que Israel vivia em acampamentos (Lv 4.12; 13.46; 14.3,8; 17.3), no meio do deserto (Lv 16.10,21,22). Qualquer pessoa poderia facilmente trazer o animal que havia matado para a tenda da congregação, ou Tabernáculo, para oferecê-lo primeiro ao Senhor (Lv 17.3-9). Entretanto, em relação a comer a sua carne, foram feitas provisões em Deuteronômio para as ocasiões em que as pessoas não podiam ir ao lugar central de adoração (Dt 12.15,20,21).

E. K. Harrison argumentou a favor de uma data (mosaica) anterior para o livro de Levítico, a partir de comparações feitas en-

O rio do Cão, a passagem do rio do Cão e as montanhas do Líbano. Photo Sport

tre textos religiosos e sacerdotais da antiga Suméria e do Egito. As práticas escriturais dessas regiões indicam que as liturgias e rituais estavam, desde tempos remotos, comprometidos com sua anotação, e foram cuidadosamente preservados durante muitos séculos. Eles não eram transmitidos de uma geração a outra sob a forma oral antes de serem finalmente escritos. A literatura sumeriana era propagada por meio de cópias textuais, e ela foi conservada por compiladores ou comentaristas posteriores sem qualquer modificação (*Introduction to the Old Testament*, pp. 591ss.).
Os nomes das ofertas, semelhantes àquelas descritas em Levíticos 1–7, foram descobertos na literatura ugarítica (cananéia) dos séculos XIV e XIII a.C., encontrada em Ras Shamra (Archer, SOTI, pp. 149, 163). Escavações realizadas em Laquis desenterraram três santuários cananeus (1500-1200 a.C.) ao lado de uma pilha de refugos contendo uma grande quantidade de ossos de animais. A maioria deles pertencia à perna dianteira ou ao ombro (cf. Lv 7.32,33), desmentindo a afirmação de críticos destacados de que os sacrifícios dos levitas seriam, necessariamente, uma instituição posterior. Documentos legais de Ugarite, que representam escrituras de propriedade têm, muitas vezes, semelhanças com o termo "em perpetuidade" encontrado em Levítico 25.23,30 indicando que a transferência havia sido feita com grau de perpetuidade (J. J. Rabinowitz, AT, VIII [1958], 95).
Estas descobertas são suficientes para negar a afirmação de que a terminologia do livro de Levítico exige uma data posterior, isto é, um milênio inteiro após a época de Moisés.

J. R.

***Bibliografia.*** Oswald T. Allis, "Leviticus", NBC. Andrew A. Bonar, *A Commentary on the Book of Leviticus,* 1851; 5ª ed., Londres. Nisbet, 1875 (Zondervan, reimpresso em 1959). A. T. Chapman e A. W. Streave, *The Book of Leviticus*, Cambridge. University Press, 1914. Charles R. Erdman, *The Book of Leviticus,* Westwood, N. J.: Revell, 1951. Roland K. Harrison, *Introduction to the Old Testament,* Grand Rapids; Eerdmans, 1969, pp. 589-613. A. Jukes, *Law of Offerings in Leviticus,* I-VII, Londres. Nisbet, 1870. Samuel H. Kellog, *The Book of Leviticus,* ExpB, 3ª ed., Londres. Hodder & Stoughton, 1899. Wilhelm Möller, "Leviticus", ISBE, III, 1870-1880. Charles F. Pfeiffer, *The Book of Leviticus, a Study Manual,* Grand Rapids. Baker, 1957, e a literatura ali relacionada.

**LIBAÇÃO** Na Antiguidade, a palavra libação referia-se a um líquido ou a uma mistura de líquidos derramados sobre a oferta como parte do sacrifício. Entre os hebreus, a quantidade dessa libação era designada como a quarta parte de um "*him*", isto é, um pouco mais do que duas medidas (Nm 15.5). A libação geralmente consistia de vinho puro, mas, às vezes, o vinho era misturado com mel e água. Era costume derramá-lo sobre a vítima no altar depois de morta (Lv 9.4; 2 Rs 16.13). *Veja* Altar; Sacrifício; Oferta.

**LÍBANO** Apalavra Líbano vem provavelmente de uma palavra semítica que significa "ser branco." Nome sugerido pelos penhascos de pedra calcária brilhante das montanhas da região, ou pela neve que cobre alguns dos picos durante a maior parte do ano. O moderno país do Líbano abrange uma área geográfica de aproximadamente 9.000 quilômetros quadrados, cerca da metade do País de Gales, ou uma área um pouco menor do que o estado de Connecticut, nos E.U.A
O Líbano faz parte de uma estrutura geológica que se estende desde a cordilheira Taurus, da Ásia Menor, até o golfo de Suez. Basicamente, essa estrutura inclui uma planície costeira, uma cadeia de montanhas do lado ocidental, um vale fértil e uma outra cadeia de montanhas do lado oriental. Sua planície costeira tem em média cerca de dois quilômetros e meio de largura. Atrás dessa planície encontram-se as montanhas do Líbano.
Com cerca de 170 quilômetros de comprimento, elas têm muitos picos, e alguns chegam a 2.300 ou 2.600 pés de altitude. Na região norte, eles alcançam uma altura máxima de mais de 3.300 metros, e sua largura varia entre 56 quilômetros ao norte e 10 quilômetros ao sul.
O fértil vale entre as montanhas do Líbano e as montanhas Anti-Líbano, isto é, o vale do Beqa, tem uma média de 10 quilômetros de largura, e se estende por 120 quilômetros entre o norte e o sul. Esse vale está localizado em uma altitude média de 900 metros que, nas proximidades de Baalbek, se eleva a 1.200 metros. Nesse local encontra-se a bacia hidrográfica de onde o rio Orontes corre na direção noroeste, e o Leontes ou Litani que corre na direção sudoeste.
A cadeia oriental de montanhas, o Anti-Líbano, corre paralela às montanhas do Líbano em igual comprimento e altura. Esse complexo de montanhas encontra-se dividido em duas partes pelo planalto e pela foz do Barada, ou rio Abana. A região sul dessa cadeia oriental, ou o monte Hermom, eleva-se a uma altura de aprox. 3.200 metros, e é um dos mais altos e majestosos picos da Síria. As montanhas Anti-Líbano recolhem suas águas e as enviam em direção sul até o sistema do Jordão, e em direção oeste até os canais do Barada (ou Abana) e o Farpar (Farfar) ou Awaj, que formam o oásis de Damasco.
Os povos que habitavam a região do Líbano durante os tempos bíblicos, os fenícios, (q.v.) prosperaram por causa do comércio que, em parte, se baseava na produção de uma tinta púrpura (q.v.) obtida de um molusco chamado murex, e em parte pela venda de madeira de cedro (q.v.) para egípcios, hebreus, persas e outros.
A beleza e a prosperidade da região do Líbano, muitas vezes, inspiraram os escritores da Bíblia Sagrada (por exemplo, Dt 3.25; Sl 72.16; 92.12; Ct 4.15; 5.15; Is 35.2; 60.13; Os 14.5). *Veja* Também Fenícia; Irã; Tiro; Sidom.

H. F. V.

**LIBERALIDADE** As seguintes palavras se encontram na base desse conceito: (1) A palavra grega *haplotes,* simplicidade, naturalidade, sinceridade mental, franqueza de coração e generosidade. Ela foi usada com esses dois últimos significados em 2 Coríntios 8.2 (cf. 9.11,13). (2) A palavra grega *charis*, graça ou benevolência, no sentido de se fazer alguma coisa além daquilo que é requerido, como, por exemplo, enviar uma oferta ou dádiva a cristãos necessitados em qualquer lugar do mundo (1 Co 16.3).

**LIBERALISMO** O liberalismo – ou modernismo, como é chamado popularmente – é um sistema religioso que rejeita a Bíblia como a infalível Palavra de Deus, e procura desacreditar seu objetivo e sua verdade intelectual. Ele está baseado em uma experiência pessoal subjetiva e emocional.
Esse sistema foi fundado por Schleiermacher (1768-1834). Ele afirmava que os conceitos sobre a criação, os milagres, a concepção virginal do Salvador, e outros conceitos bíblicos, eram cientificamente insustentáveis. Portanto, a religião deveria ser reconstruída a fim de não perder o apoio das pessoas cultas.
A beatice já havia preparado o caminho para a rejeição da teologia intelectual em favor de uma experiência emocional. Embora os reformadores tivessem argumentado que a experiência cristã resultava de uma crença baseada em evidências razoáveis – aquele que vai a Deus deve (primeiro) acreditar que Ele existe – Schleiermacher negava a necessidade de uma revelação verbal que transmitisse conhecimentos, e eliminava a necessidade da graça afirmando que a religião é essencialmente uma questão de sentimentos. A graça não é necessária porque toda pessoa tem uma

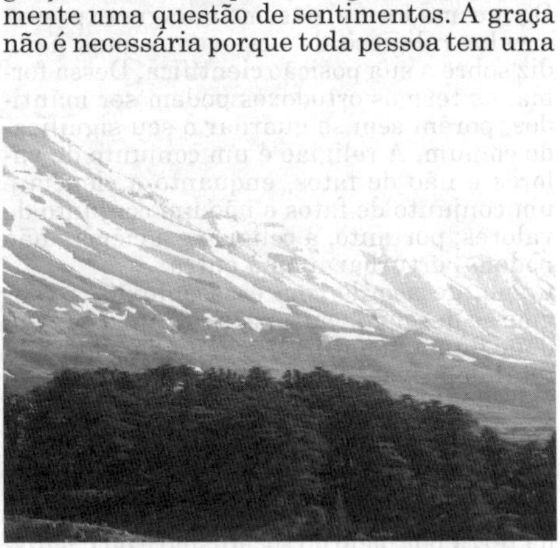

Cedros do Líbano nas encostas das montanhas do Líbano

capacidade inata para a religião. Esses sentimentos são naturais e, por eles, o homem realiza suas possibilidades inerentes.
De acordo com o sistema de Schleiermacher, as doutrinas particulares de seus dogmas são obtidas pela análise dos sentimentos das pessoas. Os sentimentos, naturalmente, são subjetivos. Eles não refletem o caráter objetivo do ambiente. Ao contrário, eles refletem os sentimentos interiores da pessoa que os experimenta. Portanto, para ele, os dogmas não eram o conhecimento de Deus, mas a descrição dos sentimentos das pessoas.
Dessa forma, Schleiermacher substituiu a teologia bíblica ou sistemática pela psicologia da experiência religiosa.
Filosoficamente falando, ele era uma espécie de panteísta. Porém, para conservar sua reputação de proeminente pregador cristão da Alemanha, ele disfarçou ao máximo possível suas verdadeiras opiniões, e usava apenas uma linguagem conservadora.
Um importante desenvolvimento posterior do liberalismo pode ser encontrado em Albrecht Ritschl (1822-1889). Embora estivesse mais convencido que Schleiermacher de que a Bíblia está científica e historicamente errada, ele procurou preservar a semente essencial do cristianismo descartando tudo que considerava sem valor. A ciência e a crítica bíblica, ele afirmava, tratam de fatos. Elas são objetivas. Afirmam coisas que existem. Mas a religião consiste exclusivamente de julgamentos de valores. Ao falar sobre a Divindade ou a Natureza Divina, seus predicados podem ser conservados, mas somente como a expressão do valor da revelação de Cristo, isto é, o seu valor religioso. Dizer que Cristo é Deus não é uma proposição intelectual que se refere à essência ou à natureza de Cristo, mas uma avaliação emocional e subjetiva do termo Cristo aplicado à experiência do adorador. Da mesma forma, o termo milagre expressa o valor religioso de um evento, mas nada diz sobre a sua posição científica. Dessa forma, os termos ortodoxos podem ser mantidos, porém sem se guardar o seu significado comum. A religião é um conjunto de valores e não de fatos, enquanto a ciência é um conjunto de fatos e não um conjunto de valores; portanto, a religião e a ciência não podem perturbar uma à outra.
Como, de acordo com essa opinião, a religião se desenvolveu a partir de uma capacidade humana natural, a doutrina bíblica da total depravação do homem foi substituída pela doutrina de que o homem é essencialmente bom. Como resultado, Herbert Spencer escreveu sobre o desaparecimento do mal e os religiosos passaram a insistir com os políticos para construir o reino de Deus na terra por meio do socialismo e do pacifismo. Esse tema, que passou a ser constante na maioria dos sermões, logo se tornou a paternidade universal de Deus, e a fraternidade universal do homem.
Essas idéias se espalharam pela América. Na década de 1920, o modernismo popular produziu resultados como o ataque de Harry Emerson Fosdick ao nascimento virginal; seus sermões sobre "O perigo de adorar Jesus" e "Será que os fundamentalistas irão vencer?; além da "Auburn Affirmation", um documento assinado por mais de 1.200 ministros presbiterianos que repudiavam a verdade da Bíblia e declaravam que o nascimento virginal, a expiação e a ressurreição não eram essenciais ao cristianismo. Eles foram acompanhados por homens mais profundos como Walter Rauschenbusch do *Rochester Theological Seminary*, que em 1907 publicou sua influente obra "*Christianity and the Social Crisis*". Esta ênfase sociológica levou a um desinteresse em relação ao céu (mais tarde e de forma mais incipiente) e em relação a Deus. Naturalmente, o termo Deus foi conservado, mas H. N. Wieman, da Universidade de Chicago, definiu Deus como "aquele conjunto de acontecimentos aos quais o homem deve se ajustar a fim de alcançar maiores bens e evitar maiores males". Portanto, Deus tornou-se uma parte ou um aspecto do mundo.
Os humanistas têm acusado os liberais de inconsistência e desonestidade no seu uso da terminologia ortodoxa, e insistido para que adotem abertamente o naturalismo.
Na Europa, a esperança liberal de penetrar no reino de Deus pelo socialismo foi abalada pela 1ª Guerra Mundial, enquanto a 2ª Guerra Mundial enfraqueceu o otimismo americano.
Agora, ninguém poderia deixar de ver que o socialismo – seja o socialismo nacionalista de Hitler ou o socialismo internacional do comunismo – ou qualquer outra forma de "grande governo ", só serve para dar maior escopo à depravação do homem. O homem precisa ser guiado, não pelas emoções ou por subjetivos pensamentos válidos, mas por uma mensagem divina objetiva. Ele precisa, não do desenvolvimento de suas capacidades inerentes, mas de uma regeneração sobrenatural. O homem precisa, basicamente, não de atos políticos ou econômicos, mas da teologia da salvação do pecado por meio de Senhor Jesus Cristo.
*Veja* Existencialismo; Teologia "Deus Está Morto"; Neo-ortodoxia; Teologia.

G. H. C.

**LIBERDADE[1]** *O conceito do AT sobre liberdade.* A palavra hebraica *d*[e]*ror* freqüentemente implica em libertação da escravidão ou da prisão (por exemplo, Jeremias 34.8-17), com o seu cognato acadiano correspondente, *andurarum*, significando uma libertação nos documentos legais do reino de Hana. A LXX traduz o termo como *aphesis*, um termo grego para isenção ou libertação de impostos, que foi encontrado na Pedra Roseta (1.12; inscrita em 196 a.C.), e nos papiros do período Ptolemaico (Deiss BS, pp. 100ss.). Na economia do AT, ela era exemplificada pela libertação, a cada sete anos, de todos os escravos que eram iguais aos israelitas a não ser que preferissem continuar permanentemente com os seus senhores (Dt 15.12-18). Também a cada cinqüenta anos, ocasião em que ocorria o chamado ano do jubileu, os escravos hebreus deveriam ser libertados, e todas as terras agrícolas de posse de particulares deveriam ser devolvidas ao seu dono original (Lv 25.10; Ez 46.17). Jeremias falou contra os cidadãos de Jerusalém que haviam celebrado uma aliança com o rei Zedequias para libertar seus escravos e que, em seguida, tornaram a colocá-los em servidão pela segunda vez (Jr 34.8-22). Dessa forma, liberdade significava "o feliz estado de ter sido libertado da servidão para uma vida de alegria e satisfação que anteriormente não era possível!" (NED, p. 732).

*O conceito do NT sobre liberdade.* Ao falar na sinagoga de Nazaré, o Senhor Jesus Cristo escolheu a passagem de Isaías 61.1ss. que previa a libertação dos cativos e a liberdade para os oprimidos e prisioneiros. Depois, Ele declarou: "Hoje se cumpriu esta Escritura em vossos ouvidos" (Lc 4.16-21). O Senhor tinha vindo para libertar os escravos do pecado e de Satanás (Jo 8.34-36,41-44).

Duas espécies de liberdade foram previstas por Cristo: a liberdade espiritual que teve início, em seu sentido mais amplo, depois do Calvário; e a completa liberdade política, que somente será alcançada com a inauguração do reino milenial. O apóstolo Paulo fala sobre a liberdade espiritual (gr. *eleutheria,* de *eleutheros,* "livre") inaugurada pela cruz, e declara que ela liberta o homem de todo legalismo e autojustificação (Rm 8.21; Gl 5.1ss.). Ela terá o seu apogeu na "liberdade da glória dos filhos de Deus", quando toda a criação será libertada da escravidão da corrupção (Rm 8.21).

Alguns acreditam que essa liberdade não existia, dentro de um sentido real, antes da cruz, embora outros estejam convencidos de que ela já existia no AT, e que isso pode ser provado pelo fato de os israelitas terem sido salvos pela graça baseada exclusivamente na fé. Essa afirmação encontra evidências em Romanos 4, onde foi dito que Abraão foi justificado pela fé, antes de receber a lei, e Davi foi justificado depois da lei e de acordo com ela. Entretanto, eles consideram a cruz como um fator de verdadeira diferença, no sentido de que ela trouxe a liberdade necessária para que o Espírito Santo realizasse um ministério mais completo no NT do que no AT.

Paulo insistia em uma absoluta liberdade do sistema de leis de Moisés como o resultado da justificação por meio da fé em Cristo (Rm 7.1-6; 1 Co 10.29; 2 Co 3.17; Gl 2.4; 4.21-31; 5.1,13). Ao mesmo tempo, ele advertiu contra o uso desta liberdade como uma base para a licenciosidade (1 Co 6.12; 10.23; Gl 5.13; cf. 1 Pe 2.16), e também contra a permissão para que ela se torne uma pedra de tropeço para algum irmão mais fraco (Rm 14.1-23; 1 Co 8.7-13).

R. A. K.

*O exercício da liberdade cristã com referência à lei.* A liberdade cristã está sujeita a uma grande quantidade de mal-entendidos, porque, muitas vezes, o conceito da lei é entendido de forma imprópria. Sem palavras ou frases adjetivas a ele anexadas, o conceito da lei faz referências ao ensino e à instrução que emergem em regras ou princípios de conduta. Lei é norma de vida. A lei de Deus é uma norma de vida que Ele entregou para ensinar sua vontade aos homens. No progresso da divina revelação, Deus achou por bem estabelecer diferentes formas ou sistemas de regras que variam de acordo com a época, os povos e o propósito divino. Uma visão adequada dessa organização é especialmente importante, quando se trata da questão da liberdade cristã, e da lei.

A lei de Moisés, também chamada de lei do AT, contém a revelação de Deus a Moisés. Embora se acredite que os Dez Mandamentos sejam praticamente o sinônimo da lei mosaica, esse sistema de leis, de acordo com a interpretação judaica mais comum, está dividido em 613 mandamentos que abrangem todas as áreas da vida e da religião judaica. Embora seja possível dividir esse sistema de leis em diferentes categorias, nunca se deveria permitir que ele obscurecesse o fato de que a lei de Moisés é uma unidade e, como tal, ela se mantém como um todo, ou desmorona como um todo. Dizer que apenas uma parte da lei mosaica permanece em vigor atualmente (como o Decálogo) é ignorar sua natureza unitária (cf. Charles Ryrie, *The Grace of God*, Moody Press, 1963, pp. 98-105).

Além de ser unitária em sua natureza, a lei mosaica é distintamente judaica, isto é, seus pretendidos destinatários eram os israelitas, e esse ponto ficou bem claro nos dois Testamentos (Lv 26.46; Rm 2.14; 9.4).

Como regra de conduta para o crente, a lei mosaica teve o seu fim a partir do ministério do Senhor Jesus Cristo, em virtude de Cristo ter atendido todos os seus requisitos, além de ter sido o seu cumprimento e a sua meta (Rm 7.4; 10.4; Gl 3.10-13; 2 Co 3.7-11; Hb 7.11,12). Aqueles que destacam algumas seções da lei de Moisés (como o Decálogo ou as leis alimentares) e insistem que ainda estão em vigor atualmente, embora outros elementos tenham chegado ao fim a partir do ministério do Senhor Jesus Cristo, ignoram o fato de que quando a lei de Moisés terminou, ela terminou como uma unidade, um sistema ou um todo. O crente de hoje não está vinculado ao sistema de leis de Moisés.

Isso não significa que a lei mosaica não tenha qualquer uso ou valor atualmente, porque ela ainda prevalece "se alguém dela usa legitimamente" (1 Tm 1.8). Em parte, esse uso pareceria consistir em indicar o caráter do pecado aos ímpios e pecadores (1 Tm 1.7-10), e conduzir o crente até o ponto de entender sua condição de condenação e desespero (Rm 3 e Gl 3).

Além disso, devemos reconhecer que na lei mosaica estão incorporados princípios morais e espirituais (como nove dos Dez Mandamentos, excluindo-se a guarda do sábado), com uma duradoura validade universal que transcende o caráter judaico temporário do sistema de leis de Moisés. O crente deve se considerar responsável por esses princípios atemporais, não por estarem personificados na lei Mosaica, mas por causa desse caráter atemporal indicado por sua inclusão essencial na revelação do NT.

Entretanto, o fato do cristão estar isento da lei mosaica (Rm 7.6) não significa que ele esteja isento da lei, isto é, das normas de vida. Essa não é a natureza da liberdade cristã, pois além do cristão estar livre da lei Mosaica, ele também está livre da escravidão do pecado (Rm 6.17-23). Isso não implica em uma falta de normas. Na verdade, essa mesma passagem fala sobre a nova situação do crente como servo da justiça, e servo de Deus (Rm 6.19,22).

Talvez, a melhor maneira de nos referirmos a essa nova norma, à qual o cristão está sujeito, fosse chamando-a de "lei de Cristo" (Gl 6.2; 1 Co 9.21). A essência da lei de Cristo é o amor a Deus e ao próximo (Lc 10.27; Mt 22.35-40; Jo 13.34; Mt 5.44), além de todos os outros imperativos do NT pelos quais o cristão é responsável, que estão implícitos e que fluem dessa ética do amor (Rm 13.8; cf. 1 Co 13; Gl 5.14,22,23; Cl 3.14). Embora a lei de Cristo não tenha sido codificada no mesmo sentido que a lei de Moisés, ainda assim seus preceitos estão divididos em três categorias, isto é, mandamentos positivos, mandamentos negativos e princípios não específicos de conduta.

*A liberdade cristã com referência à licenciosidade.* As doutrinas da graça e da liberdade têm sido, muitas vezes, mal interpretadas e mal utilizadas por aqueles que procuram satisfazer seus desejos pecaminosos. Está bastante claro que a graça e a liberdade não justificam a indulgência que alguns demonstram em relação à carne (Rm 6.1,2; Gl 5.13). A licenciosidade e a libertinagem foram não só categoricamente repudiadas (como em Rm 6.1,2 e Gl 5.13), mas sua impropriedade para o cristão está claramente implícita na responsabilidade que este tem perante a lei de Cristo, como explicamos acima. Mas, nesta conexão, três coisas são especialmente importantes: a liberdade cristã está limitada pelo amor (Gl 5.13,14); a liberdade cristã, em um certo sentido, é uma nova escravidão (Rm 6.16-22); e, a liberdade cristã deve ser exercida sob o controle do Espírito Santo (Gl 5.13-22).

*A liberdade cristã com referência ao Espírito Santo.* Sem o ministério do Espírito Santo, o crente cairá na libertinagem ou no legalismo. O Espírito Santo protege o cristão contra a libertinagem, provendo a direção para o exercício da liberdade pela aceitação de sua Palavra escrita, e pelo controle que Ele deseja exercer em cada cristão por meio de sua presença interior (1 Co 6.19,20). Este controle é descrito por meio de conceitos como andar no Espírito (Gl 5.16,25), andar de acordo com a direção do Espírito (Rm 8.4), ser guiado pelo Espírito (Rm 8.14), e ser cheio com o Espírito (Ef 5.18).

Por outro lado, a forma de controle do Espírito evita o legalismo. Ao invés dos preceitos do NT serem objetos de temor, eles são objetos de prazer, pois o Espírito produz a vida, o poder e a motivação que tornam a obediência a Cristo e aos seus preceitos uma questão de amor, e não uma mera necessidade legalista. Por essa razão, as graças cristãs são chamadas de "fruto do Espírito" (Gl 5.22,23).

*Veja* Liberdade[2]; Lei.

S. N. G.

***Bibliografia.*** Ch. Biber, "*Freedom*", *A Companion to the Bible*, ed. por J. J. von Allmen, Nova York. Oxford Union Press, 1968, pp. 129-132. J. I. Packer, "Liberty", NBD, pp. 732ss. Charles C. Ryrie, *The Grace of God,* Chicago. Moody Press, 1963, pp. 92-113, 121-126. Heinrich Schlier, "*Eleutheros etc.*", TDNT, II, 487-502.

**LIBERDADE[2]** Liberdade é a isenção ou libertação de uma pessoa do domínio ou obrigação que tinha para com algo ou alguém. O conceito aparece freqüentemente na Bíblia, especialmente nas passagens que tratam das leis de escravidão sob o regime mosaico e, também, nas epístolas paulinas, onde o termo é aplicado à vida espiritual individual. Quando Abraão encarregou seu servo de encontrar uma esposa para Isaque, exigiu que este jurasse que não levaria Isaque de volta à terra de tinha vindo, mas que persuadiria a mulher escolhida a vir ao encontro de Isaque. Se a mulher se recusasse, o servo estaria livre de seu compromisso (Gn 24.8,41). Estar livre significava que o servo não precisaria mais continuar a busca, mas poderia considerar sua missão cumprida.

*Liberdade política.* A teoria de governo não é discutida na Bíblia. O governo autocrático prevaleceu na época em que foi escrito, mas a semente e a origem da liberdade podem ser encontradas na revelação cristã. No diálogo de Paulo com o comandante (ou tribuno) romano, responsável pela guarnição em Jerusalém, este último disse que havia comprado sua cidadania por um alto preço. Paulo orgulhosamente afirmou que tinha esta cidadania desde seu nascimento (At 22.28). A liberdade política era geralmente herdada dos ancestrais, e era um privilégio das classes mais elevadas. Era um direito inalienável, a menos que alguma complicação legal estivesse envolvida.

*Liberdade social*. Cada membro da comunidade judaica era um homem livre, exceto os prisioneiros de guerra, que eram feitos escravos, e aqueles que voluntariamente se vendiam a fim de pagar alguma dívida. Sob a lei do AT, um escravo era geralmente libertado ao completar seis anos de serviços (Êx 21.2-6; Dt 15.12). Após o escravo comprar sua liberdade com seu trabalho, era liberado e podia, então, viver sua própria vida.

*Liberdade espiritual*. Liberdade na Bíblia está ligada principalmente ao conceito de libertação do pecado. Jesus declarou que qualquer homem que comete pecado é escravo do pecado, e que este só pode ser liberto pela intervenção do Filho de Deus, que é o único capaz de quebrar o jugo do pecado (Jo 8.32-36). A operação da nova vida do Espírito pode livrar o homem da lei depressiva do pecado e da morte, e pode produzir a esperança da libertação final da corrupção que segue o pecado (Rm 8.2,21). Esta liberdade não é o produto do legalismo, mas da fé (Gl 4.23-31).

A liberdade, porém, não consiste em licenciosidade, mas é manifestada em amor (Gl 5.13). É a operação voluntária da vontade que motiva os homens a cumprirem o propósito de Deus. Fazer o que é certo para satisfazer o desejo mais profundo que existe em si mesmo, é liberdade.

A liberdade da vontade humana é reconhecida pela Bíblia, embora não seja discutida filosoficamente. Ela assevera a habilidade de escolher uma dentre duas ou mais alternativas sem uma compulsão externa. Deus também é livre; Ele pode escolher fazer o que quiser (Dn 4.35). Pelo fato de Deus ser uma personalidade infinita, e o homem ser finito, a liberdade do homem reside dentro do círculo da liberdade de Deus. O homem pode, a qualquer momento, decidir aceitar ou rejeitar a alternativa que aquele momento oferece, mas ele não pode escolher evitar as conseqüências de sua escolha, nem pode se recusar a responder às alternativas. Recusar-se a escolher é em si uma escolha. Além disso, cada escolha modifica todas as subseqüentes. Um ato pode ser repudiado ou contrariado, mas nunca se pode voltar atrás ou desfazê-lo. A liberdade do homem está circunscrita por seus atos anteriores, visto que o passado afeta o presente. Uma vez que o presente afeta o futuro (excetuando-se a intervenção de Deus), o homem vive em um círculo vicioso de causa e efeito, que deve, finalmente, amarrá-lo completamente.

O homem pecou; conseqüentemente, o horizonte de sua liberdade foi limitado. Ele pode escolher se irá ou não praticar algum pecado em particular, mas não pode escolher se irá ou não ser um pecador. Ele pode apenas reconhecer o fato, e aceitar o livramento que Deus lhe quer dar. Ele tem a liberdade de recusá-lo, mas não pode evitar as conseqüências de sua recusa.

Deus desfruta de liberdade perfeita, porque nunca está sob a necessidade de agir de modo contrário à sua própria natureza. Nenhuma compulsão exterior pode ter qualquer efeito sobre Ele, porque Ele criou o universo e é soberano sobre este. Como o Bem Absoluto, Ele é superior a toda obrigação e coerção.

Por Deus ser completamente justo, Ele não está limitado pelos embaraços do mal. Ele é livre para exercer seu poder criador e redentor como julgar adequado, e a qualquer momento, e o que quer que seja que Ele faça, deve, por fim, resultar em bem para todos os interessados. Não pode haver um conflito real entre a responsabilidade moral do homem e a vontade soberana de Deus, uma vez que a constituição do universo, que abrange a opção da escolha moral, é estabelecida pelo decreto divino. Deus criou o mundo com a possibilidade de liberdade porque ela é uma parte essencial de sua natureza. Embora a liberdade do homem esteja circunscrita pelo que é finito, ela não é menos genuína do que a de Deus, que é infinito. Dentro da esfera reservada ao homem, ele é livre.

Esta liberdade, porém, tem sido seriamente reduzida pelo pecado. Os males que têm sido produzidos pelas escolhas erradas do passado colocam em situação desvantajosa o pleno exercício do livre arbítrio, não porque Deus tenha arbitrariamente determinado assim, mas porque em um universo ordenado, a liberdade só pode sobreviver dentro da lei. A liberdade não é sinônimo de caos. A fim de restringir o mal e impedir que o mundo fosse permanentemente escravizado, Deus interveio recorrendo à redenção. Ele detém a prerrogativa da decisão final.

Tanto a liberdade do homem como a soberania de Deus são apresentadas na revelação bíblica, freqüentemente nas mesmas passagens, ou em passagens contíguas. A liberdade depende de se permanecer na obra de Cristo, o que envolve um ato da nossa vontade (Jo 8.31,32); mas a liberdade é um dom de Deus, é algo que só Ele pode verdadeiramente dar (Jo 8.36).

*Veja* Exemplo; Libertação; Liberdade[1].

***Bibliografia***. Heinrich Schlier, "*Eleutheros* etc"., TDNT, II, 487-502.

M. C. T.

**LIBERDADE, ANOS DE** *Veja* Festividades; Jubileu.

**LIBERTAÇÃO** Liberação, livramento, liberdade são palavras que abrangem o conceito bíblico de libertação da escravidão, servidão, ou prisão. São utilizadas as seguintes palavras: as hebraicas *y^e^shu'a* (três vezes) e *t^e^shu'a* (cinco vezes), "segurança, libertação"; *p^e^leta* (cinco vezes), "fuga, libertação"; e as palavras gregas *apolutrosis,* "desligar, soltar" (uma vez em Hb 11.35 como livramento); *aphesis,* "mandar embora, libertar" (uma vez em Lc 4.18). Essas palavras são complementadas por um estudo de palavras que denotam liberdade: a palavra hebraica *hophshi,* "livre", usada 12 vezes para liberdade da escravidão e quatro vezes para liberdade em relação a outras situações; e a palavra grega *eleutheros* (livre) usada 18 vezes para expressar o conceito de liberdade do NT.

No AT, são mencionadas três espécies de libertação:

1. Libertação da escravidão do Egito para se tornar um povo especial de Deus, um reino de sacerdotes e uma nação santa (Êx 19.3-6; cf. 1 Pe 2.9; Ap 1.6; 5.10). Foi Deus, com sua soberana graça, que trouxe essa libertação (Êx 20.1,2). Esta libertação da opressão e da penúria no Egito para a liberdade e a opulência da Palestina (Êx 3.8; Dt 89.7), não foi uma libertação para a libertinagem, mas da servidão do Faraó para o serviço de Deus (Lv 25.55). Cada uma dessas fases da libertação de Israel do Egito pode ser encontrada no NT. Os crentes estão livres da servidão de Satanás e do mundo (Ef 2.1-3; Rm 6.16) para formar um reino de sacerdotes (1 Pe 2.9) e de servos do Senhor (Mt 10.24. Lc 17.10; Rm 1.1).

2. Libertação de escravos. A dignidade do homem era preservada nas leis para libertar os escravos a cada sete anos ou no ano do jubileu, o que acontecesse primeiro, e no tratamento humanitário (Êx 21.2-11; Lv 25.39-55; Dt 15.12-15; Jr 34.8-11,14).

3. Libertação de Israel. Se Israel obedecesse a Deus, o povo gozaria de paz e liberdade (Dt 28.1-14), porém a rebelião e a idolatria os levariam a ser escravos de outras nações (Dt 28.15-69). Entretanto, uma gloriosa libertação foi prometida com a vinda do Messias (Is 61.1), e esta situação está dividida em duas partes. O Senhor Jesus Cristo citou e cumpriu a primeira: "O Espírito do Senhor é sobre mim"... para "anunciar o ano aceitável do Senhor" (Lc 4.16-20) em sua primeira vinda (v. 21), enquanto a segunda, "o dia da vingança do Senhor", ainda deverá ser cumprida pouco antes de seu segundo advento. Com esse retorno milenial, Ele conduzirá todos os salvos à maior libertação, da qual participarão tanto a Igreja como Israel (Jl 2.32; Am 9.11; cf. Rm 11.26; Ob 17; Zc 14.1ss. [cf. Rm 4.16; Hb 11.39,40]).

No NT, a libertação assume uma natureza muito mais teológica. O NT fala sobre uma libertação mais espiritual do que física. Como mencionamos, o Senhor Jesus Cristo citou Isaías 61.1 e falou de seu cumprimento com a sua vinda (Lc 4.16-20; cf. Jo 8.34-36; 41-44) e com o julgamento de Satanás (Jo 12.31; 16.11; Mc 3.27; cf. Lc 10.17). Suas palavras cobrem a libertação: (1) de Satanás e de seu poder ao considerarmos que estamos mortos para o pecado e que ele não terá poder sobre nós (Rm 6.6,7,11-23); (2) de Satanás e seus poderes demoníacos (Lc 10.17; Cl 1.13; cf. Ef 6.10-18); (3) da lei como meio de redenção (Rm 6.14; 7.5-15; 8.2-4; Gl 4.21ss.; 5.1,2); (4) da abolição do cerimonialismo que acompanha a lei (Gl 2.5; 5.3-6; Hb 10.26; 12.27); (5) da morte e do temor da morte, não no sentido de que o cristão não irá morrer, mas de que sua natureza pecadora será eliminada e ele terá um corpo ressuscitado (Rm 6.9,10; 8.18-23; Hb 2.14,15); e (6) das superstições pagãs. O crente não é mais escravo de idéias politeístas e das práticas do paganismo (1 Co 10.23; Rm 14.1ss.).

A libertação espiritual ensinada nas Escrituras protege contra dois extremos. Primeiro, proibindo a libertinagem: "Façamos males para que venham bens?" e "para que a graça seja mais abundante?" (Rm 3.8; 6.1,2); Segundo, ela não ensina o legalismo, isto é, a salvação pelas obras, pela perfeita obediência às leis. Somente Cristo pôde cumprir e de fato cumpriu a lei para a nossa salvação; portanto, toda obediência praticada pelo homem visando sua autojustificação está condenada (Rm 3.19,20; Gl 5.4). A liberdade do crente é aquela que dever ser mantida por uma vida de santificação progressiva, e que ocorre dentro dos limites da lei (Mt 5.17-19,21,27,43,48; 22.35-40; Rm 13.8-10). Gozamos de liberdade quando vivemos de acordo com seus preceitos; portanto, ela é chamada de "lei perfeita da liberdade" (Tg 1.25), "lei real" (Tg 2.8), e "lei da liberdade" (Tg 2.12).

R. A. K.

**LIBERTINAGEM** Um pecado sexual mencionado como uma das obras das trevas em Romanos 13.12,13 (no grego plural *koitais,* "libertinagem", "relação sexual ilícita"). A forma singular *koite* ocorre em Lucas 11.7 como "cama"; e em Hebreus 13.4 como o "leito sem mácula". Em Romanos 9.10, Rebeca "concebeu" (*koiten*) de Isaque. Portanto, o texto original condena o aviltamento de um relacionamento natural (e divinamente ordenado).

**LIBERTOS** Essa palavra só ocorre em Atos 6.9 em algumas versões. Em determinadas versões, a expressão "sinagoga dos libertos" foi traduzida como "sinagoga dos homens livres". Evidentemente, tratava-se de uma sinagoga de Jerusalém composta não por livres pensadores religiosos ou pessoas defendendo a libertação da moralidade convencio-

nal, mas, muito provavelmente, por descendentes daqueles judeus que, no século anterior, haviam sido levados a Roma como prisioneiros e depois libertados. Não se sabe se a "sinagoga dos homens livres" incluía entre seus membros alguns judeus da Cirenaica ou Alexandria, ou alguns da Cilícia e da Ásia, ou se havia duas ou mais sinagogas que entraram em discussão com Estêvão. De qualquer maneira, os componentes da sinagoga dos homens livres argumentaram com ele, e o acusaram de blasfemar contra Deus e Moisés, e de denunciar o Templo e a lei.
Eles, sem dúvida ajudados por outros, conseguiram por fim levar Estêvão ao martírio.
Durante escavações feitas em Jerusalém em 1914 foi descoberta uma inscrição que pode ter vindo dessa sinagoga. As palavras, muito legíveis, e escritas com letras gregas maiúsculas, mencionam que o edifício deveria ser usado pelos judeus da Dispersão: "Theodotus, filho de Vettenus, sacerdote e chefe da sinagoga, filho do filho de um chefe da sinagoga, construiu a sinagoga para a leitura da lei e para o ensino dos mandamentos, e também para a acomodação dos estrangeiros. Os quartos e as instalações de água devem funcionar como um albergue para aqueles que dele precisam como estrangeiros. Seus pais, os anciãos e os simonidas colocaram os alicerces da sinagoga" (DeissLAE, p. 440).
O termo "liberto" ou "libertino" é, às vezes, utilizado em teologia como uma referência àqueles que dão liberdade (ou vazão) à concupiscência carnal, e que rejeitam todos os padrões de moralidade. *Veja* Liberdade.
J. A. S.

**LÍBIA** Nação representada no Quadro das Nações (Gn 10; 1 Cr 1) como Pute, um descendente de Cam.
Os líbios eram uma nação completa que habitava a costa norte da África. Eles receberam muitos nomes nos antigos textos egípcios: Tehenu (Velho Reino), Temehu (Reino do Meio), Meshwesh (18ª Dinastia), *Rbw* (Lîbu, 19ª-20ª Dinastia). Três diferentes palavras hebraicas foram traduzidas como "Líbia" ou "Líbios" nas várias versões: *(a) kub*, "Cube", na LXX *Libues,* seguindo a versão RSV em inglês, e outras; *(b) lubim* (sempre na forma plural), na LXX *Libues,* na KJV em inglês "*Lubim*"; *(c) put,* na LXX *Phout*, *Phoud* ou *Libues*, na KJV em inglês "Phut", "Pute". Pute pode se referir à região da Líbia chamada Cirenaica pelos romanos, e que se encontra além do inóspito deserto a oeste do delta. *Veja* Cube; Lubim; Pute
Aparentemente, a influência exercida pelos líbios sobre o norte da África e o Egito desenvolveu-se e, depois, declinou na Antiguidade. Isso pode ser entendido pelo fato de terem sido dominados em aprox. 1230 a.C. por Merne-Ptah do Egito. A partir do século X, os líbios restabeleceram seu domínio sobre o Egito e

O rio Nilo com as colinas da Líbia, que elevam-se na direção oeste. HFV

reinaram até aprox. 730 a.C., a partir da cidade do delta chamada Bubastis. O primeiro rei da 22ª dinastia, Sisaque, juntou-se a Jeroboão I na guerra civil israelita, em 926 a.C., e invadiu Judá (1 Rs 14.25,26).
Os judeus da Líbia estavam em Jerusalém no dia de Pentecostes (At 2.10). Eles, provavelmente, vinham da Cirenaica, que havia sido incorporada a Creta, tornando-se uma única província em 67 a.C. Cirene era a sua capital. Foi de lá que vieram Simão, que carregou a cruz do Senhor Jesus quando Ele caiu (Mt 27.32); alguns cristãos da igreja primitiva de Antioquia (At 11.20; 13.1); e os judeus que discutiram com Estêvão (At 6.9).
P. W. F.

**LÍBIOS** Um povo da Líbia, provavelmente descendente de Leabim (q.v.; Gn 10.13), uma antiga tribo do delta do Nilo. Eles aparecem pela primeira vez na história bíblica no exército de Sisaque (2 Cr 12.3), quando este saqueou o Templo de Salomão levando seus escudos de ouro na época de Roboão. Os líbios foram incluídos no exército de Zerá, o líder etíope das tropas do Egito, cujo exército foi destruído por Asa (cf. 2 Cr 16.8 com 14.9-12). Eles vieram em auxílio a Nô (Nô-Amom-Tebas) quando Assurbanipal saqueou a cidade egípcia (Na 3.9), e aliaram-se a Pute (q.v.) ali. No futuro, os líbios seguirão na comitiva do rei do norte (Dn 11.43).
O nome ocorre como *Rbw* (=Lîbu) em textos egípcios dos séculos XIII e XII a.C., referindo-se a uma tribo hostil a oeste do delta (Gardiner, *Ancient Egyptian Onomastics*, I [1947], 121ss.). Nos monumentos egípcios, os líbios foram retratados como um povo alto, de pele clara e bem formado. Os governantes Seti I, Ramsés II e III registram suas fortes tentativas de invasão, e a dificuldade de um contra-ataque. Posteriormente, por causa de sua coragem e de suas proezas, eles se tornaram mercenários egípcios, e, ainda mais tarde, soldados egípcios privilegiados. Sisaque, um líbio, depois de ter sido general no exército egípcio, tomou o trono por volta de

950 a.C. e, em Bubastis, no delta do Nilo, teve início a 22ª Dinastia ou Dinastia Líbia, que durou mais de 200 anos.
*Veja* Líbia; Pute.

H. G. S.

**LIBNA** Cidade na Sefelá ou contrafortes da Palestina, na fronteira de Judá e da Filístia. Seu nome, que significa "brancura", pode ter se originado dos rochedos brancos da vizinhança. Foi uma das cidades tomadas por Josué em sua conquista de Canaã (Js 10.29-32). Libna estava no território de Judá (Js 15.42), e era uma das cidades destinadas aos levitas (Js 21.13). Esta cidade revoltou-se contra Jeorão quando ele foi atacado pelos edomitas (2 Rs 8.22), mas, aparentemente, foi mais tarde recuperada por Judá, pois está mencionado que foi sitiada por Senaqueribe (2 Rs 19.8). Hamutal, que era filha de Jeremias, esposa do rei Josias e mãe de Joacaz e Zedequias, nasceu em Libna (2 Rs 23.31; 24.18). Sua localização é incerta, pode ser Tell Bornat (aprox. 40 quilômetros a sudoeste de Jerusalém), ou Tell es-Safi (que pode ser a atual Gate, q.v.).

S. C.

**LIBNI**
1. Filho mais velho de Gérson e neto de Levi (Êx 6.17; Nm 3.18,21; 1 Cr 6.17,20). Era também progenitor dos libnitas, uma família de gersonitas (Nm 3.21; 26.58). Foi identificado com Ladã em 1 Crônicas 23.7-9; 26.21. *Veja* Ladã 2.
2. Um levita descendente de Merari (1 Cr 6.29).

**LIBRA** *Veja* Pesos, Medidas e Moedas.

**LICAÔNIA** Uma região do sul da Ásia Menor sujeita a variações em suas fronteiras. No século I d.C., porém, ela fazia parte da província romana da Galácia (Exceto por um pequeno setor na extremidade oriental).
Em Atos 14.5,6, Listra e Derbe são chamadas de "cidades da Licaônia". Embora o idioma grego fosse amplamente utilizado na Ásia Menor, a língua local não se extinguiu, como Atos 14.11 indica. E os missionários foram incapazes de entender sua linguagem.
Como Paulo e Barnabé não encontraram nenhuma sinagoga, parece ter havido pouca influência judaica nesta área, e o povo parece ter sido guerreiro e primitivo.

**LÍCIA** Esta província romana ocupava a extremidade sudoeste da Ásia Menor. Como uma região bastante montanhosa, sua principal importância residia em seus portos, dos quais dois são mencionados no NT. Paulo parou em Pátara durante sua última viagem a Jerusalém, onde trocou de navio, supostamente com a finalidade de apressar a sua viagem (At 21.1,2). Posteriormente, em sua viagem a Roma como um prisioneiro, seu navio aportou em Mirra e ali ele foi transferido para um navio de cereais que viajaria para a Itália (At 27.5,6). Lícia se tornou um território romano em 188 a.C., mas só foi organizada como uma província romana por ordem de Cláudio em 43 d.C.

**LIDA** Uma cidade na antiga área tribal de Benjamim, cerca de 17 quilômetros a sudeste de Jope. Seu nome no AT era Lode (1 Cr 8.12) e hoje é conhecida como Lude. A igreja em Lida pode ter sido iniciada por Filipe, ao evangelizar o norte, depois de conhecer o eunuco etíope (At 8.40). Ali, Pedro curou o paralítico Enéias, um milagre que fez com que muitos se entregassem ao Senhor (At 9.32-35). *Veja* Lode.

**LIDERAR ou LÍDER** O conceito de liderança e de direção permeia as Escrituras como um todo. Ele é encontrado não só nas inúmeras palavras que significam liderar e guiar, mas também em suas derivadas. Em passagens que ocorrem mais de 150 vezes na versão KJV em inglês e, também, em passagens que falam sobre a vontade de Deus, a conduta de Deus, a sabedoria, a oração, a conduta do homem, seus caminhos e passos; além de versículos que usam verbos como produzir, apresentar, dirigir, governar, mostrar e ensinar.

### Liderança Divina

A Palavra de Deus insiste que o homem precisa dele como seu líder. Jeremias declarou: "Eu sei, ó Senhor, que não é do homem o seu caminho, nem do homem que caminha, o dirigir seus passos" (10.23). "Os passos do homem são dirigidos pelo Senhor; o homem, pois, como entenderá o seu caminho?" (Pv 20.24). Portanto, o homem precisa ser humilde para depender do Senhor para orientação e aprendizado (Sl 24.4,5,9).
Deus, o Pai (1 Ts 3.11), é apresentado em muitas passagens diferentes e por meio de várias metáforas, como o líder de seu povo. Ele guiou a partida de Israel do Egito, através do deserto até a Terra Prometida (Êx 6.6-8,13.17-21; 15.13; Dt 4.38,39; 8.2,15; 11.29; 29.5; Is 63.7-14; Am 2.10; Hb 8.9). Como pai de Israel, Ele trará seu povo de volta das partes mais remotas da terra (Jr 31.7-9). Como seu Salvador, Ele o carregou e elevou durante todos os dias da Antiguidade (Is 63.8,9). Ele nos guia como um pastor guia o seu rebanho (Sl 23; 77.20; 78.52,53; 80.1; Is 40.11; 49.10). Ele nos guiará até o momento de nossa morte (Sl 48.14).
De acordo com as profecias do AT e as declarações do NT, Cristo, o Filho, revela-se como nosso Líder. Aquele que cumpre a aliança de Davi é declarado nosso Líder (em

hebraico *nagid,* Isaías 55.4). Esta é a mesma palavra utilizada para "príncipe" na expressão "Messias, o Príncipe" (Dn 9.25). No NT, o Senhor Jesus é chamado em grego de *archegos*, o principal líder; em At 3.15, Ele é o "Príncipe da vida" (cf. At 5.31); em Hb 2.10, Ele é o "Capitão" ou o "Autor" da nossa salvação; em Hb 12.2, Ele é o "autor" da nossa fé. Ele se intitula "o bom Pastor" (Jo 10. 11,14) que leva as suas ovelhas ao pasto e elas o seguem (Jo 10.3,4,27; cf. Hb 13.20; 1 Pe 2.25). Ele se adiantou para abrir o caminho do céu para nós, como um precursor (Hb 6.20; cf. 4.14). Ele pode nos guiar porque é a luz do mundo (Jo 8.12), e o caminho (Jo 14.6). Por ser a verdade (a realidade e o conteúdo) e a vida (a verdadeira experiência), Ele age juntamente com o Pai na orientação e direção de cada crente.

O Espírito Santo também orienta os filhos de Deus (Rm 8.14). O Espírito estava com os israelitas para instruí-los na jornada do deserto (Ne 9.20; Is 63.10,11; cf. Sl 143.10), e também para guiar o Senhor Jesus no deserto (Mt 4.1; Lc 4.1).

Ele guia a todos na verdade, quando explica o significado do evangelho ao crente (Jo 16.13-15; cf. 14.26; 15.26). Ao se submeter à liderança do Espírito, o cristão liberta-se do grilhão da lei, e está em condições de vencer os desejos da carne (Gl 5.16,18). O Espírito Santo dá sua orientação e direção pela renovação da mente e dos pensamentos (Rm 12.2; Ef 4.24; Tt 3.5, por exemplo, At 8.29) e, pelas palavras da profecia (At 13.4; talvez 16.6,7).

Conhecendo a fragilidade e a ignorância humanas, Deus nos guia porque Ele é bom (Rm 2.4) e cheio de compaixão (Is 49.10). Seu propósito é nos conduzir ao seu amor, à firmeza manifestada por Cristo (2 Ts 3.5), à justiça (Sl 5.8; 23.3; 25.8-10), ao caminho da paz (Lc 1.79; cf. Is 59.8), , ao caminho da vida eterna (Sl 139.24; cf. Sl 16.11; Jr 6.16) – tudo em Seu nome (Sl 31.3). Ele nos guia em resposta à oração (Gn 24.12-14,27,48; Jr 42.2-22; Lc 6.12,13).

Deus pode guiar diretamente por meio de um anjo (Êx 23.20-23; Is 63.9; At 12.7-11; *veja* Anjo); dos servos que Ele nomeou (por exemplo, Natã foi enviado para orientar Davi quanto ao arrependimento, 2 Sm 12); de sonhos e visões (Mt 1.20; 2.12,13,19,22; At 10.3,10-16); da instrução e ensino encontrados na Palavra escrita (Js 1.7,8; Sl 19.7-9,11; 119.35,105); da sabedoria e do conhecimento de sua verdade (1 Rs 4.29; Pv 2.1-12; 8.20,21; Tg 1.5; Sl 25.5; 43.3); levantando ou estimulando o espírito (por exemplo, Ciro, Ed 1.1; Zorobabel etc., Ag 1.14), isto é, plantando um pensamento, desejo ou ambição no coração ou na mente (cf. Fp 2.13) e, de alguma voz pessoal exterior e audível (1 Sm 3.10; Is 30.21) que pode ser estrondosa ou macia como um suave murmúrio (1 Rs 19.12).

Muitas vezes, Deus orienta indiretamente sob uma forma providencial, isto é, por meio de circunstâncias. No curso da necessidade e do dever, procurando alimento para Noemi e para si mesma,"aconteceu" que Rute chegou ao campo de Boaz (Rt 2.3), e isso a levou a um casamento divinamente abençoado. O meio de assegurarmos que essa orientação vem de Deus, e não de nossa própria imaginação ou de qualquer outra fonte, é quando sentimos a paz de Cristo que age como árbitro secreto no coração (Cl 3.15).

Quando oramos e buscamos orientação divina, devemos estar dispostos a abandonar nossos próprios desejos e depender da forma, da direção e da ocasião dessa orientação. Devemos esperar até que três indicadores estejam perfeitamente alinhados: (*a*) a Palavra de Deus (o padrão objetivo); (*b*) o Espírito Santo (o testemunho interior e subjetivo); e (*c*) as circunstâncias (que se tornam adequadas pela providência divina). O princípio bíblico é que uma questão é estabelecida ou confirmada por duas ou três testemunhas (Dt 17.6; 19.15; Mt 18.16; 2 Co 13.1; 1 Tm 5. 19; Hb 10.28; cf. Jo 5.31-39). Pedir um sinal específico não é o principal método para obter essa orientação. O propósito de Gideão ao usar o velo de lã não era descobrir qual era a vontade de Deus, mas estar seguro dela (Jz 6.36-40).

A maior parte da orientação divina para a vida do crente é condicional. Ela está condicionada à sua disposição de obedecer (Jo 7.17). Portanto, as seguintes condições representam um obstáculo a essa orientação: egoísmo ou falta de compaixão (Is 58.10,11); teimosia ou obstinação (Sl 32.8,9; Jr 11.6-8); desobediência e murmuração (Nm 14.2,3, 27,36,39-45; Is 48.17,18); falta de sinceridade ou falsidade ao desejar a aprovação de Deus para uma conduta previamente determinada (Jr 42); impaciência (Hc 2.3; 1 Sm 13.8-14), além de orgulho da própria sabedoria e auto-suficiência (Pv 3.5-7). O segredo para alcançar a orientação divina é assumir a mesma atitude de Davi: "Deleito-me em fazer a tua vontade, ó Deus meu; sim, a tua lei está dentro do meu coração" (Sl 40.8). Essa também foi a atitude do Senhor Jesus Cristo (Hb 10.7,9), como revelam suas próprias palavras: "Minha comida é fazer a vontade daquele que me enviou e realizar a sua obra" (Jo 4.34; cf. Lc 22.42). *Veja* Autoridade; Vontade de Deus; Sabedoria.

**Liderança Humana**

Existem inúmeros exemplos, nas Escrituras, de homens que Deus nomeou para liderar. Alguns deles foram Moisés (Êx 6.13,26,27; 32.34), Josué (Nm 27.18,23; Dt 34.9; Js 1.1-9), Davi (1 Cr 11.1-3; Sl 78.70-72), os valentes de Davi (1 Cr 11.12), os apóstolos de Cristo (Mc 3.13-19; 6.7-13,30,31), Paulo (At 26.16-18; 13.1-3; Ef 3.2,7-10; Cl 1.23-29), Timóteo (Fp

2.19-23; 1 Tm 4.12; 2 Tm 2.2), Epafrodito (Fp 2.25,26) e Epafras (Cl 1.7,8; 4.12).
Além desses indivíduos, o Senhor Jesus Cristo escolheu um incontável número de outras pessoas como "bênçãos" para a Igreja, consistindo de apóstolos, profetas, evangelistas e pastores e mestres (Ef 4.7-13). Ele chama e nomeia (2 Tm 1.9-11; Jo 15.16) e *faz* com que a pessoa se torne líder (um pescador de homens, Mc 1.17). Os presbíteros e os diáconos também são líderes designados por Deus (*veja* Diácono; Presbítero). Na verdade, cada cristão torna-se um líder no sentido que deve ser uma testemunha representante de Cristo perante os outros, e faz deles novos discípulos quando ensina as doutrinas de Cristo (At 1.8; Mt 29.19; *veja* Comissão, A Grande). O ideal é que cada crente, à medida que cresce em maturidade, torne-se um líder dos cristãos mais recentes.
O líder cristão deve ser obedecido e respeitado por sua posição de responsabilidade (Hb 13.7,17,24; 1 Ts 5.12,13; 1 Tm 5.17; *veja* Obediência). Obviamente, não é errado, nem pecado, desejar ser um líder, pois Paulo escreveu a Timóteo: "Se alguém deseja o episcopado, excelente obra deseja" (1 Tm 3.1). Aquele que preside deve desempenhar suas funções com diligência (Rm 12.8). O líder age como um pastor espiritual que orienta o rebanho pelo seu exemplo, e não pelo poder que exerce sobre ele (1 Pe 5.2,3). Paulo viveu uma vida tão exemplar que podia encorajar outros a imitá-lo e a seguir seu exemplo (1 Co 4.16; 11.1; Fp 3.17; 4.9; 1 Ts 1.6; 2 Ts 3.9). Portanto, a maioria das qualificações dos presbíteros e diáconos está relacionada à sua vida pessoal (1 Tm 3.1-13; Tt 1.5-9).
O objetivo de toda liderança cristã é levar as pessoas a um contato vital com Deus. Portanto, o líder deve ser um homem de fé (At 6.5; 11.24). Ele deve ensinar outros a conhecer a Cristo experimentalmente e, também, a adorar a Deus e a ter comunhão com Ele. Outras responsabilidades são: orientar e tomar decisões (At 15.2,6-30), defender a fé (Tt 1.9; Jd 3; At 20.28-31), admoestar os desordeiros, consolar os de pouco ânimo, sustentar os fracos e ser paciente para com todos (1 Ts 5.14).
Paradoxalmente, o líder deve ser um servo, mesmo quando é um governante ou mestre (Mt 20.26,27). As palavras que se referem às diferentes funções e posições de liderança implicam em servir, em uma abnegada dedicação, e nunca em poder ditatorial ou egoísta. Ele deve amar as pessoas e aprender a conhecer seus seguidores individualmente, além de estar pronto para lhes oferecer um adequado reconhecimento de seu desenvolvimento e realizações (por exemplo, a maneira como Paulo cumprimentou Timóteo, Fp 2.19-23). Acima de tudo, o líder deve ser um homem "cheio do Espírito Santo" (At 6.3).
*Veja* Bispo; Diácono; Discípulo; Presbítero; Ministro; Ministério; Pastor; Serviço; Ensinar.

***Bibliografia.*** Melvin L. Hodges, *Grow Toward Leadership*, ed. rev., Chicago. Moody Press, 1969. Derek Prime, *A Christian's Guide to Leadership*, Chicago. Moody Press, 1966. J. Oswald Sanders, *Spiritual Leadership*, Chicago. Moody Press, 1967. Kenneth Gangel, *Leadership for Church Education*, Chicago. Moody Press, 1970.

J. R.

**LÍDIA** Uma mulher que vivia em Filipos, quando Paulo ali chegou em sua segunda viagem missionária (At 16.14). Ela era comerciante (talvez viúva), uma vendedora de púrpura ou produtos tingidos, uma convertida ao monoteísmo ético do judaísmo (ela "servia a Deus").
Embora Lídia fosse um nome próprio, também pode ser uma forma adjetiva, "a lidiana" (cf. *pros ten Lydian*, v. 40). A cidade de sua origem, Tiatira (q.v.), que ficava na região de Lídia, era renomada por suas tinturas de cor púrpura (*veja* Lude).
Quando Paulo foi para Filipos, Lídia recebeu o evangelho, pois o Senhor Deus abriu o seu coração. Depois de ser batizada, ela hospedou o grupo missionário em sua casa. Após a experiência da prisão de Paulo e Silas, e sua libertação, eles retornaram à casa de Lídia antes de deixarem a cidade (At 16.40).

**LIGA** *Veja* Pacto.

**LIGAR** Duas palavras hebraicas diferentes são geralmente traduzidas como "ligar".
1. Uma forma de *habar,* que significa "ligar junto, conectar" (1 Cr 22.3). Já foi traduzida como "ligação", "aperto" e "juntura".
2. Adjetivo que vem de *dabaq,* significando "aderir, juntar, penetrar" (2 Cr 3.12).

**LIGAR E DESLIGAR** Estas palavras eram comuns nos círculos rabínicos tanto no sentido legislativo como judiciário. Eram empregadas para significar: (1) proibir ou permitir; (2) condenar ou absolver; e, (3) reter ou perdoar pecados.
O fato de Cristo ter conferido a Pedro poder para ligar e desligar (Mt 16.19) foi interpretado de diversas formas, através dos séculos da era cristã, como referindo-se a ligar decisões com relação a certo e errado, ao poder de excomungar ou restaurar membros da igreja, e à retenção ou perdão de pecados. A Igreja Católica romana insiste que este poder é legislativo, judiciário e administrativo, e que foi conferido a Pedro e a seus sucessores, os papas.
Deve, porém, ser notado que o poder não foi prometido apenas a Pedro (Mt 16.19), mas também aos outros discípulos (Mt 18.1,18). Um outro fator significativo é o tempo dos

verbos empregados. A alegação de que ligar e desligar na terra são acompanhados de ações semelhantes no céu é expressa pela construção perifrástica do futuro perfeito no grego, significando que o que quer que seja ligado ou desligado pelos apóstolos (já) deve ter sido ligado ou desligado pelo próprio Deus. Os apóstolos, portanto, estão meramente repetindo ou declarando o que Deus já fez.

Em vista do contexto anterior em Mateus 16.19, pareceria que o poder para ligar e desligar está relacionado às chaves que, por sua vez, deveriam ser empregadas para abrir as portas para a entrada no reino de Deus, e que, na realidade, eram mal usadas pelos escribas judeus (cf. Mt 23.13; Lc 11.52). Alguns, porém, explicam a passagem escatologicamente, como aplicando-se ao reino dos santos na terra, durante o Milênio (A J. McClain, *The Greatness of the Kingdom*, pp. 329ss.).

O paralelismo com João 20.23 sugere que ligar e desligar refere-se a perdoar ou reter os pecados, os fatores que determinam a entrada no reino. Um exemplo do exercício de tal autoridade é dado em Atos 10.43. Pedro anunciou que aceitar Cristo e o evangelho trazem a libertação da penalidade do pecado, mas a rejeição deixa a pessoa presa ao juízo. Estes termos podem também incluir o poder de excomungar e reintegrar (Mt 18.15-18), bem como a autoridade para proibir ou permitir várias ações tais como aquelas descritas em Atos 15.23-29 e 1 Coríntios 5. Deve ser claramente entendido, porém, que este último poder foi dado aos apóstolos, e que não há nenhuma indicação ou exemplo bíblico de que ele deveria ser transmitido aos sucessores papais.

De acordo com Mateus 18.18, os crentes-discípulos podem anular o poder de Satanás e suas hostes demoníacas, ou libertar as pessoas de suas garras declarando o que Cristo já realizou ao desfazer as obras do Diabo (cf. Hb 2.14,15; 1 Jo 3.8; Ap 12.11).

D. W. B.

**LILITH** *Veja* Falsos deuses.

**LIMPO, LIMPEZA** Tradução de várias palavras hebraicas e gregas dando a idéia de limpeza física e, então, de pureza moral. O termo é usado nos sentidos físico, cerimonial, ético, figurativo e espiritual, com os usos freqüentemente se sobrepondo. O uso principal é o cerimonial, aplicado a pessoas, lugares ou coisas (Lc 5.14; Hb 9.13,22; 2 Cr 23.19; Is 52.11). A idéia de limpeza também é aplicada a animais e aves (Gn 7.2; Dt 14.11). *Veja* Alimento: Carne.

A importância da limpeza para Israel é que a nação deveria refletir em sua vida nacional as qualidades atribuídas a Yahweh. O ideal espiritual de limpeza está refletido no AT principalmente em Jó, Salmos, e nos profetas. A "limpeza" é necessária para a comunhão com Yahweh (cf. Sl 15). A maior ênfase com relação à limpeza espiritual é encontrada no NT (Jo 13.11; At 18.6; 1 Jo 1.7,9). *Veja* Castidade; Pureza; Santificação.

***Bibliografia.*** R. Meyer e F. Hauck, "*Katheros* etc.", TDNT, III, 413-431.

**LÍNGUA**

1. Órgão muscular alongado, móvel, situado na cavidade bucal que serve para a degustação, para a deglutição e para a articulação dos sons da voz (Lm 4.4; Jó 29.10; Jó 20.12). "Qualquer que lamber as águas com a sua língua, como as lambe o cão, esse porás à parte" (Jz 7.5).

2. É também utilizada por sinédoque para pessoa como na frase "minha língua exultou" (At 2.26; cf Sl 52.2; Pv 26.28; Is 45.23; Tg 1.26). Às vezes, a expressão "toda língua" significa "toda pessoa", independente do idioma que fale (Is 45.23; Fp 2.11).

Ela é, também, objeto de discurso, tanto para o bem como para o mal. Amor e bondade podem estar na língua, isto é, no discurso (1 Jo 3.18; Pv 31.26) tanto quanto a insolência, a falsidade, e a calúnia (Js 10.21; Sl 78.36; 15.3). Ela pode ser lenta (Êx 4.10) ou tão rápida quanto a pena de um escritor habilidoso (Sl 45.1). Imperfeições morais são atribuídas a ela, como arrogância (Sl 12.3), engano (Sl 52.4) e mentira (Pv 6.17). Ela também é um instrumento de louvor (Sl 51.14; 126.2; Is 35.6).

É uma palavra usada também como sinônimo para idioma ou dialeto (Dt 28.49; At 1.19). Também é usada em referências a animais, incluindo o cão (Êx 11.7; Sl 68.23), a víbora (Jó 20.16), e o crocodilo (Jó 41.1).

A palavra designa também o que, por seu formato, lembra uma língua. Assim, "uma barra [língua] de ouro" (Js 7.21,24) e "a baía [língua] do mar" (Js 15.2,5; 18.19; cf. Is 11.15).

Alguns usos metafóricos da palavra também são importantes: A "insolência da língua", ou "a violência da língua", significa abuso verbal (Os 7.16), enquanto a "contenda das línguas" e o "açoite da língua" significam amaldiçoar e irar-se (Sl 31.20; Jó 5.21). "Curvar a língua" ou "estender a língua" significa proferir falsidades maliciosas (Jr 9.3) e, "aguçar a língua" denota uma fala cortante (Sl 140.3). "Usar a língua" significa lisonjear (Jr 23.31), e "ferir com a língua" significa caluniar (Jr 18.18). "Esconder debaixo da língua" significa esconder-se na maldade (Jó 20.12), e a palavra de Deus na língua é um sinal de inspiração (2 Sm 23.2). "Deitar para fora a língua" significa zombar (Is 57.4) e, "dividir" a língua dos ímpios é levantar dissensão entre eles (Sl 55.9). "Morder a língua" é um sinal de fúria, desespero e tormento (Ap 16.10).

A passagem bíblica mais importante com relação ao uso certo ou errado da boca e da

Uma inscrição alfabética hebraica de Sebna, um mordomo, de aproximadamente 700 a.C., possivelmente o mordomo real que foi repreendido por Isaías (22.5-16). BM

língua é Tiago 3.1-12. Tiago compara o poder ou a influência da língua com o leme de um navio, com uma fagulha que coloca uma floresta em chamas e com uma serpente indomável cheia de veneno mortífero.

*Veja* Línguas, Confusão de; Línguas, Dom de; Línguas de Fogo; Idiomas; Boca.

E. C. J.

**LÍNGUA ESTRANHA** *Veja* Línguas, Dom de.

**LÍNGUA HEBRAICA** No Novo Testamento, o termo "hebraico" é aplicado ao idioma, mas no Antigo Testamento é apenas uma designação étnica. Os hebreus são mencionados como os que falam a "língua de Canaã" (Is 19.18) ou ainda "a língua dos judeus" (Ne 13.24). Na verdade, o hebraico era um dialeto dos cananeus, adquirido por Abraão depois de sua migração para Canaã, e empregada pela maioria das nações vizinhas, como os moabitas, os fenícios e, provavelmente, os filisteus.

Como outras línguas semitas, o hebraico é formado principalmente pelas raízes de três consoantes (embora algumas das palavras mais comuns tivessem apenas duas consoantes) e as variações no significado eram indicadas pelas vogais inseridas entre as consoantes. Desta forma, *katab* queria dizer "ele escreveu"; *kat$^e$ba*, "ela escreveu"; *yiktob*, "ele escreverá"; *koteb*, "escrever"; *niktab*, "estava escrito"; *kiktib*, "ele fez escrever" e assim por diante. Em cada caso, as três consoantes da raiz são k-t-b. Os pronomes eram simplesmente agregados ao final do verbo; desta forma, "ele escreverá a eles" é *yikt$^e$bem*. Essa capacidade de expressar tantas palavras em um universo de uma única palavra permitiu que o hebraico transmitisse muitas idéias em poucas palavras, e com isso facilitasse um modo de expressão poderoso e concentrado, admiravelmente adequado tanto à poesia quanto à oratória profética. A freqüência de vogais longas lhe dava uma característica impressionante, sonora, muito agradável aos ouvidos, e adequada para transmitir o humor do poeta, ou do pregador, ou do homem que ora.

O sistema verbal hebraico não se preocupava com a flexão dos tempos ou de valores temporais, mas, ao invés disso, com o modo de ação, fosse uma ação completa e isolada (tempo ou estado perfeito) ou uma ação incompleta ou prolongada (tempo ou estado imperfeito). Com maior freqüência, o perfeito se referia a ações passadas, mas também podia se referir a certos tipos de presente (por exemplo, "Assim *disse* o Senhor"), ou até mesmo ao futuro profético. O imperfeito normalmente se referia a ações presentes ou futuras (conseqüentemente, a versão RSV em inglês com freqüência traduz como presente aquelas formas verbais que a versão KJV em inglês traduz como futuro – e ambas as interpretações são possíveis, dependendo do contexto); mas também poderia descrever ações continuadas no passado ("ele estava escrevendo") ou ações potenciais ("para que ele possa escrever"). Ações continuadas mais demoradas poderiam ser expressas por um particípio com uma forma do verbo "ser" expressa (no caso de tempos passados ou futuros) ou não (no caso do presente). Esta falta de precisão em relação aos valores temporais causam eventuais desconcertos para aquele que desejar traduzir um texto do hebraico para alguma língua européia moderna. Isto contrasta consideravelmente com o grego no Novo Testamento. Ao contrário do grego, o hebraico também carece de um gerúndio neutro, e trata igualmente objetos inanimados ou idéias como masculinas ou femininas.

O fato de que o hebraico originalmente se escrevesse somente com consoantes, e as vogais tivessem que ser fornecidas pelo leitor à luz do contexto, significa que era muito fácil a ocorrência de diferenças de interpretação, quando mais do que uma vocalização fosse possível.

Como conseqüência, a versão LXX, ou a tradução grega do Antigo Testamento, vocalizou as consoantes de h-sh-m-n em Isaías 6.10 como *hushman* ("tornou gordo" ou "endureceu"), quando os escribas judeus massoréticos apresentam *hashmen* ("engorde!" ou "endureça!"). Confira Mateus 13.15 (trad. lit.): "O coração deste povo está endurecido", o que está de acordo com a tradução da LXX, em contraste com o texto hebraico dos judeus (que recebeu os pontos vocálicos em alguma ocasião entre 500 e 800 d.C.), que diz: "Endureça o coração deste povo". Normalmente, deve-se confiar na tradição judaica quanto a esses pontos vocálicos, mas algumas vezes uma leitura melhor é sugerida pelas traduções clássicas no grego, latim ou siríaco.

Todo o Antigo Testamento foi escrito em hebraico, exceto Daniel 2–6 e Esdras 3–6, que foram escritos em aramaico. O hebraico começou a sair do uso comum depois do século V a.C., mas ainda era cultivado pela classe erudita judaica e, ocasionalmente, revivido por razões patrióticas durante as revoltas dos judeus contra Roma. Muito do Midrash e do Talmude, e também dos comentários rabínicos sobre o Antigo Testamento, foi escrito em uma forma posterior de hebraico. Com o estabelecimento do moderno estado de Israel, reinstalou-se o hebraico como sendo o idioma da população judaica na Terra Santa, e ele se desenvolveu em um meio lingüístico versátil e preciso, adequado às necessidades modernas.

O termo "hebreu" (ou hebraico) é mencionado pelo menos dez vezes no Novo Testamento, mas não fica clara a questão de quantas vezes essa palavra se refere à língua hebraica histórica, e quantas vezes ao dialeto judeu representado pelo aramaico (naquela época, a *língua franca* do Oriente Médio semita). Mas é significativo que cada vez que uma palavra "hebraica" é mencionada, ou uma palavra de Jesus é registrada em sua língua mãe, a menção, ou a palavra, está em aramaico e não em hebraico (exceto nos casos em que a palavra é idêntica em ambas as línguas). Cf. João 5.2 ("Betesda"); João 19.13 ("Gabatá"); João 19.17 ("Gólgota"); Marcos 5.41 ("Talitá", "*talitha koum*", melhor texto grego); Marcos 7.34 ("Efatá", "*ephphatha*") e Mateus 27.46 ("lemá sabactâni", "*lema sabachthani*", melhor texto grego). Conseqüentemente, pode-se supor que as palavras de Paulo à multidão de Jerusalém em Atos 22 foram em aramaico-hebraico e não no hebraico propriamente.

G. L. A.

**LÍNGUAS, CONFUSÃO DE** O juízo divino de Gênesis 11 ocorreu na terra de Sinar (isto é, na Mesopotâmia). O fundamento lógico para a construção de uma cidade e uma torre foi duplo: preservar a unidade e a solidariedade social da raça humana, e glorificar a conquista humana em uma estrutura que atingiria os céus. *Veja* Babel, Torre de. A torre serviria à área circundante como um centro e ponto de reunião. Ela caracterizava o espírito urbano ao invés do espírito nômade.

A prerrogativa humana mostra a rebelião do homem contra a ordem de Deus registrada em Gênesis 1.28 de encher a terra. Os construtores de cidades nas primeiras histórias de Gênesis eram homens ímpios, enquanto as narrativas posteriores de Gênesis refletem o pensamento hebreu de deixar as cidades, para uma vida mais devota sob a orientação de Deus nas cercanias, como nômades. Este conceito religioso é recorrente na literatura do AT.

A unidade original da fala humana é sugerida com base na unidade da criação como é visto em Adão e Eva, e em Noé e sua família, os únicos sobreviventes do Dilúvio. Nenhum sistema de filologia pode provar por uma pesquisa empírica a unidade do idioma, baseado em idiomas historicamente preservados. O único argumento lógico, então, é o da fé.

Este evento, portanto, enfatiza o rompimento da família humana por Deus. O elemento antropomórfico é visto na descida do Senhor para inspecionar o programa de construção dos homens. O homem sempre tentou construir estruturas físicas permanentes. Os faraós construíram as pirâmides colossais; os gregos, suas pirâmides da sabedoria humana; os assírios e os romanos, seus impérios militares com imperadores supostamente divinos; o homem dos séculos XX e XXI, as suas "pirâmides" atômicas que se estendem até à lua e ao além. O registro de Gênesis 11: é o mesmo. confusão, frustração, dispersão e remoção. A porta do céu (*Bab-el*) não é construída com mãos humanas, nem sobre alicerces materiais, mas é alcançada pela peregrinação que é pela fé. Qualquer outro caminho conduz à confusão (*balal*) e alienação do homem para com o próprio homem, e do homem em relação a Deus.

F. E. Y. e E. L. C.

**LÍNGUAS DE FOGO** As línguas de fogo (cf. Is 5.24, na versão ASV em inglês e em versões mais recentes) apareceram repartidas ou distribuídas e pousando sobre cada um dos 120 discípulos no Pentecostes (At 2.3). Esta manifestação particular que acompanhou o batismo inicial no Espírito Santo nunca foi repetida na forma visível, e portanto sua explicação deve ser buscada em fenômenos similares nas Escrituras. Esta foi uma manifestação do Espírito Santo, a terceira pessoa da Trindade.

Houve uma manifestação semelhante de Deus (o Pai): no monte Sinai, "descera sobre ele em fogo; e a sua fumaça subia como fumaça de um forno, e todo o monte tremia grandemente" (Êx 19.18; cf. 24.17; Dn 7.9; Ez 1.4; Ml 3.2); na sarça ardente no monte

Horebe (Êx 3.2; *veja* Sarça Ardente); na consagração do Templo de Salomão (2 Cr 7.1), e no monte Carmelo (1 Rs 18.38).
Mais tarde, no livro do Apocalipse, João viu o Cristo glorificado cujos olhos eram "como chama de fogo" (1.14; 2.18; cf. Ml 3.2). Assim, no aparecimento de cada uma das três pessoas da Trindade, sua divindade e santidade foram manifestadas como fogo (cf. Is 10.17). Pelo fato de o Senhor Jesus Cristo ter se esvaziado a si mesmo, e colocado de lado sua glória para se tornar homem (Fp 2.6-8), e morrer por nossos pecados, Ele apareceu sem esta glória resplandecente e ofuscante. Mesmo assim, ela retornou momentaneamente na ocasião da transfiguração (Mt 17.2; Lc 9.29).
As línguas de fogo no dia de Pentecostes (q.v.) eram um cumprimento do pronunciamento de João Batista de que o Senhor Jesus Cristo batizaria com o Espírito Santo e com fogo (Mt 3.11; Lc 3.16). Muitos crêem que as línguas de fogo são um símbolo da obra purificadora e santificadora do Espírito Santo (q.v.; cf. Is 6.6,7). *Veja* Fogo; Santificação.

R. A. K.

**LÍNGUAS, DOM DE** Este é observado duas vezes como um dos dons espirituais (ou carismáticos) concedidos, e que está em plena vigência na igreja (1 Co 12.10,28). É geralmente mencionado como o falar em línguas, embora também seja designado como glossolalia (gr. *glossa*, "língua"; *lalein*, "falar"). As principais referências bíblicas são At 2.1-13 e 1 Co 12–14.

### Ocorrência

A palavra grega *glossa* ("língua") aparece cerca de 50 vezes no NT com vários usos. Ela é usada 17 vezes como o órgão do corpo relacionado à fala (por exemplo, Mc 7.33; Lc 1.64), uma vez figurativamente para línguas repartidas como que fogo (At 2.3), e sete vezes no livro de Apocalipse em um sentido étnico (por exemplo, 5.9; 7.9). Nas 25 vezes restantes, ela descreve o fenômeno de falar em línguas (Mc 16.17; At 2.4,11; 10.46; 19.6; 1 Co 12.10 [duas vezes],28,30; 13.1,8; 14.2,4,5 [duas vezes], 6,13,14,18,19,22, 23,26,27,39).
As construções variam: Ela é descrita como "novas línguas" (*glossais. kainais*, Mc 16.17), "outras línguas" (*heterais glossais*, At 2.4), "tipos [ou variedade] de línguas" (*gene glosson*, 1 Co 12.10,28), e simplesmente "língua" ou "línguas" (por exemplo, 1 Co 14.19,22). O adjetivo "estranha" que consta em 1 Coríntios 14.2,4,13,14,19,27 não é encontrado no texto original, mas é uma adição interpretativa dos tradutores. Na maioria das vezes, a palavra é encontrada no singular ou no plural com o verbo "falar" (*laleo*; por exemplo, 1 Co 14.2,4,5,6). Uma vez ela é usada com o verbo "orar" (1 Co 14.14) e uma vez com o verbo "ter" (1 Co 14.26).
Os lexicógrafos estão, de forma geral, de acordo com a opinião de que *glossa* pode ser classificado de três maneiras: (1) literalmente como o órgão da fala (ou figurativamente como línguas repartidas como que de fogo); (2) de idiomas (e como um sinônimo para uma distinção étnica); e, (3) de uma expressão ininteligível ou de êxtase (Arndt, p. 161).

### Identificação

O fenômeno de falar em línguas não ocorreu no AT ou durante o período dos evangelhos. Alguns intérpretes identificam certos casos de profecia no AT com o fenômeno da glossolalia (Nm 11.26-30; 23.7-10,18-24; 24.3-9,15-24; 1 Sm 10.1-13; 19.18-24; 1 Rs 18.26-29), mas não há nenhuma declaração explícita de que os homens mencionados falaram em línguas, e isto não pode ser demonstrado (para os casos históricos de glossolalia em religiões não-cristãs, veja a obra de Robert Gromacki, *The Modern Tongues Movement*, pp. 5-10.). A única referência à glossolalia nos evangelhos (Mc 16.17) é profética, e é encontrada na porção discutida do evangelho de Marcos (16.9-20).
A primeira ocorrência bíblica de glossolalia ocorreu no dia de Pentecostes em Jerusalém (At 2.4-13). Além disso, somente duas outras ocasiões históricas e uma seção didática são encontradas no registro bíblico. Aqueles que creram na casa de Cornélio em Cesaréia falaram em línguas (At 10.46), como aconteceu com os discípulos de João quando creram, em Éfeso (At 19.6). A prática de falar em línguas em Corinto foi o motivo de um tratamento mais longo do assunto (1 Co 12–14). Nenhum outro caso específico é registrado, embora alguns comentaristas acreditem ter ocorrido em Samaria (At 8.17,18; NBD, p. 1286), e por ocasião da conversão de Paulo (At 9.1-17).
As instruções de Paulo, no que diz respeito à glossolalia em 1 Coríntios 14, são evidentemente endereçadas a todas as igrejas (vv. 33,34), o que implicaria em que o dom não estava limitado a Corinto. Alguns intérpretes enxergam o fenômeno em certas frases distintas das Escrituras (por exemplo, "anunciavam com ousadia a palavra de Deus", At 4.31; "o mesmo Espírito intercede por nós com gemidos inexprimíveis", Rm 8.26; "cânticos espirituais", Ef 5.19; cf. 1 Co 14.15; "Não extingais o Espírito. Não desprezeis as profecias", 1 Ts 5.19,20; "fale segundo as palavras de Deus", 1 Pe 4.11). Tal identificação, se não for dúbia, é, na melhor hipótese, incerta, uma vez que não é feita nenhuma referência específica à língua.
Como devem ser identificadas estas ocasiões em que há uma expressão de glossolalia? Seriam elas ocasiões em que se expressa um miraculoso dom de falar idiomas estrangeiros anteriormente desconhecidos? Seriam estas ocasiões de fala humanamente desco-

nhecida, apenas uma miraculosa fala de alguém em estado de êxtase? Ou ambos? Excetuando aqueles que negariam qualquer elemento miraculoso, e que procurariam explicar os acontecimentos com alguma base puramente naturalista, há três posições básicas quanto à identificação:

*Fala extática.* Alguns intérpretes vêem todos os casos e referências à glossolalia como expressões orais extáticas, isto é, uma fala humana ininteligível, talvez celestial (cf. 1 Co 13.1, "línguas... dos anjos"). No caso dos estrangeiros em Atos 2, quando "cada um os ouvia falar na sua própria língua" (v. 6; cf. vv. 8,11), deve ter ocorrido um milagre do ouvir bem como do falar. Porém devemos nos lembrar de que o falar em línguas teve início antes da chegada de qualquer público (cf. v. 4 com v. 6).

Alguns estudiosos modernos discutem sobre um relato "original" do Pentecostes (At 2.1-6*a*,12ss. e sem o *heterais* ["outras"] do v. 4), o que significaria então apenas expressões orais em êxtase, e que Lucas posteriormente acrescentou as referências a idiomas estrangeiros (At 2.6*b*-11 e o *heterais* do v. 4). Este suposto acréscimo posterior serviria como uma explicação mais favorável quando a glossolalia havia caído em descrédito, ou como uma interpretação simbólica do Pentecostes como uma reversão de Babel, ou como um paralelo ao registro Midrash da entrega da lei no Sinai nos 70 idiomas dos homens. Esta teoria carece de qualquer evidência adicional (para mais detalhes sobre as discussões relacionadas a esta teoria, e anotações daqueles que contribuem com ela, veja NBD, p. 1286).

*Idiomas estrangeiros.* Uma segunda opinião, e a mais comumente sustentada, é a de que todos os relatos bíblicos de glossolalia eram idiomas estrangeiros miraculosamente conferidos. Alguns alegam, porém, que existem algumas diferenças detectáveis entre os fenômenos em Atos e aqueles que foram registrados em 1 Coríntios. Por exemplo. (1) Em Atos, grupos inteiros sobre os quais o Espírito veio, começaram imediatamente a falar em línguas, ao passo que em Coríntios parece que nem todos receberam este dom (1 Co 12.10,30), ou receberam e não o mantiveram. (2) Em Atos as línguas parecem ter sido uma experiência inicial irresistível e temporária, ao passo que em Coríntios foi um dom contínuo sob o controle daquele que falava (1 Co 14.27,28). (3) Em Atos, as línguas eram prontamente entendidas pelos ouvintes, ao passo que em Coríntios o dom adicional de interpretação era necessário para tornar a fala inteligível (1 Co 14.5,13,27). Porém, alguns argumentam que estas diferenças são de uma natureza tal que não se exige que as línguas em Coríntios sejam diferentes (quanto ao tipo) daquelas que foram mencionadas em Atos (que foram claramente ouvidas como idiomas estrangeiros). Para a argumentação daqueles que sustentam esta posição, veja a obra de Charles Hodge, *An Exposition of the First Epistle to the Corinthians*, pp. 248-252, e R. C. H. Lenski, *The Interpretation of St. Paul's First and Second Epistles to the Corinthians*, pp. 504-509.

*Idiomas estrangeiros e fala extática.* A interpretação mais comumente sustentada é a de que os fenômenos em Atos devem ser identificados como idiomas estrangeiros (falados ou assim interpretados), e que os fenômenos em Coríntios devem ser identificados como uma fala em estado de êxtase Para conhecer os argumentos desta posição veja a obra de H. A. W. Meyer, *Critical and Exegetical Hand-Book to the Epistles to the Corinthians*, pp. 284-287.

## Propósito

Os dons do Espírito foram dados para que os membros do corpo único de Cristo pudessem funcionar adequada e harmoniosamente (1 Co 12.12,27; cf. Rm 12.3-8), e para que Deus pudesse ser glorificado (1 Pe 4.10,11). Além destes propósitos gerais, é possível observar pelo menos dois propósitos distintos para o dom de línguas em particular.

*Um propósito evidencial.* Várias passagens indicam claramente que as línguas foram dadas primeiramente para servir em um caráter evidencial ou comprovador. Em Atos 2, as línguas eram um sinal de confirmação da verdade da mensagem cristã para o povo judeu (vv. 5-12). Pedro usou este milagre, claramente, como uma evidência no que diz respeito à ressurreição e ascensão do Senhor Jesus Cristo (vv. 32-36; v. 33*b* – "isto que vós agora vedes e ouvis"), e isto certamente desempenhou um papel importante no resultado de 3.000 pessoas que responderam com fé (v. 41). O dom de línguas, que pode ser classificado na categoria geral de milagres, parece também ter servido como um meio de autenticar tanto o mensageiro quanto a sua mensagem (cf. Hb 2.3,4; At 2.22; 2 Co 12.12).

Embora em Atos 2 as línguas tenham sido um sinal para os não salvos, em Atos 10 elas serviram como um sinal para os judeus que creram; este sinal indicava que os crentes gentios haviam recebido privilégios idênticos aos seus (At 10.46,47; cf. 11.15-18). Em Atos 19, as línguas serviram para comprovar àqueles crentes a realidade da presença e do ministério do Espírito Santo em suas vidas (vv. 2,5,6). Alguns comentaristas têm sugerido que as línguas também serviam como um sinal de juízo sobre os incrédulos, por não responderem com fé ao evangelho (1 Co 14.21,22 [cf. o contexto histórico do v. 21 que vem de Isaías 28.11,12]; cf. At 2.13).

*Um propósito devocional.* Embora certamente não seja algo primário, existe a indicação de que as línguas poderiam servir em um caráter totalmente pessoal. Aquele que fala em línguas "edifica-se a si mesmo" (1 Co 14.4). É possível orar e louvar em línguas (vv. 14-17). Assim, um cristão poderia falar "consigo mesmo e com Deus" (v. 28). Embora o próprio apóstolo Paulo tivesse o dom (1 Co 14.18), ele preferia que ao se falar em línguas em público, todos pudessem entender (exercendo o dom de interpretação) e ser beneficiados (v. 16). Se alguém, falando em línguas, não pudesse interpretá-las (1 Co 14.13), ou se nenhum intérprete estivesse presente, este dom deveria ser exercitado em particular (v. 28). Um valor institucional muito limitado, e certamente não preferido, pode ser visto se a língua for interpretada (1 Co 14.2-6,12,13,19,28).

### Norma

Paulo reconheceu este dom como uma dádiva genuína do Espírito Santo (1 Co 14.5), e com um valor claro (veja a seção acima sobre o propósito), e advertiu contra a proibição de seu exercício (v. 39). Mas Paulo também enxergou perigos nesta prática, tão importantes quanto os seus benefícios. Ele não atribuiu uma precedência e não encorajou a sua prática na adoração pública (1 Co 14.19,28), porque por natureza este dom é individualista (v. 4), e a sua principal característica é a sua ininteligibilidade (vv. 15,16). Nas duas listas de dons onde o dom de línguas é mencionado (1 Co 12.8-10,28-30), este dom (e o dom de interpretação que deve acompanhá-lo) é colocado em último lugar em uma escala de importância. Este dom deve ser desejado por ter a sua importância e valor. O benefício do exercício dos dons espirituais deve ser medido por sua capacidade de edificar a igreja em amor (1 Co 13; 14.4,5,12-19,26).

Em vista de seu valor limitado na adoração pública, e da instrução para que "faça-se tudo decentemente e com ordem" (1 Co 14.40), Paulo estabeleceu certas normas para o exercício deste dom em público: (1) O exercício deste dom deve, como devem todos os outros elementos compartilhados, contribuir para a edificação dos presentes (1 Co 14.26). (2) Na adoração pública, não mais que dois ou três devem falar em línguas (v. 27). (3) Aqueles que assim falam devem fazê-lo um de cada vez, e não simultaneamente (v. 27). (4) Se nenhum intérprete estiver presente, o que fala em línguas deve permanecer calado (v. 28).

Além destas normas tão claras e explícitas, alguns comentaristas têm sugerido duas outras normas. A partir da última oração do v. 27, "e haja intérprete", alguns têm concluído que não deveria haver mais que um intérprete em uma reunião. Outros têm concluído a partir da ordem, "as mulheres estejam caladas nas igrejas" (vv. 34,35), que as mulheres nunca deveriam exercitar o dom de línguas na adoração pública. Embora tais interpretações sejam possíveis, outras interpretações igualmente boas (se não melhores) também são possíveis para estas expressões.

Devemos observar, ao concluirmos esta seção, que as quatro normas explícitas indicam que as línguas não são exercidas em um estado de excitação inconsciente e incontrolada (ou incontrolável), mas em um estado de controle autodeterminado.

### Continuidade

É a glossolalia um dom contínuo para a igreja ou ela deve ser considerada, em certo sentido, como um dos dons temporários (ou fundamentais)? Sabemos que as línguas devem cessar (1 Co 13.8). A questão é: *quando*? Três respostas são comumente propostas:

*Já cessaram*. Alguns alegam que as línguas estão entre os dons temporários, limitados à era apostólica (isto é, ao ano 100 d.C.). É argumentado mais especificamente que, visto que o NT ainda não estava concluído, e que havia um número limitado de apóstolos e profetas na época, Deus revelou sua verdade e a si mesmo mediante certos dons que eram temporários, enquanto que outros deveriam ser parte permanente da vida da igreja. A questão é proposital. Se o motivo não é mais necessário, então o dom era temporário e não será visto por toda a história da igreja.

Outros argumentos comumente proferidos são os seguintes: (1) A declaração de que as línguas cessarão (1 Co 13.8), quando o que é perfeito se manifestar (v. 10), olha para o cânon completo das Escrituras, que trouxe o clímax para o processo de amadurecimento da igreja. (2) Nos livros escritos depois de 1 Coríntios que também lidam com problemas da igreja e com a vida cristã, não há nenhuma menção do dom de línguas. (3) Em listas posteriores de dons espirituais, as línguas não estão incluídas (cf. Rm 12.3-8; Ef 4.7-11). (4) Nos três séculos seguintes à era apostólica não há nenhum caso genuíno de glossolalia. O falar em línguas aparentemente havia cessado no final do século I

*Contínua*. Uma segunda posição argumenta que todos os dons espirituais, incluindo o de línguas, cessarão apenas na ocasião da segunda vinda de Cristo, e que todos eles são necessários hoje. Os argumentos neste caso são os seguintes: (1) A expressão "O que é perfeito" (1 Co 13.10) pode se referir apenas à era perfeita introduzida pela segunda vinda de Cristo (cf. v. 12). (2) Paulo estava preocupado que não faltasse à igreja "nenhum dom" enquanto os cristãos esperavam a manifestação de nosso Senhor Jesus Cristo (1 Co 1.7). (3) O dom de línguas foi dado à Igreja, e, enquanto a Igreja do Senhor estiver na terra, as línguas devem continuar. (4) O dom de línguas é uma parte integrante da grande comissão (Mc 16.15-20). (5) O propósito dos dons era a confirmação, não a substituição, da Palavra para um mundo pagão. Esta confirmação é continuamente necessária.

*Contínua, porém limitada.* Uma terceira posição, um pouco moderada, defende que as línguas são permanentes e possíveis hoje, embora não necessárias (no sentido que possuíam no século I), e nem normais. Alguns escritores sugerem uma diminuição contínua baseada na ilustração de 1 Co 13.10,11 (F. Godet, *Commentary on the First Epistle to the Corinthians*, II, 321). Como uma adição a pelo menos alguns dos argumentos, os seguintes são oferecidos: (1) Não há *nenhuma* escritura que declare explicitamente que as línguas cessariam com o fim da era apostólica. (2) Em vista da soberania de Deus, é uma atitude arrogante impor uma limitação sobre o poder ou sobre os propósitos de Deus. Se uma vez o Senhor cumpriu o seu intento divino por meio deste dom, Ele pode muito bem continuar a fazê-lo.

***Bibliografia.*** Johannes Behm, "Glossa", TDNT, I, 719-726. Frederick Dale Bruner. *A Theology of the Holy Spirit*, Grand Rapids. Eerdmans, 1970. Robert G. Gromacki, *The Modern Tongues Movement*, Filadélfia. Presbyterian and Reformed Pub. Co., 1967. Charles Hodge, *An Exposition of the First Epistle to the Corinthians*, Grand Rapids. Eerdmans, 1953. H. A. W. Meyer, *Critical and Exegetical Hand-Book to the Epistles to the Corinthians*, Nova York. Funk e Wagnalls, 1884.

H. D. F.

**LINHA** Tradução de várias palavras gregas e hebraicas da Bíblia.

1. A palavra hebraica *qaw* ou "linha", é a mais comum e se refere a linha de medir (Jó 38.5; Jr 31.39; Zc 1.16). Ela foi usada para informar que um local havia sido medido para o juízo (2 Rs 21.13; Is 28.17; 34.11). Alguns usos (1 Rs 7.23; 2 Cr 4.2; Ez 47.3) trazem alguma indicação do moderno utensílio do agrimensor. Seu uso no Salmo 19.4 é um outro problema. Talvez *qaw* esteja designando a linha do horizonte para indicar o círculo celestial completo em torno da terra, e desse modo a ilimitada expansão do testemunho da criação. O termo *qaw* pode ter se derivado de uma raiz hebraica diferente que significa uma chamada (Dahood, *Psalm* 1, Anchor Bible, pp. 121ss.). Laird Harris afirma com convicção que a Septuaginta (LXX) preserva a escrita hebraica original, "sua força" (*qlm* ao invés de *qwm*) que Paulo corretamente escolheu para citar Rm 10.18 (*Inspiration and Canonicity of the Bible,* Grand Rapids, Zondervan, 1957, p. 69).
2. A palavra hebraica *hebel,* ou "corda", é uma linha ou corda de medir usada para marcar as porções de terra (Sl 16.6; Am 7.17) ou as próprias partes ou porções (Js 17.5).
3. A palavra hebraica *hut* corresponde a "linha", "corda" ou "fio" (1 Rs 7.15; Ct 4.3; Jr 52.21).
4. A palavra hebraica *tiqwa* ou "linha", "corda", é derivada de *qaw* e indica uma espécie de linha ou cordão (Js 2.18).
5. A palavra hebraica *sered* ou "estilo", "lápis" e "giz vermelho" (Is 44.13) era um instrumento ou material para desenhar uma linha ou marca. Há alguns que interpretam o termo como representando uma régua.
6. A palavra grega *kanon*, ou "linha" (2 Co 10.16), indica um costume ou padrão que controla uma atividade. *Veja* Pesos e Medidas e moedas.

H. G. S.

**LINHAGEM** Termo que significa família (em grego, *patria*), encontrado em algumas versões em Lc 2.4. A linhagem enumera as ligações dos ancestrais de uma pessoa. Ela serve para fornecer a seqüência da história (Gn 5); para assegurar os direitos sacerdotais (Êx 6.14-27; 1 Cr 15.1-15; Ne 7.61-65); para assegurar um lugar no trono de Davi (1 Cr 3.10-15); e, mais importante ainda, para cumprir as Escrituras em relação à ligação do Messias com a tribo de Judá (Gn 49.10; Hb 7.13,14), e com a semente de Davi (Is 9.7; Mt 1.1-25; Lc 1.32,33,69). *Veja* Genealogia.

**LINHO** Fio ou tecido feito de fibra de linho. A palavra linho representa várias palavras hebraicas e gregas. Em geral, o material designado por elas é produto da planta do linho (Êx 9.31) que é anualmente cultivada principalmente por causa de sua fibra. Essa fibra longa e sedosa é separada do caule lenhoso depois de ser deixada apodrecendo ou "macerando" na água. Depois que o caule é malhado, a fibra é retirada por meio de um instrumento parecido com um pente (Is 19.9) e trefilado para se tornar um fio que é, depois, transformado em tecido. O cânhamo é muito parecido com o linho. *Veja* Ocupações: Tecelão; Plantas: Linho.

Tanto o calendário Gezer (ANET, p. 320; *veja* Calendário) como a história de Raabe indicam que a planta do linho era cultivada em Canaã (Js 2.6). O povo da Palestina fabricava o linho, pois foram encontrados pesos de teares e tinas para tingir em muitas cidades que foram escavadas. Tecidos simples de linho estavam enrolados em alguns dos rolos do mar Morto. Bolas de fios de linho e tecidos de linho da Idade do Cobre, junto com a revolta de Bar Kokhba, foram encontrados em cavernas isoladas perto de En-Gedi, em 1960 e 1961.

Tecer era uma tarefa geralmente desempenhada pelas mulheres (Êx 35.25; Pv 31.13, 19). Às vezes, era o trabalho da família (1 Cr 4.21). Entretanto, o linho de melhor qualidade vinha do Egito, como já mencionamos (Gn 41.42; Ez 27.7; Pv 7.16). Documentos egípcios como a História de Wen-Amon (ANET, p. 28) revelam que o linho foi exportado do Egito para a Fenícia durante muitos séculos. Em geral, o linho era usado para todo o tipo de vestuário, para sacaria, envoltório para os mortos, velas de navio e

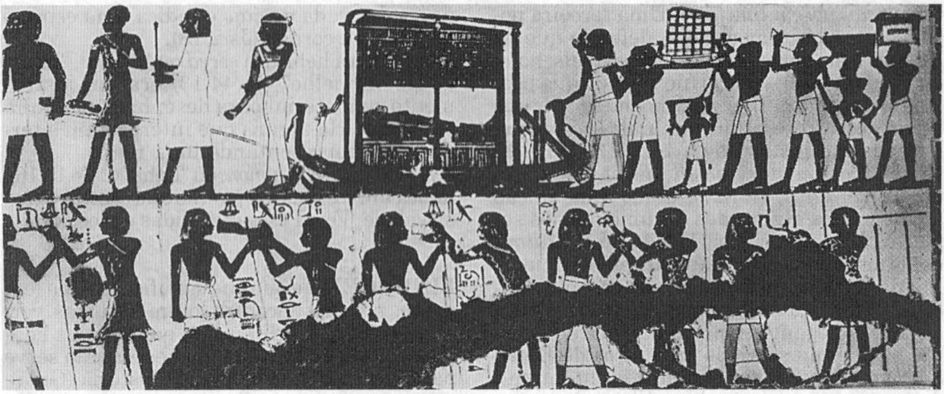

Uma cena da Tumba 139 em Tebas mostrando uma variedade de vestes de linho, algumas das quais são transparentes. LL

cortinas. As vestes de linho eram mais frescas do que as de lã, e especialmente preferidas nos climas quentes.

As quatro palavras hebraicas comumente traduzidas como "linho" são:

1. *pishteh,* que pode se referir à planta do linho como matéria prima (Js 2.6; Jz 15.14; Pv 31.13; Is 19.9; Ez 40.3; Os 2.5,9) ou ao próprio produto, isto é, o linho (Lv 13.47; Dt 22.11, *et al.*). Esse linho também era usado para fazer cintos ou saiotes masculinos (Jr 13.1) e para as vestes dos sacerdotes (Ez 44.17,18). *Veja* Vestuário.

2. *bu* , em grego *byssos, byssinos* era, aparentemente, uma palavra que surgiu mais tarde para designar o linho branco fino e os tecidos mais preciosos usados para as vestes dos reis, sacerdotes e pessoas distintas e honradas: (*a*) A realeza (o manto de Davi, 1 Cr 15.27) e os homens de elevada posição, como Mardoqueu (Et 8.15), além dos ricos (Lc 16.19). O linho mais fino, branco e puro, será usado para vestir a Noiva do Cordeiro (Ap 19.8), assim como os exércitos celestiais (Ap 19.14), simbolizando a justiça e a pureza dos santos. (*b*) Os cantores levíticos (1 Cr 15.27; 2 Cr 5.12). (*c*) No Templo, esse linho era usado para fazer o véu (2 Cr 3.14), e para as cordas que seguravam as tapeçarias do jardim do palácio de Susã (Et 1.6). Era um artigo de muito valor para o comércio, tanto no AT (Ez 27.16) como na época do NT (Ap 18.12,16).

3. *bad* significa parte ou pedaço de tecido, geralmente de linho puro. As calças ou vestes íntimas dos sacerdotes eram feitas com esse tipo mais durável de linho (Êx 28.42; 39.28; Lv 6.10), assim como as suas vestes cerimoniais feitas com linho branco, usadas no Dia da Expiação (Lv 16.4,23). O éfode ou saiote usado por Samuel e Davi era feito de linho *bad* (1 Sm 2.18; 2 Sm 6.14), assim como as vestes do anjo na visão de Daniel (Dn 10.5; 12.6,7). O vestuário oficial dos sacerdotes egípcios era sempre feito com linho branco e puro.

4. *shesh* (em egípcio *ss*) corresponde a um linho egípcio de peculiar brancura e delicadeza, como nas vestes de José (Gn 41.42). Os israelitas ofereceram delicados tecidos de linho como presentes para a construção do Tabernáculo e para as vestes dos sacerdotes (Êx 25.4; 26.1; 28.5; 35.6,23), sem dúvida, recebidos dos egípcios apavorados na noite da Páscoa (Êx 12.35,36). Os egípcios enrolavam as múmias com linho, e às vezes chegavam a usar mais de 90 metros em uma única múmia.

Os judeus da época do NT seguiam esse costume de envolver o corpo dos mortos com ervas e faixas de linho (gr. *othonion,* Lc 24.12; Jo 19.40; 20.5-7), mas não o embalsamavam. O morto era, então, enrolado em um lençol de linho ou mortalha (em grego, *sindon,* Mt 27.59; Mc 15.46; Lc 23.53).

Outras palavras que se referem à planta do linho são as hebraicas *'etun,* ou linho vermelho do Egito (Pv 7.16); *sadin,* um tecido luxuoso feito pela esposa virtuosa (Pv 31.24) e muito valorizado pelas mulheres de Jerusalém (Is 3.23), e os trinta lençóis de linho prometidos por Sansão (Jz 14.12,13); e as palavras gregas *othone,* tecido ou lençol de linho, como aquele que Pedro contemplou em uma visão (At 10.11; 11.5); e *linon,* o pavio fumegante (Mt 12.20) e as vestes dos sete anjos (Ap 15.6).

I. R.

**LINO** Uma das inúmeras pessoas que se juntaram a Paulo para enviar saudações a Timóteo (2 Tm 4.21). Ele só ficou conhecido pela identificação feita por Irineu (*Against Heresies* III iiI 3) e confirmada por Eusébio (*Church History* III 2; V. 6) como o primeiro bispo de Roma (cf. Blunt, s.v. "Popes, Catalogue of"). Presume-se que ele tenha escrito dois tratados sobre os martírios de Pedro

e de Paulo (profusamente detalhados na obra *A Dictionary on Christian Biography,* III, 726-729). Existem outras obras também atribuídas a ele (cf. HDB, III, 126). A Igreja Romana o celebra no dia 23 de setembro.
Na controvérsia romana em relação à primazia de Pedro, o lugar de Lino foi amplamente documentado a partir de fontes originais na obra "A Treatise of the Pope's Supremacy", e em *The Works of Isaac Barrows, D. D.* (Nova York. John C. Riker), 1845, III, 124-129.

**LIQUI** Este nome só é mencionado em 1 Crônicas 7.19, como o terceiro dos quatro filhos de Semida, um descendente de Manassés. Aparentemente, ele era membro da meia tribo de Manassés que vivia a leste do Jordão.

**LIRA** *Veja* Música.

**LÍRIO DOS VALES** *Veja* Plantas.

**LÍRIO** *Veja* Plantas.

**LISÂNIAS** Tetrarca de Abilene (Lc 3.1), uma região do Anti-Líbano, a noroeste de Damasco. Lucas o citou juntamente com outros do ano 26-27 d.C. (ou 28-29) para datar o início da pregação de João, filho de Zacarias.
Josefo (*Ant.* xv.4.1) referiu-se a um Lisânias anterior, rei dos itureus (uma região a oeste de Abilene), que foi executado por Marco Antônio em 36 a.C. Não se sabe ao certo se esta pessoa ou o Lisânias de Lucas é aquele que foi mencionado nas moedas que trazem a inscrição: "Lisânias tetrarca e sumo sacerdote". O nome aparece em uma inscrição (*Corpus Inscriptionum Graecarum*, 4521) do período de 14-29 d.C. na frase "Lisânias o tetrarca".
A história de Abilene não é clara e, embora Josefo forneça outras referências sobre esta região (veja *Ant.* xix.5.1; xx.7.1), o problema da identificação específica de Lisânias permanec. *Veja* Abilene.

**LÍSIAS** Um oficial romano em Jerusalém na época da prisão de Paulo. Ele é chamado de "comandante" ou "tribuno" (At 21.31-33,37). A palavra grega *chiliarchos* é, literalmente, "um governante de mil", portanto ele comandava uma coorte (cerca de 1.000 homens).
Seu nome mais longo, Cláudio Lísias (o segundo provavelmente significando o seu nascimento grego), é dado em Atos 23.26. Ele havia comprado sua cidadania romana (At 22.28). Sua base em Jerusalém estava na "fortaleza" (At 21.34), a torre de Antônia, na extremidade noroeste da área do Templo, um local de pronto acesso (por uma escada) até os limites do próprio Templo.

**LISTRA** Uma cidade a aprox. 29 quilômetros a sudoeste de Icônio, na província romana da Galácia, onde Paulo estabeleceu uma igreja em sua primeira viagem missionária. Ele a visitou em sua segunda e terceira viagens missionárias (At 14.6-20; 16.1-5; 18.23). Aqui, o apóstolo e Barnabé foram saudados como Júpiter e Mercúrio, mas Paulo foi depois apedrejado e deixado como morto. Foi em Listra ou em Derbe que Paulo encontrou-se com Timóteo. Fundada como uma colônia romana por Augusto, por volta de 6 a.C., com o propósito de treinar e controlar as tribos da montanha na fronteira sul da província da Galácia, Listra era um local de alguma importância sob o governo dos primeiros imperadores. Em 1885, J. R. S. Sterrett demarcou a sua localização por meio de um altar inscrito, ali edificado, e que possui o nome Listra em latim.

Colina de Listra. Robert Cooley

**LISTRADO** Tradução da palavra hebraica *'aqod,* que significa "riscado", "estriado" ou algo que tem "faixas" (Gn 30.35,39-40; 31.8,10,12). Esse termo descreve as cabras (normalmente pretas) dos rebanhos de Jacó que estavam marcadas com listras brancas, e os carneiros com listras marrons ou pretas.

**LITEIRA** Tradução de uma palavra hebraica que aparece em Isaías 66.20; Cantares 3.7; Amós 3.12. Na forma composta, ela foi traduzida como "carro coberto" em Números 7.3. A liteira era um sofá ou cadeira portátil, coberta e, muitas vezes, fechada por cortinas, para ser carregada por homens ou animais. A liteira era muito comum na Antiguidade em todo o Oriente, mesmo nas partes mais longínquas deste.

**LITERATURA DE SABEDORIA DO ANTIGO TESTAMENTO** As principais palavras usadas para sabedoria no AT são *hokma* (usada 146 vezes), *bina* e *t^ebuna*. As duas últimas são freqüentemente traduzidas como "entendimento" (q.v.). A palavra *tushiyya* é usada algumas vezes para significar "sã sabedoria", ou "empreendimen-

Uma cadeira coberta de Ur montada sobre um trenó, de aprox. 2500 a.C. BM

to". O adjetivo *hakam*, "sábio", é usado 102 vezes, e como "homens sábios" 15 vezes. Bem mais da metade dos casos do uso destas palavras é encontrada em Jó, Provérbios e Eclesiastes, os quais são freqüentemente chamados de livros da sabedoria. Um material de espécie um pouco similar é conhecido tanto do Egito como da Babilônia. Assim, a Literatura de Sabedoria é uma ampla categoria de escrita no antigo Oriente Próximo.

Os livros de sabedoria do AT, porém, são bastante variados em estrutura e conteúdo. O trato da palavra "sabedoria" também é diferente nestes livros e em outras partes do AT. No Êxodo, a habilidade dos construtores do Tabernáculo é chamada de sabedoria e é considerada um dom de Deus. A arte de governar e o julgamento de Salomão, Daniel, e outros é da mesma forma considerado como uma habilidade e são chamados de sabedoria. Ela é atribuída a Deus. Este é o uso habitual do AT fora dos livros de sabedoria.

Em Eclesiastes, a palavra "sabedoria" é considerada – em contraste com outras coisas – como um possível propósito elevado de vida, e, como tal, ela é rejeitada. A sabedoria excede a loucura, é verdade, mas o homem sábio morre da mesma forma que o tolo (Ec 2.16). Há um exemplo da relativa falta de proveito da sabedoria (Ec 9.17,18). Uma cidade foi tomada e um homem sábio a libertou. Mas este sábio foi esquecido. A sabedoria aqui é usada para significar inteligência ou habilidade. Mas ela não é altamente estimada: "Porque, na muita sabedoria, há muito enfado; e o que aumenta em ciência aumenta em trabalho" (Ec 1.18).

A palavra é usada com menos freqüência em Jó, e não é uma característica principal do livro, que possui um tema maior: "Por que os justos sofrem?" Geralmente a palavra refere-se à inteligência e é usada igualmente por Jó e seus consoladores. Mas há um uso muito distinto em Jó 28, um capítulo dedicado ao louvor da sabedoria. Porém, a sabedoria e o entendimento, da forma que são usados neste capítulo, não são mera inteligência, mas retidão. A expressão em Jó 28.28 contribui para uma nova definição: "O temor do Senhor é a sabedoria, e apartar-se do mal é a inteligência".

O uso da "sabedoria" em Provérbios é bem distinto e é exatamente como o de Jó 28. No início do livro (Pv 1.7), no final da primeira seção (9.10), e no final do livro (31.26-30), a "sabedoria" é definida em termos religiosos. "Sabedoria" aqui não é a mera habilidade ou inteligência. Ela é retidão; é uma qualidade moral e religiosa. Provérbios é o livro da sabedoria *por excelência* (cf. "Proverbs", WBC, pp. 553-583). Em Provérbios 1–9 a "sabedoria" é personificada como uma mulher honrada. Isto é natural, pois "sabedoria" em hebraico é um substantivo feminino. O contraste é feito com a mulher leviana. Observe que o oposto de "sabedoria" não é ignorância, mas pecado. Em Provérbios 9.4,16, o contraste é mais evidenciado. A sabedoria e a mulher tola fazem o mesmo chamado ao transeunte. Uma chama para o temor do Senhor; a outra, para o pecado. Em Provérbios 8, a "sabedoria" é apresentada como a companheira de Deus na criação e na providência. A personificação é tão admirável que muitos têm considerado Provérbios 8.22ss. como um prenúncio de Cristo (*veja* Sabedoria). No restante de Provérbios, há muitos elogios ao homem sábio. Ele é contrastado com o filho insensato em 10.1 e 15.20 (onde o filho insensato peca ao desonrar os pais). O sábio ganhador de almas, em 11.30, é aparentemente o homem justo do v. 31. A lei do sábio em 13.14 é comparada com o temor do Senhor em 14.27. Um rei sábio é aquele que dissipa o mal (20.8,26). As palavras do sábio são, certamente, um convite a confiar no Senhor (22.17-19).

Paralelos da Literatura de Sabedoria bíblica com outras literaturas de sabedoria do oriente são inexpressivos. A obra *Story of Ahikar* (ANET, pp. 426-430) é a história de um homem sábio sob o governo do rei Senaquerib e que perdeu o favor do rei, mas que foi restaurado no devido tempo. Uma cópia foi encontrada entre os papiros elefantinos datados de aprox. 400 a.C. Há alguma sugestão de que esta cópia, usada por judeus no Egito, mostra uma dependência de Provérbios 23.14 (veja o comentário do autor, *in loc.*). A obra *Wisdom of Amem-em-Opet* do Egito (ANET, pp. 421-424) tem alguns paralelos com Provérbios, porém em seu arranjo deve ter aprox. 30 capítulos a mais (como as 30 seções alegadas em Pv 22.17–24.22). A

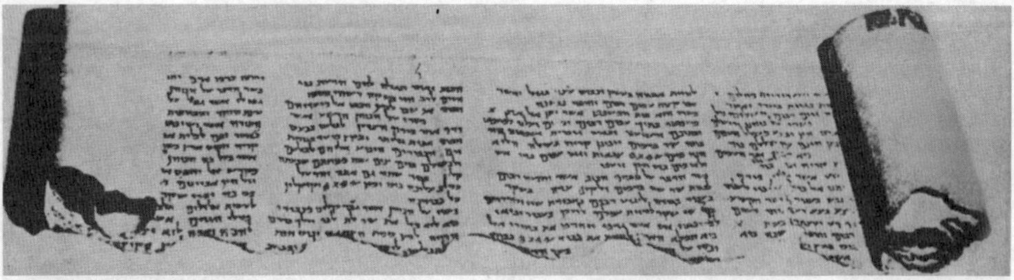

Um livro hebraico em forma de rolo – o Comentário de Habacuque, dos Rolos do mar Morto.
Y. Yadin e o Santuário do Livro

obra babilônica *I Will Praise the Lord of Wisdom* (ANET, pp. 434-437) é às vezes chamada de Jó babilônico. A obra *Dialogue About Human Misery* (ANET, pp. 438ss.) é comparada por alguns a Eclesiastes. Vários provérbios sumerianos são conhecidos, escritos no estilo de máxima curta. Eles têm sido descritos por S. N. Kramer em *History Begins at Sumer* (Garden City, N. Y.: Doubleday Anchor, 1959), pp. 117-126. Nenhuma destas obras tem alguma relação real com os ensinos dos livros bíblicos. Em geral, a Literatura de Sabedoria bíblica inclui tipos de literatura encontrados no mundo antigo, mas expressa o ensino bíblico único do temor a Deus, a principal finalidade do homem, e o triunfo do homem piedoso sobre o sofrimento e o mal.

***Bibliografia.*** G. L. Archer, *A Survey of Old Testament Introduction*, Chicago. Moody Press, 1964, pp. 438-472. M. Noth e D. W. Thomas, eds., *Wisdom in Israel and the Ancient Near East*, Leiden. Brill, 1955. R. B. Y. Scott, "The Wisdom Movement and Its Literature", *Proverbs, Ecclesiastes*, The Anchor Bible, Garden City, N. Y.: Doubleday, 1965, pp. xv-liii; *The Way of Wisdom in the Old Testament*, Nova York. Macmillan, 1971.

R. L. H.

**LITÓSTROTOS** *Veja* Pavimento.

**LIVRAMENTO** *Veja* Liberdade; Liberação.

**LIVRE** Há versões que não utilizam este termo no AT (por exemplo, a versão KJV em inglês). Porém, há versões que assim traduzem a palavra heb. *horim* (que significa "livres de nascença", "nobres" em Ec 10.17). No NT, o termo *apeleutheros* (1 Co 7.22) refere-se a um escravo liberto e, nesta referência em particular, a alguém que recebeu a liberdade espiritual. O termo *eleutheros* (Gl 4.22,23,30; Ap 6.15) diz respeito a um homem livre em contraste com o escravo. *Veja* Liberdade.

**LIVRO** *Antigo Testamento*. Em hebraico, a palavra usada para "livro" é, geralmente, *seper*, provavelmente emprestada da língua acadiana – uma língua semítica. Acredita-se que em acádio a raiz significasse "tarefa", em seguida o documento que descrevia uma tarefa e, depois, o verbo que significava "enviar" o documento. Em todos esses casos, *seper* significa "livro" ou "carta". O verbo que se originou significa "contar" ou "relatar". O particípio *soper* designa um escriba ou um oficial que passa em revista as tropas.

Nos tempos do AT, um livro poderia ter várias formas. As "cartas" de 2 Reis 20.12 eram, provavelmente, tábuas de argila iguais às que haviam sido usadas na Mesopotâmia desde a invenção da escrita, antes do ano 3200 a.C. Na Palestina, os hebreus geralmente usavam papiros do Egito, ou, provavelmente, peles de animais como material para escrever. O alfabeto hebraico não se adaptava para ser escrito na argila. O livro hebreu, como o Livro do Concerto (ou Livro da Aliança; Êx 24.7) era sem dúvida um pergaminho ou rolo igual aos que são vistos nas gravuras egípcias. Tais rolos (q.v.) eram muito bem adaptados para longas peças literárias. Cinco rolos podiam facilmente acomodar os cinco livros de Moisés. Posteriormente, eles receberam o nome de *megilla* (Jr 36.28). Os Rolos do mar Morto (q.v.) nos dão muitos exemplos de pergaminhos escritos sobre o couro desde o ano 225 a.C. Todo o livro de Isaías, datado do ano 150 a.C, está em bom estado de conservação.

Muitas vezes, escritas menores eram dobradas ou seladas. Exemplos desse formato são encontrados nos papiros do período de 500 a 400 a.C nas colônias judaicas de Elefantine no Egito. *Veja* Papiros Elefantine.

Muitos livros são mencionados no AT, alguns conhecidos, outros não. O livro da lei de Moisés é mencionado repetidamente. Josué também escreveu uma seção no livro da lei de Deus (Js 24.26). Vários profetas fazem referência a seus livros. Daniel, evidentemente, tinha uma coleção de livros sagrados dentre os quais estava o de Jeremias (Dn 9.2; cf. BDB, p. 707).

Os reis da Antiguidade conservavam os registros da corte em livros (Et 6.1; Ed 4.15). Havia também crônicas dos reis de Israel e

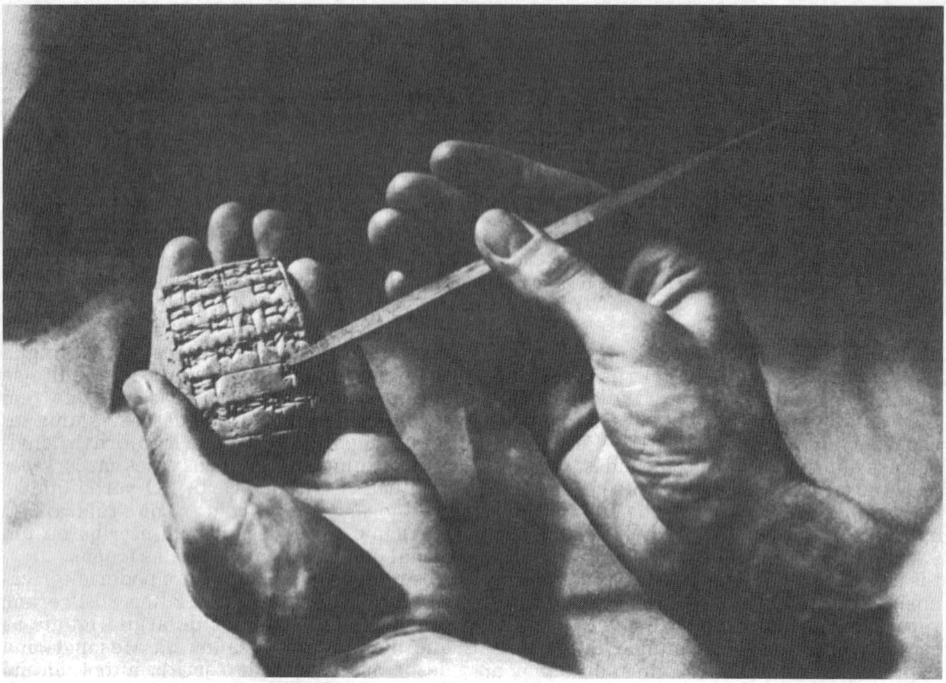

Um "livro" babilônico escrito em uma tábua de argila. ORINST

Judá (1 Rs 14.19,29). Os livros das Crônicas referem-se a livros de sucessivos profetas, como sendo a sua fonte (2 Cr 9.29; 20.34; 32.32 etc.). Por sabermos que essas fontes eram os livros de Samuel e Reis, podemos afirmar que esses livros eram verdadeiramente obra desses profetas. Uma referência enigmática é feita ao Livro de Jasar (ou Livro dos Justos, ou Livros do Justo, ou Livro do Reto; Js 10.13; 2 Sm 1.18). Jasar significa "o reto" (ou "o justo") e a nação de Israel era chamada Jesurum (Dt 32.15; 33.26). Jasar pode ter sido exatamente a crônica da história da nação.

*Novo Testamento.* A palavra grega para "livro" é *biblion* ou *biblos,* de onde provém a palavra Bíblia, o Livro. A palavra grega, por sua vez, parece ter derivado do nome da cidade de Biblos, um porto da Síria através do qual era importado o papiro do Egito para a Palestina e para a Síria, e daí transportado para a Grécia.

No NT, muitas vezes a palavra "livro" refere-se a escritos do AT, que eram evidentemente pergaminhos ou rolos (Lc 4.17). As composições mais curtas de Paulo e de Pedro são chamadas de "epístolas". Estas, provavelmente, foram dobradas ao invés de serem enroladas, não sendo, portanto, os "rolos" no sentido tradicional. O Apocalipse e o evangelho de João são chamados de "livros" (Ap 22.18; Jo 20.30). O evangelho de Mateus começa da seguinte forma: "Livro da geração de Jesus Cristo" que nos faz lembrar, imediatamente, da passagem em Gênesis 5.1. Paulo pede os seus livros em 2 Timóteo 4.13.

Geralmente, supõe-se que os apóstolos escreveram em rolos, com exceção das cartas mais resumidas. Mas os fragmentos dos papiros Rylands, do evangelho de João, datados aproximadamente do ano 125 d.C., foram escritos em páginas iguais às de nossos livros, sob uma forma chamada códex. É possível que alguns dos escritos do NT tenham sido, originalmente, confeccionados desta forma. Isso poderia explicar o fato de a primeira coleção dos evangelhos ter sido confeccionada em uma única unidade, e as epístolas de Paulo em outra. A forma atualizada de códex de um livro provavelmente tenha ajudado a propagar o NT como uma unidade e, como resultado, esse uso ampliado do NT provavelmente tenha ajudado na disseminação da adoção dessa forma de livro. *Veja* Rolo; Escrita.

R. L. H.

**LIVRO DA ALIANÇA** Moisés lia o "Livro da Aliança" ou "Livro do Concerto" ao transmitir ao povo as leis que lhe haviam sido dadas por Deus no monte Sinai (Êx 24.7). Essa expressão provavelmente se refira à coleção de leis encontrada em Êxodo 20.22–23.33.

**LIVRO DA VIDA** *Veja* Vida, Livro da

**LÓ** Sobrinho de Abraão que se mudou de Ur dos caldeus com sua família, e então continuou com Abraão, de Harã na Mesopotâmia para Canaã (Gn 11.31; 12.4,5). Mais tarde foi para o Egito com Abraão (13.1), e retornou com ele. Quando os rebanhos de Ló e Abraão aumentaram, surgiu uma disputa entre seus pastores por este espaço que representava a sobrevivência de seus animais. Abraão generosamente deixou que Ló escolhesse que terra desejaria ocupar. Ele tomou o bem regado vale do Jordão em direção ao mar Morto, perto de Sodoma. Mas, foi observado que o povo de Sodoma era extremamente pecador (Gn 13.5-13). O NT declara que Ló sentia-se perturbado pela maldade explícita à sua volta em Sodoma (2 Pe 2.7ss.).

Um grupo de reis da Mesopotâmia derrotou os reis de Sodoma e Gomorra e seus aliados, em uma batalha, e se apossaram de Ló, de sua casa e de seus bens (Gn 14.12). O fiel Abraão derrotou o inimigo com uma tropa de homens em uma batalha noturna que os levou para Damasco. Ló, seu grupo e seus bens foram recuperados (14.15,16).

Mais tarde, Deus resgatou misericordiosamente a Ló, sua mulher e suas duas filhas por uma intervenção angelical. Naquele momento, o Senhor estava prestes a destruir as cidades de Sodoma e Gomorra (Gn 19). A investida maligna dos homens de Sodoma contra os visitantes de Ló, ilustra a depravação que trouxe o juízo divino. E a tentativa de Ló de pacificar os cidadãos mostra os efeitos nocivos da cidade sobre ele (vv. 4-9). Ló e sua família foram advertidos a não olharem para trás ao fugirem, mas sua mulher desobedeceu esta ordem e se tornou uma estátua de sal (19.26; cf. Lc 17.28-32). Depois disso, na região montanhosa, as filhas de Ló fizeram com que ele, sob o efeito de vinho, lhes gerasse dois filhos que se tornariam os ancestrais dos moabitas e dos amonitas (Gn 19.30-38).

N. B. B.

**LO-AMI** Nome hebraico do terceiro filho de Oséias com Gomer (Os 1.9), que significa "Não-Meu-Povo", e deve ser interpretado como um contraste simbólico de Ami, que significa "meu povo" (Os 2.1,23). Este nome indica o Reino do Norte chamado Israel. Simbolicamente, portanto, Israel como "Não-Meu-Povo" está fazendo um contraste com Judá, a tribo escolhida (Os 1.6,7; cf. Gn 49.10; Hb 7.14), e com os fiéis remanescentes e naturais de Israel (Os 1.9,10; Is 10.21, 22; Zc 13.9; Rm 9.27-29). *Veja* Lo-Ruama; Ruama.

**LOBO** *Veja* Animais II.28.

**LOCUSTA** *Veja* Animais III.38.

A destruição de Sodoma (Corot)

**LODE** Chamada de Lida (*q.v.*) no NT, a cidade de Lode está localizada na extremidade oriental da planície filistéia, ao longo da via Maris, entre Gate e Afeca, 18 quilômetros a sudeste de Jope.

Aparentemente, era governada por um rebelde rei vassalo, no final do século XIX ou no início do século XVIII, como aparece nos textos de execração usados nos rituais egípcios, amaldiçoando as rebeldes cidades-estado satélites de Canaã. Ela foi conquistada por Tutmósis III no século XV.

Obviamente, Lode gozava de uma posição estratégica, pois dominava a planície de Ono (no vale dos Artífices, cf. Ne 11.35) onde a via Maris interceptava o Caminho de Bete-Horom, a estrada principal que levava à região montanhosa. O texto em 1 Crônicas 8.12 está indicando que a cidade foi construída e habitada pelo povo de Benjamim nos períodos dos juízes e da monarquia. A cidade foi novamente habitada pelos benjamitas durante a restauração (Ne 7.37; Ed 2.33), porém mais tarde caiu nas mãos dos samaritanos; então foi, mais tarde, incluída na área sugerida por Sambalate como uma "terra de ninguém". Lode só foi considerada um território da Judéia em 145 a.C. (cf. 1 Mac 10.30; 11.34; Josefo, *Ant.*, xiiI4.9.).

P. W. F.

**LO-DEBAR** Lugar em Gileade onde Maquir (2 Sm 9.4,5; 17.27) viveu e onde Mefibosete permaneceu depois da morte de Jônatas. Também é chamado Debir (*veja* Debir 3). Amós, sarcasticamente, faz um jogo de palavras contra aqueles "que se alegram em Lo-debar" (Am 6.13), porque esse nome significa, literalmente, "coisa de nada". Embora a sua localização seja incerta, ela foi identificada com *Umm ed-Dabar,* cerca de 13 quilômetros ao sul do mar da Galiléia.

**LOGOS**

**Contexto Histórico**

A fim de entender a controvérsia que cerca a doutrina do Logos, será necessário fazer um

breve resumo a respeito do início histórico de seu conceito. Provavelmente, o germe desse conceito vem dos ensinos e dos escritos do filósofo grego Heráclito (aprox. 490 a.C.), que retratou o universo como tendo sido formado por um elemento ardente, ou uma inteligência cósmica, do qual fazem parte as almas dos homens. Anaxágoras, de Atenas (aprox. 500-428 a.C.), deu um passo adiante ao ensinar que uma inteligência formadora (em grego *nous*) agiu na ordenação da matéria e que, apesar disso, era independente dela. Platão (430-348 a.C.) usou a palavra *logos* para descrever a Força divina da qual surgiu o mundo. Aristóteles (384-322 a.C.) postulava que existe uma fagulha divina no homem, ou Logos, que este compartilha com Deus.
Provavelmente, os estóicos foram os responsáveis pelo primeiro manifesto sistemático sobre o conceito do Logos. O estoicismo (em voga a partir de aprox. 300 a.C.) modificava a idéia do fogo de Heráclito e deu o nome de Logos a uma alma inteligente, interior, autoconsciente e universal da qual a nossa razão é parte. Ela era uma espécie de sabedoria divina totalmente cósmica e dominadora. Diziam que o homem tinha um deus interior ao qual podia seguir. Se o homem tinha a divindade dentro de si, diziam os estóicos, "Nós também somos seus filhos".
Fazendo uma ponte no tempo, e conciliando os conceitos da época anterior a Cristo (a.C.) e depois dele (d.C.), está o filósofo judeu Filo de Alexandria que ensinava haver, entre Deus e o mundo, um grupo intermediário de poderes divinos, sendo que Logos era o poder mais elevado. Ele emanava de Deus e foi o agente por quem Ele criou o mundo e do qual fluem todos os outros poderes. Por intermédio do Logos foi criado o homem ideal, "do qual o homem atual é uma cópia defeituosa, uma obra feita por poderes espirituais inferiores e também pelo Logos. Apesar desse estado decaído, o homem pode se elevar para fazer uma conexão com Deus por meio do Logos, o agente da divina revelação" (Williston Walker, *A History of the Christian Church,* Nova York. Scribner's, 1947, p. 17).

### O Conceito do Novo Testamento

Muitos estudiosos têm afirmado que o apóstolo João trazia esse desenvolvimento filosófico no recôndito de sua mente ao escrever o prólogo de seu evangelho, e que realmente tentou transmitir alguns desses conceitos. Muitos argumentaram, durante um longo período, que o contexto do quarto evangelho era essencialmente helenista, e não hebraico. Ao analisar essa assertiva observamos que os estudos sobre os Rolos do mar Morto têm a tendência de confirmar a tradicional posição conservadora de que a orientação cultural do Evangelho de João era hebraica. Além disso, devemos observar que João era um simples pescador da Palestina e, embora tenha realmente vivido na sofisticada cidade de Éfeso, provavelmente depois da queda de Jerusalém em 70 d.C., não existem provas de que ele tenha absorvido qualquer orientação filosófica grega naquela cidade. Mas se ele tivesse a intenção de fazer filosofia nos primeiros versos, certamente não estaria em outro lugar. Podemos argumentar que João usou a palavra "logos" (que fazia parte da linguagem comum da época) com seu entendimento original, e derramou sobre ela um significado espiritual.
Logos significa simplesmente "palavra" ou "expressão". Portanto, o Senhor Jesus é a expressão, o revelador e o expositor de Deus Pai. As palavras são os veículos para mostrar aos outros os pensamentos e as intenções da mente. Na Pessoa do Logos o Deus encarnado se fez totalmente conhecido para nós. Cristo, como a Palavra, constitui a completa e suprema revelação divina. A expressão "No princípio, era o Verbo" (Jo 1.1) implica a eternidade; "E o Verbo era Deus" (Jo 1.1), declara a divindade – em essência, Ele é idêntico a Deus, "E o Verbo se fez carne" (1.14); o Logos se encarnou para revelar Deus aos homens (no v. 18 a palavra "revelou" significa literalmente "o fez conhecer") e assim poderem ser salvos. Além disso, para enfatizar ainda mais a divindade de Cristo, a passagem declara que o Logos era o criador do universo visível ("Todas as coisas foram feitas por ele", v. 3) e Ele é a fonte da vida intelectual, moral e espiritual do homem ("Nele, estava a vida e a vida era a luz dos homens", v. 4).
Os primeiros versículos do Evangelho de João fornecem uma descrição simples, direta e não filosófica, porém profunda, de Jesus como a completa e suprema revelação de Deus aos homens. Somente por meio desse Logos humano e divino, Deus podia "expressar" completamente a si mesmo.

***Bibliografia.*** J. N. Birdsall, "Logos", NBD, pp. 744ss. A Debrunner, *et al.*, "*Lego, Logos* etc.", TDNT, IV, 69-143. C. H. Dodd, *The Interpretation of the Fourth Gospel*, Cambridge. University Press, 1953, pp. 263-285. Merrill C. Tenney, "The Meaning of the Word", *The Bible. The Living Word of Revelation,* Grand Rapids. Zondervan, 1968, pp. 11-27. Andrew F. Walls, "Logos", BDT, pp. 327ss. Veja também os comentários sobre João, Evangelho de.

H. F. V.

**LOGUE ou SEXTÁRIO** *Veja* Pesos, Medidas e Moedas.

**LÓIDE** Avó de Timóteo e, sem dúvida, mãe de Eunice, a mãe de Timóteo. Ela é mencionada apenas uma vez (2 Tm 1.5). Aparentemente, a família vivia em Listra, onde Paulo foi apedrejado. Lóide possuía uma fé sincera em Deus, à qual juntaram-se Eunice e Timóteo, embora o marido de Eunice fosse grego e, evidentemente, um homem descrente (At 16.1). Parece bem provável que ela tenha sido uma judia religiosa antes da primeira visita de Paulo a Derbe e Listra e que ela, sua filha e seu neto se converteram ao cristianismo por causa do ministério de Paulo. Talvez as circunstâncias que cercaram o apedrejamento de Paulo e sua recuperação tenham contribuído para essa conversão. *Veja* Timóteo.

**LOMBOS** Tradução de várias palavras hebraicas, sendo que as mais importantes são *halasiyim* e *mothnayim* (os dois lados das costas), ambas com formas duplas, e da palavra grega *osphus*, "lombo", "quadril" ou parte inferior das costas.

Os quadris correspondem à região das costas e dos lados que fica entre as costelas e a bacia, formando dessa forma o pivô do corpo. Essa palavra é usada principalmente no sentido físico como o lugar para se colocar o cinto (Êx 12.11; 2 Rs 1.8; Ez 23.15; Mt 3.4). Os lombos (ou os quadris) também compreendem a região dos órgãos reprodutores. "e reis procederão de teus lombos" (Gn 35.11; cf. 1 Rs 8.19; Hb 7.5,10).

Em sentido figurado, os lombos eram considerados a sede da força (Dt 33.11; Jó 40.16; Pv 31.17; Na 2.1), e dizia-se que eram afetados pela dor ou pelo terror (Dt 33.11; Sl 38.7; 69.23; Dn 5.6). Os lombos eram cingidos com pano de saco em sinal de luto (Gn 37.34; 1 Rs 20.31,32; Am 8.10). A expressão "cingir os lombos" (1 Rs 18.46; 2 Rs 4.29; 9.1; 1 Pe 1.13) vem da necessidade de juntar na cintura a longa e flutuante veste dos orientais antes de participar de qualquer esforço ou atividade.

E. C. J.

**LONGANIMIDADE** A expressão hebraica *'erek 'aph* significa literalmente "nariz longo" ou "respiração longa", porque a ira é acompanhada por uma respiração rápida através das narinas; daí as possíveis traduções "demorado para se irar", "tardio em irar-se" e "longânimo". Essa palavra foi aplicada a Deus (Êx 34.6; Nm 14.18; Sl 86.15; cf. Ne 9.17; Jl 2.13; Jo 4.2; Na 1.3, onde várias versões a traduziram como "tardio em irar-se").

***Bibliografia.*** J. Horst, "*Makrothymia*", TDNT, IV, 374-387.

R. A. K.

**LO-RUAMA** Uma filha, nascida de Gomer, mulher de Oséias (Os 1.6) cujo nome hebraico significa "desfavorecida". Como no caso dos outros filhos de Oséias, Jezreel e Lo-Ami, o nome "Lo-Ruama" simboliza a condição espiritual de Israel (o Reino do Norte) na época de Oséias. Este reino havia alcançado tal grau de apostasia – exemplificado na vida de todos os reis que sucederam Jeroboão – que a misericórdia do Senhor havia agora chegado ao fim. No entanto, como ilustrado no caso de "Lo-Ami" (*q.v.*), o remanescente fiel na nação se torna Ruama, que significa "favor" (Os 2.1,23). *Veja* Ruama.

**LOTÃ** *Veja* Leviatã.

**LÓTUS** *Veja* Plantas: Lírio.

**LOUCO, TOLO** O termo é usado nas Escrituras com respeito às deficiências morais e espirituais mais do que às mentais e intelectuais. O "louco" não é aquele que não pensa ou raciocina, mas que raciocina de forma egoísta e errônea. No AT o louco é a pessoa que rejeita o temor do Senhor; que pensa e age independentemente, como se pudesse ignorar o governo de Deus; e que blasfema o seu nome e zomba do pecado, com aparente impunidade (Sl 14.1; 74.18,22; Pv 14.8,9 etc.). Em outras passagens o termo tem o significado mais comum, denotando alguém que seja rude, que fale alto demais, ou que seja irracional.

Esta palavra traduz várias palavras heb. e gr. Uma palavra para "louco" no heb., *nabal*, também é o nome de um indivíduo que personificou a loucura, Nabal (1 Sm 25.25). Ele era o que era não por idiotice, mas porque era insensível às reivindicações religiosas e éticas; nem mesmo a sua própria mulher o podia recorrer (25.17). Como tal, ele poderia ser considerado espiritualmente néscio, como no Salmo 14.1. O texto em Isaías 32.6 traz a descrição de um louco. "O louco fala loucamente, e seu coração pratica a iniqüidade, para usar de hipocrisia, e para proferir erros contra o Senhor, e para deixar vazia a alma do faminto, e para fazer com que o sedento venha a ter falta de bebida". Este tipo de pessoa é ativamente irreligiosa e cruel. Trata-se, definitivamente, de um pecador (Gn 34.7; Js 7.15; 2 Sm 13.12,13; Jz 19.23), praticando a loucura (q.v.).

O termo heb. *'ewil* é encontrado em sua maior parte em Provérbios e é descrito como uma pessoa que despreza o conselho e a instrução (1.7; 10.8; 15.5), que tem falta de sabedoria e bom senso (10.21; 11.29; 12.15; 24.7; Jr 4.22), e que é rápida em retrucar ou agir sem pensar (10.14; 12.16; 14.17; 20.3; 29.9).

O termo heb. *k[e]sil* é usado muito freqüentemente tanto em Provérbios como em Eclesiastes. Este louco é caracterizado detalhadamente em Provérbios 26.1-12 e Eclesiastes 7.4-9. *k[e]sil* é alguém obstinado que não ouve bons conselhos, que odeia o conhecimento (Pv 1.22; 23.9) e não tem a capacidade de obter a sabedoria (Pv 17.16); ele é complacente e autoconfiante (Pv 1.32; 14.16; 28.26); gosta de fazer o que é errado (Pv 10.23; 13.19)

Uma pedra cassita utilizada para demarcação de fronteiras, mostrando Melishipak oferecendo sua filha como presente à deusa-lua Nanna

e de exibir a sua loucura (Pv 13.16; 18.2); ele trata a repreensão com desdém (Pv 17.10); a sua fala é perversa (Pv 19.1), e tende a fazer muitas promessas imprudentes (Ec 5.1-6).

O termo heb. *sakal* ocorre mais freqüentemente em Eclesiastes; ele parece representar alguém voluntariamente teimoso ou obstinado, que tem olhos mas não vê (Jr 4.22; 5.21; Ec 10.3), como no caso do rei Saul (1 Sm 13.13; 26.21). Por esta palavra também ser aplicada a outros reis em suas transgressões (Davi, 2 Sm 24.10; Asa, 2 Cr 16.9; e possivelmente a Salomão em Ec 2.12,13,19), talvez *sakal* possa indicar a loucura em um nível oficial com uma culpa conseqüentemente maior. Derek Kidner inclui o simples (*p[e]ti*) e o zombador (*les*) na categoria geral de loucos (*The Proverbs*, Tyndale Press, 1964, pp. 39-42).

No NT (usando o termo gr. *anoetos*, "insensato"), Cristo censura os dois discípulos na estrada de Emaús, e Paulo censura os gálatas pela falta de fé (Lc 24.25; Gl 3.1,3). Este termo também descreve a insensatez dos desejos e cobiças que arrastam o homem para a perdição (1 Tm 6.9; Tt 3.3).

O termo gr. *asunetos* denota alguém sem entendimento (Mt 15.16; Mc 7.18), e é usado para retratar os corações ou os pensamentos dos pagãos que negam a Deus (Rm 1.21,31). Assim como o louco rico (*aphron*) teve um fim prematuro por ter falhado em levar em conta a vontade de Deus, da mesma forma Paulo roga aos cristãos que não sejam loucos, mas entendam qual é a vontade do Senhor (Lc 12.20; Ef 5.15-17). Este louco é negligente (Lc 11.40), ilógico, ignorante (1 Pe 2.15), e precisa ser corrigido (Rm 2.20). Paulo usa este termo referindo-se a si mesmo, sarcasticamente, ao concordar com a opinião que os coríntios tinham em relação à sua pessoa (2 Co 11.16,19; 12.6,11).

Em 1 Coríntios 1.18,21,25,27; 2.14, *moros* e seus derivativos parecem indicar a atitude do homem em relação a algo incomum que não tem nenhuma explicação intelectual, ou que não se encaixa nas idéias pré-concebidas de uma pessoa. Aqueles, por sua vez, que tentam o acesso ao reino espiritual por meio de seu raciocínio humano são considerados loucos à vista de Deus (1 Co 1.20; 3.19; Mt 23.17). Assim, as cinco virgens loucas eram dependentes de seu próprio entendimento natural (Mt 25.2,3,8; veja Georg Bertram, "*Moros* etc"., TDNT, IV, 832-847).

Em Mateus 5.22, o termo "tolo" ou "louco" (*more*) pode ser a única palavra heb. pura (isto é, não aramaica) no NT. O termo heb. *moreh* é uma rebeldia ímpia contra Deus, e foi a expressão que Moisés usou quando se irritou com os israelitas e os repreendeu (Nm 20.10). Seu uso implica ódio assassino.

I. G. P. e J. R.

**LOUCURA[1]** Há uma variedade de significados nas palavras heb. e gr. traduzidas como "loucura". Em geral, ela expressa a ação inútil ou os resultados da insensatez. A loucura é o oposto da sabedoria (q.v.).

1. O termo heb. *'iwwelet* é a palavra mais freqüentemente traduzida como "loucura", encontrada com freqüência em Provérbios. Ela vem da palavra que significa "ser um tolo".
2. O termo heb. *kesel* é usado duas vezes (Sl 49.13; Ec 7.25) e está relacionado à idéia de confiança; portanto, loucura na forma de excesso de confiança. É a loucura que surge do interior de uma pessoa.
3. O termo heb. *kisla* tem praticamente o mesmo significado do termo *kesel* (Sl 85.8).
4. O termo heb. *n[e]bala* é a loucura significando a fraqueza da decadência que provém da impiedade. Este é o significado no nome de Nabal - um vazio, ou a loucura da impiedade interior (1 Sm 25.25).
5. Os termos heb. *sekel, siklut* sugerem a loucura que é devida a estupidez (Ec 2.3).
6. O termo heb. *tohola* denota a loucura que é pecaminosa (Jó 4.18).
7. O termo heb. *tipla* transmite a idéia de algo insípido, sem sal; desse modo, algo tolo por ser insípido. É a loucura de uma idéia ou ação quando algo está faltando (Jó 24.12; Jr 23.13).
8. O termo gr. *anoia* é a loucura resultante da falta de sentido, de juízo ou de compreensão (2 Tm 3.9), uma loucura que se expressa por meio da ira (Lc 6.11).
9. O termo gr. *aphrosune* (2 Co 11.1,17,21) é usado por Paulo para denotar a leviandade e

a tolice ao falar insensatamente de si mesmo de uma forma que beira a vanglória. *Veja* Tolo.

A. E. T.

**LOUCURA²** Além de seu uso bíblico comum para os lunáticos, o conceito de loucura tinha uma variedade de aplicações. Era freqüentemente utilizado em condições temporárias ou atos em que alguém raramente utilizaria o termo, exceto sob a forma coloquial. Por exemplo: o piadista prático de Provérbios 26.18; a fúria dos ímpios contra os bons (Sl 102.8). As doenças mentais de natureza crônica não eram incomuns no antigo Oriente Próximo, embora alguns exemplos de insanidade estejam registrados nas Escrituras sob a forma de comparação. *Veja* Doença.

Na Antiguidade, o homem louco ficava preso ao pavor universal, pois acreditava-se que sua insanidade era o resultado de contatos especiais com a divindade, geralmente por possessão demoníaca. Como uma conseqüência disso, ninguém interferia em sua vida, e todos os contatos eram cuidadosamente evitados, como é refletido na atitude de Aquis para com a loucura fingida de Davi (1 Sm 21.12-15). A loucura era considerada um julgamento divino, infligida àqueles que desobedeciam à lei de Deus (Dt 28.28). Era também atribuída a um espírito enviado por Deus (1 Sm 16.14; 18.11; 20.30-34; 28.20) e acompanhava a possessão demoníaca (Lc 8.2,29,30). Exemplos clássicos de loucura nas Escrituras são Saul e Nabucodonosor (q.v.) *Veja* Demonologia.

H. D. F.

**LOURO** *Veja* Plantas: Freixo ou Loureiro.

**LOUVOR** As principais palavras hebraicas para louvor são *hillel,* da raiz *halal*, e *hodà* de *yadà.* A primeira corresponde à conhecida expressão *hallelujah,* "Louvai ao Senhor [Yahweh]". O título hebraico do livro dos Salmos é "louvores" (*tehillim*), enquanto os Salmos 113-118 são conhecidos como salmos Halel, e utilizados nas festas judaicas. O "hino" cantado antes da saída de Jesus da última ceia pode ter sido a segunda parte do Halel, Salmos 115-118 (cf. Mishna Pesahim 10.6ss.). A palavra *hoda*, embora comum no AT, ficou agora mais conhecida a partir dos hinos sectários (*Hodayoth*) encontrados em Qumran.

O louvor a Deus é uma das características mais típicas da piedade bíblica. Desde o cântico de Moisés (Êx 15.1-19), o Senhor foi louvado por seus atos redentores; mas, a sistematização do louvor israelita é atribuída a Davi. Os livros das Crônicas registram detalhadamente a instituição dos músicos e dos porteiros do Templo levíticos (1 Cr 23.1–26.32, especialmente 23.5,30; cf. capítulo 6), e a atribuição de muitos Salmos a Davi ou aos seus músicos (por exemplo, Asafe, os filhos de Corá, Hemã ou Jedutum) dão suporte a essa tradição.

Quando Judá foi para o exílio, tornou-se impossível realizar cultos no Templo e, dessa forma, o louvor ficou centralizado na sinagoga. Ele assumiu algumas das características dos sacrifícios designados naquela época, e foi concedido um mérito especial ao louvor "incessante" (ou oração, q.v.), isto é, a oração antes do amanhecer ou durante toda a noite (veja, por exemplo, Salmos de Salomão 3.1ss. Qumran *Hodayoth* xiI1-11).

O louvor como sacrifício (Hb 13.15) e como um dever e privilégio contínuos (1 Ts 5.16ss.; cf. Ap 4.8) também são temas do NT. Os hinos de louvor do NT têm como enfoque a redenção que há em Jesus Cristo (por exemplo, Lc 1.46-55,68-79; 2.13ss.; Ef 1.3-14; Cl 1.18-20; Ap 5.9-14; 7.10-12), embora o Senhor Deus e sua obra da criação (Ap 4.8,11; Cl 1.15-17) não tenham sido esquecidos. Além disso, os cristãos são encorajados a fazer de sua conduta e de toda a sua vida uma forma de louvor a Deus (Ef 1.12; Fp 1.11; 4.8; 1 Pe 1.7; 2.9). *Veja* Adoração.

J. R. M.

**LUA** Pelo menos 34 referências são feitas à lua no AT e 9 no NT, com ênfase em passagens cosmogônicas, de adoração, e também em passagens escatológicas. O termo hebraico mais comum é *yareah*, cujo significado é obscuro, mas pode vir da raiz do verbo *'rh*, "viajar, peregrinar". A mesma palavra aparece em outras línguas semíticas: acádio *(w)arhu*, ugarítico *yrh*, e fenício *yrh*. Nas passagens poéticas, *lebana*, o termo "branco" em hebraico, é usado para a lua em Cantares 6.10; Isaías 24.23; 30.26. A palavra *selene*, do NT, ocorre em Mateus 24.29; Marcos 13.24; Lucas 21.25; Atos 2.20; 1 Coríntios 15.41 e no Apocalipse.

*Seu uso cosmogonico.* A lua é citada pela primeira vez no relato da criação feito por Moisés (Gn 1.14-16). Ela foi formada como uma parte do firmamento no quarto dia, com o propósito de iluminar a noite e regular as estações. Ela aparece simultaneamente com o sol, embora independente dele, "para sinais e para tempos determinados e para dias e anos". Junto com o sol, ela distribuiria a luz e faria a divisão entre o dia e a noite. A lua era considerada inferior ao sol (Gn 1.16; Is 30.26) e suas funções eram controladas por Deus (Sl 104.19; 136.9).

O calendário hebraico (q.v.), como o da maior parte do povo antigo, estava baseado nas fases regulares da lua no seu circuito regular em volta da terra. Por esta razão, a palavra hebraica para mês, *yerah*, está intimamente associada a *yareah*. O primeiro dia de cada mês, o dia da "lua nova", era separado como um dia especial para adoração e celebração

(Nm 10.10; 28.11-15; 1 Sm 20.5; 2 Rs 4.23; Sl 81.3; Ez 46.1,3). Neste dia, o trabalho normal era suspenso, bem como as atividades comerciais (Am 8.5).

*Sua importancia na adoraeão.* A adoração à lua era comum no antigo Oriente Próximo (cf. Jó 31.26,27) e, inevitavelmente, afetava os israelitas. As seitas pagãs consideravam a lua como uma divindade chamada *yrh* em ugarítico, à qual se ofereciam sacrifícios (ANET, pp. 152, 155, Yarikh). Nomes pessoais trazendo o nome do deus-lua como um elemento aparecem nos documentos de Mari. A lua denominada Khonsu (ANEP, #563) recebia a reverência de todo o Egito. Por esta razão Moisés advertiu Israel a não ser atraído à adoração à lua (Dt 4.16-19; 17.3). Na Mesopotâmia, o deus-lua sumério Nanna, chamado Sin em acádio, era adorado em Ur como o deus líder da cidade. E o mesmo acontecia em Harã, na Síria. A associação do deus-lua assírio Sin com o Sinai e com o deserto de Sin, que já foi amplamente aceita durante uma determinada época, é agora discutida por causa da falta de evidências do uso do nome daquela divindade em Canaã ou pelos nômades semíticos.

A cidade de Jericó (*yeriho*) foi evidentemente denominada de acordo com o antigo deus-lua semítico. Em Hazor (q.v.), na Galiléia, um pequeno santuário cananeu (de aprox. 1300 a.C.) foi descoberto em 1955, e continha, dentre outros objetos de culto, uma estela basáltica, com a impressão de duas mãos levantadas como se estivessem orando a uma lua crescente (BA, XIX [1956], 10-12).

Diante da imposição mosaica contra a adoração à lua, parece que as maiores violações do AT surgiram nos tempos dos reis Manassés e Josias. Mesmo nos dias de Isaías as mulheres usavam ornamentos em forma de lua (Is 3.18), provavelmente associados, de alguma forma, com a adoração à lua (Jz 8.21,26). Manassés promoveu ativamente a adoração à lua como parte da adoração a "todo o exército dos céus" (2 Rs 21.3-5). Esta forma de idolatria parece ter sido amplamente praticada em Judá, embora Josias tenha tentado acabar com a adoração à lua em um avivamento de curta duração (2 Rs 23.5). Mas Jeremias fez várias referências à disseminação desta influência (Jr 7.18; 8.2; 44.17), retratando as famílias cooperando no trabalho de adoração, fazendo suas ofertas à lua. Isto pode ter incluído cerimônias incomuns nos telhados (Jr 19.13; Sf 1.5).

*Sua importancia escatológica.* As referências do NT à lua, junto com várias referências do AT, têm geralmente um significado futurista. A atenção volta-se para a lua em conexão com a volta de Cristo. A lua escurecerá (Is 13.10; Mt 24.29; Mc 13.24) e se tornará em sangue (Jl 2.31; Ap 6.12), uma referência ao julgamento iminente. A lua de Apocalipse 12.1 sob os pés da mulher, aparentemente aponta para a futura glória de Israel, tendo o simbolismo possivelmente seguido o sonho de José em Gênesis 37. Durante o reinado milenial de Cristo, sua glória superará tanto a grandeza do sol como a da lua (Is 60.19,20).

J. Ma.

**LUA NOVA** *Veja* Festividades; Sacrifícios.

**LUCAS** Autor do terceiro evangelho e de Atos dos Apóstolos. É mencionado pelo nome em três passagens do NT (Cl 4.14; Fm 24; 2 Tm 4.11). Pode ser inferido desses versículos que Lucas (Fm 24, do gr. *Loukas*) era médico e colaborador de Paulo. Ele acompanhou o apóstolo em sua primeira prisão em Roma, e foi o único companheiro de Paulo durante a segunda e última prisão do apóstolo. Em Colossenses 4.11,14, Lucas é distinguido dos homens da circuncisão. Entretanto, W. F. Albright argumentou – a partir da forma aramaica de seu nome nos idiomas grego e hebraico nos três poemas de Lucas 1–2 – que Lucas era um judeu convertido (*New Horizons in Biblical Research*, Londres. Oxford Univ. Press, 1966, pp. 49ss.). A partir das seções "nós" de Atos, pode ser deduzido que o escritor viajou com Paulo de Trôade a Filipos (At 16.10-12), de Filipos a Jerusalém (At 20.5–21.17), e também a Roma (At 27.1–28.16).

O Prólogo Anti-Marcionita (do século II) do evangelho de Lucas afirma que ele era um gentio de Antioquia da Síria, que viveu uma vida simples e morreu em Bitínia (alguns manuscritos trazem o nome "Boeotia", na Grécia) com a idade de 74 anos. Uma seção "nós" no Codex Bezae em Atos 11.28, mais a grande quantidade de material em Atos tratando da Igreja em Antioquia, também têm sido consideradas como apontando para uma residência em Antioquia. Alguns, porém, têm entendido que uma tendência a confundir Lucas com o Lúcio de Atos 13.1 fez surgir a tradição. Sir William Ramsay argumentou que as seções "nós" começam exatamente antes de Paulo ir para Filipos; que Lucas permaneceu em Filipos; que ele mostra orgulho pelo lugar em sua frase "primeira cidade" (At 16.12); e que assim Lucas era um nativo de Filipos. Não se pode ter certeza sobre estas questões.

A partir do século II, a igreja primitiva atribuiu a Lucas tanto o terceiro evangelho como o livro de Atos dos Apóstolos. Ele é provavelmente o único grego a quem é atribuída a autoria de um livro do NT. Lucas 1.2 torna improvável que ele tenha sido testemunha ocular dos eventos relatados do evangelho. Alguns estudiosos acreditam que ele tenha coletado as informações para o seu evangelho, e talvez o tenha escrito enquanto Paulo esteve na prisão em Cesaréia durante dois anos. *Veja* Lucas, Evangelho de.

J. P. L.

## LUCAS, EVANGELHO DE

### Esboço

I. Prefácio, 1.1-4.
II. Narrativas de Nascimentos, 1.5–2.52
III. Missão de João Batista, 3.1-20
IV. Ministério de Jesus na Galiléia, 3.21–9.50
V. Narrativa de Viagem, 9.51–19.44
VI. Ministério em Jerusalém, 19.45–21.38
VII. Experiências da Paixão, 22.1–24.53

### Introdução

As evidências do século II para o reconhecimento de Lucas como um dos quatro evangelhos podem ser encontradas no Cânon Muratório, na obra *Diatessaron*, e nas obras de Irineu e Tertuliano. Uma forma mutilada dele foi usada por Marcion (os textos são coletados na obra de D. Theron, *The Evidence of Tradition*). Os manuscritos mais antigos de Lucas que se conhece são os papiros Bodmer ($P^{75}$) e Chester Beatty ($P^{45}$) do século III.

A tradição unânime da igreja primitiva é que tanto o terceiro evangelho como Atos foram escritos por Lucas, o médico, que foi o companheiro de Paulo. *Veja* Lucas. O propósito de Atos era ser uma parte de uma obra maior (At 1.1). Ambos os livros são endereçados a Teófilo, e o vocabulário e o estilo mostram semelhanças. Esses dois livros juntos formam um grande bloco de material, maior do que a obra de qualquer outro escritor do NT.

Discussões sobre a data do livro levantam um problema complicado envolvendo a suposição de datas previamente atribuídas a Marcos e Atos, e a questão se as afirmações em Lucas 19.43ss. e 21.20-24 refletem um conhecimento da queda de Jerusalém em 70 d.C. O prólogo sugere que algum tempo havia se passado durante o qual outros relatos haviam sido escritos. Conseqüentemente, o livro foi provavelmente escrito em algum momento na segunda metade do século I.

O escritor não foi uma testemunha ocular dos acontecimentos que narra (Lc 1.1,2). Nada claro é conhecido sobre Teófilo, a quem o livro é endereçado, exceto o título, o que sugere que ele seria um oficial de alta patente (cf. At 23.26). Lucas provavelmente escreveu para leitores gentios, uma vez que seu livro é comparativamente livre de citações do AT.

A afirmação do Prólogo Anti-Marcionita de que o evangelho foi escrito na Acaia, não pode ser nem substanciado nem negado. Alguns têm entendido que o interesse do escritor pelo movimento do evangelho em direção a Roma, faz desta cidade o local mais provável da redação. Na falta de informações, não se pode ter certeza quanto a essas questões.

Lucas escreveu um relato ordenado de acontecimentos para confirmar os pensamentos daqueles que já haviam crido na verdade que lhes fora ensinada. Alguns têm pensado que o propósito secundário de Lucas era demonstrar que o cristianismo não era politicamente perigoso. Esses propósitos são revelados quando o escritor traça paralelos entre os eventos do evangelho e a história contemporânea (1.5; 2.1,2; 3.1,2) e, quando, repetidamente, deixa claro que os apóstolos, embora acusados pela multidão, foram inocentados pelas autoridades.

Tem sido observado que Lucas enfatiza os privilégios dos pobres. Ele está preocupado com os excluídos da sociedade: a mulher pecadora, o publicano, o filho pródigo, o samaritano. Ele tenta demonstrar que a vida, morte e ensino do Senhor Jesus formam uma mensagem de salvação dirigida a todos os homens: a revelação é dada aos gentios (2.32); os convidados das estradas e das sebes são forçados a entrar (14.23); a pregação deve ser dirigida a todas as nações (24.47). Um considerável interesse é demonstrado pelo papel que as mulheres desempenharam na vida do Salvador. Lucas também está interessado no papel que a oração ocupava nas práticas devocionais do Senhor Jesus. Nos evangelhos Sinóticos Jesus ora 15 vezes, das quais 11 são narradas em Lucas. O terceiro evangelho dá uma grande ênfase ao Espírito Santo, uma característica semelhante ao livro de Atos.

O escritor do terceiro evangelho iniciou seu livro com um prólogo clássico. Ele era habilidoso em grego e possuía um vocabulário versátil. Ele usou em seu livro 312 palavras únicas no NT. Embora tenha usado frases gregas ao invés de frases hebraicas e aramaicas encontradas em Marcos, e embora a expressão "na verdade" seja preferível a "amém", os hebraísmos são freqüentes: "E aconteceu que"; "E eis". Estas expressões são especialmente freqüentes nas seções de nascimento e infância como se o escritor conscientemente imitasse o estilo semita da Septuaginta (LXX). Paul Winter procurou demonstrar em vários artigos que Lucas usou uma fonte de origem palestina judaica escrita em hebraico para os caps. 1–2, mostrando, nesta seção, o caráter judaico de várias expressões (por exemplo, "On the Margin of Luke I, II", *Studia Theologica*, XII [1958], 103-107.

Lucas é caracterizado pelas longas narrativas do nascimento de João e do Senhor Jesus (1.5–2.52) e pela longa narrativa de viagem (9.51–19.44), que não são encontradas nos outros evangelhos. Diversas parábolas e milagres significativos são incluídos na seção final. Dezoito das parábolas de Jesus são peculiares a Lucas. O Sermão na Planície (6.20-49) é muito mais breve do que o Sermão do Monte em Mateus, mas outras palavras de Jesus que fazem um paralelo com o Sermão do Monte estão espalhadas por todo o livro de Lucas. Somente Lucas conta que Cristo co-

Muros lidianos em Sardes. HFV

meu ao aparecer aos dez apóstolos (24.36-43). Só ele registra o aparecimento do Senhor aos discípulos de Emaús (24.13-31).
*Veja* o tópico Lucas em Evangelhos, Os Quatro.

***Bibliografia.*** H. J. Cadbury, *The Making of Luke-Acts*, Nova York. Macmillan, 1927; "The Tradition", na obra de F. J. Foakes-Jackson e K. Lake, *The Beginnings of Christianity*, II, 200-264, Earle E. Cairns, "Luke as a Historian", BS, CXXII (1965), 220-226. J. M. Creed, *The Gospel According to Luke*, Londres. Macmillan, 1953. J. Norval Geldenhuys, *Commentary on the Gospel of Luke*, Grand Rapids. Eerdmans, 1956; "Luke the Evangelist", "Luke, Gospel of", NBD, pp. 755-759. Frederic Godet, *A Commentary on the Gospel of Luke*, trad. por E. W. Shalders e M D. Cusin, 3ª ed. rev., Nova York. Funk & Wagnalls, 1887. A. Harnack, *Luke the Physician*, Londres. Williams e Norgate, 1909. I. Howard Marshall, *Luke. Historian and Theologian*, Grand Rapids. Zondervan, 1971. A. Plummer, *The Gospel According to Luke*, ICC. A. T. Robertson, *Luke the Historian in the Light of Research*, Nova York. Scribner's, 1923. Ned B. Stonehouse, *The Witness of Luke to Christ*, Grand Rapids. Eerdmans, 1951. Vincent Taylor, "Luke, Gospel of", IDB, III, 180-188. Merrill C. Tenney, "Luke", WBC, pp. 1027-1070.

J. P. L.

**LÚCIFER** (Heb. *helel*, "o resplandecente" ou "aquele que brilha"). O termo é usado apenas uma vez (Is 14.12) em determinadas versões. É especialmente dirigido ao rei da Babilônia. No entanto, esta profecia em particular, até o momento, transcende qualquer coisa que possa ser dita a respeito de qualquer rei terreno, e é amplamente aceita como referindo-se a Satanás, o "príncipe deste mundo". O mesmo fenômeno literário deve ser encontrado na descrição do rei de Tiro em Ezequiel 28, e da Grande Babilônia, a mulher que está montada na Besta em Apocalipse 17.
Alguns têm procurado demonstrar que em Isaías 14.12 Satanás é chamado de "filho da alva", enquanto Cristo é chamado de "a brilhante estrela da manhã" ou "a resplandecente Estrela da manhã" (Ap 22.16), e que este fato em si revela tanto o poder original como a beleza deste que foi o maior anjo já criado por Deus, antes de sua rebelião e queda (Ez 28.12-19). Um estudo de passagens como Daniel 10.13; 2 Coríntios 11.14 ("anjo de luz"); Efésios 6.12; Apocalipse 12; 13; 17 revelam uma parte da presença e da atividade de Satanás e seus poderes demoníacos na condução de religiões e governos seculares neste século. *Veja* Estrela da Alva; Diabo; Satanás.
Para a opinião de que Lúcifer é apenas o rei orgulhoso (e agora caído) da Babilônia, veja Robert L. Alden, "Lucifer, Who or What?" BulETS, XI (1968), 35-39. Para uma explicação mitológica, veja J. W. McKay, "Helel and the Dawn Goddess", VT, XX (1970), 451-464.

R. A. K.

## LÚCIO

1. Lúcio de Cirene, um dos cinco homens na Igreja de Antioquia chamados de "profetas e doutores" (At 13.1).
2. Lúcio de Corinto, um dos "parentes" ou companheiros judeus de Paulo que enviou saudações aos cristãos em Roma (Rm 16.21).
Os dois homens mencionados acima podem ser a mesma pessoa; mas é bastante improvável que Lucas, um gentio (Cl 4.11,14), deva ser identificado como um deles.

## LUDE ou LUDIM

1. O quarto filho de Sem (Gn 10.22; 1 Cr 1.17). Josefo (*Ant.* I6.4) refere-se aos lídios do sudoeste da Ásia Menor como seus descendentes, mas eles não falavam um idioma semita. Nada é realmente conhecido dos lídios semitas, a menos que eles possam ser identificados com o país de Lubdi, mencionado em antigos registros cuneiformes como estando localizado entre a parte superior dos rios Tigre e Eufrates.
Heródoto (1.7) relata a tradição de que o nome Lídia é derivado do nome Lido, filho de Átis, mas que a terra foi previamente chamada de Maeonia (Iliad., ii, 865 etc.). É provável que os lídios, uma tribo ao norte dos maeonianos, os tenham conquistado e então dado o seu nome à terra. O nome Ludu aparece nas inscrições assírias do século VII de Assurbanipal (veja Rassam Cilinder, II, 95) e por volta de 175 a.C. na época dos macabeus (1 Mac 8.8).
Em Isaías 66.19, Lude é citada com Tubal e Javã (Jônia). Aqui a área do Egeu até o mar Cáspio está incluída, parecendo resolver a questão da localização de Lídia.
Os lídios eram empregados como mercenários pelos egípcios (Jr 46.9; Ez 30.5). O rei Giges (de aprox. 662 a.C.) enviou tropas lídias para Psamético do Egito (663-609 a.C.) contra os exércitos assírios (Rassam Cilinder II, 114-115), que foram descritos por Heródoto (i, 79)

como "bons soldados" em tempos pré-persas. A Lídia era um reino próspero com sua capital em Sardes (*q.v.*). Ciro da Pérsia venceu o seu último rei, Creso, em 546 a.C. A área continuou a ser conhecida por sua tintura púrpura e por seus tecidos de lã.

2. Em Gênesis 10.13; 1 Crônicas 1.11, é o primeiro filho de Mizraim (Egito). De acordo com alguns estudiosos, este povo estava situado a oeste da Líbia (Pute, q.v.). No entanto, eles não foram identificados com certeza. Esses lídios podem ter migrado do norte da África muito cedo em sua história. De qualquer modo, os lídios são conhecidos sobre a planície de Sardes no oeste da Ásia Menor antes de 1500 a.C. Eles podem ter se tornado os mercenários de Giges (veja 1 acima). Em Isaías 66.19, a LXX cita Pute como Pul, que, junto com Lude, estaria de acordo com o relato de Nabucodonosor da guerra que fez em seu trigésimo sétimo ano contra Amasis, rei do Egito. Neste relato, ele menciona um povo de Pute-Iaman (Pute-Jônia). Isaías certamente mostra o contato entre gregos-jonianos e o Egito algum tempo antes de Psamético.

H. G. S.

**LUETAS** Palavra usada em Juízes 8.21,26. É também traduzida como ornamentos, colares e enfeites. *Veja* Amuletos.

**LUGAR** Geralmente, "lugar" é um local definido pelo contexto. Certos lugares assumiram especial importância na história da redenção, por causa dos atos de Deus e de seu povo. O "lugar" do Éden (Gn 2.8) não é conhecido geograficamente, mas é muito significativo na teologia por causa do primeiro pecado cometido por um ser humano. Deus disse que escolheria um lugar (*maqom*) para colocar o seu nome, isto é, Ele designaria um lugar para o seu Templo (Dt 12.5), e Moriá seria esse lugar. Jesus foi crucificado no "Lugar [*topos*] da Caveira" (Mt 27.33), e este detalhe é muito significativo. Judas, que traiu o Senhor Jesus Cristo, foi para o seu próprio lugar (*topos*), em sua própria morada, isto é, o Hades. De acordo com a promessa expressa em João 14.2,3, Cristo foi preparar um lugar (*topos*) para os seus, chamado "mansões" (ou "moradas").

***Bibliografia.*** Helmut Köster, *"Topos"*, TDNT, VIII, 187-208.

**LUGAR LAMACENTO** *Veja* Pântano

**LUGAR SANTO** *Veja* Tabernáculo; Templo.

**LUGARES ALTOS** O significado original desta expressão era simplesmente cume de montanha ou colina (Dt 32.13; 2 Sm 1.19-25). A esmagadora proporção dos usos, no entanto, refere-se a santuários em uma área elevada. Estes pertenciam originalmente aos cananeus. Devem ter sido usados para rituais funerários, e eram certamente um freqüente cenário de rituais de fertilidade (Os 4.11-14; Jr 3.6; 19.5; 48.35).

Ruínas de tais santuários estão espalhadas por toda a Canaã (como em Petra, Bab edh-Dra, Gezer, Megido, Hazor, q.v.), e estavam aparentemente localizadas próximas a quase todas as aldeias e, algumas vezes, até mesmo dentro das cidades (Jr 7.31; 19.13; Ez 6.3).

Cada santuário pagão incluía em suas instalações um altar de rocha ou terra, pilares de pedra (*masseboth*, Dt 12.3; Os 10.1), postes de madeira (*'asherim*, Êx 34.13), e uma bacia para as lavagens cerimoniais. Alguns lugares altos possuíam uma imagem como o bezerro de ouro de Jeroboão ou o éfode de Mica; outros tinham alguns objetos sagrados, como uma arca ou éfode. Isto requeria uma casa ou Templo para abrigá-los (Jd 17.5; 1 Rs 12.31). Um lugar onde os grupos comessem juntos também poderia ser chamado de lugar alto (1 Sm 9.13,22; 1 Rs 3.4,15).

Uma vez que os lugares altos foram os únicos locais de adoração na antiga Israel após a destruição de Siló, eles se tornaram cenários de muitos atos religiosos. Nestes lugares, eram oferecidos sacrifícios (1 Sm 9.13; 1 Rs 3.3,4; 12.32). Isto significava que, ao mesmo tempo em que eram lugares para matança de todos os animais que seriam consumidos como alimento, era também um lugar de sacrifício. Nos tempos mais antigos, isto era feito pelo próprio adorador. Mais tarde, foram designados sacerdotes para cada altar para executar estas funções adequadamente.

Aos altares eram levados os dízimos e as ofertas, quando os homens iam consultar o "homem de Deus" para ouvir o oráculo sacerdotal ou palavra profética (1 Sm 9.7-12). Aqui, como "no portão", a justiça era administrada em nome do Senhor. Estes eram, muito provavelmente, lugares de refúgio suplementar às seis cidades levíticas. Pesquisas recentes sugerem que eles foram também santuários fúnebres, algumas vezes alcançando sua fama e importância como o local de sepultamento de um herói ou rei, ou como o lugar onde seu monumento (*masseba*) ou lápide (*peger*) foi erguido (Ez 43.7; 6.3-6; Lv 26.30).

Não há dúvida de que a principal importância dos altares vinha de seu uso como um santuário local. A religião israelita oficial consistia de grandes festivais anuais de peregrinação. A passagem ao aspecto religioso de cada semana e de cada dia da semana, encontrava-se nos santuários que estavam localizados nos lugares altos. Eles, aparentemente, enfatizavam uma área de interesse amplamente ignorada pela religião oficial israelita: a da morte, e vida após a morte. Pela sincretização da lei mosaica (Torá) com a ideologia dos cananeus, os apóstatas israelitas envolveram-se com uma atividade subjetiva contrária à reli-

Degraus que conduzem ao grande lugar alto de Petra. MIS

gião oficial, como a fertilidade. Por causa destes interesses extra-ortodoxos, e dos excessos aos quais sua celebração dava ocasião, eles estavam sujeitos a severas críticas por parte dos profetas. Embora a reforma religiosa conduzida por Ezequias (2 Rs 18.4,22) não tenha sido seguida por seu filho Manassés (2 Rs 21.1-6), a partir da época de Josias (2 Rs 23.4-20) os altares foram sumariamente condenados. A adoração cerimonial só foi permitida em Jerusalém.

***Bibliografia.*** W. F. Albright, "The High Place in Ancient Palestine", VT, Suplemento IV (1957), pp. 242-58; CornPBE, pp. 391-94.

D. W. W.

**LUGARES SECOS** Faixas de terra que são secas, quebradiças e calcinadas pelo sol ardente (Jr 17.6).

**LUÍTE** Uma cidade não identificada de Moabe que estava destinada à condenação juntamente com outras cidades deste território. Aparentemente, Luíte estava localizada no alto ou em algum tipo de encosta, e oferecia um refúgio temporário para aqueles que fugiam das invasões (Is 15.5; Jr 48.5).

**LUNÁTICO** *Veja* Demonologia; Doença.

**LUTA[1]** *Veja* Batalha.

**LUTA[2]** O AT fala metaforicamente das lutas (*naphtulin*) de Raquel com sua irmã Lia (Gn 30.8) e refere-se à luta (da raiz heb. *'abaq*) de Jacó em Gênesis 32.24,25. O nome do ribeiro de Jaboque (heb. *yabboq*) parece ter sido dado como resultado da experiência de Jacó (*veja* Jaboque). Tem sido sugerido que o torneio entre os 12 homens de Davi e os 12 de Isbosete em Gibeão começou com uma competição de luta (2 Sm 2.14). A expressão "perna juntamente com coxa" (Jz 15.8) pode ser um termo técnico de luta, pois selos cilíndricos babilônios retratam o herói Gilgamesh derrotando um leão ou um búfalo com o qual ele está lutando, segurando a sua pata traseira para despedaçá-lo de membro a membro com suas mãos nuas (A Parrot, *Sumer*, Londres. Thames & Hudson, 1960, pp. 186ss.). Nos tempos do AT, a forma de luta era geralmente uma luta com cinto, na qual o competidor, que de outra forma estaria nu, usava um cinto especial que o seu adversário agarraria. Foram encontradas uma placa de calcário e uma estatueta de bronze retratando lutadores com cintos. Estes objetos datam do início do terceiro milênio a.C. e são de Khafajah, na Suméria (ANEP #218, 219). Tal luta era muito popular no Egito, de acordo com os murais do túmulo da 12ª Dinastia em Beni Hasan (*Everyday Life in Ancient Times*, National Geographic Society, 1951, pp. 76-77, 116).

A metáfora de Paulo em Efésios 6.12 para o conflito dos crentes com os poderes demoníacos é a única referência no NT à luta (*pale*). Ele extrai esta figura da linguagem dos jogos gregos. A luta era, de longe, o esporte mais popular dentre os próprios atletas gregos. Palestras ou escolas de luta abundavam nas cidades gregas a partir do século VI a.C. até o final da época imperial romana. Na luta grega, o objetivo era jogar o adversário e encostar seus ombros no solo. A partida tinha no máximo três quedas. O *pancratium*, um dos eventos prediletos para os espectadores, era uma combinação de boxe e luta, com chutes e golpes permitidos, mas sendo proibido dar mordidas e atacar os olhos do adversário. Este evento proporcionava o supremo teste de força e habilidade em conjunto (H. A. Harris, *Greek Athletes and Athletics*, Londres. Hutchinson, 1964, pp. 102-109). A luta do crente requer a força do Senhor (Ef 6.10), perseverança na oração (v. 18), e destreza da fé para apagar todos os dardos inflamados do Maligno (v. 16). Paulo também usa a metáfora complementar do boxe (1 Co 9.26).

A tragédia grega usava o termo *pale* no sentido mais geral de conflito. Filo escreveu sobre a luta dos ascetas, tendo provavelmente em vista o "conflito" moral geral. Em seus escritos, os estóicos sentiam-se como lutadores e guerreiros ao resistirem no mundo, e o mesmo ocorria com os devotos das religiões de mistério.

*Veja* Armadura Espiritual; Jogos; Guerra.

F. D. L.

**LUTO** *Veja* Lamentar.

**LUZ[1]**

### A Origem da Luz

As primeiras palavras registradas de Deus foram "Haja luz" (Gn 1.3). Assim, a luz começou a existir por causa de uma ordem direta de Deus. Ela foi considerada "boa", foi separada da escuridão, e foi chamada "dia" (Gn 1.4,5).

Devemos observar que a luz existia antes da criação das fontes de luz do sol, da lua e das estrelas no quarto dia (Gn 1.14-19). "Possivelmente, alguma coisa semelhante à difundida atividade eletromagnética da aurora boreal penetrou na noite caótica do mundo. O supremo foco de luz dos sóis, estrelas e sistemas solares levaram o processo inicial da criação ao seu término, como condição essencial a toda vida orgânica" (ISBE, III, 1891).

É bastante significativo que Deus, que é luz (1 Jo 1.5) tenha iniciado seu projeto da criação com a luz. Antes de sua ordem, a terra não tinha forma (Gn 1.2), e o ato de produzir luz formou uma associação direta e pessoal entre o Criador e sua criação. Paralelos a estas atitudes podem ser notados na direta associação de Deus com os israelitas, quando

Ele os conduziu por uma coluna de fogo (Êx 13.21,22); e pela manifestação da glória da presença de Deus, quando o Tabernáculo (Êx 40.34-38) e também o Templo de Salomão (1 Rs 8.11; 2 Cr 5.13,14) ficaram prontos.

A plena associação de Deus com sua criação teve início quando a Segunda Pessoa da Trindade, a luz do mundo (Jo 3.19; 8.12) se fez carne e habitou entre nós. Devemos notar ainda que na nova criação não houve necessidade da luz das velas, da lua, ou do sol (Ap 22.5; 21.23), "porque a glória de Deus a tem alumiado, e o Cordeiro é a sua lâmpada [literalmente, lâmpada ou fonte de luz]" (Ap 21.23; cf. Is 60.19,20).

**Palavras Traduzidas como "Luz"**

A versão KJV em inglês traduz o termo "luz", com o sentido de iluminar, a partir de 12 palavras hebraicas (cinco raízes diferentes), e seis palavras gregas (quatro raízes diferentes). A palavra hebraica mais comum é *'or,* traduzida 108 vezes como "luz" em todo o AT. Ela ocorre 28 vezes em Jó, 23 vezes em Isaías e 18 vezes nos Salmos, sendo que todas as outras ocorrências estão espalhadas pelos outros 17 livros do AT. A segunda palavra hebraica mais comum traduzida como "luz" é *ma'or* (a mesma raiz de *'or*), que literalmente significa "fonte de luz" e ocorre 17 vezes, 11 em Gênesis e Êxodo. Todas as outras palavras hebraicas traduzidas como "luz" ocorrem apenas 14 vezes.

A palavra grega mais comum é *phos*, traduzida como "luz" 64 vezes, e encontrada ao longo de todo o NT. Ela ocorre mais freqüentemente nos escritos de João (23 vezes no evangelho e 5 vezes na primeira epístola), e no livro de Atos (10 vezes). A segunda palavra grega mais comum é *lychnos,* que significa "lâmpada" ou "fonte de luz", e que ocorre 6 vezes. As outras 4 palavras gregas foram traduzidas apenas 8 vezes como "luz".

**Usos Bíblicos da Palavra "Luz"**

O conceito de luz foi usado literal e metaforicamente nas Escrituras. No AT seu emprego é quase igual, mas no NT o uso metafórico supera o literal na proporção de quatro para um. Além desses dois usos, existem outros exemplos distintamente milagrosos dessa palavra.

*Uso literal no AT*. A palavra luz é usada (1) para a primeira luminescência criada por Deus (Gn 1.3-5); (2) para as fontes de luz, sol, lua e estrelas (Gn 1.14-16); (3) para a alva (Jó 7.4); (4) para a luz do sol, da lua e das estrelas (1 Sm 14.36; Is 30.26; Ez 32.7; Ec 12.2); (5) para a luz do fogo (Is 50.11); (6) para as lâmpadas (Êx 25.6; Lv 24.2); e (7) para o relâmpago (Jó 36.32).

*Uso literal no NT*. No NT a palavra luz é usada (1) para a primeira luminescência criada por Deus (2 Co 4.6; cf. Tg 1.17); (2) para as lâmpadas (At 20.8; 2 Pe 1.19; Ap 18.23); (3) para a luz do dia (Jo 11.9; Ap 22.5); (4) para aquilo que é iluminado pela luz (Ef 5.14); e (5) em um sentido semi-literal para os olhos como órgãos da luz (Mt 6.22,23; Lc 11.34,35).

*Uso metafórico no AT*. Em um sentido figurado ou simbólico, a palavra luz foi usada no AT como uma imagem de boa sorte ou prosperidade (Jó 22.28; Et 8.16); (2) da própria vida (Jó 3.16,20; Sl 56.3); (3) da doutrina ou instrução (Is 2.5; 49.6; 51.4); (4) da liderança de Deus (Jó 29.3; Sl 112.4; Is 58.10); (5) do poder iluminador das Escrituras (Sl 119.105); (6) da sabedoria (Dn 2.22; 5.11,14); (7) da alegria e serenidade (Jó 29.24); (8) do favor mostrado por Deus, pelo rei, ou por alguma pessoa influente (Sl 4.6; Pv 16.15); (9) da progênie (1 Rs 11.36; 2 Rs 8.19; 2 Cr 21.7); e provavelmente (10) da glória de um indivíduo (2 Sm 21.17).

*Uso metafórico no NT*. Metaforicamente, a palavra luz foi usada no NT: (1) para a natureza de Deus (1 Jo 1.5); (2) para a glória da morada de Deus (1 Tm 6.16; cf. Sl 104.2); (3) para Jesus Cristo como aquele que ilumina os homens (Jo 1.4,5,9; 3.19; 8.12); (4) para o evangelho da salvação (Mt 4.16; At 26.18; Cl 1.12; 1 Pe 2.9; 2 Co 4.4,6); (5) para a verdade que deve ser obedecida (1 Jo 1.7; Jo 12.36; Ef 5.8; Rm 13.12; 1 Jo 2.9,10); e, (6) para aqueles que são portadores da verdade (Mt 5.14,16; At 13.47; Jo 5.35; Fp 2.15; cf. Rm 2.19).

*Exemplos da luz miraculosa*. As Escrituras registram vários exemplos de luz em um sentido miraculoso: (1) Os israelitas tinham luz em suas casas, enquanto os egípcios estavam em densas trevas (Êx 10.21-23); (2) a "coluna de fogo" que guiava os israelitas à noite (Êx 13.21; 14.20; Sl 78.14); (3) o brilho sobrenatural das vestes de Cristo em sua transfiguração (Mt 17.2); e, (4) a luz que era mais brilhante que o meio-dia no episódio da conversão de Paulo (At 9.3; 22.6; 26.13).

As implicações de cada um desses exemplos são, claramente, a imediata presença e glória de Deus.

**O Contraste entre a Luz e as Trevas**

Um rápido estudo de concordância irá demonstrar quantas vezes foram empregados os conceitos de luz e escuridão (q.v.) sob a forma de contraste. Ao longo de toda a Bíblia, pode-se notar um dualismo ético modificado entre a luz e as trevas, isto é, entre o bem e o mal. Luz e trevas têm sido mutuamente excludentes desde a criação quando Deus "fez separação entre a luz e as trevas" (Gn 1.4,5,18; 2 Co 4.6). No mesmo grau em que a luz está presente, a escuridão é dissipada ou reprimida. Embora esse contraste seja empregado em sentido literal (Ec 2.13; Sl 139.12; 2 Co 4.6*a*), na maioria das vezes, o sentido é metafórico. "Trevas são símbolo e condição universal de pecado e morte, e luz é símbolo e expressão de santidade" (ISBE, III, 1891). *Veja* Santidade.

Quando aprendemos que "Deus é luz, e não há nele treva nenhuma" (1 Jo 1.5) entendemos, figuradamente, que Deus é totalmente bom, sem nenhum sinal do mal. A frase "Eu, com a sua luz, caminhava pelas trevas" (Jó 29.3) deve ser entendida como uma vida guiada e protegida através de momentos difíceis e ruins (cf. Is 42.16). Aqueles que "fazem da escuridade luz, e da luz, escuridade" (Is 5.20), são os homens que chamam o mal de bem e o bem de mal. O dia do juízo está representado como um momento de trevas do qual o individuo será restaurado à luz (Am 5.18; Mq 7.8).

Da mesma forma, no NT os homens são representados nas trevas do desespero e da morte, e a estes é oferecida a luz da esperança (Mt 4.16. 2 Pe 1.19; Jo 1.5). E embora os homens amem as trevas da iniqüidade, e não a luz da verdade em Jesus Cristo (Jo 3.19,20), e embora eles resistam à luz, as trevas não podem extingui-la (Jo 1.5). Os homens são exortados a caminhar enquanto existe luz, para não serem dominados pelas trevas (Jo 12.35). Os crentes são chamados de "filhos da luz" que não são "da noite nem das trevas" (1 Ts 5.5; cf. Cl 1.13). Aqueles que foram chamados "das trevas para a... maravilhosa luz" (1 Pe 2.9), devem "andar na luz" (responder à verdade) (1 Jo 1.7), e aqueles que "não praticam a verdade" são aqueles que "andam em trevas" (1 Jo 1.6; cf. Lc 11.35).

Os crentes são exortados a serem cuidadosos em suas associações com aqueles que rejeitam a verdade, "porque que sociedade tem a justiça com a injustiça? E que comunhão tem a luz com as trevas?" (2 Co 6.14). Às vezes, isso pode ser difícil de perceber, pois Satanás, o príncipe das trevas deste século (Ef 6.12), "se transfigura em anjo [mensageiro] de luz [verdade]" (2 Co 11.14). Contudo, o dever do cristão é muito claro – vestir-se das "armas da luz" (Rm 13.12; cf. Ef 6.14). Os cristãos devem resplandecer "como astros no mundo" (Fp 2.15; cf. Mt 5.14); eles devem levar os homens "das trevas" à "luz" (At 26.18; cf. 2 Co 4.4).

### A Luz como Símbolo nos Escritos de João

Entre todos os autores do evangelho, João foi aquele que mais usou símbolos, e a luz é o principal deles.

Não deixa de ter algum significado o fato de seu evangelho, que se inicia com a frase "no princípio", estar fazendo eco ao livro de Gênesis para a vinda da luz. Provavelmente, João está refletindo seu passado judaico e helenista nessa extensa referência à luz, embora não seja necessário identificar esse conceito com o misticismo helenista, no qual a luz está identificada com Deus. João, ao contrário, parece ter sido influenciado por algumas idéias e linguagens da seita de Qumran, talvez por meio de João Batista, que deve ter conhecido os ensinos desses sectários. Dessa forma, o apóstolo João pode ser considerado devedor da comunidade do mar Morto pela forma particular como dá expressão à idéia da luta entre a luz e as trevas (Morris, *Studies in the Fourth Gospel*, pp. 321-358; *veja* Rolos do Mar Morto; João, Evangelho de).

Com uma única exceção (Jo 5.35, *lychnos*, uma lâmpada, referindo-se a João Batista), a palavra empregada por João para "luz" é *phos*, que significa brilho ou esplendor. Ela ocorre 23 vezes ao longo dos primeiros 12 capítulos do evangelho. Apenas uma vez (11.9) ela se refere claramente à luz física. Em outro caso, ela se refere àqueles que responderam à verdade (12.36, "filhos da luz", cf. 1 Jo 1.7; 2.8-10). As outras 21 vezes estão diretamente relacionadas com o Senhor Jesus Cristo, ou com a verdade que Ele trouxe.

Jesus é a "luz verdadeira" (Jo 1.9), a verdadeira revelação de Deus. Como tal, Ele difere de todos os outros homens, mesmo de alguém tão grande como João Batista (1.7,8; cf. 5.35). Ele veio como "a luz dos homens" (1.4) e como a "luz do mundo" (8.12; 9.5; 12.46). Na tradição rabínica, a frase "luz do mundo" foi aplicada à Torá e ao Templo, e não chega a ser um apelo à Divindade. Mas, para João ela deixa claro que Cristo é a verdadeira luz, a suprema realidade. Como a luz que "resplandece nas trevas" (1.5) Ele veio para todos os homens (1.9; cf. 12.36), porém muitos rejeitaram a luz porque ela expunha a iniqüidade que praticavam (3.19-21). Para aqueles que o aceitam, o Senhor torna-se a "luz da vida" (8.12; cf. 12.36). Aqueles que o rejeitam perdem o propósito e a verdade, pois andam nas trevas (11.10; 12.35).

É mais que coincidência a última ocorrência da palavra "luz", no evangelho de João, estar no final do capítulo 12, pois é nesse ponto que a oferta de Jesus de si mesmo ao mundo chega à sua conclusão. A partir do capítulo 13, o ministério de Jesus é dirigido aos seus discípulos, para a sua instrução particular. Qual seria o propósito de mais luz para o mundo quando a luz que já havia sido concedida fora rejeitada?

Para o crente, como o aparecimento da luz é uma exibição do amor de Deus, a verdadeira vida na luz envolve a obediência aos mandamentos do Senhor Jesus, especialmente quanto a amar os irmãos (1 Jo 2.8-11) e praticar a verdade (1 Jo 1.6,7). *Veja* Vida; Amor; Verdade.

### Jesus Cristo Como a Luz

Foi profetizado que o Messias seria a "luz dos gentios" (Is 42.6; 49.6), e o velho Simeão viu em Jesus Cristo o cumprimento desta profecia (Lc 2.32). Como a aurora ou o sol nascente, Ele viria "para alumiar os que estão assentados em trevas e sombra de morte" (Lc 1.78,79). O verbo eterno (Jo 1.1-3) que ordenou "Haja luz" (Gn 1.3; cf. Cl 1.16), se tornou o "resplendor da sua glória" (Hb

1.3), "a luz verdadeira, que alumia a todo homem que vem ao mundo" (Jo 1.9). Ele referiu-se a si mesmo como a "luz do mundo" (Jo 8.12; 9.5; 12.46). Isaías havia profetizado: "O povo que andava em trevas viu uma grande luz, e sobre os que habitavam na região da sombra de morte resplandeceu a luz" (Is 9.1,2); e, quando o Senhor Jesus começou a pregar na Galiléia, Ele estava cumprindo essa profecia (Mt 4.12-16). No momento de sua transfiguração, a glória visível de Deus, escondida sob a baixeza da carne, irrompeu para algumas testemunhas escolhidas. Sua face brilhou, e suas vestes resplandeciam como a luz (Mt 17.1,2). Esse era o prenúncio de seu estado de ascensão e ressurreição. Na gloriosa ressurreição de seu corpo, Ele apareceu a Paulo em uma luz brilhante (At 9.3; 22.6; 26.13) e a João em uma visão (Ap 1.12-18).

A principal revelação de Jesus Cristo como a luz do mundo foi pela demonstração de suas obras e palavras. Aqui, a cura dos cegos tem uma importância particular, como a demonstração de sua capacidade e desejo de curar a grande cegueira espiritual dos homens (Mc 8.22-26; Jo 9.5; cf. Jo 8.12; 12.46). "Ao invés das intermitentes manifestações de luz celestial, característica de uma velha eternidade onde a luz e a escuridão alternam-se, como na ordem natural, a luz agora está permanentemente presente em Jesus Cristo" (IDB, III, 132). Mas, no confronto entre a luz e as trevas (Jo 3.19), os homens rejeitaram essa luz de modo que, no momento de ser preso, o Senhor Jesus disse: "... essa é a vossa hora e o poder das trevas" (Lc 22.53). Mas o poder das trevas não podia conter sua pessoa, e Ele ressurgiu dos mortos para "anunciar a luz a este povo e aos gentios" (At 26.23). Esta luz continua presente ainda hoje nos evangelho "Porque Deus, que disse que das trevas resplandecesse a luz, é quem resplandeceu em nossos corações, para iluminação do conhecimento da glória de Deus, na face de Jesus Cristo" (2 Co 4.6; cf. 4.4,5; Ef 5.13-14). A vinda de Cristo trouxe o raiar de um novo dia que nunca será sucedido pela noite (Ap 21.23; 22.5). *Veja* Jesus Cristo.

***Bibliografia.*** J. A. MacCulloch, *et al.*, "Light and Darkness", HERE, VIII, 47-66. Leon Morris, *Studies in the Fourth Gospel*, Grand Rapids, Eerdmans, 1969. O. A. Piper, "*Light, Light and Darkness*", IDB, III, 130-132. Dwight M. Pratt, "Light", ISBE, III, 1890-92.

H. D. F.

**LUZ²** 1. O antigo nome de Betel (Gn 28.19; 35.6; Js 18.13; Jz 1.23). O nome Luz ("amendoeira") também aparece em Gênesis 48.3; Josué 16.2.

Os textos de Josué 16.2 e 18.13 merecem atenção especial. Um problema é proposto pela referência anterior, pois o texto fala da fronteira dos descendentes de José como em parte alcançando de Betel até Luz. Se os termos são intercambiáveis, por que esta distinção? Várias respostas têm sido propostas: (1) A ocorrência de Luz em Josué 16.2 talvez seja uma interpretação explicativa (BDB, p. 531); (2) Deve ser notado que tanto o Texto Massorético hebraico (Js 16.2) como a Septuaginta (v. 1) permitem a tradução "Bete-el-Luzá" (veja a obra de August W. Knobel, *Kritik des Pentateuch und Josua* [*Exegetic Handbuch*, Part XIII]; citado em *Lange's Commentary on the Holy Scriptures*, Joshua, pp. 142, 154). É mostrado, porém, que tal construção é contrária ao uso normal contido no livro de Josué; (3) Betel pode ter sido o nome que Abrão havia dado ao "lugar" (Gn 28.11,19, heb.) onde ele havia erigido um altar, a leste da cidade (cf. Gn 12.8). Como um lugar santo, seu nome pode, em última análise, ter sido usado tanto em relação àquele local como à cidade (W. Ewing, "Luz", ISBE, III, 1942); (4) O texto em Josué 18.13 pode fornecer a solução. Esta passagem traz a frase: "ao lado de Luz (que é Betel)". A palavra *katep*, traduzida como "lado" ou "banda", significa "ombro", e é usada com o sentido de "declive montanhoso" (cf. Nm 34.11; Js 15.10). A Septuaginta (LXX) utiliza o termo *notos* atribuindo a esta palavra hebraica o significado de "costas". Será esta uma referência a um cume, um ápice rochoso? De qualquer modo, Luz e Betel estão intimamente ligadas pela localização, e Betel substituiu Luz no uso comum. *Veja* Betel.

2. O nome de uma cidade construída na terra dos heteus, depois que a cidade cananita foi capturada pelos israelitas (Jz 1.26). Ela ainda não foi identificada.

W. C.

# M

**MAACA**
1. Um dos quatro filhos de Naor com sua concubina Reumá. Não existem indicações sobre o fato de ser um filho ou uma filha (Gn 22.24).
2. A filha de Talmai, rei de Gesur. Ela era casada com Davi e era mãe de Absalão (2 Sm 3.3; 1 Cr 3.2).
3. Uma cidade e um pequeno reino síro (ou arameu) ao norte do mar da Galiléia, perto da ladeira ao sudoeste do monte Hermom. Aliou-se aos outros siros na luta contra Davi (2 Sm 10.8; 1 Cr 19.6,7), porém, mais tarde, alguns de seus homens foram para o exército de Davi. *Veja* Maacatitas.
4. O pai de Aquis, rei de Gate (1 Rs 2.39), chamado de Maoque em 1 Samuel 27.2. Dois dos escravos de Simei fugiram para o rei da Filístia. Em épocas anteriores, Aquis havia favorecido o exército de Davi. *Veja* Aquis.
5. A esposa de Roboão e mãe do rei Abias. Ela era neta de Absalão (1 Rs 15.2), filha de Uriel (2 Cr 13.2, onde ela é chamada de Micaía) e evidentemente de Tamar, a filha única de Absalão (2 Sm 14.27). Como Maaca era a esposa favorita de Roboão, ele designou seu filho como príncipe chefe para assegurar que ele seria o próximo rei (2 Cr 11.20-22). Em 1 Reis 15.10,13 ela é chamada de "mãe" do rei Asa. Este termo, provavelmente, significa "rainha-mãe", uma posição que ela deve ter mantido até depois da morte de seus filhos. Portanto, Asa destituiu sua avó da posição de influência de rainha ou rainha-mãe, por causa de sua idolatria (2 Cr 15.16; 1 Rs 15.13).
6. A concubina de Calebe, filho de Hezrom que deu à luz vários filhos (1 Cr 2.48).
7. A esposa de Maquir, príncipe de Manassés na época de Moisés. Não está claro, no entanto, se Maquir também tinha uma irmã chamada Maaca ou se sua esposa Maaca era irmã de Hupim e Supim (1 Cr 7.15,16).
8. A esposa de Jeiel que era o "pai", ou seja, "fundador" do acampamento israelita de Gibeão, e o bisavô do rei Saul (1 Cr 8.29; 9.35).
9. O pai de Hanã, um dos valentes de Davi (1 Cr 11.43).
10 O pai de Sefatias, governante da tribo de Simeão na época de Davi (1 Cr 27.16).

P. C. J.

**MAACATITAS, MAACATEUS** Os habitantes do pequeno reino arameu de Maaca, que fica ao norte e a oeste de Gesur, no território uma vez dominado por Jair (Dt 3.14; 2 Sm 10.8; 1 Cr 19.6,7). *Veja* Maaca 3. O território de Israel dos dias de Josué foi geralmente descrito como "até ao termo dos... maacateus" (Js 12.5; 13.11,13). Maacate juntou-se a outros arameus, e se opôs a Davi quando o seu exército veio se vingar dos insultos proferidos pelos embaixadores de Hanum, o amonita (2 Sm 10.6-8; 1 Cr 19.6,7). Mais tarde, um maacatita é encontrado entre os valentes de Davi (2 Sm 23.34). Estemoa, o maacatita, era um descendente de Calebe (1 Cr 4.19). Um maacatita era o pai de Jazanias, um dos líderes que restou após a queda de Jerusalém (2 Rs 25.23; Jr 40.8). É possível que o nome fosse o título de uma classe de guerreiros, e não de uma nacionalidade.

**MAADAI** Um israelita da família de Bani que concordou em despedir sua esposa estrangeira nos dias de Esdras (Ed 10.34).

**MAADIAS** Um sacerdote que retornou do exílio com Zorobabel (Ne 12.5). Maaséias (Ne 10.8) e Moadias (Ne 12.17) são provavelmente variantes do mesmo nome.

**MAAI** Um músico que participou da dedicação do muro de Jerusalém após a sua reconstrução (Ne 12.36).

**MAALA** *Veja* Macla.

**MAALALEEL** *Veja* Maalalel.

**MAALALEL**
1. Um patriarca da mesma linhagem de Sete, aparentemente o bisavô de Sete (Gn 5.12-17; 1 Cr 1.2; Lc 3.37).
2. Um ancestral de Ataías, um dos descendentes de Judá que morou em Jerusalém após o retorno do exílio (Ne 11.4).

**MAALATE**
1. Uma das esposas de Esaú, filha de Ismael (Gn 28.9), chamada Basemate em Gênesis 36.3.
2. Uma das 18 esposas de Roboão e neta de Davi (2 Cr 11.18).
3. Um termo musical encontrado nos títulos dos Salmos 53 e 88. O seu significado é incerto.

**MAALEH-ACRABBIM** Também subida de Acrabim. *Veja* Acrabim.

**MAANAIM** Nome dado por Jacó ao local onde ele viu os anjos de Deus (Gn 32.1,2). Provavelmente ficava ao sul de Jaboque, um pouco ao sul da fronteira entre Gade e Manassés (Js 13.26,30; 21.38), a muitos quilômetros ao sul de Peniel (Penuel, Gn 32.22-31), em Tell el-Hajjaj, a uma altitude em que se podia avistar o vale do Jordão. A sua localização exata, no entanto, é desconhecida. Josué o apontou como uma residência para alguns dos levitas meraritas (Js 21.34-38; 1 Cr 6.77-80). Após a morte de Saul, Maanaim se tornou a sede do breve reinado de seu filho Isbosete (2 Sm 2.8,12,29). Davi fugiu daqui por ocasião da revolta de Absalão (2 Sm 17.24,27; 19.32; 1 Rs 2.8). É mencionado por último como a residência do sétimo oficial comissário do rei Salomão (1 Rs 4.14).

**MAANÉ-DÃ** "Acampamento de Dã". Local não identificado que está por detrás de Quiriate-Jearim, ou seja, a oeste de Quiriate-Jearim, onde os 600 danitas acamparam antes de se estabelecerem em Laís (Jz 18.12). Aqui, também, entre Zorá e Estaol, o Espírito do Senhor começou a impelir Sansão (Jz 13.25). Este deve ter sido o local onde Sansão foi sepultado (Jz 16.31).

**MAARAI** Um dos "valentes" de Davi (2 Sm 23.28; 1 Cr 11.30). Ele era um dos 12 capitães do reino de Davi, servindo no décimo mês (1 Cr 27.13). Ele era da família de Zera, e veio de Netofa, em Judá.

**MAARATE** Uma aldeia localizada na região montanhosa da Judéia, mencionada em Josué 15.59. Algumas identificações possíveis são Khirbet Qufin ou Beit Ummar nas vizinhanças de Bete-Zur, a aproximadamente onze quilômetros ao norte de Hebrom.

**MAASÉIAS[1]** Nome comum em Israel e atestado em selos hebraicos antigos.
1. De acordo com diversos manuscritos hebraicos, e com a LXX, um ancestral de Asafe (1 Cr 6.40), ortografado como Baaséias (*q.v.*) em todas as versões em inglês, conforme o Texto Massorético.
2. Um dos músicos levitas que acompanhou Davi quando ele trouxe a arca de volta da casa de Obede-Edom (1 Cr 15.18,20).
3. Um dos capitães que ajudou Joiada na coroação de Joás (2 Cr 23.1).
4. Um dos oficiais que assistiu Jeiel, o chanceler, na organização do exército do rei Uzias (2 Cr 26.11).
5. Um príncipe real morto por Zicri, de Efraim, na invasão de Judá por Peca, rei de Israel (2 Cr 28.7).
6. Um governador de Jerusalém sob o governo de Josias (2 Cr 34.8), e designado por ele para cooperar com Safã e Joá na restauração do Templo.
7. Um dos filhos dos sacerdotes que havia se casado com uma esposa gentílica, e que a deixou após a ordem de Esdras (Ed 10.18).
8. Um filho de Harim que deixou sua esposa gentílica (Ed 10.21). Acredita-se que este seja aquele mencionado como membro do coro que cantou quando os muros da cidade foram finalizados (Ne 12.42).
9. Um sacerdote dos filhos de Pasur que se divorciou de sua esposa gentílica (Ed 10.22). Talvez um dos tocadores de trombeta que celebrou o término dos muros de Jerusalém (Ne 12.41).
10. Um membro da família de Paate-Moabe que deixou sua esposa gentílica após o Exílio (Ed 10.30).
11. Pai de Azarias, um dos construtores do muro da cidade após o retorno da Babilônia (Ne 3.23).
12. Um dos que ficaram do lado direito de Esdras durante a leitura da lei (Ne 8.4).
13. Um dos sacerdotes que esclareceu a lei ao povo à medida que era lida por Esdras, e ajudou o povo a entendê-la (Ne 8.7).
14. Um dos "chefes do povo" que participou da renovação da aliança sob a direção de Neemias (Ne 10.25).
15. Um habitante de Judá que viveu em Jerusalém após o cativeiro (Ne 11.5); acredita-se que este seja Asaías (1 Cr 9.5). *Veja* Asaías 4.
16. Um benjamita filho de Itiel cujos descendentes habitaram em Jerusalém após o cativeiro (Ne 11.7).
17. Um sacerdote no reino de Zedequias e pai de Sofonias que entrevistou o profeta Jeremias durante a invasão de Nabucodonosor (Jr 21.1; 29.25; 37.3).
18. O pai do falso profeta Zedequias que profetizou falsamente a Judá (Jr 29.21).
19. Um filho de Salum e guarda do vestíbulo do Templo durante o reinado de Jeoaquim (Jr 35.4).
20. O pai de Nerias e avô de Baruque e Seraías (Jr 32.12; 51.59).

R. H. B.

**MAASÉIAS[2]** *Veja* Maazias.

**MAATE[1]** Um filho de Matatias e pai de Nagai na genealogia do Senhor Jesus (Lc 3.26). Uma vez que o nome não aparece em nenhuma genealogia do AT, acredita-se que houve uma interpolação acidental de Matate do versículo 24, mas talvez esta seja uma explicação desnecessária.

**MAATE[2]**
1. Um descendente de Coate, filho de Levi, e um ancestral de Samuel o profeta, e de Hemã, o cantor levita no tempo de Davi (1 Cr 6.35).
2. Um levita, supervisor dos dízimos e das coisas sagradas no Templo no reinado de

Ezequias (2 Cr 31.13). Provavelmente deva ser identificdo com o Maate de 2 Crônicas 29.12, o filho de Amasai, um descendente de Coate, uma vez que as duas referências pertencem à época de Ezequias.

**MAAVITA** Título dado a Eliel, um dos valentes de Davi (1 Cr 11.46), talvez para distingui-lo do Eliel do versículo seguinte. O termo é plural no hebraico, e o seu significado é desconhecido.

**MAAZ** O filho mais velho de Rão, um descendente de Judá. Ele é mencionado em 1 Crônicas 2.27.

**MAAZIAS**
1. O chefe da 24ª divisão de sacerdotes, conforme a organização de Davi (1 Cr 24.18).
2. Um dos sacerdotes que assinou a aliança com Neemias (Ne 10.8. Também chamado de Maaséias em algumas versões). Aparentemente cada nome representava "chefe de famílias" como as listas em Crônicas e Neemias parecem indicar.

**MAAZIOTE** Um dos 14 filhos de Hemã que foi estabelecido sobre o serviço de música no reino de Davi, e líder do 23º turno de cantores do Templo (1 Cr 25.4,30).

**MAÇÃ** *Veja* Plantas.

**MAÇA DO AMOR** *Veja* Plantas: Mandrágora.

**MACABEUS**

### O Nome

A derivação do nome é incerta. *Makkabaios* foi originalmente o sobrenome ou apelido de Judas, um dos cinco filhos de um sacerdote judeu chamado Matatias e líder da guerra judaica pela independência que teve início em 168 a.C.
Cada um dos filhos tinha este sobrenome (cf. 1 Mac 2.2-5), mas como Judas foi o primeiro e melhor dos heróis da família, seu nome foi usado para designar toda a família. *Makkabaios* é mais comumente relacionado à palavra hebraica *maqqebeth*, "martelo", e por isso este nome de Judas coincidiria em seu significado com o de Carlos Martel, avô de Carlos Magno. O *maqqebeth*, no entanto, não é um instrumento de batalha, mas uma ferramenta de trabalho humano comum (cf. Jz 4.21; 1 Rs 6.7; *et al.*), e deve-se lembrar que Judas aparentemente recebeu este nome antes de sua bravura na guerra ter sido demonstrada. Embora alguns (por exemplo, Zeitlin) tenham considerado esta designação devido à forma da cabeça de Judas, é ao menos provável que o termo tenha vindo das habilidades de Judas como um jovem carpinteiro. Para uma lista de várias outras etimologias e interpretações de nomes, veja R. H. Pfeiffer, *History of New Testament Times*, pp. 461ss. A solução final para esta questão pode ser o resultado do estudo dos nomes dos outros quatro irmãos de Judas.

### A Revolução dos Macabeus

A maior fonte de informação para este período da história judaica é o livro apócrifo de 1 Macabeus. Informações adicionais são fornecidas por 2 Macabeus e por Josefo (*Ant.* xii.5-xiii.7, e *Wars* i.1-ii.2). O contexto da guerra foram os conflitos entre o Judaísmo e o Helenismo que vieram à tona no início do século II a.C. A iniciativa para a Helenização parece ter vindo dos "iníquos" que havia entre os próprios judeus, que construíram um ginásio grego em Jerusalém e repudiaram a circuncisão e a aliança (1 Mac 1.11-15). Ao mesmo tempo, existiu uma luta amarga e sem escrúpulos entre as duas facções e o sumo sacerdote, Jasão e Menelau, e seus seguidores (2 Mac 4.7–5.10).
Antíoco Epifânio IV, ou Epífanes, rei grego do Império Selêucida (que naquele tempo incluía a Babilônia, a Fenícia, a Síria e a Palestina), interpretou estas desordens como uma revolta aberta contra o seu governo. Ele retornou de uma campanha no Egito para saquear Jerusalém e profanar o Templo, tirando seu altar de ouro, o candelabro e toda a decoração de prata e ouro. Dois anos mais tarde, Antíoco promoveu um massacre em Jerusalém e estabeleceu uma cidadela (o *Acra*) em frente ao Templo, uma "armadilha contra o Templo, e uma ameaça contínua para Israel" (1 Mac 1.36). A adoração judaica e a circuncisão foram proibidas, a idolatria foi ordenada e todas as cópias da lei que poderiam ser encontradas foram queimadas (1 Mac 1.41-64). Sob o altar judeu de ofertas queimadas, foi construído um altar pagão menor, que o escritor de 1 Macabeus considerou como a "abominação da desolação" (1.54), o cumprimento de Daniel 9.27; 11.31 e 12.11.
A resposta dos judeus devotos a estas blasfêmias começou a tomar forma em uma pequena cidade de Modin, a noroeste de Jerusalém. Um sacerdote chamado Matatias desafiou os emissários do rei ao se recusar a oferecer sacrifícios aos ídolos. Quando um outro judeu começou a condescender com o decreto real, Matatias matou-o no altar e escapou para as montanhas com seus cinco filhos (1 Mac 2.15-28).
Neste momento, os fiéis de Israel enfrentaram uma luta com a própria consciência. Milhares deles foram mortos porque se recusaram a se defender no sábado. Mas o pacifismo e a quietude logo deram espaço à dedicação ao conceito de "guerra santa" e à defesa pessoal até mesmo no sábado (1 Mac 2.29-48). Judas, o Macabeu, assumiu a liderança após a morte de seu pai. Ele foi celebrado como alguém que "era como um leão"

em suas obras, que "exterminou os injustos" e que "afastou de Israel a ira divina" (*veja* 1 Mac 3.1-9).
A campanha de guerrilha empreendida por Judas rapidamente pagou grandes dividendos. Enquanto Antíoco estava ocupado na Pérsia, Judas e seu grande exército tiveram uma sucessão de vitórias sobre as forças selêucidas, de modo que, por volta de 165 a.C., ele foi capaz de resgatar o monte Sião e restaurar e rededicar o Templo. O decreto que proibia a prática do judaísmo foi revogado; a liberdade religiosa foi reconquistada; e os propósitos iniciais da revolta foram alcançados (1 Mac 4.36-61; 2 Mac 10.1-8; 11.13-33). Esta vitória é comemorada na Festa de Hanukkah, ou da Dedicação (Jo 10.22). Muitos dos "devotos" (Chasidim) então baixaram os seus braços, mas Judas e seus irmãos sentiram que a guerra tinha que prosseguir em busca da independência política. A Judéia ainda estava sob o governo selêucida, e os judeus eram ainda uma minoria perseguida em várias cidades. Até em Jerusalém a *Acra* continuou a ser o símbolo da dominação gentílica.
O restante de 1 Macabeus narra a guerra dos Macabeus como se tivesse se desenvolvido sob Judas (5.1–9.22) e seus irmãos Jônatas (9.23–12.53) e Simão (13.1–16.16). Judas venceu diversas batalhas notáveis, culminando na grande vitória sobre o general selêucida Nicanor em 161. Mas no mesmo ano Judas morreu lutando contra as forças do novo rei Demétrio.
O período da liderança de Jônatas foi marcado pelo extensivo envolvimento na luta pelo trono selêucida entre Demétrio e um pretendente chamado Alexandre Balas. Jônatas se esforçou para estabelecer uma aliança com Balas, e até mesmo recebeu dele o título de sumo sacerdote em Jerusalém (1 Mac 10.1-21). Tal atividade, no entanto, não foi isenta de riscos. Jônatas foi finalmente traído e executado por Trifão, um novo pretendente ao trono.
Simão fez uma aliança com o rival de Trifão, Demétrio II, e finalmente reconquistou a *Acra* (13.51) que havia resistido aos ataques de Judas (6.18ss.) e Jônatas (11.20ss.). Este evento marcou a obtenção da independência. Os documentos passaram a ser datados a partir do "Ano um de Simão, o sumo sacerdote" (142 a.C), o ano que viu "o jugo dos ímpios... ser tirado de Israel" (13.41ss.). O período da independência que se estendeu de 142 a 63 a.C. é chamado de Era Asmoneana devido a Hashmôn (gr. *Asamonaios*) um dos ancestrais de Matatias (Josefo, *Ant.* xii.6.1; xiv.16.4).

### A Interpretação da Guerra dos Macabeus

Duas interpretações conflitantes da revolta dos Macabeus são representadas em 1 e 2 Macabeus. Apesar de seus nomes, estes livros não estão em uma ordem seqüencial. Enquanto 1 Macabeus cobre todo o período macabeu, 2 Macabeus fala somente sobre a vitória de Judas sobre Nicanor em 161 a.C, portanto uma época paralela a 1 Macabeus 1-7.
Primeiro Macabeus é uma peça fina da escrita histórica, remanescente de um texto grego que é aparentemente uma tradução de um original hebraico. As palavras conclusivas do último capítulo sugerem que o reino de João Hircano poderia não ter chegado ao fim. "Os outros atos de João... estão escritos no livro das atas do seu sumo sacerdócio..." (16.23,24). É improvável que o escritor tivesse ignorado as conquistas dos anos seguintes de João se tivesse tomado conhecimento delas. Na verdade, 1 Macabeus pode ser o trabalho de um historiador da corte Asmoneana, escrevendo sobre a metade do reino de Hircano. Embora sua história seja muito objetiva para a época, o autor demonstra uma clara simpatia pelos Macabeus. O problema que recaiu sobre Israel foi a iniqüidade do "ramo perverso", Antíoco Epifânio (1 Mac 1.10), e dos homens iníquos que o seguiram. Foi uma guerra do bem contra o mal, e a família de Matatias foi o instrumento divinamente escolhido para trazer o triunfo do bem. Quando dois tenentes de Judas atacaram os gentios por iniciativa própria, o autor atribuiu seu fracasso ao fato de que "não eram da descendência dos homens destinados a libertar Israel" (5.62). Simão, especialmente, o fundador da dinastia asmoneana, deveria ser obedecido (2.65; 14.41-45). A continuidade entre os Macabeus e os grandes heróis bíblicos do passado é freqüentemente enfatizada.
Ainda não se sabe ao certo, no entanto, se o autor realmente acreditou que a "história santa" estava sendo desenvolvida. Ele evita qualquer menção direta do nome de Deus. Ele parece acreditar que a profecia havia cessado (4.46; 14.41), e também não se recorda de milagres físicos. Mas estes pontos não são conclusivos. O livro bíblico de Ester também é falho quanto às referências diretas a Deus, ainda que em ambos, Ester e 1 Macabeus, o trabalho providencial de Deus seja muito evidente.
E mesmo no período bíblico existem indicações de que certos modos de revelação sacerdotal haviam terminado (cf. 1 Mac 4.46 e 14.41; Ed 2.63 e Ne 7.65). Embora não haja evidências de que o autor de 1 Macabeus tenha pensado que estivesse redigindo escrituras, não se pode negar que ele teve uma firme convicção de que o Deus do AT ainda estava trabalhando, e que os Macabeus estavam tão certos de que haviam sido escolhidos para exterminar os seus inimigos, quanto Moisés ou Josué o foram em sua época.
Segundo Macabeus, embora historicamente menos confiável, é de um interesse teoló-

gico muito maior do que 1 Macabeus. De origem Alexandrina e data incerta, consiste em: (*a*) duas cartas prefixadas dos judeus na Palestina aos judeus no Egito, incentivando a observação da Festa da Rededicação do Templo (1.1–2.18); (*b*) um epítome de uma história de cinco partes escrita por um certo Jasão de Cirene (3.1–15.39; veja o prefácio do autor em 2.19-32). As cinco divisões do trabalho de Jasão parecem ser marcadas pelas frases resumidas em 3.40; 7.42; 10.9; 13.26; 15.37.

Não é possível determinar qual das idéias teológicas vem de Jasão e qual vem do Epitomista, mas as diferenças de 1 Macabeus são rapidamente visíveis. O nome de Deus é usado freqüentemente, e existem milagres e manifestações sobrenaturais em abundância (por exemplo, 3.23ss.; 5.1ss.; 10.29ss.; 11.8ss.), assim como uma crença na ressurreição (7.9ss., 23; 14.46), e até mesmo a oração pelos mortos (12.43ss.). O mais surpreendente, no entanto, é a interpretação distinta em 2 Macabeus sobre a revolta. A causa dos problemas de Israel não é simplesmente a impiedade dos gentios; é o pecado do próprio povo de Deus. Uma seção que não tem um paralelo com 1 Macabeus fala de uma ameaça ao Templo promovida por um certo Heliodoro, vários anos antes da devastação de Antíoco IV (2 Mac 3.1-39). Este ataque foi esmagado pela intervenção divina imediata (vv. 23ss.). Então Jasão (ou o Epitomista) descreve em poucos detalhes as intrigas viciosas e brigas com o sumo sacerdote entre Jasão e Menelau (4.7–5.10).

O livro de 2 Macabeus é, provavelmente, historicamente (assim como teologicamente) correto ao rastrear e ligar a profanação de Antíoco ao Templo com estes eventos, também não registrados em 1 Macabeus. O autor comenta: "Antíoco foi arrogante, sem perceber que o Senhor se havia irritado durante breve tempo, por causa dos pecados dos habitantes da cidade... De fato, se eles não se tivessem envolvido em tantos pecados Antíoco seria imediatamente barrado no seu atrevimento a poder de chicotadas, logo que chegasse, como aconteceu com Heliodoro, enviado pelo rei Selêuco para fiscalizar o tesouro" (2 Mac 5.17,18). Embora o Templo tenha ficado "abandonado no momento de ira do Todo-poderoso", ele foi "restaurado em toda a sua glória quando o Senhor novamente se reconciliou" (5.20).

Os sofrimentos do povo ocorreram como um castigo, e não para a sua ruína como esperavam os pagãos (6.12-16). A "reconciliação" veio por meio das mortes expiatórias dos mártires, tipificadas por uma mãe e seus sete filhos no capítulo 7. O último filho diz aos seus atormentadores: "Nós estamos sofrendo por causa de nossos pecados. Por um pouco de tempo, o Senhor vivo está irado conosco e nos castiga e nos corrige, mas ele voltará a se reconciliar com os seus servos" (7.32,33). Ele expressa a sua esperança: "a ira do Todo-poderoso, que se abateu com toda a justiça contra o seu povo, se detenha em mim e em meus irmãos" (7.38). No capítulo 8, Judas inicia, de forma significativa, a sua resistência, e "tornou-se invencível para os pagãos. Dessa forma, a ira do Senhor transformou-se em misericórdia" (8.5).

O segundo livro de Macabeus se preocupa menos com a fraqueza do pagão e com a glória da casa Asmoneana, e se preocupa mais com o problema teológico do pecado e seu remédio. Embora o autor às vezes reconfirme a si mesmo que a "guerra santa" tenha sido necessária (como quando retrata Jeremias dentre o povo, apresentando a Judas em sonho uma "espada santa" para lutar contra seus adversários, 15.15ss.) ele não possui o nacionalismo militante de 1 Macabeus. Ele provavelmente fala aos Fariseus (*q.v.*) cujos ancestrais espirituais, os Chasidim, haviam rompido com os Macabeus, mas que mais tarde aceitaram a independência como um *fait accompli* e um presente de Deus. Sua ênfase sobre a retribuição, ressurreição e aparições de anjos teria eliminado isso.

Uma terceira interpretação da história dos Macabeus pode ser refletida nos Rolos do mar Morto. Muitos estudiosos acreditam que a comunidade Qumran surgiu a partir de uma total desilusão com os Asmoneus por parte de alguns dos Chasidim. O envolvimento crescente de Jônatas e Simão no poder político selêucida, e suas usurpações do sumo sacerdócio podem ter ocasionado a retirada para o deserto. De fato, o "sacerdote ímpio" da literatura Qumran é mais freqüentemente identificado com Simão Macabeu, João Hircano, ou com o sucessor de João, Alexandre Janeu.

O terceiro livro de Macabeus não tem nada a ver com os Macabeus, mas lida com os Judeus sob Ptolomeu do Egito no século III a.C.

O quarto livro de Macabeus é um discurso moral Judaico Helenístico dos mártires Macabeus, que pode ser provavelmente datado perto do início da era Cristã. Este desenvolveu o conceito da morte de mártires como uma expiação.

***Bibliografia.*** W. H. Brownlee, "Maccabees, Books of", IDB, III, 201-215. R H. Charles, ed., *The Apocrypha and Pseudepigrapha*, Oxford. Clarendon Press, 1913, I, 59-154. CornPBE, pp. 370-377. W. R. Farmer, *Maccabees, Zealots, and Josephus,* Nova York. Columbia Univ. Press, 1956. H. M Orlinsky, "Maccabees, Maccabean Revolt", IDB, III, 197-201. R. H. Pfeiffer, *History of New Testament Times*, Nova York. Harper, 1949. S. Tedesche e A Zeitlin, *The First Book of Maccabees,* Nova York. Dropsie College 1950; *The Second Book of Maccabees*, Nova York.

Harper, 1954. C. C. Torrey, *The Apocryphal Literature*, New Haven. Yale, 1945. A F. Walls, "Maccabees", NBD, pp. 762ss.

J. R. M.

**MACACO** *Veja* Animais: Pavão III.48.

**MACAERO**

*Descrição e história.* Localizada a aprox. 6,5 quilômetros a leste do mar Morto e a 22 quilômetros a sudoeste da foz do Jordão, Macaero era a fortaleza mais intransponível da Palestina, nas proximidades de Jerusalém (Plínio, *Natural History*, XVI2.40), e de acordo com Josefo (*Ant.* xviii.5.2) foi o cenário do aprisionamento e execução de João Batista. A cidadela foi construída por Alexandre Janeu em uma cordilheira natural que se eleva a aproximadamente 1150 metros acima do mar Morto, e é inacessível por três lados (Josefo, *Wars* vii.6.1ss.). Depois de ser destruída por Gabínio, Herodes o Grande a restaurou, construindo um magnífico palácio em seu lugar. Como Macaero não é mencionada pelo nome nos Evangelhos, a presença dos nobres da Galiléia (Mc 6.21) levou alguns a pensar que a festa de aniversário de Herodes foi realizada em Tiberíades, na Galiléia, e não em Macaero (cf., no entanto, A. H. M'Neile, *The Gospel According to St. Matthew*, p. 210).

Durante a Guerra Judaico-Romana, Macaero, junto com Herodium e Massada (*q.v.*) continuaram a resistir até mesmo depois da queda de Jerusalém. Os defensores judeus finalmente se renderam (em aprox. 72 d.C.) porque não podiam suportar ver seu compatriota heróico chamado Eleazar crucificado diante deles por cercar os Romanos (Josefo, *Wars* vii.6.4).

Exceto pela disputada menção de *Makwar* na literatura rabínica, Macaero ficou esquecida até que V. J. Seetzen a redescobriu em 1907. O nome antigo é preservado na vila de Mukâwer, a aprox. 800 metros a leste do pico, atualmente chamada de Qas?r el-Mishneqeh. Para uma descrição inicial do local, veja H. B. Tristram, *The Land of Moab* (Nova York. Harper, 1873, pp. 271ss.; mapa da p. 274). Para uma fotografia de Macaero, veja a obra Denis Baly, *The Geography of the Bible* (Nova York. Harper, 1957, p. 251).

E. M. Y.

*Escavações.* Em junho de 1968, Jerry Vardaman começou o trabalho arqueológico em Macaero, patrocinado pelo Departamento de Antiguidades do Jordão, e pelo Seminário Teológico Batista do Sul. As escavações foram concentradas no pico da fortaleza. A expedição pesquisou a fortaleza e percebeu traços de paredes circunvaladas, os acampamentos Romanos, e o *agger* (rampa de cerco) construídos pela Décima Legião sob o comando de Sextus Lucilius Bassus.

Foi descoberto um sistema de aquedutos, incluindo os grandes reservatórios no topo da montanha e morros mais baixos (a sudoeste e a nordeste) da fortaleza. A água mantida no reservatório dos morros mais baixos era filtrada inicialmente em um depósito sedimentar localizado em uma montanha ao sudoeste de Macaero. A partir dali, ela prosseguia por um aqueduto de 200 metros de comprimento, construído 20 metros acima da união destes dois pontos. Assim, pela primeira vez desde Josefo, que faz uma breve alusão a estes detalhes, o método de suprimento de água da fortaleza e seu armazenamento tornou-se claro.

Josefo, mais tarde, descreveu a ocupação de Macaero pelos Zelotes, e é importante que 19 óstracos (escritas em gr., aramaico, heb. ou latim) foram descobertas, e muitas delas mencionam os nomes pessoais dos Zelotes que defenderam a montanha contra Bassus. Os nomes destes Zelotes (por exemplo, João, Zebedeu, Simeão, José, Isaque, Eleazar e Salum) se harmonizam com os nomes dos judeus conhecidos do século I d.C. a partir de fontes como as obras de Josefo, os papiros, o NT, os ossuários, etc.

Um texto se refere a "(Bete-) Peor", e esta foi a primeira vez que tais documentos epigráficos a respeito deste local bíblico foram descobertos. Outros documentos mencionam um "Eleazar (=Lázaro) filho de José", mas não se pode saber ao certo se esta pessoa é o Eleazar cuja captura foi mencionada por Josefo. Um texto abreviado parece se referir à "(Décima?) Legião", e, juntamente com outros resquícios da ofensiva romana que foram descobertos (incluindo uma cerca de fogo sob todo o topo da montanha e muitos mísseis balísticos, alguns dos quais pesando quase cinco quilos), dá uma clara evidência de que as declarações de Josefo a respeito da queda da fortaleza diante do ataque de Bassus foram bastante precisas.

Tal confirmação surpreendente dos relatos de Josefo sobre a captura de Macaero por Bassus certamente adiciona um grande peso ao registro do aprisionamento de João, e à sua morte neste local isolado. Josefo estava obviamente mencionando informações sobre a história de Macaero, de uma forma totalmente independente dos autores do NT. Portanto, estou convencido de que as referências de Josefo a João Batista são basicamente genuínas, e que as narrativas do NT sobre a prisão e a morte de João podem ser ligadas aos registros de Josefo, cujas fontes históricas eram praticamente contemporâneas aos registros do NT.

E. J. V.

**MAÇANETA** Do heb. *kaphtor,* uma parte do candelabro de ouro no Tabernáculo. Parece ter sido um suporte para os ramos e para as flores ornamentais (Êx 25.31-36; 37.17-22). Em Amós 9.1 a mesma palavra heb. significa a coroa ou capitel de uma coluna ("lintéis").

**MAÇANETA, ALDRAVA** Palavra encontrada apenas em Cantares 5.5 como parte da fechadura de uma porta. A maior diversidade de cabos do antigo Oriente Próximo é encontrada nos jarros de argila: por exemplo, cabos redondos, cabos laterais, e cabos perfurados em geal, sendo que os cabos dos grandes cântaros eram uma característica do Início da Era do Bronze. Cabos de ossos, na forma de cintas e estribos podem ser vistos em utensílios do final da Era do bronze. *Veja* Cerâmicas.

**MACAZ** Uma das torres a noroeste de Judá de onde Ben-Dequer, um oficial de Salomão, retirou suprimentos para fornecer víveres ao rei e à sua casa, durante um mês no ano (1 Rs 4.9). Houve tentativas de identificá-la com Khirbet el-Mukheizin, que fica 10 quilômetros a noroeste de Bete-Semes, e 4 quilômetros ao sul de Gezer.

**MACBANAI** Um dos poderosos homens de guerra da tribo de Gade que se juntou a Davi em Ziclague enquanto Davi estava no exílio, no território filisteu (aprox. 1015 a.C.), antes de se tornar rei em Hebrom (veja 1 Cr 12.13).

**MACBENA** Filho de Seva, mencionado nas listas genealógicas de Judá, e mais especificamente na da família de Calebe (1 Cr 2.49). Alguns identificam o nome como um local ao invés de uma pessoa, e observam que a palavra vem da mesma raiz de Cabom (Js 15.40), uma torre perto de Eglom, possivelmente a moderna Khirbet Hebrah.

**MACEDÔNIA** A Macedônia, um reino cujas fronteiras variaram com o decorrer dos séculos, estava localizada na extremidade noroeste do Egeu. Sua capital era Pela, 38 quilômetros a noroeste de Tessalônica. Sob Filipe II (359-336 a.C.), a Macedônia passou a incluir a Trácia, e a dominar toda a Grécia.

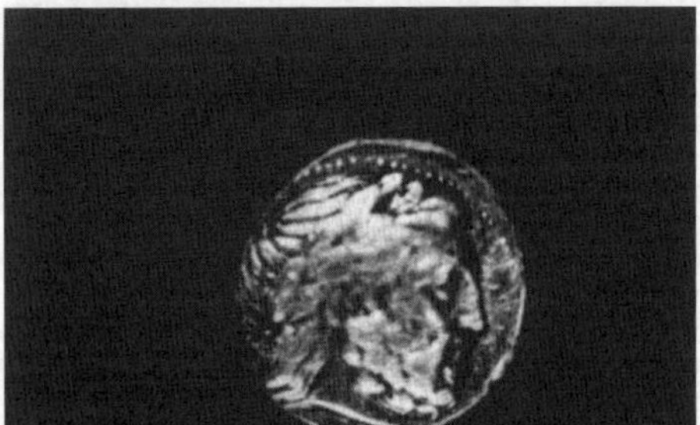

Moeda de Filipe II da Macedônia. Gleason Archer, foto de W. LaSor

O rio Strimom em Anfípolis

Sob o governo de Alexandre o Grande, a Macedônia conquistou todo o Império Persa. Quando a Macedônia tornou-se uma província Romana em 148 a.C., e durante a maior parte do século I d.C., as fronteiras dos territórios estavam bem fixadas. A Macedônia na qual Paulo ministrou, tinha uma linha de fronteira que se estendia de um ponto perto do rio Nestos, na Grécia do leste, até o mar Adriático, por volta da latitude de Tiranë, a moderna capital da Albânia; então até o sul, à fronteira norte de Épiro, que margeava o final do seu extremo sul e se virava a leste, ao golfo de Volos (a antiga Pégaso). Portanto, pode-se concluir que a província incluía não somente a maioria da parte norte da Grécia moderna, mas também porções da Bulgária e Iugoslávia e aproximadamente metade da Albânia. A Macedônia foi uma rota importante entre a Ásia e o Oeste. As cidades desta área que estavam incluídas no itinerário Paulino eram: Neápolis, Filipos, Anfípolis, Apolônia, Tessalônica (a capital) e Beréia.

H. F. V.

**MACLA**
1. A mais velha das cinco filhas de Zelofeade. Pelo fato de seu pai – um descendente de Manassés, filho de José – não ter tido filhos, ela e suas irmãs pediram a herança de seu pai, e se casaram com os filhos de seus tios, e obtiveram sucesso (Nm 26.33; 27.1; 36.11).
2. Outro descendente de Manassés, cujo nome da mãe era Hamolequete (1 Cr 7.18).

**MACNADEBAI** Um filho de Bani, que atendeu ao chamado de Esdras para deixar sua esposa não judia, durante o extensivo esforço empreendido por Esdras (458–457 a.C.), para evitar que os judeus que haviam retornado do cativeiro fossem tragados por uma população pagã e não judia (Ed 10.40).

**MACPELA** Um campo com árvores e uma caverna (ou cova) perto de Manre, comprado por Abraão de Efrom, o heteu, para ser o local do sepultamento de sua esposa Sara (Gn 23.9,17,19). Atualmente está localizado no centro da moderna cidade de Hebrom.

A mesquita em Hebrom sobre o local tradicional da caverna de Macpela. HFV

Abraão foi sepultado aqui por seus filhos Isaque e Ismael (Gn 25.9,10). A caverna foi coberta por uma igreja cristã, porém mais tarde foi convertida em uma mesquita pelos muçulmanos. O controle árabe desta área impediu por muito tempo que os cristãos visitassem este antigo relicário. Esta restrição foi finalmente quebrada, quando no dia 07 de abril de 1862, o príncipe de Gales teve autorização para visitar o que é agora conhecido como a Mesquita dos Patriarcas.

A mesquita é rodeada por um muro antigo feito com a alvenaria típica das ruínas que estão ao redor da área do Templo de Jerusalém, e que datam do período de Herodes o Grande. Dentro da mesquita, perto do lado noroeste, há uma abertura redonda no solo que guia à caverna que está embaixo, onde se acredita que os patriarcas estejam sepultados. Em honra àqueles que estão sepultados neste subsolo (Abraão, Sara, Isaque, Rebeca, Léia, Jacó, Gn 49.31) foram erigidos cenotáfios no solo desta mesquita. Um deles é dedicado a José, embora ele tenha sido sepultado em Siquém (Js 24.32).

H. A. Han.

**MACTÉS** Um local em Jerusalém onde os mercadores estrangeiros reuniam-se e, provavelmente, por esta razão, fosse assim chamado (*maktesh* significa "um gral"), porque tinha a forma de bacia (Sf 1.11). É mencionado junto à cidade baixa ou segunda parte (heb. *mishneh*), e à Porta do Peixe (v. 10), ambas a oeste da área do Templo. A maioria dos estudiosos pensa que este termo referese à parte do vale Tiropeon onde comerciantes de prata e ouro conduziam seus negócios. Por causa do elevado valor da prata, é bem possível que suas lojas estivessem dentro dos muros da cidade, e não fora da Porta do Peixe (na área do atual Portão de Damasco) como alguns imaginaram.

**MÁCULA[1]** Essa palavra ocorre muitas vezes na Bíblia Sagrada, principalmente em Levítico, Números e Ezequiel e representa três palavras hebraicas e duas gregas. Das palavras hebraicas, *tamin* significa "inteiro" ou "completo", portanto, "sem mácula". Em hebraico, *me'um, mum,* significam "alguma coisa manchada", "marca" ou "borrão". A terceira palavra, *teballul* (usada apenas em Levítico 21.20) denota uma mancha branca no olho que provoca uma visão obscurecida, provavelmente, catarata (*veja* Doenças). A palavra mácula ocorre apenas três vezes no NT, e em todas elas a palavra grega *momos* tem o significado de borrão ou "defeito" (ou, negativamente, "sem defeito").

Para resumir, os sacrifícios do AT deviam ser "sem mácula"; Cristo era um sacrifício "sem mácula", "imaculado" (1 Pe 1.19); e a igreja um dia deverá ser "sem mácula" (Ef 5.27).

**MÁCULA[2]** No AT essa palavra está intimamente ligada ao conceito de puro e impuro (*veja* Impureza) e às leis a ele relacionadas, assim como à contaminação do Templo de Deus (Lv 15.31; 20.3; Nm 19.13; Sl 79.1; Ez 5.11) e da terra (Jr 2.7; 3.9; 16.18). No cerimonial do NT, a palavra mácula aparece apenas como uma mácula moral e aqueles que elevam o cerimonial acima da moral são condenados por Cristo (Mc 7.1-23). Os extremos aos quais chegavam os judeus ao limpar as xícaras, potes, mesas e a si próprios eram condenados por Cristo. Nada que entra no corpo pode macular, mas apenas o que é feito e dito (v. 15). A sutileza dessa questão é revelada pelo fato da conhecida divergência entre João Batista e os judeus estar relacionada com a purificação (Jo 3.25). Por ser um levita, e pertencer à ordem sacerdotal, o seu batismo levantou essa questão.

Pedro precisou aprender, através de uma revelação especial, que nada é verdadeiramente impuro em si mesmo (At 10.9-48). Paulo também enfatizou este ensino, embora apenas por uma razão de conveniência tenha tomado parte de uma cerimônia judaica de purificação. Entretanto, deve-se observar que essa foi a causa de sua imediata prisão em Cesaréia (At 21.26ss.).

R. A. K.

**MACHADO** Os machados estavam entre as ferramentas mais comuns da Palestina (Is 10.15). Com outras ferramentas semelhantes, eles exigiam um trabalho árduo (2 Sm 12.31; 1 Cr 20.3).

Quanto ao material, as ferramentas de corte mais antigas eram feitas de ossos, pederneira ou pedras, posteriormente de bronze, e por volta de 1200 a.C. começaram a utilizar o ferro (o "machado" em 2 Reis 6.5 é realmente de "ferro", como no v. 6.). Os filisteus tentaram impedir que Israel usasse este metal superior quando eles superabundavam nas planícies da Palestina no início da

Idade do Ferro; pelo menos a passagem em 1 Samuel 13.19-22 é interpretada dessa forma (G. Ernest Wright, *Biblical Archaeology*, ed. rev., Filadélfia. Westminster Press, 1962, pp. 91-94).

A extremidade mais grossa da cabeça do machado poderia ser perfurada para receber uma correia pela qual era amarrada ao cabo de madeira. O homicídio acidental previsto em Deuteronômio 19.5 e a perda do machado emprestado em 2 Reis 6.5,6 sugerem que o ferro freqüentemente trabalhava solto.

O formato do machado variava, de forma que as sete palavras hebraicas diferentes que a versão KJV em inglês traduz como "machado" também poderiam ser traduzidas como picareta ou enxó (com uma borda cortante no ângulo certo até o cabo), podeira, cinzel, alvião – todas elas ferramentas de corte, grande parte utilizada para madeira, às vezes para pedra (na Palestina especialmente calcário).

Abimeleque e seus homens cortaram ramos de árvores com machados para atear fogo à torre de Siquém (Jz 9.47-49). Atacantes de cidades cortaram árvores (Jr 46.22) para cercos, um propósito para o qual nenhuma árvore frutífera poderia ser tirada (Dt 20.19,20). Um machado poderia ser usado como uma lâmina para moldar o centro de madeira de um ídolo, para ser revestido com metais preciosos (Jr 10.3,4). Os inimigos de Israel quebraram as decorações de madeira do Templo com machados (Sl 74.4-7). Picaretas ou buris foram empregados para cortar pedras para os altares (mas os altares de Israel deveriam ser somente de pedras naturais, Êxodo 20.25), ou para o Templo de Salomão, cujas pedras, algumas de tamanhos tremendos, eram todas pré-trabalhadas (1 Rs 6.7; 7.9-11).

O machado é mencionado no NT nas palavras de João Batista (Mt 3.10; Lc 3.9), que ilustram um juízo ameaçador por um machado posto à raiz de uma árvore frutífera, pronto para cortá-la se ela fosse comprovadamente inútil.

W. G. B.

**MACHO** Uma palavra que se refere ao gênero masculino de seres humanos e de animais, ocorrendo mais de 70 vezes no AT e quatro vezes no NT. A palavra hebraica predominantemente usada no AT é *zakar*, do verbo *zakar*, "lembrar-se". Um possível significado da palavra *zakar* é: "Aquele através do qual a memória dos pais tem continuidade", ou "aquele que é competente para se *lembrar* ou *invocar* a divindade em adoração".

**MADAI** Terceiro filho de Jafé (Gn 10.2; 1 Cr 1.5). Os descendentes de Madai eram os medos, um povo ariano, primeiramente mencionado por Salmaneser III (aprox. 886 a.C.). Adade-Nirari III (aprox. 800 a.C.), Tiglate-Pileser III (743 a.C.) e Sargão II (716 a.C.) conquistaram suas terras. Aliados aos babilônios, liderados por Nabopolassar, eles ajudaram a destruir a Assíria em 612 a.C. Eles mantiveram o seu império a leste da Babilônia durante os dias de Nabucodonosor (605-561 a.C.), e se tornaram parte do Império Persa após a ascensão de Ciro, o Grande, em 559 a.C. *Veja* Elão (País); Média.

**MADEIRA** *Veja* Plantas.

**MADEIRA DE EFRAIM** *Veja* Efraim, Madeira de.

**MADEIRA DE GOFER** *Veja* Plantas.

**MADEIRA DE SÂNDALO** *Veja* Plantas: Almugue.

**MADMANA** Uma cidade calebita no sul de Judá perto de Ziclague (Js 15.31; 1 Cr 2.49) talvez seja Bete-Marcabote (Js 19.5). É provavelmente a moderna Umm Deimneh, aprox. dezesseis quilômetros a nordeste de Berseba.

**MADMÉM** Uma cidade em Moabe cuja destruição foi prevista por Jeremias (Jr 48.2). Pode haver um jogo de palavras aqui dando a idéia de "tu cidade do silêncio [heb. *madmen*] deverá permanecer em silêncio [de *damam*, estar em silêncio]". Foi por diversas vezes identificada como sendo Khirbet Dimneh, treze quilômetros ao norte de Kerak.

**MADMENA** Uma cidade ao norte de Jerusalém, mencionada somente nas descrições de Isaías sobre o avanço assírio em Jerusalém (Is 10.31). Sua exata localização é desconhecida.

**MADOM** Uma cidade real dos cananeus ao norte, cujo rei, Jobabe, foi confederado com Jabim, rei de Hazor. Ambos foram mortos na batalha com Josué nas águas de Merom (Js 11.1; 12.19). Foi identificada com Qarn Hattin ("chifres de Hattin") nos altos, oito quilômetros a noroeste de Tiberíades. A Septuaginta, no entanto, traz o termo *Marron*, que pode indicar que se deseja mencionar Merom (*q.v.*).

**MÃE** As Escrituras dão uma posição muito mais alta às mulheres, especialmente às mães, do que as religiões da maioria das terras orientais. As mulheres do AT, às vezes, ocuparam posições importantes, como Miriã e Débora. O pai e a mãe eram juntamente classificados e honrados. O conselho de Rebeca parece ter pesado mais para o seu filho Jacó do que para Isaque. O filho que agredisse ou amaldiçoasse seus pais era punido com a morte (Êx 21.15,17). O último capítulo de

Ruínas no local de Magdala. HFV

Provérbios retrata a honra e a reverência à mãe virtuosa e fiel. "Levantam-se seus filhos, e chamam-na bem-aventurada; como também seu marido, que a louva..." (Pv 31.28).
Sustentavam-se os mesmos elevados padrões no NT. Quando Cristo nasceu da virgem Maria, através do Espírito Santo, a maternidade foi ainda mais exaltada. Até mesmo a avó é às vezes mencionada. Em 2 Timóteo 1.5 Paulo traz à memória "a fé não fingida" que havia em Timóteo, a qual habitou primeiro em sua avó Lóide e em sua mãe Eunice. E o apóstolo estava certo de que esta fé também habitava no jovem Timóteo.
A Bíblia Sagrada se refere a Jerusalém como a "mãe de todos nós" (Gl 4.26), e o amor de Deus é comparado ao de uma mãe (Is 66.12,13; cf. Mt 23.37).
O Senhor Jesus se recusou a dar a Maria uma posição mais elevada do que aquela que Ele concede a todos os outros crentes (Mt 12.46-50; cf. Jo 2.4), um fato que deveria ser uma importante advertência contra a elevação da virgem Maria e a mariolatria. Enquanto sofria na cruz, Jesus pensou em sua mãe, e providenciou um lar para ela, com João, o discípulo amado. "E, desde aquela hora, o discípulo a recebeu em sua casa" (Jo 19.27).
Na Bíblia Sagrada, a palavra mãe pode se referir à madrasta (Gn 37.10), à avó (1 Rs 15.10), a alguma ancestral do sexo feminino (Gn 3.20), ou a uma benfeitora (Jz 5.7).
*Veja* Família; Casamento; Pais; Mulher.

L. A. L.

**MÃE DO REI** *Veja* Rainha.

**MAELI** *Veja* Mali.

**MAER-SALAL-HÁS-BAZ** Um nome simbólico que significa "ligeira é a recompensa, veloz é a presa" ou "Rápido-Despojo-Presa-Segura" dado a um dos filhos de Isaías para significar a rápida destruição das forças combinadas de Rezim de Damasco, e Peca de Samaria, pelo rei dos assírios (Is 8.3,4). Isaías havia recebido ordens para escrever estas palavras em uma grande tábua e pronunciá-las em público, e assim testemunhariam por diversos meses antes que lhe fosse ordenado colocá-lo como o nome de seu segundo filho (Is 8.1,2). Este era um duplo atestado da certeza do destino dos dois inimigos de Judá.

**MAGADÃ** *Veja* Magdala.

**MAGBIS** Uma cidade não identificada em Judá, da qual 156 habitantes retornaram do exílio com Zorobabel (Ed 2.30). Alguns acreditam, no entanto, que este é o nome de um homem e se refere a uma família que retornou do exílio.

**MAGDALA, MADALENA** Uma cidade mencionada somente uma vez no NT, em Mateus 15.39, onde o importante manuscrito grego Álefe, B e D e a maioria das versões antigas trazem Magadã ou uma forma alternada de escrita. A passagem paralela em Marcos 8.10 chama o local de Dalmanuta (*q.v.*). Magadã parece ter sido o nome de um *local* ou "região" na costa oeste do mar de Galiléia em direção ao qual o Senhor Jesus atravessou após alimentar mais de 4.000 pessoas, e isto provavelmente incluía a cidade de Magdala.
Magdala, cujo nome grego era Taricheae, ficava na costa oeste do lago ao extremo sul da fértil planície de Genesaré, aprox. 5,5 quilômetros a norte-noroeste de Tiberíades. Seu local é conhecido nos dias atuais como Mejdel, e está localizado de maneira estratégica na junção da estrada ao longo do lago Tiberíades com a estrada de Nazaré, que vem através das montanhas seguindo o vale de Robbers. O nome Magdala deriva do heb. *migdal*, "torre". Aparentemente a cidade foi assim nomeada porque uma vez serviu como um forte. No Talmude, a cidade é chamada de Migdal Nunya, "torre do peixe" (Pesahim 46*a*). Taricheae foi uma cidade florescente no século I d.C., um importante centro de pesca, de produção de peixes defumados, de construção de embarcações, e um centro de comércio (Josefo, *Wars* ii.21.3-9; iii.9.7–10.5). A maioria da população da cidade era composta por gentios, como é evidenciado pela presença de um hipódromo ou estádio (Josefo, *Wars* ii.21.3; iii.10.10). Durante a revolta judaica contra os romanos, Josefo fortificou bem a cidade em seus lados que eram cercados por terra.
"Madalena", uma pessoa de Magdala, é um termo freqüentemente utilizado nos Evangelhos para designar uma das mulheres da Galiléia que seguiu o Senhor Jesus (Mt 27.56,61; 28.1; Mc 15.40,47; 16.1; Lc 8.2; 24.10; Jo 19.25; 20.1,18). *Veja* Maria 2.

J. R.

**MAGDIEL** Nome de um chefe ou duque de

Edom, descendente de Esaú (Gn 36.43; 1 Cr 1.54).

**MAGIA, MÁGICO** Estas palavras vêm do nome de uma classe de sacerdotes da Idade Média, "os magos" ou "sábios" (Mt 2.1,7), que não eram apenas sacerdotes sacrificiais, e sim homens que interpretavam o significado de fenômenos dos céus e sonhos e seus impactos nas atividades humanas. *Veja* Magos.

Magia, adivinhação, feitiçaria, encantamento, e bruxaria estão todos ligados à crença no sobrenatural ou em forças ocultas, e são formas pelas quais os homens têm procurado obter o conhecimento sobre o futuro, e ajuda para as questões da vida, tanto lhes beneficiando quanto prejudicando os seus inimigos.

A classe de profissionais adivinhos ou mágicos era abundante no Egito (Gn 41.8,24; Ex 7.11,22; 8.7,18,19; 9.11) e na Babilônia (Dn 1.20; 2.2,10,27; 4.7,9; 5.11). A magia era também praticada pelos cananeus e outros povos, como é indicado pelos amuletos, talismãs, arrecadas (Is 3.20) e outros objetos comuns à arte da magia, encontrados em escavações na Palestina. Ezequiel fala sobre as mulheres "que cosem almofadas para todos os sovacos e que fazem travesseiros para cabeça de toda estátua, para caçarem as almas!" (Ez 13.18). Existiam também os encantadores de cobras (Sl 58.4,5; Ec 10.11; Jr 8.17), assim como médiuns espíritas que procuravam lidar com espíritos familiares (Is 19.3; cf. 8.19). *Veja* Astronomia; Belomancia; Demonologia; Adivinhação; Encantamento; Espírito Familiar; Necromancia; Feitiçaria; Terafins.

A atitude da Bíblia Sagrada para com a magia é claramente hostil (Dt 18.9-14; 2 Rs 21.6; At 8.9-24; 13.6-12). A Babilônia foi motivo de escárnio por sua confiança nas feitiçarias e nos encantos mágicos ou encantamentos (Is 47.9,12,13). Os mágicos ou feiticeiros judeus, como Simão (At 8) e Elimas (At 13), eram considerados escravos da iniqüidade e instrumentos do Diabo.

Em Éfeso, como resultado da expulsão de demônios através do ministério de Paulo, "muitos dos que seguiam artes mágicas trouxeram os seus livros e os queimaram na presença de todos" (At 19.19). A soma do valor de seus livros de encantamentos mágicos foi extremamente alta, 50.000 peças de prata, provavelmente o equivalente ao pagamento por muitos dias de trabalho. *Veja* Artes mágicas.

Paulo lista *pharmakeia*, a "feitiçaria", imediatamente após a idolatria em Gálatas 5.20, classificando-a, deste modo, entre os principais pecados da carne. O final daqueles que prosseguem na prática da feitiçaria será o lago de fogo (Ap 9.21; 21.8; 22.15).

***Bibliografia.*** CornPBE, "Magic, Divination and Superstition", pp. 503-509. G. Delling, "*Magos*", TDNT, IV, 356-359. Kurt E. Koch, *Christian Counseling and Occultism,* Grand Rapids. Kregel, 1965. Merrill F. Unger, *Biblical Demonology*, 2ª ed., Wheaton. Van Kampen Press, 1953. J. Stafford Wright e K. A Kitchen, "Magic and Sorcery", NBD, pp. 766-771. Roy B. Zuck, "The Practice of Witchcraft in the Scriptures", BS, CXXVIII (1971), 352-360.

S. F. B. e J. R.

**MÁGICO** Esta palavra, encontrada em Atos 8.9, significa, propriamente, "espantar", "iludir", "pasmar", "admirar", e é assim traduzida em várias versões da Bíblia Sagrada. A palavra grega *baskaino* em Gálatas 3.1 significa "fascinar" ou "enganar". Os judaizantes haviam encantado os cristãos gálatas a ponto de fazer com que parassem de raciocinar.

**MAGISTRADO¹** A palavra traduzida como "magistrados" ou "pretores" em Atos 16.35, 38 é literalmente "portadores de varas", os oficiais chamados de "litores" pelos romanos. Estes eram assistentes dos principais magistrados, e tinham como sinal de seu ofício um fardo de varas em torno de um machado. A tradução "polícia" na versão RSV em inglês é um bom equivalente moderno.

**MAGISTRADO²** A tradução de uma variedade de termos hebraicos e gregos na Bíblia Sagrada, que se refere a um oficial civil público. Por trás de seu uso em Juízes 18.7 existe um significado de possuir autoridade. Em Esdras 7.25 o termo "magistrado" (ou regedor) traduz a palavra (*shapetin*), que é normalmente interpretada como "juízes". Esta também é a interpretação de várias versões do termo *tiptaye'* (magistrados ou oficiais) em Daniel 3.2,3.

Em Lucas 12.11 o termo "magistrados" (ou "governadores") representa a palavra grega geral (*arche*), que se refere a poderes governantes; estes poderes podem ser humanos (Tt 3.1), divinos, ou mesmo demoníacos (Rm 8.38; Ef 3.10; Cl 2.10). Da mesma forma, em Lucas 12.58, o termo "magistrado" traduz a palavra grega *archon* (aquele que rege), uma palavra usada para designar diversos tipos de oficiais. Por exemplo: juízes civis (At 16.19); o chefe ou príncipe da sinagoga (Lc 8.41); os judeus influentes (Lc 14.1; 24.20); o sumo sacerdote (At 23.5). O Senhor Jesus Cristo é assim designado (Ap 1.5), e traduzido como "príncipe" em várias versões. Satanás também é chamado de príncipe (Mt 9.34).

A mesma raiz faz parte de Tito 3.1, onde *peitharchein* (com o sentido de obedecer aos magistrados) também poderia ser traduzido simplesmente como "ser obediente" (Arndt, p. 644).

O principal uso de "magistrado" se encontra em Atos 16 para *strategoi*, também designado como "governadores" (*archontas*) em 16.19. O termo grego *strategos* mais propriamente designa o "comandante de um exército", mas no NT é limitado aos oficiais civis. Em Filipos (At 16.20,22,35,36,38) estes eram os oficiais de nível mais elevado da colônia Romana, e possuíam o poder para administrar justiça em casos de menor importância. Eram geralmente dois, mais exatamente chamados em latim de *duumviri* ou *praetores*.

F. G. C.

**MAGISTRADO**[3] Um dos oficiais representados no distinto grupo que Nabucodonosor havia reunido para a dedicação de sua imagem de ouro (Dn 3.2).

**MAGNIFICAT** Este termo significa Cânticos do Advento. *Veja* Poesia.

**MAGOGUE** Um descendente de Jafé (Gn 10.2; 1 Cr 1.5). De acordo com Ezequiel 38.2, um povo cujo território será futuramente governado por Gogue (*q.v.*). Em 38.2, lê-se literalmente: "Firma bem a tua face contra Gogue, contra a terra de Magogue..." Josefo (Ant. i.6.1) comparou Magogue aos citas, um povo bárbaro peregrino, que Heródoto mencionou como vivendo ao norte da Criméia.
Gogue liderará uma horda do norte em uma invasão contra Israel (Ez 38.8-12), mas o Senhor fará com que os seus exércitos retrocedam, e enviará uma saraiva de fogo na terra de Magogue e nas áreas ao redor dela (39.6). *Veja* também Rôs.
Após o reino milenial de Cristo, Satanás será libertado de seu aprisionamento no abismo. A mudança da rápida reunião dos exércitos ao cerco à "cidade amada", e a conseqüente destruição sobrenatural pelo fogo, são um retrato do episódio de Gogue e Magogue (Ap 20.7-9).

**MAGOR-MISSABIBE** Um nome que significa "terror por todos os lados" dado por Jeremias a Pasur, filho de Imer, um sacerdote na Casa do Senhor, que torturou Jeremias e o colocou no tronco após o profeta ter previsto a queda de Jerusalém. Pasur, cujo nome significa "amplitude de todos os lados", se tornaria "terror por todos os lados" (Jr 20.1-6). A mesma expressão é utilizada em diversas passagens, embora não como um nome próprio (Sl 31.13; Jr 6.25; 20.10; 46.5; 49.29; Lm 2.22).

**MAGOS** Uma classe de homens estudiosos originários da Pérsia ou da Babilônia, que eram peritos nas tradições e ciências de seus dias e em interpretações de sonhos. Como lidavam com o aprendizado oculto, seus nomes ganharam a conotação do termo moderno "mágico". Em princípio não eram trapaceiros. Heródoto, um antigo historiador grego, afirma que eles eram uma classe ou casta de medos, que exercia funções sacerdotais, e que eram renomados por seu aprendizado. Eles estavam entre os homens sábios da Babilônia na tradução da Septuaginta (LXX) de Daniel 2.2,10, onde o paralelo em português pode ser "encantadores" ou "sábios".
O título se tornou um termo geral descritivo de todos aqueles que possuíssem conhecimentos extraordinários ou ocultos. No livro de Atos é aplicado a Simão em Samaria (At 8.9-24), que procurou comprar de Pedro o poder de realizar milagres, e a Elimas, um judeu em Pafos, em Chipre, que se esforçou para alcançar o patronato do procônsul romano, Sérgio Paulo (At 13.6-11). Nem todos os magos eram charlatães, pois em diversos exemplos os escritores da Antiguidade, como Cícero (*On Divination* I, 91) e Filo de Alexandria (*Every Good Man Is Free* 74), indicam que eles eram realmente científicos em temperamento, e possuíam um genuíno aprendizado. *Veja* Magia, Mágico.
Os magos ligados ao relato de Mateus sobre o nascimento do Senhor Jesus eram provavelmente estrangeiros da Mesopotâmia ou da Arábia que conheciam as previsões do AT sobre a vinda do Messias, e que observavam o céu em busca de algum fenômeno astral que pudesse prenunciar o seu advento. É possível que eles conhecessem a profecia de Balaão – "Vê-lo-ei, mas não agora; contemplá-lo-ei, mas não de perto; uma estrela procederá de Jacó, e um cetro subirá de Israel, que ferirá os termos dos moabitas e destruirá todos os filhos de Sete" (Nm 24.17) – e que a tenham aplicado de forma literal, aguardando assim uma estrela especial que anunciaria o nascimento do Rei. É mais provável, no entanto, que esta interpretação tenha surgido mais tarde entre os cristãos, do que entre os próprios magos.
A consternação que a visita dos magos produziu em Jerusalém pode ser explicada pelo fato de que a Pártia, que controlava o Leste naqueles dias, era a principal rival de Roma. A guerra estava constantemente em iminência entre Roma e Pártia, e no mínimo em duas ocasiões os arqueiros partos esmagaram as invasões romanas. Herodes, como rei da Judéia, um estado tampão entre Roma e Pártia, tinha razões em dobro para temer quando os delegados do Leste chegaram perguntando: "Onde está aquele que é nascido rei dos judeus?" (Mt 2.2). Para Herodes, sua pergunta implicaria em um sucessor que não fosse da mesma linhagem que ele, e que destituiria seus filhos de suas heranças, e que poderia buscar uma aliança partiana ao invés de uma romana. Herodes, um idumeu de nascimento, sabia que era odiado pelos judeus, e temia que, se tivessem um rei, poderiam iniciar uma revolução com o apoio da Pártia. Os magos tinham influência política e acadêmica, e podiam até ter sido os emissários oficiais da corte da Pártia para investigar o advento de um novo poder judaico.
A lenda que diz que os três reis magos se chamavam Baltazar, Melquior, e Gaspar, cujos

corpos mumificados foram preservados em Constantinopla até serem transferidos à Catedral de Cologne, é infundada. Mateus diz que eles retornaram ao seu próprio país, e não diz mais nada sobre o seu destino subseqüente. Na literatura dos Evangelhos, eles representam para Jesus a resposta da classe erudita dos pagãos, assim como os pastores de Lucas representam a resposta dos camponeses judeus. Embora tenham surgido várias lendas sobre os magos, sua visita foi sem dúvida histórica. *Veja* Astronomia; Estrela.

M. C. T.

**MAGPIAS** Um dos chefes do povo que selou o pacto com Neemias (Ne 10.20).

**MAL** O mal é o oposto do bem (Gn 2.9,17). Não sendo o bem, sempre se mostra prejudicial e causa perdas e sofrimento.

Podem ser diferenciados diversos tipos de males: religioso, moral, social e natural. O mal religioso ou espiritual é o oposto da justiça: é pecado (Ez 20.43; 33.11-13; Mc 7.21-23). Este mal pode estar no coração do homem, até mesmo sem nenhum ato de transgressão por parte dele (Gn 6.5; Mt 5.28). Nas palavras das Escrituras, os pensamentos, os desejos, a consciência e o coração podem ser maus. O único antídoto para esse mal é a obra purificadora de Cristo.

O mal moral depende dos costumes de uma cultura, dos tabus ou proibições específicos de uma sociedade ou de uma comunidade. Pode ser punido como crime pelas autoridades civis (Mt 27.23; At 23.9; Rm 13.4). Pode ser algo que pareça moralmente injusto, e contrário ao que alguém julga ser correto (Ec 2.18-21; 5.13-17; 6.1,2; 10.5-7). Pode ou não ser um pecado, segundo a Bíblia, uma vez que pode ser somente um julgamento *humano* da conduta de outra pessoa.

O mal social pode ser visto em problemas como o alcoolismo, o trapacear nos negócios, a corrupção na política, oportunidades inadequadas de educação, pobreza por falta de empregos, discriminação racial e guerra (Zc 7.9,10; 8.16,17). Existem também diversos graus de responsabilidade moral e espiritual envolvidas nesses problemas, tanto coletivamente quanto individualmente.

O mal natural, ou calamidade, está relacionado com a destruição, a perda e o sofrimento causado por terremotos, escassez de alimentos, incêndios, enchentes e doenças. É um mal desse tipo que Deus diz que criou (Is 45.7; Am 3.6).

Nem todo o mal é desejado pelo homem, ou pode ser controlado por ele. O mal, no seu sentido mais amplo, não pode ser comparado com o pecado (Ec 12.1).

*Veja* Maligno; Iniqüidade; Pecado (como bibliografia); Maldade.

T. W. B.

**MALAQUIAS** Este é o último dos profetas hebreus, assim como o último livro do AT em português. A profecia representa um chamado de Israel ao arrependimento e à obediência, com um rigoroso aviso de julgamento para os desobedientes e rebeldes. O livro coloca uma ênfase considerável no "dia do Senhor" (3.2,17; 4.1,3,5) fechando o período do AT com uma promessa final do advento do Messias.

### Autor

O nome Malaquias não aparece em outras passagens nas Escrituras levando, portanto, os estudiosos críticos a pensar que o termo *mal'aki,* que em heb. significa "meu anjo" ou "meu mensageiro", é um apelativo e não um nome próprio (cf. 3.1), e assim o livro seria uma profecia anônima. Esta teoria, assim como a conjetura do Targum de que Malaquias é um pseudônimo para Esdras, é enfraquecido pelo fato de que isto constituiria uma exceção única na literatura profética, uma vez que todos os livros proféticos levam o nome do autor como um sinal de autenticação de seu conteúdo. Sem dúvida Malaquias é uma contração de *mal'akiyah,* "mensageiro de Yahweh", assim como o nome Abi representa uma forma contraída de Abias.

O estilo de Malaquias é direto e conciso. Uma característica marcante é seu freqüente uso da questão retórica e das respostas (por exemplo, 1.6,7; 3.7,8). A unidade do livro nunca foi seriamente questionada, embora alguns críticos sem qualquer justificativa imaginaram a ocorrência de pequenas adições editoriais (viz., 2.7,11,12; 4.4-6).

### Data

Com base em evidências internas, o livro é claramente pós-exílico. Os judeus estavam sob o governo Persa (1.8); o Templo havia sido reconstruído e a adoração levítica retomada (1.6ss.; 2.1ss.; 3.1,8,10); e as ofensas morais e religiosas que eram condenadas, assim como as reformas solicitadas, retratavam o período de Esdras-Neemias. Uma data entre a vinda de Esdras (457 a.C.) e a segunda visita de Neemias (432 a.C.) é a mais provável.

### Esboço

I. O Amor de Deus por Israel, 1.1-5
II. A Denúncia dos Sacerdotes, 1.6–2.9
III. A Denúncia de Divórcios e Casamentos Impróprios, 2.10-16
IV. A Vinda do Juízo de Deus, 2.17–3.18
V. O Dia do Senhor, 4.1-6

### Conteúdo

Três capítulos na Bíblia hebraica são divididos em quatro na Septuaginta (LXX) e na Vulgata, e o mesmo ocorre em português. O livro reflete uma triste cena da decadência espiritual que estava tomando lugar. Ele começa com a declaração do amor de Deus por Israel, demonstrado em sua opção de eleger Jacó, e não Esaú (1.1-5). No entanto, Israel foi desleal em sua resposta, à medida que os sacerdotes primeiro ofenderam ao Senhor, poluindo o seu altar através da oferta de sacrifícios indignos (1.6–2.4). Além disto, eles levaram o povo a se desviar, dando instruções equivocadas sobre a lei, e pervertendo a justiça (2.5-9). Os homens eram culpados de profanar o pacto mosaico ao se divorciarem de suas esposas e se casarem com mulheres pagãs e idólatras (2.10-16).

O capítulo 3 (que realmente começa com as acusações e questões de 2.17) apresenta Deus como alguém que virá julgar. O povo foi complacente em seus pecados, que incluíam o ceticismo e as murmurações, como também a negligência a dizimar e a ofertar. O Senhor enviará o seu mensageiro para preparar o seu caminho diante dele, após o qual Ele virá inesperadamente ao seu Templo. Ele punirá os ímpios, e executará um rápido julgamento dos transgressores, e só poupará aqueles cujos nomes estiverem escritos no "memorial"; assim o Senhor purificará a sua terra. O profeta conclui com uma admoestação final ao arrependimento e à obediência à lei antes da vinda do grande e terrível dia do Senhor, no qual os ímpios serão consumidos como restolho, mas os justos receberão o livramento (cap. 4).

H. E. Fr.

**MALCÃ**

1. Um benjamita, um dos filhos de Saaraim com sua esposa Hodes (1 Cr 8.9).
2. Uma forma hebraica que pode significar "seu rei", e que é assim traduzida em várias versões em Amós 1.15 e Jeremias 49.1,3. Em Jeremias 49.3 é evidente que se refere a um falso deus, como em Sofonias 1.5. Malcã era um dos deuses dos moabitas e amonitas, possivelmente idêntico a Moloque. *Veja* Falsos deuses.

**MALCO** Um servo do sumo sacerdote Caifás (Jo 18.10). Sendo o primeiro entre aqueles que capturaram o Senhor Jesus Cristo no jardim do Getsêmani, ele foi ferido pela espada do apóstolo Pedro, que cortou sua orelha direita. Todos os quatro autores do Evangelho mencionam o incidente (Mt 26.51; Mc 14.47; Lc 22.50), porém João inclui mais detalhes pessoais sobre o ocorrido e o homem. Somente ele chama Malco pelo nome (Jo 18.10). João nos conta que ele próprio era, de alguma forma, conhecido de Caifás (18.15). Somente João identifica o homem da espada como Pedro. Malco teve um parente que mais tarde perguntou a Pedro sobre sua ligação com Jesus (Jo 18.26). Talvez João, escrevendo perto do final do século I, tenha se sentido livre para citar nomes sem embaraço, pois tanto Pedro quanto Malco já seriam falecidos naquela época. No entanto, somente Lucas, o médico, registra o fato de que Jesus "tocando-lhe a orelha, o curou" (Lc 22.51). A partir destas palavras alguns imaginam que a orelha não fora totalmente arrancada, mas existem debates sobre esta questão. Foi o último milagre de cura de nosso Senhor que ficou registrado. Sentimo-nos curiosos para saber se ao final este incidente incomum ocasionou qualquer impressão espiritual em Malco, mas as Escrituras se mantém em silêncio quanto à continuidade de sua história.

G. C. L.

**MALDADE** Em hebraico, o termo *roa'* significa "maldade", "perversidade de coração" (1 Sm 17.28); o termo *hawwa*, "perversidade, maldade, desobediência" (Pv 11.6; 17.4). Em grego, *kakia*, "maldade, perversidade, malícia" (Tg 1.21).

**MALDIÇÃO** As várias palavras hebraicas e gregas para maldição, denotam a expressão de um desejo ou oração para que o mal sobrevenha a alguém. Esta idéia encontrou uma grande variedade de usos na vida de Israel, e era universalmente conhecida entre os seus vizinhos. Os termos de um contrato ou tratado eram protegidos pelas maldições ou imprecações dirigidas a qualquer um que violasse o acordo no futuro (veja ANET, pp. 205ss.). Medidas semelhantes de segurança são encontradas nas inscrições reais, onde maldições eram pronunciadas sobre qualquer um que pudesse alterar ou destruir a inscrição (ANET pp. 267ss.). Maldições também eram dirigidas contra assassinos (Gn 4.11,12), assim como contra os inimigos que no futuro pudessem prejudicar alguém (2 Sm 18.32), ou que já estivessem prejudicando alguém (Jr 12.3). Na verdade, as maldições eram empregadas onde quer que estivessem faltando as medidas punitivas e protetoras, ou onde estas estivessem presentes porém fossem consideradas inadequadas.

Quando se trata de Deus, amaldiçoar é um termo antropomórfico que expressa o desagrado divino ou uma justiça vingadora (por exemplo, Gn 3.14-19; 5.29; 12.3). A antítese natural de todas estas maldições é a bênção. A eficácia da maldição dependia basicamente da aprovação e execução divina. Na mente hebréia, a maldição falada era considerada como o agente ativo do prejuízo, vestida com o poder da alma que a levava adiante. Mas apenas o indivíduo que era um servo fiel de Jeová tinha uma verdadeira fonte de poder: daí por diante era o próprio Senhor, o Deus vivo, que tinha e tem a última palavra quanto ao poder da maldição ou da palavra proferida por alguém. Portanto, uma maldição (ou bênção) uma vez expressa de uma forma sensata não poderia ser revogada ou anulada (Gn 27.27-40; cf. 1 Sm 14.24-30,43-45).

A lei mosaica proibia que uma pessoa amaldiçoasse o próprio pai ou a própria mãe (Ex

21.17) sob pena de morte, ao príncipe do povo (Êx 22.28), e àquele que fosse surdo (Lv 19.14). Blasfemar ou amaldiçoar a Deus era uma ofensa capital (Lv 24.10-16). Mas as maldições pronunciadas contra os indivíduos por homens de Deus (por exemplo, Gn 9.25; 49.7; Dt 27.14-26; 2 Sm 3.29; 39; Js 9.23) não eram expressões de paixão, impaciência, ou vingança; elas eram previsões proféticas ou estatutos do decreto divino e, portanto, não eram condenadas por Deus. Os Salmos que trazem súplicas ou os que amaldiçoam alguém são aqueles em que o salmista lança uma maldição sobre os inimigos de Israel (Sl 83.9-17) ou sobre os seus oponentes ou opressores pessoais (Sl 69.21-28). Para entender estas orações, que são tão estranhas ao Novo Testamento, é necessário nos lembramos de que a revelação do Antigo Testamento era a preparação para a revelação que viria no Novo Testamento e, portanto, estava incompleta. Além disso, a maldição no antigo Oriente Próximo, incluindo Israel, era considerada um meio legítimo de defesa. A linguagem do Oriente era também mais comovente, e, para o israelita, mais concreta do que a nossa.

No Novo Testamento, amaldiçoar os inimigos ou perseguidores é uma atitude proibida pelo exemplo e pela palavra de Jesus (Lc 23.34; Mt 5.44). Paulo, entretanto, amaldiçoou aqueles que não amassem a Cristo (1 Co 16.22) ou que pregassem um Evangelho diferente daquele que ele pregava (Gl 1.8ss.). O próprio apóstolo desejaria se tornar uma maldição, se preciso fosse, para que o seu povo aceitasse a Cristo prontamente (Rm 9.3). A "maldição da lei" era a sentença de condenação pronunciada contra o transgressor (Gl 3.10), e da qual Cristo nos redimiu quando se fez maldição por nós (Gl 3.13). *Veja* Maldito; Anátema; Devotado; Dedicado; Juramento.

**Bibliografia.** *Herbert C. Brichto,* The Problem of "Curse" in the Hebrew Bible, *JBL Monograph Series XIII, 1963, Chr. Senft, "Curse",* A Companion to the Bible, *J. J. von Allmen, ed., Nova York. Oxford Univ. Press, 1958. N H. Smith, "A Study of the Words 'Curse' and Righteousness'",* The Bible Translator, *III (1952), 111-114.*

**MALFEITOR**[1] Duas palavras gregas são usadas nas Escrituras: *kakopoios*, "um mal feitor" ou seja, um ímpio ou criminoso (Jo 18.30; 1 Pe 2.12,14; 3.16,17; 4.15), e *kakourgos*, "um transgressor" (Lc 23.32,33,39; 2 Tm 2.9). "A primeira descreve o sujeito como fazendo ou realizando o mau; a segunda, como criando ou originando o mau, e então designa o início do tipo de criminalidade mais energético e agressivo" (ISBE). A palavra é geralmente associada aos dois indivíduos que foram crucificados com o Senhor Jesus Cristo, para os quais o termo grego mais forte foi utilizado, embora somente Lucas se refira a eles como malfeitores. Mateus e Marcos chamam-nos de "salteadores"; João diz "outros dois". O penitente foi salvo na décima primeira hora pela fé no Salvador. *Veja* Ímpio.

**MALFEITOR**[2] Em hebraico, esta palavra é a forma do particípio de um verbo que significa "quebrar ou partir em pedaços". Conseqüentemente, um malfeitor é aquele que parte em pedaços, destrói, causa o mal não importa o que faça, age com maldade e aflige os demais. Assim, em Salmos 26.5; 37.1,9; Isaías 1.4 e em outras passagens, os escritores estão descrevendo aqueles que ofendem a lei de Deus, assim como aqueles que ofendem os seus companheiros pessoalmente. *Veja* Criminoso.

**MALHO** A palavra hebraica *mepis* vem de uma raiz que significa quebrar em pedaços, referindo-se, portanto, a uma arma; por exemplo, machado, maça ou clava de guerra (Pv 25.18). Em Jeremias 51.20 a expressão "martelo e armas de guerra" (*q.v.*) é a tradução de uma palavra hebraica semelhante, *mapes*.

**MALI**
1. Um filho de Merari e neto de Levi (Êx 6.19; Nm 3.20; 1 Cr 6.19,29; 23.21; 24.26; Ed 8.18). Ele fundou uma família tribal (Nm 3.33; 26.58). Seus netos se casaram com os seus primos, aparentemente para evitar a extinção do nome de sua família (1 Cr 23.22).
2. Um filho de Musi, irmão de Mali, possui o mesmo nome (1 Cr 6.47; 23.23; 24.30).

**MALÍCIA** Esta palavra, representando "a própria essência do mau no coração" (Crabb) é a tradução das palavras gregas *kakia* (Rm 1.29; 1 Co 5.8; 14.20; Ef 4.31; Cl 3.8; Tt 3.3; 1 Pe 2.1,16), e *poneria* (Mt 22.18). A expressão "palavras maliciosas [*ponerois*]" ocorre em 3 João 10. Algumas versões também utilizam o termo "malícia" como a tradução de *she'a* ("apesar do desprezo") em Ezequiel 25.6,15; e como a tradução de *ra'* ("mal") nos Salmos 41.5; 73.8. Os homens não regenerados não estão somente "cheios de" malícia (Rm 1.29), mas também "vivem em" malícia (Tt 3.3). Por outro lado, os cristãos são aconselhados a "deixar" definitivamente (tempo aorista) este mal inato (Ef 4.31; Cl 3.8; 1 Pe 2.1). *Veja* Pecado; Ímpio.

**MALIGNIDADE** Uma palavra que significa "mau caráter, depravação de coração e vida" (Thayer, p. 320, *kakoetheia*), usada por Paulo para descrever a natureza dos gentios que se recusaram a ter o conhecimento de Deus (Rm 1.29). Esta característica é especialmente manifestada na sutileza e astúcia maliciosa, com um desejo insano e doente de ferir outros ou de vê-los sofrer.

**MALIGNO** Um dos nomes dados a Satanás. As parábolas sobre o reino de Deus em Mateus 13 mencionam duas formas que Satanás usa para se opor ao evangelho. Na parábola do semeador, "o maligno" (ou "o iníquo") arrebata as palavras semeadas nos corações daqueles que não compreendem o evangelho (v. 19). Na parábola do joio e do trigo, Satanás coloca os seus próprios filhos entre os filhos de Deus, onde eles irão permanecer até a colheita no fim dos tempos (vv. 36-42).
O "iníquo", como uma personalidade, é sem dúvida mencionado por Jesus em sua oração. ("livra-nos do mal", Mt 6.13), e na sua oração sumo sacerdotal ("...que os livres do mal", João 17.15).
*Veja* Demônio; Mal; Satanás.

**MALITAS** Descendentes de Mali (*q.v.*) um filho de Merari (Nm 3.33; 26.58).

**MALOM** O filho mais velho de Elimeleque e Noemi (Rt 1.2). Ele foi o primeiro marido de Rute, a moabita, e morreu em Moabe sem deixar filhos (Rt 1.5; 4.9,10).

**MALOTI** Um dos 14 filhos de Hemã, designados ao serviço da música no reinado de Davi. Através do processo de lançar sortes, este homem se tornou o líder do 19º turno de cantores (1 Cr 25.4,26).

**MALQUIAS[1]** Este nome aparece apenas Jeremias 21.1. Aqui é o nome do pai de Pasur que junto com o sacerdote Sofonias foi enviado pelo rei Zedequias ao profeta Jeremias para perguntar ao Senhor sobre o sítio de Jerusalém. A mesma pessoa é mencionada em Jeremias 38.1.

**MALQUIAS[2]**
1. Um levita, descendente de Gérson, ancestral do cantor Asafe (1 Cr 6.40).
2. Um sacerdote, pai de Pasur, que era proeminente nos dias de Jeremias. Seus descendentes retornaram a Jerusalém nos dias de Neemias (Jr 21.1; 38.1; Ne 11.12; 1 Cr 9.12).
3. Um sacerdote no tempo de Davi, chefe do quinto turno (1 Cr 24.9).
4. Um Israelita, descendente de Parós na época de Esdras, que deixou a sua esposa gentílica (Ed 10.25).
5. Outro descendente de Parós que se divorciou de sua esposa gentílica (Ed 10.25).
6. Um filho de Harim que ajudou Neemias na reconstrução do muro, e que também deixou a sua esposa gentílica (Ed 10.31; Ne 3.11).
7. O filho de Recabe, o maioral do distrito de Bete-Haquerém, na Judéia. Sob o comando de Neemias, ele foi o responsável por reparar a Porta do Monturo de Jerusalém (Ne 3.14).
8. Filho do ourives que reparou parte do muro de Jerusalém (Ne 3.31).
9. Um daqueles que ficaram ao lado de Esdras durante a leitura das Escrituras diante do povo de Jerusalém (Ne 8.4).
10. Um sacerdote que selou a aliança feita por Neemias (Ne 10.3).
11. Um dos sacerdotes designados para cantar em ações de graças na dedicação do muro reconstruído de Jerusalém. Possivelmente a mesma pessoa mencionada no item 10, acima (Ne 12.42).

P. C. J.

**MALQUIEL** Filho de Berias e neto de Aser (Gn 46.17; Nm 26.45; 1 Cr 7.31), e fundador de uma família tribal (Nm 26.45).

**MALQUIRÃO** Um filho de Jeconias (rei Joaquim) e, portanto, um descendente de Davi (1 Cr 3.17,18).

**MALQUISUA** Um dos filhos de Saul (1 Cr 8.33; 9.39), morto pelos filisteus no monte Gilboa (1 Sm 31.2; 1 Cr 10.2).

**MALUQUE**
1. Um levita da família de Merari, e um ancestral de Etã, um músico dos dias de Davi (1 Cr 6.44).
2. Um indivíduo da família de Bani, que deixou sua esposa gentílica após o retorno da Babilônia (Ed 10.29).
3. Um dos filhos de Harim que se divorciou de sua esposa estrangeira (Ed 10.32).
4. Um sacerdote que selou a aliança de Neemias (Ne 10.4). Parece incrível que ele tenha sido o mesmo sacerdote que retornou com Zorobabel (Ne 12.2), porém esta possibilidade ainda é sugerida pela inclusão de alguns dos mesmos nomes em ambas as listas.
5. Um dos líderes do povo que selou a aliança de Neemias (Ne 10.27).

**MALVA** *Veja* Plantas: Malva.

**MAMILO** *Veja* Peito

**MAMOM** O termo aparece quatro vezes (Mt 6.24; Lc 16.9,11,13). É uma transliteração do aramaico *mamon,* que significa "propriedade", "bens terrenos", "riqueza" ou "dinheiro". Os textos em Mateus 6.24 e Lucas 16.13 são paralelos, e neles o Senhor Jesus Cristo ensina que a riqueza requer o coração e o serviço do indivíduo; conseqüentemente não se pode servir a ambos, a Deus e à riqueza. Em Lucas 16.9,11 este termo é também descrito como "riquezas da injustiça" no sentido de adquirir posses desonestamente, o que corresponde às ações do mordomo da parábola. Em conclusão, a riqueza é juntada pelo homem, às vezes por meios injustos, com o errôneo propósito de segurança (Lc 12.15), pois o resultado é a escravização a ela, e não o serviço a Deus.

***Bibliografia.*** F. Hauck, "*Mamonas*", TDNT, IV, 388-390. J. Jeremias, *The Parables of*

*Jesus,* 6ª ed., trad. por S H. Hooke, Nova York. Scribner's, 1963, pgs 45-48.

**MANÁ** *Veja* Alimentos; Plantas.

**MANAATE**
1. Um dos filhos de Sobal e neto de Seir, o horeu (Gn 36.23; 1 Cr 1.40).
2. Um lugar em Judá, mencionado nas cartas Amarna (*q.v.*) como *Manhate,* para onde certos benjamitas de Geba foram levados cativos (1 Cr 8.6). Pode ser que os filhos de Salma, da família de Calebe, da tribo de Judá constituíssem metade da população de Manaate (1 Cr 2.54). A Septuaginta (LXX) adiciona o nome da cidade ao texto hebraico de Josué 15.59, localizando-a, deste modo, na região montanhosa. Ela pode, então, ser identificada com Malha, uma cidade moderna, 5 quilômetros a sudoeste de Jerusalém.

**MANAÉM** Um dos cinco profetas e mestres na Igreja de Antioquia e irmão de criação (*syntrophos*) de Herodes, o tetrarca (At 13.1), isto é, Antipas (4 a.C.-37 d.C.). Esta última designação pode indicar que ele foi criado e educado com este Herodes. Alguns especulam que ele era o filho ou pelo menos um parente de Manaém, o essênio que previu para Herodes o Grande, quando criança, que ele se tornaria rei dos judeus. Quando esta profecia se cumpriu, Herodes colocou Manaém, o essênio, e toda a sua seita em uma posição de elevada consideração (Josefo, *Ant.* xv.10.5). É possível que o Manaém de Atos 13.1 tenha sido adotado por Herodes o Grande, e feito companhia para um de seus filhos. O termo *syntrophos,* entretanto, pode simplesmente significar um amigo íntimo ou "membro da corte".

**MANASSÉS** O nome Manassés significa "aquele que faz esquecer". O uso desse nome por José para seu primogênito reflete o efeito que o nascimento da criança teve em sua atitude em relação às provações no Egito (Gn 41.51). O uso posterior foi meramente como um nome retirado da lista de ancestrais, conforme indicado pelos registros.
1. *O filho primogênito de José.* O texto em Gênesis 48.8-22 recita a bênção de Jacó dada aos dois filhos de José. Ele deu a bênção preferencial a Efraim, mas adotou a ambos, colocando-os no mesmo nível de seus próprios filhos. Muitos dos intérpretes modernos explicam esta versão como etiológica e não histórica. Por outro lado, deve-se lembrar que esta descrição da bênção de Jacó está em harmonia com a bênção de Abraão a Isaque em detrimento de Ismael, com a bênção de Isaque dada a Jacó em detrimento de Esaú, e com a bênção de Jacó dada a Judá e José em detrimento de Rúben. A prática comum de dar a bênção preferencial ao primogênito foi quebrada por repetidas vezes na linhagem dos patriarcas, fazendo da fé em Deus e da obediência a Ele os fatores determinantes na bênção. Manassés, o primogênito, receberia uma bênção menor que Efraim porque o seu serviço seria menor.
2. *A tribo de Manassés.* No Sinai e na jornada pelo deserto, Manassés era uma das 12 tribos, de acordo com Números 1.34,35; 2.20. Ao distribuir o território entre as 12 tribos, Moisés assegurou uma parte a leste do Jordão à metade da tribo de Manassés, sob os descendentes de Maquir, primogênito de Manassés (Dt 3.13,15). Para a outra metade, Josué concedeu uma parte a oeste do Jordão (Js 22.7). A parte oriental cobria parte de Gileade e toda a região de Basã, sendo posteriormente expandida para o norte, por Jair (Dt 3.14). A parte ocidental se estendia ao norte de Efraim e ao sul de Zebulom e Issacar (Js 17.1-12). Cinco filhos de Manassés, ainda vivos, receberam suas heranças lá. O sexto filho, que morreu durante as jornadas no deserto, foi representado pelas cinco filhas de seu filho Zelofeade. Deus ordenou, através de Moisés, que elas deveriam receber a parte dele. Esta ação deu início a um conjunto de leis inteiramente novas que controlavam a herança das posses pertencentes a alguém que morria sem deixar um herdeiro do sexo masculino (Nm 27.1-11). Dentro desta parte ocidental estavam fortes cidades cananéias, incluindo Megido, Taanaque, Ibleão e Bete-Seã. Estas nunca foram destruídas, embora tenham sido forçadas a pagar tributos. Nos tempos dos juízes, líderes das forças de combate de Israel surgiram dentre os descendentes de Manassés em várias épocas. Gideão veio da parte ocidental (Jz 6.15), e Jefté da oriental (Jz 11.1).
As genealogias em Números 26.28-34; Josué 17.1-3; 1 Crônicas 2.21-23; 7.14-19 não podem ser reconciliadas na sua presente forma. Podem, entretanto, se as sugestões feitas por R. J. A. Sheriffs ("Manasseh", HBD) relativas a 1 Crônicas 7.14,15 forem aceitas: "É provável que as palavras 'Hupim e Supim' sejam uma interpretação no verso 15 a partir do verso 12, e que a palavra 'Asriel' contenha uma variação de escrita". A maior parte desta tribo foi levada ao cativeiro na Assíria. *Veja* Maquiritas.
3. *O rei de Judá.* Manassés, filho de Ezequias e Hefzibá (2 Rs 21.1; 2 Cr 33.1), tornou-se rei aos 12 anos de idade e reinou por 55 anos. E. R. Thiele (*The Mysterious Numbers of Hebrew Kings,* pp. 154ss.) avalia essa época como 696- 642 a.C., e nos primeiros dez anos ele teria sido co-regente com seu pai.
Manassés reverteu as políticas de Ezequias referentes à idolatria. Ele foi longe a ponto de colocar um ídolo no próprio Templo e oferecer sacrifícios humanos (2 Rs 21.1-9). Suas abominações foram citadas pelos profetas como a "causa clímax" pela qual Deus selou o julgamento de Judá com o cativeiro (2 Rs 21.10-15). Além disso, a Bíblia diz que "Ma-

nassés derramou muitíssimo sangue inocente" (2 Rs 21.16).

De acordo com 2 Crônicas 33.10,11, a obstinada recusa de Manassés em dar atenção às admoestações dos profetas, levou à sua deportação para a Babilônia. Arrependimento e orações "ao Senhor, seu Deus" são citados como a causa de sua restauração (2 Cr 33.12,13). Alguns intérpretes duvidaram dessa versão do arrependimento (cf. "Manasseh" em HBD). Entretanto, a presença de seu nome encontrada em anos recentes em arquivos de Esar-Hadom e de Assurbanipal como um dos 22 tributários da Assíria (ANET, pp. 291, 294), e uma analogia à captura e libertação de Neco I, rei do Egito (ANET, p. 295), por Assurbanipal, dão um forte suporte à versão bíblica. Contudo, as reformas a ele creditadas não foram duradouras (2 Cr 33.17). Ele não conseguiu deter a onda de corrupção liberada pela sua influência (2 Rs 21.19-21; 2 Cr 33.21-23).

J. W. W.

**MANATITA** *Veja* Manaate 2.

**MANCHA** A palavra hebraica *mum* significa uma falha ou defeito, que pode ser físico (Lv 21.17ss.; Nm 19.2; 2 Sm 14.25; Ct 4.7; Dn 1.4) ou moral (Pv 9.7; Jó 11.15; 31.7; Dt 32.5). Outros usos no NT são traduções livres: esse termo em Jeremias 13.23 significa "de cores variadas", "sem mancha" (em hebraico *tamim*); em Números 19.2 significa simplesmente "perfeito". Para o caso das manchas da lepra (Lv 13), *veja* Doença.

No NT a palavra grega *spilos* é usada como sinal de pecado (2 Pe 2.13; Ef 5.27). Judas (v.23) fala de uma "roupa manchada da carne", mas no v. 12 essa palavra pode significar "rochas escondidas" ou "recifes" onde as ondas se quebram.

Sua forma negativa (*aspilos*) ocorre em 1 Timóteo 6.14; 2 Pedro 3.14; Tiago 1.27 em passagens que exortam o cristão a se manter moralmente sem pecado, e em 1 Pedro 1.19 em uma referência a Cristo como um sacrifício imaculado.

*Veja* Mácula.

**MANDAMENTOS, DEZ** *Veja* Dez Mandamentos, Os.

**MANDÍBULA** Três palavras hebraicas são usadas em conexão com a palavra "mandíbula:" (1) *lehi*, significando "face", ou "osso malar" (Jz 15.15-17,19; Jó 41.2; Is 30.28; Ez 29.4; 38.4; Os 11.4); (2) *malqoah*, significando "mandíbula" (Sl 22.15); (3) *m[e]ftalleot*, significando "dentes da mandíbula" (Jó 29.17; Pv 30.14).

A palavra mandíbula é usada de forma figurada. (1) em uma referência ao poder do mal e à imposição da disciplina divina (Jó 29.17; Pv 30.14; Is 30.28; Ez 29.4; 38.4); (2) em uma referência ao trabalho humano e ao alívio divino das provações, pela bondade do Senhor (Os 11.4).

**MANDRÁGORA** *Veja* Plantas.

**MANE** Medida de peso entre os hebreus (Ez 45.12) chamado de mina em muitas versões modernas. Sessenta manes valiam um talento. Na Babilônia e na Assíria, 60 siclos valiam um mane, enquanto na Palestina um mane valia 50 siclos. *Veja* Pesos, Medidas e Moedas.

**MANGEDOURA** Um cocho de comida para os animais (Pv 14.4; Is 1.3; Jó 39.9). Os estábulos do governo em Megido durante a época dos reis possuíam manjedouras escavadas nos blocos de pedra.

**MANHÃ** Oito palavras hebraicas diferentes são traduzidas como manhã no AT, na versão KJV em inglês. Não há dúvidas de que a mais comum (utilizada 180 vezes) é *boqer*, que significa "o romper da aurora", "a dissipação ou a penetração na escuridão". A segunda palavra mais freqüentemente utilizada é *shahar*, que significa "amanhecer". No NT, os termos *proi* e *proia* significam "cedo", mas são traduzidos como "manhã", "na manhã", ou até mesmo "de manhã bem cedo" (através da utilização do termo *proi* duas vezes). Eles normalmente se referem ao romper da aurora. *Orthros* é traduzido com o sentido de "bem cedo" em todas as três ocorrências (Lc 24.1; Jo 8.2; At 5.21). Os orientais normalmente acordavam cedo. *Veja* Tempo, Divisões do.

Figurativamente, a "manhã" pode indicar a direção leste (Sl 139.9, "se tomar as asas da alva"). A beleza da manhã é uma comparação apropriada para os enamorados (Ct 6.10), e seu súbito e amplo surgimento é uma comparação apropriada para a rápida invasão de um grande exército (Jl 2.2). As "pestanas da alva" ou alvorada (Jó 41.18), no sentido de um brilho vermelho envolvendo o sol nascente, descreve os olhos avermelhados do crocodilo submerso aparecendo sobre a superfície. A Bíblia diz que a vinda do Senhor é certa como a alva (Os 6.3).

R. E.

**MANJARES, OFERTA DE** *Veja* Sacrifícios.

**MANJEDOURA** Em Lucas 2.7,12,16, é o lugar no qual o menino Jesus é colocado, e em Lucas 13.15 é o estábulo onde o boi e o jumento ficam presos. No grego clássico, o significado do termo era "estábulo". No NT significa um pátio aberto delimitado por uma cerca onde o gado era trancado para passar a noite. As pessoas no oriente alimentavam seus animais de carga através de sacos presos ao focinho, e não através daquilo que é conhecido em nosso país como manjedoura. *Veja* Estábulo.

**MANRE**
1. Um dos três irmãos amorreus que se aliaram a Abraão na luta em que libertaram Ló e outros dos seus captores (Gn 14.13,24).
2. Um lugar a três quilômetros ao norte de Hebrom (*q.v.*), chamado hoje de Ramet el-Khalil. Abraão viveu ali, em tendas (Gn 13.18; 14.13). A palavra traduzida como "planície" na expressão "a planície de Manre" também pode ser traduzida como "carvalhais". O lugar parece ter tomado esse nome de Manre, o amorreu, o dono naquela época (Gn 14.13). Abraão foi visitado, em Manre, por três mensageiros celestiais que lhe prometeram um filho (Gn 18.1ss). A leste desse lugar, ele adquiriu uma propriedade, em Macpela, onde sepultou Sara (Gn 23.17-19; 49.30; 50.13).
Isaque passou os seus últimos anos em Manre onde Jacó veio visitá-lo (Gn 35.27), e evidentemente morreu ali. Por causa de suas associações patriarcais, os israelitas construíram neste local um santuário cuja pavimentação datada dos séculos IX-VIII a.C. foi descoberta. Herodes o Grande ergueu uma muralha que foi destruída em 70 d.C., e mais tarde reconstruída por Adriano. Um venerável carvalho e um poço são apontados, hoje, como pertencentes a Abraão.
N. B. B.

**MANSÃO** Esta palavra consta em João 14.2 em várias versões, e parece ter sido trazida da Vulgata Latina como a tradução do termo *mansiones*, significando "locais de habitação". Com o passar do tempo, o termo mansão passou a trazer uma idéia de grandiosidade, não pretendida pelo original grego, nem pela tradução latina. O verdadeiro significado do termo grego (*monai*) é "locais de habitação", "residências" ou "moradas". Aparentemente, o ensino é de que há muitos lugares para os discípulos na casa do Pai. Talvez a tradução "quartos" que consta em algumas versões deva ser a preferida, pois na casa do Pai haverá abundância de aposentos para todos os crentes na vida futura.

**MANSIDÃO** Este termo indica moderação nas ações, requinte nas atitudes e disposição; a ausência daquilo que é precipitado e rude. O termo hebraico correspondente é *'ana*, e tem o significado básico de "inclinar", "condescender". Cf. a clemência de Deus em relação à humanidade (Sl 18.35). Quatro termos são usados para bondade no NT.
1. A palavra grega *chrestotes* (Tt 3.4; Rm 2.4; 2 Co 6.6; Ef 2.7; Gl 5.22; Cl 3.12), tem o significado geral de "benignidade", "doçura", "bondade potencial", "bondade moral e integridade". Josefo atribui a bondade de Isaque à sua natureza. O velho vinho sazonado era chamado de *chrestos*. Os pagãos pareciam confundir *chrestos* com o nome de Cristo, *Christos*, o que não podia ser considerado

O poço de Abraão dentro do templo de Adriano em Manre. HFV

como um erro total "à luz da natureza de Cristo. Ele próprio fala sobre o seu jugo (Mt 11.30) como sendo *chrestos*, isto é, aquele que não irrita, preocupa ou atormenta, mas é suave e sereno. Portanto, esse termo sugere aquela bondosa natureza que é jovial e que, de outra forma teria sido dura e austera.
2. A palavra grega *prautes* quer dizer "mansidão", "suavidade","meiguice", "paciência" (1 Co 4.21; 2 Co 10.1; Gl 5.22,23). Esse termo parece também especificar cortesia, consideração e um espírito humilde e modesto (2 Tm 2.25).
3. A palavra grega *epios* quer dizer "afável", "bondade em relação a alguém" (1 Ts 2.7; 2 Tm 2.24).
4. A palavra grega *epieikeia* indica a pessoa que é justa, bondosa, branda, compassiva, conveniente e de bom senso (Fp 4.5; 1 Tm 3.3; Tt 3.2). É o contrário de discórdia e egoísmo, e foi definida por Aristóteles como "equidade" ou "espírito justo". Portanto, não é de admirar que Paulo especificasse essa palavra como sendo uma das qualidades necessárias de um oficial da igreja.
Existe ainda outro termo semelhante (*philantropia*) que embora não seja traduzido como mansidão traz em si o conceito básico de "cortesia", "bondade" ou "amor a um semelhante" (At 27.3; 28.2; Tt 3.4).
R. E. Pr.

**MANSO, MANSIDÃO** No AT o substantivo para "mansidão" (*'anawa*) vem da raiz de um verbo que significa "estar curvado, aflito" que, por sua vez, veio a significar "ser despretencioso, submisso". Os mansos são pessoas pobres e aflitas, muitas vezes ignoradas pelos ricos ou pelos líderes (Am 2.7; cf. Sl 147.6; Is 11.4). Esse substantivo ocorre em 2 Samuel 22.36; Salmos 18.35; 45;4; Provérbios 15.33; 18.12; 22.4; Sf 2.3. O uso desse substantivo do gênero feminino no AT mostra que ele é muito semelhante à humildade, embora o conceito de uma paciente submissão também esteja às vezes incluído. Moisés demonstrou grande mansidão quando foi atacado pessoalmente, sem mostrar ressentimento e sem

Sumo sacerdote samaritano e o Pentateuco Samaritano. HFV

contra-atacar (Nm 12.1-3).
No NT, o termo "mansidão" corresponde à tradução de *prautes* e *praotes* que, ali, ocorrem 11 vezes. Este termo transmite basicamente a idéia de uma atitude interior de submissão a Deus e a sua Palavra (Tg 1.21). Embora esse substantivo também transmita a idéia de bondade, expressa em um ato exterior, ele não inclui a timidez. A mansidão não significa fraqueza, pelo contrário, ela sugere o controle e a restrição da força. Outros adjetivos que também podem descrever essa qualidade são: "atencioso", "modesto", "cortês" e "humilde". Ela transmite a idéia de submissão sem luta, de santa bondade perante a ira ou situações onde alguém está experimentando maus-tratos ou injustiça. Dessa forma, os mansos são elogiados nas "Bem-aventuranças" (Mt 5.5). Uma boa ilustração pode ser vista em 2 Coríntios 10.1, onde Paulo faz referência à mansidão de Cristo. O Senhor que era "manso e humilde" (Mt 11.29; cf. 21.5) obviamente possuía uma grande autoridade; no entanto, quando experimentou graves injustiças Ele manteve o seu poder sob controle (cf. Mt 12.14-21). Durante o seu julgamento, Ele se colocou perante os acusadores sem uma palavra de ameaça ou de autojustificação.

S. D. T.

**MANTO** *Veja* Vestuário; Vestes; Sumo sacerdote: Vestes.

**MANUÁ** Mais conhecido como o pai de Sansão; sem dúvida, toda menção a ele nas Escrituras está ligada ao nascimento, à vida ou à morte de Sansão (Jz 13.2–16.31). Zorá, uma cidade fronteiriça entre Dã e Judá, era seu lar e ele era membro da tribo de Dã (Jz 13.2). Ele viveu em um tempo de decadência espiritual em Israel, pela qual Deus havia punido a nação, permitindo que se tornasse tributária dos filisteus.
Foi em meio a esta situação que o Anjo do Senhor apareceu à até então estéril mulher de Manuá, para revelar-lhe que ela daria à luz um filho. Este seria criado como um nazireu e se tornaria o libertador de Israel. A pedido de Manuá, o mensageiro reapareceu com instruções relativas ao futuro da criança. Sansão, o filho nascido a Manuá, julgou Israel por 20 anos e quando morreu foi sepultado com seu pai (Jz 16.31). Manuá é descrito como um homem temente a Deus que cria na oração e procurava dissuadir seu filho de casar-se com uma mulher pagã, estranha à aliança que tinham com o Senhor (Jz 14.3).

S. N. G.

**MANUSCRITO** Em Colossenses 2.14, o termo grego "cédula" ou "escrito" (em grego *cheirographon*) é um documento escrito à mão, encontrado muitas vezes nos papiros gregos, com a finalidade específica de certificar uma dívida ou título. Nessa passagem, o termo presumidamente se refere à lei mosaica escrita. Seus decretos e obrigações que se revelavam "contra nós" foram cumpridos por Cristo, e depois cancelados e eliminados através da sua crucificação. *Veja* escritos.

## MANUSCRITOS DA BÍBLIA

### O Antigo Testamento

Os manuscritos (MSS) originais do AT (*autographa*) não estão disponíveis, mas o texto hebraico é amplamente representado pelos manuscritos pré e pós-cristãos.

I. *O Número de Manuscritos Hebraicos do Antigo Testamento*

A primeira coleção de MSS hebraicos feita por Benjamin Kennicott (1776-80 d.C.), publicada pela Oxford, listava 615 MSS do AT. Posteriormente Giovanni de Rossi (1784-88) publicou uma lista de 731 MSS. As principais descobertas de MSS nos tempos modernos são as de Cairo Geniza (aprox. 1890s.) e os Rolos do mar Morto (DSS) (em 1947s.). Só no depósito no sótão da sinagoga do Cairo foram descobertos cerca de 200.000 MSS e fragmentos (Paul E. Kahle, *Cairo Geniza*, p. 13; Ernest Würthwein, *The Text of the Old Testament,* p. 25); cerca de 10.000 deles são bíblicos (Moshe Goshen Gottstein, "Biblical Manuscripts in the United States", *Textus*

[1962], p.35). De acordo com J. T. Milik, fragmentos de cerca de 600 MSS são conhecidos a partir dos DSS, porém nem todos são bíblicos. Gottstein estima que o número total de fragmentos de MSS hebraicos do AT espalhados por todo o mundo chegue a dezenas de milhares (Gottstein, *op. cit.*, p. 31).

II. *As Principais Coleções de Manuscritos do Antigo Testamento*

Dos 200.000 fragmentos de MSS de Cairo Geniza, cerca de 100.000 estão guardados em Cambridge. A maior coleção organizada de MSS hebraicos do AT no mundo é a Segunda Coleção Firkowitch em Leningrado. Ela contém 1.582 itens da Bíblia e Massora (veja V. Natureza dos MSS do AT, 3) em pergaminho, 725 em papel, mais 1.200 fragmentos adicionais de MSS hebraicos (a Coleção Antonin, Würthwein, *op. cit.*, p. 23). O catálogo do Museu Britânico lista 161 MSS hebraicos do AT. O catálogo da Biblioteca Bodleian lista 146 MSS do AT, cada um contendo um grande número de fragmentos (Kahle, *op. cit.*, p. 5). Gottstein (*op. cit.*, p. 30) estima que somente nos Estados Unidos existam dezenas de milhares de fragmentos de MSS semitas, cerca de 5 por cento dos quais seriam bíblicos (mais de 500 MSS).

III. *Descrição dos Principais Manuscritos Hebraicos do Antigo Testamento*

O MSS hebraico mais significativo do AT data de entre o século III a.C. e o século XIV d.C. (Para termos e nomes pertinentes aos Massoretas veja V. Natureza dos MSS do AT, 3).

1. Rolos do mar Morto (DSS). Os mais notáveis MSS são os dos DSS (veja Rolos do mar Morto) que datam do século III a.C. ao século I d.C. Eles incluem um livro completo do AT (Isaías) e milhares de fragmentos que juntos representam cada livro do AT exceto Ester.

2. Papiro Nash. Além destas descobertas incomuns, que são cerca de mil anos mais antigas do que a maioria dos primeiros MSS hebraicos do AT, há uma cópia sobrevivente do Shema, que está danificada (de Êx 20.2ss.; Dt 5.6ss. e 6.4ss.). É datado entre o século II a.C. (William F. Albright, "A Biblical Fragment from the Maccabean Age. The Nash Papyrus", JBL, LVI [1937], 145-176), e o primeiro século d.C. (Kahle).

3. Oriental 4445 (Or 4445). O manuscrito (MS) do Museu Britânico é datado por Ginsburg entre 820 e 850 d.C. (*Introduction*, pp. 249ss, 269ss), as notas Massora foram acrescentadas um século depois. Mas Kahle (*op. cit.*, p. 118) argumenta que tanto os textos hebraicos consonantais quanto as pontuações (os pontos adicionais ou marcas nas vogais) são do tempo de Moses ben Asher (século X). Uma vez que o alfabeto hebraico consiste apenas de consoantes, a escrita hebraica normalmente mostra apenas essas letras, com algumas das letras sendo usadas em graus variados para representar alguns dos sons vocálicos. Este MS contém de Gênesis 39.20 a Deuteronômio 1.33.

4. Códice Cairensis. Um códice é um manuscrito no formato de livro com páginas. De acordo com um colofão ou inscrição no final do livro, este Códice do Cairo foi escrito e pontuado nas vogais em 895 d.C. por Moses ben Asher em Tiberíades, na Palestina (Würthwein, *op. cit.*, p. 25). Ele contém os Primeiros Profetas (Josué, Juizes, 1 e 2 Samuel, 1 e 2 Reis) e os Profetas Posteriores (Isaías, Jeremias, Ezequiel e os Doze). É simbolizado com a letra *C* na *Biblia Hebraica* (BH) de Kittel.

5. Códice Aleppo de todo o AT. Foi escrito por Shelomo ben Baya'a (Kenyon, *Our Bible and the Ancient Manuscripts*, p. 84), mas de acordo com um colofão ele foi pontuado (isto é, as marcas de vogal foram acrescentadas) por Moses ben Asher em aprox. 930 d.C. É um códice modelo, e embora não tenha sido permitido copiá-lo por bastante tempo, e tenha sido até considerado como destruído (Würthwein, *op. cit.*, p. 25), ele foi contrabandeado da Síria para Israel. Agora ele já foi fotografado e será a base da nova Bíblia hebraica a ser publicada pela Hebrew University (Gottstein, *op. cit.*, p. 13). Esta é uma sólida autoridade para o texto de Ben Asher.

6. Códice Leningradensis (B 19 A). De acordo com um colofão ou nota no final, foi copiado na Cairo Antiga por Samuel ben Jacob em 1008 d.C. de um manuscrito (agora perdido) escrito por Arão ben Moses ben Asher em 1000 d.C. (Kahle, *op. cit.*, p. 110), e Ginsburg considerou que este foi copiado do Códice Aleppo (pp. 243ss). Ele representa o mais antigo MS datado da Bíblia hebraica completa que é conhecido (Kahle, *op. cit.*, p. 132). Kittel o adotou como base para a sua Bíblia Hebraica (BH) da terceira ed. em diante, onde este é representado sob o símbolo *L*.

7. Códice Babilônio dos Profetas Posteriores (MS heb. B 3). Este é às vezes chamado de Códice Leningrado dos Profetas (Kenyon, *op. cit.*, p. 85) ou o Códice de [São] Petersburgo (Würthwein, *op. cit.*, p. 26). Ele contém Isaías,

Um dos documentos mais importantes dos Rolos do Mar Morto é o manuscrito completo de Isaías (1QIs[a]), que data de um período anterior a 100 a.C. Cortesia da *Biblical Archaeologist*

O fragmento de John Rylands de João 18.31-33. Biblioteca John Rylands

Jeremias, Ezequiel e os doze. É datado de 916 d.C., mas a sua principal importância está no fato de que através dele, a pontuação acrescentada pela escola babilônica de Massoretes foi redescoberta. Ele é simbolizado como V (ar)p na Bíblia hebraica (BH).

8. Códice Reuchlin dos Profetas, datado de 1105 d.C., agora em Karlsruhe. Como o MS do Museu Britânico *Ad.* 21161 (aprox. 1150 d.C.), este contém uma revisão de texto de Ben Naftali, um massoreta tiberiano. Este foi de grande valor para estabelecer a fidelidade do texto de Ben Asher (Kenyon, *op. cit.*, p. 36).

9. O manuscrito (MSS) Cairo Geniza. Dos cerca de 10.000 MSS bíblicos e fragmentos de Geniza (depósito de antigos MSS) da sinagoga do Cairo agora espalhados por todo o mundo, Kahle identificou mais de 120 exemplos copiados pelo grupo babilônico de Masoretes. Na Coleção Firkowitch são encontrados 14 manuscritos hebraicos do AT, datando entre 929 e 1121 d.C. Ele também argumenta que os 1.200 MSS e fragmentos da Coleção Antonin vêm de Cairo Geniza (Kahle, *op. cit.*, p. 7). Kahle forneceu uma lista de 70 destes MSS no prefácio da BH, 7ª ed.

Existem outros MSS Geniza espalhados pelo mundo. Alguns dos melhores nos Estados Unidos estão na Coleção *Enelow Memorial* e estão guardados no Seminário Teológico Judeu, em Nova York (cf. Gottstein, *op. cit.*, p. 44ss).

10. Códices Erfurt (E 1, 2, 3). Estes códices estão listados na Biblioteca Universitária em Tübingen como manuscritos orientais 1210/11, 1212, 1213. Sua peculiaridade é que eles representam mais ou menos (mais em E 3) o texto e Masora da tradição de Ben Naftali. E 1 é um manuscrito (MS) do século XIV contendo o AT hebraico. E 2 também é do AT hebraico, provavelmente do século XIII. E 3 é o mais antigo, sendo datado por Kahle e outros como um manuscrito anterior a 1100 d.C. (cf. Würthwein, *op. cit.*, p. 26).

11. Alguns códices perdidos. Há vários códices importantes, mas agora perdidos, cujas leituras peculiares estão preservadas e são mencionadas na Bíblia hebraica (BH). O Códice Severi (Sev.) é uma lista medieval de 32 variantes do Pentateuco (cf. CA a Gn 18.21; 24.7; Nm 4.3), supostamente baseada em um MS levado para Roma em 70 d.C., o qual o imperador Severo (222-235 d.C.) mais tarde doou para uma sinagoga que ele havia construído. O Códice Hillel (Hill.) foi supostamente escrito em 600 d.C. pelo Rabbi Hillel ben Moses ben Hillel. Diz-se ter sido um documento bastante preciso, que foi usado para revisar outros manuscritos. Leituras deste MS são citadas pelos Masoretes medievais e são usados no aparaţo crítico (CA) da BH em Gênesis 6.3; 19.6; Êx 25.19; Lv 26.9 (cf. Würthwein, *op. cit.*, p. 27). Um aparato crítico lista as leituras variantes ao texto que o editor considera significativas para os tradutores, ou necessárias para estabelecer o texto.

12. Pentateuco Samaritano. A separação dos samaritanos dos judeus foi um evento importante na história do período pós-exílico do AT. Ela provavelmente ocorreu durante os séculos V ou IV a.C., e foi a culminação de um

O papiro Bodmer mostrando João 1.1-14. Biblioteca Bodmer

longo processo. Na época deste cisma poderíamos suspeitar que os samaritanos levaram consigo as Escrituras, na forma que elas existiam, e, como resultado, poderia ter vindo a surgir uma segunda revisão hebraica ou um texto revisado do Pentateuco. Este Pentateuco Samaritano (SP) não é uma versão no sentido estrito da palavra, mas sim uma porção de um manuscrito do próprio texto hebraico. Ele contém os cinco livros de Moisés e é redigido em uma escrita paleo-hebraica bastante semelhante àquela que é encontrada na Pedra Moabita, na Inscrição Siloé, na Carta de Laquis e, em particular, em alguns dos manuscritos bíblicos mais antigos de Qumran. Pelo fato do manuscrito samaritano ser um derivativo do manuscrito paleo-hebraico que foi novamente considerado importante na era macabéia do arcaísmo nacionalista, e por causa da completa ortografia do Pentateuco Samaritano (SP), Frank M. Cross, Jr., acredita que o SP tenha se tornado um ramo do texto pré ou proto-massorético no século II a.C. (*The Ancient Library of Qumran*, Garden City. Doubleday, 1958, pp. 127ss).

Os samaritanos eram os descendentes dos membros das dez tribos que não foram deportados pelos reis assírios em sua conquista do reino de Israel. Depois que a capital de Samaria caiu sob Sargão II em 722 a.C., este governante afirma ter levado 27.290 de seus habitantes (ANET, pp. 284ss). Ele trouxe colonizadores gentios de outras partes de seu império, que acabaram casando-se com os israelitas que restaram. O Sambalate Samaritano (*q.v.*) se opôs às medidas libertadoras de Neemias, porque anteriormente Zorobabel havia recusado deixar que os samaritanos ajudassem a reconstruir o Templo em Jerusalém. A desavença entre os judeus e os samaritanos aumentou, o que é muito evidente nos Evangelhos que descrevem a época de Cristo. Alexandre o Grande lhes deu permissão para que construíssem seu próprio Templo no Monte Gerizim (posteriormente destruído por João Hircano em 128 a.C.), e eles fizeram sua própria revisão dos livros hebraicos de Moisés, introduzindo modificações para que tivessem autoridade bíblica para adorar na montanha. *Veja* Samaritanos.

A forma do texto do Pentateuco Samaritano (SP) parece ter sido conhecida pelos primeiros patriarcas da Igreja como Eusébio de Cesaréia e Jerônimo. Ele só se tornou disponível aos estudiosos no ocidente em 1616, quando Pietro della Valle descobriu um manuscrito do SP em Damasco. Uma grande onda de entusiasmo surgiu entre os estudiosos bíblicos. O texto foi publicado em uma porção antiga do Poliglota de Paris (1632) e mais tarde no texto do Poliglota de Londres (1657). Ele foi rapidamente considerado como sendo superior ao MT; mas tornou-se relegado a uma relativa obscuridade depois

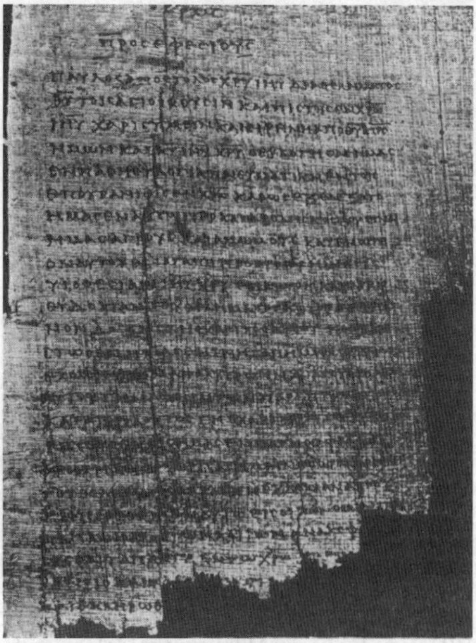

A primeira página de Efésios, de um papiro Beatty-Michigan. Biblioteca da Universidade de Michigan

que, em 1815, Wilhelm Gesenius condenou-o a ser praticamente inútil para a crítica textual. Em tempos mais recentes o valor do SP foi reafirmado por A. Geiger, Paul E. Kahle, Frederic Kenyon, *et al.*

Pelo que se sabe, nenhum manuscrito do SP é anterior ao século XI d.C. Embora a comunidade samaritana considere um rolo que reivindicam ter sido escrito pelo bisneto de Moisés, 13 anos depois da conquista de Canaã, a sua autoridade é tão espúria que a reivindicação pode seguramente ser desconsiderada. O códice mais antigo do SP contém uma nota sobre a sua venda em 1149-50 d.C., mas o próprio manuscrito é muito mais antigo. Um manuscrito foi copiado em 1204, enquanto um outro datado de 1211-12 está agora na Biblioteca John Rylands em Manchester e, ainda, um outro, datado de 1232, está na Biblioteca Pública de Nova York.

A edição impressa padrão do SP está contida em cinco volumes preparados por A von Gall, *Der Hebräische Pentateuch der Samaritaner* (1914-18). Ele fornece um texto eclético baseado em 80 manuscritos e fragmentos medievais recentes. Embora o texto de Gall esteja em caracteres hebraicos, os samaritanos o escreveram em um alfabeto bastante diferente do quadrado hebraico. No entanto, assim como no caso do hebraico, o seu manuscrito descende dos antigos caracteres paleo-hebraicos.

Existem, no total, cerca de 6.000 desvios do

Códice Sinaítico aberto em João 21.1-25. BM

SP em relação ao MT, muitos deles sendo meramente ortográficos e triviais. Em cerca de 1.900 casos, o texto samaritano está de acordo com a LXX e é contrário ao MT. Deve ser argumentado, porém, que alguns dos desvios do MT são alterações introduzidas pelos samaritanos que tinham o interesse de preservar seu próprio culto, assim como as peculiaridades dialetais do norte de Israel, enquanto o MT perpetua qualquer característica dialetal judaica.

No início da era cristã, o Pentateuco Samaritano (SP) foi traduzido para o dialeto aramaico dos samaritanos, conhecido como o Targum Samaritano. Ele também foi traduzido para o grego, e chamado de *Samaritikon*, do qual cerca de 50 citações estão preservadas nas notas sobre a obra *Hexapla*, de Orígenes. Depois do século XI várias traduções do Pentateuco Samaritano (SP) foram feitas para o Árabe (cf. Paul E Kahle, *The Cairo Geniza*, 2ª ed., pp. 51-57). [Esta seção sobre o SP foi preparada por W. E. N. – Ed.]

IV. *Bíblias Hebraicas Impressas*

(Veja Kenyon, *op. cit.*, pp. 86-88; Gottstein, *op. cit.*, pp. 8-10; Würthwein, *op. cit.*, pp. 27-30.)

1. Ed. Bologna dos Salmos (1477 d.C.).
2. Ed. Soncino do AT completo com pontuação de vogais (1488 d.C.). Também houve edições em Nápoles (1491-93) e Bréscia (1494).
3. Bíblia Poliglota Complutensiana do Cardial Ximenes em Alcala, Espanha (1514-17) em heb., gr., aram., targum e latim. Uma Bíblia poliglota é uma edição com colunas múltiplas contendo a língua original e várias outras traduções, com a finalidade de se poder fazer comparações.
4. Poliglota Antuérpia (1569-72).
5. Poliglota de Paris (1629-45) em dez volumes.
6. Poliglota de Londres (1654-57) em seis volumes com páginas numeradas.
7. Primeira Bíblia Rabínica (1516-17). Produzida por Felix Pratensis e publicada por Daniel Bomberg. Esta foi uma considerável realização crítica (em quatro vols.) e serviu como base da Segunda Bíblia Rabínica.
8. Segunda Bíblia Rabínica (1524-25) preparada por Jacob ben Chayyim e publicada por Daniel Bomberg em quatro volumes. Foi baseada nos últimos manuscritos que fornecem a base dos *textus receptus* (TR), um texto que se presumia ser idêntico ao manuscrito original. Até 1929 ela era encontrada na primeira e na segunda edição da Bíblia Hebraica de Kittel (onde é chamada de Bombergiana ou B.)
9. Edição J. H. Michaelis ($M^1$) (1720 d.C.). Um pietista protestante de Halle que seguiu principalmente o texto da edição de 1699 de Jablonski. Seu aparato crítico (CA) contém as leituras mais importantes do manuscrito de Erfurt.
10. Edição Kennicott (1776-1780) que utilizou 615 manuscritos (a maioria recente) e 52 edições impressas. O texto segue a ed. de van der Hooght (1705).
11. Meir Halevi Letteris (1852). Esta Bíblia hebraica em dois volumes está até certo ponto baseada no manuscrito Erfurt 3, cujas leituras são encontradas na obra de Michaelis (1720). Ele pode ter usado o manuscrito ou o fólio 121 de Marburg (Gottstein, *op. cit.*, p. 8).
12. De Rossi (1784-88). Aqui foi produzida não uma edição, mas uma coleção de variantes de 1.475 manuscritos e edições. A coleção é maior do que a de Kennicott, mas a maioria das variantes não é substancial.
13. S. Baer (B) (1869-95) com a colaboração de Franz Delitzsch, que tentou produzir uma forma correta do Texto Massorético usando antigos manuscritos e edições, mas seus métodos de "corrigir" o texto são questionáveis, de acordo com Kahle e Würthwein. Eles seguiram o texto de Wolf Heidenheim (1757-1832).
14. Edição Ginsburg (1894). Esta utilizou manuscritos mais antigos e melhores.
15. C. D. Ginsburg (G) produziu para a Sociedade Britânica da Bíblia Estrangeira (1926) uma nova ed. do trabalho anterior de Ginsburg (1894) com variantes de 70 manuscritos e 19 edições impressas (a maior parte do século XIII) incluindo o Or 4445 que Ginsburg datou como 820-50 d.C.
16. *Bíblia Hebraica* (1929) primeira e segunda edições, baseada em Bomberg (1524-25), contendo variantes dos séculos X e XI *Codicis Jemensis* (*V*[ar]$^j$) editada por R Hoerning (1889).
17. *Bíblia Hebraica* (1939) 3ª ed. baseada no codex Leningradensis (L) ou B19A (de 1008

d.C.) com a pequena Massora de Ben Asher na margem.

18. *Bíblia Hebraica* (1951) 7ª ed. inclui, pela primeira vez, variantes dos manuscritos de Isaías e Habacuque.

V. *Natureza dos Manuscritos do Antigo Testamento*

Embora o texto oficial do AT tenha sido transmitido com grande cuidado, era inevitável que certos erros por parte dos copistas fossem introduzidos nos textos durante as centenas de anos de transmissão em milhares de manuscritos (MSS).

1. Tipos de erros dos MSS. Há vários tipos de erros de copistas que produzem variantes textuais (cf. Archer, SOTI, pp. 48-50): (*a*) Haplografia é a escrita de uma palavra, letra ou sílaba apenas uma vez quando deveria ter sido escrita mais de uma vez. (*b*) Ditografia é escrever duas vezes o que deveria ter sido escrito apenas uma. (*c*) Metátese é inverter a posição correta de letras e palavras. (*d*) Fusão é a combinação de duas palavras separadas em uma única. (*e*) Fissão é a divisão de uma única palavra em duas. (*f*) Homofonia é a substituição de uma palavra por uma outra que tem a mesma pronúncia. (*g*) Erro de leitura de letras que possuem formas semelhantes. (*h*) Homoeoteleutonia é a omissão de uma passagem interveniente, porque o olho do escrevente se dirigiu de uma linha para um final similar em uma outra linha mais abaixo na página. (*i*) Omissões acidentais onde nenhuma repetição está envolvida. (*j*) Erro de leitura de vogais, trocando-as por consoantes.

2. Regras para a crítica textual. Os estudiosos desenvolveram certos critérios para determinar qual leitura é a correta ou a original. Sete podem ser sugeridas (cf. Archer, *op. cit.*, pp. 51-53): (*a*) O texto mais antigo deve ser preferido, uma vez que está mais próximo do original. (*b*) A leitura mais difícil deve ser preferida porque os escribas eram mais aptos para facilitar leituras difíceis. (*c*) A leitura mais curta deve ser preferida porque os copistas eram mais aptos para inserir um novo material do que omitir parte do texto sagrado. (*d*) A leitura que melhor explica as outras variantes deve ser preferida. (*e*) A leitura que possua o mais amplo suporte geográfico deve ser preferida, uma vez que assim se reduz a possibilidade de um manuscrito ou versão ter influenciado outros. (*f*) A leitura que aparentemente tenha o estilo habitual do autor deve ser preferida. (*g*) A leitura que não reflita uma tendência doutrinária deve ser preferida. (Consulte a obra de Würthwein, *op. cit.*, pp. 80-81, para conhecer mais princípios textuais).

3. História do texto do AT. Os Soferins (do hebraico, significando "escribas") eram estudiosos e guardiões judeus do texto do AT entre os séculos V e III a.C., cuja responsabilidade era padronizar e preservar o texto do AT. Eles foram seguidos pelos Zugotes ("pares", ou estudiosos textuais) nos séculos II e I a.C. O terceiro grupo era o dos Tanains ("repetidores" ou "professores") que se estenderam até 200 d.C. Seu trabalho pode ser encontrado no *Midrash* ("interpretação textual"), *Tosefta* ("adição"), e *Talmud* ("instrução") que mais tardde foi dividido em *Mishnah* ("repetições") e *Gemara* ("o assunto a ser aprendido"). O Talmude foi gradualmente escrito entre 100 e 500 d.C.

Entre 500 e 900 d.C. os Massoretas acrescentaram a pontuação de vogais e marcas de pronúncia ao texto hebraico consonantal recebido dos Soferins, baseado na *masora* ("tradição") que lhes havia sido entregue. Os Massoretas foram escribas que codificaram e escreveram as críticas e as observações orais sobre o texto hebraico. Havia duas grandes escolas e centros da atividade masorética, cada uma grandemente independente da outra; a babilônica e a palestina. Os Massoretas mais famosos eram os estudiosos judeus que viviam em Tiberíades na Galiléia, Moses ben Asher (com seu filho Aaron) e Ben Naftali, no final do século IX e no século X d.C. O texto Ben Asher é o texto padrão para a Bíblia hebraica, que hoje é melhor representada pelo Códice Leningradensis (B 19 A) e o Códice Aleppo.

4. Famílias dos textos do AT. Apesar das variações menores dentro do Texto Hebraico Massorético (MT), ele representa uma ampla família textual, mesmo que todos os manuscritos (MSS) não possam ser registrados como um único arquétipo (como Kahle argumentou que eles não o podem ser).

As outras duas famílias básicas de variantes similares são a LXX e o Pentateuco Samaritano (SP). Graças à descoberta dos Rolos do mar Morto (DSS) há agora manuscritos hebraicos que representam todos os três tipos de texto: (*a*) O tipo de texto Proto-Massorético é representado pelos manuscritos encontrados – de Isaías, Ezequiel e dos Doze, e pela maioria dos manuscritos da Caverna IV de Qumran. (*b*) O tipo de texto Proto-Septuaginta, que freqüentemente varia em seu uso dos números do Texto Hebraico Massorético (MT), é representado pelos manuscritos de Samuel (4Q Sam $^{a,b}$), Êxodo (4Q Ex $^{a}$) e Jeremias (4Q Jer $^{a}$) que é um oitavo mais curto na LXX. (*c*) O tipo de texto Proto-Samaritano também é representado pelos DSS paleo-hebraicos, pelo manuscrito de Êxodo (4Q Ex $^{b}$) (cf. Patrick W. Skehan. "Êxodo na Revisão Samaritana de Qumran", JBL, LXXIV [1955], 182-187), e um de Números (4Q Num$^{b}$ na escrita "quadrada").

5. Qualidade do texto do AT. O que a comparação das variantes textuais do AT entre as três famílias textuais revelam sobre o estado do texto do AT? O SP contém 6.000 variantes do Texto Massorético (MT), mas a

maioria delas são uma questão de ortografia (soletração etc). Cerca de 1.900 destas variantes concordam com a LXX (por exemplo, nas idades dadas para os patriarcas em Gênesis 5 e 10). Algumas das variantes do SP são sectárias, tais como a ordem para construir o Templo no monte Gerizim, e não em Jerusalém (por exemplo, Êx 20.17). Deve ser notado, porém, que a maioria dos manuscritos do Pentateuco Samaritano são posteriores (séculos XIII e XIV. Veja a obra de von Gall, *Der hebräische Pentateuch der Samaritaner*, 1914-18) e nada é anterior ao século X (Kenyon, *op. cit.*, p. 93). Muitas das variantes da LXX do MT são uma questão de números, como por exemplo em Êxodo 1.5 onde se diz "75 almas" (na LXX) ao invés de "70 almas" (no MT). A LXX é agora apoiada por fragmentos do DSS (cf. Millar Burrows, *The Dead Sea Scrolls*, Nova York. Vicking Press, 1955, e *More Light on the Dead Sea Scrolls*, Nova York. Viking Press, 1958, caps. 13–14).

Com a descoberta dos Rolos do mar Morto (DSS), os estudiosos passaram a ter manuscritos hebraicos mil anos mais antigos do que os manuscritos do Texto Massorético (MT), o que lhes permite verificar a fidelidade do texto hebraico. O resultado de estudos comparativos revela que há uma identidade palavra por palavra em mais de 95 por cento dos casos, e que os 5 por cento de variação consistem em sua maior parte de deslizes da pena dos escribas e de erros de grafia (Archer, *op. cit.*, p. 19). Para ser específico, o rolo de Isaías (1Q Isa) de Qumran levou os tradutores da versão RSV em inglês a fazer apenas 13 mudanças em relação ao Texto Massorético, das quais oito eram conhecidas de versões antigas, sendo que poucas são significativas (cf. Burrows, *The DSS*, p. 320). Mais especificamente, das 166 palavras hebraicas em Isaías 53, apenas 17 letras hebraicas em 1Q Is[b] diferem do MT. Dez letras são uma questão de ortografia, quatro são mudanças de estilo, e as outras três compõem a palavra para "luz" (acrescente no v. 11) o que praticamente não afeta o significado (Laird Harris, "How Reliable Is the Old Testament Text?" *Can I Trust My Bible?* Chicago. Moody, 1963, p. 124). Além disso, esta palavra também é encontrada neste versículo na LXX e em 1Q Is[a].

Podemos concluir então com Kenyon que "o cristão pode tomar toda a Bíblia [veja adiante os comentários sobre o Novo Testamento] em suas mãos e dizer sem temor ou hesitação que ele tem nela a verdadeira palavra de Deus, transmitida de geração a geração ao longo dos séculos, sem nenhuma perda essencial" (*op. cit.*, p. 55).

## O Novo Testamento

Os manuscritos (MSS) originais do NT não estão disponíveis mas, como no caso do AT, estão representados por uma abundância de cópias de manuscritos.

I. *O Número de Manuscritos Gregos do Novo Testamento*

Em 1964 havia conhecimento de 4.969 MSS gregos do NT. 76 papiros, 250 escrituras unciais, 2.646 minúsculas e 1.997 MSS conjuntos de passagens para serem lidas nas igrejas (Metzger, *The Text of the New Testament*, pp. 31-33). Mas deve ser lembrado que este total aumenta a cada ano à medida que novos MSS são encontrados. Cerca de 95 por cento deles datam do século VIII até o século XIII (Greenlee, *Introduction to New Testament Textual Criticism*, p. 62). Isto significaria que há aprox. 250 MSS do século II até o século VII

Comparados com outros livros do mundo antigo, as épocas e os números dos MSS do NT são notáveis. Algumas obras antigas sobrevivem em um único MS, como por exemplo o compêndio da história de Roma de Velleius Paterculus, que foi perdido no século XVII Até mesmo os primeiros seis livros dos *Anais* de Tácito são conhecidos através de um MS que data do século IX. A *Ilíada* de Homero sobreviveu por meio de 647 MSS Comparada com quase 5.000 manuscritos do NT, a evidência de outras obras mais antigas é insuficiente. Naturalmente que a maioria destes MSS são apenas porções do NT; cerca de 50 deles são do NT completo. O último livro bem atestado do NT, o Apocalipse, está preservado por cerca de 300 MSS gregos, dos quais apenas dez são escrituras unciais (Metzger, *op. cit.*, p. 34).

II. *Natureza e Data dos Manuscritos Gregos do Novo Testamento*

Os críticos textuais atualmente classificam o texto grego de todos os MSS do NT em quatro tipos ou famílias principais, de acordo com a similaridade das leves variações das palavras: alexandrino, cersariano, ocidental e bizantino (Greenlee, *op. cit.*, pp. 117ss). Esta classificação diz respeito à característica dos textos gregos contidos nos MSS. Mas quando considerados em termos de aparência e data, os MSS do NT são divididos em três grandes grupos, todos em forma de códice com páginas – papiros, escrituras uniciais, e minúsculas.

A. Papiros Manuscritos. Os MSS dos séculos II e III foram assim chamados por terem sido escritos em um material feito da medula do junco do papiro. Dos 76 papiros MSS do NT, os seguintes são os mais antigos e os mais significativos.

1. Fragmento P 52, John Ryland (117-138 d.C.). Contém João 18.31-33,37,38 e é o mais antigo fragmento conhecido do NT. Por causa de sua data antiga e de onde foi encontrado (Egito) ele tende a confirmar que o Evangelho de João foi uma composição do século I
2. Papiro P 66, 72, 75, Bodmer (de aprox. 200 d.C.). O P 66 contém a maior parte de João

(em uma mistura dos tipos de texto alex. e ocid.). O P 72 é a mais antiga cópia conhecida de Judas, 1 Pedro e 2 Pedro (semelhante ao tipo alex.). O P 75 contém as cópias mais antigas de Lucas e João (tipo alex. como B).

3. Papiro P 45, 46, 47, Chester Beatty (aprox. 250 d.C.). Juntos contêm a maior parte do NT. O P 45 consiste de 30 folhas dos Evangelhos e Atos (em sua maioria tipos de texto alex. e ocid.). O P 46 tem 86 folhas das epístolas de Paulo (em sua maioria tipos de texto alex.). E o P 47 contém dez folhas do livro de Apocalipse (tipo de texto alex.).

B. Escrituras Unciais (Maiúsculas) Manuscritas. São MSS dos séculos IV a IX, assim chamados porque as letras gregas foram formadas ou impressas como letras grandes e separadas chamadas "escrituras uniciais".

1. B, Códice Vaticanus (325-350 d.C.). Este é o mais antigo MS uncial existente, em papel pergaminho. Contém tanto o AT (LXX) como o NT, exceto Gênesis (1–46), parte de Reis (10–13), Salmos (106-138) e Hebreus 9 até Apocalipse. Marcos 16.9-20 e João 7.53–8.11 são intencionalmente omitidos do texto. Este é um bom exemplo de um texto do tipo alexandrino.

2. Aleph, Códice Sinaítico (340 d.C.). Por causa de sua antiguidade, precisão e totalidade (todo o NT e metade do AT), é um dos mais importantes de todos os MSS bíblicos gregos. Ele também exclui Marcos 16.9-20 e João 7.53–8.11. É de forma geral um texto do tipo alex., com leituras de estilo ocid.

3. C, Códice Ephraemi Rescriptus (aprox. 345 d.C.). Neste manuscrito falta a maior parte do AT, e no NT faltam 2 Tessalonicenses e 2 João além de partes de outros livros. É um palimpsesto ("apagado") rescriptus ("reescrito"). Por exemplo, o códice no qual o texto grego da Escritura foi originalmente copiado, foi muito depois apagado por Ephraem, que escreveu seus sermões naquelas páginas. Através de reativação química, Tischendorf foi capaz de decifrar as quase invisíveis escritas originais. O tipo de texto é uma mistura de todos os tipos principais, mas freqüentemente concorda com o bizantino.

4. A, Códice Alexandrino (aprox. 425 d.C.). Este MS em pergaminho continha originalmente toda a Bíblia em grego mais 1 e 2 Clemente e os Salmos de Salomão. Falta-lhe, do NT, as seguintes passagens: Mateus 1.1–25.6; Jo 6.50–8.52; e 1 Coríntios 4.13–12.6. O texto é escrito em duas colunas na página. É, como seu nome sugere, um texto do tipo alex.

5. D, Códice Bezae (aprox. 450 ou 550 d.C.). Este é o mais antigo MS bilíngüe conhecido (grego e latim) do NT. Contém os Evangelhos, Atos e 3 João 11-15 com grande número de pequenas omissões (apenas no latim). É representante do tipo de texto ocid., mas tem uma notável variação em relação ao tipo de texto habitual do NT.

6. $D^2$, Códice Claromontanus (aprox. 550 d.C.). Também é bilíngüe e contém muito do NT faltante no Códice D, com leituras distintamente ocid.

7. E, Códice Basiliensis (século VIII) é um MS dos quatro Evangelhos com um tipo de texto bizantino.

8. $E^2$, Códice Laudianus (século VI ou VII) é o mais antigo MS com Atos 8.37. O texto tem estilo misturado, mas em sua maior parte é bizantino.

9. $H^3$ (ou $H^p$), Códice Coislinianus (século VI) é um importante códice das epístolas de Paulo com um tipo de texto alex.

10. I, Códice Washingtonianus II (século V ou VI) tem porções de todas as epístolas de Paulo e Hebreus exceto Romanos com um bom texto alex. lembrando Aleph e A

11. L, Códice Regius (século VIII) é uma cópia mal escrita com um bom tipo de texto, freqüentemente como B. Contém dois finais para Marcos, um mais curto (veja as notas de rodapé da versão RSV em inglês referentes a Marcos 16.8) e um mais longo (vv. 9-20 da versão KJV em inglês).

12. $P^2$, Códice Porphyrianus (século IX) tem todo o NT exceto os Evangelhos (com algumas omissões). Um dos poucos unciais que contêm o livro de Apocalipse. O tipo de texto é mesclado.

13. W, Códice Washingtonianus I (século IV ou V). Contém os Evangelhos, porções de todas epístolas de Paulo, exceto Romanos (com algumas omissões). Marcos tem uma inserção diferente após o longo final (veja Metzger, *op. cit.*, p. 54). O texto é uma mistura de tipos.

14. Teta, Códice Koridethi (século IX) é um MS dos Evangelhos, em sua maior parte bizantino, com a exceção de que Marcos lembra o texto dos séculos III ou IV usado por Orígenes e Eusébio, um tipo de texto cesariano.

Deve ser observado que dos muitos MSS unciais do NT, os mais importantes (Aleph, B, A e C) não estavam disponíveis para os tradutores da versão KJV em inglês antes de 1611. O único uncial disponível para a KJV era D, e foi usado apenas superficialmente.

C. Minúsculos MSS. Estes MSS do NT dos séculos IX a XV são assim chamados porque o estilo de escrita à mão usado era cursivo modificado (pequenas letras que eram às vezes ligadas e capazes de ser escritas rapidamente) chamado "minúsculo". Embora os MSS minúsculos sejam posteriores, alguns deles têm valor como cópias de textos bons e anteriores. Destes, as seguintes famílias podem ser mencionadas.

1. A família alex. representada pelo MS 33, "a rainha dos cursivos", que contém todo o NT exceto Apocalipse. É em sua maior parte alex. com traços de texto bizantino.

2. O tipo de texto cesariano é representado pela família 1 que inclui MSS 1, 118, 131 e 209 (do século XII ao XIV). Marcos é similar ao Teta (è), um tipo de texto cesariano.

3. Uma subfamília italiana do cesariano (séculos XI-XV) é representada pela família 13 incluindo os MSS 13, 69, 124, 230, 346, 543, 788, 826, 828, 983, 1689 e 1709 (antigamente pensava-se que os quatro primeiros MSS fossem do tipo de texto sírio). Uma característica interessante dos MSS da família 13 é que eles contêm a passagem da mulher que foi surpreendida em adultério (Jo 7.53–8.11), além de Lucas 21.38.

Alguns outros MSS dignos de nota. O MS 28 (século XI) é dos Evangelhos, tendo muitas leituras cesarianas dignas de nota em Marcos. O MS 16 (século XV ou XVI) é de todo o NT e o primeiro contendo 1 João 5.7, a única base sobre a qual Erasmo relutantemente inseriu esta passagem duvidosa em seu NT grego (1516 d.C.) e que também faz parte da versão KJV em inglês. O MS 81 (1044 d.C.) de Atos é um dos minúsculos mais importantes, concordando freqüentemente com o tipo de texto alexandrino. O MS 565 é muito bonito; tem letras douradas em pergaminho púrpura. Possui todos os quatro Evangelhos, e é bastante semelhante ao Teta em apoio ao texto cesariano. O MS 579 (século XIII) dos Evangelhos é um bom texto alex., exceto em Mateus, que freqüentemente concorda com Aleph, B e L O MS 700 (século XI ou XII) possui cerca de 2.724 desvios do texto recebido, 270 dos quais não são encontrados em outros MSS (cf. Metzger, *op. cit.*, p. 64). O MS 1739 (século X) é uma importante cópia do tipo alex. do século IV com notas marginais de Orígenes, Eusébio, *et al.*

O espaço não permite uma listagem descritiva dos lecionários (conjunto de passagens da Sagrada Escritura para ser lido na igreja), geralmente dos Evangelhos e às vezes de Atos ou das epístolas. São conhecidos cerca de 2.000 lecionários gregos, a maioria deles datando dos séculos VII a XII

III. *História e Edições do Novo Testamento Grego*

A. Período de redação ou composição (século I). A maior parte se não todos os livros do NT foram redigidos entre 50 e 100 d.C. Alguns autores defendem que Gálatas e Tiago foram redigidos antes disso (veja Merrill C. Tenney, *NT Survey*, Eerdmans, 1962, pp. 262-268).

B. Período de reduplicação (séculos II e III). Durante este período os livros do NT eram geralmente copiados muito cuidadosamente por escribas profissionais, mas às vezes de forma precipitada e imperfeita, freqüentemente por causa da perseguição. Por esta razão, surgiu uma multiplicidade de variantes antigas no texto. E embora os estudiosos cristãos em Alexandria tenham tentado fazer uma primeira crítica e edição do texto grego, os erros textuais despercebidos que eles herdaram, mais os erros não intencionais que criaram na revisão e na edição, foram transmitidos para os MSS que mandaram redigir. Assim surgiu a base dos problemas textuais que os estudiosos das épocas posteriores teriam que enfrentar.

C. Período de padronização (séculos IV a XV). Começando com Eusébio, houve uma nova era de cópia mais cuidadosa e mais fiel do texto do NT. Mas a comparação crítica e a revisão do texto eram raras. Ao invés de crítica houve um processo de padronização, de forma que no século VIII os tipos de texto mais antigos (alex., cesariano, e ocid.) foram padronizados e substituídos pelo bizantino. Como resultado, a massa dos MSS do NT produzida entre os séculos VIII e XV (95 por cento de todos dos MSS do NT) são em sua maioria do tipo bizantino.

D. Período de cristalização (séculos XVI e XVII). Com a invenção da imprensa vieram algumas revisões editoriais do texto grego, mas esta era basicamente uma questão de cristalizar de forma impressa o que já era abundante em formas de MS (isto é, o texto bizantino posterior). O que anteriormente havia sido padronizado agora se tornou estabelecido.

1. O Poliglota Complutenciano (1514 d.C.) do Cardeal Ximenes foi o primeiro a ser impresso, mas não foi aprovado pelo papa para publicação até 1520. A base do MS nunca foi determinada, embora o autor reivindicasse que eram antigos MSS que lhe haviam sido emprestados pelo papa (cf. Metzger, *op. cit.*, p. 98).

2. O NT grego de Erasmo (1516 d.C.) foi o primeiro a ser publicado. A fim de superar o Cardeal Ximenes, Erasmo fez uma rápida edição baseada em cerca de meia dúzia de MSS gregos (séculos X-XII), sendo que apenas um deles não era bizantino (MS 1), mas este foi o menos utilizado. Em sua terceira edição, ele incluiu 1 João 5.7 com base no MS 61. Na quarta e na quinta edições ele omitiu este versículo e usou MSS melhores, porém a terceira edição, por ser mais barata e mais popular, tornou-se a base para o posterior "texto autêntico" ou *textus receptus* (TR), o texto grego sobre o qual presume-se que a versão da KJV de 1611 tenha sido fundamentada.

3. Robert Estiene (latinizado como Estéfano de Paris) publicou quatro edições do NT grego (1546, 1549, 1550, 1551). A terceira ed. foi o primeiro NT grego a ter um aparato crítico (CA), usando 14 códices incluindo o D e o Poliglota Complutensiano. A sua terceira ed. seguiu a quarta e a quinta edição de Erasmo quase que exatamente. O texto da quarta edição de Estéfano (1551) é o mesmo de sua terceira ed., mas pela primeira vez o texto foi dividido em versículos numerados. A obra de Estéfano é a que foi considerada o TR (Textus Receptus = Texto Autêntico) na Grã-Bretanha e na América (Greenlee, *op. cit.*, pp. 70-71). O primeiro NT em inglês (Genebra, 1557) a incorporar as divisões modernas de capítulos e versículos foi baseado em sua quarta edição.

4. Theodore Beza publicou quatro edições do NT grego (1565, 1582, 1588-89, 1598) mais cinco reimpressões. Embora Beza tenha anotado sua obra com vários MSS gregos que ele havia colecionado, incluindo D e $D^2$, bem como os MSS conferidos por Henry Stephanus (filho de Robert S), o texto que ele imprimiu tinha poucas diferenças em relação ao de Estéfano (1551). O NT de Beza teve êxito em popularizar o TR, e os tradutores da versão KJV em inglês fizeram grande uso de suas duas últimas edições.
5. Os irmãos Elzevir (Bonaventure e Abraão) publicaram sete edições do NT grego entre 1624 e 1678 d.C. (Greenlee, *op. cit.*, p. 71). Seus propósitos eram mais comerciais do que críticos, e sua segunda edição (1633) foi tão largamente vendida que se tornou o texto grego aceito na Europa continental.
E. Período de crítica (séculos XVIII a XX). Com o NT grego largamente disponível, o interesse erudito no melhor texto possível aumentou e novos MSS se tornaram conhecidos. O objetivo era produzir um texto crítico editado do NT grego que, por uma comparação e avaliação crítica de todas as evidências dos MSS, se aproximaria mais daquilo que estava nos MSS autografados ou originais.
1. O Dr. John Fell publicou um NT grego (1675) retirado do NT de Elzevir (1633) que reivindicava ter usado pela primeira vez variantes de 100 MSS e antigas versões incluindo as versões gótica e boaírica.
2. John Mill publicou um NT grego em 1707 usando o texto de Estéfano de 1550, mas incluindo uma prolegomena e um índice usando aproximadamente 100 MSS e 32 edições impressas do NT. Mill se refere a 3.041 dos quase 8.000 versículos do NT, coletando cerca de 30.000 variantes.
3. Richard Bentley não publicou um NT, mas um prospecto (1720) para um trabalho que ele nunca terminou; este continha um exemplar de Apocalipse 22 que abandona o TR mais de 40 vezes.
4. Daniel Mace publicou anonimamente *The New Testament in Greek and English* (1729), escolhendo do CA de Mill as variantes que o bom senso lhe diziam ser melhores que o TR; assim, ele freqüentemente antecipava as leituras de estudiosos muito posteriores.
5. Johann Albert Bengel publicou um NT grego (1734) que imprimiu o texto do TR com variantes preferidas na margem, escolhidas de acordo com o princípio textual de que "a leitura difícil deve ser preferida em relação à leitura fácil". Bengel também foi o primeiro a classificar os MSS em dois grandes grupos: o asiático e o africano.
6. Johann Jacob Wettstein publicou o TR (1751-52) com as leituras preferidas no CA, argumentando que "os manuscritos devem ser avaliados por seu peso, não por seu número". Ele foi o primeiro a designar unciais por letras romanas maiúsculas, e minúsculas por números arábicos – um sistema usado até o hoje.
7. Johann Salomo Semler (1725-91) não publicou um NT grego, entretanto mais tarde desenvolveu a classificação de Bengel das famílias MS em três revisões de texto: alex., ocid. e oriental.
8. William Bowyer Jr. produziu uma edição crítica do NT grego (1763) seguindo em grande parte o julgamento de Wettstein, agrupando passagens familiares que careciam de um bom apoio textual (como Mt 6.13; Jo 7.53–8.11; At 8.37; 1 Jo 5.7).
9. Johann Jacob Griesbach publicou três edições do NT grego (1774-1806), confrontou um grande número de MSS, categorizou as famílias como alex., ocid. e bizantino, e desenvolveu 15 cânones de crítica, dos quais o seguinte é uma amostra: "A leitura mais curta... deve ser preferida à mais prolixa" (cf. Metzger, *op. cit.*, p. 120). Por causa de sua influência, os estudiosos começaram a abandonar o TR.
10. Karl Lachmann publicou o primeiro NT grego (1831) cujo texto baseava-se inteiramente em princípios críticos. Uma segunda edição seguiu-se (1842-50) na qual ele explicou seus princípios e silenciou algumas críticas.
11. Constantin von Tischendorf publicou oito edições do NT grego (1841-1872) mais 22 volumes de textos dos MSS do NT, o mais importante dos quais foi Aleph, que ele havia descoberto no mosteiro de Santa Catarina no monte Sinai. Sua oitava edição do NT grego (1869-72), baseada primeiramente em Aleph, difere em 3.572 lugares de sua sétima edição e contém um CA completo com todas as variantes conhecidas até a sua época.
12. Samuel P. Tregelles publicou seu NT grego crítico (1857-72) baseado em princípios textuais sólidos; ele é responsável por afastar a Inglaterra do TR.
13. Em 1881-82 B. F. Westcott e F. J. A Hort publicaram a obra *The New Testament in the Original Greek*, mas esta foi usada antecipadamente pelos tradutores da ERV (1881). A obra de Westcott e Hort (WH) era tão extensa e eficaz, que o TR ficou superado. Com base em seu estudo, eles formularam quatro famílias ou grupos similares dos MSS. sírio (manuscritos A e minúsculas), ocidental (D, $D^2$), alexandrino (C, L) e neutro (Aleph, B).
14. John W. Burgon (1813-88) e F. H. A Scrivener conduziram uma batalha fútil contra o texto WH (o texto de B. F. Westcott e F. J. A Hort descrito acima) a favor do TR.
15. Bernhard Weiss editou um NT grego (1894-1900), usando uma probabilidade intrínseca como um guia, concluindo que B é o melhor e resultando em um texto como o WH.
16. O NT grego de Alexander Souter (1910) reproduziu o do Arquidiácono Edwin Palmer, que está por trás do ERV (1881), mas acrescentou um CA Na edição de 1947, foram acrescentadas evidências do papiro Chester Beatty.

17. O NT grego de Von Soden (1913) é baseado em princípios diferentes do WH e resulta em um texto mais próximo ao TR do que qualquer outro texto crítico moderno, mas que geralmente confirma o texto WH. Ele classifica todos os MSS em K (grego coinê ou sírio), H (hesychian do Egito) e I (Jerusalém ou palestino). Todas as três revisões de texto são baseadas em um arquétipo perdido usado por Orígenes e corrompido antes dele por Márcion e Tatiano. Outros estudiosos sentem que ele deu muito valor a K e que I é heterogêneo demais (Metzger, *op. cit.*, pp. 142-143).
18. Estado atual do texto do NT. Recentemente, o Canon Streeter rejeitou o WH "neutro" e descobriu uma nova família, a cesariana, levando desse modo a uma reclassificação das famílias em ordem de preferência: alexandrina (incluindo WH "neutro"), cesariana, ocidental e bizantina (anteriormente "síria").
De 1898 até recentemente o *Novum Testamentum Graece* de Erberhard Nestle foi o NT grego crítico mais largamente utilizado. Ele é baseado em uma combinação de textos de WH, Tischendorf e Weiss. Foi superficialmente revisado para a Sociedade Bíblica Britânica e Estrangeira por G. D. Kilpatrick (1958). As Sociedades Bíblicas Unidas publicaram o *The Greek New Testament* (1966), editado por Kurt Aland, Matthew Black, Bruce Metzger e Allen Wikgren, que pela primeira vez inclui leituras de 52 importantes MSS lecionários (séculos IX a XIV).
IV. *Natureza dos Manuscritos do Novo Testamento*
1. John Mill reuniu cerca de 30.000 variantes nos MSS do NT em 1707 d.C.
2. F. H. A. Scrivener contou aproximadamente 150.000 variantes em 1864 d.C. É estimado que até o presente existam cerca de 200.000 (Neil R Lightfoot, *How We Got the Bible*, Grand Rapids. Baker, 1963, p. 53). Superficialmente, este parece ser um número enorme; mas é uma figura enganosa, pois as variantes ocorrem em apenas 10.000 passagens diferentes no NT (por exemplo, se uma palavra é escrita de forma errada em 2.000 MSS, isto é contado como 2.000 variantes). Além disso, o grande número de variantes não afeta o significado de uma passagem (veja Geisler e Nix, *General Introduction to the Bible*, pp. 360-367).
3. WH estimou que apenas um oitavo de todas as variantes tiveram qualquer peso e que apenas cerca de um dezesseis avos superam as "trivialidades" e podem ser chamadas de "variações substanciais". Isto deixa o texto com uma pureza e originalidade superior a 98 por cento.
4. Ezra Abbot estimou que dezenove vinte avos (95 por cento) das variantes eram leituras "variadas" ao invés de leituras "rivais" e que dezenove vinte avos (95 por cento) das leituras "rivais" fazem pouca diferença no sentido das passagens.
5. Philip Schaff calculou que das 150.000 variantes conhecidas em sua época, apenas 400 afetariam o sentido, apenas 50 seriam de real importância, e nenhuma delas afetou qualquer artigo de fé.
6. A. T. Robertson disse que a verdadeira preocupação é de cerca de um milésimo do texto (isto é, o texto é 99,9 por cento puro em relação a variações significativas). Quando este é comparado com a *Ilíada* de Homero onde 5 por cento do texto está em dúvida, ou com a obra Mahabharata que tem 10 por cento de corrupção, pode ser seguramente concluído que, além de ser a obra de maior importância, a Bíblia é a obra mais corretamente transmitida do mundo antigo (cf. Metzger, *Chapters in the History of New Testament Textual Criticism*, pp. 144ss).

***Bibliografia.*** Norman L. Geisler e William E. Nix, *A General Introduction to the Bible*, Chicago. Moody Press, 1968. Herold J. Greenlee, *Introduction to New Testament Textual Criticism*, Grand Rapids. Eerdmans, 1964. Paul E Kahle, *Cairo Geniza*, 2ª ed., Oxford. Blackwell, 1959. Frederic Kenyon, *Our Bible and the Ancient Manuscripts*, 5ª ed., rev. por A. W. Adams, Nova York. Harper, 1958. Bruce M. Metzger, *The Text of the New Testament*, Nova York. Oxford Univ. Press, 1964. Bleddyn J. Roberts, *The Old Testament Text and Versions*, Cardiff. Univ. of Wales Press, 1951. Bruce K. Waltke, "The Samaritan Pentateuch and the Text of the Old Testament", NPOT, pp. 212-239. Ernst Würthwein, *The Text of the Old Testament*, trad. por Peter R. Ackroyd, Oxford. Blackwell, 1957.

N. L. G.

**MANUSCRITOS DO MAR MORTO** *Veja* Rolos do mar Morto.

**MÃO** A mão é o principal órgão do tato e membro do corpo usado principalmente para o serviço ativo. Como tal, ela é símbolo das ações humanas. Ter mãos puras quer dizer praticar ações puras, enquanto mãos cheias de sangue simbolizam atos de iniqüidade (Sl 90.17; Jó 9.30; 1 Tm 2.8; Is 1.15). Lavar as mãos era sinal de inocência, penitência e santificação (Sl 26.6; 24.3,4). *Veja* Ablução; Mãos, Lavagem das.
Levantar as mãos era sinal de oração (1 Tm 2.8; Jó 11.13,14). Provavelmente tendo esse sentido em mente, o termo *yad* foi usado em relação a um monumento (2 Sm 18.18; Is 56.5). Esse pilar de pedra, esculpido com duas mãos erguidas aos símbolos divinos, foi encontrado na Hazor cananita em 1955. Levantar a mão direita (*cheir*) era, evidentemente, o método usado para votar nas assembléias (cf. *cheirotoneo*; "ordenado", Atos 14.23; "escolhido", 2 Co 8.19). Uma mão levantada (Êx 14.8) posicionando o punho ostensivamente significava um gesto de desa-

fio (Nm 15.30; Dt 32.27; Is 10.32; Atos 13.17). A mão, especialmente a mão direita, era um emblema de poder e força. Segurar com a mão direita significava proteção e favor (Sl 28.2,5). Dar a mão, como a um mestre, era sinal de futura obediência (2 Cr 30.8; Sl 68.31). Beijar a mão era um ato de homenagem (1 Rs 19.18; Jó 31.27). Despejar água nas mãos de alguém significava servir a tal pessoa (2 Rs 3.11). Selar as mãos era interromper o trabalho de um homem por causa do gelo e da neve do inverno (Jó 37.7). Marcas ou cicatrizes nas mãos ou punhos eram a marca de um servo.Tais marcas mostravam uma devoção pagã aos falsos deuses (Zc 13.6). Permanecer à mão direita de alguém significava ajudar ou sustentar esta pessoa (Sl 16.8. 109.31). A mão direita estendida significava imediata demonstração de poder (Êx 15.12) e, às vezes, de misericórdia (Is 65.2; Pv 1.24). Estar à mão direita de uma pessoa significava ocupar o principal lugar de honra, dignidade e poder (Sl 45.90). Tal lugar ou posição ao lado de Deus Pai pertence ao próprio Cristo, e mostra a sua peeminência (Sl 110.1; Rm 8.34; Hb 1.3).

A mão de Deus, como um antropomorfismo, é seu instrumento de poder. Refere-se àquilo que pertence apenas ao próprio Deus (Jó 27.11; At 4.28; 1 Pe 5.6). A mão do Senhor sobre alguém revela o seu favor (Ed 7.6,28; At 11.21) e contra alguém denota disciplina (Êx 9.3; Am 1.8; At 13.11). A mão de Deus sobre um profeta demonstrava a capacitação deste pelo Espírito Santo (1 Rs 18.46; Ez 8.1). O dedo de Deus designava o seu poder ou o seu Espírito (Lc 11.20; cf. Mt 12.28) e falava sobre uma obra que somente Ele poderia realizar (Êx 8.19).

A imposição das mãos identificava um indivíduo e o separava para o serviço ao Senhor (Nm 27.18,19; At 8.15-17; 1 Tm 4.14; 2 Tm 1.6). Podemos ver uma perversão dessa doutrina quando Simão ofereceu dinheiro para obter um dom para si, a fim de vender o próprio dom ou os seus poderes, a outros (At 8.18); daí vem o termo "simonia". *Veja* Mãos, Imposição de.

E. C. J.

**MÃO DIREITA** As palavras hebraicas *yamin*, "mão direita", e *y*[e]*mani*, como a "direita", oposta à direção esquerda, ocorrem aprox. 170 vezes no AT. O termo grego correspondente *dexios* aparece mais de 50 vezes no NT. Como os israelitas ficavam de frente para o leste ao considerar a direção principal, o termo *yamin* às vezes indica o sul (1 Sm 23.19,24; Sl 89.12) e a palavra mais comum para sul *têman*, é derivada de *yamin*. *Veja* Esquerda; Canhoto.

Essas palavras hebraicas e gregas são usadas muitas vezes com um sentido figurado. A mão direita é a mão da força, da habilidade e da autoridade (Jó 40.14; Sl 45.4; 89.42; 137.5; Pv 27.16; Mt 27.29; Ap 1.16), a mão do amor e da ternura (Ct 2.6; 8.3), aquela que distribui as maiores bênçãos (Gn 48.13-18; Ap 1.17), o lugar de maior favor, honra ou influência (1 Rs 2.19; Mt 25.33; Sl 45.9; 109.6). Sendo a mão ou o lado mais importante, é por ela que uma pessoa é dirigida (Sl 73.23) quando está em perigo (Jó 30.12; Sl 91.7), ou quando é acusada (Sl 109.6. Zc 3.1), e onde o seu protetor deve se colocar para ajudá-la (Sl 16.8; 109.31; 121.5; Is 41.13; 63.12).

A "mão direita de Deus" é uma expressão favorita do AT para seu supremo poder na criação (Is 48.13) e para a guerra e a libertação (Êx 15.6,12; Sl 17.7; 18.35; 20.6; 44.3; 78.54; 98.1; 118.16; 139.10) assim como para Sua soberana beneficência (Sl 16.11; 48.10; 80.15, 17). Estar sentado à mão direita de Deus significa uma posição da maior honra, reservada apenas para a real figura do Messias (Sl 110.1). "Disse o Senhor ao meu Senhor. Assenta-te à minha mão direita, até que ponha os teus inimigos por escabelo dos teus pés". Esse versículo é citado e a ele são feitas muitas referências no NT, mais do que a qualquer outro, mostrando que a exaltação de Jesus Cristo para reinar em poder e glória à mão direita do Pai é o cumprimento direto deste Salmo profético (Mt 22.44; 26.64; Mc 16.19; At 2.34,35; 7.55,56; Rm 8.34; 1 Co 15.25; Ef 1.20; Cl 3.1; Hb 1.3,13; 8.1; 10.12, 13; 12.2; 1 Pe 3.22).

*Veja* Mão; Profecia, Cumprimento da.

J. R.

**MAOL** Pai de Hemã, Calcol e Darda, três homens notados por sua sabedoria, embora ultrapassados neste caso por Salomão (1 Rs 4.31). Alguns descrevem os sábios mencionados acima como "filhos da dança", uma vez que a palavra *mahol* é encontrada em Salmos 149.3; 150.4, onde é traduzida como "dança" ou "flautas". Neste caso, esta sabedoria pode ter sido inicialmente notada através da habilidade que possuíam para compor músicas acompanhadas por danças. De acordo com a versão JerusB, eles devem ter trabalhado como cantores ou líderes de cânticos sagrados.

**MAOM**

1. Uma cidade na região montanhosa de Judá (Js 15.55) e lar de Nabal, o grande senhor dos rebanhos (1 Sm 25.2). O local se chama, agora, Tell Ma'în, 13 quilômetros ao sul de Hebrom. Foi no deserto de Maom a leste da cidade que Davi e seus homens estavam se escondendo, quando sua presença ali foi revelada a Saul pelos zifeus (1 Sm 23.24,25). Somente um ataque dos filisteus salvou Davi de Saul naqueles dias.
2. Um descendente de Calebe, filho de Samai, fundador de Bete-Zur (1 Cr 2.45).

Uma grande bacia de ablução na entrada do templo heteu do deus da tempestade em Boghazköy. HFV

**MAONITAS** Um povo mencionado como opressor dos israelitas nos tempos anteriores a Jefté (Jz 10.12). Eles dificilmente seriam os calebitas de Maom em Judá, pois estes eram poucos para figurarem como perigosos inimigos. A palavra deve provavelmente ser vocalizada como Meunim (*q.v.*), uma tribo edomita do território de Ma'an, na região do monte Seir; é possível que o seu povo deva ser entendido como sendo os midianitas, conforme a Septuaginta (LXX).

**MAOQUE** Pai de Aquis, rei da cidade filistéia de Gate. Davi fugiu para Aquis e permaneceu com ele enquanto tentava escapar de Saul (1 Sm 27.2).

**MÃOS, IMPOSIÇÃO DE** Esse é um ato religioso que significa a concessão de uma bênção especial. *Veja* Mão. Era usado para separar os levitas para o seu ofício especial (Nm 8.5-20) e para dedicar animais (Lv 1.4). Foi assim que Isaque abençoou os filhos de José (Gn 48.14-19) e Jesus abençoou os pequeninos (Mc 10.16). Jesus curou os enfermos impondo as mãos sobre eles (Lc 4.40; 13.13).
Os sete diáconos de Jerusalém foram assim separados pelos apóstolos (At 6.6) e o mesmo ocorreu com Barnabé e Paulo em Antioquia (At 13.3). Pedro e João impuseram as mãos sobre certos samaritanos e eles "receberam o Espírito Santo" (At 8.14-17). Em Éfeso, Paulo fez o mesmo, obtendo o mesmo resultado (At 19.6). Aqui os crentes receberam o dom de línguas e puderam profetizar. Timóteo (1 Tm 4.14; 2 Tm 1.6) recebeu um dom especial quando Paulo estendeu as mãos sobre ele. A esse ato está associada a intenção de abençoar, curar e consagrar.
Atualmente, o ato de impor as mãos nas igrejas é usado nas ocasiões oficiais de ministério público, tais como batismo, confirmação e ordenação. Na Igreja Católica Romana o ato de impor as mãos é considerado um sacramento através do qual é conferida a capacitação necessária para o desempenho de uma função. Calvino (*Institutes*, IV, 19, 6) proibiu o exemplo dos apóstolos de impor as mãos porque, em sua opinião, "esses poderes e manifestações milagrosos, que eram dispensados através da imposição das mãos, cessaram; e eles duraram, corretamente, apenas uma certa época". A Apologia Luterana da Confissão de Augsburg permitia que esse ato fosse chamado de "sacramento" se ele se referisse ao ensino do Evangelho, e à administração dos sacramentos.

C. S. M.

**MÃOS, LAVAGEM DAS** A lavagem cerimonial do corpo é universalmente reconhecida como um símbolo religioso ou um efetivo sacramento, que tem a função de purificar a pessoa da contaminação e da culpa do pecado. No AT, era colocada uma pia de cobre entre a tenda da congregação e o altar do Tabernáculo do Templo, para que os sacerdotes que estavam ministrando ao Senhor pudessem lavar as mãos e os pés (Êx 30.17-21). O batismo de João era um símbolo da purificação dos pecados que acompanha o arrependimento (Mt 3.6-11). Pilatos, o governador, mandou buscar água e lavou as mãos perante a multidão como se isso fosse absolvê-lo da culpa da crucificação de Cristo (Mt 27.24).
Os fariseus, em seu zelo pela lei, haviam deduzido inúmeras maneiras pelas quais uma pessoa poderia entrar em contato com a profanação cerimonial, o que, embora não sendo um ato pecaminoso, tornava o levita impuro e incapaz de se aproximar de Deus com uma atitude de adoração. Da mesma maneira, haviam desenvolvido um elaborado programa de purificação para combater essa profanação. Por causa das mãos de seus discípulos, que não estavam lavadas, a discussão travada com Jesus estava relacionada com esse ato cerimonial, e não com a purificação habitual relacionada à higiene. Jesus condenou os fariseus porque, através de inúmeros detalhes que eram como um jugo sobre os homens, haviam obscurecido tanto a vontade quanto a Palavra de Deus. "Porque, deixando o mandamento de Deus, retendes a tradição dos homens" (Mc 7.1-9). Eles haviam transformado em obrigação moral aquilo que era apenas simbólico e cerimonial (para uma descrição detalhada deste assunto, veja a obra de Edersheim, *Life and Times of Jesus the Messiah,* II, 9ss.) *Veja* Ablução; Mão.

P. C. J.

**MAQUEDA** Uma cidade cananéia real que fica na Sefelá de Judá (Js 15.41) perto de Azeca (Js 10.10), aprox. 32 quilômetros a sudoeste de Jerusalém. É listada por Tutmósis III entre as suas cidades conquistadas (ANET, p. 243), e também provavelmente por Sisaque. Josué dominou a cidade e destruiu imediatamente os seus habitantes, fazendo ao seu rei o que ele havia feito ao rei de Jericó (Js 10.28; 12.16). Aqui os cinco reis amorreus escaparam de Josué e procuraram se refugiar na caverna de Maquedá, onde, sob as ordens de Josué, eles foram bloqueados com grandes pedras. Mais tarde, os prisioneiros reais foram trazidos mortos e dependurados em árvores até o pôr-do-sol, e depois levados de volta à caverna que foi novamente bloqueada com pedras (Js 10.16-27). A localização de Maquedá é incerta, porém Khirbet el-Kheishum, 3 quilômetros ao norte de Azeca, combina bem com a localização dada por Eusébio. Sugestões alternativas são Tell Maqdûm (que fica bem próxima), e Tell es-Safi, que foi identificada por outros com Libna ou Gate, 11 quilômetros mais adiante, a oeste.

S. F. B.

**MAQUELOTE** Um dos locais de acampamento dos israelitas no deserto, não identificado, entre o Sinai e Cades-Barnéia; sua 21ª parada a partir do Egito (Nm 33.25,26).

**MAQUI** Pai de Geuel, que Moisés designou como representante da tribo de Gade, para espionar a terra de Canaã antes dos hebreus entrarem à força (Nm 13.15). Ele estava entre a maioria dos dez que advertiram a não tentar entrar por causa da força dos habitantes e suas fortificações (aprox. 1440 a.C.). Veja Números 13.26-33.

**MAQUIR**

1. O neto mais velho de José e Asenate, o filho de Manassés e a concubina síria (1 Cr 7.14; Gn 50.23). Este nome está sempre ligado à idéia de força, coragem e feitos ousados. Os descendentes de Maquir tornaram-se fortes lutadores e líderes ferozes entre os clãs de Manassés. Eles viviam em ambos os lados do Jordão e pareciam constituir uma forte unidade na confederação do norte. Na guerra com Jabim, os filhos de Maquir tornaram-se lutadores valentes e se distinguiam dos outros por sua bravura e coragem diante do fogo (Jz 5.14). É possível que os descendentes de Maquir tenham se mudado para o outro lado do rio para se tornarem a força dominante em Gileade (Nm 32.39,40; 1 Cr 2.21-23). De fato, o registro fala sobre Maquir como o pai de Gileade (Nm 26.29; 1 Cr 7.14*b*). *Veja* Maquiritas; Gileade; Manassés.

2. Outro Maquir é mencionado nos dias de Davi como um seguidor leal que trouxe alimento e refrigério ao velho rei quando ele estava sendo perseguido por Absalão (2 Sm 17.27-29). Sua casa ficava em Lo-Debar, perto de Maanaim (2 Sm 9.4,5).

K. M. Y.

O Mediterrâneo em Cesaréia com ruínas da época de Herodes o Grande, que ainda podem ser vistas na água

**MAQUIRITAS**

Os descendentes militares de Maquir, o filho mais velho de Manassés, filho de José. Estes Maquiritas eram guerreiros potentes que possuíam qualidades que lhes ajudavam a administrar as tribos vizinhas e governar pessoas em áreas amplas. Eles formavam um clã agressivo e de liderança na linhagem de José. Como eram homens de guerra, eles conseguiram conquistar e assegurar o território de Gileade e Basã (Js 17.1). Rúben e Gade também haviam recebido aquela boa terra de pastagens (Js 12.6; 13.15-31; cf. Dt 3.15-17) e procuraram guardá-la para si. Os homens de Maquir derrotaram tanto a estes quanto aos amorreus, pois haviam herdado algumas características do espírito que caracterizara os seus pais. Os maquiritas eram invencíveis, e se mantiveram, por gerações, no controle da região sudoeste da Palestina. Em Números 26.29 está registrado que "Maquir gerou a Gileade". Em outra passagem foi dito que "os filhos de Maquir, filho de Manassés, foram-se para Gileade e a tomaram; e daquela possessão lançaram os amorreus, que estavam nela. Assim, Moisés deu Gileade a Maquir, filho de Manassés, o qual habitou nela" (Nm 32.39,40; cf. Js 17.1,3; 1 Cr 2.21,23; 7.14-17; Dt 3.15; Js 13.31). Os descendentes de Maquir tornaram-se a família manassita dominante. *Veja* Maquir.

K. M. Y.

**MAR** Esta palavra é aplicada a vários e diferentes ajuntamentos de águas no AT, incluindo até mesmo lagos e grandes rios. "O mar" mencionado na Bíblia Sagrada é geralmente o Mediterrâneo (Nm 13.29). Ele também é chamado de "mar Grande" (Ez 47.10), "mar dos filisteus" (Êx 23.31), e "mar impedido" isto é, o mar ocidental em contraste com o "mar antigo" que é o mar Morto (Zc 14.8). *Veja* mar Grande.

O nome mar Morto (*q.v.*) é substituído pelo nome "mar de Sal" (Gn 14.3), "mar oriental" (Jl 2.20) e "mar da arabá" (2 Rs 14.25). O lago da Galiléia (*q.v.*) é também chamado de mar, e é conhecido por vários nomes:

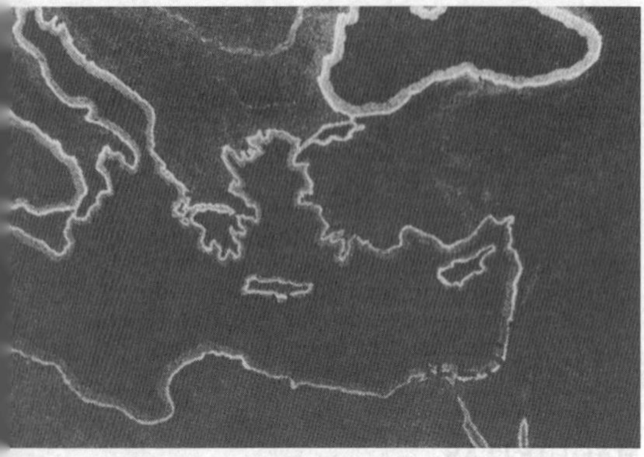

O "mar Grande". MIS

"Quinerete" (Nm 34.11), "Genesaré" (Lc 5.1) e "Tiberíades" (Jo 6.1),

O mar Vermelho (*q.v.*; Êx 10.19) é tido por alguns estudantes como o "mar de junco". Em Isaías 18.2 é feita uma clara referência ao Nilo através do termo "mar", e em 21.1 tanto o rio Eufrates quanto o mar árabe estão em questão.

A palavra é também freqüentemente utilizada em sentido figurado. A palavra heb. *yam* é usada aprox. 70 vezes como um termo para "o ocidente" (por exemplo, Gênesis 12.8). A grande dimensão da bacia no Templo de Salomão levou os sacerdotes a chamarem-no de "mar de bronze" ou "mar de fundição" (1 Rs 7.23-26). Para os hebreus amantes da terra, o mar era um local perigoso e tempestuoso, e trazia em si uma semelhança bastante apropriada com a alma problemática e cansada do pecador (Is 57.20), e também com as nações rebeldes e perturbadas do mundo (Dn 7.2; Mt 13.47; Ap 13.1). A declaração em Apocalipse 21.1 de que no mundo vindouro não existirá mar, provavelmente se refere a esta figura de falta de repouso e privação da presença de Deus, e não ao mar em si.

P. C. J.

**MAR DA GALILÉIA**, *Veja* Galiléia, mar da.

**MAR DE BRONZE** *Veja* Tabernáculo: Vaso de Latão para Abluções.

**MAR DE FUNDIÇÃO** *Veja* Tabernáculo: Pia para Abluções.

**MAR DE QUINERETE** *Veja* Galiléia, mar da.

**MAR DE SAL** *Veja* mar Morto.

**MAR DE TIBERÍADES** *Veja* Tiberíades, mar de; Galiléia, mar da.

**MAR DE VIDRO** As cenas do Apocalipse onde ocorre a expressão "mar de vidro" (Ap 4.6; 15.2) possui paralelos com as visões do AT. Os paralelos mais impressionantes e semelhantes são Ezequiel 1; Êxodo 24; Daniel 7; Isaías 6. Todos estes postulam a realidade de um mundo invisível e sobrenatural que o homem pode experimentar. A abertura dos olhos possibilita ao homem ver e ouvir as realidades sobrenaturais (2 Rs 6.17; 2 Co 12.2-4; Ap 4.1,2). O fato de as visões do trono, no Apocalipse, terem semelhanças com as outras visões correlacionadas, contribui com a opinião de que se trata essencialmente de uma única realidade revelada aos profetas e apóstolos.

O paralelo verbal mais próximo do mar de vidro é a "obra de pedra de safira" de Êxodo 24.10. Em Ezequiel 1.22-26, existe um espaço retratado como "cristal terrível", no qual havia um trono de safira. Estas visões podem ser consideradas semelhantes à visão do Apocalipse. o trono de safira é comparado ao trono circundado por um arco celeste de cor semelhante à esmeralda (Ap 4.3), relâmpago e fogo (Ez 1.4,13 com Ap 4.5; 15.2), as quatro criaturas viventes (Ez 1.5-12; Ap 4.6-8) e o Majestoso que veio diante do trono (Dn 7.13,14; Ap 5.5-8). Todos estes detalhes deixam claro que João está vendo as mesmas verdades sobrenaturais que foram reveladas a Moisés, Isaías, Ezequiel e Daniel. A menção do mar de vidro em Apocalipse 4 nos capacita a identificar o contexto do "mar de vidro misturado com fogo" de Apocalipse 15.2. Aqueles que são vistos às margens do mar são os santos na glória, mais provavelmente aqueles que foram participantes do arrebatamento da Igreja. A menção do mar ganha a sua importância a partir do paralelo evocado (1) pela menção de sua vitória sobre a besta e sua imagem, e (2) por entoarem o cântico de Moisés. Assim como o povo de Israel cantou uma canção de triunfo ao chegar a salvo do outro lado do mar (Êx 15), estes estavam em pé ao lado do mar de cristal, em glória, para cantar uma canção de louvor e libertação.

W. B. W.

**MAR GRANDE** O grande corpo de água que conhecemos como o mar Mediterrâneo (Nm 34.6; Js 1.4; 9.1; 15.12,47; Ez 47.10 etc.). Ele também é chamado de o "mar extremo" ou o "mar último", isto é, o mar ocidental (Dt 11.24; 34.2; Jl 2.20; Zc 14.8), o "mar dos filisteus" (Êx 23.31), o "mar de Jope" (Ed 3.7), ou simplesmente "o mar" (Nm 13.29; Ez 26.5,16-18; 27.3 etc.; Jn 1.4; etc.; At 10.6,32; 27.30 etc.). Com cerca de 3.600 quilômetros de extensão, ele era o principal mar conhecido pelos israelitas. De acordo com alguns comentadores, a expressão também pode ser usada figurativamente em Daniel 7.26-28 referindo-se às multidões da humanidade. *Veja* Mar.

Os ventos violentos do nordeste tornavam a navegação insegura durante os meses de inverno de outubro até fevereiro ou março (At

27.14–28.11). Bancos de areia e recifes rochosos eram perigos constantes. Por esta razão os capitães hesitavam em deixar de enxergar a terra. Modernas expedições de mergulho encontraram naufrágios de muitos navios antigos com suas cargas de vasos de vinho ou lingotes de cobre ou ainda colunas de mármore que se destinavam às cidades da região da Grécia e de Roma.
A partir de 3000 a.C. os egípcios carregavam madeira de cedro em seus navios mantendo-se perto da costa do Mediterrâneo, a partir de Biblos (*veja* Gebal) no Líbano até o delta do Nilo. Comerciantes minoanos de Creta e mais tarde os gregos micenos dominaram o Mediterrâneo durante o segundo milênio a.C. Por todo o primeiro milênio a.C. os fenícios de Tiro e Sidom navegaram as suas águas e colonizaram as suas praias. Sem nenhum porto natural, os hebreus nunca se tornaram um povo navegador; conseqüentemente eles dependiam dos navios e marinheiros fenícios para o comércio marítimo, bem como para as viagens por mar. Salomão empregou as habilidades dos marinheiros de Hirão (1 Rs 9.26-28; 10.11,22). Jonas embarcou em um navio fenício navegando de Jope para Társis na Espanha.
Na época do NT, o Mediterrâneo havia se tornado virtualmente um lago romano (*mare nostrum*) para ligar Roma a muitas partes de seu vasto império e para transportar grãos e outros produtos das províncias para a capital. Um porto foi construído em Aco no período helenístico e rebatizado de Ptolemaida (At 21.7), e Herodes o Grande havia construído instalações portuárias artificiais em Cesaréia (*q.v.*). Assim, a Palestina entrou em comunicação direta com o mundo ocidental, e desde então tem estado na encruzilhada de três continentes.
J. R.

**MAR MEDITERRÂNEO** *Veja* Mar Grande.

**MAR MORTO** Chamado no AT de mar de Sal (Gn 14.3; Nm 34.12; etc.), de mar da Campina ou Arabá além de mar Salgado (Dt 3.17; 4.49; etc.) e de mar do Oriente ou mar Oriental (Ez 47.18; Jl 2.20; etc.). Está situado na grande fenda do vale do Jordão, e resultou de uma grande convulsão que abalou a face da terra no período pré-histórico. Nessa época, a montanha que limitava o Líbano e o anti-Líbano se elevou acima da grande planície que cobria toda a área do Líbano, Síria, Palestina e Transjordânia, formando uma grande cavidade entre elas que se estendia desde os contrafortes das montanhas de Amano, através da Coele-Síria, o vale do Jordão, o mar Morto e o mar Vermelho, estendendo-se em direção ao sul até o Lago Nyasa na África Central.
Sua superfície está, em média, 425 metros abaixo do nível do mar, e seu local mais profundo, próximo ao ponto extremo do lado nor-

O mar Morto

deste, atinge cerca de 430 metros abaixo do nível do mar. Atualmente, esse mar tem cerca de 80 quilômetros de comprimento e 15 quilômetros de largura. É alimentado, principalmente, pelo rio Jordão, mas inúmeros riachos e regatos, em ambas as margens, também contribuem com suas quotas de água. É um mar fechado e seu nível de evaporação é tão grande que o afluxo de água é apenas capaz de manter o nível da superfície aproximadamente constante. Dessa maneira, os depósitos de sal e de potássio (25 por cento da água) se tornam mais concentrados do que em qualquer outro mar ou lago do mundo. A gravidade específica da água é maior do que a do ser humano, e é impossível que alguém consiga se afogar no mar Morto.
A área mais rasa, ao sul da península de El-Lizan, onde provavelmente estavam localizadas as cidades de Sodoma e Gomorra, às vezes era formada de terreno seco como provam alguns tocos de árvore submersos. Ruínas de um forte edomita, na praia do lado sudoeste, foram inundadas pelo menos duas vezes desde o ano 1000 a.C. Entre os dias de Abraão (Gn 14.3) e os de Moisés, o mar Morto deve ter se elevado para cobrir a área de Sodoma e de outras cidades da planície.
Existe uma camada de betume no leito do mar, da qual muitas vezes se soltam grandes pedaços que ficam flutuando na superfície (cf. Gn 14.10). Os gregos e os romanos davam-lhe o nome de mar de Betume por causa dessa característica. Entretanto, aproximadamente no século II depois de Cristo, esse mar já havia adquirido seu nome mais comum pelo fato de que nenhum peixe ou outro animal marinho podia viver em suas águas. *Veja* Palestina: II.B.3.*e*.
A área em volta do mar Morto tem sido habitada pelo homem desde o período Neolítico. Em ambos os lados, campos acidentados têm oferecido refúgio e proteção, em numerosas ocasiões, a pessoas ou grupos que estavam sendo perseguidos. Davi, fugindo de Saul, abrigou-se em um regato

conhecido pelo nome de águas de En-Gedi (1 Sm 23.29–24.11). Durante sua primeira revolta, os judeus instalaram seu quartel general na estratégica posição de Massada, acima do mar Morto, onde foram perseguidos pelo general romano Silva. Da mesma forma, Herodes o Grande havia refortificado uma fortaleza em Macaero acima de sua praia oriental. Quando ele morreu, esta fortaleza passou a pertencer a Herodes Antipas, e foi lá que ele assassinou João Batista. Abaixo de Macaero existe uma fonte de água quente, que na antiguidade era chamada de Callirrhoë por causa de suas propriedades medicinais.
A uma pequena distância, ao norte do mar Morto, em um local chamado Ghassul, encontram-se as ruínas de uma vila que data da Idade do Cobre. Esse local tem sido escavado nos últimos anos e produzido algumas evidências que mostram ter sido ocupado entre os anos 4000 e 3200 a.C., em uma época em que a cidade de Jericó parece ter sido abandonada.
Nos últimos anos, foram descobertas as ruínas de um acampamento comunal que pertencia aos essênios em Qumram, acima da margem ocidental do mar Morto. Nas cavernas próximas, foram descobertos papiros cujas datas variam entre os séculos II antes de Cristo, ao século I depois de Cristo. *Veja* Rolos do mar Morto.

D. C. B.

**MAR ORIENTAL** O mar Morto, na fronteira leste de Canaã e Israel, é chamado de mar do Leste em Joel 2.20; Ezequiel 47.18; Zacarias 14.8. *Veja* Mar Morto.

**MAR VERMELHO** Ao contrário de seu nome, este mar tem uma cor tão azul quanto qualquer outra parte da superfície do oceano. A origem da palavra "vermelho" neste nome é incerta. Há várias possibilidades: (1) O reflexo das montanhas avermelhadas de granito na superfície que cerca partes do mar. (2) A pele cor de cobre dos edomitas, himiaritas e fenícios que certa vez habitaram áreas ao longo de suas praias. (3) Os corais avermelhados que podem ser encontrados ao longo de suas praias.
O mar Vermelho em si tem cerca de 2.400 quilômetros de comprimento e uma largura média de 240 quilômetros. Na extremidade norte ele termina em uma formação em "Y" - cada ramificação formando um golfo. A ponta oriental tem cerca de 160 quilômetros de comprimento, e é conhecida como o golfo de Ácaba e se junta ao Arabá (vale que leva ao mar Morto). A Arábia Saudita faz fronteira com ele a leste, e com a península do Sinai a oeste. Na sua extremidade norte ficava a cidade de Elate, que agora está passando por um desenvolvimento e uma modernização promovidos pelo estado de Israel. É um terminal de um oleoduto de petróleo, e um ancoradouro para cargas pesadas. Na margem próxima a Eziom-Geber (*q.v.*), a alguns quilômetros a leste, em Arab Jordão, estão as ruínas arqueológicas do porto de Salomão. Elate e Eziom-Geber eram cidades portuárias para os navios de Salomão (1 Rs 9.26).
A ponta ocidental (com aprox. 288 quilômetros de comprimento por 32 quilômetros de largura) é conhecida como o golfo de Suez, e forma a extremidade sul para o canal de Suez. Nos tempos pré-históricos ele se estendia muito além ao norte e provavelmente incluía o que é agora conhecido como o lago Timsah e os lagos Amargos. As praias de ambos os lagos abundam em juncos e podem ser responsáveis pelo termo hebraico *yam suph*, freqüentemente traduzido como "mar de juncos".
O mar foi atravessado pelos israelitas sob a liderança de Moisés (Êx 14.15ss.). É bem possível que o ponto da travessia tenha agora sido coberto pelas areias que estão em constante deslocamento. A opinião de muitos estudiosos, porém, é que o mar Vermelho atravessado pelos israelitas tenha sido o golfo de Suez, mas provavelmente nas redondezas dos lagos Amargos para o qual o golfo então se estendia. Atualmente, um vento forte sopra do norte para o sul durante aproximadamente nove meses do ano. Portanto, o vento oriental que dividiu o mar para Moisés era incomum, e deve ser verdadeiramente considerado como um ato de Deus (Êx 14.21). *Veja* Êxodo, O

H. A. Han.

**MARA**
1. O novo nome, significando "amargura, tristeza, mágoa", que Noemi escolheu para si ao retornar de Belém, para expressar o amargor de suas experiências em Moabe (Rt 1.20).
2. Uma fonte de águas amargas no oásis do deserto de Sur que os israelitas alcançaram três dias após cruzarem o mar Vermelho (Êx 15.23; Nm 33.8,9). Quando o povo murmurou contra Moisés, ele jogou uma árvore (ou um lenho) nas águas, e estas se tornaram, ainda que temporariamente, miraculosamente doces. Na rota tradicional para o monte Sinai, o oásis de 'Ain Hawarah, aprox. 75 quilômetros a sudeste de Suez, é comumente identificado com Mara. Sua fonte fornece água salobra devido aos sais do solo das terras vizinhas.

**MARALA** Uma cidade na fronteira oeste de Zebulom (Js 19.11).

**MARANATA** A palavra foi utilizada em 1 Coríntios 16.22. O termo aramaico de que ela se origina é formado por duas palavras que podem ser divididas em *maran atha* ou *marana tha*. A primeira possibilidade significa "nosso Senhor chegou" ou "veio", referindo-se, portanto, à encarnação, e serve como uma refutação ao pensamento de que o Messias ainda não tinha vindo. A segunda possibilidade significa "Venha, nosso Senhor!" Em vista do contexto em que a palavra ocorre com a precedente anátema ou maldição, e em vista da crença da igreja primitiva na iminente esperança do retorno de Cristo, dá-se preferência a este último significado. A mensagem, portanto, é a de que quando o Senhor, o Justo Juiz, vier, o anátema será retirado.

**MARAVILHA** Essa palavra, na forma verbal, ocorre ao menos três vezes no AT em algumas versões (Gn 43.33; Sl 48.5; Ec 5.8). Ela se origina da palavra hebraica *tamah* que significa "admirar" ou "pasmar". O verbo hebraico *pala'*, isto é, "ser difícil, extraordinário, encantador, maravilhoso", foi traduzido uma vez como "farei maravilhas" em Êxodo 34.10 e muitas vezes como o adjetivo "maravilhoso" (por exemplo 1 Cr 16.12,24; Mq 7.15) ou como o advérbio "maravilhosamente" (por exemplo, Jó 37.5; 2 Cr 26.15). Na versão KJV em inglês, a palavra ""maravilha" ou "maravilhoso" ocorre 37 vezes no AT, originando-se da palavra grega *thaumazo* que significa "admirar, maravilhar". *Veja* Maravilha ou Maravilhoso.

**MARAVILHA ou MARAVILHOSO** Entre os muitos termos bíblicos que expressam a grandeza de Deus, está a palavra "maravilhoso". Este é um dos nomes do Messias. "O seu nome será. Maravilhoso, Conselheiro..." (Is 9.6), ou, como algumas versões traduzem, "Maravilhoso Conselheiro" (cf. Is 28.29). É também a maneira pela qual o anjo do Senhor se revelou a Manoá: "Por que perguntas assim pelo meu nome, visto que é maravilhoso?" (Jz 13.18). O Senhor é o Deus que faz "maravilhas" (Sl 77.14), que é o único que "faz maravilhas" (Sl 72.18; cf. 136.4). O Senhor se refere a um juízo miraculoso que Ele executará contra o Egito, e às poderosas ações de livramento a favor de Israel como as suas maravilhas (Êx 3.20; cf. Sl 106.7). *Veja* Milagres.

A raiz hebraica mais freqüentemente usada significando "maravilha" é *pala'*. Ela indica algo incomum (um voto "singular", Lv 27.2), extraordinário (o amor de Jônatas por Davi, 2 Sm 1.26), algo além do poder ou das condições de uma pessoa, e conseqüentemente algo muito difícil (2 Sm 13.2; Zc 8.6), ou algo difícil de ser entendido (Jó 42.3; Sl 139.6; Pv 30.18). Quando usada em relação a Deus, ela fala de seus atos sobrenaturais e de sua onipotência. Jeremias conhecia a Deus suficientemente bem para dizer: "Eis que tu fizeste os céus e a terra com o teu grande poder e com o teu braço estendido; não te é maravilhosa demais coisa alguma" (Jr 32.17,27; Gn 18.14).

A palavra hebraica *mopet* significa uma maravilha, um sinal ou prodígio (Is 20.3; Zc 3.8), ou um presságio de um acontecimento futuro (1 Rs 13.3,5). Como "maravilha" ela aponta para uma exibição especial de poder sobrenatural realizada diretamente por Deus (Êx 7.3; 11.9; Jl 2.30), por um de seus servos (Êx 4.21; 11.10), ou por um falso profeta (Dt 13.1,2). Ela é geralmente traduzida na Septuaginta pelo termo grego *teras*, um estranho fenômeno que deve ser vigiado ou observado. No NT, esta palavra sempre aparece no plural, e ligada ao termo "sinal" (*semeia*). *Veja* Sinal.

J. R

**MARCA (SINAL)** Um termo utilizado em várias versões para traduzir cinco palavras hebraicas e três gregas. Essas oito palavras podem, de imediato, ser colocadas em duas categorias gerais: uma marca que se deseja atingir, ou algo que serve como sinal. Na primeira categoria estão alguns termos: o heb. *mattara*, um alvo (1 Sm 20.20; Jó 16.12); o heb. *miphga'*, um objeto de ataque (Jó 7.20); e o grego *skopos*, um objetivo (Fp 3.14).

A segunda categoria, uma marca como um sinal ou identificação é a mais comum, aquela em que se pode observar quatro usos distintos: (1) o heb. *'oth* – uma marca especial, por exemplo, sobre Caim (Gn 4.15). Não se sabe ao certo de que se tratava, mas era com certeza alguma identificação visível ou algo que de alguma outra forma indicava infâmia ou proteção; (2) o heb. *taw* – um selo ou sinal de propriedade. Este é o símbolo para proteção colocado na testa dos justos (Ez 9.4,6; cf. Ap 7.2,3; 14.1; 22.4). É traduzido como "defesa assinada" ou simplesmente "assinatura" nas várias versões em Jó 31.35; (3) o heb. *qa'aqa'*; o gr. *stigma* – uma marca ou selo, cortado ou feito sob temperaturas elevadas. A marcação não era incomum nos tempos bíblicos. Gado, escravos e até soldados eram marcados com o nome de seus donos ou senhores. Os israelitas eram proibidos de selar ou marcar (tatuar) a si próprios (Lv 19.28). De acordo com 3 Mac 2.29, os judeus eram marcados com a folha da figueira de Dionísio por Ptolomeu Filopátor. Paulo, considerando-se como um servil escravo de Jesus Cristo, considerou suas cicatrizes corporais como o sinal de propriedade de seu Senhor (Gl 6.17; cf. 2 Co 11.23-27); (4) o grego *charagma* – o termo técnico para o selo oficial de documentos comerciais, inscrito com os detalhes do imperador reinante. Como sinal, ele podia ser aceito ou rejeitado. O termo é usado oito vezes no livro do Apocalipse, sempre se referindo à marca da besta. É algum sinal visível recebido na mão direita ou na testa por aqueles que adoram a besta (Ap 13.16). Sem este sinal, será impossível comprar ou vender (Ap 13.17), mas ele será uma maldição que trará o juízo sobre os seus portadores (Ap 14.9-11; 16.2).

H. D. F.

Uma pedra fronteiriça da Babilônia, datando aproximadamente de 1200 a.C. LM

**MARCO** É uma marca, guia ou sinal colocado ao longo de um caminho ou estrada. Montes ou pedras eram geralmente utilizados como marcos. Jeremias encorajou os exilados a marcarem a sua rota ao exílio para que pudessem retornar a Israel pela mesma estrada (Jr 31.21). Em Ezequiel 39.15 um "sinal" foi usado para marcar os ossos que não foram sepultados.

**MARCO DIVISÓRIO** Grande parte da cultura do Ocidente Próximo, era orientada para a propriedade de terras. Este é claramente o caso na cultura israelita, conforme indicado pela importância que se dava a manter um pedaço de terra dentro do clã (Nm 27.1-11; 36.7; cf. 1 Rs 21; Ez 46.18), bem como as injunções legais contra a alteração das fronteiras de tal propriedade (Dt 19.14; 27.17). Na propriedade do antigo Oriente Próximo, o limite era comumente demarcado com pequenas pedras semelhantes a pilares com elaboradas inscrições de palavras e desenhos. No idioma heb., o termo *gebul*, geralmente traduzido como "marco", significa literalmente "fronteira". Este termo era usado para os marcadores de pedra ou mesmo sulcos que indicavam uma fronteira. Salomão denunciou a anarquia de alguns que ousavam infringir estes direitos e assim desobedeciam às injunções contra tal prática (Pv 22.28; 23.10).

**MARCOS (PESSOA)** Filho de Maria (At 12.12), parente de Barnabé (Cl 4.10), cooperador de Paulo (Fm 24) e Pedro (1 Pe 5.13), e autor do segundo Evangelho. Como muitos outros judeus de sua época, ele tinha assumido um sobrenome latino (Marcos, "um grande martelo") além de seu nome hebraico, João. Seu pai não é mencionado no NT, mas sua mãe parece ter sido uma mulher proeminente e um tanto abastada, membro da Igreja de Jerusalém (At 12.12). Conjecturou-se que Marcos teria sido o jovem que fugiu durante o incidente da prisão de Cristo (Mc 14.51,52), e que ele era o homem com o cântaro a quem os discípulos deveriam seguir (Mc 14.13).

Marcos foi a Antioquia com Paulo e Barnabé (At 12.25), e em seguida os acompanhou na primeira viagem missionária até Perge, da Panfília (At 13.5,13). Qualquer que tenha sido a razão para a deserção de Marcos, Paulo a tomou como a base para recusar-se a levá-lo em sua segunda viagem missionária (At 15.37-39). Barnabé, ao contrário, ficou ao lado dele, como havia ficado, anteriormente, ao lado de Paulo (At 9.26,27), e levou Marcos para Chipre. Cerca de dez anos depois, durante a prisão domiciliar de Paulo em Roma, Marcos aparece novamente como um cooperador do apóstolo (Fm 24), que estava a ponto de viajar para a província da Ásia (Cl 4.10). Quando Pedro escreveu a sua primeira epístola (5.13), Marcos estava com ele na Babilônia (Roma, se interpretado de maneira codificada). Na época do segundo aprisionamento de Paulo (por volta de 66-67 d.C.), Marcos, que estava então em Éfeso, provou sua utilidade de tal maneira que Paulo solicitou que ele fosse a Roma (1 Tm 4.11).

Parece razoavelmente certo, de acordo com afirmativas dos patriarcas da Igreja, que Marcos serviu como "intérprete" de Pedro, e que estava em Roma com Pedro e Paulo. Ali Marcos teria escrito o segundo Evangelho. *Veja* Marcos, Evangelho de. Uma tradição menos confiável considera-o como o fundador e bispo da igreja em Alexandria, onde se diz que ele foi martirizado no oitavo ano de Nero (61-62 d.C.).

D. W. B.

Um muro com pilhas de pedras servindo como um marco divisório perto de Samaria. HFV

**MARCOS, EVANGELHO DE** O segundo Evangelho, conforme a ordem da Bíblia em português.

### Autor

Embora o Evangelho seja anônimo, há razões adequadas para atribuir o livro, com certeza, a João Marcos, o cooperador de Pedro. A autoria de Marcos encontra seu primeiro atestado nos escritos de Papias, do início do século II, e é adicionalmente confirmada por Irineu, Clemente de Alexandria, Orígenes, Jerônimo e pelo Prólogo Anti-Marcionita. Evidências internas revelam a familiaridade do autor com a Palestina (11.1); com o aramaico, idioma da Palestina (5.41; 7.34); e com as instituições e costumes judaico (1.21; 7.2-4). Estas características sugerem a autoria de um judeu palestino, como Marcos (At 12.12). Além disso, a impressionante semelhança entre as linhas gerais do segundo Evangelho e o sermão de Pedro em Cesaréia (At 10.34-43) é consistente com as indicações do NT de que Marcos e Pedro mantinham um relacionamento muito próximo (1 Pe 5.13).

### Data

A maioria dos intérpretes mais novos data este Evangelho entre 65 e 70 d.C. A melhor base para a datação do livro são as informações dos patriarcas da Igreja. Irineu e o autor do Prólogo Anti-Marcionita, localizam os escritos de Marcos após a morte de Pedro e de Paulo, o que exigiria uma data posterior a 67 d.C., o provável ano do martírio de Paulo. Por outro lado, o silêncio a respeito da destruição de Jerusalém, o cumprimento de Marcos 13, pode indicar uma data anterior a 70 d.C. A data mais provável, portanto, para a escrita do Evangelho parece ser 67-70 d.C. As afirmações do Prólogo Anti-Marcionita, de Clemente de Alexandria e de Irineu, indicam Roma como o local de origem.

### Características

Tem sido opinião quase unânime que o Evangelho foi direcionado à mentalidade romana. O hábito de Marcos de explicar os termos e costumes judeus aponta para leitores gentios (5.41; 7.2-4). Que eles eram romanos é indicado pela ocorrência, no livro, de certos latinismos, bem como pela afirmação de Clemente de Alexandria de que os cristãos romanos que ouviram a pregação de Pedro, foram os que requisitaram que o Evangelho fosse escrito.

Várias peculiaridades surpreendentes da versão de Marcos tornam-na única entre os Evangelhos. O estilo de escrever foi descrito como vívido, vigoroso e dramático. Um realismo vivo caracteriza tanto o estilo de Marcos como o seu relato não rebuscado dos fatos. Os acontecimentos são descritos sem alteração ou interpretação extensiva, e sua apresentação é marcada por uma qualidade objetiva encontrada nos relatórios de testemunhas oculares. Um vigor e tom de urgência podem ser sentidos em qualquer parte do texto. A palavra característica deste Evangelho de ação é *euthys*, que ocorre 41 vezes e é traduzida nas várias versões como "diretamente", "imediatamente", "em seguida", e "logo". Tempos verbais gregos e palavras de raro vigor são usados com efeito impressionante e dramático.

### Esboço

I. Título, 1.1
II. Preparação para o Ministério de Cristo, 1.2-13
III. O Ministério de Cristo na Galiléia, 1.14–6.30
IV. As Ocasiões em que o Senhor Jesus Cristo se Retirou da Galiléia, 6.31–9.50
V. O Ministério de Cristo em Peréia, 10.1-52
VI. A Conclusão do Ministério de Cristo em Jerusalém, 11.1–13.37
VII. A Paixão e a Ressurreição de Cristo, 14.1–16.20

*Veja* O Evangelho de Marcos, sob o título "Evangelhos, Os Quatro".

***Bibliografia.*** R. A. Cole, *The Gospel According to St. Mark*, TNTC, Grand Rapids. Eerdmans, 1961. "Mark, Gospel of", NBD, pp. 781-785. Ralph Earle, *The Gospel According to Mark, The Evangelical Commentary on the Bible,* Grand Rapids. Zondervan, 1957. *Mark. The Gospel of Action*, EBC, Chicago. Moody, 1970. R C. H. Lenski, *The Interpretation of St. Mark*, Columbus. Wartburg, 1946. G. Campbell Morgan, *The Gospel According to Mark*, Nova York. Revell, 1927. James Morison, *A Practical Commentary on the Gospel According to St. Mark,* 6ª ed., Londres. Hodder & Stoughton, 1889. A. T. Robertson, *Studies in Mark's Gospel*, Nova York. Macmillan, 1919. H. B. Swete, *The Gospel According to St. Mark,* 3ª ed. Londres. Macmillan, 1927, e Grand Rapids. Eerdmans, 1956 (reimpressão) – provavelmente o comentário mais técnico e mais profundo sobre Marcos, e um texto grego com notas. Vincent Taylor, *The Gospel According to St. Mark*, Londres. Macmillan, 1952.

D. W. B.

**MARCHAS NOTURNAS** Para fugir do calor do deserto, ou evitar os inimigos, os israelitas às vezes marchavam durante a noite em sua peregrinação do Egito até Canaã (Êx 13.21; 14.19-23; Nm 9.21). Josué liderou seu exército em uma exaustiva caminhada desde Gilgal para libertar os sitiados gibeonitas ao amanhecer (Js 10.6-9). Abraão resgatou Ló perseguindo os reis da Mesopotâmia durante a noite (Gn 14.15). Gideão atacou e perseguiu os aterrorizados midianitas à noite

(Jz 7.9-22). Outras marchas noturnas estão descritas em Juízes 9.32ss.; 1 Samuel 14.36; 31.11ss.; 2 Samuel 2.29, 32; 17.16,22; 2 Reis 6.14; 8.21; Atos 23.23,31.

**MARDOQUEU ou MORDECAI** Do acádio, Marduque, deus da Babilônia. Nome dado a dois personagens bíblicos.
1. Um líder entre os exilados que retornou da Babilônia a Jerusalém com Zorobabel (Ed 2.2; Ne 7.7)
2. Um dos exilados hebreus que ocuparam uma posição de alta responsabilidade no Império Persa, conforme relatado no livro de Ester. Ele era um benjamita, descendente de Quis, que foi deportado para a Babilônia junto com Jeconias em 597 a.C. (Et 2.5,6). Ele prosperou durante o reinado de Assuero ou Xerxes I (aprox. 486-465 a.C.) e talvez tivesse 50 anos de idade na época dos eventos registrados no livro de Ester, isto é, no "terceiro ano do seu reinado" ou aprox. 483 a.C. (Et 1.3). Alguns estudiosos lêem Ester 2.5,6 como se o termo "ao qual" ou "a quem" do v. 6 se refira mais a Mardoqueu no v. 5 do que a Quis, e concluem que a história é fictícia porque deste modo Mardoqueu teria cerca de 150 anos de idade!
O relato afirma que Mardoqueu teria educado como sua própria filha uma prima órfã chamada Hadassa ou Ester (Et 2.20). Ele deve ter sido um eunuco, por que nenhuma menção é feita a uma esposa ou filhos (2.7), e ele tinha acesso ao harém, ou aposentos das mulheres (2.11). Sua influência sobre Ester continuou depois que ela se tornou rainha, o que mostra o seu caráter forte e virtuoso.
Enquanto Mardoqueu era um vigia do portão, ele ouviu uma conspiração para tirar a vida do rei. Ele reportou a trama à rainha Ester, e ela transmitiu a informação ao rei. Os dois homens que seriam os assassinos foram enforcados, e o incidente foi registrado nos arquivos reais.
Os problemas de Mardoqueu começaram quando um dos oficiais da corte, chamado Hamã, foi promovido pelo rei. Mardoqueu recusou-se a se juntar aos bajuladores, que se prostravam em reverência a este ego maníaco, talvez porque tal ato não pudesse ser distinguido da adoração. A vaidade de Hamã não poderia tolerar esta afronta, então ele determinou que se livraria não apenas de Mardoqueu, mas de todos os outros judeus. Hamã conseguiu persuadir o rei a editar um decreto para o massacre de todos os judeus, em todas as províncias do império.
Para chamar a atenção ao massacre dos judeus, Mardoqueu corajosamente vestiu panos de saco e se lamentou publicamente por este decreto. Através de um mensageiro, ele encorajou Ester a interceder pelo seu povo diante do rei. Quando Ester mencionou os riscos de assumir tal responsabilidade, Mardoqueu insistiu dizendo que valia a pena correr o risco. Ele mostrou que até mesmo Ester poderia ser morta, caso ficasse tão receosa de interceder. Sua fé na providência divina é indicada nesta afirmação de que se Ester fracassasse, o livramento viria de outro lugar. Ele enfatizou, entretanto, que o fracasso de Ester traria o fracasso tanto a ela quanto à sua família. Depois a desafiou com o pensamento de que o fato dela ter sido escolhida como rainha tinha a finalidade de trazer este livramento ao povo judeu. Nesta mensagem o leitor tem uma nítida visão do pensamento de Mardoqueu (Et 4.7-17).
Enquanto Hamã preparava a execução de Mardoqueu, o rei, que perdera o sono durante uma noite, se lembrou do serviço não recompensado prestado por Mardoqueu, ao ter contado a conspiração que tramaram contra a sua vida (6.1-3). As honras públicas que Hamã assumiu que seriam para si próprio, foram então, a pedido do rei, prestadas a Mardoqueu pelo próprio Hamã (6.10-12).
No banquete especial preparado para Mardoqueu – depois da morte de Hamã no patíbulo que este havia preparado para Mardoqueu – o rei lhe deu a posição anteriormente ocupada por Hamã. Em resposta ao segundo pedido de Ester, Assuero autorizou Mardoqueu a escrever cartas em nome do rei para todas as províncias, autorizando os judeus a se defenderem. Assim começou o dia, que é conhecido no calendário judeu como Purim (sorte), e Mardoqueu veio a ser a segunda autoridade depois do rei (10.1-3).
*Veja* Ester; Ester, Livro de.
Um documento cuneiforme sem data, encontrado em Borsipa (perto da Babilônia), menciona Marduká como um alto oficial em Susã, na corte de Xerxes I; seu título, *sipir*, indica que ele era um conselheiro influente. Ctesias (xiii.51) lista três homens que eram figuras importantes no início do reinado de Xerxes. Entre eles estava Matakas, que "era o mais influente dos eunucos". J. Stafford Wright argumenta que estas duas referências podem ser consideradas como a Mardoqueu ("The Historicity of the Book of Ester", NPOT, pp. 44ss.). Mardoqueu também é um herói retratado na Apócrifa; o texto em 2 Macabeus 15.36 refere-se à Festa de Purim como o "Dia de Mardoqueu".

G. A. T.

**MARDUQUE** *Veja* Falsos deuses.

**MARESSA**
1. A primeira cidade-fortaleza ao norte da grande cidadela de Laquis. O texto em Josué 15.44 a enumera entre as cidades da Sefelá de Judá. As antigas tábuas de Amarna a reconhecem como uma cidade cananéia. Roboão fortificou o lugar após a invasão de Sisaque (2 Cr 11.5-8), e Asa derrotou Zerá, o etíope, em suas proximidades (2 Cr 14.9,10). Era o lar do profeta Eliézer, que previu a

destruição da frota mercante criada por Josafá e Acazias em Eziom-Geber (2 Cr 20.37). Miquéias previu a captura de Maressa (Mq 1.15).

No início do período intertestamentário, sob o nome Marisa, tornou-se uma das capitais dos idumeus. Foi posteriormente colonizada pelos sidônios e subseqüentemente capturada por João Hircano. Pompeu devolveu-a aos indumeus, mas César a incorporou ao território da Judéia. Os partos foram seus destruidores definitivos em 40 a.C.

O lugar é conhecido agora como Tell Sandahannah. O mais interessante período arqueológico escavado aqui foi a cidade intertestamentária, que forneceu um excelente exemplo de uma pequena cidade helenista com suas tumbas pintadas. Uma nova cidade, Eleuterópolis (Beit Jibrin), a menos de três quilômetros ao norte, substituiu Maressa.

2. O nome Maressa em 1 Crônicas 2.42 e 4.21 apresenta difíceis problemas de exegese, que ainda não foram resolvidos. Ambas as passagens ocorrem na genealogia de Judá. Na primeira, Maressa parece ser uma pessoa, o pai ou o colonizador de Hebrom. Em 4.21, Lada é chamado de pai ou fundador de Maressa.

J. L. K.

**MARFIM** A palavra heb. *shen*, traduzida como "marfim", significa "dente"; e a palavra composta *shenhabbim*, também traduzida como "marfim", significa "presa de elefante". *Veja* Animais: Elefante II.16.

O marfim é mencionado várias vezes na Bíblia, em primeiro lugar com referência ao reinado de Salomão, quando ele o transportou por navio através de seu porto do mar Vermelho em Eziom-Geber, e decorou o seu trono com marfim marchetado (1 Rs 10.18,22). É muito provável que Salomão tenha importado o seu marfim de Punt (no leste da África), para onde os egípcios enviavam expedições comerciais através do mar Vermelho para obter marfim. Em sua linda canção de amor, ele compara o corpo do noivo e o pescoço da noiva ao marfim branco (Ct 5.14; 7.4).

A Bíblia registra que Acabe construiu uma "casa de marfim" (1 Rs 22.39), sem dúvida significando que as paredes, portas e também os móveis de seu palácio eram incrustados com painéis e entalhes de marfim (cf. Sl 45.8). Amós condenou as casas e camas de marfim juntamente com os outros luxos da realeza e da nobreza do Reino do Norte (Am 3.15; 6.4). Um grande número de peças de marfim foi encontrado nas escavações de Samaria. Elas aparentemente datam do reinado de Acabe no século IX a.C. Alguns são painéis entalhados com moldura e espiga na lateral, para se juntar à estrutura de madeira. Os mercadores de Tiro se vangloriavam de incrustar o convés de seus navios com marfim (Ez

Pequeno painel de marfim com uma cena egípcia, de um palácio assírio em Nimrud, Assíria. BM

27.6), que eles recebiam em forma de presas do Sudão através dos comerciantes de Dedã, na Arábia (27.15). Em Apocalipse 18.12 os artigos de marfim são listados entre as cargas trazidas para a Babilônia escatológica. Tanto os textos egípcios como os assírios freqüentemente listam cadeiras e sofás decorados com marfim que eram tomados como despojos (ANET, pp. 237, 282, 288). Escavações arqueológicas de muitos locais do Oriente Próximo, de Chipre até Ur na baixa Mesopotâmia, descobriram primorosos objetos de marfim. Um catálogo publicado em 1957 listou 1.271 peças separadas, como figurinos de deuses e animais, placas, pentes, tabuleiros de jogos, ferramentas cosméticas e caixas de jóias (R. D. Barnett, *A Catalogue of Nimrud Ivories and Other Exemples of Ancient Near Eastern Ivories*; veja também ANEP, # 58, 67, 69, 70, 125-132, 203, 213-215, 290, 293, 332, 464, 566, 649, 663).

As coleções mais importantes do trabalho em marfim palestino vieram de Samaria e Megido. Um tesouro de 383 peças datando de 1350-1150 a.C. foi descoberto em Megido. Nimrud (a Calá bíblica) produziu a coleção mais fina de todas. Alguns de seus marfins são tão similares em técnica aos de Samaria, que pode ser presumido que os mesmos artífices fenícios fizeram as peças destes dois grupos. A maior parte do marfim usado na Assíria, Síria e Palestina veio dos elefantes asiáticos que habi-

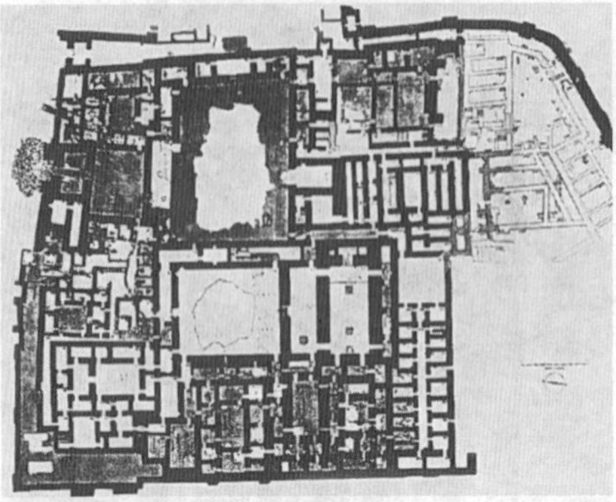

Planta do palácio de Mari. JR

tavam os pântanos ao longo do Eufrates superior. Eles foram caçados até a extinção em algum momento após 850 a.C.

J. R.

**MARI** A antiga cidade de Ma-ri (a moderna Tell Hariri) fica nas proximidades do rio Eufrates, onze quilômetros a norte-noroeste de Abu-Kemal, junto à fronteira da Síria e do Iraque. A. Parrot, do Louvre em Paris, fez escavações neste local em 1933-64, descobrindo Templos incluindo os do deus Dagom (*veja* Falsos deuses: Dagom) e da deusa Ishtar, além de um imenso palácio com mais de 270 quartos cobrindo uma área de aproximadamente 60.000 metros quadrados, bem como antigas ruínas e uma torre-Templo. Mais de 20.000 tábuas de barro com inscrições – um quarto das quais são cartas do antigo período babilônico (de aprox. 1750 a.C.) – ilustram as narrativas patriarcais.

Embora Mari não seja mencionada no AT, os achados e especialmente os textos ajudam a explicar muitos costumes do período patriarcal, e são escritos em um dialeto semita do noroeste, "virtualmente idêntico" àquele que era falado pelos hebreus de Gênesis 12–35. Os tratados e os pactos eram ratificados com a morte de um jumento, como no pacto entre os siquemitas (B[e]nê Hamor, "filhos de um asno", Josué 24.32) e Jacó (Gn 33.19; 34.1-3; ANET, pgs 482-3). Outros tratados mostram a forma e a prática das alianças no AT (M Noth, *Mari und Israel*, 1953), bem como os procedimentos da diplomacia internacional.

As tribos seminômades vagavam livremente entre as grandes cidades como fez Abraão, e é surpreendente que os sutu, habiru (*veja* Povo Hebreu) e os Ben-Yamini ("benjamitas") sejam mencionados, embora estes nomes não correspondam exatamente os seus equivalentes bíblicos. Entre os nomes de lugares da Palestina, somente Hazor é mencionado; entretanto, aldeias próximas a Harran (a Bíblica Harã), como Nahur (Naor), Tuhari (Tera) e Sarug (Serugue) são listadas (cf. Gn 11.23,24). As tábuas de barro indicam que, em Harran, havia um Templo do deus-lua, Sin, provavelmente uma das divindades pagãs adorados por Tera (Js 24.2). Os nomes semitas ocidentais utilizados para pessoas incluem Ariukku (Arioque, Gn 14.1) e formas como Abraão e Jacó. A ocorrência de Dawidum ("chefe") está, agora, sob suspeita, sendo talvez uma palavra para "derrota" ao invés de um precursor do nome Davi (BA, XI, 2; cf. JNES XVII [1958], 130). A terra tribal, assim como para os hebreus, era inalienável, e a herança passava apenas para os membros da mesma família.

Em Mari, o censo tinha uma importância religiosa e ritualística, bem como política e econômica (cf. 2 Sm 24). As cartas falam sobre as atividades de diversas classes de oficiais e sacerdotes. Cada deus tinha o seu profeta, um homem a quem ele enviava para fazer proclamações em seu nome. Quando Zimri-Lim falhou em se reportar regularmente a seu deus Dagom, em Terqa, foi-lhe

Estatueta de um adorador de Mari, do terceiro milênio a.C. LM

dito em uma revelação em sonho que se ele tivesse agido de forma correta, este deus teria entregado os benjamitas em suas mãos. Os textos fornecem uma visão detalhada da vida cotidiana e dos costumes da região, bem como da história da cidade. A referência mais antiga a Mari data do 3º milênio a.C., quando são encontradas as primeiras inscrições semitas. Ela foi conquistada por Sargão de Acade por volta de 2250 a.C., e, portanto, comandada por governadores dependentes de Ur, até ser libertada pelo amorreu Ishbi-Irra. Yahdun-Lim governou até ser assassinado em uma revolução do palácio. O trono foi tomado por Shamshi-Adad I, da Assíria, que entregou Mari a seu filho Yasmah-Adad. No entanto, quando seu pai morreu, ele foi expulso por Zimri-Lim, um filho de Yahdun-Lim que ali governou até que Hamurabi, da Babilônia, capturou a cidade em 1761 a.C. Dois anos depois, Mari foi destruída. Ao longo destes reinados havia constante troca de correspondências entre os reis de Alepo, Qatna, Carquemis, Assíria e Babilônia. *Veja* Arqueologia; Era Patriarcal.

***Bibliografia.*** Herbert B. Huffmon, "Prophecy in the Mari Letters", BA, XXXI (1968), 101-124. George E Mendenhall, "Mari", BA, XI (1948), 1-19. J. M Munn-Rankin, "Diplomacy in the Western Asia in the Early Second Millennium B.C.", *Iraq*, XVIII (1956), 68-110.

D. J. W.

**MARIA** O nome Maria é encontrado no NT, e é a forma grega do nome hebraico Miriã. Na versão LXX, o nome da irmã de Moisés aparece como Mariam (*veja* Miriã).

1. Maria, a mãe do Senhor Jesus.

*Referências bíblicas.* A primeira referência à mãe do Messias está no *protevangelium*, em Gênesis 3.15, indicando que o destruidor de Satanás seria a semente de uma "mulher". Isaías 7.14 foi interpretado por Mateus (1.22,23) como uma profecia de que o nascimento messiânico viria de uma virgem. A encarnação (*q.v.*) de Deus, através de um nascimento virginal, foi prometida à casa de Davi como um sinal miraculoso. O cumprimento dessa profecia aconteceu na vida de Maria de Nazaré, uma virgem prometida em matrimônio a um carpinteiro chamado José (Lc 1.26,27). Embora tenha se assombrado quando o anjo lhe anunciou que ficaria grávida antes de conhecer o esposo José, ela aceitou essa assustadora dignidade com humildade (Lc 1.38). A genealogia real de Maria está descrita em Lucas (3.23ss.). Suas raras aparições durante a vida de seu Filho revelam a bondade e também a sua imperfeição quando deixou de compreender os atos de seu Filho de 12 anos (Lc 2.41ss.). Mais tarde, ela se apoiou na autoridade e julgamento do Senhor Jesus (Jo 2.3) quando Ele

Reconstrução do lar tradicional de Maria, a mãe do Senhor, em Éfeso

expressou uma terna censura pela sua arrogância (2.4), mas foi amorosamente recomendada ao apóstolo João pelo Senhor Jesus Cristo (Jo 19.25-27) em meio ao seu sofrimento. Por último, é mencionada ao juntar-se aos discípulos para aguardar a vinda do Espírito Santo (At 1.14).

*Tradição eclesiástica.* Embora a narrativa bíblica seja tão reservada como a própria Maria, a mariologia eclesiástica pode ser apenas tecnicamente distinguida da mariolatria. Por outro lado, os primeiros ensinamentos cristãos sobre Maria começaram com a preocupação sobre a glória de seu Filho e, através de todo o seu desenvolvimento tradicional, eles incidentalmente enalteceram a divindade de Cristo.

(1) Gr. *Theotokos.* Quando no século IV d.C. Nestório se afastou da ortodoxia do Concílio de Nicéia, e desejou negar a divindade de Cristo na encarnação, ele insistiu em chamar Maria de *Christotokos* (portadora de Cristo), e não de *Theotokos* (portadora de *Deus*). Cirilo de Alexandria e outros ortodoxos reconheceram que Maria *concebeu* somente a humanidade de seu filho, mas (como a encarnação aconteceu ao mesmo tempo) carregava o Deus-homem e era, portanto, *Theotokos.*

(2) Gr. *Aeiparthenos.* Como a doutrina ortodoxa do *theotokos* estava claramente estabelecida, começaram a fazer algumas deduções. Como Maria era a "mãe de Deus", no melhor sentido dessa expressão, começaram a perceber que seria uma incongruência se ela tivesse, subseqüentemente, filhos comuns através de gerações comuns. Como resultado dessa inclinação maniqueísta de pensamento, ela foi declarada *aeiparthenos* (sempre virgem) e os outros filhos (os *adelphoi*, ou irmãos de Mateus 13.55,56) foram forçosamente entendidos como "primos" de Jesus.

(3) Concepção imaculada e impecabilidade. Parecia necessário que Maria permanecesse virgem e imaculada, não somente antes da encarnação como também depois dela. Isso

devia começar com sua impecabilidade desde o nascimento, o que deu razão ao desenvolvimento da doutrina da imaculada conceição. Embora Duns Scotus tivesse argumentado no século XIII a favor dessa doutrina, Tomás de Aquino e os dominicanos, por diferentes razões, se opuseram a ela. Cristo, diziam eles, não podia ser o Salvador do mundo, inclusive de Maria, se ela não tivesse pecado e se não tivesse necessidade de salvação. Mas no século XVI essas objeções foram superadas e o dogma foi oficialmente promulgado. Por alguma razão, ou falta dela, nunca pareceu necessário à Igreja Romana discutir a impecabilidade dos pais de Maria. Entretanto, se era necessário que Maria permanecesse imaculada para que Cristo não fosse contaminado, por que o mesmo não seria verdadeiro em relação aos pais dela?

(4) Ascensão de seu corpo. A tradição sobre a ascensão do corpo de Maria tem sido conhecida desde os primeiros tempos da igreja. Na verdade, existem duas tradições, uma a favor da ascensão depois da morte e outra a favor da ascensão em vida. Mas foi somente depois que a imaculada conceição, a virgindade perpétua e a perfeita impecabilidade foram definidas é que a Igreja Católica Romana proclamou o dogma sobre a morte de Maria. Mas também não ficou claro na bula do Papa Pio XII, *Munificentissimus Deus* (de 1º de novembro de 1950) se acreditavam que ela havia morrido antes da sua ascensão, embora as implicações das seguintes palavras pareçam falar a seu favor: "... quando o curso de sua vida terrena terminou, (ela) foi levada de corpo e alma para a glória do céu".

(5) Co-redentora. Depois de desenvolver uma completa mariologia de sua vida e caráter, a Igreja Romana definiu no Vaticano II o papel de Maria nos acontecimentos da salvação, sua relação com a igreja e sua veneração. De acordo com o Concílio do Vaticano, Maria "supera de longe todas as criaturas" e é "um membro proeminente e singular da igreja" e "mãe dos homens, particularmente dos fiéis" (VIII, 53-54). Por ter aceitado o nascimento divino através de seu corpo, e por ser "cheia de graça e verdade" ela "contribuiu para a vida" assim como Eva "contribuiu para a morte" (p. 57). Sua vida foi interpretada como totalmente imaculada. A censura de Cristo foi entendida como um cumprimento – querendo dizer que aqueles que fazem a vontade de Deus são como a mãe de Cristo, como "aqueles que ouviram e guardaram a Palavra de Deus, como ela mesma estava fielmente fazendo" (cf. Lc 2.19,51).

Em seguida, vem a exposição sistemática da mediação de Maria. Primeiramente, o conselho adota uma evangélica insistência sobre a exclusiva mediação de Cristo a fim de que "toda influência salvadora da abençoada virgem sobre os homens se origine do prazer divino e da superabundância de méritos de Cristo". Sua própria "influência salvadora" aparece na sua cooperação com Cristo na terra, e na continuação, no céu, de sua intercessão pelos homens. Portanto, ela é invocada como "advogada, auxiliadora, ajudante e mediadora. Entretanto, deve ser entendido que essas atribuições não eliminam, nem acrescentam nada, à eficácia de Cristo como o único Mediador" (p. 62). Outros também participam de uma múltipla cooperação. "A própria Igreja se torna a virgem esposa de Cristo, imitando sua virgem mãe" (p. 64).

Observamos que o termo "mediadora" foi usado apesar da oposição feita pelo conselho, e que foram necessários muitos esforços para indicar que esse termo não significa o que aparenta ensinar. Insistiram que Cristo é o único Mediador, embora Maria também seja mediadora. Não ficou claro porque Roma, caso quisesse ensinar que existe apenas um mediador entre Deus e o homem, não tenha evitado deliberadamente usar a expressão "mediadora" ao invés de, obstinadamente, apesar da oposição interna e independente do conselho, aplicá-la a Maria.

*Mariolatria*. Em 1955, o padre Kenneth Dougherty dos Frades Franciscanos da Expiação, de Washington, enviou um questionário a 270 ministros de 17 denominações em 29 estados e no Distrito de Columbia. Dos 100 que responderam, 64 por cento disseram não acreditar que Maria fosse a Mãe de Deus, sendo que os episcopais eram os mais a favor e os presbiterianos os que mais se opunham. As razões para essa descrença na doutrina se concentravam em uma suposta tentativa de "divinizar" Maria. O Padre Dougherty percebeu que aqueles que se opunham estavam omitindo a distinção feita pela Igreja de Roma entre *latreia* (adoração) e *douleia* (veneração). Aqueles que se opõem devem reconhecer que Maria foi declarada sem pecado, embora todos os homens tenham pecado através de Adão. Maria não é apenas chamada de Mãe de Deus, mas também foi usada a própria palavra "geradora" em relação a ela; e quando isso não acontece, raramente foi empregado um cuidado maior para explicar em que sentido Maria não é a Mãe de Deus. Agora ela é chamada de redentora, capaz de interceder incansavelmente junto ao Filho; recebe as orações; é adorada e invocada em muitos casos de maneira mais comum, freqüente e urgente que o Próprio Cristo. O único argumento contra essa divinização de Maria é que uma certa palavra (*latreia*) não foi usada. Mas o que existe de importante em uma palavra quando tudo que ela representa está contido em expressões e rituais alternativos?

É verdade que de acordo com a teologia da igreja católica romana, o sacrifício somente é oferecido a Deus, a mais ninguém, nem mesmo a Maria. Isso, entretanto, deriva da prática litúrgica romana, sem determiná-la, e também virtualmente implica que em outros assuntos da redenção não existe uma distinção essencial.

Os protestantes, de forma geral e histórica, têm se mantido à distância do desenvolvimento mariológico em Roma. É provável que estejam mostrando um apreço deficiente em relação à mãe do Senhor em virtude de ter havido uma super reação. Atualmente, as discussões ecumênicas revelam, por um lado, uma leve moderação no dogma romano por causa da influência dos protestantes (cf. Vaticano II) e, por outro, devido a uma maior preocupação dos protestantes com a mariologia (cf. H. Asmussen).

[A oração latina a Maria, conhecida como Ave Maria, é uma combinação entre a saudação registrada em Lucas, e o posterior culto a Maria como mãe de Deus. Em português, esta oração seria: "Ave Maria, cheia de graça, o Senhor é convosco, bendita sois vós entre as mulheres, e bendito é o fruto do vosso ventre, Jesus. Santa Maria, mãe de Deus, rogai por nós, pecadores, agora, e na hora de nossa morte, amém."

As duas primeiras partes, que ecoam a saudação do anjo Gabriel e de Isabel (Lc 1.28,42) apareceram primeiramente na obra *Liber Antiphonianus,* foram atribuídas a Gregório o Grande, e receberam autorização para serem ensinadas junto com o Credo dos Apóstolos e a Oração do Senhor, em aprox. 1198 d.C. A terceira parte foi acrescentada no século XV e autorizada pelo papa Pio V em 1568.

A expressão grega de Lucas 1.28 "Salve, agraciada" foi traduzida na Vulgata como "*Ave, gratia plena*" (Salve! altamente favorecida). Os comentaristas católicos-romanos entendem que isso está significando que Maria é cheia dos dons da graça e, por isso, se coloca como mediadora entre Deus e o homem a fim de conceder esses dons. Entretanto, o contexto favorece claramente a interpretação de que Maria é a destinatária do favor de Deus porque foi escolhida para ser a mãe de Jesus. – W. B. W.]

2. Maria Madalena foi identificada com a florescente, porém corrupta cidade de Magdala (*q.v.*), que guardava a junção de uma estrada localizada na planície de Genesaré. Ela é mencionada em Lucas 8.2 como tendo sido liberta de sete demônios e isso, juntamente com sua identificação (embora sem qualquer evidência) com a mulher anônima de Lucas 7.37-50 formou a base para a questionável suposição de que ela era uma prostituta. Em todo caso, depois de sua conversão, a sua devoção a Cristo se tornou evidente, e pode ser vista em alguns episódios, como por exemplo, quando ela aparece durante o seu ministério e também em sua paixão (Lc 8.1-3; Mc 15.40,41; Jo 19.25). Ela foi a primeira a ver o Senhor ressuscitado (Lc 24.1ss.; Jo 20.11-18).

3. Maria, mãe de Tiago, o Menor, e de José, que acompanharam Jesus na Galléia e o serviram (Mc 15.40,41). Ela é mencionada em conexão com todos os eventos que cercam a morte, o sepultamento e a ressurreição de Cristo, porém pouco mais pode ser dito com segurança a seu respeito.

4. Maria, esposa de Clopas, que também se colocou ao lado da cruz na ocasião da morte de Jesus (Jo 19.25). A escrita preferível do nome de seu marido é Clopas e não Cleopas (Lc 24.18).

5. Maria de Betânia, irmã de Marta e Lázaro (Jo 11.1-46) que escolheu a "melhor parte" (ou a "boa parte") e se sentou aos pés de Jesus, encantada pelos seus ensinos (Lc 10.39-42). Alguns crêem que ela tenha sido aquela que ungiu os pés de Cristo na casa de um fariseu em Cafarnaum, conforme registrado em Lucas 7.36-50; mas ela é com certeza a Maria que igualmente serviu Jesus em Betânia (Jo 12.1-8; Mc 14.3-9).

6. Maria, mãe de João Marcos, em cuja casa muitos se reuniam para orar, e para onde Pedro, ao ser libertado da prisão, se dirigiu (At 12.12ss.).

***Bibliografia.*** H. Asmussen, *Maria die Mutter Gottes*, 3d Auflage, Stuttgart, 1960. Donald A. Attwater, *Dictionary of Mary,* Nova York. Kennedy, 1956. W. Grayson Birch, *Veritas and the Virgin; or Jesus, the Son of God and the Children of Joseph and Mary,* Berne, Ind.. Berne Witness, 1960. Walter J. Burghardt, *The Testimony of the Patristic Age Concerning Mary's Death*, Westminster, Md.. Newman Press, 1957. *De Ecclesia, The Constitution on the Church of Vatican Council II,* com prefácio de Abbot B. D. Butler, O. S. B., e comentário de Gregory Baum, OSB., Glen Rock, N. J.: 1965, pp. 52-60, 177-190. J. G. Machen, *The Virgin Birth of Christ*, Nova York. Harper, 1930. Thomas A. O'Meara, *Mary in Protestant and Catholic Theology*, Nova York. Sheed & Ward, 1966. J. Orr, *The Virgin Birth of Christ,* Nova York. Scribner's, 1908. Karl Rahner, *Mary, Mother of the Lord*, Nova York. Herder & Herder, 1963. A. T. Robertson, *The Mother of Jesus, Her Problems and Her Glory,* Nova York. Doran, 1925. Edward Schillebeeck, *Mary Mother of the Redemption,* trad. por N. D. Smith, Nova York. Paulist Press, 1964.

J. H. G.

**MARIDO** *Veja* Família; Casamento.

**MARINHA** Palavra usada no sentido de frota de navios (1 Rs 9.26). As únicas referências na Bíblia foram aplicadas à marinha de Salomão, que tinha a sua base em Eziom-Geber, e que trazia artigos de luxo da África e da Ásia para serem trocados na Fenícia (1 Rs 10.22). *Veja* Navios.

Betânia com a igreja de São Lázaro em primeiro plano e adjacente ao local da casa de Marta e Maria. HFV

**MARINHEIRO** *Veja* Ocupações: Marinheiro; Navios.

**MÁRMORE** *Veja* Minerais e Metais.

**MAROTE** Uma cidade em Judá, mencionada uma única vez em Miquéias 1.12, em uma passagem contendo jogos de palavras com o significado dos nomes dos lugares. Seu nome significa "fontes amargas". O local é desconhecido, embora alguns o identifiquem com Mara (*q.v.*).

**MARROM** *Veja* Cores.

**MARSENA** Um dos sete príncipes de Pérsia e da Média "que viam a face do rei e se assentavam os primeiros no reino" (Et 1.14) indicando que eram conselheiros de Assuero (Xerxes).

**MARTA** Seu nome só é mencionado em Lucas e João. Marta era membro do famoso grupo familiar que incluía também a sua irmã Maria e o seu irmão Lázaro. Marta aparece em três situações, e em cada uma delas o Senhor também está presente. Em Lucas 10.38-42 ela está colocada em um contraste com Maria. Ela aparece como a irmã mais ativa, senhora da casa e, aparentemente, muito ocupada ao preparar e servir as refeições, enquanto Maria está sentada aos pés de Jesus ouvindo as suas palavras. Quando Marta reclama, o Senhor gentilmente a censura e acalma.

Em João 11, as duas irmãs estão chorando pela morte do irmão. Quando Jesus chega, Marta lhe diz que se Ele estivesse lá seu irmão não teria morrido. O Senhor lhe assegura que Lázaro irá viver novamente, o que realmente acontece. O texto em João 12.1-11 diz apenas que Marta serviu a refeição que estava sendo oferecida ao Senhor. Ela era provavelmente a mais velha dos três irmãos. Evidentemente, tinha uma forte inclinação à hospitalidade e prazerosamente atendeu ao Senhor naquilo que podia.

J. A. S.

**MARTELO** Arma de Guerra. *Veja* Armadura.

**MARTELO** Várias palavras hebraicas foram traduzidas como "martelo". Na época do AT a cabeça do martelo era geralmente feita de pedra dura, e mais raramente de bronze ou ferro. O metal tendia a ser demasiadamente macio, pois esse instrumento era usado como uma ferramenta de corte.

1. A palavra hebraica *pattish* se referia ao martelo do ferreiro usado para amaciar os metais (Is 41.7) enquanto um martelo grande era usado para quebrar pedras (Jr 23.29; 50.23).

2. A palavra hebraica *maqqebet* designava o martelo menor do lapidador (1 Rs 6.7). Também era usado pelos artesãos para a manufatura de ídolos (Is 44.12; Jr 10.4) e serviu como um malho para enterrar a estaca da tenda de Jael (Jz 4.21). O nome "Macabeu", ou "forjador", se origina tradicionalmente dessa palavra.

3. Na versão poética, o feito de Jael foi executado com um *halmut*, um martelo ou malho (Jz 5.26).

4. No Salmo 74.6, a palavra hebraica *kelappot*, que vem do termo acadiano *kalapati*, poderia se referir a alavancas ao invés de machados.

A. T. P.

**MÁRTIR** Essa palavra ocorre em Atos 22.20; Apocalipse 2.13; 17.6. A palavra grega *martus*, de onde se origina a palavra "mártir", geralmente é traduzida como "testemunha". Nesse sentido, uma testemunha é quem faz o registro ou testifica. Esse é o seu sentido literal. Em Atos 22.20 e Apocalipse 2.13, lemos "testemunha" em lugar de "mártir", mas em Apocalipse 17.6 a palavra "mártir" é mantida. A LXX traduz a palavra hebraica *'ed*, isto é, "testemunha", como mártir, por exemplo em Isaías 43.10. *Veja* Testemunha.

As três passagens do NT acima formam, aparentemente, a base para a mudança do significado de "testemunhas" para "mártires". Para nós, o mártir é uma testemunha do Senhor, que deu a vida pelo seu testemunho, como Estêvão (At 22.20), Antipas (Ap 2.13) e outros "mártires [ou testemunhas] de Jesus" (Ap 17.6).

**MÁS** Um dos quatro filhos de Arã e descendente de Sem (Gn 10.23). Na passagem paralela em 1 Crônicas 1.17, o nome Meseque é usado em lugar de Más. A versão LXX usa Meseque nas duas passagens. Em Gênesis 10.2 Meseque é citado como filho de Jafé. Isso poderia indicar uma mescla da li-

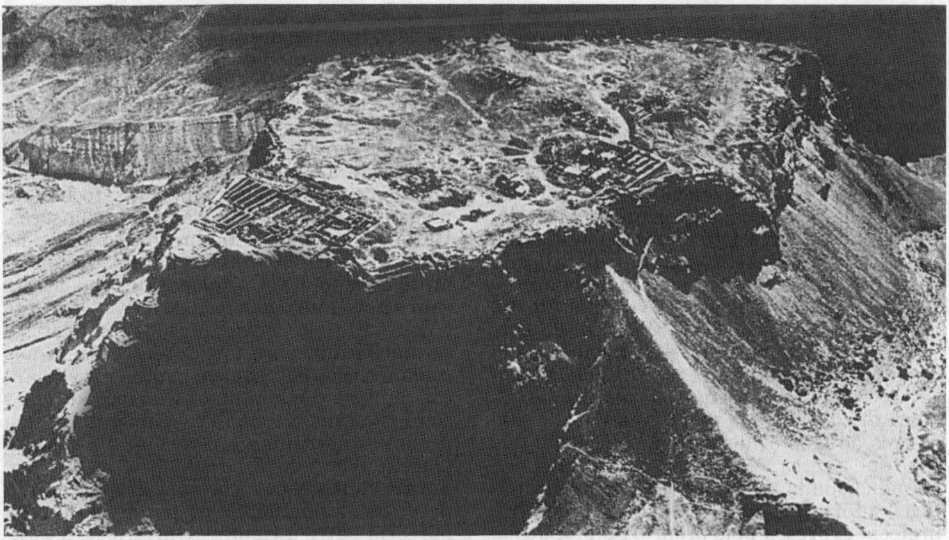

Massada. IIS

nhagem de Jafé com a de Sem em Meseque. Por outro lado, Más pode se referir ao monte Másio e seus habitantes (também identificado como Líbano e o povo como libaneses [ANET, pp. 88-89] ou a uma cordilheira situada na fronteira norte da Mesopotâmia), ou ainda a uma região e a um povo em uma cadeia de montanhas no limite norte do deserto sírio-arabe equivalente ao "deserto de Más" das inscrições assírias (ANET, pp. 283-284, Mas'a, Mas'ai). *Veja* Nações.

**MASAI** Um dos sacerdotes que viveu em Jerusalém após o retorno do cativeiro na Babilônia. Ele é mencionado em 1 Crônicas 9.12.

**MASAL** Cidade em Aser cujos arredores foram cedidos aos levitas gersonitas (1 Cr 6.74). Também é chamada de Misal (*q.v.*) em Josué 19.26; 21.30.

**MASAL** *Veja* Misal

**MASMORRA** *Veja* Prisão.

**MASQUIL** Termo hebraico encontrado no título de 13 Salmos (Sl 32, 42, 44, 45, 52, 53, 54, 55, 74, 78, 88, 89, 142), indicando o tipo de Salmo, isto é, um poema didático. A mesma palavra hebraica é encontrada no Salmo 47.7, onde várias versões o traduzem como "inteligência", "entendimento" (ou "harmonioso cântico"). É provável que ele se baseie em um verbo hebraico que significa ajudar, mudar de opinião, ser compreensivo ou prudente. Por outro lado, esse termo pode indicar um tipo especial de execução musical.

**MASRECA** Cidade de um antigo rei edomita, Samlá (Gn 36.36; 1 Cr 1.47). Sua localização é incerta.

**MASSA** *Veja* Alimentos: Pão, Farinha.

**MASSÁ**
1. Um dos filhos de Ismael e descendente de Abraão (Gn 25.14; 1 Cr 1.30). De acordo com a versão RSV em inglês, Agur (Pv 30.1) e o rei Lemuel (Pv 31.1) podem ter pertencido a essa tribo árabe. Existem referências a Massá (em acádio, Mas'a), Tema e Nebaiote (cf. Gn 25.13-15) nas inscrições assírias de Tiglate-Pileser III (ANET, pp. 283ss.).
2. Um dos nomes (que significam "teste", "julgamento") dados por Moisés ao lugar onde os israelitas tentaram ao Senhor dizendo: "Está Jeová no meio de nós ou não?" (Êx 17.7). O outro nome era Meribá (*q.v.*) que significa "briga", "dissensão". Esse incidente ocorreu em Refidim (*q.v.*) perto do inicio das peregrinações pelo deserto a caminho do monte Sinai. Não havia água para beber e o povo murmurava e lutava contra Moisés. Conforme a ordem de Deus, Moisés golpeou uma rocha em Horebe e dela brotou água (cf. Dt 6,16; 9.22; 33.8; Sl 95.8).
Em Êxodo 17.7 e no Salmo 95.8, em algumas versões, os nomes Massá e Meribá aparecem juntos e se aplicam ao mesmo acontecimento. Em todas as outras passagens esses termos se referem a dois eventos ou lugares separados. As águas de Cades-Barnéia também eram chamadas de Meribá porque ali mais uma vez Israel lutou (contendeu) contra o Senhor. Nesse momento, Moisés cheio de ira acusou o povo de ter se rebelado contra ele e Arão e, em seguida, golpeou duas vezes a rocha, dessa forma se rebelando contra a ordem

de Deus (Nm 20.13,24; cf. 27.14; Dt 32.51; Sl 106.32). A passagem em Deuteronômio 33.8 considera os dois eventos; Deus provando a tribo de Levi (assim como todas as outras) em Massá e lutando com eles, na pessoa de Moisés, seu líder, nas águas de Meribá.

J. R.

**MASSADA** Elevada formação rochosa com a forma de um navio, convertida em fortaleza pelo sumo sacerdote Jônatas em alguma ocasião depois de 152 a.C. Está localizada em frente a Lisan (grande península arenosa que se projeta para dentro do mar Morto, a partir do leste) no lado ocidental do mar Morto, entre a margem e os rochedos que circundam a bacia desse mar. As faces quase verticais dessa rocha têm um declive de cerca de 270 metros do lado oriental e 200 metros do lado ocidental em relação ao terreno que a cerca. A fortaleza de Massada não foi mencionada na Bíblia, mas a sua dramática história faz parte do cumprimento da profecia expressa pelo próprio Senhor Jesus em Mateus 23.37,38.

Nos últimos anos de seu reinado, Herodes o Grande construiu um muro ao redor das margens do escarpado planalto de Massada (no topo plano da rocha), e cavou cisternas ao lado das rochas para obter o necessário suprimento de água. Depois que a cidade de Jerusalém foi derrotada pelos partos (em aprox. 40 a.C.), Herodes fugiu para Massada com sua mãe, sua irmã, sua noiva Mariane, e também com a mãe e o irmão de Mariane, chamado José.

Herodes preparou a fortaleza como um lugar de refúgio por causa do perigo frente ao povo judeu e Cleópatra, rainha do Egito. O muro de Herodes, que circundava o topo do rochedo (com um perímetro total de cerca de 1.400 metros) tinha mais de 6 metros de altura e mais de 4 metros de largura. Havia 37 torres, cada uma com quase 30 metros de altura. O pobre solo que cobria a superfície da rocha era usado para cultivar grãos e vegetais.

Grandes armazéns foram construídos para guardar trigo, vinho, azeite, cereais e tâmaras. A fortaleza dispunha de armas e materiais suficientes, inclusive lingotes de ferro, latão e chumbo para armar um exército de 10.000 homens.

Depois da morte de Herodes, a fortaleza foi habitada por um destacamento romano até o ano 66 d.C. Durante a Guerra Romana (66-73 d.C.), essa fortaleza, capturada por meio de um ardil, caiu nas mãos dos Zelotes sob a direção de Eleazar, o "Tirano de Massada".

Massada se tornou a última fortaleza dos judeus que resistiu aos romanos. No ano 72 d.C., dois anos depois da derrota de Jerusalém sob Tito, o governador romano Flávio Silva reuniu um formidável exército contra essa fortaleza. Antes do ataque, ele circundou todo o rochedo com um muro de contenção para evitar fugas. A rampa do cerco foi construída no lado ocidental e sobre essa plataforma de pedras, de quase 30 metros e altura e 30 de largura, os romanos ergueram uma torre de observação, envolvida em ferro, de cerca de 40 metros de altura. Do topo dessa torre, máquinas de guerra lançavam setas, tochas fumegantes e pedras contra seus defensores. Um aríete rompeu uma brecha no muro, no entanto os defensores ergueram um outro muro de madeira. Os homens de Silva atacaram o novo muro com tochas acesas. Durante a noite, Eleazar convenceu seus seguidores a se suicidarem para não se entregarem aos romanos. Dos 960 homens, mulheres e crianças, apenas duas mulheres e cinco crianças sobreviveram. Na manhã seguinte, Silva inspecionou as ruínas e retornou a Cesaréia (Josefo, *Wars*, vii. 8.1–9.2).

Foram feitas escavações em grande escala nesse local em 1963-1965 por meio de uma parceria entre a Hebrew University, a Israel Exploration Society e o Israel Department of Antiquities, todos sob a liderança de Yigael Yadin. O relato histórico de Josefo foi notavelmente confirmado. Os arqueólogos encontraram fragmentos de 12 papiros do século I d.C. em Massada, contendo passagens de Gênesis, Levítico e outros livros bíblicos e apócrifos. Veja especialmente a obra de Yigael Yadin, Masada, Nova York. Random House, 1966.

H. A. Han.

**MASTIQUE** *Veja* Plantas: Bálsamo.

**MASTRO** *Veja* Navios.

**MATÃ**[1] Ancestral legítimo de Jesus através de José (Mt 1.15), talvez tenha sido o avô de José.

**MATÃ**[2]

1. Sacerdote de Baal que foi morto pelo povo de Judá quando Joiada liderou a revolução contra a cruel usurpadora Atalia em nome de seu neto Joás, o legítimo herdeiro do trono (2 Rs 11.18; 2 Cr 23.17).
2. Pai de Sefatias (Jr 38.1). Esse último e alguns outros – aparentemente todos eram príncipes (v. 4.) – exigiram a execução de Jeremias baseando-se na acusação de que suas declarações não eram patrióticas, mas prejudiciais ao bem estar do povo. Jeremias foi aprisionado, mas não foi executado.

**MATANA** Acampamento dos israelitas ao norte de Arnom, entre Beer e Naaliel, em sua jornada através de Moabe (Nm 21.18,19). Têm sido feitas algumas tentativas para identificar esse local com Khirbet el-Medeiyineh, localizada 20 quilômetros a sudeste de Medeba e 18 quilômetros a noroeste de Dibom.

**MATANÇA** *Veja* Sacrifícios.

**MATANÇA DE INOCENTES** *Veja* Inocentes, Matança de.

**MATANIAS**
1. Nome original de Zedequias (*q.v.*), rei de Judá. Seu nome foi mudado quando Nabucodonosor o colocou no trono em lugar de seu sobrinho Joaquim. Ele reinou durante 11 anos em Jerusalém e foi um rei muito cruel (2 Rs 24.17-20).
2. Descendente de Asafe (1 Cr 9.15) e líder do coro do Templo (Ne 11.17; 12.8). Um dos guardas na entrada das portas (Ne 12.25) e ancestral de um dos trombeteiros (Ne 12.35). Ele viveu em uma das vilas junto com o restante dos "filhos dos cantores" que haviam construído vilas para seu uso ao redor de Jerusalém (Ne 12.28,29). Possivelmente o descendente de Asafe não seja identificado com o músico.
3. Um dos filhos de Hemã cuja função era tocar a trombeta no culto no Templo, instituído por Davi. Estava encarregado do nono turno de 12 levitas que eram muito habilidosos nos cânticos do Senhor (1 Cr 25.4,16). Pode ter sido o pai de Jeiel, descendente de Asafe e ancestral de Jaaziel, o levita, no reinado de Josafá (2 Cr 20.14).
4. Descendente de Asafe que ajudou na purificação do Templo quando Ezequias prometeu limpar a casa do Senhor (2 Cr 29.13).
5. Um dos filhos de Elão que expulsou sua esposa pagã depois do cativeiro (Ed 10.26).
6. Descendente de Zatu que expulsou sua esposa pagã após o cativeiro, em obediência à ordem de Esdras (10.27).
7. Habitante de Paate-Moabe que se divorciou de sua esposa pagã em obediência à ordem de Esdras (Ed 10.30).
8. Descendente de Bani que expulsou sua esposa pagã em obediência à ordem de Esdras (Ed 10.37).
9. Levita, pai de Zacur e avô de Hanã, que era um dos tesoureiros dos dízimos dos cereais, do vinho e do azeite que o povo de Judá trazia à casa de Deus. Era seu dever distribuir esses alimentos aos seus irmãos. Ele estava dentre os homens que "se tinham achado fiéis" (Ne 13.13).

R. H. B.

**MATATA** Um dos filhos de Hasum que havia desposado uma mulher pagã na época de Esdras (Ed 10.33).

**MATATE** Nome de dois ancestrais de Jesus, um mais próximo (talvez o avô de Maria, Lc 3.24) e outro mais remoto (Lc 3.29).

**MATATIAS** Nome de dois ancestrais de Jesus (Lc 3.25,26). Se não houver nenhuma omissão na genealogia apresentada em Lucas 3, o primeiro deles pertencia a oito gerações antes de Jesus e o segundo a 14. É notável como muitos homens dessa linhagem têm nomes semelhantes a esse. No verso 24 existe um Matate; no verso 26, Maate; no verso 29, Matate novamente; e no verso 31, Matatá. O nome Matatias é comum na Apócrifa do AT. A pessoa mais notável com esse nome era o pai de Judas Macabeu e seus quatro irmãos. Esse Matatias foi o líder inicial da revolução judaica contra Antíoco Epifânio e seus sucessores no século II a.C.
Em Neemias 8.4, o primeiro homem (cujo nome é mencionado) que se colocou ao lado de Esdras quando este leu o livro da lei de Moisés é chamado Matitias (*q.v.*), o equivalente hebraico de Matatias. Sua época deve ter sido um pouco anterior à de qualquer dos ancestrais de Cristo.

J. A. S.

**MATENAI**
1. Um dos filhos de Hasum que havia se casado com uma esposa pagã nos dias de Esdras (Ed 10.33).
2. Um dos filhos de Bani que também se casou com uma esposa pagã nos dias de Esdras (Ed 10.37).
3. Um sacerdote pós-exílico da época de Joiaquim, filho de Jesua, e representante da casa de Joiaribe (Ne 12.19).

**MATEUS** Um dos doze apóstolos cujo nome aparece em sétimo lugar na relação de Marcos 5.18 e Lucas 6.15, e em oitavo lugar em Mateus 10.3 e Atos 1.13.
Além da presença de seu nome nessas relações, apenas dois episódios estão relacionados com Mateus. O primeiro é sua chamada da função de coletor de impostos, nas proximidades de Cafarnaum; a única chamada individual a um discípulo, relatada nos Evangelhos Sinóticos. É provável que Mateus estivesse a serviço de Herodes, o tetrarca da Galiléia e, como publicano (*telones*), deveria ser uma pessoa culta. O segundo episódio é a festa oferecida por Levi para a qual muitos "publicanos e pecadores" foram convidados (Lc 5.29,30).
O nome Levi (*q.v.*) não aparece na relação dos apóstolos, e nenhum Evangelho usa os dois nomes. No entanto, Levi, filho de Alfeu, deve ser identificado com Mateus, pelo fato de ter recebido o convite quando exercia a sua função, e porque o relato da festa em Mateus 9.9-13 traz o nome Levi em Marcos 2.14-17 e Lucas 5.27-32. A informação disponível não é suficiente para determinar o seu relacionamento com Tiago, filho de Alfeu (cf. Mc 2.14; 3.18).
O NT não diz nada sobre as atividades de Mateus depois do Pentecostes. A igreja primitiva acreditava que Mateus havia escrito o primeiro Evangelho. Pápias e Eusébio mencionaram uma tradição segundo a qual, depois de ministrar entre os judeus e na iminência de ir ministrar a outros, Mateus teria escrito

esse Evangelho para os judeus no dialeto hebraico (Eusébio, HE III 24.6; 39.16). Várias estórias dizem que Mateus foi à Etiópia, Macedônia, Síria, Pérsia, Pártia e Média. Uma linha da tradição diz que Mateus morreu de morte natural na Etiópia ou na Macedônia. As igrejas gregas e romanas, por outro lado, celebram o seu martírio. Essas últimas opiniões não têm comprovação histórica.

***Bibliografia.*** E. J. Goodspeed, *Mathew, Apostle and Evangelist*, Filadélfia. John C. Winston, 1959.

J. P. L.

## MATEUS, EVANGELHO DE

### Introdução

Entre todos os Evangelhos, o primeiro era o mais comumente usado na igreja do século II d.C. Essa sua popularidade tem continuado até os nossos dias, pois o Evangelho de Mateus é, provavelmente, o que tem o maior número de leitores.

O Evangelho de Mateus apresenta uma série de indicações de ter sido originalmente escrito na língua grega. Muitas vezes as suas citações têm origem na LXX, e contêm jogos de palavras gregas. Por essas razões alguns estudiosos não acreditam que a declaração de Pápias (Eusébio, HE III 39.16) – "Mateus escreveu a *logia* em hebraico" – possa descrever esse Evangelho. Vários esforços têm sido feitos para identificar a *logia* de Pápias com uma coleção de passagens do AT, ou com uma coleção das palavras de Jesus. Mas nenhum deles foi totalmente satisfatório. Nesse sentido, a afirmação de Pápias permanece um mistério. Entretanto, o Evangelho de Mateus foi claramente escrito para os judeus e não para os gentios. *Veja* Evangelhos, Os Quatro.

### Data

O livro de Mateus foi escrito entre o tempo da ressurreição e o tempo de Inácio, isto é, entre os anos 30 a 115 d.C. Os esforços para identificar mais especificamente a data desse livro se originam de pressuposições sobre o relacionamento do livro de Marcos e os textos em Mateus 24.25 e 22.7 com a queda e Jerusalém no ano 70 d.C. As tradições mais antigas afirmavam que o livro havia sido escrito antes de Mateus deixar a Judéia para pregar em outros lugares, e durante o ministério de Pedro e Paulo em Roma (Eusébio, HE III24.6; Iren. *Adv. Haer*, IIII). A frase "até ao dia de hoje" (Mt 27.8; 28.15) estaria indicando que algum tempo havia se passado desde a morte e a ressurreição de Jesus. Desde o início, esse livro já era conhecido na Síria e em Antioquia, mas não se pode dizer que o esforço de Streeter para provar que a sua autoria tenha ocorrido nesses lugares tenha tido algum sucesso. Outros pensam que qualquer região da Síria, em geral, poderia ser mais adequada, mas nesses assuntos não se pode ter muita certeza.

### Esboço

I. Histórias do Nascimento, 1.1–2.23
II. João Batista, 3.1-17
III. Ministério na Galiléia, 4.1–18.35
  A. Preparação, 4.1-25
  B. Sermão do Monte, 5.1–7.29
  C. Milagres e ensinos, 8.1–18.35
IV. Atividades em Jerusalém e na Judéia, 19.1–25.46
V. Paixão, 26.1–27.66
VI. Ressurreição, 28.1-20.

### Conteúdo

Esse Evangelho descreve a vida de Jesus desde o seu nascimento até a atribuição da Grande Comissão na Galiléia. A história é relatada com acentuada ênfase no cumprimento das profecias do AT. A frase "para que se cumprisse o que fora dito pelo profeta" é usada treze vezes. De um total de cerca de 40 textos de prova, principalmente dedicados ao nascimento, infância e paixão de Jesus, 36 são baseados em uma Escritura específica. Vinte deles são peculiares ao Evangelho de Mateus. A genealogia de Jesus é traçada, chegando até Davi e Abraão, sendo que ambos são importantes nas promessas do AT (Gn 12.3; 2 Sm 7). O livro parece ter sido escrito para pessoas de formação judaica.

Jesus é descrito como o novo legislador que tinha vindo para cumprir a lei que fôra dada por Moisés. Ele é o grande mestre.

De um total de 35 milagres de Jesus relatados detalhadamente nos Evangelhos, o Evangelho de Mateus descreve 20. Três deles – os dois cegos que recuperaram a visão (9.27-31), a cura do homem mudo e endemoninhado (9.32,33) e o dinheiro na boca do peixe (17.24-27) – só aparecem em Mateus. Também existem numerosos resumos de atividades miraculosas (4.23; 9.35; 15.30,31; 19.1,2). *Veja* Milagres.

De um total de cerca de 51 parábolas descritas nos Evangelhos, 21 são relatadas em Mateus. Onze delas são exclusivas de Mateus – a das sementes (13.24-30,37-43), a do tesouro escondido (13.44), a da pérola de grande valor (13.45-56), a da rede de pesca (13.47-50), a do servo ingrato e mau (18.23-35), a dos trabalhadores da vinha (20.1-16), a dos dois filhos (21.28-32), a do casamento do filho do rei (22.1-14; cf. Lc 14.16-24), a das dez virgens (25.1-13), a dos talentos (25.14-30) e a das ovelhas e bodes (25.31-46).

Mateus havia organizado o seu material em blocos de ensinos separados dos blocos de realizações. Vemos cinco sessões de ensinos, cada uma delas terminando com uma afirmação semelhante a: "acabando Jesus de dizer estas coisas" – (1) o Sermão do Monte

(5.1–7.29); (2) a missão dos discípulos (9.35–11.1); (3) parábolas do reino (13.1-53); (4) discipulado (18.1–19.1); (5) as últimas coisas (24.1–26.1). Descrever a denúncia de Cristo contra os fariseus (23.1-39) como o sexto discurso, destruiria a analogia que é freqüentemente feita com os cinco livros de Moisés. Outras evidências dessa organização esquemática podem ser vistas na genealogia que está dividida em três sessões com 14 gerações cada; nas sete parábolas do capítulo 13; nos 7 "ais" proferidos contra os fariseus no capítulo 23 (o verso 14 não foi encontrado nos manuscritos gregos mais antigos). Os milagres nos capítulos 8 e 9 estão dispostos em grupos de três. Existem três homens nas parábolas dos talentos (25.14-30) e três parábolas nesse capítulo. Plummer relaciona um total de 38 exemplos de grupos de três nesse livro. Também existem grupos de dois: os cegos (20.30) e as falsas testemunhas (26.60).

Peculiaridades especiais podem ser vistas no material apresentado por Mateus. Quatro mulheres: Tamar, Raabe, Rute e a esposa de Urias são mencionadas na genealogia. A expressão "reino dos céus", que não é encontrada nos outros livros, é usada 32 vezes; os demais Evangelhos utilizam freqüentemente a expressão "reino de Deus". Mateus é o único Evangelho em que aparece a palavra igreja (16.18; 18.17). Várias passagens oferecem uma direção para as situações da igreja. O Sermão do Monte (Mt 5–7) é três vezes mais longo em Mateus do que na narrativa de Lucas (6.20-49), embora ambos comecem igualmente com bênçãos e terminem com o tema da edificação. Mateus apresenta um número extraordinário de itens que estão de acordo com a literatura rabínica e que não foram enfatizados nos outros Evangelhos. Por essa razão, assim como pelo seu contínuo apelo às Escrituras do AT, esse livro tem sido considerado "o mais judaico de todos os Evangelhos".

***Bibliografia.*** W. C. Allen, *A. Critical and Exegetical Commentary on the Gospel According to St. Matthew,* Edinburgh. T. and T. Clark, 1912. Floyd V. Filson, *The Gospel According to St. Matthew*, Nova York. Harpers, 1960. A H. McNeile, *The Gospel According to St. Matthew,* Londres. Macmillan, 1955. A Plummer, *An Exegetical Commentary on the Gospel According to St. Matthew* (1910), Grand Rapids. Eerdmans, 1956 (reimpressão).

J. P. L.

**MATIAS** O discípulo escolhido para substituir Judas como o décimo segundo apóstolo. Pedro liderou o grupo de cerca de 120 discípulos que tomou essa medida no intervalo entre a ascensão do Senhor Jesus e o Pentecostes (At 1.15-26). Foram propostos dois homens que preenchiam certas condições. Essas condições eram que eles deveriam ter acompanhado os discípulos durante todo o ministério de Jesus, desde o batismo realizado por João até a sua ascensão ao céu; portanto eles deveriam ser capazes de testemunhar a ressurreição. Depois da oração lançaram sortes, e a escolha recaiu sobre Matias. Assim, ele "foi contado com os onze apóstolos" (At 1.26). É bem possível que, segundo escreveu o antigo historiador Eusébio, ele tenha sido um dos 70 escolhidos pelo Senhor (Lc 10.1). Matias não foi mencionado em nenhuma outra passagem do NT.

Alguns escritores consideram que Pedro tenha sido presunçoso ao tomar a iniciativa de substituir Judas – que ele e os demais deveriam ter esperado pela escolha do Senhor, isto é, o apóstolo Paulo. Entretanto, os discípulos entenderam que seriam dirigidos pelo Senhor após a oração. Lançar sortes era um método aprovado, que tinha a sua origem no AT (por exemplo, Levítico 16.8; Pv 16.33). *Veja* Sorte (lançar sortes). Não existe uma idéia de crítica a essa atitude em todo o NT. O próprio apóstolo Paulo escreve que Jesus apareceu "aos doze" depois de sua ressurreição, aparentemente incluindo Matias nesse grupo como alguém que havia sido finalmente agregado aos outros onze (1 Co 15.5). Se depois disso Matias caiu no esquecimento, seu destino pode ser considerado igual ao de outros dentre os doze. Várias tradições estão ligadas ao seu nome. Uma delas diz que ele estava pregando na Judéia e foi apedrejado pelos judeus. Outra diz que evangelizou na Etiópia, e até mesmo um Evangelho espúrio lhe foi atribuído.

N. B. B.

**MATITIAS**

1. Levita, filho de Salum, da família de Corá, que "tinha cargo da obra que se fazia em assadeiras" (1 Cr 9.31).
2. Levita nomeado guardião dos portões na época de Davi. Era também músico e tocava à frente da arca e no Tabernáculo (1 Cr 15.18,21; 16.5). Era, provavelmente, filho de Jedutum (1 Cr 25.3), chefe do 14º turno (1 Cr 25.21).
3. Israelita dos filhos de Nebo que expulsou sua esposa pagã depois do exílio (Ed 10.43).
4. Um dos homens proeminentes que ficou ao lado de Esdras na ocasião em que ele leu a lei (Ne 8.4).

**MATREDE** De acordo com o Texto Massorético hebraico, era a sogra de Hadar (Gênesis), ou Hadade (Crônicas), o último dos antigos reis de Edom (Gn 36.39; 1 Cr 1.50). Na versão LXX e Peshita de Gênesis, Matrede é o filho de Me-Zaabe e não a filha.

**MATRI** Família da tribo de Benjamim da qual vieram Quis e seu filho Saul (1 Sm 10.21).

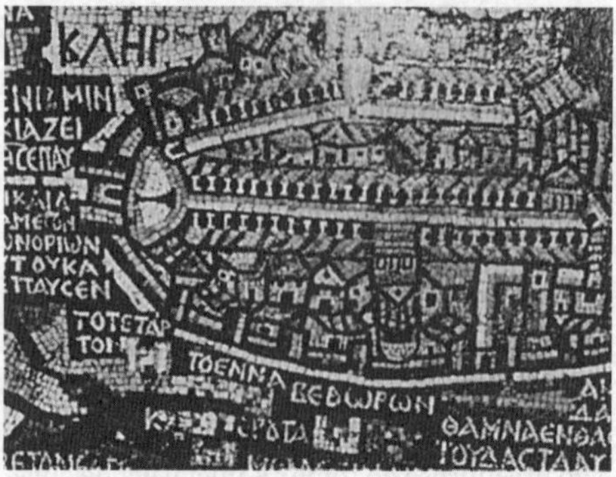

O mapa de Medeba. Irmãs de Sião, Jerusalém

**MATUSALÉM** Forma grega de Metusalém (*q.v.*; Lc 3.37).

**MAZAROTE** Essa palavra só é encontrada em Jó 38.32. De acordo com algumas interpretações, ela se refere aos "signos do Zodíaco" e equivale à palavra *mazzaroth*, ou "planetas", em 2 Reis 23.5. Outros entendem que a passagem paralela em Jó 9.9 sugere que *mazzaroth* seja uma constelação ou agrupamento de estrelas no lado sul do céu.

**MEÁ, TORRE DE,** *Veja* Jerusalém: Portões e Torres 2.

**MEARA** Cidade, distrito ou lugar que pertencia aos sidônios e que ainda precisava ser conquistada pelos israelitas durante a velhice de Josué (Js 13.4). A palavra hebraica *me'ara* é freqüentemente encontrada no AT como um substantivo comum que significa "caverna" (por exemplo Gn 19.30; 1 Sm 24.3,7). Portanto, Meara provavelmente pode ser identificada com as cavernas chamadas Mughar Jezzin, a leste de Sidom.

**MEBUNAI** Um dos 37 poderosos de Davi (2 Sm 23.27). Em outra passagem ele é chamado de Sibecai (2 Sm 21.18; 1 Cr 11.29; 20.4; 27.11) e é mencionado como o assassino de um gigante filisteu, e capitão do oitavo dentre os 12 turnos mensais que serviam ao rei.

**MECONA** Cidade com vilas adjacentes e perto de Ziclague, que foi reocupada por alguns dos filhos de Judá depois do retorno do cativeiro na Babilônia (Ne 11.28). Não foi identificada. Também chamada de Meconá.

**MECHA** *Veja* Pavio.

**MEDÃ** Filho de Abraão com Quetura e irmão de Zinrã, Jocsã, Midiã, Isbaque e Suá, que se tornaram ancestrais das tribos do deserto (Gn 25.2; 1 Cr 1.32). A palavra hebraica para "medanitas" ocorre em Gênesis 37.36, mas é traduzida na maioria das versões como "midianitas". Medã é uma palavra desconhecida em outras passagens bíblicas. Como as consoantes "m" e "b" são muitas vezes intercambiadas na língua árabe, é possível que a tribo de Badana, conquistada por Tiglate-Pileser III da Assíria (ANET, pp. 283ss.), possa ser identificada com Medã.

**MEDADE** Homem associado a Eldade que recebeu o Espírito do Senhor sem uma ordenação formal. Quando foi informado que Medade estava profetizando sem ter sido aprovado oficialmente, Moisés não fez nenhuma objeção, mas expressou o desejo de que todo o povo do Senhor também pudesse profetizar: "Tomara que todo o povo do Senhor fosse profeta, que o Senhor lhes desse o seu Espírito!" (Nm 11.26-29).

**MEDE** *Veja* Madai.

**MEDEBA** Cidade em Moabe, a leste do mar Morto, cerca de 25 quilômetros a leste-sudeste da foz do Jordão, e 30 quilômetros a sul-sudeste de Amã (antiga Filadélfia), capital da moderna Jordânia. Os israelitas a tomaram do rei amorreu Seom, que por sua vez a havia tomado de Moabe (Nm 21.21-30). O território destinado por Moisés à tribo de Rúben incluía todo o planalto de Medeba (Js 3.9,16). A posse dessa terra foi muitas vezes disputada pelos rubenitas, amonitas e moabitas. Entretanto, Rúben logo desapareceu de cena e depois da época de Josué essa tribo só foi mencionada três vezes.

Na época de Davi, parece que a cidade estava nas mãos dos amonitas, pois seus aliados, os sírios, acamparam nessas terras antes de serem derrotados por Joabe (1 Cr 19.7). A Pedra Moabita (*q.v.*) diz que o rei israelita Onri havia reconquistado Medeba, provavelmente de Moabe, e Israel lá permaneceu durante o seu reinado e até a metade do reinado de seu filho, isto é, 40 anos. O rei Mesa de Moabe recapturou esse local e o reconstruiu, juntamente com as cidades dessa área (ANET, pp. 320ss.). O texto em Isaías 15.2 dá a impressão de que Medeba ainda estava nas mãos dos moabitas no século VIII a.C. *Veja* Mesa; Moabe.

A moderna Madaba (antiga Medeba) tornou-se famosa quando, no processo relacionado às construções em 1896, foram encontrados vários mosaicos utilizados como pisos das igrejas dos séculos V e VI d.C. O mais famoso deles era um grande mapa da Terra Santa, feito de mosaicos, com a localização das principais cidades e um detalhado mapa da cidade de Jerusalém. Nessa época, Medeba era a sede de um bispado. Nenhuma ruína anterior ao período bizantino foi encontrada até o momento.

L. L. W. e D. C. B.

**MEDIAÇÃO, MEDIADOR** Embora a palavra mediador (gr. *mesites*) ocorra apenas em algumas referência bíblicas (Gl 3.19,20; 1 Tm 2.5; Hb 8.6; 9.15; 12.24) o tema da mediação permeia as Escrituras como um todo. O mediador é aquele que se coloca entre duas partes a fim de estabelecer relações amigáveis. Isso geralmente pressupõe que a situação existente entre elas é de uma alienação que o mediador tenta superar. O conceito de mediador aparece no particípio hebraico *mokiah* ou "árbitro" (Jó 9.33; Berkeley; JPS, JerusB); cf. vv. 32-35. O mesmo verbo (*hiphil* de *yakah*) ocorre em Gênesis 31.37; Jó 16.21; Is 2.4; 11.3-4) em contextos que podem incluir uma idéia de arbitramento.

Essa é a situação que já existia entre Deus e o homem como resultado do pecado de Adão e Eva. O pecado do homem provocou a inimizade do Deus santo e rompeu sua relação de amizade com Ele. O homem, que havia se rebelado, precisava se reconciliar com Deus e ser libertado do poder e dos efeitos do pecado. Deus, cuja ira havia sido provocada pela desobediência do homem à sua santidade ao pecar, exigia uma reparação (Opiniões modernas sobre a expiação que negam seu objetivo e seu caráter substitutivo considerarão a mediação de um modo diferente; cf. Edwin C. Blackman, "Mediator, Mediation", IDB, III, 320-331).

Havia formas preliminares e incompletas de mediação entre Deus e o homem no AT – anjos e profetas que falavam aos homens representando a Deus, sacerdotes que representavam os homens perante Deus, reis que governavam sobre os homens em lugar de Deus. De todos esses, talvez Moisés tenha representado melhor o trabalho de um mediador ao receber a lei de Deus para Israel (Êx 20.19-22; Dt 5.4-5; Gl 3.19) e, mais tarde, ao interceder por Israel (Êx 32.11-14,30-34).

Entretanto, nenhum deles foi capaz de desempenhar plenamente a função de mediador, nem de combinar em si mesmo as inúmeras funções exigidas de um efetivo mediador entre Deus e o homem. Havia necessidade de alguém que pudesse representar tanto Deus para o homem, como o homem para Deus.

Além disso, ele precisava ser imaculado, de outra forma também precisaria de um mediador e estaria, portanto, desqualificado para desempenhar essa função. Finalmente, havia necessidade de um indivíduo que tivesse todos os poderes para fazer o que fosse preciso para restaurar as relações entre as partes alienadas; Deus e o homem.

E era somente Jesus Cristo, o Deus encarnado, o Deus-homem, que reunia essas qualificações. Dessa forma, Paulo diz que existe um mediador entre Deus e o homem, o homem Cristo Jesus (1 Tm 2.5; esse mesmo pensamento está implícito nas passagens em hebraico). Os aspectos das suas funções de mediador podem ser vistos de forma inseparável e ligados à sua pessoa, obras e ofício. Sendo Deus (Jo 1.1), Ele pode representar e revelar Deus ao homem (Jo 1.18. Hb 1.1,2) cumprindo assim o seu ofício de Profeta. Como o único homem que jamais pecou (Hb 4.15; 7.26; 1 Pe 2.22), Ele pode representar o homem perante Deus, e pode fazê-lo de forma eficaz, porque também é Deus. Dessa forma, Ele cumpre sua função sacerdotal com tudo aquilo que ela envolve em relação ao sacrifício, à substituição, à reconciliação, à propiciação, à satisfação e à presente intercessão (Hb 9.15; 7.21-25; 2.11-18; 4.14-16; Jo 3.16,17; Rm 5.1-11; Ef 1.7; Cl 1.20; 1 Jo 4.9). Resumindo, somente Cristo, como aquele que é o Deus-homem, pode atuar como Mediador para produzir a salvação e a conseqüente restauração à comunhão com Deus. Finalmente, como o Deus-homem, Ele é aquele que está qualificado para reinar como o Rei Mediador do homem na história do mundo, quando ela se consumar na Era do Milênio (Sl 2; Ap 19.6–20.6). Assim sendo, o Deus-homem no papel de Mediador preenche as funções de Rei, Sacerdote e Profeta. *Veja também* Expiação; Intercessão.

***Bibliografia.*** Louis Berkhof, *Systematic Theology*, Grand Rapids. Eerdmans, 1959, pp. 282ss. Lewis Sperry Chafer, *Systematic Theology,* Dallas. Dallas Seminary Press, 1948, VII, 234ss. Charles Hodge, *Systematic Theology,* Grand Rapids. Eedrmans, s.d., II, 455-543. Leon Morris, "Mediation, Mediator", BDT, pp. 346ss. John F. Walvoord, *Jesus Christ Our Lord*, Chicago. Moody Press, 1969, pp. 136ss., 240-250.

S. N. G.

**MEDICINA** *Veja* Doença.

**MÉDICO** *Veja* Ocupações: Médico.

**MEDIDA, LINHA DE** *Veja* Pesos, Medidas e Moedas.

**MEDIDA** *Veja* Pesos, Medidas e Moedas.

**MEDIR, CANA DE** *Veja* Pesos, Medidas e Moedas.

**MEDITAÇÃO** Os termos para meditação nas línguas originais da Bíblia são encontrados quase que exclusivamente nos Salmos e no NT. Os principais verbos hebraicos são *haga* e *siah.* O primeiro tem uma variedade de significados, e é usado em passagens como Josué 1.8; Salmos 1.2; 63.6; 77.12; 143.5; Isaías 33.18 no sentido de "meditar" (isto é, "falar consigo mesmo") ou "sussurrar". O segundo termo aparece em passagens como Salmos 119.15,23,48, 78,148 e 143.5 no sentido de "meditar sobre coisas divinas" (*veja* Meditar). O substantivo baseado na primeira raiz verbal

Cabeça de um medo, Persépolis. ORINST

acima aparece em passagens como Salmos 5.1; 19.14; 49.3, enquanto o substantivo baseado na raiz do segundo verbo aparece em Salmos 104.34; 119.97,99.

Os dois exemplos do NT são Lucas 21.14, onde o termo grego *prometetao* dá basicamente a idéia de "premeditação" ou "tomar cuidado antecipadamente"; e em 1 Timóteo 4.15, onde *meletao* ou "meditar" traz basicamente a idéia de "assistir cuidadosamente" ou "ser diligente em". Não devemos desprezar as passagens relacionadas com esses significados, como Filipenses 4.8 e Colossenses 3.2. A passagem em Filipenses nos dá não só uma clara enumeração dos itens que merecem um lugar nas meditações como também o termo *logizomai*, ou "pensar", que transmite um significado adicional de "considerar interiormente", "pesar as razões de", "deliberar", "meditar sobre". A passagem em Colossences usa o termo *phroneo* com um duplo significado: "dirigir a mente para" e "lutar por".

Um cuidadoso estudo das Escrituras serve para encorajar a meditação a respeito de Deus, a respeito de sua lei, de suas obras e das coisas que são Celestiais e que trazem um enlevo à alma.

R. E. Pr.

**MEDITAR** O termo hebraico *œiah* significa "conversar ou falar" (Jó 12.8; Pv 6.22) e "conversar consigo mesmo", "queixar-se", "conversar" (Sl 77.3-6); "meditar" (Gn 24.63; Sl 119.15; 145.5). Ele é traduzido como "meditar" em Salmos 143.5. Outra palavra do hebraico, *haga*, é traduzida como "meditava" em Salmos 39.3.

*Veja* Meditação.

**MEDO** Habitante ou nativo do país da Média. Sob essa forma, a palavra ocorre somente em Daniel 5.31 e foi traduzida como "Medo". *Veja* Dario, o Medo; Média.

**MEDOS, MÉDIA** O povo ariano do elevado planalto a leste do rio Tigre e ao sul do mar Cáspio, que tem o nome de Madai (*q.v.*) em Gênesis 10.2, governou o reino de Média. Sua terra natal estava localizada a leste e ao sul do lago Urmia.

Nos antigos documentos, uma das primeiras referências existentes sobre os medos é encontrada nas crônicas de Salmanezer III, onde ele registra ter recebido impostos dos medos em 836 a.C. Um certo Deioces foi o primeiro chefe a unir as tribos de Madai em uma nação. Mais tarde, seu rei Cyaxares I pagou tributos a Sargão II que consumou a derrota da Samaria e deportou milhares de israelitas para a Média (2 Rs 17.6; 18.11). Em seus registros, Sargão também afirma que se apoderou de cavalos como tributo de Madai, que era conhecida pela excelente qualidade destes animais.

O império medo só começou depois da época de Phraortes (675-653 a.C.), que transformou os persas em seus vassalos e formulou uma forte política contra os assírios. Seu filho Cyaxares II (635-585 a.C.) aliou-se a Nabopolassar, da Caldéia, e com a ajuda dos citas capturou a poderosa capital assíria de Nínive em 612 a.C. Cyaxares II assumiu o controle da terra dos assírios e continuou ajudando a derrotar os remanescentes assírios em Harã. Em seguida, ele marchou para a Anatólia para lutar contra os lidianos, mas foi forçado a assinar um tratado no rio Halys.

O filho de Cyaxares, Astyages (585-550 a.C.), deu uma de suas filhas, Amyitis, em casamento ao famoso Nabucodonosor II que construiu para ela os famosos Jardins Suspensos da Babilônia. Ele casou a sua outra filha, Madane, com o persa Cambises I e o filho deles, Ciro II, tornou-se o grande conquistador de todos. Em 550 a.C., os persas se rebelaram contra o domínio medo e Ciro II, rei de Anshan, tornou-se o rei da Medo-Pérsia. Depois da morte de Alexandre o Grande, a Média passou primeiramente para o domínio dos selêucidas, mas depois foi agregada ao Império Parto (At 2.9).

Em Isaías 13.17,18 e Jeremias 51.11,28, foi predito o papel que os medos iriam desempenhar na queda da Babilônia, embora nessa época os persas estivessem dominando. Daniel também atribui aos medos um papel importante na queda da cidade da Babilônia (Dn 5.30-31). Talvez em 539 a.C. os exércitos de Ciro o Grande fossem dirigidos por um Dario, o medo, que "ocupou o reino, na idade de sessenta e dois anos" (v. 31). Entretanto, é difícil identificar esse Dario, o medo. O estudioso J. C. Whitcomb Jr. acredita que era o Gubaru das Crônicas de Nabonido (*Darius the Mede*, Grand Rapids. Eerdmans, 1959).

O reino medo é mencionado simbolicamente em Daniel 8.3-7,20, onde o primeiro chifre do carneiro de dois chifres se refere à Média. O segundo chifre é a Pérsia, que aparece depois e é maior; na verdade, o Império Persa ultrapassou a Média e tornou-se dominante no mundo bíblico até a época de Alexandre o Grande. Em uma tábua de fundação encontrada em Persépolis, o rei persa Xerxes (485-465 a.C.) coloca a Média em primeiro lugar em uma relação de nações "sobre as quais", ele diz, "Sou rei sob a sombra de Ahuramazda, sob cuja influência estou, e estão me trazendo tributos... e obedecem às minhas leis" (ANET, p. 316). *Veja* Pérsia.

E. B. S.

**MEDULA** Essa palavra ocorre cinco vezes na versão KJV em inglês como tradução de quatro palavras hebraicas e uma grega. Ela se refere ao material mole e adiposo que preenche as cavidades dos ossos (Hb 4.12) para fortalecê-los e alimentá-los (Jó 21.24; Pv 3.8). Portanto, ela significa a mais interna, essencial e especial região do ser vivo. A palavra "medula" também pode ser um sinônimo de "gordura", usada figurativamente para as únicas coisas que podem satisfazer a alma humana (Sl 63.5; Is 25.6). Também parece que está implícito a abundância ou riqueza da satisfação.

**MEETABEL**

1. Esposa de Hadar ou Hadade, um rei edomita, e filha de Matrede (Gn 36.39; 1 Cr 1.50).
2. Avô daquele Semaías que foi contratado por Sambalate e Tobias para dar falsos conselhos a Neemias, afim de assustá-lo (Ne 6.10).

**MEFAATE** Antiga cidade amorita na Transjordânia designada por Moisés à tribo de Rúben (Js 13.18) e citada junto com Quedemote e Quiriataim. Junto com seus

Estábulos de Salomão em Megido. ORINST

arredores, foi chamada de cidade levítica e atribuída aos filhos de Merari (Js 21.37; 1 Cr 6.79). Aparentemente se tornou possessão de Moabe, porque é mencionada como cidade moabita em Jeremias 48.21, onde o profeta de Deus retrata o castigo que cairá sobre ela. Têm sido feitas tentativas de identificá-la com Tell ej-Jawah, dez quilômetros ao sul da moderna cidade de Amã.

**MEFIBOSETE**

1. Filho de Saul com a sua concubina Rispa, filha de Aiá. Davi o entregou aos gibeonitas para ser enforcado (2 Sm 21.8ss.).
2. Filho de Jônatas, neto de Saul, e sobrinho do Mefibosete mencionado acima. A tragédia e a frustração marcaram a sua vida. Tinha apenas cinco anos quando recebeu de Jezreel a notícia da morte de seu pai e de seu avô. Quando sua ama fugiu apressadamente, o menino caiu e ficou aleijado dos dois pés (2 Sm 4.4). Foi levado para Lo-Debar, em Gileade, onde ficou sob os cuidados de Maquir, filho de Amiel (2 Sm 9.5). Mais tarde, Mefibosete, também chamado de Meribe-Baal ("Baal contende" ou "aquele que luta com Baal"; 1 Cr 8.34; 9.40) teve um filho chamado Mica (2 Sm 9.12).

Quando Davi já havia se estabelecido como rei, perguntou se havia alguém da família de Saul a quem pudesse demonstrar a sua bondade em nome de Jônatas. Ziba, servo da casa de Saul, informou-lhe sobre Mefibosete. Davi mandou buscá-lo imediatamente, deu-lhe as propriedades de Saul, mandou que Ziba fosse seu servo e permitiu que ele comesse diariamente à mesa do rei (2 Sm 9).

Quando Davi fugiu de Absalão, Ziba foi ao encontro de Davi com muitas provisões (que eram tão necessárias naquele momento) e, falsamente, acusou Mefibosete de cobiçar o reino. Davi acreditou nessa mentira e deu a Ziba tudo que antes pertencia ao acusado (2 Sm 16.1-4). Por fim, o inocente Mefibosete teve oportunidade de se defender. Quando Davi retornou, depois da morte de Absalão, Mefibosete foi ao seu encontro. Tinha estado se lamentando profundamente por Davi, o que se podia facilmente comprovar porque não havia tomado banho, nem lavado suas roupas, nem aparado a barba. Ao ser perguntado porque não havia acompanhado Davi, Mefibosete relatou a mentira de Ziba – ele havia pedido que um jumento fosse selado para poder viajar, mas Ziba o deixou para trás. Davi acreditou nele, mas se recusou a fazer mais do que dividir as propriedades entre os dois (2 Sm 19.24ss.).

Mais tarde, Mefibosete foi poupado por Davi quando sete membros da família de Saul foram entregues aos gibeonitas para sofrerem as conseqüências de um erro de Saul, e também para que se findasse a epidemia de fome que esse erro havia causado (2 Sm 21.1-9).

E. W. C.

O grande altar cananita em Megido. HFV

**MEGIDO**

*Lugar e Localização.* A cidade de Megido (a atual Tell el-Mutesellim) tem o mesmo nome do famoso campo de batalha do Armagedom (uma transliteração grega da palavra hebraica *Har-M^e giddo[n],* ou "monte de Megido"). Esse monte consistia de uma cidadela de pouco mais de 52.000 metros quadrados (ANEP #708, visão aérea), e de um plano inferior que, durante o Meio e o Final da Idade de Bronze, cobria mais de 40.000 metros quadrados (IEJ, XVII [1967], 121). A cidade está localizada na extremidade sudeste da planície de Esdraelom, adjacente à cadeia do Carmelo, na interseção do principal desfiladeiro norte-sul que constituía parte da principal rota entre a Mesopotâmia e o Egito. Essa posição estratégica transformou a cidade em um importante centro comercial e militar durante as Idades do Ferro e do Bronze.

*Referências Bíblicas.* O lugar ocupado por Megido nas Escrituras é muito pequeno quando comparado à importância de outras cidades bíblicas onde tiveram lugar acontecimentos de grande importância teológica. Entretanto, as referências bíblicas feitas a essa cidade realçam seu papel de cidade fortaleza de importância estratégica e militar, e também como centro administrativo.

O rei de Megido está incluído entre os 31 reis conquistados por Josué (Js 12.21). O nome da cidade vizinha, Taanaque, está associado a ela nessa mesma passagem, como consta de Josué 17.11, onde Taanaque, Megido e suas cidades dependentes foram atribuídas à tribo de Manassés, apesar da incapacidade dos israelitas de expulsar os cananeus (Jz 1.2; 1 Cr 7.29). Na época de Débora e Baraque, a força militar cananéia, sob as ordens de Jabim, rei de Hazor, se reuniu nas vizinhanças de Megido e a batalha de Taanaque "junto às águas de Megido" (Jz 5.19) foi celebrada em um famoso cântico.

Entretanto, foi no início da monarquia que a supremacia israelita em Megido se tornou um fato consumado. Essa cidade dividia com Taanaque a honra de ser a capital administrativa de um dos 12 distritos de Salomão, e se estendia até Bete-Seã (1 Rs 4.12).

A referência mais interessante a Megido é encontrada em 1 Reis 9.15-19, onde são mencionadas as intensas atividades de construção do rei Salomão. Megido está relacionada como uma de suas cidades fortaleza para bigas e cavalos. Assim ela formava, juntamente com Hazor, Gezer, Bete-Horom inferior, Baalate e Tamar no deserto, uma seqüência de cidades de bigas que continham o núcleo do exército de Salomão com o propósito de defender a região essencial do território israelita.

Quando Jeú foi indicado para ser rei de Israel em 841 a.C., ele imediatamente foi a Jezreel e matou Jorão, o rei israelita que estava no poder. O rei Acazias, da Judéia, em uma visita oficial a Jorão foi ferido nas proximidades de Ibleão e fugiu para Megido, onde morreu (2 Rs 9.27).

O valente, porém imprudente rei Josias, tentou interceptar o Faraó Neco em Megido no ano 609 a.C. Neco estava a caminho para ajudar os assírios e, cheio de esperança, embora prevendo sua próxima derrota, Josias considerou que Judá estaria mais segura logo que o poder assírio fosse finalmente destruído, mas foi morto no primeiro combate que aconteceu na planície, diante da cidade (2 Rs 23.29,30; 2 Cr 35.22-24).

A última referência do AT a Megido é uma simples alusão literária sem qualquer significado profético (Zc 12.11), mas a passagem seguinte realmente se refere a um encontro apocalíptico. A batalha escatológica de Apocalipse 16.16 está relacionada com a planície de Megido ou o Armagedom (*q.v.*), que se tornou o lugar de encontro para a batalha final entre Cristo e a Besta (Ap 17.11-14; 19.11-21).

Essas breves informações bíblicas contam apenas parte da história da longa carreira de Megido. Felizmente para a nossa reconstrução da história bíblica, existe uma grande quantidade de novas informações obtidas através de intensas investigações arqueológicas realizadas nesse local, e também de cartas e textos históricos egípcios (veja refs. em ANET).

*Referências egípcias.* A mais antiga e famosa batalha travada em Megido foi a primeira a ser registrada com tantos detalhes que até hoje suas táticas podem ser estudadas. Aproximadamente no ano 1482 a.C., Tutmósis III (1504-1450), um dos grandes conquistadores egípcios, iniciou uma campanha para dominar seus vassalos em *Retenu* (Palestina). Os reis de Cades e Megido se colocaram à frente dos rebeldes. Depois de uma marcha de dez dias de Sur até Gaza, e de outros onze dias até Yehem, na Planície de Sharon, os egípcios estavam prontos para avançar até

Megido. Os cananeus, aparentemente pensando que o inimigo chegaria através de uma das rotas lógicas, via Taanaque ou Jocneão, haviam dividido o seu exército em setores norte e sul e prepararam emboscadas com bigas. No entanto, abandonaram a passagem estreita através do Uádi 'Arah que levava diretamente à desprotegida Megido.

Quando Tutmósis, em uma corajosa atitude contra o conselho de seus oficiais, avançou através do desfiladeiro e surpreendeu a cidade, a batalha se transformou em uma completa derrota para os habitantes de Megido. Os cananeus que fugiam eram perseguidos tão de perto pelos egípcios, que os portões de Megido não puderam ser abertos e, com a pressa, tiveram que pular sobre os muros. Os egípcios se apoderaram de 924 bigas como parte do despojo de guerra. Tudo isso está registrado em uma inscrição feita nos muros do Templo de Karnak (ANET, pp. 234-238). Alguns anos mais tarde, Amenotep II também mencionou Megido em suas campanhas militares, e parece que essa cidade se tornou um centro administrativo egípcio durante a maior parte do século XV a.C. Quase cem anos depois da conquista de Tutmósis, o Faraó Amenotep IV (Akhenaton) gradualmente retirou o domínio egípcio de sobre a Palestina, ocasião em que deixou de atender aos desesperados apelos de ajuda de seus vassalos. Biridiya, rei de Megido, enviou seis cartas ao rei egípcio (cf. ANET, p. 485) pedindo, entre outras coisas, 100 soldados para ajudar a proteger a cidade. Essas cartas foram escritas na língua acadiana (que era a língua da diplomacia na época) em tábuas de argila e foram encontradas no palácio do Faraó em Tell el-Amarna em 1887 a.C. *Veja* Amarna, cartas de.

A importância de Megido como base militar tem sido demonstrada repetidamente através da antiguidade, e chegou até o nosso século, quando os exércitos turco e britânico se encontraram nesse local na 1ª Grande Guerra. Depois disso, as forças árabes e israelenses têm aproveitado a utilidade estratégica dessa área.

*Evidências arqueológicas*. As ruínas desse monte foram escavadas primeiramente por G. Shumacher, para o Deutsche Orient-Gesellschaft, de 1903 a 1905. Uma das principais descobertas foi o selo de "Shema, o servo de Jeroboão" (ANEP #276), que provavelmente pertencia a um oficial do rei Jeroboão II.

O Instituto Oriental da Universidade de Chicago iniciou uma longa série de campanhas em 1925. C. S. Fischer dirigiu os trabalhos das duas primeiras fases de escavação, mas foi obrigado a se retirar dessa área por causa de problemas de saúde. Ele foi sucedido por P. L. O. Guy, que continuou os trabalhos até 1935, seguido por Gordon Loud, que permaneceu até o final das escavações em 1939.

Os recursos do Instituto Oriental permitiram a execução de um trabalho mais abrangente em Megido do que em qualquer outra ruína palestina. Esse fato, ao lado da utilização da cronologia das ruínas de Beit Mirsim, desenvolvida por Albright, transformou essa cidade no sítio arqueológico clássico padrão para a Palestina.

Os escavadores dividiram a história de Megido em 20 períodos que correspondem aos 20 níveis mais importantes encontrados desde o topo do monte até o leito rochoso. A cidade havia sido ocupada desde o Período do Cobre (antes de 3300 a.C.) até o final da Idade do Ferro III (aprox. 350 a.C.), quando o domínio persa sobre a Palestina estava chegando ao fim, e o período helenístico ainda não havia começado.

No Nível XVII (de aprox. 2500 a.C.) foi encontrado um Templo cananeu com um altar circular bastante alto. Esse imenso altar foi reconstruído na Camada XVI com pedras brutas e um lance de escadas (cf. Êx 20.25). Ele tinha pouco mais de 8 metros de diâmetro. O período de 1150 a.C. foi considerado como a data do fabuloso sistema de água subterrâneo que consistia de uma profunda vala que corria dentro da cidade e um túnel no leito rochoso, que se estendia até uma fonte localizada fora da área fortificada. Outras descobertas significativas incluíram monumentos egípcios e 282 fragmentos de esculturas de marfim do século XIII a.C.

Entretanto, no Nível IVB foram feitas as descobertas de maior interesse para a história bíblica. Uma passagem, com três câmaras de cada lado, semelhante à porta oriental do Templo descrita em Ezequiel 40.6-13, foi encontrada e datada da época de salomão (ANET #721). Passagens semelhantes foram encontradas mais tarde em Hazor e Gezer, duas das outras cidades Salomônicas de bigas da mesma época. Muros em forma de casamata, a área de um "palácio" e o que era ainda mais significativo, duas séries de edifícios descritos como estábulos também atribuídos ao mesmo período. Cada "estábulo" podia, aparentemente, abrigar 24 cavalos, em um total aproximado de 450 animais. Em seu todo, essas evidências reproduzem claramente o quadro de uma cidade fortaleza e de um complexo administrativo do início da monarquia, que servia como base para o desenvolvimento das bigas a partir da época de Salomão.

A data das estruturas, chamadas de "Salomônicas" pelos escavadores, tem sido discutida pelo arqueólogo israelita Yigael Yadin desde as suas pesquisas nesse local, realizadas no final de 1950. Considerando que o Nível IV cobre o período 1000-800 a.C., ele tem procurado determinar a data das principais estruturas desde a época de Acabe e não da época de Salomão. Nas controvérsias que se seguiram, outro arqueólogo israelita, Yohanan Aharoni, defendeu veementemente a conclusão original dos escavadores de

O rio Yarkon, ao norte da antiga Jope, deságua atualmente no Mediterrâneo nos arredores de Tel Aviv

Chicago. Essa questão ainda está um pouco obscura, mas o peso das evidências encontradas nos textos bíblicos favorece a interpretação de que a porta, os muros, o palácio e os estábulos sejam realmente do Nível IVB, e construídos na época de Salomão. A afirmação explícita de 1 Reis 9.15-19 apóia claramente essa opinião. Ignorar esse testemunho é deixar de usar plenamente as fontes históricas. Aparentemente, essas estruturas continuaram em uso (apesar da invasão de Sisaque) até a época de Acabe, menos de um século mais tarde.

Recentemente, J. B. Pritchard desafiou a opinião de que as ruínas dessas estruturas, interpretadas como estábulos, seriam realmente estábulos. Ele sugere que os cavalos eram sempre mantidos em recintos abertos, e que os edifícios em questão podem ter sido armazéns ou alojamentos ("The Megiddo Stables: A Reassessment", *Near Eastern Archaeology in the Twentieth Century* [Glueck Festschrift], J. A Sanders, ed., Garden City. Doubleday, 1970, pp. 268-276). Armazéns com idêntico formato, do século VIII a.C., encontrados por Y. Aharoni nas proximidades do portão da cidade, em Berseba, podem dar suporte a essa afirmação (BA, XXXV [1972], 122ss.).

É provável que o Nível IVA tenha sido destruído por Tiglate-Pileser III durante a sua invasão, em aprox. 732 a.C. (2 Rs 15.29; cf. 16.9). O nível seguinte tinha ruínas de uma cidade planejada de uma forma diferente, com um pátio central, de acordo com o estilo assírio. Esse deve ter sido o local do trono dos governadores assírios, que dali administraram uma província assíria durante aproximadamente um século. Um desses governadores se chamava Ishtu-Adadaninu, e reinou sobre Megido (do acádio, *Ma-gidu*[*nu*]) em 679 a.C. O Nível II não tinha muros, mas possuía uma ampla residência extremamente fortificada, provavelmente datando da época do rei Josias (640-609 a.C.).

O Instituto Oriental publicou dois volumes que contêm os textos oficiais relacionados às escavações, um volume sobre inscrições/ilustrações, e monografias sobre os túmulos, o sistema de água, os marfins e as seitas de Megido. A este importante material pode-se agora acrescentar um amplo estudo, do qual apresentamos apenas uma pequena parte na bibliografia a seguir.

***Bibliografia.*** C. S Fisher, *The Excavation of Armageddon,* Chicago. Univ. of Chicago Press, 1929. P. L O Guy, *New Light from Armageddon,* Chicago, 1931. R S Lamon, *The Megiddo Water System,* Chicago, 1935. H. G. May, *Material Remains of the Megiddo Cult,* Chicago, 1935. P. L O Guy, Megiddo Tombs, Chicago, 1938. G. Loud, *The Megiddo Ivories,* Chicago, 1939. R S Lamon, G. Shipton, *Megiddo I,* Chicago, 1939. G. Loud, *et. al.*, *Megiddo II*, 2 vols., Chicago, 1948. Yohanan Aharoni, "The Stratification of Israelite Megiddo", JNES, XXXI (1972), 302-311. R M Engberg, "Megiddo - Guardian of the Carmel Pass", BA, III (1940), 41-51; IV (1941), 11-16. J. N Schofield, "Megiddo", TAOTS, pp. 309-328. Yigael Yadin, "New Light on Solomon's Megiddo", BA, XXIII (1960), 62-68; "Megiddo of the Kings of Israel", BA, XXXIII (1970), 66-96.

J. E. J.

**MEIA-NOITE** *Veja* Tempo, Divisões do.

**MEIDA** Pai ou fundador de uma família de netineus que retornou a Jerusalém depois do cativeiro babilônico (Ed 2.52; Ne 7.54).

**MEIO-DIA** *Veja* Tempo, Divisões do.

**MEIR** Descendente de Judá, filho de Quelube e sobrinho de Suá (1 Cr 4.11).

**ME-JARCOM** Local ou característica geográfica no território de Dã, nas proximidades de Jope (ou Jafo; Js 19.46). Este provavelmente seja o nome de um rio chamado, em árabe, Nahr el-'Auja, e que corre para o Mediterrâneo cerca de sete quilômetros ao norte de Jope, e nasce no interior, a 16 quilômetros de distância, em Ras el-'Ain (*veja* Antipátride; Afeca 3). Trata-se de um dos cinco riachos perenes que drenam a planície de Sharon e que, em certas épocas, adquire uma coloração verde-amarelada devido ao solo por onde corre, o que explica o seu nome *yarqon* ("verde claro").

**MEL** *Veja* Alimentos.

**MELÃO** *Veja* Plantas: Melão.

**MELATIAS** Gibeonita que ajudou a reparar o muro de Jerusalém sob a liderança de Neemias (Ne 3.7).

**MELEA** Descendente de Davi e ancestral de Jesus (Lc 3.31).

Baía de São Paulo em Malta, onde aconteceu o naufrágio de Atos 28. Malta Government Tourist Board

**MELEQUE** Filho de Mica e bisneto de Jônatas, filho de Saul (1 Cr 8.35; 9.41).

**MELICU** *Veja* Maluque.

**MELITA** Comumente conhecida como Malta (At 28.1), essa pequena ilha (245 quilômetros quadrados), aproximadamente 100 quilômetros ao sul da Sicília, foi o local do naufrágio de Paulo. Durante sua permanência de três meses, ele curou pessoas enfermas, foi considerado um deus, e conquistou inúmeros convertidos (At 28.1-10). Atualmente, muitas igrejas locais prestam-lhe homenagem.
Ocupada pelos Fenícios desde o início do século X a.C., essa ilha se tornou uma província romana e, aparentemente, seus habitantes não falavam a língua grega (veja At 28.4, "bárbaros").

**MELODIA** *Veja* Música.

**MELQUI** Nome de dois ancestrais de Jesus, de acordo com a genealogia de Lucas. Um deles era da quarta geração antes de José e Maria (Lc 3.24) e o outro era da terceira geração antes de Zorobabel (Lc 3.28).

**MELQUISEDEQUE** Em hebraico *malkisedeq* ou "rei da justiça", é mencionado em Gênesis 14.18; Salmos 110.4; Hebreus 5.6,10; 6.20; 7.1,10,11,15,17. No livro de Gênesis ele é um rei-sacerdote cananeu de Salém (Jerusalém) que abençoou Abraão quando este retornou depois de salvar Ló, e a quem Abraão pagou o dízimo do espólio da batalha. Devido ao mistério que cerca seu repentino aparecimento no cenário da história, e seu igualmente repentino desaparecimento, ele tem sido identificado com um anjo (Orígenes), com o Espírito Santo (Epifânio), com o Senhor Jesus Cristo (Ambrósio), com Enoque (Calmet) e Sem (Targuns, Jerônimo, Lutero) *et. al.*
Quanto à religião, ele era "sacerdote do Deus Altíssimo" (*'el 'elyon*). Os textos de Ras Shamra mostraram que as cidades cananéis tinham sumo sacerdotes na primeira metade do segundo milênio a.C., e que Idrimi, rei de Alalakh, ao norte da Síria, em aprox. 1500 a.C., era o representante pessoal de seu deus e aquele que oficiava no santuário. Dessa forma, o relato de Gênesis não precisa ser considerado anacrônico. Não existe qualquer concordância sobre o fato de Melquisedeque ser um adorador de Jeová ou de Baal. Na liturgia de Rás Shamra, Baal é mencionado como o "deus supremo", a suprema divindade do panteão cananeu. Assim, alguns entendem que Melquisedeque abençoou Abraão através de Baal a quem ele considerava o supremo deus da cidade-estado de Salém (Eric Voegelin, *Israel and Revelation,* Londres. Oxford Univ. Press, 1956, pp. 191ss.; Ralph H. Elliott, *The Message of Genesis*, Nashville. Broadman, 1961, p. 115ss.). Gerhard von Rad (*Genesis*, trad. por J. H. Marks, Londres. SCM Press, 1961, p. 175) diz que a divindade mencionada provavelmente seja o "Baal do céu", um deus cananeu, conhecido particularmente na Fenícia e também em outros lugares longínquos, e que Melquisedeque, ao venerar o "Supremo Deus, Criador do céu e da terra" chegou muito perto de acreditar no único Deus do mundo a quem somente Israel conhecia. A opinião tradicional diz que Melquisedeque era um verdadeiro adorador do Senhor (conforme Jose-

fo, Irineu, Calvino, KD, Leupold, *et al.*). Se a data da vida de Abraão (aprox. 2000 a.C.) estiver correta, então Melquisedeque viveu antes da substituição de El como principal deus dos cananeus. A adoração a Baal-Hadade foi estabelecida pela invasão dos amorreus no início do 2º milênio a.C. (*veja* Falsos Deuses; Baal).

Alguns estudiosos consideram a outra referência do AT, o Salmo 110.4, como um Salmo macabeu (F. Buhl, SHERK, VII, 286ss.. R. H. Charles, *Religious Development Between the Old and New Testaments,* Londres e Nova York. Home Univ. Library, 1914, p. 78. *et al.*) e seu assunto tem recebido várias interpretações como sendo: de Jônatas; de Hircano, filho de Simão; ou ainda de Simão o macabeu. Entretanto, outros consideram o Salmo como sendo de autoria de Davi – ele estaria se referindo a si mesmo ou a um rei de sua linhagem – ou ainda o limitam a uma profecia messiânica a respeito do Senhor Jesus Cristo. Esse problema fica resolvido quando observamos que em Mateus 22.43, Jesus atribui o Salmo a Davi e a referência a si mesmo como o Messias.

As passagens no livro de Hebreus trazem a mesma interpretação. O autor está discutindo a superioridade do sacerdócio de Cristo em comparação ao de Arão. Melquise-deque e seu sacerdócio são um exemplo de Cristo e de seu sacerdócio. O sacerdócio de Melquisedeque não estava limitado a uma raça ou tribo, sendo, portanto, universal. Sua realeza não foi herdada de seus pais (cf. os que repudiam o parentesco humano, através de Gudea e Assurbanipal; das cartas Amarna 286, 287, 288; da correspondência de 'Abdu-Heba, rei de Urusalim a Amenófis IV, rei do Egito: "Não foi meu pai nem minha mãe que me colocaram nesse lugar; o braço do poderoso rei (Faraó) me trouxe à casa de meu pai" – ANET, p. 487). E essa realeza também não foi transmitida a um descendente; e assim ela era eterna. Portanto, Melquisedeque é uma tipologia de Cristo e de seu sacerdócio eterno e universal.

Melquisedeque era superior a Arão porque: (1) Abraão, ancestral de Arão, pagou dízimos a Melquisedeque; (2) Melquisedeque abençoou Abraão; (3) os sacerdotes levíticos estavam sujeitos à morte, mas não há nenhuma informação sobre a morte de Melquisedeque. Portanto, Cristo e seu sacerdócio são superiores a Arão e seu sacerdócio. Veja O. Michel, "Melchisedek", TDNT, IV, 568-571.

De acordo com fragmentos encontrados na Caverna XI, em Qumran, Melquisedeque ocupava uma elevada posição no reino celestial na teologia de Qumran. Ele estava associado à libertação do juízo divino, com um dia de expiação que estava ligado ao último jubileu, talvez uma referência à 70ª semana de Daniel (9.24-27). Essa visão contemporânea de Melquisedeque torna mais fácil entender como o autor de Hebreus 7 podia discutir a superioridade de Jesus fazendo um apelo a esse personagem (Joseph A. Fitzmeyer, "Further Light on Melchizedek from Qumran Cave 11", JBL, LXXXVI, [1967], 25-41).

E. W. C.

**MELZAR** Em algumas versões (como por exemplo, na KJV em inglês), trata-se de um nome próprio, mas em outras (como por exemplo, nas versões ASV e RSV em inglês), é um título que significa "criado" ou "despenseiro". Ele se refere à pessoa indicada pelo príncipe dos eunucos para cuidar de Daniel e seus três amigos (Dn 1.11,16). Ele foi encarregado da alimentação e da educação desses jovens hebreus que, ao término de seu treinamento, deveriam servir na corte de Nabucodonosor.

**MEM** É a 13ª letra do alfabeto hebraico. Foi usada para apresentar a 13ª estrofe do Salmo 119, onde cada verso começa com uma letra no texto hebraico original. Como numeral, ela representa o número 40. Dela se derivou a letra *mu* da língua grega e da qual vem o *m* da língua latina, do inglês e do português. O desenho da linha sinuosa dessa letra no hebraico proto-sinaítico representava a água. Adotando o sinal do hieróglifo egípcio para água, os inventores do alfabeto semítico aplicaram o principio do valor fonético da letra para representar apenas a consoante inicial da palavra hebraica ou semítica *mayim*, que significa "água". *Veja* Alfabeto.

**MEMBRO**

1. Qualquer parte ou órgão do corpo, como perna, mão ou olho (Dt 1.25; Jó 17.7; Mt 5.29,30; Rm 6.13,19; 7.5, 23; 12.4; 1 Co 12.12,14-23; Cl 3.5; Tg 3.5,6; 4.1).
2. Uma das pessoas que compõem uma sociedade ou comunidade (Rm 12.5; 1 Co 12.12-17; Ef 4.25; 5.30). Como no caso da Igreja, que é considerada o corpo de Cristo. *Veja* Corpo de Cristo 3; Igreja.

***Bibliografia.*** J. Horst, *"Melos",* TDNT, IV, 555-568.

**MEMÓRIA** *Veja* Memorial.

**MEMORIAL** Na terminologia bíblica, a palavra memorial está geralmente relacionada ao culto e à adoração a Deus. Havia o *'askara* hebraico, uma refeição oferecida como oferta para ser queimada perante o Senhor (Lv 2.2,9,16). Os restos dessa oferta eram oferecidos como alimento aos sacerdotes. No caso dos pães da proposição, também colocavam incenso sobre a mesa para ser queimado como parte do memorial, enquanto o pão era ingerido pelos sacerdotes (Lv

24.7-9). Em um sentido mais amplo, toda a Páscoa era considerada um "memorial" (heb., *zikkaron*, Êx 12.14).

No NT, a ordenança da mesa do Senhor, a santa Ceia ou Comunhão, é ordenada para que nos lembremos "uma vez mais" do sacrifício do Mestre (gr. *anamnesis*, "lembrança" ou "memória", 1 Coríntios 11.24,25). Em Atos 10.4, o anjo declara que as esmolas e as orações de Cornélio subiram "para memória diante de Deus". Os textos em Êxodo 3.15 e Oséias 12.5, dizem que o nome especial, pelo qual o Senhor era conhecido pelos israelitas em sua aliança era Jeová, e era chamado de "memorial de Deus" (em hebraico, *zeker)* pelo povo. Em todos esses versos, e também em muitos outros, o tema é a forma de culto pela qual o Senhor está sendo lembrado pelo seu povo através de atos de adoração, e do uso de seu nome em orações e atos de amor realizados uns pelos outros. A lembrança de sua antiga servidão, dos atos salvadores de Deus e de sua aliança, era um mandamento chave para Israel, como encontramos em Deuteronômio.

Também existem dois lados para essa verdade sobre a lembrança das coisas de Deus. Como povo de Deus nos lembramos dele porque foi Ele quem primeiro se lembrou de nós (Gn 8.1; 19.29; Êx 2.24; 6.5; Sl 9.12). Além disto, esta é a história do permanente amor de Deus e da resposta humana.

E. B. S.

**MEMUCÃ** Um dos "sete príncipes dos persas e dos medos, que viam a face do rei e se assentavam como os primeiros no reino" (Et 1.14). Foi considerado como um dos homens sábios que entendia a época e conhecia a lei e a justiça. Quando o rei Assuero pediu a esse grupo para mostrar o tratamento adequado que deveria ser dado à rainha Vasti, que se recusava a obedecer às suas ordens, Memucã tornou-se o porta-voz do conselho e pleiteou que fosse negada a Vasti a permissão para se apresentar perante o rei, e que sua real posição fosse transferida a outra (Et 1.16-21). E o rei seguiu o conselho de Memucã.

**MENA** Descendente de Davi (bisneto) e ancestral de Jesus (Lc 3.31). As versões ASV e RSV em inglês mencionam "Menna".

**MENAÉM** Filho de Gadi e décimo sexto na linhagem dos reis de Israel (2 Rs 15.14-22). Ele reinou durante apenas dez anos, de 752 a 742 a.C., de acordo com os estudos de Edwin R. Thiele sobre a cronologia (*The Mysterious Numbers of the Hebrew Kings*, ed. revisada, Grand Rapids. Eerdmans, 1965). Entretanto, uma estela de Tighate-Pileser III encontrada no Irã e publicada em 1972 lista Menaém de Samaria como um tributário. A data de 737 a.C. dessa estela tem sido discutida, pois indicaria que Menaém ainda estava no trono, ou pelo menos ainda seria o rei nesse ano (Louis D. Levine, "Menahem and Tiglath-pileser: A New Synchronism", BASOR, #206 [1972], 40-42).

O assassinato do rei Zacarias por Salum, em Samaria, proporcionou a Menaém, como comandante das forças reais em Tirza, a oportunidade de assassinar Salum e reinar em seu lugar. Com poder incomum, ele reinou como monarca absoluto sobre seu reino, começando por subjugar os habitantes de Tiphsah e das regiões vizinhas a Tirza, chegando até mesmo a assassinar mulheres grávidas. Mais tarde, quando ameaçado pelo rei Pul da Assíria (identificado como Tiglate-Pileser III em 1 Crônicas 5.26), Menaém aceitou a única alternativa possível para se render, isto é, pagar um pesado tributo de mil talentos (moedas) de prata e transferir seu poder financeiro aos ricos concidadãos. Dessa forma, poderia manter o direito ao trono, embora apenas na posição de vassalo até o final de sua vida. A política de Menaém mostrou ser muito prejudicial a Israel, pois levou a um completo domínio assírio da nação. Ele morreu de morte natural e foi o último rei de Israel que deveria ser sucedido por seu filho (Pecaías).

H. A. Hoy.

**MENDIGO** A palavra grega *ptochos* faz referência à "humilhação" ou à "servidão", e era atribuída àquele que era um pedinte, um mendigo. De acordo com o MM, *Lexicon*, ela sempre teve um sentido negativo antes do uso bíblico (nos Evangelhos).

No Novo Testamento, um "mendigo" é aquele que espera conseguir sobras de alimentos (Lc 16.21) ou que pede algum dinheiro (At 3.2ss.). A palavra também foi associada aos discípulos de Jesus, a quem não era permitido portar uma "bolsa de mendigo", mas deveriam depender das pessoas para obter sustento (Mt 10.10), e também deveriam se contentar em meio às situações de "pobreza" ("bem-aventurados os pobres de espírito..." Mt 5.3).

**MENE, MENE, TEQUEL e PARSIM** Palavras aramaicas inscritas na parede do palácio durante a festa de Belsazar, e que só puderam ser interpretadas por Daniel (Dn 5.25). Dois problemas estão relacionados com a explicação dessa desconcertante inscrição: sua forma e seu significado ("*ler* esta escritura e me declarar a sua interpretação", 5.7).

*Forma.* Talvez os caracteres fossem desconhecidos pelos caldeus ou tenham sido colocados de forma pouco comum, isto é, no estilo de um anagrama, em que cada palavra consistia de três consoantes. Pode ser significativo que as palavras específicas não tenham sido mencionadas até que Daniel oferecesse a sua interpretação.

*Significado.* Se os caracteres eram legíveis,

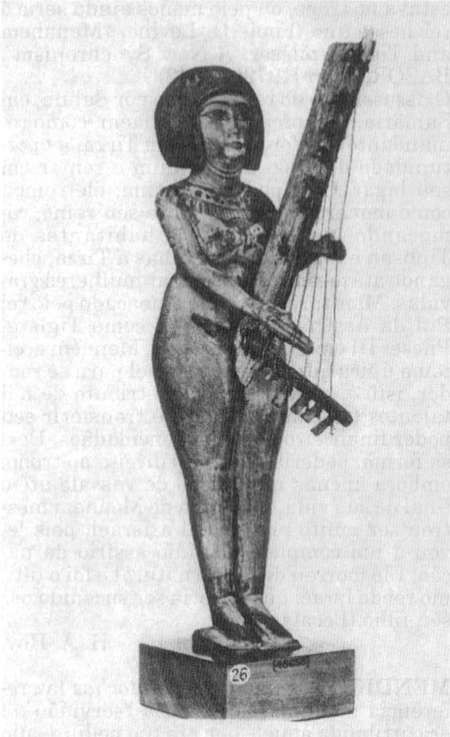
Uma harpista egípcia de aprox. 1200 a.C. BM

então o enigma estava restrito ao seu significado. As três palavras podem designar pesos e dinheiro: *mene'*, uma mina; *teqel*, uma mina ou um siclo; *parsin* (do babilônio, *parisu*), o plural de meia moeda ou meio *siclo* (a letra *u* corresponde à conjunção "e"). A tradução resultante seria: "uma mina, uma mina, uma moeda e meias moedas". Esses substantivos, empregando outras vogais (Existentes em todas as palavras hebraicas e aramaicas) se transformam em verbos que significam respectivamente: "numerado", "pesado" e "dividido". A riqueza e o orgulho, tão estimados por Belsazar, tornam-se as razões para o seu julgamento. Dessa forma, Daniel aplica os conceitos verbais, expressos na parede, ao rei que está prestes a ser submetido ao juízo de Deus (vv. 26-28). E seu reino será, consequentemente, *dividido* entre os Medos e os Persas.
Têm sido feitas muitas tentativas para ajustar as quatro palavras aos reis babilônios. Daniel aplica todas elas a uma só pessoa. *Veja* Daniel; Pesos, Medidas e Moedas.

J. D. Y.

**MENESTREL** No AT era alguém que tocava um instrumento de cordas, comum nas cortes reais da Assíria, Egito e Palestina. Davi tocou a sua harpa para acalmar o rei Saul (1 Sm 16.23), e Eliseu chamou um menestrel, talvez para acalmar a sua mente para receber a mensagem de Deus (2 Rs 3.15).
Uma ocorrência no NT (Mt 9.23) foi traduzida em algumas versões como "tocadores de flauta". Para aqueles que podiam pagar, como o líder da sinagoga, estes carpideiros profissionais eram contratados para tocar seus lamentos e tristezas como uma expressão de sofrimento pela partida do falecido. *Veja* Música.

**MÊNFIS** Primeira capital do Egito unido. Essa cidade foi tradicionalmente fundada pelo primeiro rei do Egito, Menes (em aprox. 3200 a.C.) na margem ocidental do Nilo, ao sul do ponto mais alto do seu Delta, cerca de 30 quilômetros ao sul da moderna cidade do Cairo. Originalmente chamada de "A Parede Branca", mais tarde seu nome ficou associado à pirâmide de Pepi I, da Sexta Dinastia (Men-nefer-Pepi), e desse nome se originaram as formas grega e cóptica.
Os reis do período arcaico eram, particularmente, adoradores de Horus; porém o principal deus de Mênfis, Ptah, foi a figura mais importante em toda a história do Egito. De acordo com a teologia de Mênfis, Ptah foi o criador do universo. Ápis, o boi de Mênfis, era uma manifestação de Ptah e, subseqüentemente, combinou-se com Osíris para formar a divindade Serapis. Na necrópole de Sakkarah, a oeste de Mênfis, encontra-se o

Entrada para o Serapeum em Mênfis. HFV

conhecido local onde os bois Ápis eram enterrados, o Serapeum.
As únicas referências bíblicas feitas a Mênfis aparecem nas obras proféticas, geralmente chamadas de Nofe (heb. *noph, q.v.*). Nesse sentido, Oséias previu o retorno dos israelitas do Egito e mencionou Mênfis (Os 9.6). O cumprimento dessa profecia foi descrito por outro profeta, Jeremias, que estava entre os judeus que foram para o Egito depois do assassinato de Gedalias (cf. Jr 41.16-18). Mênfis se tornou a residência dos refugiados (Jr 44.1). Tanto Jeremias como Isaías haviam previsto os fatídicos resultados da aliança entre Judá e o Egito, e ambos fizeram referências a essa cidade (Jr 2.16; Is 19.13).
Sua destruição foi prevista por Jeremias (cf. Jr 46.14,19). Mais tarde, Ezequiel falou sobre as provações de Mênfis (Ez 30.16) e fez declarações específicas ao dizer que o Senhor destruiria os ídolos e faria cessar as imagens de Nofe (30.13), uma profecia que se cumpriu de forma dramática. Muitas pedras de Mênfis foram levadas durante a Idade Média e usadas para construir a cidade do Cairo. Atualmente, tudo que os visitantes podem ver nessa área não passa de uma enorme estátua de Ramsés II caída, uma esfinge e algumas bases de colunas e outras pedras espalhadas pelos milharais. Essa área tem sido pesquisada e escavada por mais de um século e arqueólogos alemães têm desenvolvido pesquisas na própria cidade durante as últimas décadas, mas seus achados ainda não foram totalmente interpretados ou publicados.

C. E. D.

**MENI** *Veja* Falsos deuses.

**MENINA** Esta palavra aparece pelo menos duas vezes no Antigo Testamento (há, porém, versões em que chega a constar por 12 vezes; Jl 3.3; Zc 8.5), em ambas as ocasiões em associação com meninos. A palavra pode significar criança, moça, namorada ou até mesmo jovem, como em Gênesis 34.4.

**MENINO** São utilizadas duas palavras hebraicas para rapaz: *yeled*, "nascido" (Jl 3.3; Zc 8.5 ), e *na'ar*, "jovem" (Gn 25.27), usada para Esaú e Jacó. A última palavra cobre o período que vai do infante (1 Sm 4.21) até o guerreiro, como Absalão (2 Sm 18.5, 12), com ênfase na juventude.

**MENSAGEIRO**
1. Embora o termo hebraico *mal'ak* tenha sido traduzido como *aggelos* na LXX, ele foi traduzido mais de 100 vezes como "mensageiro" em várias versões, como por exemplo na KJV em inglês. Na maioria das vezes, ele é usado para se referir a um mensageiro de Deus, mas também se refere a um mensageiro enviado por um ser humano, ou até por Satanás. Somente uma vez o AT faz referência a um profeta como sendo mensageiro (Ag 1.13), mas o nome do profeta Malaquias significa "meu mensageiro". No NT, a palavra grega *apostolos* foi traduzida como "mensageiro" (2 Co 8.23; Fp 2.25). No NT, a palavra grega *aggelos* (anjo) também foi traduzida como "mensageiro" em referência a João Batista (Mt 11.10), aos mensageiros de João (Lc 7.24), àqueles enviados por Cristo (Lc 9.52) e aos espias recebidos por Raabe (Tg 2.25). *Veja* Arauto; Anjo.

Ruínas recentemente escavadas na antiga Mênfis. HFV

2. Hebraico *rus*, "condutores de correspondência oficial". Na realidade, eram os membros da guarda do rei, disponíveis para quaisquer serviços (2 Cr 30.6,10). A velocidade característica do correio é a base da metáfora de Jó (9.25). Os mensageiros persas andavam a cavalo (Et 8.10,14).

H. G. S.

**MENTA** *Veja* Plantas.

**MENTE SÃ** *Veja* Sóbrio.

**MENTIR** *Veja* Mentira.

**MENTIRA** Falsa declaração ou informação deliberadamente transmitida como se fosse verdade. Qualquer coisa que tenha a intenção de enganar. *Veja* Engano.
Satanás foi o pai da mentira (*to pseudos*) em sua apostasia original (Jo 8.44; cf. Is 14.12-20; Ez 28.1-19). Da mesma forma, o homem em sua apostasia preferiu "a mentira" (*to pseudos*) à verdade de Deus (Rm 1.25; cf. Gn 3.1-7). Na apostasia final, pouco antes do segundo advento, o mundo irá receber "a mentira" (*to pseudos*) do Anticristo (2 Ts 2.11,12; cf. 1 Jo 2.22; 4.3; Ap 13.1-18). Os falsos profetas (*q.v.*) logo se tornam adeptos de Satanás (cf. 2 Co 11.13-15) enganando as pessoas com mentiras contra a verdade de Deus (Is 9.15,16; 30.9,10; Jr 23.14,25,26,32). Homens não regenerados, como seu pai espiritual (Jo 8.44), falam mentiras desde

muito cedo (Sl 58.3), e fazem delas o seu refúgio (Is 28.15, 17; 59.3,4) até se juntarem para sempre aos mentirosos (Ap 21.27; 22.15). Mentirosos de toda espécie, juntamente com outros pecadores incorrigíveis, estarão no lago de fogo (Ap 21.8).

É claro que Deus não pode mentir (Nm 23.19; Tt 1.2). Sua verdade é incompatível com a mentira (1 Jo 2.21,27). A mentira era proibida pela lei de Moisés (Êx 20.16; Lv 19.11). Os cristãos devem, assim como Deus (Pv 6.16-19; 12.22), detestar completamente a mentira (Ef 4.25; Cl 3.9; cf. Sl 31.6; 119.29,163; Pv 13.5).

A mentira aparece na vida de Caim (Gn 4.9), de Jacó (27.19), dos irmãos de José (37.31,32), de Geazi (2 Rs 5.20-27), de Pedro (Mt 26.69-75), e de Ananias e Safira (At 5.1-11).

W. B.

**MEOLATITA** Habitante ou nativo de Meolá. Adriel, filho de Barzilai, que se casou com Merabe, filha do rei Saul, era assim designado (1 Sm 18.19; 2 Sm 21.8). Meolá pode ter sido o mesmo que Abel-Meolá (*q.v.*), cidade natal de Eliseu (1 Rs 19.16) identificada por alguns com Tell el-Maqlûb, 20 quilômetros a sudeste de Bete-Seã a leste do Jordão, e por outros com Khirbet Tell el-Hilu ou Tell el-Hammi, ao sul de Bete-Seã e a oeste do Jordão.

**MEONENIM** Nome de um lugar que podia ser visto desde as portas de Siquém (Jz 9.37). A versão KJV em inglês fala sobre "a planície de Meonenim". Na versão ASV em inglês lê-se "carvalho de Meonenim", e as versões RSV e NASB, também em inglês, traduzem a expressão como "carvalho dos Adivinhadores". Esta era, aparentemente, uma árvore sagrada onde se sentavam os videntes, encantadores e adivinhadores para praticar as suas artes mágicas. *Veja* Adivinhação.

**MEONOTAI** Descendente de Judá e pai de Ofra (1 Cr 4.14). De acordo com a Septuaginta (LXX) e a Vulgata, Meonotai também era considerado filho de Otniel (1 Cr 4.13).

**MEQUERATITA** Parente de Mequerá por nascimento ou residência, mas essa pessoa e esse lugar são desconhecidos. Essa é a descrição de Héfer, um dos poderosos dos exércitos de Davi (1 Cr 11.36). Alguns acreditam que seja um erro de ortografia de "maacatita" em 2 Samuel 23.34.

**MERABE** Filha mais velha de Saul. De acordo com o relatório do acampamento (1 Sm 17.25), a filha do rei deveria ser entregue ao herói que matasse Golias. Parece que isso não aconteceu, embora Saul tivesse realmente prometido a Davi que lhe daria Merabe como esposa se continuasse a lutar valorosamente contra o inimigo (1 Sm 18.17). O propósito de Saul era expor seu jovem rival aos perigos e assim ficar livre dele. Quando seu estratagema falhou, Saul quebrou a promessa e Merabe se casou com Adriel (1 Sm 18.19). Mais tarde, quando o país sofreu o castigo de Deus porque Saul havia rompido o trato feito com os gibeonitas, os cinco filhos de Merabe foram condenados à morte pelo pecado de seu avô (2 Sm 21). (Em alguns textos hebraicos falta a expressão *irmã de* Mical em 2 Samuel 21.8, que pode ser considerado um antigo erro de ortografia ou um esquecimento por parte dos escriba).

**MERAÍAS** Um dos sacerdotes sob Joiaquim (Ne 12.12).

**MERAIOTE**

1. Sacerdote, filho de Zeraías, que viveu e serviu enquanto a arca de Deus estava em Siló (1 Cr 6.6,7,52). Ele pertencia à linhagem de Arão até Esdras, de acordo com Esdras 7.3,4.
2. Sacerdote cujo pai era Aitube e cujo filho era Zadoque (1 Cr 9.11; Ne 11.11). Aparentemente serviu cerca de meio século antes do exílio. Esses nomes podem designar o mesmo indivíduo colocado em diferentes seqüências cronológicas e em diferentes fontes.
3. Esse nome sobreviveu ao exílio e aparece como sendo de um sacerdote "nos dias de Joiaquim". Talvez fosse descendente de seu antepassado (Ne 12.15).

**MERARI** Terceiro filho de Levi, e irmão mais novo de Gérson e Coate (Gn 46.11; Êx 6.16; Nm 3.17; 1 Cr 6.1). Seus filhos, Mali e Musi (Êx 6.19. Nm 3.20; 1 Cr 6.19), eram descendentes dos meraritas, uma das três grandes divisões dos levitas.

Os meraritas carregaram através do deserto as tábuas, varais, colunas e conexões do Tabernáculo, e as bases, estacas, pinos e cordas do pátio (Nm 3.33-37). O número daqueles que realmente serviam (com idade entre 30 e 50 anos) chegava a 3.200 pessoas (Nm 4.42-45). Receberam 12 cidades nos territórios de Rúben, Gade e Zebulom (Js 21.7).

Os meraritas estavam presentes quando Davi trouxe a arca para Jerusalém (1 Cr 15.3,6). Alguns se tornaram cantores no Templo, liderados por Etã, também chamado Jedutum (1 Cr 6.31,44; 25. 1,3). Outros eram porteiros (1 Cr 26.10-19). Os meraritas ajudaram a limpar e reparar o Templo durante as reformas de Ezequias e Josias (2 Cr 29.12; 34.12), e alguns serviram sob Esdras e Neemias (Ed 8.18,19; Ne 11.15 com 1 Cr 9.14).

L. L. W.

**MERARITAS** *Veja* Merari; Levitas.

**MERATAIM** Palavra usada apenas em um sentido duplo. Em Jeremias 50.21, ela representa um jogo de palavras com o nome aplicado ao sul da Babilônia, *mat marrati*, ou terra "da dupla rebelião", ou ainda "terra duplamente rebelde", outra designação para a Babilônia.

**MERCADO ou PRAÇA** No AT era um lugar para vender mercadorias (Ez 27.13, 17,19,25; 27.15). Estava geralmente localizado em um lugar aberto, dentro da cidade, logo após o portão, para onde as ruas convergiam. Era aqui, também, que as pessoas se reuniam para trocar informações e opiniões, e para fazerem seus contatos sociais. Na Palestina, os doentes eram deixados no mercado para que o Senhor Jesus os curasse (Mc 6.56); as crianças brincavam ali (Mt 11.16,17); e as pessoas ociosas costumavam ficar perto destes locais (Mt 20.3). Os escribas e os fariseus gostavam de se mostrar andando de modo pomposo, e de serem saudados como "rabi" nos mercados (Mt 23.6,7); e depois de ficarem por lá, eles sentiam a necessidade de se purificarem ritualmente antes de comerem (Mc 7.4). Enquanto entre os judeus um mercado era quase que unicamente um centro comercial, entre os gentios ele estava associado a outras funções da vida pública. Uma Ágora grega ou um fórum romano era uma área aberta cercada por edifícios comerciais, Templos, um palácio da justiça e edifícios públicos (senado, arquivos públicos etc). Também havia ali um rostrum ou bema, de onde os oficiais do governo podiam falar a multidões reunidas, e até mesmo realizar julgamentos (por exemplo, o local onde Paulo compareceu perante Gálio em Corinto, Atos 18.12-16; e perante os oficiais em Filipos, Atos 16.19). Em Atenas, Paulo argumentou no mercado (ou praça) com aqueles que desejavam falar com ele (At 17.17,18).

N. B. B. e H. F. V.

**MERCADORIA, MERCADOR** *Veja* Comércio; Ocupações: Mercador.

**MERCADOS** Embora "mercados" seja uma possível tradução da palavra heb. *'izzabon*, ela é traduzida em versões posteriores como "mercadorias", "produtos". O uso da palavra por Ezequiel parece indicar que ela poderia significar o lugar onde o comércio era praticado, ou ainda os objetos que eram comercializados (Ez 27.12,14,16,19,27).

**MERCENÁRIOS** Soldados cuja única preocupação em uma guerra ou conflito era o dinheiro que recebiam. Os soldados gregos tinham a reputação de ser grandes guerreiros e, quando não estavam envolvidos em suas próprias guerras, eram contratados por outras nações. Os gregos foram mercenários nos exércitos egípcios durante a época de Cambises. Alexandre tinha 5.000 mercenários sob seu comando (*Encyclopaedia Britannica*, 9ª ed., II, 561, 564). *Veja* Soldado.

Ruínas do mercado de Trajano, Roma. Trajano foi o imperador romano no período de 98–117 d.C. HFV

**MERCÚRIO** *Veja* Falsos deuses: Hermes.

**MEREDE** Um dos filhos de Ezra, descendente de Judá através de Calebe, filho de Jefoné. Merede casou-se com a filha do Faraó (1 Cr 4.17,18).

**MEREMOTE**

1. Sacerdote que retornou à Palestina com Zorobabel em aprox. 536 a.C. (Ne 12.3). Alguns traduziram este nome como Meremote ao invés de Meraiote (em Ne 12.15), baseando-se na LXX e na versão Siríaca.
2. Sacerdote da época de Esdras e Neemias cuja família podia ser rastreada até Coz (veja Ed 2.61; Ne 3.4). Depois que a sua descen-

Um soldado mercenário grego contratado pelos selêucidas, encontrado em Sidom. Museu de Istambul

dência sacerdotal havia sido determinada, ele foi capaz de assumir o papel de líder na pesagem dos tesouros devolvidos ao Templo (Ed 8.33). Durante a reconstrução do muro de Jerusalém, Meremote ajudou a reparar a Porta do Peixe (Ne 3.3,4). Também trabalhou com Baruque, filho de Zabai e outros da casa de Eliasibe, o sumo sacerdote (Ne 3.20,21) no acabamento de outra parte do muro. Ele estava aparentemente entre aqueles que colocaram a sua assinatura (ou selo) na renovação da aliança (Ne 10.5).

3. Um filho de Bani. Um "filho de Israel" ou dos leigos, que estava entre aqueles que se casaram com mulheres pagãs e juraram expulsar as esposas não israelitas como resultado da reforma de Esdras (Ed 10.36).

H. E. Fi.

**MERES** Um dos sete príncipes e conselheiros de Assuero, rei da Pérsia e Média, que "viam a face do rei" livremente e se assentavam como os primeiros no reino (Et 1.14; HDB III, 346).

**MERETRIZ, PROSTITUTA** Mulher culpada de relações sexuais ilícitas.. Normalmente é mencionada nas versões da Bíblia como uma rameira, meretriz ou prostituta, sendo que as duas últimas designações são usadas nas versões mais recentes.

Nos tempos bíblicos, o meretrício era praticado com finalidades mercenárias e religiosas. Esse fato deve ser observado no uso das várias palavras hebraicas que se referem a uma meretriz. A palavra hebraica *zona* normalmente se refere a uma mulher que se ocupa dessa prática com finalidades monetárias. A prostituta religiosa era normalmente chamada de *q*[e]*desha*, palavra que designava uma mulher pertencente a uma classe especial de indivíduos religiosamente consagrados. Tanto na época do AT como do NT, era muito comum que os sistemas religiosos pagãos empregassem regularmente prostitutas em seus rituais religiosos nos santuários de seus ídolos, e as religiões cananéias não faziam exceção a esse costume. Era um sistema que endeusava os órgãos e as forças reprodutoras na suposição de que a reprodução e a fertilidade da natureza eram controladas pelas relações sexuais entre deuses e deusas. Nesses santuários, os adoradores dessas seitas participavam de relações sexuais com prostitutas religiosas (do sexo masculino e feminino) do santuário acreditando que elas iriam induzir os deuses e as deusas a fazer o mesmo trazendo, dessa forma, fertilidade e produtividade à família, aos campos e aos rebanhos. *Veja* Seitas.

Uma vez que as práticas idólatras dos cananeus penetravam sorrateiramente no culto ao Deus único e verdadeiro, não devemos nos surpreender ao encontrar algumas indicações no AT de que havia sido feita uma tentativa de sincretismo entre esses rituais de fertilidade e o culto ao Senhor (Am 2.7; Os 4.13ss.; Jr 3.1,2).

Duas outras frases ocorrem no texto hebraico de Provérbios fazendo referência às meretrizes, isto é, *'ishsha nokriya* (mulher estrangeira) e *'ishsha zara* (mulher estranha). Por causa da freqüência desses termos em Provérbios podemos concluir que durante a época de Salomão a influência estrangeira à qual a nação de Israel estava sujeita causou um aumento da prostituição, sendo que muitas dessas prostitutas eram estrangeiras.

No NT grego a única palavra que designa a prostituta é *porne.* Embora ela não ocorra com muita freqüência no NT, essa palavra era muito comum; outras palavras etimologicamente relacionadas a ela, dois substantivos e um verbo, tinham uma freqüência maior.

A Bíblia defende consistentemente a pureza moral e mantém uma posição firme contra a prostituição de qualquer tipo.Várias proibições podem ser encontradas na lei mosaica (Lv 19.29; 21.7,14; Dt 22.21). O livro de Provérbios está repleto de advertências àqueles que desejam procurar prostitutas. Os mesmos riscos eram enfrentados pelos crentes do NT, pois vários cultos da fertilidade ainda prevaleciam no Império Romano e o aspecto geral da moralidade no primeiro século era bastante baixo. A proibição contra a prostituição seria incluída nas proibições gerais sobre os relacionamentos sexuais ilícitos, claramente expressas no NT. *Veja* Fornicação.

As palavras para meretriz e o conceito de meretrício também têm um emprego figurado muito significativo nas Escrituras, no qual aqueles que pertencem, supostamente, ao povo de Deus, mas que também são culpados de apostasia, são considerados culpados de prostituição. Existe uma dupla razão para esse uso figurado. Primeiro, a apostasia poderia na verdade envolver alguém no tipo de prostituição religiosa que já foi descrita. Mas o segundo aspecto é, provavelmente, mais importante. O relacionamento entre Deus e o seu povo é comparado, nas Escrituras, ao relacionamento do matrimônio; e este envolve uma união com fidelidade mútua. Dessa maneira, quando o povo de Deus comete uma apostasia, está, em sentido figurado, sendo culpado de praticar a prostituição, pois transgrediu aquele relacionamento com Deus que se assemelha ao matrimônio (cf. Nm 25.1,2. Jz 2.13-17; 8.27,33; Jr 3.1-6; Ez 6.9; Os 4.12; 1 Co 6.15; Ap 2.21,22).

Em Apocalipse 14.8 e 17.1–19.2, a meretriz chamada Babilônia representa um futuro sistema religioso apóstata que é ao mesmo tempo infiel e hostil a Deus.

***Bibliografia.*** William F. Albright, *Archaeology and the Religion of Israel*, Baltimore.

Johns Hopkins Press, 1953, pp. 74-78, 93, 114ss., 158ss.; *Yaweh and the Gods of Canaan*, Garden City, NY.; Doubleday, 1968, pp. 119-152, Friedrick Hauck e Siegfried Schulz, "*Porne etc.*", TDNT, VI, 579-595.

S. N. G.

**MERIBA**

1. O segundo dos dois nomes dados por Moisés a um lugar próximo a Refidim, durante a viagem de Israel para o Sinai. Por causa da falta de água, o povo contendeu contra Moisés até que Deus providenciasse água (o episódio em que Moisés feriu a rocha). Esse lugar recebeu o nome de Massá, "tentação", e Meribá, "disputa" (Êx 17.7) ou "provocação" (Hb 3.8). *Veja* Massá.

2. Em Cades, quase no final das peregrinações no deserto, o povo de Israel novamente contendeu com Moisés por causa da falta de água. Embora Moisés tenha agido de forma rebelde, a água foi providenciada, e recebeu o nome de "águas de Meribá" (Nm 20.1-13), que se distingue pela adição de Cades (Nm 27.14; Dt 32.51). No entanto, Moisés e Arão foram punidos pelo seu pecado (Nm 20.12,24). *Veja* Cades-Barnéia.

**MERIBÁ-CADES** *Veja* Meribá.

**MERIBE-BAAL** *Veja* Mefibosete.

**MERODAQUE** *Veja* Falsos deuses: Marduque

**MERODAQUE-BALADÃ** Esse nome é geralmente escrito como Merodaque-Baladã (Is 39.1), mas em 2 Reis 20.12 algumas versões trazem Berodaque-Baladã. Este pode ter sido um erro de ortografia do copista ao representar um som aproximado entre a letra *m* e a letra *b* em acádio. O nome assírio significa "Deus deu um filho".

Merodaque-Baladã era um caldeu, filho de Baladã. Era um rei insignificante, mas poderoso e valente, líder de um povo que vivia nas terras pantanosas ao sul do Iraque. Sua capital era Bit Yakin. Em 722 a.C., Merodaque-Baladã se rebelou contra Sargão II, rei da Assíria, e foi por este reconhecido como rei da Babilônia. Ele reinou durante 11 anos.

Em 710 a.C., Merodaque-Baladã enviou um grupo de embaixadores a Jerusalém para congratular Ezequias por ter se recuperado de grave enfermidade (2 Rs 20.12-19; Is 39.1-8). Mas o verdadeiro propósito da embaixada era alistar Ezequias em uma trama juntamente com outras nações, contra a Assíria. Sargão foi informado de tal conspiração, capturou a Babilônia e destronou Merodaque-Baladã de seu pequeno reino de Bit Yakin. Depois da morte de Sargão II (705 a.C.), ele recapturou a Babilônia em 703, mas não reinou por muito tempo, pois Senaqueribe, que era filho e sucessor de Sargão II, expulsou-o da Babilônia e ele fugiu para Elão à procura de refúgio. Embora tivesse deixado de governar a Babilônia, o seu povo (o povo caldeu) se tornou a casta reinante daquele país (cf. Ed 5.12; Dn 2.2,10; 5.7).

V. G. D.

**MEROM** Às margens do Merom, Josué derrotou os exércitos unidos da Galiléia (Js 11.5-7). A localização dessa batalha ainda é discutida. O termo "águas de Merom" não indica o antigo Lago Huleh, mas uma nascente (cf. Js 15.7,9; 16.1; 19.46; Jz 5.19). Ele deve se referir à fonte da cidade de Merom onde Josué reuniu suas forças cananéias. Esse lugar aparece nos registros egípcios como *mrÊm* (no. 85 de Tutmósis III) e como *mrm* (Ramsés II). A forma assíria desse nome era *Marum* (Tiglate-Pileser III). Geralmente, a cidade de Meirun é sugerida com sendo a localização de Merom, mas essa colonização não é suficientemente antiga e nesse local seria impossível o uso de bigas. As evidências atuais estão a favor de Tell el-Khirbeh, um pouco mais ao norte, aos pés de Jebel Marun. Foi uma cidade muito importante na Idade do Bronze, e o Uádi Fara, nas proximidades, é conhecido pelo grande número de fontes. A planície que fica em seu lado oriental poderia ter sido um cenário adequado para uma batalha. Esse local está situado cerca de 10 quilômetros a oeste-noroeste de Hazor.

A LXX usa o termo *Marron* tanto para Merom como para Madom (Js 11.1-12; 12.19), cujo rei também veio para essa guerra. Portanto, é possível que Madom possa ser identificada com Merom e não com Khirbet Madin, nas encostas de Qurn Hattin a oeste do mar da Galiléia.

***Bibliografia.*** Yohanan Aharoni, *The Land of the Bible*, Filadélfia. Westminster, 1967, pp. 205, 206, 210.

A. F. R.

**MERONOTITA** Habitante de um lugar chamado Meronote, mencionado no AT. O contexto de Neemias 3.7 sugere que estava localizado nas vizinhanças de Gibeão e Mispa. Duas pessoas têm o nome de "meronotita". Jedias, que estava encarregado das jumentas de Davi (1 Cr 27.30), e Jadom, um dos reparadores do muro, sob Neemias (Ne 3.7).

**MEROZ** Cidade ao norte do monte Tabor, perto do lago de Merom. Meroz não veio em auxílio de Israel contra os cananeus, e foi amaldiçoada pela profetiza Débora (Jz 5.23). Foi sugerido que, como os cananeus receberam refúgio em Meroz, a cidade era uma comunidade cananéia que vivia de acordo com uma aliança estabelecida com Israel.

**MÊS** *Veja* Calendário; Festividades; Tempo, Divisões do.

**MESA**
Tradução de sete palavras hebraicas e gregas.
1. O termo heb. *luah*, "tábua" (Êx 24.12; 31.18), se refere às tábuas de pedra sobre as quais o Senhor escreveu os Dez Mandamentos. Elas foram colocadas na arca (Dt 10.5). O coração deve ser como uma mesa, mas sensível, não duro como pedra, para que Deus possa imprimir nele a sua lei de forma a governar a vida da pessoa (Jr 17.1). *Veja* Tábua.
2. O termo heb. *mesab*, "mesa redonda" (Ct 1.12).
3. O termo heb. *shulhan*, "mesa", a palavra habitual do AT, designando a mesa dos pães da proposição, isto é, o pão da "Presença" (Êx 25.23ss.), uma mesa cerimonial no Tabernáculo, no Lugar Santo (Êx 26.35). Salomão fez dez mesas como esta para o Templo (2 Cr 4.8); o Templo de Ezequiel possuía 12 (40.39-43). Uma mesa idólatra para Gade, o deus da fortuna, é condenada em Isaías 65.11. A mesa de Malaquias 1.7 é o altar do Templo, um uso figurativo. As mesas dos reis são notadas: Adoni-Bezeque (Jz 1.7), cujos inimigos estavam debaixo dela, a mesa mais antiga mencionada na Bíblia Sagrada; a do rei Saul na qual muitos comeram e que era, portanto, grande (1 Sm 20.29,34); a comida da mesa de Salomão despertou a admiração da rainha de Sabá (1 Rs 10.4,5); Davi foi o anfitrião para várias pessoas em sua mesa (2 Sm 9.7), como também foram Jezabel (1 Rs 18.9) e Neemias (Ne 5.17). As pessoas comuns possuíam mesas (1 Rs 13.20), e uma mesa foi providenciada para Eliseu (2 Rs 4.10).
4. O termo grego *anakeimai*, "reclinar-se", "mesa" (Jo 13.28), uma espécie de cama da altura da mesa, que indica a postura habitual de se reclinar para comer. A mesa tinha freqüentemente a forma da letra U, com a finalidade de permitir o acesso dos servos (cf. também Lc 7.38; Jo 13.23). Geralmente era suficientemente alta de forma que os cães poderiam estar debaixo dela (Mt 15.27).
5. O termo grego *kline*, "cama reclinável", "mesa" (Mc 7.4).
6. O termo grego *plax*, "mesa", "laje", "tábua" (2 Co 3.3; Hb 9.4). Este é o equivalente grego para o termo hebraico mencionado no tópico 1 acima.
7. O termo grego *trapeza*, "mesa", com quatro pernas, usada para as refeições (Mt 15.27; Mc 7.28); aquelas que eram utilizadas pelos cambistas no Templo (Mt 21.12; Mc 11.15); a mesa da última ceia (Lc 22.21); a mesa da comunhão (1 Co 10.21), uma figura da provisão de Deus para a alma. Veja L Goppelt, "*Trapeza*", TDNT, VIII, 209-215.

H. G. S.

**MESA**
1. Rei de Moabe, nos reinados de Acabe, Acazias e Jeorão (ou Jorão) de Israel. Na época de Onri e de Acabe, ele havia sido súdito de Israel, mas se rebelou depois da morte de Acabe (2 Rs 1.1; 3.4,5) e se livrou do jugo israelita quando Jeorão subiu ao trono, depois do curto reinado de Acazias. Quando Jeorão, rei de Israel, Josafá, rei de Judá e o rei de Edom combinaram suas forças para invadir Moabe, Mesa sacrificou o seu próprio filho nos muros de Quir-Haresete (*q.v.*) durante o cerco daquela cidade moabita (3.9-27).
Em 1868, a Pedra Moabita (*q.v.*) foi descoberta em Dibom, a capital do reino de Moabe. Ela foi evidentemente erigida em aprox. 830 a.C.; contém uma inscrição de Mesa e foi escrita no dialeto cananeu, semelhante ao hebraico. Mesa menciona que Onri humilhou Moabe durante muitos anos e quando seu "filho" tentou fazer o mesmo, Mesa triunfou sobre ele e sua família (isto é, família ou dinastia). Como F. M. Cross e D. N. Freeman explicam (*Early Hebrew Orthography*, New Haven. American Oriental Soc,. 1952, pp. 39-40, nota de rodapé), o termo "filho" aqui deve significar "neto", como acontece muitas vezes em outros registros, porque a Bíblia explica claramente que a revolta aconteceu depois da morte de Acabe.
2. Filho primogênito de Calebe (1 Cr 2.42).
3. Um benjamita (1 Cr 8.9).
4. Um dos limites do território dos joctanitas (Gn 10.29,30).

K. L. B.

**MESA DE ESCRITA** *Veja* Tábua; Escrita.

**MESA DOS PÃES DA PROPOSIÇÃO** *Veja* Tabernáculo.

**MESAQUE** Nome dado pelo chefe dos eunucos de Nabucodonosor a Misael, um dos três companheiros de Daniel (Dn 1.7; 2.49; 3.12-30).
Na língua hebraica, seu nome quer dizer "Quem é igual a Deus?" Dessa forma, tem sido conjeturado que seu nome em acádio pode ter sido *Mishaaku* ou "Quem é igual a Aku [deus sumeriano da lua]?" Entretanto, não se conhece nenhum nome babilônio igual a esse. Mas a mudança de nomes era muito comum e isso geralmente significava o início de um novo estado na vida. Isso aparentemente não implicava nenhuma desonra. *Veja* Abede-Nego; Sadraque.

**MESELEMIAS** Nome de um membro da tribo coraita, cujo filho Zacarias era porteiro do Tabernáculo (1 Cr 9.21; 26.1). Também é chamado de Selemias (1 Cr 26.14).

**MESEQUE**
1. Um filho de Sem (1 Cr 1.17), provavelmente uma variação ortográfica de Más (*q.v.*; Gn 10.23).
2. Sexto filho de Jafé (Gn 10.2; 1 Cr 1.5) e

ancestral de um povo mencionado por Ezequiel e pelo Salmo 120.5. O *Mushki* das inscrições assírias, primeiramente mencionado por Tiglate-Pileser I (em aprox. 1100 a.C.), e mais tarde por Salmaneser III (859-824 a.C.; veja *Western Asiatic Inscriptions,* I, 60ss.; Luckenbill, *Ancient Records of Assyria and Babylon,* II, 61), estava localizado entre a Cilícia e o mar Cáspio. Na época de Sargão II (722-705 a.C.) esse povo havia se mudado para a Frígia (*q.v.*) no norte da Anatólia e se tornado um inimigo terrível, cujo rei Mita foi mencionado nos registros de Sargão. Um século mais tarde, Meseque (Frígia) é mencionado junto com Javã (os gregos) e Tubal nos mercados de Tiro como comerciantes de escravos e vasos de bronze (Ez 27.13). Foram relacionados como os "Moschoi" dentre os 19 sátrapas de Dario (Heródoto iii. 94). Na época de Heródoto, eles se mudaram para as montanhas a sudeste do mar Negro. Na época greco-romana, eles viviam entre os rios Ciro e Phasis (Strabo, xi, 2, 14, 16).
Em Ezequiel 38.3 e 39.1, foi predito que esse país seria aliado de Gogue (*q.v.*) e Magogue contra Israel, e que compartilharia a destruição pelo fogo (Ez 39.6).

H. G. S.

**MESEZABEL**
1. Descendente de Mesulão que ajudou a reparar o muro de Jerusalém (Ne 3.4).
2. Pessoa ou família que selou a aliança com Neemias (Ne 10.21)
3. Pai de Petaías, um oficial que servia ao rei (Ne 11.24).

Esses nomes podem ser de duas ou três pessoas, ou de um simples indivíduo.

**MESILEMITE** Ancestral do sacerdote Adaías (1 Cr 9.12).

**MESILEMOTE**
1. Um eframita cujo filho e três outros chefes da tribo se opuseram à escravização do povo judeu que estava cativo (2 Cr 28.12).
2. Um sacerdote chamado Azarel que foi designado como "filho de Azai, filho de Mesilemote, filho de Imer" (Ne 11.13).

**MESMAS PAIXÕES** O termo "paixão" indica a presença de fortes emoções que se originam de uma condição da mente; a expressão "semelhante a paixões" significa "da mesma natureza humana". Em Atos 14.15, os missionários rejeitaram a divindade que o povo desejava lhes atribuir, e em Tiago 5.17 é provável que esteja sendo feita uma referência especial às enfermidades emocionais e humanas de Eliseu.

**MESOBABE** Um dos simeonitas relacionados em 1 Crônicas 4.34, que eram chamados de príncipes em suas famílias, e que ocupavam um povoado de Cam, perto de Gerar.

Austen H. Layard, arqueólogo mesopotâmio pioneiro, vestido com roupas Bakhtiyari, retratado em sua obra *Early Adventures*

**MESOPOTÂMIA** A palavra Mesopotâmia vem do grego e significa "entre rios". Esses rios eram o Tigre e o Eufrates. No AT essa palavra é usada apenas cinco vezes e pode ser assim entendida através da expressão hebraica *'aram naharayim* (veja o título do Salmo 60), que significa literalmente "Arã dos dois rios". O povo chamado *'aram* em hebraico foi chamado de sírio em várias traduções. Havia um grande número de enclaves onde moravam sírios e arameus, mas a área mais importante estava localizada na região norte e leste do Eufrates, de onde se originou o nome "Arã dos dois rios". Na verdade, essa é a área a que o AT se refere quando utiliza o termo Mesopotâmia. Lá viveram os ancestrais de Abraão, na região de Harã (Gn 11.31*b*), e de lá partiu o servo de Abraão para a cidade de Naor, até a casa de Labão, para conseguir Rebeca como esposa para Isaque (Gn 24.10). Balaão, o falso profeta de Números 22–24 veio de Petor, na Mesopotâmia (*Aram-naharaim,* Dt 23.4). No NT, o termo grego tem um sentido mais amplo e abrange o território da antiga Babilônia e da Suméria, incluindo tanto a cidade de Ur dos caldeus (At 7.2), como também a Síria. Os "moradores da Mesopotâmia", presentes em Jerusalém para a Festa do Pentecostes (At 2.9), incluíam os judeus da Babilônia, Nipur, Ctesiphon e outras cidades próximas onde existiam comunidades judaicas.

Desenho da reconstrução do palácio de Sargão II da Assíria em Khorsabad. ORINST

A Mesopotâmia teve uma história complicada que envolvia muitos grupos étnicos. De uma forma geral, as tribos de beduínos semíticos do sul e do oeste se estabeleceram nas terras férteis existentes entre os dois rios, enquanto os nômades não semitas (indo-europeus em sua maioria) se mudaram para a mesma área vindos do norte e do leste. Essas culturas se fundiram na região chamada Mesopotâmia. O texto em Juízes 3.8-10 retrata uma época em que um elemento não semítico estava governando esses povos. Na época dos juízes, Cusã-Risataim foi provavelmente um rei cassita cujo povo havia governado a "terra entre os rios" durante muitos séculos. Mas os cassitas formavam um povo culturalmente inferior àqueles que os precederam, como os amorreus, sob seu famoso rei Hamurabi.

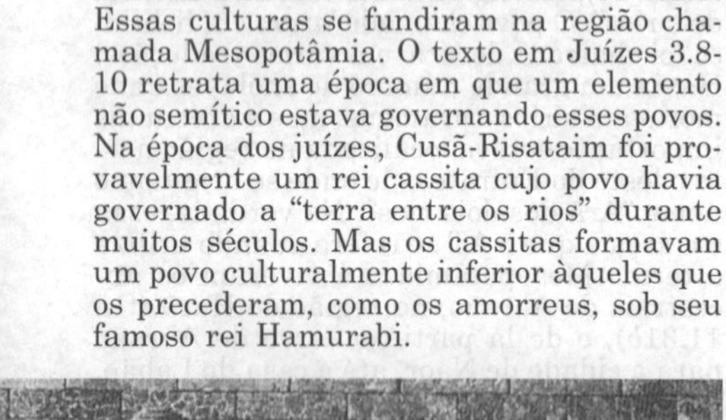

Um leão em tijolo esmaltado da porta de Ishtar, Babilônia. LM

Por razões de conveniência, a Mesopotâmia pode ser dividida nas regiões sul, média e norte. Na região sul, os sumerianos não semitas foram o primeiro povo do período histórico a governar essa terra. Eles deixaram marcas permanentes em todas as culturas que se seguiram por terem inventado o sistema de escrita que continuou a prevalecer na Mesopotâmia ao longo do período bíblico. *Veja* Sumérios. Um povo de menor importância, que influenciou o sul da Mesopotâmia, era formado pelos elamitas não semíticos (*q.v.*). No norte, os povos não semíticos hurrianos (veja horeus), cassitas, urartianos e proto-háticos prevaleceram em diferentes épocas. Mas coube aos semitas desenvolver os reinos mais fortes e contribuir para a cultura da Mesopotâmia durante a maior parte de sua história.

Isso começou com o reino dos acadianos que surgiram nessa região por volta do ano 2500 a.C., e adotaram grande parte da cultura sumeriana. Os amorreus (ou proto-arameus) vieram do deserto sírio-árabe em aprox. 2000 a.C. Esses povos falavam uma língua semítica ocidental semelhante à língua hebraica e aramaica. Ficaram conhecidos através de milhares de documentos de argila da cidade de Mari (*q.v.* veja também Amorreus) da média Mesopotâmia. Da fusão desses e de outros elementos surgiu o povo que veio a ser conhecido como os babilônios, cujo nome se origina da capital, Babilônia, enquanto ao sul surgia o povo chamado assírio, nome de sua capital ao norte do Tigre, que também tinha o nome do seu deus, Assur. *Veja* Assíria; Babilônia. Em aprox. 1000 a.C., surgiu uma tribo de semitas que tinham o nome de caldeus (*veja* Caldéia). A princípio, eles somente perturbavam os seus senhores assírios, mas depois esse grupo ajudou a derrubar esses governantes, no que foram ajudados pelos nômades do norte, chamados citas e por duas tribos árabes do leste, chamadas medos e persas. Em seguida, surgiu um reino neobabilônio de curta duração, governado pelos caldeus no século VI a.C. Na metade do século VI a.C., esses persas, sob o governo de Ciro o Grande, se estabeleceram como governantes supremos não somente da Mesopotâmia, como também de todo o Oriente Próximo até as conquistas de Alexandre o Grande. *Veja* Nações.

***Bibliografia.*** J. J. Finkelstein, "Mesopotâmia", JNES, XXI (1962), 73-92. Roger T. O'Callaghan, *Aram Naharaim,* Roma. Pontificium Institutum Biblicum, 1948. A Leo Oppenheim, *Ancient Mesopotamia,* Chicago. Univ. of Chicago Press, 1964. Georges Roux, *Ancient Iraq,* Nova York. World, 1964.

E. B. S.

**MESSIAS** A palavra "Messias", como uma transliteração da palavra hebraica *mashiach* vem do aramaico *mashicha* e do grego *messias.* Sua origem hebraica é encontrada no verbo *mashach,* isto é, "ungir", que foi traduzido muitas vezes como "o ungido". Na versão KJV em inglês, o termo "Messias" só aparece como uma transliteração em Daniel 9.25,26 e em João 1.31; 4.25. A palavra *Mashiach* ocorre 37 vezes como "o ungido" na versão KJV em inglês. Dessas 37 ocorrências, 4 referem-se ao sumo sacerdote como sendo um ungido de Deus (Lv 4.3,5, 16; 6.22), porque o óleo da unção era derramado sobre o sumo sacerdote em sua consagração, e 33 se referem ao rei. Parece que as referências bíblicas feitas ao rei como "ungido do Senhor" se originam do profundo respeito de Davi pelo rei como representante de Jeová. A maior parte das primeiras ocorrências dessa palavra vem das referências feitas por Davi a Saul e as demais ao próprio Davi e não a qualquer outra pessoa, embora ela tenha sido usada para outros reis, até para o rei Ciro da Pérsia (Is 45.1) e para os patriarcas em retrospecto (Sl 105.15; cf. 1 Cr 16.22).
Na literatura intertestamentária, a palavra "Messias" não é encontrada nos Apócrifos, mas ocorre em alguns livros pseudoepígrafos (Salmos de Salomão 17.32; 18.5, 7; Enoque 48.10; 52.4; 2 Esdras 7.28,29; 12.32; e 2 Baruque 38.7; 40.1; 70.9; 72.2). Também ocorrem referências na literatura de Qumran, nos Targum aramaicos, no Talmude e em algumas antigas orações hebraicas.

No NT, a palavra grega *Christos* tem o mesmo significado de "ungido", assim como é transmitido pela palavra hebraica *mashiach.*
A idéia messiânica do AT não está especialmente associada ao rei que está temporariamente no trono, embora a palavra seja usada muitas vezes dessa maneira, mas a um rei escatológico e a um reinado de caráter utópico. A idéia do Messias e de seu papel messiânico é muito mais ampla do que o uso desses termos, embora ela esteja certamente centrada em torno do conceito de um reinado davídico como sendo o ideal em termos de um futuro rei e reinado maiores e mais perfeitos. Em Davi se encontra a fonte, ou as fontes, dos conceitos messiânicos; no entanto, as expectativas da providência especial das bênçãos de Deus ao seu povo encontram, em seu reinado, um centro em torno do qual podem ser expressas de forma concreta. A profecia de Natã (2 Sm 7.4-17) forma uma base sólida para a expressão das promessas e expectativas escatológicas através da linhagem de Davi.
A idéia do Messias não pode ficar estritamente confinada ao ensino que está orientado ao rei escatologicamente ungido. O termo Messias tem descrito todos os ramos das profecias do AT que falam daquele que virá de Deus para cumprir as promessas de libertação, e as promessas de um novo estado de bênçãos divinas. A natureza dessa libertação, assim como a natureza do estado de bênçãos divinas e a natureza do Messias, variam imensamente nas diversas fontes de promissora esperança que aparecem no AT. De fato, essas profecias variam tanto que eram aguardados Messias de vários tipos, com uma variedade de nomes descritivos, por aqueles que aceitavam essas diferentes concepções, tanto no período intertestamentário como na época do NT, assim como em toda a era cristã. O termo Messias abrangia outras figuras proféticas do AT, como o Profeta que seria semelhante a Moisés, o Servo Sofredor de Isaías, o Ramo de Jeremias, o Filho do Homem de Daniel e outras figuras, inclusive a do próprio Senhor como o libertador de seu povo.
A história das promessas messiânicas, como foi apresentada nas Escrituras, começa com o registro da afirmação de Deus à serpente e a Eva no Jardim do Éden, em relação à descendência de ambas. A queda de Adão e Eva de seu estado imaculado de pureza para o advento do pecado no jardim, através das sedutoras sugestões da serpente, produziu a divisão entre as forças do bem e do mal que, no final, resultaria na vitória sobre o mal por um descendente da prole de Eva. Essa vitória sobre o mal, e o conseqüente retorno a uma abençoada existência seja em nível espiritual ou físico, encontra-se subjacente a todos os conceitos e representações messiânicos. O dia em que a vitória virá

é, muitas vezes, mencionado como o dia do Senhor.

Uma das primeiras profecias messiânicas é encontrada na bênção de Jacó, quando ele diz: "O cetro não se arredará de Judá, nem o legislador dentre seus pés, até que venha Siló; e a ele se congregarão os povos" (Gn 49.10). A despeito do significado da expressão "até que venha Siló", que já teve várias traduções, nesse caso existe a profecia de um rei da tribo de Judá. Como Siló significa "repouso", muitos acreditam que essa passagem esteja se referindo a uma dinastia em Judá até a chegada do provedor do repouso. Com uma mudança de vogais (que não constavam do texto original), essa frase poderia ser traduzida como "até que venha aquele de quem ela é". De qualquer forma, um clímax deveria vir através de alguma pessoa suprema. O vidente Balaão também previu a vinda de um rei triunfante, como foi registrado em Números 24.17,19 – "Uma estrela procederá de Jacó, e um cetro subirá de Israel... E dominará um de Jacó..."

A maioria das profecias sobre o rei messiânico surgiu da idéia de um rei da linhagem de Davi e de seu reino como sendo o reino ideal; sendo assim, elas têm, portanto, uma forma política e nacional, embora o domínio nacional fosse considerado universal.

Isaías viu o amanhecer de um novo dia através de um menino de paz, com nomes extraordinários que pertenciam a Deus, e que do trono de Davi exerceria um governo eterno de expansão ilimitada (Is 9.2-7). As características de paz, espiritualidade, beneficência, justiça e universalidade que formam a sua raiz, e de onde brotarão os rebentos de Jessé, estão magnificamente enfatizadas em Isaías 11.

Jeremias também se refere ao Messias como o Renovo: "Eis que vêm dias, diz o Senhor, em que levantarei a Davi um Renovo justo; e, rei que é, reinará, e agirá sabiamente, e executará o juízo e a justiça na terra" (Jr 23.5). No verso seguinte, aquele que virá é chamado de "Senhor, Justiça Nossa". Miquéias refina ainda mais a informação referente à vinda messiânica ao profetizar que o rei virá de Belém (Mq 5.2), chamando-o de desbravador (*q.v.*; Mq 2.13), enquanto Ezequiel vê "Davi" vindo como pastor e príncipe (Ez 34.23,24) e Zacarias o retrata como "justo e Salvador, pobre e montado sobre um jumento" ao entrar em Jerusalém (Zc 9.9).

Especialmente notáveis, pelas suas muitas referências messiânicas, são os Salmos 2, 45, 72 e 110. A aliança de Davi prometia uma filiação única à linhagem real de Davi, que não poderia se cumprir totalmente até que a sua dinastia apresentasse um rei que personificasse esse relacionamento único e filial com Deus (2 Sm 7.14). O Salmo 2 enfatiza esse relacionamento: "Tu és meu Filho; eu hoje te gerei" (v.7). O Salmo como um todo retrata o caráter universal do reino messiânico, e o poder que o Messias teria para subjugar as revoltas. O Salmo 45 mostra o rei messiânico como sendo maior do que Salomão, assim como o Salmo 2 representa o Messias como maior do que Davi. Esse Salmo também está em linha direta com a aliança de Davi. A principal ênfase dos versos 6 e 7 está na duração eterna do trono desse Rei Justo que é chamado de Deus. A fonte original da idéia do reino eterno está em 2 Samuel 7.13,16.

As afirmações contidas no Salmo 89.4 são paralelas às do Salmo 45: "A tua descendência estabelecerei para sempre e edificarei o teu trono de geração em geração". No Salmo 89.36,37 lemos: "A sua descendência durará para sempre, e o seu trono será como o sol perante mim; será estabelecido para sempre como a lua". No Salmo 72.5 lemos: "Temer-te-ão enquanto durar o sol e a lua, de geração em geração", e em Isaías 9.7 lemos: "Do incremento desse principado e da paz, não haverá fim...". Os mesmos sinais de duração eterna e de governo justo que, em toda parte, são marcos do Messias, e que foram prometidos como o ápice da linhagem de Davi, estão aqui evidentes no Salmo do Deus-Rei. No Salmo 72, o sublime caráter do justo e compassivo Rei-Messias e de seu reino foi reunido ao seu domínio universal de eterna duração para nos dar um retrato de um governo e de um governante utópicos.

O Salmo 110 apresenta o eterno reino de um sacerdote-rei. O salmista canta um oráculo que Jeová irá cumprir quando a aliança de Davi produzir seus frutos através do Rei-Messias. O Messias será colocado à mão direita de Jeová, onde irá permanecer até que todos aqueles que se opõem a Ele estejam prostrados a seus pés. Um elemento inteiramente novo foi agora introduzido ao quadro messiânico. Esse Rei Todo-Poderoso também será um eterno sacerdote com domínio eterno sobre as funções governamentais e eclesiásticas.

Isaías introduz outro curso ao rio da profecia messiânica nas passagens do Servo do Senhor (42.1-9; 49.1-6; 50.4-9; 52.13– 53.12), que encontram o seu ponto culminante em Isaías 53. Aqui, o Servo do Senhor é um líder rejeitado e sofredor, que experimenta uma morte substitutiva pelo seu povo, mas que, no entanto, prolonga os seus dias e prospera.

Daniel nos oferece ainda outro tributo a essa corrente crescente quando conta suas visões do fim dos tempos. Em uma visão crucial ele contempla uma figura "como o Filho do homem" que vinha nas nuvens do céu, recebendo do Ancião de Dias um reino glorioso, universal, eterno e derradeiro (Dn 7.13). Essa visão contém os elementos paradoxais da humanidade e da divindade nas frases: "como o Filho do homem" e "vinha nas nuvens", porque o Filho do homem representa

o ser humano, e as nuvens do céu eram consideradas o veículo de Deus.
Embora alguns insistam que essa figura seja a personalização dos santos do Altíssimo, que mais tarde iriam possuir o reino (vv. 18,22), essa conclusão não é garantida porque em outras passagens das visões de Daniel, são feitas referências ao rei e ao reino nas mesmas figuras (7.17; cf. 23). A diferença entre a representação da visão do Filho do homem e do rei Davídico se encontra nas características da profecia apocalíptica. O rei Davídico deveria nascer como um bebê da linhagem de Davi na terra, mas o Filho do homem vem de cima, do céu. O rei Davídico deveria experimentar o crescimento normal de um ser humano e estender o seu controle sobre a terra; o Filho do homem vem rapidamente, como um cataclismo do céu. E os dois reinos deveriam ser eternos e universais. No período intertestamentário, a figura do Filho do homem aparece especialmente em 1 Enoque, onde as características da visão de Daniel são evidentes.
Outro curso da profecia messiânica tem início com a promessa de Deus a Moisés, registrada em Deuteronômio 18.15, onde está prometido um profeta semelhante a Moisés. Os samaritanos, em especial, usavam Deuteronômio 15 como um texto de prova messiânica; portanto não é de surpreender que a mulher de Samaria, com quem Jesus falou, dissesse que o Messias lhes anunciaria tudo (Jo 4.25).
A própria vinda do Senhor contribui para esse curso messiânico. As referências especiais a Jeová, como aquele que vem como Salvador e Redentor, representam em Isaías mais um acréscimo ao retrato messiânico (Is 35.4; 40.10; 59.20). Esta é a forma como o caminho de Jeová está sendo preparado em Isaías 40. É o Senhor Deus que deve vir para reinar, alimentar e cuidar de seu rebanho (Is 40.3,4,9-11). Malaquias também predisse a vinda do próprio Senhor depois que o seu mensageiro tivesse preparado o caminho antes dele (Ml 3.1).
Da literatura intertestamentária, incluindo certos escritos de Qumran, e também do NT, fica evidente que essa rica e variada apresentação de alguém que deveria vir para conduzir o dia do Senhor foi entendida como a noção de diferentes Messias. Só depois que Jesus de Nazaré guiou esse povo a um único curso, é que alguém considerou possível harmonizar, em uma única pessoa, todas as esperanças messiânicas.
Ocasionalmente, nosso Senhor revelou em uma única afirmação dois ou mais temas da profecia messiânica do AT como, por exemplo, quando disse: "Bem como o Filho do Homem não veio para ser servido, mas para servir e para dar a sua vida em resgate de muitos" (Mt 20.28; Mc 10.45). Aqui foram reunidos o apocalíptico Filho do homem de Daniel, e o profético Servo do Senhor de Isaías (Is 53).
As aparições pós-ressurreição dizem, especialmente, que Jesus ensinou a seus discípulos como as profecias do AT se cumpriram em sua pessoa (Lc 24.27,44-47; At 1.3).
De acordo com os escritores do NT, muitas dessas profecias se cumpriram no primeiro advento de Jesus. Outras foram relacionadas, pelo próprio Senhor Jesus, ao período existente entre os dois adventos ou à época de sua volta; se não fosse pelo seu cumprimento inicial, certamente o seriam pela sua culminação. Portanto, a profecia do Filho do homem está relacionada a uma época posterior à de seu primeiro advento, de acordo com as suas palavras a Caifás (Mt 26.63-64) e a mensagem que transmitiu aos seus discípulos em Mateus 24.
A responsabilidade do NT é mostrar que Jesus é o Messias prometido no AT, e que Ele próprio deu aos seus discípulos as indicações para a interpretação do AT. O Senhor Jesus Cristo disse aos discípulos na estrada de Emaús: "Assim está escrito, e assim convinha que o Cristo padecesse e, ao terceiro dia, ressuscitasse dos mortos; e, em seu nome, se pregasse o arrependimento e a remissão dos pecados, em todas as nações" (Lc 24. 46,47). *Veja* Jesus Cristo.

***Bibliografia.*** A. Bentzen, *King and Messiah*, Londres. Lutterworth Press, 1955. Charles A. Briggs, *Messianic Prophecy*, Nova York. Scribner's Sons, 1886. *The Messiah of the Gospels,* Edinburgh. T. & T. Clark, 1894; *The Messiah of the Apostles,* Edinburgh. T. & T. Clark, 1895. A. Edersheim, *Prophecy and History in Relation to the Messiah*, Londres. Longmans, Green and Co., 1885. T. F. Glasson, *Moses in the Fourth Gospel*, Naperville. Alec R. Allenson, Inc., 1963. E W. Hengstenberg, *Christology of the Old Testament,* Washington, D.C.: William H. Morrison, 1836. S. Mowinckel, *He That Cometh*, Nova York. Abingdon, s.d. Edward Riehm, *Messianic Prophecy*, Edinburgh. T. & T. Clark, 1876. H. Ringgren, *The Messiah in the Old Testament*, Chicago. Alec R. Allenson, Inc., 1956. H. H. Rowley, *The Relevance of Apocalyptic*, Londres. Lutterworth Press, 1944; *The Servant of the Lord and Other Essays on the Old Testament*, Londres. Lutterworth Press, 1952. Wilhelm Vischer, *The Witness of the Old Testament to Christ,* Londres. Lutterworth Press, 1949. Edward J. Young, *The Messianic Prophecies of Daniel*, Grand Rapids. Eerdmans, 1954.

E. S. K.

**MESTRE** Nas Escrituras, essa palavra está geralmente designando uma pessoa que é superior a outras, em poder, autoridade, conhecimento ou em algum outro aspecto.
Várias palavras são traduzidas como "mes-

tre" nas várias versões da Bíblia Sagrada. A palavra hebraica mais freqüente, *'adon,* significa "soberano" ou "senhor". O significado literal de várias palavras gregas varia de "instrutor" ou *didaskalos,* como em Mateus 10.24, até "déspota" ou *despotes,* como em 1 Pedro 2.18. Outra palavra grega traduzida como "mestre", *epistates,* significa "alguém nomeado sobre" outros, como em Lucas 5.5. Ainda outra palavra grega é, na verdade, hebraica – "*rabbi*" que significa "meu mestre" ("superior" ou "professor"), como em João 4.31. Uma quinta palavra grega para "mestre" é *kurios* que geralmente foi traduzida como "senhor" ao longo de todo o NT e significa "supremo" (em autoridade). No sentido mais elevado, o título se aplica apenas ao Senhor. Ainda existem outras palavras gregas e hebraicas com diferentes aspectos de significado que foram traduzidas como "mestre".

Duas palavras gregas para "mestre" ocorrem em Mateus 23.8-10, "Vós, porém, não queirais ser chamados Rabi [*rhabbi,* "meu mestre", ou "professor"], porque um só é o vosso Mestre [*kathegetes,* "líder" ou "professor"], a saber, o Cristo, e todos vós sois irmãos. E a ninguém na terra chameis vosso pai porque um só é o vosso Pai, o qual está nos céus. Nem vos chameis mestres [*kathegetes,* "líderes"], porque um só é vosso Mestre, que é o Cristo".

*Veja* Rabi; Educação; Ensinar.

J. A. S.

**MESULÃO**

1. Avô de Safã, o escriba que foi enviado pelo rei Josias a Hilquias para administrar o dinheiro trazido para reparar o Templo (2 Rs 22.3).
2. Nome do primeiro filho de Zorobabel (1 Cr 3.19).
3. Chefe da tribo de Gade que residia em Basã na época de Jotão e Jeroboão II (1 Cr 5.13).
4. Um benjamita, descendente de Elpaal que morou em Jerusalém depois do retorno da Babilônia (1 Cr 8.17).
5. Um benjamita, pai de Salu que morou em Jerusalém depois do retorno do cativeiro. Era filho de Joede (Ne 11.7) ou Hodavias (1 Cr 9.7).
6. Outro benjamita, filho de Sefatias, que viveu em Jerusalém depois do cativeiro (1 Cr 9.8).
7. Um sacerdote, filho de Zadoque, cujos descendentes moraram em Jerusalém depois do retorno do cativeiro (1 Cr 9.11; Ne 11.11). Ele é provavelmente o mesmo Salum, ancestral de Esdras. *Veja* Salum.
8. Filho de Mesilemite e ancestral de Adaías. Tornou-se sacerdote depois do retorno da Babilônia (1 Cr 9.12).
9. Levita da família de Coate, supervisor dos reparos no Templo na época de Josias (2 Cr 34.12).
10. Um dos chefes levitas enviado por Esdras a Casifia para reunir os levitas e os netineus para o retorno a Jerusalém (Ez 8.16ss.).
11. Um chefe, provavelmente levita, nos dias de Esdras, que ajudou a resolver o problema da dissolução dos casamentos de judeus com esposas pagãs. Possivelmente a mesma pessoa mencionada no item 10 acima (Ed 10.15).
12. Membro da família de Bani que expulsou sua esposa pagã na época de Esdras (Ed 10.29).
13. O filho de Berequias que trabalhou na construção do muro, sob as ordens de Neemias. Sua filha se casou com Joanã, filho do inimigo de Neemias, Tobias, o amonita (Ne 3.4,30; 6.18).
14. O filho de Besodias que ajudou a reparar o antigo portão de Jerusalém (Ne 3.6).
15. Um dos chefes na época de Esdras, que permaneceu ao seu lado quando o profeta leu a lei para o povo (Ne 8.4). Provavelmente o mesmo homem que selou a aliança de Neemias (Ne 10.20).
16. Sacerdote que assinou a aliança de Neemias (Ne 10.7).
17. Sacerdote, chefe da casa de Esdras, na época do sumo sacerdote Joiaquim (Ne 12.13). Pode ter sido o homem que tomou parte na dedicação do muro (Ne 12.33), mas como havia muitos que tinham o mesmo nome, não é possível determinar especificamente quem era.
18. Outro sacerdote da época de Joiaquim, chefe da casa de Ginetom (Ne 12.16).
19. Um levita que tinha a responsabilidade de ser um porteiro do Templo (Ne 12.25).

P. C. J.

**MESULEMETE** Forma feminina de Mesulão. Filha de Haruz de Jotbá (2 Rs 21.19), era esposa de Manassés e mãe de Amom, rei de Judá.

**METAIS** *Veja* Minerais e Metais.

**METALÚRGICO** *Veja* Minerais e Metais; Ocupações: Ourives, Refinador, Ferreiro.

**METEGUE-AMA** Há versões que traduzem essa palavra em 2 Samuel 8.1 como "as rédeas da metrópole". Essa terminologia se referia a Gade, a capital dos filisteus. Algumas questões estão relacionadas a 2 Samuel 8.1. Existe a possibilidade desse nome ter simplesmente caído em desuso. Entretanto, a versão NASB em inglês interpreta essa passagem da seguinte maneira: "Davi assumiu o controle da principal cidade de...".

**METUSAEL** Filho de Meujael, descendente de Caim e pai de Lameque (Gn 4.18).

**METUSALÉM** Pai de Lameque, avô de Noé e filho de Enoque. Ele morreu com 969 anos de idade (Gn 5.25-27), no ano do Dilúvio.

**MEUJAEL** Descendente de Caim através de Enoque e Irade (Gn 4.18).

**MEUMÃ** Um dos sete criados (eunucos) que ministravam na presença de Assuero, o rei da Pérsia (Et 1.10).

**MEUNIM** A LXX iguala os meunim (em hebraico, *m*[e]*'unim)* aos mineus que constituíam o antigo reino árabe do sul de Ma'în. Alguns escritores modernos procuram o lar dos meunim em Maom (*q.v.*), a moderna Tell Ma'în, aprox. 15 quilômetros ao sul de Hebrom. Entretanto, suas associações com o AT apontam, antes, para Ma'ân, que está aprox. 20 quilômetros a sudeste de Petra, a sua capital. Eles sempre foram inimigos do povo hebreu, mas foram primeiramente derrotados por Israel no período pré-monárquico (Jz 10.12, onde são chamados de "maonitas") e, em seguida por Josafá (2 Cr 20.1 onde deve ser lido "meunitas" no lugar de "amonitas"), por Uzias (2 Cr 26.7) e pelos simeonitas durante o reinado de Ezequias (1 Cr 4.41). Os filhos de Meunim são relacionados entre os netineus (ou "os servos do Templo") que retornaram à Palestina com outros exilados durante o início do período persa (Ed 2.50; Ne 7.52). Eles eram, aparentemente, descendentes dos cativos que foram levados durante as batalhas mencionadas acima.

R.Y.

**ME-ZAABE** Avô de Meetabel, esposa de Hadar, oitavo rei de Edom (Gn 36.39; 1 Cr 1.50). Alguns sugerem que este seria, provavelmente, o nome de um lugar e não de uma pessoa (HDB 3.357) e seria possível identificá-lo com Di-Zaabe (ISBE 3.2045).

**MEZOBAÍTA** Jasiel, um dos valentes de Davi, era designado como mezobaíta (1 Cr 11.47). Como não há nenhuma comunidade conhecida no AT com o nome de *M*[e]*fsob*, talvez esse termo signifique "homem de Zobá".

**MEZUZA** Trata-se de um pergaminho afixado no batente da porta de famílias judias como sinal de fé. *Veja* Filactérios.

**MIAMIM** Na versão KJV em inglês, esse nome foi redigido duas vezes como Miamim (Ed 10.25; Ne 12.5).
1. Descendente de Arão e chefe do sexto dos 24 turnos nos quais Davi organizou os sacerdotes (1 Cr 24.9).
2. Membro da família de Parós que havia se casado com uma mulher estrangeira no período pós-exílico (Ed 10.25).
3. Sacerdote que assinou a aliança com Neemias (Ne 10.7).
4. Sacerdote que retornou da Babilônia com Zorobabel e Jesua (Ne 12.5, 7).

**MIBAR** Um dos valentes de Davi, filho de Hagri (1 Cr 11.38). Na passagem paralela (2 Sm 23.36) lê-se: "... de Zobá; Bani, gadita".

**MIBSÃO**
1. Filho de Ismael (Gn 25.13; 1 Cr 1.29).
2. Descendente de Simeão (1 Cr 4.25), possivelmente com o mesmo nome do ismaelita Mibsão.

**MIBZAR** Um chefe de Edom, listado em Gênesis 36.42; 1 Crônicas 1.53. Eusébio (ISBE, Driver, Dillman) relaciona Mibzar com Mibsara, uma grande aldeia (ISBE III2045).

**MICA** O nome Mica, que significa "Quem é como Jeová", era muito comum entre os hebreus. É também uma variante de Micaías.
1. Um eframita que viveu na época dos juízes (Jz 17–18). Sua mãe tinha 200 siclos de prata fundidos como a imagem de um ídolo que, ao final, foi capturado por um grupo de danitas.
2. Chefe de uma família de Rúben (1 Cr 5.5).
3.Filho de Mefibosete e neto de Jônatas (1 Cr 8.34,35; cf. 2 Sm 9.12).
4. Levita da família de Asafe (1 Cr 9.15). Talvez seja a mesma pessoa mencionada no item 3 acima.
5. Um coatita (1 Cr 23.20,24,25).
6. Pai de Abdom a quem Josias enviou a consultar ao Senhor quando o livro da lei foi encontrado (2 Cr 34.20,21). É chamado de Micaías em 2 Reis 22.12.
7. Levita que selou o pacto com Neemias (Ne 10.11).
8. Levita que era descendente de Asafe (Ne 11.17,22; cf. 1 Cr 9.15). O nome completo, "Micaías", é usado em Neemias 12.35, 41. *Veja* Micaías.

**MICAEL** Nome hebraico de 10 personagens bíblicos e que significa: "Quem é como Deus?"
1. Pai do espia que representava a tribo de Aser (Nm 13.13).
2 e 3. Dois homens de Gade, um descendente do outro (1 Cr 5.11,13,14).
4. Levita e ancestral de Asafe (1 Cr 6.39,40).
5. Um chefe da tribo de Issacar (1 Cr 7.3).
6. Um descendente de Benjamim (1 Cr 8.16).
7. Guerreiro manassita que estava ao lado de Davi (1 Cr 12.20).
8. Homem de Issacar cujo filho foi nomeado por Davi para governar o território desta tribo (1 Cr 27.18); provavelmente a mesma pessoa mencionada em 5.
9. Um dos sete filhos do rei Josafá, assassinado por seu irmão Jeorão (2 Cr 21.2-4).
10. Pai de um líder de 80 pessoas que retornaram da Babilônia (Ed 8.8).

**MICAÍAS** Às vezes este nome aparece abreviado, como Mica (*q.v.*).
1. Mãe do rei Abias (2 Cr 13.2, Micaía), também chamada de Maaca em algumas versões (2 Cr 11.20).

2. Pai de Acbor (2 Rs 22.12) chamado de Mica em 2 Crônicas 34.20. *Veja* Mica 6.
3. Um dos cinco príncipes enviados por Josafá para ensinar a lei de Deus em toda a nação de Judá (2 Cr 17.7).
4. Ancestral de Zacarias que era trombeteiro na dedicação do muro (Ne 12.35).
5. Um dos sacerdotes que tocavam trombetas na dedicação do muro (Ne 12.41).
6. Aquele que relatou aos príncipes a leitura que Baruque fez da profecia de Jeremias (Jr 36.11-13).
7. Filho de Inlá e profeta em Israel durante a época do rei Acabe. O único evento de seu ministério, descrito especificamente, é sua previsão relativa à morte de Acabe e à derrota de Israel nas mãos dos síros (1 Rs 22.4-28; 2 Cr 18.3-27). Tendo estabelecido uma afinidade com Acabe, Josafá, rei de Judá, concordou em lutar com Israel contra a Síria por causa de Ramote-Gileade. Entretanto, Josafá queria conhecer, em primeiro lugar, a vontade do Senhor sobre o assunto. Portanto, Acabe convocou 400 profetas, distintamente chamados de "seus profetas" (2 Cr 18.21,22). Todos, em uníssono, predisseram a bênção de Deus para a vitória de Acabe. No entanto, Josafá ainda não estava satisfeito e solicitou um profeta de Jeová. Com relutância, Acabe chamou Micaías (cujo nome significa "Quem é como Jeová?"), depois de declarar seu ódio por este profeta, porque sempre havia previsto o mal a seu respeito. Após a insistente recomendação por parte do mensageiro para que concordasse com os 400 profetas, Micaías primeiramente com espírito de ironia concordou, mas em seguida previu o desastre. Acabe atribuiu isso ao ódio pessoal que Micaías sentia por ele. No entanto, Micaías afirmou, como Palavra do Senhor, que o próprio Senhor havia permitido que um espírito mentiroso falasse através dos profetas de Acabe. Zedequias, evidentemente um líder dos falsos profetas, bateu no rosto de Micaías (2 Cr 18.23) e Acabe ordenou que fosse preso declarando, como um desafio, que a profecia de Micaías não se cumpriria. Micaías, fiel a Deuteronômio 18.20-22, apostou publicamente no cumprimento de sua profecia. Nada mais se sabe sobre ele nas Escrituras, mas Acabe teve que aprender que a Palavra do Senhor, através de Micaías, era verdadeira. Apesar de Acabe ter se disfarçado, "um homem, na sua simplicidade, armou o arco, e feriu o rei de Israel entre as junturas e a couraça" e ele morreu ao anoitecer.

C. J. W.

**MICAL** Filha mais nova de Saul, concedida como esposa a Davi por causa de sua notável bravura contra os filisteus (1 Sm 14.49; 18.20-25). Ela ajudou Davi a escapar da trama assassina de Saul (1 Sm 19.11-17). Saul deu Mical como esposa a Palti quando Davi estava fugindo (1 Sm 25.44), mas Davi recuperou sua esposa depois da morte de Saul (2 Sm 3.13-15). Ela perdeu a consideração de Davi por ter desdenhado sua dança à frente da arca quando esta foi levada a Jerusalém. Ela não lhe deu filhos (2 Sm 6.16-23).

**MICLOTE**
1. Um filho de Jeiel, um benjamita. Comparando 1 Crônicas 8.32 com 9.37,38 parece que as palavras "e Miclote" também deveriam fazer parte do final de 8.31. Ambas estão em 9.37 no Texto Massorético e na Septuaginta (LXX).
2. Oficial da segunda divisão da guarda, nomeado por Davi (1 Cr 27.4)

**MICMÁS** Cidade de Benjamim, próxima a Geba (*q.v.*), cerca de 10 quilômetros ao norte de Jerusalém, onde o Senhor salvou Israel na batalha contra os filisteus (cf. 1 Sm 14.23). No início, 2.000 homens estavam com Saul em Micmás e 1.000 com seu filho Jônatas em Gibeá (1 Sm 13.2). Então, o exército filisteu atacou em massa em ocupou Micmás. Um destacamento filisteu foi posicionado para defender o desfiladeiro de Uádi es-Suwenit, ao sul de Micmás. Sem saber da ordem de seu pai, Jônatas e seu escudeiro subiram a íngreme passagem entre as rochas Bozez e Sené (1 Sm 14.4), surpreenderam o destacamento, e mataram 20 homens. Ajudado por sua coragem e por um terremoto, o exército de Israel derrotou os filisteus completamente naquele dia.
Mais tarde houve uma referência a essa passagem em uma profecia. "Em Micmás, lança a sua bagagem" (Is 10.28). Exilados do cativeiro, 122 homens retornaram a Micmás com Zorobabel (Ed 2.27; Ne 7.31). No período dos macabeus, Jônatas Macabeu tinha a sede de seu governo em Micmás (1 Mac 9.73). Na época moderna, esse lugar é assinalado pela aldeia de Mukhmas. Ainda são visíveis algumas antigas fundações, grandes pedras e cisternas em forma de arcos.

L. A. L.

**MICMETATE ou MICMETA** Cidade na fronteira entre Efraim e Manassés, a oeste do Jordão e a leste de Siquém (Js 16.6; 17.1). Tem sido sugerido que o artigo ou a preposição que algumas versões trazem antes deste nome podem indicar que não se trata de um nome próprio, mas de uma designação relacionada a alguma característica da natureza. Outros sugerem que esta é uma variação do termo Mukhanah e se refere à planície a leste de Siquém.

**MICNÉIAS** Um dos harpistas que o chefe dos levitas escolheu a pedido de Davi (1 Cr 15.18,21). Na versão KJV em inglês parece que ele também pode ter sido um porteiro; a versão ASV em inglês o chama de porteiro da arca, e a versão RSV em inglês se refere a ele apenas como músico.

**MICRI** Um benjamita cujos descendentes viveram em Jerusalém (1 Cr 9.8).

**MICTÃO** Seu significado pode ser "poema dourado", ou "um mistério", "um canto de profunda importância". O Salmo 16 e também os Salmos 56–60 são assim designados.

**MIDIÃ, MIDIANITAS** Midiã, cujo nome significa luta ou contenda, foi o quarto dos seis filhos de Abraão com Quetura (Gn 25.2; 1 Cr 1.32). Junto com os outros filhos das concubinas, ele foi enviado ao deserto levando presentes para evitar uma disputa por causa da herança de Isaque (Gn 25.1-6).

Midiã também era uma área ao norte do deserto da Arábia, além do Jordão, a leste de Moabe e Edom, a leste do golfo de Ácaba, e na parte oriental da península do Sinai. São muitas as referências do AT a essa área. Seu interior se localizava ao longo da margem oriental do golfo de Ácaba e na ocasião era limitado por Edom a noroeste. Depois de matar o egípcio, Moisés fugiu para a terra de Midiã (Êx 2.15). Entretanto, W. J. Dumbrell questiona se Midiã foi alguma vez um termo territorial, e acredita que no final da Era do Bronze (a época de Moisés), esse nome se referia a uma grande liga de povos nômades ("The Midianites and Their Transjordanian Sucessors", dissertação de Th. D., Harvard Univ., 1970, resumida em HTR, LXIII [1970], 515ss.).

Os midianitas eram um povo do deserto que vivia em tendas como os nômades (Êx 3.1; Nm 10.29-31). Cinco clãs midianitas tinham os filhos de Midiã como ancestrais (Gn 25.4). Os ismaelitas e os midianitas estavam tão intimamente associados que seria difícil distinguir um do outro. Evidentemente, todos os filhos exilados de Abraão se casavam entre si. Alguns dos mercadores ismaelites de Gileade que compraram José e o levaram para o Egito (Gn 37.25-28) eram midianitas. De acordo com Êxodo 3.1, o sogro de Moisés, Jetro, era um sacerdote de Midiã. Moisés cuidou de suas ovelhas durante 40 anos (At 7.30). Em certa ocasião, os midianitas se associaram aos moabitas quando contrataram Balaão para pronunciar uma maldição contra os israelitas. Israel então declarou guerra a ambos e chegou a matar cinco de seus reis e muitas pessoas de seu povo (Nm 22.4-6; 25; 31).

W. F. Albright acredita que os midianitas pertenciam a várias tribos que controlavam o comércio feito pelas caravanas de jumentos e que começou no sul da Arábia e no Crescente Fértil em aprox. 1400 a.C., ou talvez um pouco antes (JBL, LXXXVII [1968], 389ss.). Observe o grande número de jumentos (61.000) e a ausência de camelos nos despojos conquistados dos midianitas (Nm 31.34).

Os capítulos 6 e 7 do livro de Juízes registram a opressão de sete anos exercida pelos midianitas sobre os israelitas. Por causa do pecado de idolatria de Israel, Deus permitiu aos midianitas combater uma efetiva guerra contra essa nação. Quando a proteção divina foi retirada de Israel, os midianitas se juntaram aos amalequitas e aos filhos do leste para lutar contra Israel. Sua opressão estava principalmente dirigida aos campos agrícolas, às colheitas e àqueles que os haviam semeado. Deus levantou Gideão para libertar o seu povo, que já havia se arrependido. Os inimigos de Deus e de Israel sofreram uma completa derrota e seus dois príncipes e dois reis foram mortos (Jz 7.23–8.35; Sl 83.11; Is 9.4; 10.26; Hc 3.7). Embora tenham continuado a existir (veja Is 60.6), Midiã e os midianitas nunca mais foram mencionados como opressores de Israel.

R. P. L

**MIDIM** Cidade no deserto de Judá, uma das seis cidades localizadas no deserto (Js 15.61), cujo local ainda não foi definitivamente estabelecido. Se essa palavra for uma variação de Mârâd, esse local poderia ser Khirbet Mird, um platô a sudeste de Jericó. A LXX destaca Madom como a ortografia correta, e localiza essa cidade na vale de Acor onde seria identificada com a moderna Khirbet Abu Tabaq, cerca de seis quilômetros a oeste de Qumran.

Em 1965-66, foram descobertos três sítios da Idade do Ferro ao longo da margem ocidental do mar Morto, a meio caminho entre Qumran e En-Gedi; um desses poderia, provavelmente, ser Midim (*veja* Nibsã).

**MIDRASH** Termo judaico oriundo do verbo hebraico *darash,* que significa "procurar"; portanto, pode ser entendido como "expor", "explicar", "interpretar". Trata-se de uma literatura judaica que adota a exegese, a exposição e as interpretações homiléticas das Escrituras, e que teve início nas escolas dos rabinos da antiga Israel, durante os períodos do *Sopherim* (400-180 a.C.) e *Zugot* (séculos II e I a.C.). Outros materiais vieram de datas posteriores.

Existem dois tipos de Midrash: o *halakah* que trata dos assuntos legais das Escrituras, e o *haggadah,* que administra as partes não legais (por exemplo, a ética e a teologia) e é homilética. Esdras usou esse método na leitura pública da lei (Neemias 8) e este se tornou o trabalho básico do *Targumim* (paráfrases aramaicas das Escrituras) e da principal linha de expressão do judaísmo (*Mishnah*, *Talmud*).

A principal utilidade do Midrash é dar ao exegeta das Escrituras uma visão mais ampla da interpretação, a partir de um povo mais próximo das origens dos livros do AT, assim como um melhor entendimento de seu texto através da história do povo judeu. *Veja* Talmude.

L. Go.

**MIGDAL-EL** Cidade fortificada em Naftali, próxima a Irom e Horém (Js 19.38). Sua localização ainda é um tema de controvérsias. Alguns supõem que seja a cidade de Magdala do NT, do lado oeste do mar da Galiléia.

**MIGDAL-GADE** Cidade mencionada apenas em Josué 15.37 ao lado de outras 15 cidades em várias partes de Judá. Sua localização exata é desconhecida.

**MIGDOL** O lugar chamado Migdol está relacionado a um substantivo comum hebraico, *migdal*, ou "torre" e é aceito como a indicação de um local fortificado. Geralmente, as referências bíblicas se aplicam a dois lugares separados no Egito, ambos no Delta, mas algumas autoridades se referem apenas a uma cidade (BDB, p. 154; cf. GTT, pp. 239-240, 447-448). Migdol parece ser uma palavra emprestada à língua egípcia; ela aparece no Novo Reino (1570-1085 a.C.) na forma de hieróglifos e, mais tarde, na forma cóptica (A. Erman and H. Grapow, *Wörterbuch der Aegyptischen Şprache,* II, 164).

1. O livro de Êxodo relata informações sobre Migdol, a noroeste do mar Vermelho, em conexão com um lugar de parada dos israelitas (Êx 14.2; Nm 33.7). Os estudiosos admitem que foi nas proximidades de Migdol que os israelitas cruzaram o mar e entraram na península do Sinai. Essa torre deve ter sido um dos postos de guarda ou de controle construídos pelos egípcios para proteger a fronteira noroeste contra as incursões dos asiáticos. Desde o início do Reino do Meio (2160-1785 a.C.) tais postos ou estações foram mencionados na história de Sinuhe (ANET, p. 19; uma referência posterior ao Migdol de Seti Mer-ne-Ptah, *ibid.,* p. 259).

2. Nas profecias de Jeremias, o nome de uma cidade egípcia chamada Migdol aparece duas vezes em relação ao Egito e aos refugiados judeus que fugiram da Palestina depois do assassinato de Gedalias (Jr 44.1; 46.14).

3. Nas profecias de Ezequiel contra o Egito, o nome Migdol é mencionado como o lugar mais ao norte daquele país: "desde Migdol até Sevene" (Ez 29.10; 30.6). Estava situado no extremo norte do Delta e foi identificado com a moderna Tell el Heir, perto de Pelusium (*Westminster Historical Atlas,* p. 126; E. Kraeling, *Bible Atlas,* p. 482; Gardiner, JEA, VI [1920], 109-110).

*Veja* Torre; Fortaleza; Êxodo, O: A Rota.

C. E. D.

**MIGROM** Sua provável localização é Tell Miryam, a meio caminho entre Micmás e Geba. Saul e seu exército de 600 homens acamparam nesse local para se preparar para a batalha contra os filisteus (1 Sm 13.23–14.5; talvez se deva entender "Geba" em lugar de "Gibeá" em 14.2). Este local estava situado na linha de marcha dos assírios que atacaram Jerusalém a partir do norte na época de Isaías (Is 10.24-34).

**MIGUEL**

O arcanjo Miguel, que no AT é mencionado com esse nome em Daniel, é descrito como um dos principais príncipes (10.13), como "vosso príncipe" (10.21), como o "grande príncipe" (12.1) e, provavelmente, como o "príncipe do exército" (8.11). Em todas essas passagens, Miguel aparece como um anjo guerreiro agindo como guardião e campeão Celestial de Israel em seu conflito com os poderes ímpios da Grécia e da Pérsia. Na literatura apocalíptica judaica (Enoque 9 e 40), Miguel é retratado como o primeiro dos "quatro seres que se colocam perante Deus" (Miguel, Gabriel, Rafael e Fanuel ou Uriel). Outros escritos apócrifos relacionam sete arcanjos e Miguel é um deles (Tobias 3.17; 12.15; 2 Ed 4.1).

No NT, Miguel é descrito como "contendendo com o diabo e disputando a respeito do corpo de Moisés" (Jd 9). Alguns estudiosos encontram a fonte dessa afirmação de Judas no pseudoepígrafo da Assunção de Moisés que atribui o seu sepultamento a Miguel e aos anjos. No Targum de Jônatas sobre Deuteronômio 34.6, encontra-se uma descrição semelhante. Uma possível interpretação dessa passagem de Judas é aquela que realça a tarefa do arcanjo como guardião do corpo de Moisés, já que este foi provavelmente o mesmo anjo que falou com Moisés no Monte Sinai (At 7.38). A intenção básica dessa passagem é mostrar que anjos caídos, como o Diabo, continuam a manter a sua mesma condição e posição, de modo que nem mesmo os seus antigos associados podem falar contra eles usando os termos que bem lhes parecerem, mas devem deixar que a condenação final seja pronunciada pelo próprio Senhor Deus. *Veja* Judas, Epístola de.

Miguel aparece pela última vez nas Escrituras em Apocalipse 12.7 como líder do exército angelical contra o dragão e seus anjos. Assumindo novamente seu papel de guerreiro, Miguel derrotou Satanás e o lançou do céu à terra. De acordo com alguns estudiosos protestantes, Miguel deve ser identificado com o Cristo encarnado. Estes estudiosos citam, como base dessa conjectura, a justaposição do menino nascido em Apocalipse 12, com Miguel; e também o título e os atributos de "príncipe" no livro de Daniel. *Veja* Anjo.

F. C. K.

## MILAGRES

### A Natureza do Miraculoso

Visto que o termo milagre é popularmente aplicado a ocasiões incomuns, até mesmo por aqueles que professam não acreditar no sobrenatural, nem sempre é fácil atribuir o verdadeiro significado bíblico à palavra. É provável que a definição mais simples seja: "Uma interferência na natureza por um poder sobrenatural" (C. S. Lewis, *Miracles*, p.15). Uma definição de Machen também é útil. "Um milagre é um evento no mundo exterior, que é trabalhado pelo poder imediato de Deus" (J. Gresham Machen, *The Christian View of Man*, p.117). Com isto ele quer dizer que uma obra divina é milagrosa quando Deus "não usa meios, mas utiliza o seu poder criativo, como o utilizou quando fez todas as coisas a partir do nada" (*loc. cit.*). Em outras palavras, um milagre acontece quando Deus dá um passo para fazer algo além do que poderia ser realizado de acordo com as leis da natureza, do modo como a entendemos, e que na verdade pode estar em desacordo com elas e ser até uma violação delas. Além disso, um milagre está além da capacidade intelectual ou científica do homem.

Quatro palavras gregas aparecem nos Evangelhos para descrever as obras sobrenaturais do Senhor Jesus: *teras* (traduzido como "maravilha") fala do seu caráter extraordinário; *semeion* ("sinal") simboliza a verdade celestial e indica a imediata conexão com um mundo espiritual mais elevado; *dynamis* ("poder") descreve um exercício de poder divino e demonstra o fato de que forças superiores penetraram e estão trabalhando neste nosso mundo inferior; *ergon* ("trabalho") se refere aos feitos miraculosos que Cristo veio realizar. Os primeiros três desses termos estão reunidos em Atos 2.22: "A Jesus Nazareno, varão aprovado por Deus entre vós com maravilhas [ou milagres, *dynamesi*], prodígios [*terasi*] e sinais [*semeiois*], que Deus por ele fez no meio de vós, como vós mesmos bem sabeis" (*veja* W. Graham Scroggie, *A Guide to the Gospels*, pp.203-204).

### O Propósito dos Milagres

Alguns tendem a ver os milagres como eventos isolados na vida dos profetas ou do Senhor Jesus Cristo. Presumivelmente, o desespero medonho de uma pessoa, a seriedade de uma situação, ou a iniciativa de Elias ditaram se um milagre deveria ou não ser realizado. Mas os milagres não estão espalhados em uma confusão geral ao longo da Bíblia Sagrada. Eles estão caracterizados em quatro períodos na história bíblica: os dias de Moisés e Josué, Elias e Eliseu, de Daniel, da igreja primitiva, e do Senhor e Salvador Jesus Cristo e da Igreja primitiva. Em cada caso, os milagres serviram para dar crédito à mensagem e ao mensageiro de Deus, em ligações importantes no desenvolvimento da tradição judaico-cristã. Eles também preservaram a verdade de Deus da extinção.

Moisés era um estranho ao seu povo e precisava de alguns meios para demonstrar que havia sido enviado por Deus para guiá-los, tirando-os da escravidão. Além disso, ele precisava de uma forma de persuadir Faraó a libertar os israelitas escravizados. E é claro, uma vez que Deus guiou os israelitas para fora do Egito, Ele tinha que exercer um poder miraculoso para passar com milhões deles pelo deserto até Canaã.

Elias e Eliseu ministraram a Israel em uma época em que a adoração ao bezerro e a Baal ameaçavam exterminar a fé no Deus verdadeiro. Atos milagrosos mostraram que a mensagem dos profetas era verdadeira e digna de crédito, e que o Deus deles era o único Deus verdadeiro. Este fato fica especialmente claro no confronto entre Elias e os profetas de Baal no Monte Carmelo.

Daniel e seus associados foram impulsionados às posições de liderança, no dia em que o Templo e o poder político judeu foram destruídos, e quando uma grande porcentagem de membros e líderes da comunidade hebraica foi exilada da sua terra natal. Muitas questões devem ter passado pela mente dos exilados. Deus não existe mais? Ele estava sempre com eles? Os assírios e babilônios estavam certos quando zombavam, dizendo que o deus deles era mais poderoso do que o Deus dos hebreus? O Deus hebreu era um Deus local capaz de proteger seus adoradores apenas na Palestina? Será que Deus ainda tinha poder, agora que o seu Templo estava destruído, e não tinha mais aonde habitar? Daniel e seus associados estavam enganados em sua visão a respeito de Deus e de seu poder? Os milagres realizados na Babilônia responderam várias vezes a todas essas perguntas. O Deus do céu era o único verdadeiro, universal em seu poder e amoroso em sua terna supervisão para com os seus. Ele honrou o testemunho dos seus servos fiéis; mostrou que a imagem de Nabucodonozor não era nada quando comparada ao seu poder; Ele abateu Belsazar no exato momento em que este ousou profanar as vestes sagradas do Templo e ridicularizar a Divindade judaica. Um povo tirado da sua terra natal e de seus padrões normais de adoração precisava de tal demonstração de poder para suportar os seus dias de cativeiro. O fato dos hebreus não se assemelharem à população mesopotâmia, mas manterem a sua nacionalidade distinta, por si só é um milagre. É ainda mais notável que tantos que vieram à Mespotâmia como prisioneiros de guerra e escravos, tenham se tornado proeminentes na sociedade babilônica e persa. Descobertas arqueológicas atestam este fato de uma forma incrível.

Durante o ministério terreno de Jesus, Ele usou os milagres para demonstrar a sua divindade, para provar que era o Enviado de Deus, para sustentar o seu Messianato, para ministrar com compaixão às multidões necessitadas, para guiar seus seguidores à fé salvadora, para evidenciar um renascimento espiritual interior (como no caso da cura do paralítico, Mc 2.10,11), e como um auxílio na instrução e preparação de seus discípulos para o ministério que eles estavam prestes a desempenhar (por exemplo, Mc 8.16-21). E também está claro que os milagres da encarnação, ressurreição e ascenção são parte integrante da provisão divina da salvação para a humanidade.

Depois que o Senhor Jesus Cristo ascendeu ao céu, os seus discípulos começaram a pregar em seu nome, interpretando os acontecimentos de sua vida e especialmente de sua morte, escrevendo aos seus convertidos mensagens que traziam em si a autoridade do Espírito Santo.

Então a questão da comprovação (ou da autenticação) surgiu mais uma vez. Eles eram verdadeiros mensageiros de Deus, interpretando corretamente a mensagem e a obra de seu Filho? Os seus pronunciamentos deveriam ser tratados como se fossem inspirados? Os milagres ajudaram a responder estas perguntas de forma afirmativa.

### A Plausibilidade dos Milagres

O homem que vive na época da ciência tem dificuldade de aceitar os milagres. Desde o início da nossa época de escola, ficamos impressionados com a lei natural – com a constância ou uniformidade das operações do universo. Quando crescemos e começamos a desenvolver um mundo e uma visão da vida por nós mesmos, um conflito surge entre este ponto de vista sobre a natureza e o sobrenatural. Como podemos resolver esta questão? Podemos aceitar os milagres?

O fundamento para a solução de qualquer problema desta natureza é uma visão adequada de Deus. Uma forma de começar a chegar a este conceito é através de argumentos filosóficos para a existência e a natureza de Deus. O primeiro deles é o argumento *ontológico*, aquele que simplesmente afirma e argumenta que o homem tem dentro de si a idéia de um ser perfeito. Se este ser é perfeito, ele deve existir porque a perfeição inclui existência. Alguns filósofos alegam que é impossível discutir a existência real a partir de um pensamento abstrato; mas Hegel, dentre outros, sentiu que o ontológico era o argumento supremo para a existência de Deus.

Kant, por outro lado, acreditava que o argumento *moral* era o mais importante. Começando com o "deve" ou com um imperativo categórico no homem, ele defendia a existência de um ser que tinha o direito absoluto de comandar o homem – um legislador e juiz. Outros expressam este argumento de forma diferente, e sustentam que a ampla divergência entre a conduta do homem e sua presente prosperidade requer um acerto de contas no futuro, o que por sua vez requer um juiz absolutamente justo. Contudo, alguns que utilizam o argumento moral enfatizam que a alma ou o espírito religioso no homem exige um objeto pessoal que seja infinito, ético e que possa ser conhecido.

Um terceiro argumento é chamado *cosmológico* ou argumento da casualidade. Cada parte do universo é dependente de algo. Nem mesmo o universo é eterno, mas é um acontecimento, e por isso deve ter uma causa. O argumento retorna através da relação de causa e efeito à causa que não foi induzida, e Àquele que é auto-existente. Ao pensarmos na causa do universo, concluímos que: (1) seja qual for a sua causa, o universo é algo real; (2) o próprio universo é uma grande causa que pode ser infinita; (3) esta causa deve ser livre ou autodeterminada; (4) deve ser uma causa única ou unificada; se existissem muitos deuses, eles estariam necessariamente trabalhando juntos.

Um quarto argumento é o *teológico*. Há uma ordem, um ajuste, e um projeto visível em todos os lugares no universo. Existe a evidência de um projetista do universo. A partir deste argumento, podemos concluir que: (1) este Criador deve ter um grande poder; (2) Ele deve ter grande inteligência; (3) a partir de uma inteligência tão grande, podemos concluir que este Glorioso Ser possui a sua personalidade e autoconsciência.

Através de uma cuidadosa consideração, podemos ir mais além nestes argumentos teístas chegando a uma possibilidade, a uma probabilidade, e até mesmo a uma alta probabilidade de um teísmo total: uma crença em um Deus pessoal, sobrenatural, e onipotente. Embora possamos chegar a certezas morais, não poderíamos chegar à verdadeira certeza intelectual sem restar nenhuma dúvida intelectual por parte do indivíduo. A certeza intelectual a respeito de um Deus pessoal e ético só pode ser alcançada através dos fatos da revelação cristã, e, de forma conclusiva, apenas através de uma experiência interior com Deus. Não é razoável concluir que o onipotente projetista do universo não teria poder para revelar a si mesmo, ou que não teria interesse em se revelar às suas criaturas (isto é, através da Palavra escrita, a Palavra Viva).

Uma vez que admitimos a existência de Deus, não podemos negar a sua atividade sobrenatural no universo, no tempo e no espaço. Boettner comenta: "Se a oposição ao sobrenatural for realizada de forma consistente, ela não pode apenas negar os milagres, mas deve levar a pessoa diretamente ao agnosticismo ou ao ateísmo. A pior e mais acentuada inconsistência para o modernista é admitir a existência de Deus e, contudo, negar os milagres registrados nas Escrituras, por considerar que estes se opõem à lei natural. Uma pequena reflexão deveria convencer qualquer um de que uma concepção teística do universo como um todo coloca em risco a crença nos milagres" (Loraine Boettner. *Studies in Theology*, p. 53).

Porém, muitos encontram pouca ou nenhuma ajuda nos argumentos teístas para o estabelecimento dos milagres. Então considere uma outra abordagem: olhe as próprias leis da natureza. O que elas são? Será que elas impedem a possibilidade dos milagres?

Quanto ao caráter das leis da natureza, Boettner observa: "Elas não são por si só forças na natureza, mas simplesmente declarações gerais do modo como estas forças atuam, de maneira que possamos ser capazes de observá-las. Elas não são forças que governam toda a natureza forçando a obediência, mas sim meras abstrações sem uma existência concreta no mundo real" (*ibid.*, p. 61). Nesse mesmo ponto, C. S. Lewis conclui: "Temos o hábito de falar como se as leis da natureza induzissem os acontecimentos; mas estes nunca foram induzidos... E estas leis não induzem; elas ditam o padrão a que cada acontecimento – se é isto que está sendo considerado como indução – deve se adequar, assim como as regras da aritmética definem o padrão a que todas as transações com dinheiro devem se adequar – se houver algum dinheiro. Assim, por um lado, as leis da natureza cobrem todo o campo do tempo e do espaço; e, por outro, o que elas deixam de fora é precisamente o universo real e inteiro – uma torrente incessante de eventos que fazem a verdadeira história. Isto deve vir de algum outro lugar. Pensar que as leis podem produzir, é como pensar que você pode criar dinheiro verdadeiro apenas fazendo contas" (Lewis, *op. cit.*, p. 71).

Então deve ficar claro que as leis da natureza são meramente observações da uniformidade ou da constância na natureza. Elas não são forças que dão início à ação. Elas simplesmente descrevem a forma como a natureza se comporta – quando o seu curso não é afetado por um poder superior. No plano humano, observamos uma constante introdução de novos fatores ou forças para interferirem no curso normal da natureza. É contrário às leis da natureza, imensos navios de aço flutuarem, ou aeronaves pesando toneladas voarem. Outros fatores têm sido introduzidos. De acordo com as leis da natureza, produtos químicos misturados em certas quantidades produzirão um composto benéfico para o homem. Se outra força, como o calor ou outro produto químico for introduzido, o resultado pode ser uma explosão ou um veneno mortal.

O homem está constantemente realizando "milagres" à medida que interfere na natureza. Milhares de suas invenções aparentemente violam as leis da natureza. Será que Deus é menos do que o homem? Lewis chegou a uma boa conclusão: "Quanto mais certos estivermos da lei, mais claramente saberemos que se novos fatores forem introduzidos, o resultado variará. O que não sabemos, como cientistas, é se o poder sobrenatural pode ser um desses fatores... O milagre é, sob o ponto de vista do cientista, uma forma de tratar, e até mesmo de falsificar (como alguns preferem), ou mesmo de trapacear. Ele introduz um novo fator na situação, ou seja, a força sobrenatural que o cientista não tinha avaliado" (*ibid.*, pp. 70-71).

Não precisaria haver um conflito básico entre ciência e religião. "A ciência... para a maioria agora, mostrou claramente que procurar *descrever* uma ordem na natureza não implica em negar um fundamento da natureza" (C. J. Wright, *Miracle in History and in Modern Thought*, p. 178). Há uma tendência crescente de se reconhecer que a ciência é uma coisa e a religião é outra. A ciência procura descrever o fenômeno e desenvolver novas invenções no mundo físico. Ela tenta responder à pergunta "Como?" A religião procura descrever o fenômeno e ampliar os horizontes no mundo espiritual. Ela busca as razões que estão por trás do fenômeno. Ela se esforça para responder à pergunta "Por quê? A ciência e a religião podem se harmonizar através de uma abordagem inteligente do problema. Fica claro que uma harmonização é possível pelo fato de muitos cientistas proeminentes em nossos dias serem totalmente sobrenaturalistas – crentes em milagres. A dificuldade vem quando os homens "agem sob a hipótese de que os milagres são algo impossível de acontecer". Assim, uma visão ateísta de mundo se torna o critério da história. Ao invés de examinar o mundo para obter uma visão de mundo, os incrédulos usam as suas visões de mundo para tentar construir a história do mundo, e a história que eles construíram é autocontraditória" (Gordon H. Clark, "The Ressurrection", *Christianity Today*, 15 de abril de 1957, p. 19).

Uma defesa dos milagres no final do séc. XX requer um entendimento da opinião e do pensamento moderno. Por algum tempo houve uma tendência de abandonar a posição extrema de uma negação dos milagres. Na virada do século, Adolf Harnack, um grande liberal, escreveu: "Muito do que foi rejeitado anteriormente tem sido restabelecido sob uma investigação mais profunda, e à luz da experiência geral. Quem hoje, por exemplo, poderia desprezar ou escrever apenas resumidamente a respeito da obra de curas miraculosas como aquelas que são descritas nos Evangelhos, como faziam os eruditos de antigamente?" (Adolf Harnack, *Christianity and History*, p. 63). Desde a sua época, estabeleceu-se uma tendência ainda maior nessa direção. O antigo liberalismo não tinha uma mensagem para o mundo que estava convulsionado e chocado devido a duas guerras mundiais, a corrida das armas nucleares, as guerras frias e quentes entre o Ocidente e o Oriente, os constantes conflitos no Oriente Médio, e os desafios da era espacial. Gradualmente, os baluartes do antigo liberalismo desmoronaram diante dos mundos em colisão, e dos ataques da neo-ortodoxia ou do neo-supernaturalismo. A lei da relatividade de Einstein, e outros fatores, modificaram o antigo conceito Newtoniano do universo, e outras variáveis foram introduzidas, o que abriu a porta para um retorno à posição conservadora sobre os milagres.

Isto não significa que o mundo esteja sendo convertido a um cristianismo conservador, mas que a crença em milagres tem sido muito mais intelectualmente respeitada do que costumava ser. Podemos então concluir que uma crença nos milagres não é apenas plausível nos nossos dias, mas que é a única esperança para uma humanidade presa no redemoinho do poder político e de uma iminente guerra atômica. Sem o elemento miraculoso, o cristianismo não teria uma mensagem e nem um consolo para a nossa era. Um Jesus que é simplesmente um mártir da verdade, um príncipe dos filantropos, um modelo de professores éticos, não poderia apresentar aos homens mais do que um idealismo conhecido e desgastado. A única resposta para os mares agitados da vida é um Salvador que possa dizer "Cala-te, aquieta-te" (Mc 4.39). A única esperança para a vitória sobre o poder de Satanás, é Aquele que os demônios reconhecem e obedecem. A única esperança para o corpo nesta vida e na próxima reside naquele que é o Senhor da vida e da morte. A única esperança para a alma descansa naquele que morreu pelos nossos pecados, ressuscitou e ainda vive para interceder por nós.

### Sugestões Para o Estudo dos Milagres

Muitas vezes, não se dá a devida atenção aos milagres, e assim estes são facilmente considerados um fenômeno interessante e dramático. Porém uma investigação cuidadosa dos milagres proverá informações verdadeiramente valiosas para o estudante da Bíblia, e contribuirá para o aumento de seu conhecimento da metodologia de estudo da Bíblia. A seguir estão algumas maneiras de abordar os milagres.

1. Classifique os milagres. Por exemplo, eles podem estar organizados de acordo com a demonstração de poder sobre a natureza, os demônios, as enfermidades, ou as deformidades físicas.
2. Estude-os como uma ferramenta de ensino. Que ponto o realizador do milagre tentava atingir através do milagre?
3. Observe o valor apologético dos milagres; por exemplo, considere-os como uma evidência da divindade de Cristo. Reconheça o fato de que, em todos os exemplos, as maravilhas que Jesus realizou eram humanamente impossíveis.
4. Veja o que eles revelam sobre a pessoa do realizador do milagre. Alguns fatos bastante perceptíveis através dos milagres de Cristo são: seu poder, compaixão, amor, atitude em relação ao judaísmo, ao governo, e o respeito pelas pessoas.
5. Observe o método ou procedimento obedecido na realização dos milagres. Jesus *falou* com as três pessoas que Ele ressuscitou. Ele *tocou* um leproso, e *aplicou lodo* aos olhos de um cego.
6. Veja o que eles revelam sobre a pessoa pela qual o milagre é realizado. O que eles falam sobre a sua posição social, econômica, sob o seu ponto de vista religioso e a sua gratidão? Que efeito o milagre exerce sobre a vida psicológica e espiritual desta pessoa?
7. Observe as necessidades relativas daqueles que foram beneficiados pelos milagres.
8. Visualize o drama do momento. Desenvolva uma imaginação santificada. Por exemplo, imagine Jairo profundamente ansioso e até mesmo nervoso e inquieto, enquanto o Senhor Jesus, depois do seu pedido, se volta para a mulher que tocou na orla das suas vestes, para tratar de sua hemorragia. Talvez tenha passado pela mente de Jairo um breve pensamento de que, se o Senhor Jesus tivesse se apressado, a sua filha não teria morrido.

### A Questão dos Milagres Hoje

Sempre se levanta a questão se a igreja moderna pode desfrutar do mesmo poder de realizar milagres como ocorria no início do NT. Deve-se considerar que Deus é onipotente e pode capacitar os seus para realizar milagres hoje. Apesar de estar claro pela história que Deus parou de operar através de "sinais" no final do NT, os milagres continuam acontecendo. Ocorrências bem comprovadas de curas milagrosas aconteceram e continuam acontecendo em nossos dias (*veja* Cura, Saúde). Entre o povo das tribos, estes milagres serviram para comprovar a mensagem e o mensageiro, em sua primeira apresentação do evangelho. Naquelas mesmas tribos os milagres aparentemente não ocorreram com tanta freqüência depois que a igreja se estabeleceu. Isto não significa que os milagres não ocorreram ou não ocorrerão sob outras condições.

O dom de realizar certos tipos de milagres está sempre relacionado à condição espiritual da igreja, e é confirmado que se a igreja dos nossos dias fosse mais espiritual, ela poderia exercer os dons como fez a igreja do primeiro século. Veja, entretanto, que a igreja de Corinto estava exercendo os preciosos dons, mesmo vivendo em uma condição carnal. Além disso, 1 Coríntios 12 deixa claro que nem todos recebem do precioso Espírito os mesmos dons, mas são dados dons variados aos diferentes membros do Corpo de Cristo. Aparentemente, os dons são concedidos de acordo com a soberana vontade de Deus, e não necessariamente de acordo com a espiritualidade do vaso (*veja* Dons Espirituais). Deve-se lembrar que alguns dos homens mais espirituais na Bíblia Sagrada - como, por exemplo, Abraão e João Batista (que foi cheio do Espírito desde o ventre materno) - não realizaram milagres. E o apóstolo Paulo nem sempre realizou milagres; lembre-se de que ele deixou Trófimo doente em Mileto.

Fica claro pelas Escrituras, que a realização dos milagres apostólicos em geral está relacionada a um programa ou cronograma divino. Pode muito bem ser que alguma outra grande manifestação de milagres ocorra nos últimos dias antes da volta de Cristo. No Sermão do Monte das Oliveiras, o Senhor Jesus Cristo profetizou que falsos profetas e cristos realizariam milagres, e seriam tão astutos que, se fosse possível, enganariam até os próprios escolhidos (Mt 24.24). Outras indicações semelhantes podem ser encontradas em 2 Tessalonicenses 2.9 e Apocalipse 13.12-15 (cf Mt 7.21-23). Se no plano de Deus as falsas operações de milagres deverão ser neutralizadas, podemos presumir que Deus permitirá aos crentes uma nova demonstração apostólica de sinais divinos e maravilhas com esta finalidade específica.

Jamais nos esqueçamos de que o Senhor é o mesmo ontem, hoje e eternamente, e assim busquemos, recebamos e desfrutemos os seus milagres hoje.

### Fontes Não-Cristãs de Poder para Operar Milagres

Já observamos que, no final dos tempos, os milagres serão realizados pelo poder demoníaco. Podemos presumir que o trabalho de Simão, o mágico; e Elimas, o encantador, deveriam ser classificados na mesma categoria (At 8.9-24; 13.6-12), assim como no caso dos mágicos egípcios que competiram com Moisés (Êx 7–8). Para uma discussão sobre esse assunto veja a obra de M F. Unger, *Biblical Demonology*.

### Os Milagres Bíblicos

Os milagres realizados por Moisés e Josué podem ser facilmente encontrados e estudados nos capítulos iniciais de Êxodo, nos capítulos subseqüentes do Pentateuco e no livro de Josué. O trabalho maravilhoso de Elias é descrito em 1 Reis 17–2 Reis 2, e o de Eliseu em 2 Reis 2–8. Os milagres do período de Daniel estão registrados em sua profecia.

Visto que os milagres de nosso Senhor estão relatados ao longo dos quatro Evangelhos, e que alguns milagres são mencionados em mais de um Evangelho, pode ser útil obter uma única lista completa. Os milagres realizados pelos líderes da igreja primitiva podem ser encontrados no livro de Atos, a partir do capítulo 3.

Os Evangelhos registram 35 milagres separados realizados por Cristo; entre estes, Mateus cita 20; Marcos, 18; Lucas, 20; e João, 7. Não se deve concluir, entretanto, que o Senhor só realizou estes milagres. Mateus, por exemplo, relembra 12 ocasiões em que o Senhor Jesus realizou várias maravilhas (4.23-24; 8.16; 9.35; 10.1,8; 11.4,5; 11.20-24; 12.15; 14.14; 14.36; 15.30; 19.2; 21.14). Obviamente os escritores dos Evangelhos simplesmente escolheram os milagres de acordo com o seu objetivo, dentre os inúmeros que foram realizados pelo Senhor Jesus. Há muitas formas de organizar os milagres individuais registrados nos Evangelhos, dependendo do propósito do comentarista. Pode ser de grande valia enumerá-los em sua ordem de ocorrência, tanto quanto for possível.

1. A transformação da água em vinho (Jo 2.1-11)
2. A cura do filho de um nobre em Caná (Jo 4.46-54)
3. A cura um paralítico no tanque de Betesda (Jo 5.1-9)
4. A primeira pesca miraculosa (Lc 5.1-11)
5. A libertação de um endemoninhado na sinagoga (Mc 1.23-28; Lc 4.31-36)
6. A cura da sogra de Pedro (Mt 8.14,15; Mc 1.29-31; Lc 4.38,39)
7. A purificação de um leproso (Mt 8.2-4; Mc 1.40-45; Lc 5.12-16)
8. A cura de um paralítico (Mt 9.2-8; Mc 2.3-12; Lc 5.18-26)
9. A cura de um homem que tinha uma das mãos mirrada (Mt 12.9-13; Mc 3.1-5; Lc 6.6-10)
10. A cura do servo do centurião (Mt 8.5-13; Lc 7.1-10)
11. Jesus ressuscita o filho de uma viúva (Lc 7.11-15)
12. A cura de um endemoninhado cego e mudo (Mt 12.22; Lc 11.14)
13. Jesus acalma uma tempestade (Mt 8.18,23-27; Mc 4.35-41; Lc 8.22-25)
14. A libertação de um endemoninhado gadareno (Mt 8.28-34; Mc 5.1-20; Lc 8.26-39)
15. A cura da mulher que tinha um fluxo de sangue (Mt 9.20-22; Mc 5.25-34; Lc 8.43-48)
16. Jesus ressuscita a filha de Jairo (Mt 9.18,19,23-26; Mc 5.22-24,35-43; Lc 8.41, 42,49-56)
17. A cura de dois cegos (Mt 9.27-31)
18. A libertação de um mudo (Mt 9.32,33)
19. Jesus alimenta mais de 5 mil pessoas (Mt 14.14-21; Mc 6.34-44; Lc 9.12-17; Jo 6.5-13)
20. Jesus anda sobre as águas (Mt 14.24-33; Mc 6.45-52; Jo 6.16-21)

21. Jesus expulsa o demônio da filha de uma mulher siro-fenícia (Mt 15.21-28; Mc 7.24-30)
22. A cura de um surdo-mudo em Decápolis (Mc 7.31-37)
23. Jesus alimenta mais de 4 mil pessoas (Mt 15.32-39; Mc 8.1-9)
24. A cura de um cego em Betsaida (Mc 8.22-26)
25. A libertação de um garoto (Mt 17.14-18; Mc 9.14-29; Lc 9.38-42)
26. Encontrando o dinheiro do tributo (Mt 17.24-27)
27. A cura de um cego de nascença (Jo 9.1-7)
28. A cura de uma mulher em um sábado (Lc 13.10-17)
29. A cura de um hidrópico (Lc 14.1-6)
30. Jesus ressuscita Lázaro (Jo 11.17-44)
31. A purificação dos 10 leprosos (Lc17.11-19)
32. A cura do cego Bartimeu (Mt 20.29-34; Mc 10.46-52; Lc 18.35-43)
33. Jesus amaldiçoa a figueira (Mt 21.18,19; Mc 11.12-14)
34. A restauração da orelha de Malco (Lc 22.49-51; Jo 18.10)
35. A segunda pesca maravilhosa (Jo 21.1-11)

*Veja* Doenças; Dons Espirituais; Cura, Saúde; Jesus Cristo. Milagres de Jesus; Sinais; Maravilhas; Obras de Deus.

***Bibliografia.*** Frank G. Beardsley, *The Miracles of Jesus*, Nova York. American Tract Society, 1926. John H. Best, *The Miracles of Christ*, Londres. SPCK, 1937. Alexander B. Bruce, *The Miraculous Element in the Gospels*, Londres. Hodder & Stoughton, 1886. John Laidlaw, *The Miracles of Our Lord*, Londres. Hodder & Stoughton, 1890. C.S. Lewis, Miracles, Nova York. Macmillan, 1947. H. van der Loos, *The Miracles of Jesus*, 2ª ed., Leiden. Brill, 1968. Richard C. Trench, *Notes on the Miracles of Our Lord*, Westwood, NJ.. Revell, s.d. H. Wace, "Miracle" ISBE, III, 2062-2066.

**MILALAI** Um músico envolvido nas cerimônias da dedicação do muro de Jerusalém (Ne 12.36).

**MILCA**
1. Filha de Harã e esposa de Naor, irmão de Abraão. Teve oito filhos, dentre eles Betuel, pai de Rebeca e Labão (Gn 11.29; 22.20,23; 24.15, 24,47).
2. Quarta das cinco filhas de Zelofeade, de Manassés, na época do Êxodo. As cinco filhas não tiveram irmãos e seu caso estabeleceu um precedente em Israel ao receberem a mesma herança que apenas os filhos do sexo masculino receberiam (Nm 26.33; 27.1ss.; Js 17.3ss.). Havia uma restrição que deveriam obedecer: só poderiam se casar com homens que fizessem parte da mesma tribo (Nm 36.6ss.).
*Veja* Zelofeade.

**MILCOM** *Veja* Falsos deuses: Moloque.

**MÍLDIO** A palavra hebraica *yeraqon* (cognato da palavra árabe *yerakan,* ou "icterícia") significa tez amarelada ou palidez. Ela sempre aparece ao lado de *shiddaphon*, "murchar", que significa secar ou ressecar o grão ou a fruta. O termo míldio pode se referir a qualquer uma das várias espécies de fungos que aparecem nas plantas e vivem nelas até causar a sua morte (Dt 28.22; 1 Rs 8.37; 2 Cr 6.28; Am 4.9; Ag 2.17). *Veja* Murchar.

**MILÊNIO** Esta palavra vem do latim *mille,* "um mil", e *annum*, "ano", "mil anos", e é um termo teológico baseado nos mil anos mencionados em Apocalipse 20.2-7. Será uma época de bênçãos especiais, durante a qual Satanás estará confinado, e o evangelho será propagado sem obstáculos. Existem três principais visões.
*Pós-milenialismo*. A segunda vinda de Cristo ocorrerá depois do Milênio. A pregação do evangelho pela Igreja irá trazer um tempo de paz e prosperidade, e o conhecimento do Senhor encherá toda a terra. Considera-se a duração desse período como sendo de aproximadamente mil anos. Esta teoria foi promulgada pela primeira vez na Inglaterra pelos ensinos de Daniel Whitby (1638-1726). Ela foi bem popular até que a I Guerra Mundial trouxe uma desilusão aos homens, que perceberam que no final o evangelho não seria aceito por todos, e que a humanidade não estava progredindo moralmente. Recentemente, ela foi renovada especialmente por Loraine Boettner (*The Millennium*).
*Amilenialismo*. De acordo com esta interpretação escatológica não haverá nenhum período literal de mil anos de paz. Nem haverá um milênio físico durante o qual Cristo reinará na terra. As passagens que falam de um reino terreno devem ser interpretadas como se fossem aplicáveis à Igreja, e as bênçãos que o Evangelho traz, como pregado no mundo durante a Era do Evangelho (Hamilton). Acredita-se que a prisão de Satanás ocorreu na cruz, na época de Constantino o Grande, ou em algum período posterior. Muitos amilenialistas consideram que Apocalipse 20.4ss. esteja referindo-se ao estado abençoado daqueles santos que morreram e foram para o Senhor durante a Era do evangelho (Kuyper, Bavinck). A segunda vinda de Cristo é vista como introdutora de um juízo universal final, tanto dos bons como dos maus.
*Pré-milenialismo*. O Milênio é o período do reino literal de Cristo sobre a terra por mil anos. Cristo deve voltar antes do Milênio começar (Ap 19.11ss.; 20.4ss.). Nenhum jul-

gamento universal tanto dos crentes como dos não crentes pode ocorrer, visto que o julgamento dos maus ocorre depois dos mil anos (Ap 20.5,6,11ss.).

*Uma comparação das 3 visões.* Longe de fazer uma avaliação completa das 3 visões neste artigo, as três posições são possíveis, considerando as duas linhas de profecia encontradas na Bíblia com relação ao governo, reino, sofrimento e sacrifício do Messias. (1) As profecias relacionadas ao governo e reinado do Messias podem ser aceitas literalmente, e aquelas relacionadas ao sofrimento e sacrifício do Messias podem ser espiritualizadas ou interpretadas simbolicamente (como fazem muitos judeus). (2) Aquelas relacionadas ao sofrimento e sacrifício do Messias podem ser aceitas literalmente, e as relacionadas ao governo e reinado do Messias podem ser espiritualizadas ou interpretadas de modo figurado ou místico (por exemplo, no caso dos pós-milenistas e amilenialistas). (3) Ambas podem ser consideradas literalmente (por exemplo, no caso dos pré-milenialistas).

Embora alguns problemas estejam relacionados com cada visão, quando estudados em teologia sistemática, a visão pré-milenialista encontra um suporte mais forte na teologia bíblica. É difícil justificar uma mudança da interpretação literal da profecia com relação à primeira vinda de Cristo, a uma interpretação metafórica da sua segunda vinda.

## Descrição da Era Milenial

*O cumprimento das alianeas.* O Milênio é o período em que todas as alianças incondicionais de Deus com a nação de Israel serão cumpridas (*veja* Dispensações). As promessas da aliança com Abraão (Gn 12.1-3) com respeito à terra e à semente serão cumpridas, porque Israel irá possuir a Palestina, e a semente de Abraão irá ocupá-la. As promessas da aliança de Davi, com relação à sua casa, seu trono e seu reino (2 Sm 7.16) serão cumpridas porque alguém da linhagem de Davi irá ocupar o trono e governará sobre a nação de Davi. As promessas da aliança de Jeremias (Jr 31.31-34) com respeito à escrita da lei de Deus no coração dos homens cumprir-se-ão porque Israel será convertida, receberá um novo coração, experimentará o perdão dos pecados e a plenitude do espírito. As promessas da aliança de Moisés (Dt 30.1-10) relacionadas ao reajuntamento de Israel serão cumpridas, e a nação de Israel será abençoada na terra da Palestina.

*Condições ideais da terra.* Várias características da Era Milenial aparecem nas Escrituras. Este será um tempo de paz porque todas as nações estarão sujeitas à autoridade de Cristo (Ap 11.15; Is 9.6,7). Conseqüentemente, a guerra será abolida, será um tempo de alegria (Is 65.18,19). A santidade caracterizará o reino e os seus subordinados (Zc 14.20,21). A glória do Senhor se manifestará sobre a terra (Is 35.2). O rei virá trazer o consolo (Is 66.13) e estabelecerá a justiça perfeita (Is 9.7). Através do ensino do Espírito Santo, o conhecimento da verdade divina se espalhará (Is 11.2; Jr 31.33,34), e os efeitos da maldição serão eliminados da terra (Is 11.6-9; Rm 8.17-23). As enfermidades físicas e todas as doenças serão removidas (Is 35.3-6; Ez 47.12). A longevidade será restaurada (Is 65.20). Haverá perfeita ordem social (Is 65.21-23) e abundância econômica (Is 30.23-26; Am 9.13). Toda a terra se reunirá em adoração a Jeová (Is 45.22-24; Zc 14.16ss.). O fortalecimento divino continuará a ser transmitido pelo Espírito, para que o povo obedeça aos mandamentos do rei (Jl 2.28-32).

*A maldição do Milênio.* Por ocasião de sua segunda vinda, o Senhor Jesus Cristo acabará com toda rebelião organizada contra a sua autoridade (Ap 19.11-21; Sl 2.9). Satanás será preso (Ap 20.2,3) de forma que a origem externa da tentação será removida. Os santos da Era da Igreja presente que deverão reinar com Cristo (Mt 19.28; Lc 19.12-17; 22.30; Ap 3.21; 5.10; 20.4) demonstrarão a plenitude da salvação por terem não só a "garantia da salvação" que é o Espírito Santo (Ef 1.13,14; Rm 8.23), como no presente, mas também porque seus corpos ressurrectos estarão livres da natureza caída de Adão. A terra com tudo o que nela há será uma revelação da salvação, pois ela será libertada da maldição (Is 11.6-9; 65.25; Ez 34.25; Rm 8.17-23).

Ainda como prova da iniqüidade do pecado, as multidões não crerão em Cristo para salvação, mas expressarão apenas um culto de lábios. Como resultado, quando Satanás for solto no final dos mil anos, estes o seguirão e atacarão ao Senhor e aos santos (Ap 20.7-9). Sendo finalmente provada a incorrigibilidade do pecador e o excesso da iniqüidade do pecado, a rejeição da graça de Deus sob a lei, o Evangelho e o reino, Deus irá julgar o mundo com justiça. Acontecerá então a destruição e o julgamento final de Satanás e dos perversos (Ap 20.10-15). No final dos mil anos, Cristo entregará o reino ao Pai para que Ele seja tudo em todos (1 Co 15.24-28).

*Os propósitos divinos do Milênio.* Na época da criação, o propósito de Deus era sujeitar a criação ao homem, que seria um governador teocrático (Gn 1.26). Este propósito nunca foi concretizado por causa do pecado de Adão (Hb 2.8), mas será cumprido durante a Era do Milênio, quando todas as coisas estarão sujeitas a Cristo (1 Co 15.25, 27). Esta será, então, a época do aparecimento mais pleno do Filho de Deus, jamais conhecido em toda a história do mundo, porque Jesus Cristo reinará pessoalmente, em justiça e paz. Um milênio futuro não é claramente uma

Um aqueduto e igreja bizantina, Mileto. ORINST

negação das maravilhas ou da eficácia presente do evangelho. Somente na Era Milenial aparecerão os efeitos completos da redenção de Cristo, na remoção da natureza humana caída dos crentes ressurrectos, da maldição sobre a natureza, e dos efeitos da morte física. Hoje os homens podem rejeitar a Cristo por não conseguirem enxergar o significado da salvação, e tropeçam naquilo que ainda lhes parece ofensivo, como por exemplo, a natureza caída dos cristãos, a maldição sobre a natureza, e a mortalidade do corpo. Assim, eles não poderão se desculpar, por causa destas objeções. Para provar sua justiça e amor, Deus não irá colocar ninguém no final e eterno inferno até que Ele tenha mostrado a todos que o homem é tão pecador que não crerá – nem mesmo no Milênio – exceto pela sua soberana graça.

*Veja* Dia do Senhor; Escatologia; Reino de Deus; Profecia, Cumprimento da.

***Bibliografia***. Loraine Boettner, *The Millenium*, Filadélfia. Presbyterian and Reformed, 1958. Charles L. Feinberg, *Premillennialism or Amillennialism?* 2ª ed., Wheaton. Van Kampen, 1954. Floyd E. Hamilton, *The Basis of Millennial Faith*, Grand Rapids. Eerdmans, 1942. Alva J. McClain, *The Greatness of the Kingdom*, Chicago. Moody, 1959. J. Dwight Pentecost, *Things to Come*, Findlay. Dunham, 1958. Charles C. Ryrie, *The Basis of the Premillennial Faith*, Nova York. Loizeaux, 1953. John F. Walvoord, *The Millennial Kingdom*, Findlay. Dunham, 1959.

J. D. P.

**MILETO** Uma cidade situada no litoral sul do golfo da Latônia, que penetrava a Cária a sudoeste da Ásia Menor, recebendo as águas do rio Maandro. Como centro cultural e comercial durante o séc. VII e VI a.C., Mileto liderou a revolta dos jônios contra a Pérsia em 499 a.C., e foi destruída pela Pérsia. Ao se levantar novamente, ela se tornou uma cidade de sucesso, com aprox. 100.000 habitantes durante o séc. I d.C. Ao final da sua terceira viagem missionária, Paulo passou alguns dias em Mileto, aguardando e encontrando-se com os presbíteros de Éfeso (At 20.15-38). Mais tarde, ele retornou rapidamente, provavelmente depois de ser solto da sua primeira prisão em Roma, sendo forçado a deixar Trófimo doente (2 Tm 4.20). As águas do Maandro obstruíram o golfo da Latônia, e Mileto está agora a 8 km de distância do mar, em meio a um pântano repleto de malária. Escavações iniciadas em 1899 revelaram muito da cidade que Paulo teria conhecido.

H. F. V.

**MILHA** *Veja* Pesos, Medidas e Moedas.

**MILHAFRE** *Veja* Animais: Milhano III. 42.

**MILHANO** *Veja* Animais: Milhafre III. 41.

**MILO** O termo significa "cheio", e provavelmente era uma represa artificial, terraço, ou torre. Desde 2 Reis 12.20 (cf. 2 Sm 5.9; 1 Rs 9.24) alguns supõem que "a casa de Milo" (Bete-Milo) fosse um Templo dos jebuseus. Em Siquém, o termo pode estar se referindo a um clã ou dinastia associada a Abimeleque (Jz 9.6,20); ou pode ser o mesmo que a "torre de Siquém", Migdol-Siquém (9.46-49), a área sagrada preenchida e construída da fortaleza-templo, escavada em 1955-66 por G. Ernest Wright (*Shechem*, Nova York. McGraw-Hill, 1965, p.126).

Em Jerusalém, seu contexto indica que Milo era uma fortaleza, provavelmente incorporada ao muro. Ela existiu na época de Davi

O templo-fortaleza de Siquém, possivelmente a casa de Milo. HFV

(2 Sm 5.9; 1 Cr 11.8) e foi reconstruída por Salomão, talvez para guardar o palácio ao sul e o Templo ao norte (1 Rs 9.15). Ezequias fortificou Milo "na cidade de Davi" (2 Cr 32.5) ao preparar-se para o avanço de Senaqueribe.

As escavações feitas por R. A. S. Macalister e J. G. Duncan em 1923-4, no sul da área do Templo descobriram uma construção que remonta à época de Davi, temporariamente identificada como Milo. A conclusão de Masterman de que ela ficava na Síria, em Acre, entre a área do Templo e a cidade de Davi (Ofel) ao sul, antes que o monte fosse diminuído pelos asmoneus (Josefo, *Wars* v.4.1), a colocaria nas proximidades da atual mesquita de *Al-Aksa*. Em 1964 Kathleen Kenyon escavou um muro pesado de um terraço, sobre um monte que estava situado a leste do declive de Ofel. Suas grandes pedras podem ter sido o enchimento da Milo de Davi, e as reconstruções subseqüentes, como os reparos de Salomão e Ezequias (PEQ. XCVII [1965], 13ss.). *Veja* Jerusalém.

G. A. T.

**MINA** *Veja* Pesos, Medidas, e Moedas.

**MINEIRO** *Veja* Extrativismo.

**MINERAÇÃO** A literatura antiga traz freqüentes menções a vários tipos de metais e minerais. Detalhes de mineração, entretanto, ainda são obscuros, visto que poucos locais onde eram desempenhadas atividades de mineração foram escavados pelos arqueólogos. Aparentemente, na maioria dos casos os minerais eram obtidos pela mineração superficial, que era o método comum até o período Greco-Romano, quando a mineração foi mais amplamente introduzida. A extração do minério era processada em dois passos principais: o esmagamento da terra ou pedra, a lavagem com água para separar o mineral (técnica de garimpo); e o processo de fundição (*q.v.*) quebrando o minério através do aquecimento em fornos.

As antigas fontes de cobre e ferro da Mesopotâmia (Anatólia e regiões Armênias-Transcaucasianas) foram esquecidas ou destruídas pelas atividades modernas. Assim, os quatro maiores complexos conhecidos por nós estão situados na região sul do Crescente Fértil, no Egito e em Chipre.

1. O ferro (cf. Dt 8.9) parece ter sido extraído em Gileade na época do AT, onde vários depósitos de minério de ferro são conhecidos. Ogue, rei Basã, tinha um "leito de ferro" (Dt 3.11), e um rico patrocinador gileadita de Davi se chamava Barzilai ("homem de ferro", 2 Samuel 17.27). Em Uádi Arabá (sul do mar Morto) o minério de cobre (e talvez de ferro) era recolhido em centros de fundição, como Khirbet en-Nahas, el-Gheweibeh, e el-Jariyeh, 25 a 30 quilômetros ao sul do mar Morto, passando por uma fundição inicial, antes de ser transportado até os centros populacionais. Uma exceção é Khirbet Feinan, (*veja* Punon) onde tanto a mineração como a fundição eram praticadas no início do segundo milênio a.C. Foi descoberta nas proximidades de Feinan a única mina vertical desta área (Umm el-'Amad). Na década de 1960 foi descoberto um centro de mineração operado pelos egípcios em Timna, com trabalhadores locais beduínos (edomitas ou provavelmente midianitas). Um Templo egípcio, datado dos reinos de Seti I e Ramsés III, foi cercado pelos campos de fundição.

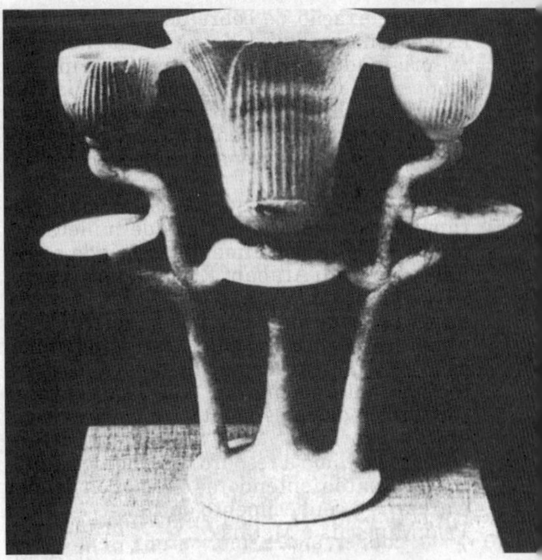

Uma lamparina tripla cortada de um bloco de alabastro translúcido, da tumba de Tutancamom. LL

2. A mineração dos tempos predinásticos ocorreu de forma intermitente no Sinai, de acordo com inscrições e artefatos datados da época dos Reinos Egípcios Antigo, Médio e Novo (2800-1100 a.C.). Magharah e Serabit el-Khadem produziam turquesa e cobre, enquanto o Uádi Nasb e Kharit produziam apenas cobre. As minas e métodos do Sinai são comparáveis às do Uádi Arabá, porém os minérios tinham uma média de apenas 5 a 15% de cobre.

3. No Alto Egito as minas de ouro estavam divididas em 3 áreas: Coptos, nas regiões montanhosas ao norte de Tebas e paralelas ao mar Vermelho, que também tinham pedras de alabastro, diorito e brecha; Wawat, Uádi Allagi, e Cabgaba ao sul de Elefantina e Assuã; Kush, ao longo do Nilo, de Buhen a Sabu. Os dois últimos provavelmente não foram trabalhados antes do Reino Médio (aprox. 2000-1800 a.C.), e seu apogeu aconteceu durante a 18ª Dinastia.

4. A exportação de cobre de Chipre foi tão extensa na antiguidade, que o nome *cobre* foi originado de Chipre. A palavra inglesa "copper" é derivada do nome grego da ilha *Kypros*, do latim *cuprum*. Produzido desde o início do terceiro milênio a.C., o cobre tem continuado a ser extensamente extraído até os nossos dias.

A passagem bíblica que descreve mais claramente as práticas antigas de mineração, (Jó 28.1-11) é normalmente associada ao Sinai ou ao Uádi Arabah. Ela cita, entretanto, vários tipos de minerais, sugerindo que não se referia a nenhum lugar em particular. Outras referências breves à escavação de metais valiosos estão em Deuteronômio 8.9, "Terra cujas pedras são ferro e de cujos montes tu cavarás o cobre"; e Provérbios 2.4, "Se como a prata a buscares e como a tesouros escondidos a procurares, então, entenderás o temor do Senhor e acharás o conhecimento de Deus".

*Veja* Minerais e Metais.

R. A. M.

**MINERAIS E METAIS** Um mineral é qualquer ocorrência naturalmente inorgânica composta, ou elemento caracterizado por distintivas propriedades físicas e químicas. No uso antigo, toda substância era classificada como pertencente ao reino animal, vegetal ou mineral. A lista abaixo inclui vários elementos não minerais no sentido estrito da palavra, mas que são minerais no sentido mais geral, por pertencerem ao reino mineral.

A humanidade sempre usou os minerais como a matéria prima dos produtos manufaturados, variando desde instrumentos de pedra até naves espaciais. Alguns minerais são avaliados como uma fonte para os processos químicos; outros são usados como minérios para metais; há ainda outros que têm um valor especial devido às suas propriedades especiais; e outros (como por exemplo, o sal), são usados nos alimentos. Outro

O antimônio era normalmente usado no antigo Egito para escurecer as pálpebras. Aqui os olhos estão devidamente maquiados; da tumba de Tutancamom. LL

uso dos minerais já estabelecido há muito tempo, está relacionado às pedras preciosas. Os fatores que contribuem para o valor das pedras preciosas são beleza, raridade, durabilidade, tradição, qualidade, e uma variedade de supostos efeitos mágicos que as pessoas supersticiosas atribuem a certas pedras (*veja* Jóias).

Pelo menos seis metais e três ligas eram usados na Antiguidade. Os primeiros metais a serem trabalhados pelo homem aparecem no seu estado natural – ouro, cobre e ferro meteórico. O ouro pode ter sido o primeiro, mas o cobre desfrutava a maior importância prática e utilidade desde os primórdios, até a ampla introdução do ferro. Na época de Moisés, estes metais eram usados em maior ou menor escala: prata, eletro (liga de prata-ouro), chumbo, estanho, bronze (liga de cobre-estanho); e latão (liga de cobre-zinco), e também eram utilizados na época do NT. *Veja* Extrativismo.

1. **Aço**. Uma liga forte, dura e maleável de ferro e carbono, contendo entre 0,2 e 1,5% de carbono. Tem sido questionado se o aço mencionado na Bíblia era regularmente produzido no AT. *Veja* 32: Ferro. A palavra aparece na Bíblia Sagrada como a tradução dos termos hebraicos *nehusha* e *nehoshet* (2 Sm 22.35; Jó 20.24; Sl 18.34; Jr 15.12) e em cada caso deveria ser traduzido como "bronze". *Veja* 14: Bronze.

2. **Adamantino**. Tradução do termo hebr. *Shamir* em Ezequiel 3.9; Zacarias 7.12. É derivada do grego *adamas* significando "rígido" ou "invencível", ou do latim *adamas* significando o metal mais duro. Esta palavra se desenvolveu do idioma inglês medieval *adama(u)nt* até chegar a "diamante". A partir daí, este termo passou a fazer parte de várias versões inglesas em Jeremias 17.1. Visto que o diamante não era totalmente conhecido nas terras bíblicas durante o AT, as referências bíblicas de várias versões fazem uma analogia entre as pessoas rebeldes ou aos corações endurecidos dos judeus, com outros tipos de pedras duras, assim como o pó abrasivo ou coríndon, que é mais duro do que a rocha (Ez 3.9).

O coríndon é um mineral composto por óxido de alumínio, tem sistema cristalino hexagonal, e dureza 9. Só o diamante é mais rígido do que ele. Os cristais vermelhos transparentes são rubis; todas as outras cores, principalmente o azul, são safiras. Além do seu valor como pedra preciosa, o coríndon é usado como abrasivo em ferramentas cortantes e na lapidação de outras pedras.

3. **Ágata**. *Veja* Jóias: Ágata.

4. **Alabastro**. Variedades de gesso compacto, de sulfato de cálcio hidratado, com dureza 2. Alguns, se não a maioria dos "alabastros" (heb. *shayish ou shesh*) da antiguidade eram de mármore (1 Cr 29.2; Et 1.6), compostos de calcita, com dureza 3. Estes materiais, sendo

macios, são facilmente esculpidos e eram muito usados na escultura de estátuas (Ct 5.15), e na fabricação de vasos, frascos, caixas ou garrafinhas para perfume ou óleo (Mt 26.7; Mc 14.3; Lc 7.37). *Veja* Caixa.

Os vasos de alabastro importados do Egito eram valiosos devido aos veios mais escuros sobre a cor marfim. Dentre esses vasos, havia aqueles que eram feitos localmente, de pedras escavadas no vale do Jordão. Muitos desses tesouros em alabastro foram descobertos na tumba do rei Tutancamom.

5. **Âmbar.** Resina fóssil de pinheiros pré-históricos, valiosos por sua transparência, brilho e uma atraente tonalidade amarelada, ou amarelo amarronzado. A fonte primária do âmbar nos tempos antigos era a região báltica. No segundo milênio a.C., comerciantes o trouxeram de Cnossos na ilha de Creta, e de Micenas, na Grécia. Comerciantes fenícios continuaram a importá-lo no primeiro milênio a.C. De acordo com algumas versões bíblicas, Ezequiel refere-se à cor de âmbar (1.4,27; 8.2). Versões modernas, entretanto, traduzem a palavra hebr. *hashmal* como "bronze cintilante", "metal brilhante", "latão brilhante", "metal incandescente" ou "brilho de eletro". O *elektron* na Septuaginta, e o *electrum* na Vulgata, se referem à liga brilhante de ouro e prata.

6. **Ametista**. *Veja* Jóias: Ametista.

7. **Antimônio**. Um elemento metálico (*stibium* em latim) com a aparência de estanho ou chumbo. A palavra aparece na tradução do termo hebraico *puk,* nas versões inglesas modernas de Isaías 54.11, "porei as tuas pedras com antimônio", e como um dos materiais que o rei Davi utilizou no Templo (1 Cr 29.2).

Os antigos trituravam o *puk* transformando-o em um pó preto, formando um cimento preto, que era usado tanto para esculpir em relevo as pedras preciosas, como para escurecer as pálpebras (2 Rs 9.30; Jr 4.30). *Veja* Olho; Olhos, Pintura dos.

O antimônio ocorre na natureza geralmente como estíbio, um mineral atraente de cor cinza chumbo, que forma cristais interessantes. A sua menção escrita mais antiga está em uma inscrição de hieróglifo, que acompanha a pintura da tumba de Khnum-hotep em Beni Hasan, no Egito (aprox. 1890 a.C.). Ibsha, o líder de uma caravana de 37 asiáticos, é retratado levando como presente o valioso antimônio, para a pintura dos olhos de um nobre – ou de sua esposa (ANEP #3).

8. **Argamassa**. *Veja* Cal não Adubada.

9. **Argila**. Possui mais de 60 camadas diferentes de minerais silicatos, compostos por partículas minúsculas. O barro é composto em grande parte por minerais de argila, cujas partículas em sua grande maioria possuem forte aderência em uma massa seca. Esta propriedade tem sido utilizada antes da história da fabricação dos tijolos de barro ser registrada. As partículas de argila se fundem sob intenso aquecimento; esta característica é usada para fazer tijolos queimados, cerâmica, e porcelana fina.

Para fazer tijolos ou cerâmica, a argila era misturada com água em uma cova onde pudesse ser pisada (Sl 40.2; Is 41.25; Na 3.14). Os egípcios aprenderam que deixar a palha de molho na água deixava a argila mais maleável e aderente (cf. Êx 5.7,12; *veja* Tijolo). Uma fonte útil de argila na Palestina era a planície do Jordão entre Sucote e Sartã (ou Zaretã; 1 Rs 7.46); Jó 38.14 cita a capacidade da argila, enquanto ainda macia, de receber a impressão de um selo. O Senhor Jesus, ao cuspir no chão, formou um emplastro de argila que Ele usou na cura do homem cego de nascença (Jo 9.6,11,14,15). As referências à argila como o material do oleiro a ser usado no seu trabalho, são mais freqüentes (Is 29.16; Jr 18.4,6). Freqüentemente em sentido figurado, comparando o Criador ao oleiro e o povo ao barro (Jó 10.9; 33.6; Is 45.9; 64.8). *Veja* Cerâmica.

10. **Asfalto**. *Veja* 13. Betume.

11. **Bdélio**. A identificação desta palavra em Gênesis 2.12 e Números 11.7 não é certa. Ela tem sido interpretada como uma pedra preciosa, opala, pérola, goma, ou resina. A sua interpretação mais provável hoje é o produto da planta (*veja* Plantas: Bdélio).

12. **Berilo**. *Veja* Jóias: Berilo

13. **Betume**. Um hidrocarbonato preto viscoso, extraído das fontes de óleo naturais na Antiguidade, usado para cimentar e calafetar.

Asfalto, cimento, piche, limo, são outras traduções para os termos hebr. *hemar*, *koper*, e *zepet*. *Hemar* talvez signifique cobertura. A mãe de Moisés "tomou uma arca de juncos e a betumou com betume e pez; e, pondo nela o menino, a pôs nos juncos à borda do rio" (Êx 2.3, trad.original). O zigurate em Ur, por exemplo, era de argila pisada com camadas de tijolos, e assentada em argamassa de betume (ou asfalto; cf. Gn 11.3). Outros derivam *hemar* do verbo hebr. *hamar*, "ferver", um indicativo do borbulhamento nos poços de piche (ou betume).

Com a invasão dos reis do leste, os reis de Sodoma e Gomorra fugiram para o "vale de Sidim [que] estava cheio de poços de betume... e caíram ali" (Gn 14.10, lit.). Havia muito betume ao sul do mar Morto que, sem dúvida, era também chamado de "lago Asphaltitis". Mas as grandes reservas estavam no vale do Tigre-Eufrates, perto de Kirkuk na Assíria, e em Hit ao longo do Eufrates.

Deus disse a Moisés para fazer a arca e cobri-la "por dentro e por fora com betume" (Gn 6.14). A palavra usada para piche ou betume com o sentido de cobertura, *koper*, talvez seja derivada de uma raiz semítica *k-p-r*, "untar". De qualquer forma, é mais

Portas de bronze do antigo prédio do senado em Roma. HFV

certo que esta seja uma palavra emprestada do acádio, *kupru*, "asfalto". No épico Utnapishtim de Gilgamesh, o herói babilônio do dilúvio usou *kupru e ittu* (asfalto e piche) para calafetar o seu barco (Tablet XI, 11, 65-68, ANET, p. 93).

De acordo com Êxodo 2.3, a mãe de Moisés calafetou seu cesto com betume e "piche" (heb. *zepet*). Aparentemente derivada do acádio, *sippatu* é uma palavra que provavelmente descreva mais o produto da resina do abeto ou pinheiro, uma substância fluida e altamente inflamável. Isaías lançou uma maldição sobre Edom, com suas florestas cheias de pinheiros nos montes da Transjordânia, profetizando que seus rios e terras se transformariam em piche ardente (Is 34.9).

W. G. B.

14. **Bronze**. A Bíblia raramente faz uma referência clara ao bronze como uma liga de cobre e estanho, pois as palavras gregas e hebraicas que são traduzidas como "latão" em várias versões significam primeiramente cobre. Mas o latão, uma liga de cobre e zinco, não era conhecido talvez até a era romana. As ligas de cobre e estanho foram introduzidas na Palestina, provavelmente pelos invasores amorreus no final da Idade do Bronze (aprox. 2200 a.C.). Ele era usado para solidificar o cobre a fim de fazer ferramentas, armas e objetos de fundição antes do advento do ferro.

Análises químicas de objetos de bronze antigo indicam de 2 a 16% de estanho. A única referência bíblica clara a esta liga é o uso do termo *chalkolibanon* (lit., "cobre branco") em Apocalipse 1.15 e 2.18, onde se traduz "latão reluzente" ou "bronze polido". O cobre e o zinco ocorrem mesclados em um estado natural, sendo que às vezes o latão era produzido acidentalmente durante o processo de fundição. A distinção química entre o zinco e o estanho não era reconhecida até os tempos modernos.

O termo hebraico *nehoshet* e seus derivados, assim como o grego *chalkos,* se referem ao cobre ou ao bronze em seu estado puro, dos quais se fazia todo tipo de vasilhame, todos os instrumentos sagrados ou profanos, incluindo altares feitos de bronze, portões e portas revestidos com placas de bronze (Is 45.2), correntes (2 Cr 33.11), adagas, capacetes (1 Sm 17.5), utensílios domésticos e vasos sagrados (Ap 18.12), ídolos, instrumentos musicais (1 Co 13.1), espelhos (Êx 38.8), alfinetes e até mesmo moedas (Mt 10.9).

O termo hebraico é freqüentemente empregado em um sentido figurado, podendo se referir à força, como em Jó 40.18 (ossos de hipopótamo), à obstinação como em Isaías 48.4 (testa de Israel), a crueldade do céu (Dt 28.23) ou a improdutividade da terra (Lv 26.19).

Os termos aplicados à Idade do Bronze – Antiga (3100-2100 a.C.), Média (2100-1550 a.C.) e Recente (1550-1200 a.C.) – continuam a ser usados por conveniência no estudo da arqueologia palestina, embora a Antiga Idade do Bronze não seja um nome adequado para aquela terra. Acredita-se que a arte de fazer o bronze tenha sido descoberta na Armênia ou na Anatólia no início do terceiro milênio a.C. Objetos de bronze foram encontrados em Ur, datados de aprox. 2500 a.C. Veja 20: Cobre; 29: Estanho.

E. B. S.

15. **Calcário.** Uma substância em pó, branca, obtida através do processo em que a calcita (carbonato de cálcio) é submetida à ação do calor, formando o óxido de cálcio. A cal era aquecida em um forno que consistia de uma cova de 1 a 1,20 metro de profundidade. Alternavam-se camadas de combustível e cal esmagados, iniciava-se o fogo e cobria-se a cova deixando uma abertura para a saída do ar. A cal também podia ser produzida da mesma forma, calcinando a gipsita (sulfato de cálcio, gesso natural).

A cal (heb. *sid*) era usada em paredes de argamassa, pisos, cisternas, etc. *Veja* 8: Argamassa. Os israelitas devem ter coberto as pedras grandes com gesso (onde nós usaríamos cal) após entrarem em Canaã, para prepararem as colunas para escreverem a lei (Dt 27.2-4). A cal de Isaías 33.12 e Amós 2.1 veio da queima de ossos humanos, como um sinal de total destruição e humilhante derrota.

Painel de cobre da verga do templo sumeriano em 'Obeid (2600 a.C.), mostrando o deus Im-du-gud e dois veados. BM

16. **Calcedônia**. *Veja* Jóias: Calcedônia.
17. **Carbúnculo**. *Veja* Jóias: Carbúnculo.
18. **Carvão.** Produzido a partir de brasas de madeira ou carvão vegetal (Lv 16.12,Sl 120.4; Provérbios 25.22; 26.21; *et. al.*). Não há evidências de que as referências ao carvão feitas pelas Escrituras Sagradas signifiquem carvão mineral, isto é, a substância orgânica fossilizada, que foi tão amplamente utilizada como combustível nos tempos modernos. *Veja* Brasas.
19. **Chumbo**. Um elemento metálico macio, azul acinzentado, que funde a 327,5°C. Seu principal minério, chamado galena (sulfureto de chumbo), foi extraído no Egito, Ásia Menor e Espanha (Tarshish; AJA, LXXVI [1972], 139; Ez 27.12). Por causa do seu baixo ponto de fusão, o homem logo descobriu que a manufatura do chumbo era muito fácil, ainda que fosse geralmente um subproduto da fusão do minério de prata, freqüentemente encontrado com a galena (cf. Ez 22.18,20). A presença do chumbo, na verdade, ajudava a produzir a prata, porque o chumbo aquecido oxidava e separava as impurezas (Jr 6.29,30). *Veja* 46: Prata.

A galena era triturada e utilizada como pintura de olhos na era pré-dinástica do Egito, antes de 3400 a.C. Na época de Moisés, era usada em pesos para redes de pesca, a base para a referência às tropas de Faraó na sua canção da vitória. "Sopraste com o teu vento, o mar os cobriu; afundaram-se como chumbo em veementes águas" (Êx 15.10). Era parte dos despojos de guerra tirados dos midianitas (Nm 31.22). Jó desejava que as suas palavras fossem esculpidas para sempre na pedra, com um ponteiro de ferro, e entalhadas com chumbo (Jó 19.24), como na inscrição de Dario I, em Behistun. Esta foi entalhada em uma face vertical elevada, disposta ao lado de uma montanha, e alguns caracteres foram preenchidos com chumbo, para retardar a erosão e aumentar a sua legibilidade. O chumbo também era usado para tampas pesadas (Zc 5.7,8) e como peso na extremidade de um prumo (*q.v.*; Am 7.7,8). Os romanos eram os principais usuários do chumbo no mundo bíblico. Dentre outras coisas, eles faziam moedas de chumbo e até canos para levar água. No latim, o termo *plumbum* significa chumbo, de onde foi derivada a palavra inglesa "*plumber*", ou bombeiro, a pessoa que monta canos de água.
20. **Cobre**. Um elemento metálico marrom avermelhado, maleável, flexível e dúctil. De acordo com os arquivos econômicos de Mari, o seu nome se deve à ilha de Chipre, de onde foi extraído para exportação no início do século XVIII a.C. Com exceção das pepitas de ouro puro e do ferro meteórico, o cobre foi o primeiro metal usado pelo homem. Os primeiros minérios à disposição dos hebreus foram a malaquita verde brilhante, a azurita azul brilhante, e pequenas quantidades de cuprita (um minério de cobre vermelho natural).

Sabe-se que no Oriente Próximo o cobre foi usado desde 4500-4000 a.C. O objeto de cobre mais antigo já encontrado na Palestina é de Jericó Nível VIII Um assentamento da Era Calcolítica (4500-3100 a.C.) em Tell Abu Matar, nas margens de Berseba, traz evidências dos mais antigos trabalhadores em cobre da Palestina. Eles tinham que conseguir o mineral a pelo menos 100 quilômetros de distância em direção ao sul. Sua redução preliminar era feita em fornalhas abertas, então ela era derretida em fornos de 30 a 45 cm de diâmetro, cujas paredes espessas de terra eram misturadas com palha. Depois de ser refinado em cadinhos, o cobre era despejado em moldes para fazer objetos como machados, alfinetes, anéis e outros ornamentos (K. A. Kenyon, *Archaeology in the Holy Land*, Londres. Benn, 1960, pp. 79ss.). Em 1961 um notável tesouro deste mesmo período foi descoberto; foram aprox. 430 objetos de cobre para rituais encontrados em uma caverna nas proximidades de En-Gedi. Naquele local, um santuário ao ar livre da Era Calcolítica foi escavado por arqueólogos israelenses.

O cobre foi, por várias razões, o metal mais útil para os antigos. (1) Podia ser produzido pelo simples processo de aquecer o minério da malaquita na lenha ou em brasas de fogueira; (2) podia ser moldado, endurecido e martelado a quente ou a frio; (3) podia ser enrijecido através de um reaquecimento, que o tornava menos quebradiço; (4) podia ser derretido a 1083°C para ser moldado (a temperatura máxima obtida nos fornos antigos era 1200°C ); e (5) sua maleabilidade permitia que fosse moldado por repetidas vezes através da simples utilização de um martelo.

O bronze, a liga de cobre e estanho, tem a dureza inicial do cobre batido; quando uma lâmina de bronze é martelada, sua ponta pode se aproximar da dureza do aço leve. O bronze tem uma moldagem superior porque faz um molde mais limpo do que o cobre, e a uma temperatura mais baixa. *Veja* 14. Bronze.

O cobre parece ter permanecido relativamente escasso entre os cananeus no decorrer da Antiga Idade do Bronze. Com a afluência do povo do norte (provavelmente os amorreus) em 2000 a.C., o bronze foi introduzido e o cobre se tornou mais abundante. Ferreiros itinerantes como os queneus, com certeza trabalharam nas minas de Arabá e do Sinai (*veja* Extrativismo) durante as épocas de instabilidade política. *Veja* Ocupações: Ferreiro. A operação de fundição do cobre na Última Idade do Bronze foi descoberta em Tel Zeror ao sul de Cesaréia, e outras fornalhas dos filisteus em Tell Qasile, ao norte de Tel-Aviv (ANEP #134), Tell Jemmeh ao sul de Gaza, Bete-Semes e vários locais de fundição em Arabá (anteriormente datados como pertencentes à época de Salomão, mas agora considerados 300 anos ainda mais antigos). *Veja* Fundição.

21. **Coral**. *Veja* Animais V.2. Jóias: Coral
22. **Cornalina**. *Veja* Jóias: Cornalina.
23. **Crisolita**. *Veja* Jóias: Crisolita.
24. **Crisópraso**. *Veja* Jóias: Crisópraso.
25. **Cristal**. *Veja* Jóias: Cristal
26. **Diamante**. *Veja* Jóias: Diamante
27. **Esmeralda**. *Veja* Jóias: Esmeralda.
28. **Esmeril**. *Veja* Pedra.
29. **Estanho**. Um elemento metálico macio, prateado, usado para revestir outros metais para evitar corrosão e formar parte de várias ligas como peltre e bronze (*veja* 14. Bronze). Seu ponto de fusão é 232°C e sua fonte principal é o minério de cassiterita (óxido de estanho), que os antigos escavavam em algum lugar no Cáucaso e nos montes Zagros, a leste da Assíria. Os midianitas, cujos campos foram saqueados por Israel, parecem ter sido intermediários no comércio de metais, especialmente do estanho (Nm 31.22). Mais tarde os fenícios importaram estanho juntamente com prata, ferro e chumbo, de Társis na Espanha (Ez 27.12). Sabe-se que os seus navegadores iam até Cornwall nas Ilhas Britânicas, para proteger o estanho e levá-lo primeiro a Gades (atual Cádiz) a sudeste da Espanha, além de Gibraltar. Ali eles faziam o transbordo da mercadoria, despachando-a para vários portos do Mediterrâneo.

30. **Enxofre**. Este termo pode se referir à lava ou cinza derramada por uma erupção vulcânica que emite gases sulfurosos sufocantes, especialmente o dióxido sulfúrico. Após a destruição vulcânica da ilha de Krakatoa em 1883, o odor nauseante de enxofre invadiu a atmosfera, manchando os metais dos navios da região durante várias semanas.

A palavra enxofre aparece 14 vezes na Bíblia Sagrada, e é usada em cada exemplo para indicar punição e devastação pelo pecado, provavelmente por causa da sua chama brilhante. Os homens malignos e suas terras seriam cobertos por enxofre (Dt 29.23; Ez 38.22; Jó 18.15; Sl 11.6). No dia da vingança de Deus, seu assopro se transformaria em enxofre (Is 30.33), assim como o pó (Is 34.9). Sodoma e Gomorra foram destruídas deste modo (Gn 19.24; Lc 17.29), João viu os idólatras, e aqueles que adoravam a Besta, destruídos pelo fogo e pelo enxofre (Ap 9.17,18; 14.10; 19.20). O Diabo e os ímpios

Um forno de ferro de Pompéia. HFV

serão lançados no lago de fogo e enxofre (Ap 21.8; 20.10).

31. **Enxofre em Pedra**. Um elemento natural macio de coloração amarelo-claro. A sua queima produz uma fumaça sufocante de dióxido sulfúrico. *Veja* 30: Enxofre.

32. **Ferro**. Um elemento metálico prateado e esbranquiçado, maleável e dúctil. Os minérios de ferro – principalmente a hematita (vermelho escuro), a magnetita (preto) e a limonita (marrom amarelado) – são mais amplamente distribuídos na natureza do que o cobre. Mas o ferro é mais difícil de trabalhar do que o cobre, por causa do seu alto ponto de fusão (1535°C). A fusão do ferro, entretanto requer um aquecimento maior por um período prolongado, e também uma corrente de ar mais forte do que o cobre. Além disso, ele deve ser reaquecido para que possa ser forjado, e o cobre e o bronze podem ser martelados a frio. Tudo isto requer um gasto de combustível muito maior, portanto era caro produzir o ferro.

Na época do AT, os ferreiros não conseguiam aquecer uma fornalha o suficiente para produzir o ferro fundido para os moldes. O produto da fornalha era uma massa esponjosa de ferro, escória e cinzas, e tudo isto tinha que ser batido para que a escória e as bolhas de ar fossem removidas. Então o ferreiro a reforjava a massa até transformá-la em ferro fundido (Ecclus 38.28). Mas o ferro puro era relativamente macio para fazer boas ferramentas de corte. Embora os antigos não pudessem produzir um aço uniforme, eles aprenderam como carburar os cortes dos equipamentos de ferro, colocando-os em uma fornalha de carvão, onde o ferro absorvia carbono suficiente para endurecer e tornar-se resistente (*veja* 51. Aço). Em aprox. 900 a.C., começaram a resfriar o ferro forjado para obter uma ponta mais afiada, mas o tratamento térmico não era comum até a época dos romanos. Aparentemente as pedras de amolar eram usadas para afiar ferramentas (Ec 10.10), e o ferro (provavelmente algo como uma lima de ferro) era usado para afiar o próprio ferro (Pv 27.17).

O primeiro ferro conhecido e usado pelo homem não veio do minério, mas de meteoros. Assim, o ferro era às vezes chamado de "metal dos céus". O ferro meteórico pode ser facilmente identificado pelo seu conteúdo de 4 a 30% de níquel. O níquel raramente ocorre no ferro terrestre e, assim, quando presente, está apenas em quantidades pequenas. As contas (fieiras de metal) foram feitas de ferro meteórico no Egito até a época pré-dinástica, (antes de 3000 a.C.). Tubalcaim, o primeiro ferreiro (Gn 4.22), deve ter usado ferro dos meteoros. Por outro lado, seu conhecimento primitivo da metalurgia deve ter sido completamente esquecido em conseqüência do Dilúvio e da confusão de línguas na torre de Babel. *Veja* Dispersão da Humanidade.

Embora o ferro não tenha começado a se tornar comum no Oriente Próximo até a metade do segundo milênio a.C., é errado concluir que todos os objetos de ferro antes daquela época eram feitos de meteoros. O ferro em pequenas quantidades era produzido a partir dos minerais no terceiro milênio a.C. As marcas de ferrugem da lâmina de uma adaga de ferro com um cabo de cobre foram encontradas em Eshnunna (Tell Asmar, 80 quilômetros a nordeste de Bagdá) e datada de aprox. 2700 a.C. Outra adaga de ferro (de aprox. 2450 a.C.) veio de Dorak, do noroeste da Anatólia. Um pedaço de uma ferramenta de ferro enferrujada foi encontrado incrustado na Grande Pirâmide (aprox. 2600 a.C.) do Egito, embora possa ter sido deixado ali mais tarde, por um ladrão de tumbas. Nenhuma destas peças possuía traços de níquel. Outros utensílios de ferro foram descobertos nas primeiras camadas das escavações de Tell Chagar Bazar e Mari, na Mesopotâmia.

Além disso, textos cuneiformes babilônicos do século XVIII, e as cartas de Amarna revelaram que o ferro foi usado no Oriente Próximo desde a época dos patriarcas até os juízes. Um estojo, com uma magnífica adaga de lâmina de ferro, estava entre os tesouros da tumba de Tutancamom (aprox. 1350 a.C.). Apesar de haver poucas evidências, elas reagem à acusação de que as referências ao ferro em Números 31.22; 35.16; Deuteronômio 3.11; 27.5; Josué 6.19,24; 22.8 sejam anacrônicas, implicando que estes livros tenham sido escritos muito mais tarde, na era do Ferro. Os "carros de ferro" cananeus (Js 17.16,18; Jz 1.19; 4.3,13), não eram totalmente feitos de ferro ou protegidos com chapas de ferro, mas evidentemente possuíam acessórios e detalhes em ferro. Compare os anais de Tutmósis III, em Karnak, onde ele descreveu os carros de defesa de Megido como "carros de ouro e prata com pinturas", e na lista dos despojos constava um "carro trabalhado com ouro, com corpo de ouro" (ANET, p. 237).

É quase certo que os heteus da Anatólia foram aqueles que descobriram ou, pelo menos, desenvolveram a técnica de fundir e trabalhar o ferro em aprox. 1500 a.C. Esta visão é sustentada pelo fato de que a palavra hebraica *barzel*, a acádia, *parzillu*, e a ugarítica *brsl* são todas aparentemente derivadas do termo heteu *barzillu*. Uma carta do rei Hattusilis III (1275-1250 a.C.), mostra que seus homens precisavam de mais tempo para produzir o bom ferro que o remetente da carta estava solicitando (O. R. Gurney, *The Hittites*, 2ª ed, Harmondsworth. Penguin, 1954, p. 83). Jeremias preserva uma lembrança interessante da origem do ferro no norte, com a pergunta: "Pode alguém quebrar o ferro, o ferro do Norte, ou o aço?

O "sacerdote-rei", pintado em reboco úmido na parede do palácio em Cnossos, Creta. HFV

(15.12).
Existiam depósitos de ferro nos arredores da Palestina (Dt 8.9; Jó 28.2), em Midiã, a leste do golfo de Ácaba, no Líbano, em Gileade e Arabá (*veja* Mineração). Os israelitas, entretanto, não souberam de início como obter este ferro. Quando os filisteus vieram em grande número em aprox. 1200 a.C., evidentemente trouxeram consigo a arte da fundição (1 Sm 17.7), originada do contato com os heteus. Mas eles monopolizaram a indústria do ferro, para impedir que os judeus fizessem armas mais modernas (1 Sm 13.19-22).
Ao conquistar os filisteus e outras nações, Davi reuniu uma grande quantidade de bronze (2 Sm 8.8) e presumivelmente também de ferro, tanto por meio do espólio como dos tributos. A partir deste reino, o ferro se tornou mais abundante e pôde ser usado pelos cidadãos comuns (2 Rs 6.5,6), assim como pelos reis em seus projetos de construção real (1 Cr 22.3; 29.2; 1 Rs 6.7). As pesadas travas de ferro em forma de barras transversais eram um grande benefício, pois mantinham fechados os portões das cidades, que eram feitos de chapas de bronze (Sl 107.16; Is 45.2); este é provavelmente o significado da "porta [ou portão] de ferro" em Atos 12.10.
Nas metáforas, o ferro é usado como um símbolo de dureza, força e durabilidade (Dt 33.25; Jó 40.18; Jr 1.18; Dn 2.40). A ilustração de um pescoço com fortes tendões de ferro significava obstinação (Is 48.4); um céu como ferro e uma terra como bronze ou cobre representava a falta de esperança (Lv 26.19; cf Dt 28.23); e um jugo de ferro (Dt 28.48; Jr 28.13,14) e correntes de ferro (Sl 105.18; 107.10; 149.8) significavam trabalho forçado e prisão. O Messias governará a terra com uma vara de ferro (Sl 2.9; Ap 2.27; 12.5; 19.15); um governo justo, que não permitirá oposição.

33. **Gesso**. Uma substância pastosa usada para cobrir superfícies, como por exemplo, paredes. É produzido calcinando ou aquecendo o sulfato de cálcio. Um produto remanescente da evaporação de massas de água, a gipsita, é encontrado no Jordão e na planície do mar Morto. O gesso também pode ser feito misturando água com cal, obtida da pedra calcárea. *Veja* 15: Calcário.
Os povos mais pobres da Palestina usavam sempre como argamassa ou gesso, a argila ou a lama, às vezes misturada com palha. Em Levítico 14.42,43,48, não se faz referência aos materiais que eram usados na argamassa, mas só ao que se pintava nas pedras ou se caiava nas paredes. Porém, em Deuteronômio 27.2,4 e Daniel 5.5, há uma indicação definida de que a cal era uma parte do gesso. No caso anterior, a palavra mostra o efeito efervescente produzido quando a cal reage com a água, e no último caso ela indica algo que é aquecido em um forno ou fornalha. Os monumentos de Deuteronômio 27 precisavam de uma boa porcentagem de argamassa, visto que permaneciam ao ar livre. A edificação em Daniel 5 é um palácio real, e por esta razão é de se esperar que ali fossem utilizados a melhor mão de obra e os materiais mais finos.

34. **Granada**. *Veja* Jóias: Granada.

35. **Jacinto**. *Veja* Jóias: Jacinto

36. **Jaspe**. *Veja* Jóias: Jaspe

37. **Latão**. *Veja* 14: Bronze.

38. **Lodo**. Uma substância viscosa, possivelmente lama ou piche de asfalto (Gn 11.3; Êx 2.3). *Veja* 13: Betume.

39. **Mármore**. Uma pedra metamórfica composta por calcita ou dolomita. É dura o bastante para resistir à exposição ao tempo em um clima seco, e ainda suficientemente macia para ser facilmente trabalhada. Sua forma cristalina pode receber um alto polimento. Ela tem cores atrativas, branca, marrom claro e cinza claro. Por estas razões era a pedra favorita para prédios e estátuas no mundo antigo (1 Cr 29.2; Et 1.6; Ct 5.15; Ap 18.12). A gipsita de alabastro também era chamada de mármore e usada no lugar deste; entretanto, por ser macio e nem de longe tão resistente ao tempo, o alabastro não é tão durável (*veja* 4. Alabastro). O calcário Jurássico, um tipo de mármore, era escavado no Líbano para o Templo de Salomão (1 Rs 5.13-18). Os monarcas persas obtinham o mármore em Elão, para os seus palácios

em Susã e Persépolis. O famoso branco neve das estátuas de mármore gregas vieram da ilha de Paros e do monte Pentelikon, ao norte de Atenas. Talvez João conhecesse o mármore de carrara, obtido nas escavações em Carrara, na Itália.

40. **Nitrato**. Um mineral branco altamente solúvel, também conhecido como salitre ou nitrato de potássio. Ele queima fortemente quando inflamado pelo carvão, e é explosivo quando misturado com substâncias combustíveis. Este mineral é às vezes encontrado como uma crosta, deixada pela evaporação da água nas áreas do deserto. É usado para conservação da carne, e na medicina.

A palavra "salitre" (ou nitro, do heb. *neter*), entretanto, deve se referir ao sódio, na forma de carbonato de sódio. Este mineral é um álcali ou uma base, e reage com o vinagre que é ácido (ácido acético), enquanto que com o nitrato ou com salitre não há reação (Pv 25.20). O natro (sódio), importado dos lagos alcalinos a noroeste do Cairo, no Egito, era misturado com óleo para fazer sabão (Jr 2.22). Outro tipo de sabão era feito de lixívia (um líquido) ou potassa (carbonato de potássio, um sal), e era um produto obtido pela lixiviação das cinzas da madeira; isto é, em heb. *borit,* de Jeremias 2.22; Malaquias 3.2, e *bor,* de Jó 9.30. A potassa (*bor*) também era usada como metal fundente na purificação de metais (Is 1.25), e na produção de alguns tipos de vidros assim como esmaltes para cerâmicas.

41. **Ônix**. *Veja* Jóias: Ônix.

42. **Ouro**. Um mineral amarelo metálico macio, que ocorre como um elemento nativo. Portanto, foi provavelmente o primeiro metal a ser conhecido pelo homem (Gn 2.11,12). Ele se funde a 1063°C e é facilmente trabalhado, sendo o mais maleável e dúctil dos metais existentes. O ouro puro não mancha. O ouro era obtido em partículas de pó e pesado em balanças (Jó 28.6), ocasionalmente surgem pepitas de depósitos aluviais (Jó

Um painel de mármore do Pártenon em Atenas. BM

Um capacete de ouro de Mes-kalam-dug, de Ur, aprox. 2500 a.C. BM

22.24), na Núbia (atual Sudão), no Egito, no deserto a leste do Nilo, no Sinai, na costa oeste da Arábia, na Ásia Menor, e em outros lugares como Ofir (*q.v.*).

O mineral normalmente ocorre combinado com pequenas quantidades de prata (uma liga natural chamada eletro), e possivelmente com outros elementos como o cobre. No estado natural, sua pureza pode ser de 70 a 95% (onde 100% é ouro puro). Muito do ouro antigo era derretido e usado diretamente, sem o benefício da purificação. Alguns precisavam apenas ser refinados, sendo simplesmente derretidos e removendo-se a impureza, sem nenhum processo metalúrgico posterior (1 Cr 28.18; Pv 27.21; Ml 3.3).

O ouro é mencionado centenas de vezes na Bíblia, onde pelo menos 6 termos foram usados no hebraico, além de adjetivos que lhe conferiam uma qualificação: *zahab* (mais de 360 vezes), *beser* (Jó 22.24,25), *harus* ("ouro fino", Pv 3.14; Zc 9.3; *et. al.*), *ketem* ("ouro fino", Jó 31.24; Pv 25.12; Lm 4.1; Daniel 10.5; *et. al.*; "ouro puro" Jó 28.19), *s[e]gor* (Jó 28.15), e *paz* ("ouro fino", 9 vezes).

Até o período persa, quando os livros de Crônicas e Daniel foram escritos, geralmente a prata precedia o ouro, quando os dois foram mencionados juntos no AT (por exemplo, Gn 13.2; 24.35; Êx 3.22; Js 6.19; 1 Rs 7.51). Portanto, acredita-se que antes de 500 a.C., quando a prata se tornou mais disponível no mercado, seu valor ultrapassou o valor do ouro. Só no reino de Salomão a prata foi considerada menos valiosa (1 Rs 10.21), pois foi dito que ele fez a prata ficar tão comum quanto as pedras de Jerusalém (10.27).

A arte de trabalhar o ouro é muito antiga. Uma cena fascinante da tumba de Mereruka da 6ª Dinastia (2350-2200 a.C.) no Egito retrata os ourives pesando e registrando o ouro bruto, e soprando-o com longos tubos para dentro de uma fornalha a fim de derretê-lo, para que fosse moldado, e para

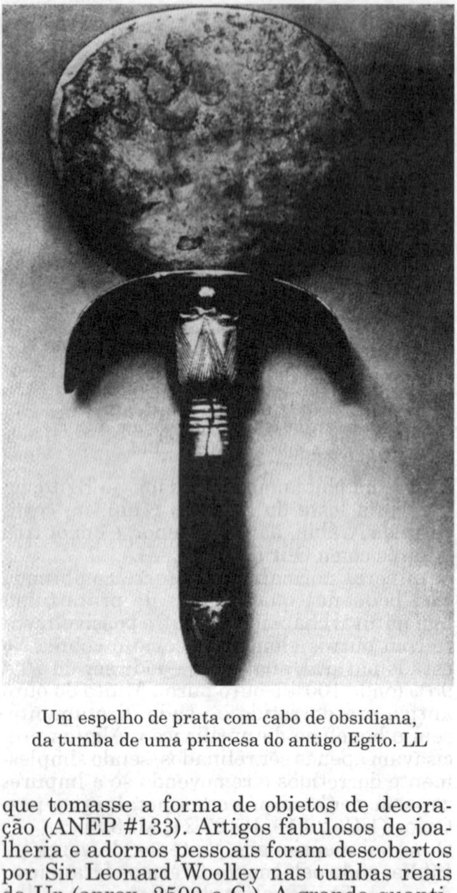

Um espelho de prata com cabo de obsidiana, da tumba de uma princesa do antigo Egito. LL

que tomasse a forma de objetos de decoração (ANEP #133). Artigos fabulosos de joalheria e adornos pessoais foram descobertos por Sir Leonard Woolley nas tumbas reais de Ur (aprox. 2500 a.C.). A grande quantidade de ouro maciço e o interior do esquife de Tutancamom, para não falar da riqueza dos anéis, braceletes, e peitorais estão entre os tesouros mais famosos de todos os tempos. Sir Flinders Petrie encontrou um tesouro em ouro e jóias de eletro em Tell el-'Ajjul, perto de Gaza, pertencente aos séculos XIV ou XIII a.C. (ANEP #74- 75).

O AT fala de vários métodos de se trabalhar os metais preciosos: batendo ou martelando, para que tomem o formato desejado (Êx 25.18,31,36); revestindo-os com folhas de ouro ou depositando-os sobre madeira, pedras ou bases de metal (Êx 25.11; 1 Rs 6.20-22,32,35); moldando objetos como anéis (Êx 25.12) ou talvez até ídolos fundidos (Sl 115.4); preenchendo seus fios com folhas de ouro para serem tecidos em materiais para as cortinas do Tabernáculo, (Êx 39.3) ou tecidos reais (Sl 45.13); fazendo bordados de filigrana para jóias e correntes de cordame retorcido (Êx 28.11,20,22); e entalhando ou estampando uma lâmina de ouro puro (Êx 28.36).

Arão fez o bezerro de ouro derramando dentro de um molde o ouro derretido dos pingentes do povo, em seguida modelando-o com um buril (Êx 32.2-4). A "cunha" de ouro que Acã tomou de Jericó (Js 7.21) era uma barra ou lingote (heb. "língua"). Macalister descobriu uma barra de ouro de 25x 4 centímetros em Gezer, e um objeto semelhante é mencionado na carta de Amarna #29,1.39. Tudo isso, juntamente com discos e anéis largos e grossos, eram as formas em que o ouro era modelado para ser usado como dinheiro. As primeiras moedas de ouro conhecidas pelos judeus, devem ter sido os pesados *daricos* de ouro, que retratavam o rei Dario I ajoelhado tendo em suas mãos um arco e flecha (Ed 2.69).

43. **Pedra de Cal**. Pedra calcária pulverulenta macia, branca, ou amarelo-clara formada por conchas calcáreas ou animais marinhos unicelulares. A cal é um mineral abundante em muitas partes do mundo, incluindo Israel. Usadas para edificações, as variedades mais macias resistiam e se desintegravam em alguns anos. Em Isaías 27.9, a palavra "pedra de cal" é usada como um símbolo de fragilidade. Os altares dos ídolos deveriam ser facilmente pulverizáveis, como se fossem feitos de pedra de cal.

44. **Pérola**. *Veja* Jóias: Pérola; Pérolas.

45. **Piche**. *Veja* 13: Betume.

46. **Prata**. Um elemento metálico brilhante, cinza esbranquiçado, que ocorre como um mineral nativo, assim como um componente metálico em vários outros minerais, como a argentita. Não mancha em uma atmosfera pura, e é o material mais brilhante de todos os metais, capaz de ficar polido como um espelho. Seu ponto de fusão é 961°C.

Os egípcios tinham falta de fontes naturais do minério de prata, de forma que valorizavam mais a prata do que o ouro. Eles a obtinham na Ásia através de permutas, conquistas e impostos (ANET, pp. 237, 239, 249). Grande parte da prata do antigo Oriente Próximo era extraída da Ásia Menor; de acordo com as tábuas da Capadócia de Kanes (atual Kultepe), mercadores assírios exportaram prata e minério de chumbo para Assur, a capital da Assíria, logo no início do séc. XX a.C. Mais tarde, os heteus controlaram este mercado de prata.

No Oriente Próximo, a prata era sempre utilizada junto com a galena, o principal minério do chumbo. O AT faz muitas referências à fundição e ao refino da prata. Jeremias fala do chumbo ser consumido pelo fogo, na tentativa de se conseguir uma prata pura (6.29). O mineral impuro era colocado em um pote refratário, uma vasilha porosa feita de farinha de ossos (o "crisol" de Pv 17.3; 27.21), e aquecido no forno. Um sopro de ar aumentava o calor. Ezequiel menciona os metais corrompidos como cobre, ferro, chumbo e estanho como escórias de prata (22.18-22; cf. Jr 6.27-30). Eles eram oxidados e absorvidos no crisol poroso. O processo poderia ser acele-

Jebel Usdum no extremo sul do mar Morto. IIS

rado através da fusão alcalina, referida em Isaías 1.25: "Voltarei contra ti a minha mão, purificar-te-ei como com potassa das tuas escórias e tirarei de ti todo metal impuro". Para uma prata ainda mais pura, os lingotes teriam mais uma purificação. As palavras ou promessas do Senhor são "puras como prata refinada em forno de barro e purificada sete vezes" (Sl 12.6).

No hebraico, a palavra usada para prata é *kesep*, e aparece mais de 400 vezes, sendo traduzida como "dinheiro" por mais de cem vezes. Entre os israelitas e o povo da Síria e Babilônia, a prata era o principal meio de troca. Abraão pagou seus servos e a caverna de Macpela com prata (Gn 17.13; 23.16). A indenização por Sara lhe foi paga com prata (20.16), e ele era um homem muito rico tanto em prata como em gado e ouro (13.2; 24.35). José foi vendido por 20 peças de prata (37.28). Na época de Moisés, o preço de um escravo aumentou para 30 siclos de prata (Êx 21.32). A prata, e não o ouro, era a base e o padrão para multas, salários e preços também na época de Hamurabi, de acordo com este famoso código de leis (ANET, pp. 175ss.). Um jarro foi encontrado em uma tumba da Última Idade do Bronze, em Dotã, contendo tiras e moedas de prata, sem dúvida usadas como dinheiro.

O uso da prata era o mesmo do ouro (*veja* 42: Ouro), entretanto, a prata não pode ser batida em folhas tão finas como o ouro, de forma que ela era menos empregada em decoração de móveis e trabalhos de madeira. A taça de José (Gn 44.2); uma coroa real (Zc 6.11); jóias (Gn 24.53; Êx 3.22; 11.2; 12.35; Ct 1.11); ídolos (Jz 17.4; Sl 115.4; Is 30.22; 31.7; *et. al.*); e muitos objetos para o Tabernáculo, como as trombetas (Nm 10.2), colchetes e faixas (Êx 27.10,11), salvas e bacias de prata (Nm 7.13ss.) eram feitos de prata. Moedas de prata eram comuns na época do NT. *Veja* Pesos, Medidas e Moedas.

47. **Quartzo**. Um mineral de dióxido de silicone, formando um sistema cristalino hexagonal, de dureza 7. É o mineral mais encontrado na crosta da terra. Mais de 1.000 espécies de quartzo foram descritas; dentre elas o cristal de quartzo, calcedônia, ágata, jaspe, ônix, silício e ametista, que são mencionados na Bíblia. Muitas dessas variedades são bonitas e raras, além de valiosas como pedras semipreciosas. *Veja* Jóias.

48. **Rocha.** Uma variedade do quartzo criptocristalino duro, rígido. Sua excelente fratura concoidal com bordas afiadas, assim como sua dureza, tornou este material ideal para a fabricação de vários itens pelo homem dos primórdios, tais como instrumentos de pedra, equipamentos, pontas de flecha, facas, raspadeiras, e foices. Quando em contato contra outro objeto duro como o aço ou outra rocha, pode produzir uma faísca quente, por isso foi usada por muito tempo para produzir fogo. A pedra continuou sendo usada tempos depois da introdução do metal, porque a rocha era obtida mais rapidamente, e também porque o metal continuava a ser caro para o homem comum. As facas de pedra parecem ter sido preferidas para o ritual da circuncisão (Êx 4.25; Js 5.2,3). A rocha é usada em referências poéticas à pedra que Moisés feriu para obter água (Sl 114.8; Dt 8.15; cf Êx 17.6), e ao solo rochoso de Canaã (Dt 32.13). Em Isaías 5.28 as patas dos cavalos pareciam ser de pedra, e em Ezequiel 3.9, de diamante (*veja* Diamante), que é mais duro que a rocha. A rocha simboliza a firmeza do servo do Senhor (Is 50.7).

49. **Rubi**. *Veja* Jóias: Rubi.

50. **Sal**. O sal mineral é o cloreto de sódio, essencial como nutriente na comida dos animais e também usado para temperar e conservar alimentos. O cloreto de sódio é o composto mais abundante dissolvido no mar. O sal de qualidade inferior é prontamente obtido das superfícies salgadas e da colina de sal Jebel Usdum, no extremo sul do mar Morto (Sf 2.9, "poços de sal"). Portanto, o sal possui uma alta concentração de impurezas, como argila e gipsita. A palavra "sal" é usada em várias expressões idiomáticas na Bíblia Sagrada (*veja* Sal).

51. **Safira**. *Veja* Jóias: Safira.

52. **Sárdio**. *Veja* Jóias: Sárdio.

53. **Sardônio ou Sardônica.** *Veja* Jóias: Sardônio/Sardônica.

54. **Topázio**. *Veja* Jóias: Topázio.

55. **Turquesa**. *Veja* Jóias: Turquesa.

56. **Vidro**. Um líquido cuja viscosidade em temperaturas normais se comporta como sólido. A areia de quartzo (dióxido de silicone) é o principal ingrediente da maioria dos vidros usados no comércio. Aditivos como soda, cal e óxidos metálicos, transmitem propriedades especiais e cor ao vidro, ele esfria sem cristalização, e geralmente é translúcido ou transparente.

A arte de usar esmalte sobre ladrilhos e contas teve início na época pré-histórica, mas o vidro propriamente dito surgiu em aprox. 2600 a.C. Uma tábua cuneiforme de Nínive

Um grifo em tijolo esmaltado do palácio em Susa, a Susã bíblica. LM

registra uma fórmula do século XVII a.C. para fazer vidro usando areia, base alcalina de gramas de charcos salinos, e cal de depósitos de pedra calcária. Por volta da 18ª Dinastia (1570-1320 a.C.), uma fábrica de vidro em El-Amarna, no Egito, produzia pequenos frascos de ungüento girando bastões de vidro em torno de um centro de areia, e fazendo um processo de reaquecimento. De acordo com o escritor do livro de Jó, as imitações de pedras preciosas feitas de frita (pastas de vidro coloridas) tinham um valor igual ao do ouro (Jó 28.17).

A faiança egípcia, que era feita misturando-se sódio com quartzo e aquecendo a mistura, era o material esmaltado mais famoso dos tempos antigos. Uma palavra para esmalte, *spsg*, aparece em um texto ugarítico e ajuda a explicar as palavras hebraicas traduzidas como "escórias de prata" em Provérbios 26.23 (BASOR #98, [1945], pp. 21,24). Com base nesta descoberta, algumas versões apresentam parte do versículo da seguinte forma: "Como o esmalte cobrindo um vaso de barro".

Pelo que consta, o vidro transparente liso nunca foi produzido nos tempos bíblicos, de forma que os "espelhos" de Êxodo 38.8 e o "vidro" de 1 Coríntios 13.12 e Tiago 1.23 referem-se a espelhos de bronze polido.

Pode-se creditar aos fenícios a invenção do método de soprar o vidro no séc. I a.C. Muitos deles eram translúcidos e alguns até transparentes (Ap 21.18,21). Sempre havia um brilho como de um vidro intensamente polido, talvez gerando a expressão "mar de vidro" em Apocalipse 4.6; 15.2 (*veja* mar de Vidro). Na época da rebelião de Bar-Kochba (132-135 d.C.), os vasilhames de vidro substituíram muitos estilos de cerâmicas, conforme aqueles que foram encontrados nas cavernas dos esconderijos dos seus guerreiros judeus. Uma fábrica de vidro foi operada pelos judeus em Bete-Searim, a leste de Haifa, em aprox. 352-382 d.C.

*Veja* Vidro.

***Bibliografia***. L. Aitchison. *A History of Metals*, Vol 1, Londres. 1960. R. J. Forbes, *Metallurgy in Antiquity*, Leiden. Brill, 1950. P. L. Garber, "Silver", IDB, IV, 355ss. J. L. Kelso, "Ancient Copper Refining", BASOR #121 (1951), pp. 26-28; "Metallurgy", BW, pp. 382-388. A. Lucas, *Ancient Egyptian Materials and Industries*, 4ª ed., Londres. Edw. Arnold & Co, 1962. A. Leo Oppenheim, *et. al.*, *Glass and Glassmaking in Ancient Mesopotamia*, Corning. Corning Glass Center, 1972. A. Stuart, "Mining and Metals", NBD, pp. 823-825. F. V. Winnett, "Bronze", IDB, I, 467; "Iron", IDB, II, 725ss.; "Metallurgy", IDB, III, 366-368. R V. Wright e R L Chadbourne, *Gems and Minerals of the Bible*, Nova York. Harper & Row, 1970.

G. H. H. e J. R.

**MINI** Em Jeremias 51.27, o Senhor intimou as nações de Ará, Mini e Asquenaz para a destruição da Babilônia. Visto que Ará

(*Urartu*, na Assíria, Armênia) e Asquenaz (em assírio, *Asguzaya, Ishkuzaya*, a região dos citas) são áreas bem conhecidas que se localizavam a leste do mar Negro, Mini deve ser a *Mannay(a)* ou Maneanos dos séculos IX a VII a.C., de origem assíria, um povo que viveu no Curdistão ao sul do lago Urmia e a leste dos montes Zagros. Não se pode afirmar, no entanto que eles sejam os armênios Minyas (Josefo *Ant.* i.3.6). Eles estavam lingüisticamente relacionados aos urartianos e aos hurrianos do norte da Mesopotâmia. Embora tenham sido freqüentemente invadidos pela Assíria tempos atrás, eles vieram em socorro da Assíria em 616 a.C., mas foram derrotados por Nabopolassar da Babilônia (ANET, p.304). Visto que eles pertenceram mais tarde ao Império Medo-Persa, aparentemente participaram da guerra de Ciro contra a Babilônia, como Jeremias havia profetizado.

De acordo com textos urartianos e assírios, a capital Maneana era Izirtu (ainda não descoberta). A crença geral é que ela estivesse localizada nas proximidades de Saqqiz. Na região de Ziwiye, um tesouro de objetos de ouro (de aprox. 700 a.C.) foi encontrado em 1947. Em 1956 as escavações começaram em Hasanlu Tepe encobrindo a planície sul do Lago Urmia. No século IX a.C., uma fortaleza Maneana sob influência assíria e evidentemente saqueada pelos urartianos em aprox. 800 a.C. Um magnífico vaso de ouro com representações hurrianas do início de 1200 a.C., e uma taça alta de prata foram encontradas nas ruínas da cidadela de aprox. 243.000 metros quadrados (Robert H. Dyson, Jr., "Hasanlu and Early Iran", *Archaeology*, XIII [1960], 118-129; "Ninth Century Men in Western Iran", *Archaeology*, XVII [1964], 3-11).

R. Y. e J. R.

**MINIAMIM**

1. Um levita que distribuía dízimos e ofertas na época de Ezequias (2 Cr 31.15).
2. Um sacerdote que participou das cerimônias de dedicação dos muros (Ne 12.17,41).

*Veja* também Mijamim.

**MINISTRO ou MINISTÉRIO** As palavras em hebraico e grego para ministro são usadas para indicar oficiais de natureza civil e religiosa. A partir da etimologia das palavras e do contexto, fica claro que estas posições envolvem mais responsabilidades do que privilégios.

No AT, a palavra comum para ministro é *mesharet*. Este é um particípio do verbo *sharat*. A expressão pode indicar aquele que assiste uma pessoa de alto escalão, assim como no caso de Josué e Moisés (Êx 24.13; Js 1.1), Elias e Eliseu (1 Rs 19.21). Nos escritos mais recentes, este termo se referia aos oficiais reais (1 Rs 10.5; 2 Cr 22.8), e até mesmo aos anjos de Deus (Sl 104.4). Entretanto, o uso mais característico estava relacionado à ministração dos sacerdotes no Templo (Dt 10.8; 17.12; 21.5; Is 61.6; Ez 44.11; Jl 1.9,13; Ed 8.17; Ne 10.36).

O NT grego emprega 3 palavras para ministro: *Leitourgos* é a primeira, e é usada para *mesharet* na Septuaginta. Ela se referia a um empregado público, possivelmente um cidadão rico, que prestava serviços para o estado (Rm 13.3-6). Com o passar do tempo, passou a ter a conotação distintamente religiosa que aparece na Septuaginta (Rm 15.16). Assim, Cristo é o ministro do Templo celestial (Heb 8.2), e Paulo é um ministro de Cristo ao levar o evangelho aos gentios (Rm 15.16).

*Hyperetes* é um termo grego composto que significa trabalhador de um navio de escravos. Com o tempo passou a significar qualquer pessoa em uma posição subordinada, um assistente pessoal ou ajudante de um superior (Lc 1.2; At 13.5; 26.16; 1 Co 4.1). Este termo era a tradução de *hazzan*, um assistente da sinagoga cuja responsabilidade era abrir e fechar o prédio, cuidar dos livros usados nos cultos, e ajudar o sacerdote ou mestre na adoração. (Lc 4.20).

Finalmente, a palavra mais característica do NT para ministro é *diakonos*, que eram aqueles que serviam as mesas (Lc 12.37; 17.8). Esta palavra enfatiza a submissão do serviço cristão (Mt 20.26; Mc 10.43). Os apóstolos e seus auxiliares são chamados de ministros de Deus (2 Co 6.4; 1 Ts 3.2); de Cristo (2 Co 11.23; Cl 1.7; 1 Tm 4.6); do evangelho (Ef 3.6,7; Cl 1.23); da nova aliança (2 Co 3.6); e da igreja (Cl 1.24,25). Em Atos 6.2,3 sete homens foram escolhidos para ajudar os apóstolos no serviço das mesas. Estes homens serviam como um protótipo do diácono, que mais tarde se tornou um oficial da Igreja primitiva mencionado em Filipenses 1.1 e caracterizado em 1 Timóteo 3.8ss. Enquanto o termo *diakonos* está normalmente associado com o ministério cristão, a expressão também é usada como uma referência aos ministros de Satanás (2 Co 11.13), e possivelmente para ministros do pecado (Gal 2.17).

No AT, o ministério se referia primariamente aos serviços religiosos realizados pelos sacerdotes e levitas. Entretanto, depois da morte de Cristo o NT fala de cada crente trabalhando como um sacerdote diante de Deus (Ap 1.6; 1 Pe 2.9). De acordo com Romanos 12.6-8; 1 Coríntios 12.28; Efésios 4.11, todos aqueles que fazem parte do corpo de Cristo receberam dons do Espírito Santo, com a finalidade de estarem envolvidos no ministério. Mais adiante fica claro que não importa o quão insignificante seja o dom, ele deve ser exercitado "para aperfeiçoamento dos santos" e "para edificação do corpo de Cristo" (Ef 4.12). Lado a lado com a função sacerdotal do crente como indivíduo, o NT marca o desenvolvimento de um ministério cristão profissional. Durante o ministério do nosso Senhor na terra, Ele treinou e enviou os doze (Mt 10.1ss.; Ml 6.7ss.; Lc 9.1ss.). Depois da morte de Cristo, Matias foi escolhido para participar do ministério dos apóstolos (At 1.23ss.). Os sete diáconos foram acrescentados a fim de ajudarem a servir as mesas (At 6.1-8). Na época do concílio de Jerusalém, (At 15) o termo apóstolo parece ter ganhado um referencial mais amplo. Um apóstolo era alguém que testemunhou a ressurreição, e recebeu diretamente do Cristo ressurrecto a incumbência de pregar (cf.1 Co 9.1ss.). Perto do final do ministério de Paulo, a liderança da igreja local estava nas mãos dos bispos, presbíteros e diáconos. A exata ligação entre estes líderes tem sido motivo de disputa há muito tempo. Lightfoot, juntamente com Harnack, fazem do bispo e do presbítero uma única pessoa no NT. O título de bispo enfatiza a função de supervisão, enquanto o presbítero caracteriza a dignidade do ofício. Mais tarde, os dois se separaram, e o bispo se tornou uma ordem distinta, mais elevada do que a do presbítero. Sohm e Lowrie, por outro lado, sustentam que os dois estavam sempre separados, embora esta distinção tenha, com o passar do tempo, se tornado mais enfática. A princípio, nem todos os presbíteros eram bispos, mas todo bispo era um presbítero.

A doutrina da sucessão apostólica apareceu primeiro no século I d.C., na Carta de Clemente. No final do século II d.C., o ensino parece ter se cristalizado. Entretanto, desde o início os patriarcas ortodoxos, especialmente Irineu (*Heresies* 3.3,4), rejeitaram esta afirmação, apelando para os ensinos do NT. *Veja* Liderança, Líder; Serviço.

***Bibliografia***. G.Henton Davies, "*Minister in the Old Testament*", IDB, III, 385ss. Adolf von Harnack, *The Constitution and Law of the Church in the First Two Centuries*, trad. por F. L. Pogson, Nova York. Putnam, 1910, J. B. Lightfoot, "The Christian Ministry", *Saint Paul's Epistle to the Philippians*, Londres. Macmillan, 1885 ed., pp. 181-269. Walter Lowrie, *The Church and Its Organization in Primitive and Catholic Times*, Nova York. Longmans, Green & Co., 1904. Thomas W. Manson, *The Church's Ministry,* Filadélfia. Westminster, 1948. Leon Morris, "Minister, Ministry", BDT, pp. 355ss. John K. S. Reid. *The Biblical Doctrine of the Ministry*, Edinburgh. Oliver & Boyd, 1955. Massey H. Shepherd, Jr., "Ministry, Christian", IDB, III, 386-392. H. Strathmann e R. Meyer, "*Leiturgeo*, etc.", TDNT, IV, 215-231.

P. D. F.

**MINITE** Uma das cidades famosas nas conquistas de Jefté (Jz 11.33). Ezequiel fala do trigo de Minite entre as mercadorias de Tiro (Ez 27.17). Eusébio relaciona Minite com Maanite, na estrada de Rabate Amom a Hesbom. Acredita-se que este local seja El Yadudeh (Kraeling, *Biblical Geography*, p.16).

**MIQUÉIAS** O nome Miquéias, que significa "Quem é como Jeová", era muito comum entre os hebreus. Ele foi um profeta, autor do livro que leva o seu nome (Mq 1.1; Jr 26.18). Viveu em Moresete-Gate (Mq 1.1,14), uma cidade em Judá, perto da cidade de Gate dos filisteus e que, possivelmente, esteve algma vez sob o governo de Gate. Essa cidade estava 30 ou 40 quilômetros a sudeste de Jerusalém. Eusébio e Jerônimo citam a tradição que colocou esse local não muito longe do leste de Eleuterópolis, que tem sido identificada com Beit Jibrin, situada em um vale que leva da planície costeira ao interior da Judéia, perto de Jerusalém. Dessa forma, o profeta viveu onde era capaz de observar a longa estrada por onde, durante séculos, haviam passado os exércitos invasores, assim como os pioneiros e as caravanas comerciais.

Miquéias foi contemporâneo de Isaías. Ele pregou durante os reinados de Jotão (aprox. 742-735 a.C.), Acaz (aprox. 735-715 a.C.) e Ezequias (aprox. 715-687 a.C.), reis de Judá, e serviu tanto ao reino do norte como ao do sul, e dirigiu-se a Samaria e a Jerusalém.

Têm havido discussões a respeito do título do livro (1.1), mas seu conteúdo confirma tanto a data atribuída ao profeta como os objetos de seu ministério, as capitais de Israel e de Judá. Enquanto Isaías ministrava em Jerusalém, supõe-se que Miquéias profetizava entre as classes humildes da nação. Mas ele poderia facilmente ter profetizado também na capital, pois denunciou os líderes do reino e, em grande parte, fez de Jerusalém o centro de suas mensagens.

Faltam evidências para consubstanciar a opinião de que Miquéias era um homem do campo, simplesmente porque residia em uma cidade do interior da Judéia. Ele menciona lugares do interior (1.10-15), mas também lugares em outras partes de ambos os reinos (2.12; 4.8; 5.2; 7.14). Seu estilo não mostra que era uma pessoa rústica. Suas rápidas transições de um tema para outro mostram apenas que tinha um espírito jovial e que possuía uma certa coragem ao falar. As tradições a respeito de sua origem, morte e local de sepultamento são obtidas, em parte, da confusão feita com Micaías, filho de Inlá, contemporâneo de Acabe, rei de Israel (1 Rs 22.8). Tem sido conjeturado, a partir de 2.2, que Miquéias era um fazendeiro e que aquela propriedade que foi tomada com violência pode ter sido sua. Mas Miquéias era capaz de falar diretamente e demonstrar uma forte indignação. Era um escritor de grande habilidade e sublimes declarações (6.1-8), assim como Isaías. Não se pode duvidar que Miquéias, assim como Isaías, exerceram grande influência sobre o rei Ezequias em sua reforma da vida espiritual do reino (veja Jr 26.18).

Miquéias era um homem capaz de ter grande simpatia pelos oprimidos e sensibilidade pelos sofrimentos de seus conterrâneos, e enfrentava a oposição com evidente coragem. Sua linguagem mostra que deve ter sido um homem de grande força emocional e elevados ideais de moralidade.

C. L. F.

**MIQUÉIAS, LIVRO DE** Miquéias é o sexto livro dos profetas menores. O estilo de sua profecia é simples e vigoroso. O profeta gostava de perguntas e empregava a metáfora, o jogo de palavras e a ironia. Miquéias deixou apenas um resumo de suas pregações, mas o que registrou mostra que era um digno contemporâneo de Isaías através da precisa denúncia dos pecados da nação e de seus líderes, e pelo brilhante fervor de suas profecias messiânicas. Ao ministrar no século VIII a.C., ele observou que o poder ameaçador sobre Judá era a Assíria, o império que havia destruído o reino do norte de Israel (5.5ss.). Ele testemunhou a queda de Samaria em 722a.C.

A profecia de Miquéias apresenta inúmeras semelhanças com o livro de Isaías. A semelhança mais notável é a passagem em Miquéias 4.1ss., onde ele repete quase palavra por palavra o que se encontra em Isaías 2.2ss. As explicações têm variado entre atribuir a profecia a Isaías, a Miquéias ou a um profeta mais antigo, mas nenhum argumento tem sido suficiente para satisfazer a maioria dos intérpretes.

Alguns estudiosos atribuíram certas partes do livro a outros escritores além de Miquéias. Esses argumentos são puramente subjetivos e têm sido habilmente respondidos pelos defensores da opinião tradicional, isto é, de que todo o livro foi escrito por um único autor, Miquéias, o morastita.

### Esboço

I. Primeiro Oráculo, Capítulos 1–2
- A. Denúncia, 1.2-16
- B. Ameaça, 2.1-11
- C. Promessa, 2.12-13

II. Segundo Oráculo, Capítulos 3–5
- A. Denúncia, 3.1-11
- B. Ameaça, 3.12
- C. Promessa, 4.1–5.15

III. Terceiro Oráculo, Capítulos 6–7
- A. Denúncia, 6.1-5
- B. Ameaça, 6.6–7.6
- C. Promessa, 7.7-20

### Conteúdo

Quase todos os intérpretes dividem o livro em três seções indicadas pelas palavras da introdução "Ouvi todos". A primeira profecia cobre os capítulos 1 e 2, e seu tema é o julgamento de Samaria e Jerusalém, as capitais dos dois reinos. Esse julgamento está se aproximando, por causa dos pecados da nação (1.2-5), e surpreenderá Samaria por seus hábitos idólatras (1.6,7). Mas Judá será devastada e seu povo será exilado pelas mesmas ofensas (1.8-16), sendo que o castigo será desenhado com a figura de um exército destruído. A destruição e o cativeiro estavam aguardando os líderes que haviam oprimido o povo com um tratamento injusto e iníquo (2.1-5) e com falsos profetas igualmente culpados por suas previsões que tranqüilizavam o povo e o convencia a dormir em sua complacência moral (2.6-11). Em seguida, ele inclui a promessa de uma bênção final ao remanescente de Israel que irá retornar (2.12,13).

A segunda profecia amplia os pecados dos príncipes, dos falsos profetas, dos juízes injustos e dos sacerdotes iníquos. Novamente, os líderes políticos e religiosos da nação são censurados pelo completo desprezo ao que é justo e pela sua preocupação com o ganho pessoal (3.1-11). Conseqüentemente, o Senhor entregará Sião aos seus inimigos (3.12). Tão potente era esse último discurso, que foi lembrado um século mais tarde (Jr 26.18). A última parte da segunda profecia (capítulos 4–5) revela que o reino de Deus se estabelecerá com poder, paz e abundância (4.1-8). Nesse ínterim, somente a tristeza e o cativeiro aguardam a nação por causa de seu inveterado hábito de pecar (4.9,10), mas seu castigo será seguido pelo juízo de Deus sobre seus inimigos (4.11-13). Existe um clímax no anúncio do nascimento, em Belém, do Messias que libertará Sião do domínio dos assírios e pastoreará o seu rebanho (5.1-6). O remanescente não será apenas preservado dos ataques hostis, mas do temor das nações inimigas (5.7-9). O Messias estabelecerá um reino de paz (5.10-15).

A terceira profecia apresenta o caminho para a redenção oferecida por Deus sob a figura de uma controvérsia legal entre o Senhor e o seu povo. As questões apresentadas no início estão entre as mais impressionantes de toda literatura profética. O argumento está baseado nos muitos sinais de bênçãos de Deus sobre Israel e de sua ingratidão mostrada através de seus prevalecentes pecados (6.1-5). São estabelecidas as exigências básicas para essas bênçãos (6.6-8) e, em seguida, Miquéias mostra que eles não estão cumprindo sequer o mínimo necesasário (6.9–7.6). O profeta conclui com a previsão de futuras bênçãos por causa da fidelidade de Deus à sua aliança com Abraão (7.7-20). Por fim, a nação, em sua convicção do pecado, se voltará ao Senhor com arrependimento e confissão. Ao confiar no Senhor, Israel experimentará várias bênçãos que serão por Ele concedidas: a compaixão, o restabelecimento de Sião com a dominação de todos os inimigos, e a renovação de seus atos sobrenaturais em benefício do seu povo. O livro termina com um louvor pela maravilhosa graça de Deus (7.18-20).

***Bibliografia.*** Gleason L. Archer, "Micah", NBC. B. A. Copass e E. L. Carlson, *A Study of the Prophet Micah,* Grand Rapids. Baker, 1950. J. Marsh, *Amos and Micah. Introduction and Commentary,* Londres. SC.M Press, 1959. Norman H. Snaith, *Amos, Hosea and Micah,* Londres. Epworth, 1956. A. S. van der Woude, "Micah in Dispute with the Pseudo-Prophets", VT, XIX (1969), 244-260.

C. L. F.

**MIRAGEM** "Um fenômeno atmosférico no qual o ar parece se mover em ondas ascendentes, como aquelas que são refletidas sobre um metal aquecido" (Webster). Um fenômeno em que uma imagem é refletida no ar quente. Geralmente é uma imagem distante, quase sempre distorcida e freqüentemente encontrada no deserto.

**MIRIÃ**
1. Uma descendente de Ezra por parte de Merede (1 Cr 4.17)
2. Filha de Anrão e Joquebede, e irmã de Arão e Moisés (Êx 15.20; Nm 26.59). Sem dúvida, ela foi a Miriã que protegeu o cesto de juncos no qual Moisés foi escondido. Foi mencionada pela primeira vez e chamada de profetisa por ocasião da jubilosa celebração que liderou depois da travessia do mar Vermelho (Êx 15.20,21). Ela pecou quando foi insubordinada à vontade de Deus, e incitou Arão contra Moisés. Ela e Arão se opuseram ao seu destaque e posição de respeito. Como resultado do seu envolvimento e liderança da rebelião, Deus a castigou com lepra. Moisés orou por sua recuperação e Deus ouviu sua oração. Durante o tempo da sua recuperação, Israel não prosseguiu em sua peregrinação (Nm 12.1-16). Ela morreu em Cades-Barnéia e foi sepultada ali (Nm 20.1).

**MIRMA** Filho de Saaraim, um benjamita (1 Cr 8.10).

**MIRRA**[1] Uma cidade na Lícia, na costa sul da Ásia Menor, onde Paulo se transferiu para um navio graneleiro de Alexandria em sua viagem para Roma (At 27.5). Mirra ficava a três quilômetros do mar por um rio navegável. Um grande teatro, com mais de 110 metros de diâmetro, e belas tumbas, marca atualmente a sua localização. Nos dias de Paulo, seu porto (agora chamado Andriaki) era uma parada importante para os navios graneleiros egípcios, que às vezes navegavam diretamente para Mirra antes de 20 de julho, ou seja, quando os ventos mudassem do oeste para o noroeste. Mirra é inserida no texto pelo Codex Beza em Atos 21.1; ela é inteiramente omitida pela Vulgata.

**MIRRA**[2] *Veja* Incenso; Plantas: Mirra.

**MISÃ** Um benjamita, filho de Elpaal. Também epônimo de uma família de Benjamim (1 Cr 8.12).

**MISAEL**
1. Filho de Uziel, descendente de Coate, filho de Levi (Êx 6.16,18,22). Junto com Elzafã, levou os corpos de Nadabe e Abiú do Tabernáculo para fora do arraial (Lv 10.1-4).
2.Um daqueles que ficaram perto de Esdras na leitura da lei, quando os ex-cativos da Babilônia retornaram a Jerusalém (Ne 8.4).
3. Nome hebreu de Mesaque, companheiro de Daniel, da tribo de Judá (Dn 1.6,7). Juntamente com Hananias e Azarias, ele foi colocado sob as ordens de Melzar, que providenciava a sua alimentação. Com Daniel, o trio recusou a comida do rei, que era cerimonialmente corrompida. A súplica diplomática de Daniel para um teste, que foi bem sucedido, assegurou-lhes uma dieta especial de vegetais (ou grãos de leguminosas). Daniel pediu que Misael e os outros dois amigos orassem com ele pedindo ao Senhor a interpretação do sonho de Nabucodonosor (Dn 2.17,18). Mais tarde, os três amigos de Daniel desafiaram o rei perante a imagem de ouro e, embora tenham sido lançados na fornalha, saíram ilesos por causa da intervenção de Deus (Dn 3.8-27).

H. G. S.

**MISAL** Também se pronuncia Masal. Uma cidade levítica da tribo de Aser (Js 19.26; 21.30; 1 Cr 6.74). A sua localização exata é desconhecida.

**MISERICÓRDIA**[1] No NT, a palavra "misericórdia" é a tradução da palavra grega *eleos,* ou "piedade, compaixão, misericórdia" (veja seu uso em Lucas 10.37; Hebreus 4.16), e *oiktirmos,* isto é, "companheirismo em meio ao sofrimento" (veja seu uso em Fp 2.1; Cl 3.12; Hb 10.28).
No AT, este termo representa duas raízes distintas: *rehem,* (que pode significar maciez), "o ventre", referindo-se, portanto, à compaixão materna (1 Rs 3.26, "entranhas"), e *hesed,* que significa força permanente (Sl 59.16; 62.12; 144.2) ou "mútua obrigação ou solidariedade das partes relacionadas" – portanto, lealdade. A primeira forma expressa a bondade de Deus, particularmente em relação àqueles que estão em dificuldades (Gn 43.14; Êx 34.6). A segunda expressa a fidelidade do Senhor, ou os laços pelos quais "pertencemos" ou "fazemos parte" do grupo de seus filhos. Seu permanente e imutável amor está subentendido, e se expressa através do termo *berit,* que significa "aliança" ou "testamento" (Êx 15.13; Dt 7.9; Sl 136.10-24). *Veja* Bondade.

***Bibliografia.*** R. Bultmann, "*Eleos etc.*",

TDNT, II, 477-487. J. Barton Payne, "*The Theology of the Older Testament*", Grand Rapids. Zondervan, 1962, pp. 161-164.

**MISERICÓRDIA**[2] O termo grego *eusphlanchnos* que é utilizado para misericordiosos em Efésios 4.32 significa literalmente "vísceras gentis" e daí "misericordioso". Uma expressão parecida, *splanchna eleous*, em Lucas 1.78 significa "entranhas de misericórdia ou bondade". As entranhas são consideradas como a fonte da bondade e do desejo nas Escrituras (Gn 43.30; 1 Rs 3.26; Lm 1.20; 2.11; Fm 7,12, 20; Fp 1.8). Em Tiago 5.11 o termo grego *oiktirmon* que vem de *oiktos*, "pena" é traduzido como "misericordioso e piedoso" (cf. Rm 12.1). As duas palavras gregas são combinadas na expressão "entranhas de misericórdia" (Cl 3.12) e "entranhas de compaixão" (Fp 2.1). *Veja* Entranhas.

**MISGABE** Um lugar amplo, seguro e protegido. Algumas versões traduzem este termo como cidade, enquanto outras o traduzem como "fortaleza" (Jr 48.1).

**MISHNA** *Veja* Talmude.

**MÍSIA** Um distrito do noroeste da Ásia Menor. As suas fronteiras nunca foram claramente definidas. Mísia era uma área montanhosa e densamente florestada. Em 133 a.C., tornou-se parte da província romana da Ásia e incluía cidades como Trôade (*q.v.*), Assôs e Pérgamo. Na Bíblia Sagrada, este nome só ocorre em Atos 16.7,8.

**MISMA**
1. Filho de Ismael. Acredita-se que existia uma tribo árabe chamada *Benee Mesma* (Gn 25.14; 1 Cr 1.30).
2. Um descendente de Simeão (1 Cr 4.25).

**MISMANA** Um membro da tribo gadita que se uniu a Davi em Ziclague, como parte dos "varões valentes" (1 Cr 12.10).

**MISPA** Em heb. *mispa* ou *mispeh* significa uma torre de vigia ou um local elevado, de onde se pode enxergar ao longe e com boa abertura. O termo não implica em uma torre literalmente construída pelo homem, mas o importante é a visibilidade oferecida pelo local (Is 21.8; 2 Cr 20.24). Ele é sempre usado com o artigo definido, exceto em Oséias 5.1.
1. Um monte de pedras que Jacó erigiu em Gileade como um marco de sua aliança com Labão, estabelecendo uma fronteira entre os dois (Gn 31.45-49). Labão chamou o local de Jegar-Saaduta, e Jacó o chamou de Galeede ("monte de testemunho"); depois ambos o chamaram de Mispa, isto é, torre de vigia, dizendo: "Vigie o Senhor entre mim e ti..."
2. Uma cidade ou lugar em Gileade, o quartel general de Jefté (Jz 10.17; 11.11,34), chamada da Mispa de Gileade (11.29). É provável que fosse conhecida como Ramate-Mispa (Js 13.26), a Ramote, em Gileade, que era uma cidade de refúgio (Js 20.8; 21.38; 1 Rs 22.4). Nelson Glueck a identificou com Tell Râmîth, cerca de 50 quilômetros a leste de Bete-Seã (BASOR #92 [1943], pp. 10ss.). *Veja* Ramote-Gileade.

Mispa de Benjamim, Tell en-Nasbeh

3. A terra de Mispa (Js 11.3,8), um vale ao pé do Monte Hermom, no norte da Palestina.
4. Um local em Moabe para onde Davi levou seus pais, a fim de oferecer-lhes segurança (1 Sm 22.3).
5. Cidade na Sefelá (ao pé das montanhas) de Judá (Js 15.38).
6. Cidade de Benjamim (Js 18.26) nas cercanias de Geba e Ramá (1 Rs 15.22) e Gibeão (Jr 41.12,16). Em várias ocasiões Mispa serviu como ponto de encontro para as tribos de Israel (Jz 20.1-3; 21.1; 1 Sm 7.5,6; 10.17), e ali Samuel comparecia anualmente para julgar Israel (1 Sm 7.17).
O rei Asa fortificou Mispa e Geba contra o Reino do Norte de Israel, usando as pedras e as madeiras com as quais Baasa edificou Ramá (1 Rs 25.22). Mispa serviu como moradia do governador Gedalias, escolhido por Nabucodonosor para governar o território de Judá depois da destruição de Jerusalém em 586 a.C. (2 Rs 25.22-25; Jr 40.6-13). Ali Gedalias foi assassinado por Ismael, que logo depois matou 70 peregrinos de Siquém e lançou seus corpos em uma cisterna governamental construída por Asa (Jr 41.1-19). É provável que esta Mispa tenha sido reconstruída e repovoada depois do exílio, e que alguns de seus habitantes tenham ajudado na reconstrução do muro de Jerusalém (Ne 3.7,15,19). A sua localização tem sido discutida entre os estudiosos, restando duas identificações como as principais possibilidades. A primeira seria Nebi Samwil, um monte proeminente, 8 quilômetros a noroeste de Jerusalém, pouco mais de 900 metros acima do nível do mar, e o local tradicional do sepultamento de Samuel. A localização mais provável é Tell en-

Ruínas do salão de iniciação aos mistérios eleusianos em Elêusis, Grécia

Nasbeh, 13 quilômetros ao norte de Jerusalém, e apenas 850 metros acima do nível do mar, porém junto à principal estrada norte-sul que vai de Jerusalém a Siquém e a Samaria. Ela foi escavada sob a direção de W. F. Badè de 1926 a 1935. Um dos muros mais fortes (com mais de 4 m de espessura) já encontrados na Palestina foi construído por volta de aprox. 900 a.C., tendo 9 ou 10 torres retangulares reforçando o muro em suas curvas ou em seus longos trechos retos. Seu portão de entrada, com uma torre maciça, estava no lado noroeste do monte. De Tell en-Nasbeh veio um selo que pertenceu a Jazanias (provavelmente o homem de 2 Rs 25.23; Jr 40.8), mostrando um galo de briga. Também foram encontradas 86 alças de jarras com o selo real *lmlk*, provando que esta era uma cidade de judeus. Não foram encontradas outras impressões como esta em Betel, que estava apenas 5 quilômetros ao norte, e do outro lado da fronteira entre Judá e Israel. A maioria das alças de jarras é do período do rei Josias e seus sucessores (640-586 a.C.).

***Bibliografia***. D. Diringer, *"Mizpah"*, TAOTS, pp. 329-342. C. C. McCown, *et. al.*, *Excavations at Tell en-Nasbeh* (2 vol.), New Haven. ASOR 1947.

J. R.

**MISPAR** *Veja* Misperete.

**MISPERETE** Um exilado que retornou com Zorobabel (Ne 7.7). Uma variante deste nome é Mispar (Ed 2.2).

**MISRAEUS** Uma das famílias do período pós-exílico que viveram em Quiriate-Jearim, das quais vieram os zorateus e os estaoleus (1 Cr 2.53).

**MISREFOTE-MAIM** Um local nas proximidades do mar Mediterrâneo, em que Josué perseguiu os cananeus depois de derrotá-los nas águas de Merom (Js 11.8). Vários lugares do extremo norte da planície de Aco, aprox. 20 quilômetros ao sul de Tiro, lembram este nome, porém a sua localização exata é incerta. Pelo fato deste local estar listado junto com as fronteiras ao norte de Israel com Sidom (Js 13.6), Yohanan Aharoni sugeriu que este era o rio Litani que fluía para o Mediterrâneo 8 quilômetros ao norte de Tiro (*The Land of the Bible,* Filadélfia. Westminster, 1967, p. 216).

**MISSÃO DA IGREJA** *Veja* Grande Comissão, Testemunho.

**MISTÉRIO** Este termo significativo (gr. *mysterion*) aparece 27 vezes no NT, e 20 delas se devem a Paulo. Existe um considerável debate em relação à sua origem, com alguns argumentando em favor de uma fonte pagã, e outros de uma judaica. Pode-se ver, entretanto, que ambas as influências podem ser percebidas no uso da palavra no NT. Nas religiões que envolvem mistérios, o termo descrevia os ensinos esotéricos revelados somente àqueles que eram iniciados nos rituais sectários.

Embora a palavra "mistério" não apareça no AT em inglês, a palavra análoga "segredo" (heb. *sod*; aram. *raz*) ocorre um certo número de vezes, e *mysterion* é usada na LXX em Daniel 2.18,19,27-30,47. O conceito de segredo no AT é o de conselhos que Deus revela ao seu povo. A literatura Pseudoepígrafa e a de Qumram adicionam as idéias de mistérios cósmicos e mistérios do mal, que, da mesma forma, só podem ser verdadeiramente conhecidos através da revelação divina.

Destas fontes variadas surge o conceito de mistério no NT, como uma verdade divina, antes oculta, mas agora revelada de forma sobrenatural aos homens, e que só pode ser totalmente entendida pelos indivíduos salvos através da iluminação do Espírito Santo. O NT usa o termo para se referir ao Evangelho, às vezes no seu sentido mais amplo, incluindo o plano de Deus de redenção, existente desde tempos eternos (Rm 16.25,26; 1 Co 2.7; 4.1; Ef 1.9,10; 6.19; Cl 1.26,27; 4.3; 1 Tm 3.9; Ap 10.7). É também aplicável a aspectos específicos do evangelho: a encarnação (Cl 2.2,9; 1 Tm 3.16); a igreja como o Corpo de Cristo incluindo os judeus e os gentios (Ef 3.3-6,9; 5.32); as características do reino espiritual atual (Mt 13.11; Mc 4.11; Lc 8.10); a cegueira temporária de Israel (Rm 11.25) e a transformação do crente na volta de Cristo (1 Co 15.51). O termo também é usado para se referir a qualquer verdade oculta que tenha que ser entendida de forma sobrenatural (1 Co 13.2; 14.2), à verdade simbolicamente retratada (Ap 1.20; 7.5, 7), e ao mistério da influência do Anticristo ainda não revelado (2 Ts 2.7).

***Bibliografia.*** Raymond E. Brown, *The Semitic Background of the Term "Mistery" in the New Testament,* Filadélfia. Fortress Press, 1968. G. Bornkamm, "*Mysterion*", TDNT, IV, 802-827.

D. W. B.

**MISTURA DE POVOS** Uma designação (heb. *'ereb,* "uma mistura") atribuída primariamente àquela companhia heterogênea que se uniu aos israelitas na época do êxodo do Egito (Êx 12.38). Eles provaram ser um laço para os israelitas, por que tiveram "grande desejo" em Quibrote-Hataavá (Nm 11.4). A identificação deste grupo se mostrou um problema difícil. No Targum, a frase foi traduzida como "muitos estrangeiros". Alguns, entretanto, sugerem que estas pessoas eram remanescentes dos hicsos ou outro povo asiático estrangeiro que saiu do Egito com os hebreus; outros consideram que eles eram nativos egípcios, oprimidos pelo novo Faraó. Há ainda outros que sugerem que esta seja uma raça híbrida, o resultado de casamentos realizados no Egito entre os israelitas e os egípcios nativos durante a opressão (veja Lv 24.10,11).

A expressão também é encontrada de forma significativa em Neemias 13.3. Durante a leitura pública da lei, encontraram textos que diziam que nenhum amonita ou moabita deveria entrar na congregação de Deus. Os judeus responderam com pronta obediência e separaram a "mistura de gente" ou a "mistura de povos". O mesmo termo hebraico é traduzido como "povo misto" em Jeremias 25.20; 50.37.

D. K. C.

**MITCA** Lugar de parada dos israelitas em sua partida do Egito, perto do Sinai, na região rochosa da Arábia. Seu nome possivelmente se origina do fato de que suas águas eram praticamente livres de impurezas (Nm 33.28,29).

**MITENITA** Josafá, um dos homens de Davi, era chamado de mitenita (1 Cr 11.43). Isto implica que havia um lugar chamado Mitem, mas não há evidências de sua existência.

**MITILENE** A principal cidade de Lesbos, uma ilha situada fora da costa noroeste da Ásia Menor, perto de Pérgamo (no leste) e Alexandria Trôade (no norte). Foi primeiramente habitada pelos gregos eólios, e nos tempos romanos desfrutaram da condição de local de veraneio. Paulo parou ali rapidamente em sua viagem da Grécia para Mileto (At 20.14). Mais tarde, um terremoto destruiu a cidade (151-152 d.C.). Durante a Idade Média, este nome foi dado à ilha toda.

**MITO ou MITOLOGIA** A palavra grega *mythos* ocorre cinco vezes no NT, traduzida como "fábula" (1 Tm 1.4; 4.7; 2 Tm 4.4; Ti

O porto de Mitilene

1.14; 2 Pe 1.16). *Veja* Fábula. No koiné, bem como no grego clássico, o termo significa aquilo que é ficção, em oposição ao termo *logos*, que tem a conotação daquilo que é verdadeiro e histórico. Em linguagem moderna, mitologia é o folclore, de tribos pagãs e nações, que passou de geração a geração. "Uma história, cuja origem foi esquecida, ostensivamente histórica, mas, que de alguma forma explica alguma prática, crença, instituição ou fenômeno natural" (Webster, 5ª ed.). A mais extensiva mitologia é aquela encontrada nas histórias greco-romanas de deuses e deusas pagãs.

Sabe-se, agora, que muitos dos mitos e rituais gregos primitivos tiveram suas raízes na ainda mais antiga mitologia do Oriente Próximo, conforme redescoberto nas literaturas mesopotâmia, egípcia, hitita e cananéia. Várias referências a motivos mitológicos são encontradas no AT, usadas como material ilustrativo em passagens poéticas (por exemplo, a batalha primordial de Yahweh com um monstro com várias denominações. Leviatã, Salmos 74.14; Raabe, Jó 26.12; Isaías 51.9; Tannin – isto é, "dragão", Salmos 74.13, ou Yam – isto é, "mar", Hebreus 3.8). Por causa dessas ocorrências, deve-se questionar se o mito é usado nas Escrituras como um meio direto de transmitir uma verdade em uma passagem não poética.

Na discussão teológica contemporânea, o termo mito alcançou destaque especial em grande parte devido ao pedido de Rudolf Bultmann pela "desmistificação" do NT. De um lado, nos escritos de Bultmann o mítico se refere ao que é miraculosos ou sobrenatural. Em outro sentido, o mito é um artifício literário ou simbolismo pelo qual a verdade eterna ou revelação de Deus foi expressa em termos acessíveis ao homem. Alguns teólogos neo-ortodoxos o confinam à revelação expressa na Bíblia Sagrada (Barth, Brunner); outros o estendem para cobrir a revelação progressiva em todas as religiões, e através delas (Tillich).

### Teoria da Origem do Mito

1. Os estudiosos neo-ortodoxos sustentam que a verdade eterna – a verdade revelada

por Deus – não pode ser diretamente transmitida por Deus ao homem. Elas vêem Deus e seu conhecimento como estando além do espaço e do tempo, em contraste com o homem e seu conhecimento que são confinados ao tempo e ao espaço, e que têm que ser expressos em categorias do espaço-tempo. Já que o homem não possui categorias ou capacidade de pensamento para receber a verdade transcendente de Deus, quando ela chega a ele na revelação, ele a força para que se encaixe em seus próprios conceitos finitos. Portanto, o homem tem de expressar uma verdade como a Queda da raça humana, como uma ocorrência em lugar e tempo definidos na terra; nominalmente, no jardim do Éden e em um tempo determinado, ou seja, no princípio da raça humana. Karl Barth, vendo que há perigo em interpretar todos os mitos como o veículo para a verdade religiosa, confina a revelação através do mito à Bíblia Sagrada. Ele não quer dizer que a Bíblia distribua a verdade diretamente, mas que o homem recebe a verdade através da Bíblia enquanto a lê.

2. Os mitos e a mitologia, de acordo com Paul Tillich, revelam a evolução da religião dos tempos antigos aos dias de hoje. Os mitos pagãos eram simplesmente uma versão anterior e mais primitiva do que aquela que é encontrada na Bíblia Sagrada. Tillich explicou o fenômeno do mito como o resultado de uma revelação que brota nas "profundezas da razão" do homem. Ele sustentou que o mesmo fenômeno explica o conteúdo e a mensagem encontrados na arte, na música e em outras expressões encontradas na cultura. Ele acreditava que "eventos sinalizadores" ou meios de revelação, como acontecimentos históricos, grupos ou indivíduos só ocorrem *dentro* do processo ordenado da natureza. Portanto ele, especificamente, excluía a possibilidade de qualquer evento sobrenatural ser um meio de revelação.

O cristão ortodoxo concorda que os mitos e a mitologia realmente revelam muito a respeito das condições e da fé do primitivo e do pagão. Os mitos, entretanto, não transmitem, em qualquer sentido, a verdade proposicional em si, como por exemplo a verdade de Deus que é expressa em declarações diretas. Paulo fala do homem como alguém que não está disposto a reter o conhecimento de Deus que lhe é fornecido pelo mundo que o cerca, em uma revelação geral, e por isso faz imagens de si próprio, de pássaros, animais e de coisas rastejantes, e passa a adorá-las (Rm 1.18-23). O homem constrói um deus que ele criou à sua imagem decadente e, então, adora essa projeção de si mesmo. Esta é a análise bíblica do paganismo.

A resposta que a Bíblia dá à teoria apresentada por Fichte e adotada pelo comunismo - que o homem cria uma imagem de si mesmo na religião cristã e a adora como se ela fosse Deus – é que o Deus adorado pelo cristão é santo e perfeito. Portanto Ele só pode ser completamente conhecido pela sua revelação direta de si mesmo ao homem, enquanto os deuses míticos projetados pelos pagãos são seres amoldados na mente do homem conforme a sua própria natureza decadente, com todas as concupiscências e fraquezas. A razão para isso, é que o homem se desvia do verdadeiro Deus que o condena através da sua perfeição e pureza, para criar um mito, um deus semelhante ao próprio homem para que, assim, possa dispensar a si próprio da verdadeira responsabilidade moral.

**Desmistificação**

Em 1941, Rudolf Bultmann, de Marburg, Alemanha, publicou um ensaio intitulado. "Neues Testament und Mythologie" (que poderia ser traduzido como "O Novo Testamento e a Mitologia"). Nele, o autor sustentava que o NT de fato contém o *kerygma* ou o evangelho salvador de Cristo. Ao pregar esta mensagem e depois registrá-la, a igreja primitiva usou os padrões de pensamento vigentes naqueles dias. Por meio da Crítica Formal, ele descobre esses padrões usualmente na forma de mitos apocalípticos judeus redentores, ou mitos gregos gnósticos redentores. Ele acredita que esta "cosmologia de uma era pré-científica" deve ser descartada, porque não ser crível nem aceitável para o homem moderno, uma ofensa para ele, porque o conceito do universo mudou tão radicalmente desde o primeiro século que ninguém pode, honestamente, acreditar em um mundo de espíritos de cima e de baixo. Em concordância com isso, ele considera necessário eliminar elementos tão obviamente (em sua visão do mundo como um sistema fechado, governado por leis naturais fixas) míticos, como a pré-existência do Filho de Deus, o nascimento de uma virgem, a divindade e a ausência de pecado em Cristo, sua ressurreição e ascensão corpórea, seu glorioso retorno e a personalidade e poder do Espírito Santo. "É óbvio que este processo de desmistificação, se executado com a profundidade que Bultmann mostra, mutilaria a Cristandade do NT de uma maneira tão radical que o deixaria irreconhecível" (P. E. Hughes, "Myth", BDT, p. 369).

Bultmann reconhece que toda mitologia expressa uma verdade, embora de um modo obsoleto. Para preservar a essência teológica da fé cristã – por exemplo, o anúncio de que Deus veio em divina graça através de Cristo para a alma ou pessoa do homem, a fim de realizar uma mudança radical na "existência" do indivíduo – é necessário arrancar da mensagem do evangelho todas as descrições de todos os eventos sobrenaturais que ocorrem no tempo e no espaço. Sobraria, então, o *kerygma* original. A filosofia existencial, a ciência da existência humana, é o meio pelo qual o *kerygma* pode ser revelado.

Conforme a conclusão de Otto A Piper, "Ao negar a encarnação e atribuir a Cristo nada além de um papel incidental na formação do Evangelho, Bultmann ignora a ênfase especial que todos os escritores do NT depositam na necessidade de uma redenção divina através da intermediação de um único homem" ("Myth in the NT", *Twentieth Century Encyclopedia of Religious Knowledge,* Baker, 1955, II, 781).

A diferença fundamental, portanto, entre a mitologia e a Bíblia, é que a primeira é a tentativa do homem de narrar em forma de história sua experiência com as forças da natureza. A segunda é a Palavra de Deus. É a revelação dada pelo Próprio Criador, Aquele que também escolheu agir sobre a história para redimir o povo com o qual ele fez uma aliança. Yahweh, o Deus de Israel, não tem mitologia. Ele é o único Deus vivo. Não há politeísmo. Os mitos da natureza não aparecem nas seções narrativas para explicar a existência do sobrenatural (G.E Wright, *The Old Testament Against Its Environment,* Chicago. Regnery, 1950, pgs 16-29). A descrição da criação e da queda do homem em Gênesis 1–3 não é fantasiosa, imaginativa ou mítica; é a revelação da verdade sobre fatos reais, declarada racionalmente em termos simples, compreensíveis às pessoas de todas as idades e em todos os locais.

*Veja* Interpretação da Bíblia; Leviatã; Milagres; Revelação.

***Bibliografia.*** Edwyn Bevan, "The Religious Value of Myths in the Old Testament", na obra de S. H. Hooke, *In the Beginning*, Oxford. Clarendon Press, 1947. B. S Childs, *Myth and Reality in the Old Testament*, Londres. S. C. M. Press, 1960. E. Dinkler, "Myth in the New Testament", IDB, III, 487ss. G. R Driver, *Canaanite Myths and Legends,* Edinburgh. T. & T. Clark, 1956. T. H. Gaster, "Myth, Mythology", IDB, III, 481-487. S. H. Hooke, *Middle Eastern Mythology*, Harmondsworth. Penguin, 1963. G. Stahlin, "*Mythos*", TDNT, IV, 762-795.

R. A. K. e J. R.

**MITRA** Uma cobertura ou turbante de linho, feita para o sumo sacerdote (exceto em Ez 21.26, onde a palavra é traduzida como diadema ou como turbante, referindo-se à tiara usada pelo príncipe de Israel). A mitra era usada pelo sumo sacerdote no Dia da Expiação (Lv 16.4).

*Veja* Turbante; Sumo sacerdote: Vestes.

**MITREDATE**

1. O tesoureiro de Ciro, que era responsável pela devolução, a Sesbazar, dos objetos tirados do Templo em Jerusalém (Ed 1.8; cf. 1 Ed 2.11)

Uma paleta comemorando uma vitória de Narmer, que possivelmente deve ser Menes, o rei a quem foi creditado o mérito por ter unido o antigo Egito. LL

2. Um oficial persa que governou Samaria. Junto com Bislão e Tabeel ele escreveu em aramaico a Artaxerxes Longímano, protestando contra a reedificação dos muros de Jerusalém pelos judeus (Ed 4.7; cf. 1 Ed 2.16).

**MIZA** Filho de Reuel; um descendente de Esaú e Basemate, a filha de Ismael, e chefe de um clã ainda não identificado (36.13,17; 1 Cr 1.37).

**MIZAR** Não é possível fazer atualmente uma identificação positiva deste monte, que só é mencionado no Salmo 42.6. Alguns sugerem que o salmista tenha utilizado os nomes Hermom e Mizar apenas de forma simbólica. Uma hipótese mais razoável seria um monte nas proximidades do monte Hermom e do Jordão, por exemplo, na Galiléia superior. Outra possibilidade é que este nome signifique simplesmente "pequeno monte" e se refira ao monte Sião.

**MIZRAIM** Mizraim, em heb. *misrayim*, é um nome cuja forma e origem não se conhece. É a definição bíblica comum para o Egito e, conseqüentemente, a palavra é considerada como dúbia refletindo expressões egípcias para as "Duas Terras" do Egito, o Alto Egito e o Baixo Egito. Nomes equivalentes para o Egito se encontram em vários idio-

mas semitas: em ugarítico, *mor*; em acádio, *Musur*, *Misri* (como por exemplo nas tábuas de Amarna); em árabe, *Masr*, o atual nome para Cairo e Egito.
Na Bíblia Sagrada este nome tem vários usos.
1. Primeiro aparece na Tábua das Nações (Gn 10), onde Mizraim (ou Egito) está relacionado como um filho de Cam (v. 6; cf 1 Cr 1.8). interesse tendo em vista as relações entre o Egito e Creta. *Veja* Nações.
2. Mizraim é, na Bíblia Sagrada, o nome hebraico comum para Egito, e está sempre traduzido deste modo na versão RSV em inglês: (*a*) Ocorre mais de 500 vezes como um nome para a terra do Egito e, portanto, é importante como um termo geográfico. Em Isaías 11.11, e possivelmente Jeremias 44.15 o termo pode estar sendo utilizado apenas em relação ao Baixo Egito, visto que nestas passagens o nome Patros, "Alto Egito", também é encontrado. (*b*) Em heb. *misraym* é também usado em um sentido étnico e político para o Egito e os egípcios (Gn 41.55; Is 19.23,25).
3. Em algumas referências onde os cavalos são um destaque (1 Rs 10.28,29; 2 Rs 7.6; 2 Cr 1.16,17), alguns comentaristas, seguindo Hugo Winckler usam o nome hebraico como se este se referisse a uma terra chamada Musri ou Musur no norte da Síria ou sudeste da Ásia Menor, porém a maioria prefere o termo Egito. *Veja* Egito.

C. E. D.

**MNASOM** Um dos primeiros discípulos, mencionado apenas uma vez (At 21.16). Ele

Estação da cheia nas proximidades das pirâmides. LL

veio da ilha de Chipre, assim como Barnabé. Quando Paulo e seus companheiros foram de Cesaréia para Jerusalém depois da terceira viagem missionária, Mnasom estava evidentemente morando em Jerusalém. Paulo e os demais companheiros se hospedaram com Mnasom ali.

**MOABE, MOABITA** Um país e um povo do leste do mar Morto.

**O nome**

A Bíblia não fornece a origem e a etimologia do nome. Com base em Gênesis 19.30-38, sugere-se uma etimologia popular por causa do texto do v.37 da Septuaginta, que acrescenta: "falando do meu pai" depois do nome Moabe, o que baseado nas suas consoantes pode significar, de acordo com alguns eruditos: "do meu pai". Esta é a única referência na Bíblia onde o nome Moabe se refere a uma pessoa. Em todas as outras passagens, o nome se refere a um povo.

**A Terra**

Moabe ocupava um vale de cerca de 1.450 metros acima do nível do mar Morto, que era a sua fronteira ocidental. Moabe estava cerca de 1050 metros acima do nível do mar Mediterrâneo. A leste, Moabe estava limitada pelo deserto da Arábia e a sul pelo vale de Zerede (Uádi Hesa), com a terra de Edom adiante. Sua fronteira ao norte variou em diferentes períodos, desde o rio Arnom até um limite incerto ao norte de Hesbom. A extensão do país de norte a sul variava com a sua situação política de 56 a 96 km, enquanto a sua largura de leste a oeste era de aprox. 40 km. O vale era bem irrigado e produzia as plantações de grãos e uvas, que eram a base da prosperidade de Moabe. A economia também era sustentada pela criação de ovelhas.

**O Povo**

De acordo com Gênesis 19.30-38, os moabitas descendiam de Moabe, filho de Ló, que era sobrinho de Abraão, como resultado de uma relação incestuosa com a filha mais velha de Ló. A narrativa, entretanto, indica que os israelitas e moabitas eram semitas e parentes de sangue, e isto é confirmado pelo fato de que a língua dos moabitas está intimamente relacionada à dos hebreus. Os sinais da inscrição de 34 linhas na Pedra Moabita (*q.v.*) correspondem aos sinais da inscrição de Siloé de Ezequias, e mostra que as duas línguas são da mesma descendência semítica. A similaridade de alguns costumes também indica o mesmo parentesco. Moabe é representada em Êxodo 15.15 como já sendo um povo poderoso quando Israel saiu do Egito.
A terra que veio a ser conhecida como Moabe era, até onde sabemos originalmente, habitada por um povo conhecido por sua grande estatura, que a Bíblia chama de refains (Dt 2.10-11). Eles foram citados pelos moabitas, que os expulsaram, como "emins", os "terríveis" ou "ameaçadores". Eles são citados em Gênesis 14.5 como habitantes de Savé-Quiriataim.

**Religião**

A religião e, conseqüentemente, a cultura dos moabitas eram muito semelhantes às dos cananeus. A fertilidade de Moabe, sua riqueza em vinho e grãos, seu clima temperado, e calor moderado produziam as condições que determinavam a forma de culto. Conseqüentemente, a adoração à natureza no culto da fertilidade prevaleceu com todos os seus rituais impuros. Orgias sexuais eram uma expressão cerimonial da adoração a Baal-Peor (Nm 25.16). A alusão de Mesa na Pedra Moabita a Astar-Quemos (linha 17), uma divindade composta, dá a idéia de que havia um consorte feminino, o que seria natural e esperado no culto da fertilidade. As estatuetas da deusa-mãe da fertilidade, Astarte, encontradas em Moabe, são similares às estatuetas dos cananeus. O parentesco das práticas dos cultos da fertilidade dos moabitas e dos cananeus é ilustrado mais adiante em nomes como Bamote-Baal (Nm 22.41), Bete-Baal-Meon (Js 13.17) e Bete-Peor (Js 13.20). *Veja* Peor.

Eram comuns os sacrifícios de bois e ovelhas sobre os altares de lugares altos, seguidos por refeições de sacrifícios (Nm 22.40–23.2; 25.1-3; cf. Ap 2.14). Praticava-se o sacrifício humano, e as linhas 11 e 12 da Pedra Moabita descrevem como todo o povo de Astarote foi sacrificado ao deus Quemos. Quemos, a divindade nacional dos moabitas, aparece freqüentemente como um elemento do nome deles. Os nomes Quemos-Sedeque e Quemos-Yehi são especialmente interessantes. No culto da fertilidade, o nome composto Astar-Quemos está relacionado a Astar, a deusa cananéia da estrela d'alva. O disco do sol é usado ocasionalmente sobre brasões com o nome Quemos. O nome também aparece nas inscrições babilônias, tudo isso indicando seu uso no panteão semítico mais amplo. Embora Quemos fosse um deus da guerra, acreditava-se que ele também se envolvia nas experiências comuns da vida do indivíduo, para trazer bênçãos ou maldições. *Veja* Falsos deuses:

## História

As explorações arqueológicas em Moabe mostraram que até o final do início da Idade do Bronze, em aprox. 2000 a.C., o país foi habitado por um povo altamente civilizado e agrícola. Suas cidades eram muradas e localizadas estrategicamente com propósitos de defesa. Um extenso cemitério fortificado, com aprox. 20 mil tumbas pertencentes à Idade do Bronze, foi escavado em uma parte de Bab edh-Dhra (*q.v.*), a leste de el-Lisan (a ponta da ilha que se projeta para o mar Morto). A cerâmica produzida por este povo é parecida com a dos cananeus. A importante rota do comércio era a Estrada Real (ou a Estrada do rei), que cortava toda a sua extensão, de norte a sul do país. Esta era a rota de Quedorlaomer (Gn 14.5-7), e a destruição deixada pela invasão do país pode ter sido a causa da eliminação dos emins, que eram os predecessores dos moabitas na região (Dt 2.10,11).

Logo depois do início da Idade Média do Bronze, a vida sedentária da área ao sul do rio Jaboque deu lugar a uma cultura mais nômade. O país foi invadido pelos elementos seminômades, geralmente identificados com as migrações amoritas, que no final completaram a destruição das cidades e levaram a civilização da Idade do Bronze, como um todo, a um fim. Parece que um tipo de vida predominantemente nômade continuou por mais alguns séculos. Um destes grupos era conhecido pelos egípcios como Sutu nos textos de Execração de 1900 a.C. (ANET, p. 329), e sugere "os filhos de Sete" em Números 24.17. De acordo com alguns eruditos, a ausência de grandes centros populacionais em Moabe, neste período, é uma evidência da data mais tardia do Êxodo. *Veja* Êxodo, O: A Época.

No séc. XIII a.C., perto do término da Idade Final do Bronze, a vida nômade foi suplantada por uma população mais sedentária, e pelo estabelecimento do reino de Moabe. A referência mais antiga a Moabe nas fontes extrabíblicas está nas listas de Ramsés II (1304-1237 a.C.) em Luxor (ANET, p. 243). Antes da chegada dos israelitas na área da Transjordânia, depois do Êxodo, o rei amorreu Seom venceu os moabitas (Nm 21.26) e ocupou o seu território até o sul, até o rio Arnom. Seom era o rei de Hesbom e controlava a área do Jaboque até Arnom na época da chegada dos israelitas (Nm 21.27-30). Os israelitas foram capazes de vencer Seom, e mais tarde dividiram o ex-território moabita entre as tribos de Rúben e Gade (Dt 2.24-36; Nm 32.2-5, 34-38; Js 13.8-10,15-23).

Os israelitas, agora em posição de atacar Canaã, acamparam nas planícies de Moabe além do Jordão, na altura de Jericó (Nm 22.1ss.). Balaque, rei de Moabe, enviou seus mensageiros a Balaão em Petor para induzi-lo a amaldiçoar Israel (Nm 22–24). O resultado foi a benção de Israel ao invés da maldição desejada pelo rei moabita (*veja* Peor). Foi durante este período de acampamento nas planícies de Moabe, que os israelitas se envolveram em relações ilícitas com as mulheres moabitas e seus deuses (Nm 25.3). As tribos de Rúben e Gade reconstruíram muitas das cidades moabitas (Nm 32.34-38). Moisés morreu e foi sepultado "num vale, na terra de Moabe, defronte de Bete-Peor" (Nm 27.12-23; Dt 32.48-52; 34.1-8). Durante o período dos juízes de Israel, em que a nação ficou enfraquecida, os moabitas prosseguiram para o norte, a partir do rio Arnom até vários quilômetros ao norte do extremo do mar Morto, atravessando o rio Jordão até Jericó. Os israelitas foram oprimidos por Eglom, rei de Moabe, durante 18 anos até este ser assassinado pelo juiz Eúde (Jz 3.12-30). As campanhas do rei Saul na Transjordânia incluíram a derrota de Moabe (1 Sm 12.9). Quando Davi fugiu de Saul, ele levou os seus pais até o rei de Moabe, para que estivessem protegidos. Talvez este se simpatizasse com Davi por causa de Rute, a bisavó moabita de Davi. Durante os reinados de Davi e Salomão, Moabe esteve sob o domínio de Israel.

O período histórico mais importante de Moabe coincidiu com o período da existência do reino do norte de Israel, isto é, de 931 a.C. quando Israel se tornou uma nação dividida, até 722/721 a.C., quando o reino do norte foi destruído pelos assírios. A fraqueza de Israel depois da divisão da monarquia capacitou Moabe a alcançar a sua independência, mas em aprox. 876 a.C., durante o reinado de Onri, ela foi trazida novamente ao domínio de Israel (2 Rs 3.4). Moabe ficou subordinada a Israel até a morte do rei Acabe, a quem Mesa de Moabe pagava tributos. Mesa então dirigiu uma rebelião (2 Rs 3.5ss.) que foi bem sucedida, e Moabe se tornou independente de Israel. Mais tarde, entretanto, Israel, Judá e Edom formaram uma coalizão para atacar Moabe. Desesperado, Moabe tomou seu filho mais velho e o ofereceu em holocausto sobre o muro. Este ato provocou a retirada dos aliados da batalha (2 Rs 3.27), talvez por medo de uma retribuição do deus Quemos (G. M. Harton, "The Meaning of II Kings 3.27", *Grace Journal*, XI, outono de 1970, #3, pgs 34-40), e Mesa reivindicou a vitória. Nos anos subseqüentes, os saqueadores de Moabe pilharam Israel constantemente (2 Rs 13.20).

Pode parecer que mais tarde, na época de Jeroboão II, Moabe tenha se tornado independente (Am 2.1-3), mas deve ter sentido o poderio militar do rei de Israel quando ampliou as suas fronteiras até o mar Morto (2 Rs 14.25). Moabe aparentemente nunca mais conquistou a sua total independência novamente, caindo depois sob o domínio dos assírios.

A invasão de Tiglate-Pileser III em Israel em 734-733 a.C. levou Moabe, juntamente com outros estados da Transjordânia, ao domínio do Império Assírio. Não havia nenhuma tentativa séria da parte dos estados da Transjordânia de libertá-los do governo assírio por causa da prosperidade econômica que eles desfrutavam como parte do grande império.

A vinda dos babilônios para governar a Transjordânia não envolvia uma mudança significativa na condição de Moabe. As tropas moabitas estavam no exército babilônio quando a revolta de Jeoaquim de Judá foi reprimida (2 Rs 24.1,2; Ez 25.6-8). Mas no quarto ano do reinado de Zedequias, o último rei de Judá, o rei de Moabe participou de uma conspiração contra a Babilônia (Jr 27.3). Não há evidências de que os moabitas tenham realmente participado da batalha em 586 a.C., quando Jerusalém e o Templo foram destruídos.

Em 581 a.C., outra expedição punitiva contra Judá e a Transjordânia foi realizada pelos babilônios. Josefo diz que naquele ano o exército babilônico se levantou contra a Síria, Amom e Moabe (*Ant*. x.9.7; cf Jr 40.11; 48.7). Não há evidências de que Moabe tenha se tornado novamente um reino independente ou semi-independente depois do período do governo babilônico. O texto em Esdras 2.6 parece indicar que Moabe se tornou uma província do Império Persa depois da derrota dos babilônios por Ciro, o persa.

No período seguinte ao seu declínio, Moabe estava fraca demais para resistir, sofrendo com os constantes ataques dos nômades que assolavam a Transjordânia. Muitos moabitas foram levados da região sul de Arnom, e espalhados pelos países próximos. A população que permaneceu na terra foi absorvida pelas tribos árabes que tomaram posse daquela área. O julgamento vindouro pronunciado por Ezequiel (25.4-10; 35.15) sobre as nações da Transjordânia, é confirmado pelas pesquisas arqueológicas na área e prenunciava a vinda de pastores e nômades do leste. Moabe viveu outro período de prosperidade nos períodos helenísticos e romanos, mas naquela época foi vencida e absorvida pelos nabateus (*q.v.*). A área foi, no final, incorporada à província da Arábia. O lamento do Pentateuco pela destruição de Moabe (Nm 21.27-35) está refletido em Isaías 15–16 e Jeremias 48.

### Arqueologia

Poucas escavações mais importantes que estivessem relacionadas aos próprios moabitas foram realizadas em Israel. As duas exceções estão: (*a*) em Dibom (*q.v.*), onde os resultados foram desapontadores porque nenhuma estratificação definida pôde ser estabelecida, e (*b*) em Hesbom (*q.v.*), onde a escavação na época da publicação ainda não tinha alcançado as camadas dos moabitas em nenhuma região considerável. Em outros lugares como Madeba, Eleale, Adar, Balu'ah, e Quir-Moabe (Kerak), explorações e exames de profundidade secundários encontraram alguns sinais da ocupação moabita.

O primeiro achado arqueológico atribuído aos moabitas é a estela de Balu'ah (ANEP #488), uma pedra de basalto negra de aprox. 2 metros de altura e esculpida com 3 figuras humanas. Um rei usando barba e um turbante, típico dos beduínos shasu, está em pé entre um deus e uma deusa com uma característica insígnia egípcia, e pode ser datada do século XII a.C. Uma inscrição ilegível de 4 linhas no topo parece ser de um estilo proto-sinaítico, e provavelmente muito mais antigo. Uma outra pedra de aprox. 1 metro de altura foi encontrada a leste do mar Morto em 1851. Ela mostra um provável guerreiro vestido apenas com um saiote curto, segurando uma lança (ANEP #177).

***Bibliografia.*** W. F. Albright, *The Archaeology of Palestine*, Baltimore. Penguin, 1960; *The Biblical Period from Abraham to Ezra*, Nova York. Harper & Row, 1963. Michael Avi-Yonah, ed., *A History of the Holy Land*, Toronto. Macmillan, 1969, CornPBE, pgs 528-532. Nelson Glueck, *The Other Side of the Jordan*, New Haven. ASOR, 1940; "*Transjordan*" TAOTS, pp. 445-450. William H Morton, "Dibon", "Moab, Moabites" BW, pgs 200-202, 392-396 F. W. Winnett e W. L Reed, *The Excavations of Dibon (Dhiban) in Moab*, AASOR, XXXVI-XXXVII, New Haven. ASOR, 1964. A H. van Zyl, *The Moabites*, Leiden. Brill, 1960.

A. C. S.

**MOABITA** Uma pessoa de Moabe. Rute era chamada de "moabita" (Rt 1.22; 2.2 etc). Algumas das esposas de Salomão eram chamadas moabitas (1 Rs 11.1). A mãe de Jozabade, que juntamente com Zabade conspirou para matar Joás (2 Cr 24.26), era uma moabita. *Veja* Moabe.

**MOADIAS** *Veja* Maadias.

**MOAGEM** Em Isaías 3.15, "moer as faces do pobre" significa oprimir ainda mais os pobres por meio de extorsão. "Moa minha mulher para outro" (Jó 31.10) significa "Que ela se torne uma escrava moendo grãos para outro homem" (cf. Êx 11.5; Is 47.2). Em Eclesiastes 12.3 os "moedores" que "cessam por já serem poucos" retratam os dentes caindo grandemente na velhice, ao passo que no v. 4 os ouvidos, ficando surdos, mal podem ouvir o barulho dos moinhos de pedra moendo os grãos (cf. Jr 25.10). *Veja* Moinho.

**MOBÍLIA, MÓVEIS** Equipamentos para uso ao cozinhar e esteiras utilizadas como camas constituíam a mobília daqueles que eram muito pobres. Os móveis aumentavam de acordo com a riqueza dos proprietários. O quarto de hóspedes de Eliseu era um dos quartos mais bem equipados (2 Rs 4.10). Os palácios continham móveis caros e luxuosos (Et 1.6).
No AT, o termo "mobília" (heb. *k^eli*), com apenas uma exceção, se refere ao altar de bronze, à pia, à mesa da propiciação, ao altar do incenso, ao castiçal, e à arca da aliança do Tabernáculo (*q.v.*; Êx 31.7-9; 35.14; 39.33). Em Naum 2.9, a referência é à mobília no palácio de Nínive. Em Gênesis 31.34, o termo "mobília" (*kar*) refere-se à sela do camelo de Raquel.

**MOÇO ou RAPAZ** No AT o termo heb. *na'ar* geralmente designa uma pessoa jovem, um menino ou uma criança (Gn 21.12; 22.5; Jz 16.26 ; 1 Sm 2.11,26; 20.21 etc.). Porém, também pode ser usado para designar um homem casado, como no caso de Benjamim em Gênesis 43.8; cf. 46.21; ou um servo (2 Rs

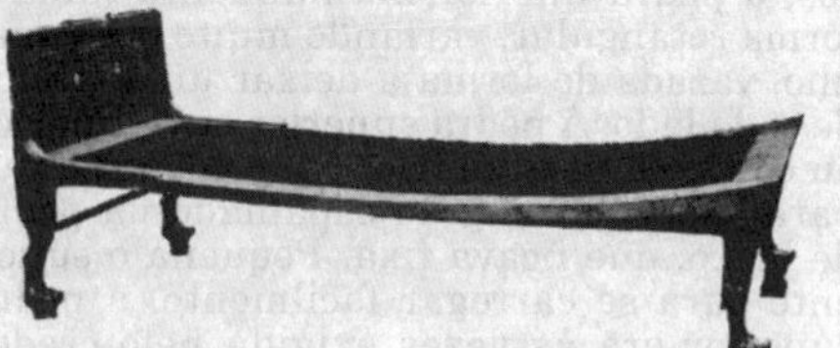

Estrutura de cama de madeira coberta com uma grossa folha de ouro com malha de fios da tumba de Tutancamom. LL

4.19; Nm 22.22; 2 Rs 4.25, "Geazi, seu moço"), e de um jovem de notável proeza militar (1 Cr 12.28). O termo *na'ar* abrange desde a idade de um bebê, como no caso de Moisés (Êx 2.6), e também do recém-nascido Icabô (1 Sm 4.21), até os oficiais veteranos do exército assírio (2 Rs 19.6, "servos"; cf. 18.17,28). No NT, os termos gregos equivalentes são *paidarion* (Jo 6.9) e *pais* (Atos 20.12, "rapaz", "moço", ou "jovem").
*Veja* Família.

**MOCHO** *Veja* Animais: Coruja-de-igreja III. 19.

**MOCHO ou BUFO** *Veja* Animais: III. 14.

**MODERAÇÃO** Limitação do apetite, das ações ou emoções. A palavra geralmente se refere a ser moderado, significando que a pessoa não comete excessos, nem mesmo nos hábitos normais, como comer. A palavra não aparece no AT, e, no NT ela é usada, por exemplo, em Filipenses 4.5. A palavra grega que a originou é *epieikes* que significa brandura, bondade e paciência. Ela expressa a ponderação que analisa os fatos de um caso de uma forma humana e razoável.

**MODERNISMO** *Veja* Liberalismo

**MODÉSTIA** O termo gr. *aidos*, "modéstia", é um atributo comparado à sobriedade, como uma descrição de Paulo do adorno adequado às mulheres que professam ser tementes e obedientes ao Senhor (1 Tm 2.9).

**MOEDA** *Veja* Pesos, Medidas e Moedas.

**MOEDA DE PRATA** Provavelmente um *siclo* (Is 7.23) conforme várias traduções. "Mil siclos [ou moedas] de prata". *Veja* Pesos, Medidas e Moedas.

**MOINHO, PEDRA DE MOINHO** Duas pedras combinadas de forma a se friccionarem e esmigalharem os grãos, transformando-os em farinha. O método tem uma longa história, e ainda é usado hoje em alguns lugares na Palestina.
Progressivamente desde os tempos neolíti-

cos, a pedra inferior normalmente tinha a forma retangular, variando muito em tamanho, vazada de forma a deixar um extremo de cada lado. A pedra superior era cilíndrica ou convexa, para se friccionar para frente e para trás sobre o grão espalhado na pedra de baixo, que ficava fixa. Pequena o suficiente para se carregar facilmente, a pedra superior era às vezes exigida pelo credor como uma garantia (Dt 24.6). Ela também poderia ser utilizada como um míssil para ser atirado contra o inimigo que sitiasse uma cidade (Jz 9.53). Quando capturado, Sansão foi usado pelos filisteus para girar o moinho da prisão (Jz 16.21), uma tarefa geralmente delegada a uma escrava (Êx 11.5; Is 47.2). O barulho do atrito das pedras de basalto antes do amanhecer de cada dia, caracterizava as condições normais de paz. (Ec 12.4; Jr 25.10; Ap 18.22).

Na época do NT, a pedra de moinho mais baixa ou inferior era normalmente circular, e o lado superior tinha uma forma mais ou menos cônica ou convexa. A pedra superior também era circular e côncava na parte inferior interna, de modo que se encaixava sobre o cone inferior estabelecendo um bom contato de atrito. Ela tinha um buraco do tipo de um funil no topo, pelo qual o grão podia ser despejado. Triturar com o pequeno aparelho do moinho era geralmente trabalho de duas mulheres, uma virava a pedra superior e a outra despejava os grãos (Mt 24.41). Nas formas maiores desta combinação, a pedra superior tinha um formato que, visto de lado, parecia uma ampulheta. Um pólo paralelo ao chão poderia estar fixado na pedra superior de forma que um animal, como um jumento, poderia ser usado para girá-la (Mt 18.6; Mc 9.12).

N. B. B.

Pedras de moinho de uma padaria em Pompéia. HFV

**MOISÉS** O grande líder e legislador dos hebreus, sob cuja mão Deus levou os israelitas do Egito às fronteiras da terra prometida. Moisés foi a maior personalidade na dispensação do AT, porque foi seu fundador e, como tal, tipificou o Senhor Jesus Cristo (cf. Hb 3.1-6).

*O nome.* Em Êxodo 2.10, é feito um trocadilho com o nome Moisés: "E chamou o seu nome Moisés e disse: Porque das águas o tenho tirado [*meshiti-hu*]". Há uma questão exegética relacionada à pessoa que deu o nome a Moisés. Se foi sua mãe, possivelmente a palavra deveria ser explicada como relacionada a *masha* ("extrair"), uma adaptação semítica de uma forma egípcia. Por outro lado, a maioria dos estudiosos pensa que a filha do Faraó escolheu o seu nome, e que a palavra é realmente egípcia, embora existam dificuldades lingüísticas em tal opinião.

*A vida.* De acordo com Êxodo 2.1, os pais de Moisés eram descendentes de Levi, embora não possamos dizer quantas gerações houve entre Levi e Moisés. A história da infância de Moisés é bem conhecida. Desafiando a ordem do rei de lançar no rio todo menino que nascesse, os pais esconderam o bebê Moisés em uma arca, uma pequena cesta de bambu, vedada com piche. *Veja* Arca de Juncos. A filha do Faraó foi ao rio se banhar, viu a arca, e teve compaixão da criança. A irmã de Moisés, que estava por perto, armou um plano para que a sua mãe tomasse conta dele. Assim Deus graciosamente salvou a vida do menino.

Com relação à sua vida na corte egípcia, praticamente nada se sabe, salvo que de acordo com Hebreus 11.24, Moisés "recusou ser chamado filho da filha de Faraó". Sabemos que ele foi "instruído em toda a ciência dos egípcios" (At 7.22). Sabemos também que quando cresceu, ele demonstrou interesse pelo bem estar do seu povo. Ao ver um egípcio espancando um hebreu, Moisés interveio e matou o egípcio. No segundo dia, quando Moisés tentou intervir na disputa entre dois hebreus, um deles o acusou referindo-se ao assassinato do dia anterior. Moisés percebeu que sua façanha tinha sido descoberta e fugiu para Midiã, um distrito da Arábia. O Faraó ficou sabendo da sua atitude e procurou matá-lo.

Ao mesmo tempo, Moisés não temeu a ira do rei (Hb 11.27), mas o desafiou. Em Midiã ele ajudou as filhas de Reuel (Jetro) a dar de beber ao seu rebanho e mostrou a nobreza do seu caráter ao defendê-las de outros pastores. Ele se casou com Zípora, uma das filhas de Jetro. Com relação à sua vida como pastor de ovelhas em Midiã, pouco se sabe, porque o propósito das Escrituras não é tanto enfocar a atenção nos detalhes da vida de Moisés, porém, mostrar seu lugar na obra de libertação e no cumprimento dos propósitos de Deus. No deserto, Deus apareceu a Moisés na sarça

O menino Moisés no palácio do Faraó, pintado por Bonifácio. MM

ardente, pois a obra do Deus da aliança na redenção é cercada por milagres. Este evento tinha todas as características de um verdadeiro milagre; era um trabalho realizado pelo poder sobrenatural de Deus no mundo exterior. Deus fez com que a sarça queimasse de forma que Moisés o visse. Isto parece ter sido contrário à obra providencial usual do Senhor, e assim atende aos requisitos do termo *niflaoth* ("maravilhas" "aquelas coisas que são distintas"). Além do mais, o evento tinha o propósito de ser um sinal. Ele indicava a presença de Deus como um fogo consumidor, e revelava que a sua presença estava com o seu povo. Este evento mostrava que Ele os libertaria da escravidão, e que não havia se esquecido das suas promessas aos patriarcas. *Veja* Sarça ardente.

Moisés estava de alguma forma hesitante em retornar ao Egito para encontrar o Faraó e, de modo amoroso, Deus tratou com ele, assegurando-lhe que estaria com ele. O Senhor permitiu que o irmão de Moisés, Arão agisse como intermediário ou profeta, declarando a palavra de Moisés – a mensagem dada por Deus – ao Faraó.

O encontro com o Faraó foi muito interessante. Em última análise, ele levou a uma competição entre Jeová, o Deus de Israel, e o "deus" Faraó, uma representação dos poderes das trevas. Em primeiro lugar, Moisés simplesmente pediu que os israelitas tivessem permissão para fazer uma pequena viagem ao deserto e adorar ao seu Deus. Como seu pedido fora recusado, Deus mostrou seus sinais e maravilhas a Faraó. As pragas tiveram a finalidade de convencer os egípcios e os israelitas de que o Deus de Israel era o Deus Todo-poderoso. As pragas culminaram com a morte do primogênito do Faraó.

O relato de Êxodo é transmitido de maneira simples e direta. Quando os israelitas chegaram ao Sinai, Deus revelou que Ele os havia escolhido para serem o seu povo, e deu-lhes sua lei, santa e imutável. Moisés deveria ser o mediador entre a nação e Deus. As Escrituras relatam as peregrinações dos israelitas até chegarem às fronteiras da Palestina, porém Moisés não foi autorizado a entrar na terra. Ele morreu e foi sepultado no monte Nebo, e não se conhece a localização de sua sepultura. Para conhecer mais detalhes sobre o contexto histórico e a data da vida de Moisés, *veja* Egito; Êxodo, O

*A importância.* O esboço da vida de Moisés, descrito acima, revela a importância deste grande homem. Sua verdadeira grandeza é trazida, entretanto, em conexão com um episódio que se passou depois que os israelitas deixaram o Sinai. Miriã e Arão demonstraram ciúme pelo fato de Deus ter dado revelações a Moisés. "Porventura, falou o Senhor somente por Moisés? Não falou também por nós?" (Nm 12.2). Moisés não podia falar em sua própria defesa, por causa da elevada posição que ocupava no plano divino. Ele

Moisés e a Lei (janela da abadia de Flairgny, Lorraine, século XVI). MM

foi humilde na elevada posição em que foi colocado por Deus, de forma que se engajar em uma defesa pessoal teria desviado a atenção da sua posição, e atraído a atenção para si, pessoalmente. Por esta razão, o Senhor interveio subitamente e esclareceu o relacionamento correto entre Moisés, Arão e Miriã. Para os verdadeiros profetas, Deus se fez conhecer por intermédio de sonhos e visões; mas para Moisés, que era seu servo e fiel em toda a sua casa, o Senhor falou diretamente e sem a capa da ambigüidade. O mesmo pensamento é encontrado em Hebreus 3, onde se faz uma comparação entre Moisés e Cristo. Nesta passagem fica claro que Moisés foi o homem mais exaltado na dispensação do AT, e ainda que esta dispensação apontava diretamente para o Senhor Jesus Cristo, e nele teria o seu cumprimento. Enquanto Moisés, como servo, foi fiel em toda a casa de Deus, Cristo, como o Filho, governa aquela casa. O AT é, em grande parte, o relato da dispensação *Mosaica*. Entretanto, os profetas e todos os outros como Miriã e Arão, estavam em uma posição inferior à de Moisés. Por isso, o pecado de Miriã e Arão era tão abominável. Miriã, que sem dúvida foi a instigadora, foi punida com lepra.

Moisés, o homem que ocupou esta posição exaltada no plano divino do AT, era um homem de verdadeira grandeza. Ele viveu pela fé em Deus (cf. Hb 11.27*b*), e teve uma profunda preocupação pela honra do Deus a quem servia (Nm 14.13ss.). Esta preocupação também manifestava um desejo genuíno de que os propósitos de Deus fossem cumpridos. Uma leitura cuidadosa de Hebreus 11 mostra que Moisés tinha consciência de que era um servo de Deus, a serviço do cumprimento dos seus propósitos de redenção. Moisés chegava a considerar a possibilidade de ter o seu próprio nome riscado do livro de Deus, para que o seu povo pudesse ser salvo (Êx 32.32).

Só um homem com uma profunda devoção poderia ter servido ao Senhor em tantas situações como Moisés. Ele se mostrou um verdadeiro líder do seu povo. Embora tenha pecado e, às vezes, demonstrado fraquezas, prosseguiu em sua tarefa até levar o povo à fronteira da terra prometida. Na época da grande apostasia, no incidente do bezerro de ouro, ele afirmou vigorosamente a sua liderança. O mesmo ocorreu na rebelião de Corá, Datã e Abirão (Nm 16). Só um homem da grandeza de Moisés poderia ter trazido a nação de Israel do Egito até a terra prometida.

Moisés também era um legislador, e será sempre lembrado neste aspecto. "A lei foi dada por Moisés" (Jo 1.17). Israel recebeu mais do que um código de leis tal como o código-lei de Hamurabi; na realidade, Moisés era o mediador de uma aliança. Um estudo dos tratados e alianças feitos pelos antigos heteus indica que ao dar a aliança a Israel, Deus empregou uma forma que foi bem entendida na época, o chamado tratado de suserania. Entre este tipo de aliança e a aliança de Israel há similaridades formais. *Veja* Aliança. Entretanto, há uma diferença profunda em relação ao conteúdo. Os suseranos heteus impunham uma série de condições que os povos conquistados tinham que obedecer. Entre o rei e o povo não havia amor ou afeição especial. No caso de Israel, entretanto, tudo era diferente. Israel deveria ouvir a voz de Deus e obedecê-la, porque Deus era verdadeiramente soberano. Além do mais, Deus havia manifestado o seu amor por Israel através de sua escolha e redenção. Israel foi a nação que Deus escolheu dentre todas as nações que estão sobre a face da terra. Ela seria o seu povo peculiar e a proximidade do seu relacionamento com Deus foram demonstradas através de sua libertação da escravidão do Egito. Israel não prestaria uma obediência baseada na força, mas como uma nação santa, sem dúvida serviria ao seu Deus em amor, como um reino de sacerdotes. Deus se revelou a Israel como Jeová, o Deus da aliança, o Deus da libertação. O homem que foi honrado por Deus como mediador da aliança foi Moisés.

Moisés também demonstrou a sua grandeza através de suas produções literárias. Como mediador da aliança, o servo fiel na casa de Deus, Moisés foi o autor da lei, os cinco livros que falam do estabelecimento da teocracia. A questão da autoria Mosaica, então, é fundamentalmente teológica. Os livros de Moisés diferenciam-se de todos os demais livros do AT, pois mostram o pensamento daquele homem que foi escolhido por Deus para ser mediador da aliança, o pensamento de um legislador.

Isto não sugere que estes livros contenham algo imaginário. Moisés sem dúvida empregou documentos escritos que foram transmitidos de geração em geração; sem dúvida empregou sua vasta cultura, pois foi um homem criado em toda a sabedoria e conhecimento dos egípcios (At 7.22). Também não podemos nos esquecer de que os 5 livros da lei são Escrituras; e, assim, ao escrevê-los, Moisés foi um profeta que revelou as palavras de Deus ao povo. Ele se tornou o padrão para todos os verdadeiros profetas que se seguiram, culminando no Senhor Jesus Cristo, o Messias (Dt 18.15,18). Como um escritor das Escrituras, ele estava sob a direção do Espírito Santo, de tal forma que escreveu sob a inspiração de Deus (2 Tm 3.16; 2 Pe 1.21). Assim, os 5 livros de Moisés, cujo autor humano era um servo de Deus, são também a Palavra de Deus.

*Moisés e o golpe na rocha.* Depois de uma longa jornada pelo deserto, Moisés não teve permissão para entrar na terra prometida. O motivo declarado é que ele golpeou a rocha em Cades. Este foi um ato de desobediência, no qual Deus não estava sendo glorificado. Golpear a rocha também foi um ato

Estela do capitel de Amenemhet III, de aprox. 1900 a.C. LM

As montanhas do Líbano e o rio do Cão. HFV

de descrença por parte de Moisés. Aqui, o grande líder hesitou; aqui ele renunciou efetivamente a tudo que ele mesmo representava, e mostrou descrença na Palavra de Deus. Por este motivo, não lhe foi permitido entrar na terra prometida. Este episódio é uma mácula no currículo do servo fiel e confiável do Deus da aliança.

***Bibliografia.*** Oswald T. Allis, *God Spake by Moses*, Filadélfia. Presbyterian & Reformed Pub. Co. 1951; *The Five Books of Moses*, Filadélfia. Presbyterian & Reformed Pub. Co., 1943. Martin Buber, *Moses*, 2ª ed. rev., Heidelberg. Verlag Lambert Schneider, 1952. Jack Finegan, *Let My People Go*, Nova York. Harper & Row, 1963. Joachim Jeremias. "*Mouses*", TDNT, IV, 848-873. Melvin G. Kyle, "Moses", ISBE, III, 2083-2091. F. B. Meyer, *Moses, the Servant of God*, Grand Rapids. Zondervan, 1953. Henry S. Noerdlinger, *Moses and Egypt,* Los Angeles. Univ.of S Calif. Press, 1956. Gerhard von Rad, *Moses*, Londres. Lutterworth Press, 1960. Edward J. Young, *An Introduction to the Old Testament*, Grand Rapids. Eerdmans, 1958, pp. 45-154.

E. J. Y.

**MOISÉS, LEI DE** *Veja* Lei de Moisés.

**MOISÉS, LIVROS DE** *Veja* Moisés; Pentateuco.

**MOLADA** Uma cidade no Neguebe de Judá (Js 15.26), citada entre os assentamentos de Simeão (Js 19.2; 1 Cr 4.28). Também foi ocupada durante o período persa (Ne 11.26). A identificação usual era Tell el-Milh (agora considerada como o local da Arade da Idade do Bronze), a 20 quilômetros a leste de Berseba. Entretanto, o nome Arabe era derivado do hebraico *Malhata,* que é preservado no grego *Malatha* (Josefo, Ant xviii.6.2) e *Malaatha* (Eusébio, Onom., 14.3; 88.4; 108.3). Khureibet el-Waten, oito quilômetros a leste de Berseba, parece ser uma tradução de Molada, "local de nascimento". Fragmentos de cerâmicas da Idade do Ferro e posteriores foram encontrados ali, possibilitando sua identificação com Molada.

**MOLHO DE CEREAIS** Uma pequena quantidade ou monte de grãos colhidos. O termo heb. *gadish* é traduzido como "molho" em Juízes 15.5, "feixe" em Jó 5.26, e "meda" em Êxodo 22.6. Esta palavra heb. é usada para "túmulo" em Jó 21.32 e "feixe de trigo" sobre a sepultura em Jó 5.26.

**MOLIDE** Um descendente de Jerameel, neto de Perez, filho de Judá (1 Cr 2.25-29).

**MOLOQUE, MOLEQUE** *Veja* Falsos deuses.

**MOMENTO** *Veja* Tempo, Divisões do Tempo.

**MONOLITO** A palavra grega *stele* designa um poste ou pedra erguidos. Para o arqueólogo, o monolito é uma rocha, ou uma pedra, coberta de inscrições como se fosse um monumento; por exemplo, a grande pedra com o código das leis de Hamurabi (*q.v.*). O famoso monolito de Mernepath (de aprox. 1220 a.C.) contém a primeira referência a Israel fora da Bíblia, reivindicando a vitória do Egito sobre essa nação que, na época, estava localizada na Palestina (ANET, p. 378). A Pedra Moabita (*q.v.*) traz a versão moabita da história registrada em 2 Reis 3.4-27. A pedra Ebenézer (*q.v.*) erguida por Samuel (1 Sm 7.12) seria um monolito bíblico, além das pedras sobre as quais foram copiadas as leis de Moisés, e preparadas por Josué no monte Ebal (Js 8.32; cf. Dt 27.2-4).

**MONSTRO DO MAR** *Veja* Animais: Chacal II.11.

**MONTANHA** Dois termos hebraicos e seus equivalentes em grego são muitas vezes traduzidos como "montanha" nas versões da Bíblia Sagrada: *gib'a* (gr. *bounos*) e *har* (gr. *oros*), melhor traduzidos como "colina" ou "montanha", respectivamente. O primeiro se refere às encostas mais graduais e elevações menores, e se aplica a partes ou a todo o terreno que corre do norte ao sul como a crista central das montanhas da Palestina. O último, geralmente, descreve um tipo de terreno com pontos mais elevados e encostas mais inclinadas, e também é usado para descrever uma única montanha, uma serra, ou até mesmo uma área montanhosa. *Veja* Colina, País Montanhoso; Palestina: II.A.5; B.1.*c*.
As freqüentes referências a montanhas e colinas são tanto literais quanto figurativas. Deus chama toda a terra de Israel de "minhas montanhas" (Is 14.25; 65.9). As montanhas foram muitas vezes escolhidas como locais de adoração ou de uma revelação divina; por exemplo, Sinai (Êx 19.18-20; 24.9-18), Moriá (Gn 22.2), Sião (Sl 2.6; 48.1,2),

Carmelo (1 Rs 18.19-39). Os altos pagãos eram freqüentemente erguidos em topos de colinas abertas (Dt 12.2).
As montanhas são lugares que estendem a nossa visão (Dt 3.27; cf. Lc 4.5). Elas influenciam as chuvas e estão, portanto, relacionadas com a produtividade (Sl 29.3-9; Dt 33.15; Jl 3.18). Elas são símbolos de permanência (Hc 3.6) e estabilidade (Sl 30.7; 125.1,2; Is 54.10). Elas são personificadas para expressar emoções humanas: estremecimento por causa do terrível julgamento de Deus (Sl 18.7; 97.5); regozijo pela redenção de Israel (Sl 98.8; Is 44.23; 49.13; 55.12); saltar de medo para escapar à ira de Deus (Sl 29.6; 114.4,6); ser chamado para testemunhar a contenda de Deus com o seu povo (Mq 6.2) etc.
Montanhas são, também, símbolos de calamidades na jornada da vida (Jr 13.16) e de obstáculos humanamente insuperáveis (Zc 4.7; Mt 21.21). Mas estas podem ser movidas pela fé, a despeito de quão pequena seja, desde que depositada no Deus Todo-Poderoso (Mt 17.20).

***Bibliografia***. Werner Foerster, "*Oros*", TDNT, V, 475-487.

H. E. Fi.

**MONTANHA DOS AMORREUS** Um termo geral referente à região acidentada ou montanhosa habitada pelos amorreus nos tempos de Moisés e Josué (Dt 1.7,19,20; cf. Nm 13.29; Js 10.6).
A área é, aproximadamente, aquela dominada por cinco reis amorreus da aliança de Josué 10.3-5. Ela deve ter incluído as montanhas que se erguem no Neguebe, ao norte de Cades-Barnéia (Dt 1.20), toda a cordilheira central de Judá e Benjamim, e talvez o sul de Efraim. *Veja* Amorreus.

**MONTÃO**
1. Palavra hebraica *gal*, designando pedras amontoadas juntas. Um montão de pedras era algumas vezes colocado sobre uma pessoa morta como um lembrete de sua infâmia (Js 7.26; 8.29; 2 Sm 18.17); parece ter sido equivalente a um sinal de desgraça como a morte por apedrejamento. Um montão de pedras foi usado como testemunha da aliança entre Jacó e Labão (Gn 31.44,46-52). Uma cidade que se tornou um montão de ruínas foi um lembrete do juízo de Deus (2 Rs 19.25; Is 25.2; Jr 9.11; 51.37).
2. Palavra hebraica *'i*, um montão de ruínas (Sl 79.1; Jr 26.18; Mq 1.6; 3.12) e a palavra cognata *me'i* (Is 17.1). O nome da cidade de "Ai" deriva dessa palavra.
3. Palavra hebraica *ned* denotando um monte ou um muro de água, como se fosse contido por um dique invisível (Êx 15.8; Js 3.13,16; Sl 33.7; 78.13).
4. Palavra hebraica *'arema* significando qualquer coisa empilhada, podendo ser grãos ou cereais (Rt 3.7; Ct 7.2; Ag 2.16), os produtos da agricultura (2 Cr 31.5-9), entulho ou escombros (Ne 4.2), ou ainda ruínas de cidades (Jr 50.26).
5. Palavra hebraica *tel*, o montículo acima do nível das ruínas amontoadas de uma cidade (Dt 13.16; Js 8.28; Jr 30.18; 49.2).

F. B. H. e J. R.

**MONTE** *Veja* Montanha.

**MONTE DA CONGREGAÇÃO** *Veja* Congregação, Monte da.

**MONTE DA CORRUPÇÃO** *Veja* Corrupção, Monte da.

**MONTE DAS BEATITUDES** O vale da montanha onde Jesus pregou o Sermão do Monte tem sido sempre citado como o monte das Beatitudes. Delitzsch chamou o monte das Beatitudes de o "Sinai do Novo Testamento". Ninguém sabe a localização exata desta montanha. É mais provável que ela estivsse em algum lugar ao norte (ou talvez a oeste) de Cafarnaum, nos altos da Galiléia, embora separada da região da costa. G. E. Wright e F. V. Filson afirmam que nenhum dos possíveis locais são mais prováveis do que as primeiras hipóteses (*Westminster Historical Atlas to the Bible*, ed. rev., 1956, p. 94). A tradição cristã mais atual estabeleceu um monte 120 metros mais alto do que Cafarnaum, alguns quilômetros a noroeste, onde os franciscanos italianos construíram um convento e uma capela. Há uma antiga tradição datada da época das Cruzadas que identifica o monte das Beatitudes com os Chifres de Hattin, a oeste de Magadã. Na planície logo abaixo destes chifres (pequenos picos), os cruzados sofreram sua derrota decisiva nas mãos de Saladino, o líder saraceno, em 1187 d.C.

D. R. S.

**MONTE DAS OLIVEIRAS** O termo é, às vezes, aplicado a quatro colinas a leste de Jerusalém que formam uma crista que corre na direção norte-sul. Popularmente, referese apenas ao par central diretamente a leste da área do Templo. Das quatro colinas, a mais ao norte é o monte Scopus. A colina mais ao sul fica ao sul da estrada para Jericó e é chamada de monte da Ofensa. Era o local das casas e Templos dos ídolos das esposas estrangeiras de Salomão (2 Rs 23.13), quando não ficavam no próprio Monte das Oliveiras. As duas colinas centrais, com uma pequena depressão entre elas, elevam-se a quase 900 metros de altitude. Jerusalém está a aprox. 840 metros de altitude. A subida a partir do vale de Cedrom é íngreme, e os ônibus sobem lentamente em primeira marcha. Infere-se, a partir do nome, que as encostas já foram cobertas por uma vegetação. Porém são, agora, rochosas e desgastadas devido ao desmatamento causado pelas duas guerras mundiais, com poucas árvores na encosta

O monte das Oliveiras visto através da fachada da área do Templo. HFV

oeste, e menos ainda a leste. O nome árabe das colinas é Jebel ez-Zaiton (monte das Oliveiras) e Jebel et-Tur. O mar Morto é visível a leste, e uma vista imponente de Jerusalém abre-se para oeste.

Ao norte das duas colinas fica o Hospital Luterano Augusta Victoria com sua torre alta como marco. Ao sul ergue-se a torre da Igreja Russa da Ascensão e outros edifícios marcando o lugar tradicional da partida de Cristo. Em um rebaixo entre as colinas fica o Convento da Galiléia. A leste, a estrada desce para Betânia e para a estrada de Jericó. Na face oeste há três antigas estradas, todas possivelmente da época romana, sobre as quais o Senhor Jesus Cristo teria caminhado. A Igreja de Dominus Flevit (O Senhor Chorou) fica a meio caminho da descida. A Igreja de Todas as Nações, com uma tradicional rocha do Getsêmani e um jardim de oliveiras, brancas devido à idade, fica próxima ao fundo. Muitas igrejas famosas foram construídas no topo e algumas delas foram descobertas e identificadas.

O nome Monte das Oliveiras está conectado com a fuga de Davi de Absalão (2 Sm 15.30), e com o texto em Zacarias 14.4, que fala da vinda do Senhor, ocasião em que o monte se partirá de leste a oeste. Ele é descrito como o local da partida da presença de Deus de Jerusalém nos dias de Ezequiel (Ez 11.23). No NT, é descrito como o local de descanso favorito de Cristo quando Ele se retirava de Jerusalém. Foi o local do início de sua entrada triunfal (Mt 21.1), a cena de seu lamento sobre Jerusalém (Lc 19.37-41), sua instrução escatológica (Mt 24–25), sua agonia no Getsêmani (Mt 26.30), e sua ascensão (At 1.9-12). Será o monte de seu retorno (At 1.11; cf. Zc 14.4). *Veja* Ascensão; Getsêmani; Cedrom.

R. L. H.

**MONTE EFRAIM** *Veja* Efraim.

**MONTE HOREBE** *Veja* Horebe.

**MONTE DOS AMALEQUITAS** Chamado de "região montanhosa dos amalequitas" em Juízes 12.15. Os amalequitas estão, geralmente, ligados ao Neguebe onde se localizava Cades-Barnéia (Nm 14.25), mas parecia, de acordo com Juízes 5.14, ter havido uma colônia na região montanhosa de Efraim. *Veja* Amalequitas.

**MONTE DO VALE** Uma expressão peculiar encontrada em Josué 13.19. Aparentemente, uma colina ou elevação proeminente (heb. *har*) de onde se pode avistar o vale do Jordão ou o mar Morto (heb. *'emeq*, mesmo termo usado em 13.27 para o vale do Jordão). Nele foi construída a cidade de Zerete-Saar (*q.v.*), "Zerete do alvorecer" (ou "esplendor da alvorada"), um local que captava os primeiros raios do nascer do sol.

**MONTE SEIR** *Veja* Seir, Monte.

**MONTE SIOM**

1. Um dos nomes pelos quais o monte Hermom era chamado antigamente (Dt 4.48). Os

sidônios chamavam-no de "Siriom" e os amorreus de "Senir" (Dt 3.9).
2. Forma grega de monte Sião (Jerusalém) que aparece em Salmos 65.1; Hebreus 12.22; e Apocalipse 14.1 em várias versões. A forma "Siom" aparece muitas vezes nas escrituras apócrifas.

**MONTE TABOR** *Veja* Tabor, Monte.

**MORALIDADE** *Veja* Exemplo.

**MORASTITA** Um adjetivo gentílico para designar o profeta Miquéias (Mq 1.1; cf. Jr 26.18). É provável que seja derivado de Moresete-Gate (*q.v.*), a cidade onde Miquéias nasceu. *Veja* Miquéias.

**MORCEGO** *Veja* Animais: III. 43.

**MORDOMO** *Veja* Ocupações.

**MORESETE-GATE** Cidade do profeta Miquéias (cf. Jr 26.18; Mq 1.1), um dos profetas escritores do século VIII a.C. *Veja* Miquéias. É feita uma referência à cidade através de um trocadilho de Miquéias (cf. Mq 1.14). A antiga Moresete é identificada com a moderna Tell ej Judeideh, aprox. 32 quilômetros a sudeste de Jerusalém (aprox. 3 quilômetros ao norte de Beit Jibrin ou Eleuterópolis). A palavra Gate deve ter sido acrescentada para indicar que esta era a Moresete que fica perto de Gate na Sefelá. Morastita é o adjetivo gentílico de uma forma reduzida do nome Moresete. Os Pseudo-Epiphanius alegam que Miquéias foi sepultado em sua casa, perto do cemitério dos anaquins, nos arredores de Eleuterópolis.

**MORIÁ** Este termo se aplicava à *região* onde Abraão ofereceu Isaque (Gn 22.2), e ao *local* do Templo de Salomão (2 Cr 3.1). Alguns desafiaram esta identificação devido às variantes textuais em 2 Crônicas 3.1, e por causa de sua proximidade a Berseba. Entretanto, com um jumento carregado, Abraão poderia ter levado 3 dias para viajar os 80 quilômetros de distância até Moriá (Gn 22.4). Não há opositores e nenhuma razão adequada para se duvidar de que o monte Moriá (Gn 22.2), a eira de Araúna, o jebuseu (2 Sm 24.16ss.), e o local do Templo de Salomão (2 Cr 3.1) sejam praticamente idênticos. *Veja* Jerusalém.

**MORTAL, MORTALIDADE** O termo mortal tem a conotação de certeza da morte (Jó 4.17), e assim é o oposto de imortalidade, pois nesta não existe morte. O termo mortal ocorre em 2 Coríntios 5.4 traduzindo o adjetivo *thnetos* ("mortal", "suscetível à morte"). Em Romanos 6.12; 8.11 e 2 Coríntios 4.11, onde também ocorre o termo *thnetos* e é traduzido como "mortal", Paulo liga a palavra a "corpo" e "carne". Nestas passagens tem-se em vista a situação especial dos crentes. Mesmo sendo regenerados e destinados à glória, eles ainda estão "na carne", em um corpo suscetível à morte, desvanecente (2 Co 4.16), caracterizado pelas práticas e tendências pecaminosas (Rm 6.8), humilhados e degradados (Fp 3.21). Apesar de tudo isso, o desafio e exortação consistem em nos recusarmos a permitir que o pecado reine em nossa vida, certos de

A cúpula da Rocha cobre o local tradicional do monte Moriá. HFV

que este corpo será vivificado, já tendo sido liberto (Rm 6.8), de forma que já não serve mais ao pecado, e será transformado em um corpo glorificado como o de Cristo.
No texto grego de 1 Coríntios 15.53,54 e 2 Coríntios 5.4, o termo *thnetos* não está associado com um substantivo, que normalmente seria modificado por ele; mas, o fato do termo estar no gênero neutro sugere naturalmente o substantivo neutro *soma* (corpo).
Nas duas passagens, entendemos que não é a ressurreição da morte que está em destaque, mas a transformação instantânea dos crentes que estiverem vivos no momento da volta (ou *parousia*) do Senhor Jesus Cristo.
Em 1 Coríntios 15, Paulo fala sobre a ressurreição em um esboço compacto de escatologia (vv. 20-28). No v.50 é anunciada uma razão importante para a ressurreição: carne e sangue não podem herdar o reino de Deus. Os mortos devem ressuscitar incorruptíveis e os crentes vivos também devem ser transformados para que se revistam da "incorruptibilidade" e da "imortalidade" (*veja* Imortalidade). O caso especial dos crentes que estiverem vivos por ocasião da volta do Senhor Jesus Cristo é destacado em 1 Coríntios 15.53,54; 2 Coríntios 5.4; 1 Tessalonicenses 4.17. Na transformação instantânea dos vivos encontra-se o cumprimento de Isaías 25.8 – a morte será tragada na vitória. Em Oséias 13.14, a confirmação paralela significa que a morte não tem sequer uma vitória temporária: alguns não foram para a sepultura, mas foram "tragados" pela [ressurreição] vida.
Também não se pode esquecer que outra mudança deve acontecer ao mesmo tempo. Hebreus 12.23 fala dos "espíritos dos justos aperfeiçoados", completamente santificados na morte. Estes são os mortos justos que levantarão dos seus túmulos primeiro. No momento do resgate, esta mudança também deve ser experimentada por aqueles que estiverem vivos, aguardando a segunda vinda do Senhor Jesus Cristo.
*Veja* Morto, O; Escatologia; Vida.

W. B. W.

**MORTE** (em hebraico *mawet* e em grego *thanatos*). O término da vida natural ou animal; o estado de ter cessado de viver, aquela separação, violenta ou não, entre a alma e o corpo através da qual termina a vida de um organismo. Portanto, a morte tem sido definida de várias maneiras, como a "separação do corpo e da alma" – Tertuliano; "a partida do espírito do corpo" – Cícero; "suspensão da união pessoal entre o corpo e a alma, seguida pela dissolução do corpo em elementos químicos e a introdução da alma naquele estado separado de existência ao qual poderá ser atribuído por seu Criador e Juiz" – A A. Hodge. A morte pode ser considerada como uma experiência pela qual as conexões da pessoa com o mundo e a vida estão rompidas ou encerradas. Teologicamente falando, é o último acontecimento na história probatória de cada ser humano.
Cientificamente falando, a morte é a serva da economia natural. Portanto, não é uma falha, mas, um sacrifício que assegura um processo mais elevado de vida ou, pelo menos, assegura a propagação das espécies. Veja a observação de Jesus em João 12.24.
Segundo as Escrituras, a idéia da morte é usada ou descrita: (1) No sentido do processo de morrer (Gn 21.16), (2) Como sinônimo para veneno (2 Rs 4.40). (3) Para descrever alguém em perigo de perecer (Jz 5.18. cf. a declaração de Paulo: "Em perigo de morte, muitas vezes", 2 Co 11.23). (4) Como um retorno ao pó (Gn 3.19; Ec 12.7). (5) Como a remoção do fôlego da vida (Sl 104.29). (6) Como uma partida ou êxodo do corpo (Is 38.12; 2 Co 5.1; 2 Pe 1.13-15; cf. também 2 Co 5.8,9). (7) Como estar despido das vestes terrestres (2 Co 5.3,4; 2 Pe 1.13,14). (8) Como a partida para uma terra de escuridão e tristeza (Jó 10.21,22; 38.17). (9) Como um sono (Sl 13.3; Jr 51.39; Jo 11.13ss.; 1 Ts 4.15; At 7.60). (10) Como a perda da vida espiritual (Rm 7.9-13; 8.6; Ef 2.1,5; Cl 2.13; Jd 12). (11) como um evento ominoso que se aproxima, lançando uma sombra profunda e agourenta (em hebraico *salmawet*, "sombra da [ou, *de*] morte", ou "profunda escuridão"; Jó 3.5; Sl 23.4; 44.19; 107.10,14; Jr 2.6; Is 9.2; Mt 4.16; Lc 1.79).
A morte é personificada (Jó 28.22; 1 Co 15.55; Ap 20.14) como um governante, tirano ou inimigo (Jó 18.13,14; Sl 55.15; 1 Co 15.26; Ap 6.8); ou como um caçador que lança armadilhas para apanhar os homens (Sl 18.5; 116.3; Pv 13.14; 14.27).
A morte aparece constantemente como a forma mais grave de punição que pode ser administrada aos transgressores (Gn 9.5,6; Êx 21.12 etc.). Portanto, a pena capital era uma retribuição e não simplesmente uma correção. Servia para eliminar o mal e advertir a nação (Dt 13.5-11). O estado final daqueles que não se arrependerem é chamado de "segunda morte" (Ap 20.14; 21.8). Mas, no sentido das Escrituras, a morte significa a aniquilação do corpo ou a extinção do ser na terra.
A morte acontece apenas uma vez para cada organismo humano (Hb 9.27) e, embora seja certa (Jó 14.1,2), ninguém sabe quando ela chegará (Pv 27.11); mas ela é universal para a humanidade (Gn 3.19; Rm 5.12; 1 Co 15.22).
A sepultura é mencionada como "portas da morte" ou "portas da sombra da morte" (Jó 38.17; Sl 9.13; 107.18), simbolizando a entrada na morada dos mortos, e também no lugar de onde a morte exerce a sua autoridade.
O homem, no caso de nossos primeiros pais, foi colocado apenas condicionalmente sob a lei da vida. O Jardim do Éden produzia uma rica coleção de frutos para sustentar sua vida

física. A Divindade caminhava, e com ele se comunicava, para sustentar sua vida espiritual que dependia da comunhão com o Pai do seu espírito.

A transgressão humana em relação à vontade e ao mandamento de Deus, que causou uma ruptura no pacto, trouxe a morte como castigo. A morte é a conseqüência do pecado (Rm 5.12; 6.23; Tg 1.15; Gn 2.17). Satanás instigou os assassinos (Jo 8.44) e tem usado seu poder para infligir a morte como meio de envolver a raça humana na prisão do medo (Hb 2.14). Portanto, a obra redentora de Cristo, em benefício da humanidade, libertando-a tanto do castigo como do medo da morte, fez com que a morte do próprio Salvador se tornasse necessária (1 Co 15.3; Rm 4.25; 1 Pe 3.18). Ao se submeter à morte, Ele triunfou sobre ela, aboliu-a, e trouxe aos crentes a abençoada esperança da vida e da imortalidade (2 Tm 1.10). O aguilhão da morte foi removido (1 Co 15.55,56) e a vitória da morte foi "tomada" por aqueles que estão "em Cristo" (1 Co 15.22).

Por esta razão, por causa da vitória de Cristo sobre a morte, ela pode até ser desejável – na hora determinada por Deus – na vida do justo (Lc 2.28-30), pois ele irá ganhar o repouso de seus trabalhos (Ap 14.13) e a morte irá introduzi-lo na felicidade eterna (2 Co 5.8).

*Veja* Seio de Abraão; Morto, O; Estado Eterno e Morte; Cristo, Paixão de.

***Bibliografia.*** R. Bultmann, "*Thanatos etc*", TDNT, III, 7-25. H. F. Lovell Cocks, "Death", *Handbook of Christian Theology,* Nova York. Meridian Books, 1958, pp. 70-73. Olin A. Curtis, *The Christian Faith,* Nova York. Eaton & Mains, 1905. Cap. XX. A. B. Davidson, *Theology of the Old Testament,* Nova York. Scribner's, 1906, pp. 495-532. Franz Delitzsch. *A System of Biblical Psychology,* Edinburgh. T. & T. Clark, 1899, pp. 467-476. John Laidlaw, *Bible Doctrine of Man,* Edinburgh. T. & T. Clark, 1897, pp. 171-176. Alex. Macalister e Herman Bavinck, "Death", ISBE, II, 811-813. McClintock e Strong, *Cyclopedia of Biblical, Theological and Ecclesiastical Literature,* II, 712-715. G. F. Oehler, *Theology of the Old Testament,* Grand Rapids. Zondervan, reimpressão, pp.166-174, Alan Richardson, "Death etc.", *Theological Word Book of the Bible,* Nova York. Macmillan, 1951, pp. 60-61. H. Orton Wiley, *Christian Theology,* Kansas City, Mo.. Kingshighway Press, 1943, III, 212-215.

R. E. Pr.

**MORTIFICAÇÃO** O verbo mortificar aparece em Romanos 8.13 (gr. *thanatoo*) e Colossenses 3.5 (gr. *nekroo*). Algumas versões traduzem Romanos 8.13 e Colossenses 3.5 como "matar". A palavra "mortificar" foi usada uma vez neste sentido (por exemplo, "Cristo foi mortificado e morto [assassinado] no tocante à sua carne", Erasmus, *Comune Crede*, 81), mas seu linguajar está obsoleto no português moderno. A expressão "morto" traduz melhor o significado das palavras gregas; as duas são usadas (como verbos ou substantivos) no sentido da morte física (por exemplo, Mt 8.22; 26.59; Mc 14.55).

Nas duas passagens mencionadas, o uso é claramente metafórico. Nelas o contexto vai ao âmago da doutrina de Paulo da união do crente com Cristo. Aquilo que é posicionalmente verdadeiro, a identificação com Cristo na morte para a vida antiga (cf Rm 6.6,7; 7.4) deve ser real, onde o próprio crente responde à ação de Deus, "matando" a ação do corpo. É a quebra da cooperação com o pecado, a hostilidade para com este, uma forte resistência aos desejos malignos que assolam o corpo, que se completa no poder do Espírito Santo (Rm 8.13; 6.11-13).

**MORTO, O** Este termo, como adjetivo, é aplicado muitas vezes a indivíduos da Bíblia, desde Sara até Safira. As palavras que comumente se referem à morte são *mot* no AT e *nekros* no NT. O AT também usa a palavra *nepesh* (geralmente traduzida como "alma") para se referir a um corpo morto, mas isto ocorre por que a palavra freqüentemente se refere a um indivíduo e, portanto, ao corpo do indivíduo. A palavra *repaim* também é, muitas vezes, traduzida como "sombras" na versão RSV em inglês. Seu significado etimológico como "magro" ou "impotente" é questionável. No NT também são usadas formas do verbo *thnesko,* ("morrer") e palavras semelhantes para designar o morto. Nenhum desses usos são suficientes para elucidar a condição daquele que partiu dessa vida.

### O Ensino do AT

O AT não é muito explícito sobre esse assunto. Isso não deixa de mostrar uma interessante interrogação em vista das extravagantes especulações das pessoas que o cercam. Os versos do AT que lidam com a questão são encontrados principalmente em Jó, Salmos, Eclesiastes, Isaías e Ezequiel e se tornam mais difíceis por causa de seu contexto poético. O assunto também fica complicado pelo uso de palavras de etimologia incerta como Seol (*q.v.*), cujo significado preciso é discutível. Além disso, estudos críticos sobre esse assunto encontram-se muitas vezes viciados por uma pós-concepção que remonta às datas de alguns livros e passagens do AT, e encontram idéias de imortalidade e ressurreição no AT somente no período pré-exílico sob influência estrangeira.

Mas, atualmente, os Salmos são aceitos como sendo, principalmente, pré-exílicos e os Salmos 16.8-11; 17.15; 49.14,15; 73.23-26 parecem falar claramente sobre a ressurreição e a imortalidade. Quanto ao Salmo 16.8-11, Pedro diz que Davi estava, conscientemente, predizendo a ressurreição de Cristo (At 2.30,31). (Veja o tratamento dado pelo autor a esses versos no livro *The Biblical Expositor*, Vol. 2, 59ss.) Também o Salmo 17.15 pode estar se referindo à futura ressurreição e não a despertar depois da morte, em glória. É bastante significativo que a ressurreição no NT seja chamada de despertar (Jo 11.11), embora isso seja relativamente figurativo, assim como a referência à morte como um sono. Os Salmos 49.14,15 e 73.19-26 podem estar se referindo ao atual estado do morto. O Salmo 73.19,24 e Isaías 57.1,2 parecem estar particularmente enfatizando a diferença entre o destino que aguarda o justo e o pecador depois de morrerem.

Existem vários versos específicos em Jó que ensinam sobre a imortalidade, mas igualmente significativo é o argumento total desse livro. Jó vê as iniqüidades dessa vida, no entanto se prende firmemente na confiança em um Deus de justiça. Mesmo hoje em dia, a única resposta a esse problema está no conceito de uma vida futura de recompensas e castigos. A clássica passagem está em Jó 19.25, "Porque eu sei que meu Redentor vive". Uma análise mais extensa dessa passagem, e de todo esse assunto, é encontrada em um pequeno, mas precioso livro sobre a vida depois da morte no AT, escrito por A. Heidel, *The Gilgamesh Epic and OT Parallels* (2ª ed., Chicago. Univ. of Chicago Press, 1949, pp. 173-223). Em Jó, esse verso se refere à ressurreição e não ao estado presente do morto.

Os textos em Isaías 25.8 e 26.19 são claros, e não há necessidade de colocar essas passagens em dias posteriores aos do próprio Isaías. Eles falam da ressurreição dos mortos como a futura esperança de Israel. O primeiro verso é citado expressamente com esta relação em 1 Coríntios 15.55. O texto em Daniel 12.2 também pode ser um ponto de referência. Tem sido sugerido que esse verso pode ser interpretado da seguinte forma. "E muitos que dormem no pó da terra irão acordar", entendendo a palavra *min* ("de" ou "do") como uma explicação e não como referência a uma ressurreição parcial, o que parece ser estranho a esse contexto (cf. Heidel, op. cit., p. 220ss.). Entretanto, essas passagens não revelam o estado atual do morto, exceto que proíbem a doutrina da extinção da pessoa porquanto existe uma esperança futura. Os exemplos de ressurreição, registrados no AT, reforçam essa conclusão.

As traduções de Enoque e Elias, e o suporte de Samuel se concentram mais no estado do morto e também insistem que Israel sabia que existia uma vida futura para o povo de Deus. Elias foi levado em corpo e alma para Deus, em glória. Pode ser que a tradução tenha sugerido que era comum a ascensão da alma dos justos; mas, obviamente, a ascensão do corpo era um evento singular.

A aparição de Samuel (1 Sm 28.7-25) apresenta vários problemas, em todo caso ela mostra que há uma existência consciente depois da morte. Alguns afirmam que a aparição era de um ser maligno e não de um verdadeiro Samuel (Heidel, *op. cit.*, p. 189ss). Outros insistem que Samuel realmente apareceu por um milagre de Deus e não pelas invocações de uma médium que, aparentemente, ficou bastante surpreendida (cf. *Wycliffe Bible Commentary,* p. 292). O fato de Samuel ter sido trazido não quer dizer, necessariamente, que seu espírito estivesse no túmulo ou em um mundo (inferior) dos mortos. Pode ter sido utilizada, no texto, apenas uma figura de linguagem, pelo fato de Samuel ter sido *depositado* na sepultura (segundo Heidel).

Sem dúvida, essa conclusão teria sido mais amplamente aceita se certos versos não aparecessem do outro lado do livro. Esses versos são, principalmente, Salmos 6.5; 30.9; 39.13; 88.11,12; 115.17; 143.3; Jó 3.17; 10. 21,22; Eclesiastes 9.5,10 e Isaías 38.10,11. James Orr indica (na obra "*Eschatology of the OT*", ISBE, II, 974) que esses versos não devem ser considerados de forma absolutamente literal: "Parte deles representa a expressão de um estado de ânimo deprimido ou desesperado... ou de humor temporariamente cético: tudo isso é relativo". Assim, o ceticismo de Eclesiastes 3.19–4.3 não é a resposta final do livro à questão do principal fim do homem (Ec 8.12,13; 12.13). Parece que pelo menos algumas das descrições contidas nos versos acima não se aplicam ao estado do morto, mas à condição do corpo no túmulo que, na verdade, é um lugar de silêncio, de escuridão, de vermes e de corrupção. Um lugar onde o corpo é rapidamente esquecido e onde a língua cessa de pronunciar louvores. "O Senhor Deus sente pesar quando vê morrerem os que são fiéis a ele" (Sl 116.15, Bíblia de Jerusalém), porque seu serviço de adorar, sacrificar e dar graças ao Senhor cessa completamente na terra. Mas esses versos não ensinam que essa é a condição do espírito depois da morte. Veja R. L. Harris, "*The Meaning of the Word Sheol*", BETS, IV (1961), 129-135.

Outras representações mostram os reis mortos na terra se elevando de seus tronos no Seol para saudar potentados recém-falecidos (Is 14.9-20. Ez 32.18-32). Isso também é extremamente figurativo. Heidel argumenta (*op. cit.*, pg 198ss.) que o tratamento nesses versos refere-se "quase exclusivamente ao túmulo e não ao mundo espiritual". Seol pode ser uma palavra poética para "túmulo" e isso explica as afirmações de ser um lugar de escuridão, silêncio etc. Mas, em relação à residência do espírito, o israelita temente e obediente, ao confiar no Senhor vivo e poderoso, da forma como fazia, morreu em paz esperando acordar em semelhança a Deus (Sl 17.15).

**A Doutrina do NT**

Embora o NT traga mais luz para a condição do morto, ele apenas amplia os ensinamentos do AT e claramente ensina sobre uma futura ressurreição. Existem muitas passagens a esse respeito, e a própria ressurreição de Cristo é básica para todo esse quadro.

Mas atualmente também existe mais luz sobre a condição do morto. Os cristãos "dormem em Jesus" (1 Ts 4.14). Isso parece ser claramente um eufemismo que surgiu da aparência de um corpo morto, pois os redimidos em glória são ativos (Ap 6.9ss.) e estão preocupados com os acontecimentos na terra. A cena da transfiguração mostra Moisés e Elias falando com Jesus sobre a crucificação que se aproximava (Lc 9.30,31). Os pecadores também estão terrivelmente conscientes do que acontece no mundo atual (Lc 16.19-31). Alguns têm afirmado que o registro do rico e Lázaro seja uma parábola. É possível, embora existam diferenças essenciais quando este relato é comparado às outras parábolas. Mas em todo caso, as parábolas de Jesus eram sempre ilustrações da vida real, e a conclusão é clara: os mortos estão agora em uma bem-aventurança, ou em uma situação de tormento.

Esse foi o conforto que Cristo ofereceu ao ladrão moribundo (Lc 23.43; a expressão "paraíso" é igualada a céu em 2 Coríntios 12.2,4) e Paulo declara que é "muito melhor" partir e estar com Cristo (Fp 1.23). Para o cristão, estar ausente do corpo é estar presente com o Senhor (2 Co 5.8). Ao morrer, Estêvão recebeu uma gloriosa visão de seu lar celestial (At 7.56) e o mesmo aconteceu com o idoso apóstolo em Patmos (Ap 4.11).

Existe uma opinião de que, antes da cruz, havia dois compartimentos no Seol onde Cristo entrou para libertar os redimidos que lá estavam e levá-los para o céu, como um benefício de sua crucificação. Além de ser muito estranha, essa opinião carece de fundamento exegético. Efésios 4.9 também é citado, mas esse verso pode simplesmente identificar o Cristo ascendido com o Jesus que desceu à terra em sua encarnação. Outra passagem freqüentemente citada é 1 Pedro 3.19,20. Ela pode apenas significar que, nos dias que antecederam o dilúvio, Cristo pregou através do Espírito Santo aos contemporâneos de Noé que agora estão "em prisão". Na verdade, e como já foi observado, Cristo nos disse para onde iria depois de sua morte – para seu Pai e para o paraíso. O NT nos assegura que no momento de nossa morte também estaremos lá com Cristo, até que Ele venha novamente à terra. Veja essas expressões especialmente em 2 Coríntios 5.8 e Filipenses 1.21-23. *Veja* Enterro; Morte; Embalsamar; Túmulo; Escatologia; Funeral; Hades; Céu; Inferno.

***Bibliografia***. Para o tratamento do cadáver e costumes relacionados aos funerais, veja a obra de Roland de Vaux, *Ancient Israel*, trad. por John McHugh, Nova York. McGraw-Hill, 1961, pp. 56-61. Aubrey R Johnson, *The Vitality of the Individual in the Thought of Ancient Israel*, Cardiff. Univ. of Wales Press, 1949, pp.11-14, 71-74, 89-94.

R. L. H.

**MORTOS, BATISMO PELOS** *Veja* Batismo pelos Mortos.

**MOSA**

1. O segundo filho de Calebe com sua concubina Efá (1 Cr 2.46).
2. Filho de Zinri, um descendente de Saul e Jônatas (1 Cr 8.36,37; 9.42,43).
3. Uma cidade em Benjamim listada após Mispa e Cefira (Js 18.26, Moza em algumas versões), provavelmente representada por Khibert Beit Mizzeh. O lugar fica nas proximidades do vilarejo árabe de Qaluniya, sete quilômetros a oeste-noroeste de Jerusalém, próximo à moderna auto-estrada que leva a Tel Aviv. O nome Mosa (heb. *m-s-h*) estava estampado nas alças das jarras da Idade do Ferro encontradas em escavações em Jericó e Tell en-Nasbeh, sugerindo a localização de uma olaria real naquele local.

**MOSCA, MOSCAS** *Veja* Animais: III.44.

**MOSERA** Local de parada entre Beerote-Benê-Jaacã e Gudgoda, nas proximidades do local onde Arão morreu e foi sepultado (Dt 10.6,7). Mosera pode ser identificada na forma plural Moserote (Nm 33.30,31). Mosera ficava nas redondezas do monte Hor (*q.v.*), onde Arão morreu, de acordo com Números 20.25-28; 33.38; Deuteronômio 32.50.

**MOSEROTE** Um dos lugares de parada de Israel no deserto, depois de terem passado o Sinai (Nm 33.30,31). *Veja* Mosera.

**MOSQUITO** *Veja* Animais: III.45.

**MOSTARDA** *Veja* Plantas.

**MOTIVO** *Veja* Intenção.

**MUDA** Partes cortadas de plantas que podem ser plantadas. Termo usado em algumas versões em Isaías 17.10 mencionando o replantio após um julgamento de devastação.

**MUDA DE VESTES** Esta expressão aparece em três trechos diferentes no Antigo Testamento (Gn 45.22; Jz 14.12,13,19; 2 Rs 5.5, 22,23). Os povos do Oriente Médio gostavam de roupas de cores brilhantes e ornamentadas, e usavam essas roupas em casamentos e outras ocasiões festivas. Os reis e homens de posição mantinham uma grande quantidade dessas roupas (cf. 2 Rs 10.22), em parte para o seu próprio uso (Pv 31.21; Jó 27.16; Lc 15.22), em parte para dar como presentes (Et 6.6-11). Nas longas listas de presentes trocados entre o Faraó na época de Amarna e vários reis da Babilônia, da Síria e da Palestina, se incluem muitos tipos de roupas, chegando a 41 roupas de um determinado tipo (por exemplo, EA #14, 22, 25, 29, 31*a*, 34). Outra palavra hebraica, *mahalasot* ("roupas que podem ser trocadas" òu "vestes de festa", Isaías 3.22; "vestes novas", Zacarias 3.4), é melhor traduzida como "vestes [ou roupas] de festa". *Veja* Vestuário.

J. R.

**MUDEZ** A mudez nas Escrituras é atribuída a várias causas: (1) falta de habilidade de falar em razão de uma deficiência física (Mt 15.30,31; cf. Êx 4.11); (2) uma opressão por um espírito mau que afeta o centro da fala da pessoa (Mt 9.32,33; 12.22; Mc 9.17,25); (3) um medo de natureza psicológica (Dn 10.15-19), ou um sentimento de culpa (Sl 39.9-11) ou de inferioridade por não saber como se expressar (Pv 31.8, cf. Êx 4.10-16); (4) um julgamento temporário da parte de Deus (Lc 1.20; Ez 3.26).

**MUITOS, OS** Este termo, com ou sem o artigo definido, tem um significado teológico importante em várias passagens bíblicas (por exemplo, Is 53.11,12; Dn 9.27; 12.3; Mt 20.28; 22.14; 26.28 e outras passagens paralelas; Rm 5.15, 19; Hb 9.28).

O uso semita de (ha-)*rabbin* pode significar a comunidade inteira composta por muitos membros, dando ao termo um sentido de participação total, e não parcial. Os escritores do NT, tendo em mente o texto hebraico ao invés da Septuaginta (LXX), às vezes utilizavam o termo grego *polloi* no sentido mais amplo, abrangendo toda a humanidade (Joachim Jeremias, "*Polloi*", TDNT, VI, 536-545).

Nas palavras de nosso Senhor – "Muitos são chamados, mas poucos, escolhidos" (Mt 22.14) – Jeremias argumenta que o termo "muitos" tem de ser inclusivo, isto é, todos são chamados (cf. Jo 1.9; 12.32). Se o termo "muitos" fosse exclusivo, significaria que existiria uma seleção em ambos os casos.

Interpretando "muitos" no sentido amplo, podemos concluir que o Servo de Yahweh levou os pecados de toda a humanidade (Is 53.12; Hb 9.28). De maneira semelhante, o Filho do Homem veio para dar a sua vida em resgate e derramar o seu sangue por "muitos", ou seja, não simplesmente por alguns, mas por todos (Mt 20.28; 26.28). O apóstolo Paulo, usando um termo mais próximo e mais de acordo com o pensamento grego, diz que o homem Cristo Jesus "deu a si mesmo em preço de redenção por todos" (*panton*) (1 Tm 2.6).

A expressão *hoi polloi*, "os muitos", ocorre quatro vezes em Romanos 5.15, 19. Uma vez em cada verso se faz referência aos muitos que foram feitos pecadores e morreram pelo pecado de Adão; de acordo com Romanos 3.9,23; 5.12; 2 Coríntios 5.14, "os muitos" só pode significar todos os homens. Portanto, quando Paulo afirma que a graça de Jesus Cristo abunda sobre "muitos" (Rm 5.15), e que "muitos" serão feitos justos (Rm 5.19; cf. Is 53.11), assim como a justificação da vida foi um resultado aplicável a todos os homens (Rm 5.18), o teólogo precisa decidir se neste último caso "os muitos" significa toda a raça humana, ou simplesmente todos aqueles que estão em união com Cristo.

J. R.

**MULA** *Veja* Animais: I.11.

**MULHER** Considera-se que a palavra heb. *'ishsha*, "mulher, esposa", seja derivada da raiz *'-n-sh*, "ser macia, delicada". Embora seja similar ao heb. *'ish*, "homem", há um contraste intencional no significado, pois *'ish* parece vir da raiz *'-y-sh*, "ser forte" (BDB, pp. 35, 61). O termo heb. *n[e]qeba*, "fêmea", é um termo baseado em uma descrição psicológica da característica sexual (de *naqab*, "perfurar").

É importante reconhecer que quando Deus criou a humanidade (heb. *'adam*), quando fez os seres humanos à sua imagem, Ele os criou macho e fêmea (Gn 1.27; 5.1,2; Mt 19.4), e não "um ou o outro". Portanto, a imagem de Deus aparece tanto no homem (o macho), quanto na mulher (a fêmea), e as características de personalidade peculiares de cada sexo são completamente necessárias para espelhar a natureza de Deus. A própria palavra *'ishsha* para "mulher" sugere as suas sensibilidades e dons especiais dados por Deus no campo emocional. Estas características servem para realçar a humanidade. A mulher possui uma sensibilidade especial para as necessidades humanas que lhe permitem entender intuitivamente as situações e os sentimentos das outras pessoas.

Pelo fato da mulher ter sido formada a partir do homem (Gn 2.21,23) e por causa do homem, a Bíblia designa o homem como o cabeça (1 Co 11.7-9). Na ordem divina, a autoridade do homem sobre a sua mulher é baseada na prioridade da criação, e não em alguma superioridade (1 Tm 2.12,13). Como no caso do Filho e do Pai dentro da Trindade, a posição de dependência da mulher indica uma diferença de função, e não uma posição de inferioridade. A mulher foi criada para ser a companheira do homem, uma "adjutora" ou uma "auxiliadora" para ele (Gn 2.18,20), isto é, uma ajudadora "adequada a ele", literalmente, "correspondendo a ele". Assim, "ela é o complemento do homem, essencial à perfeição de seu ser... O homem e a mulher são dotados para a igualdade, e são mutuamente interdependentes" (Dwight M. Pratt, "Woman", ISBE, V, 3100). O governo delegado do homem sobre sua mulher tornou-se necessário pela queda, não pela criação (Gn 3.16; 1 Tm 2.14).

Na sociedade hebraica, a mulher comum tinha uma posição secundária e era legalmente considerada parte da propriedade de um homem (Gn 31.14,15; Rt 4.5,10). Normalmente, as filhas não recebiam nenhuma herança quando o seu pai morria (cf. Nm 27.1-8). Na prática, entretanto, a posição social da mulher era de dignidade, especialmente como uma esposa e mãe dentro do lar (Êx 20.12; Lv 19.3; Dt 21.18). O desrespeito em relação a ela era severamente punido (Lv 20.9; Dt 27.16). Ela também compartilhava a vida religiosa da comunidade (Dt 12.12,18; 1 Sm 1.7-19,24; 2.19).

As mulheres participavam das artes, como por exemplo, do canto e da dança (Êx 15.20; Js 21.19-21; 2 Cr 35.25), assim como da tecelagem habilidosa para o Tabernáculo (Êx 35.25,26). Elas podiam participar de negócios bem como adquirir e vender propriedades (Pv 31.16; At 5.1), e também da fabricação e venda de vestes de linho e tendas (Pv 31.24; At 16.14; 18.2,3). Algumas até desempenharam um papel importante na vida política e militar, como, por exemplo, Débora, Bate-Seba (1 Rs 1.11ss.), e duas mulheres sábias em Israel (2 Sm 14.2-20; 20.16-22). Hulda, a profetisa, foi consultada com respeito ao livro da lei recém-encontrado, e trouxe uma mensagem profética ao rei (2 Rs 22.14-20).

Somente aos homens em Israel era exigido que comparecessem às três festas anuais (Êx 23.17), mas esta ordenança parece ter sido uma concessão humana por causa das inconveniências do nascimento de crianças e da responsabilidade da mulher para com os filhos no lar (cf. 1 Sm 1.22). Ela possuía um direito total de participar, quando sua situação no lar permitia que comparecesse (Nm 6.2; Dt 16.11,14). Ela poderia até ir sem o seu marido às ministrações mensais (lua nova) e semanais (sábado; 2 Rs 4.23). As mulheres podiam "levar a notícia" (Sl 68.11) ou "anunciar as boas-novas". A restrição delas a um "pátio das mulheres", separado, no Templo de Herodes (Josefo, *Ant.* xv. 11.5; *Wars* v.5.2), era uma inovação intertestamentária e não bíblica que se desenvolveu a partir do judaísmo corrompido pelo contato com o mundo helenista (J. B. Payne, *The Theology of the Older Testament*, Grand Rapids. Zondervan, 1962, p. 229). Na sociedade grega antiga, as mulheres eram consideradas inferiores aos homens, tendo uma posição intermediária entre os homens livres e os escravos. As esposas levavam uma vida de isolamento e escravidão prática. "A castidade e a modéstia, a herança de escolha da feminilidade hebréia eram estranhas para o conceito grego de moralidade, e desapareceram de Roma quando a cultura e a frivolidade grega entraram" (ISBE, V, 3101).

O evangelho de Cristo trouxe uma revolução na posição social das mulheres, e o ponto inicial foi o favor de Deus para com a virgem Maria (Lc 1.28,30,42,48). O Senhor Jesus ensinou as mulheres (Jo 4.10-26; 11.20-27) e recebeu seus atos de bondade e apoio financeiro (Lc 8.3; 10.38-42; 23.56). Elas devem ser consideradas como espiritualmente iguais em Cristo (Gl 3.28).

Após a ressurreição de Cristo, as mulheres se uniram com os outros discípulos em oração e plena comunhão (At 1.14). Portanto, elas evidentemente ajudaram a eleger Matias (1.15-26). Elas receberam o poder e os dons do Espírito Santo juntamente com os homens no dia de Pentecostes (At 2.1-11,17,18). Na vida das igrejas primitivas, as mulheres estavam sempre entre os primeiros crentes (At 5.14; 12.12; 16.14,15; 17.4, 34). Algumas como Lídia, Priscila e Febe eram extraordinárias como colaboradoras de Paulo e como mulheres em cujas casas as igrejas se reuniam (Rm 16.1-5). Embora fosse permitido que as mulheres cristãs orassem e profetizassem nas reuniões da igreja (1 Co 11.2-16; At 21.9), o NT não lhes permite usurpar a liderança na adoração pública (1 Tm 2.12) ou exercer autoridade sobre os homens na questão relacionada a julgar os profetas (1 Co 14.29-35).

*Veja* Eva; Família; Casamento; Mãe; Véu.

***Bibliografia.*** Argye M. Briggs, *Christ and Modern Woman*, Grand Rapids. Eerdmans, 1958. C. E. Cerling, Jr., "An Annotated Bibliography of the New Testament Teaching About Women", JETS, XVI (1973), 47-53. Jean Danielou, *The Ministry of Women in the Early Church*, Londres. Faith Press, 1961. James B. Hurley, "Did Paul Require Veils or the Silence of Women? A Consideration of 1 Cor 11.2-16 and 1 Cor 14.33b-36", WTJ, XXXV (1973), 190-220. J. Jeremias, *Jerusalem in the Time of Jesus*, Filadélfia. Fortress, 1969, Apêndice I (pp. 359-376). L. M. Muntingh, "The Social and Legal Status of a Free Ugaritic Female", JNES, XXVI (1967), 102-112. Eugenia Price, *God Speaks to Women Today*, Grand Rapids. Zondervan, 1964. Harold J. Ockenga, *Women Who Made Bible History*, Grand Rapids. Zondervan, 1962. A Oepke, "*Gyne*", TDNT, I, 776-789. Russell Prohl, *Women in the Church*, Grand Rapids. Eerdmans, 1957. Charles C. Ryrie, *The Place of Women in the Church*, Nova York. Macmillan, 1958. Krister Stendahl, *The Bible and the Role of*

*Women*, trad. por E. T. Sander, Filadélfia. Fortress, 1966. Clarence J. Vos, *Woman in Old Testament Worship*, Delft. Judels & Brinkman, 1968.

J. R.

**MULHER ETÍOPE** A mulher cuxita de Moisés é assim descrita em Números 12.1. Miriã e Arão censuraram Moisés por terem pensado que possuíam uma autoridade que, na realidade, não possuíam; e criticaram seu casamento com uma pessoa que não tinha a mesma nacionalidade deles, o que, possivelmente, diminuiria seu prestígio aos olhos dos seus contemporâneos.

Existem duas possíveis soluções para a questão da mulher cuxita. Em primeiro lugar, Zípora, a esposa midianita de Moisés (Êx 2.21) pode ter sido assim chamada. O nome Cuxe era aplicado ao território que se estendia desde a Assíria para o leste, até a Etiópia para o oeste e o sul. As façanhas de Ninrode, um descendente de Cuxe, ao edificar Nínive, são descritas em Gênesis 10.8-11. No entanto, este termo nunca era amplamente aplicado a todo esse território. A Arábia pode ser reconhecida pela palavra Cuxe em 1 Crônicas 1.9, e pela palavra Cusã em Habacuque 3.7. Dessa forma, a expressão "mulher etíope" pode refletir o fato de que Zípora vinha de alguma parte da Arábia.

Uma segunda possível solução, é a de que a expressão "mulher etíope", como traduzida na versão KJV em inglês, aplicava-se a uma segunda esposa, com quem Moisés teria se casado após a morte de Zípora. Nenhum dos dois eventos, entretanto, encontra-se nas Escrituras, e a sua origem não é conhecida. Josefo afirmou que Moisés casou-se com uma princesa da Etiópia depois da batalha de Saba (Meroë) e da libertação da cidade (*Ant.* ii.10.2). Outra possibilidade é a de que ela pode ter estado entre a multidão que acompanhou os filhos de Israel para fora das terras do Egito (Nm 11.4).

C. M. H.

**MULTA, MULTAS** *Veja* Crime e Punição.

**MUNDO** A palavra é usada na Bíblia com vários significados, e é a tradução das seguintes palavras: heb. *'eres*, "terra" (aprox. 400 vezes), "mundo" (quatro vezes); heb. *tebel*, "gerador de frutos" ou "terra habitável" (35 vezes); gr. *aion*, "idade", "dispensação", "mundo" (32 vezes); gr. *ge*, "terra" (mais de 150 vezes), "mundo" (uma vez em Apocalipse 13.3); gr. *kosmos*, "mundo ordenado", "sistema do mundo" (mais de 170 vezes); gr. *oikoumene*, "terra habitada" ou "mundo habitado" (14 vezes). As palavras gregas demonstram uma importância maior, particularmente as palavras *aion* e *kosmos*.

Embora o termo gr. *aion* seja traduzido 28 vezes como "mundo" na versão KJV em inglês, um estudo de seu significado básico, "século" ou "era", mais o seu uso em cada contexto, leva à conclusão de que em mais da metade dos casos a palavra se refere especificamente a um período ou época, e não à terra. Por exemplo, os discípulos perguntaram ao Senhor Jesus Cristo: "Dize-nos quando serão essas coisas e que sinal haverá da tua vinda e do fim do mundo [*aeon*]?" (Mt 24.3). Visto que o AT e o NT falam de um reinado milenial de Cristo (Is 11; 65,66; Zc 14.9-21; Ap 20.4-6; cf. Rm 8.18-25; 11.26-29), e que os discípulos criam que isto iria ocorrer (At 1.6-8), e ainda que o próprio Cristo foi para o céu sem negar de nenhuma forma esta verdade quando perguntado sobre o assunto em sua ascensão, 40 dias após a sua ressurreição, é apenas razoável traduzir a palavra *aion* como "era" em Mateus 24.3. Em muitas outras passagens, o uso da palavra indica claramente um conceito que enfatiza a idéia de um período de tempo (cf. Mt 13.40,49; 28.20; Mc 10.30; Lc 18.30; 20.35; 2 Co 4.4; Gl 1.4; Ef 1.21). Ao mesmo tempo, porém, a palavra também é usada sem qualquer conteúdo aparente de tempo (cf. Hb 1.2; 11.3).

A palavra gr. *kosmos* foi usada a partir de Homero em expressões como "um apto e harmonioso arranjo ou constituição, ordem" (Thayer's Lexicon, p. 356), e também significava o universo, o mundo. Ela é teologicamente importante porque seu estudo no NT revela muito a respeito do mundo, da humanidade, e da condição caída do homem, das tentações e problemas do cristão, bem como da obra de Cristo em relação ao cosmos caído e a seu príncipe, Satanás. Este assunto pode ser considerado sob os seguintes tópicos:

1. O mundo físico. O mundo teve um início (Mt 24.21; 25.34). Deus (At 17.24), através de Cristo, criou o *kosmos*, o mundo (Jo 1.3,10; cf. Hb 1.2, "por quem fez também os aeons"). Este *kosmos*, ou terra, diz Pedro, foi destruído pelo Dilúvio nos dias de Noé (2 Pe 2.5; 3.6). No entanto, mesmo antes de Deus ter formado o *kosmos*, Ele havia planejado a expiação pelos pecados da humanidade caída (Ef 1.4; 1 Pe 1.20; Ap 13.8).

Quando criada a princípio, a terra era boa; em cada etapa da criação Deus a reexaminou e a considerou boa (Gn 1.4,10,12,18,21,25, 31). O princípio do mal entrou nela pela primeira vez quando Adão, rebelando-se contra Deus, abriu as portas para a entrada do pecado que se originou no céu por culpa de Satanás e de seus anjos caídos (Rm 5.12; cf. Ez 28.12-18). Chegará o dia em que o mundo criado (*ktisis*) será libertado novamente da maldição trazida pelo pecado. Hoje, ele geme e suporta as angústias em agonia; mas então, após a ressurreição, ele será novamente liberto (Rm 8.21-23; cf. Is 11.6-9; 65.25).

2. O mundo da humanidade. Homens e mulheres nascem na raça humana ou no mundo da humanidade (Jo 16.21). Este mundo é

organizado em reinos ou estados (Mt 4.8,9), e foi isto que Satanás ofereceu a Cristo se Ele tão somente aceitasse o senhorio de Satanás e o adorasse (Mt 4.8-10). Através de seus seguidores, isto é, os governantes mundanos não salvos, Satanás reina sobre este sistema do mundo. E, contudo, foi este mundo da humanidade caída que Deus tanto amou, a ponto de enviar o seu Filho para morrer para que eles pudessem ter a redenção (Jo 3.16).

3. O mundo caído. O pecado entrou no *kosmos* quando Adão, seguindo a liderança de Satanás, descreu em Deus e se rebelou. A partir daquele momento, os irregenerados são filhos de Satanás (Jo 8.44), e só podem se tornar filhos de Deus através do novo nascimento (Jo 3.3-7). Assim, o termo "mundo" designa, com muita freqüência, a humanidade como um todo em rebelião contra Deus, e destinada ao juízo.

O *kosmos* se tornou o domínio de Satanás: "o mundo inteiro jaz no Maligno" (1 Jo 5.19). Ele é o seu príncipe (Jo 12.31; 14.30). Ele se tornou o deus deste mundo (2 Co 4.4), e tem levantado muitos anticristos (1 Jo 4.1ss.) para enganar os perdidos. O sistema do mundo tem a sua própria sabedoria (1 Co 1.21) em contraste com o conhecimento de Cristo como a sabedoria e o poder de Deus para a salvação (1 Co 1.24). Esta sabedoria deficiente leva ao orgulho e à luxúria (1 Jo 2.16) e à cobiça que se torna uma forma de idolatria (Cl 3.5), porque o homem tende a adorar aquilo que cobiça. Este mundo caído tem um espírito próprio em contraste com o Espírito Santo (1 Co 2.12), oferece uma comunhão ímpia ao pecador (Tg 4.4), e prende em sua escravidão aqueles que não são regenerados (Gl 4.3; Cl 2.20). Somente através da regeneração o homem pode ser libertado do sistema do mundo (1 Jo 5.4,5).

4. Cristo e o mundo. Deus amou o mundo caído o suficiente para enviar o seu Filho para dele redimir o seus eleitos (Jo 3.16; 1 Jo 4.14). Jesus veio trazer juízo sobre este mundo caído (Jo 9.39) e sobre o seu príncipe, Satanás (Jo 12.31; 14.30). Isto foi realizado na cruz (Jo 16.11). A morte de Cristo é suficiente para todos (1 Jo 2.2), mas só é eficaz para o crente. Foi em benefício dos seus que o Senhor fez sua oração como Sumo Sacerdote (Jo 17.9), e é por eles que Ele intercede constantemente junto a Deus Pai (Hb 7.25). Em sua segunda vinda, o reino do mundo se tornará o seu reino (Ap 11.15). Os crentes, juntamente com seu pai, Abraão, deverão ser herdeiros deste mundo e reinar sobre ele com Cristo (Mt 5.5; Rm 4.13; 8.17; cf. Ap 5.10).

5. O relacionamento atual dos cristãos com o mundo. O crente tem sido liberto das armadilhas do sistema do mundo caído, e pode vencê-lo pela fé em Cristo (1 Jo 5.4,5). Os ensinos do mundo caído são caracterizados por dois legalismos extremos e rígidos (Gl 4.9,10; cf. Jo 8.41-44) por um lado, e pela luxúria licenciosa por outro (Jo 8.44; Tg 4.1-4). Enquanto estiver neste mundo o cristão, como seu Senhor, sofrerá tribulações uma vez que o mundo o odeia (Jo 15.18,19; 16.33) e não o conhece (1 Jo 3.1). Através da presença e do poder do Espírito Santo, que é maior que o Diabo, o crente vence (1 Jo 4.4). Mas Cristo adverte contra se buscar a prosperidade nas coisas do mundo (Mt 16.26). Paulo reconhece que uma pessoa casada corre o risco de se distrair da devoção ao Senhor pela preocupação com as coisas do mundo (1 Co 7.31-35). João proíbe severamente o crente de amar o mundo, mas diz que o amor a Deus, sendo de uma afeição mais elevada, é capaz de expulsar o amor ao mundo (1 Jo 2.15-17).

6. A responsabilidade do cristão pelo mundo. O cristão deve permanecer no mundo e deixar que sua luz brilhe (Mt 5.14), mas não se tornar parte dele (Jo 17.15). O mundo é o campo onde o cristão deve servir (Mt 13.38). O evangelho deve ser pregado ao mundo inteiro (Mc 14.9; 16.15), pois ele ainda é o mundo de Deus e jaz apenas temporariamente no poder de Satanás (1 Jo 5.19). É tarefa do cristão não apenas ser uma luz para o mundo (Mt 5.14-16; Fp 2.15), mas também declarar à humanidade caída que se reconcilie com Deus através da cruz (2 Co 5.19,20). Deus libertará toda a criação tanto de Satanás quanto da maldição do pecado, primeiro lançando Satanás no abismo (Ap 20.3), depois no lago de fogo e enxofre (Ap 20.10), e então removendo a maldição tanto da natureza como do homem (Rm 8.21-24; cf. Jr 31.33,34).

O termo gr. *oikoumene*, a terceira palavra grega, refere-se à terra habitada ou civilizada. No decreto de César em Lucas 2.1, ela se refere ao Império Romano. O termo é usado nesse sentido em Atos para descrever a extensão de uma seca (At 11.28), os efeitos das mensagens missionárias de Paulo (17.6), a extensão da adoração pagã a Diana (19.27), e a dispersão dos judeus (24.5).

***Bibliografia.*** Hudson T. Armerding, ed., *Christianity and the World of Thought*, Chicago. Moody Press, 1968. Karl Heim, *Jesus the World's Perfecter*, trad. por D. H. van Daalen, Filadélfia. Muhlenberg Press, 1961. G. Nagel, J. Hering, Christian Senft, "World", *A Companion to the Bible*, ed. por J. J. Von Allmen, Nova York. Oxford Univ. Press, 1958, pp. 466-471. Hermann Sasse, "*Kosmos*, etc.", TDNT, III, 867-898.

R. A. K.

**MUPIM** Um filho de Benjamim. O filho mais novo de Jacó (Gn 46.21) que desceu ao Egito com Jacó. Ele também é chamado de Sufã (Nm 26.39), Supim (1 Cr 7.12,15) e Sefufã (1 Cr 8.5).

Os muros da cidade antiga de Jerusalém com a porta dourada fechada por blocos, que data do século XVI. MIS

Sua família foi posteriormente contada com os filhos de Belá (1 Cr 7.7,12). *Veja* Sufã.

**MURMURAÇÃO** O verbo "murmurar" serve como tradução para várias palavras em hebraico e grego (*gogguzo, diagogguzo, embrimaomai*; e um substantivo grego, *goggusmos*). Em geral, as palavras significam resmungar ou murmurar um discurso subalterno ou semi-articulado. Envolvidos na murmuração podem estar elementos tais como descontentamento, queixa, insatisfação, desacordo, ira, oposição e rebelião. Embora nem sempre seja este o caso (cf. At 6.1), Deus é geralmente o objeto da murmuração que é mencionada nas Escrituras. Por exemplo, em Êxodo 15–17 e Números 14; 16–17 os israelitas descontentes murmuraram contra Deus enquanto atravessavam o deserto; eles sem dúvida também murmuraram contra Moisés e Arão, mas Deus considerou essas murmurações contra seus servos como sendo, na realidade, contra Ele próprio (cf. Êx 16.2,7,8; Nm 14.2,27).

As atitudes e ações dos que murmuram são a manifestação de um temperamento inconveniente correspondente. Por exemplo: o queixume e a rebelião dos israelitas no deserto, a presunção dos escribas e fariseus, a incredulidade do restante dos judeus que rejeitavam os ensinos e as reivindicações de Cristo, o ressentimento dos empregados, na parábola de Cristo, que se opuseram à generosidade do patrão para com outros, e a impiedade dos apóstatas na Epístola de Judas. E mais, foi a primeira ameaça à unidade da igreja primitiva, evitando-se a discórdia e a divisão pela designação dos sete diáconos para servir as viúvas de modo eqüitativo (At 6.1-6). Obviamente o murmúrio é completamente estranho ao caráter do povo de Deus. Indubitavelmente, por duas vezes Paulo alerta os crentes sobre este perigo – advertindo-os a não murmurar como fizeram os israelitas (1 Co 10.10), e fazer todas as coisas sem murmurações (Fp 2.14).

***Bibliografia.*** K. H. Rengstorf, "*Gogguzo* etc", TDNT, I, 728-737.

S. N. G.

**MURO ou PAREDE** Os muros das cidades (heb. *homa*; gr. *teichos*) eram utilizados desde muito cedo na Antiguidade (aprox. 7000 a.C. em Jericó) para complementar a fortificação de um local habitado, inicialmente selecionado por suas fortificações ou defesas naturais. Muitos muros de cidades antigas parecem ter sido construídos com tijolos de barro sobre um alicerce feito de pedras inteiras. Os muros de pedra mais antigos eram geralmente acabados dos dois lados, com enormes blocos preenchidos com terra comprimida e pedras. No início da Idade do Bronze (3100-2100 a.C.) a Palestina exibia mais freqüentemente uma única construção vertical sem qualquer revestimento para proteção exterior. O muro ao sul de Ai foi ampliado diversas vezes até que, ao menos em uma determinada seção, sua largura ultrapassou 20 metros. Durante este período, Megido e Tell el-Far'ah (Tirza, *q.v.*) também tiveram enormes muros com aproximadamente 8 a 10 metros de espessura.

O período final da Idade Média do Bronze (1900-1550 a.C.) testemunhou a introdução dos muros em taludes (inclinados). Exemplos clássicos podem ser vistos em Siquém (Tell Balatah) e Jericó. A alvenaria ciclópica era um tipo de muro característico que consistia em grandes rochas juntas que formavam uma estrutura principal, enquanto pedras menores preenchiam as fendas. Os hicsos também construíam enormes defesas inclinadas como em Hazor e Asquelom. Durante o final da Idade do Bronze (1550-1200) o muro duplo de tijolos sobre um alicerce de pedras com espaços entre as paredes, que tinha uma largura suficiente para suportar casas (cf. Js 2.15) estava em destaque.

O palácio de Saul em Gibeá é um exemplo da inovação da Idade do Ferro (talvez ori-

O muro ocidental (Muro das Lamentações) na área do Templo data da época do Novo Testamento. HFV

Orfeu e os animais, mosaico de Tarso, do século III d.C. HFV

ginalmente uma invenção hitita) de construção de muros de casas, que consistia em dois muros paralelos e estreitos unidos por divisórias transversais. O muro salomônico da cidade de Megido (cf. 1 Rs 9.15) foi construído com pedras sortidas, umas um pouco mais à frente ou atrás daquelas que estavam a seu lado, de forma uniforme, apresentando uma construção forte, formando também uma série de pequenas saliências ou baluartes (heb. *pinnot*; cf. 2 Cr 26.15) visando uma defesa mais efetiva. O muro de Roboão em Laquis foi construído (em aprox. 920 a.C.) com tijolos de barro secos ao sol (cf. 2 Cr 11.5-11). Aos poucos, após a época de Salomão e como resultado da influência fenícia, as pedras cuidadosamente talhadas se tornaram mais comumente utilizadas nas construções de muros (cf. o muro de Samaria do século IX). Esta construção em pedras é uma obra de arte tão suprema, que até os nossos dias ainda não foi encontrado na Palestina algo que a supere.

O Muro das Lamentações em Jerusalém foi construído durante o período do NT por Herodes o Grande, enquanto Herodes Agripa I foi provavelmente responsável pelo chamado Terceiro Muro (cf. Josefo, *Wars* 4.1-2, para uma descrição contemporânea dos muros de Jerusalém).

No início, os muros das casas (heb. *qir*) eram construídos com tijolos de barro, geralmente sobre alicerces de pedras inteiras. Mais tarde, os muros ou as paredes passaram a ser feitos de pedras que, nas casas dos ricos, tendiam a ser talhadas e revestidas (cf. 1 Rs 5.17; 7.9). A argamassa empregada era de argila ou betume. Os muros de madeira sobre os alicerces de pedras talhadas não eram desconhecidos (cf. 7.12). Os muros eram geralmente pintados, cobertos com gesso, ou recebiam painéis (cf. Ag 1.4), ou ainda, em casos extremos, enfeitados com marfim (cf. 1 Rs 22.39; Am 3.15).

O termo heb. *homa* é usado de forma figurativa em passagens impressionantes como Êxodo 14.22,29; Isaías 26.1; 60.18; Jeremias 1.18; 15.20; Zacarias 2.5. O termo gr. *toichos*, "parede" é utilizado como um termo injurioso em Atos 23.3.

*Veja* Arquitetura; Cidade, Fortificada; Forte, Fortificação, Fortaleza; Portão; Casa; Torre; Jerusalém: Muros e Portões.

R. Y.

**MURTA** *Veja* Plantas.

**MUSI, MUSITAS** Um filho de Merari, filho de Levi (Êx 6.19; Nm 3.20; *et al.*). Seus descendentes eram chamados musitas (Nm 3.33).

## MÚSICA

### História da Música

A música é tão antiga quanto a raça humana, e desde o princípio foi empregada a serviço da religião. Os israelitas consideravam a música como o veículo apropriado para exprimir a gratidão e a devoção que sentiam por Deus. Eles não eram, entretanto, o único povo que usava música na adoração. Entre as mais antigas amostras existentes de literatura pagã, particularmente aquelas na primitiva linguagem sumeriana, há hinos de louvor aos deuses.

A origem da música vocal não é conhecida, mas de acordo com o Pentateuco a música instrumental teve sua origem com Jubal, um dos três filhos de Lameque (Gn 4.21). Fica claro, a partir das palavras de Labão, sogro de Jacó (Gn 31.27), que instrumentos de vários tipos eram de uso comum, há muito tempo, entre os povos antigos que viviam além do Eufrates e que deram origem à nação he-

Uma cena da tumba de Nakht, oficial do faraó Tutmósis IV (de aprox. 1450 a.C.), mostrando uma harpa, uma flauta dupla e um instrumento semelhante ao alaúde. LL

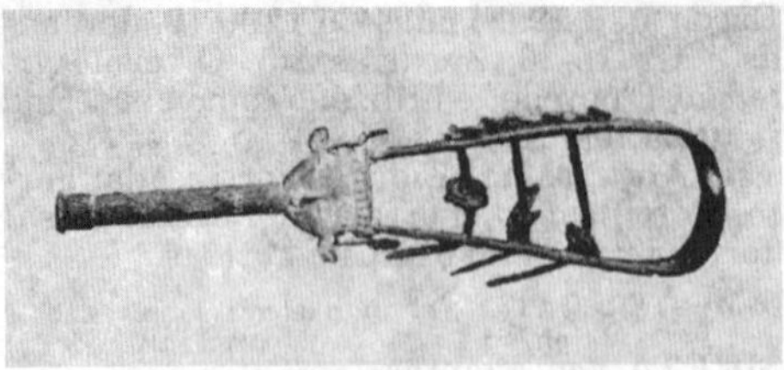

Um xilofone do antigo Egito. BM

braica. Com sua música instrumental, esses povos combinavam o canto e as danças. *Veja* Dança; Jogos.

O povo hebreu dava à música uma ênfase superior àquela que era dada às outras artes. Além da poesia, é a única arte que eles desenvolveram em um alto grau. Ao longo de sua história, eles enfatizaram a importância da música, especialmente em sua adoração. A maior parte da poesia era expressa através de cânticos sacros ou salmos. Embora o Pentateuco não mencione especificamente cantores sacros ou músicos em conexão com as instruções gerais para os sacrifícios e festivais do Tabernáculo, o Senhor, de fato, ordenou a Moisés que fizesse duas trombetas de prata que seriam usadas para chamar a congregação a se reunir, e também como alarmes sonoros (Nm 10.1ss.). O uso de instrumentos não era novidade nem tampouco o uso de música sacra, pois é evidente que os israelitas mal tinham pisado nas distantes margens do mar Vermelho quando Moisés e Miriã lideraram o povo em uma triunfante canção de louvor a Deus. O belo hino cantado naquela ocasião (Êx 15) não foi o trabalho de um principiante nem uma expressão primitiva de um povo para o qual a música sacra fosse uma arte ainda em desenvolvimento. Ele indica uma habilidade que só poderia ter sido alcançada ao longo de muitos anos de desenvolvimento cultural.

Quando os israelitas estabelecerem a sua nação em Canaã, os seus costumes e tradições de adoração se tornaram mais penetrantes. Com a construção do Templo, a música tomou uma posição firme como parte integrante de sua adoração a Yahweh, o Deus de Israel. Cada vez mais atenção era dada ao aperfeiçoamento da performance e aos elaborados preparativos para as impressionantes cerimônias de adoração que ocorriam freqüentemente durante o ano. *Veja* Adoração.

O período que vai de Samuel a Salomão foi chamado por Delitzsch de "A época áurea da música hebraica". Durante aquele período, o rei Davi contribuiu mais do que qualquer outra pessoa para elevar a música à sua enaltecida posição na vida nacional. Davi nasceu músico e poeta. Ele era um gênio, do tipo que o mundo jamais conheceu igual. A seus dons naturais, ele acrescentou uma profunda devoção ao Senhor, e ao tornar-se rei levou a música ao lugar de mais alta honra no serviço da adoração (1 Cr 15.16-28; 25; Ne 12.24). Davi era também um inventor de instrumentos musicais (1 Cr 23.5; Ne 12.36).

O nosso conhecimento da natureza da música hebraica é tão pobre que é impossível chegar a uma conclusão satisfatória a respeito dela. Não se sabe se os israelitas chegaram a possuir um sistema de notação musical. É provável que não. Os estudiosos que tentaram construir um sistema de notas a partir dos tons da poesia hebraica fracassaram em adicionar algo ao nosso conhecimento da notação hebraica. Não sabemos nada sobre suas escalas nem seus intervalos. O método pelo qual eles afinavam seus instrumentos e o tom de afinação de cada instrumento são desconhecidos.

Assumir, como fizeram alguns, que porque não sabemos nada sobre o sistema tonal dos hebreus, este era extremamente rústico e grosseiro, é cometer um sério erro. Uma música que não tivesse atingido além de um estágio monótono e rudimentar, dificilmente poderia ter tido um efeito tão notável como a música hebraica teve, por exemplo, na restauração da tranqüilidade da mente perturbada de Saul.

Mas há certas características da música hebraica sobre as quais temos bastante certeza. Ela era tocada ou cantada em uníssono. As teorias de harmonia e contraponto eram desconhecidas das nações da Antigüidade. Para o efeito musical, os músicos hebreus dependiam não somente de suas melodias, mas também dos contrastes entre as tonalidades fornecidas pelos diferentes cantores (homens, jovens, mulheres) e pelos vários instrumentos.

Israel se especializou em música para corais, e desde os primórdios era cantada em duas vozes. A primeira ilustração registrada deste estilo de canto é o de Miriã e das

O Odeon ou palácio da música em Éfeso, com capacidade para uma audiência de cerca de 1.500 pessoas sentadas. HFV

Harpas e flauta do antigo Egito. BM

mulheres de Israel cantando em resposta a Moisés e aos homens (Êx 15). O canto em duas vozes também é claramente indicado em muitos salmos (por exemplo, Sl 107 e 136). Foi utilizado na dedicação dos novos muros de Jerusalém quando, sob a direção de Jezraías, os cantores foram distribuídos em duas grandes companhias ou corais na casa de Deus, e cantaram em voz alta (Ne 12.31,40-42). Este tipo de canto, com acompanhamento orquestral apropriado, forneceria a variedade requerida para tornar a música em uníssono comovente e bela. É bastante provável que a palavra "selá", tantas vezes presente nos Salmos fosse usada para indicar um interlúdio orquestral no canto do coral. Nesses instantes, poderia haver uma mudança de tom, embora isso seja incerto. *Veja* Cantor; Canção.

### Instrumentos Musicais

Os instrumentos musicais hebraicos podem ser divididos em três grupos: cordas, instrumentos de sopro e percussão.

*Cordas.* Talvez os mais numerosos e mais importantes instrumentos no AT fossem os instrumentos de corda. O nome comum hebraico é *n*[e]*ginoth* (da raiz *nagan*, "tocar ou bater"), mas existia uma grande variedade de tipos de instrumentos de corda. Os dois principais grupos eram a harpa ou lira (heb. *kinnor*), e o saltério ou alaúde (heb. *nebel*).

A harpa foi o instrumento inventado por Jubal e referenciada por Labão (Gn 4.21; 31.27). Foi usado pelos filhos dos profetas em suas escolas (1 Sm 10.5). O *kinnor*, possuindo de três a 12 cordas dedilhadas com os dedos ou com uma palheta, era um instrumento no qual Davi era um mestre e que ele tocava com notável efeito (1 Sm 16.16,23). Não se sabe se este instrumento era de fato uma harpa com as cordas livres em ambos os lados, ou uma espécie de lira com parte das cordas presas sobre uma caixa sonora e, portanto dedilhada por um só lado. Isto faz pouca diferença, pois a lira é apenas uma modificação da harpa e o mesmo nome pode ter sido usado para os dois tipos de instrumentos.

Existiam pequenas harpas para uso individual. Estas eram leves e portáteis e eram tocadas enquanto carregadas. Harpas maiores usadas, muitas vezes, em conjunto nos serviços do Templo eram colocadas sobre o chão enquanto tocadas. Estas forneciam um som mais poderoso. As numerosas ilustrações de harpas encontradas em monumentos assírios e egípcios e as peças encontradas nas tumbas egípcias deixam claro que as harpas das antigas nações eram extremamente variadas em tamanho, estilo e potência.

A Septuaginta (LXX) muitas vezes traduz *kinnor* como o termo grego *kithara*, cítara, um instrumento com 10 a 20 cordas, que se parece bastante com uma harpa ou lira. O gr. *lyra*, conforme sabido a partir de pinturas em antigos vasos gregos, consistia de uma moldura em forma de ferradura com uma barra atravessando o lado aberto para prender as suas cinco ou mais cordas. A

Dançarinos báquicos com címbalos em um mosaico da Selêucia, porto de Antioquia da Síria. Museu de Antioquia

*kithara* é uniformemente traduzida como harpa em suas ocorrências no NT (1 Co 14.7; Ap 5.8; 14.2; 15.2).

O saltério é um instrumento difícil de se identificar com exatidão. Alguns insistiram que era um alaúde; outros estão igualmente convencidos de que era um saltério. As melhores evidências indicam que seria um instrumento bastante semelhante à harpa. Josefo diz que ele teria 12 cordas, mas há menções no Salmo 33.2 e Salmo 144.9 de uma variedade que tinha somente dez cordas. Em tempos antigos, as cordas eram feitas a partir do intestino delgado das ovelhas ou de outros animais. As cordas eram dedilhadas (Is 23.16), nunca tocadas com um arco.

Algumas palavras hebraicas foram consideradas por certos estudiosos como sendo nomes de instrumentos musicais; por exemplo, *gittit, mahalat* e *'alamot*. Essas palavras são encontradas em títulos de salmos (por exemplo, Salmos 81; 53; 46, respectivamente) e em outras passagens do AT. Concorda-se, em geral, que eles não eram efetivamente instrumentos e sim designações de canções bem conhecidas ou tons nos quais as canções deveriam ser cantadas.

Daniel 3.5,7 fornece uma lista de instrumentos com os nomes em aramaico. Alguns deles são instrumentos de corda. O *qaythros* ("harpa") era uma cítara ou o mesmo que o hebraico *kinnor*. O aramaico *p[e]santerin* ("saltério") era quase certamente o mesmo que o hebraico *nebel*, um saltério propriamente dito. Um terceiro instrumento de corda na lista é a "sambuca", em aramaico *sabb[e]ka'*, traduzido como "trompete" (um instrumento de sopro) na versão KJV em inglês; na verdade era um instrumento de forma triangular com cordas passando sobre um cavalete. Isto o distingue de um saltério, que não possuía um cavalete para suas cordas. O saltério, no entanto, era o instrumento mais comum nos antigos países do Oriente Próximo.

Todos os instrumentos de corda eram usados para acompanhar a música vocal (1 Rs 10.12). Eles também eram tocados em combinações orquestrais ou como instrumentos solo. As cordas eram especialmente populares porque somente apoiado nelas e nas flautas se podia executar linhas melódicas. Tais instrumentos, muitas vezes, forneciam a música em banquetes (Is 5.12; Am 6.4,5). O som deles estava associado com a alegria e o regozijo (Is 24.8; 2 Cr 20.27,28). Durante seu cativeiro na Babilônia, os hebreus se recusaram a atender ao pedido de seus aprisionadores para que tocassem suas harpas; ao invés disso, em sua tristeza, eles as penduraram nos salgueiros (Sl 137.1-4).

*Instrumentos de sopro*. Estes eram divididos em duas classes gerais: as gaitas ou flautas, e as trombetas. A palavra hebraica traduzida como "flauta" em Gênesis 4.21 ("órgão"), que também aparece em Jó 21.12; 30.31; Salmos 150.4, é *'ugab,* sem dúvida um termo geral para instrumentos da variedade da flauta. Instrumentos específicos deste tipo eram o *halil*, possivelmente um clarinete primitivo (1 Sm 10.5; 1 Rs 1.40; Is 5.12; 30.29), capaz de produzir sons lastimosos (Jr 48.36); o *mashroqita* ("flauta") encontrado em Daniel 3.5, que pode ter sido uma espécie de instrumento de sopro feito de madeira; e o *sumponyah* ("saltério" não é a melhor tradução), também encontrado em Daniel 3.5, o qual era, provavelmente, um tipo de gaita de foles. O gr. *aulos*, mencionado em 1 Coríntios 14.7 como uma "flauta" era semelhante ao *halil*.

As flautas eram feitas de madeira, ossos cana e marfim. Elas eram às vezes simples, e às vezes duplas com embocadura simples. Elas eram instrumentos extremamente populares, em parte porque eram fáceis de fabricar. Eram usadas não apenas na adoração ao Senhor, mas também na diversão doméstica (Mt 11.17; Lc 7.23). Nos funerais os "instrumentistas" ou "tocadores de flauta" forneciam o acompanhamento às costumeiras mulheres carpideiras (Mt 9.23; cf. Jr 9.17).

Quase tão antigas quanto as flautas eram as trombetas ou buzinas com as extremidades voltadas para cima (heb. *yobel* e *shophar*). Em Josué 6.4,5, as duas expressões, *shophar hayyobel* e *qeren hayyobel* são usadas alternadamente, mostrando que se referem ao mesmo instrumento. O *qeren* era o chifre natural de boi selvagem, bode (Dn 8.5) ou carneiro (Gn 22.13). O *yobel* (Êx 19.13) era especificamente um chifre de carneiro. A palavra *shophar* originalmente significava o chifre curvado de um carneiro ou íbex, mas no AT sempre se referia a um instrumento musical. Seu principal uso era na guerra, para dar um alarme ou sinal (Jz 7.8,16; Jó 39.24,25; Os

8.1). É traduzido de 4 a 26 vezes como "corneta" nas várias versões da Bíblia Sagrada. Inicialmente o *shophar* era feito do chifre de um animal, mas depois foi imitado em vários metais, especialmente bronze e latão. Esses instrumentos tinham um som bonito e claro, e eram utilizados para anunciar eventos especiais como o início do ano do jubileu (Lv 25.9).

Havia, também, as trombetas longas e retas com a boca larga (heb. *hasos*[e]*rot*). Quando aparecem com o *shophar*, este é traduzido como "corneta" ou "buzina" para distingui-lo (1 Cr 15.28; 2 Cr 15.14; Sl 98.6; Os 5.8). Esses instrumentos eram sempre feitos de metal. Aqueles que Moisés fez para os sacerdotes eram de prata batida (Nm 10.2). *Veja* Buzina.

As trombetas foram inicialmente usadas somente em datas especiais de sacrifício solene, mas durante a época de Davi e Salomão seu uso foi grandemente expandido. Na dedicação do Templo de Salomão, pelo menos 120 sacerdotes tocaram suas trombetas durante o período de sacrifício (2 Cr 5.12; 7.6). A trombeta (gr. *salpigx*) mencionada no NT era muito provavelmente o *shophar*, pois sempre aparece em situações marciais ou apocalípticas ao invés de litúrgicas. Algumas versões o traduzem como "clarim" ou "corneta" em 1 Coríntios 14.8 (G. Friedrich, "*Salpigx* etc.", TDNT, VII, 71-88).

*Percussão*. Os israelitas usavam três tipos principais de instrumentos de percussão. O primeiro era o adufe, tamboril, pandeiro ou tamborim (heb. *toph*), que era um círculo de madeira coberto com um pedaço de couro esticado, atrás do qual finos pedaços de metal ou sinos eram frouxamente fixados. Os árabes, hoje, têm um instrumento que eles chamam de *doff* que possui exatamente a mesma natureza. Na sociedade hebraica era tocado principalmente pelas mulheres, e era usado para marcar o tempo na dança ou em processões solenes (Êx 15.20; Jz 11.34; 1 Sm 18.6; Jr 31.4; Sl 150.4; *et al.*). Os egípcios e os assírios tinham tambores que mais se aproximam daqueles que são utilizados no mundo ocidental atual. Esses podem ter sido utilizados também pelos hebreus, mas não existe prova específica de que o fizessem. O *toph* é o único instrumento semelhante ao tambor que era, reconhecidamente, de uso comum.

O segundo tipo de instrumento de percussão era o par de címbalos de bronze ou prata (heb. *sels*[e]*lim* ou *m*[e]*siltayim*). O nome só é encontrado na forma plural ou dupla, o que indica que o instrumento tinha mais de uma parte. Na arte assíria, dois tipos são descritos: os de grandes discos de metal presos horizontalmente, que nos são familiares, e os de pequenas taças de forma cônica com um cabo de madeira fixado verticalmente.

Os címbalos são primeiramente mencionados em 2 Samuel 6.5. Outras referências a eles estão em 1 Crônicas 15.16,19; 16.5; Salmos 150.5. Esta última passagem indica que podem ter existido dois tipos, os maiores e mais ruidosos e os menores com um tom mais alto. Eles provavelmente eram usados para marcar o compasso para os corais levíticos.

As representações artísticas dos címbalos do antigo Egito, descobertas nos monumentos e nas pinturas das tumbas, indicam que eles eram bastante similares aos címbalos modernos. Além do gongo de bronze conhecido na literatura rabínica, Paulo menciona o címbalo em 1 Coríntios 13.1. A tradução fornecida aqui pela versão KJV em inglês não é a melhor, pois ela se refere aos címbalos estridentes e tocados por impacto e não aos de toque. A palavra "impacto" dá uma idéia da qualidade retumbante do som que era mais barulhento do que expressivo.

O terceiro instrumento de percussão que os hebreus usavam era o xilofone (heb. *Mena'an'im*), mencionado apenas uma vez nas Escrituras (2 Sm 6.5). Era, aparentemente, um instrumento de agitação em formato oval ou de U, com 40 ou 45 centímetros de comprimento. Era formado por um cabo preso a um quadro metálico em forma de laço, atravessado por três varetas frouxamente presas que continham argolas móveis feitas do mesmo metal do instrumento. Quando o instrumento era sacudido, as argolas produziam um ruído tinido e penetrante. A tradução da versão KJV em inglês, "cornetim", não é a melhor designação para este instrumento. A tradução "castanholas", embora mais próxima, também não representa o instrumento com precisão.

### A Música no Novo Testamento

Não há registro, no Novo Testamento, do uso de instrumentos na adoração musical da igreja cristã. Neste aspecto, os crentes primitivos seguiram a prática da música dos hebreus nas sinagogas. Cantar em louvor ao Senhor continuava sendo parte proeminente de cada culto de adoração. O próprio Senhor Jesus cantou um hino (o Hallel – Salmos 113–118) com os seus discípulos ao encerrar a celebração da primeira Ceia.

O apóstolo Paulo, escrevendo pela inspiração do Espírito Santo, encorajava os cristãos a se aconselharem mutuamente "com salmos, hinos e cânticos espirituais; cantando ao Senhor com graça em vosso coração" (Cl 3.16). Tem-se sugerido que essas três categorias de canções eram direcionadas a cada um dos membros da Trindade: "salmos" seriam os *odes* do AT; "hinos" seriam novas expressões da fé em Cristo, muitos dos quais podem ser encontrados nas epístolas; e "canções espirituais" seriam possivelmente canções em êxtase, em línguas estranhas, improvisadas na experiência da adoração e, portanto, relacionadas a cantar em línguas ou no Espírito (1 Co 14.15).

***Bibliografia.*** CornPBE, pp. 537-542. Curt Sachs, *The History of Musical Instruments,* Nova York; W. W. Norton, 1940. O. R. Sellers, "Musical Instruments of Israel", BA, IV, Setembro de 1941. Howard F. Vos, "The Music of Israel", BS, Out.-Dez. de 1949, e Jan.-Mar. de 1950. Eric Werner, "Music", IDB, III, 457-469; "Musical Instruments", IDB, III, 469-476.

R. G. R.

**MÚSICO** *Veja* Ocupações: Músico; Música; Menestrel.

# N

**NAÃ[1]** Um filho de Calebe, filho de Jefoné (1 Cr 4.15).

**NAÃ[2]** Um homem da tribo de Judá, cunhado de Hodias (1 Cr 4.19).

**NAALAL** Cidade levita em Zebulom nas proximidades de Catate e Dimna (Js 19.15; 21.35). Israel não conseguiu expulsar os cananeus, provavelmente por ser uma região aberta e mais adequada aos métodos cananitas de combate aos inimigos.

**NAALIEL** Lugar de parada dos israelitas em sua peregrinação pelo deserto. Situado entre Matana e Bamote, nas proximidades do deserto de Quedemote, e a norte de Moabe, era a última etapa da jornada (Nm 21.19). Como seu nome significa "ribeiro de Deus", poderia ser um afluente ao norte do rio Arnon, o grande Uádi Wala, ou o Uádi Zerqa Ma'in que deságua no mar Morto, cerca de 18 quilômetros ao sul do monte Nebo.

**NAALOL** Outra forma de Naalal (*q.v.*), encontrada somente em Juízes 1.30. Era uma das cidades cananéias situada dentro do território de Zebulom (Js 19.15), concedida à família levítica de Merari (Js 21.35). Os cananeus não foram expulsos desse local, mas ficaram sujeitos ao pagamento de impostos. Provavelmente a atual cidade de Tell en-Nahl, a leste de Haifa, na planície de Acre, pode corresponder à sua localização.

**NAAMÃ** O nome ocorre em ugarítico como *N'mn* e em um texto egípcio da época de Tutmósis III.

1. Um benjamita e fundador de um clã (Gn 46.21).
2. Um filho de Belá, filho de Benjamim (Nm 26.40; 1 Cr 8.4). Alguns estudiosos identificam este homem com o n° 1, como sendo a mesma pessoa.
3. Um filho de Eúde, neto de Benjamim (1 Cr 8.7).
4. Um capitão sírio do exército de Ben-Hadade, rei de Damasco. Este competente comandante-em-chefe foi curado de lepra através do ministério do profeta Eliseu (2 Rs 5; Lc 4.27).

A natureza precisa da lepra de Naamã é desconhecida, pois o termo hebraico (*sara'at*) é usado para vários tipos de doenças de pele (cf. Lv 13–14). Alguns pensam que esta não era perigosamente contagiosa, pois nem Naamã nem o servo de Eliseu, Geazi, foram isolados da sociedade (2 Rs 5.27; 8.4). Por

A limpeza de Naamã. Tapeçaria flamenga, século XV. MM

outro lado, a doença poderia ser extremamente grave, porém naquele momento poderia estar em uma fase inicial. A descrição bíblica sobre o general sírio, que era atormentado pela terrível doença, é carregada de drama. Enquanto era perseguido pela morte, Naamã ouviu, de uma pequena escrava israelita de sua casa, sobre o poder que um profeta hebreu na Palestina tinha para realizar milagres. Armado com uma carta, redigida em termos um tanto arrogantes, de seu rei sírio ao rei de Israel, Naamã foi a Samaria e solicitou sua cura. O rei de Israel ficou imediatamente desconfiado e sobressaltado com as exigências da carta, e rasgou suas roupas em uma atitude de desespero.
O profeta Eliseu ouviu a respeito do dilema do rei, e procurou recompor o assustado monarca. Então, o profeta Eliseu mandou uma mensagem a Naamã, instruindo-o para que se banhasse por sete vezes no rio Jordão. A princípio, o general sírio, arrogantemente, desdenhou sua suposta humilhação, e rejeitou o remédio. Mas seus auxiliares o persuadiram a submeter-se ao tratamento recomendado pelo homem de Deus. Ele condescendeu e foi curado.
Ao ser limpo da lepra, Naamã insistiu com Eliseu para que aceitasse presentes de prata, ouro e roupas, mas o profeta gentilmente recusou. Naamã confessou que o Deus de Israel é o único e verdadeiro Deus, e solicitou duas cargas de mula da terra de Canaã (2 Rs 5.15-17). Isto pode ser uma indicação de sua crença de que o Senhor (Yahweh) se limitava à Palestina e *só* podia ser adorado em seu solo (Êx 20.24). Ele também refletiu a idéia pagã da época de sincretismo religioso, ao levantar junto a Eliseu a questão da adoração na casa de Rimom (v. 18). Eliseu manteve-se estranhamente silencioso. A idéia de que *Yahweh* era visto como o Deus do mundo inteiro, mas de que Ele realizasse alguns eventos históricos através dos membros de seu conselho celestial, e de que os deuses das nações vizinhas fossem esses seres celestiais menores (Dt 32.8,9; 1 Rs 22.19, 22; Sl 82) é uma explicação insatisfatória deste enigma.
Curado de sua lepra e tendo uma nova fé, Naamã partiu para sua pátria. Mas ele foi interceptado no caminho por Geazi, o oportunista servo de Eliseu que, sob um falso pretexto e motivado pela ganância, requisitou alguns dos presentes que Eliseu recusara. Naamã, de forma gentil e generosa, os entregou. Ao retornar para a casa de Eliseu, Geazi teve sua falsidade exposta, e a lepra de Naamã caiu sobre ele.
Troca de hospitalidade por questões médicas parece ter sido predominante no mundo antigo, conforme demonstrado pelo rei egípcio Ramsés II, que ofereceu ajuda médica a uma princesa hitita. Também por volta de 1275 a.C., um médico e exorcista foi enviado pelo rei babilônio ao rei hitita Hattusilis. Josué refere-se a uma tradição judaica que iguala Naamã a um homem que "entesou o arco e, atirando ao acaso" matou o rei Acabe (1 Rs 22.34). É provável que esta seja apenas uma conjectura.
Os milagres do Senhor Jesus Cristo e os de Eliseu (*q.v.*) são notavelmente semelhantes. O Senhor Jesus, em Lucas 4.27, destaca a cura de um oficial sírio como um exemplo da preocupação de Deus com os gentios. A cura de Naamã permanece como um testemunho imortal de que não se pode comprar o poder de Deus com as coisas do mundo!

D.W. D.

**NAAMÁ**
1. A filha de Lameque e Zilá, que eram descendentes de Caim, e irmã de Tubailcaim, o inventor das ferramentas de corte (Gn 4.22).
2. Esposa amonita de Salomão e a mãe do rei Roboão (1 Rs 14.21,31; 2 Cr 12.13).
3. Uma cidade designada a Judá na região da Sefelá na Palestina (Js 15.41), possivelmente localizada em Khibert Fered, a noroeste de Timna.

**NAAMANI** Um dos doze líderes da tribo de Judá que retornou do cativeiro da Babilônia com Zorobabel (Ne 7.7). Seu nome foi omitido em uma lista paralela contida em Esdras 2.2.

**NAAMANITA** Mencionado em Números 26.40. *Veja* Naamã 2.

**NAAMATITA** Zofar, um dos amigos de Jó, era um naamatita (Jó 2.11; 11.1; 20.1; 42.9). É um nome gentílico, possivelmente de uma cidade em Edom.

**NAARÃ** Esta é uma ortografia de Naara ou Naarate (*q.v.*) em 1 Crônicas 7.28.

**NAARA**
1. Uma das duas esposas de Asur, da tribo de Judá, que fundou Tecoa. Ela deu a Asur quatro filhos (1 Cr 4.5,6).
2. Uma cidade na fronteira de Benjamim e Efraim, entre Betel e Jericó (Js 16.7), cujo nome é literalmente traduzido como Naarate. Em 1 Crônicas 7.28, a cidade é chamada de Naarã. Josefo a chamou de Neara e disse que Herodes Arquelau desviou metade da água da fonte da cidade para irrigar as palmeiras de seu palácio na Jericó do NT (*Ant.* xvii.13.1). Nelson Glueck identificou sua localização com Khirbet el-'Ayâsh, nas proximidades do Uádi el-'Auja, cerca de 8 quilômetros ao norte de Jericó, no vale do Jordão (BASOR, XXV-XXVIII, Parte I [1939], 412ss.).

**NAARAI ou NAHARI** Homem de Beerote, em Benjamim. Foi listado entre os 30 poderosos de Davi como portador da armadura de Joabe, comandante-em-chefe do exército de Davi (2 Sm 23.37; 1 Cr 11.39).

**NAARATE** Uma cidade de Benjamim ou de Efraim nas proximidades de Jericó (Js 16.7). *Veja* Naara 2.

**NAARI** Um dos heróis de Davi, chamado de Paarai, o arbita, em 2 Samuel 23.35, mas de Naari em 1 Crônicas 11.37.

**NAÁS**
1. Um rei amonita que sitiou Jabes-Gileade, depois que Saul foi ungido rei por Samuel (1 Sm 11.1,2; 12.12). Seu termo de rendição incluía arrancar o olho direito de cada homem de Jabes a fim de deixá-lo incapacitado de participar de outras guerras. R. W. Corney sugere que Naás desejava alcançar maior glória derrotando um inimigo mais poderoso e, assim, permitiu que os defensores pedissem ajuda; porém calculou erroneamente o tamanho do exército que Israel poderia enviar ("Nahash", IDB, III, 497). A surpreendente vitória de Saul abriu caminho para que ele fosse aceito como rei dos israelitas (1 Sm 11.6-15). Ele é provavelmente o Naás que foi bondoso para com Davi, inimigo de Saul (2 Sm 10.2; 1 Cr 19.1,2) e cujo filho Sobi levou suprimentos a Davi em Maanaim (2 Sm 17.27).
2. Pai de Abigail e, aparentemente, de Zeruia, sua irmã (2 Sm 17.25). Como Abigail e Zeruia são mencionadas em 1 Crônicas 2.13-16 como irmãs de Davi e de seus irmãos, é possível que fossem enteadas de Jessé. Seus filhos tinham quase a mesma idade de Davi. Acreditamos que Naás tenha sido o rei amonita descrito acima e, nesse caso, a amizade de Davi com esse rei estava baseada em um íntimo relacionamento familiar.

J. R.

**NAASOM** Príncipe da tribo de Judá, na época do Êxodo. Como chefe da tribo, ele aparece no censo (Nm 1.17), na designação dos acampamentos (Nm 2.3), e no transporte das ofertas da tribo, junto com outros príncipes, na dedicação do Tabernáculo (Nm 7.12,17). Sua irmã, Eliseba, foi esposa de Arão (Ex 6.23). Ele morreu no deserto, junto com sua geração, mas Davi foi um de seus descendentes (1 Cr 2.10,11; Rt 4.20-22), como também o Senhor Jesus Cristo (Mt 1.4; Lc 3.21; Naassom, em grego).

**NAASSOM** Esta é a ortografia para Naasom no NT. Um ancestral de Cristo, era filho de Aminadabe (Mt 1.4; Lc 3.32).

**NAATE**
1. Neto de Esaú, por Basemate, filha de Ismael, através de seu filho Reuel (Gn 36.13,17; 1 Cr 1.37).
2. Descendente de Levi, através de seu filho Coate (1 Cr 6.26), provavelmente aquele que em outras passagens é chamado de Toá (1 Cr 6.34), e de Toú (1 Sm 1.1). Foi um ancestral de Samuel.
3. Um levita que, no reinado de Ezequias, ajudou a supervisionar os dízimos e as ofertas do Templo (2 Cr 31.13).

**NABAL** Um rico fazendeiro que vivia ao sul-sudeste de Hebrom. Residia em uma cidade de nome Maom (não a Maom próxima a Petra) e pastoreava seus rebanhos na fronteira de Judá, no Carmelo (não no monte Carmelo), em um lugar hoje conhecido como el-Kurmul. Ele é mencionado na história bíblica por causa de um confronto com Davi e seus 600 homens que buscavam refúgio do rei Saul na mesma vizinhança. Enquanto estavam ali, os homens de Davi protegeram o gado de Nabal dos ataques dos beduínos da vizinhança, e mantiveram boas relações com seus pastores (1 Sm 25.15). Por causa da sua necessidade de provisões, Davi enviou dez de seus servos a Nabal na época da tosquia das ovelhas, em busca de uma gratificação pela proteção contra a pilhagem que fora fornecida aos pastores de Nabal.
Nabal afirmou que nunca ouvira falar de Davi, e insinuou que ele nada mais era do que um escravo fugitivo. Este insulto enfureceu tanto a Davi, que ele deu ordens a seus homens para que 400 de seus poderosos atacassem Nabal. Os empregados de Nabal informaram o fato a Abigail (*q.v.*), a atraente e habilidosa esposa de Nabal, a tempo de evitar a catástrofe. Abigail apressou-se em carregar uma grande quantidade de provisões em jumentos e, sem que seu marido soubesse, acompanhou a oferta de paz até o campo de Davi. A generosidade, graça, e beleza dela foram suficientes para dissuadir Davi de seu propósito, salvando, assim, seu marido de ser assassinado, e Davi da culpa pelo derramamento de sangue. Em sua longa e eloqüente intercessão, ela apelou não só à piedade de Davi, mas aos próprios interesses dele (1 Sm 25.24-31). Por consideração a ela e a seus presentes, além do desejo de evitar uma mancha em seu histórico, Davi reconsiderou e cancelou o ataque.
Tanto os servos de Nabal (cujo nome em heb. significa "tolo", insensato intelectual e moralmente) quanto sua esposa concordavam quanto à maldade de seu senhor. Quando retornou à sua fazenda, Abigail encontrou seu marido comendo e bebendo como um rei. Ele estava tão bêbado, que ela não lhe contou sobre sua pequena escapada até o dia seguinte, quando estava sóbrio. Após ouvir sobre o perigo a que esteve exposto, alguns entendem que Nabal sofreu um ataque cardíaco ou talvez uma congestão e ficou "como pedra". Dez dias depois "feriu o Senhor a Nabal, e este morreu". Davi considerou sua morte como um ato de Deus, pelo qual foi vingado e protegido de derramar sangue por si mesmo.
Pouco tempo depois, Davi enviou servos para pedirem a mão da viúva em casamento. Abigail graciosamente e sem hesitar consen-

O Deir, Petra. Giovanni Trimboli

tiu, dizendo: "Eis aqui a tua serva servirá de criada para lavar os pés dos criados de meu senhor". Em sua segunda viagem ao campo de Davi, ela foi acompanhada de seus bens pessoais e cinco servas a fim de permanecer com Davi como sua segunda esposa. Mais tarde ela foi com Davi para Hebrom e Jerusalém, como sua rainha.

Esta história tem em si todas as evidências de autenticidade. A área ao sul de Hebrom é bem adequada ao pastoreio concordando, portanto, com a natureza e o escopo das atividades de pastoreio de Nabal. A grosseria de Nabal é, também, característica de muitos homens que "se fizeram por si mesmos", que se preocupam apenas com suas próprias riquezas.

G. A. T.

**NABATEUS** Os nabateus eram uma tribo semita vinda do noroeste da Arábia, que começou a assentar-se na área localizada entre o mar Morto e o golfo de Ácaba, em alguma época durante o século VI a.C., invadindo a maior parte do território ocupado pelos edomitas. Seu nome pode ter aparecido pela primeira vez em 646 a.C., quando um povo chamado "Nabaiate" revoltou-se contra o rei Assurbanipal, da Assíria, que levou sete longos anos para subjugá-los. Desde a primeira aparição, entende-se que estavam engajados no comércio e na proteção das rotas das caravanas entre a Arábia e o Crescente Fértil, pela qual cobravam taxas exorbitantes. A prosperidade gradualmente chegou e inevitavelmente tornou possíveis as esculturas de monumentos magníficos que ainda prendem a atenção dos visitantes modernos. *Veja* Árabes.

A próxima vez que se ouve falar dos nabateus é em 312 a.C., quando Antígono, o Caolho, um dos generais de Alexandre o Grande, enviou uma expedição contra a capital deles, Petra (*q.v.*), em seu avanço sobre o Egito. Suas tropas capturaram a cidade e a saquearam, mas foram apanhados pelos nabateus em seu retorno e completamente aniquilados em um ataque de surpresa, noturno. Os nabateus mais tarde lucraram com a confusão que prevalecia no reino selêucida e expandiram seu poderio por toda a Transjordânia, penetrando ao norte até Damasco. Durante o século I a.C. eles se envolveram na guerra contra o rei macabeu, Alexandre Janeu, a quem derrotaram, e novamente com o último rei selêucida, Antíoco XII, a quem capturaram.

Com a chegada dos romanos, os nabateus assumiram um papel mais subserviente e, muitas vezes, são encontrados ajudando os romanos em suas guerras no Oriente Próximo. Aretas III enviou uma força de cavalaria com 40 animais para ajudar Júlio César na batalha de Alexandria, e Aretas IV enviou um contingente para ajudar Varo contra os judeus. Foi este mesmo Aretas que estava governando Damasco, quando Paulo escapou da cidade (2 Co 11.32). Finalmente, os romanos, sob Trajano, anexaram seu reino e o converteram na Terceira Província da Arábia em 106 d.C.

Os nabateus eram pagãos que adoravam uma multiplicidade de deuses no comando dos quais estava Dhu Shara (Dusares). A adoração em lugares altos parece ter sido muito popular entre eles e no meio de seus monumentos em Petra, existiam dois lugares altos, um dos quais consistia em um altar e dois obeliscos próximos, todos escavados na rocha. Eles enterravam seus mortos em câmaras cortadas na rocha, adornadas externamente com um padrão em degrau ou no estilo helênico, com colunas e frisos. Seus monumentos mais famosos eram o Khazneh e o Deir. O primeiro é recortado de muitas pedras de arenito colorido da região, e está situado no final de um desfiladeiro estreito que leva à cidade, enquanto o Deir fica no topo de uma ravina íngreme. Além destes, há numerosas outras tumbas ao redor da cidade. *Veja* Petra.

Além de suas construções em Petra, os nabateus deixaram um sem número de fortalezas e postos avançados que ficam na antiga rota das caravanas entre Hedjaz e Damasco. Os restos de suas represas e cisternas no Neguebe indicam sua grande habilidade em engenharia e seus intensivos programas agrícolas, que levaram a população daquela área ao seu ponto mais alto na história. Eles faziam uma notável cerâmica leve, com uma bela decoração com desenhos florais. Todas estas ruínas silenciosas atestam o alto grau de sua civilização.

***Bibliografia.*** CornPBE, pp. 542-554. Nelson Glueck, *Deities and Dolphins, The Story of the Nabataeans,* Nova York. Farrar, Straus and Giroux, 1965.

**NABI** Representante da tribo de Naftali, escolhido para espionar Canaã (Nm 13.14).

**NABONIDO** Último rei da Nova Babilônia (aprox. 556-539 a.C.) e pai de Belsazar (*q.v.*). O fato de Belsazar, e não Nabonido, ser mencionado como rei da Babilônia no livro de Daniel, tem levado muitos estudiosos a questionar a exatidão dos registros de Daniel. Textos cuneiformes recentemente publicados revelam que Nabonido era uma pessoa intrigante e nos dão a base para entender a proeminência de Belsazar na Babilônia em lugar de seu pai.

Foi somente depois da publicação da obra de Sidney Smith, "*Persian Verse Account*", sobre Nabonido em 1924, que os estudiosos começaram a levar a sério a insinuação de que o rei havia passado vários anos no deserto da Arábia. Em 1929, Dougherty publicou a obra "*Nabonidus and Belshazzar*" que organiza todas as evidências pertinentes, cuneiformes e não cuneiformes, sobre o reino de Nabonido e de seu filho. Em 1956, D. S. Rice descobriu três monolitos em Harran que foram reutilizados pelos muçulmanos para servir como soleira da porta de sua mesquita. Essas importantes inscrições, que descrevem a morte da mãe de Nabonido, foram publicadas por Gadd em 1958. Em 1956, Milik publicou alguns fragmentos de Qumran, escritos em aramaico, que tratam deste rei. Veja ANET, pp. 305-306, 308-316. Essas descobertas nos obrigam a rever a nossa antiga opinião sobre Nabonido como um estudioso antiquário que não estava interessado em administração. Acreditamos que ele foi um monarca competente, cuja falha como governante estava relacionada à sua fanática devoção ao deus-lua, Sin. Essa devoção havia sido estimulada por sua mãe, uma notável mulher que viveu 104 anos. Quando Nabonido subiu ao trono em 556 a.C., ele devia ter aproximadamente 50 anos de idade.

No início de seu reinado, Marduque lhe revelou um sonho em que o deus Sin estava irado porque os Ummanmanda (os medos) haviam destruído seu Templo em Harran. Nabonido resolveu suspender a festa do Ano Novo até conseguir reconstruir o Templo. Mas sua devoção a Sin não o tornou mais querido pelos sacerdotes de Marduque. Quando Ciro atacou os medos, Nabonido foi capaz de terminar o Templo em Harran, em 553 a.C. Depois de uma campanha no Líbano, em 553 a.C., ele ficou doente, mas recuperou-se e dirigiu-se para Edom ao sul e, depois, continuou mais adiante até o oásis de Tema (*q.v.*) ainda mais ao sul, no noroeste da Arábia. De acordo com uma decisão sem precedentes, Nabonido preferiu permanecer na Arábia e deixar a Babilônia nas mãos de Belsazar. Acreditou-se, posteriormente, que o rei tenha permanecido no deserto de sete a oito anos. Os novos textos de Harran mostram que ele ficou mais tempo ainda, "... dez anos vivi entre eles, (e) para minha cidade Babilônia não fui". É provável que seu exílio tenha durado do quinto ao décimo quinto ano de seu reinado, 552-542 a.C. Embora ainda conservasse o título de rei, ele dava suas ordens a partir de Tema. O alimento era transportado por camelos desde a Babilônia, a 800 quilômetros de distância. Ele estabeleceu postos avançados em outros cinco oásis, inclusive Yathrib (Medina, o refúgio de Maomé), 400 quilômetros ao sul do oásis de Tema.

Dentre as várias razões conjeturadas para a estranha atitude de Nabonido, estão as seguintes: (1) Econômica. Os medos e os persas controlavam as rotas comerciais a norte e a leste, mas o sul permanecia aberto para a Babilônia. (2) Militar. A necessidade dos aliados árabes de se reunir contra o crescente poder de Ciro pode ter sido um dos fatores. (3) Higiênica. O clima pode ter agradado ao idoso e adoentado rei. As verdadeiras razões podem ser encontradas nos novos textos de Harran que relatam: "Os filhos da Babilônia... sacerdotes e povo das capitais acádias, contra sua grande divindade (Sin) ofendida... traição e não lealdade, como cães se devorando entre si, febre e fome entre eles..."

O rei se recusou a voltar à Babilônia, a cidade que havia sido castigada por Sin pelo desrespeito mostrado a essa divindade, até que o povo se arrependesse de sua atitude. Sua alienação era tão intensa que ele não retornou para o funeral de sua mãe, que morreu no nono ano de seu exílio. Como conseqüência de sua ausência, o ritual do Ano Novo foi suspenso na Babilônia.

Entretanto, Nabonido não havia abdicado. Ele ainda era chamado de *sarru* ou "rei", e mesmo estando em Tema dava ordens a Belsazar, que era chamado de *mar sarri* ou "filho do rei". Antes de partir para Tema, ele havia "confiado o reinado" (*sarrutam*) a seu filho. Dougherty demonstra que Belsazar exerceu poder real e está associado a Nabonido através de várias inscrições. Ele conclui que a descrição que Daniel fez de Belsazar como rei da Babilônia é muito precisa. A promoção de Daniel a "terceiro governante" (Dn 5.29) também parece ser um reconhecimento da situação. Pouco antes da captura da Babilônia pelos persas em 539 a.C., Nabonido retornou à cidade e celebrou o ritual do Ano Novo. Ele tentou reunir os deuses de muitas outras cidades, mas Borsippa, Cuthah e Sippar recusaram-se a enviar os seus. Na verdade, muitos babilônios receberam Ciro como rei, pois acreditavam que ele honraria mais a Marduque do que Nabonido. De acordo com fontes gregas, sua vida foi poupada e ele foi nomeado governador de Carmania (cf. uma história semelhante à de Croesus).

Há estudiosos da Bíblia que aceitam a tese de que a história da loucura de Nabonido, que consta do livro de Daniel, seja uma imagem distorcida de seu exílio na Arábia (veja Genouillac, Von Soden). Dentre outras objeções a essa história, existe a opinião de que ela foi baseada na tradução feita por Smith de uma linha do *Persian Verse Account*: "Um demônio cruel *(sedu)* o havia alterado". De acordo com essa tradução, Nabonido teria ido para a Arábia porque estava demente. Oppenheim, por sua vez, traduz esta linha da seguinte maneira: "Sua divindade protetora se tornou hostil para com ele" (ANET, p. 313).

De acordo com "*A Oração de Nabonido*", o recentemente publicado texto aramaico de Qumran, Nabonido (e não Nabucodonosor – portanto uma outra situação além daquela que foi relatada em Daniel 4), foi afligido em Tema, por Deus, sofrendo uma enfermidade durante sete anos. Depois de orar em vão aos deuses de prata, madeira, pedra etc... um "exorcista judeu" (Daniel?) o curou. Milik e Freedman acreditam que essa história seja anterior à de Daniel; Dupont-Sommer pensam de outra forma. Ela realmente mostra que os judeus conheciam Nabonido, embora ele não seja mencionado pelo nome no livro de Daniel.

*Veja* Nabucodonosor.

***Bibliografia.*** Raymond P. Dougherty, *Nabonidus and Belshazzar*, Yale. Yale Univ. Press, 1929, C. J. Gadd, "*The Harran Inscriptions of Nabonidus", Anatolian Studies,* VIII (1958), 35-92. Henri de Genouillac, "Nabonide". RA, XXII (1924), 71-81. Hildegard Lewy, "The Babylonian Background of the Kay Kâûs Legend", *Archiv. Orientální*, XVII (1949), 28-109. Julius Lewy, "The Late Assyro-Babylonian Cult of the Moon... at the Time of Nabonidus", HUCA, XIX (1946), 405-489. J. T. Milik, "Prière de Nabonide", RB, LXIII (1956), 407-415. D. S. Rice, "From Sin to Saladin", *Illustrated London News* (21 de setembro de 1957), 466-469). H. H. Rowley, "The Historicity of the Fifth Chapter of Daniel", JTS, XXXII (1931), 12-31.

E. M. Y.

**NABOPOLASAR** Rei babilônio (626-605 a.C.) que fundou a Dinastia dos Caldeus, e pai de Nabucodonosor II. Assumiu o título de rei da Acádia (ANET, pp. 303ss.). Fazia parte da coalizão com Cyaxares, rei do Império dos Medos que conquistou Nínive em 612 a.C. Uma série de textos babilônicos da coleção do Museu Britânico menciona, com exceção dos anos de quatro a nove, todos os anos do reinado de Nabopolasar e suas campanhas contra os assírios e seus antigos vassalos na Síria e Cilícia.

**NABOTE** Cidadão do Reino do Norte de Israel que possuía um vinhedo em Jezreel, nas proximidades do palácio de campo de Acabe e Jezabel (1 Rs 21.1; 2 Rs 9.21,25). Foi convocado por Acabe para ir a Samaria, pois este desejava comprar sua terra. Nabote recusou porque ela fazia da parte da herança da família, portanto o título não podia ser transferido a alguém que não fizesse parte de sua tribo (Lv 25.23; Nm 36.7; cf. Ez 46.18). Quando Jezabel soube o quanto o petulante Acabe desejava anexar o vinhedo, sem hesitar escreveu uma carta aos encarregados da cidade de Jezreel e cruelmente mandou apedrejar Nabote e seus filhos até a morte sob uma falsa acusação de blasfêmia (1 Rs 21.8-14).

Elias condenou Acabe e Jezabel por este crime (1 Rs 21.17-24), e profetizou que os cães iriam lamber o sangue do rei e comer a carne de Jezabel, da mesma forma que haviam lambido o sangue de Nabote depois dele ter sido apedrejado. Essa profecia teve um duplo cumprimento com cães lambendo o sangue de Acabe quando sua biga foi lavada no tanque de Samaria (1 Rs 22.38), e cães comendo o corpo estraçalhado de Jezabel fora das portas de Jezreel (2 Rs 9.30-37).

De acordo com Francis I. Andersen, o propósito de Jezabel pode ter sido reivindicar que Nabote havia realmente prometido vender o vinhedo a Acabe, e que depois se arrependeu. Ela enviou um título espúrio de venda,

Uma reconstrução da Babilônia nos dias de Nabucodonosor, com a porta de Ishtar em primeiro plano e os Jardins Suspensos à direita. ORINST

selou-o com o selo do rei, e o enviou entre suas "cartas" aos anciãos de Jezreel. No julgamento, duas falsas testemunhas juraram que Nabote havia invocado o nome de Jeová em uma promessa que teria formalizado a suposta transação ("The Socio-Juridical Background of the Naboth Incident", JBL, LXXXV [1966], 46-57).

A. W. W.

## NABUCODONOSOR

*O nome.* O nome real *Nabukudurri-usur* ("Nebo, Proteja a Minha Fronteira!" ou "Nebo, proteja o teu servo!") foi adotado por quatro monarcas babilônios, sendo que apenas um deles (Nabucodonosor II) é mencionado na Bíblia, embora com uma ênfase e uma freqüência que testemunham seu importante papel na história redentora. Das duas transcrições inglesas de seu nome, encontradas nas versões padrão em inglês, aquela com *r* (em hebraico, *N[e]bukadre'ssar* em Jeremias e Ezequiel) é a que mais fielmente representa o acádio original (cf. acima). A ortografia com *n* (em hebraico *N[e]bu/ukadne[']ssar)* é encontrada em 2 Reis, 1 e 2 Crônicas, Esdras, Neemias, Ester, Daniel e, ocasionalmente, em Jeremias. Em aramaico *N[e]bu/ukadnessar* em Esdras e Daniel. Na Septuaginta (LXX), consta *Nabouchodonos[s]or*). No entanto, todas elas são o resultado de uma dissimilação dialetal.

*Fontes de informação.* Foram escavadas mais de 500 tábuas relacionadas com a administração e os contratos, datadas de acordo com os dias, meses e anos do reinado de Nabucodonosor. Também existem cerca de 30 edifícios e inscrições honoríficas, principalmente em cilindros de pedra e tijolos que incluem a importante inscrição da Casa da Índia Oriental, uma inscrição em um monolito de basalto negro com 621 linhas que descrevem a fortificação da Babilônia, a restauração do antigo palácio e uma nova construção. As 720 linhas da inscrição Uádi Brissa, na Síria (ANET, p. 307) registram sua conquista do Líbano e o transporte de seus cedros para a Babilônia. D. J. Wiseman publicou recentemente o conteúdo de tábuas relacionadas à crônica da Babilônia, ano a ano, e que tratam dos primeiros 12 anos de seu reinado. Outras fontes incluem livros do AT como 2 Reis, 2 Crônicas, Jeremias, Ezequiel e Daniel, além de fragmentos de historiadores posteriores citados por Josefo e Eusébio.

*História política.* Nabucodonosor II foi, sem dúvida, o maior dos governantes do breve Império NeoBabilônico (626-539 a.C.), sobre o qual ele reinou durante 43 anos (605-562). Seu pai era Nabopolassar que, desafiando os exércitos da enfraquecida Assíria, foi entronizado como rei da Babilônia em 23 de novembro de 626 a.C. Depois da destruição de Nínive, em 612 a.C., por uma aliança medo-babilônica, a Assíria mudou sua capital para Harran, situada a oeste, mas, em 610 a.C., ela foi ocupada por Nabopolassar sem qualquer luta. Nada mais ficamos sabendo sobre a Assíria depois de 609 a.C.

O resultado imediato da derrota da Assíria foi uma breve afirmação da hegemonia egípcia sobre Judá. O Faraó Neco II (609-593 a.C.) nomeava e destituía os monarcas judeus a seu bel prazer até a derrota das forças egípcias em Carquemis.

O crédito pela vitória da Babilônia deve ser atribuído a Nabucodonosor, o príncipe herdeiro que havia sido enviado por Nabopolassar para liderar o exército de seu país.

Recentemente, tábuas publicadas sobre as crônicas da Babilônia nos permitem determinar com bastante precisão a data da batalha de Carquemis (maio-junho de 605 a.C.). Tanto Jeremias (Jr 46.2-12) quanto Josefo (*Ant.*x.6) reconheceram uma parte de sua importância, por ter marcado a eliminação do Egito de qualquer papel significativo nos negócios da Palestina, assim como a elevação de Nabucodonosor ao poder. No dia 16 de agosto de 605 a.C., Nabopolassar morreu, e Nabucodonosor não levou adiante o propósito do pai de que os egípcios se retirassem para seu país a fim de assumir o trono da Babilônia. Sua coroação foi realizada no dia 7 de setembro, depois da qual ele dirigiu seu exército para o ocidente e recomeçou o avanço sobre a Síria.

Por volta de 603 a.C., Nabucodonosor reinava sobre toda a Sírio-Palestina. Jeoaquim transferiu a ele sua lealdade, mesmo de forma temporária (2 Rs 24.1). Asquelom, na Filístia, havia sido destruída por Nabucodonosor antes de seu retorno à Babilônia em fevereiro de 603 a.C. O Papiro Saqqara número 86984 (Museu do Cairo), uma carta escrita em aramaico que apela pela ajuda do Faraó, foi provavelmente escrito em Asquelom, pouco antes de sua destruição.

Em 601 a.C., Nabucodonosor mais uma vez marchou em direção ao Egito e travou uma intensa batalha contra as forças de Neco nas proximidades da fronteira egípcia. Ambos os lados sofreram grandes perdas e a batalha terminou em um empate forçado. Foi nesse ponto que Jeoaquim, evidentemente convencido de que sua oportunidade havia chegado, rebelou-se contra a Babilônia e deixou de pagar seu tributo (2 Rs 24.1). Porém, embora estivesse em desvantagem naquele momento, Nabucodonosor não tinha qualquer intenção de permitir que Judá se desligasse de seu império. Portanto, durante algum tempo ele atormentou esse pequeno reino com bandos de saqueadores convocados dentre seu próprio exército, assim como de contingentes mercenários (24.2).

Ele veio com o principal exército babilônico contra Judá (2 Rs 24.10,11) em dezembro de 598 a.C. O escriba lacônico da crônica da Babilônia reportando os eventos de 597 a.C. declara simplesmente que Nabucodonosor

Tábua relatando a ascensão de Nabucodonosor ao trono da Babilônia e sua conquista de Jerusalém em 597 a.C. BM

"acampou contra a cidade de Judá [isto é, Jerusalém] e, no segundo dia do mês de Adar [isto é, 16 de março], ele tomou a cidade e capturou o rei [isto é, Joaquim]. Lá ele nomeou um rei que o agradava [isto é, Zedequias]". Jeoaquim havia morrido misteriosamente no mesmo mês em que o exército babilônico havia marchado contra Judá. Em vista do fato de que seu filho Joaquim (2 Rs 24.6) governou durante três meses e dez dias (2 Cr 36.9; acredita-se que os "três meses" de 2 Rs 24.8 sejam apenas uma aproximação) antes da captura de Jerusalém. A data exata da morte de Joaquim foi 7 de dezembro de 598 a.C. Sua idade declarada em 2 Crônicas 36.9 – oito anos de idade – parece ser algum erro do copista, pois em 2 Reis 24.8 consta 18 anos de idade.

Seguindo o exemplo de seus predecessores desde o tempo de Tiglate-Pileser III (*q.v.*), Nabucodonosor deportou o rei (Joaquim) e seu séqüito, assim como todos os habitantes de Jerusalém que poderiam tentar fomentar uma rebelião (2 Rs 24.12-16; 2 Cr 36.10; Jr 22.24-30; 52.28). Embora ele tivesse exigido levar alguns reféns para a Babilônia, incluindo Daniel e seus três amigos, e parte dos vasos do Templo de Salomão, logo depois da batalha de Carquemis (Dn 1.1-7; cf. também 2 Cr 36.5-7), a deportação de 597 a.C. constituiu a primeira fase importante daquilo que é tradicionalmente referido como o cativeiro na Babilônia (cf. Mt 1.11). Da mesma maneira como havia feito antes, embora em uma escala muito maior, Nabucodonosor saqueou o Templo de Salomão e levou consigo um enorme despojo de guerra. Ele empossou o tio de Joaquim, Matanias, no trono de Judá (2 Rs 24.17; em 2 Cr 36.10 seria melhor traduzir "irmão" como "parente"), dando-lhe o novo nome de Zedequias para demonstrar sua própria suserania.

Zedequias, sem dúvida, teria se sujeitado a ser um vassalo muito mais dócil se vários fatores fora de seu controle não tivessem perturbado a situação política. Um considerável número de judeus, tanto em Jerusalém como na Babilônia, ainda considerava Joaquim o legítimo ocupante de seu trono. Ezequiel, por exemplo, traiu seus verdadeiros sentimentos ao avaliar as datas relativas ao cativeiro do "rei Joaquim" (Ez 1.2 etc). Além disso, mesmo depois de sua derrota em Carquemis, o Egito, embora seriamente enfraquecido, continuava a exercer alguma influência sobre os negócios do Oriente Próximo. Outrossim, a dissidência contra a Babilônia estava predominando não só em Jerusalém (o que se pode concluir pelos inúteis esforços de Jeremias para manter seus compatriotas afastados da rebelião), mas também entre o próprio povo de Nabucodonosor. Em 595/4 a.C., Nabucodonosor considerou que seria melhor permanecer na Babilônia para reprimir uma rebelião local. No ano seguinte, Hananias, um falso profeta de Jerusalém, previu publicamente o retorno do exílio – dentro de dois anos – de todos aqueles que o rei havia levado para a Babilônia (Jr 28.1-4). Talvez Hananias tivesse recebido alguma notícia sobre a insurreição e a tenha interpretado como sinal de uma revolta mais disseminada. De qualquer forma, Jeremias denunciou esse indevido otimismo e aconselhou os exilados a adotarem a filosofia de "viver como sempre", pois o Senhor havia revelado que sua permanência na Babilônia seria prolongada (Jr 29.1-23).

Durante algum tempo, Zedequias continuou convencido da sabedoria do conselho de Jeremias. O texto em Jeremias 51.59 parece indicar que no mesmo ano da imprudente profecia de Hananias e, talvez, até mesmo como resultado dela, Zedequias fora convocado por Nabucodonosor para uma entrevista na Babilônia para determinar a extensão de sua lealdade. Evidentemente, Nabucodonosor ficou satisfeito com as respostas de Zedequias, pois permitiu que este continuasse no trono de Judá. Entretanto, os anos seguintes encontraram Zedequias cada vez mais incapacitado de resistir ao elemento pró-egípcio e antibabilônico da população de Judá. Finalmente, de modo contrário ao conselho de Jeremias (2 Cr 36.12; Jr 21.1-7; 37.3-10,17-20; 38.14-23) ele se rebelou (2 Rs 24.20. 2 Cr 36.13-16; Jr 52.3).

Em janeiro de 588 a.C., Nabucodonosor e seu exército estavam sitiando Jerusalém (2 Rs

25.1; Jr 39.1; 52.4; Ez 24.1,2). O exército babilônico havia capturado, uma a uma, as cidades fortificadas de Judá, de modo que na época em que o sítio de Jerusalém estava acontecendo restavam somente Laquis e Azeca (Jr 34.6,7). As cartas de Laquis, um conjunto de 21 documentos encontrados na moderna Tell ed-Duweir (a bíblica Laquis, *q.v.*) em 1935 e 1938 ilustram a consternação que reinava em Judá durante os últimos dias de sua existência nacional (veja ANET, pp. 321ss.). O único lampejo de esperança para uma situação que de outra forma seria meramente desesperadora, seria uma retirada temporária das forças da Babilônia da cidade de Jerusalém para enfrentar o exército egípcio que estava avançando (Jr 37.5,11) provavelmente sob o comando do Faraó Apries (589-570, veja Faraó Hofra).

Entretanto, o alívio de Jerusalém durou pouco, pois os babilônios forçaram os egípcios a se retirarem e o cerco à cidade recomeçou.

A cidade suportou um sítio de 30 meses, mas as forças superiores da Babilônia finalmente abriram caminho através de seus muros em julho de 586, no 19º ano do reinado de Nabucodonosor (2 Rs 25.2-4,8; Jr 39.2; 52.5-7,12). Zedequias e algumas de suas tropas tentaram fugir durante a noite, mas foram capturados nas proximidades de Jericó. O rei foi levado à presença de Nabucodonosor em Ribla, no Orontes, onde foi forçado a contemplar a execução de seus filhos. Então cegaram seus olhos e ele foi levado acorrentado para a Babilônia (2 Rs 25.5-7; Jr 39.4-8; 52.8-11), como um dos exilados da segunda maior fase do cativeiro na Babilônia (Jr 52.29). Em seguida, *Nabu-zer(a)-iddina* (Nebuzaradã, *q.v.*), capitão da guarda de Nabucodonosor, chegou a Jerusalém para completar a destruição e a pilhagem da cidade e do Templo, assim como a deportação dos habitantes, deixando para trás apenas os indivíduos mais pobres (2 Rs 25.8-17; 2 Cr 36.17-20; Jr 39.9,10; 52.12-23).

Depois da destruição de Jerusalém, Nabucodonosor nomeou outro governador para Judá, Gedalias (*q.v.*) que logo caiu em desgraça perante os elementos restantes da população antibabilônica da cidade. Aguardando uma oportunidade adequada, eles assassinaram o governante em Mispa, junto com alguns de seus companheiros babilônios e judeus (2 Rs 25.22-25; Jr 40.7–41.3). O incentivador dessa conspiração, um certo Ismael, fugiu para Amom com oito de seus lacaios (Jr 41.15), enquanto um outro grupo de judeus, temendo as represálias dos babilônios, fugiu para o Egito (2 Rs 25.26; Jr 41.16-18) levando Jeremias consigo (Jr 43.5-7). Em 582 a.C., ocorreu a terceira e última fase do cativeiro na Babilônia (Jr 52.30), aparentemente como resultado de uma expedição punitiva enviada por Nabucodonosor depois do assassinato de Gedalias. Enquanto isso, o cego Zedequias definhava na prisão na qual veio a morrer (2 Rs 25.7; cf. Ez 12.13). Seu predecessor, Joaquim, foi consideravelmente mais afortunado: em 562 Amel-Marduk (Evil-Merodaque, *q.v.*), filho e sucessor de Nabucodonosor, libertou-o da prisão e o manteve na corte da Babilônia (2 Rs 25.27-30; Jr 52.31-34). Antes disso, as necessidades de Joaquim já haviam sido amplamente satisfeitas, como está claro em inúmeros documentos administrativos encontrados na Babilônia, datados do reinado de Nabucodonosor, e que se referem a Joaquim como *Ya(k)ukin(u)*, rei de *Yah/kudu* (Judá; ANET, p. 308).

As expedições de Nabucodonosor ao ocidente, depois de 586 a.C., foram um anticlímax do ponto de vista de Judá. Suas campanhas contra Tiro (585-572 a.C.) são mencionadas em Ezequiel 26–28; 29.18, enquanto a batalha contra as tropas de Amasis do Egito em 568/7 a.C. (ANET, p. 308) parece ter sido prevista por Ezequiel (29.19). Nabucodonosor morreu em 562, exatamente 25 anos depois da capitulação de Jerusalém.

*Edifícios.* Nabucodonosor II, além de ser justamente famoso como brilhante estrategista e administrador, também deve ser reconhecido como um grande construtor. As expedições arqueológicas do *Deutsche Orientgesellschaft,* sob a direção de Robert Koldewey, que se iniciaram em 1899, mostraram que ele reconstruiu a Babilônia e a transformou em uma cidade magnífica (cf. Dn 4.30). Ele a fortaleceu e a embelezou simultaneamente. Em Borsippa, e na Babilônia, ele restaurou mais de 20 templos, enquanto na própria capital ele construiu uma rua suspensa com a porta de Ishtar para a procissão de Marduque, com seu colossal palácio ornamentado (cf. Dn 1–4 para noções sobre a vida na corte da Babilônia durante seu reinado). Ele também construiu uma das chamadas sete maravilhas do mundo antigo, os fabulosos Jardins Suspensos, um arvoredo elevado destinado a compensar sua esposa meda, Amytis, pela perda do lar de sua infância nas montanhas. A julgar pelas inúmeras inscrições reais, compostas em uma arcaica escrita e dialetos babilônicos, ele estava preso a uma diferente espécie de nostalgia – uma intensa saudade dos melhores dias de uma época passada.

[*Legislador*. Uma tábua do Museu Britânico publicada em 1965 por W. G. Lambert e A. R. Millard exalta as virtudes de legislador e juiz de um certo rei, que somente pode ter sido Nabucodonosor II.

Um código de leis foi atribuído a ele, tanto quanto regulamentos para sua cidade (que, obviamente, era a Babilônia) e para sua própria função real. A justiça era exercida, em um caso, por decapitar um criminoso. Em outro, por submeter um acusado de assassinato, e seu acusador, ao ordálio do rio (pro-

Inscrições em túmulos eram típicas dos antigos egípcios. Aqui Ra-hetep, um sacerdote de Mênfis, está sentado à frente de uma mesa de ofertas, de aprox. 2600 a.C. BM

va judiciária, na Antiguidade, pela qual se conferia a veracidade da inocência ou culpabilidade de um acusado lançando-o no rio. Se sobrevivesse, era considerado inocente; também conhecido por "Juízo de Deus"[*Iraq*, XXVII, 1-11]).

[*Religião.* As inscrições de Nabucodonosor revelam que ele era um homem muito religioso que procurava observar todas as cerimônias ligadas ao culto das divindades babilônicas. Os textos mais longos geralmente contêm dois hinos que terminam com uma oração. São feitas freqüentes menções sobre suas elaboradas ofertas aos deuses.

[*Referências em Daniel.* À luz de um fragmento de papiro em aramaico, da Caverna 4 de Qumran, conhecido como "Oração de Nabonido", muitos estudiosos que acreditam ter sido o livro de Daniel escrito em uma data macabeana, sugeriram recentemente que as Escrituras cometeram um erro ao representar Nabucodonosor como um rei acometido de uma estranha doença durante sete anos (D. N. Freedman, BASOR #145 [1957], pp. 31ss.; J. T. Milik, *Ten Years of Discovery in the Wilderness of Judaea*, Naperville, Ill. Allenson, 1959, pp. 36ss.). Mas, ao contrário, de acordo com o texto de Qumran, é Nabonido (*q.v.*), pai de Belsazar, que é mencionado. A doença descrita em Daniel 4.33 era uma doença mental, ou uma espécie de paranóia, e pode ser diagnosticada como licantropia (delírio mórbido) ou boantropia, uma forma rara de monomania, clinicamente reconhecida, pela qual o rei se imaginava um touro ou uma águia, e agia como tal (Harrison IOT, pp. 1114-1117). Mas a doença mencionada na "Oração de Nabonido" estava relacionada com a inflamação dos tecidos ou com uma doença maligna, certamente diferente de uma insanidade. R. K. Harrison conclui que o texto de Qumran é um material lendário cuja origem é semelhante às histórias de Bel e o Dragão de Susanna, e com uma forma e conteúdo muito próximos da apócrifa Oração de Manassés (IOT, pp. 1117-1120).

[A inscrição da Coluna VIII da Casa da Índia Oriental, que data da última metade do reinado de Nabucodonosor, oferece alguma razão para se acreditar que ele pode ter sido afastado do poder pelo menos durante quatro anos. A porção mais significativa foi traduzida da seguinte maneira: "Durante quatro anos a sede de meu reinado em minha cidade... não trouxe alegria ao meu coração. Em todos os meus domínios não construí uma elevada posição de poder, os preciosos tesouros de meu reino eu não mostrei. No culto a Marduque, meu senhor, a alegria de meu coração na Babilônia, a cidade da minha soberania, não cantei seus louvores nem abasteci seus altares, nem limpei os canais" (IDB, I, 851). Não poderíamos esperar que um orgulhoso monarca oriental se referisse à sua própria calamidade, especialmente em se tratando de sua loucura, de uma maneira mais especifica do que essa. Além disso, raros registros chegaram até nós dessa parte de seu reinado. R. Dick Wilson sugere que os "sete tempos" (Dn 4.16,23,25,32) podem ter sido meses, e não anos (ISBE, IV, 2128) de forma que o pior estágio de sua enfermidade pode ter durado muito menos tempo que os quatro anos da inscrição mencionada acima.

[Nenhuma das inscrições de Nabucodonosor menciona qualquer um de seus sonhos, embora os registros de outros governantes (por exemplo, Assurbanipal, Nabonido, Xerxes) indiquem a importância que era dedicada aos sonhos e suas interpretações. Sabemos, a partir de seus registros, que Nabucodonosor em uma ocasião fez a imagem de sua real pessoa (ISBE, IV, 2128). J. Oppert encontrou, 10 quilômetros a sudeste da Babilônia, ruínas de uma grande plataforma quadrada de tijolos (15m x 15m x 7 m) sobre a qual deve ter sido colocada a imagem de ouro mencionada em Daniel 3.1. Quanto à "fornalha ardente", R. Dick Wilson afirma que Assurbanipal, rei da Assíria, registrou que seu irmão Shamash-shumukin foi queimado em uma fornalha semelhante (ISBE, IV, 2129). – J. R.]

*Veja* Babilônia; Daniel, Livro de.

***Bibliografia.*** W. F. Albright, "*King Joiachin in Exile*", BA, V (1942), 49-55. J. Bright, "*A New Letter in Aramaic, Written to a Pharaoh of Egypt*", BA, XII (1949), 46-52. D. N. Freedman, "*The Babylonian Chronicle*", BA, XIX (1956), 50-60. W. G. Lambert, "Nebuchadnezzar King of Justice", *Iraq,* XXVII (1965), 1-11. Stephen Langdon, *Building Inscriptions of the Neo-Babylonian Empire*, Paris, 1905. G.R.Tabouis, *Nebuchadnezzar*, Nova York;

Os assírios colocaram muitos touros alados nas portas de seus palácios. Este touro é do palácio de Sargão II em Khorsabad. ORINST

MacGraw-Hill, 1931. R. Dick Wilson, "Nebuchadnezzar", ISBE, IV, 2127ss. D J. Wiseman, *Chronicles of Chaldean Kings (626-556 a.C.)*, Londres. Museu Britânico, 1956.

R. E. Y.

**NAÇÕES** A Bíblia tem inúmeros sinônimos para a palavra "nações", tais como "gentios" (*q.v.*), "pagãos", "infiéis" e "povos". Quando as várias palavras hebraicas e gregas ocorrem no plural, o termo "nações" é geralmente a tradução mais precisa. O termo "povo" é encontrado com muita freqüência no singular, referindo-se à nação ou ao povo de Israel.

Nas Escrituras, Deus declara repetidamente que Ele escolheu Israel para ser um povo santificado, um povo exclusivamente seu em meio a outros povos que existem sobre a face da terra. "Povo santo ao Senhor, teu Deus, e o Senhor te escolheu de todos os povos que há sobre a face da terra, para lhe seres seu povo próprio" (Dt 7.6; 14.2; cf. 26.18,19; *et al.*). Israel deveria ser uma nação santa, separada e consagrada como sacerdotes para todos outros povos (Êx 19.5,6). O primeiro livro da Bíblia relaciona 70 nações ou grupos étnicos (Gn 10), enquanto o último prediz que no fim dos tempos um vasto contingente de todas as nações e de todas as tribos, e povos, e línguas estará perante o trono de Deus (Ap 7.9). Esse interesse pelas demais nações indica a importância da história na Bíblia, como um veículo da revelação. O fato de seus dados históricos serem uniformemente precisos é único na literatura sagrada mundial.

## Terminologia

No AT existem duas principais palavras hebraicas que foram traduzidas como "nação". A mais freqüente (557 vezes em hebraico e 373 na versão KJV em inglês) é *goy* (plural, *goyim*) ou "povo, nação, toda a população de um território" (KB, p. 174). Essa palavra enfatiza os aspectos impessoais políticos e sociais, ao invés dos laços de parentesco. Ela representa o estado, a instituição da nacionalidade, as massas da humanidade. Para o judeu, ela veio a significar especificamente os gentios, os pagãos, em contraste com Israel ou Judá. Israel foi chamada de *goy* depois de se tornar uma nação no monte Sinai, com leis e governo, mas sua semelhança com os gentios idólatras em sua desobediência a Deus e em sua apostasia, está implícita (Dt 32.28; Jz 2.20; Is 1.4).

A palavra hebraica *'am* ocorre 17 vezes na versão KJV em inglês como "nação" e 1.835 vezes como "povo". Originalmente, esse termo enfatizava um íntimo relacionamento familiar, como em um clã. Em hebraico, ele varia em significado desde o povo que está em torno de um indivíduo (Gn 32.7; 2 Sm 15.30; 2 Rs 4.41) até o povo de uma cidade (Rt 4.9), de uma tribo (2 Sm 19.40), de uma nação (Êx 9.15,27), e até mesmo referindo-se a toda a humanidade (Gn 11.6; Is 42.5). A palavra hebraica *'am* sugere um grupo de *indivíduos* ou de *pessoas* com os mesmos laços sanguíneos e não uma organização regimental (E. A. Speiser, "'People' and 'Nation' of Israel", JBL, LXXIX [1960], 157-163). Logo depois do Êxodo, o termo *ha'am*, "o povo" foi aplicado quase que exclusivamente a Israel como o povo escolhido de Jeová. Dessa maneira, *'am* e *goy* tornaram-se termos praticamente opostos, isto é, israelitas e não israelitas, como na literatura rabínica.

No período pré-exílico, a frase bíblica *'am ha'ares,* ou "povo da terra", se referia aos qualificados cidadãos do sexo masculino da localidade (Gn 23.13), os homens que coroavam o rei (2 Rs 11.19; 23.30), que eram especialmente taxados pelos tributos devidos ao Egito (2 Rs 23.35), e que possuíam escra-

Os fenícios eram os grandes navegadores do mundo antigo. Aqui está o porto fenício em Sidom. HFV

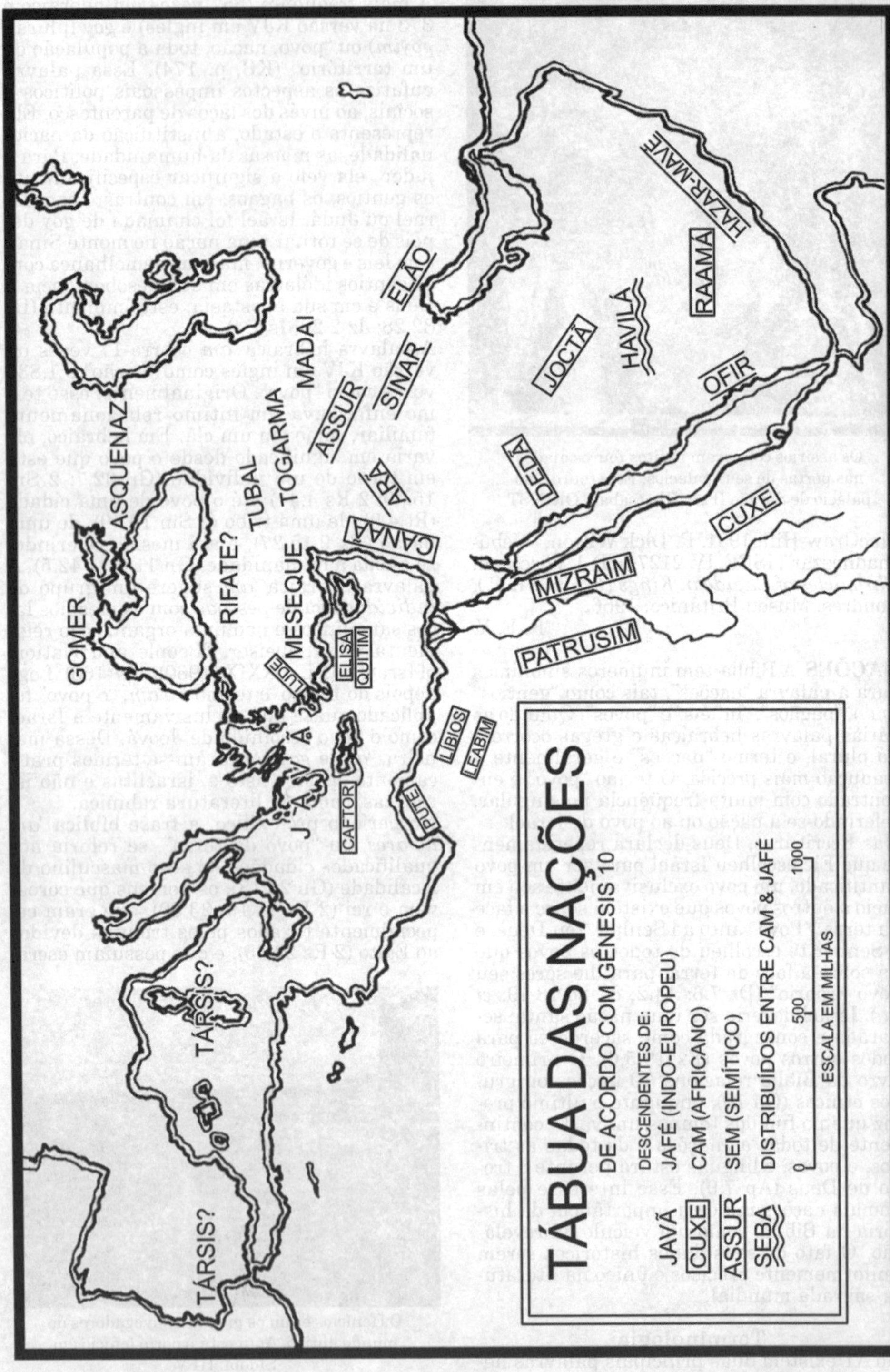
TÁBUA DAS NAÇÕES
DE ACORDO COM GÊNESIS 10
DESCENDENTES DE:
JAVÃ JAFÉ (INDO-EUROPEU)
CUXE CAM (AFRICANO)
ASSUR SEM (SEMÍTICO)
SEBA DISTRIBUÍDOS ENTRE CAM & JAFÉ
500
1000
ESCALA EM MILHAS
GOMER
ASQUENAZ
RIFATE?
TUBAL
TOGARMA
MESEQUE
MADAI
ASSUR
SINAR
ARÃ
ELÃO
CANAÃ
ELISA
QUITIM
LUDE
JAVÃ
CAFTOR
PUTE
LÍBIOS
LEABIM
TÁRSIS?
TÁRSIS?
TÁRSIS?
MIZRAIM
PATRUSIM
CUXE
DEDÃ
JOCTÃ
HAVILÁ
OFIR
RAAMÁ
HAZAR-MAVE

vos (Jr 34.8-19). No período pós-exílico, esse termo foi aplicado pelos que retornaram da Babilônia àqueles que já residiam na terra de Judá (Ed 4.4).
No NT, a palavra grega *ethnos* foi traduzida como "nação" (64 vezes) e "gentios" (93 vezes) na versão KJV em inglês. Essa última palavra é usada quando é feita uma referência a nações não judaicas (Mt 20.19,25; At 4.27; 9.15). A palavra "nações" é empregada quando a referência inclui todas as nações sem excetuar os judeus (Mt 24.9,14; 28.19; Mc 11.17; Ap 7.9). A palavra grega *laos* (143 vezes) é sempre traduzida como "povo"; na Septuaginta (LXX) ela equivale à palavra hebraica *'am* no singular. Outra palavra grega, *ochlos,* "aglomeração" ou "multidão", foi traduzida 83 vezes como "povo" na versão KJV em inglês. O termo *demos,* "populacho, povo", ocorre em Atos 12.22; 17.5 e 19.30, 33.

## A Lista Bíblica de Nações

*A Tábua das Nações.* Muitas vezes, esse título é aplicado em Gênesis 10 e 1 Crônicas 1.5-23, que fornecem uma relação étnica dos descendentes de Noé através de seus três filhos: Sem, Cam e Jafé. Parece que esse registro está limitado a nações e povos do Oriente Próximo, da metade do 2º milênio a.C., com quem os israelitas poderiam ter tido algum contacto. Inscrições encontradas no antigo Egito e Mesopotâmia revelam que uma pessoa educada na corte do Egito, em aprox. 1500 a.C., como era o caso de Moisés (At 7.22), poderia ter conhecido a maioria dessas nações.
Além disso, o termo hebraico *tol^edoth,* "gerações", em Gênesis 10.1,32 sugere que o autor de Gênesis estava usando registros ou histórias sobre as origens das famílias. Esses registros poderiam ter sido entregues a ele através dos patriarcas que tinham vindo de Ur ou de suas vizinhanças, em aprox. 2000 a.C. Isso poderia explicar a referência feita a Acade e Ereque (10.10) como importantes cidades da terra de Sinar, que tinham perdido sua proeminência no final do 3º milênio a.C., e ao reinado de Hamurabi (1792-1750), respectivamente.
Nessa tábua existem certas indicações de que ela foi compilada por volta da metade do 2º milênio a.C. Nessa época, os heteus (*q.v.*) controlavam a maior parte da área desde Carquemis, no Eufrates, até Hamate, no Orontes, e a costa ocidental do Mediterrâneo, o que explica a presença de Hete (Gênesis 10.15) como parte do grupo populacional em Canaã-Síria. W. F. Albright observou que quase todos os nomes dos descendentes tribais de Arã (10.23) e Joctã (10.26-29) são arcaicos e não ocorrem em inscrições do 1º milênio a.C. da Assíria e do sul da Arábia. Muitos nomes também pertencem a tipos conhecidos como nomes pessoais somente no início do 2º milênio, embora ainda possam ter continuado por muito tempo como nomes de tribos ("The Old Testament and Archeology", *Old Testament Commentary*, ed. por Alleman e Flack, Filadélfia; Muhlenberg Press, 1948, p. 139).
Em Gênesis 10, os povos e as terras do mundo conhecido da época estão divididos em três linhas principais: os descendentes de Sem na Mesopotâmia e Arábia, os descendentes de Cam no nordeste da África e dentro da esfera de influência egípcia, e os descendentes de Jafé nas terras ao norte do Mediterrâneo. Todos eles se encontrando e se sobrepondo em Canaã ou na Palestina, a terra prometida a Abraão. Também estão incluídas algumas cidades reais e importantes centros da época, localizados no Crescente Fértil.
Em Gênesis 10, os nomes dos descendentes não derivam de qualquer das principais características que distinguem um povo. Em alguns casos, parecem ser grupos étnicos; em outros, alguma entidade lingüística; e, ainda em outros, unidades geográficas ou políticas. Podemos observar, em Gênesis 10.5,20 e 31 as frases "segundo suas famílias" (etnia), "segundo sua língua" (lingüística), "nas suas terras" (geográfica) e "suas nações" (política).
Ao reconhecermos essas múltiplas bases de distinção das nações, podemos entender porque Canaã está relacionada como filho de Cam, e não de Sem, embora os cananeus de 2000 a.C. em diante falassem um dialeto semítico ocidental. Canaã pode ter sido considerada camita porque foi criada sob o poder egípcio pelos reis do início da 18ª Dinastia, ou porque as tribos que haviam conquistado a Palestina, no início da Idade do Bronze (3100-2100 a.C.) podem ter sido camitas, tendo mais tarde sucumbido à influência de invasores de língua semítica.
Três nomes têm uma dupla aparição nessa tábua: Sebá (vv. 7,28), Havilá (vv. 7,29) e Lude (vv. 13,22) como descendentes tanto de Cam como de Sem. É provável que Seba e Havilá tenham sido originalmente semíticos em termos de etnia, no norte da Arábia (cf. Gn 25.3,18) e depois tenham se mudado para o sul da Arábia, para a região do Iêmen, onde Sebá (heb., *sheba'*) ficou conhecido como Sabá, nome arábico do sul, do reino sabeu (IDB, IV, 144ss.). Alguns, entretanto, foram em direção à África como mercadores e colonos da Etiópia (Cuxe) e se misturaram com grupos camitas, onde ficaram conhecidos pelos hebreus como "Sebá" ou "Sabá", ou ainda "sabeus" (*seba*; cf. Sl 72.10; Is 43.3; 45.14). A identidade de Lude e Ludim ainda não está clara. O nome Cuxe também envolve um problema porque é aplicado no AT, e também em registros extra-bíblicos, tanto em relação a Núbia como ao Sudão (ou "Etiópia"; *q.v.*) e também à terra dos cassitas na Babilônia (*veja* Cuxe). Talvez os cuxitas camitas tenham vindo da terra de Sinar (ou Sumer), onde Ninrode fez com que se tornassem go-

vernantes. Existem evidências anteriores a 3000 a.C., tanto no Neguebe como no Egito, de que esses primeiros habitantes tinham afinidades com os sumérios. Dessa forma, os mercadores sumérios, viajando pelo interior da Palestina até o vale do Nilo, ou por mar até o leste da África, poderiam ter se instalado na área do Sudão e imposto seu nome àquele distrito. Estamos considerando os acontecimentos de Gênesis 10.8-12, e seu provável contexto histórico no período Ubaid (3800-3500 a.C.), *veja* Ninrode.

As informações obtidas através de antigas inscrições, e relacionadas aos nomes contidos em Gênesis 10, serão agora discutidas de forma ordenada.

1. Jafé. A maioria dos grupos étnicos nos versos 2-4 era de origem indo-européia. Gomer foi identificado com os Gimirrai que, antes do século VIII a.C., haviam fugido para a Capadócia, passando pelo Cáucaso dos citas. Magogue pode aparecer como a terra mais ao norte de Gagaia, na carta de Amarna número 1 (1.38). Os medos descendiam de Madai, que perambulava pelas terras semi-áridas do altiplano a leste dos montes Zagros. Como eram nômades de origem indo-iraniana que tinham vindo do sul da Rússia, eram habilidosos cavaleiros e flecheiros, e se tornaram formidáveis inimigos dos assírios nos séculos IX e VIII a.C. *Veja* Medos, Média; Pérsia.

Javã é, sem dúvida, um nome grego para a tribo conhecida como os jônios. O equivalente desse nome ocorre no século XIV a.C., nos textos ugaríticos. Também conhecidos como micênicos, eles começaram a destruir a civilização minoana em Creta, em aprox. 1400 a.C. A *Ilíada* de Homero representa de forma dramática sua famosa expedição contra Tróia, ao norte de Éfeso, e a 240 quilômetros de distância. *Veja* Javã; Grécia. Das estepes da Rússia vieram os Tabali, descendentes de Tubal, que se instalaram a leste da Anatólia e os Mushki, que se originaram de Meseque. Eles viviam a leste do Eufrates superior. Esses dois povos guerrearam contra Tiglate-Pileser I, em aprox. 1100 a.C. O nome Tiras pode ser o mesmo que Turasha, um dos Povos do Mar, assim chamados por Ramsés III, em aprox. 1190 a.C.

Na linhagem de Gomer, Asquenaz pode ser identificado com Ashkuz que se aliou a Esar-Hadom (681-669 a.C.) da Assíria. Também conhecidos como citas, eles também vieram do sul da Rússia. Togarmah aparece nos textos hititas de Suppiluliumas (1380-1342 a.C.) como Tegarama (ANET, p. 318) e nos registros assírios como Tilgarimmu, mencionado como um povo do norte dos montes Taurus.

Aqueles que estão relacionados com Javã incluem Eliseu, conhecido como Alashiya, o nome anterior de Chipre nos registros das cartas de Mari, Alalakh, Ugarite e Amarna números 33-40, e Hattusas (capital hitita em Boghaz-koi); Társis, nome para as áreas na Espanha e/ou Sardenha, colonizadas pelos Povos do Mar e depois pelos fenícios, e chamados de tartessos em grego; Quitim, *Kit* ou *Kiti*, das inscrições fenícias, a moderna Larnaka na costa sudeste de Chipre; e Dodanim (Rodanim, 1 Cr 1.7), o povo da ilha de Rodes.

2. Cam. Os descendentes de Cuxe (v.7) são os povos das margens do mar Vermelho e do sul da Arábia. Sebá, Havilá e Seba foram discutidas acima. Entende-se que Sabtá e Sabota são o mesmo local, a principal cidade da terra dos Hadhramaut (Hazar-Mavé, v.26) na costa sul da Arábia. Raamá sugere os ramanitas (Strabo, xvi.4.24) e sua cidade de Ra'amah, nas proximidades de Ma'in no sudeste da Arábia. Dedã era uma tribo que controlava as rotas das caravanas entre o sul e o norte da Arábia, e tinha seu centro no oásis de el-'Ula, 240 quilômetros ao norte de Medina.

Mizraim (v.13), outro camita relacionado no v. 6, é um nome hebraico comum para o Egito. Ele significa "dois distritos", uma referência às duas seções do vale do Nilo, a Superior e a Inferior (o Delta) do Egito. Esse nome aparece nas cartas Ugaríticas como *msr* e em acádio como *Musur* ou *Misir* (*veja* Egito). Vários nomes dos vv. 13,14 são duvidosos ou desconhecidos. Os leabeus (descendentes de Leabim) são freqüentemente identificados com os líbios. Os descendentes de Naftuim podem ter sido o povo do Delta ou dos oásis a leste do Nilo (NBD, p. 865). Os descendentes de Patrusim, conhecidos pelos assírios como paturisi (ANET, p. 290), eram os habitantes do Egito Superior (*veja* Patros). Os filisteus (*q.v.*), faziam parte dos Povos do Mar. Estes e os caftorins vieram de Caftor (Am 9.7), de Creta ou das ilhas do mar Egeu. Os filisteus imigraram em vários grupos até a costa da Palestina, onde construíram cinco cidades-estado assim que chegaram em grande número, e até tentaram invadir o Egito, em aprox. 1190 a.C. Mas os filisteus da época de Moisés eram provavelmente mercadores e colonizadores de Creta que tiveram continuidade através dos pacíficos filisteus com quem Abraão e Isaque se encontraram (Gn 21;26). Na época do Êxodo, os israelitas evitaram o caminho da costa, que conheciam como o caminho da terra dos filisteus (Êx 13.17), por causa das pequenas colônias dos filisteus situadas entre o Uádi el-Arish e Gaza. Portanto, a razão dessa menção a este povo com Mizraim pode ser puramente geográfica, pois tentaram se instalar ao longo da estrada costeira que, geralmente, era controlada pelos egípcios até Gaza (cf. Gn 10.19).

Pute (v.6) é, provavelmente, a região da Cirenaica, ao longo da costa da Líbia, chamada de Putah nos registros de Dario I (NBD, p. 1066).

Canaã e Sidom estão claramente relacionadas de acordo com o v. 15. Historicamente, os cananeus do Líbano e da Síria começaram a ser chamados de fenícios pelos mercadores gregos, em aprox. 1200 a.C. (*veja* Fenícia; Púrpura). Sidom tornou-se a principal cidade daquela época. Biblos (Gebal) havia sido conquistada pelos hurrianos e heteus, aprox. na metade do 2º milênio a.C. O termo sidônios continuou a ser equivalente a fenícios no AT, inclusive na época de Ezequiel (32.30).

Como discutimos acima, Hete está listado como um dos povos em Canaã. Embora Hete possa indicar os historicamente poderosos heteus, que falavam uma língua indo-européia e governavam grande parte da Ásia ocidental a partir de sua capital na Anatólia, também é possível que os "filhos de Hete" de Gênesis 23 também estejam sendo considerados. Eles seriam hatianos (proto-heteus), alguns dos quais entraram em Canaã em pequenos números no início da Idade do Bronze e estão associados à característica cerâmica de Khirbet Kerah; ou ainda podem ter pertencido a um enclave hurriano anterior, fazendo parte do povo que era tão proeminente no Oriente Próximo na metade do 2º milênio a.C. (E. A. Speiser, *Genesis*, Anchor Bible, p. 69). É muito provável que os jebuseus, habitantes da cidade-estado de Jerusalém até sua captura por Davi, fossem hurrianos.

Os amorreus, de acordo com textos sumerianos anteriores a 2000 a.C., eram um povo seminômade das estepes ao norte da Síria e das montanhas próximas a Palmira. Falavam um dialeto semítico ocidental e formavam um poderoso grupo de tribos. No início do 2º milênio a.C., fundaram reinos desde o Orontes até o vale do Tigre. Controlavam Mari em aprox. 2000 a.C., e, por volta de 1800, governavam a Babilônia (a dinastia de Hamurabi). Entretanto, todos esses reinos já haviam sido destruídos na época de Moisés. Portanto, eles estão listados na Tábua das Nações de acordo com uma base geográfica da grande Canaã, a única área onde ainda representavam uma fração proeminente da população (*veja* Amorreus).

Fora da Bíblia Sagrada, os girgaseus não são conhecidos como um povo. Entretanto, nomes pessoais como *Grgs* e *Grgsy* nos textos de Ugarite e Cartago, sugerem que os girgaseus estavam relacionados com o cananeus e, mais tarde, com os fenícios.

Embora a origem racial dos heveus não seja conhecida, eles estão geograficamente ligados a Canaã, pois seu centro estava localizado nas montanhas do Líbano (Jz 3.3). Muitos acreditam que "heveu" seja uma forma alternativa de se escrever "horeu", e que ambos sejam nomes bíblicos para os hurrianos (*q.v.*). Migrando das montanhas do Cáucaso, os não semíticos hurrianos se tornaram um povo muito influente na Mesopotâmia superior antes da metade do 2º milênio a.C. As narrativas patriarcais de Gênesis refletem muitos costumes e leis praticadas pelos hurrianos, como foi revelado através das tábuas de Alalakh e Nuzu (*q.v.*). Canaã foi chamada muitas vezes de Huru pelos Faraós da 18ª Dinastia e, nas cartas de Amarna, o governante de Jerusalém tem um nome hurriano, Abdu-Heba (ANET, pp. 487-489). Por causa de sua proeminência, poderíamos esperar que os hurrianos estivessem, de alguma forma, listados em Gênesis 10.

Os arqueus, arvadeus e zemareus (vv. 17,18) viviam em cidades (Irqata, cidade-ilha de Arwada e Sumur) exatamente ao norte de Trípoli, na costa libanesa. Tutmósis III capturou esses portos em suas campanhas antes de 1450 a.C. O nome dos sineus está presente em Nahr-as-Sinn e Sinn ad-Darb, ao longo da costa do Líbano, e podem ser a fenícia *Usnu*, em acádio *Siannu* (ANET. p. 282) e *'sn* em ugarítico.

Os hamateus estavam centralizados em Hamate no Orontes, uma cidade-estado amorita do período de Amarna.

É bastante significativo que os sumerianos, que tinham desenvolvido a primeira grande civilização mundial por volta de 3000 a.C. (*veja* Suméria) não tenham sido listados como um dos povos daquela época. A razão para essa ausência é que sua última cidade-reino, da dinastia de Ur III, foi derrotada depois do ataque dos elamitas e amorreus, em aprox. 2000 a.C. Dessa forma, os sumérios não eram mais considerados uma nação, embora sua língua continuasse a ser usada até o século III a.C.

3. Sem. Nesse ramo da humanidade, somente alguns nomes podem ser identificados com uma razoável certeza. Elão era o vizinho mais oriental, e tinha sido rival dos reinos da Mesopotâmia desde o alvorecer da história. Embora a língua elamita não fosse semítica, ela foi incluída aqui por razões políticas e geográficas. O rei semita Sargão de Agade conquistou Elão em aprox. 2200 a.C., e estabeleceu algumas de suas tropas de língua semítica nessa região (Archer, SOTI, p. 203). O nome Assur nos é familiar como a nação dos assírios. Lingüisticamente falando, eles pertenciam ao ramo oriental da família de língua semítica. Tornaram-se politicamente importantes logo depois de 2000 a.C. Por volta de 1900, mercadores da capital, Assur, estabeleceram algumas colônias comerciais na distante Anatólia. O reino assírio de Shamshi-Adade I (aprox. 1800 a.C.) foi pouco mais tarde derrotado por Hamurabi da Babilônia, e a influência assíria estava bastante enfraquecida nos dias de Moisés.

O nome da Babilônia está estranhamente ausente de Gênesis 10, a não ser que apareça nas três últimas letras hebraicas do nome etimologicamente difícil de Arfaxade (v. 24). Esse nome pode ser analisado como *Arip* (um nome hurriano), mais *kasd* (os kasdim ou caldeus, isto é, os babilônios; veja IDB, I, 231). Entretanto, a ausência da Babilônia pode ser explicada pela destruição da cidade pelos heteus, em aprox. 1600 a.C., e pela subseqüente conquista de todo o seu território nos séculos seguintes pelos cassitas. Dessa forma, a Babilônia não era uma nação politicamente independente quando a Tábua das Nações foi escrita.

Arã é conhecido através dos arameus, um grupo de tribos localizado no meio do distrito do Eufrates. Eles haviam ocupado Harã na época de Abraão. Labão falava o aramaico, uma língua semítica ocidental, em aprox. 1900 a.C. (Gn 31.47), embora as primeiras palavras da língua aramaica a aparecer em textos fora da Bíblia tenham ocorrido no século XV a.C., nas tábuas ugaríticas. Uma colônia chamada Arami, na região do Tigre oriental, a leste da Assíria e a noroeste de Elão, foi mencionada em inscrições de Sargão e Ur III (2300-2000 a.C.) correspondendo ao agrupamento de Arã com Elão e Assur em Gênesis 10.22. *Veja* Arã, Arameus.

Uz (v. 23) estava localizada em algum lugar da Síria, ou ao norte do deserto da Arábia, ao norte de Edom e ao sul de Damasco. Más estava situada no lado oriental daquele deserto, conhecido nos registros assírios como *Mas'a* (ANET, pp. 283ss.).

A genealogia desde Sem até Pelegue (vv. 24,25) encontra-se repetida mais detalhadamente em Gênesis 11.10-17. Em relação a Éber, como o assim chamado ancestral "epônimo" do povo hebreu, e ao possível relacionamento entre Éber e os habiru, *veja* Éber 1; Povo Hebreu. A referência à divisão da terra nos dias de Pelegue (v.25), quando "foram divididas as nações na terra, depois do dilúvio" (v. 32), parece ser definitivamente uma confusão de línguas como ocorreu na Torre de Babel (Gn 11.1-9; *veja* Dispersão da Humanidade; Línguas, Confusão de).

*Listas de Nações Não-Israelitas.* O AT contém 22 listas que incluem de dois a dez nomes de povos que ocuparam a Palestina antes da conquista israelita sob a liderança de Josué. A lista mais freqüente tem sete "nações": amorreus, cananeus, heteus, perizeus, heveus, jebuseus e girgaseus. Os dois primeiros nomes representam dois grupos étnicos conhecidos. Os heteus eram remanescentes dos hatianos ou dos heteus indo-europeus se existiram enclaves ou colônias comerciais destes povos na Palestina. Os heveus podem ter sido os hurrianos, que eram mais conhecidos. Os perizeus dificilmente teriam pertencido a um povo mais importante, pois não foram mencionados em Gênesis 10. No entanto, ainda formavam uma tribo distinta no reinado de Salomão (1 Rs 9.20,21). Podem ter sido hurrianos porque um mensageiro hurriano do rei Mitano Tushratta tinha o nome de Pirizzi (Cartas de Amarna, números 27 e 28). Os dois últimos nomes são discutidos no tópico da Tábua das Nações.

O texto em Gênesis 15.18-21 dá uma relação maior de povos e tribos, situando-os geograficamente entre o Nilo e o Eufrates. Além dos que já foram discutidos, estão os queneus, quenezeus, cadmoneus e os refains. Os queneus eram uma tribo de Canaã que parece ter se misturado com os midianitas, porque Jetro era chamado de queneu e também de midianita (cf. Jz 1.16 com Nm 10.29). Alguns deles podem ter sido tanoeiros itinerantes, porque a palavra hebraica *qayin* quer dizer "ferreiro". Os quenezeus formavam uma tribo obscura, talvez relacionada com os queneus, com os quais Calebe (Nm 32.12) e Otniel (Js 15.17; 1 Cr 4.13) tiveram alguma ligação. Os cadmoneus (*qadmoni*) são sinônimos de "filhos do Oriente" (*b^e^ne qedem*; Gn 29.1; Jz 6.3,33; 1 Rs 4.30; Jó 1.3). O último termo cobre as tribos nômades que perambulavam pela região leste e noroeste de Canaã (Jr 49.28; Ez 25.4,10). *Veja* Filhos do Leste. Os refains formavam um povo forte, tão alto quanto os anaquins (Dt 2.20,21), e viveram na Transjordânia (Gn 14.5; Dt 2.11; 3.11).

A literatura do AT é muito rica em referências descritivas e poéticas às nações com as quais Israel teve contato durante sua história (por exemplo, Sl 83; Is 11.11-16; 60.1-9; 66.18-20; Jr 25.12-33; Ez 27). Muitas das mensagens proféticas são oráculos de castigos contra os povos hostis que se aproveitaram do pequeno reino de Judá (Is 13–23; Jr 46–51; Ez 25–32; Am 1.3–2.3; Ob; Na; Sf 2.4-15). Em nenhum momento pode ser demonstrado que houve um preciso e factual erro histórico nos nomes dos povos ou de seus governantes, ou mesmo nos eventos e costumes a eles associados.

*Os judeus da Diáspora.* Em Atos 2.9-11, encontra-se uma relação dos vários países onde os judeus foram viver após terem sido dispersos, depois da época de Alexandre o Grande. Eles vinham de todas essas terras como peregrinos a Jerusalém para a Festa Anual das Semanas ou do Pentecostes. Os judeus estrangeiros ficavam admirados quando ouviam os judeus da Galiléia louvar a Deus, não em sua língua aramaica nativa, mas na língua ou dialeto em que nasceram (gr., *dialektos*). Eles vinham da Pérsia, Mesopotâmia, Ásia Menor, Egito, norte da África, Roma, das ilhas (cretenses), e das regiões desérticas (árabes). A maioria dos peregrinos podia falar uma segunda língua usada em Jerusalém, ou grego ou aramaico (os partos, medos, elamitas e residentes da Mesopotâmia estariam mais familiarizados com essa última).

**A Preocupação Divina com as Nações**

*A responsabilidade de Israel.* Sob as alianças de Deus com Abraão e Moisés, os judeus tinham uma responsabilidade outorgada por Deus em relação às outras nações. Deus escolheu o patriarca Abraão (Is 51.2) e com ele fez um pacto para abençoar todas as nações da terra (Gn 12.3; 18.18; 22.18; 26.4; 28.14). Essa promessa se tornou a base para o relacionamento com os israelitas redimidos no monte Sinai: "Agora, pois, se diligentemente ouvirdes a minha voz e guardardes o meu concerto, então, sereis a minha propriedade peculiar dentre todos os povos; porque toda a terra é minha. E vós me sereis reino sacerdotal e povo santo" (Êx 19.5,6). Um reino de sacerdotes, entre todos os povos – assim Deus consagrou Israel para a tarefa de dar testemunho entre as nações e levá-las a adorá-lo. Repetidamente, através dos profetas, o Senhor lembrou seu propósito à nação de Israel. Apesar disso, tanto Jonas, como profeta, quanto o povo em geral, ficaram surdos à sua responsabilidade na aliança (Is 42.19). Entretanto, Deus continuou chamando-os: "Vós sois as minhas testemunhas, diz o Senhor, e o meu servo, a quem escolhi" (Is 43.10). Ele previu que derramaria seu precioso Espírito sobre toda a humanidade (Jl 2.28) e que restabeleceria a decaída casa de Davi para que seu povo pudesse possuir todas as nações que são chamadas pelo seu nome (Am 9.11,12). Deus anunciou sua vinda para reunir todas as nações a fim de mostrar sua glória, e enviaria os remanescentes às distantes nações que ainda não tinham ouvido falar de sua fama, para que declarassem sua glória entre elas (Is 66.18,19). Dentre os profetas do período pós-exílico, Zacarias (2.11) e Malaquias (1.11) continuaram a publicar o desejo do Senhor de tornar todas as nações seu povo, assim como Israel. *Veja* Dispersão de Israel.

*A missão da Igreja.* Isaías profetizou que Deus encarregaria o Messias de ser a luz para as nações, a fim de que sua salvação pudesse alcançar até os confins da terra (Is 49.6; cf. 42.1-6). Quando o Senhor Jesus veio, afirmou claramente: "Ainda tenho outras ovelhas que não são deste aprisco; também me convém agregar estas, e elas ouvirão a minha voz, e haverá um rebanho e um Pastor" (Jo 10.16). Ele ensinou aos discípulos que o evangelho deveria ser pregado ao mundo todo como testemunho a todas as nações e a todas as gentes, e então virá o fim. E quando o Filho do Homem vier em sua glória, todas as nações serão reunidas diante dele para julgamento (Mt 24.14; 25.31-33).

Depois de sua ressurreição, Cristo em várias ocasiões deu aos seus seguidores a incumbência de fazer discípulos de *todas* as nações (Mateus 28.19; *veja* Comissão, A Grande). Foi necessário o derramamento do Espírito Santo, no Pentecostes, como cumprimento da profecia de Joel, para que os primitivos cristãos fossem capacitados a obedecer a ordem do Senhor Jesus (Lc 24.49; At 1.8; 2.4,16-18). Pedro anunciou que o prometido dom do Espírito Santo era para os judeus presentes no Pentecostes e seus descendentes, e também "a todos os que estão longe. a tantos quantos Deus, nosso Senhor, chamar" (At 2.38,39). A expressão "todos os que estão longe" descreve a condição espiritual dos gentios (Is 57.19; Ef 2.13,17).

O Espírito Santo guiou os apóstolos, e os cristãos primitivos, na obediência à ordem do plano estratégico de Cristo em Atos 1.8. Paulo reconheceu essa diretiva quando escreveu sobre sua obrigação: "Primeiro do judeu e também do grego" (Rm 1.16). Suas palavras finais aos líderes judeus em Roma declaram claramente que a salvação concedida por Deus havia sido enviada aos gentios, e que eles iriam responder positivamente (At 28.25-28).

João previu o dia em que os membros de todas as nações da terra estariam reunidos em volta do trono de Deus em triunfo e louvor (Ap 5.9; 7.9). As nações serão curadas (22.2) e caminharão à luz da glória de Deus e do Cordeiro, e os reis da terra trarão a glória e a honra das nações à cidade santa (21.24,26).

***Bibliografia.*** G. L. Archer, Jr., "Peoples of Bible Times", *The Holy Bible,* Family Heritage ed., Cleveland. World Publ. Co, 1968, pp. 27-32. J. M. Grintz, "On the Original Home of the Semites", JNES, XXI (1962), 186-206. E. J. Hamlin, "Nations", IDB, III, 515-523. T. C. Mitchell, "Nations, Table of", NBD, pp. 865-869. John Rea, "Nations", ZPBE (em fase de publicação). K. L. Schmidt, "Ethnos etc.", TDNT, II, 364-372. J. Simons, GTT, 1959. E. A. Speiser, "Man, Ethnic Divisions of", IDB, III, 235-242; *Genesis,* Anchor Bible, Garden City. Doubleday, 1964. H. Strathmann e R. Meyer, *"Laos",* TDNT, IV, 29-57.

J. R.

**NACOM** Um benjamita em cuja eira Uzá foi mortalmente ferido por ter tocado na arca (2 Sm 6.6,7); também chamado de Quidom (1 Cr 13.9).

**NADABE**

1. Filho primogênito de Arão (Êx 6.23). Juntamente com Moisés, Arão, os anciãos de Israel e seu irmão Abiú, Nadabe estava presente no monte Sinai quando Deus se revelou (Êx 24.1-9). A consagração de Arão e de seus quatro filhos ao sacerdócio, com suas respectivas vestimentas, está descrita em Êx 28.1-43. Ele e seu irmão Abiú foram assassinados porque ousaram oferecer "fogo estranho" no altar do incenso, dentro do Tabernáculo (Lv 10.1-3). Como depois deste incidente foi mencionada a proibição ao vinho (Lv 10.8,9), alguns concluíram que o pecado deles tenha sido a embriaguez. Outros acreditam que a maneira pela qual apresentaram o incenso era ilícita, porque somente um sacer-

dote de cada vez tinha permissão para entrar no lugar santo. Também foi sugerido que os dois desejavam entrar no Santo dos Santos, quando o fogo de Deus os matou. Nadabe não deixou nenhum descendente (Nm 3.4).
2. Descendente de Jerameel, filho de Samai e pai de Selede e Apaim (1 Cr 2.27-30).
3. Um dos filhos de Jeiel, o primeiro colonizador israelita em Gibeão pertencente à tribo de Benjamim (1 Cr 8.29-31; 9.36).
4. Filho e sucessor de Jeroboão I, que reinou em Israel durante dois anos (1 Rs 14.20; 15.25,26). Ele seguiu o precedente de seu pai "no seu pecado com que tinha feito pecar a Israel", estimulando a adoração idólatra a bezerros em Betel e Dã. Durante seu curto reinado, ele sitiou Gibetom, uma cidade dos filisteus e, nessa ocasião, foi atacado por um rebelde de seu próprio exército chamado Baasa. No conflito que se seguiu, Nadabe foi assassinado e Baasa reinou em seu lugar (1 Rs 25.27-31). Com sua morte, terminou a dinastia de Jeroboão I, como havia sido previsto pelo profeta Aías (1 Rs 14.7-16).

G. A. T.

**NAFIS** Décimo primeiro filho de Ismael (Gn 25.15; 1 Cr 1.31; 1 Cr 5.19) e fundador de um clã contra o qual as tribos israelitas do leste do Jordão fizeram guerra e venceram. Esse clã não é mencionado nos registros posteriores, e nem é possível fazer sua identificação.

**NAFTALI** Sexto filho de Jacó e o segundo de seus dois filhos com Bila, a serva de Raquel (Gn 30.4-8; 35.25). Dã era seu irmão mais velho. Seu nome pode ser interpretado como "minha disputa" porque Raquel havia lutado com sua irmã Léia, que tinha filhos, enquanto ela permanecia estéril (Gn 30.8). Naftali foi ao Egito como parte da família patriarcal de seu pai, acompanhado por quatro filhos (Gn 46.24; 1 Cr 7.13).
Jacó expressou apenas uma profecia sobre o futuro de Naftali (Gn 49.21): "Naftali é uma cerva solta; ele dá palavras formosas". A tradução e o significado dessa frase têm sido discutidos, embora a expressão "palavras divinas" possa antecipar o cântico de Débora e Baraque (Jz 5), sendo que esse último descendia de Naftali.
Quando foi realizado o primeiro censo no deserto, a tribo de Naftali tinha 53.400 guerreiros (Nm 1.43; 2.30), e estava em sexto lugar. No segundo censo, realizado depois da praga (26.1,2), o número de homens que tinham de 20 anos para cima havia diminuído para 45.400 (26.50) e assim esta tribo havia passado para o oitavo lugar. A tribo ocupava uma posição ao norte do Tabernáculo, junto com Aser, e estavam cada uma de um lado de Dã (Nm 2.25-31). Quando os israelitas marchavam, o acampamento de Dã vinha na retaguarda (2.31).
O território destinado a Naftali estava localizado no norte da Palestina (Js 19.32-39). Sua fronteira oriental era o mar da Galiléia e os limites superiores do Jordão; na fronteira ao sul estavam Issacar e Zebulom; e na fronteira ocidental, Zebulom e Aser (19.34). São mencionadas dezenove cidades fortificadas (19.35-38), inclusive Hazor (*q.v.*), a maior cidade da Palestina daquela época. Três cidades foram destinadas à família levita de Gérson; Quedes na Galiléia, Hamote-Dor e Cartã (Js 21.6,32; 1 Cr 6.62,76), sendo que essa última também era uma cidade de refúgio (Js 20.7). Naftali não expulsou os cananeus de duas cidades, Bete-Semes e Bete-Anate, mas submeteu-os a trabalhos forçados (Jz 1.33).
Durante o período dos juízes, os naftalitas lutaram sob a direção de Débora e Baraque. O próprio Baraque, de Quedes de Naftali (Jz 4.6,10) foi louvado por sua coragem no cântico de Débora (5.18). Eles também responderam a Gideão (6.35; 7.23). Trinta e oito mil vieram a Davi em Hebrom para ajudá-lo na luta contra Isbosete (1 Cr 12.34,40).
A cidade de Naftali foi destruída por Ben-Hadade, rei da Síria (1 Rs 15.20; 2 Cr 16.4). Seus habitantes foram os primeiros da margem ocidental do Jordão a serem levados cativos por Tiglate-Pileser III, rei da Assíria (2 Rs 15.29).
Isaías faz alusão a essas calamidades e promete uma grande luz nas trevas (Is 9.1ss.). Esta profecia se cumpriu quando Jesus veio e viveu na Galiléia, nas fronteiras com Zebulom e Naftali (Mt 4.12-17). Em Apocalipse 7.6, também há uma referência aos habitantes de Naftali.

G. W. K.

**NAFTUIM** Quarto filho de Mizraim, filho de Cam, relacionado apenas nos registros genealógicos como parte da divisão da família camita que ocorreu depois do Dilúvio (Gn 10.13; 1 Cr 1.11). Várias sugestões foram apresentadas para justificar esse nome, mas continua sendo impossível fazer uma identificação positiva. Com toda a probabilidade, a família dessa tribo se estabeleceu no Egito, ou um pouco a oeste dessa nação.

**NAG HAMMADI** *Veja* Chenoboskion

**NAGAI** Listado em Lucas 3.25 como um dos ancestrais de Jesus.

**NAIM** Cidade onde Jesus ressuscitou o filho de uma viúva. Ele interrompeu o cortejo fúnebre e restituiu o jovem à sua mãe (Lc 7.11). Essa cidade, que ainda hoje conserva o nome de Nein, está localizada no declive norte do antigo outeiro de Moré (Jz 7.1), cerca de 10 quilômetros a sudeste de Nazaré. Atualmente, existe um pequeno santuário chamado "O lugar de Nosso Senhor Jesus Cristo" que comemora sua visita.

**NAIOTE** Aparentemente, uma área de Ramá e não uma cidade independente. Por essa palavra significar algo como "lugares de moradia", ela pode ter se referido a um lugar de vida comum ou um mosteiro para um grupo de profetas a quem Samuel forneceu inspiração e liderança. Cf. uma colônia semelhante ou uma escola sob a direção de Eliseu (2 Rs 6.1-7). A referência a Naiote está limitada a 1 Samuel 19.18-20.1. Foi nesse lugar que Davi reuniu-se com Samuel quando fugiu de Saul. Saul enviou mensageiros para capturar Davi, mas estes começaram a "profetizar" sob a influência da companhia dos profetas, como o próprio Saul quando acompanhou seus homens a Naiote. Davi então fugiu desse lugar para encontrar-se com Jônatas (1 Sm 20.1).

**NAOR**
1. Filho de Serugue, pai de Tera e avô de Abraão; ele viveu 148 anos (Gn 11.22-29; 22.20, 23; Lc 3.34).
2. Filho de Tera e irmão de Abraão (Js 24.2). Ele se casou com Milca, a filha de seu irmão Harã, e com ela teve oito filhos. Dentre eles estava Betuel, pai de Rebeca e de Labão (Gn 11.26-29; 22.20,23; 24.10,15, 24,27; 29.5). Quando Abraão deixou Ur, toda a sua família o acompanhou à região de Harã. A fé idólatra de Naor está sugerida no pacto entre Labão e Jacó, quando juraram pelo Deus de Abraão e pelo deus de Naor (Gn 31.53; Anchor Bible, p. 243; cf. Js 24.2).
A "cidade de Naor" (Gn 24.10) era considerada, antigamente, como sendo Harã. Entretanto, pode ter sido uma colônia próxima, talvez fundada por Naor. As tábuas de Mari (século XVIII a.C.) mencionam freqüentemente *Nahur* como uma cidade a leste ou ao sul de Harã.

**NARCISO** Em Romanos 16.11, Paulo saúda os cristãos que fazem parte da família de Narciso. Embora esse nome fosse muito comum em Roma nessa época, pode ser que ele fosse o rico e proeminente escravo liberto que servia ao imperador Cláudio, e que foi condenado à morte por Nero logo depois que a Epístola aos Romanos foi escrita. Se assim for, isso serve para indicar como os cristãos estavam passando a fazer parte da casa dos oficiais mais graduados daquela época.

**NARDO** *Veja* Plantas: Espinacardo.

**NARIZ CHATO** *Veja* Doença.

**NARIZ, NARINAS** Este é o órgão através do qual respiramos (Nm 11.20). Desse modo, Deus soprou nas narinas do homem "o fôlego da vida" (Gn 2.7). O nariz também é o órgão para do olfato (Sl 115.6; Is 65.5). Era o lugar onde se colocava a argola ornamental (Gn 24.47; Is 3.21; Ez 16.12) e a argola ou anzol do cativo (2 Rs 19.28; Is 37.29).
A mesma palavra heb. é usada para denotar a face, uma vez que o nariz é a característica mais proeminente do rosto (Gn 19.1; Nm 22.31; 1 Rs 1.23,31). A palavra também significa ira, uma vez que esta é, às vezes, expressa por uma respiração difícil (Gn 27.45; 49.6,7; Êx 32.12; Dt 9.19; Pv 22.24).

**NASCER DE NOVO (ou RENASCER).** Renascer significa experimentar a obra criativa e que traz vida, que é realizada pelo Espírito Santo. Ele regenera (Jo 3.5) aqueles que estão mortos em transgressões e pecados para que possam ser espiritualmente vivificados (Ef 2.1,5) e transformados de filhos do Diabo (Jo 8.44; Ef 2.2,3) em filhos e filhas de Deus (Jo 1.12; Rm 8.16,17). Ao nascer novamente, a pessoa se torna participante da natureza divina de Cristo (Gl 2.20; Ef 2.10; Cl 1.27; 1 Pe 1.23; 2 Pe 1.4).
São várias as interpretações da expressão "nascer da água e do Espírito" (Jo 3.5). (Para mais detalhes, veja os comentários.) Tanto no Evangelho de João (veja 1.33; 7.37-39) como no AT (veja Ez 36.25-27; Is 44.3) esses dois elementos aparecem reunidos. Nos dias de Nicodemos, o ministério de João Batista, que enfatizava a purificação através do arrependimento e da vinda do Espírito, fora bastante ilustrativo. A água era o sinal; a obra de purificação pelo Espírito era o significado literal. Ambas são importantes e, em conjunto, complementam o conceito de arrependimento e fé (At 20.21) que traz a salvação.
*A necessidade do novo nascimento.* Deus preveniu Adão e Eva que no dia em que se rebelassem contra Ele, pela desobediência aos seus mandamentos, morreriam (Gn 2.17). Eles morreram espiritualmente, quando comeram do fruto proibido (Rm 5.12), com a conseqüência de que, a despeito do quanto seus descendentes pudessem vir a ser moralmente justos e obedientes às leis, cada homem, em seu coração, seria totalmente pecador e depravado. O homem passaria a ter uma natureza decaída e, por estar cego em relação ao pecado, seria incapaz de se salvar (Jo 3.6; Sl 51.5; 1 Co 2.14; Rm 8.7,8) e, por isso, precisaria ser purificado de seus pecados para que tivesse sua salvação pessoal (Sl 51.7; Mt 26.28; Jo 13.8; Tt 3.5; Hb 1.3; 10.14).
Cristo explicou a Nicodemos, membro da suprema corte dos judeus (o Sinédrio) e um dos principais teólogos de sua época, que deveria necessariamente nascer de novo (ou "de cima" como alguns traduziram o termo *anothen* em João 3.3-7). Pois "o que é nascido da carne é carne" – através de nossos pais experimentamos o nascimento físico e entramos no mundo como seres humanos, e "o que é nascido do Espírito é espírito" – através do Espírito Santo recebemos um nascimento espiritual e nos tornamos filhos de Deus.

*Os testes do novo nascimento.* Uma das razões pelas quais os homens às vezes ignoram a doutrina do novo nascimento, é que não perceberam que esse fato está evidenciado não só em João 3, mas também em 1 João. Em sua epístola, João aborda mais profundamente o assunto do novo nascimento e revela os sinais ou provas pelos quais um homem pode saber se realmente nasceu de novo (1) Esse homem não vive em pecado (1 Jo 3.9; 5.18). (2) Ele sente um verdadeiro amor cristão pelos semelhantes (4.7,20; cf. 3.14,15), particularmente pelos irmãos cristãos (5.1). (3) Ama a Deus e obedece aos seus mandamentos (5.2,3). (4) Vence o mundo, isto é, vive uma vida cristã vitoriosa (5.4,5). Quando essas evidências estão ausentes, o homem não passa de um cristão nominal, e portanto não foi salvo, ou é um cristão que está vivendo uma vida frustrada e de derrotas. *Veja* Nova Criatura; Regeneração.

***Bibliografia.*** F. Büchsel e K. H. Rengstorf, "*Gennao* etc.", TDNT, I, 665-675. Herman A. Hoyt, *The New Birth,* Findlay, Ohio. Dunham Pub. Co., 1961.

R. A. K. e W. M. D.

**NASCIDO EM CASA** *Veja* Serviço.

**NASCIMENTO VIRGINAL DE CRISTO** *Veja* Encarnação.

**NASOM** *Veja* Naassom.

**NATÃ**

1. Filho de Atai e pai de Zabade do clã de Jerameel da tribo de Judá (1 Cr 2.36).
2. Terceiro filho de Davi e Bate-Seba, nascido depois do inicio de seu reinado em Jerusalém (2 Sm 5.14; 1 Cr 3.5; 14;5). Ele é um dos ancestrais de Cristo (Lc 3.31). Seu ramo na linhagem de Davi parece que também foi reconhecido como muito importante na época do profeta Zacarias (Zc 12.12).
3. Habitante de Zobá, que era pai de Igal e irmão (a LXX diz "pai") de Joel. Tanto Igal como Joel faziam parte dos poderosos do exército de Davi (2 Sm 23.36; 1 Cr 11.38).
4. Profeta e cortesão nos reinados de Davi e Salomão. Dois de seus filhos, Azarias e Zabude, foram muito importantes na corte de Salomão (1 Rs 4.5), com base na suposição de que o Natã deste verso seja o profeta. Esse Natã exerceu um importante papel em três conjunturas críticas.

*a.* Em relação à casa do Senhor (2 Sm 7.1-17; 1 Cr 17.1-15). Davi confiou a Natã seu desejo de construir a casa do Senhor como um lugar permanente para a arca da aliança. A resposta de Natã foi entusiasmada e encorajadora, mas naquela noite o Senhor enviou uma mensagem ao profeta, destinada ao rei, e que pode ser resumida em duas declarações: "Você não irá construir a minha casa, mas eu construirei sua casa"; e, "Você não irá construir a minha casa, mas um de seus filhos a construirá". Não se pode desprezar o elemento messiânico dessa mensagem. A casa de Davi, que Deus prometeu construir, era a "casa" messiânica no sentido de uma linhagem ou dinastia, pois, certamente ,2 Samuel 7.16 vai além do reinado de Salomão.

*b.* Em relação ao pecado de Davi (2 Sm 12.1-15). O duplo pecado de Davi – o adultério com Bate-Seba e o assassinato de seu marido Urias "com a espada dos filhos de Amom" – exigia uma repreensão. Natã foi o mensageiro escolhido. Sua parábola despertou o senso de justiça de Davi, de modo que sua aplicação foi clara. O arrependimento de Davi garantiu o perdão divino, mas as terríveis conseqüências desses atos não poderiam ser evitadas. Entretanto, houve uma redução de seus efeitos para Bate-Seba, já que um de seus filhos, Salomão, foi nomeado herdeiro do trono. O texto em 2 Samuel 12.25 parece significar que Deus enviou Natã a Davi para conferir o nome de Jedidias ("amado por Jeová") a Salomão.

*c.* Em relação à sucessão de Salomão (1 Rs 1.5-48). Davi estava próximo da morte e não havia anunciado oficialmente o herdeiro de seu trono. Adonias, um meio-irmão de Salomão, planejou um golpe súbito do qual Natã foi informado. Ele enviou Bate-Seba ao enfermo monarca para lembrar-lhe que prometera nomear Salomão como sucessor. Enquanto Bate-Seba estava em audiência, Natã juntou-se a ela para revelar a Davi o plano de Adonias. O rei então deu ordem para a unção e entronização de Salomão sob a responsabilidade de Natã, o profeta, e de Zadoque, o sacerdote. Dessa forma, o profeta se mostrou um homem de ação, assim como um portador da mensagem divina.

Natã também tomou parte no desenvolvimento da música do Templo (2 Cr 29.25), além de ter escrito a história do reinado de Davi (1 Cr 29.29) e, também, pelo menos uma parte da história do reinado de Salomão (2 Cr 9.29). Portanto, partes de suas crônicas destes reinados podem ter sido incluídas nos livros canônicos de Reis e Crônicas.

5. Pai de Azarias, um alto oficial de Salomão (1 Rs 4.5). Ele pode ser o Natã, pai de Zabude, um sacerdote e confidente de Salomão (1 Rs 4.5). Também é possível que seja a pessoa mencionada nos itens 3 ou 4 acima.
6. Chefe enviado por Esdras de seu acampamento no rio Aava, até a colônia de judeus em Casifia, para obter ministros para a casa de Deus (Ed 8.16). É possível que ele seja o Natã que expulsou sua esposa pagã (Ed 10.39).

E. M. B. e J. C. M.

**NATAL** Os turistas que fazem a peregrinação de Natal a Jerusalém e a Belém surpreendem-se ao descobrir que ali o Natal é comemorado em três dias diferentes. Os católicos romanos, e a maioria dos protestantes,

comemoram no dia 25 de dezembro. A Igreja Ortodoxa Oriental comemora no dia 6 de janeiro, ao passo que a Igreja Armênia comemora no dia 19 de janeiro.
Não existe evidência para a comemoração no dia 25 de dezembro antes de aprox. 300 d.C. Supõe-se que Hipólito, em seu comentário sobre Daniel, tenha sido o primeiro a registrar a data. Ele acreditava que desde a concepção até a crucificação de Cristo passaram-se exatamente trinta e três anos, e que os dois acontecimentos ocorreram no dia 25 de março. Isto faria com que o nascimento, ocorrido nove meses mais tarde, coincidisse com o dia 25 de dezembro. A fraqueza dessas premissas é óbvia. No século III, alguns preferiam dizer que o dia do nascimento do Senhor Jesus teria sido 18 ou 19 de abril; outros defendiam a hipótese do dia 28 de março. A. H. Newman diz: "O primeiro registro da comemoração do dia 25 de dezembro como uma festa da Igreja está no calendário filocaliano (reproduzido em 354, mas representando a prática romana em 336)" (SHERK, III, 47).
Uma objeção sempre levantada contra a comemoração do Natal é a de que se trata simplesmente da cristianização do antigo festival pagão do sol. Mas a ligação desse festival com o nascimento do Sol da Justiça pode ter sido intencional (HDCG, I, 261).

R. E.

**NATÃ-MELEQUE** Oficial judeu (mordomo, ou eunuco), diante de cujas acomodações, na entrada do Templo, o rei Josias removeu os cavalos que os antigos reis de Judá haviam dedicado ao sol (2 Rs 23.11).

**NATANAEL** Ele é tradicionalmente considerado como um dos Doze, embora não apareça um apóstolo com esse nome nas listas contidas nos Evangelhos Sinóticos (Mt 10.1-4; Mc 3.16-19; Lc 6.13-16). No Evangelho de João (Jo 1.45-49) Filipe conduziu Natanael a Jesus, afirmando que Ele era o Messias prometido. Nos Evangelhos sinóticos (Mateus, Marcos e Lucas) seu nome é Bartolomeu, um dos Doze, mas ele não é assim listado em João. Natanael tem sido geralmente identificado com Bartolomeu (filho de Talmai) e é provável que esse tenha sido apenas seu sobrenome; portanto, Natanael Bartolomeu, assim como no caso de Simão Barjonas. Os dois nomes eram usados de modo alternativo pelos patriarcas da Igreja.
Lembrando a associação de Filipe com Natanael, em João, deve-se observar também que Bartolomeu é mencionado por cada um dos três primeiros evangelistas, imediatamente depois de Filipe, e que em Lucas ele é associado a Filipe da mesma maneira que Simão é associado a seu irmão André, e Tiago a seu irmão João.
O encontro de Natanael com o Senhor Jesus é muito significativo, e pouco comum no registro do evangelista. A relutância em aceitar alguém de Nazaré como sendo o Messias tem sido considerada como a conseqüência do mesquinho ciúme existente entre Nazaré e Caná, presumivelmente a cidade de Natanael. Por causa de sua imediata resposta a Jesus, pode parecer que sua hesitação foi, antes, provocada pelo fato de Nazaré não estar mencionada no AT e porque, certamente, não seria um lugar que pudesse ser a terra natal de um Messias. Jesus elogiou a integridade desse homem que, em conseqüência da discussão, chamou o Senhor de "Filho de Deus" e "rei de Israel", em uma conversa que, sob vários aspectos, pode parecer misteriosa. *Veja* Bartolomeu.
Outros homens são mencionados no AT sob a forma hebraica de Netanel (*q.v.*).

H. L. D.

**NATIVIDADE DE CRISTO** *Veja* Natal; Encarnação; Jesus Cristo.

**NATURAL, NATUREZA**
1. Em hebraico, *leah*, "frescura", "umidade", "a maciez da juventude". Em Deuteronômio 34.7, sua única ocorrência no AT, essa palavra foi traduzida com o sentido de "força natural" na frase "seus olhos nunca se escureceram, nem perdeu ele seu vigor". Embora tivesse 120 anos quando morreu, não se definhara em Moisés a vitalidade.
A palavra *lh* foi encontrada duas vezes nas tábuas ugaríticas com o significado de vigor ou força da vida (cf. ANET, p. 150, col 1, 1.30).
2. Em grego, a palavra *genesis* significa "origem", "nascimento", "ganhar vida", "natural", no curso da natureza, com seu ciclo de desenvolvimento. Foi usada no sentido de olhar a origem de alguém ou a natureza em um espelho e ver sua idade refletida (Tg 1.23) e a vida (a nossa vida) como um ciclo progressivo (Tg 3.6).
3. A palavra grega *psychikos* quer dizer "natural", "sensual", e tem a natureza e as características comuns à vida animal. Dessa forma, temos o contraste entre o corpo natural e o espiritual (1 Co 15.44,46) e o equivalente à carne e sangue (v. 50). Em 1 Coríntios 2.14 ela é usada para exprimir o homem que não é salvo ou regenerado em contraste com o homem redimido, "O homem natural não compreende as coisas do Espírito de Deus". Ele está sujeito aos seus próprios apetites e paixões e não pode entender a verdade divina.
4. A palavra grega *physis* quer dizer "natureza"; *physikos* significa "aquilo que foi produzido pela natureza", "natural" (Rm 11.21,24). Alguns homens são judeus pelo nascimento natural (Gl 2.15). Paulo fala de homens e mulheres abandonando o papel normal do sexo encontrado na natureza (Rm 1.26,27). Pedro e Judas falam sobre aqueles que agem como animais (2 Pe 2.12; Jd

10). Não existe uma moral implantada que os gentios possam obedecer instintivamente ou "pela natureza" (Rm 2.14). No entanto, todos os homens são, por natureza ou pela sua condição natural, "filhos da ira" e sujeitos ao terrível castigo de Deus (Ef 2.3). Em Cristo nos tornamos participantes da natureza divina, compartilhando a presença e a comunhão com o próprio Deus (2 Pe 1.4). Dessa forma fomos libertos desses seres que em sua natureza não são deuses (Gl 4.8), e que são meramente espíritos inferiores ou demônios (v. 9).

R. A. K.

**NAUM** Sua única referência no NT (Lc 3.25) inclui Naum como um ancestral de Cristo, por ser filho de Esli e pai de Amós.

**NAUM, LIVRO DE**

**Lugar no Cânon**

Naum é o sétimo na ordem dos Profetas Menores, na segunda divisão do cânon hebraico. A Septuaginta (LXX) coloca Naum imediatamente depois de Jonas, pois ambos censuraram Nínive, capital da Assíria.

**Autoria**

O autor Naum veio de Elcos, uma cidade desconhecida identificada várias vezes como Elquesi, da Galiléia, ou como Cafarnaum (literalmente, "vila de Naum"), ou ainda como Elcesei de Judá.

A autoria de seu livro não foi questionada até o século XIX, quando uma data pós-exílica foi designada pelos críticos, levando em conta as seguintes bases desprovidas de fundamento. Que a presença de um poema acróstico (1.2-10) indicava uma autoria posterior (Pfeiffer); que essa é uma liturgia profética constituída por quatro poemas litúrgicos (Haupt); que o livro tem um motivo religioso revestido de forma histórica (Mowinckel), onde ambos celebram a queda de Nínive. A única maneira pela qual um poema acróstico poderia ser elaborado é emendando grosseiramente o texto. O texto destrói as teorias litúrgicas e de abordagem religiosa porque sua mensagem olha para o futuro e não para a ultrapassada derrota de Nínive.

**Data**

A partir de 3.8ss., a profecia pode ser datada com muita precisão na segunda metade do século VII a.C. Naum refere-se à destruição de Tebas (No-Amon), no Alto Egito, pelo rei da Assíria em 663 a.C. E como a queda de Nínive foi prevista para acontecer no futuro, a data de Naum se encontra entre 663 e 612 a.C., data da derrota da capital assíria determinada pela crônica babilônica.

**Título e Tema**

"O castigo de Deus sobre a Nação (Nínive) pelos pecados de orgulho, opressão, adultérios e feitiçaria". O tema está bem explícito em 1.2, que mostra que o Senhor vinga-se de seus adversários. Naum estava tão preocupado com a justiça e o poder de Deus na história quanto Amós e Isaías. O grande poder militar de sua época logo seria destruído sem possibilidade de recuperação.

**Esboço e Comentários**

I. O Caráter e a Majestade do Senhor em Relação ao Seu Juízo, Cap. 1
II. O Cerco e a Queda de Nínive, Cap. 2.
II. Razões para a Queda de Nínive, Cap. 3.

A profecia começa com um tema (em hebraico *massa'*, 1.1) que é um oráculo ameaçador sobre o justo e zeloso Deus que se vingará de Nínive pela sua opressiva crueldade contra seu povo.

O capítulo 2 retrata com nitidez o cerco e a derrota de Nínive por homens vestidos de vermelho que em suas bigas iriam atacar as portas da cidade. Eles seriam ajudados por chuvas torrenciais que levariam embora parte da cidade, como indica a notável previsão em 2.6. Portanto, os medos e os babilônios capturaram uma cidade parcialmente inundada.

O capítulo 3 revela que Nínive havia sido derrotada por causa de sua crueldade, prostituição, impenitência e feitiçaria. Assim como Nô-Amom (Tebas) foi derrotada, isso também aconteceria com a capital assíria, e nem suas fortificações, nem seus oficiais e nobres poderiam ser considerados para sua libertação.

***Bibliografia.*** Oswald T. Allis, "Nahum, Nineveh, Elkosh", EQ, XXVII (1955), 67-80. W. J. Deane, *Nahum, The Pulpit Commentary,* ed. por H. Spence e J. Excell, Londres e Nova York. Funk & Wagnalls, 1913. Charles L. Feinberg, "Nahum", WBC, pp. 863-969. Hobart E. Freeman, *An Introduction to the Old Testament Prophets,* Chicago. Moody Press, 1968, pp. 225-231. A. Haldar, *Studies in the Book of Nahum*, Uppsala. Lundequistska, 1947. R. K. Harrison, *Introduction to the Old Testament,* Grand Rapids. Eerdmans, 1969, pp. 926-930. Walter A. Maier, *The Book of Nahum, A Commentary*, St. Louis. Concordia, 1959.

D. S.

**NAVALHA** *Veja* Cabelo; Ocupações: Barbeiro.

**NAVIOS** Os navios e a frota mercante têm sido conhecidos desde tempos muito antigos. Já em 3500 a.C. navios com velas quadradas e popa bipartida (para sustentar a pá do leme) foram retratados nas pinturas egípcias ou modelados para uso em tumbas. Na época de Snefru no Reino Antigo (2650 a.C.) grandes navios com mais de 50 metros de comprimento se ocuparam do comércio en-

Modelo de um navio marítimo egípcio de aprox. 2500 a.C. Departamento de Clássicos, Universidade de Nova Iorque

tre o Egito e Biblos, na Síria (ANET, p. 227). De um selo cilíndrico vem a evidência de que barcos com proa e popa altas foram usados na Assíria já em 3200 a.C. (ANEP #104). O Wen-Amon egípcio conta em detalhes a viagem de Tânis a Dor, e de Tiro a Biblos para conseguir madeira em aprox. 1100 a.C. (ANET pp. 25-29; cf. ANET #111).

Embora os israelitas estivessem familiarizados com os navios e a navegação, eles não eram um povo marítimo. A falta de bons portos naturais no Mediterrâneo ao sul do monte Carmelo, e a presença de povos marítimos estrangeiros (filisteus e fenícios), mantiveram os israelitas afastados do mar durante a maior parte do tempo. As escavações no pequeno porto em Tell Abu Hawam na foz do rio Quisom, perto de Haifa, tendem a confirmar, porém, que Aser "se assentou nos portos do mar e ficou nas suas ruínas" (Jz 5.17; cf. Gn 49.13). Somente durante o reinado de Salomão (1 Rs 9.26-28; 10.22) Israel se engajou no comércio nos altos mares, porém nem tanto dos portos mediterrâneos como de Eziom-Geber (*q.v.*) no golfo de Ácaba. Josafá tentou fazer reviver os dias áureos da marinha de Israel (1 Rs 22.47,48), mas a frota naufragou em Eziom-Geber.

Apesar de não se envolver fortemente no comércio marítimo, os israelitas estavam familiarizados com a terminologia relacionada aos navios no mar. Vários termos são usados para navios no AT. O termo mais comum, *'oniyya* (por exemplo, Jn 1.3; 1 Rs 9.26), pode ser relacionado ao indo-europeu *naus*, *navis*. Uma outra palavra significando "navio coberto", *s[e]pina*, ocorre apenas em Jonas 1.5, mas é comum em aramaico e em árabe. Uma palavra emprestada do Egito para navio, *si*, é encontrada em Números 24.24; Isaías 33.21; Ezequiel 30.9 e Daniel 11.30. Um outro termo geral, *k[e]li*, "vaso", é usado como uma referência a um navio de papiro ou junco em Isaías 18.2 (*veja* Papiro; ANEP #109).

"Naus de Társis" (1 Rs 10.22; Is 2.16; Ez 27.25) refere-se aos grandes navios marítimos capazes de transportar cargas pesadas. O termo "Társis" (*q.v.*), que é uma palavra fenícia, significando "mina" ou "local de fundição" (W. F. Albright, BASOR #83 [1941], pp. 21ss.), provavelmente se refere a Tártessus na Sardenha ou à antiga Tártessus, uma colônia fenícia em Guadalquivir, na região sudoeste da Espanha. Para uma fotografia colorida do modelo de um navio fenício do século VIII a.C. deste tipo (com 20 remos, um ninho de corvo em um único mastro alto na metade do navio, remo de direção, e proa e popa altas), veja VBW, II, 222ss.

Embora o AT relate a história de um grande navio que poupou oito pessoas do Dilúvio, a arca de Noé (*teba*), estritamente falando, não pode ser classificada como um navio. Ela não era nada mais que uma grande casa flutuante. Sua função era simplesmente permanecer em cima da água, e não navegar ou viajar. *Veja* Arca de Noé.

Além destas palavras para "navio", outros termos náuticos como remo, mastro, vela,

"A situação do navio [de Paulo] na 15.ª manhã", pintado por H. Smartly

piloto e marinheiro são usados no AT (Ez 27.5ss.; Is 33.21,23; Jn 1.3ss.). Os israelitas sabiam o que era estar em uma tempestade no mar (Sl 48.7; 107.23-30; Pv 23.34). A habilidade de um navio navegar no oceano era considerada uma maravilha (Pv 30.19). A própria vida foi comparada à passagem de um navio (Jó 9.25,26). A cidade de Tiro foi descrita dramaticamente e poeticamente como um navio (Ez 27.3-9).

O NT também possui vários termos diferentes para "navio". A palavra grega *naus* geralmente se refere a um navio grande. Ela ocorre somente em Atos 27.41 no relato da viagem de Paulo a Roma. A palavra usual do NT para "navio" é *ploion* (66 vezes). Ela pode se referir a um navio grande ou pequeno. *Ploiarion* é o diminutivo de *ploion*, significando, deste modo, apenas "barquinho", mas é freqüentemente usada em relação aos barcos pesqueiros galileus (Mc 3.9; Lc 5.2; Jo 6.22-24; 21.8). O termo grego *skaphe*, "um pequeno barco, ou um barquinho a vela", aparece apenas em Atos 27.16,30,32 como o batel ou bote salva vidas do navio.

No NT os navios são mencionados mais freqüentemente nos Evangelhos e no livro de Atos. A maioria das referências nos Evangelhos trata de barcos no mar da Galiléia. Em sua maior parte, eles eram pequenos barcos usados para a pesca (Mt 4.21; Mc 1.19; Jo 21.3). Às vezes os barcos eram usados para comunicações (Mt 8.23; 9.1; 14.13; Mc 8.10). Em uma ocasião, o Senhor Jesus até usou um barco como púlpito (Mc 4.1; Lc 5.2,3). *Veja* Barcos.

Os navios romanos são mencionados em conexão com a primeira viagem missionária de Paulo e sua viagem a Roma, e pequenas embarcações para curtas distâncias aparecem em conexão com sua segunda e terceira viagens missionárias. Navios transportando cargas oficiais do governo durante o século I d.C. tinham comumente uma capacidade para 340 toneladas. A frota de navios que transportava cereais era composta por embarcações que chegavam a ter uma capacidade de 1.200 toneladas, e às vezes mediam mais de 60 metros de comprimento. Não se sabe em que tipo de navio o apóstolo Paulo navegou para Chipre, mas ele evidentemente estava a bordo de um navio bastante grande quando viajou para Roma. Neste segundo caso, havia 276 pessoas a bordo (At 27.37). A expressão "Um navio de Alexandria" (At 27.6) pode sugerir que este era um dos navios de cereais levando suprimentos para a capital. Apesar de seu tamanho, tais navios possuíam muito pouco no que se refere a acomodações para passageiros, de forma que a maioria das 276 pessoas provavelmente fazia parte da tripulação. Josefo, porém, declara que ele certa vez navegou para Roma em um navio que transportava 600 passageiros que naufragou no mar Adriático (*Life* 3). Tais navios mercantes possuíam âncoras (*q.v.*; At 27.29,40), um sino (v. 28), lemes e velas (v. 40). A vela de proa (v. 40, gr. *artemon*) é mais precisamente traduzida pelo termo "traquete". Normalmente o mastro dos navios era retirado e as embarcações eram guardadas de meados de novembro até meados de fevereiro para evitar as tempestades de inverno (At 20.3,6; 28.11; 1 Co 16.6; 2 Tm 4.21; Tt 3.12). Os períodos de cerca de um mês antes e depois desta estação também eram considerados perigosos (At 27.9-13) porque as nuvens carregadas das tempestades preponderantes podiam escurecer o sol e as estrelas e assim atrapalhar a navegação.

As metáforas náuticas são usadas de forma escassa no NT. A esperança é chamada de "âncora da alma" em Hebreus 6.19, e Tiago compara a língua com o leme de um navio (3.4). *Veja* Viagem e Comunicação; Ocupações: Construtor de Navios.

***Bibliografia.*** CornPBE, "Ships and Navigation", pp. 659-663. B. Landström, *Ships of the Pharaohs*, Leiden. Brill, 1970. K. L McKay, "Ships and Boats", NBD, pp. 1178-1181. James Smith, *The Voyage and Shipwreck of St. Paul*, 4ª ed., Londres. Longmans, Green, 1880.

R. L. S.

**NAZARÉ** A cidade de Nazaré, isolada entre as montanhas da Baixa Galiléia que a circundavam, não era um lugar importante até se tornar famosa na época do NT como o lugar onde o Senhor Jesus passou sua infância. Essa antiga cidade é representada pelo moderno lugar chamado en-Nâzirah e sua localização geral é considerada a mais bela da Palestina.

A cidade de Nazaré não é mencionada no AT, no Talmude, nem pelo historiador Josefo. As referências literárias mais antigas a esse lugar aparecem no NT. Era a residência de

Nazaré com a cúpula da igreja da Anunciação no centro à distância. HFV

Neápolis

Maria e José (Lc 1.26,27; 2.39) e o lugar onde o anjo anunciou a Maria o nascimento do Messias (Lc 1.26-28). Foi para esse lugar que José levou a criança e sua mãe depois da peregrinação pelo Egito (Mt 2.19-23), e também o lugar onde Jesus atingiu a maioridade (Lc 4.16) e passou cerca de 30 anos de sua vida (Lc 2.39-51). Lá, Ele ensinou na sinagoga (Mt 13.54; Lc 4.16) e experimentou a rejeição por parte do povo da cidade. Embora sua cidade natal fosse Belém, sua longa associação com essa cidade fez com que fosse chamado de Jesus de Nazaré (Lc 18.37), e que seus discípulos se tornassem conhecidos como nazarenos. A reputação de Nazaré não era das melhores; seu povo havia desenvolvido uma péssima reputação quanto à moral e a religião (Jo 1.46).

Antes de 1948, Nazaré era uma cidade com uma população de 22.000 habitantes, principalmente composta por muçulmanos e cristãos. Em 1970, sua população havia aumentado para 33.000 pessoas.

P. S. H.

**NAZARENO** Essa designação do NT traduz as palavras gregas *nazarenos* e *nazoraios* usadas algumas vezes como uma referência ao Senhor Jesus e uma vez (At 24.5) para seus seguidores. Exceto em Mateus 2.23 e Atos 24.5, ela é sempre usada com o nome de Jesus (algumas versões utilizam a expressão "Jesus de Nazaré", e, outras, "Jesus o Nazareno"). Foi usada: pelos demônios que estavam aterrorizados (Mc 1.24; Lc 4.34); desdenhosamente pelos inimigos do Senhor (Mt 26.71; Mc 14.67; At 6.14) e favoravelmente pelos seus seguidores (Lc 18.37; 24.19; At 2.22; 3.6; 4.10); pelo mensageiro de sua ressurreição (Mc 16.6) e pelo próprio Senhor ressuscitado (At 22.8). O texto em Mateus 2.23 associa o nome à sua residência em Nazaré. Embora a palavra *nazoraios* seja muitas vezes considerada como se referindo tanto ao "rebento" (*neser*) de Isaías 11.1 como ao nazireu (*nazir*), a expressão indefinida de Mateus "pelos profetas" (2.23) não sugere uma profecia específica, mas um tema profético, isto é, que Ele foi desprezado.

***Bibliografia.*** H. H. Schraeder, "*Nazarenos* etc.", TDNT, IV, 874-879.

**NAZIREU** Pessoa leiga de qualquer sexo que estava presa a um voto especial de consagração ao serviço de Deus durante um período definido ou durante toda a vida (Nm 6.1-5). Sua abstinência era assunto pessoal, mas não como membro de um grupo como os recabitas (*q.v.*). Geralmente, o voto era feito voluntariamente, mas os pais às vezes faziam a consagração dos filhos para a vida toda, como nos casos de Sansão (Jz 13), de Samuel (1 Sm 1.9-11) e de João Batista (Lc 1.15,80; Mc 1.6).

Um nazireu: (1) não podia participar do fruto da vinha; (2) não podia cortar o cabelo (*veja* Cabelo); (3) tinha que permanecer livre de todas as impurezas, inclusive de tocar o corpo de pessoas mortas (Nm 6.3-8). Em caso de profanação era prescrito um ritual de purificação (Nm 6.9-12). Ao final do período de separação, o nazireu obedecia a um procedimento especial para a finalização de seu voto, que incluía seu comparecimento perante o sacerdote com certas ofertas especiais, e também deveria raspar a cabeça e queimar o cabelo cortado (Nm 6.13-21).

Durante a monarquia, Deus denunciou que homens apóstatas estavam forçando os nazireus a beber vinho (Am 2.11,12). Quando estava em Corinto, Paulo fez um voto temporário de nazireado, talvez para obter a proteção divina naquela cidade; esse período terminou quando foi a Cencréia onde cortou o cabelo (At 18.18). Mais tarde, Paulo foi persuadido a se purificar como nazireu, junto com quatro crentes judeus em Jerusalém, e a pagar pelo término dos sacrifícios relacionados ao voto daquele grupo (At 21.18-26).

E. M. B.

**NEÁ** Uma das cidades fronteiriças de Zebulom (Js 19.13) da qual não existe atualmente uma identificação positiva. Alguns sugeriram que essa palavra pode ser uma variante de Neiel (*q.v.*; Js 19.27) que é mencionada na delimitação de Aser.

**NEÁPOLIS** A "nova cidade", ou a moderna Kavalla no norte da Grécia, que serviu como porto para Filipos, está situada a 16 quilômetros do litoral. Um antigo aqueduto e outras ruínas indicam a importância que esta cidade tinha no passado. Está localizada em uma faixa de terra entre duas baías do mar Egeu. Paulo aportou nessa cidade vindo de Trôade, em sua segunda viagem missionária (At 16.11), depois de sua chamada à Macedônia.

**NEARIAS**

1. Um dos seis filhos de Semaías e pai de Elioenai, Ezequias e Azricão; está listado na família real de Judá depois do cativeiro (1 Cr 3.22,23).

2. Capitão simeonita, filho de Isi que, junto

com seus irmãos e 500 outros simeonitas derrotaram os amalequitas nas proximidades do monte Seir, na época de Ezequias (1 Cr 4.42).

**NEBAI** Um dos chefes que ajudou Neemias a assinar o pacto depois que este foi lido para o povo, assim que terminaram a reconstrução dos muros de Jerusalém (Ne 10.19).

**NEBAIOTE** Filho mais velho de Ismael e irmão de Quedar (Gn 25.13; 1 Cr 1.29) e ancestral de uma tribo de pastores que tem seu nome (Is 60.7). Esaú, filho mais velho de Isaque, se casou com a irmã de Nebaiote (Gn 28.9; 36.3). A respeito do problema que existe sobre seu nome, *veja* Basemate 2 e Maalate 1. Existem dúvidas se esta tribo árabe do deserto da Síria, junto com o povo de Quedar, seriam os precursores dos nabateus (*q.v.*) que conquistaram e ocuparam Petra no século IV a.C. Os árabes de Nebaiote parecem ter sido os *Nabaiati* mencionados nos registros assírios por Tiglate-Pileser III, junto com o *Qidri* (Quedar) mencionado por Assurbanipal (ANET, pp. 298-300). Mas os nabateus posteriores escreviam seu nome com um *t* (teth) e não com o *t* (tau) do Nebaiote do AT.

**NEBALATE** Cidade localizada nas colinas baixas de Efraim, cerca de 6 quilômetros a nordeste de Lode (Lida). Foi uma das cidades relacionadas entre aquelas que foram ocupadas pelos benjamitas depois do exílio na Babilônia (Ne 11.34). Foi identificada com a moderna Beit Nebala.

**NEBATE** Pai de Jeroboão, o primeiro rei das dez tribos do norte (1 Rs 12.2; *et al.*). Foi dito que ele era um efraimita de Zereda, no vale do Jordão (1 Rs 11.26). Seu nome foi provavelmente usado para distinguir seu filho de Jeroboão, filho de Jeoás (2 Rs 14.23).

**NEBO**

1. Uma divindade babilônia conhecida como Nabu (Is 46.1). *Veja* Falsos deuses.

2. Montanha da cadeia de Abarim em Moabe, oposta a Jericó (Nm 33.47; Dt 32.49; 34.1). Ela oferece uma visão da maior parte da terra situada a leste e a oeste da Palestina. Foi no monte Nebo, do pico do Pisga (*q.v.*) que Moisés avistou Canaã e depois morreu sem entrar na terra prometida (Dt 34.1-8).

Sua localização mais provável é Jebel en-Neba, um proeminente contraforte ou promontório do vale de Moabe. Estando a uma altitude de aprox. 900 metros acima do nível do mar, ela se inclina de forma aguda em direção à extremidade norte do mar Morto, que está a mais de 1.320 metros abaixo do nível deste, e a quase 20 quilômetros do seu lado oeste. Uma antiga tradição cristã identificava o monte Nebo com o Rás es-Siyaghah, um pouco mais baixo, separado por uma "sela" do pico do en-Neba, onde foram escavadas ruínas de igrejas bizantinas de 1933 a 1937 pelos franciscanos de Jerusalém. O panorama que se descortina de qualquer desses lugares é soberbo. Em um dia bastante claro pode-se ver o pico coberto de neve do distante monte Hermom, ao norte. Podemos perceber as torres do monte das Oliveiras a oeste e, bem ao sul, En-Gedi à margem ocidental do mar Morto. Os picos gêmeos de Ebal e Gerizim são visíveis a noroeste.

3. Cidade em Moabe, a leste do Jordão, ocupada e reconstruída pela tribo de Rúben (Nm 32.3,38; 1 Cr 5.8). Na Pedra Moabita (*q.v.*; linhas 14-16,. ANET, p. 320), Mesa, rei de Moabe, conta como conquistou a cidade de Nebo e retirou dela um objeto de adoração a Jeová. Essa cidade pode ter si recapturada por Jeroboão II, juntamente com outras cidades de Moabe, mas um pouco mais tarde Nebo estava outra vez nas mãos dos moabitas (Is 15.2; Jr 48.1,22).

Têm havido tentativas de identificar a cidade com Khirbet Mekhayyet, cerca de três quilômetros a sudeste de Ras es-Siyaghah, onde existem ruínas de uma antiga fortaleza e grandes quantidades de fragmentos de louça moabita (Idade do Ferro I-II, 1200-585 a.C.).

4. Cidade mencionada depois de Betel e Ai na relação dos israelitas que retornaram do cativeiro na Babilônia (Ed 2.29; Ne 7.33). Neemias chama essa cidade de "outra Nebo", talvez para distingui-la da cidade que tem o mesmo nome em Moabe (3 acima). Esse local pode ser a moderna Beit Nuba, perto de Aijalom, cerca de 20 quilômetros a noroeste de Jerusalém.

5. Ancestral de sete judeus que haviam se casado com mulheres pagãs durante ou depois do Exílio (Ed 10.43).

J. R.

**NEBUSAZBÃ** Um dos príncipes babilônios que ocupou a função de Rabe-Saris (isto é, chefe dos eunucos) a quem Nebuzaradã, capitão da guarda de Nabucodonosor, enviou para proteger Jeremias durante o sítio de Jerusalém em 587 a.C. (Jr 39.13). Ele provavelmente sucedeu Aspenaz cujo título e função eram idênticos (Dn 1.3).

**NEBUZARADÃ** Capitão da guarda de Nabucodonosor que teve um papel preponderante na captura de Jerusalém. Seu nome babilônico era *Nabu-zir-iddina*, que significa "Nebo deu uma posteridade". Ele foi o responsável pelo incêndio do Templo, do palácio e das grandes casas, pela deportação do povo para a Babilônia e pela remoção dos vasos sagrados do Templo (2 Rs 25.8ss.; Jr 39.9ss.). Juntamente com outros oficiais da Babilônia, ele foi encarregado de cuidar de Jeremias. Nebuzaradã concedeu ao profeta

uma quota de alimentos e um presente, e a permissão de escolher entre ir à Babilônia com os exilados ou permanecer em Judá (Jr 40.1ss.).
Seu nome está registrado como *Nabu-zer-i-din-nam rab-nuhtimmu* em uma lista de oficiais de Nabucodonosor encontrada na Babilônia e publicada por Eckhard Unger em *Theologische Literaturzeitung*, L (17 de outubro de 1925), 482-86. A frase *rab-nuhtimmu* significa "chefe dos padeiros" e pode corresponder à frase bíblica associada com Nebuzaradã, *rab-tabbahim*. Geralmente, essa última é traduzida como "guardas"; seu significado literal pode ser "matador" ou "carniceiro" e também pode significar "cozinheiro". O "padeiro" e o "mordomo" (ou copeiro) não eram servos domésticos, mas oficiais leais e honrados (cf. Samuel Feigin, "The Babylonian Officials in Jeremiah 39.3, 13", JBL, XLV (1926), 149-55.

E. M. Y.

**NECESSITADO** *Veja* Pobre.

**NECO** *Veja* Faraó.

**NECODA**
1. Um dos netineus, ou servos do Templo, cujos descendentes retornaram a Judá e Jerusalém com Zorobabel, depois do cativeiro da Babilônia (Ed 2.48; Ne 7.50).
2. Chefe de uma das famílias que, depois do cativeiro na Babilônia, vieram de várias colônias da Babilônia e se apresentaram ao governador para serem registradas, mas não puderam provar sua descendência israelita (Ed 2.58-60; Ne 7.62).

**NECROMANTE** Esse termo, de origem grega, quer dizer: "Aquele que invoca espíritos para revelar o futuro". Essa palavra ocorre em Deuteronômio 18.11 e em 1 Crônicas 10.13 em algumas versões. Em hebraico, ela corresponde literalmente à frase "Aquele que consulta [ou busca] os mortos". Moisés usou essa expressão em uma lista de oito termos que descrevem práticas ocultas relacionadas (Dt 18.10,11) e todas elas são "abominações das nações" (v. 9). A necromancia era praticada por Manassés (2 Rs 21.6), e era muito comum na religião dos babilônios (Is 47.9-14). Uma carta em uma tábua de argila encontrada em Taanaque, na Palestina, escrita em aprox. 1450 a.C., menciona um mágico ou médium espírita (BASOR #94, p. 18).
O único exemplo de necromancia que aparece na Bíblia é a experiência de Saul. Deus não respondeu da forma usual, através de sonhos, do Urim do sumo sacerdote ou de um profeta. Portanto, o rei procurou à noite a médium de En-Dor (uma "feiticeira"), e lhe pediu para trazer Samuel que havia morrido algum tempo atrás. Ela disse que via alguma coisa que parecia ser um deus ou um ser sobre humano saindo da terra e com a aparência de um homem idoso envolto em um manto (1 Sm 28.6-14). Mas de uma manifestação como esta, Saul não deveria esperar aprender nada. A vontade de Deus era comunicada através de um porta-voz, como Moisés deixa bem claro em Deuteronômio 18.15-22 (cf. Is 8.19ss.). Tudo o mais seria, normalmente, um mero engodo (Jr 27.9ss.; Ap 18.23), e geralmente vinha com a imoralidade pagã (Is 57.3). Entretanto, no caso de Saul, alguns entendem que Deus abriu uma exceção e permitiu que o espírito de Samuel falasse realmente com o aterrorizado rei, e pronunciasse seu fracasso. Outros pensam que, já entregue a uma prática condenada e maligna, este homem foi totalmente entregue a Satanás (1 Sm 28.15-20).
*Veja* Espírito Familiar; Magia; Murmuração.

W. G. B.

**NEDABIAS** O último filho do rei Jeconias (Joaquim) cujo nome é mencionado, um descendente de Davi através de Salomão (1 Cr 3.17,18).

**NEELAMITA** Nas Escrituras este nome só é aplicado ao falso profeta Semaías, quando Jeremias pronunciou o juízo de Deus sobre ele (Jr 29.24,31,32). Esse título pode ser de uma família ou o nome de uma cidade que identifica Semaías, mas não existe nenhuma pessoa ou lugar com esse nome nas Escrituras nem em outro lugar. Embora ele pareça bastante dúbio, tem sido sugerido que este nome seja um jogo de palavras que descreve o falso profeta como "o sonhador". Em hebraico, o radical ou as letras básicas para "sonho" e neelamita são os mesmos, *hlm* (LYaure, "Elymas-Nehelamite-Pethor", JBL, LXXIX [1960], 297-314.

**NEEMIAS**
1. Um exilado que retornou com Zorobabel em 538 a.C. e que tinha sido levado por Nabucodonosor (Ed 2.2; Ne 7.7).
2. Governador de Bete-Zur, filho de Azbuque, que ajudou Neemias, o governador, a reconstruir os muros de Jerusalém (Ne 3.16).
3. Governador de Judá, filho de Hacalias (Ne 1.1; 8.9; 10.1; 12.26,47; provavelmente um judeu). Um dos descendentes daqueles que foram levados ao cativeiro na Babilônia, Neemias ganhou proeminência depois que os persas derrotaram os babilônios. Ele alcançou a influente posição de copeiro pessoal do rei persa, Artaxerxes I Longimanus (465-424 a.C.). Essa era uma posição de extrema confiança no sentido de que somente ele levava o vinho que era destinado ao rei. Enquanto servia nesse cargo, Neemias soube das condições de Jerusalém. Os muros ainda estavam em ruínas, os portões estavam parcialmente queimados e não havia qualquer defesa contra os ataques dos inimigos.

Neemias conseguiu receber a permissão de Artaxerxes para restaurar a dignidade da antiga cidade de seus pais. Depois de ter sido nomeado governador da província que circundava Jerusalém, ele recebeu cartas de salvo-conduto para entregar aos sátrapas ao longo do caminho, e a autoridade para assegurar os materiais necessários a partir das florestas do rei. Chegando a Jerusalém em 444 a.C., ele deu início ao seu trabalho vital, examinando secretamente as ruínas dos muros que haviam sido derrubados por Nabucodonosor (Ne 2.11-16).

A obra de reconstrução dos muros era constantemente prejudicada pelos interesses de Sambalate de Samaria, Tobias dos amonitas, e Gesém da Arábia. Embora esses homens fossem poderosos e astutos, não ameaçavam a desenvoltura de Neemias. Eles tentaram os insultos e a zombaria, planejaram ataques armados, tentaram atrair Neemias para um lugar onde pudessem capturá-lo, e enviaram ameaças de rebelião ao rei Artaxerxes, com o intuito de fazer com que Neemias caísse em descrédito. Embora tenham sido bem sucedidos em retardar e interromper as obras durante algum tempo, Neemias demonstrava continuamente suas poderosas qualidades de liderança e de habilidade organizacional. De acordo com o livro de Neemias (6.15), a obra foi concluída em 52 dias, embora Josefo tenha mencionado um período de dois anos e quatro meses.

Os deveres de Neemias ultrapassavam seu propósito original de reconstruir os muros. Ele era capaz de despertar um senso de honra nacional e de restaurar a dignidade de Jerusalém. Nomeou funcionários a quem delegou autoridade para conseguir um governo melhor. Corrigiu muitos abusos, resolveu situações difíceis, e estabeleceu a lei e a ordem. Neemias reavivou a adoração a Deus ao encorajar a leitura da lei, ao celebrar a Festa dos Tabernáculos, ao observar as festas nacionais, e ao renovar a aliança. Protegeu Jerusalém ao ordenar que um, entre dez, residisse dentro dos muros da cidade. Além disso, separou as multidões mistas, purificou o Templo, melhorou o apoio ao sacerdócio e revitalizou a observância ao sábado.

Existe alguma dificuldade para se estabelecer a duração do governo de Neemias. Originalmente, ele foi nomeado para um período definido que começou no 21º ano de Artaxerxes I. Entretanto, esse limite foi sem dúvida ampliado devido às prementes necessidades de Jerusalém. No 32º ano de Artaxerxes, ele retornou à cidade da Babilônia. Parece que foi oficialmente governador durante os anos intermediários, embora nem sempre de forma permanente. O fato de muitos abusos terem que ser imediatamente corrigidos logo depois de sua segunda chegada a Jerusalém, sugere que a expressão "ao cabo de alguns dias" em Ne 13.6 possa ter exigido um tempo considerável. A menção a "Dario, o persa" (Darius II Nothus, 423-404 a.C.) no livro de Neemias (12.22) sugere também que ele continuou ainda durante algum tempo como um líder ativo de Jerusalém.

Embora alguns estudiosos tenham ampliado esse mandato até 405 a.C., uma carta em aramaico, de Elephantine no Egito, se refere a Bagoas como governador de Jerusalém por volta de 407 a.C. (ANET, p. 492).

O caráter de Neemias revela-se ilibado no material escrito disponível. Ele foi tão dotado e talentoso como qualquer homem dos tempos pós-exílicos. Seu contagioso patriotismo era profundo e intenso e levava os homens a deixar suas colheitas a fim de viajar para Jerusalém e trabalhar na reconstrução do muro. Sua rígida integridade, associada a uma bondosa humildade, fazem com que ele se projete como um notável exemplo de liderança leiga. Sua abnegada prática de recusar qualquer recompensa pelos serviços (5.14-18) deve ter deixado uma impressão indelével nos pobres de Jerusalém. Sua intensa fé em Deus e genuína piedade eram evidenciadas pelo zelo que dispensava à ética e à parte cerimonial da religião. Acima de tudo, sua devoção ao dever, sua infatigável energia e determinada persistência impulsionaram um grupo de homens que nunca desistiam. Neemias era um homem de ação, não um homem que se sentava para esperar que Deus fizesse com que acontecesse algum evento sobrenatural. A desesperada condição de seu povo exigia, sem demora, que fossem tomadas medidas extremas. Analisando sua obra como um todo, Neemias realmente foi um homem preparado por Deus para agir naquela hora.

*Veja* Esdras: Restauração e Período Persa.

K. M. Y.

**NEEMIAS, LIVRO DE** O livro que leva o nome de Neemias aparece nos primeiros manuscritos, combinado com o de Esdras, e ambos formam um único livro. Certos manuscritos gregos separaram os dois antes da época de Orígenes e Jerônimo, mas os manuscritos hebraicos combinaram os dois até o ano 1448 d.C. Sua união nos códices mais importantes (Vaticano, Sinaítico e Alexandrino) indica que originalmente formavam apenas um livro na Septuaginta (LXX).

**Conteúdo**

I. A Administração de Judá por Neemias, 1.1–12.47
- A. Chegada a Jerusalém, 1.1–2.20
- B. Reconstrução do muro, 3.1–7.4
- C. Registro dos que retornaram, 7.5-72
- D. Renovação da aliança, 7.73–10.39
- E. Censo de Jerusalém e da vizinhança, 11.1-36
- F. Relação dos sacerdotes e levitas, 12.1-26

G. Consagração do muro, 12.27-47
II. Segunda Visita de Neemias a Jerusalém e Reformas Finais, 13.1-31

**Fontes**

Como no caso do livro de Esdras, várias e distintas fontes podem ser facilmente reconhecidas demonstrando o caráter composto desse livro, da maneira como agora se encontra.
1. Memórias pessoais de Neemias (1.1,2.20; 4.1–7.5; 10.28–11.2; 12.27; 13.31). Essas passagens foram escritas na primeira pessoa.
2. Narrativas na terceira pessoa (7.73–9.38). Essas passagens podem ter sido adaptadas das memórias de Neemias, porém, vieram provavelmente dos registros do Templo.
3. Relações e genealogias.
*a*. Construtores (3.1-32), das memórias de Neemias.
*b*. Exilados que retornaram (7.6-73), da mesma fonte de Esdras 2.1-70.
*c*. Aqueles que selaram a aliança (10.1-27), das memórias de Neemias ou dos registros do Templo.
*d*. Residentes de Jerusalém e de sua região (11.3-36), dos registros do Templo ou arquivos do estado.
*e*. Sacerdotes, levitas e sumos sacerdotes (12.1-26), dos registros do Templo.

**Autoria**

Há muito tempo esse livro tem estado ligado ao nome de Esdras na tradição hebraicocristã. Seus estreitos laços com os livros de 1 e 2 Crônicas em estilo, linguagem, aspecto e propósito apontam para uma obra que originalmente incluía Crônicas, Esdras e Neemias. O fato de Crônicas ter estado inicialmente como o primeiro livro da série pode ser observado pela repetição dos versos finais de 2 Crônicas no início do livro de Esdras. Provavelmente, os livros de Crônicas foram mais tarde colocados em último lugar em virtude de terem sido aceitos posteriormente pela comunidade judaica. Outros arranjos diferentes são evidentes na LXX, como parte de Neemias 8 ter sido transferido para acompanhar Esdras 10.2. A natureza composta dessas obras, e sua grande semelhança têm dado ao autor ou editor o nome de "Cronista". O Talmude (*Baba Bathra* 15*a*) considera Esdras como o autor principal e Neemias, seu contemporâneo, como aquele que completou os registros.
O fato de Neemias ter feito intenso uso de memórias pessoais torna-o, com toda certeza, um substancial autor do material que agora leva seu nome. Esse material vem de um documento muito parecido com um diário pessoal. Alguns acreditam que ele nunca teve a intenção de publicá-lo por ter registrado os eventos e as emoções a eles associados de forma muito franca e cheia de vida. Essas observações feitas em primeira mão são tremendamente importantes para lançar alguma luz sobre a história política dos judeus durante o período persa.
*Veja* Neemias; Esdras; Esdras, Livro de.

***Bibliografia***. S. E. Anderson, *Nehemiah, the Executive,* Wheaton. Van Kampen, 1954. A. E. Cundall, "Ezra and Neemiah", NBD, rev. (1970). G. Coleman Luck, *Ezra and Nehemiah,* Chicago. Moody, 1961. Jacob M Myers, *Ezra, Nehemiah,* Anchor Bible, Garden City. Doubleday, 1965. John C. Whitcomb, Jr., "Ezra, Nehemiah", WBC. J. Stafford Wright, *The Building of the Second Temple,* Londres. Tyndale, 1958.

K. M. Y.

**NEFEGUE**
1. Um dos filhos de Isar e bisneto de Levi. Foi relacionado entre os chefes das casas israelitas na época do êxodo do Egito (Êx 6.21).
2. Um dos filhos do rei Davi nascidos em Jerusalém (2 Sm 5.15; 1 Cr 3.7; 14.6).

**NEFILIM** Essa palavra foi traduzida como "gigantes" em várias versões. Foi usada como referência a um grupo de seres antediluvianos considerados por alguns como o resultado de casamentos mistos entre os filhos de Deus e as filhas dos homens (Gn 6.4).
Sua segunda utilização no AT descreve os filhos de Anaque, homens de estatura gigantesca que, segundo informaram os espias israelitas, ocupavam as terras de Canaã, e fizeram com que o povo de Israel se recusasse a entrar nesse território (Nm 13.33). *Veja* Gigante; Anaquins.

**NEFISIM** Chefe de uma família de netineus, ou servos do Templo, que retornou com Zorobabel do cativeiro da Babilônia (Ed 2.50). Também chamado de Nefusesim (Ne 7.52).

**NEFTOA, ÁGUAS DE** Geralmente identificada com a moderna Lifta, cerca de 5 quilômetros a noroeste da cidade jebusita de Jerusalém, 10 quilômetros a leste de Quiriate-Jearim e a sudeste de Gibeá. Era uma fonte de água corrente que servia como referência na fronteira entre Judá e Benjamim (Js 15.9; 18.15). Outras identificações possíveis incluem Ain Karem, a fonte de Filipe (Ain Haniyeh) e o poço de Jó, no limite ocidental do Uádi Aly. Essas últimas tentativas para identificar Neftoa têm pouco ou nenhum fundamento consistente.

**NEGAÇÃO DE CRISTO** *Veja* Negar; Pedro.

**NEGAR** O verbo "negar" aparece de três formas no NT grego e na LXX, onde é traduzido por três palavras heb. diferentes. Os três termos gregos foram iluminados pelas descobertas em papiros dos séculos I e II d.C. A palavra gr. *arneomai* foi usada nos primeiros séculos cristãos significando "renegar" (MM, p. 78) e tem este significado em passagens do NT tais como Atos 3.14; Mateus 10.33; 2 Timóteo 2.12,13; 1 João 2.22; 1 Timóteo 5.8 e Tito 2.12 (cf. Arndt, p. 107). Também significa simplesmente negar no sentido de dizer não como em Mateus 26.70; Atos 4.16 e Hebreus 11.24. Negar-se a si mesmo (Mt 16.24; Mc 8.34; Lc 9.23) significa colocar de lado ou renunciar a toda ambição pessoal e interesse próprio a favor das novas reivindicações de Cristo relacionadas à própria vida da pessoa por um franco compromisso com Ele e com seu evangelho.

A palavra gr. *aparneomai* também era usada com o significado de "negar" no sentido de renegar (MM, p. 53), como é visto especialmente nas negações de Pedro em relação a Jesus em Marcos 14.30,31,72 e passagens paralelas, e em Marcos 8.34 e passagens paralelas.

A palavra gr. *antilego* tem sido mostrada nos papiros com o significado de "contradizer" em uma passagem onde é dito a um homem para "não concordar agora com seu pai, mas se *opor* a ele e não fazer contrato" (MM, p. 48). Este forte sentido de "contradizer" ou "opor-se" é encontrado em Romanos 10.21 (Is 65.2), onde o juízo de Deus sobre Israel é que eles eram um povo desobediente e que se *opunham*. Paulo diz que os judeus se opuseram (*antilego*, lit., "falaram contra") à sua libertação em Cesaréia (At 28.19). Esta palavra também aparece em Tito 1.9; 2.9; João 19.12; Atos 13.45 e, provavelmente, em Lucas 20.27. A Igreja sofria oposição em todos os lugares (At 28.22).

J. McR.

**NEGINOTE** Termo que significa "instrumento de cordas" e ocorre nos títulos de muitos Salmos (por exemplo, Sl 4,6,54,55, 61,67,76). *Veja* Salmos.

**NEGUEBE** Palavra traduzida como "o sul" em cerca de 40 passagens nas versões KJV e RSV em inglês. O Neguebe compreende cerca de 7.000 quilômetros quadrados de um deserto situado ao sul de Judá, e que constituía quase a metade da área da moderna Israel antes da guerra de 1967.

O limite norte do Neguebe pode ser desenhado desde o sul, da estrada de Gaza-Berseba, terminando a leste do mar Morto. O limite sul, que antigamente acreditava-se alcançar até o interior da península do Sinai, é traçado atualmente desde a área de Cades-Barnéia até o ápice do golfo de Ácaba. A maioria das referências do AT ao Neguebe é encontrada nos escritos anteriores ao exílio.

Explorações feitas por Nelson Glueck e outros revelaram que houve vários assentamentos nesse deserto na metade da Idade do Bronze I (2100-1900 a.C.). Portanto, através de suas viagens ao Egito, Abraão foi capaz de obter o sustento para seu grande grupo de servos e animais (Gn 12.9–13.1). W. F. Albright afirmava que essas colônias representavam freqüentes pontos de parada, necessários para o florescente comércio entre o Egito e a Síria, que era realizado através de caravanas de jumentos.

Essa região era importante pelas seguintes razões: (1) em virtude do cobre encontrado no Neguebe oriental; (2) do comércio de Israel com a Arábia; e, (3) a partir da época e Salomão, por causa de Eziom-Geber, o porto de embarque de cobre estabelecido por Salomão com a ajuda de técnicos fenícios. A ocupação dessa área pelos amalequitas e edomitas em acampamentos de tendas, e dos cananeus em cidades como Arade (*q.v.*), ao longo do limite norte, antes da entrada de Israel na terra prometida e de seu forte estabelecimento nesse local (Nm 13.29; 20.14-21; 21.1), levou a numerosas guerras entre estes povos e Israel (por exemplo, Jz 6.3; 33; 1 Sm 14.48; 15.1-9; 27.8-10; 30.1-20; 1 Rs 11.15ss.; 1 Cr 4.39-43). Uzias estabeleceu colônias fortificadas no norte do Neguebe para proteger sua fronteira ao sul (2 Cr 26.10). O Neguebe era um lugar muito conveniente para os migrantes se restabelecerem depois de serem expulsos do Crescente Fértil devido à pressão populacional.

O "caminho de Sur" (*veja* Sur) atravessava o Neguebe, desde o Egito, o centro norte do Sinai e chegava a Berseba e Hebrom a noroeste (Gn 16.7; 20.1; 25.18; Êx 15.22). Sem dúvida, ele foi percorrido pelos patriarcas (Gn 13.1; 24.62), Hadade, o edomita (1 Rs 11.14,17), possivelmente por Jeremias (Jr 43.6-12), e por José e Maria (Mt 2.13-15). O curso dessa estrada, pelo menos na Palestina, era determinado pelos poços disponíveis (Gn 16.7; 21.19; Js 15.18,19; Jz 1.14,15).

Os modernos israelitas fizeram extensas explorações e pesquisas nas antigas colônias do Neguebe, especialmente dos nabateus (*q.v.*), a fim de entenderem como, no passado, as cidades puderam florescer nesse lugar. Através de água encanada trazida desde a região da Galiléia, eles estão fazendo com que esse deserto volte a florescer "como a rosa" (Is 35.1).

***Bibliografia.*** Y. Aharoni, "Forerunners of the Limes. Iron Age Fortresses in the Negeb", IEJ, XVII (1967), 1-17. "The Negeb of Judah", IEJ, VIII (1958), 26-28; "Tne Negeb", TAOTS, pp. 385-404; Denis Blay, *Geography of the Bible,* Nova York. Harper & Bros., 1957, pp. 74-75, 260-266. Nelson Glueck. *Rivers in the Desert,* Nova York. Farrar, Strauss e Cudahy, 1959. Benno Rothenberg, *God´s Wilderness,* Londres. Thames e Hudson, 1961.

R. A. K.

**NEIEL** Uma das cidades fronteiriças designadas como limite das terras da tribo de Aser. Estava localizada entre o vale de Ifta-El e

Pilares do rei Salomão no Neguebe. IIS

Cabul (Js 19.27). Alguns sugeriram que este vilarejo seja idêntico a Neá (v. 13), mas Neá estava no setor nordeste da fronteira de Zebulom. É provável que ela possa ser associada à moderna Khirbet Ya'nîn, onde existem ruínas do final da Idade do Bronze e da Idade do Ferro I, localizada no limite oriental da planície de Acco, 13 quilômetros a sudeste da cidade que tem o mesmo nome.

**NEILOTE** Termo musical usado no título do Salmo 5 que significa instrumento de sopro, e que alguns interpretam como sendo a flauta (RSV). *Veja* Música.

**NEMUEL, NEMUELITAS**
1. Rubenita, filho de Eliabe e irmão de Datã e Abirão (Nm 26.9). Está relacionado entre os israelitas de 20 anos ou mais que estavam prontos para o serviço militar.
2. Filho mais velho de Simeão (1 Cr 4.24), chamado de Jemuel (*q.v.*) em Gênesis 46.10. Seus descendentes, os nemuelitas, foram relacionados entre aqueles que estavam prontos para o serviço militar.

**NEÓFITO** Esta palavra é encontrada na LXX em Jó 14.9 e Isaías 5.7 com o sentido de uma "planta nova". Ela ocorre somente uma vez no NT (1 Tm 3.6), onde se refere a um novo convertido ou a alguém que ainda não amadureceu na vida cristã.

**NEO-ORTODOXIA** A neo-ortodoxia, o bartianismo (princípios e doutrinas de Karl Barth), a teologia dialética ou a teologia da Palavra começaram a existir devido ao fracasso do modernismo (*veja* Liberalismo).
Primeiro, à teologia modernista faltava um sentido de pecado; este era uma evolução entendida como uma "queda" superior e, de forma otimista, se esperava que o reino de Deus na terra seria estabelecido dentro de uma a duas décadas.
Segundo, o modernismo, pelo menos em sua forma mais avançada e consistente, não tinha lugar para Deus. Sob a influência de Hegel, a insistência na imanência de Deus virtualmente resultava em um panteísmo disfarçado. E, então, em terceiro lugar, a crítica da Bíblia e "a procura de um Jesus histórico" exigiam uma constante alteração da fé religiosa das pessoas, o que acarretava conclusões sempre diferentes das investigações dos estudiosos.
A guerra de 1914-18 despedaçou, com sua brutalidade, o quadro otimista do homem feito pelos liberais. Assim, o panteísmo de Hegel não era melhor que o ateísmo que, na verdade, tornou-se explícito em Marx e Feuerbach. Além disso, ele transformava cada ser humano em voláteis conceitos abstratos. Finalmente, a instabilidade do historicismo podia levar apenas ao ceticismo e ao desespero em um mundo que estava constantemente em perigo.
Na época do final da Primeira Grande Guerra, um grupo de teólogos suíços e alemães descobriu escritos do até então desconhecido Sören Kierkegaard (1813-1855). Ele havia enfatizado a existência individual em oposição aos conceitos abstratos, e definido a verdade como uma paixão subjetiva. Kierkegaard destruiu a uniformidade do panteísmo de Hegel através de uma dialética radical entre o tempo e a eternidade. *Veja* Existencialismo. Karl Barth e Emil Brunner, então, passaram a entender o homem como um pecador que precisa da divina revelação que a crítica da Bíblia não consegue abalar.
[Portanto, neo-ortodoxia foi o nome dado à teologia desenvolvida por Barth e Brunner, tendo como base o existencialismo de Kierkegaard. Ela adotou a teoria da comunicação indireta na revelação, suas opiniões sobre o tempo, o pecado original e a salvação. Embora chamada de *neo*, ou *nova* ortodoxia, ela está mais próxima de um neomodernismo, no sentido de aceitar as conclusões de uma crítica superior e rejeitar a posição do cristianismo evangélico e fundamentalista em relação à inspiração, à infalibilidade da Bíblia, ao pecado, à queda e à regeneração. Sua posição quanto a Cristo e à Trindade é débil e varia de acordo com os diferentes proponentes. A doutrina da Trindade particularmente sofreu nas mãos de Barth, que trouxe uma Cristologia que se apresenta como pura formalidade e desaparece totalmente em Tilich, que transformou a Trindade em uma dialética de Hegel dentro do Ser Absoluto. Em suas primeiras obras, quando tentou desesperadamente libertar a teologia do historicismo através de uma ênfase na eternidade, Brunner não se interessou absolutamente pela vida temporal de Cristo, porém, mais tarde admitiu que a crucificação era essencial.
[Sören Kierkegaard enfrentou muito cedo uma crise em sua vida repleta de conflitos: a perda da fé na infalibilidade da Bíblia, e a insistência de Immanuel Kant que Deus era atemporal e infinito também em termos espaciais (*veja* Tempo). Pronto para descartar totalmente a Bíblia, que para ele parecia estar repleta de absurdos, paradoxos e contradições, Kierkegaard de repente vislumbrou uma solução. É por Deus ser atemporal e infinito (e o homem viver em um tempo e em um espaço bem definidos e limitados) que a Bíblia apresenta tantos problemas. O homem não tem categorias nem receptáculos mentais que possam receber uma verdade eterna atemporal e infinita. Existe uma disjunção, uma muralha da China entre Deus e o homem. Qualquer coisa que consiga ultrapassar esta barreira, será forçada pelo homem a uma perversão e adequação às suas próprias categorias. O homem reveste a eterna verdade com as vestes do tempo e a localiza no espaço.

Por exemplo, a queda de Adão e Eva, o fato de todo homem pecar – de eu e você sermos como Adão – é retratado na Bíblia como um evento que ocorreu no tempo e no espaço. Ele foi mostrado no início da vida do homem sobre a terra, e ocorreu em um determinado lugar, no Jardim do Éden. Dessa forma, a revelação vem apenas indiretamente através de tais exemplos, isto é, de uma comunicação indireta.

[De acordo com Kierkegaard diversas idéias decorrem como conseqüências. Se Deus existe além de um tempo criado, então Ele vive em um eterno "agora" no qual o passado, o presente e o futuro representam, todos, de forma homogênea, um presente. Estes homens concluem que, na experiência existencial da revelação, a forma como o homem recebe a verdade eterna, através e apesar da suposta falibilidade das Escrituras, ele experimenta a contemporaneidade de Deus e de tudo que Ele fez através de Cristo na redenção. Assim, essa revelação é idêntica à salvação. Ela representa a cura para o complexo de culpa. Como os santos do AT foram salvos? De maneira semelhante. Como parte do eterno "agora" e de uma história primitiva, ou *Urgeschichte,* Cristo está sempre morrendo, portanto os crentes do AT são contemporâneos de sua morte na experiência da revelação. Embora muito tenha sido dito sobre a *Erwartung*, ou expectativa desse evento, ele pouco significa à luz da contemporaneidade.

[Qual é a resposta cristã a todo este raciocínio? Primeiramente, será necessário entender que a Bíblia é a inspirada e infalível Palavra de Deus (*veja* Inspiração). Em seguida, será necessário entender a visão da Bíblia sobre o tempo e compreender a falácia dos três infinitos de Kant (*veja* Tempo; Teologia). Deus trabalhou na criação e na redenção dentro de um espaço de tempo. O tempo não é uma categoria ou qualidade meramente da criação e do finito, mas uma relação que encontra sua existência em Deus e, depois, na criação. O mesmo é verdade em relação ao espaço. Se não fosse assim, a criação deveria ser anexada a Deus porque oferece a Ele novos relacionamentos e, dessa forma, ela se tornaria tanto uma necessidade para Ele, para que fosse Deus em toda a plenitude, como também uma limitação, no sentido de que Ele não poderia ser plenamente Deus se não tivesse uma existência.

[O argumento de Kant sobre os três infinitos é falacioso. Um infinito não elimina, necessariamente, outro infinito, particularmente se tratando de um tipo diferente de infinito. O tempo infinito não elimina o espaço infinito, e nenhum deles (nem mesmo os dois juntos) elimina o Deus infinito. Se os infinitos que são semelhantes, como o infinito número de linhas infinitas, o tempo infinito e o espaço infinito não se excluem mutuamente, quanto mais os muitos infinitos que são muito diferentes, tais como as relações entre tempo e espaço de um lado, e Deus de outro, poderiam fazê-lo? Quando acrescentamos a este raciocínio o fato de que os relacionamentos não têm uma natureza material, retiramos o tempo e o espaço de suas dimensões finitas – R. A. K.]

Embora a neo-ortodoxia reconheça a necessidade que o pecador tem de uma revelação que os estudiosos não consigam subverter, eles não a comparam precisamente com a Bíblia. É certo que Deus fala através da Bíblia, mas Brunner fez um gracejo com a noção de que Deus também fala através do Alcorão e dos Vedas. Estes estudiosos pensam que qualquer que seja o caso, Deus não precisa falar a verdade, porque "Deus pode, quando assim o desejar, falar sua Palavra ao homem até mesmo através de falsas doutrinas" (*Wahrheit als Begegnung,* p. 88; *Divine Human Encounter,* p. 117).

Barth encontra a Palavra de Deus em três lugares: no sermão semanal, na Bíblia e nos eventos da revelação. Ele pensa que a Bíblia não é infalível, pois "os profetas e os apóstolos, como tais, e mesmo em suas funções, mesmo sendo as testemunhas, e mesmo no ato de escrever esses seus testemunhos são, na verdade, passíveis de erros em sua palavra falada ou escrita" (*Church Dogmatics*, 1, 2, p. 529). *Veja* Iluminação; Inspiração.

Os eventos-revelações de Barth, que correspondem ao encontro divino-humano de Brunner, parecem ser uma experiência muda e ininteligível. Se os apóstolos não podiam evitar cometer erros nos relatos de suas experiências, será muito duvidoso que alguém encontre nelas uma teologia crível e estável da salvação. Portanto, parece que a neo-ortodoxia não resolveu os problemas que herdou do modernismo.

***Bibliografia.*** Karl Barth, *Church Dogmatics,* Edinburgh. T. & T. Clark, 1936 (os últimos volumes em inglês ainda estão em fase de publicação). G. C. Berkouwer, *The Triumph of Grace in Theology of Karl Barth,* Grand Rapids; Eerdmans, 1956. Gordon H. Clark, *Karl Barth's Theological Method,* Filadélfia. Presbyterian and Reformed, 1963. Paulo K. Jewett, *Brunner's Concept of Revelation*, Londres. James Clark & Co., 1954. Klaas Runia, *Karl Barth's Doctrine of Holy Scripture,* Grand Rapids. Eerdmans,1962.

G. H. C.

**NEQUEBE** Uma das cidades fronteiriças, a meio caminho entre o monte Tabor e Tiberíades, que foi dada, na divisão das terras, à tribo de Naftali (Js 19.33). Em várias versões ela está ligada à palavra precedente, formando o nome Adami-Nequebe. *Veja* Adami.

**NER** Um benjamita, filho de Abiel e pai de Quis e Abner, sendo que esse último era comandante do exército do rei Saul (1 Sm 14.51; 1 Rs 2.32; 1 Cr 8.33; *et al.*). Portanto, Ner era avô de Saul. Como E. R. Dalglish deixa bem claro ("Ner", IDB, III, 537), em 1 Samuel 14.50 a designação "tio de Saul" deve se referir a Abner, e não a Ner. O Quis de 1 Crônicas 9.36 deve ser outro homem com o mesmo nome, além daquele Quis que seria filho de Ner e pai de Saul (1 Cr 9.39). *Veja* Quis.

**NEREU** Membro da Igreja de Roma que, com sua irmã, foi saudado pelo apóstolo Paulo (Rm 16.15).

**NERGAL** *Veja* Falsos deuses.

**NERGAL-SAREZER** Nome babilônico de *Nergal-sar-usur* (em grego *Neriglisaros*) que significa "Nergal, proteja o rei".

Em Jeremias 39.3, esse nome ocorre duas vezes na relação dos príncipes da Babilônia que estavam com Nabucodonosor na captura de Jerusalém, a segunda vez com o título de Rabe-Mague ou Rabe-Saris (*q.v.*). Essa repetição pode indicar que havia duas pessoas com o mesmo nome.

Um prisma de argila quebrado, de Nabucodonosor, relaciona alguns oficiais de sua corte, e entre eles está Nergal-sar-usur, príncipe de Sin-magir. Baseados nesse texto cuneiforme, as versões NEB e JerusB em inglês reagruparam os elementos desses nomes em Jeremias 39.3 que passaram a ser: "Nergalsarezer de Simmagir, Nebosarsequim o Rabesaris, Nergalsarezer o Rabemague e todos os outros..."

É provável que Nergal-Sarezer tenha sido o comandante do exército que ocupou o trono da Babilônia em 560 a.C., depois do assassinato de Amel-Marduque (Evil-Merodaque), conhecido na história como Neriglissar. Ele era casado com Bel-sum-iskun, uma filha de Nabucodonosor. Neriglissar pode ter ascendido ao trono através de uma rebelião, ou mesmo como um legítimo sucessor de seu cunhado. Cerca de 35 anos antes de sua ascensão ao trono, ele aparece nos contratos como um rico proprietário de terras na Babilônia e Opis, e como aquele que foi nomeado por Nabucodonosor para cuidar dos negócios do Templo do deus do sol em Sippar. Durante os primeiros dias de seu curto reinado, ele esteve muito ativo na restauração do Templo de Esagila, na Babilônia, e do Templo de Ezida, em Borsippa, na reconstrução de um antigo palácio como sua residência, e na reparação dos canais em volta da Babilônia.

Um fragmento da crônica da Babilônia revela uma interessante campanha conduzida por Neriglissar em 557 a.C. O rei levou seu exército até o longínquo noroeste de seu reino na Cilícia, para reprimir a invasão de Appuasu, rei de Pirindu (oeste da Cilícia e Tracheia) que havia atravessado Hume (leste da Cilícia). Apesar das dificuldades do terreno montanhoso, Neriglissar e suas forças tiverem sucesso total ao expulsar Appuasu, e o perseguiram até o interior de seu território. A crônica registra que as trilhas eram tão estreitas que os soldados tiveram que marchar em fila por cerca de 150 quilômetros! Também tiveram muito sucesso ao conquistar a ilha rochosa de Pitusu, onde estavam alojados 6.000 solados. Depois da morte de Neriglissar em 556, seu filho Labasi-Marduk reinou apenas durante nove meses, antes de ser morto por Nabonido, o último rei caldeu (veja D. J. Wiseman, *Chronicles of the Chaldaean Kings*, Londres. Museu Britânico, 1956, pp. 37ss.).

E. M. Y.

**NERI** Filho de Melqui e pai de Salatiel, incluído na lista genealógica como ancestral de Jesus (Lc 3.27,28). Ele representa uma importante ligação na linha real messiânica, através do filho de Davi, Natã, porque a linha de Salomão foi cortada do trono após Jeconias.

**NERIAS** Filho de Maaséias e pai de Baruque, escriba de Jeremias (Jr 32.12,16; *et al.*), e Seraías, mordomo chefe que acompanhou Zedequias até o cativeiro na Babilônia (Jr 51.59).

**NERO** Nero Cláudio César Druso Germânico era filho adotivo do imperador Cláudio (41-54 d.C.). Ascendeu ao trono de Roma quando tinha 17 anos de idade e governou de 54 a 68 d.C. Durante os primeiros anos de seu reinado, foi ajudado por sua mãe, Agripina, pelo filósofo estóico Sêneca (irmão de Gálio, veja At 18.12-17), e pelo hábil soldado Burrus.

Nero. Gleason Archer; foto de W. LaSor

Depois de vários anos, ele se livrou desses três mentores e embarcou em uma carreira marcada pela crueldade e pela autocomplacência.

Suas verdadeiras habilidades, principalmente artísticas, foram muitas vezes prejudicadas por excessos e atrocidades. Finalmente, quando a revolta contra ele se espalhou (na África, Espanha e Gália), fugiu de Roma e cometeu suicídio em 9 de junho de 68 d.C. (alguns dizem que ele perdeu a razão, e ordenou a um de seus soldados que lhe tirasse a vida).

Seu nome não aparece no NT, somente seu título e suas atividades. Durante os anos 59-68, sua carreira esteve diretamente ligada à Igreja primitiva. Paulo apelou a ele para conseguir um julgamento justo (At 25.10-12), e passou dois anos em Roma à espera de uma audiência (At 28.30). Não se sabe se seu caso foi julgado, embora muitos considerem que o texto em 2 Tm 4.16,17 faça referências a este julgamento. Outras referências às atividades de Paulo nas Epistolas Pastorais parecem indicar que ele foi libertado por Nero depois de sua primeira prisão em Roma. Entretanto, depois de um período de liberdade e de renovada atividade, Paulo foi preso novamente, provavelmente em Roma e sob as ordens de Nero.

Para uma descrição das ruínas do palácio de Nero, veja WHG, pp. 548ss.

Então veio o incêndio do ano 64 d.C. Tácito, o historiador romano registrou detalhes desse incêndio em seu *Annals*, XV, 44. Roma foi severamente danificada pelas chamas, maneira evidente pela qual o imperador limpou o terreno para o novo complexo de seu palácio, e ficou sob suspeita. Culpando "uma classe de homens, desprezados por seus hábitos, a quem o povo intitulava cristãos", ele instituiu uma série de castigos cruéis e engenhosos contra essas pessoas. Dessa forma teve início a primeira perseguição oficial e local, porém bastante rigorosa, de Roma contra a Igreja.

De acordo com a tradição, Pedro e Paulo foram martirizados em Roma, sob as ordens de Nero, e pode haver algum reflexo desse período em certos escritos do NT, principalmente no Evangelho de Marcos, 1 Pedro e, de acordo com alguns, no livro de Apocalipse.

***Bibliografia.*** Robert M Grant, "Nero", IDB, III, 537ss. Merrill C. Tenney, *New Testament Times*, Grand Rapids. Eerdmans, 1965, pp. 282-293).

W. M. D.

**NERVO ou TENDÃO** A palavra hebraica *gid,* "nervo" ou "tendão", em Jó 10.11 e Ezequiel 37.6,8 referem-se a tendões e a outros tecidos conectivos do corpo. A identificação talmúdica de "nervo encolhido" (Gn 32.32) com o nervo ciático parece basear-se em uma antiga prática sectária. Na descrição poética, os nervos das coxas dos hipopótamos são entretecidos juntos (Jó 40.17); dores lancinantes são descritas em termos de nervos em Jó 30.17; e o pescoço de uma pessoa obstinada é visto como um "nervo de ferro" em Isaías 48.4.

**NESIAS** Um dos netineus cujos descendentes acompanharam Zorobabel desde o cativeiro da Babilônia e foram listados no registro genealógico (Ed 2.54; Ne 7.56).

**NETANEL**

1. Filho de Zuar da tribo de Issacar, príncipe da tribo na época do Êxodo (Nm 1.8; 2.5; 7.18,23; 10.15).
2. Quarto filho de Jessé e irmão de Davi (1 Cr 2.14).
3. Um dos sacerdotes que tocavam as trombetas diante da arca quando esta foi levada da casa de Obede-Edom para Jerusalém (1 Cr 15.24).
4. Um levita, pai do escriba Semaías, na época de Davi (1 Cr 24.6).
5. Filho de Obede-Edom, nomeado por Davi como porteiro do Templo (1 Cr 26.4).
6. Um dos príncipes enviados por Josafá para ensinar a lei nas cidades de Judá (2 Cr 17.7).
7. Chefe levita que tomou parte na grande Páscoa sob Josias (2 Cr 35.9).
8. Sacerdote da família de Pasur que havia se casado com uma esposa pagã na época de Esdras (Ed 10.22).
9. Sacerdote da família de Jedaías, na época de Jeoaquim, depois do exílio (Ne 12.21).
10. Levita que tomou parte na consagração do muro de Neemias (Ne 12.36).

P. C. J.

**NETANIAS**

1. Um músico nos dias de Davi, um dos quatro filhos de Asafe. Foi o líder do quinto turno de cantores e músicos no Templo (1 Cr 25.2,12).
2. Um dos levitas enviado por Josafá para ensinar a lei nas cidades de Judá (2 Cr 17.8).
3. Pai de Jeudi, que trouxe a profecia de Jeremias aos príncipes, e mais tarde a leu perante o rei Jeoaquim (Jr 36.14).
4. Filho de Elisama, da família real de Davi. Foi o pai de Ismael, o violento príncipe nacionalista que assassinou o governador Gedalias após a queda de Jerusalém (2 Rs 25.23,25; Jr 40.8,14,15; 41.1ss.).

**NETINEU** Nas várias versões, o termo netineu(s) é uma transliteração da palavra hebraica *n^etinim*, que literalmente significa "os que foram dados", e que ocorre pelo menos 17 vezes no AT. A tradução "servidores do Templo" descreve sua função.

Eles eram, especificamente, aqueles a quem "Davi e os príncipes deram para o ministério dos levitas" (Ed 8.20), o que indica, ao mesmo tempo, seu campo de atividade e sua origem histórica. Na maior parte das ocorrências, eles estão relacionados junto ou depois dos levitas (cf. 1 Cr 9.2; Ed 7.7; Ne 7.73). Por causa dessa referência às atividades de Davi, e de estarem junto com os servos de Salomão (Ed 2.58; Ne 7.60; cf. 1 Rs 9.21), além dos nomes estrangeiros que tinham, acredita-se que eram estrangeiros e que, a maior parte deles, era formada por prisioneiros de guerra colocados nessa função. Por exemplo, os meunitas (Ed 2.50; Ne 7.52) podem se referir àqueles que foram derrotados por Uzias (2 Cr 26.7); os nefuseus (Ed 2.50; Ne 7.52) podem se referir ao clã hagarita de Nafis (Gn 25.15; 1 Cr 5.19). Devido à semelhança de deveres, alguns procuraram os seus antecedentes nos gibeonitas "rachadores de lenha... (e) tiradores de água, para a casa... (de) Deus" (Js 9.23,27), e também nos midianitas (Nm 31.30,47). É provável que essa correlação se deva à semelhança de deveres, e não a um relacionamento direto. Quaisquer que sejam as raízes de sua origem, eles eram tratados como parte do povo de Deus, pelos menos como prosélitos (Ne 10.28ss.).

São mencionados nominalmente no AT na época pós-exílica. Da Babilônia retornaram 612 pessoas, sendo 392 com Zorobabel (Ed 2.58; Ne 7.60; um total que inclui "os filhos dos servos de Salomão") e 220 com Esdras (Ed 8.20), como "ministros para a Casa de nosso Deus" de um lugar chamado Casifia (Ed 8.17), "no ano sétimo do rei Artaxerxes" (Ed 7.7). Como outros ministros sagrados, eles estavam isentos de impostos (Ed 7.24).

Os netineus residiam nas cidades levitas (Ed 2.70) e na área de Ofel, em Jerusalém, nas proximidades da Porta das Águas (Ne 3.26; 11.21; veja 3.31, "a casa dos netineus"). Seus líderes eram Zia e Gispa (Ne 11.21).

Na passagem de 1 Esdras 5.29ss. (cf. Josefo, *Ant.* xi. 5.1), paralela a Esdras 2.43ss. e Neemias 7.46ss., esse grupo é designado como "os servos do Templo" (gr. *hierodoyloi*). Os escritores do Talmude falam sobre eles em termos muito pejorativos (Mishna, *Kiddushin,* iii.12; iv. I; *Jebamoth,* ii, 4).

*Veja* Serviço.

G. W. K.

**NETOFA** Cidade da Judéia próxima a Belém para a qual 56 homens retornaram do cativeiro da Babilônia, e lá se instalaram (Ed 2.22; Ne 7.26). *Veja* Netofatitas.

**NETOFATITAS** Moradores de Netofa, cidade agora identificada com Khirbet Bedd Faluh, cinco quilômetros ao sul de Belém. Seus habitantes eram da tribo de Judá, e foram primeiramente mencionados quando dois deles aparecem relacionados entre os poderosos de Davi (2 Sm 23.28,29; 1 Cr 11.30; 27.13-15). Seraías e os filhos de Efai eram netofatitas e lideraram o remanescente que foi deixado depois da queda de Jerusalém (2 Rs 25.23; Jr 40.8).

Os habitantes dessa cidade também são mencionados entre aqueles que retornaram depois do exílio (Ed 2.22; Ne 7.26; 12.28).

**NEUM** Um dos 12 líderes que retornaram do cativeiro da Babilônia com Zorobabel (Ne 7.7). Em Esdras 2.2 seu nome aparece como Reum (*q.v.*).

**NEÚSTA** Filha de Elnatã de Jerusalém, esposa de Jeoaquim e mãe de Joaquim. Seu nome é mencionado em conexão com o breve reinado desse último como rei de Judá (2 Rs 24.8), e como tendo acompanhado seu filho que foi levado prisioneiro para a Babilônia por Nabucodonosor (vv. 12,15).

**NEUSTÃ** Serpente de bronze destruída pelo rei Ezequias durante sua reforma da adoração no Templo (2 Rs 18.4). Ela havia sido feita por Moisés séculos antes. Esse nome pode significar "um pedaço de bronze" e, provavelmente, foi atribuído por Ezequias como forma de desdém. *Veja* Serpente de bronze; Animais IV.30.

K. R. Jones ("The Bronze Serpent in the Israelite Cult", JBL, LXXXVII [1968], 245-256) relaciona várias descobertas arqueológicas que demonstraram que na Mesopotâmia, antes da época de Abraão, a serpente era um símbolo muito comum da fertilidade e do retorno à vida. Foram os hicsos que, aparentemente, trouxeram o símbolo da serpente para a Palestina onde, durante escavações, foram encontradas sete serpentes de bronze destinadas ao culto das épocas da Idade do Bronze, Média e Final (1650-1200 a.C.). No Oriente Próximo, eram muito freqüentes as representações da serpente, ao lado de deusas da fertilidade, em placas ou estandartes (ANEP, #470-474, 585, 590, 591; BA, XX [1957], 43 – fig.8). Durante o reinado de Salomão, que importou muitas formas de idolatria, o símbolo da fertilidade foi, provavelmente, transferido para a serpente de bronze feita por Moisés (1 Rs 11.1-8).

J. R.

**NEVE** O Antigo Testamento indica que a neve (do heb. *sheleg)* só caiu ocasionalmente na Palestina, mas que algumas vezes houve uma forte nevasca (2 Sm 23.20; 1 Cr 11.22; cf. 1 Mac 13.22). A cobertura de neve do monte Hermom era visível de muitas partes da região, e também era uma fonte de suplemento de água na Palestina (Jr 18.14). O poder de Deus sobre a natureza fornecia a neve (Jó 37.6; 38.22). A neve foi notada por sua alvura (Êx 4.6; Nm 12.10; Sl 51.7; Is 1.18), por sua pureza (Jó 9.30), e por seu frescor restaurador (Pv 25.13). A neve simboliza a luminosidade

(Dn 7.9), a pureza (Sl 51.7; Is 1.18) e a limpeza (Jó 9.30).

**NEZIBE** Cidade na Sefelá da Judéia que foi incluída na divisão de Canaã por Josué, e designada à tribo de Judá (Js 15.43). Foi identificada com a moderna Khirbet Beit Nesib.

**NIBAZ** *Veja* Falsos deuses.

**NIBSÃ** Cidade no deserto da Judéia, às margens do mar Morto, ao norte de En-Gedi, que foi incluída na divisão da terra por Josué (Js 15.62). F. M. Cross, Jr., e J. T. Milik identificaram Nibsã com Khirbet el-Maqari, um local cuja tradição vai apenas até a Idade do Ferro, na região de Buqe'ah (o vale de Acor) a sudeste de Jericó (BASOR #142 [1956], p. 16). Porém, Nibsã e suas cinco cidades irmãs eram suficientemente grandes para ter vilas em suas proximidades, portanto deveria ser procurada uma área maior, que datasse pelo menos do início da Idade do Bronze.
Em 1965-66, foram investigadas três cidades ao longo da margem ocidental do mar Morto, na metade do caminho entre Qumran e En-gedi. Elas foram datadas dos séculos VIII ou VII a.C. através de fragmentos de cerâmica. Elas estavam localizadas perto de várias fontes de água doce, exatamente ao norte de um uádi que corria desde Belém, e são atualmente conhecidas como Ramad, Ain Turabi e Ain Ghuweir. É possível que sejam os locais de Nibsã, Midim e Secaca (Ian Blake, "Dead Sea Sites of 'The Utter Wilderness'", ILN, March 4, 1967, pp. 27-29).
J. R.

**NICANOR** Um dos sete homens escolhidos para serem diáconos, com a função de atender as necessidades das viúvas que falavam a língua grega na Igreja de Jerusalém (At 6.5).

**NICODEMOS** Um fariseu, líder dos judeus (*archon,* "governador", palavra usada muitas vezes como título dos membros do Sinédrio, cf. João 7.50, "Nicodemos, que era um deles ") um mestre em Israel, e provavelmente um homem abastado (Jo 3.1,10; 19.39). Sua visita noturna a Jesus deu ocasião ao discurso sobre o nascimento espiritual registrado em João 3.1-10.
Nicodemos só é mencionado (no NT) no Evangelho de João. (1) Ele procurou Jesus durante a noite, e o Senhor lhe ensinou a doutrina do novo nascimento (Jo 3.1-10); (2) ele defendeu Jesus perante os principais sacerdotes e os fariseus – o Sinédrio (Jo 7.46-52); (3) ele ajudou José de Arimatéia na preparação do corpo de Jesus para o sepultamento (Jo 19.38-42).
Nada se sabe com certeza sobre sua família ou antecedentes. Têm havido tentativas para identificá-lo com o Nicodemos ben Gorion mencionado no Talmude. Depois de sua participação no sepultamento de Jesus, Nicodemos desapareceu da narrativa do NT. Porém, em um relato apócrifo da paixão e ressurreição de Cristo, várias vezes intitulado Evangelho de Nicodemos e Atos de Pilatos, são feitas outras referências a ele.
Embora o NT não afirme que Nicodemos tenha, posteriormente, se tornado um cristão, existe uma forte possibilidade deste fato ter ocorrido.
A tradição cristã diz que ele foi batizado por Pedro e João, sofreu muitas provações nas mãos de judeus hostis, foi privado de suas funções no Sinédrio e expulso de Jerusalém por causa de sua fé em Cristo.
B. M. W.

**NICOLAÍTAS** A menção desse nome, em conexão com a referência a Balaão (Ap 2.14,15) pode muito bem indicar o antinomianismo desse grupo. Comer a carne que havia sido sacrificada aos ídolos e praticar a fornicação eram consideradas evidências específicas dos ensinos de Balaão. A expressão "assim, tens também" (Ap 2.15) indica um paralelismo com o nicolaitanismo.
Esse entendimento do significado desse termo está confirmado nos escritos dos patriarcas da Igreja. Inácio (aprox. 110 d.C.) fala sobre eles como "amantes do prazer" e "dados a discursos caluniosos" (*Epistle of Ignatius to the Trallians*, cap. 11) e define o termo: "Um nicolaita... corruptor de sua própria carne" (*Epistle of Ignatius to the Philadelphians*, cap. 6). Irineu (aprox. 180 d.C.) diz: "Eles vivem uma vida de desenfreada indulgência" (*Against Heresies*, 1.26.3). Clemente de Alexandria os qualifica como auto-indulgentes (*Stromata* II20). Tertuliano (aprox. 200 d.C.) diz que eles comem coisas sacrificadas aos ídolos, e menciona a fornicação que cometem (*On Proscription* Against Heretics, cap. 33). Hipólito (aprox. 200 d.C.) escreve: "João os reprovou no Apocalipse como fornicadores e comedores de coisas oferecidas aos ídolos" (*The Refutation of All Heresies,* VII24).
As referências feitas por Irineu e Hipólito a Nicolau, um prosélito de Antioquia (At 6.5), como fundador dos nicolaítas, devem ser vistas com desconfiança. O testemunho geral indica que os nicolaítas eram culpados de antinomianismo.
W. C.

**NICOLAU** Esse nome, que significa "conquistador do povo", só é mencionado em Atos 6.5. Ele era um dos sete homens (às vezes considerados os primeiros "diáconos"), escolhidos para cuidar do "ministério cotidiano" e "servir às mesas" (At 6.1,2) quando essa tarefa se tornou cansativa demais para os apóstolos. Sua terra natal era Antioquia e ele era, originalmente, um gentio convertido ao judaísmo, porque é chamado de "prosélito de Antioquia".

O Nilo em Luxor com as colinas da Líbia ao fundo. HFV

Epifânio (aprox. 315-403 d.C.), bispo de Salamina, afirmou que mais tarde Nicolau se sentiu descontente ou enfadado, e fundou a seita herética dos nicolaítas (Ap 2.6,15). Mas essa informação parece ser extremamente duvidosa. Clemente de Alexandria (aprox. 150-220 d.C.) defendeu o caráter de Nicolau. Como os outros seis diáconos, Nicolau evidentemente preenchia as qualificações estabelecidas pelos apóstolos: "Sete varões de boa reputação, cheios do Espírito Santo e de sabedoria" (At 6.3).

**NICÓPOLIS** Em sua carta a Tito, Paulo o informa sobre seu plano de passar o inverno em Nicópolis (Tt 3.12). Embora existam pequenas cidades com esse nome na Trácia e Cilícia, Paulo sem dúvida estava referindo-se àquela "cidade da vitória" fundada por Augusto em Epiro, na costa ocidental da Grécia. Era uma cidade grande e florescente e Paulo chamou Tito de Creta para vir ajudá-lo nesse lugar. Nessa cidade, Paulo provavelmente foi preso e levado para Roma pela última vez.

**NIGER** *Veja* Simeão.

**NILO** O rio Nilo é um dos maiores sistemas fluviais, o segundo mais longo do mundo, (depois do Amazonas) e um dos poucos que fluem do sul para o norte. De suas nascentes, nos lagos equatoriais da África oriental, ele percorre mais de 6.000 quilômetros até desaguar no mar Mediterrâneo. Iniciando no lago Victória, ele continua através do lago Kioga, despenca pelas cataratas *Murchison Falls* e atravessa o lago Albert. Finalmente, suas águas inundam um grande charco onde a vegetação esconde os vários canais e torna a navegação quase impossível. O luxuriante "sudd" (plantas aquáticas) era o curso dos primeiros exploradores, e contribui para a fertilidade que caracteriza o Nilo.

Os afluentes do Nilo são pouco numerosos, e quase todos deságuam na margem oriental transportando água das montanhas da Abissínia. Seu curso principal, o Nilo Branco, recebe o Sobat perto de Malakal. Em Khartum, ele encontra o Nilo Azul, que exerce um importante papel na inundação anual. O triângulo formado pelos rios Nilo, Branco e Azul, o Gezira ("ilha") é uma rica região agrícola especializada em algodão. Abaixo de Khartum, seu último afluente, o Atbara, é apenas um leito seco de rio na maior parte do ano, mas se transforma em uma violenta torrente quando chega a época das enchentes. O Nilo continua para o norte, cerca de 2.500 quilômetros em direção ao mar, sem qualquer outro afluente. Entre Khartum e Assuã o rio atravessa seis cataratas, que foram numeradas de norte a sul na ordem de sua descoberta. Nessa região estavam localizadas as áreas de Cuxe e Núbia.

Os egípcios haviam sido muito ativos na região da Núbia desde o Velho Reino (aprox. 2700-2200 a.C.). Durante o Reino do Meio (aprox. 2000-1775 a.C.) eles construíram fortes e postos de comércio desde o sul até a segunda e terceira cataratas. Inúmeros templos egípcios estavam localizados na Núbia durante o Novo Reino (aprox. 1580-1100 a.C.), e dentre eles o de Abu Simbel era o mais conhecido.

Logo acima da primeira catarata, em Assuã,

Estátuas gêmeas em granito negro representando Hapi, o deus do Nilo, em pé atrás de altares sobre os quais estão peixes, correntes de águas e plantas aquáticas. LL

"Fluviômetro" na ilha de Elefantina em Assuã, usado para medir a inundação do Nilo. HFV

fica a ilha de Philae, com os famosos templos de uma época posterior. Em Assuã, antiga Sevene, encontra-se a ilha Elefantina onde, no século V a.C., se desenvolveu uma comunidade judaica que mantinha contato com a Palestina. De Assuã até o Cairo o vale é relativamente estreito, uma faixa de terra de 3 a 45 quilômetros de largura, circundada por rochedos íngremes e desertos rochosos.

Abaixo do Cairo, abre-se um Delta na forma de um leque, com cerca de 200 quilômetros de comprimento por 180 de largura. Na época clássica, o Nilo se dividia aqui em sete canais, mas atualmente existem apenas dois canais principais; o ocidental ou Roseta, que deságua perto da cidade de Alexandria, e o oriental, ou Damieta, que alcança o mar em Port Said do lado ocidental, no extremo norte do canal de Suez. Na época da Décima Nona Dinastia (aprox. 1300ss.), Ramsés II fez muitas obras a nordeste do Delta para instalar a residência real e a capital em Tânis (*veja* Zoã).

Como o Nilo era a fonte e o suprimento de toda a vida no Egito – sem ele a maior parte do nordeste da África seria inabitável – os egípcios reconheciam um deus do rio, chamado Hapi, que era representado por um ser hermafrodita com seios pendentes. O rio supria a maior parte das necessidades da vida: água para a irrigação, água para beber, lavar e banhar o corpo e alimentos como peixes e aves. Ao longo de suas margens as pastagens de juncos eram usadas para a criação de gado (Gn 41.1-4). O rio formava uma avenida comercial; a correnteza em direção ao norte facilitava o comércio do sul, e o constante vento norte alimentava as velas nas viagens do sul (em contracorrente). O remo, a pesca e a caça ao longo do rio proporcionavam esporte e recreação para os nobres.

A inundação anual representava a base da agricultura do país. Esse fluxo vital de água começava na África Equatorial com a estação das chuvas. Elas aumentavam o volume do Nilo Branco que, conseqüentemente, cobria longos trechos de terras alagadiças acumulando muito material orgânico.

Entretanto, eram as chuvas das montanhas da Etiópia que contribuíam para a maior parte da inundação anual. Como os rios que lá se originavam tinham uma queda mais pronunciada do que o Nilo Branco, eles despencavam com grande velocidade e carregavam uma enorme quantidade de solo para formar o depósito de aluvião. O fluxo do Nilo Azul, na cheia, chega a represar as águas do Nilo Branco.

Na latitude de Mênfis (nas proximidades da moderna cidade do Cairo), o início da inundação acontecia em junho, e ela aumentava acentuadamente até aprox. 19 de julho. A elevação das águas era cuidadosamente observada pelos oficiais e medida por fluviômetros em vários pontos de controle. Uma inundação ótima tinha grande importância; uma pequena quantidade de água representava um desastre agrícola, com a conseqüente falta de alimentos; uma quantidade excessiva significava uma catástrofe causada pelos danos da inundação. No mês de outubro as águas alcançavam sua altura máxima e, em dezembro, o rio voltava aos seus canais normais.

Desde a Antiguidade foram feitas várias tentativas para controlar as águas para irrigação, pois a maior parte dela ia para o mar sem ser utilizada. No Reino do Meio o controle da água era feito através do uso da depressão de Fayum. Atualmente, existem reservatórios (barragens) em inúmeros lugares. A Represa de Assuã foi terminada em 1902, e sua altura já foi aumentada duas vezes. A nova Represa Alta (Sadd el Aali), iniciada em 1960 e oficialmente inaugurada em 15 de janeiro de 1971, criou o imenso lago Nasser. Ela poderá favorecer a formação de 2.500.000 acres adicionais de terras cultiváveis, e permitir um impressionante aumento da disponibilidade de energia elétrica.

Na Antiguidade, a inundação influenciava o calendário do Egito em vários aspectos. Ela determinava o calendário prático da agricultura, a base da economia do país. O aparecimento da Estrela do Cão (Sirius, Sotis) no horizonte, no amanhecer do dia 19 de julho, deu início a um ciclo de 1.400 anos, o ciclo Sótico, que tem sido muito útil ao se trabalhar com a cronologia do Egito antigo. *Veja* Egito.

Na Bíblia Sagrada, as referências ao Egito

são muito freqüentes na última seção do livro de Gênesis, e no início do livro de Êxodo. Esses reflexos do ambiente local transmitem precisamente um conhecimento em primeira mão sobre a vida egípcia, e confirmam a opinião tradicional da autoria mosaica desses livros. O termo *$y^{e}$'or*, "rio, curso de água", representa a designação habitual do Nilo em hebraico. Ela é uma palavra emprestada da língua egípcia; a palavra *itrw,* assim como *$y^{e}$'or,* era usada para o curso principal de um rio, seus braços no Delta e até para os canais que, naturalmente, recebiam as águas desse rio. Geralmente, a palavra hebraica é acompanhada por um artigo definido, "o rio", que exprime um ponto de vista claramente egípcio. Em hebraico, o Nilo também é chamado de *shihor* em diversas passagens (Is 23.3; Jr 2.18). Deve-se tomar cuidado para não confundir o Nilo com o "rio do Egito" que, na maioria das vezes é o Uádi el-Arish, a fronteira sudeste da Palestina. *Veja* Egito, Rio do.
Na narrativa de José, o Faraó sonhou que estava em pé junto ao Nilo (Gn 41.1,17). O gado em seu sonho pastava ao longo do rio (Gn 41.2,3,18). No período da opressão no Egito havia uma ordem pela qual todos os recém nascidos do sexo masculino deveriam ser eliminados ao nascer, sendo lançados no rio (Êx 1.22). O recém-nascido Moisés foi colocado em um cesto impermeável e escondido nos juncos às margens do rio (Êx 2.3) onde foi achado pela princesa e suas servas (Êx 2.5,6). A primeira praga foi dirigida contra o Nilo (Êx 7.14,25; cf. Sl 78.44). A praga das rãs também estava associada ao rio (Êx 8.3,5,9,11).
Nos escritos dos profetas, o Nilo aparece em previsões contra o Egito. Foi profetizado que as águas do Nilo iriam secar (Is 19.5-10; 37.25; Ez 30.12; Zc 10.11). A colheita do Nilo é mencionada como parte dos lucros da cidade mercantil de Tiro (Is 23.3), e em Isaías 23.10 pode ser encontrada uma alusão à inundação. Naum menciona a cidade de Tebas, que "está situada entre os rios [Nilo], cercada de águas, tendo por esplanada o mar e ainda o mar, por muralha" (Na 3.8).

***Bibliografia.*** Georg Gerster, "Threatened Treasures of the Nile", *National Geographic.* CXXIV (outubro de 1963). 587-623 e Atlas Pl. 56. Irving e Electa Johnson, "Yankee Cruises the Storied Nile", *National Geographic,* CXXVII (maio de 1965), 583-633 e Atlas Pl. 58.

C. E. D.

**NIMRUD** *Veja* Calá.

**NINFA** Uma crente proeminente em Colossos ou Laodicéia, cuja casa era usada para adoração, a quem Paulo enviou saudações (Cl 4.15). O nome ocorre na forma acusativa *Nymphan,* de forma que não se tem certeza se ele representa um nome masculino (Ninfas) ou feminino (Ninfa). O pronome "dele" ocorre no Codex D e em outros manuscritos gregos, enquanto o pronome "dela" é encontrado no Codex B, na frase "e à Igreja que está na casa *dela*".

**NINHO** A palavra hebraica *qen* corresponde a "ninho" no AT, e o verbo *qanan* significa "fazer um ninho". O termo usado por nosso Senhor em Mateus 8.20 e Lucas 9.58 é o gr. *kataskenosis*, que dá a conotação de um campo de tendas, um acampamento ou lugar de moradia. O contraste com o povo do Senhor que não tem uma moradia é extremamente forçado.
Os vários usos de *qen* no AT incluem um termo para compartimentos ou "quartos" da arca em Gênesis 6.14; várias alusões a fortificações (por exemplo, Nm 24.21); a expressão de Jó para a permanência e segurança ("no meu ninho expirarei", 29.18); para esconderijo de fugitivos (Jr 48.28); para um ninho abandonado (Isaías 16.2, literalmente "lançado fora do ninho"); e como uma expressão usada para "ninhos esparsos", um retrato dos moabitas fugitivos.

**NÍNIVE** Do outro lado da moderna cidade de Mosul, na margem oriental do rio Tigre, existem duas colinas que em árabe são chamadas de Kuyunjik (o castelo de Nínive), e Nebi-Yunus (o provável local de sepultamento do profeta Jonas). Essa última ainda é desabitada. Elas faziam parte de um complexo de edifícios rodeado por um muro de tijolos de cerca de 12 quilômetros de comprimento e 15 portas de cidades que formavam a antiga Nínive.
Jonas, que tinha sido enviado para pregar nessa cidade assíria no início do século VIII a.C., descreveu-a como "uma grande cidade, de três dias de caminho" (Jn 3.3). Através desta declaração, é provável que o profeta desejasse dizer que seriam necessários três dias para alcançar todas as partes da cidade, em sua missão de pregação. Podemos julgar o tamanho de sua população através da declaração expressa em Jonas 4.11. Alguns entendem que o Senhor Deus, ao se referir à população inocente de Nínive, estaria men-

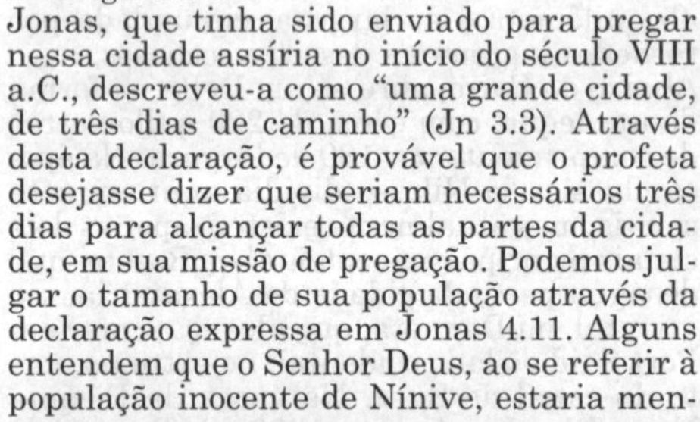

O monte de Kuyunjik, Nínive. JR

Escavações em Calá, subúrbio de Nínive. JR

cionando todas as crianças demasiadamente pequenas para saberem a diferença que existe entre a mão direita e a esquerda, e que totalizavam 120.000 crianças; isto sugeriria uma população total de aproximadamente 600.000 pessoas. Talvez Jonas estivesse pensando na "grande Nínive", uma vez que todas as principais cidades freqüentemente consistiam de uma fortaleza murada, com muitas outras vilas vizinhas estendendo-se por muitos quilômetros, e que, na linguagem hebraica, era chamada de cidade e suas aldeias (Js 15.45,47).

Outros, entretanto, consideram essa expressão de Jonas 4.11 como metafórica, e designando toda a população a quem Deus entendia como tendo um conhecimento imperfeito do bem e do mal. Uma população total de 120.000 pessoas está bem de acordo com o número registrado de 69.574 pessoas acomodadas em Calá, uma cidade com uma dimensão que correspondia a menos da metade de Nínive em 879 a.C.

Ela só se tornou a capital da Assíria no reino de Senaqueribe (705-681 a.C.). Entretanto, vários reis antes dele construíram ali palácios, templos, e edifícios públicos. Assurnasirpal II (884-859) e Salmaneser III (859-824) fizeram de Nínive sua residência durante certos períodos de seu reinado (ANET, pp. 277ss.). É possível interpretar a palavra "rei" (em hebraico *melek)* em Jonas 3.6,7 no sentido de *malku*, em acádio, que significa "príncipe, governador", de modo que o livro de Jonas, historicamente falando, é bastante preciso (*veja* Jonas, Livro de).

As duas colinas, separadas por um regato chamado atualmente de Khosr, têm sido muitas vezes objeto das ferramentas dos arqueólogos desde o início das escavações em Kuyunjik, sob a coordenação de P. E. Botta e A. H. Layard, na metade do século XIX. Em 1903, L. W. King foi acompanhado por R. C. Thompson, que usou modernas técnicas arqueológicas nesse local em suas extensas escavações feitas de 1927 a 1932. Como Nebi-Yunus tem casas e uma mesquita que contém a suposta tumba de Jonas, Layard fez algumas escavações subterrâneas nesse monte e, em 1954, o diretor geral de antiguidades do Iraque descobriu parte do palácio de Esar-Hadom.

As escavações mostraram que a origem de Nínive podia ser acompanhada desde o final da época neolítica (aprox. 5000 a.C.). *Veja* Arqueologia. Isso está de acordo com a tradição bíblica que menciona essa cidade na Tábua das Nações (Gn 10) junto com outra capital assíria, Calá.

As duas cidades foram construídas por Ninrode, que invadiu essa região vindo da terra de Sinar. Mais tarde elas foram chamadas de Assíria. Talvez isso tenha ocorrido em aprox. 3500 a.C., pois um antigo nível de Kuyunjik revelou uma cerâmica do tipo Ubaid, conhecida como originária do sul da Mesopotâmia. O nome de Ninrode se manteve entre os habitantes locais que, mesmo atualmente, chamam essa área de Calá Tell Ninrode.

Nínive foi mencionada em documentos cuneiformes desde os séculos XXII e XXI a.C. Tábuas que foram encontradas em um centro comercial assírio em Kultepe, na antiga Capadócia, no início do 2º milênio a.C., mencionam o nome dessa cidade e indicam que ela era um centro de adoração a Ishtar. Isso foi confirmado por um documento da época de Shamsi-Adad (1748-1716 a.C.) que diz que o templo de Ishtar foi construído por Manishtusu (2295-2281 a.C.), filho de Sargão da Acádia. Um segundo templo dedicado a Ishtar, a deusa da fertilidade e da guerra,

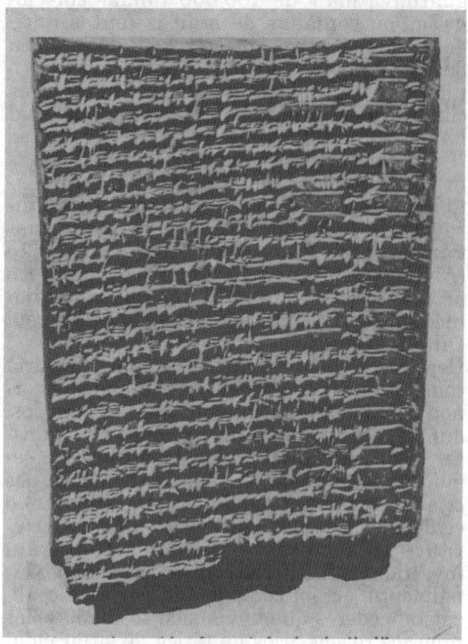

Uma tábua da criação, da biblioteca de Assurbanipal, Nínive. BM

identificada com o planeta Vênus, foi desenterrado em Kuyunjik, junto com um templo dedicado a Nabu, o deus das artes e ofícios. Entretanto, a maior descoberta feita em Nínive foi o palácio de Senaqueribe (705-681 a.C.), o rei assírio que fez muito para glorificar esta grande cidade. Esse palácio, edificado no ápice sudeste da colina Kuyunjik, com quase 30 metros de altura, foi primeiramente escavado por Layard em 1849-51. Havia dois grandes salões de entrada, cada um com mais de 2.300 metros quadrados, e mais de 3.000 metros de paredes decoradas com inscrições históricas e retratos das explorações do rei executados em baixo-relevo. Muitos touros alados e esfinges pesando cerca de 30 toneladas guardavam suas entradas. Senaqueribe também construiu um aqueduto de quase 50 quilômetros para trazer água potável à cidade. Ele trouxe a Nínive, cidade que chamava de "minha cidade senhoril", os tributos e os cativos de Jerusalém e de outras cidades da Palestina (ANET, p. 288).

Embora não tenha sido encontrado nenhum Templo do deus Nisroque, de Senaqueribe, no qual ele foi assassinado (2 Rs 19.37), o Templo de Nabu, desse mesmo período, continha mais de mil tábuas em caracteres cuneiformes que, evidentemente, faziam parte da biblioteca real. Mas uma biblioteca maior e mais organizada foi descoberta no extremo noroeste da colina, pois lá era o lugar onde o rei Assurbanipal (669-631 a.C.) guardava mais de 100.000 tábuas colecionadas ou copiadas de muitas fontes antigas pelos escribas da época. A descoberta dessa biblioteca, no século XIX, forneceu o impulso original ao estudo dos caracteres cuneiformes. A maior parte desse material havia sido publicada em séries intituladas "*Cuneiform Texts from Babylonian Tablets in the British Museum*". Quando foram finalmente traduzidos, os textos mais admiráveis estavam em sete tábuas que formavam o épico babilônico sobre a criação (ANET, pp. 60-72) e 12 tábuas sobre o épico de Gilgamesh, contendo um relato babilônico sobre o Dilúvio (ANET, pp. 72-99). *Veja* Dilúvio; Gênesis.

Depois do reinado de Assurbanipal, a Assíria começou a perder poder. A Babilônia se tornou independente e foi anexada pelos medos. Juntas, elas começaram primeiro a conquistar a antiga capital chamada Assur. Em seguida, com a ajuda dos bandos nômades dos citas, Cyaxares, o medo, e Nabopolassar, o caldeu, começaram seu assalto a Nínive. Durante três meses, os aliados tentaram investidas infrutíferas contra essa cidade. Finalmente, ela foi conquistada por essa coalizão de poderes que havia sido treinada pelos próprios reis assírios na tática de sitiar cidades. A crônica da Babilônia registra que Nínive foi derrotada no décimo quarto ano de Nabopolassar, que os cronologistas computaram como o ano 612 a.C. (ANET, pp. 303-305).

A queda de Nínive encerrou a história assíria, embora a destruição final de seu exército só tenha acontecido em 609 a.C., quando seus remanescentes foram arrasados na conquista de Harran pelos babilônios e citas. Nínive foi reduzida a uma ruína total, e seus palácios e templos foram demolidos. As palavras do profeta Sofonias dão uma notável descrição daquilo que aconteceu a essa cidade: "E fará de Nínive uma assolação, terra seca como o deserto... Esta é a cidade alegre e descuidada, que dizia no seu coração. Eu sou, e não há outra além de mim; como se tornou em assolação, em pousada de animais!" (Sf 2.13,15).

O profeta Naum dedicou seu oráculo à derrota de Nínive. Seu sentimento é de alegria porque um amargo flagelo logo teria fim, e as atrocidades dos assírios eram exatamente isso. Naum canta no final do primeiro capítulo: "Celebra as tuas festas, ó Judá, cumpre os teus votos, porque o ímpio não tornará mais a passar por ti; ele é inteiramente exterminado" (Na 1.15). Quão verdadeiras eram suas palavras, pois todas as cidades mais importantes da Assíria haviam sido destruídas! Depois da destruição e desurbanização, somente uma civilização primitiva continuou nestes locais até o primeiro século d.C., quando um povo ressurgiu como um reino vassalo dos partos. Talvez esta seja uma das ironias da história; a casa real desse reino de Adiabene converteu-se ao judaísmo, e contribuiu para a construção de Jerusalém.

***Bibliografia.*** C. J. Gadd, *The Fall of Nineveh*, Londres. Oxford Univ. Press, 1923. André Parrot, *Nineveh and the Old Testament,* trad. por B. E. Hooke, Londres. SCM Press, 1955. R. C. Thompson e R. W. Hutchinson, *A Century of Exploration at Nineveh*, Londres. Luzac, 1929.

E. B. S.

**NINIVITAS** Residentes de Nínive. Na Bíblia essa palavra é usada no plural (Lc 11.30). *Veja* Nínive.

**NINRA** Cidade do lado oriental do Jordão que foi incluída na divisão tribal, e designada à tribo de Gade (Nm 32.3). Ela é idêntica a Bete-Ninra (*q.v.*; v. 36) e está localizada em Tell el-Bleibil no Uádi Sha'îb. Não muito longe está o Uádi Ninrim, que preserva o antigo nome das águas do Ninrim (*q.v.*). Ambos estão 12 quilômetros ao norte do mar Morto, no extremo oriental do vale do Jordão.

**NINRIM** Um nome que ainda pode ser encontrado no Uádi en-Numeirah a sudeste do mar Morto. Essas águas foram amaldiçoadas em oráculos contra Moabe (Is 15.6; Jr 48.34).

**NINRODE** Descendente de Cam, através de Cuxe, que logo se distinguiu através da região da Mesopotâmia (Gn 10.8-12). Ele é descrito como alguém "poderoso na terra" (v.8) e um "poderoso caçador perante o Senhor" (v. 9), o que provavelmente significa que ele tenha sido um dos primeiros potentados registrados na história, e também um tirano (um caçador de homens, cf. Jr 16.16). De acordo com o v. 10, ele fundou um reino na terra de Sinar (*q.v.*), isto é, no sul do Iraque, que era formado por Babel, Ereque e Acade, "todas elas" (veja JBL, XC [1971], 99-102). Em seguida ele foi para a Assíria e construiu – ou reconstruiu – Nínive, Reobote-Ir, Calá e Resém (vv. 11,12).

Em termos de arqueologia, Ninrode pode ter sido o líder do movimento Ubaid do sul ao norte do Iraque, em aprox. 3800-3500 a.C. Esse é o único período anterior à época de Abraão (aprox. 2000 a.C.) quando uma cultura não semítica veio do sul e deixou significativas ruínas nos primeiros níveis das cidades assírias. Sargão de Acádia, ou Agade (aprox. 2300 a.C.), que conquistou toda a Mesopotâmia marchando de sua capital nas proximidades da Babilônia, foi um governante semita.

Em Miquéias 5.6, a Assíria é chamada de terra de Ninrode. Até hoje seu nome está ligado a cidades em ruínas; Calá (*q.v.*) é um local chamado de *Nimrud*, e o local da antiga cidade de Borsippa, na Babilônia, é chamado de *Birs Nimrud*.

J. R.

**NINSI** Avô de Jeú (2 Rs 9.2,14) que é geralmente chamado de filho de Ninsi (1 Rs 19.16; 2 Rs 9.20; 2 Cr 22.7).

**NIPPUR** Uma das principais cidades da antiga Mesopotâmia, localizada 150 quilômetros a sudeste de Bagdá. Nippur ocupava uma posição privilegiada por causa de sua extraordinária posição religiosa. Embora nunca tenha sido uma capital política, Nippur foi uma cidade proeminente ao longo de toda a história registrada da Mesopotâmia. Foi a cidade especial de Enlil, chefe de todos os deuses das variadas cidades da Babilônia e da Assíria, e lá estava localizado o seu Templo, conhecido como Ekur. Dessa forma, desde o início da época dos sumérios até o Império Neo-assírio (inclusive), todos os governantes confirmavam sua autoridade fazendo uma peregrinação a Nippur para "se agarrar às mãos de Enlil". Na verdade, o nome Nippur está escrito através de um símbolo abreviado sumério, *EN.LIL.KI*, que significa "o lugar do deus Enlil".

Entretanto, a ocupação original de Nippur precede a época dos sumérios. Antigos fragmentos do tipo Ubaid indicam que ela existia praticamente desde o início da colonização do sul do Iraque. Foi ocupada de forma mais ou menos contínua desde o período dos partos, um intervalo de 4.000 anos. Em sua maior extensão, a cidade cobria uma área de aproximadamente 730.000 metros quadrados. Mas a população se encontrava dispersa em uma área muito maior fora de seus muros, e o vilarejo de Puzris' Dagan, 10 quilômetros ao sul, servia como o mercado de gado de Nippur.

As primeiras escavações importantes foram realizadas durante quatro temporadas pela Universidade da Pensilvânia, sob a orientação científica do professor Herman V. Hilprecht, de 1888 a 1900. As escavações em si foram supervisionadas, durante a maior parte do tempo, por John Henry Haynes. Essa foi a primeira expedição americana em larga escala no Oriente Próximo, seguindo a liderança dos ingleses e franceses.

Talvez a descoberta mais importante tenha sido a grande coleção de quase 6.000 tábuas de argila e de fragmentos, que originalmente se acreditava terem vindo da biblioteca do templo. Estudos posteriores mostraram que, na realidade, elas vieram das casas particulares de escribas profissionais, e eram usadas no processo de ensinar a arte da escrita acadiana e sumeriana aos aprendizes da escrita cuneiforme. Em geral, essas tábuas foram descritas como textos escolares e incluem muitos tipos diferentes, desde tábuas de exercícios contendo cunhas separadas, até simples cópias de composições literárias como provérbios, poemas épicos e hinos. É interessante notar que tanto a literatura sumeriana, como a chave para sua interpretação, tenham vindo da mesma coleção de textos escolares; pois sem as informações sobre vocabulário e os paradigmas gramaticais usados há muito tempo para ensinar o suméirio, os estudiosos modernos teriam sido incapazes de traduzir os documentos literários.

Escavações recentes foram realizadas de 1948-52 pelo Instituto Oriental da Universidade de Chicago, juntamente com a Universidade da Pensilvânia, e mais tarde, durante várias temporadas, por essa última instituição. Elas produziram cerca de mil tábuas adicionais e fragmentos contendo esses "textos escolares" únicos. Também descobriram e escavaram o grande templo de Inanna, a contrapartida sumeriana da babilônica Ishtar, deusa do amor e da guerra. Esse templo existe desde o início da época das dinastias, e exerceu um importante papel na vida religiosa e econômica de Nippur. Entretanto, ainda resta muito a ser descoberto, pois referências literárias feitas a muitas outras divindades indicam a existência de outros templos em Nippur que ainda não foram descobertos.

*Veja* Babilônia; Suméria.

F. R. S.

**NISÃ** Primeiro mês do calendário judaico sagrado (Ne 2.1; Et 3.7), chamado de Abibe (*q.v.*)

no Pentateuco. Ele se refere ao mês das flores durante o qual ocorria a Páscoa, e correspondia ao nosso março-abril. *Veja* Calendário.

**NISROQUE** *Veja* Falsos deuses.

**NITRATO** *Veja* Minerais e Metais.

**NÔ ou NÔ-AMOM** Palavra hebraica que indica o nome de um lugar e significa "cidade de Amom". Derivada da palavra egípcia *niwt*, "vila" ou "cidade", e designa a cidade egípcia que os gregos chamavam de Diospolis, Diospolis Magna ou Tebas.

O nome egípcio traduzido como Tebas é *Waset*, aplicado tanto à vila que está à margem oriental do Nilo como ao quarto nome do Egito Superior. Em geral, o nome Tebas veio a significar Karnak, Luxor e a área da necrópole na margem ocidental do rio.

A cidade de Nô alcançou sua maior glória durante a Dinastia XVIII (1570-1329 a.C.), quando era a capital do Egito. Foi apelidada de "A cidade dos cem portões". Centro religioso da tríade Amom, Mut e Khonsu, o nome Nô-Amom indica a relação entre a cidade e seu principal deus. Os sacerdotes de Amom se tornaram cada vez mais poderosos e assumiram o reinado depois da morte de Tutancamon. O rei assírio Assurpanipal conquistou e saqueou essa cidade em 663 a.C. (cf. Na 3.8). O rei persa Cambises marchou através da cidade quando estava a caminho da Núbia em 525 a.C. A cidade sofreu uma grande destruição nas mãos do prefeito romano Cornélio Gallus, por ter participado da revolta contra os excessivos impostos depois do suicídio de Cleópatra em 30 a.C.

Em Tebas, ainda podem ser vistas numerosas evidências da glória do Egito, inclusive os grandes templos de Luxor e Karnak, na largem oriental do Nilo. No lado ocidental existem grandes templos mortuários como

Saguão Hypostyle no templo de Karnak, Tebas. HFV

Ramesseum, Medinet Habu e Deir el-Bahri, e os magníficos túmulos dos Faraós no vale dos Reis. Pinturas existentes em numerosos túmulos de nobres, cavados na rocha, retratam a vida e os costumes da época de Moisés. Entre as ruínas do Templo de Karnak, o Saguão Hypostyle é especialmente impressionante, uma das grandes conquistas arquitetônicas do mundo. Existem 134 colunas suportando o teto; a avenida central tem colunas de mais de 20 metros de altura, as maiores do mundo. O Faraó Ramsés II, no século XIII a.C., foi o grande responsável por essa construção.

Tebas só aparece na Bíblia em contextos relacionados ao juízo do Senhor. O texto em Jr 46.25 afirma que o Senhor punirá Amom de Tebas; Ez 30.14-16 declara vários castigos sobre essa cidade; e em Naum 3.8ss., o destino de Nô-Amom serve como lição para seus

Templo de Ramsés III em Medinet Habu, Tebas. LL

Nobe. HFV

conquistadores assírios.

***Bibliografia.*** Charles F. Nims, *Thebes of the Pharaohs,* Nova York; Stein e Day, 1965.

C. E. D.

**NOÁ** Quarto filho de Benjamim, filho mais novo de Jacó (1 Cr 8.2). Ele não está incluído na lista daqueles que acompanharam Jacó ao Egito (Gn 46.21), portanto é provável que tenha nascido mais tarde. Alguns o têm identificado como Sufã (*q.v.*; Nm 26.39).

**NOA** Uma das cinco filhas de Zelofeade (Nm 26.33; 27.1; 36.11; Js 17.3). Em hebraico seu nome era *no'a.*

**NOADIAS**

1. Um levita que, com Meremote, Eleazar e Jozabade, pesou a prata, o ouro e os objetos sagrados que foram trazidos da Babilônia a Jerusalém (Ed 8.33).
2. Uma profetisa que, com outros profetas, foi contratada por Tobias e Sambalate para intimidar Neemias na reedificação dos muros de Jerusalém (Ne 6.14).

**NOBA**

1. Um israelita que foi provavelmente filho de Maquir, da tribo de Manassés. Ao conquistar a terra do lado leste do Jordão, ele tomou a cidade de Quenate juntamente com as aldeias vizinhas e lhe deu seu próprio nome (Nm 32.42).
2. Uma cidade a leste de Gileade, mencionada na perseguição de Gideão aos midianitas (Jz 8.11).

**NOBAI** *Veja* Nebai.

**NOBE** Uma cidade de sacerdotes na época de Saul (1 Sm 22.19), ao norte de Jerusalém, em Benjamim, nas proximidades de Anatote, provavelmente no monte Scopus. O sacerdote Aimeleque, no Tabernáculo, inocentemente deu a Davi, em sua necessidade desesperada de esconder-se de Saul, o pão sagrado e a espada de Golias (1 Sm 21.1-9). Por ordem de Saul, Doegue, o edomita, assassinou Aimeleque e 85 sacerdotes à espada depois que os guardas de Saul recusaram-se a fazê-lo. Ele então exterminou tudo o que tinha vida em Nobe (1 Sm 22.17-19). Mais tarde, invasores assírios detiveram-se ali confrontando Jerusalém (Is 10.32). Nobe foi habitada depois do exílio (Ne 11.32).

**NOBRES** *Veja* Príncipe.

**NODABE** Um clã hagareno que, juntamente com Jetur e Nafis, sofreu a derrota na guerra com os rubenitas, gaditas e a meia tribo de Manassés (1 Cr 5.18-20).

**NODE** *Veja* Éden.

**NOÉ** O último dos patriarcas antediluvianos. Ele foi chamado de *noah* (heb.) por seu pai Lameque, porque iria confortar (heb. *naham,* a mesma raiz de "Noé") a humanidade sobrevivendo a um dilúvio universal e, assim, tornar-se-ia a figura principal no início de uma nova era da história humana (Gn 5.29).

Quando Noé tinha 480 anos de idade, Deus anunciou um período de 120 anos de provação final para o homem (Gn 6.3), e logo depois disso ele recebeu o projeto para a arca (6.14-16). Com meio milênio de experiência, Noé estava, sem dúvida alguma, bem qualificado para tal tarefa; porém as qualificações mais importantes eram as espirituais: "Noé, porém, achou graça aos olhos do Senhor... Noé era varão justo e reto em suas gerações; Noé andava com Deus" (Gn 6.8,9; cf. Ez 14.14,20).

Apesar da dificuldade de imaginar chuva e inundações ("coisas que ainda não se viam" Hebreus 11.7; cf. Gênesis 2.5), e suportando o escárnio de seus contemporâneos (cf. 2 Pe 3.4-6), "Pela fé, Noé... temeu, e, para salvação da sua família, preparou a arca, pela qual condenou o mundo, e foi feito herdeiro da justiça que é segundo a fé" (Hb 11.7). Enquanto "a longanimidade de Deus esperava nos dias de Noé, enquanto se preparava a arca" (1 Pe 3.20), o grande patriarca, como um "pregoeiro da justiça" (2 Pe 2.5), estava sem dúvida alguma constantemente explicando o terrível significado deste projeto ao "mundo dos ímpios" que o cercava. A civilização era suficientemente avançada naquela época para permitir que a notícia das atividades de Noé fosse divulgada aos homens por todo o globo. Noé foi pai aos 500 anos de idade. Seus três filhos eram Sem, Cam e Jafé (Gn 5.32). Sem era provavelmente o mais novo, tendo nascido quando Noé tinha 503 anos (cf. 11.10). Tendo armazenado na arca "toda comida que se come" (6.21), Noé entrou na arca no segundo mês de seu 600º ano de vida. Deus não só levou os animais para a arca (7.9,15) e fechou a porta pelo lado de fora (7.16), mas também proveu a subsistência de todas as suas necessidades durante todo o período do Dilúvio (o que é sugerido pela expressão:

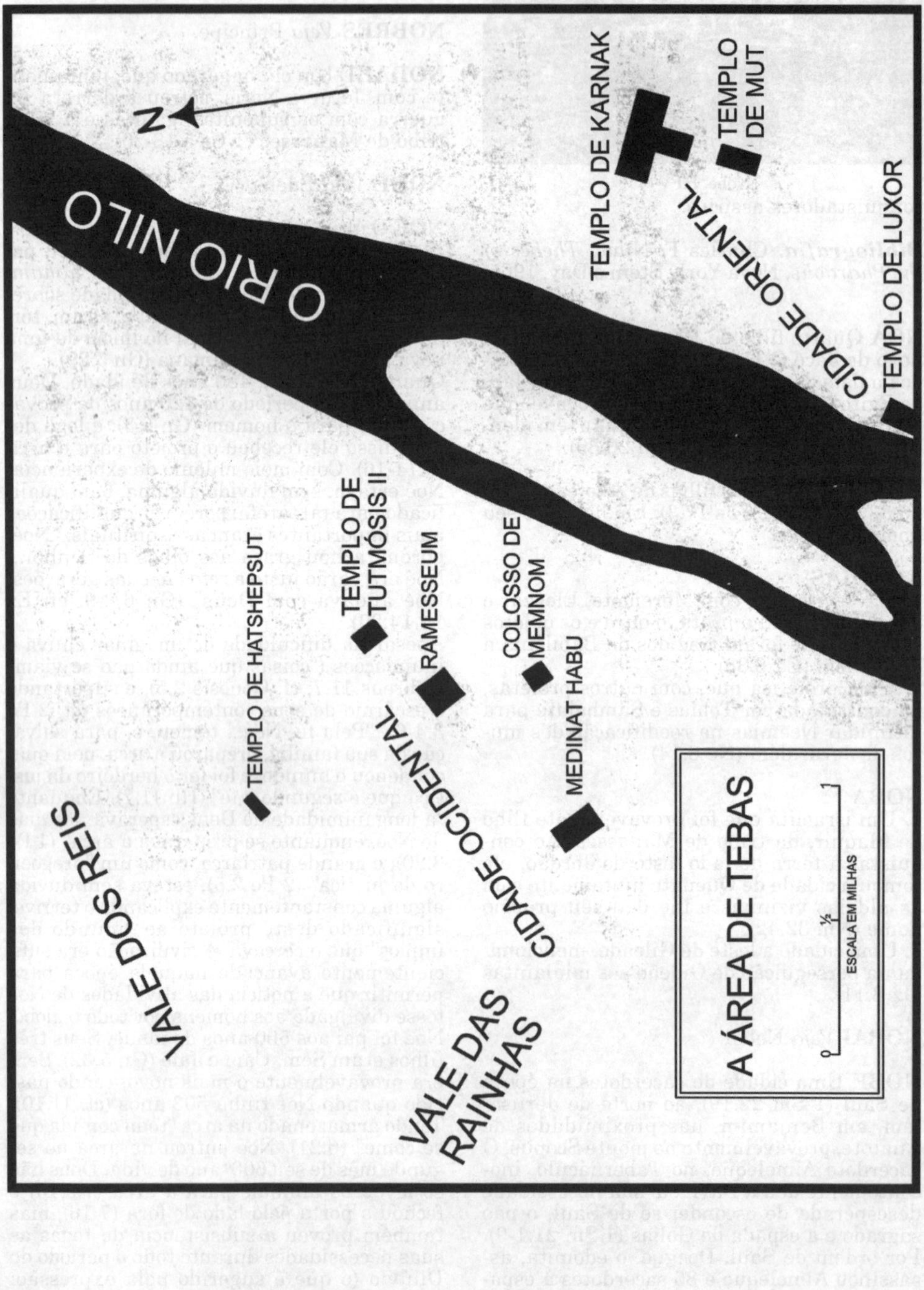

A ÁREA DE TEBAS

Aldeia no local da antiga Mênfis

"Deus lembrou-se de Noé, de todos os animais e de todo o gado, que estavam com ele na arca", 8.1).
Depois de um ano, por meio de pássaros soltos em intervalos regulares, Noé discernia a condição das áreas de terra recém-expostas. Para uma discussão sobre a questão da folha de oliveira e paralelos com o Épico Gilgamesh, veja a obra de Whitcomb e Morris, *The Genesis Flood* (Presbyterian and Reformed, 1961), pp. 38-40, 104-106.
Após o Dilúvio, Noé ofereceu sobre um altar sacrifícios de animais limpos (deixando alguns pares para reprodução) como um sacrifício especial de ação de graças a Deus (7.2; 8.20). Este clímax da carreira de Noé (juntamente com as misericordiosas promessas de Deus na aliança estabelecida com ele) foi seguido vários anos depois por um episódio que confirma a preservação da natureza pecaminosa do homem através do Dilúvio. Noé se tornou um lavrador, plantou uma vinha, ficou embriagado, e vergonhosamente se expôs em sua tenda (9.20,21). Cam, supostamente levado por seu filho Canaã, zombou de Noé. Por esta má ação, Canaã foi amaldiçoado e Cam não recebeu nenhuma bênção. Por outro lado, Sem e Jafé demonstraram o devido respeito a seu pai (9.23) e receberam ricas bênçãos para seus descendentes.
Noé viveu 350 anos depois do Dilúvio, morrendo com a idade de 950 anos. Ele foi verdadeiramente um dos maiores homens da história.
*Veja* Antediluvianos; Arca de Noé; Dilúvio.

J. C. W.

**NOEMI** Esposa de Elimeleque, o efrateu de Belém de Judá que, por causa da fome, migrou para a terra de Moabe. Durante os dez anos em que viveu nessa terra, seu esposo e os dois filhos morreram. Por esta razão, retornou a Belém acompanhada por Rute, uma de suas noras. Tendo chegado em casa, Noemi orientou sua nora nos procedimentos que deveria tomar para conseguir que Boaz fosse seu marido. Depois do nascimento de Obede, o primeiro filho do casal, Noemi tornou-se a ama da criança (Rt 1.1–4.17). *Veja* Rute; Elimeleque.

**NOFA** Uma cidade moabita que, junto com Hesbom, Dibom e Medeba, foi ocupada pelos amorreus e subseqüentemente capturada pelos israelitas a caminho do rio Jordão (Nm 21.30). Ela é provavelmente a cidade de Noba (*q.v.*; Jz 8.11), a noroeste de Amã, atualmente chamada de Nowakis.

**NOFE** O nome heb. da cidade egípcia de Mênfis (Os 9.6), a capital do baixo Egito, localizada na margem oeste do Nilo, ao sul do Cairo. Ela foi provavelmente a capital dos Faraós na época de José e do Êxodo. *Veja* Mênfis.

**NOGÁ** Um dos filhos de Davi nascido através de uma de suas esposas, com exclusão de Bate-Seba, depois que estabeleceu seu trono em Jerusalém (1 Cr 3.7; 14.6).

**NOITE** Unidade de tempo que designa o período que vai desde o ocaso até o nascer do sol, incluindo o crepúsculo e o alvorecer. Esse termo é usado de forma figurada para designar um período de dificuldade ou perturbação (Is 21.11,12), o momento da morte ou a sepultura (Jo 9.4), um tempo de ignorância e desamparo (Mq 3.6), e a depravada condição da humanidade (1 Ts 5.5-7). *Veja* Tempo, Divisões do.

**NOIVA, NOIVO** A palavra noiva, traduzida do termo hebraico *kallah* e do termo grego *nymphe,* refere-se a uma mulher comprometida ou recém-casada (Is 61.10; 62.5; Jr 7.34; Jo 3.29). O mesmo termo hebraico foi traduzido como "esposa" em Ct 4.8–5.1. Seu uso mais importante é a referência à Igreja como a Noiva de Cristo (Ap 21.2,9; 22;17; também em 2 Co 11.2; Ef 5.25ss.). A palavra grega *gyne*, que significa "esposa", também está muito relacionada, como em Mateus 1.20.
O noivo representa a contrapartida da noiva. O termo grego *nymphios* corresponde a "noivo" (Jo 3.29; Ap 18.23), enquanto o termo hebraico *hatan* significa "noivo", "marido" ou "genro", de acordo com o contexto. Cristo usou esse termo a respeito de si mesmo na parábola das dez virgens (Mt 25.6). O "amigo do noivo" era uma pessoa que cuidava dos detalhes do casamento e ocupava um lugar proeminente nas festividades do casamento (Jo 3.29).
*Veja* Noiva de Cristo; Casamento.

***Bibliografia.*** J. Jeremias, "*Nymphe* etc.", TDNT, IV, 1099-1106. T. C. Mitchell, "*The Meaning of the Noun HTN in the OT*", VT, XIX (1969), 92-112.

W. M. D.

**NOIVA DE CRISTO** Uma das sete figuras usadas para estabelecer o relacionamento da Igreja com Cristo: os ramos e a Vinha (Jo 15.1-

11), a ovelha e o Pastor (Jo 10.1-30), as pedras e a Pedra Angular (1 Pe 2.4-8), os sacerdotes e o Sumo Sacerdote (Hb 2.17; 4.14; 7.26; 1 Pe 2.9), a nova criação e o Último Adão (1 Co 15.45-50), os membros e a Cabeça do Corpo (1 Co 12; Ef 4.4-16), a noiva e o Noivo (Ap 19.7-9; cf. Ef 5.21-32). *Veja* Noiva, Noivo.

A Igreja, formada por aqueles que foram salvos pela graça através da fé, constitui a Noiva de Cristo. Aqueles que já estão com o Senhor, junto com aqueles que ainda estiverem vivos por ocasião do arrebatamento, irão nesse evento receber o corpo da ressurreição (1 Ts 4.14-17; 1 Co 15.51s.). Como membros da Igreja, eles irão celebrar as bodas do Cordeiro com Cristo (Ap 19.7-9), próximo à data de seu retorno a fim de aniquilar seus inimigos (Ap 19.11-21). Nosso Senhor previu a ocorrência desse casamento na parábola das dez virgens, na qual Ele realçou o fato de que o dia e a hora de seu retorno são desconhecidos (Mt 24.36; 25.1-13), e a conseqüente necessidade de estarmos sempre prontos com azeite em nossas lâmpadas – talvez uma figura da salvação no sentido de que o cristão é o Templo do Espírito Santo (1 Co 6.19). *Veja* Bodas do Cordeiro; Cabeça da Igreja.

Portanto, no presente, o casamento entre a Igreja e Cristo ainda não foi consumado. Ela deve viver como a virgem prometida ao seu futuro esposo (2 Co 11.2), pertencendo a Cristo de acordo com um contrato de casamento (isto é, o pacto da redenção). Ele buscou sua noiva com amor e, até agora, a está santificando para que ela possa estar livre de qualquer mácula quando Ele mesmo a apresentar a si próprio com todo esplendor (Ef 5.23-27). Esse tempo atual de purificação da Igreja é uma reminiscência dos doze meses de embelezamento pelos quais passaram Ester e as virgens, antes de serem trazidas à presença do rei (Et 2.12). A Noiva de Cristo se incorpora à última oração da Bíblia, à medida que espera seu retorno, que acontecerá por causa dela: "E o Espírito e a esposa dizem [a Jesus], Vem... Amém! Ora vem, Senhor Jesus!" (Ap 22.17,20).

Em conexão com o tema da noiva e do Noivo, o ensino do NT fala sobre os convidados para o casamento (Mt 22.1-14), os "filhos das bodas" (Mc 2.19ss.) e até do amigo do noivo, isto é, João Batista (Jo 3.27-30). As imagens do AT incluem os acompanhantes das núpcias e a filha do rei ou a noiva em uma linda profecia poética sobre o casamento messiânico que se realizará (Sl 45.13-15). A interpretação de quem seriam esses convidados e acompanhantes não é teologicamente exata.

Por fim, a noiva irá reinar ao lado de seu Esposo sobre a nova terra, como parece indicar a idêntica metáfora da cidade santa, da nova Jerusalém "que de Deus descia do céu, adereçada como uma esposa ataviada para seu marido" (Ap 21.2,9,10).

R. A. K. e J. R.

**NOIVADO** *Veja* Casamento

**NOME (S)** Nas Escrituras, muitas vezes o nome é a expressão da natureza de seu portador, descrevendo seu caráter, posição, profissão, alguma circunstância que o afeta ou mesmo alguma esperança ou tristeza que lhe dizem respeito.

*Terminologia.* Em hebraico, o termo *shem* significa "nome", "memorial", "majestade" (Sl 54.1), "renome" ou "fama" (Gn 6.4); e *zeker* significa "lembrança", "memorial", "nome" (Sl 30.4). Em grego, temos os seguintes termos: *onoma* (como a tradução de *shem*), *mneme* (Sl 30.4), *mnemosynon* (Êx 3.15) e *mneia* (Is 26.8). No NT, a palavra grega *onoma* também é usada para indicar pessoas (At 1.15; Ap 3.4; 11.13), posição (Mt 10.41), autoridade (Mt 21.9), além da santa pessoa e caráter de Deus (Jo 17.6,26).

No antigo mundo semítico, o significado de um nome sob os pontos de vista da religião, pessoal, familiar, histórico ou geográfico era muito maior do que em nossa cultura ocidental. As extensas relações genealógicas das Escrituras indicam a importância histórica que os hebreus atribuíam às origens ancestrais e ao desenvolvimento relacionado aos nomes de indivíduos, tribos e nações; dessa forma, estabeleciam direitos de herança e substanciavam origens, linhagens e sucessões reais, especialmente no caso do Messias Davídico (por exemplo, Gn 5; 10; 11; 46; 1 Cr 1–9; Mt 1.1-17; Lc 3.23-38).

Como o nome era considerado a descrição de uma natureza essencial da pessoa ou coisa, havia uma concepção de identidade entre o nome e seu portador (Gn 2.19,20). "Desarraigar" ou "exterminar" o nome de alguém da terra, significava remover a pessoa e seus descendentes de sua existência (Js 7.9; 2 Sm 14.7; 2 Rs 14.27; Sl 83.4). Agir, falar ou escrever em nome de alguém era agir como representante dessa pessoa com sua inspiração, poder e autoridade (Êx 5.23; Dt 18.19; 1 Sm 17.45; 1 Rs 21.8). Dessa forma, a expressão literal "tomar o nome de alguém" sobre um povo ou lugar indicava uma reivindicação à posse ou propriedade (2 Sm 12.28; Is 43.7; Jr 7.10). O destinatário poderia não usar o nome, mas estava sujeito à sua autoridade e recebia sua proteção (2 Cr 7.14; Pv 18.10; Is 4.1; Jr 14.9).

Declarar o seu nome era o meio principal de se revelar ou manifestar (Êx 9.16; Js 9.9). Observe como Deus revelou solenemente o significado de seu próprio nome a Moisés em várias ocasiões (Êx 3.2-15; 6.2-8; 33.13–34.7).

Um nome, através da paronomásia (jogo de palavras) representa o que se conhece da pessoa. Por exemplo, Noemi ("agradável") mudou seu nome para Mara ("amarga") em seu desespero ou privação (Rt 1.20). Outro exemplo é Nabal (que significa "tolo"). "Porque tal é ele qual é o seu nome. Nabal é seu nome, e a loucura está com ele" (1 Sm 25.25). Os nomes que as profecias usavam para o Messias que estava prestes a chegar retratavam os aspectos de seu caráter e ministério (Is 7.14; 9.6).

Um novo ou segundo nome era dado quando existia uma mudança de personalidade ou função de uma pessoa, ou de sua experiência ou circunstância (por exemplo, Simão para Cefas ou Pedro, Jo 1.42), e também quando a regeneração produz um novo caráter (Is 56.5; 62.2; 65.15; Ap 2.17; 3.12; 14.1). Com base no seu relacionamento de aliança, o nome de Abrão ("pai exaltado") foi mudado para Abraão ("pai de uma multidão"). Jacó ("enganador" ou "suplantador") se tornou Israel ("o que luta [persevera] com Deus") depois de seu encontro com Deus no Jaboque (Gn 32.28).

Veja Otto Eissfeldt, "Renaming in the Old Testament". *Words and Meanings*, ed. por P. R. Ackroyd e B. Linders, Cambridge. University Press, 1968, pp. 69-79.

*Nomes pessoais.* Eram geralmente dados à criança na hora do nascimento ou logo depois. Antes do exílio, muitas vezes o nome era dado a um filho de acordo com o seu significado, mas depois do exílio tornou-se costume nomear o indivíduo conforme um parente, freqüentemente, o avô.

Muitos nomes da Bíblia são de origem hebraica, mas alguns nomes de lugares da Palestina podem ter outra origem, como a palavra não semítica Ziclague. Também ocorrem nomes gregos ou latinos, como Antipátride (At 23.31), Cesaréia de Filipe (Mt 16.13) e Ptolemaida (At 21.7).

Os nomes hebraicos podem ser compostos por apenas um elemento, como Jacó ("enganador") e Nabal ("tolo"), ou por vários elementos como Penuel ("a face de Deus") e Emanuel ("Deus Conosco"), ou mesmo por uma sentença completa, como Jehoshua ("Jeová é salvação"), Josafá ("Jeová julga") e Elias ("Jeová é Deus"). G. B. Gray relacionou 135 nomes com o termo *El* e 157 com uma das abreviaturas de Jeová.

Os nomes pessoais eram usados para identificar ou dizer alguma coisa a respeito de:

1. Fatores físicos, pessoais ou espirituais como Esaú ("peludo") e Pedro ("pedra").
2. Fé e gratidão a Deus. Pais religiosos refletiam sua piedade compondo os nomes de seus filhos com elementos dos dois principais nomes de Deus, *El* (de Elohim), ou *Jah*, ou ainda *Yah* (de Yahweh ou Jeová). Por exemplo, Joel ("Jeová é Deus"), Daniel ("*El* é meu Juiz"), Abias ("*Jeová* é [meu] Pai"), Natanael ("*El* deu" ou "dádiva de Deus") e Ismael ("*El* ouve").
3. A associação com animais e plantas, como Jonas ("pombo"), Raquel ("ovelha"), Penina ("coral") e Tamar ("palmeira") como expressão de carinho ou do desejo que a criança possa ter alguma qualidade peculiar desse animal ou planta.
4. Alguma coisa importante ao pai, como o nome que Jacó deu ao seu último filho Benjamim ("filho da mão direita"), embora a moribunda Raquel o tivesse chamado de Benoni ("filho de minha tristeza").
5. Acontecimentos históricos da época do nascimento, como Icabô ("inglório"), porque a mãe havia dito: "Foi-se a glória de Israel, porquanto a arca de Deus foi levada presa" (1 Sm 4.21,22).
6. Profecia relativa ao trabalho a ser feito, como Jesus ("Ele salvará seu povo dos seus pecados", Mateus 1.21).
7. Relação com a qualidade e/ou lugar, como Melquisedeque ("rei da justiça"), rei de Salém ("paz", Hebreus 7.2), e Zorobabel ("gerado na Babilônia" ou "semente da Babilônia").
8. Nomes de tribos, como Cuxe (tribo cuxita, 2 Sm 18.21).
9. Eventos cuja realização foi profetizada, como no nome dos filhos de Isaías: Sear-Jasube ("um remanescente irá retornar", Isaías 7.3) e Maer-Salal-Hás-Baz ("apressando-se o despojo, apressa-se a presa", ou "Rápido-Despojo-Presa-Segura", Isaías 8.3). Também os nomes dos filhos de Oséias: Jezreel ("Deus semeia"; um nome que possui duplo significado e importância, por causa de eventos passados e de uma bênção futura, Os 1.4,5,11; 2.22,23), Lo-Ruama ("sem piedade", Os 1.6) e Lo-Ami ("não meu povo", 1.9).
10. Função. Por exemplo, o nome de Eva ("vida") foi sugerido por Adão porque ela deveria ser "a mãe de todos os viventes" (Gn 3.20). Há ainda outros nomes como Obil ("guia de camelo", 1 Cr 27.30) e Onésimo ("útil", como um escravo, Fm 10,11).

*Nomes de cidades, lugares e coisas.* Nomes geográficos podem revelar muitas coisas diferentes como:

1. As condições físicas envolvidas, como o mar de Sal (Gn 14.3), o Líbano ("branco", por causa de seu pico coberto de neve), Jericó ("fragrância de palmeiras, jardins de rosas e bálsamos"), En-Gedi ("fonte do cabrito").
2. Qualidades, como Jope ("beleza"), Siló ("tranqüilidade") e Salém ("paz").
3. Forma, como Quinerete ("em forma de harpa", isto é, mar da Galiléia, Nm 34.11), Siquém ("espalda [ombro] de um monte").
4. Funções, como Gade ("prensa de vinho"), Belém ("casa de pão").
5. Divindade ou costume religioso, como Bete-Dagom (Js 15.41), Astarote (Dt 1.4), Bete-Semes ("templo do sol", Js 19.22).
6. Importantes eventos históricos, como Ebenézer ("pedra da ajuda", 1 Sm 7.12), Betel ("casa de Deus", Gênesis 28.16-19).
7. Relação com uma pessoa ou tribo, como Gibeá de Saul (1 Sm 11.4), Dã (Jz 18.29).
8. Animais e plantas, como Aijalom ("campo dos veados"), Bete-Hogla ("casa da perdiz"), vale de Elá ("carvalho" ou "terebinto").

*Nomes e títulos divinos.* Era considerado muito importante aprender o nome do ser divino que aparecia a alguém (por exemplo, Jacó, Gênesis 32.29 e Manoá, Juízes 13.6,16-21). Conhecer seus nomes e títulos, como Jeová, Elohim e Senhor fazia com que Deus ficasse mais vivo e real ao seu povo. Às vezes, o simples conceito do "nome" de Deus mostrava a pessoa do próprio Deus (Lv 24.11; Mt 12.21). Conhecer e acreditar no nome de Deus ou de Cristo era equivalente a conhecer e acreditar no próprio Deus ou em Cristo (Sl 9.10; 91.14; Is 64.2; Ml 3.16; Jo 1.12; 2.23; 3.18; 1 Jo 3.23; 5.13). *Veja* Deus, Nomes e Títulos de, para os diversos nomes simples e compostos que manifestam aos homens seus atributos e seu caráter.

*O nome de Jesus*. Os primeiros cristãos não atribuíam nenhum significado mágico ao nome do Senhor Jesus, e ele era usado da mesma maneira como seus antepassados haviam empregado os nomes de Deus na época do AT. Jesus havia ensinado aos seus discípulos que tudo que fizessem em seu nome estaria sendo feito diretamente a Ele (Mt 19.29; cf. 10.22). Seu Nome representava seu poder e autoridade, como por exemplo, ao realizarem milagres (Mt 7.22; At 4.7,10). As pessoas foram incentivadas a invocar o nome de Jesus para a salvação (At 2.21; 4.12) e os pecadores eram e são perdoados e justificados através de seu nome, ou em seu nome (1 Co 6.11; At 10.43). O evangelho deveria ser pregado em seu nome (Lc 24.47) e a vida eterna será alcançada através dele (Jo 20.31). Jesus ensinou seus seguidores a orarem ao Pai em seu nome, isto é, com base em sua autoridade (Jo 16.23,24). "O nome", quando usado sozinho, refere-se ao Senhor Jesus Cristo ("seu nome" ou "esse nome", At 5.41; 3 Jo 7).

O significado do batismo em nome de Jesus varia ligeiramente de acordo com a preposição grega usada. Em Atos 2.38, Pedro exortava os judeus a se arrependerem e serem batizados *em o*, ou *no* (*epi*) nome de Jesus Cristo, apoiando-se em sua autoridade e sendo devotados a Ele. Mais tarde, Pedro instruiu Cornélio a ser batizado em (*en*) nome de Jesus Cristo, agindo na autoridade dele. Três passagens usam *eis* (Mt 28.19; At 8.16; 19.5), mais a frase paralela "batizados em Cristo" (Rm 6.3; Gl 3.27). Um estudo desses versos, junto com os verbos *baptizo* e *eis* em 1 Coríntios 1;13; 10.2 e 12.13 indica que quem é batizado identifica-se com Cristo (ou com Paulo, ou com Moisés) e se torna parte de uma nova associação com Ele, com uma nova fidelidade e comunhão.

***Bibliografia.*** Raymond Abba, "Name", IDB, III, 500-508. Hans Bietenhard, "*Onoma* etc.", TDNT, V, 242-283. John D Davis "*Names, Proper*", ISBE, IV, 2113-2117. George Buchanan Gray, *Studies in Hebrew Proper Names,* Londres. 1896 (a obra mais completa em inglês sobre esse assunto). H. Michand, J. J. Von Allmen, *et. al.*, "Name, Names", *A Companion to the Bible,* ed. Von Allmen, Nova York. Oxford Univ. Press, 1958, pp. 278-300. W. L. Walker, "Name", ISBE, IV, 2112ss.

W. H. M. e H. E. Fr.

**NOMES DE DEUS** *Veja* Deus, Nomes e Títulos de.

**NORA** Corresponde à esposa de um filho, e a tradução desse termo também é usada para "noiva". A nora juntou-se à família do esposo e colocou-se sob a autoridade de seu sogro (Gn 11.31). Relações incestuosas do sogro com a nora eram proibidas e, se essa lei fosse violada, a morte era o castigo aplicado a ambos (Lv 18.15; 20.12).

**NORTE** A palavra comum para norte em heb., *sapon*, significa "escondido" ou "secreto", talvez porque as montanhas que ficam distantes ao norte, fazendo fronteira com o vale da Mesopotâmia, fossem o fim do mundo para os povos da Antiguidade. *Veja* Zafom. Fora destas terras misteriosas vieram incursões repentinas e violentas de estrangeiros. Embora a Babilônia, a Assíria, *et al*, não estejam estritamente no norte da Palestina ao se utilizar uma bússola, elas são chamadas de nações e reis do norte porque esta era a direção por onde eles vinham para conquistar a Palestina (Sf 2.13; Jr 1.14; 46.6; Ez 26.7). A expressão "rei do norte" em Daniel 11 refere-se ao rei da Síria que desceu para a Palestina no século II a.C. Uma outra palavra heb. para norte usada em Jó 37.9 significa literalmente "dispersão", referindo-se ao vento frio do norte que dispersava as nuvens.

**NOVA CRIATURA** Esse termo ocorre em Gálatas 6.15 e 2 Coríntios 5.17. Ele é associado pelas Escrituras a toda a criação original, registrada em Gênesis 1 e 2, como no caso de Isaías 40.26-31 e Isaías 42.5-7 (o Deus que criou todas as coisas redimirá e fortalecerá seu povo); e 2 Coríntios 4.6 (o Deus que trouxe a luz à existência na criação, iluminou as mentes e os corações; cf. 2 Co 5.17).

A nova criatura também é comparada pelas Escrituras à criação original do homem, como pode ser visto em Efésios 4.24 (o novo homem em Cristo é criado à semelhança de Deus em justiça e santidade), e em Colossenses 3.10 (o novo homem está sendo renovado em conhecimento de acordo com a imagem do Deus que o criou).

A questão relacionada à nova criatura gira em torno de dois temas principais: (1) a nova criação espiritual do homem e todas as implicações que isso acarreta, e (2) a nova criação física e material que será trazida à existência nos acontecimentos que envolvem a segunda vinda de Cristo.

Tanto o AT como o NT usam termos semelhantes para falar da nova criação do homem baseada na obra redentora de Cristo realizada na cruz. Cristo é a Cabeça dessa nova criação, como seu Criador e como seu primeiro fruto, o primeiro a ser ressuscitado nessa nova vida (Cl 1.18-20; 1 Co 15.20, 23). Esses conceitos incluem:

1. Uma nova aliança através da qual a Palavra de Deus torna-se uma parte vital da redenção da vida de cada indivíduo (Jr 31.31-34; Mt 26.28; Mc 14.24; Lc 22.20; Hb 8.8-12; 9.15). Ele exige um sinal ou um selo novo e diferente – o batismo.
2. A obra da nova criação divina; o novo nascimento ou a regeneração (*q.v.*) produzida por Deus e pelo Seu Espírito (Ez 36.26,27; Jo 1.12,13; 3.3-5; Rm 7.6; Tt 3.5) foi plenamente realizada através da obra redentora do Cristo encarnado (Is 42.5-9; Ef 2.10).
3. Um novo discernimento espiritual relativo à importância de Cristo e da salvação que Ele concede (Is 42.6; Lc 2.32; Jo 1.4,5,9; 3.19; 8.12; 12.35,36,46; 1 Jo 1.5-6; 2.8-11).
4. Um novo coração e uma nova vida (Ez 36.26,27; Rm 6.4; 2 Co 5.17; Ef 2.10).
5. Um novo e renovado relacionamento pessoal com Deus (Jr 31.32,33; Ef 2.11-22; Os 2.23).
6. Uma renovação da imagem de Deus no homem, à semelhança daquela que foi concedida a todo homem por ocasião da criação (Gn 1.26,27), e que está relacionada ao conhecimento, à justiça e à verdadeira santidade (Ez 36.26; Ef 4.24; Cl 3.10).
7. Um novo mandamento para nos amarmos mutuamente, assim como Cristo nos amou (Jo 13.34).
8. Um novo e renovado andar, e liberdade no caminho do Senhor (Ez 36.27; Gl 4.5-7; 5.1,13; Rm 8.2; Ef 2.10).
9. Uma condição projetada para o milênio, quando todo o povo de Deus, de fato, conhecer o Senhor (Jr 31.31-34; Hb 8.8-12; cf. Ap 20.4-6).

As palavras gregas usadas no NT para essa nova criatura são *ktizo* ("criar") e *ktisis* ("criação"), que junto com *poieo* ("fazer") são usadas pela LXX em lugar de *demiourgeo* ("trabalhar em", ou "fabricar"; cf. LSJ e HR). Os judeus que traduziram o texto hebraico do AT para o grego podem ter pensado tratar-se de uma palavra que sugere uma depreciação do poder criativo de Deus (cf. B. W. Anderson, "Creation", IDB, I, 731).

A respeito do tema relativo à nova criação física e material do futuro, tanto o AT como o NT sugerem que as promessas da aliança de Deus envolvem um ambiente milenial de paz e harmonia para a criação física e animal (Is 11.1-9; Os 2.18-23; Rm 8.19-23), na época em que Cristo virá para reinar sobre a terra com seus santos (Ap 20.4). Os dois Testamentos também apresentam uma futura terra e um futuro céu que estarão recriados e onde não haverá lugar para o mal nem para o pecado (Is 65.17,18; 66.22-24; 2 Pe 3.13; Ap 21.1-8). E haverá uma nova capital, a Nova Jerusalém (Ap 3.12; 21.2,10).

W. H. M.

**NOVA JERUSALÉM** *Veja* Cidade de Deus; Jerusalém, Nova.

**NOVA NATUREZA** *Veja* Nova Criatura.

**NOVIDADE** Termo que ocorre nas Escrituras como a tradução da palavra grega *kainotes,* e que significa "frescor", "novidade". Representa um novo estado da vida ao qual o crente em Cristo é introduzido pelo Espírito Santo através da regeneração. Paulo afirma que todos aqueles que foram batizados em Jesus Cristo estão unidos a Ele em sua ressurreição, para que possam caminhar com Ele "em novidade da vida" (Rm 6.4,5). Devemos servir a Deus em "novidade do Espírito", e não no texto da lei (Rm 7.6). Isso ocorre em uma vida cheia do Espírito, porque o Espírito mantém a lei em nós e através de nós, para a nossa santificação (Rm 8.3,4). Cristo já cumpriu a lei por nós em sua própria vida, e suportou os castigos em nosso lugar em sua morte para a nossa justificação (2 Co 5.21; 1 Pe 2.24). Portanto, não servimos a Deus segundo a letra morta que condena e mata, mas no poder da nova vida que nos foi dada pelo Espírito através da regeneração. *Veja* Nova Criatura.

R. A. K.

**NOVILHA** *Veja* Animais: Gado I.8.

**NOVILHA VERMELHA ou BEZERRA RUIVA** *Veja* Sacrifícios; Impuro, Impureza.

**NOVO CÉU E NOVA TERRA** O objetivo e a consumação final do reino de Deus serão criados por Ele depois do milésimo ano do reino milenar de Cristo. Seu reinado sobre a terra com seus santos (Ap 5.10; 20.4ss.) terminará com a libertação final de Satanás, a rebelião de Gogue e Magogue e o castigo divino para Satanás e as nações rebeldes (Ap 20.7-10). Tudo isso será acompanhado pelo julgamento do Grande Trono Branco – que representa o julgamento dos não salvos de todas as eras – e a destruição (Ap 20.11; 21.1) ou renovação (2 Pe 3.11,12) do céu e da terra que agora existem. O novo céu e a nova terra são mencionados duas vezes no AT (Is 65.17; 66.22) e duas vezes no NT (2 Pe 3.13; Ap 21.22).

Duas principais opiniões são defendidas pelos teólogos ortodoxos.

1. O novo céu e a nova terra aparecem imediatamente depois da segunda vinda de Jesus Cristo. Essa opinião assume dois aspectos. Primeiro, a opinião defendida pelos amilenialistas e pós-milenialistas que acreditam que o julgamento final do Grande Trono

Branco ocorrerá na segunda vinda de Cristo, e que o novo céu e a nova terra virão imediatamente após este evento.

A dificuldade que essa opinião apresenta é que, no caso dos amilenialistas, ela exige a espiritualização de muitas profecias entregues a Israel no AT relativas à terra e ao reino, e também ao claro ensino de Apocalipse 20.4-10. No caso dos pós-milenialistas, ela exige a identificação daquelas profecias de Cristo em Mateus 24, que prevêem as condições precedentes à verdadeira segunda vinda de Cristo, com aquelas em Lucas 21.5-24, que previam a queda de Jerusalém no ano 70 d.C. Muitos amilenialistas também fazem essa identificação. Uma dificuldade dessa identificação é que ela deixa sem resposta a segunda e terceira parte da pergunta feita pelos discípulos em Mateus 24.3: "Quando serão essas coisas e que sinal haverá da tua vinda e do fim do mundo?" Além disso, ela vai contra Mateus 24.15ss., forçando-a a se harmonizar com Lucas 21.5-24.

Segundo, a opinião defendida por alguns pré-milenialistas identifica a criação do novo céu e da nova terra com o início do reino milenar de Cristo. Eles estão impressionados com duas coisas: que em Isaías 65.17 está escrito: "Eis que eu crio céus novos e nova terra", e em Isaías 65.18: "Porque eis que crio para Jerusalém alegria; e para seu povo, gozo". Como o novo céu e a nova terra são mencionados junto com a recriação de Jerusalém na segunda vinda de Cristo, eles pensam que os dois eventos devem ser contemporâneos.

A dificuldade é que essa identificação entra em conflito com a ordem dada em Apocalipse 20–21, onde o novo céu e a nova terra são especificamente mencionados como acontecendo depois que o Milênio tiver terminado. A resposta à colocação de Isaías, fazendo uma justaposição entre a criação de Jerusalém e do novo céu e da nova terra, pode ser encontrada em Isaías 66.22, "Porque, como os céus novos e a terra nova que hei de fazer estarão diante da minha face, diz o Senhor, assim há de estar a vossa posteridade e o vosso nome". Como aqui essa identificação foi usada meramente como uma comparação, o mesmo também pode ser o caso de Isaías 65.17,18. Assim como em Isaías 65.17 o Espírito Santo compara a renovação de Jerusalém, na época do Milênio, com a criação de um céu e de uma terra completamente novos, também em Isaías 66.22 ele compara a infinita permanência de Israel com a permanência do novo céu e da nova terra. Interpretar Isaías 65.17 à luz de Isaías 66.22 mostrará que aquilo que Isaías diz está em harmonia com o que Apocalipse 20 revela.

Com muita propriedade, Hodge diz que as passagens mais obscuras devem ser interpretadas à luz das mais claras, e esse é um bom exemplo. Além disso, devemos observar que, de acordo com Isaías 65.20, no reino do Milênio existem tanto o pecado como a mor-

Um touro Apis. LM

te, enquanto no estado final dos abençoados, no novo céu e na nova terra, estes problemas deixarão de existir (Ap 21.4). Essa deve ser uma evidência conclusiva de que as duas passagens não podem ser idênticas.

Entretanto, ainda resta uma outra passagem a ser comparada. Não só os amilenialistas e os pós-milenialistas, mas também os pré-milenialistas acima (veja 2 Pedro 3.11-13) identificam o novo céu e a nova terra com a época do milênio. Pedro fala sobre o novo céu e a nova terra surgindo no dia do Senhor. A resposta a isso é que, no AT, o dia do Senhor incluía não só a segunda vinda de Cristo, mas também o Milênio e, em seu final, acontecerá a criação do novo céu e da nova terra (cf. Zc 14.1ss.).

Mas como isso se coaduna com o que Pedro diz? Ele começa dizendo: "Um dia para o Senhor é como mil anos, e mil anos, como um dia" (2 Pe 3.8). Em outras palavras, ele indica que o dia do Senhor tem, na verdade, mil anos de duração – que é a duração exata do Milênio em Ap 20.4-6. Nesse dia, diz Pedro, o Senhor virá primeiro como um ladrão de noite (v. 10; cf. Ap 16.15; 1 Ts 5.4); mas também nesse dia – quando este terminar, de acordo com Apocalipse 20.11 todas essas coisas perecerão (2 Pe 3.11), ou como diz Apocalipse 20.11, a terra e o céu fugirão.

Novamente, quando aplicamos a regra de Hodge, de que a passagem mais obscura deve ser interpretada à luz da mais clara, e o texto em 2 Pedro 3.10-13 é interpretado à luz de Apocaliose 20, a passagem em 2 Pedro é entendida como sendo compatível com Apocalipse 20.

2. O novo céu e a nova terra serão criados ao término do reinado milenar de Cristo. No Milênio, os crentes de ambos os Testamentos reinarão com Cristo em corpos ressuscitados (Dn 12.2,13; Ap 20.4,6).

A despeito de a humanidade ver claramente, pela primeira vez, que salvação perfeita e suficiente significa ter em si uma nova natureza, a remoção completa da natureza decaída, o recebimento de um corpo da ressurreição, e a remoção de toda e qualquer maldição, ainda assim, os homens não acreditarão em Cristo, exceto através da soberana graça de Deus, por causa de sua total devassidão e da excessiva iniqüidade contida em seus pecados. Assim que Satanás for libertado, os homens o seguirão mais uma vez. Tendo provado, através das diferentes dispensações, a completa pecaminosidade do homem, Deus agora encerrará a Era do Evangelho, julgará os iníquos de todas as eras em Seu Grande Trono Branco, e criará "novos céus e nova terra, em que habitará a justiça" (2 Pe 3.13).
Nos dois últimos capítulos da Bíblia, a Nova Jerusalém é descrita com detalhes que fornecem um retrato glorioso da morada final dos redimidos de Deus, a grande cidade enviada do céu por Deus, situada no novo céu e na nova terra.
*Veja* Escatologia; Milênio.

***Bibliografia.*** Robert D. Culver, *Daniel and the Latter Days*, Chicago. Moody Press, 1954. John F. Walvoord, *The Revelation of Jesus Christ*, Chicago. Moody Press, 1966. J. Dwight Pentecost, *Things to Come*, Grand Rapids. Dunham, 1958.

R. A. K.

**NOVO HOMEM** *Veja* Nova Criatura.

**NOVO TESTAMENTO** Nome dado à segunda parte da Bíblia que compreende 27 documentos escritos por testemunhas oculares de Cristo ou pelos seus contemporâneos. Esse título implica um contraste com o AT, ou com as Sagradas Escrituras que a Igreja herdou do judaísmo. O nome Novo Testamento (gr. *he kaine diatheke*) pode ser melhor traduzido como "nova aliança" e revela um contrato estabelecido por Deus que o homem pode aceitar ou rejeitar, mas não pode alterar. O termo foi usado, pela primeira vez, pelo Senhor Jesus ao instituir a Ceia, com a finalidade de definir a nova base da comunhão com Deus que Ele pretendia estabelecer através de sua morte (Lc 22.20; 1 Co 11.25). A essência dessa nova aliança reside no cumprimento da antiga aliança por meio de um sacrifício que fosse adequado para remover todos os pecados (Hb 9.11-15), e operasse nas motivações interiores ao invés de ser meramente um regulamento para condutas exteriores (Jr 31.31-34; Hb 10.14-25). A declaração desse novo método, pelo qual Deus trataria agora com o homem, foi registrada nessa coleção de obras, e o nome "Novo Testamento" foi aplicado a elas por metonímia.

**Conteúdo**

Os livros do NT podem ser divididos em quatro seções gerais: a primeira, contém livros históricos, que incluem os quatro Evangelhos e Atos; a segunda, contém as 13 epístolas de Paulo; e a terceira, refere-se às epístolas em geral, duas de Pedro, uma de Tiago, uma de Judas e quatro que não estão ligadas a nenhum nome específico. Geralmente, três dessas epístolas são atribuídas a João, porque revelam uma significativa semelhança com o quarto evangelho em vocabulário e estilo, e a autoria do livro dos Hebreus tem sido discutida desde os primeiros séculos. A quarta e última seção refere-se ao livro de Apocalipse, que é profético e apocalíptico e descreve, através de termos simbólicos, a realização do propósito divino no mundo. Todos estes livros podem ser datados dentro do primeiro século da era cristã, embora a ordem exata em que foram escritos ainda seja tema de muitos debates.
Os Evangelhos fornecem as principais fontes para o conhecimento da vida de Cristo, embora nenhum deles contenha uma biografia completa. Mateus enfatiza o caráter real e profético da obra de Jesus; Marcos apresenta seus atos de autoridade moral e espiritual; Lucas trata do aspecto humano de seu ministério; e João apresenta sua divindade e o significado de crer nele. O livro de Atos registra o movimento da pregação missionária desde Jerusalém até Roma, em meados do primeiro século, e está centralizado na vida de Paulo. As epístolas são as cartas inspiradas que trazem em si mesmas a autoridade do Senhor. São correspondências de Paulo e de outros autores às igrejas ou a indivíduos que precisavam de ensinos e conselhos. O Apocalipse é uma representação pictórico-dramática do estado das sete igrejas típicas da Ásia, e das coisas que em breve deveriam acontecer. Escrita por volta do ano 95 d.C., no reinado de Domiciano, ele reflete o conflito entre a Igreja e o Império Romano, e pressagia a luta final que precederá a volta de Cristo.
Várias epístolas de Paulo, como Gálatas, Tessalonicenses e Coríntios, precedem a elaboração dos Evangelhos, e refletem o conhecimento e a história da Igreja relacionada a Cristo, antes que essas informações fossem registradas de forma permanente. Todo o NT desenvolveu-se por causa da necessidade de instrução.

**O Desenvolvimento do Cânon**

Desde o início, a maior parte das obras do NT foram aceitas pelos cristãos como tendo autoridade suficiente e, à medida que o tempo passava, os livros considerados duvidosos foram totalmente reconhecidos ou rejeitados pela Igreja como um todo. O cânon, ou coleção de livros, não foi criado arbitrariamente ou decidido através de um grupo de

líderes, mas gradualmente reconhecido individualmente pelas igrejas e pelos concílios. Os quatro Evangelhos e as Epístolas de Paulo foram reunidos muito cedo, provavelmente antes do ano 100 d.C., e amplamente difundidos entre as igrejas.
Por volta de 140 d.C., Marcion, um mestre gnóstico da Ásia Menor, foi a Roma. Ele repudiava a autoridade do AT como um livro "judeu", e propunha um cânon consistindo do Evangelho de Lucas, revisado para eliminar toda a influência judaica, e dez epístolas de Paulo. Sua proposta provocou uma forte reação. Os líderes da Igreja foram obrigados a definir e defender seu próprio cânon. As primeiras relações anti-marcionitas, como o Cânon Muratoriano (aprox. 170 d.C.), contém os Evangelhos, o Livro de Atos, 13 epístolas de Paulo, Judas, duas epístolas de João e o Apocalipse.
Irineu, que era o bispo de Lyon, e um contemporâneo do Cânon Muratoriano, citou os Evangelhos, Atos, todas as epístolas de Paulo exceto Filemom, 1 Pedro, 1 e 2 João, Judas, Tiago e o Apocalipse. Ele provavelmente conhecia o Livro de Hebreus, embora as citações não sejam claras. A ausência de Filemom, 3 João e 2 Pedro em suas citações do NT podem indicar que estas obras menores não continham um material adequado às suas necessidades imediatas, ou que não estavam em circulação na região do mundo onde ele vivia.
Tertuliamo (aprox. 150-220 d.C.) foi o primeiro escritor a usar o termo "Novo Testamento" no sentido de uma coleção de escritos com autoridade divina. Nessa coleção ele incluiu os quatro Evangelhos, as 13 cartas de Paulo, o Livro de Atos, o Apocalipse, 1 João, 1 Pedro e Judas.
No ano 367 d.C., Atanásio listou os "livros que estão canonizados, e entregou-nos, e os recebemos como sendo divinos"; sem hesitação, ele deu nome aos livros do AT e a todos os 27 livros de nosso cânon do NT.
Os Concílios regionais de Hippo (393 d.C.), de Cartago (397), e o Concílio Ecumênico de Calcedônia (451) reafirmaram todo o cânon de 27 livros que, em seguida, foram amplamente aceitos pela Igreja como um todo.
*Veja* Cânon das Escrituras – NT; Bíblia; Manuscritos da Bíblia; Evangelhos, Os Quatro; Evangelhos Sinóticos; Paulo; Epístolas Gerais; artigos sobre cada um dos livros; Apócrifos.

M. C. T.

***Bibliografia.*** (livros recentes). Glenn W. Barker, William L. Lane e J. Ramsey Michaels, *The New Testament Speaks*, Nova York. Harper and Row, 1969. Everett F. Harrison, *Introduction to the New Testament*, Grand Rapids. Eerdmans, 1964. Bo Reicke, *The New Testament Era. the World of the Bible from 500 B.C. to AD 100*, Filadélfia. Fortress Press, 1968. Merrill C. Tenney, *New Testament Survey*, ed. rev. Grand Rapids. Eerdmans, 1961; *New Testament Times*, Grand Rapids. Eerdmans, 1965.

**NOZES** *Veja* Plantas.

**NUDEZ** Esse termo, freqüentemente, refere-se a estar fisicamente nu (Gn 3.7; Jó 1.21; Ec 5.15). Segundo as leis levíticas, essa palavra identifica a indecência ou uma inaceitável exposição de certas partes do corpo (Lv 18.6; 20.11). Ela também refere-se a uma exposição imprópria da parte inferior das pernas e dos pés durante os rituais sagrados (Êx 20.26 etc.). A palavra descreve vestes rasgadas e esfarrapadas (Is 58.7; Mt 25.36). A condição de desamparo e sujeira era o que Isaias provavelmente usava para retratar o próximo cativeiro do Egito e da Etiópia (Is 20.2,3). Ela se aplica aos recursos de uma terra que foi despojada ou tornada nua (Gn 42.9,12), como resultado de um castigo aplicado à nação transgressora (2 Cr 28.19). Assim, essa palavra foi aplicada às condições de uma nação em queda (Na 3.5 etc.). Em João 21.7, Pedro estava trabalhando vestido apenas com uma túnica que servia como uma roupa de baixo, depois de ter despido suas roupas exteriores.

**NUM¹** Um efraimita através de Berias, que nasceu a Efraim depois que os homens de Gate mataram alguns de seus filhos (1 Cr 7.20-23,27). Ele foi o pai de Josué (Êx. 33.11; Js 1.1 etc.), o líder militar dos israelitas quando entraram em Canaã. Nada se conhece de sua vida.

**NUM²** A décima quarta letra do alfabeto heb. (Sl 119, 14ª seção). O *N* inglês tem a mesma origem, e representa os nomes hebraicos anglicanizados. O termo "Num" também pode ser usado para o número 50.

## NÚMERO, NUMEROLOGIA

### A Construção dos Números

O método básico de contagem em Israel, assim como na Assíria, Egito, Grécia e Roma, era o sistema decimal. Na Assíria, porém, o sistema sexagésimo era também popularmente usado. Os números que aparecem no texto heb. do AT são sempre escritos em forma de palavras. O mesmo é verdadeiro para o texto do NT com a exceção da ocorrência das letras gr. *chi* (600), *xi* (60), *zeta* (6) para 666 em alguns manuscritos em Apocalipse 13.18. Em Ugarite, os números em textos literários são geralmente soletrados, exceto em documentos administrativos onde eles são escritos de forma ideográfica com símbolos sumero-acadianos. Embora sinais especiais para números fossem usados pelos vizinhos de Israel, há pouca evidência de que

Israel usasse estes sinais de forma expressiva em sua literatura até a época do exílio. Os símbolos foram empregados para certos números em um óstraco de Samaria (século VIII a.C., ANET, p. 321) e marcas ou símbolos em pesos de pedra inscritos foram encontrados em certos níveis de cidades de Judá da Idade do Ferro (*veja* Pesos, Medidas e Moedas).

O número 1, em hebraico, é um adjetivo, enquanto os números dois a dez são substantivos. Os números onze a dezenove são formados colocando-se a unidade antes do dez. O conjuntivo *waw* não é empregado e as duas palavras permanecem separadas (por exemplo, *'ahad 'asar*, "onze"). As dezenas são denotadas pelo plural de dez (*'eser*).

### Usos dos Números

*O uso convencional dos números*. Este é o uso que diz respeito ao valor matemático do número. Os números empregados desse modo são criados para denotar uma quantidade matemática específica ou geral. Apenas alguns processos aritméticos podem ser ilustrados a partir da Bíblia. A adição é usada em Gênesis 5.3-31 e Números 1.20-46; a subtração em Gênesis 18.28ss.; a multiplicação em Levítico 25.8 e Números 3.46ss.; e a divisão em Números 31.25-41. A Bíblia demonstra um grau extraordinário de precisão em seu uso de frações, o que não era sempre o caso nos documentos daquela época. A prática de arredondar os números é comum à literatura bíblica e extra-bíblica. Freqüentemente os escritores das Escrituras sentiam que era desnecessário incluir enumerações ou somas exatas, oficiais e detalhadas, mas somente uma estimativa arredondada do total. As estatísticas de batalha muitas vezes tomam esta forma.

Um dos problemas cruciais relacionados ao uso convencional de números, são aqueles que parecem ser excessivamente altos. Os grandes números relacionados ao Êxodo (Nm 1, 26); o número dos homens no censo de Davi (1.300.000 em 2 Sm 24.9 ou 1.570.000 em 1 Cr 21.5); as 7.000 ovelhas sacrificadas em Jerusalém (2 Cr 15.11); o grande número de carros usados na região montanhosa (30.000 em 1 Sm 13.5) têm feito com que a historicidade do texto seja questionada neste aspecto. Os estudiosos têm tentado resolver o problema atribuindo ao termo heb. *'elep* um significado diferente de "mil" nestas passagens questionadas. W. M. Flinders Petrie propôs que o termo significava "grupo" ou "família" em relação ao tamanho do êxodo, assim reduzindo o tamanho do êxodo para cerca de 20.000 pessoas incluindo mulheres e crianças. R. E. D. Clark mais tarde propôs que *'elep* provavelmente significava "capitão" ou "homens valentes" nas estatísticas militares. Mendenhall sugere que o termo faz referência a uma unidade militar.

Naturalmente, é verdade que *'elep* é usado destas maneiras no AT (cf. Jz 6.15; Mq 5.2; Nm 1.16; 1 Sm 10.9). No entanto, não parece que estas propostas funcionem nas listas do censo relacionadas ao êxodo por no mínimo três razões: (1) A maioria dos números inclui centenas bem como milhares. (2) A tribo de Gade tinha 45.650 pessoas (Nm 1.25), indicando uma declinação numérica tripla; ou seja, milhares, centenas e grupos de cinqüenta (cf. Êx 18.21). (3) Os totais para as listas de censo eram somados tendo como base o termo *'elep* significando "mil", não "tribo", "capitão", ou "unidade militar" (Nm 1.46; 2.32; 26.51). Deve ser observado que os números grandes relacionados ao Êxodo referem-se ao *potencial* militar das tribos, e não necessariamente ao tamanho de um exército mobilizado. Este é provavelmente o caso de muitos dos grandes números relacionados ao tamanho dos exércitos no AT. *Veja* Censo.

*Uso retórico dos números*. Um uso muito importante dos números tanto no AT como no NT é aquele que visa um efeito retórico ou poético. Onde quer que os números sejam usados assim, eles não são destinados a ser considerados literalmente ou simbolicamente. A intenção do escritor é expressar conceitos tais como "alguns", "muitos", ou talvez intensificar ou enfatizar um pensamento. O arranjo de um numeral com sua seqüência dentro da mesma oração é um instrumento literário comum na poesia do noroeste semita. O valor real de tais números não é significativo. Um excelente exemplo deste fenômeno é encontrado em Amós 1.9 – "Por três transgressões de Tiro e por quatro, não retirarei o castigo". É evidente que o profeta não está tentando totalizar os pecados de Tiro neste versículo, mas sim enfatizá-los (cf. também Pv 30.18). Este instrumento literário é comum tanto na literatura de Ugarite como no AT (cf. Epic of Baal and Anath II, iii, 16-21, ANET, p. 132; II, vii, 9-12, ANET, p. 134).

*Uso simbólico dos números*. O simbolismo dos números não era limitado a Israel, pois ele é encontrado em muitos documentos da época. Sua origem, porém, parece ter sido os escribas sacerdotais no Egito e na Babilônia, e não os escritores bíblicos. O número sete parecia ser amplamente utilizado para propósitos simbólicos entre muitos povos do antigo Oriente Próximo. Não foi até a era de Pitágoras (século VI a.C.) que o simbolismo numérico recebeu um tratamento sistemático. Ele baseou sua filosofia sobre o postulado de que o número era a fonte de várias qualidades da matéria e era a base para o conhecimento significativo do universo. Isto o levou a habitar nas propriedades místicas e simbólicas dos números e suas relações. Os seguidores de

Pitágoras expandiram sua idéia e seus métodos, dando um significado teológico detalhado aos números. Esta prática se tornou popular entre os escritores judeus do período intertestamentário e foi posteriormente empregada por muitos patriarcas da Igreja.

A questão é importante. Os escritores da Bíblia usam os números simbolicamente? Se a resposta for sim, até que ponto? Está bem claro que alguns números são usados simbolicamente na Bíblia; e, nitidamente o número sete. Alguns estudiosos têm argumentado que todos os números são usados simbolicamente, e têm valores teológicos associados a si mesmos. Por exemplo, o número um deve representar a "unidade"; dois, a "divisão" ou "separação" etc. No entanto, esta opinião depara-se com um sério problema neste ponto, pois com cada escritor há grandes diferenças de opinião quanto às intenções teológicas dos números. É por esta razão que a Bíblia não atribui, em nenhuma passagem, valores teológicos a qualquer número. A Bíblia usa os números simbolicamente para representar idéias, tais como "totalidade", "alguns" etc., o que é um fenômeno comum em toda a literatura do antigo Oriente Próximo. O sistema que atribui valores teológicos aos números, portanto, parece ser um desenvolvimento das práticas pitagoreanas e gnósticas.

É certamente estranho que nenhum escritor do NT tenha mencionado o significado teológico de um número simbólico ocorrido no AT. Muitos outros símbolos são citados pelos escritores do NT e são interpretados. Parece, portanto, que embora a Bíblia use números esquematicamente e simbolicamente para transmitir idéias gerais, como "totalidade", "poucos", "muitos" etc., ela nunca atribui conceitos místicos ou teológicos aos números.

*Uso místico dos números*. A teoria dos números místicos é o sistema de interpretação que tenta descobrir verdades escondidas por meio de fenômenos numéricos. Gematria, o sistema de números místicos ou algarismos bíblicos, funciona sobre duas pressuposições básicas: (1) há um objetivo no uso de números nas Escrituras, e (2) há um significado teológico ligado aos padrões numéricos encontrados na Bíblia. Neste sistema, as letras do alfabeto gr. e heb. recebem valores numéricos que permitem ao intérprete "descobrir" significados escondidos no texto bíblico que de outra forma estaria obscuro. O sistema na verdade tem sua origem no pensamento pitagoreano, e foi desenvolvido por escritores judeus na Palestina durante e após as conquistas alexandrinas.

[O único exemplo autêntico de um número místico na Bíblia é o número do nome da besta, 666 (uma leitura variante é 616), em Apocalipse 13.17,18. É óbvio que o apóstolo João sabia que ele tinha um significado escondido, pois escreveu: "Aqui há sabedoria: Aquele que tem entendimento calcule o número da besta, porque é número de homem; e seu número é seiscentos e sessenta e seis" (v. 18). Várias interpretações têm sido sugeridas. Pela gematria, o número 666 tem sido identificado com os valores numéricos dos nomes de várias pessoas proeminentes, dos imperadores romanos Calígula, Nero, Trajano e posteriores, e com os conceitos como o monstro do caos. O mais provável dos personagens históricos é Nero(n) César (em letras heb.): *n-r-w-n q-s-r*, 50+200+6+50+100+60+200 = 666. – Ed.]

O mesmo sistema era usado pelos gnósticos como uma apologia à suas teorias. Este método de interpretação foi assumido pelos patriarcas da Igreja, e foi-lhe conferido um ponto de vista cristão. A teoria como um todo reside na premissa de que o alfabeto sempre teve valores numéricos ligados a si. No que diz respeito à evidência, Pitágoras foi o primeiro a empregar um sistema deste tipo no século VI a.C. Não há nenhuma evidência de que os escritores do AT o conhecessem.

Para uma discussão completa do desenvolvimento deste sistema de interpretação e uma avaliação, veja a obra de John J. Davis, *Biblical Numerology* (Grand Rapids. Baker, 1968), pp. 125ss. Para artigos dando mais crédito a uma importância simbólica ou teológica, veja R. A. H. Gunner, "Number", NBD, pp. 895-898; Marvin H. Pope, "Number, Numbering, Numbers", IDB, III, 561-567; "Seven, Seventh, Seventy", IDB, IV, 294ss.; "Twelve", IDB, IV, 719.

J. J. D.

**NÚMEROS, LIVRO DE** Este quarto livro do Pentateuco de Moisés é descrito com maior exatidão pelo nome que possui na Bíblia hebraica, *b^emidbar*, "no deserto". Os eventos ocorrem no deserto (por exemplo, no Sinai, 1.1; em Zim, 20.1) e no oásis adjacente ao deserto, como, por exemplo, Cades-Barnéia (*q.v.*) no deserto de Parã (13.26).

O nome Números é derivado da formação de tropas do exército (descrita nos caps. 1–4 e no cap. 26) que foi feita durante a preparação para a exploração militar e entrada na terra prometida. A primeira tentativa a partir do sul fracassou por causa da desobediência a Deus (14.41-45). A segunda formação de tropas (cap. 26) cria a divisão lógica do livro, uma vez que o material que se segue (caps. 27–36) está mais intimamente ligado a Deuteronômio e aos últimos meses de preparação antes de entrarem na terra a partir do leste; esta parte traz temas como a lei da herança (27.1-11), a designação do sucessor de Moisés (27.12-23), e a divisão da terra (33.50–34.29).

A história de Balaão (caps. 22–24) é um interlúdio entre estas duas partes; ela forma uma espécie de eixo literário uma vez que descreve acontecimentos totalmente externos ao acampamento de Israel, embora seu propósito seja mostrar a bênção soberana de Deus sobre seu povo escolhido. Em seções alternadas, as seqüências históricas são suplementadas por várias orientações de caráter religioso, e detalhes cerimoniais. Por exemplo, os textos em 5.1–10.10 podem ser considerados, de certa forma, como uma unidade de material sacerdotal. Em seguida vem a viagem do Sinai até Parã, a história dos espias e a tentativa inútil de entrar na terra (10.11–14.45); então aparece um segundo "rolo" sacerdotal envolvendo muitos detalhes cerimoniais e a rebelião de Corá (15.1–19.22). A seguir temos uma narrativa dos eventos finais dos anos de peregrinação, em que eles vêm pelo deserto de Zim em direção às estepes de Moabe (20.1–22.1). O tempo envolvido em Números abrange um período que começa com os últimos 19 dias no Sinai (1.1; 10.11) e que termina depois de 40 anos de peregrinação com a chegada de uma nova geração às planícies de Moabe, no vale do Jordão, do outro lado de Jericó.

**Esboço**

I. Israel no Deserto, 1.1–22.1
   1. O primeiro censo no Sinai, 1.1–4.49
   2. Primeira seção de material sacerdotal, 5.1–10.10
   3. A jornada do Sinai até a rebelião em Cades, 10.11–14.45
   4. Segunda seção de material sacerdotal, 15.1–19.22
   5. A jornada de Cades a Abel-Sitim, 20.1–22.1

II. A História de Balaão, 22.2–25.18
   1. Balaão é contratado por Balaque para amaldiçoar Israel, 22.2-41
   2. Oráculos de Balaão, 23.1–24.25
   3. Apêndice. O pecado de Baal-Peor, 25.1-18

III. Preparação de Israel para a Entrada em Canaã, 26.1–36.13
   1. Preparativos para a conquista e divisão da terra, 26.1–27.23
   2. Terceira seção de material sacerdotal, 28.1–30.16
   3. Guerra contra Midiã, 31.1-54
   4. Heranças tribais na Transjordânia, 32.1-42
   5. Resumo das viagens do Egito ao Jordão, 33.1-49
   6. Orientações para o estabelecimento em Canaã, 33.50–36.13

O livro de Números tem muitos elementos sobrenaturais. Este fato prejudicou sua credibilidade no pensamento dos críticos da Bíblia. Além de Israel ter sido conduzido (10.11-13) e tratado de forma sobrenatural (11.8,9), há o "problema" básico do grande número de pessoas envolvidas; um exército de mais de 600.000 homens, o que sugere que uma nação de no mínimo dois milhões de pessoas teve que ser sustentada no deserto por aproximadamente 40 anos. Se este fosse um relato de uma história comum, seria possível questionar tal circunstância; mas esta é uma história redentora e sua autenticidade é afirmada pelo próprio Senhor Jesus Cristo em Lucas 24.44.

A antiga opinião documentária mais crítica que defendeu que o livro de Números era uma obra de sacerdotes do século VI ou V a.C. (documento P) tem sido seriamente questionada. Em substituição a esta, alguns estudiosos críticos modernos acreditam que o livro de Números tenha surgido gradualmente, e que foi escrito por muitos autores, editores e redatores, mas que foi baseado em uma tradição oral mosaica que teria preservado uma parte de sua historicidade, que pode portanto ser considerada "válida".

A visão conservadora que aceita a doutrina da inspiração, considera que Moisés utilizou um ou mais escribas (cf. Nm 11.16, onde os "superintendentes" ou "oficiais", heb. *shotrim*, eram escribas), fato que explicaria o uso da terceira pessoa em relação a Moisés. Deus revelou diretamente a Moisés algumas partes do livro, tais como as instruções para o estabelecimento na terra e para as cerimônias. Mas Moisés e seu(s) escriba(s) registraram (1.20-46; cap. 7; 26.3-51; cap. 33) e tiveram acesso a documentos (21.14) e conheciam muitas tradições orais (22–24). O texto em Números 32.34-42 pode ter sido acrescentado por Josué ou por um escriba no período do assentamento. O Espírito de Deus impediu que os escritores cometessem algum erro de fato, de doutrina ou de julgamento.

*Veja* Cânon das Escrituras – AT, O; Censo; Lei de Moisés; Pentateuco; Peregrinação no Deserto.

***Bibliografia.*** Roland K. Harrison, *Introduction to the Old Testament*, Grand Rapids. Eerdmans, 1969, pp. 614-634. Irving L Jensen, *Numbers. Journey to God's Rest-Land*, Chicago. Moody Press, 1964. A. A. MacRae, "Numbers", NBC, 1953. Elmer B. Smick, "Numbers", WBC, 1962. J. A. Thompson, "Numbers", NBC[2], 1970.

E. B. S.

**NUVEM** A palavra é usada muitas vezes. Basicamente, ela se refere às nuvens literais no céu, como em Gênesis 9.13,14,16 e Lucas 12.54. No entanto, ela é freqüentemente usada figurativamente como em Ezequiel 8.11 e Hebreus 12.1. A palavra também é usada com um outro sentido para indicar a presença de Deus para guiar seu povo (Êx 13.21,22; 40.34-38), ou para protegê-los (Êx 14.19).

*Literal.* Diferente do baixo Egito, a Palestina desfruta de chuvas consideráveis, mas quase que inteiramente limitadas ao inverno – de 15 de outubro a 1º de maio. Durante o verão – 1º de maio a 15 de outubro – praticamente não há chuvas, e há poucas nuvens. Por isso, "passou o inverno: a chuva cessou e se foi" (Ct 2.11).

*Figurativo*. A dissipação de uma nuvem espessa é usada para representar a anulação dos pecados de Israel (Is 44.22). Uma nuvem encobria a glória do Senhor da vista de Moisés e do povo quando a lei foi dada (Êx 19.9; 24.15-18), e o mesmo também aconteceu em outras ocasiões (Êx 16.10; 34.5). O Senhor prometeu aparecer em uma nuvem sobre o propiciatório no Santo dos Santos no Dia da Expiação (Lv 16.2). Uma nuvem representando a glória de Deus apareceu quando o Tabernáculo foi originalmente montado (Êx 40.34,35), e quando a arca foi introduzida no primeiro Templo (1 Rs 8.10-11). As nuvens são freqüentemente mencionadas em conexão com a inacessibilidade de Deus, como em Jó 22.14; Sl 18.11,12; 97.2.

Na transfiguração, uma nuvem encobriu os três discípulos, e a voz de Deus falou dela reconhecendo Jesus como seu Filho amado (Mt 17.5; Mc 9.7; Lc 9.34,35). Jesus disse que viria novamente "numa nuvem, com poder e grande glória" (Lc 21.27; veja também Mt 24.30; Mc 13.26; Ap 1.7). Paulo fala de crentes sendo recolhidos nas nuvens (ou, em nuvens) quando Cristo vier para os seus (1 Ts 4.17). Dessa forma, as nuvens, estando no céu, parecem ser usadas repetidamente nas Escrituras para nos lembrar de Deus: de sua glória e de sua direção, de sua distância e de sua presença.

J. A. S.

**NUVEM, COLUNA DE** *Veja* Coluna de Fogo e de Nuvem.

**NUZU** Um centro administrativo e um posto avançado militar dos hurrianos durante o reino Mitani. Esta cidade antiga foi identificada em 1925 pelo Dr. Edward Chiera. Tábuas escavadas em Yorghan Tepe deram ao local o nome hurriano Nuzu (conhecido por muito tempo pela forma genitiva Nuzi). O monte bastante afetado pela erosão tem cerca de 200 metros de um lado, se eleva cinco metros acima da planície, e está aproximadamente a 16 quilômetros a sudeste da moderna Kirkuk, no Iraque, e cerca de 240 quilômetros ao norte de Bagdá.

Uma ocupação anterior parece ter começado no período pré-histórico Halaf. Os níveis X-XII, porém, são predominantemente Obeid. Os níveis VII-IX são principalmente Uruk. Durante a ocupação dos níveis III-VI a cidade tinha um nome diferente. Nesta época ela era conhecida como Gasur e surgiu sob o império da grande dinastia de Sargão, de Agade. Depois de um considerável período de declínio, se não de completo abandono, ela foi reocupada pelos invasores hurrianos da Mesopotâmia e recebeu o nome de Nuzu (níveis I e II). A etapa final de ocupação abrange o período Parto-Sassânida. De uma forma geral, este período totaliza aproximadamente 5.000 anos.

O período mais interessante e importante na história deste local foi a época em que ele foi habitado pelos hurrianos e chamado de Nuzu. A maior parte do que é conhecido da vida social e econômica hurriana vem de um estudo de mais de vinte mil tábuas de barro escavadas em Nuzu, visto que a cidade-estado mitaniana de Arrapkha (a moderna Kirkuk) não foi estudada, e a capital mitaniana Washshukanni, que deve estar localizada em algum lugar a leste de Harã, jamais foi identificada com certeza.

Além disso, detalhes da vida social hurriana parecem equiparar-se às condições de Padã-Arã e da Palestina durante a época dos patriarcas Abraão, Isaque e Jacó, e conseqüentemente esclarecem consideravelmente os eventos bíblicos desta época.

As tábuas do tipo Nuzu foram primeiramente adquiridas de comerciantes de bazares, tendo sido escavadas pelos árabes. Posteriormente, outras foram encontradas nos arredores de Kirkuk. Finalmente, seguindo as sugestões de árabes locais, o monte Yorghan Tepe foi selecionado como um local onde, provavelmente, haveria mais tábuas, e as escavações começaram em 1925. Cinco temporadas foram dedicadas a este local até 1931, envolvendo, em épocas diferentes, o Museu do Iraque, a Universidade de Harvard, a Universidade da Pensilvânia e, durante todo este período, as Escolas Americanas de Pesquisa Oriental.

No primeiro local escolhido, um pequeno monte cerca de 300 metros de Yorghan Tepe, foram identificadas as ruínas das casas de Shukri-Tilla e Tehip-tilla, cidadãos proeminentes e ricos de Nuzu. Por meio de escavações posteriores no monte principal, foram descobertas muitas moradias particulares e também um grande "palácio" e Templo. O assim chamado "palácio" era, de acordo com todos os indícios, a habitação e o escritório do prefeito local (*hazannu*) chamado de Kushshiharbe. Tábuas encontradas nesse lugar revelam o fato de que um oficial público tão elevado pôde ser e foi processado por subornos, roubo e até seqüestro.

Porém, são os arquivos privados que contribuem com informações que dizem respeito ao período patriarcal descrito na Bíblia Sagrada. Estes documentos revelaram paralelos ao episódio da adoção de Eliézer por Abraão, às situações entre Jacó e Labão, e ao significado dos terafins ou deuses de Gênesis 31.19,30-35. Veja ANET, pp. 219ss.

Evidências adicionais da cultura hurriana e de sua influência que se estendeu por toda a área mediterrânea oriental e pelo território

heteu, e até mesmo pelo Egeu, podem ser notadas nos artefatos encontrados em Nuzu. Os selos cilíndricos têm certos motivos peculiares, e a "porcelana mitaniana" é distinta onde quer que seja encontrada, especialmente o típico copo grande de boca larga, com base em forma de botão, com desenhos geométricos e de animais pintados em branco sobre um fundo vermelho ou marrom escuro. *Veja* Arqueologia; Assíria; Horeus.
Em 1967-69 Tell al-Fakhar, um local cerca de 30 quilômetros a sudeste de Nuzu, foi escavado. Ali, um grande palácio de aprox. 60 por 30 metros foi encontrado datando de meados do segundo milênio a.C. e presume-se que foi destruído pelos exércitos assírios. Ele continha no mínimo mil tábuas – contratos e documentos comerciais relacionados ao arrendamento de terras, compra de terras, adoções e permutas – todos estes documentos contribuem para o conhecimento e o esclarecimento da cultura hurriana-mitaniana.

*Bibliografia.* Para uma bibliografia mais completa veja FLAP, pp. 47-48, 65-67. Cyrus H. Gordon, "Biblical Customs and the Nuzu Tablets", BA, III (1940), 1-12. E. A. Speiser, *Oriental and Biblical Studies*, ed. por J. J. Finkelstein e M. Greenberg, Filadélfia. Univ. of Pennsylvania Press, 1967, pp. 62-82, 89-96, 126ss., 132-137, 151-156, 244-269, 542-545. C. J. Mullo Weir, "Nuzu", TAOTS, pp. 73-86.
F. R. S.

# O

**O INÍQUO** *Veja* Homem do Pecado.

**OADE** O terceiro filho citado de Simeão (Gn 46.10) e cabeça de uma das famílias tribais (Êx 6.14,15). Seu nome não aparece na lista de Números 26.12-14.

**OBADIAS** Pelo menos 12 homens têm este nome no AT.
1. Um descendente de Davi (1 Cr 3.21).
2. Um dos chefes da tribo de Issacar (1 Cr 7.3).
3. Um gadita que se juntou a Davi em Ziclague (1 Cr 12.9).
4. Um benjamita, descendente de Saul e Jônatas (1 Cr 8.38; 9.44).
5. Um levita (1 Cr 9.16), aparentemente idêntico a Abda (Ne 11.17), que foi o fundador de uma família de porteiros (Ne 12.25).
6. Um zebulonita (1 Cr 27.19).
7. Um dos príncipes de Josafá que ensinou a lei nas cidades de Judá (2 Cr 17.7).
8. Um levita que supervisionava os trabalhadores que reparavam o Templo sob o governo de Josias (2 Cr 34.12).
9. Um líder israelita, descendente de Joabe, que retornou da Babilônia (Ed 8.9).
10. Um sacerdote que selou a aliança na época de Neemias (Ne 10.5).
11. Um administrador ou governador encarregado do palácio de Acabe e Jezabel (1 Rs 18.3-16). Desde sua mocidade ele era um homem temente a Deus. Durante a perseguição de Jezabel, Obadias escondeu 100 profetas em duas cavernas. Enviado por Acabe para procurar pastagens para os cavalos e mulas reais, Obadias foi encontrado por Elias. Subseqüentemente Obadias fez um arranjo para que Acabe se encontrasse com Elias no monte Carmelo, onde os profetas de Baal foram mortos. Um selo antigo com o texto hebraico "A Obadias servo do rei" pode fazer referência a este servo de Acabe. A identificação deste Obadias no Talmude babilônico (Sanhedrin 39*b*) com o profeta Obadias é duvidosa.
12. Um profeta que é melhor conhecido pelo livro que leva o seu nome. Nenhuma informação está disponível sobre ele, pessoalmente. Seu livro pareçe indicar que ele era um cidadão de Judá. É muito duvidoso que possa ser identificado com o capitão do rei Acazias (2 Rs 1.13-15), como faz o Pseudo-Epifânio na obra *The Lives of the Prophets*. Nem é provável que a tradição talmúdica seja correta ao identificá-lo como um prosélito de origem edomita. Quanto à data dos escritos de Obadias, *veja* Obadias, Livro de.
S. J. S.

**OBADIAS, LIVRO DE** Na disposição atual da Bíblia Hebraica este livro é listado como o quarto dos Profetas Menores. A LXX o coloca em quinto lugar.

### Autor

*Veja* Obadias, o 12º homem listado acima.

### Tema

O tema distinto deste livro é a reprovação que o profeta faz em relação aos edomitas, por seu orgulho ao se regozijarem pelas desgraças que aconteceram a Jerusalém.

**Esboço**

Sendo o mais curto dos livros do AT, ele possui apenas um capítulo dividido em 21 versículos.

I. Queda de Edom de sua Posição de Fortaleza, vv. 1-9
II. Orgulho, a Causa da Condenação de Edom, vv. 10-14
III. O Juízo de Deus sobre Edom, vv. 15,16
IV. Superioridade Final de Israel, vv. 17-21

**Data**

Nenhuma data específica é expressa para se definir com precisão a atividade de Obadias. Ela parece estar definitivamente ligada a uma época em que uma terrível desgraça aconteceu na cidade de Jerusalém, e os edomitas alegremente se orgulharam do fato de que eles, por causa de sua localização geográfica, estavam imunes a esta tragédia. A questão crucial é a data da calamidade de Jerusalém descrita nos vv. 11-14.

As invasões significativas às quais Jerusalém foi submetida durante os vários períodos do AT foram: (1) Por Sisaque durante o reinado de Roboão (1 Rs 14.25,26); (2) Pelos filisteus e arábios enquanto Jeorão era rei (2 Cr 21.16,17; 2 Rs 8.20); (3) Pelo rei Joás de Israel enquanto Amazias governava em Jerusalém (2 Rs 14.13,14); (4) Pelos edomitas que atacaram Judá durante o reinado de Acaz (2 Cr 28.17); (5) Por Nabucodonosor, que não só invadiu Judá, mas reduziu Jerusalém com seu Templo a ruínas durante os anos 605-586 a.C. (2 Rs 24.1ss.).

O conteúdo de Obadias, de acordo com o consenso geral de estudiosos da atualidade, parece refletir mais particularmente as condições durante o reinado de Jeorão, em aprox. 848-841 a.C., ou a época da destruição literal de Jerusalém em 586 a.C. O ponto mais crucial são as interpretações dos versículos 11-14. Eles refletem uma completa devastação e destruição final de Jerusalém? Ou se referem a uma invasão, saque e pilhagem que não resultaram em sua destruição nem em um exílio que pôs fim ao reino de Judá? Esta invasão de que os edomitas participaram parece ser melhor datada no reino de Jeorão. Esta opinião tem sido defendida por Delitzsch, Kleinert, Orelli, Kirkpatrick e Archer (cf. bibliografia).

A relação literária entre Obadias 1-9 e Jeremias 49.7-22 também merece uma séria consideração. Embora eles possam ter usado uma fonte comum, parece bastante provável que Jeremias, em sua extensa passagem, reflita o conhecimento de Obadias. Isto favoreceria uma data anterior para o livro de Obadias. Também foi sugerido que Joel, em seu livro, reflete o conhecimento de Obadias nas seguintes referências: Joel 3.19, cf. Obadias 10; Joel 3.3, cf. Obadias 11; Joel 1.15; 2.1; 3.4,7,14, cf. Obadias 15; Joel 3.8, cf. Obadias 18. Esta possibilidade da mesma forma apontaria um período anterior para Obadias.

***Bibliografia.*** Gleason L. Archer, *A Survey of Old Testament Introduction*, Chicago. Moody Press, 1964. Frank E Gaebelein, *Four Minor Prophets*, Chicago. Moody Press, 1970. Theodore Laetsch, *Bible Commentary on the Minor Prophets*, St. Louis. Concordia, 1956. Samuel J. Schultz, *The Old Testament Speaks*, Nova York. Harper e Row, 1960.

S. J. S.

**OBAL** Filho de Joctã, o irmão de Pelegue e fundador de uma tribo árabe na linhagem de Sem (Gn 10.25-29). Ele é chamado de Ebal (*q.v.*) em 1 Crônicas 1.22.

**OBEDE**

1. Filho de Boaz e Rute, a moabita. Ele foi o pai de Jessé, avô de Davi, e ancestral do Senhor Jesus (Rt 4.17,21,22; 1 Cr 2.12; Mt 1.5; Lc 3.32).
2. Filho de Eflal, filho de Zabade, um dos valentes de Davi. Ele era da tribo de Judá, descendendo da única filha remanescente de Sesã, que foi casada com um escravo egípcio a fim de preservar a descendência da família (1 Cr 2.34-38).
3. Um dos valentes de Davi (1 Cr 11.47). Nada mais se sabe a seu respeito.
4. Um dos filhos de Semaías, o filho de Obede-Edom. Embora seja citado como um porteiro do Templo, ele também é chamado, com seus irmãos, de homem valente, e pode ser a mesma pessoa mencionada no item 3 acima (1 Cr 26.6,7).
5. Pai de Azarias, um dos capitães que seguiram Joiada ao restaurar Joás ao trono de Judá (2 Cr 23.1).

**OBEDE-EDOM**

1. Obede-Edom, o geteu, foi provavelmente um levita cujo local de nascimento foi Gate-Rimom, uma cidade levítica de Dã (Js 19.45). No episódio da morte de Uzá, quando Davi procurou mudar a arca da casa de Abinadabe, os utensílios santos foram colocados na casa de Obede-Edom, nas proximidades de Jerusalém, a oeste desta cidade, por três meses (2 Sm 6.1-11; 1 Cr 13.13). Quando Deus manifestadamente abençoou a casa de Obede-Edom, Davi tomou coragem e, desta vez, agindo de acordo com a lei, levou a arca para Jerusalém (2 Sm 6.12ss.; 1 Cr 15.25). Talvez este tenha sido o mesmo Obede-Edom que era da família coraíta, cujos membros foram designados como porteiros para o Templo (1 Cr 15.24; 26.4,8,15). É especificamente declarado que Deus o havia abençoado (26.5), e esta é uma referência a 1 Crônicas 13.14. Uma vez que tinha o dom para a mú-

sica, ele e alguns de seus filhos também foram designados como músicos do Templo (1 Cr 15.16,18; 16.5,38).
2. Filho de Jedutum, um levita designado como porteiro no Templo (1 Cr 16.38).
3. O tesoureiro ou administrador dos utensílios do Templo nos dias de Amazias. Ele foi levado cativo por Joás de Israel (2 Cr 25.24).

P. C. J.

**OBEDIÊNCIA** As palavras hebraicas e gregas traduzidas como "obedecer" ou "obediência" são geralmente *shama'* e as formas cognatas de *akouo*. O significado básico de ambas é "ouvir". De fato, muitas vezes que o tradutor se confronta com estas palavras e seus cognatos, é muito difícil determinar se a tradução mais apropriada é "ouvir" ou "obedecer". Esta dificuldade, porém, oferece uma visão profunda do conceito bíblico básico de obediência, um conceito que ocorre tanto no AT como no NT.

Embora a obediência expresse uma ação que existe nas relações humanas comuns (tais como discípulos aos mestres ou filhos aos pais), sua referência mais significativa é a de um relacionamento que deve existir entre o homem e Deus. Deus revela-se a si mesmo ao homem por sua voz e palavras. As palavras devem ser ouvidas. Isto obviamente envolve uma recepção física das palavras com uma suposta compreensão mental de seu significado.

Mas em termos da recepção da revelação de Deus pelo homem, este fato em si não é um ouvir verdadeiro. A atitude de ouvir verdadeiramente está ligada à fé que recebe a Palavra divina e a traduz em ação. É uma resposta de fé. É uma resposta positiva e ativa, não meramente ouvir e considerar de forma passiva. Ouvir é agir. Em outras palavras, ouvir realmente a Palavra de Deus é obedecer à Palavra de Deus. No NT, a idéia de se assumir a responsabilidade de obedecer à Palavra ouvida, ou de se colocar *sob* esta responsabilidade, é claramente enfatizada pelo termo *hupakouo*, uma composição dos termos "sob" e "ouvir".

Muitas passagens referentes ao ouvir e à obediência obviamente têm em vista este aspecto de resposta positiva e ativa. "Quem tem ouvidos para ouvir, ouça" (Mt 11.15; cf. 13.9,43; Ap 2.7,11,17,29; 3.6,13,22; 13.9). *Veja* Ouvido. O homem sábio é aquele que "ouve estas minhas [do Senhor Jesus] palavras e as pratica" (Mt 7.24). "As minhas ovelhas ouvem a minha voz, e... me seguem" (Jo 10.27). Com respeito à revelação que havia recebido em Patmos, João disse: "Bem-aventurado(s)... os que ouvem as palavras desta profecia, e guardam as coisas que nela estão escritas" (Ap 1.3). Não há nenhuma dicotomia entre o ouvir e o obedecer. O ouvir verdadeiro é a obediência. A fé em si envolve obediência. O Senhor Jesus, Paulo e Tiago deixam bem claro que a verdadeira fé emana da obediência.

S.N.G.

No AT, pelo fato de Abraão ter crido em Deus e obedecido à sua voz, todas as nações da terra se tornaram benditas (Gn 15.6; 22.18; 26.4,5). Obedecer à voz de Deus é equivalente a guardar a sua aliança (Êx 19.5; cf. 23.20-22); portanto, os israelitas prometeram ser obedientes quando o Livro da Aliança foi ratificado com a aspersão de sangue (Êx 24.7,8). A re-dedicação do povo para obedecer à lei era uma parte básica das cerimônias de renovação de aliança (Dt 27.1-10; 30.2,8,20; Js 24.24-27).

Ao castigar o rei Saul por sua obediência incompleta, Samuel ensinou a grande verdade de que obedecer é melhor do que sacrificar (1 Sm 15.22). Em séculos posteriores, a nação foi repetidamente advertida por sua desobediência a Deus e à sua lei (Is 42.24; Jr 3.13; 7.23-28; Sf 3.2; Ne 9.17,26). A obediência, ou a falta dela, pode ser tanto interior, do coração (Pv 3.1), ou meramente exterior, no sentido de uma obediência forçada (Sl 72.8-11).

No NT, Paulo fala da "obediência da fé" (ou "por fé") por parte dos cristãos (Rm 1.5; cf. At 6.7). A frase em grego é a mesma que foi utilizada em Romanos 16.26, onde ele escreve que o evangelho conduz à "obediência da fé". O apóstolo está, evidentemente, referindo-se ao desejo de Deus de que os gentios, ao ouvirem o evangelho, obedeçam-no recebendo-o pela fé, confiando em seus termos (cf. 1 Pe 1.2,22; 1 Jo 3.23). Paulo adverte quanto ao terrível castigo que aguarda aqueles que se recusam a obedecer ao evangelho de nosso Senhor Jesus Cristo (2 Ts 1.8; cf. Rm 2.8; 1 Pe 2.7,8). Ele elogia os coríntios por sua obediência ao evangelho de Cristo que professavam (2 Co 9.13).

Como um exemplo de obediência, Paulo e Pedro apontam para o Senhor Jesus Cristo que "humilhou-se a si mesmo, sendo obediente até à morte" (Fp 2.8; cf. 1 Pe 2.18,21). Paulo fala da obediência de Cristo ao fazer a expiação pelos pecadores, em contraste com a desobediência de Adão e seus descendentes (Rm 5.19). A declaração em Hebreus 5.8 de que Ele "aprendeu a obediência, por aquilo que padeceu", deve significar que Cristo fez da experiência de obedecer ao Pai algo real. Ao agir assim, Ele cumpriu o propósito eterno da Divindade vivendo toda a sua vida como nosso representante, obedecendo e sofrendo em nosso lugar e por nossa causa, satisfazendo completamente a lei, em todos os seus aspectos (J. O. Buswell, Jr., *A Systematic Theology of the Christian Religion*, Grand Rapids. Zondervan, 1962, II, 111ss.). *Veja* Obediência de Cristo.

A Palavra de Deus exorta os servos (escravos) a obedecerem a seus senhores (Ef 6.5-8;

Cl 3.22; 1 Tm 6.1; Tt 2.9); os cristãos, a obedecerem a seus líderes (Hb 13.17); as mulheres, a obedecerem a seus maridos (Tt 2.5; Ef 5.22-24; 1 Pe 3.1-6); e os filhos, a obedecerem a seus pais (Ef 6.1; Cl 3.20; cf. Pv 6.20; 23.22; 29.15). Portanto, os crentes como um todo são caracterizados como "filhos obedientes" (1 Pe 1.14; cf. Rm 6.16,17; Hb 5.9). A desobediência aos pais é considerada uma marca da depravação humana (Rm 1.30) e um sinal dos últimos dias (2 Tm 3.2). Os cristãos são ensinados a obrigar cada pensamento humano a se render em obediência a Cristo (2 Co 10.5).

O mais alto nível de obediência para o cristão é fazer a vontade de Deus de todo o coração (Rm 6.17), e não por uma mera complacência exterior. Ele possui um espírito de obediência que cria dentro de si o desejo de obedecer no pensamento e através de atitudes (por exemplo, Mt 5.28,44; 19.21,22). O cristão tem a mente de Cristo (Fp 2.5), pois a Palavra de Deus está dentro de seu coração e ele deleita-se em fazer a vontade de Deus (Sl 40.8; cf. Hb 10.5-9).

*Veja* Exemplo.

J. R.

**OBEDIÊNCIA DE CRISTO** Esta obediência inclui a aceitação voluntária de Cristo em relação à encarnação, quando Deus Pai falou com o Filho no passado eterno, como registrado no Salmo 40.6-8 (cf. Hb 10.5-10). Sua vida de obediência perfeita ao Pai é mostrada por Ele ter "nascido de mulher, nascido sob a lei" (Gl 4.4), e por ter guardado a lei de forma perfeita. Ele cumpriu a vontade de Deus em seu nascimento (Lc 2.21,22,39), em sua infância (Lc 2.52), em seu batismo (Mt 3.15), em sua tentação, na qual triunfou sobre Satanás em contraste com Adão que caiu (Mt 4.1-11; Lc 4.1-13), e por toda a sua vida (Jo 4.34; 6.38; 8.29,46; 15.10; 17.4; At 3.14; 2 Co 5.21; Hb 4.15). Ninguém poderia convencê-lo de desobediência a Deus ou à sua lei (Jo 8.46; Hb 5.8,9). Embora tenha lutado contra o horror de sua futura condenação, ao ser feito pecado por nós, carregando nossos pecados em seu próprio corpo no madeiro (2 Co 5.21; 1 Pe 2.24), ainda assim, Ele submeteu-se, em obediência, até sua morte na cruz (Fp 2.8).

É costume dividir a obediência de Cristo em duas fases: sua vida de obediência ativa e seu sofrimento e morte, ou sua obediência passiva. Sua obediência ativa então tornase a base da justiça que nos é imputada; e sua obediência passiva, a expiação por nossos pecados e nosso perdão. A divisão não é totalmente satisfatória; porém seu sofrimento teve início antes da cruz, e o mérito de sua morte sacrificial reside em sua vida sem pecado, completamente santa (1 Pe 1.18,19).

Cristo e Adão são uma antítese (Rm 5.12-19). Através do primeiro Adão, o pecado e a morte entraram no mundo; através do segundo, a justiça e a vida (vv. 12,17). Pela desobediência de Adão, todos se tornaram pecadores e morreram espiritualmente; através da obediência do Senhor Jesus Cristo, todos os que estão nele tornam-se justos e vivos (v. 19; cf. 1 Co 15.22). A perfeita obediência do Salvador deve ser o nosso exemplo (Hb 12.1,2; 1 Pe 2.21).

*Veja* Obediência.

R. A. K.

**OBIL** Um ismaelita que montava camelos, e que foi designado superintendente sobre os camelos do rei Davi (1 Cr 27.30).

**OBLAÇÃO** Uma oferta voluntária a Deus. A palavra é freqüentemente encontrada na versão KJV em inglês, tanto em Levítico quanto nos profetas maiores. Ela é usada para traduzir três palavras hebraicas: *minha*, a palavra geral para oferta; *t*[e]*ruma*, que é freqüentemente traduzida como "ofertas movidas"; e *qorban*, usada em relação a uma oferta de manjares. Os termos hebraicos incluem ofertas de todos os tipos, desde a oferta pacífica até utensílios de ouro e prata ou mesmo uma terra dedicada ao Senhor (Ez 48.12). Em Números 31.50, existe uma nota distinta de propiciação, mas sua ênfase usual é um reconhecimento geral da elevada honra e bondade de Deus.

Às vezes, a oblação pode expressar uma consciência no ofertante de que ele pertence a Deus. Desde que o Senhor Jesus Cristo fez sua oferta única e suficiente, o crente passou a ter a obrigação de ofertar seu próprio corpo (um "sacrifício vivo", Rm 12.1), como um "sacrifício de louvor" (Hb 13.15). Cada crente tem o dever de oferecer o melhor de si, seus dons, para a obra do Senhor (Fp 4.18).

*Veja* Sacrifícios.

M. A. K.

**OBOTE** Um dos acampamentos dos israelitas no deserto, o primeiro depois de partirem de Punom (*q.v.*; a moderna Feinan), nas proximidades da fronteira de Moabe (Nm 21.10,11; 33.43,44). Uma possível identificação é 'Ain el-Weiba no lado oeste de Arabá. Nelson Glueck, porém, sugeriu et-Telah, 24 quilômetros ao norte de Feinan (na obra *The Other Side of the Jordan*, p. 50).

**OBRA** *Veja* Trabalho.

**OBRAS DE DEUS** A doutrina de Deus é freqüentemente dividida em: natureza de Deus e obras de Deus. A primeira trata da ontologia, enquanto a segunda está interessada na relação com o universo. As principais obras de Deus são as seguintes.

1. O decreto. O decreto em seu sentido primário é singular, quando Deus tem apenas um plano que inclui tudo. Em que Ele "faz

todas as coisas segundo o conselho de sua vontade" (Ef 1.11). Por conveniência, porém, as características individuais deste plano podem ser chamadas de decretos.

A teologia reformada coloca grande ênfase na doutrina do decreto, enquanto que na teologia arminiana ela é de menor importância. É por causa desta diferença na ênfase que surge boa parte dessa tensão entre essas duas escolas de teologia.

As Escrituras ensinam que o decreto de Deus foi feito na eternidade passada (At 15.8; Ef 1.4; 2 Tm 1.9), era baseado na sabedoria de Deus (Sl 104.24; Pv 3.19; Ef 3.10,11), e compreendia todas as coisas (Ef 1.11).

As características importantes dentro do decreto de Deus são a sua escolha de criar, de permitir que o homem caia, de justificar os eleitos, e de ignorar os não-eleitos e sujeitá-los ao castigo eterno, do qual tornam-se merecedores por causa dos pecados que praticaram.

Embora seja difícil para a mente finita compreender o plano infinito de Deus, e, embora nada aconteça fora da vontade ou decreto de Deus, é útil lembrar que *Deus não deseja tudo o que por fim acontece* (2 Pe 3.9), e que *nem tudo é da plena vontade e agrado de Deus* (2 Pe 3.7). Por esta razão, é conveniente distinguir entre aquelas coisas que são consentidas diretivamente ou eficazmente (ativamente), e aquelas que são consentidas de uma forma permissiva (como uma concessão). *Veja* Vontade de Deus.

2. Criação. A criação é um ato do Deus trino: do Pai (Gn 1.1), do Filho (Jo 1.3) e do Espírito Santo (Gn 1.2). Foi um ato livre da vontade de Deus, quando não havia nada na natureza divina que necessitasse dela. A Bíblia ensina que a criação foi *ex nihilo* e por ordem e decreto divinos (Gn 1.1, *et al.*).

Entre as coisas que foram criadas por Deus estão os anjos (Sl 148.2,5; Cl 1.16), Satanás e as hostes de demônios (Is 14.12-15; Ez 28.12-19; 2 Pe 2.4; Jd 6), os céus e a terra (Gn 1.1), as plantas e a vida animal (Gn 1.11,12,20-22,24,25), e também o homem e a mulher (Gn 1.26,27; 2.21-24).

Uma vez que o universo foi criado por Deus, a Bíblia ensina que este foi um meio de revelar Deus ao homem (Sl 19.1-3). O conteúdo desta revelação é "seu eterno poder, como também a sua própria divindade", e nesta base todos "são, por isso, indesculpáveis" (Rm 1.20).

Finalmente, por causa do pecado do homem, a criação foi amaldiçoada (Gn 3.14,17-19) e no momento "geme e suporta angústias" por sua redenção (Rm 8.19-22). Além disso, durante esta era presente, Satanás ainda tem algum domínio (Jo 14.30; 16.11; 2 Co 4.4); mas, em algum tempo futuro, todas as coisas deverão ser restauradas a Deus e governadas por Jesus Cristo (Ap 11.15; 19.6-21; 20.4). Após o reinado milenial de Cristo, os céus e a terra serão purificados ou destruídos pelo fogo (2 Pe 3.7). *Veja* Criação.

3. Preservação. Esta é a atividade de Deus pela qual Ele mantém tudo o que criou (Ne 9.6; Cl 1.17; Hb 1.3). Embora todos os teístas concordem que Deus preserva sua criação, há um desacordo sobre o método pelo qual Ele o faz. O deísta afirma que é pela lei natural. Outros têm sugerido que a manutenção se dá através de uma criação contínua. A melhor resposta é que Deus coopera em todas as operações da matéria e da mente. Sem essa cooperação, nenhuma força ou pessoa poderia continuar a existir ou a agir (At 17.28; 1 Co 12.6).

4. Providência. Deus não só preserva sua criação, mas exerce um controle soberano sobre ela (Sl 103.19). Este controle é chamado de providência. A providência de Deus é sua operação dentro do tempo para executar seu decreto.

Os meios empregados no exercício da providência podem ser as leis da natureza (Gn 8.22; Sl 107.24), os milagres (Êx 14.21-31; Js 24.31; Jz 2.7,10), a sua Palavra (Dt 17.18-20), os seus juízos (Is 10.12; 28.21,22; Jr 50.25), a razão do homem (Is 1.18; At 6.2), as circunstâncias externas (1 Co 16.9; Gl 4.13), sonhos e visões (Mt 2.13,19,20; At 16.9,10; 22.17,18), e agentes especiais, particularmente os anjos (Dn 6.22; 10.5-21; 12.1). *Veja* Providência.

5. Salvação. Embora seja dito que a obra da criação é uma obra das mãos de Deus (Sl 8), a salvação é realizada pelo braço de Deus (Êx 15.16; Jo 12.38), e por seu Filho (Jo 5.36; 10.25,38; 17.4), e ao custo de seu Filho.

Embora a salvação tenha sido consumada com a morte de Cristo (Jo 19.30), a realização completa de seus benefícios é futura. Na volta do Senhor, os cristãos serão salvos das enfermidades do corpo e da maldição de Deus sobre o mundo (Rm 8.18-23; 1 Co 15.42-44), e trazidos à semelhança perfeita de Cristo (Rm 8.29; 13.11; Hb 10.36; 1 Pe 1.5; 1 Jo 3.2).

As Escrituras ensinam que a salvação se baseia na graça por meio da fé, totalmente separada das obras (Rm 3.27,28; 4.1-8; 6.23; Ef 2.8). É somente depois da salvação que os crentes são exortados a produzir boas obras (Ef 2.9,10; Tt 3.5-8; Tg 2.20); de fato, tais obras são o produto e as evidências naturais da nova vida em Cristo (Gl 5.16,22-24; 1 Jo). *Veja* Deus; Milagres; Salvação; Trabalho.

P. D. F.

**OBRAS DO HOMEM** Os termos hebraicos *ma'aseh*, *m^ela'ka*, e o grego *ergon* são geralmente as palavras que ficam por trás das palavras "obra" e "ação" no texto das Escrituras. Embora as Escrituras refiram-se às obras de Deus Pai e às obras de nosso Senhor na terra, neste artigo a consideração está restrita às obras dos homens; não tanto com obras no sentido de trabalho árduo e ocupação, mas no sentido de ações que mostram o caráter moral dos homens. Tais obras são citadas coletivamente, geralmente no plural, embora o singular possa ser usado (Gl 6.4).

Há toda uma classe de usos que se referem aos feitos pecaminosos dos homens que mostram a sua maldade moral e espiritual. Incluídas aqui estão as obras perversas e más (Cl 1.21 e 2 Jo 11; cf. Lc 13.27; Jo 3.19; 7.7; 1 Jo 3.12), as obras da carne (Gl 5.19), as ações pecaminosas ou ímpias (Jd 15), as obras das trevas (Rm 13.12), e as obras infrutíferas das trevas (Ef 5.11).

Por meio de um contraste, as boas obras são aquelas ações que Deus aprova em seus filhos. As nossas boas obras são a evidência de um caminhar digno do Senhor (Cl 1.10); elas devem ser o adorno das mulheres, e por meio delas as viúvas são conhecidas (1 Tm 2.10; 5.10), da mesma forma que Dorcas é reconhecida como alguém que era "cheia de boas obras" (ou notável pelas boas obras; At 9.36). Mas os homens não são excluídos, pois Tito é exortado a ser um exemplo de boas obras (Tt 2.7).

As boas obras devem ser consideradas como uma conseqüência da salvação ("obras dignas de arrependimento", At 26.20); na verdade, a execução de boas obras é um dos propósitos para os quais os crentes são salvos (Ef 2.10; Tt 2.14). Tais ações são produzidas na vida não por qualquer bondade inata no homem, mas pelo uso correto das Escrituras (2 Tm 3.17) e pela graça de Deus operando em seu interior (2 Co 9.8; cf. 2 Ts 2.17; Fp 1.6). Elas podem ser consideradas como sendo o fruto do Espírito ou o resultado dele (Gl 5.22ss.). O exemplo de Jesus Cristo que expulsou demônios pelo Espírito de Deus (Mt 12.28; cf. Lc 4.14; At 10.38), e a instrução do apóstolo Paulo em 1 Coríntios 12.1-11 revelam que toda obra genuína e duradoura para Deus deve ser feita no poder do Espírito Santo (cf. 1 Ts 1.5; Rm 15.18ss.; 1 Co 2.4; 2 Co 6.6; 2 Tm 1.7; At 4.29-31,33; Hb 2.4).

É a tais obras que Paulo refere-se quando fala da "obra da fé" e da "fé que atua pelo amor" (1 Ts 1.3; 2 Ts 1.11; Gl 5.6). A referência está relacionada às boas obras que brotam da fé. É exatamente a isto que Tiago refere-se quando fala das obras que mostram que a fé é vital e real; na verdade, uma fé que não mostra tal evidência, não é fé de modo algum – ela está morta (Tg 1.21-25; 2.14-26). Visto que as boas obras são a evidência da fé e o produto da graça de Deus, elas trazem glória a Deus, e não ao homem (Mt 5.16). *Veja* Convivência; Fé.

Mas, há aqueles que supõem que suas próprias obras são boas e suficientes para ganhar o mérito e a aceitação da parte de Deus. Tais indivíduos são chamados de "aqueles... que são das obras da lei" (Gl 3.10). As obras da lei são aquelas ações legais pelas quais os homens procuram ser aceitos por Deus (ISBE, V, 3105). Elas são o curso de ação exigido pela lei (Rm 3.27; Gl 2.16; 3.2,5,10; às vezes chamadas simplesmente de "obras", cf. Rm 4.2,6; Ef 2.8,9). Aquilo que Deus fez e determinou como um requisito, é mal usado pelo homem em seu esforço arrogante em busca da autojustificação. Mas tal curso é inútil e pode apenas resultar na maldição e na condenação por parte de Deus (Gl 2.16,21; 3.10-14).

As obras da lei, juntamente com as obras da carne, também são chamadas de "obras mortas" no sentido de que são obras desprovidas de fé na graça salvadora de Deus (Hb 6.1; 9.14).

***Bibliografia.*** Herbert Braun, "*Poieo* etc"., TDNT, VI, 458-484. Georg Bertram, "*Ergon*", TDNT, II, 635-655. John Gerstner, "Good Works", BDT, pp. 253ss. W. L. Walker, "Work, Works", ISBE, V, 3105.

S. N. G.

**OBRAS PODEROSAS** *Veja* Milagres; Sinal.

**OBSCURIDADE** Nos dicionários, esta palavra geralmente denota um estado de não ser facilmente percebido, fraco, indefinido, não facilmente entendido. Quando acompanhada por uma palavra como "total", ela denota a completa ausência de luz. Na versão KJV em inglês, apenas o segundo conceito é encontrado quando o termo "obscuridade" traduz as seguintes palavras hebraicas: (1) *'opel*, "penumbra", "escuridão", denotando a obscuridade da cegueira (Is 29.18); (2) *hoshek*, "escuridão", "ignorância", equiparando a obscuridade à escuridão (Is 58.10; 59.9); (3) *'ishon*, a leitura de Kethib em Provérbios 20.20, juntamente com *hoshek*, significa a "pupila" ou o centro da escuridão, isto é, a "escuridão total" (ou "densas trevas"); a leitura Qere, *'eshun*, significa "tempo de trevas."

**OBSERVAÇÃO** A palavra grega *parateresis*, significando "um olhar intenso e cuidadoso", "observação", é usada uma vez em Lucas 17.20, "O Reino de Deus não vem com aparência [ou observação] exterior". O reino de Deus não se desenvolve na Era do evangelho de uma maneira que possa ser visivelmente observado. Ele já está presente (Mt 12.28; Mc 1.15; Lc 11.20) em seu primeiro estágio nos corações dos homens. Ele entrará em seu estágio visível na segunda vinda de Cristo (Mt 6.10; Ap 20.4).

**OBSERVADOR DE ESTRELAS** *Veja* Astronomia; Magia.

**OBSTINAÇÃO** De acordo com 2 Pedro 2.10, aqueles que vivem na carne são "obstinados" (gr. *authades*), atrevidos e arrogantes. Em contraste, aqueles que são escolhidos como bispos e anciãos não devem ser arrogantes (ou soberbos), nem se irar facilmente (Tt 1.7),

Cena de uma caça hitita de Carquemis. Museu Arqueológico de Ancara

mas devem ser humildes (1 Pe 5.5,6) e moderados (1 Tm 3.3). O termo é encontrado uma vez no AT, na descrição poética que Jacó fez de seus filhos Simeão e Levi (Gn 49.6).

**OBSTINADO ou DE DURA CERVIZ** O termo obstinado (heb. *q[e]sheh 'oreph,* gr. *sklerotrachelos*) foi aplicado somente à nação de Israel tanto no AT quanto no NT. Ele é aparentemente derivado da idéia de um boi teimoso e rebelde que se recusa a receber o jugo. Quando usada metaforicamente, essa expressão transmite a idéia de teimosia ou obstinação, juntamente com arrogância, e está associada à falta de fé em Deus e à rejeição à sua vontade revelada.

O próprio Deus foi o primeiro a empregar essa denúncia (Êx 32.9; 33.3,5). Moisés também a utilizou em uma oração a respeito de Israel (Êx 34.9), e mais tarde em uma referência direta à nação (Dt 9.6; cf. 9.13; 10.16; 31.27). Ezequias empregou essa figura em 2 Crônicas 30.8 e esse conceito também aparece em 2 Crônicas 36.13; Provérbios 29.1 e Jeremias 17.23. Estêvão, em Atos 7.51, chama sua geração de obstinada por causa de sua teimosa descrença. Para uma expressão semelhante, *veja* Dureza de Coração.

**OCIDENTE** O termo comum para ocidente no AT é o heb. *yam*, "mar" (por exemplo, Gn 12.8; Dt 3.27). Este é um resultado da geografia da Terra Santa, com a expansão do mar Mediterrâneo no ocidente. Outros termos hebraicos traduzidos como "ocidente" falam do lado do "pôr-do-sol" (Js 23.4; Zc 8.7) ou o "poente" (por exemplo, Sl 75.6; Is 45.6). No NT o termo grego *dysme*, "cair" do sol, é uma palavra comum para ocidente (por exemplo, Mt 8.11; 24.27).

**OCIOSIDADE** Preguiça ou indolência que, de acordo com a literatura da sabedoria heb. leva à pobreza (Pv 19.15; Ec 10.18). Um antigo Faraó havia acusado os queixosos israelitas de ociosidade (Êx 5.8-17). A palavra *argos* no NT (Mt 12.36; 20.3,6; 1 Tm 5.13) significa "inativo" ou "inútil".

**OCRÃ** Pai de Pagiel, o príncipe da tribo de Aser a quem Moisés e Arão foram instruídos a escolher quando estavam no monte Sinai (Nm 1.13; 2.27; 7.72-77; 10.26).

**OCUPAÇÕES** As diversas artes e ofícios, profissões e ocupações dos tempos bíblicos não eram tão claramente delineados como em nossa sociedade moderna. Havia poucos especialistas e mais homens do tipo "versátil". Na sociedade predominantemente campestre, a maioria das pessoas vivia em pequenas cidades comparáveis às aldeias da

Várias etapas da construção de um navio, como retratado na tumba de Ti em Sakkara, Egito. LL

Europa medieval. Cada comunidade era um grupo de famílias de lavradores que diariamente ia para os campos, cultivava seu próprio alimento e, literalmente, fabricava todas as suas ferramentas, vestimentas, e artigos que supriam outras necessidades.

Mas a Palestina dominava as rotas comerciais internacionais da época. Os moradores tinham um desejo natural pelos luxos que só podiam ser obtidos no Egito, Fenícia ou Babilônia. Portanto, alguns começaram a produzir mais produtos agrícolas, ou a fazer mais objetos do que precisavam localmente a fim de ter mercadorias para permuta. Os israelitas aprenderam muitas de suas habilidades a partir do contato com seus vizinhos cananeus e fenícios. A especialização desenvolveu-se especialmente nas cidades maiores e perto delas. As famílias empregavam, no mesmo ofício, clãs que posteriormente desenvolveram-se tornando-se associações (por exemplo, Ne 3.8). As crianças naturalmente seguiam a profissão de seus pais. Os membros destas associações tendiam a viver e trabalhar em seus próprios povoados (por exemplo, 1 Cr 4.14,21, 23), em certas localidades, ou em certas ruas das cidades (Jr 37.21).

Os hebreus eram praticamente o único povo do antigo Oriente Próximo que considerava o trabalho com as próprias mãos como uma atividade dignificante, ao invés de degradante. Os egípcios consideravam os pastores de ovelhas como uma abominação (Gn 46.34), entretanto, através desta humilde ocupação, Moisés aprendeu valiosas lições de liderança, e Davi ascendeu e assentou-se no trono. Neemias era um copeiro do rei, enquanto que Amós ganhava o seu sustento como pastor de ovelhas e cultivador de sicômoros. Por várias vezes a ociosidade é condenada em Provérbios e os homens são exortados a aprender a trabalhar com as formigas (Pv 6.6-11). O sábado foi criado para atestar a dignidade do trabalho, dando ao homem um descanso merecido no sétimo dia (Walter Duckat, *Beggar to King*, pp. xv-xxiii).

Além dos textos das Escrituras, o conhecimento de artes e ofícios do mundo bíblico chegou até nós de várias maneiras. Primeiro, existe a tremenda provisão de registros escritos da Mesopotâmia, Síria e Egito. Estima-se que 95% das tábuas cuneiformes nos idiomas sumério e acádio são de conteúdo econômico, mencionando um grande número de ofícios e tratados comerciais. Em segundo lugar, existem as pinturas e modelos encontrados em muitas tumbas egípcias, extremamente realistas e detalhados, de servos desempenhando suas tarefas. Em terceiro lugar, existem os próprios artefatos, as ferramentas, e os produtos atestando a habilidade – ou a falta dela – por parte do antigo negociante (*veja* Ferramenta). O trabalho do oleiro é especialmente iluminado pelos incontáveis cacos de cerâmica e vasos inteiros encontrados nas cidades e tumbas escavadas na Palestina. Mais de uma centena destas ocupações é especificamente mencionada na Bíblia Sagrada, ou é o objeto de alguma alusão pelos efeitos do trabalho realizado.

**Açougueiro.** *Veja* Ocupações: Cozinheiro.

**Adivinho.** *Veja* Adivinhação.

**Agricultor.** Um cultivador do solo (Gn 9.20; Mt 21.33; *et al.*), em termos modernos, um lavrador. O termo "Agricultor" não é usado na versão RSV em inglês, que traduz o termo bíblico como "arrendatário" na parábola da vinha contada pelo Senhor Jesus (Mt 21.33-41; Mc 12.1-9; Lc 20.9-16), porque os lavradores não eram os donos da vinha. Em 2 Cr 26.10 foi dito que o rei Uzias "era amigo da agricultura", um homem afeiçoado à agricultura. A palavra heb. *'adama* significa literalmente o chão ou o solo, uma maneira idiomática de expressar o seu prazer pela agricultura.

Deus é descrito figurativamente em João 15.1 como um agricultor ou lavrador (*georgos*, lit., um "trabalhador do solo") ou "viticultor". Uma congregação cristã é mencionada como sendo a "lavoura de Deus" (1 Co 3.9); a sua terra ou fazenda cultivada. *Veja* Agricultura; Ocupações: Lavrador[2].

**Aio.** As palavras "aio" (Gl 3.24,25) e "instrutor" (1 Co 4.15) podem não ser um equivalente rigorosamente preciso do termo grego *paidagogos*. A metáfora de Paulo era muito mais profunda do que nosso idioma é capaz de expressar. O *paidagogos* (lit., líder do menino) não era um instrutor nem um tutor, mas um servo cuja responsabilidade era supervisionar a criança da casa. Ele não só a conduziria de maneira segura para a escola e no retorno dela, mas também tinha a incumbência de prover que ela tivesse as companhias certas e que iria crescer no ambiente moral e ético correto. Este, Paulo diz aos gálatas, era o papel da lei. Era o servo de Deus que deveria guiar os homens e afastá-los dos caminhos maus até que fossem levados ao Salvador.

*Veja* Educação; Escolas Hebraicas.

**Ama.** A tarefa da ama não era uma ocupação formal nos tempos bíblicos, mas o cuidado carinhoso dos pais por seus filhos tem sido conhecido desde a criação do homem (Nm 11.12; 1 Ts 2.7). Uma ama-seca era às vezes empregada para cuidar do filho de uma outra mulher (2 Sm 4.4; 2 Rs 11.2). Ela poderia ocasionalmente permanecer em seu cargo por toda a vida, como no caso da ama de Rebeca (Gn 24.59; 35.8). Por ocasião da morte da mãe verdadeira ou suposta, uma ama-de-leite era encontrada para amamentar a criança (Êx 2.7-9). *Veja* Ama.

**Apascentador.** A palavra "apascentador" geralmente significa o protetor ou aquele que cuida de animais domesticados (ovelhas, bodes etc.) que andam em bandos, rebanhos ou manadas (cf. Gn 13.7,8; 26.20). Os filhos de Jacó, Saul, e muitos outros, cuidavam do gado. Apascentadores de Saul, de Davi e, posteriormente, de outros reis, estavam entre os principais oficiais do governo (1 Sm 21.7; 1 Cr 27.29; 2 Cr 26.10; 32.27-29). O apascentador geralmente não era dono do rebanho, mas um assalariado. Três palavras hebraicas são traduzidas como pastor na Bíblia Sagrada:

1. O termo heb. *ro'eh* é a palavra geral para qualquer tipo de pastor (Gn 13.7,8 etc.).

2. O termo heb. *noqed* ocorre apenas duas vezes no AT (Am 1.1; "pastores", 2 Rs 3.4). De acordo com uma opinião, a palavra significa "aquele que identifica ou marca as ovelhas", uma vez que identificar a lã com diferentes tingimentos é o método usado para distinguir as ovelha de diferentes rebanhos. Uma outra opinião é que o termo *noqed* se refere a um pastor de uma variedade especial de ovelhas, que em árabe é chamada de *naqad* e notada por suas patas troncudas, por sua cabeça de formato peculiar, e lã excelente (ovelha federq). Uma terceira opinião é que o termo *noqed* refere-se a um membro de uma associação de pastores ou criadores de ovelhas e vendedores. O verbo *nqd* é usado em relação ao rei Mesa na Pedra Moabita (1.30). O substantivo aparece em tábuas de Ugarite, onde os pastores tinham uma posição de associados, e o termo acádio *nakidu*, da mesma forma, indica uma associação de pastores. Estudiosos escandinavos modernos questionam a interpretação tradicional de que a passagem de Amós sugere que o profeta era de origem leiga e que o rei de Moabe era rico, defendendo que o termo *noqed* sugere uma origem sacerdotal tanto para Amós como para Mesa. *Veja* Ocupações: Pastor.

3. O termo hebraico *boqer* é o termo usado em Amós 7.14 (boieiro), quando o profeta descreve sua ocupação antes de seu chamado profético. *Veja* Ocupações: Pastor.

D. W. D. e J. R.

**Arte, Artífice.** Uma arte é um trabalho feito com as mãos que exige alguma habilidade especial. Aqueles que fazem este trabalho são chamados de artesãos ou artífices.

O termo heb. *harash* indica especialmente aquele que entalha madeira ou grava metal (*veja* Ocupações: Carpinteiro, Entalhador). Nos tempos bíblicos, os artífices freqüentemente trabalhavam em famílias e grupos (1 Cr 4.14). Eles se congregaram juntos como membros de associações depois do exílio (Ne 3.8,31), mas, anteriormente, a maior parte das artes era executada em casa tanto por homens como por mulheres. Havia um sentimento de companheirismo entre os artífices (Is 41.6,7). Durante os primeiros séculos depois que o povo hebreu retornou à Palestina vindo do Egito, eles tinham pouca habilidade técnica (cf. 1 Rs 5.6), mas aprenderam com os cananeus e fenícios (2 Cr 2.7,14). Três séculos mais tarde, mil artífices e ferreiros foram levados cativos juntamente com o rei Joaquim para a Babilônia (2 Rs 24.14,16). Oficinas eram mantidas por artífices, como por exemplo no caso do oleiro (Jr 18.2). Algumas seções das cidades eram freqüentemente ocupadas por oficinas do mesmo ofício, com entalhadores de madeira em uma seção, carpinteiros em outra, artífices de ouro e prata em outra etc. As pessoas em Jerusalém podiam comprar pão na rua dos padeiros (Jr 37.21).

No NT os termos gregos *techne* (ocupação, ofício, habilidade; At 17.29, "arte"; 18.3; Ap 18.22) e *technites* (artífice, artesão, projetista; At 19.24,38; Hb 11.10, "construtor") têm uma grande variedade de significados, de fabricante de tendas e artífices em metais a arquiteto (Hb 11.10).

A lista de artes e artífices é longa. *Veja* Ocupações separadamente.

A. W. W.

**Artífice.** *Veja* Ocupações: Entalhador.

**Artífice em cobre.** Um trabalhador em metal, geralmente chamado de caldeireiro. Os trabalhadores em metal, especialmente com bronze, cobre ou ferro estavam entre os primeiros especialistas na história antiga (Gn 4.22). Os israelitas fizeram contato com os queneus (*q.v.*) muito cedo, e estes eram considerados uma tribo de caldeireiros seminômades. O mais famoso artífice em cobre e bronze foi um judeu mestiço, Hirão de Tiro, a quem Salomão trouxe, por causa de sua notável habilidade e talento, para fabricar os objetos de bronze para o Templo (1 Rs 7.13-46). Paulo menciona que um latoeiro de nome Alexandre lhe havia causado muitos males (2 Tm 4.14). *Veja* Minerais e Metais: Cobre.

**Artífice em metal.** *Veja* Minerais e Metais; Ocupações: Artífice em cobre, Artífice em ouro, Refinador, Artífice em prata, Ferreiro.

**Artífice em ouro.** Um artesão que produz utensílios, ornamentos e jóias de ouro. Uma das artes mais antigas, o ofício de refinar e moldar o ouro, era praticada pelos antigos sumerianos e pelos egípcios pré-dinásticos (isto é, anteriores a 3100 a.C.). Portanto não é de se surpreender que o servo de Abraão pudesse dar a Rebeca um pendente de ouro e duas pulseiras de ouro (Gn 24.22). A passagem em Neemias 3.8,31,32 sugere que depois do exílio os ourives em Jerusalém se reuniram em uma associação.

Durante a Idade Média do Bronze (2100-1500 a.C.) os ourives desenvolveram uma técnica conhecida como "granulação", na qual pequenos glóbulos de ouro colocados em desenhos eram soldados a um objeto de ouro. O AT revela outros processos usados pelos ourives: (1) a fabricação de ídolos de fundição ("imagens fundidas", Nm 33.52 etc.) e outros objetos de ouro maciço como, por exemplo, as argolas para a arca (Êx 25.12); (2) a fabricação de imagens como o querubim e o castiçal de ouro batido (Êx 25.18,31,36); (3) a laminação ou revestimento de folhas de ouro extremamente finas, isto é, a folhagem a ouro (Êx 25.11; 1 Rs 6.20; Is 40.19); (4) a solda (Is 41.7); (5) a fabricação de fios de ouro cortando a folha de ouro em cordões delgados (Êx 39.3); (6) a gravação de imagens (Jr 10.14); e, (7) a montagem de jóias em peças filigranadas de ouro (Êx 28.20; 39.6,13,16).

*Veja* Jóias; Minerais e Metais: Ouro; Ocupações: Artífice em Metal.

J. R.

**Artífice em prata.** A única pessoa especialmente citada na Bíblia como um artífice da prata é Demétrio, que fazia nichos de prata da deusa Ártemis (ou Diana) em Éfeso (At 19.24). Ele, aparentemente, pertencia a uma associação de prateiros ou artesãos naquela cidade.

Além de refinar seu metal e fabricar vasos e jóias, o artífice em prata consertava baixelas. Ele usava um fogo muito quente para aquecer um objeto até que estivesse suficientemente maleável para ser novamente trabalhado. Depois de ter soldado qualquer parte faltante, tais como apoios ou cabos, ele preenchia furos e rachaduras com uma solda de prata. Usando um martelo ele também podia corrigir qualquer deformidade ou amassado. Assim como a maioria dos outros artífices, ele, geralmente, executava seu trabalho agachado no chão.

*Veja* Minerais e Metais: Prata; Ocupações: Ferreiro, Purificador de Prata, Refinador.

**Banqueiro.** O banco como um sistema de troca, crédito e juros, desenvolveu-se na Babilônia, entre os fenícios e nas cidades grega do Oriente Próximo. Os sumérios davam notas promissórias e mantinham registros de empréstimos emitidos por seus templos antes de 2000 a.C. No Egito helenístico havia um banco do governo em Alexandria, e agências bancárias nas aldeias que emprestavam dinheiro a indivíduos, recebiam impostos e faziam pagamentos em contas do tesouro, semelhantes aos bancos nas cidades gregas. Os judeus eram proibidos pela lei de Moisés de cobrar juros de outros judeus, embora tivessem a permissão de cobrar juros dos gentios (Dt 15.3). Para a proteção dos tesouros, seus administradores dependiam do palácio e do Templo (1 Rs 14.26), enquanto os homens comuns agiam por seus próprios meios (Gn 24.25), depositando-os com os seus vizinhos (Êx 22.7), ou mesmo enterrando-os (Js 7.21). Entretanto, são mencionados serviços bancários simples executados por indivíduos para outros indivíduos: (1) Os "cambistas" (Mt 21.12; Mc 11.15), no pátio dos gentios do Templo, trocavam dinheiro estrangeiro por metade de um siclo que era exigido de cada judeu no Dia da Expiação (Êx 30.11-15). Além disso, nos dias de Jesus, teoricamente, as moedas judaicas eram as únicas que serviam para ser apresentadas como ofertas. As moedas romanas, que traziam estampadas as cabeças de imperadores, que eram tidos como deuses, eram consideradas particularmente ofensivas. Por causa da ausência de dinheiro de prata com inscrições hebraicas, porém, a metade de um siclo era paga em moedas de prata tirianas. As mesas destes cambistas foram derrubadas pelo Senhor Jesus, porque eles eram desonestos e estavam cobrando tarifas exorbitantes (Mt 21.13). (2) Os "banqueiros" (Mt 25.27, ou os "bancos") foram mencionados pelo Senhor Jesus como pagando juros legítimos sobre as somas com eles depositadas (cf. Lc 19.23).

*Veja* Banco; Cambistas.

**Barbeiro** (heb. *gallab*). O substantivo (Ez 5.1) vem de uma raiz hebraica que significa "tosquiar ou barbear". Esta profissão era bem conhecida no Egito e na Mesopotâmia antigos, como é visto nas inscrições e desenhos arqueológicos. Os antigos barbeiros usavam como seus instrumentos lâminas retas, pentes e tosquiadores, alguns dos quais foram encontrados em tumbas egípcias (ANEP #80-83). Exigia-se que os egípcios mantivessem seus cabelos cortados e suas barbas raspadas, porque a barba era um símbolo de divindade e, apenas ao Faraó era permitido usar uma barba (falsa). Por esta razão, José se barbeou antes de ser levado à presença do Faraó (Gn 41.14). *Veja* Cabelo.

**Bordadeira.** No bordado, o desenho é costurado sobre o tecido acabado apenas para ornamentação. O brocado é um tecido pesado entrelaçado com um desenho em relevo. Pelo fato do termo hebraico *raqam* simplesmente significar fazer algo (tecido) diversificado, não se sabe ao certo qual é o produto em questão. As cortinas para o Tabernáculo e as vestes do sumo sacerdote eram bordadas (Êx 26.36; 27.16; 28.39; cf. 35.35; 38.23). A realeza e a nobreza de todos os vizinhos de Israel gostavam de vestes bordadas, dos cananeus na época de Débora (Jz 5.30) aos fenícios, reis do mar (Ez 26.16) que as obtinham através do comércio com o Egito (Ez 27.7), com a Síria (v. 16), e vários centros na Assíria (v. 23). O Salmo 45.14 descreve a princesa real vindo com vestes bordadas para se casar com o rei. Israel é retratada figurativamente como tendo sido adornada pelo Senhor Deus com tecido bordado (Ez 16.10,13,18).

Monumentos da Assíria e da Babilônia retratam vestes reais com desenhos bordados, e baixo-relevos assírios do século VIII a.C. imitam em detalhe os padrões complexos das coberturas bordadas (W. Corswant, *A Dictionary of Life in Bible Times*, Nova York. Oxford Univ. Press, 1960, p. 110).

*Veja* Ocupações: Bordado ou Bordadura, Tecelão.

**Bordado ou Bordadura.** Trabalho de bordador (heb. *ma'aseh roqem*); bordado

(heb. *riqma*). Era feito com linho, lã e até fios metálicos de ouro ou prata (Êx 39.3), às vezes tecidos ou trançados, às vezes costurados. Este foi provavelmente o caso no complexo modelo do querubim (Êx 26.1). Tal bordado e costura finos formavam a vestimenta apropriada dos reis e rainhas (Jz 5.30; Sl 45.13ss.), mas também era encontrada na vestimenta dos pobres do Oriente Próximo. Era muito usado nos ornamentos do Tabernáculo (Êx 26.36; 27.16; 36.37; 38.18) e nos trajes dos sacerdotes (Êx 28.39; 39.29). O trabalho de aplicação de romãs coloridas, intercalado com campainhas era provavelmente usado na orla da veste do sacerdote (Êx 28.33). Tanto os babilônios quanto os egípcios eram habilidosos em tal trabalho, e daí a origem da habilidade dos israelitas. Além disso, Deus dotou certos israelitas "do espírito de sabedoria" para que a sua destreza ultrapassasse a habilidade natural (Keil e Delitzsch sobre Êx 28.3).
*Veja* Ocupações: Bordadeira.

R. A. K.

**Boticário.** Tradução das seis ocorrências do termo heb. *roqeah* em algumas versões (Êx 30.25,35; 37.29; 2 Cr 16.14; Ne 3.8; Ec 10.1). A palavra também pode ser traduzida como "perfumista" (*q.v.*).

**Caçador, Caça.** Após seu estabelecimento em Canaã, poucos, se não nenhum israelita, ocupavam-se da caça como uma vocação. Os patriarcas, porém, viviam como seminômades, e Esaú "foi varão perito na caça, varão do campo" ou um homem que vivia ao ar livre (Gn 25.27; cf. 27.5,30) num tempo em que o cervo e outros animais de caça eram abundantes em Canaã. O termo "caçador" é usado metaforicamente para os tiranos militares, como no caso de Ninrode (*q.v.*; Gn 10.9) e para os opressores dos judeus (Jr 16.16). *Veja* Caçar.

**Calafate.** A tarefa do calafate era encher as junções em barcos de madeira de forma a torná-los à prova d'água (Ez 27.9,17). O primeiro passo de seu trabalho era separar e desembaraçar os fios das cordas feitas de cânhamo. Eles eram escolhidos e batidos até tornarem-se uma estopa macia e flexível (heb. *n*[e]*'oret*, Jz 16.9; Is 1.31), chamada, hoje, de calafeto. A estopa era pressionada e amarrada em fios, de forma apertada, por cinzéis feitos de madeira ou metal entre as bordas. Depois disso, eles eram untados com breu derretido para deixá-los impermeáveis. *Veja* Ocupações: Construtor de Navios.

**Camareiro.** No AT o termo "camareiro" é a tradução do termo heb. *saris*, significando "eunuco", ou oficial encarregado dos aposentos privativos de um rei ou nobre. Na KJV o termo heb. é traduzido como "camareiro" em 2 Reis 23.11; Ester 1.10,12,15; 2.3,14,15,21; 4.4,5; 6.2,14; 7.9. Na versão RSV em inglês o termo "camareiro" é usado apenas em 2 Reis 23.11 e Ester 1.10, enquanto em outras também é utilizado em Jeremias 51.59. Os oficiais do sexo masculino nos palácios antigos eram freqüentemente emasculados, visto que tinham acesso aos aposentos das mulheres. Potifar, embora casado, foi denominado um eunuco de Faraó (heb. *saris*; LXX *spadon*) em Gênesis 37.36; 39.1. Isto talvez explique as intenções de sua esposa com relação a José, bem como sua fúria contra alguém que ele supôs ser um sedutor que se aproveitou de uma situação injusta.
No NT, o termo "camareiro" é usado duas vezes. Em Atos 12.20 lê-se: "*ton epi tou koitonos*", "aquele que é encarregado do quarto de dormir" (ou camarista). W. Dittenber-

O interior do templo de Baco em Baalbek, Líbano, mostra a habilidade dos pedreiros do período romano. HFV

ger (*Orientis Graeci Inscriptions Selectae* [1903-5], No. 256, 5) cita uma inscrição datada de 130 a.C. que menciona um oficial que "era encarregado do quarto de dormir da rainha". Assim, Blasto era sem dúvida alguma um oficial altamente confiável e influente. Erasto (*q.v.*) é chamado de "o camareiro [gr. *oikonomos*] da cidade" (Rm 16.23; "tesoureiro da cidade" ou "procurador"). *Veja* Ocupações: Tesoureiro.

E. J. V.

**Cambista.** *Veja* Ocupações: Banqueiro.

**Cantor.** *Veja* Menestrel; Música; Ocupações: Músico.

**Carcereiro.** O guarda de uma prisão (At 16.23,27,36). *Veja* Carcereiro; Prisão.

**Carpinteiro.** O termo heb. *harash* é um termo geral para qualquer modelador de madeira, marceneiro, o que faz acabamento, o que fabrica caixões, e o que esculpe a madeira, assim como o carpinteiro em si. Por causa da falta de boa madeira nativa, carpinteiros egípcios tornaram-se mestres em seu ofício. A acácia troncuda cresce nos desertos ao longo do Nilo, mas o cedro, o cipreste, o abeto e o pinheiro, eram importados do Líbano, e o ébano e outras madeiras tropicais da África central. Conseqüentemente, um trabalho considerável era despendido para se obter o efeito desejado com uma quantidade mínima de madeira. As tábuas eram cortadas, aplainadas e formadas com uma serra, enxó e cinzel de bronze, e alisadas com um pedaço de arenito. Elas eram unidas com pinos de madeira-de-lei e junções de mitra (W. C. Hayes, "Daily Life in Ancient Egypt", *Everyday Life in Ancient Times*, Washington. National Geographic, 1951, p. 108; veja também ANEP #123).

Exceto por aqueles que construíram o Tabernáculo e sua mobília, Israel tinha poucos se não nenhum carpinteiro habilidoso até um período avançado de sua história. Davi fez um acordo com o rei Hirão de Tiro para enviar carpinteiros e pedreiros fenícios para construir seu palácio, e mais tarde o Templo (2 Sm 5.11; 1 Rs 5.18; 1 Cr 14.1; 22.15). Na época dos reis Joás e Josias, porém, Judá teve carpinteiros capazes de reparar o Templo (2 Rs 12.11; 22.6; 2 Cr 24.12; 34.11). Em 597 a.C., mil carpinteiros e ferreiros habilidosos foram levados de Jerusalém para a Babilônia juntamente com o rei Jeconias e outros da nobreza, como cativos (Jr 24.1; 29.2; cf. 2 Rs 24.14-16). O texto em Esdras 3.7 sugere que os pedreiros e carpinteiros fenícios foram contratados para ajudar a reconstruir o Templo depois do exílio.

No NT, somente José (Mt 13.55) e o Senhor Jesus (Mc 6.3) são chamados de carpinteiros. O termo gr. *tekton* tem um significado amplo incluindo "construtor" bem como "carpinteiro", mas de acordo com Justino Mártir, Jesus fez arados e jugos (*Trypho* 88).

Várias ferramentas do carpinteiro são mencionadas por todo o AT. O machado (*q.v.*) de Deuteronômio 19.5 tinha uma cabeça de ferro e um cabo de madeira (cf. 2 Rs 6.5,6). A ferramenta de Jeremias 10.3 era provavelmente um enxó ou cinzel. Um machado é mencionado no Salmo 74.6. Na época de Jeremias, os carpinteiros usavam martelos e pregos de pedra (Jr 10.4) bem como cavilhas e encaixes. A serra era manejada por um único homem (Is 10.15), feita de lâminas de pederneira com bordas dentadas, montada em uma estrutura, ou de bronze e mais tarde de ferro. Furos eram feitos com uma broca que girava para frente e para trás com um arco e fio. O texto em Isaías 44.13 descreve como um artífice de imagens de escultura marca e mede seu pedaço de madeira com cordel, lápis e riscador, e compasso ou calibradores. Várias destas ferramentas pertencentes ao período do AT foram encontradas em Gezer e em outros locais na Palestina.

*Veja* Artífice.

J. R.

**Cerâmica.** A arte de moldar, modelar e cozer o barro, ou as coisas feitas de barro cozido. Esta é uma das artes mais antigas da experiência humana. *Veja* Ocupações: Oleiro.

**Cobrador de Impostos.** *Veja* Publicano.

**Conselheiro.** Este termo é empregado em diversos sentidos: (1) um oficial do governo, da justiça (Dn 3.2,3); (2) um oficial da corte, um conselheiro do rei (2 Sm 15.12; Is 19.11); (3) em sentido geral, como uma pessoa sábia que dá conselhos (Pv 11.14; 12.20; 15.22; 24.6); (4) o Messias, indicando sua sabedoria (Is 9.6); e, (5) um membro do Sinédrio (Mc 15.43).

Os reis, nos tempos antigos, reuniam vários conselheiros em torno de si, da mesma forma que os governantes têm seus conselheiros e membros de gabinete. Davi tinha o confiável Aitofel (*q.v.*), que foi sucedido por Joiada e Abiatar. Além disso, Jônatas (tio de Davi), Husai, o arquita, e Joabe freqüentemente agiam como conselheiros (1 Cr 27.32-34). Nabucodonosor mantinha muitos altos oficiais como conselheiros em sua corte (Dn 3.24,27; 4.36). O rei Artaxerxes da Pérsia tinha sete conselheiros (Ed 7.14,15, 28; 8.25). *Veja* Ocupações: Copeiro.

O perigo de conselheiros imaturos pode ser visto no caso de Roboão (1 Rs 12.6-19) e do conselho totalmente ímpio, no caso de Acazias (2 Cr 22.2-4).

**Construtor.** Nos dias do AT, os edifícios eram geralmente construídos de pedras ou tijolos de lama com vigas de madeira no telhado. A construção das casas dos israelitas era freqüentemente rústica antes do período salomônico. Construtores cananeus e hicsos, porém, haviam demonstrado uma notável habilidade de engenharia e de arquitetura na construção de sólidos muros de cidades e portas fortificadas. Bezalel (*q.v.*), Aoliabe e outros haviam aprendido as habilidades dos artífices egípcios e foram posteriormente dotados pelo Espírito para serem

Forno e mó de uma padaria em Pompéia.
V. Carcavallo

os edificadores do Tabernáculo (Êx 31.2-11; 35.30-35; 36.1-4,8). Salomão empregou mestres construtores fenícios para supervisionar seus trabalhadores na construção do Templo (1 Rs 5.18). De vez em quando, os construtores eram necessários para reparar o Templo (2 Rs 12.11; 22.6), e também o foram para reconstruí-lo depois do exílio (Ed 3.10, Ne 4.5,18). *Veja* Arquitetura; Ocupações: Oleiro, Carpinteiro, Pedreiro.

O uso figurativo das palavras hebraicas e gregas é significativo. Deus é citado como o edificador divino por estabelecer Israel (Sl 69.35; 102.16; Jr 12.16); por edificar o trono de Davi (Sl 89.4); por reconstruir Israel (Is 58.12; 61.4; 65.21; Jr 31.4,28; 42.10; Ez 36.10; Am 9.11); por reconstruir Jerusalém (Sl 147.2); por escolher a pedra de esquina que os edificadores rejeitaram (Sl 118.22,23). Este fato é citado no NT e refere-se a Cristo (Mt 21.42; Mc 12.10; Lc 20.17; At 4.11; 1 Pe 2.7). Foi dito que os cristãos são edificados sobre Cristo, como o fundamento (1 Co 3.9-11; 1 Pe 2.5ss.; At 9.31; Rm 15.20; Ef 2.20). O cristão deve edificar sobre Cristo (1 Co 3.11), e deve ser edificado na fé (At 20.32; 1 Co 8.1); ele também deve edificar usando a doutrina como material (Gl 2.18; 1 Co 3.10). Serão dados galardões aos edificadores fiéis (1 Co 3.14).

R. H. B.

**Construtor de Navios.** Nenhum construtor de navios aparece na história antiga de Israel; isto por causa da costa litorânea suave e limitada com poucos portos e pouca ocasião para o comércio marítimo. O Egito, porém, usava navios para o comércio ao longo da costa mediterrânea até Biblos, muito tempo antes de 2500 a.C. Os anais de Senefru (aprox. 2650 a.C.) referem-se a 40 navios, cada um com aprox. 179 pés de comprimento. Davi (aprox. 1000 a.C.) fez uma aliança com Hirão de Tiro para buscar na Fenícia o material necessário para a construção do Templo (2 Sm 5.11). Salomão, com a ajuda dos fenícios, construiu "naus" no mar Vermelho e estendeu o seu comércio até Ofir (1 Rs 9.26-28). Sem dúvida, estes navios foram criados pelos fenícios, como seus navios mercantes enviados para a distante Társis (*q.v.*), na Espanha (1 Rs 10.22). Estes podem ter tido de 30 a 50 remos duplos que se estendiam desde os conveses mais baixos, com um único mastro e velas acima. Josafá tentou reabrir o comércio no mar Vermelho (1 Rs 22.48). Posteriormente, Tiro dominou estas rotas de navegação (Ez 27). Judas Macabeu preparou um porto em Jafa (1 Mac 14.5); os romanos fizeram o mesmo em Cesaréia.

O projeto do navio era provavelmente feito por um carpinteiro-mestre de navios. Ele e seus assistentes usavam ferramentas como serras, plainas, raspadeiras e martelos. Os construtores de navios de Tiro obtinham ciprestes (ou faias) de Senir para os conveses, cedro das montanhas do Líbano para os mastros, carvalhos de Basã para os remos, madeira de pinho das ilhas dos quiteus para os bancos – os quais eles ornamentavam com marfim engastado – linho fino bordado do Egito para as velas, e tintura azul e púrpura de Elisá (Chipre) para colorir os toldos (Ez 27.4-7). A junção era calafetada com piche, que precisava ser substituído de tempos em tempos (Ez 27.9,27).

*Veja* Navios.

J. W. W. e J. R.

**Copeiro.** A palavra ocorre três vezes na versão KJV em inglês, uma vez no singular e duas vezes no plural. Porém o termo heb. *mashqeh* ocorre com mais freqüência. O "mordomo" do Faraó era um copeiro (Gn 40.1–41.13). Salomão tinha copeiros (1 Rs 10.5; 2 Cr 9.4). O único copeiro mencionado pelo nome é Neemias, copeiro de Artaxerxes (Longímano), em Neemias 1.11. Seu primeiro dever, descrito em Neemias 2.1, aparentemente envolvia a responsabilidade de proteger o rei de algum envenenamento, talvez até provando primeiro o que o rei viria a beber, no próprio copo do rei. Portanto, a vida do rei estava nas mãos de seu copeiro que, obviamente, seria um homem de confiança, e supostamente de grande qualificação, capaz de aconselhar o rei em assuntos de estado. *Veja* Ocupações: Despenseiro, Conselheiro.

**Cortador de Madeira.** *Veja* Cortar; Ocupações: Lenhador.

**Cozinheiro.** Nas casas, geralmente eram as mulheres das famílias que cozinhavam (Gn 18.6; 27.9; 2 Sm 13.8; Mc 1.31; Lc 10.40; Jo 12.2). Os homens, porém, também sabiam cozinhar (Gn 25.29; Jz 6.19; 2 Rs 4.38). Nas casas ricas, um escravo ou servo geralmente preparava a refeição principal do dia, no entardecer do dia anterior (Lc 15.22,23; 17.8). Cozinhar também incluía a tarefa de matar o animal e cortar a sua carne, visto que a palavra heb. *tabbah* para "cozinheiro" significa "matador". Não havia açougueiros profissionais nas cidades de Israel, porque os cidadãos comuns da classe média só co-

Uma loja de vinho em Pompéia. HFV

miam carne nos dias de festa ou em outras ocasiões especiais.

Cozinheiros profissionais do sexo masculino eram empregados em centros religiosos em Israel, como no caso de cozinheiro de Samuel que preparou uma coxa (espádua) para Saul (1 Sm 9.23,24). Eles sem dúvida trabalhavam na corte real (cf. 1 Rs 4.22,23). Os reis também recrutavam mulheres cozinheiras conforme o sistema social cananeu, como Samuel advertiu (1 Sm 8.13).

*Veja* Ocupações: Padeiro.

Modelos de tumbas egípcias representam cenas de cozinha como matar animais, moer grãos e fazer bebidas fermentadas. As cenas em pinturas, em monumentos, e tumbas retratam atendentes suprindo seu senhor e sua esposa com provisões, incluindo a carne de gado (VBW, II, 125). O texto em Gênesis 40.20 registra a festa de aniversário do Faraó para todos os seus servos. O mais antigo menu real conhecido aparece na estela de Assurnasirpal II, no qual ele descreve sua festa dada para 69.574 pessoas na dedicação de seu novo palácio em Cala, em 879 a.C.

O cozimento era feito geralmente sobre um fogo aberto no pátio da casa. Quando a carne era assada, um animal inteiro normalmente era colocado diretamente sobre as brasas ou em um espeto, bem cozido de forma que a carne pudesse ser facilmente retirada e comida com os dedos. Muitas pessoas, porém, preferiam cozinhar a carne na água ou a fogo lento em uma panela (Jz 6.19; Jr 1.13; Ez 11.3,7; 24.3-5; Mq 3.3). Os discípulos de Jesus gostavam de comer peixe assado sobre brasas (Lc 24.42; Jo 21.9). *Veja* Alimentos; Cerâmica.

J. R.

**Criador de Ovelhas.** O termo heb. *noqed* é usado tanto para o apascentador como Amós (1.1), quanto para um grande criador e proprietário, ou vendedor, tal como o rei de Moabe (2 Rs 3.4). O termo mais tarde veio a ser usado em relação ao dono de uma raça superior de ovelhas. *Veja* Ocupações: Pastor.

**Curtidor.** O processo de curtir peles pelo uso do limão, o suco de certas plantas, a casca ou folhas de certas árvores, é uma arte antiga. Os israelitas aprenderam a arte de curtir com os egípcios que eram altamente habilidosos. Este era um dos mais importantes comércios do Egito, onde o couro era extensivamente usado para o trabalho ornamental. A demanda por peles era tão grande ali, que eles eram incapazes de fornecer o suficiente, e uma forma de tributo extorquido de nações dominadas era o fornecimento de peles.

A curtição desenvolveu-se a partir da necessidade de transformar uma pele de algo que facilmente se decomporia em um material que duraria quase que indefinidamente. Isto é feito mergulhando a pele em um líquido contendo ácido. Na antiga Palestina e Síria as casas dos curtidores estavam geralmente localizadas a beira-mar pela facilidade de descarte de líquidos indesejáveis, e pela conveniência de se obter a água salgada usada no processo de curtição. Os tanques eram feitos de alvenaria de pedras e com argamassa. As peles de ovelhas e cabras eram besuntadas do lado da carne com limão, depois eram dobradas e deixadas por um tempo até o pêlo se soltar. Após o pêlo e o material de carne terem sido removidos, as peles eram novamente tratadas com limão e farelo fermentante. Eles eram geralmente curtidos com sumagre. Depois de secar, um dos lados da pele era escurecido através da fricção com uma solução de vinagre e pedaços de cobre. Lascas de carvalho eram usadas nas cercanias de Hebrom ao se fazer odres de couro (Js 9.4,13; Mt 9.17).

A curtição não era tida como algo bom entre os judeus. Ela era acompanhada de odores desagradáveis e era cerimonialmente contaminante, porque os animais mortos eram considerados imundos. Simão o curtidor encontrou amizade e comunhão entre os cristãos. Isto não lhe teria sido concedido pelos judeus (At 9.43; 10.6,32). Pedro hospedou-se na casa de Simão em Jope. Isto indica que Pedro estava desenvolvendo uma atitude mais liberal em relação às regras cerimoniais.

C. K. H.

**Despenseiro.** Um administrador dos negócios, do lar, e da propriedade de uma pessoa de posses. Os deveres de um despenseiro geralmente incluíam responsabilidades tais como a supervisão das refeições, as finanças domésticas, os servos, o cuidado com as crianças da família, os rebanhos, e o cultivo dos campos. Um exemplo do AT é Eliézer, o administrador/despenseiro de Abrão (Gn 15.2). No NT, a palavra grega mais comum para administrador é *oikonomos,* que significa "governante ou gerente de uma casa" (Lc 12.42; 16.1,3,8). Por causa de seu valor ilustrativo eficaz, o termo é usado em relação aos líderes cristãos como os bispos e apóstolos (Tt 1.7 ; 1 Co 4.1,2). O termo também é aplicado aos cristãos em geral (1 Pe 4.10).

**Doutor.** O termo grego *didaskalos* (Lc 2.46)

Múmias egípcias no Louvre, Paris. LM

na verdade significa "mestre"; e *nomodidaskalos* (Lc 5.17; At 5.34), "mestre da lei". A partir de Lucas 5.21 fica claro que os "doutores" eram escribas (*veja* Escriba) ou expositores profissionais da lei do judaísmo. Eles possuíam uma instrução especial e tinham que passar por exames rigorosos antes de serem reconhecidos oficialmente. Posteriormente, as suas tradições, juntamente com as de outros mestres proeminentes, foram registradas no Talmude. Saulo de Tarso foi instruído por um destes doutores, Gamaliel (*q.v.*), que pertencia à escola liberal de Hilel, do partido farisaico. *Veja* Doutor; Rabi; Ocupações: Doutor da Lei.

**Doutor da Lei.** Oito dos nove usos do termo grego *nomikos* no NT referem-se aos homens versados na lei religiosa. Os doutores da lei são normalmente associados aos fariseus (Lc 7.30; 11.44,46; 14.3). O doutor da lei também era chamado de escriba, rabi e doutor, e tinha uma função praticamente idêntica à do escriba (*q.v.*). Sua tarefa era estudar, interpretar e ensinar a lei escrita e oral de Israel, bem como decidir questões relacionadas a ela. O compromisso dos doutores da lei com a salvação pela lei era tal que eles rejeitavam a pregação de João Batista, relacionada ao conselho e ao propósito de Deus para eles (Lc 7.30). Eles também procuraram colocar o Senhor Jesus à prova através de perguntas difíceis (Mt 22.35; Lc 10.25).

O Senhor Jesus condenou os doutores da lei por aumentarem os fardos do povo e por esconderem a chave do conhecimento (ou a chave da ciência; Lc 11.45-52), e não hesitou em desafiá-los e repreendê-los (Lc 14.3).

Paulo menciona Zenas, um doutor (ou intérprete) da lei que era cristão (Tt 3.13), talvez um jurisconsulto secular que havia feito uma profissão de fé.

*Veja* Ocupações: Doutor; Rabi; Escriba.

R. B. D.

**Embalsamador.** Os egípcios empregavam embalsamadores profissionais porque desejavam preservar o corpo da decomposição. De acordo com Gênesis 50.2 aqueles que embalsamaram o corpo de Jacó eram médicos da corte. *Veja* Embalsamar; Ocupações: Médico.

**Entalhador.** Entalhes em madeira e marfim (*q.v.*; ANEP #125-132) de alta qualidade artística eram feitos por povos que rodeavam os israelitas. Habitantes amorreus de Jericó, cananeus na Fenícia e, especialmente, artífices egípcios demonstraram tais habilidades. Porém, a influência da adoração ao Senhor eliminou das imagens de arte israelitas os ídolos e os motivos lascivos nascidos da idolatria. O trabalho de Bezalel e Aoliabe no Tabernáculo (Ex 31.1-5) e de outros no Templo (1 Rs 6.18,29-35) revelava a arte que era pura como também bela. Paredes e portas esculpidas, entalhes de botões de lótus e flor-de-lis, mobília de madeira de oliveira recoberta de ouro, e querubins eram criados para simbolizar a presença do Senhor, e se encaixavam nos padrões de adoração que apontavam para Deus como Espírito, ensinando a conduta correta. A versão KJV em inglês utiliza tais termos como artífice, gravador e entalhador para se referir ao artesão deste tipo.

*Veja* Ocupações: Escultor.

**Escravo.** *Veja* Ocupações: Servo; Serviço.

**Escriba.** *Veja* Escriba; Rabi; Ocupações: Doutor da Lei.

**Escultor.** Este artista-artífice era perito em entalhar ou cinzelar vários materiais duros

Desenho da reconstrução de uma placa de marfim, Megido

Uma cena da oficina de um trabalhador em metal, mostrando seis homens assoprando o fogo para aumentar sua intensidade. O homem à direita derrama ouro ou prata líquidos. Da tumba de Mererula, Sakkara. LL

tais como pedras, pedras preciosas, marfim, ossos e metais. Ele produzia selos ou escaravelhos, estátuas e imagens (cf. At 17.29), placas em baixo-relevo, e estelas inscritas. Hirão de Tiro era um entalhador-mestre, juntamente com as suas outras habilidades (2 Cr 2.7; 1 Rs 7.36). Com uma ferramenta de gravar (*heret*) ou estilete (cf. Is 8.1) Arão esculpiu os detalhes de um bezerro de ouro ou novilho sobre a aparência rústica que havia feito (Êx 32.4). Inscrições em pedras também são citadas como obras esculpidas (Êx 32.16; 39.6,30; Jó 19.24; Jr 17.1; cf. Is 49.16). *Veja* Ídolo; Jóias; Ocupações: Entalhador; Selo, Sinete.

**Fabricante de Tendas.** O mais eminente fabricante de tendas da história foi o apóstolo Paulo (At 18.3). Tanto os homens como as mulheres (por exemplo, Áqüila e Priscila) ocupavam-se neste comércio. Eles primeiro tinham que tecer o pano da tenda em seus teares. Na Palestina eram usados pêlos de camelos e cabras que fornecem um material marrom escuro, quase preto (Ct 1.5). Então os fios compridos e estreitos eram costurados juntos. As cordas que eram atadas seriam mais tarde amarradas às estacas ao se fixar a tenda (Is 54.2).

Uma vez que Paulo veio de Tarso na Cilícia, ele estava, sem dúvida alguma, treinado para fazer tendas da lã ou dos pêlos das cabras da Cilícia. Este material era chamado de *cilicium* em latim; era superior em sua capacidade de fornecer abrigo durante a maioria das chuvas torrenciais. Sendo um pouco rígido, porém, o tecido era mais difícil de ser cortado e montado do que os outros panos, de forma que esta atividade se tornou um comércio distinto. Com base, porém, nas versões latinas mais antigas de Atos 18.3, onde lê-se *lectarius* para a palavra grega *skenopoios*, alguns têm pensado que Paulo era na verdade um trabalhador em couro. *Veja* Tenda.

J. R.

**Ferreiro[1].** *Veja* Minerais e Metais; Ocupações: Artífice em Metal.

**Ferreiro[2].** Quando o ferro tanto quanto o cobre tornaram-se abundantes na Palestina (após 1200 a.C.), os trabalhadores em metal tornaram-se ferreiros. Antes das vitórias de Saul e Davi, os filisteus impediam que os israelitas tivessem seus próprios ferreiros e fizessem armas mais modernas. Conseqüentemente, quando os hebreus precisavam afiar ou consertar suas ferramentas, eles eram forçados a descer até os ferreiros filisteus (1 Sm 13.19-22).

Pelo fato de o ferreiro usar foles feitos de couro e soprar ar através de tubos de barro sobre o carvão com o qual ele derretia seus metais, era chamado de "aquele que assopra" (Is 54.16). Por utilizar martelos e bigorna para dar forma ao ferro depois de estar derretido, ele também era chamado de aquele "que alisa com o martelo" e aquele "que bate na bigorna" (ou safra; Is 41.7). O processo de fundir e amolar o ferro ainda não havia sido desenvolvido nos tempos do AT. Portanto, todas as ferramentas de ferro eram produzidas e afiadas pelo golpeamento: "O ferreiro faz o machado, e trabalha nas brasas, e o formata com martelos, e o lavra com a força do seu braço" (Is 44.12). Os implementos produzidos para o trabalho, guerra e vida doméstica eram bastante variados e numerosos para serem mencionados aqui. *Veja* Minerais e Metais: Ferro; Ocupações: Artífice em cobre, Artífice em ouro, Refinador, Artífice em prata.

**Fiação.** Mulheres fiaram o azul, a púrpura, o escarlate, o linho fino e o pêlo de cabra (Êx 35.25,26) para as cortinas do Tabernáculo. A fiação era, aparentemente, uma das muitas atividades domésticas da mulher virtuosa (Pv 31.13-19). Os lírios do campo possuem uma

Capacete de gladiador de bronze, século II d.C. BM

beleza admirável sem o trabalho árduo e sem a necessidade de fiação (Mt 6.28; Lc 12.27). Existem evidências literárias e arqueológicas para a compreensão de que a fiação e a tecelagem foram desenvolvidas muito cedo em todas as áreas do antigo Oriente Próximo. As principais fibras vegetais usadas eram o algodão e o linho; as fibras animais eram principalmente a lã, o pêlo de cabra e o pêlo de camelo. As fibras eram enroladas nas rocas (Pv 31.19*a*), ou bolas, ou ainda os fios torcidos de fibras eram contidos em cilindros de fiar. Nestes, os fios a serem unidos ou tecidos eram formados pela mão esquerda enquanto as fibras eram passadas em volta do polegar e dos dois primeiros dedos. A palma direita girava o fuso (Pv 31.19*b*) por meio da polia redonda fixada à sua haste, torcendo, assim, o fio tecido no fuso. A fiação era o passo preparatório necessário para o processo de tecer. *Veja* Pano; Roca; Ocupações: Tecelão.

H. E. Fi.

**Fundição.** Quando Isaías (1.25) fala de purificar a escória e tirar o metal impuro, ele está se referindo a um processo de purificação ou fundição para separar o metal de seu minério pelo calor. Da mesma forma, são feitas referências em Jó 28.1,2 à purificação do ouro e à fundição do cobre do minério. Tais metais como ouro, prata, cobre, chumbo, estanho e ferro eram purificados e usados na Palestina durante os tempos do AT. *Veja* Minerais e Metais; Ocupações: Refinador.

**Fundidor.** *Veja* Ocupações: Refinador, Artífice em ouro, Artífice em prata, Entalhador; Imagem de Escultura.

**Jardineiro.** Palavra usada apenas em João 20.15. A palavra gr. *kepouros* (lit., "vigia do jardim") evidentemente se refere ao vigia (*q.v.*); cf. o "guarda de vinhas" (Ct 1.6; cf. 8.11, "guardas"). Durante a temporada, quando os frutos estavam amadurecendo, o vigia normalmente descansava em uma "choça" ou "cabana" (Jó 27.18), uma "choupana" ou "palhoça" (Is 1.8), que era um abrigo ou cabana no campo. Ele guardava os frutos de ladrões e de animais predadores, como por exemplo, das raposas (Ct 2.15). Não se esperava que ele fizesse algum trabalho manual no jardim.

No Egito e na Mesopotâmia os jardineiros – no sentido moderno da palavra – eram comumente empregados pela realeza e pela nobreza. Eles eram, freqüentemente, escravos cultos. O palácio do século XIV a.C. dos reis cananeus de Ugarite tinha um pátio que possuía um jardim. O texto em Neemias 2.8 menciona o "guarda do jardim do rei" ou o "guarda do bosque do rei" (heb. *pardes*, uma palavra de origem persa que significa um parque ou pomar fechado; *veja* Plantas: Bosque ou Floresta).

*Veja* Plantas: Jardim.

J. R.

**Joalheiro.** *Veja* Jóias; Ocupações: Artífice em prata, Artífice em ouro.

**Juiz.** *Veja* Juiz, Julgando; Ocupações: Doutor da Lei.

**Lavandeiro.** Um lavandeiro era uma pessoa, homem ou mulher, empenhados na limpeza de tecidos (Is 7.3; Ml 3.2; Mc 9.3). O trabalho do lavandeiro era de dois tipos, dependendo se ele lidava com novos tecidos do tear ou com vestes manchadas que já haviam sido usadas. Ele limpava roupas sujas mergulhando-as e pisando-as em água misturada com uma substância alcalina obtida a partir de cinza de plantas (traduzida em algumas versões como "potassa" em Ml 3.2). Conseqüentemente, o lavandeiro era caracteristicamente chamado de "pisador" ou "calcador" (do heb. *kabas*). Por causa do mau cheiro envolvido, tal trabalho era executado em um "campo" ou em um lugar fora da cidade, onde houvesse água e pedras nas quais as vestes pudessem ser pisadas, e espaço para secá-las e alvejá-las ao sol (2 Rs 18.17; Is 7.3; 36.2). *Veja* Campo do Lavandeiro. Um agente limpador às vezes usado pelo lavandeiro era o natrão (salitre) importado do Egito e misturado com argila branca (Pv 25.20; Jr 2.22).

O material recém – tecido (o pano não encolhido de Mt 9.16; Mc 2.21) tinha que passar pela remoção de óleos ou gomas naturais antes do tingimento. O tecido era completamente encharcado e pisado a fim de filtrá-lo, então alvejado com vapores de enxofre, e finalmente prensado na prensa do lavandeiro. *Veja* Ocupações: Tingidor.

A limpeza, alvejamento ou branqueamento realizada pelo lavandeiro deu ocasião às descrições do caráter purificado produzido pelo perdão dos pecados (Sl 51.7; Jr 4.14). Assim, em Zacarias 3.4, a remoção das "vestes sujas" de Josué, o sumo sacerdote, simbolizava a remoção de sua iniqüidade por parte de Deus. O texto em Isaías 1.18 descreve o perdão do Senhor como conferindo um caráter "branco como a neve".

J. W. W.

**Lavrador[1].** *Veja* Agricultura; Ocupações: Agricultor.

**Lavrador[2].** Embora este termo não apareça em algumas versões, como a KJV em inglês, que normalmente traduz o grego *georgion* como "agricultor" (*veja* Ocupações: Agricultor), a palavra é encontrada na maioria das versões modernas em 2 Timóteo 2.6 e Tiago 5.7. A versão NASB em inglês traz o termo "lavrador" também em Isaías 28.24; 61.5; Jeremias 14.4; 31.24; 51.23; Joel 1.11; Amós 5.16; Gênesis 9.20. Outros termos que descrevem o lavrador são "o que lavra" (1 Co 9.10), "viticultor" (Jo 15.1; Mt 21.33ss; a nota marginal da versão NASB em inglês traz o termo "lavrador arrendatário").

A atividade econômica dominante no período antigo da nação de Israel era a agricultura. A maioria das pessoas, portanto, vivia em

Modelo de barco egípcio com remadores, de aprox. 2000 a.C. BM

aldeias ou cidades muradas perto de seus campos, e saía durante o dia para lavrá-las. Visto que boa parte da terra é montanhosa, muito cedo os habitantes construíram terraços com as rochas superabundantes para estenderem os limites de sua terra arável. Ricos proprietários de terra podiam ter mão de obra extra (Lc 15.17,19). Estes eram escravos ou trabalhadores contratados (Lv 25.6; Jó 7.1,2). Os trabalhadores diurnos em Israel deveriam ser pagos após o final de cada dia de trabalho (Lv 19.13; Dt 24.14; Mt 20.1-16), e o seu salário não podia ser retido (Ml 3.5; Tg 5.4). Um israelita que vendesse a si mesmo como um servo contratado para um outro israelita, não deveria ser tratado como um escravo, mas como um homem contratado, cujo contrato de serviço terminaria no ano do jubileu (*q.v.*; Lv 25.40,50,53).

Quanto às temporadas agrícolas, métodos de plantio, e produtos agrícolas, *veja* Agricultura.

J. R.

**Lenhador.** Chamado de "rachador de lenha", o lenhador em Israel era normalmente um cativo ou escravo uma vez que o trabalho de cortar madeira para fogueiras era considerado uma tarefa manual. Forçados a servir a toda a comunidade de Israel, os gibeonitas tornaram-se lenhadores e tiradores de água (Js 9.21,23,27; cf. Dt 29.11). Os lenhadores do rei Hirão, que cortavam madeira nas montanhas do Líbano para fornecê-la ao Templo de Salomão, porém, eram lenhadores experientes e precisavam ser pagos por seu trabalho (2 Cr 2.10).

O juízo a ser infligido ao Egito por Nabucodonosor é comparado a um exército de lenhadores vindo com machados para desmatar uma floresta (Jr 46.22,23). Geralmente, trabalhavam de dois em dois, com a conseqüente possibilidade de um ferimento acidental, ou de morte, se a cabeça do machado do parceiro se desprendesse (Dt 19.5). *Veja* Cortar.

**Mágico.** *Veja* Magia, Mágico.

**Marinheiro.** A palavra heb. *mallah* é derivada de *melah*, "sal", e em Ezequiel 27.9,27,29 e João 1.5 tem a idéia de "navegador" ou aquele que ajuda a conduzir um navio. Uma outra palavra heb., *shatim*, é encontrada em Ezequiel 27.8 e significa "remadores". Os israelitas eram primeiramente um povo do pastoreio e da agricultura, e tinham pouco interesse em seguir a vida marítima. Os fenícios eram os grandes navegadores dos tempos do AT; daí as referências em Ezequiel 27 a "marinheiros" na lamentação sobre Tiro.

Os marinheiros egípcios subiam e desciam o Nilo e percorriam com regularidade o mar Mediterrâneo e o mar Vermelho. A História do Marinheiro Naufragado remonta ao período do Reino Médio (Adolf Erman, *The Ancient Egyptians*, Nova York. Harper Torchbook, 1966, pp. 29-35), e um papiro do século XI a.C. comenta a viagem de Wen-Amon para conseguir madeira na Fenícia (ANET, pp. 25-29).

No NT, os marinheiros são mencionados como presenciando a destruição da Babilônia dos últimos dias (Ap 18.17-19). Os "marinheiros" ou "marujos" que lidavam com o navio agitado pela tempestade, no qual Paulo estava sendo levado prisioneiro para Roma, fizeram a sondagem, lançaram as âncoras, e então tentaram escapar no bote do navio (At 27.27-30).

*Veja* Navios.

S. F. B. e J. R.

**Médico ou Clínico.** Tanto o termo heb. *rope'*, de *rapa'*, "curar", "consertar", como o termo gr. *iatros*, significam alguém que cura, o equivalente ao que chamamos hoje de médico ou especialista em medicina (Êx 15.26; Jr 8.22). Os médicos eram altamente estimados no Egito da época de Imhotep, a partir da terceira Dinastia em diante, e deixaram vários papiros antigos descrevendo suas práticas médicas e cirúrgicas. O código de Hamurabi, em aprox. 1750 a.C., indica um alto nível de organização médica na Babilônia. O mesmo ocorre em outros textos, que trazem um registro de prescrições de drogas de origem animal e mineral, além das ervas.

Os médicos são mencionados pela primeira vez no AT no embalsamamento de Jacó para o sepultamento (Gn 50.2). Asa foi condenado por procurar médicos ao invés de buscar ao Senhor em primeiro lugar; ele não colocou sua principal e verdadeira confiança para ser curado em Deus. Em segundo lugar, é provável que estes supostos médicos não passassem de feiticeiros pagãos, que não eram verdadeiros médicos (2 Cr 16.12). Jó fala metaforicamente de seus confortadores como médicos que não valem nada (Jó 13.4).

O Senhor Jesus Cristo utiliza este termo de uma forma proverbial por duas vezes, uma vez em relação a si mesmo (Lc 4.23), e outra em relação ao seu ministério (Lc 5.31; cf. Mt 9.12; Mc 2.17). O milagre da cura da mulher que tinha um fluxo de sangue foi ainda mais maravilhoso, uma vez que ela havia ido a muitos médicos e estava agora financeiramente falida (Mc 5.26; Lc 8.43). Por causa

Uma musa tocando uma cítara, do século II a.C. Museu Arqueológico de Istambul

de seu ministério de cura, os cristãos hoje se referem freqüentemente ao Senhor Jesus como o Grande Médico. Paulo chamou Lucas de "o médico amado" (Cl 4.14), sugerindo que Lucas pode ter tido um treinamento semelhante ao de Galeno (130-200 d.C.), o anatomista, fisiologista e médico grego. *Veja* Doença; Cura, Saúde.

R. A. K.

**Mestre.** *Veja* Educação.

**Minerador, Mineração.** *Veja* Minerais e Metais; Mineração.

**Mordomo.** Um oficial na casa de um rei ou outro dignitário, responsável pelos vinhos e outras bebidas (lit., aquele que serve bebidas; Gn 40.1-23; 41.9). A tradução "copeiro" é usada em outras passagens (1 Rs 10.5; 2 Cr 9.4; Ne 1.11). *Veja* Ocupações: Copeiro.

**Músico.** Músicos profissionais tocavam nas cortes do antigo Egito, Assíria e Babilônia, e eram conhecidos também entre os cananeus e fenícios. Parece que o rei Davi introduziu cantores e instrumentistas profissionais no palácio e no Templo de Israel (2 Sm 19.35; Sl 68.25; Ec 2.8). Os músicos do Templo eram designados das classes dos levitas (1 Cr 15.16-22). Enquanto cantavam na dedicação do Templo de Salomão, eles se vestiam de linho fino e permaneciam "para o oriente do altar" (2 Cr 5.12). Muitos dos títulos dos salmos indicam que os salmos foram escritos para o músico chefe ou diretor do coral. Da mesma forma, Habacuque afirmou que sua oração no cap. 3 era "Para o cantor-mor sobre os meus instrumentos de música" ou "Ao mestre de canto. Para instrumentos de cordas" (Hc 3.19). Há alguma evidência de grupos musicais no Israel antigo. Em 1 Reis 4.31 os famosos sábios, Etã, Hemã, Calcol e Dara, são chamados de "filhos de Maol"; mas em 1 Crônicas 2.6 eles são citados como filhos de Zerá, um judaíta. Em hebraico, o termo Maol significa "dançar"; por esta razão, imagina-se que estes homens eram membros de um grupo orquestral ou de dança (IDB, III, 227). No antigo Oriente Próximo, a música e a sabedoria eram freqüentemente associadas. *Veja* Música; Menestrel.

J. R.

**Navegador.** *Veja* Ocupações: Marinheiro; Navio.

**Negociante.** Muitos dos antigos textos cuneiformes da Macedônia lidam com o comércio entre os sumérios e seus vizinhos. A Assíria e a Babilônia tornaram-se uma das maiores áreas comerciais da Antiguidade (cf. Is 47.15; Na 3.16). Em acádio, o negociante era chamado um *tamkarum*. Ele era um cidadão livre que comprava e vendia mercadorias ou emprestava dinheiro por sua própria conta. Seu negócio era regulado pelas leis civis, tais como o código de Hamurabi, e por certos estatutos da lei pública relativos a licenças e impostos de transporte. Já em 1950 a.C. os assírios haviam estabelecido várias colônias de negociantes ou estações de comércio na Capadócia, 800 quilômetros a noroeste de Assur (W. F. Leemans, *The Old Babylonian Merchant*, Leiden. Brill, 1950). Nos séculos seguintes, as tábuas de Mari, a leste da Síria, falam de missões de comércio levando carregamentos de estanho para Alepo e para Hazor, na Palestina. As cartas de Amarna (*q.v.*) contém muitas evidências do comércio internacional entre o Egito, Canaã e Mesopotâmia no século XIV a.C. No segundo milênio a.C., o negociante quase que invariavelmente viajava pelas várias aldeias e povoados levando as suas próprias mercadorias. As três raízes hebraicas que formam as palavras para negociante e comerciante (*sahar*, *rakal*, e *tur*) significam circular por vários locais ou explorar. Mesmo nos tempos do NT, a palavra grega *emporos* (Mt 13.45; Ap 18.3 etc.) significa um negociante viajante, diferente de um *kapelos*, um vendedor ambulante puramente local (cf. 2 Co 2.17). Para a sua proteção mútua, os negociantes freqüentemente andavam em caravanas, como por exemplo os midianitas que compraram José para vendê-lo como escravo no Egito (Gn 37.25). O comerciante carregava sua mercadoria e a vendia diretamente aos consumidores ou nos mercados públicos nas portas das cidades (2 Rs 7.1; Ne 13.15-21). Ele freqüentemente comprava seus produtos de alguém que os fazia em

Fabricação de tijolos ao longo do Nilo. O barro molhado é despejado em uma forma de madeira, que então é levantada e utilizada para repetição do processo. Tijolos secos ao sol duram por um longo tempo em uma terra onde há escassez de chuva. HFV

casa (Pv 31.24), para que nenhum intermediário se envolvesse.

Somente na época de Salomão o comércio estrangeiro tornou-se um grande negócio em Israel. Mesmo então, esta atividade era um monopólio real. Salomão obteve ajuda de Hirão de Tiro na construção e na guarnição de uma frota comercial que estava baseada em Eziom-Geber (1 Rs 9.26-28; 10.11,22). Seus negociantes permutavam os lingotes de cobre extraídos das minas em Arabá, e os principais produtos agrícolas para exportação – azeite, grão e vinho – pelo ouro e produtos exóticos da Arábia e dalém. Salomão também fazia negócios com as caravanas do deserto (1 Rs 10.15). Calcula-se que a rainha de Sabá viajou quase 2.000 quilômetros até Jerusalém a fim de visitar a corte de Israel em uma missão comercial (1 Rs 10.1-10). O seu propósito era, supostamente, firmar um acordo comercial com Israel, que abrangia a compra e a venda de incenso e especiarias (cf. Ct 3.6), ouro e pedras preciosas, e a exportação destes artigos para outros povos através do território de Salomão. Seus agentes também compravam cavalos em Kue (Cilícia) e carros no Egito, e então os revendiam para os governantes das cidades-estado siro-hetéias (1 Rs 10.28,29).

Depois que a Capital do Reino do norte foi mudada para Samaria, Israel estabeleceu estreitas relações comerciais tanto com a Fenícia quanto com os arameus/sírios. O rei Acabe assinou um acordo comercial com Ben-Hadade de Damasco para que seus negociantes pudessem montar bazares (ou “ruas”) nas cidades destes dois governantes (1 Rs 20.34). Do século IX a.C. até o século VII a.C. os negociantes marítimos fenícios estavam em seu apogeu. Isaías em seu oráculo com relação a Tiro faz referência aos navios de Társis – navios mercantes que navegavam para a Sardenha e para a Espanha – com a finalidade de negociar com as nações e buscar a sua receita no comércio de grãos do vale do Nilo, e também para a sua prática de colonização de lugares distantes, estabelecendo os seus negociantes como príncipes (Is 23.1-8). Em profecias ainda mais detalhadas, Ezequiel lista as nacionalidades e os produtos que contribuíram para o enriquecimento de Tiro (Ez 27.1-27; 28.4,5,18).

O Senhor Jesus, educado na agitada Nazaré, que dominava as rotas comerciais pela Galiléia e pelo vale de Esdraelom, cresceu consciente da vida comercial. Ele comparou o reino dos céus a um negociante de pérolas que em uma de suas viagens encontrou uma pérola de grande valor, talvez em uma loja árabe ou na mão de um mergulhador ao longo do mar Vermelho (Mt 13.45). O Senhor falou de um convidado para uma festa de casamento que rejeitou o convite alegando estar compromissado com o seu comércio (gr. *emporia*, Mt 22.5). O senhor que partiu em uma longa viagem e confiou as suas proprie-

Cerâmica micênica no Museu de Rodes. Mimosa

dades aos seus servos, esperava que eles lhe gerassem lucros, negociando (Mt 25.14-16). *Veja* Comércio; Viagem e Comunicação; Pesos, Medidas e Moedas.

J. R.

**Oleiro.** Vasos de barro moldados por um oleiro por volta de 5000 a.C. foram encontrados em Jericó. Por volta de 2000 a.C. o uso da roda de um oleiro – embora um pouco anterior entre os egípcios e os sumérios – foi iniciado na Palestina. Esta roda consistia de um par de discos de pedra (Jr 18.3), um sobre o outro. O disco inferior era virado pelo pé do oleiro, e o disco superior, no qual o barro era colocado, era virado pelo disco inferior. A roda exigia um uso rápido das mãos para dar forma ao vaso a partir de um pedaço de barro, ao invés de trabalhar com uma forma rígida. Assim, o oleiro desenvolvia grande habilidade, criação e variedade. Por causa de sua destreza, algumas famílias eram colocadas a serviço especial dos reis (1 Cr 4.23).
Cuidadosamente elaborados, as formas e os desenhos eram usados com muita regularidade a qualquer tempo e em qualquer local. Estes desenhos eram freqüentemente fixados por decreto em forma e decoração. O vaso acabado era polido ou pintado, e então colocado em um forno para endurecer. Pelo fato dos estilos de cerâmica mudarem freqüentemente, e pelos pedaços de potes quebrados serem praticamente indestrutíveis, os arqueólogos usam cacos de cerâmica para datar os achados de acordo com uma cronologia de cerâmica cientificamente elaborada.
*Veja* Cerâmica.

J. W. W.

**Oleiro ou Fabricante de Tijolos.** O primeiro relato de fabricação de tijolos na Bíblia Sagrada está relacionado com a Torre de Babel (Gn 11.3). Na planície aluvial entre os rios Tigre e Eufrates, tanto o tijolo seco ao sol para a parte interior das paredes, como o tijolo queimado no forno para o revestimento externo, eram usados como pedras desde os tempos antigos.
Dizem que os egípcios consideravam a fabricação de tijolos como uma ocupação não saudável. O texto em Êxodo 5 registra as experiências amargas dos israelitas como escravos no Egito, quando eram obrigados a fazer tijolos. Primeiro usavam a palha que lhes era fornecida como aglutinante. Mais tarde receberam ordens para juntar sua própria palha, e finalmente restolho (Êx 5.7,11,12).
Foi anteriormente levantada uma crítica com relação a este relato, pois alguns pensaram que os egípcios não utilizavam palha; porém as evidências arqueológicas são suficientes para provar que o relato bíblico é verdadeiro. Joseph P. Free cita um antigo documento egípcio, o Papyrus Anastasi, que contém o lamento de um oficial que tinha que erigir edifícios na fronteira egípcia. Ele alegava que não podia trabalhar, dizendo: "Estou desprovido das condições necessárias. Não há pessoas para fazer tijolos e não há palha" (*Archaeology and Bible History*, pp. 91-92). Em 1883, Naville desenterrou os silos de armazenamento de Tell el-Maskhuta na fronteira da terra de Gósen. Ele identificou o lugar como Pitom, onde os israelitas faziam tijolos. As paredes eram feitas de séries de tijolos secos ao sol, e alguns eram feitos com palha enquanto outros não.

Jarro e taça de ouro de Alacahuyuk, Turquia, de aprox. 2200 a.C. Ancara

As dimensões dos tijolos egípcios variavam. Tinham de 35 a 50 centímetros de comprimento; de 16,5 a 21,5 centímetros de largura; e 11,5 a 17,5 centímetros de espessura. Eles eram formados em moldes de madeira depois que o barro estivesse completamente mergulhado e misturado com palha ou outro material vegetal (cf. Na 3.14). Um oleiro especialista no Egito, em tempos recentes, foi conhecido por fabricar cerca de 3.000 tijolos por dia.
Os judeus aprenderam a arte da fabricação de tijolos com os egípcios, e na maior parte seguiram seu método de secá-los ao sol, embora o forno de tijolos seja mencionado na época de Davi (2 Sm 12.31). Os fabricantes de tijolos freqüentemente desenvolviam grande habilidade artística, produzindo azulejos lindamente decorados para pisos, revestimentos, fachadas e altares.
*Veja* Tijolo.

R. H. B.

Máscara mortuária de ouro, de Micenas, de aprox. 1400 a.C. Mimosa

**Padeiro** (heb. *'opeh*). Existem 11 ocorrências da palavra utilizada para padeiro nas Escrituras. Sete estão relacionadas à experiência de José na prisão com o copeiro e o padeiro do Faraó (Gn 40.1–41.13). Em seu sonho, o padeiro-mor viu três cestos de pães brancos sobre sua cabeça, com o cesto mais alto contendo todo tipo de alimentos assados (40.16,17). Os padeiros egípcios são conhecidos por terem feito 38 variedades de bolos e 57 de pães. Eles eram obrigados a prestar rígidas contas do seu suprimento de materiais ao supervisor do celeiro de seu senhor. A tumba do século XII a.C. de Ramessés III, retrata cenas da padaria real.

Na vida cotidiana, as mulheres geralmente faziam os assados para suas famílias (Lv 26.26; mas veja Gn 19.3). As meninas eram freqüentemente recrutadas pelos reis feudais de Canaã para servirem como padeiras, um padrão que Samuel advertiu que os reis de Israel seguiriam (1 Sm 8.13). No entanto, uma cidade freqüentemente possuía um homem que assava para a comunidade, e os levitas assavam os pães para o Tabernáculo.

A massa era preparada misturando-se a farinha de trigo com água fervente, e então era amassada. Um pequeno pedaço da massa do dia anterior era fragmentado e colocado na água antes da mistura para agir como fermento ou levedura. Havia três maneiras para assar o pão. O método mais primitivo era fazer fogo sobre grandes pedras planas, ajuntar as brasas, colocar um pedaço de massa de forma achatada sobre as pedras aquecidas, e cobri-la com as brasas (1 Rs 19.6). Uma segunda maneira era assar a massa em uma chapa redonda de ferro ou em uma panela (algumas referências trazem os termos assadeira ou caçoula; Lv 2.5; 6.21; 1 Cr 9.31; 23.29). Uma fogueira era feita em uma cova para formar carvões quentes sobre os quais a chapa era colocada (Is 44.19). O método mais desejável era usar um forno (*q.v.*) com carvões no fundo a partir de um fogo feito na noite anterior. O padeiro cessava de atiçar o fogo durante a noite enquanto o fermento fazia efeito na massa amassada. Os carvões ardiam sem chama por toda a noite, dessa forma aquecendo o forno completamente, e rompiam em chamas pela manhã quando o padeiro abria a porta do forno (Os 7.4,6). Ele removia os carvões e aplicava a massa plana nas paredes quentes, ou a colocava em uma assadeira. Durante o processo, o bolo teria que ser virado para garantir um assado por completo (cf. Os 7.8).

Deus descreveu Israel como uma nação adúltera, cujo povo, em suas luxúrias, era tão quente quanto um forno de pão (Os 7.1-6).

Enquanto Jeremias estava na prisão, Deus o colocou sob o favor do rei Zedequias, que ordenou que o profeta recebesse pão diariamente da rua dos padeiros, do suprimento público, até que o pão da cidade estivesse esgotado (Jr 37.21). A associação de padeiros havia supostamente se localizado perto do lado oeste de Jerusalém, talvez nas proximidades da Torre dos Fornos (Ne 3.11; *veja* Jerusalém: Portas e Torres).

*Veja* Alimentos: Pão; Ocupações: Cozinheiro.

**Parteira.** Uma mulher que ajuda as mães no parto. No período bíblico, no momento do parto, as mulheres ajoelhavam-se ou agachavam-se sobre um banco de nascimento ou um par de pedras chamadas em hebraico de *'abnayim* (1 Sm 4.19; Êx 1.16). De acordo com papiros médicos do Egito, do segundo milênio a.C., a parteira segurava a criança, cortava o cordão umbilical e lavava-a. Estatuetas indicam a parteira segurando um objeto com a forma de um chifre com um acessório com a forma de um gancho ou uma colher, provavelmente um instrumento obstétrico primitivo (H. Rand, "Figure-Vases in Ancient Egypt and Hebrew Midwives", IEJ, XX [1970], 209-212). De acordo com Ezequiel 16.4 ela teria esfregado o bebê com sal como um antiséptico, e o envolvido em panos, e então tratou de conseguir que alguém avisasse o pai (Jr 20.15).

As duas únicas mulheres cujos nomes são registrados, que são especificamente desig-

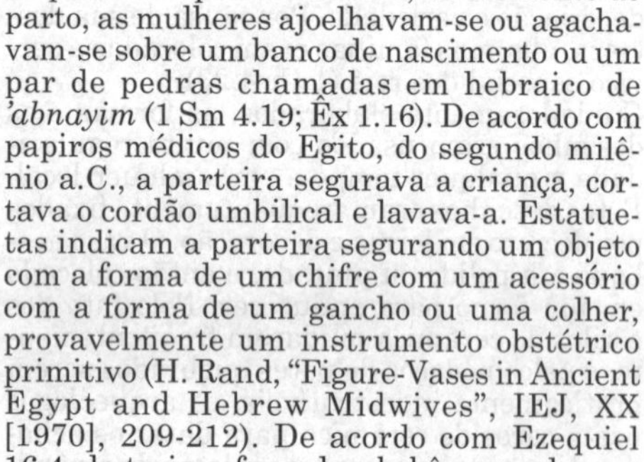

Pães achatados assados em Pompéia, 79 d.C. HFV

Um capitel e base de coluna coríntios de Epidauro, Grécia. Os pedreiros tinham que ter grande habilidade para esculpir estes capitéis. Mimosa

nadas como parteiras na Bíblia são Sifrá e Puá (Êx 1.15-21). No entanto, uma parteira ajudou Raquel durante seu difícil trabalho de parto dando à luz a Benjamim (Gn 35.17), e uma outra auxiliou Tamar quando ela deu à luz a seus gêmeos (Gn 38.28). Noemi e outras mulheres da comunidade estavam presentes quando Rute deu à luz a Obede (Rt 4.13-17). Mulheres estavam assistindo quando a mulher de Finéias morreu durante o parto de seu filho (1 Sm 4.20).

**Pastor.** O termo é usado em seu sentido natural em várias passagens bíblicas para referir-se a pessoas envolvidas no cuidado das ovelhas. Às vezes o dono cuidava de suas próprias ovelhas (Gn 4.2); outros confiavam seus rebanhos a seus filhos (1 Sm 17.34); e outros usavam servos ou assalariados (Jo 10.12,13). Em geral, os pastores eram divididos em três classes: (1) os nômades que vagavam com suas ovelhas aonde quer que pudessem encontrar relva e água (por exemplo, os amalequitas, 1 Sm 30.1,17,20); (2) os pastores estabelecidos que sempre apascentavam suas ovelhas na mesma área geral (Gn 29.2-13); e (3) os pastores que guiavam os rebanhos de um rico proprietário de pasto em pasto (Gn 37.12-17).

Era o dever do apascentador conduzir seu rebanho a pastagem e água fresca (Sl 23.2). Em alguns casos isto exigia longas viagens pela zona rural. Nas terras bíblicas era costume o pastor ir adiante de suas ovelhas ao invés de guiá-las (Jo 10.4). Uma outra tarefa necessária era a de proteger o rebanho de animais selvagens (1 Sm 17.34,35) e de ladrões (Jo 10.1). À noite os pastores levavam as suas ovelhas para um lugar de abrigo e proteção, como um aprisco ou um cercado natural (*veja* Aprisco), onde eles as contavam para certificar-se de que nenhuma havia se desviado (Jr 33.13; cf. Lc 15.3-7). Na época de cordeiros o pastor dedicava uma atenção especial às cordeiras e cordeiros (Is 40.11).

O equipamento comumente necessário para o trabalho do pastor incluía uma vara ou bordão (heb. *shebet*, cf. Êx 21.20) para bater nos predadores, e um cajado com uma curva em uma das extremidades (Sl 23.4). Este último instrumento, semelhante a uma cana, servia para vários propósitos, desde apoiar-se (cf. Êx 21.19; Zc 8.4) até controlar o rebanho. A funda também era uma arma padrão para o pastor (1 Sm 17.40). Outros itens eram um alforje (1 Sm 17.40) para carregar pequenos pertences, uma capa, e às vezes um instrumento musical com o qual o pastor passava o tempo. Em muitos casos um ou mais cães acompanhavam o rebanho (Jó 30.1).

Visto que a vida do pastor em muitos aspectos é um paralelo com os relacionamentos espirituais, os escritores bíblicos o usam repetidas vezes como uma ilustração eficaz das experiências no reino espiritual. Por todo o antigo Oriente Próximo os governantes estavam acostumados a se retratarem como os pastores do povo. O mais antigo uso conhecido do termo neste sentido foi o de Kudur-Mabug, rei de Elão (aprox. 1900 a.C.). Após relatar uma façanha militar, ele expressou o desejo de se tornar alguém como um "pastor amado".

No Antigo Testamento, o Senhor é o Pastor de seu povo (Gn 49.24; Sl 23; Is 40.11). Pastores infiéis espalharam o rebanho do Senhor, mas quando Cristo voltar Ele os ajuntará novamente das extremidades da terra e colocará sobre eles pastores fiéis (Jr 23.1-6; Ez 34.11-16,22-31). Naquele dia, Israel e Judá deverão se unir sob um único Pastor, o Messias (Ez 37.24). Os pastores inescrupulosos que fizeram o povo de Deus se desviar cairão sob a sua condenação (Ez 34.2-10).

No Novo Testamento, o Senhor Jesus Cristo declarou ser o bom pastor que dá a sua vida por suas ovelhas (Jo 10.11), que é conhecido por suas ovelhas (v. 14), e que um dia será o Pastor do aprisco unido de todos os redimidos de Deus (v. 16; veja também Hb 13.20; 1 Pe 2.25; 5.4). Como seu Mestre (Jo 10.1-14), os líderes das igrejas do NT devem fazer o trabalho de um pastor, alimentando e protegendo o rebanho (At 20.28-31). O mesmo dever é enfatizado por Pedro (1 Pe 5.1-4), que, referindo-se a Cristo como o Sumo Pastor, sugeriu que os presbíteros são sub-pastores.

A típica alvenaria herodiana com uma "estrutura" em torno de cada bloco aparece no muro ocidental do Templo em Jerusalém. MIS

*Veja* Animais, I. 12.

D. W. B.

**Pedreiro.** O pedreiro era um homem que trabalhava com pedras (1 Cr 22.15; artífice em obra de pedra), alguém habilidoso não só em cavar ou extrair pedras e formatá-las (1 Cr 22.2), mas também em construir muros (2 Rs 12.12; 22.6, onde os "pedreiros" eram literalmente "construtores de muros"). Na região montanhosa da Palestina, o calcário maleável é abundante. Ele era um excelente material de construção para estruturas públicas e para as casas dos ricos. Os cidadãos comuns, porém, mal podiam se dar ao luxo de ter uma casa de pedra cortada por causa do tempo de construção, e do preço envolvido na extração e no corte das pedras, além do transporte. Dessa forma, não existiam pedreiros experientes em Israel no início da monarquia, e assim tanto Davi (2 Sm 5.11; 1 Cr 14.1) quanto Salomão (1 Rs 5.18) tiveram que obter artesãos hábeis através do rei Hirão. Como a extração de pedras exigia menos habilidade, Salomão enviou um grupo de israelitas recrutados para as montanhas do Líbano para escavar e transportar a pedra para o seu Templo (1 Rs 5.13-17).

Um grande bate-estaca de metal era usado para a extração de pedras, de forma que a rocha fosse golpeada repetidamente (Jr 23.29). O instrumento de talhar pedras também podia martelar cunhas de madeira e infiltrá-las até que elas se expandissem e partissem as rochas. Este profissional deixava as pedras com o formato de blocos de construção usando uma picareta ou enxó (1 Rs 6.7). Este era o tipo de ferramenta empregada no corte do aqueduto de Ezequias (2 Rs 20.20; 2 Cr 32.30) de ambas as extremidades até o meio, como os trabalhadores contam nas famosas inscrições de Siloé. Um bom pedreiro era capaz de cortar pedras com tanta precisão, que nenhuma medida de argamassa seria necessária para assentar a sua parede. O mestre-de-obras inteligente esforçava-se para preparar um alicerce sólido (Mt 7.24-27; 1 Co 3.10-13). Os construtores (Sl 118.22) trabalhavam a partir de um plano preparado ou "planta" (1 Cr 28.11), usando um fio de linho e um bordão ou cana

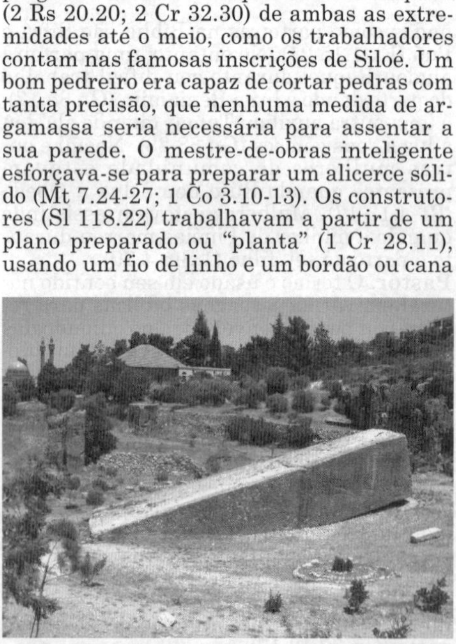

A maior pedra nas pedreiras em Baalbek, nas proximidades do templo de Júpiter, nunca foi utilizada. Imagina-se que ela pese 2.000 toneladas e seja a maior pedra já cortada do mundo

de medir (Ez 40.3), e uma linha de prumo (Am 7.7; Zc 4.10). *Veja* Arquitetura; Casa. Na Palestina, os pedreiros também talhavam tumbas nas cavernas naturais ou faziam covas fundas nos penhascos de calcário (Is 22.16). Foram freqüentemente escavadas câmaras laterais, situadas logo após a sala de entrada (*veja* Sepultura; Túmulo). Os talhadores de rochas cavavam cisternas profundas, escadas e túneis de água subterrâneos em Gibeão, Hazor, Laquis, Megido e em outras cidades. Durante a monarquia, muitos edifícios tinham grandes bases de pilares de pedras. Os pedreiros também cinzelavam vasos de pedra, tanques de tingimento, e roletes para telhados de barro, como também monumentos para inscrições reais como, por exemplo, a Pedra Moabita (*q.v.*). Uma das braçadeiras de bronze das portas de um palácio de Salmaneser III em Balawat retrata um pedreiro com um cinzel e um martelo esculpindo uma imagem real (ANEP #364).

*Veja* Arquitetura; Casa; Pedra Angular.

J. R.

**Perfumista ou Perfumador** (heb. *roqeah*). As palavras comumente usadas para descrever um perfumista, quer se tratasse de um homem ("boticário") ou de uma mulher ("confeccionista"), referia-se a alguém que compunha um ungüento. Os ingredientes eram óleos (Ec 10.1), especiarias, goma, resina, ou outras substâncias extraídas de raízes, cascas de árvore, folhas, ou flores, fervendo-as ou cozendo-as; e elas eram misturadas para produzir ungüentos odoríferos e cosméticos atraentes. As flores eram esmagadas quando comprimidas em um saco que era encharcado em azeite ou mergulhado em gordura ou óleos quentes a 65ºC. Depois de queimar raízes ou cascas aromáticas e reduzi-las a pó, este poderia ser usado em forma seca, como um sachê (Ct 3.6), ou guardado em uma bolsa (Ct 1.13). O desejo grandemente difundido por ungüentos e perfumes fez com que a arte do perfumista se tornasse altamente respeitada.

Pessoas especialmente nomeadas serviam no sacerdócio, e produziam o azeite da santa unção misturando mirra, canela aromática, cálamo aromático, cássia e azeite (Êx 30.22-33). O incenso sagrado consistia de quatro perfumes: estoraque, ônica, gálbano e incenso puro (vv. 34,35). O incenso egípcio e os óleos de unção tinham cerca de 16 ingredientes. A corte do rei exigia um serviço semelhante (1 Sm 8.13). O grande palácio de Mari (século XVIII a.C.) tinha seus próprios perfumistas que forneciam ungüentos e perfumes em abundância para a família real, oficiais e soldados. Nos dias de Neemias, os perfumistas eram organizados em uma associação e ajudaram a reparar o muro de Jerusalém (Ne 3.8).

Os perfumistas também compunham especiarias que eram usadas para o sepultamento dos mortos (2 Cr 16.14). De acordo com o processo egípcio de embalsamamento, especiarias e perfumes foram, sem dúvida alguma, empregados no sepultamento de Jacó e de José (Gn 50.2,3,26; *veja* Embalsamar). Os perfumes eram aplicados em móveis e roupas assim como em pessoas em festividades e banquetes reais (Sl 45.8; Pv 7.17; Ct 4.11).

*Veja* Perfume; Ungüento; Incenso; Plantas, os ingredientes individuais; Especiarias.

J. W. W. e J. R.

Barcos e redes de pesca na antiga Tiro

**Pesca.** Esta era uma atividade procurada por muitos palestinos, especialmente no mar da Galiléia, no antigo lago Huleh, no Jordão, e em ribeiros próximos à costa mediterrânea. Muita pesca também era feita no Egito, no Nilo e em seus pântanos (Nm 11.5; Is 19.8), onde os Faraós e nobres freqüentemente pescavam por esporte. Os fenícios pescavam em Tiro e Sidom (Ez 26.5,14), e exportavam peixes para cidades como Jerusalém (Ne 13.16), onde havia uma porta específica para a entrada de peixe, e provavelmente um mercado de peixe (2 Cr 33.14). *Veja* Animais, V.12.

Vários métodos foram usados pelos pescadores antigos. O texto em Jó 41.7,26 menciona arpões de pesca e arpões farpados. De acordo com a arte assíria e egípcia, a pescaria com linha e anzol era um esporte predileto, como agora. As varas não eram usadas, mas simplesmente uma linha com um anzol (*q.v.*), como em Isaías 19.8; Mateus 17.27.

Os principais métodos comerciais empregavam redes (*q.v.*). Eles eram de dois tipos principais: (1) rede de arremesso (heb. *herem*, também usada em caçadas; gr. *amphiblestron*), mencionada em Ezequiel 26.5; 32.3; 47.10; Hebreus 1.15-17; Marcos 1.16. É uma rede circular com boas tramas, com cerca de 5 metros de diâmetro e afundadores de chumbo em torno da borda (cf. Êx 15.10). Segurando uma longa linha ligada ao centro da rede em sua mão esquerda, o pescador junta a rede com a sua mão direita e a arremessa com um largo movimento circular de seu braço sobre uma área de água rasa perto da praia, onde observa um cardume de peixes. Içando o centro da rede, ele anda com dificuldade pela água para segurar a presa. (2) A rede de arrasto ou traineira (heb. *mikmeret*; gr. *sagene*), é mencionada em Isaías 19.8; Habacuque 1.15,16; Mateus 13.47. A metade da rede de arrasto é carregada em um barco, e a outra metade em outro barco. Os barcos então separam-se, arreando a rede enquanto vão envolvendo uma grande área de água. Tendo navegado em direção à praia, as duas tripulações então começam a puxar suas respectivas extremidades da rede, encerrando assim os vários peixes e trazendo-os para a terra na praia (Mt 13.48). As duas tripulações também podem fechar um círculo na água e arrastar os peixes para dentro de seus barcos (Lc 5.4-9).

Estudos recentes ajudam a explicar o motivo do protesto de Pedro em Lucas 5.5. Foi descoberto que à noite os peixes no mar da Galiléia se ajuntam debaixo da íngreme encosta leste, ou naquelas partes profundas do lago onde as fontes minerais borbulham. Pela manhã, os peixes nadam para as águas rasas, ou perto da foz do Jordão onde encontram muito alimento na água entrando no lago, ou perto das Sete Fontes em Betsaida, nas proximidades de Cafarnaum. Portanto, os pescadores usam redes de arrasto à noite em águas profundas, mas empregam suas redes de arremesso em águas rasas durante o dia. Tal informação indica claramente que a grande pesca de Lucas 5.6-9 foi certamente miraculosa.

Além de apanhar os peixes, a tarefa do pescador incluía salgar e vender o peixe, como

O rei Tutancamom do Egito capturando com arpão peixes ou animais marinhos no Nilo. LL

também consertar redes e manter o barco em boas condições (Ez 26.5; Mc 1.19). Alguns estudiosos têm suspeitado que a família de Zebedeu, que era capaz de empregar servos contratados (Mc 1.20), tinha uma licença para vender peixes em Jerusalém. Isto por sua vez explica por que o outro discípulo que estava com Pedro, que muitos pensam ser João, teria sido conhecido do sumo sacerdote (Jo 18.15,16).

No AT, o conceito de pesca é usado metaforicamente para ilustrar o juízo (Ec 9.12; Ez 29.4; Hc 1.14-17). Por toda a história desde os dias dos profetas, Deus enviou muitos "pescadores" e muitos "caçadores" para "apanhar" e julgar os filhos de Israel (Jr 16.16). No NT, por outro lado, a idéia de pesca é tomada pelo Senhor Jesus para retratar a missão completa da Igreja: "Vinde após mim, e eu vos farei pescadores de homens" (Mt 4.19; Mc 1.17; Lc 5.10). Cf. Wilhelm H. Wuellner, *The Meaning of "Fishers of Men"*, Filadélfia. Westminster Press, 1967. Assim, o símbolo do peixe usado pela igreja primitiva está em conformidade com a comissão de nosso Senhor para sermos pescadores de homens. Além disso, as cinco letras gregas da palavra grega para "peixe", *ichthus*, como um anagrama, sugere a confissão *Iesous Christos Theos Uios Soter* ("Jesus Cristo, Deus, Filho, Salvador").

J. R.

**Porteiro.** A palavra do AT *sho'er*, "porteiro", no sentido de vigia, é quase que exclusivamente encontrada em Crônicas, Esdras e Neemias. A LXX e o NT usam *thyroros*, "porteiro", e a Vulgata, *portarius*, "zelador".

Os levitas foram destinados para vários postos no Templo, com a finalidade de guardá-lo de dia e de noite (1 Cr 9.17-26; 26.1-19; 2 Cr 8.14; 31.14; 35.15; Ed 2.42; Ne 7.1-3; 12.25,45). Não menos que 4.000 destes porteiros são mencionados (1 Cr 23.5) para impedir que pessoas não autorizadas entrassem no pátio santo e o profanassem. Quando estava planejando o golpe contra a iníqua rainha Atalia, Joiada, o sacerdote, tomou a precaução de indicar porteiros extras dentre os levitas trazidos de outras cidades de Judá (2 Cr 23.1-7,19).

As portas da cidade (2 Sm 18.26; 2 Rs 7.10,11), edifícios públicos, casas particulares (Mc 13.34), e até apriscos de ovelhas (Jo 10.3) eram cuidadosamente guardados visando a segurança de todos os interessados. Esta confiança e responsabilidade também eram conferidas às mulheres que eram consideradas maduras e ajuizadas. Mulheres cuidando das portas são vistas em duas experiências de Pedro: no momento em que ele negou a Cristo (Jo 18.16,17), e, posteriormente, em sua libertação da prisão (At 12.13). *Veja* Guarda; Ocupações: Vigia.

R. V. U.

**Pranteador.** Nos tempos bíblicos, pranteadores profissionais eram contratados para elogiar o falecido e para lamentar sua morte (Am 5.16; veja também 2 Cr 35.25; Ec 12.5; Jr 9.17-20). Por tenderem a ser mais emocionais e mais intensas em suas expressões, a maioria destes pranteadores profissionais eram mulheres (Jr 9.17,20). Durante o lamento e o gemido em voz alta (Mc 5.38), flautas eram geralmente tocadas, como no episódio da morte da filha de Jairo (Mt 9.23). As notas altas e melancólicas da flauta contribuíam para a atitude fúnebre dos corações entristecidos (Jr 48.36). *Veja* Lamentar ou Luto.

**Publicano.** Um cobrador de impostos para o governo romano.

**Purificador.** *Veja* Ocupações: Refinador, Artífice em Metal.

**Purificador de Prata.** *Veja* Minerais e Metais; Ocupações: Refinador, Artífice em prata.

**Rabi.** Um título de respeito para um judeu estudioso ou mestre da lei. *Veja* Rabi; Ocupações: Doutor da Lei.

**Refinador.** O processo de assegurar a pureza de um metal ou líquido era denominado refino. Esta idéia é representada pelas palavras hebraicas *sarap* e *zaqaq*. Unger (*Bible Dictionary*, pp. 915ss.) é da opinião de que uma distinção bastante uniforme foi observada aqui, a primeira palavra se referindo à fundição do metal, e a segunda à purificação dos líquidos por filtragem; mas com o passar do tempo, o termo *zaqaq* também começou a ser usado com relação ao ouro e à prata (1 Cr 28.18; 29.4).

O processo mais antigo de fundição consistia em se colocar o minério diretamente em uma fogueira ao ar livre. Mais tarde, vários tipos de fornos foram inventados para intensificar o calor (Ez 22.22). No refino, o metal era re-aquecido em um cadinho até passar a um estado líquido (Pv 17.3; 27.21) e a escória ou as impurezas eram removidas através de um fundente ou solvente como por exemplo um álcali (Is 1.25). Um fole era usado pelo refinador (Jr 6.29). Geralmente o artífice em ouro e o artífice em prata faziam o seu próprio refino, ao passo que os escravos eram usados no processo de fundição.

De forma figurada, Deus é o refinador dos corações dos homens (Is 1.25; 48.10; Zc 13.9; Ml 3.2,3).

*Veja* Minerais e Metais; Ocupações: Artífice em ouro, Artífice em prata.

B. C. S.

**Secretário ou Amanuense.** O verbo *sapar* em hebraico significa escrever ou relatar; o substantivo derivado *soper* é comumente traduzido como "escriba". Estes homens eram escritores e registradores profissionais. Numa época em que poucos sabiam ler ou escrever, a função deles era essencial. *Veja* Escriba.

Em várias passagens no AT o nome comum pode não representar a função de uma forma literal, uma vez que o ofício descrito é mais enfatizado. A versão RSV em inglês marcou esta distinção traduzindo o termo como "secretário" em vários casos. Homens como Seraías, Seva, Sebna e Safã (2 Sm 8.17; 20.25; 2 Rs 18.18; 22.8) eram membros importantes do conselho do rei, e podiam portar um título de Secretário de Estado. Foi sugerido que Esdras, embora um escriba no sentido religioso, pode ter possuído o título de Secretário de Estado para assuntos judaicos (Ed 7). Jeiel estava encarregado da reunião de todas as tropas de Uzias (2 Cr 26.11), e o escriba de 2 Reis 12.10 era um secretário financeiro, ou um tesoureiro.

Baruque é citado como o secretário particular de Jeremias, uma posição muito semelhante à dos nossos dias (Jr 36.4). Silvano (1 Pe 5.12) serviu deste modo tanto a Pedro, como provavelmente a Paulo (1 Ts 1.1).

P. C. J.

**Semeador.** *Veja* Agricultura; Ocupações: Lavrador.

**Sentinela.** Jerias, o sentinela à Porta de Benjamim que prendeu Jeremias, leva o título literal de "senhor da supervisão" que várias versões traduzem como "capitão da guarda" (Jr 37.13). O título heb. descreve a função do homem cujo dever supremo era vigiar e guardar. A palavra "sentinelas" ao invés de "guardas" descreveria melhor os soldados em Atos 5.23; 12.6,19, bem como os oficiais em 2 Reis 11.5; 22.4; 1 Crônicas 9.19, homens destacados para guardar e manter as portas. Abner e seus homens estavam cumprindo o dever de sentinelas protegendo o rei Saul, mas dormiram no momento em que Davi furtivamente levou a lança e a bilha de água de Saul (1 Sm 26.7-16). Da mesma forma, os soldados que guardavam o sepulcro do Senhor Jesus Cristo estavam trabalhando como sentinelas (Mt 27.66; 28.4,11).

**Servo.** Aquele que presta serviço, voluntário ou não, para outra pessoa. Quatro palavras principais em hebraico expressam este relacionamento: (1) *na'ar*, um homem jovem, um atendente (Nm 22.22) que doava seu serviço ou que recebia uma remuneração, como Geazi se considerava (2 Rs 4.12; 5.20-27); (2) *m^esharet*, um ministro do Templo (Jl 1.9,13) ou oficial do rei (2 Cr 17.19; Et 1.10), ou ainda um servo doméstico de posição elevada (1 Rs 10.5); (3) *sakir*, um servo contratado (Êx 12.45; Jó 7.1), que portanto poderia se recusar a executar uma tarefa; e (4) *'ebed*, um escravo (Dt 5.15) ou servo que executava trabalhos manuais. Devido ao seu uso, o último termo foi estendido em seu significado como uma referência aos anjos (Jó 4.18), aos profetas (Jr 7.25), e a todos os verdadeiros adoradores de Deus (Is 54.17; 56.6) como seus servos.

No NT, são encontradas várias palavras gregas para servo: (1) *doulos*, o equivalente exato de *'ebed*; (2) *pais*, como o termo hebraico *na'ar*, também significa "menino", "jovem",

Um contingente de soldados egípcios. LM

ou "servo"; (3) *diakonos*, um servo ou assistente, daí um diácono; (4) *oiketes*, um servo doméstico (Rm 14.4; 1 Pe 2.18); (5) *hyperetes*, lit., "despenseiros", um assistente, subordinado (1 Co 4.1), ou ministro, freqüentemente de uma posição bastante elevada como por exemplo um magistrado (Mc 14.54,65).

Na economia israelita, o escravo era geralmente um servo doméstico em uma família real ou rica, ao invés de um trabalhador da agricultura ou da indústria. Leis com respeito a tais escravos são registradas em Exodo 21; Lv 25; e Deuteronômio 15.12-18; 23.15,16. Há, porém, uma grande quantidade de informações relacionadas à escravidão no antigo Oriente Próximo, que podem ser encontradas nos códigos das leis e em documentos econômicos privados. O último se estende desde os primeiros registros sumerianos na Mesopotâmia, até as tábuas das cidades hetéias, de Alalakh e Ugarite na Síria, até os papiros aramaicos de Elefantina (*q.v.*) no Egito. *Veja* Serviço.

Dirigindo-se a alguém de posição mais elevada ou a uma autoridade, era costume que a pessoa se referisse a si mesma como um servo ou escravo do superior, expressando, deste modo, submissão (Gn 50.18; 2 Rs 1.13; Lc 2.29; At 4.29). Portanto, Paulo freqüentemente referia-se a si mesmo como um servo de Jesus Cristo (Rm 1.1; Fp 1.1; Tt 1.1). Até mesmo o Senhor Jesus se considerava um servo de seu Pai, por ter vindo fazer sua vontade e realizar sua obra (Jo 4.34; 5.30, 36; 8.28,29).

*Veja* Servo do Senhor.

J. R.

**Soldado.** A nação de Israel não possuiu um exército organizado ou soldados profissionais até o início da monarquia sob o governo do rei Saul. Antes disso, em um momento de emergência um líder militar, como Gideão, convocava o povo a pegar em armas soando uma trombeta ou enviando mensageiros (Jz 6.34,35). Outras nações, porém, tiveram exércitos permanentes muitos séculos antes de Israel.

Na Babilônia, de acordo com o código de Hamurabi, muitos dos soldados no exército regular eram proprietários de terras da pequena nobreza, e eram convocados a deixar as suas obrigações feudais por um ano ou mais para servir ao rei. Outros eram recrutados ou contratados (ilegalmente) como substitutos para se engajarem em campanhas estrangeiras (§§ 26-41, ANET, pp. 167ss.).

Em Ugarite, os soldados na guarnição recebiam salários regulares em prata. As cidades-estado cananitas mantinham pequenas forças armadas consistindo de soldados rasos (recrutados dentre as pessoas comuns), e guerreiros profissionais. Estes últimos eram escolhidos da classe aristocrática hereditária, e eram conhecidos pelo nome indo-europeu de *maryannu*. Eles eram os cocheiros. Devido ao seu equipamento militar superior, que eles eram responsáveis por manter por sua própria conta, ocupavam uma posição privilegiada elevada na sociedade semi-feudal cananita. Somente um rei podia elevar um plebeu a uma posição de *maryannu*, o que era aproximadamente equivalente a um "cavaleiro" (I. Mendelsohn, "Samuel's Denunciation of Kingship in the Light of the Akkadian Documents from Ugarit", BASOR #143 [1956], pp. 18ss.). Samuel advertiu Israel que um rei daria início a esta classe, e isto se tornou realidade durante o reinado de Salomão (1 Rs 9.19; 10.26).

A partir de Davi, e daí por diante, a nação teve várias categorias de soldados. Em primeiro lugar havia uma unidade de guerreiros de elite que consistia de uma espécie de equipe geral para o rei. Estes eram os heróis escolhidos de Davi, seus famosos Trinta Valentes (2 Sm 23.8-35). No exército permanente havia uma segunda classe, os mercenários estrangeiros (por exemplo, 2 Cr 25.6). Os quereteus e os peleteus, comandados por Benaia (2 Sm 20.23; 23.22ss.), eram desta categoria; eles agiam como uma força especial de até 600 homens para guardar o palácio, os "servos" de Davi (2 Sm 15.18). Na terceira categoria estavam os soldados do exército nacional sob o comando de Joabe (2 Sm 8.16; 20.23), o exército do povo, que era recrutado para o serviço apenas quando necessário. Em quarto lugar estavam as tropas da guarnição em território ocupado (como em Edom, 2 Sm 8.14) e aqueles que vivam nas fortalezas (2 Cr 11.5-12) e as conduziam, tais como as cidadelas recentemente escavadas em Arade (*q.v.*) e Berseba.

No Novo Testamento, os soldados romanos são freqüentemente mencionados. Pelo fato da província de Judá estar subordinada a um governador ou procurador na época do ministério do Senhor Jesus, as legiões de Roma estavam constantemente presentes no país. Seu dever era manter a ordem nas ruas em caso de tumulto, guardar prisioneiros e executar criminosos. Por esta razão muitas tropas estavam disponíveis em Jerusalém na época da Páscoa, porque Pilatos podia sempre esperar problemas por parte das multidões acrescidas durante as festividades judaicas. Acredita-se que Roma possuía quatro legiões regulares (de 3.000 a 6.000 homens cada) estacionadas na Palestina quando Pôncio Pilatos era governador. Além disso, três outras foram levadas para a Síria no início do reinado de Nero.

*Veja* Exército; Guerra.

J. R.

**Talhador de Pedra.** *Veja* Ocupações: Pedreiro.

**Tecelão, Tecelagem.** Tecelagem é a manufatura de tecidos ou o entrelaçamento de fios ou juncos. Tecer fios era o primeiro passo necessário para a produção de tipos mais grosseiros de tecidos mais freqüentemente usados nos tempos bíblicos. O fio era feito a partir das fibras da lã e do linho (Lv 13.47), dos pêlos de cabras (Êx 35.26) e dos pêlos de camelos (Mt 3.4).

O tear era o principal equipamento do tecelão. A palavra "tear" não ocorre em algumas versões, porém ocorre em outras (Jz 16.13, 14; Is 38.12; 1 Sm 17.7; 1 Cr 11.23; 2 Sm 21.19). O propósito do tear era facilitar o entrelaçamento dos fios da trama ou tecido que era levado para frente e para trás em ângulos certos até os fios da urdidura. Três tipos de teares eram de uso comum no antigo mundo mediterrâneo – o tear horizontal ou de solo, e duas variedades de tear vertical. O primeiro deles já era conhecido no Egito pré-dinástico, e ainda é o mais comum entre os povos nômades por ser fácil de transportar. O tear de solo é sem dúvida alguma o tipo que Dalila possuía quando teceu no tear as tranças de Sansão enquanto dormia (Jz 16.13,14). Os fios urdidos (heb. *sh$^e$thi*, Lv 13.48-59) são esticados entre dois pólos de madeira separados por estacas colocadas no chão. Os fios de urdidura pares são passados por teares de fios ligados a uma haste em cruz. Na primeira posição esta haste é erguida para levantar os fios pares e formar um abrigo sobre os fios ímpares. Através do "abrigo" é passada a lançadeira com o fio da trama enrolado nesta como um carretel. Este filamento da trama é "batido" junto com os filamentos da trama anteriores com uma ripa ou vareta plana removível (o "pino" ou "batedor", heb. *yated*, de Jz 16.14) a fim de tornar o tecido apertado ou firme. Na segunda posição a haste em cruz é deixada solta na urdidura, e o tecelão puxa para si o "eixo" (heb. *manor*, 1 Sm 17.7), que está debaixo dos fios ímpares e sobre os fios pares. Esta ação forma um novo "abrigo" com os fios ímpares, agora por cima. O tecido é passado por meio de uma lançadeira, e novamente batido no lugar. O produto resultante antes de ser cortado para fora do tear (Is 38.12) é chamado de "teia". O tecelão competente passa a sua lançadeira para frente e para trás muito rapidamente, uma figura vívida da rápida, porém monótona, repetição dos dias aparentemente infinitos dos inválidos (Jó 7.6). A largura do tecido era limitada pelo comprimento do braço do tecelão para empurrar a lançadeira através da urdidura.

No tipo mais antigo de tear vertical, os fios da urdidura, sozinhos ou em grupos, eram suspensos de uma estaca horizontal em dois postes verticais, e eram mantidos esticados por diversos pesos pequenos feitos de pedras ou de barro cozido. A urdidura tinha que ser batida para cima. O tecelão podia mudar de posição com freqüência, e portanto podia fazer tecidos muito mais largos. Uma vez que pesos de tear são encontrados nas escavações de todas as cidades da Idade do Ferro na Palestina, fica evidente que este tipo de tear era comum em Israel. Várias cidades em Judá parecem ter sido centros da indústria de tecidos, a partir da presença de vários pesos de tear e tanques de tingimento. O AT indica que uma associação de tecelões de linho havia se desenvolvido durante a monarquia (1 Cr 4.21), e estes profissionais eram chamados de "obreiros em linho".

O outro tear vertical possuía duas varas horizontais, uma vara de urdidura na parte superior e uma vara de tecido na parte inferior, capazes de girar a fim de enrolar a teia enquanto ela era feita. Dois tecelões ficavam, um de cada lado do tear, e passavam a lançadeira para frente e para trás através de abrigos alternados, batendo o tecido para baixo. Embora este tipo de tear já estivesse em uso no Egito durante a 12ª Dinastia, ele só se tornou comum na Palestina nos tempos do NT (Louisa Bellinger, "Cloth", IDB, I, 650-655).

O tecelão produzia padrões estampados na teia, (1) usando diferentes fios de urdidura coloridos; (2) alternando as cores na urdidura ou trama; (3) fazendo uma combinação de (1) e (2) para formar um "trabalho xadrez" (Êx 28.39); e (4) operando fios de urdidura especiais através de apenas uma porção da urdidura (James A. Patch, "Weaving", ISBE, V, 3077ss.). Para obter tecidos mais pesados ou mais fortes, vários fios eram trançados juntos (Êx 26.1,36 etc.).

*Veja* Vestuário; Ocupações: Tingidor, Bordadeira, Fiação, Fabricante de Tendas.

J. R.

**Tesoureiro.** Os tesoureiros tinham postos muito importantes nos tempos bíblicos. Em Israel havia três ofícios deste tipo: (1) um tesoureiro sacro que tinha a supervisão do tesouro da casa do Senhor (cf. Js 6.24; 1 Rs 7.51; 1 Cr 9.26; 2 Cr 5.1; Ne 13.12,13; Ed 2.68ss.; Jo 8.20; Mc 12.41-43; Lc 21.1; Mt 27.6); (2) um tesoureiro real que supervisionava os tesouros da casa do rei (1 Rs 14.26; 15.18; 2 Cr 32.27); e (3) os tesoureiros provinciais da coroa que tinham a custódia dos depósitos reais fora de Jerusalém (1 Cr 27.25).

O tesoureiro sacro na época de Davi era Sebuel, que era o oficial chefe encarregado dos tesouros do Templo como um todo (1 Cr 26.24). (Em 1 Cr 26.20, a leitura "Aías" tem sido mais bem traduzida como "seus irmãos", de acordo com a LXX.) Sob o comando de Sebuel estavam Jeieli e seus filhos (cf. 1 Cr 26.22 com 23.8) que eram encarregados da renda e dos gastos dos fundos (1 Cr 29.8), dos utensílios santos, e da provisão para os sacrifícios do Templo; e Selomite (ou Selomote,1 Cr 26.28), auxiliados por seus irmãos, que eram encarregados das ofertas voluntárias que haviam sido dedicadas dos despojos de guerra (1 Cr 26.20ss.).

Os tesouros sacros eram localizados nas câmaras do Templo (1 Cr 28.11). Os tesouros sobre os quais Jeieli e seus sucessores tinham responsabilidade incluíam metais e pedras preciosas, incenso, vasos, grãos, vinho, óleo e as vestes dos sacerdotes (2 Rs 14.14; 1 Cr 29.8; Ed 2.69; Ne 7.70; 13.5). O tesouro sob a responsabilidade de Selomite e seus sucessores abrangia os despojos ganhos em batalha que haviam sido dedicados por Josué, Samuel, vários reis e oficiais no exército (Js 6.18,19; 1 Rs 7.51; 2 Rs 12.18; 1 Cr 26.26ss.; 2 Cr 5.1). Esta riqueza deveria ser usada para a manutenção do Templo (1 Cr 26.27). Os quatro porteiros chefes de Jerusalém eram responsáveis pela segurança dos tesouros sagrados (1 Cr 9.26ss.).

O papel que Jeieli e seus filhos desempenhavam foi assumido por Selemias, o sacerdote, e por certos levitas na época de Neemias. Ele os designou como tesoureiros sobre os depósitos em Jerusalém, e os incumbiu com a tarefa de cobrarem o dízimo do grão, do vinho e do óleo, e a sua distribuição aos levitas e cantores (Ne 13.10ss.; cf. 10.38; 12.44). Na época dos Macabeus, a estrutura dupla do tesouro sacro parece ter sido mantida, uma vez que é feita uma menção de valores pertencentes aos sacrifícios do Templo, depósitos de riqueza para uma custódia segura do Templo, e a preservação de registros significativos (1 Mac 14.19; 2 Mac 3.6ss.).

O tesoureiro real na administração de Davi era Azmavete, que estava sobre o tesouro da coroa em Jerusalém (1 Cr 27.25). Jônatas, o filho de Uzias, era encarregado dos tesouros das províncias do rei no campo, nas cidades, nas aldeias e torres fora de Jerusalém. O tesouro real em Jerusalém estava na casa do rei, e preservava pedras e metais preciosos, armaduras e escudos, óleos preciosos e especiarias, grãos e vinho (2 Rs 20.13; 2 Cr 32.27). Os tesouros reais nas áreas urbanas e rurais fora de Jerusalém parecem ser depósitos regionais particularmente adaptados para a conservação de gado, ovelhas e produtos agrícolas.

Um certo Sebna é descrito em Isaías 22.15 como o "tesoureiro" que estava sobre a casa real. No entanto, o termo *soken* é mais corretamente traduzido como "mordomo". A sua posição era a de um administrador ou despenseiro do palácio.

Os tesoureiros (aram. *g*[e]*dabrayya'*) são mencionados entre os vários oficiais babilônios que foram convocados por Nabucodonosor para comparecerem à consagração da imensa estátua de ouro (Dn 3.2ss.). Ciro, o rei persa, ordenou que Mitredate, o tesoureiro real (heb. *gizbar*), tirasse da casa de seus deuses os utensílios que haviam sido trazidos do Templo de Jerusalém por Nabucodonosor, e que os entregasse a Sesbazar, o rei de Judá (Ed 1.7-11). Artaxerxes I (465-425 a.C.) promulgou um decreto ordenando que todos os tesoureiros (aram. *gizbar*, uma palavra emprestada do persa *ganzabara*) na província "dalém do rio" ajudassem Esdras com as provisões necessárias para a sua viagem a Jerusalém (Ed 7.21ss.; cf. Et 3.9; 4.7). No NT, há menção de um certo Erasto, o tesoureiro ou procurador (gr. *oikonomos*) da cidade de Corinto, que envia suas saudações à igreja em Roma juntamente com as saudações finais da Epístola aos Romanos (Rm 16.23). O eunuco etíope é descrito como "mordomo-mor" (ou alto oficial) de Candace, rainha dos etíopes, "o qual era superintendente de todos os seus tesouros" (At 8.27, RSV). *Veja* Ocupações: Camareiro, Mordomo.

E. R. D.

**Tingidor.** Os israelitas estavam familiarizados com coisas tingidas desde os tempos mais remotos, embora o processo não seja descrito no AT. Tinturas de púrpura, azul, carmesim e escarlate eram usadas em tecidos. Púrpura era símbolo de nobreza (Mc 15.17ss.). Apenas os reis a possuíam, porque afirmava-se que seu valor equivalia ao seu peso em prata.

Um "odre" de pele da cabra

Os cananeus comercializavam a púrpura (*q.v.*) já em 1500 a.C., de acordo com textos e ruínas de um estabelecimento onde se fazia o processo de tingimento, que foi encontrado em Ugarite na Síria. Os fenícios (Ez 27.7, 16,24) mantinham sua arte de fazer as tinturas púrpura e azul a partir de crustáceos, como um segredo. O pigmento era removido da glândula do molusco, e após tratamento tornava-se púrpura clara ou escura, dependendo da exposição e adição de outros ingredientes. Lídia, de Tiatira, era uma vendedora de púrpura (At 16.14). Carmesim e escarlate eram obtidos de insetos quermes ou cochinilhas que se alimentam de certas espécies de carvalho vivo na Turquia e no sul da Europa. Peles de carneiro tingidas de vermelho foram usadas na construção do Tabernáculo (Êx 25.5; 26.14). Esta tintura ainda é usada na Síria na fabricação de chinelos e outros artigos de couro.

Salomão solicitou ao rei Hirão de Tiro que lhe enviasse um homem habilidoso para trabalhar "em púrpura, e em carmesim, e em azul" (2 Cr 2.7). Os israelitas mais tarde adquiriram o segredo do tingimento dos fenícios e mantiveram monopólio na arte em algumas seções. Várias cidades palestinas eram aparentemente centros dos grupos de tingimento (cf. 1 Cr 4.21). Em Tell Beit Mirsim estima-se que 30 casas tinham dois tanques de pedra redondas para tingimento. Cada tanque possuía uma pequena abertura na parte superior através da qual o fio era mergulhado, e um aro sulcado para apanhar as tinturas salpicadas. Um grupo judeu de vendedores de púrpura é mencionado em uma lápide no centro têxtil de Hierápolis, perto de Colossos.

*Veja* Ocupações: Lavandeiro.

C. K. H.

**Vigia.** Uma sentinela ou guarda. Estes vigias eram colocados como policiais nas ruas da cidade (Ct 3.3; 5.7), sobre os muros de cidades fortificadas (2 Sm 18.24; 2 Rs 9.17-20; Is 62.6), nas torres de vigia do deserto (2 Rs 18.8; 2 Cr 20.24), ou sobre algum monte elevado (Jr 31.6). Em Ezequiel 3.17-21 e 33.2-9 o profeta é designado como um vigia (ou atalaia) para advertir Israel contra a sua maldade e perigo espiritual. Habacuque tomou posição nas torres de vigia espirituais de sua nação para ouvir o que Deus lhe diria sobre o juízo vindouro (Hc 2.1). *Veja* Ocupações: Sentinela.

**Viticultor.** *Veja* Ocupações: Lavrador, Agricultor; Plantas: Videira, Vinha.

***Bibliografia.*** Walter Duckat, *Beggar to King. All the Occupations of Biblical Times*, Garden City, N. Y.: Doubleday, 1968, com extensa bibliografia. R. J. Forbes, *Studies in Ancient Technology*, 9 vols., Leiden. E. J. Brill, 1955-1964. Madeleine S. e J. Lane Miller, "Arts and Crafts", "Professions and Trades", *Encyclopedia of Bible Life*, Nova York. Harper, 1944, pp. 88-118, 332-356. James A. Patch, "Crafts", ISBE, II, 734-737. Roland de Vaux, *Ancient Israel*, trad. por John McHugh, Nova York. McGraw-Hill, 1961, Donald J. Wiseman, "Arts and Crafts", NBD, pp. 89-93.

J. R.

## ODEDE ou OBEDE

1. Pai de Azarias, um profeta no reinado de Asa de Judá (aprox. 911-869 a.C.), que encontrou Asa, em seu retorno, após derrotar os etíopes (2 Cr 15.1-7). No entanto, no verso 8, a profecia é atribuída a Obede.
2. Um profeta do Senhor (de aprox. 735 a.C.) em Samaria, que viveu no reinado de Peca, rei de Israel, e Acaz, rei de Judá (2 Cr 28.9). Peca invadiu Judá e levou 200.000 pessoas de volta a Samaria. Odede encontrou o exército vitorioso com os prisioneiros e os advertiu sobre a ira de Deus. Neste protesto juntaram-se a Odede alguns dos chefes de Efraim. Os cativos foram bem tratados e libertados em Jericó.

**ÓDIO, ODIAR** Odiar (ou ter uma extrema aversão a alguém) pode ser uma obra da "carne" (Rm 8.7; Gl 5.19ss.) e sinal de falta de regeneração (1 Jo 3.15). Aqueles que não são regenerados têm um ódio desmesurado em relação a Deus (Êx 20.5; Sl 83.2; Rm 1.30), à luz (Jo 3.20), aos justos (Sl 35.19; 69.4; Jo 15.15), ao próximo (Tt 3.3). Estes odeiam os cristãos por serem discípulos de Cristo (Lc 6.22; 21.17; Jo 15.18-25; 17.14).

Mas o ódio pode ser uma marca de espiritualidade. O povo de Deus deve ativamente odiar o pecado e o mal (Sl 97.10; 119.104,128,163; Jd 23). Este povo deve até mesmo odiar a própria vida por amor a Cristo (Lc 14.26; Jo 12.25). Entretanto, o ódio como atitude mal intencionada é incompatível com a vida cristã (1 Jo 2.9,11; 3.15; 4.20). Os cristãos não devem odiar o próximo (Mt 5.43ss.; Lc 6.27ss.), mas, como Deus, devem odiar a iniqüidade (Sl 26.5; 101.3; 139.21ss.; cf. 2 Cr 19.2).

***Bibliografia.*** Werner Foerster "*Echthros* etc.", TDNT, II, 811-815. O Mitchel, "*Miseo*", TDNT, IV, 683-694.

**ODRE** Os recipientes mais usados antigamente no Oriente, e mesmo em nossos dias, eram feitos de couro. Geralmente se usava a pele de cabra ou cabrito, embora também fosse usada a pele de outros animais como vaca, camelo ou búfalo. A cabeça e os pés do animal eram cortados e a pele era retirada. Geralmente, a pele era curtida e defumada, as aberturas eram costuradas e às vezes seladas com piche, e assim a "garrafa" ou o "odre" estava pronto para ser usado. Era um recipiente extremamente portátil, pois podia ser levado às costas, cheio de água ou leite. Além disso, era um dos artigos mais essenciais em qualquer lar. Os odres eram até mesmo usados como batedeira; quando cheios de leite, eram sacudidos até que o leite se transformasse em uma manteiga gordurosa.

Com o uso, a pele esticava e secava e, com o tempo, podia se romper. Esse é o ponto na parábola de Jesus sobre o vinho novo em odres velhos (Mt 9.17). O vinho novo vai fermentar e expandir; como o odre velho não pode mais se expandir, vai se romper e o vinho será derramado.

Também eram utilizados garrafas e jarros feitos de barro, mas esses eram frágeis e se quebravam facilmente. Para os perfumes mais caros, havia pequenos frascos de vidro, ouro ou prata. *Veja* Botija.

P. C. J.

**OEL** Um dos sete filhos de Zorobabel (1 Cr 3.20).

**OFEL** Como um nome peculiar o termo é traduzido "outeiro", "fortalezas" (Is 32.14), ou "baluarte" (Mq 4.8). Às vezes é um nome comum. Outras, um nome próprio, como deveria ser em relação a um distrito na capital de Samaria (2 Rs 5.24).

O nome é freqüentemente associado com uma seção da antiga Jerusalém fortificada pelos antigos reis. Parece ter sido a base alta no monte oriental localizado ao norte da cidade primitiva de Davi, e exatamente ao sul da atual cidade murada de Jerusalém (ao sul da área do Templo). O rei Jotão a fortificou (2 Cr 27.3), como fez Manassés (2 Cr 33.14). Ela posteriormente tornou-se a residência dos servos do Templo (Ne 11.21).

**OFENSA** Singular e plural, a palavra ocorre freqüentemente no NT. Mas, raramente no AT. Parece haver duas idéias básicas – qualquer tropeço ou deslize da própria pessoa, e qualquer ocasião de tropeço ou deslize de uma outra pessoa. Oséias fala do Senhor castigando Efraim e Judá até que eles reconhecessem sua ofensa ou culpa (Os 5.14,15). Paulo, citando Isaías 8.14, fala de uma "pedra de tropeço e rocha de ofensa" (Rm 9.33), referindo-se a Cristo como a rocha sobre a qual Israel tropeçou. Paulo também adverte os coríntios para que não cometam qualquer ofensa, ou sejam a causa de tropeço de qualquer pessoa (1 Co 10.32). *Veja* Pedra de Tropeço.

***Bibliografia.*** G. Stahlin, "*Skandalon* etc"., TDNT, VII, 339-358.

**OFERTA** *Veja* Sacrifícios; Libação.

**OFERTA DE BEBIDA** *Veja* Sacrifícios.

**OFERTA DIÁRIA OU SACRIFÍCIO** *Veja* Sacrifícios.

**OFERTA MOVIDA** *Veja* Sacrifícios.

**OFERTA PACÍFICA** *Veja* Sacrifícios.

Um vaso de pedra calcária do período herodiano, de Ofel. Museu Arqueológico da Palestina

**OFERTA PELO PECADO** *Veja* Sacrifícios.

**OFERTA QUEIMADA** *Veja* Sacrifícios.

**OFERTA VOLUNTÁRIA** *Veja* Sacrifícios.

**OFICIAL[1].** Pessoa que ocupa um cargo que é uma posição de autoridade. Na Bíblia Sagrada, tal posição era geralmente obtida por herança ou por nomeação. *Veja* Oficial[2].

**OFICIAL[2]** De forma geral, o termo designa um funcionário da corte real, como um príncipe, mordomo, camareiro, supervisor, intendente e outros.
1. Heb. *nissab* (1 Rs 4.5 etc.) refere-se a intendentes designados por Salomão para gerenciar centros administrativos recém-estabelecidos. Também foi usado em relação a um governante interino de Edom (1 Rs 22.47).
2. Heb. *saris* denota um eunuco em uma corte estrangeira (Gn 37.36) ou na corte de Israel (1 Rs 22.9 etc.).
3. Heb. *paqid* significa um supervisor designado por um outro em uma posição de autoridade mais elevada (Gn 41.34; Jz 9.28; 2 Cr 24.11 etc.). Moisés designou tais pessoas para manter a organização necessária entre os israelitas que estavam em viagem (Nm 31.14,48).
4. A palavra heb. *rab* significava uma "grande personalidade", ou alguém que tinha autoridade em virtude de seu relacionamento com o rei na corte persa (Et 1.8).
5. Heb. *shoter* refere-se a pessoas que ocupavam cargos de natureza secundária, como aqueles que estavam sob os capatazes no Egito (Êx 5.6,14 etc.); os assistentes dos anciões nos tempos mosaicos (Nm 11.16 etc.); os ajudantes em tempos de guerra (Js 1.10 etc.). Eles podem ter sido originalmente escribas ou escrivães, uma vez que a raiz da palavra é cognata ao termo acádio *sataru*, que significa "escrever".
6. Heb. *'sar* refere-se a um príncipe ou alguém da família real ou do gabinete real (1 Rs 4.2; Ed 7.28 etc.), freqüentemente servindo como um oficial do exército (2 Cr 32.3; Ne 2.9*b*). *Veja* Oficial[1].
7. Gr. *praktor* significa um sub-oficial de um tribunal, como um meirinho ou guardião (Lc 12.58).
8. Gr. *hyperetes* originalmente significava um assistente ou "sub-remador". No século I d.C., a palavra significava um carcereiro (Mt 5.25). João usa o termo para designar os intendentes ou magistrados do Sinédrio enviados pelos sumos sacerdotes para prender o Senhor Jesus (Jo 7.32,45ss.; 18.3,12, 18,22), os quais tinham o direito de acusá-lo em um tribunal (Jo 19.6; veja também At 5.22,26).
H. E. Fi.

**OFÍCIO REAL DE CRISTO** *Veja* Jesus, Ofícios de.

**OFIR**
1. Um descendente de Sem através de Éber e Joctã (Gn 10.29; 1 Cr 1.23).
2. O território ocupado pelos descendentes de Ofir estava localizado na península arábia sudoeste, ou na vizinha Somália, na África, exatamente defronte do estreito golfo de Aden. A Índia e a África também têm sido sugeridas como um possíyel local. Jerônimo e Josefo a situavam na Índia (Josefo, *Ant.* viii. 6.4). Foi provavelmente uma estação no caminho para as naus de Salomão no comércio entre a Índia e o porto de Israel em Eziom-Geber (1 Rs 9.26-28). Existem muitas referências ao ouro fino que vem desta área (1 Rs 9.28; Jó 22.24; 28.16; Sl 45.9; Is 13.12). A única referência não-bíblica a Ofir está no fragmento encontrado em Tell Qasileh, ao norte de Jafa. Na inscrição do século VIII a.C., lê-se: "Ouro de Ofir para Bete-Horom, trinta siclos". Outros produtos desta área eram árvores de almugue ou sândalo, prata, pedras preciosas, marfim, macacos e luxos orientais similares. *Veja* Ouro.
G. A. T.

**OFNI** Uma das cidades contadas entre as 12 dadas por Josué à tribo de Benjamim (Js 18.24). Um acordo geral identifica esta cidade com a moderna Jifna, ou Jufna, quatro quilômetros a noroeste de Betel, fora da estrada Nablus.

**OFRA**
1. Uma cidade em Benjamim (Js 18.23), uma vez exposta aos saqueadores filisteus (1 Sm 13.17,18). Ela deve provavelmente ser identificada com a moderna et-Taiyibeh, oito quilômetros a norte de Micmás, e seis quilômetros e meio a leste de Betel (Beitin). *Veja* Efraim, Cidade de.
2. Cidade natal de Gideão (Jz 6.11,24; 8.27,32), do clã de Abiezer, localizada no território de Manassés, provavelmente na fronteira sul da planície de Esdraelom, ao pé do monte Gilboa. Gideão recebeu o seu chamado, construiu um altar ao Senhor, deixou-se cair na idolatria (Jz 8.27), e foi sepultado aqui (Jz 8.32).
3. Filho de Meonotai da tribo de Judá (1 Cr 4.14), um descendente de Quenaz e Otniel.

**OGUE** Um rei amorreu de Basã, cujo domínio – que abrangia 60 cidades, do rio Jaboque até o monte Hermom – foi conquistado por Moisés e pelos israelitas (Nm 21.33-35; Dt 3.1-5). Os habitantes, exceto o rei, foram exterminados (Dt 3.6-11), e seu território foi ocupado pela meia tribo de Manassés (Dt 3.13; 29.8).
Ogue foi o último dos refains (*q.v.*) ou a raça dos gigantes daquele distrito, e possuía um leito de ferro com nove côvados de comprimento por quatro côvados de largura, que estava preservado em Rabá-Amom (Dt 3.11;

Rabá dos filhos de Amom). Seu "leito" tem sido interpretado como um sarcófago enfeitado com ferro, um divã decorado com ferro para ser colocado em sua tumba para seu corpo como nas tumbas de Jericó, ou um dólmen de blocos de basalto (suporte de ferro), encontrado freqüentemente na Transjordânia. *Veja* Gigante.

**OLEIRO** *Veja* Ocupações: Oleiro.

**OLHO** O olho representa o órgão da visão para os homens e os animais, e é usado em muitas aplicações figuradas. Os olhos são afetados pela idade, pelas emoções, pelo sono e pela morte. Eles mostram as qualidades emocionais, tais como a generosidade (Pv 22.9), avareza (Sl 10.8), arrogância (Is 2.11; 5.15; 2 Rs 19.22), inveja (1 Sm 18.9; Pv 28.22; Mc 7.22), desejos ímpios (Is 3.16; 2 Pe 2.14; 1 Jo 2.16). Eles são usados por Deus em um sentido antropomórfico, mostrando a sua onisciência.

Para as mulheres no antigo Egito e na Babilônia, era comum pintar os olhos, mas entre os hebreus esse costume é mencionado principalmente em relação às mulheres de má reputação. As pálpebras superiores e inferiores eram escurecidas com um pó negro de antimônio ou de estíbio. No entanto, os tradutores da versão KJV em inglês algumas vezes traduziram a palavra "olhos" como "rosto". Assim, Jezabel pintava, na verdade, a região em volta dos olhos (2 Rs 9.30). Jeremias diz "ainda que te pintes em volta dos teus olhos com o antimônio" (Jr 4.30; cf. Ez 23.40). *Veja* Olhos, Pintando os.

A palavra "olhos" é usada de muitas outras maneiras: (1) uma fonte (*q.v.*), como a palavra hebraica é traduzida algumas vezes, provavelmente derivando dos olhos como uma fonte de lágrimas (cf. Jr 9.1); (2) cor ou brilho, uma vez que o olho brilha como os metais ou as jóias (Ez 1.4; 8.2; 10.9); (3) face (Nm 14.14); (4) superfície visível da terra (Êx 10.5,15; Nm 22.5); (5) testa, como em "entre teus olhos" (Êx 13.9); (6) presença, como em "diante dos olhos" (Gn 23.11, hebr.); (7) opinião individual, como na expressão "nos vossos olhos" (Gn 19.8); (8) favor ou ira, como em "põe sobre ele os olhos" (Jr 39.12; Am 9.8, hebr.). A frase "guardou-o como a menina [ou pupila] do seu olho" (Dt 32.10; Sl 17.8) significa preservar alguma coisa com cuidado especial.

E. C. J.

**OLHO, CEGAMENTO DO** *Veja* Punição.

**OLHOS BONS** A expressão grega *ophthalmos haplous* consta em Mateus 6.22 e Lucas 11.34 e significa "olho simples" ou "olho bom". A palavra *haplous* significa "simples" e representa o olho transmitindo a imagem de um objeto que é visto clara e fixamente. O "olho simples" como a luz ou lâmpada do corpo é forte; não é confuso e pode se enfocar com perfeição, com uma visão limpa sobre o seu objeto.

Os povos antigos do Oriente Próximo temiam o olho mau. Neste mosaico de Antioquia da Síria, do início da era cristã, todos os tipos de ataque são feitos ao olho mau. HFV

**OLHOS, PINTANDO OS** O costume de pintar os olhos é muito antigo, e estava bem estabelecido no Egito desde os tempos pré-dinásticos. O material usado era moído numa paleta de pedra e era freqüentemente guardado em pequenos recipientes de alabastro, tubos de madeira ou recipientes similares. A preferência antiga era por uma cor verde (crisocala ou malaquita), mas posteriormente o negro (galena) tornou-se mais popular. Uma forma negra é conhecida nos tempos modernos como *ḳohl* (ou kajal), uma palavra derivada do Árabe. O kajal era aplicado nas extremidades das pálpebras com os dedos ou com aplicadores especiais cilíndricos. A borda negra resultante supostamente dava um brilho contrastante ao olho. Embora usada originalmente como um cosmético, a pintura dos olhos também aparece como uma prescrição para doenças nos olhos.

Na Bíblia, o uso da pintura dos olhos sempre tem associações com o mal. O verbo hebraico *kahal*, "pintar [os olhos]", aparece somente em Ezequiel 23.40, numa descrição dos esforços de uma adúltera para atrair as suas vítimas. A pintura dos olhos (hebr. *puk*) é mencionada duas vezes, relacionada com maquiagem. Jezabel pintou os olhos antes de ir ao confronto com Jeú (2 Rs 9.30). O texto em Jeremias 4.30 compara Judá e Jerusalém a uma mulher que aumenta os seus olhos com pinturas, em uma tentativa de garantir a libertação por meio da sedução. Aqui o verbo é *qara'*, simplesmente "rasgar", e também "tornar maior ou mais amplo", ressalta a aparência dos olhos pintados. *Veja* Olho.

C. E. D.

**OLHOS, VÉU DOS** Uma frase difícil usada

em Gênesis 20.16 e que tem diferentes interpretações. Se as palavras referem-se a Abraão, a idéia pode ser a de que Abraão, ao se declarar como o marido de Sara, estaria agindo como um véu para aqueles que pudessem desejá-la. Se as palavras referem-se ao dinheiro recebido por Abraão, o dinheiro pode ser um véu para protegê-la do desejo libertino dos outros. É mais provável que a frase se refira ao dinheiro, como uma compensação ou como um "presente que acalma... para que quando nos encontrarmos, talvez ele me perdoe" (cf. Gn 32.21; Jó 9.24; KD, I, 241).

**OLÍBANO** *Veja* Incenso; Plantas: Incenso.

**OLIMPAS** Um dos santos em Roma a quem Paulo enviou saudações (Rm 16.15). Ele pode ter sido uma das pessoas da casa de Filólogo que também é mencionado na saudação.

**OLIVAL** *Veja* Plantas: Oliveira.

**OLIVEIRA** *Veja* Plantas.

**OLIVEIRAS, MONTE DAS** *Veja* Monte das Oliveiras.

**OLMEIRO ou FREIXO** Uma árvore. *Veja* Plantas.

**OM**
1. Filho de Pelete, que juntou-se à rebelião de Corá contra Moisés (Nm 16.1).
2. A cidade egípcia de Om, conhecida pelos gregos como Heliópolis. Situava-se na atual Matariyeh, um subúrbio a nordeste do Cairo. Embora importante como um centro religioso, Om nunca alcançou proeminência política. Foi notável por sua adoração ao sol, associada aos deuses Re-Harakhte, Atum e Khepri, e representada pela fênix e pelo touro Mnevis. Re tornou-se importante a partir da Quinta Dinastia. Dessa época em diante, o nome deste deus passou a fazer parte da titularidade do rei, sendo "filho de Re" um dos cinco títulos reais. Mais tarde, a teologia de Om influenciou as doutrinas do atonismo. A cidade de Om parece ter sido chamada de Per-Atum, "a Casa de Atum" e, conseqüentemente, pode ser a Pitom (*q.v.*) de Êxodo 1.11 (Eric P. Uphill, "Pithom and Raamses. Their Location and Significance", JNES, XXVII [1968], 292-299; XXVIII [1969], 32-39). *Veja* Egito; Êxodo, O
José casou-se com Asenate, uma mulher egípcia cujo pai era sacerdote de Om (Gn 41.45,50; 46.20). Por causa de sua ligação com a adoração ao sol, Om é mencionada em Jeremias 43.13 como "Bete-Semes... na terra do Egito". Em algumas versões lê-se "Heliópolis", cujo significado, "cidade do sol", aproxima-se do termo hebraico Bete-Semes, "casa do sol". A passagem declara que Nabucodonosor destruiria "os monumentos sagrados de Heliópolis". As colunas ou monumentos eram emblemas da adoração ao sol e uma coluna única, erigida por Sesóstris I (1971-1928 a.C.), é o único remanescente em Om que testifica da antiga importância religiosa da cidade.
Em Ezequiel 30.17 uma profecia contra o Egito pronuncia que os homens jovens de Om cairiam pela espada, e, que os sobreviventes seriam levados ao cativeiro. Nesta passagem, lê-se nos Textos Massoréticos *'awen*, "idolatria", para *'on*. Algumas versões o traduzem como Áven, enquanto outras registram "Heliópolis ou Om". Existe a possibilidade de que também se pretendesse dizer Om em Isaías 19.18, onde se menciona que uma cidade no Egito será chamada de Iraeres (*q.v.*). O texto heb. é traduzido como "Cidade da Destruição" (*q.v.*) em algumas versões. Lendo-se *heth* onde temos *he*, como é freqüentemente sugerido aqui, temos traduções que trazem a expressão "Cidade do Sol", que é equivalente a Heliópolis. Em épocas posteriores o historiador grego Heródoto relatou que os sacerdotes de Heliópolis eram considerados os mais instruídos antiquários egípcios (II, 3).
Uma tradição local faz de Heliópolis um lugar de parada para a Família Sagrada na época da fuga de Belém. Um sicômoro, ou uma figueira brava chamada Árvore da Virgem, tem sido considerado o recurso mágico das mulheres que esperam obter a fertilidade. Nas proximidades, há uma fonte cuja água doce contrasta com a qualidade salobra de outros poços dos arredores. A tradição atribui esta distinção a um antigo milagre do menino Jesus.

C. E. D.

**OMAR** O segundo filho de Elifaz, o primogênito de Esaú com sua esposa Ada (Gn 36.11; 1 Cr 1.36). Ele é citado como um dos chefes da terra de Edom (Gn 36.15), e presume-se que seu nome sobreviva em Amir, uma tribo árabe a leste do Jordão.

**OMBREIRA** As duas ombreiras ou tiras da parte superior na estola do sumo sacerdote vinham da parte de trás, sobre os ombros, e eram amarradas na parte frontal. Elas eram feitas de estofo azul, púrpura, carmesim e linho fino retorcido. Uma pedra de ônix (ou berilo) portando o nome de seis das tribos de Israel era ligada a cada ombreira. Estas pedras eram chamadas de "pedras de memória" (Êx 28.7,12,25; 39.4,7,18).

**OMBREIRA DA PORTA**
1. Característica arquitetônica que significa batente ou pilar. A palavra hebraica *'ayil* ou "pilar" (Ez 40.9ss.) refere-se a uma parte da estrutura ou à ornamentação de um portal. Ela é derivada de *'ul*, que significa "projetar". Dessa forma, ela poderia ser uma parte proeminente da parede ou a pilastra que forma o umbral da abertura, ou ainda uma

verdadeira coluna sobre a parede, ao lado da abertura.

A palavra hebraica *'amma*, que pode ser traduzida como "umbral" ou "bases do limiar" (Is 6.4), significa "pinos" ou "alicerces", portanto o "local da porta". A palavra hebraica *m[e]zuza* representa as partes que formam o umbral da porta (Êx 12.7). O fato de serem elementos separados e destacáveis é mostrado em Juízes 16.3. Em alguns casos, eles eram quadrados (Ez 41.21), indicando que eram geralmente arredondados e possivelmente feitos de madeira. A palavra hebraica *saph* (2 Cr 3.7) é na verdade o "limiar" ou a "soleira", e refere-se ao elemento de pedra na base da porta que ocupa a abertura entre os umbrais. *Veja* Pórtico.

**OMBRO** A palavra gr. para ombro (*omos*) ocorre desde Homero, e é freqüente na Septuaginta (47 vezes no AT e na Apócrifa, HR), e nos trabalhos dos escritores contemporâneos (Josefo, *Ant.* iii.7.2; 8.9). No NT, ela aparece apenas em Lucas 15.5 (o bom pastor coloca a ovelha perdida sobre os ombros) e em Mateus 23.4 (como uma figura dos fardos colocados pelos fariseus sobre o povo).

É a tradução usual de três palavras hebraicas no AT: *shoq* (mais literalmente "perna" ou "coxa", por exemplo, Êx 29.22,27; Lv 7.32-34; 10.14,15, coxa do animal sacrificial); *sh[e]kem* (a parte superior das costas, abaixo do pescoço; por exemplo, Gênesis 21.14; 24.15; 49.15; Js 4.5, portanto sempre no singular); e no sentido comum *katep* (por exemplo, Êx 28.12; Nm 7.9; Jz 16.3; Is 46.7). Por duas vezes, ao se referir a uma parte de um animal sacrificado, o termo "ombro" é utilizado para traduzir o termo *z[e]roa'*, normalmente traduzido como "espádua" (Nm 6.19; Dt 18.3).

O ombro era usado para muitas coisas, inclusive para carregar fardos, apoiar vestes e empurrar. É aplicado a coisas inanimadas, como por exemplo: à parte lateral de um edifício (1 Rs 6.8); ao mar da Galiléia (Nm 34.11); ao "lado" ou declive de uma cidade construída sobre um monte (Js 15.8,10ss.; 18.12); ao declive de uma montanha (Gn 48.22; Is 11.14); poeticamente, a expressão "morará entre os seus ombros", significa morará entre as montanhas que ele ama – Sião e Moriá (Dt 33.12); os lados de um portão (Ez 41.2,26); os suportes de um eixo (1 Rs 7.30,34); e os detalhes nas ombreiras da veste do sacerdote (Êx 28.7).

Também ocorrem vários usos metafóricos: (1) O membro sobre o qual um fardo é colocado (Is 9.6, "O principado está sobre os seus ombros"; Isaías 22.22, "Porei a chave da casa de Davi sobre o seu ombro"). Desta expressão vem a frase "servir a Deus com o ombro" (Sf 3.9, anotação marginal da versão ASV em inglês), e também "retiraram os seus ombros" (Ne 9.29, isto é, recusaram a responsabilidade de guardar a lei). (2) O membro sobre o qual recaem os golpes ou as punições (Is 9.4, "a vara que lhes feria os ombros"). (3) "Virar [ou voltar] as costas [ou os ombros]" significava "ir embora" (1 Sm 10.9; Js 7.12; Jr 48.39); conseqüentemente a frase contida no Salmo 21.12, "Tu lhes farás voltar as costas [ombros]", significa "colocar em fuga".

J. W. R.

Parte do batente de um portão em Micenas, Grécia, datado do século XIII a.C. Observe os orifícios na parte superior e na parte inferior onde um poste poderia ser inserido para suspender a porta. HFV

**ÔMEGA** Ômega é a última letra do alfabeto grego, e Alfa é a primeira. Em seu uso metafórico, o seu significado seria "o fim" ou "o último". O costume judaico era usar a primeira e a última letra do alfabeto heb; Álefe e Tau, como um símbolo da totalidade de qualquer coisa. João segue este uso em Apocalipse ao falar do Senhor como "o Alfa e o Ômega, o Princípio e o Fim" (Ap 1.8). A frase é usada novamente em Apocalipse 21.6 com o sentido de que Deus é o princípio e o fim não só de todo o tempo e de toda a criação, mas de todo o significado da existência. É de extrema importância para a cristologia do NT notar que exatamente a mesma frase é aplicada a Cristo em Apocalipse 22.13, e também a frase "o Primeiro e o Último" em Apocalipse 1.17; 2.8; 22.13.

P. C. J.

**ÔMER** *Veja* Pesos, medidas e moedas.

**OMOPLATA** A única referência ao "omoplata"

na Bíblia Sagrada está em Jó 31.22 e significa o encaixe ou osso ao qual o braço está ligado.

**ONÃ**
1. Um dos cinco filhos de Sobal, filho de Seir, o horeu (Gn 36.23,20; 1 Cr 1.40,38).
2. Filho de Jerameel da tribo de Judá, de sua segunda esposa Atara; pai de Samai e Jada (1 Cr 2.26,28; cf. 2.3-5,25).
3. O segundo filho de Judá a quem a filha de Sua, um cananeu, deu à luz (Gn 38.2-4; 1 Cr 2.3). Onã, praticando o *coitus interruptus* (de onde vem o termo "onanismo"), recusando-se, deste modo, a entrar em um relacionamento matrimonial levirato apropriado com a viúva de seu falecido irmão, foi morto pelo Senhor (Gn 38.6-10) na terra de Canaã (Gn 46.12; Nm 26.19). *Veja* Casamento.

**ONAGRO ou BURRO SELVAGEM** *Veja* Animais, II 30.

**ONESÍFORO** Um amigo cristão de Éfeso que não só ministrou ao apóstolo Paulo ali, mas que, enquanto esteve em Roma durante a segunda prisão de Paulo, o procurou e cuidou dele (2 Tm 1.16-18). Na segunda epístola de Paulo a Timóteo, Onesíforo é um daqueles que recebem as saudações do apóstolo (2 Tm 4.19).

**ONÉSIMO** Foi o escravo fugitivo de Filemom em cujo favor Paulo escreveu a Epístola a Filemom. O texto em Colossenses 4.9 o relaciona com Colossos. Fugindo de seu senhor, Onésimo foi para Roma, esperando escapar da prisão em meio à sua numerosa população. Ali, de alguma maneira, ele conheceu Paulo e, através do apóstolo converteu-se, mostrou-se "útil" e caríssimo para Paulo. Recusando-se a reter seus serviços sem o conhecimento e consentimento de seu senhor, Paulo enviou Onésimo de volta sob a proteção de Tíquico (Cl 4.7-9), juntamente com seu primoroso apelo epistolar por seu filho espiritual. Não há dúvida de que Filemom atendeu o apelo de Paulo.
*Veja* Filemom, Epístola a.

**ÔNICA** *Veja* Animais, V.9; e Plantas.

**ONIPOTÊNCIA** Este é um termo teológico que se refere ao poder ilimitado de Deus, apesar de não ser encontrado na Bíblia Sagrada. Embora não exista palavra no hebraico à qual corresponda exatamente, *El Shaddai* ou *Shaddai* (48 vezes no AT) é traduzido como Deus Todo-Poderoso (Gn 17.1; Jó 5.17 etc.). Provavelmente, significa "Deus da(s) montanha(s)", com montanhas significando majestade ou força, e sendo o lugar onde Deus mostra o seu poder em grandes tempestades (Sl 29.4-6). *Yahweh S[e]ba'ot* e *'Elohe S[e]ba'ot* aproximam-se do significado do termo, referindo-se ao Senhor dos Exércitos ou Deus dos Exércitos (Sl 24.10; Is 2.12; 6.3,5; 8.13; Jr 35.17; 38.17). Uma vez que nos tempos antigos, os potentados eram conhecidos pelas posições e pelo número de seus séqüitos e exércitos, era uma designação muito apropriada de Deus ao povo do AT.
No NT, a palavra grega *pantokrator* é encontrada dez vezes, embora seja apenas uma vez traduzida como "onipotente" em algumas versões (Ap 19.6). Ela é usada na LXX para traduzir *Yahweh S[e]ba'ot*, Senhor dos Exércitos. Seu significado literal é "Todo Poderoso" ou "Onipotente".
A onipotência de Deus não significa que Ele faça *qualquer* coisa, uma vez que a sua onipotência é governada por sua vontade, e esta por sua vez é governada pelo seu caráter. Ele não pode desejar fazer nada que seja contrário ao seu caráter (por exemplo, Deus não pode mentir, Tt 1.2, ou negar-se a si mesmo, 2 Tm 2.13). Ao mesmo tempo, a sua vontade não pode ser identificada com o seu poder. Isto negaria tanto a sua personalidade como o seu caráter.
As Escrituras falam da onipotência de Deus de várias maneiras. Não há nada difícil demais para Ele (Gn 18.14; Jr 32.17); nada pode atrapalhar o seu propósito (Is 43.13); com Deus todas as coisas são possíveis (Mt 19.26; Mc 10.27; Lc 18.27). A onipotência de Deus também é mostrada indiretamente pelo fato de que "tudo é possível ao que crê" (Mc 9.23), e "nada vos será impossível" (Mt 17.20). Nada pode escapar de seu poder, seja na natureza (Is 43.13; Dn 4.35; Am 9.2,3; cf. Mt 10.30; Lc 12.7), ou na história (Is 10.5,15; 28.2; 45.1; Jr 25.9; 27.6; 43.10).
Uma distinção deve ser feita entre a *potentia absoluta* de Deus – seu poder direto e absoluto. Por exemplo, Ele desejou e o mundo foi criado; Cristo falou e um homem foi curado; Cristo andando sobre as águas, além de outros exemplos – e a *potentia ordinata*, quando Ele trabalha através de causas secundárias.
*Veja* Deus.

R. A. K.

**ONIPRESENÇA** Embora nem o substantivo onipresença nem o adjetivo onipresente sejam encontrados nas Escrituras, a Bíblia Sagrada pressupõe a presença de Deus em todos os lugares. A fim de se guardar do panteísmo – a idéia de que Deus é tudo e tudo é Deus – e para que não se confunda Deus e o mundo, é aconselhável definir a onipresença dizendo que todas as coisas são igualmente presentes para Deus e estão igualmente sob o seu poder e autoridade (1 Rs 8.27; 2 Cr 2.6; Sl 139; Is 66.1; At 17.28). Ele está isento de todas as limitações de espaço, tanto subjetivamente como objetivamente. Ele é tanto transcendente para o mundo como inerente a ele. O liberalismo coloca toda a sua ênfase sobre a inerência de Deus e ignora a sua transcendência; a neo-ortodoxia enfatiza a

sua transcendência e negligencia a sua inerência. Ao mesmo tempo, devemos nos guardar das teorias que sugerem que Deus está meramente presente por meio de sua vontade ou de seu poder, e dessa forma lhe negam a personalidade total (Jr 23.24, onipresença e onisciência; cf. Sl 139.2,9ss.; 1 Rs 8.27; Is 66.1).
As aparições teofânicas não estabelecem a localização de Deus em um único local em exclusão de outro, mas apenas que Ele escolheu se revelar de uma forma em particular, e em um determinado lugar. Os altares e locais em que Deus habita (Nm 10.35; 1 Rs 8; Jo 1.14; Cl 2.9; Jo 14.23; Ef 2.21,22; Ap 21.3) não o restringem a lugares específicos, mas são, antes, locais designados para a adoração. Esta doutrina é de grande conforto ao crente, visto que ela lhe garante a presença pessoal de Deus para protegê-lo de qualquer tentação, inimigo e perigo (Is 43.2; Dn 3.25,27).

R. A. K.

**ONISCIÊNCIA** Este termo não aparece nas Escrituras, seja em sua forma nominal ou adjetiva, contudo a Bíblia ensina que Deus conhece todas as coisas completamente e perfeitamente. Deus sabe em um grau infinito tudo o que é real ou possível. Seu conhecimento do que é real é visto no fato dele conhecer: quando um pardal cai (Mt 10.29); o número de fios de cabelo em nossa cabeça (Mt 10.30); os pensamentos e intentos do coração (Sl 139); o futuro, particularmente de Israel, seu povo (Dt 30.1-8; Is 65–66; Ml 3.16–4.6).
O conhecimento que Deus tem daquilo que é possível é visto em revelações daquilo que poderia ter sido (Is 48.18; Mc 11.21). O conhecimento de Deus é eterno (At 15.18); incompreensível (Sl 139.6; Rm 11.33); e onisciente (Sl 104.24; Ef 3.10).
A questão sobre a existência do tempo e do espaço para Deus, ou se estas categorias ou classificações existem apenas para o homem finito, tem sido, há muito tempo, objeto de discussão na teologia. Com o surgimento da neo-ortodoxia – e seu ensino de que não há tempo ou espaço para Deus, e que, portanto, a verdade eterna, que é sem tempo e sem espaço, não pode vir diretamente ao homem, mas deve vir indiretamente como mito, símbolo ou saga – a questão tem se agravado. É suficiente dizer que se não há tempo ou espaço para Deus, isto diz respeito a Deus em sua essência. Uma vez que não o conhecemos dessa forma, a questão é algo que não afeta o seu relacionamento conosco. Além disso, é desnecessário que Deus seja atemporal e ilimitado. Sua onipresença faz com que o espaço não seja um problema, e sua onisciência remove os empecilhos relacionados aos problemas do tempo.

R. A. K.

**ÔNIX** *Veja* Jóias.

Parte do palácio inacabado de Onri, que ele começou em Tirza antes de mudar-se para Samaria. HFV

**ONO** Uma cidade reconstruída juntamente com Lode (Lida) por Semede, um benjamita (1 Cr 8.12). O fato de seu nome aparecer como *'Unu* ou *'Inw* nos registros de Karnak de Tutmósis III, mostra que Ono foi fundada antes do estabelecimento das tribos na época de Josué. Depois do exílio, seus habitantes judeus, juntamente com os de Lode e Hadide, totalizavam 725 pessoas (Ed 2.33; Ne 7.37). O vale no qual a cidade estava situada era conhecido como "vale de Ono". Foi aqui que Sambalate e Gesém tentaram enganar Neemias em uma reunião (Ne 6.2). Ela é provavelmente o "vale dos Artífices" (Ne 11.35). É geralmente identificada com a moderna Kefr'Ana, que fica situada a noroeste de Lida.

**ONRI**
1. Um benjamita, filho de Bequer (1 Cr 7.8).
2. Um judaíta, filho de Inri (1 Cr 9.4).
3. Chefe da tribo de Issacar no reinado de Davi, e filho de Micael (1 Cr 27.18).
4. Sexto rei de Israel, fundador da dinastia de Onri (1 Rs 16.15-28). Onri aparece primeiro como um comandante do exército sob Elá, envolvido no cerco da cidade filistéia de Gibetom. Antes que o cerco estivesse completado, uma palavra chegou até o acampamento israelita de que Zinri, um outro oficial do exército, havia assassinado Elá e reivindicado o trono. O exército no campo imediatamente proclamou Onri rei. Ele, imediatamente, abandonou o cerco a fim de mover-se contra Zinri em Tirza. A rivalidade durou apenas sete dias, quando Zinri escolheu perecer destruindo com fogo o seu quartel general. No entanto, um outro rival apareceu na pessoa de Tibni, filho de Ginate. Onri, apoiado pelo exército e pelo grupo de profetas, lutou contra Tibni, que manteve um apoio muito popular por quatro anos. A guerra civil finalmente teve fim com a morte de Tibni.
Onri foi, sem dúvida alguma, um governante mais capaz e mais importante do que o re-

gistro bíblico indica na breve menção de seu reinado (1 Rs 16.23-28). Uma vez que o nome de seu pai não é expresso, embora o pai de Tibni seja reconhecido, ele bem pode ter sido um não – israelita que ganhou proeminência através de suas habilidades militares. Isto pode explicar o apoio popular dado a Tibni, e a dificuldade em reconhecer Onri como rei nos círculos da Judéia.

Entre suas conquistas, a escolha estratégica do monte de Samaria como sua capital é mais patente. Este monte, comprado de Semer por dois talentos de prata, era de forma incomum bem localizado para uma fácil defesa. Seu valor estratégico fica evidenciado por seu repetido desprezo das invasões sírias e assírias. O monte foi finalmente capturado por Sargão em 721 a.C., mas somente depois de um cerco de três anos.

Onri demonstrou uma forte liderança em terras estrangeiras bem como em casa. Embora tenha perdido terreno para os sírios durante os dias da luta civil no início de seu reinado, recuperou estas perdas em outras áreas. Desenvolveu um extenso comércio com as nações vizinhas e viu Samaria tornar-se uma parte importante das rotas de caravanas. Sua aliança com os fenícios tornou possível muitas vantagens econômicas. Embora o casamento de seu filho Acabe com Jezabel fosse trazer resultados desastrosos posteriormente, novas áreas de comércio e contatos estrangeiros fortaleceram Israel naquele momento. Onri foi capaz de subjugar Moabe e requerer um pesado tributo de seus habitantes. Detalhes desta prática são dados na famosa Pedra Moabita (*q.v.*) que foi estabelecida em comemoração à posterior libertação de Moabe nos dias de Acabe. Os registros assírios mais tarde atestam a importância do reinado de Onri, referindo-se a Israel como a "Terra da Casa de Onri" pelos 100 anos seguintes. Onri foi assim responsável por colocar Israel no mapa do mundo. *Veja* Samaria.

Embora Onri tenha acrescido grande riqueza e prestígio a Israel, ele falhou em edificar um forte alicerce espiritual. A avaliação judaica posterior de seu reinado afirma que ele "fez pior do que todos quantos foram antes dele" (1 Rs 16.25,26). Óstracos descobertas em Samaria dão testemunho de seu sincretismo e apostasia, pelo uso dos nomes tanto de Baal como do Senhor.

K. M. Y.

**OOLÁ** Um nome simbólico (sugerindo a cismática tenda sagrada de Israel) usado em Ezequiel 23 para o reino de Samaria. A infidelidade de Israel e Judá era retratada simbolicamente nas pessoas de Oolá e Oolibá, que se tornaram prostitutas mesmo estando casadas com o Senhor. As atividades de Oolá foram retratadas com detalhes sensacionais para mostrar a crueldade do pecado de Israel em contraste com o cenário do imutável caráter de Deus (Ez 23.49). A infidelidade de Israel, iniciada no Egito, incluía o envolvimento político com a Assíria e a adoração sincretista (Ez 23.5-10). Na justiça poética, essas mesmas amantes tornaram-se ministros do julgamento divino (Ez 23.9,10). O reino de Samaria foi derrotado e aprisionado pela Assíria em 722 a.C.

**OOLIABE** *Veja* Aoliabe.

**OOLIBÁ** *Veja* Oolá.

**OOLIBAMA**

1. Esposa de Esaú, neta de Zibeão, um horeu (Gn 36.20, 25; cf. v.2). Em Gênesis 36.2, está escrito que Zibeão é heveu, porém no versículo 20 há um horeu (Kittel), isto é, o nome dado aos primeiros habitantes do monte Seir (Gn 14.6), cujos nomes pessoais eram semíticos, para distinção dos horeus, da Palestina central, que eram *urianos* não-semíticos, chamados heveus em hebraico (Gn 34.2) (E. A. Speiser, AASOR, XIII [1931-32], 26-31). O nome de Oolibama não é encontrado em outras listas das esposas de Esaú (Gn 26.34; 28.8,9).
2. Chefe de um clã edomita (Gn 36.41; 1 Cr 1.52).

**OPALA** *Veja* Jóias.

## ORAÇÃO

### O Vocabulário Bíblico

A terminologia da oração é rica e variada na Bíblia Sagrada. O termo geral hebraico é *tepilla*, de uma forma do verbo *palal*; o termo grego é *proseuche*, onde o passivo médio é *proseuchomai*. A idéia básica da palavra hebraica é a intercessão, e da palavra grega é o voto, mas essa etimologia não é mais o determinante de seu significado. As duas palavras podem ser usadas de forma abrangente para qualquer tipo de solicitação, intercessão ou ação de graças (*veja* Súplica).

A oração é descrita como o ato de "invocar o nome do Senhor" desde os dias de Sete (Gn 4.26) até a época em que o "Senhor" se revelou como o Salvador, Jesus Cristo (cf. Jl 2.32, com Rm 10.9,12,13). Os cristãos identificam-se com aqueles que invocam seu nome (1 Co 1.2). Outras expressões do AT são "suplicar" ou "procurar o favor" de Jeová (*pi'el* de *hala*, literalmente "tornar-se agradável à sua face"), "curvar-se em adoração" (*shaha*), "aproximar-se" (*nagash*), "ver" ou "encontrar" para suplicar (*paga'*), "implorar" (*za'aq*) para reparar uma falta, "pedir" (*sha'al*), "suplicar" (*'athar*) ou "comparecer perante a face do Senhor". Além de *proseuchomoai*, os autores do NT usam os termos "implorar" (*deomai*), "solicitar" (*aiteo*) ou simplesmente "pedir" (*erotao*) quando se referem à oração. Ao contrário de *proseuchomai*, essas palavras não são caracteristicamente "religiosas" e podem denotar pedidos dirigidos tanto aos homens quanto a Deus. Entre as palavras mais específicas para oração estão *entygkano* ("interceder"), *proskyneo* ("adorar"), e *eucharisteo* (dar graças).

### Antigo Testamento

Não havia a exigência de uma postura para o exercício da oração e, na maioria das vezes, as orações eram feitas em pé (por exemplo, 1 Sm 1.26); a grande oração da sinagoga hebraica deveria ser chamada de "oração em pé" (*Amidah*). Entretanto, em certas ocasiões, as pessoas podiam orar ajoelhadas (1 Rs 8.54) ou prostradas (1 Rs 18.42) com as mãos estendidas (1 Rs 8.22,54; Is 1.15) ou levantadas (Sl 63.4; cf. 1 Tm 2.8). Essas orações eram sempre feitas de frente para o Templo porque era o lugar onde Deus havia dito que o seu nome estaria (1 Rs 8.29,30). Após a destruição do Templo, às vezes as orações eram feitas em direção a Jerusalém (Dn 6.10). Entretanto, Salomão reconheceu inicialmente, "Eis que os céus e até o céu dos céus te não poderiam conter, quanto menos esta casa que eu tenho edificado" (1 Rs 8.27). A postura, o local onde a oração era feita, e as necessidades pelas quais se faziam as súplicas, não representavam a principal preocupação dos autores hebreus.

No AT, a oração pode ser adequadamente descrita em termos dos grandes homens de Israel que aparecem muitas vezes como grandes intercessores perante Deus em nome do povo. Nessa função, eles manifestaram uma incrível coragem e persistência. Abraão implora a Deus pela pecadora Sodoma, insistindo de forma obstinada no número de justos pelos quais a cidade poderia ser poupada (Gn 18.22-33).

Jacó luta com o anjo (Gn 32.24-32), uma experiência que foi interpretada no próprio AT em termos de oração (Os 12.4).

Moisés pede para seu nome ser apagado do livro da vida, se Deus não perdoar aqueles que adoraram o bezerro de ouro (Êx 32.31ss.; cf. Nm 14.13-19). As orações relativas à experiência do exílio são feitas com o mesmo espírito de intercessão, mas com uma ênfase maior na humildade, na confissão e no arrependimento; por exemplo, as orações de Daniel (Dn 9.3-19), Esdras (Ed 9.5-15) e Neemias (Ne 1.5-11). A grande oração da aliança expressa em Neemias 9.10 representa toda a história sagrada desde Abraão até Esdras com suas características de pecado, confissão, perdão, renovação, e votos de fidelidade à lei de Deus.

Nesse último período, a oração também assumiu aspectos comunitários. O livro dos Salmos é o livro de orações do AT, abrangendo todo tipo imaginável de oração – louvor, súplica, intercessão e ação de graças. Provavelmente, a maioria dos Salmos era originalmente composta como expressões de piedade individual, porém eles logo foram adotados pelo culto conjunto da comunidade israelita. Seu título genérico é *t^e^hillim*, ou "louvores" (*q.v.*), em um sentido mais amplo, embora alguns Salmos sejam chamados de "orações" (*t^e^pillim* como, por exemplo, o Salmo 72.20 no final do Livro 2 dos Salmos). Muitos outros salmos também poderiam, de uma forma geral, receber essa classificação. Merecedores de particular atenção são os chamados Salmos imprecatórios, nos quais o justo sofredor identifica de tal forma os seus interesses com os interesses de Deus, que sua súplica por vingança é acompanhada por um corolário, uma oração pela derrota de seus inimigos. Essa "intercessão ao reverso" pode ser vista em vários Salmos, como por exemplo nos de número 109, 137 e 140, que são simplesmente um exemplo especial de súplicas queixosas pela libertação das condições de tribulação daqueles que sofrem injustamente em toda a Bíblia (cf. as frases "Espera no Senhor", 27.14; "Até quando... Senhor... até quando?", 13.1; e "Desperta, por que dormes, Senhor?", 44.23). É esse tipo de oração que forma a base da oração escatológica do NT (cf. Lc 18.7; Ap 6.10).

Na outra extremidade do espectro estão as orações penitenciais nas quais o justo tornase mais consciente de seus pecados do que de seus inimigos externos, e suplica o perdão divino, muitas vezes com uma urgência idêntica e quase escatológica (por exemplo, Sl 32, 38, 51). Tem sido afirmado, com muita veracidade, que quando os homens sofrem ofensas, eles clamam por justiça; mas quando pecam, oram pedindo misericórdia. Entretanto, a resposta do AT a essas duas orações é a mesma; a "justiça" (*sedeq*), o "amor constante" (*hesed*), a "fidelidade" (*'emuna*) e a "verdade" (*'emet*) de Jeová.

### Novo Testamento

1. *Jesus nos Sinóticos*. A vida sinótica de Jesus é uma vida de oração, especialmente em Lucas. Jesus tinha o hábito de se retirar para um lugar isolado a fim de orar, muitas vezes antes do nascer do sol e até mesmo durante toda a noite (Mc 1.35; Lc 5.16; 6.12). Lucas menciona a oração nas ocasiões das grandes crises do ministério do Senhor Jesus: no batismo (3.21,22), na escolha dos doze apóstolos (6.12ss.), na confissão de Pedro (9.18ss.) e na transfiguração (9.28ss.). Os últimos dias de Jesus em Jerusalém, antes de sua paixão, foram divididos entre o ensino diário no Templo e a oração noturna no monte das Oliveiras (Lc 21.37ss.). Em Lucas, o discurso escatológico é dado como exemplo do primeiro (21.20-33) e a agonia no jardim como exemplo da última (cf. 22.39ss.).

Esse comportamento tornou-se um modelo para a comunidade cristã primitiva (cf. At

1.14,24; 2.42,46; 5.20,21,42; 6.4,6; 10.9; 12.5ss.;16.25; 20.7ss.), e o próprio Senhor Jesus tornou-se, para o crente, o grande exemplo da oração vigilante e sincera (cf. "Vigiai e orai", Mc 14.38; Lc 21.36). Segundo Lucas, até mesmo duas de suas palavras na cruz são orações – palavras de intercessão (23.34) e de confiança (23.46). A última, baseada no Salmo 31.5, equivale a uma oração que o Talmude recomenda que os judeus fiéis façam todas as noites antes de dormir ("Nas tuas mãos, entrego o meu espírito", *Berakoth 5b*).

Inicialmente, parece que o Senhor Jesus não havia ensinado seus discípulos a participarem de sua vida de oração, ao contrário de João Batista e outros mestres religiosos (Lc 5.33). Mas quando pediram (Lc 11.1), Ele ensinou-lhes a oração do "Pai Nosso", que veio a ser chamada de "Oração do Senhor" (Mt 6.9-13; Lc 11.2-4). Embora a maior parte dessa oração possa ser considerada um paralelo com a adoração judaica na sinagoga (por exemplo, o *Kaddish* das lamentações: "Santificado e exaltado seja o seu grande nome, no mundo que Ele criou, de acordo com a sua vontade. Que Ele estabeleça seu reino durante a nossa vida... rapidamente e em um futuro próximo..."). A menção direta do "Pai" (Lc 11.2) torna toda essa oração especialmente cristã. Não se trata de uma oração que une os homens de todas as crenças, mas ela é distintamente a oração daqueles que são "filhos de Deus" através e Jesus Cristo (cf. a forma aramaica do verbo "Aba" que aparece em duas grandes passagens relacionadas à "adoção", a saber, Romanos 8.15 e Gálatas 4.6). Dessa forma, o Senhor Jesus transferiu aos discípulos a especial consciência de Deus como "Pai", o que para eles se tornou a base de toda a súplica (cf. Jo 20.17). Sua própria oração no Getsêmani é um eco da oração ao "Pai" em diversos pontos (por exemplo, "Aba", "tentação", "Seja feita a tua vontade").

O Senhor Jesus advertiu contra a hipocrisia, a incoerência e a monotonia das orações (Mt 6.5-8), mas não contra a ousadia ou a persistência. Embora Ele insista que o "Pai sabe o que vos é necessário antes de vós lho pedirdes" (Mt 6.8; cf. v. 32), Jesus recomendou a insistência em duas de suas parábolas (Lc 11.5-13; 18.1-8), especialmente em relação às realidades do Espírito Santo (11.13), e à vindicação final (18.7ss.). A determinada expectativa da consumação, enunciada por Jesus em "Venha o teu reino" tem o seu eco no termo "*maranata*" de 1 Coríntios 16.22 e na expressão equivalente "Ora, vem, Senhor Jesus", de Apocalipse 22.20. *Veja* Oração do Senhor.

Outras ênfases memoráveis no ensino de Jesus sobre a oração são: (*a*) Sua exclusão de toda ansiedade quanto às coisas materiais (Mt 6.11,19-34); (*b*) Sua radical garantia de que a oração do crente será atendida (Mt 7.7; 18.19; Mc 11.23ss.); e (*c*) Sua inseparável ligação entre a oração e o perdão (Mt 6.12,14; 7.1-12; 18.15-22; Mc 11.25; cf. Mt 5.23ss.). No homem, a relação entre a oração e Deus depende de sua relação com os outros homens; o perdão vem pela oração, e se não houver um perdão mútuo, a própria oração será ineficaz.

2. *Atos*. Se Lucas é o evangelho da oração, o livro que o acompanha, Atos, mostra a igreja primitiva como uma comunidade de oração. Os discípulos oram enquanto esperam pelo Espírito Santo (Lc 24.53; At 1.14) e depois de sua vinda as principais práticas da jovem igreja podem ser resumidas entre "ensinar", "dividir os bens", "distribuir o pão" e "orar" (2.42-45). Lucas descreve essa vida inicial de oração como perseverante e dotada de uma concordância (por exemplo, 1.14; 2.42,46). Como no evangelho de Lucas, a oração acompanha as crises de decisão (At 1.24), de libertação (4.24ss.; 12.5; 16.25) ou de confiança (7.60). Ela também está permanentemente associada à prática da imposição de mãos, e à vinda do Espírito Santo sobre indivíduos ou grupos (6.6; 8.14-17).

3. *Paulo*. A contribuição paulina à teologia da oração do NT é a sua grande ênfase na ação de graças. O fato de todas as suas epístolas, exceto Gálatas e Tito, terem uma expressão de ação de graças ou bênção de Deus logo de início, ou pouco depois da saudação, não pode ser explicada apenas como uma mera forma epistolar, pois está enraizada na teologia paulina. Paulo acreditava que toda oração deve incluir a ação de graças (Fp 4.6; Cl 4.2), pois as ações de graças (*eucharistia*) faziam com que a glória ascendesse a Deus pela graça (*charis*) que havia descido sobre nós em Jesus Cristo (cf. 2 Co 1.11; 4.15; 9.11ss.).

A ação de graças era a resposta, plantada pelo Espírito Santo no coração dos homens, pelos grandes atos redentores de Deus (por exemplo, o nosso "Amém", 2 Co 1.20-22). Junto com ela, Paulo fala sobre aquela inspiração pela qual o crente, que vive entre as primícias e a colheita, espera a completa redenção concedida por Cristo (Rm 8.15-25). Às vezes, essas orações não eram expressas por palavras, porém formadas dentro do coração pelo Espírito de Deus (Rm 8.26,27), e às vezes eram feitas em "línguas", inteligíveis somente por Deus ou por aqueles que tinham o dom da interpretação (1 Co 14, especialmente os versículos 2,14,15).

A extensão do interesse de Paulo pela oração pode ser vista na forma como ela serve para uni-lo espiritualmente às igrejas (mesmo no assunto da disciplina, 1 Co 5.3ss.). A mais generalizada de suas epístolas, Efésios, está inserida em uma estrutura de oração e louvor (cf. Ef 1.3-14,15-23; 3.1,14-19,20,21) que se tornou o veículo de suas mais profundas declarações sobre a Igreja. O ensino geral de Paulo sobre a oração foi muito bem resumido em 1 Timóteo 2.1-9.

4. *Hebreus* é importante não pelo seu ensino

direto sobre a oração, mas por causa de sua doutrina a respeito do Senhor Jesus Cristo como o Grande Sumo Sacerdote que, por sua intercessão junto ao Pai, torna possível a oração cristã.
5. *Tiago* está preocupado com o uso correto e errado da língua (3.1ss.). O errado inclui o falso ensino (3.1), a blasfêmia (3.9), as queixas (4.11; 5.9) e os juramentos (5.12); o uso correto inclui a oração pela sabedoria (1.5ss.), pela justiça (5.4-8), pela cura e pelo perdão (5.13-20). Tiago reconhece que existe algo chamado "pedido impróprio" (4.3) quando diz "pedis mal", e previne contra a inconstância de alguém que pretende se submeter a Deus enquanto está, na verdade, procurando os seus próprios objetivos (1.7ss.; 3.8ss.; 4;4,8ss.). Ele ensina que a oração, oferecida com fé, é "eficaz" (em grego *energoumene*), quando trabalhada e reforçada pelo Espírito Santo, e assim alcançará muitas coisas (5.15,16).
6. *João.* O Senhor Jesus viveu em uma comunhão tão íntima com Deus Pai, que a primeira de suas orações, que João teve a inspiração de registrar, foi uma ação de graças que o Pai já tinha ouvido dele (Jo 11.41ss.). Quando Ele diz "Pai, glorifica o teu nome", vem a resposta "Já o tenho glorificado, e outra vez o glorificarei" (12.28). A oração junto ao túmulo de Lázaro no capítulo 11, e a voz do céu no capítulo 12, não foram registradas para exaltar o próprio Senhor Jesus, mas para mostrar que o seu poder e glória não são somente seus; eles pertencem Àquele que o enviou (11.42; 12.30) e devem ser invocados através da oração. Aqueles que acusam João de negar a humildade e a humanidade do Senhor Jesus, desconhecem João 12.27 ("E que direi eu?"), onde Jesus exibe toda a fraqueza da natureza humana que Ele assumiu em si (cf. Rm 8.26).
Em seu discurso de despedida, Jesus deu aos discípulos várias garantias de resposta à oração (14.13ss.; 15.7,16; 16.23ss.). Essa oração é feita "em nome de Jesus" (cf. "segundo sua vontade", 1 Jo 5.14) e representa uma das bênçãos que se tornou possível pelo fato de Jesus ir "para o Pai" (14.12*b*; 16.24-28). Essa promessa não é uma forma de mágica pela qual o homem manipula Deus de acordo com seus próprios desejos, mas é sempre qualificada pela vontade de Deus ou pelo nome de Jesus Cristo. Paulo e Judas teriam acrescentado que ela diz respeito à oração que está sendo elaborada dentro do crente pelo Espírito (Ef 6.18; Jd 20).
A oração mais longa do NT se encontra em João 17. Jesus ora novamente por aquela glorificação que vem com a cruz (vv. 1-5), pelos seus discípulos (vv. 6-19) e pela Igreja Cristã que viria a existir (vv. 20-25).
É uma oração pela unidade, porém o objetivo dessa unidade é a missão mundial da Igreja que é "enviada" e reunida em um só corpo, "para que o mundo creia que tu me enviaste" (veja os versículos 17ss.,21,23). Dessa forma, foram estabelecidas a vida e a obra da Igreja em todas as épocas, envolvida pela oração de seu Senhor e Sumo Sacerdote, que se santificou por ela, entregando-se à morte para benefício dela.
*Veja* Intercessão; Súplica; Ação de Graças; Adoração.

***Bibliografia.*** William E. Biederwolf, *How Can God Answer Prayer?* Nova York. Revell, 1910. Heinrich Greeven, "*Euchomai* etc.", TDNT, II, 775-808. O. Hallesby, *Prayer,* Minneapolis. Augsburg, 1931. James Hastings, *The Christian Doctrine of Prayer,* Nova York. Scribner's, 1915. Friedrich Heiler, *Prayer,* Londres. Oxford Univ. Press, 1932. A. Maillot, "Prayer", *A Companion to the Bible,* ed. por J. J. von Allmen, Nova York. Oxford Univ. Press, 1958, pp. 329-334. J. G. S. S. Thomson, *The Praying Christ,* Grand Rapids. Eerdmans, 1959; "Prayer", NBD, pp. 1019-1023.

J. R. M.

**ORAÇÃO DO SENHOR** No NT, essa expressão ocorre em uma forma mais longa (Mt 6.9-13) e outra mais curta (Lc 11.2-4), pois cada evangelista registrou a forma que, naquela época, estava sendo usada na adoração da igreja para onde estava escrevendo. Os elementos essenciais da oração ocorrem nas duas formas, e as diferenças entre elas podem ser explicadas em termos da tradição litúrgica (por exemplo, o estilo mais longo de Mateus é semelhante a muitas orações judaicas, e o mais curto de Lucas é mais característico da piedade helenista), e da tradução de uma oração originalmente semítica (por exemplo, a concepção do pecado como uma dívida reflete uma variação da tradução da palavra aramaica *hoba'*).
O contexto no qual a oração foi introduzida, também é diferente. Mateus introduz essa oração, como um padrão para a verdadeira oração, em um contexto que fala sobre os três pilares da piedade judaica: dar esmolas (Mt 6.2-4), oração (6.5-15) e jejum (6.16-18). Lucas parece ter preservado a ocasião original para a oração, registrando o pedido de um discípulo que queria aprender a orar, assim como João Batista havia ensinado os seus discípulos (Lc 11.1). É possível que o próprio Senhor Jesus tenha ensinado diferentes orações, ao ensinar em ocasiões distintas.
Tanto Mateus quanto Lucas consideram a oração do Senhor como o padrão de todas as orações, assim como uma peça devocional específica dos cristãos para o uso individual ou em grupo. Ao enfocarem primeiramente sua atenção em Deus e em seu reino, e depois nas preocupações humanas, os apóstolos estão fornecendo um resumo dos temas da oração. Essa oração é melhor interpretada dentro de um sentido escatológico, pois existe em seu todo uma tensão entre o cumprimento futuro

Teatro em Delfos e templo de Apolo, que era o centro do famoso oráculo de Delfos. HFV

e as experiências presentes que estão prevendo este cumprimento. Na petição inicial da oração existe uma súplica para a soberana afirmação da dignidade de Deus, cuja resposta só virá em sua plenitude na consumação de todas as coisas. Antes dessa consumação, a oração é uma solicitação missionária para a extensão da soberania de Deus sobre a vida dos homens. Essa tensão não deverá ser resolvida, mas conscientemente mantida. Nas petições posteriores também podemos ouvir um tom escatológico. Observe o pedido pelo "pão de cada dia" que será plenamente respondido no reino de Deus, assim como a oração para ser libertado da prova final e irresistível e do poder do maligno que servem como um arauto da volta do Senhor.

Embora a doxologia encontrada em muitos manuscritos posteriores de Mateus (6.13) seja um complemento padronizado que acompanha 1 Crônicas 19.11, e ocorra sob mais de uma forma (cf. Didache 8.2), ela fornece uma resposta apropriada às petições da oração. Deus estabelecerá a sua soberania e preservará o seu povo intacto, pois somente a Ele pertence o reino, o poder e a glória.

É possível que quando Paulo resume a oração dizendo "Aba, Pai" (Rm 8.15; Gl 4.6), e quando Pedro fala de invocar a Deus como Pai (1 Pe 1.17), os dois apóstolos estejam fazendo uma alusão à oração do Senhor.

*Veja* Oração.

***Bibliografia.*** J. Jeremias, *The Lord's Prayer,* Filadélfia. Fortress Press, 1964. J. Lowe, *The Interpretation of the Lord's Prayer*, Evanston. Seabury-Western, 1955.

W. L. L.

**ORÁCULO** O oráculo, em si, era uma mensagem divina, freqüentemente transmitida através de um profeta, em resposta a uma súplica. A palavra heb. *n$^e$'um,* que significa literalmente "pronunciamento", "declaração de", é empregada centenas de vezes para designar tais mensagens (por exemplo, Gn 22.16; Is 14.22; 49.18; 54.17; 56.8). Em 2 Samuel 16.23 algumas versões traduzem o termo heb. *dabar* como "resposta" ou "oráculo". Aqui, o oráculo de Deus é o lugar onde a Palavra de Deus deve ser ouvida ou a pessoa envolvida nesta mensagem, mas a passagem não diz nada a respeito de como o oráculo tornava-se conhecido ao homem. Supõe-se que em alguns casos o Urim e o Tumim eram empregados (*veja* Urim). Em várias passagens (cf. Jr 23.33-40), particularmente em títulos como Isaías 13.1; 14.28; Habacuque 1.1, o termo "oráculo" é aceito em quase todas as versões desde 1950 como uma tradução do termo heb. *massa'*, traduzido como "peso" em algumas versões. Em tais passagens, a tradução "peso" ainda é preferida por alguns estudiosos da atualidade.

Em algumas versões, o termo "oráculo" também é usado 17 vezes para traduzir o heb. *d$^e$bir*, que designava o Santo dos Santos no Templo de Salomão (1 Rs 6.5,16,19-23 etc.). Em alguns templos da Antiguidade, o santuário ou câmara interior era o lugar onde os oráculos eram entregues. Mas a tradução "oráculo" baseia-se em uma etimologia imprecisa, pois a palavra *d$^e$bir* não está imediatamente ligada a *dibber*, "falar", mas, antes, à raiz que significa "estar atrás ou além". Esta questão da tradução foi causada por se seguir a tradução de Áquila, Símaco e a Vulgata. O lugar mais santo do Templo, portanto, não era um lugar onde os oráculos eram entregues.

Os oráculos pagãos abundavam na Palestina e eram um laço para prender e enganar o povo de Deus. O rei Acazias enviou mensageiros de Samaria para indagar ao deus de Ecrom se haveria recuperação de sua enfermidade (2 Rs 1.2). Outros meios oraculares eram o éfode de Gideão (Jz 8.27); o éfode e os terafins ou ídolos de prata no santuário de Mica (Jz 17.4,5); e os ídolos de madeira e de pedra consultados por Israel e Judá (Os 4.12; Hc 2.19).

No NT, o termo grego *ta logia* é traduzido de forma consistente como "oráculos" (quatro vezes), e cada caso refere-se aos pronunciamentos de Deus (At 7.38; Rm 3.2; Hb 5.12; 1 Pe 4.11). Os oráculos eram de Deus e continham sua absoluta autoridade. Conseqüentemente, eles requeriam uma obediência implícita por parte do homem.

*Veja* Profecia; Profeta.

E. J. Y.

**ORADOR**

1. Termo encontrado apenas uma vez no AT em algumas versões (Is 3.3) como uma tradução do termo heb. *lahash* ("um sussurro", "encanto"), e que é mais apropriadamente traduzido como "encantador".

2. Tradução em Atos 24.1 de várias versões do gr. *rhetor* ("porta-voz", "advogado"). O termo significa literalmente um palestrante público, ou orador, alguém usando um estilo especial e perfeito em uma apresentação. Em

Atos 24.1 ele indica o palestrante profissional em uma corte, isto é, Tértulo, que agiu como um advogado dos perseguidores judeus de Paulo diante de Félix (para este uso veja MM e Arndt). Paulo se recusou especificamente a usar o estilo e a técnica do orador (cf. 1 Co 2.1,4,5).
3. Várias versões utilizam a palavra "discurso" ou "palavra" em Atos 12.21 para indicar o pronunciamento público que Herodes fez para o povo. O verbo gr. *demegoreo*, somente no NT, significa "falar para uma assembléia" (provavelmente de *demos*, "povo", *agoreuo*, "arenga").

G. W. K.

**ORDENANÇA** Seis palavras heb. são traduzidas como "ordenança". As mais importantes são: *huqqa*, "estatuto", "decreto" (Êx 12.14,17,43; Lv 18.3; Ez 43.11 etc.); *mishpat*, "julgamento" (Êx 15.25; 1 Sm 30.25; Sl 119.91 etc.); *hoq*, "estatuto", "decreto" (Êx 12.24; 18.20; Sl 99.7; Ml 3.7 etc.).
Cinco palavras gregas são usadas: *diatage*, "arranjo preciso" (Rm 13.2); *dikaioma*, "uma exigência judicial" (Lc 1.6; Hb 9.1,10); *dogma*, "dogma", "declaração", "edito" (Ef 2.15; Cl 2.14); *ktisis*, "uma instituição legal", "um julgamento que é feito" (1 Pe 2.13); *paradosis*, "uma tradição que tem sido passada adiante" (1 Co 11.2).
Há vários tipos diferentes de ordenanças:
1. Um decreto ou regulamento, como o estatuto e a ordenança feita por Moisés em Mara (Êx 15.25); a ordenança da Páscoa (Nm 9.14); a ordenança proclamada pelas trombetas dos sacerdotes (Nm 10.8); a ordenança referente ao estrangeiro (Nm 15.15); a ordenança concedendo aos sacerdotes o encargo das ofertas e das coisas santificadas (Nm 18.8); uma ordenança proclamada por Davi (1 Sm 30.25); a referência geral às ordenações ou exigências de Deus (Is 58.2; Lc 1.6); o governo designado como uma ordenança de Deus (Rm 13.2); as leis da natureza regulando os fenômenos naturais (Jó 38.33; Jr 31.35); as leis humanas como ordenanças do homem para serem obedecidas (1 Pe 2.13).
2. Um ritual religioso, especialmente a Páscoa (Êx 12.24,43; 13.10; Nm 9.14).
3. No plural, o termo em certas passagens se refere aos mandamentos legais e aos regulamentos cerimoniais que foram abolidos para o crente com a vinda de Cristo (Ef 2.15; Cl 2.14,20 [cf. vv. 14-23]; Hb 9.1,10 [cf. vv. 1-12]).
4. Nos tempos pós-bíblicos, o termo é usado como uma referência às instituições de autoridade divina encontradas na Igreja: o batismo (*q.v.*) e a Ceia; e em algumas denominações o ofício do ministério público, de ouvir a Palavra, da oração com irmãos crentes, e do louvor e ações de graças.
*Veja* Lei; Lei de Moisés; Sacramentos.

R. A. K. e C. S. M.

**ORDENAR** Este termo significa investir de funções ministeriais ou sacerdotais (Êx 28.41; 29.9,33,35); introduzir no ofício do ministério cristão pela imposição das mãos (*q.v.*), ou por alguma outra forma; separar pelo rito ou cerimônia de consagração (*q.v.*). A palavra também significa estabelecer, constituir, designar, decretar.
Além disso, o termo é usado em relação aos decretos e conselhos de Deus como um sinônimo de "predestinar" ou "destinar". O Senhor Jesus Cristo foi constituído (ou "ordenado") por Deus para ser o Juiz dos vivos e dos mortos (At 10.42). Aqueles que foram ordenados ou destinados para a vida eterna em Antioquia creram por causa do sermão de Paulo (At 13.48). Deus ordenou vitórias para Jacó (Sl 44.4), pois o que Ele ordena acontece (Lm 2.17; 3.37). Paulo declara que a lei foi conferida pelos anjos diretamente a um mediador (Gl 3.19), a fim de acentuar sua ênfase na salvação pela graça, e somente pela graça. A paz é concedida àqueles que depositam sua confiança em Deus, sabendo que Deus opera as suas boas obras neles (Is 26.12).

C. S. M.

**OREBE** Um dos dois príncipes midianitas (*veja* Zeebe) decapitados pelos efraimitas do exército de Gideão (Jz 7.25) perto do Jordão. Isaías 10.26 chama este episódio de "matança de Midiã junto à rocha de Orebe". Gideão era da tribo de Manassés. Manassés e Efraim eram ambos filhos de José. Quando os homens de Efraim posteriormente criticaram Gideão por não tê-los chamado para a primeira batalha, a sua ira foi abrandada quando ele respondeu: "Deus vos deu na vossa mão os príncipes dos midianitas, Orebe e Zeebe; que mais pude eu logo fazer do que vós?" (Jz 8.3).

**OREBE, ROCHA DE** Lugar onde o exército de Gideão matou o príncipe midianita Orebe (Jz 7.25; Is 10.26) e trouxe sua cabeça para Gideão. O local exato é um assunto de debate, mas é algum lugar próximo ao Jordão. *Veja* Orebe.

**ORÉM** O terceiro filho mencionado de Jerameel, o primogênito de Hezrom da tribo de Judá (1 Cr 2.25).

**ORFA** Uma mulher moabita, esposa de Quiliom, filho de Elimeleque e Noemi (Rt 1.4). Diferente de sua cunhada Rute, quando Noemi decidiu retornar para Belém depois da morte de seu marido e de seus dois filhos, Orfa despediu-se de Noemi e retornou a seu povo e a seus deuses (Rt 1.14,15).

**ÓRFÃO** O termo heb. *yatom* é traduzido uma vez como "órfão" em Lamentações 5.3, mas em outras passagens na versão KJV em inglês é traduzido como "sem pai" (Êx 22.22;

Is 9.17; Jr 49.11). Esta palavra hebraica (gr. *orphanos*) e o verbo grego *aporphanizo* são usados figurativamente para alguém que não tem um mestre, guia ou guardião (Os 14.3; Jo 14.18; 1 Ts 2.17).
Deus expressa grande preocupação por aqueles que estão destituídos de seus familiares imediatos, como os órfãos e as viúvas. O cuidado para com aqueles que não têm os pais é particularmente imposto, primeiramente, na promulgação da lei mosaica, no código da aliança (Êx 22.22) e, em segundo lugar, no código que está registrado no livro de Deuteronômio (Dt 16.11,14; 24.17). Uma parte do dízimo deveria ser dedicada ao sustento das pessoas que estivessem nesta situação (Dt 26.12), e seus direitos de herança deveriam ser protegidos. Deus preocupa-se com os órfãos e com as viúvas (Sl 10.14,18; 68.5; 146.9; Os 14.3; cf. Jo 14.18), promete sua ajuda a eles (Êx 22.23; Dt 10.18) e condena aqueles que os oprimem (Dt 27.19; Ml 3.5). O clamor dos profetas atesta que os israelitas falharam em seu dever para com estes (Jó 24.3,9; Sl 94.6; Is 1.23; 10.2; Jr 5.28).

R. A. K.

**ÓRGÃO** *Veja* Música.

**ORGIA** Tradução do termo gr. *komos* (Gl 5.21; 1 Pe 4.3). A palavra também ocorre em Romanos 13.13. Ela indica um banquete excessivo, que freqüentemente acompanhava as festas orgiásticas em homenagem a deuses pagãos como Dionísio e Zeus (como sugerido por Sabedoria 14.23; 2 Macabeus 6.4 onde a palavra gr. ocorre). Este termo passou a significar uma procissão libertina de pessoas embriagadas que desfilavam com tochas e música em alto volume pelas ruas, à noite, depois de uma festa (Thayer, *Greek-English Lexicon*, p. 367).

**ORGULHO** Atitude de auto-exaltação, com seu conceito de superioridade, pisando arrogantemente sobre os outros e, em sua independência espiritual, rebelando-se contra Deus com uma suposta auto-suficiência. O uso de nove palavras hebraicas pelo AT indica a universalidade, natureza, efeitos e condenação do orgulho (cf. a obra de Young, *Analytical Concordance to the Bible*).
A revelação do NT, em relação ao orgulho, é transmitida por três palavras gregas que indicam muitas características da natureza e da operação do orgulho. Elas ocorrem juntas e também de forma alternada em Romanos 1.30.
1. A palavra grega *alazoneia* (presunção em *palavras* ou soberba) se refere à pretensão e arrogância do *alazon* ("soberbo", Rm 1.30; 2 Tm 3.2), o jactancioso que usa as palavras em seu próprio benefício e promete o que não pode cumprir. Ela descreve o homem que ignora a soberania de Deus, que tenta controlar a sua vida atual (1 Jo 2.16) e modelar o seu próprio futuro.
2. A palavra grega *hyperephania* (orgulhoso e arrogante em *pensamentos*) descreve o homem que exalta a si próprio acima dos outros, não através de atos exteriores de bazófia, mas com uma atitude interior do coração, que ergue um altar a si próprio em seu íntimo onde realiza o seu próprio culto ("orgulho", Rm 1.30; 2 Tm 3.2; Lc 1.51; Tg 4.6; 1 Pe 5.5; cf. Mc 7.22).
3. A palavra grega *hybris* (insolente e injurioso em *atitudes*) representa o orgulho que faz o homem agir com violenta e arrojada insolência contra Deus e os homens. Em relação a Deus, *hybris* leva o homem a esquecer a sua criação, permite que as paixões o dominem de tal forma que a superioridade perante os demais é conquistada através da injúria (2 Co 12.10). Em Mateus 22.6, *hybris* se refere à insolente rejeição do homem ao convite de Deus (a forma substantiva ocorre em Romanos 1.30 como "insultuoso" e em 1 Tm 1.13 como "injuriador", "opressor", "insolente". O verbo é encontrado em Mateus 22.6; Lucas 11.45; 18.32; Atos 14.5; 1 Ts 2.2; Tt 1.11). Veja Georg Bertram, "*Hybris* etc.", TDNT, VIII, 295-307.
O crente aprende nas Escrituras que o orgulho foi o pecado de Satanás (1 Tm 3.6); que ele engana o coração (Jr 49.16) e endurece a mente (Dn 5.20), que é uma abominação perante Deus. É algo que Ele odeia (Pv 16.5; 6.16-17) e que Ele trará a juízo (Pv 16.18). Dessa forma, o crente deverá entender a absoluta necessidade de que Espírito Santo implante em seu ser a mente de Cristo, que é o exemplo supremo da humildade, e que está livre de todas as formas do pernicioso orgulho nas palavras, no pensamento e nas atitudes.

F. D. L.

**ÓRION** Uma notável constelação sul, perto do equador, antigamente imaginada com lembrando a forma de um caçador. Na mitologia antiga, Órion, o caçador, foi morto pela deusa Diana (ou Ártemis) e colocado no céu como uma constelação. Ele é imaginado estando de pés atados por um ataque de Taurus (o Touro), a constelação vizinha que contém Plêiades.
Quatro das estrelas mais proeminentes de um imenso quadrilátero; as outras três estrelas brilhantes situam-se em uma linha diagonal no centro, e são chamadas de cinto ou faixas. A gigante vermelha Betelgeuse forma o canto superior esquerdo do quadrilátero e Rígel, uma estrela branca-azul de primeira grandeza, o canto direito inferior.
Os tradutores modernos, assim como os antigos (por exemplo, a LXX apresenta *ho orion* em Isaías 13.10 e Jó 38.31; Jerônimo traz *Órion* em Am 5.8 e Jó 9.9) tomaram corretamente a forma singular heb. *k*[e]*sil* para referirem-se a esta constelação em Jó 9.9; 38.31;

Am 5.8. Esta identificação é evidenciada pelo contexto que se refere aos céus, e também em cada caso se refere à constelação próxima, Plêiades (heb. *kimah*). A forma plural ocorre em Isaías 13.10 e provavelmente indica Órion e outras constelações. *Veja* Astronomia; Plêiades; Estrela.

G. W. K.

**ORNÃ** Outro nome para Araúna (*q.v.*; 2 Sm 24.16), um príncipe jebuseu que possuía a eira no monte Moriá, que Davi comprou para levantar um altar a Jeová (1 Cr 21.15-28), e sobre o qual Salomão mais tarde erigiu o Templo (2 Cr 3.1).

**ORONTES** O maior rio a oeste da Síria. Ele nasce no vale Biqa' entre as montanhas do Líbano e do Anti-Líbano, corre para o norte por aproximadamente 400 quilômetros, e então vira para o oeste, desaguando no mar Mediterrâneo na Selêucia, a cidade portuária da antiga Antioquia (moderna Antakya). Barnabé e Saulo (Paulo) devem ter andado ao longo de suas margens ao iniciarem sua primeira viagem missionária (At 13.1,4). O Orontes era raso demais para ser navegável, mas o vale que ele cortava nas proximidades da cordilheira a leste de Antioquia se tornou uma estrada para as caravanas que faziam o percurso entre Antioquia e o interior da Ásia Menor a caminho do extremo oriente.

Três cidades importantes do período do AT, Ribla, Hamate e Cades, localizavam-se nas proximidades do Orontes. Ribla foi o cenário da vitória do Faraó-Neco sobre Joacaz II de Judá, a quem ele levou cativo (2 Rs 23.33-35), e da deposição de Zedequias por Nabucodonosor (2 Rs 25.6,7). Hamate era uma cidade localizada no extremo norte de Israel, que estava à altura de sua prosperidade (1 Rs 8.65). Cades foi o local de uma batalha histórica entre os egípcios sob Ramessés II e os heteus em aprox. 1297 a.C. O avanço egípcio foi contido, e mais tarde as duas nações assinaram um tratado se comprometendo a não se agredirem mutuamente. Ambas concordaram em respeitar o território da outra (ANET, pp. 255-258, 199-203).

*Veja* Antioquia 1; Líbano; Síria.

M. C. T.

**ORVALHO[1]** Vapor d'água como uma neblina ou nuvem em torno de uma pessoa, território ou país.

1. Orvalho, vapor (heb. *'ed*). A primeira umidade para as plantas que foi mencionada depois da criação (Gn 2.6); um estágio do ciclo das chuvas (Jó 36.27). Como nos trópicos abundavam a névoa e a umidade, o orvalho era a sua fonte de água antes do Dilúvio. Por outro lado, E. A. Speiser deduziu *'ed* do termo sumério e do termo acádio *edu*, uma corrente subterrânea de água fresca (BASOR # 140 [1955], pp. 9-10; e R. Laird Harris acredita que este denote uma inundação (Bul ETS, XI [1968], 177ss.).

O rio Orontes no centro de Antioquia da Síria

2. Tradução do termo heb. *'anan* em Isaías 44.22 e Oséias 13.3.

3. Tradução do termo heb. *nes'im* em Jeremias 10.13; 51.16.

4. A nebulosidade (gr. *achlus*) ou escuridão causada pelo Senhor, que chegou a cegar Elimas (At 13.11).

5. A escuridão e as densas trevas (gr. *zophos*, também encontrado em Hebreus 12.18; 2 Pedro 2.4; Jd 6,13). O apóstolo Pedro descreve a condenação do povo inconstante ou dos falsos mestres como aqueles "para os quais a escuridão das trevas eternamente se reserva" (2 Pe 2.17).

6. Tradução do termo gr. *atmis* (vapor ou neblina) na descrição da brevidade da vida (Tg 4.14).

*Veja* Chuva.

J. R.

**ORVALHO[2]** A "umidade espargida" é referida indiscriminadamente como orvalho (isto é, a condensação do vapor de água em uma superfície fria) e sereno (isto é, a condensação do ar). A umidade e o frio são necessários para a formação do orvalho. Em áreas úmidas, há menos orvalho por causa da uniformidade da temperatura da noite e do dia. Por causa da umidade limitada na atmosfera, há pouco orvalho no deserto, embora haja uma mudança marcante de temperatura. A Palestina, estando localizada perto do mar Mediterrâneo, sempre teve uma grande porcentagem de vapor de água na atmosfera. Os céus claros contribuem para a rápida radiação do calor do solo imediatamente após o pôr-do-sol. Isto por sua vez esfria a terra, de forma que a umidade no ar se condensa pelo contato com objetos frios.

Uma vez que o período que vai de abril a outubro é seco na Palestina, o orvalho é imprescindível para fazer reviver a vegetação. O orvalho é tão pesado que as plantas e as árvores ficam encharcadas de água. Em Juízes 6.38, a água no velo de Gideão é um indicativo do peso do orvalho. Ele é mais pesado na costa oeste de Berseba, na planície de Esdraelom, e nas fontes do Jordão abaixo do declive de Hermom (Sl 133.3). O orvalho desce misteriosamente (Jó 38.28); a sua origem é celestial (Gn 27.28; Dt 33.28; Ag 1.10; Zc 8.12). Ele cai de repente (2 Sm 17.12), suavemente (Dt 32.2), e permanece no solo por toda a noite (Jó 29.19). A superexposição ao orvalho é desconfortável (Ct 5.2; Dn 4.15,23,25,33). Ele evapora rapidamente pela manhã (Jó 7.9; Os 6.4). O orvalho é normalmente esperado durante o período de colheita no verão quente (Is 18.4; Os 14.5; Mq 5.7). A sua abundância permite que se cultive um tipo de lavoura conhecida como "lavoura seca".

O orvalho é uma figura de linguagem para a fertilidade abundante (Gn 27.28; Dt 33.13); ele também representa um símbolo do remanescente de Jacó, abençoando todo o povo (Mq 5.7). O orvalho também serve como uma figura de linguagem para um ladrão desatento (2 Sm 17.12) e para a religião efêmera (Os 6.4; 13.3).

D. W. D.

**OSEE** Forma grega do nome do profeta Oséias (Rm 9.25). *Veja* Oséias.

**OSÉIAS[1]**

1. O nome original de Josué (Dt 32.44), às vezes chamado de Oséias (Nm 13.8), mas mudado por Moisés para Josué (Nm 13.16). *Veja* Josué.

2. Filho de Azazias e um príncipe da tribo de Efraim na época de Davi (1 Cr 27.20).

3. Um dos chefes judeus que se reuniram na renovação da aliança depois do cativeiro (Ne 10.23).

4. Filho de Elá, e último rei de Israel (2 Rs 15.30; 17.1-6; 18.1,9-12). Seu reinado durou nove anos (aprox. 732-722 a.C.). Parece certo que as demonstrações anti-assírias de Peca, o rei anterior, provocaram a ira de Tiglate-Pileser III sobre o reino e reduziu Israel a um terço do seu tamanho original. Isto produziu um partido pró-assírio liderado por Oséias, culminando com a morte de Peca e a entronização do assassino (2 Rs 15.30). Porém isto trouxe uma reação desfavorável para Israel, pois Tiglate-Pileser III trouxe a pressão de seu poderio armado sobre Oséias, de forma que este tornou-se um mero vice-rei de um poder estrangeiro. Nos anais da Assíria, o monarca vangloriava-se, "Eles destronaram seu rei Peca e eu coloquei Oséias como rei sobre eles" (ANET, p.284).

Aparentes inconsistências cronológicas dentro do registro bíblico e incríveis incongruências com a história assíria contemporânea têm apresentado problemas quase insuperáveis aos estudiosos. Isto levou alguns a tirarem conclusões falsas de que houve um período de nove anos entre a morte de Peca e a ascensão de Oséias quando não havia rei em Israel. Porém, uma vez que o princípio para se entender corretamente o significado dos números misteriosos foi descoberto, ficou evidente que a Bíblia continha um sistema perfeito de cronologia. Assim, as datas para o reinado de Oséias são aprox. 732-722 a.C. (*veja* Cronologia do AT).

A falha de Oséias em mostrar total subserviência ao novo monarca assírio, Salmaneser V (727-722 a.C.), foi o anúncio do fim. Quando Oséias falhou em pagar o tributo anual e, ao invés disso, enviou emissários pedindo assistência ao rei do Egito em So (Sais) no Delta ocidental (*veja* Sô), Salmaneser primeiro aprisionou o rei de Israel e então organizou o cerco de Samaria. Depois de três anos de cerco a cidade foi capturada por Sargão II, o novo governante da Assíria. O Reino do Norte chegou ao fim, e milhares foram levados cativos. Este foi o juízo de Deus sobre Israel (2 Rs 17.7).

**OSÉIAS[2]** Um profeta do AT, do século VIII a.C., o único profeta que viveu no Reino do Norte, e que tem um livro escrito, exceto possivelmente Jonas. Seu nome significa "salvação" e é idêntico à forma original do nome de Josué (Nm 13.8) e de Oséias (*q.v.*), o último rei de Israel (2 Rs 15.30).

Oséias, filho de Beeri e um contemporâneo mais jovem de Amós, iniciou seu ministério profético antes de 753 a.C., quando Jeroboão II morreu. Não se sabe exatamente por quanto tempo a sua obra de proclamar o juízo de Deus sobre os pecados deste país continuou. Objeções a tratados feitos com o Egito (Os 7.11; 12.1) podem se referir ao fato do rei Oséias ter enviado mensageiros ao rei do Egito (2 Rs 17.4), que seria o Faraó Tefnakhte (726-716 a.C.). Se esta for a ocasião a que o profeta faz alusão, ele ministrou nos anos finais do Reino do Norte. Sua menção de Ezequias e de seus três predecessores pode indicar que ele fugiu para o reino de Judá para encerrar o seu ministério (Os 1.1; cf. 1.7,11; 4.15; 5.5,10,12-14; 6.4,11; 8.14; 10.11; 11.12; 12.2).

Muito do que pode ou não ser aprendido do profeta depende da interpretação que se segue nos caps. 1 e 3 do livro. Durante séculos estes capítulos têm sido o tema de muita discussão. As várias opiniões podem, basicamente, ser divididas em duas partes.

1. A opinião alegórica. Esta opinião tem sido defendida por muitos intérpretes judeus e cristãos. Ela sustenta que todas as passagens relacionadas ao casamento e à vida familiar de Oséias, tais como a ordem para tomar "uma mulher de prostituições" (1.2), devem ser entendidas figurativamente. O Deus de Israel, pensa-se, não requereria que Oséias se casasse com uma mulher corrupta, para então usar este relacionamento para ensinar uma lição sobre fidelidade.

2. A opinião literal. De acordo com esta opinião, os caps. 1 e 3 devem ser tomados juntos e se referirem à mesma esposa. Assim, Oséias casou-se com uma mulher chamada

Gomer e esta deu à luz três filhos. Gomer provou a sua infidelidade e deixou seu marido; mais tarde, Oséias a comprou de seu amante e a trouxe de volta novamente. Esta opinião, apesar das dificuldades óbvias, é a de muitos exegetas. Certos detalhes do ocorrido, como por exemplo a quantia exata gasta por Oséias ao reclamar sua mulher (3.2), não se encaixam em uma interpretação alegórica. Também permanece o fato de que os incidentes registrados nestes capítulos controversos estão relacionados como se fossem eventos históricos reais. Seja qual for a opinião correta, os desapontamentos pessoais de Oséias no amor certamente contribuíram para a sua delicada mensagem profética. Em Oséias, a experiência humana se tornou o canal da revelação divina.

*Veja* Gomer.

N. R. L. e H. A. Hoy

**OSÉIAS, LIVRO DE** O primeiro dos Profetas Menores no cânon inglês e o décimo segundo no cânon hebraico. Embora ele venha da segunda metade do século VIII a.C., e Obadias, Joel, Jonas e Amós provavelmente pertençam ao século IX e ao início do século VIII a.C., Oséias parece ter sido colocado primeiro por ser o mais longo dos Profetas Menores.

O livro leva o nome de seu autor, e é a única fonte de informação sobre a vida e o ministério de Oséias. Porém, mais é conhecido da vida do lar de Oséias do que de qualquer outro profeta, uma vez que este foi a base de sua mensagem ao povo de Deus (*veja* Oséias). Sua profecia é o único escrito sobrevivente do profeta do norte para o seu próprio povo, embora Amós, um profeta do sul, que ministrou ao Reino do Norte, também tenha um livro no cânon sagrado. Snaith pensa que o cap. 7 de Oséias mostra que o profeta era um padeiro. As várias referências a assuntos agrícolas podem sugerir que Oséias tivesse alguma conexão com tais atividades.

### Temas Mais Importantes

O livro de Oséias, naturalmente, se divide em duas partes: a vida doméstica do profeta (1.1–3.5) e os discursos do profeta (4.1–14.9). Nos discursos proféticos há três temas dominantes: o pecado da nação (4.1–8.14; 11.12–13.16); a certeza do juízo divino para este pecado (9.1–10.15; 11.12–13.16); e a concessão final da misericórdia e do amor de Deus sobre um povo arrependido (11.1-11; 14.1-9).

### Teorias de Interpretação

Os primeiros três capítulos de Oséias têm constituído um problema interpretativo tanto para estudiosos judeus como para cristãos. Parece que Deus ordenou a Oséias que se casasse com Gômer, a meretriz. Uma ordem para fazer algo tão moralmente iníquo parece contestar a justiça e a santidade de Deus. Conseqüentemente, estas várias interpretações surgiram a respeito dos caps. 1–3.

1. Intérpretes judeus durante os tempos medievais (Maimonides, Aben Ezra, Kimchi) defendiam que nenhum casamento assim teria realmente acontecido. O caso como um todo foi objeto de um sonho ou visão profética. Foi semelhante à visita de Ezequiel a Jerusalém (Ez 8–11).
2. Outros têm defendido que o casamento de Oséias foi uma alegoria profética. Porém, seria errado pensar ser possível deduzir qual foi a situação real a partir de tal alegoria. Contra esta opinião repousa o fato de que nenhum significado alegórico claro pode ser encontrado para o nome de Gomer.
3. Lutero e Osiander sugeriram que embora Gomer e seus filhos sejam chamados de adúlteros, isto foi feito com propósitos parabólicos, e não foi na verdade o caso.
4. Gomer já era uma meretriz na época em que Deus ordenou que Oséias se casasse com ela. Cada passo no relacionamento foi tomado não pelo impulso do profeta, mas pela ordem de Deus. Isto é, o casamento do profeta, o nascimento de seus filhos, a dilaceração de sua casa, e a restauração de Gomer, aconteceram deliberadamente como um meio pelo qual Deus pôde falar com Israel (por exemplo, Hubard, *With Bands of Love*, p. 54).
5. Tomás de Aquino e Sebastian Schmidt procuraram contornar o problema supondo que Gomer fosse uma concubina ao invés de uma esposa. É difícil ver como isto evita qualquer uma das dificuldades.
6. É muito provável que a interpretação correta tenha sido a sugerida por Gebhard. Ele defendeu que Oséias casou-se com Gomer antes de sua prostituição. Foi somente após o casamento e o nascimento de Jezreel que Gomer tornou-se infiel. Na época de seu casamento com Oséias ela tinha em si um espírito de prostituição (cf. Os 4.12; 5.4), mas que ainda não havia se manifestado. Esta interpretação tem as vantagens de preservar o caráter histórico do relato e a santidade de Deus. *Veja também* Oséias.

### Mensagem

Quaisquer que possam ser as dificuldades para se determinar a interpretação correta, a mensagem básica do profeta é clara. Israel é a esposa de Jeová (2.19,20; cf. 2.2). Ela entrou neste relacionamento santo por intermédio de uma aliança (6.7; 8.1). No entanto, como Gomer, a nação é culpada de infidelidade espiritual, tendo sido corrompida pela adoração a Baal (2.8,13,17; 4.13; 11.2). Mais fundamental que a idolatria é a falta de conhecimento pessoal do povo a respeito de seu Deus (4.1,6; 5.4; 6.6; 13.4). Eles rejeitaram o contato próximo e caloroso com o coração amoroso do Senhor (4.6). Eles, por sua vez, devem se esforçar para conhecer ao Senhor Jeová (6.1-3). Coordenada com a sua infidelidade e rejeição do amor de Deus está a ausência da lealdade e devoção à aliança (*hesed*) por parte deles (4.2; 6.4,6); um reavivamento de sua observância é essencial (10.12; 12.6). Embora Israel tenha caído neste nível desprezível, o Senhor ainda o ama com uma fervorosa compaixão (11.8,9; 14.4). Se Israel tão somente se arrepender (10.12; 12.6; 14.1), o Senhor terá misericórdia e o restaurará. Enquanto Amós *se enfurece* contra o Reino do Norte, Oséias o *defende*. Em Amós está retratada a justiça inigualável de Deus, enquanto que em Oséias está demonstrado o amor (*hesed*) infalível de Deus. Assim como Lucas escreve a respeito do filho pródigo, Oséias fala da esposa pródiga.

**Estilo e Texto**

O estilo incomum do escritor deste livro propõe alguns problemas difíceis para o exegeta. Ele usa uma grande variedade de figuras de linguagem ao mostrar pensamentos paralelos no padrão da poesia hebraica. O escritor funde-se com a mensagem que entrega, a ponto de freqüentemente parecer estar defendendo a capacidade do próprio Deus. Este vigor pessoal é responsável por muitas das transições abruptas e torna vão encaminhar partes do livro para interpolações posteriores. Uma outra dificuldade é que o texto hebraico de Oséias é provavelmente mais alterado do que qualquer outro livro do AT. A LXX pode ser usada em várias passagens para restaurar o texto. Ocasionalmente, ele pode ter preservado leituras superiores bem como frases adicionais.

**Esboço**

Título, 1.1

I. Introdução: A Mensagem Geral por Ilustração, 1.2–3.5
   A. O primeiro casamento de Oséias com a meretriz Gomer, 1.2–2.23
      1. Os filhos nascem e recebem nomes que simbolizam a rejeição de Israel, 1.2-9
      2. Mensagem de conforto para Oséias a respeito de Israel, 1.10–2.1
      3. Mensagem de castigo para Israel, 2.2-13
      4. Mensagem de restauração para Israel, 2.14-23
   B. Novo casamento de Oséias com Gomer, 3.1-5
      1. A recompra e a purificação de sua mulher adúltera, 3.1-3
      2. O significado simbólico: por meio do cativeiro Israel estará preparado para a restauração nos dias finais, 3.4,5
II. O Tratado: A Mensagem em Detalhes por meio da Profecia, 4.1–14.8
   A. O litígio de Deus: O pecado de Israel é intolerável, 4.1–6.3
      1. A acusação: falta e rejeição do conhecimento prático de Deus, fidelidade e lealdade de aliança, 4.1–5.7
      2. A sentença, 5.8-14
      3. A profecia de restauração, 5.15–6.3
   B. O julgamento de Deus: Israel está prestes a ser castigado, 6.4–10.15
      1. O caráter de seus pecados exige punição, 6.4–8.14
      2. Descrição de sua punição, 9.1–10.15
      3. Apelo parentético por arrependimento, 10.12
   C. O amor de Deus: Israel deve ser restaurado, 11.1–14.8
      1. O fervoroso amor de Deus por Efraim e a futura restauração, 11.1-11
      2. Contudo, a pecadora Efraim deve primeiro ser punida, 11.12–13.16
      3. Vitória final do amor de Deus, 14.1-8

Conclusão, 14.9

***Bibliografia.*** H. L. Ellison, *The Prophets of Israel*, Grand Rapids. Eerdmans, 1969, pp. 95-167. Charles L. Feinberg, *Hosea. God's Love for Israel*, Nova York. American Board of Missions to the Jews, 1947. J. B. Hindley, "Hosea", NBC, terceira ed. rev., pp. 703-715. David A Hubbard, *With Bands of Love. Studies in Hosea*, Grand Rapids. Eerdmans, 1968. John H. Johansen, "The Prophet Hosea. His Marriage and Message", JETS, XIV (1971), 179-184. G. A. F. Knight, *Hosea. God's Love*, Londres. SCM Press, 1960. G. Campbell Morgan, *Hosea. The Heart and Holiness of God*, Nova York. Revell, 1934. Charles F. Pfeiffer, "Hosea", WBC, pp. 801-818 (com boa bibliografia). Norman H. Snaith, *Mercy and Sacrifice*, Londres. SCM Press, 1953; *Amos, Hosea, and Micah*, Londres. Epworth, 1956. Herbert F. Stevenson, *Three Prophetic Voices*, Old Tappan. Revell, 1971, pp. 95-158. James M. Ward, *Hosea. A Theological Commentary*, Nova York. Harper & Row, 1966; "The Message of the Prophet Hosea", *Interpretation*, XXIII (1969), 387-407.

P. D. F.

**OSHEA** *Veja* Josué.

**OSNAPER** *Veja* Asnapar; Assurbanipal.

**OSSO** Quatro palavras são usadas para "osso" na Bíblia.

1. Na língua hebraica, a palavra *gerem* é usada metaforicamente para designar caráter e personalidade em Provérbios 17.22; 25.15.
2. A palavra *'eṣem* refere-se a osso ou substância (Gn 2.23; Êx 13.19; 2 Sm 21.12); ao corpo ou à estrutura física (Lm 4.8); à substância do céu, isto é, ao "verdadeiro" paraíso ou ao "próprio céu" (Êx 24.10); ao núcleo de um ser ou

Uma vista das ruínas da antiga Ostia. HFV

local das sensações (Jó 20.11; Jr 20.9).
3. A palavra *qaneh* é usada em Jó 31.22 e pode ser traduzida como "articulação".
4. A palavra grega *osteon* foi traduzida como "ossos" em Mateus 23.27; Lucas 24.39; João 19.36 e em alguns manuscritos de Efésios 5.30 e Hebreus 11.22.

**OSSUÁRIO** *Veja* Funeral.

**OSTENTAÇÃO** *Veja* Glória

**OSTIA** Este era o porto para a cidade de Roma. Como muitas das grandes cidades dos tempos antigos, Roma não se situava na costa, mas rio acima, cerca de 23 quilômetros de Ostia. Foi neste porto que a riqueza do mundo foi derramada como tributos à soberana Roma. Quando o antigo porto foi escavado em 1914-16, uma grande quantidade de material ilustrando a vida dos cristãos dos primeiros séculos foi trazida à luz. De Ostia até Roma partia o famoso Caminho Ostiano e, de acordo com uma forte tradição cristã, foi neste caminho, a cerca de dois quilômetros de Roma, que Paulo foi levado para morrer e ali foi sepultado. *Veja* Paulo; Roma.

**OSTRA** *Veja* Animais V. 10.

**OSTRACA** O plural da palavra grega *ostrakon*, um pedaço quebrado de cerâmica. Fragmentos de cerâmica ou cacos eram largamente empregados no mundo antigo para propósitos de escrita. Como uma superfície de escrita, eles eram muito menos caros do que as folhas de papiro, e eram freqüentemente usados pelos pobres na redação de cartas, recibos, contas etc. Os cacos de cerâmica são mencionados nas Escrituras (Jó 2.8; Sl 22.15; Is 30.14), mas não como materiais de escrita.
Milhares de óstracos foram desenterrados no Egito e na Palestina, alguns dos quais têm considerável importância para o período do AT. Do palácio real em Samaria (*q.v.*), foram escavados 75 óstracos tratando do suprimento de óleo e vinho, e foram datados da época de Jeroboão II (aprox. 770 a.C.). Da cidade de Laquis (*q.v.*), vieram 21 óstracos; eles foram datados de aprox. 589 a.C., e, portanto, seriam contemporâneos do profeta Jeremias. Os arqueólogos judeus encontraram mais de 50 óstracos em Arade (*q.v.*), uma fortaleza fronteiriça no Neguebe. Cerca de dez são do séc. IV a.C.; os demais são do período pré-exílico. Escavações em Hazor renderam alguns óstracos do século VIII a.C., e um foi descoberto na área Ofel, de Jerusalém. Os cacos de cerâmica inscritos destes locais são importantes devido à boa luz que lançam sobre o idioma e o estilo de escrita hebraico daquela época. Vários óstracos também foram recuperados no Egito, e estão relacionados com a pesquisa do NT. O mais notável destes contém linhas dos textos dos Evangelhos, atestando o interesse do homem comum nas Escrituras Sagradas.

N. R. L.

**OTNI** Um dos filhos de Semaías, um levita coraíta, e guarda do Tabernáculo nos dias do rei Davi (1 Cr 26.7).

**OTNIEL** Filho de Quenaz, e um irmão mais novo ou sobrinho de Calebe (Js 15.17; Jz 1.13; 3.9; 1 Cr 4.13). Otniel ganhou a mão de Acsa, filha de Calebe, em casamento, capturando Quiriate-Sefer (*q.v.*; Js 15.15-17; Jz 1.11-13). O Senhor o usou para livrar os israelitas da opressão de oito anos por parte de Cusã-Risataim, e a sua liderança e influência espiritual trouxeram uma certa paz civil aos israelitas por mais de 40 anos (Jz 3.8-11). Portanto, Otniel é considerado o primeiro dos "juízes" (*veja* Juiz). De acordo com a data mais antiga que é atribuída ao êxodo (1466 a.C.), a magistratura de Otniel pode ser datada de aprox. 1375-1335 a.C. É bem provável que ele seja o Otniel cujo descendente é mencionado como um capitão durante o reinado de Davi (1 Cr 27.15).

**OURIÇO** Esta palavra é a tradução do termo *'anaqa*. Há versões que trazem a palavra "geco", que é um lagarto (Lv 11.30). *Veja* Animais: II. 31; IV.17, 18.

**OURIVES** *Veja* Ocupações: Refinador, Artífice em ouro.

**OURO** *Veja* Minerais e Metais: Ouro; Ofir.

**OUTEIRO DE MORÉ** Localizado no extremo leste do vale de Jezreel (também chamado de vale de Esdraelom ou vale do Armagedom; *veja* Jezreel 4), 20 quilômetros a oeste do rio Jordão e 8 quilômetros a oeste/sudeste do monte Tabor, na Baixa Galiléia. O monte é mencionado na

Bíblia em conexão com o acampamento midianita, que adentra pelo vale a oeste do monte (Jz 6.33; cf. 7.1). As tropas de Gideão se juntavam para revista em Ain Harod (a moderna 'Ain Jalud) ao pé do monte Gilboa, cerca de 8 quilômetros a sudeste. Subindo cerca de 500 metros acima do vale, o outeiro de Moré ocupava uma posição estratégica sobre a ligação entre o vale de Jezreel e o vale de Bete-Seã (*q.v.*). Embora seu nome não seja citado novamente, o monte exerceu um papel importante na história bíblica nos vilarejos de En-Dor (*q.v.*), Suném (*q.v.*), e Naim (*q.v.*), que estavam localizado em seus declives.

**OUTEIRO DOS PREPÚCIOS** Também chamado de monte da Circuncisão ou Gibeate-Haralote. Um lugar perto de Gilgal onde a cerimônia da circuncisão, negligenciada durante as peregrinações no deserto, foi realizada nos homens de Israel (Js 5.3).

**OUVIDO**
1. O órgão da audição. Ele nos garante que Deus tem habilidade de ouvir (Sl 94.4). Às vezes, o termo refere-se apenas à parte externa do ouvido, a orelha, como no caso do furo e da colocação da argola (*piercing*) no lóbulo da orelha do escravo hebreu como sinal de sua escravidão perpétua e voluntária (Êx 21.6; Dt 15.16ss.; Sl 40.6). Há também o exemplo da aplicação do sangue na orelha direita do sacerdote em sua consagração (Êx 29.20), e do sangue e óleo na purificação do leproso (Lv 14.14,17). De modo figurado, fala da habilidade de compreensão espiritual (Is 50.4,5; contrastando com Is 6.10; Jr 6.10).
2. Usado juntamente com uma ilustração rural em Marcos 4.24-29.
3. O verbo arcaico significa cultivar ou arar (1 Sm 8.12; Is 30.24).

***Bibliografia.*** Johannes Horst, "*Ous* etc.", TDNT, V, 543-549. G. Kittel, "*Akouo* etc.", TDNT, I, 216-225.

**OVELHA** *Veja* Animais: Ovelha I.12; Ocupações: Apascentador.

**OVELHA MONTÊS** *Veja* Animais: Ovelha montês II.32.

**OVOS** *Veja* Alimentos.

**OZÉM**
1. O sexto filho de Jessé, o belemita (1 Cr 2.15).
2. O quarto filho citado de Jerameel (1 Cr 2.25).

**OZIAS** O nome de um rei de Judá (Mt 1.8,9). Ozias é o equivalente grego de Uzias (cf. Is 1.1, LXX). *Veja* Uzias.

**OZNI, OZNITAS** Ozni era um dos filhos de Gade (Nm 26.16), também chamado de Esbom (Gn 46.16). Ele era o ancestral epônimo da "família dos oznitas".

# P

**PÁ[1]** Implemento afiado com o qual se revolvia a terra para cobrir excrementos humanos para fins sanitários (Dt 23.13).

**PÁ[2]** O AT menciona dois tipos de pás: (1) O termo heb. *ya'* denota um dos "utensílios" do altar de bronze, usados no Tabernáculo (Êx 27.3; 38.3; Nm 4.14) e no Templo (1 Rs 7.40,45; 2 Rs 25.14 etc.) para colocar as brasas no altar, e para remover as cinzas deste. Em Megido, foi encontrada uma pá de bronze de mais de 50 centímetros de comprimento, consistindo de uma concha retangular com um cabo longo e fino. (2) O termo heb. *rahath* é uma colher de madeira larga e rasa usada com um crivo para joeirar os grãos (Is 30.24).

**PAARAI** Nome de um dos 37 poderosos de Davi (2 Sm 23.35,39). Em 1 Crônicas 11.37, esse nome aparece como Naarai (*q.v.*).

**PAATE-MOABE**
1. Chefe ancestral de uma grande família da qual muitos retornaram da Babilônia (Ed 2.6; 8.4; Ne 7.11). Um de seus membros ajudou a reconstruir o muro de Jerusalém (Ne 3.11) e vários deles haviam se casado com

Um abanador cerimonial da tumba do rei Tutancamom coberto com ouro. Em torno das bordas da cabeça existem furos nos quais eram fixadas penas de avestruz. LL

mulheres pagãs (Ed 10.30). Paate-Moabe é um título que significa "governador de Moabe", sugerindo que ele havia sido um funcionário ou um governador em Moabe, talvez durante o reinado de Davi, quando Moabe estava sob a jurisdição de Israel (cf. 2 Sm 8.2).
2. Homem que colocou seu selo na renovação da aliança, evidentemente representando o clã de Paate-Moabe mencionado no item 1 acima.

**PACIÊNCIA** Na maior parte das vezes, essa palavra é um termo do NT encontrado apenas três vezes no AT. Nos Salmos 37.7 e 40.1 as palavras hebraicas *hul* e *qawa* foram respectivamente traduzidas como "esperar pacientemente" e em Eclesiastes 7.8, a palavra *'arek* (anseio) foi empregada para descrever alguém que possui um espírito paciente.
No NT, quatro palavras gregas foram traduzidas de alguma maneira relacionada à paciência. A palavra grega *makrothumia* é a qualidade de suportar um longo sofrimento (Mt 18.26,29). De acordo com Crisóstomo, *makrothumia* descreve o homem que é plenamente capaz de se vingar, mas recusa-se a fazê-lo. Também foi traduzida como "longanimidade" como uma qualidade de Deus (Rm 2.4; 2 Pe 3.9) e como o fruto do Espírito Santo (Gl 5.22).
A palavra grega *hypomone* foi descrita por William Barclay, na obra *A New Testament Wordbook* (Londres. SCM Press Ltd., 1956, p. 59), como "uma das mais nobres palavras do NT". Seu significado básico é o de resistir (Hb 12.1), uma qualidade que permite ao homem suportar as adversidades e provações (Rm 12.12). Enquanto *makrothumia* está mais corretamente relacionada às pessoas, *hypomone* fala sobre a paciência em relação às circunstâncias difíceis. Essa palavra não retrata uma paciência submissa ou passiva que está irremediavelmente resignada ao seu destino infeliz; ao contrário, ela é uma resistência ativa marcada pela esperança e pela segurança (1 Ts 1.3). Barclay ainda acrescenta que esta é a "qualidade que mantém um homem sobre seus pés, com a face voltada para o vento" (p. 60). Um exemplo desse tipo de paciência é Jó, que suportou as aflições que lhe sobrevieram (Tg 5.11).
A terceira palavra traduzida como "paciência" é *epieikes* (1 Tm 3.2,3), que descreve uma atitude bondosa, condescendente, razoável e conciliadora, e que não insiste em seus direitos (Barclay, p. 38ss.).
O quarto termo, *anexikakos* (2 Tm 2.24), significa, literalmente, "suportar sob o mal" e assim expressa o tipo de paciência que suporta o mal sem ressentimentos (Arndt).
*Veja* Tolerância; Longanimidade; Perseverança.

D. W. B.

**PACIFICADORES** Aqueles que através de um trabalho pessoal e da oração, trazem ou executam a paz entre Deus e o pecador. Deus agora está propício ao pecador, porque Cristo estabeleceu "a paz pelo sangue da sua cruz" (Cl 1.20), mas o cristão ainda precisa solicitar ao pecador que se reconcilie com Deus (2 Co 5.20). Isto é fazer a paz entre o homem e Deus, e não o contrário, entre Deus e o homem; o que foi provado pelo fato de que Deus já estabeleceu sua paz através de Cristo na cruz. Isto não significa paz entre nação e nação, mas entre o homem e Deus; isto fica provado pelo fato de que os pacificadores são chamados filhos de Deus, aqueles que são dele através do novo nascimento. É deles o ministério da Grande Comissão em Mateus 28.19,20.

**PADÃ** Abreviatura (Gn 48.7) de Padã-Arã (*q.v.*).

**PADÃ-ARÃ** Uma área que ocupa grande parte da região oriental e norte do rio Eufrates Superior em seu fluxo para o sul, e que depois se volta para o leste. Esse distrito localiza-se em oposição à extremidade nordeste do mar Mediterrâneo e a leste do rio Orontes. Harã, sua cidade principal, era o lar de Abraão, de onde ele emigrou para Canaã. Ele enviou um servo a Padã-Arã (também chamada Mesopotâmia ou Arã-Naaraim, Gênesis 24.10) para procurar uma esposa para Isaque (Gn 25.20). Jacó refugiou-se nesse lugar por causa da ira de Esaú

Local tradicional do desembarque da deusa Vênus, próximo a Pafos, após seu nascimento no mar. HFV

(Gn 28.3,5), e casou-se com suas primas Raquel e Léia e, depois de prosperar, retornou a Canaã (Gn 31.18; 35.9,26; 46.15; 48.7). Eles falavam o aramaico (Gn 31.47) e os habitantes eram arameus (Gn 25.20; 28.5; 31. 24; Dt 26.5). *Veja* Mesopotâmia; Arã.

**PADEIRO** *Veja* Ocupações.

**PADEJADORES** Este termo é usado apenas uma vez (Jr 51.2), e ali a tradução "padejadores" é questionável. A versões ASV em inglês e NTLH em português lhe dão o significado de "estrangeiros."

**PADOM** Um dos netineus cujos descendentes retornaram da Babilônia sob a liderança de Zorobabel (Ed 2.44; Ne 7.47).

**PADRÃO** *Veja* Símbolo.

**PAFOS** Cidade localizada na extremidade ocidental de Chipre, e sua capital durante a administração romana. Quando Paulo e Barnabé terminaram de evangelizar Chipre – desde Salamina, na extremidade oriental, até Pafos, na ocidental – eles pregaram para o governador, Sérgio Paulo. Apesar da oposição feita pelo mágico Elimas, chamado de Barjesus, o governador foi conquistado para a fé em Cristo.

A antiga Pafos, a 11 quilômetros de distância, foi colonizada pelos fenícios, mas a nova Pafos da época de Paulo era grega, como permanece até hoje sob o nome moderno de Baffa. Essa cidade era um famoso centro de culto à deusa Afrodite. Depois de Pafos, Paulo e seus companheiros navegaram para Perge, no continente (At 13.6-13).

**PAGAMENTO** *Veja* Salário.

**PAGÃO** *Veja* Gentios; Nações; Dispersão da Humanidade.

**PAGIEL** Filho de Ocrã. Ele foi escolhido como chefe da tribo de Aser, para fazer o censo dos combatentes daquela tribo na época de Moisés (Nm 1.13; 2.27; 7.72-77; 10.26).

**PAI** No NT, este termo tem um amplo espectro de significados. Estes podem ser divididos em usos literais e figurados.

Basicamente, refere-se ao homem que tem um filho (Gn 2.24; 22.7; 48.1 etc.). Um dos primeiros e básicos preceitos éticos do AT e do NT é associado à honra e à obediência devidas aos pais. Esta consideração para com os pais era uma característica de piedade mesmo antes do Decálogo ser dado. No AT, a autoridade do pai sobre sua família era absoluta. Ele poderia vender seus filhos para a escravidão (Êx 21.7) ou entregá-los para serem mortos (Gn 22.2-10; cf. 21.9-14). A bênção ou a maldição de um pai era de especial importância e conferia benefícios ou danos (Gn 9.25-27; 27.27-40; 48.15-20; 49.1-28). O pai também tinha a função de sacerdote da família, antes da formação de um sacerdócio formal (Gn 8.20; 22.13; Jó 1.5). *Veja* Família.

O termo é empregado em um sentido literal para descrever um antepassado. Aqui, o relacionamento pode ser mais imediato como no caso de um avô (Gn 28.13; 31.42; 32.9) ou bisavô (1 Rs 15.3; cf. 15.11,24), ou pode ser ainda mais remoto (Gn 15.15; 2 Rs 15.38; 16.2; Sl 45.16).

Um terceiro significado literal é encontrado em seu uso para referir-se ao progenitor ancestral de uma nação ou de um povo, como Sem (Gn 10.21), Abraão (Gn 17.4,5), Moabe (Gn 19.37) etc.

É nos significados figurativos que os conceitos mais vívidos são encontrados. O termo descreve aquele que é o autor, realizador, originador ou criador de algo. Deus é citado como o Pai de Israel porque Ele formou esta nação (Dt 32.6; Is 63.16; 64.8; Jr 31.9). Por implicação, Ele é o Pai da natureza (Jó 38.28). O homem também pode ser chamado de pai no sentido de originador, como em Gênesis 4.20,21, onde se tem em vista o homem que trouxe à existência um novo modo de vida.

O termo pai também é usado em um sentido não literal, como um termo que expressa afeto. Em 2 Samuel 7.14; 1 Crônicas 17.13; 22.10 e Salmos 68.5; 89.26, é aplicado a Deus em seu relacionamento com o homem. Ele sugere que o amor que Deus sente movê-lo-á para nutrir e sustentar seus filhos. A palavra também é aplicada em relação ao tratamento de um homem para com outro (Jó 29.16; Is 22.21). Embora o afeto ainda esteja em vista, o conceito de amparo prevalece. O termo pode descrever aquele que é um professor (1 Sm 10.12). Com muita freqüência ele se refere a um conselheiro que possui alguma posição de autoridade (Gn 45.8; Jz 17.10; 18.19; 2 Rs 2.12; 6.21; 13.14).

Figurativamente, ele torna-se um termo que

indica respeito (1 Sm 24.11; 2 Rs 5.13; cf. 8.9). Finalmente, ele é usado no AT como uma referência a algum relacionamento não declarado, porém intrínseco (Jó 17.14).
Como um termo no NT, pai (*pater)* também é empregado com significados literais e metafóricos. Seu conceito básico, no que se refere ao homem (*Veja Pais*), é visto em Mateus 2.22; Marcos 5.40; João 4.53 etc. No plural, a palavra pode designar ambos os pais; a mãe e o pai (Hb 11.23; cf. Ef 6.4; Cl 3.21). No AT ele é usado em relação aos antepassados genealógicos (Mt 3.9; Lc 1.73; Jo 8.39; Rm 9.10). Em 2 Pedro 3.4 este termo parece ter um sentido técnico ao se referir a todo o grupo de patriarcas do AT.
Embora os significados figurados da palavra não sejam tão amplos quanto os do AT, há alguns que são essenciais para um entendimento correto do NT. É empregado uma vez em relação a um pai espiritual, isto é, àquele que por seu testemunho levou outros à fé em Cristo (1 Co 4.15). É empregado como um termo de respeito e honra (Mt 23.9; At 7.2; 22.1). Em 1 João 2.13,14 ele evidentemente retrata os cristãos que amadureceram na fé. Figurativamente, representa alguém que seja um protótipo ou arquétipo, alguém que origine um grupo de pessoas que possua um espírito fraterno (Jo 8.38,44; Rm 4.11,13,16; cf. 1 Pe 3.6).
A palavra também é usada em relação a Deus como Criador e Pai. *Veja* Pai, Deus O; Deus.

***Bibliografia.*** Gottlob Schrenk e Gottfried Quell, "*Pater* etc.", TDNT, V, 945-1022.

S. D. T.

**PAI DE FAMÍLIA** Este termo representa o chefe de uma família ou o dono de uma casa. Em 1611, a palavra era utilizada no idioma inglês com o sentido de "esposo", como ainda ocorre na Escócia. Conseqüentemente, em Provérbios 7.19, de acordo com o contexto, podemos considerar correta a tradução da palavra hebraica *ha'ish*, como "o homem", ou o "meu marido". No Novo Testamento, a palavra grega *oikodespotes* é traduzida como "pai de família" ou "senhor da casa" em Mateus 20.11; 24.43; Marcos 14.14; Lucas 12.39; 22.11; e sete outras vezes como "dono da casa" ou "patrão". Fica claro que se trata do dono e não apenas do administrador a partir da comparação de Mateus 21.33 com os versículos 37,38, onde seu filho é chamado de herdeiro.

**PAI, DEUS O** Em quatro sentidos Deus é Pai: como Criador, como Pai de Israel, como Pai de Cristo, e como Pai dos crentes.
Deus é o Pai da humanidade pela criação (At 17.28,29; Lc 3.38; cf. Gn 1.27; Tg 3.9). A paternidade de Deus neste sentido não é um assunto freqüente na Bíblia. Os anjos são chamados de "filhos de Deus" (Jó 1.6; 2.1; 38.7; cf. Gn 6.2) por terem sido criados por Deus e/ou por causa de seus laços espirituais com Deus.
No AT, Deus é especialmente o Pai da nação de Israel (Is 63.16; 64.8; Os 11.1). Ele sustém este relacionamento porque a nação foi criada por Ele (Dt 32.6; Ml 2.10). Israel, como o primogênito de Deus, possui uma posição privilegiada (Êx 4.22; Jr 31.9), e como tal possui grandes promessas (Jr 3.19). Como um filho, Israel deve honrar e servir a Deus (Êx 4.23; Ml 1.6). Assim como um pai natural educa seus filhos, assim Deus deseja sustentar Israel e fazer com que ele cresça (Jr 3.19; cf. Salmos 103.13; Pv 3.12).
Em um sentido muito especial, Deus é o Pai de Jesus Cristo. Vários conceitos são revelados neste relacionamento. A divindade de Cristo é especialmente evidenciada (Jo 5.18). Em Mateus 3.17 sua condição de Messias está em vista (cf. 17.5; Mc 9.7; Lc 9.35). A igualdade do Filho com o Pai pode ser vista em seu nome Trino (Mt 28.19). O Senhor Jesus é cuidadoso ao manter uma estrita distinção entre Deus como seu Pai, e Deus como o Pai dos crentes (cf. Jo 20.17). Cristo como o Filho de Deus, é a revelação do Pai e o caminho de acesso a Deus (Mt 11.27; Jo 10.30; 14.6,7).
Na forma de semente, Deus é retratado como o Pai dos santos, individualmente, no AT (2 Sm 7.14; Salmos 103.13; Ml 3.17), mas este conceito encontra sua maturidade no NT com a vinda de Cristo (cf. Mt 6.4,6,8,9,32). Pela criação, Deus é o Pai de todos; pela sua graça Ele é o Pai espiritual dos crentes. A filiação no NT é retratada em três aspectos – na regeneração (Jo 1.12,13; 3.6), na adoção (Rm 8.15,23; Gl 4.5; Ef 1.5) e na transferência para o reino do Filho (Cl 1.13).
O relacionamento íntimo dos cristãos com Deus pode ser particularmente visto na fórmula "Aba, Pai", que literalmente significa, "Papai, Papai" (Mc 14.36; Rm 8.15; Gl 4.6). O primeiro é uma palavra em aramaico que se tornou coloquial em hebraico, expressando a ligação mais íntima do Filho com o Pai. Ela nunca é usada com relação a Deus no AT, e a literatura rabínica raramente refere-se a Deus por este nome; então ele só é usado em uma fórmula específica. No entanto, Cristo ousadamente disse "Aba". A segunda palavra é a palavra grega normal para pai. A persistência da fórmula no NT pode se dever à profunda impressão causada sobre os discípulos pelo fato do próprio Senhor tê-la empregado. Ele evidentemente empregou tanto o aramaico como o grego.
*Veja* Deus; Deus, Nomes e Títulos de.

S. D. T.

**PAIS** Embora as palavras "pai" e "mãe" ocorram muitas vezes nos dois Testamentos, a palavra "pais" só é encontrada no NT. Jesus foi levado pelos "pais" ainda pequeno ao Templo para ser apresentado ao Senhor (Lc 2.27) e novamente na Festa da Páscoa, quando Ele

Subestrutura do palácio de Domiciano (Roma), o imperador que enviou o apóstolo João para a ilha de Patmos. HFV

tinha 12 anos (Lc 2.41,42). Outras referências aos pais de Jesus nos Evangelhos usam as palavras "pai" e "mãe".
O NT coloca uma grande ênfase na obediência e no respeito aos pais. Sem dúvida, essa é uma parte que o cristianismo herdou da religião do AT, no qual honrar pai e mãe é o primeiro mandamento que tem uma promessa (Êx 20.12; cf. Dt 5.16; Pv 1.8; 6.20 etc.). Paulo menciona especificamente a responsabilidade dos filhos em relação aos pais em Efésios 6.1 e Colossenses 3.20, e inclui a desobediência aos pais entre os pecados mais vis (Rm 1.30; 2 Tm 3.2).
Paulo também insiste na responsabilidade dos pais em relação aos filhos. Eles devem prover para estes, e não os filhos para os pais (2 Co 12.14). Além disso, eles (particularmente os pais) não devem provocar seus filhos "para que não percam o ânimo" (Cl 3.21), mas devem criá-los "na doutrina e admoestação do Senhor" (Ef 6.4).
*Veja* Criança; Família; Pai; Mãe.

W. W. W.

**PAIXÃO**[1] Os sofrimentos e a crucificação do Senhor Jesus Cristo (At 1.3). *Veja* Cristo, Paixão de.

**PAIXÃO**[2] Uma palavra do século XVI usada freqüentemente com o significado de "impulso ou agitação mental ou espiritual" (HDB III, 451). No NT este termo encontra-se em Romanos 7.5, onde tem o sentido de "motivo ou impulso". A palavra grega *pathemata* usada nesta passagem significa "paixões" ou "desejos" que levam a pecados (cf. Gl 5.24).

**PALÁCIO** Tradução de inúmeras palavras do original hebraico, sendo que algumas foram traduzidas de modo diferente nas várias versões da Bíblia Sagrada.
1. Palavra hebraica, *'appeden*, emprestada do persa antigo, *apa-dana,* e do acádio, *appadan,* "tesouro, arsenal". Essa palavra aparece apenas em Daniel 11.45, relacionada com o apocalíptico "rei do norte", e as "tendas do seu palácio".
2. Palavra hebraica, *'armon,* "cidadela, castelo, palácio, fortaleza", "torre de moradia ou edifício fortificado de pequena base quadrada com vários andares" (KB, p. 88). Essa palavra é encontrada freqüentemente nos profetas, especialmente Amós e Jeremias, fazendo referência a edifícios que eram geralmente objeto de ataque durante as guerras (BDB, p. 74). Edifícios reais dos israelitas e de outros povos. Nas várias versões são utilizados os seguintes termos: palácio, fortaleza, cidadela, fortalezas, cidades fortes, e castelos (2 Cr 36.19; Is 23.13; 25.2; 32.14; Jr 6.5; 9.21; 17.27; 30.18; 49.27; Lm 2.5,7; 1 Rs 16.18; 2 Rs 15.25; Sl 48.3,13; Is 34.13; Os 8.14; em Am, 7 vezes, 1.4 etc.). Em Miquéias 5.5, lemos: "Quando passar sobre nossos palácios"; há versões, entretanto, que dizem: "Conquistarem nossas fortalezas". A versão RSV em inglês traduz a LXX: "E pisar sobre nosso solo". *Veja* Cidadela.
3. Palavra hebraica, *bira,* "fortaleza, palácio"; palavra emprestada do acádio, *birtu.* Foi usada em relação ao Templo proposto (1 Cr 29.1,19); a um edifício em uma cidade (Ed 6.2); a uma cidade principal ou capital – *shushan hab-bira* (Ne 1.1; Et 1.3,5 etc.; Dn 8.2). Como parte do Templo (Ne 2.8; "fortaleza"), para a residência do governador de Jerusalém (Ne 7.2; "castelo" ou "fortaleza"), e para o lugar onde mais tarde foi construída a Torre de Antônia (At 21.34).
4. Palavra hebraica *bayit*, literalmente "casa", traduzida uma vez como "palácio" na versão KJV em inglês; "o palácio do rei" (2 Cr 9.11). Também foi traduzida como "casa" ou "lar" (1 Rs 4.6; 2 Rs 10.5; 11.6; 16.18; 2 Cr 2.1; no texto hebraico, 1.18); 2.12 (no texto hebraico, 2.11).
5. Palavra hebraica *bitan,* "palácio", emprestada do acádio, *bitanu* (KB, p. 126). Usada para se referir ao jardim real de Assuero (Et 1.5; 7.7,8).
6. Palavra hebraica *hekal* , "Templo" ou "palácio"; em ugarítico, *hkl;* em acádio, *ekallum,* "palácio" do sumeriano *E-GAL,* "grande casa" – templo (BDB, p. 228). Usada nos textos

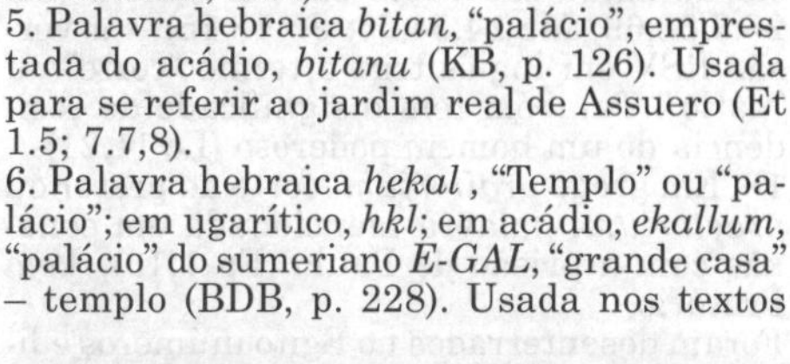

O pátio descoberto ou peristilo do jardim, do palácio de Herodes o Grande no Herodium, nas proximidades de Belém. HFV

originais com muita freqüência para o local central de adoração (1 Sm 1.9; 1 Rs 6.3 etc. – 77 vezes; e apenas 11 vezes como uma referência à residência real). O lugar, ou edifício, em Jezreel perto da vinha de Nabote (1 Rs 21.1; palácio); lugar com decorações em marfim e instrumentos de corda (Salmos 45.8,15); sua grandeza é utilizada para retratar a grandeza de caráter (Salmos 144.12); onde até as pequenas, mas sábias criaturas podem ser encontradas (Pv 30.28); local cujas características agradáveis serão transformadas em desolação e residência de chacais (Is 13.22); na Babilônia, onde os filhos de Ezequias serviriam como eunucos (Is 39.7; 2 Rs 20.18) e o edifício no qual Daniel serviu e ganhou o respeito na Babilônia (Dn 1.4; 4.4,29; 5.5; 6.18).

7. Palavra hebraica *harmon*, "palácio", encontrada apenas em Amós 4.3 na versão KJV em inglês. Seu significado é dúbio (BDB); não explicado (KB, p. 243). É mais bem entendida como um substantivo, isto é, um lugar cuja localização foi esquecida (BDB, p. 248. cf. as versões RSV e NASB em inglês).

8. Em hebraico *tira*, "acampamento"; "acampamento circular das tribos nômades" (BDB, pág. 377), "acampamento protegido por paredes de pedra", (KB, p. 352). As várias versões trazem os termo "palácios", "paços", e "acampamentos" em Ezequiel 25.4 (cf. Gênesis 25.16; Nm 31.10; Salmos 69. 25). Palavra usada figuradamente com o sentido de correção da falta de atratividade de uma donzela singela em Cantares 8.8,9 – "palácio" e "torre" nas várias versões.

9. Em grego *aule*, "corte, palácio". Palavra usada quase exclusivamente para a residência do sumo sacerdote em Jerusalém (Mt 26.3,58,69; Mc 14.54,66; Jo 18.15) – a versão RSV em inglês traz o termo "corte" ou "pátio". Também tem o significado de residência de um homem poderoso (Lc 11.21).

10. Em grego *praitorium*, corte do pretor ou *praetorium*, palavra mencionada em conexão com a prisão de Paulo (Fp 1.13). *Veja* Pretório.

Foram desenterrados no Egito inúmeros edifícios reais ornamentados (em Amarna, Tebas), na Síria (Mari, Ugarit, Alalakh), no Iraque (Babilônia, Calá, Nínive) e na Turquia (Boghaz-koi, a antiga capital hitita). Na Pérsia, as ruínas do palácio de Assuero em Susã revelaram muitos dados esclarecedores, enquanto a maior parte dos muros e colunas de Persépolis, cidade preciosa de Dario I, ainda permanece em pé. Para uma descrição da *Domus Aurea*, ou "Casa Dourada" de Nero, *veja* Roma.

Na Palestina, foram escavadas as ruínas de edifícios reais israelitas, ou de centros administrativos em Arade, Dã, Dotã, Gibeá, Hazor, Megido, Laquis, Ramate Rael e Tirza. Entretanto, ruínas do mais notável palácio do período do AT foram escavadas em Samaria. Herodes, o Grande, construiu inúmeros palácios em toda Palestina; dois deles foram desenterrados e parcialmente restaurados, em Masada, a oeste do mar Morto e em Herodium, nas proximidades de Belém. Também foi explorado um outro palácio em Machaerus, a leste do mar Morto.

As residências dos reis de Israel e de Judá eram essencialmente iguais às de seus vizinhos, tanto na construção (*veja* Arquitetura) como na planta. Tais complexos palacianos geralmente consistiam de um pátio externo e dos aposentos privados do rei e de seu harém, localizados em volta de um pátio interior.

O palácio de Salomão, construído com a ajuda de artesãos da Fenícia, parece ter tido um estilo semelhante aos palácios *bit-hilani* dos reinos sírio, fenício e neo-hitita dos séculos IX e VIII a.C. A entrada para o palácio era feita através de um "pátio grande" (1 Rs 7.12), e sob um pórtico sustentado por dois ou mais pilares de enormes dimensões (v. 6*b*), que formavam um dos longos muros do corredor de entrada, o "pórtico de colunas", com aprox. 25 x 15 metros (v. 6*a*). Depois de atravessar esse pórtico (em seu sentido longitudinal), o visitante chegava a um corredor principal anexo, paralelo ao primeiro, porém um pouco mais longo. Ao fundo encontrava-se o grande trono de marfim com seis degraus (1 Rs 10.18-20) de onde Salomão pronunciava seus julgamentos (1 Rs 7.7). Em frente ao trono havia provavelmente uma lareira, ou braseiro, que era acesa no inverno (Jr 36.22). Da sala do trono abria-se outra porta para "outro pátio por dentro do pórtico" (1 Rs 7.8) que, por sua vez, dava acesso à "casa" de Salomão ou aos quartos.

A "casa do bosque do Líbano" (*q.v.*, 1 Rs 7.2-5) pode ter sido um edifício separado que servia como arsenal ou armazém real (1 Rs 10.17,21; Is 22.8), e seu acesso era feito a partir do grande pátio. O conjunto do palácio estava sem dúvida localizado ao sul do pátio do Templo de Salomão.

***Bibliografia.*** Geoffrey Turner, "The State Apartments of Late Assyrian Palaces", *Iraq*, XXXII (1970), 177-213. D. Ussishkin, "King Solomon's Palace and Building 1723 in Megiddo", IEJ, XVI (1966), 174-186.

H. E. Fi, e J. R.

**PALAL** Um filho de Uzai que ajudou a reparar os muros de Jerusalém, sob a liderança de Neemias (Ne 3.25).

**PALAVRA** A "palavra" é o meio característico pelo qual Deus torna sua vontade conhecida ao homem. A forma pode variar. Ela pode ser falada através dos profetas, escrita na lei e outras Escrituras, ou vivida na pessoa de Jesus Cristo. Ela também é o meio pelo qual Deus realiza seus propósitos providenciais no mundo.

### Termos Bíblicos

No AT, os termos mais importantes vêm da raiz hebraica *dbr*, embora *'omer*, *'imra* e *mala* também sejam encontrados. A etimologia de *dbr* é um ponto de discussão. Provavelmente, seja mais sábio associar a raiz com o significado de "falar". Uma "palavra" é, essencialmente, um pronunciamento. Esta raiz também é suficiente para explicar as palavras derivativas "questão", "assunto" ou "coisa", como no caso de uma "coisa sobre a qual alguém fala".

Na LXX, os termos *rema* e *logos* são os equivalentes gregos. O Pentateuco usa mais comumente *rema*, enquanto que *logos* é preferido nos profetas. A primeira palavra coloca ênfase no efeito dinâmico da revelação de Deus, enquanto que a segunda enfatiza seu caráter e seus meios.

O termo mais comum no NT é *logos*. *Logion*, um derivado de *logos* ou o adjetivo relacionado *logios*, aparece quatro vezes (At 7.38; Rm 3.2; Hb 5.12; 1 Pe 4.11). Em cada caso, ele está no plural e significa "oráculos". O termo gr. *rema* também é encontrado no NT, e é traduzido como "palavra" mais de 50 vezes. Ele também está relacionado a alguns "hebraísmos" (por exemplo, Lucas 1.37; 2.15,19, com o sentido de "coisa" ou "palavra").

### Uso no Antigo Testamento

O termo "palavra" possui três usos significativos no AT:

1. Geralmente, ele ocorre em conexão com a revelação divina. Deus fala e seus profetas ouvem. Jeremias, Oséias, Joel, Jonas, Sofonias, Ageu e Zacarias, todos começam suas profecias com as palavras "Veio a mim a palavra do Senhor, dizendo..." ou alguma ligeira variação. Esta expressão aparece cerca de 130 vezes no AT.

Não só a "palavra de Deus" era dada em visões a seus profetas, mas ela também acompanhava seus atos, para que esses atos não fossem incompreensíveis, e para que aqueles que as testemunhassem tivessem uma explicação autorizada. A Palavra de Deus está, portanto, ligada às suas atividades na história.

O propósito desta revelação é fazer conhecida sua vontade no que diz respeito à conduta do homem neste mundo. É digno de nota que o conteúdo da revelação não diz respeito geralmente ao etéreo, mas ao prático. Não é inesperado, portanto, que Deuteronômio 18.18,19 exija obediência à palavra profética, e que o conteúdo da "palavra" esteja caracteristicamente no modo imperativo.

2. A palavra de Deus foi o meio da criação. A criação de Deus está vivamente contrastada com a do homem. Os homens devem trabalhar e se esforçar para criar, e suas criações são apenas a recomposição de materiais existentes, enquanto que o Deus da Bíblia simplesmente fala, e as coisas passam a existir (por exemplo, Gn 1.3; Salmos 33.6).

3. É usada com relação às palavras dos falsos profetas (Nm 22–24). O falso profeta dizia palavras favoráveis àqueles que buscavam seus serviços, enquanto que o verdadeiro profeta só podia dizer aquilo que Deus ordenava (Nm 22.38; 1 Rs 22.14). Por esta razão, Deus deu a Israel testes para que o povo pudesse discernir o que era de Deus, e o que não era (Dt 13.1-5; 18.2-22).

### Uso no Grego Não-Bíblico

É necessário examinar o uso gr. não-bíblico de *logos*, porque alguns têm argumentado que ele lança luz sobre o uso joanino. Estes são os casos importantes:

1. O mais antigo aparecimento de *logos* está nos escritos de Heráclito de Éfeso por volta de 500 a.C. Os estóicos pensavam que ele havia antecipado sua opinião de que o universo era operado pela "razão" ou "lei". Platão, por outro lado, que conhecia o ensino de Heráclito, não concordava, de forma que é bastante provável que os estóicos tivessem lido sua opinião em palavras admitidamente obscuras.

2. O estoicismo de Zeno e seus sucessores imediatos defendiam uma forma de "hilozoísmo panteístico". O universo era composto de matéria, e permeado e controlado por um vapor abrasador que também era material, chamado de *logos*.

Posteriormente, o *logos* perdeu suas associações e tornou-se a razão divina que governa o mundo. Foi esta segunda idéia que influenciou Filo.

3. Filo ensinou que o *logos* era um intermediário entre um Deus totalmente transcendental e o universo material. Era impensável que Deus pudesse estar envolvido na ordem criada. Portanto, Deus concebeu o universo ideal que foi o padrão seguido na criação do mundo atual por seu intermediário, o *logos*. O *logos* é tanto o padrão como o agente de Deus na criação. Alguns dos títulos que Filo emprega para descrever o *logos* são "filho primogênito", "imagem", "sombra", de Deus, "Deus" sem o artigo para distingui-lo de *o* Deus, "embaixador", "suplicante", "advogado", e "sumo sacerdote".

No entanto, é muito questionável se Filo é realmente uma ponte entre a Literatura de Sabedoria do AT e os escritos de João. João teve acesso a materiais idênticos aos que Filo tinha, mas, além disso, ele mantinha a firme crença de que Deus havia falado, agido e revelado a si mesmo de uma nova maneira em Jesus Cristo. Assim, João vai além de Filo, que não faz mais do que personificar o *logos*. Ainda que Filo pudesse ter cooperado na formação do conceito de João sobre o *Logos* (o que não ocorreu), Filo o teria rejeitado.

### Uso no Novo Testamento

No NT, o termo "palavra" possui tanto usos

Berseba, fronteira sul da Palestina nos tempos bíblicos. IIS

gerais, como também uma função específica, como um título para o Senhor Jesus Cristo. Seus significados são variados pelas associações do AT com *dbr* ao invés de *logos*, que vem do grego clássico. Os usos importantes são:

1. Como no AT, a função mais freqüente do NT é descrever o meio da revelação divina. Esta revelação contém a vontade de Deus para a humanidade em geral (Lc 11.28), Israel (Rm 9.6) e a Igreja (Cl 1.25-27). Ela pode referir-se a uma revelação escrita, como a lei do AT (Mt 15.6; Mc 7.13), ou a uma passagem do AT em particular (Jo 10.35, referindo-se a Salmos 82.6). A revelação divina também vem pela Palavra falada pelo Senhor Jesus (Lc 5.1; Jo 5.38; 8.55; 17.6 etc.; At 20.35) e pelos apóstolos (1 Ts 1.8; 2 Ts 3.1).

2. De uma forma intimamente ligada ao tópico acima, a mensagem cristã é chamada de "A Palavra de Deus" (Lc 8.11; At 4.31; 1 Co 14.36), "A Palavra de Cristo" (Cl 3.16; Hb 6.1) e de "A Palavra do Senhor" (At 8.25). A "Palavra" contida na mensagem cristã é caracterizada como "o Evangelho" (Gl 2.2; Cl 1.23; 1 Ts 2.9), "vida" (Fp 2.16), "viva e eficaz" (Hb 4.12), "o poder de Deus" (1 Co 1.18) e "verdade" (Ef 1.13; Cl 1.5; 2 Tm 2.15).

3. Três passagens no NT usam *logos* como um título para o Senhor Jesus Cristo (Jo 1.1-14; 1 Jo 1.1; Ap 19.13). Várias versões utilizam o termo em 1 João 5.7; porém, há certos manuscritos que não reforçam esta utilização. A importância deste título não pode ser superestimada, pois Paulo coloca em uma linguagem aceitável aos pagãos, judeus e cristãos a verdade de que na encarnação, vida, morte e ressurreição de Jesus Cristo, uma nova revelação de Deus havia sido dada (cf. Hb 1.1,2). *Veja* Logos.

***Bibliografia.*** A Debrunner, *et al.*, "*Lego, Logis* etc.", TDNT, IV, 69-143. C. H. Dodd, *The Interpretation of the Fourth Gospel*, Cambridge. Univ. Press, 1953, pp. 263-285. Merrill C. Tenney, *The Bible - The Living Word of Revelation*, Grand Rapids. Zondervan, 1968, pp. 11-27.

P. D. F.

## PALESTINA

### I. A Geologia da Palestina

A. *Camadas geológicas*

A pequena área da Palestina exibe uma grande variedade de formações geológicas. As camadas básicas formadas por rochas nuas são, de acordo com a ordem cronológica da mais antiga para a mais recente. Arenito da Núbia, calcários das eras cenozóica e turoniana, greda da era senoniana, calcário do período eoceno (Período Terciário) e basalto vulcânico.

1. As rochas mais antigas. Um granito classificado como da época pré-cambriana (Era Paleozóica) é encontrado ao norte do golfo de Elate. Na Transjordânia podem ser vistas camadas de arenito da Núbia, especialmente em Edom, com uma espessura estimada de 825 a 1000 metros.

2. Período Cretáceo (Era Mesozóica). Muitos geólogos acreditam que no assim chamado Período Cretáceo existiam várias incursões do mar que se estenderam até a margem oriental do Jordão. Durante esse período, formaram-se camadas de margas, calcário e greda por deposição marinha que cobriam especialmente as áreas do norte e do oeste. Essas rochas cretáceas constituem o elemento mais importante da Cisjordânia, isto é, da área a oeste do Jordão.

*a*. Cenozóica. O calcário da era Cenozóica, duro e resistente à erosão, é encontrado no norte e na Cisjordânia central, em camadas espessas com cerca de 650 metros de espessura e em camadas de 330 a 500 metros de espessura ao sul dessa região. Ela é mais delgada no norte da Transjordânia, e está totalmente ausente no sul. Este calcário existe, por exemplo, na Galiléia superior formando o promontório do monte Carmelo e a espinha dorsal de Samaria e da Judéia.

*b*. Turoniana. O calcário da era Turoniana também é uma rocha dura, porém mais facilmente extraída do que o calcário Cenozóico. Muitas sepulturas de Jerusalém foram construídas com esse tipo de rocha que também pode ser encontrada sob a forma de camadas nos contrafortes a oeste de Samaria e ao longo do sulco central da Judéia.

*c*. Senoniana. A greda macia que foi acumulada durante a era senoniana exerceu uma grande influência na história da Palestina. Por ser excepcionalmente porosa e formar solos inférteis ao desintegrar-se, ela é imprópria para a agricultura. Em Jerusalém, o vale de Cedrom serve para demarcar o limite entre a era turoniana no lado ocidental, e a era senoniana encontrada do lado oriental. O deserto estéril da Judéia, a leste de Jerusalém, é formado quase inteiramente por camadas de calcário senoniano. Por outro lado, como esses vales transformam-se em caminhos planos que mesmo no inverno se mantêm secos, eles formam as estradas mais importantes da

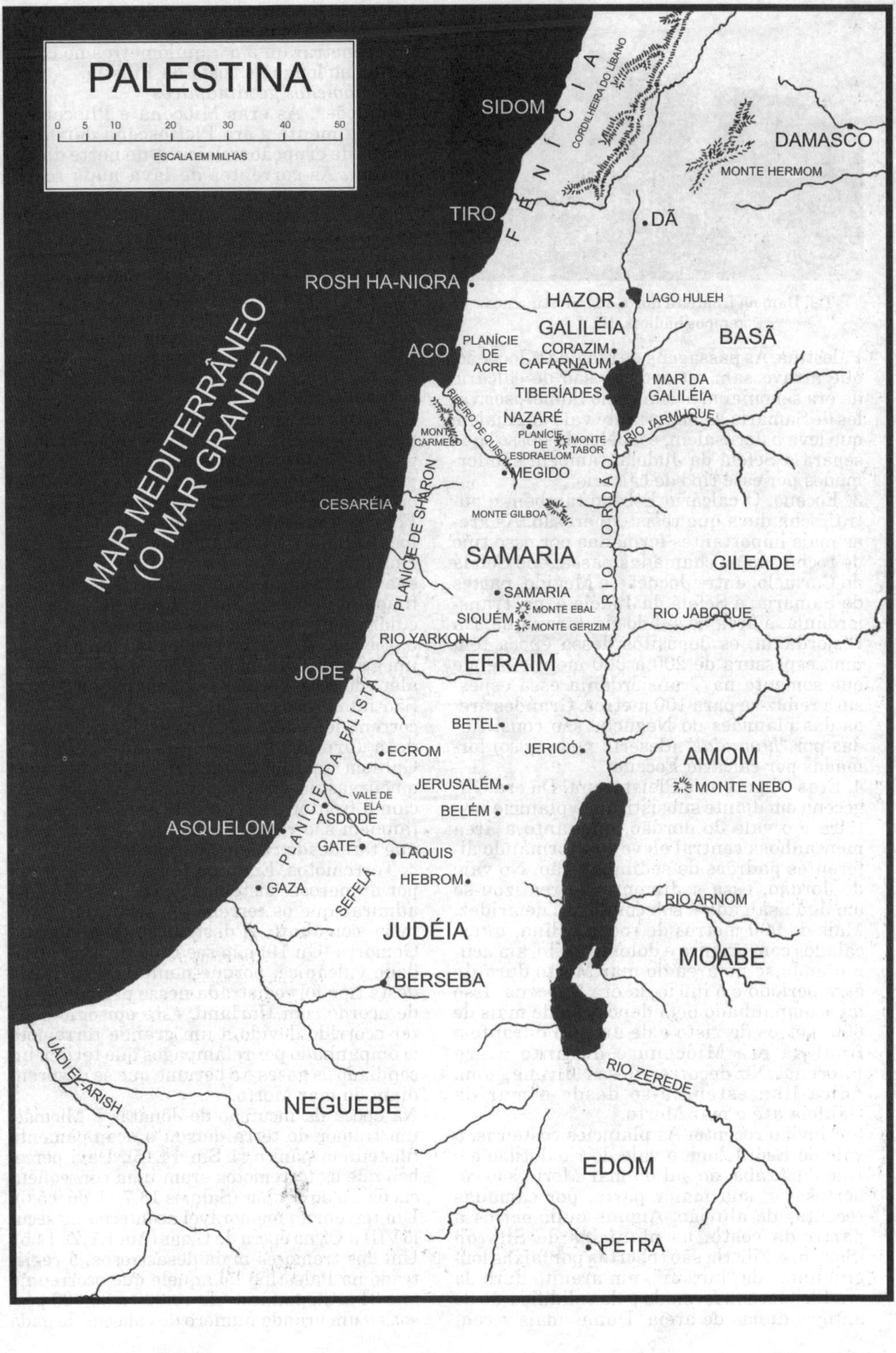
PALESTINA
0 5 10 20 30 40 50
ESCALA EM MILHAS
MAR MEDITERRÂNEO (O MAR GRANDE)
FENÍCIA
CORDILHEIRA DO LÍBANO
SIDOM
DAMASCO
MONTE HERMOM
TIRO
DÃ
ROSH HA-NIQRA
HAZOR
LAGO HULEH
GALILÉIA
BASÃ
PLANÍCIE DE ACRE
ACO
CORAZIM
CAFARNAUM
MAR DA GALILÉIA
TIBERÍADES
RIBEIRO DE QUISOM
NAZARÉ
RIO JARMUQUE
MONTE CARMELO
PLANÍCIE DE ESDRAELOM
MONTE TABOR
MEGIDO
RIO ORDÃO
CESARÉIA
MONTE GILBOA
PLANÍCIE DE SHARON
SAMARIA
GILEADE
SAMARIA
MONTE EBAL
SIQUÉM
MONTE GERIZIM
RIO JABOQUE
RIO YARKON
EFRAIM
JOPE
BETEL
JERICÓ
AMOM
ECROM
PLANÍCIE DA FILÍSTIA
MONTE NEBO
JERUSALÉM
VALE DE ELÁ
BELÉM
ASDODE
ASQUELOM
GATE
LAQUIS
HEBROM
GAZA
SEFELA
RIO ARNOM
JUDÉIA
MOABE
BERSEBA
UÁDI EL-ARISH
RIO ZEREDE
NEGUEBE
EDOM
PETRA

Tell Dan, na fronteira norte da Palestina nos tempos bíblicos. HFV

Palestina. As passagens de Megido e Jocneão, que atravessam o Carmelo, são de calcário da era senoniana, assim como numerosos vales de Samaria. O importante vale de Aijalom que leva a Jerusalém, e o delgado "fosso" que separa a Sefelá da Judéia, também são formados por esse tipo de calcário.
3. Eoceno. O calcário Eoceno também é outra rocha dura que resiste à erosão. As áreas mais importantes formadas por esse tipo de rocha são as chamadas passagens Sefelá do Carmelo, entre Jocneão e Megido, partes da Samaria, a Sefelá da Judéia e, na Transjordânia, a área ao sul do rio Jarmuque. Na Cisjordânia, os depósitos dessa época têm uma espessura de 200 a 300 metros, sendo que somente na Transjordânia essa espessura reduz-se para 100 metros. Grandes áreas das planícies do Neguebe são constituídas por "*hamadas*" (deserto pedregoso) formadas por calcário Eoceno.
4. Eras Oligocena e Pleistocena. Da era Oligocena em diante subsistiram a planície costeira e o vale do Jordão, enquanto a área montanhosa central elevou-se formando diferentes padrões de sedimentação. No vale do Jordão, essa sedimentação realizou-se em água salgada e sob condições de aridez. Mais de 900 metros de rocha salina, intercalados com arenito e dolomitas, foram acumulando-se na área do mar Morto durante esse período e o início da era Miocena. Isso foi acompanhado pela deposição de mais de 600 metros de xisto e de arenito durante o final da era Miocena e durante a era Pliocena. No decorrer dessa última, uma única ilha estendia-se desde o mar da Galiléia até o mar Morto.
5. Aluvião recente. As planícies costeiras, o vale de Esdraelom, o vale do rio Jordão e o vale da Arabá, ao sul do mar Morto são cobertos, em sua maior parte, por camadas recentes de aluvião. Alguns quilômetros a partir da costa, as planícies de Sharon (Sarom) e Filístia são cobertas por faixas longitudinais de "kurkar", um arenito duro da era Pleistocena formado pela solidificação de antigas dunas de areia. Dunas mais recentes foram formadas com o sedimento do Nilo, depositado pelas correntes do Mediterrâneo que penetraram 5 a 7 quilômetros no continente, ao longo da costa da Filístia.

B. *Fenômenos geodinâmicos*

1. Vulcões. As eras Miocena e Pliocena, e especialmente a era Pleitoscena deixaram traços de erupção vulcânica no norte da Palestina. As correntes de lava mais recentes dessa área aconteceram aprox. no ano 2000 a.C. O basalto vulcânico cobre extensas áreas a noroeste e sudeste do mar da Galiléia, e nas áreas a leste do mar, chamadas Basã e Haurã, ainda podem ser encontradas crateras e cones vulcânicos. Os Chifres de Hattin, na Galiléia, e o monte Moré, em Esdraelom, são de origem vulcânica. Trechos de basalto também ocorrem a leste e a sudeste do mar Morto e a noroeste do golfo de Elate.
2. Fontes de água quente. Essas fontes podem ser encontradas em Tiberíades, na margem ocidental do mar da Galiléia, e na margem norte do rio Jarmuque. Elas também ocorrem nas duas margens do mar Morto. Foi nas fontes de água quente de Callirhoe, localizadas na sua margem oriental, que Herodes o Grande procurou alívio durante sua doença fatal. Nas proximidades do desfiladeiro de Zerqa Ma'in existe uma espetacular cachoeira de águas quentes.
3. Calhas. O vale do rio Jordão faz parte de um grande sistema de calhas que se estende além do mar Vermelho e penetra na África. São numerosas as calhas transversais que correm de leste a oeste na Galiléia, incluindo a formação escarpada que separa a Galiléia superior da inferior: calhas oblíquas ou curvas na direção noroeste-sudeste marcam a fronteira sul do vale de Esdraelom, e também são responsáveis pelo Uádi Far'ah que flui desde Samaria até o Jordão.
4. Terremotos. Em uma terra caracterizada por numerosos sistemas de calhas, não é de admirar que os terremotos sejam um fenômeno constante. A destruição de Sodoma e Gomorra (Gn 19) não resultou de uma atividade vulcânica, porque nenhuma atividade deste tipo foi registrada nesse período; mas, de acordo com Harland, este episódio pode ter ocorrido devido a um grande terremoto acompanhado por relâmpagos que teriam incendiado os gases e o betume que se desprendiam do mar Morto.

Na época da incursão de Jônatas a Micmás, um tremor de terra deixou o acampamento filisteu em pânico (1 Sm 14.15). Davi percebeu que os terremotos eram uma conseqüência da ira do Senhor (Salmos 18.7; cf. Jó 9.5,6). Um terremoto memorável aconteceu no século VIII a.C., na época de Uzias (Am 1.1; Zc 14.5). Um dos tremores mais desastrosos já registrado na Palestina foi aquele que ocorreu no ano 31 a.C., matando de 10.000 a 30.000 pessoas e um grande numero de cabeças de gado

Bete-Semes nas colinas da Judéia. IIS

(Josefo *Ant.* xv. 5.2; *Wars* i. 19.3). Evidências assustadoras desse evento foram descobertas durante as escavações de Qumran. Cerca de 60 anos mais tarde, a crucificação do Senhor Jesus Cristo foi acompanhada por um terremoto (Mt 27.51-54). Em 1837, um outro terremoto fez 4.000 vítimas em Safed e 600 em Tiberíades. Um sério tremor de terra ocorreu em 1927, destruindo 175 casas em Jerusalém e fazendo 500 vítimas fatais.

C. *Produtos geomórficos*

1. Rochas e minerais. O arenito da Núbia, em Edom e na Arabá, contém depósitos de cobre (Dt 8.9) que se tornaram minas através de Salomão. Os antigos mineiros extraiam o metal a partir de resíduos de sulfeto de cobre que continham de 40 a 45 por cento desse metal. A moderna instalação israelita em Timna, na área da Arabá, é capaz de extrair cobre a partir do silicato de cobre que contém apenas 2 por cento desse mineral. As camadas da era Cenozóica e Turoniana forneciam abundante suprimento de calcário e de mármore para as construções. Em partes da Galiléia, como Corazim e Haurã, basalto vulcânico também era usado para os edifícios. Na Antiguidade, o mar Morto era uma fonte de sal e betume, e desde a época do Mandato Britânico têm sido exploradas suas reservas de potássio, bromo e fosfato.

2. Solos. O basalto da Galiléia e de Basã desintegrou-se e formou solos de cor preta e marrom de proverbial fertilidade. O aluvião de cor escura, que cobre o vale de Esdraelom, também forma um solo muito rico. A região montanhosa central é coberta por um solo de "terra rosa", de cor avermelhada, que se originou do calcário das eras Cenozóica e Turoniana. Às vezes, ele pode ser pobre em húmus e tem a tendência de ser levado das encostas a não ser que sejam feitas as construções necessárias para contê-lo. O solo derivado de rochas da era Eocena é menos fértil que a terra rosa, e as rochas da era Senoniana facilmente sofrem os efeitos da erosão e transformam-se em uma terra infértil de cor acinzentada. A planície de Sharon (Sarom) é formada por um barro argiloso que vai da cor laranja até o vermelho brilhante, atualmente usado para a cultura de frutas cítricas, mas que na Antiguidade era inútil para a agricultura. Na área que circunda Berseba, podemos encontrar uma terra argilosa, isto é, uma fina poeira de cor marrom amarelada levada pelos ventos do deserto, que pode ser fértil se suficientemente irrigada e cultivada. Nas proximidades de Gaza, essa argila apresenta-se misturada com aluvião, formando um solo fértil para a cultura de cereais. A maior parte da área situada entre o mar Morto e o golfo de Elate é coberta por solo árido, ressecado, e desertos rochosos.

3. Erosão. A erosão do solo é um processo conhecido desde os tempos bíblicos (Jó 14.18,19; cf. Pv 28.3). Muitas áreas de solo friável são atingidas por uma combinação de violentas tempestades de inverno, elevados índices de evaporação, temperaturas extremas, fortes ventos e vegetação vulnerável. O homem tem agravado essa situação com suas destruidoras invasões, pela prolongada pastagem de animais, e pelo corte de árvores para fazer carvão.

## II. A Geografia da Palestina

A. *Preliminares*

1. Designações. O nome Palestina, que originalmente derivou dos filisteus, foi usado primeiramente por Heródoto (século V a.C.), que incluiu nessa designação a área da Fenícia situada ao norte. Josefo usou a palavra grega *Palaistine* para a área da costa filistina (Josefo, *Ant.* i.6.2). Depois da revolta dos judeus no ano 135 d.C., os romanos substituíram o nome latino *Judaea* por outro nome latino, *Palaestina*, para designar

Um uádi no Neguebe. IIS

O mar da Galiléia. IIS

sua província. O AT menciona muitas vezes essa terra como Canaã (*q.v.*).

2. Limites. Na prática atual, a palavra Palestina é geralmente usada para designar o território atribuído às 12 tribos de Israel somente na região ocidental do Jordão. Será conveniente fazer a distinção entre as áreas a oeste do Jordão, isto é, a Cisjordânia e a área localizada do lado oriental ou Transjordânia. Os proverbiais limites norte e sul eram determinados pelas cidades de Dã e Berseba (Jz 20.1; 1 Sm 3.20), separados por cerca de 240 quilômetros. Limites mais extensos podem ser imaginados na descrição de Canaã feita por Moisés em Números 34, onde a fronteira ao sul encontra-se em Cades-Barnéia, 70 quilômetros no extremo sudeste de Berseba (Nm 34.4). Nessa passagem, o limite norte está localizado na "entrada de (*Lebo-*) Hamate" (Nm 34.8). Ele pode ser a entrada para o vale de Beca (ou Bekaa), entre a cordilheira do Líbano e a cordilheira do Anti-Líbano, ou mais ao norte, para a moderna Lebweh, 20 quilômetros no extremo nordeste de Ba'albek. Em muitos períodos, a fronteira ao norte era bastante variável e, em muitos casos, mal definida.

3. Distâncias. Para o homem moderno acostumado com transportes rápidos as distâncias utilizadas para medir o comprimento e a largura da Palestina podem parecer muito curtas. Falando em termos de quilometragem aérea, a maior distância seria de pouco mais de 450 quilômetros desde Dã até Eilat; de Dã a Berseba seria de 240 quilômetros e de Nazaré a Jerusalém, aprox. 90 quilômetros. São 70 quilômetros de Jafa, na costa, até Jericó com o eixo do país estreitando-se em direção ao norte e alargando-se na direção sul. É claro que as viagens pelas estradas de rodagem envolvem distâncias maiores. Neste caso, por exemplo, de Dã até Berseba são aprox. 315 quilômetros, de Nazaré a Jerusalém aprox. 136 quilômetros e de Jafa até Jericó, 100 quilômetros.

4. Tamanho das áreas. A importância histórica da Palestina é totalmente desproporcional ao seu tamanho. Como a Cisjordânia, de Dã até Berseba tem 240 quilômetros de comprimento e pouco mais de 60 quilômetros de largura, sua área representa pouco mais de 14.000 quilômetros quadrados. O maior triângulo vazio do moderno deserto do Neguebe que se estende até o golfo de Elate acrescenta mais 8.000 quilômetros quadrados. A área da Transjordânia, sob o controle israelita estende-se por 140 quilômetros desde o rio Jarmuque até o rio Arnom. Essa área tem cerca de 40 a 90 quilômetros de largura e compreende cerca de 10.000 quilômetros quadrados. Portanto, a Cisjordânia sem o triângulo do deserto do Neguebe, é pouco maior que os estados norte-americanos de Connecticut e Rhode Island juntos.

A Cisjordânia e a Transjordânia israelitas cobrem pouco mais de 25.000 quilômetros quadrados, uma área pouco maior que o estado norte-americano de Vermont e pouco menor que a Bélgica.

5. Elevações. Sem contar o monte Hermom (3.000 metros de altitude) com seus picos nevados, e que se encontra fora de suas fronteiras, embora seja visível no norte da Palestina, a maior parte das elevações não alcança grande altitude. O pico mais elevado da Cisjordânia, Jebel Jarmuque, a noroeste do mar da Galiléia, atinge aproximadamente 1.300 metros de altitude. Em Samaria, o monte Ebal tem 1.017 metros e o monte Gerizim, 953 metros.

A cidade de Jerusalém está situada a 811 metros acima do nível do mar (803 metros no local do Templo). As montanhas em volta de Hebrom têm uma altitude de cerca de 1.000 metros. Os picos mais elevados da Transjordânia, os vários picos de Jebel Druze (monte Basã, Salmos 68.15), no extremo oriental da região de Haurã, atingem 2.000 metros e as montanhas de Edom têm altitudes que variam até 1.800 metros.

A Palestina distingue-se por ter as mais profundas depressões do mundo no vale Rift. Enquanto o lago Huleh, agora drenado, elevava-se até 70 metros acima do nível do mar, o mar da Galiléia, cerca de 15 quilômetros ao sul, está a mais de 220 metros abaixo do nível do mar. Jericó está a 270 metros abaixo do nível do mar. O viajante que vai de Jericó a Jerusalém precisa subir mais de 1.000 metros em apenas 30 quilômetros. O viajante da Antiguidade geralmente levava dois dias para fazer essa árdua caminhada. O mar Morto é o ponto mais profundo do mundo, com mais de 400 metros abaixo do nível do mar, e o vale da Morte contém o ponto mais inferior do hemisfério ocidental, com apenas 90 metros abaixo do nível do mar.

B. *Análise regional*

Desperta nossa admiração constatarmos tamanha variedade geográfica em uma área tão diminuta. Tem sido apropriadamente observado que uma das razões porque a Bíblia é inteligível em todas as partes do mundo é que ela percorre toda a gama das condições da vida terrena. A Palestina pode ser dividida em quatro principais faixas longitudinais: (1) planícies costeiras; (2) planaltos centrais (Cisjordânia); (3) região das calhas (ou fendas); e (4) o platô da Transjordânia.

1. Planícies costeiras

*a.* Baías. A deposição de sedimentos vindos do rio Nilo, feita pelas correntes do Mediterrâneo, transformou a costa da Palestina em uma praia arenosa e plana, sem baías notáveis ao longo de seus aproximados 300 quilômetros. Os poucos ancoradouros dessa costa eram muito inferiores às famosas baías dos fenícios, situadas ao norte. Embora existam algumas referências aos interesses marítimos de Zebulom (Gn 49.13), de Dã e Aser (Jz 5.17), a temerosa menção a mares tempestuosos (Salmos 107.23-29; Is 57.20) parece ter sido a mais coerente com a realidade. Como afirmou G. A. Smith, o mar representava uma barreira e não uma estrada para os israelitas.

Examinando a costa, de norte a sul, a primeira delas é a baía de Aco, que estava exposta às tempestades vindas do sudeste. A maior parte da área circunvizinha era formada por uma região pantanosa. Escavações revelaram um antigo porto não identificado em Tell Abu Hawan, na foz do ribeiro de Quisom, que deságua na baía de Haifa. O porto de Dor, situado vinte e cinco quilômetros ao sul do promontório do Carmelo, era o porto mais importante nas mãos dos israelitas.

Entretanto, ele ficava um pouco isolado pela ação dos charcos de Sharon (Sarom). Doze quilômetros ao sul de Dor, o rei Herodes o Grande criou a baía artificial de Cesaréia, no século I a.C.

No limite norte da moderna cidade de Tel Aviv, escavadores encontraram um porto em Tell Qasileh, próximo à foz do regato de Yarqon. Logo ao sul de Tel Aviv, o antigo local de Jope (a moderna Haifa) era um importante porto criado pela proteção oferecida por uma escarpa rochosa e alguns recifes pouco elevados (associado à libertação de Andrômeda por Perseu).

Foi a partir de Jope (Jo 1.3) que Jonas embarcou em um navio de Társis. Perto da pequena Tell Mor, que serviu como porto para Asdode, cidade dos filisteus, os israelitas construíram uma moderna baía. Ao sul, a cidade filistina de Asquelom encontra-se na costa sobre em uma seqüência de penhascos baixos que interrompem as dunas arenosas. Infelizmente para os israelitas, com os filisteus controlando a área ao sul de Jope e os fenícios controlando Aco, muitas dessas inadequadas baías aqui relacionadas não estavam sob o controle da nação durante a maior parte de sua história.

*b.* A planície de Aser. A Fenícia propriamente dita começava no branco promontório de Ras en-Naqurah, a “Escada de Tiro”, que interrompe o tráfico por terra ao longo da costa. A planície situada ao sul e ao norte do monte Carmelo, ao longo da costa, era a porção de terra destinada a Aser que, éntretanto, não foi capaz de conservá-la (Jz 1.31). Mais tarde, o porto de Aco tornar-se-ia famoso como Ptolemaida de Roma (At 21.7) e o porto de Acre dos Cruzados, mas essa região não representou um papel importante no AT.

*c.* O monte Carmelo. Esse íngreme promontório, bastante famoso, não é mais que a extremidade de uma cadeia de montanhas que se estende desde o interior até o sudeste do litoral. Sua altura máxima é de aprox. 570 metros. Como existe apenas uma estreita praia de aprox. 180 metros em sua base ao longo da costa, o Carmelo teria efetivamente interrompido todo o tráfico por terra se não fosse o percurso aberto por Jocneão e pela passagem de Megido. Esse monte era coberto de florestas (Ct 7.5) e pouco habitado. A tradicional cena da contenda entre Elias e os profetas de Baal (1 Rs 18) está localizada cerca de 30 quilômetros de distância, sobre a crista do Carmelo e acima de Jocneão.

*d.* A costa de Dor. A planície costeira de Dor é uma área triangular com cerca de 30 quilômetros de comprimento, circundada pela cadeia do Carmelo a noroeste e pelos pântanos de Nahr ez-Zerqa ou o rio Crocodilo ao sul. A partir da narrativa egípcia de Wenamon ficamos sabendo que aproximadamente no ano 1100 a.C., Dor estava nas mãos dos Tjeker, um dos Povos do Mar, que haviam emigrado das áreas da Anatólia e do Egeu. Na época do NT, Dor ainda não havia sido incluída na área concedida a Herodes o Grande pelos romanos, mas encontrava-se afiliada, junto com Ptolemaida, ao governo da Síria.

*e.* A planície de Sarom. Essa planície estende-se desde o rio Crocodilo no norte, e continua em direção ao sul até o rio ‘Auja (chamado pelos israelitas de rio Yarqon), que sinaliza o extremo norte da moderna cidade

O rio Jordão em seu curso a partir do mar da Galiléia. HFV

Teatro romano na moderna Amã, antiga Rabate-Amom. HFV

de Tell-Aviv. Ela é uma planície estreita com cerca de 15 quilômetros de largura e 80 de comprimento. Cadeias baixas de "kurkar" bloqueavam a drenagem de cinco rios que corriam através da planície de Sarom até o mar criando áreas pantanosas. Além disso, a rica areia vermelha mousteriana (da era Pleistocena) de Sarom alimentava uma impenetrável floresta de carvalhos; na verdade, Sarom é a tradução da LXX para *drumos* ou "floresta". Portanto, essa área era parcamente habitada pelos antigos israelitas e usada principalmente para a pastagem (1 Cr 5.16; 27.29; Is 65.10). A "rosa de Sarom" (Ct 2.1) era uma delicada flor que nascia em meio a imensas árvores.

Essa região adquiriu grande importância com a construção de Cesaréia por Herodes. A importante *Via Maris* (Is 9.1), a principal estrada do Egito que cruzava a Filístia e ia através da Galiléia até Damasco, rodeava os pântanos de Sarom nos contrafortes baixos a leste e penetrava na cadeia do Carmelo através da passagem de Megido.

*f*. A Filístia. A costa e a planície da Filístia, que se estendem ao sul da planície de Sarom, receberam esse nome por causa dos filisteus, um povo do mar Egeu que se tornou importante nessa região, aprox. no ano 1200 a.C. Essa área caracteriza-se por ser uma região levemente elevada e ter amplos vales. É muito rica em suprimento de água, transportada por aquedutos vindos das montanhas de Hebrom. A diminuição das chuvas, quando nos aproximamos do deserto ao sul, e o fluxo mais rápido que cai das escarpas mais elevadas, impediram a formação de pântanos nessa área. Portanto, a *Via Maris* não precisa mais se agarrar às escarpas secas interiores, como acontece na planície de Sarom. Ela apenas acompanha a costa, onde dunas arenosas têm obstruído a maior parte dessa área, mas onde os filisteus conseguiram construir três de suas cinco maiores cidades nos intervalos entre estas dunas. Asdode, Asquelom e Gaza. Gaza, como a cidade localizada mais ao sul da longa marcha de oito dias até o Egito, exerceu um papel crucial ao longo da história. G. A Smith chamou Gaza de "posto avançado da África e porta da Ásia". A exata localização das duas outras cidades da pentápolis dos filisteus, Gate (Tell es-Safi?) e Ecrom (Khirbet el-Muqanna?) ainda está sendo discutida.

2. Planícies centrais

*a*. A Galiléia. É costume dividir essa região em Galiléia superior e Galiléia inferior, sendo que essa divisão é demarcada por uma íngreme escarpa que corre ao longo de uma linha entre Aco e Safed. A área ao norte, a Galiléia superior, é caracterizada por montanhas cuja altitude varia entre 850 a 1.000 metros; ao sul, a Galiléia inferior caracteriza-se por colinas menos elevadas, com menos de 650 metros de altitude, e grandes vales. A Galiléia superior ainda é dividida em área de florestas ao sul e um espaçoso e baixo platô ao norte, densamente povoado. Essa última área corresponde atualmente ao moderno país do Líbano. Com raras exceções, tais como Quedes e Naftali (Js 20.7), a Galiléia superior quase não exerceu nenhum papel no AT.

Um clima bastante fresco, pesadas chuvas, e um solo rico favoreceram a Galiléia. Ela acomodou uma grande população que vivia em pequenas vilas. A Galiléia inferior, famosa por sua importância no NT, é uma área particularmente fértil e atraente, com pequenas escarpas próprias para uma vida tranqüila e para a prática das atividades agrícolas. Certas áreas da Galiléia também foram expostas à influência internacional do tráfico através da *Via Maris* até Damasco. Na região noroeste estavam localizadas as "costas" dos fenícios pagãos e a sudeste, as cidades da Decápolis dos gentios. Nazaré, a cidade do Senhor Jesus, estava localizada em uma cadeia de montanhas a 400 metros acima do nível do mar. Ao sul, existe uma íngreme escarpa que contempla o vale de Esdraelom (Lc 4.29).

*b*. O vale de Esdraelon-Jezreel. O nome Esdraelom corresponde simplesmente à ortografia grega da palavra hebraica Jezreel, que significa "Deus irá semear" (cf. Os 2.22,23). É o nome do "vale" por excelência que está localizado entre a cadeia do Carmelo, as colinas da baixa Galiléia, e o rio Quisom cujas águas correm através de uma estreita passagem situada a noroeste.

Uma tempestade transformou o pequeno Quisom e a planície vizinha em um charco e permitiu que Baraque derrotasse as bigas de Sísera (Jz 5.20,21). A planície de Esdraelom forma um triângulo eqüilátero cujos lados medem aprox. 30 quilômetros de comprimento. Quatro cidades-fortaleza, construídas em intervalos de cerca de 8 quilômetros, guardavam a entrada da cadeia do Carmelo até a planície. Jocneão, Megido, Taanaque e Ibleão. A mais importante era Megido, que guardava a passagem através da qual a *Via Maris* penetrava no interior. Essa era uma rota que apresentava um fácil declive. Tutmósis III (século XV a.C.) estava bem consciente da sua importância quando disse: "Conquistar Megido equivale a conquistar milhares de vilarejos".

Muitas batalhas foram travadas nesse local (por exemplo, 2 Cr 35.22), a ponto de seu nome ter se tornado símbolo do futuro conflito entre os reis do mundo (cf. o termo grego *'Armagedon* com o hebraico *har megiddo,* Apocalipse 16.16). A passagem de Jocneão podia ser utilizada por qualquer pessoa que estivesse viajando entre Aco e Dor. A passagem Taanaque era a menos atraente, por não passar de uma faixa estreita e íngreme. A passagem de Ibleão, ao sul de Jenin, levava ao fértil vale de Dotã. Os midianitas que levaram José para o Egito estavam seguindo essa rota (Gn 37).

Na extremidade oriental da planície de Esdraleom existe uma área situada entre a vulcânica colina de Moré, ao norte, e o espigão de calcário do monte Gilboa, na direção sul. ela serviu como campo de batalha entre Gideão e os midianitas (Jz 7.1) e entre Saul e os filisteus (1 Sm 31.1). Aos pés do monte Gilboa encontra-se a cidade de Jezreel, a capital de inverno de Omrides, e o local onde Jezabel foi assassinada por Jeú (2 Rs 9.30-37). Também na base desse monte está a fonte de Harode, onde Gideão experimentou suas tropas e escolheu seu exército de 300 homens (Jz 7.1-7). O pequeno rio Jalud corre a partir de 'Ain Harod em direção ao leste através de um estreito, mas fértil corredor, até a planície de Bete-Seã no extremo do vale do Jordão, cerca de 130 metros abaixo do nível do mar. Os homens de Jabes-Gileade atravessaram o Jordão nesse ponto (que era um vau de fácil travessia) até Gileade para resgatar o corpo de Saul de Bete-Seã (1 Sm 31.11,12). Na época do NT, Bete-Seã era conhecida como Citópolis e era a única cidade que fazia parte da Decápolis na margem ocidental do Jordão.

*c.* Samaria. A região da Samaria estendia-se por 80 quilômetros ao sul do vale de Esdraleom, e 60 quilômetros de leste a oeste, cobrindo uma área de 5.000 quilômetros quadrados. Essa região foi concedida às tribos dos dois filhos de José, Manassés que ficou com a área de Siquém ao norte, e Efraim, que ficou com uma área menor ao sul de Betel. O calcário da era Cenozóica da região de Efraim havia se desintegrado em terra rosa que permite uma intensa vegetação e considerável população. A área de Manassés era predominantemente da era Eocena, com grandes trechos de greda da era Senoniana resultando em colinas arredondadas com amplos vales ricos em aluvião. Embora a camada Senoniana não formasse um solo adequado para boa agricultura, ela favorecia a construção de estradas em todas as direções. Uma importante estrada longitudinal atravessava a bacia fluvial das colinas de Samaria, desde Jerusalém ao norte, através de Betel e Siló, até Siquém (Jz 21.19). Siquém estava localizada aos pés dos picos gêmeos de Ebal e Gerizim, da era Eocena, lugar onde os samaritanos realizavam sua adoração (Jo 4.20). Em Siquém a estrada dividia-se na direção nordeste e noroeste. A estrada nordeste levava a Tirza, a primeira capital (1 Rs 14.17; 15.21,33), aos pés do Uádi Far'ah. A estrada noroeste levava à nova capital de Samaria, fundada por Onri no século IX a.C. (1 Rs 16.24).

O que constituia a força e a fraqueza de Samaria, especialmente de Manassés, era sua abertura ao comércio estrangeiro e aos invasores. Os assírios finalmente invadiram e destruíram a cidade de Samaria em 722 a.C. (2 Rs 17.3ss.), deportando grande número de membros das dez tribos de Israel e importando estrangeiros da Mesopotâmia. A população mista que daí resultou formou os samaritanos.

*d.* Judá. A pequena área de Judá ou Judéia, que teve um papel histórico de tanta importância, era, sob alguns aspectos, a menos desejada de todas. A partir de sua fronteira norte, ela estendia-se por 80 quilômetros até Berseba, no sul. Com uma largura de cerca de 50 quilômetros, ela cobria uma área de aproximadamente 3.800 quilômetros quadrados. Nas encostas ocidentais havia algumas áreas ricas, porém intercaladas de terra rosa que poderiam permitir algumas colheitas caso fossem protegidas por terraços. Seu relativo isolamento das rotas internacionais resultava do fato do comércio ser encaminhado para a região em torno da Judéia e não através dela. Como, com exceção da região norte, ela era facilmente defensável por todos os lados, este fato ajudava a manter uma estabilidade política que Samaria não tinha condições de experimentar.

A fronteira ao norte de Judá, finalmente estabelecida em Geba (1 Rs 15.22; 2 Rs 23.8), ficava apenas a oito quilômetros ao sul de Betel. As terras situadas entre Geba e Betel formavam uma verdadeira terra-de-

Rua romana em Petra

A moderna Jafa e suas ruínas antigas. IIS

ninguém (2 Cr 13.19; 1 Rs 15.17) disputada pelos reis de Judá e de Israel. Como nessa direção não havia nenhuma barreira natural, um poderoso inimigo que estivesse com o controle da região norte, como os assírios, poderia avançar sobre Judá sem encontrar qualquer oposição (Is 10.28-32).

As cidades mais importantes estavam localizadas sobre a bacia hidrográfica que corria ao longo do espigão formado pelas colinas da Judéia. Com suas torres que podem ser vistas desde Betel a quinze quilômetros ao norte, a cidade de Jerusalém foi escolhida por Davi para unir as tribos do sul e do norte. Sua posição também comandava a estrada que corria do leste para o oeste e levava até Jericó e ao último ponto de travessia do rio Jordão, ao norte do mar Morto. Hebrom, a primeira capital de Davi, situada 30 quilômetros ao sul de Jerusalém, está mais próxima do centro de Judá. A área ao sul de Hebrom é a região de vastas colinas e de campos amplos e abertos de Zife, Maom e do Carmelo de Judá (1 Sm 25.2), bastante própria para o pastoreio dos rebanhos. O platô judaico, que termina cerca de 24 quilômetros ao sul de Hebrom, vai gradativamente transformando-se em estepe e deserto. Berseba, 45 quilômetros a sudeste de Hebrom, está situada apenas a 300 metros acima do nível do mar, na fronteira entre a estepe e o deserto.

Cerca de um terço de Judá, a leste do espigão central, é formado por um deserto, uma área proibitiva cujas finalidades mais importantes eram a defesa e o refúgio. Esse deserto começa a uma pequena distância a leste do monte das Oliveiras, e continua por mais de 15 quilômetros até os limites do vale do Jordão.

Ele estende-se por 80 a 100 quilômetros da latitude de Betel, ao longo dos penhascos do lado ocidental do mar Morto. O solo macio da era Senoniana e o fato dessa área estar situada longe do regime das chuvas, contribuíram para sua contínua desolação. Somente no mais úmido dos invernos cresce a grama nas encostas do deserto. Há mais de 17 nomes na Bíblia para essa região, incluindo "deserto de Judá" (Jz 1.16) e Jesimom ou "Desolação" (1 Sm 23.24). Exceto pelo oásis de En-Gedi, na margem ocidental do mar Morto, os únicos locais habitados eram as comunidades religiosas em Qumran, as cavernas dos refugiados e as fortalezas, como Massada.

A partir de seu lado ocidental, Judá podia ser alcançada através de várias estradas; no entanto, suas encostas podiam ser efetivamente defendidas contra os inimigos.

As passagens, que através da Sefelá levavam da região da Filístia até Judá, foram o cenário de muitas batalhas. Considerando essas rotas, na direção do norte para o sul, um viajante entraria em primeiro lugar no vale de Aijalom, que vai até Lode (Lida) através de uma subida fácil, passaria sobre a região superior e inferior de Bete-Horom, e poderia virar a nordeste para Betel ou a sudeste para Jerusalém, via Gibeão. O vale de Aijalom é uma bacia ampla e fértil, uma verdadeira calha, que representou a passagem mais fácil e mais importante para Judá a partir da região ocidental. Foi através desse vale que Josué perseguiu os amorreus (Js 10.10-12) e Saul e Jônatas perseguiram os filisteus (1 Sm 14.31). Mais ao sul de Aijalom, o vale de Soreque aproxima-se de Jerusalém diretamente da região ocidental e leva ao vale dos Refains a sudeste da cidade, onde por duas vezes Davi derrotou os filisteus (2 Sm 5.17-25). O vale de Soreque, com as cidades de Timna (Jz 14.1), Estaol e Zorá (Jz 13.24,25; 16.31), serviu como arena para muitas façanhas de Sansão. Mais ao sul, o vale de Elate leva a Belém a 8 quilômetros ao sul de Jerusalém. Foi nesse vale que o jovem Davi desafiou o filisteu Golias, entre Socó e Azeca (1 Sm 17.1,2). O caminho para Judá e Hebrom ao sul estava protegido pela grande cidade fortaleza de Laquis (2 Rs 18.13-17).

A via Dolorosa, caminho tradicional que Cristo percorreu até o Calvário. MIS

*e.* Sefelá. A Sefelá ("terras baixas") era a região do reino da Judéia localizada entre suas colinas e a planície filistéia. É uma área com cerca de 60 quilômetros de comprimento e 12 de largura que se eleva a uma altitude de 100 a 450 metros acima do nível do mar. Esse platô rochoso é formado pelo afloramento do calcário da era Eocena, separado do calcário da era Cenozóica das montanhas da Judéia por um estreito vale de greda Senoniana. Essas regiões apresentam grandes vales, férteis, solos de aluvião e bosques de oliveiras e plátanos (1 Cr 27.28). Por causa de sua posição, e por ser um local extremamente cobiçado, sempre foi objeto de disputa entre filisteus e israelitas (2 Cr 28.18).

*f.* Neguebe. O Neguebe bíblico ou "terra do sul" (literalmente, "terra seca") cobria apenas uma pequena área de uma faixa de terra de cerca de 50 quilômetros de largura na direção norte a sul, centralizada em Berseba. Essa área corresponde ao setor habitável, isto é, ao Neguebe propriamente dito. Trata-se de uma área cuja altitude varia entre 250 a 300 metros acima do nível do mar e que recebe um volume de chuvas anuais que praticamente impede a agricultura (100 a 300 milímetros). Nessa região são freqüentes os longos períodos de seca resultantes da falta de uma permanente colonização, exceto sob um governo forte e interessado. Quando ocorrem inundações repentinas (Salmos 126.4), a maior parte da água escoa inutilmente para amplos uádis e para o Mediterrâneo.

Entretanto, é no leito desses uádis que se encontram as fontes, e é ali que os poços podem ser perfurados. No Neguebe oriental, as importantes cidades de Arade e Horma estavam situadas ao longo do Uádi Mesash.

Como as chuvas eram inconstantes, o resultado foi que algumas áreas do Neguebe tornaram-se capazes de produzir colheitas, enquanto outras sofriam uma terrível seca. Isso pode explicar a mudança dos patriarcas para Gerar, na região ocidental do Neguebe (Gn 20.21,26). Através de uma cuidadosa conservação da água, os nabateus do período romano, e mais tarde os monges bizantinos, foram capazes de desenvolver a agricultura nos planaltos superiores do Neguebe, 50 quilômetros ao sul de Berseba.

Por causa de sua longa fronteira com as áreas desérticas, o Neguebe enfrentou freqüentes incursões de beduínos, como os amalequitas (Nm 13.29; 1 Sm 30.1). A vasta área triangular que se estende ao sul até Elate, e corresponde ao moderno Neguebe de Israel, era conhecida na Bíblia como o deserto de Zim e de Parã. A importante rota para o Sinai e para o Egito, conhecida como caminho de Sur (Gn 16.7), tomava a direção sudeste a partir de Berseba, e atravessava o oásis de Cades-Barnéia que estava localizado nessa região.

3. Região das calhas

*a.* Monte Hermom e as nascentes do Jordão. O majestoso monte Hermom com seus picos nevados eleva-se a 3.000 metros acima do nível do mar. O degelo de sua neve dá origem a várias nascentes do rio Jordão. Uma delas é o rio Nahr Leddan que nasce perto de Dã. Outra nascente forma o rio que se origina de uma fonte em Banias, cinco quilômetros a leste de Dã. Banias, cujo nome vem do deus grego Pan, era conhecida desde a época do NT como Cesaréia de Filipe (Mt 16.13ss.).

*b.* Lago Huleh. Cerca de 10 quilômetros ao sul da confluência das águas do Jordão, matérias resultantes de inundação basáltica criaram um pequeno lago com cinco quilômetros de comprimento, três de largura, e apenas 3 a 5 metros de profundidade, conhecido como lago Huleh. Esse lago, que Josefo chamou de lago Semechonitis, não aparece na Bíblia. Sua bacia era uma região de clima quente que abrigava inúmeros animais, aves selvagens e plantas de papiro em suas águas pantanosas. Entretanto, era uma região insalubre para os seres humanos por causa da malária. Os judeus, que compraram essa área durante o Mandato Britânico, começaram em seguida a executar trabalhos de drenagem e criaram em seu lugar uma reserva de vida selvagem e tanques para criação de peixes.

A sudeste desse lago ficava a importante fortaleza de Hazor (Js 11.10), que guardava a principal passagem do Jordão, no local chamado Ponte das Filhas de Jacó. Abaixo dessa passagem, o Jordão penetra em uma garganta estreita de basalto onde os penhascos elevam-se a 400 metros acima da superfície do rio. Como o lago Huleh estava localizado cerca de 70 metros acima do nível do mar, e o mar da Galiléia, que está aprox. a 15 quilômetros ao sul, encontra-se a mais de 230 metros abaixo do nível do mar, o rio Jordão sofre uma queda de aprox. 300 metros entre esses dois pontos.

*c.* Mar da Galiléia. O encantador mar da Galiléia, talvez o volume de água mais comentado no mundo, tem a forma de uma harpa antiga, ou de uma lira, com seus 20 quilômetros de comprimento por 12 de largura. Suas águas ricas em peixes atingem uma profundidade de mais de 50 metros. Ele ficou conhecido na Bíblia através de uma variedade de nomes: mar de Quinerete ("harpa", Nm 34.11), mar da Galiléia (Mt 4.18), lago de Genesaré (Lc 5.1) e mar de Tiberíades (Jo 21.1). Cercado por montanhas, suas águas plácidas podiam transformar-se em um caldeirão violentamente agitado pelas repentinas tempestades (Mc 4.35-41).

A maior área plana ao longo de suas margens é a planície de Genesaré a noroeste. Entre essa planície e a entrada do rio Jordão, ao norte, está situada a cidade de Cafarnaum, cenário da maior parte do ministério do Senhor Jesus Cristo. A cidade mais importante do lago era Tiberíades (Jo 6.23),

Nazaré na Galiléia, com o vale de Jezreel ao fundo. IIS

situada na margem ocidental, fundada aprox. no ano 20 d.C. por Herodes Antipas. Era uma cidade habitada quase totalmente por gentios e que parece não ter sido visitada pelo Senhor Jesus Cristo.

*d.* Rio Jordão. Em uma linha reta, o comprimento do rio Jordão, desde o mar da Galiléia até o mar Morto é de 104 quilômetros; entretanto, esse comprimento chega a ser três vezes maior, isto é, 312 quilômetros, por causa de seu percurso sinuoso.

A partir do mar da Galiléia, ele desce cerca de 200 metros até o mar Morto, isto é, cerca de 3 metros por quilômetro. Sua rápida correnteza, rodamoinhos, cascatas e curvas pronunciadas, formam um obstáculo ao tráfico fluvial. Além disso, na Antiguidade suas águas estavam muito abaixo da planície cultivável para serem usadas na irrigação. O Jordão, que tem cerca de 30 a 35 metros de largura, mas apenas 1 a 4 metros de profundidade não é, na verdade, um rio majestoso, mas apenas um fluxo de água barrenta (2 Rs 5.10-12).

O vale do Jordão tem uma largura que varia de 5 até um máximo de 22 quilômetros pouco antes de alcançar o mar Morto. Os árabes dividiam esse vale em dois níveis: o *Gor* ou "Depressão" do vale principal e, separado dele por um declive de 50 metros, o *Zor* mais profundo, ou "mato trançado", formado pela própria inundação da planície. A área entre o Zor e o Gor é caracterizada pela presença de *qattaras,* isto é, colinas de calcário argiloso bastante corroídas pela erosão. O Zor é uma região luxuriante coberta por uma vegetação densa e entrelaçada, com uma largura aproximada de 180 a 1.600 metros, que forma uma verdadeira floresta habitada por chacais, lobos e leões (Jr 12.5; 49.19; 50.44; Zc 11.3).

O Jordão é alimentado por inúmeros afluentes, sendo que os mais importantes vêm da região oriental. Na margem ocidental o Jordão recebe as águas do rio Jalud que atravessa Bete-Seã pelo Uádi Far'ah vindo de Tirza em Samaria, e o Uádi el-Qelt depois de passar pela cidade de Jericó do NT. Na margem oriental, seu afluente mais importante é o rio Jarmuque, que despeja suas águas um pouco abaixo do mar da Galiléia. Embora esse rio contenha um fluxo de água igual, se não maior que o Jordão, ele não é mencionado na Bíblia, a não ser que seja o "ribeiro de Querite" de Elias (1 Rs 17.3-7). Cerca de 30 quilômetros abaixo do mar da Galiléia, o Uádi el-Yabis deságua no Jordão vindo do leste e, 24 quilômetros mais adiante, em direção ao sul, o caudaloso rio Jaboque penetra no Jordão perto da cidade de Adam (na atual Ponte Damiya). Essa é uma área onde, segundo os registros históricos, os deslizamentos de terra bloquearam várias vezes o curso do Jordão (cf. Js 3.16).

As pesquisas de N. Glueck indicam que havia 35 áreas de colonização no vale do Jordão durante o período israelita. Na margem oriental, a norte do Uádi el-Yabis, estavam localizadas Jabes-Gileade (1 Sm 11) e Pela, a cidade para onde os cristãos de Jerusalém fugiram no ano 70 d.C. Entre o Uádi el-Yabis e o rio Jaboque estava Sucote e Saretã (ou Sartã). As escavações sugerem que essa última pode ser identificada com Tell es-As'idiyeh, onde objetos de metal encontrados podem confirmar a descrição bíblica desse lugar como um centro de metalurgia (1 Rs 7.46). Entretanto, Aharoni acredita que esse *Tell* era Zafom (Jz 12.1). Na margem ocidental, além da cidade-oásis de Jericó, Herodes o Grande construiu ao norte algumas fortalezas: Archelais, Phasaelis e Alexandrium.

*e.* Mar Morto. Na Antiguidade, o mar Morto era conhecido por diferentes nomes. No AT seu nome era "mar de Sal" (Gn 14.3), "mar do oriente" (Ez 47.18) e "mar da Arabá" (Dt 4.49). Os romanos davam-lhe o nome de "mar de Betume". O termo *Mare Mortuum*, ou "Mar Morto", foi usado no século II d.C. Para os árabes seu nome era mar de Ló.

O solo do mar Morto é uma depressão dentro de outra depressão. O lugar mais profundo do mundo tem uma superfície aproximada de 420 metros (que tem variado um pouco dependendo do influxo ou do índice de evaporação) e seu ponto de maior profundidade tem cerca de 430 metros abaixo da sua superfície. Ele mede aproximadamente 80 quilômetros de comprimento por 15 de largura. O terço sul desse mar é formado por uma baia rasa de origem recente, cuja profundidade varia de 5 a 12 metros, separada do principal curso de água pela península de calcário argiloso de Lisan ("língua") que se projeta da costa oriental. A água contida entre a extremidade de Lisan e a costa ocidental tem uma largura de apenas 4 quilômetros e podia ser atravessada a pé até o ano de 1846. Ramos secos de árvores submersas ao sul dessa baía revelam que, até recentemente, parte dessa área era formada por terra seca enquanto pesquisas mostraram que o nível do mar tem se elevado continuamente.

O mar Morto não é apenas o volume de água situado mais abaixo do nível do mar em toda a terra; ele também é o mais salgado. Por causa do extremo calor, do rápido índice de evaporação e da falta de chuvas nessa área, suas águas contêm uma concentração de 25 por cento de sal comum (ou sal de cozinha, que é o cloreto de sódio), bromo, cloreto de potássio e cálcio. Os peixes que vêm do rio Jordão morrem imediatamente.

Os escarpados rochedos, especialmente do lado oriental, impedem a passagem para o mar. Na margem noroeste, os monges essênios mantinham um mosteiro em Qumran, nas proximidades da fonte de ‘Ain Feshkha. Na margem ocidental, mais ao sul, estava o oásis de En-Gedi, famoso por sua hena (Ct 1.14) e plantas de opobálsamo. Na extremidade sudeste do mar existe uma montanha de sal conhecida como Jebel Usdum, popularmente associada ao destino da mulher de Ló (Gn 19.26). Acredita-se que os verdadeiros locais de Sodoma e Gomorra estejam, agora, escondidos sob as águas rasas da região sul desse mar. Os autores clássicos, Diodoro Siculus (ii. 48.7-9), Strabo (*Geography* xvi, 2.42-44), Tácito (*History* v. 6.7) e Josefo (*Wars* iv. 8.4) descreveram ruínas visíveis de cidades incendiadas ao sul do mar Morto daquela época.

*f*. Arabá. A continuação da calha do rio Jordão, ao sul do mar Morto, é conhecida como Arabá, uma palavra que também é sinônimo de terra deserta. O vale de Arabá tem 170 quilômetros de comprimento e cerca de 5 a 15 quilômetros de largura. O solo desse vale eleva-se das profundezas da região do mar Morto até atingir uma altura de 250 metros e, em seguida, desce até o nível do mar em Elate. A principal importância desse vale reside em seus depósitos de cobre. Os mais antigos trabalhos em cobre descobertos até hoje estão em Punon e Ir-nahash, 50 quilômetros ao sul do mar Morto e em Timna, 24 quilômetros ao norte do golfo de Elate. Eziom-Geber, nas proximidades de Elate (1 Rs 9.26), servia como porto para as missões comerciais de Salomão na Arábia, na África e possivelmente na Índia.

4. Platô da Transjordânia. A área da Transjordânia corresponde a um planalto nas montanhas, constituído principalmente por calcário da era Cenomaniana e Senoniana, com basalto a leste e a nordeste do mar da Galiléia, e com arenito da Núbia e rochas da era pré-cambriana em Edom. Em média, as elevações da Transjordânia alcançam maior altitude que aquelas da Cisjordânia. A elevação desse platô corresponde, em média, de 600 a 800 metros, com picos de mais de 1.000 metros em muitos pontos, e atingem mais de 1.600 metros em Edom. Uma sensível diferença da Cisjordânia, é o fato da Transjordânia não estar limitada pelo mar, mas por um vasto deserto. Na região oriental, suas terras misturam-se com o deserto sírio e árabe estando, portanto, expostas aos ventos e aos nômades do deserto.

*a*. Basã. A região de Basã, do AT, corresponde ao platô norte do Jarmuque. Ela está localizada a leste do mar da Galiléia e estende-se para o norte até o pé do monte Hermom. Por causa da proximidade com Damasco, essa região tornou-se um constante campo de batalha entre a Síria e Israel. Esta é uma área de amplas planícies que se elevam entre 500 a 750 metros acima do nível do mar. Como seu basalto desintegrou-se em solo fértil, e como as baixas colinas situadas desde a Galiléia até a região ocidental permitiram que as chuvas penetrassem no interior, seus bem alimentados touros tornaram-se proverbiais (Salmos 22.12; Am 4.1; Ez 39.18). Basã também serviu como um importante silo para o Império Romano. Na época de Herodes, a região imediatamente a nordeste do mar da Galiléia era conhecida como Gaulanites (conhecida atualmente como Montanhas de Golã).

*b*. Haurã. Entre Basã e o deserto existe a área de Haurã, uma planície que ocupa cerca de 80 quilômetros de comprimento por 30 de largura, desprovida de vegetação. Na extremidade oriental de Haurã está a grande massa vulcânica conhecida como monte Basã, ou Jebel Druze, um local famoso por seus carvalhos (Salmos 68.15; Is 2.13; Ez 27.6; Zc 11.2). Por causa de sua altitude, essa área tem um bom suprimento de água, embora no inverno seja extremamente fria. A região norte de Jebel Druze é conhecida como el-Leja (“o refúgio”), pois nesse lugar os refugiados e os ladrões podiam viver uma existência independente do controle de Damasco, ao norte. No período do NT, a área geral de Haurã era conhecida como Auranites e a região de el-Leja, como Traconites. Essas duas áreas, junto com Gaulanites e Batanéia, foram outorgadas a Herodes Filipe (Lc 3.1).

*c*. Gileade. A região ao sul do Jarmuque, a leste do Jordão e na mesma latitude de Rabate-Amom (a moderna Amã), mas, sem incluir essa última, era conhecida como Gileade. Trata-se de uma região elevada, de montanhas desiguais que alcançam de 1.000 a 1.300 metros de altitude. Ela cobre uma área de 60 quilômetros de comprimento por 40 de largura, entre o Jordão e o deserto.

Dotã em Samaria. JPF

Parque das Antiguidades em Asquelom, uma das cidades da antiga Filístia. IIS

Geologicamente falando, a cúpula de Gileade é formada por calcário ascendente da era Cenozóica que foi fraturado pelo rio Jaboque. As divisões dessa área eram conhecidas como Gileade do Meio (ou metade de Gileade, Josué 12.3,5). Pelo fato de receberem de 600 a 700 milímetros de chuva, elas eram e ainda são densamente cobertas por florestas (2 Sm 18.6,8; Jr 22.6). Seu bálsamo era famoso e até mesmo proverbial (Jr 8.22; 46.11), e as caravanas ismaelitas que levaram José para o Egito estavam transportando bálsamo de Gileade (Gn 37.25).

Gileade foi ocupada pela tribo israelita de Gade, e pela meia tribo de Manassés. Nos momentos de perigo, ela servia como um lugar de refúgio, como por exemplo, para Davi, quando fugiu de Absalão (2 Sm 17.22). Durante o período do NT, a região de Gileade que estava limitada pelo rio Jordão era conhecida como Peréia, e fez parte da jurisdição de Herodes Antipas, que também controlava a Galiléia.

*d.* Amom. O pequeno território de Amom estava centralizado em volta da cidade de Rabate-Amom e estendia-se em direção ao oriente, mas sem alcançar a região ocidental do Jordão até o período pós-exílico. Trata-se de um platô elevado e fértil, embora mais árido que Gileade e com árvores esparsas. Rabate-Amom está localizada em um ângulo ao sul do curso superior do Jaboque, quase às margens do deserto. Essa cidade dominava a Estrada do Rei e levava para o norte, até Damasco.

*e.* Moabe. Estava localizada na região ao sul de Amom e Gileade, a leste do mar Morto e ao norte do rio Zerede (Nm 21.11,12; Dt 2.13), que corre até a extremidade sudeste do mar Morto. É uma planície elevada (600 a 800 metros) de calcário da era Cenozóica, sobre uma camada de arenito da Núbia.

Da mesma forma que Gileade, Moabe é dividida em duas pela profunda foz do Arnom. O assim chamado "rio" Arnom (Dt 2.24; Js 12.1) é na verdade um cânon de 4 quilômetros de largura no topo dos rochedos que se elevam a 550 metros de altura acima do solo do rio. Quando os moabitas estavam fracos, o Arnom funcionava como sua fronteira ao norte (Nm 21.13,15). Mas quando estavam fortes, não existia nenhuma fronteira natural no norte entre Moabe e Amom, ou entre Moabe e as possessões israelitas na Transjordânia. Os limites aproximados eram formados por uma linha que corria desde a extremidade norte do mar Morto entre Hesbom e Medeba. A área de Moabe, ao norte do Arnom, o *Mishor* ou "terra plana" (Dt 3.10; 4.43) foi disputada durante séculos por Israel e Moabe. Mesa, o rei moabita (2 Rs 3.4), tomou essa área dos israelitas no século IX a.C., como ele próprio relata em suas importantes inscrições, conhecidas como a "Pedra Moabita". As principais cidades de Moabe estavam localizadas na Estrada do Rei. Medeba no norte, Dibom, a capital de Mesa, e Aroer que guardava a estrada no ponto em que ela cruzava o Arnom (Js 12.2).

Moabe, situada ao sul do Arnom, era uma região elevada que chegava a 1.300 metros de altitude. Pouco se sabe a respeito de qualquer cidade dessa área exceto Quir-Haresete ou Quir de Moabe (2 Rs 3.25). Ela foi identificada com a moderna Kerak, localizada em uma montanha rochosa, 1.100 metros acima do nível do mar e que contempla a extremidade sul do mar Morto a 18 quilômetros de distância.

*f.* Edom. A vasta área ao sul de Moabe e do mar Morto, e a leste de Arabá ficou conhecida desde a época do rei Saul como Edom. Seu nome, que significa "vermelho", acompanha o vermelho do arenito da Núbia que é tão proeminente em sua região ocidental. Devido à sua altitude, suas encostas recebem uma adequada quantidade de chuvas no inverno. Portanto, Edom foi beneficiada com uma densa floresta de arbustos, que ainda permanecia preservada até recentemente. Sua madeira era importante, pois era usada como combustível nas fundições de cobre de Arabá. Edom lutou contra Israel e Judá não só pelo controle das minas de cobre e do porto de Elate, como pelo controle da Estrada do Rei que atravessava seu território. Amazias (2 Rs 14.7) e seu filho Uzias (2 Rs 14.22) foram capazes de conquistar a maior parte da área de Edom. Entretanto, Edom conseguiu durante a maior parte do tempo gozar de sua independência, pois confiava em suas bem defendidas fortalezas. Foi esse feroz orgulho de Edom que o profeta Obadias condenou.

Edom tinha algumas cidades notáveis. Temã, nas proximidades de Petra, ficou famosa por sua sabedoria (Jr 49.7; cf. Jó 2.11). Bozra estava localizada entre Sela e Punom ao norte, 40 quilômetros ao sul do mar Morto, e Sela estava a uma pequena distância a nordeste de Bozra. Alguns estudiosos, entretanto, localizam Sela a 80 quilômetros ao sul do mar Morto, em um local que mais tarde seria transformado em Petra, a capital dos nabateus. Depois da conquista de Judá pelos babilônios no ano 587 a.C., os edomitas aproveitaram-se da situação e mudaram-se para a área de Hebrom. Com as incursões dos árabes nabateus na região de Petra, em aprox. 300 a.C., os edomitas abandonaram toda a Transjordânia, e ocuparam a área conhecida como Iduméia, que incluía o sul de Judá e a Sefelá. Herodes o Grande era idumeu.

### III. O Clima da Palestina

A. *Fatores meteorológicos*

Vários fatores influem no clima característico da Palestina. O país encontra-se entre a latitude 33º 15' em Dã e 31º 15' ao norte em Berseba, que é a mesma latitude da região do extremo sul da Califórnia. Portanto, ela está localizada no limite norte da zona subtropical. O mar Mediterrâneo a oeste, e os desertos ao sul e a leste representam os principais fatores, assim como a grande variedade de características topográficas. Podemos fazer as seguintes generalizações regionais: (1) a temperatura diminui com a altura, e aumenta com a profundidade abaixo do nível do mar; (2) os índices de temperatura aumentam quando nos afastamos da moderadora influência do mar; (3) a chuva tende a diminuir de norte a sul; (4) a chuva diminui do oeste para o leste; (5) a chuva aumenta nas regiões mais elevadas; (6) como os principais ventos que trazem a umidade vêm da região oeste, a chuva precipita-se nas encostas dessa área e deixa as encostas da região leste apenas com uma leve sombra de chuva.

1. Temperaturas (todos os números citados estão em graus Célsius). A brisa do mar exerce um efeito moderador sobre a costa, mas a umidade torna o verão sufocante nessa região. As temperaturas média, mínima e máxima em Haifa no mês de janeiro são 7-13-18, e em agosto 24-28-32. Raramente neva no litoral durante o inverno. Os índices de temperatura em Samaria e nas colinas da Judéia são muito mais elevados. As noites de verão são agradáveis, mas as de inverno são frias e muitas vezes neva. As temperaturas média, mínima e máxima em Jerusalém em janeiro são 5-8-12, e em agosto 18-24-30. No vale das calhas, as temperaturas são muito mais elevadas durante o ano todo, o que torna essa região confortavelmente quente no inverno, porém insuportável no verão. A cidade de Jericó, que goza de uma variação entre 20 a 28 em janeiro, serviu como sede para o palácio de inverno de Herodes. Em julho, a temperatura máxima nessa cidade atinge 45. O verão em Elate também é tórrido com temperaturas que variam entre 26 a 40. O platô da Transjordânia sofre com os fortes ventos do deserto que podem ser extremamente quentes ou frios.

Na Bíblia estão registradas temperaturas extremas. O escaldante sol do meio dia provocou a morte de um jovem na época de Eliseu (2 Rs 4.18-20; cf. Salmos 32.4). O rei Jeoaquim sentou-se perante um braseiro em sua casa de inverno (Jr 36.22). Mesmo em abril era necessário que os servos do sumo sacerdote se aquecessem em volta de um braseiro de carvão durante a noite (Jo 18.18). Os pobres sofriam com o frio porque não tinham roupas adequadas (Jó 24.7).

2. Ventos. Durante o verão, a Palestina encontra-se entre a baixa monção presente sobre o golfo Pérsico, e uma área de alta pressão no Atlântico. Portanto, ela goza continuamente de ventos periódicos que sopram de norte a oeste e de um ensolarado e quase seco verão, pois não existem correntes frontais de ar frio encontrando-se com massas de ar quente. No inverno, entretanto, o ar frio marítimo, impulsionado desde o sul até a bacia do Mediterrâneo, encontra-se com as aquecidas massas de ar tropical, produzindo um clima úmido e tempestuoso (Jó 37.9).

Uma tabulação parcial feita em Jerusalém, de maio a outubro, indica a freqüência de vários tipos de ventos. Da direção noroeste: 78,8 dias; do oeste: 27,5 dias; e do norte: 26,5 dias. Durante os meses chuvosos, o vento sopra do oeste e do sudoeste durante 60,7 dias; e do noroeste, leste e sudeste durante 67,4 dias.

*a.* Ventos do oeste. Durante o inverno, os ventos que trazem a umidade do oeste e do sudeste provocam a precipitação de chuvas ao encontrarem uma região com massas de ar mais frias (1 Rs 18.44; Lc 12.54). Durante o verão, os ventos mais secos do noroeste encontram apenas uma região com massas de ar quente, e não provocam a precipitação de chuvas. Entretanto, esses ventos realmente aliviam o calor do dia, pelo menos na Cisjordânia. Os ventos que sopram do oeste atingem o platô da Transjordânia aproximadamente às três horas da tarde, depois do auge do calor do dia e até hoje são usados para joeirar o trigo (Salmos 1.4).

*b.* Ventos do norte. Esses ventos são relativamente raros e podem apresentar-se sob dois tipos. Principalmente em outubro, um vento frio e seco sopra sobre as barreiras da Ásia Central (Sir 43.20) e em março uma onda de ar polar sobre os Balcãs pode produzir chuvas pesadas (Pv 25.23).

*c.* Ventos do sul e do leste. O escaldante vento do deserto (*sirocco, khamsin*), vindo do leste, sudeste ou sul, era e ainda é um fenômeno temível. Ele sopra durante três ou quatro dias durante a transição das estações, entre a estação chuvosa e o verão, isto é, na primavera, de abril até a metade de junho e, no outono, da metade de setembro até o final de outubro. O vento *sirocco* produz as temperaturas mais elevadas do ano chegando, muitas vezes, a 20 graus acima da média (Jr 4.11). Pior ainda, ele é extremamente seco e derruba a umidade relativa em aproximadamente 30 a 40 por cento, reduzindo a disposição das pessoas, debilitando as energias e causando desidratação. O ar fica repleto de uma fina poeira amarelada que cobre o sol e reduz a visibilidade. Os ventos *sirocco* do verão são particularmente devastadores porque secam a vegetação do inverno em poucas horas (Salmos 103.15,16; Is 40.6-8; Ez 17.10; 19.12; Os 13.15; cf. Jo 4.8). As regiões da Transjordânia, do Neguebe e do vale das calhas experimentam a maior fúria desse tipo de vento, que consegue abater-se em correntes contínuas sobre as encostas a mais de 90 quilômetros por hora, destruindo os navios que se encontram distantes da costa (Salmos 48.7; Ez 27.26).

B. *Precipitação*

1. Estação chuvosa. Não se pode prever a data exata do início da estação chuvosa, mas geralmente ela vai da metade de outubro até a metade de abril, com talvez um ou dois dias de chuva no mês de maio. Ela inclui os meses de inverno do hemisfério norte, mas talvez seja mais duradoura que eles (cf. Ct 2.11). Durante essa estação, três ou quatro dias de intensa chuva alternam-se com dias secos durante os quais sopram os frios ventos do deserto oriental.

2. Chuvas precoces e tardias. A Bíblia faz repetidas referências à chuva temporã (de "outono") e à serôdia (da "primavera") em Deuteronômio 11.14; Jr 5.24; Joel 2.23, dando origem talvez à impressão de que as chuvas acontecem apenas no início e no final da estação chuvosa. Na verdade, a maior intensidade de chuvas acontece em janeiro e fevereiro, exatamente no meio dessa estação (Lv 26.4; Ed 10.9,13). Essas chuvas iniciais e finais são muito enfatizadas por serem cruciais para a agricultura. A chuva que cai no final de outubro prepara o terreno para ser lavrado e semeado.

A chuva que cai em março e abril é necessária para fazer o grão crescer e produzir uma boa colheita (Os 6.3; Zc 10.1).

3. Seca e chuvas fora de estação. Se as áreas de alta pressão sobre a Europa e o norte da Ásia estão ligadas às altas pressões sobre a África e a Arábia, esse fenômeno impedirá que as tempestades ciclônicas atravessem a região de depressão barométrica existente no Mediterrâneo. Nesse caso, as chuvas podem atrasar-se até o mês de dezembro, ou alcançar em alguns anos apenas 50 a 75 por cento de sua média. Uma seca que durou três anos e meio foi registrada na época de Eliseu (1 Rs 17.1; Lc 4.25; Tg 5.17; cf. Dt 28.23,24; 1 Rs 8.35; Jr 14.3-6). Se as diferenças térmicas entre as massas de ar frio e quente não forem muito grandes, as nuvens sem chuva irão apenas pairar (Pv 25.14; Jd 12). Em raras ocasiões, uma tardia onda de ar frio do Atlântico penetra nessa área da Palestina no verão, e traz algumas chuvas esporádicas (1 Sm 12.17; Pv 26.1).

4. Distribuição da precipitação. Como está indicado em Amós 4.7, existem consideráveis diferenças locais na distribuição das chuvas. A região da Galiléia recebe a maior quantidade, de 700 a 1.000 milímetros; a costa de Haifa recebe 600 milímetros; Tiberíades, de 400 a 450 milímetros; e Bete-Seã, na calha do Jordão, apenas 300 milímetros. Os contrafortes da Judéia recebem de 400 a 550 milímetros, e os índices de Jerusalém variam entre 430 e 700 milímetros, com uma média de 630 milímetros. Jericó recebe uma média de 100 a 150 milímetros, mas no inverno extremamente úmido de 1944 houve um recorde de 330 milímetros de chuva. A extremidade sul do mar Morto recebe apenas 50 milímetros de chuva, enquanto a região da estepe em torno de Berseba recebe entre 200 e 300 milímetros. As áreas ao sul, que recebem menos de 100 a 200 milímetros são consideradas desérticas, e o mesmo acontece além do próprio Neguebe. Na Transjordânia, as cidades de Gileade e Basã recebem de 500 a 700 milímetros, e Moabe cerca de 400 milímetros. Amã, que está situada na zona da estepe, recebe apenas 330 milímetros.

5. Orvalho. A seca do verão não é causada pela falta de umidade, que na verdade é duas vezes mais intensa nessa estação do que durante o resto do ano. A falta de tempestades de verão resulta da ausência de colisões frontais entre as massas de ar quente e frio. A umidade do verão manifesta-se no orvalho que condensa durante a noite com o esfriamento do solo. Em Gaza, com suas extremas temperaturas, o orvalho pode formar-se em até 250 noites por ano. Na região da costa, o orvalho aparece em cinco ou seis noites durante os meses de agosto e setembro. Gideão pôde colher uma taça (ou tigela) cheia da água do orvalho que estava sobre o velo que havia estendido (Jz 6.38). O orvalho é vital para o crescimento das uvas durante o verão (Zc 8.12). Quando não dispunham nem sequer do orvalho, a seca era considerada calamitosa (2 Sm 1.21; 1 Rs 17.1; Ag 1.10). Seu valor pode ser visto nas numerosas comparações da graça e da bondade de Deus, com a bênção do orvalho (Gn 27.28; Is 18.4; Os 14.5; Mq 5.7; Sir 43.22). Quando o sol aparece, a umidade do orvalho eleva-se nos vales, como uma espessa névoa (Os 13.3).

6. Granizo e neve. Em contraste com o orvalho que representa uma bênção, o granizo que cai nas tempestades do inverno e da primavera é sempre uma calamidade. Ele despenca das chuvas e destrói os tenros ramos da vinha (Salmos 78.47; Is 28.2; 30.30; Ez 13.11,13; Ag 2.17). Houve até ocasiões em que as pedras de granizo eram suficientemente grandes para matar homens (Js 10.11).

A neve, que cai ocasionalmente nas montanhas na estação chuvosa, trazia a miséria para muitos cujas casas não haviam sido construídas para conservar o calor (Salmos 147.16,17). A esposa virtuosa não tinha medo da neve

porque havia providenciado roupas quentes para a família (Pv 31.21).
Na época de Davi, Benaia matou um leão que havia vindo do vale do Jordão em um memorável dia em que nevou (2 Sm 23.20). Durante a revolta dos macabeus, uma pesada neve frustrou a invasão de Trifo (1 Macabeus 13.22). Registros de Jerusalém que cobrem um período de 22 anos mostram que houve oito anos sem neve, cinco anos com neve apenas em fevereiro, e os outros anos com pouca neve também nos outros meses. Uma nevasca muito forte acontece, aproximadamente, apenas uma vez a cada 15 anos. Em 1920, caíram 730 milímetros de neve. Em 1968, pesadas camadas de neve quebraram os ramos de muitas árvores em Jerusalém. A neve que cai na Judéia logo desaparece, enquanto aquela que cai na Transjordânia permanece durante alguns dias. Jebel Druze fica, todos os anos, coberta de neve de janeiro a maço. A neve do monte Hermom (Sirion) e das montanhas do Líbano eram um símbolo da permanência (Jr 18.14).
7. Drenagem e fontes. Cerca de metade da água que cai nas montanhas perde-se por evaporação. A maior parte dessa água é rapidamente drenada através do calcário poroso das eras Cenozóica e Turoniana, e da greda Senoniana, até alcançar o nível das rochas mais duras, e depois ela surge sobre o solo sob a forma de fontes. Embora a Palestina não disponha de rios apropriados para a irrigação como o Egito e a Mesopotâmia (Dt 8.7), ela conta com suas fontes. Temse calculado que existe uma média de nove fontes por quilômetro quadrado na Galiléia superior, sete a oito em Samaria, e duas ou três em Judá. Por causa da natureza especialmente porosa da greda Senoniana do deserto da Judéia, surgem algumas fontes muito abundantes em sua extremidade oriental, isto é, 'Ain es-Sultan, em Jericó.

***Bibliografia.*** F. M. Abel, *Géographie de la Palestine,* 2 vols., Paris. J. Gabalda, 1933, 1938. Y. Aharoni, *The Land of the Bible,* Filadélfia. Westminster Press, 1967. M Avi-Yonah, *The Holy Land,* Grand Rapids. Baker, 1966. M. Avnimelech, "*The Influence of Geological Conditions on the Development of Jerusalem*", BASOR, #181 (Fev. de 1966), 24-30. Denis Blay, *The Geography of the Bible,* Nova York, Harper & Bros., 1957. E M Blaiklock, ed., *Zondervan Pictorial Bible Atlas,* Grand Rapids. Zondervan, 1969. N. Glueck, *The Other Side of the Jordan,* New Haven. ASOR, 1940; *The River Jordan,* Filadélfia. Westminster Press, 1946; *Rivers in the Desert,* Nova York; Grove Press, Inc., 1959; "Transjordan", TAOTS, pp. 429-453. L. H. Grollenberg, *Atlas of the Bible,* Londres. Nelson, 1963. G. Lankester Harding, *The Antiquities of Jordan,* Londres. Lutterworth, 1959. J. P. Harland, "The Destruction of the Cities of the Plain", BA, VI (1943), 41-52. Martin Noth, *The Old Testament World,* Filadélfia. Fortress Press, 1966. C. F. Pfeiffer e H. F. Vos, *The Wycliffe Historical Geography of Bible Lands,* Chicago. Moody Press, 1967. G. A Smith, *The Historical Geography of the Holy Land,* Londres. Collins, 1966, reimpresso em 1931, ed. Z. Vilnay, *The New Israel Atlas,* Jerusalém. Israel University Press, 1968. *Mapas.* 1-100.000, Mapa da Palestina (1956); 1-100.000, Mapa de Israel (1968); 1-250.000, Mapa de Israel (1967); 1-250.000 *Geological Map of Israel* (1865); 1-250.000, Archaeological Map of the Kingdom of the Jordan (1950).

E. M. Y.

**PALHA** Mistura de resíduos obtidos depois que os grãos eram debulhados. Esse material era usado como forragem para o gado, depois de misturado com grãos (Gn 24.25; Jz 19.19; 1 Rs 4.28; Is 11.7). Na Antiguidade, as pessoas colhiam os grãos cortando os caules junto à espiga para evitar que a "palha" se misturasse com um grande volume de hastes secas, como está implícito no termo moderno.
No Egito, a palha era misturada com barro para fortalecer os tijolos (*q.v.*). Quando os israelitas deixaram de receber palha, eles precisaram ir aos campos e colher "restolhos", isto é, os caules que haviam sido abandonados depois da colheita (Êx 5). *Veja* Plantas: Palha.

**PALMEIRA** *Veja* Plantas.

**PALMEIRAS, CIDADE DAS** *Veja* Jericó

**PALMO[1]** Largura da mão a partir da base dos quatro dedos, cerca de 7,5 a 8 centímetros (Êx 25.25; 37.12; 1 Rs 7.26; 2 Cr 4.5). Seis palmos formavam um côvado. O côvado de Ezequiel consistia de sete palmos (Ez 40.5; 43.13), como também os sistemas reais do Egito e da Babilônia. *Veja* Pesos, Medidas e Moedas.
No Salmo 39.5, os palmos exprimiam, figurativamente, a brevidade da vida.

**PALMO[2]** *Veja* Pesos, Medidas e Moedas; Medidas lineares.

**PALMYRA** *Veja* Tadmor

**PALTI[1]** Benjamita que foi escolhido para representar essa tribo como um dos espias enviados por Moisés para fazer o reconhecimento de Canaã (Nm 13.9). Outra forma de escrever esse nome em hebraico é Paltiel (*q.v.*).

**PALTI[2]** Filho de Laís a quem Saul deu sua filha Mical, esposa de Davi (1 Sm 25.44). Também se escreve Paltiel (2 Sm 3.15).

**PALTIEL**[1] Outra forma hebraica para Palti.

**PALTIEL**[2] Um "príncipe" de Issacar, escolhido para representar essa tribo na divisão de Canaã (Nm 34.26; 2 Sm 3.15). *Veja* Palti.

**PALTITA** Descendente de Palti (*q.v.*; 2 Sm 23.26)

**PALU, PALUÍTAS** Palu era o filho de Rúben que foi para o Egito com Jacó (Êx 6.14; Nm 26.5,8; 1 Cr 5.3; "Palu" em Gênesis 46.9). Os paluítas eram os descendentes de Palu (Nm 26.5).

**PANELA** A tradução do termo heb. *dud*. Também é traduzido como "tacho" ou "travessa". Um tacho de barro ou metal, esférico e de boca pequena, no qual a carne sacrificial era cozida (1 Sm 2.14). A mesma palavra também foi traduzida como caldeirão (2 Cr 35.13) e poderia referir-se a vasos usados para vários propósitos. O termo heb. *sir* em Miquéias 3.3 é traduzido como "panela" em várias versões; é um vaso raso de boca larga para cozinhar. *Veja* Cerâmica; Frigideira.

**PANELAS DE CARNE** Existiram panelas que os escravos israelitas haviam usado no Egito ao cozerem carne (Êx 16.3). Nenhum detalhe é dado sobre o material ou o tamanho. Um dos usos de *sir*, um termo bastante geral para "panela", era para cozinhar carnes e vegetais (por exemplo, 2 Rs 4.38-41; Jr 1.13; Ez 11.3,7,11; 24.3-6; Mq 3.3 "caldeirão"). *Veja* Cerâmica.

**PANFÍLIA** A região da Panfília consistia de uma planície com 120 quilômetros de comprimento e 30 em sua largura máxima. Situada na costa sul da Ásia Menor, entre os montes Taurus e o Mediterrâneo (At 27.5), limitava-se a leste com a Cilícia e a oeste com a Lícia. Essa planície estava protegida dos ventos do norte por essa cadeia de montanhas, e também era regada por ela.

Os dórios provavelmente vieram para a Panfília na época da migração dórica, e se misturaram com os aborígenes. Essa região foi sucessivamente dominada por Lídia, Pérsia, Alexandre o Grande, selêucidas, Pérgamo e Roma. Parece que as influências estrangeiras não lhe trouxeram qualquer benefício, porque a Panfília permaneceu durante muito tempo como uma área inculta e bastante perigosa. Diz-se que o porto de Said alcançou sua prosperidade por ser um mercado dos piratas da Cilícia.

Por volta do ano 102 a.C., Roma estabeleceu a província da "Cilícia" (simplesmente uma série de postos ao longo da costa da Panfília) para cuidar dos piratas do Mediterrâneo. Quando Pompéia conquistou a Cilícia, depois de sua contenda com os salteadores do mar (67 a.C.), a Panfília tornou-se parte da província da Cilícia e assim permaneceu até 36 a.C., quando foi presenteada por Antônio a Amintas, da Galácia. É provável que essa região tenha continuado anexada à Galácia até o ano 43 d.C., quando Cláudio retirou a liberdade dos lícios e os anexou à província da Panfília. Durante o reinado de Nero os lícios foram libertados e, em 69 d.C., a Panfília e a Galácia foram administradas por um único governador.

No entanto, eles perderam novamente a liberdade durante o governo de Vepasiano, que uniu a Lícia e a Panfília. No ano 74 d.C. a província romana da Panfília ampliou-se com o acréscimo da região montanhosa ao norte, propriamente conhecida como Pisídia. Além de Perge, suas principais cidades eram Atália (cerca de 20 quilômetros a sudeste da metrópole) e Side (situada cerca de 50 quilômetros a sudeste de Perge).

Quando Paulo passou pela Panfília, ela fazia parte da província Lícia-Panfília (At 13.13; 14.24; 15.38). De acordo com seu costume, o apóstolo devia estar preocupado com os judeus dessa região, e sua presença pode ser demonstrada pelo fato de representantes da província estarem presentes em Jerusalém no dia de Pentecostes (At 2.10). Embora tenha sido introduzido por Paulo e Barnabé, o cristianismo estabeleceu-se de forma lenta nessa área.

H. F. V.

**PANO DE MESA** De acordo com Números 4.7ss., quando o arraial de Israel partisse em suas peregrinações, Arão e seus filhos deveriam colocar sobre a mesa da proposição um pano azul, sobre o qual deveriam colocar os pratos, os recipientes do incenso, as taças e as galhetas, como também o pão contínuo. Este pano azul e os utensílios eram então cobertos por um pano de carmesim, sobre o qual era colocada uma coberta de pele de cabra. *Veja* Tabernáculo.

**PANO, ROUPAS, VESTUÁRIO** *Veja* Vestuário.

**PÂNTANO**[1] A palavra heb. *bissa* é definida pela BDB como "pântano". Esta palavra é traduzida em Jó 8.11 como "lodo" e em Jó 40.21 como "lama". Assim, um pântano significa um atoleiro ou brejo lamacento.

**PÂNTANO**[2] Tradução da palavra hebraica *gebe'*, originária de uma raiz pouco utilizada que significa "reunir, coletar" (água). Em Isaías 30.14, essa palavra hebraica acompanha o cognato da lingua acádia, *gubbu*, e foi traduzida como "cisterna" em várias versões e como "poça" ou "poço" em outras. Em Ezequiel 47.11, entretanto, foi traduzida como "pântano", "lamaceiros" e "charco". A maior parte da Palestina é seca e coberta de rochas, mas são encontrados alguns pântanos nas proximidades da desembocadura de alguns rios, como o Quisom, e em vários lugares ao longo do Jordão e do mar Morto. De acordo com Ezequiel 47.11, "os charcos e os lamaceiros" em volta do mar Morto "não sararão; serão deixados para sal". Seu sinônimo *bissa*, "lodo" ou "brejo", também ocorre em Jó 8.11 e 40.21 com o sentido de "pântano". Em Jeremias 38.22, surge uma palavra hebraica semelhante, *bos*, que significa "brejo de um pântano".

S. F. B.

**PÃO** *Veja* Alimentos.

**PÃO ASMO** Era um pão feito de massa de farinha que não havia sido levedada com fermento ou "fermento". *Veja* Alimentos: Pão; Fermento.

Embora esse pão, parecido com um biscoito, já fosse conhecido anteriormente (Gn 19.3), na época do Êxodo ele tornou-se símbolo não só da pressa dos israelitas para partir (Êx 12.39), como de sua separação de todo pecado que o Egito representava. Esse pão também se tornou símbolo da Festa dos Pães Asmos, o memorial a Páscoa (*q.v.*). O pão, como símbolo da pureza, não misturado com o fermento do pecado era usado para acompanhar certas ofertas (Lv 2.4,5; 6.16; 7.12). Como a última ceia do Senhor Jesus com os apóstolos foi celebrada na Páscoa (Mt 26.17ss.), eles usaram o pão asmo, e isso tem incentivado o uso de pães asmos na Ceia do Senhor em muitas igrejas cristãs.

**PÃO DA PROPOSIÇÃO** Termo hebraico que se refere ao pão do ritual judaico no Tabernáculo ou Templo. Doze pães eram permanentemente guardados sobre a mesa do lugar santo, e eram trocados por pães frescos toda semana (Êx 25.30). *Veja* Pão do Ritual.

A expressão "pão da proposição" é mais bem compreendida em seu sentido literal (Nm 4.7). Não só a presença contínua de Deus estava assim simbolizada, mas também o fato dessa gloriosa presença ser considerada mais vital do que o próprio pão.

**PAPEL** *Veja* Escrita; Papiro; Gebal.

**PAPIRO** Esse termo aplica-se a uma planta aquática da família dos juncos (*Cyperus papyrus*), ao "papel" preparado com seu cerne, e aos manuscritos feitos anexando cada uma de suas folhas.

Essa planta foi designada pela palavra *gome'* no hebraico do AT em Êxodo 2.3; Jó 8.11; Isaías 18.2; 35.7. Algumas versões trazem os termos "juncos", "caniços" e "papiro".

A Septuaginta (LXX) usa a palavra grega *papyrus* (da qual derivou-se a palavra papiro ou papel) apenas em Jó 8.11. O NT grego faz apenas uma referência ao papel papiro com outra palavra grega *chartes* (2 Jo 12; geralmente traduzida como "papel").

Colunas em forma de feixes de papiro de Amenotep III, templo de Luxor. LL

Na Antiguidade, essa planta crescia principalmente no Egito e nos limites norte do Jordão. Crescer no lodo (Jó 8.11) era uma expressão usada por Isaías para indicar um crescimento exuberante (35.7). Seus longos caules triangulares, medindo de 1 a 3 metros, terminavam em flores com a forma de sino. Essa planta era usada para fazer diversos artigos, inclusive barcos (Êx 2.3, a cesta em que Moisés foi colocado para flutuar; Isaías 18.2 faz referência a grandes barcos usados para o transporte dos enviados a Cuxe). Por causa da escassez de madeira, os egípcios faziam botes ou jangadas de papiro. Eles amarravam os juncos e usavam piche para torná-los impermeáveis. Também eram usados para a caça e a pesca nos pântanos e nas balsas que atravessavam os canais.

O papel era feito depois que o cerne da planta era extraído e cortado em tiras finas, colocadas lado a lado. Em seguida, colocavam sobre elas outra série de tiras formando ângulos retos que eram, então, coladas por meio de um adesivo e alguma forma de pressão. Como as partes laterais tinham tiras horizontais (o *recto*), geralmente elas eram as primeiras a receber a escrita; o lado avesso, com tiras verticais era o verso da escrita.

Essas folhas, coladas uma a uma, formavam rolos de papiro de diferentes comprimentos. O padrão era 20 de folhas. O papiro egípcio "Harris I" (aprox. 1160 a.C.), que está no Museu Britânico, é o mais longo que se conhece até o momento, com 44 metros de comprimento. A altura variava entre um mínimo de 18 centímetros (ou menos) até um máximo de 47 centímetros. Geralmente, um rolo de papiro tinha o comprimento suficiente para que uma composição completa, como um livro da Bíblia, pudesse ser escrita sobre ele. *Veja* Escrita.

O papiro já era usado no Egito há muito tempo, em aprox. 3000 a.C. (por exemplo, "A Sabedoria de Ptah-hatep") e continuou a ser usado até o século VII d.C., ou mais tarde. Ele era exportado para a Síria e a Palestina como está indicado no papiro Wen-Amon, que relata que mais de 500 ro-

Cultivo de papiro no Museu do Cairo. HFV

los foram enviados para Biblos (ANET, p. 28). Papiros foram encontrados em áreas de clima seco onde não se deterioraram, como Itália, Egito e na área do mar Morto.

O mais antigo dos papiros hebraicos é o manuscrito palimpséstico Wadi Murabba'at que contém uma lista de nomes pessoais (século VIII ou VII a.C.). Até as descobertas de Qumran, o mais antigo manuscrito hebraico existente sobre o AT era o Papiro Nash (que contém parte de Deuteronômio 5–6, e data aprox. do século II a.C.). Os papiros Elefantinos (*q.v.*) do século V a.C. são os mais notáveis papiros escritos em aramaico. O mais antigo manuscrito grego sobre o AT é o "John Rylands Library Papyrus Greek 458" (que contém fragmentos de Deuteronômio 23–28, do século II a.C.). Quanto aos papiros apócrifos e não canônicos, os mais notáveis são o *Logia* ou Dizeres de Jesus (encontrado em Oxyrhynchus, no Egito, em 1896 e 1897 – datados dos séculos II e III d.C.), e o evangelho de Tomé, encontrados perto de Nag Hammadi em 1946.

Existem mais de 241 papiros gregos do NT. Alguns dos mais importantes são os Papiros Chester Beatty ($P^{45}$, $P^{46}$, $P^{47}$), $PP^{52}$, o famoso fragmento John Ryland (com 8,89 por 6,35 centímetros) de João 18.31-33,37,38, do início do século II d.C. Assim, o manuscrito mais antigo do NT e o $P^{66}$, o Papiro Bodmer II que contém a maior parte do evangelho de João. Os papiros desempenharam um papel muito importante nos estudos do NT. O documento mais antigo ($P^{52}$) traz a data e a autoria do evangelho de João (*veja* João, Evangelho de). Os papiros, em correlação com os códigos unciais escritos em grandes papéis velino, influenciaram os princípios da crítica textual e forneceram significativas evidências para suas decisões particulares quanto aos textos. Em geral, os documentos em forma de papiro, especialmente um grande número deles isento de caráter literário, permitiram uma excelente visão sobre o meio lingüístico (o grego *koine*) ao qual pertencia o NT e ajudaram, particularmente, na compreensão do vocabulário e do estilo (cf. entre outros os trabalhos de Deissmann e especialmente Moulton e Milligan, *The Vocabulary of the Greek Testament*).

*Veja* Manuscritos Bíblicos; Versões, Antiga e Medieval; Escritos; Plantas: Junco; Arqueologia.

G. W. K.

**PAPIROS ELEFANTINOS** Conjunto altamente significativo de documentos em papiros, descobertos entre 1893 e 1908 na ilha Elefantina, oposta à cidade de Assuã, na primeira catarata do Nilo. Essas cartas e esses registros, datados do século V a.C., foram escritos em aramaico, a *língua franca* daquela era, e com um estilo muito semelhante à seção aramaica do livro de Esdras. Alguns dos documentos oficiais eram datados de acordo com os meses dos calendários egípcio e judaico, o que os torna de grande valor para a história da Antiguidade. Os papiros eram constituídos de três conjuntos com aproximadamente doze documentos cada, sendo que dois eram registros de família e o terceiro um arquivo da comunidade. Juntos, eles representavam os primeiros documentos conhecidos da vida de uma comunidade judaica na Diáspora (*veja* Dispersão de Israel).

Na ilha de Elefantina estabeleceu-se uma colônia de soldados mercenários judeus durante o Império Persa, com a finalidade de guarnecer a fortaleza situada na fronteira. Os antepassados desses judeus podem ter sido refugiados da conquista assíria do Reino Norte de Israel em 722 a.C. Mas também podem ter sido enviados como tropas para o Egito na metade do século VII a.C. por Manassés, quando este se aliou ao Faraó numa tentativa de libertar-se do jugo dos assírios. Outra possibilidade é que tenham chegado como refugiados de Judá depois de sua derrota nas mãos de Nabucodonosor em 586 a.C. (Jr 24–43).

Um dos documentos é a cópia de uma carta escrita em 407 a.C. ao governador persa de Judá (ANET, p. 492). Os sacerdotes judeus queixavam-se de que os sacerdotes do deus grego Khnum haviam destruído o Templo judeu em Elefantina, dedicado a Yahu (isto é, Yahweh). Essa carta traz o nome de homens da Palestina que também são mencionados no livro de Neemias. Sambalate, o governador de Samaria (Ne 4.1 etc.) e Joanã, o sumo sacerdote (Ne 12.22,23).

A adoração judaica em Elefantina não seguia rigorosamente a lei mosaica. Deuteronômio 12.5-28 proibia a oferta de sacrifícios em qualquer lugar que não fosse o santuário central onde o nome de Deus deveria habitar. Outras divindades semíticas também eram veneradas, tais como Ishum-bethel, Anath-bethel, Herem-Bethel e Anath-yahu. Essa última pode indicar uma tendência ao sincretismo, talvez especialmente por parte das mulheres judias que identificavam Jeová com a rainha do céu (cf. Jr 7.18; 44.17).

***Bibliografia.*** B. W., pp. 220ss., DOTT, pp. 256-269. Bezalel Porter, *Archives from Elephantine. the Life of an Ancient Jewish Military Colony,* Berkeley. Univ. of California Press, 1968.

J. R.

**PAPO¹** Bolsa ou papo de ave que serve como receptáculo para comida no pescoço das aves, descartado antes do sacrifício (Lv 1.16).

**PAPO²** Estômago rugoso de animais ruminantes, como por exemplo, o boi e as ovelhas. Juntamente com a espádua e as queixadas, eram a parte dos sacerdotes em todas as ofertas sacrificiais trazidas pelos israelitas (Dt 18.3).

**PARÁ** Cidade no sudeste da Palestina que foi incluída no território de Benjamim na divisão da terra, sob a liderança de Josué (Js 18.23).

**PARÃ** Região desértica em algum lugar do extremo sul da Palestina, nas proximidades de Cades-Barnéia. Muitos estudiosos localizam esse lugar na região nordeste da península do Sinai. Outros identificam-no com Et Tih, a grande planície central do Sinai. Beno Rothenberg, na obra *God's Wilderness* (pp. 165-170), argumenta de modo convincente que Parã era o nome original pelo qual toda a península do Sinai era conhecida nos tempos bíblicos. Os textos em Deuteronômio 33.2 e Habacuque 3.3 falam sobre Deus vindo do monte Parã para ajudar seu povo, e associam esse nome a Seir e Temã. Em Juízes 5.4, Deus é descrito como tendo vindo de Seir e Edom, portanto, todos esses nomes podem ter se referido, de forma geral, à mesma região.

Até serem subjugados por Davi, os edomitas (2 Sm 8.13ss.) viviam principalmente em Arabá e a oeste desta cidade. Eles haviam construído fortalezas ao longo da fronteira oriental, nos altos da Transjordânia no século XIII a.C., mas na época de Moisés suas terras estendiam-se totalmente dentro do Neguebe e sobrepunham-se a Parã.

As conquistas de Quedorlaomer estenderam-se até "El-paran na fronteira com o deserto" (Gn 14.5-7), e Ismael viveu no deserto de Parã depois que foi expulso por Abraão (Gn 21.21). Mais tarde, os israelitas atravessaram essa região durante o Êxodo (Nm 10.12; 12.16). Foi de Parã que os espias foram enviados por Moisés para explorar a terra de Canaã (Nm 13.3). Em Números 13.26, está registrado que eles retornaram do "deserto de Parã, a Cades". O texto em Deuteronômio 1.19-22 diz definitivamente que os espias foram enviados de Cades, e se ela for corretamente identificada com o local chamado 'Ain Qudeirat, atualmente na fronteira Israel-Egito, então a região de Parã deve ter estado localizada no lado ocidental de Arabá, o grande vale das calhas. Depois de deixar Midiã, Hadade, o edomita, atravessou Parã em sua fuga para o Egito (1 Rs 11.18).

D. B.

**PARÁBOLA**

*Significado do termo.* A palavra parábola deriva do grego *parabole* que, etimologicamente, significa "colocar as coisas lado a lado", geralmente com a finalidade de fazer uma comparação. Como na Septuaginta (LXX) a palavra *parabole* foi usada como tradução da palavra hebraica *mashal,* seus diversos significados ficaram anexados ao termo *parabole*. Portanto, no NT as expressões figuradas, comparações e metáforas são todas chamadas de parábolas. A parábola propriamente dita, isto é, uma história simples e curta de onde se origina algum detalhe de ensino, é um exemplo ampliado de uma comparação ou metáfora. A. M. Hunter sugere a seguinte definição: a parábola é uma "comparação extraída da natureza ou da vida quotidiana, destinada a esclarecer alguma verdade espiritual com a suposição de que o que é válido em uma determinada esfera também será válido em outra" (*Interpreting the Parables,* p. 8).

O Senhor Jesus, naturalmente, não inventou a parábola. Elas são encontradas no AT (cf., por exemplo, 2 Samuel 12.1-14; Isaías 5.1-7) e nos escritos rabínicos. Uma cuidadosa comparação entre o uso das parábolas no AT e os escritos dos rabinos, com o uso feito pelo Senhor Jesus, revela inúmeras e surpreendentes semelhanças. As diferenças, entretanto, são ainda mais notáveis. Os rabinos usavam a parábola para esclarecer uma verdade já conhecida das Escrituras. O Senhor Jesus usava a parábola para proclamar o reino de Deus, que veio em sua própria pessoa e ministério. A originalidade, o vigor e o talento de suas parábolas não encontram paralelo nem no AT nem nos escritos dos rabinos.

*Classificação das parábolas*. Aproximadamente um terço dos ensinos do Senhor Jesus foram modelados sob a forma de parábolas. Esse é um fato particularmente notável, porque Ele é a única pessoa do NT que faz uso delas. Não existem parábolas nas epístolas do NT, embora naturalmente muitas metáforas e comparações estejam presentes. O número total de parábolas dos Evangelhos difere de acordo com a definição de cada um, mas um número aproximado pode ser 50 ou 60 parábolas. O Evangelho de Lucas é o mais rico nessa forma de ensino do Senhor Jesus: ele tem cerca de 24 parábolas, das quais 15 ocorrem apenas nesse evangelho. Mateus tem 20, das quais 11 lhe são peculiares; Marcos tem 8, sendo que 2 ocorrem apenas em seu evangelho. Embora o termo *parabole* não esteja presente no evangelho de João em seu idioma original,

Jesus usa muitos exemplos e alegorias sobre sua pessoa; por exemplo, o Bom Pastor, a Vinha, o Pão do Céu etc.

A gama de assuntos tratados nas parábolas é relativamente reduzido. Jeremias classifica as parábolas em oito grupos básicos, enquanto Hunter os reduz para quatro: a vinda do reino, a graça do reino, os homens do reino e a crise do reino. É provável que esta seja uma simplificação exagerada; no entanto, ela enfoca o aspecto de que elas estão indissoluvelmente ligadas à pessoa e à obra do Senhor Jesus Cristo. *Veja* Parábolas de Jesus.

*Propósito das parábolas.* O propósito óbvio do uso das parábolas pelo Senhor Jesus era tornar a verdade espiritual mais clara e obrigatória. Partindo do pressuposto que "todo mundo ama uma história", o Senhor contou histórias fascinantes extraídas da natureza (por exemplo a do semeador, Mateus 13.3-23; e a da semente de mostarda, Mateus 13.31,32) e das vicissitudes da vida (por exemplo, a da dracma perdida, Lucas 15.8-10; a das virgens prudentes e das loucas, Mateus 25.1-13) para levar à mente de seus ouvintes a verdade espiritual através de ilustrações que lhes fossem familiares.

Entretanto, Marcos 4.11,12 parece sugerir que Jesus falava sob a forma de parábolas a fim de obscurecer a verdade: "A vós vos é dado saber os mistérios do Reino de Deus, mas, aos que estão de fora, todas essas coisas se dizem por parábolas, para que, vendo, vejam e não percebam; e, ouvindo, ouçam e não entendam, para que se não convertam, e lhes sejam perdoados os pecados". Muitas soluções foram oferecidas para essa *crux interpretum* (dificuldade de interpretação). Os antigos intérpretes viam nessa passagem um exercício da divina soberania que arbitrariamente escolhe a quem quer, e que endurece a quem quer. Outros, rejeitando essa idéia como indigna dos ensinos de Jesus, desconsideraram essa expressão como sendo parte de seu ensino, atribuindo-a ao desenvolvimento da teologia da Igreja primitiva. No entanto, como existem boas evidências de que essa expressão é autêntica (ela está de acordo com o Targum e contém vários termos do aramaico), foram sugeridas outras possibilidades. A mais atraente foi considerar a cláusula do propósito (*hina*) como a cláusula resultante (*hoti*, cf. Mt 13.13), e entender essa passagem como a descrição do efeito de endurecimento que os ensinos de Jesus exercem sobre aqueles que os rejeitam. As parábolas de Jesus não são histórias bonitas com uma simples instrução moral no final. Elas convocam os homens a tomar uma decisão. Essa decisão está relacionada não só com a verdade da parábola, mas com a Pessoa que ensina através dela. Se o ouvinte se recusar a responder, seu coração ficará ainda mais endurecido. Esse processo está descrito em Marcos 4.11,12, uma passagem que ao invés de ser descrita conforme a finalidade das parábolas deveria ser chamada de "o resultado de deixar de responder aos ensinos das parábolas de Jesus".

*Interpretação das parábolas.* Nenhum outro segmento dos ensinos de Jesus sofreu tanto nas mãos dos intérpretes como as parábolas. Orígenes interpreta a parábola do bom samaritano da seguinte maneira: "O homem que caiu entre os ladrões é Adão. Como Jerusalém representa o céu, assim também Jericó, para onde se dirigia o viajante, representa o mundo. Os ladrões são os inimigos dos homens, o Diabo e seus serviçais. O sacerdote representa a lei, e os levitas representam os profetas. O bom samaritano é o próprio Cristo. O animal sobre o qual o homem ferido foi colocado é o corpo de Cristo que carrega o Adão caído. A hospedaria é a Igreja; as duas moedas, o Pai e o Filho; e a promessa do samaritano de voltar outra vez é o segundo advento de Cristo". Exemplos semelhantes desse espantoso tipo de interpretação podem ser encontrados nos escritos de Tertuliano, Agostinho e outros. Inevitavelmente, instalou-se uma reação, liderada pelos patriarcas de Antioquia (principalmente Teodoro de Mopsuestia e João Crisóstomo), mas apesar de seus esforços, o método de alegorias geralmente prevaleceu.

Durante a Reforma foram feitos significativos progressos nos estudos bíblicos, que refletiram no entendimento e na interpretação das parábolas. Assim, as alegorias foram, de forma geral, rejeitadas.

Se Lutero e Calvino erraram em sua interpretação das parábolas, isso se deve apenas à sua ansiedade de encontrar "A Doutrina da Reforma" em todas as partes das Escrituras, inclusive nas parábolas de Jesus.

O próximo grande passo para o entendimento das parábolas foi dado por Adolph Jülicher com a publicação de sua obra de dois volumes, atualmente famosa, *Die Gleichnisreden Jesu*, em 1888 e 1889. Jülicher desferiu o golpe mortal sobre o método das alegorias das parábolas. Ele insistiu que cada parábola tinha somente uma única verdade a ser ensinada e que todos os outros detalhes eram apenas mera decoração. Ele realizou um importante trabalho. Eliminou a interpretação subjetiva e alegórica que há muito tempo vinha impedindo uma adequada compreensão de seu significado. Entretanto, ele cometeu dois erros: (1) Levou muito adiante sua teoria de "uma única verdade". Muitas parábolas têm, evidentemente, elementos alegóricos em si. (2) Ele estava enganado em sua assertiva de que elas ensinam apenas uma verdade moral – quanto mais geral melhor. A correção de Jülicher veio com a publicação

da obra de C. H. Dodd, *"The Parables of the Kingdom"*, em 1935, cuja grande contribuição foi colocar as parábolas no cenário correto da vida, isto é, no grande ato escatológico [ou redentor – Ed.] de Deus, realizado através da pessoa, ministério e ensinos do Senhor Jesus Cristo. Nele o reino de Deus havia chegado, e as parábolas devem ser entendidas dentro do contexto desse reino agora realizado.
Estudos mais recentes (por exemplo, Jeremias em *"The Parables of Jesus"*, 1954) afirmam que as parábolas, na forma como são encontradas nos Evangelhos, sofreram uma radical transformação. Seu cenário original, como na época de Jesus, não existe mais. Estudando a maneira pela qual aconteceu a transformação de uma parábola, do cenário da vida de Jesus, para o da Igreja primitiva, podemos reconstruir esse cenário original. Essa abordagem é extremamente subjetiva e seus resultados são meras conjecturas, embora seja indubitavelmente verdade que em alguns exemplos as circunstâncias históricas precisas das parábolas tenham se perdido. Na verdade, a missão redentora de Cristo, isto é, "a presença do reino de Deus na pessoa, ministério e ensinos de Jesus" (cf. George E Ladd, "The Life Setting of the Parables of the Kingdom", JBR, XXXI [1963], 197) nos fornece a situação geral da realidade de todas as parábolas de Jesus. É nesses termos que elas devem ser entendidas, e não em termos de uma verdade moral e religiosa de caráter geral.
*Veja* Bíblia, Interpretação da.

***Bibliografia.*** C. H. Dodd, *The Parables of the Kingdom,* Londres. Nisbet, 1935. F. Hauck, *"Parabole"*, TDNT, V, 744-761. A. M. Hunter, *Interpreting the Parables,* Londres. SCM Press, 1960. Joachim Jeremias, *The Parables of Jesus,* Londres. SCM Press, 1954. Adolph Jülicher, *Die Gleichnisreden Jesu,* 2 vols., Leipzig. J. C. B. Mohr, 1888, 1889. Neil R. Lightfoot, *Lessons from the Parables,* Grand Rapids. Baker, 1965. G. Campbell Morgan, *The Parables and Metaphors of Our Lord,* Westwood, N.J. Revell, 1943. W. O. E. Oesterley, *The Gospel Parables in the Light of Their Jewish Background,* Nova York. Macmillan, 1936. Richard C. Trench, *Notes on the Parables of Our Lord,* 14ª ed. rev., Londres. Macmillan, 1882.

W. W. W.

**PARÁBOLAS DE JESUS** Para uma informação introdutória sobre as parábolas de Jesus, *veja* Parábola. Fazemos aqui uma tentativa de relacionar, classificar e fornecer alguma orientação sobre a interpretação dessas parábolas. A maioria dos estudiosos tem discordado quanto ao número de parábolas que identificaram nos Evangelhos. Suas relações variam entre 30 a 80, dependendo de terem ou não incluído parábolas semelhantes que não foram descritas

Ruínas da estalagem do Bom Samaritano na estrada de Jericó

sob o termo "parábola" e de terem incluído parábolas mais curtas e exemplos extraídos delas. Aqui foram analisadas 52 parábolas. Elas foram distribuídas em nove categorias. Em alguns casos a classificação de uma parábola em determinada categoria foi um pouco arbitrária. Em cada caso, sua história não é contada, mas simplesmente sugerida em uma conjunção com sua interpretação. As referências das Escrituras são mencionadas em todos os exemplos para que o leitor possa acompanhá-las com a Bíblia aberta.

**I. A Mensagem de Deus ao Mundo**

A. *Natureza da mensagem.* O pano remendado e os odres de vinho (Mt 9.16,17; Mc 2.21,22; Lc 5.36-38). O tecido novo ainda não encolheu e quando uma roupa velha é remendada com ele, seu encolhimento piora a rotura. O vinho novo colocado em velhos odres de vinho fará com que a pele de que o odre é feito se rompa, porque ela já foi esticada ao máximo possível no processo anterior de fermentação. O ponto importante é que o Senhor Jesus Cristo veio com uma nova mensagem de graça em oposição à antiga ordem legal: essa mensagem exige uma nova abordagem e novas formas.
B. *Proclamação da mensagem.* O semeador (Mt 13.3-9,18-23; Mc 4.1-9; 13.20; Lc 8.4-15). De acordo com a parábola, a semente das boas novas do reino é plantada em vários solos com diferentes resultados: a maioria das pessoas, por uma ou outra razão, não recebe a verdade de Deus para a salvação.
C. *Crescimento da verdade (reino) no mundo.*
1. A semente que cresce secretamente (Mc 4.26-29) descreve o imperceptível crescimento do reino de Deus no mundo.
2. A semente de mostarda (Mt 13.31,32; Mc 4.30-32; Lc 13.18,19) retrata o rápido, e inesperado, crescimento do reino de Deus. Embora a semente seja pequena (a mostarda da

Palestina é preta e pequena como a semente da petúnia, ou ainda menor), ela cresce rapidamente, alcançando uma grande altura (na Palestina ela atinge de 4 a 5 metros, ou mais).
D. *Corrupção da mensagem e da obra de Deus.*
1. O fermento (Mt 13.33; Lc 13.20,21). Como regra geral, nas Escrituras o fermento fala sobre o maligno, e provavelmente faça o mesmo nesta passagem; portanto, a referência seria dirigida à corrupção da doutrina do reino através de falsas doutrinas. Alguns preferem interpretá-la como significando que a verdade do evangelho infiltrar-se-á na sociedade do mal.
2. A parábola do joio e do trigo (Mt 13.24-30,36-43) ensina que Satanás falsificou o evangelho com sua própria marca de religião, e que ambos cresceram juntos na cristandade – tanto aqueles que professam um falso evangelho, como os verdadeiros detentores da verdade; e eles serão separados por ocasião do juízo.

**II. A Salvação e o Perdão dos Pecados**
1, 2 e 3. As parábolas da ovelha perdida, da moeda perdida e do filho pródigo (Lc 15) estavam dirigidas aos fariseus que criticavam Jesus por sua associação com publicanos e pecadores. Os fariseus procuravam justificar-se perante os homens. O Senhor Jesus, aparentemente, relacionou-os às 99 ovelhas, às nove moedas e ao irmão mais velho pelo fato de se considerarem espiritualmente salvos. Mas, ao contrário, dirigiu-se aos publicanos e pecadores (a centésima ovelha, a moeda perdida e o filho pródigo) que reconheceram a necessidade que tinham de um Salvador.
4. O fariseu e o publicano (Lc 21.28-32). Novamente, Jesus atinge os farisaicos interlocutores que se consideravam justos, através da justiça própria que demonstravam. O publicano foi justificado porque se apresentou com humildade, reconhecendo seus pecados e confiando na divina provisão.
5. Filhos convocados ao trabalho (Mt 21.28-32). O primeiro filho representa os publicanos e as prostitutas que a princípio não sentiam simpatia por João Batista, por seu ministério e mensagem, mas que depois se arrependeram e creram.
O segundo representa os principais sacerdotes e anciãos que, como homens religiosos, demonstraram um interesse inicial por João, mas depois não receberam a mensagem em seus corações.
6 e 7. O tesouro escondido e a pérola de grande valor (Mt 13.44-46) mostra o valor dos crentes por quem Cristo fez o supremo sacrifício. O campo deve representar o mundo, assim como nas primeiras duas parábolas de Mateus 13. O homem que desistiu de tudo para comprar a pérola só pode ser o próprio Cristo, que fez o supremo sacrifício para pagar a dívida do pecado de todo o mundo. Dentro do mundo dos pecadores existem aqueles que irão acreditar nele – o tesouro e a pérola.
8. O casamento do filho do rei (Mt 22.1-14) fala primeiro sobre os líderes religiosos que recusaram o convite do rei. Como resultado, Deus afastou-se dos judeus e procurou os gentios. Em segundo lugar, esta parábola fala sobre os gentios que ousaram apresentar-se perante o rei à sua própria maneira; eles não tinham as vestes para o casamento – o manto da justiça do Senhor.
9. A grande ceia (Lc 14.16-24). De natureza semelhante à anterior, essa parábola envolve três grupos: os que a princípio receberam o convite e recusaram, os pobres, aleijados, mancos e cegos, e aqueles que estão entre os caminhos e as sebes. Parece que o primeiro grupo representa os escribas e os fariseus, e o segundo e o terceiro (que respondem) representam os publicanos e pecadores, e os gentios, respectivamente.
10 e 11. A figueira estéril (Lc 13.6-9), a porta estreita e a porta fechada (Lc 13.23-30) falam sobre a salvação de Deus e seu castigo, porque deixaram de receber sua graça.
12 e13. A porta do curral das ovelhas (Jo 10.1-10) e o bom Pastor (Jo 10.11-18,25-30). Estas parábolas declaram que Jesus é o caminho pelo qual alguém se torna membro dessa nova família espiritual (rebanho). Aqueles que se recusam a entrar pela porta (como os fariseus) e procuram a salvação através de sua própria virtude são classificados como ladrões e assaltantes e estão fora do curral. Como bom Pastor, Jesus oferece sua própria vida pelas suas ovelhas, e escolhe as ovelhas tanto entre os gentios, como entre os judeus, tornando-os um único rebanho (ou "aprisco").
14 e 15. A contaminação que vem tanto do exterior (Mt 12.43-45; Lc 11.24-26) como do interior.
Nessas parábolas, Jesus torna claro que não existe meio termo entre a aceitação e a rejeição do Salvador. Na última parábola, um certo espírito maligno deixou o homem e, mais tarde, encontrando esse homem sem suficiente defesa moral, penetrou em sua vida com mais sete outros espíritos malignos. Devemos estar cheios de bondade e possuir uma virtude positiva que só está disponível através de Cristo. Na segunda parábola, a fonte da dificuldade está descrita não como vinda do exterior, mas do interior da pessoa. Além de ter de combater a obra dos espíritos malignos, o indivíduo tem dentro de si uma natureza pecadora. Seu coração é desesperadamente iníquo e a fonte de todas as formas de corrupção.
16. Luz interior (Mt 6.22,23; Lc 11.34-36). Assim como o corpo físico recebe a luz pelos olhos, a alma também tem um "olho". Aqueles que têm visão espiritual e não estão sob as trevas da impenitência, compreendem o significado do desenvolvimento espiritual que ocorre em torno de si, porque pertencem ao Salvador.
17. Sob a figura de duas estradas (Mt

7.13,14), Jesus retrata a alternativa dos caminhos abertos ao homem nessa vida.
18. Os construtores (Mt 7.24-27; Lc 6.46-49). Existem duas classes de homens como construtores. Aquele que prudentemente constrói sua vida e caráter com a fé arraigada em Cristo, e o outro que tenta construir, de forma tola, a vida e o caráter sem estar definitivamente estabelecido em Cristo.

### III. O Tratamento de Cristo

Pelo menos duas parábolas tratam desse tema: a dos lavradores maus (Mt 21.33-41; Mc 12.1-9; Lc 20.9-16) e a da pedra rejeitada (Mt 21.42-46; Mc 12.10,11; Lc 20.17-19). Na primeira parábola, os inimigos de Cristo são comparados aos vinhateiros que deixaram de cumprir sua responsabilidade de cuidar da vinha (Israel) para seu senhor (Deus). Na verdade, eles maltrataram os servos (profetas) do seu senhor quando trouxeram as mensagens de seu mestre. Finalmente, eles até mataram o filho (Jesus Cristo) do seu senhor; por isso Deus os destruirá. Na segunda parábola, os fariseus aparecem como aqueles construtores que jogaram uma certa pedra fora (Cristo) por ser inadequada à estrutura que estavam construindo. Mas essa pedra tornou-se a pedra angular e também uma poderosa arma nas mãos de Deus para destruir os oponentes do Messias.

### IV. A Comunhão com Deus

Aqueles que têm fé e apropriam-se da obra de Cristo, e experimentam o novo nascimento, têm o privilégio de desfrutar a comunhão com o Pai e com o Filho. Jesus expressou essa verdade em diversas parábolas.
A. *Oração*. Duas parábolas sobre a oração estão intimamente relacionadas: a do amigo importuno (Lc 11.5-8) e a do injusto juiz (Lc 18.1-8). Ambas demonstram que Deus certamente ouvirá seus filhos, mas que a oração deverá ser importuna e perseverante. Entretanto, essas parábolas diferem um pouco no sentido de que a primeira demonstra que a oração nunca é de fato importuna, e a última de que é certo que ela trará bênçãos, e não uma maldição.
B. *Gratidão*. A parábola dos dois credores (Lc 7.41-43) parece ensinar que a gratidão dos pecadores depende do quanto lhes foi perdoado.
C. *O relacionamento de Cristo com seus discípulos*. A parábola da noiva e do noivo (Mc 2.19,20; Lc 5.34,35) descreve o feliz relacionamento do Senhor Jesus Cristo com seus discípulos, e sua partida que ocorreria em breve.
D. *Comunhão e alimento espiritual*. A parábola da vinha e dos ramos (Jo 15.1-11) está relacionada com o ministério de Cristo para e através de seus discípulos, e as condições para a frutificação.
E. *O suprimento das necessidades temporais*. A história do rico insensato (Lc 12.16-21) ensina que uma vida abundante para o crente não depende da riqueza, e que nem mesmo a própria vida pode ser assegurada pelo dinheiro. A exortação que a acompanha no v. 31 é especialmente importante: "Buscai antes o reino de Deus e todas essas coisas vos serão acrescentadas".

### V. Testemunho ou Discipulado

1 e 2. Assim como o homem que se prepara para construir uma torre em primeiro lugar avalia os custos para determinar se pode terminá-la (Lc 14.28-30), e um rei calcula seus recursos militares antes de iniciar uma batalha (Lc 14.31,32), também o discípulo de Cristo deve avaliar o custo do discipulado e se preparar para viver uma vida de completa renúncia.
3 e 4. Um discípulo sem o espírito de autoabnegação é como o sal que perdeu seu poder de temperar (Mt 5.13; Mc 9.50; Lc 14.33-35). Sob essa condição, ele absolutamente não serve para nada. Assim como o bom sal, os cristãos eficientes são capazes de exercer um efeito de preservação e de purificação, e dão um excelente tempero à sociedade. A parábola do cristão como uma lâmpada acesa (Mt 5.15; Mc 4.21; Lc 8.16,17; 11.33) enfoca a difusão de seu testemunho.
5. Se um discípulo deseja dar testemunho mais efetivo, deve constantemente preocupar-se com a autocrítica. Essa é a mensagem da parábola sobre os membros que escandalizam (Mt 5.29,30; Mc 9.43,45,47). Na verdade, nenhum sacrifício é demasiadamente grande se for capaz de promover uma correta condição espiritual e servir como um bom testemunho por parte do crente.

### VI. O Relacionamento com Outros

A. *Espírito generoso*: o servo implacável (Mt 18.23-35). Aqui Jesus está lidando com o ódio de um espírito rancoroso, e transmitiu a idéia de que Deus nos perdoa tanto, que deveríamos estar dispostos a perdoar todos aqueles que pecam contra nós.
B. *Sociabilidade*: o bom samaritano (Lc 10.30-37). Ter um espírito de altruísmo e divina consideração; ser um bom próximo para aquele com quem não se tem nenhum relacionamento de parentesco ou sequer de amizade.

### VII. As Recompenas

A parábola dos trabalhadores da vinha (Mt 20.1-16) ensina que Deus irá recompensar todo trabalho bem feito, e que Ele o fará de acordo com sua soberana vontade.
Ninguém tem o direito de exigir recompensas pelo serviço prestado ao Senhor. Uma parábola semelhante está em Lucas 17.7-10, cuja principal mensagem é que o servo não pode fazer uma queixa justa por ter feito além daquilo que deveria.

**VIII. A Volta de Cristo**

Seis parábolas tratam do tema da volta de Cristo. Outras que serão analisadas na próxima seção tratam do juízo em conexão com sua volta. Em Lucas 12.35-38, o Senhor Jesus ensina sobre o dever da leal vigilância em relação à sua volta. Como os servos devem estar preparados para encontrar seu mestre a qualquer hora, para o casamento que ocorrerá assim que ele voltar, da mesma forma os crentes devem estar prontos para a volta de Cristo, que pode se dar a qualquer momento.

Sob outra figura de linguagem – a invasão de um ladrão – o Senhor apresenta uma mensagem semelhante (Lc 12.39,40; Mt 24.43,44). O dono da casa é exortado a manter uma constante vigilância para que, caso ele durma, o Senhor não venha como um ladrão durante a noite. No esforço para realçar ainda mais o assunto da vigilância, o Senhor Jesus novamente muda de exemplo – dessa vez é um servo da casa esperando a volta de seu senhor (Mt 24.45-51; Lc 12.42-46). Embora possa existir alguma incerteza sobre se um ladrão irá ou não entrar, existe uma certeza absoluta de que o mestre irá retornar. A parábola do dono da casa e do porteiro (Mc 13.34-37) exorta à vigilância em vista da volta de Cristo, e é auto-explicativa.

Nosso Senhor também enfatiza a importância da preparação para sua vinda, e para a próxima vida, na parábola do mordomo infiel (Lc 16.1-13). Muitas têm sido as dificuldades para interpretar essa parábola: a maior parte delas vem da tentativa de forçar a interpretação de detalhes sem importância. O ponto principal é que o Senhor Jesus está simplesmente tentando ensinar a seus discípulos que mesmo os homens iníquos de sua geração usaram as oportunidades da época para se prepararem para o futuro. Os crentes podem aprender com os infiéis a esse respeito e, como mordomos fiéis, eles podem agora se preparar para no final prestar contas – de uma forma positiva – de seu serviço.

Embora nas parábolas anteriores o Senhor Jesus Cristo tenha feito exortações à vigilância em vista de sua volta, cuja data não é divulgada, Ele realmente fez uma pausa para indicar a proximidade desse evento. Na parábola da figueira (Mt 24.32-35; Mc 13.28-31; Lc 21.29-33) o Senhor ensina que como os brotos indicam a chegada do verão, da mesma forma a existência de certas condições será um sinal seguro de sua volta.

**IX. O Juízo**

O Senhor Jesus julgará a todos após o final da Grande Tribulação. A parábola da rede de pesca (Mt 13.47-50) fala sobre esse julgamento em termos gerais.

Três outras parábolas estão relacionadas ao julgamento de Cristo, depois da Grande Tribulação. Duas são semelhantes, mas aparentemente não são idênticas: a das dez minas (Lc 19.11-27) e a dos dez talentos (Mt 25.14-30).

Um estudo cuidadoso irá revelar que existe uma lista completa de diferenças entre elas. Na primeira, o nobre que viajou para um país distante à procura do reino não pode ser outro a não ser o próprio Senhor. Seus servos, então, seriam os discípulos ou outros crentes. Aqueles que odiavam e rejeitavam a Cristo seriam os cidadãos iníquos. Estes últimos deverão ser mortos (lançados no local de condenação) por ocasião da vinda do Senhor. Os discípulos deverão ser recompensados de acordo com seus serviços, durante a ausência do Senhor. Da mesma forma, a parábola dos talentos demonstra a importância da fidelidade à luz da volta de Cristo. Talvez exista uma intimação no verso 30, de que a infidelidade indique a falta de uma experiência regeneradora. Portanto, os infiéis serão lançados à perdição.

Outra parábola sobre o juízo, e uma das que tem sido objeto de muita discussão, é a das dez virgens (Mt 25.1-13).

Naturalmente, é superficialmente óbvio que nessa passagem Jesus procurou ensinar a importância da vigilância à luz de sua volta. O que se segue é oferecido como uma tentativa de interpretação. A parábola descreve o julgamento de Israel. As dez virgens são os remanescentes que professam ao Senhor em Israel depois da Igreja ter sido arrebatada. Cinco virgens prudentes representam um remanescente que crê em Deus; as virgens loucas representam os infiéis que professam estar esperando que o Messias venha com poder. O casamento do noivo com a noiva (Igreja) já se realizou no céu, e a parábola faz alusão à festa de casamento que acontece na terra. A chegada do noivo é o retorno do Senhor em glória, no final da Grande Tribulação. A entrada na festa do casamento corresponde à entrada no reino do céu sobre a terra (o Milênio). A presente obra não tem como escopo uma defesa mais detalhada ou uma discussão sobre as facetas dessa interpretação.

Uma última parábola sobre o juízo está muito relacionada ao julgamento individual que ocorre sempre que uma pessoa deixa a vida terrena: o homem rico e Lázaro (Lc 16.19-31). Alguns poderiam preferir dar a este relato o nome de incidente histórico e não de parábola; em todo caso, a mensagem não seria modificada. Quanto ao seu significado, precisamos nos lembrar do seu contexto. Antes dela, encontramos a parábola do mordomo infiel que procura mostrar os benefícios da utilização prudente das vantagens e recursos do presente. O homem rico, ao invés de aproveitar suas oportunidades e recursos para fazer o bem na terra, fez da própria riqueza seu maior bem. Deste modo, a riqueza tornou-se o empecilho para uma fé viva em Deus, e uma vida que seria uma bênção para os outros. Ele perdeu a chance de acumular tesouros no céu. Lázaro, entretanto, manteve a fé em Deus durante seus anos na terra, e por isso foi recompensado na vida seguinte.

***Bibliografia.*** G. Campbell Morgan, *The Parables and Metaphors of Our Lord*, Westwood, N. J.. Revell, 1943; *The Parables of the Kingdom,* Westwood. Revell, 1907. Alfred Plummer, *A Critical and Exegetical Commentary on the Gospel According to St. Luke*, 4ª ed., Edinburgh. T & T Clark, 1913. W. Graham Scroggie, *A Guide to the Gospels,* Londres. Pickering e Inglis, 1948. Richard C. Trench, *Notes on the Parables of Our Lord,* 10ª ed., Londres. Macmillan, 1866.

H. F. V.

**PARACLETO** Em português pronuncia-se "*paracléto*". A palavra grega *parakletos* (do verbo *parakaleo*, "chamar para o lado, com a finalidade de ajudar, exortar, consolar, encorajar) ocorre cinco vezes no NT, todas nos escritos de João. Jesus chamou o Espírito Santo de "outro Consolador" (Jo 14.16), o que significa que Ele também é um Consolador. Quando Cristo estava na terra, Ele ajudava seus seguidores. Cristo continua a ser o nosso Paracleto no céu, no sentido de ser o nosso "advogado" junto ao Pai, caso cometamos algum ato pecaminoso (1 Jo 2.2). *Veja* Advogado.

Na ausência física de Cristo, o Espírito Santo dá prosseguimento a essa ação de ajudar. Com referência ao Espírito, a palavra *parakletos* teve várias traduções: Confortador, Ajudador, Advogado, Conselheiro e Consolador. A obra do Espírito como Consolador é: (1) condenar e dar ao mundo provas da veracidade do pecado, da justiça e do juízo (Jo 16.7ss.); (2) permanecer sempre com os discípulos de Cristo a fim de ajudá-los, exortá-los e encorajá-los (Jo 14.16). (3) testemunhar sobre o Senhor Jesus Cristo (Jo 15.26). (4) ajudar os discípulos a se lembrarem das palavras de Cristo (Jo 14.26). Esse termo, aplicado ao Espírito Santo e à sua obra, e associado às ocorrências, tornou-se um forte argumento tanto para a divindade como para a personalidade do Espírito.

Começando em aprox. 150 d.C. na Frígia, Montano e seus seguidores enfatizaram a obra sobrenatural do Espírito Santo. Em uma reação à crescente severidade da Igreja organizada, ele e duas mulheres proclamaram-se profetas e afirmaram que aquele período seria a era do Consolador, na qual novas revelações de Deus seriam dadas. Enfatizaram ainda a proximidade do fim, e insistiram em padrões morais bastante elevados e rígidos para seus seguidores. Entretanto, o Montanismo foi oficialmente rejeitado por causa de sua insistência em uma revelação adicional, além das Escrituras. *Veja* Espírito Santo; Trindade.

***Bibliografia.*** Johannes Behm, "*Parakletas*", TDNT, V. 800-814. Johnstone G. Patrick, "The Promise of the Paraclete", BS, CXXVII (1970), 333-345. O Schmitz e G. Stahlin, "*Parakaleo etc.*", TDNT, V. 773-799.

C. C. R.

**PARAÍSO** Lugar de felicidade e bem-aventurança. A palavra hebraica *pardes* foi traduzida como bosque, jardim ou mata em Neemias 2.8, e "pomar" em Eclesiastes 2.5 e Cantares 4.13. Ela é derivada de uma antiga palavra persa, *pairidaeza,* que significa um jardim murado. *Veja* Plantas: Pomar. A palavra *pardes* não foi usada em nenhuma passagem do AT com um sentido escatológico.

Na época do NT, entretanto, os judeus consideravam a região dos mortos (Hades ou Seol) como estando localizado no coração da terra; os iníquos que morriam iam para um "lugar de tormento", e os justos para um "lugar de bênçãos" (paraíso).

O Senhor Jesus Cristo usou essa palavra apenas uma vez, falando com o malfeitor que com Ele havia sido crucificado: "Hoje estarás comigo no paraíso" (Lc 23.43). No entanto, na história do homem rico e de Lázaro, Ele empregou um termo alternativo, "seio de Abraão" (*veja* Abraão, o Seio de ; Lc 16.22). Em 2 Coríntios 12.4, Paulo fala sobre ser "arrebatado ao paraíso" e ouvir "palavras inefáveis, de que ao homem não é lícito falar". No v. 2, ele fala sobre o "terceiro céu". Muitos pensam que quando Cristo ressuscitou dos mortos Ele mudou a localização desse paraíso para acima de todos os céus, como está sugerido em Efésios 4.8-10.

O jardim do Éden foi inicialmente considerado como o primeiro paraíso. A Septuaginta (LXX) traduz *gan 'eden,* em Gênesis 2.8, como *paradeisos.* Lá, Adão e Eva eram amigos de Deus. Rios corriam pacificamente através do jardim; lá eles tinham acesso a frutas de muitas árvores, mas por causa da desobediência perderam o direito à "árvore da vida" (Gn 3.24). Lá, Deus revelou a primeira promessa de um Redentor do pecado antes de serem expulsos do jardim (Gn 3.15).

Um novo paraíso para o pecador redimido aparece no último livro da Bíblia (Ap 2.7; cf. 22.20).

Em sua visão final da futura condição eterna, João viu um "rio puro da água da vida, claro como cristal, que procedia do trono de Deus e do Cordeiro. No meio da sua praça e de uma e da outra banda do rio, estava a árvore da vida, que produz doze frutos, dando seu fruto de mês em mês, e as folhas da árvore são para a saúde das nações" (Ap 22.1,2).

***Bibliografia.*** Joachim Jeremias, "*Paradeisos*". TDNT, V, 765-773.

L. A. L.

Molde de uma inscrição encontrada por Clermont-Ganneau na parede de separação. Museu Arqueológico da Palestina

**PARALISIA** *Veja* Doença

**PARALÍTICO** *Veja* Doença.

**PARAPEITO** Uma fileira ou seqüência de pedras com aberturas na parte superior dos muros ou das fortalezas. Destas aberturas entre as pedras, flechas e lanças eram lançadas contra os soldados que atacavam (Sf 1.16; 3.6).
Em Deuteronômio 22.8, uma ameia ou parapeito servia para fechar os telhados abertos das casas, principalmente para impedir que as pessoas caíssem de lá. Os telhados planos eram usados para a recreação e o entretenimento dos convidados, uma vez que era um bom lugar para se refrescar com a brisa noturna.

**PARBAR** Nome de um lugar, utilizado como o nome de uma seção da área do Templo (1 Cr 26.18). Uma palavra hebraica semelhante (*parwarim*) foi traduzida em 2 Reis 23.11 como subúrbios, recintos, pátio ou átrio nas várias versões. A versão NEB em inglês traduz os dois temos hebraicos como "colunata". Essa palavra parece referir-se a uma área fechada no lado ocidental da área do Templo, onde ficavam os estábulos nos quais eram guardados cavalos dedicados ao sol na época do iníquo reinado de Manassés.

**PARCIALIDADE**
1. A inclinação da mente a favor de uma pessoa ou partido e assim agir de forma preconceituosa (1 Tm 5.21).
2. Em Tiago 3.17, o adjetivo grego *adiakritos* indica um confuso estado de espírito ao tomar decisões morais. A mesma palavra grega foi usada na frase de Tiago 1.6, onde a tradução corresponde a "duvidoso" ou "não duvidando". A versão ASV em inglês traz a expressão "sem dúvida". Portanto, o sentido transmitido por Tiago 3.17 é positivo e pode ser entendido como sinceridade ou decisão.

**PARDAL** *Veja* Animais III 47.

**PAREDE DE SEPARAÇÃO** Figura usada por Paulo para significar a eliminação da inimizade entre judeus e gentios e que apresenta a unidade do Corpo de Cristo, a Igreja (Ef 2.14). Esta expressão refere-se literalmente a uma parede no Templo de Jerusalém além da qual nenhum gentio podia passar com segurança (veja Josefo, *Ant.* xv.11.5; *Wars* v.5.2). Parecerá natural que essa alusão tenha ocorrido a Paulo, se nos lembrarmos que ele foi falsamente acusado de levar Trófimo, o efésio, para além desta barreira. Dessa forma, o apóstolo teria profanado o sagrado recinto do Templo (At 21.29; 24.6). Esse mal-entendido quase custou-lhe a vida. Essa parede de separação era construída de mármore, extremamente decorado. Em 1871, como resultado das escavações de Clermont-Ganneau, um dos blocos de argila foi desenterrado dessa parede com a inscrição: "Ninguém de outra nação deve atravessar o muro e o recinto em volta do Templo, e quem for encontrado será culpado da morte que esta transgressão acarreta" (cf. Deiss LAE, pp. 79ss.). Dessa forma, a parede representava uma barreira que separava os judeus nacionais e os (meramente) piedosos gentios.

J. F. G.

**PARENTE** No AT a palavra é mais freqüentemente usada como tradução do termo heb. *go'el*, aquele que tem o direito de redimir. Três eram suas obrigações: (1) redimir seu irmão e sua herança, se a pobreza tivesse feito com que ele se tornasse um escravo ou dispusesse de sua terra (Lv 25.25,47-49); (2) vingar seu sangue se ele fosse morto (Nm 35.19); (3) prover um sucessor a seu irmão (um filho), caso tivesse morrido sem filhos (Rt 3.13).
No NT, o termo grego *suggenes* pode referir-se a um familiar (em Mc 6.4; Lc 1.36,58; Lc 2.44; 14.12; 21.16; Jo 18.26; At 10.24). Em um sentido mais amplo, o termo pode designar um compatriota, um companheiro, cidadão da mesma raça e nação (Rm 9.3; 16.7, 11,21).
A notável figura do parente-remidor na Bíblia Sagrada está contida na linda história de Rute e Boaz. Na época dos juízes, Noemi com seu marido Elimeque e dois filhos deixaram Belém ("casa de pão") e foram para Moabe por causa da fome. Somente Noemi e Rute, a viúva moabita de um dos filhos, retornaram a Belém dez anos depois, na época da colheita da cevada. Tirando proveito da lei hebraica, Rute rebuscava espigas no campo de Boaz, parente de Noemi. Boaz, em concordância com a lei judaica, agiu como *go'el*, e casou-se com Rute. Dessa forma ela se tornou uma ancestral de Davi e do Senhor Jesus Cristo.
Espiritualmente o nosso grande Parente-Remidor é Jesus Cristo, que veio a Belém mais de mil anos depois da época de Rute e

Boaz. Para agir como *go'el*, como fez Boaz, era necessário ter o direito, o poder e a vontade de remir.
*Veja* Sangue, Vingador de; Parentela; Casamento, Levirato; Redentor.
L. A. L.

**PARENTELA** A palavra heb. *'ah*, "irmão", é usada às vezes para um parente ou membro da mesma tribo ou família (1 Cr 12.29). As duas palavras heb. mais freqüentemente usadas são *moledet*, que conota ligação por nascimento (Gn 12.1), e *mishpaha*, família (Gn 24.38,40,41). No NT são encontradas *genos*, da mesma família (At 4.6), *suggeneia* (Lc 1.61), *phyle*, tribo, e *patria* (At 3.25), traduzidas como "parentela" ou "famílias". O termo "parentela" significa: (1) relacionamento, afinidade; (2) um grupo de pessoas com relacionamento por consangüinidade e afinidade, consistindo de várias famílias, ou mesmo uma tribo ou raça. Quando usada para vários destes grandes grupos, tribos ou raças, a palavra às vezes aparece no plural (cf. 1 Cr 16.28; Salmos 96.7; Ap 13.7).
Três importantes costumes legais relacionados a parentesco eram casamento, vingança de sangue e herança.
Nas famílias dos tempos bíblicos, o casamento era de máxima importância. A jovem mulher, no caso, estava sob o controle de seu pai, e um contrato tinha que ser feito com ele. O elemento romântico geralmente desempenhava pouco ou nenhum papel no contrato de casamento e, a barganha, freqüentemente, fazia parte do procedimento. Um período de noivado desempenhava também um papel importante. Durante o segundo milênio a.C. sob as leis mesopotâmias dominantes, um noivo pretendente poderia conceder um termo de serviço ao pai da noiva por sua mão. Jacó serviu sete anos por Raquel, e recebeu Léia. Então ele serviu mais sete anos por Raquel. *Veja* Nuzu; Era Patriarcal. Abraão enviou seu servo em uma longa viagem à sua antiga casa, para buscar uma noiva para seu filho Isaque (Gn 24.1-9). Neste caso, vários presentes foram apresentados à família da noiva, e não há nenhum registro de um período de noivado. *Veja* Dote; Família; Casamento.
Baseado na ordem dada em Gênesis 9.6, "Quem derramar o sangue do homem, pelo homem seu sangue será derramado", tornou-se o costume reconhecido que o sangue de alguém que fosse morto, fosse vingado pelo parente mais próximo (Nm 35.19). Esta penalidade era executada mesmo se uma pessoa fosse morta por um animal (Êx 21.28). Mas o motivo do homicídio deveria ser cuidadosamente estabelecido. No caso de morte acidental, havia cidades de refúgio (*q.v.*) para a proteção daqueles que não tiveram a intenção de matar.
As leis de herança de terra e propriedade pessoal eram simples, porém rígidas. O filho primogênito recebia uma porção dobrada de toda a propriedade de seu pai, e os outros filhos recebiam uma porção cada. As filhas participavam da partilha somente quando não havia filhos. Se não houvesse herdeiros diretos, a propriedade seria passada aos irmãos ou parentes mais distantes. As filhas deveriam se casar com membros de sua própria tribo, pois a propriedade não deveria ser passada para alguém fora da tribo. Se a terra precisasse ser vendida, um título seria passado somente até o ano do jubileu, quando então ela deveria voltar para o dono ou herdeiro original. O Senhor havia dito: "A terra não se venderá em perpetuidade, porque a terra é minha" (Lv 25.23). *Veja* Terra e Propriedade.
Hoje, os cristãos, como filhos de Abraão, também têm uma herança: "Porque todos sois filhos de Deus pela fé em Cristo Jesus... E, se sois de Cristo, então, sois descendência de Abraão e herdeiros conforme a promessa" (Gl 3.26,29). Esta é uma herança eterna que não pode ser tirada (Cl 3.24; 1 Pe 1.4).
*Veja também* Parente; Nações.
L. A. L.

**PÁRMENAS** Um dos setes diáconos escolhidos pelo povo e nomeados pelos doze apóstolos para supervisionar a distribuição diária de provisões às viúvas cristãs em Jerusalém (At 6.5). *Veja* Diácono.

**PARNAQUE** Pai de Elizafã, o representante de Zebulom na divisão da terra de Canaã (Nm 34.25).

**PAROLEIRO¹** Aquele que tem uma conversa tola ou sem sentido, conseqüentemente um falastrão ou falador (1 Tm 5.13). O verbo cognato é usado para descrever a conduta maliciosa de Diótrefes, que proferia palavras maliciosas ou fazia acusações injustificadas contra o presbítero João com palavras malignas (3 Jo 10).

**PAROLEIRO²** Este termo refere-se a alguém que fala de forma incoerente ou tola. Admite-se que o termo tenha sido formado a partir da linguagem bilabial (bá ba) das crianças (cf. Ec 10.11). A palavra grega *spermologos* era aplicada desdenhosamente a Paulo por alguns filósofos atenienses (At 17.18). A palavra significa literalmente um apanhador de sementes, e era aplicada a um pássaro, ou a um homem "que permanecia ocioso à beira do mercado, tendo seu sustento a partir de qualquer mercadoria ou migalha que ocasionalmente caísse em suas mãos... ganhar a vida através da bajulação... uma pessoa de conversa vã" (Thayer, p. 584).

**PARÓS** Homem cujos descendentes retornaram do cativeiro em parte com Zorobabel (Ed 2.3) e em parte com Esdras (Ed 8.3). Alguns de seus descendentes casaram-se com mulheres pagãs (Ed 10.25) e alguns participaram da aliança apresentada por Neemias (Ne 10.14). Um deles, Pedaías (*q.v.* 4), ajudou a reparar o muro de Jerusalém (Ne 3.25).

**PAROUSIA** *Veja* Cristo, Vinda de; Presença.

**PARRA BRAVA ou UVAS BRAVAS** *Veja* Plantas.

**PARSANDATA** Um dos dez filhos de Hamã (Et 9.7)

**PARSIM** *Veja* Mene, Mene, Tequel e Parsim.

**PARTICULAR ou PECULIAR** Um termo arcaico apresentado na versão VKJ em inglês como a tradução do termo hebraico *segulla*, um tesouro especial, uma propriedade valiosa (cf. Ec 2.8; 1 Cr 29.3, "o meu tesouro particular"); gr. *periousios*, raro, especial, que vai além daquilo que é comum; *eis peripoiesin*, para aquisição, para a (própria) posse de alguém.

Pela graça soberana a nação de Israel foi escolhida por Deus, para ser seu próprio povo (Dt 14.2), não por ser um povo numeroso, mas porque o Deus imutável os amou e pretendia manter sua promessa a Abraão, o amigo de Deus (Gn 12.1-8; Dt 7.6-8). Havia duas condições sobre as quais a promessa estava firmada (pela qual seriam o tesouro peculiar do Senhor), a saber: obediência à sua voz e à sua revelação, e fidelidade na guarda da sua aliança (Êx 19.5; Dt 26.18).

Israel foi o povo peculiar através da separação feita entre eles e o mundo pagão dos gentios, através do estabelecimento de uma aliança pessoal para cada israelita do sexo masculino. Esta aliança foi feita pelos pais, e selada pelo ritual da circuncisão (Gn 17.9-14). Em contraste, os crentes no NT são circundados em Cristo através de seu sepultamento ou identificação com Ele no batismo (Cl 2.10-13). Israel foi um tesouro peculiar (Êx 19.5; Dt 26.18; Salmos 135.4), e um povo santo assim como são os crentes (Dt 14.2; 1 Pe 2.9). Muitos teólogos igualam o batismo à circuncisão, baseando-se em Colossenses 2.11,12: "No qual também estais circuncidados... Sepultados com ele no batismo". Para eles o batismo, como a distinção do relacionamento da aliança, é considerado a marca exterior da preciosa posse de Deus hoje.

R. A. K.

**PARTO** Uma evidência de que a criação está sob a maldição de Deus é o sofrimento que normalmente acompanha o nascimento de uma criança (Gn 3.16). Na verdade, a Bíblia faz freqüentemente menção às dores agudas do parto como as mais dolorosas (Salmos 48.6; Isaías 13.8; 21.3; 26.17; Jr 4.31; 6.24; 13.21; 22.23; 50.43). Ainda assim, do ponto de vista da Bíblia, o parto não é apenas uma carga; paradoxalmente, é o supremo privilégio e a maior alegria de uma mulher (Salmos 113.9; Is 54.1; Jo 16.21). A esterilidade, ao contrário, é uma terrível aflição (Gn 11.30; 1 Sm 1.1–2.5; 2 Sm 6.23; Lc 1.7).

Segundo a lei de Moisés, o parto deixava a mulher impura para as cerimônias: 50 dias para uma filha, 40 dias para um filho. No final desse período, se oferecia um sacrifício de purificação (Lv 12; Lc 2.22-24). A prática antiga de "ir à Igreja para dar graças depois do parto", publicamente, pelo parto seguro para o bebê e para a mãe, sem dúvida originou-se deste ritual de purificação do Antigo Testamento. De qualquer forma, este costume tem sido abandonado por algumas igrejas protestantes.

A declaração de Paulo com respeito ao parto em 1 Timóteo 2.15 deu origem a um grande número de visões diversificadas, desde o parto normal até uma alusão à encarnação (cf. Deão Henry Alford, *The Greek New Testament*).

V. C. G.

**PARTOS** Os partos são mencionados na Bíblia em Atos 2.9 como a nacionalidade de alguns dos remanescentes da Diáspora, que estavam reunidos em Jerusalém no dia de Pentecostes. Mas esse povo exerceu um importante papel no mundo bíblico. A terra natal dos partos, propriamente dita, estava localizada a sudeste do mar Cáspio e corresponde à moderna Khurasan. Eles foram mencionados por Dario I, na inscrição Behistun, mas foi somente depois de Alexandre o Grande, que emergiram como um reino forte. Em 250 a.C., seu rei Arsaces I, que afirmava ser descendente da família real persa, revoltou-se contra o rei Antíoco II, dos selêucidas, e estabeleceu uma dinastia que durou cinco séculos. Os reis dos partos, Artabanus I, Phraates I e II e Mitrídates I e II continuaram a agressão contra os selêucidas e ganharam o reconhecimento de sua independência. Assim, os selêucidas finalmente desistiram de sua tentativa de subjugá-los.

Phraates II fez uma aliança com o general romano Pompeu em 66 a.C., porém Crasso, que conquistou o terço oriental do Império Romano, tentou conquistar Pártia em 53 a.C. No entanto, seu exército foi destruído, Crasso foi morto e os cobiçados estandartes com a águia romana foram capturados. A Pártia tornou-se rival de Roma durante três séculos.

Em 40 a.C. Pacorus, rei da Pártia, invadiu a Síria, depôs Hyrcanus na Palestina e colocou Antigonus no trono da Judéia. Três anos mais tarde, eles foram expulsos pelos romanos. De forma prudente, César Augusto libertou o rei de Pártia, Tiridates, que havia sido aprisionado, sem pedir resgate e com isso assegurou a paz e recuperou os estandartes que tinham o emblema da águia, que Crasso havia perdido. Essa paz durou 130 anos, e terminou quando Trajano arrogantemente invadiu a Mesopotâmia apesar das tentativas dos partos de pacificá-lo. A paz voltou novamente com o imperador Adriano, que devolveu as províncias conquistadas. No ano 162 d.C., os partos assolaram novamente a Síria, mas dessa vez eles estavam demasiadamente fracos para resistir ao castigo romano. Tanto Severo quanto Caracala, enviaram exércitos que, finalmente, tomaram a capital, Ctesifonte. Depois de um breve renascimento de suas forças no ano 217 d.C., quando o romano Macrino teve que pagar uma indenização aos partos, esse império caiu nas mãos dos persas sassânidas que haviam se revoltado no ano 226 d.C.

Os partos ficaram famosos pelo uso da cavalaria nas batalhas. Eles costumavam fingir que iam fugir, ou cavalgavam em círculos em volta do inimigo, e eram capazes de lançar suas setas de lado, ou mesmo de costas.

Eles não deixaram nenhuma literatura própria; na verdade, as avançadas fases de sua cultura eram, em sua maior parte, emprestadas dos semitas e dos gregos.

*Veja* Pérsia.

E. B. S.

**PARUA** Pai de Josafá, que era um funcionário da tribo encarregado de fornecer a Salomão alimentos da tribo de Issacar (1 Rs 4.17).

**PARVAIM** Lugar não identificado de onde Salomão obteve ouro para o Templo (2 Cr 3.6). Uma palavra cognata em sânscrito significa "oriental", e pode haver alguma intenção de que ela corresponda às "regiões orientais".

**PASAQUE** Um dos três filhos de Jaflete, e bisneto de Aser (1 Cr 7.33).

**PÁSCOA[1]** Esta palavra aparece várias vezes na Bíblia Sagrada. Porém na versão KJV em inglês ela aparece apenas uma vez (At 12.4). É usada como tradução do termo grego *pascha*, que é corretamente traduzido como "páscoa" nas passagens onde consta no Novo Testamento. A palavra "Páscoa" em inglês ("Easter") é derivada do nome de uma deusa teutônica da primavera, "Eastre", e foi adaptada pelos cristãos ao uso atual aprox. no século VIII d.C.

**PÁSCOA[2]** Festa instituída por Deus para Israel, na época do Êxodo, para celebrar a noite em que o Senhor Jeová poupou todos os recém nascidos primogênitos dos israelitas e matou todos os primogênitos dos egípcios (Êx 12.1-30,43-49).

Sacerdotes samaritanos celebrando a Páscoa. Richard E. Ward

A palavra hebraica *pesah* (do grego *pascha*) tem uma origem incerta. G. E. Mendenhall a relaciona com a palavra acadiana *pashu*, que consta na carta Amarna 74.37 para descrever a paz ou a segurança que resulta do estabelecimento de uma aliança (BASOR, #133 [1954], p. 29). B. Couroyer sugere que este termo é uma transliteração de duas palavras egípcias *p3 sh*, "le coup" (o golpe, a pancada), e que ele refere-se ao golpe infligido pelo Senhor à terra do Egito na décima praga. Ele acredita que a expressão egípcia foi colocada ao lado de uma raiz hebraica composta pelas mesmas consoantes, *pasah*, que significa saltar ou passar (por cima) como em 1 Reis 18.26. Devido à sua conexão com a isenção dos primogênitos de Israel, *pesah* veio a ter o sentido da misericordiosa intenção de Jeová ao passar por cima das casas que foram marcadas com sangue ("L'origine égyptienne du mot 'Pâque'", *Revue Biblique*, LXII [1955], 481-496).

O verbo *pasah* ocorre em Êxodo 12.13,23,27, onde obviamente significa que o Senhor pulou ou saltou por cima e, desse modo, poupou as casas israelitas quando feriu os egípcios (Outro verbo com os mesmos radicais significa mancar ou ser manco; 2 Samuel 4.4.) A outra única ocorrência, no sentido de poupar ou proteger, está em Isaías 31.5, onde *pasah* está em um paralelo com outros três verbos que significam "proteger", "libertar" e "salvar". É possível que em Isaías o significado possa ter sido estabelecido pelo uso em Êxodo 12 e não por refletir o significado original da raiz. Portanto, não se pode afirmar que o substantivo *pesah* deriva ou não do verbo *pasah*, que originalmente significava passar por cima.

Quanto à observação cerimonial da festa da Páscoa no AT, *Veja* Festividades; Sacrifícios; Adoração.

No AT, é feita uma referência à celebração da primeira Páscoa por Moisés, com a aspersão de sangue para que os primogênitos israelitas não fossem tocados (Hb 11.28). Existem muitas outras referências a festas da

Páscoa durante a vida do Senhor Jesus. Ainda criança, todos os anos Ele era levado por seus pais a Jerusalém para a Festa da Páscoa (Lc 2.41). No quarto evangelho, três Páscoas são definitivamente mencionadas durante o ministério do Senhor Jesus (Jo 2.13,23; 6.4; 11.55; 12.1; 13;1; 18.28,39; 19.14) e acredita-se que a festa mencionada em João 5.1 seria a quarta Páscoa.

Na época de Cristo, o cordeiro pascal (geralmente um cordeiro ou cabrito de um ano, mas veja Êxodo 12.5) era ritualmente sacrificado na área do Templo. Essa refeição, no entanto, podia ser comida em qualquer casa da cidade. Um grupo comunitário, como o de Jesus e seus discípulos, podia celebrar a Páscoa em conjunto, com se formasse uma unidade familiar. Cerca de 120.000 a 180.000 judeus compareciam a Jerusalém para essa e outras festas anuais, sendo que a grande maioria deles era formada por peregrinos vindos de países da Diáspora (J. Jeremias, *Jerusalem in the Time of Jesus*, Filadélfia. Fortress, 1969, pp. 58-84). Depois da destruição do Templo no ano 70 d.C., as provisões para o sacrifício de um animal, sob a forma de um ritual, cessaram totalmente e a Páscoa dos judeus passou a ser uma simples cerimônia familiar, uma refeição sem derramamento de sangue. Atualmente, apenas os samaritanos (*q.v.*), em sua cerimônia anual da Páscoa no monte Gerizim, sacrificam cordeiros ou cabritos visando cumprir a ordem de Êxodo 12.

Uma última passagem do NT desenvolve claramente o significado tipológico da Páscoa e da Festa dos Pães Asmos para o cristão. Paulo conclama os coríntios a eliminar o fermento da malícia e da iniqüidade, e observar diariamente a festa "porque Cristo, nossa páscoa, foi sacrificado por nós" (1 Co 5.7). Dessa forma, Paulo declara diretamente que Cristo é o "nosso Cordeiro pascal", conforme o pronunciamento de João Batista de que Jesus é "o Cordeiro de Deus, que tira o pecado do mundo" (Jo 1.29). Devido a estas passagens, e a ensinos semelhantes, a Igreja primitiva veio a entender que a Ceia do Senhor (*q.v.*) substitui completamente a celebração da Páscoa.

***Bibliografia.*** H. Danby, ed. *The Mishnah*, tractate "Pesahim", Oxford. Univ. Press, 1933, pp. 136-151. Alfred Edersheim, *The Temple, Its Ministry and Services*, Grand Rapids. Eerdmans, 1950 (reimpressão), pp. 208-248; J. Jeremias, "*Pasha*", TDNT, V, 896-904. K. E Keith, *The Passover in the Time of Christ*, rev., Londres. *Church Missions to the Jews*, 1958. J. B. Segal, *The Hebrew Passover from the Earliest Times to AD. 70*, Londres. Oxford Univ. Press, 1963.

J. R.

**PAS-DAMIM** Forma abreviada de Efes-Damim (*q.v.*; 1 Sm 17.1). Lugar na região ocidental de Judá, literalmente, "fronteira ou limite de sangue", talvez por causa da cor vermelha da terra que cobre essa área (1 Cr 11.13).

**PASEA** *Veja* Paséia.

**PASÉIA**

1. Descendente de Judá mencionado em 1 Crônicas 4.12 como filho de Estom.
2. Chefe de uma família de netineus (Ed 2.49; Ne 7.51) que retornou do cativeiro com Zorobabel. Seu filho, Joiada, ajudou a reparar a Porta Velha quando Neemias reconstruiu o muro de Jerusalém (Ne 3.6).

**PASSAGEIRO** A idéia transmitida por este verbo ativo é a de uma pessoa passando por ou através de algum lugar (Pv 9.15; Ez 39.11,14,15). As várias versões da Bíblia Sagrada utilizam as expressões "passageiro", "passar por" e "passar através de".

**PASSAGEM**

1. Vau de um rio (Jz 12.5,6; Jr 51.32).
2. Passagem em uma cadeia de montanhas (1 Sm 14.4; Is 10.29). Em Josué 22.11, a tradução "região" ou "lugar" é mais exata e uma melhor interpretação seria "no lugar [ou na região] que pertence aos filhos de Israel". Em Jeremias 22.20, a tradução deveria ser "um clamor de Abarim" (*q.v.*) ou "clama desde Abarim".

**PASSAGEM DO MAR VERMELHO** *Veja* Êxodo, O

**PASSARINHEIRO** Nos tempos bíblicos, o caçador apanhava pássaros com laços. Um tipo de armadilha de laço era uma rede (*reshet*) que prendia o pássaro ao chão (Os 7.12). Um outro tipo de laço era aquele em que o caçador lançava um nó corrediço sobre o pescoço do pássaro (*moqesh* em Amós 3.5*a*). Contudo, outras armadilhas, com portas e mandíbulas que se fechavam quando uma isca era tomada, foram encontradas na Palestina e no Egito (*pah*, Salmos 124.7; Amós 3.5*b*).

A ação de um passarinheiro ao colocar um laço foi usada na Bíblia de várias maneiras diferentes para ilustrar a influência de pessoas perversas e modos malignos. Em Jeremias 5.26, a palavra é aplicada a homens ímpios que conspiram contra os outros. Em Juízes 2.3, a adoração a deuses pagãos é chamada de laço para Israel. Em 1 Samuel 18.21, foi dito que Saul pensava que a influência de sua filha Mica seria um laço para Davi. Em 2 Samuel 22.6, Davi falou da intenção de seus inimigos como laços de morte. Em Provérbios 18.7, os lábios de um insensato são considerados um laço para sua alma. Em 1 Timóteo 6.9, Paulo disse: "Os que querem ser ricos caem em tentação, e em laço".

*Veja* Laço.

J. W. W.

**PÁSSARO** *Veja* Animais III

**PASSAS** *Veja* Alimentos; Plantas: Videira.

**PASSATEMPO** *Veja* Jogos.

**PASSO** Pesos, Medidas e Moedas: Medidas Lineares.

**PASSOS** Duas palavras heb. são traduzidas deste modo:
1. A palavra *'aqeb*, literalmente, "o calcanhar"; daí o termo "passos" e figurativamente "pegadas" (Salmos 77.19 ; 89.51; Ct 1.8).
2. A palavra *pa'am*, "pisada", significa o contato dos pés com o solo; daí vem o termo pegada (Salmos 17.5). A idéia é a de pisar ou dar passadas largas.

**PASTOR** Várias versões traduzem a palavra hebraica *ro'eh* ("protetor") como "pastor", por exemplo em Jeremias 2.8; 3.15; 10.21; 12.10; 17.16; 22.22; 23.1,2. Essa palavra hebraica também foi traduzida em outras passagens de Jeremias como pastor (23.4; 25.34,35,36; 31.10; 33.12; 43.12; 49.19; 50.6, 44; 51.23), e em outras passagens do AT de Gênesis até Zacarias. Na versão KJV em inglês, as palavras traduzidas como "pastores" foram geralmente traduzidas como "regentes" nas versões modernas. As versões ASV e RSV em inglês não utilizam o termo "pastor" em todo o AT. O termo na versão KJV designa os líderes do governo e os governadores do povo de Deus.
A palavra grega *poimen* foi uniformemente traduzida como "pastor" em Efésios 4.11 para designar o ministro na Igreja. Em outras passagens do NT, essa palavra também foi traduzida como "pastor de ovelhas" (*q.v.*; Mt 9.36; 25.32; 26.31; Mc 6.34; 24.27; Lc 2.8,15, 18,20; Jo 10.2,11,12,14,16; Hb 13.20; 1 Pe 2.25).
*Veja* Pastor, Cristão.

G. W. K.

**PASTOR DE OVELHAS** *Veja* Ocupações: Pastor de Ovelhas.

**PASTOR, CRISTÃO** O termo original significa literalmente "pastor". Esta palavra foi, várias vezes, usada pelo Senhor Jesus Cristo no NT (Hb 13.20; 1 Pe 2.25) e, apenas uma vez, como pastor dos cristãos (Ef 4.11). Nessa passagem, ela aparece como um dom espiritual a ser praticado, e não como uma função a ser ocupada. Na verdade, qualquer cristão que orienta, protege e geralmente trabalha como protetor em relação aos outros crentes, está desempenhando o dom espiritual de um pastor. Entretanto, essa palavra veio a designar alguém que formalmente alimenta o rebanho, administra as ordenanças, lidera a adoração e guarda a verdade (Hb 13.17; 1 Pe 5.2). As Epístolas Pastorais fornecem as diretrizes dos deveres daqueles que ocupam, oficialmente, as posições de liderança como pastores entre o rebanho de Deus (2 Tm 4.1-5). Ao dirigir-se aos anciãos da Igreja em Éfeso (At 20.17), Paulo os chamou de supervisores ou bispos (v. 28) e ordenou que apascentassem (ou "alimentassem") o rebanho (v. 28).

C. C. R.

**PASTORAIS, EPÍSTOLAS** Nome dado a três cartas do NT: 1 Timóteo, 2 Timóteo e Tito, por trazerem em seu conteúdo conselhos relacionados à administração da Igreja local. O título de "Epístolas Pastorais" tornou-se comum depois da publicação de um trabalho de Paul Anton em 1726. Embora seus destinatários não tenham sido pastores, conforme o sentido moderno da palavra, o título é bem apropriado porque essas são as únicas cartas do NT que tratam dos muitos problemas da Igreja, sob o ponto de vista do administrador. Dirigidas a dois de seus fiéis companheiros, elas foram além da uma carta meramente pessoal e passaram a ser consideradas comunicações oficiais do escritor às Igrejas em Éfeso e Creta, conforme indicado pelos pronomes no plural, no final da saudação em cada carta.

**Primeiros Testemunhos Históricos**
A questão de Paulo ter sido o autor dessas três cartas tem sido acaloradamente mais discutida do que qualquer outra particularidade de suas epístolas. No entanto, as evidências sobre o conhecimento e a aceitação das Epístolas Pastorais como obras canônicas foram prévias e abundantes na história da Igreja. Na famosa discussão de Eusébio sobre o cânon, no início do século IV d.C., as Pastorais foram aceitas como sendo de autoria paulina e classificadas junto com a Homologoumena (Livros Reconhecidos). Entretanto, muito antes disso, Clemente de Alexandria (por exemplo, *Stromata*, II, 6) e Tertuliano (por exemplo, *On Prescription Against Heretics*, capítulo 25) fizeram muitas críticas a essas epístolas, atribuindo-as "a um apóstolo" ou a qualquer outro com o nome de Paulo. O Cânon Muratoriano (aprox. 170 d.C.) inclui as Pastorais em sua relação de livros aceitos como inspirados no NT. Irineu, em seus escritos antes do final do século II d.C., cita ou faz alusões a cada capítulo das Pastorais, exceto Tito 1 (por exemplo, *Against Heresies* II, 14.7). Hegesippus (*Memoirs Concerning the Martyrdom of Symeon*), Teófilo de Antioquia (*To Autolycus*, III, 14), *Epistles of the Churches of Vienne and Lyon*, Atenágoras (*A Plea for the Christians*, sect. xvi, xxxvii), Justino Mártir (por exemplo, *Dialog with Trypho*, sect vii.xxxv), *Epistle of Barnabas* (por exemplo, sect. xii), e a obra de Inácio, *Epistle to Policarp* (sect. iii.iv), são exemplos de registros históricos e comentári-

os do século II d.C. As citações na Epístola de Policarpo aos Filipenses (aprox. no ano 110 d.C.) são numerosas e claras, e foram feitas em um período tão inicial, que não haveria tempo para que uma composição fraudulenta alcançasse suficiente estatura a ponto de ser usada sem qualquer questionamento por esse homem que havia conhecido o apóstolo João (por exemplo, sect. iv, viii, xii). Argumentar, como J. C. Baker em seu artigo "Pastoral Letters, The" (IDB, III, 670), que tanto Policarpo como o autor das Epístolas Pastorais usaram uma fonte comum, parece ser algo totalmente sem fundamento. Até Clemente de Roma (95 d.C.) revela ter um possível conhecimento de 1 Timóteo (por exemplo, *First Epistle to the Corinthians*, sect. xxxvii).
As únicas vozes discordantes sobre a canonicidade das Pastorais vieram de hereges como Basilides, Marcion e Tatiano, cuja rejeição estava baseada em desacordos doutrinários sobre seu conteúdo. Essa rejeição estava enfocada no assunto da canonicidade, porém sua aceitação pela Igreja como um todo se tornou ainda mais abrangente. Essa unanimidade de opinião prevaleceu até o século XIX d.C.

**Problemas Relacionados Autoria**

A rejeição generalizada da crítica à autoria paulina das Pastorais está geralmente fundamentada em um ou mais dos cinco problemas discutidos abaixo. Apesar dessa tendência, muitos estudiosos continuaram a aceitar a autenticidade das Pastorais, inclusive Guthrie (1957), Hendricksen (1957), J. Jeremias (1953), Spicq (1947), Schlatter (1936), Lock (1924), White (1910), Ramsay (1909), Zahn (1906) e Godet (1893).
1. *Contexto cronológico*. Esse problema é causado pela incapacidade de se estabelecer a data cronológica das Pastorais dentro da estrutura do livro de Atos. Se a prisão exigida por 2 Timóteo é a prisão romana de Atos 28, então a liberdade refletida em 1 Timóteo e Tito deve preceder Atos 21, e deve ser encontrado aquele lugar onde Paulo deixa Timóteo em Éfeso ao partir para a Macedônia (1 Tm 1.3).
O mais próximo que se pode chegar de uma solução para essa premissa, é observar que Paulo foi de Éfeso para a Macedônia em sua terceira viagem (At 20.1) e que Timóteo o acompanhou ou foi ao seu encontro pouco tempo depois (At 20.4). É difícil harmonizar este pensamento com 1 Timóteo 3.14. Além disso, as tarefas impostas a Timóteo na epístola levariam muito tempo para se tornar realidade.
Visto que o livro de Atos termina sem revelar o resultado do caso de Paulo, não haveria fundamento suficiente para insistir que Atos 28 relata sua prisão final. O historiador Lucas consistentemente deixou a impressão de que nenhuma acusação grave havia sido feita contra Paulo (At 25.26,27; 26.31, 32). O próprio Paulo esperava ser libertado da prisão (Fm 22; Fp 1.23-25; 2.24). É inexplicável que o livro de Atos termine dessa maneira, sem nenhuma sugestão de que as expectativas de Paulo teriam se realizado. Os primeiros testemunhos históricos, inclusive de Clemente de Roma, do Cânon Muratoriano e de Eusébio, relatam uma viagem de Paulo à Espanha e isso fala em favor da libertação de sua primeira prisão em Roma, um período de renovada atividade missionária e, em seguida, de uma prisão posterior que teria sido a última. O assim chamado "problema histórico" contra a autoria paulina representaria verdadeiramente um problema se alguém entendesse que Atos conta toda a história da vida de Paulo. Essa conclusão é tão desnecessária quanto injustificada.
2. *Complexidade eclesiástica.* Têm sido feitas objeções quanto ao fato de as Pastorais refletirem um estado de organização da Igreja que seria demasiadamente avançado para a época de Paulo. Dessa forma, foi pressuposto que elas teriam sido redigidas em alguma data do século II d.C. Será necessário prestar atenção aos vários graus do clero e às detalhadas descrições em relação à sua qualificação, salário e disciplina. No entanto, as mesmas duas funções são encontradas nas incontestadas cartas de Paulo (Fp 1.1), e a Igreja de Jerusalém também tinha diáconos e anciãos (At 6; 15.2-6). O intercâmbio entre os títulos de "bispo" (gr., *episkopos*) e "ancião" é claro no século I d.C. A política de Paulo era favorável a uma pluralidade de anciãos (At 14.23; Fp 1.1) e sua remuneração era ensinada por Paulo em 1 Coríntios 9.7-14. A existência de diaconizas é exemplificada pelo caso de Febe (Rm 16.1) e pela admissão de viúvas em exemplos muito anteriores em Atos 6.
Os exemplos da organização são muito mais condizentes com a Igreja do século I do que com a Igreja de Inácio, do século II. Os sectários de Qumran, muito antes do ano 70 d.C., tinham um superintendente ou administrador *(m$^{e}$baqqer*, palavra comum aramaica e hebraica para superintendente e um equivalente preciso da palavra grega *episkopos,* Manual de Disciplina 6.12-14, veja a obra de Frank M. Cross, Jr., *The Ancient Library of Qumran*, Garden City, N.Y.; Doubleday, 1958, pp. 175ss.).
3. *Ponto de vista doutrinário*. Dizem, às vezes, que as Pastorais refletem uma teologia inferior de Paulo. Aqueles que o dizem, supõem que o autor seja um sincero adepto de Paulo (o que pode explicar certas semelhanças com os ensinos do apóstolo), mas que estão faltando suas doutrinas básicas, e mesmo alguns de seus termos são supostamente usados de maneira diferente.
Entretanto, Deus está presente como um Pai (1 Tm 1.2) que escolheu os redimidos no pas-

sado, desde a eternidade (2 Tm 2.10), e tornou-se seu Salvador através da mediação de Cristo (1 Tm 1.1; 2.5,6). A salvação está baseada na graça de Deus, e não nas obras dos homens (Tt 3.5). O Espírito Santo é aquele que adverte os crentes (1 Tm 4.1). A finalidade da epístola é ditada por seu escopo; portanto não seria legítimo esperar um tratamento exaustivo das verdades teológicas nesse manual de procedimentos para a administração da igreja.

4. *Peculiaridades lingüísticas.* Desde a edição da obra de P. N. Harrison, *"The Problem of the Pastoral Epistles"*, em 1921, esse argumento teve uma grande influência. Harrison apontou o grande número de palavras que ocorrem apenas uma vez no NT (*hapax legomena*) e argumentou que a proporção de palavras novas por página, nas Pastorais, é significativamente maior do que nas dez cartas paulinas. Outras peculiaridades são a ausência de palavras caracteristicamente paulinas e certos grupos de palavras. Foi também mencionada uma afinidade de vocabulário e de estilo com os escritos do século II. Entretanto, se for feita uma comparação entre palavras novas e o vocabulário total, o resultado será totalmente diferente, pois as Pastorais apresentam apenas uma porcentagem ligeiramente maior do que Romanos. Das palavras que ocorrem nas dez cartas paulinas, que não ocorrem nas Pastorais, 80 por cento aparecem apenas em uma única carta, e estão faltando nas outras nove, assim como nas Pastorais. Das 175 *hapaxes* (ou palavras que aparecem apenas uma vez em um manuscrito) nas Pastorais, 80 delas também são encontradas na Septuaginta (LXX). Quanto às *hapaxes* que foram encontradas nos escritos dos patriarcas da Igreja do século II, todas, com exceção de algumas, eram conhecidas antes do ano 50 d.C. Dessa forma, a questão de uma autoria do século II dificilmente será estabelecida. A extensão total das Pastorais e das outras dez cartas paulinas é pequena demais para permitir qualquer conclusão sólida baseada em uma análise estatística, e quaisquer diferenças na matéria desse assunto exigiriam um vocabulário diferente. Também deve ser observado que, aparentemente, estas supostas diferenças lingüísticas nunca foram objeto de suspeitas na Igreja primitiva.

5. *Oposição herética.* Alguns alegaram que a heresia que está sendo atacada nas Pastorais deve ser atribuída ao gnosticismo do século II. As referências feitas em 1 Timóteo 1.4; 4.1-5; 6.20 serviram como justificativa para essa conclusão. Entretanto, o uso pelo autor da palavra comum *antithesis*, em 1 Timóteo 6.20, não serve como prova de que o tratado de Marcion com o mesmo título estivesse em vista. Além disso, em nenhum lugar da literatura gnóstica existem "*aeons*" ou poderes chamados "fábulas" ou "genealogias" (1 Tm 1.4). Seria melhor considerá-los como judaicos, como está claramente implícito em uma referência semelhante feita em Tito 1.14, assim como no contexto de 1 Timóteo.

A descoberta de códigos cópticos de tratados sobre o gnosticismo, originalmente escritos em grego, no século II, confirma o testemunho de Irineu e de Hipólito sobre as origens gnósticas. Os gnósticos eram especificamente hereges cristãos que faziam abundantes citações dos autênticos livros do NT. Esse movimento começou na Palestina e na Síria, duas décadas depois do Pentecostes, e em oposição direta ao evangelho. Portanto, era de se esperar uma reação às idéias radicais dos gnósticos nas epístolas posteriores do NT (W. F. Albright, *History, Archaeology and Christian Humanism*, Nova York. McGraw-Hill, 1964, pp. 39-42, 277, 295). *Veja* Gnosticismo.

### Data e Ordem

A opinião tradicional sobre a autoria paulina coloca os escritos de 1 Timóteo e Tito durante o período de liberdade que se seguiu à primeira prisão romana sofrida por Paulo. Assumindo que a expectativa de Paulo, relativa à sua breve libertação, tenha se concretizado, podemos reconstituir os seguintes eventos dessa maneira: Paulo primeiro viajou para o oriente, visitando Creta (Tt 1.5), Colossos (sua esperança em Filemom 22), Éfeso (1 Tm 1.20) e a Macedônia (1 Tm 1.3), inclusive Filipos (sua expectativa em Filipenses 1.25; 2.24).

Nessa época (ano 62 ou 63 d.C.), ele escreveu 1 Timóteo e enviou a carta para Éfeso antecipando sua própria segunda visita (1 Tm 3.14). Por volta da mesma época, ele escreveu a Tito, pedindo-lhe para ir ao seu encontro em Nicópolis para lá passarem o inverno (Tt 3.12). A última dentre as três epístolas a ser escrita foi 2 Timóteo, durante a última vez que Paulo foi preso em Roma. Este evento culminou com sua morte, que deve ter ocorrido em alguma data entre o ano 64 e 68 d.C.

***Bibliografia.*** Glenn W. Barker, William L Lane e J. Ramsey Michaels, *The New Testament Speaks*, Nova York. Harper & Row, 1969, pp. 233-247. Donald Guthrie, *The Pastoral Epistles*, Grand Rapids. Eerdmans, 1957. P. N. Harrison, *The Problem of the Pastoral Epistles*, Londres. Oxford Univ. Press, 1921. William Hendricksen, *Exposition of the Pastoral Epistles*, Grand Rapids. Baker, 1957. Walter Lock, *A Critical and Exegetical Commentary on the Pastoral Epistles* (ICC), Nova York. Scribner's, 1924. E K. Simpson, *The Pastoral Epistles*, Grand Rapids. Eerdmans, 1954. Newport J. D. White, *The First and Second Epistles to Timothy and the Epistle to Titus* (ExpGT), Grand Rapids. Eerdmans, reimpresso.

H. A. K.

O mosteiro de São João coroa a ilha de Patmos. HFV

**PASTOREAR** *Veja* Ocupações: Pastor.

**PASUR** Nome de provável origem egípcia que significa "o filho de Horus" (S Ahituv, "Pashhur", IEJ, XX [1970], 95ss.).
1. Filho de Imer; sacerdote que serviu como "funcionário chefe" ou "presidente" do Templo do Senhor durante a época de Jeremias (Jr 20.1-6). Ele feriu Jeremias e o colocou no tronco dos condenados porque o profeta havia feito previsões contra Jerusalém e contra o Templo. Quando foi libertado no dia seguinte, Jeremias chamou Pasur de Magor-Missabibe, isto é, "terror por todos os lados", e previu que ele seria enviado ao cativeiro e morreria na Babilônia. Pasur não é mais mencionado depois deste episódio.
2. Filho de Malquias e um dos altos funcionários da corte de Zedequias (Jr 21.1; cf. 38.1). Pasur e o sacerdote Sofonias foram até Jeremias para ouvir uma palavra do Senhor a respeito do cerco de Nabucodonosor à cidade de Jerusalém. Jeremias lhes disse que o Senhor não pouparia a cidade e a deixaria cair nas mãos dos babilônios (Jr 21.1-10). Pasur também estava entre aqueles que desejavam condenar Jeremias à morte (Jr 38.1-6). Seu descendente estava entre os sacerdotes da época de Neemias (Ne 11.12; cf. 1 Cr 9.12).
3. Pai de Gedalias que também estava entre aqueles que desejavam matar Jeremias (Jr 38.1).
4. Pai de um ancestral de uma das principais famílias de sacerdotes pós-exílicos que retornaram a Judá (Ed 2.38; Ne 7.41). É possível que seja o Pasur de Neemias 11.12.
5. Sacerdote que participou do selo do pacto sob Neemias (Ne 10.3).

H. E. Fi.

**PATA** Em Levítico 11.27, a palavra hebraica utilizada é quadrúpede, e tem a intenção de distinguir os animais que têm unhas fendidas daqueles que têm cascos. A palavra garras em algumas versões em 1 Samuel 17.37 significa literalmente mão, e é usada no sentido figurado de "poder" ou "controle".

**PÁTARA** Porto marítimo da Lícia, na costa sudeste da Ásia Menor, cerca de 100 quilômetros a leste de Rodes e 10 quilômetros a leste da foz do rio Xanthus. Dizia-se que essa cidade havia sido fundada por Pátaro, filho do deus Apolo. Adorado como Apolo Patareu, seu Templo e oráculo eram famosos. Ainda existem extensas ruínas de um teatro, banhos, muros etc. Um arco triunfal contém a inscrição "Pátara, capital da nação da Lícia". Nesse porto, Paulo trocou de navio a caminho de Jerusalém, no final de sua terceira viagem missionária (At 21.1,2).

**PATMOS** Uma das doze ilhas do arquipélago do Dodecanese no mar Egeu, a sudeste de Samos com 13 quilômetros de comprimento e 8 de largura ao longo da costa norte. Pelo seu formato de meia lua, ela oferece uma baia protegida do lado leste do istmo, entre a região norte e sul. Enquanto estava exilado nessa ilha, o apóstolo João recebeu as visões do Apocalipse (1.9). Clemente de Alexandria (*Rich Man* 42), Tertuliano (*Prescription* 36), Eusébio (*Church History* III18) e Jerônimo (*Lives* 9) testemunharam o exílio do apóstolo João em Patmos, sob o governo do imperador Domiciano. As colinas vulcânicas, que se elevam a mais de 250 metros de altura, e o mar que rodeia essa ilha, formaram um cenário adequado às visões do Apocalipse. *Veja* Apocalipse, Livro de.

**PATRIARCA** Palavra que descreve o chefe ou fundador de uma família ou tribo, usada para Abraão (Hb 7.4) e para os 12 filhos de Jacó (At 7.8,9). Ela foi aplicada a Davi (At 2.29) porque ele fundou a linhagem messiânica (2 Sm 7.11-16). *Veja* Abraão; Era Patriarcal.

**PATRIMÔNIO** Herança ou propriedade herdada. A palavra hebraica (literalmente, "os pais", Deuteronômio 18.8) é usada apenas nesta passagem no AT e é, provavelmente, a abreviatura de uma frase mais longa, "posses dos pais". *Veja* Lei de Moisés; Herança; Propriedade.

**PÁTROBAS** Uma dos cristãos romanos a quem Paulo enviou saudações na Epístola aos Romanos (16.14).

**PATROS** Nome hebraico para o Egito Superior (*veja* Egito; Is 11.11; Jr 44.1,15; Ez 29.14; 30.14).

**PATRUSIM ou PATRUSEUS** Descendentes do quinto filho de Mizraim, filho de Cam. Eles eram os habitantes de Patros (*q.v.*; Gn 10.14; 1 Cr 1.12).

**PAÚ** A cidade real de Hadar ou Hadade (Gn 36.39), um dos primeiros reis de Edom. Em algumas versões a mesma cidade é mencionada em 1 Crônicas 1.50 como Paí.

**PAULO**[1] *Veja* Sérgio Paulo.

**PAULO**[2]

### Visão Geral

Os estudos modernos sobre Paulo mais uma vez enfatizam a presença da sua "judaicidade". Esta impressão fica clara em várias nuances do seu ambiente cultural. Alguns escritores – como W. D. Davies, *Paul and Rabbinic Judaism* (1948); J. Munck, *Paul and the Salvation of Mankind* (1959); H. J. Schoeps, *Paul. The Theology of the Apostle in the Light of Jewish Religious History* (1961); e R. N. Longenecker, *Paul. Apostle of Liberty* (1964) – contribuíram para os trabalhos eruditos, e acabaram por estabelecer esta tese para o presente. (A situação até 1960 foi brevemente pesquisada em E. E. Ellis, *Paul and His Recent Interpreters*).

O próprio testemunho de Paulo, certamente, aponta para esta direção. Um israelita circuncidado da tribo de Benjamin, que falava a língua aramaica em sua casa, herdeiro da tradição do farisaísmo, estrito observador das exigências da Torá, e mais avançado no judaísmo do que seus contemporâneos, era o primeiro e o mais proeminente entre os judeus (Fp 3.5,6; Gl 1.14). Estas qualidades estavam tão enraizadas na sua alma, que até mesmo quase no final de sua vida, ele falaria com um honesto apreço daquela herança. Mais de 20 anos depois de sua conversão cristã, ele dizia: "Eu sou fariseu, filho de fariseu! No tocante à esperança e ressurreição dos mortos sou julgado!" (At 23.6). Mesmo depois desta afirmação, ele declarou: "Sirvo ao Deus de nossos pais, crendo tudo quanto está escrito na Lei e nos Profetas" (At 24.14).

Contudo, ele era um judeu da Dispersão, nascido em Tarso (*q.v.*) da Cilícia, um lugar que não era insignificante (At 21.39). Quando criança viveu no meio da cultura grega, um lugar de educação e comércio. "Era a cidade cujas instituições reuniam melhor e mais completamente, o caráter oriental e ocidental" (Ramsay, *Cities*, p. 88).

Tal ambiente provavelmente acarretou alguns problemas para um judeu. Primeiro, ele seria membro de uma minoria, e até certo ponto, um grupo desprezado. Sua lealdade obstinada às idéias da sua religião incitaria o povo de Tarso aos insultos (cf. Schonfield, *The Jew of Tarsus,* p. 33). É fácil admitir que a defesa altamente desenvolvida de Paulo, tão evidente nas epístolas, teve suas raízes nestes dias. Segundo, um judeu seria confrontado com o problema do relacionamento social com os gentios. Entre os judeus, principalmente os fariseus eram sensíveis, embora não necessariamente hostis a tais contatos. Toda

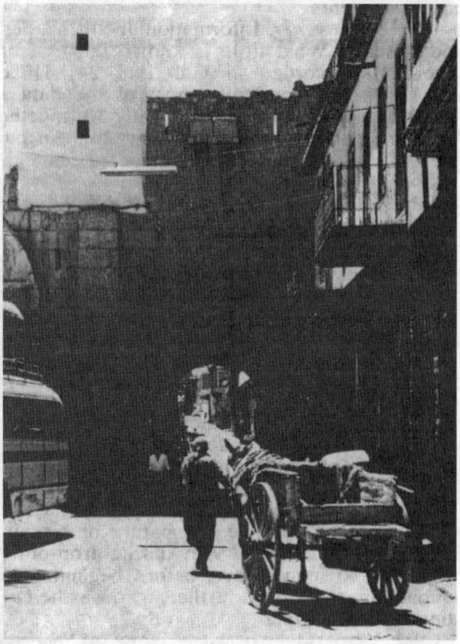

A porta oriental em Damasco leva à rua chamada Direita, que figura na narrativa paulina depois da conversão do apóstolo. HFV

esta área de sua vida tão enfatizada nas cartas, deve ter sido, eventualmente, pensada por Paulo com muito cuidado. E é mérito seu ter desenvolvido um espírito de parentesco com estes "estranhos". Ele aprendeu a entendê-los a ponto de poder dizer: "Fiz-me tudo para todos" (1 Co 9.22).

A idéia que se tem, é que Paulo teve uma vida bastante comum neste ambiente, até pelo menos sua adolescência antes de ir para Jerusalém e ser educado por Gamaliel (At 22.3). Mas nos últimos anos, esta conjectura levou um sério golpe segundo o estudo cuidadoso de Unnik, *Tarsus or Jerusalém. The City of Paul's Youth* (1962). De acordo com este trabalho, a tríade das palavras: (1) "nascido", (2) "criado" e (3) "instruído" (At 22.3) era uma ordem literária única (veja também Atos 7.20-22), indicando que enquanto o lugar de nascimento de Paulo foi Tarso, sua criação, tanto em casa como na escola, foi em Jerusalém. Sustentando esta conclusão com muitas evidências vindas da literatura antiga, van Unnik arrisca a hipótese de que a mudança de Tarso "ocorreu bem cedo na vida de Paulo, aparentemente antes que ele começasse a espiar pela fechadura e, certamente, antes de perambular pelas ruas" (p. 54).

Será que tudo isso significa que Paulo teve poucas oportunidades de realmente aprender do mundo grego em que nasceu? De modo algum; isto significa que algumas atitudes básicas em relação à vida ficaram, bem cedo, im-

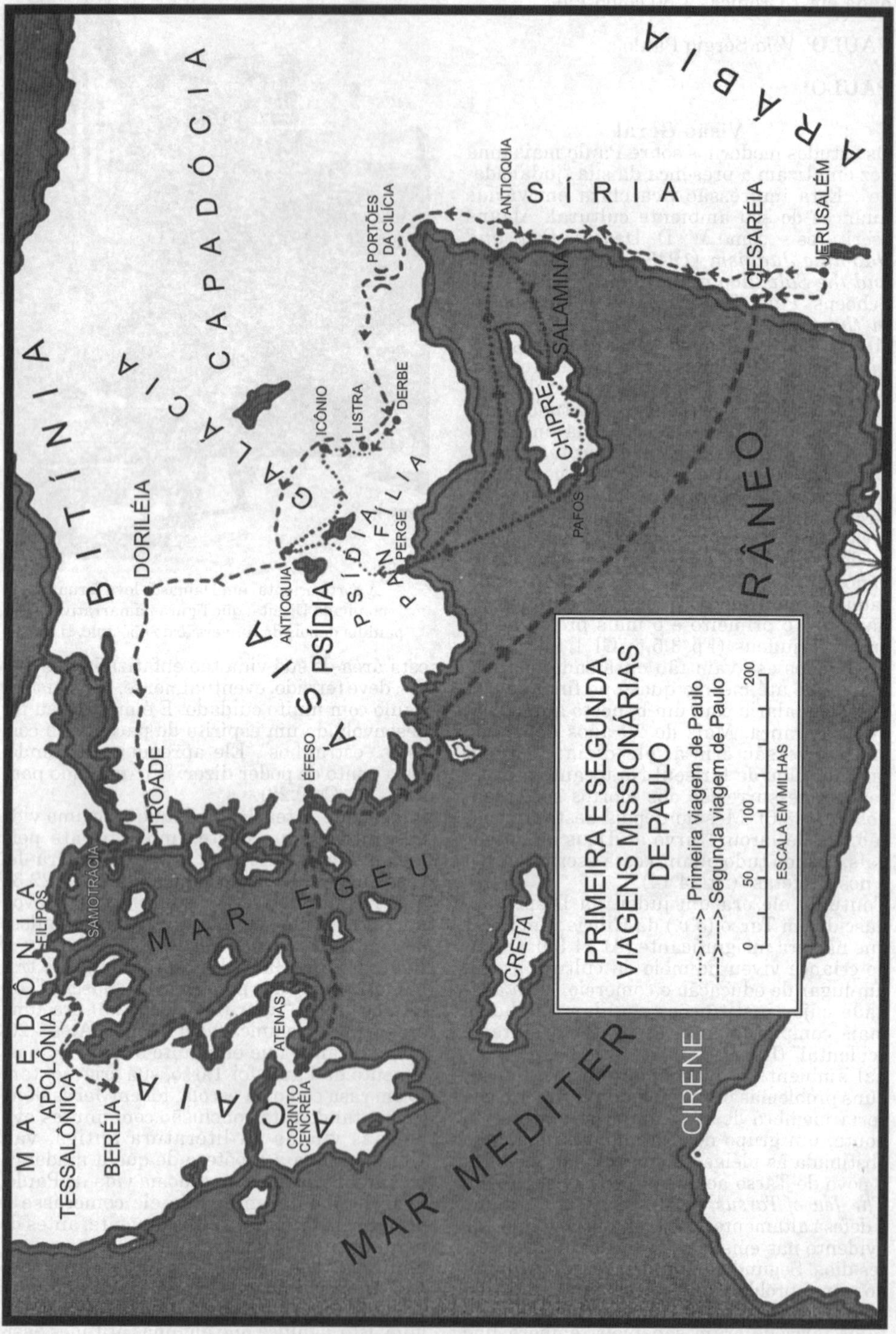
PRIMEIRA E SEGUNDA VIAGENS MISSIONÁRIAS DE PAULO
Primeira viagem de Paulo
Segunda viagem de Paulo
0 50 100 200
ESCALA EM MILHAS
MACEDÔNIA
TESSALÔNICA
APOLÔNIA
FILIPOS
BERÉIA
SAMOTRÁCIA
ACAIA
ATENAS
CORINTO
CENCRÉIA
MAR EGEU
MAR MEDITERRÂNEO
CRETA
CIRENE
TROADE
ÉFESO
ÁSIA
BITÍNIA
DORILÉIA
GALÁCIA
CAPADÓCIA
PSÍDIA
ANTIOQUIA
ICÔNIO
LISTRA
DERBE
PANFÍLIA
PERGE
PORTÕES DA CILÍCIA
CHIPRE
PAFOS
SALAMINA
SÍRIA
ANTIOQUIA
CESARÉIA
JERUSALÉM
ARÁBIA

pregnadas em sua mente. Depois de sua conversão, Paulo passou um período de 8 a 10 anos na Síria e Cilícia (*veja* Gl 1.21–2.1; cf. At 9.30) enquanto adulto, e assim tornou-se profundamente consciente da cultura do mundo em que vivia. Estes foram anos de preparação para aquele ministério em que ficou conhecido como o "apóstolo dos gentios".

Além destes aspectos da sua vida, um outro está enfatizado diretamente em Atos, e está implícito nas epístolas. Ele era um cidadão romano (At 16.37-39; 22.25-28), e esta foi uma posse premiada, porque se estimava que um a dois terços da população do império romano era da classe dos escravos e, portanto, sem cidadania romana. Paulo reconheceu o valor de ambas as cidadanias, a de Tarso (At 21.39) e a romana (At 22.25-28). É interessante notar a diferença na estimativa destas respectivas cidadanias aos olhos do capitão romano Cláudio Lísias. A primeira apenas estabeleceu o fato de que Paulo não era um egípcio (At 21.38); a segunda lhe deu uma imunidade aos açoites.

Paulo aparentemente herdou sua cidadania romana de seu pai: "Eu na verdade nasci (um cidadão)". O pai do apóstolo deve ter recebido sua cidadania por ter prestado algum serviço relevante ao governo romano. Alguns dos privilégios contidos nesta cidadania eram: (1) a garantia do julgamento (perante César, se exigido, cf. Atos 25.11) nos casos de acusação; (2) imunidade legal dos açoites antes da condenação (ao contrário do caso do Senhor Jesus, Mt 27.24-26); e (3) imunidade em relação à crucificação, a pior forma de pena de morte, no caso de condenação.

Nestas epístolas, Paulo não só defendeu fortemente a manutenção da lei e da ordem (o fundamento do governo romano), mas também se referiu freqüentemente à cidadania. Os crentes em Cristo já não são "estrangeiros, nem forasteiros, mas concidadãos dos santos" (Ef 2.19). Sua cidadania era do céu (Fp 3.20). A palavra aparece novamente em Filipenses 1.27, e poderia ser literalmente traduzida da seguinte forma: "Cumpram suas obrigações como cidadãos" (Lightfoot). Tal ênfase era particularmente significativa aos destinatários da carta aos filipenses, porque a cidade era uma colônia romana (At 16.12); e eles, sem dúvida, lembravam-se de que Paulo havia ali apelado para sua cidadania romana.

### Conversão

Em sua carta aos Gálatas, Paulo referiu-se a seu modo de vida anterior no judaísmo, e como "sobremaneira perseguia a Igreja de Deus e a assolava" (Gl 1.13). Naquela hora ele acreditava que ao seguir aquele caminho, estava servindo a Deus e mantendo a pureza da lei. A passagem em Gálatas 1.15 não mostra nenhuma indicação de ter havido um intervalo neste esforço de agradar a Deus durante a época da sua conversão. E em Filipenses 3.6 ele mostrava sua "perfeição quanto à justiça que há na lei".

"Janela de São Paulo", igreja que marca o lugar tradicional na muralha de Damasco por onde desceram Paulo. HFV

Enquanto as narrativas em Atos, assim como as notas nas cartas, parecem indicar sua "súbita" conversão, alguns argumentam que certas experiências devem tê-lo preparado previamente. Seu consentimento na morte de Estêvão (At 7.58–8.1), e o fervor da sua campanha de casa em casa contra aqueles do Caminho (At 8.3; 9.1,2; 22.4; 26.10,11) dificilmente não o afetariam; sua furiosa jornada em direção a Damasco representou o clímax dos seus esforços.

De qualquer modo, há dois elementos na história que são claros: (1) Paulo estava convencido de que tinha visto o Senhor ressurrecto; e, (2) Sua vida foi radicalmente mudada daquele dia em diante. A base da sua afirmação para o apostolado reside naquela experiência. Mais uma vez ele insiste nisso (veja 1 Co 9.1; 15.8-15; Gal 1.15-17; cf At 9.3-8; 22.6-11; 26.12-18). Visto que ele não era um dos doze discípulos, e não tinha nem um chamado do Senhor Jesus, e tinha perseguido seus seguidores, a necessidade da revelação pessoal de Cristo para Paulo parece visível.

A mudança foi primeiramente indicada pela resposta de Paulo à voz celestial: "Senhor, que farei?" (At 22.10). Thomas Chalmers (1780-1847) pregou um grande sermão intitulado "O poder propagador de um novo amor", que se parece com o caso de Paulo. Em Gálatas 2.20, ele mostra que tinha um novo relacionamento com Cristo (2 Co 5.16,17).

Segundo, a mudança foi evidenciada pela mensagem que Paulo começou a pregar nas sinagogas de Damasco (precisamente no lugar onde ele pretendia prender os discípulos do Senhor Jesus, cf. At 9.1,2). Ele [Jesus] "é o Filho de Deus" (At 9.20). Agora, ele assumia a tarefa de provar "que aquele era o Cristo" (At 9.22). Pouco tempo antes, ele imaginava que "contra o nome de Jesus, o Nazareno, devia... praticar muitos atos", tentando forçar seus seguidores a blasfemar (dizer "Je-

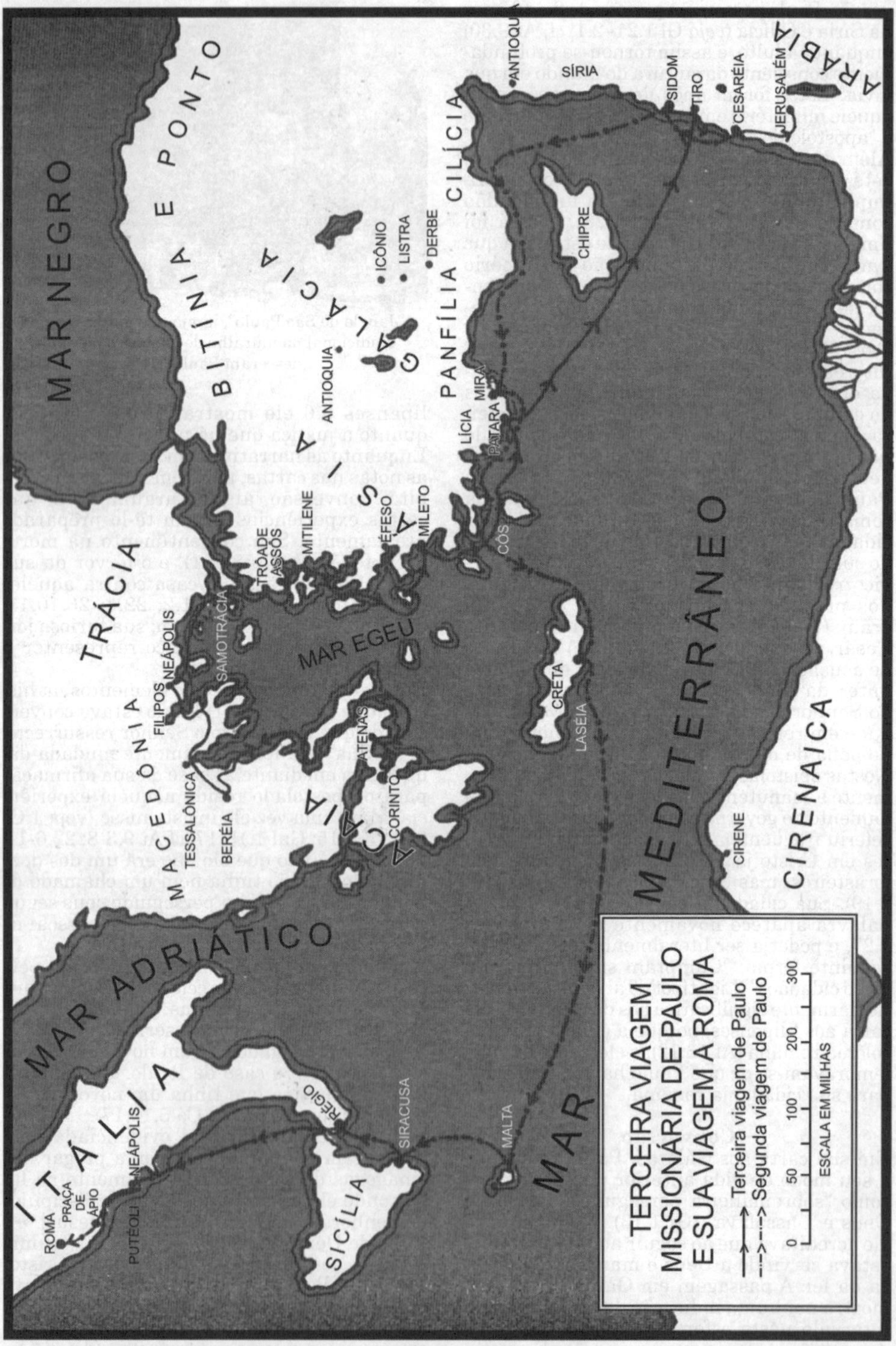
TERCEIRA VIAGEM
MISSIONÁRIA DE PAULO
E SUA VIAGEM A ROMA
Terceira viagem de Paulo
Segunda viagem de Paulo
ESCALA EM MILHAS
0 50 100 200 300
MAR NEGRO
PONTO
BITÍNIA
GALÁCIA
CILÍCIA
PANFÍLIA
LÍCIA
ÁSIA
TRÁCIA
MACEDÔNIA
ACAIA
ITÁLIA
SICÍLIA
SÍRIA
ARÁBIA
CIRENAICA
MAR ADRIÁTICO
MAR EGEU
MAR MEDITERRÂNEO
ANTIOQUIA
SIDOM
TIRO
CESARÉIA
JERUSALÉM
CHIPRE
ICÔNIO
LISTRA
DERBE
MIRA
PATARA
MILETO
ÉFESO
MITILENE
TRÔADE
ASSÔS
CÓS
SAMOTRÁCIA
NEÁPOLIS
FILIPOS
TESSALÔNICA
BERÉIA
ATENAS
CORINTO
CRETA
LASÉIA
CIRENE
MALTA
SIRACUSA
RÉGIO
NEÁPOLIS
PUTÉOLI
ROMA
PRAÇA DE ÁPIO

sus é anátema" cf. 1 Co 12.3), perseguindo-os como um animal selvagem (At 26.9-11). Terceiro, houve uma mudança no sentido da sua missão. Ele estava convencido de que havia sido chamado por Deus "para que o pregasse [o filho de Deus] entre os gentios" (Gl 1.16). Na verdade, este era o meio pelo qual Israel seria finalmente restaurada e abençoada por Deus (Rm 11.25-27). Finalmente, houve uma mudança no próprio Paulo. Isto foi mostrado de várias formas. Por exemplo, veja uma mudança no seu senso de valores em Filipenses 3.7-14. Em 1 Coríntios 13, encontramos "um hino de amor" escrito por alguém que tanto odiou. Também podemos observar Epístola a Filemom, escrita em tons de ternura e sensibilidade, ao contrário do seu comportamento exigente e rigoroso de outrora.

A experiência da conversão tem sido explicada de várias formas. Alguns a atribuem ao efeito de doenças, tal como epilepsia (cf. J. Klausner). Outros a atribuem às alucinações ou algum fenômeno psicológico similar. Mas a transformação notável da personalidade e vida de Paulo aponta em outra direção. Qualquer que seja o sentido, Cristo apareceu a ele – assim como certamente apareceu a outros depois da ressurreição (cf. 1 Co 15.5-8).

Um tratado útil e popular desta questão é encontrado na obra de E. White, *St. Paul. The Man and His Mind* (1958), pp. 20-36.

### Atividades Pós-Conversão

Após a experiência da conversão, a vida de Paulo pode ser dividida em vários períodos gerais: (1) os anos relativamente silenciosos, provavelmente 10 a 12 anos; (2) o trabalho em Antioquia; (3) as viagens missionárias; e (4) as prisões.

*Os anos silenciosos.* São raras as informações sobre este período. O pouco que se sabe vem dos fatos registrados em Gálatas 1.15-24; 2 Coríntios 11.32,33 (e provavelmente a maior parte das informações em 2 Coríntios 11.23-27); e Atos 9.19*b*-30 (junto com os paralelos em Atos 22 e 26). Um esboço do período incluiria pelo menos os seguintes pontos:

- Pregação em Damasco (rapidamente), Atos 9.20-22
- Viagem pela Arábia, Gálatas 1.17
- Retorno a Damasco, Gálatas 1.17
- Fuga para Jerusalém, Gálatas 1.18; 2 Coríntios 11.32,33; Atos 9.23-26
- Encontro com Pedro e Tiago em Jerusalém, Gálatas 1.18,19
- Retorno à Síria e Cilícia (Tarso), Gálatas 1.21-24; Atos 9.30

A natureza insuficiente de informações deixou muitas perguntas sem respostas para o estudo moderno da vida de Paulo. Onde era a "Arábia"? E o que ele fazia lá? Por que o governador Aretas desejava aprisionar Paulo em Damasco? Qual foi o propósito e a natureza da sua visita com Pedro e Tiago? Por que ele retirou-se por tantos anos antes de começar seu ministério público? E, além disso, por que ele estava continuamente fugindo?

Alguns podem ficar impressionados com a energia deste homem; na verdade ele era zeloso (lit. borbulhar ou ferver) em relação a tudo que era de sua responsabilidade. Só por esta razão, alguns supõem que os anos silenciosos não foram anos de repouso ou inatividade. As indicações mostram que ele "começou imediatamente a anunciar Jesus nas sinagogas, dizendo: Jesus é o Filho de Deus" (At 9.20); foi imediatamente para a Arábia (Gl 1.16,17); sua pregação em Jerusalém suscitou a ira de alguns (At 9.28,29); e chegaram até à Judéia as notícias de que na Síria e Cilícia "aquele que já nos perseguiu anuncia, agora, a fé que, antes, destruía" (Gl 1.21-23).

*A palavra em Antioquia.* Enquanto Paulo estava em Tarso (e outros lugares na Síria e Cilícia), o evangelho havia se difundido de Jerusalém a Antioquia da Síria (At 11.19-21). Barnabé foi enviado para ver o que havia acontecido ali, e foi usado por Deus como um instrumento para aumentar o número de convertidos. Mas quando o trabalho ficou grande demais para ele, partiu "para Tarso, a buscar Saulo" (At 11.25). Os dois juntos trabalharam em Antioquia durante um ano inteiro.

Este foi um ponto crucial na vida de Paulo, porque pode ter sido ali que sua visão de levar o evangelho aos gentios cristalizou-se. Foi enquanto ele estava ativo em Antioquia que o Espírito Santo disse: "Apartai-me a Barnabé e a Saulo para a obra a que os tenho chamado" (At 13.2). Assim tiveram início as viagens missionárias do apóstolo Paulo.

*As viagens missionárias.* Abrangendo um período de cerca de 10 anos, o trabalho de Paulo aconteceu principalmente em 4 províncias do Império Romano: Galácia, Macedônia, Acaia e Ásia. Em cada uma delas, ele concentrou-se nas cidades-chave, nos maiores centros populacionais. Uma vez começado seu trabalho, ele alcançou as áreas ru-

A colina de Marte com uma placa de bronze à direita, registrando o discurso de Paulo em Atos 17. HFV

O grande teatro em Éfeso, onde ocorreu o episódio com a multidão de Atos 19. HFV

rais, normalmente usando os convertidos de cada um destes lugares (cf. Cl 1.7,8; 4.12).

Os métodos de Paulo de estabelecer e fundar igrejas assumiram um padrão regular, pelo menos onde as condições o permitiam. Pode-se ver um resumo em Atos 14.21-23: (1) pregando o evangelho (*evangelismo*); (2) fortalecendo e encorajando os crentes (*edificação*); e (3) escolhendo presbíteros em cada Igreja (*organização*). Assumiu-se a mesma abordagem em Filipos (At 16.40; cf. Fp 1.1), Corinto (At 18.4,11; cf. 1 Co 16.15,16), e Éfeso (At 19.8-10; 20.17,28).

1. A primeira viagem (At 13.1–14.28). Esta foi uma missão para os gentios (veja 14.27). Como cada um dos períodos das viagens de Paulo, o ponto de partida foi Antioquia (na Síria), um lugar que assumiu o papel de centro do Cristianismo para os gentios. Partindo do porto da Selêucia, Paulo e seus companheiros desembarcaram em Chipre, em seu extremo leste. De Salamina cruzaram toda a extensão da ilha, pregando primeiro nas sinagogas dos judeus. De fato, este era seu ponto de contato com os gentios, alguns dos quais eram adeptos do judaísmo, outros simplesmente espectadores curiosos. O primeiro encontro com funcionários romanos também ocorreu em Pafos, a cidade capital e residência do procônsul Sérgio Paulo. Apesar da oposição do mágico judeu (13.6-12; cf. 8.9-11), o procônsul creu na mensagem de Paulo.

Saindo para o mar, o grupo foi então para Perge, na Panfília. Até então Barnabé tinha sido o líder, Paulo era o pregador principal, e João Marcos (o primo de Barnabé) o auxiliador do apóstolo. Mas ao deixar Chipre (que era a cidade de Barnabé, Atos 4.36), Paulo assumiu a liderança assim que Marcos os deixou (lit., os abandonou) e retornou para Jerusalém (13.13). O momento parecia inesperado. Ele estava com ciúmes? Ofendido? Ou apenas com saudade de casa?

Viajando em direção ao norte, a dupla entrou na província da Galácia, e suas visitas estenderam-se a quatro cidades. Antioquia (na Psídia), Icônio, Listra e Derbe. Os eventos podem ser brevemente resumidos da seguinte forma.

Em Antioquia, Paulo pregou na sinagoga, discursando sobre a história de Israel e o cumprimento das promessas de Deus através da vinda do Salvador, Jesus Cristo. Sua ênfase era sobre o perdão dos pecados e a justificação pela fé em Cristo (13.38,39); uma nota que mais tarde ressoou na Epístola aos Gálatas. Quando os judeus opuseram-se a ele, Paulo disse: "Nos voltamos para os gentios" (At 13.46), um procedimento comum no ministério de Paulo, em várias cidades (veja também 18.6; 28.28).

Levados para fora de Antioquia, eles foram para Icônio, um dos lugares mais bonitos do mundo antigo, onde se repetiu o mesmo padrão familiar (14.1-6). Houve ali uma nova situação: "Falando ousadamente acerca do Senhor, o qual dava testemunho à palavra da sua graça, permitindo que por suas mãos se fizessem sinais e prodígios" (14.3; Gl 3.5; Hb 2.4).

O terceiro centro era Listra, uma cidade que não tinha sinagoga, um sinal de que provavelmente poucos judeus moravam ali.

Era mais um assentamento local, habitado principalmente por licaônios da região central da Anatólia. A adoração a Zeus e Hermes [Júpiter e Mercúrio] (14.12) foi popular ali, e a língua mais falada foi a licaônica ao invés do grego (14.11). Depois que Paulo curou um homem coxo de nascença, o povo começou a adorá-los como deuses, o que lembra a estória de Báucis e Filemom encontrada na obra de Ovid, *Metamorphoses* (viii), uma fábula que nos dá elementos para compreendermos a reação do povo (Gl 4.8-15). Mesmo após a restauração da ordem, a paz durou pouco, porque os judeus vinham da Antioquia e Icônio, e Paulo foi apedrejado e deixado como morto.

Paulo levantou-se milagrosamente logo depois, e no dia seguinte iniciou com Barnabé uma viagem de 96 quilômetros até Derbe (a sudeste de Listra). Ali a viagem chegou ao seu ponto final, de onde retornaram pelas cidades fazendo discípulos (14.21-23), chegando finalmente a Antioquia, na Síria.

Com relação ao tempo envolvido entre a Epístola de Paulo aos Gálatas e o Concílio da Igreja em Jerusalém (At 15), *veja* Galácia; Gálatas, Epístola aos.

2. A segunda viagem (15.36–18.22). Seu propósito, conforme Paulo disse a Barnabé, era: "Visitar nossos irmãos por todas as cidades em que já anunciamos a palavra do Senhor" (15.36). Mas ao discutirem sobre a possibilidade de levarem João Marcos, que os abandonara da primeira vez, decidiram separar-se, e Paulo levou Silas consigo. Viajaram por terra na estrada em sentido norte, pela Síria e Cilícia, e assim começaram sua segunda visita à Galácia em Derbe.

Mas o centro de interesse tornou-se a Macedônia e Acaia, e não a Ásia Menor. Levando Timóteo consigo enquanto passavam por Lis-

tra (16.3), os viajantes chegaram por último à cidade portuária de Trôade, no mar Egeu. Em resposta a uma visão, a companhia embarcou para Macedônia (16.6-10), e assim inauguraram o trabalho em solo europeu.
Na Macedônia, o trabalho centralizou-se em 3 centros-chave: Filipos (16.12-40), Tessalônica (17.1-9) e Beréia (17.10-14), enquanto que na Acaia duas cidades foram visitadas: Atenas (17.15-34) e Corinto (18.1-18).
Filipos era uma colônia e uma cidade pela qual que Lucas demonstrou um grande interesse, julgando pela descrição específica (16.12) e pela extensão da narrativa. Este interesse levou alguns (por exemplo Ramsay, *St Paul'the Traveller*, p. 201ss.) a supor que Lucas era um macedônio. Como em Antioquia (na Psídia) Paulo encontrou homens e mulheres tementes a Deus (13.43), em Filipos ele encontrou Lídia, uma adoradora do Senhor (16.14). Estes gentios que foram "preparados" eram geralmente os primeiros a responder ao evangelho de Cristo, e a serem salvos (16.31-34).
Além disso, nesta cidade Paulo sentiu a dor do anti-semitismo. Ele e seus companheiros foram acusados de serem judeus, como uma oposição à cidadania romana (16.20,21), uma acusação suficiente para provocar problemas e que resultou na prisão deles. Foi ali que Paulo apelou para sua cidadania romana, algo que legalmente deveria ter evitado os açoites que levou (16.22-24,37-39).
Tessalônica foi a capital da província da Macedônia, uma cidade livre, que possuía a autonomia de um governo independente. O uso do título grego *politarchas* por Lucas (17.6,8), é outra ilustração de sua precisão histórica. Ela não aparece em outra literatura grega, mas é conhecida pelas 19 inscrições datadas entre os séculos II a.C. e III d.C., cuja maioria está relacionada a cidades macedônias.
Ali Paulo começou a pregar na sinagoga, e "disputou com eles sobre as Escrituras" (17.2, foi a primeira vez que o termo "disputar" apareceu em Atos). É importante notar que esta palavra descreve a abordagem de Paulo, ao falar da chegada da Palavra ao coração das cidades gregas (veja também 17.17, Atenas; 18.4, Corinto; 18.19; 19.8, Éfeso) porque esta era a forma de pensar dos gregos.
Aqui os missionários foram acusados de sedição (contra César), por dizerem que existia outro rei, o Senhor Jesus (17.7). A acusação foi suficiente para forçar sua expulsão da cidade, e eles viajaram em direção ao sul, a Beréia, um lugar onde tiveram uma curta estadia, antes de Paulo ir sozinho para Atenas (17.10-15).
Agora, Paulo entra na província da Acaia ("Grécia") e se vê na cidade mais famosa do mundo grego, Atenas. Era uma cidade repleta de ídolos (17.16), "um lugar onde era mais fácil encontrar um deus do que um homem". Ao encontrar as pessoas, tanto na sinagoga como no mercado, ele logo encontrou os filósofos epicureus e estóicos (veja os artigos separados sobre estas escolas). Eles consideravam Paulo um homem que coletava e distribuía porções de conhecimento (um "tagarela", lit. "paroleiro", 17.18). Para eles, a mensagem do Senhor Jesus e de sua ressurreição era como uma exaltação de dois deuses estranhos. Então ele foi levado até o conselho de Atenas (o Areópago [*q.v.*], um nome também dado ao lugar onde se reunia o tribunal que julgava os casos que afetavam o bem estar da cidade). Ali ele expôs a doutrina do Deus vivo e pessoal que criou o mundo, que o sustenta, e que um dia o julgará. Em vista disto, Deus mandava que os homens se arrependessem (17.22-31), e alguns responderam positivamente, dentre eles um membro do Areópago (17.34).
Depois deste encontro, Paulo foi para Corinto e permaneceu ali cerca de um ano e meio. Sua visita aconteceu durante a época de Gálio, procônsul da Acaia (51-52 d.C.), irmão do importante filósofo estóico Sêneca, que era conselheiro do imperador Nero. Ali Paulo morou com um casal, Áqüila (*q.v.*) e Priscila, que se tornaram seus amigos e companheiros de trabalho (cf. Rm 16.3-5*a*), fazendo tendas para seu sustento, e desempenhando um longo ministério de ensino. Daqui ele enviou duas cartas à jovem Igreja de Tessalônica.
O apóstolo foi acusado pelos judeus de persuadir "os homens a servir a Deus contra a lei", e o levaram a julgamento perante Gálio. O sábio juiz romano recusou-se a intervir na disputa religiosa dos judeus (18.15,17*b*), e Paulo foi libertado.
Depois de uma rápida visita a Éfeso (18.19-21), e uma promessa: "Querendo Deus, outra vez voltarei a vós", ele retornou à sua base em Antioquia.
3. A terceira viagem (18.23–21.14). Atravessando mais uma vez a região da Galácia e Frígia, Paulo passou algum tempo fortalecendo a fé dos discípulos nas cidades da Galácia. Então ele prosseguiu sua viagem em sentido oeste, indo até a Ásia e à sua principal cidade, Éfeso. Ali, ele passou entre dois e três anos, sua maior estada em um único lugar (veja At 19.8-10; 20.31).
Antes da visita de Paulo, Apolo, de Alexandria (18.24-28), passou algum tempo pregando e ensinando em Éfeso. Juntamente com o trabalho de Priscila e Áqüila, deixado ali anteriormente por Paulo (18.18, 19,26), seu trabalho pode ser considerado como o alicerce para a extensão do ministério de Paulo naquela cidade.
Neste ponto da história, Éfeso era o principal centro da província romana da Ásia (*Veja* Efeso). Várias instituições e práticas que faziam parte de sua vida estão refletidas em Lucas, no relato de Atos 19, e representavam desafios ao programa de Paulo: (1) a sinagoga judaica (19.8,9); (2) a prática do

exorcismo e artes mágicas (19.13-19); (3) e a corporação dos artesãos (19.24-41).

Apesar destas influências e oposições, alguns resultados significativos foram relatados por Lucas: "Todos os que habitavam na Ásia ouviram a palavra do Senhor Jesus, tanto judeus como gregos" (19.10); "assim, a palavra do Senhor crescia poderosamente e prevalecia" (19.20).

E assim começou a crescer a maior Igreja fundada por Paulo, e o estudante atento do NT deve observar sua história subseqüente. É a única Igreja no NT cuja história foi traçada em vários estágios da época de sua fundação até o final da Era Apostólica. Veja, juntamente com Atos 18–20, a Epístola aos Efésios, 1 e 2 Timóteo (cf. 1 Tm 1.3), e Apocalipse 2.1-7. Durante estes dias, 3 grandes líderes foram responsáveis pelo seu progresso: Paulo, Timóteo e João.

Depois da sua saída de Éfeso, Paulo viajou em direção norte até Trôade (veja 2 Co 2.12, 13), e depois para a Macedônia e a Grécia, onde passou três meses (At 20.3). Em Corinto o apóstolo escreveu sua Epístola aos Romanos. Retornando por Filipos e Trôade, ele parou em Mileto e encontrou-se com os anciãos da Igreja de Éfeso (20.17-35). Ali ele revisou seu ministério entre eles, encarregando-os de suas responsabilidades, enquanto os advertia sobre os perigos que surgiriam depois de sua partida (At 20.28-31; cf. 1 Tm 1.3,4,18-20; 6.3-5,20,21; 2 Tm 2.16-18).

Desejando estar em Jerusalém para a Festa de Pentecostes (At 20.16), Paulo viajou por Tiro e Cesaréia (21.3-6,8-16), onde foi avisado dos perigos que o esperavam. Mas "estando pronto... a morrer em Jerusalém pelo nome do Senhor Jesus" (21.13), ele prosseguiu em seu trajeto. Com ele estava o dinheiro que havia sido coletado para suprir as necessidades dos santos em Jerusalém (cf. 1 Co 16.1-4; 2 Co 8–9; Rm 15.25-27). Embora tenha sido calorosamente recebido por Tiago e os anciãos, alguns judeus da Ásia, presentes em Jerusalém para a Festa de Pentecostes, o acusaram de profanar a área do Templo (*Veja* At 21.27-36). Seguiu-se um tumulto, e o incidente resultou em sua prisão pelo capitão romano na cidade.

*O período da prisão* (At 21.15–28.31). À primeira vista, parece estranho que Lucas tenha dado um espaço tão grande à sua narrativa da prisão de Paulo, quando até este ponto ele ocupara-se da expansão missionária da Igreja primitiva. Mas por causa de uma grande parte de sua apologia ao Cristianismo primitivo, é que se pôde mostrar que este "prisioneiro" havia sido preso injustamente, e que a Igreja não tinha violado a lei romana (cf. At 23.26-30; 25.23-27; 26.30-32; 28.30,31).

Com relação a este período da vida de Paulo, é bom estudar as relações de Paulo com as seguintes pessoas e grupos: (1) Tiago e os anciãos de Jerusalém (At 21.18-26); (2) Cláudio Lísias, o capitão da guarda romana em Jerusalém (21.31-39; 22.22-30); (3) a multidão de judeus na área do Templo (21.40–22.22); (4) o conselho (ou Sinédrio, o supremo corpo de governo do judaísmo em Jerusalém, que consistia de 70 homens mais o sumo sacerdote, 22.30–23.10); (5) Félix, o procurador da Judéia (24.1-27); (6) Festo, sucessor de Félix (25.1-12); e (7) Herodes Agripa II, rei escolhido pelos romanos, sobre alguns territórios adjacentes dentro e fora da Palestina (25.13–26.32).

Durante este período, Paulo apelou para sua cidadania romana (22.25-28), apelou a César para um julgamento justo (25.10-12), e foi julgado inocente das acusações contra ele por Festo e Agripa (26.31,32). Sua viagem a Roma resultou em um período de dois anos de pregações e ensinos públicos, com toda liberdade, praticamente na porta do palácio de César (28.30,31). Ali, a história escrita por Lucas chega ao fim.

O que aconteceu com Paulo depois disto? Compareceu perante Nero? Se compareceu, foi condenado e executado? Ou solto? Se foi solto, o que ele fez no momento seguinte? A única informação adicional no NT, parte das Epístolas Pastorais, mostrando que Paulo foi solto depois de sua primeira prisão (2 Tm 4.16,17), viajou a lugares como Creta (Tt 1.5), Nicópolis (Tt 3.12), Trôade (2 Tm 4.13), Mileto e Corinto (2 Tm 4.20); e depois foi preso pela segunda vez e executado (2 Tm 4.6–8,18). A tradição registra sua morte junto da estrada de Óstia, fora da cidade de Roma (veja Óstia), em algum momento entre 64 e 68 d.C., perto do final do reinado de Nero (veja os volumes citados na bibliografia para conhecer a discussão e os vários pontos de vista sobre os últimos anos da vida deste digno apóstolo).

### Principais Ensinos

O pensamento de Paulo era complexo. O problema da compreensão das suas idéias é mais complicado pela falta de um desenvolvimento sistemático. Os judeus não sabiam nada sobre a abordagem da teologia sistemática; o Mishna mostra, como alguns reconhecem, a total falta de concordância sobre os temas, por grandes estudiosos judeus de qualquer período.

As cartas de Paulo mostram a mesma tendência. Até mesmo a "ligação lógica", chamada de Epístola aos Romanos, não é uma exceção, e pouco se desenvolveu quando foi organizada. Paulo, porém, reuniu um vasto número de pensamentos, deixando que o leitor se aprofundasse neles. Em muitos casos, tanto ele passou muito tempo (até, mesmo, anos) no treinamento verbal dos seus convertidos, como supondo que os ensinos tradicionais da Igreja primitiva eram conhecidos deles. Assim, suas cartas foram escritas diante de tal contexto.

Na tentativa de reunir entre seus escritos as idéias principais, merecem destaque, em particular, as que seguem:

*A doutrina da justificação pela fé.* Esta grande verdade foi experimentada pela primeira vez pelo próprio Paulo (cf. Gl 2.16), formando o ponto central de sua mensagem missionária (cf. At 13.38,39), e tornou-se o fundamento em suas cartas para as igrejas. Ela é central particularmente nas cartas aos Gálatas (3–4) e Romanos (3.21–5.21), e até mesmo onde não foi repetidamente elaborada supõe-se que seja a base para a experiência cristã (1 Co 6.11; 2 Co 5.16-21; Ef 2.8,9). A justiça de Deus é atribuída ao homem pela fé, e não como o resultado de suas obras ou méritos (Rm 3.22; 10.4; Gl 2.16; 3.22; Fp 3.9).

Como Deus pode ser "justo e justificador" (Rm 3.26)? Por meio do próprio Cristo, que é justo, diria Paulo. Ele foi feito justiça para nós (1 Co 1.30). E no evangelho temos essa mensagem declarada. As boas novas de Deus estão centradas na resposta de fé daquele que é injusto Àquele que é justo (cf. 1 Jo 2.1).

Alguns afirmam (por exemplo, C. G. Montefiore, G. F. Moore) que Paulo, ao insistir na necessidade da lei de Deus para a perfeita obediência, caso contrário a pessoa será condenada (conforme Gálatas 3.10), negligenciou uma área inteira (e básica) do ensino judeu, a do arrependimento. Os críticos de Paulo observaram a escassez das ocorrências deste termo nas epístolas (Rm 2.4; 2 Co 7.9,10; cf. At 17.30; 20.21). Mas é possível argumentar que Paulo usou uma palavra mais abrangente, "fé", e que realmente inclui a idéia de arrependimento. Se um homem crê em Deus, ele mudou de idéia (arrependimento) sobre várias coisas.

*O conceito de estar em Cristo.* Ao julgar pela ocorrência freqüente desta sentença nos relatos de Paulo – mais de 160 vezes – ela deve ter formado uma parte importante do pensamento do apóstolo. Ela incluía tanto pontos de referência pessoais como corporais, e serviam como um fator unificador dentro das igrejas. Sanday e Headlam (*Romans*, p.160) chamaram-na de "um dos principais pilares da teologia de São Paulo".

Seu significado foi entendido de diversas maneiras: A. Deissmann (*Paul*, pp. 138-140) igualou as expressões "em Cristo" com "no Espírito (Santo)", como se ambas fossem uma fórmula nupcial. A. Schweitzer (*Mysticism of Paul*, pp. 122ss.) considerou como uma afirmação concisa para "sermos participantes no Corpo Místico de Cristo", e apresenta um contraste com expressões como "no corpo", "na carne", "no pecado", "no Espírito", e "na lei". R. Bultmann (*Theology*, I, 311) entende as palavras como "primariamente uma fórmula eclesiológica", significando uma parte da Igreja de Cristo, e no sentido escatológico, ser uma "nova criação".

Até mesmo uma amostra reduzida traz dois tipos diferentes de abordagens. Um olha na direção de uma relação mística, pessoal. O Senhor e o crente individual uniram-se, uma união de espíritos estabeleceu-se. A outra enfatiza o aspecto corporativo. Todos os crentes uniram-se em uma sociedade, em um Corpo, do qual Cristo é a Cabeça. Esta é a visão da Igreja (para uma amostra e uma discussão concisa do problema, veja a obra de R. N. Longenecker, *Paul: Apostle of Liberty*, pp. 160-170).

Mas há outra faceta a ser considerada. Para Paulo, estar "em Cristo" significava ser liberto da escravidão do pecado e da lei. Um exemplo poderoso desta verdade encontra-se em Romanos 6–8. Uma pessoa torna-se viva "para Deus, em Cristo Jesus" (6.11); ela recebe a "vida eterna, por Cristo Jesus, nosso Senhor" (6.23); não há mais condenação para aqueles que estão "em Cristo Jesus, nosso Senhor" (8.1); e nada pode nos separar do amor de Deus "que está em Cristo Jesus" (8.39). Tudo isto contrasta com estar "na carne" (8.8) e experimentar a escravidão do pecado "que habita" em cada um de nós (7.17). O resultado da verdade é que Cristo está em nós pelo seu Espírito, para nos dar esta vitória (8.9-11).

*O ponto de vista escatológico de Paulo.* A exposição clássica dos estudos do NT na escatologia é o de A. Schweitzer, *The Quest of The Historical Jesus* (1910). De acordo com este trabalho, o Senhor Jesus transmitia a idéia de que sua parousia messiânica poderia ocorrer em um futuro próximo, e a vívida esperança de seus ouvintes determinou a conduta que demonstraram. Esta mesma expectativa foi evidenciada pelos primeiros discípulos (cf. At 1.6-11; 3.19-21), e também por Paulo.

"Da primeira até a última carta, o pensamento de Paulo está sempre uniformemente dominado pela expectativa do retorno imediato do Senhor Jesus, do julgamento e da glória messiânica" (A. Schweitzer, *The Mysticism of St. Paul*, p. 52).

Porém, muitos ainda reagem contra os excessos deste ponto de vista. Não havia apenas uma mudança da ênfase da esperança da *parousia* à felicidade presente, como A. M. Hunter entende (*Paul and his Predecessors*, ver ed. 1961), mas havia também "uma mudança gradual desde a escatologia apocalíptica à não apocalíptica", de acordo com H. M. Shires (*The Eschatology of Paul in the Light of Modern Scholarship* [1966], p. 41).

É possível que a distinção entre a escatologia e aquilo que é apocalíptico tenha um propósito aqui. Paulo, na verdade acreditava firmemente na segunda vinda de Cristo como é evidente em muitas passagens de suas cartas (1 Ts 4.13–5.11; 2 Ts 1–2; 1 Co 15; Rm 13.11,12). Ele ainda percebeu o perigo com entusiasmo excessivo, uma atitude repressiva em relação à *parousia*. A menos que se exercesse algum controle, como essas igrejas poderiam ter sobrevivido em uma sociedade como a do Império Romano do primeiro século? Os romanos desconfiavam de qual-

quer movimento que parecesse ameaçar seu controle e a estabilidade da ordem existente. E, na verdade, assim também eram os governantes saduceus da Palestina. Paulo percebeu este problema muito cedo.
Na verdade, ele disse: "Acontecerá – mas não ainda". Enquanto isso, os crentes deveriam ocupar-se com dedicação e atenção às responsabilidades do dia a dia. "Se alguém não quiser trabalhar, não coma também" (2 Ts 3.10); este é um forte lembrete da atenção que deve ser dada às obrigações diárias. Deve haver uma testemunha de Cristo nascida no meio do trabalho duro da vida, não através de um "temperamento apocalíptico" nervoso e alienado. Os crentes devem ser um povo bem informado, não visionários iludidos que não contribuem em nada para a sociedade de seu tempo.
Mais um pensamento pode ser adicionado aqui, uma idéia enfatizada por J. Munck. Paulo enxergava a salvação dos gentios como um fato necessário e preliminar para a salvação final de Israel. De forma contrária à crença escatológica judaica, na qual a ordem estava invertida (Israel, depois os gentios), Paulo ensinou que os "ramos da oliveira" seriam primeiros enxertados, e depois os "ramos naturais" seriam enxertados na sua própria oliveira (Rm 11.13-27). Então, desse modo, todo Israel seria salvo.
Paulo esperava ansiosamente a segunda vinda como um resultado lógico da ressurreição do Senhor Jesus Cristo. Ele tornou-se "as primícias dos que dormem" (1 Co 15.20) ao ser ressuscitado dentre os mortos por Deus Pai; do mesmo modo, aqueles que são de Cristo serão vivificados na sua vinda (15.23). Naquele dia, todos os inimigos serão destruídos, incluindo a morte, e o propósito de Deus de "tornar a congregar em Cristo todas as coisas" (Ef 1.10) será cumprido.

***Bibliografia.*** W. Barclay, *The Mind of St. Paul*, Nova York. Harper, 1958. W. J. Conybeare e J. S Howson, *The Life and Epistles of St. Paul*, Londres. Longmans, Green and Co., 1898. W. D. Davies, *Paul and Rabbinic Judaism*, Londres. SPCK, 1962. A Deissman, Paul, trad. por W. E. Wilson, Nova York. Harper, 1957. C. H. Dodd, *The Meaning of Paul for Today*, Nova York. George H. Doran Co., s.d. E. Earle Ellis, *Paul and His Recent Interpreters*, Grand Rapids. Eerdmans, 1961; "Paul", NBD, pp. 943-955. W. Ward Gasque e Ralph P. Martin, eds., *Apostolic History and the Gospel* (F. F. Bruce Festschrift), Exeter. Paternoster, 1970. T. R. Glover, *Paul of Tarsus*, Nova York. George H. Doran Co., s.d., A. M. Hunter, *Paul and His Predecessors*, Londres. SCM Press, 1961. J. Klausner, *From Jesus to Paul*, trad. por W. F. Stinespring, Boston. Beacon Press, 1961. R. N. Longenecker, *Paul. Apostle of Liberty*, Nova York. Harper & Row, 1964. J. G. Machen, *The Origin of Paul's Religion*, Grand Rapids. Eerdmans, 1947. F. B. Meyer, *Paul. Servant of Jesus Christ*, Fort Washington, Pa.. Christian Literature Crusade, 1953. J. Munck, *Paul and the Salvation of Mankind*, trad. por F. Clarke, Richmond. John Knox Press, 1960. A. D. Nock, *St. Paul,* Nova York. Harper, s.d. W. M. Ramsay, *St. Paul the Traveller and the Roman Citizen*, Grand Rapids. Baker, 1949 (reimpresso); *The Cities of St Paul*, Grand Rapids. Baker, 1960 (reimpresso). H. Ridderbos, *Paul and Jesus*, trad. por D. H. Freeman, Filadélfia. Presbyterian and Reformed Publ. Co., 1958. A. T. Robertson, *Epochs in the Life of Paul*, Nova York. Scribner's, 1956. S Sandmel, *The Genius of Paul*, Nova York. Farrar, Straus & Cudahy, 1958. J. Stalker, *Life of St. Paul*, Grand Rapids. Zondervan, s.d. J. S. Stewart, *A Man in Christ*, Nova York. Harper, s.d. W. C. van Unnik, *Tarsus or Jerusalem. The City of Paul's Youth*, trad. por G. Ogg, Londres. Epworth Press, 1962. E. White, *Saint Paul. The Man and His Mind*, Londres. Marshall, Morgan & Scott, 1958. R. E. O. White, *Apostle Extraordinary*, Grand Rapids. Eerdmans, 1962.

W. M. D.

**PAVÃO** *Veja* Animais III. 48.

**PAVIMENTO** Embora esta palavra apareça diversas vezes no AT, seu principal interesse está centralizado em uma única referência no NT (Jo 19.13; Pavimento ou Litóstrotos). A palavra grega usada aqui significa "calçada [lit. espalhada] com pedras". Seu nome semítico Gabatá significa área elevada ou serra. A localização foi incerta até que Père Vincent descobriu uma extensa área no castelo de Antônia, na extremidade noroeste dos limites do Templo, encontrando grandes placas de pedra de uma jarda quadrada. Ao supor que este seja o lugar certo, o nome Gabatá torna-se inteligível, porque este ponto é consideravelmente elevado acima do nível da área que está ao seu redor.

**PAVIO** Um pavio (heb. *pishta*) de linho ou juta era usado nas antigas lâmpadas de barro na Palestina, para conduzir o azeite ou óleo animal até a chama (Is 42.3; 43.17). *Veja* Lâmpada.

**PAZ** Representada no AT hebraico principalmente pela raiz substantiva *shalom*, e no NT grego pela raiz do substantivo *eirene*. Esta palavra tem uma grande variedade de significados tanto no AT quanto no NT. A idéia geral de bem estar (Is 48.18) engloba a maioria das nuanças, dando a dimensão da tradução mais geral e aceitável como "paz".
A palavra ocorre na saudação e no cumprimento geral, "A paz seja contigo", e é equivalente à nossa pergunta geral, "Como vai você?" (Gn 43.23; Jz 19.20). Também é usada onde a realidade está presente (1 Sm 1.17), e onde há uma esperança falsa ou vã (Salmos 28.3),

especialmente nas palavras dos falsos profetas (Jr 6.14; 8.11; Ez 13.10, 16). Com o poder da realidade, é o cumprimento usual do Senhor ressurrecto (Jo 20.19,21,26) e a saudação de abertura e/ou encerramento dos escritores das epístolas apostólicas (todos exceto Tiago e 1 João).

A paz também é usada para designar relacionamentos interpessoais (Gen 26.29; Js 9.15). Ela pode referir-se às relações entre homens (Prov 16.7) ou nações (1 Rs 5.12). Pode designar as boas relações que existiram (Jz 4.17; At 24.2), ou que estão prestes a existir; o cessar da hostilidade ou guerra baseado na rendição de uma parte, como no caso dos gibeonitas com Josué (Js 10.1; cf. 2 Sm 10.19; 1 Cr 19.19; Lc 14.32); e o estado de tranqüilidade e prosperidade que prevalece (1 Rs 4.24) ou pelo qual se ora (Salmos 122.6-9; At 12.20). *Veja* Guerra.

O bem-estar, a saúde, e a prosperidade de alguém em alguma situação, também merecem a designação de paz. Assim como no progresso de alguém em uma viagem ou partida (Êx 4.18), e em geral na maneira de viver (Is 38.16,17; 1 Co 7.15) e morrer (Gn 15.15; 2 Rs 22.20) com tranqüilidade. Prosperidade econômica e segurança (Salmos 147.14; Jr 29.11; Lc 11.21), saúde ecológica (Lv 26.4-6; Zc 8.12), segurança política e militar (2 Rs 20.19; Ec 3.8), e livramento das perseguições (At 9.31) são todos aspectos de paz.

Ao longo de todas as Escrituras Sagradas, a paz é tida como um dom de Deus (Is 45.7). O próprio Senhor tem o título de o Deus de paz (Rm 15.33; 2 Co 13.11; Fp 4.9; 2 Ts 3.16), que dá a paz (Nm 6.26; Lv 26.6), e que fez uma aliança de paz (Is 54.10; Ez 34.25; 37.26). A apropriação da paz que Ele nos concede, depende da nossa confiança nele (Is 26.3), de nosso amor por sua Palavra (Salmos 119.165), e da obra da sua justiça (Is 32.17; cf. Tg 3.13-18). A bênção da paz é tão ampla quanto a providência de Deus (Jr 29.7; 1 Tm 2.2, *hesychios*), mas chega a uma expressão particular como fruto da obra messiânica da redenção (Is 9.7; Zc 9.10; Mq 5.5).

Tanto o AT como o NT indicam que o Messias prometido, chamado de Príncipe da Paz (Is 9.6), trará uma paz universal (Ez 34.25; 37.26) e pessoal (Is 53.5). Seu nascimento é anunciado em termos de paz na terra e boa vontade para com os homens (Lc 2.14). Suas aparições após sua ressurreição trazem o anúncio do poder de sua morte e ressurreição (Jo 20.19,21,26). Através da morte de Cristo, a hostilidade e a barreira entre Deus e o homem foi removida, de forma que Ele, que é nossa paz, traz a aliança da paz aos homens e faz a paz com Deus através do sangue que derramou em sua cruz (Cl 1.20; Ef 2.11-22). [*Veja* Expiação; Reconciliação.] Esta mesma obra também remove as barreiras entre judeus e gentios, e na comuni-

O suposto "pavimento" de João 19.
Irmãs de Sião

dade da graça e da paz, a Igreja faz de todos os homens em Cristo, pela fé, um novo homem que habita em paz (Ef 2.14-16). Esta dupla face da realidade da paz com Deus (Rm 5.1) e com outros homens requer uma resposta correspondente.

O homem que recebe esta aliança de paz com Deus deve buscar esta paz no aumento da sua santificação (1 Ts 5.23; Hb 12.14; Cl 3.15; 1 Pe 3.11), pela obra do Espírito, que gera como um fruto particular a própria paz (Rm 8.6; 15.13; Gl 5.22). Ele não deve viver com medo e ansiedade, porque o tesouro do legado da paz de Cristo foi colocado em seu coração (Jo 14.27). Sua serenidade de mente e tranqüilidade interior em Cristo não dependerão, nem serão abaladas pelo fato de vir a ter tribulações neste mundo maligno (Jo 16.33). Estando em paz com seus companheiros cristãos através da graça de Deus, ele se esforçará com aquela motivação para manter a unidade do Espírito no vínculo da paz (Ef 4.3; 2 Co 13.11; 1 Ts 5.13).

O cristão ora e atua pela paz na comunidade e nação em que mora (Jr 29.7; 1 Tm 2.2, *hesychios*), e assim suplica as bênçãos providenciais do governo presente de Cristo sobre todos os homens (Ef 1.22,23). O cristão não faz isso por algum desejo egoísta, mas particularmente a fim de que suas atitudes forneçam a ocasião para uma proclamação pacífica da mensagem que anuncia, e que traz a paz de Deus aos homens em Cristo (1 Tm 2.2; At 10.36; Ef 6.15). Com uma aparente contradição, esta mensagem trará a espada e não a paz, pois incita ou a hostilidade dos homens ou sua confiança submissa, dividindo assim os homens uns contra os outros (Mt 10.34-36; Lc 12.51-53). Esta divisão não deve ser usada como motivo de hostilidade pelos cristãos, mas sim em uma tentativa de viver pacificamente com todos os homens o quanto possível (Rm 12.18).

A completa vitória da paz de Deus só se manifestará no triunfo do reino messiânico que se seguirá à volta de Cristo. Então os pacificadores, que são os filhos de Deus (Mt 5.9), serão usados em Cristo pelo Deus da paz, para

esmagar Satanás sob seus pés (Rm 16.20). Então a paz que o cristão experimentou pessoalmente será a condição de todo o universo (cf. Rm 8.20-22). Veja a obra de J. Barton Payne. *The Theology of the Older Testament*, Grand Rapids. Zondervan, 1962, pp. 479-504.
A paz de Deus, que guarda o coração do cristão, sobrepuja a compreensão da mente humana (Fp 4.7). Ela o faz, porque ter a paz de Deus é ter o Deus da paz (Fp 4.7,9). Thayer (p. 182) procura expressar a essência e a extensão do seu significado, quando fala da paz distintivamente peculiar ao Cristianismo, que é o "estado tranqüilo da alma segura da sua salvação por Cristo, e assim não tendo nada a temer da parte de Deus, e que se sente contente com sua condição na terra, seja ela qual for" (cf. 2 Ts 3.16).

***Bibliografia.*** Werner Foerster, "*Eirene* etc.", TDNT, II, 400-420.

G. W. K.

**PÊ** A décima sétima letra do alfabeto hebraico, comumente expressa como *P*. Quando usada numericamente, significa o número 80. Pê encabeça a 17ª seção do Salmo 119, onde cada verso começa com esta letra.

**PÉ** Um cuidado muito grande era necessariamente dedicado aos pés durante os tempos bíblicos, por causa das estradas empoeiradas, a ausência de mangueiras de água, e o estilo aberto das sandálias. Conseqüentemente, o anfitrião lavava os pés de um visitante, e isto se tornou sinônimo de hospitalidade (1 Tm 5.10). Esta tarefa servil, feita voluntariamente, era um sinal de completa humildade, como exemplificado por Cristo (Jo 13.4-15).
O desamarrar dos cordões dos sapatos (*q.v.*) pode referir-se a esta mesma prática (Mc 1.7; Lc 3.16; Jo 1.27). Os sapatos eram geralmente deixados do lado de fora de uma casa, bem como da casa de Deus. Foi dito a Moisés: "tira os teus sapatos de teus pés" (Êx 3.5; At 7.33), e os muçulmanos ainda crêem que o contato com o solo comum traz uma contaminação ou desonra. A provisão de sapatos para Israel no deserto mostra a proteção de Deus (Dt 8.4; 29.5). Ficar com os pés descalços em público era um sinal de pranto (Ez 24.17). Por causa da sutileza da língua heb., a palavra era usada para as partes íntimas. Tais frases incluem "o pêlo dos pés", "a água dos pés", "cobrir os pés" etc.
Outros usos da palavra são: (1) estabilidade, "pôs os meus pés sobre uma rocha" (Salmos 40.2); (2) o lugar de um aprendiz, que era "aos pés" do ensinador (Dt 33.3; Lc 10.39; At 22.3); (3) aflição ou calamidade (Salmos 35.15; 38.16; Jr 20.10); (4) tomar posse, colocar os pés (Dt 1.36; 11.24); (5) subordinação, estar "debaixo dos pés" (Salmos 8.6; Hb 2.8; 1 Co 15.27); (6) completa destruição, com o sentido de esmagar sob os pés (Is 18.7; Lm 1.15). A expressão "regar com o pé" (Dt 11.10) pode sugerir que os canais de irrigação poderiam ser mudados com facilidade, como com os pés.

***Bibliografia.*** Konrad Weiss, "*Pous* etc.", TDNT, VI, 624-631.

E. C. J.

**PEÇA DE OURO, DINHEIRO, PRATA** *Veja* Pesos, Medidas e Moedas.

**PECA** Filho de Remalias (2 Rs 15.25-32,37; 16.1,5,6; 2 Cr 28.5-15; Is 7.1-16). Através do assassinato que o levou da posição de cavaleiro real a rei, Peca tornou-se o décimo oitavo rei e membro da oitava dinastia em Israel. Alguns pensam que há algum problema de cronologia no relato bíblico de seu reinado. Está registrado em 2 Reis 15.27 que seu reinado durou 20 anos, mas outros dados relacionados à época de seu início e final parecem expressar que seu reinado não poderia ter durado mais do que 8 anos (740-732 a.C.). A explicação está na política dos usurpadores, que datavam seus reinados no ponto inicial do governo destronado. Peca datou o início de seu reinado em 752 a.C., quando Menaem ascendeu ao trono (Edwin R. Thiele, *The Mysterious Numbers of the Hebrew Kings*, 1951, p. 115).
O acontecimento mais importante do curto reinado de Peca foi sua aliança com Rezim, rei da Síria, escolhido para obrigar Judá a unir-se em uma coalizão dos estados palestinos para deter o poder crescente de Tiglate-Pileser III. Duas invasões a Judá desenvolveram-se em um curto período. Um exame cuidadoso de todas as passagens paralelas revela o fato de que a primeira invasão resultou em uma grande derrota (2 Cr 28.5-8), com uma matança de 120 mil homens, uma multidão sendo deportada para Damasco e 200 mil mulheres e crianças levadas para Samaria. As palavras inflamadas de Obede (ou Odede), o profeta, resultaram no retorno de mulheres e crianças (2 Cr 28.9-15). A ameaça de uma segunda invasão levou Acaz, mesmo contra o conselho de Isaías, o profeta, a pedir ajuda ao monarca assírio (2 Rs 16.5-10; Is 7.1-16). Tiglate-Pileser III marchou na direção oeste, derrotou a Síria e destruiu Rezim. Nesta época, seis tribos e meia das tribos da Israel estavam no cativeiro. Oséias conspirou e assassinou Peca (2 Rs 15.29,30). *Veja* Pecaías.

H. A. Hoy

## PECADO

### Definição

A maioria das definições de pecado é excessivamente restrita. Por exemplo, uma definição usual, a de que o pecado é o egoísmo, significaria que um pai que rouba comida para uma criança faminta não estaria cometendo pecado. O pecado é iniqüidade, diz 1 João 3.4, mas normalmente isto é interpretado em um sentido muito limitado. A lei contra a qual se estima o pecado não é simplesmente a lei mosaica, mas sim toda e qualquer revelação de Deus durante todos os tempos. Isto inclui os mandamentos específicos da Bíblia (tanto os negativos quanto os positivos), os princípios bíblicos de conduta (por exemplo, 1 Co 10.31) e leis que não se mencionam especificamente na Bíblia Sagrada, mas que podem ser consideradas diretrizes dadas pelos líderes indicados por Deus (por exemplo, Hb 13.17; Ef 6.1). Portanto, o pecado não é somente alguma coisa contrária ao que Deus *disse* que o homem não deveria fazer, mas é também algo contrário ao que Deus *não quer que* o homem faça, com base nos princípios revelados. Dessa forma, uma definição completa e inclusiva do pecado seria: o pecado é tudo o que é contrário ao caráter de Deus. Como a glória de Deus é a revelação do seu caráter, o pecado é uma insuficiência do homem em relação à glória ou ao caráter de Deus (Rm 3.23).

Os teólogos da Reforma ressaltam que o caráter de Deus está revelado na lei de Deus. Eles ensinam que isto é apresentado tanto positivamente, e de uma maneira geral nos Dez Mandamentos, que ordenam o amor a Deus e o amor aos homens (cf. Rm 13.8-10); e negativamente (exceto para o quarto e o quinto mandamento) em uma forma mais específica nas oito proibições contidas nas duas tábuas da lei. Com base nisto é que o catecismo curto de Westminster define o pecado como "não querer conformar-se a, ou transgredir, a lei de Deus". No Sermão do monte, o Senhor Jesus Cristo estabelece as duas promulgações da lei, a negativa e a positiva, como a base da vida cristã e o padrão da semelhança que Deus deseja para seus filhos (Mt 5.17,21,22,27,28,43-48);

## A Origem do Pecado

Em nenhum lugar foi dito que Deus é o autor, ou o criador responsável pelo pecado. Ele não tenta a ninguém para fazer o mal (Tg 1.13). Quando Deus diz: "Eu... crio o mal" (Is 45.7) Ele está falando de desgraças ou de calamidades. Não é aceitável nenhum ponto de vista em que de alguma maneira se faça Deus o autor do pecado, mesmo no sentido de que Ele é incapaz de evitar sua ocorrência ou aparição.

A visão de Barth é, portanto, inaceitável quando ele fala de Deus pensando em todos os mundos possíveis, o bom, o mau e o indiferente, e então levando os mundos mau e indiferente ao mais longínquo ponto de existência e excluindo-os pelo poder infinito do Senhor. Eles formam o caos, *Das Nichtige*, que pressiona o pobre e finito homem quando ele vem ao mundo. O homem finito tenta manter *Das Nichtige* expulso ou afastado pelos seus próprios meios, e conseqüentemente ocorrem pecados e quedas. Essa visão equivocada transforma Deus no criador do caos ou em um Deus incapaz de criar sem criar o mal.

Ao invés disso, a Bíblia indica que o pecado originou-se em Satanás, em sua rebelião contra Deus. Tudo o que o Antigo Testamento dá a entender sobre a responsabilidade de Satanás é que "se achou iniqüidade" no rei de Tiro (Ez 28.15), uma evidente alusão ao diabo. Em seu orgulho, ele tentou tornar-se semelhante ao Altíssimo (Is 14.12-14; cf. 1 Tm 3.6). Na experiência humana, o pecado originou-se na tentação de Adão e Eva no Éden, quando eles rebelaram-se contra Deus ao dar ouvidos à voz de Satanás (Gn 3.1-6). O efeito do pecado de Adão na vida moral dos seus descendentes é o problema envolvido no chamado "pecado original" e é o tema de diferentes pontos de vista.

## A Extensão do Pecado

Os calvinistas afirmam que o pecado de Adão foi imediatamente imputado sobre toda a raça humana, com o resultado de que não somente toda a família humana perverteu-se como também é culpada do pecado de Adão por participação (Rm 5.12). A visão arminiana declara que o efeito primário do pecado de Adão sobre a raça humana foi o de dar ao homem uma tendência ao pecado sem implicar em culpa. A visão pelagiana atribui uma bondade inerente ao homem, que abre a este a possibilidade de viver em um estado livre do pecado, se assim o desejar.

No entanto, a Bíblia ensina o fato e a universalidade do pecado (1 Rs 8.46; Pv 20.9; Ec 7.20; Rm 3.23; 5.13,19; Ef 2.1-3; Tg 3.2; 1 Jo 1.8,10). Isto é o que significa a depravação total ou a total incapacidade – a falta de mérito do homem aos olhos de Deus. O termo depravação refere-se à corrupção ou contaminação da natureza humana como resultado do pecado de Adão. Segundo o catecismo curto de Westminster, o pecado de Adão e Eva consiste tanto da culpa do primeiro pecado de Adão quanto da conseqüente corrupção de toda a sua natureza.

A depravação total está relacionada com a penetração da maldade no homem, e em tudo o que ele faz, resultando na impossibilidade por parte do homem de realizar o que é verdadeiramente e espiritualmente bom aos olhos do santíssimo Deus. No entanto, isto não significa que o homem seja totalmente mau, de qualquer modo, e que ele não consiga fazer boas coisas. Ele pode admirar e imitar muitas coisas que são nobres e realizar o bem, como atos de justiça civil e social. Mas todo esse bem não tem a capacidade de obter os favores de Deus. O homem é incapaz de agir com motivos completamente isentos de egoísmo, somente para glorificar seu Criador, e em seu estado de pecado ele é totalmente incapaz de reconciliar-se com o justo Governante do universo.

Esta doutrina apóia-se sobre afirmações claras da Bíblia Sagrada. Em Gênesis 6.5 está declarado que "viu o Senhor que a maldade do homem multiplicara-se sobre a terra e que toda imaginação dos pensamentos de seu coração era só má continuamente", e Gênesis 8.21 complementa: "porque a imaginação do coração do homem é má desde sua meninice". Estes versículos revelam a natureza interior do pecado do homem – no "coração"; sua constância – "continuamente"; sua abrangência – só "má"; e sua totalidade – toda a "imaginação". Isaías confessa que todas as nossas boas obras são como trapo da imundícia (64.6), ensinando que o homem não consegue realizar nenhuma boa obra que seja realmente aceitável aos olhos de Deus. O homem tem a tendência de pecar desde seu nascimento, desde o momento da concepção (Salmos 5.15) e seu "coração" (sua natureza interior) é mais enganosa e trapaceira do que qualquer outra coisa, e é desesperadamente corrupta, incuravelmente enferma (Jr 17.9).

Em Romanos, Paulo dedica a primeira parte (1.18–3.20) à prova das proposições de que "todos pecaram e destituídos estão da glória de Deus" (3.23). Ele argumenta que os pagãos não têm desculpa (1.18-32), o homem moral e justo permanece condenado por causa da desobediência à sua consciência (2.1-16) e os judeus religiosos infringem todas as leis escritas de que eles se vangloriam (2.17–3.8). O apóstolo conclui que todos são completamente depravados, porque nenhum é justo, nenhum faz o bem, são todos inúteis e os membros dos seus corpos são instrumentos da iniqüidade (3.9-20). João conclui que o mundo inteiro, exceto os filhos regenerados de Deus, permanecem (impotentes) sob o poder do maligno (1 Jo 5.19).

### Terminologia

São inúmeros os termos que denotam o pecado e o mal em hebraico. Na verdade, existem mais palavras para o mal do que para o bem. Há pelo menos oito palavras básicas: (1) Heb. *ra'*, "terrível" ou "temível" (Gn 28.17), "mau", é usada para denotar alguma coisa nociva ou prejudicial e não se restringe a coisas moralmente más. (2) Heb. *rasha'*, "maldade" (Êx 2.13), que é sempre usada no sentido de uma culpa moral resultante da confusão de uma vida sem regras. (3) Heb. *'asham*, "culpa" (Gn 26.10), quase sempre limitada ao ritual relacionado com o Tabernáculo e com o Templo em Levítico, Números e Ezequiel. (4) Heb. *hata', hatta't* (Êx 20.20), que literalmente significa "errar o caminho", "errar o alvo" (Jz 20.16; Jó 5.24; Pv 8.36), e inclui o conceito de cometer um erro deliberadamente – e não simplesmente um engano inocente. (5) Heb. *'awon*, "iniqüidade" (1 Sm 3.13), que freqüentemente significa "culpa", estando os dois conceitos – de iniqüidade e de culpa – intimamente relacionados. Tem a conotação de desonestidade, ou de afastar-se intencionalmente do caminho correto da justiça de Deus. (6) Heb. *shagag*, *shaga*, "errar" (Is 28.7), quando usado em relação à lei, claramente implica que o pecador, na sua ignorância, é responsável por conhecer a lei (Lv 5.18; cf. 4.3,13). (7) Heb. *ta'a*,"andar errado"(Ez 48.11), indica que o erro é sempre deliberado e não acidental. (8) Heb. *pasha'*, "rebelar-se" (2 Rs 3.5,7; Is 1.2), que é normalmente traduzido como "prevaricar" (1 Rs 8.50; Jr 2.8,29).

O uso dessas palavras conduz a algumas conclusões relativas à doutrina do pecado como revelada no Antigo Testamento: (1) A idéia de pecado é a de algo que é fundamentalmente uma desobediência a Deus. (2) Embora a desobediência envolva tanto aspectos positivos quanto negativos, a ênfase está definitivamente na aceitação positiva do mal e não simplesmente na omissão negativa do bem. Em outras palavras, o pecado não é simplesmente errar o alvo (como tantas vezes é definido), mas sim atingir o alvo errado deliberadamente, e com conhecimento. (3) O pecado toma formas variadas, e os israelitas tinham pleno conhecimento da forma particular que seu pecado tomava, pela disponibilidade de tantas palavras variadas.

O Novo Testamento usa 13 palavras básicas para descrever o pecado: (1) Gr. *kakos*, "mau" (Rm 13.3), denota o mal moral, embora em algumas ocasiões seja usada para denotar o mal físico. (2) Gr. *poneros* "iniqüidade" (Mt 5.45), que com duas exceções é usada referindo-se à iniqüidade moral. (3) Gr. *asebes*, "impiedoso" (Rm 1.18), que é o oposto de *eusebes*, "piedoso", e, freqüentemente, aparece com outras palavras para pecado como em 1 Timóteo 1.9. (4) Gr. *enochos*, "culpado" (Tg 2.10; Mt 26.66), normalmente denota uma culpa que é merecedora da morte. (5) Gr. *hamartia*, "prostituição" ou "impureza" (1 Co 6.13), qualquer afastamento do caminho da justiça; é a palavra mais abrangente para pecado. (6) Gr. *adikia*, "injustiça" (1 Co 6.9), significa qualquer comportamento injusto no sentido mais amplo. (7) Gr. *anomos*, "transgressor" (1 Tm 1.9), que significa o desrespeito à lei, algumas vezes traduzida como iniqüidade. (8) Gr. *parabates*, "transgressor" (Tg 2.9,11), normalmente refere-se à transgressão da lei mosaica e sempre a alguma lei específica. (9) Gr. *agnoeo*, "ser ignorante", algumas vezes usada para descrever a ignorância inocente (Rm 1.13), e algumas vezes a ignorância culpável (Rm 10.3; Ef 4.18). (10) Gr. *planao*, "desviar-se" (1 Pe 2.25), que sempre significa errar com culpa ou ser enganado (por exemplo, Tt 3.3), com a possível exceção de Tiago 5.19. (11) Gr. *paraptoma*, "uma ofensa" (Gl 6.1), que na maior parte das referências é uma transgressão deliberada. (12) Gr. *hypocrites*, "hipocrisia" (1 Tm 4.2). (13) Gr. *parapipto*, "recair" ou "desviar-se" (Hb 6.6), que implica uma deliberada apostasia (*q.v.*). Algumas conclusões podem ser obtidas a partir do uso dessas palavras, com respeito à doutrina do pecado no Novo Testamento: (1) Sempre existe um padrão claro, contra o qual se comete o pecado. (2) Em última análise, qualquer pecado é uma rebelião contra Deus e uma transgressão dos seus padrões. (3) O mal pode assumir múltiplas formas. (4) A responsabilidade do homem é definida e claramente compreendida.

**Punição e Remédio**

A Bíblia Sagrada afirma que a punição do pecado é a morte – tanto física quanto espiritual (Ez 18.4,20; Rm 5.12; 6.16,21,23; Tg 1.15). Depois do pecado, Adão e Eva acabaram morrendo fisicamente (Gn 2.17; 3.19), mas eles imediatamente viveram a morte espiritual, a separação de Deus (Gn 3.8-10; cf. Ef 2.1,5,12; 4.18). *Veja* Morte.

O remédio para o pecado consta de duas partes: (1) o perdão (*q.v.*), que apaga a culpa do pecado; e, (2) a justificação (*q.v.*) que é uma declaração da justiça positiva imputada por Deus sobre o crente. Tudo isto se baseia na obra de Cristo, em sua morte expiatória (Rm 3.24-26), e é assegurado pela fé nele. *Veja* Expiação.

O pecado nunca será erradicado do crente nesta vida (1 Jo 1.8-10); O Espírito Santo é dado para que o crente possa impedir que o pecado reine em seu corpo (Rm 6.1-13; 8.1-4). Seus inimigos, no entanto, são poderosos e persistentes. As tentações deste mundo, o Diabo e a carne somente podem ser enfrentados através da utilização da provisão de Deus (Gl 5.16,24; Ef 6.10ss.). O pecado persistente na vida do cristão traz o castigo (Hb 12.6) e algumas vezes a morte física (1 Co 11.30), mas nunca a separação total de Deus e a morte espiritual. A intercessão de Cristo garante a segurança da salvação do crente (Hb 7.25; 1 Jo 2.1), embora seja necessária a confissão para a restauração da comunhão (1 Jo 1.9). As recompensas podem ser perdidas se a comunhão não for mantida (1 Co 3.15). Para o pecado imperdoável, *veja* Espírito Santo, Pecado Contra o.

*Veja* Impiedade; Queda do Homem; Iniqüidade; Julgamento; Transgressão; Maldade.

***Bibliografia.*** G. C. Berkouwer, *Sin,* Grand Rapids. Eerdmans, 1971. J. Oliver Buswell, *A Systematic Theology of the Christian Religion*, Grand Rapids. Zondervan, 1962, I, 255-320; II, 87-88. W. Grundmann, "*Kakos* etc.", TDNT, III, 469-487. G. Harder, "*Poneros, Poneria*", TDNT, VI, 546-566. Leon Morris, *The Wages of Sin*, Londres. Tyndale Press, 1954; *The Apostolic Preaching of the Cross*, Grand Rapids. Eerdmans, 1956, pp. 125-185. J. Barton Payne, *The Theology of the Older Testament*, Grand Rapids. Zondervan, 1962, pp. 194-221. G. Quell, G. Bertram, G. Stählin e W. Grundmann, *"Amartano"*, TDNT, I, 267-316. K. H. Rengstorf, *"Amartolos"*, TDNT, I, 317-335. Gottlob Schrenk, *"Adikos"*, TDNT, I, 149-163.

C. C. R. e R. A. K.

**PECADO IMPERDOÁVEL** *Veja* Espírito Santo, Pecado Contra o.

**PECADO ORIGINAL** *Veja* Queda do Homem.

**PECADO PARA MORTE** Trata-se de uma expressão empregada em 1 João 5.16,17 com referência à certeza na oração (cf. 5.14,15). Uma pessoa pode confiantemente esperar que Deus responda às orações de um cristão que comete um pecado que não seja para a morte (5.16*a*), desde que esse pedido esteja de acordo com a vontade de Deus. Por outro lado, aquela pessoa cujo pecado leva à morte não poderá ser objeto de uma intercessão confiante (5.16*b*). Existem diversos pontos de vista sobre a natureza desse pecado: (1) É um pecado no qual um cristão persiste até que Deus veja a necessidade de visitá-lo com a morte física (cf. 1 Co 11.30). (2) É o pecado de um cristão que resulta na perda da salvação, isto é, na perdição eterna. Alguns encontram o mesmo fenômeno em Mateus 12.31 ou em Hebreus 6.4-6. (3) Outros entendem que este pecado é a negação persistente, inflexível da encarnação do Filho de Deus por parte de uma pessoa que professa ser cristã. Tal pecado, se continuado, irá resultar na perdição eterna. A vantagem desse ponto de vista é que está baseado no contexto de 1 João. Os destinatários dessa epístola estavam familiarizados com tal pecado, tendo sido testemunhas da sua ocorrência nos primeiros mestres gnósticos, que João designa como anticristos (1 Jo 2.18,19) e falsos profetas (4.1-3). Entende-se que o apóstolo não diz que não se deve orar por essas pessoas, mas somente que não haverá certeza de uma resposta.

D. W. B.

**PECAÍAS** Este homem foi o sucessor no trono de Israel após a morte do seu pai Menaém, no qüinquagésimo ano de Azarias (ou Uzias), na Judéia (2 Rs 15.23-26). O reinado de 2 anos de Pecaías (742-740 a.C.), foi caracterizado pela fraqueza e pelo pecado. Já que Israel não tinha uma lei de sucessão estabelecida, Pecaías já havia vivenciado a morte de 6 reis antes de seu próprio reinado, quando foi assassinado juntamente com seus 2 guarda-costas e 50 gileaditas, pelo comandante de sua cavalaria, Peca.

**PECODE** Em Jeremias 50.21, o nome Pecode (lit. "aquele que foi visitado em julgamento") é uma referência aos caldeus em geral, simbolizando-os como um povo que fora julgado e que merecia o castigo de Deus. Em Ezequiel 23.23, a palavra provavelmente se refere a um país pequeno e pouco conhecido, situado a leste do rio Tigre.

**PEDAEL** Um príncipe de Naftali escolhido para representar aquela tribo na divisão de Canaã, quando a terra foi conquistada (Nm 34.28).

**PEDAÍAS**
1. Um israelita da cidade de Ruma. Ele era o pai de Zebida, que era esposa de Josias e mãe de Jeoaquim (2 Rs 23.36).
2. Ele é chamado filho de Jeconias (Joaquim), rei cativo de Judá e pai de Zorobabel (1 Cr 3.18,19). Visto que na maioria das passagens Zorobabel é chamado de filho de Sealtiel (*q.v.*; Ed 3.3,8), Pedaías pode ter sido seu pai verdadeiro, casando-se com a viúva de Sealtiel, conforme a lei do Levirato (*q.v.*).
3. O pai de Joel, governante da meia tribo de Manassés, que habitava a oeste do Jordão (1 Cr 27.20)
4. O filho de Parós, que participou da reconstrução do muro de Jerusalém na época de Neemias (Ne 3.25).
5. Um levita escolhido por Neemias e outros como tesoureiro do Templo, responsável pela distribuição aos seus irmãos. É provavelmente aquele que ficou ao lado de Esdras enquanto ele lia a lei ao povo (Ne 8.4; 13.13).
6. Filho de Colaías da tribo de Benjamim, e ancestral daquele que retornou do exílio da Babilônia (Ne 11.7).

P. C. J.

**PEDAZUR** O pai de Gamaliel, que era o cabeça da tribo de Manassés durante o Êxodo (Nm 1.10; 2.20; 7.54-59; 10.23).

**PEDERNEIRA** *Veja* Minerais e Metais: Rocha.

**PEDESTAL** A base central ou "perna" (heb. *yarek*) do "candelabro" ou castiçal de ouro (Êx 25.31; 37.17; Nm 8.4).

**PEDRA** Os principais termos bíblicos para pedra são o heb. *'eben* e o gr. *lithos*. Para as várias espécies de pedras, *veja* Minerais e Metais.

As pedras tinham uma grande variedade de usos durante a Antiguidade em todo o Oriente Próximo. Em seu estado natural, ou levemente moldada, uma pedra podia servir como travesseiro (Gn 28.18), como assento (Êx 17.12), para fechar um poço (Gn 29.2), para fechar a entrada de uma cova (Js 10.18) ou de túmulos (Jo 11.38; Mt 27.60,66; 28.2), embora no século I d.C. os túmulos dos arredores de Jerusalém usassem pedras lavradas que rolavam sobre uma cavidade feita na rocha. As pedras pequenas eram projéteis convenientes para serem lançados com estilingues ou fundas (1 Sm 17.40,49), ou para apedrejar um criminoso (Js 7.25; *veja* Crime e Punição). Pedras maiores eram lançadas contra as cidades através da utilização de catapultas (2 Cr 26.15; 1 Mac 6.51). Vasos de pedra encontrados no Egito (cf. Êx 7.19) muitas vezes apresentam uma excelente qualidade artesanal. Eram usados jarros ou talhas de pedra (Jo 2.6) e gamelas feitos com pedras escavadas, assim como moinhos manuais para moer grãos (Dt 24.6). Lâminas afiadas eram feitas a partir de lascas de pedra (Js 5.2; *veja* Faca), e as foices eram feitas com várias lascas colocadas ao longo de uma vara. Um fazendeiro, ao preparar a terra para o cultivo, precisava primeiro retirar as pedras (Is 5.2), e com elas ele podia construir cercas para o aprisco ou para as vinhas (Pv 24.30, 31; Is 5.5).

As pedras eram recolhidas para fazer marcos memoriais ou balizas (Gn 31.46-52; Js 4.9,20; 7.26). Geralmente, entretanto, uma única pedra, natural ou trabalhada, era erguida como um marco de fronteira (Dt 19.14; 27.17; Js 15.6), com uma função semelhante à da pedra *Kudurru* da Babilônia (ANEP #518-521), como poste indicativo ao longo de uma estrada (Jr 31.21); como um manifesto (1 Sm 7.12; *veja* Ebenézer), ou como um simples monumento (Dt 27.2-4; *veja* Pedra Moabita; Monolito; Escrita). Em muitas partes da Palestina foram encontrados dolmens (*q.v.*) feitos com grandes placas de pedra que, evidentemente, datam de uma época anterior a Abraão.

Na maioria das vezes, pilares ou colunas de pedra (heb. *mass$^e$bot*; *veja* Pilar) tinham associações religiosas específicas (Gn 28.18-22; 35.14; Êx 24.4; Is 19.19). Muitos desses pilares cananeus foram encontrados em escavações, alguns quebrados como em Siquém, talvez pelos reformadores israelitas (cf. Dt 12.3; Êx 23.24). Os pagãos adoravam ídolos de pedra (Is 37.19; At 17.29). Os meteoritos eram especialmente venerados pelo fato de virem do céu (*veja* Falsos deuses: Ártemis). Os israelitas construíam altares feitos com pedras brutas e sem degraus para evitar as práticas pagãs (Êx 20.25,26; 1 Rs 18.31,32). Pedras de vários tamanhos, muitas vezes com inscrições, eram usadas como pesos nos pratos das balanças (Lv 19.36; Pv 11.1; 16.11, onde o termo peso[s] era equivalente ao termo hebraico *'eben*). *Veja* Pesos, Medidas e Moedas. As pedras semipreciosas eram comumente usadas na joalheria (*veja* Jóias) e como selos (*q.v.*).

As pedras eram, acima de tudo, usadas nas construções. Além disso, a alvenaria e a lapidação de pedras representavam um comércio bastante regular (2 Sm 5.11; 2 Rs 12.12; 1 Cr 22.2; *veja* Ocupações: Pedreiro).

Casas (Lv 14.40-45; Hc 2.11), muros de cidades (2 Cr 16.6; Ne 4.3), e especialmente o Templo (1 Rs 5.17,18; 6.7; 7.9-12; 2 Rs 22.6; Mc 13.1,2) eram construídos com pedras (*veja* Arquitetura). Os edifícios públicos tinham alicerces feitos com pedras lapidadas (1 Rs 5.17; 7.10; Ap 21.14,19). O mesmo também ocorria com os marcos (*q.v.*; Salmos 118.22), as lápides ou as pedras de remate ou a cimalha que completam os edifícios (Zc 4.7) e, em alguns casos, havia uma pavimentação feita com pedras (2 Rs 16.17; Jo 19.13; *veja* Gabatá).

No NT, os cristãos são retratados como pedras vivas, erguidas em união com Cristo, a preciosa pedra angular, para formar uma "casa" espiritual ou Templo, a fim de que eles mesmos, como sacerdotes, possam oferecer sacrifícios espirituais a Deus (1 Pe 2.4-6; cf. Ef 2.19-22; 1 Co 3.9*b*-16).

*Veja* Rocha.

J. R.

**PEDRA ANGULAR[1]** A pedra que une duas paredes de um edifício (Is 28.16), ou a pedra principal que cobre e completa o edifício (Salmos 118.22). No sentido figurado, a paixão e ressurreição de Cristo são a "pedra angular" ou o perfeito e completo cumprimento do AT (Mc 12.10ss.; At 4.11; 1 Pe 2.4-7; Rm 9.33; 10.11). A Igreja é representada como um edifício levantado sobre o alicerce colocado pelos profetas e apóstolos, sendo Jesus Cristo a pedra angular (Ef 2.20). As filhas são comparadas com pedras angulares, sendo consideradas de grande valor (Salmos 144.12).

A importância da base em um arco é quase sempre atribuída a uma pedra angular. Na arquitetura moderna, seu valor não tem sido enfatizado; ela é freqüentemente utilizada apenas como uma pedra que traz a data da construção. Nas igrejas e prédios sagrados, costuma-se fazer uma solenidade ou culto especial por ocasião do assentamento da pedra angular. Às vezes são colocados documentos nela, simbolizando que o passado é o fundamento do futuro. *Veja* Pedar Angular[2].

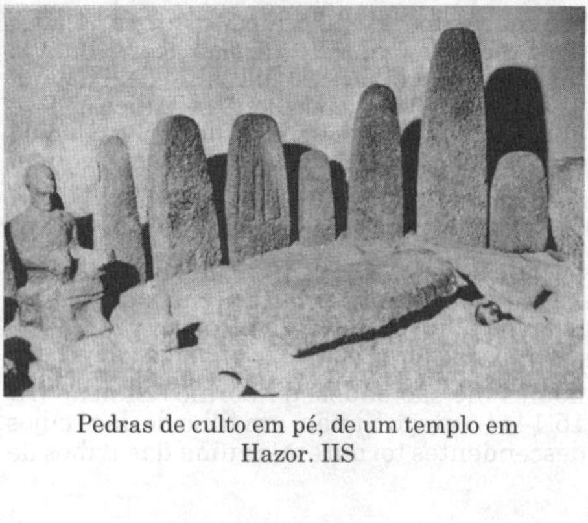

Pedras de culto em pé, de um templo em Hazor. IIS

Um antigo copo de pedra utilizado para dar água às ovelhas e cabras no poço de Abraão, nas planícies de Manre. HFV

**PEDRA ANGULAR[2]** Essa expressão é encontrada em vários versículos. Ela foi traduzida como "pedra mais importante", "pedra de remate", "primeira pedra", "pedra chave". Esse termo ocorre na visão de Zacarias, na qual a nação de Israel é vista como uma lâmpada de testemunho, alimentada com o óleo do Espírito, pelo Sacerdote-Rei Messias.

A ocasião imediata foi a palavra de encorajamento a Zorobabel de que ele terminaria a construção do Templo restaurado (Ed 5; 6.14,15), iniciada 14 anos antes e ainda inacabada. A insistência de Ageu, o profeta, havia levado ao início e à continuação da obra no segundo ano de Dario, e também no sexto, sétimo e no nono mês daquele ano. As profecias de Zacarias começaram no oitavo mês e a série de oito visões, nas quais se encontra a visão do castiçal, aconteceram no vigésimo quarto dia do décimo primeiro mês. O prometido término da obra só veio a ocorrer quatro anos mais tarde (Ed 6.15). As mensagens dos dois profetas são complementares. Ageu incitou uma população interesseira, egoísta e preguiçosa a trabalhar; e Zacarias revelou o poder divino em ação: "Não por força, nem por violência, mas pelo meu Espírito, diz o Senhor dos Exércitos" (Zc 4.6). Assim, o cumprimento das profecias que diziam que Zorobabel concluiria a obra do Templo faria com que o povo reconhecesse que Deus lhes havia enviado um profeta.

A suprema importância profética dessa visão pode ser encontrada em Jesus Cristo. Com palavras quase idênticas, Ele é prefigurado como "a pedra que os edificadores rejeitaram", aquele que "tornou-se cabeça de esquina" (Salmos 118.22). Pedro declarou duas vezes que Cristo era o cumprimento dessa concepção (At 4.11; 1 Pe 2.7). Paulo enxergou todo o conjunto de crentes como o edifício de Deus, do qual o próprio Cristo era

Os reis assírios construíam freqüentemente grandes touros de pedra com cabeças humanas (pesando de 30 a 40 toneladas) na entrada de seus palácios. Este touro é do palácio de Sargão II em Khorsabad. ORINST

a pedra angular (ou de esquina; Ef 2.19-22). *Veja* Pedra Angular[1]. "Na Era do Milênio, para a qual aponta o castiçal de ouro de Zacarias 4.1-7, Cristo também se manifestará como a Pedra Angular do Templo de sua aliança, que será restaurada com seu povo Israel; o castiçal de ouro de Zacarias 4.2, falando mais especificamente da nação convertida de Israel como a luz do mundo na Era do Reino" (*Bible Dictionary* de Unger, p. 462).

W. B. W.

**PEDRA DE MOINHO** *Veja* Moinho.

**PEDRA DE ROSETA** *Veja* Escrita.

**PEDRA DE TROPEÇO** A palavra hebraica *mikshol* indica aquilo em que alguém tropeça (Lv 19.14). Diferentes pedras de tropeço são mencionadas metaforicamente nas Escrituras.

1. O Senhor Jesus Cristo seria uma pedra de tropeço para a descrente nação de Israel. Isso havia sido prenunciado no AT (Is 8.14; Rm 9.32,33; 11.9) e cumpriu-se através da morte de Cristo na cruz. Ele representava uma pedra de tropeço para Israel no sentido de que seu povo não poderia ser salvo através de suas próprias boas obras, mas pela justiça e virtude de uma outra pessoa, a saber, do Messias (Rm 9.32,33; 10.3,4).

2. O cristão pode tornar-se uma pedra de tropeço (gr. *proskommatos,* um obstáculo ou ocasião em que alguém tropeça) para os irmãos mais fracos quando insistem em exercer toda a sua liberdade a despeito da consciência alheia. Os ídolos que antigamente os homens adoravam podem nada significar, ou as oferendas que lhes eram apresentadas podem realmente não ter sentido para uma pessoa que foi redimida, mas, se ela usar seu alimento ou tomar parte no ritual do paganismo, isso poderia ser uma verdadeira causa de tropeço para alguém recentemente convertido de seu paganismo (Rm 14.13; 1 Co 8.9).

3. Os cristãos podem tentar outros a pecar. Cristo chamou Pedro de causador de escândalo, ou *skandalon* ("armadilha", "cilada"), quando o apóstolo tentou convencer o Senhor a não morrer (Mt 16.23). Balaão, um profeta pagão que Deus usou certa vez, mais tarde mostrou a Balaque como fazer Israel tropeçar (Ap 2.14; Nm 31.15,16).

Os pecados dos crentes podem ser uma pedra de tropeço para os outros, assim como ocorreu com a iniqüidade de Israel (Ez 7.19; 14.3,4).

R. A. K.

**PEDRA MOABITA** Uma estela de basalto negro, ou tábua memorial, de aprox. 1,25 m de altura, 70 cm de largura e 26,5 cm de espessura, com uma base reta e o topo redondo. Ela foi encontrada em Dibam (a Dibom bíblica), em Moabe, em 1868, por um missionário alemão, o Rev. F. A. Klein.

Ela foi erigida por Mesa, o rei de Moabe, no final de seu reinado (aprox. 830 a.C.) para celebrar a libertação de Moabe do jugo israelita, e a subseqüente reconstrução de muitas cidades em seu território. Mesa afirmou que Onri, o rei de Israel, reduziu Moabe a um estado de vassalagem durante o reinado de seu pai. Assim, Mesa rebelou-se contra Israel e libertou Moabe.

A Pedra Moabita é a inscrição histórica do AT mais longa que já se descobriu na Palestina. Ela conta a versão moabita dos eventos registrados em 2 Reis 3. Quanto à tradução das 34 linhas de seu texto, veja ANET, pp. 320ss.

A Pedra Moabita também é importante porque forma um elo no estudo do desenvolvimento do alfabeto e da paleografia hebraica. Sua linguagem é muito parecida com o hebraico do AT. Quinze nomes de locais mencionados por Mesa podem ser encontrados no AT. Ela revela algo da crença moabita no seu deus, Quemos, e menciona Jeová como a Divindade de Israel. *Veja* Moabe; Dibom.

D. C. B.

**PEDRAS PRECIOSAS** *Veja* Jóias.

**PEDRO** Um dos primeiros e mais proeminentes discípulos do Senhor Jesus. Vários nomes lhe são dados: o hebraico Simeão (At 15.14) e o grego Simão, um filho de Jacó cujos descendentes tornaram-se uma das tribos de

Israel; Cefas (Jo 1.43) e Pedro, ambos significando "pedra". *Veja* Simeão; Simão; Cefas.

**Origem e Início de sua Vida**

A cidade original de Pedro era Betsaida, uma aldeia de pescadores na costa norte do mar da Galiléia, não muito longe de Cafarnaum (Jo 1.44). Seu pai, Jonas, era provavelmente um pescador (Jo 1.42), uma ocupação seguida por Pedro e seu irmão André. De acordo com os padrões atuais, sua educação era limitada, mas podia ler e escrever o aramaico. Falava um pouco de grego, um idioma muito usado nas cidades de Decápolis, embora com um sotaque gutural galileu (Mt 26.73). Pedro e André eram companheiros de Zebedeu e de seus filhos Tiago e João (Lc 5.7,10) no negócio de pesca. Durante sua associação com o Senhor Jesus, Pedro fez de Cafarnaum seu lar (Mc 1.21,29). O apóstolo Pedro era casado (Mc 1.30), e mais tarde sua esposa o acompanhou em suas viagens ministeriais (1 Co 9.5).

Pedro e seus companheiros discípulos eram seguidores de João Batista – que foi o primeiro a dirigir a atenção deles ao Senhor Jesus. Quando Pedro foi apresentado a Jesus por seu irmão André, o Senhor o chamou de Cefas (em aramaico) ou Pedro (em grego), que quer dizer "pedra", significando que ao invés de ter o temperamento violento e inconstante de um Simeão/Simão (Gn 49.5-7), ele tornar-se-ia firme como uma rocha (Jo 1.42).

Pedro e os outros discípulos acompanharam o Senhor Jesus da cena do ministério de João Batista até a volta a Cafarnaum (Jo 2.1, 2,12). Com toda a probabilidade, eles retornaram à pescaria por um curto período, embora os Evangelhos não o afirmem tão diretamente. Os Evangelhos Sinóticos indicam que eles foram chamados nos seus barcos de pesca, para acompanhar o Senhor Jesus em sua viagem pela Galiléia, a fim de treiná-los como seus assistentes (Mc 1.16-20). A narrativa de Lucas em particular, descreve a chamada como uma crise espiritual para Pedro, que estava profundamente consciente do seu pecado e incerto de sua habilidade de seguir ao Senhor. Jesus o encorajou, e a partir daí Pedro dedicou-se totalmente a servir a Cristo.

A partir do grande número de discípulos que seguiam Jesus, Ele escolheu 12 para serem seus companheiros mais chegados. Nas 4 listas que foram feitas (Mc 3.16-19; Lc 6.14-16; Mt 10.2-4; At 1.13,14), o nome de Pedro sempre aparece primeiro. Ele atuava como pregador do grupo, expressando seus problemas e esperanças. Sua grande resposta, "Tu és o Cristo, o Filho do Deus vivo" (Mt 16.13-20), e o paralelo em João 6.67-69, cristalizaram a atitude dos discípulos em relação ao Senhor Jesus, enquanto se encaminhavam para a estrada que os levaria até à cruz.

Os motivos que levaram Pedro a seguir Jesus eram inicialmente tanto pessoais quanto espirituais. Sabendo que Jesus era recomendado por uma figura tão influente quanto João Batista, e vendo nele um Messias em potencial para a nação, talvez Pedro, humanamente falando, possa ter sentido o desejo de elevar seu próprio nível unindo-se a Ele. Pedro comentou com o Senhor Jesus que ele e os outros haviam deixado suas casas e negócios para segui-lo (Mc 10.28; Lc 18.28), e que esperavam ser devidamente recompensados pelo seu sacrifício. Até na última ceia ainda discutiam sobre os lugares de honra no reino vindouro (Lc 22.24).

A pedra Moabita. LM

A educação de Jesus é ilustrada por vários episódios. A grande crise da carreira de Pedro foi o desafio de Jesus, quando indagou seus discípulos se eles o amavam. Quando Pedro respondeu: "Tu és o Cristo, o Filho do Deus vivo", Jesus o abençoou, assegurando-o de que a revelação daquela verdade viera de Deus para ele. Jesus informou a Pedro que Ele lhe daria as chaves do reino dos céus, o direito de admitir os homens no reino dos céus quando proclamasse a verdade (Mt 16.13-20). Pedro foi o primeiro a pregar a nova mensagem aos judeus no dia de Pentecostes (At 2.14), e aos gentios da família de

Cornélio (10.34ss.). A promessa de Jesus continha um jogo de palavras: "Pois também eu te digo que tu és Pedro e sobre esta pedra edificarei a minha igreja, e as portas do inferno não prevalecerão contra ela". Cristo não edificou a Igreja sobre Pedro, mas sobre a solidez da natureza regenerada que Ele cria em seus discípulos.

Jesus começou a ensinar a Pedro um novo modo de vida. Em resposta à pergunta de Pedro com relação ao pagamento da taxa do Templo, Jesus assegurou-o de que os verdadeiros israelitas deveriam ser livres de taxação, e então deu o dinheiro suficiente para pagar por si e também por Pedro. Quando Pedro perguntou a Jesus se deveria perdoar um inimigo mais de 7 vezes, Jesus respondeu que deveria perdoar 70 vezes 7 (Mt 18.21,22) – uma imposição que Pedro acharia difícil de obedecer. Pela surpresa de Pedro com a figueira seca, percebe-se alguma incredulidade acerca do poder de Jesus, que imediatamente o lembrou de que precisava de mais fé (Mc 11.20-22).

Pedro destacou-se especialmente nas últimas horas da vida de Jesus. Ele e João estavam incumbidos da tarefa de organizar a última ceia em Jerusalém (Lc 22.8), provavelmente Jesus os considerava os mais fiéis e estáveis dos discípulos. Pedro recusou-se a deixar que Jesus lavasse seus pés, mas quando o Senhor lhe disse que esta era uma condição necessária para sua comunhão, Pedro revelou sua verdadeira condição pedindo até mesmo um banho. Ele não queria ser separado de Cristo (Jo 13.6-9). Quando Jesus anunciou a traição iminente, Pedro perguntou a João a identidade do traidor, e talvez se ele soubesse naquela hora, Judas não teria sobrevivido para completar sua barganha maligna com os sacerdotes. Pedro foi um dos três escolhidos para vigiar com Jesus no Getsêmani, mas dormiu de cansaço e tristeza (Mt 26.37-46; Mc 14.33-42; Lc 22.45). Quando os guardas chegaram, Pedro tentou defender Jesus com armas, e foi repreendido severamente (Jo 18.10,11). Desconcertado pela resposta incomum de Jesus, e talvez magoado pela repreensão enquanto deveria esperar um agradecimento por arriscar sua vida, Pedro fugiu do jardim com os outros discípulos.

Após recuperarem alguma tranqüilidade, Pedro e João entraram na sala do sumo sacerdote depois de seguirem os guardas à distância (Jo 18.15). Após serem admitidos no pátio, Pedro aquecia-se na fogueira quando um dos servos perguntou se ele era um dos discípulos de Jesus. Alarmado pela hostilidade latente à sua volta, ele negou veementemente por 3 vezes qualquer ligação com Jesus (Mt 26.58,69-75; Mc 14.66-72; Lc 22.54-62; Jo 18.15-18,25-27). Ao ser instantaneamente convencido de seu fracasso pelo olhar de Jesus, ele deixou a casa do sumo sacerdote e arrependeu-se amargamente. Ele deve ter testemunhado a crucificação (1 Pe 2.21-24; 5.1), embora os Evangelhos não mencionem sua presença no Calvário.

Quando Maria Madalena contou, na manhã da ressurreição, que o túmulo estava vazio, Pedro e João correram para investigar e notaram que as roupas do túmulo ainda estavam no lugar, embora o corpo estivesse ausente (Jo 20.1-10). Mais tarde, no mesmo dia, Jesus apareceu para Pedro (1 Co 15.5; Lc 24.33,34). Quando os discípulos retornaram para a Galiléia, Pedro propôs a retomada do negócio da pesca, e quando o Senhor apareceu de novo e repetiu o milagre da pesca (Lc 5.5-8), Pedro foi o primeiro a saudá-lo (Jo 21.7). Jesus respondeu com prazer, e o encarregou novamente da liderança da sua obra (Jo 21.15-19).

### Pedro em Jerusalém

Depois da ascensão de Jesus, os discípulos estavam reunidos em um aposento para orar, aguardando a promessa do dom do Espírito Santo. Pedro sugeriu que um deles fosse escolhido para ocupar o lugar de Judas, para que o apostolado ficasse completo. No dia de Pentecostes, ele pregou a mensagem inicial à multidão que se reuniu, e declarou que eles deveriam arrepender-se e ser batizados no nome do Senhor Jesus. Cerca de 3 mil pessoas converteram-se, e a Igreja começou (At 2.14-42).

Durante os primeiros anos da Igreja em Jerusalém, Pedro foi reconhecido como seu líder. Ele realizou grandes milagres (At 3.1-10; 5.12-16), defendeu a causa perante o Sinédrio (4.5-12), e disciplinou ofensores como Ananias e Safira (5.1-11). Embora tenha saído da cidade depois da perseguição de Herodes em 44 d.C. (At 12.1-17), ele retornou a Jerusalém para participar do conselho relacionado à liberdade dos gentios (15.6-11). Ele concordou com Paulo contra os legalistas, onde os gentios não deveriam ser obrigados a obedecer à lei cerimonial como uma condição de salvação além da fé em Cristo.

### O Ministério de Pedro Fora de Jerusalém

Quando houve a perseguição contra a igreja depois da controvérsia sobre Estêvão, Pedro estendeu seu ministério a novos campos. Foi juntamente com João até Samaria, e Filipe reuniu um grande número de novos convertidos, instruindo-os sobre a obra do Espírito Santo. Ele serviu nas cidades costeiras de Lida e Jope, onde curou Enéias e ressuscitou Dorcas, que havia morrido (At 9.32-43), e pregou por toda a planície marítima de Sarom. Em resposta à visão que recebera em sua estadia em Jope, iniciou a evangelização dos gentios pregando na casa de Cornélio, um centurião romano estabelecido em Cesaréia

(At 10.1-45). Foi criticado pelo partido judeu, na Igreja, por entrar na casa de um gentio. E foi obrigado a justificar sua conduta quando retornou a Jerusalém (At 11.1-18).

### O Final do Ministério de Pedro

O Concílio de Jerusalém marcou o ponto médio do século I (aprox. 48-50 d.C.). Se o episódio registrado em Gálatas 2.11-21 pertence a este período do desenvolvimento da Igreja, podemos concluir que Pedro visitou Antioquia antes do Concílio. Sua discordância com Paulo foi resolvida, pois eles permaneceram juntos no Concílio, e mais tarde Pedro referiu-se a ele como "nosso amado irmão" (2 Pe 3.15).

Entre 50 d.C. e o final do período do NT, pouco foi dito sobre Pedro. Paulo faz alusão às suas viagens (1 Co 9.5); e o fato de um grupo na Igreja de Corinto ter dito: "Eu sou de Cefas" (1 Co 1.12), aparentemente indica que ele era conhecido pessoalmente ali. O destino de 1 Pedro 1.1 indica que ele provavelmente pregou nas sinagogas da Dispersão no norte da Ásia Menor, e a segunda epístola deixa uma pista de que ele previu uma morte súbita e talvez violenta (2 Pe 1.12-15), de acordo com a previsão do Senhor Jesus (Jo 21.18-19).

Em 1 Pedro, ele refere-se a si mesmo como o presbítero responsável por apascentar o rebanho de Deus (1 Pe 5.1-2). Suas epístolas mostram que ele foi ativo na pregação até a hora da sua morte, e que exerceu um amplo ministério no mundo romano.

Se Pedro chegou a alcançar Roma ou não, é motivo de debate. Não há qualquer evidência da declaração da Igreja Romana de que ele fundou a Igreja ali e a serviu por um quarto de século até seu martírio. Se ele tivesse vivido em Roma entre os anos 55 e 65 d.C., poderíamos considerar inconcebível que Paulo tenha escrito aos romanos sem mencioná-lo. A ausência de alguma alusão à sua presença em Atos, se ele estivesse na cidade quando Paulo estava ali, também seria inconcebível.

A tradição de que Pedro foi o primeiro bispo de Roma não é sustentada por nenhum texto bíblico, e até mesmo seu martírio em Roma baseia-se em um testemunho expresso muitos anos após sua morte. Irineu (aprox. 180 d.C.) disse que Pedro e Paulo pregaram em Roma e colocaram os alicerces da Igreja (*Adv. Haereses* III.1.1). Tertuliano (200 d.C.) refere-se ao martírio de Pedro e Paulo em Roma (*De Praescriptione* XXXVI), mas em uma linguagem que soa como se ele estivesse citando mais a tradição do que citando uma evidência documentária. Orígenes afirmou que Pedro finalmente visitou Roma e foi crucificado de cabeça para baixo (Eusébio, *Historia Ecclesiae* III 1.2). Uma análise cuidadosa destas tradições mostra que embora possa existir alguma razão para se acreditar que Pedro esteve em Roma, ele não fundou a Igreja nem

Ruínas recentemente escavadas de uma central de pescadores em Cafarnaum. HFV

foi seu bispo durante um período considerável; nem se pode afirmar, sem gerar controvérsias, onde ele foi sepultado. É possível que os patriarcas da Igreja do tempo de Irineu em diante simplesmente tenham repetido a lenda central de que ele morreu em Roma, fazendo alguns acréscimos, sem terem investigado as evidências de forma independente.

### A Personalidade de Pedro

Pedro foi claramente um tipo rural – vigoroso, forte, impulsivo, direto, e extrovertido. Ele era normalmente falador e curioso, de certo modo emotivo, sanguíneo, leal aos seus amigos e violento contra seus inimigos, e totalmente autoconfiante. Possuía uma grande capacidade natural de liderança por causa da sua natureza entusiasmada e calorosa. Sua disposição precipitada, em particular, o levou a instabilidades e excentricidades, que por fim o levavam a se desculpar ou a se arrepender. Sua pregação mostra que ele era mais um encorajador do que alguém cujo pensamento estava voltado à lógica. Sua natureza carinhosa, sua completa devoção a Cristo, e seu corajoso ministério, fizeram dele um líder de destaque nos primeiros anos de existência da Igreja.

***Bibliografia.*** Oscar Cullmann, "*Petros, Kephas*", TDNT, VI, 100-112. E. Schuyler English, *The Life and Letters of St. Peter*, Nova York. Our Hope Publications, 1942. F. J. Foakes-Jackson, *Peter. Prince of Apostles*, Nova York. George H. Doran Co., 1927. W. H. Griffith Thomas, *The Apostle Peter*, Grand Rapids. Eerdmans, 1946.

M. C. T.

## PEDRO, PRIMEIRA EPÍSTOLA DE

### Autoria

A Primeira Epístola de Pedro não apenas traz o nome do apóstolo, mas também reflete em certo nível seu temperamento e experiência. O autor intitula-se "apóstolo de Jesus Cristo" (1.1) e presbítero (5.1). Ele recorda a nova esperança que lhe foi dada pela ressurreição (1.3) e sofrimentos de Cristo (1.11; 2.21-24; 3.18; 4.13); sua linguagem transmite a ordem do Senhor, "Apascenta as minhas ovelhas" (5.2; Jo 21.16). Algumas das frases desta epístola ecoam na Epístola de Policarpo aos Filipenses (aprox. 125 d.C.), na Epístola de Barnabé (aprox. 135 d.C.), e nos escritos de Justino Mártir (aprox. 150 d.C.). A Segunda Epístola de Pedro pressupõe a existência de uma epístola anterior (2 Pe 3.1) que bem pode ser esta. Desde a época de Irineu (aprox. 170 d.C.), a autenticidade de 1 Pedro parece ter sido bem aceita na Igreja.

### Data

Em 1 Pedro, são mencionados Silvano (5.12) e Marcos (5.13), indicando que a epístola foi provavelmente escrita depois que os dois destacaram-se na Igreja. Se eles são os mesmos que estavam associados a Paulo, ela pertence ao período em que Silvano (Silas) deixou Paulo, e antes de Marcos ter se juntado a eles durante a primeira prisão em Roma (Cl 4.10; Fm 24); a menos que Marcos estivesse junto com Pedro antes da segunda prisão de Paulo (2 Tm 4.11). A epístola não poderia ter sido escrita antes da última parte da sexta década, nem depois da metade da sétima década do primeiro século, quando Pedro foi martirizado. Provavelmente uma data segura para 1 Pedro seja aprox. 63/64 d.C.

### Local

A epístola foi enviada da Babilônia (5.13), mas os estudiosos ainda discutem se esta era a Babilônia literal do rio Eufrates, onde havia claramente um grande assentamento judeu, ou se a Babilônia era uma designação simbólica para Roma (cf. Ap 17.5; 18.10). É mais provável que Pedro tenha encontrado Silvano e Marcos em Roma do que na Mesopotâmia.

Igreja de São Pedro, uma obra dos cruzados que circunda uma caverna em Antioquia da Síria onde os primeiros cristãos reuniam-se secretamente. HFV

### Destinatários

Pedro escreveu aos cristãos da fronteira do norte da Ásia Menor, onde Paulo não havia pregado. Embora tenha dirigido a epístola aos membros da Dispersão, que eram judeus, o apóstolo se refere ao passado em que tinham feito "a vontade dos gentios" (4.3), como se estivesse indicando que eles, ou pelo menos alguns deles, fossem gentios. Talvez ele estivesse se referindo aos prosélitos que, na companhia dos judeus, se tornaram crentes.

### Esboço

I. Ação de Graças pela Revelação do Amor de Deus em Cristo, 1.1-12
II. O Dever de Viver com Santidade, 1.13–2.10
III. Ética Cristã na Família, 2.11–3.12
IV. Um Bom Testemunho, uma Defesa Contra as Calúnias, 3.13–4.11
V. Conselho para a Igreja, 4.12-19
VI. Conselho para os Presbíteros, 5.1-9
VII. Bênção e Saudação, 5.10-14

### Propósito

A Primeira Epístola de Pedro foi escrita para encorajar a Igreja que foi ameaçada pela perseguição (4.12-19). Assim, a idéia central da epístola é a relação do sofrimento com a salvação. O sofrimento, disse Pedro, é inevitável; mas não é anormal, porque este é o caminho que leva à perfeição (5.10).

***Bibliografia.*** Francis W. Beare, *The First Epistle of Peter*, 2ª ed. rev., Nova York. Macmillan, 1959. Charles Bigg, *Commentary on the Epistles of St. Peter and St. Jude,* ICC, Edinburgh. T. & T. Clark, 1901. George H. Cramer, *First and Second Peter*, EBC, Chicago. Moody Press, 1967. Bo Reicke, *The Epistles of James, Peter, and Jude,* Anchor Bible, Garden City. Doubleday, 1964. Edward G. Selwyn, *The First Epistle of St. Peter*, 2ª ed., Londres. Macmillan, 1947. Alan M. Stibbs, *The First Epistle General of Peter*, TNTC, Grand Rapids. Eerdmans, 1959.

M. C. T.

**PEDRO, SEGUNDA EPÍSTOLA DE** Esta carta teve o objetivo de advertir seus leitores contra o perigo da apostasia, assim como 1 Pedro foi uma preparação para o sofrimento. Como a primeira epístola, ela leva o nome de Pedro e faz referência a uma carta anterior do mesmo autor, que pode muito bem ser 1 Pedro (2 Pe 3.1).

### Autoria

A evidência externa para a autoria de 2 Pedro é muito inferior à de 1 Pedro. Há referências ocasionais na obra *O Pastor de Hermas* (de aprox. 140 d.C.) e na obra *O Ensino dos Doze Apóstolos* (de aprox. 150 d.C.) que se parecem com ela, mas não há uma referência direta a 2 Pedro na literatura sub apostólica até Orígenes (de aprox. 220 d.C.), que advertiu que haveria alguma dúvida com relação à autoria de 2 Pedro. Eusébio de Cesaréia, o grande historiador da Igreja do século IV, classificou-a entre os disputados livros do cânon, e não entre aqueles de origem apostólica não questionada.

A favor de sua breve aceitação, entretanto, está sua forma de inclusão em P72 (publicado pela primeira vez em 1959). Este manuscrito que contém 1 e 2 Pedro e Judas, foi copiado pelos cristãos cópticos no Egito no final do século III. O escriba adicionou uma borda decorativa em volta do título anexo a 2 Pedro, que não foi usada nos outros dois livros. Marchant A. King concluiu que este cuidado extra indica que 2 Pedro estava em uso e era muito respeitada no século III ("Notes on the Bodmer Manuscript", BS, CXXI [1964], 54-57).

A evidência interna para a autoria de Pedro é mais forte do que a evidência externa. O escritor refere-se a si mesmo como "Simão Pedro, servo e apóstolo de Jesus Cristo" (1.1). Ele afirma ter testemunhado a transfiguração de Cristo (1.16,17), um evento em que Pedro estava presente (Mc 9.5-7), declara que o Senhor previu sua morte (1.14; cf. Jo 21.18,19), e identifica-se como um dos apóstolos do Senhor (3.2). Ao referir-se aos escritos de Paulo, ele o chama de "nosso amado irmão", um título de familiaridade que provavelmente seria usado apenas por um companheiro contemporâneo (3.15).

A semelhança de 2 Pedro 2 com a epístola de Judas é tão próxima, que o relacionamento literal entre os dois dificilmente poderia ser acidental. Um escritor deveria ter conhecimento do trabalho do outro. Embora a brevidade e a concisão de Judas possam ser usadas como um argumento para sua prioridade, sua referência aos "apóstolos de nosso Senhor Jesus Cristo" (Jd 17) mostra que ele estava seguindo a direção de um ou vários escritores apostólicos. Visto que o autor de 2 Pedro afirma ser um apóstolo (2 Pe 1.1), é mais provável que Judas tenha sido estimulado a compor sua epístola pela missiva de Pedro, e não que um documento pseudônimo tenha sido copiado de Judas e publicado com o nome de Pedro. O fato de 2 Pedro profetizar a apostasia (2.1), enquanto Judas anuncia que a decadência já havia começado (Jd 4), pode indicar que 2 Pedro pertence a um estágio anterior na história da igreja apostólica. *Veja* Judas, Epístola de.

O vocabulário e estilo de 2 Pedro diferem de 1 Pedro, mas ao escrever a primeira epístola, Pedro teve a ajuda de Silvano, que foi secretário de Paulo (1 Pe 5.12; 1 Ts 1.1), apesar de mais tarde em sua vida o apóstolo provavelmente não ter tido nenhuma assistência. A segunda epístola é bem menos parecida com a de Paulo em sua estrutura, e mais parecida, em sua expressão, com a franqueza rude de Pedro.

### Data e Lugar

Visto que 2 Pedro foi escrita quase no final da vida do apóstolo Pedro, ela foi provavelmente composta entre 64 e 68 d.C. De acordo com a tradição, Pedro morreu em Roma, e a epístola pode ter sido escrita ali.

### Destinatários

Considerando que o autor referia-se a uma carta anterior enviada ao mesmo grupo (3.1), é mais provável que 2 Pedro fosse endereçada às igrejas das províncias da Ásia Menor (1 Pe 1.1). No intervalo entre as duas cartas, as condições mudaram. Pedro previu que o advento dos agitadores religiosos que perverteriam a vida moral da Igreja constituiria uma ameaça maior do que a perseguição. Sua imoralidade (2 Pe 2.2), avareza (2.3), concupiscências de imundícia (2.10), palavras arrogantes de vaidade (2.18), e promessas de falsa liberdade (2.19) colocariam em risco a própria existência da Igreja. Pedro esforçou-se para advertir sobre o perigo de tais líderes enganadores.

### Esboço

Saudações, 1.1,2

I. A Natureza do Verdadeiro Conhecimento. 1.3-21
   1. Um dom de Deus, 1.3,4
   2. Um crescimento em experiência, 1.5-11
   3. Os fundamentos deste conhecimento, 1.12-21
      *a*. Experiência e testemunho de Pedro, 1.12-18
      *b*. Palavra profética, 1.19-21

II. O Risco de Abandonar o Verdadeiro Conhecimento, 2.1-22
   1. A invasão de falsos mestres, 2.1-3*a*
   2. O julgamento de Deus sobre os falsos mestres, 2.3*b*-10*a*
   3. Os excessos dos falsos mestres, 2.10*b*-17
   4. O perigo dos falsos mestres, 2.18-22

III. A Esperança que Pertence ao Verdadeiro Conhecimento, 3.1-18*a*
   1. A sustentação da promessa contra os escarnecedores, 3.1-7
   2. A promessa como desafio para os crentes, 3.8-13
   3. As exortações em vista da esperança futura, 3.14-18*a*
   Doxologia, 3.18*b*

### Conteúdo

A idéia central de 2 Pedro é o *conhecimento*. As palavras *conhecer* e *conhecimento* aparecem 16 vezes nos 3 capítulos, 6 das quais se referem ao conhecimento de Cristo. Em contraste com o conhecimento vazio oferecido pelos apóstatas libertarianos, Pedro enfatizou o conhecimento por experiência pessoal que traria graça e paz (1.2), frutificação (1.8), liberdade (2.20), e oportunidade para o crescimento (3.18).

A epístola pode ser dividida convenientemente por capítulos. O primeiro capítulo trata da suficiência e confiabilidade da revelação de Deus em Cristo e nas Escrituras, que fornecem o padrão para a conduta moral e esperança escatológica. O segundo capítulo possui um aviso contra os falsos profetas que corromperão a Igreja pelos seus ensinos destrutivos. O terceiro capítulo repete a promessa da vinda de Cristo, assegurando aos leitores que o "Senhor não retarda sua promessa... não querendo que alguns se percam, senão que todos venham a arrepender-se" (3.9).

Toda força desta epístola pode ser resumida nas palavras de Pedro em 1.10,11.

***Bibliografia***. E. M. B. Green, *2 Peter Reconsidered*, Londres. Tyndale, 1961. Donald Guthrie, *New Testament Introduction*, Downers Grove, Ill.. Inter-Varsity Press, 1970, pp. 814-863. E I Robson, *Studies in the Second Epistle of St. Peter*, Cambridge. Univ. Press, 1915. B. B. Warfield, "The authority and Canonicity of Second Peter", *Southern Presbyterian Review*, XXXIII (1882), 45-75.

M. C. T.

**PEITO** O termo hebraico comum que foi traduzido de várias formas, como por exemplo "peitos" ou "seios" (Gn 49.25; Is 32.12; Ez 23.21), está sempre se referindo ao peito feminino. No NT, a palavra grega *stethos*, traduzida como "peito", sempre se refere ao peito masculino (por exemplo, Lc 18.13; Jo 13.25; Ap 15.6). Aparentemente, a palavra grega *mastos* é um sinônimo, mas foi traduzida como "peitos" no NT (Lc 11.27; 23.29) e refere-se ao peito feminino, exceto em Apocalipse 1.13, onde é usada em relação a Cristo. *Veja* também Seio.

**PEITORAL** *Veja* Armadura; Vestuário (do Sumo Sacerdote); Sumo Sacerdote.

**PEIXE** *Veja* Animais V.12.

**PELAGIANISMO** Doutrina desenvolvida em aprox. 400 d.C. pelo monge inglês chamado Pelágio. Relacionava-se à condição original do homem, sua queda e as conseqüências na vida da posteridade de Adão.

### O Homem Original

De acordo com Pelágio, o homem foi criado em uma condição neutra, nem pecador nem santo, e dotado da capacidade para o bem e o mal. Sua vontade era livre e totalmente indeterminada. Ele era mortal desde o início, e sujeito à lei da morte. O fato de ter pecado não se deve a um precedente maligno em sua natureza, mas a ter escolhido pecar. A queda do primeiro homem não prejudicou o próximo homem que viria, mas apenas a si mesmo. Então isto não foi transmitido nem como uma natureza pecaminosa, nem como uma culpa para sua posteridade. Cada homem nasce com a mesma condição de Adão antes da queda, e então é livre da culpa ou corrupção em seu nascimento. O homem não possui tendências malignas, ou desejos que o levariam inevitavelmente ao pecado. A diferença entre aqueles nascidos depois de Adão e o próprio Adão, é seu exemplo maligno antes deles. O pecado consiste, de acordo com Pelágio, não em pensamentos e desejos malignos, mas em atitudes da vontade. Nenhum homem precisa então pecar, visto que ele é favorecido com o livre arbítrio, assim como era Adão. Isto é provado, para Pelágio, pelo fato de Deus mandar o homem fazer o que é bom; ele então argumenta que Deus não o mandaria fazer algo impossível. A responsabilidade do homem é governada pela medida da sua capacidade. Se o pecado é universal como parece ser, então isto é o resultado de uma educação errada, maus exemplos e um hábito de pecar estabelecido por muito tempo. Quando o homem vira-se contra o pecado não é por causa da graça soberana de Deus, pois nem o pecado produz a depravação total; mas é porque o homem usa seus dons racionais, a revelação de Deus nas Escrituras, e o exemplo de Cristo.

### Os Erros do Sistema

Estes erros só podem ser entendidos quando o sistema é visto em contraste com a visão agostiniana do homem, baseado em um estudo indutivo das Escrituras. De acordo com a Bíblia, o homem foi criado em um estado de santa inocência, Deus fez o homem e a mulher como o ato principal da sua criação, e tudo "era muito bom" (Gn 1.31). O homem podia até desenvolver-se através de um período de provação naquele lugar onde seu caráter era por si mesmo santo, como era o caso dos santos anjos, ou podia escolher rebelar-se contra Deus, pecar e cair, como fizeram Satanás e os anjos caídos. O homem entrou no mundo sob de uma aliança, chamada pelos teólogos da Reforma de aliança das obras. Quando o homem pecou, não é porque ele foi criado com uma inclinação a pecar e cair, não mais do que qualquer um dos anjos; mas ele próprio escolheu pecar, estando no gozo de sua plena consciência.

Ao mesmo tempo, Adão foi diferente da sua posteridade (e diferente do Senhor Jesus Cristo), pois era o cabeça, e representante de uma raça. Quando ele caiu, por ser o representante do homem aos olhos de Deus, toda humanidade caiu junto com ele, ou nele. Como resultado, toda a sua posteridade nasceu totalmente depravada, culpada pelo pecado de Adão, e herdando uma natureza pecaminosa caída. Então nenhum homem pode livrar-se do pecado e viver uma vida justa a menos que primeiro seja trazido ao conhecimento do Salvador Jesus Cristo através da graça soberana de Deus, e capacitado a cumprir as obras da lei de Deus pela presença e pelo poder do Espírito Santo que habita em cada um de nós (Rm 8.3,4; Gl 2.20; 5.22,23).

**O Semipelagianismo**

Esta é uma posição entre as visões de Pelágio e de Agostinho, que ensina que a vontade do homem foi enfraquecida e sua natureza adoeceu, mas que ele não ficou totalmente depravado como resultado da queda. O homem caído retém uma medida de liberdade por cuja virtude ele pode cooperar com a graça de Deus. A regeneração então é um produto da vontade do homem e da graça de Deus, instituída pelo homem, e não por Deus. Esta é a visão sustentada pelo Catolicismo Romano hoje. Em 416 d.C., o Pelagianismo foi condenado nos Sínodos de Milene e Cartago, e finalmente em 431 no Conselho de Éfeso e em 529 no Conselho de Orange. Todavia, a Igreja foi gradualmente levada ao semipelagianismo.

*Veja* Arminianismo; Calvinismo.

R. A. K.

**PELAÍAS**

1. Um filho de Elioenai, da família de Davi (1 Cr 3.24)
2. Um dos professores que ajudava na instrução do povo, no movimento de reforma de Esdras (Ne 8.7), que mais tarde deu sanção pública à aliança apresentada por Neemias (Ne 10.10).

**PELALIAS** Um sacerdote cujo neto Adaías era o líder entre os 242 sacerdotes que retornaram a Jerusalém para realizar as tarefas sacerdotais, a "obra da casa" (Ne 11.12,13).

**PELATIAS**

1. Filho de Hananias, descendente de Davi por parte de Sealtiel, após o retorno da Babilônia (1 Cr 3.21).
2. Filho de Isi da tribo de Simeão. Nos dias de Ezequias, ele e seus irmãos lideraram uma grande tropa, contra o restante dos amalequitas que habitavam no monte Seir (1 Cr 4.42,43).
3. Um dos chefes do povo que assinou a aliança de Neemias (Ne 10.22).
4. Filho de Benaías, um dos dois príncipes do povo, visto em uma visão por Ezequiel e chamados por Deus de "homens que pensam na perversidade e dão ímpio conselho" (Ez 11.1,2). Enquanto profetizava, Ezequiel viu Pelatias cair morto (Ez 11.13).

**PELE** Tradução de diversas palavras hebraicas e gregas.

1. Geralmente a palavra hebraica *'or* (talvez originada de *'ur*, "estar nu, despido") significa pele ou pele humana, pele dos animais, e pele tratada ou couro (Ex 22.27; 29.14; Gn 3.21 etc.). As várias cores de pele de pessoas infectadas ajudavam a determinar as variedades ou estágios da lepra (Lv 13; *Veja* Doença).
2. A palavra hebraica *basar* (geralmente "carne"), mas traduzida uma vez como "pele" no Salmo 102.5, "Meus ossos pegam-se à minha pele" (carne).
3. A palavra hebraica *geled*, "Cosi sobre a minha pele o cilício" (Jó 16.15).
4. A palavra grega *derma* ("pele"), "Andaram vestidos de peles de ovelhas e de cabras" (Hb 11.37).
5. A palavra grega *dermatinos* (feito de couro, "de couro"); João tinha "um cinto de couro em redor de seus lombos" (Mc 1.6).

As diversas expressões metafóricas são significativas: "... a pele dos meus dentes" (Jó 19.20) pode significar que Jó não tinha parte alguma sã em seu corpo, ou pode referir-se à membrana que circula as raízes dos dentes na mandíbula, como o periósteo. Uma doença poderia ter destruído as gengivas e causado sua retração junto aos dentes, deixando somente o periósteo. A frase "Pode o etíope mudar sua pele ou o leopardo suas manchas?" (Jr 13.23) denota a falta de possibilidade de alguém modificar suas próprias características. "Pele por pele" (Jó 2.4) é a frase do barganhador, significando que tudo tem seu preço. Alguém dará parte de sua pele para salvar a pele inteira; por exemplo, alguém sofrerá danos em suas mãos para poder proteger sua face.

E. C. J.

**PELEGUE** Filho de Éber da família de Sem, em cujos dias os povos da terra foram divididos (Gn 10.25). A forma do verbo *palag* é usada no mesmo versículo, e é traduzida como "repartiu". *Veja* Dispersão da Humanidade.

**PELES DE CARNEIRO** As peles dos carneiros foram utilizadas na construção do Tabernáculo (*q.v.*) depois da preparação adequada por tingimento ou curtimento. Elas são mencionadas pela primeira vez em Êxodo 25.5, onde Deus instrui Moisés a recomendar ao povo que trouxesse essas peles para a obra no Tabernáculo. Peles de carneiro deveriam ser a camada interna, e a externa deveria ser de peles de texugo ou peles de animais marinhos, peles finas (Êx 26.14). A frase heb. usual é *'orot elim m$^{e}$' oddamim*, "peles de carneiro tintas de vermelho".

**PELES DE OVELHAS** Uma pele de ovelha preparada com a lã ainda nesta, usada como uma vestimenta grosseira por aqueles que eram muito pobres (Hb 11.37).

**PELETE**
1. Filho de Jadai, da família de Calebe, o filho de Hezrom (1 Cr 2.47; 1 Cr 2.18).
2. Filho de Azmavete e um dos homens de Davi que atiravam pedras e flechas com ambas as mãos (1 Cr 12.2,3).
3. Um rubenita cujo filho Om rebelou-se contra a liderança de Moisés e Arão (Nm 16.1). Seu nome também é mencionado como Palu (*q.v.*).
4. Filho de Jônatas, um descendente de Jerameel (1 Cr 2.33).

**PELETEUS**
Uma companhia de soldados escolhidos (II Sam 8.18), que eram guardas de Davi com os quereteus. Eles eram provavelmente de Bete-Palete (*q.v.*). Alguns acreditam que os termos peleteus e quereteus referem-se aos filisteus e cretenses, respectivamente. Assim, eles eram tropas mercenárias que não se envolveriam na política doméstica e, portanto, permaneceriam fiéis a Davi.

**PELICANO** *Veja* Animais: III. 49.

**PELO DE CABRA** *Veja* Vestuário; Tabernáculo.

**PELONITA** Habitante de Palom, um lugar desconhecido e obscuro de onde vieram dois valentes de Davi (1 Cr 11.27,36). Pelonita pode ser a variante de paltita (*q.v.*; cf. 2 Sm 23.26).

**PÊLOS DE CAMELO** Em Mateus 3.4 e Marcos 1.6, está escrito que as vestes de João Batista eram feitas de pêlos de camelo. Seus fios são bastante longos e têm a textura da lã. Quando os pelos são trançados, eles transformam-se em um tecido áspero e durável que os beduínos antigos e modernos consideram muito adequado para a confecção de suas vestes, e também para a cobertura de suas tendas. Ao chegar a primavera, quando o camelo muda de pele, o pêlo do pescoço, das costas, e da corcova são aparados ou arrancados aos poucos ou em quantidade. São, então, tecidos em teares manuais e transformados em panos de pele de camelo. Elias era "um homem vestido de pêlos" (2 Rs 1.8), e o "manto de pêlos" é mencionado em Zacarias (13.4). Estas podem ser referências do AT a esse tecido.

**PENEIRA** Uma caixa de madeira com um fundo de fios de rede ou algum material mais grosso, usada na debulha para separar os grãos de pequenas pedras e outros objetos estranhos. A palavra hebraica *napa*, "peneira", é usada figurativamente em Isaías 30.28, referindo-se ao dia do julgamento quando o Senhor peneirará as nações com "peneira de vaidade" ou de destruição. Em Amós 9.9, pelo uso da palavra hebraica *k[e]bara* para "peneira", prognostica-se um crivo semelhante da casa de Israel.

**PENHOR (DO ESPÍRITO)** A palavra "penhor" origina-se do grego *arrabon*, "garantia", "fiança". É uma expressão semítica para fiança (cf. heb. *'erabon*, Gênesis 38.17,18,20). Consiste em um pagamento dado como garantia ou depósito inicial, oferecendo a certeza de que uma pessoa no final pagará a quantia total estipulada. A expressão "sinal e princípio de pagamento" origina-se deste conceito e é usada hoje na aquisição de uma propriedade.
A palavra é usada três vezes no Novo Testamento (2 Co 1.22; 5.5; Ef 1.13,14). A última referência torna claro o significado bíblico: "Em quem também vós estais, depois que ouvistes a palavra da verdade, o evangelho da vossa salvação; e, tendo nele também crido, fostes selados com o Espírito Santo da promessa; o qual é o penhor da nossa herança, para redenção da possessão de Deus, para louvor da sua glória". O Espírito Santo foi enviado no Pentecostes, assim como o dinheiro que é dado para garantir uma transação comercial. Sua presença é um antegozo e garantia (penhor) daquilo que ainda está por vir. Para saber mais sobre os benefícios que o crente desfruta em sua salvação completa e consumada, bem como sobre sua eterna herança, *veja* Salvação.

R. A. K.

**PENHOR** *Veja* Empréstimo.

**PÊNI** *Veja* Pesos, Medidas e Moedas.

**PENIEL ou PENUEL**
1. O lugar da batalha de Jacó ao longo do Jaboque (Uádi Zerqa). Visto que ali ele lutou com o Senhor como se estivesse face a face (cf. Os 12.4), Jacó o chamou de Peniel, "a face de Deus" (Gn 32.30). A pronúncia alternativa Penuel (v. 31) pode levar à pronúncia original, usando uma antiga terminação do caso nominativo *u*, que mais tarde caiu em desuso no hebraico.
Posteriormente, foi construída ali uma cidade cujas torres Gideão destruiu (Jz 8.8,9,17). Jeroboão I edificou-a (1 Rs 12.25), talvez como uma residência de inverno ou uma capital substituta, esperando que ela fosse menos vulnerável do que Siquém. Mas Sisaque do Egito provavelmente a menciona como *Pernoual*, em sua lista de cidades conquistadas de Judá e Israel. Ela aparece como *Panili* nos registros assírios, e deve ser identificada como os montes gêmeos *Tulul edh-Dhahab* ao longo do Jaboque, seis quilômetros e meio a leste de Sucote.
2. Um membro da tribo de Judá e "pai" ou fundador da cidade de Gedor (1 Cr 4.4).
3. Um benjamita, filho de Sasaque (1 Cr 8.25).

H. E. Fi.

Sumo sacerdote samaritano e o Pentateuco Samaritano

**PENINA** A segunda esposa de Elcana, pai de Samuel (1 Sm 1.2-4).

**PENITÊNCIA** *Veja* Arrependimento.

**PENTATEUCO** Esta designação derivada de duas palavras gregas, *pente*, cinco; e *teuchos,* volumes ou livros, é aplicada aos primeiros cinco livros da Bíblia Sagrada. Mais tarde, os judeus designaram estes livros como "os cinco quintos da lei". Há evidências de que esta divisão seja tão antiga quanto Filo e Josefo. Esta é uma divisão natural e, provavelmente, deriva do seu autor original, Moisés. No AT hebraico, o Pentateuco é designado como Torá (Lei), um termo que enfatiza o elemento legal que forma uma grande parte da obra.

**Conteúdo**

O propósito do Pentateuco é recontar a graça de Deus ao transformar Israel em uma nação, e ao dar a ela sua lei. Assim, a obra começa com a criação do mundo, e traça a história da humanidade enfatizando a formação da nação teocrática, e relatando sua história até o ponto em que esteve pronta a entrar na Terra Prometida.

Em um sentido amplo, o Pentateuco pode ser dividido em duas partes: Gênesis 1 a Êxodo 19 é um trecho histórico. Reconta as várias fases pelas quais Israel foi levada ao ponto em que poderia ser constituída a teocracia. Êxodo 20 a Deuteronômio 34 é relativo à lei. Contém os Dez Mandamentos e a legislação relacionada ao Tabernáculo, sacrifícios, sacerdócio. A primeira seção é uma preparação óbvia para a segunda. Era necessário que o povo de Deus fosse primeiro separado do mundo a fim de que, como uma teocracia organizada, pudesse receber as leis do governo divino. *Veja* também a introdução a Gênesis.

Gênesis relata a criação do mundo e do homem, a queda do homem no pecado e sua expulsão do paraíso, além da rápida expansão do pecado que exigiu a destruição do homem pelo dilúvio. Em Noé, a raça manteve-se viva, e houve um novo começo. Mais uma vez, entretanto, a corrupção e a fraqueza tornaram-se poderosas, de forma que era necessário que Deus chamasse seu povo para ficar separado do mundo pecador. Isto foi feito na chamada de Abraão para deixar Ur dos Caldeus e ser o pai da fé. Gênesis relata sua obediência e suas peregrinações, mostrando que até com os fracos Deus permanece fiel à sua promessa de salvação.

O livro do Êxodo começa com os descendentes de Jacó no Egito, e como foram libertados poderosamente, sob a liderança de Moisés. Relata como Deus os constituiu uma nação no monte Sinai, dando os Dez Mandamentos e ratificando a aliança. Foram ordenados os detalhes para o levantamento do Tabernáculo, para que Deus pudesse, então, habitar no meio do seu povo.

Levítico mostra as várias leis que requisitavam adoração. Os sacrifícios foram exigidos, porque a corrupção que separa o homem de Deus deve ser removida, e a comunhão entre Deus e o homem deve ser restaurada.

Números relata as disposições do acampamento, os preparativos para a partida e as peregrinações do povo do Sinai às planícies de Moabe com a menção de vários incidentes que ocorreram no caminho.

Deuteronômio possui os últimos discursos de Moisés à nação e prepara o povo para a entrada em Canaã. O livro é distribuído na forma de um documento da aliança, e em um sentido formal é disposto de forma similar aos tratados de suserania dos hititas. O Pentateuco inteiro é uma unidade, e contém um tema essencial.

**Autoria**

A visão das Escrituras de que Moisés era o autor humano do Pentateuco é sustentada pelas evidências. Há seis passagens no Pentateuco que declaram especificamente a autoria de Moisés (Êx 17.14; 24.4-8; 34.27; Nm 33.1,2; Dt 31.9,24-26; 31.22,30–32.43). Três dessas referências estão ligadas às partes legislativas, e três às partes históricas. Estas 6 partes são partes integrais do seu contexto, de forma que as referências citadas provavelmente atribuem a Moisés a autoria de uma boa parte do contexto em que elas ocorrem.

Com relação a Gênesis, nenhuma declaração específica de autoria é encontrada no livro. Mas Gênesis é uma parte integrante do Pentateuco. Sua narrativa conduz a acontecimentos relatados em Êxodo, e sem ela o Êxodo não seria compreensível. O Êxodo pressupõe claramente Gênesis; de fato, sua primeira palavra hebraica *we*, normalmente traduzida como "e", mostra que deve ser conectada com o que precede em Gênesis. Se Moisés foi o autor dos últimos 4 livros do Pentateuco, também foi o autor de Gênesis. Ao longo dos últimos 4 livros do Pentateuco, Moisés foi o personagem principal. Ele era o mediador pelo qual Deus falava à nação ao transmitir sua lei. Deus deu a este patriarca as instruções para a construção do Tabernáculo, e lhe revelou as leis com relação à adoração. Cada vez mais, lemos sentenças como "Então, disse o Senhor a Moisés", "Como o Senhor ordenara a Moisés" etc. Quando chegamos a Deuteronômio, estamos na mesma atmosfera. O livro começa com "Estas são as palavras que Moisés falou..." Em todo o livro de Deuteronômio, Moisés aparece como a figura central.

Nos demais livros e passagens do AT, o Pentateuco é uniformemente considerado como obra de Moisés. É correto dizer que a única lei autorizada que é reconhecida no AT é a lei de Moisés; o mesmo é verdade em relação ao NT. Citações feitas do Pentateuco atribuem sua autoria a Moisés (cf. Mt 19.8; Mc 10.3-5; Lc 24.27,44; Jo 5.46,47; 7.19; At 3.22; Ap 15.3 etc.). Tanto o AT como o NT consideram Moisés como o autor humano da lei. No século XVIII, surgiu a visão de que o Pentateuco não era inteiramente uma obra de Moisés. Pensou-se que a presença de diferentes nomes divinos em Gênesis fosse uma marca de diferentes autores. Finalmente, assumiu-se que Gênesis consistia de três documentos principais, que foram finalmente reunidos por um redator. Pensou-se que estes 3 documentos, ou partes deles, tivessem sido encontrados também em Êxodo, Levítico e Números, sendo que Deuteronômio foi atribuído a uma fonte diferente. No entanto, a hipótese documentária, como é chamada, embora sustentada por muitos estudiosos, destrói a verdadeira unidade e harmonia do Pentateuco. É uma teoria que não tem o suporte dos fatos e, portanto, deve ser abandonada. *Veja* Gênesis.

### Propósito

O Pentateuco é a base sobre a qual as Escrituras foram construídas. Ele contém a lei básica da teocracia na qual os profetas baseiam suas mensagens. Ele fala de Moisés, o grande legislador, a maior figura do AT que foi testemunha do futuro, até mesmo do Cristo, o Filho de Deus.

*Veja* Cânon das Escrituras – AT; Lei de Moisés; Sacerdote, Sacerdócio.

***Bibliografia.*** G. Ch. Aalders, *A Short Introduction to the Pentateuch*, Londres. Tyndale Press, 1949, Oswald T. Allis, *The Five Books of Moses*, Filadélfia. *Presbyterian and Reformed*, 1943; *God Spake by Moses*, Filadélfia. Presbyterian and Reformed, 1951. David A. Hubbard, "Pentateuch", NBD, pp. 957-964. W. J. Martin, *Stylistic Criteria and the Analysis of the Pentateuch*, Londres. Tyndale Press, 1955. Nicholas H. Ridderbos, "Reversals of Old Testament Criticism", *Revelation and the Bible*, Carl F. H. Henry, ed., Grand Rapids. Baker, 1958, pp. 335-350. Moses H. Segal, *The Pentateuch. Its Composition and Its Authorship and Other Biblical Studies*, Jerusalém. Magnes Press, 1968 (rejeição à teoria documentária).

E. J. Y.

**PENTECOSTES** Pentecostes era a segunda das três grandes festas de Israel (Dt 16.16). Suas principais passagens estão em Êxodo 23.16, Levítico 23.15-22; Números 28.26-31 e Deuteronômio 16.9-12. A palavra grega Pentecostes (*pentekoste*) significa "qüinquagésimo", referindo-se ao qüinquagésimo dia depois da oferta de manjares durante a Festa dos Pães Asmos (N 23.16; Tob 2.1; 2 Mac 12.32; Josefo *Ant.* iii. 10.6; At 2.1; 20.16; 1 Co 16.8).

Outro título pelo qual esta festa é conhecida é a Festa das Semanas (Êx 34.22; Dt 16.10,16; 2 Cr 8.13), que se refere a sete semanas após a oferta das primícias; a Festa da Colheita (Êx 23.16), referindo-se à conclusão das colheitas de grãos; o dia das primícias (Nm 28.26), falando das primícias de uma colheita terminada, e mais tarde os judeus a chamaram solenemente de assembléia (Mihsnah. Arakhin ii.3; Hagigah ii.4; Rosh ha-Shanah i.2), que foi aplicado ao encerramento da festa da estação da colheita. Embora as Escrituras não afirmem especificamente seu significado histórico, elas parecem indicar basicamente uma festa da colheita. Possivelmente a designação mais antiga, "Festa da Sega" em Êxodo 23.16, seja significativa. A hora avaliada do Pentecostes é o qüinquagésimo dia "no dia imediato ao sábado" ou "ao seguinte dia do sábado" (Lv 23.11,15), uma sentença que é cronologicamente problemática. Os fariseus entenderam o significado deste sábado como o dia da festa, ou seja, o primeiro dia da Páscoa (Mishnah. Hagigah ii.4) sem considerar em que dia da semana cairia. Por outro lado, os saduceus (ou Boethuseanos) e os karaitas, desde o século VIII d.C., sentiram que a sentença deveria ser entendida pelo seu sentido literal. Assim "o dia imediato ao sábado", seria o dia seguinte ao primeiro sábado (isto é, o domingo) depois da Páscoa, e não necessariamente o segundo dia da festa (Mishnah. Hagigah ii.4; Menahoth x.1-3). A partir daí, se alguém aceitasse a interpretação dos saduceus, o movimento das primícias de um molho de segas aconteceria um dia depois do primeiro sábado da semana durante a Festa dos Pães Asmos, e o Pentecostes, cumpridos os 50 dias das sete semanas (Lv 23.15,16), viria sempre um dia depois do sábado, ou seja, no domingo.

Na época das primícias, os israelitas trariam ao sacerdote seus primeiros frutos, e ele os ofereceria ao Senhor agitando os molhos (Lv 23.9-14; Nm 18.12,13; Dt 26). Esta parece ter sido uma oferta de gratidão antecipada pela bênção que o Senhor concederia às colheitas. No Pentecostes, 50 dias depois das primícias, o sacerdote tomaria um molho das primícias da sega, e dois pães levedados, e os moveria perante o Senhor. Isto marcaria o final da colheita. As outras cerimônias ligadas a esta festa estão descritas em Levítico 23.15-22. Em Números 28.26, o Pentecostes é chamado tanto de Festa das Semanas como de Festa das Primícias. Esta Festa das Primícias não deve ser confundida com as primícias oferecidas durante os dias dos pães asmos. *Veja* Festividades; Primícias.

No NT, o Pentecostes está relacionado a um dom do Espírito Santo (At 2.1-4). Cristo ascendeu como as primícias da ressurreição (1 Co 15.23), e 50 dias depois deste evento veio o derramamento do Espírito Santo, dando início ao cumprimento da profecia de Joel (Jl 2.28-32). A repentina manifestação acompanhada dos sinais (*Veja* Línguas, Dom de) indicou o caráter sobrenatural do dom. Os dons do Espírito foram as primícias (Rm 8.23; Ef 1.13,14) da colheita espiritual, alcançada através da obra de Cristo. Houve 3 mil que se tornaram cristãos, isto é, as primícias de todos os crentes depois da morte de Cristo, que foram apresentados como uma oferta movida ao Senhor (cf. Tg 1.18). O Pentecostes é considerado o aniversário da Igreja. Assim como a ressurreição de Cristo aconteceu no domingo, o Pentecostes também ocorreu no primeiro dia da semana – o dia em que os cristãos adoravam e continuaram a adorar (At 20.7; 1 Co 16.2).

Alguns judeus do período pós-bíblico acreditaram que o pentecostes comemorava a entrega da lei no Sinai, que calcularam ter acontecido no qüinquagésimo dia depois do Êxodo (Êx 19.1). Os judeus modernos aceitam a tradição, e passam a noite anterior lendo as Escrituras apropriadas à data.

***Bibliografia.*** Roland de Vaux, *Ancient Israel. Its Life and Institutions*, trad. por John McHugh, Nova York. McGraw-Hill, 1961, pp. 493-495. Alfred Edersheim, *The Temple. Its Ministry and Services*, Londres. *Religious Tract Society*, n.d, pp. 256-267. M. Lohse, "*Pentecoste*", TDNT, VI, 44-53. G. T. Purves, "*Pentecost*", HDB, III, 739-742, J. C. Rylaardsam, "Weeks, Feast of", IDB, IV, 827-828.

H. W. H.

**PENUEL** *Veja* Peniel.

**PEOR**

1. Uma montanha de Moabe a nordeste do mar Morto, que dá para o deserto (Nm 23.28). Do seu topo, Balaão quase podia ver as tribos de Israel em suas tendas, em Sitim, no vale do Jordão (Nm 24.2; 25.1). Enquanto estavam acampados, muitos israelitas foram seduzidos à adoração a Baal de Peor (Nm 25.1-5; Js 22.17). Não se sabe ao certo a localização do monte.

2. Uma divindade pagã (Nm 25.18; 31.16), chamada de Baal-Peor (Nm 25.3,5; Dt 4.3; Salmos 106.28; Os 9.10), considerada como a manifestação local de Baal ou talvez do deus moabita Quemos (*Veja* Falsos deuses).

**PEPINO** *Veja* Plantas.

**PERAZIM, MONTE** Um lugar perto do vale dos Refains (Is 28.21), lembrado pela vitória de Davi sobre os filisteus (2 Sm 5.20) em Baal-Perazim (*q.v.*).

**PERDÃO** A doutrina do perdão, proeminente tanto no AT quanto no NT, refere-se ao estado ou ao ato de perdão, remissão de pecados, ou à restauração de um relacionamento amigável. Central à doutrina do AT está o conceito de cobrir o pecado da vista de Deus, representado pela palavra heb. *kapar* (Salmos 78.38; cf. Dt 21.8; Jr 18.23). Isto é indicado pelas várias traduções da palavra tais como "apaziguar", "ser misericordioso", "fazer reconciliação", e o uso mais proeminente na expressão "fazer expiação," que ocorre 70 vezes na versão KJV em inglês. Em Levítico 4.20, ela é agrupada com uma outra palavra proeminente do AT empregada para perdão, com o significado de "enviar ou deixar partir". Conseqüentemente, em Levítico 4.20 está declarado: "O sacerdote por eles fará propiciação [de *kapar*], e lhes será perdoado [de *salah*] o pecado". Uma terceira palavra heb., *na'sa'*, ocorre freqüentemente com a idéia de "levantar" ou "dispersar" o pecado (Gn 50.17; Êx 10.17).

Destas passagens fica claro que o perdão depende de um pagamento justo, de uma penalidade pelo pecado. Os sacrifícios do AT proporcionaram tipicamente e profeticamente uma expectativa do sacrifício final de Cristo (cf. At 17.30; Rm 3.25). O perdão como um relacionamento entre Deus e o homem depende dos atributos divinos de justiça, amor e misericórdia, e é baseado na obra de Deus ao providenciar um sacrifício apropriado. *Veja* Expiação.

A doutrina do perdão antecipada no AT tem sua plena revelação no NT. Aqui, três palavras principais são usadas no original: (1) *aphiemi* e *aphesis*, significando "despedir", "remissão" (Mt 6.12,14,15; 9.2,5,6 etc.); (2) *charizomai*, significando "ser misericordioso" (Lc 7.43; Ef 4.32; Cl 2.13; 3.13); e (3) *apo-*

*luo*, significando "soltar" (Lc 6.37). No NT, o perdão faz parte do programa total da salvação, proporcionado para aqueles que crêem em Cristo. No perdão, a culpa pelo pecado é perdoada e substituída pela justificação, através da qual o pecador é declarado justo. O perdão está sempre incluído em toda a obra de Deus pelo pecador; ele é basicamente judicial, e provê a remissão ao pecador. *Veja* Justificação; Reconciliação.

Um outro aspecto grande e importante da revelação do NT diz respeito aos cristãos que pecam. Embora judicialmente todos os pecados sejam perdoados quando o pecador é salvo através da fé (Jo 3.18; 5.24; Cl 2.13; Rm 8.1), se o pecado entrar na vida de um cristão, ele afetará o relacionamento deste com o Pai Celestial. O perdão e a restauração da comunhão que se fazem necessários são efetuados mediante a confissão dos pecados (1 Jo 1.9) e o arrependimento (Lc 17.3,4; 24.47; At 5.31). O lado divino é zelado pela eficiência e pela eficácia da morte e intercessão de Cristo (1 Jo 2.1); Cristo roga ao Pai a favor do pecador com base em seu próprio sacrifício. *Veja* Confissão; Arrependimento.

Dois casos especiais relacionados ao perdão são citados no NT: (1) o pecado para a morte, isto é, o pecado em virtude do qual Deus leva seu filho pecador para a glória, e reduz qualquer oportunidade de pecado ou testemunho posterior (1 Jo 5.16; cf. 1 Co 11.30-32); (2) O pecado imperdoável, que ocorre quando alguém atribui o miraculoso poder de Cristo a Satanás, ao invés de atribuí-lo ao Espírito Santo (Mt 12.22-32; Mc 3.22-30). Entende-se que aqueles que cometeram um pecado imperdoável não têm consciência de assim terem procedido. Portanto, aqueles que sentem alguma preocupação, perguntando a si mesmos ou ao Senhor se pecaram desta maneira, podem sentir-se seguros de que não o fizeram. No entanto, todo pecado torna-se imperdoável se o indivíduo passar desta vida para a eterna sem se beneficiar da graça divina, pois o perdão é concedido durante a nossa vida neste mundo.

O perdão também é uma obrigação no relacionamento entre os homens, e os crentes são exortados a perdoarem-se uns aos outros (Ef 4.32; cf. Mt 6.13,14).

***Bibliografia.*** J. O. Buswell, Jr., *A Systematic Theology of the Christian Religion*, Grand Rapids. Zondervan, 1962, II, 74-77, 128-131. Hugh R. Mackintosh, *The Christian Experience of Forgiveness*, Londres. Nisbet, 1947. W. C. Morro, "Forgiveness", ISBE, II, 1132-1135. Leon Morris, "Forgiveness", NBD, 435ss. John Owen, *The Forgiveness of Sin*, Nova York. American Tract Society, s.d., Vincent Taylor, *Forgiveness and Reconciliation*, Londres. Macmillan, 1958.

J. F. W.

**PERDIÇÃO** Esta palavra aparece poucas vezes no Antigo Testamento. A palavra grega *apoleia* aparece 19 vezes no NT e é traduzida por 6 expressões diferentes na versão VKJ em inglês: condenável, condenação, destruição, perdição (8 vezes), forma perniciosa, e ruína. A palavra basicamente significa destruição, a antítese direta da salvação (*soteria*), e da perdição (Fp 1.28). Ela faz referência especial aos perversos e ao seu destino esperado (Jo 17.12; Fp 1.28), ou à sua perda de fato e à sua condição de destruição (1 Tm 6.9; Hb 10.39), ou à época do seu julgamento e destruição (2 Pe 3.7), ou ao lugar onde a humanidade destruída é finalmente confinada (Ap 17.8,11).

O termo "filho da perdição" aparece duas vezes no NT, uma vez falando sobre Judas Iscariotes (Jo 17.12), e uma vez sobre o Anticristo (2 Ts 2.3). Alguns identificam os dois, mas isto é totalmente desnecessário. A sentença "filho da" é uma expressão grega ou hebraica bem conhecida, que vem acompanhada da característica, qualidade ou destino que ela incorpora. Neste caso é a de um personagem destruído (Jo 6.70; 2 Ts 2.3), que produz a ruína nos outros (Jo 18.2,3; 2 Ts 2.9-12), eventualmente vivenciando a destruição (At 1.18; 2 Ts 2.8), e um lançamento final em uma condenação eterna (At 1.25; Ap 17.8,11). Assim, o nome retrata o "progresso" dos indivíduos de personalidade maligna até chegarem ao lugar da perdição eterna.

H. A. Hoy

**PERDIZ** *Veja* Animais III. 50.

**PEREGRINAÇÃO NO DESERTO** Quando os israelitas, sob a liderança de Moisés, fugiram do Egito na época do Êxodo, eles passaram pelo mar Vermelho entrando no território do deserto. A travessia provavelmente ocorreu na extremidade norte do golfo de Suez (*veja* Êxodo, O: A Rota). Eles acamparam durante um ano inteiro ao pé do monte Sinai, onde receberam a Lei e construíram o Tabernáculo. Sob a direção de Deus, eles marcharam para o norte, para Cades-Barnéia, a fim de invadirem Canaã vindo do sul. Mas aqui eles rebelaram-se. Então 38 anos transcorreram até que todos os adultos que apoiaram os dez espias tomados de terror morressem. Naquela época uma nova geração estava desejosa de fazer a longa jornada circundante em torno de Edom e Moabe a fim de atravessar o rio Jordão entrando em Canaã a partir do leste. O tempo interveniente foi gasto nos desertos da península do Sinai, no Neguebe, e no vale com fissuras da Arabá ao sul do mar Morto, peregrinando de oásis a oásis.

A rota precisa tomada por Israel partindo do mar Vermelho atravessando o vale do Jordão do lado oposto a Jericó ainda é uma questão de conjectura. A maioria dos nomes dos lugares ainda não foi identificada; nem podemos esperar muito mais informações das pesquisas arqueológicas porque nenhuma ruína de ocupação teria sido deixada pelos israelitas em viagem em seus locais de breve parada. Além disso, os vários relatos bíblicos não se harmonizam facilmente (*veja* a tabela anexa). Contudo não há motivos para supor que os diversos relatos tenham alguma relação com os movimentos de grupos tribais menores em épocas diferentes, como alguns têm proposto. Deve ser lembrado que as 12 tribos deixaram o Egito juntas (Êx 12.41), todas estavam no monte Sinai quando Deus lhes deu a Lei (Êx 24.4), todas estavam representadas no éfode sacerdotal e no peitoral de Arão (Êx 28.9-21; 39.6-14), todas estavam incluídas nos dois censos nacionais (Nm 2.26), todas marcharam juntas do Sinai (Nm 10.11-28), em Cades-Barnéia cada tribo forneceu um espia para explorar Canaã (Nm 13.4-16; Dt 1.23), e as 12 tribos cruzaram o Jordão juntas (Js 3.12; 4.2-8,20-24).

### Características Físicas

A península do Sinai e o Neguebe formam um grande triângulo invertido com uma área de aprox. 56.000 quilômetros quadros. A sua base é o litoral sudeste do mar Mediterrâneo, com uma linha que se estende em direção ao oriente para a extremidade sul do mar Morto. Seu lado oeste é formado pelo golfo de Suez e pela região dos lagos Amargos, enquanto seu lado oriental consiste do golfo de Ácaba e da depressão de Arabá. A região é amplamente estéril, com poucos assentamentos nos tempos antigos, e estas de duração bastante curta.

A estrada do delta do Nilo para Gaza pelo "caminho da terra dos filisteus" (Êx 13.17) faz um paralelo com a costa mediterrânea. Do canal de Suez ao Uádi el-'Arish (*veja* Rio do Egito 1) o viajante cansa-se com as dunas de areia sem a ajuda de vegetação; mas além daquele ponto em direção a Gaza, a terra é cultivável. Mais longe, ao sul, a uma distância de 32 a 64 quilômetros, outra antiga rota de caravanas atravessava o deserto de Sur, de Serapeum (Etã?) entre o lago Timsah e os lagos Amargos até a região de Cades-Barnéia, e continuando até Berseba (Gn 16.7; 20.1). O solo é duro e disseminado com pederneiras. Uma vez que há atualmente poucos, se não nenhum poço ao longo da metade oeste desta estrada, W. F. Albright supôs que na época de Abraão deve ter havido mais fontes de água, ou então as paradas de caravanas teriam um espaçamento de um dia de viagem entre elas, a fim de fornecer a bebida necessária e o alimento para os jumentos (BASOR # 163, Out. de 1961, pp. 37-38). Mas estas paradas não estariam disponíveis aos israelitas nos dias de Moisés.

Ao sul do Caminho de Sur, colinas e uádis gradualmente subiam a um platô de calcário de 600 a 800 metros de altura, conhecido como Et-Tih, sendo sua parte nordeste o deserto bíblico de Parã (Nm 10.12; 12.16). A metade sul do platô é circundada por uma cadeia de montanhas de mais de 1.300 metros de altitude, chamada Jebel et-Tih. Cruzando o platô passava uma antiga rota comercial de Suez para a Arábia *via* Eziom-Geber, a linha aproximada da estrada posterior para aqueles que peregrinavam a Meca. Esta parece ter sido chamada de o "caminho do mar Vermelho" em Deuteronômio 2.1. Entre a Passagem Mitla e a fortaleza muçulmana de Qal'at en-Nakhl, e perto do monumento Parker, Beno Rothenberg descobriu extensas ruínas da Idade Média do Bronze I (2100-1900 a.C.) no declive de Ruweiset el-Akheider (*God's Wilderness*, pp. 60-62, Pl. 22, 23). Antigos locais e desenhos na rocha provam que a extremidade leste da estrada descia para o golfo de Ácaba, cerca de 24 quilômetros a sudoeste de Elate (PEQ, C.II, 5, 9).

Uma formação de arenito cruza a península do Sinai exatamente ao sul de Jebel et-Tih, separando o platô de calcário das montanhas de granito do sul. Nestas altas colinas de arenito (de até 500 metros de altitude), os egípcios mineraram muita turquesa nas redondezas do Uádi Maghareh e Serabit el-Khadem. Na verdade, apenas uma mina para cobre, em Bir Nasb, pode ser atribuída a eles nesta região (PEQ, C.II, 15-18). As expedições de mineração egípcia eram enviadas normalmente durante o período de janeiro a março, e não viviam permanentemente nas minas; portanto, pode-se presumir que nenhum destacamento de tropas estaria presente para fustigar os israelitas migrantes.

A região das montanhas de granito sobressai-se na extremidade sul da península, com 1.650 a 2.650 metros de altitude. A este grupo de picos majestosos pertence o tradicional monte Sinai, Jebel Musa, com uma altitude superior a 2.450 metros. *Veja* Sinai.

Como as necessidades dos israelitas e de seu gado foram supridas durante os longos anos de peregrinação? Embora Deus diariamente fornecesse maná, e em uma ocasião tenha fornecido miraculosamente água da rocha e carne na forma de codornizes, a vida no deserto era em sua maior parte de privação e dificuldade repetitivas. Moisés pôde lembrá-los, no final dos 40 anos, daquele "grande e terrível deserto" (Dt 1.19; 8.15).

Os povos nômades aprendem a viver com quantidades de água muito escassas, e a habilidade do homem e do animal de suportar a sede é grande em terras desérticas. Sem dúvida alguma eles levavam consigo sacos de água feitos de pele de cabra, adequados para até três dias (cf. Êx 15.22). Geralmente há poços ou fontes com intervalos de um dia de viagem, descendo tanto as costas da península do Sinai, como também em muitas partes do Neguebe e ao longo da Arabá. Além

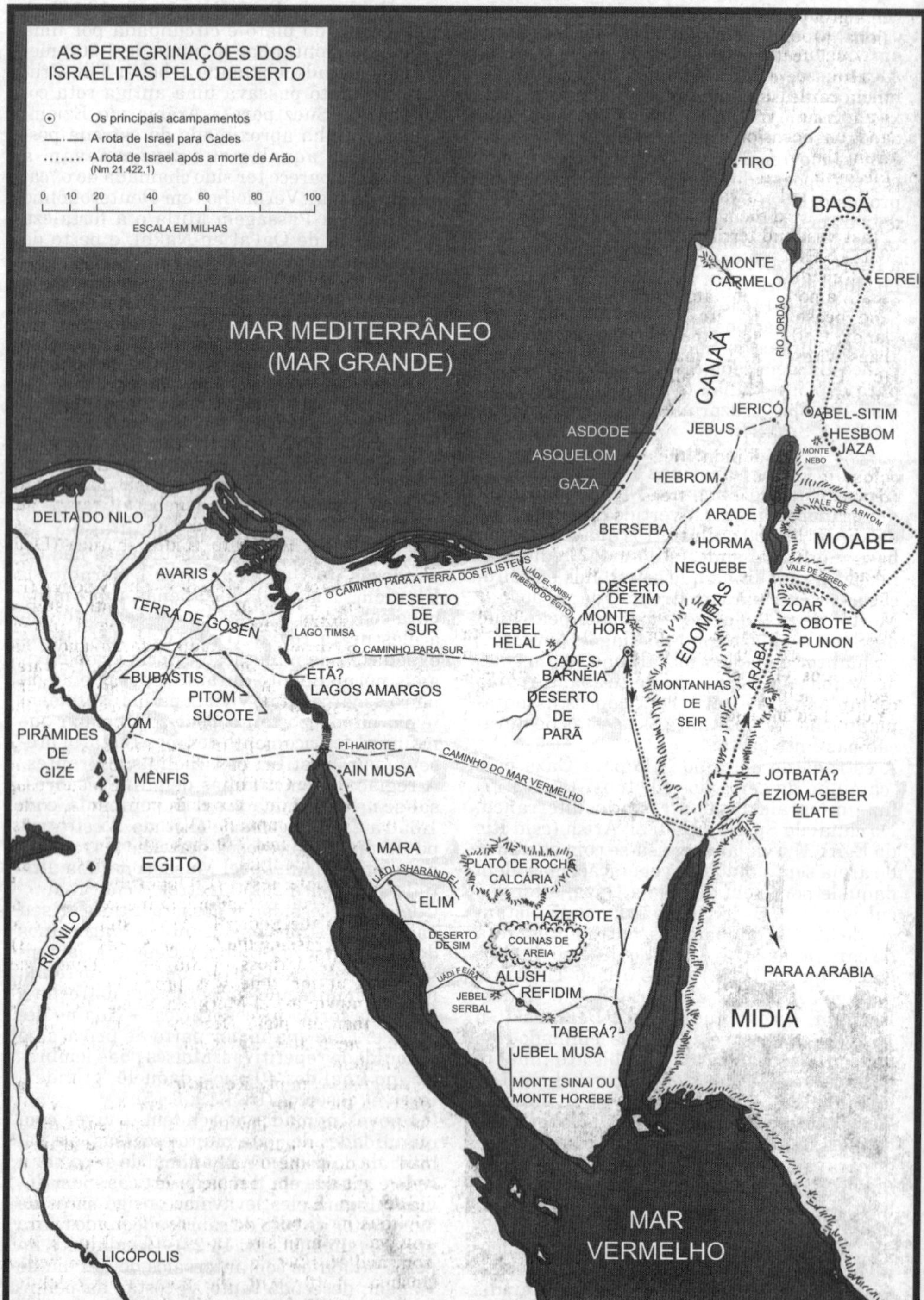
AS PEREGRINAÇÕES DOS ISRAELITAS PELO DESERTO
Os principais acampamentos
A rota de Israel para Cades
A rota de Israel após a morte de Arão (Nm 21.422.1)
0 10 20 40 60 80 100
ESCALA EM MILHAS
MAR MEDITERRÂNEO (MAR GRANDE)
TIRO
BASÃ
MONTE CARMELO
EDREI
RIO JORDÃO
CANAÃ
JERICÓ
ABEL-SITIM
JEBUS
HESBOM
ASDODE
MONTE NEBO
JAZA
ASQUELOM
HEBROM
GAZA
VALE DE ARNOM
ARADE
BERSEBA
HORMA
MOABE
DELTA DO NILO
NEGUEBE
VALE DE ZEREDE
AVARIS
O CAMINHO PARA A TERRA DOS FILISTEUS
UÁDI EL-ARISH (RIBEIRO DO EGITO)
DESERTO DE ZIM
TERRA DE GÓSEN
DESERTO DE SUR
MONTE HOR
EDOMITAS
ZOAR
OBOTE
LAGO TIMSA
JEBEL HELAL
PUNON
O CAMINHO PARA SUR
CADES-BARNÉIA
ARABÁ
BUBASTIS
ETÃ?
LAGOS AMARGOS
MONTANHAS DE SEIR
PITOM
DESERTO DE PARÃ
SUCOTE
OM
PIRÂMIDES DE GIZÉ
PI-HAIROTE
CAMINHO DO MAR VERMELHO
AIN MUSA
MÊNFIS
JOTBATÁ?
EZIOM-GEBER
ÉLATE
MARA
EGITO
PLATÔ DE ROCHA CALCÁRIA
UÁDI SHARANDEL
ELIM
HAZEROTE
DESERTO DE SIM
COLINAS DE AREIA
RIO NILO
UÁDI FEIRA
ALUSH
PARA A ARÁBIA
JEBEL SERBAL
REFIDIM
MIDIÃ
TABERÁ?
JEBEL MUSA
MONTE SINAI OU MONTE HOREBE
MAR VERMELHO
LICÓPOLIS

disso, o lençol freático é freqüentemente próximo à superfície de uádis secos, como é evidenciado pelas árvores de acácia e raros arbustos ao longo de seu curso. Os israelitas sabiam como cavar poços para obter estas fontes de água, de acordo com o cântico de Números 21.17,18. No Uádi Feiran, as correntes permanentes permitem que brotem bosques verdejantes de tamareiras, formando o mais primoroso oásis no Sinai. O inverno médio no Sinai tem um curto período de chuvas de cerca de 20 dias, com neblina e orvalho em outras ocasiões. E em certas ocasiões Deus pode ter mandado chuvas inesperadas para ajudar seu povo (Jz 5.4; Salmos 68.7-9). Contudo, quando todas as concessões são feitas, deve-se reconhecer que a preservação de milhares de pessoas e seus animais por um período tão longo, e em um terreno como este, com suas roupas ainda em bom estado de uso, só pode ser explicada pela providência especial do Senhor (Dt 8.2-4).

## A Rota dos Israelitas

*Do Egito ao Sinai.* Embora as tradições ligadas ao atual monte Sinai (Jebel Musa) não possam ser traçadas antes dos primeiros séculos cristãos, a rota tradicional atribuída aos israelitas não só é possível, mas bastante provável. O Senhor deliberadamente removeu os ex-escravos para longe da civilização e de todas as rotas de caravanas, enquanto ensinava e moldava os israelitas como uma nação funcional. Desse modo, o isolamento do sul da península do Sinai era ideal para seus propósitos. Por outro lado, alguns exploradores como o Major C. S. Jarvis, uma vez governador do Sinai, têm sugerido um candidato do norte para o monte Sinai, como Jebel Helal (960 metros de altitude). Mas ele fica a menos de 48 quilômetros a oeste de Cades-Barnéia e adjacente à bem viajada rota comercial conhecida como o Caminho de Sur (*Veja* acima). A localização tradicional do monte Sinai melhor se adequa aos vários locais de acampamento listados em Números 33.8-15, e uma jornada de no mínimo 11 dias do Horebe a Cades-Barnéia (Dt 1.2).

Depois dos cânticos de Moisés e de Miriã (Êx 15.1-21), os israelitas marcharam em direção ao sudeste para o deserto de Sur, para evitar um contato posterior com qualquer egípcio. Mara e Elim podem ser colocados nos salobres 'Ain Hawarah e Uádi Gharandel com seu oásis de muitas palmeiras, respectivamente. Um dia de viagem para a praia do mar Vermelho (Nm 33.10) teria levado Israel a um ponto ao norte do moderno porto de Abu Zenima, fora da vista dos egípcios da praia oeste do golfo de Suez. Um grupo de pessoas tão grande poderia caminhar apenas de 8 a 24 quilômetros por dia, o que é uma comparação favorável com as distâncias entre muitos destes lugares de parada.

A identificação exata do deserto de Sim (*veja* Sim, Deserto de), Dofca e Alus ainda é incerta. Codornizes migrando em direção ao norte na primavera do Sudão na África ainda voam baixo à noite depois de cruzarem o golfo de Suez (Êx 16.13). Portanto, o deserto de Sim onde Israel estava acampando na época era provavelmente a larga planície conhecida como el-Merkhah ao longo da costa, e não a planície Debbet er-Ramleh mais no interior, perto das minas egípcias em Ṣerabit el-Khadem.

É quase certo que Refidim (*q.v.*) seja o grande oásis no Uádi Feiran, onde Moisés teria antecipado o encontro de suprimentos adequados de água e alimento para os animais. Mas talvez uma seca tenha reduzido as correntes de água que geralmente fluíam, trazendo como resultado a murmuração do povo a respeito de sua pobre liderança (Êx 17.1-7). As montanhas íngremes, quase escarpadas, surgem diretamente dos vales estreitos nesta região, dando a Moisés, Arão e Hur um posto de observação seguro de onde podiam contemplar a batalha de Josué com os nômades amalequitas (vv. 8-13).

No monte Sinai, a multidão sem dúvida acampou na extensa planície de er-Râhah diante dos picos salientes de Ras es-Safsafeh que levam até Jebel Musa. Aqui os beduínos ainda cavam poços rasos e obtêm provisões de pequenos oásis em vales próximos que circundam o Monte da Lei.

*Do Sinai a Cades-Barnéia.* O itinerário deixado por Moisés em Números 33 cobre a jornada de Ramessés e Sucote no Egito até as planícies de Moabe do lado oposto a Jericó. As listas de campanha dos Faraós começando com Tutmósis III, encontradas em Tebes, no Egito Superior, também contêm uma série de nomes de lugares, que são muito certamente as paradas ao longo de uma linha específica de marcha ordenadas em uma seqüência correta (M. Noth, "Thebes", TAOTS, pp. 29-32). Conjectura-se que os acampamentos registrados na lista de Moisés depois do Sinai talvez indiquem os movimentos do Tabernáculo por ordem do Senhor: "E escreveu Moisés suas saídas, segundo suas jornadas, conforme o mandado do Senhor" (Nm 33.2). O povo, porém, deve ter-se espalhado ampla e freqüentemente em relação ao acampamento central, cuidando de seus rebanhos sempre que água e vegetação pudessem ser encontradas. O itinerário lista somente acampamentos formais e não menciona todo local de parada em que se passava apenas uma noite (cf. Êx 15.22; Nm 16.33).

Na tabela anexa, dez acampamentos intervenientes são atribuídos à jornada até Cades-Barnéia, com base na declaração em Deuteronômio 1.2 de que normalmente se leva 11 dias do Horebe (monte Sinai), calculando cerca de 32 quilômetros por dia para um único viajante ou uma caravana mercan-

# 40 ANOS DE PEREGRINAÇÕES DO EGITO A CANAÃ

| *Narrativa em Êxodo, Números e Josué* | | *Acampamentos Formais Números 33* | | *Alusões em Deuteronômio* | | *Eventos Datados Mês Dia Ano* |
|---|---|---|---|---|---|---|
| Páscoa | Êx. 12.2,6 | | | Páscoa | Dt 16.1 | 1.°/14.°/1.° |
| 1.Ramessés | 12.37 | Ramessés | Nm 33.3 | | | 1.°/15.°/1.° |
| 2.Sucote | 12.37; 13.20 | Sucote | v. 5 | | | |
| 3.Etã | 13.20 | Etã | v. 6 | | | |
| 4.Pi-Hairote | 14.2 | Pi-Hairote | v. 7 | | | |
| 5.O mar | 14.9 | O mar | v. 8 | Mar Vermelho | 11.4 | |
| 6.Deserto de Sur | 15.22 | Deserto de Etã | v. 8 | | | |
| 7.Mara | 15.23 | Mara | v. 8 | | | |
| 8.Elim | 15.27; 16.1 | Elim | v. 9 | | | |
| 9. | | Mar Vermelho | v. 10 | | | |
| 10. Deserto de Sim (onde o maná foi dado) | 16.1 | Deserto de Sim | v. 11 | | | 2.°/15.°/1.° |
| 11. | | Dofca | v. 12 | | | |
| 12. | | Alus | v. 13 | | | |
| *13. Refidim (Massá, Meribá) | 17.1-8; 19.2 | Refidim | v. 14 | Massá | 6.16; 9.17 | |
| Batalha contra Amaleque | 17.8-13 | | | Amalequitas | 25.17-18 | 3.°/1.°/1.° |
| 14. Deserto do Sinai (monte Horebe) | 19.1-2 | Deserto do Sinal | v. 15 | Horebe | 4.10-14; 5.2-5 | 1.°/1.°/2.° |
| Tabernáculo erigido | 40.1-17 | | | | | 1.°/14.°/2.° |
| Páscoa observada | Nm 9.1-5 | | | | | 2.°/1.°/2.° |
| Contagem ordenada | 1.1 | | | | | 2.°/20.°/2.° |
| Partida do Sinai | 10.11-12 | | | | | |
| | | ***Do Sinai a Cades-Barnéia*** | | | | |
| 15.Taberá (Quibrote-Hataavá) | Nm 11.1-34 | Quibrote-Hataavá | v. 16 | Taberá, Quibrote-Hataavá | 9.22 | |
| 16. Hazerote (no mínimo 7 dias) | 11.35-2.15 | Hazerote | v. 17 | Hazerote (?) | 1.1 | |
| 17. | | Ritma | v. 18 | Miriã | 24.9 | |
| 18. | | Rimom-Perez | v. 19 | | | |
| 19. | | Libna | v. 20 | | | |
| 20. | | Rissa | v. 21 | (jornada de | | |
| 21. | | Queelata | v. 22 | 11 dias de Horebe | | |
| 22. | | Monte Sefer | v. 23 | a Cades-Barnéia, 1.2) | | |
| 23. | | Harada | v. 24 | | | |
| 24. | | Maquelote | v. 25 | | | 5.°/6.°/2.° |
| 25. Deserto de Parã, Cades | 12.16; 13.26 | | | Cades-Barnéia | 1.2,19 | |
| Espias enviados no final do verão, na época da colheita das uvas | 13.17-20 | | | | | |
| Israel sentenciado a um total de 40 anos no deserto | 14.33-34 | | | Rebelião em Cades | 9.23 | |
| Israel derrotado na região montanhosa | 14.45 | | | Trajeto de Seir a Horma | 1.44 | |
| | | ***38 Anos de Peregrinação no Neguebe*** | | | | |
| 26. No deserto (Nm 15.32) – | | Taate | v. 26 | "Pelo caminho do mar Vermelho" 1.40 | | |
| 27. | | Tera | v. 27 | | | |
| 28. | | Mitca | v. 28 | Datã e Abirão (com Corá) 11.6 | | |

| | | | | | | |
|---|---|---|---|---|---|---|
| 29. - Rebelião de Corá no deserto, talvez na Arabá (16.12) | | Hasmona | v. 29 | | | |
| 30. | | Moserote | v. 30 | | | |
| 31. | | Benê-Jaacã | v. 31 | Beerote-Benê-Jaacã | 10.6 | |
| 32. | | Hor-Hagidgade | v. 32 | | | |
| 33. | | Jotbatá | v. 33 | | | |
| 34. | | Abrona | v. 34 | | | |
| 35. | | Eziom-Geber | v. 35 | | | |
| 36. Deserto de Zim, Cades | 20.1-21 | Deserto de Zim, Cades | v. 36 | Cades | 1.46; 32.51 | |
| A morte de Miriã; a ira de Moisés; mensageiros enviados a Edom | | | | | | |
| 37. Monte Hor (morte de Arão) | 20.22-29 | Monte Hor vs. | vv. 37-40 | Mosera | | |
| *38. Horma (vitória sobre o rei de Arade) | 21.1-3 | | | (morte de Arão) | 10.6 | |
| | | ***Da Área de Cades a Gilgal*** | | | | |
| 39. Pelo caminho do mar Vermelho | Nm 21.4 | | | O caminho do mar Vermelho | 2.1 | |
| 40. | | | | Gudgoda | 10.7 | |
| 41. | | | | Jotbatá | 10.7 | |
| 42. | | Zalmona | v. 41 | Elate, Eziom-Geber ao longo | | |
| | | Punom | v. 42 | da estrada Arabá. | 2.8 | |
| 43. | | Obote | v. 43 | Serpentes ardentes | 8.15 | |
| 44. Serpentes ardentes | 21.5-9 | Ijé-Abarim | vv. 44,45 | | | |
| 45. Obote | 21.10 | | | Ribeiro de Zerede | | |
| 46. Ijé-Abarim | 21.11 | | | 38 anos depois | | |
| 47. Vale de Zerede | 21.12 | | | da condenação | | |
| | | Dibom-Gade | v. 45 | em Cades | 2.13-15 | |
| 48. Vale do Arnom | 21.13-14 | | | Ar, vale de Arnom | 2.18,24 | |
| Ar de Moabe (na margem sul?) | 21.15,28 | | | Aroer (na margem norte) | 2.36 | |
| 49. | | | | Deserto de Quedemote | 2.26-31 | |
| 50. Beer | 21.16 | Almom-Diblataim | v. 46 | | | |
| 51. Matana | 21.18 | | | Jaza | 2.32 | |
| 52. | | | | | | |
| 53. | | | | | | |
| *54. Jaza | 21.23 | | | | | |
| 55. Naaliel (uma corrente fluindo para o sudoeste de Hesbom) | 21.19 | Montanhas de Abarim diante | | | | |
| 56. Bamote | 21.19 | (ou a leste) do Nebo | v. 47 | | | |
| 57. Hesbom (capital de Seom) | 21.25 | | | | | |
| 58. Vale em Moabe, debaixo do cimo do monte Pisga | 21.20 | | | | | |
| *59. Jazer | 21.32 | Planícies de Moabe, | | Guerra contra Ogue | 3.1-10 | |
| *60. Edrei (capital de Ogue em Basã) | 21.33 | de Bete-Jesimote até Abel-Sitim | vv. 48-50 | Terra de Moabe | 1.5; 29.1 | |
| 61. Planícies (terras baixas) de Moabe além do Jordão, do lado oposto a Jericó | 22.1; 36.13 | | | | | |
| Idolatria em Sitim (25.1) | | | | | | |
| 62. A morte de Moisés | | | | Monte Nebo, | | 12.°?/1.°?/40.°? |
| 30 dias de pranto | | | | o cimo de Pisga | 32.49; 34.1-8 | |
| 63. Sitim, margem oriental do Jordão | Js 2.1 | | | | | 1.°/10.°/41.° |
| Atravessando o Jordão | 3.1-4.18 | | | | | 1.°/14.°/41.° |
| 64. Gilgal, acampamento erguido | 4.19 | | | | | 1.°/15.°/41.° |
| Páscoa na Terra Prometida | 5.10 | | | | | |
| Maná cessa (40° aniv. do êxodo) | 5.11-12 | | | | | |

* Uma batalha

te. Os israelitas, porém, levaram muito mais tempo, gastando talvez um mês inteiro em Tabera, onde eles novamente juntaram codornizes perto da praia do golfo de Ácaba (Nm 11.18-21,31-33), e pelo menos sete dias em Hazerote (Nm 12.15). É intrigante que Cades não seja mencionada em Números 33 no final desta fase da peregrinação de Israel; mas Makheloth, que em hebraico significa "lugares de reunião", pode ser um outro nome para Cades-Barnéia (*q.v.*), considerando o fato de que diversas fontes e oásis primorosos – em volta dos quais o povo congregar-se-ia – podem ser encontrados nesta redondeza.

*Trinta e oito anos de peregrinação no Neguebe.* Os poucos acampamentos que podem ser tentativamente identificados na lista de Números 33.26-35 sugerem que por 38 anos os israelitas vaguearam sem rumo no Neguebe e Arabá, em suas regiões centro e sul. Tem sido sugerido que a crosta grossa e dura, em algumas extensões de terra lamacenta em Arabá, poderia se abrir e deixar as pessoas afundarem em uma profunda massa de lama ou lodaçal líquido, o que para alguns poderia ser uma explicação do castigo de Corá, Datã e Abirão em Números 16.27-33 (NBD, p. 1329). Aharoni identifica Jotbatá (33.33) com Tabeh, cerca de 11 quilômetros a sudoeste de Elate, na margem oeste do golfo de Ácaba (*Land of the Bible*, p. 183). Abrona pode ser 'Ain ed-Dafiyeh, nove quilômetros e meio ao norte da moderna Elate na Arabá, ou UMM Rashrash perto da cidade (*God's Wilderness*, pp. 163ss.). Pode ser conjecturado que em Eziom-Geber os israelitas receberam uma ordem para retornar a Cades, e marcharam diretamente para a região sem estabelecer novamente um acampamento formal.

*Da área de Cades a Gilgal.* Durante a época de Moisés os edomitas ainda estavam habitando no Neguebe e no deserto de Zim, entre Cades-Barnéia e Arabá (*veja* Edom; Seir). Somente no século XIII a.C., de acordo com as explorações de Nelson Glueck, é que eles expandiram-se em direção ao leste, e fortificaram as alturas da Transjordânia contra os saqueadores nômades do oriente. Como seminômades, a maioria deles ainda deve ter vivido em cidades de tendas (cf. as cidades de tendas em Midiã, Nm 31.10), as quais deixaram poucas (se não nenhuma) ruínas arqueológicas. Alguns, porém, podem ter sido recrutados para o trabalho nas minas de cobre perto do templo de mineração da 19ª-20ª Dinastias egípcias em Timna, na Arabá.

O rei de Edom recusou-se a conceder permissão a Moisés para que os israelitas marchassem em direção ao leste, ao longo da "estrada real" para a Arabá (Nm 20.14-21). Provavelmente esta antiga rota de viagem passava por Bir Hafir até Abdah e descendo o Uádi Fiqreh e a Passagem Escorpião para 'Ain Hosb na Arabá (Glueck, *Rivers in the Desert*, pp. 23, 205ss.). Então o povo de Deus, após sepultar Arão no monte Hor a nordeste de Cades-Barnéia (*veja* Hor, monte), voltou para o sul, para o caminho do mar Vermelho (*veja* acima) a fim de marchar em redor do flanco de Edom (Nm 21.4). Eles levaram muitos dias para circundar o monte Seir (Dt 2.1), indo para Eziom-Geber e então prosseguindo para o norte ao longo da Arabá. A importância geográfica de Deuteronômio 2.8 é revelada na Bíblia Sagrada: "Passamos, pois, flanqueando assim nossos irmãos, os filhos de Esaú, que habitavam em Seir, como o caminho da Arabá, de Elate e de Eziom-Geber, viramo-nos e seguimos o caminho do deserto de Moabe". Antes de virar para a direita para o Uádi el-Hesa e cruzar o Zerede, Israel acampou em Punom (a moderna Feinan), no lado oriental da Arabá. Aqui o cobre era minerado na Idade do Bronze, e foi provavelmente aqui que Moisés fez uma serpente de bronze ou cobre colocando-a sobre uma haste. Olhar para ela era o antídoto para os israelitas mordidos pelas "serpentes ardentes" (Nm 21.6-9).

Depois de desviar dos moabitas, Moisés conduziu Israel através do desfiladeiro do Arnom, subindo a corrente para o leste, entrando no território que os amorreus, sob a liderança de Seom, haviam tomado de Moabe. A ordem das cidades na tabela de 49 a 59 é baseada na linha mais direta prosseguindo para o norte, de acordo com as mais recentes evidências de sua localização.

O último acampamento dos israelitas antes de entrarem em Canaã foi erguido nas planícies ou terras baixas (*'arboth*) de Moabe na margem oriental do vale do Jordão. Suas tendas aparentemente estenderam-se por uma área muito ampla, de Bete-Jesimote perto do mar Morto, até Abel-Sitim, uma distância de aproximadamente 13 quilômetros. Aqui Moisés reviu o modo de Deus lidar com sua nação da aliança, e levou Israel a renovar seu compromisso com o Senhor. Daqui Moisés subiu até o cimo do monte Nebo, em Pisga, para ver a Terra Prometida e então morrer (Dt 1.1,5; 34.1-5). Depois de 30 dias de pranto, Israel preparou-se para entrar em Canaã sob o comando de seu novo líder, Josué.

*Veja* Êxodo, Livro do; Josué; Moisés.

***Bibliografia.*** Y. Aharoni, *Land of the Bible*, Filadélfia. Westminster, 1967. C. R. Conder, "Wanderings of Israel," ISBE, V, 3064-3069. John D. Davis, "Wilderness of the Wandering," *Davis Dictionary of the Bible*, 4a. ed. rev., Grand Rapids. Baker, 1972, pp. 860-865. John J. Davis, *Moses and the Gods of Egypt*, Grand Rapids. Baker, 1971, pp. 173-193. Nelson Glueck, *Rivers in the Desert*, Nova York. Farrar, Straus & Cudahy, 1959. Siegfried H. Horn, "Wilderness Wandering", SDABD, pp.

O oásis de Elim. MPS

1145-1148. K. A Kitchen, "Wilderness of Wandering", NBD, pp. 1327-1330. Emil G. Kraeling, *Bible Atlas*, Chicago. Rand McNally, 1956, pp. 106-128. Beno Rothenberg, *God's Wilderness*, Londres. Thames e Hudson, 1961; "An Archaeological Survey of South Sinai", PEQ, CII (1970), 4-29.

J. R.

**PEREGRINAÇÃO** Tanto a palavra hebraica *magur* como a grega *paredemos* transmitem a idéia de residência estrangeira e não de viagem. Jacó classifica toda a sua vida como 130 anos de peregrinação (Gn 47.9). Deus fala sobre Canaã como a terra da peregrinação dos patriarcas (Êx 6.4). Davi refere-se aos estatutos de Deus como cânticos na terra de sua peregrinação (Salmos 119.54). Tanto os conceitos de peregrino como de peregrinação insistem no fato de que a vida na terra é apenas temporária, e que o céu é o verdadeiro lar do crente.

**PEREGRINO** Aquele que vem de um país estrangeiro para morar junto aos nativos de uma cidade ou terra, um estrangeiro (1 Pe 1.1) ou forasteiro. Como o céu é a moradia dos cristãos, o NT fala sobre Abraão e outros crentes como peregrinos na terra (Hb 11.13; 1 Pe 2.11; cf. Gn 23.4; Salmos 39.12). *Veja* Estrangeiro.

**PERÉIA** *Veja* Palestina: II B.4.*c*.

**PERES**

1. Palavra aramaica que significa "dividida" e refere-se à divisão no sentido da defesa militar e dissolução do poder sobre um reino (Dn 5.28). *Veja* Mene, Mene, Tequel e Parsim
2. Um neto de Manassés, de uma concubina síria (1 Cr 7.14,16).

**PEREZ** Esse nome, que significa "infração" ou "brecha", refere-se ao modo peculiar de ter nascido como primogênito dos filhos gêmeos de Judá, através de sua nora Tamar (Gn 38.27-29). Judá havia infringido tanto a lei como o costume do casamento levirato (*q.v.*), ao recusar a permissão para que seu terceiro filho, Sela, se casasse com Tamar, que tinha ficado viúva de seus dois irmãos mais velhos. Tamar, disfarçada de prostituta, aproximou-se de Judá e foi engravidada por ele (Gn 38.6-26). Perez foi reconhecido como filho de Judá e seu nome consta como uma figura importante em todas as genealogias (Gn 46.12; Nm 26.20,21; 1 Cr 2.4,5). Ele é o ancestral direto de Davi e, através deste, do Senhor Jesus Cristo (Rt 4.13,18; Mt 1.3; Lc 3.33). Um grande número dos descendentes de Perez veio a morar em Jerusalém depois do retorno da Babilônia (Ne 11.4,6).

**PEREZITAS** Descendentes de Perez (*q.v.*; Nm 26.20).

**PEREZ-UZÁ** Um lugar não identificado entre Quiriate-Jearim e Jerusalém. Seu nome significa o avanço de Uzá, e foi dado pelo rei Davi depois de Uzá ter sido ferido ali por Deus, por ter tocado a arca enquanto era transportada para Jerusalém (2 Sm 6.8; 1 Cr 13.11).

**PERFEITO ou PERFEIÇÃO** Estes termos no sentido bíblico geralmente dão a entender aquilo que é completo, obedecendo a um padrão ou modelo, e normalmente representam a tradução do hebraico *tam* e do grego *teleios*. Em um sentido absolutamente teológico, a perfeição só pode ser vista no Deus trino. Seus atributos são chamados perfeitos, por causa das características do seu ser. Em um sentido relativo, a perfeição como qualidade do que é completo, ou a maturidade está relacionada aos crentes em Jesus Cristo (Fp 3.15), e ainda paradoxalmente também é pregada como um objetivo para o cristão (Fp 3.12-14). O aparente paradoxo é explicado por um reconhecimento de pelo menos dois aspectos da perfeição; o comparativo e o evangélico. A perfeição comparativa aplica-se ao cristão que está avançado em uma progressiva santificação. A perfeição evangélica é aplicável a cada cristão independente do grau de crescimento em santificação. Através da perfeição evangélica, o crente é visto como completo ou perfeito em Cristo, e aceito por Deus neste sentido posicional (Cl 2.10). Embora o relacionamento entre o Criador e a criatura, entre Deus e o homem, nunca seja violado, o Senhor Jesus ainda estabelece este propósito para seus discípulos em Mateus 5.48, "Sede vós, pois, perfeitos, como é perfeito o vosso Pai, que está nos céus". Este é claramente um apelo à excelência no crescimento cristão, uma conformidade cada vez maior em um nível finito para o padrão bíblico de maturidade em Jesus Cristo. *Veja* Vocação.

Teologicamente, a questão da perfeição tem lançado uma polêmica quanto à habilidade do cristão de alcançar nesta vida a perfeição sem pecado, dentro das fronteiras da santificação prática. Os partidários da crença de que o cristão pode alcançar a perfeição de não pecar alegam encontrar nas Escrituras a base para uma vida de maior perfeição cristã, livre de todo pecado. Os adversários refutam esta posição citando o relacionamento criatura-Criador, e as Escrituras em 1 João 1.8,10. *Veja* Santificação.

***Bibliografia***. G. Delling, "*Telos etc.*", TDNT, VIII, 49-87.

F. R. H.

**PERFUME** Os israelitas, como outros povos do Oriente e do Oriente Próximo, fizeram um grande uso dos perfumes feitos de várias substâncias orgânicas aromáticas. Reduzido a pó, o perfume podia ser levado em um sachê ou caixa (Ct 1.13; 3.6; Is 3.20). Extratos aromáticos eram combinados com óleos como ungüentos ou bálsamos de unção, uma necessidade para o cuidado da pele no clima seco e quente da Palestina (Ct 1.3).
Maria ungiu os pés do Senhor Jesus com um bálsamo caro de nardo (Jo 12.3; Mateus 26.7; Marcos 14.3; Lucas 7.37; muitos desses vasos de alabastro com bálsamo foram encontrados em lugares escavados, particularmente no Egito). O perfume também era aplicado nas vestes (Salmos 45.8; Ct 4.11). A meretriz procurava atrair seus clientes para uma cama perfumada: "Já perfumei o meu leito com mirra, aloés e canela" (Pv 7.17). Um composto de mirra e aloés foi usado para envolver o corpo do Senhor Jesus para a sepultura (Jo 19.39,40); entretanto, as cem libras usadas foram uma pequena quantidade, quando comparadas à quantidade usada para o funeral de Herodes o Grande; ali foram necessários 500 escravos para carregar o material (Josefo, *Ant.* xvii.8.3).
A atração da noiva em Cantares 4.9-15 é expressa em termos da fragrância de várias especiarias aromáticas, e é um catálogo completo daquelas que se utilizavam comumente: nardo, açafrão, cálamo, cinamomo, canela, incenso, mirra e aloés. O texto em Êxodo 30.24,34 acrescenta cássia, estoraque, ônica, e gálbano. Os perfumes elaborados de acordo com a formulação especial de Êxodo 30.22-38 eram restritos à adoração. Eles incluíam o óleo da unção para rituais de santificação, e incenso para queimar no altar de ouro do Tabernáculo e do Templo. O grande número de altares de incenso encontrados nas escavações da Palestina testifica o uso extensivo dos perfumes em santuários pagãos, além dos rituais oficiais do Templo no judaísmo.
Este grande uso de perfumes, não só em Israel, mas em todo o Oriente Próximo, tornava as especiarias da maior importância no comércio daquela parte do mundo. Alguns estavam disponíveis no vale do Jordão, mas a maioria tinha que ser importada da Arábia, da costa leste da África, do Ceilão e da Índia. Os impérios comerciais eram construídos em volta do comércio, o que era um dos principais fatores da riqueza de Salomão assim como de Jeroboão II. A rainha de Sabá trouxe uma grande quantidade de especiarias como um presente para Salomão (1 Rs 10.3,10). Os presentes e tributos dos outros governantes incluíam igualmente especiarias e mirra (1 Rs 10.25). O controle das rotas do comércio de especiarias, tanto por terra pelas caravanas como por mar (cf. a frota marítima de Salomão, 1 Reis 9.26-28; 10.11, 12), foi essencial para o sucesso comercial, e ambos estavam condicionados à história política e militar da época.
*Veja* Unção, Bálsamo.

R. V. R.

**PERFUMISTA** *Veja* Ocupações: Perfumista.

**PERGAMINHO** *Veja* Escrita.

**PÉRGAMO** A capital da Ásia, situada em um monte de cerca de 300 metros de altitude, comandava o vale fértil do rio Caico, no sul da Mísia. A cidade ficava do lado oposto da ilha de Lesbos, cerca de 30 quilômetros do mar Egeu, e comunicava-se com o mar através do Caico, que era navegável por pequenas embarcações. Pérgamo também se

Grande vaso de alabastro para bálsamos perfumados da tumba de Tutancamom. LL

Reconstrução do grande centro de saúde em Pérgamo. HFV

localizava sobre a grande estrada norte-sul que ia de Éfeso até Cízico, sobre a Propôntida ou mar de Mármara.
A verdadeira história da cidade começou no século III a.C., sob a dinastia dos Átalos, quando se tornou a capital de um reino Helenístico de considerável importância. Átalo III entregou seu reino a Roma em testamento. Em 133 a.C., por ocasião de sua morte, ela tornou-se a província da Ásia. Os reis de Pérgamo tinham o poder necessário para expandir seu hábil controle da riqueza natural do país, que lhes foi concedido livremente como patronos das artes, fazendo de Pérgamo uma das melhores e mais bonitas cidades gregas. Situava-se nos recifes, nas encostas das montanhas, desenvolvendo-se também aos pés das montanhas; ali se localizava um famoso balneário dedicado ao deus Asclépio. Pérgamo era famosa por sua escola de escultura.
As escavações em Pérgamo foram iniciadas em 1868, e revelaram até agora cerca de 60 por cento da cidade. O grande altar esculpido de Zeus (41 x 38 metros) foi identificado por alguns como "o trono de Satanás" (Ap 2.13). Em sua carta à Igreja de Pérgamo, João registrou as doutrinas de Balaão e dos nicolaítas. A primeira estava aparentemente relacionada com os cristãos casando-se com pagãos, e com a crença de que já que os deuses pagãos não existiam, a participação cristã nas festas idólatras não os contaminava.
*Veja* Arqueologia.

H. F. V.

**PERGE** Perge foi a capital da região da Panfília, que mais tarde tornou-se uma província romana na costa meridional da Ásia Menor, localizada no rio Cestro, 19 quilômetros em direção ao interior, a partir de sua cidade portuária, Atália. Na primeira viagem missionária de Paulo, ele parece ter passado direto por Perge, passando pelo interior e subindo pelas montanhas. Alguns acreditam que, naquela época do ano, a infestação de malária na cidade baixa fez com que a maior parte dos seus habitantes, incluindo o próprio apóstolo Paulo, fosse acometida de febre (At 13.13,14; cf. Gl 4.13). No final da primeira viagem missionária, em seu caminho de volta a Antioquia, Paulo parou e pregou a Palavra em Perge. Pode parecer que o ministério de Paulo teve pouco efeito ali, por não haver menção da cidade até séculos mais tarde; porém ela tornou-se o centro de um bispado metropolitano.

P. C. J.

**PERJÚRIO** *Veja* Juramento.

**PERNA** Essa palavra foi usada das seguintes maneiras:
1. Anatomicamente, referindo-se às extremidades onde os pés do homem estão ligados (Dt 28.35; 1 Sm 17.6); o mesmo ocorrendo com as patas dos animais (Êx 12.9) e dos insetos (Lv 11.21).
2. Cerimonialmente, sobre as partes dos animais usadas nos sacrifícios levíticos (Êx 29.17; Lv 1.9,13; 14.11; 8.21; 9.14).

Teatro da Acrópole de Pérgamo com capacidade para 15.000 pessoas sentadas. HFV

3. Metaforicamente, sobre a fraqueza do homem (Salmos 147.10); a inutilidade dos provérbios dos tolos (Pv 26.7); a degradação de uma cidade (Is 47.2; *veja* abaixo); a força e a fortaleza (Ct 5.15); e o resgate de um remanescente (Am 3.12).
4. Profeticamente, sobre um período da história mundial (Dn 2.33) como as pernas de ferro interpretadas por muitos como símbolo do Império Romano com suas divisões centralizadas em Roma e Constantinopla, e sobre um detalhe da crucificação de Cristo (Jo 19.31-36; cf. Salmos 34.20). Os ossos da perna da pessoa crucificada eram geralmente quebrados para apressar sua morte. *Veja* Cruz.
Alguns entendem que o termo "perna" em algumas versões em Isaías 3.20 deveria ser traduzido como "bracelete". Em Isaías 47.2, a palavra "pernas" poderia ser traduzida como "vestes", e "coxa" poderia ser traduzida como "pernas" ou "perna".

W. B.

**PÉROLAS** Desde a Antiguidade, as pérolas têm sido altamente valorizadas pala beleza de sua forma e cor. Elas consistem de camadas interestratificadas de substâncias minerais e membranas animais, que se for-

mam em várias espécies de conchas de moluscos. *Veja* Animais: Ostra V.10.
Embora os israelitas provavelmente conhecessem as pérolas pelo menos desde a época de Salomão, não se sabe ao certo se as pérolas foram especificamente mencionadas no AT. O termo hebraico *peninim*, usado em Jó 28.18; Provérbios 3.15; 8.11; 20.15; 31.10, foi traduzido como pedras preciosas, rubis, corais, cristais, e pérolas.
O Senhor Jesus falou das pérolas (gr. *margarites*) como um símbolo de pureza, beleza e valor da sua verdade e reino, quando exortou seus discípulos a não lançarem pérolas aos porcos (Mt 7.6). A interpretação da sua parábola da pérola de grande preço (Mt 13.45,46) é pouco certa. Alguns explicam que a pérola é a Igreja, e que Cristo é o mercador que pagou o alto preço com sua própria vida; outros consideram que Cristo é a pérola, a qual cada um dos seus seguidores deve desejar ter mesmo que lhes seja necessário vender tudo, ou abrir mão de tudo, como até mesmo Paulo testifica que fez (Fp 3.7-10).
Paulo recomendou que as mulheres não usassem pérolas como adornos pessoais (1 Tm 2.9). João, o escritor do Apocalipse, as incluiu entre os valiosos tesouros terrenos da grande meretriz e do comércio da Babilônia (Ap 17.4; 18.13,16). Os portões da Jerusalém celestial são retratados como 12 pérolas individuais (Ap 21.21).
*Veja* Jóias.

D. R. R.

**PERSEGUIÇÃO** K. S. Latourette descreveu o movimento da Igreja na história, começando com Atos dos Apóstolos, como o "avanço em meio à tempestade". Mal começou a empreitada cristã no Pentecostes, e os líderes apostólicos, Pedro e João, foram chamados ao Sinédrio (At 4.1-22). Logo a oposição produziu o primeiro mártir cristão, Estêvão (At 6.8–8.1). Antes de sua conversão, Paulo perseguiu os cristãos até à morte (At 9.1ss.). A comunidade de Jerusalém em geral foi perseguida e espalhada pela perseguição (At 12.1-25). Nas viagens missionárias que ocupam o restante do livro de Atos, a perseguição era uma constante, com Paulo e seus companheiros sendo perseguidos de cidade em cidade.
Outros livros do NT revelam este mesmo padrão da sarça ardente (a Igreja sempre no fogo da perseguição, mas nunca sendo consumida). Assim, em sua primeira carta aos Tessalonissences, Paulo alertou: "E vós fostes feitos nossos imitadores e do Senhor, recebendo a palavra em muita tribulação, com gozo do Espírito Santo" (1 Ts 1.6). Paulo envia Timóteo até eles "para que ninguém se comova por estas tribulações; porque vós mesmos sabeis que para isto fomos ordenados" (1 Ts 3.3). Pedro também encorajou seus leitores: "Vós grandemente vos alegrais, ainda que agora importa, sendo necessário, que estejais por um pouco contristados com várias tentações, para que a prova da vossa fé, muito mais preciosa do que o ouro que perece e é provado pelo fogo, se ache em louvor, e honra, e glória na revelação de Jesus Cristo" (1 Pe 1.6,7).
O último livro canônico do NT é profético em relação a uma Igreja sofredora que ainda está sendo vingada e entregue. São típicas as almas "debaixo do altar... dos que foram mortos por amor da palavra de Deus... E clamavam com grande voz, dizendo: Até quando, ó verdadeiro e santo Dominador, não julgas e vingas o nosso sangue dos que habitam sobre a terra?" A resposta é: "Até que também se completasse o número de seus conservos e seus irmãos que haviam de ser mortos como eles foram" (Ap 6.9-11). [Nota: Enquanto alguns intérpretes entendem as passagens em Apocalipse 4–22 como se referindo a uma Igreja sofredora, outros as vêem como um descritivo daquilo que ainda está por acontecer na tribulação futura, na qual a verdadeira Igreja não estará presente. Esta posição futurista, entretanto, tem uma visão das igrejas em Apocalipse 2 e 3 como representativa das igrejas na era atual da Igreja. As condições como descritas nestas sete cartas indicam que nos dias de João os cristãos estavam sob perseguição. A soberania de Deus nos acontecimentos cruciais da história seguinte à Era da Igreja (Ap 4–22) serve agora, para a Igreja, como uma grande garantia do governo soberano de Deus em todos os acontecimentos, incluindo a perseguição.]
A Bíblia não só apresenta a Igreja como sofredora como também desenvolve uma teologia da perseguição – sua origem, objetivo e efeitos. A origem da perseguição é o ódio do homem pecador contra Deus. Paulo chama os homens irreconciliados de "inimigos de Deus" (Rm 5.10). O amor ao mundo é inimizade contra Deus. "Ninguém pode servir a dois senhores" (Mt 6.24). "A luz veio ao mundo, e os homens amaram mais as trevas do que a luz" (Jo 3.19). "Porquanto a inclinação da carne é inimizade contra Deus, pois não é sujeita à lei de Deus, nem, em verdade, o pode ser" (Rm 8.7).
O Senhor Jesus Cristo assegura aos seus seguidores que não é o servo maior do que seu Senhor. "Se a mim me perseguiram, também vos perseguirão a vós" (Jo 15.20). No mundo, os discípulos devem esperar tribulações, mas devem preocupar-se com o fato de serem bem vistos por todos. Eles devem regozijar-se quando falarem mal deles (Mt 5.11,12). Os homens farão mais do que falar contra a reputação, eles matarão os discípulos julgando estar prestando um serviço a Deus (Jo 16.2).
Isto também não é novidade, pelo contrário, disse Paulo: "Mas nós, irmãos, somos filhos da promessa, como Isaque. Mas, como, então, aquele que era gerado segundo a carne

perseguia o que o era segundo o Espírito, assim é também, agora" (Gl 4.28,29). "Pois o zelo da tua casa me devorou, e as afrontas dos que te afrontam caíram sobre mim" (Salmos 69.9). Na verdade, os Salmos estão repletos de registros de reclamações de perseguição. "Até quando, Senhor" é o lamento do crente do AT, que se reproduz na reclamação das almas sob o altar no NT.

Se a origem da perseguição cristã é o ódio a Deus, seu objetivo é destruir a Deus. Alguém disse muito bem: "Se o homem fosse capaz de matar a Deus, a vida do Criador não seria poupada nem por um instante". Não conseguindo alcançar a Deus Pai, eles tomaram o Filho, o crucificaram e mataram pelas mãos de injustos (At 2.23). Ao matar a Cristo eles derramaram o "sangue de Deus" (At 20.28, a Igreja de Deus... que ele resgatou com seu próprio sangue). Um deicídio pavoroso foi consumado enquanto o Príncipe da vida era morto.

Agora que Cristo quebrou os grilhões da morte, e está vivo eternamente nas regiões celestiais, a insaciável malícia do homem expressa-se em sua crueldade com relação aos seus representantes aqui na terra. Embora Saulo perseguisse os cristãos devido à sua ignorância e descrença, além de tudo estava perseguindo ao próprio Senhor Jesus Cristo através de sua perseguição aos seus seguidores (At 9.4). Cristo envia seus seguidores como ovelhas no meio de lobos, e assim correm o risco de se tornarem vítimas da crueldade deles (Lc 10.3). Todos os dias são reputados como ovelhas para o matadouro (Rm 8.36). Na medida em que os cristãos sofrem, eles são as vítimas da desumanidade do homem para com Deus.

O resultado da perseguição é remover os crentes hipócritas e nominais, revelar e confirmar os genuínos, promover o crescimento da Igreja, e glorificar a Deus. Cristo definiu o verdadeiro discípulo como aquele que persevera na sua Palavra (Jo 8.31), aquele que resiste até o fim (Mt 24.13). Calvino faz uma afirmação "de arrepiar": "Cristo ensina que se temermos àqueles que são capazes de destruir o nosso corpo, estaremos expostos à ira daquele 'que pode fazer perecer no inferno a alma e o corpo'" (Mt 10.28). Aquele que sob perseguição não confessar a Cristo perante os homens, também será negado, diante de Deus, como discípulo de Cristo (Lc 12.8,9; Mt 10.32,33). Aqueles que ouvem a Palavra e a recebem com alegria, porém retrocedem quando aparecem os problemas, não permitem que a semente do reino cresça dentro de si mesmos (Mt 13.20,21).

Não é por acaso que a palavra do NT para testemunha, *martus*, tornou-se a nossa palavra para mártir. Uma testemunha é um mártir, ela está pronta para morrer seguindo as ordens do capitão da sua salvação. Ela não considera sua vida como preciosa (At 20.24). O cristão ama a Cristo mais do que à sua própria alma, alegra-se e exulta (Mt 5.12). Ele tem a perseguição como motivo de grande gozo (Tg 1.2), e regozija-se na tribulação (1 Pe 1.6). Assim, a perseguição revela o verdadeiro crente no mundo, confirma sua fé para si mesmo, e Cristo verá sua posteridade, prolongará os dias, e o bom prazer do Senhor prosperará na sua mão (Is 53.10,11). Esta ira (*orge*) do homem não opera a justiça de Deus (Tg 1.20), mas a cólera do homem redundará em louvor ao Criador (Salmos 76.10). Ele faz com que o sangue dos mártires transforme-se na semente da Igreja, como declarou Tertuliano. A tempestade faz com que a Igreja avance. A Igreja primitiva parecia estar serenamente consciente da maneira estranha de Deus propagar seu reino, e quando os cristãos viram os líderes judeus preparando-se para destruí-los, eles oraram não por proteção, mas por coragem (At 4.24-30).

A perseguição glorifica a Deus em um mundo maligno que constantemente e impiedosamente, ataca um pequeno rebanho indefeso. Qual é o resultado? O resultado é que o mundo destrói a si mesmo e faz com que a Igreja cresça! O lobo ataca a ovelha, mas a ovelha vive e o lobo morre! Quem, senão Deus, poderia fazer com que a grande ira do homem, que sempre se levanta para destruí-lo, transforme-se em louvor e glorificação a Ele? *Veja* Tribulação.

Esta teologia bíblica da perseguição era necessária na Igreja pós-apostólica primitiva. A promessa de Cristo da tribulação para os discípulos neste mundo foi plenamente cumprida e alcançada com júbilo. A primeira perseguição física da Igreja por Roma ocorreu no governo de Nero (64-68 d.C.) na cidade capital, como relatado por Tácito, mas uma perseguição mais determinada e abrangente levantou-se em várias partes do império nos reinos de Trajano (98-117) e Adriano (117-138) que só atingiu seu clímax nas perseguições de Diocleciano e Décio nos séculos III e IV. Inácio, bispo de Antioquia, escreveu suas cartas enquanto era levado para Roma, a um provável martírio, e Policarpo foi queimado na fogueira durante uma perseguição local em Esmirna, em 155.

Em 248, Roma estava celebrando o milésimo aniversário da sua fundação. Tal lembrança do brilhante passado fez com que o presente parecesse ainda mais alarmante. Para piorar, os bárbaros estavam começando a tornar-se mais ameaçadores. O que havia de errado? Os deuses não eram mais adorados como costumavam ser. Por que não? Porque os cristãos recusaram-se e persuadiram os outros a também se tornarem "irreligiosos". O que poderia ser feito? Só uma coisa – varrer os cristãos (considerados "ateus") e retornar à verdadeira adoração aos deuses mitológicos. Qualquer imperador alerta e dedicado à perpetuação do império sob as bases do seu presumido alicerce, deveria reconhecer o perigo. Décio (249-251) foi um desses. Ele emitiu um édito exigindo que todos os cristãos oferecessem sacrifícios. Aqueles que não o fizessem sofreriam a perda de suas propriedades, prisões, torturas, exílio, e até mesmo a morte pela sua fé. A Igreja suportou tudo apesar da severidade e extensão desta perseguição, no governo seguinte, sob Galo (251-253).

Todavia, também se revelou o aumento da secularização da Igreja, quando muitos cristãos negaram sua fé. Alguns o fizeram sacrificando aos deuses, como se fossem comandados por César e não por Cristo; estes eram chamados *sacrificati*. Outros conseguiam certificados falsificados, fingindo fazer o sacrifício para satisfazer as autoridades, mas evitavam fazê-lo para satisfazer a própria consciência (*libellatici*). Isto era feito subornando os oficiais para colocar seus nomes na lista daqueles que tinham realmente feito o sacrifício.

Ao sentir que uma concentração de severa perseguição sobre os líderes cristãos seria uma maneira efetiva de arrancar o cristianismo pela raiz, Valeriano (253-260) retomou o ataque através de seus éditos de 257 e 258. Ele não apenas exigiu que o clero oferecesse sacrifícios aos deuses, mas também proibiu seus membros de adorar ao seu Deus publicamente, e até mesmo de visitar os cemitérios cristãos. Muitos bispos, presbíteros e diáconos foram mortos. Homens e mulheres de alto padrão político e social foram submetidos a castigos severos e até à morte quando se recusaram a oferecer os sacrifícios exigidos. "Agora correm enxurradas de sangue". O horror e a duração desta experiência tornaram sua execução impossível por mais tempo. Logo veio a paz que durou 40 anos quando Galiano (260-268) retirou os éditos de seu pai, e os cristãos foram novamente tolerados, de forma não oficial.

Após este período de tolerância, o cristianismo enfrentou sua mais severa perseguição com Diocleciano e Galério. Mais uma vez era o caso de um imperador "consciencioso" promovendo a condenação dos filhos de Deus. Diocleciano (284-305) também desejou ver novamente a glória de Roma, que havia se acabado. Sua perseguição foi a pior em abrangência, duração e crueldade. O desafio foi tão decisivo entre a Igreja e o império, que não poderia ser de outra forma. Em 295, os soldados cristãos foram condenados ao sacrifício. Em 298, um comandante foi assassinado e as perseguições multiplicaram-se no exército. Elas generalizaram-se em aprox. 303, quando 3 éditos foram emitidos de forma rápida e sucessiva. Até mesmo a esposa e a filha de Diocleciano, que eram cristãs, foram condenadas ao sacrifício. Mandaram destruir os prédios cristãos. Os bispos e presbíteros foram presos, as Escrituras foram queimadas, os cristãos perderam todos os seus direitos legais e todos eles foram torturados. Esta situação perdurou até 305 no oeste, e até 311 no leste, especialmente na Palestina e no Egito, que sofreram de uma forma mais severa.

Nesta grande tribulação, muitos cristãos foram martirizados, mas outros negaram sua fé e entregaram suas Bíblias (*traidores*). Esta perseguição revelou a inutilidade de se tentar erradicar o cristianismo. O império pode cair, mas a Igreja não. Nenhuma alternativa agora restava ao império senão chegar a um acordo, e este deveria ser feito com rapidez. *Veja* Roma, Império Romano.

Estes antigos "tempos de matança" produziram duas reações diferentes na Igreja – a renúncia e o martírio. A capitulação foi justificada por métodos fora dos normais. Alguns insistiam que a responsabilidade para com os poderes superiores incluía a renúncia, quando esta fosse exigida. Outros se voltavam para as Escrituras, observando que Cristo disse que aqueles que o negassem seriam negados por Ele. Muitos, sem nenhum argumento particular, seguiam os passos de Pedro e negavam ao Senhor. Mas, no todo, um grande capítulo sobre o martírio foi escrito. Agnes, uma nobre da Sicília morreu pela sua fé. Carpo, um bispo da Trácia, foi capaz de dizer: "Eu vejo a glória do Senhor, e fico feliz, pois ao mesmo tempo fui liberto do poder dos homens, e não sou parte dos seus feitos equivocados". Ele foi amarrado na estaca. Cipriano, um bispo do norte da África, foi decapitado em 258. Um grupo inteiro de cristãos asiáticos apresentou-se ao seu procônsul (Arrio Antônio) para o martírio, com a finalidade de lhe mostrar o difícil banho de sangue que deveria promover na tentativa de destruir a Igreja de Cristo.

Mas a Igreja ainda crescia. Sacerdotes confessores do século III, presos e torturados, devem ter expressado as palavras de Martin Niemoller: "Eu acredito que a minha prisão (no governo de Hitler) é um exemplo do humor santo de Deus. Eles riam com escárnio, dizendo: 'Finalmente o pegamos', e prenderam mais 800. Mas qual o resultado? Igrejas cheias com congregações voltadas à oração e à adoração. Seria uma total ingratidão me tornar alguém amargurado diante destes fatos". Com Constantino, o cristianismo alcançou uma completa tolerância.

Embora este artigo não pretenda ir além da Igreja primitiva, não podemos deixar de fazer uma observação. Estas perseguições romanas que vieram em proporções terríveis no século III, foram algo sem paralelos até o século XX, quando elas excederam-se grandemente. A Igreja está sofrendo mais agora do que nunca em sua história. Se Cristo não voltar logo, é provável que ainda venha uma perseguição pior. Mais uma vez o verdadeiro cristão poderá revelar-se como o que ele em espírito é, e sempre será – um mártir.

***Bibliografia.*** E. M. Blaiklock, *The Christian in Pagan Society,* Londres. Tyndale Press, 1951. E. H. Broadbent, *The Pilgrim Church,* Londres. Pickering & Inglis, 1945. Leon H. Canfield. *The Early Persecutions of the Christians,* Nova York. Columbia Univ., 1913. John Foxe, *Foxe's Christian Martyrs of the World,* Chicago. Moody Press, s.d. W. H. C. Frend, *Martyrdom and Persecution in the Early Church,* Garden City. *Anchor Books,* 1967. Heinrich Schlier, "*Thlibo* etc.", TDNT, III, 139-148. Herbert B. Workman, *Persecution in the Early Church,* Londres. C. H. Kelly, 1906.

J. H. G.

**PERSEVERANÇA** Deus provê a base para a edificação no firme fundamento da verdade cristã. Fora desse fundamento a perseverança será impossível, porque ela envolve o fato de estarmos "arraigados e edificados nele e confirmados na fé" (Cl 2.5-7). A obrigação que temos como cristãos, é nos apegarmos aos fundamentos oferecidos por Deus (2 Pe 3.17). Embora essa palavra seja raramente usada nas Escrituras, ela expressa um conceito que encontramos repetidamente na Bíblia Sagrada.
*Veja* Paciência; Perseverança.

**PERSEVERANÇA ou CONSTÂNCIA** Esta palavra tem uso tanto bíblico quanto teológico. Em um sentido estritamente bíblico é usada em várias versões para expressar o substantivo grego *proskarteresis* em Efésios 6.18. A forma verbal *proskartereo* é mais comum, sendo encontrada na Septuaginta (Nm 13.20), assim como no grego clássico e papiros como também no NT. Em cada exemplo, o pensamento primário é a firme continuação de algo, seja ao descrever a espera por um barco (Mc 3.9), o cuidado constante dos empregados e sentinelas (At 10.7) ou a estabilidade no estilo de vida cristão (At 1.14; 2.43,46; 6.4; 8.13; Rm 12.12; 13.6; Cl 4.2).
O uso mais predominante está associado ao quinto ponto da soteriologia de Calvino. A doutrina da perseverança dos santos tem como finalidade que aqueles sobre os quais Deus concedeu sua graça especial, não percam este estado. Esta doutrina foi primeiramente e explicitamente ensinada por Agostinho. Entretanto, foram Calvino e os reformadores que a estabeleceram com consistência. Eles citaram várias afirmações das Escrituras como a base para este ensino (Jo 10.27-29; Rm 8.31-39; 11.29; Fp 1.6; 2 Tm 1.12; 1 Pe 1.5), além de inferências necessárias de doutrinas como a eleição, regeneração, justificação, união com Cristo e santificação.
Os arminianos fazem 3 objeções a este ensino. Sua primeira alegação é que a perseverança do crente é dependente da sua vontade. Eles citam passagens bíblicas que ensinam a necessidade de lutar (Lc 13.24; Cl 1.29; 2 Tm 2.5), e a possibilidade de cair (Lc 9.62; 1 Co 9.27; Gl 5.4; Hb 6.3ss.). Em segundo lugar, sustentam que tal certeza acerca da salvação final só pode levar à imoralidade e à indolência. Em terceiro, tal ensino é inconsistente com a liberdade humana.
Com referência às passagens citadas pelos arminianos, os calvinistas respondem dizendo que o contexto é freqüentemente contrário ao entendimento arminiano, e que tais passagens podem ser interpretadas em qualquer ocasião em harmonia com a doutrina da perseverança, como é claramente ensinado e indicado em outras passagens.
Algumas das passagens citadas devem ser consideradas como avisos àqueles que tiveram uma ligação íntima e duradoura com a verdade de Deus, mas nunca tiveram uma relação vital com ela (Hb 6.3ss.). Outras servem como aviso aos crentes de que são responsáveis por viver de acordo com a vontade de Deus. Além disso, a afirmação de que a certeza da salvação leva à imoralidade e à indolência é baseada em uma concepção errada da doutrina da perseverança. Os santos perseveram em santidade e não na falta dela; eles são salvos *do* pecado, e não *para* o pecado. Tal certeza de sucesso, ao invés de levar à inatividade, é o incentivo mais forte para a atividade na luta contra o pecado. Finalmente, a doutrina da perseverança é consistente com a liberdade humana quando a natureza da liberdade é devidamente entendida. A verdadeira liberdade só existe quando uma pessoa utiliza seu poder de escolha para se encaminhar em direção à santidade. Então o homem nunca é mais livre do que quando conscientemente escolhe aquela que é a vontade de Deus. Ele persevera à medida que permanece na graça de Cristo (*Veja* F. Hauck, "*Meno* etc.", TDNT, IV, 574-588). *Veja* Segurança.

P. D. F.

**PÉRSIA** Os reis assírios foram os primeiros a mencionar a Pérsia em seus relatos. Salmanaser III recebeu tributo dos reis da Parsua em 836 a.C., Tiglate Pileser III invadiu a Parsua em 737, e Senaqueribe lutou contra eles em Halulina em 681. Aquêmenes (Hakhmanish da Pérsia) foi o ancestral epônimo que fundou a dinastia persa. Teispes, filho de Aquêmenes, dois netos, Ariyaramnes e Ciro I, e um bisneto, Cambises, governaram a terra natal, mas foram subordinados aos seus primos mais poderosos do norte, os medos. A pátria deste povo de língua indo-européia era chamada de Parsa, mas eles a chamavam de Airyana, do sânscrito *arya,* "nobre", e a partir daí o atual Irã. O país situava-se a leste de Elão a partir do golfo Pérsico até o Grande Deserto de Sal. Este povo passou pelo planalto do Irã e ocupou esta região no início do primeiro milênio a.C.

A Apadama, ou sala da audiência, do palácio em Persépolis. ORINST

Depois da queda de Nínive, em 612 a.C., os medos controlaram todo o norte da Mesopotâmia. O casamento de Cambises com a filha do rei medo Astíages, resultou no nascimento de Ciro II. Este líder uniu as tribos persas e juntou forças com Nabu-na'id (Nabonido) da Babilônia, em uma revolta contra os medos. Em pouco tempo, o controle da Média caiu nas mãos de Ciro o Grande, e em 547 a.C. ele venceu Creso, o rei de Lídia que governava a Anatólia ocidental.

Aproveitando-se da disputa entre a adoração à lua (Nabu-na'id) e os sacerdotes de Marduque, Ciro conseguiu tomar Babilônia sem sitiá-la, e marchou pela cidade como um libertador em 539. Aparentemente, a fortaleza em que Belsazar, o filho do rei, resistiu, teve que ser tomada à força (Dn 5.30).

Ciro não fez uma mudança radical quando tomou os reinos dos caldeus, mas instituiu reformas. Colocou o templo da Babilônia sob sua própria administração, mas teve uma atitude iluminada em relação às religiões que eram diferentes da sua. Os judeus exilados não foram os únicos a receber liberdade religiosa e voltar para sua terra natal. O império neobabilônico teve uma administração mais liberal. Em contraste, Ciro instituiu "o mensageiro do rei", um sistema de inspeção que vigiava os oficiais. Em 1530 a.C., nove anos depois de ter tomado a Babilônia, Ciro foi morto enquanto lutava com seus inimigos a leste do rio Araxes (atual Araks ou Arax). Seu túmulo ainda pode ser visto perto de sua cidade capital, Pasárgada. Cambises II (530-522 a.C.) distinguiu-se pelo uso de mercenários gregos e estaleiros nabateus para derrotar o exército egípcio em Pelúsio, em 525 a.C., acrescentando assim o Egito ao império. Antes do seu suicídio, eclodiu uma revolta liderada por Gaumata, que afirmava ser Smerdis, um irmão a quem Cambises já havia assassinado.

O império teria se dividido se não houvesse surgido um grande líder na pessoa de Dario I (521-486 a.C.). Foram necessários alguns anos para que Dario acabasse com todas as rebeliões e estabelecesse sua autoridade. Ele então dividiu o império, que se estendia do mar Negro ao rio Indo e do rio Araxes até o Nilo, em 20 províncias sobre as quais ele colocou governadores medos ou persas como sátrapas. Acredita-se que Dario fosse convertido ao zoroastrismo, uma religião fundada por Zoroastro, um profeta que reformou a religião original dos iranianos, que estava intimamente ligada aos vedas hindus. Embora esta fosse uma grande reforma, a religião resultante não era monoteísta, mas um sistema de dualismo em que todas as criaturas estavam sob o poder do "sábio" Ahura-mazda, deus da luz, e também de Arimã (ou Ariman), o pensamento destrutivo. À medida que o zoroastrismo desenvolvia-se, as divindades populares tornaram-se algo semelhante a espíritos malignos, embora Dario dissesse que "Ahura-mazda e

Uma esfinge em baixo-relevo do palácio de Dario em Persépolis. BM

outros deuses existentes" é que o ajudavam". Dario deu continuidade à política iluminadora de Ciro em relação às religiões estrangeiras. Isto é evidenciado pelo seu decreto permitindo aos judeus terminarem a reconstrução do Templo em Jerusalém (Ed 6). Ageu e Zacarias dataram suas mensagens no segundo ano do reinado de Dario (520 a.C.). Esdras 6.15 afirma que o Templo foi completado no terceiro dia do mês de Adar, no sexto ano do reinado de Dario, no ano 515 a.C.

Neste mesmo ano, Dario usou uma embarcação apropriada para construção de pontes, para transpor o Bósforo até a Europa com seu exército. Mas antes que pudesse lutar contra os gregos, ele teria que lutar na pátria dos citas, na costa norte do mar Negro. Nesta campanha os persas chegaram a atravessar o Danúbio, mas as provisões foram poucas para uma expedição daquele porte; então Dario incorporou a Trácia e foi para casa. Sua última tentativa de incorporar a Grécia e sua derrota em Maratona em 490 a.C., são uma parte da história grega.

A maior conquista de Dario foi a organização do império. Cada um dos 20 sátrapas ou mais tinha um secretário, que fazia relatórios confidenciais ao rei. O contato próximo com estes oficiais era possível devido a um sistema extensivo de estradas que iam de um a outro lado do império, e pela transmissão de mensagens por entregas rápidas do correio oficial. Dario continuou a instituição de Ciro II chamada "o olho do rei", pela qual um parente próximo do rei viajava pelo império, verificando a lealdade dos oficiais.

O império tinha muitas cidades capitais. Havia Ecbatana (Ed 6.2; Acmetá), a capital meda original à qual os reis persas recorriam para escapar do calor do verão da sua pátria. Susa (a Susã de Ester), a antiga cidade elamita, tornou-se um centro administrativo. A Babilônia continuou como a capital da Mesopotâmia. Mas a velha capital ancestral em Pasárgada foi apagada pelo novo brilho da capital não muito distante, chamada Persépolis. Artesãos e arquitetos de muitas áreas produziram prédios e esculturas mostrando as influências da Grécia, Egito, e Mesopotâmia. Embora destruída pelo incêndio comandado por Alexandre o Grande, Persépolis ainda é o lugar de exibição das lembranças da Pérsia na atualidade. Dario e seus sucessores construíram e

Tumbas dos reis persas, Naksh-i-Rustam. ORINST

IRÃ
0 50 100 200
ESCALA EM MILHAS
U.R.S.S.
MAR CÁSPIO
TABRIZ
LAGO URMIA
AZERBAIJÃO
RESHT
GURGAN
HYRCANIA
MONTANHAS ELBURZ
DAMGHAN
MESHED
CURDISTÃO
IRAQUE
MÉDIA
TEERÃ
MONTE DEMAVEND
QASR-I-SHARIN
SAR-I-PUL
KERMANSHAH
SAVAH
HAMADÃ
BISITUN
NIHAWAND
TEERÃ
DASHT-I-KAVIR
(DESERTO DE SAL)
KHURASAN
BACTRIA
AFEGANISTÃO
ÁRIA
PÁRTIA
BAGDÁ
MONTES ZAGROS
SUSIANA
ISFAHAN
DASHT-I-LUT
(DESERTO)
DRANGIANA
ARACHOSIA
SUSA
RIO KARUN
IRAQUE
PASÁRGADA
PERSÉPOLIS
SHIRAZ
PAQUISTÃO
PERSIS
GEDROSIA
GOLFO PÉRSICO

embelezaram esta cidade monumental. O próprio Dario deixou uma grande gravação no alto de uma montanha, em uma parte de Behistun. Desenhando a si mesmo e seus prisioneiros com inscrições em persa antigo, elamita, e acádio, Dario assim procurou imortalizar suas conquistas. Mas apenas 100 anos mais tarde, o filósofo grego Platão conheceu Dario não como um construtor e conquistador, mas como um grande legislador. Seus mandamentos e bons estatutos mostram que os escribas de Dario eram muito dependentes do Código de Hamurabi, que já tinha mais de 1.200 anos naquela época.

O estímulo ao comércio foi outra conquista desta monarquia. Ele fez novas explorações das rotas das águas do Egito até a Índia, e restaurou e completou o canal que ligava o Nilo ao mar Vermelho. Ele escreveu sobre uma estela de granito vermelho colocada sobre um banco do canal: "Eu mandei abrir este canal do rio, pelo nome de Nilo, que passa pelo Egito até o mar que vem de Parsa. Depois disso, este canal foi aberto como eu ordenei, e os navios passam do Egito por este canal até Parsa, como foi o meu desejo" (AT. Olmstead, *History of the Persian Empire*, p. 146). O comércio foi ajudado pelo império por um sistema uniforme de pesos e medidas, e uma cunhagem oficial foi adotada. Esta foi uma idéia nova; muitos lugares continuavam a fazer permutas, enquanto outros realizavam pagamentos em espécie.

Em 486 a.C., Xerxes I ascendeu ao trono, sendo considerado o Assuero de Ed 4.6 e do livro de Ester. Ele ascendeu ao trono na época da rebelião, e tinha que punir a Babilônia destruindo o Templo de Marduque. O império asiático estava protegido, mas Xerxes sofreu várias derrotas nas mãos dos gregos, que destruíram sua frota fenícia e tiraram seu exército das terras gregas. Em 464, Xerxes foi assassinado e seu filho, Artaxerxes I, tornou-se rei. Também chamado de Longímano (porque tinha uma das mãos mais comprida do que a outra), ele é conhecido pelos estudantes bíblicos primeiramente pela sua maneira de lidar com os judeus nos dias de Esdras e Neemias. Este último era um alto oficial na corte persa, o copeiro de Artaxerxes. Neemias persuadiu o governador (na segunda metade do seu reino) a enviá-lo a Jerusalém com um mandato para reconstruir seus muros. De acordo com a visão tradicional, Esdras esteve ali anteriormente em uma missão espiritual, na época de Artaxerxes.

Devido aos sucessivos revezes com os gregos, Artaxerxes foi forçado a concordar com a paz de Callias em 449 a.C. Foi concedida liberdade a todas as cidades aliadas de Atenas a oeste da Anatólia, e o exército persa teve que ficar a leste do rio Halys. No reinado de Dario II e Artaxerxes II, o império estava novamente em perigo, cercado de revoltas por todos os lados. Até mesmo o irmão mais novo de Artaxerxes II reuniu 13 mil mercenários gregos em uma tentativa de destronar o rei. Sua fuga da Babilônia através do mar Negro foi imortalizada na obra *Anabasis*, de Xenofonte. Artaxerxes III, com uma ferocidade cruel, destruiu seus inimigos e reafirmou o domínio da Pérsia. Ele colocou um fim à independência egípcia.

Em 336 a.C., Dario III ascendeu ao trono, no mesmo ano em que Alexandre, o filho de Filipe da Macedônia começou a governar a Grécia. Os dois encontraram-se primeiro na batalha ocorrida em Isso, em 333, quando o exército Persa foi derrotado. O rei persa escapou, porém se deparou com a tragédia diante de Alexandre, em Arbela, em 331. Assim terminou o Império Persa dos aquemênidas e a história persa, até onde se concentra o período bíblico. *Veja* Medos.

*Veja* Restauração e Período Persa; Arqueologia: Persépolis.

***Bibliografia***. CornPBE, pp. 573-578. M. J. Dresden, "Persia, History and Religion of", IDB, III, 739-747. Richard N. Frye, *The Heritage of Persia*, Cleveland. World Pub., Co. 1962. R. Ghirshman, *Iran*, Harmondsworth. Penguin, 1954 A. T. Olmstead, *History of the Persian Empire* (*Achaemenid Period*), Chicago. Univ. of Chicago Press, 1948. Donald N Wilber, *Persepolis. The Archaeology of Parsa, Seat of the Persian Kings*, Nova York. Crowell, 1969 (com excelente bibliografia).

E. B. S

**PÉRSIDE** Uma mulher cristã de Roma, saudada por Paulo (Rm 16.12). Ela é identificada como aquela que "muito trabalhou no Senhor".

**PERUDA** Um dos servos de Salomão cujos descendentes retornaram a Jerusalém com Zorobabel (Ed 2.55). Outra forma de seu nome é Perida (Ne 7.57).

**PÉS** *Veja* Pé.

**PESADOR DE TRIBUTOS** Aquele que testava o ouro ou a prata, pesando-os, era conhecido como pesador de tributos (Is 33.18). O termo heb. *shaqal* é empregado diversas vezes no AT para expressar aplicações específicas da idéia de pesar, tanto de forma literal (2 Sm 14.26, de Absalão pesando seu cabelo), quanto figurada (Jó 6.2, de Jó clamando por alguém que medisse sua dor). Em Isaías 33.18 o ponto principal parece ser que, no final, será necessário um grande esforço para que nos lembremos dos perigos atualmente ameaçadores.

**PESAR** O pesar pode ser causado por muitas coisas, daí o uso de várias palavras, a maioria das quais reflete a causa de alguma tristeza específica. Existem cerca de 20 palavras na Bíblia que foram traduzidas como "pesar". Todas elas foram traduzidas com a finalidade de dar crédito aos significados da raiz original.

*As diferentes palavras utilizadas*. Palavras como aquelas listadas abaixo podem ser encontradas tanto no hebraico como no grego, cada uma com seu próprio significado raiz relacionando-se com a escolha específica da palavra que visa expressar um certo pesar. Para uma fácil classificação, elas estão listadas aqui de acordo com seus significados. A natureza, a causa, ou a motivação para o pesar aparece em várias palavras utilizadas.

1. Ira – heb. *hara*, "queimar", "ficar irado" (Gênesis 4.6, "Por que te iraste?"; Gênesis 45.5, "Agora, pois, não vos entristeçais, nem vos irriteis contra vós mesmos"; 1 Samuel 18.8, "Saul indignou-se muito"). Uma justa indignação ou queixa quanto aos efeitos do pecado (a morte) é expressa pelo termo grego *embrimaomai* ("Jesus, pois, movendo-se outra vez muito em si mesmo [*embrimomenos*], foi ao sepulcro", João 11.38, lit.). O termo heb. *ka'as*, "provocação", "ira", "tristeza" (1 Samuel 1.16, "Porque da multidão dos meus cuidados e do meu desgosto tenho falado até agora"; Provérbios 17.25, "O filho insensato é tristeza para seu pai"; Salmo 31.9, "consumidos estão de tristeza os meus olhos" [cf. Ec 1.18; 2.23; Dn 11.30]). O termo heb. *ka'as*, "provocação", "ira" (Jó 6.2, "Oh! Se a minha mágoa retamente se pesasse").

2. Amargura – heb. *marar*, "ficar amargo" (1 Samuel 30.6, "porque o ânimo de todo o povo estava em amargura"; cf. Rt 1.13; Lm 1.20). O lugar onde a água era amarga chamava-se Mara (Êx 15.23; Nm 33.8,9).

3. Desgosto – heb. *qut*, "aborrecimento em" (Salmos 139.21, "Não aborreço eu, ó Senhor, aqueles que te aborrecem?"). Gr. *prosochthizo* (Hebreus 3.10, "Me indignei contra essa geração").

4. Mal – heb. *ra'*, "mal", "calamidade" (Jonas 4.6, "a fim de o livrar do seu enfado"). Heb. *yera'*, "ser mal" (Gênesis 21.11,12, "E pareceu esta palavra mui má aos olhos de Abraão"; cf. Isaías 15.4). Gr. *kakos*, "miseravelmente" (Mateus 15.22, "Minha filha está miseravelmente endemoninhada").

5. Exaustão – heb. *la'a*, "estar cansado", "abatido", "exausto" (Pv 26.15 [cf. Jó 4.2], "O preguiçoso esconde a mão no seio; enfada-se de a levar à sua boca") Gr. *diaponeo*, "padecer", "esforçar-se", "aprimorar-se", "entristecer-se" (Atos 4.2, "doendo-se muito de que ensinassem o povo"; Atos 16.18, "Paulo, perturbado, voltou-se e disse ao espírito...").

6. Frustração – heb. *puqa*, "uma pedra de tropeço" (1 Samuel 25.31, "não te será de tropeço").

7. Dor – heb. *mak'ob*, "dor", tristeza", "sofrimento" (2 Crônicas 6.29, "conhecendo cada um a sua... dor"; Salmo 69.26, "perseguem a quem afligiste e conversam sobre a dor daqueles a quem feriste"; Isaías 53.3, "homem de dores").

8. Manifestação de pesar – heb. *yagon*, "manifestação de pesar", "tristeza", "aflição" (Salmo 31.10, "A minha vida está gasta de tristeza"; Jeremias 45.3, "Me acrescentou o Senhor tristeza à minha dor!"). Gr. *lupe*, "pesar", "queixa" (1 Pedro 2.19, "... alguém, por causa da consciência para com Deus, sofra agravos"; cf. Hebreus 12.11). Gr. *lupeo*, "queixar-se", "afligir" (Marcos 10.22, "Mas ele... retirou-se triste"; João 21.17, "Simão entristeceu-se"; cf. Rm 14.15; 2 Co 2.4; Mc 3.5). Gr. *stenazo*, "gemer", "suspirar" (Hebreus 13.17, "para que o façam com alegria e não gemendo").

9. Mau humor – heb. *hames*, "estar azedo", "fermentado" (Salmos 73.21, "O meu coração se azedou").

10. Irritação – heb. *'asab*, "irritar ou aborrecer", "provocar" (Salmos 78.40, "Quantas vezes o provocaram..."; Gênesis 45.5, "Não vos entristeçais, nem vos pese aos vossos olhos"; cf. 1 Sm 20.3,34; 2 Sm 19.2; Ne 8.11).

11. Fraqueza – heb. *hala*, "estar doente", "estar fraco" (Isaías 57.10, "por isso, não desfaleces"; Amós 6.6, "não vos afligis"; também Jeremias 10.19; 14.17; 30.12; Na 3.19). Heb. *holi*, "enfermidade", "fraqueza", "dor" (Isaías 53.3, "homem de dores"; Isaías 53.4, "Verdadeiramente, ele tomou sobre si as nossas enfermidades"; também Jeremias 6.7; 10.19).

*As causas do pesar*.

1. Pesar pelo pecado do homem. Isto é visto em Isaías 53 onde Jesus é chamado de homem de dores (v. 3).

2. Pesar por nosso pecado. A tristeza pelas conseqüências do que fizemos, quando não acompanhada pelo verdadeiro arrependimento, é apenas remorso (Hb 12.15-17), em contraste à tristeza piedosa pelo ato pecador em si, que acompanha um verdadeiro arrependimento (2 Co 7.9,10; 2 Sm 12.13; Sl 32; 38.18).

3. Pesar pelos entes queridos que morreram. Davi chorou pela morte de seu primeiro filho com Bate-Seba (2 Sm 12.15-23), mas foi confortado pelo fato de que seu filho estava no céu e, portanto, disse: "Eu irei a ela (à criança), porém ela não voltará para mim". Maria, Marta e o próprio Senhor Jesus Cristo choraram pela morte de Lázaro (Jo 11.19,35,38). O único conforto que tinham era que Jesus poderia ressuscitar os mortos – e o fez, no caso específico de Lázaro, naquela época, embora ele deva ter morrido novamente para aguardar a ressurreição como os demais homens. O conforto para o cristão é que Jesus não permitirá que ele morra eternamente, isto é, experimente a segunda morte, mas o ressuscitará no momento do arrebatamento (*q.v.*, Jo 11.25; 1 Ts 4.14-18; 1 Co 15.52-55).

4. Pesar pelos entes queridos que estão eternamente perdidos. Deste pesar o próprio Deus cuidará, particularmente na era eterna de seu reino, em cumprimento à sua promessa: "E Deus limpará de seus olhos toda lágrima, e não haverá mais morte, nem pranto, nem clamor, nem dor" (Ap 21.4). Isto deve ser realizado de duas maneiras. Primeiro, pela remoção dos primeiros céus e da primeira terra tão completamente (Ap 20.11; 21.1,4) a ponto de Deus poder dizer: "Porque eis que eu crio céus novos e nova terra; e não haverá lembrança das coisas passadas, nem mais se recordarão" (Is 65.17). Segundo, haverá um conforto direto que Deus dará aos seus. Em Isaías 65.18 Deus diz: "Mas vós folgareis e exultareis perpetuamente no que eu crio; porque eis que crio para Jerusalém alegria e para seu povo, gozo" (cf. Is 51.11). Ele também prometeu a Israel extinguir a morte. "Aniquilará a morte para sempre, e assim enxugará o Senhor Jeová as lágrimas de todos os rostos, e tirará o opróbrio do seu povo de toda a terra; porque o Senhor o disse" (Is 25.8). Paulo usa este verso em 1 Coríntios 15.54 como uma prova da ressurreição e do arrebatamento de todos os crentes na segunda vinda de Cristo.

*Veja* Sofrimento.

R. A. K.

**PESCADOR, PESCA** *Veja* Ocupações: Pesca.

**PESCOÇO** Essa palavra indica uma parte da estrutura física (Gn 46.29; At 20.37) e é usada, com freqüência, de forma figurada. Às vezes ela significa graça ou dignidade (Ct 4.4; 7.4). Expor o pescoço (ou a cabeça) significa arriscar a própria vida (Rm 16.4). Chegar até o pescoço significa aproximar-se do ponto de total destruição (Is 8.8; 30.28), e a expressão colocar os pés no pescoço significa conquistar (Js 10.24). Como os animais de carga carregam o jugo sobre o pescoço, falar em levar algo sobre o pescoço significa serviço. Dessa forma, Cristo convida todos a carregar seu jugo (subentende-se o pescoço, Mt 11.29). As pessoas que demonstram uma atitude obstinada e rebelde são consideradas inflexíveis (*q.v.*; Êx 32.9; At 7.51), um termo que em outros idiomas está relacionado ao pescoço.

**PESOS, MEDIDAS E MOEDAS** Nos tempos bíblicos as declarações de peso ou medida eram necessariamente aproximadas. Punhados, o percurso de uma flecha, uma viagem de um dia, e partes do corpo tais como o dedo, a palma e o palmo constituíam unidades de medida. Os pesos eram julgados pela mão ou com balanças portáteis ou fixas. O potencial para a fraude era grande, e as balanças enganosas (ou falsas) eram objeto de freqüente denúncia profética (por exemplo, Pv 11.1; 20.23; Os 12.7; Am 8.5; Mq 6.11). A ordem mosaica, "Balanças justas, pedras justas, efa justo e justo him tereis" (Lv 19.36), ecoou por todo o AT (por exemplo, Dt 25.15; Pv 16.11; Ez 45.10).

Algumas unidades de medida eram comuns para todo o antigo Oriente Próximo. O côvado, por exemplo, era usado no Egito, Canaã e Mesopotâmia, embora seu comprimento variasse em cada região. No Egito, o côvado comum ou curto equivalia a 45 cm (seis palmos de largura), e o côvado nobre (real) ou longo era de 52,5 cm (sete palmos); na Mesopotâmia, o côvado nobre variava de 49,5 a 50 cm. Em geral, os pesos e medidas israelitas aproximavam-se mais do sistema babilônico-assírio do que do egípcio.

No entanto, embora suas unidades de peso e medida fossem basicamente as mesmas da Mesopotâmia, o sistema israelita de cálculo era diferente. Os israelitas parecem ter usado um sistema misto, em parte seguindo o sistema decimal (de 10 em 10) e em parte o sistema babilônico-assírio, que era sexagesimal, com 60 siclos para uma mina e 60 minas para um talento (cf. nossos minutos de 60 segundos e horas de 60 minutos).

O fato de Senaqueribe e os israelitas calcularem o tributo em ouro exigido de Ezequias como 30 talentos, é uma evidência de que eles estavam usando o mesmo sistema de medida (cf. 2 Rs 18.14 com ANET, p. 288).

### Pesos

No AT o termo "peso" é geralmente a tradução do termo heb. *'eben* ("pedra") ou *mishqal* ("peso"). O segundo vem da raiz verbal *shakal*, "pesar", enquanto o primeiro surge a partir do uso comum de pedras como pesos de equilíbrio nas balanças. Os pesos de bronze também eram às vezes usados como padrões nobres (ou reais). Em um peso de bronze da Assíria em forma de leão está escrito. "Palácio de Salmaneser, rei de Assur, dois-terços de mina do rei" (ANEP #119). Um touro reclinado em bronze dos pesos de Ugarite pesa 468,5 gramas e traz o símbolo cananeu para "20", evidentemente o peso de 20 siclos. A sua unidade é o dobro do siclo palestino (BA, XXII [1959], 21, fig. 1). Os pesos israelitas e cananeus eram geralmente de formatos mais simples (por exemplo, com o formato de barril ou domo) quando comparados com os exemplos mesopotâmios e egípcios que tinham formatos de patos, leões e outras criaturas.

Os estudiosos têm tido grande dificuldade para classificar os antigos pesos hebreus. A Palestina nos tempos do AT possuía muitos sistemas de pesos durante sua longa história de domínio por vários povos. Embora o sistema hebreu fosse criado a partir do modelo babilônico, pode-se presumir que havia sistemas independentes que provavelmente variavam ligeiramente de região para região e de acordo com as mercadorias que estavam a venda. Mesmo hoje o farmacêutico, o feirante e o joalheiro usam padrões diferentes. Além disso, dois antigos pesos de pedra hebreus com a mesma inscrição não tinham exatamente o mesmo peso (DOTT, pp. 227ss.).

*No AT*

1. O "talento" (heb. *kikkar*, significando "redondo") era geralmente um peso redondo de ouro ou prata (cf. 2 Sm 12.30; 1 Rs 9.14), mas também de ferro (1 Cr 29.7) e bronze (Êx 38.29). O pesado talento babilônico pesava 60 quilos; o talento leve, 30 quilos. Em Israel o talento pesava aprox. 34 quilos.

2. A "mina" ou "arrátel" (heb. *maneh*) equivalia a 50 ou 60 siclos (Ez 45.12 cf. as versões que seguem a Septuaginta). Portanto, a mina mais leve do sistema comum ou fenício pesava 567 gramas. Ele era usado para pesar ouro (1 Rs 10.17) e prata (Ed 2.69; Ne 7.71). Sessenta minas ou arráteis equivaliam a um talento. Pesos de mina inscritos da Assíria e da Babilônia indicam uma mina de 60 siclos de

Antigas medidas hebraicas de líquidos encontradas na Palestina. Cortesia da igreja de São Pedro do Canto do Galo, Jerusalém

Parte de uma antiga medida egípcia de côvado com detalhes astronômicos. Ela foi dividida em sete "palmos", que por sua vez foram divididos em quatro "dígitos". Neste exemplo os dígitos também estão subdivididos. LL

aprox. 1 kg (ANEP #118-119). Um peso redondo de calcário encontrado na região de Jerusalém possui uma inscrição grega afirmando que ele é de três minas e data do ano 32 do rei Herodes (9 a.C.). Visto que pesa 1.233 gramas, ele está relacionado à mina ática, que tem aprox. 437 gramas.

3. O "siclo" (heb. *sheqel*). Nos tempos antigos o "siclo" era a medida padrão de peso. Após a invenção da cunhagem, o nome foi dado a uma moeda. Muitos pesos inscritos das cidades do sul da Palestina parecem indicar um siclo ou seus múltiplos. Alguns destes pesos de balança de pedra estão inscritos com o antigo heb. *n-s-p*, um termo que aparentemente significa "metade". O prof. R. B. Y. Scott acredita que o *n-s-p* era o antigo "meio" siclo ou siclo "leve" dos reinos siro-palestinos testemunhado em Ugarite, e este era o siclo comumente usado em Israel e Judá antes da nova padronização do sistema de pesos no reinado de Josias. Os pesos em siclos no novo padrão eram mais pesados e possuíam o símbolo de uma linha em forma de alça, que pode representar a bolsa amarrada na qual os pedaços de prata eram guardados.

A proporção entre os dois sistemas parece ter sido 5.6, sendo acrescentado um quinto à massa do depreciado siclo "leve". Um peso de oito siclos do novo padrão era então equivalente à unidade egípcia *deben* de 91 gramas, uma questão de grande conveniência para as transações comerciais (BASOR #200 [1970], pp. 62-64). Os pesos *n-s-p* têm uma massa média de aprox. 9,8 gramas (variando de 9,2 a 10,5 gramas). Os pesos com "linha em alça" mostram uma variação de 10,8 a 11,7 gramas. Por razões ligadas à utilização, o siclo oficial na Judéia depois da padronização pode ter sido estabelecido em 11,35 até 11,4 gramas. Parece ter havido também um siclo "pesado" de aprox. 13 gramas, talvez usado para pesar um produto específico (BA, XXII [1959], 32-39).

O siclo era usado para pesar armaduras de bronze (1 Sm 17.5), uma ponta de lança de ferro (1 Sm 17.7) e, sugerindo o valor, o ouro e a prata (Js 7.21; Êx 21.32). Tanto seu peso exato quanto o valor dos metais variavam. Em geral, o siclo de ouro valia aprox. 10 dólares americanos; em prata, 67 centavos de dólar americano. O "siclo do santuário" (Êx 30.13; Lv 5.15), isto é, "pelo padrão sagrado", era equivalente a 20 geras. Este era menor em um sexto do que o siclo comum babilônico de 24 giros em uso naquela época. Um quarto de um siclo de prata é mencionado em 1 Samuel 9.8; um terço de um siclo aparece em Neemias 10.32, e aparentemente em 1 Samuel 13.21 como a quantidade a ser paga para ter os machados amolados (cf. Septuaginta).

4. O "pim" (heb. *pim*) aparece em 1 Samuel 13.21 como o exorbitante preço filisteu em prata para amolar as relhas e enxadas. Ele possivelmente equivale a dois terços de um siclo, ou 7,5 gramas. Vários pesos pequenos inscritos com *p-y-m* foram encontrados em escavações por toda a Palestina. O peso médio deles era de 7,76 gramas.

5. O termo "beca" (heb. *beqa'*, significando "metade") é usado para um peso de meio siclo em Êxodo 38.26; cf. Gênesis 24.22. Pesava aprox. 5,5 gramas.

6. O "gera" (heb. *gera*) foi várias vezes estipulado como sendo um vinte avos de um siclo, ou 0,55 gramas (por exemplo, Êxodo 30.13; Ez 45.12).

7. A "peça de dinheiro" de Gênesis 33.19 e Jó 42.11, e a "peça de prata" de Josué 24.32 (heb. *q^esita*) podem ter sido uma unidade de peso de valor desconhecido. A Septuaginta traduz *q^esita* como *amnos* (cordeiro) em Gênesis 33.19 e como *amnas* (cordeira) em Josué 24.32 e Jó 42.11; portanto, o peso tinha possivelmente a forma de um cordeiro de metal, ou também é possível que os tradutores tenham expandido a palavra *mna*, a forma grega de mina.

*No NT*

8. O "talento" (gr. *talanton*) variava grandemente, e ia de 26 a 36 quilos. O nome foi mais tarde aplicado a uma unidade de cunhagem com valores diferentes, mas comparativamente altos. O termo ocorre apenas em Mateus 18.24; 25.15-28 (relacionado a dinheiro) e em Apocalipse 16.21 (relacionado a peso). *Veja* Talento.
9. A "libra" (gr. *litra,* do lat. *libra*) era uma libra romana de 12 onças (aprox. 340 gramas). É mencionada duas vezes, em João 12.3 e 19.39, falando do bálsamo derramado sobre os pés de Jesus e as especiarias usadas em seu sepultamento. A "libra" (gr. *mna*) aparece apenas como uma unidade monetária em Lucas 19.13-25 (cf. moedas abaixo).

### Medidas de Secos

As medidas de capacidade mais antigas eram as naturais. O "punhado" era um recipiente óbvio para medir pequenas quantidades de cereais. Medidas maiores dependiam do tamanho dos recipientes domésticos, tais como um "odre" de vinho (1 Sm 25.18; 2 Sm 16.1).
*No AT*
1. O "gômer" [1] (heb. *homer*, do acádio *imeru*, "jumento") era uma medida bastante grande e supostamente a carga normal de cereais sobre um jumento. Nos textos assírios médios e nuzianos, o *imeru* parece equivaler a aprox. 3,8 alqueires. Um gômer de cevada valia 50 siclos de prata nos dias de Moisés (Lv 27.16). Em Israel o gômer (ou ômer) era equivalente a um coro e igualado a dez batos ou dez efas (Ez 45.11-14 [ômer todas]), e era estimado como tendo de quatro a seis alqueires e meio.
2. O "coro" (heb. *kor*) de Ezequiel 45.14 é traduzido como "medida" em 1 Reis 4.22; 5.11; 2 Crônicas 2.10; 27.5; Esdras 7.22. Como uma medida de líquidos, o coro era equivalente ao ômer (Ez 45.14).
3. "Meio ômer" é o suposto significado atribuído por várias traduções antigas à palavra heb. *letek* (ugatítico *lth*). O termo ocorre apenas em Oséias 3.2 como uma medida de cevada, e é transliterado como "leteque". Se fosse igual a "meio ômer", o *letek* teria sido equivalente a dois ou três alqueires.
4. O "efa" (heb. *epa*), uma medida de gãos, equivalia a um décimo de um ômer. Era igual em volume ao bato, uma medida de líquidos (Ez 45.11). Seu tamanho era de aproximadamente meio alqueire, variando de 13 a 21 quartos. Em Zacarias 5.6-10, a palavra "efa" também aparece como o nome de um receptáculo para cereais.
5. O "seá" (Gênesis 18.6, traduzido como "medida", heb. *s$^{e}$'a*) era uma medida de farinha e grãos. Era um terço de um efa, ou variava de cinco e sete quartos.
6. O "gômer" [2] (heb. *'omer*; na LXX *gomor*; não o mesmo gômer mencionado no tópico 1) foi usado no ajuntamento do maná (Êx 16.13-36). Ele continha um décimo de um efa e, portanto, um centésimo de um gômer [1], ou dois quartos secos.
7. A "décima parte" (heb. *'issaron*) provavelmente se referia à décima parte de um efa. Sendo assim, a medida seria igual ao gômer. Era usado na preparação da oferta de manjares (cf. Êxodo 29.40).
8. O "cabo" (heb. *qab*), uma medida de quantidade incerta, aparece apenas em 2 Reis 6.25. Josefo (*Ant.* iv.4.4) entende que um quarto de um *qab* equivale ao latim *sextarius*, ou aprox. um quartilho. Fontes rabínicas sugerem que o *qab* equivalia a um dezoito avos de um efa, ou aprox. 2,3 quartilhos.
9. O "punhado" era sempre uma aproximação inexata. A palavra "punhado" na versão KJV em inglês traduz várias expressões diferentes significando, por exemplo, o que cabe em duas mãos colocadas juntas em forma de concha (Êx 9.8), em uma mão fechada (heb. *qomes*, Lv 2.2; 5.12; 6.15), ou na palma da mão (Ec 4.6).
*No NT*
10. A palavra grega traduzida como "medida" (também coros ou alqueires) em Lucas 16.7 é *koros*. O nome é derivado do heb. *kor* (veja acima). Era uma medida grande perfazendo de 11 a 17 alqueires.
11. O termo "medida" em Mateus 13.33 e Lucas 13.21 é a tradução da palavra grega *saton* (do heb. *s$^{e}$'a*, veja acima). Ele equivalia a um modii e meio (Josefo, *Ant.* ix.4.5), o *saton* continha cerca de 12 quartos.
12. O "alqueire" (gr. *modios*, do latim *modius*), mencionado na ilustração de Jesus (Mt 5.15; Mc 4.21; Lc 11.33), era uma pequena medida de cereal contendo 16 "logues" ou "sextários", ou ainda oito quenizes, que equivalem a aproximadamente oito quartos secos ou um celamim (uma medida equivalente à décima sexta parte do alqueire, ou 2,27 litros).
13. A "medida" de Apocalipse 6.6 (queniz) é o gr. *choinix*. Freqüentemente usado para cereais, ela continha aprox. um quarto. Um *choinix* de cereal era considerado a porção diária por homem no exército de Xerxes que invadiu a Grécia (Heródoto vii.187).

### Medidas de Líquidos

*No AT*
1. O "bato" (heb. *bat*) era igual em volume ao efa, uma medida de secos. Uma vez que o heb. *bat* também significa "filha", é conjecturado que o termo possa especificar a capacidade dos cântaros de água carregada do poço pelas filhas dos domésticos (BA, XXII [1959], 29; cf. Gn 24.15). Cada bato era um décimo de um ômer (Ez 45.11,14). Cântaros de bronze marcados com "bato" encontrados em Tel Beit Mirsim e Laquis tinham uma capacidade estimada de aprox. vinte litros. De acordo com a informação de Josefo, o termo "bato" era aparentemente aplicado a uma

medida padrão maior nos tempos do NT (veja abaixo).

2. Um exemplo egípcio de um cântaro de um "him" (egípcio *hn* ou *hyn*; heb. *hin*) continha cerca de um quartilho. De acordo com Josefo (*Ant.* iii.8.3), o him hebreu era muito maior, sendo um sexto de um bato ou aprox. 3,8 litros. Um sexto de um him de água era a porção de bebida de Ezequiel (4.11), mas a medida era geralmente associada com as ofertas – em Êxodo 29.40 e Números 15.6 com a oferta de manjares, em Êxodo 30.24 com o óleo da unção, em Levítico 23.13 com a libação de vinho. Em Levítico 19.36 a palavra aparece como o nome de um recipiente com a capacidade de um him.

3. Um "logue" ou "sextário" (heb. *log*; ugarítico *lg*), a menor medida bíblica de capacidade, é mencionada apenas em especificações do azeite que deveria ser usado nas cerimônias de purificação para os leprosos (Lv 14.10-24). Continha um doze avos de um him ou aprox. dois terços de um quartilho.

*No NT*

4. A "metreta" (gr. *metretes*) é mencionada em João 2.6. Originalmente uma medida ática, a *metretes* continha aprox. 34 litros. Portanto, as seis talhas de água que o Senhor Jesus transformou em vinho teriam totalizado algo entre 380 e 570 litros.

5. A "medida" ou "cado" (gr. *batos*, do heb. *bat*) de Lucas 16.6 tinha um volume de 72 "logues" ou "sextários", aprox. 38 litros (cf. Josefo *Ant.* viii.2.9).

6. O pequeno "jarro" (gr. *xestes*, possivelmente uma variante do lat. *sextarius*) continha aproximadamente um quartilho. O "logue" ou "sextário" era a décima sexta parte de um

Antigas medidas hebraicas de secos encontradas na Palestina. Cortesia da igreja de São Pedro do Canto do Galo, Jerusalém. Para interpretar a ilustração, é necessário saber que *gomer* é a forma grega para *omer*. O tamanho é medido em centímetros na parte inferior.

Antigos pesos hebraicos encontrados na Palestina. Cortesia da igreja de São Pedro do Canto do Galo, Jerusalém

modius. O termo gr. *xestes* aparece apenas em Marcos 7.4 como o nome de um jarro ou cântaro.

### Medidas Lineares

O côvado era a principal unidade de medida linear no mundo do AT. Como o comprimento do antebraço de um homem, ele era um meio natural e sempre disponível de medir distâncias curtas como as dimensões de uma construção, a altura de um homem, a espessura de um muro, ou a largura de um tecido. As distâncias maiores eram expressas como "um tiro de arco" (Gn 21.16), "uma jeira de terra" (1 Sm 14.14), "caminho de um dia" (Nm 11.31; 1 Rs 19.4; Jn 3.4; Lc 2.44), "caminho de três dias" (Gn 30.36; Êx 3.18; 8.27; Nm 10.33; Jn 3.3), "sete dias de jornada" (Gn 31.23; 2 Rs 3.9). O "caminho de um dia" a pé consistia comumente de 32 a 40 quilômetros, mas variava de acordo com o terreno, o clima e o vigor das pessoas que estavam viajando. O "caminho de um sábado" nos tempos dos NT era de cinco ou seis estádios (veja o item 8 abaixo), ou cerca de 1.000 a 1.200 metros. O monte das Oliveiras ficava à distância do caminho de um sábado de Jerusalém (At 1.12). *Veja* Caminho de Um Sábado. A palavra traduzida como "passo" (heb. *oa'ad*) tem aprox. 75 a 150 centímetros (2 Sm 6.13; 22.37).

*No AT*

1. A "cana" (heb. *qaneh*) era primeiramente um instrumento para medir distâncias, como a nossa trena (Ap 11.1). Esta cana podia ser encontrada ao longo da maior parte das margens dos rios da Palestina, onde ela cresce de um a três metros de altura (Jó 40.21; Salmos 68.30 etc.; Isaías 35.7). Como uma unidade de medida ela era cortada para ter seis côvados. Com base no côvado comum de 45 centímetros, ela teria 2,70 metros. A cana de medir usada para medir o Templo de Ezequiel era de seis côvados longos, de sete larguras da palma da mão cada, ou aprox. 3 metros e 6 centímetros (Ez 40.5). Uma cana ou vara de ouro foi usada para medir a cidade santa de Jerusalém que descerá do céu (Ap 21.15).

2. O "côvado" (heb. *'amma*) aparece freqüentemente, mas com comprimentos diferentes. O côvado comum (por exemplo, Dt 3.11; Êx 25–27; 36–38) de seis larguras da palma da mão era provavelmente de 45 cm, o comprimento do antebraço de um homem, do cotovelo até a ponta do dedo médio. O côvado mais longo de Ezequiel 40.5 e 43.13 (onde a expressão é um côvado e a largura de um palmo) era igual ao côvado egípcio, de aprox. 52,5 cm de comprimento. A Inscrição de Siloé diz que o túnel ou canal que Ezequias construiu (2 Cr 32.30) tinha 1.200 côvados de comprimento. Medindo o túnel, tem-se como resultado que o côvado utilizado era de 45 centímetros de comprimento. O comprimento das duas portas idênticas de Salomão nas cidades de Megido e Hazor encontradas por arqueólogos eram de 20,3 metros, ou 45 côvados (7,5 canas) de 45 cm. Uma vez que este é o comprimento do côvado egípcio comum, isto sugere que o arquiteto de Salo-

mão pode ter sido um egípcio (BA, XXII [1959], 26).
3. O côvado curto ou de dois terços (heb. *gomed*) tinha a distância do cotovelo até o pulso, e era igual a quatro larguras da palma da mão. O comprimento da espada de Eúde (Jz 3.16; a Septuaginta, porém, utiliza o termo "palma" [gr. *spithames*]), que era de aprox. 30 centímetros.
4. O "palmo" (heb. *zeret*), isto é, a distância entre o polegar estendido e o dedo mínimo, era de meio côvado, ou cerca de 22 centímetros. O éfode e o peitoral deveriam ser de um palmo quadrado (Êx 28.16; 39.9); Golias media seis côvados e um palmo de altura (1 Sm 17.4).
5. A largura da palma da mão ou "palma" (heb. *tepah* ou *topah*) era a largura de uma mão na base dos quatro dedos. Tinha cerca de um sexto de um côvado, ou quase 7,5 cm, e era usada para medir a moldura ao redor da mesa no Tabernáculo (Êx 25.25), a espessura do mar de fundição de Salomão (1 Rs 7.26), e os ganchos para pendurar os instrumentos de imolação no Templo de Ezequiel (Ez 40.43).
6.O "dedo" (heb. *'eoba'*) era a menor medida linear israelita. Com cerca de 1,9 cm, ele aparece apenas em Jeremias 52.21, onde foi dito que duas colunas ocas eram de quatro dedos de espessura.
*No NT*
7. A "milha" (Mateus 5.41; gr. *milion,* do lat. *mille*) equivalia à milha romana. Literalmente, 1.000 passos, a distância foi fixada em 1.600 metros.
8. O "estádio" (gr. *stadion*) era de aprox. 200 metros, ou um oitavo de uma milha romana.
9. A "braça" (gr. *orguia*) é mencionada apenas em Atos 27.28. A distância dos braços de um homem estendidos horizontalmente, isto é, aprox. 1,98 metros. A braça era usada por marinheiros para medir a profundidade da água.
10. O "côvado" (gr. *pechys*, lit. "antebraço"), como uma medida de comprimento, era de aprox. 45 centímetros (Jo 21.8; Ap 21.17). A pergunta do Senhor Jesus – "Qual de vós poderá, com todos os seus cuidados [ou *preocupaeões*], acrescentar um côvado à sua estatura?" (Mt 6.27; cf. Lc 12.25) – pode ser uma expressão figurativa com relação a acrescentar uma única hora à própria vida (Arndt, p. 662).

### Medidas de Área

A "jeira" é a única unidade de área mencionada na Bíblia Sagrada (heb. *ma'ana*, 1 Samuel 14.14; heb. *semed*, lit., "par", Isaías 5.10). Seu tamanho é incerto, mas a segunda palavra hebraica sugere a quantidade de terra que uma junta de bois poderia arar em um dia. A terra também era medida pela área que poderia ser cultivada com uma quantidade específica de cevada (Lv 27.16).

Moeda de Alexandre o Grande, de Persépolis, Pérsia. ORINST

### Moedas

Antes do desenvolvimento da moeda corrente, os homens trocavam mercadorias e serviços utilizando a permuta. Suas palavras para gado e para dinheiro mostram o lugar central que o gado possuía nos sistemas romanos e israelitas de permuta. A palavra lat. *pecunia* (dinheiro) vem de *pecus* (gado), enquanto a palavra hebraica comum para gado, *miqneh*, pode significar "preço de compra" ou "posse (adquirida por meio de compra)", como acontece em Gênesis 17.12,13; 23.18; Levítico 25.16. Naturalmente, outras mercadorias e animais, como ovelhas e cabras, também eram usados nas permutas. Hirão foi pago em azeite e trigo por sua ajuda na edificação do Templo (1 Rs 5.11).
Com o passar do tempo, o homem passou a usar metais, principalmente o ouro, a prata e o bronze, como meio de troca. A princípio, antes da introdução da cunhagem, o metal usado na troca era de vários tamanhos, formas e pesos. Assim, Abraão pagou o campo de Macpela pesando 400 siclos de prata (Gn 23.16), e Acã furtou de Jericó uma barra (ou cunha) de ouro que pesava 50 siclos, e uma quantidade de prata que pesava 200 siclos (Js 7.21). A palavra "siclo" foi o nome de uma unidade de peso, muito antes de se tornar o nome de uma moeda. O que Abraão deu em pagamento e o que Acã furtou não eram moedas; eram quantidades não descritíveis de ouro e prata. As jóias e os objetos intencionalmente criados também eram avaliados em relação ao seu peso (cf. Gn 24.22).
Em negociações comerciais, ouro ou prata eram pesados na presença dos participantes, como fizeram Abraão e Efrom (Gn 23.13). Jeremias pesou 17 siclos de prata pelo campo de Anatote (Jr 32.9), e Esdras pesou a prata e o ouro que seriam levados ao Templo em Jerusalém (Ed 8.24-30). É difícil fazer comparações exatas entre o valor do siclo de prata ou de ouro e o nosso dinheiro moderno, uma

# TABELAS DE PESOS, MEDIDAS E MOEDAS

## Pesos

| Termo Hebraico ou Grego | KJV | Proporção | Métrico Aproximado | Equivalente EUA |
|---|---|---|---|---|
| *No AT* | | | | |
| *Kikkar* | talento | *3.000 siclos* | 34,2 kg. | 75 lb. |
| *Maneh, mina* | libra | *50 siclos* | 0,57 kg. | 1.25 lb. |
| *Shekel* (oficial, 625 a.C.) | | | 11,4 gm. | 0.4 oz. |
| *Pim* | | *2/3 siclo* | 7,6 gm. | 0.27 oz. |
| *Bekah* | | *1/2 siclo* | 5,7 gm. | 0.20 oz. |
| *Gerah* | | *1/20 siclo* | 0,57 gm. | 0.02 oz. |
| *No NT* | | | | |
| *Litra* | libra | | 0,34 kg. | 12 oz. |
| *Talanton* | talento | | | 58-80 lb. |

## Medidas de Secos e Líquidos

| Termo Hebraico ou Grego | KJV | Proporção | Métrico Aproximado | Equivalente EUA |
|---|---|---|---|---|
| *No AT* | | | | 6.25 bu. |
| *Homer – cor* | | 10 *efas* 10 *batos* | 220 litros | 58 gal. |
| *Letek* | | 1/2 *gômer* | 110 lit. | 3.12 bu. |
| | | | | 0.625 bu. |
| *Ephah – bath* | | | 22 lit. | 5.8 gal. |
| *Seah* | | 1/3 *efa* | 7,33 lit. | 6.67 qt. secas |
| *Hin* | | 1/6 *bato* | 3,67 lit. | 1 gal. |
| *Omer – 'issarôn* | | 1/10 *efa* | 2,2 lit. | 2 qt. secas |
| *Qab* (cab) | | 1/18 *efa* | 1,3 lit. | 2.3 pt. |
| *Log* | | 1/72 *bato* | 0,31 lit. | 0.64 pt. |
| *No NT* | | | | |
| *Koros* | medida | | | 11-17 bu. |
| *Batos* | medida | 72 *sextários* | 39,6 lit. | 10.4 gal. |
| *Metretes* | metreta | | 35 lit. | 9 gal. |
| *Saton* | medida | 24 *sextários* | 13,2 lit. | 12 qt. secas |
| *Modios* | alqueire | 16 *sextários* | 8,8 lit. | 1 celamim |
| *Choinix* | medida | 2 *sextários* | 1,1 lit. | 1 qt. |
| *Xestes* | jarro | 1 *sextário* | 0,55 lit. | 1 pt. |

## Medidas Lineares

| Termo Hebraico ou Grego | KJV | Proporção | Métrico Aproximado | Equivalente EUA |
|---|---|---|---|---|
| *No AT* | | | | |
| *qaneh* | Cana | 6 côvados | 2,67 m. | 8 ft. 9 in. |
| | Cana (Ez) | 6 côvados | 3,12 m. | 10 ft. 3 in. |
| *ammâ* | Côvado | (6 larguras de uma mão) | 44,45 cm. | 17.5 in. |
| | Côvado (Ez) | (7 larguras de uma mão) | 52 cm. | 20.5 in. |
| *zeret* | Palmo | 1/2 côvado | 22,2 cm. | 9 in. |
| *tepah* | Largura do Palmo | 1/6 côvado | 7,4 cm. | 3 in. |
| *'esba'* | Dedo | 1/24 côvado | 1,85 cm. | 3/4 in. |
| *No NT* | | | | |
| *milion* | Milha | Milha romana (1000 passos) | 1,48 km. | 4.854 ft. |
| *stadion* | Estádio | 1/8 milha romana | 185 m. | 607 ft. |
| *orguia* | Braça | 4 côvados | 1,85 m. | 6 ft. |
| *pechys* | Côvado | | 46,25 cm. | 18 in. |

## Moedas

| Judaicas | Gregas | Romanas | Equivalente Aproximado EUA |
|---|---|---|---|
| *Lepton* ("centavo") | | 1/2 *quadrante* | 1/8 centavo |
| | | *quadrante* ("centavo") | 1/4 centavo |
| | | *asse* ("centavo") | 1 centavo |
| | *dracma* | *denário* ("centavo") | 16 centavos |
| | *didracma* | 2 *denários* | 32 centavos |
| | *estáter* | 4 *denários* | 64 centavos |
| | 25 *dracmas* | *aureus* | 4 dólares |
| | *mina* ("libra") | 100 *denários* | 16 dólares |
| | talento | 240 *aurei* | 960 dólares |

***Nota: o termo "sextários" corresponde ao termo "logues"; o termo "asse" corresponde ao termo "ceitil"; KJV = versão KJV em inglês; Métrico Aproximado = medidas aproximadas no sistema métrico; kg. = quilogramos; gm. = grama; lb. = libra; oz. = onça; gal. = galão; in. = polegada; ft. = pé.***

Moedas de Bruto (esquerda) e Marco Antônio. BM

vez que o poder de compra de cada um varia, e as medidas de peso usadas naquela época variavam com o tempo e o lugar.

*Origem das moedas.* As primeiras moedas eram pedaços de eletro (uma liga natural de ouro e prata) estampados por negociantes com suas próprias marcas garantindo assim seu valor. Por terem sido de tamanho, qualidade e peso padrão, as moedas ofereciam um meio de troca mais simples e mais exato.

A primeira série de moedas a chegar perto de ser uniforme veio de Lídia na Ásia Menor em aprox. 700 a.C. (Heródoto i.94). Cidades gregas na costa na Ásia Menor e na Grécia rapidamente adotaram esta idéia. Com a conquista persa de Sardes em 547 a.C., o uso de moedas difundiu-se grandemente por toda parte (cf. "Coinage. Greek", *Oxford Classical Dictionary*, p. 208). A falsificação de moedas – como, por exemplo, revestir um metal inferior com prata, raspar as bordas para reduzir o peso – ocorria na Antiguidade, mas os benefícios trazidos para o comércio por um meio padrão de troca eram imensos.

As moedas não foram conhecidas entre os israelitas antes da queda do Reino do Norte em 721 a.C., ou do Reino do Sul em 586 a.C. A menção de dinheiro em nossas traduções do AT antes destas datas deve ser entendida como referências a barras, lingotes e jóias feitas de metais preciosos usados no comércio.

A primeira referência a moedas no AT parece ser Esdras 2.69; 8.27 e Neemias 7.70-72. Os judeus ofereceram 61.000 dáricos de ouro para a reedificação do Templo de Jerusalém. (O termo heb. é *dark$^e$monim*, uma palavra rara, que pode vir da palavra "dárico", um nome derivado de Dario I, ou pode estar relacionado com a palavra grega "dracma"). Têm sido encontrados exemplos do dárico persa. Era uma moeda de formato oval de ouro puro. Seu verso mostra o rei ajoelhado com um arco em sua mão esquerda e uma lança em sua mão direita (cf. "Money", IDB, III, 431). A referência aos dáricos, na época de Davi (1 Cr 29.7), é anacrônica, e representa seu valor equivalente na época em que os livros de Crônicas estavam sendo redigidos. *Veja* Darico.

As moedas antigas eram feitas de ouro, prata, eletro, cobre e bronze. Elas eram caracteristicamente redondas e achatadas, e de diversos tamanhos. O verso (ou o lado da inscrição) geralmente trazia uma imagem do governante e uma inscrição, além de uma data. No outro lado estariam informações adicionais e um desenho (para ilustrações, cf. "Money", IDB, III, 431-435).

*Os períodos persa e intertestamentário.* A referência ao dárico de ouro em Esdras 2.69 foi discutida acima. O darico persa pode ter sido cunhado em Sardes, na área geral onde o ofício foi desenvolvido.

A província persa de *Y$^e$hud* possuía uma casa da moeda no século IV a.C. *Y$^e$hud* era o nome oficial da Judéia na época em que ela fazia parte do Império Persa (cf. Ed 7.14-16; Dn 2.25; 5.13). Uma moeda de prata com a inscrição YHD, mas de estilo grego, aparentemente encontrada em Gaza, data do século IV a.C. (IDB, III, 425, fig. 68). O mesmo ocorre com o antigo estilo ateniense, que também traz as letras hebraicas YHD. A moeda grega mais antiga já encontrada na Palestina, em Siquém, data do século VI a.C. Ela veio da ilha de Tasos e é feita de eletro (G. E. Wright, *Shechem*, p. 168). Depois da conquista de Alexandre (em aprox. 330 a.C.), o estáter de ouro e a tetradracma de prata eram as moedas dominantes na Palestina, e as casas da moeda mais próximas estavam em Acre e Sidom. No final do século II a.C., depois da revolta macabeana em relação ao governo síro (ou selêucida), João Hircano da família asmoneana cunhou moedas com a inscrição "Jônatas o sumo sacerdote e a comunidade de judeus" (aprox. 111/110 a.C.). Estas foram as primeiras moedas verdadeiramente judaicas, pois as moedas anteriormente cunhadas pelos judeus haviam estado sujeitas à permissão de dominadores estrangeiros. Para ser consistente com o mandamento de Êxodo 20.4, as moedas omitiam a imagem do governante no verso. Elas traziam uma grinalda com a inscrição. O verso mostrava uma planta e tam-

Uma moeda de bronze de Vespasiano, que traz a inscrição "Judaea Capta", comemorando a tomada de Jerusalém e da Judéia. Uma palmeira, símbolo da Judéia, é flanqueada por um judeu e uma judia que se lamentam. BM

bém a cápsula da papoula (indicando a plenitude e a fertilidade), a segunda freqüentemente usada em moedas sírias.

O sucessor de João, Judas Aristóbulo, seguiu o mesmo padrão de cunhagem. Alexandre Janeu (105-78 a.C.) foi o primeiro a usar o termo "rei" em suas moedas. Antígono Matatias (40-37 a.C.), o último do macabeus, e o governante que antecedeu Herodes o Grande, cunhou uma moeda retratando um candelabro de sete hastes. Esta é a mais antiga representação conhecida do candelabro sagrado que pertencia ao Templo de Jerusalém. Muitas das moedas de Matatias eram uma liga contendo chumbo.

*O período do NT.* No NT, há várias referências gerais a dinheiro. A palavra grega *nomisma* expressa a metade da frase "moeda do tributo" (Mt 22.19). É um termo geral para dinheiro. O Senhor Jesus usou a palavra ao falar sobre a moeda utilizada para o pagamento do imposto individual (Mt 22.19-22; Mc 12.14-18; Lc 20.21-26). A palavra grega *argyrion* é traduzida tanto por "prata" (At 3.6; 20.33; 1 Pe 1.18) como por "dinheiro" (Mt 25.18,27; Lc 9.3; 19.15,23; At 8.20). Ela refere-se várias vezes às moedas de prata, sem que alguma moeda em particular seja especificada; por exemplo, as 30 moedas pagas a Judas (Mt 26.15; 27.3-9) e a queima de livros no valor de 50.000 moedas (ou peças) de prata em Éfeso (At 19.19). Ao dizer aos seus discípulos para não levarem ouro, prata ou cobre em suas missões de pregação, o Senhor Jesus pode ter-se referido a moedas ou ao suprimento de metais que poderia ser usado como dinheiro (Mt 10.9). Quando Jesus virou as mesas dos cambistas (Jo 2.15), João diz que ele derramou pelo chão o *kerma* ("dinheiro"). Referindo-se a dinheiro, geralmente moedas de cobre, este termo transmite a idéia de dinheiro de pouco valor. Uma outra palavra grega transmitindo às vezes a idéia de moedas de cobre ou de pouco valor é *chalkos* (Mateus 10.9, "cobre"; Marcos 6.8; 12.41, "dinheiro").

Como um exemplo final, o termo grego *chrema* ("dinheiro") é usado tanto para uma soma exata (como a quantia que José apresentou aos apóstolos em Atos 4.37), como para quantidades indefinidas (por exemplo, na tentativa de Simão de comprar o dom do Espírito com dinheiro, Atos 8.18,20; e no caso da esperança de Félix de receber um suborno de Paulo, Atos 24.26).

Durante a era do NT, as moedas podiam ser emitidas pelo próprio Império Romano, por governadores romanos, reis locais e cidades livres. Algumas moedas romanas importantes que o General Pompeu introduziu em Israel em 63 a.C. representavam diretamente o governo e o imperador romano (cf. Mt 22.19-21). No entanto, a partir de 6 d.C., os governadores romanos podiam emitir moedas localmente em nome do imperador. O nome do governador não aparecia nestas emissões, e para não ofender os judeus elas geralmente levavam símbolos neutros tais como uma espiga de cevada, uma palmeira, um ramo de oliveira, folhas de uva e outras. No entanto, Pilatos antagonizava os judeus usando símbolos pagãos em algumas de suas moedas. Um exemplo é um *lepton* com o verso contendo as palavras, "Tibério César", e a vara mágica de um adivinho (a adivinhação foi proibida para os judeus em Deuteronômio 18.10). O verso tinha uma grinalda com as letras da data – L I Z – ao seu redor, indicando o 17º ano de Tibério, isto é, 30-31 d.C. A letra L era o símbolo egípcio para o ano, I e Z para 10 e 7 respectivamente. Foram encontradas moedas emitidas pelos governadores romanos Copônio (6-9 d.C.), Valério (15-26), Pilatos (26-36) e Félix (52-59) (cf. J. A Thompson, *The Bible and Archaeology*, pp. 308-309).

Os reis locais também cunhavam moedas. Herodes o Grande foi o primeiro governante judeu a abandonar o hebraico e usar o grego, e dele foram as primeiras moedas judaicas que mostravam uma data (cf. "Money", IDB, III, 427, 432). Na maior parte das moedas ele não usou símbolos romanos, mas os substituiu, por exemplo, por romãs e folhas, embora em uma de suas pequenas moedas ele tenha usado a ofensiva águia romana. Os filhos de Herodes o Grande, Arquelau (governante da Judéia, 4 a.C. - 6 d.C.) e Herodes Antipas (governante da Galiléia e Peréia, 4 a.C.-39 d.C.) usaram símbolos neutros. Um outro filho, Herodes Filipe (4 a.C. - 34 d.C.), governando sobre uma área mais gentílica, Ituréia e Traconites (Lc 3.1), usou a imagem do imperador de um lado e a do Templo do outro.

Herodes Agripa I (37-44 d.C.) usou símbolos pagãos. Ele colocou o imperador de um lado, e deusas e templos pagãos do outro. Herodes Agripa II (50-100 d.C.) completou a progressão. No princípio de seu reinado ele mostrou-sua própria imagem e às vezes o busto de uma deusa. Uma de suas moedas cunhadas depois da destruição de Jerusalém (70 d.C.) mostra Agripa II como um vassalo de Roma.

Cidades independentes como Asquelom, Antioquia, Tiro, Damasco, Sidom, Biblos, Gadara, Selêucia, Beirute, Gaza e Cesaréia também cunhavam moedas.

Entre as moedas gregas mencionadas no NT, a *drachme* aparece como "moedas de prata" na parábola do Senhor Jesus sobre a dracma perdida (Lc 15.8,9). A classificação comum da dracma em menos de 20 centavos não é esclarecedora; com uma dracma era possível comprar uma ovelha, e, com cinco, um boi (Arndt, p. 205).

A *didrachma* (didracma), uma moeda dupla ou de duas dracmas, era equivalente ao meio-siclo judeu e era aceitável como o imposto anual do Templo para os indivíduos (Mt 17.24, com o sentido de tributo).

O *estater* (estáter) que Pedro encontrou na

boca do peixe (Mt 17.27) valia quatro *dracmas*, ou o equivalente ao imposto do Templo para duas pessoas.

A *mina* (Lc 19.13-25, gr. *mna*) era uma unidade monetária igual a 100 dracmas. A mina Ática valia de 18 a 20 dólares americanos nos tempos normais (Arndt, p. 526).

O *talento* (Mt 18.24; 25.15-28, gr. *talanton*) era uma outra grande medida de dinheiro. Era originalmente uma medida de peso, e o valor de um talento variava consideravelmente com a época, a região e o tipo de metal. *Veja* Talento.

Várias moedas romanas também são mencionadas no NT. O *denarion* (denário, lat. *denarius*, que algumas versões traduzem como "centavo") era uma moeda de prata. Valia normalmente 18 centavos de dólar, mas Nero a desvalorizou, reduzindo seu valor para cerca de 8 centavos (Arndt, p. 178). O *denarion* era o salário diário comum de um trabalhador (Mt 20.2; cf. Mt 18.28; Jo 6.7; Ap 6.6). No século I d.C. ela era cunhada principalmente em Roma sob a direção imperial.

Quando os maliciosos fariseus e herodianos perguntaram ao Senhor Jesus se era legal que o imperador romano cobrasse dos judeus o imposto do censo (gr. *kensos*), Ele mandou que eles mostrassem a "moeda do tributo" (Mt 22.17-19). Então eles lhe trouxeram um dinheiro (ou denário), que era a moeda legal usada para pagar o imposto individual. Ele perguntou de quem era a imagem e a inscrição na moeda, a fim de estabelecer a base para sua resposta à tentativa de o surpreenderem em uma armadilha. O denário corrente teria sido inscrito em um latim abreviado de um lado, em torno da cabeça do imperador: "Tibério César, Filho Augusto do divino Augusto"; e do outro lado: "Pontifex Maximus" (isto é, sumo sacerdote), com sua mãe Lívia mostrada sentada no assento de Pax, segurando um ramo e um cetro. A moeda, portanto, representava para os judeus tanto o poder odioso do governo romano como o culto imperial blasfemo que divinizava o governante terreno, e exigia que ele fosse adorado. Contudo, o Senhor Jesus, com extraordinária habilidade, evitou condenar a cobrança de impostos dizendo aos líderes judeus: "Dai, pois, a César o que é de César e a Deus, o que é de Deus" (v. 21).

Os pardais ou passarinhos de Mateus 10.29 e Lucas 12.6 eram avaliados em termos de *assarion* (lat. *assarius*, "asse" ou "ceitil"). Uma moeda de cobre, que valia algo em torno de um sexto de um denário (*denarion*).

O valor do *kodrantes* ou quadrante (lat. *quadrans*, Mt 5.26; Lc 12.59, chamado de "centavo" ou "ceitil") era um quarto do *assarion*, e o valor do cobre *lepton* era a metade do *quadrante*. O *lepto* que a viúva lançou nas ofertas do Templo (Mc 12.42; Lc 21.2 era a menor moeda em circulação.

*As moedas das revoltas judaicas*. Durante suas duas insurreições contra Roma, os judeus confeccionaram moedas em seu próprio nome. Em 66-70 d.C., eles cunharam moedas de um siclo de prata e de meio siclo de prata usando símbolos neutros que falavam da esperança de livramento dos judeus, e outras moedas em bronze (Y. Yadin, *Masada*, pp. 98, 108-109, 168-171). Lia-se na moeda de um siclo de prata a seguinte inscrição em hebraico antigo: "Siclo de Israel I"; e no verso: "Santa Jerusalém". Lia-se na moeda de bronze: "Ano 4"; o verso trazia um cálice e as palavras: "Pela Redenção de Sião" (J. A. Thompson, *The Bible and Archaeology*, pp. 310ss.).

Depois de esmagar a revolta judaica em 70 d.C., os romanos cunharam moedas com as letras "s.c.", isto é, "com o consentimento do senado". De um lado elas mostravam a cabeça do imperador Vespasiano com seus títulos; o outro lado retratava uma mulher (representando a Judéia) debaixo de uma palmeira sob a guarda romana, e trazia as palavras: "Judaea Capta" (pode-se ver a figura e a legenda na obra de Y. Yadin, *Masada*, p. 215).

Durante sua revolta de 132-135 d.C. sob a liderança de Ben Kosebah (Bar Kochba), os judeus colocaram uma nova estampa sobre as moedas romanas, e confeccionaram algumas próprias, incluindo uma tetradracma de prata e um denário de prata. A tetradracma levava uma estrela acima do Templo e o nome "Simão" de um lado. O outro lado tinha a inscrição: "Pela Liberdade de Jerusalém", com uma árvore cítrica e seus galhos. O denário trazia o nome "Simão" de um lado, e "Ano da Libertação de Israel" do outro (cf. Thompson, *op. cit.*, p. 311).

Depois de sufocar esta rebelião, os romanos emitiram uma moeda especial mostrando o imperador com um par de bois arando as fronteiras de uma nova cidade, tendo a inscrição Colonia Aelia, o novo nome que eles deram a Jerusalém.

*Uso arqueológico das moedas*. Os historiadores estudam as moedas encontradas em escavações arqueológicas a fim de aumentar nosso conhecimento dos tempos bíblicos. Algumas descrevem personagens históricas, como por exemplo, as moedas que mostram Tibério, Vespasiano e os reis herodianos. Outras, refletem os êxitos em assuntos regionais políticos e militares, por exemplo, a esperança de Israel pela independência e a conquista romana.

As moedas também podem ajudar a determinar a data de ruínas arqueológicas. Por exemplo, a ocupação de um grande edifício na Jericó romana pode ser datada do final do século I a.C. até aprox. 65 d.C. com base nas moedas ali encontradas, e que foram cunhadas por Herodes o Grande, Arquelau, Herodes Agripa e vários outros procuradores romanos (cf. James B. Pritchard, "The 1951 Campaign at Herodian Jericho", BASOR #123 [1951], p. 14ss.).

As moedas encontradas em Qumran, onde os

Rolos do Mar Morto foram copiados ou usados, mostram que o mosteiro esteve ocupado de forma intermitente. As ocupações ocorreram do início do século I a.C. até aprox. 37 a.C., e então de 4 a.C. a 68 d.C., e finalmente de 132 a 135 d.C. Moedas datadas de 66-70 d.C. indicam que a fortaleza Masada estava inabitada na época da primeira revolta judaica e esteve em contato com Jerusalém até 69-70 d.C. (Yadin, *Masada*, pp. 108, 168, 172).

***Bibliografia.*** Florence A. Banks, *Coins of Bible Days*, Nova York. Macmillan, 1955. G. A. Barrois, "Chronology, Metrology etc"., IB, I, 153-164. A. Ben-David, "The Standard of the Sheqel", PEQ, XCVIII (1966), 168ss.; "The Talmud Was Right! The Weight of the Biblical Sheqel", PEQ, C (1968), 145-147, CornPBE, "Coins", pp. 228-230; "Weights and Measures", pp. 705-708. David Diringer, "Weights", DOTT, pp. 227-230. H. Hamburger, "Money, Coins", IDB, III, 423-435. A. Kindler, "Coins as Documents for Israel's Ancient History", *Antiquity and Survival*, II (1957), 225-236. Y. Meshorer, "A Stone Weight from the Reign of King Herod", IEJ, XX (1970), 97ss. A. Reifenberg, *Ancient Jewish Coins*, 2ª ed., Jerusalém, 1940; *Israel's History in Coins from the Maccabees to the Roman Conquest*, Londres. Horovitz, 1953. R. B. Y. Scott, "Weights and Measures of the Bible", BA, XXII (1959), 22-40; "The Scale-Weights from Ophel, 1963-64". PEQ. XCVII (1965), 128-139; "The N-S-P Weights from Judah", BASOR, #200 (1970), pp. 62-66. O. R. Sellers, "Weights and Measures", IDB, IV, 828-839. D. H. Wheaton, "Money", NBD, pp. 836-841. D. J. Wiseman e D. H. Wheaton, "Weights and Measures", NBD, pp. 1319-1325.

W. H. M.

**PESSOA DE CRISTO** *Veja* Jesus Cristo.

**PESSOA ou PERSONALIDADE** A língua hebraica não possuía nenhuma palavra que denotasse o conceito de personalidade, a parte que constitui e caracteriza uma pessoa. Várias palavras, entretanto, foram traduzidas como "pessoa" na Bíblia Sagrada. As mais freqüentes são: a heb. *nephesh*, aquele que respira, alma, pessoa (Lv 27.2; Nm 5.6; 35.30); *'ish*, um homem, um indivíduo (1 Sm 9.2); *'adam*, homem, um ser humano (Pv 6.12); *panim*, face, pessoa (Dt 10.17).

No NT, são encontradas duas palavras gregas: *prosopon*, face, pessoa (2 Co 1.11); *hyspostasis*, fundamento, essência, pessoa (Hb 1.3). O termo hebraico *panim*, face, corresponde ao termo grego *prosopon* no sentido daquilo que eu vejo oposto a mim, a face. O termo grego *hyspostasis* dá a idéia daquilo que forma o fundamento, a realidade final; portanto, pode referir-se à essência tanto de Deus como do homem, a saber, o espírito ou a alma. Aqui surgem duas questões:

*O que constitui uma pessoa?* Uma pessoa pode ser definida como aquele ser vivente que possui intelecto, desejo, e emoção; é capaz de ter autoconsciência e autodeterminação; e tem uma natureza moral. Os psicólogos têm dificuldade com o conceito, porque alguns deles alegam encontrar alguma coisa das primeiras quatro qualidades nos animais, enquanto muitos deles negam a presença de uma natureza moral no homem. Mas segundo as Escrituras, é a posse de uma natureza moral que distingue o homem do resto da criação consciente sobre a terra. Já que o homem é um ser moral, Deus colocou em seu coração um padrão, uma obra da lei (Rm 2.15). O homem tem personalidade porque é essencialmente um espírito envolto em um corpo material, criado à imagem de Deus, que é espírito (Jo 4.24). *Veja* Antropologia; Alma; Espírito.

*Deus é uma pessoa*? Ele é uma trindade de pessoas. O Catecismo Curto diz: "Há 3 pessoas na Divindade, o Pai, o Filho e o Espírito Santo; e estes 3 são um Deus, a mesma essência, igual em poder e glória". Cada um dos membros da Trindade possui intelecto, vontade, emoção, é autoconsciente e tem uma natureza moral; portanto cada um é uma pessoa distinta. O conceito de pessoa também inclui a essência, não no sentido da substância material, mas daquela que forma a identidade essencial. Por exemplo, quando o homem morre, sua alma continua a existir porque é uma essência espiritual. É neste sentido ortodoxo que os cristãos falam de Deus como um Ser pessoal e substancial. *Veja* Deus.

Na teologia atual, o conceito de Deus como uma pessoa tem sido atacado por Paul Tillich em dois ângulos. Primeiro, ele argumenta, se Deus é uma pessoa ou um objeto ou se existe, então Ele está limitado por outros objetos e pessoas que também existem. Este é um argumento formulado pelos primeiros céticos gregos, citado por Fichte, e reproduzido por Tillich. Charles Hodge deu sua resposta na obra *Systematic Theology* em 1875 (I, 191ss.), de que se baseia em uma definição errada de infinito, e de Deus em particular, em sua imensidade. Deus é infinito em seu ser, sabedoria, poder, santidade, bondade, justiça e verdade, e não em um sentido material.

Segundo, Tillich insiste que a palavra grega usada para pessoa, na verdade significa "máscara" e não "pessoa", e portanto é inaplicável a Deus. Este argumento é falho quando se vê que tanto *prosopon* no grego, como *persona* no latim, eram usados como referências a máscaras de teatro. A palavra grega no sentido literal quer dizer aquilo que se vê do outro lado, ou faces, e não se refere à máscara em seu sentido primário. Na verdade, este era um dos seus significados menos comuns, e não é encontrado neste sentido no NT. Em todo caso, é o uso da palavra no NT que estabelece seu significado nas

Escrituras Sagradas (Mt 22.16; Mc 12.14; Lc 20.21; 2 Co 1.11; 2.10; Gl 2.6), e não seu uso pelos autores dramáticos pagãos.

R. A. K.

**PESTILÊNCIA** *Veja* Doença.

**PETAÍAS**

1. Um sacerdote designado como chefe do 19º turno de sacerdotes nos dias de Davi (1 Cr 24.16).
2. Um levita que nos dias de Esdras e Neemias apartou-se de sua esposa estrangeira (Ed 10.23), e que mais tarde levou o povo à confissão pública e a uma aliança (Ne 9.5).
3. Filho de Mesezabel, descendente de Judá, que estava às ordens do rei da Pérsia em todos os negócios concernentes ao povo (Ne 11.24).

**PETIÇÃO** *Veja* Oração.

**PETOR** Uma cidade junto à parte oeste do rio Eufrates, na terra de Amave (Nm 22.5) no norte da Mesopotâmia (Dt 23.4), terra de Balaão, o profeta contratado. Balaque, O rei de Moabe, enviou mensageiros a esta cidade para contratar Balaão para amaldiçoar Israel. *Veja* Amave.

É possível que esta cidade possa ser identificada com Tell Ahmar, 20 quilômetros ao sul de Carquemis. Os registros de Salmaneser III (859-824 a.C.) declaram que seu nome (Pitru) era um nome hitita, renomeado como Ina-Assur-utir-asbat ("Eu a restabeleci novamente para Assur"). Seu registro localiza Petor "no outro lado (oeste) do Eufrates, sobre o rio Sagur [atual Sajur]". A importância de Petor para o século IX a.C. na Assíria é sugerida pelo fato de que ali Salmaneser III recebeu tributo dos reis dos distritos de Carquemis, Comagene, Melitene (ou Mitilene), Hatina, e Gurgum (ou Gurgan) (ANET, p. 278).

**PETRA** Não se sabe se Petra é um local bíblico, mas um número considerável de estudiosos a identificam com a "Sela" do AT (que significa "rocha"; cf. 2 Rs 14.7-10; 2 Cr 25.11,12; Is 16.1; Jr 49.16,17; Ob 3,4). *Veja* Sela. A Septuaginta traduz Sela como *Petran* e a Vulgata Latina como *Petram,* todas com o mesmo significado, "rocha". *Sela* em árabe designa um penhasco rochoso, que é um nome especialmente apropriado para Petra, pois o acesso a Siquém passa por uma longa pedreira sinuosa nas montanhas. Quer o AT refira-se ou não a Petra, o NT indiretamente refere-se a ela. Aretas, rei de Petra (9 a.C.- 40 d.C.), governou Damasco durante nos dias da conversão de Paulo e tentou prendê-lo ali (2 Co 11.32,33). De acordo com Josefo (*Ant.* iv.7.1), Petra foi chamada de Requém pelos árabes, recebendo seu nome do rei midianita de Números 31.8. Petra estava localizada a aprox. 80 quilômetros ao sul do mar Morto, nas montanhas da

O grande lugar alto em Petra

Transjordânia a uma altitude de 900 metros. A cidade situa-se em um vale cercado por montanhas, e sua entrada principal passava por um caminho estreito, circundando penhascos que se elevavam a uma altitude de 165 metros. O local tem cerca de um quilômetro e meio de comprimento por 800 metros de largura. Sua característica natural dominante é a acrópole de 300 metros, conhecida pelos árabes como Umm el- Biyara ("a mãe das cisternas"). Petra era a capital de um império comercial e tinha a vantagem de se localizar na rota do comércio que ligava o porto de Salomão, em Eziom-Geber, sob o golfo de Ácaba, a Amom e Damasco, e na junção desta estrada norte-sul com a estrada de Gaza-Berseba. Sua grande riqueza comercial proveu recursos para o cultivo de muito mais terras semi-áridas da região, do que uma economia agrícola teria permitido. Ruínas da era paleolítica na área de Petra podem ser consideradas como de 10.000 a.C. Mas as idades Calcolíticas e do Bronze ainda são arqueologicamente desconhecidas. Algumas cerâmicas da Idade do Ferro (século VII a.C.), como também muros e cisternas, foram descobertos no topo de Umm el-Biyara, e pertenceram a uma época em que

O teatro em Petra

a cidade servia como fortaleza e capital dos edomitas. Em 1966, um selo de Qos Gabr, um rei edomita que reinou em aprox. 650 a.C., foi encontrado em Umm el-Biyara (ILN, 30 de abril de 1966, pp. 30-31; cf. ANET, pp. 291, 294, "Qaushgabri"). *Veja* Edom. Contudo, seus grandes dias datam dos períodos nabateu e romano. Durante o século IV a.C., os nabateus (uma tribo árabe) estabeleceram seu poder nesta região, e em 106 d.C. o imperador romano Trajano acrescentou Petra ao Império Romano. Após Palmira ter se tornado uma grande cidade caravana e o poder romano ter declinado no século III d.C., Petra tornou-se insignificante.

Não se sabe exatamente quando o cristianismo chegou a Petra, mas uma inscrição datada no ano 447 refere-se à consagração de uma capela pelo bispo de Petra. Evidentemente várias estruturas nabatéias converteram-se à prática cristã. Os árabes tomaram Petra no século VII, e no século XII os Cruzados construíram um forte ali. Quando Saladino destruiu este observatório dos Cruzados em 1189, Petra parece ter desaparecido da história.

De fato, na prática ela era desconhecida pelo menos no oeste, até que o explorador suíço Johann Burckhardt a redescobriu em 1812. Escavações sistemáticas só começaram em 1929, quando uma expedição britânica sob a liderança de George Horsfield responsabilizou-se por desvendar os segredos daquele lugar antigo. A Melchett Exploration Fund apoiou as escavações ali durante a década de 1930; William F. Albright, Nelson Glueck, e outros trabalharam em Petra durante aquela década. Em 1958 a *British School of Archaeology* começou a trabalhar ali sob a liderança de Peter J. Parr, e no ano seguinte uma equipe americana juntou-se a eles sob a liderança de Philip C. Hammond.

Petra é um lugar surpreendente, mesmo em ruínas. Algumas de suas estruturas são rosa e vermelho, e outras, têm tons de arenito em ocre vermelho escuro com faixas em amarelo, cinza e branco. Estes prédios e tumbas são quase todos cortados dentro dos penhascos de pedra da região. Entre as ruínas mais interessantes de Petra estão Khazneh (comumente chamada de "o tesouro"), provavelmente a tumba de um rei nabateu, esculpida dentro do penhasco vermelho e rosa; uma rua larga com uma fileira de colunas em estilo romano; um teatro romano com capacidade para 4 mil pessoas; um palácio-tumba; Ed Deir, um Templo com uma fachada de 54 metros de largura, 48 metros de altura, e uma porta de mais de 7 metros de altura; o *Grande Lugar Alto*, um antigo centro de adoração nabateu do deus Dushara; e a fortaleza natural de Umm el-Biyara.

***Bibliografia***. C. M. Bennett, "The Nabataeans in Petra", *Archaeology*, XV (1962), 233-243. G. A Larue, "Petra", BW, pp. 443-446, com bibliografia extensiva até 1962. W. H. Morton, "Umm el-Biyara", BA, XIX (1956), 25-36.

H. F. V.

**PETUEL** Pai do profeta Joel (Jl 1.1).

**PEULETAI** Um coraita, o oitavo filho de Obede-Edom, que era um dos porteiros do Tabernáculo nos dias de Davi (1 Cr 26.5).

**PIA** *Veja* Tabernáculo.

**PI-BESETE** Cidade localizada no afluente (Pelúsio) do rio Nilo (Ez 30.17; LXX, Boubastis) cujo nome é derivado da palavra egípcia *Pr-B'stt*, ou "Casa da (deusa) Ubastet [ou *Bastet*]". Tell Basta, nas proximidades da moderna Zagazig, pouco mais de 60 quilômetros do Cairo, foi escavada em 1886-1887. A cidade pertencia à 4ª Dinastia (aprox. 2600 a.C.) e foi a residência dos reis da 22ª Dinastia, inclusive Sheshonk I (o Sisaque da Bíblia). Ela foi praticamente destruída pelos persas em aprox. 350 a.C. Sua importância em Ezequiel, provavelmente, deva-se à sua ligação à adoração a Ubastet (ou Bastet; o gato), que deu origem ao seu nome. Mais tarde (Heródoto 2.59,137), a deusa-gato recebeu um nome grego composto: Bubastis ou Bubastos.

Como estava situada no limite ocidental do território de Gósem (*q.v.*), o Faraó do Êxodo deve ter morado temporariamente nesse local, na casa de hóspedes do Templo, durante o período das pragas (cf. Êx 7.20-23; 9.33). *Veja* Êxodo, O: Relato Bíblico.

A. K. H. e J. R.

**PIEDADE[1]** A piedade deve ser distinguida da compaixão. Aquele que é fraco ou está desprotegido merece piedade; aquele que está reduzido à indigência ou está sofrendo um infortúnio recebe compaixão. Deus espera que seus filhos demonstrem piedade, particularmente para com os pobres (Pv 19.17; cf. Mt 5.7). Davi julgou o homem rico da parábola de Natã como merecedor da morte, pois ele não tinha piedade (2 Sm 12.5,6). Deus demonstra piedade àqueles que o temem (Salmos 103.13; cf. Ez 36.21).

No entanto, havia pecados que Deus considerava graves demais, a ponto de proibir Israel de demonstrar piedade, como por exemplo, no caso da idolatria (Dt 7.16) – particularmente entre seus próprios filhos (Dt 13.8) – e do assassinato (Dt 19.13,21; cf. 25.12). Houve ocasiões em que Deus omitiu sua piedade por causa do pecado de Israel (Jr 13.14; Lm 2.2; Ez 5.11 etc). *Veja* Compaixão; Bondade; Misericórdia.

R. A. K.

**PIEDADE[2]** Normalmente, o termo "piedade" é uma tradução da palavra grega *eusebeia*. Em um sentido amplo, piedade significa praticar a piedade cristã. Ela encontra sua base em um conhecimento apropriado de Deus (1 Jo 5.18), sua realização em uma vida entregue a Deus por meio de Jesus Cristo (Rm 12.1), e seu objetivo final no desenvolvimento da consciência em relação a Deus, e de características similares como a justiça, a fé, o amor, a paciência e a mansidão (1 Tm 6.11; 2 Pe 1.6). O conceito é amplamente exposto nas Epístolas Pastorais, e cristalizado nas palavras: "Mas é grande ganho a piedade com contentamento" (1 Tm 6.6; cf. 1 Tm 2.3,10; 3.16; 4.7,8; 6.3,5,11; 2 Tm 3.5,12; Tt 1.1; 2.12).

**PI-HAIROTE** Lugar próximo à cabeceira do mar Vermelho e a leste de Baal-Zefom (*q.v.*) onde os israelitas acamparam antes de cruzarem o mar (Êx 14.2,9; Nm 33.7,8). Talvez fizesse parte de uma terra pantanosa situada ao longo da praia ocidental dos lagos Amargos, com Baal-Zefom sobre o pico de Jebel Murr ou Jebel 'Ataqah, de onde se avistava toda a região a oeste.

**PILÃO** Um instrumento de madeira dura ou pedra, usado para esmagar ou polvilhar o trigo para uma refeição à base de farinha (Pv 27.22). *Veja* Gral.

**PILAR** Designação de lápide de túmulo, monumento, altar e formação de nuvens, fumaça ou fogo.

1. A palavra hebraica *'omenot*, "pilares" (melhor ainda "suporte") para as portas do Templo, revestidas com o ouro que Ezequias removeu para o inimigo (2 Rs 18.16), provavelmente refere-se aos caixilhos das portas. A ênfase está em sua função.
2. A palavra hebraica *mis'ad* se refere a um "suporte" para a casa de Jeová (Templo de Salomão) feito com a madeira de sândalo das árvores que foram trazidas de Ofir (1 Rs 10.12). A ênfase está na função, embora a exata distribuição desses pilares seja desconhecida.
3. A palavra hebraica *mussab*, "pilar",é uma referência casual a um pilar muito conhecido nas proximidades de Siquém, que podia ter sido usado para alguma forma de adoração (Jz 9.6). Ela indica uma pedra ladeada por um carvalho ou árvore de terebintina.
4. A palavra hebraica *n$^{e}$sib*, "pilar", indica a forma natural da mulher de Ló (estátua) depois de ter sido atingida pela destruição de Sodoma (Gn 19.26).
5. A palavra hebraica *timenot* indica "pilares" (de fumaça). A raiz da palavra palmeira *(tamar)* é utilizada, porque a forma da haste e da cúpula de uma coluna de fumaça é semelhante à de uma palmeira (Ct 3.6; Jl 2.30).
6. A palavra hebraica *'ammud* é a mais comumente usada para pilar ou coluna no AT. Ela designa a coluna que suporta um edifício (Jz 16.25; 1 Rs 7.1ss.); os pilares Jaquim (*q.v.*) e Boaz do Templo (1 Rs 7.15; 2 Rs 25.16); os pilares de prata, ou postes, da liteira de Salomão (Ct 3.10), e a haste da coluna de nuvem ou de fogo na peregrinação pelo deserto (Êx 13.21 etc.).
7. A palavra hebraica *masseba* significa uma pedra colocada de pé para funcionar como um marco. Na Palestina e na Síria havia uma predominância dessas pedras lisas sem nenhuma inscrição ou escultura em relevo, enquanto no Egito e na Mesopotâmia os monolitos de pedra esculpidos ou inscritos eram habituais. Um pilar liso foi usado no culto a Jeová por Jacó (Gn 28.18); como o memorial da aliança entre Jacó e Labão (Gn 31.45); como o memorial da aliança que Jeová celebrou com Jacó (Gn 35.14); e ela refere-se ao pilar que Absalão erigiu para preservar seu nome, porque não tinha filhos (2 Sm 18.18). Esse termo hebraico é usado de várias maneiras para indicar a pedra de um túmulo (Gn 35.20), uma imagem de culto (Êx 23.24; Lv 26.1; 2 Rs 3.2; 10.26,27) ou para comemorar um evento ou uma aliança (Êx 24.4). Pilares de pedra foram encontrados nos níveis cananeu e israelita de numerosos sítios arqueológicos de cidades na Palestina e na Síria. O fato de serem interpretados para servir ao culto, comemoração ou apenas como pilares

Pilares de pedra para suportar o telhado, do período israelita em Hazor

Pilares sagrados (*massebo*) no lugar alto em Gezer

Uma inscrição encontrada em Cesaréia mencionando Pilatos

estruturais, depende de sua localização no plano da cidade ou do edifício do qual faziam parte. Alguns estavam claramente suportando postes, enquanto outros não tinham finalidades estruturais e serviam claramente como marcos. A função de culto é claramente indicada pela posição de uma pedra em pé próxima à entrada de um lugar sagrado (Gn 28.16-18,22), ou colocada ao lado de um altar (Êx 34.13; Dt 7.5; Os 3.4; 10.1,2), para marcar a presença da divindade. Israel recebeu ordens de destruir esses pilares sagrados, sem dúvida porque eram equivalentes às imagens de divindades masculinas (Êx 23.24; Dt 7.5; 12.3; 16.22).

Exemplos claros de *massebot* foram encontrados em Petra, Hazor, Arade e junto ao Templo de Baal-Berite em Siquém (Jz 9.4,46). Fileiras de pedras colocadas de pé foram escavadas em Bab edh-Dra', Biblos (Gebal), Gezer, Hazor e nas proximidades das minas de cobre em Timna. Em Gezer, imensas pedras irregulares, muitas com mais de três metros de altura, foram erguidas simultaneamente em aprox. 1600 a.C. Graesser sugere que eram *massebot* legais,"erguidos para marcar um tratado ou pacto do relacionamento entre dez grupos, ou clãs, que habitavam em Gezer ou em cidades de uma confederação maior naquela área" (BA, XXXV, 57).

Os termos usados de forma figurada são:

8. A palavra hebraica *masuq,* que se refere a um pilar fundido que suporta a terra (1 Sm 2.8), simbolizando o poder de Deus pelo qual Ele "suspende a terra sobre o nada" (Jó 26.7).

9. A palavra grega *stylos*, "colunas" refere-se ao título conferido a Tiago, Pedro e João como líderes da Igreja (Gl 2.9); à Igreja como coluna e baluarte da verdade (1 Tm 3.15); aos crentes vencedores que serão os memoriais do poder de Deus (Ap 3.12); aos pés dos anjos que são colunas de fogo, representando o julgamento vindouro (Ap 10.1).

***Bibliografia.*** W. F. Albright, "The High Place in Ancient Palestine", *Supplement to Vetus Testamentum,* IV, Leiden. Brill, 1957, pp. 242-258. Carl F. Graesser, "Standing Stones in Ancient Palestine", BA, XXXV (1972), 33-63. A. R. Millard, "Pillar", NBD, pp. 998ss. Ulrich Wilckens, *"Stylos",* TDNT, VII, 732-736.

H. G. S. e J. R.

**PILATOS, PÔNCIO** Chamado de "governador" (em grego, *hegemon*) da Judéia no NT, e uma vez na obra de Josefo (*Ant.* xviii. 3.1). Josefo também se refere a ele como *epitropos* (*Wars* ii. 9.2.), como também Filo (*Embassy to Gaius* 38). Esse último termo grego servia como equivalente ao título oficial de Procurador Romano (cf. *Ant.* xx.6.2; *Wars* ii.8.1). O termo latino "procurator" foi aplicado a Pilatos pelo historiador romano Tácito em sua obra *Annals* xv.44. Outro título, "prefeito" (*praefectus*), foi agora confirmado através de uma inscrição encontrada em Cesaréia em 1961 que fala sobre "Pôncio Pilatos, Prefeito da Judéia" (veja J. E. Vardaman em JBL, 81 [1962], pp. 70ss.). Não existem provas de qualquer diferença de significado entre esses termos; a nova inscrição pode indicar simplesmente que a terminologia para tais funções não era tão técnica como se havia suposto.

Pilatos assumiu essa função no ano 26 d.C., durante o reinado de Tibério César. Nessa mesma época Sejanus, um notório anti-semita, exercia considerável influência sobre o imperador. Filo informa que Sejanus dedicava-se à eliminação do povo judeu *(Embassy to Gaius* 24; Eusébio, *Ecclesiastical History* II5). As políticas de Pilatos e de seu contemporâneo Flaccus, procurador do Egito, sugerem que eles compartilhavam o ponto de vista anti-semítico de Sejanus e podem até ter sido seus protegidos (veja Filo, *Flaccus* 1).

A função de Pilatos como procurador consistia em grande parte de uma série de provocações contra os judeus. Primeiro, ele acabou com um costume dos antigos procuradores e trouxe para Jerusalém estandartes com a imagem de César. Essa era uma ofensa deliberada contra a lei judaica, e quando o povo pediu a eliminação das efígies, Pilatos mandou cercá-los com seus soldados ameaçando mandar matar imediatamente os participantes da revolta. Josefo (*Ant.* xviii. 3.1; *Wars* ii. 9.2.3) conta como os judeus lançaram-se ao solo para mostrar que preferiam morrer a transgredir a lei de Deus. Pilatos ficou tão impressionado pelo seu zelo religioso que mandou remover os estandartes e levá-los para seu quartel-general em Cesaréia. Mas essa atitude basicamente insensível à religião judaica não se modificou (cf. também o incidente dos escudos de ouro na obra de Filo, *Embassy* 38).

O conflito seguinte aconteceu quando Pilatos apropriou-se dos recursos do tesouro do Templo para construir um aqueduto, provocando um novo protesto do povo. Disfarçados de civis, os soldados provocaram o caos entre a multidão reunida, matando muitos judeus desarmados com armas escondidas (*Ant.* xviii.3.2; *Wars* ii.9.4). O Senhor Jesus, no evangelho de Lucas, fala sobre certos "galileus, cujo sangue Pilatos misturara com seus sacrifícios" (Lc 13.1). Embora não tenha sido registrado por Josefo, esse incidente coincide com o que sabemos a respeito de Pilatos a partir das informações desse historiador.

Pilatos foi removido desse cargo por causa de um ultraje semelhante cometido dessa vez contra os samaritanos. Ele soube que um grupo de samaritanos estava planejando reunir-se em seu monte sagrado para investigar a presença de alguns vasos sagrados que Moisés havia supostamente colocado nesse lugar. Pilatos enviou suas tropas para atacá-los de surpresa e muitos foram mortos ou capturados e outros conseguiram fugir. Os samaritanos prontamente apelaram a Vitélio, o legado da Síria, que ordenou a Pilatos que fosse a Roma para prestar contas de seus atos ao imperador (*Ant.* xviii. 4.1.2). Esse foi o final da função de Pilatos como procurador, e nada se sabe sobre sua carreira a partir de então.

Uma tradição posterior, de valor incerto, afirma que ele cometeu suicídio (Eusébio, *Ecclesiastical History* II7). Filo atribui a Herodes Agrippa I uma descrição resumida de Pilatos como "naturalmente inflexível, uma mistura de obstinação e implacabilidade..." (*Embassy* 38).

À luz desse contexto, a fraqueza e a indecisão de Pilatos no julgamento de Jesus e sua disposição de agradar aos judeus não parecem corresponder ao seu caráter. A verdadeira razão pode ser que ele já havia percebido que sua posição estava em perigo. Existem certas sugestões em Filo de que Sejanus pode ter tido um final infeliz e que depois de sua morte, Tibério adotou medidas rigorosas contra qualquer repressão anti-semita no Império (Embassy 24; *Flaccus* 1 e 2; veja a nota de F. H. Colson na edição Loeb, X, 403).

A declaração dos judeus a Pilatos em João 19.12 ("Se soltas este não és amigo do César") não deixa de ser uma ameaça velada, e uma queixa recebida por Tibério poderia fazer com que ele perdesse sua posição oficial de "amigo" (*Amicus Caesaris*) e com ela sua procuradoria e até mesmo sua vida. O temor de tais conseqüências poderia ter transformado o "inflexível" Pilatos na pessoa irresoluta e de pensamento dobre de que falam os Evangelhos. Porém mesmo nessa precária posição, Pilatos, o anti-semita, não conseguiu resistir a uma ofensa final a seus inimigos através da irônica inscrição sobre a cruz: "O Rei dos Judeus" (Mc 15.26; Jo 19.19). Que raça infeliz era essa cujo "rei" estava pendurado em uma cruz!

Não há nenhuma sugestão nos Evangelhos de que Pilatos estaria disposto a executar Jesus. Mas pelo fato da autoridade legal de emitir a sentença de morte pertencia ao governador romano (Josefo, *Wars* ii.8.1) e não ao Sinédrio, os principais sacerdotes e os judeus entregaram Jesus a Pilatos (Mc 15.1; Jo 18.31). A acusação era de que Jesus afirmava ser rei, e isso incitava o povo e impedia o pagamento dos impostos a César (Lc 23.3,5). Pilatos perguntou a Jesus se Ele estava realmente afirmando ser "o rei dos judeus" e recebeu a resposta, *Su legeis*, isto é, "Tu o dizes", ou "É como estás dizendo" (Mc 15.2). Pilatos ficou admirado com a recusa de Jesus de responder às acusações que foram trazidas contra Ele (Mc 15.5). Mas Pilatos não estava convencido de que Jesus oferecia qualquer ameaça ao governo de Roma e, de acordo com Lucas e João, ele pronunciou três vezes que Jesus era inocente (Lc 23.4,14,22; Jo 18.38; 19.4,6), enquanto Mateus relata que a esposa de Pilatos havia sido advertida em um sonho a não processar aquele "homem justo" ou "inocente" (Mt 27.19).

Os atos de Pilatos indicam claramente sua relutância até em condenar Jesus. Executar um homem inocente não poderia melhorar seu próprio prestígio, mas teria graves repercussões. No entanto, embora sabendo que Jesus havia sido preso por inveja (Mc 15.10) não podia se permitir contrariar os líderes judeus rejeitando a acusação. Portanto, por Jesus ser um galileu, Pilatos o enviou a Herodes Antipas, o tetrarca da Galiléia. Em uma ocasião anterior, Pilatos havia invadido a autoridade de Herodes com seu cruel assassinato de galileus (Lc 13.1) e, provavelmente, foi por essa razão que esses dois homens estavam em uma discórdia mútua. Pilatos não queria cometer o mesmo erro, pois precisava da ajuda de todos os amigos que pudesse encontrar. Sua tentativa de reconciliação foi bem sucedida, e Herodes devolveu Jesus à jurisdição de Pilatos (Lc 23.6-12). Os cristãos encontram nessa aliança o símbolo de uma unificada rejeição a Jesus como o Cristo entre gentios e judeus, como um cumprimento do Salmo 2.1ss. (cf. At 4.26ss.).

Pilatos tentou inutilmente satisfazer a irritada multidão oferecendo primeiro a escolha entre Jesus e o líder rebelde Barrabás (Mc 15.6ss.), e depois com a oferta de castigar Jesus e em seguida libertá-lo (Lc 23.16,22; cf.

Jo 19.1ss.). Finalmente, ele cedeu à multidão e até executou um ritual inútil de se eximir de toda responsabilidade (Mt 27.24ss.).
O quarto evangelho suplementa os relatos dos Sinóticos com dois diálogos muito significativos entre Pilatos e Jesus (Jo 18.33-38; 19.8-11) onde é enfatizado que Jesus e seu reino não são "deste mundo" (18.36ss.; cf. 19.9), mas "de cima", exatamente do lugar de onde vinha a autoridade de Pilatos (19.11; cf. 3.27). Também cabe a João reproduzir a dramática "coroação" de Jesus, feita por Pilatos, e suas famosas palavras: "Eis aqui o homem" (19.5) e "Eis aqui o vosso rei" (19.14). Estas palavras atribuem a Pilatos a reverência pelo mistério da pessoa de Jesus (19.7ss.), e representam sua culpa como menor do que a dos líderes judeus (19.11; cf. At 3.13). Entretanto, nem em João nem em nenhuma parte do NT existe alguma base para as lendas posteriores que transformaram Pilatos em um bondoso magistrado da imparcialidade e da justiça, ou em um santo ou mártir cristão (veja E. Hennecke e W. Schneemelcher, *New Testament Apocrypha* I, 444-484).
Atualmente, o nome de Pilatos é lembrado principalmente por causa do Credo dos Apóstolos, "sofreu sob Pôncio Pilatos", uma frase cujas raízes retrocedem a Ignácio (*Trallians* 9.1) e a Paulo (1 Tm 6.13).

***Bibliografia.*** Paul L. Maier, *Pontius Pilate,* Garden City. Doubleday, 1968. Jerry E. Vardaman, "Pilate, Pontius", BW, pp. 455-458.

J. R. M.

**PILDAS** Um sobrinho de Abraão, o sexto filho de Naor (Gn 22.22).

**PILEÁ** Um dos levitas que aceitaram a aliança apresentada por Neemias (Ne 10.24). Também chamado de Pilha.

**PILHAGEM** *Veja* Despojo.

**PILOTO** Palavra usada por Ezequiel para os líderes de Tiro, por ser uma metáfora apropriada para os principais homens de uma cidade de marinheiros, ou porque os capitães do mar ocupavam essa posição. A palavra "piloto" é usada em Ezequiel 27.8 e "capitão de navio" ou "mestre do navio" em Jonas 1.6.

**PILTAI** Um dos principais sacerdotes da época de Joiaquim (Ne 12.17).

**PIM** Peso hebraico em 1 Samuel 13.21. *Veja* Pesos, Medidas e Moedas.

**PINÁCULO** Parte do Templo mencionada no episódio da tentação do Senhor Jesus Cristo (Mt 4.5; Lc 4.9). Como a língua grega emprega o artigo definido, e não o artigo indefinido, é provável que existisse apenas um lugar com esse nome. Como ele prometia uma temível queda, parece mais provável que estivesse localizado em algum lugar próximo à atual extremidade sudeste da área do Templo, contemplando o vale de Cedrom de onde a visão é mais abrangente e a queda é ainda mais pronunciada. No entanto, como a palavra grega *pterygion* significa "pequenas asas", seguida pela Vulg. *pinnaculum,* com o mesmo significado, as opiniões variam. Ela pode referir-se ao telhado da "varanda [ou pórtico] de Salomão" (Josefo, *Ant.* xv.11.5; *Wars* v.5.1, "claustro") talvez no topo do canto sudeste do recinto, assentado sobre as colunas cobertas de Herodes (*veja* Pórtico de Salomão); ou um dos parapeitos sobre o pórtico, exigido pela lei mosaica para qualquer lugar elevado (Dt 22.8); ou ainda uma das duas projeções em forma de asa da frente do edifício do Templo que Josefo chamou de "saliências" (*Wars* v.5.4).

R. A. K.

**PINHEIRO** *Veja* Plantas.

**PINO** Embora não tenha sido mencionado na Bíblia, esse artefato muito comum aos arqueólogos que trabalham na Palestina não é mais que um alfinete para prender a roupa; em sua forma primitiva ele era um pino de madeira (reto) e mais tarde um broche enfeitado (alfinete de segurança). Os grampos de bronze ou cavilhas da tenda do Tabernáculo representam o uso mais amplo desse termo na Bíblia (Êx 27.19; 35.18; 38.20,31; 39.40; Nm 3.37; 4.32). Também havia a estaca da tenda de Jael com a qual ela golpeou Sísera (Jz 4.21; 5.26). O texto em Ezequiel 15.3 menciona a cavilha da parede onde os vasos eram pendurados.
A palavra *yated* também é usada em Deuteronômio 23.13 como uma pá para cavar, e em Juízes 16.14 como uma vara para ajustar a trama no tear. Esse termo foi aplicado a Sião, sob a figura de uma estaca em Isaías 33.20 e 54.2, e em sentido figurado para o governante de Judá como um baluarte, ou talvez um chefe que é o sustentáculo da nação (Zc 10.4). Um uso figurado semelhante está refletido em Isaías 22.23,24, onde Eliaquim é comparado a um prego (ou estaca) em um lugar firme, e em Esdras 9.8, onde a segurança dos remanescentes em Deus é como a estaca no "santo lugar".

E. B. S

**PINOM** Um dos chefes de Edom, da família de Esaú (Gn 36.41; 1 Cr 1.52). Essa palavra pode ser o nome de uma cidade da qual ele era o chefe. *Veja* Punom.

**PINTURA** Nenhum exemplo de pinturas murais feitas pelos antigos hebreus foi mencionado na Bíblia, nem tampouco descoberto pelos arqueólogos. Entretanto, nos templos e palácios egípcios, amorreus e assírios, esse tipo de pintura era muito comum. Parece que a falta de evidências indicando algum aspecto dessa arte em Israel revela significativas diferenças em sua fé e cultura.

Abraão – em Ur, e possivelmente em sua parada em Mari quando caminhava em direção a Harã – pode ter tido a oportunidade de observar pinturas murais e, no Egito, os israelitas viram muitas dessas obras. Moisés havia sido educado na associação de figuras pintadas e símbolos com a religião, a vida e o governo (At 7.22).

Os hebreus certamente possuíam os pigmentos necessários à pintura, pois a partir deles seus perfumistas mostraram-se verdadeiros artistas na fabricação de cosméticos. Homens como Bezaleel produziam muitas figuras (representando, por exemplo, querubins) com madeira, tecido, ouro, prata e bronze para adorno do Tabernáculo, do Templo e dos palácios de seus reis. Portanto, não havia falta de gosto artístico ou talento. Às vezes, eles também se valiam de seus vizinhos para conseguir materiais, como cedros do Líbano, e da ajuda de artesãos experientes como aqueles que foram enviados por Hirão de Tiro, quando Salomão apelou para sua cooperação na construção do Templo.

Os artesãos hebreus aprenderam muito com seus vizinhos, como pode ser verificado na arquitetura e cerâmica do período das monarquias israelitas. No Nível V, em Ramat Rahel (a Bete-Haquerém bíblica, Jeremias 6.1) foi encontrado o fragmento de um jarro pintado em preto e vermelho. Ele traz a figura de um rei de barba crescida sentado em seu trono. Sua data pode ser da época do rei Jeoaquim, que construiu um novo e luxuoso palácio com painéis de cedro trabalhado e paredes pintadas de vermelho brilhante (Jr 22.13-15; BA, XXIV [1961], 107-108, 118).

Então, por que existem tão poucos pintores como aqueles que produziram as notáveis figuras existentes nos muros dos templos e palácios do Egito, da Mesopotâmia e da Síria? Parece que o segundo mandamento nos dá uma indicação. A proibição "Não farás para ti imagem de escultura, nem alguma semelhança do que há em cima nos céus, nem em baixo na terra, nem nas águas debaixo da terra" (Êx 20.4) não condenava a arte, mas, na verdade, condenava a adoração às obras de arte. Imagens e pinturas como aquelas usadas nos lugares de idolatria geralmente não só representavam blasfêmias contra Deus, como seduziam o povo pela associação com a "prostituição sagrada" nos templos, e pelas muitas espécies de influências moralmente corruptas (Ez 8.10; 23.14-17).

J. W. W.

**PINTURA DOS OLHOS** *Veja* Olhos, Pintando os

O sacerdote-rei, pintura a fresco do palácio em Cnossos, Creta, datado aprox. de 1500 a.C. HFV

**PIO** Em grego, a palavra *eusebia* significa reverência ou respeito para com os homens, e piedade ou santidade (*q.v.*) para com Deus (por exemplo, At 3.12; 1 Tm 2.2; 3.16; 2 Pe 1.3,6; 3.11). Essa palavra grega foi traduzida como "piedade" em 1 Timóteo 5.4, mas, também pode ser traduzida como "respeito", porque ela fala sobre ensinar às crianças a atitude mais adequada em relação aos pais, como ordena o quinto mandamento.

***Bibliografia.*** W. Foerster, "*Eusebes* etc.," TDNT, VII, 175-185.

**PIOLHO** *Veja* Animais IV. 23.

**PIRÃ** Rei de Jarmute, um dos cinco reis amorreus presentes na confederação para repelir a invasão de Josué (Js 10.3).

**PIRATOM, PIRATONITA** Piratom era uma cidade na colina dos amalequitas, na terra de Efraim, onde Abdom, filho de Hilel, foi sepultado (Jz 12.15). Benaia, capitão chefe do exército de Davi, era um piratonita, e evidentemente tinha vindo dessa cidade (2 Sm 23.30).

**PISAR UVAS** *Veja* Lagar.

**PISCAR DE OLHOS** A palavra grega *hripe*,

"movimento repentino", é usada juntamente com a palavra grega *en atomo,* "num abrir e fechar de olhos". Em 1 Coríntios 15.52, ela foi usada para explicar a repentina e instantânea mudança que irá ocorrer na ressurreição dos mortos e na transformação dos crentes vivos, assim que o Senhor Jesus Cristo retornar. *Veja* Arrebatamento.

**PISCINA** A palavra heb. *bereka* é traduzida como "piscina" ou "viveiro" em Cantares 7.4; mas em 2 Samuel 2.13; 4.12; Naum 2.8; Eclesiastes 2.6 ela é traduzida simplesmente como "açude" ou "tanque". Várias versões (exceto a KJV em inglês) trazem, em Cantares 7.4, o sentido de "açude". A palavra refere-se a uma lagoa aberta.

**PISGA** Identificado às vezes com o monte Nebo e às vezes com Ras es-Siaghah, esse promontório estava ligado ao Nebo e estendia-se na direção noroeste. Entretanto, Pisga pode referir-se a toda a cadeia da península que faz parte dos montes de Abarim e que se estende desde o elevado planalto moabita até a extremidade nordeste do mar Morto.

Nebo, cerca de 16 quilômetros a leste da foz do Jordão, é seu pico mais elevado. Diz-se que seu topo (em hebraico, *ro'sh,* "cabeça") olha em direção (literalmente, projeta-se) a Jesimom, a terra devastada na extremidade norte do mar Morto (Nm 21.20). Isso está exatamente de acordo com o promontório de Ras es-Siaghah. Desse lugar Moisés teria um excelente ponto para observar o vale do Jordão e as montanhas de Canaã (Dt 3.27; 34.1). Em um dia bastante claro pode-se ver o monte Hermom ao norte, e as torres do monte das Oliveiras e Belém do lado ocidental.

No campo de Zofim, no topo de Pisga, Balaão construiu sete altares em uma tentativa de conseguir que o Senhor amaldiçoasse Israel (Nm 23.14). A partir desse promontório, escarpadas encostas se projetam cerca de 850 metros até o Jordão-vale do mar Morto (Dt 3.17). Asdote-Pisga ("as encostas de Pisga", traduzido em algumas versões como "as fontes de Pisga" em Deuteronômio 4.49) também marcava o limite sul do território de Seom, rei dos amorreus (Js 12.3) e havia sido concedida à tribo de Rúben como parte de sua herança (Js 13.15,20,21). *Veja* Nebo 2.

S. M. H.

**PISÍDIA** Esse distrito tinha quase 200 quilômetros de comprimento (leste-oeste) e 80 de largura, e estava totalmente coberto pelas cadeias dos montes Taurus. Essa região sempre havia sido uma terra selvagem infestada de bandidos. Alexandre o Grande teve que lutar para abrir caminho entre eles quando tentou conquistar o interior da Ásia Menor. O imperador Augusto, em aprox. 25 a.C., determinou que esses bandidos deveriam ser reduzidos por meio da construção de uma série de guarnições que incluía Antioquia e Listra ao norte. Aparentemente, os romanos acreditavam que haviam atingido seu objetivo por volta do ano 74 d.C., quando a Pisídia foi anexada à planície da Panfília, na província que também se chamava Panfília. Antigamente, a Pisídia havia sido considerada parte da Galácia.

A área de Pisídia ainda era muito perigosa quando foi percorrida por Paulo em sua primeira viagem missionária (At 13.14; 14.24). Acredita-se que Paulo já tinha em mente fazer essa viagem através da Pisídia quando escreveu o comentário autobiográfico a respeito dos "perigos de salteadores" em 2 Coríntios 11.26. Muitos também já sugeriram que os perigos de uma segunda atividade missionária ao norte de Perge fizeram João Marcos retornar e, por essa razão, Paulo teria se recusado a levar esse jovem em sua companhia nessa segunda viagem (At 13.13; 15.37-39). Naturalmente, não há como saber se alguma dessas suposições está correta.

H. F. V.

**PISOM** Um dos quatro rios cujos nomes estão ligados ao Éden (Gn 2.11) e é descrito como o dreno da terra de Havilá (*q.v.*). Seu outro nome é Pison. Se o rio Giom (Gn 2.13) for o Nilo, foi sugerido que Pisom poderia ser o rio Indo, no oeste do Paquistão, com sua primitiva civilização harappa. É provável que Pisom tenha sido um grande Uádi que agora drena a região norte do deserto da Arábia.

*Veja* Éden.

**PISPA** Filho de Jéter mencionado entre os homens de guerra da tribo de Aser (1 Cr 7.38).

**PISTACHE** *Veja* Plantas: Nozes.

**PITOM** Neto de Meribe-Baal e outro nome para Mefibosete (*q.v.*), filho de Jônatas (1 Cr 8.34,35; 9.40,41).

**PITOM** Uma das duas cidades-armazém (Êx 1.11) construídas para os egípcios pelos escravos israelitas (cf. a LXX que acrescenta "Om, isto é Heliópolis"), mencionada apenas uma vez na Bíblia. *Veja* Cidade do Tesouro. O AT não nos dá uma informação específica que ajude a localizar esta cidade. Os pesquisadores procuraram Pitom no Delta por causa de sua associação com Ramessés (*q.v.*), que sempre foi considerada uma cidade do Baixo Egito, e porque a terra de Gósen, que era o centro israelita no Egito, estava localizada na região oriental do Delta. Esse nome é uma forma hebraica da antiga palavra egípcia *pr-itm* (*Pi-Tum*), ou a "casa do deus Atum". Como o centro do culto a Atum era Heliópolis (*Veja* Om), uma associação com a religião também pode sugerir que Pitom estava localizada no Baixo Egito.

Foram propostas várias identificações para Pitom, mas nenhuma delas oferece uma certeza. Edouard Naville fez escavações em Tell el-Maskhutah, no Uádi Tumilat e ficou convencido de que havia encontrado a cidade de Pitom (veja também J. Simons, *Geographical and Topographical Texts of the OT*, p. 245).

Atualmente, uma identificação comum apoiada por A. H. Gardiner e W. F. Albright indica Tell er-Retâbeh, situada cerca de treze quilômetros a oeste de Tell el-Maskhutah, que muitos consideram atualmente como Sucote (*q.v.*; veja JEA, V [1918], 267-269; X [1924], 95-96; ANET, p. 259).

C. E. D.

**PLAINA** *Veja* Formão.

**PLANÍCIE** As planícies mais importantes da Palestina são a planície costeira, a planície de Esdraelom (ou Jezreel, ou Megido), e o vale do Jordão. A maior parte do comércio agrícola mais importante e das rotas militares passa através delas.

As Escrituras também mencionam a planície de Sinar (Gn 10.10; 11.2; *et al.*) e aplica esse termo à maior parte, se não a toda a Babilônia.

O termo "planície" corresponde à tradução de termos hebraicos e gregos.

1. Palavra hebraica *'abel,* "prado", transliteração de parte do nome Abel-Queramim (Jz 11.33).
2. Palavra hebraica *'elon,* "carvalho", traduzida em Gênesis 12.6; 13.18; Jz 4.11; 9.6,37; *et al.*
3. Palavra hebraica *biq'a*, "planície ampla", a planície próxima à Babilônia (Gn 11.2, também terra de Sinar ou planície em Sinar); a planície de Ono, parte da planície costeira (Ne 6.2, ou vale de Ono); a planície de Megido (2 Cr 35.22, ou vale de Megido).
4. Palavra hebraica *kikkar,* "círculo", a planície que compreendia Sodoma e Gomorra, provavelmente ao sul do mar Morto (Gn 13.12 ou vale); a planície próxima a Jericó (Dt 34.3).
5. Palavra hebraica *mishor*, "terra plana", o planalto ou platô de Moabe (Dt 3.10).
6. Palavra hebraica *'araba*, "estepe" ou "deserto", as encostas ocidentais de Moabe (Nm 22.1); como nome para o vale do Jordão muitas vezes transliterado como Arabá (Dt 3.17).
7. Palavra hebraica *shepela,* "terra baixa", especialmente a região de baixas colinas entre a planície costeira e a cadeia central da Palestina, muitas vezes transliterada como Sefelá (por exemplo, Ob 19).
8. Palavra grega *pedinos* (Lc 6.17), "lugar plano" na Galiléia, provavelmente uma referência ao local onde está situado o monte onde Jesus pregou (Mt 5.1).

***Bibliografia.*** D. Baly, *Geography of the Bible,* Nova York. Harper, 1957. E Robinson, *Physical Geography of the Holy Land,* Boston. Crocker e Brewster, 1865, pp. 125-142. G. A Smith, *Historical Geography of the Holy Land*, 25ª ed. Londres. Hodder e Stoughton, 1931. A R. Stanley, *Sinai and Palestine,* Nova York. Widdleton, 1865, pp. 478-485.

J. A. T.

**PLANÍCIES DA PALESTINA** *Veja* Palestina.

**PLANTAS** As terras bíblicas apresentam grandes extremos de clima e de geografia. As condições variam entre os picos cobertos de neve das montanhas do Líbano aos desertos do Sinai e da Arábia. A luxuriante vegetação rasteira do vale do Jordão encontra-se a poucos quilômetros do fértil planalto de Gileade, enquanto a arenosa planície costeira de Sarom estende-se até os contrafortes que levam às montanhas que estão ao redor de Jerusalém. No interior dessas terras encontra-se uma grande variedade de plantas que chega a cerca de 2.300 espécies diferentes.

Esse artigo trata apenas da flora mencionada na Bíblia, uma porcentagem muito pequena de árvores, flores e vegetais que realmente são encontrados no Oriente Próximo. Como a Bíblia está preocupada com a verdade espiritual, e não com a botânica, as plantas são raramente mencionadas em relação à narrativa histórica, mas o interesse e o amor à natureza do povo da Antiguidade aparecem em cada uma de suas páginas. Sua vida era muito próxima às condições da natureza, e seus conceitos são expressos sob a forma do mundo vivo que os cercava.

Foram feitas tentativas para identificar as diferentes plantas e árvores, e também para indicar seus usos e valores na época bíblica. Tal identificação não é sempre possível ou segura. Às vezes, a palavra original é simplesmente descritiva; por exemplo, "árvore branca" ou um termo genérico como "espinho". Os botânicos tentaram fazer uma identificação através do contexto e do uso declarado da planta ou pela sua descrição quanto ao número possível de espécies que podem estar sendo mencionadas. Isso significa que diferentes autoridades chegaram muitas vezes a diferentes conclusões. Além disso, as

O rio Jordão seguindo seu curso através da planície do Jordão

Amendoeiras em flor no mês de fevereiro no vale de Jezreel. IIS

versões inglesas da Bíblia Sagrada têm trazido a mesma palavra de várias maneiras, ou diferentes palavras com o mesmo significado. Em muitas identificações existe uma considerável variação entre elas. Apesar de todas essas dificuldades, a maioria da flora bíblica tem sido identificada com um apreciável grau de certeza.

Devemos nos lembrar de que a terra santa em particular passou por tremendas modificações desde os dias de Abraão. Grandes culturas surgiram e desapareceram. Onde antes existiam grandes florestas encontramos agora áridos declives. Aquilo que antes era intensamente cultivado com campos e pomares há muito tempo transformou-se em um deserto infértil. Desde a instauração do estado de Israel em 1948, extensos trabalhos de regeneração têm sido executados. Programas de reflorestamento e de irrigação e a aplicação de modernos conhecimentos de agricultura a essa antiga região estão fazendo com que ela floresça como uma rosa. A Palestina poderá novamente parecer, como aos antigos israelitas, uma terra que mana leite e mel.

**Absinto** (heb., *la'ana*; gr., *apsinthos*). Existem muitas espécies de absinto, *Artemisia*, e todos têm um sabor amargo e forte. *A. herba alba* e *A. judaica* são, provavelmente, as mencionadas nas Escrituras. O licor é feito com uma das espécies de absinto que não apenas intoxica, mas tem o efeito de uma droga que causa estupor e até a morte (Lm 3.15,19). As referências ao absinto na Bíblia são, em geral, metáforas para a amargura do pecado e do castigo (Dt 29.18; Pv 5.4; Jr 9.15; Am 5.7; Ap 8.10,11). *Veja* Plantas: Cicuta, Fel.

**Acácia.** *Veja* Plantas: Sita, Sitim.

**Açafrão.** *Veja* Plantas: Rosa 2.

**Açafrão** (heb., *karkom*). O açafrão é um condimento, um material colorido cujo perfume é produzido por diversas espécies de *crocus*, especialmente o *crocus* do açafrão, *Crocus sativus*. Os estigmas desta flor, que são estreitos, em forma de filamentos, e de cor amarelo/alaranjado vivo são prensados e transformados em pequenos bolos. Eles são tão pequenos que são necessários 4.000 deles para fazer cerca de 28 gramas. O bolo de açafrão tem sabor amargo e um aroma especial. Na Antiguidade, suas pétalas eram usadas para perfumar o salão de banquetes e as roupas dos convidados. Salomão comparou sua noiva a um jardim no qual estava plantado o açafrão e outras árvores e especiarias perfumadas (Ct 4.14).

**Álamo** (heb., *libneh*). O nome hebraico significa simplesmente "árvore branca" e não está claro a que árvore está referindo-se. Alguns seguem a LXX (em grego *styrakinos*) para Gênesis 30.37 e aceitam o estoraque, cujas folhas e flores são brancas (*veja* Plantas: Estoraque). Porém, o estoraque é uma árvore raquítica que não pode ser classificada junto com o carvalho ou com o olmo, como em Oséias 4.13. Estudiosos mais modernos afirmam que se trata do álamo branco ou prateado, o *Populus Alba*, assim chamado por causa da cor branca do verso das folhas. O álamo proporciona uma sombra compacta e é muito apreciado no oriente.

**Alcaparra** (heb., *'abiyona*). Essa palavra só é encontrada na tradução moderna de Eclesiastes 12.5 e é geralmente traduzida como "apetite". Mas a verdadeira referência é à alcaparra, ou *Capparis spinosa*, uma planta espinhosa e rasteira que cresce nas fendas das rochas e em velhos muros (VBW, IV, 176).

A "alcaparra", ou conserva feita com os brotos dessa planta, ainda é usada como condimento ou aperitivo. Acreditava-se que a alcaparra fosse um alimento afrodisíaco ou estimulante do apetite sexual, e o sentido é que na velhice até a alcaparra tornar-se-á ineficaz.

**Alfarroba.** *Veja* Plantas: Cascas.

**Algodão.** Essa palavra não aparece na versão KJV em inglês, mas existe a possibilidade de ser a palavra hebraica *karpas* (emprestada do sânscrito *karpasa*) em Ester 1.6, traduzida como "verde" em várias versões e interpretada corretamente como "algodão" em outras. A palavra *hora*, traduzida como "algodão branco" na versão RSV em inglês em Isaías 19.9 seria mais provavelmente o linho branco ou um "pano branco". A planta comum do algodão, *Gossypium herbaceum* era cultivada desde os tempos mais remotos e imemoráveis na Índia, mas era desconhecida no Egito e na Europa até que Alexandre o Grande a introduziu em 330 a.C. Os judeus vieram a conhecê-la na Pérsia depois das conquistas de Dario I, pois seu grande império estendia-se desde o Mediterrâneo até a Índia.

**Algumim** (heb., *'algummim*). Embora muitos comentaristas entendam que "algumin" seja o mesmo que árvore do sândalo (*Veja* Plantas: Sândalo) as Escrituras, pelo menos em 2 Crônicas 2.8, sugerem que se trata de uma planta diferente. Nesse caso, ela é uma árvore do Líbano usada no Templo de Salomão. Foi identificada com o zimbro da

Grécia, ou *Juniperus excelsa*, uma grande árvore em forma de pirâmide que atinge uma altura de aprox. 20 metros.

**Alho** (heb., *shum*). O alho, com seu formato semelhante ao da cebola, isto é, o *Allium sativum,* era um artigo muito apreciado na dieta do mundo da Antiguidade, assim como no mundo atual. Embora tenha sido mencionado apenas uma vez em Números 11.5, como um dos prazeres mais desejados do Egito, não pode haver dúvida de que era cultivado extensamente por Israel na Palestina. Post registra 67 espécies diferentes de alho e de cebola que podem ser encontradas nas terras bíblicas. Plínio afirmou que eram prestadas honras divinas ao alho, e que este fora acrescentado às divindades do Egito. De acordo com Heródoto (II125), uma inscrição na grandiosa pirâmide de Gizé mencionava o alho junto com os maiores suprimentos de alimento para os construtores.

**Alho-Porro** (heb., *hasir*). Embora essa palavra seja geralmente traduzida como "verdura" (*q.v.*) ou "porros" em Números 11.5, essa erva em particular, mencionada junto com melões, cebolas e alhos, foi identificada como alho-porro, *Allium porum*. Essa erva tem um bulbo branco-macio do qual se eleva um caule de cerca de vinte centímetros. Tanto esse bulbo, que tem a aparência de uma cebola, como as folhas, são usados como alimento. O alho-porro ainda é cultivado em grande escala no oriente, e também é bastante conhecido na dieta do ocidente. Na Antiguidade tinha também uso medicinal e Plínio menciona 32 espécies de remédios dos quais ele era um dos ingredientes.

**Aloés** (heb., *'ahaloth*; gr., *aloe*). Embora tenha sido traduzida com o mesmo significado em inglês, essa palavra aparece no AT e no NT fazendo referência a duas espécies diferentes.

1. As referências do AT são feitas à madeira do aloé ou árvore do aloé, provavelmente *Aquilaria agallocha* ou "pão d'aguila". Trata-se de uma grande árvore cuja altura chega de 30 a 40 metros. Portanto, acreditava-se que ela havia sido plantada pelo Senhor (Nm 24.6). É nativa da Índia e da Malásia, e seu cerne e sua resina são perfumados; por esta razão, são muito usadas na confecção de perfumes (Salmos 45.8; Pv 7.17; Ct 4.14). Também é chamada de madeira do paraíso, porque de acordo com a lenda, Adão levou consigo um broto do jardim do Éden. Na Antiguidade ela tinha um valor extraordinário: seu peso correspondia literalmente ao seu valor em ouro.

2. Embora tenha sido identificada por alguns com o item 1 acima, o aloé do NT provavelmente está referindo-se ao aloé verdadeiro ou "amargo", o *Aloe succotrina*, uma árvore nativa da ilha de Socotra, no Oceano Índico. É uma planta suculenta com folhas grossas e carnudas. De suas folhas esmagadas obtém-se o aloin, um líquido de cor roxa brilhante que era misturado com água e acrescido de condimentos de perfume adocicado para embalsamar os mortos (Jo 19.39). Seu suco amargo também era condensado e usado como purgante. A importação desse medicamento era, naturalmente, muito dispendiosa.

**Amêndoa** (heb., *shaqed*). O nome hebraico significa "despertar" e a amendoeira era recebida na Palestina como a precursora da primavera (Jr 1.11,12). Suas lindas flores brancas e cor de rosa, que florescem nos meses de janeiro e fevereiro representavam a promessa de uma nova vida e era um símbolo de esperança (VBW, I, 217). Na era dos Macabeus, quando Israel parecia ter alcançado um começo como uma nova nação, o ciclo tinha a imagem de uma amêndoa. No início da época de Jacó (Gn 43.11), suas nozes são mencionadas como um dos produtos da terra, e as amêndoas do Jordão e seu azeite ainda representam um conhecido produto de exportação.

A vara de Arão que brotou e produziu frutos como sinal da bênção e da escolha do Senhor, vinha de uma amendoeira (Nm 17.8). A sua flor fazia uma artística decoração no castiçal de sete ramos (Êx 25.31-38). Essa árvore é um pouco maior que o pessegueiro e cresce desde a Espanha até a China, sendo que as melhores são encontradas na Síria.

**Amora** (em hebraico *baka'*). A palavra traduzida como "amoreira" em 2 Samuel 5.23,24; 1 Crônicas 14.14,15 significa "pranteear, destilar" e provavelmente referia-se a uma árvore que destilava resina ou seiva. *Veja* Plantas: Bálsamo, Salgueiro. A "amoreira" (*q.v.*) de Lc 17.6 era provavelmente a amoreira preta, e foi assim traduzida em várias versões.

**Amoreira** (gr., *sycaminos*). A "amoreira" de Lucas 17.6 é a árvore da amora preta, *Morus nigra*. Essa pequena árvore decorativa produz um fruto que se parece com a silva, mas tem um sabor decididamente diferente e ácido. A amora branca que serve de alimento aos bichos da seda é atualmente cultivada na Palestina, mas a seda só veio a ser conhecida no século VII a.C. A primeira e inquestionável menção à seda na Bíblia Sagrada foi feita em Ezequiel 16.10,13. *Veja* Plantas: Amora.

**Amoreira Preta, Urzes.** *Veja* Plantas: Espinhos.

**Anêmona**. *Veja* Plantas: Lírio.

**Anis** (gr., *anethon*). O anis que conhecemos atualmente era muito raro e talvez até desconhecido na época bíblica. A planta a que nos referimos é a erva comum dos jardins, o endro, *Anethum graveolens.* Suas sementes ovais, rígidas, de cor marrom, eram usadas nessa época para condimentar os alimentos, e também tinham usos medicinais. Em seu zelo excessivo pela lei mosaica, os fariseus cobravam até o dízimo dessas pequenas sementes (Mt 23.23). *Veja* Plantas: Cominho, Endro.

**Arbusto** (heb., *siah*). Palavra que tem um sentido genérico em Gênesis 2.5; 21.15 e que significa ramo, mato ou moita (*q.v.*).

**Arruda** (gr., *peganon*). Essa erva comum de jardim era muito conhecida nos tempos bíblicos. Ela tem folhas verde-acinzentadas e cachos de flores amarelas que emitem um odor penetrante e forte, um pouco desagradável ao olfato dos ocidentais. Era usada como condimento e também como remédio. Plínio menciona 84 diferentes medicamentos que utilizam a arruda. A arruda africana, *Ruta chalepensis,* ou *R. graveolens* é a mais comum na Palestina. O texto em Lucas 11.42 classifica a arruda junto com outras ervas nas rigorosas práticas dos fariseus relacionadas ao dízimo. A passagem paralela em Mateus 23.23 menciona o endro (*q.v.*).

**Árvore.** As árvores, que produzem frutos ou sombra, ultrapassam todas os outros grupos de plantas da Bíblia. Sua variedade, beleza e utilidade impressionaram a mente dos hebreus e existem numerosas referências nas Escrituras à participação das árvores em seus conceitos e também em seu modo de viver.

O fruto das oliveiras, figueiras, amendoeiras e romeiras eram intensamente usados como alimento. Como exigiam longos anos de cultivo e de cuidados antes que sua produção se tornasse acessível, era mandamento de Deus que mesmo em tempo de guerra elas não deveriam ser cortadas, pois este seria um ato de cruel desumanidade (Dt 20.19).

As árvores exerciam um importante papel no culto pagão da Palestina, o qual os israelitas abjuravam, e uma das acusações mais conhecidas dos profetas era que Israel adorava seus ídolos "debaixo de toda árvore verde" (Dt 12.2; 1 Rs 14.23; Jr 3.6). *Veja* Árvores Sagradas.

As árvores encontraram seu caminho na linguagem através de metáforas para beleza, majestade, virtude e pecado. A grande altura e grandiosidade das árvores lembravam o povo da importância das figuras públicas, e elas eram utilizadas para simbolizar os reis e os governantes (Ez 17; Dn 4). A fecundidade de uma árvore bem irrigada simbolizava para Israel a vida do homem justo que era sustentado por Deus (Salmos 1; Jr 17.8). O luxuriante crescimento e a beleza de algumas árvores também eram utilizados como uma figura do pecador "florescendo" durante uma estação em sua iniqüidade (Salmos 37.35).

Duas das mais misteriosas árvores são encontradas no jardim do Éden, a árvore da vida e a árvore da ciência do bem e do mal (*q.v.*; Gn 2.17; 3.22). Os intérpretes têm estado intrigados durante séculos, procurando entender se essas árvores devem ser entendidas metaforicamente, ou como uma realidade sacramental. A árvore da vida também aparece em Apocalipse 22.2 e provavelmente em Ezequiel 47.12. *Veja* Árvore do Conbecimento e da Vida.

**Árvore Agradável.** Nas instruções para a celebração da Festa dos Tabernáculos (Lv 23.40) os israelitas foram orientados a levar os "ramos (ou frutos) de árvores formosas" e alegrarem-se perante o Senhor. Embora nenhuma fruta tenha sido mencionada especificamente, uma fruta foi identificada pela antiga tradição e pela prática atual – a cidra, ou *Citrus medica*. Por esta razão, a versão NEB traduziu este texto como: "leve a fruta das cidreiras". O arbusto da cidreira tem apenas 3 metros de altura, e seus galhos são grossos e copados (VBW, I, 196). Embora seja nativa da Índia, ela tem sido cultivada na Palestina durante séculos. Sua fruta é grande como um pepino, ela é verde e sua casca tem muitas protuberâncias e saliências. Não pode ser consumida in natura, pois é dura e amarga. Depois de cozida e confeitada ela torna-se uma iguaria que pode ser usada na cozinha ou na confeitaria. Por alguma razão, acreditaram que se tratava da fruta proibida do Éden e lhe deram o nome de *pomum adami,* ou pomo de Adão. *Veja* Plantas: Maçã.

**Árvore de Judas.** A lenda diz que a árvore onde Judas enforcou-se (Mt 27.5) era a "árvore de Judas", *Cercis siliquatrum*. Essa árvore de altura média, conhecida também nos Estados Unidos, cresce até cerca de 10 metros de altura, e tem folhas com formato de coração.

Sua característica mais notável são os cachos de flores púrpura que aparecem na primavera em todos os ramos, novos e velhos, e às vezes também no tronco. Essas manchas de cor avermelhada sobre a árvore inspiraram essa lenda que, naturalmente, carece de fundamento bíblico.

**Árvore Olífera** (heb., *'es shemen*). Essa expressão é encontrada várias vezes nas Escrituras, mas é difícil identificar a árvore em questão. Já foram sugeridos o pinheiro, a oliveira e o zambujeiro. Esse nome indica uma árvore rica em seiva resinosa, e sua utilização para as portas e o querubim do Templo (1 Rs 6.23,31-33) exigia uma árvore de bom tamanho e de madeira sólida. Alguns entendem que a oliveira não atende a essas especificações. Em Neemias 8.15, os judeus receberam a ordem de ir às montanhas para buscar ramos de oliveira. Em 1 Crônicas 27.28, também são mencionados olivais na Sefelá ou na base das montanhas.

Se a questão for identificar esta árvore, talvez o zambujeiro de folhas estreitas ou salgueiro de Jerusalém, *Elaeagnus augustifolia,* seja a melhor opção, por se ajustar bem à descrição. Embora não seja uma árvore muito grande, sua madeira é sólida e finamente enervada, própria para incrustações. Seus frutos, embora não estejam relacionados com a azeitona, produzem um óleo inferior usado na medicina. Zohary prefere o *Pinus halapensis* (*veja* Plantas: Pinho) que atualmente está sendo muito usado em Israel para fins de reflorestamento.

Uma tábua ugarítica relaciona 140 peças de *smm* e 140 de *tisr,* aparentemente duas espécies de madeira que poderiam ser compradas pelo mesmo preço. A última corresponde à palavra hebraica *t*[e]*ashshur,* o "buxo" (*q.v.*) de Isaías 41.19; 60.13. Portanto, esta árvore seria provavelmente uma variedade de pinheiro (*q.v.*; cf. JNES, XXIX [1970], 56).

**Árvore da Terebintina.** *Veja* Plantas: Terebinto.

**Avelã.** Embora essa não seja a palavra hebraica para "amêndoa", a maioria dos estudiosos acredita que a "avelã" ou "aveleira" de Gênesis 30.37 seria, na verdade, uma amêndoa ou uma amendoeira (*q.v.*).

**Azinheira[1].** Nome obsoleto para a lima, ou limeira; em Isaías 6.13 corresponde ao terebinto (*q.v.*).

**Azinheira[2].** Pequeno carvalho perene semelhante ao azevinho, *Quercus ilex.* Tradução da palavra hebraica *tirza* em Isaías 44.13,14. Outras versões trazem o termo "cipreste" (*q.v.*).

**Bambu.** *Veja* Plantas: Junco.

**Bálsamo** (heb., *seri, sori*). O bálsamo é uma resina medicinal usada desde os tempos mais remotos da Antiguidade (Jr 8.22; 46.11; 51.8). Foram sugeridas duas árvores nativas da Palestina para as referências feitas em Gênesis 37.25; 43.11 – o bálsamo de Jericó, *Balanites Aegyptica* e a árvore do lentisco ou aroeira da praia, *Pistachia lentiscus*. A primeira é um arbusto perene que tem de 3 a 5 metros de altura, que produz uma fruta verde semelhante à maçã e que se torna vermelha quando amadurece. Quando triturada, ela produzia um óleo adocicado que, como a resina da casca das árvores, era usado na fabricação de remédios até o século XVII d.C. e ainda é vendido por monges em Jericó como sendo o "bálsamo de Gileade". Alguns entendidos acreditam que como a *Balanites* é abundante na Palestina e no Egito, o bálsamo levado ao Egito deve ter sido o *Pistachia lentiscus*. Esse arbusto perene exala uma seiva perfumada conhecida comercialmente como "lentisco". As melhores qualidades dessa resina adstringente e aromática são empregadas na medicina, e suas gotas endurecidas correspondem à universal "goma de mascar" do ocidente. Os árabes usavam o óleo obtido dos frutos como alimento ou para a iluminação, e seus ramos leves e flexíveis são usados na fabricação de cestos. *Veja* Plantas: Terebinto.

A *Commiphora opobalsamum,* também chamada *Balsamodendron opobalsamum,* é nativa do sul da Arábia, especialmente do Iêmen. De acordo com Josefo, ela foi introduzida na Palestina sob a forma de um presente da rainha de Sabá. Quando a casca desse pequeno e esparso arbusto é perfurada, ela fornece uma resina muito cara e extremamente valorizada na Antiguidade. Essa árvore pode ser o bálsamo de Gileade ou de Israel mencionado em Jeremias 8.22; 46.11; Ezequiel 27.17. Era aparentemente um artigo transportado pelas caravanas comerciais da Arábia que passavam por Gileade nesse momento particular da história.

**Bdélio** (heb., *bedolah*). O bdélio é mencionado apenas duas vezes: como produto da terra de Havilá em Gênesis 2.12, e em Números 11.6,7 para descrever a aparência do maná. Provavelmente, trate-se da resina perfumada do bdélio africano, *Commiphora africana.* Quando a casca dessa árvore é perfurada, ela elimina uma resina que adquire a forma de pérola do tamanho aproximado de uma azeitona. Essas pérolas transformam-se em contas semelhantes à cera e são muito perfumadas. As mulheres da Antiguidade carregavam essas pequenas gotas dentro de sacolas ou bolsas como se fossem sachês. Moffatt nega que o bdélio seja uma planta e traduz essa palavra como "bedolach-pearls".

**Beldroega.** Essa é a tradução da versão RSV em inglês da palavra hebraica *hallamut* em Jó 6.6, referindo-se provavelmente à malva (*q.v.*) ou beldroega do mar que tem um suco denso e viscoso. A maioria dos estudiosos aceita que o termo refere-se ao muco ou à "clara" do ovo. Em todo caso, a idéia é clara: as pessoas rejeitam o que lhes é insípido ou repugnante.

**Bosque ou Floresta.** Na Antiguidade, as árvores e as grandes florestas eram muito mais comuns no Oriente Próximo do que atualmente. Por exemplo, a Bíblia fala sobre os bosques de Herete, do Líbano, do Carmelo e da Arábia (1 Sm 22.5; Jz 9.15; 2 Rs 19.23; Is 21.13). E não há dúvida de que muitas outras floresciam nessa área. O grande matagal emaranhado de Zor, na região inferior do Jordão, é conhecido como a "soberba do Jordão" (Zc 11.3). Era uma floresta quase impenetrável. Os atuais governos, entretanto, estão tentando desenvolver o reflorestamento para preservar a umidade do solo e recuperar ao máximo possível a antiga beleza e utilidade da terra. Nos tempos patriarcais (Idade Média do Bronze, 2100-1550 a.C.) e até antes, a cadeia central norte-sul (região montanhosa) e suas escarpas ocidentais eram cobertas de árvores, arbustos e matas fechadas. Os invasores precisavam derrubar as florestas e bosques a fim de limpar a terra para a agricultura (Js 17.15,18). Animais selvagens, como os leões, ainda estavam presentes nas florestas da Palestina durante a época dos profetas (Is 56.9; Jr 5.6; 12.8; Am 3.4; Mq 5.8). A palavra hebraica mais comumente usada para floresta é *ya'ar* (1 Sm 22.5; 2 Rs 19.23; Salmos 8.13; Mq 3.12; *et al.*). Outra palavra é *horesh* (2 Cr 27.4; cf. 1 Sm 23.15-19). Uma terceira palavra é *pardes* (Ne 2.8) da qual se derivou a palavra "paraíso"; ela se refere a um parque Real que fora originalmente uma floresta, ou um jardim botânico (*Veja* Pomar). Em grego, a palavra *hyle* ("bosque" ou "selva"), em Tiago 3.5, é empregada em sentido figurado. Cf. M. B. Rowton, JNES, XXVI (1967), 261-277.

**Buxo** (heb., *te'ashshur*). O buxeiro é mencionado em Isaías 41.19; 60.13 junto com o abeto e o pinheiro (Is 41.19; 60.13). Embora alguns estudiosos afirmem que seria improvável que um buxeiro fosse relacionado junto com essas árvores imensas, Moldenke *et al.* fizeram sua identificação com o Buxeiro Sírio, *Buxus longifolia.* É uma árvore perene encontrada no norte da Palestina, na Galiléia e no Líbano; é alta e esguia, com diâmetro de 15 a 20 centímetros e altura de 5 a 6,5 metros. Sua madeira é muito dura, com veios finos, fácil de polir e muito usada para esculturas e torneamento. A versão RSV em inglês chama-a de "pinheiro".

**Cabaça** (heb., *qiqayon, paqqu'ot*). As duas palavras traduzidas como "cabaça" não foram seguramente identificadas. Como *qiqayon* significa "nauseoso", ela foi identificada, há muito tempo, por Celsus, como a planta do óleo de rícino, *Ricinus communis,* também conhecida como Palma de Cristo por causa de suas folhas longas com formato de palma, com o que concordam muitos especialistas modernos.

A planta do óleo de rícino cresce muito rapidamente e atinge de três a quatro metros de altura, e suas folhas largas poderiam oferecer a aprazível e bem vinda sombra descrita em João 4.6-10 (VBW, III, 254). A cabaça, *Cucurbita lagenaria,* corresponde igualmente a essa descrição por causa de sua capacidade de crescer sobre construções e treliças, e por sua tendência a fenecer rapidamente. Outros estudiosos, acompanhando a LXX que traz o termo *kolokynthe* e dizem que ela correspondia à abóbora, *Concurbita pepo,* enquanto outros afirmam ser a globulária ou pepino do profeta, *Cucumis prophetarum.* Como a cabaça/aboboreira da história de Jonas cresceu milagrosamente durante a noite, não é possível identificá-la com precisão.

A segunda palavra, *paqqu'ot,* corresponde à parra selvagem de 2 Reis 4.39 que envenenava o alimento, e foi identificada com o colocinto selvagem, *Citrullus colocynthis.* Ela forma extensas trepadeiras que se arrastam pelo chão e crescem às vezes de forma tão intensa que chegam a cobrir uma área superior a um quilômetro e meio. Ela produz uma fruta com o tamanho e a cor de uma laranja, amarga e altamente tóxica, que quando usada como remédio é um forte purgativo (VBW, II, 260). O nome hebraico deriva da raiz do verbo *paqa',* "romper", talvez porque essas cabaças rompem-se facilmente quando maduras. A mesma palavra é usada em 1 Reis 6.18; 7.24 para descrever o formato da ornamentação do Templo de Salomão ("botões que o cingiam"). *Veja* Plantas: Fel.

**Cabaça Selvagem.** *Veja* Plantas: Cabaça.

**Cálamo** (heb., *qaneh).* As palavras "cana aromática" e "cálamo aromático" são a mesma em hebraico (Êx 30.23; Jr 6.20) e, provavelmente, o mesmo que cálamo (Ct 4.14; Ez 27.19). Esse junco de perfume adocicado era provavelmente a erva do gengibre, *Andropogon aromaticus,* pertencente ao grupo conhecido como ervas oleosas da Índia, que inclui a citronella, *A nardus* e *A schoenanthus,* que também são conhecidas por terem sido usadas nos tempos bíblicos. Era um dos elementos do azeite da santa unção (Êx 30.23), e usado em uma conexão com os sacrifícios (Jr 6.20). Essa erva ou junco da Índia vinha realmente de "terras remotas" (Jr 6.20). Tiro trocava suas mercadorias por cana aromática ou cálamo com os comerciantes da Arábia (Ez 27.19). Suas folhas, quando amassadas, produzem um cheiro agradável e muito apreciado no Oriente. *Veja* Plantas: Cana Aromática.

**Cana.** *Veja* Plantas: Cálamo, Cana Aromática.

**Cana Aromática ou Cálamo Doce** (heb., *qaneh*). A "cana aromática" de Isaías 43.24 é considerada atualmente como a cana de açúcar *Saccharum officinarum.* Embora os hebreus nada soubessem sobre a fabricação de açúcar, a cana era usada para adoçar os alimentos e para ser mastigada como um doce. A referência feita à "cana aromática" em Jeremias 6.20 e Ezequiel 27.19 significa uma cana de perfume adocicado, provavelmente o cálamo doce. *Veja* Plantas: Cálamo.

**Canela** (heb., *qinnamon*). Assim como hoje, a camada interna da árvore da canela, *Cinnamomum zeylanicum,* era muito apreciada como especiaria, tanto para a fabricação de perfumes como para a cozinha. Essa árvore, cuja altura atinge de 8 a 10 metros, pertence à família do louro. Ela é nativa das ilhas do Ceilão e de Java, mas também é cultivada em outras ilhas tropicais. Essa especiaria era muito preciosa e sua importação era muito dispendiosa na época bíblica. A canela era um dos ingredientes do azeite da santa unção (Êx 30.23). Sua fragrância perfumava o leito (Pv 7.17) e descrevia a beleza da pessoa amada em Cantares 4.14. Ela aparece em Apocalipse 18.13 como um dos itens de luxo fornecidos pela pecadora Babilônia.

**Cânfora ou Hena** (heb., *kopher*). Essa planta não deve ser confundida com a cânfora nativa da China, que era desconhecida na época da Bíblia. Essa cânfora, ou hena, é a *Lawsonia innermis,* um pequeno arbusto ou árvore que atinge cerca de três metros de altura. Na Palestina, ela é encontrada na região tropical de En-Gedi e de Jericó. Esse arbusto produz flores de cor amarelada, penduradas sob a forma de cachos como as uvas, muito perfumadas com a fragrância das rosas. Trata-se da fragrância deliciosa mencionada em Cantares 1.14; 4.13. Embora não tenha sido mencionada na Bíblia, a tinta amarelo avermelhada, conhecida como hena e obtida de suas folhas, era muito usada por homens e mulheres para tingir o cabelo, os dedos e as unhas e também a sola dos pés. Essa árvore é facilmente encontrada na Palestina, Arábia, Egito e norte da África.

**Carvalho** (heb., *'ela, 'allah, 'allon, 'elim*). Alguns acreditam que as várias palavras traduzidas como "carvalhos" no AT apenas signifiquem uma árvore grande e forte. Por outro lado, existem várias espécies de carvalho na Palestina e na Síria, e essas palavras podem indicar essas diferentes espécies.

Tudo que os modernos estudiosos podem fazer é reconhecer que existem vários tipos de carvalho e confiar que o contexto irá determinar especificamente ao qual se refere. Faz muito calor no vale, portanto a maioria das 24 espécies de carvalhos é encontrada nas colinas e nas encostas das montanhas. No monte Carmelo, por exemplo, o carvalho kermes, *Quercus coccifera,* representa nove décimos da vegetação. O carvalho sagrado, *Q. ilex,* cujas folhas parecem o azevinho, sempre cresce em majestosa solidão em terrenos sólidos e secos. Talvez a ama de Raquel tenha sido sepultada aos pés de tal árvore gigantesca (Gn 35.8, VBW, I, 92).

O carvalho de Isaías 2.13; 44.14; Ezequiel 27.6; Zacarias 11.2 foi identificado como sendo o carvalho Valonia, *Q. aegilops*, ainda abundante em Basã. A espécie Valonia produz muitos frutos ou bolotas que servem como alimento para os porcos e, às vezes, para o homem. Essas bolotas também fornecem uma tinta preta e forte. As escoriações no tronco e nos galhos, causadas pela picada dos insetos, contêm ácido e tanino com os quais se fabrica tinta.

Os carvalhos de Carmelo, Basã e Gileade também incluem o *Q. sessiliflora* e outros carvalhos perenes.

A "planície" de Moré e de Manre (Gn 12.6; 13.18; 14.13) onde Abraão acampou foi traduzida corretamente como "carvalho" ou "carvalhais". Tanto a espécie *coccifera* como a *Palaestina* podem ser encontradas nesse lugar.

Alguns estudiosos acreditam que *'ela,* um dos "carvalhos" da versão KJV em inglês, seja na verdade o terebinto (*q.v.*). Porém esta não se compara ao carvalho em tamanho e força, e não se ajusta ao contexto de todas as passagens que trazem essa palavra.

Os bosques sagrados, situados nos lugares elevados, nos quais eram realizados os cultos pagãos (Is 57.5; Ez 6.13; 2 Rs 16.4) podem ter sido, em sua maior parte, formados por carvalhos (Os 4.13; Is 1.29). Mesmo atualmente, bosques de veneráveis carvalhos podem ser encontrados ao longo da terra santa. O carvalho significava força (Am 2.9) e estabilidade; a ausência destas características era considerada um completo desastre (Zc 11.2).

**Cascas.** Embora o AT use a palavra "cascas" com seu significado comum de pele ou revestimento exterior das uvas (Nm 6.4; em 2 Reis 4.42 a palavra hebraica *siqlon* provavelmente significa "saco" ou "alforge"), em Lucas 15.16 a referência é totalmente diferente. As "palhas" (bolotas ou alfarrobas) com que o filho pródigo estava alimentando os porcos, e com as quais ele mesmo desejava alimentar-se, têm o nome grego de *keration* e correspondem às vagens comestíveis da árvore alfarrobeira, *Ceratonia siliqua.* Essa árvore perene, intensamente cultivada na Palestina, produz uma vagem plana que tem a forma de um chifre, com 15 a 25 centímetros de comprimento, e 1,5 centímetros de largura (VBW, V, 124). Essas vagens contêm inúmeras sementes, semelhantes às ervilhas, imersas em uma polpa de mucilagem adocicada. Embora elas sejam habitualmente empregadas como alimento do gado, são até hoje consumidas pelas pessoas muito pobres e podem ser compradas em algumas lojas de alimentos naturais dos Estados Unidos. Foram chamadas de "pão de São João" por causa da lenda que diz que os "gafanhotos" que João Batista comeu (Mt 3.4) eram as vagens da alfarrobeira, e não o inseto propriamente dito. Esta lenda está errada, porque os gafanhotos eram um elemento de bastante aceitação na dieta do oriente.

**Cássia** (heb., *qidda*, *qesi'a*). Embora alguns afirmem que as duas palavras traduzidas como cássia refiram-se à mesma coisa, é provável que exista uma diferença.

1. A palavra hebraica *qidda* tem o significado de "descascado" e esse ingrediente do óleo da unção (Êx 30.24), um dos itens exóticos do antigo comércio de Tiro (Ez 27.19), é a *cassia lignea*, ou tiras de casca de uma árvore perfumada, *Cinnamomum cassia.* A cássia tem o sabor e o aroma da verdadeira canela (*veja* Plantas: Canela), porém é menos frágil. Era usada como condimento e os brotos eram utilizados na cozinha, da mesma forma que o cravo.

2. A palavra hebraica *qesi'a* ocorre no Salmo 45.8. Não se trata da mesma cássia mencionada no item 1 acima, como muitos estudiosos discutem. Portanto, a cássia que perfumava as vestes do rei pode ser a íris da Índia, *Saussurea lappa.* As raízes dessa planta forte e parecida com o cardo ainda são desidratadas e exportadas em grande quantidade desde a região da Cashemira, na Índia. Era usada para fins medicinais e afrodisíacos, mas principalmente para se fazer perfume e incenso.

**Castanheira** (heb., *'armon*). A árvore da castanha (Gn 30.37; Ez 31.8) não era encontrada na Palestina e os estudiosos modernos, acompanhando a LXX, identificam-na com a árvore do plátano, *Platanus orientalis.* A palavra hebraica tem o significado de "nudez" e refere-se à casca do plátano que se

Cedros do Líbano

desprende anualmente. O plátano é uma árvore alta (atinge uma altura de 23 a 30 metros) e majestosa, com um tronco liso, galhos copados e grandes folhas como as das videiras, de cor verde escura e brilhante (VBW, I, 83). Seu nome aparece junto ao cedro e às faias em Ezequiel 31.8 como estando entre as árvores mais belas. Ela cresce espontaneamente na Síria e na Palestina junto aos cursos de água, e é cultivada como uma árvore que dá sombra onde existe suficiente umidade no solo para sustentá-la. *Veja* também Plantas: Pinheiro.

**Cebola** (heb., *besel*). A cebola, além de ser um dos vegetais mais conhecidos e consumidos atualmente, também era conhecida na época bíblica. Embora seja mencionada apenas uma vez em Números 11.5, ela era um alimento universal. Cerca de 26 medicamentos que podem ser obtidos a partir da cebola são encontrados nas listas de remédios da Antiguidade.

**Cedro** (heb., *'erez*). Essa palavra hebraica refere-se a uma árvore forte e firmemente enraizada. Duas ou três árvores diferentes foram identificadas com o cedro por causa da variedade de contextos em que essa palavra é utilizada.

1. Como o verdadeiro cedro não cresce no deserto do Sinai, foi sugerido que o cedro usado para a purificação (Nm 19.6; Lv 14.4,6,49,51ss.) era o júnipero de fruta marrom, *Juniperus oxycedrus*, ou junípero sabina, *Sabina vulgaris*. São árvores de crescimento lento com a forma de um arbusto frondoso, medindo de 5 a 6,5 metros de altura, muito comum nos penhascos das montanhas não cultivadas, como também nos desertos da Palestina e da Síria (VBW, III, 113). *Veja* Plantas: Sarça.

2. Acreditava-se que as "árvores de sândalo... junto às águas" de Números 24.6 não fossem cedros porque geralmente eles não crescem nas proximidades da água, e não foi feita nenhuma identificação.

3. O cedro que é geralmente mencionado, muitas vezes com seu próprio nome, é o cedro do Líbano (Salmos 29.5), o grande *Cedrus libani*, uma das árvores mais belas e nobres de todas as árvores que existem. Essas árvores gigantescas crescem até 40 metros de altura, ou mais, formando uma circunferência que chega a medir até 13 metros de diâmetro. Muitas vezes, elas têm o formato de um domo, com ramos longos e copados, folhagem perene em forma de agulha, e frutas cônicas de 8 a 12 centímetros de comprimento. Veja VBW, I, 190; III, 190.

As grandes plantações de cedro que antigamente cobriam o Líbano desapareceram há muito tempo, pois Tiro era o mercado que fornecia madeiras para todo o mundo da Antiguidade. Entretanto, a pior devastação ocorreu durante os quatro séculos de domínio turco, que começaram no ano 1516 d.C. Durante a 1ª Guerra Mundial as árvores foram cortadas para fornecer combustível para os fornos de aço e para as locomotivas. As árvores de propriedade particular pagavam elevados impostos. Eles permitiam que as cabras pastassem nas montanhas e comessem todos os brotos que nasciam. Entretanto, ainda existem algumas árvores que cresceram nas encostas e uma plantação de 400 árvores cujas idades variam entre 200 a 1.000 anos.

A madeira dessas árvores é de cor vermelha escuro e não tem nenhum nó. Ela não é apenas perfumada e maravilhosa; é quase indestrutível. O cedro era muito usado na construção de navios (Ez 27.5), na fabricação de ídolos (Is 44.14), nos palácios (2 Sm 5.11; 7.2; Jr 22.14) e em todo o tipo de edifícios. Ele é mencionado especialmente na construção do Templo e do palácio de Salomão (1 Rs 5.5-10; 6.9-20,36; 7.1-12). As toras flutuavam como grandes jangadas ao longo da costa, desde o Líbano até Jope (1 Rs 5.9; 2 Cr 2.16; Ed 3.7).

No Egito, os túmulos da época da Pré-Dinastia e da Primeira Dinastia revelaram objetos feitos com madeira de cedro importada de Gebal (Biblos), no Líbano. O oficial egípcio Wen-Amon relata sua missão a Biblos para comprar madeira de cedro para a embarcação cerimonial do deus Amon, em Karnak, por volta de 1100 a.C. (ANET, pp. 25-29). Como muitos monarcas da Antiguidade, Nabucodonosor capturou a região do Líbano a fim de enviar toras de cedro a seus palácios e templos (ANET, p. 307).

A majestade do cedro é usada muitas vezes nas Escrituras como símbolo de longevidade, dignidade terrena, e poder (2 Cr 25.18ss.; Sl 92.12; Is 2.13; Ez 17.22,23; 31.3-18). Alguns estudiosos acreditam que o verdadeiro cedro, um símbolo da vida, foi adequadamente usado na preparação das cinzas para o processo de purificação da contaminação da morte (Nm 19.6ss.).

**Centeio** (heb., *kussemeth*). Esse moderno

cereal era desconhecido na Antiguidade. Foram sugeridos vários outros grãos. O "centeio" de Êxodo 9.32 e Isaías 28.25 (também chamado de endro em Ezequiel 4.9) também foi considerado por alguns estudiosos atuais como sendo o *Triticum aestivum,* var. *spelta*, uma espécie inferior de trigo. Embora não seja encontrado atualmente na Palestina, ele era muito comum no Egito desde a Antiguidade, e provavelmente também crescia na terra santa. Trata-se, provavelmente, de um grão inferior, conhecido como emmer, *Triticum dicoccum,* que ainda cresce nessa área (IEJ, XII [1962], 217). Esse nome aparece nas tábuas ugaríticas como *ksmm* em um paralelismo poético com o trigo (ANET, p. 148*a*). Não se considera mais a identificação do "centeio" com o endro (*q.v.*).

**Cerca.** As cercas da Bíblia não tinham uma finalidade ornamental, mas de proteção. Além dos muros de pedra (Salmos 80.12; Ec 10.8), os israelitas costumavam usar abundantes arbustos espinhosos e sarças para construir barreiras de proteção em volta de seus vinhedos, pomares, redis etc. (Pv 15.19; Is 5.5; Mt 21.33). Essas cercas também se tornaram um símbolo adequado do cuidado, da proteção e da disciplina de Deus (Jó 1.10; 3.23; Os 2.6; Salmos 89.40).

**Cevada** (heb., *se'ora*; gr., *krithe*). O nome hebraico significa "cabelo longo" e descreve muito apropriadamente os longos fios que nascem nas extremidades da cevada. Diferentes variedades de *Hordeum* são encontradas na Palestina, e têm sido cultivadas desde a Antiguidade. A cevada representava o principal cereal para alimentar cavalos, mulas e jumentos, pois a aveia era desconhecida. As condições da epidemia de fome de 2 Reis 7.1,16 foram caracterizadas pelo elevado preço da farinha de cevada e foi com esse pão que o Senhor Jesus alimentou as multidões (Jo 6.9). Na Palestina, a cevada era semeada em outubro e novembro e colhida na época da Páscoa; portanto ela era a colheita de grãos que ocorria mais cedo no ano.

**Cicuta.** Duas palavras são traduzidas como "cicuta": *rosh* em Oséias 10.4 (*Veja* Plantas: Fel) e *la'una* em Amós 6.12. As duas referências aplicam-se a uma planta amarga e venenosa, mas é pouco provável que seja a cicuta européia, *Conium maculatum,* cuja vítima mais famosa foi Sócrates. Com toda certeza, os textos mencionam uma das espécies de absinto, *Artemisia* (*Veja* Plantas: Absinto).

**Cidra.** *Veja* Plantas: Maçã, Árvore Agradável.

**Cipreste** (heb., *tirza*). O cipreste de Isaías 14.14 foi traduzido pela Vulgata como ilex, o carvalho perene, e seguido por outras versões como "azinheira". Muitos estudiosos concordam agora que essa árvore era provavelmente o cipreste *Cupressus sempervirens*. Trata-se de uma árvore perene da qual podemos encontrar cerca de dez espécies nas montanhas das terras bíblicas. Antigamente ela era abundante nos picos cobertos de nuvens do monte Hemom (Sir 24.13; 50.10). Hoje são freqüentemente plantadas em cemitérios da Palestina. Veja VBW, III, 222. Sua madeira é dura e perfumada, tem um tom avermelhado e é quase indestrutível. Duas portas da catedral de São Pedro são feitas com madeira de cipreste e têm durado mais de 600 anos. O cipreste era muito usado na Antiguidade, todas as vezes que uma madeira forte e durável era necessária; para prensas de vinho, jangadas, vigas, e na fabricação do convés dos navios. Embora a palavra *tirza* seja encontrada apenas em Isaías 44.14, várias versões trouxeram o termo "cipreste" ao invés de "pinho" (*q.v.*) como a tradução da palavra hebraica *berosh* (1 Rs 6.15 etc.; 2 Cr 2.8; 3.5. Estas traduções estão de acordo com Heródoto, que dizia que o rei Hirão, de Tiro, havia transferido para Salomão os "mais finos cedros e ciprestes" para a construção do Templo. A "madeira de Gofer" com a qual Noé construiu a arca (Gn 6.14), embora desconhecida, tem sido identificada com o cipreste ou com o cedro (*q.v.*).

**Coentro** (heb., *gad*). O *Coriandrum sativum* é uma planta umbelífera da família da cenoura com folhas iguais às da salsa. As sementes ou frutas são redondas e cinzentas, do tamanho de um grão de pimenta, com um aroma agradável e pronunciado. Cresce espontaneamente no Egito e na Palestina, e seu óleo e sua semente eram muito apreciados para condimentar os alimentos e também como remédio contra gases intestinais. A Bíblia menciona o coentro apenas para descrever a aparência do maná (Êx 16.31; Nm 11.7), mas ele deve ter sido muito conhecido e amplamente utilizado.

**Cominho** (heb., *kammon*; gr., *kuminon*). As sementes aromáticas e medicinais do *Cuminum cyminum* eram universalmente usadas nos tempos bíblicos, tanto para fins medicinais como na preparação de alimentos. O cominho foi atualmente substituído pela semente da alcaravia que lhe é muito semelhante. Embora essa planta não seja nativa da Palestina, ela foi cultivada desde a Antiguidade. As sementes redondas e secas eram colhidas depois que a planta era malhada com uma vara (Is 28.25-27). A prática de dizimar essas pequenas sementes foi usada pelo Senhor Jesus para mostrar os excessos do legalismo farisaico (Mt 23.23). O texto em Deuteronômio 14.22,23 exigia que os grãos fossem dizimados, e o Mishna (Ma'as, IV.5) inclui o endro e o cominho na categoria de "grãos".

**Damasco.** *Veja* Plantas: Maçã.

**Ébano** (heb., *hobnim*, palavra emprestada do egípcio *hbny*). O ébano é a espécie de madeira que corresponde ao cerne escuro, muito duro e granado da palmeira ou árvore do ébano, *Diospyros ebenaster*. Essa árvore cresce na região tropical da Índia, Ceilão,

Índias Orientais e talvez na África oriental. Essa madeira foi levada aos portos situados ao longo do golfo da Pérsia ou da costa sul da Arábia, de onde foi transportada até a Palestina pelas caravanas ou frotas de navios. Essa dispendiosa madeira era usada na época, assim como agora, para fazer incrustações em cetros e outros trabalhos artesanais de alto nível.

Ezequiel fala sobre o ébano, juntamente com as presas de marfim, como uma das preciosas mercadorias dos mercadores de Tiro (27.15).

**Endro.** Esta é a tradução da palavra hebraica *qesah* ("ervilhaca", *q.v.*) em Isaías 28.25,27 e da palavra grega *anethon* ("anis", *q.v.*) em Mateus 23.23. É uma planta semelhante à salsa (*Anethum graveolens*) com sementes ovais semelhantes à alcaravia, usada para condimentar os alimentos. *Veja* Plantas: Arruda.

**Ervas.** *Veja* Plantas: Grama.

**Ervas Amargas.** Esse termo descritivo pode ser aplicado a inúmeras plantas. Os hebreus deviam comer "ervas amargas" em relação à Páscoa para que se lembrassem da amarga escravidão da qual haviam sido redimidos por Deus (Êx 12.8; Nm 9.11). De acordo com a tradição rabínica do *Mishnah* (Pesahim 2.6), essas ervas eram a alface selvagem, a chicória, o mastruço e o dente de leão. Outras ervas de sabor amargo ou cáustico cresciam na Palestina e também têm sido sugeridas, como a endívia, o agrião e a *Centaurea,* ou a planta centúria que cresce no deserto. Entretanto, o manifesto legal dos rabinos provavelmente preserva a antiga tradição.

**Ervas Daninhas** (heb., *suph*). Essa palavra, traduzida como "algas" ou "plantas marinhas" em Jonas 2.5, é uma das palavras comuns para "junco" (*q.v.*). Como nesse contexto ela é encontrada em relação ao fundo do mar, talvez a palavra "plantas marinhas" ou "zostera" seria mais adequada. Para a expressão "mar de ervas daninhas" (em hebraico *yam suph*), *veja* Êxodo, O: A Rota. Para as ervas de Mateus 13.25-30, *veja* Plantas: Ervilhaca.

**Ervilhaca** (heb., *qesah*). Embora tenha sido traduzida como "ervilhaca" em Isaías 28.25-27, esta nada é a verdadeira ervilhaca. Ela foi corretamente identificada como a flor da noz moscada, *Nigella sativa,* que faz parte da família do botão de ouro que cresce espontaneamente na maioria dos países mediterrâneos. Essa planta, com cerca de setenta centímetros de altura e flores de cor azul brilhante, produz vagens com sementes que, como diz Isaías, são debulhadas com uma vara ou bastão leve. Suas pequenas e escuras sementes são muito picantes e irritantes, e eram usadas como pimenta, muito antes da pimenta ser conhecida. Ela também era utilizada para condimentar o pão, junto com as sementes maiores do cominho. *Veja* Plantas: Endro.

Outra palavra hebraica, *kussemet,* foi traduzida em algumas versões como "ervilhacas" em Ezequiel 4.9, mas poderia ser espelta, uma espécie inferior de trigo onde a casca está aderida ao grão. Ela era usada no Egito para fazer pão (Heródoto, II.36). *Veja* Plantas: Centeio.

**Espadana**

1. Em hebraico, *'ahu.* Esta era originalmente uma palavra egípcia, que significa qualquer crescimento em lugar pantanoso onde a água está presente (Jó 8.11). Em Gênesis 41.2, ela foi traduzida como "prado" em algumas versões e "grama do brejo" em outras.
2. A palavra hebraica *sup* foi traduzida como "juncos" em Êxodo 2.3 e em Isaías 19.6. A mesma palavra é usada para falar sobre cana ou caniços, ou plantas marinhas NTLH/ algas RA/RC (Jn 2.5).

*Veja* Plantas: Junco.

**Especiaria** (heb., *besem, bosem, sam, nᵉkot*; gr. *aroma*). As palavras na Bíblia para "especiarias" são provavelmente termos genéricos que não podem ser identificados com elevada precisão. Elas incluem plantas como bálsamo, estoraque etc (*q.v.*). As "ervas aromáticas" (Ct 5.13; 6.2) parecem indicar algumas ervas rasteiras, e não árvores. Algumas autoridades acreditam que esse termo pode referir-se a ervas perfumadas, como lavanda, alecrim, tomilho, salva ou manjerona, que crescem na Palestina. É provável que a palavra hebraica *neko't* (Gn 37.25; 43.11) seja a resina alcantira, também chamada astrágalo espinhoso. *Astragulus tragacanthus, A. gummifer,* e 18, ou mais variedades são encontradas na Síria e na Palestina. Esse formidável arbusto anão que mede cerca de setenta centímetros de altura é coberto por centenas de espinhos bastante fortes. A resina que escorre dos galhos não é, verdadeiramente, uma especiaria, mas um material muito perfumado. *Veja* Especiarias, Aromas.

**Espelta.** *Veja* Plantas: Centeio.

**Espinacardo, Nardo** (heb., *nerd*; gr., *nardos*). Em geral, é aceito que o espinacardo seja um óleo aromático extraído de uma erva perene da família da valeriana, a planta do nardo ou *Nardostachys jatamansi.* Era uma planta exótica da Palestina (Ct 4.13,14), importada da Índia, nativa das montanhas do Nepal e do Tibete. De suas raízes e caules peludos e lanosos é extraído um perfume (Ct 1.12) que era muito valorizado na Antiguidade, mas demasiado forte para o olfato em nossos tempos. Os hebreus e os romanos usavam-no principalmente para preparar os mortos para o sepultamento. Como podemos imaginar, as fontes remotas e distantes e a difícil viagem desde o oriente faziam com que esse perfume fosse extremamente caro. Ele era geralmente conservado em vasos de alabastro que precisavam ser quebrados para se obter o perfume (Mc 14.3; Jo 12.3).

**Espinhos, Cardos, Sarças, Arbustos Es-**

**pinhosos.** Pelo menos 22 palavras hebraicas e gregas são usadas para descrever plantas espinhosas e irritadiças muito conhecidas de todos os homens, e elas foram usadas de forma indiscriminada pelos tradutores com o significado de espinhos, cardos, sarças ou arbustos. Como existem 50 gêneros e cerca de 200 espécies de plantas espinhosas na Síria e na Palestina, seria impossível saber exatamente qual planta o escritor tinha em mente. Embora seja raro que duas autoridades estejam de acordo, procuramos acompanhar Moldenke na divisão proposta a seguir.

1. O espinho de Isaías 7.19; 55.13; Juízes 8.7; Mateus 7.16 é o espinho de Cristo da Síria, *Zizyphus spina-christi,* uma árvore pequena, com 3 a 5 metros de altura e espinhos fortes, curvos e desiguais (VBW, V, 151). Ela desenvolve-se nos matagais impenetráveis das planícies da Síria, Líbano e Palestina. Para a palavra hebraica *na'assus,* nas duas referências de Isaías, a versão NEB em inglês traz o termo "espinho de camelo", um arbusto espinhoso do deserto.
2. Os "aguilhões" de Números 33.55 são uma verdadeira morácea, tanto a morácea palestina como a morácea de folhas de olmo, *Rubus sanctus* e *R. ulmifolius*, que são arbustos espinhosos perenes.
3. Os espinhos de Gênesis 3.18; Salmo 58.9; Provérbios 15.19; Isaías 7.23-25; 10.17; 33.12; Ezequiel 2.6; Miquéias 7.4 são do espinheiro palestino, *Rhamnus palaestina,* um arbusto ou árvore pequena, com 1 a 2 metros de altura, com ramos cobertos por espinhos aveludados. Ele cresce nos matagais das encostas da Síria e do Líbano, através da Palestina até o Sinai e a Arábia. É muito usado para fazer cercas e como combustível.
4. As passagens em Gênesis 3.18 e Oséias 10.8 (heb., *dardar*) e Mateus 7.16 e Habacuque 6.8 (gr., *tribolos*) são os verdadeiros cardos dos quais existem cerca de 125 variedades na terra santa. Eles crescem de meio metro a dois metros de altura, e representam uma erva daninha dolorosa e indesejável. Entretanto, quando os espinhos são removidos, ela torna-se uma planta comestível e até nutritiva. Moldenke também inclui o *hoah* da alegoria de Jeoás (2 Rs 14.9) como cardo, mas em outras passagens ele é um espinho, e assim muitas versões trazem o termo "espinheiro". A versão NEB em inglês traduz a palavra grega *akantha* como "cardo" na parábola do semeador (Mt 13.7 *et. al.*) por ser mais provável encontrá-la em um campo de cereais.
5. Durante séculos tem havido consideráveis discussões sobre o material de que foi feita a coroa do Senhor Jesus Cristo (Mt 27.29; Jo 19.2), e muitas plantas receberam esse título. Moldenke prefere a *Paliurus spina-christi* com seus espinhos agudos e esguios por ser um arbusto rasteiro e fácil de ser colhido pelos soldados; mas ele não cresce naturalmente nas encostas das colinas da Judéia e devem ser procurados nas vales do norte da Palestina. Zohary prefere o *Poterium spinosa* porque ele cresce nas proximidades do Gólgota. Trata-se de um arbusto de pouca altura da família da rosa, e com ramos repletos de espinhos.
6. Os textos em Isaías 34.13 e Oséias 9.6 falam de um arbusto que cresce nas ruínas dos prédios. Moldenke sugere o *Xanthium spinosum,* que, além de seus frutos, também tem longos espinhos amarelos.
7. Foi atualmente considerado que a palavra hebraica *'atad*, o "espinheiro" da fábula de Jotão (Jz 9.14,15), esteja referindo-se ao espinheiro alvar europeu, *Lycium europaeum*, um arbusto espinhoso que tem de 2 a 4 metros de altura, e que é muito comum em toda Palestina; por esta razão, a versão NEB em inglês traduziu este termo como "arbusto-espinho". Ele é muito usado para fazer cercas na Palestina (veja VBW, II, 93).

Muitas outras plantas espinhosas são comuns na Palestina, como um cumprimento do juízo do Senhor Deus por causa do pecado do homem (Gn 3.18). Entre elas podemos incluir o espinheiro sírio, o crataegus, o espinho dourado e pintado, a erva-moura ou urze branca, a urze espinhosa e a sarça. Quanto ao "espinho na carne" mencionado por Paulo (2 Co 12.7), *veja* o tópico Espinho na Carne.

**Esterco de Pombas** (q^e^re, *dibyonim*; k^e^thib, *hare yonim*). Embora Josefo afirme que o "esterco de pombas" usado pelos famintos israelitas durante o cerco de Samaria (2 Rs 6.25) deva ser uma expressão entendida de forma literal, e que este esterco era usado como sal, a maioria dos estudiosos acredita que as Escrituras estejam referindo-se a uma planta chamada Estrela de Belém, *Ornithogalum umbellatum.* É um bulbo que produz uma linda flor branca, e cresce com abundância na Palestina. Esses bulbos são desidratados e torrados ou transformados em farinha e misturados com qualquer cereal para fazer pão. Na Itália ainda existe o hábito de comê-los depois de torrados como castanhas.

**Estopa** (heb., *ne'oret*). Esse termo representa o refugo do linho (*q.v.*). A estopa é produzida durante a manufatura do linho, e é o resultado do processo de triturar e cardar as fibras. Sua natureza altamente inflamável era proverbial (Jz 16.9), e era usada como um emblema efetivo da rápida desintegração dos pecadores (Is 1.31). Várias versões utilizam o termo "torcida" para traduzir a palavra hebraica *pishta* em Isaías 43.17, porém ela também pode ser traduzida como "linho" ou como "pavio".

**Estoraque** (heb., *nataph*). Esse ingrediente do incenso, chamado estoraque em Êxodo 30.34 vem da árvore do estoraque *Styrax officinalis.* Esse lindo arbusto, que às vezes atinge o tamanho de uma pequena árvore, cobre-se na primavera com flores brancas e amarelas como flocos de neve (VBW, III, 209). Por essa razão, a LXX e outras versões chamam-no de "árvore branca/álamo" de Gênesis 30.37. *Veja* Plantas: Álamo. O nome hebraico significa "gotas" e refere-se à resina que se acumula nas gotas quando o tronco é perfurado. Essa resina era muito valorizada como perfume.

**Estoraque Doce.** *Veja* Plantas: Estoraque.

**Feijão** (heb., *pol*). Os feijões da Palestina correspondem à fava-de-cavalo, ou *Faba vulgaris*. Eram intensamente cultivados pelos egípcios, gregos e romanos e podiam ser cozidos nas vagens ou debulhados como o feijão branco ou feijão de lima. Principal alimento dos pobres dessa época, atualmente a fava de cavalo é cultivada para servir como ração para o gado. O feijão (ou fava) é mencionado como parte do alimento levado por Barzilai a Davi, quando este último fugia de Absalão (2 Sm 17.27,28), e como componente do pão especial que Ezequiel deveria preparar (Ez 4.9).

**Feixe** ou **Molho** (heb., *'alumma, 'amir, 'omer, 'arema*). Em agricultura, feixe quer dizer um conjunto de caules de grãos, amarrados para facilitar seu manejo. A primeira palavra hebraica derivou do verbo *'alam*, "atar" (Gn 37.7; Salmos 126.6). A segunda e a terceira significam uma fileira ou fiada de grãos cortados (por exemplo, Jr 9.22; Dt 24.19; Rt 2.7,15).

A quarta (Ne 13.15) fala sobre a pilha de grãos antes e depois da debulha (Rt 3.7; Ct 7.2; Ag 2.26). Esses feixes são muito inflamáveis (Zc 12.6) e eram carregados por jumentos, camelos, ou em carroças (Am 2.13) até às eiras, onde eram desamarrados e esparramados para serem debulhados (Mq 4.12). Os feixes esquecidos eram abandonados aos catadores (Dt 24.19; Jó 24.10; cf. Rt 2.7,15-17). A palavra *'omer* é usada no AT em conexão com as ofertas levíticas (Lv 23.10-13,15), por exemplo na expressão "moverá o molho perante o Senhor" (v.11) como sinal de ação de graças.

**Fel** (heb., *ro'sh*; gr. *chole*). Das duas palavras para "fel" no AT, *m^e^rora* não é um vegetal, mas, refere-se à bile, a secreção amarga da vesícula (Jó 16.13; 20.14,25). *Veja* Fel. A outra palavra, *ro'sh,* significa "cabeça" e sugere uma planta de cuja extremidade é eliminado um produto amargo. Ela foi identificada como a papoula do ópio, *Papaver somniferum* e como a colocinta selvagem (*veja* Plantas: Cabaça). A papoula cresce abundantemente na Palestina, e o suco de suas sementes fornece o amargo narcótico do ópio, uma droga muito valiosa, porém perigosa. Muitos estudiosos acreditam que o vinho misturado com fel (gr., *chole*), oferecido ao Senhor Jesus em Mateus 27.34 estava misturado com drogas e era oferecido pelas mulheres de Jerusalém para aliviar o sofrimento dos criminosos crucificados. Seja a colocinta ou a papoula, a palavra "fel" é usada muitas vezes na Bíblia para simbolizar a amargura da vida (Dt 29.18; Jr 8.14; Lm 3.5,19; At 8.23). Geralmente o termo *rosh* é traduzido como "veneno" ou "venenoso" (Dt 29.18; 32.32; Salmos 69.21; Jr 8.14; 9.15; 23.15; Os 10.4; Am 6.12). *Veja* Plantas: Cicuta, Absinto.

**Feno.** Em seu sentido moderno, o feno ou a grama cortada e seca para ser usada como forragem para o gado era desconhecido pelos israelitas. As palavras assim traduzidas, *hasir* e *chortos* (Pv 27.25; Is 15.6; 1 Co 3.12), são termos muito genéricos para ervas verdes ou grama. *Veja* Plantas: Grama. Palha.

**Figueira** (heb., *te'ena*; gr. *syke*). A figueira era uma das árvores mais valiosas e amadas dos tempos bíblicos. É a primeira das árvores frutíferas a ser mencionada na Bíblia (Gn 3.7) e aparece muitas vezes no decorrer das Escrituras até Apocalipse 6.13. O *Ficus carica* não é uma árvore alta e tem cerca de 8 metros de altura, mas é muito copada. Ela era extremamente apreciada pela densa sombra de seus ramos (cf. 1 Rs 4.25; Mq 4.4; Jo 1.48, 50). Sua fruta era consumida, assim como hoje, fresca ou seca, muitas vezes introduzida em bolos e vendida comercialmente (Ne 13.15). O xarope de figo ainda é ousado como purgativo, enquanto o emplastro de figo era um remédio muito popular (2 Rs 20.7).

Essa linda árvore oferece duas e até três safras anuais. Ao chegar o final do mês de março, aparecem os novos rebentos das folhas e, ao mesmo tempo, e até antes, pequeninos figos começam a crescer na junção entre o galho antigo e as folhas novas. Esses figos (chamados *taqsh* pelos árabes) crescem até o tamanho de uma cereja, mas são derrubados ao solo por qualquer vento que comece a soprar (Is 34.4). Esses figos "verdes" (heb., *paggim*, Ct 2.13) ou "temporões" (gr., *olynthoi*, Ap 6.13) são uma deliciosa iguaria e até vendidos no mercado. Aqueles que sobram na árvore amadurecem e são colhidos no mês de junho, "os primeiros figos maduros" (em hebraico *bikura,* de Is 28.4; Jr 24.2; Os 9.10; Mq 7.11; Na 3.12). Os árabes lhes dão o nome de *dafur* e são muito apreciados por causa de seu delicado sabor. Enquanto os figos do inverno estão amadurecendo, os rebentos da segunda colheita começam a aparecer nos ramos novos do ano em curso. São os figos do verão ou do outono (heb., *t^e^'ena*), colhidos em agosto ou setembro (Jr 8.13; 24.1-8; Nm 13.23). Sem dúvida, os figos foram incluídos na cesta de frutos do verão de Amós (Am 8.1-2). O termo grego correspondente é *sykon* (Mt 7.16; Lc 6.44; Tg 3.12), a principal colheita de uma árvore sadia (veja VBW, III, 121; V, 68).

Essa árvore tão valiosa era intensamente cultivada e tornou-se o símbolo da segurança e da prosperidade (1 Rs 4.25; Is 36.16; Zc

Figueira, oliveira e videira, três plantas básicas do mundo mediterrâneo, crescem juntas no Fórum em Roma. HFV

3.10) enquanto a falta ou a destruição dessa árvore era considerada uma completa desgraça (Os 2.12; Jl 1.7,12; Hc 3.17). O fato de a figueira produzir figos verdes ao mesmo tempo, e até antes das folhas (no início de abril, época da Páscoa) deu muito significado à maldição proferida pelo Senhor Jesus contra a figueira que, pelas suas folhas havia dado a promessa de um fruto, mas deixou de produzi-lo (Mt 21.18-21). A aplicação desse incidente à própria falta de Israel em relação a produzir frutos para Deus, seria naturalmente percebida pelos discípulos, pois o figo havia sido usado, mais de uma vez, como símbolo dessa nação (Is 34.4; Jr 24.1-8; Os 9.10; Lc 13.6-9).

Talvez pelo fato de Adão e Eva terem procurado cobrir sua nudez com folhas de figueira (Gn 3.7), algumas tradições afirmam que o figo era a fruta proibida do Éden. Outras tradições, também desprovidas de qualquer embasamento sólido, afirmam que foi em uma figueira que Judas enforcou-se (Mt 27.5). Cf. C. H. Hunzinger, "*Suke* etc.", TDNT, VII, 751-759.

**Flor.** Essa palavra corresponde à florescência das árvores, arbustos e outras plantas. Das muitas centenas de variedades de flores conhecidas que cresciam na Palestina, somente cerca de 15 são mencionadas especificamente na Bíblia Sagrada. A riqueza do vocabulário hebraico na descrição dessas variedades indica o interesse e a consideração que o povo sentia por elas. No entanto, não são mencionados jardins estritamente feitos para flores, e não sabemos ao certo se eles eram conhecidos. *Veja* Plantas: Jardim.

As flores foram mencionadas em algumas traduções de Cantares 5.13 (em hebraico *migdelot*, "canteiro" de ervas aromáticas) e de Cantares 2.12 como simples botões ou flores que aparecem depois do inverno. A flor é associada ao fruto da videira, e desenvolve-se antes da colheita (Is 18.5) ou despenca da oliveira antes de amadurecer (Jó 15.33).

Modelos de flores foram usados para enfeitar os ramos do castiçal de ouro (Êx 25.31-34), e também foram feitos entalhes de flores para decorar as paredes e as portas do Templo de Salomão (1 Rs 6.18,29,32,35). O breve período da beleza de uma flor, antes de fenecer, significa muitas vezes a brevidade da vida nessa terra (Jó 14.2; Salmos 103.15; Is 28.1,4; 40.6,7; Tg 1.10,11; 1 Pe 1.24). *Veja* Flores. Veja variedades individuais de flores sob seus respectivos nomes nesse artigo.

**Folha.** *Veja* Folha.

**Forragem** (heb., *b^elil*). Essa palavra designava uma mistura de vários tipos de grãos como "trigo, cevada, ervilhaca e outras sementes" (Gesenius) ao alimento do gado. A idéia de "mistura" está indicada nessa palavra. Às vezes os animais recebiam forragem salgada (Is 30.24). Essa palavra foi traduzida como "forragem" em Jó 6.5; 24.6, e em Isaías 30.24.

**Freixo** (heb., *'oren*). Palavra mencionada apenas em Isaías 44.14 (como pinheiro ou carvalho), também é chamada de "cedro". A Septuaginta (LXX) e Vulgata a traduziram como "pinheiro". Estudiosos modernos concordam que era uma sempre viva e a maioria acredita que seja um pinheiro. Zohary discorda destas opiniões e afirma que se trata do louro (cf. Plantas: Louro).

**Fruta.** Mesmo hoje em dia, uma dieta comum do oriente contém comparativamente pouca carne. Ela consiste em grande parte de frutas e vegetais. Frutas, como figo, tâmara, uvas etc (*q.v.*) eram não somente muito apreciadas pelo seu sabor e frescura como também constituíam o principal elemento de uma refeição. Uma boa parte da agricultura de Israel era dedicada aos vinhedos e pomares. Embora na Palestina atual sejam cultivadas frutas como laranja, banana e maçãs, tais como conhecemos, elas eram desconhecidas nos tempos bíblicos. *Veja* Fruto, para usos com sentido figurado.

**Gálbano** (heb., *helb^ena*). O gálbano é mencionado apenas uma vez como ingrediente do incenso sagrado reservado para a adoração a Deus (Êx 30.34). Ele é obtido da férula, uma árvore fortemente enraizada e perene da família da cenoura, sendo que nove espécies são encontradas na Palestina. Quando o caule dessa planta é cortado, flui um líquido leitoso que logo endurece formando uma resina fétida, amarelada, com odor penetrante e muito desagradável quando incinerado. A assa-fétida é obtida de espécies semelhantes da Pérsia e da Índia. Atualmente, o gálbano é usado de forma medicinal, e na preparação de vernizes.

**Galho.** *Veja* Ramo.

**Grama.** As quatro palavras usadas no hebraico (*yereq, hasir, deshe', 'eseb*) e traduzidas como "grama" no AT, e a palavra grega *chortos* no NT, são termos genéricos que significam plantas, vegetação, vegetais, ervas e plantas verdes que crescem. Há versões que traduzem a palavra *deshe'* como "relva" (Gn 1.11), "erva verde" (2 Rs 19.26) ou "renovo" (Jó 38.27). A versão RSV em inglês traduz estes termos como "vegetação" (Gn 1.11), "grama" (Is 66.14), "renovo" (Pv 27.25; Is 15.6), vegetais (Dt 11.10; cf. Rm 14.2; em grego, *lachanon*).

O termo erva (*hasir*) é freqüentemente utilizado como uma ilustração da brevidade da vida humana sobre a terra (Salmos 37.2; 90.5; 103.15; Is 40.6-8; 51.12; cf. Tg 1.10,11. 1 Pe 1.24). A palavra grega *botane* aparece uma vez (Hb 6.7) e é traduzida como "ervas" ou "vegetação".

**Grão.** Diferentes palavras hebraicas e gregas estão associadas às referências bíblicas feitas aos grãos. A versão KJV em inglês emprega a palavra "milho" (*q.v.*) para traduzir essas palavras, mas nenhuma delas significa o milho indígena do hemisfério ocidental. Os principais tipos de grãos cultivados na época bíblica eram o painço, o trigo, a cevada e o emmer (uma espécie de trigo). Em diversas ocasiões, o Senhor Jesus usou o grão ou a semente para ilustrar verdades espirituais (por exemplo, Mt 13.3-38; Mc 4.26-29; Jo 12.24). Paul usou o núcleo de um grão, como o trigo, para ilustrar seu ensino sobre a ressurreição do corpo (1 Co 15.37). O grão, como fonte de alimento, era tão importante na Antiguidade que os cultos à fertilidade surgiram com a finalidade de assegurar abundantes colheitas. Os arqueólogos descobriram jarros para guardar grãos e covas usadas como silos em numerosos locais do Egito e da Palestina. *Veja* Celeiro; Armazém.

**Hena.** Tradução da versão RSV em inglês de um termo em Cantares 1.14; 4.13. *Veja* Plantas: Cânfora.

**Hera.** A planta mencionada em 2 Macabeus 6.6,7 para fazer as coroas que os judeus eram obrigados a usar nos festivais pagãos é a *Hedera helix*, uma trepadeira perene com folhas carnudas e flores verdes e macias. Era habitualmente usada pelos gregos e romanos nas grinaldas usadas como símbolo de júbilo. *Veja* Coroa.

**Hissopo** (heb., *'ezob*; gr., *hyssopos*). Moldenke escreve que "De todas as palavras da Bíblia que se referem às plantas, "hissopo" é, sem dúvida, a mais controvertida" (p. 222). Ele cita Celsius que devotou 42 páginas para discutir 18 plantas e não chegou a uma conclusão. Uma conclusão que parece ser válida é que o hissopo comum do jardim, *Hyssopos officinalis,* não corresponde à planta bíblica, pois era desconhecido no Egito e na Palestina. Estudiosos mais modernos concordam que essa palavra pode referir-se a várias plantas diferentes. Eles também concordam com a crença de que o hissopo do AT, usado para aspergir o sangue dos sacrifícios, provavelmente não é o mesmo "hissopo" do NT (Jo 19.29), que em Mateus 27.48 e Marcos 15.36 é chamado de "cana". Entretanto, em Hebreus 9.19, o termo *hyssopos* deve referir-se à planta do AT porque está falando sobre o ritual mosaico da aspersão com sangue.

Geralmente, acredita-se que a planta do AT seja a manjerona da Síria e do Egito, *Origanum maru.* Essa planta, da família da hortelã, tem galhos hirsutos e firmes, e folhas grossas e peludas que seriam muito úteis para aspergir líquidos. Também foi sugerida a alcaparra, porém suas folhas lisas dificilmente serviriam para esse propósito.

O hissopo era usado como forma de aplicar o sangue dos sacrifícios na Páscoa (Êx 12.22), nas cerimônias relacionadas com a purificação da lepra (Lv 14.4,6,49,51,52), e na cerimônia da purificação de alguém que havia se contaminado por tocar o corpo de um morto (Nm 19.6,18). Diz-se que se trata de uma planta comum e de fácil acesso naquela parte do mundo (1 Rs 4.33). A aplicação do sangue representa a apropriação pessoal da provisão de Deus. "A aspersão com o hissopo significava a aplicação do sangue, e fala sobre aquela fé que se apropria da morte de Cristo como um assunto pessoal. Portanto, a aspersão do sangue significava que a pessoa tinha fé na morte expiatória de Cristo" (J. H. Todd, *Prophetic Pictures of Christ*, p. 63). Davi usou o hissopo como uma metonímia para o sangue da expiação, pelo qual o pecador é purificado (Salmos 51.7).

O hissopo do NT, com o qual o vinho foi levado aos lábios do Senhor Jesus crucificado, foi identificado por muitos como sendo um galho de sorgo, *Sorghum vulgare*, uma planta alta parecida com o milho, com caule rijo e uma altura que pode ultrapassar dois metros. Seus grãos nascem em uma extremidade grossa, com a aparência de uma escova, e às vezes ele recebe o nome de "milho de Jerusalém"; os grãos são triturados e cozidos para se fazer um pão rústico.

**Hortelã** (gr., *heduosmon*). A palavra grega traduzida como "hortelã" em Mateus 23.23; Lucas 11.42 é um termo genérico para ervas perfumadas, cultivadas para condimentar saladas e alimentos. As seguintes variedades são encontradas na Palestina: poejo, hortelã-pimenta e hortelã de jardim. A *Mentha longifolia,* ou "menta de cavalo", é provavelmente aquela que foi mencionada pelo Senhor Jesus.

Os judeus de antigamente costumavam espargir menta para perfumar o ar, e Plínio menciona 41 remédios feitos com essa planta. Embora a menta seja atualmente usada como uma das "ervas amargas" da Páscoa, ela não tinha essa utilidade na época bíblica. *Veja* Plantas: Ervas Amargas.

**Incenso** (em hebraico *l[e]bona*; em grego *libanos*). O incenso é uma resina de odor penetrante, obtida a partir de três espécies do gênero *Boswellia*, uma árvore (Ct 4.14) que é nativa apenas no sul da Arábia (Is 60.6; Jr 6.20) e na Somália. Quando a casca é retirada apenas alguns centímetros, aparece uma seiva resinosa que forma glóbulos ou protuberâncias e que é chamada de "lágrimas". O incenso era uma das resinas mais valorizadas da Antiguidade, e sua limitada fonte de abastecimento o tornava extremamente caro, e uma das mercadorias mais lucrativas das grandes caravanas terrestres e marítimas que vinham do oriente. Essa resina tinha um perfume balsâmico e era usada sozinha ou junto com outros materiais na preparação do incenso. Ela era um dos ingredientes do incenso sagrado que só podia ser usado no Tabernáculo de Israel (Êx 30.34). O incenso era colocado na oferta de manjares das primícias (Lv 2.15,16) e no pão da proposição (Lv 24.7). Mais tarde, também foi usado na fabricação de cosméticos e perfumes (Ct 3.6). O incenso era intensamente usado em todo o mundo greco-romano, e também como remédio, embora as Escrituras nada mencionem a este respeito. Sua principal utilização entre os judeus ocorria na adoração. Este fato torna o ato de presentear o Senhor Jesus Cristo, recém nascido, com incenso, um ato muito significativo (Mt 2.11). Cf. "Frankincense and Myrrh", de Gus W. Van Beek, BA, XXIII (1960), 69-95. Uma árvore nativa de "incenso" da Palestina é analisada sob o título "Bálsamo" (*q.v.*).

**Jardim** (heb., *gan, ganna, ginna*; gr., *kepos*). Desde o jardim plantado por Deus no Éden ao jardim do Getsêmani, os jardins são mencionados muitas vezes na Bíblia Sagrada. A maioria deles era formada por jardins funcionais de especiarias (Ct 6.2), vegetais e ervas (Dt 11.10; 1 Rs 21.2), parreirais ou pomares de frutas e nozes (Ct 6.11; Jr 29.5,28; Am 4.9; 9.14). Geralmente eram fechados por um muro de pedra ou cercas de espinhos (Ct 4.12) com água para irrigação (Nm 24.6; Ct 4.15; Is 58.11; Jr 31.12; cf. Is 1.29,30). Às vezes, os jardins eram extensos parques ou áreas de prazer dos reis (2 Rs 21.18; 25.4; Ec 2.4-6; Et 1.5; Jr 39.4; 52.7). Veja Dorothy B. Thompson, "*Parks and Gardens of the Ancient Empires*", *Archaeology*, III (1950), 101-106. O Getsêmani era um "jardim" (gr., *kepos*, Jo 18.1) ou um pomar de oliveiras. O local onde o Senhor Jesus foi sepultado também estava em um jardim nas proximidades do Calvário (Jo 19.41). Os enterros reais do período do AT às vezes também eram feitos em jardins (2 Rs 21.18,26). Em todo o Oriente Próximo, os jardins e os bosques eram escolhidos como lugares para adoração aos ídolos (Is 65.3; 66.17), e os profetas repetidamente condenaram Israel por adorar ídolos "debaixo de toda árvore verde" (Dt 12.2; 2 Rs 16.4; 17.10; Jr 3.6,13). Embora fossem cultivados de uma forma geral para a produção de vegetais e frutas, os jardins estavam situados fora dos muros das cidades populosas e representavam um lugar fresco e aprazível para se abrigar, muito apreciados naquele clima tão quente (cf. Ct 4.16). *Veja* Plantas: Pomar.

**Joio**[1] (gr., *zizanion*). Não há dúvida de que o joio mencionado na parábola (Mt 13.25ss.) é o "joio farpado" ou *Lolium temulentum*. Essa erva destruidora é quase indistinguível do trigo ao nascer. Sua verdadeira natureza revela-se na época da colheita e o fazendeiro (ou sua esposa e filhos) precisa separá-la do verdadeiro trigo, pois é venenosa para o homem e para o gado.

**Joio**[2] (em hebraico *bo'sha*). O joio é mencionado, por exemplo, em Jó 31.40.

Como o nome hebraico significa "mau", "mau cheiro", este termo pode ser traduzido como "plantas daninhas". Esse nome ajusta-se a inúmeras plantas da Palestina: arum, meimendro, mandrágora (*q.v.*), e até à mortal erva-moura. Moldenke prefere uma variedade comum, a *Agrostemma githago*, porque ela parece estar de acordo com o contexto de Jó. Trata-se de uma planta robusta e bela cuja altura atinge de 1 metro a 1 metro e 30 centímetros, e tem flores cor-de-rosa forte, manchadas de preto. Entretanto, ela é uma erva nociva que cresce no meio dos grãos nos campos; suas sementes são venenosas ao organismo humano.

**Junco** (heb., *'ahu, sup, 'agmon, gome', qaneh, 'arot*; gr., *kalamos*). Essas seis palavras hebraicas, traduzidas como termos para várias plantas de brejo, como cana, cálamo, junco, caniço etc., são usadas de acordo com o entendimento dos tradutores, e quase sempre sem uma concordância geral entre os estudiosos. Em um sentido geral, qualquer tentativa para identificar qualquer planta específica através de uma palavra ou contexto seria arbitrário. Pode ser que todas essas palavras sejam termos genéricos usados para descrever os inúmeros tipos de plantas que crescem dentro da água ou em suas proximidades. A seguinte divisão procura fazer a distinção entre certos usos:

1. A palavra hebraica *'agmon* em Isaías 58.5 corresponde ao "junco" com cabeça inclinada (cf. 9.14; 19.15). Ela é derivada de *'agam*, um lago pantanoso ou uma piscina (Is 14.23; Êx 7.19) ou seus juncos (Jr 51.32). Em Jó 41.2 a "vara" pode ser traduzida como uma "corda" ou caniços. Em Jó 41.20, a "grande caldeira" pode ser traduzida como "juncos que ardem".
2. A palavra hebraica *qaneh* equivale à palavra "cana" e foi corretamente traduzida como "junco" ou "cana". O junco persa, *Arundo donax*, uma erva gigantesca que cresce até 6 metros de altura, é muito comum na Síria, Palestina e na península do Sinai e, provavelmente, a planta geralmente mencionada pelos termos "junco" ou "papiro".
3. O gado não podia alimentar-se com o imenso junco persa, portanto Moldenke sugere que em Gênesis 41.2 o significado seria um dos 15 tipos de papiro, *Scirpus*, encontrado no Egito, ou talvez uma das 21 espécies de junco, *Juncus*. Outros sugerem que era o gladíolo da água, ou junco florido, *Butomus*

*umbellatus.* A palavra *'ahu,* traduzida como "prado" em algumas versões, mas como "cana-do-reino" por outras, é uma palavra egípcia e não originalmente hebraica. Esse termo também ocorre em Jó 8.11 como "espadana" ou "junco".

4. As penas para escrever a tinta nos papiros geralmente eram feitas dos caules do junco comum, *Pragmites communis,* encontrado nos pântanos e brejos em toda a terra santa. A extremidade do junco era quebradiça e as fibras ficavam separadas parecendo uma delicada escova (3 Jo 13; talvez Jeremias 8.8; Salmos 45.1).

5. Em conexão com as penas encontramos o junco do papiro, *Cyperus papyrus.* Foi a partir desse famoso papiro (heb., *gome'*) que nasceu o primeiro papel do homem. Seus caules triangulares, com 2,5 a 5 metros de altura, cobertos com uma pluma de pedúnculos, eram apartados e seu núcleo era então enrolado depois das hastes terem sido coladas uma a uma. *Veja* Papiro; Escrita. Antigamente os juncos do papiro cresciam nos pântanos (Jó 8.11) do Egito e do lago Huleh, atualmente drenado, no norte do de Israel (VBW, IV, 109). Navios de junco (Is 18.2) ainda são feitos com feixes dessas plantas, depois de amarrados e trabalhados para formar um pequeno barco (cf. Jó 9.26; ANEP #124). A "arca" ou "cesto" para o infante Moisés foi confeccionada com esse material.

6. A palavra hebraica *qanet* do AT, e *kalamos* do NT referem-se à *Typha latifolia* ou *T. angustata,* o conhecido junco tifáceo encontrado com abundância na Palestina. Suas hastes longas geralmente eram cortadas no comprimento de uma vara (ou cana) de medir (Ez 40.3, *et al*; Ap 11.1). Uma vara como essa foi entregue ao Senhor Jesus como uma imitação de um cetro e depois foi usada para açoitá-lo (Mt 27.29,30). O "caniço" (Jo 19.28) com o qual ergueram a bebida até seus lábios era provavelmente o sorgo e não o verdadeiro junco (*Veja* Plantas: Hissopo).

Muitas vezes, o junco é usado em sentido figurado para sugerir insegurança ou fragilidade (Is 36.6; 42.3; 1 Rs 14.15; Mt 11.7; 12.20).

**Junípero** (heb., *rotem*). Palavra traduzida como "zimbro" em 1 Reis 19.4,5; Jó 30.4; Salmo 120.4, mas como "junípero" em algumas traduções (1 Rs 19.4). É um arbusto do deserto cuja sombra é escassa, mas bem vinda. É fonte de excelente carvão que queima com intenso calor durante um longo período.

**Láudano.** *Veja* Plantas: Mirra.

**Leguminosas** (heb., *zero'im*). Em Daniel 1.12,16, a palavra "legumes" representa um enigma para os estudiosos. Literalmente, ela significa "sementes" e a sugestão mais provável é que se refere a um termo genérico para vegetais e leguminosas como ervilha, feijão ou lentilha. Várias versões traduziram este termo simplesmente como "legumes". Em 2 Samuel 17.28, a palavra "leguminosa" foi oferecida pelos tradutores da versão KJV em inglês como sugestão de um segundo tipo de alimento tostado; há versões que trazem a expressão "grão(s) torrado(s)".

**Lentilha** (heb., *'adashim*). A lentilha, *Lens esculenta,* é uma planta pequena semelhante à ervilha, relacionada com a ervilhaca, e que cresce em solos pobres e impróprios para outras culturas (cf. 2 Sm 23.11). Os grãos de cor marrom avermelhada da lentilha ainda são muito usados como alimento, da mesma forma como eram nos dias de Davi (2 Sm 17.28). Eles servem para fazer uma sopa avermelhada (Gn 25.28-34), e também podem ser misturados à farinha para fabricar um tipo inferior de pão (Ez 4.9).

**Lentisco.** *Veja* Plantas: Bálsamo.

**Ligno Aloés.** *Veja* Plantas: Aloés.

**Linho.** O linho é a mais antiga de todas as fibras têxteis e os botânicos, muito apropriadamente, o chamam de *Linum usitatissimum.* Até a época do exílio, quando o algodão (*q.v.*) foi introduzido na Pérsia, o linho e a lã eram a origem de todos os tecidos do Oriente Médio e do Egito (Êx 9.31). Na Antiguidade, essa planta que cresce até cerca de um metro de altura era arrancada pela raiz e colocada para secar, muitas vezes sobre os telhados planos das casas (Js 2.6). Os caules eram mergulhados na água ou macerados durante várias semanas até que a casca externa se despregasse, então as fibras interiores eram penteadas (Is 19.9), torcidas em fios e depois transformadas em tecido.

As fibras brutas ou estopa (*q.v.*) eram torcidas e usadas como pavio nas lâmpadas de azeite (Is 42.3). O uso difundido do linho pode ser verificado pelos seus vários graus, que aparecem sob nomes distintos nas Escrituras. *Veja* Linho. A moderna utilização dessa fibra na fabricação de barbante, corda, óleo de linhaça, a partir das sementes, além do uso das sementes como forragem para o gado não era conhecida nos tempos bíblicos.

**Lírio** (heb., *shoshan*). Embora seja empregada apenas uma palavra hebraica, inúmeras flores foram sugeridas como sendo "lírios". É provável que esse termo hebraico cobrisse uma variedade de flores muito maior que o nosso "lírio". O principal indício para o significado dessa palavra vem do contexto de cada passagem.

1. O texto em Cantares 5.13 compara os lábios vermelhos da amada a uma flor rara e bela, e o escarlate ou lírio Martagão, *Lilium chalcedonicum,* nativo da Palestina, bastante raro e com flores da cor de chamas ardentes, parece ser adequado a essa tradução.

2. O "lírio dos vales" (Ct 2.1,2,16; 4.5) não é a flor perfumada que conhecemos com esse nome, porque ela não ocorre na Palestina. Alguns estudiosos sugerem a brilhante *Anemone coronária,* enquanto outros afirmam ser a violeta, o jasmim ou o botão de ouro, *et al.* Moldenke acredita que o *Hyacinthus*

*orientalis*, de coloração azul escura e perfumado, seria o mais provável (p. 114). É muito provável que essa flor seja a bastante conhecida Madonna ou lírio do oriente, como acreditavam muitos escritores da Antiguidade e da Idade Média, e que aparece muitas vezes em obras de arte cristãs. Embora há muito tempo acreditassem que o lírio fosse desconhecido na Palestina, atualmente existem provas de que ele cresce nessa região de forma ainda mais abundante do que no passado (VBW, III, 221). Pelo menos, esse pode ser o jardim de lírios de Cantares 6.2.

3. O lírio que, de acordo com a descrição, florescia na água (Os 14.5; Sir 39.14; 50.8) é provavelmente a íris, que também foi sugerida em outros contextos no lugar do lírio. Embora existam mais de 50 espécies de íris na Palestina, a mais provável seria a de coloração amarela, *Iris pseudacoris,* que cresce em águas rasas e nas margens dos rios e lagos.

4. Não há dúvida de que um dos lírios da Bíblia seja o lindo lótus, ou lírio aquático. Essa flor era a favorita do Egito e está presente em muitos trabalhos artísticos dessa nação. (ANEP #93). A descrição da decoração do Templo de Salomão como sendo uma "obra de lírios" (1 Rs 7.19,22,26; 2 Cr 4.5) pode referir-se a alguns tipos de lírio: (*a*) ao lírio aquático com muitas pétalas e semelhante a uma rosa; (*b*) ao grande lótus branco do Egito, *Nymphaea lotus*, chamado de "Noiva do Nilo"; (*c*) ao azul *N. caerulea*; (*d*) ou ao simples lírio branco, *N. alba*.

5. A palavra grega *krinon* do NT também é difícil de ser identificada. Os "lírios do campo" comparados por Jesus a Salomão em toda a sua glória (Mt 6.28,29) parecem ter sido a *Anemone coronaria* (cf. 2). Ela é mais brilhante que as demais anêmonas ou flores silvestres, e suas cores vão da púrpura brilhante ao roxo escuro. Sua pequena flor, que alcança apenas 15 centímetros a partir do bulbo, cresce abundantemente em toda a Palestina e parece ser bastante adequada ao exemplo do Senhor Jesus. Outros acreditam que a camomila *Anthemis palaestina,* uma margarida branca muito comum, fácil de passar despercebida, entretanto perfeita em sua delicada beleza, poderia ser uma possibilidade melhor. Tulipa, gladíolo, abrótea e outras flores também foram sugeridas.

**Lótus.** *Veja* Plantas: Lírio.

**Louro.** Na tradução do Salmo 37.35, "como a árvore verde", nenhuma árvore é mencionada especificamente. A tradução "como a árvore verde na terra natal" parece ser a mais completa. Vários estudiosos tentaram determinar que árvore verde ajustar-se-ia especificamente ao contexto, e assim várias versões, acompanhando a LXX, mencionaram o "cedro do Líbano".

Como a palavra hebraica *'ezrah* significa literalmente "árvore nativa", a maioria dos estudiosos concorda que *Laurus nobilis,* isto é, o louro, a "magnólia americana", o louro rosa etc., seria a melhor interpretação. É uma árvore perene, com uma altura de 13 a 20 metros, cuja copa é mais esguia que circular. Suas folhas exalam um odor adocicado e delas extrai-se um óleo perfumado. Os gregos e os romanos faziam grinaldas com folhas de louro para seus heróis e vencedores. As raízes e a casca ainda têm uso medicinal. Como é uma árvore muito útil e atraente, ela seria um excelente símbolo de prosperidade. *Veja* Plantas: Freixo.

O lírio aquático que cresce no Egito. HFV

**Maçã** (heb., *tappuah*). Embora atualmente excelentes maçãs sejam produzidas na Palestina, a maioria dos estudiosos acredita que essa não era a fruta chamada *tappuah* em hebraico. Na Antiguidade, as maçãs eram pequenas, duras e amargas, muito parecidas com a maçã silvestre. As frutas descritas como "maçãs de ouro em salvas de prata" (Pv 25.11) e apreciadas pela sua fragrância (Ct 7.8) eram provavelmente damascos, ou *Prunus armeniaca*. Essa deliciosa fruta de cor alaranjada (Ct 2.5) ainda é chamada de "maçã dourada" em grego. Alguns escritores sugeriram o marmelo, enquanto outros sugeriram a cidra (*Veja* Plantas: Árvores Agradável), mas essa última fruta tem a cor verde, é dura, amarga e totalmente imprópria para comer. A laranja, proposta por outros, não era conhecida na Palestina na Antiguidade. Trata-se apenas de uma lenda popular dizer que a maçã era uma fruta proibida no Éden. Sendo assim, o damasco corresponde melhor à descrição (Gn 3.6). A árvore do damasco tem uma altura de 4 a 6,5 metros, e sua folhagem é densa e se esparrama pelos galhos (Ct 2.3; 8.5; Jl 1.12).

Na expressão "maçã dos olhos", a maçã (literalmente, homem pequeno) provavelmente se refere à imagem própria que o homem vê refletida na pupila dos olhos de outra pessoa (Dt 32.10; Salmos 17.8; Pv 7.2). *Veja* Olho.

**Maçã do Amor.** *Veja* Plantas: Mandrágora.

**Madeira de Gofer.** Gênesis 6.14. *Veja* Plantas: Cipreste, Cedro.

**Malva** (heb., *malluah*). O nome hebraico significa "salgado" e, usando isso como guia, a planta foi identificada com o robusto *Atriplex,* do qual crescem cerca de 21 variedades na Palestina. O beldroega marinho seria a mais provável. Ela precisa do ar salgado do mar para crescer e é encontrada ao longo das praias do Mediterrâneo, do golfo de Ácaba e do mar Morto. Esse arbusto cerrado e perene está relacionado com o espinafre, cresce de 1,65 a 3,30 metros de altura, e tem pequenas flores roxas. Seus ramos desprovidos de espinhos e suas espessas e carnudas folhas, embora desagradáveis ao paladar, podem ser ingeridas se necessário (Jó 30.4). O Talmude diz que os judeus que retornaram para reconstruir o Templo (520-516 a.C.) precisavam comer malva em sua terrível pobreza. Acompanhando a LXX, a versão RSV em inglês apresenta a tradução: "como a malva" em Jó 24.24, ao invés de "todos os outros".

**Maná** (heb., *man*). A palavra hebraica significa simplesmente "O que é isto?" e exprime a admiração dos israelitas pela estranha provisão de alimento enviada por Deus (Êx 16.15,31-35; Nm 11.6-9 etc.). As Escrituras deixam bem claro que foi uma provisão miraculosa que aparecia seis dias da semana e que seria inútil se fosse conservada até o dia seguinte, exceto no sábado. As palavras do Senhor Jesus em João 6.32, de que foi Deus que enviou esse "pão do céu", reafirma esse caráter miraculoso. Entretanto, alguns estudiosos têm persistido em tentar identificar alguma fonte natural para o maná. O maná do Sinai, *Alhagi maurorum,* o maná da tamargueira, *Tamarisk mannifera,* e as flores do freixo, *Fraxinus ornus,* produzem uma resida pegajosa que endurece e é comestível. A árvores da tamargueira são invadidas às vezes por pequenos insetos que destroem o caule e provocam o vazamento de um líquido com sabor de mel que endurece e cai como gotas sobre o solo. Essas gotas, usadas na confecção de bolos, são consumidas pelos árabes e vendidas aos turistas como se fosse o maná original. Nenhum desses resinosos manás tem as qualidades do alimento das Escrituras, incluindo o fato de que o maná apareceu ininterruptamente durante 40 anos, em qualquer lugar em que os israelitas estivessem.
*Veja* Alimentos: Maná.

**Mandrágora** (heb., *dudaim).* O nome hebraico significa "amando" e sugere a natureza da mandrágora, ou maçã do amor.
A *Mandragora officinarum* é uma planta narcótica da família do tomate que foi, durante séculos, considerada como afrodisíaco ou filtro do amor (cf. Gn 30.14-16). As folhas de cor verde escura da mandrágora formam uma grande roseta na base, com flores roxas ao centro (VBW, I, 81). Sua fruta é pequena, de um vermelho brilhante, com o formato de um tomate, porém é macia, polpuda e um pouco venenosa. Essa planta tem uma enorme raiz marrom e rugosa que, usando a imaginação, se parece com o corpo humano. Tem um perfume intenso que pode ter sido agradável e até estimulante para os orientais (Ct 7.13). Muitas lendas fantásticas acompanham a mandrágora, além de seu suposto poder sobre o amor: de que ela emite um grito agudo quando é arrancada do solo, cresce sob patíbulos etc.

**Mato** (heb., *s^ebak, s^ebok*). Essas duas palavras hebraicas muito semelhantes significam uma densa e emaranhada vegetação baixa que pode prender um carneiro pelos chifres (Gn 22.13), oferecer abrigo a um leão (Jr 4.7) ou simplesmente referir-se ao crescimento impenetrável de uma floresta (Is 9.18; 10.34). O verbo correspondente fala sobre chifres "entrelaçados" em Naum 1.10. Outra palavra hebraica, *'ab*, corresponde ao matagal para onde os cidadãos de Judá iriam fugir (Jr 4.29). A palavra hebraica *ya'ar* normalmente significa "floresta" (*veja* Plantas: Bosque ou Floresta), mas em Isaías 21.13 ela está se referindo a arbustos ou às moitas da Arábia. As passagens em Miquéias 3.12; Jeremias 26.18 têm em vista os picos cobertos de matagais (com arbustos e árvores; BDB, p. 420) de Jerusalém depois de sua iminente destruição.

**Meda** (heb., *gadish*). Pequeno monte ou amontoado de grãos cortados em contraste com os grãos não cortados (Jz 15.5; Jó 5.26). A palavra hebraica também aparece em Êxodo 22.6, onde algumas versões trazem a expressão "meda" de trigo, enquanto outras trazem "medas" de cereais.

**Melão** (heb., *'abattihim*). Assim como seu cognato árabe *batih*, a palavra hebraica era provavelmente usada para ambos os tipos de melão, a melancia *Citrullus vulgaris* e o melão cantalupo, *Cucumis melo.* Na Antiguidade, assim como hoje, esses dois melões eram muito apreciados no Egito pelo seu sabor delicado e pela sua frescura. Não é de admirar que Israel sentisse saudade dos melões do Egito enquanto peregrinava pelo deserto quente e seco (Nm 11.5).

**Milho.** Essa palavra é usada como um termo genérico para diferentes grãos de cereais. *Veja* os vários grãos cobertos por esse termo no tópico "Plantas: Trigo, Cevada, Painço". Ela nunca foi usada na Bíblia significando o amido ou milho indígena, como por exemplo, nos Estados Unidos, pois esse grão era desconhecido até a descoberta do Novo Mundo. *Veja* Plantas: Grão. Para "milho torrado", *veja* Alimentos: Cereal Tostado.

**Mirra.** Duas palavras foram traduzidas como "mirra" em algumas versões. A primeira, *lot* (Gn 37.25; 43.11), refere-se a um produto da Palestina que deveria, apropriadamente, chamar-se "láudano" (em acádio, *ladunu*; em ára-

Esta "árvore" palestina da mostarda é maior que um homem de 1,80 metros de altura. HFV

be, *ladan*), uma exsudação da esteva *Cistus*, cujas três espécies são encontradas na Palestina. Do caule e das folhas desse arbusto obtém-se uma resina perfumada, porém amarga, que antigamente era usada na medicina, mas que agora é principalmente valorizada como um fixador de perfumes. Essa era a "mirra" levada ao Egito.

A verdadeira mirra (heb., *mor*; gr. *smyrna*) é uma resina exótica produzida por um arbusto baixo e espinhoso *Balsamodendron myrrha*, que nasce somente nos rochedos ou na região do sul da Arábia e da Somália. A resina é obtida fazendo uma incisão na casca; trata-se um líquido amarelo claro que endurece rapidamente quando é eliminado da planta. Junto com o incenso (*q.v.*), que é produzido na mesma área, a mirra formava a base de um vasto e lucrativo comércio de especiarias e perfumes que enriqueceu os árabes e tornou-se uma das especulações comerciais mais importantes da Antiguidade. *Veja* Incenso, Especiarias.

A mirra era usada junto com o incenso, mas em menor quantidade. Seu principal uso era no óleo sagrado da unção (Ex 30.23), nos cosméticos e na perfumaria (Et 2.12; Sl 45.8; Pv 7.17; Ct 1.13; 3.6; 5.5). Naturalmente, era um produto muito caro e somente os governantes e aqueles que eram abastados podiam adquiri-la (Mt 2.11). Também era usada na medicina. Talvez para aliviar a dor, foi oferecida ao Senhor Jesus, na cruz, uma mistura de vinho, mirra e aloés (Mc 15.23). Na Palestina, assim como no Egito (Heródoto, II 86), ela fazia parte da preparação para o sepultamento dos corpos da realeza e das pessoas importantes (Jo 19.39). Cf. G. W. Beek, "Frankincense and Myrrh", BA, XXIII (1960), 70-94.

**Mostarda** (gr., *sinapi*). Essa planta e essa semente, descritas nas parábolas do Senhor Jesus, (Mt 13.31; 17.20; Mc 4.31; Lc 13.19; 17.6), provavelmente, referem-se à mostarda que conhecemos, *Sinapis arvensis*, um condimento muito apreciado até os nossos dias. Tanto a mostarda preta como a branca, eram cultivadas na Palestina. Suas sementes, trituradas em pó, eram usadas como alimento e como remédio, enquanto suas folhas eram cozidas como vegetais. Suas pequenas sementes, do tamanho da semente da petúnia, ou ainda menores, podiam produzir uma planta muito grande, do tamanho de uma árvore de mais de três metros de altura. Elas dão o exemplo do crescimento do reino divino, assim como do tremendo potencial da fé no Deus onipotente, ainda que esta fé não seja grande.

Sobre o problema das sementes da mostarda não serem realmente as menores sementes conhecidas (Mt 13.32; Mc 4.31), veja W. Harold Mare, "The Smallest Mustard Seed - Matthew 13.32", *Grace Journal,* IX (1968), #3, 3-11. Ele explica que a palavra grega *mikroteron* é comparativa e pode significar "uma amostra menor de todas as sementes", especialmente do grupo das ervas de jardim ou vegetais (gr., *ton lachanon*). Além do mais, esta pode ter sido a menor semente conhecida naquela época, e por esta razão pode ter sido utilizada nesta ilustração.

**Murta** (heb., *hadas*). Esse lindo e conhecido arbusto perene, *Myrtus communis,* era um dos favoritos do mundo antigo (VBW, I, 196). Suas folhas perfumadas e suas flores brancas ou rosadas eram usadas para perfumar os ambientes e fazer grinaldas para os nobres nos banquetes. Seus frutos negro-azulados, comestíveis, mas com sabor adstringente, eram engolidos para adocicar o hálito. A murta era consagrada a Vênus, e isso pode explicar a mudança do nome de Ester, da palavra hebraica *Hadassa* (murta), para a pagã *Astarte* (Et 2.7). Os israelitas colhiam os galhos perfumados da murta para fazer suas tendas na Festa dos Tabernáculos (Lv 23.40; cf. Ne 8.15). Zacarias viu o anjo do Senhor em pé entre arbustos de murta como símbolo de Israel em sua primeira visão (Zc 1.8-11). A murta iria suplantar a sarça na era escatológica (Is 41.19; 55.13).

**Nardo.** *Veja* Plantas: Espinacardo.

**Nozes.** As nozes são mencionadas apenas duas vezes na Bíblia Sagrada.

1. A palavra hebraica *botnim,* que são as nozes enviadas por Jacó de presente ao Egito (Gn 43.11). Sem dúvida, este termo está referindo-se às nozes de pistácia. A conhecida *Pistachia vera,* com sua casca fina e seca, seu interior verde claro, e sabor oleoso, ainda representa uma iguaria apreciada como alimento e condimento. Betonim, uma cidade

de Gade, do lado oriental do Jordão (Js 13.26) pode ter recebido esse nome por causa de seus pomares de pistache.

2. As nogueiras de Cantares 6.11 são *'egoz*, ou *Juglans regia*. Essa nogueira, copada e encantadora, oferece uma sombra densa e bem vinda, assim como suas nozes saborosas e suculentas. Da casca resistente e dura que encerra as nozes, obtém-se uma tinta marrom escura. Essa árvore é nativa da Pérsia e do Cáucaso e extensamente cultivada na Síria, Galiléia e nas encostas do Líbano e do Hermom.

**Oliveira** (heb., *zayit*; gr., *elaia*). Uma das mais belas e, certamente, uma das mais valiosas de todas as árvores mencionadas na Bíblia Sagrada é a *Olea europaea*.

Ela é o emblema da paz e da prosperidade (Salmos 52.8; Jr 11.16; Os 14.60) e fala das bênçãos do Senhor, desde a folha da oliveira que marcou o final do Dilúvio (Gn 8.11), até as duas "oliveiras", as testemunhas que cooperaram na preparação da segunda vinda de Cristo (Ap 11.4; Zc 4.3,11-14). Em todo o mundo Mediterrâneo, a oliveira é uma árvore conhecida que cobre as encostas das colinas, e em seu tronco antigo e retorcido (VBW, I, 261, 293), às vezes quase completamente oco, suas folhas verde-acinzentadas proclamam, com seu brilho prateado, a paz e a graça divina. Essas árvores são plantadas em pomares protegidos por cercas ou muros de pedra, chamados de "olivais" (Js 24.13; 1 Sm 8.14; 2 Rs 5.26. Ne 5.11; 9.25).

Entretanto, é o fruto, a azeitona, que representa sua principal virtude. Elas são colhidas ainda verdes e conservadas em salmoura, ou deixadas para amadurecer até adquirir uma cor vermelha escuro ou preta (VBW, II, 93). Nesse último caso, as azeitonas são colhidas em setembro e outubro pela agitação dos galhos ou batendo nos ramos com longas varas (Is 17.6; 24.13). As azeitonas ainda representam um dos principais elementos da dieta em todo o oriente, e o principal produto da agricultura em muitos lugares. Quando esmagadas no lagar (Mq 6.15), ou prensadas entre pedras, elas produzem o azeite de oliva. Não é possível imaginar que o azeite de oliva esteja ausente da cozinha de qualquer mulher do Mediterrâneo. Na época bíblica, o azeite tomava o lugar da manteiga, além de ser usado como ungüento (Mq 6.15) e também como um remédio universal para toda espécie de doenças (Is 1.6; Lc 10.34). *Veja* Azeite. Como a cultura das oliveiras exige muito tempo, trabalho e paciência, os israelitas eram proibidos de danificá-las em tempos de guerra (Dt 20.19,20) e sua destruição ou a falta de azeitonas eram consideradas um desastre total (Dt 28.40; Hb 3.17). Seu principal inimigo natural é o gafanhoto (Am 4.9, RSV/RA). Os frutos das árvores não podiam ser colhidos a cada 7 anos, no ano sabático (Êx 23.11).

A oliveira aparece em todas as atividades de Israel: a terra prometida era descrita em termos de oliveiras (Dt 6.11; 8.8); tanto reis como sacerdotes eram ungidos com seu óleo (1 Sm 10.1; Salmos 45.7; Lv 8.10,30), e também os convidados (Salmos 23.5; 92.10); as cerimônias de adoração a Deus eram realizadas com sacrifícios sobre os quais deveria ser derramado o óleo das oliveiras (Lv 2.1-7,15). A própria nação de Israel era simbolizada por uma oliveira doméstica, enquanto Paulo comparava os gentios aos ramos de uma oliveira brava ou zambujeiro (Rm 11.17-24). Os cristãos foram instruídos a ungir os enfermos com óleo (da oliveira) enquanto oravam pela sua recuperação (Tg 5.14). *Veja* Unção; Mãos, Imposição de. Parece muito adequado, levando em consideração o simbolismo dessa árvore, que Cristo, o Salvador e Príncipe da Paz, tenha sofrido no Jardim do Getsêmani (o "lagar de óleo"), e que tenha ascendido do monte das Oliveiras ao céu.

As oliveiras crescem a partir de mudas que são enxertadas em um velho tronco ou árvore selvagem quando os rebentos ou brotos já atingiram cerca de um metro de comprimento (*Veja* Enxerto). Novos brotos também podem nascer nas raízes ou fragmentos de uma velha árvore dessa família (Salmos 128.3; Is 11.1). Os frutos só aparecem depois de três ou quatro anos, e as colheitas abundantes

Uma antiga oliveira no jardim do Getsêmani. HFV

Tamareiras na praia do mar da Galiléia. IIS

só ocorrem depois de 17 ou 18 anos. Durante todo esse tempo, a árvore exige uma cuidadosa atenção, o solo deve ser arado e fertilizado a cada primavera, além de ter de ser fielmente irrigado. No início da produção, a oliveira ainda precisa receber muitos cuidados, caso contrário a sua safra pode ser interrompida. Mas, se lhe for dada a devida atenção, uma árvore totalmente desenvolvida produzirá anualmente meia tonelada de azeite e assim continuará até atingir uma idade absolutamente incrível. Veja W. M. Thomson, *The Land and the Book* (Grand Rapids. Baker, edição de 1954), pp. 51-57.

**Olmeiro** (heb., *'ela*). Várias versões traduzem essa palavra como "olmeiro" em Oséias 4.13, e em outras passagens como "carvalho". Uma boa tradução é "terebinto" (*q.v.*). O olmeiro não é uma árvore nativa da Palestina.

**Olmo.** *Veja* Plantas: Castanheira.

**Ônica** (heb., *sheheleth*). A ônica, usada na preparação do incenso sagrado (Êx 30.34), é um produto um tanto misterioso. Alguns pensam que seja uma resina aromática e a identificam com outras resinas mencionadas na Bíblia Sagrada. *Veja* Plantas: Bálsamo, Bdélio, Mirra, Estoraque. Outros acreditam que seja um produto de um animal marinho, obtido do opérculo das garras ou da cobertura da concha de um molusco do gênero *Strombus*.

**Painço** (heb., *dohan*). Também conhecido como milho miúdo. Dizem que o painço é nativo da Índia, mas foi cultivado nas terras bíblicas durante séculos. O *Panicum miliaceum*, atualmente cultivado na Palestina e no Egito, provavelmente tem a mesma variedade de antigamente. As sementes são pequenas, do tamanho da semente da mostarda, mas cada cacho produz milhares delas. Podem ser usadas para fazer mingau ou um pão de sabor um pouco desagradável, e isso explica porque Ezequiel usou o painço para simbolizar o cerco e a fome de Jerusalém (Ez 4.9). Como uma erva anual, ele é colhido nos Estados Unidos para fazer forragem para animais, e as sementes são usadas para alimentar os pássaros.

**Palha**[1] (heb., *teben*). Os caules dos grãos que restavam depois de debulhados eram cortados em um comprimento de quinze a setenta centímetros, e misturados com os demais resíduos do cereal. Essa palha substituía o feno, que era desconhecido na agricultura da Antiguidade (Gn 24.25,32; Jz 19.19; 1 Rs 4.28; Is 11.7; 65.25). No Egito, os caules assim cortados eram usados pelos israelitas para fazer tijolos (Êx 5.7-18). *Veja* Tijolo; Palha.

**Palha**[2] (heb., *mos*; gr., *achyron*). As cascas e o caule dos grãos que são soprados pelo vento quando o grão é debulhado e lançado ao ar para ser joeirado (Is 17.13; Os 13.3). Em Isaías 5.24, a palavra hebraica *hashash* pode ser traduzida como "grama seca". As Escrituras usam "palha" em sentido figurado para retratar a inutilidade e a condenação final dos ímpios (Jó 21.18; Salmos 1.4; Mt 3.12). *Veja* Plantas: Palha[1], Restolho.

**Palmeira** (heb., *tamar*; gr., *phoinix*). A palmeira das Escrituras é a majestosa e bela tamareira, *Phoenix dactylifera,* pois os coqueiros não crescem no Oriente Próximo. Seu longo e esguio tronco, cuja altura varia de 26 a 30 metros, coroado com longas e frondosas folhas, é quase tão conhecido dos povos do norte através de fotografias, quanto do povo da região do Mediterrâneo onde ele cresce. As árvores têm uma vida longa, geralmente de 100 a 150 anos, e sua raiz penetrante e extremamente longa permite que elas floresçam até mesmo no meio do deserto (VBW I, 55, 148, 237, 248). O nome "Tamar" era o preferido pelos pais, que os davam às suas filhas, pois acreditavam que este lhes traria a graça e a beleza da palmeira (Gn 38.6; 2 Sm 13.1; 14.27).

Essa árvore é uma das mais úteis que se pode imaginar, e cada uma de suas partes pode ser usada pelo homem. A própria fruta (VBW, I, 260) é uma iguaria do oriente, particularmente porque pode ser conservada durante longos períodos. Da espata que cobre as flores obtém-se um xarope que é chamado de "mel" e é a ele, e não ao mel da abelha, que a Bíblia refere-se (Gn 43.11; 1 Sm 14.25; Salmos 19.10). Quando fermentado, ele transforma-se no "vinho da palmeira", que é chamado pelos árabes de *arak.* Alguns estudiosos acreditam que esta seja a "bebida forte" mencionada na Bíblia Sagrada (Lv 10.9; Nm 6.3; Pv 20.1; *et al.*). Heródoto disse que a palmeira produz pão, vinho e mel, e os árabes dizem que ela tem um número tão grande de usos, como o número de dias do ano. Outros produtos são açúcar, azeite, resina, tanino e tintas. As fortes fibras das folhas fornecem fios para costura, e as próprias folhas são usadas de inúmeras maneiras para fazer telhados, cercas, cestas etc. Até as sementes são usadas para se fazer colares, ou trituradas e utilizadas como forragem para o gado.

As palmeiras fizeram de Elim (Êx 15.27; Nm 33.9) um bom lugar no caminho para o Sinai. Elate (Dt 2.8), no norte do golfo de Ácaba, onde as palmeiras são atualmente abundantes, pode ter recebido esse nome por causa de suas "árvores imponentes" (2 Rs 14.22; 16.6; também Elote em 1 Reis 9.26; 2 Crônicas 8.17). Desde a Antiguidade as palmeiras têm crescido abundantemente em Jericó, que é chamada de "cidade das palmeiras" (Dt 34.3; Jz 1.16,3.13; 2 Cr 28.15).

As palmeiras também foram mencionadas em conexão com os contextos e as atividades religiosas. No AT, a sua folhagem era usada na época da Festa dos Tabernáculos (Lv 23.40; Ne 8.15). Também eram esculpidas em alto-relevo sobre as portas e as paredes do Templo de Salomão (1 Rs 6.29), e no Templo da visão de Ezequiel (Ez 40.16 etc.).

O Domingo de Ramos sempre lembrará aos cristãos os ramos de palmeira que foram agitados para simbolizar a vitória e, dessa maneira, honrar o Senhor Jesus Cristo que estava entrando em Jerusalém (Jo 12.13). Até no céu, de acordo com a visão de João, as folhas da palmeira serão agitadas significando a vitória final (Ap 7.9).

**Panague** (heb., *pannag*). Palavra de significado duvidoso, mas que certamente não se refere ao nome de um lugar (Ez 27.17). A LXX sugere uma especiaria, "canela", e as notas da versão ASV em inglês, seguindo o Targum, mencionam "uma espécie de confeito". Em termos gerais, panague era uma espécie de doce comercializável, produzido na Palestina, feito talvez com figos temporãos. A versão NASB em inglês usa "bolos", o que parece ser a melhor tradução, baseada no cognato acádio, *pannigu,* que representa uma variedade de alimentos assados.

**Papiro.** *Veja* Papiro; Escrita; Plantas: Junco.

**Passa.** *Veja* Alimentos: Passas; Plantas: Videira.

**Pepino** (heb., *qishshu'im*). Embora tenha sido mencionado apenas duas ou três vezes nas Escrituras, esse conhecido vegetal das hortas domésticas deve ter sido muito popular e apreciado em toda a Palestina e no Egito, assim como hoje. Ele constituía uma parte importante da dieta dos pobres, e seu frescor era muito apreciado naquela terra tão quente. Não é de admirar que naquele deserto quente e seco os israelitas sonhassem com os pepinos do Egito (Nm 11.5). Embora eles amadurecessem nas vinhas, uma frágil choupana de folhas e galhos era construída para proteger o vigia que guardava a plantação de pepinos (heb., *miqsha*), contra o ataque dos pássaros e dos animais selvagens. Isaías compara o desolado país de Judá com essa choupana miserável e abandonada (1.8). A mesma palavra hebraica aparece em Jeremias 10.5 descrevendo a futilidade dos ídolos: "São como um espantalho em pepinal". Zohary acredita, contrariando muitos estudiosos, que o pepino não era conhecido e que a palavra refere-se ao melão almiscarado. *Veja* Plantas: Melão.

**Pinheiro** (heb., *tidhar*). Em Isaías 41.19 e 60.13, a versão KJV em inglês refere-se ao pinheiro. J. C. Trever, entretanto, acredita que este seja o abeto verdadeiro, *Abies cilicica*, que atualmente cresce melhor nas elevadas regiões alpinas, como as montanhas do Líbano (IDB, II, 268). É provável que muitas outras passagens também mencionem o pinheiro. *Veja* Plantas: Freixo, Castanheira, Árvore Olífera, Pinho. Nas montanhas e colinas da Palestina e da Síria existem abundantes árvores perenes de todos os tipos. Porém, é improvável que os estudiosos estejam de acordo, em qualquer passagem, sobre a espécie particular que está sendo mencionada. Para referências sobre o "pinheiro" em Neemias 8.15, *veja* Plantas: Árvore Olífera.

**Pinho** (heb., *b*[e]*rosh, b*[e]*roth*). Embora os tradutores não tenham chegado a um acordo sobre como devem chamar o *berosh*, abeto, pinheiro, cipreste, *et al.*, autoridades em botânica concordam que, de um modo geral, trata-se do pinheiro de Alepo, *Pinus halepensis*. Um velho espécime cresce no jardim do Museu Rockefeller em Jerusalém. Com o passar do tempo, esse pinheiro alto e esguio, que atinge uma altura de 20 metros ou mais, tem sido o preferido dos construtores para fazer vigas, traves, mastros etc. As Escrituras concordam com essa utilização e classifica o "pinho" ou o "pinheiro" junto com o cedro do Líbano, como a principal madeira usada em seus projetos de construção (1 Rs 5.8,10; 2 Rs 19.23; 2 Cr 2.8; Is 37.24). Moldenke (p. 46) acredita que o texto em Oséias 14.8 faz referência à faia verde, *Apinus pinea*, porque tem sementes saborosas semelhantes à noz. Em 1 Reis 6.15,34; 2 Crônicas 2.8; 3.5 certas versões traduziram este termo como "cipreste" (*q.v.*) acreditando que o pinheiro não seria adequado para a confecção de assoalhos e portas. O termo hebraico *tidhar* (Is 41.19; 60.13) designa o verdadeiro abeto, *Abies cilicica*. *Veja* Plantas: Pinheiro.

**Pistácia ou Pistache**. *Veja* Plantas: Nozes.

**Pomar.** Essa é a tradução de algumas palavras.

1. Heb., *eshel*, "tamargueira". Abraão plantou um pomar, mais apropriadamente, uma tamargueira em Berseba (Gn 21.33).

2. Há versões que fazem repetidas referências aos "bosques" ou "pomares" onde se realizavam cultos idólatras (Êx 34.13; Jz 6.26,28; 1 Rs 14.15; 2 Rs 13.6; *et al.*). Embora seja verdade que muitas vezes o culto pagão era realizado nos bosques ("sob cada árvore verde"), sabemos agora que a palavra hebraica *'ashera*, traduzida como "bosque" em algumas versões, é, na verdade, o nome de uma deusa ou da imagem adorada em seu nome. Há versões que já traduzem o termo como Aṣerá (*Veja* Falsos deuses: Aserá; Idolatria; Árvores Sagradas).

3. Heb., *pardes*. Um parque real ou floresta particular (Ne 2.8) como os do Pregador (provavelmente Salomão), plantados com toda espécie de árvores frutíferas (Ec 2.5), incluindo romãs e especiarias (Ct 4.13,14). A palavra hebraica foi emprestada da Pérsia e dela derivou a nossa palavra paraíso (*q.v.*). Os antigos reis importavam muitas vezes árvores exóticas de terras distantes (cf. *Archaeology*, III [1950], 101-106).

**Pragana** (em hebraico *galgal*). A expressão "pragana" em Isaías 17.13, e possivelmente a "palha" do Salmo 83.13, foram interpretadas como referências a duas espécies de plantas. A *Anastatica hierochuntica*, ou rosa de Jericó tem a aparência de uma bola ressequida e murcha que é soprada pelo vento do deserto, mas que com um pouco de umidade é capaz de lançar raízes e logo produzir folhas verdes e pequeninas flores. Essa admirável renovação da vida é a razão de seu nome, "planta da ressurreição", e muitos a procuram como uma lembrança da terra santa. Outros estudiosos (baseando-se em Salmos 83.13) preferem uma outra planta que possui cerca de 30 espécies na Palestina, das quais a mais comum é a *Gundelia tournefortii*. As vagens, sopradas pelo vento, libertam-se de suas raízes e, ao romperem-se, espalham as sementes já maduras. Por causa dessas duas referências a versão NEB em inglês traduziu o termo como "lanugem do cardo" as sementes que vão girando à medida que voam.

**Resina ou Goma** (em hebraico *n*[e]*ko't*). A palavra hebraica foi traduzida como "especiarias", "resina", "tragacanta" e "arômatas" pelas várias versões em Gênesis 37.25; 43.11. Ela denota a resina de uma erva ou arbusto, provavelmente *Astragalus tragacantha*.

**Restolho** (heb., *qash*). Embora os caules dos grãos fossem muitas vezes arrancados pela raiz na agricultura da Antiguidade, os galhos, as ervas daninhas, a palha etc., que eram abandonados nos campos (Êx 5.12), proviam a subsistência de rebanhos e manadas durante o verão.

Essa palavra é usada em sentido figurado para a breve existência e a inutilidade dos iníquos, que são destruídos pelo castigo e pela ira de Deus, assim como o restolho é muitas vezes queimado nos campos (Êx 15.7; Sl 83.13; Is 5.24; 33.11; 40.24; 47.14; Jl 2.5; Ob 18; Na 1.10; Ml 4.1). A palavra grega *kalame* na verdade é "palha" (1 Co 3.12) em contraste com *chortos* que significa "grama", "feno", "forragem". *Veja* Plantas: Palha.

**Romã** (heb., *rimmon*). A romã, *Punica granata* ou "maçã com grãos", era uma das frutas favoritas da região do Mediterrâneo e atualmente é apreciada mundialmente. É uma fruta esférica, com tamanho aproximado de uma maçã. Ela adquire a cor marrom quando está madura. Sua casca é lenhosa e adstringente, mas em seu interior existe uma enorme quantidade de sementes transparentes, da cor do rubi ou "grãos" repletos de um suco delicioso. Essa fruta cresce em árvores pequenas, com muitos galhos e folhas de cor verde escuro e grandes flores alaranjadas (VBW, IV, 148).

A palavra *rimmon,* encontrada em muitos nomes de lugares (*Veja* Rimom; En-Rimom) na Bíblia, está referindo-se a uma divindade pagã (2 Rs 5.18) e pode ter sido dado à fruta como seu símbolo. A romã era cultivada no Egito (Nm 20.5) e está relacionada como uma das frutas da terra prometida (Dt 8.8). Ela aparece, provavelmente como símbolo da fecundidade, nas bordas das vestes do sumo sacerdote (Ex 28.33,34) e nos entalhes do Templo de Salomão (1 Rs 7.18,20). Essa fruta era apreciada ao natural e também quando era transformada em vinho e licores (Ct 8.2). A casca e as flores produzem uma tinta vermelha usada para tingir o famoso couro vermelho do Marrocos. A lenda transformou a romã na "árvore da vida" do Jardim do Éden (Gn 2.9; 3.22).

**Rosa** (heb., *habasselet*). Duas flores receberam o nome de "rosa" em várias versões.

1. Geralmente os estudiosos acreditam que a "rosa de Sarom" (Ct 2.1) não seja literalmente uma rosa, mas uma planta com raiz bulbosa, pois esse pode ser o significado do nome hebraico. Entretanto, existe muita discordância a respeito desse bulbo. Deste modo, o açafrão, o lírio, a anêmona, o narciso e também a tulipa têm seus defensores. A moderna Rosa de Sarom é um hibisco originário da China e desconhecido na Palestina. Talvez a mais parecida seja a tulipa, ou a tulipa da montanha, *T. montana,* ou a tulipa vermelha brilhante, *T. sharonensis*, muito comum na planície de Sarom.

2. Com base no Targum, acredita-se que a rosa de Isaías 35.1 ("narciso") seja o narciso-romanodobrado, que possui uma ofuscante cor verde-amarelada, ou o asfódelo, *N. tazetta*, que cresce abundantemente nas colinas da Judéia.

Entretanto, também foi mencionado seu cognato em acádio, que sugere o açafrão dos prados do gênero *Colchicum*, também chamado açafrão do outono.

3. O texto em Sir 24.14; 39.13 fala sobre uma rosa que cresce nos regatos e que muitos entendidos acreditam ser o *Nerium oleander,* um arbusto verde perene que cresce à beira d'água. Na primavera, ele se cobre de flores brancas ou rosadas que Moldenke chama de "a mais gloriosamente bela de todas as plantas do bosque" (p. 123).

4. Existem sete espécies de rosas verdadeiras, nativas da Síria e da Palestina. A mais difundida é a *Rosa Phoenicia.* Ela tem uma coloração rósea, e é muito perfumada, como as rosas selvagens do oeste. Ela era extensamente cultivada em Damasco por causa de seu óleo essencial, ou essência aromática de rosas, usado para fazer perfumes. Essa pode ser a rosa mencionada em 2 Esdras 2.19 e no livro da Sabedoria 2.8.

**Salgueiro** (heb., *'araba, sapsapa*). No AT, as duas palavras traduzidas como "salgueiro" estão sempre relacionadas com a água. Não existem dúvidas de que em algumas referências elas sejam realmente salgueiros, dos quais são encontradas 21 variedades na Palestina, crescendo ao longo de todos os cursos de água. Os salgueiros da Palestina, particularmente o *Salix safsaf*, o mais comum deles, é um arbusto ou árvore de pequeno porte, que não alcança a altura do salgueiro europeu (Jó 40.22; Is 44.4; Ez 17.5). Entretanto, eles têm os mesmos ramos e galhos flexíveis, e desde os tempos mais remotos têm sido usados na fabricação de cestos. É provável que a vara verde usada para amarrar Sansão (Jz 16.7-9) tenha sido de um salgueiro.

Apesar do nome, *Salix Babylonia,* e da lenda, o salgueiro chorão é de origem chinesa e não era conhecido nas terras bíblicas nos dias da Antiguidade (Salmos 137.2). Embora não haja consenso entre os estudiosos, alguns acreditam que o "salgueiro" de Levítico 23.40 e Salmo 137.2 seja a faia do Eufrates, ou álamo, *Populus euphratica,* encontrado junto aos rios de pouca profundidade desde a Síria até a Arábia (VBW, III, 172). As folhas inflexíveis e farfalhantes do álamo deram origem ao nome "chorão" e ele também pode ter sido a árvore chamada "amoreira" em 2 Samuel 5.23,24.

**Sândalo** (heb., *'almuggim*). Essa preciosa madeira, importada de Ofir por Salomão (1 Rs 10.11,12), provavelmente corresponde ao sândalo vermelho, *Pterocarpus santalinus.* Essa árvore, que cresce até cerca de 6,5 metros de altura, é nativa da Índia e do Ceilão e sua madeira vermelha, de agradável perfume e lindos veios, ainda é intensamente usada nesses locais. Ela não serviria para as grandes vigas do Templo (*Veja* Plantas: Algumim), mas ainda é usada na fabricação de instrumentos musicais, como no tempo de Salomão. Com a madeira de sândalo os artesãos faziam corrimãos ou balaústres (1 Rs 10.12), além de degraus (de acordo com a LXX), e também balaústres assoalhos ou corredores (2 Cr 9.11) para o Templo.

**Sarça**

1. Deus se manifestou a Moisés através da extraordinária visão de uma sarça que ardia em fogo, mas não se consumia (Ex 3.2).

Não há indicação de nenhuma planta em particular e torna-se aparente que se trata de um evento miraculoso. No entanto, muitos procuraram encontrar algum tipo de arbusto que naturalmente pudesse se ajustar a essa descrição. Aquele que foi mencionado mais freqüentemente é a árvore do gás, isto é, o fraxino ou *Dictamnus alba*, um arbusto coberto de pequenas glândulas oleosas que produzem um gás volátil. Esse gás pode queimar sem consumir o arbusto e dizem que é provável que Deus tenha usado esse tipo de planta. Também foi sugerido que aquilo que Moisés viu era simplesmente o brilho dos frutos vermelhos do visco, *Loranthis acaciae*, que cobriam o arbusto. Mas uma interpretação como esta coloca em dúvida a inteligência de Moisés assim como a credibilidade do relato do acontecimento. Em Êxodo 3.2-4 e Deuteronômio 33.16, a palavra hebraica *seneh* e a palavra grega *batos* em Marcos 12.26; Lucas 20.37; Atos 7.30,35 referem-se ao mesmo evento e mencionam simplesmente uma urze ou arbusto espinhoso. A palavra grega também ocorre em Lucas 6.44. *Veja* Sarça Ardente.

2. A palavra hebraica *siah* é um termo genérico para qualquer arbusto ou árvore encontrados em terrenos secos (Gn 2.5). Agar colocou Ismael sob um arbusto como esse (Gn 21.15). Jó descreve os famintos entre os arbustos (Jó 30.4-7).

3. A palavra hebraica *nahalolim*, do verbo *nahal*, levar a um lugar de água, é encontrada em Isaías 7.19 e foi traduzida como "arbusto" e "pasto" em algumas versões. Quanto ao seu significado comum, esse nome pode ser traduzido como "lugares irrigados".

**Semente.** *Veja* Semente; Agricultura.

**Sicômoro** (heb., *shiqma*; gr., *sycomoraia*). O sicômoro bíblico, ou figueira brava, não deve ser confundido com o sicômoro ocidental que é uma espécie de bordo. A árvore bíblica é uma figueira, *Ficus sycomorus*, uma árvore forte e copada, que tem de 10 a 13 metros de altura, e um grande tronco cujo diâmetro chega a 6,5 metros (VBW, III, 241; V, 126). Galhos retorcidos e emaranhados projetam-se em todas as direções tornando a sua ascensão muito fácil (Lc 19.4). Seus frutos, que nascem diretamente do tronco e dos ramos, são amarelados com pontos pretos e sabor inferior ao figo verdadeiro (*veja* Plantas: Figueira). Três ou quatro dias antes da colheita, os figos devem ser cortados e perfurados para que possam amadurecer adequadamente. Esse trabalho servil era executado pelo profeta Amós, que se referia a si mesmo como "cultivador de sicômoros" (7.14). Sua madeira é macia e porosa, porém durável e muito usada para móveis, caixas etc. Os esquifes das múmias, feitos com sicômoros, ainda estão em boas condições depois de 3.000 anos.

**Sita, Sitim.** Essas palavras hebraicas foram simplesmente transliteradas em algumas versões e, atualmente, são quase geralmente aceitas como as árvores da acácia, encontradas em todo deserto do Sinai e em volta do mar Morto, *Acácia seyal* e *tortilis*. Essas árvores espinhosas, com cerca de 6,5 metros de altura, crescem em lugares secos com extraordinário vigor. Elas são muito pitorescas, com seus troncos retorcidos, às vezes com setenta centímetros de diâmetro e ramos entrelaçados (VBW, I, 161). Sua madeira, além de muito apropriada para o Tabernáculo, também era muito acessível (Êx 25.5,10; 26.15,26; 27.1,6). Ela é bastante dura, pesada e quase indestrutível pelos insetos; também tem lindos veios próximos de cor amarelada que dão um ótimo acabamento. A seiva da acácia fornece a goma arábica usada tanto na indústria como na medicina. Alguns acreditam que a "acácia" de Isaías 41.19 deve ser uma outra árvore, pois o deserto não seria transformado se, lá, fossem plantadas árvores de acácia. Entretanto, não existem boas razões para mudar seu nome. Para lugares com o mesmo

Um sicômoro em Jericó. HFV

nome, *Veja* Sitim.

**Sopa Grossa.** *Veja* Plantas: Lentilha; Alimentos: Guisado.

**Tamargueira**[1] (heb., *'eshel*). A palavra "bosque" em Gênesis 21.33 e "arvoredo" em 1 Samuel 22.6; 31.13 são traduções da palavra hebraica *'eshel*, que literalmente significa tamargueira. Existem oito espécies de tamargueiras encontradas na Palestina. Ela cresce em lugares áridos e desertos onde apenas poucas árvores conseguem crescer, e fornece uma sombra aprazível e bem vinda ao viajante com seus ramos longos e frondosos, e suas pequeninas folhas em forma de escamas (VBW, I, 65).

**Tamargueira**[2] (em hebraico, *'ar' ar*, *'aro'er*). As palavras traduzidas como tamargueira em Jeremias 17.6; 48.6 de forma alguma poderiam referir-se à verdadeira urze (ou sarça) que raramente nasce na Síria e no Líbano, e nunca na Palestina. A maioria dos especialistas acredita que a vegetação do deserto, mencionada por Jeremias, seria o savin ou cedro de frutos marrom, mais provavelmente o último (*veja* Plantas: Cedro 1).

*Juniperus oxycedrus*, ou cedro de frutos marrons é uma árvore baixa, com 5 a 6,5 metros de altura, encontrada em lugares ermos quase inacessíveis e nos rochedos solitários das montanhas. Ela representa um símbolo muito adequado para a solidão, descrita por Jeremias. A versão RSV em inglês, acompanhando a tradução grega de Aquila, interpreta a referência de Jeremias 48.6 como "azagaia selvagem", porém outras versões dão preferência ao termo "junipero".

**Terebinto** (heb., *'ela*). Essa palavra hebraica foi traduzida como "olmeiro" em Oséias 4.13 e "azinheira" em Isaías 6.13. A árvore identificada como terebinto ou terebintina (Sir 24.16) pelos modernos especialistas tem apenas um nome hebraico, geralmente traduzido como "carvalho" (*q.v.*). No entanto existe uma diferença, como as versões claramente revelam em Isaías 6.13 e Oséias 4.13, onde tanto *'ela* quanto *'allon* ocorrem na mesma passagem. A versão NASB em inglês traz o termo "terebinto" nas notas referentes a Gênesis 12.6; 13.18; 14.13; 18.1; 35.4; Deuteronômio 11.30; Juízes 4.11; 6.11,19; 1 Reis 13.14; Isaías 1.29,30; 57.5. A versão NEB em inglês utiliza essa palavra no texto dessas referências, e também em Josué 24.26 e Ezequiel 6.13.

O terebinto da Palestina, *Pistacia terebinthus,* var. *Palaestina,* é uma árvore efêmera com grandes galhos dispersos que, quando está desprovida de folhas, realmente se parece com um carvalho. Ela atinge uma altura de 6,5 a 8,5 metros, e geralmente cresce solitária nas encostas inferiores das colinas, em áreas demasiadamente quentes para o carvalho, que ela às vezes substitui. Suas folhas que misturam uma cor acobreada com um de intenso verde escuro se parecem com as do freixo. A "terebintina" que escorre de qualquer parte da árvore, quando cortada, é um líquido resinoso e perfumado como o jasmim. Tem sido sugerido que as "especiarias" levadas da Palestina para o Egito (Gn 37.25; 43.11) podem ter sido, em parte, obtidas do terebinto. *Veja* Plantas: Bálsamo. O vale de

Tamargueira. Foto Leon

Frutos do sicômoro. HFV

Elá, onde Davi lutou contra Golias, pode ter recebido esse nome por causa dos terebintos que ali cresciam (1 Sm 17.2).

Na Antiguidade, o terebinto era muitas vezes considerado um objeto sagrado, e um lugar favorito para cultos pagãos (Is 1.29,30; Os 4.13; cf. Is 57.5; Ez 6.13). Jacó enterrou os ídolos da família sob uma árvore como esta (Gn 35.4), e Josué colocou uma grande pedra sob um terebinto, nas proximidades do antigo santuário em Siquém, como um memorial da aliança de Deus com Israel (Js 24.26). O terebinto oferecia uma frondosa sombra para o repouso e para uma conversa particular (Jz 6.11,19; 1 Rs 13.14). Embora a palavra hebraica *'ela* tenha sido utilizada, a maioria dos estudiosos acredita que foi nos galhos de um carvalho que os cabelos de Absalão (dos quais ele tanto se orgulhava) ficaram emaranhados antes de sua morte (2 Sm 18.9,10,14), porque os carvalhos são árvores maiores, crescem nas florestas e são muito comuns em Gileade.

**Trigo** (heb., *hitta*; gr., *sitos*). De todos os grãos, o trigo, *triticum, compositum*, é o grão mais intensamente semeado. Sua origem, como cultivo, é tão antiga que nenhum antecedente definido foi encontrado a seu respeito. Foram encontrados resíduos tostados de trigo nos níveis da Era Neolítica de Jericó e em outros locais da Antiguidade. Sob a forma de farinha e pão, o trigo sempre foi a "planta do pão" (Salmos 105.16) durante incontáveis gerações da humanidade. Cinco variedades de trigo selvagem crescem na

Palestina, além de outras oito que são cultivadas. Veja VBW, I, 260; V, 47, 85. O trigo é semeado em novembro e dezembro e colhido de abril a junho. O termo "milho" (*q.v.*) utilizado pela versão KJV em inglês, embora usado para outros cereais, na maioria dos casos é apenas trigo. *Veja* Plantas: Grão; Agricultura; Alimentos: Pão.

**Tuia** (gr. *thyinos*). A árvore tuia ou madeira da cidreira era muito valorizada na Antiguidade para fazer armários. Nativa das montanhas Atlas do noroeste da África, ela é uma árvore muito grande da família do cipreste, *Tetraclinis articulata,* também chamada *Calitris quadrivalvis*. Sua madeira tem uma coloração entre o vermelho e o marrom, e é extremamente dura e perfumada. Ela possui uma resina branco-amarelada, chamada sandáraca, usada para fazer incenso e verniz. Essa "madeira odorífera" está relacionada entre os artigos de luxo da Grande Babilônia (Ap 18.12) e, literalmente, valia seu peso em ouro.

**Urtiga.** Duas palavras foram traduzidas como "urtiga" em algumas versões.

1. A palavra hebraica *harul* em Jó 30.7; Provérbios 24.31; Sofonias 2.9 dificilmente seria a verdadeira urtiga, pois nem as pessoas desprezíveis descritas por Jó reunir-se-iam "debaixo das urtigas". Se essa palavra não for simplesmente genérica para os arbustos do deserto ou "moitas" (espinheiros), ela pode referir-se ao acanto, um arbusto espinhoso e perene cujas folhas enroladas e cheias de espinhos serviram durante séculos como modelo para o maravilhoso trabalho feito com pergaminho dos artistas e arquitetos; por exemplo, os capitéis das colunas de Corinto. Tanto *A spinosus* como *A syriacus* são tão comuns quanto qualquer erva daninha do oriente.

2. A palavra hebraica *qimosh*, em Isaías 34.13 e Oséias 9.6, refere-se à verdadeira urtiga, *Urtica*, da qual várias espécies são encontradas na Palestina. A urtiga tem pêlos fortes e pontiagudos e, além disso, secreta um líquido corrosivo que aumenta o desconforto de quem a toca. A variedade oriental ainda é mais pungente que a ocidental.

**Uva.** *Veja* Plantas: Videira.

**Uvas Bravas.** As uvas ou videiras bravas de Isaías 5.2-4 têm sido interpretadas simplesmente como uvas verdadeiras que degeneraram, assim como Israel degenerou-se embora tivesse sido uma nação plantada pelo Senhor. Alguns estudiosos acreditam que esta era a nativa uva da raposa selvagem, *Vitis orientalis* (*Veja* Plantas: Vide Estranha). Como a uva da raposa não cresce atualmente na Palestina, e alguns acreditam que isso nunca tenha acontecido, sua identificação representa um problema. Outros sugeriram a erva-moura mortal, ou batata de Jericó, uma erva venenosa que de maneira alguma se parece com a uva.

Trigo esculpido em mármore no santuário dos mistérios eleusianos perto de Atenas. O trigo era um objeto de culto sagrado. HFV

**Verga.** *Veja* Plantas: Junco.

**Vide Estranha ou Vide Brava.** Não é necessário que a "vide estranha" com qual Deus compara Judá em Jeremias 2.21 seja uma planta específica. Entretanto, alguns a identificam com a *Vitis orientalis*. Essa planta em forma de arbusto, e que às vezes se torna uma trepadeira, com folhas verde-escuro e frutos vermelho-brilhante como a groselha, é muito prolífica nas montanhas da Palestina. É uma árvore maravilhosa e livre de pragas, mas absolutamente inútil para o homem.

**Videira** (heb., *gephen*; gr., *ampelos*), **Vinha** (heb., *kerem*). A videira, *Vitis vinifera*, é a mais conhecida, a mais comum e a mais apreciada de todas as plantas da Bíblia (VBW, I, 102, 227; III, 169, 217; IV, 142). As Escrituras falam sobre ela desde a época de Noé (Gn 9.20-21) até os dias que antecedem o retorno de Cristo (Ap 14.18). Ela é uma constante nas parábolas dos profetas, salmistas e apóstolos. Israel era a videira plantada pelo Senhor (Is 5.1-7; Salmos 80.8-16) e o Senhor Jesus é a videira verdadeira (Jo 15.1ss.).

A cultura da uva, no solo favorável e no clima da Palestina, começou pelo menos no Início da Idade do Bronze (3200-2100 a.C.). Portanto a videira era um produto comum na época de Abraão (Gn 14.18). Os espias enviados por Josué para explorar a terra prometida testemunharam sua riqueza através de grandes cachos de uvas (Nm 13.20ss.). As uvas selecionadas da Palestina eram famosas pelo seu tamanho: algumas eram tão grandes como ameixas, e já foram registrados grandes cachos de uvas pesando de 5,5 a 7,5 kg. Israel está tornando-se outra vez a terra dos vinhedos, que podem comparar-se com os do passado.

As vinhas eram geralmente plantadas em uma colina demasiadamente íngreme para a cultura dos grãos (Is 5.1; Jl 3.18), e eram protegidas por cercas feitas de pedras ou arbustos (Is 5.5; Sl 80.8-13). Na época da colheita, as uvas eram processadas no lagar ou nas dependências da vinha (Is 5.2; VBW, V, 61). As vinhas eram cultivadas pelos seus proprietários (Lv 19.10; 25.3-5; Pv 24.30,31) ou por empregados contratados (Ct 1.6; 8.11; Mt 20.1-16; Lc 13.7). Às vezes, um grande proprietário alugava a sua vinha em troca de uma parte da colheita (Mt 21.33-43). Podemos ver a importância que as vinhas tinham na vida dos israelitas através da lei que tornava o plantador de uvas isento do serviço militar (Dt 20.6). Muitas pessoas tinham seus vinhedos como seu único recurso financeiro. A colheita ou vindima da uva, que acontecia no final do verão ou no início do outono, era uma ocasião de muita alegria para o povo (Jz 9.27; Is 16.10; Jr 48.33). Os pobres tinham permissão para recolher as uvas que haviam sido perdidas durante a vindima (Lv 19.10; Is 24.13; Mq 7.1). As uvas eram consumidas quando maduras (Nm 6.3; Dt 23.24), ou eram transformadas em passas, sucos (Dt 32.14), vinho, ou ainda cozidas sob a forma de xarope ou mel (em hebraico *d[e]bash*, cf. o termo *dibs* em árabe, "xarope de uva"). *Veja* Bebida; Alimentos: Banquete, Mel, Passas; Vinho. Cf. J. P. Brown, "The Mediterranean Vocabulary of the Vine", VT, XIX (1969), 146-170.

**Vinha de Sodoma.** A "vinha de Sodoma" em Deuteronômio 32.32 pode ser apenas uma figura literária para o fruto mortal da corrupção, mas alguns interpretaram essa frase como uma referência literal a uma planta. A maçã de Sodoma, *Solanum sodomeum*, é uma planta com cerca de um metro e trinta centímetros de altura, ramos espalhados equipados com espinhos curtos e aguçados. Ela produz frutos com a aparência apetitosa de um tomate, é cheia de sementes pretas e pêlos sedosos como cinzas, e é totalmente imprópria como alimento. Como a maçã de Sodoma não é uma videira, outros estudiosos propõem o colocinto selvagem, uma fruta igualmente frustrante. *Veja* Plantas: Cabaça.

**Zimbro** (heb., *rotem*). Sua tradução como "junipero" na verdade não se refere a essa planta, mas a uma espécie de "giesta" (zimbro), como foi traduzido em algumas versões. A giesta branca, *Retama raetam,* é um arbusto de poucas folhas, com 1 a 4 metros de altura, que oferece uma sombra agradável nas regiões desérticas onde cresce (1 Rs 19.4,5; VBW, II, 242). O nome hebraico *rotem* significa "atar" e seus ramos flexíveis são usados como cordas ou varas para fazer amarração. A raiz da árvore da giesta fornece um combustível excelente, e é usada extensivamente no oriente para fazer carvão (Salmos 120.4).

O texto em Jó 30.4 fala sobre pessoas extremamente indigentes que comem a raiz do "zimbro". Mas isso é improvável porque essa raiz é amarga, provoca náuseas e pode até ser venenosa. Foi sugerido que, na verdade, tratava-se de um fungo comestível que cresce sobre as raízes da árvore da giesta. O local chamado Ritma (derivado de *rotem*) em Números 33.18,19 provavelmente recebeu esse nome por causa da abundância de arbustos de giestas que existiam naquela parte do deserto do Sinai.

***Bibliografia.*** A. W. Anderson, *Plants of the Bible*, Londres. Lockwood, 1956. R. K. Harrison, "Plants", NBD, pp. 1003-1007; *Healing Herbs of the Bible,* Leiden. Brill, 1966. Alastair I MacKay, *Farming and Gardening in the Bible*, Spire Book, Old Tappan, N. J.. Revell, 1970. H. N. e A. L. Moldenke, *Plants of the Bible*, Waltham. Chronica Botanica Co., 1952. G. E Post, *Flora of Syria Palestine and Sinai*, 2ª ed., 2 vols., 1932-1933. M. B. Rowton, "The Woodlands of Ancient Western Asia", JNES, XXVI (1967), 261-277. John C. Trever, artigos sobre cada uma das plantas, IDB. Gus W. Van Beek, "Frankincense and Myrrh", BA, XXIII (1960), 69-95. Winifred Walker, *All the Plants of the Bible,* Nova York. Harper, 1957. E R. Yarham, "The Cedars of the Lord", *American Forests*, LXXV (1969), 24-26,59. M Zohary, "Flora", ISBE, II, 284-302.

P. C. J.

**PLÁTANO ou SICÔMORO** *Veja* Plantas: Castanheira.

**PLÊIADES** Conjunto de estrelas mencionado poeticamente como "Sete-estrelo" em Amós 5.8 (cf. Jó 9.9; 38.31). *Veja* Astronomia; Órion

**PLENITUDE** O termo gr. *pleroma*, "plenitude", com o sentido de algo que foi cumprido, é usado de pelo menos seis maneiras nas Escrituras.

1. *Tempo*. Quando o tempo havia se cumprido e os eventos tinham chegado no plano de Deus; "Mas, vindo a plenitude dos tempos, Deus enviou seu Filho, nascido de mulher, nascido sob a lei" (Gl 4.4).

2. *História dos gentios.* A "plenitude dos gentios", isto é, a chegada do tempo de Deus conceder o evangelho especialmente aos gentios na Era da Igreja (Rm 11.25; cf. Lc 21.24).

3. *A entrega do reino pelo Filho ao Pai.* Este fato é chamado de "dispensação da plenitude dos tempos" em Efésios 1.10, no sentido de que ela abrange a obra completa de Cristo ao sujeitar todas as coisas a si mesmo. Ela encerra-se com Cristo entregando o reino consumado a Deus Pai (1 Co 15.24-28).

4. *Plenitude de Israel.* Este evento ocorre com o enxerto de Israel na oliveira verdadeira, e a maravilhosa salvação de toda aquela nação, na segunda vinda de Cristo (Rm 11.13, 26-29; cf. Is 66.8,9; Zc 12.10 ss.).

5. *Plenitude de Cristo*. A presença de toda a natureza divina e de todos os atributos de Deus em Jesus Cristo (Jo 1.16; Cl 1.19). "Porque nele habita corporalmente toda a plenitude da divindade" (Cl 2.9). Assim, "Cristo é, em um sentido único e completo, a encarnação do próprio Deus. Dessa forma, Ele cumpriu todas as coisas (Ef 4.10)" (C. F. D. Moule, "Pleroma", IDB, III, 827). Em Efésios 4.13 a "plenitude de Cristo" deve significar a totalidade, a maturidade já cumprida no próprio Cristo.

6. *A suficiência de Cristo para nós*. A suficiência completa de Cristo em seu ministério de redenção e salvação, de forma que os crentes sejam vistos como "perfeitos [*peplerome-noi*] nele" (Cl 2.10). O tempo perfeito do particípio passivo grego indica que, posicionalmente, os verdadeiros cristãos já foram aperfeiçoados, com o resultado de que sempre serão cheios e completos em Cristo. "Todos nós recebemos também da sua plenitude, com graça sobre graça" (Jo 1.16), isto é, "uma graça em resposta à graça (que está em Cristo)". Experimentando o amor de Cristo nos tornamos "cheios de toda a plenitude de Deus" (Ef 3.19).

***Bibliografia.*** Gerhard Delling, "*Pleres* etc"., TDNT, VI, 283-311.

R. A. K. e J. R.

**PLEROMA** *Veja* Plenitude.

**PNEUMATOLOGIA** Estudo da doutrina da terceira pessoa da Trindade, o Espírito Santo. O aspecto mais importante dessa doutrina diz respeito à sua verdadeira personalidade e divindade. A doutrina que mostra que Ele é uma pessoa e também um membro de natureza divina é um ensino do NT. Por exemplo, o Senhor Jesus Cristo disse aos discípulos que deveriam batizar em nome do Pai, e do Filho e do Espírito Santo, atribuindo ao Espírito a mesma individualidade e personalidade que Ele atribuía a si próprio e ao Pai (Mt 28.19). *Veja* Espírito Santo.

A doutrina do Espírito Santo, embora tendo sido sempre aceita pela Igreja Cristã, desenvolveu-se de forma um pouco mais lenta do que a doutrina do Filho. Na verdade, a separação entre a Igreja do Oriente, que se tornou a Igreja Ortodoxa Grega, e a do ocidente, que mais tarde tornou-se a Igreja Católica Romana, foi causada, em parte, pela falta de concordância sobre a procedência do Espírito Santo. No Concílio de Nicéia foi estabelecido que o Filho procedia do Pai através da eterna geração. A Igreja do Oriente, baseando-se em João 15.26, insistia que o Espírito procedia apenas do Pai, enquanto a Igreja do Ocidente, reverenciando o ensino de que o Filho é subordinado ao Pai, e o Espírito subordinado a ambos, afirmava que Ele procedia tanto do Pai como do Filho. As duas Igrejas finalmente separaram-se em 1054.

O "modalismo" e o "patripassionismo" (em latim *pater*, pai; *passio*, sofrimento) foram erros do século III d.C. que negavam a existência da verdadeira trindade composta pelas três pessoas na natureza divina. O modalismo ensinava que o Pai, e o Filho e o Espírito Santo eram apenas nomes, expressões ou modos de apenas um ser individual, isto é, do próprio Deus. O patripassionismo ensinava que existe apenas o Pai e que foi Ele que se tornou homem e sofreu na cruz pelos pecados do mundo. Karl Barth adotou aquilo que é, essencialmente, a visão do modalismo, mas modificou-a a ponto de afirmar que toda a essência de Deus existe em cada um dos modos de sua revelação como Pai, Filho e Espírito Santo. O Pai é o revelador, o Filho é a revelação e o Espírito é o revelado. Entretanto, qualquer negação da verdadeira personalidade do Espírito Santo está sujeita a todos os erros filosóficos e escriturais que pertencem a toda teoria contrária à Trindade. *Veja* Trindade.

R. A. K.

**PÓ** A palavra pó refere-se literalmente a pequenas partículas de terra, ou é ocasionalmente usada como sinônimo de terra (Jó 14.19; 38.38; Is 25.12). O corpo humano foi originalmente feito por Deus deste material humilde (Gn 2.7), assim como os corpos das outras criaturas (Ec 3.20). No final o corpo retorna ao pó (Gn 3.19).

O pó é freqüentemente usado na Bíblia como uma figura de linguagem, e de várias maneiras. Às vezes fala de um grande número ou de uma grande quantidade (Gn 13.16; Salmos 78.27; Zc 9.3). No sentido oposto, é usado para descrever aquilo que é muito pequeno (Dt 9.21; Salmos 18.42; Is 40.15). Fala de uma posição baixa da qual alguém emerge (1 Rs 16.2), ou de uma posição degradante à qual alguém é levado (Salmos 44.25).

Tornar algo "como o pó" significa uma completa destruição (2 Rs 13.7). O pó é freqüentemente usado como sinônimo de sepultura (Jó 20.11; Dn 12.2). Falar de um homem como pó é chamar atenção para a sua fragilidade por meio de uma alusão à sua origem humilde (Gn 18.27; Salmos 103.14). O pó é também uma expressão figurada de qualquer coisa inútil (Sf 1.17).

A maioria das referências do Novo Testamento ao termo "pó" está relacionada à ordem que o Senhor Jesus Cristo deu aos seus apóstolos de sacudir o pó de seus pés (Mt 10.14) quando partissem de uma cidade na qual a sua divina mensagem fosse rejeitada. "Este ato simbólico significa que os pés dos arautos do reino de fato estiveram na casa ou na cidade, e eles deixam seu pó como testemunha de que foram forçados a sair o local devido a uma péssima acolhida" (R. C. H.

Lenski, *The Interpretation of St. Matthew's Gospel*, p. 396).

Atirar pó em uma pessoa ou ao ar (2 Sm 16.13; At 22.23) é considerado por algumas autoridades como uma demanda por justiça (Conybeare e Howson, *The Life and Epistles of St. Paul*, p. 589). Porém, é provável que este fosse simplesmente um gesto de desprezo ou de ira.

Era evidentemente muito comum nos tempos bíblicos colocar pó sobre a cabeça de alguém como sinal de profundo sofrimento, lamento, e completa humilhação (veja por exemplo, Josué 7.6; Jó 2.12; Lm 2.10; Ap 18.19). "A cabeça, a parte mais nobre de um homem, era colocada abaixo, no pó do solo de onde foi tirada" (J. J. Lias na obra *Pulpit Commentary*, Vol. 3, Parte 2, p. 121).

G. C. L.

**POBRE** A palavra hebraica *'ebyon*, que é muitas vezes um paralelo a *'ani*, significa "aflito, angustiado, desamparado, necessitado", isto é, alguém que foi maltratado ou está sofrendo algum problema social. A palavra hebraica *dal* significa "fraco, instável, magro", isto é, alguém empobrecido ou de meios reduzidos, mas não necessariamente pobre, alguém que não tenha nenhuma propriedade. O termo hebraico *rush* significa "ser pobre, empobrecido, ou passar necessidades", e seu cognato *rish* ou *re'sh* dá claramente a idéia de pobreza. A LXX usou a palavra *penes*, e o NT usa *ptochos*, que significa "pobre, miserável, impotente, mendigo".

Os pobres eram os que haviam sido privados das necessidades básicas da vida. As antigas leis israelitas protegiam os pobres dos encargos criminosos dos usurários (Êx 22.25; Lv 25.36).

As extremidades dos campos não deveriam ser colhidas, e as vinhas não deveriam ser totalmente despidas de seus frutos, para que houvesse uma provisão para os necessitados (Lv 19.9,10; 23.22). Tudo aquilo que nascesse espontaneamente nos campos durante o ano sabático deveria ser deixado e não poderia ser colhido, permanecendo para o benefício de qualquer pessoa que os quisesse recolher (Lv 25.5). Os indivíduos também tinham a permissão de colher os grãos ou comer as uvas que pertenciam a outros, desde que nada levassem consigo (Dt 23.24,25). Em geral, a pobreza resultava das invasões e das guerras, das secas e de colheitas insuficientes, da preguiça ou da escravidão.

Numerosos escritos retratam Deus ao lado dos pobres (Pv 14.21; Salmos 12.5; 41.1; 107.41; Is 3.15; Am 2.6,7) e também mostram o dever cristão de cuidar deles (Mt 6.2-4; At 9.36; 10.4; 2 Co 8.1-7; 9.1-6; Tg 2.15,16). *Veja* Esmolas.

A frase "pobres de espírito" (*q.v.* Mt 5.3 e outras passagens das Escrituras, como por exemplo Salmos 34.6; 37.14; 40.17; Sf 3.12; Zc 11.7,11) fala sobre a pobreza em um sentido espiritual. Ela nunca é louvada por si mesma, ao contrário, a abnegação e o serviço devem ser o ideal (Lc 9.23-26; 14.26-33). Jerusalém e a Judéia, onde Jesus teve a maior associação com os pobres (Mt 20.30; 26.9,11; Mc 10.21,46; 12.42,43; 14.5; Lc 14.13,21; 18.23,35; 19.8; 21.3; Jo 12.5-8; 13.29), foram comparadas e contrastadas com a Galiléia, que era materialmente mais próspera.

***Bibliografia.*** Israel Abrahams, "Poverty and Wealth", *Studies in Pharisaism and the Gospels,* Cambridge. Univ. Press, 1924, I, 113-117. Ernst Bammel, "*Ptochos* etc.", TDNT, VI, 885-915. Kaufmann Kohler, "Charity", JewEnc., III, 667-671, R. E Nixon, "Poverty", NBD, pp. 1016ss. C. U Wolf, "Poor", IDB, III, 843ss.

R. V. U.

**POBRE DE ESPÍRITO** A palavra grega *ptochos,* ou "pobre", significa estar reduzido à mendicância, humildade e falta de alguma coisa, como na expressão "pobres de espírito" em Mateus 5.3. De acordo com Thayer (*Greek-English Lexicon,* p. 557), o Senhor Jesus declarou que os necessitados ou destituídos de riquezas ou de cultura em sua época eram bem-aventurados, e que a eles pertencia o reino dos céus. As autoridades judaicas ficavam admiradas por Pedro e João fazerem tanto sucesso, e por falarem com tanta ousadia, porque sabiam que esses seguidores de Jesus eram "homens sem letras e indoutos" (At 4.13). E foi no meio deles que Cristo encontrou a maioria de seus discípulos, embora nem todos. Paulo é a principal exceção, pois foi educado aos pés de Gamaliel, um famoso mestre judeu (At 22.3). No entanto, Paulo afirma que "não são muitos os sábios segundo a carne, nem muitos os poderosos, nem muitos os nobres que são chamados" (1 Co 1.26). Graças a Deus surgiram outros como o próprio Paulo, Agostinho, Calvino, Lutero etc. No entanto, permanece o princípio de que "Deus escolheu as coisas fracas deste mundo para confundir os fortes... para que nenhuma carne glorie-se perante ele" (vv. 27-29).

A expressão "pobres de espírito" também pode ser interpretada como aqueles que reconhecem sua própria pobreza ou falência espiritual.

Estes humildemente entendem, assim como Paulo entendeu, que em si mesmos, em sua antiga natureza humana, "não habita bem algum" (Rm 7.18). *Veja* Carne. Uma vez tendo confessado a sua suprema indigência, eles tornaram-se abençoados porque se colocaram sob a misericórdia divina. Portanto, esse termo é o oposto de orgulhoso de espírito, e essa atitude de orgulho é a principal razão pela qual os homens não procuram o grande

Poço no norte do Iraque a oeste de Nínive. JR

Médico para serem curados de sua profunda necessidade espiritual (Mt 9.10-13). *Veja* Pobre.

R. A. K.

**POBREZA** *Veja* Pobre.

**POÇO DO ABISMO** Essa expressão ocorre somente uma vez, em Apocalipse 9.1,2, onde ao som do quinto anjo o poço é aberto por alguém que possui a chave, e são liberados seres parecidos com gafanhotos, mas com rosto humano (Ap 9.7). Seu aparato físico os deixava equipados para a sua missão, "danificar os homens por cinco meses" (Ap 9.10). Entretanto, a palavra abismo (*abyssos*) muitas vezes aparece sozinha e, tanto nas Escrituras como na literatura religiosa primitiva, indica o extremo oposto ao céu (cf. Testamento de Levi 3.9, onde o plural é usado para uma terceira categoria ou reino de coisas, junto com o céu e a terra, que são abalados pela presença de Deus. Em 1 Clemente 28.3, o plural é usado, com a mesma categorização, em uma citação do Salmo 139.7,8). Paulo faz uma categorização semelhante em Filipenses 2.10 e fala sobre as coisas que estão sob a terra *(katachthonios)*. Esse terceiro reino, chamado de abismo, também tinha o nome de Hades (um termo grego do Salmo 139.8 na LXX) e era considerado como a morada dos mortos (Rm 10.7; At 2.31) e dos demônios (Lc 8.31). O próprio Diabo é mantido no abismo, de acordo com a revelação de João (Ap 20.3). Alguns acreditam que, dessa forma, essa palavra signifique "as profundidades do inferno" (Arndt, p.55), mas isso não pode ser claramente estabelecido. *Veja* Abismo; Hades; Inferno.

J. Mc. R.

**POÇO[1]** Na Bíblia Sagrada, quinze palavras diferentes foram traduzidas como "poço". A referência sempre é feita a cisternas (Gn 37.20; Êx 21.34; Zc 9.11). O vale de Sidim estava cheio de "poços de lodo", literalmente "poços de betume" (Gn 14.10). Os poços eram cavados, cobertos e transformados em armadilhas para capturar animais (Salmos 7.15; Pv 28.10; Ez 19.4,8). Também podiam ser usados como masmorras (Jr 38.6) ou sepulturas (2 Sm 18.17). Os poços representavam uma ameaça aos animais (Mt 12.11) e aos cegos (Mt 15.14; Lc 6.39). Foi um poço (Lc 14.5) que se tornou o temível reservatório dos julgamentos apocalípticos (Ap 9.1,2). Uma das palavras, *sheol*, que significa especificamente a moradia dos mortos (geralmente traduzida como "inferno" ou "Seol"), foi traduzida três vezes como "poço" na versão KJV em inglês (Nm 16.30; Jó 17.16). A maior parte dos termos também foi usada metaforicamente como uma referência à sepultura ou ao Seol (Salmos 28.1; 30.3; Jó 33.24; Is 14.15), *Veja* Cova; Caverna; Sepultura; Seol.

**POÇO[2]** Os poços sempre tiveram um lugar proeminente nas terras bíblicas por causa da aridez da terra e da escassez de chuvas. Por esta razão, várias palavras são utilizadas.

A palavra hebraica mais comum para "poço" é *b$^e$'er* (Gn 21.30; Nm 21.18 etc.), uma fonte de água que é obtida cavando-se. Esta raiz é freqüentemente encontrada em compostos denotando lugares, como Berseba (Gn 21.14). Beer-Laai-Roi (Gn 16.14), Beerote (Dt 10.6), e Beer-Elim (Is 15.8). Em cada um destes locais existiram poços famosos.

Outros termos hebraicos para "poço" são: *bor* (1 Sm 19.22; 2 Sm 23.15,16; algumas versões freqüentemente substituem o termo "poço" por "cisterna" – por exemplo, Dt 6.11; 2 Cr 26.10; Ne 9.25); *ma'yan* (Js 18.15; 2 Rs 3.19; Sl 84.6; Is 12.3; que algumas versões traduzem como "fonte"); *maqor* (Pv 10.11; que algumas versões traduzem como "manancial"); *'ayin* (Gn 24.13; 49.22; Êxodo 15.27; Neemias 2.13; que algumas versões traduzem como "fonte").

O grego também possui duas palavras para

O "poço de Abraão" em Berseba. HFV

poço. Elas são *pege* (um poço alimentado por uma fonte, Jo 4.6), e *phrear* (a cavidade do poço, Jo 4.11,12; cf. Lc 14.5).
Os poços bíblicos foram encontrados em diversos lugares. Seus formatos e profundidades variavam com o tipo de solo e o nível de água. Alguns eram de cova rasa, enquanto outros alcançavam uma grande profundidade, servindo até mesmo como um lugar de esconderijo para os homens (2 Sm 17.18,19). Muitos poços tinham tampas sobre suas aberturas, sem dúvida para manter a água pura e para evitar que animais e pessoas caíssem em seu interior (Gn 29.3; Êx 21.33). A Bíblia fala de poços localizados no deserto (Gn 16.14), perto de cidades (Gn 24.11), em vales (Gn 26.17,18), em campos (Gn 29.2) e em pátios (2 Sm 17.18). Eles foram de particular importância no período patriarcal quando a sociedade era nômade (Gn 26.18). Os poços forneciam água tanto para as famílias como para os rebanhos (Gn 29.2). Mais tarde eles tornaram-se um importante suplemento do abastecimento de água para as cisternas e fontes das cidades e aldeias (1 Sm 19.22; 2 Sm 23.15; Jo 4.6). *Veja* Fonte.

***Bibliografia.*** Wilhelm Michaelis, "*Pege*", TDNT, VI, 112-117.

P. D. F.

**POÇOS DE BETUME** *Veja* Sidim.

**PODER** A língua hebraica, como a portuguesa, dispõe de muitas palavras que transmitem o conceito de poder. As duas palavras mais comuns aparecem em uma passagem muito conhecida: "Não por força, nem por violência, mas pelo meu Espírito, diz o Senhor dos Exércitos" (Zc 4.6).
A palavra hebraica *hayil*, que é utilizada para "poderoso", pode significar força física ou valor, como no caso dos guerreiros (Js 1.14; 8.3; 10.7), portanto o poderio militar (1 Cr 20.1), as próprias forças armadas ou exército (Êx 14.4,28; 1 Rs 29.19,25; Jr 32.2), habilidade ou eficiência, envolvendo muitas vezes o valor moral (Êx 18.21,25; Gn 47.6; Pv 12.4; 31.10; Rt 3.11), e riqueza ou influência econômica (Gn 34.29; Dt 8.17,18; Pv 28.8; Rt 2.1).
*Koah* é a palavra hebraica para "poder" que também pode significar força física (por exemplo, Sansão, Juízes 16.5; Saul, 1 Sm 28.20) força para chorar, 1 Sm 30.4; uma referência a carregadores de peso, Ne 4.10; assim como habilidade (Gn 31.6; Ed 2.69; Dt 8.17,18), e poder mental ("força da compreensão", Jó 36.5). A palavra hebraica *g^e^bura* significa força ou poder (poder dominador) como de um cavalo de guerra (Jó 39.19), do sol (Jz 5.31) ou de um rei (2 Rs 14.28). O braço (*zeroa'*) e a mão (*yad*) são usados como metáforas do poder, e foram assim traduzidos (Ez 22.6 e Jó 1.12, respectivamente; cf. Ez 20.33,34). A palavra hebraica *'oz* é outro sinônimo freqüente de força e poder (Lv 26.19; Salmos 62.11; 63.2; 66.3).
No AT, o exercício de todo poder verdadeiro reside eternamente nas mãos de Deus (Salmos 66.7; 72.11). Ele é aquele que concede poder político a quem lhe agrada (Jr 27.5; Dn 2.20,21; 4.17) e fortalece aqueles que o servem, aqueles que nele esperam (Is 40.29-31). Deus revelou seu poder na criação (Jr 10.12-16; 51.15-19) e na sustentação do mundo e da criação (Jó 26.12; Salmos 65.5-8; Isaías 40.26; cf. Colossenses 1.17). Portanto, nada é demasiadamente difícil para Ele (Jr 32.17).
Deus delega uma parte de sua autoridade à humanidade (Gn 1.26-28; Sl 8.5-8). Às vezes Ele permite que o homem o exerça como seu representante, como fez com Moisés (Êx 7.1), Elias (1 Rs 17.1) e Miquéias (Mq 3.8). Ele às vezes intervém com demonstrações especiais de seu poder, como por exemplo antes e durante o Êxodo (Êx 6.6; 7.3-5; 15.6; Dt 5.15), na ocasião em que entraram na terra prometida (Js 3.14-17; 6.20; 10.10-14; cf. Sl 111.6), na época de Elias e de Eliseu, na época em que o Senhor Jesus Cristo veio à terra, e nos primeiros dias da Igreja (Hb 2.4). *Veja* Milagres; Obras de Deus.
No NT, a palavra *dynamis* representa habilidade (2 Co 8.3) ou força (Ef 3.16), como o poder de realizar milagres (Rm 15.19), o poder exibido na ressurreição de Cristo (Ef 1.19,20; Fp 3.10), o poder do evangelho (Rm 1.16; 1 Co 1.18,24) e o poder do Espírito Santo em Cristo (Lc 4.14). Ela também representa o poder que foi enviado no Pentecostes (At 1.8). Veja W. Grundmann, "*Dunamai* etc.", TDNT, II, 284-317.
A palavra grega *exousia* designa direito e poder no sentido de autoridade outorgada. O Senhor Jesus fala sobre toda a autoridade que lhe foi dada (Mt 28.18), como a autoridade para perdoar os pecados (Mc 2.10). Jesus deu poder e autoridade aos seus doze discípulos para que expulsassem demônios e curassem enfermidades (Lc 9.1).
A pessoa que crê em Cristo tem o "poder" ou o direito de se tornar filho de Deus (Jo 1.12). *Veja* Autoridade.
A palavra grega *kratos* expressa mais a idéia de força para fazer as coisas, e é usada em relação ao poder de Deus (Ef 1.19; 6.10; Cl 1.11; 1 Tm 6.16; Ap 5.13), e ao poder do Diabo (Hb 2.14).
O poder das chaves refere-se ao poder para libertar, perdoar ou conservar os pecados anunciado por Cristo a Pedro na ocasião de sua confissão em Mateus 16.18-20. O fato desse poder não ser apenas de Pedro, nem delegado por este apóstolo à Igreja, como o catolicismo romano afirma, foi provado quando Cristo declarou que seria dado a todos os discípulos e a todos os crentes (Mt 18.18). Mas como esse poder seria adminis-

trado pelos crentes? De duas maneiras, dizem os teólogos da Reforma. Primeiro, através do ensino e da pregação da Palavra de Deus para que os homens possam crer ou recusar essa crença; e, em segundo lugar, através da disciplina da Igreja àqueles que pecaram (*Veja* Calvino sobre 1 Co 5).

R. A. K.

**PODRE, PRODRIDÃO** A tradução de *naphal,* "apodrecer", significa literalmente "decair", isto é, "murchar" ou "definhar" (Nm 5.21,22,27). A palavra hebraica *'abash* significa "encolher" (Jl 1.17). Em Jeremias 38.11,12 a referência feita a *m*[e]*lahim,* tem o sentido de vestes gastas ou esfarrapadas. A palavra hebraica *raqab* refere-se à decomposição que acontece na madeira envelhecida (Jó 41.27; Is 40.20), ao desgaste nos ossos dos vivos (Pv 12.4; 14.30; Hc 3.16), ou à putrefação da carne pelos vermes, gangrena ou furúnculos (Jó 13.28; cf. 2.8).

**POESIA** Através da poesia o homem transmite seus mais profundos e elevados pensamentos e emoções. Em suas imagens e ritmos crescentes, ele canta seu amor, adoração, sofrimento, tristeza e esperança. Seria na verdade muito estranho se a Bíblia, que expõe o interior do coração do homem e de Deus, não fosse também um livro que guardasse uma sublime poesia. A Bíblia, particularmente o AT, é um dos maiores livros poéticos de todos os tempos. Embora a natureza de sua poesia sempre tenha sido obscurecida pela forma com que aparece nas traduções, suas passagens poéticas, além de serem reveladas por Deus ao homem, são, também, a expressão do amor e da adoração do homem para com Ele.

**A Poesia do Antigo Testamento**

*História da interpretaeao.* Até cerca de 200 anos atrás, a maior parte da poesia do AT não havia sido reconhecida como tal. Livros como Jó, Salmos e Provérbios eram obviamente livros de poesia, mas a ignorância do estilo da poesia semítica e o conceito errôneo de que a poesia devia adaptar-se aos cânones da literatura clássica, obscureceu o fato de que mais de um terço do AT era constituído de poesias. Uma grande parte das mensagens dos profetas foi originalmente transmitida sob a forma poética, não só para aumentar seu apelo e brilhantismo, mas para que pudesse permanecer por mais tempo na memória das pessoas. Até nos livros das leis e da história existem passagens poéticas como o cântico de Lameque (Gn 4.23, 24), a bênção de Jacó (Gn 49.2-27), os cânticos de vitória de Moisés e de Miriã (Êx 15.1-21), as profecias de Balaão (Nm 23.7-10,18-24; 24.3-9,15-24), o cântico de Débora (Jz 5) e a oração de Ana (1 Sm 2.1-10).

Em 1753, o primeiro grande livro sobre o assunto da poesia bíblica inaugurou a nova era do entendimento da maior parte da Bíblia. Robert Lowth, depois de um estudo cuidadoso, redescobriu a natureza básica das leis da poesia hebraica e publicou suas conclusões em uma obra intitulada *De Sacra Poesi Hebraeorum.* Desde essa época, foram realizados muitos estudos e surgiram muitos livros notáveis como a obra de Herder, *The Spirit of Hebrew Poetry,* e de G. B. Gray, *The Forms od Hebrew Poetry.* De particular interesse para o estudo da poesia hebraica foi a descoberta feita pelos arqueólogos de uma vasta literatura da Antiguidade, contemporânea da Bíblia Sagrada. A literatura do Egito, Assíria, Babilônia e Canaã reproduz o cenário dos escritos bíblicos porque fazia parte da mesma cultura e do mesmo mundo conceitual. A descoberta da literatura ugarítica, em Ras Shamra (*q.v.*), pertencente a uma literatura semítica de uma era muito próxima à de Moisés, veio facilitar enormemente o nosso entendimento das poesias das Escrituras, e a nossa exegese da mensagem bíblica. Podemos imaginar a grande diferença de significado que estaria envolvida se uma frase como: "Eis que a mão do Senhor não está encolhida, para que não possa salvar" (Is 59.1) fosse entendida sob a forma de uma prosa desapaixonada ao invés de uma imaginação poética!

As tábuas de argila provenientes de Ugarite forneceram dados filológicos que serviram para iluminar muitas expressões obscuras da poesia bíblica. Tanto na poesia ugarítica como na hebraica o princípio dominante era o mesmo; o princípio da harmonia ou da simetria de idéias. Os estudiosos também descobriram uma considerável similaridade de dicção entre os épicos cananeus e a poesia do AT, de tal forma, que foram feitas longas relações de pares fixos de sinônimos ou de palavras relacionadas comuns à literatura ugarítica e aos vários livros da Bíblia (Mitchell Dahood, *Psalms I, Anchor Bible,* Garden City, Doubleday, 1966, pp. xv-xliii; *Psalms II,* 1968, pp. xv-xvii).

*Características.* Podemos encontrar a diferença mais notável que existe entre a poesia hebraica e a poesia ocidental, no fato da rima e da métrica, tão importantes nessa última, serem apenas incidentais ou estarem até mesmo ausentes entre os hebreus. Embora a poesia hebraica tenha o ritmo e a flexibilidade que marcam toda a poesia verdadeira, a sua principal característica de diferenciação é encontrada mais em seu conteúdo do que em sua forma. A poesia hebraica manifesta-se pela correspondência conceitual que aparece em suas linhas sucessivas. Esta característica tem o nome de "paralelismo", ou simetria de idéias, e revela-se sob diversas variações:

1. Formato de sinônimo – o mesmo pensamento é repetido sob formas ligeiramente

diferentes. Por exemplo, Salmo 12.1: "Salva-nos, Senhor, porque faltam os homens benignos; porque são poucos os fiéis entre os filhos dos homens".

2. Formato antitético – o pensamento da primeira linha contraria o pensamento da segunda, às vezes por meio de um conceito completamente oposto. Esse aspecto é encontrado mais freqüentemente no livro de Provérbios, como por exemplo, Provérbios 1.7: "O temor do Senhor é o princípio da ciência; os loucos desprezam a sabedoria e a instrução".

3. Formato sintético – a segunda linha prolonga ou complementa o pensamento da primeira. Esse aspecto, às vezes, continua em uma terceira linha e foi classificado por alguns estudiosos como uma outra forma de paralelismo, o climático. Por exemplo, Salmo 92.9: "Pois eis que os teus inimigos, Senhor, eis que os teus inimigos perecerão; serão dispersos todos os que praticam a iniqüidade".

4. Formato de quiasmo – o desenvolvimento do paralelismo básico dos sinônimos, pelo qual as quatro linhas são usadas, sendo que a primeira é paralela à quarta e a segunda paralela à terceira, como por exemplo no Salmo 137.5,6: "Se eu me esquecer de ti, ó Jerusalém, esqueça-se a minha destra da sua destreza. Apegue-se-me a língua ao paladar se me não lembrar de ti, se não preferir Jerusalém à minha maior alegria".

O reconhecimento dessas formas, que estão claramente identificadas na maioria das traduções modernas, além de aumentar o prazer e a apreciação na leitura da Bíblia Sagrada, representa ainda uma ajuda notável em relação ao seu entendimento. Uma linha lança luz dobre o significado da outra, por tratar de coisas semelhantes ou opostas, ditas de formas ligeiramente diferentes.

Embora a harmonia de pensamento seja o princípio básico da poesia hebraica, a métrica também aparece, mas em bases diferentes daquelas encontradas nas línguas ocidentais. A métrica é determinada não pelo número de sílabas, mas pela força na entonação ou na pronúncia de palavras importantes, como acontece até certo ponto com a nossa música, e nenhuma tentativa foi feita para produzir um número uniforme de sílabas intermediárias. Embora desde o tempo de Josefo tenha sido declarado que Moisés e Homero haviam escrito sob a forma de hexâmetros, a maioria dos estudiosos atualmente concorda que qualquer ritmo encontrado não acompanha um rígido padrão métrico. Muitos comentários, apresentados por críticos, ficam enfraquecidos pela tentativa de retificar o texto hebraico a fim de adaptá-lo a alguma forma métrica.

Também foi levantada a questão das estrofes ou estâncias e parece que os hebreus preferiam usar as divisões das últimas. Como acontece nas linhas individuais, as estrofes eram determinadas pelo conteúdo das palavras, e qualquer mudança ocorrida no pensamento provocava a elaboração de uma nova estrofe. Embora algumas estejam claramente identificadas, como as seções alfabeticamente divididas do grande acróstico que é o Salmo 119, elas não acompanham nenhum padrão aparente e nem sempre podem ser determinadas. A tentativa de estabelecer uma estrutura de estrofes para os vários tipos de poesia foi pouco conclusiva. As retificações e as mudanças conjeturais feitas no texto hebraico para adequá-lo aos supostos padrões, resultaram em uma prática bastante questionável.

A poesia hebraica também representa uma fonte de prazer em certas características que, de certo modo, também são encontradas em nossa literatura. A assonância, isto é, o uso de palavras com som semelhante, é encontrada em muitas passagens. Ela parece ter sido particularmente usada por certos autores, como Isaías, por exemplo, em Isaías 53.1-9. A aliteração, uma sucessão de palavras que começam com o mesmo som, também é freqüentemente encontrada.

A linguagem figurada e exaltada, marca da verdadeira poesia, também é encontrada em abundância na Bíblia. Comparações, metáforas, personificações e hipérboles transmitem vida e beleza à literatura. Como a língua hebraica não dispõe de muitas palavras abstratas, sua imagem aparece de forma concreta e muito vívida. Ela excede-se em descrições nas quais emprega todo o mundo à sua volta para expressar a emoção e a paixão do amor, o ódio, a adoração, o louvor, a advertência ou a exortação. Observe a desconcertante ordem dos objetos aos quais os amantes de Cantares de Salomão comparam-se. Isaías, ao invés de dizer que Deus é onipotente e onisciente, descreve seu poder de criar (40.12ss.). Jó retrata os poderosos seres que Deus criou (caps. 40–41). Na poesia hebraica, "os céus manifestam a glória de Deus" (Salmos 19.1) no sentido mais literal possível.

### A Poesia do Novo Testamento

Comparativamente, o NT contém pouca poesia e aquela que existe geralmente reproduz uma citação do AT ou é elaborada sobre ela. O *Magnificat* de Maria (Lc 1.46-55) e o *Benedictus* de Zacarias (Lc 1.68-79) foram construídos quase completamente a partir de linhas do AT. O *Glória* (Lc 2.14) e o *Nunc Dimittis* (Lc 2.29-32) também acompanharam o estilo dos Salmos. Os maravilhosos hinos do livro de Apocalipse são hebraicos, e não gregos, em sua forma e conteúdo. Outras passagens, geralmente não consideradas como poesia quando vistas através de olhos judeus, também poderiam ser relacionadas como tais, como por exemplo, as Beatitudes e a Oração do Senhor (Mt 5.2-10;

6.9-13), o Prólogo do evangelho de João (1.1-18) e o hino de amor (1 Co 13). Acredita-se que Efésios 5.14,1; Timóteo 3.16, e talvez Filipenses 2.6-11, sejam trechos dos primeiros hinos cristãos.
Encontramos nessas passagens o mesmo estilo geral de paralelismo e de linguagem descritiva que existe no AT. A mudança do hebraico para o grego simplesmente acrescentou um vocabulário muito maior de palavras conceituais. Existem dúvidas de que algum dos escritores do NT tenha observado as leis da prosódia grega.
*Veja* Música. Salmos, Livro dos.

***Bibliografia.*** "Poetry, Hebrew". CornPBE, pp. 593-596. Stanley Gevirtz, *Patterns in the Early Poetry of Israel,* Chicago. Univ. of Chicago Press, 1963. Norman K. Gottwald, "Poetry, Hebrew", IDB, III, 829-838. George B. Gray, *The Forms of Hebrew Poetry,* Londres. Hodder & Stoughton, 1915. T. H. Robinson, *The Poetry of the Old Testament,* Londres. Duckworth, 1947.

P. C. J.

**POETA** Essa palavra ocorre em Atos 17.28, embora a palavra grega *poietes,* que ela traduz, seja usada inúmeras outras vezes. Essa expressão é usada por Paulo ao referir-se aos escritores pagãos em seu famoso discurso no Areópago. Parece que Paulo está fazendo uma alusão a Epimenides de Creta em sua afirmação "pois nele vivemos, e nos movemos, e existimos". Ainda mais certa é a citação "pois somos também sua geração" retirada do começo da obra *Phaenomena* de Aratus, do século III a.C., um poeta nascido na Cilícia. Não se deve entender, entretanto, que Paulo estivesse procurando no paganismo grego um apoio direto para seus ensinos.

**POLIDEZ** Qualidade muito adequada para um cristão em todos os momentos de sua vida. Ela pode ser observada constantemente na maneira como Cristo tratava a todos aqueles que sinceramente o procuravam. Ele incentivava, ao invés de reprovar (Lc 18.18-22). por exemplo o jovem doutor da lei a quem Ele tratou desta maneira (Lc 10.25-37), e Nicodemos (Jo 3.1ss.). Os profetas do AT demonstravam respeito e cortesia àqueles com quem tratavam, como no caso de Neemias em relação a Artaxerxes (Ne 2.3), e Daniel em relação a Nabucodonosor (Dn 2.37). Paulo agiu da mesma forma em relação a Ananias (At 23.1-5).

**POLIGAMIA** *Veja* Casamento.

**PÓLUX** *Veja* Falsos deuses: Castor e Pólux.

**POMAR** *Veja* Plantas.

**POMBA** *Veja* Animais III.51.

**POMBO** *Veja* Animais III.52.

**PÔNCIO PILATOS** *Veja* Pilatos, Pôncio.

**PONTO** Antigo reino da Ásia Menor, fundado em aprox. 302 a.C. no mar Negro, situado entre a Armênia e o rio Halys e que, originalmente, fazia parte da Capadócia. Esse reino alcançou a sua maior influência sob Mitrídates VI (111-63 a.C.) e permaneceu como uma ameaça ao governo de Roma até ser derrotado por Pompeu, no ano 66 a.C. Durante os 130 anos seguintes, a porção ocidental dessa região continuou sob domínio romano, mas as seções orientais ainda permaneciam sob o governo de chefes independentes ou títeres. Finalmente, Nero fez dela uma província senatorial no ano 64 d.C. Era uma área montanhosa ao sul e a leste, porém com muitas planícies férteis.
Judeus provenientes de Ponto estavam presentes em Jerusalém na festa de Pentecostes (At 2.9). Áqüila era um nativo de Ponto (At 18.2), e Pedro dirigiu-se aos cristãos dessa província em sua primeira epístola (1 Pe 1.1).

**POQUERETE** Chefe de uma família que retornou à Palestina sob o comando de Zorobabel (Ed 2.57; Ne 7.59). Ele estava incluído em um grupo chamado de "filhos dos servos de Salomão". No texto hebraico, o termo *pokereth* aparece junto com *s$^e$baim* ("gazelas"). Portanto, esse nome significa "prendedor de gazelas". Várias versões modernas fazem simplesmente a transliteração de toda essa expressão como Poquerete-Hazebaim.

**PORATA** Um dos vários filhos de Hamã (Et 9.8). Ele foi assassinado pelos judeus em Susã, que procuravam salvar a própria vida (vv. 6-10).

**PORÇÃO** Essa palavra geralmente denota menos do que o todo de alguma coisa. Às vezes, tem-se em vista o uso especial ou destino de alguma parte em lugar do todo.
Uma porção pode ser uma parte de um terreno (2 Rs 9.10,36,37; Ez 48.21), a herança de uma família (Gn 31.14; Dt 21.17; Lc 15.12), uma distribuição de roupas ou de alimentos (Gn 14.24; Ne 8.10,12; Dn 1.8-16). Também pode referir-se à sorte ou destino de uma vida (Jó 20.29; 31.2; Is 17.14; Salmos 11.6).
Em sentido figurado, o termo porção ou parte pode referir-se à herança espiritual ou experiência nessa vida, ou ao destino na vida futura. Mas este conceito pode variar conforme a passagem, como por exemplo em 2 Crônicas 10.16 ("Que parte temos nós com Davi?"), onde existem fortes implicações tribais, e até passagens como Salmos 16.5; 73.26; 119.57 e Lamentações 3.24, onde idéi-

A porta de Adriano era a entrada para o lado oriental de Atenas no século II d.C.

as puramente religiosas estão sendo consideradas. Deus é apresentado como a propriedade satisfatória dos crentes, enquanto a condenação e o castigo fazem parte da porção dos iníquos (Mt 24.51; Lc 12.46).
*Veja* Partilha; Herança.

J. K. M.

**PÓRCIO** *Veja* Festo.

**PORCO** *Veja* Animais I.13,14.

**PORCO-ESPINHO** *Veja* Animais II.33.

**PORRETE** Uma arma agressiva, provavelmente a mais primitiva de todas as armas. Várias palavras podem ser traduzidas por "porrete".
1. Heb. *totah*, "clava" ou "porrete" (Jó 41.29). A LXX a traduziu como "martelo", "marreta"; há versões que traduzem o termo como "dardo".
2. Heb. *mappes*, "maça" (Pv 25.18; Jr 51.20). A versão KJV em inglês traz o termo "marreta" e "machado de batalha"; a versão RSV em inglês traz o termo "clava de guerra" e a versão RC em português, "martelo".
3. Gr. *xulon*, algo feito de madeira tal como um "bordão", "varapau", "cajado" (Mt 26.47,55; Mc 14.43,48; Lc 22.52). Algumas versões utilizam o termo "cajados", enquanto outras utilizam o termo "clavas". Estes foram levados pela multidão na ocasião da prisão de Jesus no Getsêmani.

**PORTA[1]** Uma palavra mencionada muitas vezes na Bíblia Sagrada. Na versão KJV em inglês, é a tradução de sete palavras hebraicas e uma grega. Os dois termos heb. freqüentemente usados são: *delet*, referindo-se à própria porta, e *petah*, uma porta de entrada. A palavra "porta" é utilizada tanto no sentido literal como de modo figurativo.
*Uso literal* (por exemplo, Gn 19.6,9; 2 Rs 9.10). As portas comuns eram feitas de madeira, mas às vezes eram feitas de espessos pedaços de pedra, tanto para casas como para tumbas. Cadeados de madeira, latão, ou ferro eram usados (Jz 3.24,25). Nas tendas, as portas eram aberturas cobertas por uma aba (Gn 18.1–2). *Veja* Portão; Dobradiça ou Gonzo.
*Uso figurativo.* Provavelmente, o uso mais freqüente de porta de modo figurativo seja como símbolo de oportunidade, especialmente para o testemunho e o serviço cristão (por exemplo, 1 Co 16.9; 2 Co 2.12; Cl 4.3; Ap 3.8). O termo porta é também usado para representar o caminho pelo qual uma pessoa entra em algum lugar. O próprio Cristo é a porta pela qual o ser humano alcança a salvação (Jo 10.9; cf. At 14.27; Os 2.15). Aquele que está próximo é considerado como "estando à porta" (Mt 24.33; Tg 5.9; Ap 3.20; Gn 4.7).
*veja* Joachim Jeremias, *"Thura"*, TDNT, III, 173-180.

**PORTA[2]** Palavra que nas versões em inglês é considerada obsoleta, quando se pretende dizer "portão" (em hebraico *sha'ar*). Essa palavra aparece em Neemias 2.13 na frase: "Porta do Vale" ou "Portão do Vale".

**PORTA[3]** Tradução de cinco palavras hebraicas e três gregas. É usada para cidades (Dt 3.5, *deleth,* "porta"; 1 Rs 17.10, *pethah,* "abertura" ou "porta da cidade"; Gn 23.10, *sha'ar,* "porta"); para o Tabernáculo (1 Cr 9.19, *saph,* "eira"); para o rei (Dn 2.49, *tera',* "porta"); para o Templo (At 3.2, *thyra,* "porta"); para o inferno (Mt 16.18; *pyle,* "porta"); para as cidades (Lc 7.12; At 9.24) e para as casas e cidades (Lc 16.20; At 12.13,14; Ap 21.12-25, *pylon,* "porta"). Veja J. Jeremias, *"Pyle, Pylon"*, TDNT, VI, 921-928.
As portas das cidades eram feitas de madeira (Ne 2.8; cf. 1.3; 2.13) e de bronze (ou latão: provavelmente eram ligadas com pesadas cintas de cobre ou revestidas de placas de cobre como as portas da cidade assíria de Balawat. ANEP #356-365). Algumas portas tinham torres como elemento de defesa (2 Cr 26.9); outras eram compostas por uma série de outras portas penduradas em pilares que se projetavam de uma parede lateral, sendo que a porta exterior era às vezes protegida por torres. *Veja* Torre. Esse era o tipo de porta usada no tempo de Salomão, com quatro pares de pilares colocados em intervalos regulares, encontrados em Gezer, Hazor e Meggido (ANEP #721; BA, XXI

[1958], 29,30,46; XXIII [1960], 62-68; XXX [1967], 39ss.; XIII [1950], 42ss.). As portas eram protegidas por barras quando estavam fechadas (Dt 3.5) e algumas eram feitas de bronze (1 Rs 4.13). As portas eram feitas para girar sobre batentes colocados sobre encaixes de pedra que, nos edifícios mais importantes da Babilônia e da Assíria, tinham inscrições com o nome do rei e do deus a quem o edifício era dedicado.

Muitas casas encontradas nas escavações de Tell Beit Mirsim, do período de 900-600 a.C., não tinham estes encaixes nas portas. No período de 2200-1600 a.C., grandes encaixes de pedra serviram como prova da existência de pesadas portas nas casas. A conclusão que podemos tirar é que nesse período não havia um sentimento de segurança, e assim pesadas portas eram necessárias, pois não havia uma força policial no país. Em um período posterior, quase nunca havia portas, mas apenas a indicação de algumas alças na entrada; assim, a conclusão é que esses tempos eram muito mais estáveis e que Davi e seus sucessores haviam introduzido uma força policial nacional para proteger o povo (cf. 1 Sm 25.7-9). A porta de Ló (Gn 19.1-10) era à prova do impacto causado por multidões, mais adequada ao período anterior do que ao período que se seguiu. *Veja* Porta.

Nas cidades da Palestina e da Babilônia, a porta de entrada tornou-se um lugar de audiências públicas, transações legais e negócios (1 Rs 22.10; Dt 21.19ss.; 22.13-21; Gn 23.10,18; Rt 4.1ss.; 2 Sm 15.2ss.; 19.8; 2 Rs 7.1). Às vezes, as portas das maiores cidades recebiam nomes de acordo com o comércio realizado nas proximidades (por exemplo, Porta das Ovelhas, Porta do Peixe, Porta Velha, Neemias 3.1,3; 12.39). *Veja* Jerusalém: Portas e Torres. Gênesis 34.24 fala sobre aqueles que saíam pela porta da cidade, e o contexto da história pode denotar que eram homens capazes. A história de Rute 4 poderia indicar que eram homens responsáveis, portanto as passagens em Gênesis 34.24 e Rute 4 podem revelar que eram os homens adultos da cidade. Em Tell en-Nasbeh (a Mispa bíblica) bancos de pedra acompanham os muros que formavam a porta e ofereciam assentos para o povo que realizava seus negócios ali (ANEP # 716, 717). Às vezes, eram fornecidas acomodações para a guarnição que a ocupava (2 Sm 18.24,33).

O texto em Hebreus 13.12 diz que Jesus "padeceu fora da porta", isto é fora da cidade. Nesse exemplo, a palavra "porta" estaria representando a cidade de Jerusalém, em cumprimento à Palavra do AT (Lv 4.13,21; o termo "arraial" seria equivalente a "cidade"). Cristo morreu para purificar a "cidade" (família da fé) de Deus.

O termo porta representa as forças do inferno em Mateus 16.18, isto é, o diabo e seus exércitos de anjos caídos e demônios. É a mesma expressão que consta em Gênesis 34.24. Eles não impedirão a Igreja de Deus de fazer a vontade do Senhor, nem poderão derrotá-la (2 Tm 2.19).

H. G. S.

A porta dourada nos muros de Jerusalém vista do jardim do Getsêmani. Ela foi bloqueada pelos turcos em 1530 e alguns a relacionam à profecia de Ez 44.1-3. Alguns a identificam com a Porta Formosa

**PORTA DA ESQUINA** Um portão na extremidade noroeste de Jerusalém. Localizado a 400 côvados do Portão de Efraim (2 Rs 14.13; 2 Cr 25.23), sua proteção foi destruída por Jeoás, rei de Israel. Uzias mais tarde construiu uma torre ali (2 Cr 26.9). Jeremias profetizou que Jerusalém seria reconstruída "desde a torre de Hananel até a Porta da Esquina" (Jr 31.38).
*Veja* Jerusalém.

**PORTA DA FONTE** *Veja* Jerusalém: Portas e Torres 11.

**PORTA DA GUARDA** *Veja* Jerusalém: Portas e Torres 15.

**PORTA DAS ÁGUAS** *Veja* Jerusalém: Portas e Torres 12.

**PORTA DAS OVELHAS, MERCADO DAS OVELHAS** *Veja* Jerusalém: Portas e Torres 1.

**PORTA DO MONTURO** *Veja* Jerusalém: Portões e Torres 10.

**PORTA DO OLEIRO** *Veja* Portão dos Cacos.

**PORTA DO PEIXE** *Veja* Jerusalém: Portas e Torres 4.

Interior da porta dourada vista da área do Templo

**PORTA DO VALE** *Veja* Jerusalém: Portas e Torres 9.

**PORTA DOS CAVALOS** *Veja* Jerusalém: Portas e Torres 13.

**PORTA FORMOSA** O Templo de Herodes, que era o santuário de Jerusalém nos dias de Jesus e da Igreja primitiva, foi construído no meio de um imenso pátio, chamado Pátio dos Gentios. Separando o pátio exterior do Templo propriamente dito, existia uma grande muralha que, em momentos de necessidade transformava o Templo em uma verdadeira fortaleza. Essa muralha tinha nove portas através das quais os judeus entravam para adorar. De acordo com o Mishnah, oito dessas portas tinham cerca de 9 a 10 metros de altura por 4,5 a 5 metros de largura. A grande porta oriental, a entrada principal do Templo, tinha cerca de 22 a 25 metros de altura, e 18 a 20 metros de largura. Sem dúvida, esta era a porta que o NT chama de Porta Formosa (At 3.10). Tinha o nome de Porta de Nicanor, em honra ao seu doador, e também o nome de Porta Coríntia porque estas portas eram feitas com o bronze que vinha de Corinto. Foi nessa porta que se sentava o aleijado curado pelo poder do Senhor através de Pedro (At 3.1-10). Diante de uma porta tão magnífica, as palavras de Pedro – "Não tenho prata nem ouro" – trazem em si um profundo significado, e uma importância muito grande.

P. C. J.

**PORTA ORIENTAL** *Veja* Jerusalém: Portas e Torres 14.

**PORTA VELHA** *Veja* Jerusalém: Portas e Torres 5.

**PORTÃO DA REVISTA** *Veja* Jerusalém: Portas e Torres; Mifcade.

**PORTÃO DE BENJAMIM** *Veja* Jerusalém.

**PORTÃO DOS CACOS** (Jr 19.2). O nome hebraico *harsit* ("Harsite", "Porta do Oleiro", "Porta do Sol" ou "Porta Oriental") aparentemente originou-se da palavra hebraica *heres*, que significa "caco". É provável que ele tivesse esse nome por causa dos pedaços de cerâmica, das lojas dos oleiros, que eram lançados para fora da cidade como refugo. Alguns relacionaram esta porta à Porta do Vale, localizada no lado ocidental de Jerusalém (Ne 2.13; 3.13; 2 Cr 26.9), que levava à extremidade superior do Vale de Hinom. Ela poderia corresponder à moderna Porta de Jaffa. Entretanto, o Targum faz sua conexão com a Porta do Monturo que levava ao sul da cidade, em direção ao Campo do Oleiro (veja Aceldama). *Veja* Jerusalém: Portas e Torres.

**PORTEIRO** Mencionado várias vezes, tanto no Antigo Testamento como no Novo Testamento. Às vezes significa um guardião do portão, uma vez que tanto em heb. como em gr. as palavras podem referir-se tanto ao portão como à porta. Nos edifícios importantes, assim como no Templo, esta era evidentemente uma posição de dignidade e honra. No Salmo 84.10 a tradução "preferiria estar à porta da Casa do meu Deus" é melhor do que simplesmente "ser porteiro ou guardião do portão". A alusão é àquele que "fica na soleira da porta", como o mendigo do Templo mencionado em Atos 3.2. Havia um número considerável de levitas que serviram como porteiros (a mesma palavra é usada no original; veja 1 Crônicas 9.22). A poucos sacerdotes foi dada esta designação (2 Rs 25.18). Possivelmente o primeiro servia sob o comando do segundo. Estes porteiros não apenas guardavam os portões como também faziam outros serviços (2 Cr 31.14). Na ocasião do julgamento do Senhor Jesus Cristo, o porteiro da casa do sumo sacerdote era uma jovem (Jo 18.15-17). Às vezes as residências particulares tinham porteiros (Mc 13.34). *Veja* Porteiro.

G. C. L.

**PÓRTICO** A palavra do AT *'êlam* ou *'ulam* significa "hall" ou "vestíbulo", e essa é a indicação para o pórtico de entrada localizado no lado leste do Templo de Salomão (1 Rs 6.3; 7.6; 2 Cr 15.8), e o vestíbulo interior ou exterior da visão de Ezequiel (Ez 40.7,48; 41.15). A outra palavra do AT, *misd$^{e}$ron*, aparece apenas em Juízes 3.23 onde se refere ao pórtico de uma sacada (ou galeria) com pilares, ou a uma balaustrada de grades. No NT aparecem três palavras distintas: (1) A palavra grega *proaulion* refere-se a uma passagem coberta, ou vestíbulo exterior, que leva do pátio de uma casa até à rua. Foi nesse pátio que Pedro negou o Senhor (Mc

Pórtico de Átalo na Ágora ateniense. Spyros Meletzis

14.68). (2) A palavra grega *pylon* geralmente significa "portão", "entrada" (Lc 16.20; At 10.17; 12.13; 14.13; Ap 21.12ss.). Em Mateus 26.71 este termo deve referir-se à mesma característica arquitetônica de *proaulion* nas passagens de Marcos, isto é, "portão" ou vestíbulo de entrada. (3) A palavra grega *stoa* refere-se a uma "colunata", "abóbada de claustro" ou "pórtico". Cinco pórticos como esse circundavam as duas seções do tanque de Betesda (sendo que o quinto passava entre as seções) para proporcionar abrigo (Jo 5.2). A colunata do Templo de Herodes, conhecida como pórtico de Salomão, era uma passagem com 30 côvados de largura e duas colunas de pilares com 25 côvados de altura, ao longo do lado oriental do pátio dos gentios (Jo 10.23; At 3.11; 5.12; Josefo *Ant.* xv. 11; xx.9.7).
Além de servir como ligação da casa à rua, a finalidade do pórtico era proporcionar abrigo da chuva ou do calor abrasador, como ilustram as ruínas encontradas em Atenas e Corinto. Alguns acreditam que a escola de Tirano, onde Paulo ensinou em Éfeso, reuniase em um pórtico (ou *stoa*) como este (At 19.9). *Veja* Arquitetura: Templo.

**PÓRTICO DE SALOMÃO ou ALPENDRE DE SALOMÃO**
1. O "pórtico de juízo" que Salomão construiu e cobriu com cedro como parte de seu palácio (1 Rs 7.7). *Veja* Palácio; Salomão.
2. O corredor externo do Templo no lado leste (Jo 10.23; At 3.11; 5.12). O pátio externo do Templo era rodeado por duas filas de pilares que formavam corredores ou pórticos dentro dos muros do Templo. *Veja* Templo.

R. A. K.

**PÓRTICO ou STOA** Trata-se de uma longa estrutura retangular com uma ou duas fileiras de colunas à frente, e na parte posterior uma parede inteiriça ou uma seqüência de pequenos aposentos usados como lojas ou escritórios. Embora pudessem ser construídos em qualquer lugar, esses pórticos de característica grega geralmente eram erguidos junto aos mercados (gr. *agora*), onde ofereciam um local muito conveniente para conversas ou para a realização de negócios, pois ofereciam proteção contra a chuva e o sol do Mediterrâneo.
O pórtico mais magnífico disponível atualmente aos turistas seria provavelmente o pórtico de Átalo, que foi reconstruído, e que está situado no lado oriental da ágora ateniense. Construído no século II a.C., ele ainda estava em bom estado conservação quando Paulo ministrou nessa cidade.
Ele tem dois andares e pouco mais de 120 metros de comprimento. Paulo também deve ter conhecido o grande pórtico ao sul da Ágora de Corinto; com mais de 180 metros de comprimento, esta era provavelmente a maior estrutura desse século construída no continente grego, e provavelmente corresponde às "ruínas" ou ao "açougue"/"mercado" em 1 Coríntios 10.25. Esses são os dois únicos exemplos de pórticos que podem ser encontrados em todo o mundo greco-romano. A escola de Tirano talvez tenha sido uma sala alugada em um pórtico semelhante em Éfeso (At 19.9).

H. F. V.

**PORTO** Ancoradouro ou baía para navios (Gn 49.13; At 27.12). Nome usado metaforicamente para a paz e o repouso que vêm com a salvação, e que passam a morar no coração dos crentes totalmente consagrados que entregam suas provações e problemas a Deus (Salmos 107.30).

**PÓS** A única ocorrência dessa palavra nas Escrituras está em Cantares 3.6, onde a palavra hebraica *'abqa* foi assim traduzida por várias versões. Provavelmente trata-se de um coletivo que se refere a especiarias aromáticas pulverizadas. Há versões que traduzem o termo como "pós aromáticos", "especiarias em pó" e "pós perfumados".

**POSSESSÃO DEMONÍACA** *Veja* Demonologia.

**POSSESSÕES** *Veja* Herança.

**POTASSA** Termo encontrado em Isaías 1.25 traduzindo a palavra hebraica *bor* ("purificação completa"; "completamente puros"). A palavra hebraica também ocorre em Jó 9.30 e foi traduzida em algumas versões como sabão cáustico. A potassa, ou carbonato de potássio, tem esse nome porque na evaporação feita em potes de ferro a lixívia era obtida filtrando as cinzas da madeira. Uma de suas utilidades é servir como agente fundente no refino da prata (Is 1.25). *Veja* Minerais e Metais: Prata; Ocupações: Refinador.

**POTE** Palavra genérica que indica um recipiente de cozinhar. Ela expressa uma série de palavras hebraicas, sendo que a mais freqüentemente utilizada é *sir*. Antes da divisão do reino, tais potes tinham, geralmente, uma boca larga e eram rasos e sem cabo. Eram usados na vida doméstica e como vasos dos rituais. Eram feitos geralmente de metal. Esse termo é usado em referências como Moabe é uma "bacia de lavar" (Salmos 60.8) e Jerusalém é uma "panela" ou "caldeira" de cobre (Ez 11.3; cf. 24.3,11). A palavra grega *xestes* (do latim *sextarius*) era uma medida para líquidos de cerca de uma pinta (o equivalente a 0,437 litros); portanto, qualquer panela pequena (Mc 7.4). O *stamnos* era um jarro de pedra especialmente destinado a guardar o vinho. Como a LXX usou essa palavra em Êxodo 16.33 para se referir ao vaso no qual o maná seria conservado perante o Senhor, o escritor aos Hebreus emprega esse termo para falar de um pote dourado ou urna para o maná no Tabernáculo (Hb 9.4). *Veja* Cerâmica.

**POTENTADO** A palavra grega *dynastes* foi assim traduzida em 1 Timóteo 6.15 em algumas versões, como uma descrição do Senhor Jesus Cristo como "o bem aventurado e único e poderoso Senhor". Ela significa "governante" ou "soberano". A palavra grega também aparece em Lucas 1.52 como "poderosos" em uma referência aos governantes humanos, e em Atos 8.27 na frase "alto oficial" ou "superintedente" ao falar sobre o oficial da corte da Etiópia. Está claro que ela pode referir-se a outra pessoa, e não a Deus, e tem a finalidade de exprimir a idéia de uma autoridade ou poder soberanos.

**POTIFAR** Oficial egípcio, ou "capitão da guarda", a quem José foi vendido pelos midianitas quando chegou ao Egito (Gn 37.36). A menção de ser egípcio (Gn 39.1,2) pode indicar que José viveu durante o período dos hicsos. Potifar transformou José em "administrador de sua casa", mas depois mandou prendê-lo sob a falsa acusação de sua esposa (Gn 39.19-20), cujas tentativas de sedução fracassaram. Alguns consideram que o nome do sogro de José, Potífera (Gn 41.45; 46.20), seja uma forma aumentada do nome de Potifar. Foram feitas várias interpretações desse nome; muitas vezes ele foi traduzido como "aquele que foi dado por Re" (ou "aquele que foi dado pelo deus sol"). *Veja* Potífera.

**POTÍFERA** Nome de um sacerdote de Om que se tornou sogro de José (Gn 41.45,50; 46.20). Acredita-se geralmente que foi um sacerdote pagão do deus egípcio do sol, *Re'* ou *Ra* em Om (*q.v.*).
Sabe-se que existiu um Templo ao deus *Re'* em Om (em grego, *Heliopolis*) no início do período do Antigo Reino. Potífera (em hebraico *poti-pera'*) é universalmente reconhecido como o egípcio *P'-di-P'R'* "aquele que o deus *P'Re'* (deus sol) deu". Embora a forma exata desse nome tenha sido encontrada em inscrições posteriores (em aprox. 1000-300 a.C.), ele já era conhecido desde os períodos do Novo Reino ou do Império (1570-1200 a.C.). K. A. Kitchen acredita que pode ter acontecido apenas uma modernização, na época de Moisés, de sua antiga forma como *Didi-Re'*, com o mesmo significado, um nome padrão muito conhecido particularmente nos períodos Hicso e do Reino do Meio (1990-1570 a.C.; "Potífera", NBD, p. 1012). *Veja* Potifar.

**POTRO** *Veja* Animais: Jumento I.10.

**POUPA** *Veja* Animais III.53.

**POVO** *Veja* Nações.

**POVO DE DEUS** *Veja* Filhos de Deus.

**POVO DO ORIENTE** *Veja* Filhos do Oriente.

**POVO ESCOLHIDO** No Antigo Testamento, a palavra *bahar* expressa o termo "escolher", e a primeira vez que aparece é em relação a Israel, em Deuteronômio 7.6, onde eles recebem a ordem de destruir todos os objetos de culto pagãos em Canaã porque: "povo santo és ao Senhor, teu Deus; o Senhor, teu Deus, te escolheu". Isto não era assunto para orgulho nacionalista, porque a escolha de Deus era baseada no seu amor, cheio de graça, e na sua promessa a Abraão, e não nos números ou no mérito da nação (v. 7). Como conseqüência, eles eram um povo salvo somente pela graça e estavam incondicionalmente compromissados com a vontade e a causa de Deus (Salmos 105.6; 135.4). Mais tarde, a escolha de Deus foi confirmada quando Ele libertou Israel do cativeiro da Babilônia (Is 14.1) para cumprir um papel missionário no mundo, como seus servos (Is 41.8; 44.1,2), particularmente na pessoa do Cristo que viria, o Escolhido de Deus *por excelência* (Is 42.1). Outras ocorrências do conceito do povo escolhido estão em 1 Reis 3.8 e Ezequiel 20.5. Importantes referências no Novo Testamento são 1 Coríntios 1.26-28; Efésios 1.4; Tiago 2.5; e em especial 1 Pedro 2.9,10. *Veja* Eleição.

G. L. A.

**POVO HEBREU** A primeira pessoa a ser mencionada como um hebreu (*'ibri*) nas Escrituras foi Abrão (Gn 14.13). Seus descendentes obtiveram dele a designação étnica de "hebreus". Parece que ele obteve essa designação do seu ancestral Éber (*'eber*), o filho de Salá, filho de Arfaxade, filho de Sem (Gn 11.10-14). Éber foi pai de Pelegue, avô de Reú e bisavô de Serugue, que gerou Naor, o avô de Abrão (Gn 11.16-26).

No entanto, é difícil ver por que nenhum outro descendente de Éber, além de Abrão e dos seus descendentes, era conhecido como um *'ibri*. Tomando unicamente como base a linhagem, todos os descendentes de Joctã (de quem vieram tribos árabes como Hadramaut e Sabá, cf. 1 Crônicas 1.19-23) poderiam ter sido chamados de hebreus, assim como os descendentes de Pelegue, o antepassado de Abrão (certamente), mas também os de Naor. Mas nem mesmo Tera, o pai de Abrão, é mencionado como "hebreu", nem seus irmãos, dentre os quais Naor, o mais jovem, ou Harã, o pai de Ló. Mas depois que Abrão fixou-se em Canaã, ele e seus descendentes que estavam na linhagem da aliança ficaram conhecidos para os cananeus e para os egípcios como "hebreus". A esposa de Potifar assim referiu-se a José (Gn 39.14,17) e ele mesmo assim se considerava (Gn 40.15), referindo-se à região de Canaã como sendo "a terra dos hebreus". Em Gênesis 43.32, afirma-se que os egípcios se recusaram a comer com os hebreus (os irmãos de José que tinham vindo ao Egito para comprar grãos) porque isso era uma abominação para os egípcios – provavelmente "porque todo o pastor de ovelhas é abominação para os egípcios" (Gn 46.34).

Além de ser um descendente de Éber, Abrão pode ter sido chamado um *'ibri* por outra razão. Os registros cuneiformes do segundo milênio a.C. referem-se a uma classe migratória de pessoas como sendo *Habiru, Habiri, Hapiru* ou *'Apiru*, e essas referências ocorrem desde uma época tão antiga como a de Warad-Sin e Rim-Sin da Dinastia Elamita (aprox. 1800 a.C.). A correspondência de Mari nos fala de tropas de inimigos (2.000) de Hapiru liderados por um certo Yapah-Adad (ANET, p. 483). Antigos textos heteus e da Babilônia os mencionam como recebendo rações regulares do estado, fornecendo suprimentos aos exércitos reais e adorando deuses envolvidos nos tratados de suserania (embora os nomes desses "deuses" não sejam mencionados – cf. ANET, p. 206). Uma tábua de Nuzu de aproximadamente 1500 a.C. refere-se a um Habiru da Assíria chamado mar-Idiglat ("filho do Tigre"), como um escravo voluntário para uma família local; outra menciona uma mulher Habiru chamada Sin-balti ("a deusa-lua é a minha vida") como uma escrava de uma mulher chamada Tehip-tilla (ANET, p. 220).

Estes nomes são completamente pagãos ou idólatras. É praticamente certo que nenhum deles tenha alguma relação com a família de Abrão e, portanto, não poderiam ser considerados "hebreus" no sentido bíblico. O mesmo é válido para os Habiri de Alalakh no norte da Síria, que chegaram a ser oficiais do governo (aprox. 1450 a.C.) ou proprietários de carros *maryannu* naquela jurisdição.

Uma situação diversa aparece em conexão com a correspondência de Tell el-Amarna, um arquivo de cartas destinadas a Amenotep III e Akhenaton durante a 18ª dinastia (aprox. 1400-1360 a.C.). *Veja* Amarna, Cartas de. 'Abdu-Heba, rei de Jerusalém, queixa-se de que os Habiri invasores saquearam todas "as terras do rei" (isto é, o território que ele ocupava como um vassalo do Egito; veja ANET, pp. 487ss., Números 286 e 288). Existem inúmeras outras referências a esses invasores como *SA.GAZ* (os caracteres cuneiformes usuais para esses Habiri quando seus nomes não eram pronunciados foneticamente) na correspondência de outros governadores de Canaã tão distantes ao norte como na Síria e na Fenícia (principalmente Biblos). Embora o livro de Josué não relate operações militares pelos exércitos de Josué nessas regiões do norte, não há nada no relato de Josué ou dos Juízes que desencoraje a suposição de que depois de receber suas porções de terra (Js 19), as tribos do norte de Israel, como as de Aser e Naftali, poderiam ter lançado expedições tribais contra os territórios fenícios vizinhos às suas fronteiras.

Certamente é significativo que não tenha sido encontrada em Tell el-Amarna nenhuma correspondência de cidades que caíram rapidamente sob o poder ou a influência israelita, como Jericó, Ai, Betel e Gibeão (*veja* Êxodo, O: A Época). A maior parte da comunicação vem de cidades que, segundo o Antigo Testamento, os israelitas tardaram em conquistar, como por exemplo Megido, Asquelom, Aco, Gezer e Jerusalém. Com respeito a Siquém, em cujas proximidades os israelitas solenizaram a sua aliança nacional quando estavam entre o monte Ebal e o monte Gerizim, 'Abdu-Heba reclamou que Labayu de Siquém havia passado para o lado dos 'Apiru (ANET, p. 489, Nº 289).

À luz das evidências posteriores, parece razoável concluir que a palavra *Habiri* era uma designação geral, originalmente para os povos migrantes que tinham cruzado as fronteiras nacionais (do verbo *'abar* "ultrapassar, cruzar", que também poderia ser representado por *habiru*, correspondendo ao particípio de *'ober*) como nômades ou trabalhadores itinerantes, qualquer que tenha sido a sua origem étnica. Como um migrante de Harã e Ur, portanto, Abrão teria sido considerado um *habiru* pelos cananeus, e como conseqüência teria adquirido esse rótulo como um tipo de sobrenome. Supostamente seus descendentes o conservaram nas gerações posteriores, mesmo durante os quatro séculos no Egito, e assim foram conhecidos durante a época da conquista liderada por Josué em aprox. 1400 a.C.

O uso mais amplo da palavra também permaneceu corrente. No século XV, Ugarite, no norte da Síria, a cidade de Alepo, ainda era conhecida como Halbu dos *'Apiru*, e dali saía a corvéia para o serviço do rei de Ugarite. As referências egípcias aos *'Apiru* começam com o reinado de Tutmósis III (1504-1450 a.C.) como testemunha dos túmulos de Puyemre e Antef (que eram altos oficiais durante seu reinado); e mais tarde na stela de Mênfis do seu filho Amenotep II, que afirma ter capturado 3.600 'Apiru em batalha. Seti I encontrou 'Apiru em Jarmute ou Yeroham (aprox. 1310 a.C.); Ramessés III dedicou escravos 'Apiru ao Templo de Amom em Heliópolis (ANET, p. 261); enquanto Ramessés IV também menciona 800 'Apiru entre os arqueiros de Antiu, o que significa que eles eram soldados mercenários. Essas referências egípcias só podem ser entendidas como a imigrantes em Canaã, no sentido mais geral da palavra Habiru, e não como a hebreus ou israelitas especificamente.

Nos registros bíblicos, os israelitas eram normalmente mencionados como *'ibrim* pelos egípcios durante o período mosaico, e a palavra carrega consigo conotações da aliança. Moisés foi citado como se referindo a Yahweh como o deus dos hebreus (*'ibrim*; Êx 5.3; 7.16; 9.1,13; 10.3). Segundo a lei, um "servo hebreu" deveria ser tratado com consideração e teria garantida a alforria no sétimo ano de sua servidão (Dt 15.12; cf. Jr 34.9, onde houve um movimento para a implementação desta piedosa provisão). No último período dos Juízes, os filisteus são citados como chamando os israelitas por essa palavra com bastante freqüência; nos seus lábios, parece uma designação puramente étnica, normalmente com uma nota de desprezo (1 Sm 4.6,9; 14.11; 29.3). Depois da divisão dos domínios de Salomão – na parte norte o reino de Israel, e na parte sul o reino de Judá (aprox. 930 a.C.) – a palavra 'hebreu' era em algumas ocasiões usada pelos israelitas para a sua própria identificação étnica nos negócios com outras nações. Assim, Jonas, ao explicar aos marinheiros de Jope qual era a sua religião e qual era a sua origem, disse: "Eu sou hebreu e temo ao Senhor, o Deus do céu, que fez o mar e a terra seca" (Jn 1.9).

No Novo Testamento, o termo *Hebraisti* parece referir-se ao dialeto judaico do aramaico (por isso o nome "hebreu" para o Calvário é dado em João 19.17 como *Golgotha* (Gólgota), uma formação aramaica diferente, com o *-a* final enfático; da mesma maneira, *gabbatha*, a área pavimentada onde estava o trono de julgamento de Pilatos). Conseqüentemente, a consciência da nacionalidade baseava-se em um comprometimento com a aliança com o Deus de Israel, e não com a língua que esse povo falava. Ao chamar-se "hebreu de hebreus" (*q.v.*; Fp 3.5), Paulo afirmava ser um israelita de sangue, cujos pais eram ambos hebreus (cf. 2 Co 11.22).

A distinção entre os judeus e os gentios em algumas ocasiões era expressa por essa palavra, hebreu, e não pelo termo usual *Ioudaioi* ("judeus"), como por exemplo no título da Epístola aos Hebreus (*pros tous Hebraious*). Ela poderia até mesmo indicar judeus palestinos, em contraste com os da dispersão, como em Atos 6.1, que usa os termos *Hebraioi* e *Hellenistai* para esses dois grupos da Igreja de Jerusalém. Aqui o significado da palavra não é apenas étnico, mas também geográfico e cultural. Em épocas posteriores, o escopo de *Hebraioi* foi ampliado, ao menos por alguns autores, para incluir também os judeus da Diáspora. Eusébio de Cesaréia, no século IV d.C., referiu-se a Filo, o judeu de Alexandria, como *Hebraios* (*Eccl. Hist* 2.4,2), ou pelo menos como um descendente de *Hebraioi*. Da mesma forma ele falou de Aristóbulo (em *Praepar. Evang.* 8.8,34), que foi um erudito de fala grega da dispersão.

A língua hebraica caiu em relativo desuso no período pós-exílico, durante o qual um dialeto judeu do aramaico prevaleceu entre os judeus, até mesmo na Palestina. Não obstante, as Escrituras hebraicas eram altamente apreciadas, e eram lidas publicamente em todos os cultos nas sinagogas – mesmo que tivessem de ser traduzidas para o aramaico (a origem dos escritos posteriores, os Targuns). Além disso, parece ter havido alguma restrição ao uso da autêntica língua hebraica entre os estudiosos da Bíblia, pois somente o uso continuado como uma língua viva poderia ter sido responsável pelo desenvolvimento do tipo de hebraico do Mishna, encontrado nos Rolos do Mar Morto, especialmente no rolo de Cobre da Caverna Três. As cartas e os documentos legais da segunda revolta (aprox.135 d.C.) eram freqüentemente escritos em hebraico, como seria de se esperar em uma época de intenso fervor nacionalista. É muito interessante que uma dessas cartas em hebraico pareça ter sido preservada pelo próprio Bar Kochba, o falso Messias daquela revolta fracassada. Conseqüentemente, existe um sentido no qual a língua hebraica, especialmente como conservada nas sagradas Escrituras, era concomitantemente necessária para o povo hebreu, com a finalidade de conservar a sua consciência de nacionalidade, apesar da adoção do aramaico ou do grego como a língua falada em casa. Eles sempre se voltavam ao Antigo Testamento em hebraico como sendo a base da sua condição como o povo da aliança, especialmente escolhido por Deus para ser seu povo. Esta associação lingüística, em última análise, provou ser decisiva nos tempos modernos, quando a língua hebraica foi deliberadamente revivida e imposta pelos fundadores da moderna nação de Israel como a língua obrigatória para todos os seus cidadãos.

Para a história do povo hebreu *veja* Nações; Era patriarcal; Êxodo, O; Israel; Israel, Reino de; Judeu; Judá, Reino de; Escravidão; Restauração. Para a língua, *veja* Língua Hebraica. Para a religião *veja* Aliança; Festivais; Lei de Moisés; Sacerdote; Sacerdócio.

***Bibliografia.*** G. L. Archer, SOTI, pp. 253-259. John Bright, "Hebrew Religion, History of", IDB, II, 560-570. E. F. Campbell, "The Amarna Letters and the Amarna Period", BA, XXIII (1960), 13-15. Moshe Greenberg, *The Hab/piru* New Haven. American Oriental Society, 1955. M. G. Kline, "The Ha-BI-ru - Kin or Foe of Israel?" WTJ, XIX (1956-57), 1-24, 170-184, XX (1957), 46-70. Julius Lewy, "Origin and Signification of the Biblical Term 'Hebrew'", HUCA, XXVIII (1957), 1-13. S Moscati, *Ancient Semitic Civilizations*, Nova York. Putnam, 1960, pp. 124-166, 242ss. H. H. Rowley, *From Joseph to Joshua*, Londres. British Academy, 1950, pp. 45-56. Roland de Vaux, "Le Problème des Hapiru", JNES, XXVII (1968), 221-228.

G. L. A.

**POVO MISTO** O texto de Jeremias 25.20-22 lista o povo de vários locais como Uz, Filístia, Edom, Moabe etc., classificando-os como povos mistos. Há versões que traduzem *ha'ereb* como "estrangeiros". Em Ezequiel 30.5 há versões que traduzem esta expressão como "Arábia". O Dicionário Webster define os árabes como um povo "mesclado com outras raças nativas".

**PRAÇA DE ÁPIO** Usado em Atos 28.15. Fórum de Ápio na versão RSV em inglês. Também chamada de Foro Ápio. Esta estação comercial (que faz parte de "Três Vendas") é um dos dois lugares (o outro está localizado de nove a dez milhas ao norte) mencionados no itinerário de Paulo entre Puteoli e Roma. Lá foram encontradas importantes inscrições. Uma do Imperador Nerva declara explicitamente: "... no Foro de Ápio". Na mesma adjacência um marco foi encontrado, o que indica que o Foro Ápio estava localizado a 43 milhas romanas (c. 40 milhas inglesas) de Roma.

O próprio local recebeu o nome do magistrado romano, Ápio Cláudio Caeco, que também

A via Ápia. HFV

iniciou (em aprox. 312 a.C.) a famosa Via Ápia assim como o aqueduto que recebeu seu nome como uma homenagem. Plínio (III v. 9) menciona a Praça de Ápio entre as cidades de Látio. Strabo (v. 233) diz que havia um canal operado por mulas que cortava o pântano de Pontine e corria paralelo à estrada, o qual era especialmente usado pelos viajantes noturnos: "... embarcando à noite, e desembarcando de manhã para fazer o resto de sua jornada pela estrada". Horácio (*Satires* I v. 3-6) descreve de modo interessante a atividade destes barqueiros e dos viajantes. Os pântanos próximos (amplamente drenados na época de Mussolini) acrescentaram, então, ao tédio da sua vida, mosquitos e outros insetos em grande quantidade. Horácio reclama que a água ao redor da cidade era ruim, seus quartos eram lotados e caros, e os viajantes não podiam dormir por causa do barulho dos sapos e das picadas de mosquitos. É fácil compreender quanto encorajamento Paulo necessitava quando os irmãos cristãos de Roma o encontraram lá!

E. J. V.

**PRAGA** A praga pode ser uma forma de desgraça ou tormento, mas na maioria das vezes esse termo refere-se ao mal ou a uma doença de proporções pestilentas, que é epidêmica em sua ocorrência e fatal nos seus efeitos.

Na época bíblica, houve algumas epidemias, como a da lepra (Lv 13.14; Dt 24.8). Uma praga muito comum que aparecia repentinamente e causava a morte em um período de meio dia a três dias, parece ter sido a praga bubônica. Alguns acreditam que esta deva ter sido a doença que trouxe a morte aos primogênitos no Egito (Êx 11.1; cf. 1 Sm 4.8), embora esse evento bíblico pareça ter sido demasiado seletivo para isso.

Entretanto, parece que ela foi realmente responsável por vários eventos de pragas experimentados durante a peregrinação pelo deserto, como em Números 11.33, onde ela coincide com o evento das codornizes. Alguns pensam que esses pássaros teriam sido ca-

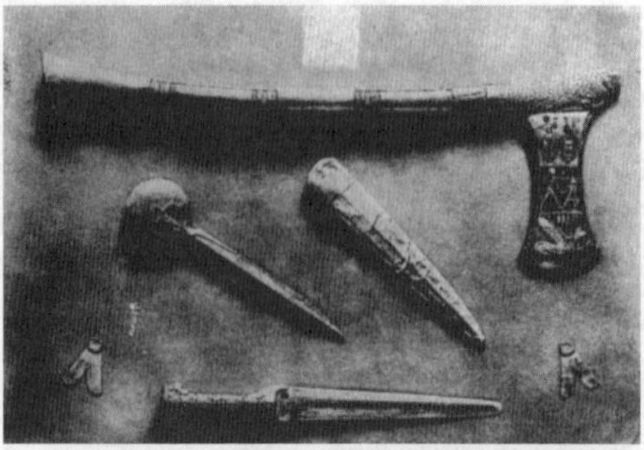

Decorações militares egípcias com formato de moscas aparecem nos cantos inferiores das armas. LL

pazes de transmitir aos israelitas a praga enviada pelo Senhor.

Outros exemplos, em que Deus usou a praga para castigar a incredulidade e o pecado, podem ser vistos no retorno dos espias com seu infeliz relatório sobre a terra (Nm 14.37), na destruição de Corá e de seus seguidores (Nm 16.47), e em Baal-Peor (Nm 25.8,9,18; 26.1; Js 22.17; Salmos 106.29,30; cf. 1 Sm 5.6; 6.5; 2 Sm 24.15; 1 Cr 21.12). O exército de Senaqueribe foi destruído por uma praga repentina (2 Rs 19.35; Is 37.36). Em 1 Coríntios 15.55, Paulo cita Oséias 13.14 em relação às pragas (em hebraico, *deber*) da morte.

O livro de Apocalipse fala sobre inúmeras pragas nos últimos dias (Ap 9.20; 11.6; 15.1,6,8; 16.9,21; 18.4,8; 21.9; 22.18). Zacarias 14.13,15,18 prevê uma praga no Milênio que Deus usará contra as nações que forem desobedientes ao Messias e deixarem de comparecer para a sua adoração.

R. A. K.

As pragas do Egito combinam todos os aspectos das pragas da Bíblia. Esses eventos são explicados através do exame dos termos hebraicos usados para defini-los. Muitas palavras derivam da raiz *nagap*, "atingir, destruir", e mostram as pragas como um golpe

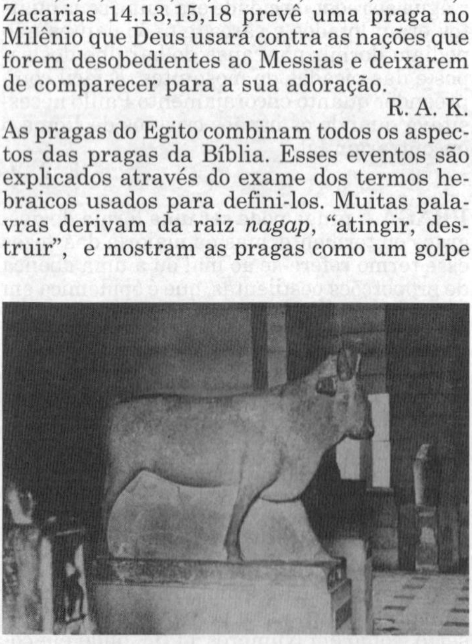

Hapi, o deus do Nilo, representado como um touro. LM

de Deus para castigar ou punir. A palavra hebraica *negep*, no sentido de "golpear, atacar", foi usada como termo de julgamento. É encontrada relacionada às pragas do Egito apenas em Êxodo 12.13, que fala sobre a morte dos primogênitos. A palavra hebraica *maggepa* também quer dizer "golpe, matança, praga, pestilência" (BDB, p. 620) e é aplicada à praga somente em Êxodo 9.14 que é uma referência geral a esses acontecimentos.

Da raiz *naga'*, "tocar, alcançar, atingir", vem *nega'*, "golpe, praga", que é usada metaforicamente para doença como castigo divino. Na narrativa do Êxodo ela aparece apenas em 11.1, onde se refere à destruição dos primogênitos. Esses termos indicam uma ação direta de Deus no castigo; outros termos e declarações bíblicos mostram que esses atos são o testemunho do poder e da divindade do Deus único (cf. Dt 4.34,35).

Os Salmos 78.43 e 105.27 chamam as pragas de "prodígios" e "maravilhas" ou "milagres". A palavra *ot,* "sinal", tem uma variedade de significados como "penhor, sinal, memorial, lembrete, símbolo". Aqui ela significa "sinais, milagres, como penhor ou atestado da divina presença e interposição" (BDB, p. 16. Veja também Êxodo 4.8,9. 17; 7.3; 8.19 etc.). Um "prodígio, milagre, sinal, presságio" correspondem a *mopet,* palavra aplicada a uma extraordinária demonstração do poder de Deus (Êx 4.21; 7.3; 11.9,10; Salmos 105.5 etc.).

O extenso uso de tais termos demonstra que as pragas eram principalmente obras de Deus com o propósito de exibir a sua divindade e reforçar a sua vontade. Resumindo o que estava fazendo nesses eventos, Deus os chamou de "sinais e maravilhas" e "grandes juízos" com o resultado declarado de que "os egípcios saberão que eu sou o Senhor, quando estender a mão sobre o Egito e tirar os filhos de Israel do meio deles" (Êx 7.3-5).

O efeito imediato das pragas era tirar os israelitas do Egito e levá-los à terra da promessa. Conforme a providência de Deus, a nação de Israel havia sido enviada ao Egito; agora era chegada hora do Êxodo e estava condicionado ao nível humano com uma angústia tão intensa que levou os israelitas a implorar por ajuda (Êx 2.23-25; 3.7,8). Para executar seu plano, o Senhor garantiu a sua libertação enviando dez grandes pragas sobre os opressores egípcios.

1. *Água em sangue* (Êx 7.14-25; Salmos 78.44; 105.29). Em toda parte a água é essencial à vida, mas a consciência de sua dependência é particularmente aguda em uma terra como o Egito, onde o rio Nilo (*Veja* Nilo; Egito) representa o rio da vida. Deus instruiu Moisés a bater na água com sua vara, e a água tornar-se-ia sangue.

Intérpretes naturalistas apontam para a cor do Nilo na época da inundação e afirmam que material orgânico poderia ter dado ao

O templo de Hator, a deusa-vaca, em Denderah, Egito. LL

rio uma aparência avermelhada semelhante ao sangue. Entretanto, o texto não indica que esse acontecimento tenha ocorrido durante a inundação. A afirmação de que os egípcios "cavaram poços junto ao rio, para beberem água" (Êx 7.24) indica que o rio tinha seu volume normal. A referência a canais, lagos etc. em Êxodo 7.19 também mostra que a inundação não havia acontecido, pois na época da enchente toda a terra transformava-se em um lençol de água. Além disso, durante a enchente a cor do Nilo era marrom, e não vermelha, e ela dificilmente poderia ser descrita com a aparência de sangue. Êxodo 7.19 estende a praga a rios, canais, lagos, poças de água e até aos vasos em que a água era carregada e armazenada. A única explicação natural para essa praga decorre do próprio texto. Os egípcios normalmente bebiam água do rio; agora era impossível continuar a fazê-lo. A morte dos peixes (Êx 7.21) também mostra que algumo incomum havia acontecido à água. Se a estranha cor do Nilo fosse um evento de acontecimento anual, ela não teria impressionado os egípcios que eram cuidadosos observadores e medidores do rio.

Os mágicos, sábios, e encantadores opuseram-se a Moisés e Arão (Êx 7.11,12; cf. 2 Tm 3.8) e conseguiram imitar essa praga com suas artes mágicas (Êx 7.22). A extensão de seu sucesso não é mencionada, mas foi suficiente para impressionar o Faraó. O fato de poderem conseguir água potável cavando perto do rio e depois filtrando mostra que Deus estava suavizando a praga.

Vários deuses estavam associados ao rio. Uma divindade que simbolizava sua natureza benfazeja tinha o nome de Hapi (ou Ápis), e era representada pela figura de um homem com peitos pendurados, carregando nas mãos símbolos da fertilidade do rio. Essa praga, então, serviu para destruir a reputação de suas divindades.

2. *Ras* (Êx 8.1-15; Salmos 78.45; 105.30). Sete dias depois de Moisés ter ferido as águas do Nilo, ele compareceu perante o rei com outro ultimato. Quando este foi rejeitado, Moisés estendeu a sua vara sobre as águas e rãs surgiram em toda parte. Os mágicos também produziram rãs (Êx 8.7), mas o rei não se deixou impressionar, pois estava mais preocupado em ficar livre delas e não em produzi-las. O número de rãs obrigou o Faraó a fazer um acordo temporário com Moisés e Arão, e o desaparecimento das rãs foi combinado para uma determinada hora (Êx 8.9-11).

É impossível que esse morticínio pudesse ter sido previsto e realizado dentro de uma programação de causas totalmente naturais. Quando a praga terminou, o Faraó mudou de idéia e endureceu o coração.

Heket, a deusa que tem cabeça de rã, é mencionada muitas vezes em relação a essa praga. Era uma divindade relativamente insignificante e nenhuma citação é feita na Bíblia a seu respeito.

3. *Piolhos* (Êx 8.16-19; Salmos 105.31). O significado do verbo hebraico *kinrin* (ou *kinrun*) é incerto, embora a Vulgata, a LXX e a maioria dos comentaristas considerem como "mosquitos" ou "enxame de mosquitos", e não apenas "piolhos".

Eram pequenos insetos que atormentavam os homens e os animais. Moisés não foi avisado para prevenir o Faraó sobre a chegada desse flagelo e os mágicos não foram capazes de produzi-los. Esse foi o primeiro registro de seu fracasso e confessaram que a praga era o "dedo de Deus" (Êx 8.19).

Alguns comentaristas procuraram fazer uma associação natural entre os insetos e as rãs mortas. o verso 17 associa a praga ao pó da terra. O texto não faz qualquer alusão ao seu

Horus (à esquerda), Osíris (ao centro) e Ísis (à direita). Acreditava-se que Ísis era a protetora contra os gafanhotos. LM

término. Os habitantes do Egito podem achar que ela era importante, mas devemos concluir que ela foi suspensa assim como as demais.

4. *Enxames* (Êx 8.20-32; Salmos 78.45; 105.31). A palavra hebraica *'arov* é geralmente entendida como "enxames" ou "enxames de moscas". Os enxames podem ter sido formados por besouros (*scarabae*), símbolos de outro de seus principais deuses, Khefera. Essa praga foi o primeiro sinal da separação entre os israelitas de Gósen e os egípcios do resto do país. O rei estava disposto a permitir a partida do povo, mas novamente voltou atrás quando os enxames desapareceram. É interessante notar que a presença de amuletos ou ornamentos em forma de mosca, às vezes feitos de ouro, é muito freqüente em vários períodos da história do Egito.

5. *Peste nos rebanhos* (Êx 9.1-7). A palavra hebraica *dever* refere-se a uma forma de peste, e como nesse caso ela está restrita ao gado ou aos animais domésticos, ela foi chamada de "murrain" em algumas versões. Foi especificado um momento para o início dessa praga e novamente foi feita uma distinção entre Israel e o Egito. O Faraó verificou que essa diferença realmente existia, mas recusou-se a consentir a partida dos israelitas. Várias divindades egípcias eram representadas por animais domésticos – Ápis, o rei-boi; Hator, a deusa-vaca; Khnum, o deus-carneiro; e Mnevis, o deus-touro.

6. *Úlceras* (Êx 9.8-12). Moisés e Arão foram instruídos a recolher a cinza dos fornos e jogá-la ao ar. Depois disso, apareceram feridas nos homens e nos animais. Essa tribulação nos mágicos recebeu uma menção especial: eles ficaram incapazes de se aproximar de Moisés (Êx 9.11). O Faraó havia endurecido seu coração muitas vezes, e agora o Senhor havia confirmado sua atitude e a Bíblia diz que "o Senhor endureceu o coração de Faraó" (Êx 9.12).

7. *Saraiva* (Êx 9.13-35; Salmos 78.48; 105. 32,33). A previsão dessa praga foi prefaciada através de uma repetida afirmação sobre o grande propósito das pragas: "Para mostrar o meu poder em ti e para que o meu nome seja anunciado em toda a terra" (v. 16). A previsão era de que a saraiva viria sobre todo o Egito, exceto Gósen, mas nesse caso os egípcios foram prevenidos de que deveriam abrigar o gado. Essa é outra prova da disposição do Senhor de amainar o castigo com misericórdia.

Os egípcios que haviam começado a temer a Palavra do Senhor protegeram seu gado (Êx 9.20), mas nada podia ser feito para proteger as plantações.

Quando Moisés levantou a sua mão ao céu, começou uma grande tempestade com pesadas pedras, trovões e relâmpagos. Tudo que não havia sido protegido antes ficou destruído: homens e animais foram mortos e todas as plantas foram exterminadas. Em todas as regiões agrícolas houve uma imensa devastação. E isso também representou um golpe na fé a Nut, a deusa do céu.

Nessa ocasião o Faraó mandou chamar Moisés e Arão para confessar que dessa vez ele havia pecado, e pedir que eles rogassem ao Senhor para que o tormento tivesse fim. Ele também concordou em deixar o povo partir. Moisés lhe disse que o Senhor colocaria um fim na tempestade assim que ele tivesse saído da cidade (9.29). Mas, quando a tempestade terminou, o Faraó novamente mudou de opinião. Nessa praga existe uma referência à época do ano através de referências feitas à agricultura. A tempestade aconteceu no início do ano, pois a cevada estava na espiga e o linho estava em flor. O trigo e o centeio não foram afetados porque ainda não haviam crescido (9.31,32).

Sobre o trono do rei Tutancamom aparece o disco do sol com raios vivificantes, símbolo do deus Aton. LL

8. *Gafanhotos* (Êx 10.1-20; Salmos 78.46; 105.34,35). Os gafanhotos representavam uma ameaça constante às colheitas em muitas partes do Oriente Próximo, mas esses "mui gravosos foram; antes destes nunca houve tais gafanhotos, nem depois deles virão outros tais" (Êx 10.14). Eles consumiram tudo que restara depois da saraiva. A deusa Ísis era considerada a protetora contra os gafanhotos. O Faraó apressou-se a convocar Moisés e Arão e, novamente, confessou sua falta e pediu perdão e a remoção desta "morte", conforme a sua descrição da invasão dos gafanhotos. O Senhor havia usado um vento do oriente para trazer os gafanhotos e um vento muito forte do ocidente para levá-los ao mar Vermelho.

9. *Trevas* (Êx 10.21-29; Salmos 105.28). Em resposta à mão estendida de Moisés, e sem qualquer aviso, o Senhor mergulhou o Egito em uma intensa escuridão "e houve trevas

espessas em toda a terra do Egito por três dias" (Êx 10.21,22). Todas as atividades foram suspensas entre os egípcios, mas os israelitas tinham luz em sua parte do país. Esse era um castigo contra os numerosos deuses egípcios do sol. Re, Khepri, Harakhte, Atum etc. O Faraó ficou tão impressionado com esse fenômeno que resolveu consentir com a saída do povo, mas determinou que não podiam levar seus rebanhos. Quando Moisés rejeitou essa imposição, o Faraó suspendeu a sua permissão.

10. *A morte dos primogênitos* (Êx 11.1-10; 12.29-32; Salmos 78.51; 105.36). Em seguida, Moisés avisou o Faraó que todo filho primogênito do homem e do gado seria morto à meia noite. Como resultado de tantas mortes, levantou-se um grande clamor em todo o país (*veja* Pranto). A distinção entre Egito e Israel era muito pronunciada; embora cada lar egípcio tenha sofrido alguma morte, nem o rosnado de um cão levantou-se contra os homens ou animais de Israel. Os israelitas tinham sobre si uma obrigação que lhes fora imposta, e a celebração da Páscoa foi inaugurada nessa ocasião. O sangue de um cordeiro morto deveria ser espargido sobre a porta de suas casas como símbolo de identidade, pois Deus passaria sobre o Egito para executar os primogênitos e castigar todos os seus deuses (Êx 12.12). A imensa perda e a tristeza que assolaram cada lar egípcio incluiu o palácio real; o herdeiro do trono morreu naquela noite. Novamente o Faraó chamou Moisés e Arão e permitiu que todos os israelitas finalmente deixassem o Egito.

*Comentário geral.* Às vezes a relação entre as pragas e o cenário egípcio tem sido usada para mostrar seu aspecto local e a historicidade da narrativa, e às vezes para tentar explicar a sua origem divina. A flora, a fauna, o clima, os fenômenos sazonais e até mesmo as características religiosas e sociais do Egito foram representadas com precisão. O texto deixa bem claro que os egípcios reconheceram (1) que por sua intensidade e gravidade as pragas eram mais que ocorrências naturais. O caráter sobrenatural desses acontecimentos também é mostrado pela (2) progressão de sua gravidade, e (3) pelo fato de que apareciam e desapareciam sob as ordens, a oração, ou conforme previsão do porta-voz de Deus. (4) O fato dos israelitas serem poupados de todas as pragas e seus efeitos também demonstrava que as pragas estavam sob o controle de Deus.

Além disso, as pragas revelavam que os deuses egípcios eram inadequados ou inexistentes, pois essas divindades eram incapazes de se proteger ou proteger qualquer coisa contra a onipotência do único Deus verdadeiro (Êx 12.12). Em certas pragas, pode-se ver imediatamente o significado religioso desse ato, em outras não é possível associá-la a algum grande deus do vasto panteão de divindades egípcias. Entretanto, em todos os casos havia a transgressão a um importante princípio da religião egípcia e do conceito mundial. A idéia básica do entendimento egípcio era a *ma'at*, ou "verdade, direito" que provavelmente pode ser entendida como "o direito e a ordem que são próprios do universo". Como as pragas representavam perturbações dessa ordem, elas afetavam a psicologia básica do povo. Seus efeitos cumulativos de ordem física, emocional e econômica exerceram uma irresistível influência sobre os egípcios e até seu orgulhoso rei, que se considerava divino, foi obrigado a submeter-se à vontade e aos planos que Deus tinha para seu povo.

C. E. D.

**PRAIA** Várias palavras são traduzidas como "praia" na Bíblia Sagrada. No AT, o termo heb. *hoph* (Jz 5.17; Jr 47.7) é traduzido como "costa" na versão RSV em inglês. Em Josué 15.2 o termo *qaseh* é traduzido de forma mais precisa como "extremidade" ou "baía". A principal palavra heb. traduzida como "praia" ou "litoral" em várias versões é *sapha* (lit., "lábio", Gn 22.17; Êx 14.30; Js 11.4; 1 Sm 13.5; 1 Rs 4.29; 9.26). A referência em 1 Reis 9.26 afirma que Eziom-Geber estava localizada "na praia do mar Vermelho, na terra de Edom" ou "na praia do mar de Sufe, na terra de Edom". A localização de Eziom-Geber em Tell Kheleifeh pelas pesquisas de Fritz Frank e Nelson Glueck ilustra grandemente o significado do termo "praia" no AT, uma vez que este local estava situado em uma posição que oferecia uma vista direta para o golfo de Ácaba, apenas 500 metros do litoral real (Nelson Glueck, *The Other Side of the Jordan*, New Haven. ASOR, 1940, p. 91). O termo heb., portanto, parece referir-se à própria linha costeira ou à sua vizinhança mais próxima. A Septuaginta (LXX) traduz o termo heb. utilizando o termo gr. *cheilos* (cf. Hb 11.12).

O termo normal para praia, no NT, é *aigialos* (Mt 13.3,48; Jo 21.4; At 21.5; 27.39,40). Dessa forma, o termo refere-se tanto às praias de águas frescas (como o mar da Galiléia), como às de águas salgadas (do Mediterrâneo). A área da "praia de areia" onde o navio de Paulo encalhou e sofreu um naufrágio (At 27.39,40), foi cuidadosamente investigada (James Smith, *The Voyage and Shipwreck of St. Paul*, 4ª ed., Londres. Longman, Green, 1880). Smith mostra que a areia da "baía de São Paulo", como esta área é chamada hoje, está "agora desgastada pela ação erosiva do mar" (p. 172).

E. J. V.

**PRANCHA** Tábua espessa, pedaço de madeira ou viga usada no assoalho do Templo de Salomão (1 Rs 6.15), e no assoalho e na varanda do Templo na visão de Ezequiel (Ez 41.25,26). Há versões que utilizam o termo prancha ou tábuas para descrever pedaços do navio usados como salva vidas no episó-

A praia no antigo porto de Salamina onde Paulo e Barnabé aportaram

dio do naufrágio de Paulo (At 27.44). Quatro outras palavras hebraicas para prancha foram usadas em Êxodo 26.15; 1 Reis 7.36; 1 Reis 6.36 e 1 Reis 6.9.

**PRATA** *Veja* Minerais e Metais.

**PRATEIRO** *Veja* Minerais e Metais: Prata; Ocupações: Artífice em metal, Purificador de Prata, Refinador.

**PRATO** Travessa rasa ou prato, geralmente feito de madeira, mencionado na censura de Jesus a um certo fariseu (Lc 11.39). A palavra grega *paropsis*, em Mateus 23.25,26, é uma das mais usadas para descrever uma travessa de servir, ou segundo prato. *Veja* Cerâmica.

**PRATO**

1. O "prato nobre" (Jz 5.25) representa o termo hebraico *sepel 'addirim*, e significa, literalmente, "taça de príncipes". Possivelmente na época dos juízes esta era uma bonita taça de leite cipriota com asa de fúrcula. Pode ser também o prato de Jael, sua única possessão premiada, que teria sido uma grande taça de bronze, uma vez que o termo heb. *sepel* é cognato ao ugarítico *spl*, um imenso vaso de metal (C. H. Gordon, *Ugaritic Manual*, 1955, p. 301), e o termo acádio, *saplu*, uma taça ou bacia de ouro dada por Jeú como tributo a Salmaneser III (ANEP, # 351-355). Gideão obteve orvalho suficiente para encher uma taça (*sepel*) quando espremeu seu velo de lã (Jz 6.38). Entre os árabes de nossos dias, a palavra *sifl* denota uma grande bacia de barro (Millar Burrows, *What Mean These Stones?* ASOR, 1941, p. 255). Para a opinião de que o "prato" de Jael era um latão abaulado para nata, veja J. Kaplan, "Skin Bottles and Pottery Imitations", PEQ, julho-dezembro de 1965, pp. 144-149.
2. Heb. *sallahat* (2 Rs 21.13) é provavelmente a popular taça polida da II Era do Ferro. Uma vez que ela não possuía alças para ser levantada, ela era virada para secar.
3. Heb. *q*[e]*'ara* (Êx 25.29; 37.16; Nm 4.7) era um prato ou travessa de ouro contendo o pão da Proposição na mesa do Tabernáculo. A palavra é traduzida como "travessa" ou "prato" 14 vezes em Números 7.
4. Em conexão com a Última Ceia, o termo grego *trublion* refere-se a um grande prato ou taça funda, de metal ou talvez de uma cerâmica romana de estilo *sigillata*, da qual todos poderiam retirar a comida juntos (Mt 26.23; Mc 14.20). *Veja* Taça; Cerâmica.

J. R.

**PRAZER, BOM** *Veja* Vontade de Deus.

**PRECEDER ou ANTECIPAR** Palavra que consta 17 vezes na versão KJV em inglês, com o sentido de "preceder" ou "ir à frente". Foi usada freqüentemente no NT para traduzir a palavra hebraica *qadam*, "encontrar", "confrontar", "antecipar". Em 2 Samuel 22, por exemplo, os terrores da morte (v.6) e os inimigos do salmista "confrontaram-no" (v.19). Estes termos também podem transmitir um sentido mais variado, de acordo com o contexto. Os pecadores costumam vangloriar-se de que não serão "confrontados" pela calamidade (Am 9.10). Os joelhos da mãe de Jó o "receberam" depois de seu nascimento (Jó 3.12). Deus "vai ao encontro" do rei justo com bênçãos (Salmos 21.3; cf. 59.10; 79.8). Ele convida os dedanitas a "encontrar" o fugitivo com pão (Is 21.13,14). A oração do salmista vem à presença de Deus pela manhã (Salmos 88.13). Ele "antecipa" a madrugada (Salmos 119.147) assim como as vigílias da noite (v. 148).
O versículo mais conhecido do NT que emprega esse termo arcaico está em 1 Tessalonicenses 4.15, onde se afirma que os cristãos não "precederão" (em grego *phthano*) os crentes que morreram ao encontrarem-se com seu Senhor por ocasião de sua volta. Em Mateus 17.25, o Senhor Jesus antecipa o que Pedro ia dizer e assim falou-lhe primeiro" (do grego *prophthano*).

J. R.

**PREÇO** Existe um grande espectro de significados para a palavra "preço". A palavra hebraica *yeqar* (Zc 11.13) significa "honra" ou "coisa preciosas"; *mehir* e *meker* podem significar respectivamente "preço" (como persuasão, 2 Sm 24.24) e "valor" (Pv 31.10). A palavra hebraica *'erek* (Jó 28.13) é às vezes traduzida como estimativa, avaliação (BDB), valor ou preço. A palavra hebraica *sakar* (Zc 11.12) é geralmente traduzida como "salários", "preço" ou "recompensa". A palavra mais freqüentemente utilizada no NT é *time*, que expressa "honra", "preço" (por exemplo, Mt 27.6,9; At 4.34; 5.2) ou "soma". Deve-se sempre levar em conta o contexto para se conhecer o significado específico de cada palavra.

**PRECURSOR** A palavra "precursor" é uma tradução exata do termo gr. *prodromos*. Precursor é o termo usado em referência a uma pessoa enviada com antecedência, ou como espião para fazer o reconhecimento para aqueles que virão em seguida, ou ainda como um mensageiro para preparar o caminho para um rei que está chegando.
Embora João Batista tenha sido na verdade o precursor de Jesus (*veja* Malaquias 3.1: "Eis que eu envio o meu anjo, que preparará o caminho diante de mim"; cf. Mateus 3.3 com Isaías 40.3), o termo "precursor" nunca é usado nas Escrituras como uma referência a este servo do Senhor. Em seu uso único no NT a palavra é aplicada ao próprio Senhor Jesus. Em Hebreus 6.20, ele é descrito como o nosso "precursor" que entrou na presença de Deus, preparando o caminho para nós, que por sua graça o seguiremos (cf. Jo 14.2; Hb 10.19,20).

**PREDESTINAÇÃO** *Veja* Eleição: Soberania de Deus.

**PREGADOR, PREGAÇÃO** O motivo comum, presente em todas as referências bíblicas sobre a pregação, diz respeito a uma proclamação pública. A palavra mais característica no NT é *kerusso* (mais de 60 vezes), que significa "proclamar como um arauto". No mundo da Antiguidade o arauto era a figura principal para transmitir informações oficiais e todos os decretos reais. Uma segunda palavra, *euaggelizomai* (mais de 50 ocorrências) enfatiza a boa qualidade da mensagem (da primitiva palavra *eus*) e das boas notícias.
A natureza da pregação bíblica depende de seu conteúdo específico e da audiência à qual ela é dirigida. Considera-se que, normalmente, o conteúdo da pregação das epístolas seja o "evangelho" (Rm 1.15; 15.20; 1 Co 1.17) com algumas variações, como "Cristo" (1 Co 15.12), "Cristo crucificado" (1 Co 1.23) ou a "palavra da fé" (Rm 10.8), que são mensagens para o mundo não cristão.
Entretanto, Paulo e seus companheiros também pregavam para assembléias de crentes e essa pregação consistia de uma mistura de instruções e discipulado, exortação ética e encorajamento escatológico. Nos estudos bíblicos atuais esse último tipo de discurso público é chamado *didache* (ensino), que se distingue, de forma um pouco categórica, de *kerygma* (pregação). Embora essa diferenciação seja válida, ela não deve ser levada a extremos. Os Sinóticos mostram uma superposição de termos (cf. Mt 4.23, com seus paralelos), e em Atos 15.21 Tiago faz referência a uma leitura semanal da Torá, na Sinagoga, como pregação.
Talvez fosse de maior utilidade subdividir a pregação em termos de audiência. Quando um pregador coloca-se à frente de seus ouvintes ele proclama a morte, ressurreição e exaltação de Cristo. Esta é uma resposta à definição de C. H. Dodd sobre pregação como "a proclamação pública do cristianismo para o mundo não cristão" (*The Apostolic Preaching and Its Developments*, Nova York. Harper, 1949, p. 7), que atualmente corresponde ao que chamamos de "pregação evangélica". Mas, quando o pregador coloca-se ao lado de seus ouvintes, sua mensagem toma a forma do habitual sermão das manhãs de domingo.
De acordo com esse princípio, o primeiro tipo tem poucos antecedentes no AT sendo que, em um certo sentido, os oráculos proféticos contra os inimigos de Israel (por exemplo, Obadias) e o ministério de Jonas em Nínive foram seus precursores.
A pregação, no sentido de instrução e exortação, pode ser traçada até Esdras, que lia as Escrituras e, em seguida, expressava uma livre interpretação para que as pessoas pudessem entender (Ne 8.8). Na época do NT essa prática havia se transformado em uma parte importante do serviço da Sinagoga. Filo informa que o conteúdo de tais sermões era "o que havia de melhor e certo, e comprovadamente aproveitável", e que seu propósito era "fazer com que a vida como um todo crescesse e se tornasse algo melhor" (*de specialibus legibus*, ii.62). O sermão de Jesus de Nazaré (Lc 4.16ss.) foi proclamado em uma ocasião semelhante, como aconteceu com muitos sermões de Paulo (cf. At 13.14ss.).
Um dos avanços mais importantes do recente estudo do NT foi a cristalização da proclamação apostólica primitiva – do *kerygma*, como agora é chamado (a transliteração do grego não deve nos levar à interpretação errada de que *kerygma* tenha sido seu nome técnico *naqueles tempos*). O professor Dodd, de Cambridge, abriu-nos o caminho. Acompanhando sua abordagem (comparando os primeiros discursos de Atos com os fragmentos pré-paulinos embutidos nas epístolas), mas alterando ligeiramente sua ênfase, entendemos o *kerygma* apostólico, como "a proclamação da morte, ressurreição e exaltação de Jesus que levou a uma avaliação de sua pessoa, tanto como Senhor quanto como o Cristo, confrontou o homem com a necessidade do arrependimento e prometeu o perdão dos pecados" (R. H. Mounce, *The Essential Nature of New Testament Preaching*, Grand Rapids. Eerdmans, 1960, p. 84).
Essa proclamação, feita dentro de um sentido de urgência (1 Co 9.16), apelava para a consciência de cada homem através de uma clara afirmação da verdade (2 Co 4.2) que, na maioria das vezes, encontrou uma certa oposição (cf. 2 Co 11.23-28). Como ela exigia a fé por parte do ouvinte, tomava o cuidado de não obscurecer sua mensagem pelo uso de palavras arrogantes, ou por uma eloqüente sabedoria (1 Co 1.17; 2.1-4).
O *kerygma,* ou mensagem do evangelho do NT, surgiu conforme o que poderíamos cha-

mar de três estágios. Primeiro, apareceu em cena João Batista como um arauto messiânico proclamando: "Arrependei-vos, porque é chegado o reino dos céus" (Mt 3.2). A ele coube a tarefa de preparar a nação para a vinda daquele que batiza com o Espírito Santo (Mc 1.8). Depois veio o Senhor Jesus proclamando a chegada do reino de Deus. Aquele momento tão aguardado, previsto pelos profetas de antigamente, havia agora repentinamente irrompido na história. O "ano aceitável do Senhor" (Lc 4.19) havia chegado, e o reino já era uma realidade presente (Lc 11.20; 16.16). Essa verdade básica representava o fundamento de todos os ensinos do Senhor Jesus.

Podemos observar uma mudança na terminologia quando passamos dos Evangelhos para o livro de Atos e para as epístolas. A mensagem do "reino de Deus", de repente, transforma-se em "Cristo crucificado" (1 Co 1.23; 15.12) ou "Cristo Jesus, o Senhor" (2 Co 4.5). Entretanto, a continuidade dessa mensagem permanece imperturbável porque Cristo *é* o reino. E é dentro e através desse grande ato de redenção, centrado em Jesus Cristo, que Deus estabeleceu a sua soberania na história. Embora esse reino agora exista sob uma forma espiritual, chegará o dia em que ele manifestar-se-á abertamente a toda criação (Fp 2.9-11). Por isso, somos incentivados a orar (Mt 6.10).

Esse grande evento ainda representa a responsabilidade da pregação bíblica. Não será um desmistificado *kerygma* que trará a redenção, mas a proclamação do seu Cristo motivada e dirigida pelo Espírito. A fidelidade a essa mensagem essencial caracteriza o verdadeiro arauto de Deus em nosso cenário contemporâneo.

No AT, a palavra "pregador" ou "pregar" é empregada com dois sentidos: (1) Em Eclesiastes 1.2, ela é a tradução de uma palavra que significa "agrupador", isto é, aquele que se dirige a uma assembléia pública. (2) Em Neemias 6.7, Sambalate acusa Neemias: "Puseste profetas para pregarem de ti em Jerusalém"; esta expressão significa divulgar ou proclamar Neemias como rei.

***Bibliografia.*** H. H. Farmer, *The Servant of the World,* Londres. Nisbet, 1950. G. Friedrich, *"Kerux etc."*, TDNT, III, 683-718. J. Knox, *The Integrity of Preaching*, Nashville. Abingdon, 1957. B. Reicke, "A Synopsis of Early Christian Preaching", *The Root of the Vine,* Londres. Dacre Press, 1953. J. M Robinson, "Preaching", HDB, rev. pp. 789-791. L. J. Tizard, *Preaching. The Art of Communication,* Londres. Oxford, 1959. G. Wingren, *Living Word,* Filadélfia. Muhlenberg, 1960.

R. H. M.

**PREGO**

Alfinete ou prego comum do carpinteiro (heb., *masmer*; Jr 10.4; Is 41.7). Pregos de metal foram freqüentemente encontrados em trabalhos arqueológicos na Palestina. Os primeiros eram feitos de bronze. Depois de 1200 a.C., quando a fundição do ferro tornou-se conhecida, os pregos maiores eram feitos de ferro, porém os menores ainda eram feitos de bronze. Pontas de ferro, de até 23 centímetros de comprimento, foram encontradas em Samaria. Geralmente, os pregos tinham uma haste quadrada e eram mais afilados que os pregos modernos. Davi preparou pregos de ferro para o Templo em abundância (1 Cr 22.3). Salomão usou pregos de ouro em trabalhos interiores da decoração do Templo (2 Cr 3.9). Pregos semelhantes de Nuzu (*q.v.*) e de Tell Abu Hawan, nas proximidades de Haifa, tinham cabeças grandes e achatadas e eram cobertos com lâminas de ouro ou prata.

O tipo de prego (gr. *helos*) usado para pregar o Senhor Jesus Cristo na cruz (cf. Jo 20.25) era uma ponta de ferro forte e grande, com 12,5 a 17,5 centímetros de comprimento. Em 1968, arqueólogos de Israel descobriram 15 ossuários do período 7-70 d.C., em cavernas mortuárias a um quilômetro e meio ao norte da Porta de Damasco, em Jerusalém. Um deles continha os ossos de uma criança e de um jovem adulto chamado Yehohanan. Esse último havia sido crucificado porque os ossos de seu calcanhar ainda estavam penetrados por enferrujados remanescentes de um prego de pouco mais de 17 centímetros. Ambas as pernas haviam sido quebradas, aparentemente para apressar a sua morte (cf. Jo 19.31-36). O posicionamento do prego permitiu ao anatomista reconstruir uma típica crucificação: os pregos foram introduzidos através dos antebraços, abaixo dos punhos, para garantir um melhor suporte e as pernas da vítima haviam sido torcidas e dobradas para um lado. Essa posição pouco natural teria permitido que a vítima continuasse a respirar, prolongando dessa maneira a sua vida e a sua agonia (N. Haas, "Anthropological Observations on the Skeletal Remains from Giv'at ha-Mivtar", IEJ, XX [1970], 38-59). *Veja* Cruz.

O termo "cravando" (gr., *proseloo*, Cl 2.14) expressa que Deus cancelou o "certificado de débito" que consistia nos decretos de Moisés contra nós, ao pregá-lo na cruz de Cristo.

H. G. S. e J. R.

**PREGUIÇOSO** A raiz principal da palavra hebraica que indica "preguiçoso, vadio, ocioso, indolente" é *'asal,* "ser preguiçoso" (Jz 18.9). Em algumas versões o adjetivo *'asel* aparece 8 vezes no livro de Provérbios como "preguiçoso" (15.19; 19.24; 21.25; 22.13; 24.30; 26.13,14,15). O substantivo aparece em Provérbios 19.15 e Eclesiastes 10.18. O termo é usado em contraste com a retidão, e é um atributo dos tolos.

Outra palavra hebraica *r^emiya,* denota prostração, negligência ou inatividade, mas é traduzida como "preguiçoso" em Provérbios 12.27. A palavra hebraica *rapha,* "preguiçoso" ou "negligente" em Provérbios 18.9 significa deixar (as mãos) caírem por causa de fraqueza, ou tornar-se desanimado.
No Novo Testamento a palavra grega *nethros* (Hb 6.12) significa indolência ou negligência, e a palavra grega *okneros* (Mt 25.26; Rm 12.11) é similar, significando indolente, ocioso ou atrasado, o oposto de ser fervoroso em espírito.

**PREJUÍZOS** Tradução comum de uma palavra hebraica que exprime qualquer aflição, perda de bens ou dano permanente a pessoas ou coisas (Ed 4.22).

**PRÊMIO** Recompensa àquele que é vitorioso nos jogos (1 Co 9.24; Fp 3.14). Essa palavra está intimamente ligada às coroas mencionadas como recompensa pela conduta e pelo serviço dos cristãos; pela justiça daqueles que amam a Cristo e preparam-se para a sua segunda vinda (2 Tm 4.8); pela vida daqueles que pacientemente suportam as tribulações do treinamento (Tg 1.12; Ap 2.10); como a glória para o fiel pastor (1 Pe 5.4) ou como a alegria daqueles que ganham almas (1 Ts 2.19; cf. Fp 4.1). *Veja* Recompensas.

**PRENUNCIADOR** A expressão "prognosticadores mensais" (Is 47.13) foi traduzida como "prognosticadores das luas novas". *Veja* Lua; Magia.

**PREOCUPAÇÃO** Muitas palavras gregas e hebraicas podem ser traduzidas pelas palavras "cuidado" ou "preocupação". No Antigo Testamento, os termos a seguir podem ser traduzidos da seguinte forma: *deaga*, que significa inquietude ansiosa (Ez 4.16); *harada*, referindo-se a uma ansiedade com temor (2 Rs 4.13); e *dabar*, que significa palavra ou assunto (em 1 Samuel 10.2, uma questão relacionada a preocupação). Em Filipenses 4.10, o infinitivo *phronein*, que se traduz como substantivo, refere-se ao ato de pensar em alguém. Em 2 Coríntios 7.12; 8.16, *spoude* é usado no sentido de preocupação urgente. No Novo Testamento, o termo mais comumente traduzido como o substantivo "cuidado" ou "preocupação" é *merimna* (Mt 13.22; Lc 21.34; 2 Co 11.28; 1 Pe 5.7), que representa a ansiedade como uma atitude destrutiva ou um estado de distração.

**PREPARAÇÃO** No sentido do tempo de reunir tropas ou estar preparado para a batalha essa palavra aparece em Naum 2.3. Em Provérbios 16.1, ela representa a palavra hebraica *ma'arak* e refere-se à disposição mental ou planos. A palavra grega *hetoimasia* (que significa "preparação" ou "prontidão") ocorre em Efésios 6.15 fazendo parte da expressão "na preparação do evangelho da paz".
A palavra grega *paraskeue*, encontrada nos quatro evangelhos na narração dos últimos dias de Cristo na terra, refere-se ao dia anterior ao sábado, isto é, à "preparação" para o sábado semanal (Mc 15.42), e não à festa da Páscoa. Interpretando João dessa maneira (Jo 19.14,31,42) será mantida uma relação não contraditória com os Sinóticos (Mt 27.62; Mc 15.42; Lc 23.54). Portanto, em João 19.14, a frase "preparação da Páscoa", significa o dia semanal da preparação durante a Páscoa, isto é, a sexta-feira da semana da Páscoa. Essa interpretação está de acordo com o uso judaico, como Josefo revela ao citar um édito de César Augusto de que os judeus não eram obrigados a comparecer perante nenhum juiz "no dia de sábado, nem no dia da preparação para ele, depois da nona hora" (*Ant.* xvi.6.2). Alguns acreditam que esse assunto tem algo a ver com o fato do Senhor Jesus Cristo e seus discípulos terem feito a refeição da Páscoa na ocasião da Última Ceia (*Veja* Ceia do Senhor; FLAP, pp.328, 559, 596ss.).

B. C. S.

**PREPÚCIO** O envoltório de pele removido do órgão sexual masculino na circuncisão (*q.v.*), "por sinal do concerto [ou aliança]" entre Deus e os hebreus (Gn 17.11). Davi presenteou Saul com os prepúcios de 200 filisteus como prova da morte destes (1 Sm 18.27). Em Habacuque 2.16, a palavra refere-se à exposição indecente, embora a LXX e as versões siríacas e o Comentário Qumran de Habacuque tenham uma palavra similar significando "vacilar" ou "hesitar". É usada figurativamente referindo-se à obstinação do homem carnal ("prepúcio do... coração", Dt 10.16; Jr 4.4).

**PRESBITÉRIO, PRESBÍTERO** Grupo ou ordem de anciãos que consagrou o jovem Timóteo (1 Tm 4.14). Parece que Paulo, nesta ocasião, liderava este grupo (2 Tm 1.6). Da mesma maneira que a nação israelita tinha seus anciãos, as Sinagogas também tinham seus, e o mesmo ocorria com o Sinédrio. Junto com o presbitério havia um conjunto de sacerdotes e escribas. Na época do NT este grupo tinha como presidente o sumo sacerdote. Paulo estabeleceu as igrejas sob o governo de um corpo de anciãos (At 14.23; 16.4; Tt 1.5; cf. At 15.4,6,23; 20.17,28).
Nas igrejas atuais, particularmente naquelas que adotam a forma de administração presbiteriana, o grupo de anciãos da Igreja local é chamado de sessão, enquanto aqueles que se reúnem como representantes das igrejas de uma área maior são chamados presbíteros. É impossível dizer se os anciãos mencionados em 1 Timóteo eram de uma ou mais igrejas.

**PRESCIÊNCIA** *Veja* Eleição.

**PRESENÇA** Essa palavra exige poucos comentários sobre a sua utilização comum (geralmente em heb., *'ayin*, "olhos", e *panim*, "face" no AT), mas a sua aplicação em relação a Deus envolve ricos conceitos teológicos. Além da gloriosa presença do Senhor no Tabernáculo (Êx 25.8), o AT fala sobre o Anjo do Senhor, o pão da proposição (o pão do ritual judaico), a arca da aliança etc. Todos eles são símbolos da presença de Deus.
Em certos casos, a palavra grega *parousia* transmite a idéia da presença (2 Co 10.10; Fp 2.12). A verdade do NT está centrada em Cristo como a presença viva de Deus. A consistente ênfase bíblica está na presença eterna de Deus. A palavra *parousia*, como um termo escatológico, significa o momento da volta de Cristo, mais a sua subseqüente presença ao lado de seu povo redimido (1 Ts 2.19; 3.13; 4.15; 5.23 etc.). Era um termo oficial para a visita de um rei ou imperador a uma de suas províncias. *Veja* Cristo, Vinda de.

B. C. S.

**PRESENTE** *Veja* Dádiva.

**PRESENTE DE NÚPCIAS** *Veja* Casamento.

**PRESIDENTE** A honrosa posição de Daniel na nação Medo-Persa, depois da derrota de Belsazar da Babilônia, é descrita como a de um presidente ou "comissário" ou ainda como um "príncipe" ou "ministro". Havia três posições iguais, mas aquela que Daniel ocupava era de maior autoridade (Dn 6.2,3). As referências feitas em Daniel 6.2,3,4,6,7 são traduções do termo aramaico *sarak*. A palavra "presidente" contrasta em seu contexto com o termo utilizado para designar os governadores provinciais (*sátrapas*) e, obviamente, refere-se a um alto funcionário do governo. A nomeação de Daniel provocou uma conspiração movida pelo ciúme que foi frustrada por Deus.

**PRESSÃO** Uma grande variedade de idéias é transmitida por esse verbo em diferentes contextos. Ela refere-se ao castigo de Deus (Salmos 38.2), à forte necessidade de outra pessoa (Gn 19.3; Jz 16.16), e à aglomeração do povo (Gn 19.9; Mc 3.10). A idéia de uma entrada forçada no reino de Deus é expressa pelo verbo "pressionar" que algumas traduções trazem em Lucas 16.16 e pelos termos "força" e "esforço" trazidos por outras. O doloroso esforço de um corredor, como expressão do próprio ministério de Paulo, foi traduzido por essa palavra em Filipenses 3.14. É significativo que ele descreva as tribulações do serviço a Deus com esses termos (2 Co 1.8).
Como um substantivo do NT, o termo "pressão" (ou outros termos que tragam consigo este sentido) corresponde à forma abreviada de lagar ou prensa de vinho. Na versão KJV em inglês ela traduz três palavras hebraicas diferentes: *gat*, literalmente o lugar onde se pisam as uvas (Jl 3.13); *yeqeb*, o tonel ou a calha escavada na rocha para receber o suco pisado no *gat* (Pv 3.10; Is 16.10; Ag 2.16), e *pura*, a medida do suco que enche tais recipientes (Ag 2.16). *Veja* Óleo; Lagar. O substantivo no AT, na versão KJV em inglês, significa uma grande multidão (Mc 2.4; 5.27,30; Lc 8.19; 19.3).

B. C. S.

**PRESUNÇÃO, PRESUNÇOSAMENTE** Em assuntos religiosos, a presunção significa um audacioso desafio aos mandamentos de Deus, embora a pessoa ainda espere pela sua misericórdia. Os termos bíblicos que expressam atitudes e ações presunçosas são:
1. Presumir (em hebraico *'apal*, ou "ser negligente, orgulhoso"), como os israelitas rebeldes que de forma descuidada subiram o monte (Nm 14.44; cf. Dt 1.43).
2. Agir com orgulho (heb., *zud*, literalmente "sentir ira", agir com desequilíbrio, ser arrogante, altivo), um termo aplicado àqueles que intencionalmente desobedecem aos mandamentos de Deus (Êx 21.14; Dt 1.43; 17.13; 18.20).
3. Arrogância, orgulho (em hebraico *zed*, ou "insolente, altivo"), como no Salmos 19.13 quando se fala sobre "pecados de presunção" que nascem de uma orgulhosa autoconfiança, e assim tais rebeldes deveriam ser rigorosamente castigados. A palavra *zed* é encontrada em Salmos 86.14; 119.21,51,69,78,85,122; Provérbios 21.24; Isaías 13.11; Jeremias 43.2; Malaquias 3.15; 4.1 significando muitas vezes "orgulho, impiedade, insolência".
4. Arrogância (heb., *zadon*, "orgulho, presunção"), personificada pela Babilônia que agiu com arrogância contra Deus ao queimar seu Templo e levar seu povo prisioneiro (Jr 50.31,32). Cf. Deuteronômio 17.12; 18.22; 1 Samuel 17.28; Provérbios 11.2; 13.10; 21.24; Jeremias 49.16; Ezequiel 7.10; Obadias 3, onde ocorre a mesma palavra hebraica que expressa orgulho (*q.v.*).
5. Presunção (em hebraico *b^e^yad rama*, "com arrogância"), que em Números 15.30 significa "desafiar", ou rebelar-se abertamente contra Deus. Tal pessoa deveria ser eliminada (cf. Gn 17.14) sem a possibilidade de perdão porque havia desprezado a Palavra do Senhor (Nm 15.31).
6. Atrevimento, desafio (em grego *tolmetes*, ou pessoa "atrevida e desafiadora"), um termo aplicado a pessoas obstinadas que resistem e desprezam a autoridade (2 Pe 2.10).
Os pecados da presunção devem ser sempre distinguidos dos pecados da ignorância e da fraqueza. Os pecados da presunção são cometidos conscientemente (Jo 15.22), de for-

ma premeditada e deliberada (Pv 6.14; Salmos 36.4), com rebeldia (Jr 44.16; Dt 1.43) e repetidamente (Salmos 78.17).
*Veja* Pecado.

D. R. R.

**PRETO** *Veja* Cores.

**PRETÓRIO**[1] A palavra pretório (gr. *praitorion*), ligada à palavra latina *praetorium*, originalmente referia-se à tenda do pretor (o oficial militar) no acampamento com seus arredores. A palavra grega é traduzida em várias versões como "pretório", embora em algumas versões seja traduzida como "audiência" em Mateus 27.27, como "pátio interno do Palácio" ou "sala da audiência" em Marcos 15.16, e "palácio" em João 18.28,33; 19.9; At 23.35 e Filipenses 1.13.
O termo pretório surgiu para ser aplicado à residência do governador civil em províncias e cidades do Império Romano. Mais particularmente, esta é a parte da residência onde a justiça era administrada, ou o tribunal na entrada da residência pretoriana. O pretório na capital de uma província era geralmente um grande palácio ou residência palaciana.
Em Jerusalém, o pretório de Pilatos, onde Jesus foi levado para ser julgado, era o palácio fortificado de Herodes, o Grande, ou a Torre de Antônia. De acordo com Josefo, ele era o palácio de Herodes que ficava do lado oeste da cidade murada, mas de acordo com algumas tradições da Igreja e vários estudiosos modernos, ele era a Torre de Antônia a noroeste do Templo. A descoberta de grandes pedras de calçamento no local desta torre, correspondendo ao Pavimento (ou Litóstrotos) de Jo 19.13, agora parece ser uma evidência conclusiva (*veja* Gabatá; Pavimento). O texto em Atos 23.35 indica que o palácio de Herodes em Cesaréia foi usado como um pretório pelo governador romano Félix.
Em Filipenses 1.13, a palavra gr. *praitorion* é traduzida como "palácio" em algumas versões, enquanto outras a parafraseiam ligeiramente para esclarecer a declaração de Paulo de que a causa de sua prisão havia se tornado bem conhecida "por toda a guarda pretoriana e por todos os demais lugares". Aqui ela refere-se à guarda destinada a Paulo durante a sua prisão domiciliar em Roma (At 28.16,30) ou, como F. F. Bruce (*The Letters of Paul. An Expanded Paraphrase*, Grand Rapids. Eerdmans, 1965, pp. 160, 165) e outros estudiosos têm sugerido, ao quartel-general do governador em Éfeso para a província romana da Ásia.

B. M. W.

**PRETÓRIO**[2] Esse termo originalmente latino vem da palavra *praetor*, que significa "líder", "cabeça" ou "chefe", e aparece na tradução grega posterior. Primeiro, ela significava a tenda do *praetor* (general) no acampamento do exército romano (Livy, *Hist.* vii.12; x.23). Então ele passou a designar os oficiais do general que se reuniam em sua tenda, como um conselho (Livy, *Hist.* xxvi. 15; xxx.5; xxxvii.5). Mais tarde, ela passou a referir-se à residência oficial de um governador da província (Cícero, *in Verr.* IIiv.28; IIv.35) ou de um procurador (Jo 18.28). Finalmente, ela designava as tropas imperiais que agiam como guarda costas (Tácito, *Hist.* ii.II24; iv.46; Seutônio, Nero, 9). Veja G. T. Purves, "Praetorium", HDB, IV, 32ss. Na versão KJV em inglês essa palavra aparece apenas em Marcos 15.16, mas no texto grego ela em ocorre em Mateus 27.27; João 18.28,33; 19.9; Atos 23.35 como "tribunal" ou "sala do julgamento", e em Filipenses 1.13 como "palácio". Em outras versões ela ocorre em Atos 23.35; Mateus 27.27; Marcos 15.16; João 18.28; 19.9. Os desacordos continuam sobre a localização do quartel general de Pilatos (*praetorium*) quando se trata do julgamento do Senhor Jesus (isto é, se era o palácio de Herodes ou a fortaleza de Antonia). *Veja* Tribunal; Antônia. Entretanto, o magnífico palácio de Herodes em Cesaréia certamente serviu como o *praetorium* do procurador, e o lugar da prisão de Paulo (At 23.35). A frase *en holo to praitorio* (Fp 1.13) refere-se mais a "toda a guarda pretoriana" em Roma, do que ao "palácio" ou residência de César na colina Palatina. O palácio de Roma nunca foi chamado de "praetorium".

R. V. U.

**PRIMEIRO DIA DA SEMANA** *Veja* Dia do Senhor.

**PRIMEIRO GERADO** *Veja* Primogênito.

**PRIMEIRO LUGAR** O termo *protokathedria*, o "primeiro lugar" na sinagoga (*q.v.*), é mencionado uma vez em Mateus e em Marcos, e duas vezes em Lucas, e ali é traduzido como "primeiros assentos" (11.43) e "as principais cadeiras" (20.46). É separado e distinto dos "primeiros lugares" (*protoklisia*). Ambas as palavras ocorrem em Mateus 23.6; Marcos 12.39; Lucas 20.46, mas *protokathedria* só ocorre em Lucas 11.43. Não há nada nessas referências que descreva a construção dos assentos. Sua importância, claro, era a característica de destaque, junto com a atitude dos fariseus a respeito de si mesmos e outros, expressa pelo seu desejo de obter os principais assentos. Eles sempre tomavam esses lugares para si mesmos como seu direito e prerrogativa. Os assentos principais nas sinagogas eram aqueles que estavam mais próximos do púlpito, ou da mesa do leitor, reservados para os anciãos do povo. Os primeiros cristãos às vezes tinham a tendência de oferecer os melhores assentos na assembléia aos visitantes mais abastados (Tg 2.1-4).

O suposto pavimento do pretório de Pilatos (Jo 19.13). Giovanni Trimboli

Os lugares de honra nos banquetes estavam na cabeceira da mesa ou à direita do anfitrião quando havia a possibilidade de se reclinarem. Os fariseus também foram muito recriminados por sua busca desses lugares de destaque, pois o Senhor Jesus ensinou que não há um direito inerente a eles (Lc 14.7-11). Posições baseadas em conceitos teológicos de superioridade não são bases apropriadas de preferência. Elas não garantem pureza na vida ou atitudes verdadeiramente espirituais (Mc 12.38-40).

Jesus disse em outra ocasião que os escribas e os fariseus sentavam-se na "cadeira de Moisés" (Mt 23.2). Essa cadeira em uma sinagoga era um símbolo da autoridade legal de Moisés, que os escribas (*q.v.*) e fariseus sentiam que haviam herdado como mestres da lei judaica. Era o assento para o ancião mais ilustre. Na sinagoga de Dura Europos, ele estava próximo da arca da Torá (Emil G. Kraeling, *Bible Atlas*, Chicago. Rand McNally, 1956, p. 378). Tais assentos de pedra maciça foram encontrados em ruínas de sinagogas em Corazim e Hamate, ao sul de Tiberíades.

H. G. S.

## PRIMÍCIAS

1. *Ofertas individuais das primícias.* A lei mosaica exigia que os israelitas trouxessem para a casa do Senhor "as primícias, os primeiros frutos da... terra" (Êx 23.19; 34.26). Isto deveria incluir os grãos, o vinho e o azeite, e deveria ser usado para o sustento dos sacerdotes (Nm 18.12; Dt 18.4). Eram dadas instruções quanto à maneira como as primícias deveriam ser trazidas à casa de Deus e entregues aos sacerdotes, juntamente com o ritual a ser observado naquele momento (Dt 26). No entanto, a quantia real não está declarada em nenhuma passagem das Escrituras. "O Talmude fixava a sexagésima parte como o mínimo a ser dado do produto, um trigésimo ou um quadragésimo como uma oferta voluntária" (A. R. Fausset, *Bible Encyclopaedia*, p. 232). Evidentemente, na prática, as primícias eram trazidas em abundância pelo povo durante os tempos de reavivamento e reforma (2 Cr 31.5). É importante observar que, em pelo menos uma ocasião em que os sacerdotes de Israel estavam em uma situação de apostasia, um indivíduo levou pães de cevada das primícias para o profeta Eliseu (2 Rs 4.42). Após o cativeiro, aqueles que retornaram a Jerusalém comprometeram-se a dar as primícias fielmente; Neemias faria com que estes recebessem os devidos cuidados e fossem distribuídos aos sacerdotes de uma forma sistemática (Ne 10.35-37; 12.44; 13.31). O livro de Provérbios promete prosperidade para aqueles que honrarem ao Senhor com suas primícias (Pv 3.9).

2. *A Festa das Primícias* (Lv 23.9-14). Esta festa deveria ser observada no início da colheita de cevada, quando os primeiros grãos aparecessem. O primeiro molho de uma nova colheita, junto com um sacrifício, era apresentado como uma oferta movida diante do Senhor no primeiro dia após o sábado de Páscoa. Por meio deste procedimento reconhecia-se que tudo vinha de Deus e pertencia a Ele; e nada deveria ser usado para comida até que esta cerimônia tivesse sido realizada. As primícias também eram uma amostra ou espécime da colheita abundante de grãos que acabaria se seguindo por causa da providência de Deus.

3. *A Festa do Pentecostes.* Esta festa é chamada por vários nomes no AT. Visto que ocorria no qüinquagésimo dia após a Festa das Primícias, ela veio a ser conhecida pelos judeus como Pentecostes (que significa "qüinquagésimo"; At 2.1; 20.16). Sendo assim, como ela ocorria no término da colheita de trigo, as primícias do trigo deveriam ser trazidas ao Senhor naquele momento (Êx 34.22; cf. Êx 23.16; Nm 28.26). Este trigo deveria ser assado em dois pães movidos nos quais deveria ser usado fermento (Lv 23.17,20). Isto é significativo, uma vez que a oferta de manjares comum não deveria conter fermento (Lv 2.11). No entanto, parte da oferta sem fermento era totalmente oferecida ao Senhor, sendo queimada (Lv 2.9), enquanto que no Pentecostes os pães eram apresentados ao Senhor simplesmente movendo-os perante a sua santa presença, sem nenhuma porção queimada.

4. *Uso figurativo das primícias.* Tanto o AT como o NT nos garantem que a apresentação cerimonial das primícias tinha, além de suas implicações óbvias, uma importância típica e simbólica. A nação escolhida, Israel, é tratada como as "primícias" de Deus, totalmente dedicada a Ele (Jr 2.3). É pronunciada uma maldição sobre aqueles que consumirem e destruírem Israel, porque estes

terão cometido um delito contra aqueles que pertencem ao Senhor.
Em sua ressurreição, Cristo "foi feito as primícias dos que dormem" (1 Co 15.20,23). A Festa das Primícias ocorria no primeiro dia após o sábado da Páscoa. Foi precisamente neste dia que Cristo ressuscitou dos mortos (Mc 16.1-6). No Pentecostes, 50 dias depois, o Espírito Santo veio para moldar os crentes em um só corpo, a Igreja (At 2.1; 1 Co 12.13). Os dois pães movidos diante do Senhor nesta festa podem possivelmente representar os crentes judeus e gentios que se tornaram um em Cristo (Ef 2.14). Isto explicaria o uso do fermento (falando de corrupção) nestes pães, pois o crente, embora salvo, ainda tem pecados *dentro* de si.
Em um outro sentido, os crentes são mencionados "como primícias" (Tg 1.18). O Senhor Jesus Cristo, em sua ressurreição, deve ser considerado como as próprias primícias. Nele vemos um maravilhoso exemplo daquilo que Deus, por fim, fará por todos os crentes. Deus está procurando aperfeiçoar, em cada crente, uma vida e um caráter santo, para que cada um deles seja um exemplo ou modelo daquilo que Deus deseja fazer por todos. Assim, os crentes são um *tipo* das primícias. O Espírito Santo, dado agora a todos os que crêem em Cristo, é também mencionado como primícias (Rm 8.23), uma amostra maravilhosa, por assim dizer, das plenas e completas bênçãos que nos aguardam.
O remanescente salvo presente em Israel é mencionado como "primícias" (Rm 11.16), e os 144.000 do período da Tribulação são designados da mesma forma (Ap 14.4). Eles são o presságio de uma conversão da nação de Israel ao Messias, que fora anteriormente profetizada. De uma maneira semelhante, os primeiros convertidos em qualquer área em particular são mencionados como "primícias" (Rm 16.5; 1 Co 16.15).
Na gloriosa visão que Ezequiel teve do Templo e do reino milenial, é indicado que os sacerdotes receberão as primícias uma vez mais (Ez 44.30). Sua porção da terra é mencionada como uma "primícia", que eles não devem "transferir" ou permitir que seja passada a outros (Ez 48.14).
*Veja* Festividades; Pentecostes; Sacrifícios.

G. C. L.

**PRIMO** Não existe uma palavra para primo no AT, mas falava-se de "parente" para indicar essa relação. O casamento entre primos era comum (Gn 24.15; 28.2; 29.10,19; 36.3).

## PRIMOGÊNITO

### No Antigo Testamento

A palavra heb. *b^ehor* não faz distinção entre o primogênito de seres humanos e o dos animais (Êx 11.5; 12.29; 13.2). O sacrifício dos primogênitos, como o dos primogênitos do rebanho e das primícias do fruto da terra, era comum nos dias antigos (Êx 23.16). Em 2 Reis 3.27 é feita uma referência ao sacrifício do herdeiro do trono por Mesa, rei de Moabe, em um esforço para salvar seu povo em tempo de guerra. A influência devido à proximidade do paganismo teve seus efeitos sobre Israel. A Escritura menciona casos de sacrifício do primogênito por parte de vários reis de Israel (2 Rs 16.3; 17.17; 21.6). O profeta Jeremias negou que tal sacrifício fizesse parte de alguma instrução do Senhor (Jr 7.31; 19.5). Outros profetas também denunciaram esta prática (Ez 16.20,21; 23.37; Mq 6.7). Esta prática era contrária a tudo o que era conhecido a respeito do caráter de Deus.
Na época da primeira Páscoa, quando os primogênitos do Egito foram mortos, Moisés deu a seguinte ordem para Israel: "Apartarás para o Senhor tudo o que abrir a madre" (Êx 13.12,13). O primogênito macho era considerado santo para o Senhor (Nm 3.13,40; 8.15-18). Destruindo os filhos primogênitos do Egito e poupando os de Israel, Deus adquiriu posse especial sobre estes últimos. Uma vez que não era possível selecionar os primogênitos de toda a nação, pois isto perturbaria a organização familiar, os levitas os substituíram (Nm 3.12,13). Anteriormente, o primogênito deveria ser o sacerdote de toda a família. Agora, o exercício do sacerdócio foi transferido, por este mandamento do Senhor, da tribo de Rúben para a tribo de Levi. O serviço no santuário tinha que ser executado pelos levitas, mas todos os primogênitos nascidos após o êxodo eram propriedade peculiar do Senhor, e tinham que ser remidos (Nm 8.18). Quando os levitas foram separados por Moisés, eles totalizavam 22.000 pessoas (Nm 3.39), embora os primogênitos das 12 tribos com idade de um mês para cima totalizassem 22.273 (Nm 3.46). Portanto, 22.000 foram remidos pelos levitas, e 273 foram remidos pelo pagamento de 1.365 siclos, que foram entregues a Arão e a seus filhos como compensação (Nm 3.50,51). A proporção foi de cinco siclos por pessoa.
Deve-se notar uma distinção entre os primogênitos por herança, e os primogênitos por remissão.
*Primogênito por heranea* diz respeito ao primogênito do pai por parte de qualquer de suas mulheres, se este praticasse a poligamia (Dt 21.16ss.; Gn 49.3,4). Na ausência do pai, o filho primogênito tinha autoridade sobre a família (Rúben em Gênesis 37.21-30; 42.37), uma porção dobrada da herança (Dt 21.17), e o direito ao sacerdócio. Quando Eliseu pediu a Elias uma porção dobrada de seu espírito (2 Rs 2.9), ele estava na verdade pedindo a porção do primogênito, para que pudesse ser o sucessor principal e digno de Elias.
Parece que as promessas de Deus aos patriarcas eram consideradas como sendo ligadas

à linhagem dos primogênitos. Observe a história de Esaú e Jacó em Gênesis 25.30-34; 27.36. Como mostram os casos de Ismael, Esaú e Rúben, o pai podia privar o primogênito deste direito. Esta ação foi praticada em várias partes do Oriente Médio nos tempos patriarcais, como é confirmado por uma tábua encontrada em Alalakh, na Síria. O texto em Deuteronômio 21.15-17 proibia a transferência arbitrária do direito do verdadeiro primogênito para o filho de uma esposa favorecida.

*Veja* Direito de Primogenitura; Herança. Quando se tratava da sucessão ao trono, a primogenitura era sempre considerada, mas nem sempre era decisiva (1 Rs 1.1,5-39; 1 Cr 26.10; 2 Cr 11.22).

*Primogênito por remissão* diz respeito ao primogênito da mãe, e aplica-se tanto ao homem como ao animal (Êx 13.2). Todos os homens israelitas primogênitos tinham que ser remidos, uma vez que eles pertenciam ao Senhor de uma maneira peculiar (Nm 3.12,13,45-51). De acordo com a tradição talmúdica, os primogênitos agiram como sacerdotes oficiais no deserto, até o levantamento do Tabernáculo, quando o ofício foi dado à tribo de Levi. Na questão da remissão, havia distinções.

1. O primogênito de um animal limpo tinha que ser levado ao santuário no oitavo dia após o nascimento (Êx 22.30). Se fosse sem defeito, deveria ser sacrificado, seu sangue espargido, a gordura queimada, e a carne comida (cf. Deuteronômio 15.19 com Números 18.17). Se o animal tivesse um defeito, ele perdia seu caráter santo, e o sacerdote a quem era dado poderia comê-lo fora de Jerusalém, como qualquer alimento comum (Dt 15.21-23). Ele também poderia ser comido por outras pessoas. O texto em Deuteronômio 15.19 sugere que nenhum trabalho poderia ser feito com os primogênitos dos bois, nem a lã poderia ser tosquiada das ovelhas. Eles não poderiam ser vendidos. Eles tornavam-se santos ao nascer, e a sua dedicação era desnecessária. Eles tinham que ser sacrificados durante o primeiro ano.

2. O primogênito de um animal imundo tinha que ser remido quando completasse um mês de idade de acordo com a avaliação do sacerdote, com a adição de um quinto (Lv 27.27; Nm 18.15). O primogênito de um jumento deveria ser remido por uma ovelha ou por um carneiro, ou seu pescoço tinha de ser quebrado (Êx 13.13; 34.20). Em épocas posteriores, os animais imundos poderiam ser resgatados por dinheiro, ou o pescoço seria quebrado e o corpo queimado.

3. O filho primogênito de uma mãe (não do pai), com a idade de um mês, tinha que ser remido com cinco siclos (Êx 13.13; 22.29; Nm 18.15ss.; Ne 10.37). Este valor era entregue ao sacerdote em dinheiro ou em objetos de valor, "segundo a... avaliação" (Nm 18.16). O marido de várias mulheres teria que remir o primogênito de cada uma delas. Se o pai falhasse em remir, a lei judaica exigia que o filho remisse a si mesmo quando crescesse. A tradição acrescentou que os sacerdotes, levitas e israelitas cujas mulheres fossem filhas de sacerdotes ou levitas não precisavam remir seus primogênitos. Por causa do livramento da décima praga, era exigido que os primogênitos jejuassem no dia anterior à Páscoa. Se fosse muito jovem, o pai jejuava por ele. Se o pai fosse um primogênito, alguns dizem que tanto a mãe como o pai jejuavam; ele por si mesmo, e ela por seu filho.

*Usos figurativos*. Em Jó 18.13, o "primogênito da morte" refere-se à doença que iria resultar em morte. Em Êxodo 4.22 e Jeremias 31.9, Deus compara seu relacionamento com Israel ao relacionamento de um pai e seu filho primogênito. No Salmo 89.27, a referência é reduzida ao rei Davi e à linhagem da sua dinastia, culminando em Jesus Cristo o Messias.

***Bibliografia***. I Mendelsohn, "On the Preferential Status of the Eldest Son", BASOR 156 (Dez., 1959), pp. 38-39.

I. R.

### No Novo Testamento

A palavra primogênito é usada literalmente em Lucas 2.7 e Hebreus 11.28. Ela designa Cristo como o único e eterno Filho de Deus em Romanos 8.29 e Hebreus 1.6, detendo o primeiro lugar e total autoridade sobre os anjos e todos os seus irmãos na terra. Duas vezes a expressão "primogênitos dos mortos" aponta para o fato de Cristo ter sido o primeiro a ressuscitar dos mortos em uma forma imortal (Cl 1.18; Ap 1.5).

Erasmo sugeriu que em Colossenses 1.15 a palavra deveria ser acentuada na penúltima sílaba para significar "aquele que foi originalmente trazido à vida". Se esta sugestão não for aceitável, então o termo "primogênito" aqui designa aquele que tem o *direito* de primogenitura, que tem autoridade sobre toda a criação. Certamente ela não indica que Ele tenha começado a existir a partir de algum momento.

O texto em Hebreus 12.23 refere-se literalmente à "Igreja dos primogênitos, que estão inscritos nos céus". Cada filho de Deus, inscrito no "livro da vida desde a fundação do mundo", sendo "um co-herdeiro com Cristo", um herdeiro de "todas as coisas" de uma forma ilimitada, tem, em um sentido real, a posição de um "primogênito" na família de Deus, privilegiado sobre todos os outros homens.

***Bibliografia***. Wilhelm Michaelis, "*Prototokos*", TDNT, VI, 871-881.

J. O. B., Jr.

**PRIMOGÊNITOS, DESTRUIÇÃO DOS** *Veja* Praga.

**PRIMOGENITURA, DIREITO DE** *Veja* Primogênito.

**PRINCIPADOS** Esse termo é usado para a autoridade ou posição tanto de reis como de governantes aos quais os cristãos estão sujeitos (Tt 3.1; cf. Rm 13.1-7; Hb 13.17), e também para anjos e demônios (Ef 3.10; 6.12). Cristo criou todas as coisas "sejam tronos, sejam dominações, sejam principados, sejam potestades" (Cl 1.16). O cristão luta em primeiro lugar não contra os homens dominados pelo pecado, mas principalmente contra os principados e os poderes ainda localizados "nos lugares celestiais", isto é, no reino espiritual (Ef 6.12; cf. Rm 8.38). No entanto, a vitória está assegurada porque Cristo despojou esses poderes malignos na cruz (Cl 2.15). Portanto, tendo em vista tanto a criação como a redenção, Cristo foi instituído como o cabeça de todos os principados e potestades (Cl 2.10; cf. Ef 1.20-22). Toda a obra da salvação de Cristo será finalmente terminada quando Ele tiver aniquilado todo império, toda potestade e força. (1 Co 15.24). *Veja* Anjos; Demonologia.

**PRINCIPAL DE TRÊS (RA)** O título oficial de Adino, o eznita, (2 Sm 23.8). O texto diz: "São estes os nomes dos valentes de Davi. Josebe-Bassebete, filho de Taquemoni, o principal dos capitães; este era Adino, o eznita, que se opusera a oitocentos e os feriu de uma vez" (versão RC em português). A obscuridade do hebraico para os tradutores levou-os a omitir, na versão RSV em inglês e RA em português a frase "este era Adino, o eznita", e a substituí-la por "este brandiu a sua lança". A frase "o principal dos capitães" (versões RC em português e KJV em inglês) é traduzida como "o principal de três" nas versões RSV em inglês e RA em português.

**PRÍNCIPE, PRINCESA** A palavra príncipe ocorre freqüentemente no AT, enquanto a palavra princesa é usada como menor freqüência. Existem aproximadamente 20 palavras hebraicas e aramaicas, além de termos gregos, que foram traduzidos como "príncipe" nas várias versões. Seus significados correspondem aos vários usos da palavra no português.

Na Bíblia Sagrada, o príncipe pode ser um governante, um líder, um oficial, um magistrado ou uma pessoa importante investida de autoridade. Com exceção de Abias (2 Cr 11.22) esta palavra nunca foi empregada para representar um parentesco real (cf. 1 Cr 29.24). Muitas vezes esse termo indica a verdadeira dignidade e autoridade do rei. Como regra geral, esse título foi dado a seres humanos (Nm 1.16; Js 9.15; 1 Rs 14.7).

Príncipe Xerxes (marido de Ester) em pé atrás de seu pai, Dario o Grande, em um relevo em Persépolis. ORINST

Em alguns poucos exemplos ele foi aplicado a Deus e a Cristo (Js 5.15), aos anjos (Dn 12.1), e ao Diabo (Jo 12.31). O Messias é o Príncipe da Paz (Is 9.6), da vida (At 3.15) e dos reis da terra (Ap 1.5).

O uso do termo "princesa" (*sara*) tinha, aparentemente, a intenção de chamar a atenção para o caráter real. (1) As esposas de Salomão são chamadas de "princesas" (1 Rs 11.3). A palavra hebraica (*sara*) também pode significar (2) uma rainha (Is 49.23), (3) a esposa de um príncipe (Et 1.18), (4) as filhas ou servas (também chamadas de damas ou acompanhantes) da mãe de Sísera, comandante do exército (Jz 5.29).

R. L. D.

**PRINCÍPIO**[1] A palavra "princípio" aparece em Gênesis 1.1 e em João 1.1 com um sentido específico, absoluto. Em Gênesis 1.1, a palavra aparece não com referência ao primeiro ato da criação, mas, antes, ao ato pelo qual toda a criação foi iniciada. O princípio é, então, separado daquilo que começa, transcendendo o tempo (cf. "principio de seus caminhos", Provérbios 8.22, cf. também Hebreus 1.10 citando o Salmo 102.25). É o ato imediato de Deus, anterior ao tempo e transcendendo o tempo. A criação é vista como dependente do Deus que existia no princípio – antes do próprio tempo.

O texto em João 1.1 declara que o *logos*, "a palavra" pela qual o Deus eterno e invisível é revelado ao homem, estava com Deus (o Pai) e sempre esteve presente na essência divina. O Pai e o Filho são então apresentados como equivalentes e igualmente eternos. Antes de tudo, antes do princípio do processo da criação pelo qual o universo e a humanidade passaram a existir, Deus existia – sem começo nem fim – e o "Verbo" é apresentado compartilhando a essência e a glória divina. João contrasta a posição do Verbo como estando "no princípio" com Deus, embora estivesse entrando no mundo em nosso tempo histórico, e habitando entre nós (Jo 1.1; 1.14).

O Senhor Jesus Cristo é chamado de Princípio (*arche*) tanto por Paulo (Cl 1.18) como por João (Ap 3.14; 21.6; 22.13; cf. o Alfa e o Omega, Ap 1.8). Os filósofos gregos expressaram a Causa Fundamental de todas as coisas através do mesmo termo, *arche*. *Veja* Criação; Logos; Tempo.

***Bibliografia.*** Gerhard Delling, "*Arche* etc.", TDNT, I, 479-484.

C. F. P.

**PRINCÍPIO**[2] Duas palavras gregas foram traduzidas como "princípio" nas versões bíblicas, e são usadas em íntima associação em Hebreus 5.12 (*stoicheion*) e em Hebreus 6.1 (*arche*). Os hebreus eram como infantes que precisavam ser novamente orientados sobre os princípios elementares, os ensinos iniciais e fundamentais do cristianismo. Eles precisavam fugir das doutrinas complicadas e procurar o princípio fundamental da fé salvadora (Hb 5.8-12). Em Gálatas 4.9, o apóstolo Paulo faz referência a "esses rudimentos fracos e pobres" (*stoicheia*) que caracterizavam o contexto pré-cristão de seus convertidos. *Veja* Elementos; Rudimentos.

**PRISÃO** Não menos que oito palavras hebraicas são utilizadas no AT como prisão, das quais duas são as mais comuns: (1) *beth sohar*, "casa redonda, casa torre, casa da fortaleza"; e (2) *mattarah*, "casa da guarda, prisão, cárcere". O NT utiliza cinco palavras, sendo que *phylake*, "guarda, vigia, prisão", é a mais freqüente.

Os criminosos presos em flagrante, assim como aqueles que não obedeciam ao mandamento de guardar o sábado (Nm 15.34), eram confinados. No AT podemos encontrar exemplos de pessoas que foram para a prisão: José (Gn 39.20), os dois oficiais do Faraó (Gn 40.3), os irmãos de José (Gn 42.17,19), Sansão (Jz 16.21), Jeremias (Jr 37.15), os reis vencidos (2 Rs 17.4; 25.27), e outros.

As cidades de refúgio ofereciam asilo às pessoas culpadas de homicídio acidental (Nm 35.25-28). Edifícios especialmente dedicados, com a finalidade de serem prisões, eram desconhecidos em Israel, e o encarceramento era feito em pequenos espaços designados nas fortalezas, templos ou palácios. Jeremias foi primeiramente açoitado e depois colocado em uma cela subterrânea de uma casa que fora transformada em prisão (Jr 37.15,16). Em seguida, o rei transferiu sua prisão para o átrio da guarda (37.21), mas seus inimigos o lançaram em um calabouço ou cisterna, onde ele estava afundando na lama e lentamente morreria de fome (38.6-10). Os prisioneiros eram freqüentemente acorrentados (Jz 16.21; Jr 52.11. At 12.6; 21.33; 28.20), e seus pés eram também presos a troncos (Jr 20.2; At 16.24).

Era muito comum que os criminosos ficassem presos antes do julgamento (Lv 24.12; Nm 15.34), porém longos períodos de prisão como uma punição pelos crimes eram raros. Geralmente, os castigos para os crimes eram o açoite, as multas, o banimento ou a morte. *Veja* Crime e Punição; Prisão; Punição.

Os personagens do NT que foram presos são João Batista, Pedro, Silas e Paulo (Mt 14.3; At 12.5; 16.23; 22.19; Ef 3.1; 4.1; Fp 1.13). *Veja* Carcereiro.

O Senhor Jesus ensinou aos seus discípulos que eles deveriam visitar aqueles que estivessem na prisão (Mt 25.36,39), uma instrução que Onesíforo colocou em prática quando Paulo estava na prisão Mamertine em Roma (2 Tm 1.16,17).

Metaforicamente, a palavra "prisão" é usada para os espíritos desobedientes confinados nos dias de Noé (1 Pe 3.19ss.), e também para a prisão de Satanás no abismo (Ap 20.2,3).

R. V. U.

**PRISCA** *Veja* Priscila.

**PRISCILA** Esposa de Áqüila (*q.v.*). Embora Lucas a chame pelo nome familiar (At 18.2), Paulo prefere usar o nome mais formal, Prisca (Rm 16.3; 1 Co 16.19; 2 Tm 4.19). O nome Prisca pertencia a uma família nobre romana. Tanto Lucas quanto Paulo, geralmente, mencionam seu nome antes do nome do marido, e isso pode refletir a elevada posição social ou (mais provavelmente) sua impressionante personalidade. Adolf Harnack e alguns outros acreditam que ela tenha sido a autora da Epístola aos Hebreus.

**PRISIONEIRO** *Veja* Punição.

**PROA** A parte dianteira de um navio ou embarcação. O texto em Atos 27.30 diz. "Como que querendo lançar as âncoras pela proa". No v. 41 a mesma palavra gr. é assim traduzida: "A parte da frente ficou presa" (NTLH). Muitas versões utilizam o termo "proa" em ambos os casos.

**PROCLAMAR, APREGOAR, PREGAR** Anúncio oficial feito publicamente. Normalmente, essa palavra é usada para descrever o anúncio dos decretos de um rei ou de outro governante de alto escalão. Na Bíblia Sagrada, é usada para expressar a suprema proclamação da vontade de Deus. Existem inúmeras palavras usadas em hebraico, sendo que a maioria delas transmite a idéia de elevar a voz para que a palavra seja ouvida. As antigas proclamações eram feitas em algum local público (por exemplo, Êx 34.5; Lv 25.10; Jz 7.3; Is 61.1,2; Ed 1.1).

No NT, essa palavra é geralmente usada em uma conexão com o termo "arauto" (gr., *kerux*, de *kerusso*), e quase exclusivamente para falar da gloriosa proclamação do evangelho. Embora existam certas variações nas várias traduções, essa palavra é encontrada em numerosas passagens, como por exemplo Mateus 3.1; 26.13; Marcos 6.12; Lc 24.47; Atos 8.5; 10.42; 1 Coríntios 1.21,23; 2 Coríntios 11.4; Apocalipse 5.2. *Veja* Arauto.

**PROCÔNSUL** *Veja* Representante ou Deputado.

**PRÓCORO** Esse nome aparece na relação dos primeiros discípulos, comumente chamados de diáconos (At 6.5). A tradição relata que ele tornou-se bispo de Nicomédia. A obra apócrifa *Historia Prochori Christi Discipuli* contém muitas lendas sobre esse homem. Por causa da força de seu nome (*prochoros*, "líder da dança", segundo Thayer) muitos acreditam que ele tenha sido um helenista. A arte bizantina o retrata como o amanuense do apóstolo João durante a escrita do Evangelho que traz o nome deste apóstolo. Prócoro é apresentado como o autor de uma biografia de João que surgiu na segunda metade do século V d.C. (H. H. Platz, "Prochorus", IDB, III, 892).

**PROCURADOR**. *Veja* Governador.

**PROFANAÇÃO** Tratar uma pessoa, lugar ou instituição com irreverência, como se fosse "comum" e não santa (Lv 19.8). O conceito por detrás da palavra hebraica *halal* é desunir, abrir e tornar mais acessível e comum o que é santo, pois as coisas sagradas não eram abertas ao público. Dessa forma, qualquer coisa podia ser profanada quando se desobedecia a Lei de Deus sobre seu uso apropriado. Por exemplo: um santuário (Lv 21.12; At 24.6); o sábado (Êx 31.14; cf. Mt 12.5); o altar (Êx 20.25); a aliança (Ml 2.10); e o leito do pai (Gn 49.4).

Os profetas e os sacerdotes podiam ser pervertidos ou contaminados (Jr 23.11). Jeová ordenou que seu povo fosse santo assim como Ele o é (Lv 20.22-26), e a profanação de alguns desses reinos representa basicamente um ataque à santidade de Deus, ou um caso de profanação de seu santo nome (Lv 19.12; 21.6; Ez 22.26; Am 2.7; Ml 1.11,12).

Por Esaú ter desprezado e vendido seu direito de primogenitura, ele foi chamado de "profano" (em grego *bebelos*) no sentido de ser materialista e ateu (Hb 12.16). As fábulas das mulheres idosas foram chamadas de profanas ou mundanas (1 Tm 4.7), e também de falatórios inúteis e profanos (1 Tm 6.20; 2 Tm 2.16). O alimento ritualmente impuro era considerado comum ou pecaminoso (At 10.14). *Veja* Pureza; Santidade.

J. R.

Como cumprimento da profecia a cidade de Tiro foi destruída. Neste local estão as ruínas de um anfiteatro retangular raríssimo. HFV

**PROFECIA** No AT, um oráculo profético ou mensagem a ser transmitida ao povo era entendida como um "peso" (em hebraico *massa*) sobre a alma do profeta até que ele pudesse pronunciá-lo (Pv 30.1 e 31.1; cf. Is 13.1; Hc 1.1; Zc 9.1 etc.). Também foi usada a palavra *n*[e]*bu'a*, relacionada com *nabi'*, "profeta" (2 Cr 9.29; 15.8; Ed 6.14; Ne 6.7). O termo do NT é a palavra grega *propheteia*, que pode referir-se a uma atividade profética ou a "profetizar" (Ap 11.6), ao dom de profecia ou a profetizar (Rm 12.6; 1 Co 12.10; 13.3,8,9; 14.1-6 etc.), e a declarações proféticas (Mt 13.14; 1 Ts 5.20; 1 Tm 1.18 etc.). *Veja* Dons Espirituais.

### Funções da Profecia

1. *Prenunciar*. Os profetas foram os primeiros de todos os prenunciadores e porta-vozes de Deus (*veja* Profeta). Abraão, quando recebeu e anunciou a aliança que Deus havia feito com ele a respeito de sua semente, foi um profeta (Gn 12.1-3; 15.1; 22.15ss.). Moisés, o maior de todos os profetas deveria receber a Palavra diretamente de Deus e transmiti-la a Arão, que era seu porta-voz (Êx 7.1-2). Como Moisés deveria ser o "deus" do Faraó, o ministério de Arão demonstra perfeitamente o ministério do porta-voz. Todos aqueles que agem na função de proclamar a Palavra de Deus são seus porta-vozes. É nesse sentido que o crente do NT pode profetizar, quando está diretamente habilitado pelo Espírito Santo.

Segundo a designação do NT de Lei e Profetas (Mt 11.13; 22.40; Lc 16.16), os escritores de todos os livros subseqüentes ao Pentateuco são classificados como "profetas". Eles foram profetas no sentido de que recontaram a história, manifestaram a glória de Deus através de louvores e cânticos, revelaram a sua sabedoria e transmitiram suas advertências sobre o julgamento e as promessas de restauração, tudo isso como inspirados porta-vozes de Deus.

2. *Profetizar*. Embora nem todos o fizessem, muitos profetas previam o futuro. Abraão, como o primeiro homem a receber o nome de profeta, era ao mesmo tempo um prenunciador e um pressagiador. Ele transmitiu a Isaque e seus descendentes a profecia sobre Israel, que revelava a promessa da primeira vinda de Cristo como sua semente (cf. Gl 3.8,16), e também a instalação de um

reino. Embora os detalhes da aliança de Abraão fossem escassos e ainda pouco distintos, eles formaram a estrutura à qual a aliança de Moisés acrescentou a revelação da apostasia e a rejeição de Israel, seguidos por seu arrependimento, regeneração e restauração da terra prometida (Dt 27.12–30.20). A certeza dessa restauração foi atestada pelo compromisso pessoal assumido por Deus (Jr 31.27-37; 32.27,36-44; 33.2-26; cf. Hb 6.17,18; 8.8-13).

Ela também foi revelada através de Davi, o rei-profeta, na aliança pela qual a sua "casa" ou dinastia duraria para sempre (2 Sm 7.16). Portanto, um Davi maior, igual a Cristo, iria reinar nesse reino restaurado (Jr 33.15-17; Ez 34.23,24; 37.24-28).

Ao mesmo tempo, uma outra e ainda maior linha vital de profecias já havia sido revelada depois do pecado de Adão e Eva. Em Gênesis 3.15 foi dito a Adão e Eva que a semente de Eva iria destruir Satanás. "Esta [semente] te ferirá a cabeça e tu lhe ferirás o calcanhar". Portanto, a semente mencionada na aliança de Abraão já havia sido revelada a Adão. Dessa forma, Gênesis 3.15 e 22.18 apontam para a cruz.

Através do AT foram desenvolvidas três linhas ou rumos para a profecia.

Uma linha relativa ao Messias sofredor que se sacrificaria, e à primeira vinda do Senhor Jesus Cristo (Gn 3.15; 22.18; cf. Gl 3.8,16; Gn 49.10,11; Is 7.14; 9.6; 53; Salmos 16; 22; 69).

Uma segunda linha relativa ao reinado do Messias e à segunda vinda de Cristo como havia sido prometido em 2 Samuel 7 e delineado em grandes passagens como Isaías 11; 66; Oséias 1.10,11; Amós 9.11; Zacarias 12.14. Os profetas explicam em detalhes tanto a segunda vinda do Senhor como as condições de paz e prosperidade que acompanharão seu reinado (Is 66.15; Zc 12.14).

Uma terceira linha faz o entrelaçamento das profecias da primeira e da segunda vinda de Cristo. Ela está relacionada a certos acontecimentos históricos que não estão ligados à primeira nem à segunda vinda, mas que são profecias sobre eventos históricos particulares, expressas com a finalidade de fortalecer o povo de Deus em momentos de grande tribulação e sofrimento. Elas desenharam, previamente, certos acontecimentos da história secular. Seus exemplos são a revelação do tempo que Israel passou sob a opressão do Egito, isto é, 400 anos (Gn 15.13; cf. Êx 12.40; Gl 3.17) e 70 anos de cativeiro na Babilônia (Jr 25.11,12; cf. Dn 9.2), e a delineação dos acontecimentos entre os dias de Daniel e a época de Antíoco Epifânio (Dn 11.1-21). *Veja* Profecia, Cumprimento da.

3. *Ensinos éticos e sociais.* Esse detalhe do ministério dos profetas tem sido muitas vezes ignorado nos estudos dos especialistas evangélicos. A primeira tentativa de Moisés para ajudar seus irmãos foi realizada na esfera social (Êx 2.11). Mais tarde, ele foi guiado por Deus para estabelecer os grandes princípios teocráticos da justiça social e econômica encontrados especialmente em Êxodo e Deuteronômio. Amós foi o profeta do AT que afirmou particularmente sua função ao revelar as injustiças sociais existentes no Reino do Norte. Oséias reflete esse mesmo ensino, assim como Isaías. O nosso Senhor cumpriu esta responsabilidade, especialmente no Sermão da Montanha e em algumas de suas parábolas.

4. *Influência política.* Esse aspecto também é muitas vezes negligenciado. Moisés recebeu a incumbência de exigir a libertação de Israel junto ao Faraó (Êx 6.11; 9.13). Natã devia comparecer perante Davi (2 Sm 12). Isaías confrontou o rei Acaz e aconselhou Ezequias (Is 7; 37). Em diferentes oportunidades, Jeremias recebeu ordens de comparecer perante o rei (Jr 22.1; 34.2; 37.7). Daniel compareceu perante Nabucodonosor e Belsazar (Dn 2.19,25; 5.17). A mensagem de Amós chegou ao rei através de um de seus ministros (Am 5.15-17).

5. *Mensagem soteriológica.* O ministério mais importante desempenhado por um profeta era a transmissão da mensagem da salvação. Neste particular, cada ministro do evangelho segue os passos dos profetas. Os profetas constantemente advertiam o povo sobre seus pecados, e insistiam para que se arrependessem. Encontramos esses exemplos em Josué exigindo que Israel escolhesse a quem iria servir (Js 24.15). Moisés ministrou bênçãos e maldições, seguidas de um pedido de arrependimento – que só será finalmente cumprido quando Deus dirigir o povo ao arrependimento na segunda vinda de Cristo (Dt 28.1ss.). Jonas exigiu que Nínive se arrependesse dentro de 40 dias (Jo 3.4). Esdras orou por aqueles que haviam retornado do exílio, para que confessassem seus pecados e abandonassem as esposas estrangeiras (Ed 9.5–10.11). E João Batista exortou Israel a preparar um caminho em seu coração para a vinda de seu Rei (Lc 3.4-6).

### Meios de Comunicação

1. *Proclamação direta.* O profeta proclamava, em linguagem direta e simples, a mensagem que Deus lhe havia dado (Jo 3.4). Ela era comunicada "boca a boca", como no caso de Moisés (Nm 12.8, embora somente ele tivesse permissão para falar face a face com Deus), ou através de uma visão ou sonho (Jr 1.11ss.). Mas a mensagem sempre lhes era concedida através de uma inspiração divina direta, para que os profetas continuassem a escrever "Assim diz o Senhor".

2. *Linguagem figurada.* Como regra geral, as profecias do AT são claras e diretas, embora algumas certamente sejam propositadamente figuradas. As principais razões se-

riam: (*a*) Para transmitir de modo mais efetivo e expressivo algum fato ou verdade (cf. Is 66.12,13; Amós 9.13), e (*b*) para revelar o conhecimento de eventos futuros, de tal forma que não pudesse ser imaginado pelo descrente, por um lado, e, por outro, para que só pudesse ser entendido pelo crente depois de um estudo cuidadoso. Deus não lança suas pérolas aos porcos.

Entretanto, geralmente as figuras de retórica são prontamente entendidas quando examinadas sob o contexto da cultura do AT. Por exemplo, quando Isaías diz: "preparai o caminho do Senhor; endireitai, no ermo, vereda a nosso Deus" (Is 40.3-5), a imagem metafórica é a de preparar o caminho para a chegada de um rei. A voz que clama no deserto é a de João Batista quando pregou o arrependimento preparatório para a vinda do Messias (Lc 3.1-18). Quando Isaías fala sobre um nascimento diferente da forma peculiar, e pergunta como uma nação pode nascer da terra em um só dia (Is 66.8), podemos facilmente reconhecer esse quadro como o mesmo que foi transmitido em Zacarias 12–14, onde toda a nação arrepende-se na segunda vinda de Cristo.

3. *Apresentação dramática*. Às vezes, o Senhor dirige o profeta a dramatizar a mensagem. Jeremias devia fazer jugos e pendurá-los ao pescoço (Jr 27.2). Ezequiel devia gravar em um tijolo o desenho da cidade como estando cercada (Ez 4.1ss.). O profeta também devia raspar a cabeça e a barba, e queimar um terço de seu cabelo no meio da cidade; a segunda parte do cabelo devia ser ferida com uma espada e a terceira parte devia ser lançada ao vento etc, para ilustrar a condenação de Jerusalém que estava prestes a manifestar-se (Ez 5.1-12). Deus mandou que Oséias se casasse com uma mulher prostituta para libertá-la da escravidão, como uma figura de seu imortal amor por Israel (Os 1.2; 3.1).

**O Desenvolvimento da Profecia**

Na Bíblia Sagrada, a profecia inicia-se através de declaração feita no proto-evangelho em Gênesis 3.15, e ela pertence à primeira linha profética que anuncia a primeira vinda de Cristo como o Messias sofredor e sacrificial. A segunda linha profética, sobre o governo e reinado de Cristo, aparece intimamente ligada a essa primeira linha na aliança de Abraão, de forma que a princípio ambas são quase indistintas.

A terceira linha, isto é, a das profecias que predizem acontecimentos históricos e necessários para fortalecer a fé do crente naqueles dias sombrios e difíceis, aparece primeiro em Gênesis 15.13 com o anúncio de que Israel permanecerá 400 anos no Egito.

Embora Abraão fosse um profeta, foi Moisés que mais plenamente exemplificou todos os ministérios de um profeta do AT. Moisés estava tão acima dos demais profetas, tanto no caráter como na administração, que Deus de certa forma o comparou (guardadas as proporções óbvias) ao Senhor Jesus Cristo (Dt 18.18). Em contraste, o autor do NT o compara a Cristo classificando-o como o menor em relação ao maior (Hb 3.1-6). Na época dos juízes, havia uma esporádica liderança política e militar que, na realidade, era escassamente espiritual. Naqueles dias, a Palavra do Senhor era rara e as visões pouco freqüentes (1 Sm 3.1), e isso continuou durante todos os dias de Samuel.

Parece que esse profeta deu início a uma escola de profetas que desapareceu, para reviver novamente através de Elias e Eliseu (2 Rs 2.3), durante o período de apostasia e idolatria no Reino do Norte (1 Rs 18.18). Era de se esperar que grandes líderes espirituais como Samuel e Elias conseguissem atrair para si um certo número de homens jovens ansiosos por seguir seus passos.

Ainda restam dois movimentos proféticos a serem descritos: (*a*) o de Amós e Oséias, que tinha a finalidade de advertir o Reino do Norte sobre seus pecados e o cativeiro que estava próximo, e (*b*) o de Isaías, Jeremias, *et al.*, que visava advertir o reino de Judá sobre seus pecados, castigos e sobre o exílio que se aproximava. Existe uma grande semelhança entre as mensagens proféticas do norte e do sul. Passagens de advertência contra o pecado e ameaças de castigo estão intercaladas com promessas de futura restauração, paz e bênçãos divinas. Como essas passagens foram organizadas e ajustadas para o padrão contido na aliança mosaica de Deuteronômio 27–30, delas emerge um quadro maravilhoso sobre o futuro prometido a Israel e o reino do milênio, do qual todos os crentes serão participantes. As promessas do reino acrescentam detalhes às revelações contidas nas alianças.

Entretanto, é Daniel que fornece o mais extenso espectro profético da história. Ele começa interpretando o sonho de Nabucodonosor sobre a grande estátua humana (Dn 2) e, mais tarde, as visões do leão, do urso, do leopardo, e da terrível besta que tem dez chifres e que "fazia em pedaços, e pisava aos pés o que sobejava" (Dn 7.1-7). Essas visões revelam a história daquelas grandes nações que iriam afetar a história de Israel até a segunda vinda de Cristo. Daniel termina prevendo a abominação e a desolação da Grande Tribulação, e a ressurreição dos santos do Deus Altíssimo (Dn 9.27; 12.1,2).

No NT, Cristo representa a concretização da profecia como o Messias sofredor que se sacrifica, e também como profeta em seu pleno direito (Mt 21.19; Lc 24.19; Jo 4.19; 7.40). O Senhor Jesus anuncia que o reino de Deus está às portas, e fala de sua dinâmica existência durante a Era da Igreja nos corações daqueles que o aceitam como seu Salvador

(Lc 17.21). Ele anuncia que o reino de Deus tornou-se uma realidade viva em sua primeira vinda, mas que o pleno desenvolvimento deverá aguardar seu retorno do céu para assumir o governo (Mt 22.33-44; cf. Dn 2.35,43,44; 7.9-14).
Cristo coloca as mãos diretamente sobre a profecia de Daniel da "abominação da desolação", identificando-a com o sinal que irá imediatamente preceder a Grande Tribulação (Mt 24.15), dispensando assim toda especulação sobre o ponto terminal das profecias de Daniel em Daniel 2; 7; 9; 11–12. Uma vez que esse ponto tenha sido estabelecido, a terrível besta de Daniel 7 e a sua contrapartida em Apocalipse 13 e 17 podem ser reconhecidas como idênticas. Dessa forma, o Senhor Jesus Cristo deu a chave para a compreensão da profecia de Daniel e, através da interpretação desta profecia, é possível compreender a profecia do livro de Apocalipse. Portanto, a última besta descrita em Daniel será o reino presente na época da segunda vinda de Cristo.

### Métodos de Interpretação

1. *Visão ortodoxa.* A interpretação daquela linha profética relacionada com a primeira vinda de Cristo recebeu a concordância de todos os teólogos ortodoxos. Eles também concordam que Cristo irá retornar. Entretanto, existem muitas controvérsias cercando os detalhes de sua segunda vinda e, especialmente, sobre o assunto do reino.
De maneira bem simples, o problema é o seguinte: será que as profecias sobre o reino e o segundo advento de Cristo podem ser aceitas e entendidas da mesma forma literal como aquelas profecias que previram a sua primeira vinda? Certas profecias do AT, por exemplo, predizem a apresentação do sacrifício de animais no Templo (Ez 43–46; Zc 14.21). Em vista dos problemas teológicos levantados por sacrifícios sangrentos, subseqüentes à morte suficientemente expiatória de Cristo, alguns acreditam que essas e outras profecias relativas ao reino terrestre devam ser espiritualizadas. Elas seriam aplicadas à apresentação do evangelho na presente Era da Igreja, ou ao futuro e eterno estado em algum sentido espiritualizado. Mas seria permissível abandonar o método normal de interpretação gramático-histórica?
A linha profética que trata do segundo advento de Cristo é interpretada de três maneiras diferentes: (1) Os pós-milenialistas consideram que as promessas do reino sobre os mil anos, feitas em Apocalipse 20, estão se referindo a uma idade áurea que será anunciada como resultado da pregação do evangelho, que ocorrerá antes da segunda vinda. (2) Os amilenialistas identificam as promessas dos mil anos (Ap 20) com a progressão da evangelização através da Igreja (OT. Allis, *Prophecy and the Church*), com o estado intermediário dos redimidos enquanto aguardam o fim do mundo, quando Cristo retornará para ressuscitar os mortos e julgar seus inimigos, ou com a época do novo céu e da nova terra (Herman Ridderbos, *The Coming of the Kingdom*). Eles não prevêem nenhum reino para Israel e para o crente na terra, como existe agora. (3) Os pré-milenialistas observam a identificação de Mateus 24.15 com a abominação da desolação em Daniel, e a besta de Daniel 7.7,8 com aquela de Apocalipse 13 e 17, e identificam o início do Milênio, em Apocalipse 20, com Daniel 12.2,3,13. Eles consideram o reino como tendo começado na terra com o segundo advento de Cristo e com a duração de mil anos, de acordo com a profecia de Apocalipse 20.4-7 e com a sucessão do novo céu e da nova terra em Apocalipse 21.1–22.5.
Embora esse artigo não pretenda discutir os méritos dos argumentos de cada uma dessas opiniões, a visão pré-milenialista tem a grande vantagem de poder ser aplicada ao mesmo método de interpretação das três linhas proféticas mencionadas acima. Além disso, ela baseia-se em uma teologia plenamente desenvolvida das alianças, e cresce progressivamente com os detalhes dados na aliança de Abraão que apontam para um reino terrestre sob o governo do Messias. Ela os acompanha através das alianças mosaica e davídica, e acrescenta os detalhes da verdade escatológica revelada de Isaías a Malaquias (A. J. McClain, *The Greatness of the Kingdom*). Essa visão aceita a opinião expressa pelos discípulos de Jesus, e não corrigida por Ele, de que Deus, no final, restaurará o reino a Israel (At 1.6).
A visão pré-milenialista estende a graça de Deus ao limite máximo de todas as visões anteriormente mencionadas, no sentido de permitir mil anos para o homem arrepender-se, com o próprio Salvador reinando sobre a terra. Além disso, ela prova a plenitude do pecado no sentido de que mesmo com Cristo aqui sobre a terra, e a prisão de Satanás, o homem ainda se recusa a aceitar a soberana graça de Deus (Ap 20). *Veja* Milênio.
2. *Visão Neo-Ortodoxa.* Dentre as várias outras visões que poderiam ser consideradas, a mais importante para a nossa época é a visão neo-ortodoxa. Ela ensina que toda escatologia refere-se à supra-história – isto é, ao chamado "eterno-agora" do céu no qual existe um Deus atemporal e ilimitado – e não aos futuros acontecimentos sobre a terra. Ao morrer, o homem entra nessa esfera transcendental de contemporaneidade onde estão presentes o passado e o futuro, de maneira que eles formam um único e homogêneo "agora".
Essa visão deve ser rejeitada pelos evangélicos porque faz parte de uma filosofia da revelação que nega a possibilidade de uma comunhão direta entre Deus e o homem, e

elimina toda possibilidade de uma revelação proposicional, isto é, de Deus falar diretamente com o homem e de uma verdadeira inspiração verbal.

***Bibliografia.*** O. T. Allis, *Prophecy and the Church,* Filadélfia. Presbyterian and Reformed, 1945. W. J. Beecher, *The Prophets and the Promise,* Nova York. Crowell, 1905. C. A. Briggs, *Messianic Prophecy,* Nova York. Scribner's, 1886. J. O. Buswell, Jr., *A Systematic Theology of the Christian Religion,* Grand Rapids, Zondervan, 1963, Vol. II, Parte IV. A. B. Davidson, *Old Testament Prophecy,* Edinburgh. Clark, 1903. F. E Hamilton, *The Basis of Millenial Faith,* Grand Rapids. Eerdmans, 1953. G. E. Ladd, *Jesus and the Kingdom,* Nova York. Harper & Row, 1953. A. J. McClain, *The Greatness of the Kingdom,* Chicago. Moody, 1968. C. Von Orelli, *Old Testament Prophecy,* Edinburgh. Clark, 1885. H. Ridderbos, *The Coming of the Kingdom,* Filadélfia. Presbyterian and Reformed, 1962. Wilbur M. Smith, *A Preliminary Bibliography for the Study of Biblical Prophecy,* Boston. Wilde, 1952. Para livros adicionais *Veja* Profeta.

R. A. K.

**PROFECIA, CUMPRIMENTO DA** O cumprimento de alguma profecia representa a mais consistente prova disponível da origem divina do cristianismo e da Bíblia. Em alguns casos, o concreto e preciso cumprimento de várias profecias, tanto do AT como do NT, pronunciadas muitos séculos antes de seu acontecimento, prova fora de qualquer dúvida razoável a divina inspiração das Escrituras, e a sua sobrenatural veracidade e autoridade.

### Garantia Bíblica

A própria Bíblia estabelece a estrutura das evidências cristãs. Em Deuteronômio 18 foi discutida a dificuldade criada pelo surgimento de falsos profetas. O israelita poderia perguntar: "Como conheceremos a palavra que o Senhor não falou?" E a resposta vem em seguida: "Quando o tal profeta falar em nome do Senhor, e tal palavra se não cumprir, nem suceder assim, esta é palavra que o Senhor não falou; com soberba a falou o tal profeta; não tenhas temor dele" (vv. 21,22). A conseqüência natural que se segue, é que se a declaração profética realmente acontecer, o profeta falou em nome do Senhor.

A importância apologética do cumprimento de uma profecia teve seu desenvolvimento em Isaías. Como o israelita poderia diferenciar o verdadeiro Deus dos assim chamados deuses das nações vizinhas?

Em um artifício poético, Jeová desafia as divindades pagãs a mostrar provas de sua realidade: "Tragam e anunciem-nos as coisas que hão de acontecer; anunciai-nos as coisas passadas, para que atentemos para elas e saibamos o fim delas; ou fazei-nos ouvir as coisas futuras. Anunciai-nos as coisas que ainda hão de vir, para que saibamos que sois deuses; fazei bem ou fazei mal, para que nos assombremos e, juntamente, o vejamos" (Is 41.22,23). A estrutura desse princípio é a seguinte: se um deus não conhece o futuro ele é menos que nada (v. 24), mas se conhece, ele é o verdadeiro Deus. Mais tarde, até mais enfaticamente, Deus afirma: "Lembraivos das coisas passadas desde a antiguidade: que eu sou Deus, e não há outro Deus, não há outro semelhante a mim; que anuncio o fim desde o princípio e, desde a antiguidade, as coisas que ainda não sucederam; que digo: o meu conselho será firme, e farei toda a minha vontade" (Is 46.9,10). Daniel aprendeu muito bem sua lição, pois em seus momentos de adoração ele reconheceu que somente o Deus de seus pais poderia revelar as profundas e escondidas coisas do curso futuro da história do mundo (Dn 2.20-23).

O Senhor está ansioso para que seu povo *conheça* que Ele é o Deus vivo. Por mais de 50 vezes em Ezequiel Deus diz que irá prever o futuro ou agir em julgamento para que Israel reconheça que Ele é o Senhor seu Deus (por exemplo, 6.10,14; 7.27; 12.16; 39.28). Portanto, Ele preferiu manifestar a sua onipotência realizando milagres, e a sua onisciência declarando o futuro. Como diz Bernard Ramm, o homem sente mais intensamente a limitação de sua sabedoria quando enfrenta decisões que exigem um conhecimento mais detalhado sobre os acontecimentos futuros que ainda não existem. Portanto, o Deus de Israel é o Deus vivo porque Ele sabe o que irá acontecer. Essa onisciência o torna diferente dos falsos deuses, e o profeta de Israel diferente dos falsos profetas, e a religião de Israel diferente das falsas religiões (*Revelation and the Bible,* p. 262).

Quando os primeiros cristãos começaram a pregar, eles corajosamente declaravam que Deus agia na história através da vinda, do ministério e da morte redentora de Jesus de Nazaré, o Messias, Servo e Filho de Deus, para alcançar o perdão de todos os pecados (At 2.22-23; 3.13-15; 10.34-43; 13.22-30). Eles sempre confirmaram essas notáveis alegações com provas de que eram verdadeiras, e apelavam para dois fatos: haviam testemunhado que Jesus estava vivo depois que Deus o havia milagrosamente ressuscitado dos mortos, e também que os eventos que se tornaram conhecidos em relação à sua vida e morte haviam sido sobrenaturalmente preditos no AT (At 2.25-35; 3.18,22-25; 8.32-35; 13.30-37). Eles consideraram estas provas suficientes para ordenarem que os homens se arrependessem e reconhecessem o Senhor Jesus como Senhor e Messias (Atos 2.36-40; 3.19,20; 4.10-12; 17.30-31). Essas provas produziram tal segurança nos apóstolos e em seus seguidores, que eles arriscaram a própria vida por causa do evangelho.

Será bastante instrutivo se a apologia do cristão observar como cada uma das seguintes pessoas apelou para os profetas do AT para validar a mensagem do evangelho. O próprio Senhor Jesus Cristo, depois de sua ressurreição, passou a maior parte de seu tempo explicando aos discípulos "o que dele se achava em todas as Escrituras", e os censurou por não terem crido em tudo aquilo que os profetas haviam falado (Lc 24.25-27,44-47). Pedro fez referência a Davi como profeta (At 2.30) e citou os Salmos 16 e 110 para provar aos judeus que Jesus, a quem haviam crucificado, era o Messias que havia sido profetizado. Mais tarde, ele corajosamente proclamou Cristo outra vez, discutindo a partir das provas duplas fornecidas por um milagre presente realizado em nome de Jesus (At 3.12-16), que cumpriu a profecia: "Mas Deus assim cumpriu o que já dantes pela boca de todos os seus profetas havia anunciado: que o Cristo havia de padecer" (3.18; cf. seu posterior apelo aos profetas nos vv. 21-25). Observe, também, a afirmação de Pedro em Atos 10.43: "A Este dão testemunho todos os profetas".

Da mesma forma, Paulo usou a profecia na Sinagoga de Antioquia da Pisídia para produzir provas da veracidade de seus ensinos (At 13.27,29,32-37).

Em Tessalônica, durante três sábados, ele discutiu com os judeus a partir das Escrituras "expondo e demonstrando" que o Messias tinha necessariamente que sofrer e ressuscitar dos mortos dizendo: "E este Jesus, que vos anuncio... é o Cristo" (At 17.3). Sua defesa perante Agripa e seu apelo evangélico a essa autoridade estavam amplamente baseados nos profetas (At 26.22,23,27). O eloqüente Apolo pôde refutar de forma poderosa os judeus, em público, porque, conhecendo tão bem as Escrituras do AT, pôde demonstrar através delas que Jesus é o Messias (At 18.28).

**Características Essenciais**

As profecias bíblicas que já se cumpriram podem revelar algumas características distintas que, sem dúvida, são verdadeiras para todas as profecias. Não são meras observações ou educadas pressuposições, ou ainda predições científicas baseadas em leis da natureza. Nem refletem uma situação humanamente controlada através da qual o profeta (ou seus seguidores) é capaz de provocar seu cumprimento. Elas devem ser previsões de um futuro que somente Deus pode prever e fazer acontecer.

Existe também um certo grau de obscuridade em muitas dessas profecias. Ao falar sobre o "sinal" que a sua ressurreição iria representar para a geração daquela época, Jesus não disse claramente que Ele iria morrer, que seu corpo seria sepultado, e que três dias depois Ele ressuscitaria e deixaria o túmulo vazio. Antes, Ele fez uma enigmática referência à experiência de Jonas no ventre do grande peixe, indicando que Ele passaria por uma experiência semelhante no "seio da terra", o que alguns entendem como uma referência ao local onde foi sepultado (Mt 12.40). Quando Cristo predisse a sua ressurreição, em conexão com a sua purificação do Templo, Ele disse: "Derribai este Templo, e em três dias o levantarei" (Jo 2.19). Como ressalta Robert D. Culver, ninguém na terra, exceto o próprio Senhor Jesus, realmente entendeu essas previsões até a sua ressurreição e, então, somente com considerável reflexão seus discípulos lembraram-se do que Ele havia dito, e entenderam e creram (Jo 2.20-22). Somente quando a profecia torna-se história real é que podemos entender, sem sombra de dúvidas, aquilo que o Senhor está falando (cf. Jo 13.7,19). Culver conclui que se essa obscuridade não estivesse inicialmente presente, a profecia poderia na verdade se traduzir em algo não concretizado, através dos esforços daqueles que poderiam desejar opor-se ao plano de Deus, ou o valor de sua evidência poderia ser destruído pelos inábeis esforços de outros amigos demasiadamente interessados que poderiam tentar fazê-la acontecer ("Were the OT Prophecies Really Prophetic? *Can I Trust My Bible?* p. 99).

Por outro lado, as profecias bíblicas não são ambíguas e triviais como os prognósticos do astrólogo francês Nostradamus (1555 d.C), nem respostas aos oráculos pagãos da Grécia e de Roma. Uma resposta poderia estar de acordo com vários acontecimentos, às vezes até mesmo opostos. Quando o rei Creso da Lídia consultou o oráculo de Delfos sobre como deveria proceder contra os persas, a resposta foi "Atravessando Halys, Creso irá destruir um poderoso reino". Mas, ao invés do reino de Ciro, foi seu próprio reino que foi derrotado. Mas a Bíblia contém profecias com admiráveis detalhes. O próprio nome de Ciro foi profetizado mais de um século antes dele alcançar a fama (Is 44.28; 45.1). O 11º capítulo de Daniel é tão repleto de detalhes que obrigou o filósofo neoplatônico Porfírio, do século III d.C., e muitos outros críticos depois dele, a afirmar que essa passagem foi escrita depois que esses eventos haviam ocorrido. Por esta razão, dataram o livro de Daniel como sendo de aprox. 165 a.C., e Isaías 40–66 como se tivesse sido escrito na época de Ciro, ou ainda mais tarde, a fim de obscurecer as evidências de uma profecia já cumprida.

Deve ser enfatizado que não se pode provar que alguma profecia contida na Bíblia Sagrada tenha deixado de se concretizar. Esse fato coloca-se em um audacioso contraste contra os freqüentes erros contidos nos esforços prenunciadores de Jeanne Dixon e de

outros supostos profetas modernos.
Ao lado da importância confirmatória do cumprimento das profecias bíblicas, encontra-se a sua importância espiritual. O objetivo da adivinhação, previsão do futuro e outras práticas do ocultismo é a mera satisfação de uma curiosidade e dos interesses egoístas do homem. A profecia bíblica, ao contrário, sempre contém uma previsão da sabedoria, onisciência e soberania de Deus. Ao revelar o futuro, o Senhor revela algo de si próprio e nos prepara para encontrá-lo através de conselhos e encorajamentos. A profética figura do Messias, por exemplo, ultrapassou o entendimento e até as expectativas da nação escolhida por Deus. Mas as mesmas profecias que o retrataram tão bem, ajudaram a preparar o coração de muitas dessas pessoas para recebê-lo. E quando observamos o cumprimento de uma palavra profética, isso fortalece a nossa fé (Jo 13.19; 14.29; 16.4).

### As Profecias Referentes a Cristo no AT

Já foi feita uma estimativa de que várias centenas de profecias relacionadas a Cristo já se cumpriram em seu primeiro advento. Arthur T. Pierson (1837-1911) afirmou que há 332 referências a Cristo no AT que foram expressamente citadas no NT como profecias cumpridas durante a sua vida e ministério, ou como previsões de seu caráter (*Many Infallible Proofs,* II, 13). De acordo com a lei das probabilidades matemáticas, haveria uma chance em 84, seguida por 98 zeros, de que cada uma dessas profecias se cumprisse em um único indivíduo; este cálculo pressupõe que cada uma destas profecias teria ao menos uma chance de se cumprir; porém, se fossem meras expressões da mente humana, a maioria delas seria altamente improvável. Desnecessário dizer que tal "chance" seria tão remota que somente um Deus onisciente e onipotente poderia predizer seguramente tantos acontecimentos e detalhes, e fazê-los acontecer.
Algumas das profecias mais importantes, cumpridas em Jesus Cristo, foram relacionadas abaixo:
Gênesis 3.15 – a semente de uma mulher [de um homem em nascimentos normais] e a derrota de Satanás.
Gênesis 12.1-3,7 – a semente de Abraão, através de quem todas as famílias da terra serão abençoadas; cf. Gálatas 3.16; Atos 3.25.
Gênesis 49.9,10 – Siló, que veio da tribo de Judá, pouco antes de ter sido retirada toda a autoridade de Judá para governar; cf. Apocalipse 5.5.
2 Samuel 7.16 – o descendente de Davi, que iria reinar eternamente sobre a casa de Jacó; cf. Lucas 1.31-33.
Salmo 16.10 – o santo Filho de Deus cujo corpo não se corrompeu no túmulo; cf. Atos 2.27-32; 13.35-37.
Salmo 22.1,6-8,11-18 – o brado ao sentir-se desamparado por Deus, o retrato do escarnecido e a crucificação sofrida por alguém maior que Davi; cf. Mateus 27.46,39,43,35.
Isaías 7.14 e 9.6,7 – as palavras de abertura e encerramento de um simples oráculo predizendo que uma virgem geraria um filho cujo caráter seria divino; cf. Mateus 1.18-25; Lucas 1.30-35.
Isaías 42.1-7; 49.1-7 – os dois primeiros Cânticos dos Servos sobre o homem obediente que foi formado no ventre com o propósito de servir ao Senhor, e que não incitaria a violência ou a revolução política, mas iria estabelecer uma nova aliança de salvação, tanto para os judeus como para os gentios; cf. Mateus 12.18-21.
Isaías 50.4-9 – o terceiro Cântico do Servo sobre Aquele que deu suas costas aos que o feriam; cf. Mateus 26.67; 27.26,30; Jo 19.1.
Isaías 52.13–53.12 – o quarto e último Cântico do Servo, a mais admirável profecia de todos os tempos. Cada afirmação desses 15 versos é uma profecia direta a respeito do Senhor Jesus Cristo. Retratando em detalhes o humilde contexto, a obra expiatória substitutiva de nosso Salvador, sua morte, sepultamento, e ressurreição (53.10), essa passagem deve ser profundamente estudada para que se comece a descobrir toda a sua importância apologética, além de seu valor teológico. O NT em grego da *American Bible Society* (ed. por Aland, Black, Metzger e Wikgren) relaciona 41 citações de autores do NT sobre trechos dessa passagem. Procurando destruir a força dessa profecia, os descrentes afirmaram que os autores do NT inventaram deliberadamente uma carreira literária para Jesus a fim de corresponder à profecia, e tentaram alegar que a sua vida real e a sua morte foram completamente diferentes.
Isaías 61.1-3 – a unção do Messias e seu ministério de libertação; cf. Lucas 4.17-21.
Daniel 9.25,26a - a única previsão da uma verdadeira data para o advento do Messias. 69 semanas (de anos, isto é, 483 anos) a partir do decreto para a reconstrução dos muros de Jerusalém no reinado de Artaxerxes (Ed 7.11-13,18,25; cf. os resultados, Ed 4.12; 9.9; ou Ne 2.1-8; 3.1), até a chegada do Messias em Jerusalém como Príncipe (cf. Jo 12.12-15).
Joel 2.28,29 – o derramamento do Espírito Santo que começou no Pentecostes e que o Cristo ressuscitado prometeu enviar depois de sua ascensão; cf. Atos 1.4,5; 2.
Miquéias 5.2 – a previsão do lugar exato do nascimento do Messias, extremamente improvável de se cumprir, considerando que sua mãe vivia mais de cento e cinqüenta quilômetros ao norte de Nazaré; cf. Mateus 2.4-6; Lucas 2.1-7.
Zacarias 9.9 – a entrada triunfal do humil-

de Rei de Jerusalém; cf. Mateus 21.4-10.
Zacarias 12.10 – a crucificação do Filho de Deus; cf. Jo 19.37.
Zacarias 13.7 – a agressão ao Pastor e a dispersão de suas ovelhas ou discípulos; cf. Mateus 26.31; Marcos 14.27.
Malaquias 3.1 – a obra preparatória de João Batista e a vinda do senhor ao seu Templo; cf. Mateus 11.3,10.

### Profecias Referentes s Nações da Antiguidade

Entre as profecias bíblicas existem dezenas relacionadas ao futuro das cidades, nações, reis e dinastias. Algumas das mais interessantes foram relacionadas aqui:
1. A queda da Babilônia (Is 13. Jr 51.36-58).
2. A completa destruição de Nínive (Na; Sf 2.13-15).
3. O declínio do Egito, a perda de sua indústria pesqueira, o pavor da terra de Judá (Is 19.1-17) e a sua desolação causada pela Babilônia, Pérsia e Roma (Ez 29.30).
4. A destruição, em 572 a.C., da, principal cidade de Tiro por Nabucodonosor, depois de um cerco que durou 13 anos (Ez 26.1-11; 29.17-20), e a captura final de sua ilha-fortaleza em 332 a.C. por Alexandre o Grande, depois que ele usou o entulho do continente para construir uma passarela através do canal (Ez 26.12-21).
5. A progressão dos quatro principais impérios no Oriente Próximo, de Babilônia até Roma, com a referência nominal aos primeiros três (Dn 2.36-45; 7.3-7; 8.1-8; 19-22; 10.20).
6. A invasão da Fenícia e da Filístia por Alexandre (Zc 9.1-8; Jos *Ant.* xi.8.3-5).

### Profecias Relativas ao Povo Judeu

Os judeus representam o caso mais notável do cumprimento de profecias relacionadas com uma nação. Algumas, dentre o grande número delas, foram relacionadas abaixo:
1. Seu cativeiro e dispersão em muitas terras estrangeiras e seu eventual retorno (Dt 28.36-68; Lv 26.33-45).
2. Os 70 anos de cativeiro de Judá na Babilônia (Jr 25.11,12; 29.10; cf. Dn 9.1,2) desde a primeira deportação dos prisioneiros por Nabucodonosor em 605 a.C., até o retorno dos primeiros exilados liderados por Zorobabel em aprox. 536 a.C.
3. A sobrevivência dos judeus como povo distinto depois da derrota total de sua nação, em contraste com outros grandes povos da Antiguidade (Jr 31.35-37; 33.24-26).
4. A destruição de Jerusalém, no ano 70 d.C., e do segundo Templo (de Herodes) como havia sido previsto pelo Senhor Jesus (Mt 24.1,2).
5. O reagrupamento dos judeus na Palestina e o restabelecimento de um estado politicamente independente em 142 d.C. (1 Mac 13.36-42) e também no ano 1948 d.C, o único povo que conseguiu realizar um retorno nacional não uma, mas duas vezes (Is 11.11-16; Jr 16.14-16; Ez 36.8-13,24; 37.11-14,21,22a).
6. O deserto do Neguebe, viçoso como uma flor, e sua recolonização (Is 35.1,2; 51.3; 61.4; Jr 32.43,44; 33.13).
7. A reconstrução das modernas cidades de Israel em Asquelom e Asdode, depois do lapso de muitos séculos (Sf 2.4-7), em contraste com a esparsa população das áreas de Corazim, Betsaida e Cafarnaum, de acordo com a maldição ou "calamidade" proferida pelo Senhor Jesus Cristo (Mt 11.20-24).

Mesmo empregando as medidas mais modernas, seria impossível atribuir uma data tão tardia a muitas dessas passagens do AT, de modo que elas pudessem ser consideradas meros relatos históricos, e não verdadeiras previsões. Tendo nos assegurado de que essas (e muitas outras profecias não relacionadas aqui) são genuínas, adquirimos a confiança de que outras profecias, ainda futuras, cumprir-se-ão com a mesma exatidão. Seria tolice deixar de prestar atenção às advertências proféticas da Palavra de Deus, pois a Bíblia dá suporte à sua própria evidência de que é a Palavra do Deus onisciente, aquele que declara, desde o início, qual será o final dos acontecimentos, e que sempre fará acontecer aquilo que Ele tem planejado (Is 46.10,11).

*Veja* Profecia; Profeta.

***Bibliografia.*** Robert D. Culver, "Were the Old Testament Prophecies Really Prophetic?" *Can I Trust My Bible?* Chicago. Moody, 1963. George T. B. Davis, *Bible Prophecies Fulfilled Today,* Filadélfia. Million Testaments Campaigns, 1955. Floyd E Hamilton, *The Basis of Christian Faith,* 3ª ed. rev., Nova York; Harper, 1946, pp. 296-317. Alexander Keith, *The Evidence of the Truth of the Christian Religion Derived From the Fulfillment of Prophecy,* Londres, 1832. René Pache, *The Inspiration and Authority of Scripture,* Chicago. Moody, 1969, pp. 282-285. Arthur T. Pierson, *Many Infallible Proofs,* 2 vols., Grand Rapids. Zondervan, reimpresso, s.d. Bernard Ramm, *Protestant Christian Evidences,* Chicago. Moody, 1953, pp. 81-124; "The Evidence of Prophecy and Miracle, *"Revelation and the Bible"*, Carl F. H. Henry, ed., Grand Rapids. Baker, 1958, pp. 253-263. Wilbur M Smith, *The Supernaturalness of Christ,* Boston. Wilde, 1940, pp. 73-80, 190ss.; *Egypt in Biblical Prophecy,* Boston. Wilde, 1957. Hawley O Taylor, "Mathematics and Prophecy", *Modern Science and Christian Faith,* Wheaton. Van Kampen, 1948, pp. 175-183. John Urquhart, *Wonders of Prophecy,* ed. rev. Londres. Pickering & Inglis, 1939. John F. Walvoord, *The Nations in Prophecy,* Grand Rapids. Zondervan, 1967.

J. R.

**PROFETA** Esta palavra é derivada do termo grego *prophetes,* "aquele que fala sobre aquilo que está porvir [ou adiante]", um proclamador ou intérprete da revelação divina (Arndt, p. 730). Ela geralmente refere-se àquele que age como porta-voz. Às vezes, também é sinônimo de "vidente" ou "pessoa inspirada", e traz a conotação de um prenunciador ou revelador de eventos futuros. O uso prático determina o sentido em que a palavra deve ser entendida.

*Terminologia.* No AT hebraico são encontradas diversas palavras cujo significado preciso deve ser determinado mais pelo uso do que pela etimologia. Entre elas, aquela que ocorre mais freqüentemente é *nabi'*. Várias tentativas foram feitas pelos estudiosos para descobrir o significado etimológico dessa palavra (cf. *My Servants the Prophets*, pp. 56-57), porém os resultados não foram satisfatórios. Entretanto, sua utilização comum mostra a força que possui. Dessa forma, em Deuteronômio 18.18*b*, Deus afirma que o profeta (*nabi'*) declarará tudo que Ele lhe ordenar. Novamente, em Êxodo 7.1, essa palavra tem o mesmo significado. Outras passagens são Êxodo 4.15,16; Jeremias 1.17*a*; 15.19 etc. Em todas elas, e na verdade através de todo o AT, a palavra *nabi'* aparece como aquele que declara uma mensagem em nome de um superior.

No AT, não há nenhuma ênfase na maneira pela qual a divina revelação é recebida, mas sim sobre a proclamação da mensagem. A esse respeito, a religião divinamente revelada do AT é considerada como sendo de natureza bastante prática. Em muitas culturas pagãs, por outro lado, o que é proeminente é a maneira pela qual o vidente recebeu a mensagem. Parece que não é a proclamação propriamente dita, mas o obscuro cenário de mistério que recebe a maior ênfase. Nesse ponto, o AT mostra um contraste muito grande com o mundo pagão. Não há dúvida de que a mensagem profética não é de origem humana, mas divina (2 Pe 1.20,21), e por essa razão o profeta do AT era diferente do adivinhador pagão ou vaticinador da Antiguidade. Enquanto o adivinhador poderia ter recebido sua "mensagem" ou presságios através de métodos de invenção humana, as palavras do profeta originam-se de sonhos e visões enviadas por Deus. Miquéias afirmava que estava cheio de poder – do Espírito do Senhor – para tornar conhecidos à nação de Israel os pecados que haviam praticado (Mq 3.8).

Duas outras palavras, *ro'eh* e *hozeh*, ambas particípios, dizem respeito àquele que vê, e são praticamente usadas como sinônimos. Em ambas, a força recai sobre o método de receber a revelação, isto é, de ver. *Ro'eh* e *hozeh* eram homens que recebiam a mensagem que Deus lhes havia enviado. É difícil dizer se essa visão acontecia através dos olhos físicos, ou de uma visão, ou se a palavra poderia estar referindo-se a uma visão metafórica como um discernimento sobrenatural. É possível que o vidente fosse simplesmente um homem que com seu "olho interior" enxergava a verdade que Deus lhe enviava. Ao mesmo tempo, está claro a partir de uma comparação entre as principais passagens nas quais essa palavra ocorre (por exemplo, 1 Sm 9.9; Is 30.9,10) que *ro'eh* e *hozeh* eram porta-vozes de Deus. Sua função era a mesma do *nabi'*. Resumindo, podemos dizer que o profeta do AT, por qualquer nome que porventura lhe fosse designado, era aquele em cuja boca Deus havia colocado suas Palavras, e que transmitia essas preciosas Palavras ao povo.

*O profeta e Moisés.* Para um melhor entendimento da origem divina da instituição profética, a passagem chave está em Deuteronômio 18.9-22. Em contrapartida à contínua atividade dos adivinhadores e vaticinadores cananeus, Deus prometeu enviar a Israel seus profetas. Portanto, Israel não seria compelida a lançar mão de meios humanos para obter informações sobre a vida e a morte. Antes, a nação deveria dar ouvidos aos profetas que iriam declarar as verdadeiras Palavras de Deus. Dessa forma, assim como Moisés, ele seria um mediador entre Deus e a nação. Da mesma forma como o sacerdote representava o povo perante Deus, também o profeta representava Deus perante o povo. Entretanto, nenhum dos profetas foi uma cópia exata de Moisés. Somente com a vinda de Cristo eles realmente conheceram aquele grande Profeta que fora verdadeiramente representado por Moisés, aquele que conhecia a Deus Pai face a face (Dt 34.10; cf. Nm 12.8).

Em Hebreus 3.1-6, existe um grande contraste entre Moisés e Cristo. *Na* casa de Deus, isto é, na divina organização ou dispensação, Moisés era fiel como servo, mas Cristo está *acima* da casa como Filho. A era do AT, ou a Era Mosaica, ficou aqui estabelecida como testemunha do período do NT. Nesse sentido, todo o desígnio mosaico pode ser considerado como típico e preparatório de uma nova época. E nesse desígnio de aspecto e preparação, Moisés foi a maior figura, o único que era realmente parecido com Cristo.

Alguém poderia perguntar por que havia necessidade de que outros profetas seguissem Moisés, o legislador. Quando os israelitas entraram na terra prometida, eles descobriram que havia muitas situações onde a lei de Moisés não entrava em detalhes. Para atender às necessidades provocadas por essa situação, era preciso que fossem feitas outras revelações, muitas vezes de natureza mais específica e detalhada. Essas informações constituíam o assunto principal das profecias. As mensagens dos verdadeiros profetas estavam sempre de acordo com a lei de Moisés; eles não a

contradiziam nem a anulavam.
Moisés, entretanto, foi colocado acima de todos os profetas, não como o primeiro entre iguais, mas como o servo fiel sob cujo exemplo os outros profetas deveriam trabalhar. A posição que ele ocupava na organização era singular, e não era compartilhada por nenhum outro profeta. Por um lado, essa singularidade aparece na maneira como Deus falava aos profetas. Com Moisés Ele falava claramente, frente a frente, e não através de frases enigmáticas ou obscuras, e permitia que Moisés visse a sua forma. Por outro lado, Deus falava aos outros profetas por meio de sonhos e visões, e as Escrituras sugerem que Ele também pode ter falado através de enigmas (Nm 12.1-6). A eles Deus transmitia revelações de uma forma menos clara e distinta daquela que Ele usava para falar com Moisés. É por essa razão, portanto, que podemos encontrar em muitos pronunciamentos proféticos uma certa medida de obscuridade e até mesmo de ambigüidade. A linguagem profética não pode ser interpretada como se fosse uma prosa normal. Na interpretação das profecias devemos sempre considerar a natureza dessa linguagem, assim como o fato de que grande parte daquilo que os profetas expressam visa a tipificação de fatos e situações.
Portanto, os profetas eram homens a quem Deus criou para declarar a sua vontade à nação. Eles estavam de acordo com a época à qual pertenciam, e indicavam a vinda daquele que iria personificar, no sentido mais pleno e mais completo, os ideais da instituição profética. Finalmente, quando Ele chegasse, não haveria mais a necessidade de profecias, pois nessa ocasião a dispensação da preparação daria lugar à dispensação do cumprimento das profecias (cf. 1 Co 13.8-12). Em um sentido mais profundo, portanto, como a própria profecia era uma preparação para a vinda de Cristo, da mesma forma o profeta era, individualmente, e na inteireza de seu ministério, uma testemunha e também uma tipificação de Cristo, o Profeta por excelência.
*Escolas de profetas.* Durante o período de Samuel foram feitas referências a grupos de profetas. Sabemos pouco sobre esses grupos, embora eles tenham sido objeto de muita especulação. Entretanto, parece que ajudaram Samuel a ministrar às necessidades espirituais da nação.
A obra da teocracia revelou-se demasiadamente grande para Moisés, e por esta razão foram escolhidos 70 anciãos para ajudá-lo nessa árdua tarefa. No período de Samuel, essa obra revelou-se novamente muito grande para um único indivíduo. Esse período foi particularmente crucial, pois a época dos juízes estava chegando ao fim e a monarquia estava apenas começando. Havia a necessidade da presença do Espírito, não apenas em Samuel, mas também naqueles de menor estatura.
Não sabemos praticamente nada sobre a organização desses grupos. Eles foram descritos como um "grupo" ou "rancho" (*hebel*); eles dedicavam-se a profetizar e a louvar a Deus ao som de músicas (1 Sm 10.5,10). É provável que o grupo tenha sido organizado por Samuel, porém as Escrituras não afirmam esse fato explicitamente.
Depois da divisão da monarquia, aparece novamente um corpo de profetas, dessa vez chamado de "filhos dos profetas" (*q.v.*). Eles eram encontrados somente no Reino do Norte, em conexão com o ministério de Elias e Eliseu. Nessa época, além de ter sido dividida, a nação enfrentava um perigo adicional pela influência do culto ao deus Baal dos fenícios. Dessa forma, os profetas colocaram-se em uma associação mais íntima com Elias e Eliseu do que no caso do grupo de profetas em relação a Samuel. Por essa razão, eles foram chamados de "filhos", isto é, filhos espirituais de mestres proféticos. Eles podem ter se casado (cf. 2 Rs 4.1) e tido um lugar comum para morar (cf. 2 Rs 6.1,2). Com o término da obra de Elias e Eliseu, eles desaparecem de cena, exceto por uma obscura referência, feita por Amós, de que ele não era filho de um profeta (Am 7.14).
*O profeta e a teocracia.* A afirmação de que existia uma grande separação entre o sacerdote e o profeta, era praticamente um axioma da escola superior de crítica de Wellhausen. O sacerdote era o representante formal e oficial da religião, enquanto podemos entender que o profeta havia sido chamado para um tipo mais espiritual de religião. Estabeleceu-se uma reação contra essa falsa disjunção, e atualmente os estudiosos afirmam que a ênfase ao sacerdote e ao profeta não era necessariamente antagônica. Na verdade, existiam alguns (por exemplo, A. R. Johnson) que até mencionavam profetas ligados a seitas, afirmando que o profeta era, muitas vezes, um empregado da seita de que fazia parte.
Do ponto de vista bíblico-teológico, podemos dizer que o profeta era um guardião da teocracia. De acordo com o costume da época, ele realmente tinha acesso à presença dos reis. Quando os reis teocráticos precisavam de algum encorajamento ou censura, o profeta estava sempre presente para oferecer a sua ajuda (por exemplo, Is 7.3ss.; 37.5-7; 21.35). Era seu dever mostrar o curso de ação que Deus desejava que a nação adotasse. Portanto, os profetas não eram simples figuras políticas, mas pronunciavam-se sobre questões políticas porque elas poderiam influir no futuro curso da teocracia.
*Profetas falsos e verdadeiros.* Era de se esperar que a verdadeira profecia sofresse a oposição dos imitadores (Dt 13.1-5). Alguns homens falavam em nome de outros deuses,

mas alguns falavam falsamente em nome de Jeová. Um exemplo notável desses últimos foi Hananias, que falsamente profetizou a respeito do exílio (Jr 28).

Para distinguir o verdadeiro profeta do falso, que declarava falar em nome de Deus, havia o teste do cumprimento da profecia: seu *cumprimento* versus seu *não-cumprimento* (Dt 18.20-22; cf. Jr 28). No caso daqueles profetas que prenunciavam eventos em um futuro tão distante que não poderiam ser avaliados pelo teste do cumprimento, eles eram julgados pela sua doutrina, além de quaisquer eventos que pudessem ocorrer durante sua vida (cf. Jr 25.12; Dn 19.37).

Às vezes, os falsos profetas eram apenas homens enganados (Lm 2.14; Ez 13.2-7), mas, em sua maioria, eram homens embriagados cuja principal preocupação era o dinheiro e os ganhos que poderiam auferir (por exemplo, Is 28.7; Mq 3.5-11).

*O profeta e o Messias*. O movimento profético como um todo deve ser entendido como uma preparação para a vinda do Messias. Se o pecado de Adão e Eva não tivesse acontecido, não haveria necessidade de um Messias ou dos profetas. De acordo com os profetas, o Messias era aquele que iria realizar um papel triplo. Ele seria sacerdote, profeta, e rei. Existem certos elementos essenciais no quadro messiânico que são apresentados pelos profetas.

1. A vinda do Messias é sobrenatural. O Messias não é apenas uma figura humana cujo aparecimento na cena da história foi acidental. Ele é, verdadeiramente, uma figura humana, porém sua vinda é a chegada do próprio Deus (por exemplo, "Emanuel", Is 7.14; Mq 5.2; Zc 6.12).
2. O próprio Messias é uma pessoa divina. Passagens como Isaías 9.6,7 mostram que Ele é realmente Deus.
3. A vinda do Messias é escatológica. Ela prenuncia o fim dos tempos (Ml 3.14; Ag 2.6-9).
4. O Messias é um Rei que irá governar em perfeita virtude e justiça (Jr 23.5; Is 11.1-5; Zc 6.13).
5. O Messias é um profeta que declara a Palavra de Deus com claridade e plenitude até então incomparáveis (Dt 18.9-22).
6. A obra messiânica é sotérica (Is 53.5,6,10-12; Zc 12.10; 13.1). A essência da tarefa do Messias é salvar seu povo dos pecados que praticaram. O Messias é o Salvador.

Se alguém comparar o conteúdo desse quadro do Messias com o da consciência messiânica de nosso Senhor, ficará admirado pela impressionante semelhança. Os elementos aqui mencionados são essenciais à figura completa do Messias contida no AT. Se eliminarmos qualquer um deles, o quadro será prejudicado. Desnecessário dizer que nem todos esses elementos podem ser encontrados em cada uma das profecias messiânicas; antes, em uma determinada profecia alguns deles podem ter recebido maior ênfase do que outros. Por exemplo, em Isaías 53 o elemento sotérico é o mais importante, enquanto o elemento real está mais ou menos obscuro. Somente quando se analisa o aspecto geral do quadro apresentado no AT é que poderemos ver esses seis elementos como as seis partes necessárias e essenciais à construção da plenitude do quadro messiânico.

De acordo com a natureza do caso, deve ficar bem claro que o AT não apresenta esses elementos seguindo uma ordem sistemática. Ao contrário, na revelação relativa ao Messias existe uma notável progressão de desdobramentos. Embora a própria palavra "Messias" apareça de forma pouco constante, o quadro da salvação conquistada pelo Senhor através de um agente humano aparece freqüentemente. E a profecia onde ocorre algum dos elementos essenciais mencionados acima, é evidentemente e genuinamente messiânica.

A primeira profecia messiânica foi pronunciada pelo próprio Deus e dirigida à serpente. Ela falava sobre a Semente da mulher que iria ferir a cabeça da serpente (Gn 3.15). Deus menciona nesse verso um ser humano descendente de Eva que desferiria um golpe mortal contra a serpente.

Assim como esse golpe representa o clímax da inimizade entre a mulher e a serpente, uma inimizade que também se estende às suas respectivas sementes trará um golpe que derrotará o inimigo da humanidade e libertará o homem de seu poder. Nesse ponto, o elemento sotérico é repercutido com mais clareza.

À medida que o tempo passava, Deus revelava aos seus servos e profetas mais e mais informações a respeito do Messias. No âmago da revelação, sempre residia a maravilhosa obra da salvação que o Messias iria realizar. O ápice da profecia messiânica foi alcançado em Isaías 53, que ensina claramente que a morte substitutiva do Messias iria trazer a salvação à humanidade. Na qualidade de "O Servo do Senhor", o Messias consumou sua maravilhosa obra. *Veja* Messias.

*Avaliação*. A fim de avaliar adequadamente o movimento profético do AT, existem três considerações fundamentais que devem ser levadas em conta.

1. A convicção psicológica, por parte dos profetas, de que Deus havia falado com eles. Ao proclamar suas mensagens, os profetas estavam convencidos de que Jeová, o Deus de Israel, que acreditavam ser o Deus do céu e da terra, havia falado com eles. Eles não apresentavam a mensagem em seu nome, ou em nome de um corpo de profetas, mas no nome do Senhor. Além disso, estavam convencidos de que as próprias palavras que declaravam haviam sido proferidas por Deus ou eram originárias dele. Está claro que não se consideravam como homens que inventa-

vam ou ampliavam uma mensagem que Deus lhes havia dado, mas como mensageiros das palavras do próprio Deus.

2. A continuidade do movimento profético. Durante um período de mais de 1.000 anos o ministério da profecia manteve-se praticamente contínuo em Israel. Embora vivendo com uma diferença de centenas de anos, os profetas sempre afirmavam que Deus havia falado com eles. Todos reconheciam o mesmo Deus, Jeová, e acreditavam que Ele havia sido o autor das mensagens que eles, por sua vez, transmitiam. Esse é um fenômeno sem paralelos na história mundial.

3. O conteúdo das profecias. Embora se encontrassem bastante dispersos na história de Israel, os profetas não transmitiam mensagens heterogêneas, desencontradas ou conflitantes. Unir seus ministérios na proclamação da futura vinda do Messias era um propósito teológico destes servos de Deus. Os profetas eram homens que pertenciam à organização do AT, à época dessa categoria, e dessa forma falavam sobre uma futura redenção. Embora muitas vezes suas mensagens estivessem relacionadas a assuntos locais, no âmago de seu ministério estava presente uma mensagem que apontava para o futuro. Portanto, em um sentido bastante real, os profetas realmente transmitiam palavras que expressavam eventos ainda por vir – genuínas profecias. Eles falavam sobre Aquele que viria para salvar seu povo dos pecados.

E é sob essa luz que a profecia deve ser entendida. Se dependessem de seu próprio conhecimento, os profetas não poderiam ter previsto o futuro; mas Deus lhes revelou seus propósitos, e assim eles falavam da futura salvação (1 Pe 1.10-12).

A profecia é um dom que Deus nos concede, não com a finalidade de prevermos o futuro, mas de nos levar a Cristo (Ap 19.10*b*). As profecias estão repletas de benefícios espirituais como a edificação, a consolação e o conforto; elas apresentam a vontade de Deus em muitas questões práticas que nos atormentam e nos deixam perplexos (1 Co 14.3). Mas acima de tudo, elas fixam os nossos olhos sobre Aquele que assumiu as funções salvadoras de sacerdote, profeta, e rei.

[*Os profetas na Igreja.* Os profetas continuaram a desempenhar um papel importante na Igreja do NT. Paulo escreve que a Igreja, a casa de Deus, foi edificada "sobre os fundamentos dos apóstolos e dos profetas" (Ef 2.20), e que o mistério da igual posição dos gentios no Corpo de Cristo foi "revelado pelo Espírito aos seus santos apóstolos e profetas" (Ef 3.5).

[Havia homens conhecidos como "profetas" especialmente escolhidos para o constante e regular ministério da profecia (Ef 4.11). Depois dos próprios apóstolos, eles eram os ministros que ocupavam a mais elevada posição na Igreja primitiva (1 Co 12.28).

[Tais profetas permaneceram em evidência ao longo do livro de Atos. Seu ministério era geralmente duplo: o de pronunciar (proclamar), e o de prever (prenunciar). Observe como Ágabo, em duas ocasiões diferentes, previu acontecimentos futuros para que os cristãos se preparassem para uma emergência que se aproximava (At 11.27-30; 21.10-14). Eles forneciam direção espiritual à Igreja de Antioquia porque, evidentemente, através de um deles o Espírito Santo dava ordens relativas ao futuro trabalho evangelístico de Barnabé e Saulo (At 13.1-4). O trabalho de dois outros profetas era exortar (ou "consolar") e fortalecer os irmãos (At 15.32), e era semelhante às funções da profecia relacionadas em 1 Coríntios 14.3, isto é, edificação, exortação e consolação.

[Em uma reunião da Igreja, um profeta poderia receber uma revelação que seria compartilhada com os crentes reunidos (1 Co 14.30). Como diz J. A. Motyer, "Esse fato poderia assumir a forma de um pronunciamento espontâneo que está associado à atividade do Espírito de Deus (cf. 1 Ts 5.19)... é uma percepção da verdade de Deus transmitida de modo inteligível à assembléia" (NBD, p. 1045).

[Paulo ensinou que o profeta deve pronunciar Suas mensagens de maneira ordenada, e que "Os espíritos dos profetas estão sujeitos aos profetas. Porque Deus não é Deus de confusão, senão de paz" (1 Co 14.32,33). Em primeiro lugar, a mensagem de um profeta deve ser julgada pelos outros profetas presentes (14.29), e depois pelos demais crentes. Este julgamento é feito comparando a mensagem do profeta com os ensinos dos apóstolos, que são os depositários absolutos da Palavra de Deus (14.36-38). Portanto, não parece que os profetas do NT estivessem longe ou mesmo separados das fontes doutrinárias dos apóstolos, que tratavam da recém-manifestada verdade doutrinária da Igreja. Marcos, Lucas e Judas, por exemplo, podem ter sido profetas que escreveram seus livros sob a orientação de um ou mais apóstolos, assim como sob a direta inspiração do Espírito Santo. *Veja* Cânon das Escrituras – NT – J.R.]

*Veja* Profecia; Profecia, Cumprimento da; Artigos sobre cada um dos profetas.

***Bibliografia.*** R. D. Brigg, "More Babylonian 'Prophecies'", *Iraq*, XXIX (1967), 117-132. John Bright, *Jeremiah*, Anchor Bible, Garden City; Doubleday, 1965, pp. xv-xxvi. Alfred Edersheim, *Prophecy and History in Relation to the Messiah*, Nova York; Randolph, 1885. H. L. Ellison, *Men Spake from God*, Grand Rapids; Eerdmans, 1958; *The Prophets of* Israel, Grand Rapids. Eerdmans, 1969. Patrick Fairbairn, *The Interpretation of Prophecy*, Nova York. Carlton & Porter, 1866 (Banner of Truth, 1965, reimpressão). Hobart E Freeman, *An Introduction to the Old Testament Prophets*, Chicago. Moody, 1968. E W. Hengstenberg, *Christology of the Old Testa-*

*ment*, 4 vols., Grand Rapids. Kregel, 1956 (reimpressão). Abraham J. Heschel, *The Prophets,* Nova York. Harper & Row, 1962. H. B. Huffman, "*Prophecy in the Mari Letters*", BA, XXXI (1968), 101-124. A. R. Johnson, *The Cultic Prophets in Ancient Israel,* Cardiff. Univ. of Wales, 1944. H. Kramer, *et al.*, "*Prophetes* etc.", TDNT, VI, 781-861. J. Lindblom, *Prophecy in Ancient Israel,* Filadélfia. Fortress, 1963. E. H. Merrill, "Name Terms of the Old Testament Prophet of God", JETS, XIV (1971), 239-248. J. A. Motyer, "Prophecy, Prophets", NBD, pp. 1036-1046. B. D. Napier, "Prophet, Prophetism", IDB, III, 896-919. H. M. Orlinsky, ed., *Interpreting the Prophetic Tradition,* Nova York. Ktav, 1969. Samuel J. Schultz, *The Prophets Speak,* Nova York. Harper & Row, 1968, Edward J. Young, *My Servants the Prophets*, Grand Rapids. Eerdmans, 1952.

E. J. Y.

**PROFUNDO** A raiz comum hebraica que significa "profundo" ou "baixo" é *'amaq.* Outra palavra hebraica, *tehom,* refere-se às profundezas do oceano. Embora alguns estudiosos tenham procurado derivar essa palavra do acádio, *ti'amat*, a deusa da água salgada no épico babilônico sobre a criação (ANET, pp. 61-68), esse empréstimo não pode ser mantido com sucesso, como Alexander Heidel mostrou em sua obra (*The Babylonian Genesis*, pp. 98-101).

A palavra *tehom* é usada: (1) em relação à primeira massa de água da criação (Gn 1.2; Salmos 104.6; Pv 8.27), (2) ao mar (Êx 15.8; Is 51.10 etc.), (3) ao reservatório subterrâneo de água (Gn 7.11; Dt 33.13), (4) no sentido figurado de profundo: "os teus juízos são um grande abismo" (Salmos 36.6; cf. 92.5); cf. "as profundezas de Deus" (1 Co 2.10).

No NT grego, *abyssos,* ou "insondável", refere-se, literalmente, às profundezas do mar da Galiléia (Lc 8.31) e figurativamente ao sub mundo ou habitação dos mortos (Rm 10.7) e dos demônios (Ap 9.1,11). Quando empregada para água, *bathos* refere-se ao mar alto (Lc 5.4), e a palavra *buthos* é usada apenas para as profundezas do oceano (2 Co 11.25). *Veja* Abismo: Inferno.

R. L. D.

**PROMESSA** Embora se refira ocasionalmente à palavra do homem, o uso característico da palavra "promessa" nas Escrituras relaciona-se com o que Deus declara que fará acontecer. Embora possamos inferir as promessas feitas entre o Pai e o Filho antes da criação, a primeira grande promessa de Deus aos homens está em Gênesis 3.15 e inaugura uma sucessão que, em uma crescente clareza de detalhes desde seu anúncio, fala sobre a vinda do Messias-Salvador. Uma grande variedade de promessas está mais ou menos ligada, de uma forma direta, a essa grande promessa central, inclusive a nova aliança (Jr 31.31-34), o derramamento do Espírito (Jl 2.28ss.), a restauração de Israel (Dt 30.1-5) e, finalmente, o novo céu e a nova terra (Is 65.17; 66.22).

Paulo demonstra que a "promessa de Deus" tem a qualidade de uma aliança, porque cada palavra de Deus é segura e certa, livre do legalismo e da dependência do esforço do homem (por exemplo, Rm 4.13-16; Gl 3.16-18; cf. Hb 11.40).

O termo técnico *epangelia,* portanto, designa o bondoso compromisso de Deus, expresso especialmente a Abraão, de realizar de forma completa sua obra de redenção através do Messias, em quem "todas quantas promessas há de Deus são nele sim; e por ele o Amém" (2 Co 1.20).

***Bibliografia.*** Otto Michel, "*Homologeo* etc.", TDNT, V. 199-220. Paul S. Minear, "Promise", IDB, III, 893-896. J. Schniewind e J. Friedrich, "*Epaggelo* etc.", TDNT, II, 576-586. Wilbur M Smith, "Promise", BDT, pp. 422ss.

M. A. K.

**PROMESSA A ABRAÃO** As promessas feitas a Abraão, personificadas no pacto de Abraão, aparecem primeiramente em Gênesis 12.1-3, seguidas por três importantes confirmações e aplicações (Gn 13.14-17; 15.1-7; 17.1-19). As promessas a Abraão, a princípio, diziam respeito somente a ele (*q.v.*). A ele foi prometida uma grande bênção pessoal, seu nome seria grande e ele mesmo seria uma fonte de bênçãos para os demais.

Em segundo lugar, as promessas de Abraão estavam relacionadas com seus descendentes. Ele seria o pai de uma grande nação (Gn 12.2) com uma numerosa posteridade, que poderia ser comparada ao pó da terra e às estrelas do céu (Gn 13.16; 15.5). Sua descendência incluiria pessoas famosas, inclusive reis, e mais do que apenas uma grande nação (Gn 17.6). É bastante significativo lembrar que todas essas promessas já foram literalmente cumpridas.

Em terceiro lugar, a promessa do título da terra à qual Deus havia dirigido Abraão, foi assegurada à sua posteridade como posse "perpétua" (Gn 17.7,8). Os extensos limites de suas propriedades são fornecidos com minuciosos detalhes (Gn 15.18-21) e confirmados através de um pacto solene selado com sangue (Gn 15.8-17). As implicações de que a nação existiria para sempre, de acordo com o título da terra, foram posteriormente confirmadas em Jeremias (31.35-37). Foram acrescentadas, a essas extensas promessas, previsões detalhadas tais como a peregrinação no Egito (Gn 15.13,14) e a ênfase no fato de que somente uma parte da semente de Abraão herdaria todas as promessas.

E, em quarto lugar, através de Abraão "to-

das as famílias da terra" seriam abençoadas. Essa promessa foi além da descendência física de Abraão e diz respeito a todas as nações. Ela cumpriu-se na vinda de Jesus Cristo e em sua provisão para os pecados do mundo todo. Também através da posteridade de Abraão foram escritas as Escrituras nas quais Deus fala a toda a humanidade. O antagonismo entre os gentios e Israel foi antecipado em Gênesis 12.3 pela afirmação de que Deus abençoaria àqueles que abençoassem a semente de Abraão e amaldiçoaria àqueles que a amaldiçoassem.
Os estudiosos têm discordado quanto ao fato das promessas de Abraão deverem ser consideradas literalmente ou não. A interpretação não literal considera a semente de Abraão como a comunidade divina ou como o corpo de crentes através de todas as eras, e a promessa da terra é espiritualizada para representar a promessa do céu.
Abraão, entretanto, considerou como literal a promessa feita à sua semente e isso foi confirmado pela recusa de Deus de reconhecer o servo de Abraão, Ismael, (Gn 15.2-4; 17.15-22). A promessa específica à semente de Abraão foi, primeiramente, limitada a Isaque, mais tarde a Jacó e, através de Jacó, dirigida aos doze patriarcas, filhos de Jacó. A promessa da terra também foi interpretada literalmente ao longo do AT. A promessa da terra foi não só confirmada a Isaque (Gn 26.1-5) e depois a Jacó (Gn 28.13-15), mas também foi feita a Moisés (Dt 30.1-5) e Josué (Josué 1.3,4). O povo de Israel foi assegurado de que, embora dispersos, eles iriam ao final recuperar sua terra para nunca mais se dispersar novamente (Amós 9.14,15).
O NT parece justificar o conceito de que existe um sentido pelo qual todos os crentes são filhos de Abraão. Os versos 6-9 em Gálatas 3 afirmam que "os que são da fé são filhos de Abraão". Entretanto, de acordo com Gálatas 3.8, o aspecto particular das referidas promessas de Abraão não está relacionado com Israel, mas com aquele aspecto do pacto que, originalmente, pertencia aos gentios, a saber, "em ti serão benditas todas as famílias da terra". O fato de o NT usar a expressão "filhos de Abraão", para incluir aqueles que não são descendentes físicos de Abraão, mas que como ele creram em Deus (Gl 3.9), não cancela as promessas feitas a Israel como nação, nem a promessa de que lhes seria concedida uma terra.
As promessas feitas a Abraão incluíam a restauração da terra de Israel, como fora prometido em Gênesis 15.18-21, e numerosas outras profecias do AT (Is 11.11,12; 12.1-3; 27.12,13; 43.1-7; 48.8-17; 66.20-22; Jr 16.14-16; 23.3-8; 30.10,11; 31.8,31-37; Ez 11.17-21; 20.33-38; 34.11-16; 39.25-29; Os 1.10,11; Am 9.11-15; Mq 4.4-7; Sf 3.14-20). Portanto, as promessas feitas a Abraão representam declarações fundamentais dos propósitos de Deus, começando nos dias de Abraão e encontrando seu cumprimento ao longo da história da humanidade.
*Veja* Alianças.

**PROPICIAÇÃO** Três importantes palavras gregas são empregadas para apresentar o ensino da propiciação. Elas são *hilasmos* (1 Jo 2.2; 4.10), *hilasterion* (Rm 3.25; Hb 9.5, "propiciatório"), e *hilaskomai* (Lc 18.13; Hb 2.17). A necessidade da propiciação surgiu, por um lado, por causa da santidade de Deus, e, por outro, por causa do pecado do homem. A ênfase no significado da palavra é bastante adequada. No NT, seu uso indica claramente que a morte de Cristo cumpriu plenamente as exigências da santidade de Deus que havia sido ofendida. No AT, o propiciatório era o lugar onde o Deus santo encontrava-se com os homens pecadores; ali o sangue era aspergido. No NT, a cruz tornou-se o lugar onde Deus irá encontrar o homem através do sangue de Cristo. Dessa forma, João pôde dizer que Cristo é a propiciação, a expiação pelos pecados dos crentes e também pelos pecados dos não crentes (1 Jo 2.2).
A doutrina da propiciação ensina claramente que a morte de Cristo na cruz representava uma substituição por causa do pecado. Sua morte satisfazia as justas exigências de Deus Pai, provocadas pelo pecado do homem. Como resultado dessa propiciação, Deus ficou satisfeito e o relacionamento do mundo todo com Ele foi alterado. O sacrifício da propiciação de Cristo foi a base para a reconciliação do mundo com o próprio Deus (2 Co 5.19). A reconciliação estava ligada ao fato do mundo ter mudado em relação a Deus através da morte de Cristo. A propiciação está relacionada com a reparação apresentada a Deus como resultado da morte de Cristo. Deus foi ofendido pelo pecado do homem, e é Ele quem precisa ser satisfeito através do pagamento por esse pecado.
A obra jurídica de Cristo na propiciação deve, naturalmente, ser apropriada pela fé de cada pecador individualmente antes de redundar em qualquer benefício pessoal. Não é necessário tentar implorar ou tentar persuadir a Deus para que Ele seja "misericordioso" como o publicano tentou fazer (Lc 18.13). Agora, essa obra já foi feita. Deus já recebeu a propiciação, Ele está satisfeito com a obra de Cristo. Agora o homem é convidado a participar, pela fé, desta obra consumada. *Veja* Expiação; Cristo, Paixão de.

***Bibliografia.*** J. Herrmann e F. Büchsel, "*Hilaskomai* etc.", TDNT, III, 300-323. David Hill, cap. sobre *hilaskesthai, Greek Words and Hebrew Meanings*, Cambridge. Univ. Press, 1967. Leon Morris, *The Apostolic Pre-*

*aching of the Cross,* Grand Rapids. Eerdmans, 1960, Caps. IV, V.

R. P. L.

**PROPICIATÓRIO** Para essa expressão no AT, *veja* Tabernáculo. Várias versões traduzem a palavra grega *hilasterion* como "propiciatório" em Hebreus 9.5, mas, como "propiciação" em Romanos 3.25. O termo *hilasterion*, na LXX, é a tradução da palavra hebraica *kapporeth* (propiciatório) como em Levítico 16.15. A passagem em Hebreus 9.5 é claramente uma referência a essa tampa de ouro sobre a arca da aliança. A passagem em Romanos 3.25 nos apresenta um problema. A maioria dos comentaristas concorda que *hilsterion* (um adjetivo neutro) não deveria ser traduzido simplesmente como "propiciação" porque poderia ter sido empregada a forma substantiva (*hilasmos*; cf. 1 Jo 2.2; 4.10). As três interpretações mais comuns dizem que ela refere-se a um lugar de propiciação (isto é, a cruz), a um ato propiciatório (isto é, o sacrifício) e, ainda, a uma pessoa que se ofereceu ou foi oferecida como propriciação. *Veja* Propiciação.

**PROPÓSITOS DE DEUS** *Veja* Eleição; Soberania de Deus.

**PROPRIEDADE** *Veja* Terra e Propriedade; Lei de Moisés.

**PROSÉLITO** Essa palavra é derivada do grego *proselytos,* isto é, recém-chegado ou visitante, e corresponde à tradução usual na LXX da palavra hebraica *ger*. No AT, o termo *ger* significa um estrangeiro ou desconhecido, membro de uma comunidade da qual ele não se originou. No uso progressivo desse termo, a Mishna do período do segundo Templo usou *ger* para definir o convertido ao judaísmo, e o termo *proselytos* do NT tem um significado paralelo indicando a mesma forma de conversão. Portanto, o significado dessa palavra no AT é diferente do uso rabínico e do seu emprego no NT, e essa diferença indica algumas das mudanças progressivas que tiveram lugar na história do judaísmo e que levaram ao procedimento do NT de ensinar e exortar à conversão.

**Especificações Legais sob a Lei**

Começando com o Êxodo (Êx 12.38,48,49), havia estranhos ou desconhecidos vivendo entre os israelitas e que logo passariam a ser protegidos pela lei. Como os próprios israelitas tinham sido anteriormente peregrinos no Egito, eles por sua vez não deveriam maltratar os peregrinos que estavam em seu meio (Êx 22.21; 23.9). De fato, eles deveriam tratar os estrangeiros – essas pessoas que agora vivam em um local diferente de seu local de origem – com consideração, amor, e até mesmo como iguais, permitindo que desfrutassem de todos os privilégios e bênçãos de Deus (Lv 19.34; Dt 10.18,19). Com toda essa aceitação em meio aos israelitas, não seria difícil entender como o termo *ger* poderia eventualmente representar, de alguma forma, um religioso convertido.

Quando os estrangeiros desejaram participar da primeira comunidade de cidadãos (período pré-exílico), a lei já tinha a provisão para sua aceitação – a circuncisão. Os estrangeiros que não se tornavam israelitas eram, ainda assim, plenamente protegidos pela lei. Aqueles que desejassem viver entre os israelitas eram proibidos de praticar qualquer coisa que fosse basicamente contrária às práticas israelitas, como praticar cultos pagãos (Lv 20.2), blasfemar o nome do Senhor (Lv 24.16), trabalhar no sábado (Êx 20.10) ou comer pão levedado durante a época da Páscoa (Êx 12.19). Outras sérias prescrições espirituais proibiam o estrangeiro de comer sangue (Lv 17.10, 14), de reter em benefício próprio as ofertas queimadas (vv. 8,9), ou de macular-se comendo a carne de animais mortos. Eles deveriam respeitar os costumes morais e éticos de uma revelação sobrenatural, evitando cuidadosamente a prática de atos imorais e indecentes (Lv 18.26).

Os estrangeiros que estivessem passando por necessidades podiam juntar-se aos pobres, às viúvas e aos órfãos no dízimo que era recolhido a cada três anos e destinados àqueles que estavam na pobreza (Dt 14.28,29). Os estrangeiros eram, muitas vezes, classificados como servos contratados e, dessa forma, podiam considerar-se trabalhadores (Lv 25.6,40); porém ocasionalmente, os estrangeiros podiam até mesmo tornar-se ricos (Lv 25.47). Eles não deveriam ser oprimidos (Dt 24.14), e não podiam ser vítimas de julgamentos parciais (Dt 27.19). *Veja* Estrangeiro.

**O *Ger* do Período Pré-Exílico**

O grupo mais significativo que se juntou a Israel antes da entrada em Canaã foi dos queneus, descendentes do sogro de Moisés cuja presença foi anotada na leitura das bênçãos e das maldições no monte Ebal e no monte Gerizim (Js 8.33). Durante o período da conquista, teria sido difícil atrair e estimular a presença de estrangeiros cananeus. Assim, Raabe pode ser considerada uma exceção. Os gibeonitas foram outros que receberam permissão de viver entre os israelitas na qualidade de escravos absolutos ou imigrantes livres. Eles gozavam de proteção total, e os israelitas eram severamente punidos quando os gibeonitas não recebiam essa atenção (2 Sm 21.1ss.). Rute, a moabita, também foi uma exceção, tendo em vista a expulsão imposta aos amonitas e moabitas (Dt 23.3).

**Período da Monarquia e do Exílio**

Muitos estrangeiros foram submetidos a um

sistema obrigatório de trabalho na época da monarquia, embora não tenham sido maltratados. Davi reuniu alguns deles para preparar as pedras para o Templo (1 Cr 22.2). Salomão realizou um censo que revelou a presença de 153.600 estrangeiros, sendo que mais da metade deles constituiu a força de trabalho que edificou o Templo (2 Cr 2.17,18). Não resta dúvida de que a maioria descendia dos cananeus, e gozava dos mesmos direitos sob a lei que os profetas defendiam. Naamã, o sírio, foi um exemplo notável de estrangeiro que veio ao Deus de Israel em busca de cura, e que mais tarde tornou-se um de seus adoradores (2 Rs 5.15-19).

A dispersão dos israelitas começou a exercer uma profunda influência sobre o espírito missionário. Depois da conquista assíria, muitas pessoas do Reino do Norte foram deportadas para várias partes do Império Assírio (722/21 a.C.; 2 Rs 17.6). As deportações babilônicas, que ocorreram entre 605 e 586 a.C., também levaram muitos judeus ao vale da Mesopotâmia. Os negócios, a política e as relações comerciais também fizeram com que os israelitas abandonassem sua terra natal e partissem para países pagãos (1 Rs 9.26; 10.28). No século V a.C., o povo judeu vivia em uma colônia em Elefantina, no Egito, onde construíram seu próprio templo, de acordo com os papiros de Elefantina (*q.v.*). Como resultado do exílio na Babilônia, o povo judeu dispersou-se pelas províncias do Império Persa (Et 3.8) e, entre eles, Deus estava preservando um fiel remanescente resistente à corrupção e às práticas pagãs. Portanto, essa dispersão provocou a propagação do monoteísmo com sua concomitante ênfase em uma ética e em uma moral que ultrapassavam de longe as das religiões pagãs. O povo judeu, com sua comunidade obediente à lei, começou a atrair muitos gentios desejosos de pertencer às suas fileiras a fim de encontrar aquilo que essas religiões não podiam oferecer. Salomão já havia, há muito tempo, orado por ocasião da consagração do Templo, para que o Senhor ouvisse o pedido dos estrangeiros quando viessem adorar ao Deus de Israel (1 Rs 8.41-43).

### Períodos Pós-Exílico e Intertestamentário

Os profetas e os escritores do período pós-exílico opunham-se ao casamento entre israelitas e gentios. Não era esse tipo de casamento com estrangeiros, em si, que alarmava os líderes, mas com estrangeiros que não haviam retornado, através da conversão, com a segunda comunidade de Israel (Ed 9–10; Ne 13). As providências adotadas pelas autoridades judaicas provavelmente apressaram a decisão de muitos deles de se tornarem israelitas. Entretanto, muitos forasteiros foram espontaneamente atraídos pelo judaísmo, e assim os casamentos mistos exerceram um importante papel na conversão de gentios ao judaísmo.

O helenismo de Alexandre o Grande e a luta subseqüente pelo poder entre os selêucidas e os ptolomeus (séculos III e II a.C.) provocaram uma outra dispersão do povo judeu. Nos movimentos que se seguiram, houve a oportunidade de uma troca de idéias entre o helenismo e o judaísmo. Embora muitos judeus fossem helenizados, também aconteceu um movimento na direção oposta, porquanto muitos gregos, egípcios e, mais tarde, romanos, adotaram a fé do judaísmo em seus diferentes graus. Durante os anos de Alexandre o Grande (cerca de 333-323 a.C.), foi estabelecida uma colônia judaica em Alexandria, no Egito. Na matança realizada por Antíoco IV, da Síria, (175-163 a.C.), Onias, filho de Simão, sendo um dos sumos sacerdotes, recebeu permissão de Ptolomeu VI para construir um Templo na cidade de Leontópolis. Como resultado, muitos judeus emigraram do conflito em Israel para se estabelecerem no lugar que veio a ser chamado de Onion (Josefo, *Ant.* xiii.3.1; *Wars* vii.7.2). Naturalmente, a comunidade judaica não podia deixar de exercer uma certa influência sobre os súditos gentios do reino de Ptolomeu.

Esse movimento do povo judeu para dentro do mundo de língua grega, durante a última metade do período intertestamentário, também demandava uma versão grega do AT para ser usada pelos judeus que falavam essa língua. Esta tradução foi feita no Egito, e é provável que tenha sido concluída em aprox. 100 a.C. (*Veja* Versões, Antiga e Medieval: Septuaginta). Esse foi um período em que o proselitismo judeu, em um mundo helenístico, já havia se tornado um procedimento bastante conhecido, a julgar pela tradução feita pela LXX da palavra hebraica *ger*.

Em vista do fascínio que os pagãos sentiam pela crença e pela prática judaica, os estudiosos judeus do final do período intertestamentário e do século I d.C. desenvolveram regras para aceitar os convertidos. Isso era necessário a fim de se obter um grau de conformidade que direcionasse o zelo missionário do judaísmo, como pode ser observado em uma declaração que o próprio Senhor Jesus expressou sobre dos fariseus: "... pois que percorreis o mar e a terra para fazer um prosélito" (Mt 23.15). Os rabinos desse período faziam uma distinção entre o convertido pleno (*ger sedeq*), e a pessoa que aceitava as leis do monoteísmo e as leis de Noé, mas não os outros mandamentos do ritual, como por exemplo as leis sobre a dieta (*ger tushab*). Esse último não era classificado como pagão, mas também não se tornava um membro formal da congregação israelita, embora pudesse freqüentar a sinagoga e misturar-se com o povo judeu. As leis de Noé, supostamente recebidas antes do Dilúvio, e que aquele que era parcialmente convertido deveria observar, proibiam: (1) idolatria, (2) blasfêmia, (3) homicídio, (4) adultério, (5) roubo, (6) e deviam estabelecer tribunais (*Genesis Rabbah* 16.9; 24.5). Um sétimo mandamento foi acrescentado depois do Dilúvio. Não comer a carne que fosse cortada de qualquer animal vivo. Todas essas leis eram consideradas obrigatórias a toda humanidade, em contraste com as leis que eram aplicadas somente aos israelitas (*Tosefta Abodah Zerah* 9.4).

Tanto Filo como Josefo mencionam o zeloso sucesso das atividades missionárias judaicas. Na última metade do período intertestamentário, o número de adeptos parciais e plenos cresceu rapidamente. Observe o exemplo de muitos gentios convertidos na obra de Filo (*Embassy to Gaius*, xxxvi, 281-82) e na obra de Josefo (*Ant.* xi.7.2; xviii.3.5; xx.8.11).

**O Período do Novo Testamento**

A crescente tendência observada na conversão dos gentios ao judaísmo continuou em um ritmo acelerado no século I d.C. Numerosas referências aos prosélitos podem ser encontradas no Midrash, Mishna, Pseudoepígrafos e, especialmente, no NT. Lucas (7.2-5) fala sobre o centurião de Cafarnaum que amava Israel e havia construído a Sinagoga. Como ele acatava os anciãos judeus, dificilmente poderia ter sido um convertido pleno. Entretanto, o Senhor Jesus falou sobre sua grande fé, que Ele não encontrou em Israel, indicando que provavelmente o centurião poderia ter sido um adepto parcial (*ger tushab*), embora sua convicção religiosa não tenha sido de nenhuma forma designada.

Jerusalém hospedava muitos visitantes durante as festas dos peregrinos. Em Atos 2.10, 11 há uma referência à multidão de visitantes formada por judeus e prosélitos. Nesse caso, prosélito pode ser um termo genérico aplicado às duas espécies de prosélitos, mas o fato de serem adeptos parciais pode ser constatado pela visita do eunuco egípcio a Jerusalém, que ficou atônito ao conhecer as passagens básicas das Escrituras (At 8.31).

As viagens missionárias de Paulo servem como evidências dos inúmeros prosélitos que havia nas sinagogas da Diáspora.

Em sua primeira viagem, enquanto falava na Sinagoga de Antioquia da Pisídia, ele refere-se à sua audiência da seguinte forma: "Varões israelitas e os que temeis a Deus" (At 13.16), "varões irmãos, filhos da geração de Abraão, e os que dentre vós temem a Deus" (v. 26), e "judeus e prosélitos religiosos" (v. 43). É provável que o termo "religiosos" esteja referindo-se tanto aos adeptos plenos aos como parciais.

Em sua segunda viagem missionária, a audiência de Paulo na sinagoga de Tessalônica incluía, além dos judeus, os "religiosos" ou gregos tementes a Deus (At 17.4). Em Atenas também existiam pessoas religiosas (v.17). Lídia foi caracterizada como alguém que "servia a Deus" (At 16.14); ela era sem dúvida uma adepta parcial. Depois de pregar na Sinagoga de Corinto, Paulo entrou na casa de Tito Justo, que é mencionado como alguém que "servia a Deus" (At 18.7), e que provavelmente também era um adepto parcial.

A diferença essencial entre o adepto parcial e o pleno era a exigência da circuncisão (*q.v.*). As autoridades judaicas contentavam-se em não fazer discriminação contra o adepto parcial, e este tinha a permissão de adorar a Deus na sinagoga, juntamente com os outros judeus. Quando a mensagem do NT irrompeu no primeiro século, levada por Paulo para as sinagogas da Diáspora, ele encontrava entre os adeptos parciais uma audiência disposta a ouvir atentamente. Além da mensagem de salvação, estava presente em sua pregação uma ética rígida que não exigia a circuncisão para que as pessoas se tornassem membros plenos da família de Deus. Podemos imaginar o impacto favorável que aconteceu entre esses adeptos, assim como a consternação entre os judeus e os adeptos plenos. A pregação do evangelho serviu como uma separação entre a Sinagoga e os adeptos parciais, e a possibilidade de conquistar novos convertidos para as sinagogas ficou seriamente prejudicada assim que a Igreja começou a crescer.

Em Jerusalém, os líderes cristãos de origem judaica tinham às vezes que enfrentar o problema da circuncisão. A maioria dos líderes e da comunidade, já sabendo que essa prática era exigida dos adeptos parciais das leis de Noé, formularam uma ética mínima para os crentes gentios, e a mensagem foi enviada à assembléia de Antioquia (At 15.20-29; 21.25). Ela não significava uma moral ou ética inferiores em relação à Palavra de Deus, e certamente a prática do NT insistia em uma elevada qualidade de vida para os crentes, quer fossem judeus ou gentios.

***Bibliografia.*** B. J. Bamberger, *Proselytism in the Talmudic Period,* Cincinnati. Hebrew Union College, 1939. S Baron, *A Social and Religious History of the Jews*, Nova York. Columbia Univ., 1951. W. G. Braude, *Jewish Proselytizing in the First Five Centuries,* Providence. Brown Univ., 1940. W. D. Davies, *Invitation to the New Testament*, Nova York. Doubleday, 1965. Louis Finkelstein, "The Institution of Baptism for Proselytes". JBL, LII, 203-221. K. G. Kuhn, *"Proselytos",* TDNT, VI, 727-744. G. F. Moore, *Judaism in the First Five Centuries of the Christian Era,* Cambridge. Harvard Univ. Press, 1927. E Schuerer, *The History of the Jewish People in the Times of Jesus Christ,* Nova York. Scribner's, 1890.

L. Go.

**PROSÉLITOS RELIGIOSOS** *Veja* Prosélito.

**PROSTITUTA** *Veja* Fornicação; Meretriz.

**PROVA** *Veja* Lei, Administração da; Tentação.

**PROVÉRBIO** Essa palavra é usada nas diversas versões da Bíblia Sagrada para traduzir duas palavras hebraicas e duas gregas. Além de Habacuque 2.6, onde o termo *hida* foi traduzido como "provérbio", todos os outros exemplos de "provérbio" no AT correspondem à tradução do substantivo ou verbo *mashal*. No NT, essa palavra representa uma vez *parabole*, e quatro vezes *paroimia*.

A palavra hebraica *mashal* tem um amplo espectro de conotações, mas foi traduzida como "provérbio" ou "parábola". Ela referese a diversos tipos de poemas, uma semelhança ou parábola, um provérbio, um discurso profético ou sentenças de sabedoria ética. A palavra grega escolhida como tradução de *mashal* na LXX, é – com algumas exceções – *parabole*, e facilmente reconhecida como a familiar "parábola" do NT, embora ela tenha sido traduzida uma vez como "provérbio", como mencionamos acima. Portanto, a LXX indica uma equivalência geral entre a palavra hebraica *mashal* e a grega *parabole*. No AT, *mashal* foi traduzida 19 vezes como "provérbio" e quase todas as ocorrências restantes foram traduzidas como "parábola". O verbo relativo a *mashal* foi traduzido como "usar uma parábola" etc. (Nm 21.27; Ez 12.23; 16.44). O dicionário BDB de termos hebraicos do AT observa que *mashal* geralmente refere-se a "sentenças construídas com paralelismo". Essa característica pode representar uma semelhança familiar nas conotações de *mashal* para as quais a palavras mais apropriadas em português são "provérbio" ou "parábola". Dessa forma, o provérbio do AT pertence à família *mashal*.

A idéia de um provérbio é apropriada em Salmos 69.11; Deuteronômio 28.37; 1 Reis 9.7; 2 Crônicas 7.20; Jeremias 24.9; Ezequiel 14.8. Em 1 Samuel 10.12; 24.13; Ezequiel 12.22,23; 18.2,3, a idéia que predomina é a de uma expressão proverbial. Em 1 Reis 4.32; Provérbios 1.1,6; 10.1 e 25.1, as referências são feitas a sentenças de sabedoria ética que estão presentes nos discursos de Salomão. Em Isaías 14.4, ela tem o significado de um pronunciamento escarnecedor. São encontradas ocorrências do verbo relativo em Números 21.27; Ezequiel 12.23 e 16.44, onde a palavra "provérbio" aparece na tradução.

O texto em Lucas 4.23 é a única passagem onde a palavra *parabole* foi traduzida como provérbio. A expressão "Médico, cura-te a ti mesmo" obviamente adapta-se bem à idéia de uma verdadeira afirmação da sabedoria popular. O termo *paroimia* foi traduzido como "provérbio" em 2 Pedro 2.22, onde existe uma citação de Provérbios 26.11. As ocorrências restantes de *paroimia*, traduzidas como provérbio, são encontradas em João 16.25 (duas vezes) e também no versículo 29, onde fica aparente a idéia de uma parábola.

As implicações mais abundantes da palavra "provérbio" são encontradas no próprio Livro de Provérbios. Foram incluídos todos os aspectos do ensino ético e moral, mas de modo geral podemos dizer que um interesse especial reside no comportamento e no caráter daquilo que é santo.

Os "justos" e os "virtuosos" são mencionados mais de 50 vezes em um trecho do livro de Provérbios (capítulos 10–29), e especialmente intitulados como uma obra de Salomão. A verdade geral é que a vida virtuosa, além de um comportamento justo, revela a posição de santidade de seu possuidor e que o propósito do provérbio, que é o de trazer a fé e o ensino, está bem ilustrado em Provérbios 22.17-21.

Existem várias citações de Provérbios no NT. O texto de Provérbios 3.11,12 é mencionado em Hebreus 12.5,6 como um tema de aplicação direta a todos os crentes. A relação entre o justo e o iníquo com Deus é mostrada em Tiago 4.6 como sendo uma citação de Provérbios 3.34 (LXX). O uso de Provérbios 25.21,22 pelo apóstolo Paulo em Romanos 12.20 é característico do poder do ensino da ética proverbial. Talvez o provérbio mais notável, e mais freqüentemente citado, seja encontrado em 24.12: "Não pagará ele ao homem conforme suas obras?" A doutrina do juízo, assim ensinada, foi reiterada em Mateus 16.27; Romanos 2.6; 2 Timóteo 4.14; Ap 2.23; 20.12 e 22.12.

Foi mencionado acima que os ensinos de nosso Senhor através de parábolas deveriam, segundo o uso da Bíblia, ser incluídos no espectro dos ensinos dos provérbios, como indicado pela escolha dos tradutores da LXX do termo *parabole* para traduzir *mashal*. O caráter de muitos outros pronunciamentos de Cristo demonstra uma natureza proverbial. A veemente expressão proverbial, "deixa aos mortos sepultar seus mortos" (Mt 8.22), e muitas outras semelhantes a ela, tinham o propósito de penetrar na memória dos ouvintes e, com sua reflexão, redundar em uma ação real. Todo um campo de empenho ético fica revelado através das convincentes palavras: "Mais bem aventurada coisa é dar do que receber" (At 20.35). O efeito exercido na vida de Paulo nos dá o exemplo do poderoso ímpeto desse tipo de ensino.

O ensino do Senhor Jesus Cristo é o *mashal* – do tipo provérbio. O Salmo 78.2, onde "parábola" é *mashal* em hebraico, foi citado em Mateus 13.35 para caracterizar o ensino de Jesus através de parábolas.

Deve-se observar que esse pronunciamento sob forma de provérbio, de uma expressão crítica, epigramática, concisa, ou verso proverbial foi muitas vezes designado para esconder suficientemente a verdade a fim de intrigar a mente e exigir uma reflexão e uma pesquisa antes que seu pleno significado seja apreendido. *Veja* Provérbios, Livro de; Enigmas; Sabedoria, Literatura de.
Bibliografia. F. Hauck, "*Paroimia*", TDNT, V, 854-856.

W. B. W.

**PROVÉRBIOS, LIVRO DE** O nome desse livro nas Escrituras foi tirado de seu primeiro versículo, "Provérbios de Salomão, filho de Davi, rei de Israel". A palavra hebraica para provérbio é *mashal*, que significa comparação, semelhança, representação ou generalização. Portanto, o provérbio bíblico é uma breve, incisiva e dirigida expressão de sabedoria, uma parábola condensada, ou narração alegórica (1 Sm 24.13; Jr 31.29; Ez 18.2; Lc 4.23).

Às vezes, o provérbio era apresentado como uma lição claramente ensinada, mas, às vezes, era elaborado de forma obscura de modo que sua própria dificuldade pudesse estimular o desejo de compreendê-lo e, assim, imprimir a lição mais indelevelmente sobre a mente de cada ouvinte.

O provérbio podia ser uma "expressão obscura", exigindo uma interpretação. Por exemplo, "O crisol é para a prata, e o ouro, para o forno; mas o Senhor prova os corações" (Pv 17.3). Em Provérbios 1.17, entretanto, o provérbio: "Na verdade, debalde estender-se-ia a rede perante os olhos de qualquer ave", é expresso sem qualquer interpretação e pode ter muitas aplicações. *Veja* Provérbio.

Muito antes da época de Salomão, foram encontrados provérbios individuais no AT. A expressão: "Dos ímpios procede a impiedade", era considerado um "provérbio dos antigos" na época de Saul (1 Sm 24.13). Os guerreiros israelitas sob o comando de Moisés, ouviram por acaso o provérbio sobre Hesbom (Nm 21.27-30). O livro de Jó está repleto de máximas do tipo proverbial, uma das quais se tornou tema do Livro dos Provérbios, "Eis que o temor do Senhor é a sabedoria, e apartar-se do mal é a inteligência" (Jó 28.28). Quando Salomão entrou em contato com os "filhos do oriente" (*b<sup>e</sup>ne qedem*, 1 Rs 4.30), cuja sabedoria revestia-se dessa forma, era bastante natural que ele se expressasse deste modo, e se tornasse o patrono de máximas, preceitos e parábolas condensadas ("Proverb", UBD, p. 896). Tal literatura de sabedoria que ignorava os limites nacionais era conhecida por todo o antigo Oriente Próximo, desde o Egito até a Mesopotâmia.

### Canonicidade

O livro de Provérbios foi incluído em todas as listas escriturais judaicas, e também citado ou mencionado no NT (Pv 1.16 e Rm 3.15; Pv 25.21,22 e Rm 12.20; Pv 3.11,12 e Hb 12.5,6; Pv 3.34 e Tg 4.6; Pv 10.12 e 1 Pe 4.8; Pv 11.31 e 1 Pe 4.18; Pv 3.34 e 1 Pe 5.5; Pv 26.11 e 2 Pe 2.22). Esse livro, juntamente como Jó e Eclesiastes, foi considerado como parte da assim chamada Literatura de Sabedoria do AT.

### Autoria e Data

Com base em evidências de natureza interna, a maioria dos Provérbios pode ser atribuída a Salomão (cf. 1.1; 10.1; 25.1). Delitzsch afirma que em Provérbios 1–29 é exibido um cenário histórico que só corresponde às condições do reinado de Salomão. O capítulo 30 de Provérbios é atribuído a Agur, e o 31 ao rei Lemuel, indivíduos sobre os quais não dispomos de informação alguma.

O fato de Salomão ser o autor da maior parte desse livro também está de acordo com os relatos históricos desse homem como a personificação da sabedoria. Em 1 Reis 3–4, foi revelado que ele iniciou seu reinado com uma oração pedindo sabedoria, e que esse pedido foi atendido por Deus. Também foi registrado que Salomão "disse três mil provérbios" (1 Rs 4.32). Alguns estudiosos supõem que a frase "as palavras dos sábios" em Provérbios 22.17–24.22 foram extraídas de uma obra egípcia, "As Instruções de Amenotep" (ANET, pp. 421-424), por causa de sua íntima semelhança verbal. Mas um estudo cuidadoso dos dois textos revela que a obra egípcia deve ser uma tradução do original hebraico (K. A. Kitchen, "Egypt", NBD, p. 348; SOTI, pp. 457ss.).

Qualquer discussão sobre a data deve fazer a distinção entre a época da escrita dos Provérbios, e a época em que foram coletados e publicados.

Portanto, podemos admitir a data aproximada de 950 a.C. para essa obra, enquanto os homens de Ezequias "copiaram" ou coletaram e acrescentaram outros provérbios de Salomão por volta do ano 700 a.C. Sem dúvida, as palavras de Agur e Lemuel também foram acrescentadas nessa época. Parece não existir uma razão válida, portanto, para o fato desse livro não estar completo em sua presente forma por volta de 700 a.C.

A presença de um suposto aramaísmo não exige, automaticamente, uma data posterior para o livro de Provérbios. Na verdade, eles podem ser antigas expressões dos semitas do noroeste (K. A. Kitchen, *Ancient Orient and OT*, 1966, p. 145). Sabemos agora que a inscrição de Zakir, o rei sírio-heteu de Hamate, foi elaborada pouco depois do ano 800 a.C., em sua maior parte em aramaico antigo, com alguns toques de expressões semitas (cananéias e hebraicas) do noroeste (ANET, pp. 501ss.; VBW, II, 263). Por outro lado, a presença de Provérbios sob uma forma poética conhecida na literatura ugarítica, mas totalmente ausente da literatura da sabedoria aramaica do século VII a.C., assim como foram representados pela obra *Sayings of Ahiqar,* serve para se atribuir ao conteúdo de Provérbios uma data muito anterior àquele período (Archer, SOTI, pp. 456ss.).

**Conteúdo**

Como um livro de conteúdo diversificado, Provérbios trata de temas como sabedoria, leviandade, bondade, riqueza, pobreza, língua, orgulho, humilhação, justiça, disputas, glutonaria, amor, luxúria etc. Há uma abrangência tão grande em sua perspectiva, que parece que nenhuma fase do relacionamento humano foi esquecida. Seu tom é definitivamente universalista, e a palavra "Israel" está ausente desse livro. Portanto, seus ensinos podem ser aplicados a todos os homens, em todas as partes do mundo. Entretanto, não se deve negar que essa perspectiva esteja essencialmente de acordo com a ênfase do AT sobre as esperanças terrenas e a prosperidade material.

**Esboço**

Esse livro é pouco adequado a uma análise formal; entretanto, podemos observar as seguintes divisões:

Prólogo, 1.1-7

I. Provérbios de Salomão Exaltando a Sabedoria, 1.8–9.18

II. Provérbios de Salomão Exaltando a Moralidade Prática, 10.1–24.34

III. Provérbios de Salomão Compilados pelos Escribas de Ezequias, 25.1–29.27

IV. Apêndices: Provérbios de Agur e Lemuel, 30.1–31.9

Epílogo, Poema Alfabético sobre a Esposa Virtuosa, a Personificação da Sabedoria, 31.10-31

O prólogo da introdução (1.1-7) identifica o autor, declara os propósitos do livro e seu tema. A primeira divisão importante (1.8–9.18) contém uma dezena ou mais de alocuções que discutem o caminho da sabedoria. A segunda divisão (10.1–24.34) contém, em sua maior parte, provérbios destacados um a um, muitos dos quais sob forma antitética. A terceira divisão (25.1–29.27) contém os provérbios "copiados" do conjunto de provérbios de Salomão pelos "homens de Ezequias", incluindo possivelmente Isaías e Miquéias. Eles foram incluídos sistematicamente sob a forma de parelhas de versos.

Os apêndices finais (30.1–31.9) contêm as palavras de Agur, surpreendentes em sua forma e em seu conteúdo, e as palavras do rei Lemuel. O livro termina com uma alegoria que consiste de um acróstico ou poema alfabético que louva a mulher virtuosa, como uma descrição da personificação da própria sabedoria. *Veja* Sabedoria; Literatura de Sabedoria do AT.

***Bibliografia.*** Charles Bridges, *Exposition of Proverbs,* Evansville. Sovereign Grace Publishers, reimpresso em 1959. Franz Delitzsch, *The Proverbs of Solomon,* Grand Rapids. Eerdamans, reimpresso em 1950. Julius H. Greenstone, *Proverbs with Commentary*, Filadélfia. Jewish Publication Society, 1950. R. Laird Harris, "Proverbs", WBC. Derek Kidner, *Proverbs Tyndale OT Commentary*, Londres. Tyndale Press, 1964. R. B. Y. Scott, *Proverbs, Ecclesiastes,* Anchor Bible, Garden City, N.Y.. Doubleday, 1965.

D. K. C.

**PROVIDÊNCIA** "As obras da providência de Deus representam sua mais santa, sábia e poderosa preservação e governo de todas as suas criaturas, e de todos os seus atos" (Shorter Catechism). Momento a momento, o mundo continua porque Cristo sustenta "todas as coisas pela palavra do seu poder" (Hb 1.3) e porque "todas as coisas subsistem por ele" (Cl 1.17; cf. Ne 9.6). Ao mesmo tempo, Deus não apenas sustenta, mas governa todo o mundo e a humanidade: as nações (Sl 47.7; Dn 2.21; 4.25; Is 10.5-7), os indivíduos (1 Sm 2.6-9; Is 45.5; Pv 16.9; Sl 75.6,7; At 27.24), e o livre arbítrio dos homens (Pv 16.1; 21.1).

A providência não é uma continuação da criação, mas a preservação e o proposital direcionamento de tudo o que Deus fez inicialmente. Será muito importante entender que somente depois do término da criação o pecado entrou no universo criado por Deus, pois isso impede que sejamos levados a uma conclusão posterior errônea. Qualquer teoria que ensine que Deus está constantemente recriando o mundo torna-o o renovador do bem e do mal e, dessa forma, o autor não só da retidão, mas também da iniqüidade.

Além de estabelecer a diferença entre a providência e a criação, precisamos ter cuidado para que a doutrina da providência elimine os seguintes aspectos:

*Panteísmo.* Este aceita a absorção do mundo e do homem em Deus (Spinoza) ou considera ambos como participando, de alguma maneira, diretamente do Ser do próprio Deus (Tillich).

*Deísmo.* Este considera Deus sob a analogia de um relógio e seu fabricante (Ele deu a corda e deixou que o relógio funcionasse), e isso o afasta inteiramente do mundo que criou. As Escrituras respondem com passagens como Salmo 33.13,15; Isaías 45.7; Atos 17.24-28.

*Dualismo.* Deus é apenas um de dois princípios ou poderes, um bom e outro mau. Este pensamento leva à conclusão de que Deus é finito. As Escrituras ensinam que somente Deus existia no começo, que só Ele é o Criador, e que tudo que Ele criou era bom (Gn 1.4,10,12,18,21,25,31); que o pecado e a iniqüidade moral foram originados pelas criaturas (Ez 28.15; Gn 3.1-7).

*Interdeterminismo*. Esta corrente de pensamento afirma que não existe qualquer controle planejado de coisa alguma.
*Determinismo*. Considera o controle absoluto de tudo o que acontece, e que o homem foi roubado em seu livre arbítrio e responsabilidade.
*Casualidade*. Considera qualquer força controladora como irracional.
*Destino*. Vê os acontecimentos como incontroláveis e inteiramente desprovidos de qualquer elemento de propósito benevolente.

**A Demonstração da Soberania de Deus**

A doutrina da providência reside na divina soberania de Deus, e na revelação de que Ele reina sobre tudo e a tudo governa de acordo com sua vontade. Entretanto, sua vontade está inteiramente sujeita ao seu caráter; portanto, ela deve ser descrita não como arbitrária, mas como perfeita e sagrada.

1. *A providência e a ordem natural*. A providência inclui todas as coisas, quer grandes (Sl 145.9-17; Is 41.2-4) quer pequenas, como por exemplo o curso de uma flecha (1 Rs 22.34), os pássaros no ar (Mt 6.26), um sonho (Mt 27.19), pequenos pássaros que são vendidos (Mt 10.29; cf. Lc 12.6,7), um boato (At 23.16), e o resultado de se lançar sortes (Pv 16.33).

Os atos da providência, com a finalidade de uma análise posterior, podem ser divididos em gerais, isto é, aqueles que se aplicam ao mundo e à humanidade indistintamente; e os particulares, isto é, aqueles que acontecem tanto a indivíduos ainda não salvos e à nação escolhida por Deus, como àqueles que Ele escolheu para redimir. Então, sob essa especial providência encontra-se a nação de Israel (Am 3.1; Ml 1.2; At 15.14-16; Rm 11. 26-29), a Igreja (Ef 5.25-27) e os crentes individualmente (Salmos 91.11; 147.9,20; Mt 6.26; At 14.16,17; Rm 8.28,39).

2. *A providência e a história*. Deus controla e comanda todo o curso da história desde o início até o final. Ele escolheu uma nação, Israel (Am 3.2) e fez dela o meio de sua revelação, deu-lhe sua Palavra que está registrada nas Escrituras do AT, prometeu-lhe o Messias através delas (Dt 18.15-19; cf. At 3.22,23; 2 Sm 7.8-16; Is 7.14; Mq 5.2) e estabeleceu com ela uma aliança para preservá-la e conduzi-la em meio a todas as tribulações até seu reino milenial (Dt 30.1-10; 2 Sm 7.16; Is 65.66; Os 1.10,11; 2.16-23; Jl 3.17-21; Am 9.11-15; Zc 14.1-21).

Ao mesmo tempo, Ele derrubou a barreira que existia entre judeus e gentios (Ef 2.14) quando revelou o mistério da expansão da sua Igreja (Ef 3.1-11) que, através da morte de Cristo, iria incluir a ambos. O tema de toda a Bíblia é o plano de Deus para salvar seus eleitos e estabelecer seu reino, na primeira fase do reinado milenial de Cristo (Ap 5.10; 20.4-6), e em sua segunda fase, a fase final, na Nova Jerusalém (Ap 21–22). Nada poderá impedir a consumação final do plano de Deus (Is 40.15; Sl 2.4; At 4.25-28).

3. *A providência e a experiência pessoal*. Deus promete prosperar o justo (Lv 26.3-13; Dt 28.1-14). Por que, então, exclama o crente, os iníquos também prosperam? Por que tantas vezes eles não são castigados? O salmista apresenta duas respostas inspiradas: a riqueza dos ímpios é apenas temporária, e ao final Deus irá julgar a iniqüidade deles e defender sua própria santidade como Senhor (Salmos 37.16-22; 73; 91.8; Ml 3.13–4.3). Ao mesmo tempo, Deus adia seu castigo para que o iníquo possa ter a oportunidade de se arrepender (Rm 2.4; 2 Pe 3.9; Ap 2.21).

Mas por que o crente precisa sofrer tantas adversidades e tribulações? (*a*) Pode ser para seu próprio desenvolvimento (Salmos 94.12; Pv 3.11; Hb 12.5-13); (*b*) elas podem servir como um teste antes da abertura de grandes campos de serviço (1 Co 16.9; Tg 1.2-12); (*c*) trazem glória a Deus se forem suportadas com dignidade (Jó 1; 2; 42); e, (*d*) fazem parte da vocação da Igreja cristã (Mt 10.24ss.; Jo 15.18; 16.33; At 9.16; 14.22; Rm 5.3-5; Fp 3.10; 1 Pe 4.12-19).

4. *A providência e a liberdade pessoal*. Deus governa sobre os corações e as ações de todos (Pv 21.1), embora estes não tenham, necessariamente, conhecimento ou consciência disto (Gn 45.5-8; 50.20; Is 10.5-12; 44.28–45.4; Jo 11.49-52; At 2.23; 13.27-29). No entanto, ele o faz de tal maneira que suas ações são as de agentes livres; portanto, eles permanecem responsáveis por tudo que fazem (Is 10.12; Rm 1.24-32). Dessa forma, o Senhor permite que os iníquos ajam de acordo com sua própria natureza (Salmos 81.12ss.; Rm 1.24ss.; At 14.16), mas no final Ele os punirá (Lc 22.22; At 3.13-19). Ao mesmo tempo, Ele leva os seus a colocar em prática os mandamentos que lhes deu (Fp 3.12,13), embora isso só seja possível através da presença e do poder do Espírito Santo que habita em cada um de nós (Rm 8.3,4; Gl 5.22,23).

***Bibliografia***. L. Berkhof, *Systematic Theology*, Grand Rapids. Eerdmans, 1949, pp. 165-178. G. C. Berkouwer, *The Providence of God*, Grand Rapids. Eerdmans, 1952. Charles Hodge, *Systematic Theology*, Grand Rapids. Eerdmans, 1952, I, 575-616.

R. A. K.

**PROVÍNCIA** A província representava a unidade básica da administração do Império Romano. No início, essa palavra tinha uma conotação geral e referia-se à esfera da ação administrativa do magistrado. Depois que a autoridade romana estendeu-se além da Itália, esse termo começou a significar o domínio do governador, assim como a região entregue aos seus cuidados. Depois de algum tempo, seu sentido geográfico é que passou a predominar. Dessa forma, a Sicília tornou-se a primeira província romana (227 a.C.). Nessa época, foram escolhidos quatro pretores. A partir do período de Sulla, aqueles que tinham a designação de procônsules foram enviados para as províncias mais importantes, e os que tinham o título de propretores àquelas que eram consideradas menos importantes.

Sob o governo de Augusto (27 d.C.), o "Ato da Colonização" dividia todas as províncias em dois tipos: o primeiro era a província senatorial, onde um governador chamado procônsul era enviado para um período de um ano (At 13.7, Chipre; At 18.12, Acaia). Nessas áreas a vida era normal e estável, as forças militares eram mínimas, e qualquer ação belicosa era considerada altamente improvável. O segundo tipo de província ficava sob o controle direto do imperador e tinha o nome de província imperial. Seu poder era delegado aos "legados" (prefeitos) e procuradores. O período de seu mandato não era uniforme, mas, geralmente, estendia-se a mais de um ano. Nessas províncias, as forças militares estavam presentes de forma considerável. Seu governo era exercido pelo imperador, sob o pretexto de poupar ao senado e ao povo o trabalho de administrá-las, mas na verdade o objetivo era manter o exército sob seu controle direto.

Em 27 a.C., havia 12 províncias imperiais e 10 senatoriais. Todas as províncias novas

A grande rua de mármore da antiga Éfeso, a capital de fato da província romana da Ásia. HFV

Um aqueduto romano (observe os arcos) que trazia água para a área do portão de Cesaréia, capital da Palestina romana. HFV

eram diretamente controladas pelo imperador como, por exemplo, a Síria.

Mas, dependendo das condições estabelecidas em sua distribuição, podiam ocorrer mudanças. Entretanto, o Egito era tão vital ao império, principalmente por causa de seu fornecimento de grãos, que essa nação sempre permaneceu sob o domínio pessoal do imperador.

A Judéia tornou-se parte da província da Síria no ano 63 a.C. Ela fazia parte do reino de Herodes no ano 40 a.C., mas voltou a ficar sob o governo provincial no ano 6 d.C., e assim permaneceu exceto durante o período de 41 a 44 d.C. quando fez parte do reino de Agripa I. O procurador (por exemplo, Pôncio Pilatos) vivia em Cesaréia e estava sob a autoridade do governador da Síria.

C. K. H.

**PROVOCAÇÃO** Esse termo representa várias palavras que constam dos textos originais da Bíblia Sagrada. A palavra hebraica *ka'as,* usada a respeito de certos reis, significa "vexame, causa de irritação", por exemplo, Jeroboão em sua "provocação" suscitou a ira do Senhor (1 Rs 15.30). Outra palavra hebraica é usada de forma um tanto técnica no Salmo 95.8 e foi citada em Hebreus 3.8,15: "Não endureçais vosso coração, como na provocação". Ela é a enfática *m*[e]*riba*, "a provocação". Refidim (*q.v.*), onde os israelitas irritaram a Deus antes de alcançar o monte Sinai, recebeu o nome de Massá e Meribá. Nesse lugar eles exigiram que Moisés lhes desse água, e quase chegaram apedrejá-lo por não ter feito o que desejavam. Eles desafiaram o Senhor dizendo: "Está o Senhor no meio de nós, ou não?" (Êx 17.1-7). Essa provocação, e outra semelhante em Cades-Barnéia (Nm 20.13,24), são mencionadas em Números 27.14; Deuteronômio 6.16; 9.22; 32.51; 33.8; Salmos 81.7 e 106.32. veja Meribá. Nas gerações posteriores, Israel provocou repetidamente a ira de Deus com sua idolatria (Jz 2.12; 1 Rs 14.9,15; 2 Rs 17.11,17; Is 65.3 etc.).

**PRÓXIMO ou VIZINHO** Tradução de três palavras hebraicas e duas gregas. Atualmente consideramos o nosso próximo (ou vizinho) alguém que mora nas proximidades. Na época do AT, essa palavra referia-se a alguém da mesma família, tribo ou país. A obrigação moral dos israelitas para com o próximo está determinada em Levítico 19.18, "Amarás o teu próximo como a ti mesmo". Geralmente, as determinações relacionadas com essa atitude moral eram expressas através de termos negativos (Êx 20.17; Salmos 15.3; Pv 24.28; Zc 8.17). No NT, o Senhor Jesus Cristo classificou como o segundo maior mandamento da lei, "Amarás o teu próximo como a ti mesmo" (Mt 22.39). E, na parábola do bom samaritano (Lc 10.30-36), o Senhor mostrou que o próximo pode ser qualquer um que tenha uma necessidade, ou qualquer um que supra uma necessidade que precisa ser atendida, independentemente de raça, religião ou posição social.

***Bibliografia.*** H. Greeven e J. Fichtner, "Plesion", TDNT, VI, 311-318.

**PRUDÊNCIA, PRUDENTE** A palavra hebraica *'arum* é usada tanto no bom sentido, significando alguém sensato (por exemplo, Pv 14.8,15,18; 15.5), como no mau sentido, significando alguém sagaz ou astuto (Gn 3.1; Jó 5.12,13; 15.5; Salmos 83.3). A palavra hebraica *bin* e a grega *synetos*, por outro lado, enfatizam uma decisão inteligente (Pv 16.21; 18.15; Is 29.14; Mt 11.25; At 13.7; 1 Co 1.19). *Veja* Sabedoria.

**PRUMO** O emprego etimológico da palavra *anaku*,"chumbo" ou "estanho" em acádio, sugere que a palavra hebraica *'anak* (Am 7.7,8) pode significar "prumo" ou "linha de prumo". A palavra correspondente em outras passagens é a expressão hebraica *mishqolet,* que significa nível ou instrumento de nivelar (KB). Outra palavra associada com linha de prumo ou prumo é "pedra" (em hebraico *'eben*). A linha de prumo era uma corda ou linha à qual era amarrado um peso chamado prumo, uma peça de pedra, argila, chumbo ou estanho. Os pedreiros usavam esse dispositivo para assegurar que as paredes que construíam ficariam precisamente na posição vertical. Por meio da linha de prumo, eles também podiam garantir uma precisão horizontal. Atualmente, uma utilização semelhante corresponde à linha e ao prumo de nível do agrimensor. O prumo é mencionado desde o início da literatura do Egito e da Mesopotâmia.
De forma simbólica, Israel era considerada um muro ou edifício, e o ato de aplicar a linha de prumo era testar sua retidão e verificar se a nação estava em linha com a revelação de Deus. Em situações de juízo, diziam que Deus iria usar o prumo (em hebraico *'anak*) no meio de Israel (Am 7.7,8), pois o povo não correspondia à integridade esperada. Um dos profetas ressaltou que o Senhor estenderia sobre Jerusalém o cordel de medir de Samaria, e o prumo da casa de Acabe, e dessa forma poderia observar que, em sentido figurado, a Jerusalém faltava o nível básico de justiça (2 Rs 21.13). Isaías (34.11) também falou sobre uma linha de confusão e sobre um nível de vaidade como as pedras (heb., *'eben*) e o vazio da presunção, uma descrição de uma acusação formal relativa à terra de Israel. A pedra (heb., *'eben*), ou peso de estanho na mão de Zorobabel, indicava que ele estava envolvido na obra de erguer um edifício (Zc 4.10). Com respeito ao futuro estabelecimento do reino de Israel, Deus diz que Ele mesmo fará justiça regrando o juízo pela linha, e a justiça pelo prumo (Is 28.17).

L. Go.

**PTOLEMAIDA** *Veja* Aco; Acre.

**PUÁ** Duas pessoas do AT tinham esse nome, porém com uma ortografia hebraica diferente.
1. Uma das parteiras hebréias (Êxodo 1.15, em hebraico *pu'a*). Junto com Sifrá, ela recebeu ordens do Faraó para matar todos os recém nascidos judeus do sexo masculino. Essa horrível ordem tinha o objetivo de impedir o contínuo crescimento da população hebréia que parecia impor alguma ameaça à segurança egípcia. *Veja* Ocupações: Parteira.
2. Pai de Tola, o juiz (Juízes 10.1, em hebraico, *pu'a*).

**PUBLICANO** Subalterno coletor de impostos ou fiscal dos romanos. Os publicanos, mencionados apenas nos Evangelhos Sinóticos, devem ser distinguidos dos *publicani* romanos, que nunca aparecem no NT. Os *publicani*, que geralmente viviam em Roma, eram capitalistas que, individual ou conjuntamente, compravam nos leilões os proventos de uma região ou província através do pagamento de uma quantia definida ao tesouro público (*in publicum*), e por isso receberam esse nome.
Havia dois tipos de impostos romanos, o direto e o indireto. Na época do NT, a coleta dos impostos diretos, sobre a terra e os indivíduos, não era atribuição de terceiros, mas era feita diretamente por agentes imperiais regulares. Porém os impostos indiretos eram gerados pela importação e exportação, tarifas rodoviárias e baías, e pelo pedágio das pontes etc. Estes ainda eram distribuídos àqueles que faziam a melhor oferta. A cobrança de impostos era geralmente executada por empregados nativos,

Públio mostrou hospitalidade em relação a Paulo depois de seu naufrágio aqui na baía de São Paulo em Malta. Na ilha ao fundo vê-se uma estátua de Paulo. Malta Government Tourist Board

sendo que empreiteiros nativos também podem ter sido usados. Zaqueu, chamado de "chefe dos publicanos" *(architelones)*, pode ter sido o encarregado dos proventos de Jericó e devia ter um outro coletor abaixo dele. Ele era no mínimo o supervisor de um distrito de coletas.

A maioria dos publicanos do NT, como Levi (Mt 9.9; Mc 2.14; Lc 5.27), era composta por empregados aduaneiros. Suas coletorias, possivelmente, situavam-se nos portões da cidade, nas estradas públicas ou nas pontes. Aparentemente, o posto de Levi (*telonium*) em Cafarnaum era próximo ao mar, e cobrava impostos sobre a importante rota comercial que entrava na Galiléia vinda de Damasco.

Os publicanos eram odiados e desprezados pelos escribas e também pelo povo. Essa hostilidade torna-se evidente nas expressões: "publicanos e pecadores" (Mt 9.10ss.; 11.19; Mc 2.15ss.; Lc 5.30; 7.34; 15.1), "publicanos e meretrizes" (Mt 21.31), e nas várias ocasiões em que eram comparados com os gentios (Mt 18.17). Esse antagonismo tinha sua origem em várias circunstâncias. Eram vítimas de uma inata aversão humana ao pagamento de impostos. Os agentes aduaneiros nunca foram muito populares. A própria natureza de seu trabalho oferecia muitas oportunidades para extorsão, seu principal pecado, como foi mencionado por João Batista (Lc 3.12ss.).

Como o pagamento de impostos a uma nação estrangeira era algo excessivamente odioso, e geralmente entendido como ilegal (Mt 22.17), os publicanos eram considerados traidores de sua nação e agentes voluntários de seus opressores. Esse ódio aos publicanos também era fortalecido por considerações religiosas. Como seu trabalho constantemente os colocava em contato com os gentios, eles eram considerados impuros, e portanto deveriam ser evitados.

A associação de Cristo com os publicanos não tinha o propósito de purificar totalmente seu caráter destas avaliações (cf. Mt 5.46ss.; 18.17). Sua extorsão e opressão eram tão abomináveis para o Senhor quanto o formalismo e a hipocrisia dos escribas e fariseus. Porém eles também precisavam da salvação (Lc 19.9ss.). Embora participar de refeições junto com eles fosse considerado um ato incompatível com o caráter de um rabino, o Senhor Jesus justificou essa associação baseando-se na necessidade deles (Mt 9.12; Mc 2.17; Lc 5.30ss.), e as queixas mais amargas dirigidas a Ele foram provocadas por essa associação (Lc 7.34; 15.1ss.). Cristo os considerava agradavelmente livres da hipocrisia e da falsidade dos fariseus (Lc 18.9-14). Qualquer sentimento moral que tivessem era real, e não convencional, e quando Ele escolheu Mateus para ser um de seus discípulos, esse fato causou uma profunda impressão (Mc 2.14-17), embora essa escolha não tivesse provocado nenhum sinal de desagrado nos demais discípulos. Detestados pelos outros, os publicanos sentiram-se atraídos por Jesus porque Ele mostrava-se "amigo dos publicanos" (Lc 15.1ss.; cf. 7.34).

***Bibliografia.*** Otto Michel, *"Telones"*, TDNT, VIII, 88-105.

D. E. H.

**PÚBLIO** O "homem principal" da ilha de Malta que mostrou uma generosa hospitalidade em relação a Paulo e seus companheiros de naufrágio (At 28.7-10), e cujo pai foi curado por ele de febre e disenteria. Ele era provavelmente o oficial mais importante sob o governo da Sicília, e o responsável por todos os soldados romanos e suas funções quando ali desembarcavam. A tradição afirma que foi o primeiro bispo da ilha e que, mais tarde, tornou-se bispo de Atenas. Jerônimo registra uma tradição de que Públio foi martirizado (*On Illustrious Men*, XIX).

**PUDENTE** Um cristão que vivia em Roma durante a escrita da segunda carta a Timóteo. Seu nome é romano e, junto dom Êubulo, Lino e Cláudia, enviou saudações a Timóteo (2 Tm 4.21). Lock, no HDB, fornece uma relação de sete possíveis identificações desse homem. Como essa é a única referência feita a ele no NT, nada se sabe ao certo sobre sua história. Porém, sabendo-se que esse nome pertence a uma conhecida família romana, a sugestão mais provável é que ele pode ter sido um soldado a quem Paulo estava acorrentado, ou um senador celebrado pela Igreja Pudenciana do sul.

**PUL**

1. Outro nome para Tiglate-Pileser III (também Tilgate-Pilneser), rei da Assíria. Os dois nomes são mencionados em 1 Crônicas 5.26 e 2 Reis 15.19,29, sugerindo dois diferentes monarcas. Entretanto, é provável que esses

dois nomes refiram-se à mesma pessoa que governou sobre a Babilônia dominada pela guerra (729-727 a.C.), chamada Pul, e sobre a Assíria como Tiglate-Pileser. A Relação "A" dos Reis da Babilônia mostra "Pulu" como equivalente a Tiglate-Pileser (*q.v.*).

2. Uma localização geográfica (Is 66.19). A Septuaginta (LXX) registra Pute (*phoud*); dessa forma, é provável que Pul deva ser considerada, no Texto Massorético Hebraico, como uma variante de Pute (*q.v.*), um termo egípcio para a Líbia.

**PULGA** *Veja* Animais IV.24.

**PÚLPITO** Aparentemente uma plataforma de madeira elevada, capaz de acomodar pelo menos 14 pessoas (Ne 8.4; cf. 2 Cr 6.12,13; 2 Rs 23.2,3).

**PULSEIRA DE TORNOZELO** Um ornamento usado ao redor do tornozelo, como uma pulseira é usada no pulso. Normalmente feito de bronze, como provam os encontrados em túmulos e inúmeras escavações. Quando usado em pares, ou como algemas no tornozelo, produziam um tilintar com o caminhar da pessoa. Isaías os declarou "frívolos" (Is 3.18). *Veja* Vestuário.

## PUNIÇÃO ou CASTIGO

### Definição Bíblica de Punição

A punição pode ser definida como uma medida de dor ou sofrimento infligida justamente ao pecador ou criminoso como retribuição pelas suas faltas. A punição sempre implica um padrão ou lei que estabelecem tanto o que é direito como o que é errado. A lei de Deus, de acordo com a divina revelação, é o único padrão absoluto para se determinar a culpa de um ato pecaminoso. Praticamente todas as categorias de punição ou castigo descritas na Bíblia Sagrada estão inseridas no escopo das seguintes observações:

Fundamentalmente, a punição é a *revelação da ira de Deus* contra a transgressão humana da vontade ou da lei de Deus. Esse castigo inclui o mundo angelical (2 Pe 2.4; Jd 6), o homem (Gn 3.16-19; Salmos 90.9; Jo 3.36) e o mundo natural (Gn 3.17-19; Rm 8.19-22).

A punição ou o castigo acompanha uma seqüência tripla no curso do tempo: primeiro, sobre Adão e sua posteridade por causa do pecado no Éden (Gn 3.1-24; Rm 5.12); segundo, sobre Israel (Lv 26.14-46; Jr 25.1-14; Lc 21.20-24; 1 Ts 2.14-16), as nações (Gn 19.1-28; Jr 25.15-38; Na 3.1-19) e os indivíduos (Gn 4.9-16; 1 Co 5.1-5) por causa de suas transgressões às leis de Deus; terceiro, sobre Satanás, os anjos apóstatas e o impenitente entre os homens, por causa de sua rebelião contra Deus (Rm 2.5,8,9; At 17.31; 2 Ts 1.8,9; Ap 20.11-15).

Pul ou Tiglate-Pileser III. BM

Às vezes, a punição ou o castigo assume a forma de *uma vingança contra alguém*. Essencialmente, essa vingança pertence somente a Deus (Dt 32.35,43; Salmos 94.1-3; Na 1.2,3; Rm 12.19; Hb 10.30), mas foi delegada ao estado como um agente de Deus (Rm 13.4; 1 Pe 2.14).

A lei mosaica permitia a "vingança do sangue", pela qual era necessário observar regulamentos prescritos para que esta desempenhasse sua função de forma adequada (Nm 35.19-27; Dt 19.2-13; Js 20.1-9). Davi foi soberanamente impedido de se vingar (1 Sm 25.21-39), mas os judeus sob Ester e Mardoqueu tiveram a soberana permissão de agir em represália (Et 8.11-13; 9.1-16). A vingança pessoal era proibida tanto na época do AT (Dt 32.35; Pv 20.22; 24.29) como na época do NT (Rm 12.19; 1 Ts 5.15; 1 Pe 3.9).

A Bíblia Sagrada raramente oferece alguma consideração ao castigo como uma "*medida reformatória ou medicinal*" destinada a reabilitar o transgressor. Pelo contrário, a punição deve ser aplicada rapidamente e sem misericórdia (Dt 13.6-9; 19.13,21; Hb 10.28). Por exemplo, nenhuma chance foi oferecida a Acã (Js 7.10-26) ou a Ananias e Safira (At 5.1-11), para que reparassem suas faltas antes que o castigo caísse sobre eles. O aparente arrependimento de Israel em Cades não mitigou o castigo de Deus sobre aquela rebelde geração (Nm 14.26-45), e o ato de Moisés ferir por duas vezes a rocha não foi capaz de evitar que ele perdesse o acesso à terra prometida (Nm 20.1-13).

Entretanto, existem casos em que a punição é modificada (2 Cr 33.10-19) ou postergada (2 Cr 34.23-28) depois que o transgressor arrepende-se, e existem outros em que o castigo, embora modificado ou postergado pelo homem, é finalmente aplicado com todo o rigor (1 Sm 15.1-35; 2 Sm 21.1-14). Simei, que foi perdoado e recebeu a liberdade (2 Sm 16.5-14; 19.16-23), foi sumariamente executado quando sua incorrigível natureza ressurgiu (1 Rs 2.8,9,39-46). A nação de Israel, punida com o exílio, retornou praticamente como a mesma nação que era antes do exílio (cf. Is 1.1-31 com Ml 1.6-14).

Porém, em um nível mais elevado, Deus realmente emprega medidas corretivas para a *retificação de seus filhos regenerados*. O Pai Celestial os castiga a fim de purificar a vida deles da escória terrena (Pv 3.11ss.; Hb 12.5-14). Tais punições são às vezes muito severas (1 Co 5.5; 11.27-32). No entanto, não existe base nas Escrituras para se defender a opinião de que as chamas do purgatório irão consumar sua purificação na próxima existência (Jo 14.1-3; 2 Co 5.1-10; Fp 1.21-23; Ap 14.13). A Bíblia Sagrada também não dá suporte à idéia de que o impenitente no inferno irá finalmente responder às medidas corretivas supostamente empregadas para sua salvação (Lc 16.19-31; Ap 14.9-11). Está claramente explícito que a punição destes será eterna (Mt 25.44,46).

Finalmente, a punição torna-se *retaliatória*, conforme o princípio do olho-por-olho (o *jus talionis*, ou lei de Talião, da lei romana), e é incorporada à lei de Deus (Êx 21.23-25; Lv 24.19ss.; Dt 19.21). Na verdade, esse estatuto foi instituído para limitar a severidade e transformar a punição em um castigo da mesma intensidade do crime. O cativeiro de 70 anos de Israel na Babilônia, por exemplo, foi uma retaliação exata por não terem observado a lei do Sábado (2 Cr 36.21; Jr 29.10; Dn 9.2). No entanto, os cristãos estão proibidos de se vingar da mesma maneira (Mt 5.38-42), e são encorajados a pagar o mal com o bem (Lc 6.27-30; Rm 12.20, 21; 1 Pe 3.9), da mesma maneira como Deus o faz em sua tolerância e em sua graça (Mt 5.44,45). Entretanto, na morte do Senhor Jesus na cruz, Deus cobrou plenamente e em espécie o castigo em que o pecador incorreria, e que foi suportado pelo Substituto do pecador (Is 53.4,11; Mt 20.28; 27.46; 1 Pe 2.24; 3.18). E esse mesmo princípio de retribuição plena e legal que servirá de medida para o castigo do pecador impenitente no inferno, quando o dia da graça tiver passado (2 Ts 1.8; Ap 14.10,11; 18.6,7,20).

### Premissas sobre as Quais a Punição Está Fundamentada

As premissas teológicas que justificam a punição nunca são enunciadas como tal na lei mosaica. Entretanto, elas constituem a base e o fundamento de todo castigo descrito nessa lei.

1. O conceito do homem como criado à imagem de Deus (Gn 1.26ss.; 5.1; 9.6). Embora nunca tenha sido mencionado especificamente, esse conceito da natureza humana serve como um suporte fundamental à lei de moisés. Se um homem mata intencionalmente outro homem, a lei exige que o homicida seja condenado à morte (Êx 21.12, 14ss.; Nm 35.16-21; Dt 19.11-13). Só assim a culpa da terra poderá ser removida (cf. 2 Sm 21.1-14). O crime contra um homem representa, essencialmente, um crime contra a "imagem" de Deus que está no homem. Essa premissa fundamental justifica a severidade das punições inscritas no código mosaico.

2. O conceito do homem como pecador. Embora a imagem "residual" de Deus ainda permaneça na natureza humana, o homem tornou-se agora um pecador e um rebelde contra a autoridade divina (Dt 1.26,43; 9.6ss., 13, 23ss.; 31.27). Os líderes de Israel lembram-se dolorosamente de como os castigos de Deus caíram repetidamente sobre a nação por causa de sua desobediência às leis divinas (2 Cr 36.11-21; Ne 9.5-38; Dn 9.1-19). Mas, nenhuma lei, mesmo com todas as suas rigorosas punições, poderá deter completamente as iníquas inclinações e paixões da natureza humana. O homem precisa de uma mudança em seu coração (Dt 10.16; Jr 4.4). Essa mudança irá prepará-lo para obedecer às leis de Deus por causa do amor, e não por causa das penalidades da desobediência (Dt 6.5ss.; 10.12ss.; 11.13; 30.6). Dessa forma, as punições na lei mosaica tornam-se uma necessidade resultante da natureza humana pecaminosa. A "nova aliança" estabeleceu a base legal para o registro das leis de Deus no coração dos redimidos (Jr 24.7; 31.33; 32.39,40; Hb 8.10).

3. O conceito de Israel como uma teocracia. No Sinai, Israel tornou-se um governo teocrático. Nessa espécie de governo, é Deus que determina as leis (Êx 20.2ss.) e especifica as penalidades para a desobediência a elas (20.22–23.19). A aceitação da teocracia por parte de Israel (19.8; 24.3-8) nunca foi qualificada como uma condição para que a nação ou cada israelita pudesse mudar as leis ou os castigos recebidos no Sinai. A integridade das leis de Deus e a justiça de suas punições devem ser aceitas obedientemente pela nação e pelos seus indivíduos, porque a plena santidade da divina natureza das leis recebidas de Deus está fundamentada em uma justiça absoluta; portanto, como conseqüência lógica, as punições previstas por essas leis devem ser absolutamente justas.

### Os Dez Mandamentos que Ilustram as Punições da Lei Mosaica

Como os Dez Mandamentos (Êx 20.1-17; Dt 5.6-21) constituem a essência legal do sistema jurídico de Israel, eles representam o exemplo da maneira pela qual, em uma legislação judicial ampliada (Êx 20.22–23.19

etc.), as punições são prescritas de acordo com as infrações. A história subseqüente de Israel irá, na maioria dos casos, acrescentar outros exemplos. Nos Dez Mandamentos, apenas o segundo e o terceiro incluem uma penalidade.

1. Um único Deus. Esse mandamento é básico para a religião da Bíblia Sagrada (Dt 6.4ss., 14; Sl 81.9ss.; Is 45.21ss.; Mt 4.10; 1 Co 8.4,6). As penalidades contra aqueles que desobedecem a esse mandamento fundamental estão entre as mais terríveis da legislação mosaica.

O episódio ao pé de monte Sinai, enquanto Moisés estava recebendo as leis, mostra como era forte a propensão de Israel em direção a outros deuses, e como o castigo de Deus deveria ser terrível para quebrar essa propensão da nação (Êx 32.1-35). Mas, apesar de repetidas advertências e punições (Dt 13.1-18; Js 24.14ss., 20; Jz 2.11-23), a idolatria de Israel só foi vencida por meio do rigor do cativeiro na Babilônia, que veio sobre a nação como o resultado dela ter desobedecido a esse primeiro mandamento (Jr 25.4-11).

2. Nenhum ídolo. O segundo mandamento é, na verdade, uma extensão do primeiro. As conseqüências imediatas de sua desobediência foram estabelecidas na legislação mosaica de acordo com a plenitude da atrocidade deste pecado (Dt 4.23-28). O castigo de Deus sobre as nações de Canaã, por causa de sua idolatria, tinha o propósito de salvaguardar seu próprio povo contra qualquer idolatria semelhante (Êx 23.20-28; 34.11-16; Dt 7.1-6; Js 23.12ss.). Mas esses exemplos de punição mostraram-se ineficazes na história de Israel até que, finalmente, Deus enviou a nação para o exílio na Babilônia (Jr 7.21-34; 25.4-11). A justiça do castigo divino nunca foi questionada pelos intérpretes posteriores da história de Israel (Ne 9.6-38; Dn 9.1-19).

3. Não tomar o nome de Deus em vão. O terceiro mandamento abrange todas as formas de desrespeito manifestadas em relação ao nome divino. A legislação do Sinai enfatizava repetidamente a dignidade do nome de Deus (Êx 34.5-7; Lv 18.21; 19.12; 20.3; 21.6). A profanação do nome de Deus redundava em um rápido castigo sobre o transgressor (Lv 24.10-16). Até mesmo o rei assírio foi destruído, como registra a história mais recente (2 Rs 18.13–19.37), porque blasfemou contra o nome de Deus. O clímax supremo desse pecado foi revelado naquilo que Cristo chamou de "blasfêmia contra o Espírito" (Mt 12.22-37), que é um "pecado eterno" (Mc 3.28-30).

4. Desrespeito ao sábado. O quarto mandamento estabelece uma porção do tempo do homem para o repouso, a adoração e o culto a Deus. A legislação do Sinai está repleta de graves advertências a respeito da santidade do sábado (Êx 23.12; 31.12-17; 35.2ss.). A execução sumária do transgressor lembra a Israel – de uma forma literal – a inviolabilidade das leis de Deus (Nm 15.32-36). Profetas posteriores da história de Israel consideraram o preceito do sábado como um padrão da fidelidade do povo ao Senhor (Is 56.2-7; 58.13ss.; Os 2.11; Am 8.5). O longo período de desobediência da nação de Israel à lei do sábado foi posteriormente punido com 70 anos de exílio na Babilônia, a fim de compensar os 490 anos precedentes de desobediência (2 Cr 36.20,21; Jr 25.12; 29.30).

5. Honrar aos pais. O quinto mandamento dá início àquela seção do Decálogo que trata do relacionamento do homem com seus semelhantes. Ele foi ampliado no código mosaico naquelas situações onde a sentença de morte é pronunciada contra aqueles que maltratam os pais (Êx 21.17; Lv 20.9; Dt 27.16). A infâmia desse pecado foi claramente estabelecida na lei registrada em Deuteronômio 21.18-21. Os provérbios de Israel ampliaram devidamente a magnitude desse crime (Pv 19.26; 20.20; 30.11,17).

6. Matar. O sexto mandamento reitera basicamente a afirmação encontrada em Gênesis 9.6. Nada na legislação do Sinai é mais explícito que a lei proibindo um homem de matar outro homem (Êx 21.12-14; Lv 24.17,21). Essa legislação faz uma clara distinção entre o homicídio não premeditado (Nm 35.9-15,22-28; Dt 19.1-10) e o homicídio intencional (Nm 35.16-21,29-34; Dt 19.11-13). O assassino deveria ser executado pelo "vingador de sangue"; porém aquele que não praticou um crime de forma intencional deveria fugir para uma das cidades de refúgio em busca de proteção, e para o julgamento de seu caso.

A história subseqüente de Israel mostra como a lei a respeito do homicídio era às vezes ignorada ou modificada pelos homens, e como ela foi finalmente aplicada por Deus (2 Sm 3.27-39; cf. 1 Rs 2.31-34; 2 Sm 21.1-14; 2 Cr 24.20-23,25). Na verdade, o Senhor Jesus Cristo usou como exemplo o assassinato de Abel (Gn 4.8-15) e de Zacarias (2 Cr 24.21) ao falar dos castigos que estavam destinados a Israel pela morte de homens inocentes (Mt 23.32-36).

7. Adultério. O sétimo mandamento proibia relações sexuais fora do casamento. O código mosaico estipulava a morte como castigo para aqueles que desobedecessem a esse mandamento (Lv 18.20; 20.10). Dois acontecimentos pouco comuns, registrados por Moisés, mostram como o adultério é abominável. O primeiro está dirigido à lassidão moral de Israel ao pé do monte Sinai, enquanto Moisés estava recebendo a lei. Essa lassidão moral acarretou um castigo imediato pelas mãos de Moisés e dos levitas (Êx 32.6,25-28; 1 Co 10.7). O outro acontecimento está centrado em torno da licenciosidade da relação de Israel com os midianitas. Essa perversão foi imediatamente punida por Finéias (Nm 15.1-18; 1

Co 10.8). Nos provérbios de Israel, o pecado pela lassidão moral foi estabelecido com todos os seus devastadores efeitos sobre a mente e o corpo (Pv 5.3-23; 7.5-27; 9.13-18; 23.27,28; 29.3). O adultério de Davi com Bate-Seba mostra que essa transgressão é indesculpável, mesmo que praticada por um rei (2 Sm 11.2-5; 12.7-23; Salmos 51). Nesse caso, a pena capital só foi evitada por causa de sua genuína e sincera confissão e arrependimento.

8. Roubo. O oitavo mandamento proibia a posse ilegal da propriedade alheia. O código mosaico ampliou esse mandamento com vários detalhes (Êx 21.16; 22.1-4; Lv 19.11,13, 35.37; Dt 24.7; 25.13-16). Em alguns casos, o castigo prescrito era muito severo (Dt 24.7). Provérbios posteriores descrevem com clareza a infâmia desse crime (Pv 11.1; 28.24; 29.24).

9. Dar um falso testemunho. O nono mandamento proibia quaisquer declarações ou acusações que fossem falsas. O código mosaico censurava e castigava severamente aqueles que fossem culpados desse pecado (Êx 23.1,7; Lv 19.11,16; Dt 19.15-21). Em períodos posteriores da história de Israel, ele foi condenado através de preceitos (Pv 6.16,19; 12.17; 14.5; 19.5,9,28; 21.28; 24.28; 25.18) e exemplos (Jr 37.11-21).

10. Cobiça. O último mandamento proibia quaisquer desejos ilegais. A "luxúria" de Israel foi ilustrada não apenas pelo desejo físico pecaminoso das pessoas (Nm 11.4-6; Salmos 78.18; 106.14ss.), mas também pelo desejo pecaminoso de certos levitas em relação ao sacerdócio (Nm 16.1-40). Nas épocas posteriores, esse pecado sutil foi exemplificado através da transgressão de Acã (Js 7.10-26). Esse pecado também foi condenado em vários provérbios (Pv 1.19; 15.27; 28.16).

### Conclusões

A conclusão mais óbvia em relação aos castigos ou punições prescritos na lei mosaica, é que esses castigos são não apenas sagrados e justos aos olhos de Deus, mas também aceitáveis por todos os homens nos quais o Espírito de Deus habita. Deus sempre irá legislar aquilo que é direito. Uma outra conclusão é que o crente não deve temer que o castigo da lei mosaica caia sobre ele, pessoalmente. Ele sabe que esse castigo foi uma vez e para sempre suportado por Cristo a favor de todos os homens.

*Veja* Crime e Punição.

W.B.

**PUNOM** Um dos pontos de parada na jornada dos israelitas pelo deserto, depois do êxodo do Egito (Nm 33.42ss.). Estava situada na parte oriental de Arabá, cerca de 40 quilômetros ao sul do mar Morto. Localizada na junção de dois uádis, ela é a moderna cidade de Khirbet Feinan, uma região ampla e bem servida de água, com fragmentos de cerâmica e ruínas que datam das ocupações dos nabateus de 2200-1800 e 1250-700 a.C., que reiniciaram nesse local as operações de mineração e fundição. Este local foi, provavelmente, o lar de um dos príncipes de Edom (Gn 36.41, onde está registrado o nome Pinom, possivelmente o mesmo que Punom). Eusébio afirmou que os cristãos foram forçados a trabalhar nas minas e nas fundições de Punom (*phinon, phainon*), que havia sido uma colônia penal onde os condenados eram enviados para trabalhar na mineração do cobre.

Nesse local, a rota comercial da Transjordânia (ou a Estrada Real, Números 20.17; 21.22; Dt 2.27) dividia-se, e um de seus braços dirigia-se ao ocidente, para *'Ain Husb* (Tamar?) e para o norte através das colinas escarpadas do Neguebe. Punom está localizada oito quilômetros ao sul de outra mina de cobre em Khirbet en-Nahas (em hebraico *nahash*, que significa "serpente"), de modo que é possível que o lugar onde Moisés fundiu e erigiu uma serpente de cobre ou de bronze (Nm 21.9) estivesse nas proximidades. Punom era o acampamento que estava situado pouco antes de Obote (Nm 33.43), e Obote foi a parada seguinte depois do castigo infligido por meio das cobras venenosas (Nm 21.6-10).

J. R.

**PUR** *Veja* Purim.

**PURA** Carregador da armadura de Gideão, que foi com este observar o acampamento dos midianitas (Jz 7.10,11). Também é chamado de Purá.

**PURÁ** *Veja* Pura.

**PUREZA** A pureza está inserida na mensagem das Escrituras. Seu escopo de referência varia desde a qualidade de não ser diluído (por exemplo, o azeite para o candelabro de ouro, Êxodo 27.20), passando pela pureza cerimonial dos sacerdotes (Ed 6.20), da condição de ser remido e purificado (por exemplo, a mente do cristão, 2 Pe 3.1), até a própria qualidade de Deus em sua santidade, diante de quem nem "as estrelas... são puras" (Jó 25.5). Da mesma forma, as Escrituras mostram que a pureza é inspirada por Deus (Salmos 12.6; 19.8; 119.140). Os "puros de coração" são abençoados porque foram purificados pelo sangue de Cristo (1 Jo 1.7), e, sendo guardados da corrupção do amor próprio ou das coisas iníquas, através da obra contínua do Espírito Santo, podem verdadeiramente amar a Deus.

*Veja* Pureza; Castidade; Santidade; Santo; Santificação.

**PURGAR** *Veja* Impureza.

**PURGATÓRIO** De acordo com a doutrina católico-romana, somente a alma daqueles que são perfeitamente puros é imediatamente admitida no céu. Mas a grande maioria daqueles que morrem na graça justificadora ainda está oprimida pela culpa dos pecados veniais, e ainda não sofreu o castigo temporal pelos pecados mortais, praticando obras de penitência durante a vida terrena. Pela doutrina católico-romana, entende-se que esses cristãos devem sofrer um período de expiação como um processo de purificação antes de experimentar a visão beatífica de Deus no céu. O lugar onde esse sofrimento intermediário e purificação supostamente acontecem é chamado de Purgatório.

Os católicos romanos aceitam geralmente que o Purgatório é um lugar de castigo e purificação através do fogo, e que o tempo de estadia pode variar entre horas a milhares de anos, embora ninguém saiba, nesta vida, o quanto ele próprio ou quem já morreu, pode precisar permanecer ali. Os únicos que são considerados isentos do Purgatório são aqueles que foram canonizados, e que são conhecidos como santos. A duração e a intensidade do sofrimento dependem do grau de purificação e da quantidade de castigo temporal que ainda falta ser cumprido por ocasião da morte de uma pessoa.

Ele pode ser encurtado e aliviado através de orações e boas obras praticadas ainda na terra, especialmente pelas missas e também pela concessão das indulgências papais, pelas quais os benefícios do tesouro de méritos (formado pelas obras de Cristo e dos santos) poderão ser utilizados em benefício dos mortos no Purgatório.

A doutrina católico-romana do Purgatório não tem nenhuma base nas Escrituras, e por esta razão não foi aceita pelos protestantes. Os católicos romanos apelam a 2 Macabeus 12.39-45, um livro que os protestantes não reconhecem como canônico. Algumas passagens das Escrituras são citadas como justificativa (Is 4.4; Mq 7.8; Zc 9.11; Ml 3.2,3; Mt 12.32; 1 Co 3.13-15; 15.29), mas somente uma exegese extremamente forçada é capaz de inserir o Purgatório nestes versos. Até mesmo teólogos romanos contemporâneos, como Rahner e Vorgrimler (*Theological Dictionary*, p. 391), admitem a insuficiência de evidências escriturais para essa doutrina. A doutrina do Purgatório é parte integrante do conceito romano da salvação e da satisfação pelo pecado, devido ao lugar que oferece às obras e aos supostos méritos do homem. Para os protestantes, essa doutrina parece ser diretamente contrária aos ensinos de Paulo sobre a graça (cf. Ef 2.8-10) e às palavras do Senhor Jesus em João 3.36 e 5.24.

Se a fonte dessa doutrina do Purgatório não pode ser encontrada nas Escrituras, então de onde ela originou-se? Na Seção XXV, o Concílio de Trento decretou que a existência do Purgatório, e a permanência das almas foram "ensinadas pelo Espírito Santo a partir dos escritos sagrados e das antigas tradições dos Patriarcas". Como resultado, a Igreja passou a ensiná-la nos primeiros concílios religiosos e também nesse sínodo ecumênico (significando o Concílio de Trento). O ensino da purificação pelo fogo do Purgatório existia desde Orígenes, Cipriano e Agostinho. Ele é encontrado em Gregório, o Grande, e foi desenvolvido na teologia medieval. O ensino do Purgatório foi formalmente confirmado nos Concílios de Lion (1274), de Florença (1439) e finalmente no Concílio de Trento (1545-1563) (cf. Sessões VI e XXV). Entretanto, o *magisterium* nunca forneceu uma definição detalhada sobre a natureza exata ou a duração da permanência no Purgatório.

S. N. G.

**PURIFICAÇÃO** *Veja* Impureza.

**PURIFICADOR DE PRATA** *Veja* Minerais e Metais: Prata; Ocupações: Refinador.

**PURIM** Festa dos judeus observada no 13º ou 14º dia do mês de Adar (março) a fim de celebrar a libertação dos judeus da cruel trama de Hamã. Essa história está registrada no livro de Ester (9.24-32). Hamã havia obtido permissão do rei para proclamar que no 13º dia de Adar os judeus deveriam ser exterminados em toda a Pérsia (Et 3.13). Através da intervenção de Ester e Mardoqueu essa conspiração fracassou, e os dias que deveriam tornar-se dias de destruição judaica tornaram-se dias de vitória e celebração (Et 8.1-12).

O nome Purim vem do plural da palavra *pur*, termo que pode ser um cognato do acádio *puru*, que é utilizado para se lançar sortes com a finalidade de se obter oráculos. Esse nome corresponde ao sorteio feito por Hamã, para determinar qual seria esse dia de crueldade (Et 3.7; 9.24). Embora essa festa não esteja mencionada com esse nome no NT, Josefo diz que era celebrada anualmente (*Ant.* xi.6.13) como acontece até os nossos dias.

Em 2 Mac 15.36 ela é muito apropriadamente chamada de "Dia de Mardoqueu". *Veja* Festividades; Festas Pós-Exílio.

P. C. J.

**PÚRPURA** Geralmente, a palavra "púrpura" na Bíblia Sagrada refere-se a um fio ou tecido tingido de púrpura. A palavra hebraica *'argaman* e a palavra aramaica relacionada *'arg$^e$wan* (2 Cr 2.7; Dn 5.7) significam uma coloração diferente, porém de tom avermelhado-púrpura, porque a cor violeta ou azul-púrpura são expressas por outra palavra hebraica, *t$^e$kelet*.

Essa tintura extremamente valorizada entre as antigas colorações, era obtida de uma espécie de molusco muito comum no mar Mediterrâneo que era conhecido como *Murex trunculus*. Parece que essa tinta foi fabricada primeiramente a partir dessa fonte pelos cananeus na área da Fenícia. Os hurrianos (*veja* horeus) inventaram um adjetivo *kinahhe*(*na*) a partir do nome de Canaã (*kna'n*) para se referir a esse produto característico dos cananeus, isto é, à "tintura cananéia" ou "tecido tingido". A palavra Fenícia vem do grego *phoinos,* ou "vermelho-púrpura". A palavra cognata hebraica *'argaman* aparece na forma ugarítica como *'rgmn*; e parece que ambas seriam palavras emprestadas da Anatólia. Tábuas de argila revelam que era possível obter lã tingida de púrpura em Ugarite, em aprox. 1500 a.C. Os povos da antiga Suméria tinham uma expressão para a púrpura, e as pessoas comuns daquela civilização eram proibidas de usar vestes dessa cor.

Para fazer a tintura púrpura, era preciso quebrar a concha do molusco de modo a extrair e esmagar uma pequena glândula em seu interior. Essa glândula, então, eliminava algumas gotas de um fluido semelhante ao leite que, em contato com o ar, adquiria a coloração vermelho-púrpura. Eram necessárias centenas de moluscos para se obter uma pequena quantidade de tinta. Portanto, somente pessoas abastadas (Lc 16.19), a realeza (Jz 8.26; Et 1.6), ou pessoas de uma posição elevada (Et 8.18; Pv 31.22) podiam dar-se ao luxo de usar vestimentas tingidas com essa substância tão preciosa. As conchas de *Murex* ainda podem ser vistas empilhadas ao longo das praias de Tiro e nas proximidades das antigas áreas de tinturaria em Atenas e Pompéia. Nos dias de Ezequiel, a púrpura era obtida em Chipre (Elisá, Ez 27.7). *Veja* Animais: Molusco Púrpura V.7.

A tintura de púrpura era usada para algumas guarnições do Tabernáculo (Êx 26.1,31 etc.; Nm 4.13), para as vestes do sumo sacerdote (Êx 28.4-6; 39.1,2,28-20), assim como para o véu do Templo (2 Cr 3.14). Salomão empregou um artesão fenício da cidade de Tiro que era muito habilidoso no uso da tintura de púrpura (2 Cr 2.14), e tinha um palanquim cujo assento era coberto com um tecido de cor púrpura (Ct 3.10). Os pagãos entronizavam seus ídolos envoltos com tecidos de púrpura (Jr 10.9).

No NT, o Senhor Jesus foi obrigado a vestir um manto de cor púrpura, como uma forma de zombaria por sua afirmação de ser o Rei dos judeus (Mc 15.17,20; Jo 19.3,5). A tintura púrpura de Lídia, que Lídia de Tiatira vendia (At 16.14), não era obtida dos moluscos, mas da raiz de uma planta que tinha uma coloração vermelha brilhante. A Babilônia escatológica é descrita como estando vestida de púrpura (Ap 17.4; 18.16).

O cais e o quebra-mar onde Paulo desembarcou em Putéoli foram construídos dentro do moderno cais que existe nesse local. HFV

*Veja* Cores; Vestuário.

J. R.

**PUTE** Terceiro filho de Cam (Gn 10.6; 1 Cr 1.8), "irmão de Cuxe", Mizraim e Canaã. Josefo (*Ant.* i.6.2) identificou seu país como sendo a Líbia. Jeremias (46.9) descreve os homens de Pute como habilidosos com o escudo. Ezequiel predisse que a nação seria derrotada por Nabucodonosor pela sua aliança com o Egito (30.5; Líbia) e com a Pérsia na escatológica rebelião (38.5; *Veja* Magogue). Pute era aliada de Tiro como "homens de guerra" (Ez 27.10). Como aliados de Nô (Tebas) no Egito, eles não foram capazes de evitar que ela fosse saqueada por Assurbanipal em 663 a.C. (Na 3.8-10).

Não há dúvida de que Pute estava localizada na África. Os egiptólogos haviam anteriormente equiparado a palavra hebraica *put* a *Pw(n)t*, Punt (Somália) nos textos do Egito. Mas na inscrição de Dario em Naqsh-i-Rustam e na de Xerxes em Persépolis, uma cidade chamada *Putaya* está relacionada uma vez com a Etiópia e uma vez com os cários e etíopes como uma província do Império Persa. Se *Putaya* estivesse na Somália, então a Líbia estaria ausente da relação das províncias do Império Persa. Sabe-se, no entanto, que a Líbia e a Cirenaica sujeitaram-se ao domínio de Cambises, rei da Pérsia, em aprox. 525 a.C. Na descrição de sua campanha contra o Egito em seu 37° ano, Nabucodonosor faz referência à cidade de *Putuyaman*, isto é, a Putu dos jônios, o que sugere uma identificação mais exata de Pute com a Cirenaica (ANET, p. 308). O nome *Put* do Texto Massorético hebraico foi traduzido muitas vezes na LXX como "líbio", e Tiro tinha a intenção de contratar tropas mercenárias da Líbia ao invés de tropas da Somália. Dessa forma, parece que a Líbia seria a mais correta identificação de Pute. *Veja* Líbia.

H. G. S.

**PUTÉOLI** Um porto localizado na baía de Nápoles, onde Paulo desembarcou depois de uma longa e quase desastrosa viagem da Palestina. Essa cidade tinha um dos melhores portos da costa italiana, e havia sido estabelecida pelos gregos há muitos séculos. Como se tratava de um grande centro comercial, muitos judeus também viviam ali. Quando Paulo ali chegou, já havia sido estabelecida uma Igreja cristã (At 28.13,14). Uma parte do atracadouro onde Paulo pode ter desembarcado ainda pode ser vista na moderna Pozzuoli. Depois de sete dias, Paulo e os outros iniciaram a sua jornada em direção a Roma.

**PUTIEL** Sogro de Eleazar, filho de Arão (Êx 6.25). O nome hebraico *puti'el* é uma combinação do termo egípcio *pu-di* , "aquele que foi dado por", e do termo hebraico *'el,* ou "Deus". Esse nome indica que Putiel havia, sem dúvida, nascido no Egito.

**PUTITAS ou PUÍTAS** Formas do nome Puteus. Era um nome de família, da linhagem de Calebe, de um clã em Quiriate-Jearim (1 Cr 2.53).

**PUVA** O nome hebraico *puwwa* ocorre em Números 26.23 e refere-se a um dos filhos de Issacar, cujos descendentes eram chamados puvitas (*q.v.*). Esse nome (com a mesma ortografia hebraica) também aparece como Puá em Gênesis 46.13, e em uma forma hebraica mais curta (*pu'a*) em 1 Crônicas 7.1.

**PUVITAS** Descendentes de Puva (em hebraico *puni*), um dos filhos de Issacar (Nm 26.23). As antigas versões sugeriram que a ortografia correta deveria ser *pu'i,* cuja tradução seria puítas.

**PYGARG** *Veja* Animais: Antílope II.1.

# Q

**QERE** Um termo aramaico, $q^{e}re$, que significa "aquilo que deve ser lido". Uma anotação marginal que os escribas fizeram no texto heb. quando a tradição oral ou a interpretação privada divergia do texto escrito oficial (o $K^{e}thib$, *q.v.*). Eles eram proibidos de alterar o texto em si, mas fizeram mais de 1.300 notas.

**QESITAH** *Veja* Pesos, Medidas e Moedas: Pesos.

**QOPH** A 19ª letra do alfabeto hebraico, correspondendo ao "q", mas transliterado como Cofe em várias versões (*q.v.*). É usada para introduzir a 19ª seção do Salmo 119 (vv. 145-152). Cada versículo dessa seção, em heb., começa com essa letra.

**QUANTIDADE** *Veja* Pesos, Medidas e Moedas.

**QUARTO** Pessoa mencionada apenas em Romanos 16.23. Ele era um dos vários moradores de Corinto (presumindo que Paulo tenha escrito a Epístola aos Romanos daquela cidade) cujas saudações foram enviadas aos cristãos romanos. Seu nome era evidentemente derivado do latim e significava "quarto" (como um algarismo ordinal). "Os números ordinais eram empregados pelos latinos como nomes próprios" (W. G. T. Shedd, *Commentary on Romans*, p. 435). Ele era provavelmente italiano de nascimento, e tinha amigos em Roma. Tudo o mais que sabemos sobre ele é que era um crente em Cristo, pois Paulo o chama de "irmão".

**QUARTO ou APOSENTO** Tradução de nove palavras hebraicas e gregas.
1. Heb. *maqom,* que significa "lugar" ou "terreno para ficar". Lugar para um viajante e

seus camelos (Gn 24.23,31), solicitado pelo servo de Abraão a Rebeca.
2. Heb. *qen*, "quarto" (na verdade "compartimento"). Por exemplo os compartimentos separados da arca preparados por Noé para abrigar os animais (Gn 6.14).
3. Heb. *merhab*, "lugar amplo". Esse termo revela a liberdade de Davi da prisão de um perseguidor (Sl 31.8) quando ele a sentiu na época de Saul (cf. 2 Sm 22.20).
4. Heb. *tahath*, "lugar" ("ao invés de"). Davi desejava substituir o problemático Joabe por Amasa como chefe do exército (2 Sm 19.13).
5. Gr. *anti*, "lugar" ("em lugar de"). Arquelau havia se tornado rei em lugar de Herodes o Grande (Mt 2.22).
6. Gr. *diadochos*, "lugar" ("sucessor"). Esse termo refere-se ao governador que sucedeu Félix, isto é, Pórcio Festo (At 24.27). Da mesma forma que Félix, este também deixou Paulo preso para agradar aos judeus (At 24.27; 25.9).
7. Gr. *protoklisia*, "quarto" ("principal assento para reclinar"). Lugar de honra em um jantar ou banquete, procurado pelos judeus (Mt 23.6; Mc 12.39; Lc 14.7).
8. Gr. *topos*, "quarto" ("lugar"). Expressa os amplos aposentos do céu para os eleitos de Deus (Lc 14.22). Forma figurada do estado dos ignorantes, ou de um lugar de moradia (1 Co 14.16).
9. Gr. *huperoon*, "quarto" ("quarto superior"). Lugar onde Matias foi escolhido para substituir o apóstolo Judas (At 1.13,23-26). Seu acesso era provavelmente alcançado através de uma escada externa. Lugar onde foi colocado o corpo de Dorcas e onde Pedro a ressuscitou (At 9.37). O piso mais elevado de um edifício de pelo menos três andares (At 20.8).
H. G. S.

**QUARTO DE HÓSPEDES** *Veja* Casa.

**QUARTZO** *Veja* Minerais e Metais.

**QUATERNO** Um pelotão de quatro soldados, como aquele que foi destacado para guardar Pedro enquanto estava preso em Jerusalém (At 12.4; cf. Mt 27.65). Quatro destes "quaternos" ou "escoltas" eram designados para a segurança noturna, um para cada vigília ou para a quarta parte da noite. Dois soldados foram acorrentados a Pedro na cela, e dois ficaram de guarda do lado de fora da porta.

**QUEBAR** Um rio na terra dos caldeus, em cujas margens se estabeleceram alguns dos judeus exilados, incluindo o profeta Ezequiel. Foi nesse lugar que Ezequiel (*q.v.*) teve algumas de suas visões (Ez 1.1,3; 3.15,23; 10.15,20). Foi identificado em tábuas cuneiformes acadianas como um canal navegável chamado *naru Kabari* (que significa "grande rio") situado a leste de onde a antiga Nippur se unia a um dos grandes canais navegáveis da Babilônia.

Um "selo da tentação" da Mesopotâmia, mostrando um homem e uma mulher, uma árvore e uma serpente

**QUEDA DO HOMEM** *Um evento histórico*. As Escrituras retratam a queda de Adão como um evento explícito que ocorre na história humana. O relato em Gênesis 3, portanto, não deve ser considerado como um mito (assim, J. S. Whale diz: "Todo homem é o seu próprio Adão. A trágica apostasia do homem de Deus não é algo que aconteceu de uma vez por todas há muito tempo atrás. Isto é algo verdadeiro em todo momento da existência"), nem deve ser tomado como pertencendo a uma super-história (assim, Brunner diz: "Tanto a criação como a queda estão por trás da realidade histórica visível"), tampouco deve ser explicada como uma alegoria, representando o despertar da auto-consciência e da personalidade do homem (Kant, Schiller, Hegel).
O NT assume a posição de que a queda de Adão seja um evento histórico e uma explanação do que acontece hoje. Paulo liga tão intimamente a respectiva supremacia de Adão e de Cristo que, se Adão for visto como um mito, então Cristo também deve ser considerado como um mito (Rm 5.12ss.; 1 Co 15.21ss.; veja também 1 Timóteo 2.14); pois Adão era o tipo daquele que deveria vir – "o último Adão" e "o segundo homem" (1 Co 15.45,47).
Os detalhes da queda são claros. Ao invés de confrontar Adão, o tentador, na forma de uma serpente, aproximou-se de Eva. Não sendo o cabeça da raça, e tendo recebido o mandamento de Deus apenas indiretamente, seria menos provável que ela assumisse um senso de responsabilidade. O curso que o tentador seguiu em Gênesis 3 está por trás de todo pecado que é cometido. Em primeiro lugar, vem a sugestão para se duvidar da Palavra de Deus ("É assim que Deus disse...?"). Em segundo, vem a rapidez para desacreditar a Palavra de Deus ("É certo que não morrereis"). Em terceiro, vem o apelo ao orgulho e à auto-suficiência ("Sereis como Deus"). Por último, vem a efetiva desobediência à Palavra de Deus (eles "comeram").
As conseqüências da transgressão se abateram imediatamente. Em primeiro lugar,

Adão e sua mulher foram tomados por um sentimento de culpa ("percebendo que estavam nus"). Em segundo, eles ficaram cientes da separação entre eles e Deus ("esconderam-se"). Em terceiro, eles receberam uma sentença ("dores", "suor", "ao pó tornarás"). Finalmente, foram banidos da presença de Deus (o Senhor Deus os lançou para fora do jardim do Éden).

*Os efeitos da Queda.* Embora a queda tenha sido realmente um evento histórico, ela não foi um evento isolado. As conseqüências que ela trouxe sobre os primeiros patriarcas da humanidade não cessaram com a morte destes. Eles envolveram a sua posteridade e toda a criação em sua transgressão (cf. Rm 8.18-25).

Quanto à sua posteridade, a queda introduziu a *universalidade do pecado* em toda a raça humana (Sl 143.2; Rm 3.1-12,19,20,23; Gl 3.22; 1 Jo 1.8,10). Como expressa a *Cartilha da Nova Inglaterra*: "Na queda de Adão, todos pecamos". É na queda da raça humana em Adão que recebemos a explicação do por que as crianças nascem com a tendência a pecar, por que algumas morrem na infância, e por que todas as que sobrevivem, independentemente da raça, cultura e ancestrais, cometem transgressões voluntárias.

Alguns classificam esta situação como sendo o "*pecado original*". Aqueles que compartilham esta teoria entendem que este deva ser assim chamado porque: (1) é derivado da raiz original da humanidade; (2) está presente em cada indivíduo desde o seu nascimento; (3) entende-se que esta seja a raiz interna de todos os pecados reais que contaminam a vida do homem.

Como resultado do pecado original, acredita-se que o homem seja uma criatura tanto culpada como contaminada. Em Romanos 5.12-19, Paulo enfatiza a solidariedade da raça humana, a supremacia de Adão sobre ela, o significado único de seu primeiro pecado para toda a sua posteridade e a culpa pelas suas conseqüências, sob as quais todos os homens agora se encontram. O apóstolo reitera a mesma verdade em 1 Coríntios 15.22 ("Todos morrem em Adão"). Se todos morrem em Adão, é porque todos pecaram e são culpados em Adão. Todo homem é culpado, portanto, de ter transgredido o expresso mandamento de Deus e é, como resultado, merecedor do castigo divino.

A culpa, porém, não é o único resultado do "pecado original". Um outro é a contaminação. O homem não possui mais a bondade original como qual foi criado. Em seu lugar, formou-se uma perversidade que controla seu coração, seu pensamento, sua disposição e sua vontade. Esta contaminação de toda a sua natureza é chamada de *depravação total*, um termo que precisa ser guardado de qualquer mal-entendido. A depravação total não sugere que cada homem seja tão mau quanto possa se tornar. Nem implica que o homem seja incapaz de pensar ou fazer qualquer coisa que seja boa. Antes, devemos entender por este termo que o homem é inerentemente corrupto em cada parte de sua natureza, e é incapaz de fazer qualquer bem espiritual (isto é, em relação a Deus). Esta depravação total é claramente ensinada nas Escrituras (Jo 5.42; Rm 7.18,23; Ef 4.18; 2 Tm 3.2-4; Tt 1.15; Hb 3.12). *Veja* Depravação; Imagem de Deus.

Mas os efeitos do pecado de Adão vão além dos seus descendentes. Suas conseqüências também se estendem à terra física. "Maldita é a terra por causa de ti" (Gn 3.17; cf. Rm 8.20-22). Como a imagem de Deus, o ápice da criação, o homem foi designado como o vice-regente de Deus (Gn 1.26; Sl 8.4-8). Quando o homem, a coroa da criação, caiu, trouxe a catástrofe sobre tudo o que estava sob o seu domínio. Esta maldição, que paira como uma nuvem sobre a criação, não será removida até a segunda vinda de Cristo (Rm 8.18-23), quando então os efeitos da queda serão finalmente abolidos, e um novo céu e uma nova terra, onde habita a justiça, serão estabelecidos (2 Pe 3.12,13). *Veja* Pecado.

*Desenvolvimento da doutrina.* Anteriormente à época de Agostinho (séc. V), não se pode encontrar a exposição formal da doutrina da queda do homem nos escritos dos patriarcas da Igreja. Agostinho, em sua controvérsia com Pelágio, enfatizou o fato de que todos os homens estavam de forma embrionária presentes em Adão e, na verdade, pecaram nele. Pelágio, seu adversário, negou tal ligação entre o pecado de Adão e os da sua posteridade. O pelagianismo ensinava que o pecado de Adão afetou apenas a ele mesmo, que todo indivíduo nasceu sem pecado, e era, portanto, inerentemente capaz de viver uma vida sem pecado. O pecado de Adão influenciou os seus descendentes somente por ter sido um mau exemplo. Os erros dos pelagianos foram perpetuados pelos socinianos dos séculos XVI e XVII (precursores dos atuais unitarianos), e por teólogos liberais modernos.

O catolicismo romano defende oficialmente uma posição semi-pelagiana, insistindo que a perda do homem na queda foi o dom da justiça original. Este dom foi algo extra, acrescentado ao homem (*donum superadditum*) no momento da criação, e que, quando perdido, deixou-o em seu estado natural. A queda, portanto, constituiu um mal, algo negativo (a perda de algo que fora acrescido à natureza do homem), ao invés de um castigo positivo. Assim, de acordo com a teologia católico-romana, um homem não regenerado ainda possuiu a habilidade de realizar obras que o façam atingir a salvação.

Alguns dos reformadores continuaram com a opinião agostiniana de que todos os homens eram embrionários em Adão e, assim, compartilharam de sua transgressão. Lutero falou da culpa do homem por causa do pecado residente herdado de Adão. Calvino tomou a posição de que Adão foi tanto o progenitor como a raiz da raça humana; que, portanto, toda a sua descendência nasce com uma natureza corrupta; e que tanto a culpa do pecado de Adão como a própria corrupção inata de sua descendência lhe são imputadas como pecado.

Teólogos reformistas posteriores colocaram grande ênfase nos aspectos federal e de aliança do relacionamento de Adão com a raça humana. De acordo com eles, Adão se posicionou como o representante da raça humana, e em sua queda a humanidade recebeu tanto a culpa como a contaminação de seu pecado. Esta opinião está mais de acordo com o paralelo que Paulo estabelece entre Cristo e aqueles que estão unidos a ele (Rm 5.12-19; 1 Co 15.22,45-49). No caso de Cristo, é a liderança representativa que é indicada, uma relação que tem seu paralelo na liderança que existe entre Adão e a sua posteridade.

Em termos poéticos, Milton escreveu uma das declarações mais profundas com respeito à natureza da queda nas linhas iniciais de sua obra, *Paraíso Perdido*:

*"Da primeira desobediência do homem, e do fruto*
*Daquela árvore proibida, cujo sabor mortal*
*Trouxe a morte para o mundo, e todos os nossos ais,*
*Inclusive a perda do Éden..."*

***Bibliografia.*** H. Bavinck, "The Fall", ISBE, 11, 1092ss. L. Berkof, *Reformed Dogmatics*, Grand Rapids. Eerdmans, 1941. Charles C. Hodge, *Systematic Theology*, Grand Rapids. Eerdmans, reimpresso, 1952. J. Gresham Machen, *The Christian View of Man*, Grand Rapids. Eerdmans, 1937. J. Murray, *The Imputation of Adam's Sin*, Grand Rapids. Eerdmans, 1959. C. R. Smith, *The Bible Doctrine of Sin*, Naperville, Ill.. Alec R. Allenson, 1953.

F. C. K.

**QUEDAR** Um filho de Ismael (Gn 25.13; 1 Cr 1.29), e descendente da tribo árabe de Quedar (heb. *qedar*, "preto" ou "moreno"). Esta tribo é mencionada nos registros assírios de Esar-Hadom e Assurbanipal como *Qidri*, *Qadri* e *Qidarri*, e em um vaso de prata do século V a.C. como *Qdr*.

Os quedaritas eram conhecidos por sua riqueza em rebanhos (Jr 49.28,29; Ez 27.21), e seus homens eram famosos flecheiros (Is 21.16,17). Eles viviam em tendas negras em acampamentos sem muros (Ct 1.5; Is 42.11). Em Isaías 60.7, e também nas inscrições de Assurbanipal, eles são citados em conexão com a tribo árabe de Nebaiote (talvez fossem os nabateus). Eles parecem ter vagado pelo deserto da Síria a leste da Palestina, mas no período persa também eram encontrados no deserto ao sul da Palestina. Naquela época, eles eram governados por "Gesém, o arábio" (Ne 2.19), que é chamado de "rei de Quedar" no vaso de prata já mencionado, descoberto em Tell el-Maskhutah, na parte leste do delta do Egito (I Rabinowitz, JNES, XV [1956], 1-9). Quedar e seus povos confederados exerceram grande influência desde a região do delta em direção ao deserto da Síria, e desde a época de Senaqueribe até o período nabateu (W. J. Dumbrell, "The Tell el-Maskhuta Bowls and the 'Kingdom' of Qedar in the Persian Period", BASOR, #203 [1971], pp. 33-44).

S. H. H.

**QUEDEMÁ** O 12º filho de Ismael (Gn 25.15; 1 Cr 1.31). O nome heb. (*Qedma*) significa "em direção ao oriente". É possível que os *bene qedem*, "os filhos do oriente" (Gn 29.1; Jz 6.3,33 etc.), mencionados freqüentemente em registros extra-bíblicos, tenham sido descendentes deste ismaelita. *Veja* Filhos do Leste, Filhos do Oriente.

**QUEDEMOTE**

1. Um deserto perto dos afluentes do rio Arnom, do qual Moisés enviou mensageiros a Seom, rei dos amorreus, pedindo permissão para passar por sua terra (Dt 2.26).
2. Uma cidade a leste da Transjordânia designada por Moisés à tribo de Rúben (Js 13.18). Ela se tornou uma cidade levítica destinada aos meraritas (Js 21.37; 1 Cr 6.79). Pode ser identificada com ez-Za'feran, treze quilômetros a sudeste de Medeba.

**QUEDES**

1. Uma cidade cananéia bem fortificada, identificada com Tell Qades, a noroeste do lago Huleh (agora drenado), situada 15 quilômetros ao norte de Hazor. Ela foi mencionada como *Qdsh* por Tutmósis III (1483–1450 a.C.) em sua primeira lista de cidades palestinas conquistadas, e também por Seti I (aprox. 1310 a.C.), de acordo com J. Simons (*Egyptian Topographical Lists*, Leiden. Brill, 1937, pp. 35-36, 115). Seu rei foi derrotado por Josué, e a cidade foi destinada a ser uma cidade refúgio e a residência dos levitas gersonitas (Js 12.22; 19.37; 20.7; 21.32). Seus habitantes foram capturados e exilados por Tiglate-Pileser III durante o reinado de Peca (2 Rs 15.29).
2. Quedes-Naftali (ou Quedes de Naftali; Jz 4.6,9-11), o lar de Baraque, o juiz, parece não ter sido a cidade de Quedes mencionada no item 1 acima, a forte cidade cananéia localizada mais de 50 quilômetros ao norte do monte Tabor. Y. Aharoni argumentou convincentemente que Quedes-Naftali era como um extenso assentamento israelita com vista para o mar da Galiléia conhecido como Khirbet Qedish. Situado a aprox. 3 quilômetros ao sul de Tiberíades, o local possui ruí-

nas do período dos juízes e está apenas a algumas horas de caminhada do monte Tabor (*The Land of the Bible*, Filadélfia. Westminster, 1967, p. 204).
3. Uma cidade levítica dentro das fronteiras de Issacar (1 Cr 6.72), chamada de Quisião em Josué 21.28. Ela tem sido identificada com Tell Abu Qedeis, 4 quilômetros a sudeste de Megido, ou com Tell Qisan, ao pé do monte Tabor. Alguns estudiosos a têm identificado com a cidade de Quedes mencionada no item 2 acima, uma vez que os territórios das tribos às vezes se sobrepunham.
4. Uma cidade no extremo sul de Judá (Js 15.23), talvez Cades-Barnéia (*q.v.*).

J. R.

**QUEDES-NAFTALI ou QUEDES DE NAFTALI** *Veja* Quedes.

**QUEDORLAOMER** Um rei de Elão que liderou uma coalisão entre os reis da Mesopotâmia e do norte da Síria, para acabar com uma rebelião de cinco reis vassalos no vale de Sidim (Gn 14.1-5), na região do mar de Sal (mar Morto). Estes últimos poderiam ter interrompido o pagamento de tributos sobre o betume, o cobre ou o Sal, recursos naturais altamente valorizados na Mesopotâmia. Depois da derrota de Sodoma e Gomorra, e da captura de Ló por Quedorlaomer e seus aliados, Abrão perseguiu-os até Hobá, ao norte de Damasco (Gn 14.15), e resgatou Ló (Gn 14.17). *Veja* Abraão; Elasar.
Embora os lugares e pessoas citados e os arcaísmos lingüísticos estabeleçam a antiguidade de Gênesis 14, não é possível sugerir uma identificação histórica de Quedorlaomer que seja isenta de dificuldades. A proposta de W. F. Albright (BASOR #88 [1942], p. 34) de que ele pode ter sido Kutir-nahhunti I de Elão (1625 a.C.) tem algumas dificuldades cronológicas (Veja agora BASOR #163, pp. 49ss). O nome Quedorlaomer é uma construção elamita genuína, *Kutir* (ou *Kudur*)-*lagamar*, e quer dizer "servo da (deusa) Lagamar". Entretanto, ele não pode ser equiparado a nenhum governador do Elão de que se tenha conhecimento.
Como Abraão viveu em aproximadamente 2000 a.C., a época mais provável da história da Mesopotâmia em que tal campanha pode ter ocorrido teria sido depois da queda do governo sumério, durante a dinastia de Ur III (2113–1991), e antes do controle poderoso da Babilônia por Hamurabi (1792–1750 a.C.). Sabe-se que os elamitas, amorreus (*veja* Anrafel) e os hurrianos (*veja* Arioque) teriam estado ativos na Mesopotâmia durante as dinastias Isin e Larsa (1991–1786 a.C.).

H. E. Fi.

**QUEELATA** Um lugar não identificado no qual os israelitas acamparam na jornada do Egito para Canaã (Nm 33.22,23).

**QUEFAR-AMONAI** Uma cidade cujo nome significa "aldeia dos amonitas" no território de Benjamim (Js 18.24), assim chamada, talvez, porque os amonitas vivessem ali. Alguns a identificam com Kefr'ana, um lugar em ruínas, cerca de três quilômetros ao nordeste de Betel.

**QUEIJO** *Veja* Alimentos.

**QUEILA** Uma cidade fortificada na Sefelá destinada a Judá (Js 15.44) e mencionada nas cartas de Amarna como Qilti. Identificada com Khirbet Qila, ela está situada 13 quilômetros a noroeste de Hebrom, e com vista para a rota norte-sul do vale de Elá a Hebrom. Davi e seu grupo salvaram a cidade dos filisteus, que a tinham tomado, e habitaram por algum tempo em sua fortaleza. Saul planejou atacá-la para capturar Davi; e, por não poder confiar em seus habitantes, Davi partiu para vagar novamente pelo deserto (1 Sm 23.1-13). Na época de Neemias, a cidade havia sido reocupada pelos judeus que retornaram da Babilônia (Ne 3.17,18).

**QUEIMAR** O ato de queimar material combustível pelo fogo é usado nas Escrituras tanto no sentido literal como figurado. Os sacrifícios eram queimados no altar do holocausto das ofertas, significando uma total consagração a Deus (Lv 6.9). As lâmpadas queimavam continuamente com azeite puro de oliva como combustível (Lv 24.2; Ap 4.5). Incenso era queimado continuamente sobre o altar do Lugar Santo no Tabernáculo e, mais tarde, no Templo (1 Rs 9.25). A queima de especiarias próximo ao corpo do rei Asa foi executada como um rito do funeral real (2 Cr 16.14; cf. 21.19; Jr 34.5). A sarça de onde Deus chamou Moisés (Êx 3.2; *veja* Sarça Ardente) e o monte onde foram entregues as leis, foram descritos como ardentes (Dt 5.23). Uma brasa acesa (ou "viva") do altar foi aplicada aos lábios de Isaías (Is 6.6,7).
O castigo pelo fogo era praticado na Babilônia (Jr 29.22), Sadraque, Mesaque e Abede-Nego foram lançados vivos em uma fornalha ardente (Dn 3.6,11,15-26). Na antiga nação de Israel, entretanto, esse castigo só era usado em casos de prostituição e incesto (Gn 38.24; Lv 20.14; 21.9). Alguns estudiosos sugerem que, nesses casos, o apedrejamento precedia a cremação. Sabe-se que o corpo dos criminosos, executados por apedrejamento, era depois cremado, como no caso de Acã e sua família (Js 7.25). Às vezes, o castigo divino pelo fogo era enviado diretamente por Deus (Levítico 10.2,6).
A palavra "queimar" é usada de maneira figurada para descrever a ira do Senhor (Js 7.26; Sl 69.24); o castigo eterno (Is 33.12,14; Ap 19.20; 21;8); a dor física (Jó 30.30); a con-

cupiscência idólatra ou sexual (Is 57.5; 1 Co 7.9); e os lábios ardentes e ociosos (Pv 26.23). No contexto da adoração, queimar significa purificar (Is 6.6,7; 1 Pe 1.7) e uma total devoção a Deus (Lc 24.32; Jo 5.35). Nos relacionamentos humanos, queimar ou queimadura têm o sentido de dor ou sofrimento, tanto físico (Lv 13.24,25) como emocional (2 Co 11.29). *Veja* Fogo.

C. F. P.

**QUELAÍAS** Um dos levitas que foram compelidos por Esdras a desistir de suas esposas estrangeiras (Ed 10.23). *Veja* Quelita.

**QUELAL** Um dos oito filhos de Paate-Moabe que foi forçado por Esdras a abandonar as suas esposas estrangeiras após o seu retorno do cativeiro (Ed 10.30).

**QUELITA** Um levita que ajudou a interpretar a lei quando Esdras a leu para o povo reunido, e que participou do selo da aliança juntamente com o povo (Ne 8.7; 10.10). É identificado com Quelaías (Ed 10.23).

**QUELUBAI** Uma variante de Calebe (1 Cr 2.9,18). Aqui ele é mencionado como o irmão de Jerameel e Rão, e filho de Hezrom. Calebe (ou Quelubai) também é listado como o filho de Jefoné, o quenezeu (Nm 32.12), e como o irmão de Quenaz, pai de Otniel (Js 15.17). Ele foi um dos homens enviados por Moisés para espionar a terra de Canaã (Nm 13.6,30), e foi o conquistador de Hebrom (Js 14.13). *Veja também* Calebe.

**QUELUBE** Pode ser uma variante de Calebe.
1. Um descendente de Judá, irmão de Suá e pai de Meir (1 Cr 4.11).
2. Pai de Ezri, um dos oficiais de Davi e evidentemente seu jardineiro chefe (1 Cr 27.26).

**QUELUÍ** Um dos filhos de Bani, mencionado em um grupo que tinha esposas estrangeiras e que foi forçado por Esdras a abandoná-las depois do seu retorno do cativeiro (Ed 10.35).

**QUEMARIM** Uma palavra de origem aramaica que significa "sacerdote". A versão RSV em inglês traduz a forma plural como "sacerdotes idolátricos". A versão RC em português apresenta a palavra "quemarins" em Sofonias 1.4 e "sacerdotes" em Oséias 10.5. Há versões que a traduzem como "sacerdotes idolátricos" em 2 Reis 23.5. Essas três passagens mostram esses sacerdotes envolvidos com falsa adoração. A versão Peshita, no entanto, usa este termo favoravelmente e em ligação com os sacerdotes levíticos e Jesus (Is 61.6; Hb 2.17; 3.1; 4.14,15). A idéia da raiz ainda é incerta. A palavra aparece em textos antigos escritos em fenício, palmireno e nabateu, e nas cartas de Amarna como *kamiru*. Os judeus na fortaleza de Elefantina, perto de Assuã, usavam essa palavra quando se referiam ao sacerdote egípcio do deus Khnum.

**QUEMOS** *Veja* Falsos deuses.

**QUEMUEL**
1. Filho de Naor, o irmão de Abraão, e pai de Arã (Gn 22.21).
2. Um príncipe da tribo de Efraim que foi responsável pela divisão da herança em Canaã (Nm 34.24).
3. Um levita; pai de Hasabias, que era o líder de uma tribo na época de Davi (1 Cr 27.17).

**QUENAANA**
1. Pai de Zedequias, o falso profeta que incitou Acabe contra Mica (1 Rs 22.11,24; 2 Cr 18.10,23).
2. Um dos sete filhos de Bilã, filho de Jediael, da tribo de Benjamim, um guerreiro poderoso da época de Davi (1 Cr 7.10,11).

**QUENANI** Um dos oito levitas mencionados como cantando algum canto religioso quando Esdras leu a lei em público (Ne 9.4). Os nomes representam casas levitas ou indivíduos escolhidos para liderar a adoração do povo.

**QUENANIAS**
1. Um líder dos levitas a cargo de "dirigir o canto", ou "entoar o canto", ou de "levar" a arca da aliança quando ela foi trazida, por ordem de Davi, da casa de Obede-Edom para Jerusalém (1 Cr 15.22,27).
2. Um izarita, que com seus filhos foi indicado para "a obra de fora, por oficiais e por juízes [dos negócios externos]" (1 Cr 26.29). Isto provavelmente refere-se a tarefas fora do Templo.

**QUENATE** Uma cidade cananéia em Gileade, no nordeste de Israel em Haurã; durante certo tempo foi chamada de Noba, o nome de um de seus conquistadores (Nm 32.42; 1 Cr 2.23). Sua importância no segundo milênio a.C. é indicada por sua menção nos textos de Execração egípcios (aprox. 1825 a.C.), em uma lista de Tutmósis III (aprox. 1470 a.C.), e nas cartas de Amarna como Qanû (aprox. 1370 a.C.). Ela tem sido identificada como Qanawat, aprox. 90 quilômetros a leste do mar da Galiléia.

**QUENAZ**
1. Um dos filhos de Elifaz, o filho de Esaú, e Ada, a hitita. Quenaz tornou-se um dos chefes ou príncipes das famílias edomitas habitando no Neguebe ou deserto árabe ocidental (Gn 36.11,15,42; 1 Cr 1.36,53).
2. Irmão de Calebe, o quenezeu. É possível que Calebe e seu irmão fossem descendentes do edomita Quenaz. Seus ancestrais mais

imediatos juntaram-se a Israel antes da partida do Egito. Quenaz era pai de Otniel, que era o genro de Calebe e o primeiro juiz de Israel (Js 15.17; Jz 1.13; 3.9,11; 1 Cr 4.13). *Veja* Quenezeu.
3. Neto de Calebe e filho de Elá (1 Cr 4.15).

**QUENEU** Uma tribo nativa da Palestina na era patriarcal (Gn 15.19). O termo "queneu" vem de *qayin*, que originalmente significava "trabalhador em metal, ferreiro", tanto em aramaico quanto em árabe. Este significado é preservado no nome de um dos filhos de Lameque, Tubalcaim, "mestre de toda obra de cobre e de ferro" (Gn 4.22).
Os queneus aparentemente eram clãs nômades ou semi-nômades de ferreiros, que também pastoreavam rebanhos e viviam em tendas. A famosa pintura de tumba (século XIX a.C.) em Beni Hasan, no Egito, retrata um grupo como este, composto por 37 asiáticos, trazendo tinta de olhos para o vizir. Dois jumentos são mostrados, cada um carregando um fole, um equipamento necessário para trabalhadores em metal que estivessem viajando (ANEP #3).
Várias passagens do AT relatam os queneus habitando com os midianitas no Sinai (o sogro de Moisés é chamado de queneu como também de midianita, cf. Jz 1.16 com Nm 10.29), entre os penhascos (Nm 24.21). Aqui temos a lembrança de Petra, e provavelmente a referência poética à região de Arabá com seus muitos depósitos de cobre, e ao Neguebe, rico em minerais, ao sul de Arade (Jz 1.16), tendo na direção oeste a fronteira do Egito (1 Sm 15.6,7). Héber, o queneu, separou-se dos outros queneus e armou a sua tenda perto das rotas de comércio na planície de Esdraelom (Jz 4.11,17). Em seu relato da batalha de Megido (aprox. 1479 a.C.), Tutmósis III menciona um riacho ou vale Qina ao sul de Megido (ANET, p. 236), que possivelmente reflete a palavra "queneu".
Através dos laços do casamento, Moisés se tornou aparentado dos queneus e, em seguida, convidou Hobabe para se juntar aos israelitas, pois precisava de suas habilidades como nômade para guiá-los (Nm 10.29-32). Descendentes dos parentes de Moisés acompanharam os homens de Judá da região de Jericó para tomarem posse de sua herança (Jz 1.16; 1 Sm 27.10). Saul poupou os queneus em sua guerra contra os amalequitas (1 Sm 15.6), e Davi enviou presentes de seus despojos às cidades dos queneus que estavam no território de Judá (1 Sm 30.26,29). Alguns queneus listados na genealogia de Judá, que eram descendentes do fundador dos recabitas, formaram associações escribais ("famílias dos escribas", 1 Cr 2.55).
Alguns estudiosos do AT, seguindo a análise documentária do Pentateuco (por exemplo, L Koehler, *Old Testament Theology*, p. 45), afirmaram que Moisés aprendeu o nome Jeová com seu sogro queneu. Conhecida como a "hipótese quenita", esta teoria propõe que Jeová era originalmente o deus tribal queneu-midianita, e que Jetro era o principal sacerdote do culto a Jeová. Porém, o nome Jeová (e a grande importância de seu significado) era certamente conhecido dos patriarcas (*veja* Deus; Deus, Nomes e Títulos de; EU SOU). Quando Jetro ofereceu o seu sacrifício a Deus (Êx 18.12), ele não estava instruindo Moisés sobre como adorar a Jeová, pois os vv. 8-11 mostram Jetro sendo levado à fé no Senhor Jeová através do testemunho de Moisés.

***Bibliografia.*** CornPBE, "Kenites", pp. 480ss. Y. Kaufmann, *The Religion of Israel*, Chicago. Univ. of Chicago Press, 1960, pp. 242ss. J. A Motyer, "Kenites", NBD, pp. 688ss.

J. R.

**QUENEZEU** Uma tribo da terra de Canaã na época de Abraão, mencionada juntamente com os queneus (*q.v.*), que eram ferreiros (Gn 15.19). Eles podem ter surgido com um clã dos edomitas. É possível que o nome do chefe edomita, Quenaz (*q.v.*; Gn 36.15,42), tenha se originado de seu domínio sobre os quenezeus.
Calebe (*q.v.*), escolhido da tribo de Judá para ser um dos 12 espias, é chamado de quenezeu em Neemias 32.12 e Josué 14.6,14. Esta relação sugere que os quenezeus se juntaram à tribo de Judá. Isto ocorreu consideravelmente antes do Êxodo, porque Calebe e seu pai Jefoné aparecem como líderes maduros (Nm 13.6). Otniel, parente de Calebe, é chamado filho de Quenaz (Js 15.17), o que designa Otniel (*q.v.*) como um quenezeu, ou significa que Calebe tinha um irmão mais novo chamado Quenaz.
Na genealogia de 1 Crônicas 4.13-15, que lista os descendentes de Quenaz, um certo Joabe era "fundador do vale dos Artífices, porque os dali eram artífices" (v. 14). Embora o vale e o tipo de arte envolvida não possam ser identificados com precisão, a associação dos quenezeus com os queneus, cujo nome significa "ferreiros", sugere que Joabe desenvolveu uma atividade comercial familiar em um local que possuía minas de cobre.

J. R.

**QUENIZ** *Veja* Pesos, Medidas e Moedas.

**QUERÃ** O quarto filho de Disom, um chefe de clã hurriano listado na árvore genealógica de Seir. Evidentemente, o fundador de um subclã hurriano em Edom (Gn 36.26; 1 Cr 1.41).

**QUÉREN-HAPUQUE** A terceira filha nascida a Jó durante os anos de prosperidade que sucederam o seu período de provação (Jó

O mosteiro de Elias junto ao tradicional ribeiro de Querite

42.14). Seu nome hebraico significa "chifre de antimônio", isto é, uma medida de tinta preta para os olhos, ou uma máscara (cf. 2 Rs 9.30; Jr 4.30).

**QUERETITAS ou QUERETEUS**
1. Um grupo de pessoas no Neguebe ou sul da Palestina (1 Sm 30.14), vizinhos (a sudeste) dos filisteus (cf. Ez 25.16; Sf 2.5). Ezequiel previu o julgamento contra estes, por causa da vingança dos filisteus contra Judá, indicando a forte relação entre os dois povos. Este nome (heb. *kereti*) provavelmente é um eco da palavra Creta (*q.v.*), a antiga Caftor (*q.v.*). Assim, eles seriam cretenses, parentes dos filisteus. Os caritas eram provavelmente o mesmo povo (2 Sm 20.23, uma variante no *Kethibh*; 2 Rs 11.4,19, que algumas versões trazem como "capitães").
2. Mercenários que com os peleteus formavam a guarda pessoal de Davi, liderados por Benaia, filho de Joiada (2 Sm 8.18; 20.23; 1 Cr 18.17), provavelmente recrutados dos quereteus durante a época em que ele fugiu de Saul. Eles estiveram ao lado de Davi quando Absalão se rebelou (2 Sm 15.18) e provaram a sua lealdade uma vez mais estando presentes na coroação de Davi (1 Rs 1.38,44). Mercenários estrangeiros não têm família nem lealdade locais e tendem a ter boa disciplina, como destaca Cyrus H. Gordon, que equipara esses quereteus aos cretenses (*The World of the Old Testament*, pp. 171 e seguintes). *Veja* Filisteu.

H. G. S.

**QUERIDO** Tradução da palavra hebraica *yahid*, "somente" ou "único" (Gn 22.2,12,16). Nos Salmos 22.20 e 35.17, as versões posteriores a traduziram como "vida" ou "predileta". Essa palavra foi poeticamente transferida para a própria vida do salmista "como uma possessão única e de valor inestimável que nunca pode ser substituída" (*Oxford Hebrew Lexicon*).

**QUERIOTE**
1. Uma cidade de Judá a oeste da margem sul do mar Morto (Js 15.25), que deve provavelmente ser unida à palavra seguinte, formando a palavra Queriote-Hezrom. *Veja* Hazor 3.
2. Uma cidade em Moabe, aparentemente muito fortificada (Jr 48.24,41; Am 2.2). A Pedra Moabita (linha 13) refere-se ao santuário do deus Quemos na cidade de Queriote (ANET, p. 320; *veja* Pedra Moabita). Alguns sugeriram identificar esta cidade com Ar, a capital de Moabe; outros, com Quir-Heres; estas duas identificações são duvidosas, de forma que a sua localização exata permanece desconhecida.

**QUERITE** Um ribeiro onde o Senhor Deus instruiu Elias a esconder-se de Acabe. O profeta ali foi milagrosamente alimentado por corvos (1 Rs 17.2-7). A expressão "diante do" ou "em frente ao" Jordão parece favorecer um lugar em Gileade, a leste do Jordão, ao invés de Wadi Qelt, o lugar tradicional a oeste do Jordão, próximo a Jericó.

**QUEROS** Chefe dos netineus (*q.v.*), uma família que servia no Templo, cujos membros retornaram da Babilônia (Ed 2.44; Ne 7.47).

**QUERUBE** Um israelita que retornou do cativeiro, mas fazia parte de um grupo de pessoas que "não puderam mostrar a casa de seus pais, e a sua linhagem, se eram de Israel" (Ed 2.59; Ne 7.61). Este possivelmente seria o nome de um lugar desconhecido na Babilônia ao invés de uma pessoa.

**QUERUBIM** (Plural Querubins), É um ser celestial da ordem angelical, que pertence ao campo espiritual. Os povos semitas representavam os querubins como leões e touros com asas, com rostos humanos, guardando templos e palácios. A representação bíblica ressalta a semelhança humana, mas também indica as características animais. Eles guardavam o caminho para a árvore da vida (Gn 3.24); uma representação foi presa ao propiciatório da arca (Êx 25.18ss.) no Santo dos Santos (ou Casa da Santidade das Santidades; 2 Cr 3.7-14). Evidentemente tinham algo a ver com a santidade de Deus, que é agredida pelo pecado. Ezequiel os identificou como os "animais" (*q.v.*) que ele viu junto ao rio Quebar (Ez 1.5ss.; 10.20). Muitos identificam as criaturas do livro do Apocalipse (4.6ss.) com o querubim. Seu número de asas é variável. *Veja* Anjo.

L. O. H.

**QUESALOM** Uma cidade na fronteira norte de Judá limitando-se com Dã (Js 15.10). Normalmente identificada como a moderna Kesla, cerca de quinze quilômetros a oeste de Jerusalém, no cume de uma das montanhas que estão situadas ao sul de Wadi el-Humar.

**QUÉSEDE** O quarto filho de Naor (irmão de Abraão) e Milca (Gn 22.22). Provavelmente o antepassado de uma tribo de siros mencionada como a dos caldeus.

**QUESIL** Uma cidade no extremo sul de Judá, citada com Eltolade e Horma (Js 15.30). Seu nome não é mencionado novamente. Quesil evidentemente corresponde a Betul (Js 19.4), Betuel (1 Cr 4.30) e Betel (1 Sm 30.27). *Veja* Betel.

**QUESIS** Uma cidade de Benjamim (Js 18.21), conhecida como Emeque-Quesis, nas proximidades de Jericó. Até o momento a sua localização não foi identificada com precisão.

**QUESULOTE** Uma cidade de Issacar, na fronteira com Zebulom (Js 19.18). Parece ser a mesma que Quislote-Tabor (*veja*; Js 19.12). É identificada com a moderna Iksal, na extremidade norte de Esdraelom(*), cerca de cinco quilômetros a sudeste de Nazaré.
(*) Nota do Tradutor. Esdraelom é a forma grega de Jezreel.

**QUETURA** A segunda esposa de Abraão, que lhe deu seis filhos: Zinrã, Jocsã, Medã, Midiã, Isbaque e Suá (Gn 25.1-6; 1 Cr 1.32,33). Este casamento evidentemente ocorreu após a morte da primeira esposa de Abraão, Sara, e o casamento de Isaque e Rebeca (cf. Gn 24.67). Este casamento parece ter sido de menor importância que o primeiro, pois, em 1 Crônicas 1.32,33, Quetura é classificada como uma concubina, provavelmente junto com Agar. Isto é posteriormente estabelecido pelo fato de que Abraão separou Isaque, o filho da promessa, dos filhos de suas concubinas (Gn 25.6), enviando-os para a região sul e leste da Palestina, no norte da Arábia. Midiã tornou-se uma tribo proeminente na região através de sua associação com Moisés (cf. Êx 2.11ss.). *Veja* Midiã.

**QUEZIA** A segunda filha nascida a Jó durante os anos de prosperidade que sucederam o seu período de provação (Jó 42.14). Seu nome significa "cássis" ou canela.

**QUEZIBE** O lugar onde nasceu o terceiro filho de Judá, Selá (Gn 38.5). Provavelmente deve ser identificada com Aczibe (*q.v.*), uma cidade no oeste de Judá, mencionada com Queila e Maressa como pertencentes a Judá (Js 15.44). Por esse agrupamento, parece ser a mesma que Cozeba (1 Cr 4.22).

**QUIBROTE-HATAAVÁ** O primeiro acampamento dos israelitas no deserto após deixarem o Sinai. Ali o povo, cansado de sua monótona dieta de maná, desejou carne e Deus lhe deu codornizes. Eles abusaram. Como resultado, muitos morreram devido a uma praga. Como conseqüência, este nome veio a significar "covas do desejo" ou "covas da cobiça" (Nm 11.34,35; 33.16,17; Dt 9.22).

**QUIBZAIM** Uma cidade não identificada no monte Efraim, destinada aos levitas coatitas (Js 21.22). O primeiro livro de Crônicas lista Jocmeão em seu lugar (1 Cr 6.68). Não se sabe ao certo se Jocmeão é uma variação de Quibzaim, ou se são nomes de duas cidades levíticas.

**QUIDOM** O nome de um lugar em que se debulhavam grãos, onde Uzá caiu morto por tocar a arca, quando os bois tropeçaram (1 Cr 13.9,10). No entanto, a passagem paralela em 2 Samuel 6.6 indica o lugar de debulha em Nacom (*q.v.*). A referência pode indicar o proprietário do lugar. Não há um conhecimento exato a respeito destes nomes.

**QUILEABE** O segundo filho de Davi, nascido de Abigail, a viúva de Nabal, o carmelita, em Hebrom (2 Sm 3.3). Ele é chamado Daniel em um relato correspondente (1 Cr 3.1).

**QUILIOM** Um dos dois filhos de Elimeleque e Noemi, que vieram de Belém a Moabe. Quiliom casou-se com Orfa, uma moabita; não teve filhos e morreu em Moabe (Rt 1.2,5; 4.9).

**QUILMADE** Uma cidade ou distrito mencionado juntamente com Assur, Harã, Cane e Éden como tendo fornecido mercadorias a Tiro (Ez 27.23). Quilmade pode possivelmente ser identificada com Charmon (Charmande), uma cidade da Babilônia, próxima ao rio Eufrates.

**QUIMÃ** Um dos filhos de Barzilai, o gileadita (Josefo *Ant.* vii. 11.4), que permaneceu leal a Davi quando Barzilai esteve exilado em Maanaim (2 Sm 19.37-40). Davi insistiu com Barzilai (*q.v.*) para que o acompanhasse de volta a Jerusalém e recebesse os favores reais, mas ele não aceitou, devido à sua idade, e pediu a Davi que concedesse os favores a Quimã (2 Sm 19.31-40). Quimã parece ter recebido uma pensão e uma porção de terra nas proximidades de Belém, conhecida quatro séculos mais tarde como a "morada de Quimã" (1 Rs 2.7; Jr 41.17).

**QUINÁ** Uma cidade na fronteira sul de Judá, em direção a Edom (Js 15.22). O nome (*Qina*) sugere um assentamento de queneus (*q.v.*; *Qeni*). O nome pode sobreviver no Uádi el-Qeini, na região entre Arade e Sodoma. Ela é mencionada como uma fortaleza perto de Arade em um óstraco datado de aprox.

600 a.C. encontrado em Tel Arade em 1967. O comandante em Ramate-Neguebe ordenou que tropas fossem enviadas de Arade e Quiná na expectativa de um ataque edomita. Yohanan Aharoni sugere que Quiná seja identificada com Khirbet et-Taiyib, quase seis quilômetros em direção ao extremo noroeste de Tel Arade ("Three Hebrew Ostaca from Arad", BASOR # 197 [1970], pp. 19-27).

**QUINERETE**
1. Um nome antigo, provavelmente cananeu, para o mar da Galiléia (Nm 34.11; Dt 3.17; Js 11.2; 12.3; 13.27), talvez porque o lago tivesse forma de harpa ou de lira (do heb. *kinnor*, "lira"). *Veja* Galiléia, mar da.
2. Uma cidade fortificada de Naftali (Js 19.35). Foi incluída como *knnrt* em uma lista de cidades conquistadas por Tutmósis III do Egito (aprox. 1475 a.C.). Sua localização é Tell el-'Oreimeh, na margem do lago, cerca de quatro quilômetros a sudoeste de Cafarnaum.
3. A região ao redor da cidade de Quinerete (Js 11.2), normalmente identificada com a planície de Genesaré (Mt 14.34), e desta forma um distrito de Naftali, a oeste do mar da Galiléia. Foi conquistada por Ben-Hadade da Síria (1 Rs 15.20). O nome grego *Gennesaret* seria, mais corretamente, *Gennesar*, de acordo com 1 Mac 11.67, Josefo, o Talmude, Gr. MS D, e também de acordo com várias versões antigas dos Evangelhos de Mateus e Marcos. A derivação da palavra grega é incerta.
L. O. H.

**QUIOS** Uma ilha rochosa e montanhosa na região central leste do mar Egeu, cerca de oito quilômetros do continente da Ásia menor, a oeste de Esmirna. Era famosa pelos seus vinhos, figos e resinas aromáticas. O navio de Paulo ancorou aqui para passar a noite quando voltava a Jerusalém no final de sua terceira viagem missionária (At 20.15). Juntamente com outros lugares, reivindica ser o local de nascimento de Homero. A cidade principal e portuária, também chamada Quios, era uma cidade livre pertencente à província romana da Ásia na época de Paulo. Hoje, Quios (Khios) é uma cidade de 22 mil habitantes.

**QUIR**
1. Lugar do qual os arameus migraram para a Síria (Am 9.7). O rei Tiglate-Pileser III da Assíria deportou os habitantes siros de Damasco de volta a este lugar como cativos (2 Rs 16.9; Am 1.5). A sua milícia é representada como aliada de Elão contra Judá (Is 22.6). O local ainda não foi atestado nos registros antigos do Oriente Próximo, e permanece não identificado.
2. Uma cidade de Moabe mencionada juntamente com Ar em Isaías 15.1. Quir é provavelmente Quir-Haresete (*q.v.*), situada em Kerak, 18 quilômetros a leste da baía sul do mar Morto.

**QUIR-HARESETE** Comumente identificada com Quir de Moabe, uma cidade principal na parte sul do reino moabita; provavelmente identificada com Kerak, uma cidade que figurou significativamente nas Cruzadas. Ela é alternativamente citada como Quir-Heres (Is 16.11; Jr 48.31,36), ou simplesmente Quir (Is 15.1), nas passagens em que os profetas de Judá predisseram a sua destruição.
Aqui o rei Mesa (*q.v.*) de Moabe ofereceu seu filho em sacrifício nos muros enquanto a cidade estava sendo cercada pelos israelitas (2 Rs 3.25-27). Ela pode ser a cidade de Qarhoh que Mesa reedificou através do trabalho dos cativos israelitas, de acordo com a sua inscrição na Pedra Moabita (ANET, p. 32). Ela está situada na "Estrada do Rei" (ou "Estrada Real"), 27 quilômetros ao sul de Arnom. Seu castelo do século XII d.C. ainda é visível em sua colina escarpada descendo mais de 100 metros para os vales nos três lados. Cerca de 10.000 pessoas vivem hoje em el-Kerak.

***Bibliografia.*** George M. Harton, "The Meaning of II Kings 3.27", *Grace Journal*, XI (1970), 34-40. Em uma breve nota, Ph. Derchain argumenta que o filho de Mesa foi lançado da muralha como um sacrifício (VT, XX [1970], 351-355).
G. A. T.

**QUIRIATAIM**
1. Uma cidade na Transjordânia identificada com Khirbet el-Qureiyat, aprox. dez quilômetros a noroeste de Dibom. Ela foi anteriormente ocupada pelos emins (Savé-Quiriataim, *q.v.*, "a planície de Quiriataim"; Gn 14.5). Os rubenitas a receberam como parte de sua herança (Nm 32.37; Js 13.19). Mais tarde fez parte do reino moabita (Pedra Moabita, linha 10, *q.v.*; Jr 48.1,23; Ez 25.9).
2. Uma cidade levítica de Naftali (1 Cr 6.76) que aparece em Josué 21.32 como Cartã (*q.v.*). O local exato é desconhecido.

**QUIRIATE**
1. Uma cidade de Benjamim (Js 18.28); às vezes identificada com Quiriate-Jearim.
2. Um prefixo de vários nomes de lugares. *Veja* Quiriataim, Quiriate-Arba, Quiriate-Baal, Quiriate-Huzote, Quiriate-Jearim, Quiriate-Sefer.

**QUIRIATE-ARBA** Um antigo nome da cidade de Hebrom, onde Abraão estabeleceu a sua casa (Gn 23.2; 35.27). Uma cidade na região montanhosa de Judá (Js 15.54; Jz 1.10). Calebe a capturou dos anaquins de cujo herói Arba (o pai de Anaque) a cidade recebeu o nome (Js 14.15). Ela se tornou uma cidade de refúgio (Js 20.7) e uma cidade levítica (Js 21.11). Foi reocupada após o exílio (Ne 11.25). *Veja* Hebrom.

**QUIRIATE-ARIM** *Veja* Quiriate-Jearim.

**QUIRIATE-BAAL** A mesma cidade chamada Quiritate-Jearim (Js 15.60; 18.14). Seu nome significa "cidade de Baal", indicando que ela pode ter sido um centro para a adoração a Baal na cidade-estado dos gibeonitas durante a Idade Final do Bronze. Localizava-se na extremidade sudeste da fronteira entre Judá e Benjamim, a aprox. 11 quilômetros de Jerusalém, e pertencia à tribo de Benjamim.

**QUIRIATE-JEARIM** Uma cidade em Judá (Js 15.9,60), agora representada por Deir el-'Azar, com vista para a moderna aldeia de Abu Gosh. Seus outros nomes antigos eram Quiriate-Baal (Js 15.60; 18.14) e Baalá (Js 15.9,11; 2 Sm 6.2; cf. 1 Cr 13.6). Josué se deparou com ela como membro de uma coligação gibeonita (Js 9.17). Após a ocupação da terra, ela se situava na junção fronteiriça entre Judá, Benjamim e Dã (Js 15.9; 18.14,15), mas foi ocupada por Judá (Js 15.60; Jz 18.12).

A Arca da Aliança permaneceu ali, na casa de Abinadabe, por 20 anos depois de ser devolvida pelos filisteus (1 Sm 6.19–7.2). Sisaque pode ter sitiado esta cidade em sua marcha através da Palestina, se a leitura *qdtm* do número 25 em sua lista pode ser corrigida para *qrtm*, do heb. *qiryataim* (*r* e *d* são bastante similares no manuscrito hierático egípcio do qual o texto deve ter sido copiado). A cidade não recebe nenhuma outra menção até depois do cativeiro babilônico, na época em que alguns cidadãos retornaram para Judá (Ne 7.29; cf. Ed 2.25, onde o nome da cidade é Quiriate-Arim).

***Bibliografia.*** Joseph Blenkinsopp, "Kiriath-jearim and the Ark", JBL, LXXXVIII (1969), 143-156.

A. F. R.

**QUIRIATE-SANA** Suposto nome de uma cidade na região montanhosa de Judá (Js 15.49); a mesma que Debir (*q.v.*). É possível que este seja um terceiro nome para Debir (além de Quiriate-Sefer), embora nenhuma explicação satisfatória tenha sido dada quanto ao seu significado. No entanto, a LXX evidentemente tinha a leitura Quiriate-Sefer aqui, e assim o nome no Texto Massorético pode ser uma variação na escrita causada pelo nome anterior, Daná.

**QUIRIATE-SEFER** *Veja* Debir.

**QUIRINO** *Veja* Cirênio.

**QUIRIOTE** *Veja* Queriote.

**QUIRITATE-HUZOTE** Cidade moabita para onde Balaque e Balaão foram primeiro, quando Balaque empregou Balaão para amaldiçoar Israel e ele, ao invés disso, o abençoou (Nm 22.39). Sua localização é incerta.

**QUIS**
1. Um benjamita, descendente ("filho") de Abiel e pai do rei Saul (1 Sm 9.1-3; 10.11,21; 14.51; 2 Sm 21.14; 1 Cr 8.30,33; 9.36,39; 12.1; 26.28). Quis era um homem de recursos consideráveis, tendo vários servos e jumentas (1 Sm 9.3). A descrição que Saul fez de sua família como a menor de todas as famílias da tribo de Benjamim deve ser considerada um exemplo de modéstia oriental (1 Sm 9.21).
2. Um levita na época de Davi, da família de Merari, (1 Cr 23.21,22; 24.29).
3. Um levita, filho de Abdi, da família de Merari, que ajudou a purificar o Templo na época do reavivamento promovido por Ezequias (2 Cr 29.12).
4. Um ancestral de Mardoqueu (Et 2.5).

**QUISI** *Veja* Cusaías.

**QUISIÃO** Uma cidade na fronteira de Issacar (Js 19.20), identificada com Kh. Qasyûn, cerca de dois quilômetros e meio ao sul do monte Tabor, dada aos levitas gersonitas (Js 21.28).

**QUISLEU** O terceiro mês civil, ou o nono mês eclesiástico do ano judaico, que corresponde a novembro – dezembro (Ne 1.1; Zc 7.1). A derivação parece se originar do termo acadiano *kislimu*. *Veja* Calendário.

**QUISLOM** O pai de Elidade, que foi um dos líderes de Benjamim selecionados para ajudar a repartir a porção oeste de Canaã entre as nove tribos e meia (Nm 34.21).

**QUISLOTE-TABOR** Uma cidade da Galiléia, na fronteira dos territórios de Issacar e Zebulom. Parece ser a mesma que Quesulote (*q.v.*; Js 19.18). É identificada com a moderna Iksal, uma aldeia cerca de sete quilômetros ao oeste do monte Tabor, perto de Nazaré.

**QUISOM** O principal ribeiro do vale de Jezreel para o qual ele fornece a drenagem ocidental. Suas fontes situam-se nos declives norte e oeste do monte Efraim, nos declives oeste do monte Tabor, e nos declives sul da baixa Galiléia. O nome significa "torto" e habilmente descreve o curso da corrente para o mar. Sior-Libnate (Js 19.26) pode ser um nome especial para a foz do Quisom do golfo de Aco ou baía de Acre, sendo o segundo nome, *-libnath*, possivelmente o antigo nome de Tell Abu Huwam. O rio flui na estação seca do verão somente em seus últimos onze quilômetros, recebendo água de mananciais na base do monte Carmelo. Por causa de sua ligeira queda ao cruzar a planície nivelada, o ribeiro torna-se volumoso

durante as chuvas torrenciais e pode inundar grande parte do vale.
Ocorreram dois eventos dramáticos, na história bíblica, relacionados ao Quisom: (1) A vitória de Baraque e suas tropas sobre os carros de guerra de Sísera é atribuída não apenas ao valor das tropas, mas à ajuda conferida pelas estrelas e pelo ribeiro de Quisom (Jz 5.19-21). Aparentemente, uma rápida inundação do rio fez com que os carros de Sísera ficassem atolados na lama. (2) Os 400 sacerdotes de Baal, que perderam a sua disputa com Elias (*q.v.*) foram executados na margem sul do Quisom (1 Rs 18.40).

A. F. R.

**QUITIM** Esta palavra hebraica é usada tanto em um sentido amplo como em um sentido mais limitado. No seu sentido limitado, significa a ilha de Chipre (Is 23.1,12; Jr 2.10; Ez 27.6). Josefo refere-se a Chipre da seguinte forma: "Cethimus possuía a ilha Cetima; ela agora é chamada de Chipre; e por esta razão todas as ilhas, e a maior parte das costas marítimas, são chamadas pelos hebreus de Cethim (que é igual a Kittim)" (*Ant.* i.6.1). A cidade de Citius, ou Citio, em Chipre, parece ter dado o seu nome à ilha. Em Neemias 24.24 e Daniel 11.30, Quitim evidentemente se refere a Roma. A referência mais antiga (Gn 10.4) aplica esse termo aos descendentes de Javã, indicando as raças greco-latinas da região do Mediterrâneo, incluindo Chipre.

**QUITLIS** Uma cidade não identificada na Sefelá de Judá, nas proximidades de Eglom (Js 15.40).

**QUITROM** Uma cidade na área destinada a Zebulom da qual ele falhou em expulsar os habitantes (Jz 1.30); provavelmente a cidade de Catate.

**QUIUM** *Veja* Falsos deuses: Kaiwan.

**QUMRAN** *Veja* Rolos do mar Morto.

# R

**RÃ** *Veja* Animais: VI.26.

**RAABE**

1. Nome (heb. *rahab*) de um monstro do mar, usado como uma expressão figurativa para o orgulho, como em Jó 9.13; 26.12. Em muitas passagens, é um nome simbólico para o Egito, o orgulho, a ostentação, e também é utilizado quando se fala de julgamentos divinos, como nos Salmos 87.4; 89.10; Isaías 30.7; 51.9. *Veja* N. K. Kiessling "Antecedents of the Medieval Dragon in Sacred History", JBL LXXXIX (1970), 167-177.

2. Uma habitante de Jericó na época em que Israel invadiu Canaã. Sua história é contatada em Josué 2.1-22; 6.17-25 e são feitas referências a ela em Tiago 2.25 e em Hebreus 11.31, onde sua salvação é atribuída à sua fé.

Raabe (heb. *rahab*) é geralmente lembrada como uma prostituta (*q.v.*). A tradução da palavra (*zona*) pode simplesmente significar uma mulher que tem relacionamentos com homens (KB p. 261). Por isso, supõe-se que este termo também possa se referir à proprietária de uma hospedaria, e este significado é defendido por alguns comentadores (com base em Josefo, *Ant.* v.1.2), especialmente por aqueles que defendem a opinião de que ela casou-se com Josué. De acordo com o código de Hamurabi, a taverna ou hospedaria (*bit sabitu*) era um lugar onde os visitantes podiam se hospedar ou se reunir, porém a presença de criminosos tinha que ser reportada ao palácio (ANET p. 170, 108-111). A *sabitu* era a vendedora de vinho, e assim a encarregada do estabelecimento, o qual estrangeiros freqüentavam, mas não necessariamente em uma condição imoral. De acordo com o épico de Gilgamesh, uma *sabitu* ou proprietária de hospedaria desempenhava um papel similar, conversando com os fregueses, e, no caso deste épico, ela conversava com Gilgamesh (ANET, pp. 90-91). Deste modo, foi assumido que a expressão hebraica *bet 'isha zona*, "casa de uma mulher prostituta" (Js 2.1) é equivalente ao termo babilônico. No entanto, as referências a Raabe em Hebreus e Tiago usam a palavra gr. *porne*, que definitivamente significa "prostituta" e isso é decisivo para aqueles que sustentam a inspiração plena das Escrituras. Uma outra questão é se a Raabe mencionada em Mateus 1.5 é a mesma de Jericó. No AT não há menção do casamento de Raabe com Salmom, mas a menção do nome de Raabe na genealogia não teria sentido se este nome pertencesse a alguma outra Raabe to-

talmente desconhecida das Escrituras do AT. Todo o tom de Josué 6.17-25 indica que ela foi aceita no acampamento de Israel com toda honra, e isto, portanto, mostra que não seria estranho que ela se casasse com um membro de uma família honrada. Não há problema com o fator tempo. Nós cremos, portanto, que a Raabe da genealogia do Senhor Jesus é a prostituta Raabe de Jericó.
Embora aceitemos a designação "prostituta" com a força da referência do NT, isto não elimina a possibilidade da casa de Raabe ser uma pousada ou hospedaria, o que na verdade pode explicar a escolha dos espias como um local para se hospedarem. Esta escolha pode não ter sido a melhor em termos de segurança, pois era um lugar aberto ao público; mas era um lugar conveniente uma vez que qualquer pessoa podia entrar. É evidente que o estabelecimento de Raabe estava sob a vigilância da "polícia", e o comunicado da presença de espias ao rei não demorou muito. A exigência do rei para que ela entregasse seus hóspedes levou-a a agir. Escondendo os homens sob as canas de linho que havia disposto sobre o telhado para o caso de uma busca, ela livrou-se dos mensageiros do rei, mandando-os aos vaus do Jordão em busca dos homens que se encontravam sobre o seu telhado.
Foi assim que Raabe fez sua grande confissão de fé no Deus dos hebreus, com base nos relatos dos maravilhosos livramentos concedidos pelo Senhor ao seu povo no Egito, e na vitória sobre os reis a leste do Jordão. Ela revelou o terror que havia se apoderado dos corações dos cananeus, e fez um apelo a favor de sua própria vida e da vida de seus familiares. Os espias deram sua palavra, a qual mais tarde foi honrada por Josué, o seu líder (Js 6.17,23,25). Eles concordaram com um sinal de boa fé, ou seja, um cordão de fio de escarlata que deveria ser pendurado em sua janela (2.18). Então ela os desceu por esta janela com o auxílio de uma corda, para que pudessem fugir. A mentira que ela disse aos mensageiros do rei pode nos incomodar (Js 2.3-6), porém devemos nos lembrar de que ela estava deixando a vida pagã, e tinha muito a aprender a respeito do caráter de Deus. Outro sinal da graça de Deus é que esta mulher viria a se tornar uma "mãe em Israel", e uma antepassada do Senhor Jesus Cristo segundo a carne.
É interessante que tanto o escritor aos Hebreus quanto Tiago testifiquem a respeito de Raabe. Um enfatiza a fé que inspirou o seu ato, enquanto o outro enfatiza o seu ato como uma necessária expressão de fé.

J. C. M.

**RAAMÁ**
1. Quarto filho de Cuxe, o primogênito de Cam, e pai de Sabá e Dedã (Gn 10.07; 1 Cr 1.9).
2. Uma tribo associada a Sabá (Ez 27.22).

Cidadela de Amã. JR

Alguns acreditavam ser Regma, uma cidade a sudeste da Arábia (de acordo com a LXX). A identificação mais provável é com os ramanitas no sudoeste da Arábia (Strabo xvi.4.24). Ezequiel refere-se ao povo de Raamá como comerciantes de ouro, especiarias e pedras preciosas com Tiro. O nome também é mencionado em um antigo registro do sul da Arábia que exalta a divindade local por salvar os mineus dos ladrões no caminho de Ma'in para Ra'amah.

**RAAMIAS**
Este nome refere-se a um dos líderes que retornou do cativeiro com Zorobabel (Ne 7.7), e é equivalente a Reelaías em Esdras 2.2.

**RAÃO** Um dos descendentes de Calebe, um filho de Sema e pai de Jorqueão (1 Cr 2.44). Alguns consideram Jorqueão como o lugar do qual Raão foi o príncipe ou o fundador.

**RABÁ**
1. Uma cidade de Judá sobre uma colina, mencionada com a cidadela de Quiriate-Jearim (Js 15.60). Aharoni iguala Rabá a Rubute nas cartas de Amarna, e a localiza em Khirbet Bîr el-hilû, oito quilômetros a leste de Gezer no caminho para Jerusalém (VT, XIX [1969], 137-141).
2. A principal cidade dos amonitas (*q.v.*). Encontra-se a leste do território concedido à tribo de Gade (Js 13.25). No AT ela é freqüentemente mencionada como "Rabá dos filhos de Amom", para ser distinguida de outras cidades que têm o mesmo nome. O famoso estrado de ferro da cama do rei Ogue de Basã foi mantido em Rabá (Dt 3.11). Foi a capital dos amonitas até o reinado de Davi, que ordenou, aqui, a morte de Urias, o heteu (2 Sm 11.1-15). Joabe finalmente se apoderou da cidade, e Davi sujeitou os amonitas ao trabalho forçado (2 Sm 12.27-31; 1 Cr 20.1-3). Os profetas referiram-se a Rabá como a cidade mais importante no território, descrevendo-a como um vale fértil (Jr 49.2; Ez 21.20; 25.5; Am 1.14). Ela está localizada na Estrada Real (*q.v.*), a leste de Gileade. Durante o reinado de Ptolomeu

Filadelfo (285–246 a.C.), a cidade recuperou sua importância e tornou-se uma cidade importante de Decápolis, sob o nome de Filadélfia. Durante o governo Bizantino no século IV d.C., a cidade alcançou a mesma importância de Gerasa (ou Gadara) e foi amplamente fortificada. Ela tornou-se a sede do bispado, mas foi visivelmente destruída talvez no tempo da conquista mulçumana.
Recentemente, Rabá recuperou o seu antigo esplendor. Hoje é chamada de Amã, a capital do Reino Hasemita da Jordânia com cerca de 565.000 habitantes. A localização da cidade na estrada de Hejaz é estratégica, sendo também bem irrigada e estando em uma região fértil. No local onde está atualmente o seu aeroporto, um dos três principais da Jordânia, foram descobertas em 1955 as ruínas de um Templo da idade do Bronze (aprox. 1400 – 1200 a.C.). Supõe-se que esta construção, de 15 metros quadrados, tenha servido a um grupo de tribos ligadas entre si (BA, XXXII [1969], 104-111). Esta edificação, junto com paredes e fragmentos de cerâmica recentemente encontrados na cidadela de Amã, pertencentes ao mesmo período, fornecem uma clara evidência de que esta área foi habitada no tempo de Moisés e Josué. *Veja* Anomitas.
As ruínas do período romano são bastante numerosas, incluindo um enorme anfiteatro, uma cidadela sobre a acrópole, locais paara banhos e um local provavelmente utilizado para audições musicais. A recente construção de um museu aumentou o interesse dos estudantes da Bíblia Sagrada por este lugar.

G. A. T.

**RABDOMANCIA** "A arte de usar uma vara de adivinhação para descobrir alguma coisa escondida" (*Encyclopaedia Britannica*, 11ª ed.). No período medieval, ela era praticada principalmente com o uso de uma vara bifurcada, na forma de um grande garfo, na qual o indivíduo segurava firmemente as duas extremidades, uma em cada mão, com as palmas viradas para fora. Esse indivíduo dizia ser capaz de sentir um puxão no ramo principal podado quando a vara era colocada sobre um lugar onde existisse água ou minerais. Seu uso espalhou-se desde a Alemanha até a Inglaterra e, no século XVII, era usada na França para localizar criminosos. Essa prática é mencionada em Oséias 4.12, "O meu povo consulta a madeira, e sua vara lhe responde", e em Ezequiel 8.17, "E ei-los a chegar o ramo ao seu nariz". Uma arte semelhante, chamada belomancia, que consiste em aguçar as flechas e interpretar o seu rumo, é mencionada em Ezequiel 21.21. *Veja* Belomancia; Adivinhação; Magia; Necromancia; Terafim.

R. A. K.

**RABE-MAGUE** Título de um oficial do exército de Babilônia, ou de um oficial do rei (Jr 39.3,13), provavelmente utilizado por Nergal-Sareser. A palavra é simplesmente uma transliteração do hebraico. Foi sugerida uma origem acadiana, *rab-mugi* (grande príncipe), mas o significado exato do título é desconhecido.

**RABE-SARIS** O título significa "chefe dos eunucos". O título foi usado para (1) um dos três oficiais assírios enviados por Senaqueribe a Ezequias (2 Rs 18.17); (2) Sarsequim, um dos príncipes da Babilônia que julgava na Porta do Meio depois que Nabucodonosor capturou Jerusalém (Jr 39.3); (3) Nebuzaradã um dos oficiais da Babilônia que tirou Jeremias da prisão e o enviou a Gedalias (Jr 39.13).
A forma precisa *rab saris* é atestada em aramaico em um documento assírio de Nínive (cf. a expressão similar hebraica *sar hassarisim* em Daniel 1.7). A frase e a palavra hebraica *saris* para "eunuco" pode ser derivada do título assírio *ša resi,* que significa "alguém da confiança do rei, e que está junto a ele". O termo aparece regularmente nas leis Médias Assírias como uma designação eufêmica para os oficiais que eram eunucos (G. R Driver e J. C. Miles, *The Assyrian Laws*, p. 463).
Os eunucos tinham posições de grande responsabilidade, não apenas como supervisores do harém, mas também como governadores (cf. At 8.27; Heródoto VIII, 105).
Uma vez que a importância do termo não foi entendida, "Rabe-Saris" foi mal interpretado, e considerado apenas como um nome próprio por algumas versões, incluindo a LXX e a Vulgata.

E. M. Y.

**RABI** Esta palavra é uma transliteração da palavra hebraica usada como um termo de respeito e honra. A palavra significa literalmente "meu grande", "meu mestre". Embora o termo tenha sido originalmente usado como uma marca de respeito, depois do século I d.C. ele tornou-se um título para mestres religiosos e líderes, perdendo em grande parte o seu significado original. Este título continuou em uso durante a era Cristã, e é usado atualmente para designar os ministros ordenados entre os judeus. Embora as escolas recentes entre os judeus tenham tentado usar a graduação de títulos variando de "rab", um professor comum, até "rabi", e então "raboni", no tempo do Senhor Jesus não houve nenhuma consistência em uma forma de uso semelhante.
No NT, o termo rabi foi aplicado ao Senhor Jesus em várias ocasiões, porém mais provavelmente no sentido de honra do que em um significado técnico (Jo 1.38,49; 3.2,26; 6.25). A palavra raboni, usada por Maria ao se dirigir ao Senhor ressuscitado (Jo 20.16) é a forma aramaica da mesma palavra. Cer-

ta vez o Senhor Jesus proibiu o uso deste termo entre os discípulos por causa do orgulho e da exaltação pessoal com que era utilizado entre os fariseus (Mt 23.7,8).
*Veja* Educação; Mestre; Ocupações: Doutor; Advogado; Escriba; Sinagoga; Talmude.

***Bibliografia.*** CornPBE, pgs, 615ss. Edward Lohse, *"Rabbi, Rabboni"*, TDNT, VI, 961-965. W. Harold Mare, "Teacher and Rabbi in the New Testament Period", *Grace Journal*, XI, #3 (Outono, 1970), 11-21. Roy A Stewart, *The Earlier Rabbinic Tradition*, Londres. Inter-Varsity Fellowship, 1949; *Rabbinic Theology*, Edinburgh. Oliver & Boyd, 1961.

P. C. J.

**RABITE** Nome de uma cidade no território de Issacar (Js 19.20). Este local é desconhecido.

**RABONI** *Veja* Rabi.

**RABSAQUÉ** Titulo de um oficial assírio que foi um dos porta-vozes do grupo de Senaqueribe, enviado para exigir que Ezequias entregasse Jerusalém (2 Rs 18.17–19.8; Is 36.2–37.8). Ele sistematicamente, mas sem sucesso, escarneceu e desprezou todas as esperanças daqueles que defendiam a libertação.
Algumas versões consideram, impropriamente, que "Rabsaqué" seja apenas um nome próprio. Porém, o termo acádio *rab-shaku* significa literalmente "copeiro-mor".

**RACA** Transliteração do termo gr. *hraka*, que no NT só ocorre em Mateus 5.22. O seu significado é "vazio", ou "sem sentido". É uma palavra vernacular, que expressa, comparativamente, insultos de intensidade moderada (MM). A versão RSV em inglês traduz a passagem com muita liberdade, nos seguintes termos: "Quem insultar o seu irmão". Ela não é como o termo extremo *moros*, que significa "tolo" ou "ridículo", e essa idéia é substanciada pela noção da intensidade progressiva das expressões em Mateus 5.22. O termo Raca parece lançar uma reflexão sobre a capacidade intelectual do homem. Isto é equivale a dizer: "Você é ignorante". De acordo com a advertência da *JewEnc*, este conceito não deve ser interpretado exclusivamente deste modo. Ele, às vezes, também se refere à falta de moral.

***Bibliografia.*** J. Jeremias, *"Raka"*, TDNT, VI, 973-976.

**RACATE** Nome de uma cidade da tribo de Naftali (Js 19.35). Foi localizada a oeste do mar da Galiléia, e algumas autoridades judaicas acreditaram fortemente que foi o lugar onde Tiberíades foi construída. Atualmente se tenta identificá-la com Tell Eqlatiyeh, também chamada Tell Raqqat, por ter uma primavera perene, e por estar localizada 2,5 quilômetros a noroeste de Tiberíades, às margens do lago.

**RACOM** Nome de uma cidade da tribo de Dã, perto de Jope. É citada em Josué 19.46 como *haraqqon*. O fato de não ser encontrada no texto da LXX levou alguns a pensar que o nome é, em parte, uma repetição da palavra anterior (*me-jarkon*). É difícil avaliar esta opinião de forma conclusiva. A tendência atual é identificar Racom com Tell er-Reqqeit, que está localizada aprox. três quilômetros ao norte da foz do Rio Yarkon.

**RADAI** Um dos irmãos de Davi (1 Cr 2.14), o quinto dos sete filhos de Jessé.

**RAEL** Esta é uma ortografia que, nas versões em inglês, se harmoniza com Raquel em Jeremias 31.15. A palavra hebraica é a mesma que é traduzida regularmente como Raquel (*rahel*). Todas as versões modernas traduzem esta palavra como Raquel (*q.v.*).

**RAFA**
1. O quinto filho de Benjamim (1 Cr 8.2), mas não mencionado na lista de Gn 46.21.
2. O primeiro filho de Bineá e pai de Eleasa, o oitavo na descendência de Jônatas e de Saul (1 Cr 8.37). Ele é chamado Refaías em 1 Crônicas 9.43. A palavra heb. *rapa* ou *rapa'* é traduzida como "gigante(s)" em 2 Samuel 21.16,20,22 e 1 Crônicas 20.4,6,8. A ISBE sugere que o nome nessas passagens é um epônimo. Berkeley substitui o nome Rafa (exceto em 1 Crônicas 20.4, onde a forma plural é traduzida como Refaim).

**RAFAEL** Um dos porteiros que se revezava em turnos (1 Cr 26.1). Ele é mencionado em 1 Crônicas 26.7 como o filho de Semaías, que era filho de Obede-Edom. Ele é descrito com outros como um homem valoroso, e acredita-se tradicionalmente ter sido consagrado por Davi para este trabalho.

**RAFU** O pai de Palti, o espia benjamita enviado a Canaã por Moisés (Nm 13.9).

**RAGAÚ**
Um nome transliterado do grego a partir do texto que se encontra em Lucas 3.35. Ele consta em uma genealogia que é provavelmente a genealogia de Maria, a mãe do Senhor Jesus. Este nome foi traduzido como Reú em algumas versões. O nome Reú é obtido a partir de uma comparação do contexto com a passagem em Gênesis 11.18-20, que contém uma lista dos descendentes de Sem. Reú é o primeiro descendente de Pelegue na passagem que traz o contexto da narrativa relacionada a Abraão. Mesmo que as narrativas mencionadas possam ser

Rainha Nefertiti, esposa de Akhenaton, que possivelmente governou o Egito durante o período em que os hebreus peregrinaram no deserto do Sinai. LL

apresentadas em forma reversa, fica claro que Ragaú é o equivalente do NT para o nome Reú.

**RAIFÃ** *Veja* Falsos deuses: Renfã.

**RAINHA** Este termo é usado na Bíblia Sagrada para traduzir quatro ou cinco termos hebraicos e gregos, e tem diversas aplicações.
1. A rainha-mãe ou rainha-viúva (*g[e]bira*). Como uma regra geral, a rainha-mãe era muito mais poderosa e influente dos que as esposas do rei. A poligamia naturalmente diminuía a influência das esposas do rei, pois a posse de sua afeição era compartilhada por outras e era, na melhor hipótese, precária. Mas a rainha-mãe compartilhava uma posição de dignidade fixa; ela tinha quase a mesma posição do rei.
Quando Bate-Seba, mãe de Salomão, desejou rogar pela causa de seu meio irmão Adonias, está escrito que Salomão "se levantou a encontrar-se com ela e se inclinou diante dela; então, se assentou no seu trono e fez pôr uma cadeira para a mãe do rei, e ela se assentou à sua mão direita" (1 Rs 2.19). A mãe do rei Asa, Maaca, foi removida de sua posição de *g[e]bira* por causa de sua idolatria (1 Rs 15.13). Neústa (2 Rs 24.8), a mãe do rei Joaquim é citada duas vezes em textos que utilizam, este termo (Jr 13.18; 29.2). A importância política das rainhas-viúvas é ilustrada pelo fato de que no livro dos Reis, com duas exceções, os nomes hebraicos dos reis são registrados juntamente com os nomes de suas mães.
2. A esposa de um rei (*malka*, rainha-consorte). No livro de Ester, este é o título dado a Vasti, a rainha deposta de Assuero da Pérsia (Et 1.9), e este é o título usado por Ester, a sucessora judia de Vasti (2.22). Com sabedoria e coragem Ester usou sua posição para salvar o seu povo.
3. Este termo (*malka*) também pode se referir a uma mulher governante ou soberana. A rainha de Sabá foi conhecer a sabedoria de Salomão (1 Rs 10.1-13). O Senhor Jesus Cristo referiu-se a ela como "a rainha do Sul" (Mt 12.42). *Veja* Seba 7. No NT há a referência a Candace, a rainha (*basilissa*) dos etíopes (At 8.27).
4. A Rainha dos Céus (*m[e]leketh ha-shamayim*), a lua ou o céu estrelado que eram idolatrados e adorados pelo povo de Judá (Jr 7.18; 44.17,19,25). Ela deve ser identificada como a deusa assíria Ishtar e a cananéia Astarte. A adoração em si era de caráter gritante e imoral. Por causa desta idolatria, Jeremias advertiu quanto à ira de Deus que "acender-se-á e não se apagará" (Jr 7.20).
5. Metaforicamente o termo rainha é usado (Ap 18.7) como uma referência à "Grande Babilônia, a mãe das prostituições e abominações da terra" (17.5), que representa a Igreja apóstata dos tempos anteriores à segunda vinda de Cristo (Ap 17–18).

R. L. D.

**RAINHA DE SABÁ** *Veja* Rainha 3; Seba 7.

**RAINHA DOS CÉUS** *Veja* Falsos deuses; Rainha 4.

**RAIO ACOMPANHADO POR TROVÃO** Literalmente uma "chama" ou "seta ardente", ele é uma pitoresca descrição daquilo que poderia ser chamado de raio repentino ou corisco (Sl 78.48), como em algumas versões. *Veja* Relâmpago.

**RAIO DE RODA** Vara que ligava o cubo à extremidade externa de uma roda. No Templo de Salomão, os vasos de latão eram colocados em bases elaboradas sobre rodas. Os raios representavam as varas conectoras das rodas (1 Rs 7.32,33).

**RAIOS (DE RODA).** A palavra significa os aros de rodas apoiados por cubos. Em 1 Reis 7.33, estas são partes das rodas dos suportes para as bacias ou pias de bronze no pátio do Templo de Salomão. A versão KJV em inglês assim traduziu o termo *hishshuqim*, que com mais precisão significa cubos, ao passo que a palavra "cambas", que a precede imediatamente (na KJV), foi traduzida como "aros" ou "raios" (veja RSV, JerusB).

**RAIZ** Parte subterrânea de uma planta ou árvore que serve para prendê-la à terra, e através da qual ela absorve o alimento. É usada muitas vezes em sentido figurado tanto no AT (em hebraico *shoresh*) como no NT (em grego, *hriza*).

1. A "raiz" de uma família é o ancestral de onde os seus descendentes derivam o nome ou o caráter. Por exemplo, "Se a raiz é santa, também os ramos o são" (Rm 11.16; cf. vv. 17,18); "raiz que dê fel e absinto" (Dt 29.18); "de Efraim saiu sua raiz contra Amaleque" (Jz 5.14); "porque da raiz da cobra sairá um basilisco" (Is 14.29), significando que embora Tiglate-Pileser III tivesse morrido, um outro, isto é Sargão II, iria se levantar para saquear a Filístia.

Esse termo também pode indicar um descendente ou ramificações de uma família. O Messias é chamado de "raiz de Jessé" (Is 11.10; Rm 15.12) no sentido de que ele é um ramo da raiz e do caule de Jessé (Is 11.10). Da mesma maneira, ele é a "Raiz e a Geração de Davi" (Ap 22.16; cf. 5.5). *Veja* Ramo.

2. A "raiz" significa a causa essencial de alguma coisa. Por exemplo, "O amor do dinheiro é a raiz de toda espécie de males" (1 Tm 6.10), ou "que nenhuma raiz de amargura, brotando, vos perturbe" (Hb 12.15). Ela equivale ao verdadeiro íntimo, cerne ou fundamento de um assunto (Jó 19.28); a um monte (Jó 28.9); ou a uma nação: "Efraim foi ferido, secou-se sua raiz" (Os 9.16); "está posto o machado à raiz das árvores" (Mt 3.10), profetizando o julgamento do povo judeu e de todos os seus líderes.

3. Estar "arraigado" ou "criar raízes" significa estar firmemente estabilizado. "Arraigados e fundados em amor" (Ef 3.17); ou "arraigados e edificados nele" (Cl 2.7). Dessa maneira, "a raiz dos justos não será removida" (Pv 12.3,12). A vinha de Israel aprofundou as suas raízes na terra de Canaã (Sl 80.9. cf. Os 14.5; Is 27.6; 37.31). Jeremias queixava-se a Deus de que Ele havia plantado aqueles que se tornaram ímpios em Judá, e que estes haviam criado raízes (Jr 12.2).

4. Ao contrário desse sentido, encontramos o termo "arrancado" ou "desarraigado", que traz o sentido de destruir ou remover (Dt 29.28; 1 Rs 14.15; Jó 31.8,12; Sl 52.5; Pv 2.22; Mt 13.29; 15.13). Da mesma forma, encontramos a expressão "ser arrancado pelas raízes" (2 Cr 7.20; Dn 7.8; Lc 17.6; Jd 12).

5. As raízes de uma árvore plantada junto à água é símbolo de prosperidade. "A minha raiz se estendia junto às águas" (Jó 29.19). O homem que confia no Senhor é como uma árvore plantada junto às águas, "que estende as suas raízes para o ribeiro" (Jr 17.8). Deus descreveu a Assíria como uma árvore com longos ramos, porque as suas raízes se estendiam, para muitas águas (Ez 31.7). A figura oposta é representada pelas raízes que "secarão" (Jó 18.16; cf. 14.8; Os 9.16; Is 5.24).

Igreja da Virgem Maria, Ramá de Naftali. IIS

6. O Senhor Jesus Cristo, em sua humilhação (*veja* Cristo, Humilhação de), foi prefigurado como a "raiz de uma terra seca" (Is 53.2), representando o seu humilde nascimento e os seus despretensiosos antecedentes familiares e o seu lar, em seus primeiros anos.

***Bibliografia.*** Christian Maurer, "*Riza* etc.", TDNT, VI, 985-991.

J. R.

**RAMÁ** Ramá significa "altura" ou "lugar alto", e foi freqüentemente usada como um nome de lugar.

1. Uma cidade na área da tribo de Benjamim (Js 18.25), na região de Betel (Jz 4.5), Gibeá (Jz 19.13) e Bete-Áven (Os 5.8). A identificação de Robinson de Ramá com er-Ram, a 9 quilômetros de Jerusalém, ainda permanece.

Baasa de Israel começou a fortificá-la contra Asa de Judá (1 Rs 15.16,17), mas um ataque dos sírios na região norte forçou-o a abandonar o plano. Então Asa demoliu a fortificação de Ramá e utilizou as suas pedras para fortificar Geba e Mispa (1 Rs 15.18-22; 2 Cr 16.1-6). Portanto, a proximidade de Ramá com a fronteira desses dois reinos rivais é claramente vista.

O oráculo de Isaías mostra que Ramá estava na linha de avanço das tropas assírias em direção a Jerusalém (Is 10.29) quando uma fileira de soldados do exército de Senaqueribe avançou pela região montanhosa do território em 701 a.C. Jeremias descreve este episódio como a cena do choro de Raquel por seus filhos (Jr 31.15, cf. Mt 2.18; *veja* Inocentes, Matança de). Alguns de seus cidadãos estavam entre aqueles que retornaram do exílio (Ed 2.26; Ne 7.30). Sua presença na lista de assentamentos (Ne 11.33) – alguns dos quais localizados fora dos limites da província da Judéia – pode significar que uma população verdadeiramente da Judéia havia permanecido no local durante o período do Exílio.

2. Uma cidade na região montanhosa de Efraim, certamente a própria Ramataim-Zofim (1 Sm 1.1,19; 2.11), onde viviam os pais

Ramá de Benjamim. HFV

de Samuel. Não foi apenas o lugar de nascimento de Samuel, mas, depois da destruição de Siló, Samuel fez da cidade a principal sede de seu circuito judicial (1 Sm 7.17; 8.4; cf. 15.34; 16.13). Davi fugiu da fúria de Saul para esta cidade (1 Sm 9.18-23; 20.1). Samuel foi sepultado nesta cidade (1 Sm 25.1; 28.3).
Uma vez que Elcana, o pai de Samuel, fez parte dos zufitas levíticos (1 Sm 1.1; 1 Cr 6.33-35), que aparentemente receberam sua herança no território de Efraim (Js 21.5; 1 Cr 6.22-26,35,66ss.), foi provavelmente em Ramá, na terra de Zufe, que Saul encontrou Samuel pela primeira vez (1 Sm 9.5,6,18). As orientações de Samuel quanto à viagem de volta de Saul a partir desta cidade (1 Sm 10.2-8) não precisam ser tomadas como uma indicação de que a terra de Zufe ficava ao sul de Gibeá, especialmente se o local de sepultamento de Raquel (*q.v.*) estiver localizado na cidade de Ramá, descrita no tópico 1 acima (cf. Jr 31.15). Grollenberg identificou Ramataim-Zofim como a moderna Rentis (*Atlas of the Bible*, p. 160), a meio caminho entre Jope e Siló. Outras sugestões são Beit Rimah (19 quilômetros a noroeste de Betel) e Ramallah (14 quilômetros ao norte de Jerusalém). Uma pessoa que retornasse do sul, vindo de qualquer um desses locais, certamente chegaria perto da Ramá descrita no tópico 1, antes de se aproximar de Gibeá. Nos tempos do NT, parece que seu nome foi Arimatéia (*q.v.*).
3. Uma cidade fortificada no território de Naftali (Js 19.36). É provável que ela possa ser identificada com Khirbet Zeitun er-Rama, cerca de 3,5 quilômetros a sudoeste da moderna aldeia de er-Rama. Fragmentos de cerâmica coletados neste local comprovaram sua existência desde o início da Idade do Ferro até o período Persa. Na Era Helenística, a aldeia foi aparentemente mudada para sua atual localização, em er-Ramá.
4. Uma cidade às margens da aldeia da herança tribal de Aser (Js 19.29). Sua localização pode ser determinada pela interpretação de uma das fronteiras descritas em Josué 19.28,29. Uma vez que esta fronteira se estendeu do norte até a "Grande Sidom", mesmo tendo que se curvar de volta para o sul, alcançando o mar na "cidade fortificada de Tiro", deve-se procurar Ramá em algum lugar entre Sidom e Tiro, e não em er-Ramia, que fica a aprox. 20 quilômetros a sul-sudeste de Tiro.
5. Uma das aldeias de Simeão (Js 19.8), a Ramote do Neguebe ou a Ramote do Sul (1 Sm 30.27), também conhecida como Baalath-beer.
6. Uma abreviatura de Ramote-Gileade (*q.v*), usada duas vezes (2 Rs 8.29; 2 Cr 22.6).

A. F. R.

**RAMÁ DO SUL** Nome que em algumas versões aparece como Ramá do Neguebe em Josué 19.8. Na distribuição do território de Canaã ocorrida em Siló (Js 18.10), esta cidade foi designada a Simeão (Js 19.9). O nome sugere que o local ficava no extremo sul, sendo possivelmente um outro nome para Baalath-beer. Ramá do Sul não aparece na lista de Judá em Josué 15.21-32, nem na lista de Simeão em 1 Crônicas 4.28-33. Provavelmente seja a Ramote do Sul de 1 Samuel 30.27 (ou Ramote do Neguebe).
Em 1967 foi encontrado um óstraco em Tell Arad que apressava o comandante de Arade (*q.v.*) a enviar homens das várias fortalezas fronteiriças para ajudar a defender Ramote do Neguebe contra um iminente ataque edomita (aprox. 598 ou 587 a.C.). Com base nesta carta, Ramote do Neguebe foi identificada com Khirbet Ghazzeb (hoje chamada de Horvat 'Uzza) aprox. nove quilômetros a sul-sudeste de Tell Arade, no ponto em que o Uádi el-Qeini declina em direção ao mar Morto (Y. Aharoni, "Three Hebrew Ostraca from Arad", BASOR #197 [1970], 16-28).

B. C. S.

**RAMATAIM-ZOFIM** *Veja* Ramá 2.

**RAMATE-LEÍ** Um lugar mencionado em conexão com o massacre de Sansão de mil filisteus (Jz 15.17). Era conhecido simplesmente como Leí (*q.v.*), mas foi chamado pelo nome mais longo por Sansão. O nome significa "colina da queixada", e estava situado a alguns quilômetros a noroeste de Jerusalém.

**RAMATE-MISPA** Uma cidade da tribo de Gade (Js 13.26), não muito distante do ribeiro de Jaboque. Seu nome significa "o lugar alto do mirante". É possível que neste local tenha se situado anteriormente um santuário onde Labão e Jacó fizeram sua aliança (Gn 31.44-55). Labão chamou este lugar de Jegar-Saaduta, mas Jacó o chamou de Galeede, Mispa. Alguns consideram que este local seja Ramote-Gileade. *Veja* Mispa 1.

**RAMATITA** Termo que aparece em 1 Crônicas 27.27 ligado a Simei, o supervisor das vinhas de Davi. Já que muitas cidades foram chamadas de Ramá, é impossível dizer de qual delas seria Simei.

**RAMESSÉS** Uma cidade egípcia situada na seção nordeste do Delta. O nome também é aplicado a uma área do Delta na qual José estabeleceu seu pai e seus irmãos, quando migraram vindo da Palestina na época da fome (Gn 47.11). Ramessés era uma das duas cidades-celeiros ou cidades de tesouros construídas por Faraó através do trabalho escravo israelita (Êxodo 1.11; a LXX acrescenta uma terceira, "Om, que é Heliópolis"). Foi de Ramessés que Israel iniciou o Êxodo (Êx 12.37; Nm 33.3,5), fazendo de Sucote a primeira parada.

A cidade de Ramessés não foi identificada com certeza. Ela é freqüentemente considerada a cidade chamada "Casa de Ramessés", construída por Ramessés II. A "Casa de Ramessés" é identificada por Montet e Gardiner como a atual San el Hagar, também reconhecida como Avaris, Tânis e a bíblica Zoã. Hamza, Habachi e Uphill têm apoiado o local de Qantir, aprox. 17 quilômetros ao sul. Gardiner anteriormente havia concluído que Ramessés era Pelúsio, uma identificação que não é compatível com a informação topográfica do Êxodo, visto que Pelúsio fica no final do deserto, enquanto que Tânis fica corretamente a dois dias de viagem do "fim do deserto" (Nm 33.5,6). Para Pelúsio, veja Alan H. Gardiner, JEA, V [1918], 127-138, 179-200, 242-271. Para San el Hagar, veja Gardiner, JEA, XIX [1933], 122-128; *Ancient Egyptian Onomastica*, II, 169, 171-175, 278-279; *Egypt of the Pharaohs*, p. 258. Para Qantir, veja M Hamza, ASAE, XXX [1930], 31-68, esp. 64-68; Labib Habachi, ASAE, LII [1954], 443-562; Eric P. Uphill, "Pithom and Raamses. Their Location and Significance", JNES, XXVII [1968], 291-316; XXVIII [1969], 15-39.

O nome da cidade sem dúvida alguma está associado ao de um construtor ou renovador real. Ramessés (ou Ramsés) era o nome real mais comum das Dinastias egípcias XIX e XX. Dos reis que possuíam esse nome, Ramessés II, um monarca egoísta e muito vigoroso, era extremamente ativo como construtor, restaurador e usurpador dos monumentos de seus predecessores. Governando no século XIII a.C., ele tem sido freqüentemente identificado como o faraó da opressão ou do êxodo, apesar das incongruências cronológicas com as informações do AT. Se a referência de Gênesis 47 estiver relacionada com os reis das Dinastias XIX-XX, o nome deve ser uma substituição a um nome anterior da área. Aqueles que propõem o século XV como a data do êxodo devem considerar o nome da cidade como um nome que pré-data aquelas dinastias, ou um nome novo. No segundo caso, eles devem identificar como Ramessés um local que foi ocupado tanto durante o século XV (ou antes) como no período de Ramessés.

*Veja* Êxodo, O; Cidade de Tesouro.

C. E. D.

**RAMIAS** Um dos filhos de Parós (Ed 10.25). Ele estava entre aqueles que expulsaram suas esposas pagãs por ordem de Esdras.

**RAMO** Esse termo é a tradução de 18 palavras hebraicas e quatro gregas. Elas incluem seis diferentes conotações.

1. Seu significado natural está evidente quando se diz: "as aves do céu, cantando entre os seus ramos" (Sl 104.12), ou que os ramos novos da figueira são um sinal da aproximação do verão (Mt 24.32). *Veja* Plantas.
2. Os três braços, em cada lado da haste central do castiçal ou candelabro dourado, são chamados ramos (Êx 25.31-36; 37.17-22).
3. A construção de cabanas com três ramos onde as pessoas deveriam se acomodar durante a Festa dos Tabernáculos revela uma conotação cerimonial (Lv 23.40ss.; Ne 8.14ss.).
4. Os ramos podem fazer parte de uma figura que representa alguma pessoa importante, como Jó (Jó 29.19), o mordomo chefe (Gn 40.9s.), José (Gn 49.22), Nabucodonosor (Dn 4.12).
5. A palavra "ramo" retrata as bênçãos de Deus sobre a fiel nação de Israel. Também retrata a nação de Israel sendo castigada. "O Senhor cortará de Israel a cabeça e a cauda, o ramo e o junco, em um mesmo dia" (Is 9.14); Israel "oliveira verde... e se quebraram seus ramos" (Jr 11.16). Também aparece como um castigo que visita as nações e os governantes pagãos por causa de seus pecados. Moabe (Is 16.6-8), o Egito (Ez 31.2-14), Nabucodonosor (Dn 4.13,14). Paulo também usa a metáfora dos ramos naturais que foram quebrados de uma oliveira para descrever as conseqüências de Israel ter rejeitado o Senhor Jesus (Rm 11.19-21). Jesus emprega uma figura semelhante para prevenir os discípulos que não davam frutos (Jo 15.6), e Israel sob as bênçãos: "Mas vós, ó montes de Israel, vós produzireis os vossos ramos e dareis o vosso fruto para o meu povo de Israel; porque estão prestes a vir" (Ez 36.8; Ez 19.10ss.; Sl 80.8-11).
6. O auge de todo o simbolismo dos ramos no AT é encontrado naqueles vislumbres anteriores do Messias que viria (no hebraico, *semah* ou "broto", Is 4.2; Jr 23.5; 33.15; Zc 3.8; 6.12; no hebraico *neser* ou "rebento verde", Is 11.1s.). O texto em Isaías 4.2 ("Naquele dia, o Renovo do Senhor será cheio de beleza e de glória") não dá ao ramo uma personalidade definida como em Isaías 11.1s., mas os resultados de sua presença (4.3-6). por serem tão semelhantes, deixam poucas dúvidas de que ambas passagens se refiram ao Ramo que virá. As passagens restantes são claramente pessoais e messiânicas.

Depois de sua ressurreição, o Senhor Jesus tornou-se a Vinha e os seus discípulos os ramos (Jo 15.1-8).

L. R. E

Tumba de Raquel. HFV

**RAMOTE**
1. Uma cidade no território de Gade, também chamada de Ramote-Gileade (*q.v.*). Ela é citada em Deuteronômio 4.43; Josué 20.8; 21.38; 1 Crônicas 6.80.
2. Uma cidade de Issacar (1 Cr 6.73) que o texto em Josué 21.28,29 substitui por Jarmute (*q.v.*).
3. Uma cidade no Neguebe (1 Sm 30.27).
4. Um judeu que havia se casado com uma mulher estrangeira (Ed 10.29). Também chamado de Jeremote ou Jerimote nas diversas versões.

**RAMOTE-GILEADE** Uma importante cidade em Gileade, perto da fronteira da Síria. Situada a 40 ou 48 quilômetros a leste do rio Jordão em uma linha aproximadamente paralela a Jezreel e Megido, é identificada por Nelson Glueck com a moderna Tell Râmîth. Moisés a designou como uma cidade de refúgio para a tribo de Gade (Dt 4.41-43). A região possuía boas pastagens, e Salomão nomeou um dos 12 oficiais de distritos para que estivesse ali com a finalidade de assegurar alimento para a grande casa real (1 Rs 4.7,13).
Por causa de sua importância estratégica, Ramote-Gileade foi objeto de freqüentes batalhas entre Israel e Síria, e mudou de mãos diversas vezes. O rei Acabe foi morto em uma batalha por ela após ter se recusado a dar ouvidos à advertência do profeta Micaías (1 Rs 22.1-40). Jorão, seu neto, foi ferido ali em uma batalha posterior (2 Rs 8.28,29). Eliseu enviou seu agente a Ramote-Gileade para ungir Jeú (um comandante baseado ali) para suceder Jorão como rei de Israel (2 Rs 9.1-10). A partir dali, Jeú rumou para Jezreel para liderar uma revolta bem sucedida, porém sangrenta.
Ela pode ser a cidade de Ramate-Mispa (Js 13.24,26), talvez a própria Mispa, o lar de Jefté (Jz 11.34). *Veja* Mispa 2.

N. B. B.

**RANGER** Morder com os dentes ou desgastar os dentes de uma maneira que demonstre angústia, ira ou remorso. O Antigo Testamento usa o termo em Jó 16.9; Salmo 35.16; 37.12; 112.10; Lamentações 2.16. Jesus fala do "ranger de dentes" em Mateus 8.12; 22.13; 24.51; 25.30. Veja também Marcos 9.18; Atos 7.54.

**RAPOSA** *Veja* Animais: II.34.

**RAQUEL** Esposa de Jacó, mãe de José e Benjamim. Ela era a filha mais nova de Labão, o irmão da mãe de Jacó, portanto Raquel e Jacó eram primos. Depois de Jacó ter enganando seu irmão Esaú na questão do direito de primogenitura, Isaque ordenou que ele procurasse uma esposa entre seus parentes em Padã-Arã, que ficava nas proximidades de Harã (Gn 28.1,2).
Quando Jacó chegou àquele local, foi imediatamente atraído pela beleza de Raquel e apaixonou-se por ela (Gn 29.10ss.). Jacó concordou em trabalhar sete anos para Labão com a finalidade de se casar com Raquel. A narrativa bíblica diz que estes anos "foram aos seus olhos como poucos dias, pelo muito que a amava" (Gn 29.20). Quando a cerimônia do casamento – que incluía o uso do véu por parte da noiva – foi concluída, Jacó descobriu que havia sido enganado casando-se com Lia, a filha menos atraente e mais velha. Quando Jacó expressou as suas objeções, Labão concordou em conceder-lhe Raquel depois da semana nupcial, contanto que ele o servisse por mais sete anos (Gn 29.25-27).
Jacó ficou angustiado ao descobrir que "Raquel era estéril" (Gn 29.30,31), embora Lia lhe tivesse dado filhos. Raquel, com ciúmes, arquitetou um plano, como fez Sara sob circunstâncias semelhantes (Gn 16.2ss.). De acordo com o costume hurriano que prevalecia em Harã naquela época, uma jovem de classe social elevada, casada, poderia ter uma escrava que daria à luz filhos que seriam legalmente seus, caso fosse estéril (*veja* Horeus, Nuzu). Assim Raquel obrigou Jacó a ter um filho através de sua serva Bila (Gn 30.3). Dessa união nasceram Dã e Naftali. Apesar disso, Raquel orava desesperadamente para que Deus lhe concedesse um filho. Suas orações foram ouvidas e ela concebeu José (Gn 30.22-24).
Jacó prosperou muito enquanto trabalhava para Labão, tendo aumentado sua família e os seus rebanhos. Quando o relacionamento de Jacó com Labão tornou-se insustentável, ele fugiu com sua família e com os seus rebanhos, descobrindo mais tarde que Raquel levara consigo os terafins de seu pai, pensando possivelmente que sua contínua prosperidade seria garantida por terem consigo estes "ídolos do lar" (Gn 31.19). Quando Deus mandou que Jacó voltasse para Betel, ele instruiu sua família dizendo: "Tirai [ou lançai fora] os deuses estranhos que há no

meio de vós" (Gn 35.2). Já a caminho de Canaã, Jacó designou a Raquel a posição de maior segurança (Gn 33.2). Enquanto viajavam de Betel e Efrata (Belém), Raquel deu à luz ao seu segundo filho, e morreu logo após o nascimento de Benjamin (Gn 35.16ss.). A tradição diz que ela foi sepultada a aprox. um quilômetro e meio ao norte de Belém, no caminho para Jerusalém. Jacó erigiu uma coluna ou um monumento sobre o seu túmulo. Atualmente está localizado nas proximidades de Belém um monumento que é chamado de "Cúpula de Raquel" – uma pequena mesquita controlada pelos mulçumanos. Contudo, Samuel mencionou o túmulo de Raquel como estando em Zelza (1 Sm 10.2), uma cidade em Benjamin cuja localização é incerta. O profeta Jeremias também cita Raquel, e parece que o lugar que ele tinha em mente era Ramá, que está situada oito quilômetros ao norte de Jerusalém (Jr 31.15). Sua profecia cumpriu-se através do episódio do massacre dos inocentes em Belém (Mt 2.18).

H. A. Han.

**RAS SHAMRA** O nome atual de Ugarite, um antigo porto a aprox. 11 quilômetros ao norte da moderna Latáquia na Síria (*q.v.*). Era a cidade no continente mais próxima de Chipre. As descobertas arqueológicas ali foram tão importantes que os franceses, sob a coordenação de C. F. A. Schaeffer, conduziram cerca de 25 temporadas de escavações, começando em 1929. *Veja* Arqueologia. O interesse do estudante da Bíblia por Ras Shamra é primeiramente um resultado dos textos mitológicos cananeus descobertos ali. Agora, pela primeira vez, os estudiosos conhecem a religião cananéia através de sua própria literatura (ANET, pp. 129-155), embora ela seja conhecida há muito tempo através de coisas como templos e objetos de culto.

As diversas opiniões de estudiosos liberais mais antigos poderiam ser parafraseadas na afirmação: "A teologia israelita era simplesmente a nata da religião cananéia". Os textos de Ras Shamra, porém, demonstram que a mitologia cananéia e a teologia israelita estão muito distantes, assim como o oriente dista do ocidente (*veja* Mito ou Mitologia). A literatura cananéia apenas reforça a evidência arqueológica de que os cananeus tinham a mais depravada de todas as antigas religiões. "El" era anteriormente a cabeça do panteão cananeu, mas ele estava sendo substituído pelo jovem e dinâmico Baal, um deus da tempestade semelhante a Zeus, porém mais depravado. Havia três principais deusas. Astarote (na nomenclatura do AT), Anate (de onde veio o nome Anatote, cidade natal de Jeremias) e Aserá. A última é mais conhecida nas Escrituras como a deusa do episódio de Elias no monte Carmelo (1 Rs 18.19). As outras deusas compartilhavam o poder da guerra, do amor e da fertilidade. *Veja* Falsos deuses.

Os termos técnicos usados no sistema sacrificial cananeu eram similares aos termos israelitas, mas os significados dos dois sistemas de culto eram de admirável contraste. A literatura cananéia também ajudou os estudos lingüísticos do AT abrindo novas características de vocabulário, gramática e sintaxe. Existem padrões poéticos cananeus similares aos antigos poemas da Bíblia Sagrada. Algumas das práticas legais cananéias, tais como a adoção dentro da família, são associadas, nas Escrituras, com a adoção de Efraim e Manassés por Jacó.

J. L. K.

Os épicos religiosos cananeus eram registrados em tábuas de barro, escritos em caracteres cuneiformes previamente desconhecidos. Após decifrado, foi reconhecido um alfabeto de 30 sinais, que é o idioma cananeu ou semita do noroeste usado em Ugatite (*veja* Alfabeto). Estes textos foram descobertos durante a primeira temporada de escavações na biblioteca do edifício oficial onde o principal sacerdote havia vivido. Situava-se na parte mais alta da colina entre dois templos cananeus, um dedicado ao culto a Baal e o outro, a Dagom. Estas edificações e tábuas pertenciam ao nível superior, que pode ser datado dos séculos XIV e XIII a.C. A cidade parece ter sido destruída, e nunca reconstruída, pouco depois de 1200 a.C., provavelmente pelos povos marítimos invasores que destruíram a costa siro-palestina naquela época.

Reiniciando as escavações em 1948, depois da Segunda Guerra Mundial, Claude F. A. Schaeffer e sua equipe descobriram o grande palácio em várias temporadas sucessivas. Ele tem aproximadamente 130 metros de comprimento de norte a sul, e 90 metros de largura de leste a oeste. Nele foram descobertos os arquivos reais com documentos administrativos, legais e econômicos. A maior parte deles foi escrita no idioma internacional daquele período, o acadiano (o mes-

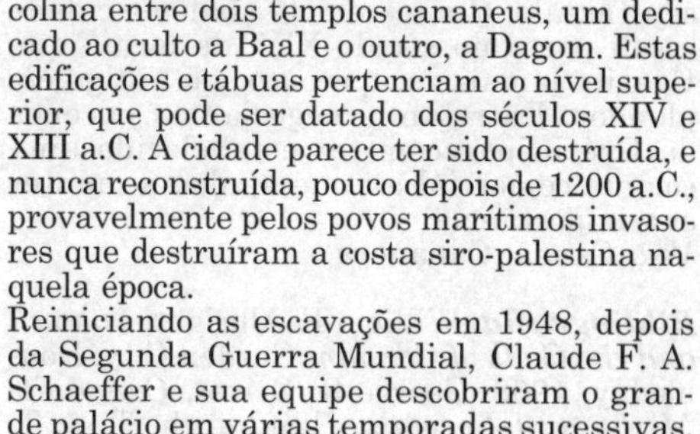

Saguão da recepção no palácio, Ras Shamra. JR

mo idioma das tábuas de Amarna, *q.v.*). A partir desses textos, uma grande quantidade de informações históricas foi recolhida, pois eles mencionam os nomes de pelo menos 12 reis de Ugarite, e abrange os séculos XVIII a XIII a.C.
Schaeffer reconheceu cinco principais níveis de ocupação, começando com uma cultura neolítica (stratum V). As datas são próximas ao período calcolítico (aprox. 4000-3500 a.C.). O nível III (aprox. 3500-2100) revela, pelos estilos da cerâmica, muita influência da Mesopotâmia, em uma época em que haviam campanhas militares conhecidas dos contatos mediterrâneos e comerciais. O nível IV inclui as ruínas da Idade Média do Bronze (2100-1500), a época dos embaixadores da décima segunda Dinastia do Egito, os hicsos, os hurrianos e os antigos heteus. O período final (stratum I, 1500-1150) é um dos mais conhecidos, tanto da evidência de Ras Shamra como de inscrições encontradas no Egito e em outros lugares. Tutmósis III (1504-1450) estacionou uma guarnição egípcia em Ugarite. Posteriormente, o monarca heteu Suppiluliumas conquistou a área e fez do rei de Ugarite seu vassalo. Um terremoto abalou a cidade e seu porto no século XIV, de forma que Ugarite jamais recuperou o seu antigo esplendor. Entretanto, negociantes micenos da Grécia parecem ter estabelecido uma colônia comercial ali que ajudou a manter sua importância.
*Veja* Canaã, Cananeus.

***Bibliografia.*** William F. Albright, *Yahweh and the Gods of Canaan*, Garden City. Doubleday, 1968. George R. Driver, *Canaanite Myths and Legends*, Edinburgh. T. & T. Clark, 1956. John Gray, *The Legacy of Canaan. The Ras Shamra Texts and Their Relevance to the Old Testament*, Leiden. Brill, 1957; "Ugarit", TAOTS, pp. 145-167. Arvid S. Kapelrud, *Baal in the Ras Shamra Texts*, Copenhagen. G. E. C. Gad, 1952; "Ugarit", IDB, IV, 724-732; *The Violent Goddess. Anat in the Ras Shamra Texts*, Oslo. Universitetsforlaget, 1969. Charles F. Pfeiffer, *Ras Shamra and the Bible*, Grand Rapids. Baker, 1962.

J. R.

**RASGAR** O heb. *qara'* é a palavra usual para descrever a atitude de rasgar as vestes por causa da tristeza (Gn 37.29,34). O profeta aconselha o povo a rasgar os seus corações e não as suas vestes (Jl 2.13). *Veja* Lamentar, ou Luto.
O NT usa formas de *diarhegnymi* como, por exemplo, quando o sumo sacerdote rasgou as suas vestes (Mt 26.65). Paulo e Barnabé rasgaram as suas vestes para dissuadir o povo de Listra de os adorar (At 14.14). A agitação da opressão demoníaca é expressa pelos termos *rhegnymi* e *sparasso* (Mc 9.18 e Mc 9.26, respectivamente). O termo gr. *schizo* é usado em relação ao espesso véu do Templo que se rasgou no momento da morte de Jesus (Mt 27.51).

**RASGAR AS ROUPAS** *Veja* Rasgar.

**RASPAR PÊLOS** *Veja* Cabelo.

**RATAZANA** *Veja* Animais: IV.27.

**RATO** *Veja* Animais: IV.27.

**RATO SILVESTRE** *Veja* Animais: IV.28.

**RATOS DE OURO** Quando os filisteus estavam de posse da Arca da Aliança, perceberam que estavam sendo punidos por causa disso. Parte das ofertas, junto com a devolução da arca, deveria incluir ratos de ouro (1 Sm 6.1-5,11,18). Acredita-se que talvez os ratos tivessem infestado o país como parte da praga. Gesênio sugere que a palavra foi retirada de duas outras palavras que indicam comer milho, e dessa forma ele acredita que a passagem esteja indicando ratos do campo. *Veja* Animais: Rato Silvestre IV.28.

**REABIAS** Este nome aparece em duas formas hebraica. que diferem apenas ligeiramente. A referência é ao filho mais velho de Eliézer, o filho de Moisés. Várias passagens podem ser observadas: 1 Crônicas 23.17; 24.21; 26.25. Ele foi um líder entre as famílias dos levitas que possuíam responsabilidades especiais no Templo. Reabias teve vários filhos (1 Cr 23.17).

**REAÍAS**
1. O filho de Sobal e pai de Jaate, descendentes de Calebe (1 Cr 4.2), aparentemente chamado de Haroé em 1 Crônicas 2.52.
2. O filho de Mica e pai de Baal, descendentes de Rúben (1 Cr 5.5).
3. Uma das famílias dos netineus ou servos do Templo (Ed 2.47; Ne 7.50).

**REAVIVAR, REAVIVAMENTO** O reavivamento pode ser definido como o re-despertar da fé religiosa, da vida e da atividade espiritual. Embora a palavra "reavivar" não ocorra com freqüência na Bíblia Sagrada, diversos reavivamentos podem ser encontrados, e a obra vivificadora do Espírito de Deus pode ser descrita. As duas palavras principais são o termo heb. *haya*, "viver, recobrar, vir à vida" (*Qal*, caule); "conservar vivo, vivificar, reavivar" (*Pi'el*); "fazer viver, voltar à vida, reavivar" (*Hiph'il*), e o termo gr. *anazao*, "estar vivo novamente, vir à vida novamente, saltar para a vida, reavivar".
Na versão KJV em inglês, o termo "reavivar" às vezes significa literalmente voltar da morte para a vida física, como no caso do filho da

viúva (1 Rs 17.22), do homem lançado no túmulo em que Eliseu estava sepultado (2 Rs 13.21), e do Senhor Jesus Cristo (Rm 14.9). A palavra pode descrever a recuperação de alguém que está saindo da tristeza e do desânimo (como Jacó, Gênesis 45.27), ou da fraqueza física (como Sansão, Juízes 15.19). Em Romanos 7.9, ela fala de como o pecado reviveu em Paulo, quando o mandamento a respeito da cobiça o condenou.

Esdras agradeceu a Deus por conceder aos judeus "um pouco de vida", uma restauração espiritual e política de sua escravidão e exílio na Babilônia (Ed 9.8,9). Isto ocorreu em resposta às orações por um reavivamento nacional como nos Salmos 80.18 e 85.6, e na profecia de Oséias de que Deus iria reavivar seu povo quando o buscassem sinceramente e se voltassem a ele (Os 5.15–6.2; cf. 14.7). Na visão que Ezequiel teve dos ossos secos, a ressurreição nacional – isto é, o renascimento de Israel política e espiritualmente – é retratada pela reconstrução dos esqueletos humanos e então pelo sopro do Espírito neles para que "vivessem" (Ez 37.5,9,14; heb. *haya*). Habacuque roga que o Senhor reavive sua obra de redenção nos próprios dias do profeta, assim como Deus havia demonstrado, muito tempo atrás, ao julgar o Egito e libertar Israel (Hc 3.2; cf. Sl 44.1-8; 77.12-15).

As passagens que falam do reavivamento pessoal incluem aquelas que usam o termo "vivificar" na versão KJV em inglês, freqüentemente traduzidas como "reavivar" em versões mais recentes. Davi suplica que o Senhor o reavive e tire sua alma da tribulação (Sl 143.1), e em um outro salmo ele expressa sua confiança de que Deus o reavivará (ou, o manterá vivo) e o salvará de seus inimigos (138.7). No Salmo 119, o salmista repetidamente pede ao Senhor para "vivificá-lo" ou "reavivá-lo", de acordo com sua Palavra (vv. 25,107,154; cf. vv. 50,93), em seus caminhos (v. 37), através de sua justiça (v. 40), de acordo com sua bondade (vv. 88,159), e de acordo com os seus juízos ou ordenanças (vv. 149,156). O Deus exaltado, eterno, santo e transcendente é aquele que se deleita em habitar com o homem quebrantado e humilhado de espírito, a fim de "vivificar o espírito dos abatidos e para vivificar o coração dos contritos" (Is 57.15). O choro do pai com relação ao seu filho pródigo é o epítome do reavivamento: "Porque este meu filho estava morto e reviveu" (gr. *anezesen*, Lc 15.24). Paulo exorta Timóteo a "reavivar" ou "despertar" o dom que Deus lhe havia dado (2 Tm 1.6). Mas no Salmo 71.20, o crente de idade avançada parece ir além da mera esperança de um reavivamento quando expressa sua confiança de que Deus o restaurará: "Me darás ainda a vida e me tirarás dos abismos da terra"; aqui a ressurreição da sepultura está em foco.

Além dos tempos periódicos de arrependimento na era dos juízes, pelo menos oito reavivamentos de larga escala são descritos no AT: o reavivamento no monte Sinai (Êx 32–34), o reavivamento em Mispa sob a liderança de Samuel (1 Sm 7), o reavivamento no monte Carmelo (1 Rs 18), o reavivamento em Judá durante o reinado de Asa (2 Cr 15), o reavivamento em Nínive (Jn 3), o reavivamento liderado por Ezequias (2 Cr 29–31), o reavivamento sob a liderança do jovem rei Josias (2 Cr 34–35) e o reavivamento pós-cativeiro (Ed 9–10; Ne 8–10). O NT registra como os primeiros cristãos em Jerusalém foram reavivados quando oraram pedindo ousadia, e todos foram cheios do Espírito Santo para testemunharem a respeito ressurreição do Senhor Jesus (At 4.29-33). O pecado de Ananias e Safira foi soberanamente julgado, e nenhum dos incrédulos ousou associar-se aos cristãos, enquanto multidões estavam sendo salvas e curadas (5.1-16).

Além destes reavivamentos, grandes líderes espirituais destacaram-se, quer tenham sido instrumentos humanos ou produtos dos próprios reavivamentos. Os autênticos reavivamentos, de acordo com os padrões bíblicos, são uma obra soberana de Deus. Há sempre um elemento divino ou miraculoso neles (Êx 34.29-35; 1 Sm 7.10; 1 Rs 18.38; Jn 2.10; 2 Cr 14.11,12; 30.20; 34.14; Ne 8.10,17; At 4.31; 5.5,10). "Nenhum ser humano pode despertar o interesse, vivificar a consciência de um povo, ou gerar aquela intensidade de fome espiritual que é peculiar a um reavivamento" (F. Carlton Booth, "Revival", BDT, p. 460). Contudo, os grandes reavivamentos nunca são enviados de forma separada da oração, da intercessão e da confissão do pecado (Êx 32.30-32; 1 Sm 7.5-9; 1 Rs 18.36,37; Jn 3.5-9; 2 Cr 34.26,27; Ed 9.5–10.1; Ne 9.2,3). A palavra profética (2 Cr 15.1-8) ou a Palavra escrita (2 Cr 34.18-21; Ne 8) são elementos vitais dos reavivamentos.

O reavivamento enviado por Deus produz uma revolução espiritual e um fervor emocional. Grande temor (At 5.11), pranto (Jl 2.12; Ed 10.1; Ne 8.9), ou alegria (2 Cr 30.21-26; Ne 8.17) são, geralmente, juntamente com o canto (2 Cr 29.30), os resultados de um reavivamento. Acima de tudo, há um retorno ao próprio Senhor, à justiça moral e a uma vida piedosa. O texto em 2 Crônicas 7.14 permanece como a maior promessa de reavivamento da Palavra de Deus: "Se o meu povo, que se chama pelo meu nome, se humilhar, e orar, e buscar a minha face, e se converter dos seus maus caminhos, então, eu ouvirei dos céus, e perdoarei os seus pecados, e sararei sua terra".

*Veja* Vivo, Vivificar; Restauração, Restituição.

***Bibliografia.*** C. E. Autrey, *Revivals of the Old Testament*, Grand Rapids. Zondervan, 1960. James Burns, *Revivals, Their Laws and Leaders*, 2ª ed. com dois capítulos escri-

Um rebanho de ovelhas junto ao rio Jaboque. HFV

tos por Andrew W. Blackwood, Grand Rapids. Baker, 1960.

J. R.

**REBA** Um rei ou príncipe midianita que foi morto por Israel nas planícies de Moabe. Ele estava envolvido na traição moral que reduziu Israel à idolatria lasciva (Nm 31.8; Js 13.21).

**REBANHO** Anteriormente à época de Josué, Israel era um povo seminômade. Jó, um chefe de tribo seminômade nas proximidades das rotas de comércio transjordanianas, possuía ovelhas, camelos, bois e jumentas (Jó 1.3). Inclusive durante algum tempo depois da conquista de Canaã, Israel continuou a ser principalmente um povo pastoral e agrícola. Normalmente o rebanho consistia de animais maiores – bois, vacas e jumentos – em contraste com os rebanhos de ovelhas, cabras etc., conforme o texto bíblico. "Jacó... repartiu... as ovelhas (*so'n*), e as vacas (*baqar*), e os camelos (*gemallim*)" (Gn 32.7). A palavra *'eder* é traduzida como "ovelhas" em Provérbios 27.23 e Joel 1.18. O cognato *miqneh* é traduzido como "rebanho" ou "animais" em Gênesis 47.18, e também em Números 32.26, e como "gado" em vários outros textos. A palavra "rebanho" também traduz a palavra grega *agele*, usada em conexão com o episódio em que a manada de porcos precipitou-se para sua auto-destruição no precipício perto de Gadara (Mt 8.30-32). *Veja* Animais: Gado I.8; Ovelhas I.12.

**REBANHO (FIGURATIVO)** Esta expressão era freqüentemente usada em relação ao povo de Deus. Os profetas Isaías, Jeremias, Ezequiel, Miquéias e Zacarias usaram o termo rebanho como referência a Israel. Por exemplo, "Como pastor, apascentará o seu rebanho" (Is 40.11). Jeremias acusou falsos profetas de terem dispersado o rebanho de Deus (Jr 23.2). Ezequiel usa a palavra mais de uma dezena de vezes no cap. 34 em um sentido figurativo do povo de Deus. O Senhor Jesus citou Zacarias 13.7, aplicando o termo rebanho aos seus discípulos (Mt 26.31). Ele se dirigiu diretamente aos seus seguidores como "pequeno rebanho" (Lc 12.32). Paulo admoestou os presbíteros efésios em Mileto: "Olhai, pois... por todo o rebanho", e advertiu contra os "lobos" que poderiam destruir o rebanho (At 20.28,29). Entendemos que o Senhor Jesus usou a expressão "um rebanho" em relação à Igreja em João 10.16.
*Veja* Animais: Ovelha I.12; Pastor.

**REBECA** Filha de Betuel, irmã de Labão, esposa de Isaque e mãe de Esaú e Jacó. Um servo de Abraão foi enviado para obter uma esposa para Isaque (Gn 24). Quando chegou ao poço fora da cidade de Naor, em Padã-Arã, ele pediu um sinal para que pudesse fazer a escolha certa. Quando Rebeca veio com um cântaro, e se ofereceu para retirar água para ele e seus camelos, ele considerou esta atitude como o sinal que havia pedido. Ela era formosa, e sua conduta indicava que era generosa e hospitaleira. Ele lhe deu caros presentes que havia levado consigo, perguntou seu nome e se poderia hospedar-se na casa de seu pai. Ao ser recebido em sua casa, ele só aceitou a hospitalidade depois de explicar sua incumbência. Quando o pai e o irmão de Rebeca ouviram a história, permitiram que Rebeca decidisse se deixaria o lar, indo para um país estranho para se casar com um homem que jamais havia conhecido. O fato de terem lhe dado uma escolha representa um costume de famílias patriarcais de classe elevada. Ela deixou seu lar e se tornou a esposa de Isaque (Gn 24.66,67), e compartilharam sua vida próspera perto de Berseba.
Uma história semelhante à de Abraão e Sara é aquela em que Isaque faz com que Rebeca se passe por sua irmã na corte de Abimeleque (Gn 26.1-16). Ele foi censurado quando o rei descobriu o verdadeiro relacionamento deles.
Após 20 anos de esterilidade (Gn 25.21,26), Rebeca gerou dois filhos, Esaú e Jacó. Quando cresceu, Esaú casou-se com duas mulheres hititas, apesar da reprovação de seus pais. Jacó era o favorito de sua mãe; ela aprovou a compra do direito de primogenitura de Esaú. Nem mesmo a partir deste ponto ela

deixou as coisas inteiramente nas mãos de Deus, mas persuadiu Jacó a obter a bênção através de um engano. Quando Jacó teve que fugir da ira de Esaú, Rebeca rogou-lhe que fosse até o seu povo, em Padã-Arã, e supõe-se que ela tenha morrido antes de seu retorno. Ela foi sepultada na caverna de Macpela perto de sua sogra, Sara (Gn 49.31).

A. W. W.

**REBELIÃO** Um termo usado no AT pelo Deus de Israel, particularmente em Jeremias, quando se fala da nação como filhos rebeldes (Jr 3.22), uma filha rebelde (Jr 31.22), e em Oséias, onde ele chama Israel de vaca rebelde (Os 4.16). Filhos que se introduzem no mal e uma filha que escolhe uma vida de pecado são exemplos familiares a pessoas de todas as idades, e uma vaca rebelde é um termo particularmente expressivo a qualquer fazendeiro para retratar a teimosia.

No AT, a rebelião fala de um retorno ou volta à velha vida de pecado e à adoração aos falsos deuses; hoje em dia, isto seria equivalente ao retorno a uma antiga vida de pecado e idolatria espiritual, isto é, ao materialismo e à idolatria de coisas ao invés da adoração a Deus. Como usado hoje no linguajar religioso moderno, o termo refere-se à condição espiritual de cristãos individuais.

A opinião de que o rebelde, que embora uma vez salvo, tenha se perdido novamente, falha em ver que a *posição* do cristão deve ser diferenciada de seu *estado*. Posicionalmente, isto é, no que diz respeito à sua posição, ele está em Cristo e justificado eternamente. Ele está guardado contra qualquer coisa ou qualquer um que queira tirar-lhe a vida eterna, uma vez que tanto Cristo quanto o Pai o seguram em suas mãos (Jo 10.28,29). E, contudo, o *estado* do cristão está sujeito a mudar, uma vez que ele ainda é imperfeito e capaz de progredir ou regredir. Fala-se da *posição* do cristão em Colossenses 2.10-13 como uma perfeição igual à de Cristo; o seu *estado* (1 Co 3.1-4; Rm 7), como estando em perigo de degeneração constante na carnalidade. A rebelião evoca a correção de Deus (Hb 12.6; 1 Co 11.32), e resulta na perda de recompensas (2 Co 5.10; 1 Co 3.15), perda da comunhão (1 Jo 1.7), remoção de um lugar de utilidade (1 Co 5.5; 11.30), e, às vezes, até exige a remoção desta vida pela morte (1 Co 11.30). *Veja* Apostasia.

R. A. K.

**RECA** Uma cidade em Judá mencionada em 1 Crônicas 4.12. Estom e Teína são citados como "homens de Reca". No Targum de Rabbi Joseph, eles são chamados de "os homens do grande Sinédrio", que pode ser explicado lendo-se *rabbah* como *rekah*. Se o termo representa uma cidade, sua localização não é conhecida até o momento.

**RECABE ou RECABITAS**

1. Um dos filhos de Rimom, um beerotita da tribo de Benjamim. Ele era um dos capitães de Isbosete em sua guerra contra Davi. Depois da morte de Abner, Recabe e seu irmão Baana mataram Isbosete e levaram sua cabeça até Davi. Ao invés de recompensá-los, Davi mandou executá-los pelo assassinato brutal de um homem inocente (2 Sm 4.2-12).

2. O pai de Jonadabe (*q.v.*) e fundador da família dos recabitas. Recabe pode ter sido de uma das famílias de queneus que entraram na Palestina com os israelitas (1 Cr 2.55). Nos dias do reino dividido, Recabe determinou que a causa da apostasia e da imoralidade do povo era a cultura palestina, e comandou seus filhos a voltarem ao seu antigo modo nômade de vida com toda sua simplicidade. Nos dias de Jeú, Jonadabe, o líder dos recabitas, auxiliou aquele rei em sua destruição ao culto a Baal (2 Rs 10.15,23). Nos dias de Jeremias, o profeta usou os recabitas como uma lição objetiva. Ele os levou até a casa do Senhor, e lhes ofereceu vinho. Eles recusaram por causa de sua lealdade para com o seu ancestral, Recabe, e sua ordem. Jeremias usou a fidelidade deles como uma censura à infidelidade de Israel para com o Senhor. Por causa de sua fidelidade, o Senhor lhes prometeu: "Nunca faltará varão... que assista perante a minha face todos os dias" (Jr 35.19). Diz-se que Rab Judah registrou que as filhas recabita se casaram-se com levitas, e assim esta linda promessa foi cumprida. Hegesippus disse que "sacerdotes recabitas" intercederam por Tiago, o irmão do Senhor Jesus Cristo, mas não conseguiram salvar sua vida (Eusébio, *History*, ii. 23).

3. Malquias, o "filho de Recabe", reparou a Porta do Monturo de Jerusalém sob o governo de Neemias (Ne 3.14). Ele pode ter sido o líder dos recabitas depois do exílio.

P. C. J.

**RECEBEDORIA ou COLETORIA** Todas as três ocorrências desta palavra no NT são encontradas em conexão com o chamado de Jesus a Mateus, o publicano (Mt 9.9; Mc 2.14; Lc 5.27). O nome "Levi" é usado em algumas versões nas duas últimas passagens. A palavra grega envolvida é *telonion*, e se refere, no NT, ao "lugar onde os impostos eram pagos". A mesma palavra pode indicar o imposto em si, mas este não é o caso no NT. A expressão "banca do imposto" é sugerida por Thayer e seguida pelas versões RSV e NASB em inglês, enquanto a MM apresenta a expressão "banca da receita". A versão NEB em inglês traz o termo "alfândega".

**RECEITA** *Veja* Rei; Imposto; Tributo.

**RECOMPENSA** *Veja* Punição; Recompensa; Salário.

**RECOMPENSAS** Segundo a descrição do AT, Deus recompensa o obediente com prosperidade terrena e castiga o pecador em retribuição às iniqüidades praticadas (Lv 26; Dt 28). No NT, a obediência não considera a recompensa (Lc 17.9,10), pois ela é devida a Deus a quem os crentes devem toda sua vida. As boas obras nunca são consideradas meritórias no sentido estrito dessa palavra, pois só podem ser praticadas pela força e graça que o próprio Deus concede (Rm 8.1-4; 1 Co 15.10; Fp 2.13), e mesmo assim os melhores feitos de um cristão serão sempre imperfeitos nessa vida.

Dessa forma, quando Deus recompensa o crente por suas obras, isso se deve à bondosa promessa do Senhor e à sua aliança de fidelidade, que considera essas obras como dignas de louvor e recompensa por causa do motivo e da finalidade pelos quais foram praticadas, e não pelo seu real e intrínseco valor e qualidade. A recompensa não flui da justiça e da virtude divina, mas da graça e da misericórdia (2 Co 4.17; 1 Pe 1.4; Ap 21.7).

A recompensa também é usada na Bíblia Sagrada em um sentido negativo, como castigo pelo pecado (Sl 91.8; 103.10). Ela é usada meramente no sentido humano ou natural de receber alguma coisa em troca de algo que foi feito (Gn 44.4; 1 Rs 13.7; Sl 35.12; Mt 6.5). Mas as recompensas podem ser perdidas (2 Jo 8).

Não existem dúvidas de que o NT concede um lugar legítimo, e até proeminente, às recompensas como uma força motriz para os cristãos, mas elas são predominantemente descritas em termos morais e espirituais, e não materiais e terrenos (Mt 10.42; 24.45,46; Lc 6.22,23; Hb 11.26), e jamais representam a principal motivação para o crente. *Veja* Coroas; Prêmio.

***Bibliografia.*** H. Preisker e E. Würthwein, "*Misthos* etc.", TDNT, IV, 695-728.

R. E. Po.

**RECONCILIAÇÃO** As palavras no NT significando reconciliação são todas baseadas na raiz grega *allag*, com diferentes prefixos preposicionais, e o mais comum deles é *kata*. O significado etimológico é "mudança", mas o uso sempre inclui a união de duas ou mais partes pela remoção de bases ou causas de desarmonia. A reconciliação é necessária para pôr fim à inimizade existente.

A doutrina da reconciliação está relacionada com a restauração da comunhão entre o homem pecador e Deus, o Santo Criador, através de Jesus Cristo, o Redentor. Por causa de suas más ações, o homem é declarado inimigo de Deus (Rm 5.8; Cl 1.21; Tg 4.4). Teólogos liberais que negam a satisfação penal, propiciatória e substitutiva da justiça divina pela provisão objetiva da expiação, mostram que no NT Deus nunca é o objeto da reconciliação. Eles negam a necessidade de vindicação da justiça divina, e insistem que tudo o que é necessário para a reconciliação entre Deus e o homem é uma mudança no homem. Eles se opõem ao grande hino de Wesley: "Eleve-se, Minha Alma", e especialmente às palavras "Meu Deus está reconciliado".

O fato do pecador ser aquele que precisa ser reconciliado com Deus (2 Co 5.20) não constitui um argumento contra a necessidade da propiciação (*q.v.*) em relação a Deus. Isto deveria ser evidente a partir de uma das passagens do NT, na qual a palavra é usada em um sentido não-soteriológico. Em Mateus 5.23,24, aquele a quem Deus ordenou que se reconciliasse com seu irmão era o ofensor contra quem o irmão tinha uma queixa. A única reconciliação possível era através da remoção objetiva da queixa ou a satisfação da justiça.

Há uma mudança na atitude de Deus quando o pecador é reconciliado com ele. Este fato é abundantemente evidenciado pelas muitas Escrituras que declaram a ira de Deus em relação ao pecador não arrependido, e a remoção de sua ira quando o pecador é justificado (veja, por exemplo, Jo 3.36).

Talvez um motivo pelo qual os escritores bíblicos falam do homem como o objeto da reconciliação, seja que na mudança da ira para o favor, o amor de Deus e seu caráter ético não mudam. Sua natureza santa é imutável. As passagens centrais que apresentam a doutrina da reconciliação são Romanos 5.8-11; 2 Coríntios 5.18-21; Efésios 2.16-18; Colossenses 1.20-22. Em cada caso, a natureza objetiva e propiciatória da expiação é claramente indicada.

*Veja* Expiação; Cristo, Paixão de; Perdão; Ira.

***Bibliografia.*** F. Büchsel, "*Katallasso*", TDNT, I, 254-258. James Denney, *The Christian Doctrine of Reconciliation*, Londres. Hodder & Stoughton, 1917. Leon Morris, *The Apostolic Preaching of the Cross*, Grand Rapids. Eerdmans, 1956, pp. 186-223.

J. O. B.

**RECURSO** Essa é a tradução de várias palavras hebraicas e gregas que geralmente se referem a bens materiais ou posses. Em Jó 30.22, ela aparentemente indica o corpo humano. Entretanto, a tradução do termo grego *hypostasis* em Hebreus 11.1 apresenta um problema especial. Em que sentido a fé pode ser chamada de "o firme fundamento das coisas que-se esperam?". No entanto, parece que a dificuldade da sua interpretação ficou magnificamente resolvida pelos papiros que indicam a seguinte tradução: "A fé é a escritura [um documento legal] das coisas esperadas". Dessa forma, a fé é a concretização ou a garantia das coisas esperadas, que torna as promessas de Deus reais na experiência de cada um.

**RECHE ou REXE** A vigésima letra do alfabeto hebraico. Serve como um numeral para 200. Seu sinal pictográfico mais antigo retratava uma "cabeça" (heb. *ro'sh*). É colocada na topo da vigésima seção do salmo acróstico, Salmo 119, onde cada versículo dessa seção começa com esta letra.

**REDE** As palavras do NT para "rede" são derivadas das palavras hebraicas *herem* ("perfurado" ou "fendido"), *mikmar* ou *makmor* e *mikmoreth* ou *mikmereth* ("rede varredoura", "rede de arrasto"), um grupo de palavras que vem da raiz *sud* ("caçar, esperar deitado", *reshet* (raiz *yarash*, "possuir"), *'sabak* e *'s*[e]*baka* ("interligado"). Várias dessas palavras também foram traduzidas como "laço" em algumas versões, e o laço comum (*pah*) também pode ter o significado de uma rede. No NT, o *amphiblestron*, *diktyon* e *sagene* eram todos redes usadas para pescar.
Parece que no Oriente Próximo redes de cordas de vários tipos de fibra eram usadas desde os tempos pré-históricos. O AT fala sobre seu uso como armadilha para animais selvagens (Is 51.20; Ez 19.8), pássaros (Pv 1.17; Os 7.12; cf. "laço do passarinheiro", Salmo 91.3) e também peixes (Ec 9.12; Is 19.8). No NT, o termo *diktyon* parece ser um termo genérico para rede, enquanto as outras duas palavras servem para distinguir a rede de pesca (*amphiblestron*), e a rede varredura ou rede de arrasto (*sagene*). A rede de varredura redonda forma um cone dentro da água; e a longa rede de arrasto é puxada dos dois lados em direção à praia, ou para formar um círculo. *Veja* Ocupações: Pesca.
Os termos usados para "rede" ou "trama" também são usados para descrever a grade decorada do altar (Êx 27.4 etc), e sobre os dois pilares que guardavam a entrada do santuário (1 Rs 7.17; Jr 52.22). A rede é usada de forma figurada como uma referência às tramas dos iníquos (Sl 140.5; 141.10), ao coração de uma mulher ímpia (Ec 7.26), e para a divina retribuição (Ez 12.13; 17.20).

W. R. L. e McL.

**REDE ou REDENHO**
1. Uma palavra aplicada à membrana presa ao fígado, e mencionada com a gordura e os rins que os filhos de Arão deveriam queimar no altar (Lv 3.4,5). Uma explicação é a de que se refere à massa de gordura que cobre o fígado (*q.v.*). Outra, é a de que denota a "teia do fígado, ou a teia do estômago, que começa na divisão entre o lóbulo esquerdo e o direito do fígado" (Lv 3.4).
2. Em Oséias 13.8, "as teias do seu coração" ou "a envoltura do coração" podem ser entendidas como significando o "recinto do coração, ou seja, as suas costelas ou o seu peito" (IB).
3. Em Isaías 3.18, a palavra "redezinhas" refere-se a um tipo de cobertura para a cabeça.

**REDENÇÃO** Livramento de alguma forma de escravidão com base no pagamento de um preço por um redentor (*q.v.*). Redenção é um conceito básico para a visão bíblica da salvação. No AT, a redenção está integralmente associada à vida familiar, social e nacional de Israel. Um indivíduo israelita poderia agir como um redentor, pagando um resgate para a libertação de um escravo (Lv 25.48ss.), para recuperar um campo (Lv 25.23ss.), ao invés de sacrificar um macho primogênito (Êx 13.12ss.), e em favor de alguém que de outra forma seria condenado à morte (Êx 21.28 ss.).
Logo no início do AT, o Senhor Deus revelou a si mesmo como agindo de forma redentora em favor do homem. Jacó invocou a Deus como aquele "que me livrou de todo o mal" (Gn 48.15,16). Deus declarou sua intenção de livrar Israel da servidão no Egito, dizendo: "Vos resgatarei com braço estendido" (Êx 6.6). Na maioria dos casos no AT onde é feita referência à atividade redentora de Deus, a libertação efetuada é de natureza física e não espiritual (por exemplo, a libertação de Israel do Egito e da Babilônia). Mesmo estas libertações, porém, trazem em si um significado espiritual em que a libertação indicava que Deus havia perdoado o pecado ou os pecados que diretamente ou indiretamente ocasionaram a calamidade. Em pelo menos um caso (Sl 130.8) a redenção referida é claramente de natureza espiritual, isto é, trata-se de uma redenção do pecado.
No NT, a redenção é estritamente uma atividade divina que é realizada por Jesus Cristo e através dele (Ef 1.7; Gl 3.13; 4.5). Embora a atividade redentora de Cristo tenha as suas manifestações físicas (por exemplo, a cura das enfermidades), seu principal significado é o resgate espiritual dos pecadores que estão escravizados no pecado (Mc 10.45). A libertação do pecador é assegurada com base no preço de resgate pago a Deus Pai por Jesus Cristo em sua morte na cruz (Tt 2.14; Hb 9.12; 1 Pe 1.18,19). *Veja* Expiação; Cristo, Paixão de; Propiciação; Resgate; Reconciliação; Salvação.
A perfeição da obra redentora de Cristo é claramente declarada no NT (Hb 9.25-28). No entanto, a experiência de redenção do indivíduo redimido só estará completa na segunda vinda de Cristo (Lc 21.28; Rm 8.23; Ef 1.14).

***Bibliografia.*** Friedrich Büchsel, "*Agorazo* etc"., TDNT, I, 124-128. David Hill, *Greek Words and Hebrew Meanings*, Cambridge. Univ. Press, 1967. Leon Morris, *The Apostolic Preaching of the Cross*, Grand Rapids. Eerdmans, 1956, pp. 9-59. John Murray, *Redemption-Accomplished and Applied*, Grand Rapids. Eerdmans, 1955. Roger Nicole, "The Nature of Redemption", em *Christian Faith and Modern Theology*,

Carl F. H. Henry, ed., Nova York. Channel Press, 1964, pp. 193-222. B. B. Warfield, *The Person and Work of Christ*, S. G. Craig, ed., Filadélfia. Presbyterian and Reformed, 1950, Cap. IX.

W. M.

**REDENTOR** Apenas uma palavra hebraica é traduzida como "redentor" na versão KJV em inglês, a forma participial *go'el*. Ela é usada 18 vezes ao todo, 13 vezes em Isaías, geralmente trazendo um pronome como sufixo. A forma verbal da qual este substantivo vem ocorre freqüentemente, e está relacionada em significado às palavras do AT e do NT, e quer dizer redenção, resgate e expiação (*q.v.*). O significado essencial da palavra *go'el*, como indicado pelo uso do verbo correspondente, inclui todos os tipos de ação em que as pessoas ou propriedades eram recompradas e restauradas da alienação à sua própria posição e relacionamento. *Veja* Parente.

Em cada caso no qual o substantivo verbal *go'el* é traduzido como "redentor", Deus (às vezes especificamente o Messias) é o Redentor referido; e sempre em suas atividades salvadoras, protetoras e preservadoras. A maior parte das referências tem caráter geral. Em vários casos (Jr 50.34; Is 43.14; 47.4; 48.17; 49.26) a restauração da Babilônia é mencionada ou está implícita. A passagem em Isaías 59.20,21, como interpretada em Romanos 11.26,27, é definitivamente escatológica (veja também Isaías 60.16; 63.16) e promete uma futura restauração de Israel pelo Messias.

A Septuaginta (LXX), por diversas vezes, traduz *go'el* como *lutrotes* ou alguma forma da mesma raiz, indicando o pagamento de um resgate. Em oito passagens em Isaías, a palavra é traduzida como *ruomenos* ou alguma forma relacionada, significando alguém que resgata. Na única passagem do NT onde *go'el* é traduzido diretamente (Rm 11.26,27; a partir de Is 59.20,21), o apóstolo Paulo utiliza o termo *ruomenos*, que apresenta o Messias como aquele que resgata.

A partir do uso que Paulo faz da palavra equivalente a "resgate" em Romanos 7.24, bem como do uso comum no NT dos termos "resgate" (Mt 20.28) e "redenção" (Hb 9.12), fica claro que Cristo, como nosso Redentor, é aquele que faz a expiação pelos nossos pecados.

De especial importância é o apelo de Jó ao seu *go'el* (19.25) em uma suprema confiança de que o seu futuro eterno está nas mãos do seu Redentor.

*Veja* Redenção.

J. O. B.

**REDES** Um trabalho de malha ou entrelaçado, usado como ornamento no topo das colunas de Jaquim e Boaz, na entrada do pórtico do Templo (1 Rs 7.17,21). *Veja* Jaquim e Boaz.

Em Êxodo 28.4,39, outra palavra hebraica é traduzida como "uma túnica bordada", referindo-se ao desenho xadrez usado para confeccionar a túnica do sumo sacerdote.

Essa palavra também pode se referir a uma rede (Jó 18.8) e a uma treliça ou grade. *Veja* Janela ou Grade.

**REDIMIR** *Veja* Redentor; Redenção.

**REELAÍAS** Um dos homens importantes que retornaram para a Palestina com Zorobabel (Ed 2.2), chamado de Raamias em Neemias 7.7.

**REFA** Filho de Berias, que era de Efraim. Ele tornou-se um ancestral de Josué (1 Cr 7.25).

**REFAÍAS**

1. Um descendente pós-exílico de Davi na linhagem de Zorobabel (1 Cr 3.21).
2. Um dos quatro capitães de um grupo de 500 simeonitas que destruíram os habitantes amalequitas do monte Seir (ou das montanhas de Seir) e se estabeleceram em suas terras (1 Cr 4.42,43).
3. Segundo filho de Tola, filho de Issacar, um famoso guerreiro (1 Cr 7.1,2).
4. Um descendente de Saul, rei de Israel, da tribo de Benjamim (1 Cr 8.37; 9.43; chamado de Rafa em algumas versões, e de Refaías, em outras).
5. Um líder na reedificação do muro de Jerusalém sob a coordenação de Neemias (Ne 3.9). Ele foi o "maioral da metade de Jerusalém", isto é, da metade de um dos distritos em que Judá foi dividida após o exílio.

**REFAINS**

1. Raça daqueles que habitavam a Palestina mencionados com os zuzins e os emins como tendo sido derrotados por Quedorlaomer (Gn 14.5; cf. 15.20). A Septuaginta (LXX) traduz o termo como "gigantes" (Js 12.4; 1 Cr 11.15; 14.9; 20.4). Ogue, rei de Basã, que pertencia ao remanescente dos refains, era um homem extraordinariamente grande, de acordo com as dimensões de seu leito de ferro (Dt 3.11; *veja* Ogue). Sua estatura tende a confirmar que os refains eram muito mais altos do que os outros povos de Canaã. Conjectura-se que este pode ter sido o povo que erigiu os dolmens (*q.v.*) na Palestina, que foram construídos com lajes colossais de rocha. *Veja* Gigante. Os refains aparentemente ocupavam uma larga seção da Palestina na época da conquista. Naquela época, eles habitavam as margens tanto leste como oeste do Jordão (Dt 2.11,20,21). *Veja* Anaquins.
2. Habitantes do mundo dos mortos (Jó 26.5; Sl 88.10; Pv 2.18; 9.18; 21.16; Is 14.9; 26.14,19). Pelo modo como é utilizado nestas passagens, é um equivalente aproximado dos termos "espíritos", "sombras" ou "espíritos dos mortos". Em outras palavras, eles

são os habitantes do Seol (*q.v.*). O termo é encontrado na literatura ugarítica referindo-se aos espíritos dos mortos e deuses menores. *Veja* Morto, O; Refains, Vale dos.
G. A. T.

**REFAINS, VALE DOS** Um vale nos arredores de Jerusalém, mas na direção de Belém (2 Sm 23.13,14; Josefo, *Ant.* vii.4.1); provavelmente o vale agora chamado Baqa', através do qual uma moderna ferrovia aproxima-se do sudeste. A partir da descrição em Josué 15.8; 18.16, fica claro que não se tratava da direção noroeste. Ali Davi teve duas vitórias sobre os filisteus que, aparentemente, invadiram as montanhas por esta rota a fim de cortar a comunicação entre Jerusalém e Hebrom (2 Sm 5.18-22; 1 Cr 14.9; 2 Sm 23.13,14; 1 Cr 11.15). Sua rica agricultura de grãos era amplamente conhecida (Is 17.5).

**REFEIÇÃO, HORA DA REFEIÇÃO** *Veja* Alimentos.

**REFÉM** A expressão hebraica. significa literalmente "filho dos penhores". Aparece apenas em 2 Reis 14.14 e na passagem paralela em 2 Crônicas 25.24.

**REFIDIM** Último local de parada na viagem antes dos israelitas alcançarem o monte Sinai. Sua localização exata é incerta, e vários lugares têm sido sugeridos, geralmente ao sul da península do Sinai, como por exemplo o Uádi Refayid, ou menos provavelmente o Uádi Feiran. Em Refidim, o povo criticou Moisés por não terem água para beber, e assim o lugar foi chamado de Massá e Meribá. Aqui também Josué derrotou os amalequitas enquanto Moisés mantinha as suas mãos levantadas, apoiadas por Arão e Hur. Após a vitória, Jetro persuadiu Moisés a designar "homens capazes" para ajudá-lo a julgar o povo (Êx 17.1,7-13; 19.2; Nm 33.14,15). O nome pode significar "descansos" ou "local de descanso", ou "amplitude", referindo-se ao oásis que se estende por vários quilômetros em seu vale verdejante. Os israelitas estavam, sem dúvida, esperando água fresca da neve derretida nas montanhas de mais de 2.500 metros de altitude que rodeavam Refidim, mas em um ano de seca, não havia nenhuma.
*Veja* Êxodo, O: A Rota; Massá; Sinai.
D. B.

**REFINAR, REFINADOR** *Veja* Minerais e Metais: Prata; Crisol; Ocupações: Refinador.

**REFORMA** Esta palavra só ocorre na Bíblia na frase "até ao tempo oportuno de reforma" (Hb 9.10). A palavra gr. *diorthosis* significa uma "melhoria", "reforma", "nova ordem"; lit., endireitar as coisas.

Palmeiras no Uádi Feiran

O contexto da Epístola aos Hebreus presume que os leitores, ou alguém entre eles, não percebia que o sangue de touros e bodes não podia remover o pecado, nem mudar a consciência (Hb 10.1-4). Esta confiança para a salvação com sacrifícios e rituais é um "sacramentarianismo" – ou seja, a crença de que a salvação pode ser alcançada por meio dos sacramentos. A epístola argumenta que é, e sempre foi errado, usar os sacrifícios desta maneira. Isto faz o autor mostrando que o ritual coexistia com o sacerdócio celestial e eterno, e, portanto, deve ocorrer de forma subsidiária e temporária; conseqüentemente, não era um objeto de fé adequado para a salvação. Mas o ritual não era apenas temporário, mas também fraco e inútil, isto é, intrinsecamente inadequado. Este fato foi mostrado através da explicação de que o ritual levítico não pode purificar a consciência (Hb 9.14; 10.2).

Este autor declara que existe uma anulação ou separação do sacerdócio levítico (e seu sistema de mandamentos) por causa de sua fraqueza e inutilidade. A lei mosaica não aperfeiçoou nada, isto é, não trouxe em si a salvação e a paz da consciência. Por outro lado, o Salmo 110.4 declara que haveria um novo sacerdócio, segundo a ordem de Melquisedeque, o que significa que haveria a introdução de uma nova esperança através da qual poderíamos nos aproximar de Deus (Hb 7.11-19).

Esta concepção errônea da eficácia da lei e seu sacrifício é que é o objeto da reforma ou correção. A prova central é que Jesus é o Cristo – que se ofereceu a Deus como sacrifício pelo pecado. Visto que o próprio AT postulava um sacrifício maior, não poderia ser negado que Cristo era aquele Sacerdote maior, cumprindo perfeitamente as exigências do sacerdócio, como ele de fato fez, e demonstrando por sua ressurreição que ele é o Supremo sacerdote para sempre. Em Hebreus, a ressurreição não é abertamente afirmada até 13.20, mas é assumida ao longo de toda a epístola.

A partir da prova de que o Senhor Jesus Cristo foi o Grande e Eterno Sacerdote, segue a inferência de que qualquer outra maneira de salvação é contrária às Escrituras. Sua vinda e sua plena revelação de uma única forma de salvação trazem uma reforma ou uma correção do lugar e função da lei mosaica. Portanto, a reforma parece ser paralela à "mudança" de Hebreus 7.12, onde uma mudança de relacionamento é contemplada. A mudança é a transferência do ritual levítico para o correto relacionamento subordinado ao sacerdócio eterno.

W. B. W.

**REFÚGIO, CIDADES DE** *Veja* Cidades de Refúgio.

**REFUGO** O heb. *s$^e$hi* encontrado em Lamentações 3.45 significa escória ou rejeito; gr. *peripsema* significa o que é eliminado, restos, resíduos. O refugo é um termo figurativo para o que inútil, sem valor e vil, usado por Paulo para expressar a opinião dos descrentes em relação aos cristãos em seus dias (1 Co 4.13).

**REGAÇO** Como substantivo essa palavra refere-se a uma dobra das vestes onde os artigos eram carregados (Pv 16.33; Ne 5.13). As duas extremidades das vestes superiores eram unidas e o nó era colocado sobre o ombro. A dobra que se formava era usada para carregar ervas, pães, grãos e outros artigos (Sl 129.7). Um dos filhos do profeta encheu a capa com ervas colhidas no campo (2 Rs 4.39). O salmista ora a Deus: "... aos nossos vizinhos, deita-lhes no regaço, setuplicadamente, sua injúria..." (Sl 79.12; cf. Lc 6.38). *Veja* Vestuário (Masculino).

**REGÉM** Um calebita, filho de Jadai (1 Cr 2.47).

**REGÉM-MELEQUE** Nome que aparece em Zacarias 7.2, onde um grupo de homens é enviado ao Templo para fazer perguntas com relação ao dia do lamento nacional. É tratado como um nome próprio na maioria das versões, mas há aqueles que defendem que deve-se pensar na palavra como uma frase descritiva que modifica Sarezer, e desse modo teríamos a expressão "Sarezer, o amigo do rei". Esta é uma possibilidade interessante, porém improvável; por esta razão, é melhor ficarmos com a tradução mais habitual.

**REGENERAÇÃO** Este assunto não é apresentado de forma muito proeminente no AT, embora possa ser visto em passagens como Isaías 57.15 e Salmo 51.10. No entanto, pode ser inferido a partir das passagens que falam de uma regeneração nacional. Passagens que falam da salvação de todo Israel por ocasião da segunda vinda de Cristo, indicam a regeneração dos israelitas sobreviventes (Jr 24.7; 31.31ss.; 32.38ss.; Ez 11.19; 36.24-27; 37.14; Rm 11.26). Zacarias 12.10-14 e 13.6 refere-se ao arrependimento de indivíduos judeus. No NT, o termo *palingenesia* é usado em relação à restauração escatológica (Mt 19.28) de todas as coisas. Em Tito, na única outra vez em que a palavra é usada, ela se refere à salvação do indivíduo (Tt 3.5). Outras expressões do NT são usadas para a mesma verdade, mas todas têm em comum a idéia de uma mudança dramática semelhante, e denominada novo nascimento. O novo nascimento significa renascer ou nascer do alto (Jo 3.3; 1 Pe 1.23), ser nascido de Deus (Jo 1.13), ser gerado por Deus (1 Pe 1.3), ser vivificado (Ef 2.5; Cl 2.13). Esta renovação ocorre pelo poder do Espírito Santo (Jo 3.5; Tt 3.5) e faz do homem uma nova criatura (*q.v.*; 2 Co 5.17; Ef 2.5; 4.24).

A regeneração deve ser distinguida da justificação. A justificação muda o relacionamento do crente com Deus. A regeneração afeta sua natureza moral e espiritual e a transforma. A justificação remove sua culpa; a regeneração, sua atrofia espiritual, de forma que ele passa da morte espiritual para a vida espiritual. A justificação traz o perdão dos pecados; a regeneração, a renovação da vida espiritual para que o indivíduo possa atuar como um filho de Deus.

A regeneração também deve ser distinguida da santificação (*q.v.*). A santificação, ou a vida de crescimento progressivo na graça, começa somente após a regeneração e continua até que o crente vá estar com Cristo. Contudo, a santificação é citada em termos similares à regeneração. O cristão é exortado a ser transformado pela renovação de sua mente (Rm 12.2), a revestir-se do novo homem (Ef 4.22-24; Cl 3.9,10), e a considerar-se morto para o pecado, mas vivo para Deus (Rm 6.3-11). Estas passagens mostram que o período de santificação do crente começa com sua regeneração.

Os teólogos da Reforma fazem uma distinção adicional e colocam a regeneração antes da fé, mostrando que o Espírito Santo deve trazer nova vida antes que o pecador possa, pela capacitação de Deus, exercitar a fé e aceitar a Jesus Cristo. No entanto, isto não significa que a regeneração possa ocorrer sem que a fé imediatamente a suceda, porque elas estão unidas (Ef 2.8). Uma não ocorre sem a outra.

As igrejas Católica Romana e Anglicana ensinam uma forma de regeneração batismal, e algumas igrejas da Reforma até falam da regeneração ocorrendo "*antes*, *durante*, ou *depois* do batismo". As Escrituras, porém, não ensinam a regeneração batismal de modo algum. Embora Pedro fale do batismo salvando o crente (1 Pe 3.21), ele diz que a regeneração é causada pela Palavra de Deus (1 Pe 1.23), como faz Tiago (Tg 1.18). Parece claro que o que Pedro quer dizer é que o batismo no Espírito salva, a aplicação real do sangue de Cristo pelo Espírito Santo aos nossos pecados na regeneração. Cristo coloca tal ênfase no ato de fé de aceitá-lo como Salvador (Jo 3.16,36; 5.24), que qualquer regeneração, sem um conhecimento racional dele e uma aceitação pessoal não é sequer considerada. As objeções nas Escrituras para a circuncisão e para a observação da lei como um meio de regeneração mostram que qualquer ensino de uma eficácia de batismo *ex opere operato* também não tem lugar. A Palavra de Deus fornece o conteúdo daquilo em que uma pessoa deve crer para ser salva, e o batismo significa e confessa o poder purificador do sangue de Cristo para remover os pecados; mas a fé salvadora, dada como um dom ao homem no momento da regeneração, é a condição. *Veja* Batismo.

***Bibliografia.*** Billy Graham, "The New Birth", em *Fundamentals of the Faith*, Carl F. H. Henry, ed., Grand Rapids. Zondervan, 1969, pp. 189-208. Herman A. Hoyt, *The New Birth*, Findlay, Ohio. Dunham, 1961. Robert D. Knudsen, "The Nature of Regeneration", em *Christian Faith and Modern Thought*, Carl F. H. Henry, ed., Nova York. Channel Press, 1964, pp. 307-321.

R. A. K.

**RÉGIO** Cidade na "ponta" da "bota" da Itália. Ela encontra-se oposta a Messina, na Sicília. Nesse local o navio de Paulo fez uma parada em sua rota para Roma (At 28.13). Esse nome significa "fenda" e faz referência a uma antiga crença de que a Sicília separou-se do continente por causa de um terremoto. Outros escritores antigos acreditavam que seu nome derivava de *regium,* uma palavra latina para "real". Por causa de sua posição estratégica, ela exerceu um importante papel na história. Ela atualmente se chama Régio, e é a capital da Calábria.

**REGISTRO** *Veja* Genealogia.

**REGOZIJO** *Veja* Alegria, Regozijo.

**REI** Este termo é usado na Bíblia para um governante do povo, dos israelitas ou dos gentios (Gn 36.31; 14.1; Mt 1.6). Também é usado em relação a Deus como governante de seu povo (1 Sm 12.12). O significado é "aquele que aconselha (bem)", mostrando que o ofício surgiu da habilidade intelectual e não da perícia física do indivíduo; aquele cujo conselho era consistentemente melhor, tornava-se rei.

Três conceitos principais de monarquia ocorriam nos tempos bíblicos. O grau mais baixo era o do rei sem muita importância, o governante de uma cidade e de seus arredores, tais como os cinco reis de Midiã (Nm 31.8) e os reis de Jerusalém, Hebrom, Jarmute etc. (Js 10.3). O grau seguinte era

O rei Ramsés II do Egito retratado matando prisioneiros de guerra. Da parede de um templo em Abu Simbel. LL

representado pelos reis da Mesopotâmia, Assíria e Babilônia, que se intitulavam os representantes ou vice-regentes da divindade, ordenados pelos deuses para o bem político e econômico do povo. Não importava se eles chegavam ao poder através de uma revolução; eles possuíam o exército para assegurar a imposição de sua vontade sobre o povo e o território. O terceiro grau era representado pelos reis do Egito, que professavam ser, e eram representados, como divindades. Alexandre o Grande parece não ter reivindicado ser um deus, embora um oráculo no Templo do deserto no Egito dissesse ser ele o filho de Zeus-Amom. Mas durante o período helenístico, alguns dos reis selêucidas da Síria professaram ser divindades reinantes e assumiram títulos apropriados, como Teo e Epifânio.

A monarquia se desenvolveu lentamente em Israel, chegando ao pleno desenvolvimento apenas quando o povo começou a perder a fé em Deus e a imitar as maneiras e costumes de seus vizinhos. Embora Moisés tenha exercido os poderes de um rei, apresentando as leis de Deus e dando conselhos (Êx 20.1ss.; 18.16ss.), ele não assumiu o título. Ele apenas previu que este tempo viria mais tarde, e que quando o povo escolhesse um rei (Dt 17.14 ss.), eles deveriam ter o cuidado de receber o homem a quem Deus havia escolhido (cf. 1 Sm 8.7*b*; 9.16; 16.1ss.). Ao buscar como rei um homem segundo o coração de Deus (por exemplo, Davi), ali está sugerido o caráter santo do Messias-Cristo, Redentor dos eleitos de Deus, que um dia reinará como o Rei *escolhido* de toda a criação de Deus. Esta ênfase na vontade de Deus contida na seleção foi reivindicada como a base para a autoridade exercida pelos reis mesopotâmios e pelos governantes israelitas (Dt 17.15).

Reis ocasionais de menor importância surgiram em Israel antes de Saul, como Jefté (Jz 11.9) e Abimeleque (Jz 9.6). Nos dias de Samuel, a ameaça dos filisteus causou uma apreensão em Israel, levando-os a pedir um rei. Saul foi dado ao povo, mas foi um exemplo daquilo que um rei não deveria ser. Davi foi o exemplo notável do rei do Senhor, que buscou a vontade de Deus e governou o povo com sabedoria e graça do Senhor (2 Sm 23.1-5).

Deus prometeu a Davi uma dinastia eterna (2 Sm 7.16). Em seus dias, os tratados de servidão heteus forneciam este benefício de perpetuidade quando o servo era um parente do governante soberano. No caso de Davi, o relacionamento não era físico, mas espiritual. Seu pleno significado e importância cumpriu-se em Cristo e tem benefícios para toda a humanidade pelo fato de Cristo ser o Deus-Homem (Is 9.6,7). Por sua encarnação, morte e ressurreição, ele conduz todo aquele que crê nele como o Filho ressurrecto de Deus a um relacionamento eterno de filho, que viverá e reinará com ele para sempre. *Veja* Davi.

***Bibliografia.*** CornPBE, "Government, Authority, and Kingship", pp. 354-369. H. Kleinknecht, G. von Rad, Karl G. Kuhn, Karl L. Schmidt, "*Basileus* etc.", TDNT, I, 564-593.

H. G. S.

**REÍ** Um dos homens que se recusaram a apoiar a rebelião de Adonias contra Davi (1 Rs 1.8). Ele é listado com Simei e com os valentes de Davi como não tendo tomado parte na insurreição. O nome é um problema, e tem sido entendido por alguns com o significado de "amigo", o que faz com que ele modifique o nome Simei. Na crença de que ele realmente seja um nome próprio, outros o têm ligado com Ira, o jairita, ministro ou oficial-mor de Davi (2 Sm 20.26). Talvez ele fosse membro do grupo de guarda-costas do rei, pois o peso das evidências favorece a interpretação de que este seja um nome próprio.

**REI, VALE DO** Vale situado nas vizinhanças de Jerusalém, talvez no extremo do vale de Hinom. Nesse lugar, Abraão, depois de sua vitória contra Quedorlaomer, encontrou-se com o rei de Sodoma e com Melquisedeque, rei de Salém (Gn 14.17,18). Foi o local do memorial de Absalão (2 Sm 18.18). Sua última referência o chama de vale do Rei. De acordo com Gênesis 14.17 na Antiguidade ele tinha o nome de vale de Savé.

## REINO DE DEUS, REINO DOS CÉUS

### Os Termos

A primeira pergunta que mais deve ser considerada é a seguinte: As duas expressões "reino de Deus" e "reino dos céus" são sinônimas? Alguns pré-milenialistas insistem que são diferentes, e dizem que o reino dos céus refere-se ao reino físico terreno prometido a Israel no AT, enquanto que o reino de Deus refere-se ao governo espiritual de Cristo dentro do coração daqueles que são salvos (L. S. Chafer, Arno C. Gaebelein, William Kelly); outros pré-milenialistas mantêm sua identidade (George E Ladd, J. O. Buswell, Jr.). Todos os amilenialistas e pós-milenialistas identificariam os termos.

Um estudo do uso dos dois termos revela que Mateus usa o termo "reino dos céus" 34 vezes, mas "reino de Deus" apenas quatro vezes. Mateus usa "reino dos céus" quatro vezes onde Marcos, Lucas e João usam "reino de Deus" (Mt 4.17, cf. Mc 1.15; Mt 10.7, cf. Lc 9.2; Mt 5.3, cf. Lc 6.20; Mt 13.11, cf. Mc 4.11; Lc 8.10). Evidentemente, Mateus teve uma razão para sua preferência. Ele era um judeu escrevendo para sua própria raça e respeitava seu costume de usar o nome de Deus o menos possível e, portanto, falou do reino dos céus. Por outro lado, falar do reino dos céus para os gentios e pagãos seria sugerir conceitos que para eles implicavam em politeísmo, enquanto que falar do reino de Deus teria enfatizado o monoteísmo. Esta é, aparentemente, a razão pela qual os três outros escritores não falam do reino dos céus. Aqueles que sentem que Mateus usa "reino dos céus" por razões teológicas, e que pretendem fazer uma distinção entre esta expressão e a expressão "reino de Deus", devem observar que Mateus usa esta última cinco vezes (Mt 6.33; 12.28; 19.24; 21.31,43). No caso do jovem governante rico ele usa as duas expressões juntas (Mt 19.23,24), mostrando que elas são intercambiáveis para os seus propósitos.

### Aspectos do Reino

Existem dois aspectos do reino: presente e futuro.

1. *Presente*. A fase invisível presente é apresentada nos Evangelhos no chamado ao arrependimento feito por João Batista e por Cristo (Mt 3.2; 4.17,23; Lc 4.43; cf. Mt 10.7); no ensino de Cristo sobre a santificação como um aspecto da vida cristã, como, por exemplo, no Sermão da Montanha (Mt 5–7); e na revelação dos mistérios do reino, particularmente do início, crescimento e desenvolvimento ocultos do reino durante a Era do Evangelho até a sua manifestação aberta no Milênio (Mt 13.19,24,31,33,44,45,47,52; Mc 4.30).

Passagens nas epístolas revelam que o governo de Deus na terra hoje é eficaz somente entre aqueles que foram libertos das trevas e transferidos para o reino de seu Filho (Cl 1.13). O reino existe no presente onde os cristãos estão vivendo em sujeição à vontade de Deus, onde o seu poder está produzindo vidas transformadas (1 Co 4.20). O reino de Deus não é uma questão de conseguir o que se quer comer e beber, mas uma questão de conduta íntegra, de se ter paz e harmonia com outros crentes, e alegria inspirada pelo Espírito Santo (Rm 14.17). Paulo estava aparentemente se opondo às idéias materialistas que os judeus de seus dias possuíam com respeito ao esperado reino messiânico.

2. *Futuro*. O aspecto visível futuro do reino, quando o Messias reinará sobre a terra a partir de Jerusalém, é predito em muitas passagens do AT (Dt 30.1-10; Sl 2; 72; 89.19-29; 110; Is 11.1-16; 65.17–66.24; Jr 32.36-44; 33.4-18; Jl 3.17-21; Zc 14.9-17). Os judeus estavam esperando este reino visível. As parábolas do reino (Mt 13) foram dadas para revelar o mistério de que o reino deve primeiro desenvolver-se espiritualmente e discretamente na Era do Evangelho. Mas isto não era suficiente! Em sua última visita a Jerusalém, Cristo proferiu a parábola das minas para ensinar que o futuro reino terreno ainda estava distante, pois "cuidavam que logo se havia de manifestar o Reino de Deus" (Lc 19.11).

A última pergunta feita pelos discípulos do Senhor dizia respeito ao aspecto futuro do reino: "Senhor, restaurarás tu neste tempo o reino a Israel?" (At 1.6). Cristo não lhes disse que não haveria um reino terreno ou a restauração do reino a Israel. Uma vez que ele não disse nada antes e nem nesta última reunião que mudasse seu conceito e convicção no que diz respeito ao reino milenial do Filho de Davi sobre o seu povo, evidentemente eles estavam corretos sobre a natureza do reino, mesmo que ainda estivessem confusos sobre quando ele viria. Chegar a qualquer outra conclusão é afirmar que eles estavam errados, que sabemos mais que eles, e que Cristo partiu deixando-os intencionalmente com uma idéia errada. Os pré-milenialistas não podem aceitar tais conclusões. Para mais discussões sobre a fase futura do reino, *veja* Milênio. *Veja também* Escatologia; Rei; Teocracia.

***Bibliografia.*** Louis Berkhof, *The Kingdom of God*, Grand Rapids. Eerdmans, 1951. John Bright, *The Kingdom of God*, Nashville. Abingdon, 1953. J. O. Buswell, Jr., *A Systematic Theology of the Christian Religion*, Grand Rapids. Eerdmans, 1963, II, 346-361. L. S. Chafer, *Systematic Theology*, Dallas. Dallas Seminary Press, 1947. George E. Ladd, *Crucial Questions About the Kingdom of God*, Grand Rapids. Eerdmans, 1952; *The Gospel of the Kingdom*, Grand Rapids. Eerdmans, 1959; *Jesus and the Kingdom*, Nova York. Harper and Row, 1964. Alva J. McClain, *The Greatness of the Kingdom*, Chicago. Moody, 1968. George Peters, *The Theocratic Kingdom*, 3 vols., Grand Rapids. Kregel, 1952. John F. Walvoord, *The Millennial Kingdom*, Findlay. Dunham, 1959.

R. A. K.

**REINO DE ISRAEL** *Veja* Israel, Reino de.

**REINO DE JUDÁ** *Veja* Judá, Reino de.

**REIS, 1 e 2.** Estes dois livros eram originalmente um único livro ou rolo em hebraico. A divisão em dois volumes no texto hebraico apareceu primeiro nos manuscritos de meados do século XV, e então na Bíblia de Daniel Bomberg impressa em hebraico em 1516-17 d.C. Porém, uma vez que os textos gregos exigiam duas vezes mais espaço que os hebraicos (no qual as vogais só foram introduzidas depois de 600 d.C.), a tradução do livro de Reis ao grego para a LXX havia precipitado, séculos antes, uma divisão pela qual passou-se a utilizar dois rolos ao invés de um. Os livros de Samuel e Reis, nas Bíblias em grego e latim, são considerados uma história contínua em quatro volumes. Em alguns textos gregos, porém, o final do reinado de Davi (1 Rs 2.11) ou o início do reinado de Salomão (1 Rs 2.46*a*) marcam a divisão entre os livros de Samuel e Reis. A divisão entre 1 e 2 Reis parece ser bastante artificial.

Embora Josefo considerasse os livros de Samuel e Reis como dois volumes, os judeus alexandrinos os consideravam como livros "de reinos" (*basileion*) formando quatro livros. A Vulgata Latina os identificou como livros de "reis", apresentando para este relato histórico a atual designação como 1 e 2 Samuel, e 1 e 2 Reis.

Cronologicamente, os eventos de 1 e 2 Reis abrangem um período de mais de quatro séculos, começando com o reinado de Salomão, em aprox. 971 a.C., até a libertação de Joaquim do cativeiro babilônico, em aprox. 562 a.C. Além de oferecer um estudo contínuo da dinastia davídica, ele também narra os desenvolvimentos contemporâneos no Reino do Norte a partir de seu início, em 931 a.C., até a queda de Samaria em, 722 a.C.

### Fontes para a Escrita

Este volume foi obviamente escrito por um autor que usou fontes históricas. Os documentos citados nominalmente são: o "Livro da História de Salomão" (1 Rs 11.41), o "Livro das Crônicas dos Reis de Judá" (1 Rs 14.29) e o "Livro das Crônicas dos Reis de Israel" (1 Rs 14.19). Além disso, Isaías 36–39 muito provavelmente forneceu a fonte para o relato das relações judaico-assírias nos dias de Ezequias e Senaqueribe. Pode bem ser que profetas que viviam na área fronteiriça dos Reinos do Norte e do Sul durante os quatro séculos que se seguiram à morte de Salomão, mantivessem registros que estavam disponíveis ao autor, que fez a composição final pouco depois da queda de Jerusalém.

### Autor

A tradição talmúdica (Baba Bathra 15a) afirma que Jeremias foi o autor. A habilidade literária e a perspectiva profética, refletida por todos estes livros, favorecem grandemente a autoria de Jeremias, com o capítulo final provavelmente acrescentado por um morador da Babilônia após a libertação de Joaquim em 562 a.C.

A influência de Deuteronômio, também refletida por todos estes livros, foi usada por alguns estudiosos do AT como a base para atribuir a autoria final aos deuteronomistas que estavam ativos por volta de 550 a.C. Esta teoria presume que o livro de Deuteronômio foi escrito durante a época de Josias. No entanto, se Moisés escreveu Deuteronômio, sua influência como o maior de todos os profetas iria naturalmente permear a subseqüente história de Israel, começando com Josué e continuando pelos livros de Juízes, Samuel e Reis.

### Esboço

I. O Reino Unido sob Salomão, 1 Reis 1.1–11.43
  A. Salomão estabelecido como rei, 1.1–4.34
  B. Templo construído e dedicado, 5.1–9.25
  C. Relações internacionais, 9.26–10.29
  D. Apostasia e morte, 11.1-43

II. Tensão e Guerra após a Divisão, 1 Reis 12.1–16.28
  A. Roboão e Jeroboão, 12.1–14.31
  B. Abias, Asa e os reis do norte, 15.1–16.28

III. A Era da Aliança, 1 Reis 16.29–2 Reis 8.29
  A. Os Reis Acabe e Josafá e o profeta Elias, 16.29–22.53
  B. Elias, Eliseu e os reis aliados, 2 Reis 1.1–8.29

IV. A Dinastia de Jeú e os Desenvolvimentos Contemporâneos, 2 Reis 9.1–15.12
  A. Revolta de Jeú e remoção do baalismo, 9.1–10.31
  B. A reforma de Joás e a ascensão da Síria, 10.32–13.9
  C. Israel emerge como o reino mais forte, 13.10–15.12

V. A Era do Domínio Assírio, 2 Reis 15.13–21.26
  A. O declínio e queda de Samaria, 15.13–17.41
  B. A ameaça de Ezequias, rei de Judá, 18.1–20.21
  C. Os reinados ímpios de Manassés e Amom, 21.1-26

VI. O Declínio e Queda de Judá, 2 Reis 22.1–25.30
  A. Reavivamento sob Josias, 22.1–23.30
  B. Conquista pela Babilônia, 23.31–25.26
  C. Cativeiro e libertação de Joaquim, 25.27-30

### Tema

A admoestação à fidelidade à aliança é o tema destes dois livros de Reis. A fidelidade de sua aliança com Deus era essencial para o bem-estar de Israel como uma nação. O autor avaliou cada governante por sua conformidade à lei mosaica. Conquistas seculares extraordinárias dos reis eram freqüentemente minimizadas ou omitidas, ao passo que a responsabilidade pela aliança com o Senhor era enfatizada. Começando com os reinados de Davi e Salomão, quando Israel alcançou a eminência de fama e riqueza internacional – um período nunca sobrepujado desde então – o autor procura dar a razão da divisão e do declínio do reino, que terminou com a queda de Jerusalém.

Por todos estes séculos de declínio, profeta após profeta veio lembrar aos reis e cidadãos do seu fracasso em amar e servir a Deus de todo o coração, e os advertiu sobre o juízo de Deus por causa de sua injustiça social. A destruição de Jerusalém com seu Templo reduzido a cinzas foi seguida do cativeiro de Israel, que foi o maior juízo sobre o povo de Deus nos tempos do AT. Desta maneira, a primeira nação de Israel foi extinta.

### Dificuldades nos Livros

Os problemas de correlacionar os dados estatísticos apresentados nos livros de Reis são muitos. Um avanço acentuado no estudo que oferece uma solução para muitas das dificuldades cronológicas é o livro de E. R. Thiele (cf. bibliografia). Um entendimento adequado dos sistemas de datação usados nos reinos do norte e do sul em várias épocas, e da questão de co-regências, tornou possível dar a razão da maioria dos problemas nos relatos bíblicos. Fontes seculares das listas epônimas assírias, abrangendo a história daquele império de 893 a 666 a.C., e o cânon grego de Ptolomeu, informando sobre os reinados de reis babilônios a partir de 747 a.C. até o período greco-romano, fornece uma base de comparação e correlação. Tábuas lidas e publicadas por Donald J. Wiseman têm fornecido informações mais específicas para datar os reis caldeus no período entre 626 e 566 a.C. Conseqüentemente, as datas para a queda de Samaria em 722 a.C. e a queda de Jerusalém em 586 a.C. são aceitas como datas fixadas com uma variação aproximada de um ano. O ano 931 a.C. como a data para a divisão do reino após a morte de Salomão tem um excelente apoio histórico, de acordo com E. R. Thiele, embora as datas sugeridas por vários estudiosos variem de 937 a 922 a.C.

***Bibliografia.*** Gleason L. Archer, SOTI, Sh. R. Bin-Nun, "Formulas from Royal Records of Israel and of Judah", VT, XVIII (1968), 414-442. John J. Davis, *The Birth of a Kingdom*, Grand Rapids. Baker, 1970. Roland Kenneth Harrison, *Introduction to the Old Testament*, Grand Rapids. Eerdmans, 1969. James A. Montgomery, *A Critical and Exegetical Commentary on the Books of Kings*, ed. por Henry S. Gehman, ICC, 1951. Samuel J. Schultz, *The Old Testament Speaks*, Nova York. Harper and Row, 1960. Edwin R. Thiele, *The Mysterious Numbers of the Hebrew Kings*, Grand Rapids. Eerdmans, 1966. Donald J. Wiseman, *Chronicles of Chaldean Kings (626-556* a.C.) *in the British Museum*, Londres, 1956.

S. J. S.

**REJEIÇÃO ou REFUGO** A palavra heb. *ma'as* e suas formas análogas transmitem a idéia de rejeição. No Salmo 78.67, ela descreve a ação de Deus em relação aos homens, ao rejeitar a tribo de José como o local para o seu santuário, enquanto em Amós 5.21 ela significa rejeitar no sentido de desprezar e odiar. Em Lamentações 3.45, ela é um substantivo formado a partir desta raiz, cujo aparecimento com "cisco" deixa claro o seu significado. A idéia verbal pode ser entendida como oposta a *bahar*, "escolher".

O termo heb. *mappal* significa "quedas" e pode se referir ao farelo de trigo ou grãos finos que passam pela peneira (Am 8.6). O termo gr. *perikatharmata* significa "escória" (1 Co 4.13) ou "refugo", estando ligado a *perikathairo* ("limpar de todos os lados"). Ele refere-se metaforicamente ao mais inferior dentre os homens (Thayer).

**RELÂMPAGO** A palavra relâmpago é a tradução mais comum da palavra hebraica *baraq* e da palavra grega *astrape,* e foi usada figurada e simbolicamente, assim como literalmente.

O verdadeiro relâmpago ocorre na Palestina e nas áreas desérticas vizinhas na primavera e no outono, acompanhado por trovões, rajadas de vento e nuvens de pó em violentas tempestades elétricas, e pode ser acompanhado por chuvas torrenciais e uma ocasional e destruidora saraiva (Êx 9.23,24, JerusBE; cf. Sl 105.32). O relâmpago é visto como uma manifestação do domínio de Deus sobre a natureza (Jó 28.26; 36.32; 37.3,4; 38.35; Sl 77.18; 97.4; 135.7; Jr 10.13). O Salmo 29 descreve, de modo poético, uma grande tempestade sobre as montanhas do Líbano em que os relâmpagos atingiram os cedros. "A voz do Senhor separa as labaredas de fogo" (v. 7). O relâmpago também é um instrumento de Deus para destruir os seus inimigos (Sl 18.14; 144.6; Zc 9.14; cf. Hc 3.11; Dt 32.41, literalmente, "o relâmpago da minha espada"). Em suas visões, João viu lampejos de relâmpagos simbólicos que estavam representando a glória e a majestade de Deus (Ap 4.5; 8.5; 11.19; 16.18), uma figura provavelmente derivada dos relâmpagos que iluminavam o monte Sinai quando Deus desceu para dar a lei a Moisés (Êx 19.16,18; 20.18). Ele também é símbolo da velocidade (Ez 1.14; Na 2.4) e do brilho sobrenatural da Divindade e dos anjos (Dn 10.6; Mt 28.3). O Senhor Jesus usou a idéia do relâmpago (Mt 24.27; Lc 17.24) para reproduzir a evidência e a universalidade de seu retorno. Ele também aplicou a figura do relâmpago ao consumido poder de Satanás, como resultado da queda deste ser (Lc 10.18).

Alguns entendem que o "fogo do Senhor" que caiu sobre o sacrifício de Elias e o consumiu completamente, assim como as pedras do altar (1 Rs 18.38), tenha sido um relâmpago. Jon Ruthven defende essa interpretação pelas seguintes razões: (1) o relâmpago pode ocorrer a partir de uma turbulência sem nuvens produzida pela brisa úmida e fresca do Mediterrâneo, quando esta encontra o ar seco e quente sobre o monte Carmelo; (2) o altar estava situado em um local elevado e a água havia molhado as suas pedras, tornando-as um alvo melhor para o relâmpago; (3) sabemos que os relâmpagos podem derreter as rochas; e (4) a luta era entre Jeová e Baal, que era considerado por alguns como o deus do trovão e do relâmpago ("A Note on Elijah's 'Fire From Yahweh'", JETS, XII [1969], 111-115).

*Veja* Chuva; Trovão.

J. Ma.

**RELHA DE ARADO** O antigo arado israelita não era muito mais que uma vara de ponta, encaixada sobre a extremidade de uma "relha" ou ponta de metal. Durante o princípio da monarquia, os filisteus tinham o monopólio das habilidades do trabalho com ferro, e os israelitas eram forçados a procurá-los em busca de suas ferramentas (1 Sm 13.20).

**RELIGIÃO** A palavra gr. *threskeia* é usada quatro vezes no NT (At 26.5; Cl 2.18; Tg 1.26,27). Em Colossenses 2.18, ela é traduzida como "culto" dos anjos com o sentido de "adoração". O verbo gr. *latreuo* (2 Tm 1.3; Hb 12.28) e o substantivo *latreia* são também usados para expressar a mesma idéia de adoração e serviço a Deus (cf. Rm 9.4; Hb 9.1).

A palavra "religião" levanta certos problemas. Há diversas opiniões relativas à sua raiz e origem. Cícero a relaciona com *religare*, "ler novamente", "considerar", "dar atenção ao divino". Lactântio e Agostinho traduziram *religare* como "religar", e enxergaram na palavra a idéia de obrigação. A palavra do NT *threskeia,* como visto acima, fala meramente da adoração religiosa, particularmente em sua forma externa.

Em filosofia e no uso comum, a palavra tem

sido usada com vários significados. Schleiermacher a define como "o sentimento de dependência absoluta", e Kant a define como "a observância da lei moral como uma instituição divina". De uma forma geral, uma religião pode ser definida como sendo qualquer sistema de fé e adoração a Deus.

A passagem clássica sobre religião no NT é Tiago 1.26,27. Aqui os termos usados (*threskos* e *threskeia*) definitivamente se referem a uma expressão externa. O contraste é feito entre aquele cuja religião consiste de cerimônias formais que não possuem apoio na devoção sincera, e aquele cuja religião consiste de atos de misericórdia, porque flui de uma atitude de coração que é reta para com Deus.

*Veja* Adoração.

R. A. K.

**RELÓGIO DE SOL** Instrumento para medir as horas do dia. O termo "relógio" (*ma'alot*) ocorre uma vez em Isaías 38.8 e "relógio de sol", em uma passagem paralela em 2 Reis 20.11. As versões ASV e RSV em inglês usaram a mesma tradução de *ma'alot* nesses dois exemplos. Em sua oração, Ezequias pediu que Deus fizesse com que a sombra do mostrador recuasse dez graus, ou fases, para indicar novamente um momento anterior do dia.

Associado a Acaz, esse mostrador pode ter sido do tipo babilônio com um indicador e as graduações da hora (Heródoto II, 109), e isso está de acordo como a Vulgata Latina. Outra opção, também provável, é que a palavra *ma'alot* refira-se aos graus (como em 2 Reis 20.9,10; 9.13; Ez 40.6), sobre os quais incidia a sombra de uma parede ou de qualquer outro objeto colocado em sentido oposto. A LXX favorece essa alternativa ao utilizar o termo *bathmous* em 2 Reis 20.9,10, e *anabathmous* (degraus) em 2 Reis 20.11 e Isaías 38.8, assim como Josefo em seu comentário (*Ant.* x.2.1) e o rolo de Isaías do Mar Morto. Y. Yadin acredita que Acaz tinha duas escadas iguais que levavam ao telhado de seu palácio, uma em direção ao oriente e outra, ao ocidente, e ambas eram protegidas por uma pequena parede. Quando o sol da manhã elevava-se, sua sombra descia os degraus da escada do oriente, e à tarde ela subia os degraus da escada voltada para o ocidente (CornPBE, p. 178, figura 261). Tem sido sugerida a existência de um "pseudo-sol" que lançava sua sombra enquanto o próprio sol ficava temporariamente obscurecido por uma nuvem (JBL, LXXXVII [1968], 173, n. 31).

W. H. M.

**RELVA** *Veja* Plantas: Grama.

**REMALIAS** Pai de Peca, rei de Israel. Peca ganhou o trono assassinando Pecaías (2 Rs 15.25-37; 16.1,5; 2 Cr 28.6; Is 7.1-9; 8.6). Cada vez que o nome Remalias ocorre é para identificar seu filho infame. É possível que a frase, "Peca, filho de Remalias", tivesse a intenção de despertar a atenção sobre o passado infame de Peca (ISBE).

**REMANESCENTE** No AT, quatro raízes hebraicas (*yathar*, *palat*, *sarad*, *sha'ar*) expressam o conceito de um remanescente. Com seus derivativos elas ocorrem mais de 600 vezes. A palavra do NT para remanescente (*leimma*) com seus derivativos ocorre menos de dez vezes. Em ambos os Testamentos, a idéia do remanescente é "aqueles que restam" ou "tendo escapado", especialmente uma porção de uma comunidade que escapou de uma devastadora calamidade, e que formará a base para uma nova comunidade. O pensamento possivelmente retrata Deuteronômio 4.27-31; 28.62-68 e 30.1-10, onde Moisés adverte que Deus irá dispersar Israel entre as nações, e posteriormente reunirá um remanescente. Esta advertência fala não só dos cativeiros assírios e babilônicos e do retorno destes cativeiros, mas também, e essencialmente, da época em Messias estabelecerá o seu reino. Os profetas desenvolvem o conceito de remanescente. Ele figura de forma proeminente em suas advertências a Israel de um juízo iminente. Isaías deu o nome de Sear-Jasube a um de seus filhos, "Um-Resto-Volverá" (Is 7.3; 8.18), e em 10.21 declara especificamente que um remanescente retornará. Em 11.10-16, ele fala de um segundo retorno; isto aponta para a época em que o Messias estabelecerá o seu reino, uma vez que o fato é mencionado em um contexto messiânico (cf. Rm 15.12).

Miquéias, um contemporâneo de Isaías, também diz muito sobre o reajuntamento de um remanescente após o juízo (2.12; 4.7; 5.3,7,8; 7.18). Jeremias discute três remanescentes: (1) o grupo restante após a destruição de Jerusalém que posteriormente fugiu para o Egito (24.8; 39.9; 40.11-15); (2) aqueles que iriam retornar após o cativeiro babilônico (24.5; 50.20); e (3) aqueles a quem o Messias irá reunir (23.3; 31.7). Os outros profetas pré-exílicos estendem-se no mesmo estilo. Os livros pós-exílio falam do retorno após o cativeiro (Ag 1.12-14; 2.2; Zc 8.6,11,12; Ed 9.8,14,15; Ne 1.2,3) e de um remanescente que estará presente na época do reino messiânico (Zc 12.10–3.1; 13.8,9; 14.2).

O número do remanescente é sempre pequeno. Em Zacarias 13.8, é um terço do total; em Isaías 6.13, é apenas um décimo do total; e em Ezequiel 5.3, o remanescente é retratado como apenas uns poucos fios de cabelo atados nas dobras de uma veste.

No NT, o conceito do remanescente é o mesmo; ainda gira em torno daqueles israelitas que entrarão no reino milenial com o Messias, embora Romanos 11.5 fale de um rema-

nescente que está presente nesta dispensação. Em Romanos 11.23-27, Israel é retratado como tendo sido enxertado de volta na oliveira. Na segunda vinda de Cristo, Israel será salvo pelo poder do Messias, cumprindo as alianças de Deus com o povo. Este é o cumprimento final pelo qual o Messias e o remanescente têm esperado.
Em resumo, o remanescente futuro é retratado como aquele pequeno número de judeus que por fim habitará com o próprio Messias. Ao estabelecer o seu reino, o Senhor ajuntará e purificará este remanescente e conseqüentemente cumprirá as promessas contidas em sua aliança com Israel.

***Bibliografia.*** J. C. Campbell, "God's People and the Remnant", *Scottish Journal of Theology*, III (1950), 78-85. R. Laird Harris, "Remnant", BDT, pp. 442-443. E. W. Heaton, "The Root *sh'r* and the Doctrine of the Remnant", JTS, III (1952), 27-39. E. Jenni, IDB, IV, 32-33. G. Schrenk e V. Herntrich, "*Leimma*", TDNT, IV, 194-214.

H. W. H.

**REMAR, REMADORES** *Veja* Navios.

**REMENDO** Um retalho ou pedaço de pano, um trapo, um pedaço de pano aplicado para remendar um rasgo. Os gibeonitas, enganando Josué, vieram com "sapatos velhos e remendados e vestes velhas" (Js 9.5). Trapos e pedaços de pano rasgados foram usados para impedir que as cordas cortassem a carne de Jeremias quando ele foi puxado da cisterna (Jr 38.11,12).

**REMETE** Uma cidade fronteiriça do território de Issacar (Js 19.21). Em 1 Crônicas 6.73, ela é chamada de Ramote (*veja* Ramote 2), e Jarmute, em Josué 21.29 (*veja* Jarmute 2). Há uma tentativa de identificá-la com Kokab el-Hawa, em um alto de onde se vislumbra o vale do Jordão, 11 quilômetros ao norte de Bete-Seã.

**REMISSÃO**[1]
1. Na antiga nação de Israel, a remissão era um instrumento para controlar a escravidão e a dívida pessoal (Dt 15.1-3,9; 31.10). Em todo sétimo ano (Êx 21.2) o escravo deveria ser liberto, e caso escolhesse não ser liberto, sua orelha era furada como um sinal de servidão perpétua (Êx 21.5ss.). Semelhantemente, no sétimo ano o devedor deveria ser liberto, e a dívida não deveria ser cobrada de modo algum de um vizinho ou irmão (Dt 15.2). O pagamento da dívida só poderia ser "exigido" de estrangeiros, para que não houvesse nenhum pobre entre os israelitas (Dt 15.3,4). Isto claramente indica o controle de injunção sobre a dívida pessoal e o abuso das dívidas para se impor a escravidão. *Veja* Festividades: Ano do Jubileu.
2. O rei persa Assuero fez uma "remissão" (as várias versões trazem, por exemplo, os termos alívio, repouso e feriado) para toda a província em homenagem ao seu casamento com Ester, provavelmente declarando como nulas certas dívidas ou impostos, e libertando certos prisioneiros (Et 2.18).
3. No NT, a única "remissão" mencionada é a de Barrabás, que foi libertado no lugar de Cristo (Jo 18.39,40).

H. G. S.

**REMISSÃO**[2] *Veja* Perdão.

**REMO** *Veja* Navios.

**REMOM** *Veja* Rimom.

**RENASCIMENTO** *Veja* Regeneração; Nova Criatura.

**RENFÃ** *Veja* Falsos deuses.

**REOBE**
1. Pai do rei Hadadezer de Zobá (2 Sm 8.3,12).
2. Um levita que selou a aliança de Neemias (Ne 10.11).
3. Uma cidade no Líbano perto de Lebo-Hamate (Nm 13.21). *Veja* Bete-Reobe.
4. Uma cidade ao longo da fronteira nordeste de Aser (Js 19.28). Sua localização exata é desconhecida.
5. Uma outra cidade destinada aos homens de Aser (Js 19.30), mas a tribo não foi capaz de expulsar os habitantes cananeus (Jz 1.31). Estava entre as cidades distribuídas aos levitas (Js 21.31; 1 Cr 6.75). Esta cidade estava provavelmente localizada em Tell el-Gharb (também conhecida como Tell Berweh), cerca de 11 quilômetros entre o leste e o sudeste de Aco. O local controla uma junção da rota costeira e uma estrada para o interior da Galiléia, com ruínas de ocupação datadas em sua maior parte do século II a.C. e do período helenístico-romano. Ramessés II marchou em direção ao norte através de Reobe depois de partir de Dor.

**REOBOTE**
1. Uma cidade da Assíria (Gn 10.11), fundada por Ninrode em Assur (várias versões chamam-na de Reobote-Ir). Nada se conhece com certeza quanto à sua posição, mas era provavelmente um subúrbio de Nínive e tornou-se uma parte da "Grande Nínive".
2. Lar de um certo Saul, um dos primeiros reis de Edom (Gn 36.37; 1 Cr 1.48). O afixo "perto do rio" geralmente se refere ao Eufrates, mas alguns consideram que aqui esta expressão se refira ao "rio do Egito" ou a algum outro. De qualquer forma, a localização precisa da cidade é desconhecida.
3. O terceiro de uma série de poços cavados por Isaque depois de sair de Gerar (Gn 26.22).

Os pastores de Gerar não permitiram que Isaque ficasse com os dois primeiros. Agora sua boa vontade havia vencido a maldade deles, e Deus havia dado espaço para todos, e assim ele chamou o poço de Reobote ("espaços amplos"). Ruheibeh, cerca de 30 quilômetros a sudeste de Berseba com suas inúmeras ruínas de cisternas cortadas em rocha sólida, é sua localização mais provável.

R. L. D.

**REPETIÇÃO** No Sermão da Montanha (Mt 5–7), o Senhor Jesus adverte contra o "externalismo" e as vãs repetições em nossas orações (Mt 6.7). O termo gr. *battologeo* é a raiz e significa "gaguejar". O contexto fornece a frase paralela "por muito falarem". O ataque de Jesus é contra a repetição, a extensão excessiva ou a preocupação excessiva e ansiosa com os assuntos terrenos? Todas estas idéias foram apresentadas, mas pela força da frase paralela e pelas palavras de Jesus em Mateus 23.14, é melhor enfatizar as duas primeiras sugestões.

**REPROVADO ou PROSCRITO** (Do grego *adokimos*, "não aprovado, rejeitado, desqualificado").

Embora esta palavra grega apareça inúmeras vezes no Novo Testamento, o único trecho onde a versão KJV em inglês a traduz como "reprovado" é 1 Coríntios 9.27. Etimologicamente, está relacionada com o verbo *dokimazein*, que quer dizer testar ou aprovar como resultado de um teste. *Adokimos*, então, descreve uma pessoa ou um objeto que foi testado e não foi aprovado. Estas palavras eram usadas para coisas como metais, moedas e cavalos.

Em 1 Coríntios 9.27, no entanto, o contexto fala de uma forma física atlética, talvez com base nos jogos do Istmo que se realizavam perto de Corinto. A imagem é a de um atleta competidor que é desqualificado por causa de uma infração às regras. Dizendo que ele tinha pregado (grego *keryssein*) aos outros, Paulo parece estar se referindo à imagem do arauto (grego *keryx*) que anunciava as regras do jogo. O apóstolo estava envolvido na competição pela vida cristã e pelo serviço cristão. Na verdade, ele tinha proclamado a outras pessoas os padrões para essa vida. Teria sido muito trágico se a mesma pessoa que anunciasse as regras, por meio da submissão à sua natureza carnal, tivesse violado essas regras e fosse desqualificada para continuar a participar, e assim perdesse a recompensa. Falando assim, Paulo não está se referindo à perda da salvação, mas sim à privação da recompensa pelo serviço. A coroa (grego *stephanos*) de 1 Coríntios 9.25 era a coroa de ramos ou folhas de pinheiro ou de oliveira, colocada na cabeça do atleta vitorioso, uma imagem comumente usada no Novo Testamento para representar a recompensa do fiel. *Veja* Coroa.

D. W. B.

**REPROVAR, REPROVADO, REPROVAÇÃO** A palavra "reprovar" aparece uma vez no AT como a tradução da palavra *ma'as*, "rejeitar", quando Jeremias compara o minério de prata "reprovado" com Israel, rejeitado por Deus por causa da impureza (Jr 6.30). Por seis vezes no NT o termo "reprovado" é a tradução do adjetivo paulino *adokimos*, "não passando na prova, desqualificado". O apóstolo deseja que ninguém falhe em mostrar o cristianismo autêntico, pois Jesus Cristo habita em cada um dos seus discípulos, a menos que "fracassem na prova" (2 Co 13.5-7). Os ímpios são inadequados, "reprovados para toda boa obra" (Tt 1.16), "réprobos" quanto à fé (2 Tm 3.8), e, portanto, sujeitos à rejeição (Rm 1.28) ou à reprovação teológica.

Teologicamente, então, a reprovação é a condenação do perdido à separação eterna de Deus. O ensino da reprovação tem sido geralmente mal entendido. Se alguém quer dizer com isso que Deus ordenou salvar alguns homens e condenar o restante à reprovação, então a doutrina tem sido afirmada de uma forma que é incompatível com o caráter justo e santo de Deus. No entanto, se a doutrina é expressa mais plenamente e cuidadosamente, como no infralapsarianismo, então ela se expressa como a verdade evidente das Escrituras: (1) que Deus ordenou que o mundo e o homem fossem criados; (2) que ele ordenou que se permitisse a queda do homem; (3) que Deus ordenou que Cristo fosse enviado como o Redentor e que salvasse os eleitos, mas que ignorasse e rejeitasse aqueles que recusassem sua graça.

Os decretos de eleição e de reprovação, de acordo com a opinião acima, não são simétricos e iguais. Deus não deseja a reprovação no mesmo sentido que deseja a eleição. Ambos estão, naturalmente, de acordo com o bom conselho da vontade de Deus, e, portanto, não são arbitrários, mas corretos. O desejo de salvar os eleitos é eficaz e baseia-se no exercício da graça soberana de Deus; a vontade de permitir que os descrentes sejam perdidos é permissiva.

Uma distinção adicional deve ser feita. Em sua graça eficaz, Deus é a causa digna do crédito da salvação dos eleitos. Ele não é, porém, a causa dos ímpios se perderem, pois eles mesmos são a causa e os responsáveis diretos por sua própria reprovação. Eles são "vasos da ira, preparados para perdição" (Rm 9.22). O homem é tido por Deus como responsável por seu pecado e por sua rejeição do caminho que ele oferece para a salvação. Deus não é, porém, obrigado a ignorar a total depravação do homem e salvá-lo pela sua graça eficaz, porque esta é um favor imere-

cido concedido por Deus somente àqueles a quem ele escolhe.
*Veja* Queda do Homem; Pecado.

R. A. K.

**RÉPTIL** *Veja* Animais: IV.

**REPUTAÇÃO** O termo reputação, que no uso da linguagem moderna freqüentemente denota um caráter ostensivo, indica proeminência em algumas versões. O termo é utilizado para traduzir várias palavras gregas. Em Atos 5.34, *timios* ("venerado", "acatado", "respeitado") indica o respeito do povo por Gamaliel. Paulo usa um termo coligado, *entimos* ("valioso", "honorável"), em Filipenses 2.29 para recomendar a estima a todos os que servem como Epafrodito servia. O termo *dokeo* (freqüentemente significando "pensar" ou "parecer") descreve a estima que tinham tanto os líderes políticos (Mc 10.42) quanto os líderes religiosos (Gl 2.2,6,9).
A versão KJV em inglês diz em Filipenses 2.7 que Cristo "se colocou em uma posição de quem não possui uma reputação". Uma tradução mais clara é que ele "a si mesmo se esvaziou" ou "aniquilou-se a si mesmo". Paulo está se referindo ao fato de Cristo ter afastado a manifestação de sua glória divina e sua escolha voluntária de não usar certos atributos divinos durante o período de sua vida terrena. Em nenhum sentido ele esvaziou-se da sua Divindade, nem deixou de ser Deus. Paulo mencionou a auto-humilhação de Cristo aqui para apoiar uma exortação: os crentes deveriam exercitar a humildade uns para com os outros. *Veja* Cristo, Humilhação de; Encarnação; Kenosis.

F. D. L

**REQUÉM**
1. Um descendente de Manassés, filho de Seres (1 Cr 7.16).
2. Um rei midianita morto por Finéias (Nm 31.8; Js 13.21). Deus trouxe a vingança sobre Midiã por corromper Israel levando o seu povo a uma adoração pagã, e a práticas sexuais ilícitas (cf. Nm 25). De acordo com Josefo (*Ant.* iv. 7.1), a "nação árabe" (os nabateus, *q.v.*) chamava a sua capital de Arequém, devido ao nome de seu rei. Esta cidade era chamada de Petra (*q.v.*) pelos gregos.
3. Filho de Hebrom e pai de Samai (1 Cr 2.43,44).
4. Uma cidade da tribo de Benjamim, conforme observado em Josué 18.27. Sua identificação é incerta, embora el-Burg, nas proximidades de Nebi Samwil, tenha sido sugerida.

**RESA** Filho de Zorobabel e ancestral do Senhor Jesus (Lc 3.27).

**RESEFE** Um nome hebraico significando "chama". O termo, traduzido literalmente como "filhos de Resefe", em Jó 5.7, refere-se às faíscas das brasas. Em Cantares 8.6, aparece como "brasas" de fogo. Outros significados incluem "inflamação", "febre" ou "peste" (Dt 32.24; Hc 3.5), e "raios de relâmpago" (Sl 78.48).
1. Nome de um membro da tribo de Efraim, filho de Refa e pai de Tela (1 Cr 7.25).
2. Resefe também refere-se à divindade cananéia geralmente considerada o deus da praga ou da destruição em massa. *Veja* Falsos deuses.

**RESÉM** Uma antiga cidade assíria construída por Ninrode entre Nínive e Calá (Gn 10.12). As fontes assírias não listam nenhuma cidade principal com este nome. Ela é provavelmente a aldeia Resh-eni, situada a nordeste de Nínive, a qual Senaqueribe menciona em uma conexão com os seus esforços para suprir água à cidade de Nínive.

**RESERVATÓRIO** A chuva na Palestina é abundante na estação do inverno, de novembro a abril. De maio a outubro, porém, quase não cai uma só gota, e as primeiras chuvas já secaram nas montanhas rochosas que formam boa parte da região. Poucos ribeiros e fontes perenes podem ser encontrados, e as cidades mais antigas, como Jericó e Jerusalém, estavam situadas perto destes provedores de água. Em algumas partes daquela região era possível cavar poços e encontrar água. A maior parte das pessoas, porém, dependia das chuvas. Assim, um sistema para preservar a água era essencial.
Desde os tempos antigos até hoje, cisternas e reservatórios têm sido o principal meio de fornecimento de água em Israel. Cada casa (independentemente do nível social) tinha sua própria cisterna para apanhar a água da chuva que corria do telhado ou pelas encostas das colinas. As cidades possuíam grandes reservatórios, não só para o uso diário, mas particularmente para as emergências de guerra. Alguns deles eram simplesmente buracos cobertos com rochas; outros, eram talhados em rochas sólidas. As cisternas eram revestidas com argamassa impermeável mesmo antes da época de Abraão, como pôde ser observado em uma cisterna descoberta na cidade de Bab edh-Dhra (*q.v.*) da Primeira Idade do Bronze. Em Taanaque, um poço profundo ou cisterna de 1500 a.C. foi rebocado de um modo semelhante (BASOR # 195 [1969], p. 33). Os israelitas fizeram bom uso desta prática ao se fixarem na cordilheira central da Palestina, quando revestiram seus tanques e cisternas com argamassa de cal depositada para torná-los impermeáveis (W. F. Albright, *Archaeology of Palestine*, Harmondsworth. Penguin, 1960, p.113).
Alguns dos tanques mencionados nas Escrituras são tanques naturais, porém muitos deles são grandes reservatórios feitos pelo

homem. Por exemplo, o grande tanque de Gibeão escavado recentemente (2 Sm 2.13), e o tanque de Ezequias que coletava a água de Giom conduzindo-a por um túnel através de mais de 550 metros de rocha sólida (2 Rs 20.20; 2 Cr 32.30). Este tanque é chamado de "reservatório" em Isaías 22.11. Nos tempos romanos, Jerusalém recebia água suplementar através de aquedutos dos então chamados "Tanques de Salomão", ao sul de Belém. Em número de três, estes imensos reservatórios têm aproximadamente 60 metros de largura, e o maior tem quase 200 metros de comprimento e mais de 15 metros de profundidade.
*Veja* Cisterna; Tanque; Água.

P. C. J.

**RESGATE** Este termo traz, normalmente, a conotação de libertação de algum tipo de cativeiro através do pagamento de certo preço. Os seguintes significados básicos podem ser notados para as palavras bíblicas que se referem a este conceito.
1. *Cobertura.* O termo heb. *koper* significa uma "cobertura", e expressa a idéia de obliteração. Se a opinião de W. Robertson Smith estiver correta, este conceito, na verdade, pode ser baseado em sua ligação com o termo aramaico *k^e^par* ("lavar"; cf. Êx 30.12; Jó 33.24; 36.18).
2. *Liberdade.* Este uso é ilustrado pelo termo heb. *pidyon* em Êxodo 21.30, que se refere àquilo que é comprado, isto é, a liberdade. A idéia verbal de libertar é expressa pelo termo *ga'al*, que é usado para descrever a libertação do Egito (Is 51.10), e da recompra de um campo (Rt 4.4, "redimir").
3. *Preço.* O termo gr. *lytron* era o preço de libertação para um escravo. O Senhor Jesus usou essa palavra ao falar de sua própria morte (Mt 20.28). Praticamente o mesmo significado é transmitido por *antilytron* (1 Tm 2.6), exceto que a idéia de troca é enfatizada. Sendo o próprio resgate, Cristo redime os pecadores da escravidão do pecado e da condenação da lei.
*Veja* Expiação; Redenção; Salvação.

B. C. S.

**RESÍDUOS**
1. Tradução do termo heb. *sh^e^marim* no Salmo 75.8. Há versões que trazem os termos "sedimentos" de vinho e até mesmo "fezes do vinho" (Is 25.6; Jr 48.11; Sf 1.12). *Veja* Borra; Vinho. O vinho era espremido antes de ser bebido. Assim, o salmista usa a figura dos sedimentos sendo retirados da parte superior da taça do vinho da ira de Deus, o que representa a restrição do julgamento sobre os justos, enquanto os maus devem ingerir a taça completa, até os resíduos (cf. 1 Pe 4.17,18).
2. Do heb. *qubba'at,* que significa "taça", "cálice". "Bebeste e sorveste as fezes do cálice da vacilação"; ou "bebeste o cálice da sua ira, o cálice de atordoamento, e o esgotaste" (Is 51.17,22).

**RESPONSABILIDADE** Embora não seja um termo bíblico, essa palavra expressa o conceito bíblico da responsabilidade do homem para com Deus. O homem sabe, pelo que aprende através da sua consciência, que ele é responsável pelos seus atos e isso está confirmado por sua consciência e pela revelação das Escrituras.
Cristo diz que o homem é responsável pelo que fala, até mesmo pelas palavras ociosas (Mt 12.36) e pelo que faz, particularmente pela maneira como usa o dinheiro, os dons e os talentos que o Senhor lhe concedeu (Mt 25.14-30; Lc 19.11-27). Paulo fala das obras realizadas pelos cristãos enquanto vivos "no corpo" (2 Co 5.10), de sua responsabilidade de considerar um irmão mais fraco antes de agir (Rm 14.10), embora todas as coisas lhe sejam lícitas (1 Co 6.12; 10.23); de sua própria responsabilidade de manter seu corpo sob controle e ser livre das paixões carnais, para que ele não seja reprovado para o ministério - um réprobo (1 Co 9.27). Em Romanos, Paulo também fala sobre a responsabilidade pela obediência aos governantes civis e, portanto, às leis do Estado (Rm 13.1-7).
O cristão não será julgado juntamente com o descrente, pois para o cristão o julgamento envolve a questão das recompensas; não há condenação para os cristãos (Rm 8.1), somente a exposição daquilo que for comprovadamente escória (1 Co 3.12-15). Seu julgamento ocorrerá antes do Milênio, e isto pode ser provado pelo fato de Cristo prometer aos bons servos na parábola das minas autoridade sobre cidades (Lc 19.17,19). Está claro que esse julgamento das obras do crente deve estar concluído antes que ele reine com Cristo sobre a terra (Ap 5.10; 20.4-6). *Veja* Recompensas.

R. A. K.

**RESPOSTA** *Substantivo.* Principalmente do hebraico *dabar,* que significa "palavra", e *ma'ana* que significa "resposta", no Antigo Testamento; e *apokrisis,* que significa "resposta", e *apologia,* que significa "defesa" no grego do Novo Testamento. No Antigo Testamento, a idéia é expressa pela palavra "resposta" (2 Sm 24.13; Jó 32.3; Pv 15.1) – "A resposta branda desvia o furor". No Novo Testamento, *apokrisis* aparece quatro vezes, com o sentido de dar uma resposta a uma pergunta; *apologia* aparece oito vezes, com o significado de fazer uma defesa - embora o texto em 2 Coríntios 7.11 seja melhor traduzido como "esclarecer a si mesmos", e o texto em 1 Pedro 3.15 seja melhor traduzido como "responder" no sentido de explicar ou de defender a própria fé.
*Verbo.* No Antigo Testamento, principalmente do hebraico *'ana* ("responder") e *'amar* ("di-

zer"); no Novo Testamento, do grego *apokrinomai* ("responder"), que ocorre quase 200 vezes. Os principais usos são: (1) responder a uma pergunta (1 Sm 4.20; Mt 11.4; Lc 3.11); (2) responder a um pedido ou a uma ordem (Mt 4.4; 12.39); (3) responder a uma situação que exige uma reação, embora não tenha sido feita nenhuma pergunta (Mt 17.4; Jo 2.18; 1 Sm 9.17); (4) refutar (Jó 9.14; Mt 3.15; 27.12); (5) continuação de um discurso (Mt 11.25; Mc 10.24).

J. McR.

**RESSEQUIDO** *Veja* Doença.

**RESSURREIÇÃO DE JESUS CRISTO** O milagre da Páscoa é o âmago da fé e da mensagem cristã. A ressurreição e a cruz são os temas principais do livro de Atos e das Epístolas. Em seu discurso no dia de Pentecostes (At 2.24), Pedro fala daquele "ao qual Deus ressuscitou, soltas as ânsias da morte". Esta frase ou alguma expressão equivalente ocorre por diversas vezes em Atos (3.15; 4.10; 5.30; 10.40; 13.23,30,37; 26.8) e da mesma maneira nas Epístolas de Paulo (Rm 8.11; 10.9; 1 Co 6.14; 15.15; 2 Co 1.9; 4.14; Gl 1.1; Ef 1.20; 1 Ts 1.10; cf. 1 Pe 1.21). A morte expiatória de Cristo e a sepultura vazia são mencionadas juntas por nosso Senhor no que pode ser chamado de um complexo de redenção. O Senhor associou as duas em seu ensino (Mt 16.21; 20.18,19; Mc 8.31; 9.31; 10.33,34; Lc 18.32,33; Jo 10.17,18), e o apóstolo Pedro faz o mesmo (1 Pe 1.2-4; 3.18ss.).

### A Teologia da Ressurreição de Cristo

A ressurreição é a prova miraculosa de que o Senhor Jesus Cristo fez a expiação pelo pecado (At 2.24,38; 13.37,38; Rm 1.4), e venceu a morte (2 Tm 1.10; Ap 1.18). Através dela, ele foi declarado como sendo o Senhor e Cristo (At 2.32-36) e o Filho de Deus com poder (Rm 1.4; Fp 2.6-11; cf. At 13.33). Como o primogênito dentre os mortos, ele foi declarado o Cabeça da Igreja e o Soberano do universo (Cl 1.16-18; Ef 1.19-23; cf. Hb 1.3). Ele mesmo é a ressurreição, aquele que concede a vida eterna (Jo 11.25). Quando ressuscitou dos mortos e subiu às alturas, Ele enviou o Espírito Santo (At 2.33,38; cf. Jo 15.26; 16.7).

É o Senhor ressurrecto que, como nosso Sumo Sacerdote, apresentou o seu sangue sacrificial a Deus, o Pai (Hb 10.19-22; cf. 8.3; 10.10-14), agora intercede por nós (Rm 8.34; 1 Jo 2.1), e é habilitado e ordenado para tirar os selos dos juízos no fim dos tempos (Ap 5.1-7) e ser o juiz final do homem (Jo 5.21,22; At 10.42; 17.31).

*Soteriologia da ressurreição.* Para que o pecado do homem seja expiado, deve haver uma vida perfeita de justiça, vivida em completa obediência à santa lei de Deus, para ser oferecida "sem mácula"; Cristo realizou esta importante obra através de sua vida (Rm

O sepulcro no horto, Jerusalém. Photo Leon

5.19; 10.4; Hb 4.15; 5.8,9). Também deve haver uma expiação satisfatória para os pecados do homem e a lei infringida que exige a pena de morte (Rm 6.23), e isto Ele proveu submetendo-se à morte como o nosso substituto. Deus mostrou sua absoluta satisfação com a obediência ativa e passiva de Cristo, ressuscitando o seu Filho dos mortos, e assim atestando que sua obra que visava alcançar a nossa justificação foi aprovada e aceita (Rm 4.25).

*Escatologia da ressurreição.* A ressurreição revela a vitória completa e final sobre a morte e o pecado, e sobre os seus efeitos no homem e na criação. Pelo fato de Cristo ter ressuscitado, os crentes também ressuscitarão em corpos transformados (1 Co 15). Por meio deste mesmo fato, a natureza também será libertada da maldição. Esta é a explicação da ressurreição do crente ou a manifestação dos filhos de Deus através da "redenção do nosso corpo", e a remoção da "servidão da corrupção" na segunda vinda de Cristo serem mencionados como ocorrendo simultaneamente em Romanos 8.18-23 (cf. Is 11.6-12; 65.25; Zc 14.5).

### Negações da Ressurreição

Têm sido sugeridas várias teorias que negam a ressurreição corpórea de Cristo.

*Teoria da fraude.* Seus discípulos roubaram o seu corpo da sepultura e o esconderam em algum lugar. Esta opinião falha em explicar como os supostos covardes tornaram-se homens corajosos da noite para o dia, e também ignoram o fato da presença da guarda romana. Esta teoria presume que a mentira dos soldados deva ser aceita ao invés do testemunho dos crentes em Cristo. Uma variação desta opinião é que os inimigos de Cristo roubaram o corpo e o esconderam. Por que, então, eles não usaram isto mais tarde para refutar as alegações dos discípulos de que o Senhor havia ressuscitado?

*Teoria da alucinação.* Os discípulos apenas pensaram ter visto Jesus. Esta teoria falha em levar em conta o fato de que eles sentiram suas mãos e seus pés, falaram com ele, e comeram com ele e ele com eles (Lc 24.42,43). Uma variação disto é a teoria da razão histórica de Richard Niebuhr, de que os discípulos tinham uma lembrança histórica tão vívida de Cristo, que pensavam e falavam dEle como se Ele estivesse vivo. Esta opinião falha pelas mesmas razões que as da teoria da alucinação. Além disso, como na teoria anterior, ela deve negar a sepultura vazia.

*Teoria da visão objetiva.* Deus concedeu aos seguidores de Jesus visões reais para lhes dar a certeza de que o Espírito de Jesus havia sobrevivido. Esta opinião, da mesma forma, não consegue levar em conta a sepultura vazia, nem o seu corpo tangível em suas aparições.

*Teoria do corpo espiritual transformado.* A fim de tentar explicar como os lençóis foram deixados intactos e como o Cristo ressurrecto passou através de uma porta fechada, alguns têm afirmado com base em uma interpretação errônea de 1 Coríntios 15.44 que Jesus ressuscitou com um corpo completamente "espiritual", completamente imaterial; porém Ele comeu na presença de seus discípulos.

*Teoria do desmaio.* Cristo estava apenas desmaiado e seus discípulos o raptaram da sepultura e o reanimaram. Esta opinião envolve os discípulos em uma fraude. Enganadores não arriscariam a vida mais tarde por causas justas como fizeram os discípulos. Esta teoria falha em fazer justiça ao exame e pronunciamento dos soldados romanos de que Jesus estava morto. Isto é ainda mais aviltante para os fundadores da Igreja primitiva.

*Teoria da sepultura errada.* Kirsopp Lake sugere que as mulheres foram para a sepultura errada e encontraram um estranho, de quem elas fugiram. Esta é uma tentativa um tanto desesperada de explicar o fenômeno que Lake considera *a priori* impossível, isto é, o milagre de uma ressurreição. Esta teoria falha em explicar tanto a experiência dos soldados tomando conta da sepultura na qual Jesus estava sepultado, como o fato da sepultura da qual as mulheres fugiram estar vazia.

### Provas da Ressurreição

A validade da ressurreição de Cristo baseiase na certeza da morte e sepultamento de Jesus e no selamento da sepultura, a pedra removida e a sepultura vazia, a condição ordenada dos lençóis, e no registro de dez diferentes aparições físicas do Jesus ressurrecto. As aparições são atestadas em seis relatos – em todos os quatro Evangelhos, em Atos e 1 Coríntios 15:

1. A Maria Madalena (Jo 20.11-18).
2. Às outras mulheres (Mt 28.9,10).
3. A Pedro, em particular (1 Co 15.5; Lc 24.34).
4. A Cleopas e seu companheiro na estrada para Emaús (Lc 24.13-35).
5. A dez dos apóstolos em uma sala trancada (Jo 20.19-25; Lc 24.36-43).
6. A Tomé e aos outros uma semana depois (Jo 20.26-29).
7. A mais de 500 discípulos em uma ocasião (1 Co 15.6). É provável que este fato tenha ocorrido na Galiléia, como cumprimento de Mateus 28.7,8 e Marcos 16.7. Esta pode ter sido a mesma ocasião em que o Senhor Jesus encarregou os seus seguidores da grande tarefa de evangelização (Mt 28.16-20).
8. A Tiago, o irmão do Senhor (1 Co 15.7).
9. A sete discípulos perto do Mar da Galiléia (Jo 21.1-23).
10. Aos apóstolos e talvez a outros em Jerusalém no momento de sua ascensão (Lc 24.50-52; At 1.4-9).

Outras aparições como estas são mencionadas em Atos 1.3.

A ressurreição de Cristo é historicamente atestada por: (1) o fato da súbita mudança na vida dos apóstolos - os 11 se comportaram de forma covarde na ocasião da crucificação, mas se comportaram como homens prontos a dar suas próprias vidas 50 dias depois no Pentecostes; (2) a descida do Espírito Santo no dia de Pentecostes, em cumprimento à promessa do Senhor Jesus (Jo 14.16; 15.26; 16.7; cf. 7.37-39; At 2.32,33); (3) a mudança do dia de adoração do sábado judaico para o primeiro dia da semana, como um testemunho do dia em que Cristo ressuscitou; (4) o súbito e espantoso crescimento da Igreja cristã; (5) a existência do NT, cuja mensagem depende da autenticidade da ressurreição.

A ressurreição corpórea de Jesus Cristo é o acontecimento melhor atestado na história antiga. E como Merrill C. Tenney resume: "A ressurreição é relevante para a necessidade humana de propósito e segurança... O evento está fixado na história; a dinâmica é potente para toda a eternidade" (*The Reality of the Ressurrection*, p. 19).

*Veja* Ressurreição do Corpo.

***Bibliografia.*** William Milligan, *The Resurrection of Our Lord*, Londres. Macmillan, 1894. Frank Morrison, *Who Moved the Stone?* Londres. Faber & Faber, 1930. Richard R. Niebuhr, *Resurrection and Historical Reason*, Nova York. Scribner's, 1957. J. Orr, *The Resurrection of Jesus*, Cincinnati. Jenning e Bryan, 1909. Elmer E. Parsons, *Witness to the Resurrection*, Grand Rapids. Baker, 1967. A. M. Ramsey, *The Resurrection of Christ*, Filadélfia. Westminster, 1946. Merrill C. Tenney, *The Reality of the Resurrection*, Chicago. Moody, 1972 (com extensa bibliografia).

R. A. K.

**RESSURREIÇÃO DO CORPO** A ressurreição do corpo é uma idéia distintamente bíblica. Os gregos, e a filosofia grega em geral, tinham pouco respeito pelo corpo, considerando-o um estorvo, e ensinavam apenas a imortalidade da alma. A Bíblia vê o homem criado tanto com o corpo como com a alma, e, portanto, incompleto durante o estado intermediário até que receba o seu corpo ressurrecto. O NT acrescenta à mera idéia de uma ressurreição do corpo a revelação de que os cristãos terão um corpo glorificado como aquele que foi recebido pelo Senhor Jesus Cristo (Fp 3.21; 1 Jo 3.2).

*Ressurreição no AT*. A doutrina de uma ressurreição corpórea é claramente ensinada no AT, particularmente em Jó (14.13-15; 19.23-27), nos Salmos (16.9-11; 49.14ss.), Isaías (26.19) e Daniel (12.2). A existência consciente da alma entre a morte e a ressurreição também é claramente afirmada. O fato de ser falado mais da condição dos ímpios do que dos justos no estado intermediário não diminui o fato dos mortos permanecerem conscientes, mesmo estando os seus corpos na sepultura (Is 14.9-20; Ez 32.17-32).

O texto em Jó (14.14,15*a*) traz uma pergunta: "Morrendo o homem, porventura, tornará a viver? Todos os dias de meu combate esperaria, até que viesse a minha mudança. Chamar-me-ias, e eu te responderia..." No cap. 19, ele toca neste assunto novamente. Jó sabe que seu Redentor vive e que se levantará sobre a terra nos dias futuros, e ele tem a certeza de que, mesmo que os vermes destruam o seu corpo na sepultura, "em" sua carne e com seus próprios olhos verá a Deus naquele grande dia (Jó 19.25-27). Alguns preferem a tradução "de minha carne" ao invés de "em minha carne", baseando-se no termo heb. *mibb$^e$sari* (*min*, "de"; *basar*, "carne"; veja BDB. *min*, "o lugar do qual", p. 579*a*). Tanto a LXX como Jerônimo apóiam a opinião de que Jó está se referindo à sua futura ressurreição.

O Salmo 16.9-11 traz a promessa: "Pois não deixarás a minha alma no inferno, nem permitirás que o teu Santo veja corrupção". Aquilo que Pedro mostra em seu sermão no Pentecostes se aplica ao Davi Maior, Cristo (At 2.25-31). Esta é a menção mais importante da ressurreição nos Salmos, embora ela seja citada ao menos no Salmo 49.14ss.

Em Daniel 12.2, há uma profecia muito importante sobre a ressurreição. Uma tradução literal do heb. seria: "Muitos dos que dormem no pó da terra ressuscitarão, uns para a vida eterna e outros para vergonha e desprezo eterno", e é justificada pelas palavras heb. *rabbim miyy$^e$shere* (veja JFB, que baseia tal tradução nos dados de Tregelles). A tradução "uns... e outros" é uma tradução melhor do heb. *'elleh...'elleh* do que a expressão "alguns... alguns" da versão KJV em inglês. Esta passagem é muito importante, uma vez que, traduzida literalmente, ensina duas ressurreições; uma dos justos e uma segunda, dos ímpios, como encontramos em Apocalipse 20.4-6 (cf. Jo 5.28,29).

O profeta Zacarias prediz o cerco final de Jerusalém juntamente com o arrependimento de Israel na segunda vinda do Senhor, e escreve: "Virá o Senhor, meu Deus, e todos os santos contigo", mostrando que os crentes que morreram estão com o Senhor e voltarão para reinar com Ele na terra (Zc 14.5; cf. Ap 5.10). Alguns têm criticado o AT por sua falta de informação sobre a imortalidade da alma, e têm sugerido que mesmo o que é mencionado apareceu apenas bem tarde. Todas estas críticas são injustificadas. O NT também não entra em detalhes quanto ao estado da alma imediatamente após a morte, isto é, o estado intermediário. Tanto no AT como no NT, Deus concentrou sua revelação na ressurreição e nas bênçãos do reino.

É difícil provar que a idéia da imortalidade aparece apenas mais tarde no AT. Muitos consideram Jó um livro muito antigo, e este livro é muito claro tanto sobre a imortalidade como sobre a ressurreição do corpo. Seja como for, os patriarcas criam em uma vida futura. Enoque nem sequer morreu, mas foi estar diretamente com Deus (Gn 5.24; Hb 11.5). Abraão "esperava a cidade que tem fundamentos, da qual o artífice e construtor é Deus" (Hb 11.10). Todos os santos do AT aguardavam ansiosamente pelo reino (Hb 11.13-16; cf. Lc 13.28,29) desde os dias da aliança com Abraão, não só para os seus descendentes distantes mas também para si mesmos.

*Ressurreição no NT*. No NT, o termo gr. *anastasis* refere-se à ressurreição do corpo morto à vida. Somente em Lucas 2.34 a palavra é traduzida de outra forma, e mesmo ali o termo *ressurreição* pode ser a tradução correta. Isto não tem de ser um ajuntamento de parte por parte ou a restituição do antigo corpo de carne, uma vez que o corpo da ressurreição é um corpo com qualidades completamente diferentes do antigo corpo, mas significa a constituição de um corpo como aquele que foi recebido pelo Senhor Jesus Cristo (Fp 3.21), e apropriado para o estado eterno da alma.

O NT claramente ensina uma ordem ou série na ressurreição. Paulo revela em 1 Coríntios 15.20-24 que deve ser "cada um por sua ordem. Cristo, as primícias; depois, os que são de Cristo, na sua vinda. Depois, virá o fim". Isto concorda com o que o próprio Senhor Jesus Cristo havia dito em João 5.28ss.: "Não vos maravilheis disso, porque vem a hora em que todos os que estão nos sepulcros ouvirão sua voz. E os que fizeram o bem sairão para a ressurreição da vida; e os que fizeram o mal, para a ressurreição da condenação". Daniel, como já visto, indica duas ressurreições, e Apocalipse 20.4-6 fala de uma primeira ressurreição dos santos como distinta de uma segunda, a dos "outros mortos" ou a do "restante" dos mortos, os perdidos, e diz que a segunda está separada da primeira por mil anos. Em 1 Tessalonicenses 4.16,17 são apenas os mortos em

Grande escadaria no palácio em Persépolis, capital do Império Persa. ORINST

Cristo que são ressuscitados em sua vinda, e estes são imediatamente levados, arrebatados, ao céu (cf. a advertência de Cristo para estarmos prontos para o arrebatamento em Mateus 24.40-44; Marcos 13.28,29; Lucas 21.29-31).

*O corpo da ressurreição.* É revelado que o crente será como o seu Senhor (Fp 3.21; 1 Jo 3.2), tendo um corpo tangível "como o seu corpo glorioso". A identidade será retida entre o corpo mortal e o novo corpo da ressurreição, embora este não necessite de uma reconstituição dos mesmos átomos. Mesmo nesta vida, as matérias do corpo mudam constantemente. Elas são inteiramente substituídas de um modo progressivo dentro de um período de alguns anos.

O Senhor Jesus Cristo ressuscitou no corpo no qual havia sofrido, deixando um túmulo vazio. Seu novo corpo tinha "carne e ossos", mas embora Ele tenha sido absolutamente reconhecido, suas qualidades estavam gloriosamente mudadas. O novo corpo do crente não deverá ter "carne e sangue", pois esta é a natureza de seu corpo mortal. Ele será como os anjos que não se casam nem se dão em casamento (Mt 22.29,30). Este novo corpo é descrito em 1 Coríntios 15.35-50.

*Implicações espirituais e morais.* O homem é uma criatura composta por uma parte material (o corpo) e uma parte espiritual (a alma e o espírito). Ele faz parte de uma raça. Por ser assim, ele pode conhecer a supremacia do primeiro Adão na qual ele caiu e se perdeu, e pode participar dos benefícios da supremacia do último Adão, Jesus Cristo, e ser salvo. "Porque, assim como todos morrem em Adão, assim também todos serão vivificados em Cristo" (1 Co 15.22). Cristo não redimiu somente a alma, mas também o corpo, como ficou provado na ressurreição de seu próprio corpo.

O corpo do crente é o Templo do Espírito Santo e deve ser mantido puro (1 Co 6.19,20). Ele será finalmente transformado de uma forma miraculosa para se adaptar às necessidades eternas dos filhos de Deus. Por causa da importante função do corpo, não se deve desprezá-lo nem destruí-lo através de uma vida devassa.

*Veja* Mortos O; Escatologia; Vida Eterna; Estado Eterno e Morte; Imortalidade; Vida; Ressurreição de Cristo.

***Bibliografia.*** Norman H. Camp, *The Resurrection of the Human Body*, Chicago. Bible Inst. Colportage Assn., 1937. Albrecht Oepke, "*Anistemi* etc", TDNT, I, 368-372. Irwin Reist, "The OT Basis for the Resurrection Faith", EQ, XLIII (1971), 6-24. Elmer Smick, "The Bearing of New Philological Data on the Subject of Resurrection and Immortality in the OT", WTJ, XXXI (1968), 12-21. Wilbur M. Smith, "Resurrection", BDT, pp. 448-456.

R. A. K.

**RESTAURAÇÃO E PERÍODO PERSA** Os livros e as passagens do AT que se referem diretamente ou profeticamente aos acontecimentos da restauração e do período persa são Isaías 44.26–45.1; 2 Crônicas 36.22,23; Daniel, Esdras, Neemias, Ester, Ageu e Zacarias. Malaquias, provavelmente escrito por volta de 440 a.C., indica indiretamente um Templo reconstruído (1.7,10; 3.1) e um governador (persa) estrangeiro (1.8).

O cativeiro babilônico começou em 605 a.C., quando Nabucodonosor deportou os primeiros judeus do reino de Judá (2 Cr 36.2-7; Dn 1.1-3). Em uma segunda e terceira campanhas, datadas de 598-597 a.C. (2 Rs 24.10-16) e 588-586 a.C. (2 Rs 25.2-21), ele levou um número muito maior de judeus cativos para a Babilônia. Este exílio durou aproximadamente 70 anos, durante os quais os judeus na Babilônia anelavam por Jerusalém (Sl 137). *Veja* Cativeiro.

Em 539 a.C., Ciro invadiu a Babilônia com o exército medo-persa. Em 10 de outubro, seu general Ugbaru tomou Sipar (48 quilômetros ao norte da Babilônia), o quartel-general temporário de Nabonido, o rei da Babilônia. Duas noites depois as tropas de Ugbaru entraram na Babilônia e mataram Belsazar, o príncipe da coroa (*Nabonidus Chronicle*, ANET, p. 306; Dn 5). Nabonido foi preso quando voltava para a Babilônia. Ciro entrou na cidade em triunfo em 29 de outubro, apresentando-se ao povo como um libertador e benfeitor misericordioso.

Em 538-537 a.C., Ciro decretou que os judeus retornassem a Jerusalém para reconstruir o Templo (Ed 1.1-4; 5.13). Ele restaurou os vasos do Templo (Ed 1.7) e forneceu recursos para a obra (Ed 3.7). O período de restauração durante o qual Zorobabel, Esdras e Neemias foram os líderes chave foi importante, pois nele o povo, como uma nação, converteu-se a Deus e teve início o desenvolvimento da sinagoga e dos partidos (ou grupos) religiosos judaicos.

Ciro II (o Grande) governou de 550 a 530 a.C. Sua revolta bem-sucedida contra Astiages, o rei medo, em 550 a.C., estabeleceu a dinastia Aquemênidas (cf. Heródoto I, 107) e o

RESTAURAÇÃO E PERÍODO PERSA

Império Persa, que foi o poder mundial de 539 a 330 a.C. Ao tomar a Babilônia (539 a.C.), Ciro II tornou-se o instrumento de Deus para castigar os babilônios pela opressão que infligiram aos judeus (cf. Jr 50.33–51.64).

Os textos em 2 Crônicas 36.22,23; Esdras 1.1-4 e Esdras 6.3-5 também registram o decreto de Ciro para reconstruir o Templo de Jerusalém, de acordo com a profecia de Isaías (44.26–45.1). A magnanimidade de Ciro se estendeu a todos os seus povos dominados, não apenas aos judeus. Ele restaurou santuários e ídolos religiosos destruídos pelas guerras feitas pelos seus predecessores, e enviou povos deportados para as suas "habitações" (*Cyrus Cylinder*, ANET, pp. 315ss.).

Seguindo o decreto de Ciro, aproximadamente 50.000 exilados e escravos retornaram a Jerusalém sob a supervisão de Sesbazar (Zorobabel?) e Jesua. Este remanescente edificou o altar do Senhor e colocou os alicerces do Templo (Ed 1.1–3.13), mas parou de trabalhar nele por causa da oposição dos povos vizinhos (Ed 4.1-5,24). Eles retomaram o trabalho como resultado do incentivo do profeta Ageu, e o Templo foi terminado entre 520 e 516 a.C., no reinado de Dario I (Ed 5–6). Em 457 a.C., durante o reinado de Artaxerxes I, Esdras fez a viagem de 1.440 quilômetros até Jerusalém com mais exilados (Ed 7–8).

Para suprir as necessidades do Templo em Jerusalém, Esdras levou consigo presentes de prata e ouro do rei, e ofertas voluntárias dos judeus que permaneciam na Babilônia. Ele tornou-se o responsável pelos assuntos judaicos na província da Síria e da Palestina (Ed 7.25). Esdras almejava um reavivamento da vida religiosa sob a aliança e a lei mosaica que foram dadas no monte Sinai (Ed 7.10; Ne 8). Para alcançar a reforma, ele exigiu a dissolução dos casamentos com estrangeiros, que muitos dos que retornaram anteriormente haviam contraído. Este decreto, renovado por Neemias, foi mal recebido por alguns dos judeus e incitou os samaritanos e outros da população não-judia contra o povo de Deus (Ed 9–10; Ne 10.30; 13.23-30).

O Talmude (*q.v.*) credita a Esdras a re-introdução da lei de Moisés, e também atribui a ele e a seus companheiros muitos outros estatutos antigos. Tradicionalmente, ele foi o fundador da Grande Sinagoga ou Assembléia Judaica (*k^e^neset g^e^dola*), o corpo dos estudiosos judeus que explicou a lei durante os séculos V a III a.C.

Em 445 a.C., Neemias, o conselheiro (copeiro) do rei Artaxerxes I, havia obtido do monarca a permissão para ir a Jerusalém com o objetivo de reedificar os muros da cidade. Ele teve êxito nesta reedificação, apesar da oposição estrangeira liderada por Sambalate, o samaritano (ou horonita), Tobias, o amonita, e Gesém, o arábio (Ne 1–6). O muro foi concluído em tempo recorde (Ne 6.15), e dedicado pouco depois (Ne 12.27–13.3). Neemias fez uma segunda viagem a Jerusalém em 433 a.C. para corrigir vários abusos da lei (Ne 13.4-31). Aparentemente, durante o intervalo entre suas duas visitas, o último dos profetas canônicos, Malaquias, entregou a mensagem de Deus para a nação da sua aliança. Pouco se conhece da história judaica dos 200 anos seguintes.

Os reis Aquemênidas da restauração e do período persa eram:

1. Ciro II (o Grande) (550-530 a.C.).
2. Cambises II (529-522 a.C.), que conquistou o Egito (522 a.C.).
3. Pseudo-Smerdis (ou Gaumata) (522 a.C.), que tomou o trono à força.
4. Dario I, Histaspe (521-486 a.C.), que derrotou Gaumata e outros revoltosos (cf. a inscrição de Behistun na colina no Irã). Através da engenhosidade militar, ele estendeu o seu reino da Índia até o norte da África e Trácia. Os gregos o derrotaram em Maratona (490 a.C.). Sob sua ordem, o Templo de Jerusalém foi terminado em 520-516 a.C. (Ed 5.1; 6.1-12; Ag 1.1; Zc 1.1).
5. Xerxes I (486-464 a.C.), que fez guerra contra os gregos e perdeu decisivamente na batalha marítima de Salamina (480 a.C.). Ele foi, sem dúvida alguma, o Assuero do livro de Ester (cf. sua posição entre Dario e Artaxerxes na ordem dos reis persas, Ed 4.4-7).
6. Artaxerxes I, Longímano (464-423 a.C.), que sufocou revoltas no Egito e fez a paz com os atenienses (Paz de Calias, 449 a.C.). Foi sob o governo deste rei que Esdras foi para Jerusalém, em 457 a.C. (Ed 7.1-26); a reedificação dos muros de Jerusalém cessou por um tempo (Ed 4.7-23); e Neemias fez as suas viagens para a Cidade Santa, a primeira em 445 a.C. (Ne 2.1-6) e a segunda em 443 a.C. (Ne 13.6,7).

Quatro reis do período persa sucederam estes reis, porém não foram mencionados no relato do Antigo Testamento.

7. Dario II, Noto (423-404 a.C.), que foi mencionado no papiro aramaico de Elefantina, no Egito, incluindo o chamado Papiro da Páscoa de 419 a.C. (ANET, p. 491).
8. Artaxerxes II, Mnemon (404-359 a.C.), que derrotou Ciro, seu irmão revoltoso, em 401 a.C. (cf. Xenofonte, *Anabasis*).
9. Artaxerxes III, Oco (359-338 a.C.).
10. Dario III, Codomano (336-330 a.C.), que foi vencido por Alexandre o Grande.

Ciro II dividiu o império persa em unidades administrativas relativamente autônomas (pelo menos 20) chamadas satrapias. Mais tarde, Dario desenvolveu ainda mais este sistema. Tatenai, o governador (aram. *peha*), era, sem dúvida, algum tipo de oficial sátrapa (Ed 5.3,6; 6.6,13), como Neemias também pode ter sido (Ne 5.14-18).

*Veja* Ester; Esdras; Neemias; Pérsia; Samaritanos; Sinagoga.

*Bibliografia.* CornPBE, pp. 617-622. R. K. Harrison, *Old Testament Times*, Grand Rapids. Eerdmans, 1970, pp. 271-289. A. T. Olmstead, *History of the Persian Empire*, Chicago. Univ. of Chicago Press, 1948. Charles F. Pfeiffer, *Exile and Return*, Grand Rapids. Baker, 1962.

W. H. M.

**RESTAURAÇÃO, RESTITUIÇÃO** Na Bíblia Sagrada, estes termos referem-se à propriedade, às pessoas e a uma economia completamente teocrática. A lei mosaica dava instruções relativas à restituição ou à substituição da propriedade roubada, com várias multas prescritas e compensações por danos ou ferimentos (Êx 22.1-15; Lv 6.1-7; 24.18-21; *veja* Crime e Punição). À luz destas exigências, Zaqueu se dispôs a restituir quatro vezes mais do que havia defraudado (Lc 19.8). Um dos verbos hebraicos que significa restaurar ou fazer restituição é *shalam* (*veja* Paz), "tornar saudável", "fazer o bem", "completar" (Êx 22.3,5,6,12). Ele é usado para descrever a restauração do conforto àqueles que estão doentes e tomados pela tristeza (Is 57.18), e a produtividade de uma terra devastada por gafanhotos (Jl 2.25,26).

O termo heb. *shub* no Hiphil significa fazer retornar, trazer de volta ou devolver, restituir, com referência a uma esposa a seu marido de direito (Gn 20.7,14), ao cargo de uma pessoa (Gn 40.21; 41.13), a propriedade (Dt 22.2; Jz 11.13), o dinheiro roubado (Jz 17.3,4), bênçãos espirituais como a alegria (Sl 51.12), e a reedificação de uma cidade destruída (Dn 9.25).

A Bíblia contém freqüentes referências à restauração (ou conversão) do apóstata (Jó 22.23; Pv 1.22,23; Jr 3.12,14,22; Os 14.1,4; Jl 2.12,13; Tg 5.19,20). A responsabilidade de restaurar (gr. *katartizo*) um cristão pecador recai sobre os crentes que possuem uma mente espiritual, que devem cumprir o seu dever de um modo gentil (Gl 6.1). O verbo grego significa colocar em ordem, restaurar à condição anterior, como o conserto e a limpeza das redes de pesca (Mt 4.21; Mc 1.19). Paulo exortou os coríntios a "serem perfeitos" (*katartizesthe*, 2 Co 13.11), dizendo-lhes que se colocassem em ordem, ou que passassem a andar em um caminho reto, para que se ajustassem e se equipassem espiritualmente.

De certo modo, a Bíblia Sagrada de Gênesis 3.9 em diante, é o registro do programa de Deus para restaurar o homem caído à comunhão consigo. Uma parte proeminente e integral deste programa é a restauração da nação de Israel, porque é através de Israel que a salvação é trazida para o mundo (cf. Gn 12; Rm 11). Por causa de sua desobediência, a nação de Israel foi punida com o rompimento da teocracia, com a dispersão, e com as dificuldades que acompanharam estes fatos. Mas a restauração fazia parte do plano de Deus para a nação. Um remanescente retornou da Babilônia depois de 70 anos. Porém, esta não era a restauração final; na verdade, após este retorno parcial, ainda seriam feitas promessas de uma restauração plena. *Veja* Restauração e Período Persa.

Somente uma interpretação que viola o uso normal do idioma pode evitar o impacto das profecias do AT quanto à restauração literal de Israel (cf. Is 65.17-25; 66.22; Jr 23.1-8; 27.22; Ez 34.11-31; 36.1–37.28; Os 3.5; Zc 2.1-12; 8.1-8,20-23; 9.10-17; 10.9-12; 12.1–14.21). Nem mesmo o Senhor Jesus Cristo espiritualizou as promessas do AT relativas à restauração de Israel (At 1.6,7), embora através do cumprimento das profecias do AT Ele tenha fornecido a base espiritual da plena restauração não só para Israel, mas para todos os crentes. A restauração de Israel será realizada em conexão com a volta e reinado do Rei messiânico. Mas, naquele momento, a restauração não estará restrita somente a Israel, pois todos os crentes terão entrado na fase do pleno cumprimento de sua salvação, e os céus e a própria terra sofrerão uma "restauração" (At 3.21; cf. Is 65.17-25; 66.22; 2 Pe 3.7-13; Ap 21.1-4). O nosso Senhor falou daquele tempo futuro como a "regeneração" (Mt 19.28), a consumação dos séculos.

É importante notar que em Atos 3.21 a passagem deveria ser lida do seguinte modo: "... até aos tempos da restauração de todas as coisas de que Deus falou por boca dos seus santos profetas desde a Antiguidade" (a versão NASB em inglês omite a vírgula depois do termo "coisas"). A declaração de Pedro, portanto, não é uma declaração de salvação universal ou de reconciliação final, mas do cumprimento das bênçãos prometidas para o Israel nacional, profetizadas no AT. No versículo 23, Pedro adverte que todo aquele que não der atenção ao Profeta final de Deus (o Messias) será completamente destruído (veja a obra de James I. Packer, "The Way of Salvation, Part III. The Problems of Universalism", BS, CXXX [1973], 3-11).

*Bibliografia.* A. Oepke, "*Apokatastasis*", TDNT, I, 389-393.

S. N. G.

**RESTITUIÇÃO** *Veja* Restauração.

**RESTOLHO** *Veja* Plantas.

**RETRIBUIÇÃO** *Veja* Morte; Escatologia; Estado Eternos e Morte ; Inferno.

**REÚ** Um descendente de Sem; filho de Pelegue e pai de Serugue (Gn 11.18-21; 1 Cr 1.25; Lc 3.35). Seu nome pode ter sido dado a uma tribo mesopotâmica ou ao seu território, pois há uma ilha no Eufrates com o nome acádio de Ra'ilu.

**REUEL**[1]
1. Um descendente de Esaú e Ismael (Gn 36.2-4,10,13,17; 1 Cr 1.35,37); sua genealogia aponta para um antigo e estreito relacionamento entre as tribos edomitas e árabes.
2. Sogro de Moisés (Êx 2.18,21), também chamado de Jetro (*q.v.*). O nome Reuel (heb. *re'u-'el*) significa "amigo, companheiro de El", sugerindo que Jetro e os midianitas eram adoradores de El, a principal divindade dos antigos semitas, o Deus dos patriarcas e de Melquisedeque (Gn 14.18-22). Portanto, a adoração original a El pode ter continuado sem rivais nas áreas desérticas onde Jetro viveu, muito tempo depois dela ter se extinguido em Canaã (Ulf Oldenburg, *The Conflict Between El and Ba'al in Canaanite Religion*, Leiden. Brill, 1969, p. 170). W. F. Albright acredita que Reuel seja o nome do clã de Jetro e Hobabe (*Yahweh and the Gods of Canaan*, Garden City. Doubleday, 1968, pp. 38ss.).
3. Um gadita, pai de Eliasafe (Nm 2.14), o mesmo que Deuel (*q.v.*).
4. Um benjamita (1 Cr 9.8).

J. R.

**REUEL**[2] Nome do sogro de Moisés que significa "amigo de Deus". O nome Jetro (*q.v.*) também é atribuído a este homem (Êx 3.1;cf. Êx 2.18). É provável que Jetro tenha sido o seu título oficial (Josefo, *Ant.* ii.12.1). Não era incomum uma pessoa ter mais de um nome entre os hebreus. Reuel foi o príncipe e sacerdote de Midiã, e pai de Zípora. As tentativas de se resolver a questão da multiplicidade de nomes por meio de uma maior elasticidade do sentido de alguns termos hebraicos (*hothen*, "sogro"; *'ab*, "pai"; ou *bat*, "filha") não têm sido muito satisfatórias.

**REUM** O nome ocorre no papiro aramaico de Elefantina, do Egito.
1. Um israelita, dos "filhos da província", que foi para Jerusalém com Zorobabel (Ed 2.2). Em Neemias 7.7, ele é chamado de Neum (*q.v.*).
2. Um oficial persa em Samaria por volta da época de Neemias. Nos dias de Artaxerxes, os líderes samaritanos, alarmados com as indicações de uma restauração do poder e da influência de Jerusalém, rogaram a Reum, o "chanceler" ou "comandante", que escrevesse ao rei e mandasse parar todo o trabalho em Jerusalém. Reum o fez, ditando a carta para o seu escrivão, Sinsai, e a resposta real o instruiu a agir com urgência e fazer parar a obra. A obra foi paralizada, e só foi concluída após a chegada de Neemias (Ed 4.7-24).
3. Um levita, filho de Bani, que trabalhou no muro com Neemias (Ne 3.17).
4. Um dos chefes do povo que assinou a aliança de Neemias (Ne 10.25).
5. Um dos chefes dos sacerdotes que foram a Jerusalém com Zorobabel (Ne 12.3).

P. C. J.

**REUMÁ** Concubina de Naor (Gn 22.24). Seus quatro filhos foram provavelmente os ancestrais das tribos arameanas geralmente situadas a norte de Damasco e ligadas secundariamente aos israelitas.

**REVELAÇÃO** Os verbos hebraicos e gregos relativos à revelação (*galal, apokalypto*) expressam a idéia de descobrir ou revelar algo que estava escondido ou desconhecido.

*História da revelação.* A história da revelação começou no jardim do Éden, quando o homem tinha uma comunicação direta com Deus. A Queda trouxe o pecado, a exclusão do homem de sua vida de bênçãos da qual desfrutava anteriormente e o fim da comunicação direta com Deus. Desde aquele dia, têm havido dois meios ou tipos de revelação: a geral e a especial. A revelação geral continuou como antes; mas a revelação especial, daí por diante, dependia da graça soberana de Deus. Através da intervenção de Deus na vida, primeiro dos patriarcas e então da nação escolhida – Israel – a revelação especial era concedida. Somente Israel, dentre todas as nações, foi escolhida para receber esta bênção (Dt 4.7,8; Sl 147.19,20; Am 3.2), não por causa de sua grandeza ou bondade, mas pela graça de Deus (Dt 7.7,8; 9.4-6). Eles não a receberam somente para si, mas através deles todas as nações deveriam ser benditas (Gn 12.2,3; 17.4-6,16; 18.18; 22.18; cf. Rm 4.13-18). A revelação dada a Israel incluía alianças e promessas que culminam em Cristo, primeiro como o Messias sofredor e sacrificial, e então, como o Messias governante e reinante. Quando Cristo veio, sua vida, ações e palavras foram todas uma revelação. O livro de Apocalipse, dado alguns anos mais tarde a João e introduzido pelas palavras "revelação de Jesus Cristo", apenas completou esta revelação que começou com sua encarnação.

*A relação entre a revelação geral e a especial.* A revelação geral é adaptada ao homem como homem, e dirigida a todas as criaturas inteligentes; a revelação especial é para o homem como uma criatura caída e pecadora, e dirigida àquela classe específica de pecadores a quem Deus escolheu para se fazer conhecido. A revelação geral é suficiente para revelar ao homem o poder eterno e a divindade de Deus. Ela torna o homem responsável, como uma criatura racional criada à imagem de Deus, para reconhecer sua existência, poder e divindade. Ela o torna indesculpável se falhar em agir assim (Rm 1.19,20).

Mas a revelação geral não é suficiente para levar o homem ao céu. Uma vez que o homem é uma criatura caída e um pecador, ele precisa conhecer um caminho de salvação.

E isto é algo que somente a revelação especial pode conceder. Não há, portanto, nenhuma dúvida – mesmo que uma teologia natural seja possível através da revelação geral – quanto à necessidade da revelação especial. O Senhor Jesus disse aos seus seguidores, "Credes em Deus, crede também em mim" (Jo 14.1). Uma crença em Deus sem uma crença em Cristo – que é realizada através da revelação especial – não pode salvar. Embora a revelação geral e a revelação especial devam ser distinguidas, ainda assim elas fazem parte do mesmo conjunto. Cada uma é incompleta sem a outra. A revelação em seu sentido mais geral está relacionada com a criação do mundo e do homem, e o relacionamento do homem com o mundo e com Deus. A Queda, que destruiu a comunicação direta entre o homem e Deus, necessitava de um novo modo de revelação especial.

*Controvérsias teológicas sobre a revelação.* Várias controvérsias em particular surgiram na teologia recente.

1. Revelação existencial versus revelação proposicional. Sören Kierkegaard apresentou a idéia da revelação existencial, pessoal, subjetiva, aqui e agora. Karl Barth, Emil Brunner e outros teólogos neo-ortodoxos propagaram a opinião de que como o homem lê uma Bíblia defeituosa e contraditória, ele deve receber a Cristo, que é a revelação e o Verbo de Deus, e assim poderá experimentar a revelação. A inspiração e a revelação são transferidas do escritor da Escritura, e da época em que ele escreveu, ao leitor e ouvinte, e à época que ele tem sua experiência. Ao fazer isto, o neo-ortodoxo confunde e transpõe a inspiração do escritor e a iluminação do ouvinte. Ao mesmo tempo, ele nega que haja na Bíblia algo como uma revelação proposicional, isto é, afirmações da verdade revelada. Esta negação da verdade proposicional não pode ser reconciliada com as declarações dos apóstolos sobre as Escrituras (2 Tm 3.16,17; 2 Pe 1.19-21), nem com os ensinos de Cristo a respeito da infalibilidade da Bíblia Sagrada (Mt 5.17,18), ou com sua própria reivindicação com respeito à verdade ensinada como aquela que Ele ouviu (Jo 8.26), viu (v. 38) e aprendeu (v. 28) da parte de Deus Pai.

2. Negação da revelação geral. Esta não é uma característica geral da neo-ortodoxia. Ela diz respeito a uma diferença de ponto de vista entre Karl Barth e Emil Brunner em particular. Temendo que a aceitação de qualquer verdade como a revelação geral deva inevitavelmente levar à formação de uma teologia natural – como no catolicismo romano – Barth se opõe violentamente a qualquer opinião de revelação geral. Barth afirma que os céus são "mudos" e o Salmo 19 e Romanos 1.18-20 são apenas as confissões de um homem regenerado. O homem está morto em pecados e Deus deve criar um ponto de contato no homem antes que ele receba qualquer revelação. Brunner, por outro lado, ensina a revelação geral. O homem ainda é homem e possui a imagem de Deus, mesmo que esta imagem esteja maculada.

Para o evangélico, o argumento de Romanos 1.18-20 é claro e conclusivo: o homem pode definitivamente conhecer a existência de Deus, seu poder, sua divindade e sua glória (Sl 19.1ss.). O homem é indesculpável quando retém a verdade, não a transmitindo por sua própria injustiça, e quando reprime a revelação geral.

*Os modos da revelação especial.* Deus se revelou de várias maneiras diferentes ao longo de toda a história. Ele apareceu e conversou com o homem nas teofanias do AT. A Moisés, e somente a ele, Deus falou não por sonhos ou visões, mas "boca a boca" (Nm 12.8). A outros Ele se revelou em visões ou sonhos. Além disso, o Senhor falou através dos profetas, ou ainda em uma operação concursiva guiou o pensamento ou a mão dos profetas e salmistas. No entanto, entre estes modos diferentes, jamais se fez alguma discriminação ou graduação de valor. Todas elas fizeram parte do único grande corpo unificado da revelação progressiva, da qual os ensinos de Cristo formam o ponto crucial. O próprio Senhor Jesus Cristo como o Filho de Deus é a suprema revelação de Deus ao homem (Hb 1.1-3).

*Veja* Inspiração; Profecia.

***Bibliografia.*** Carl F. H. Henry (ed.), *Revelation and the Bible*, Grand Rapids. Baker, 1958; "Revelation, Special", BDT, pp. 456-459. Albrecht Oepke, "*Kalypto,... Apokalypsis*", TDNT, III, 556-592. J. I. Packer, "Revelation", NBD, pp. 1090-1093. Clark H. Pinnock, *Biblical Revelation*, Chicago. Moody, 1971. Bernard Ramm, *Special Revelation and the Word of God*, Grand Rapids. Eerdmans, 1961. Merrill C. Tenney (ed.), *The Bible – The Living Word of Revelation*, Grand Rapids. Zondervan, 1968.

R. A. K.

**REVERÊNCIA** O respeito mostrado a alguma pessoa importante ou distinta: a um rei (2 Sm 9.6; 1 Rs 1.31); ao filho na parábola da vinha (Mt 21.37; Mc 12.6; Lc 20.13); a um pai (Hb 12.9); ao marido (Ef 5.33). Israel deveria reverenciar o sábado de Deus e o seu santuário (Lv 19.30; 26.2). Devemos reverenciar e respeitar a Deus com um senso de admiração e santo temor (Sl 89.7; Hb 12.28).

**REVERENCIAR ou CURVAR-SE** Um ato de obediência. Muitas palavras gregas e hebraicas significam o ato de dobrar os joelhos e reverenciar, com humildade, um superior. Esse costume simbolizava (1) servidão (Gn 27.29); (2) homenagem, respeito ou

reverência, por exemplo, quando Abraão inclinou-se perante os três anjos (Gn 18.2), Ló diante dos dois anjos (Gn 19.1), Rute perante Boaz (Rt 2.10), Bate-Seba perante Davi (1 Rs 1.16); (3) adoração (Êx 20.5; Sl 72.9; Mq 6.6; Sl 99.9, "adorar", literalmente, "curvar-se diante de"); (4) lamento ou tristeza (Sl 38.6; 44.25).
Em muitos casos, o suplicante se inclinava tão completamente que as mãos e o rosto chegavam a tocar o solo, isto é, ele se prostrava (Gn 48.12; Nm 22.31; 1 Rs 1.31; Lc 24.5). O costume de se curvar fazendo sete reverências, como Jacó fez perante Esaú (Gn 33.3), foi verificado por freqüentes afirmações nas cartas de Amarna de que os autores "se curvavam sete vezes" aos pés do Faraó (ANET, pp. 483-490). Os soldados romanos mostravam seu desprezo a Cristo fazendo-lhe reverências cheias de escárnio, como rei dos judeus (Mt 27.29; Mc 15.19).
*Veja* Adoração.

A. F. J.

**REZEFE** Cidade na região leste da Síria, um oásis a aprox. 130 quilômetros ao norte de Palmira, ou um local em Jebel Sinjar, ao norte do Eufrates e a 160 quilômetros a oeste de Assur. Foi relacionada juntamente com Harã e Gozã (a moderna Ras-el-'Ain). O comandante de Senaqueribe, em uma mensagem a Ezequias (2 Rs 19.12; Is 37.12), mencionou-a como um exemplo das cidades capturadas pelos assírios. Na época dessa mensagem, a cidade tinha estado nas mãos dos assírios durante pelo menos um século. Ela foi provavelmente incorporada como parte da Assíria por Salmaneser III depois de sua campanha nessa região em 838 a.C. A cidade aparece freqüentemente como Rasappa nos registros assírios entre 839 e 737 a.C., mostrando ter sido um importante centro comercial e a sede de um governante assírio (ANET, p. 274).

**REZIM**
1. Último rei do estado arameu de Damasco. Vindo de Hadaru, 52 quilômetros a sudeste de Damasco, Rezim provavelmente usurpou o trono (ANET, p. 283). "Tabeal" em Isaías 7.6 não é o pai de Rezim, como havia sido imaginado anteriormente, mas um local arameu (Cf. W. F. Albright, "*The Son of Tabeel*", BASOR #140, 34-35). A morte de Jeroboão II de Israel deu a Rezim a oportunidade de levar Damasco de volta ao poder. Logo no início de seu reinado, Rezim foi relacionado como *Rahianu* nos anais de Tiglate-Pileser III, juntamente com Menaém de Israel (745-738 a.C.), entre aqueles que pagavam tributos aos assírios. Em 734 a.C., Rezim se juntou com Peca de Israel para atacar Acaz de Judá com a finalidade de obrigá-lo a fazer parte de uma coalizão contra os assírios (2 Rs 15.37; 16.5; Is 7.1ss.). Nessa época, Rezim atacou Elate e devolveu-a não aos "sírios", mas aos edomitas, para induzi-los a se juntarem à mesma coalizão (alguns entendem que em 2 Reis 16.6 houve um evidente erro do copista ao substituir a raiz *'rm*, "Síria", por *'dm*, "Edom". Entretanto, não é necessário apagar o nome de Rezim do versículo, como fazem algumas versões). Pressionado por todos os lados, Acaz, tomado de desespero, procurou a ajuda de Tiglate-Pileser, contra o conselho de Isaías. Em primeiro lugar, os assírios invadiram a costa dos filisteus e, em seguida, atacaram Israel. Em 732 a.C., ele conseguiu tomar Damasco, – um feito que os assírios não tinham sido capazes de alcançar durante meio século, matou Rezim e deportou o povo de Damasco para Quir (2 Rs 16.9). (*Veja* a obra de Merrill F. Unger, *Israel and the Aramaeans of Damascus*, pp. 95-101).
2. Ancestral de um certo netineu (*q.v.*) que retornou com Zorobabel do exílio na Babilônia (Ed 2.48; Ne 7.50). Os netineus são geralmente interpretados como escravos do Templo, porém mais recentemente foram entendidos como membros de uma corporação civil (veja Baruch A Levine, "The Netînîm", JBL, LXXXII, 207-12).

E. M. Y.

**REZOM** Filho de Eliada, que havia fugido de Hadadezer, rei de Zobá (1 Rs 11.23). Quando Davi derrotou Hadadezer (2 Sm 8.3), Rezom reuniu forças em torno de si e se estabeleceu como rei de Damasco (1 Rs 11.23-25). A partir de sua posição em Damasco, Rezom perturbou Israel durante todo o reinado de Salomão, e isso fazia "porque detestava a Israel e reinava sobre a Síria". Vários estudiosos são da opinião de que ele era Heziom, o fundador da dinastia dos reis da Síria, muito conhecido na história de Israel daquele período (1 Rs 15.18). Rezom pode ter reinado durante cerca de 30 anos, provavelmente de cerca de 960 a 930 a.C.

**RIBAI** Pai de Itai, um dos valentes de Davi conhecidos como "os Trinta". Ele era de Gibeá, dos benjamitas (2 Sm 23.29; 1 Cr 11.31).

**RIBEIRO** No AT, a palavra "ribeiro" origina-se das seguintes palavras hebraicas: (1) *nahal*, que descreve um vale com um ribeiro ou um rio (Nm 21.12) ou apenas um ribeiro (Dt 9.21); (2) *'aphiq*, que se refere ao próprio leito do ribeiro (Jl 1.20); (3) *ye'or*, que quase sempre se refere a um grande rio como o Nilo, às ramificações do Nilo, ou ao Tigre; mas em Isaías 19.6-8 essa palavra foi traduzida como "rio" ao se referir aos canais que formam o delta do Nilo; e (4) *mikal*, que se encontra apenas em 2 Samuel 17.20. Neste caso, o seu significado é incerto.
No NT, a palavra grega em João 18.1 para o

ribeiro Cedrom é *cheimarrhos,* que descreve um curso de água que corre no inverno.

**RIBEIRO DO EGITO** *Veja* Rio do Egito.

**RIBLA**[1] Em Ezequiel 6.14, esta palavra aparece em algumas versões como "Ribla", enquanto em outras se lê "Dibla". No hebraico, o "r" e o "d" poderiam facilmente ser trocados. O termo correto provavelmente seja Ribla.

**RIBLA**[2]
1. Cidade síria na terra de Hamate, próxima a Lebo-Hamate (*q.v.*) e Cades sobre o Orontes. Conhecida agora como Ribleh, está situada no vale de Beca, uma vasta planície entre o Líbano e as montanhas do Anti-Líbano, aprox. 100 quilômetros ao norte de Damasco. Localizada em um vale grande e fértil, Ribla era um excelente local para o quartel general de um exército. Foi ali que, depois da morte de Josias, o Faraó Neco depôs o filho de Josias, Jeoacaz, que havia sido escolhido rei de Judá. Ele o havia aprisionado e nomeado seu irmão Jeoaquim como rei (2 Rs 23.31-34). Foi para esse local que Nabucodonosor da Babilônia trouxe Zedequias e seus filhos. Primeiro ele matou os filhos, e depois cegou o rei (2 Rs 25.6,7). Mais tarde, vários homens importantes de Judá foram mortos ali (2 Rs 25.18-21). Ribla é chamada de Shabtuna nos registros egípcios de Tutmósis III e Ramsés II (ANET, p. 256).
2. Local ao norte da fronteira de Canaã designado pelo Senhor a Israel (Nm 34.11), e desconhecido, a não ser que seja o mesmo local descrito no tópico 1 acima.

**RIFATE** Filho de Gomer e neto de Jafé (Gn 10.3). Por alguma variação por parte dos escribas em 1 Crônicas 1.6, esse nome foi escrito como Difate na maioria dos manuscritos que contêm este texto. Rifate não era semita, e seus descendentes eram provavelmente anatólios. Josefo (*Ant.* i.6.1) os localiza na Paflagônia, a oeste da região inferior do rio Halys, na Ásia Menor. Acredita-se que eles tenham marchado pelas montanhas Riphaen, que parecem ter feito parte dos montes do Ural, na Rússia, até às regiões mais longínquas da Europa.

**RIMOM**
1. Benjamita, pai de dois capitães de Isbosete que assassinaram o seu chefe (2 Sm 4.2,5-9).
2. Cidade localizada na herança de Judá, perto da cidade de Aim (Js 15.32), mas também no território de Simeão (Js 19.7; 1 Cr 4.32). Judá e Simeão eram estritamente ligadas em relação às suas heranças. Mais tarde, Aim e Rimom se uniram em uma única cidade, En-Rimom (*q.v.*; Ne 11.29). Ela foi identificada com Khirbet Umm er-Ramamin, cerca de 15 quilômetros ao norte de Berseba.
3. Cidade dos levitas meraritas localizada na tribo de Zebulom (1 Cr 6.77; chamada de Rimono em algumas versões), e atual cidade de Rumaneh, 10 quilômetros em direção ao extremo norte-noroeste de Nazaré. Corresponde à cidade de Rimom de Josué 19.13, e chamada de Rimom-Metoar em algumas versões. O segundo termo foi traduzido como aquilo "que se estende", referindo-se à fronteira de Zebulom que vai até Rimom, e se estende até Neá. A versão RSV em inglês traduz esse termo como "inclinada para frente".
4. A penha de Rimom estava localizada 24 quilômetros ao norte de Jerusalém e 11 quilômetros a nordeste de Gibeá. Foi lá que os 600 benjamitas sobreviventes se refugiaram durante quatro meses (Jz 20.45,47; 21.13). Ela foi identificada com a cidade de Rammûn, a 5,5 quilômetros a nordeste de Betel. Estava situada sobre um afloramento de calcário, com declives íngremes nos lados norte, sul e oeste. Na montanha existiam muitas cavernas onde os fugitivos podiam se esconder.
5. Rimom era o nome de um deus sírio relacionado com a fertilidade. Ele aparece nas inscrições da Mesopotâmia como Ramâmu, "aquele que faz trovejar", isto é, a divindade da tempestade responsável pela chuva portanto pela vegetação que ele estimulava. Esse nome ocorre associado a Hadade-Rimom (*q.v.*), ligando Rimom a Hadade (*q.v.*), que é o nome de Baal nos textos de Ras Shamra (*q.v.*). Na época de Naamã havia um Templo de Rimom em Damasco (2 Rs 5.18). *Veja* Falsos deuses.

R. G.

**RIMOM-METOAR** *Veja* Rimom 3.

**RIMOM, PENHA DE** *Veja* Rimom 4.

**RIMOM-PEREZ**. O sentido literal deste nome é "romã da brecha ou da passagem". Foi o local do 15º acampamento de Israel depois de sua partida do Egito, e o 4º depois do Sinai, entre Ritma e Libna (Nm 33.19,20). Embora esse local não tenha sido identificado com alguma certeza, pode ter sido Naqb-el-Biyar, cerca de 32 quilômetros a sudeste de Eziom-Geber (Grollenberg, *Atlas of the Bible*, mapa 9).

**RINA** Em hebraico essa palavra significa "um grito", que pode ser uma expressão de alegria (Sl 30.5) ou de tristeza (Jr 14.12). É o nome de um filho de Simeão, descendente de Calebe, filho de Jefoné (1 Cr 4.20).

**RINCHO** Palavra usada figuradamente para descrever as atitudes de luxúria dos homens da época de Jeremias em relação às esposas de seus companheiros (Jr 5.8), consideradas como uma das razões do castigo de Deus sobre Judá (veja também Jr 8.16; 13.27; 50.11).

**RINS** Os rins, sempre mencionados no plural, estão localizados atrás do abdômen, e são os órgãos que separam do sangue os materiais de excreção. Pelo fato dos rins serem a parte mais central do corpo, e serem cercados de gordura abundante, a palavra é usada de várias maneiras. No sentido físico, ela geralmente descreve parte de uma vítima da oferta queimada, e significa uma das partes mais ricas do animal (Ex 29.13,22; Lv 3.4,10,15; 4.9; 7.4; 8.16,25; 9.10,19). A palavra também era aplicada a grãos por causa de sua forma e riqueza como a de um rim (Dt 32.14).

Figurativamente, os rins representavam a alma, a parte mais interior do ser, que os antigos acreditavam estar localizada nos órgãos internos e cujos segredos eram conhecidos por Deus (Jr 17.10). Há versões e passagens em que o termo "rins" é usado em um sentido físico (Jó 16.13; 19.27; Sl 139.13; Lm 3.13) e também em um sentido figurado (Sl 7.9; 16.7; 26.2; 73.21; Pv 23.16; Jr 11.20; 12.2; 17.10; 20.12; Ap 2.23). *Veja* Sacrifícios; Entranhas; Coração.

E. C. J.

**RIO DO EGITO**

1. Termo utilizado para indicar o riacho ou rio que marcava a fronteira sudeste de Canaã (Nm 34.5; 1 Rs 8.65; 2 Rs 24.7; 2 Cr 7.8; Is 27.12) e da tribo de Judá (Js 15.4;47). A palavra hebraica *nahal Misrayim* significa um uádi ou leito de rio, e não um verdadeiro rio. Nos registros assírios ele tem o nome de *nahal (mat) Musri.* Os estudiosos entendem que o Uádi el-'Arîsh está certamente de acordo com a característica geográfica transmitida por esse termo. Trata-se de uma corrente sazonal que corre apenas depois de chuvas abundantes, percorrendo um território que tem início no norte do Sinai, até desaguar no Mediterrâneo, 145 quilômetros a leste do canal de Suez e 80 quilômetros a sudeste de Gaza. Ele forma uma fronteira natural, pois no lado ocidental existe apenas um deserto estéril com moitas e arbustos, enquanto no lado oriental se encontram prados e campos aráveis (veja K. A Kitchen, "Egypt, River of", NBD, pp. 353ss.).

2. Fronteira sudeste do último território prometido aos descendentes de Abrão (Gn 15.18). Como a palavra hebraica é *nahar Misrayim,* um rio de fato, a provável referência seria ao braço oriental ou Pelusíaco do Nilo. Pode ser o mesmo que Sior (*veja* Sior) do Egito (Js 13.3; 1 Cr 13.5; Is 23.3; Jr 2.18). A enchente do Egito (Am 8.8; em hebraico, *y^e or Misrayim*) refere-se ao próprio rio Nilo.

J. R.

**RIOS** Córregos ou canais que convergem a água para o mar. Eles sempre foram de fundamental importância para a vida da humanidade, e isso era especialmente verdadeiro em se tratando do semi-árido Oriente Médio. Pelo menos sete diferentes palavras hebraicas usadas nas Escrituras têm o significado de "rio". No NT, *potamos* é a única palavra grega utilizada para rio (K. H. Rengstorf, "*Potamos* etc.", TDNT, VI, 595-623).

Cachoeiras no rio Cidno acima de Tarso.
HFV

Existiam rios na terra no período antediluviano (Gn 2.10-14), mas eles devem ter sido destruídos pelo Dilúvio, juntamente com outras características da superfície dos céus e da terra que existiam desde a Antiguidade (2 Pe 3.5,6). A sublevação da crosta terrestre continental que terminou com o Dilúvio resultou na formação de novos canais de drenagem (Sl 104.6-9), de modo que o atual sistema de distribuição de rios sobre a terra data desse evento (veja John C. Whitcomb e Henry M. Morris, *The Genesis Flood,* Nutley, N.J.: Presbyterian and Reformed, 1961, pp. 311-330).

Os estudos mais modernos sobre os rios indicam que seu tamanho, forma, declive e outras características apresentam relacionamentos definidos que podem ser explicados e previstos em termos da primeira e da segunda lei universal da termodinâmica (Luna B. Leopold, "Rivers", *American Scientist,* L [Dezembro de 1962], 511-537). É bastante significativo que dentre todas as centenas de referências bíblicas aos rios, não exista nenhuma que não esteja totalmente de acordo com o conhecimento científico sobre seu comportamento (observe o texto de Ec 1.7).

Além das muitas referências obviamente literais que estão presentes, a palavra "rios" é freqüentemente utilizada com um sentido simbólico. Como podem ser ao mesmo tempo fonte de calamidades e também de bênçãos, os rios representam castigo (Hc 3.9,10) ou prosperidade (Is 66.12). A ausência das provisões de Deus está ligada à estiagem de um rio (Is 19.5-8).

Mas seu uso figurado mais importante é, sem dúvida, aquele que descreve o eterno derramamento do Espírito Santo como um poderoso rio da vida (Henry M. Morris, "Water and the Word", *Bibliotheca Sacra,* CXVIII [Julho de 1961], 203-215). Isso está tipificado pelo primeiro rio do Éden (Gn 2.10), e pelo rio do Templo milenial (Zc 14.8; Ez 47.1-12). Ele foi especificamente prometido por Cristo (Jo 4.13,14; 7.37-39) e conquistado através de sua morte expiatória no Calvário, quando derramou sua alma na morte (Is 53.12; Sl 22.14), e quando verteu sangue e água de seu lado (Jo 19.34-37; 1 Jo 5.6-8). Como resultado, Deus pôde então derramar o seu Espírito sobre toda a carne (At 2.16-21).

Isto se consumou no grande rio da água da vida do trono do Cordeiro (Ap 22.1,2), que tem sua fonte no próprio Cordeiro (Ap 7.17; 21.6), e que durará eternamente. É muito significativo que o último convite da Bíblia Sagrada seja do próprio Senhor Jesus Cristo, que oferece gratuitamente sua água da vida a qualquer um que dele se aproxime (Ap 22.17).

*Veja* Ribeiro; Canal; Éden; Eufrates; Jordão; Nilo; Rio do Egito; Tigre; Água.

H. M. M.

**RIQUEZA[1]** Os problemas práticos e os perigos da riqueza são mencionados muitas vezes nas Escrituras. Ela é a fonte e a raiz de onde pode ter origem toda espécie de iniqüidade (1 Tm 6.10). Pode impedir uma pessoa de aceitar a Cristo (Mt 13.22; Mc 4.19) e prejudicar o crescimento espiritual (Sl 62.10).

Principalmente no Evangelho de Lucas, várias parábolas de Jesus advertem contra o perigo de uma pessoa se deixar consumir pelo desejo de ser rica, ou de erroneamente usar os seus ganhos: o fazendeiro rico (Lc 12.13-21), o homem rico e Lázaro (Lc 16.19-31), e o príncipe rico (Lc 18.18-30). *Veja* também a história de Zaqueu (Lc 19.1-10) e o episódio das moedas da viúva (Lc 21.1-4).

O termo riqueza também é usado de maneira metafórica para falar sobre as bênçãos de Deus na vida cristã. Existe a riqueza de sua bondade (Rm 2.4), de sua glória (Rm 9.23), de sua graça (Ef 1.7; 2.7), de sua sabedoria e conhecimento (Rm 11.33), a riqueza de Cristo (Ef 3.8), de sua presença (Cl 1.27), de sua censura (Hb 11.26) e a riqueza dos gentios (Rm 11.12).

*Veja* Rico.

R. A. K.

**RIQUEZA[2]** A posse de algo em quantidade representa riqueza ou fortuna. Ter abundância de algo significa que alguém é rico ou afortunado. Nas Escrituras, a idéia de riqueza ou fortuna é usada de diversas formas – para bênçãos e bens materiais e espirituais. Embora a posse de riquezas materiais seja dada ao homem, é a Deus – em virtude de sua criação soberana – que pertence "todo animal da selva e as alimárias sobre milhares de montanhas" (Sl 50.10). Deus, o Pai, também possui toda a riqueza espiritual e, assim, a derrama sobre aqueles que são seus. Ele é "riquíssimo em misericórdia" (Ef 2.4). A confissão do coração de Davi era que "riquezas e glória [ou honra]" vêm de Deus (1 Cr 29.12*a*). Deus, "segundo as suas riquezas", prometeu suprir todas as nossas necessidades em glória, por meio de Cristo Jesus (Fp 4.19).

As Escrituras têm muito a dizer sobre a posse e o uso da riqueza material e também da riqueza espiritual. A posse de grandes riquezas materiais não é condenada na Bíblia Sagrada. Alguns dos grandes baluartes da fé foram homens ricos. Por exemplo, Abraão, Isaque, Barnabé, José de Arimatéia e Filemom eram homens prósperos. De acordo com as Escrituras, a principal preocupação de Deus não é quanto o homem possui, e sim como ele usa as suas posses. As posses terrenas estão geralmente relacionadas a quatro classes de pessoas. A primeira classe é a daqueles que são ricos em termos de bens materiais, e pobres quanto às coisas espirituais. A segunda é a daqueles que são pobres em termos de bens materiais, mas ricos em relação a Deus (Tg 2.5). A terceira é a daqueles que são pobres tanto em termos de bens materiais quanto em tudo o que se refere à sua vida espiritual – este é um grande grupo. A quarta classe é formada por aqueles que possuem muitos bens do mundo, e que também são ricos em bênçãos do céu.

Há cristãos que têm dificuldade de desfrutar as suas riquezas espirituais em Cristo durante os tempos de prosperidade material. A Bíblia Sagrada traz muitas advertências para que não depositemos a nossa confiança nas riquezas materiais (Sl 49.6,7; 52.7; Pv 18.11). Também não podemos colocar o nosso coração nas riquezas (Sl 62.10). O homem rico não deve se gloriar em suas riquezas (Jr 9.23). O Senhor Jesus censurou a avareza através do exemplo daquele que de forma egoísta desejava derrubar os celeiros que possuía com a finalidade de construir celeiros ainda maiores para acumular as suas safras (Lc 12.13-21). A riqueza é geralmente uma barreira para se entrar no reino de Deus (Mt 19.16-24). Várias pessoas que cobiçaram a riqueza "se desviaram da fé" (1Tm 6.10) e os ricos tendem a se tornar altivos (6.17). Os enganos da riqueza sufocam a Palavra de Deus e fazem com que ela se torne infrutífera no coração (Mt 13.22). As Escrituras detalham cuidadosamente o perigo associado às riquezas terrenas, e também apresentam o uso adequado destas.

Tiago deixou registradas fortes palavras de advertência aos ricos não salvos de seus dias (Tg 5.1), que também servem, sem dúvida, para os ricos de todas as épocas. Eles provavelmente não eram mais ricos do que a maioria dos crentes nos Estados Unidos hoje. Estes, a quem Tiago se referiu, não foram julgados por serem ricos, mas porque haviam feito um mau uso de suas riquezas. Os cristãos também podem fazer um mau uso da riqueza que possuem, seja ela pequena ou grande. Eles também podem, sem dúvida, como vários crentes nos dias de Tiago, invejar aqueles que possuem riquezas. A inveja é um pecado tão grande quanto o mau uso da riqueza. É também muito importante que os meios utilizados para se alcançar a riqueza sejam adequados. Evidentemente, aqueles a quem Tiago se dirige em 5.1 haviam enriquecido às custas da exploração dos trabalhadores.

Quando o assunto é a riqueza espiritual, podemos constatar que muitos cristãos vivem abaixo dos meios que lhes estão disponíveis. Eles falham em se apropriar e apreciar "as riquezas incompreensíveis de Cristo" (Ef 3.8). Os crentes, tendo seus pecados perdoados, não só desfrutam a redenção segundo as riquezas da graça de Deus (Ef 1.7), mas também recebem, como preciosas e constantes chuvas, as abundantes riquezas de sua graça (Ef 2.7,8). Eles não são abençoados "a partir" das riquezas da graça de Deus, mas sim "de acordo" com estas, conforme a "medida" delas. As riquezas que o Senhor concede de forma gratuita ao seu povo são bênçãos que devem ser desfrutadas com um coração sincero, agradecido e espiritual. A riqueza material é temporária. A riqueza espiritual não somente paga dividendos no presente, como também permanecerá para sempre. O Salvador sempre foi rico. Mas, por nossa causa, Ele se fez temporariamente pobre, para que pudéssemos nos tornar espiritualmente ricos (2 Co 8.9).

*Veja* Riquezas.

***Bibliografia.*** F. Hauck e W. Kasch, "*Ploutos*", TDNT, VI, 318-332.

R. P. L.

**RISADA** Reposta emocional a situações supostamente hilariantes. Ela faz parte da vida (Ec 3.4) e muitas vezes acompanha ocasiões festivas (Ec 10.19) com várias distrações (cf. Êx 32.6; Jz 16.25).

A risada expressa emoções como a verdadeira alegria (Lc 6.21), a incredulidade (Gn 17.17; 18.12-15), desprezo (Ne 2.19), escárnio (2 Cr 30.10) e total descrença (Mt 9.24). Algumas risadas são louváveis (Gn 21.6; Sl 126.2), outras são censuráveis (Pv 17.5). A suprema risada e alegria do justo será radicalmente diferente da atual risada frívola, egoísta e festiva dos ímpios (Jó 5.22; 8.20-22; 22.17-19; Pv 10.23; Lc 6.21,25; Tg 4.8,9). O Senhor Jesus Cristo nunca falou meramente para "divertir" as pessoas, porém algumas de suas observações sem dúvida provocavam um sorriso ou risadas entre os seus ouvintes (cf. HDCG, s.v. "Laughter"). O próprio Deus caçoa ou ri com menosprezo ao orgulho e rebelião dos homens (Sl 2.4; 37.13; 59.8; Pv 1.26).

**RISPA** Concubina do rei Saul. Era descendente de Aiá, uma hivita, portanto uma estrangeira. Sua história é a história de uma tragédia.

Primeiro Isbosete acusou Abner de tomá-la depois da morte de Saul, temendo que Abner estivesse planejando uma tentativa de obter o trono. Como foi ofendido, Abner transferiu o seu apoio para Davi (2 Sm 3.7-12).

Mais tarde, ocorreu uma seca no reinado de Davi que durou três anos. Por fim, ele perguntou a Deus qual era o motivo dessa seca, e o Senhor respondeu que era o resultado de Saul ter matado os gibeonitas depois de Israel ter prometido que iria protegê-los. Davi perguntou aos gibeonitas o que poderia se fazer, e eles responderam que sete dos filhos de Saul deveriam ser entregues para serem executados. Davi acedeu a esse pedido, porque de acordo com a lei (Nm 35.33) a culpa do sangue só podia ser purificada com o sangue do criminoso. Dois filhos de Rispa, que ela havia tido com Saul, e cinco filhos de Mical, filha de Saul, foram entregues aos gibeonitas, e enforcados na primavera daquele ano, e deixados sem sepultura.

Rispa tomou conta dos corpos desde o momento da execução até o começo das chuvas de outono e amorosamente protegeu esses corpos contra os pássaros e os animais selvagens (2 Sm 21.1-10). No entanto, a atitude do Senhor não mudou. Davi foi informado sobre a dedicação de Rispa e mandou transportar os ossos de Saul e de Jônatas desde Jabes-Gileade e, juntamente com os ossos dos sete filhos, eles foram sepultados no túmulo da família em Zela. Então, "depois disso, Deus se aplacou para com a terra" (2 Sm 21.11-14).

R. H. B.

**RISSA** A 17ª parada de Israel, a partir do Egito, e 6ª depois do Sinai, entre Libna e Queelata (Nm 33.21,22). Grollenberg (*Atlas of the Bible,* mapa 9) sugere como uma possível localização a moderna el-Kuntilla, que está situada a aprox. 56 quilômetros a noroeste de Eziom-Geber. Ela também foi chamada de Jarasa, pois existem algumas fontes de água nessa área, e para lá convergiam numerosas trilhas do Sinai e do Neguebe (Nelson Glueck, *Rivers in the Desert*, Nova York. Farrar, Strauss & Cudahy, 1959, p. 237).

**RITMA** O nome desse lugar significa "arbusto de giesta". Foi a 14ª parada de Israel a partir do Egito, e a 3ª depois do Sinai. Estava localizada entre Hazerote e Rimom-Perez (Nm 33.18,19), e deve ter acompanhado um dos uádis em um trecho de 25 a 40 quilômetros ao norte de 'Ain Khadra (Hazerote) no lado leste da península do Sinai.

**RIZIA** Um aserita, filho de Ula (1 Cr 7.39).

**ROBOÃO** O único filho de Salomão, até

onde sabemos, cuja mãe era Naamá, a amonita. Roboão sucedeu Salomão no trono em 931 a.C. e reinou por 17 anos até sua morte em 913 a.C. (1 Rs 11.43; 14.21,31). As tribos de Judá e Benjamim não mostraram nenhuma oposição aparente a ele em sua ascensão, mas as tribos do norte estavam manifestadamente insatisfeitas. Antes das cerimônias de coroação organizadas em Siquém, a principal cidade do norte de Israel, o povo declarou as condições sob as quais o serviriam como rei. Resumindo, eles exigiram impostos menores (2 Cr 10.4,5).

Determinado a seguir o caminho de seu pai, Roboão rejeitou o conselho dos experientes anciãos, dando ouvidos aos planos loucos e impiedosos dos jovens (2 Cr 10.6-15). A resposta de Jeroboão (recém chegado do Egito, 2 Crônicas 10.2,3) e a atitude do povo foram rápidas e decisivas. As dez tribos se rebelaram abertamente. Quando Roboão procurou forçar sua autoridade enviando seu superintendente para pôr fim ao distúrbio, Adorão foi apedrejado até à morte. Roboão percebeu o perigo que corria sua própria vida e fugiu vergonhosamente de volta a Jerusalém (2 Cr 10.16-19). Ele mobilizou um exército de 180.000 homens contra Israel, mas a guerra civil foi afastada pelas severas palavras do Senhor através do profeta Semaías (2 Cr 11.1-4). Entretanto, por todo o período do seu reinado "houve guerras entre Roboão e Jeroboão" (2 Cr 12.15). As Escrituras rastreiam todos estes acontecimentos infelizes chegando, basicamente, até o pecado de Salomão (1 Rs 11.1-13).

Desenvolvimentos subseqüentes revelam as causas básicas para a ruptura. Sob o governo de Jeroboão, a deserção espiritual entre as tribos do norte tornou-se intolerável (1 Rs 12.25-33), fazendo com que os sacerdotes e os levitas retornassem a Judá (2 Cr 11.13-17). Judá, por sua vez, logo sucumbiu a uma aberta idolatria sob a direção de Roboão (2 Cr 12.1; 1 Rs 14.21-24). Como o seu pai, ele praticava a poligamia, tendo tomado para si 18 esposas e 60 concubinas, e na verdade incentivou o mesmo procedimento entre os seus filhos (2 Cr 11.18-23).

Deixado com apenas duas tribos, voltou-se para a construção de defesas no sul de Judá visando proteção contra a invasão do sul (2 Cr 11.5-12). O teste logo veio em seu quinto ano (926 a.C.), quando Sisaque (Sesonque I, o primeiro rei da XXII Dinastia ou Dinastia Bubastita do Egito; *veja* Sisaque) invadiu a terra. Ele destruiu as cidades fortificadas e cercou Jerusalém. Aconselhado por Semaías, Roboão se humilhou naquele momento sob a mão do potentado egípcio, e assim escapou de uma destruição total. Foi necessário entregar os tesouros do Templo e do palácio a Sisaque, e até mesmo os escudos de ouro que Salomão havia feito (2 Cr 12.1-12).

H. A. Hoy.

**ROCA** O processo de fiar consiste no trabalho do fuso e da polia (hebraico, *pelek*; cf. acádio, *pilakku*) que enrolam as fibras torcidas (Pv 31.19*b*). Ela é manipulada pela ação para frente e para trás das palmas. A palavra heb. também ocorre em 2 Samuel 3.29 como "bordão" (na versão KJV em inglês: "quem se apóie em muleta"), condenando os descendentes de Joabe a fazerem a tarefa feminina de fiar. Em Provérbios 31.19*a*, o termo "fuso" (na versão RSV em inglês, "roca") refere-se ao bastão, ou ao cilindro de fiar observado nos modelos de túmulos egípcios, que eram usados para segurar as fibras soltas. *Veja* Fiar; Fuso.

**ROCHA** No AT, duas palavras hebraicas são regularmente traduzidas como "rocha": *sela'*, "rochedo, penhasco" (*veja* Sela; Petra) e *sur* "parede rochosa, penhasco; grande pedaço de rocha, seixo". A palavra grega para ambas é *petra*. Formações de arenito predominavam na região de Petra, em Edom, e em partes da Galiléia e Basã existem restos de erupções vulcânicas de basalto. Porém, o calcário, que é mais macio e se decompõe facilmente, permitindo que grutas se desenvolvam em seus penhascos, é a principal rocha da Palestina Ocidental. *Veja* Minerais e Metais. Havia numerosos rochedos e rochas proeminentes, algumas delas com nomes próprios (por exemplo, Jz 15.11; 21.13; 1 Sm 14.4). Essa abundância de rochas produzia uma admirável e maravilhosa criação de imagens na mente do povo de Deus.

Deus é mencionado no AT como uma rocha ou rochedo de refúgio (2 Sm 22.2), uma fortaleza (Sl 18.2; 71.3; cf. Sl 61.2; 62.2; 95.1) e como a "rocha da minha salvação" (Sl 89.26; cf. 62.2,6,7; 95.1). No cântico de Moisés em particular, Ele é chamado de Rocha de Israel (Dt 32.4,15,18,31). A expressão em Isaías 26.4, "porque o Senhor Deus é uma rocha eterna", serve como base para o título do famoso hino de A. M. Toplady, "Rock of Ages". Da mesma forma, o Senhor Jesus Cristo é mencionado como uma rocha tanto no AT como no NT. Ele é a Rocha que seria rejeitada por Israel (Sl 118.22, Is 8.14; 28.16), e que se tornaria a pedra angular por ocasião de sua ressurreição (Rm 9.33; 1 Pe 2.6-8). Foi Cristo, como a Rocha, que segundo Paulo alimentou Israel no deserto (1 Co 10.1ss.; cf. Êx 17.6; Nm 20.11).

Será importante determinar o que Cristo queria dizer através da expressão que se encontra em Mateus 16.17-19, tendo particularmente em vista que a Igreja Católica Romana baseia sua reivindicação de supremacia a partir do argumento de que o próprio Pedro era a rocha sobre a qual a Igreja do Senhor seria edificada. Quando Jesus disse "Tu és Pedro e sobre esta pedra edificarei a minha Igreja" (Mt 16.18), Ele não poderia estar sugerindo que Pedro fosse a rocha porque *petros*, "Pedro", é um diminutivo e significa apenas o fragmento de uma rocha ou pedra, enquanto a palavra grega *petra* (rocha) significa uma grande rocha, um leito de rocha ou penhasco. Mas essa passagem se torna mais clara pelo fato de Pedro explicar em sua primeira epístola que o próprio Cristo é a pedra angular, e que os crentes são pedras vivas edificadas sobre Ele (1 Pe 2.4-8; cf. Ef 2.20). Pedro pode então ser considerado a primeira pedra do NT colocada sobre a pedra angular que é Cristo.

Outra interpretação é que a confissão do Senhor Jesus como o Cristo, o Filho de Deus e o Salvador é a rocha sobre a qual a Igreja está edificada, e não sobre o próprio Cristo. Entretanto, a explicação de Pedro nessa epístola indica mais claramente a segunda interpretação, embora a confissão de Cristo como Salvador certamente não possa ser excluída. *Veja* Igreja.

Em sua primeira vinda, Cristo foi uma pedra de tropeço para os judeus (Sl 118.22; Rm 9.32; 1 Co 1.23). Para o descrente, Cristo, a Rocha, é apenas uma rocha de julgamento (Mt 21.44).

Daniel fala sobre o reino messiânico que será estabelecido na segunda vinda de Cristo como uma rocha que preenche toda a terra (Dn 2.34,35).

*Veja* Pedra Angular; Pedra de Tropeço; Deus; Nomes e Títulos de.

R. A. K.

**RODA** As rodas foram inventadas pelos sumérios na Mesopotâmia antes de 3000 a.C. As rodas de carroças foram feitas primeiramente de metades semi-circulares sólidas de madeira ligadas com tábuas e, às vezes, com aros de metal (ANEP #163), posteriormente consistindo de raios, cubo e aro. A maioria das referências é provavelmente à roda raiada.

O termo heb. *'ophan* refere-se à roda de uma carruagem (ou carro; Êx 14.25), provavelmente à roda leve de seis raios, como no carro egípcio (*q.v.*) encontrado no túmulo do rei Tutancamom, ou à roda de oito raios mais pesada da Babilônia e da Pérsia

Baía de São Paulo, Rodes. HFV

Templo de Atenas, Acrópole de Lindos, Rodes. HFV

(Na 3.2). Ele também pode se referir às rodas das bacias do Templo de Salomão, feitas de bronze com eixos de bronze, porém semelhantes às rodas das carruagens (1 Rs 7.30-33); às rodas da carroça utilizada no processo de joeirar (Pv 20.26; Is 28.27); e às rodas das visões de Ezequiel (Ez 1.15-21; 3.13; 10.6-19).

O termo hebraico *galgal* pode ser a roda de um carro de guerra (Is 5.28) ou dos carros utilizados para transportar os despojos de guerra (Jr 47.3; Ez 23.24; 26.10); a palavra também é usada com relação à roda d'água ou roldana para a corda em uma cisterna (Ec 12.6). A mesma palavra hebraica refere-se ao movimento em redemoinho da poeira ou da palha (Is 17.13; Sl 83.13; "roda" na versão KJV em inglês).

O termo hebraico *'obnayim* representa os dois discos da roda do oleiro (Jr 18.3), um para o barro, e o mais baixo para girar todo o conjunto com os pés.

H. E. Fi.

**RODE** Uma jovem serva em Jerusalém que atendeu Pedro quando o apóstolo bateu à porta de Maria (mãe de Marcos), depois de ter sido libertado da prisão através da intervenção de um anjo (At 12.13). O termo *paidiske* indica que ela era provavelmente uma escrava (veja seu uso em Mt 26.29; Jo 18.17; At 16.16; Gl 4.22,23,30,31). Seu nome grego, *Rhode,* ou "rosa", sugere que ela pode não ter sido uma judia. Não se sabe se ela fazia parte do lar de Maria, ou se era uma das crentes que haviam se reunido para orar por Pedro. Sua alegria ao reconhecer a voz do apóstolo (At 12.14,15) revela que ela o conhecia, e indica que pode ter sido uma mulher cristã.

**RODES** Uma das maiores ilhas da área do Mar Mediterrâneo e Egeu, situada a sudeste da Ásia Menor, na direção de Creta. Ela cobre uma área de 1.395 quilômetros quadrados. Sua capital, cidade que tem o mesmo nome, foi construída na extremidade nor-

Algumas das cavernas em Qumran. HFV

deste da ilha. Por causa de sua localização natural sobre as rotas navais de leste a oeste, sempre representou um importante centro comercial. Durante o século II a.C., Rodes atingiu seu clímax como a principal cidade da república grega. Mas, na época em que recebeu a visita de Paulo (At 21.1), esses dias haviam terminado, pois havia perdido os favores de Roma por causa de sua simpatia pelos macedônios.
Em sua baía, existia antigamente o Colosso de Rodes, uma das sete maravilhas do mundo antigo. Era uma estátua do deus-sol, com mais de 30 metros de altura, que havia sido construída segurando uma lança na mão direita, e uma tocha na esquerda. Destruída em 225 a.C., ela foi restaurada pelos romanos e, finalmente, arrasada pelos muçulmanos no século VII d.C.

***Bibliografia.*** G. Konstantinopoulos, "Rhodes. New Finds and Old Problems", *Archaeology,* XXI (1968), 115-123.

W. M. D.

**ROGA** Filho primogênito de Semer e membro da tribo de Aser (1 Cr 7.34).

**ROGELIM** Literalmente, "um local de assentadores". Era uma cidade em Gileade, lar de Barzilai, que ajudou Davi quando ele chegou a Maanaim fugindo de Absalão (2 Sm 17.27-29; 19.31). Esta cidade estava provavelmente localizada perto do Jaboque, nas colinas a leste de Maanaim.
Entretanto, foi sugerida uma localização nas proximidades de Tell Bersinya devido à proximidade do Uádi er-Rujeili, que parece preservar o nome antigo. Bersinya está a leste de Bete-Seã e a 40 quilômetros ao norte de Maanaim.

**ROLA** *Veja* Animais: Pombo III.52.

**ROLO** A forma usual de um livro na época bíblica consistia de uma longa peça ou de camadas de couro ou papiro costuradas e enroladas em uma vara. O leitor precisava simplesmente desenrolar o papiro enquanto lia. A palavra hebraica *megilla* implica a existência de um material macio e maleável que podia ser enrolado. As palavras eram escritas em linhas horizontais e organizadas em colunas verticais (veja Is 34.4; Ed 6.2; Jr 36.2-32; Ez 2.9–3.3; Zc 5.1,2). Em Isaías 8.1 a "tabuinha" ou "rolo" (*gillayon*) é uma tábua ou superfície macia e a "casa de rolos" (ou chancelaria; Ed 6.1) refere-se aos arquivos reais ou à biblioteca da Babilônia. *Veja também* Papiro; Escrita.

**ROLOS** Antes da invenção dos livros como os conhecemos hoje, ou seja, folhas que são unidas em uma extremidade, os escritos eram feitos em documentos longos, feitos de couro ou papiro, que eram enrolados em varas redondas para facilitar seu manuseio e sua guarda. A escrita era às vezes feita somente de um lado, mas geralmente em ambos os lados como em Apocalipse 5.1, onde o livro dado ao Cordeiro era "escrito por dentro e por fora" (cf. Ez 2.10). *Veja* Escrita; Livro.

## ROLOS DO MAR MORTO

### Descoberta Inicial

A recuperação dos Rolos do Mar Morto tem sido chamada de "a maior descoberta de manuscritos dos tempos modernos". O que aumenta o valor dessa descoberta é a escassez de registros escritos sobre os tempos bíblicos na Palestina.

Fazendo um retrospecto, os estudiosos foram capazes de indicar registros de descobertas semelhantes na área do mar Morto. Orígenes usou alguns textos encontrados em 217 d.C., conservados em jarros perto de Jericó. Timothy I, um patriarca nestoriano (726-819), pesquisou manuscritos encontrados em uma caverna perto de Jericó, inclusive "mais de 200 Salmos de Davi". Al-Qirqisani, que viveu no século X d.C., refere-se a uma seita chamada "Magarianos", porque seus livros foram encontrados em uma caverna. Mas atualmente não foi feita nenhuma descoberta de manuscritos que possa se comparar.

No final de 1946 (ou início de 1947), três membros do Ta'amireh Bedouin encontraram, acidentalmente, uma caverna próxima a Wadi Qumran, a noroeste do mar Morto. Eles descobriram três papiros de pele de carneiro em um jarro coberto e os retiraram de lá. Em maio ou junho de 1947, os beduínos retornaram e retiraram mais quatro papiros dessa caverna. No final daquele ano, E. Sukenik, da Universidade Hebraica, comprou três dos papiros (o papiro incompleto de Isaías, o Papiro da Guerra e os Hinos de Ação de Graças).

Foi somente em 11 de abril de 1948 que a notícia dessas descobertas foi divulgada para o público. Um mês mais tarde, as hostilidades entre árabes e judeus se transformaram em uma guerra em grande escala, tornando quase impossível qualquer investigação posterior feita pelos judeus na área de Qumran.

No início de 1949, o bispo metropolitano Samuel, da Igreja Ortodoxa Síria, que havia guardado os outros papiros (o papiro completo de Isaías, o Manual da Disciplina, o Comentário de Habacuque e o Gênesis Apócrifo) levou-os para os Estados Unidos. Em 1954, eles foram comprados para Israel por Y. Yadin, filho de Sukenik, por duzentos e cinqüenta mil dólares depois de terem sido anunciados no *Wall Street Journal*.

### Data dos Manuscritos

Alguns estudiosos são céticos em relação à Antiguidade desses documentos. S. Zeitlin argumenta vigorosamente que são manuscritos medievais. As provas da data dessas

Estruturas de Qumran (vista aérea). Museu Arqueológico da Palestina

descobertas são as seguintes:

1. *Paleografia*. J. Trever, que estava na Escola Americana de Pesquisas Orientais em Jerusalém em 1948, examinou os papiros em fevereiro e supôs sua Antiguidade a partir da comparação dos escritos com o do Papiro Nash, um pequeno fragmento do AT encontrado no Egito, datado do século II a.C. Sua impressão inicial foi confirmada por uma autoridade sobre esse assunto, W. F. Albright.
2. *Análise com rádio-carbono*. Uma análise do tecido associado com os manuscritos revelou a data de 33 d.C., mais ou menos 200 anos (mais tarde esta data foi revista, e concluiu-se que o mais correto seria 20 a.C.).
3. *Escavações em Khirbet Qumran*. As escavações feitas nesse local, e as ruínas do mosteiro de Qumran, um quilômetro e meio ao sul da primeira descoberta, provaram que os principais níveis de colonização eram dos períodos helenístico e romano.
4. *Moedas*. Várias centenas de moedas encontradas nas escavações marcam os limites do principal período de ocupação como sendo de 135 a.C. até 68 d.C.

### Descobertas Posteriores em Qumran

Quando o Ta'amireh Bedouin percebeu o valor monetário dos manuscritos, ele começou a pesquisar o deserto da Judéia à procura de outros achados. Em 1952, descobriram a Caverna II, próxima à Caverna I. No mesmo ano, arqueólogos dirigidos por R. de Vaux exploraram de 200 a 300 cavernas. Desse total, 11 cavernas forneceram manuscritos na área de Qumran.

Em 1952, um quilômetro e meio ao norte da descoberta inicial, a Caverna III forneceu o Papiro de Cobre. A descoberta mais importante de todas foi a de uma biblioteca na Caverna IV, em um planalto próximo a Khirbet Qumran. Essa caverna, sozinha, forneceu

O Comentário de Habacuque. IIS

mais de 40.000 fragmentos de 400 manuscritos diferentes, um quarto dos quais eram bíblicos. Também em 1952, as Cavernas V e VI foram descobertas perto da Caverna IV.
Em 1955, as Cavernas VII-X foram encontradas na área de Khirbet Qumran, de onde relativamente poucos manuscritos foram obtidos. Em 1956 foi descoberta a caverna XI, no norte, próxima à caverna III. Sendo a próxima em importância, em relação às Cavernas I e IV, a Caverna XI forneceu sete manuscritos extensos.

### Outras Descobertas nas Proximidades do Mar Morto

1. *Murabba'at.* Em 1951, os beduínos descobriram textos em cavernas situadas em Wadi Murabba'at, a aprox. 18 quilômetros ao sul de Qumran. Em 1952, arqueólogos sob a direção de L. Harding e R. de Vaux, escavaram quatro cavernas nesse local. Elas forneceram documentos bíblicos e também importantes cartas e contratos do período da revolta de Bar Kochba contra os romanos, nos anos 132-135 d.C. Um dos manuscritos era o mais antigo papiro hebreu já encontrado, datado do século VII a.C.
Do mais antigo nível de ocupação (4º milênio a.C.) vieram objetos de madeira, couro, vime e partes de uma rede de pesca – os primeiros objetos feitos com esses materiais perecíveis encontrados na Palestina. Essa espetacular descoberta de Murabba'at não recebeu a importância que merecia porque foi obscurecida pelos materiais ainda mais espetaculares encontrados em Qumran.
Em 1955, os beduínos apresentaram um manuscrito que, segundo eles, vinha de Murabba'at e era um magnífico papiro hebraico datado do século II d.C., dos Profetas Menores, que se estendia desde a metade de Joel até o início de Zacarias. Ele pertence ao tipo de texto Proto-Massorético.
2. *Khirbet Mird.* Em 1952, beduínos descobriram alguns manuscritos bizantinos e árabes em Khirbet Mird, 10 quilômetros a sudoeste de Qumran. Esse era o lugar onde fora erguido um famoso mosteiro no ano 492 d.C. por Mar Saba. Foram realizadas explorações por R. de Langhe em 1953 e encontrados manuscritos em árabe, grego e aramaico palestino. Um fragmento grego de *Andromache*, uma obra teatral de Eurípedes, data do século VI d.C., e é mil anos mais velho que o manuscrito mais antigo dessa obra encontrado em pergaminho.
3. *Nahal Hever.* Nesse local, a cinco quilômetros ao sul de En-Gedi, os israelitas fizeram, em 1960, sua primeira descoberta de manuscritos em seu território. Encontraram 15 cartas para ou de Bar Kochba, sendo nove em aramaico, quatro em hebraico e duas em grego. Em 1961, os israelitas encontraram mais 65 papiros na mesma caverna e documentos em pergaminho, inclusive importantes contratos legais. Uma das cartas de Bar Kochba estava escrita em tábuas de madeira – a primeira descoberta desse tipo em Israel. Fragmentos de um manuscrito foram encontrados pela equipe de israelitas, e se constatou que este manuscrito era um fragmento de versão grega dos Profetas Menores, parte do material comprado dos beduínos em 1952. Seu texto está de acordo com o que foi usado por Justino Mártir, em aprox. 150 d.C. Em Nahal Tse'elim, alguns quilômetros ao sul de Hever, foram encontradas as primeiras e bem conservadas hastes de setas de madeira.
4. *Wadi Daliyeh.* Em 1962 chegou a Jerusalém a notícia do que o Ta'amireh Bedouin havia encontrado mais uma caverna. Dessa vez, a 15 quilômetros ao norte de Jericó e 10 quilômetros a oeste do Jordão (portanto uma área não tão estrita quanto a região do "mar Morto"). Essa caverna, chamada Mugharet Abu Shinjeb, foi explorada em 1963 sob a direção de P. Lapp. Foram obtidos 40 papiros de documentos em aramaico, datados precisamente de 375 a 335 a.C. Até então,

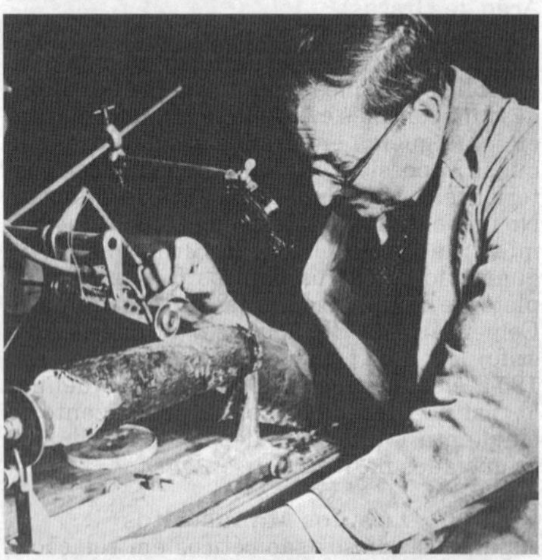

O professor H. Wright Baker do Manchester College of Technology cortando o rolo de cobre da Caverna III. John M. Allegro

poucos documentos desse século haviam sido recuperados. Os manuscritos foram enterrados na caverna juntamente com 200 samaritanos que estavam tentando fugir de Alexandre o Grande, em 331 a.C.

5. *Masada.* Em 1963-1965, israelitas sob a direção de Y. Yadin escavaram Masada, perto da praia ocidental do Mar Morto, oposta à península de Lisan. Sendo a última fortaleza judaica da primeira guerra contra os romanos, ela caiu no ano 73 d.C. Além de alguns fragmentos bíblicos e 26 fragmentos (alguns bastante grandes) do texto hebraico de Ben Sirah, foi encontrado um rolo idêntico ao texto dos Cantos do Sacrifício do Sábado de Qumran. Foi a primeira vez que um manuscrito "Qumran" foi encontrado fora de uma caverna e em um contexto estratificado.

**Manuscritos do AT em Qumran**

Antes da descoberta dos manuscritos de Qumran, os mais antigos manuscritos hebraicos existentes do AT vieram dos séculos IX e X d.C., com exceção de um fragmento conhecido como Papiro Nash (século II a.C.), citações escritas em aramaico nas "Magic Bowls" (século VI d.C.) e fragmentos de mais de 120 manuscritos bíblicos dos séculos VI e IX d.C., encontrados na *geniza* (ou despensa) de uma sinagoga no Cairo. Os judeus tinham o hábito de destruir os manuscritos danificados para protegê-los das mãos dos ímpios.

1. *Número e descrição.* A maior importância dos Rolos do Mar Morto está na recuperação de manuscritos bíblicos datados de mil anos antes dos exemplares medievais. Dos cerca de 500 manuscritos recuperados em Qumran, cerca de 175, ou um terço, são bíblicos. A partir de 1965 foram encontrados os seguintes números de exemplares de livros do AT em suas 11 cavernas: Gênesis 15, Êxodo 15, Levítico 8, Números 6, Deuteronômio 25, Josué 2, Juízes 3, Rute 4, Samuel 4, Reis 4, Crônicas 1, Esdras-Neemias 1, Jó 4, Salmos 27, Provérbios 2, Eclesiastes 2, Cantares de Salomão 4, Isaías 18, Jeremias 4, Lamentações 4, Ezequiel 6, Daniel 8 e Profetas Menores 8. Do cânon hebraico, somente o livro de Ester não está representado. Os livros mais populares eram Gênesis, Êxodo, Deuteronômio, Isaías e Salmos.

O texto mais antigo é um fragmento arcaico de Êxodo da Caverna IV, datado de 250 a.C. Para ler esse texto, foi necessário o auxílio de técnicas de fotografia com raios infravermelhos e ultravioleta.

A maioria dos textos estava escrita na chamada escrita aramaica. Porém dez manuscritos, inclusive os livros do Pentateuco e Jó, estavam escritos em uma forma de escrita arcaica conhecida como Paleo-Hebraica. O nome de Deus às vezes também aparecia escrito nessa língua em outros manuscritos.

2. *Tradições textuais.*

*Revisão Massorética.* O texto hebraico tradicional do AT, preservado em um manuscrito medieval, é chamado de Texto Masorético (MT). Este nome refere-se ao trabalho editorial de escribas judeus conhecidos como massoretes. Eles trabalharam dos séculos V a IX d.C., introduzindo vogais no texto consonantal e acrescentando notas em suas margens.

Os estudiosos têm dúvidas quanto à precisão do trabalho dos massoretes e de seus predecessores. Alguns dataram a origem das atividades editoriais dos rabinos como sendo o século II d.C. Graças a Qumran, agora passamos a saber que o TM vem de uma edição datada de vários séculos antes da era cristã, e que essa revisão foi copiada com extraordinária precisão.

A maioria dos manuscritos de Qumran pertence à tradição proto-massorética. Isso é especialmente verdadeiro no caso do Pentateuco e dos Últimos Profetas. Qualquer efeito que a evidência do rolo completo de Isaías, da Caverna I (citado na versão RSV em inglês como "um antigo manuscrito"), possa ter exercido, pode ser visto comparando as seguintes passagens da versão RSV em inglês (1952) com a KJV em inglês: Isaías 3.24; 14.4,30; 15.9; 21.8; 23.2; 33.8; 45.2,8; 49.24; 51.19; 56.12 e 60.19. A maioria dessas 13 leituras não é nova, no entanto gozam do suporte de algumas das versões mais antigas. Portanto, podemos concluir que, apesar do fato do grande Rolo de Isaías divergir consideravelmente do MT tanto na escrita como na gramática, ele não permite quaisquer mudanças maiores na essência do texto.

*Revisão Septuaginta.* A LXX, ou tradução grega do AT, começou a ser feita em aprox. 250 a.C., e é a segunda em importância, em relação do TM, na reconstrução do texto do AT. A maioria das 250 citações do NT têm sua origem nessa versão.

Alguns estudiosos acreditam que a LXX diverge do TM em alguns pontos, porque os tradutores tomaram certa liberdade com seus textos. Parece, agora, que muitas dessas diferenças resultaram do fato de que eles estavam acompanhando algum texto hebraico um pouco diferente.

De Qumran vieram alguns textos hebraicos que correspondem à LXX nos livros de Êxodo, Números, Deuteronômio, Jó, Jeremias e Samuel. Os manuscritos de Jeremias e Samuel podem ajudar a obter um texto hebraico superior àquele do TM.

Foram também encontrados em Qumran manuscritos gregos da própria LXX relativos a Êxodo, Números e Levítico. Um texto de Levítico da Caverna IV, datado de 100 a.C., representa atualmente o mais antigo fragmento conhecido da LXX. Um manuscrito grego dos Profetas Menores foi recuperado na área de Wadi Khabra.

*Outras revisões.* Um manuscrito paleo-hebraico de Êxodo encontrado na Caverna IV está próximo à versão samaritana. Todas

as cópias conhecidas da versão samaritana do Pentateuco (PS) foram elaboradas em uma escrita derivada do paleo-hebraico, usada em alguns documentos de Qumran. O PS deve estar datada do século II a.C., e não antes como alguns afirmaram. Desde sua exibição, tendências para sua propagação têm tido pouco valor na ajuda para se obter um texto hebraico melhor.
Também existem exemplos de Targuns ou paráfrases, em aramaico, de Levítico e Jó encontrados em Qumran.
3. *Composição e canon.* As datas mais antigas dos manuscritos bíblicos de Qumran lutam contra a opinião extrema dos críticos que colocam a composição de certos livros do AT no período dos macabeus (século II a.C.). Alguns críticos estabelecem a composição de Eclesiastes nos séculos II ou I a.C. No entanto, a Caverna IV revelou um manuscrito de Eclesiastes datado de 175-150 a.C. que certamente não corresponde ao texto original. Um manuscrito dos Salmos, do século II a.C., indica que a coleção de Salmos canônicos foi fixada antes da era dos macabeus. Os hinos de Qumran, dos séculos II e I, são muito diferentes dos Salmos canônicos.
Um manuscrito de Daniel está datado de 120 a.C., trazendo à discussão a alegada época de sua composição. Um fragmento da Oração de Nabonido (*veja* Nabonido) mostra que os judeus tinham conhecimento sobre o pai de Belsazar, embora ele não tenha sido mencionado pelo nome em Daniel.
Os manuscritos bíblicos de Qumran mostram afinidades com um certo número de revisões. No entanto, as revisões de Murabba'at, incluindo partes do Pentateuco, Salmos, Isaías e Profetas Menores, pertencem, uniformemente, à tradição do TM. Isso dá crédito à tradição judaica de que o texto do AT foi padronizado em Jamnia no ano 95 d.C. Como todos os textos de Masada (73 d.C.), incluindo partes de Gênesis, Levítico, Deuteronômio, Salmos e Ezequiel, também pertencem à tradição do TM, a padronização pode ter começado ainda mais cedo, pelo menos nos círculos mais ortodoxos.
Existem evidências de que a seita de Qumran era mais aberta do que os judeus ortodoxos em seu conceito sobre os livros canônicos. Eles empregavam um certo número de obras apócrifas e pseudo-epigráficas, e provavelmente consideravam que as revelações estavam incorporadas aos seus próprios escritos sectários da forma como foram inspiradas (devemos nos lembrar que só foram encontrados comentários que tratam dos livros canônicos). Um rolo dos Salmos, encontrado na Caverna XI e publicado em 1965, inclui não apenas 36 Salmos canônicos, mas também outras 8 composições. Uma delas está em forma de prosa e atribui a Davi a composição de 4.050 salmos. Outra é um poema encontrado em Ben Sirah. Um dos salmos já era conhecido previamente como o Salmo 151 das versões LXX, Latim Antigo e Siríaca. Duas outras já eram conhecidas dos textos siríacos medievais.

### Apócrifa e Pseudo-Epígrafa

1. *Apócrifa.* As obras apócrifas e pseudo-epigráficas, rejeitadas do cânon pelos judeus, somente chegaram até nós através de traduções. Atualmente, Qumran tem fornecido os originais hebraicos e aramaicos de algumas dessas obras. A Caverna IV forneceu quatro manuscritos de Tobias em aramaico e um em hebraico. A composição do manuscrito de Tobias, que os estudiosos consideraram como sendo dos séculos II e I a.C., pode agora ser remetida aos séculos V e IV a.C.
Um manuscrito hebraico de Ben Sirah, ou Eclesiástico, veio da Caverna II; uma passagem do capítulo 51 estava incluída no rolo dos Salmos da Caverna XI. Fragmentos do texto hebraico de Sirah também vieram de Masada. Esses são, textualmente, os mesmos textos hebraicos recuperados em 1890 da geniza do Cairo, provando que o último, embora fosse um manuscrito medieval, era uma cópia precisa do texto, e não uma tradução do siríaco, como alguns haviam sugerido.
Um manuscrito grego da Carta de Jeremias (Baruque 6 na Vulg.) foi encontrado na Caverna VII.
2. *Pseudo-Epígrafa.* Foram encontrados fragmentos de dez manuscritos de Enoque, escritos em aramaico, na Caverna IV. Onze manuscritos em hebraico dos Jubileus foram encontrados nas Cavernas I, II e IV; fragmentos também foram encontrados em Masada. Foram encontrados três fragmentos em aramaico do Testamento de Levi e um manuscrito em hebraico do Testamento de Judá. Esses manuscritos indicam que a data de sua composição deve ser considerada como anterior ao final do século II a.C.
3. *O Apócrifo de Gênesis.* Esse rolo, chamado primeiramente de Rolo Lameque, é um dos sete documentos originais encontrados na Caverna I. Somente uma parte dele foi publicada em 1956. Esse manuscrito está escrito em aramaico e foi copiado no início da era cristã; provavelmente sua data possa ser fixada no início do século I a.C. Em estilo, ele lembra os Jubileus ou um Targum comentando passagens de Gênesis em um sentido legendário. Uma passagem, por exemplo, descreve a beleza de Sara com grandes detalhes.

### Documentos Sectários

1. *Documento de Damasco.* Essa composição, chamada às vezes de Documento Zadoquita, foi conhecida a partir de um manuscrito medieval descoberto em 1897 na geniza (despensa de velhos manuscritos) de uma sinagoga no Cairo. Até agora foram encontrados pelo menos nove destes manuscritos em Qumran. O Documento de Damasco fornece importan-

tes informações sobre a história da seita localizada em Qumran. A referência a um exílio para Damasco levou alguns estudiosos a sugerir um verdadeiro exílio para a Síria depois do terremoto de 31 a.C., que atingiu Qumran. Mas como o manuscrito mais antigo do Documento de Damasco está datado de 75-50 a.C., Damasco pode representar apenas um nome profético para a própria Qumran.

2. *Manual de Disciplina*. Esse manual era um dos sete rolos da Caverna I. Outros onze fragmentos de manuscritos foram encontrados nas Cavernas IV e X, dando instruções detalhadas relativas aos requisitos para a admissão na seita.

3. *Hinos de Ação de Graças*. Outro rolo, dentre os sete que foram encontrados na Caverna I, continha hinos. Em hebraico, ele foi chamado de *Hodayot* e também está representado em cinco fragmentos da Caverna IV. Ao todo, eles incluem cerca de 30 hinos compostos, provavelmente, por um único indivíduo, talvez o Mestre da Justiça.

4. *Comentários*. Comentários, chamados de *Pesharim* em hebraico, foram encontrados no Salmo 37, nos livros de Isaías, Oséias, Miquéias, Naum, Habacuque e Sofonias. O Comentário de Habacuque, um dos manuscritos originais da Caverna I, oferece importantes detalhes sobre a perseguição do Mestre da Justiça pelo Sacerdote Pecador. O Comentário de Naum está muito claro quanto às referências feitas a personagens históricos: a Antíoco (provavelmente o IV, 175-163 a.C.) e a Demétrio (provavelmente o III, que governou de 95-88 a.C.). A menção ao "Leão da Ira" que crucificava homens é, provavelmente, uma referência a Alexandre Janeu (103-76 a.C.).

5. *Papiro da Guerra*. Outro dos papiros originais da Caverna I, o Papiro da Guerra, descreve em detalhes as táticas, equipamentos e orações que os Filhos da Luz deveriam usar para derrotar os Filhos das Trevas. A guerra escatológica, também travada pelos anjos, irá durar 40 anos: seis anos com Edom, Moabe, Amom etc.; 29 anos com os reis do norte e Quitim; e cinco anos sem atividades, como anos sabáticos. Alguns estudiosos identificaram Quitim com os selêucidas, enquanto outros os identificam com os romanos.

6. *Documentos Diversos*.

a. Foram encontradas descrições da Nova Jerusalém.

b. *Mishmarot*. Foram encontrados MSS descrevendo os procedimentos dos sacerdotes ajustados ao calendário solar da seita.

c. *Testimonia*. Uma coleção de textos do AT relacionados ao Messias, que podem ser semelhantes àqueles que foram usados pelos escritores do NT, incluindo, como fizeram, a composição de citações.

d. Um calendário litúrgico fazendo referência à rainha Alexandra, Hircano (I ou II) e Emílio.

e. Uma liturgia angélica contendo "Cantos do Sacrifício do Sábado". Um manuscrito dessa obra também foi encontrado em Masada, indicando que os sectários de Qumran lutaram com os zelotes na última resistência contra os romanos, no ano 73 a.C. (alguns, por exemplo, C. Roth e G. R. Driver afirmam que os sectários realmente eram Fanáticos!).

f. Um horóscopo messiânico e um documento críptico indicam que os sectários não se opunham à astrologia de sua época.

g. Um *Florilegium* ou antologia de comentários hebraicos ("midrash") sobre 2 Samuel 7 e Salmos 1–2.

h. Uma alegoria chamada "Os Ardis da Mulher Cruel", descrevendo um grupo hostil à seita.

i. Em 1967, depois da Guerra de Junho, Yigael Yadin anunciou a aquisição de um notável documento de Qumran ao qual deu o nome de "Rolo do Templo". Esse papiro, com mais de 9 metros de comprimento, é agora o mais longo documento de Qumran de que se tem conhecimento. O estilo de sua escrita hebraica data do período herodiano. O texto, que ainda não foi publicado, trata de quatro assuntos: (1) regras religiosas relativas à limpeza ritual; (2) sacrifícios e ofertas; (3) estatutos do rei e do exército e (4) uma detalhada descrição do Templo. Este documento também contém uma detalhada instrução sobre como construir o Templo, talvez fornecendo a descrição que Davi teria entregado a Salomão (1 Cr 28.11). Como os detalhes do projeto do Templo não estão de acordo com os do Templo de Herodes, isso parece ser uma evidência de que a seita havia rejeitado o santuário de Jerusalém. Uma especial característica do novo texto é que o autor parece abandonar a idéia de que o papiro era um decreto de Deus. Em citações do Pentateuco, a terceira pessoa do singular é regularmente traduzida como a primeira pessoa do singular.

### O Papiro de Cobre

Um raro rolo de cobre de 2,60 metros de comprimento por 28 centímetros de diâmetro foi encontrado na Caverna III, em 1952. Como havia se tornado muito quebradiço, ele não foi aberto até 1955. O texto, publicado em 1960 por J. Allegro, fala sobre a colocação, em 60 lugares diferentes, de fabulosas quantidades de ouro e prata. Allegro, que também acredita que ele represente um mapa dos tesouros do Templo, desenhado por Zelotes que haviam fugido dos romanos, fez em 1960 uma pesquisa dos locais que podiam ser identificados - infelizmente sem qualquer resultado. O texto, escrito em hebraico ("Mishnah") representa o documento mais primitivo e extenso escrito nesse dialeto. O estudioso Cross calculou a data da escrita do Papiro de Cobre como sendo 75 d.C. Ele e Milik consideram esse texto apenas como um folclore.

### Escavações em Khirbet Qumran

Khirbet Qumran, isto é, as ruínas do mosteiro de Qumran, estão localizadas a um quilômetro e meio ao sul da Caverna I. Já faz algum tempo que essas ruínas são conhecidas. Por engano, F. de Saulcy em 1851 identificou esse local como Gomorra e foi somente depois de vários anos da descoberta dos manuscritos nas cavernas que escavações foram realizadas nesse local, entre 1951-1956, sob a direção de G. L. Harding e R. de Vaux.

1. *Níveis de ocupação.* As datas mais antigas de sua ocupação referem-se aos séculos VIII e VII a.C., e talvez tenha sido uma fortaleza construída pelo rei Uzias (2 Cr 26.10). Uma cisterna circular data desse período. A maior colonização, que pode ser associada aos manuscritos das cavernas, começou na época de Hircano I (134-104 a.C.). Esse lugar foi abandonado depois do terremoto de 31 a.C., e reocupado por volta da época da morte de Herodes, em 4 a.C. Ele foi conquistado pelos romanos em 68 d.C., e permaneceu ocupado por um pequeno destacamento de soldados romanos até 86 d.C. Foi, finalmente, ocupado por rebeldes judeus, sob Bar Kochba, em 132-135 d.C.

2. *Edifícios e objetos.* Embora nenhum manuscrito desse tipo tenha sido encontrado nas ruínas, foram recolhidas cerâmicas semelhantes àquelas que guardavam os manuscritos na Caverna I. Foi encontrado um fragmento de louça de barro no qual um escriba iniciante havia praticado a escrita do alfabeto. Diversas centenas de moedas também foram encontradas, ajudando a estabelecer as datas dos níveis de ocupação.

Havia uma sede principal deste assentamento. A característica mais admirável de Qumran é o número de cisternas e tanques, sendo que algumas delas eram usadas para imersões rituais da seita. As cisternas eram abastecidas com água trazida por um aqueduto aberto que vinha das montanhas a oeste.

Foram encontradas mesas baixas de gesso (ou bancos) de pouco mais de 5 metros de comprimento por aprox. 60 centímetros de altura, juntamente com tinteiros. Estes deviam vir de uma sala no segundo andar que pode ter se chamado *scriptorium,* a sala utilizada para copiar os manuscritos. O maior recinto, com 22 metros de comprimento e 4,5 metros de largura, servia como refeitório para as refeições comunitárias da seita.

A 3 quilômetros ao sul encontravam-se edifícios rurais junto à fonte de Ain Feshkha.

Calcula-se que de 200 a 400 pessoas chegaram a viver, em alguma ocasião, em Qumran. A maioria delas vivia em cabanas ou tendas fora dos edifícios. Algumas viviam em cavernas próximas. Sinais de sua ocupação foram encontrados em 30 delas.

3. *O cemitério.* Em direção ao mar Morto, e separado de Khirbet por uma muralha, havia um grande cemitério. A parte principal continha aproximadamente 1.100 sepulturas, além de 100 outras que estavam distribuídas em sua parte secundária. Na parte principal foram escavadas 31 sepulturas e mais 13 nas outras seções. Na parte principal foram encontrados esqueletos de uma mulher e de três crianças (de idades variando entre seis e 10 anos). Por outro lado, os cemitérios da parte secundária produziram cinco mulheres e uma criança, isto é, uma proporção muito maior. Aqueles que identificam os sectários com os essênios, normalmente celibatários, podem afirmar que o enterro de mulheres nas seções secundárias pode ser uma indicação de que não eram membros adultos da comunidade, ou que seus corpos foram trazidos para Qumran de cidades onde viviam alguns essênios casados. Entretanto, outras escavações mais recentes revelaram mais esqueletos de mulheres no próprio cemitério principal.

### A Vida na Seita

Embora o Manual de Disciplina pereça estar dirigido a uma comunidade celibatária, a Regra da Congregação e o Documento de Damasco falam sobre mulheres e crianças. Alguns explicam essa diferença atribuindo-a a diferentes estágios da história da comunidade. O que ficou claro é que a seita não admitia pessoas cegas, surdas, mudas, aleijadas ou tão idosas que cambaleassem ao caminhar. Aquele que desejasse entrar na seita precisava se submeter a um teste probatório de dois anos de duração. No terceiro ano seria admitido como membro provisório. Depois que se tornasse membro da seita deveria doar sua riqueza material ao tesouro comum. Além do trabalho manual necessário para tornar a comunidade auto-suficiente, os membros participavam de refeições comuns, dos rituais da imersão e, acima de tudo, do estudo das Escrituras. Em cada grupo de dez pessoas, pelo menos uma deveria estar estudando ou interpretando as Escrituras permanentemente. A participação dos membros estava dividida em três turnos para que os estudos pudessem continuar durante a noite.

Os sectários eram ainda mais rígidos do que os fariseus na observação do sábado. A disciplina era severa. Quem dormisse durante a assembléia ficaria isolado durante um mês; o mesmo acontecia para as risadas tolas; três meses para conversas indecentes; seis meses para mentiras intencionais; e expulsão para os casos de calúnia contra a comunidade.

### Credos da Seita

1. *Os anjos e Deus.* Os anjos tinham um papel proeminente na teologia de Qumran. Eles lutam ao lado dos eleitos na guerra final e são mais importantes do que qualquer messias. Deus é retratado como um soberano que predestina os homens à salvação ou à condenação. Parece que os pecadores não tinham sequer permissão para se arrepender.

2. *Pecado e salvação.* O homem era uma criatura frágil e mergulhada no pecado, "uma fonte de impureza, uma fornalha de iniqüidade". Ele só poderá ser salvo através da graça de Deus. A situação do eleito é determinada, em parte, pela sua atitude em relação ao Mestre da Justiça. Os sectários explicavam Habacuque 2.4 (que Paulo cita da seguinte maneira: "mas o justo, pela sua fé viverá") como representando sua fé no Mestre da Justiça. Entretanto, isso não significa fé em um Salvador Redentor, mas fidelidade aos preceitos do Mestre da Justiça. Salvação significava participação na seita. Todos tinham um indiscutível dever de odiar os estranhos.

3. *O Mestre da Justiça.* Essa figura anônima não era, estritamente falando, o fundador da seita, pois ele só aparece 20 anos depois da comunidade ter estado andando às escuras "como um cego". É possível que tenha sido o autor dos Hinos de Ação de Graças, que forneceram o maior critério quanto à opinião da seita sobre o pecado e a salvação. O Comentário de Habacuque, o Documento de Damasco e o Comentário sobre o Salmo 37 contêm pouca ou nenhuma informação sobre o Mestre da Justiça. Ele era um sacerdote perseguido pelo Sacerdote Pecador, isto é, um sumo sacerdote corrupto. Não existe, em lugar algum, a menção de que tenha sido morto, quanto mais crucificado, como alguns têm afirmado. Nem existe qualquer justificação, em nenhum dos rolos ou papiros, de terem reivindicado a ressurreição do Mestre da Justiça.

Os estudiosos têm tentado colocar o Mestre da Justiça (MJ) e o Sacerdote Pecador (SP) em vários contextos históricos: (*a*) No período de 175-162 a.C., Rowley e Black identificariam o MJ com o sumo sacerdote zadoquita Onias III e o SP com os helenizantes Jason ou seu irmão Menelau. (*b*) No período de 162-152 a.C., Stauffer identificaria o MJ com Jose ben Joezer, e o WP com Alcimo. (*c*) No período de 152-134 a.C., Milik, Cross, Sutcliffe, de Vaux, Vermes, Winter, J. Jeremias e Bruce considerariam que o MJ seria uma pessoa desconhecida, e o SP seria Jônatas ou o seu irmão Simão. (*d*) No período de 134-76 a.C., Allegro e Brownlee considerariam o TR como uma pessoa desconhecida, e o WP seria Alexander Janeu. Os hasmoneanos, desde o tempo do antecessor de Janeu, tomaram posse tanto do sumo sacerdócio quanto da monarquia. (*e*) No período de 76-63 a.C., Dupont Sommer identificaria o SP com Hircano II. (*f*) Na época da guerra contra Roma, em 66 d.C., Roth e Driver identificariam o MJ com o zelote Menaém, e o SP com Eleazar, filho de Ananias, o sumo sacerdote. O período mais provável parece ter sido 152-134 a.C., no qual Simão foi considerado o SP.

4. *Figuras messiânicas.* Muitos estudiosos vêm na frase "os ungidos de Arão e Israel" uma referência a dois Messias, um Messias sacerdote e um Messias rei, o primeiro exercendo um papel superior ao segundo. Isso teria correspondido às expectativas refletidas nos Testamentos dos Doze Patriarcas. Outros estudiosos preferem falar de um Messias e de seu companheiro sacerdote. É quase certo que o Mestre da Justiça não era, ele próprio, considerado o Messias. Ele pode ter exercido o papel de um Profeta esperado (Dt 18.18).

5. *Escatologia e vida após a morte.* Os membros da seita acreditavam estar vivendo nos últimos dias antes da vinda do(s) Messias e da batalha final contra os iníquos, e acreditavam na imortalidade para os eleitos. Certas passagens dos Hinos provavelmente refletem a crença na ressurreição dos mortos. Entretanto, os iníquos deveriam ser aniquilados.

### Identificação da Seita

Essa seita tem sido identificada com muitos grupos, que variam desde os hasidim, fariseus e zelotes até judeus-cristãos ebionitas e karaitas medievais. A identificação mais plausível é com os essênios, uma seita conhecida a partir de Josefo, Filo e Plínio como uma comunidade ascética, e geralmente celibatária, que vivia na margem oeste do mar Morto.

Tanto os sectários de Qumran quanto os essênios exigiam um período probatório para os iniciantes, classificavam seus membros, mantinham a propriedade em comum, praticavam a imersão, compartilhavam uma refeição comunitária, recusavam o uso do azeite, evitavam o sacrifício de animais no Templo, insistiam na predestinação de Deus e eram intolerantes para com os de fora.

Existem, com certeza, algumas discrepâncias. Os essênios não acreditavam na ressurreição dos mortos, embora a seita de Qumran possa ter admitido essa crença. Os essênios rejeitavam os juramentos, embora a seita fizesse uso deles junto a seus iniciantes. Essa e outras supostas diferenças têm pouco significado e podem ser explicadas. *Veja* Essênios.

### Importância para os Estudos do NT

1. *João Batista.* Como João era um asceta e um celibatário, vivia no vale do Jordão (portanto perto de Qumran) e praticava o batismo, alguns sugeriram que ele pode ter sido criado em Qumran. Mas o ascetismo de João vinha do fato dele ser um nazireu. Seu batismo era um ritual pelo qual cada pessoa passava apenas uma vez, e não era repetido como no caso das imersões de Qumran.

2. *Jesus.* Foram feitas exageradas comparações entre o Mestre da Justiça e Jesus, especialmente por A. Dupont-Sommer e J. Allegro. Essas opiniões adquiriram popularidade através do jornalista E. Wilson, em uma obra que se tornou um best-seller. Mas, na verdade, existem mais contrastes do que similaridades.

Ao contrário da seita, Jesus não se retirou do mundo, não rejeitou os fisicamente deformados, nem odiava os estranhos. Não existem provas de que a seita considerava o Mestre da Justiça como pré-existente, como divino, como salvador do pecado através de sua morte, como imaculado ou como o Messias de Davi que também era um sacerdote segundo a ordem de Melquisedeque.

3. *Os Evangelhos*. Agora que foram descobertos os verdadeiros documentos em hebraico e aramaico, datados de antes do século II d.C., a questão dos originais dos Evangelhos nesses idiomas pode ser reinvestigada.

O Evangelho de João, considerado muito helenístico, e que alguns estudiosos datam do século II, é mais do que nunca mostrado como um produto palestino do século I, em virtude de seus muitos paralelos com os textos de Qumran.

4. *Atos dos Apóstolos*. A Ceia da Igreja tem sido comparada às refeições comunais da seita de Qumran. Entretanto, elas não eram celebradas como sacramentos e seus elementos nada representavam. Os dois grupos praticavam um tipo de compartilhamento de bens. Isto era voluntário no livro dos Atos, mas obrigatório segundo as regras de Qumran.

5. *Epístolas*. Os estudiosos procuraram explicar o uso da palavra "mistério" nas epístolas de Paulo em termos de religiões helênicas misteriosas. Isso pode agora ser explicado de forma mais simples através do cenário semítico de Qumran. Também têm afirmado que a função de bispo, nas Epístolas Pastorais, indica uma data posterior. As funções do *m$^e$baqqer* ou "administrador" em Qumran eram as mesmas dos bispos das Pastorais. Portanto, esse fato invalida seu argumento. De maior importância para a compreensão da Epístola aos Hebreus é um documento da Caverna XI que trata da enigmática figura de Melquisedeque. Esse novo texto faz sua descrição como um libertador celestial semelhante ao arcanjo Miguel. Ele também é retratado como "o ser celestial" que irá proclamar a salvação de Deus. Isso poderá ajudar a explicar porque o autor de Hebreus afirma não só a superioridade de Cristo em relação ao sacerdócio de Arão, como também em relação aos anjos. O texto em Hebreus 7.3, que fala de um Melquisedeque sem ascendência, é geralmente explicado pelo fato de que seus ancestrais não são mencionados em Gênesis 14, mas pode ser agora entendido como tendo sido considerado um ser sobre-humano.

### A Guerra dos Seis Dias e os Papiros (ou Rolos)

Felizmente, nem os papiros do Museu Arqueológico da Palestina em Jerusalém, nem aqueles do museu em Amã, foram danificados ou furtados durante a Guerra dos Seis Dias. O governo de Israel assumiu a posição de que todos os arqueólogos com atividade comprovada na margem ocidental pelo governo da Jordânia teriam permissão para dar continuidade aos seus projetos. Naturalmente, isso se aplica ao trabalho com os papiros. Estudiosos que, antes da guerra, trabalhavam no lado oriental e no lado ocidental de Jerusalém, não tinham contacto uns com os outros, nem mesmo por telefone. Agora tudo isso mudou e a pesquisa dos papiros poderá se beneficiar do intercâmbio entre as equipes internacionais.

***Bibliografia.*** Obras Gerais. John Allegro, *The Dead Sea Scrolls**, Baltimore. Penguin, 1965. F. F. Bruce, *Second Thoughts on the Dead Sea Scrolls*, Londres. Paternoster Press, 1956. Millar Burrows, *The Dead Sea Scrolls,* Nova York. Viking Press, 1955. Frank M. Cross, *The Ancient Library of Qumran**, Garden City, N.Y.:Doubleday, 1961. David N. Freedman e Jonas Greenfield, eds. *New Directions in Biblical Archaeology,* Garden City. N.Y., Doubleday, 1969. William S. LaSor, *Amazing Dead Sea Scrolls and the Christian Faith**, Chicago. Moody Press, 1956. M. Mansoor, *The Dead Sea Scrolls,* Grand Rapids. Eerdmans,1964. K. Schubert, *The Dead Sea Community,* Nova York. Harper, 1959.

HISTÓRIA DA DESCOBERTA Athanasius Samuel, *Treasure of Qumran**, Filadélfia. Westminster. 1966. John Trever, *The Untold Story of Qumran,* Westwood, N. J.: Revell, 1965. Yigael Yadin, *The Message of the Scrolls**, Nova York. Grosset e Dunlap, 1962.

ARQUEOLOGIA DE QUMRAN. John Allegro, *The People of the Dead Sea Scrolls in Text and Pictures*, Garden City, N.Y.. Doubleday, 1958. R. de Vaux, *L'Archéologie et les Manuscrits de la Mer Morte*, Londres. Oxford Univ. Press. 1961.

TRADUÇÕES A DuPont-Sommer, *The Essene Writings from Qumran**, Cleveland. World Publ. Co., 1962. Theodor Gaster, *The Dead Sea Scriptures**, Garden City, N.Y.: Doubleday, 1964. G. Vermes, *The Dead Sea Scrolls in English**, Baltimore, Penguin, 1965.

DOUTRINAS DE QUMRAN. F. F. Bruce, *Biblical Exegesis in the Qumran Texts,* Grand Rapids. Eerdmans, 1959. Helmer Ringgren. *The Faith of Qumran**, Filadélfia. Fortress Press, 1963.

QUMRAN E A. BÍBLIA M Black, *The Scrolls and Christian Origins*, Nova York. Scribner's sons, 1961. W. L. Brownlee, *The Meaning of the Qumran Scrolls for the Bible,* Nova York. Oxford Univ., 1964. Jean Danielou, *The Dead Sea Scrolls and Primitive Christianity**, Nova York. New American Library, 1962. R. Laird Harris, "The Dead Sea Scrolls and the Old Testament Text", NPOT, pp. 201-211. Lucetta Mowry, *The Dead Sea Scrolls and the Early Church **, Notre Dame, Ind.. Univ. of Notre Dame, 1966. Roland Murphy, *The Dead Sea Scrolls and the Bible**, Westminster, Md.: Newman Press, 1956. Jerome

Murphy-O'Connor, ed., *Paul and Qumran*, Chicago. Priory press, 1968. K. Stendahl, ed., *The Scrolls and the New Testament,* Nova York. Harper, 1957.
OBRAS DE REFERÊNCIA. Karl G. Kuhn, *Konkordanz zu den Qumrantexten*, Gottingen. Vandenhoeck e Ruprecht, 1960. A. M. Habermann, *Megilloth Midbar Yehuda*, Jerusalem. Machbaroth Lesifruth Publ. House, 1959. E. Lohse, *Die texte aus Qumran,* Munich. Kösel-Verlag, 1964. [Os dois últimos trabalhos contêm textos vocalizados; Lohse também tem uma tradução alemã relacionada com os textos. Para edições individuais dos textos, com comentários, veja as bibliografias abaixo].
BIBLIOGRAFIAS. C. Burchard, *Bibliographie zu den Handschriften vom Toten Meer,* Berlin. Töpelmann, 1957. 2º vol., 1965. William S. LaSor, *Bibliography of the Dead Sea Scrolls,* Pasadena, Calif.: Fuller Theol. Seminary, 1958. Bibliografias atuais estão sendo publicadas na revista *Revue de Qumran.* Veja também James A. Sanders, "Palestine Manuscripts, 1947-1967", J. B. L. LXXXVI (1967), 431-440; J. Fitzmyer, "A Bibliographical Aid to the Study of the Qumran Cave IV Texts, 158-186", CBQ, XXXI (1969), 59-71.

E .M.Y.

(*) Estas obras estão disponíveis em brochuras.

**ROMA, IMPÉRIO ROMANO** Roma e seu império representaram muitas coisas para muitas pessoas. Para Constantino, ele significava a restauração da sua grandeza e a criação de uma nova Roma sobre o Bósforo. Para Carlos Magno, o estabelecimento de um Santo Império Romano à imagem da primeira Roma. Para Inocêncio III, outros papas, e fiéis católicos através dos séculos, esse termo tornou-se o sinônimo da Igreja mãe. Para muitos estudantes contemporâneos da profecia, o Império Romano é objeto de especulação: quando e como ele será restaurado? Para a maioria dos romanos dos séculos I e II d.C., ele representava "o mundo" e o *Mare Nostrum* do Mediterrâneo, o seu mar. Para o apóstolo Paulo, o império significava um lugar para pregar e sofrer; sua cidadania representava proteção contra qualquer perturbação indevida, e Roma, um lugar para procurar alguma defesa legal e, eventualmente, para morrer. Para os primeiros cristãos, o império representava não só um lar, mas um perseguidor da crença em Cristo. Naturalmente, é por causa do envolvimento dos cristãos no império que esse artigo aparece hoje aqui.

### O Desenvolvimento Inicial

A cidade de Roma estava estrategicamente localizada para dominar toda a península italiana e a própria Itália (*q.v.*), e estrategicamente situada para dominar o mundo Mediterrâneo. Além disso, o Mediterrâneo está cercado por uma margem de desertos e montanhas e outras barreiras naturais que, na Antigüidade, possibilitaram que um poder politicamente superior fizesse a unificação das terras situadas ao redor do mar.

A antiga casa do senado, Fórum romano. HFV

Em um sentido bastante realista, o início de Roma data da entrada de tribos itálicas na península a partir do norte, entre os anos 1000 e 750 a.C. Esses povos se misturaram, por meio de casamentos, com os mediterrâneos e indo-europeus que já estavam naquela região, e iniciaram a colonização nas colinas de Roma. Foram localizados indícios dessa primeira colonização na área de Roma no monte Palatino, onde mais tarde os Césares construíram seus palácios, que datam de aprox. 900 a.C. Atualmente, aqueles que visitam Roma podem observar as ruínas dessas vilas escavadas no Palatino.
Por volta de 800 a.C., os povos etruscos se deslocaram para o norte e o noroeste da Itália, vindos aparentemente do Oriente Próximo. Esses povos contribuíram grandemente para o desenvolvimento da civilização romana, sendo que uma de suas maiores contribuições foi a urbanização da cidade de Roma. O grande período etrusco em Roma ocorreu durante o século VI a.C.
Durante o século VIII a.C., as migrações gregas começaram a atingir o continente italiano, e esse fenômeno continuou durante alguns séculos. Eles se instalaram principalmente no sudeste da Itália e na Sicília. Gauleses ou celtas se mudaram para o vale do Pó, que estava situado ao norte, no final do século VI a.C., de onde representaram uma ameaça aos romanos durante os três séculos seguintes.
Durante seus primeiros séculos, Roma foi ocupada pelos latinos (uma das tribos itálicas) e pelos etruscos, que aparentemente dominaram essa região depois de aprox. 600 a.C. Vários reis governaram durante esses primeiros anos, assistidos pelos seus conselhos de nobres. Depois, segundo a opinião tradicional, por volta de 500 a.C.,, os latinos se revoltaram vitoriosamente contra os etruscos e estabeleceram uma república, governada por cônsules, pelo senado e pela

Interior do senado romano. As cadeiras dos senadores ficavam nos degraus em cada lado do recinto. HFV

assembléia. A tendência atual é afirmar que a mudança da monarquia para a república foi uma evolução que exigiu um período considerável de tempo. De qualquer forma, durante centenas de anos Roma se encontrou quase que ininterruptamente em situações de guerra contra uma grande variedade de poderes.

Não havia nada muito planejado nessa luta, que primeiramente resultou na conquista da península e da bacia ocidental do Mediterrâneo. Cada vez que conquistava uma nova tribo ou cidade-estado, Roma precisava enfrentar novos inimigos; nunca se sentiu segura ou fora de perigo até alcançar as fronteiras naturais do mar ou dos Alpes e conseguir finalmente enfraquecer os cartagineses, seus poderosos antagonistas do Mediterrâneo ocidental. Mesmo assim, seu temor e insegurança, além da insaciável ganância de suas classes dominantes, continuaram a impulsioná-la até que todo o mundo Mediterrâneo lhe ficasse assegurado.

Como observamos anteriormente, a primeira contenda de Roma foi contra os etruscos. Para primeiramente arrancar desses povos o controle de Roma, os latinos da cidade foram forçados a guerrear intermitentemente durante cerca de 200 anos. Durante os primeiros anos desse conflito, os romanos foram ajudados por uma liga de cidades latinas. Mas, por fim, esses povos perceberam que Roma estava simplesmente usando seus serviços em benefício próprio, e se rebelaram contra sua liderança. Na batalha que se seguiu, os romanos saíram vitoriosos e absorveram o território de Latium (ou Latina) no Estado Romano. Agora, Roma tinha novas fronteiras e começou a se envolver em lutas contra as tribos itálicas vizinhas. Enquanto isso, uma nova ameaça eclodiu no norte. Provenientes do vale do Pó, os gauleses atacaram cidades totalmente indefesas em 390 a.C., mas os romanos conseguiram se livrar deles por meio do pagamento de um resgate. Porém, os gauleses deixaram uma impressão indelével no desenvolvimento romano, em primeiro lugar destruindo todos os registros iniciais da cidade, e com eles um conhecimento factual sobre a maior parte da história primitiva de Roma; em segundo lugar, disseminando um certo medo e insegurança que iriam afetar as atividades romanas durante muito tempo.

Durante o século IV a.C., Roma venceu as tribos itálicas da península, uma após outra, e ao final desse século dominava a maior parte da península, exceto sua extremidade, seu "calcanhar" e uma parte do "peito do pé" do mapa da Itália, que tem a forma de uma bota. Nesse processo, Roma havia virtualmente eliminado as ameaças dos etruscos e dos italianos. Então, no início do século III a.C., quando procurava proteger os italianos aliados do sul, Roma se viu envolvida em uma guerra contra os gregos do sul da Itália.

A guerra foi extremamente violenta, especialmente porque as tropas de Epiro vieram para ajudar os seus compatriotas gregos. Mas, por volta de 265 a.C., os romanos haviam conquistado o controle de toda a península e haviam restringido os gauleses ao vale do Pó.

Roma organizou o seu território de três maneiras. Algumas cidades estavam repletas de cidadãos romanos que possuíam plenos direitos de cidadania. Outros eram conhecidos como aliados latinos e tinham menos privilégios. A grande maioria, entretanto, era formada por aliados italianos que não desfrutavam de benefícios especiais, exceto da paz que os romanos haviam imposto sobre a península, com um grau de prosperidade e segurança trazido pelo controle romano. Todos esses povos se tornaram confederados de Roma através de um tratado de relacionamento.

### A Conquista do Mundo Mediterrâneo

Não fazia muito que Roma havia feito a unificação da península quando se envolveu em uma série de guerras (Guerras Púnicas) com os cartagineses. À medida que o poder de Roma crescia, ela se envolvia cada vez mais em conflitos ou competições contra os prósperos povos fenícios centralizados na moderna Tunísia. A principal questão que se lhes oferecia era quem iria controlar a Sicília – nessa época uma rica região agrícola. Essa questão era de grande importância para Roma porque a Sicília se encontrava então a uma curta distância da costa italiana, embora atualmente os estreitos sejam um pouco mais largos. Durante a primeira guerra contra Cartago (264-241 a.C.), Roma conquistou a Sicília, desenvolveu uma marinha de excelente qualidade e se tornou o poder naval dominante no Mediterrâneo ocidental. Subseqüentemente, conquistou a Sardenha e a Córsega, expandiu suas fronteiras no norte até os Alpes e, dessa forma, eliminou a ameaça dos gauleses.

A segunda guerra contra Cartago (218-202 a.C.) foi essencialmente uma guerra pela conquista de terras. Aníbal marchou da Espanha, através do sul da França e dos Alpes, até alcançar a Itália. Seus elefantes de guerra ajudaram a aterrorizar os seus oponentes. Aníbal contava principalmente com uma revolução dos gauleses e de numerosas cidades italianas para colocar Roma de joelhos. Muitos gauleses e italianos se juntaram aos seus exércitos, e numerosas cidades italianas realmente se sublevaram, mas de alguma forma Roma conseguiu dar prosseguimento à luta, subjugando as cidades rebeldes uma a uma. Por fim, Roma venceu a guerra invadindo a terra dos cartagineses e derrotando decisivamente seu inimigo em sua própria casa. Agora, ela havia anexado a Espanha e uma parte da França. Muitos anos mais tarde (149-146 a.C.), Roma participou de uma nova guerra contra Cartago, destruiu a cidade e o poder fenício no ocidente, e anexou o território que Cartago possuía no norte da África.

Augusto. BM

Enquanto Roma era forçada a desviar sua atenção para o Mediterrâneo oriental, a Macedônia havia se aliado a Aníbal durante a segunda guerra cartaginesa. Roma havia neutralizado sua ameaça fazendo uma aliança com outros gregos que estavam então empenhados em lutar contra os macedônios. Mas Roma também enfrentava a possível destruição de seu equilíbrio de poder no oriente. O cenário dessa situação era o seguinte. Depois da morte de Alexandre o Grande, em 323 a.C., seu império se fragmentou e por fim sofreu três grandes divisões: Macedônia, Selêucia (incluindo inicialmente a Síria, Macedônia, Ásia Menor e outros territórios) e Egito. Enquanto existia um equilíbrio de poderes entre esses impérios, Roma sentia-se segura. Caso esse equilíbrio fosse perturbado, uma das nações orientais poderia se tornar suficientemente forte para derrotá-la. Devemos nos lembrar que o oriente era mais rico e mais populoso do que a região do Mediterrâneo ocidental.

Tibério. BM

Um pouco antes do ano 200 a.C., um rei menino ascendeu ao trono do Egito. Procurando tirar vantagem dessa situação, a Selêucia e a Macedônia entraram em ação. O Egito apelou para Roma e essa última se sentiu na obrigação de restaurar o equilíbrio de poderes e de acertar contas com a Macedônia por ter declarado guerra contra Roma em um de seus momentos mais difíceis. Seguiu-se uma série de guerras que finalmente terminaram em 146 a.C. Roma destruiu a venerável e antiga cidade de Corinto em um esforço para intimar os gregos que, periodicamente, haviam se insurgido contra o seu poder. Roma anexou toda a Grécia, mas permitiu que outra nação da região oriental do Mediterrâneo permanecesse independente como sua aliada. Alguns anos mais tarde (133 a.C.), o rei de Pérgamo legou seu reino a Roma, e este se tornou parte do império como a província da Ásia. Abrangendo o terço ocidental da Ásia

Cláudio. LM

Menor, ela veio a se constituir a jóia mais brilhante da coroa imperial.

### O Fim da República

Como ficou bastante evidente, Roma havia se envolvido em prolongados períodos de guerra durante os quais usou seus aliados, mas não dividiu adequadamente entre eles os espólio dessas guerras. Como resultado das aquisições imperiais, surgiram muitos problemas em Roma, na península italiana e no império. A classe dos senadores e as instituições republicanas mostraram-se incapazes de administrar essas crescentes emergências. Instalou-se uma série de revoluções que gradualmente destruíram a república. Uma das mais importantes incluía uma revolta italiana (90-88 a.C.) durante a qual a maior parte da península se insurgiu contra o domínio de Roma, que foi forçada a conceder cidadania total a todos os italianos livres a fim de dominar a revolta. Não há espaço para comentar detalhadamente aqui as atividades de Mário, Sula, Pompeu, Júlio César, Crasso, Marco Antônio e outros, mas algumas em especial estão a exigir nossa atenção, se desejarmos ter ao menos um simples panorama do desenvolvimento romano.

Pompeu recebeu poderes de emergência para colocar um ponto final nas ameaças dos piratas à marinha de Roma. Como fruto dessa campanha, ele conquistou várias províncias orientais em 64-63 a.C., inclusive a Síria e a Palestina. Logo depois (em 60 a.C.), Pompeu, Julio César e Crasso instalaram um triunvirato. Reunindo seu apoio político, eles procuraram conquistar certas concessões pessoais. A mais importante delas foi a concessão de um exército a César para que ele conquistasse a Gália. Esse triunvirato foi renovado em 55 a.C., mas desintegrou-se gradualmente sob o calor das ambições pessoais, dando origem a uma guerra civil que deixou Júlio César como governante do império em 48 a.C., ao derrotar Pompeu em Farsália, na Grécia.

Tendo alcançado a ditadura, César dedicou-se com grande entusiasmo e habilidade à restauração da ordem e da prosperidade do Estado Romano, governando-o como se fosse um império.

A mais importante de suas reformas foi o calendário Juliano, que permaneceu em vigor durante vários séculos. Infelizmente, César foi assassinado em 44 a.C. por homens desgostosos com o final da república. Mas eles não perceberam que era impossível restaurar as velhas instituições políticas. Em 44 a.C., Otávio, o herdeiro adotivo de César, Marco Antônio e Lépido conseguiram que o Senado os nomeasse para governar o Estado, e em 42 a.C. eles destruíram as forças republicanas lideradas por Bruto e Cássio. Logo depois, Otávio e Marco Antônio passaram Lépido para um segundo plano, e começaram a se separar para a derradeira luta entre si. Novamente a decisão sobre quem deveria governar o império foi tomada na Grécia, dessa vez através de uma batalha naval em Áccio, na Grécia ocidental, em 31 a.C. Otávio perseguiu os fugitivos Marco Antônio e Cleópatra até o Egito, onde ambos cometeram suicídio e assim o Egito passou a fazer parte do Império Romano em 30 a.C.

### O Governo Sob o Principado

Agora, Otávio estava livre para restaurar o império que, nessa época, estava totalmente desordenado. Arruinado por décadas de guerras civis, o mundo Mediterrâneo sofria uma severa desarticulação econômica, e algumas províncias cambaleavam à beira da falência. Males ou necessidades civis e sociais há muito tempo negligenciados em meio às atividades militares e incertezas políticas, passaram agora a receber a atenção de que precisavam. Augusto introduziu a *Pax Romana*, ou Paz Romana, que iria enriquecer a área do Mediterrâneo durante quase dois séculos sem interrupção. Ele cancelou as dívidas de muitas cidades que estavam virtualmente falidas e, depois de ter restituído a ordem, compareceu perante o Senado em 28 a.C. para devolver a essa instituição o governo do Estado. Mas os senadores não eram capazes nem estavam dispostos a reassumir toda a responsabilidade pela administração. Portanto, concederam a Otávio numerosos poderes aos quais foram periodicamente acrescentando outros. Dessa forma, embora Augusto (título concedido pelo Senado) fosse o verdadeiro governante, seu poder lhe havia sido legalmente conferido pelo Senado. E ele compartilhava o seu governo com o Senado, tanto na Itália como no Império. De especial importância para essa organização é o fato de que Augusto tornou-se, com efeito, o comandante-em-chefe de todas as forças armadas.

Augusto passou a executar numerosos programas iniciados por Júlio, e a lançar alguns que foram de sua própria criação. Trouxe paz e prosperidade ao império, reorganizou as instituições políticas em toda parte e instituiu a primeira polícia real e um sistema de proteção aos incêndios em Roma. A população agradecida tinha por ele uma grande veneração, e alguns (especialmente no oriente) chegavam a praticar o culto ao divino Augusto. Foi dessa forma que nasceu o culto ao imperador. Mas, durante o seu reinado, nasceu o Príncipe da Paz em Belém, onde José e Maria respondiam a um censo determinado por Augusto como parte de seu es-

Tito. LM

Personificação do rio Tibre, que atravessa Roma. LM

forço para estabelecer a ordem no império.

Augusto (27 a.C.–14 d.C.) foi sucedido por seu herdeiro adotado, Tibério (afilhado por parte de sua terceira esposa). Ao adotar esse herdeiro antes de morrer, e associá-lo à sua pessoa, Augusto garantiu uma sucessão regular e pacífica e estabeleceu um precedente que, doravante, iria caracterizar as administrações imperiais subseqüentes.

Augusto também inaugurou o que ficou conhecido como Principado (governo de príncipes, primeiro cidadão), uma disposição pela qual o governante deveria ser considerado como primeiro cidadão do império, e não um ditador. Na prática, entretanto, os príncipes gozavam de um crescente poder, porque dele se apropriavam, ou porque era alcançado devido a uma omissão dos senadores.

Tibério (14-37 d.C.) é especialmente importante para os estudiosos do NT porque o Senhor Jesus Cristo foi crucificado durante o seu reinado. Ele também nomeou Pôncio Pilatos como procurador da Judéia (26-36 d.C.). Embora tenha recebido muitas calúnias, acusado de ser um governante angustiado e desconfiado, sua maior dificuldade estava no Senado, mas ele ofereceu um bom governo ao império.

Calígula (37-41 d.C.), neto da filha de Augusto, foi o próximo ocupante do trono imperial. Como resultado de graves doenças, parece que ele havia ficado mentalmente perturbado. Entre seus projetos mais loucos estava a construção de um Templo em sua homenagem com recursos públicos, e a nomeação de seu cavalo favorito como sumo sacerdote da seita. A fim de obter os recursos necessários, ele instituiu novos impostos e confiscos, e utilizava as leis da traição como forma de conseguir dinheiro e propriedades.

Portanto, Calígula provocou a ira de muitos dos mais proeminentes membros do governo e da sociedade. Uma conspiração contra ele, executada por um membro da Guarda Pretoriana, corpo de elite do exército, foi bem sucedida no dia 24 de janeiro de 41 d.C.

Calígula havia conseguido se indispor não só com os romanos, como também com os judeus. Eles eram impedidos pelo credo

ROMA, IMPÉRIO ROMANO

monoteísta de prestar culto a imagens de príncipes, mas suas estátuas foram erguidas à força nas sinagogas de Alexandria. Antes que a ordem para erguer sua estátua no Templo de Jerusalém pudesse ser executada, chegou a notícia de sua morte.

A Guarda Pretoriana promoveu o tio de Calígula, Cláudio (41-54 d.C.) à função imperial, e o Senado não teve outra escolha a não ser concordar com esse ato. Parece que Cláudio foi capaz de oferecer uma administração de boa qualidade ao império. Ele ajustou o peso dos impostos e inaugurou um extenso programa de obras civis que incluiu a construção de novos aquedutos, estradas e canais e, especialmente, o desenvolvimento de óstia (*q.v.*) como o porto de Roma. Entretanto, durante algumas décadas, Putéoli (a moderna Pozzuoli), nas proximidades de Nápoles, deveria permanecer como o principal porto da capital. Paulo desembarcou nesse longínquo porto, cerca de 240 quilômetros de distância da capital, quando veio a Roma (At 28.13). Cláudio também anexou a Bretanha e a Trácia ao império, e estendeu a cidadania romana às províncias.

As atividades de Cláudio coincidem com trechos da narrativa do NT pelo menos em duas ocasiões. Ele permitiu à Judéia a breve experiência de ser um reino sob o governo de Herodes Agripa I (41-44 d.C.) e, em seguida, devolveu-lhe sua posição de província imperial sob o governo de procuradores. Por causa de alguns problemas com os judeus em Roma, ele expulsou a todos da capital (At 18.2; o historiador Suetônio confirma essa decisão).

Como filho e sucessor, Cláudio adotou Nero, filho do primeiro casamento de sua segunda esposa. Nero (54-68 d.C.) reinou muito bem durante seus primeiros cinco anos no poder, quando ainda estava sob o domínio de sua mãe e dos competentes chefes de departamentos executivos do governo, sendo que o principal deles era o filósofo estóico Sêneca. Quando Nero tornou-se independente, começou a entrar continuamente em conflito com vários indivíduos e facções do governo. Nessa ocasião, passou a se sentir temeroso em relação a conspirações contra sua vida, e seu governo assumiu aspectos de um reino de terror. Por fim, ele se livrou de sua mãe, de sua esposa e de seu irmão adotivo.

Em uma noite quente de julho de 64 d.C., o incêndio de Roma teve início nos barracos ao lado do Circo Máximo e perdurou com a mesma força durante nove dias. Ele tomou conta de mais da metade da cidade e nenhum esforço para contê-lo alcançou sucesso. Até o palácio de Nero foi chamuscado. Apesar dos esforços do imperador para aliviar o sofrimento daqueles que ficaram desabrigados, ele não conseguia conter a suspeita do povo de que ele mesmo havia iniciado o incêndio a fim de ter a glória de reconstruir Roma de uma forma grandiosa. Para desviar as críticas a sua pessoa, ele lançou a culpa nos cristãos da cidade, e deu início à primeira perseguição oficial. Isso aconteceu na segunda metade de 64 e durou até 66, mantendo-se restrita a Roma porque aqueles que moravam em outras regiões dificilmente poderiam ter participado da catástrofe. Aparentemente, Paulo e Pedro foram martirizados durante essa perseguição. Por fim, Nero conseguiu afastar segmentos importantes da sociedade. De especial importância foi não ter tido sucesso em alcançar o apoio dos militares que deram início a uma rebelião em 68. Nero cometeu suicídio e com ele se extinguiu a linhagem Júlio-Claudiana.

O ano de 68/69 ficou conhecido como o Ano dos Quatro Imperadores com a rápida sucessão de Galba, Otão, Vitélio e Vespasiano. Finalmente, Vespasiano, comandante dos exércitos do oriente, venceu o incontestável controle do império e governou de 69 a 79 d.C.

Vespasiano poderia ter seguido o caminho da ditadura militar ou da cooperação com os administradores civis. Ele escolheu essa última e tornou-se um rei como Augusto, dividindo o governo de Roma e o império com o Senado. Ele enfrentou uma tarefa hercúlea ao reerguer o império a partir de sua condição desordenada. Mas ele estava à altura dessa emergência. Dominou a revoltas, reformou o exército, construiu extensas fortificações, recuperou a economia e construiu numerosos edifícios públicos na capital. Sua estrutura mais famosa, que ele não foi capaz de concluir, foi o grande Coliseu, erguido no local de um dos lagos nos terrenos do palácio de Nero.

Para o estudante da Bíblia Sagrada, a mais significativa das atividades de Vespasiano foi a extinção da revolta dos judeus. Essa revolta irrompeu em 66, e Vespasiano havia subjugado toda a Judéia, exceto Jerusalém, pela época em que reivindicou o trono imperial, em 69. Seu filho, Tito, assumiu o comando dos exércitos, que finalmente destruíram a cidade de Jerusalém e o Templo em 70 d.C. A fim de celebrar essa vitória, Tito ergueu um arco triunfal ao lado do Fórum de Roma. Um dos relevos desse arco mostra despojos do Templo, inclusive o candelabro de ouro e as trombetas de prata.

O reinado de Tito foi breve e durou apenas de 79 a 81 d.C. Ele concluiu o Coliseu e nessa ocasião deliciou o povo com uma festa de 100 dias de duração. Obviamente, essa estrutura não existia durante a perseguição de Nero e nada tinha a ver com a execução de Paulo. Além disso, não existe qualquer prova concreta de ter sido usada, em qualquer ocasião, para o martírio dos cristãos. O breve reinado de Tito foi entristecido pela erupção do Vesúvio e pelo subseqüente soterramento de Pompéia e das cidades vizinhas, e também por outro grande incêndio que assolou a capital durante três dias.

Tito foi sucedido por seu irmão mais novo,

Domiciano (81-96 d.C.), que foi recebido sem oposição pela Guarda Pretoriana e pelo Senado. Porém, sem demora ele conquistou uma imperecível hostilidade do Senado por causa de seus modos autoritários, que revelavam sua intenção de alcançar uma ditadura absoluta. Parece que depois de 86 ele passou a exigir que os funcionários de sua corte lhe chamassem de "senhor e deus". Teve início uma perseguição aos judeus do império no ano 90 d.C., que logo incluiu também os cristãos. Nessa ocasião, o apóstolo João foi exilado para a ilha de Patmos.

Mas Domiciano não pode ser rejeitado por ter sido um mero ditador. Ele foi um hábil administrador de Roma e fez inúmeras construções em um esforço de apagar as feridas deixadas pelo grande incêndio ocorrido em 80 d.C. Na verdade, ele foi um bom governante do império, que prosperou durante sua administração. Mas, no final, ninguém se sentia seguro de suas suspeitas e expurgos. Sua própria esposa, acreditando que seria a próxima vítima, iniciou uma conspiração que resultou em seu assassinato no dia 16 de setembro de 96. Dessa forma, terminou virtualmente o primeiro século cristão. O apóstolo João conseguiu a liberdade para retornar a Éfeso, onde provavelmente terminou de escrever o livro do Apocalipse e veio a morrer de morte natural.

### O Fim do Império

Durante as primeiras décadas do século II d.C., o Império Romano alcançou sua maior extensão sob o imperador Trajano (98-117) e durante as décadas seguintes gozou do apogeu de sua prosperidade. Mas ao se aproximar o final do século II, o Principado havia chegado ao fim. A base econômica das municipalidades começou a mostrar sinais crescentes de pressão, e a isso se aliava a militarização do estado. Essa última situação foi grandemente provocada por Lúcio Sétimo Severo (193-211 d.C.), que foi colocado no poder pelo exército do Danúbio, e que havia percebido que deveria favorecer os militares. Ele aumentou o tamanho das forças armadas, melhorou suas condições de serviço, e lhe, concedeu mais benefícios. A partir dessa época, os oficiais eram transferidos para importantes posições do serviço civil por ocasião de sua aposentadoria da vida militar. Porém, os efeitos dessa militarização foram rapidamente sentidos.

Os anos 235-283 constituíram um período de anarquia, de imperadores de fantasia, muitos dos quais compravam sua posição no exército, e cerca de 40 deles foram propostos pelos próprios militares. Por fim, Diocleciano restabeleceu a ordem no meio dessa confusão e reorganizou o Estado. Essa reorganização não foi muito eficiente, porque no final de seu reinado a guerra civil recomeçou. A paz só foi restaurada quando Constantino se instituiu como o único rei, e mudou a capital do estado para Constantinopla.

Durante algumas décadas, pouco antes de Diocleciano iniciar o seu reinado, tribos bárbaras haviam invadido as fronteiras ao norte do império, especialmente na região do Danúbio. Algumas delas haviam recebido permissão para penetrar no império e se estabelecer ao longo das fronteiras, onde serviriam como uma proteção contra outros bárbaros. Antes dessas tribos se tornarem perfeitamente romanizadas, uma nova onda de infiltração bárbara teve início no século IV, durante a época de Constantino.

Este fato exerceu uma grande pressão sobre o império, que começou a se desintegrar em estados semi-bárbaros. Embora Roma tivesse ficado sem um governante romano depois do ano 476 d.C., e por esta razão costuma-se dizer que o império caiu nesse ano, ele continuou a existir no oriente até 1453 d.C., tendo sua capital em Constantinopla.

### Roma e o Novo Testamento

A cidade de Roma ofereceu um contexto político, religioso e geográfico para a maior parte do Novo Testamento. Seu poder e influência permeiam quase todos os livros do cânon do NT. Um imperador romano emitiu a ordem que resultou no nascimento do Senhor Jesus Cristo em Belém, ao invés de Nazaré. Um oficial romano providenciou sua crucificação. Engenheiros romanos construíram as estradas que o apóstolo Paulo percorreu para pregar o evangelho, protegido pela cidadania romana. Os imperadores romanos administravam todas as províncias alcançadas pelo Evangelho em seus primeiros dias. Nas primeiras décadas da Igreja, seus principais oponentes foram as seitas greco-romanas.

Como uma das primeiras referências específicas a Roma, encontramos a expulsão dos judeus de Roma pelo imperador Cláudio (At 18.2), mas eles logo retornaram, pois alguns ainda lá se encontravam uma ou duas décadas mais tarde, quando Paulo chegou a essa cidade. A cidade de Roma aparece no NT principalmente em conexão com esse apóstolo. Ele caminhou pela famosa via Ápia até chegar a Roma (At 28.15), e ali permaneceu como prisioneiro durante cerca de dois anos, e provavelmente em duas ocasiões. A primeira delas quando apelou a César para deliberar sobre a questão da lei judaica. Em Atos 28, temos alguns detalhes a esse respeito. Há indicações de que nessa época ele gozava de considerável liberdade, de que foi libertado e deu início a uma quarta viagem missionária.

Durante sua primeira prisão, Paulo se alegrou com a difusão do evangelho em Roma. O texto em Filipenses 1.13 faz referência ao fato de ele ter evangelizado toda a guarda do "palácio". Mas na versão grega consta "pretório", querendo dizer, provavelmente, a Guarda Pretoriana, a legião imperial favorita, cujos

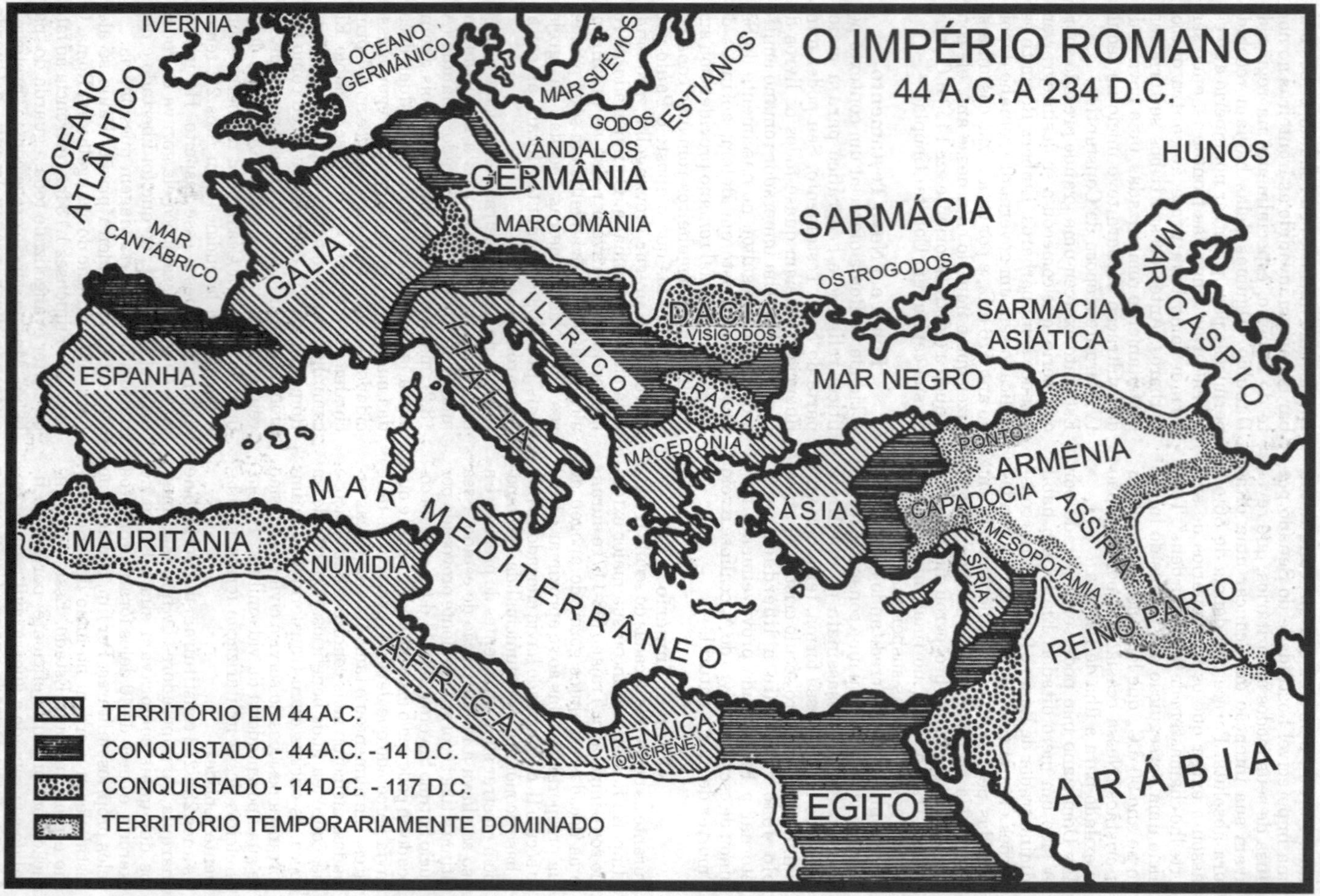
O IMPÉRIO ROMANO
44 A.C. A 234 D.C.
IVERNIA
OCEANO ATLÂNTICO
OCEANO GERMÂNICO
MAR SUÉVIOS
ESTIANOS
GODOS
VÂNDALOS
GERMÂNIA
HUNOS
MARCOMÂNIA
SARMÁCIA
MAR CANTÁBRICO
GÁLIA
ESPANHA
OSTROGODOS
DÁCIA
VISIGODOS
SARMÁCIA ASIÁTICA
MAR CÁSPIO
ILÍRICO
ITÁLIA
TRÁCIA
MAR NEGRO
MACEDÔNIA
PONTO
ARMÊNIA
ÁSIA
CAPADÓCIA
ASSÍRIA
MESOPOTÂMIA
SÍRIA
REINO PARTO
MAR MEDITERRÂNEO
MAURITÂNIA
NUMÍDIA
ÁFRICA
CIRENAICA (OU CIRENE)
EGITO
ARÁBIA
TERRITÓRIO EM 44 A.C.
CONQUISTADO - 44 A.C. - 14 D.C.
CONQUISTADO - 14 D.C. - 117 D.C.
TERRITÓRIO TEMPORARIAMENTE DOMINADO

membros haviam recebido a incumbência de vigiá-lo durante o período de sua prisão. Não há dúvida de que Paulo tinha em mente os resultados de seu testemunho aos seus guardas. Sua segunda epístola a Timóteo provavelmente foi escrita durante sua segunda prisão em Roma, e o capítulo 4 antecipa o martírio do apóstolo. Acredita-se que nessa ocasião ele estivesse encarcerado na Prisão Mamertine, que ainda hoje pode ser vista por qualquer pessoa que visite Roma.

Muito tem sido escrito sobre a conexão do apóstolo Pedro com Roma. É provável que ele realmente tenha visitado a cidade, e que lá tenha sido martirizado durante a perseguição de Nero. Mas isso não é o mesmo que dizer que ele fundou a Igreja romana, ou que foi seu primeiro bispo. Entretanto, na verdade, a Igreja de São Pedro e o Vaticano foram construídos sobre o circo e os jardins de Nero, onde os cristãos foram martirizados, e Pedro foi provavelmente sepultado em alguma parte de Roma. Porém, afirmar que o túmulo de Pedro encontra-se sob o principal altar da basílica é exigir muito da credulidade da maioria das pessoas. Foram feitas escavações nesse lugar e muitos membros da Igreja Católica acreditam que seus restos foram realmente encontrados ali. Porém, diante das opiniões conflitantes dos estudiosos, será muito difícil chegar a uma conclusão.

A leitura das evidências não parece ser suficientemente convincente da possibilidade da sepultura de Pedro ter sido localizada ali (veja na bibliografia uma lista de alguns dos livros mais importantes sobre o assunto).

### Roma no Primeiro Século

Quando Paulo chegou a Roma por volta do ano 60 d.C., essa cidade ainda não havia atingido o seu apogeu, e isso somente aconteceria durante as primeiras décadas do século II. Mas Roma era uma grande cidade que dominava o mundo Mediterrâneo e comandava o temor, a admiração e o respeito de milhões de pessoas além das fronteiras imperiais. Por

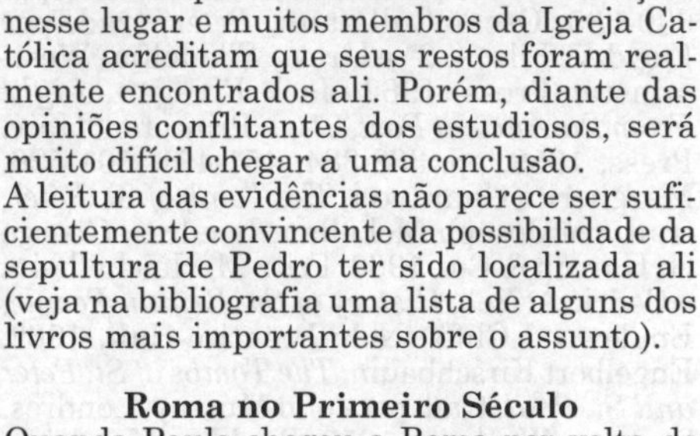

Templo de Saturno no Fórum romano, onde parte do tesouro de Roma era guardada. HFV

exemplo, contatos regulares eram feitos com a China, ao longo da rota da seda.

A cidade estava localizada às margens do rio Tibre, a aprox. 25 quilômetros de sua foz, e era abastecida pelos portos de Putéoli, na Baía de Nápoles, e de óstia (*q.v.*), no Tibre. A área construída cobria não só as tradicionais sete colinas, mas também se estendia em todas as direções. A vida política, legal, comercial e religiosa ainda estava centrada na área do Fórum. O Fórum Romano (com cerca de 100 por 50 metros) havia sido ampliado com a construção de fóruns adjacentes por Júlio e Augusto, e mais tarde iria anexar os fóruns de Nerva e Trajano no início do século II. *Veja* Fórum.

Projetando-se sobre a área sul do Fórum Romano, estavam os palácios dos Césares sobre a colina Palatina e, mais alto ainda, sobressaía a colina Capitolina a oeste, com seu grande Templo em homenagem a Júpiter. Ao longo da encosta sul do Palatino se encontrava o Circo Máximo, onde cerca de 200.000 espectadores podiam se entreter com corridas de bigas, caçada de animais selvagens e outras diversões semelhantes. Depois da época de Paulo, mas antes do final desse século, o Coliseu se erguia orgulhosamente perto da extremidade leste do Fórum; sua capacidade era de aproximadamente 50.000 pessoas.

No próprio Fórum, em sua extremidade oeste, ficava a Rostra, de onde as pessoas podiam fazer discursos. A Rostra ficava ao lado do Senado e das cortes de justiça. Os templos do Fórum haviam sido erguidos em honra a Saturno (em um deles ficava guardado o tesouro do estado), de Vesta (onde ardia uma chama perpétua), do divino Júlio, e de Castor e Pólux. Também havia a casa das Virgens Vestais e também um grande edifício comercial entre outras estruturas. É provável que o julgamento de Paulo tenha se realizado na região sul do Fórum, na basílica Júlia, um local cuja edificação foi iniciada por Júlio César. A Prisão Mamertine estava localizada na extremidade noroeste do Fórum. *Veja* Arqueologia: Roma.

A população de Roma chegava, provavelmente, a aproximadamente 1.500.000 pessoas no início do século II e, naturalmente, toda espécie de estruturas se multiplicavam para atender às crescentes necessidades e afluência de pessoas.

### O Cristianismo e a Religião Oficial

Como já observamos, a perseguição oficial aos cristãos começou com Nero, depois do incêndio de Roma. Mas essa perseguição nunca teria tido sucesso se não tivesse se desenvolvido uma antipatia entre os cristãos e a população em geral.

Os cristãos alienavam certas pessoas através de sua pretensão exclusivista em relação a Cristo e ao evangelho. O ecletismo religioso dessa época não se harmonizava com a afirmação de que Cristo era o *caminho*, a *verdade* e a *vida*. Além disso, os cristãos também alienavam outros com seus modos anti-sociais. Como quase tudo na vida greco-romana – teatro, esporte eventos ou festas públicas – eram realizados em nome de alguma divindade pagã, os verdadeiros cristãos achavam difícil participar de quase todos os aspectos da vida social.

E, além disto, os cristãos não podiam, é claro, prestar culto nos santuários da religião dominante e da deusa Roma (que era a personificação do Estado). Enquanto essa prática se manteve um pouco informal, ou pelo menos voluntária, a dificuldade não era muito grande. Mas surgiu alguma irritação durante a breve tentativa de Calígula de fazer com que o povo o adorasse, e Domiciano causou grandes sofrimentos a muitos, especialmente na província da Ásia. Depois de Domiciano, a perseguição tornou-se mais pronunciada, e geralmente assumia um caráter local e era inspirada mais por causa das condições regionais do que por éditos imperiais. Algumas perseguições regionais irromperam no oriente durante a administração de Trajano e Antonino Pio (138-161 d.C.). Marco Aurélio (161-180) tomou a iniciativa imperial contra o cristianismo e o grande defensor da fé, Justino Mártir, perdeu a vida em 165.

Mas, de modo geral, as perseguições eram locais ou regionais até que Décio (249-251) lançou um ataque de caráter nacional. Sua orientação era parecida com a de Nero; ambos estavam procurando um "bode expiatório". Nero precisava de alguém a quem pudesse culpar pelo incêndio de Roma, e Décio precisava de alguém a quem pudesse culpar pelo declínio geral de Roma. Durante seu reinado, iniciou-se a celebração milenar da fundação de Roma (tradicionalmente, em 753 a.C.). Obviamente, Roma estava em decadência e alguém seria o culpado. Os cristãos foram obrigados a assumir grande parte da culpa, pois haviam se recusado a adorar os antigos deuses; esses deuses teriam ficado zangados, e, por esta razão, estariam castigando toda a sociedade. Essa perseguição feroz e abrangente foi seguida por ataques esporádicos – e de certa forma locais – aos cristãos, durante a metade do século seguinte. Em seguida, Diocleciano deu início à última e pior das perseguições em 303-305. Seu objetivo era a completa destruição da Igreja, martirizar seus líderes e membros, arrasar os edifícios da Igreja e queimar cópias das Escrituras. Mas seus esforços se mostraram inúteis e, com Constantino, veio a tolerância exemplificada pelo Édito de Milão em 313 e seus atos subseqüentes. Os filhos de Constantino começaram a perseguir o paganismo, e Teodósio o Grande (381ss.) lançou um ataque destinado a destruí-lo visando criar uma Igreja-estado. O próprio Constantino havia assumido a posição de chefe da Igreja Cristã, e os governantes que se seguiram fizeram o mesmo. *Veja* Perseguição.

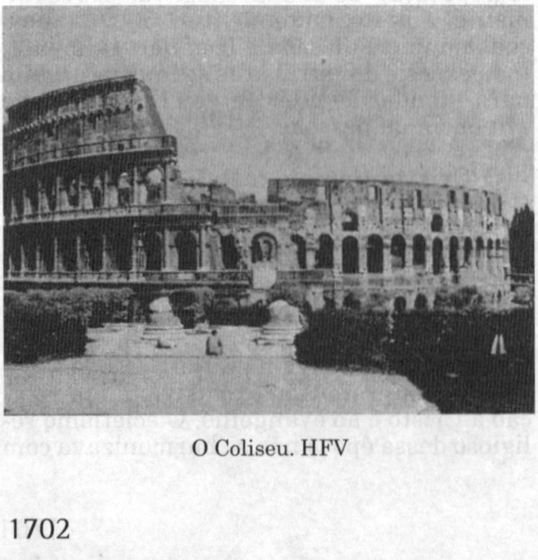

O Coliseu. HFV

***Bibliografia.*** J. Carcopino, *Daily Life in Ancient Rome,* New Haven. Yale Univ. Press, 1941. CornPBE, "Rome and the Jews", pp. 630-635. Oscar Cullmann, *Peter,* trad. por Floyd V. Filson, 2ª ed. rev., Filadélfia. Westminster Press, 1962. Jack Finegan, *Light From the Ancient Past,* 2ª ed. Princeton. Univ. Press, 1959, pp. 363-384, 451-491, 501-526. Margherita Guarducci, *The Tomb of St. Peter,* trad. por Joseph McLellan, Londres. George G. Harrap & Co., 1960. Fritz M. Heichelheim e Cedric A. Yeo, *History of the Roman People,* Englewood Cliffs, N.J.: Prentice-Hall, 1962. Engelbert Kirschbaum, *The Tombs of St. Peter and St. Paul,* trad. por John Murray, Londres. Secker e Warburg, 1959. Paul MacKendrick, *The Mute Stones Speak,* Nova York. St. Martin's Press, 1960. Albert G. Mackinnon, *The Rome of St. Paul,* Filadélfia. John C. Winston Co., 1930. Carl Roebuck, *The World of Ancient Times,* Nova York. Scribner's, 1966. A. N. Sherwin-White, *Roman Society and Roman Law in the New Testament,* Oxford. Clarendon Press, 1963; "Roman Public Law", HDB rev., pp. 855-859. Graydon F. Snyder, "Survey and 'New' Thesis on the Bones of Peter", BA, XXXII (1969), 1-24. Chester G. Starr, *A History of the Ancient World,* Nova York. Oxford Univ. Press, 1965. Jocelyn Toynbee e John Ward Perkins, *The Shrine of St. Peter and the Vatican Excavations,* Londres. Longmans, Green & Co., 1956. T. G. Tucker, *Life in the Roman World of Nero and St. Paul,* Nova York. Macmillan, 1911.

H. F. V.

**ROMÃ** *Veja* Plantas.

**ROMANOS, EPÍSTOLA AOS** De acordo com um consenso geral, esta é a mais importante das obras de Paulo sob o ponto de vista teológico. Sua exposição sobre a salvação é bastante ampla, e é detalhada em sua aplicação.

### A Fundação da Igreja

O início do testemunho do evangelho na capital do império está cercado de mistério. Na época em que foi escrita, Paulo comentou que há muitos anos desejava visitar esta Igreja (15.23). Sua fé era conhecida em muitos locais e também em terras distantes (1.8). Pouco antes da metade do século I, o imperador Cláudio havia expulsado os judeus da cidade de Roma. Sua violência pode ter sido o resultado de uma profunda contrariedade provocada pela pregação de Jesus como o Cristo. Nessa ocasião, obrigados a partir, Áqüila e sua esposa Priscila se dirigiram a Corinto. Como Paulo morava e trabalhava com eles, acredita-se que ambos eram crentes (At 18.2,3). A evangelização da capital não pode ser atribuída a Pedro, pois esse apóstolo permaneceu na Palestina até o decreto de Cláudio (At 15). Ao escrever para a Igreja de Roma, Paulo nada tinha a dizer sobre Pedro, permitindo-nos uma forte suposição de que não tinha conhecimento das atividades de Pedro nessa área. A informação mais útil sobre esse assunto vem de Ambrósio (século IV) no sentido de que os romanos se consideravam desassociados do apóstolo e de seus milagres. Seu testemunho parece indicar que os cristãos de origem judaica, talvez convertidos no dia de Pentecostes (At 2.10), trabalharam como missionários para a metrópole.

### Propósito

Embora tivesse inúmeros amigos e conhecidos na Igreja de Roma, Paulo era pessoalmente desconhecido da maioria dos crentes. Ele escreveu, em parte, para tornar a Igreja familiarizada com seu antigo desejo de visitá-la (1.13), e também para iniciar uma declaração bastante longa sobre o evangelho. Provavelmente, este fato não se devia a um sentimento de que a Igreja estivesse pouco informada sobre esse assunto, e sim porque estava procurando uma enérgica cooperação desse grupo de crentes na divulgação do evangelho em toda a área ocidental do Mediterrâneo, à qual estava disposto a conceder total atenção assim que o seu ministério em Jerusalém estivesse concluído. Parece que o apóstolo estava enxergando Roma como uma futura base missionária, assim como Antioquia havia sido no oriente. A partir dessa base, ele e os demais cristãos poderiam alcançar locais tão distantes quanto a Espanha (15.23ss.). É pouco provável que Paulo tivesse escrito com tantos detalhes apenas por causa de uma subjacente preocupação de talvez ser impedido de chegar até Roma (15.30-32; cf. At 23.11). Se esse fosse o caso, a Igreja usaria essa carta pelo menos para sua instrução e inspiração, assumindo a responsabilidade nela descrita.

Uma outra alternativa, isto é, de que Paulo escreveu dessa forma a fim de lidar com as situações da Igreja de Roma, não seria compatível com a própria epístola. Nada existe sugerindo que Paulo estivesse procurando tratar de problemas específicos dessa comunidade. De qualquer forma, isso dificilmente poderia ser esperado, pois essa Igreja não havia sido implantada pelo apóstolo.

### Autoria

Atualmente não existe nenhuma discussão sobre esse assunto. A própria epístola declara que Paulo é o seu autor (1.1), e sua grande semelhança com a epístola aos Gálatas, outro reconhecido produto de sua pena, ajuda a estabelecer sua autenticidade. Certas concordâncias com o livro dos Atos também podem ser de muita utilidade, como a coleta para os santos pobres de Jerusalém (15.25, 26; cf. At 24.17); o longo e esperado desejo de Paulo de ir a Roma (1.13; 15.23,24; cf. At 19.21); e o seu sentimento sobre os problemas que o aguardavam em Jerusalém (15.30,31; At 20.22,23).

### Data e Local da Obra

A tarefa mais importante de Paulo, que ainda precisava ser concluída no oriente antes de poder partir tranqüilamente para o ocidente, era a coleta de fundos para os irmãos pobres da Igreja de Jerusalém. Quando o apóstolo escreveu sua segunda carta aos Coríntios, esse projeto estava quase terminado (capítulos 8–9), pois ao escrever a Epístola aos Romanos, esse fundo já havia sido levantado e estava pronto para ser entregue (15.25-28). Portanto, a Epístola aos Romanos foi escrita depois de 2 Coríntios. Parece que o apóstolo estava em Corinto quando ela foi escrita, pois Febe, uma cooperadora da Igreja na cidade próxima de Cencréia, recebeu a incumbência dessa carta (16.1,2). Como nesse período o apóstolo permaneceu apenas três meses em Corinto (At 20.3), essa data pode ser estabelecida de forma aproximada como 56 d.C., pouco antes de sua partida para Jerusalém. A idéia de que Paulo já estava a caminho de Jerusalém quando foi escrita (15.25) não é uma conclusão necessária, pois a força de suas declarações reside na intenção, e não na localização.

### Natureza da Epístola

Essa carta tem um caráter decididamente doutrinário, porém em seus ensinos não faltam implicações sobre a mensagem para a vida cristã. Paulo expõe o evangelho em termos da palavra chave *salvação,* e isso à luz da justiça (1.16,17). O Deus justo tem um plano pelo qual Ele é capaz de redimir o mundo pecador através da justiça, isto é, da morte sacrificial de seu Filho justo. A resposta fundamental exigida dos homens pecadores é a fé, com tudo o que ela possa sugerir em termos de obediência à vontade divina, assim como a aceitação da salvação em Cristo (1.5,16,17). Esse plano é basicamente aquele que Deus usou no caso de Abraão (capítulo 4), que foi justificado pela fé, e não pelas obras. Como foi sugerido através da referência aos gregos e judeus em 1.16, essa epístola tem muito a dizer sobre a condição pecaminosa de ambos os grupos à vista de Deus, e sobre seu privilégio comum de participar da oferta da salvação. Características notáveis são encontradas no abrangente uso do AT nas citações e alusões, assim como na estrutura dos debates nos quais está inserido o ensino doutrinário. A verdade é muitas vezes apresentada por meio de questões que são levantadas e, em seguida, respondidas. Isso pode refletir a experiência real de Paulo ao administrar adequadamente as objeções que lhe foram feitas durante as suas pregações missionárias.

**Esboço**

Introdução e Tema: a justiça de Deus foi revelada e pode ser alcançada através da fé, 1.1-17

I. A Necessidade Universal de Justiça. tanto os judeus como os gentios são condenados como pecadores, 1.18–3.20

II. A divina Provisão da Justiça: Através da Salvação, 3.21–8.39
   1. Justificação: a justiça é aplicada com base na fé em Cristo e é recebida como uma dádiva, 3.21–5.21
   2. Santificação: o Espírito de Deus age como um poder transformador sobre a nova vida do crente a fim de produzir virtude e santidade, 6.1–8.30
   3. Preservação: Deus não permite que nada separe os remidos de seu amor, 8.31-39

III. A Vindicação da Justiça de Deus: seus procedimentos com a nação de Israel são explicados, 9.1–11.36

IV. As Responsabilidades da Justiça, 12.1–16.27
   1. Completa dedicação própria a Deus, 12.1-2
   2. Humildade em relação à Igreja, 12.3-8
   3. Amor aos outros crentes, 12.9-16
   4. Bondade em relação à sociedade, 12.17-21
   5. Submissão às autoridades do governo, 13.1-14
   6. Tolerância para com os irmãos mais fracos, 14.1–15.13

Conclusão e Saudações, 15.14–16.27

**Integridade**

Será que o conteúdo total desse texto pertence realmente à Epístola aos Romanos, da forma que Paulo a escreveu? Esse problema afeta principalmente o capítulo final, que alguns estudiosos acreditam ter sido endereçado a Éfeso. Priscila e Áqüila (16.3,4) tinham sido vistos pela última vez em Éfeso (1 Co 16.19). Epêneto é chamado de "as primícias da Ásia em Cristo" (Rm 16.5). Parece estranho que Paulo conhecesse tantas pessoas em Roma, cidade que ele ainda não havia visitado, ao enviar as saudações desse capítulo, enquanto isso seria natural em se tratando de Éfeso, onde havia trabalhado durante três anos. Em muitos casos, também parece que ele conhecia algumas características do trabalho dos romanos.

Por outro lado, Paulo não tinha o hábito de saudar indivíduos quando escrevia às igrejas que havia fundado. Em vista da facilidade da viagem naqueles dias, muitos daqueles que Paulo havia conhecido no Oriente podiam ter retornado a Roma ou se mudado para lá. Vários dos nomes são romanos e, o que é mais importante, alguns estão associados com o início da história do cristianismo em Roma. Uma possível solução para esse problema é que Paulo teria enviado uma cópia dessa epístola para Éfeso, assim como para Roma, e nesse caso teria acrescentado esse capítulo. Mas a possibilidade de toda a Epístola ter sido destinada a Roma é bastante forte.

***Bibliografia.*** C. K. Barrett, *The Epistle to the Romans*, HNTC, Nova York. Harper, 1957. F. Godet, *Commentary on St. Paul's Epistle to the Romans,* 2 vols. (1883), Grand Rapids. Zondervan, 1956 (re-impressão). Charles Hodge, *Commentary on the Epistle to the Romans,* re-impressão, ed. rev. de 1864, Grand Rapids. Eerdmans, 1964. H. C. G. Moule, *The Epistle to the Romans*, Londres. Pickering & Inglis, s.d. John Murray, *Commentary on the Epistle to the Romans,* 2 vols., NIC, Grand Rapids. Eerdmans, 1959, 1965. Wm. Sanday e A. C. Headlam, *A Critical and Exegetical Commentary on the Epistle to the Romans* (1895), ICC, Nova York. Scribner's, 1915, Wm. G. T. Shedd, *A Critical and Doctrinal Commentary upon the Epistle of St. Paul to the Romans,* Nova York. Scribner's, 1879. W. H. Griffith Thomas, *St. Paul's Epistle to the Romans*, Grand Rapids. Erdmans, 1953 (reimpressão).

E. F. Har.

**ROMANTI-ÉZER** Um levita; o nome desse filho de Hemã significa "tenho uma ajuda sublime". Ele era o músico que Davi nomeou como chefe do último dos 24 turnos de cantores para servir no santuário (1 Cr 25.4,31).

**RÔS**

1. Nome do sétimo filho de Benjamim (Gn 46.21). A Septuaginta, entretanto, lista-o como o filho de Bela, o que o torna neto de Benjamim. Rôs parece ter morrido sem gerar filhos, pois nenhum descendente deste homem faz parte da lista contida em Números 26.38-41.

2. O nome de um povo e de uma terra menci-

onados em Ezequiel 38.2,3; 39.1. Devido ao fato de Rôs ser o termo utilizado para "cabeça", freqüentemente com significados derivados como "primeiro" ou "principal", várias versões o tem traduzido de forma que se leia: "Gogue... o principal príncipe de Meseque e Tubal". Contudo, o nome de um terceiro povo do norte é o mais provável. Rôs era provavelmente uma das tribos sarmatianas ou iranianas em torno do mar Cáspio. Sargão II da Assíria derrotou os manaeus (*veja* Mini) e Rusa de Urartu em 719-714 a.C. Em sua inscrição de Korsabade (1.18), ele menciona: "a terra de Rasu, na fronteira noroeste de Elão, que está ao lado do Tigre". Outros registros assírios e babilônicos (700-600 a.C.) também mencionam Rasu. Eles aparentemente se mudaram para a área da Criméia em aprox. 200 a.C. (John Ruthven, "Ezekiel's Rosh and Rússia. a Connection?" BS, CXXV [1968], 324-333). O estudioso hebreu Gesenio sugeriu a identificação da Rússia com Rôs, porém a palavra hebraica não tem nenhum relacionamento com este país da região européia moderna. *Veja* Gogue; Magogue.

J. R.

**ROSA** *Veja* Plantas.

**ROTAS COMERCIAIS** *Veja* Viagem e Comunicação.

**ROUBADORES DE HOMENS** Dominadores de homens, comerciantes de escravos, sequestradores (1 Tm 1.10). Essa palavra pode se referir àquele que injustamente reduz os homens livres à escravidão (cf. Êx 21.16; Dt 24.7), ou àquele que rouba os escravos dos outros e os vende (cf. Ap 18.13). Paulo afirma que a lei foi feita para estes. *Veja* Crime e Punição.

**ROUBO** *Veja* Lei.

**RUA DIREITA** Termo (gr. *eutheia*) usado como nome de uma das principais ruas que atravessavam a cidade de Damasco (At 9.11). A tradicional rua chamada "Direita" tem cerca de três quilômetros de comprimento, e cruza a cidade de nordeste a sudoeste, começando na atual porta do Oriente da velha cidade murada, que data da época dos romanos (*veja* Damasco). Essa rua tem atualmente o nome de *Sultaniyeh*, e o "Grande Bazar" (Sûq et-Tawîleh) ocupa grande parte de sua extensão. As escavações indicam que ela foi, antigamente, uma bela avenida margeada por colunas.

**RUAMA** Nome simbólico ("ela obteve misericórdia") aplicado às filhas do profeta Oséias. Era uma profecia e uma promessa da restauração de Israel quando o povo tivesse se arrependido e voltado para Deus (Oséias 2.1,23). Representa a contrapartida do castigo pronunciado por Deus sobre Israel, reproduzido no nome dado à filha de Oséias, Lo-Ruama (Os 1.6, "ela não obteve misericórdia" ou "Desfavorecida"). *Veja* Lo-Ruama. Tanto Paulo (Rm 9.25,26) quanto Pedro (1 Pe 2.10) referem-se a essa profecia como uma prova da grande misericórdia de Deus, aplicando-a, entretanto, tanto aos crentes de origem gentílica quanto aos crentes de origem judaica.

**RÚBEN**

1. O filho mais velho de Jacó com sua esposa Léia (Gn 29.31,32; 35.23; 46.8; 1 Cr 2.1; 5.1). Rúben teve quatro filhos, Enoque, Palu, Hezrom e Carmi (Gn 46.8,9; Êx 6.14; 1 Cr 5.3). Rúben viveu sob a nuvem de seu pecado torpe de deitar-se com Bila, a concubina de seu pai (Gn 35.22). Muitos de seus atos posteriores foram mais nobres. Quando seus irmãos tramaram matar José, ele os persuadiu a, ao invés disso, colocar José em uma cova, na esperança de que mais tarde pudesse libertá-lo. Rúben não estava com seus irmãos quando José foi vendido aos midianitas (ou ismaelitas), e ficou grandemente angustiado ao encontrar a cova vazia (Gn 37.21-29). Quando os irmãos estavam no Egito comprando cereais, Rúben imediatamente associou seu perigo e ansiedade com um juízo de Deus sobre eles por aquilo que haviam feito a José (Gn 42.22). Rúben estava pronto a penhorar seus próprios filhos para garantir a seu pai o retorno seguro de Benjamim (Gn 42.37).

Em seu leito de morte, Jacó elogiou Rúben por sua força, classificando-o como "o mais excelente em alteza e o mais excelente em poder", mas em seu próximo fôlego ele lhe disse que ele era tão "inconstante (ou impetuoso) como a água" e declarou que ele não deveria ser o líder por causa de seu ato incestuoso com Bila (Gn 49.1-4).

2. A tribo de Rúben foi dividida em quatro clãs, ou divisões. Elizur era o seu "príncipe" ou chefe no início da viagem por ocasião da saída do Egito (Nm 1.5; 2.10; 7.30-35; 10.18). O primeiro censo mostrou o número de 46.500 homens capazes de sair à guerra (Nm 1.20,21), enquanto na segunda contagem o número havia sido reduzido para 43.730 (Nm 26.7). O estandarte do arraial de Rúben representava três tribos – Rúben, Simeão e Gade – totalizando 151.450 homens de guerra (Nm 2.10,16). Quando os 12 espias foram enviados, Samua, filho de Zacur (Nm 13.4), foi escolhido para representar a tribo.

Três homens de Rúben – Datã, Abirão e Om – aliaram-se na revolta de Corá contra Moisés e Arão (Nm 16.1-50; 26.9; Dt 11.6). No final da guerra contra Seom e Ogue, Rúben, Gade, e a metade da tribo de Manassés solicitaram que Moisés permitisse que eles se fixassem no lado leste do Jordão. Moisés aprovou o pedido sob a condição de enviarem um grande grupo de homens de guerra para o outro lado do Jordão, para ajudar seus irmãos na conquista do lado oeste dos cananeus (Nm 32.1-42; Js 18.7). Eles cumpriram este acordo, tomando parte em todas as campanhas de Josué (Js 4.12), e depois disso retornaram ao seu próprio território. Este se situava quase que inteiramente a leste do mar Morto. Ele se estendia de Hesbom e Bete-Jesimote ao sul do rio Arnom (Js 13.15-20; Nm 32.37,38).

Em seu entusiasmo patriótico, os homens de Rúben, Gade e Manassés erigiram um altar de testemunho no lado oeste do Jordão (Js 22.11) que, por um mal-entendido temporário, quase provocou uma guerra civil (Js 22.1-34). Quando a guerra chegou com Sísera, um século e meio mais tarde, os rubenitas não tomaram parte e foram reprovados no cântico de Débora (Jz 5.15,16). Rúben, Gade e a meia tribo de Manassés guerrearam com êxito contra os hagarenos (*q.v.*) durante o reinado de Saul, e viveram em seu território até o cativeiro assírio (1 Cr 5.10,18-22). Mas de acordo com a Pedra Moabita, os moabitas ocuparam as cidades da terra de Rúben no século IX a.C. (veja também Isaías 15; 16; Jr 48). Foi Tiglate-Pileser III (747-725 a.C.) quem levou Beera, o último líder dos rubenitas, para o exílio (1 Cr 5.6; 2 Rs 15.29).

Ezequiel destinou a Rúben uma parte em seu Israel reconstituído (Ez 48.6,31), e João mencionou a tribo em sua lista das 144.000 testemunhas (Ap 7.5).

H. A. Han.

**RUBENITA** A tribo ou família do filho mais velho de Jacó (Nm 26.7; 1 Cr 5.1-8; Dt 3.12). Eles se estabeleceram a leste do rio Jordão (Js 13.15-23). Sua terra estava no extremo sul da herança de Israel, na Transjordânia, e eram constantemente ameaçados pelos povos adjacentes. A tribo não desempenhou nenhum papel importante nos assuntos israelitas subseqüentes à invasão, e com toda certeza deixou de funcionar como uma tribo depois dos reinados de Onri e Acabe. Os rubenitas foram levados para o exílio na Mesopotâmia superior por Tiglate-Pileser III (1 Cr 5.26). *Veja* Rúben.

**RUBI** *Veja* Jóias.

**RUDE** Tradução de várias versões para *idiotes* (2 Co 11.6). Palavra grega que significa "particular", "sem instrução". Trata-se da palavra da qual derivamos o termo "estúpido". Como uma referência à maneira de Paulo falar, a expressão que a contém foi traduzida como "falto no falar".

**RUDIMENTOS** Essa palavra ocorre em Colossenses 2.8,20 como tradução da palavra grega *stoicheion*. Foi traduzida em Hebreus 5.12 como "princípios", e em Gálatas 4.3,9 como "rudimentos". *Stoicheion* significa "ensinos elementares" e revela o que um iniciante ou um observador encontra primeiro. Em Gálatas e Colossenses, acredita-se que o pensamento de Paulo é abrangente, incluindo qualquer tendência a religiões pré-cristãs e não cristãs que demonstrem ser contrárias a Cristo, e que prendem e escravizam os homens. Em Gálatas 4.3, 9, ele está se opondo a ordenanças e rituais religiosos; e em Colossenses 2.8,20, ao asceticismo e a um gnosticismo incipiente. Portanto, a tradução "espíritos elementares" restringiria desnecessariamente o significado daquilo que Paulo estava dizendo. *Veja* Arndt, p. 776; G. Delling, "*Stoicheion*", TDNT, VII, 670-687.

A palavra *stoicheion* também ocorre em 2 Pedro 3.10,12, onde a palavra "elementos" refere-se às substâncias físicas básicas do mundo material.

*Veja* Elementos.

**RUFO** O Rufo mencionado em Marcos 15.21 era um dos filhos de Simão da Cirenaica, que ajudou a carregar a cruz do Senhor quando Ele estava se dirigindo ao Gólgota. Talvez ele seja o mesmo homem mencionado em Romanos 16.13 como tendo sido "eleito" no Senhor. Paulo enviou saudações a esse último e à sua mãe, que parece ter agido de alguma forma como sua própria mãe – talvez oferecendo hospedagem e atendendo às suas necessidades.

**RUGA** Termo usado uma vez em Efésios 5.27 para descrever a Igreja, como se ela fosse uma peça de roupa que deveria se tornar limpa, sem mancha e passada a ferro, livre de todo e qualquer defeito e ruga.

**RUGIR ou BRAMAR** A palavra em hebraico é usada para um leão rosnando ou bramando para sua presa (Jó 37.4), para o rugir dos encantadores etc. Somente o contexto pode dar à palavra o seu significado. O texto em Isaías 59.3 talvez seja melhor traduzido como "murmurar". Em Isaías 8.19, o termo *hagah* descreve o som da voz usada pelos necromantes ao expressar suas fórmulas: "Os que trinam e balbuciam". Era, provavelmente, um tom de voz submisso e contido.

*Veja* Magia; Necromante; Feiticeiro.

**RUÍNAS** Essa tradução de várias palavras hebraicas e gregas tem uma aplicação tanto literal quanto figurada nas Escrituras.

A expressão ruína, em um sentido literal, pode se aplicar a fortalezas ou fortificações (Sl 89.40), a cidades (Is 17.1; 25.2) ou a nações (Ez 31.13). Embora a ruína das cidades ou nações possa ser muito literal, os profetas muitas vezes lançavam previsões de destruição contra elas por causa de seus pecados – especialmente o pecado da idolatria ou do severo tratamento dispensado a Israel (por exemplo, as profecias contra Tiro, Isaías 23.13; Ez 27.27, e Egito, Ez 31.13). Em todo o Oriente Médio podem ser vistas evidências de ruínas de cidades e nações da Antigui-

Seis colunas do templo de Júpiter ainda se elevam majestosamente entre as ruínas de Baalbek. HFV

dade. Desde a época de Abraão, o local da cidade de Ai (*q.v.*), do início da Idade do Bronze , recebeu esse nome por causa de suas ruínas (em hebraico *ha'ay*, "a ruína"). Colinas desabitadas (chamadas *Tell* em árabe, *Tepe* em persa, e *Hüyük* em turco), que encerravam antigas cidades, ponteiam a paisagem de toda essa área. Somente uma pequena porcentagem delas foi escavada pelos arqueólogos. *Veja* Tell.

Muitas vezes, os aspectos figurados ou espirituais da ruína nas Escrituras são mais pronunciados do que os aspectos literais, embora a ruína não seja menos real. No âmbito individual, a "boca lisonjeira opera a ruína" (Pv 26.28), da mesma forma que as bebidas fortes, como foi provado através de numerosas passagens em Provérbios. Em uma parábola, o Senhor Jesus também comparou a ruína espiritual de um indivíduo ao colapso de uma casa construída sobre a areia, e esse colapso certamente irá ocorrer se o indivíduo receber os ensinos de Cristo e não viver de acordo com eles (Lc 6.49). Uma nação também pode chegar à ruína, assim como um indivíduo. Ezequiel advertiu que a iniqüidade causaria a ruína da casa de Israel (Ez 18.30).

H. F. V.

**RUMA** Ruma, que significa "altura", era a cidade de Zebida, a mãe de Jeoaquim, e de seu pai Pedaías (2 Rs 23.36). É o mesmo que Arumá, e estava localizada nas proximidades de Siquém. Também pode ser identificada com Khirbet Rumeh, nas proximidades de Rimom na Galiléia, cerca de dez quilômetros ao norte de Nazaré. Esta palavra também pode ser uma variação de Dumá, que estava localizada a sudeste de Hebrom (*veja* Dumá 3).

**RUTE, LIVRO DE** A Bíblia Hebraica coloca o livro de Rute na última divisão principal (Escritos) como um dos cinco Megilloth. As Bíblias em Português colocam esse livro depois do livro de Juízes, acompanhando a LXX, a Vulgata e os escritos de Josefo. Não se tem certeza de que esse livro tenha, alguma vez, feito parte do livro de Juízes. Trata-se de uma história breve que contém quatro cenas, e uma concludente genealogia.

### Esboço

I. A Peregrinação em Moabe e o Retorno à Pátria, 1.1-22
II. Rute, a Respigadora, 2.1-23
III. O Pedido de Rute a Boaz na Eira, 3.1-18
IV. Boaz Assume as Funções de um Parente Remidor, 4.1-17
V. Genealogia desde Perez até Davi, 4.18-22

### Propósito

Os estudiosos têm opiniões muito divergentes sobre o propósito desse livro. Podemos dispensar as opiniões de que: (*a*) o autor queria simplesmente contar uma história interessante; (*b*) o livro é uma interpretação não literal de textos bíblicos (*midrash*) sobre o suposto mito do culto à fertilidade em Belém (Staples); (*c*) trata-se de um panfleto de propaganda destinado a enfatizar o dever do casamento com um parente próximo (Driver); e (d) o autor deseja exaltar a fidelidade de uma viúva. Alguns estudiosos (por exemplo, R. H. Pfeiffer e G. A. F. Knight) argumentam que o livro de Rute é uma polêmica contra as exigências de Esdras (capítulos 9–10) e de Neemias (13.23-31) de que os judeus deveriam despedir as suas esposas pagãs. O autor menciona muitas vezes que Rute é uma moabita (Rt 1.4,22; 2.2,6,11-13,21; 4.5,10). Além disso, não existe indicação de que os judeus envolvidos nessa história desaprovassem os casamentos de Quiliom com Orfa, de Malom com Rute, e de Boaz com Rute. E também não existem polêmicas no próprio livro de Rute – mesmo em passagens onde ela poderia ser esperada. Poderíamos esperar uma indicação do autor de que o parente próximo teria rejeitado Rute *por ser uma mulher de origem pagã*, ou de que Boaz se casou com ela *apesar de sua origem gentílica*, mas nenhuma menção existe a esse respeito (Hertzberg).

Outros estudiosos acreditam que o propósito desse livro estava ligado à ancestralidade de Davi, mas essa opinião não recebeu uma aceitação geral no tocante à intenção do autor. Será que ele desejava preencher uma lacuna que existia nessa época (a árvore genealógica em 4.18-22 também é encontrada em uma forma ampliada em 1 Crônicas 2.5-15) entre Perez e Davi? Ou será que pretendia estabelecer um relacionamento entre a casa de Davi e a de Moabe, talvez para fornecer uma base para a união das duas nações contra um inimigo comum, ou para que Moabe se submetesse a Israel? Esse tipo de relacionamento poderia explicar porque Davi confiou os seus pais aos cuidados do rei de Moabe (1 Sm 22.3,4), embora esse evento também tenha outras explicações plausíveis. Ou será que ele estava tentando negar que Davi deveria ser considerado um moabita, pois ele era um descendente de Boaz (um judeu), a fim de evitar um estigma que poderia ser lançado contra ele por causa do estatuto preservado em Deuteronômio 23.3,4, proibindo que um moabita entrasse na assembléia do Senhor até a décima geração? Parece provável que o autor desse livro estivesse interessado em fornecer informações sobre os antepassados de Davi, mas subordinou essa intenção a um propósito mais grandioso.

O principal propósito do autor era enfatizar o cuidado providencial demonstrado pelo Senhor em relação às duas viúvas em condições desesperadoras (Hertzberg) e, dessa forma, mostrar que o aparecimento e a ascensão de Davi, em um período crucial da história de Israel, não foi acidental (esta também é a opinião de Ringgren). Esse tema está maravilhosamente contido nas declarações de Boaz a Rute sobre esse assunto (2.11,12), e está explícito ao longo de todo o livro (cf. 1.8,16,17; 2.3,4,20-23; 3.1-4,7-13; 4.13-15).

### Data

O Talmude (Baba Bathra 14*b*) considera Samuel como autor desse livro, mas isso é improvável. Sua data depende de entendermos o seu propósito. Se fosse uma obra polêmica contra as medidas de Esdras e Neemias, ele deveria pertencer ao período pós-exílico, provavelmente ao século IV a.C. Se, entretanto, o autor pretende enfatizar a providência de Deus, esse livro certamente seria do período pré-Exílico. Sob um cuidadoso escrutínio, as supostas palavras e expressões finais deixam de refutar uma data anterior (veja Driver) e suas expressões aramaicas podem ser tentativas posteriores de esclarecer certas obscuridades do primeiro texto. As semelhanças entre Rute 4.7ss. e Deuteronômio 25.5ss. não exigem uma data posterior à reforma do rei Josias, ocorrida em 621 a.C. (provocada pela descoberta do livro da lei que, presumivelmente, incluía Deuteronômio) porque a tradição em Rute se apóia em códigos legais anteriores, e as circunstâncias subjacentes a essas duas passagens não são verdadeiramente as mesmas. *Veja* Rute. A sintaxe e o vocabulário hebraicos, as expressões idiomáticas e a pureza do estilo (veja Driver) dão suporte a uma data anterior para o livro. Entendemos que sua forma atual não pode ser anterior à época de Davi (4.18-22).

***Bibliografia.*** Stephen Bertman, "Symmetrical Design in the Book of Ruth", JBL, LXXXIV (1965), pp. 165-168. John J. Davies, *Conquest and Crisis. Studies in Joshua, Judges and Ruth,* Grand Rapids. Baker, 1969, pp. 155-170. S. R. Driver, *An Introduction to the Literature of the Old Testament,* Nova York. Scribner's, 1893, pp. 453-456. J. Vernon McGee, *In a Barley Field,* Glendale. G/L Publications, 1968. Leon Morris, *Ruth,* Londres. IVCF, 1968. Charles F. Pfeiffer, "Ruth", WBC, pp. 267-272. W. E. Staples, "The Book

Colheita de cevada nos campos de Belém. JR

Os campos de Boaz nas proximidades de Belém. HFV

of Ruth", AJSL, LIII (1937), 145-157. *Veja* também Juízes, Livro de.

J. T. W.

**RUTE** Uma moabita que teve a distinção única de se casar com dois fazendeiros judeus. Malom (Rt 4.10), um dos filhos de Elimeleque (4.3) e Noemi (1.2); e Boaz, um parente de Elimeleque (4.3).

Ao endossar entusiasticamente esses casamentos, a família de Elimeleque ignorou o estatuto preservado em Deuteronômio 23.3,4 que proibia que os judeus aceitassem moabitas em sua comunidade, ou então não estava ciente dessa proibição.

Rute foi notável em sua disposição de renunciar ao seu próprio meio em troca de outro que lhe era estranho, e se parece um pouco com Abraão ao se aventurar em uma terra que nunca tinha visto (Gn 12.1ss. cf. Rt 2.11). Ela resistiu à tentação – sem dúvida muito forte – de sua cunhada (Orfa) de retornar ao seu povo. Por causa de seu amor por Noemi, Rute desejava permanecer com sua sogra, tornar-se uma judia, trocar o seu deus (provavelmente Quemos, Nm 21.29; 1 Rs 11.7,33) pelo Deus de Noemi (O Senhor, cf. Rt 2.12,13) e ser sepultada no mesmo local de Noemi (Rt 1.14-17). A devoção de Rute transcendia o pessimismo de Noemi, que atribuía seu completo "vazio" ao Deus Todo-Poderoso, e insistia que as mulheres de Belém a chamassem de Mara ("amarga", 1.19-21).

Embora não estivesse sob nenhuma obrigação, Rute imediatamente tirou proveito da época do ano em Belém (era a colheita da cevada – desde a metade até o final de maio, precedendo a colheita do trigo) para vislumbrar um meio de sustentar a si e sua sogra. Os trabalhadores israelitas ficaram impressionados com sua dedicação e contaram a Boaz (2.11) que lhe concedeu privilégios especiais (2.14ss.).

O auge da devoção de Rute reflete-se na obediência à sugestão de Noemi de que deveria ir ao debulhador à noite, quando Boaz estava cheio de vinho, para tentar persuadi-lo a aceitar a responsabilidade de se tornar um parente remidor. Ele consentiu, e quando o parente mais próximo desistiu de sua oportunidade, Boaz, voluntariamente, assumiu o seu lugar. Comprou a propriedade de Elimeleque, Quiliom e Malom e se casou com Rute (4.7-12). Ele obedeceu ao costume do levirato (*q.v.*), a lei contida em Deuteronômio 25.5-10, embora não fosse irmão de Malom, mas apenas um parente próximo.

No devido tempo, nasceu Obede ("servo"), filho de Boaz e Rute. A "amargura" de Noemi foi amenizada por sua alegria pela criança, que se tornou um ancestral de Davi (4.18-22) e do Messias. Rute foi uma das quatro mulheres especificamente mencionadas por Mateus na genealogia do Senhor Jesus (1.5). Todas essas mulheres eram gentias, e a intenção de Mateus era, aparentemente, enfatizar a dimensão universal dos ancestrais de Jesus. *Veja* Rute, Livro de.

J. T. W.

# S

**SAAFE**

1. Filho de Jadai (1 Cr 2.47), descendente de Calebe.

2. Filho de Maaca, uma concubina de Calebe, o irmão de Jerameel. Ele é chamado de "pai" ou fundador da cidade de Madmana (1 Cr 2.48,49).

**SAALABIM** Quando os amorreus forçaram a tribo de Dã a retirar-se para as montanhas, eles vieram e habitaram nos montes Heres, Aijalom e Saalabim (Jz 1.35; cf. Js 19.42). Na época de Salomão, este local foi incluído no distrito administrativo supervisionado por Ben-Dequer (1 Rs 4.9). Ele tem sido identificado com Selbît, 13 quilômetros a sudeste de Lida, e quatro quilômetros a noroeste de Aijalom.

Um dos valentes de Davi é chamado Eliaba, o saalbonita (2 Sm 23.32), cuja cidade pode ter sido Saalabim.

**SAALBONITA** Um habitante de Saalabim (2 Sm 23.32; 1 Cr 11.33). *Veja* Saalabim.

**SAALIM, TERRA DE** A região através da qual Saul passou à procura das jumentas perdidas de seu pai (1 Sm 9.4). Estava provavelmente situada na terra de Benjamim, embora alguns estudiosos acreditem que esta seja uma forma abreviada de Saalbim (*q.v.*), que ficava no território de Dã. Outros identificam o distrito com Sual (*q.v.*) ao norte de Micmás.

**SAARAIM[1]** Um benjamita que se divorciou de duas esposas israelitas, e que, em Moabe, casou-se com uma terceira, Hodes (1 Cr 8.8). Ele havia tido dois filhos com Husim (v. 11), e teve mais sete filhos com Hodes (vv. 9,10).

**SAARAIM[2]**
1. Uma cidade na Sefelá ou "planície" de Judá (Js 15.36), mencionada em estreita associação com Socó e Azeca. Depois da derrota de Golias, os filisteus fugiram ao longo da estrada de Saaraim a caminho de Gate e Ecrom (1 Sm 17.52). Sua localização exata ainda não foi identificada.
2. Uma das cidades de Simeão (1 Cr 4.31), evidentemente idêntica a Saruém (*q.v.*; Js 19.6), entre Gaza e Berseba.

**SAASGAZ** O eunuco do rei persa Assuero que era guarda das concubinas, as virgens que haviam visitado o rei e que não obtiveram sua aprovação (Et 2.14).

**SAAZIMA** Uma cidade no território de Issacar, entre Tabor e o Jordão (Js 19.22). Uma possível identificação é Tell el Muqarqash, oito quilômetros a leste-sudeste do monte Tabor, onde a exploração da superfície mostra uma cerâmica típica da maior parte do segundo milênio a.C.

**SABACTÂNI** *Veja* Eloí, Eloí, Lemá Sabactâni.

**SÁBADO, COBERTURA DO** A palavra "cobertura" (em hebraico *musak*) significa um lugar ou caminho coberto, provavelmente separado do público. A frase "cobertura do sábado" só é encontrada em 2 Reis 16.18 em algumas versões, e foi traduzida como "passadiço coberto para uso no sábado". A remoção dessa coberta foi um dos atos mais infames do cruel rei Acaz, e o seu significado ainda é duvidoso, pois a finalidade original dessa cobertura é desconhecida. A melhor explicação parece ser de que era um lugar coberto, ou saguão, usado nos sábados e dias festivos pelo rei quando visitava o Templo acompanhado por sua corte.

**SÁBADO** *Seu significado*. Esta palavra vem da palavra hebraica *shabbat* que significa "cessar", ou "desistir", e da palavra grega *sabbaton*, cujo plural, *sabbata*, é usado algumas vezes para designar um único sábado (Arndt, p. 746). Essa palavra foi aplicada a inúmeras festas do AT, mas ela refere-se principal e geralmente ao sétimo dia da semana, o dia judaico de repouso e adoração.
*Sua origem*. O sábado foi instituído na criação (Gn 2.2 onde a raiz ocorre do mesmo lugar de onde a palavra é derivada). Deus descansou de seu trabalho no sétimo dia da criação e, dessa forma, estabeleceu um padrão que deve ser seguido pelo homem. A incorporação do sábado ao Decálogo está baseada no repouso de Deus na época da criação, e à libertação que Ele concedeu a Israel no Egito (Êx 20.11; Dt 5.15). Alguns tentaram derivar a instituição do sábado da Babilônia e, embora essa palavra apareça em inscrições babilônicas, ela não está ligada ao sétimo dia da semana (os babilônios tinham uma semana de cinco dias), nem se refere a um dia de interrupção do trabalho. J. R. Sampey observa: "Portanto, as afirmativas de alguns especialistas da Assíria, com relação à origem babilônica do sábado, devem ser consideradas com várias restrições" (ISBE, IV, 2630). A Bíblia Sagrada atribui a origem do sábado ao exemplo de Deus na criação.
*Sua referência e propósito*. Depois do relato da criação, o sábado é a próxima referência que aparece em relação à dádiva do maná (Êx 16.23-30), e depois no Sinai quando se tornou parte do Decálogo (Êx 20.8-11). Deus ordenou a guarda do sábado como sinal de sua aliança e do seu relacionamento com Israel (Êx 31.12-17; Ez 20.12,20). Dessa forma, ele representava o selo da aliança Mosaica (cf. Is 56.4,6), e correspondia à circuncisão como o selo da aliança com Abrão (cf. Gn 17.11).
Os outros livros do Pentateuco contêm leis sobre a observação do sábado. O Dia da Expiação era designado como um sábado de completo repouso (Lv 16.31; 23.32), assim como o primeiro, o décimo quinto e o vigésimo terceiro dia do sétimo mês (Festa das Trombetas, Festa dos Tabernáculos) deveriam ser observados como um repouso sabático (em hebraico *shabbaton*; Levítico 23.24,39). O sétimo ano deveria ser um ano sabático (Lv 25.2-7). Os campos deveriam repousar e não ser cultivados (Êx 23.10,11), assim como as dívidas dos companheiros israelitas deveriam ser perdoadas (Dt 15.1-9). Depois de cada série de sete anos sabáticos, deveria ser observado um ano do jubileu, quando as propriedades passavam a pertencer novamente aos donos originais, e os israelitas escravos recuperavam a liberdade (Lv 25.8-54). O sábado também é mencionado nos livros de Reis, Crônicas, Neemias, Salmo 92 (título), Isaías, Jeremias, Ezequiel, Oséias e Amós. *Veja* Festividades: Estações Sabáticas.
Com o desenvolvimento da Sinagoga durante o período intertestamentário, o sábado tornou-se um dia de adoração e estudo da

lei, assim como um dia em que cessava o trabalho. O início do legalismo e das mesquinhas restrições na obediência ao sábado, ocorreram durante esse período. O Senhor Jesus declarou ser o Senhor do sábado (Mc 2.28), e que o sábado havia sido feito para o homem e não o homem para o sábado (v.27), embora Ele nada tenha feito para transgredir a lei Mosaica.
Antes, Ele enfatizou que os judeus deveriam retornar ao propósito original de obedecer ao sábado, isto é, de proporcionar repouso ao homem, e ensinou que o princípio da misericórdia, que é superior, deveria ter a precedência (Mt 12.5-7,10-12; Lc 13.15; 14.1-6). Os primeiros cristãos podem ter usado o sábado para testemunhar aos judeus (At 13.14), porém o primeiro dia da semana era o seu dia de adoração (At 20.7). É bastante significativo que os decretos do conselho de Jerusalém não tenham mencionado a obediência ao sábado nos requisitos estabelecidos para os cristãos gentios (At 15.28ss.). Entretanto, aparentemente o sábado faria parte da adoração no futuro (Is 66.22,23).
*Sua observação.* Numerosos regulamentos bíblicos governavam a observação ao sábado. Além disso, muitas tradições foram acrescentadas no período intertestamentário. Dois tratados do Mishna, *Shabbath e 'Erubin*, foram dedicados a uma detalhada observação do sábado. Esses detalhes incluem as 39 classes de atos proibidos que descrevem e exigem a observação de muitas diferenças sutis neste assunto.
1. A principal proibição bíblica em relação ao sábado era contra o trabalho nesse dia (Êx 20.10). O AT não define detalhadamente o trabalho, exceto que proíbe especificamente acender fogo para cozinhar (Êx 35.3), e juntar lenha (Nm 15.32ss.). Entretanto, em relação ao propósito do sábado, carregar peso (Jr 17.21ss.), viajar (Êx 16.29), e fazer negócios (Am 8.5; Ne 10.31; 13.15,19) também eram atividades proibidas.
2. O sábado judaico também deveria ser observado com uma assembléia santa, com o dobro das ofertas diárias e a colocação de um novo pão da proposição no local sagrado (Nm 28.9ss.; Lv 24.5-8). Esses atos tornavam-no um dia de alegria (Nm 10.10), pois permitia ao homem a oportunidade de colocar de lado as obrigações da vida, e concentrar-se nas atividades espirituais para a renovação de sua alma. Na época do Senhor Jesus Cristo, eram celebradas festas suntuosas no sábado, embora os alimentos tivessem que ser preparados no dia anterior (Lc 14.1; cf. E Schurer, *The Jewish People in the Time of Jesus Christ*, II, ii, 99). *Veja* Festividades: Sábados semanais.
*Sua celebração.* Para Israel, o sábado celebrava o repouso de Deus por ocasião da criação (Êx 20.11), e a libertação que desfrutaram no Egito (Dt 5.15). Para o crente em Cristo, o repouso de Deus no sábado, na criação original, é considerado um exemplo do repouso no qual o crente entrará na nova criação, quando "ele próprio" tiver repousado "de suas obras" confiando em Cristo (Hb 4.1-10).

C. C. R.

*Sua relevância atual.* Existem duas opiniões atuais em relação ao sábado. (1) De que ele foi abolido completamente e que, embora o homem necessite de um dia de repouso a cada sete dias, ele e toda a lei Mosaica – e o Decálogo em particular, não são mais obrigatórios (2 Co 3.6-11). Muitos teólogos Reformados acreditam, entretanto, que não é possível afirmar que os Dez Mandamentos tenham perdido a validade. Eles alegam que Cristo os guardou como um ato de obediência em nosso lugar, para a nossa justificação – e que são mencionados pelos autores do NT como aplicáveis à nossa santificação. Cristo fez uso deles no Sermão da Montanha (Mt 5.21,27). Paulo também o fez em Romanos 13.8-10, e Tiago em Tiago 2.10-12. (2) A segunda opinião é que, como o Filho do Homem é Senhor até do sábado, Ele tinha o direito de mudar o dia que sua Igreja deveria guardar – do último dia da semana para o primeiro – e assim Ele o fez a fim de torná-lo o dia da celebração de sua ressurreição. Essa parece ser a única explicação que evolve todos os fatos de forma satisfatória. Como o sábado foi feito para o homem, Cristo mudou sua celebração para abençoar o homem. *Veja* Dia do Senhor.

R. A. K.

***Bibliografia.*** Gary G. Cohen, "The Doctrine of the Sabbath in the Old and New Testaments", *Grace Journal,* VI (1965), #2, pp. 7-15. Alfred Edersheim, *The Life and Times of Jesus the Messiah,* 2 vols., Grand Rapids. Eerdmans, reimpresso, 1956. Paul K. Jewett, *The Lord's Day,* Grand Rapids. Eerdmans, 1971, pp. 13-51. E. Lohse, "*Sabbatismos* etc.", TDNT, VII, 1-35. Julius Morgenstern, "Sabbath", IDB, IV, 135-141. W. W. Prescott, "Sabbath. Seventh-Day Adventist Position", ISBE, IV, 2632 ss. John R. Sampey, "Sabbath", ISBE, IV, 2629-2632.

**SABÃO DO LAVANDEIRO** *Veja* Ocupações: Lavandeiro.

**SABÃO** Tradução em Jeremias 2.22 e Malaquias 3.2 da palavra hebraica *borit,* derivada da raiz *barar,* que significa purificar. Em Jeremias 2.22 os dois primeiros versos usam o termo "salitre" (heb. *neter*; "lixívia", isto é, sódio ou soda, um álcali mineral) como analogia a "sabão", sugerindo que o sabão bíblico não deve ter sido a combinação de óleos e sais de sódio, básica para o nosso produto atual. Mais precisamente, era uma solução aquosa de sais alcalinos, principalmente carbonato de potássio que agiria como um detergente. No antigo Oriente Próximo, o sabão

também era obtido pela decomposição de azeite de oliva com sais originários de cinzas de plantas salíferas locais.
Há duas ocorrências da palavra hebraica cognata *bor* ("lixívia"). Em Jó 9.30, Jó declara que nem a limpeza externa de suas mãos, mesmo com "lixívia" (sabão cáustico), seria suficiente para limpar a impureza interior. Em Isaías 1.25, assim como a "lixívia" é usada como um fundente no processo de fusão, também a ira de Deus eliminará todas as impurezas de Israel. *Veja* Potassa.

R. V. R.

**SABAOTH** Transliteração da forma plural da palavra hebraica que quer dizer "exército" ou "forças armadas". A conotação de uma organização aplicada à criação, aos anjos, aos corpos celestiais ou à migração de israelitas (Nm 1.3) indica a presença de um líder ou de alguém que detém uma posição superior. Da mesma forma, essa palavra adquire proeminência no nome do Senhor dos Exércitos (Sabaoth) que ocorre primeiro nos livros de Samuel, mas que foi usada livremente (247 vezes) pelos profetas.
Isaías declara diretamente: "O nome do nosso Redentor é o Senhor dos Exércitos, o Santo de Israel" (47.4). Não está definido a qual exército ele se refere nesse epíteto de poder soberano e de majestade. Essa palavra ocorre também em Romanos 9.29 e em Tiago 5.4. *Veja* Exército.

**SABEDORIA** (NT). Embora no AT a sabedoria seja personificada no livro de Provérbios e mostrada como tendo existido eternamente em Deus (Pv 8.22-30), ela é centrada em uma pessoa, o Senhor Jesus Cristo (1 Co 1.30; Cl 2.2,3; cf. Lc 11.49).
Cristo, em sua natureza humana, cresceu em sabedoria, e em estatura, e em graça para com Deus e os homens (Lc 2.52), mas em sua natureza divina, repousava sobre ele o Espírito sétuplo cujo principal atributo é a sabedoria (Is 11.2). Como resultado, os homens perguntaram, "Donde veio a este a sabedoria" (Mt 13.54; Mc 6.2), não percebendo que alguém maior que Salomão estava ali (Mt 12.42). O apóstolo Paulo escreve que Ele é o poder e a sabedoria de Deus, destacando que a vida e a morte de Cristo eram o sábio plano de salvação de Deus (1 Co 1.24).
Os gregos, com sua filosofia, buscavam a sabedoria (1 Co 1.22) e produziram grandes homens como Platão e Aristóteles, mas não vieram a conhecer a Deus. Em contraste, Deus, em sua infinita sabedoria, usou a Palavra da cruz para revelar o modo como o homem pode ser salvo. O evangelho provou ser um tropeço para os judeus, que estavam tentando obter a salvação através das boas obras (Rm 9.30-33); e uma "loucura ou insensatez" (gr. *moria*, os pensamentos de um simplório, simples demais para ser aceito como o verdadeiro conhecimento da salvação) para os gregos cultos (1 Co 1.23). Os judeus ficavam ofendidos com o pensamento da crucificação, e por serem tão impotentes a ponto de precisarem que alguém morresse pelos seus pecados. Os gregos consideravam a simples fé em uma expiação substitutiva um modo fácil demais para a salvação. Contudo, a morte expiatória do Senhor Jesus Cristo é o epítome de toda a sabedoria (Ef 3.10), uma vez que ela resolve o maior problema do mundo e do homem, isto é, o pecado.
Quanto mais profundamente o homem estuda sua condição e sua necessidade de salvação, e o problema envolvido para tornar possível sua salvação, a sabedoria da cruz fica mais comprovada. A salvação deve ser igualmente possível para todos, sábios e símplices, e somente a justificação pela fé atende esta necessidade. Ela deve atender as necessidades de um Deus Santo que exigiu que a aliança das obras fosse perfeitamente mantida, e o perfeito Filho de Deus sem pecado que se tornou homem atendeu este requisito. Deve ser suficiente não meramente para o homem que guardou a lei e cumpriu a aliança das obras perfeitamente, mas para todos os homens. Somente a satisfação infinita de alguém que era tanto Deus como homem poderia atender a esta necessidade.
Embora Paulo não tenha pregado de acordo com a sabedoria do mundo, todavia ele pregou a sabedoria oculta de Deus que só pode ser discernida quando Deus dá ao homem a direção e a ajuda do Espírito Santo (1 Co 2.7-14). Deus deseja que o homem tenha e conheça sua sabedoria (Tg 1.5). Ela é espiritual e consiste no conhecimento de sua vontade (Cl 1.9; Ef 1.8,9). Ela é "do alto" e é contrastada com a sabedoria terrena e humana deste mundo, que pode até ser inspirada pelos demônios (Tg 3.13-17; cf. Cl 2.23; 1 Co 3.19,20; 2 Co 1.12). A sabedoria de Deus deve ser revelada ou "dada" aos homens (Rm 11.33,34; 2 Pe 3.15; Lc 21.15). Isto pode ser conferido pela Palavra de Deus e pelo ensino humano dela (Cl 3.16; 1.28; Ap 13.18; 17.9). Como no caso da sabedoria (heb. *hokma*) do livro de Provérbios, ela permite que o crente saiba como agir em relação às outras pessoas, e aproveitar ao máximo as suas oportunidades espirituais (Cl 4.5). *Veja* Literatura de Sabedoria, AT. Para a palavra de sabedoria como um dos dons carismáticos (1 Co 12.8), *veja* Dons Espirituais.

***Bibliografia.*** U. Wilckens e G. Fohrer, "*Sophia* etc", TDNT, VII, 465-528.

R. A. K.

**SABETAI** Um levita que se opôs a Esdras ao lidar com aqueles que haviam se casado com mulheres gentias (Ed 10.15). Ele também é citado entre aqueles que foram designados para explicar a lei (Ne 8.7), e como um dos chefes dos levitas que presidiam "sobre a obra de fora da Casa de Deus" (Ne 11.16). Este nome, que significa "nascido no sábado", é encontrado em inscrições cuneiformes como *Shabbatai*, e nas inscrições nabatéias e palmirenes como *shbty*.

**SABEUS** Os sabeus eram um grupo de tribos árabes que antigamente vagavam por toda a Arábia, e que por fim instalou-se em uma região de montanhas e florestas na extremidade sudeste da Arábia, conhecida atualmente como Iêmen.
Foram mencionados primeiramente no diário de um dos reis-sacerdotes de Lagash que data do século XXI a.C. Esse rei-sacerdote afirmava que governava sobre os sabeus e recebia deles incenso como tributo. Alguns sabeus atacaram os servos de Jó (Jó 1.15), porém nada mais foi registrado sobre eles até a época de Salomão, quando a Rainha de Sabá (ou Sebá) visitou Judá, celebrou um tratado de comércio com Salomão (1 Rs 10.1-13), e trouxe com ela especiarias, sândalo, pedras preciosas e ouro. *Veja* Sabá 4-7. Em seguida, os sabeus pagaram tributos em ouro e incenso aos reis assírios Tiglate-Pileser III (745-727 a.C.) e Sargão II (722-705 a.C.). Os sabeus são mencionados como comerciantes de escravos em Joel 3.8.
Eles viviam principalmente do comércio de incenso. A árvore do sândalo, que crescia em abundância em suas terras, eliminava, quando golpeada, uma substância pastosa e muito perfumada. O incenso produzido no sul da Arábia era exportado, desde tempos imemoriais, para a Mesopotâmia e o Egito em enormes quantidades, e os sabeus enriqueceram-se com esse comércio.
A invasão assíria no século VIII trouxe consigo, evidentemente, o conhecimento do alfabeto fenício porque a partir do século VII encontramos um novo alfabeto usado no sul da Arábia baseado no alfabeto fenício. Até agora, foram coletadas cerca de 2.000 inscrições no território dos sabeus, que muito acrescentaram ao nosso conhecimento sobre esse povo. Eles deixaram um grande monumento com a forma de um açude perto de Marib, sua antiga capital. É provável que esse açude tenha sido construído logo depois da invasão dos assírios e, por descuido, finalmente tenha se transformado em ruínas em algum período durante o século VI d.C.
Os sabeus adoravam várias divindades, inclusive al-Uzza, a deusa da fertilidade; ath-Thurayya, deusa da chuva, e Manat, deusa da tristeza e da morte. As divindades mais importantes eram o deus-lua Ilumquh, simbolizado pelo boi, sua consorte a deusa-sol Shams e seu filho, a estrela matutina que conhecemos como o planeta Vênus. Além dessas divindades, eles aplacavam inúmeros espíritos que, supostamente, residiam em pedras, árvores e riachos. O judaísmo e o cristianismo haviam penetrado no Iêmen havia muito tempo, e lá existiam comunidades pertencentes às duas religiões até o advento do islamismo. Expedições arqueológicas, em 1950-52, retiraram a areia que cobria um grande Templo oval, com cerca de 330 metros de diâmetro em Marib. Ele era dedicado ao principal deus Ilumquh.
No início, parece que os sabeus eram governados por um rei-sacerdote chamado "Mukarrib"; entretanto, com o aumento da prosperidade e do poderio do país em aprox. 450 a.C., esses governantes assumiram o título de "melek" ou rei. No início do século I d.C., parece que Sabá colocou alguns de seus vizinhos sob sua soberania, e assim o título do monarca foi mudado de "rei de Sabá" para "rei de Sabá e Raydan".

***Bibliografia.*** Wendell Phillips, *Qataban and Sheba,* Nova York. Harcourt, Brace, 1955. Gus W. Van Beek, "Sabeans", IDB, IV, 144-146.

D. C. B.

**SABTÁ** Descendentes do terceiro filho de Cuxe, que provavelmente viveram na costa sudeste da Arábia, ao longo do mar Vermelho (Gn 10.7; 1 Cr 1.9).

**SABTECÁ** Quinto filho de Cuxe, cujos descendentes provavelmente formaram uma das tribos do sul da Arábia (Gn 10.7; 1 Cr 1.9). Esse nome, entretanto, é desconhecido.

**SACAR**
1. Um hararita, pai de Aião, que foi um dos valentes de Davi (1 Cr 11.35). Em 2 Samuel 23.33 seu nome aparece como Sarar, o ararita.
2. Nome de um coraíta, filho de Obede-Edom, que era porteiro do Tabernáculo na época de Davi (1 Cr 26.4).

**SACERDOTE, SACERDÓCIO** O sacerdote é um ministro autorizado para as coisas sagradas, especialmente aquele que oferece sacrifícios no altar e age como mediador entre o homem e Deus.

### Propósito

O sacerdócio hebraico constitui uma das características dominantes da religião e da vida do AT. Isso pode ser constatado não só através das múltiplas referências feitas nas Escrituras, como observamos abaixo, mas na própria construção da religião do AT com sua classe especial de sacerdotes representativos, e pela importância das relações e das funções religiosas durante a vida toda.
A visão hebraica do mundo, e da vida no mundo, era completamente controlada pelo sobrenatural e impregnada dele. A necessidade de manter relações aceitáveis com Deus, que não eram naturais ao homem, con-

cedia ao sacerdote e aos seus ensinos a mais elevada prioridade. Eles eram necessários para a preservação de um permanente contato de Israel com Deus. O israelita relacionava-se com Deus através de um pacto nacional especial que envolvia o sacerdócio por causa de seus serviços essenciais como mediador e representante. Portanto, os sacerdotes operavam entre Deus e o povo a fim de preservar esse relacionamento estabelecido através da aliança.

O sucesso da religião sacerdotal dependia intensamente do significado e do espírito dessa operação, especialmente por parte do

Sacerdotes samaritanos na sinagoga samaritana em Nablus. Giovanni Trimboli

próprio povo. A eficiência do sacerdócio, por causa de seu caráter extremamente representativo, podia rapidamente escorregar para uma atividade infrutífera de padrão ritualístico, desprovida do significado e do espírito desse mesmo ritual.

Isto por sua vez, eliminava qualquer envolvimento pessoal ou real das pessoas representadas. O ritual torna-se rigidamente importante e seu significado desaparece. Em muitos sentidos, a história do sacerdócio hebraico transformou-se nisto. No AT, os profetas muitas vezes levantavam a voz contra a atitude do povo que abandonou o Deus que lhes falou através de Moisés. Na época do NT existia uma profunda divisão entre os fariseus, com sua meticulosa adesão aos rituais e aspectos físicos do padrão do AT, e Jesus Cristo com sua ênfase no significado interior e na interpretação espiritual de todos os elementos da vida.

Os principais componentes do evangelho, que preenchiam as fórmulas do AT através da obra redentora de Cristo, estão tipicamente representados no sacerdócio hebraico. Esse sacerdócio, portanto, que era de suma importância na época do AT como um meio de assegurar-se e manter uma posição aceitável de comunhão com Deus, torna-se, no NT, o fundamento para a compreensão do ministério mediador e redentor de Jesus Cristo.

**Terminologia**

As palavras hebraicas *kohen, kahen* (uma forma aramaica), que foram em geral traduzidas como "sacerdote", e *kehunna* como "sacerdócio", junto com a forma verbal *kahan*, "ser sacerdote", "ministrar" ou "desempenhar a função de sacerdote", ocorrem 775 vezes no AT. A palavra *levita*, utilizada para designar a tribo dos sacerdotes, ocorre 280 vezes. A designação do plural hebraico *k<sup>e</sup>marim* é usada três vezes para os sacerdotes idólatras (2 Rs 23.5; Os 10.5; Sf 1.4). Esse termo aparece pela primeira vez em aprox. 2000 a.C. nos registros das colônias assírias da Capadócia. Mais de um terço das referências feitas aos sacerdotes do AT são encontradas no Pentateuco. Com aproximadamente 185 referências, o livro de Levítico pode, de forma muito acertada, ser chamado de manual dos sacerdotes. Um número maior de referências é encontrado nos livros das Crônicas quando comparado aos livros dos Reis, por causa do caráter destes primeiros. Somente Levítico tem mais referências aos sacerdotes do que 2 Crônicas. Entretanto, eles são mencionados em todos os livros do AT, com exceção de Rute, Ester, Jó, Eclesiastes e nos escritos de vários dos chamados Profetas Menores.

No NT, as formas gregas *hiereus*, "sacerdote"; *archiereus*, "sumo sacerdote"; *hierosyne, hierateia*, "sacerdócio"; *hierateuma*, a "função do sacerdote" ou "ordem dos sacerdotes"; *archieratikos*, "sumo sacerdócio"; *hierateuo*,

O sumo sacerdote hebreu

"ser um sacerdote" ou "servir como sacerdote", ocorrem cerca de 165 vezes, sendo que aproximadamente 30 dessas ocorrências são de *hiereus*, "sacerdote" e 125 de *archiereus*, "sumo sacerdote", mostrando a importância dos sumo sacerdotes nas narrativas dos Evangelhos. No NT, quase todas as referências ao sacerdote e ao sumo sacerdote estão confinadas aos Evangelhos, e aos livros de Atos e Hebreus. A palavra levita ocorre apenas três vezes no NT.

O termo *kohen* ocorre como uma designação não só do sacerdote hebreu mas também dos sacerdotes egípcios (Gn 41.45,50; 46.20; 47.26), dos sacerdotes filisteus (1 Sm 6.2) e dos sacerdotes de Dagom (1 Sm 5.5), de Baal (2 Rs 10.19), de Quemos (Jr 48.7) e dos baalins e aserins (2 Cr 34.5).

Acredita-se que a origem da palavra *kohen*, embora desconhecida, venha do termo *kahan*, aliado a *kun*, isto é, "permanecer", referindo-se ao sacerdote como aquele que permanece perante Deus como servo ou como representante do povo, e também como alguém que permanece perante o povo como representante de Deus. O serviço do sacerdócio é representado dessa maneira (Nm 16.9; Dt 10.8; 17.12; 18.5), embora a palavra usada não seja *kun*, mas *'amad*.

## Contexto e História

Antes do sacerdócio hebraico estabelecido por Moisés, a Bíblia menciona o sacerdócio de Melquisedeque (Gn 14.18), dos egípcios (Gn 41.45; 46.20; 47.22,26) e dos midianitas (Êx 2.16; 3.1; 18.1). Acredita-se que os sacerdotes mencionados em Êxodo 19.22,24 podiam ser midianitas ou sacerdotes de Israel, antes do estabelecimento dos levitas. O ato de Moisés de escolher homens jovens como sacerdotes para confirmar a aliança (Êx 24.5), parece indicar pelos menos a propriedade de ordenar sacerdotes em Israel antes do sacerdócio levítico, ou então a existência de tais sacerdotes em outras ocasiões anteriores.

As funções sacerdotais eram desempenhadas, desde o início do período patriarcal, pelos chefes de família. A atividades de Noé, Abraão e Jó, entre outros, são exemplos de funções sacerdotais patriarcais dos chefes de família. Acredita-se que depois do Dilúvio Noé construiu um altar sobre o qual sacrificou ofertas que eram aceitáveis a Deus (Gn 8.20,21). Abraão construiu altares em Betel, Manre e Moriá. Embora nenhum sacrifício tenha sido mencionado, exceto o sacrifício exigido de Isaque e do cordeiro preso em um arbusto que foi oferecido em seu lugar, a pergunta de Isaque, "onde está o cordeiro para o holocausto?" indica a prática de oferecer sacrifícios nesses altares. O prólogo de Jó mostra o patriarca agindo continuamente como sacerdote em benefício de seus filhos pecadores (Jó 1.5).

Depois da organização do sacerdócio hebreu, ao menos ocasionalmente, outros que não eram sacerdotes envolveram-se em ministérios sacerdotais. Gideão (Jz 6.24-26), os homens de Bete-Semes (1 Sm 6.14,15), Samuel (1 Sm 7.9), Davi (2 Sm 6.13-17) e Elias (1 Rs 18.23,37,38) são exemplos dessa prática e de que essas atividades gozavam de total aprovação. Os homens de Bete-Semes foram destruídos por Deus não por causa de suas ofertas sacrificiais, mas porque olharam para dentro da arca do Senhor. Outras usurpações das funções sacerdotais foram fortemente desaprovadas, com base na impropriedade da pessoa nela envolvida, da ação sacerdotal, ou do deus a quem a atividade estava dirigida. Nem sempre é fácil discernir a linha demarcatória entre a participação própria ou imprópria nas operações sacerdotais por aqueles que não eram sacerdotes levitas ou da linhagem de Arão.

## Ordenação

De acordo com as instruções divinas, Arão e seus filhos, Nadabe, Abiú, Eleazar e Itamar foram consagrados como sacerdotes por Moisés (Êx 28.1,41; 29.9-30). Como Nadabe e Abiú morreram quando ofereceram um fogo estranho perante o Senhor, no tempo de Moisés o sacerdócio descendente de Arão ficou limitado às linhagens de Eleazar e Itamar (Lv 10.1,2; Nm 3.4; 1 Cr 24.2).

Entretanto, nem todas as pessoas que nasceram na família de Arão podiam tornar-se sacerdotes, pois o sacerdócio não estava sujeito apenas à escolha humana, mas também devia ser santo. Evidentemente, certas deformidades físicas eram consideradas incompatíveis com a representação de uma perfeita santidade (Lv 21.17-23). As impurezas cerimoniais também proibiam o sacerdote de realizar os deveres de seu ofício. Embora nenhuma regra para a exclusão ou procedimento para readmissão tenham sido oferecidos, as proibições cerimoniais haviam sido determinadas em Levítico (Lv 21.1-5).

A cerimônia de sete dias da consagração de Arão e de seus filhos foi muito solene, pitoresca e significativa (Êx 29.1-37; Lv 8). Além de terem sido escolhidos por Deus e destinados à santidade, a narrativa da consagração enuncia as características sacerdotais da continuidade hereditária e a atividade e a aparência da representação. Nesse evento, as vestes sacerdotais, as cerimônias e os sacrifícios da consagração foram dignos de nota. As vestes sagradas de Arão eram consideravelmente mais elaboradas do que as dos outros sacerdotes (Êx 28.2-39). Todos os sacerdotes tinham capas, cintos e adornos de cabeça, mas Arão usava também um peitoral e uma túnica, além de outras partes mais elaboradas de suas vestes.

Sobre duas pedras de ônix, colocadas na túnica sobre os ombros de Arão, foram inscritos os nomes das tribos de Israel, seis nomes em cada pedra, em cada ombro. O peitoral, assim como a túnica, era feito do mais fino linho nas cores dourado, azul, púrpura e carmesim, onde haviam sido incrustadas 12 pedras preciosas, com os nomes de cada uma das 12 tribos. Essas pedras com suas inscrições retratavam o caráter representativo do sacerdócio. O sacerdote levava perante Deus os nomes das tribos como um memorial. A mitra ou tiara de Arão tinha uma placa de ouro sobre renda azul, onde estavam gravadas as palavras "Santidade ao Senhor" e sobre ela havia a coroa sagrada. *Veja* Sumo sacerdote: Vestes.

Segundo a ordem da consagração, Arão e seus filhos foram primeiramente lavados com água pura. Em seguida, as vestes sagradas de Arão foram colocadas sobre ele, e o óleo da unção foi aspergido sobre sua cabeça. Finalmente, seus filhos deviam identificar-se com o cordeiro e o novilho das ofertas colocando suas mãos sobre os animais. Esse ato fazia com que o valor do sacrifício dos animais fosse revertido em benefício de Arão e seus filhos, purificando-os para as suas funções sacerdotais.

Para a prática do sacrifício era exigido um novilho como oferta pelo pecado, um cordeiro como o doce sabor da oferta, e outro cordeiro como oferta da consagração. O sangue do cordeiro da consagração era colocado sobre o lóbulo da orelha direita, sobre o polegar da mão direita e sobre o grande dedo do pé direito de Arão e de cada um de seus filhos. Esse sangue também era aspergido sobre o altar, unindo o altar e os sacerdotes nos rituais da consagração. O sangue do altar, misturado com o óleo da unção, também era aspergido sobre Arão e seus filhos e suas vestes. As cerimônias e os sacrifícios da consagração eram repetidos durante sete dias a fim de assegurar sua completa efetividade.

Não há dúvida de que esse elaborado ritual da ordenação colocava o sacerdote hebreu em uma posição à parte do povo, como uma pessoa santa que havia sido escolhida por Deus, consagrada a Deus e que representava do povo perante Deus, assim como representava Deus perante o povo. O sangue colocado sobre a orelha direita significava a inclinação do sacerdote à voz de Deus, para ouvir e também obedecer as suas instruções. O sangue que marcava a mão indicava a consagração de suas funções como sacerdote no santuário para agir perante Deus como uma pessoa santa em benefício do povo. O sangue sobre o dedo grande do pé demonstrava sua consagração aos recintos santificados do Tabernáculo (que mais tarde seria o Templo) reservado apenas às pessoas consagradas. Talvez também estivesse na mente das pessoas a idéia de que o modo de caminhar de alguém revelava seu comportamento, como consta nas Escrituras (Pv 28.6,18; Gl 5.16). Certamente esses atos tinham a finalidade de mostrar que a consagração ao sacerdócio envolvia toda a pessoa humana e também seu comportamento.

Ele deveria ser o homem de Deus, seu representante junto ao povo, que retratava a sagrada separação cerimonial da impureza e do pecado (Lv 10.8-11), e o representante do povo para oferecer sacrifícios agradáveis em seu benefício e oficiar os serviços prescritos como foram instituídos por Deus através de Moisés. Dessa forma, o sacerdote agia como mediador oficial entre Deus e o homem.

### Funções Secundárias

Os sacerdotes também tinham a função de atuar como mestres da lei (Lv 10.10,11; Dt 33.10; 2 Rs 17.27,28; 2 Cr 15.3; 17.7-9; Jr 18.18; Ez 7.26; 44.23; Ml 2.6,7), uma tarefa que nem sempre desempenhavam corretamente (Mq 3.11; Ml 2.8). Como pedagogos, eles representavam um limitado meio de revelação em certas áreas da saúde e da jurisprudência, incluindo o diagnóstico e a limpeza de certos tipos de lepra (Lv 13–14), a purificação de homens e mulheres e de artigos de mobiliário tocados por quaisquer fluxos dos corpos de homens e mulheres (Lv 15), a prova do ciúme (Nm 5.11-21), as controvérsias e os castigos por um assassinato duvidoso (Dt 21.5) e outros assuntos de natureza cívil (2 Cr 19.8-11; Ez 44.24).

### Classificação

O sacerdócio hebreu incluía três classes básicas: o sumo sacerdote, os sacerdotes, e os levitas. Os levitas (*q.v.*), como uma classe subsidiária que servia aos sacerdotes, não podem ser facilmente distinguidos porque Arão e seus filhos não constavam entre as tribos de Israel como uma tribo, mas foram nomeados para o serviço do Tabernáculo no deserto, especialmente no tocante à sua movimentação (Nm 1.47-53; 3.6ss.; Dt 11.8,9). Havia originalmente uma cuidadosa distinção entre os levitas e os sacerdotes, e isso está claramente ilustrado na rebelião de Corá, Datã e Abirão, cujas vidas e as de suas famílias foram perdidas porque como levitas procuraram usurpar o ofício do sacerdote (Nm 16.1-33). Depois dessa experiência, Deus reafirmou a escolha de Arão e de seus filhos como sacerdotes entre todas as tribos, e confirmou a posição de servos dos levitas ao fazer florescer a vara de Arão, enquanto a vara dos príncipes das demais tribos permanecia estéril (Nm 17.1–18.6). Nos livros das Crônicas, além de exercer os seus deveres relacionados com o cuidado físico do santuário na função de porteiros, os levitas também eram músicos e tesoureiros (1 Cr 6.31,32; 9.19; 16.4,5,7; 25.1-7; 26.1,20; 2 Cr 8.14).

### Subsistência

Os sacerdotes e os levitas não recebiam nenhuma herança de terras na Palestina, como acontecia com as outras tribos de Israel. Sua recompensa e sustento vinham de certas partes dos sacrifícios, de ofertas feitas espontaneamente e dos dízimos (Nm 18.3-32). Entretanto, era possível ser dono de alguma propriedade. Os levitas receberam 48 cidades para moradia, 13 das quais eram para os sacerdotes filhos de Arão (Nm 35.1-8; Js 21.4,13-19). Durante a monarquia os sacerdotes, como indivíduos, podiam possuir terras (1 Rs 2.26; Jr 32.6-8; Am 7.17) e nos anos seguintes eles receberam propriedades em Jerusalém e em suas vizinhanças (Ne 11.3,10-23,36).

Os primeiros frutos do campo, os primogênitos de todos os animais domésticos e o dinheiro da redenção pago pelos filhos primogênitos dos israelitas e pelos primogênitos de todos os animais impuros deveriam ser o pagamento dos sacerdotes (Êx 13.12,13; Nm 18.12-19). De outras ofertas e sacrifícios os sacerdotes deveriam receber o pão da proposição (Lv 24.5-9), a maior parte das ofertas de manjares (ou de cereais; Lv 2.3-10; 6.16; 7.9-14; 10.12,13; Nm 18.9), a maior parte das ofertas pela expiação do pecado (Lv 5.13; 6.26; Nm 18.9), o peito e a coxa das ofertas pacíficas (Êx 29.26-28; Lv 7.30-34; 10.14,15) e a maioria das ofertas pela expiação da culpa (Lv 7.1-8). Os sacerdotes também deveriam receber um dízimo do dízimo dos levitas (Nm 18.26-28).

As 35 cidades levíticas que permaneceram depois que as 13 cidades dos sacerdotes foram subtraídas das 48 originais – junto com as terras de pastagem vizinhas e o dízimo (menos o dízimo dos sacerdotes) eram o provimento para a subsistência dos levitas (Nm 18.21,24-28; 35.1-8).

## O Serviço Levítico

A idade para a prestação de serviço dos levitas variava conforme a época. Quando foram primeiramente enumerados e escolhidos, ao invés do primogênito de toda a nação de Israel "para fazer obra na tenda da congregação" (Nm 4.3,23,30,35,39,43,49), eles deveriam ter de 30 a 50 anos de idade. Na época da consagração inicial dos levitas, com a aspersão da água da purificação, a raspagem de toda a pele, a lavagem das roupas e a oferta de um novilho como oferta sacrificial para a reparação (Nm 8.5-14), a idade específica para o serviço variava entre 25 e 50 anos (Nm 8.24-26). De acordo com Crônicas, ao final de seu regime Davi mudou a idade do início do serviço levítico para 20 anos, sem uma data para seu término (1 Cr 23.24,27; cf. 23.1-3).

O número de levitas relacionados para o serviço sob a coordenação de Moisés e Arão era de 8580 (Nm 4.46-48). Também de acordo com Crônicas, esse número aumentou para 38.000 ao final do reinado de Davi, sendo que 24.000 eram trabalhadores da casa do Senhor, 6.000 eram oficiais e juízes, 4.000 eram porteiros e 4.000 eram músicos (1 Cr 23.3-5). Esdras relaciona apenas 74 levitas entre os exilados que retornaram com Zorobabel (Ed 2.40), embora 973 sacerdotes estivessem com ele (Ed 2.36). Entretanto, havia pessoas envolvidas em atividades atribuídas aos levitas em outros lugares cujos números adicionais são. 128 cantores, 139 filhos de porteiros e 392 netineus (*q.v.*) e filhos dos servos de Salomão (Ed 2.41,42,58). Nenhuma menção foi feita dos levitas que retornaram com Esdras. Mais tarde, entretanto, 38 levitas e 220 netineus juntaram-se a ele (Ed 8.15-20) depois de um convite expresso, a fim de serem providenciados os ministros para a casa de Deus.

## Falhas do Sacerdócio

É evidente que o código sacerdotal de Moisés não foi escrupulosamente obedecido em toda história israelita, especialmente pelas narrativas dos livros de Juízes e Samuel, assim como na história das épocas posteriores. As variações em relação às normas Mosaicas levaram alguns críticos a refutar a existência dessas normas, mas certamente essa conclusão não é necessária nem natural. O AT está repleto das próprias críticas dos israelitas em relação às suas falhas em obedecer às ordens do Senhor seu Deus, e não é de admirar que tenham ocorrido deslizes na rigorosa e exata aplicação dos códigos mosaicos tratando-se do sacerdócio.

Um certo Mica ordenou um de seus filhos como sacerdote da família (Jz 17.5) até que um levita, Jônatas, aparecesse e fosse feito sacerdote em lugar desse filho. Evidentemente, o filho oficiava em lugar do pai, de acordo com a antiga prática patriarcal. Como pertencia a uma tribo de sacerdotes, o levita foi considerado mais adequado para essa posição, embora segundo a lei de Moisés os levitas não fossem sacerdotes plenamente qualificados.

Com base em 1 Samuel 1.1, alguns acreditam que Samuel fosse um efraimita; entretanto, em 1 Crônicas 6.16-28, Samuel está relacionado como levita. Nesse caso, Elcana seria um levita que vivia na região montanhosa de Efraim quando Samuel nasceu. Além disso, foi sugerido que Samuel era demasiadamente jovem para praticar qualquer serviço sacerdotal durante o período da primeira parte de 1 Samuel (1 Sm 1.27,28; 2.11,18; 3.1) e que o significado da frase "servindo ao Senhor" deve referir-se a algumas tarefas simples dos servos. Em uma época posterior, entretanto, parece que Samuel realmente ofereceu sacrifícios (1 Sm 7.9,10; 10.8; 16.2,5).

Sem a aprovação de Samuel, Saul agiu como sacerdote (1 Sm 13.8-13), mas Davi (2 Sm 6.12-19) e Salomão (1 Rs 8.22-53), sem o registro de qualquer desaprovação, também serviram como sacerdotes em certas ocasiões. Quando o reino do norte separou-se de Judá,

Jeroboão I nomeou sacerdotes independentemente de sua descendência tribal (1 Rs 12.31; 13.33) e ele mesmo serviu como sacerdote (1 Rs 12.32,33). Acaz, oferecendo sacrifícios sobre seu altar damasceno (2 Rs 16.10-16), obviamente não teria sido aprovado por Isaías (Is 7) nem por outros homens de Deus. A passagem em 2 Crônicas 26.16-20 fala sobre a lepra de Uzias como um castigo de Deus por ter usurpado o cargo de sacerdote. Em Esdras 6.19,20 (cf. 2 Cr 29.34; 35.11-14) os levitas mataram os cordeiros da Páscoa, uma responsabilidade que, de acordo com a lei de Moisés, cabia apenas aos sacerdotes.

Por causa do insucesso de seus filhos na função sacerdotal, um certo profeta predisse a Eli que seus descendentes iriam perder essa posição (1 Sm 2.27-36). Nos últimos dias de Davi, o sacerdote Abiatar uniu-se a Adonias em sua tentativa de garantir o trono, e dessa forma trouxe para si o desagrado de Salomão que havia sido ungido rei por Zadoque. Abiatar, deposto da função de sacerdote, foi banido para Anatote. Assim, a linhagem sacerdotal a partir dessa época ficou restrita aos zadoquitas. Esse ato foi o cumprimento da profecia que fôra entregue a Eli (1 Rs 2.27). As Crônicas afirmam que Zadoque era um descendente de Arão através de seu filho Eleazar (1 Cr 6.8,53; 24.3; 27.17). *Veja* Zadoque.

### A Importância do Sacerdócio

A posição relativa do sumo sacerdote, ou sacerdote-chefe, e a dos levitas, não parece ter sido consistente ao longo da história israelita. De forma bastante clara, a apresentação feita em Êxodo, Levítico e Números indica a posição relativa de Arão e seus filhos, sendo que Arão era o sumo sacerdote. Os levitas foram cedidos a Arão e seus filhos, os sacerdotes, para serem seus ajudantes em serviços bastante limitados (Nm 1.50; 3.28,32; 8.15; 31.30,47; cf. 1 Cr 23.25-32). Em Deuteronômio, os levitas aparecem em nível de igualdade com os sacerdotes na utilização dos termos "sacerdotes levitas" ou "os sacerdotes, filhos de Levi" (Dt 17.9,18; 18.1; 21.5; 24.8; 27.9; 31.9). Talvez, o uso desses termos esteja indicando simplesmente a tribo à qual os sacerdotes pertenciam, não incluindo todos, mas somente aqueles levitas que eram sacerdotes.

A bênção final de Moisés sobre as tribos (Dt 33.8) considera Tumim e Urim como propriedade de Levi, e cujo cuidado era certamente uma função sacerdotal que pertencia a Arão, o sacerdote (Êx 28.30).

Aqui também o uso do nome Levi indica somente que esse poder residia na tribo porque estava aos cuidados de Arão e de seus sucessores, como sumos sacerdotes. Essa afirmação não está necessariamente implicando que cada levita podia administrar os meios sagrados de se determinar a vontade do Senhor.

O sacerdócio ocupava um lugar da maior importância na teocracia, embora Moisés, e não Arão, permanecesse como líder durante toda a sua vida, e embora Josué e os juízes tenham sucedido Moisés. No período de transição de Eli e Samuel houve um amálgama de alguns líderes sacerdotes, embora isso não tenha acontecido por sansão divina como sistema de governo. Na época de Samuel, a monarquia foi estabelecida com o sacerdócio ocupando, na melhor hipótese, um lugar secundário. Durante todo esse período, parece que muitas vezes a influência de certos profetas tinha uma certa ascendência sobre o sacerdócio. A idéia de um governo de sacerdotes tornou-se proeminente na época de Ezequiel, com os sacerdotes zadoquitas ocupando uma posição dominante, porque somente eles permanecerem fiéis ao Senhor enquanto os israelitas dispersaram-se (Ez 44.10-16).

Depois do retorno do Exílio da Babilônia, nos dias de Ageu e Zacarias, parece que as funções de governador e de sumo sacerdote tinham a mesma importância. A Palavra do Senhor através de Ageu, segundo diziam, estaria dirigida a Zorobabel, o governador, e a Josué, o sumo sacerdote (Ag 1.1,12,14; 2.2,4), sendo que ambos também eram figuras proeminentes em Zacarias (capítulos 3–4). No período intertestamentário, as duas funções acabaram tornando-se uma, com o domínio dos sumos sacerdotes sob os asmoneus, e depois destes. Depois do governo dos macabeus, o domínio passou para os governantes estrangeiros até o extermínio do estado judaico no ano 70 d.C.

Diferentes opiniões sobre o sacerdócio vigoraram durante os períodos intertestamentário e do NT. Evidentemente, os sectários de Qumran, nas proximidades do mar Morto, tinham sacerdotes que não sacrificavam animais de acordo com o que Filo e Josefo escreveram a respeito dos essênios. Na época do NT, o sumo sacerdócio não era mais vitalício, de forma que muitas pessoas levavam o nome de sumo sacerdote, embora apenas uma delas oficiasse durante um determinado período (Mt 26.3,65; cf. Jo 18.13,24). Na época do NT, essa função permaneceu como um dominante cargo político e religioso ocupado por um judeu na Palestina.

Entre os sacerdotes mais notáveis da Bíblia Sagrada estão Arão, Nadabe, Abiú, Eleazar, Itamar, Hofni, Finéias, Aías, Aimeleque, Abiatar, Amazias, Joiada, Urias, Hilquias, Ezequiel, Esdras, Zacarias, Caifás, Anás e Ananias.

### O Sacerdócio de Cristo e da Igreja no NT

Tratando-se de sacerdócio, a relação doutrinária entre a organização do AT e o cristianismo do NT está mais claramente retratada na Epístola aos Hebreus, e foi dito que o sacerdócio de Arão e seus sucessores nunca se mostrou efetivo para a remoção dos pecados. Por causa da necessidade de repetição desses sacerdócios (por não serem eternos) e dos sacrifícios, o sacerdócio do AT mostra-se incapaz de aperfeiçoar o adorador (Hb 7.23; 10.1-4). Mesmo o sacerdócio de Arão nunca representou o perfeito exemplo de Cristo em seus elevados atos sacerdotais de redenção e em sua atuação. Melquisedeque, por causa de sua real posição, e da falta de registros sobre o início e o final de sua vida, função e serviço, tornou-se o melhor exemplo de Cristo como provedor de um ministério salvador permanentemente ativo e efetivo (Hb 4.14–5.10; 7.1-28).

Entretanto, dentro de um panorama geral, e de acordo com algumas formas específicas, o sacerdócio de Arão é típico da obra salvadora de Cristo como o cumprimento do sacerdócio e do sistema sacrificial. Dentro dos aspectos típicos do sacerdócio Arônico cumprido em Cristo, e de acordo com a Epístola aos Hebreus, podemos destacar: (1) a idéia do próprio sumo sacerdócio (Hb 4.14); (2) o sacerdote como um homem escolhido por Deus (5.4); (3) o sacerdote identificado com o povo (5.1-3); (4) o sacerdote como um homem santificado (7.26); (5) o sacerdote consagrado ao seu ofício (7.28); (6) o sacerdote como aquele que oferece sacrifícios (7.27; 8.3; cf. 9.12-14); (7) o sacerdote servindo ao santuário; (8.2; 9.6,7; cf. 9.11) e (8) o sacerdote trabalhando sob uma aliança (8.6).

No AT, a nação deveria ser um reino de sacerdotes (Êx 19.5,6; Lv 11.44,45; Nm 15.40), mas a multidão apenas chegou a ponto de perceber que o sacerdócio era uma instituição sagrada. No NT, Cristo tornou-se a realidade prática de tudo aquilo que o sacerdócio significava, tanto em sua Pessoa quanto em sua função. A Igreja no NT, assim como a nação no AT, é um reino de sacerdotes. Entretanto, a Igreja não é dona apenas de uma santidade imputada, mas também de uma santidade pessoal desenvolvida por causa da obra santificadora do Espírito Santo (Rm 8.2-13; 1 Pe 2.5,9; Ap 1.6; 5.10; 20.6).

Todos são sacerdotes em Cristo, embora não sejam assim chamados individualmente. Esse sacerdócio é estritamente limitado em seu ato de intercessão, porque, como todos são sacerdotes, não resta nenhuma função representativa, exceto a de Cristo em sua obra redentora e em seu permanente ministério mediador. Como os sacerdotes do AT purificavam-se pela lavagem do corpo antes de serem consagrados para as suas funções no lugar santo, todos os cristãos são conclamados a aproximarem-se de Deus "tendo o coração purificado da má consciência e o corpo lavado com água limpa" (Hb 10.22; cf. Êx 29.4; Lv 16.4). Dessa forma, o sacerdócio hebreu, embora tenha sido cumprido por Cristo no NT, em um sentido limitado também foi cumprido pela Igreja do NT. O sacerdócio de curta duração de Arão e seus filhos tornou-se inútil com a chegada de Cristo como o perfeito intermediário e intercessor, assim como o perfeito sacrifício para seu povo e os pecados que possuíam.

Com a destruição do estado judeu e do Templo em 70 d.C, o sacerdócio do AT desapareceu da história. Durante algum tempo, foram feitas tentativas, depois dessa data, para dar seguimento a algumas partes do sistema sacerdotal e sacrificial, no entanto elas mostraram-se inúteis e logo cessaram completamente.

## A Teoria Crítica da História do Sacerdócio

Durante os últimos 200 anos os estudiosos têm procurado analisar o AT através da crítica literária e da reconstrução histórica. Na última metade do século XIX os seus esforços trouxeram ao domínio público aquilo que era popularmente chamado de teoria Graf-Wellhausen sobre a história judaica e a formação do AT. Ela recebeu esse nome por causa da obra de Karl Heinrich Graf (1815-1869) e Julius Wellhausen (1844-1918) que levaram esses últimos estudos a um clímax. De forma geral, a reconstrução feita por Graf-Wellhausen afirmava que a instituição sacerdotal do AT não teve seu início na época de Moisés, mas na época de Esdras. Eles acreditavam que ocorreu uma evolução desde os dias da suposta religião naturalística de Israel, nos períodos dos Juízes e dos primeiros reis, até a reforma feita sob o comando de Josias.

Supõe-se que durante seu reinado as atividades religiosas tornaram-se, pela primeira vez, centralizadas no santuário de Jerusalém por causa da influência exercida pelo recém descoberto livro da lei (2 Rs 22.8-10, que se acredita ter sido o livro de Deuteronômio). Ezequiel, segundo afirmam, foi um inovador com elevadas noções sobre o sacerdócio, que precediam a legislação levítica. Isso explica as diferenças entre os sistemas do quadro profético de Ezequiel e a legislação Mosaica que, segundo dizem, surgiu na época de Esdras.

Embora tivessem surgido tantas variações do esquema básico da estrutura de Graf-Wellhausen, como do número de autores, as idéias gêmeas sobre o histórico progresso evolutivo religioso e a decisiva formação literária do AT têm sido amplamente aceitas. Os autores, ou escola de autores, Jeovaítas, Eloístas, Deuteronomistas e Sacerdotais (JEDP) teriam supostamente escrito ou editado a maior parte do AT. Essa reconstrução da história e dos escritos do AT obviamente não corresponde à do próprio AT, como consta na tradição judaica e cristã. Ela sugere não só uma variação maior do quadro do AT sobre o sacerdócio, concernente à época de seu surgimento, mas o que é muito mais importante, uma maior variação da fonte de sua inspiração e, portanto, de seu significado. Isso será válido tanto para a religião do

AT como para seu cumprimento no NT. *Veja* Cânon das Escrituras – AT; Lei de Moisés; Pentateuco.
Não existe nenhuma razão histórica que possa levar à negação da instituição do sacerdócio de Arão por Moisés, pois foram encontradas muitas características do sistema sacrificial do AT na Palestina dessa época. Embora alguns esboços gerais da teoria de Graf-Wellhausen sobre a formação e a história do AT ainda sejam aceitos por muitos de seus estudiosos, o atual conhecimento sobre a estrutura social, não só da antiga nação de Israel, como também do antigo Oriente Médio tem, em grande medida, destruído a estrutura dessa reconstrução. A apresentação do Pentateuco sobre o sacerdócio de Arão, o correspondente sistema de sacrifícios levíticos, e o Tabernáculo como instituição Mosaica, têm sido largamente substanciados e defendidos pelos conhecimentos vislumbrados através das descobertas arqueológicas. *Veja* Sacrifícios; Tabernáculo.

***Bibliografia.*** G. C. Aalders, "Priests and Levites", *A Short Introduction to the Pentateuch,* Londres. Tyndale, 1949, pp. 66-71. R. Abba, "Priests and Levites", IDB, III, 876-889. Oswald T. Allis, "Priestly Religion in the Post-Exilic Period", *The Five Books of Moses,* Filadélfia. Presbyterian and Reformed, 1943, pp. 183-199. W. Baudissin, "Priests and Levites", HDB, IV, 67-97. A Cody, *A History of Old Testament Priesthood,* Rome. Pontifical Biblical Institute, 1969. G. Cornfeld, ed., "Priesthood, Priests and Levites", CornPBE, pp. 602-607, Alfred Edersheim, "The Officiating Priesthood", *The Temple, Its Ministry and Services* (1874), Grand Rapids. Eerdmans, 1950 (reimpressão), pp. 82-104. George B. Gray, "The Hebrew Priesthood; its Origin, History and Functions", *Sacrifice in the Old Testament,* Oxford. Univ. Press, 1925, pp. 179-270. David A. Hubbard, "Priests and Levites", NBD, pp. 1028-1034. Joachim Jeremias, *Jerusalem in the Time of Jesus,* Filadélfia. Fortress Press, 1969, pp. 147-221. Y. Kaufmann, *The Religion of Israel,* trad. por M. Greenberg, Chicago. Univ. of Chicago, 1960, pp. 175-200, 258-260, 301-304. G. F. Oehler, *Theology of the Old Testament,* trad. por George E. Day, Grand Rapids. Zondervan, s.d. (reimpressão), pp. 203-214. James Orr, *The Problem of the Old Testament,* Nova York. Scribner's, 1926, pp. 180-192, 285-239. J. Barton Payne, *The Theology of the Older Testament,* Grand Rapids. Zondervan, 1962, pp. 274-284, 372-378. G. Schrenk, "*Hierus* etc.", TDNT, III, 257-283. Roland de Vaux, *Ancient Israel,* trad. por John McHugh, Nova York; McGraw-Hill, 1961, pp. 345-405.

E. S. K.

**SACO** A palavra "saco" é derivada da palavra hebraica *sáq* e da grega *sakkos,* ou "malha", isto é, um tecido áspero e não apertado. O saco era feito com um tecido de textura áspera, de cor escura, de pêlos de camelo ou cabra (cf. Is 50.3; Ap 6.12). Ele se parecia com o "cilício" romano.
Era freqüentemente utilizado como símbolo de luto pelos mortos (Gn 37.34; 2 Sm 3.31; Jl 1.8); de lamento por tragédias pessoais ou nacionais (Jó 16.15; Lm 2.10; Et 4.1); de penitência pelos pecados (1 Rs 21.27; Ne 9.1; Jn 3.5; Mt 11.21); e de oração especial por livramentos (2 Rs 19.1,2; Dn 9.3). Muitas vezes as pessoas que usavam esse tecido para a penitência ou luto cobriam-se com cinzas ou terra, outras rasgavam suas vestes antes de vestir o saco simbólico (2 Rs 6.30; Is 32.11).
O uso do saco permaneceu durante muitos séculos, e a forma exata dessa peça de vestuário ainda é incerta. Pode ter sido uma peça retangular no formato de um saco de grãos, costurado em ambos os lados com um espaço para a cabeça e os braços (cf. Gn 42.25,27,35; Js 9.4; Lv 11.32); pode ter sido uma veste menor como um cinto usado junto à pele (cf. 1 Rs 21.27; 2 Rs 6.30; Jó 16.15; Is 32.11). O saco pode ter sido um grande manto usado sobre a túnica no lugar de outros trajes exteriores (cf. 2 Rs 19.1,2; 1 Cr 21.16; Et 4.2; Sl 69.11; Is 37.1,2). *Veja* Vestuário.

***Bibliografia.*** G. Stählin, "*Sakkos*", TDNT, VII, 56-64.

D. W. D.

**SACOS** Os sacos na época do AT eram de casca de árvores, pano e pele, e de tamanhos variados. Eram freqüentemente bolsas (Is 46.6; Pv 1.14; 7.20) e, uma vez que o dinheiro era o metal não cunhado, poderiam ser de tamanhos consideráveis (2 Rs 5.23; Gn 42.35). O uso figurativo em 1 Samuel 25.29 (traduzida como "feixe"), sugere selamento (cf. Os 13.12, "atadas juntas"; Jó 14.17); mas em Ageu 1.6 tal saco de dinheiro selado era inútil se tivesse furos, e figurativamente ilustrou a vida de um homem quando Deus foi negligenciado. Um saco era freqüentemente usado com pesos de pedra (Pv 16.11); o homem enganador tinha dois tipos em sua bolsa (Dt 25.13; Mq 6.11). O alforje de pastor aparece tanto no AT como no NT (1 Sm 17.40,49; Mt 10.10; Lc 10.4).
No Novo Testamento o saco funcionava como uma bolsa para moedas (Lc 12.33; 22.35). A "bolsa" de Judas, no entanto, era na verdade um pequeno estojo ou pequena "caixa de dinheiro" (Jo 12.6; 13.29) (Ardnt, *s.v. glossokomon*).

**SACRAMENTOS** Certos atos da prática e da cerimônia religiosa que são distintos de todos os outros ritos cristãos, observados ou reconhecidos por Cristo, e que receberam dele um certo caráter. De acordo com alguns, os sacramentos foram instituídos por Cristo como uma forma visível pela qual a graça é buscada e conferida. De acordo com outros, eles são observados em memória dele, como um sinal, selo ou símbolo da experiência ou da profissão cristã. Nesse último grupo, muitos preferem chamá-los de ordenações. Na maioria dos casos, os sacramentos são ministrados por um clérigo, e somente àqueles que preencheram certas condições consideradas adequadas para a validade de sua recepção. A Igreja católica romana e as igrejas do oriente, reconhecem sete sacramentos (geralmente chamados de Mistérios nessa última), isto é, batismo, crisma, Eucaristia, penitência, extrema unção, ordens sagradas e matrimônio. Os protestantes, em geral, aceitam apenas dois sacramentos, o batismo e a Ceia do Senhor, porém entre os membros de certas igrejas, como a Luterana e a Anglicana, alguns dos outros sete são reconhecidos como de caráter saudável, mas subordinado, e geralmente não são considerados como instituídos pelo próprio Senhor Jesus Cristo.

Calvino (*Institutes,* IV, 14, 1-24) discute os sacramentos em geral, e especificamente o batismo (IV, 15, 1-22; IV, 16, 1-32), e a Ceia do Senhor (IV, 17, 1-50). A Apologia da Confissão de Augsburg (Art. XIII) e a Fórmula de Concord (Art. VII) estabeleceram a opinião luterana. *Veja* Batismo; Ceia do Senhor; Ordenanças cristãs.

***Bibliografia.*** P. W. Evans, *Sacrament in the New Testament,* Londres. Tyndale Press, 1947.

C. S. M.

**SACRIFÍCIO DA MANHÃ** *Veja* Sacrifícios.

**SACRIFÍCIO DE CRIANÇAS** *Veja* Sacrifício humano.

**SACRIFÍCIO DE LOUVORES** *Veja* Sacrifícios.

**SACRIFÍCIO HUMANO** Expressão pervertida da devoção religiosa e da forma de alcançar o favor divino. Tem sido encontrado em várias religiões primitivas, assim como no paganismo dos tempos bíblicos, como no caso dos amonitas em honra ao deus Moloque (Lv 18.21; 20.2), e dos fenícios em honra a Baal (cf. Jr 19.5; 32.35). Autores gregos e romanos escreveram extensamente sobre a prática de sacrificar crianças como ofertas queimadas na Fenícia e nas colônias púnicas do norte da África, especialmente em Cartago (W. F. Albright, *Yahweh and the Gods of Canaan,* Garden City; Doubleday, 1968, pp. 234-244).

O sacrifício humano era freqüentemente praticado em uma tentativa de aplacar um deus que, segundo acreditavam, estava demonstrando sua ira através de uma provação particular ou de um perigo. Como era praticado tanto pelos cananeus (Sl 106.37,38) como pelos seus vizinhos imediatos, ele foi especificamente mencionado e proibido pela lei de Moisés (Lv 18.21; 20.2-5; Dt 18.10). Um terrível exemplo dessa prática foi dado em 2 Reis 3.27 quando, durante um cerco, Mesa, rei de Moabe, sacrificou seu filho mais velho – e aparentemente o herdeiro do trono – sobre os muros da cidade como um uma oferta queimada. Israel e seus aliados retiraram-se cheios de horror.

Alguns dos israelitas adotaram a prática de sacrificar filhos e filhas. Muitos estudiosos acreditam que Jefté executou sua promessa de sacrificar qualquer um que saísse de sua casa para encontrá-lo, embora essa pessoa tenha sido sua única filha (Jz 11.30-40). Outros questionam esta interpretação (*veja* Jefté). Tanto Acaz (2 Rs 16.3; 2 Cr 28.1-3) como Manassés (2 Rs 21.6; 2 Cr 33.6) adotaram esse costume pagão e "fizeram passar seus filhos pelo fogo" – expressão usada para exprimir o horror do sacrifício humano. Josias, um rei santo que os sucedeu "profanou a Tofete, que está no vale dos filhos de Hinom, para que ninguém fizesse passar a seu filho ou sua filha pelo fogo a Moloque" (2 Rs 23.10; cf. 2 Crônicas 34.3-5). Embora não exista nenhum exemplo específico dessa ocorrência no norte depois da divisão do reino, esse fato ainda é considerado como a causa de seu cativeiro (2 Rs 17.17). O povo ainda o praticava na época do Exílio na Babilônia, como foi testemunhado pelos profetas daqueles dias (Jr 7.31; 17.1,2; 19.5; 32.35; Ez 16.21; 20.31; 23.37; cf. Is 57.5). O Senhor pronunciou-se claramente através de Miquéias, dizendo que o sacrifício de seu primogênito não traria a expiação dos seus pecados (Mq 6.7,8).

Sören Kierkegaard levantou uma questão ética em sua obra *Fear and Trembling.* Ele argumenta que Deus ordenou que Abraão abandonasse aquilo que era ético, que desobedecesse ao mandamento e praticasse um ato que era contraditório, paradoxal e absurdo! Se Abraão praticasse o sacrifício ele seria um assassino! Kierkegaard considera isso como um exemplo da natureza da fé. A verdadeira fé exige uma transição súbita para o absurdo e a aceitação daquilo que vai contra as nossas categorias de raciocínio.

Como resposta a esse argumento, pode-se afirmar que Deus tinha um duplo propósito ao pedir a Abraão que oferecesse seu filho. Ele desejava testar sua fé, e também ensinar que Ele não desejava sacrifícios humanos. Embora Abraão acreditasse que Deus ressuscitaria seu filho dos mortos – e assim faria se ele fosse sacrificado, porque Isaque era filho da promessa (Hb 11.17-19; cf. Gn 17.19) – ele também acreditava que Deus providenciaria um sacrifício substituto no lugar de seu filho. Isso ficou provado pela resposta à pergunta de Isaque. "Onde está o cordeiro para o holocausto?" Abraão respondeu, "Deus proverá para si, meu filho, o cordeiro para o holocausto" (Gn 22.7,8). O fato de Deus não ter intervindo até o momento em que Abrão levantou a faca [ou cutelo] para matar seu filho, somente prova, por um lado, a severidade do teste feito por Deus, e, por outro, a perfeição da obediência de Abraão. Sobre o que se apoiava a fé daquele homem de Deus? Sobre a direta revelação de Deus (Gn 12.1-3; 7; 15.1-6,18ss.; 17.4-8; 18.10-14), e sua comprovada fidelidade. A fé bíblica baseia-se em excelentes evidências (cf. Jo 20.30,31; 1 Jo 1.1,2) e não no ridículo, no absurdo, no contraditório, nem no paradoxal.

R. A. K.

**SACRIFÍCIO NOTURNO** *Veja* Sacrifícios.

**SACRIFÍCIOS**

### Termos e Procedimentos

Os termos hebraicos básicos do AT para a oferta sacrificial são: (1) *minha*, "presentes" (2 Cr 32.23; Jz 6.18), "oferta" (Gn 4.3-5; Nm 5.15-26), "oblação ou oferta de manjares" (1 Rs 18.29,36), presente oferecido à divindade; (2) *qorban*, "oferta" (Lv 1.2 etc.), aquilo que é trazido para perto (cf. Mc 7.11; *veja* Corbã); (3) *zebah*, "sacrifício" (Gn 31.54; Êx 10.25; 12.27; 23.18 etc.), animal morto (de *zabah*, "matar para o sacrifício"), cujos restos podiam ser ingeridos pelo ofertante como um ato de comunhão com seu deus (Dt 12;27), chamado de sacrifício como oferta pacífica (Lv 3); (4) *'ola*, "holocausto" ou "oferta queimada" (Gn 8.20; 22.2-13) que se eleva como agradável aroma, oferta queimada ao Senhor (*veja* Êx 29.25), que é reduzida a cinzas (Lv 6.10) a fim de torná-la uma oferta irrevogável e lhe dar uma forma espiritual ao elevar-se do altar como fumaça em direção a Deus; (5) *'asham* "oferta pela culpa ou expiação" (Lv 5.6), "oferta pelo pecado", sacrifício de sangue realizado para a expiação dos pecados, que são infrações da fé contra Deus *e* o homem, e resultam em uma culpa tão grande que exige a pena de morte, usada como uma referência ao sacrifício vicário de Cristo (Is 53.10); (6) *hatta't*, "sacrifício pelo pecado" (Êx 29.14,36; Lv 4), um sacrifício de sangue feito para expiar pecados involuntários.

Um altar de sacrifícios no templo cananita Obelisk em Biblos, com um receptáculo para recolher o sangue na frente e um jarro de água à direita. HFV

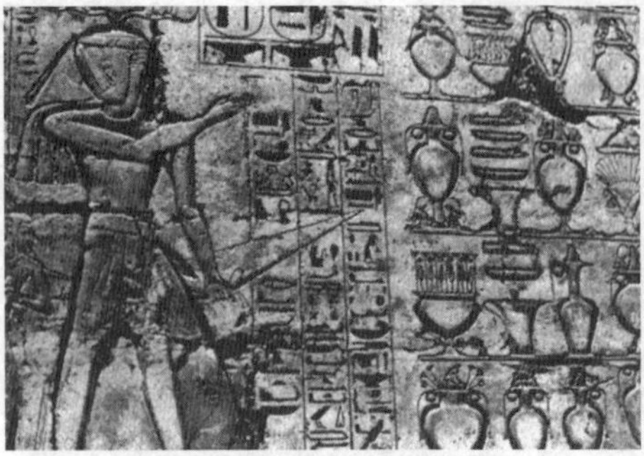

Ramsés III fazendo uma oferta a Amom, retratado no templo de Medinet Habu em Luxor. HFV

Em hebraico, os dois primeiros termos estão combinados (*qorban minha*) para dar a idéia de uma oblação ou oferta de manjares (cereais; Lv 2). Essa oferta geralmente assumia a forma de bolos asmos perfurados (*hallot*) feitos de fina farinha misturada com azeite e temperada com sal (*Veja* Alimentos: Bolo), ou de panquecas delgadas (*r^eqiqim*) cobertas com azeite. Também podia consistir de grãos recentemente colhidos, torrados e cobertos com azeite e incenso, e queimados no altar. A oferta de manjares era sempre acompanhada por uma oferta líquida ou libação de vinho (Êx 29.40,41; Lv 23.13,18; Nm 15.4-10; 28.1-31). Um termo mais geral é *'isheh*, "oferta no fogo", uma oferta consumida pelo fogo que incluía o sacrifício de animais (Êx 29.18) e de bolos assados (Lv 2.11; 24.7). A *n^edaba*, "oferta voluntária", era oferecida como expressão de devoção, além de ser completamente voluntária, como seu próprio nome determina (Lv 22.18-23); como tal, o animal podia ser grande ou pequeno (v. 23). A oferta votiva (*neder*) era uma espécie de oferta pacífica (Lv 7.15,16) apresentada por quem estava fazendo o voto, ou quando o voto era feito (Nm 15.3; Jo 1.16). O termo *zebah hattoda* era o "sacrifício de louvores" ou a "oferta de ação de graças" (Lv 7.12,13; Sl 50.14,23; 107.22; 116.17; Jr 17.26; Am 4.5), e uma outra forma de oferta de paz que muitas vezes tornava-se parte de uma refeição de comunhão ingerida pelo adorador. *Veja* também Primícias; Dízimos.

No NT, a palavra grega mais comum para "sacrifício" é *thysia* (Mt 9.13; Rm 12.1; Ef 5.2; Hb 7.27 etc.), e vem de *thyo*, "sacrificar" (At 14.13,18; 1 Co 5.7), "abater" (Mt 22.4; cf. Lc

15.23,27,30), "matar" (Jo 10.10). Com referência ao sacrifício de Cristo como o Cordeiro de Deus, *sphage* foi a palavra usada para "assassinato" (matadouro; Atos 8.32, citando Is 53.7). Um termo mais genérico para "oferta" é *prosphora* (At 21.26; Rm 15.16; Ef 5.2; Hb 10.5,8,10,14,18) significando aquele que é levado à frente. O termo *doron*, "dons" é usado na epístola aos Hebreus como um termo paralelo a "sacrifícios" (Hb 5.1; 8.3,4; 9.9).

De acordo com Levítico 1 e 3, o ofertante, em primeiro lugar, "oferecia" ou "trazia" (*hiqrib*, 1.3) seu animal no sentido de fazer com que ele se aproximasse (1.2, o mesmo verbo hebraico) trazendo-o para o lado norte (1.11) do átrio do Tabernáculo ou Templo. Em seguida, ele estendia (*samak*) sua mão sobre a cabeça do animal, evidentemente para identificar-se com a oferta que iria substituí-lo. Não se pode afirmar com certeza que esse ato também significava uma transferência de pecado ou culpa. A vítima era "morta" ou assassinada (*shahat*) pelo próprio adorador, exceto no caso dos sacrifícios nacionais (Lv 16.15; 2 Cr 29.24). O sacerdote recolhia o sangue em uma bacia e o espargia (*zaraq*), isto é, borrifava ou o lançava com as mãos (cf. o uso desse verbo em Êx 9.8) contra o altar. A parte que sobrava do sangue era derramada (*shapak*) na base do altar.

Em seguida, o ofertante esfolava ou descarnava (*hiphshit*) o animal e o cortava (*natah*) em pedaços, isto é, dividia-o pelas juntas (Lv 1.6, 12). Em todas as ocorrências, os rins, juntamente com sua gordura, o fígado, as entranhas e toda a cauda de um novilho/bezerro (Lv 1.8; 3.3,4,9,10; 4.8-10; cf. Gn 4.4; 1 Sm 2.16) eram apresentados ao Senhor (em toda oferta queimada não era necessário fazer distinções). O sacerdote "queimava" (*hiqtir*) e "oferecia em fumaça" tudo isso no altar.

Na oferta queimada, todas as partes do animal, exceto a pele, eram igualmente queimadas no altar. Na oferta pelo pecado, depois que a gordura e os rins eram removidos, toda a carcaça, incluindo o couro, eram levados para fora do acampamento e queimados (*sarap*, 4.11,12).

No caso das ofertas pacíficas, as partes restantes do animal abatido eram ingeridas pelos sacerdotes e pelos adoradores na refeição do sacrifício; essa refeição era considerada uma forma de comunhão com o Senhor (Dt 12.6,7; Êx 18.12; 24.5,11).

Em Levítico 7.28-34, porções do sacrifício das ofertas pacíficas eram especialmente reservadas para o sacerdote e sua família, e eram chamadas de ofertas alçadas (*tenupa*) e ofertas movidas (*teruma*). Essa última correspondia ao peito do animal e era assim chamada porque era "movida", isto é, movia-se para frente e para trás em direção ao altar como símbolo da apresentação da oferta a Deus e a devolução, feita por Deus, ao sacerdote. Essa oferta foi reconhecida no termo ugarítico *šnpt* que ocorre no texto de um ritual que obedece a uma relação de sacrifícios de paz – *selem* (BASOR #198 [1970], p. 42). A oferta alçada correspondia ao ombro ou coxa direitos (*shoq*), alguma coisa que era levantada ou que se elevava (do hebraico *rum*; veja o substantivo e o verbo em Números 15.20; 18.30,32) para o Senhor, e que era separada como uma "contribuição" para Ele (Lv 7.14,32,34) para uso dos sacerdotes (Nm 18.8-19).

J. R.

## A Origem dos Sacrifícios

Em relação à origem dos sacrifícios, existem duas opiniões: (1) que eles têm sua origem nos homens, e que Israel apenas reorganizou e adaptou os costumes de outras religiões, quando inaugurou seu sistema sacrificial; e (2) que os sacrifícios foram instituídos por Adão e seus descendentes em resposta a uma revelação de Deus.

É possível que o primeiro ato sacrificial em Gênesis tenha ocorrido quando Deus vestiu Adão e Eva com peles para cobrir sua nudez (Gn 3.21). O segundo sacrifício mencionado foi o de Caim, que veio com uma oferta do "fruto da terra", isto é, daquilo que havia produzido, expressando sua satisfação e orgulho. Entretanto, seu irmão Abel "trouxe dos primogênitos das suas ovelhas e da sua gordura" como forma de expressar a contrição de seu coração, o arrependimento e a necessidade da expiação de seus pecados (Gn 4.3,4). [Também é possível que a razão do sacrifício de Abel ter sido agradável a Deus, em contraste com sua rejeição ao sacrifício de Caim, tenha sido o fato de Abel ter trazido o que tinha de melhor ("primogênitos" e "sua gordura") enquanto Caim simplesmente obedeceu aos procedimentos estabelecidos – Ed.]

Em Romanos 1.21, Paulo refere-se à revelação e ao conhecimento inicial que os patriarcas tinham a respeito de Deus, e explica a apostasia e o pecado dos homens do seguinte modo: "Tendo conhecido a Deus, não o glorificaram como Deus, nem lhe deram graças".

Depois do Dilúvio, "edificou Noé um altar ao Senhor; e tomou de todo animal limpo e de toda ave limpa e ofereceu holocaustos sobre o altar" (Gn 8.20). Muito tempo antes de Moisés, os patriarcas Abrão (Gn 12.8; 13.18; 15.9-17; 22.2ss.), Isaque (Gn 26.25), e Jacó (Gn 33.20; 35.3) também ofereceram verdadeiros sacrifícios.

Um grande avanço na organização e na diferenciação dos sacrifícios ocorreu com a entrega da lei no Monte Sinai. Um estudo dos diferentes sacrifícios indicados revela seu desenvolvimento final, visando atender às necessidades do indivíduo e da comunidade.

## Sacrifícios Para Todo Israel

*Sacrifícios diários regulares* deveriam ser realizados pelos sacerdotes no Tabernáculo, enquanto estavam no deserto e em Siló e, mais tarde, no Templo. Eram oferecidos de manhã e à tarde, e cada um deles consistia de um cordeiro de um ano como oferta queimada, um décimo de um *efa* de farinha como oferta de manjares, e um quarto de um *him* de vinho como libação (Nm 28.3-8).

*No Sábado*, todas as ofertas diárias deveriam ser dobradas (Nm 28.9; Lv 24.8). Devemos nos lembrar de que todos os outros sacrifícios, para toda a nação de Israel, também faziam parte dos sacrifícios diários e não os suplementavam.

*Na lua nova* (mensalmente) as ofertas deveriam ser de dois bezerros, um carneiro, sete cordeiros, três décimos de um *efa* de farinha para cada bezerro, duas para o carneiro e uma para cada cordeiro, mais uma oferta líquida (libação), e um cabrito das cabras como oferta pelos pecados (Nm 28.11-15).

Todas as vezes que mais cinzas fossem necessárias para serem misturadas com água, como agente cerimonial para a purificação, o sacerdote deveria abater uma novilha vermelha (ou bezerra ruiva) e queimá-la totalmente (Nm 19.2-10).

*Cinco assembléias religiosas anuais ou santas convocações* eram observadas: Páscoa e Festa dos Pães Asmos, Festa das Semanas, Festa das Trombetas, Dia da Expiação e Festa dos Tabernáculos.

1. A Páscoa ou Festa dos Pães Asmos era celebrada no décimo quarto dia do primeiro mês e tinha duas fases, a nacional e a familiar. Cada lar deveria abater um cordeiro (Êx 12), espargir um pouco de seu sangue sobre o batente da porta, e comer sua carne assada ao fogo junto com pães asmos e ervas amargas, usando sapatos nos pés e um bordão nas mãos. Em seguida, deveriam observar sete dias durante os quais só poderiam comer pães asmos (Êx 12.1-20). Por causa dessas duas partes, muitas vezes essa celebração era dividida em Festa da Páscoa e Festa dos Pães Asmos, formando duas festas separadas.

A celebração nacional consistia da inclusão de certos sacrifícios especiais àqueles já oferecidos diariamente no Templo. No primeiro dia (sábado) deveria haver uma santa convocação com a oferta especial de dois bezerros, um carneiro, sete cordeiros de um ano sem mácula, junto com a oferta de manjares de farinha misturada com azeite – três décimos de um *efa* para cada bezerro, dois décimos para o carneiro, um sétimo para cada cordeiro – e um bode como oferta pelos pecados. A celebração da Páscoa encerrava-se com uma segunda convocação pública no sétimo dia (Nm 28.16-25).

Parece que a oferta das primícias da colheita de cevada (Lv 23.10) ocorria junto com a Festa dos Pães Asmos, pois a Festa de Pentecostes era celebrada sete semanas depois com a oferta das primícias da colheita do trigo (Êx 34.22; Lv 23.15). Além disso, no NT, o Pentecostes era celebrado sete semanas depois da ressurreição de Cristo. As primícias da cevada eram oferecidas no décimo sexto dia de Nisã, ou dois dias depois da Páscoa, e eram acompanhadas pelas mesmas ofertas de pães asmos prescritas para o resto da semana (Nm 28.26-31). Esta cronologia está de acordo com a morte e a ressurreição de Cristo no NT, 50 dias antes do Pentecostes. Nessa oferta, um molho de grãos recém colhidos (o molho das primícias) era agitado perante o Senhor como sinal de uma nova vida, e tipificava a ressurreição de nosso Senhor (Lv 23.9-14).

2. A Festa das Semanas ou Pentecostes tinha esse nome porque era realizada sete semanas (ou 50 dias) depois da Páscoa e das Primícias. Deveria começar com uma santa convocação e nenhum trabalho poderia ser realizado nesse dia. Além dos sacrifícios matutinos e vespertinos regulares, deveriam ser oferecidos dois filões de pão assado com fermento, sete cordeiros assados, um novilho, dois carneiros junto com sua carne e ofertas líquidas (libação), mais um bode para expiação do pecado e dois cordeiros de um ano por sacrifício pacífico (Lv 23.15-22; Nm 28.26ss.). O fermento nos pães representava o crente com os seus pecados. Cristo representa as primícias e a impecabilidade, e os crentes são a colheita e a pecaminosidade (1 Co 15.22,23).

3. A Festa das Trombetas acontecia no primeiro dia do sétimo mês. Era uma celebração de gratidão, em antecipação à reunião final de Israel (cf. Is 18.3; 27.12,13; Jl 2.15-32). Nenhum trabalho poderia ser executado, e uma convocação era feita por meio do soar das trombetas. O acréscimo às ofertas diárias incluía um bezerro, um carneiro e sete cordeiros de um ano com sua oferta de manjares, e um bode como expiação do pecado (Lv 23.24,25; Nm 29.1-6).

4. O Dia da Expiação era celebrado no décimo dia do sétimo mês. Era marcado por um período de profunda análise da alma, e aponta para a tristeza e o arrependimento de Israel na segunda vinda de Cristo (Lv 23.29; Nm 29.7; Zc 12.10ss.; 13.6; Mt 25.30; Ap 1.7). Além das ofertas diárias regulares, deveriam ser oferecidos um bezerro, um carneiro e sete cordeiros, uma oferta de manjares de flor de farinha misturada com azeite e um bode, para expiação do pecado (Nm 29.7-11).

5. A Festa dos Tabernáculos era celebrada no décimo quinto dia do sétimo mês, depois que toda colheita estivesse armazenada, e era a maior de todas. Ela começava com uma santa convocação, durava mais sete dias e terminava no oitavo dia com outra assembléia solene. Durante essa festa, o povo deveria viver em tendas feitas com ramos de árvores, para se lembrar de sua libertação do Egito. As ofertas especiais, além das ofertas diárias regulares, começavam com treze bezerros, dois carneiros e catorze cordeiros, com a respectiva oferta de manjares misturada com azeite, e um bode, para expiação do pecado.

Ela era encerrada no último dia com um bezerro, um carneiro e sete cordeiros. Essa festa representava para Israel a lembrança de sua libertação do Egito, e também uma profecia da vinda final da Era do Reino (Lv 23.33-44; Nm 29.12-38; Zc 14.16,19).

**Sacrifícios Públicos em Ocasiões Especiais**

*Na celebração de uma aliança.* Esse foi o caso quando uma aliança foi celebrada entre Deus e Abrão (Gn 15.9ss.), entre Deus e Israel no Sinai, com a cooperação de Moisés (Êx 24.1-8), e relembrada no Monte Ebal com a cooperação de Josué (Js 8.30; cf. cap. 24). O sacrifício oferecido incluía ofertas queimadas e ofertas pacíficas; portanto era primeiramente expiatório e depois um ato de gratidão e louvor. Moisés espargiu o sangue de sua oferta sobre o livro e sobre o povo (Êx 24.8; Hb 9.18,19), como sinal de purificação dos pecados (Hb 9.22).

*Na dedicação ou consagração.* Exemplos desse sacrifício podem ser vistos na consagração de um sacerdote (Lv 8–9), ou de um levita (Nm 8); em uma coroação (1 Sm 11.15; 2 Sm 6.13; 1 Rs 1.9); e na consagração do Templo de Salomão (1 Rs 8.5ss.).

*Veja* Altar; Expiação; Sangue; Festividades; Sacerdote ou Sacerdócio. Quanto aos sacrifícios, oferecidos por indivíduos, *veja* Adoração, sacrifícios particulares.

R. A. K.

***Bibliografia.*** Johannes Behm, "*Thyo* etc.", TDNT, III, 180-190. CornPBE, pp. 638-648. T. H. Gaster, "Sacrifices and Offerings, OT", IDB, IV, 147-159. F. D. Kidner, *Sacrifice in the Old Testament*, Londres; Tyndale Press, 1952. Otto Michel, "*Sphazo, Sphage*", TDNT, VII, 925-938. Leon Morris, "*Asham*", EQ, XXX (1958), 196-210. H. H. Rowley, "The Meaning of Sacrifice in the Old Testament", BJRL, XXXIII (1950), 74-110. Norman H. Snaith, "The Sin-Offering and the Guilt-Offering", VT, XV (1965), 73-80. R. J. Thompson e R. T. Beckwith, "Sacrifice and Offering", NBD, pp. 1113-1123. Roland de Vaux, *Ancient Israel,* trad. por John McHugh, Nova York. McGraw-Hill, 1961, pp. 415-456.

**SACRILÉGIO** O verbo grego *hierosyleo* é usado uma vez em Romanos 2.22, e o adjetivo uma vez em Atos 19.37. É traduzido como "cometes sacrilégio" em Romanos 2.22, porém uma tradução mais literal seria "roubas os templos". Como ele é usado para se referir a um pecado, que é a antítese de ídolos repugnantes, uma tradução ainda melhor seria "lugares profanos sagrados". *Veja* Abominação; Abominação da Desolação.

**SADOQUE** A forma de Zadoque no NT. Este ancestral do Senhor Jesus era filho de Azor e pai de Aquim (Mt 1.14).

**SADRAQUE** O nome babilônico dado a Ananias (Dn 1.7), um dos príncipes de Judá levado cativo para a Babilônia em 603 a.C. Ele, juntamente com os seus companheiros, tornou-se um testemunho vivo da coragem de um crente em severa provação, quando a verdadeira fé é exercitada. Seu nome heb. significa "Jeová [O Senhor] foi misericordioso", mas nenhum significado satisfatório foi encontrado para "Sadraque". *Veja* Ananias 7.

Com Daniel e outros, ele recusou-se a comer a comida prescrita pelo rei (Dn 1.8). O resultado bem-sucedido demonstra que Deus trabalha a favor daqueles que confiam nEle, mesmo quando estão em circunstâncias completamente adversas; que mesmo estando presos, não há necessidade de abandonar as suas convicções diante de uma força aparentemente insuperável.

Sadraque juntou-se aos outros dois servos de Deus em oração, para que o sonho de Nabucodonosor fosse revelado a Daniel, e assim ficasse demonstrado que o Senhor era e sempre será o Deus do céu e da terra (Dn 2.17,18). O resultado desta prova não solicitada demonstrou que Deus é real, e que a oração dos justos é eficaz.

A outra prova não solicitada, a da fornalha ardente (Dn 3.8-18), demonstrou o caráter de fé que afasta a apostasia por amor a Deus, e que freqüentemente encontra o livramento. Ele e os outros dois servos do Senhor colocaram-se como testemunhas do fato de que a mão de Deus prepara os seus servos para os acontecimentos mais inesperados.

H. G. S.

**SADUCEUS** Este nome (heb. *s^eduqim*, gr. *saddoukaioi*) refere-se aos partidos sacerdotais aristocráticos na última fase do período do segundo Templo. Eles emergiram após a rebelião dos macabeus, e durante a tentativa nacional dos asmoneus de tornarem-se livres dos sírios. Foram, de várias formas, opostos aos fariseus, embora diversos fariseus influentes fossem membros do Sinédrio.

**O Nome**

Uma tradição rabínica (*Abot Rabbi Natan* 5) menciona Zadoque, um discípulo de Antígono de Soko, como o pai dos saduceus. Zadoque provavelmente interpretou mal seu professor, negou a ressurreição e a vida após a morte, e então fundou o partido que adotou esta visão. Epifânio, na obra *Heresies* I.14, disse que o nome é derivado do termo heb. *sadiq* (ou, "justo"). No entanto, existe um problema ao se tentar explicar a mudança da vogal *i* para *u* em saduceu.

Uma visão mais plausível seria que o nome deriva de Zadoque, o sacerdote escolhido por Salomão como sumo sacerdote (1 Rs 2.35), e os descendentes desta família assumiram a liderança do Templo durante séculos. Recentemente, o termo saduceu pode ser aplicado a qualquer um que esteja relacionado com os zadoquitas, aos descendentes de Zadoque, como por exemplo o partido político dos saduceus, que emergiu durante o período dos asmoneus.

### História

*Origem.* Por volta de aprox. 190 a.C. existe um testemunho da supremacia sacerdotal zadoquita, e que enaltece e louva a linhagem de Finéias e do sacerdote zadoquita Simon II como os principais no ofício espiritual (Sir 45.25; 50). Em 175 a.C., Antíoco Epifânio IV destituiu Onias III, um zadoquita, em prol da casa helenizada de Tobias, e durante os muitos anos que se seguiram, por causa da influência Síria, a posição de sumo sacerdote foi ocupada por homens que não representaram as elevadas tradições dos zadoquitas. O último pré-asmoneano legitimamente Aarônico foi Alkimos (162-159 a.C.), porém este levou o sacerdócio à desonra devido às suas rudes reformas (1 Mac 7.13-18).

Com estas penosas questões, Onias IV, filho de Onias III, refugiou-se no Egito (*Ant.* xii.9.7; xiii3.1-2), enquanto outros zadoquitas foram responsabilizados pela fundação da comunidade de Qumran, uma vez que em várias passagens a liderança é chamada de filhos de Zadoque (Documento de Damasco 4.2ss.; 6.1ss.; 1QS 5.2, 9). Presume-se que a maior parte dos sacerdotes zadoquitas fiéis não fugiu, apesar de não terem mais um controle total.

Em 152 a.C., o asmoneu Jônatas foi designado sumo sacerdote (1 Mac 10.18-21), e, em 140 a.C., Simão tornou-se sumo sacerdote por aclamação popular (1 Mac 14.25-29). Os filhos de Matatias eram sacerdotes, mas eram sacerdotes asmoneus de Jeoiaribe (*Ant.* xii.6.1). Ao traçarmos a linhagem, encontramos Jeoiaribe em segundo lugar depois de Jedaías, pois ele falhou na questão do retorno, com Esdras, a Jerusalém (1 Cr 24.7; Ed 2.36-39; *Ta'anit* 27b). Dessa forma levantou-se uma séria questão, na qual a reivindicação da pura linhagem zadoquita ao sacerdócio foi deixada de lado após a população ter reconhecido o asmoneu Simão como sumo sacerdote. A aclamação não poderia ser diferente no episódio da luta da família pela liberdade do país.

Foi essa luta pela liberdade que começou a alienar os elementos religiosos da nação, assim como os princípios estritos do sacerdócio zadoquita. Na luta pela liberdade religiosa, a nação manteve-se unida, a despeito das influências helenísticas corruptas. Assim que a liberdade religiosa foi conquistada, os zadoquitas mais espirituais e os *hasidim* (sucessores espirituais do movimento de *sopherim*, que terminou em aprox.180 a.C.) ficaram satisfeitos. Os macabeus queriam continuar a guerra, mas o princípio religioso não favoreceu uma luta secular, e isto se tornou um fator que finalmente levou a uma alienação de interesses de diversos grupos; esta foi, então, a razão da formação de partidos. Além destas divergências, os zadoquitas helenizados de Jerusalém uniram-se aos asmoneus para darem continuidade às suas posteridades e influências, e não para serem desmembrados pela luta interior de seus grupos. Os asmoneus, por outro lado, precisavam de um aliado pronto com elementos zadoquitas, e, por esta razão, tornaram-se conhecidos como aqueles que fizeram parte da persuasão zadoquita, embora os asmoneus mais recentes, Judá, Jônatas e Simão, tenham seguido os religiosos mais severos, exceto no tocante à luta pela liberdade política. Ao criarem esta associação, isto é, os saduceus, este partido – que começou com João Hircano I (135-104 a.C.) – no final assemelhou-se muito aos opressores religiosos contra os quais havia lutado, embora seu ideal fosse ter um estado Judeu com um Templo em seu centro e com o mínimo de influência estrangeira.

*O período Asmoneu e Romano.* Os saduceus foram os primeiros mencionados durante o reinado de João Hircano I (*Ant.* xiii. 10.5-7), indicando que até este ponto os partidos religiosos já estavam bem formados. Os saduceus eram o resultado da união mencionada anteriormente, e os fariseus eram os sucessores espirituais dos *Hasidim*. João Hircano, um admirador e discípulo dos fariseus, passou completamente para o lado dos saduceus após uma grosseira injúria feita por um líder fariseu. A casa asmoneana agora funcionava como um sacerdócio questionável aos olhos dos membros dos dois partidos. Os asmoneus procuravam aumentar o território de Judá para fortalecer o Templo central do estado e levar o povo a formar um reino como aquele que Davi um dia governou.

Os líderes do partido dos saduceus tornaram-se os chefes da aristocracia do país, embora os fariseus mantivessem sua forte representação no Sinédrio. Com os reinos sucessivos, o regime tornou-se instável, e aqueles que reivindicavam o poder reuniram nações estrangeiras para arbitrarem as questões que tinham uns contra os outros. Como resultado, Roma passou a ter uma influência repressora no país através dos asmoneus. Por volta de 37 a.C., o último rei asmoneu foi decapitado e Herodes, o Grande, passou a ser o regente de Judá.

Com Herodes, os saduceus não eram mais capazes de manter seus objetivos originais de um estado teocrático e independente da dominação estrangeira. A política de Herodes consistia em manter a nação conquistada como um estado que fazia parte do Império Romano, e não um "saduceísmo" original, embora tenha se mostrado inteligente o bastante a ponto de fornecer um Templo estatal para manter o povo sob seu poder. A função dos saduceus agora consistia em fazer as manobras necessárias para proteger o centro do Templo contra quaisquer invasões de autoridades estranhas ou hostis. Portanto, enquanto o partido permanecia como a liderança titular da nação, gozava do respeito das pessoas. O dogma dos fariseus foi crescentemente aceito pelo povo, e quando o Templo foi destruído em 70 d.C. os saduceus chegaram ao seu fim como um partido, enquanto os fariseus eram os líderes dominantes entre o povo Judeu.

**Crenças**

*A lei.* Surpreendentemente, os saduceus eram considerados conservadores quanto a doutrinas antigas, e consideravam o Templo e seu sistema sacrificial como supremos. Eles opunham-se aos fariseus, e o principal ponto de divisão era o entendimento da lei. Os dois partidos reconheciam a supremacia da Torá, mas os saduceus só aceitavam a lei escrita, enquanto os fariseus obedeciam ao amplo conjunto de tradições junto com a lei escrita (*Ant.* xiii.10.6). Os saduceus só aceitavam aquilo que poderia ser baseado diretamente na lei escrita. Os fariseus basicamente eram críticos compassivos enquanto os saduceus eram vistos como mais rigorosos (*Ant.* xiii.10.6; xx.9.1), porque a "defesa da lei" por parte dos fariseus tinha a finalidade de ajudar as pessoas no dia-a-dia, enquanto os saduceus viam a metodologia dos fariseus como um enfraquecimento da genuína obediência à Palavra de Deus (embora, às vezes alguns fariseus também fossem bastante rigorosos). Se os saduceus não tivessem se tornado tão secularizados e não tivessem se afastado tanto do povo como aristocratas, esta ênfase na lei escrita poderia ter sido louvável sob vários aspectos.

As inclinações mencionadas não são suficientes para que façamos uma análise objetiva dos saduceus, uma vez que as informações que temos sobre este grupo vêm de seus oponentes. Portanto, é preciso ter cuidado ao analisar crenças atribuídas aos saduceus, uma vez que até o momento não foram encontrados materiais em que eles mesmos apresentem sua versão da história. Poucas diferenças podem ser notadas.

No *lex talionis* (Êx 21.23; Dt 19.21; *M[e]gillah Ta'anit* 4; *Baba Kamma* 84*a*) os saduceus insistiam em um cumprimento mais literal, enquanto os fariseus eram mais brandos aceitando a compensação monetária gradual, de acordo com a extensão do crime. No caso de falso testemunho, os saduceus não pediam a sentença de morte, a não ser que tal testemunho fosse claramente responsável pela execução do acusado, e mais ainda se a pessoa continuasse a sustentar tal testemunho depois que o acusado fosse morto. Já os fariseus queriam que as falsas testemunhas morressem assim que a sentença fosse decretada (*Makkot* 1.5-8; *Tosefta Sanhedrin* 6.6). Nesta questão os fariseus eram mais severos. Os saduceus atribuíam ao dono uma responsabilidade maior por compensar não somente os estragos feitos por um boi ou jumento (Êx 21.32,35), mas também (e ainda mais) pelos escravos que ferissem alguém. Os fariseus respondiam que os escravos deveriam ser considerados igualmente responsáveis, para que pudessem evitar que um escravo enfadado ou descontente envolvesse seu senhor em processos penais (*Yadaim* 4.7).

Na questão do direito à herança, as leis judaicas especificavam que somente o filho, não a filha, poderia herdar a propriedade do pai. Em casos especiais, quando o pai e o filho falecessem, deixando apenas uma filha (ou uma neta), a opinião dos fariseus era de que apenas a neta deveria ser considerada como herdeira, excluindo-se qualquer filha do pai falecido. Já os saduceus, em uma situação como esta, pensavam que tanto a filha quanto a neta deveriam dividir igualmente os bens (*Baba Batra* 115*b*).

Quanto ao direito de herança em situações ainda mais complicadas, como aquelas que envolviam os casamentos leviratos, os saduceus tinham uma interpretação peculiar quanto à pergunta feita pelo Senhor Jesus sobre a mulher e os sete maridos (Mt 22.23-33; Lc 20.27-38). Os saduceus acreditavam que os casamentos leviratos deveriam ser considerados somente em casos de *contrato conjugal* (algo quase equivalente ao noivado de nossos dias), e não nas situações em que houvesse um casamento de fato (*Y[e]rushalmi Yevamot* 1.6). Em suas concepções, acreditavam que, na questão proposta pelo Senhor Jesus, a mulher só poderia ser considerada casada com o sétimo marido. Os fariseus não tinham esta restrição, e assim os saduceus, querendo ridicularizar os fariseus, pensaram que poderiam expô-los por crerem que uma mulher poderia ter sete maridos. Eles também tinham divergências quando se tratava dos dogmas relacionados à ressurreição.

Nas questões ligadas aos rituais, as diferenças pareciam menores. As principais objeções por parte dos saduceus eram as minúcias relacionadas à lei oral. Eles não as levaram muito a sério, embora em certos casos os saduceus também pudessem estar sujeitos a várias restrições, como por exemplo no caso da pureza levítica. O custo das ofertas diárias era uma controvérsia. Os fariseus queriam que as ofertas diárias fossem custeadas pela tesouraria geral, enquanto os seus oponentes queriam que elas fossem custeadas pelas ofertas voluntárias do povo (*M[e]gillah Ta'anit* 1). Os saduceus ridicularizavam os fariseus por seus constantes rituais de limpeza ou purificação, embora os saduceus sentissem uma profunda dor pela sua pureza, o que podia ser visto em suas ofertas sacrificiais (*Parah e Tosefta Parah* cap. 3). Os fariseus tinham muitas restrições sobre tocar coisas que pudessem "contaminar" as suas mãos, enquanto os saduceus ridicularizavam esta noção, procurando se basear apenas naquilo que as Escrituras declaravam que realmente poderia contaminar.

*Doutrina.* Por causa da forte ênfase dos saduceus no humanismo, a visão que tinham a respeito de Deus foi muito afetada. Embora existisse uma crença em Deus, mesmo pensando que Deus fosse alguém que nunca interferisse no curso da história ou na sorte dos homens, entendiam que a predestinação não existia (*Ant.* xiii.5.9). Na opinião deles, não existia uma cooperação divina nas ações humanas, e assim o bem e o mal estavam na prerrogativa do livre arbítrio e na autodeterminação do homem. Os fariseus sentiam que algumas ações eram o resultado de uma providência divina, mas algumas ações humanas dependiam do livre arbítrio dos homens. Em relação ao homem, pensavam que este não tivesse uma alma imortal, uma vez que a alma morria com o corpo (*Ant.* xviii.1.4), e por esta razão os saduceus não acreditavam em um julgamento futuro (*Wars* ii.8.14).

A existência de anjos e de outros espíritos era negada pelos saduceus (At 23.8) uma vez que faziam parte da mesma classe dos espíritos de pessoas falecidas. As doutrinas dos anjos e espíritos eram consideradas como o desenvolvimento da lei oral e não eram aceitas, enquanto a menção de anjos no AT era vista como uma representação de Deus de alguma forma não substancial.

Na escatologia dos saduceus, não havia uma crença na ressurreição dos mortos, porém os fariseus acreditavam neste fato (*Ant.* xviii.1.3; Mt 22.33; At 23.8). Por outro lado, os fariseus entendiam que as evidências da ressurreição poderiam ser encontradas na lei de Moisés, nos escritos dos profetas, e nas Escrituras em geral, mas os saduceus não aceitavam as suas colocações uma vez que insistiam que a autoridade suprema era somente a Torá. O Senhor Jesus utilizou passagens significativas da lei em suas discussões com os saduceus em relação a este importante tema (Êx 3.6; Mc 12.26,27; Lc 20.37). Mas por pensarem que estas passagens simplesmente *implicavam* esta doutrina, e tendo a opinião de que Moisés nunca a ensinou com detalhes, entendiam que não haveria um incentivo para crer nela. A acusação, mais uma vez, era que a doutrina da ressurreição teria vindo de um desenvolvimento da tradição farisaica.

### Os Saduceus no NT

O material do NT não trata de um relacionamento complicado dos partidos, e o saduceismo não é considerado na totalidade de seu caráter multifacetado. A ressurreição é expressa como o principal ponto que os saduceus negavam. Tanto os fariseus como os saduceus são muitas vezes considerados juntos. João Batista condenou ambos em termos bastante objetivos (Mt 3.7ss). O Senhor Jesus juntou ambos os partidos quando denunciou suas doutrinas. Foi registrado que ambos os grupos procuraram questionar o Senhor, com a finalidade de testar sua habilidade em relação aos ensinos da lei (Mt 15.1). O livro de Atos mostra que Pedro e João foram presos por eles (At 4.1,2; 5.17,18). Como os crentes judeus mais antigos tinham muitas doutrinas em comum com os fariseus, como por exemplo a da ressurreição, as suas grandes dificuldades estavam relacionadas aos saduceus. No entanto, deve-se enfatizar que nem todos os saduceus e fariseus eram hostis aos judeus que criam em Jesus. O NT conta uma história escrita por homens comuns, que não eram profundos estudiosos destes dois partidos. Eles falavam dos partidos de uma forma bastante geral, mas este estilo literário não condenava os muitos estudiosos de ambos os partidos; na verdade, muitos deles tornaram-se crentes em Jesus.

***Bibliografia.*** B. Z. Bokser, *Pharisaic Judaism in Transition*, Nova York. Bloch Publishing Co.; 1935. V. Eppstein, "Sadducees", JBL, LXXXV (1996), 213-224. L. Finkelstein, *The Pharisees,* Nova York. Devin-Adair, 1938. R. Meyer, *"Saddoukaios"*, TDNT, VII, 35-54. R. T. Herford, *The Pharisees*, Nova York. Macmillan, 1924. J. W. Lightley, *Jewish Sects and Parties in the Time of Christ,* Londres. Epworth Press, 1925. T. W. Manson, "Sadducees and Pharisees", *Bulletin of the J. Rylands Library*, N° 22 (1938), pp. 144-159. Emil Schurer, *Jewish People in the Time of Jesus Christ*, Vol. II, Nova York. Scribners, 1891.

L. Go.

## SAFÃ

1. Um gadita, o segundo no comando em seu clã em Basã (1 Cr 5.11,12).

2. Um oficial proeminente na corte do rei Josias, cujos filhos e netos também estavam envolvidos nos eventos dos últimos dias de Judá.

Safã, o "escriba" de Josias, com toda probabilidade, desempenhou simultaneamente a função de secretário particular do rei, e secretário de estado, pois ele parece ter estado envolvido oficialmente em muitas destas atividades (veja R de Vaux, *Ancient Israel*, pp. 129-131). Safã leu o livro da lei encontrado por Hilquias, e tomou a decisão de levá-lo ao rei Josias (2 Rs 22.3-13; 2 Cr 34.8-21). Esta descoberta trouxe a reforma que estava sendo conduzida por Josias ao seu ápice. Safã e seu filho Aicão, juntamente com outros, foram consultar a profetisa Hulda a respeito de seu procedimento. Este mesmo Aicão, filho de Safã, protegeu o profeta Jeremias da morte (Jr 26.24).

Foi nas câmaras de um outro filho de Safã, Gemarias, que Baruque leu o rolo de Jeremias ao povo, e Miquéias, filho de Gemarias, relatou a profecia a seu pai. Os outros príncipes reuniram-se na casa do rei nos dias de Jeoaquim. Pelas mãos de Elasa, filho de Safã, e de Gemarias filho do sumo sacerdote Hilquias, Jeremias enviou sua carta aos cativos na Babilônia (Jr 36.10-12; 29.3).
A linhagem desta família ilustre termina com Gedalias, filho de Aicão e neto de Safã, que foi indicado para governador de Judá depois da queda de Jerusalém, e a quem foi confiado o cuidado para com o profeta Jeremias (2 Rs 25.22; Jr 39.14; 40.5,9,11; 41.2; 43.6).
O mesmo Safã, ou algum outro, foi o pai de Jazanias, que foi visto de pé entre os anciãos na visão de Ezequiel, e os conduziu a uma idolatria abominável (Ez 8.11). Por causa da oposição de Jazanias à adoração ao Senhor, muitos acreditam que ele deva ter pertencido a uma família diferente da de Aicão, Elasa e Gemarias.

P. C. J.

**SAFATE**
1. Filho de Hori, da tribo de Simeão, um dos 12 espias enviados para explorar a terra prometida (Nm 13.5).
2. Pai do profeta Eliseu (*q.v.*). Ele viveu em Abel-Meolá, uma aldeia situada no vale do Jordão, na fronteira de Issacar e Efraim (1 Rs 19.16,19; 2 Rs 3.11; 6.31).
3. Um dos filhos de Semaías, um descendente de Davi, depois do retorno do exílio (1 Cr 3.22).
4. Um dos chefes da tribo de Gade, que habitava em Basã nos dias de Jotão de Judá (1 Cr 5.12).
5. Filho de Adlai, um dos principais pastores de Davi (1 Cr 27.29).

**SAFE** Um descendente de *rapha*, o(s) progenitor(es) dos gigantes. Ele foi morto por Sibecai, o husatita em um confronto em Gobe (2 Sm 21.18). Em 1 Crônicas 20.4, ele é chamado de Sipai.

**SAFIR** O nome desta cidade em Judá significa "bonito" ou "prazeroso" (Mq 1.11), figurando no jogo de palavras da profecia de Miquéias (1.10-15). Um local sugerido é Khirbet el-Kôm, aprox. 11 quilômetros a oeste-noroeste de Hebrom, o qual domina o Uádi es-Saffar (talvez uma adaptação árabe do nome Safir).

**SAFIRA** Este nome aparece nos ossuários de Jerusalém, tanto na forma grega como na aramaica. No NT, apenas uma Safira, a esposa de Ananias (*q.v.*), é mencionada (At 5.1-11). Assim como seu marido, ela foi fulminada pelo julgamento divino por ter mentido. Outras pessoas, na Igreja, primitiva em Jerusalém estavam contribuindo com todos os seus bens ao tesouro comum, enquanto Ananias e Safira, fingindo dar o preço total da venda de sua propriedade, acordaram previamente que reteriam uma parte do valor.
Seu feito foi julgado severamente, pois esta foi a primeira ofensa na Igreja primitiva de Jerusalém; serviu como uma advertência aos demais. Deve-se notar que Pedro previu – e não decretou – a morte de Ananias e Safira. Safira pode ter sido julgada de forma misericordiosa por Deus e ainda levada ao céu, ao invés de ter sido condenada à perdição eterna como muitos acreditam. A base para esta opinião é o ensino de Paulo em 1 Coríntios 11.29-32, que diz que aqueles que forem culpados de profanar a mesa da Ceia do Senhor, podem ser punidos com enfermidades ou até mesmo com a morte, para não serem condenados junto com os descrentes. *Veja* Jóias.

T. B. C.

**SAGE** Um hararita e pai de Jônatas, um dos valentes de Davi (1 Cr 11.34).

**SAIA** *Veja* Vestuário.

**SAL**
Na Bíblia Sagrada são apresentados diferentes usos e funções para o sal. Uma associação comum com os alimentos na vida do antigo Oriente Próximo é manifestado através da pergunta de Jó: "Comer-se-á sem sal o que é insípido?" (Jó 6.6). Seu uso sagrado pode ser visto nas ofertas cerimoniais que faziam parte da adoração a Deus, praticada por Israel. O sal deveria ser misturado com as ofertas de manjares (Lv 2.13), e mais tarde passou a ser salpicado nas ofertas queimadas (Ez 43.24). Era um item que deveria estar sempre à mão no Templo (Ed 6.9). Às vezes, também era misturado com o incenso (Êx 30.35).
A expressão "Concerto de Sal" (ou Pacto de Sal; Nm 18.19; Lv 2.13; 2 Cr 13.5) provavelmente se refere a um antigo costume de confirmar uma aliança através de uma refeição entre as partes. Esta prática ainda perdura em nossos dias em meio aos árabes, que dizem: "Existe sal entre nós", após compartilharem uma refeição. Os adversários dos judeus que haviam retornado do cativeiro reivindicavam lealdade ao rei persa dizendo que eles comiam "o sal do palácio" (Ed 4.14).
O sal também era esfregado na criança recém nascida (Ez 16.4), o que sugere alguma importância medicinal ou religiosa. Por último, alguns acreditam que os pais pagãos aplicavam o sal com a finalidade de restringir os ataques demoníacos.
Talvez o uso mais familiar e importante do sal na Bíblia ocorra naqueles contextos que lidam com as qualidades preservativas e fertilizantes do sal (Lc 14.34,35; veja Eugene

P. Deatrick, "Salt, Soil, Savior", BA, XXV (1962), 41-48). Eliseu curou as águas de Jericó com sal (2 Rs 2.20,21). O fato do bom sal ter propriedades curativas e de tempero é usado por nosso Senhor como uma ilustração para levar os seus seguidores a uma vida responsável (Mt 5.13; Mc 9.50; Lc 14.34,35; Cl 4.6). O Senhor estava fazendo uma alusão ao complexo impuro do sal da Palestina, o qual pode perder sua salinidade através da desintegração física ou da mistura com gesso. Tal sal era geralmente encontrado nas cavidades salinas, nas proximidades do mar Morto (Sf 2.9; Ez 47.11).

Um último uso é incorporado na frase de nosso Senhor: "Cada um será salgado com fogo" (Mc 9.49), que associa o sal com o julgamento divino final. Uma ilustração vívida deste uso figurativo do sal é vista nas referências incomuns à transformação da esposa de Ló em uma estátua de sal (Gn 19.26). O incidente é absolutamente descritivo da desobediência espiritual de seus vizinhos, tanto quanto de sua própria vida, quando a ira de Deus caiu sobre toda a área na forma de uma devastação instantânea e aridez (Dt 29.23; Sl 107.34; Jr 17.6; Sf 2.9). Neste sentido, Abimeleque espalhou sal nas ruínas de Siquém como um sinal de maldição da cidade ou talvez de "consagração" dela para seu deus, para que não fosse mais reconstruída (Jz 9.45; veja Stanley Gevirtz, "Jericho and Shechem: a Religio-Literary Aspect of City Destruction", VT, XIII [1963], 52-62). *Veja* Minerais e Metais.

A. M.

**SAL, CIDADE DO** Uma cidade de Judá no distrito do deserto, nas proximidades da costa oeste do mar Morto (Js 15.62). Ao transliterar o hebraico, a versão NEB em inglês a chama de Ir-melach. No início, ela foi igualada à moderna Khirbet Qumran por Martin Noth em 1938. Embora o local do mosteiro que produziu vários rolos do mar Morto (q.v.) tenha sido ocupado por uma fortaleza durante a Idade do Ferro II (930-586 a.C.), não foi descoberta nenhuma evidência de algum estabelecimento desde os dias de Josué. Frank M. Cross Jr. e J. T. Milik, portanto, acreditam que a lista de Josué 15.61,62 remonta apenas ao tempo do rei Josafá ("Explorations in the Judaean Buqe'ah", BASOR #142 [1956], 5-17). No entanto, é provável que os habitantes mais antigos dos tempos da conquista Israelita tenham morado em vilarejos sem muros, e os escombros destas ocupações tenham sofrido uma completa erosão. *Veja* Nibsã.

**SAL, PACTO DE** *Veja* Sal.

**SAL, VALE DO** Um vale nas adjacências do mar Morto, cenário de duas vitórias israelitas contra os edomitas. Aqui o exército de Davi matou 18.000 edomitas (2 Sm 8.13; 1 Cr 18.12; e o título do Salmo 60 em algumas versões); dois séculos mais tarde, Amazias, o rei de Judá, derrotou outros 10.000 edomitas antes de tomar Sela (2 Rs 14.7; 2 Cr 25.11). Embora o vale tenha sido identificado – por causa da correspondência dos nomes (heb. *ge' hammelah*) – com o Uádi el-Milh a leste de Berseba no Neguebe, e uma possibilidade maior de ele ter feito parte do território edomita que estava na rota dos invasores israelitas. Por isso, os geógrafos Denis Baly (na obra *The Geography of the Bible*, Nova York. Harper, 1957) e Yohanan Aharoni (*The Land of the Bible*, Filadélfia. Westminster, 1967, pp. 263, 313) identificaram-no com Arabá, ao sul do mar Morto e com o desolado Sebkha, um trecho particularmente árido e salino.

**SALÁ** Filho de Arfaxade, que era o terceiro filho de Sem e o pai de Éber (Gn 10.24; 11.12-15; Lc 3.35,36). O nome é escrito como Selá em várias versões.

**SALA** Tradução de três palavras hebraicas do AT.

1. Heb. *Heder*, isto é, câmara (1 Cr 28.11). Os aposentos interiores do Templo de Salomão, provavelmente o Lugar Santo e o Santo dos Santos. Também foi traduzida como "parte mais interior" e "lugar íntimo".

2. Heb. *Lishka*, palavra traduzida como câmara ou sala de jantar (1 Sm 9.22) sendo que a primeira é provavelmente a melhor tradução. Ela designa um lugar para os escribas (Jr 36.12), as despensas no Templo de Zorobabel (Ed 8.29), as salas dos sacerdotes (Ez 40.17ss.), e as salas do Templo de Salomão (Jr 35.2ss.). Todas estas traduções têm o sentido de "câmara".

3. Heb. *'alliya,* ou cenáculo (Jz 3.20-25), o local onde Eglom estava refrescando-se no verão. Em alguns casos, esse abrigo pode ter sido uma tenda, mas o quarto no topo do palácio de Eglom havia sido solidamente construído com portas e um vestíbulo ou varanda.

**SALAI**

1. Um líder Benjamita, filho de Mesulão, que morava em Jerusalém (Ne 11.8).

2. Nome de um sacerdote que retornou com Zorobabel (Ne 12.20); ele também era chamado de Salu (Ne 12.7). *Veja* Salu.

**SALAMINA** O maior porto e centro comercial de Chipre (*q.v.*) na época em que Paulo e Barnabé ali desembarcaram em sua primeira viagem missionária (At 13.5). A cidade é comumente considerada como o lar de Barnabé. Devido a várias destruições e reconstruções, além de escavações parciais, tornou-se difícil esboçar como Salamina poderia ter sido nos dias de Paulo. O apóstolo teria conhecido o grande Fórum de pedras

O fórum em Salamina

de limo (de aprox. 250 por 60 metros), rodeado por lojas na extremidade sul, onde se encontrava um Templo dedicado a Zeus, o deus do Olimpo.

**SALÁRIO** Compensação paga, em dinheiro ou bens, a um trabalhador contratado. A moeda não era o tipo mais comum de pagamento na Palestina antes do período grego. Nos tempos bíblicos, os homens eram contratados para diversos serviços, e apesar de geralmente receberem pelo dia de trabalho, existe uma referência que cita o pagamento anual (Is 16.14; 21.16). Os trabalhadores pagos eram homens livres, às vezes estrangeiros, porém eram pessoas pobres que haviam perdido suas terras. *Veja* Assalariado.

Jacó prestou serviços durante 14 anos por suas esposas Raquel e Léia, depois fez com Labão um acordo pelo qual receberia pelos serviços prestados sob a forma de animais selecionados, ao cuidar da manada (Gn 29.15; 30.28,32ss.). Entre os trabalhadores pagos encontravam-se, entre outros, os trabalhadores agrícolas (Mt 20.1-16); pedreiros, marceneiros, e ferreiros, assim como aqueles que reparavam o Templo durante o império do rei Joás (2 Cr 24.12); enfermeiras (Êx 2.9), soldados (Lc 3.14); pastores (Jo 10.12) e pescadores (Mc 1.20). Até mesmo a contratação de meretrizes é mencionada (Ez 16.31).

O AT não fornece informações sobre a quantia paga regularmente. De qualquer forma, não se sabe a quanto o dinheiro equivalia comparado ao nosso tempo, e, sem dúvida, as taxas variaram com o passar dos séculos. Um escritor estima que nos tempos do NT um dia comum de trabalho seria equivalente a alguns dólares. Estes pagamentos eram acordados caso a caso, considerando-se a qualificação.

Na parábola em Mateus 20.1-16 é feita menção a um homem pagando um "denário" ou um "dinheiro" por dia (antigo ouro romano ou moeda de prata) aos trabalhadores de sua vinha. Ao pagar a todos os seus homens a mesma quantia todos os dias ao final do dia, embora alguns tenham sido contratados muito mais tarde do que outros, o empregador representa a generosidade graciosa de Deus e talvez também sua provisão para as necessidades mínimas de seu povo.

A lei de Moisés protegia os trabalhadores contra o tratamento injusto. O salário diário deveria ser pago na noite do mesmo dia e nunca deixado para a manhã seguinte (Lv 19.13; Dt 24.14ss.). Mas acredita-se que os servos contratados deveriam ter uma vida difícil (Jó 7.1ss.). Os empregadores nem sempre mantinham sua palavra, como no caso de Labão e Jacó (Gn 31.7). Os profetas denunciavam aqueles que retinham o salário

ou que oprimiam o assalariado (Jr 22.13; Ml 3.5; cf. Tg 5.4).
O termo "salário" (galardão ou recompensa) é também utilizado de forma figurativa, como a compensação recebida por aqueles que trabalham na seara do Senhor Jesus Cristo (que é composta por almas, João 4.36), e da morte como o salário do pecado (Rm 6.23).
*Veja* Recompensa; Prêmio.

***Bibliografia.*** Leon Morris, The Wages of Sin, Londres. Tyndale Press, 1954.

N. B. B.

**SALATIEL** *Veja* Sealtiel.

**SALCA** Uma cidade na extremidade de Gade a nordeste de Basã (Dt 3.10; Js 12.5; 13.11; 1 Cr 5.11). O nome é escrito como Salecah na versão ASV em inglês e em algumas versões mais recentes. Salca é agora conhecida como Salkhad, que fica onze quilômetros a leste da cidade de Bostra, dos tempos romanos.
A cidade foi construída em uma montanha circular de basalto vulcânico, elevando-se cerca de 100 metros acima da planície que a rodeia. É o local mais forte em Jebel el-Druze.

**SALEDE** O descendente sem filhos de Jerameel. Seu avô era Perez, filho de Judá. Nadabe era pai de Selede (1 Cr 2.30).

**SALÉM** Cidade cujo nome significa "paz", governada por Melquisedeque, a quem Abraão entregou o dízimo (Gn 14.18; Hb 7.1,2). De acordo com Josefo, esta cidade é a própria Jerusalém (*Ant.* 1.10.2). Outros a nomeiam como a cidade jebusita na fronteira entre Judá e Benjamim, que foi tomada por Joabe e se tornou a "cidade de Davi" (*veja* Jerusalém).

**SALEQUETE, PORTA DE** Uma das portas do Templo de Salomão no lado oeste, que caíram por sorte aos guardas Supim e Hosa (1 Cr 26.16).

**SALGUEIRO** *Veja* Plantas.

**SALGUEIROS, RIBEIRO (ou TORRENTE) DOS** Uma torrente guarnecida de salgueiros que havia muito tempo formava a fronteira entre Moabe e Edom (Is 15.7). O ribeiro (ou torrente) é geralmente identificado com o Uádi el-Hesa ou o ribeiro de Zerede.

**SALIM** Local próximo a Enom (*q.v.*) no lado oeste do Jordão. João batizava em Enom, que ficava perto de Salim "porque havia ali muitas águas" (Jo 3.23). Embora Jerônimo tenha estabelecido Enom e Salim (Umm el-'Amdan), oito milhas romanas ao sul de Citópolis (Bete-Seã), W. F. Albright acreditava que as nascentes próximas a Tirza e às cabeceiras do Uádi Far'ah tinham uma possibilidade maior de serem a área onde João Batista desempenhou seu ministério (*Archaeology of Palestine*, Harmondsworth. Penguin, 1960, p. 247). Nesse caso, Salim pode ser identificada com a Salém que está situada a aprox. 6 quilômetros a leste de Nabulus [ou Naplusa] e Siquém, que os samaritanos consideravam como a Salém de Gênesis 14.18. Perto dali fica uma vila que nos dias atuais é chamada de 'Ainûn, preservando o nome de Enom. No entanto, M. Avi-Yonah é favorável à localização de Peréia, a leste do Jordão, do outro lado de Jericó ("Aenon", IDB, I, 52).

**SALISA** Um distrito a nordeste de Lida no declive oeste do cume central de Israel. É mencionado como uma das regiões através da qual Saul passou em sua busca inútil pelas jumentas de seu pai (1 Sm 9.4).

**SALMÃ** O destruidor de Bete-Arbel (Os 10.14). Este nome é uma forma abreviada do nome Salmaneser, um rei da Assíria (*veja* Salmaneser III), ou uma forma abreviada do nome Salamanu, um rei moabita cujo nome ocorre em uma inscrição de Tiglate-Pileser III (ANET, p. 282), ou ainda o Salum que assassinou Zacarias, filho de Jeroboão II de Israel (*veja* Salum 1). A terceira interpretação é fortalecida pela LXX, onde se lê "a casa de Jeroboão" como tradução do nome Bete-Arbel. Se Bete-Arbel (*q.v.*) for a moderna cidade de Irbid em Gileade, um dos dois primeiros reis poderia tê-la destruído durante uma campanha contra Israel na Transjordânia, mas nenhum registro sobrevivente confirma tal ação militar.

A inscrição do Monolito de Salmaneser, que descreve a batalha de Qarqar e o contato assírio com Acabe de Israel. BM

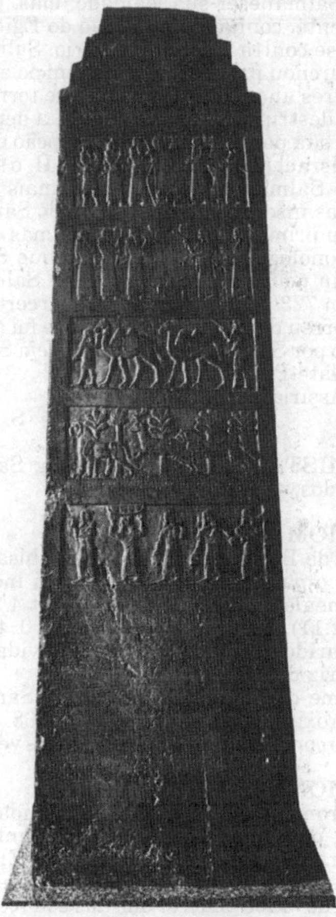

O Obelisco Negro de Salmaneser III, mostrando Jeú pagando tributo a Salmaneser no segundo registro. BM

**SALMA**
1. Filho de Hur e neto de Calebe. Salma foi o "pai" ou fundador de Belém, e o ancestral de muitos outros clãs e grupos das cidades (1 Cr 2.51,54).
2. Uma forma alternativa de Salmom (*q.v.*) pai de Boaz (Rt 4.20).

**SALMAI** O ancestral dos "filhos de Salmai" que estavam entre os netineus, um grupo que retornou com Zorobabel depois do exílio (Ed 2.46; Ne 7.48).

**SALMANESER** O nome heb. *Shalman'eser* é uma transliteração do acadiano *Shulmanu-asharid*, "(o deus) Sulmã é supremo". Este foi o nome de cinco reis assírios.
1. *Salmaneser I* (1273-1242 a.C.), filho de Adade-Nirari I Ele restaurou o poder assírio após um período de impotência durante o qual seu povo havia sido ofuscado pelo reino de Mitani e pelos heteus. Alguns registros detalhados das campanhas militares de Salmaneser sobreviveram. Eles revelam que ele lutou contra os urartianos (o povo do Ararate bíblico) nas montanhas armênias, contra a terra de Hanigalbat, como Mitani era então chamado, e contra os arameus do norte da Mesopotâmia. Embora o rei heteu, o mais poderoso monarca da Ásia naquela época, tenha se recusado a reconhecer Salmaneser I como rei de uma grande potência, ele não conseguiu impedir a queda de sua própria nação, que ocorreu dentro de meio século, nem a ascensão da Assíria como uma potência mundial.
2. *Salmaneser II* (1031-1019 a.C.), filho de Assurnasirpal I, viveu em um dos períodos mais obscuros da história assíria. Nada mais se conhece a seu respeito, além das operações de construção que executou em Calá (agora Nimrud), e que ele invadiu fortalezas na terra de Nairi durante uma campanha militar.
3. *Salmaneser III* (859-824 a.C.), filho de Assurnasirpal II. Ele foi um grande guerreiro, um dos fundadores do império Neo-Assírio, e o primeiro rei da Assíria a ter um contato ativo com Israel. Suas campanhas militares alcançaram Urartu, ao norte; a Babilônia, ao sul; a Síria e a Cilícia a oeste.
Durante os primeiros três anos de seu reinado, ele lutou contra os arameus de Bit-Adini no Eufrates superior. Após conquistar a capital Til-Barsib (agora Tell Ahmar) em 856 a.C., ele deportou sua população e deu à cidade seu próprio nome, *Kar-Shulmanu-asharid*, "Porto de Salmaneser".
Como resultado de seus sucessos na Mesopotâmia do norte, os estados independentes da Síria ficaram alarmados e formaram uma liga sob a liderança de Irhuleni, de Hamate, e Adad-'idri (o Ben-Hadade do AT), de Damasco, para resistir a qualquer avanço dos assírios. A esperada invasão de Salmaneser ocorreu em 853 a.C. Ele tomou Alepo e Hamate e avançou até Qarqar no rio Orontes, na Síria central, onde ocorreu uma violenta batalha entre as nações aliadas e os assírios. As 12 nações da liga da Cilícia no norte até os amorreus no sul opuseram-se aos assírios com um exército consistindo de mais de 60.000 homens de infantaria e quase 4.000 carros. Entre os aliados, o rei Acabe de Israel é mencionado como tendo fornecido 10.000 soldados a pé e 2.000 carros, cerca de metade de todos os carros do exército aliado. Salmaneser, como era costume de todos os reis assírios depois de uma batalha, declarou ter tido uma vitória esplêndida (ANET, pp. 278ss.); mas a veracidade de sua declaração é duvidosa, pois ele voltou para casa com seu exército imediatamente após a batalha, e só invadiu a Síria novamente de-

pois de cinco anos, em 848 a.C. Quando esta segunda demonstração clara de intenções veio a público, os exércitos da coalizão síria foram novamente capazes de deter o avanço assírio, desta vez em Ashtamuka nas proximidades de Hamate (ANET, pp. 279ss.). Três anos mais tarde, Salmaneser apareceu mais uma vez no oeste, desta vez com um imenso exército de mais de 120.000 soldados, porém não obteve o êxito esperado.
Depois da morte de Ben-Hadade, a aliança síria parece ter sido rompida. Quando Salmaneser reapareceu com seu exército na Síria em 841 a.C., vários reis sírios ofereceram-lhe tributo e submissão. Entre eles estava o rei Jeú (*q.v.*) de Israel (ANET, pp. 280ss.). No famoso Obelisco Negro, encontrado em 1845, por Henry Layard em Nimrud, e agora no Museu Britânico, o pagamento do tributo por parte de Jeú é retratado em uma escultura. Na segunda das cinco séries de relevos, o rei Jeú é visto beijando o solo aos pés de Salmaneser e oferecendo-lhe, como tributo, barras e vasos de metais preciosos, que são carregados pelos cortesãos israelitas (ANEP #351, 355). No entanto, Hazael, o novo rei de Damasco, não se submeteu, mas enfrentou o exército assírio no monte Hermom, onde foi derrotado. Salmaneser avançou em direção a Damasco, a capital de Hazael, e devastou os jardins que cercavam a cidade, mas não foi capaz de conquistar a própria cidade fortificada. Ele então marchou para a costa e teve seu monumento da vitória esculpido nas rochas do promontório no rio Dog, *Nahr el-Kelb*, ao norte de Beirute.
Na babilônia, Salmaneser interferiu na luta pelo trono entre os dois filhos de Nabu-apla-iddin, em 851 a.C., e ajudou a estabelecer o herdeiro legítimo como rei da Babilônia (ANET, pp. 276ss.). Durante seu último ano, Salmaneser teve muitos problemas internos com várias rebeliões contra seu regime.
4. *Salmaneser IV* (783-772 a.C.), filho de Adade-Nirari III, foi o primeiro de três governantes fracos que precederam o reinado do grande Tiglate-Pileser III. Ele lutou várias guerras defensivas contra Argistis, rei de Urartu, nas quais perdeu parte do território assírio.
5. *Salmaneser V* (727-722 a.C.), filho de Tiglate-Pileser III. Deste rei existe apenas uma inscrição, um cilindro memorial fragmentário encontrado em Ezida, no Templo do deus Nabu em Borsipa, que mostra que a Babilônia estava segura em suas mãos. Ele reinou sobre esta região com o nome de Ululai, como é conhecido a partir da Lista dos Reis Babilônios. Todas as outras informações sobre Salmaneser V vêm da Bíblia Sagrada (2 Rs 17.3; 18.9), de Josefo (*Ant.* ix.14.1-3), e da crônica babilônica. Estas fontes revelam que no início de seu reinado ele realizou uma campanha contra os fenícios. Naquela época, o rei Oséias de Israel garantiu a Salmaneser sua lealdade, mas, posteriormente, confiando no Faraó do Egito, rebelou-se contra o domínio assírio. Salmaneser marchou para Israel, e deu início ao cerco de três anos sobre Samaria que terminou com a destruição daquela cidade, a deportação de sua população, e a interrupção do reino de Israel (2 Rs 17.3-6). Sargão II, o sucessor de Salmaneser V, declarou mais tarde em suas inscrições ter conquistado Samaria em seu primeiro ano de reinado; mas os dados cronológicos do AT indicam que Samaria caiu pouco antes da morte de Salmaneser, em 723/22 a.C. Não se sabe ao certo se o rei morreu de morte natural, ou se foi assassinado por Sargão, seu sucessor. *Veja* Sargão 2; Tiglate-Pileser.
*Veja* Assíria; Israel, Reino de.

S. H. H.

**SALMISTA** *Veja* Música; Poesia; Salmos, Livro dos.

**SALMOM**
1. Pai de Boaz, marido de Rute, e bisavô de Jessé, o pai de Davi. Salmom está incluído na genealogia do Senhor Jesus (Rt 4.20,21; 1 Cr 2.11). De acordo com Mateus 1.4,5 ele era marido de Raabe (*q.v.*), sem dúvida a ex-meretriz de Jericó.
2. Nome da montanha, talvez em Samaria, nas proximidades de Siquém (Sl 68.14). É escrito como Zalmom (*q.v.*) em várias versões.

**SALMONA**
Um promontório a leste da extremidade de Creta, por onde Paulo e seus companheiros passaram em sua rota para Roma. Eles velejaram por este ponto, provavelmente o moderno Cabo Sidero, em um esforço para conseguir proteção contra os ventos contrários do Egeu (At 27.7).

**SALMOS IMPRECATÓRIOS** *Veja* Salmos; Oração.

**SALMOS MESSIÂNICOS** Os antigos rabinos relacionaram 26 Salmos como aqueles que contêm presságios messiânicos (A Edersheim, *Life and Times of Jesus the Messiah*, Appen. IX no Vol. II, pp. 716-20). Esses Salmos eram usados para estimular Israel à união e devoção e prometiam a ajuda de Deus através do Seu Ungido. Os Salmos 2,16,45,72,89 e 110 têm mensagens messiânicas definidas e de grande importância. Alguns dos outros Salmos têm sido considerados messiânicos devido à maneira como têm sido interpretados. *Veja* Salmos, Livro dos.

**SALMOS, LIVRO DOS**

**Nome do Livro**

O livro dos Salmos representa uma coleção de cânticos, hinos e poemas hebraicos, oriundos de vários períodos da história de Israel. O próprio livro não tem um título e nenhum título é encontrado em qualquer parte do AT. A abordagem mais próxima a um título é vista no Salmo 72.20, "Findam aqui as orações de Davi, filho de Jessé". Posteriormente, os judeus lhe deram o título de *sepher $t^e$hillim* ou "Livro dos Louvores". A LXX deu-lhe o nome de "Livro dos Salmos". A palavra grega "*psalm*" foi usada como tradução da hebraica *mizmor* e provavelmente significa um hino cantado acompanhado por instrumentos de corda. É interessante notar que a palavra *$t^e$hillim* aparece no título de um salmo (145, feminino plural) enquanto a palavra *mizmor* é encontrada em 57 títulos. Talvez a razão pela qual a antiga nação de Israel tenha deixado esse livro sem um título, seja o fato de ser muito difícil encontrar algum nome que lhe fosse apropriado. Um certo autor diz, "Por que chamá-lo de louvores? Eles oravam e pediam muito mais do que louvavam; lamentavam e confessavam mais do que agradeciam; e indagavam; queixavam-se e, até, maldiziam e replicavam mais do que adoravam" (Samuel Terrien, *The Psalms and Their Meaning for Today*, p. 37). Muitas atitudes e disposições diferentes foram expressas nesse livro e um título não poderia ter abrangido todas.

### Número e Organização

A Bíblia hebraica contém 150 Salmos separados. A LXX incluiu um salmo extra (151) que relata como Davi foi escolhido por Samuel, o profeta, em meio a seus irmãos. Embora as versões Massorética e LXX contenham essencialmente os mesmos Salmos, eles receberam uma numeração diferente. Na LXX, os Salmos 9 e 10 foram reunidos em um único Salmo, e o mesmo ocorre com os Salmos 114 e 115, enquanto os Salmos 116 e 147 foram divididos em dois Salmos separados. A diferença da numeração entre as versões hebraicas e LXX pode ser vista no seguinte diagrama.

| Hebraicas | LXX |
|---|---|
| 1–9 | 1–9.21 |
| 10 | 9.22-39 |
| 11–113 | 10–112 |
| 114–115 | 113 |
| 116.1-9 | 114 |
| 116.10-19 | 115 |
| 117–146 | 116–145 |
| 147.1-11 | 146 |
| 147.12-20 | 147 |
| 148–150 | 148–150 |

Na organização atual, os Salmos estão divididos em cinco grupos ou livros: 1–41, 42–72, 73–89, 90–106, 107–150. Cada um desses livros termina em uma doxologia. É provável que o Salmo 150 tivesse a finalidade de ser uma doxologia para todo o Saltério. As três primeiras divisões são naturais e marcam os sucessivos estágios do crescimento inicial do Saltério. Entretanto, a divisão entre 106 e 107 é arbitrária. Essa quíntupla divisão é anterior à LXX e, de acordo com a tradição judaica, tinha a finalidade de fazer com que essa coleção de Salmos correspondesse aos cinco livros da Torá.

No início de 1956, foi encontrado próximo a Qumran, na Caverna 11, um papiro de Salmos feito de couro, escrito em hebraico. Ele foi desenrolado e publicado por J. A. Sanders do *Union Seminary*, de Nova York. Esse papiro, junto com quatro folhas separadas, continha 36 Salmos ou trechos de Salmos da Bíblia hebraica, além do Salmo 151, conhecido anteriormente da LXX. Além desses 37 Salmos, o papiro continha seis outros Salmos, dois dos quais já eram conhecidos através de uma versão siríaca, mas quatro eram completamente novos. Esse papiro também continha uma seção em prosa que dava o número total das composições musicais de Davi como sendo 4.050. Os 36 ou 37 Salmos canônicos não seguem a mesma ordem em que aparecem no texto Massorético. Eles seguem a seguinte ordem: 105, 146, 148, 121–130, 132, 119, 135, 136, 118, 145, 139, 137, 138, 93, 141, 133, 144, 142, 143, 149, 150, 140, 134, 151 (Cf. J. A, Sanders, *The Psalms Scroll of Qumran Cave II*, 1965).

### Títulos

Todos os Salmos, exceto o 34, receberam títulos ou sobrescritos. É geralmente aceito que esses títulos não faziam parte dos Salmos originais e foram acrescentados posteriormente por um editor ou colecionador. Esses títulos são diferentes nas versões hebraica e grega. As versões siríacas não têm nenhum desses títulos, mas incluem outros completamente diversos que foram criados sob a influência de Teodoro de Mopsuestia (350-428 d.C.). Os títulos contêm inúmeros termos técnicos, cujo significado foi perdido. Eles podem representar: (1) um autor, colecionador ou alguém a quem o Salmo foi dedicado como Davi, Salomão, Moisés, ou os filhos de Corá; (2) o tipo de Salmo como um cântico, shîr; um salmo, *mizmor*; um salmo de louvor(es), *$t^e$hillim*; uma oração, *$t^e$phillah*; um *miktam*; um *maskil*; e *shiggayon*; (3) alguma mensagem musical como "ao músico chefe", "para os jovens" ou talvez o tom de um hino como "de acordo com a corça da manhã" (22.1); (4) a utilização de alguns dos Salmos no culto pela posterior nação de Israel, como o Salmo 30, "um canto para a consagração do Templo", e o Salmo 92, "um Salmo para o dia de Sábado".

### Data e Autoria

A data e a autoria dos Salmos canônicos têm sido objeto de pesquisa acadêmica durante séculos. As descobertas dos estudiosos também variaram com o passar dos séculos. Os títulos atribuem 73 Salmos a Davi (88 na versão LXX), 12 Salmos estão relacionados com Asafe, 12 com os filhos de Corá, 2 com Salomão, 1 com Etã, e 1 com Moisés. Entretanto, como na melhor hipótese esses títulos representam apenas uma antiga tradição e não podem ser considerados como parte do texto original inspirado, os Salmos foram entendidos como "quadros sem molduras" (cf. Artur Weiser, *The Psalms,* p. 9). Evidentemente, muitos judeus da época do NT, a maioria deles tomando como base os títulos, considerava Davi como o autor e o editor da maioria dos Salmos.

Seu nome veio a ser identificado com o Saltério, da mesma forma que o nome de Moisés está relacionado com a lei, e o de Salomão com os escritos da Sabedoria. Existe alguma razão para se acreditar que Davi foi um músico notável e provavelmente tenha escrito muitos deles, mas é óbvio que não poderia ser o autor de Salmos como 74 e 137.

Com o desenvolvimento do estudo científico da Bíblia, foi geralmente abandonada a teoria de Davi como autor de todos os Salmos e, tomando como base a visão evolucionária da religião de Israel, a maioria deles foi atribuída a um período pós-exílico. Julius Wellhausen disse: "A questão não é se o saltério contém quaisquer Salmos do período pós-exílico, mas se ele contém qualquer um do período pré-exílico". T. K. Cheyne afirma que somente partes do Salmo 18 eram pré-exílicas, e Duhm atribui a maioria deles ao período dos macabeus. Entretanto, a tendência moderna influenciada pela crítica formal é de levar os Salmos para uma época um tanto anterior. Engnell, um estudioso escandinavo, disse que apenas um Salmo (137) é do período pós-exílico.

## Classificação

Com a obra de Hermann Gunkel foi inaugurada uma nova tendência no estudo dos Salmos, com a publicação de seus comentários sobre o Livro dos Salmos em 1926. Ele acredita que a maior parte da tradição religiosa de Israel originou-se de seu culto em vários santuários, e que essas tradições foram preservadas e repetidas oralmente pelos sacerdotes e pelo povo. Ao recitar essas tradições, certos conjuntos de formas foram empregados para cada tipo de experiência religiosa. Por exemplo, uma lamentação adquiria uma forma especial, da mesma forma que um hino ou uma ação de graças. Gunkel acreditava que a forma de cada um desses tipos podia ser muito antiga, e que algumas podiam ter sido usadas até durante séculos pelos egípcios, babilônios e cananeus. Devemos reconhecer que formas semelhantes foram encontradas em materiais antigos do Egito, Babilônia e Canaã (Ugaríticos). Mas isso não quer dizer que seu conteúdo seja o mesmo. A forma, e em certo grau o vocabulário, podem ser os mesmos, mas o conteúdo da mensagem é completamente diferente (cf. Ringgren, *Faith of the Psalmists,* pp. 115ss.). *Veja* Poesia.

Baseando-se em sua forma e situação na vida, Gunkel classificou os Salmos canônicos em cinco categorias principais: hinos, lamentos comunais, Salmos reais, lamentos individuais e cânticos individuais de ações de graças. Além disso, a essas cinco categorias principais Gunkel tinha algumas classes menores como cânticos de peregrinação, hinos comunais de ações de graças, poemas de sabedoria e liturgias.

Gunkel foi seguido em seu método de estudo dos Salmos por outros especialistas como Sigmund Mowinckel, Artur Weiser, Hans-Joachim Kraus, Claus Westermann e Elmer Leslie. A maioria desses estudiosos considera algumas das festas religiosas como o cenário de muitos desses Salmos. Mowinckel coloca a festa do ano novo, ou a festa da entronização por detrás de muitos deles. Weiser acredita que a festa representa uma renovação da aliança. Kraus acredita que a festa era uma festa literal de Sião para comemorar da aliança de Deus com Davi e Jerusalém. Westermann acredita que esses homens foram longe demais ao reconstruir uma festa, e que os estudiosos precisam dirigir sua atenção para os próprios Salmos. Portanto, os modernos escritores evangélicos insistem que a base mais razoável para a classificação é o caráter das idéias religiosas encontradas em cada salmo (J. G. S. S. Thomson, "Psalms, Book of", NBD, p. 1056; R. K. Harrison, *Introduction to the Old Testament,* pp. 996ss.).

Os Salmos geralmente classificados como hinos são: 8, 19.1–6; 29, 33, 65, 100, 103, 105, 136, 145–150. Aqueles que têm como tema a entronização de Jeová como o Senhor do universo são: 47, 93, 96–99; e os que se referem a Jerusalém como a cidade escolhida por Deus (cânticos de Sião) são: 46, 48, 76, 86. Alguns Salmos parecem ter sido escritos para algum acontecimento especial na vida do rei. Tais Salmos são mencionados como Salmos reais e são: 2, 18, 20, 21, 45, 72, 89, 101, 110, 132, 144. Uma classificação semelhante usada muitas vezes pelos estudiosos evangélicos é a dos Salmos messiânicos que, em seu todo ou em parte, predizem o sofrimento de um futuro Rei que é simultaneamente humano e divino. Os Salmos que geralmente recebem essa designação são (pelo menos): 2, 8, 16, 22, 40, 45, 69, 72, 110, 118. O próprio testemunho do Senhor Jesus em Lucas 24.44 e as citações desses Salmos pelos escritores do NT aplicando-as a Cristo, confirmam essa análise.

Os melhores exemplos de lamentos nacionais são os Salmos 44, 74, 79, 80, 137. Os lamentos individuais representam o maior número desse tipo no Saltério. O envolvimento pessoal que eles expressam, provavelmente tem muito a ver com o contínuo apelo dos Salmos até os nossos dias. Os indivíduos, embora se reconhecendo como membros de uma comunidade pactual, enfrentaram as tribulações das enfermidades, morte iminente, falsa acusação, prisão e inimigos pessoais. Eles protestaram sua inocência, oraram para que Deus afligisse seus inimigos, confessaram os seus pecados e pediram a Deus para perdoá-los e purificá-los. Os exemplos mais típicos desses lamentos individuais são os Salmos 3, 5, 7, 13, 22, 42, 43, 51, 54-56, 88, 120, 130, 141, 142.

As orações em que os salmistas suplicam que Deus derrame sua ira são chamadas muitas vezes de Salmos imprecatórios. Devemos nos lembrar de que os salmistas viviam sob a antiga aliança antes que o Senhor Jesus viesse para nos ensinar a amar os nossos inimigos e orar por aqueles que nos maltratam (Lc 6.27-38), e antes da descida do Espírito Santo sobre nós. Por outro lado, até mesmo o NT nos ensina a permitir que Deus seja o nosso Vingador (Rm 12.19,20).

Os cânticos de ações de graças são em menor número que os lamentos. Os Salmos nacionais de ações de graças são: 67, 75, 107, 118, 124, e os de ações de graças individuais são: 30, 32, 34, 41, 66, 92, 116, 138. Aqueles geralmente classificados como Salmos de sabedoria são: 1, 19.7-14; 37, 49, 73, 112, 119, 127, 133, 139. Os Salmos que têm obviamente um uso litúrgico, como se fossem antífonas de vários oradores ou cantores são classificados como liturgias, e seus exemplos são os Salmos 14 (53), 15, 24, 50, 75, 82, 126.

### A Teologia dos Salmos

É muito difícil elaborar uma declaração adequada sobre a teologia dos Salmos porque eles não representam tratados teológicos sistematizados. São apenas a resposta expressa do povo aos atos salvadores de Deus ou à falta deles. Novamente dizemos, os Salmos não foram todos escritos por uma só pessoa, ou ao mesmo tempo, mas foram produzidos por sofredores, suplicantes, religiosos ou homens cheios de sabedoria durante um período de muitos séculos. Entretanto, todos os salmistas eram membros da comunidade da aliança, e depositavam sua confiança no Senhor.

Um dos elementos básicos da fé de Israel que todos os salmistas compartilhavam, é que Deus revela o que Ele é através daquilo que Ele faz. De uma forma geral, as grandes obras e atos de Deus estão mencionados nos Salmos (cf. 77.11-15; 78.3,4; 103.7; 136.1-26). Existem muito mais coisas ditas nos Salmos sobre a criação do que em qualquer outro livro do AT, exceto, provavelmente, em Isaías. As passagens mais importantes dos Salmos, relacionadas com a criação são: 8.3-5; 24.1,2; 36.6; 74.12-17; 89.9-12; 96.5; 102.25; 104.1-30; 115.15,16; 121.2; 124.8; 134.3; 136.5-9; 146.6.

Outra doutrina básica e importante dos Salmos é a da eleição, junto com a idéia de uma aliança entre Deus e Israel. Deus escolheu, de acordo com os Salmos, Abraão (104.6,9), Israel (33.12; 105.6; 106.5; 135.4), a terra de Israel (147.4), Sião (78.68; 132.13), Judá (78.68), Davi (78.70; 89.19), e também Moisés e Arão (105.26; 106.23). Essa eleição representa uma das mais distintas doutrinas de Israel. Sobre esse fundamento residia toda a vida religiosa dessa nação, pois explicava sua origem, posição e missão.

Intimamente relacionada com a doutrina da eleição estava a doutrina da redenção. Israel acreditava fazer parte de uma raça pecadora (51.5), que havia se rebelado contra Deus (58.1-5). Entretanto, o Senhor havia escolhido e redimido Israel, e havia conduzido a nação para fora da "terra do Egito" (81.10; cf. 66.6; 68.7-10; 78.13; 80.8; 105.37-44). Israel havia sido "salva" no Êxodo e ainda permanecia em uma relação salvadora por obedecer às condições da aliança. Entretanto, muitos dos salmistas estavam conscientes de que a aliança havia sido quebrada pelo povo como um todo, e também por cada um dos indivíduos (78.8-11,17–20,32,36–37,40–42,56–58).

Nos Salmos, a salvação também pode referir-se à libertação dos problemas – pessoais e nacionais. Muitos dos lamentos individuais clamam por Deus para salvá-los de seus inimigos. A maioria dos problemas dos salmistas era resultado de seus pecados. Sete dos Salmos (6, 32, 38, 51, 102, 130, 143) foram chamados de penitenciais, mas também foram encontradas referências aos pecados em muitos outros. Para os salmistas, o pecado era um ato voluntário de rebelião contra a pessoa de Deus, e acreditavam que Ele, sendo bondoso e misericordioso, perdoaria os pecados (51.1,2; 78.38; 86.15), mas também acreditavam que Deus é um Juiz que, ao final, julgará todo o pecado não confessado no céu e na terra (49.3-5,21,22; 58.1,11).

Do ponto de vista cristão, a teologia dos Salmos é fraca, pelo menos em dois pontos: (1) o conceito da vida após a morte e (2) falta de ênfase na missão de Israel perante as nações. O Seol, ou o abismo, mostra-se nos Salmos (9.17; 18.4,5; 55.15) como a concepção dominante da residência dos mortos. Geralmente, acredita-se que o Seol torne a comunhão com Deus impossível (6.5; 30.9; 88.10-12; 115.17). Entretanto, um salmista insiste na presença de Deus mesmo no Seol (139.8). Também é possível que alguns salmistas tenham antecipado a vida eterna na presença de Deus (16.10,11; 17.15; 49.15; 73.24).

Ao invés de orar pela conversão de seus inimigos ou dos pagãos, o salmista vingador orava pela vitória sobre estes ou pela sua destruição (109.6-19; 137.7-9). As passagens "missionárias" mais poderosas dos Salmos podem ser encontradas nos "Salmos de entronização" onde foi proclamado o reino universal de Deus. Todos os povos foram convocados a aplaudir e louvar a Deus, pois Ele é o "Rei grande sobre toda a terra" (47.1,2). Ele é proclamado o Rei de toda a terra, e falam do tempo em que "os príncipes dos povos congregam-se para serem o povo do Deus de Abraão" (47.9). Davi diz no Salmo 22: "Todos os limites da terra lembrar-se-ão e converter-se-ão ao Senhor; e todas as gerações das nações adorarão perante a tua face. Porque o reino é do Senhor, e ele domina entre as nações" (22.27,28).

**O Uso dos Salmos**

No período do AT os Salmos eram usados para expressar pedidos, louvor e gratidão por parte dos adoradores de Deus. No NT eles são citados mais do que qualquer outra obra do AT. Satanás citou o Salmo 91.11 no episódio da tentação de Jesus. É provável que o Senhor Jesus tenha cantado o grande Halel (Sl 118) na Última Ceia. Ele citou os Salmos 22.1 e 35.5 na cruz. Os hinos que Paulo e Silas cantaram na prisão de Filipos eram provavelmente Salmos. A Igreja primitiva os empregava nos cultos públicos e nas casas (Ef 5.19; Cl 3.16; 1 Co 14.26).

No século V d.C. os Salmos eram repetidos nos mosteiros pelo menos duas vezes por semana. São Patrick, da Irlanda, e São Benedito, recitavam os Salmos diariamente. Um conselho da Igreja e os capitulários do imperador tomavam os devidos cuidados para que ninguém fosse elevado a qualquer posição eclesiástica se não soubesse recitar os Salmos. Eles serviram como um apoio aos mártires, confortaram os sofredores e fortaleceram os fracos. Com as palavras dos Salmos nos lábios, certos homens foram levados à fogueira, outros foram julgados por Conselhos, e ainda outros serviram como missionários em continentes que estavam em trevas. Atualmente os Salmos são lidos, cantados e celebrados por um incontável número de pessoas, mais do que qualquer outra obra sagrada.

***Bibliografia.*** Conservadora: Joseph A. Alexander, *The Psalms Translated and Explained,* 2 vols. 6ª ed., Nova York. Scribner, Armstrong, 1873. Arthur G. Clarke, *Analytical Studies in the Psalms*, Kilmarnock. Ritchie, 1949. A. Cohen, *Psalms,* Hindhead, Surrey. Soncino Press, 1945. Franz Delitzsch, *Biblical Commentary on the Psalms,* trad. por Francis Bolton, 3 vols., Grand Rapids. Eerdmans, reimpresso, 1949. Herbert C. Leupold, *Exposition of the Psalms*, Columbus. Wartburg Press, 1959. Alexander Maclaren, *The Psalms,* Nova York. Funk e Wagnalls, 1908. G. Campbell Morgan, *Notes on the Psalms,* Nova York. Revell, 1947. J. J. Stewart Perowne, *The Book of Psalms,* 2 vols. Londres. G. Bell, 1892. Johannes Vos, "The Ethical Problem of the Imprecatory Psalms", WTJ, IV (1942), 123-138. Robert Dick Wilson, "The Headings of the Psalms", PTR, XXIV (1926), 1-37, 353-395.

Liberal e outras: Charles A. e Emilie G. Briggs, *The Book of Psalms,* 2 vols., ICC, Edinburgh. T. & T. Clark, 1907. T. K. Cheyene, *The Book of Psalms,* Londres. Kegan Paul, Trench, Trubner & Co., 1904. Mitchell Dahood, *Psalms,* 3 vols., Anchor Bible, Garden City, N.Y.; Doubleday, 1966, 1968, 1970. W. T. Davidson, *The Psalms I-LXXII* e T. Witton Davies, *The Psalms LXXIII-CL,* Century Bible, Edinburgh. T. C. & E. C. Jack, 1906. Frederick C. Eiselen, *The Psalms and Other Sacred Writings,* Nova York. Methodist Book Concern, 1918. Hermann Gunkel, *Die Psalmen,* Gottingen. Vanderhoeck & Ruprecht, 1926. Fleming James, *Thirty Psalmists,* Nova York. Putnam's, 1938. Aubrey R. Johnson, "The Psalms", *The Old Testament and Modern Study*, H. H. Rowley, ed., Oxford, 1951, pp. 162-209. A. F. Kirkpatrick, *The Book of Psalms,* 3 vols. *The Cambridge Bible for Schools and Colleges,* Cambridge. Univ. Press, 1902. E. A. Leslie, *The Psalms,* Nova York. Abingdon-Cokesbury, 1949. W. Stewart McCullough e William R. Taylor, "The Book of Psalms", IB, Vol. 4. John E. McFayden, *The Psalms in Modern Speech and Rhythmical Form,* Londres. James Clark & Co., 1926. Sigmund Mowinckel, *The Psalms in Israel's Worship*, A Translation and Revision of Offersang og Sangoffer, por D. R. Ap-Thomas, 2 vols., Oxford, 1963. W. O. E. Oesterley, *A Fresh Approach to the Psalms,* Nova York. Scribner's, 1937; *The Psalms,* Londres. SPCK, 1939. John Patterson, *The Praises of Israel,* Nova York. Scribner's, 1950. John H. Patton, *Canaanite Parallels in the Book of Psalms,* Baltimore. Johns Hopkins, 1944. John D. Peters, *The Psalms as Liturgies,* Nova York. Putnam's, 1922. Helmer Ringgren, *The Faith of the Psalmists*, Londres. SCM Press, 1963. Theodore H. Robinson, *The Poetry of the Old Testament,* Londres. Duckworth, 1947. J. A. Sanders, *Discoveries in the Judaean Desert of Jordan, IV. The Psalms Scroll of Qumran Cave 11,* Oxford. Clarendon Press, 1965. David C. Simpson, *The Psalmists,* Londres. Oxford Univ. Press, 1926. Norman H. Snaith, "The Psalms", *Twentieth Century Bible Commentary,* Nova York. Harper, 1955; *Studies in the Psalter*, Londres; Epworth Press, 1926. Samuel Terrien, *Psalms and Their Meaning for Today,* Nova York. Bobbs-Merrill, 1952. Rollin H. Walker, *The Modern Message of the Psalms,* Nova York. Abingdon-Cokesbury, 1938. Artur Weiser, *The Psalms. A Commentary,* trad. por H. Hartwell, OT Library, Londres-Filadélfia. SCM Press, 1962. Claus Westermann, *The Praise of God in the Psalms,* Richmond. John Knox, 1965.

A cúpula da Rocha está construída sobre o local do templo de Salomão. MIS

**SALOMÃO** O nome de Salomão aparece aproximadamente 300 vezes no Antigo Testamento e 12 vezes no Novo (cf. 1 Rs 1-11; 14.21,26; 2 Cr 1-11; 2 Sm 12.24; 1 Cr 3.10; 22.5-19; 28.5-11,20; Sl 72; 127 (títulos); Pv 1.1; 10.1; Mt 6.29; 12.42; *et al.*).

Salomão, o "homem do crepúsculo e das sombras", foi o segundo filho de Davi com Bate-Seba. O seu primeiro filho morreu logo após o nascimento (2 Sm 12.18). Salomão foi o quarto filho nascido ao rei Davi em Jerusalém (2 Sm 5.14; 12.24). Como o terceiro rei de Israel, Salomão reinou durante 40 anos (aproximadamente de 971 a 931 ou de 960 a 922 a.C.). Ele também era conhecido como Jedidias, que significa "amado pelo Senhor".

### Mocidade

Pouco se sabe a respeito da mocidade de Salomão. Ele era o filho da esposa favorita do rei Davi, Bate-Seba, uma mulher inteligente e encantadora que exercia uma grande influência sobre o rei, e um grande poder sobre a corte. Salomão cresceu em uma casa polígama. O rei Davi casava-se freqüentemente (as Escrituras registram 18 casamentos). Havia constante tensão entre as esposas e os seus respectivos filhos. O harém do rei tornou-se o cenário de todos os tipos de intrigas e contra-intrigas daqueles que faziam as suas manobras para conseguir favores e posições de prestígio. Assim, Salomão cresceu em um tipo de ambiente que acabou por educá-lo e acostumá-lo à arte das práticas políticas rudes e agitadas.

### A Luta pelo Trono (1 Rs 1–2)

Durante a enfermidade final de Davi, houve uma disputa enlouquecida pelo trono entre Adonias, o filho mais velho, e Salomão, o seguinte na linha da sucessão. Não era segredo o fato de que depois da briga entre Amnom e Absalão, Davi havia prometido o trono a Salomão.

Adonias pediu o auxílio de Joabe, o general do exército, e de Abiatar, o sacerdote. Seus amigos reuniram-se em En-Rogel, perto de Jerusalém, para sacrificar ovelhas, bois e animais cevados. Esta frustrada festa de coroação não incluiu Salomão nem aqueles que eram favoráveis à sua causa. Também Natã, o profeta, Zadoque, o sacerdote e Benaia, o chefe da guarda pessoal de Davi, estavam ausentes. Quando eles souberam do plano de Adonias para apoderar-se do trono, lideraram uma contra-intriga com a ajuda de Bate-Seba. Com as ordens de Davi, Salomão montou a mula real e cavalgou rodeado de seus defensores legais até a nascente de Giom no vale de Cedrom, no lado leste de Sião. Ali Zadoque ungiu o rapaz real com um vaso de azeite do Tabernáculo e, em meio ao som de uma trombeta, o povo gritava "Viva o rei Salomão!" O abortivo *coup d'etat* de Adonias desmantelou-se. Por sua vez, ele implorou por misericórdia e prometeu lealdade a Salomão.

Depois da morte de Davi (1 Rs 2.10), Salomão agiu rapidamente para solidificar sua posse do trono. Como era um mero rapaz (1 Rs 3.7), de 18 anos no máximo, seu pai moribundo lhe deu algumas instruções para livrar-se daqueles que pudessem querer arrancar o poder das suas mãos (1 Rs 2.1-9). Salomão viu a sabedoria do conselho de Davi e, como um déspota oriental típico, ele rapidamente liquidou os seus principais rivais. Adonias foi executado com base na mera suspeita de que ao pedir ao rei que lhe desse Abisague (a principal concubina de Davi) como esposa, estivesse preparando alguma intriga (1 Rs 2.13-25). Por causa da sua participação no plano de Adonias para roubar o trono, o venerável Abiatar foi deposto do seu sacerdócio e banido para sua cidade natal, Anatote (Anata, cf. 1 Rs 2.26,27), e sua casa foi extinta (1 Sm 2.27-36). Zadoque assumiu o lugar de Abiatar. Joabe, temendo pela própria vida, fugiu para o Tabernáculo para esconder-se. Mas Salomão ordenou que Benaia o matasse. Por sua vez, Benaia sucedeu a Joabe como comandante dos exércitos (1 Rs 2.28-35). Simei, um membro da família de Benjamim, que tinha amaldiçoado Davi violentamente durante a rebelião de Absalão, foi mantido sob vigilância em Jerusalém durante três anos e foi morto quando tentava recuperar dois escravos que tinham fugido para Gate (1 Rs 2.36-46).

### O Sonho em Gibeão (1 Rs 3; 2 Cr 1)

O evento que coroou os anos de formação real de Salomão foi sua escolha de sabedoria. Devido à influência de Natã, o profeta, Salomão era profundamente religioso. Um dos seus primeiros atos foi visitar o lugar alto de Gibeão e sacrificar mil holocaustos sobre o antigo altar que ficava em frente à tenda onde se reuniam (1 Rs 3.4; cf. 1 Cr 21.29). Na noite seguinte, Salomão teve um sonho no qual o Senhor lhe apareceu e lhe perguntou o que ele mais desejava. Ao invés de pedir uma longa vida, ou riquezas, ou honra, o jovem rei pediu sabedoria "prática" para governar seu povo prudentemente. O seu pedido agradou ao Senhor e lhe foi concedido. Pouco tempo depois, duas mães compareceram à sua presença acusando-se mutuamente do mesmo crime. Não havia testemunhas; um juiz moderno teria arquivado o caso por falta de provas, mas Salomão rapidamente descobriu um estratagema que revelou a verdadeira mãe. A decisão espalhou-se como fogo, de vila a vila. Agora o rei era reverenciado como um governante sábio e justo.

### A Administração (1 Rs 4)

O reino de Davi veio, completo, para as mãos de Salomão. Era uma área estimada em 128.000 quilômetros quadrados (um pouco menos que a área do estado de Illinois (EUA) e um pouco mais que o estado de Nova York). Sob o domínio de Davi, as condições domésticas em Israel permaneciam primitivas e patriarcais. Davi fez nascer a nação israelita; Salomão produziu o estado israelita. O seu governo era uma monarquia absoluta. Os membros do seu gabinete ampliado eram chamados de príncipes. Com a exceção de dois ainda da época de Davi, eles eram todos novos: (1) o sumo sacerdote Azarias, filho de Zadoque; (2) dois secretários, Eliorefe e Aias; (3) um chanceler ou encarregado dos registros, Josafá; (4) o grande general do exército, Benaia; (5) os sacerdotes Zadoque e Abiatar; (6) um supervisor dos 12 oficiais comissionados, Azarias, filho de Natã, o profeta; (7) o "amigo do rei", ou conselheiro, Zabude (filho de Natã, o profeta); (8) um mordomo, Aisar; e (9) um superintendente do serviço escravo, Adonirão (1 Rs 4.2-6). *Veja* Servos de Salomão.

Ignorando as antigas divisões tribais, Salomão dividiu o país inteiro em 12 distritos administrativos, nove a oeste do Jordão e três a leste. Em cada distrito havia um oficial comissionado cuja responsabilidade era a de fornecer à corte provisões para um mês a cada ano. As provisões para um único dia correspondiam a trinta coros de flor de farinha e sessenta coros de farinha; dez vacas gordas, e vinte vacas de pasto, e cem carneiros, afora os veados, e as cabras monteses, e os corços, e as aves cevadas; também cevada e palha para os animais nos estábulos do governo.

Salomão introduziu carros de batalha e cavalaria no seu exército: 40.000 estrebarias de cavalos; 12.000 cavaleiros e 1.400 carros, que eram guardados em Jerusalém ou nas suas cidades fortificadas, prontos para a distribuição em épocas de perigo. Eram necessárias estradas novas, completamente diferentes das existentes. Fortalezas de fronteira como Arade, com seu pequeno Templo na cidadela (*veja* Templo) foram construídas para guardar as rotas de comércio.

### O Programa de Construção (1 Rs 5–7; 2 Cr 2–4)

No início do seu reinado, Salomão resolveu cumprir a promessa de seu pai, de construir um Templo em Jerusalém para abrigar a arca. Salomão restabeleceu a aliança que Davi tinha feito com Hirão de Tiro (que não deve ser confundido com Hirão, o artesão talentoso, 1 Rs 5.1; 7.13,14), segundo a qual Salomão fornecia a Hirão comida em troca de cedros do Monte Líbano (1 Rs 5.1-12). A maior necessidade do rei era de trabalhadores. Para garantir uma força de trabalho adequada, ele recorria à corvéia ou ao trabalho forçado. Ele reduziu os cananeus à condição de escravos do estado (1 Rs 9.20,21). Como estes eram insuficientes para seus grandiosos planos, ele recrutou israelitas livres também, obrigando-os a trabalhar em turnos de 10.000, a cada três meses (1 Rs 5.13-18; 2 Cr 2.17,18). No total, sua força tarefa compunha-se de 80.000 marmoreiros, 70.000 trabalhadores comuns e 3.600 supervisores ou condutores de escravos.

Como Ramsés II do Egito, Salomão era um grande construtor. O Templo foi o mais importante dos seus projetos de obras públicas. Estava localizado no Monte Moriá, o lugar da eira de Araúna, onde o rei Davi tinha erigido um altar ao Senhor para que cessasse a praga (2 Sm 24.16-25; 1 Cr 21.15-25) e possivelmente onde Abraão tinha oferecido Isaque (2 Cr 3.1; Gn 22.2). Os materiais foram coletados por Davi (1 Cr 22.2-4), mas o trabalho real começou no quarto ano do reinado de Salomão (1 Rs 6.1). Embora o Templo fosse um edifício grande para sua época, era bastante pequeno para os padrões modernos: 30 metros de comprimento, 10 de largura e 15 de altura.

Sete anos foram gastos na sua construção. O térreo foi baseado no Tabernáculo de Moisés. O protótipo arquitetônico do santuário era correspondente ao estilo de Templo sírio ou cananeu (por exemplo, como aqueles que são encontrados em Ugarit, Qatna e Hazor). Não se ouviu o som de nenhum martelo, machado ou ferramenta de ferro durante sua construção (cf. 1 Rs 6.7). O santuário foi revestido com ouro, como se tivesse sido escavado de uma massa sólida. Dois imensos pilares ficavam na entrada do pátio como guardiões do santuário (1 Rs 7.21). O Templo centralizou e fixou Jerusalém como o centro de adoração ao Senhor, como o centro de migração para as doze tribos para adoração no mesmo altar e santuário. (Veja Ira M. Price, *Old Testament History*, p. 237 para as especificações do Templo). *Veja* Templo.

### A Consagração do Templo (1 Rs –9; 2 Cr 5–7)

Ao concluir o "santuário real" no décimo primeiro ano do seu reinado (1 Rs 6.38), Salomão planejou uma grandiosa celebração (1 Rs 8). Perante uma grande congregação dos líderes das tribos, e dos príncipes descendentes dos patriarcas dos israelitas, a arca da aliança foi transferida da cidade de Davi até o lugar santíssimo, debaixo das asas dos querubins. Tudo isso foi realizado no meio de hecatombes* por toda a congregação. Uma nuvem encheu o edifício para exibir a glória do Senhor. O rei abençoou a multidão reunida, recitou a história da construção do Templo e sua participação no processo. Depois, em pé diante do altar do Senhor, Salomão estendeu as mãos para os céus e ofereceu uma oração de dedicação jamais superada em toda a literatura religiosa (1 Rs 8.23-53). Ele pediu que o Senhor ouvisse e atendesse as orações feitas: (1) nas situações que envolvessem juramentos (1 Rs 8.31,32); (2) quando a nação fosse ferida pelos inimigos; (3) durante o período de falta de chuvas; (4) na ocorrência de diversas calamidades; (5) pelo exército; e (6) em situações de cativeiro. Sua conclusão expressou a atenção e a contínua presença do Senhor, para que Ele dotasse seus sacerdotes com a salvação, e seus santos com sua benevolência. Os atos finais de Salomão na dedicação do Templo foram a oferta de um grande número de sacrifícios pacíficos, ofertas queimadas, e ofertas de manjares (1 Rs 8.62-66).

* Nota do tradutor. Neste caso, um hecatombe pode corresponder ao sacrifício de 100 cabeças de gado. Porém o termo também é utilizado como referência ao sacrifício de muitos animais, sem a especificação de seu tipo ou número exato.

### Outros Edifícios (1 Rs 7–11)

Dentre os numerosos edifícios e obras públicas em Jerusalém, Salomão construiu a casa do bosque do Líbano (50 metros de comprimento, 25 de largura e 15 metros de altura, contendo uma sala de audiência e um paiol de armas); um pórtico de colunas (25 por 15 metros); outro pórtico ou hall para seu trono, onde ele julgava; uma casa para a filha do Faraó (cf. 1 Rs 7.2-8) próxima à sua própria casa, com o esplendor digno de uma filha de um rei egípcio. Salomão dedicou 13 anos à construção de sua própria casa para acomodar 700 esposas e 300 concubinas e os servos necessários (1 Rs 11.3) e Milo, uma gigantesca fortaleza para proteger o Templo (1 Rs 9.24). Ele também construiu defesas militares e cidades fortificadas por todo o seu reino (1 Rs 9.15,17-19; 2 Cr 8.1-6). *Veja* Gezer; Hazor; Megido.

A celebração final da dedicação do edifício foi coroada por um banquete colossal, compartilhado por toda a nação de Israel, desde Hamate até o rio do Egito. No oitavo dia realizou-se uma assembléia solene, depois da qual o povo retornou às suas casas. Salomão dedicou 14 anos a essas atividades de construção, e estima-se que ele tenha gastado uma assombrosa quantia.

### Comércio e Receita

Salomão era um diplomata perspicaz. Com os seus casamentos ele obteve acordos internacionais vantajosos, e dessa maneira assegurou a paz para sua nação. Durante os 40 anos do seu reinado (1 Rs 11.42) Israel raramente teve que enfrentar uma batalha.

O primeiro contrato comercial de Salomão foi celebrado com o rei Hirão de Tiro. Ele pagava anualmente a Hirão vinte mil coros de trigo e vinte coros de azeite batido (1 Rs 5.11; o equivalente a 2.000 toneladas de trigo e 400.000 litros de azeite de oliva puro), para que Hirão lhe fornecesse madeira e marmoreiros para a construção dos seus edifícios. Salomão deu a Hirão 20 cidades na Galiléia como pagamento de sua dívida. Mais tarde, Hirão lhe enviou 60 talentos de ouro. Salomão firmou um contrato com comerciantes do Egito (provavelmente com Musri, da Ásia Menor) para o comércio de cavalos e carros. O rei, por sua vez, os distribuiu aos heteus e siros (reis da Síria) com um lucro razoável (1 Rs 10.28ss.).

O mais lucrativo empreendimento comercial de Salomão foi seu comércio marítimo. Ele construiu barcos do tipo dos de Társis em Eziom-Geber, no ponto mais importante do Golfo de Ácaba. Esta cidade desenvolveu-se, tornando-se um grande porto e a base da frota de Salomão. Os servos práticos de mar de Hirão manejaram esses barcos e navegaram no mar Vermelho, no Oceano Índico, chegando até mesmo a Ofir em viagens que duravam até três anos.

As cidades de munições e de armazenamento geral (2 Cr 8.4-6), construídas em áreas estratégicas, obtinham recursos através das taxas coletadas das caravanas que cruzavam os domínios de Salomão. A receita anual em ouro de Salomão, originária exclusivamente do seu comércio, do seu tráfego de mercadorias, e do tributo pago ao rei pela população e pelos governadores em todos os seus domínios, atingia uma soma excepcional.

### Sabedoria e Esplendor

A sabedoria de Salomão é celebrada na Bíblia (1 Rs 4.29-34) e em lendas. O livro de Provérbios começa com a afirmação: "Provérbios de Salomão, filho de Davi, rei de Israel". A autoria de uma grande parte do livro é atribuída a ele, cf. Provérbios 25.1. Acredita-se que o versículo-título de Eclesiastes refira-se a Salomão. A ele são atribuídos o livro de Cantares de Salomão e o livro apócrifo de Sabedoria de Salomão. O compilador de 1 Reis 4 afirma que Salomão foi o responsável por 3.000 provérbios e 1.005 cânticos. Os sobrescritos dos Salmos lhe atribuem dois Salmos (72 e 127). O obituário de Salomão (1 Rs 11.41) menciona sua sabedoria como registrada no livro da história de Salomão – o registro oficial das atividades do rei.

Durante a metade do reinado de Salomão, ele recebeu uma notável visita da rainha de Sabá, que veio "dos confins da terra" para ouvir sua sabedoria (Mt 12.42). Salomão mostrou a ela Jerusalém, seu Templo, palácios e fortalezas. A rainha ficou tão impressionada pela beleza da sua capital, pela comida em sua mesa, pela sua força militar, e pelo esplendor geral da sua corte que "não houve mais espírito nela" (1 Rs 10.5). Mas foi a sabedoria de Salomão que a impressionou profundamente. Ela o bombardeou com perguntas e enigmas. Todos os seus enigmas e charadas foram respondidos de uma forma tão inteligente, que ela finalmente exclamou palavras de congratulação. "Bem-aventurados os teus homens, bem-aventurados estes teus servos que estão sempre diante de ti, que ouvem a tua sabedoria!" (1 Rs 10.8). Respeitando o costume oriental, ela presenteou Salomão com ricos presentes, além de 120 talentos de ouro (1 Rs 10.8-10). *Veja* Sabá.

### Declínio e Queda (1 Rs 11)

Várias políticas de Salomão não eram boas: (1) o trabalho forçado desorganizava a vida familiar do seu povo; (2) o comércio internacional trouxe deuses estrangeiros e encorajou a idolatria; (3) seu excessivo programa de construções superou os seus recursos; (4) sua corte esplendorosa cobrava excessivas taxas do seu povo, sobrecarregando a todos; (5) sua intensa poligamia chegava a ser uma tolice (na sua velhice, as suas esposas estrangeiras o levaram a seguir outros deuses, 1 Rs 11.1-8). Embora indignado com Salomão, o Senhor, por sua graça, não lhe tirou o reino; mas o tirou de seu filho.

Mas o Senhor levantou "adversários" a Salomão. Eles encontraram apoio entre a população. O primeiro foi Hadade, o edomita, que tinha fugido para o Egito durante o reinado de Davi. Quando ele recebeu as notícias da morte de Davi, retornou, desprezou Israel e tornou-se rei de Edom. O segundo foi Rezom, que se estabeleceu em Damasco e foi adversário de Israel por todos os dias de Salomão (1 Rs 11.9-25). O terceiro e mais perigoso era um líder forte e trabalhador chamado Jeroboão, filho de Nebate, um efraimita, o supervisor do programa de obras públicas de Salomão. Jeroboão rebelou-se interiormente contra a política do rei. O profeta Aías o encorajou em seu patriotismo, e assegurou-lhe o reino sobre as dez tribos do norte. Quando Salomão tentou matá-lo, Jeroboão fugiu para o Egito e esperou (1 Rs 11.26-40).

Mesmo com todas as suas fraquezas, Salomão fez grandes contribuições para Israel: (1) Ele foi o responsável pelo estabelecimento do Templo como o santuário religioso central da nação; (2) acelerou a transição de Israel, de um povo agrícola para um povo ligado ao comércio; (3) colocou Israel no cenário internacional; (4) patrocinou o ideal de justiça nas cortes; (5) através de seus provérbios, colaborou com o fortalecimento do bom senso na religião.

Assim, Salomão encerrou sua carreira, desgastado pela excessiva auto-indulgência, deixando para trás de si um tesouro empobrecido, um povo descontente e um império cambaleante e pronto para desmoronar – o que de fato aconteceu durante o reinado de Roboão. Contudo, Salomão fez contribuições imortais: foi o pai da literatura de sabedoria hebraica, e o construtor do Templo. Além disso, Salomão, com toda a sua glória e esplendor, tipificou Aquele que um dia "dominará de mar a mar", em paz (Sl 72.8).

***Bibliografia.*** John Bright, *A History of Israel*, Filadélfia. Westminster, 1959, pp. 190-208. Nelson Glueck, *The Other Side of the Jordan*, New Haven. ASOR, 1940, pp. 89-113. James Fleming, *Personalities of the Old Testament*, Nova York. Scribner's, 1939, pp. 149-165. W. S. LaSor, *Great Personalities of the Old Testament,* Nova York. Revell, 1959, pp. 125ss. Abraham Malamet, "Organs of Statecraft in the Israelite Monarchy", BA, XXVIII (1965), 34-65. J. M. Meyers, "Solomon", IDB, IV, 399-408. Martin Noth, *The History of Israel*, 2ª ed., Nova York, Harper, 1960, pp. 204-224. I. M. Price, *The Dramatic Story of Old Testament History*, 5ª ed., Nova York. Revell, 1935, pp. 230-251. G. Ernest Wright, *Biblical Archaeology*, Filadélfia. Westminster Press, 1959, pp. 120-144.

D. W. D.

**SALOMÉ**
1. Uma das mulheres que seguiram Jesus na Galiléia, e que se manteve mais afastada testemunhando sua crucificação (Mc 15.40, 41). Na manhã da ressurreição ela foi, juntamente com outras mulheres, ungir o corpo do Senhor Jesus com aromas (Mc 16.1). Ela era provavelmente a mulher de Zebedeu e a mãe de Tiago e João (Mt 27.56).
2. A filha de Herodias que depois de dançar diante de Herodes Antipas, pediu a cabeça de João Batista (Mt 14.3-11; Mc 6.17-28). Seu nome não consta nos Evangelhos, mas foi mencionado na obra de Josefo (*Ant.* xviii.5.4).

**SALPICADO**
1. O termo salpicado, *naqod* (Gn 30.32, 33,35, 39; 31.8,10) é usado somente para cordeiros ou cabras e significa "manchado" ou "marcado". Parece referir-se aos cordeiros ou cabras que são, na maior parte, negros com manchas brancas, ou vice-versa.
2. Heb. *sabua'* (Jr 12.9) é usada na frase "ave de rapina de várias cores" e é de difícil interpretação. É um paralelo com o pensamento do versículo 8: "Tornou-se a minha herança para mim como leão numa floresta". Isto é, seu povo e seus associados do passado voltaram-se contra ele; desta forma, sua herança estava prestes a caçá-lo como o gavião de muitas cores procura sua presa. Outra interpretação é a de que Israel assemelhava-se a uma ave de muitas cores que se destacava contra um cenário diferente e, portanto, era uma presa fácil. Além disso, devido às dificuldades com o texto hebraico e a diferença na LXX, *sabua'* é traduzida por alguns como hiena.
3. Moreno ou baio, *saroq* (Zc 1.8) diz respeito aos cavalos cor de canela juntamente com os avermelhados e brancos da visão de Zacarias.

H. E. Fi.

**SALTÉRIO** *Veja* Música.

**SALU**[1] Um Simeonita, pai de Zinri (*q.v.*) que foi morto por Finéias, o sacerdote (Nm 25.14).

**SALU**[2]
1. Um sacerdote que retornou com Zorobabel (Ne 12.7).
2. Nome de um Benjamita, um neto de Joede, que passou a residir em Jerusalém depois do exílio (1 Cr 9.7; Ne 11.7).

**SALUM** Cerca de 12 a 15 pessoas são identificadas por este nome no AT. Os dois mais conhecidos por este nome são o rei de Israel e o rei de Judá. Todos os outros são pouco conhecidos além de suas identidades em genealogias.
1. Um filho de Jabes. Ele assassinou Zacarias, que havia reinado apenas seis meses como sucessor de Jeroboão na dinastia de Jeú em 753 a.C. (2 Rs 15.10-15). Salum foi rei do reino do norte governando em Samaria apenas um mês quando foi morto por Menaém. O nome de seu pai, Jabes, pode indicar que ele era um gileadita.
2. Um filho de Josias. Salum, mais conhecido como Jeoacaz (*q.v.*), foi entronizado pelo povo em Judá em 609 a.C., mas foi deposto após três meses de reinado por Neco, rei do Egito (1 Cr 3.15; 2 Cr 36.1-4). Ele foi levado como prisioneiro para Ribla, em Hamate, e finalmente ao Egito, onde morreu, como indicado por Jeremias (Jr 22.10-12; 2 Rs 23.30-34).
3. Filho de Naftali (1 Cr 7.13; Silém em Gn 46.24 e Nm 26.49).
4. Um descendente de Simeão (1 Cr 4.24,25).
5. Filho de Sismai (1 Cr 2.40,41), da tribo de Judá.
6. Um levita e porteiro durante o reinado de Davi. Ele foi filho de Coré (1 Cr 9.17,19,31; Ed 2.42; Ne 7.45; cf. também Meselemias em 1 Crônicas 26.1 e Selemias em 1 Crônicas 26.14).
7. Filho de Zadoque (1 Cr 6.12-15). Serviu como sumo sacerdote várias gerações antes do cativeiro babilônico em 586 a.C. Foi um ancestral de Esdras (Ed 7.2; cf. também 1 Ed 8.1 e 2 Ed 1.1). É chamado de Mesulão em 1 Crônicas 9.11.
8. Um efraimita cujo filho Jeizquias era um oficial de Samaria durante o reinado de Peca (2 Cr 28.12).
9. O marido de Hulda, a profetisa (2 Rs 22.14; 2 Cr 34.22), e encarregado do guarda-roupa sacerdotal. Este também pode ter sido o tio de Jeremias, que tinha o mesmo nome (Jr 32.7; cf. também Jeremias 35.4; 52.24).
10. Filho de Bani, um sacerdote, que havia se casado com uma mulher gentia e foi obrigado a despedi-la durante a reforma de Esdras (Ed 10.42).

11. Filho de Haloés, um governante que, auxiliado por suas filhas, ajudou a reedificar os muros de Jerusalém sob a liderança de Neemias (Ne 3.12).
12. Um levita que serviu como porteiro do Templo na época de Esdras, e que havia se casado com uma mulher estrangeira (Ed 10.24).
13. Maioral do distrito de Mispa nos dias do governo de Neemias (Ne 3.15). Sua responsabilidade na reedificação do muro de Jerusalém era a Porta da Fonte, juntamente com o muro do viveiro de Selá (Siloé), perto do jardim do rei.

S. J. S.

**SALVAÇÃO** A doutrina bíblica da salvação é tecnicamente chamada de soteriologia (*q.v.*). Entendida de forma ativa, a salvação é a obra completa de Deus que consiste em trazer homens do estado de pecado ao estado de glória através de Jesus Cristo, o Deus-homem. No estado anterior, o homem está espiritualmente morto e sujeito à ira divina; neste último, ele está sob a graça de Deus, e experimentando a vida eterna. Entendida de forma passiva, a salvação é um presente completo a ser desfrutado pelos verdadeiros crentes em Cristo, a oferta de si mesmo que foi feita por Deus através de seu Filho (J. I Packer, BS, CXXIX, 293, 295).
Vários termos que designam a salvação ocorrem freqüentemente ao longo da Bíblia Sagrada. No AT, a raiz mais importante em hebraico é *yasha'*, que significa liberdade daquilo que prende ou restringe. Portanto, o verbo significa soltar, liberar, dar comprimento e largura a algo ou a alguém (BDB, p. 446). Os vários substantivos derivados desta raiz significam tanto o ato de libertar quanto o de resgatar (1 Sm 11.9), além de transmitir o estado resultante de segurança, bem estar, prosperidade (2 Sm 23.5; Sl 12.6) e de vitória sobre os adversários (2 Sm 23.10,12; Sl 98.1). O particípio deste verbo é a palavra traduzida como "Salvador", *moshia'* (*veja* Salvador), da qual vem o nome Josué (*q.v.*), e sua forma grega, Jesus; ambas significam "Yah(weh) salva".
Na LXX e no NT o verbo grego *sozo* e seus cognatos, *soter*, "salvador" e *soteria*, "salvação", geralmente traduzem *yasha'* e seus respectivos substantivos. Algumas vezes, no entanto, o grupo sôzô é formado pelas traduções de *shalom*: "paz" ou "plenitude" e seus cognatos. Desta forma, *soteria* pode significar "cura", "recuperação", "remédio", "resgate", "redenção", ou "bem estar". *Sozo* significa a ação ou o resultado da libertação ou preservação do perigo, das doenças ou da morte (At 27.20,31,34; Mt 9.22; 14.30; Lc 8.50; 18.42; Hb 5.7), e implica segurança, saúde, e até mesmo vitória (Ap 12.10; 19.1). No cristianismo, o verbo passou a ser utilizado com o significado de salvar uma pessoa da condenação eterna, e conduzi-la à vida eterna (Rm 5.9;

Uma personificação da salvação (*soteria*) em um mosaico de piso do século V, de um subúrbio de Antioquia da Síria. HFV

Tg 5.20; Hb 7.25). No texto em 2 Timóteo 4.18 este termo transmite a idéia de levar alguém com segurança ao reino celestial de Cristo. No NT, o termo *soteria* só é encontrado em conexão com Jesus Cristo como Salvador, e não em qualquer sentido físico ou temporal.
A salvação traz a justiça de Deus para o homem, quando este cumpre a condição de ter fé em Cristo (Rm 1.16,17; 1 Co 1.21). A salvação baseia-se na morte de Cristo para a remissão dos pecados de acordo com os justos requisitos de um Deus santo e abençoador (Rm 3.21-26). As bênçãos da salvação incluem, basicamente, a redenção, a reconciliação, e a propiciação. A redenção (*q.v.*) significa a completa libertação através do pagamento de um resgate (2 Pe 2.1; Gl 3.13; Mt 20.28). A reconciliação (*q.v.*) significa que, por causa da morte de Cristo, o relacionamento humano com Deus foi modificado de um estado de inimizade passando a um estado de comunhão (Rm 5.10). A propiciação (*q.v.*) significa que a ira de Deus foi retirada através da oferta de Cristo (Rm 3.25; 1 Jo 4.10).
Quando uma pessoa crê no Senhor Jesus Cristo, ela é salva (At 16.31), e assim já está justificada, redimida, reconciliada, e limpa (Jo 13.10; 1 Co 6.11). Além disso, a salvação é também progressiva (1 Co 1.18) e o homem precisa da obra santificadora do Espírito no aperfeiçoamento de sua salvação (Rm 8.13; 2 Co 3.18; Fp 2.12). Além disso, a salvação, em sua plenitude, deverá ser realizada no futuro, quando Cristo voltar (Hb 9.28).
A necessidade da salvação é encontrada na natureza pecaminosa do homem (*veja* Pecado). A única condição para a salvação é a fé. E esta é tanto um dom de Deus quanto uma responsabilidade do homem (Ef 2.8; Jo 3.16). A responsabilidade de um homem salvo é

Ruínas do portão de Samaria com uma torre helenística redonda à esquerda. HFV

viver uma vida com Deus, separado do mundo, e na antecipação da futura consumação de sua esperança (Tt 2.12,13). *Veja* Expiação; Justificação; Santificação; Soteriologia. A respeito do aspecto escatológico da redenção, Pedro fala da "salvação já prestes para se revelar no último tempo" (1 Pe 1.5). O crente recebeu o Espírito Santo como um adiantamento ou como um penhor da sua salvação (Rm 8.23; Ef 1.13,14). Duas outras bênçãos estão reservadas para o futuro: a remoção completa da natureza decaída, e o recebimento do corpo da ressurreição. Paulo refere-se a esta última como "a redenção do nosso corpo" (Rm 8.23), e explica que ela nos será concedida por ocasião do retorno de Cristo, quando Ele removerá a maldição que foi colocada sobre os homens e sobre a natureza após a queda de Adão. Tanto o AT como o NT falam da remoção da maldição da natureza (Rm 8.18-23; Is 11.1-16; 65.25) como também da ressurreição (Dn 12.2). *Veja* Ressurreição.

***Bibliografia.*** Werner Foerster e Georg Fohrer, "*Sozo, Soteria* etc.", TDNT, VII, 965-1024. Charles M. Horne, *Salvation*, Chicago. Moody, 1971. Wilhelm Kasch, "*Ruomai*," VI, 998-1003. James I. Packer, "The Way of Salvation", BS, CXXIX (1972), 195-205, 291-306; CXXX (1973), 3-11, e continuação. Alan Richardson, "Salvation, Savior", IDB, IV, 168-181. George B. Stevens, *The Christian Doctrine of Salvation*, Edinburgh. T. & T. Clark, 1905. A. H. Strong, *Systematic Theology*, 11ª ed., Filadélfia. Judson, 1947, pp. 665-886. B. B. Warfield, *The Plan of Salvation*, Grand Rapids. Eerdmans, 1942.

C. C. R

**SALVAÇÃO INFANTIL** *Veja* Salvação.

**SALVADOR** A palavra gr. *soter*, "salvador", "libertador", "preservador", foi empregada amplamente e usada para deuses (Zeus, Asclépio), para divindades em religiões excessivamente místicas (Serápis, Ísis), para filósofos (Epicuro), para governadores e homens de destaque (Nero). No AT é usada para homens como os juízes (Jz 2.16; 3.9; 12.3; Ne 9.27) no sentido de que estes foram instrumentos de Deus para a libertação ou salvação. O Antigo Testamento enfatiza que Deus é o único salvador, e qualquer outro modo ou meio de salvação por parte dos homens é vão (Is 43.11; 45.21; Sl 60.11). O Messias também é citado como Salvador no AT (Zc 9.9; Is 49.6,8).

No Novo Testamento, Deus, o Pai, é considerado Salvador, pois Ele enviou seu Filho para salvar a humanidade (Lc 1.47,67-69; 1 Tm 1.1; 2.3; 4.10). Mas geralmente é Cristo quem é citado como Salvador. Embora Ele nunca tenha utilizado este termo em relação a si mesmo, outros o fizeram livremente (Jo 4.42; At 5.31; Ef 5.23; 1 Jo 4.14). *Veja* Salvação.

No sentido teológico, o Salvador é, necessariamente, uma pessoa simultaneamente divina e humana (Rm 1.3,4). Este processo envolve a *kenosis* (*q.v.*) ou o esvaziamento de Cristo (Fp 2.6,7) e sua impecabilidade ou inabilidade para pecar (2 Co 5.21; Hb 4.15).

C. C. R.

**SALVO** *Veja* Salvação; Salvador.

**SAMA ou SAMÁ**

1. Filho de Reuel, que era filho de Esaú e Basemate, filha de Ismael (Gn 36.3,4,13; 1 Cr 1.37). Ele se tornou um príncipe edomita (Gn 36.17).

2. Terceiro filho de Jessé, pai de Davi (1 Sm 16.9). Ele estava no exército de Esaú lutando contra os filisteus quando Davi visitou o acampamento e matou Golias (1 Sm 17.12-19). Era o pai de Jonadabe, amigo de Amnom (2 Sm 13.3; podendo haver variantes como "Siméia" ou "Simei"). Seu filho Jônatas matou um gigante filisteu (2 Sm 21.21; 1 Cr 20.7). *Veja* Siméia 1.

3. Filho de Agé, o hararita, o terceiro dos três chefes dos "valentes" de Davi. Depois de um tumulto israelita ele defendeu, sozinho, um campo de lentilhas em Leí, matando muitos filisteus (2 Sm 23.11,12). De acordo com a versão NEB em inglês, seu filho Jônatas era

Ruínas do palácio de Onri e Acabe em Samaria. HFV

um dos trinta "valentes" de Davi (2 Sm 23.32,33, corrigido para que se leia: "Jônatas, o filho de Sama, o hararita").
4. Um dos "trinta", um harodita (2 Sm 23.25). Em 1 Crônicas 11.27, seu nome está escrito na forma plural "Samote" seguido pela expressão "o harodita" ou "o harorita". A confusão relativamente comum no hebraico entre as letras "*r*" e "*d*" pode ter causado esta variação. É possível utilizar a expressão "de Harode", como por exemplo na versão RSV em inglês. Se "Samute" (1 Cr 27.8) é uma outra variante, ele também foi comandante de uma divisão de 24.000 homens do exército de Davi em função ativa no quinto mês de cada ano.
5. Filho de Zofa. Um aserita (1 Cr 7.37).
R. V. R.

O teatro romano de Samaria construído por Herodes o Grande. HFV

**SAMA** Um dos valentes de Davi, filho de Hotão (1 Cr 11.44).

## SAMAI

1. O filho mais velho de Onã, um jerameelita da tribo de Judá (1 Cr 2.28).
2. Filho de Requém e pai de Maom, um calebita da tribo de Judá (1 Cr 2.44,45).
3. Filho de Ezra, um descendente de Calebe, filho de Jefoné, da tribo de Judá (1 Cr 4.17).

## SAMARIA

1. *A Cidade* – foi fundada em aprox. 880 a.C., por Onri, rei de Israel. Permaneceu como a capital do reino do norte até a sua queda em 722/21 a.C. Após reinar por seis anos em Tirza (aprox. 10 quilômetros no extremo noroeste de Siquém), Onri comprou um monte (aprox. 10 quilômetros a nordeste de Siquém) e começou a construir sua nova residência. De acordo com 1 Reis 16.24, ele chamou a cidade de Samaria (heb. *shom[e]ron*), "de acordo com o nome de Semer, o antigo proprietário do monte". Mas este nome também pode significar "cuidado" ou ainda "torre de guarda". Este local excelente, com uma vista maravilhosa do mar Mediterrâneo a oeste, eleva-se a 100 metros acima de um fértil vale que tem um vinhedo e também várias oliveiras.

As evidências arqueológicas indicam que existiu um pequeno assentamento na montanha, antes da compra de Onri, mas em todo caso, ele e seu filho Acabe nivelaram o topo da montanha e fortificaram este ponto alto com paredes do lado interno e externo (ANEP #718). O palácio foi construído no lado oeste da área murada. Uma vez que não havia fornecimento de água natural, foram cavadas cisternas para a coleta de água da chuva. Mais tarde, as fortificações construídas no declive da montanha proporcionaram uma maior defesa à cidade. Samaria suportou o ataque de Ben-Hadade, rei da Síria (2 Rs 6.24,25), mas finalmente caiu diante dos assírios depois de três anos de cerco (2 Rs 17.5). A menção nominal extrabíblica mais recente da cidade de Samaria, aparece em uma estela encontrada em 1967, de Adade-Nirari III, escrita após 798 a.C. Na escrita cuneiforme, o nome é Sa-me-ri-na (*Iraq*, XXX [1968], 139-149).

A capital Israelita foi notada por sua idolatria. Acabe construiu em Samaria um Templo e um altar a Baal (1 Rs 16.32), e sua esposa Jezabel sustentou 450 profetas de Baal e 400 profetas de Aserá (1 Rs 18.19). Elias e Eliseu contestaram o patronado real da religião cananita, e profetas posteriores, declarando a condenação de Samaria, referiam-se freqüentemente à sua corrupção e luxúria (por exemplo, Os 8.5,6; Am 3.15; 6.1,4,6; Is 7.8,9; Mq 1.5-7).

Ruínas do local do templo samaritano no monte Gerizim. HFV

As escavações em Samaria revelaram algumas ostracas (pedaços de cerâmica quebrada usados para escrita), as quais provavelmente dataram do reinado de Jeroboão II (793-753 a.C.), o período da maior prosperidade Israelita. Estas ostracas, com vários nomes de lugares e pessoas encontrados na Bíblia Sagrada, trazem o cômputo do vinho e do óleo recebidos como parte de uma receita real. Amós pronunciou a calamidade dos habitantes de Samaria, os quais bebiam "vinho em taças" e ungiam-se "com o mais excelente óleo" (6.6). Ele também referiu-se às suas "camas de marfim" (6.4), e numerosas peças de marfim também foram encontradas nas ruínas de Samaria. Havia muitas representações em relevo, como por exemplo: os deuses egípcios Isís e Hórus, esfinges, bois, veados, leões, papiros, lótus, lírios, e palmeiras (ANEP #129, 130, 566, 649). Estes marfins, provavelmente reproduzidos por artistas fenícios a partir de originais egípcios, eram mais comuns em móveis e painéis de paredes. É neste sentido que as referências à "casa de marfim" construída por Acabe (1 Rs 22.39) e mais tarde às "casas de marfim" (Am 3.15) devem ser entendidas. *Veja* Marfim. Também foram encontradas as ruínas do palácio começado por Onri e terminado por Acabe. Através de um desenho nos portões fortemente reforçados da parte leste de Samaria, pode-se compreender que Eliseu previu corretamente que a comida seria vendida por um preço extremamente baixo no dia seguinte (2 Rs 7.1), veja VBW. II 262.

Após esta queda, a cidade de Samaria foi reconstruída como a capital da província assíria de Samaria. Ela também serviu como a capital provinciana durante a maior parte do período Persa. O inimigo de Neemias, Sambalate, provavelmente residia aqui sendo o governador da área (Ne 4.1,2). Alexandre, o Grande, tomou a cidade e importou pessoas da Síria e da Macedônia após ter deportado vários residentes samaritanos (*q.v.*) para Siquém. Os seguidores de Alexandre reforçaram as fortificações de Samaria com várias torres circulares magníficas (ANEP #720). A cidade foi devastada (entre 111 e 107 a.C.) por João Hircano, o asmoneu, líder dos judeus; mas após 63 a.C., quando a região de Samaria tornou-se parte da província romana da Síria, a reconstrução da cidade foi iniciada por Pompeu.

No entanto, foi Herodes, o Grande, quem recuperou (de 30 a 20 a.C.) o esplendor da cidade. Um grande Templo foi construído sobre os escombros israelitas e helenísticos no ponto mais alto, e um extenso sistema de fortificações formado por paredes e torres foi levantado ao redor do declive mais baixo da montanha. Dentro desta área protegida surgiram áreas residenciais, ruas com colunatas, um fórum, um teatro, e um estádio. Seis mil homens das tropas mercenárias de Herodes foram estabelecidos ali e receberam terras. Herodes dedicou a cidade e o Templo ao seu patrono, César Augusto; por esta razão a cidade foi renomeada como Sebaste, "Venerável Augusto" (a forma grega do Latim Augusta). A cultura pagã de Sebaste e seu ambiente podem ser parte da razão pela qual não se tenha registros de que o Senhor Jesus e os seus doze discípulos tenham ido a esta cidade. Mas ela pode ter sido a cidade onde Filipe pregou e encontrou Simão, o mágico (At 8.5-24).

Sebaste sofreu alguns prejuízos durante a revolta judaica (66-70 d.C.), mas entre 180 e 230 d.C. os imperadores Antonino e Severo reformaram-na e ampliaram-na, o que levou a cidade ao seu maior esplendor. Durante o período Bizantino, a cidade caiu em decadência, e no tempo do controle árabe ela definhou a ponto de se tornar uma aldeia. A vila de Sebastiyeh, que existe hoje nas proximidades das ruínas de Samaria, preserva em seu nome a designação Herodiana.

O conhecimento arqueológico de Samaria deriva de duas grandes séries de escavações. A primeira (1908-1910) foi realizada pela Universidade de Harvard sob a direção de Reisner, Fisher e Lyon, e publicada em 1924. A segunda (1931-1935) foi patrocinada por várias instituições sob a direção de Crowfoot, Sukenik, e Kenyon, e foi publicada em 1938, 1942 e 1957.

2. *A região* – que derivou seu nome da cidade de Samaria (veja a seção acima). Era o centro geográfico da Palestina. Ficava entre a Galiléia, ao norte, e Judá, ao sul, e estendia-se desde o Mediterrâneo até o rio Jordão. Seus limites ao norte eram claramente definidos pelas linhas do Monte Carmelo e do Monte Gilboa. Uma vez que Samaria e Judá constituíam uma unidade geográfica, não havia um limite natural ao sul. Durante séculos, os limites variaram (tanto ao norte quanto ao sul de Betel) dependendo das condições militares e políticas. Nessa região, um país predominantemente montanhoso (que chegava a 1.000 metros de altitude em Baal-Hazor), estavam localizados os picos gêmeos de Ebal e Gerizim com a antiga Siquém guardando a passagem entre eles. *Veja* Palestina II.B.2.*c*.

Por ocasião da conquista de Canaã, a maior parte de Samaria foi ocupada por Efraim e pela meia tribo de Manassés. Visto que estas tribos de José eram grandes, Josué as instruiu a abrir mais espaço derrubando as florestas (Js 17.15,18). Durante o período da monarquia dividida, Samaria era o coração político e econômico do reino do norte de Israel (Os 7.1; 8.4-6), e durante o reinado de Jeroboão II (793-753 a.C.) a área alcançou seu auge. Por volta de 732 a.C., Tiglate-Pileser III (745-727 a.C.) já havia percorrido a região, e com a queda de Samaria (a capital, em 722/21 a.C.) ela se tornou uma província do Império Assírio (2 Rs 17.24-26). Quando o controle assírio enfraqueceu-se, depois que Josias tornou-se rei de Judá (640-609 a.C.), este governante temente e obediente ao Senhor foi capaz de derribar os lugares altos das cidades de Samaria (2 Rs 23.19). A subserviência política continuou através dos Impérios Babilônico, Persa, Grego e Romano. Durante o período intertestamentário e o período do Novo Testamento, a região, como território dos samaritanos (*q.v.*), passou a ser crescentemente evitada quando os judeus

A sinagoga samaritana em Nablus. HFV

viajavam entre a Judéia e a Galiléia. O Senhor Jesus, no entanto, passou por Samaria (Jo 4.4-43; Lc 17.11), e mandou que os seus discípulos testemunhassem naquela área (At 1.8). Aqui, Filipe e outros cristãos pregaram a Cristo e estabeleceram igrejas depois de serem dispersados pelas perseguições de Saulo (At 8.1-13; 9.31; 15.3).

***Bibliografia.*** P. R. Ackroyd, "Samaria", TAOTS pp. 343-354. André Parrot, *Samaria. The Capital of the Kingdom of Israel,* Londres. SCM Press, 1958. G. Ernest Wright, "Samaria", BA, XXII (1959), 67-78; "Israelite Samaria and Iron Age Chronology", BASOR #155 (1959), 13-29.

D. M. B.

**SAMARIAS** *Veja* Semarias.

**SAMARITANOS** No período do AT, este era um termo que se referia aos residentes da cidade ou da província de Samaria (2 Rs 17.29). Algumas desavenças entre os residentes da Palestina média e do sul eram evidentes no período dos juízes, mas os sentimentos foram intensificados com a formação do reino do norte de Israel sob Jeroboão I. De uma forma geral, os residentes de Israel e os cananeus praticavam uma mistura racial, social e religiosa. Em 732 a.C., os assírios sob Tiglate-Pileser III conquistaram a região nordeste de Israel, e seguiram as suas políticas pré-estabelecidas de deportar os residentes locais, substituindo-os por prisioneiros estrangeiros (2 Rs 15.29). Este processo sincrético foi ampliado quando Sargão II, em 721 a.C., deportou vários habitantes da região de Samaria e importou outros povos (2 Rs 17.24). Os casamentos mistos foram, gradualmente, ganhando espaço. Devido aos massacres que os leões faziam entre os novos residentes, alguns dos sacerdotes deportados foram enviados de volta a Betel para que pudessem lhes ensinar "o costume do Deus da terra" (2 Rs 17.25-28). Porém, o sucesso da missão foi parcial, pois, embora temessem ao Senhor, ao mesmo tempo serviam aos seus próprios deuses (2 Rs 17.29-33). O texto em Esdras 4.2,10 indica que a prática assíria de miscigenação dos povos teve continuidade no governo do neto de Sargão (Esar-Hadom), e também de seu bisneto (Assurbanipal, chamado Osnapar). Os descendentes desta população mista desejaram ajudar Zorobabel na construção do Templo, afirmando que adoravam ao mesmo Deus. Mas, quando tiveram seu pedido negado, eles opuseram-se e atrasaram a construção (Ed 4.2-5). Depois que Neemias começou a reconstruir os muros de Jerusalém (em aprox. 444 a.C.), este servo do Senhor sofreu uma forte oposição pelo triunvirato de Sambalate, Gesém e Tobias (Ne 2.10,19; 4.1; 6.1 etc.).

Uma das cartas encontradas em Elefantina (a Sinim ou Siena de Isaías 49.12, nas proximidades da moderna Assuã), no alto Egito, nos informa que em 408 a.C., Sambalate era o governador de Samaria, e que seus filhos Delaías e Selemias o assistiam (*veja* Papiros de Elefantina). Embora Sambalate tivesse um nome Babilônico, Sin-uballit – "(o deus) Sin deu vida", ele era provavelmente um adorador do Senhor, pois deu aos seus filhos nomes que terminavam com *iah* (Yah é uma forma abreviada de Yahweh). O mesmo é verdade em relação a Tobias, uma vez que ele deu a seu filho o nome de Joanã (onde *Jo* é uma outra forma abreviada de Yahweh). Contudo, o "Jeovismo" destes líderes era repugnante para Neemias. Na tentativa de limpar o povo de tudo o que fosse estrangeiro (Ne 13.30), ele exigiu a dissolução de todos os casamentos mistos. Um dos netos de Eliasibe, o sumo sacerdote, era casado com a filha de Sambalate, mas ele, aparentemente recusou-se a despedi-la, porque Neemias o expulsou de Jerusalém (Ne 13.28). Josefo (*Ant.* xi.7.2; 8.2-7) relata como Manassés, irmão de Jadua, o sumo sacerdote, casou-se com Nikaso, a filha de (um posterior?) Sambalate, e edificou o Templo de adoração no Monte Gerizim. A história está ligada às atividades de Dario III (335-331 a.C.) e de seu conquistador, Alexandre, o Grande (336-323 a.C.). Mas, uma vez que este relato está ameaçado por improbabilidades históricas, é preferível seguir os dados bíblicos e datá-los do início da divisão samaritana, em aprox. 445 a.C.

Mais tarde, o termo "samaritano" veio a se referir especificamente a um grupo religioso, e não aos habitantes da cidade ou província de Samaria em geral. Somente a Torá (ou Pentateuco) foi aceita como uma Escritura genuína, e com o aumento do conflito com os judeus, os samaritanos rejeitaram o restante do AT judeu como se não fizesse parte das Sagradas Escrituras. É difícil determinar se esta limitação foi premeditada pelos sacerdotes banidos, ou se foi acidental; ou seja, é possível que uma cópia da Torá tenha sido o único manuscrito que eles tenham conseguido obter quando foram expulsos. De qualquer forma, a estima mútua pelos tópicos da lei era uma responsabilidade que os samaritanos e os judeus tinham em comum. a crença em um único Deus, a veneração a Moisés, a guarda do sábado, as principais festas, e a circuncisão.

A heresia irreconciliável dos samaritanos era sua reivindicação de que o Monte Gerizim, e não o Monte Sião em Jerusalém, era o local correto para se adorar a Deus. De acordo com o livro de Deuteronômio, Moisés fez várias referências ao "lugar que escolherá o Senhor, vosso Deus, para ali fazer habitar seu nome" (Dt 12.11), mas o lugar não foi especificamente designado. No entanto, ele instruiu o povo dizendo que ao entrar na terra eles deveriam pronunciar "a bênção sobre o monte Gerizim e a maldição sobre o monte Ebal" (Dt 11.29; 27.12,13). O contexto implica que o Monte Gerizim, o lugar da bênção, era o lugar para o altar e, de acordo com o Pentateuco Samaritano, Moisés mandou que fosse construído um altar no Monte Gerizim (Dt 27.4-8). Os judeus, no entanto, rejeitaram a reivindicação porque as suas cópias da Torá mencionavam o Monte Ebal ao invés do Monte Gerizim. Contudo, o intento da passagem, de qualquer modo, determina a adoração nas proximidades de Siquém (*q.v.*), o antigo centro religioso que ficava na passagem entre o Monte Ebal, ao norte, e o Monte Gerizim, ao sul.

A reivindicação da prioridade de Siquém sobre Jerusalém também parece ter tido uma base histórica. Siquém foi o primeiro local em Canaã visitado por Abrão, e aqui ele construiu um altar e ofereceu sacrifícios (Gn 12.6,7). Jacó comprou um pedaço de terra em Siquém e levantou ali um altar (Gn 33.18-20). Depois da conquista de Canaã, Siquém tornou-se a principal cidade de refúgio a oeste do Jordão (Js 20.7). Foi em Siquém que os ossos de José foram sepultados (Js 24.32), e ali Josué renovou sua aliança com os Israelitas (Js 24.25).

De acordo com os seus próprios relatos, os samaritanos originaram-se daqueles israelitas fiéis, descendentes de José, que se recusaram a seguir Eli quando este mudou a arca do sul de Siquém para o santuário apostata que estava em Siló.

Quando Alexandre o Grande invadiu a Palestina (332 a.C.) ele encontrou vários samaritanos residindo na cidade de Samaria. Ele os deportou para Siquém, que, por esta razão, tornou-se mais do que nunca uma cidade samaritana. Em 1952, uma coleção de fragmentos de papiros aramaicos foi encontrada em uma caverna, a aprox. 15 quilômetros ao norte de Jericó. Trata-se de documentos legais e administrativos de samaritanos datados de aprox. 375-335 a.C., e escritos na província e/ou na cidade de Samaria. Estes documentos foram depositados em uma caverna quando aproximadamente 200 samaritanos fugiram de Alexandre, sendo finalmente massacrados neste local.

Jesus, o filho de Siraque, escrevendo em aprox. 180 a.C., expressou a escalada do ódio entre judeus e samaritanos: "Com duas nações, a minha alma está profundamente aborrecida, e uma terceira não é sequer um povo: aqueles que vivem no Monte Seir, os filisteus, e a nação tola que habita em Siquém" (Sir 50.25,26). Esta, é, provavelmente uma referência à promessa de Deus: "Eu os provocarei a zelos com os que não são povo; com nação louca os despertarei à ira" (Dt 32.21).

Apesar da inimizade entre os judeus e os samaritanos, os dois povos foram orientados no Pentateuco, e ambos opunham-se à campanha de Helenização de Antíoco Epifânio. Por esta razão, o governante selêucida destruiu os dois templos (167 a.C.). O Templo que estava em Jerusalém foi dedicado a Zeus Olimpo, e aquele que estava em Gerizim foi dedicado a Zeus Xenios, o Amigo dos Estrangeiros (II Mac 6.2). Mas o Templo samaritano não contou com a proteção de Zeus por muito tempo, porque a luta no reinado selêucida permitiu que João Hircano, o governante asmoneu dos judeus, destruísse o santuário em 128 a.C.

O Templo samaritano foi construído por permissão de Alexandre o Grande (Josefo, *Ant.* xi.8.2. 6-7; xii.5.5; xiii.9.1). Suas ruínas, localizadas a mais de 300 metros acima de Siquém em Tell er-Ras, no pico do Monte Gerizim que fica ao norte, foram investigadas entre 1966 e 1968. Ele está sob os alicerces de um Templo romano dedicado a Zeus que fôra construído por Adriano, e tem um enorme um altar em forma de pódio, de alvenaria, medindo aproximadamente 21 x 21 metros, com mais de 8,5 metros de altura, datado – através de sua cerâmica – do período Helenístico (Robert J. Bull, "The Excavation of Tell er-Ras on Mount Gerizim", BA, XXXI [1968], 58-72). Seu Templo nunca foi reconstruído; no entanto, sua perda não significou o final dos samaritanos. A adoração pública foi transferida para uma sinagoga, e a seita samaritana continuou a ser um espinho religioso cravado nos judeus. Para não correrem o risco de sofrerem uma contaminação cerimonial devido aos samaritanos hereges, os Judeus piedosos da Judéia e da Galiléia viajavam pela Transjordânia ou pela margem oeste do Jordão.

O NT explica claramente, no entanto, que João Batista e o Senhor Jesus não compartilhavam esta antipatia. O ministério batismal de João era desempenhado no rio Jordão, e ali o Senhor Jesus foi batizado. Mas mais tarde, porém, enquanto Jesus e seus discípulos estavam na Judéia, "João batizava também em Enom, junto a Salim, porque havia ali muitas águas" (Jo 3.23). Admite-se tradicionalmente que Enom esteja situado no curso do Jordão em direção ao mar da Galiléia. Mas, se a área do Jordão é que estava em questão, então porque acrescentar a frase "porque havia ali muitas águas"? Apenas poucos quilômetros a leste de Siquém está o local onde é mais provável (*q.v.*) que a cidade de Salim estivesse situada, e perto dali fica a moderna vila de 'Ainûn. O último nome é provavelmente derivado do termo aramaico *'ainon*, "pequena nascente"; é significativo que aquela área, que fica na cabeceira da nascente do *Uádi Far'ah*, tenha várias nascentes. É mais provável, portanto, que parte do ministério de João Batista e seus discípulos tenha se desenvolvido em território samaritano, não muito longe de Siquém.

A Bíblia Sagrada não indica onde João foi decapitado, nem onde seu corpo foi sepultado. Embora Josefo entenda que o local de sua morte tenha sido Macaero (*q.v.*), o palácio Herodiano e a fortaleza que ficam a leste do mar Morto, existe uma forte tradição que diz que o corpo de João Batista foi sepultado na cidade de Sebaste (Samaria), alguns quilômetros a nordeste de Siquém. Seria de se esperar que houvesse o desejo de sepultar o corpo fora da jurisdição de Herodes Antipas, o tetrarca da Galiléia e da Peréia, mas a escolha de Samaria ao invés da Judéia pode ser uma evidência adicional de que João tinha contatos próximos com o povo desta região.

O Senhor Jesus também se interessou pelos samaritanos. Logo no início de seu ministério, Ele foi a uma cidade de Samaria perto do poço de Jacó. Embora um manuscrito grego especifique a cidade de Sicar, o antigo texto Sinaítico Siríaco traz "Sychem" isto é, Siquém. É mais provável que o último esteja correto, pois recentes escavações e explorações na moderna vila de Balatah, a nordeste do poço de Jacó, mostraram que esta era a localização de Siquém no período Romano. Ela era adjacente ao monte do AT que estava em Siquém, e foi destruída por João Hircano em 107 a.C. (G. E Wright, *Shechem*, Nova York. McGraw-Hill, 1965, pp. 5-6 e n.6, pp. 243ss.). É provável que o termo "Sicar" seja uma variante de Siquém, ou mesmo um erro de algum escriba que depois de copiar "Sich" acidentalmente adicionou as letras *ar* ao invés de *em*. *Veja* Sicar.

A mulher samaritana tinha ido ao antigo poço para tirar água, e o Senhor Jesus pediu-lhe água. Sabendo que "os judeus não se comunicam com os samaritanos" (Jo 4.9), ela suspeitou de algo; mas continuou a conversa na esperança de se livrar da árdua tarefa de tirar água do poço. Quando Jesus a confrontou com um de seus segredos, ela apegou-se imediatamente a um antigo argumento teológico. "Nossos pais adoraram neste monte, e vós dizeis que é em Jerusalém o lugar onde se deve adorar" (Jo 4.20). Jesus afirmou que a adoração seguramente não estaria confinada a nenhum destes lugares, pois Ele, o Messias, tinha vindo. Depois que os discípulos surpresos retornaram, a mulher deixou o cântaro de água e dirigiu-se ao interior do vilarejo. Como resultado de seu testemunho, Jesus ficou naquela vizinhança por dois dias (Jo 4.40). Ali, ao pé do Monte Gerizim, Ele deu início ao esforço missionário que caracterizaria sua Igreja.

A preocupação de Cristo com os samaritanos também é indicada pelas várias vezes em que Ele os citou como exemplos para os judeus; por exemplo, o verdadeiro próximo (Lc 10.30-37) e o leproso que retornou para lhe agradecer (Lc 17.11-19). Mais adiante, Ele repreendeu Tiago e João quando quiseram pedir fogo do céu para destruir um vilarejo samaritano que não se mostrou hospitaleiro (Lc 9.52-56).

Na Igreja primitiva, havia alguns judeus cristãos chamados de Helenistas, que demonstraram ter uma visão missionária mais ampla ao procurarem alcançar os samaritanos. Filipe, um dos sete diáconos escolhidos quando "houve murmuração dos helenistas contra os hebreus" (At 6.1), proclamaram Cristo na cidade de Samaria (At 8.5). Quando Saulo deu início à sua grande perseguição à Igreja, todos, exceto os apóstolos, foram dispersos pela Judéia e por Samaria (At 8.1).

Ao ouvir falar do sucesso de Filipe, Pedro e João foram a Samaria e impuseram as mãos sobre os novos convertidos, para que estes recebessem o Espírito Santo (At 8.14-17). Assim, como Jesus dissera aos seus discípulos no poço de Jacó, "outros trabalharam, e vós entrastes no seu trabalho" (Jo 4.38). Em seu retorno a Jerusalém, Filipe, Pedro e João pregaram o evangelho em "muitas aldeias dos samaritanos" (At 8.25).

Evidentemente os samaritanos, como os judeus, desejavam livrar-se da dominação dos romanos, porém em vão resistiram ao exército de Vespasiano. Josefo reporta (*Wars* iii. 7.32) que 11.600 deles foram mortos. Os Imperadores Romanos Adriano (117-138 d.C.) e Cômodo (180-193 d.C.) opuseram-se aos samaritanos e aparentemente destruíram muitos de seus escritos sagrados. Depois que os árabes conquistaram a Palestina (aprox. 634 d.C.), os samaritanos, recusando-se a se converter ao Islamismo, foram submetidos a várias crueldades. Por volta de 1099 d.C., a principal comunidade dos samaritanos passou à jurisdição do pequeno reino de cristãos governado pelo cruzado Godfrey de Bouillon. Por volta de 1259, os sucessores mongóis de Genghis Khan ganharam o controle de toda esta área, mas o período da grande perseguição ocorreu sob o governo muçulmano fanático dos Turcos Otomanos.

Por volta do início do século XIX, todas as sinagogas e comunidades da dispersão samaritana (isto é, Damasco, Cairo e Gaza) haviam sido literalmente desarraigadas e restaram apenas a sinagoga e o grupo de samaritanos em que habitavam Nabulus (Neápolis). Este grupo totalizava 152 pessoas em 1901 (com apenas 55 mulheres), e por volta de 1930 o grupo havia sido reduzido a menos de cem pessoas. Agora, uma comunidade revitalizada samaritana conta com mais de 300 adesões, com aprox. 250 morando em Nabulus e outros 50 residindo em Tel Aviv.

O documento sagrado da sinagoga de Nabulus é um pergaminho de Abisua que contém o Pentateuco. Ele foi escrito em uma forma modificada do hebraico antigo, ou da escrita cananéia. Devido a algumas catástrofes, grande parte do manuscrito original foi destruída e, assim, somente os três últimos capítulos de Números e todo o livro de Deuteronômio são realmente antigos. O Pentateuco Samaritano (PS) mais antigo que se conhece em forma de livro, tem uma nota de venda datada em 1150 d.C., mas o manuscrito foi provavelmente escrito alguns séculos antes.

O texto do Pentateuco Samaritano (PS) representa uma edição revisada, distinta do Pentateuco. Ele diverge da Septuaginta (LXX) ou do texto hebraico padrão em alguns textos, e em alguns casos diverge de ambos (*veja* Manuscritos Bíblicos. O AT, III, 12, Pentateuco Samaritano). Uma vez que os samaritanos empregaram o aramaico, o grego e o árabe em vários períodos de sua história, seu Pentateuco foi traduzido para cada um desses idiomas. Embora o livro canônico de Josué não fosse aceito pelos samaritanos como uma Escritura inspirada, Josué era altamente respeitado, e grande parte do relato da conquista é incorporado junto com adições apócrifas no livro Samaritano de Josué (um documento do século XIII d.C., em árabe, redigido conforme a antiga escrita samaritana). Vários comentários sobre o Pentateuco também datam deste período, e de períodos posteriores.

Embora grande parte da literatura samaritana antiga tenha se perdido, uma extensa liturgia sobrevivente preservou uma grande quantidade de um material relativamente antigo. Alguns dos poemas no chamado *Defter*, "The Common Prayers" originaram-se de Marqa (século IV d.C.) a quem os Samaritanos consideravam seu grande teólogo. A antiga crença dos samaritanos estava fundamentada nos seguintes princípios básicos. Há um único Deus, Jeová. A lei foi dada por Deus a um só homem, Moisés, que era o encarregado de divulgá-la. Há um único livro sagrado, a Tora. Há um único local sagrado, o Monte Gerizim (a verdadeira Betel, "casa de Deus"). Desenvolvimento teológicos posteriores estabeleceram a crença. em anjos, na imortalidade (mas não na ressurreição) e em um dia de vingança e julgamento. O Messias Samaritano, chamado *Thaheb*, possivelmente significando "restaurador", era esperado, e criam que ele viria da tribo de José. Como um líder e profeta instruído por Deus, ele restabeleceria a unidade de Israel e subjugaria "sete nações", isto é, converteria todos os povos ao samaritanismo.

Embora a tradição judaica tenha condenado os samaritanos pelo pronunciamento do nome sagrado "Jeová" (ao invés de substituí-lo por "Senhor") em seus juramentos, o judaísmo nunca os considerou idólatras. Na verdade, os samaritanos eram extremamente monoteístas e evitavam, na medida do possível, todos os antropomorfismos (descrições de Deus em termos de formas ou características humanas). Eles eram mais estritos do que os judeus na observância da lei de Moisés, especialmente quanto ao sábado. Seu calendário religioso gira em torno das três grandes festas ordenadas em Levítico 23. Páscoa, Dia da Expiação, e Festa dos Tabernáculos. Depois da destruição do Templo de Gerizim, a Páscoa não foi transferida à sinagoga como aconteceu com o restante do ritual. Hoje, assim como seus ancestrais, a comunidade samaritana (na região sudeste de Nablus) faz sua peregrinação anual às colinas que estão situadas nas proximidades do Monte Gerizim. Ali, perto das ruínas do antigo Templo, a grande festa é celebrada com um ritual elaborado, no qual sete cordeiros são mortos, a lã destes é arrancada, as suas entranhas são retiradas, e a carne é assada e comida.

***Bibliografia.*** CornPBE, "Samaritans", pp. 649-652. Frank M. Cross, "Papyri of the Fourth Century B.C. from Daliyeh", *New Directions in Biblical Archeology*, D. N. Freedman e J. C. Greenfield, eds., Garden City. Doubleday, 1969, pp. 41-62. Moses Gaster, *The Samaritans*, Londres. H Milford, 1925. Joachim Jeremias, "*Samarites* etc.", TDNT, VII, 88-94. L. A. Mayer, *Bibliography of the Samaritans*, D. Broadribb, ed., Leiden. Brill, 1964. James A. Montgomery, *The Samaritans*, Filadélfia. Winston, 1907 (Nova York. Ktav, 1968 re-impresso). J. E. H. Thomson, *The Samaritans*, Edinburgh. Oliver e Boyd, 1919. Bruce K. Waltke, "The Samaritan Pentateuch and the Text of the Old Testament," NPOT, pp. 212-239.

D. M. B.

**SAMBALATE** Um homem que tinha uma grande importância política em Samaria na época da bem-sucedida tentativa de Neemias de reconstruir os muros de Jerusalém (Ne 2.10,19). A Bíblia Sagrada refere-se a ele como um horonita, o que, provavelmente, signifique simplesmente que ele residiu em Bete-Horom, em Samaria, e não na cidade de mesmo nome em Moabe. Ele e Tobias tentaram convencer o rei persa de que o povo de Jerusalém estava planejando uma revolta contra ele (Ne 2.19); mas, quando o plano não deu certo, eles tentaram zombar dos esforços de Neemias, dizendo até que uma raposa poderia colocar aqueles muros abaixo (Ne 4.3). Os dois inimigos tentaram atrair Neemias ao vale de Ono, onde pretendiam fazer-lhe algum mal, mas Neemias respondeu que seu trabalho era muito importante (Ne 6.2-4) para que lhes atendesse. Eles ficaram muito consternados quando o muro foi concluído em 52 dias (v. 15).

A filha de Sambalate casou-se com o neto de um sumo sacerdote (Ne 13.28). O papiro de Elefantina, datado do 17º ano do rei Persa Dario II (aprox. 407 a.C.), menciona Sambalate como o governador de Samaria junto com os seus dois filhos, cujos nomes hebraicos sugerem que este homem tinha ao menos alguma relação com a fé judaica.

Evidentemente, um de seus netos também teve o nome Sambalate, conforme registrado em um dos papiros aramaicos dos refugiados de Samaria, que se esconderam de Alexandre o Grande em cavernas no Uádi Daliyeh (Frank M. Cross, Jr., "The Discovery of the Samaria Papyri", BA, XXVI [1963], 110-121). Seu neto, Sambalate III, por sua vez, teria sido um governador designado por Dario III Ele deu início à edificação do Templo samaritano no Monte Gerizim (Josefo, *Ant.* xi.7.2; 8.2).

A. W. W.

**SAMBUCA ou CÍTARA** *Veja* Música.

**SÂMEQUE** A 15ª letra do alfabeto hebraico, que é colocada em algumas versões como o título da 15ª seção do Salmo 119 (vv. 113-120). Como um numeral, ela representa o número 60. A palavra heb. da qual ela é uma transliteração significa "um apoio" ou "um suporte", e o verbo cognato *samak* aparece no versículo 116 como "sustenta-me."

**SAMIR**

1. Uma das cidades de Judá na região montanhosa, possivelmente identificada com Khirbet Somerah (Js 15.48), 20 quilômetros a oeste-sudoeste de Hebrom.
2. Um lugar na região montanhosa de Efraim, o local de nascimento de Tola, um juiz (Jz 10.1,2). Ainda não foi identificado com precisão.
3. Um levita coatita na época de Davi (1 Cr 24.24).

**SAMLÁ** O quinto dos antigos reis de Edom, da cidade de Masreca (Gn 36.36,37; 1 Cr 1.47,48).

**SAMOS** Uma ilha no mar Egeu, a cerca de mil e seiscentos metros da costa de Lídia, na Ásia Menor, a sudeste de Éfeso e a nordeste de Mileto. A cidade que tem o mesmo nome foi conhecida em tempos antigos por sua cerâmica fina e por seu vinho, e foi um notório centro de adoração à deusa Juno. Existe um estreito, com aproximadamente mil e seiscentos metros de largura entre Samos e o promontório de Trogilium, e foi provavelmente aqui que o navio de Paulo ancorou em uma parada quando estava a

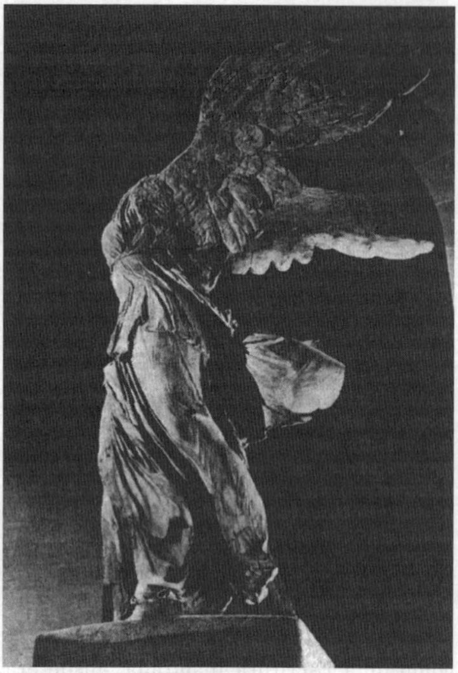

A vitória da Samotrácia. LM

caminho de casa em sua terceira viagem missionária (At 20.15). Não se sabe se Paulo evangelizou durante sua breve estada neste local, mas sabe-se que existiu um assentamento de judeus na ilha por vários anos (cf. 1 Mac 15.23).

**SAMOTE** Um integrante do grupo de Davi que era composto por 30 guerreiros selecionados, um harorita (ou harodita; 1 Cr 11.27) *Veja* Sama ou Samá 4.

**SAMOTRÁCIA** Uma pequena ilha com montanhas altas (uma altitude superior a 1.700 metros) fora da costa da Trácia, ao norte da Grécia; daí veio seu nome, "Samos da Trácia". Ela fica perto de uma rota muito utilizada da Macedônia para o Hellespont (Dardanelos) a caminho do mar Negro e, portanto era bem conhecida. A ilha foi importante como a sede de uma famosa seita misteriosa, onde eram cultuadas duas divindades pré-gregas conhecidas como Cabiri. Elas eram reverenciadas como as guias e protetoras dos marinheiros. A promulgação de um decreto-lei trouxe a público uma outra atração da seita; deveria ser encenado um drama ritual representando o casamento sagrado da Grande Mãe. Vários personagens proeminentes, incluindo Filipe da Macedônia e o imperador Romano Adriano, foram iniciados nos mistérios da Samotrácia.

O navio em que Paulo viajou de Trôade a

Neapolis em sua segunda viagem missionária, ancorou a certa distância da praia para que ali passassem a noite (At 16.11), uma vez que a ilha não tinha um porto. Presume-se que o apóstolo tenha feito uma parada aqui quando estava a caminho de Trôade, durante sua terceira viagem missionária, como implica a viajem de cinco dias registrada em Atos 20.6.

J. R.

**SAMUA**

1. Filho de Zacur, da tribo de Rúben; um dos 12 espias enviados por Moisés do deserto de Parã para "espiar a terra de Canaã" (Nm 13.4,17). Ele concordou com a maioria no relatório de fracasso, caso tentassem entrar naquela terra.
2. O primogênito de Davi depois de se mudar para Jerusalém (2 Sm 5.14; 1 Cr 14.4; 1 Cr 3.5, uma variante pode ser o nome "Siméia").
3. Filho de Galal e pai de Abda ("Obadias", 1 Cr 9.16); um dos levitas que retornaram a Jerusalém, vindos do cativeiro (Ne 11.17; 1 Cr 9.16, uma variante pode ser o nome "Semaías").
4. Filho de Bilga, um sacerdote que retornou do cativeiro a Jerusalém com Zorobabel (Ne 12.18).

**SAMUEL**[1] Um dos maiores líderes de Israel (2 Cr 35.18; Sl 99.6; Jr 15.1; At 3.24; Hb 11.32). Samuel veio a Israel em uma das horas mais sombrias da nação. Os filisteus, que por um longo período haviam intimidado os israelitas, estavam ameaçando tragá-los. Mas Ana, a esposa de Elcana, de Ramataim-Zofim, da montanha de Efraim, estava mais preocupada com o fato de não ter filhos. Enquanto adorava no Tabernáculo em Siló, ela rogava que o Senhor lhe desse um filho, o qual ela ofereceria para ser um nazireu de Deus (Nm 6) por toda sua vida. Este filho foi Samuel, aquele que ungiu reis, o último dos juízes, e o primeiro dos profetas depois de Moisés.

Desde sua mais tenra infância, ele serviu no Tabernáculo usando uma veste sacerdotal judaica, um éfode de linho (1 Sm 2.18; 3.1), e se tornou o discípulo do velho sacerdote Eli. Este era um período de declínio espiritual na nação; naqueles dias poucas mensagens vinham do Senhor, e as visões também eram muito raras (ou "não havia visão manifesta"; 1 Sm 3.1). Mas a Bíblia diz que "... o Senhor manifestava-se a Samuel, em Siló, pela palavra do Senhor. E veio a palavra de Samuel a todo o Israel" (1 Sm 3.21*b*-4.1*a*). A teocracia funcionou bem, por Israel ter tido um ideal teocrático; somente Deus era o rei, e sua vontade era comunicada ao povo através de profetas ou sonhos, ou então pelo Urim (1 Sm 28.6,15; Êx 28.30).

Quando Israel usou de forma errada a arca de Deus, levando-a a uma batalha em busca de proteção, Deus mostrou seu desprazer entregando o povo e a arca aos filisteus. O mentor de Samuel, Eli, provou ser idoso demais para resistir ao choque desta trágica notícia. A captura da arca significava que Deus havia abandonado Siló (Sl 78.60; Jr 7.12,14; 26.6,9), e Samuel foi deixado sem um local para ministrar. Ele retornou a Ramá, para sua casa, onde construiu um altar e dali julgava Israel, fazendo um circuito anual regular pelas cidades próximas a Ramá, aprox. 13 quilômetros ao norte de Jerusalém (1 Sm 7.15-17).

A tarefa de Samuel consistia em reavivar a verdadeira adoração em Israel. Ele exortou o povo a lançar fora as imagens dos deuses cananeus Baal e Astarote (ou Astarte), e servir somente ao Senhor (*veja* Falsos deuses). Em uma convocação geral em Mispa, uma das cidades do circuito, Samuel pregou e orou pelo povo (1 Sm 7). Isto resultou em um espírito de arrependimento, confiança renovada no Senhor, e conseqüente vitória sobre os filisteus em um local chamado Ebenézer, que significa "pedra de ajuda", pois o povo disse. "Até aqui nos ajudou o Senhor" (1 Sm 7.9-12).

Depois de muitos anos de uma fiel administração da lei e da ministração da Palavra do Senhor, Samuel cometeu a mesma falha de Eli. Seus filhos "não andaram pelos caminhos dele", mas aceitavam subornos e pervertiam os julgamentos (1 Sm 8.3). Embora Deus tenha forçado os filisteus a abandonarem a arca (1 Sm 5–6), ela permaneceu durante 20 anos na casa de Abinadabe, em aparente desuso.

Sem um possível sucessor para Samuel, e sem um local central para adoração, os israelitas encontraram-se, cada vez mais, à mercê dos filisteus. Sentindo a necessidade de uma forte liderança, e copiando as nações à sua volta, eles clamaram por um rei. A monarquia era inerentemente desacreditada pelos israelitas. Moisés os havia advertido quanto a estas armadilhas (Dt 17.14). Pois tal procedimento contrariava o ideal teocrático de que ninguém, exceto o Senhor, deveria ser seu rei (1 Sm 8.7). No entanto, sob a pressão das épocas e das situações, o povo forçou o relutante Samuel a encontrar um rei. Antes de consagrar Saul em particular, primeiramente em Ramá (1 Sm 9.1–10.6), Samuel pregou um sermão de advertência; mas este caiu em ouvidos surdos (1 Sm 8.9-22; cf. I Mendelsohn, "Samuel's Denunciation of Kingship in the Light of the Akkadian Documents from Ugarit", BASOR #143 [1956], pp. 17-22).

Saul provou que tinha dons carismáticos para liderança quando respondeu ao povo de Jabes-Gileade (1 Sm 11). Ele era um homem atraente em sua aparência (1 Sm 9.2), em sua humildade (1 Sm 9.21; 10.16), e em sua

coragem. Além do mais, Samuel teve a direção do Senhor na escolha deste homem (1 Sm 9.17). Samuel, portanto, chamou novamente o povo a Mispa e anunciou publicamente a unção (1 Sm 10.17-24). Após a vitória sobre os amonitas, foi realizada a cerimônia de coroação (1 Sm 11.15).
O longo sermão de 1 Samuel 12 parece ser a prova da apreensão que Samuel ainda estava sentindo. Aqui ele testifica sobre sua própria integridade, e novamente reprova o povo por querer um rei. Sua conclusão é, "Quanto a mim, longe de mim que eu peque contra o Senhor, deixando de orar por vós" (1 Sm 12.23). Saul usurpou a função sacerdotal (1 Sm 13.4-15) e na guerra santa contra os amalequitas ele violou o *herem* (as coisas consagradas ao Senhor e, conseqüentemente, destinadas à completa destruição, 1 Samuel 15.3,8,9,15, 20,21; *veja* Anátema, Dedicado). Samuel, portanto, anunciou que o Senhor havia rejeitado Saul como rei de Israel (1 Sm 15.26-28).
Um exemplo da importância de Samuel entre o povo neste tempo pode ser visto em 1 Samuel 16.4, onde os anciãos de Belém tremiam em sua presença, por medo de lhe terem desagradado. Era a ocasião de ungir Davi, o mais jovem dos oito filhos de Jessé, para suceder Saul. Este foi o último registro dos atos oficiais de Samuel. Sua última aparição ocorreu em Ramá, em "Naiote", onde ele está em uma abadia ou mosteiro primitivo (1 Sm 19.18). Aqui, Davi, com grande perplexidade, escapou da presença de Saul, e aqui Samuel foi apresentado como líder temporário de uma escola de profetas extáticos. Saul e seus mensageiros foram envolvidos no espírito desta profecia extática. Deus, desta forma, providenciou o tempo necessário para que Davi escapasse (1 Sm 19.18-24).
Apenas um versículo (1 Sm 25.1) fala da morte de Samuel e de seu sepultamento em Ramá. A voz de Samuel foi ouvida novamente em uma aparição póstuma quando Saul procurou a feiticeira de En-Dor (1 Sm 28.15). Em resposta ao pedido de ajuda de Saul contra os filisteus, a suposta voz de Samuel pergunta por que Saul, que não o ouviria em vida, deveria então perturbá-lo após sua morte. As últimas palavras atribuídas a Samuel prevêem a derrota de Saul e a ascensão de Davi ao trono.
*Veja* Saul; Davi; Samuel, Livros de.

E. B. S.

**SAMUEL[2]**
1. Um chefe dos simeonitas, designado para dividir a terra a oeste do Jordão (Nm 34.20).
2. Samuel, o profeta, pai de Joel (1 Cr 6.33).
3. Filho de Tola; cabeça de um clã em Issacar (1 Cr 7.2).

**SAMUEL, LIVROS DE** Os hebreus originalmente tratavam os livros de 1 e 2 Samuel como um só livro, como pode ser visto no cânon de Josefo (*Contra Apion* I8), e na nota massorética em 1 Samuel 28.24, que considera este versículo como precisamente localizado na metade do livro. A tradução grega (Septuaginta ou LXX) e outras versões, chamam 1 e 2 Samuel de Primeiro e Segundo Livros dos Reinados. A *Bomberg Rabbinic Bible*, publicada em Veneza em 1516-17, dividiu o livro em 1 e 2 Samuel como nas Bíblias hebraicas da atualidade.

Ramá, cidade natal de Samuel. HFV

### Texto

O texto Massorético de Samuel parece ter sofrido alguma breve alteração em sua transmissão, pois a Septuaginta (LXX) traz um adendo que, de acordo com F. M. Cross Jr, tem sido reconhecido, de modo geral, como parte do texto original. O material dos Rolos do mar Morto, contendo numerosos fragmentos de 1 e 2 Samuel, provou ser de grande valia ao mostrar que o texto em hebraico que está por trás dos livros de Samuel na Septuaginta é um texto igualmente importante (*The Ancient Library of Qumran and Modern Biblical Studies*, Garden City. Doubleday, 1958, pp. 133-145).

### Autores

Os livros de Samuel não formam uma narrativa ininterrupta em uma ordem cronológica estrita, mas quase todos os estudiosos reconhecem 1 Samuel 15 – 2 Samuel 5 como uma narrativa contínua de um escritor, e 2 Samuel 9–10 como uma outra narrativa contínua, possivelmente do mesmo escritor. Embora não saibamos ao certo quem escreveu estes livros, existem indicações nas Escrituras de que os profetas Samuel, Natã e Gade foram os autores. O texto em 1 Samuel 10.25 diz que Samuel escreveu um livro, e o colocou perante o Senhor, enquanto 1 Crônicas 29.29 diz que os atos de Davi foram "escritos nas crônicas de Samuel, o vidente, e nas crônicas do profeta Natã, e nas crônicas de Gade, o vidente" (cf. 2 Cr 9.29 *re* os atos de Salomão).

Não é possível que Samuel tenha sido o responsável por mais do que a parte inicial de 1 Samuel, uma vez que sua morte foi registrada no capítulo 25. O texto em 2 Samuel 5.5 fala do reinado completo de Davi no passado; por esta razão, este texto foi escrito por alguém que sobreviveu a Davi.

Os críticos alegam que existiram duas fontes principais para os livros de Samuel. A última tendo o que chamamos de afinidades Deuteronômicas, datadas de aproximadamente 550 a.C. Aqui, os críticos enquadram textos como 1 Samuel 2, 12, 15 e 2 Samuel 7. Estes críticos alegam que os livros de Samuel foram redigidos por muitas mãos, e que chegam a ter relatos aparentemente contraditórios e até mesmo conflitantes. Eles apontam para duas diferentes descrições da origem do reino hebreu. Uma delas consta em 1 Samuel 7, 8 e 12, e considera a instituição do reino como uma deserção em relação a Deus; a outra, em 1 Samuel 9–11, considera a instituição do reino como uma bênção dada pelo Senhor para o bem do povo. Não é difícil enxergar que não existe qualquer contradição nesses relatos; eles apenas expressam os diferentes aspectos do relacionamento de Deus como seu povo. Os críticos alegam que existem outras contradições, como por exemplo, a questão relacionada à maturidade de Davi como um guerreiro e músico em 16.14-23, e sua apresentação a Saul como um jovem em 17.55. Como nem todo o conteúdo de 1 e 2 Samuel está em ordem cronológica, não existe qualquer contradição nestes registros que, aliás, são bastante precisos.

Os livros de Samuel representam a mais recente e verdadeira forma da arte da historiografia. Os antigos reis egípcios e assírios escreveram anais que são documentos históricos importantes, mas que são, claramente, partes de uma propaganda unilateral. Porém na Bíblia Sagrada o herói Davi (por exemplo) é apresentado como um homem completo, capaz de fazer tanto o bem quanto o mal. O estilo literário vigoroso, as análises psicológicas impressionantes, e as situações dramáticas são incomparáveis quando analisadas no contexto da literatura mundial antiga.

## Esboço

I. A infância e o ministério de Samuel, 1 Samuel 1.1–7.14
   A. O nascimento e a juventude de Samuel, 1.1–4.1*a*
   B. As guerras com os filisteus, 4.1*b*–7.14

II O ministério de Samuel a Saul, 1 Samuel 7.15–15.35
   A. Israel pede um rei 7.15–8.22
   B. Saul é escolhido e ungido como rei, 9.1–12.25
   C. Guerra da independência dos filisteus, 13.1–14.52
   D. Guerra santa para destruir Amaleque, 15.1-35

III. Saul e Davi, 1 Samuel 16.1–31.13
   A. Davi é ungido para ser o futuro rei, 16.1-13
   B. Davi é levado à corte de Saul, 16.14–19.17
   C. Davi como um fugitivo, 19.18–26.25
   D. Davi em território filisteu, 27.1–30.31
   E. Morte de Saul e Jônatas, 31.1-13

IV. Os primeiros anos do reino de Davi, 2 Samuel 1.1–8.18
   A. Davi, como rei em Hebrom, 1.1–5.5
   B. Jerusalém, a nova capital de todo Israel, 5.6–7.29
   C. Vitórias posteriores de Davi, 8.1-18

V. A vida do rei Davi em sua corte, 2 Samuel 9.1–20.26
   A. O tratamento de Davi para com Mefibosete, 9.1-13
   B. A guerra contra Amom e os pecados de Davi, 10.1–12.31
   C. A rebelião de Absalão, 13.1–18.33
   D. O retorno de Davi e a rebelião de Seba, 19.1–20.26

VI. Apêndices. Aspectos do reino de Davi, 2 Samuel 21.1–24.25
   A. A fome, 21.1-14
   B. Os sucessos dos guerreiros de Davi, 21.15-22
   C. Salmo de ação de graças, 22.1-51
   D. O testamento de Davi, 23.1-7
   E. Lista dos valentes de Davi, 23.8-39
   F. O censo e a praga, 24.1-25

## Conteúdo

Três personagens principais são apresentados no relato: Samuel, Saul e Davi. O texto em 1 Samuel 1–7 fala do papel de Samuel como o grande líder, que possibilitou a transação dos juízes (líderes carismáticos) aos reis (reino dinástico). Ao mesmo tempo, como visto em 1 Samuel 8–15, ele levou o ofício profético a um avanço tão significativo, que os reis hebreus eram obrigados a sofrer as severas censuras dos santos profetas de Deus quando se desviavam. O texto em 1 Samuel 16–31 fala abertamente do reinado de Saul e de seu ódio e de sua neurótica perseguição a Davi, que se tornou um fugitivo. O texto em 2 Samuel relata a história de Davi como rei. Os capítulos 1–4 esboçam a transição da dinastia da linhagem de Saul para Davi. Os demais capítulos de 2 Samuel falam do reinado de Davi. Por exemplo, as suas guerras nos capítulos 10–12, e a rebelião de Absalão e as suas conseqüências nos capítulos 14–20. O hino real de ação de graças de Davi está registrado em 2 Samuel 22 (e também em Salmo 18), mas sua morte não acontece até 1 Reis 2. O texto em 2 Samuel encerra-se com o episódio da compra da eira de

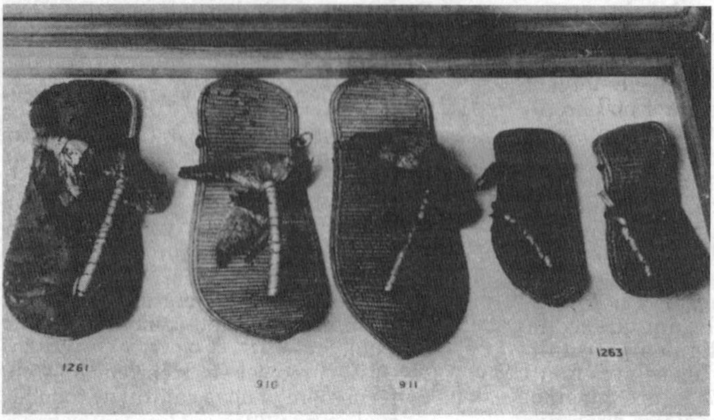

Dois pares de sandálias de papiro do túmulo de Tutancamom com uma única sandália para o pé esquerdo feita de fibras vegetais. LL

Araúna, o jebuseu, como o local indicado para a edificação de um altar ao Senhor.

***Bibliografia.*** Peter R. Ackroyd, *The First Book of Samuel*, Cambridge Bible Commentary on the NEB, Cambridge. Univ. Press, 1971. W. F. Albright, "Reconstructing Samuel's Role in History", *Archaeology, Historical Analogy, and Early Biblical Tradition*, Baton Rouge. Louisiana State Univ. Press, 1966, pp. 42-65. John J. Davis, *The Birth of a Kingdom*, Grand Rapids. Baker, 1970. S. R. Driver, *Notes on the Hebrew Text and the Topography of the Books of Samuel*, Oxford. Clarendon Press, 1913. S Goldman, *Samuel*, Londres. Soncino, 1951. F. B. Meyer, *Samuel the Prophet*, Nova York. Revell, s.d. D. F. Payne, "1 and 2 Samuel", NBC, 3ª ed. rev., pp. 284-319. H. P. Smith, *The Books of Samuel*, ICC, Edinburgh. T. & T. Clark, 1899.

E. B. S.

**SAMUTE** Um oficial que servia Davi como capitão da quinta unidade da guarda nacional, que era escalada para o quinto mês (1 Cr 27.8).

**SANDÁLIA** Na versão KJV em inglês, a palavra sandália só é usada para traduzir o termo gr. *sandalion* (diminutivo de *sandalon*), "pequena sandália ou chinelo" (Mc 6.9; At 12.8). No entanto, a maioria dos calçados na Bíblia Sagrada é do tipo sandália. No AT, o termo heb. *na'al* é a palavra utilizada para calçado. O termo heb. *min'al* (somente em Deuteronômio 33.25) é obscuro e pode referir-se a uma barra de metal (tranca) para portão ou porta. A palavra mais usual para calçado no NT vem do termo gr. *hypodema*, normalmente utilizado para *na'al* na LXX. Tanto *na'al* como *hypodema* ("aquilo que está amarrado na parte inferior") são utilizados, de forma demonstrável, para sandálias (identificados por "correias" ou tiras de couro atadas sobre os pés em Gênesis 14.23; Isaías 5.27; Marcos 1.7; Lucas 3.16; João 1.27), embora possam também ter designado outros tipos de calçados (*q.v.*).

Aparentemente, os evangelistas distinguiram *sandalion* de *hypodema*, pois, segundo eles, quando nosso Senhor enviou os doze para pregar, Ele os instruiu a calçar sandálias (*sandalia*, Marcos 6.9), mas também lhes disse em Mateus 10.10 que não levassem calçados (*hypodemata*), que poderiam ser sandálias do tipo mais pesado ou até mesmo calçados fechados. *Veja* Vestuário.

A sandália era geralmente feita com solado baixo e reto, de couro, madeira, capim seco, junco ou cascas de árvore, ajustados aos pés por meio de uma tira de couro ("correia") junto ao solado em diversos pontos. Embora tais sandálias fossem bastante simples, eram geralmente consideradas itens de luxo para os pobres (Lc 15.22). Amós diz que os pobres eram vendidos por um mero par de sapatos (Am 2.6; 8.6). O obelisco negro de Salmaneser III mostra na fileira 2 os 13 enviados de Jeú que vinham pagar os tributos usando as melhores sandálias, com os dedos dos pés à mostra (ANEP, figs. 351-355).

Em Israel, na antigüidade, as sandálias só eram usadas para a proteção dos pés, e quando as pessoas saíam de casa. Elas eram retiradas quando as pessoas entravam em casa. As ocasiões especiais em que deveriam retirar os calçados incluíam aquelas em que pisavam sobre solo santo (Êx 3.5; Js 5.15; At 7.33), aquelas em que os prisioneiros de guerra eram obrigados a andar descalços como um sinal de humilhação (2 Cr 28.15; Is 20.2-4) e em casos de lamentação (2 Sm 15.30).

Os costumes e as leis antigas parecem ter atribuído ao calçado um símbolo de propriedade e responsabilidade pelo casamento levirato (Dt 25.9; Rt 4.7; Sl 60.8). João Batista considerava que o ato de desamarrar as sandálias (na porta), era a tarefa de um escravo, a representação de sua humilhação; ele utilizou esta figura para demonstrar sua indignidade na presença do Senhor Jesus Cristo (Mc 1.7; Lc 3.16; Jn 1.27). *Veja* Correia. Outro uso figurativo é aquele que foi expresso por Paulo, referente à prontidão para proclamar o evangelho (Ef 6.15). *Veja* Armadura: Armadura espiritual.

W. R. L. McL.

**SANGAR** Filho de Anate. Somente um versículo é dedicado a Sangar, afirmando que ele matou 600 filisteus com uma aguilhada de bois, e livrou a Israel (Jz 3.31). Uma outra referência na canção de Débora (Jz 5.6) indica que as viagens pelas estradas eram perigosas por causa dos grupos de saqueadores, mas que se tornaram possíveis através dos atos heróicos de Sangar. Ele pode ter pertencido à tribo de Naftali, uma vez que a cidade de Bete-Anate estava situada em sua fronteira, e pagava tributos aos israelitas (Js 19.38; Jz 1.33). A guerra agressiva de Sangar pode ter preparado o caminho para a vitória da tribo de Naftali sobre os cananeus, durante o governo de Baraque.

Alguns estudiosos ligam Sangar ao Simiqari hurriano, um nome pessoal que ocorre nos textos de Nuzu (cf. E A Speiser e R H Pfeiffer, AASOR, XVI [1936], 161). O nome de seu pai pode estar associado com Anate, uma deusa da guerra em Ugarit. O termo heb. *ben'anat* também pode ser um título militar baseado no caráter belicoso da deusa, indicando que o pai de Sangar era um soldado mercenário (P. C. Craigie, JBL, XCI [1972], 239ss.).

Sangar não é identificado como um juiz, embora seja listado entre Eúde e Baraque no relato bíblico. Visto que sua ligação tribal não é expressa de maneira específica, alguns estudiosos têm sugerido que ele era cananeu.

***Bibliografia.*** Eva Danelius, "Shamgar Ben'Anath", JNES, XXII (1963), 191-193. A. van Selms, "Judge Shamgar", VT, XIV (1964), 294-309.

S. J. S.

**SANGAR-NEBO** Um príncipe do rei da Babilônia que se sentou na Porta do Meio em Jerusalém durante o cerco de 588-586 a.C. (Jr 39.3).

De acordo com a versão NEB da Bíblia Sagrada, o nome acima foi mal compreendido pelos estudiosos Masoréticos, e deveria ser separado para ser traduzido da seguinte forma: "Nergal-Sarezer de Simmagir; Nebo-Sarsequim o principal eunuco; Nergal-Sarezer o comandante das tropas da fronteira..." Sangar, então, é o nome da cidade e da província da Babilônia, conhecido em um texto cuneiforme do reino de Nabucodonosor como Sinmagir. Nebo é o primeiro elemento do nome que vem a seguir. *Veja* Nergal-Sarezer.

**SANGUE** (em grego, *haima*). O fluido vermelho que circula no corpo de homens e animais significa o princípio da "vida" no AT (Gn 9.4; Lv 17.11; Dt 12.23). Como "a vida" está no sangue, o AT proibia comer sangue ou carne sangrenta (Lv 3.17; Dt 12.16). Embora todos os alimentos tenham sido purificados por Cristo (Mc 7.18,19; At 10.13-15), essa proibição foi aplicada aos gentios cristãos no decreto apostólico de Atos 15 em consideração à consciência de seus irmãos judeus (At 15.19,20).

O sangue denota a origem física da vida humana (Jo 1.13; At 17.26) e a expressão "carne e sangue" refere-se à fraqueza do homem, à brevidade de sua vida e ao seu limitado conhecimento (Mt 16.17; Gl 1.16; 1 Co 15.44-50; Ef 6.12). Ele refere-se à natureza humana em Hebreus 2.14 onde Cristo participa plenamente de nossa condição humana, até o extremo de dar sua vida.

Derramar sangue significa tirar a vida de alguém com violência ou assassinato (At 22.20; Rm 3.15). Deus condena o derramamento de sangue dos justos e dos inocentes (Gn 9.6; Pv 6.17; Mt 23.35; 27.4; Ap 6.10). Algumas vezes, a palavra "sangue" é usada para a própria morte com derramamento de sangue (Mt 23.30; 27.24; Lc 11.51). Ter o sangue de outro homem nas mãos representa carregar a culpa pela sua morte (2 Sm 1.16; 1 Rs 2.37; Pv 28.17). Simbolicamente, Pilatos lavou as mãos para se livrar do sangue inocente de Jesus, enquanto a multidão gritava "O seu sangue caia sobre nós e sobre nossos filhos" (Mt 27.24,25). A traição de Judas trouxe "uma recompensa por um ato sanguinário" (Arndt, p.22) e, com essa recompensa o "Campo de sangue" foi comprado com dinheiro de sangue (Mt 27.6-8).

O sangue também desempenhou um papel significativo nas práticas religiosas do AT. Vale a pena observar que o sangue não representava nenhum elemento básico nos sacrifícios, nem tinha alguma função especial ou significado nos rituais de quaisquer outros povos do antigo Oriente Próximo ou do Mediterrâneo (McCarthy, "*The Symbolism of Blood and Sacrifice*"). O sistema de sacrifícios da lei, baseado nos primitivos sacrifícios de animais do período patriarcal, exigia a morte da vítima em nome do pecador e consistia na aspersão do sangue ainda morno pelo sacerdote como prova de sua morte pela expiação dos pecados (Lv 17.11,12). Nos sacrifícios, era exigida a morte da vítima para que sua vida fosse oferecida a Deus como substituto da vida do pecador arrependido. Dessa maneira, o pecado era limpo ("coberto com sangue") e a culpa era removida (Hb 9.22).

Esse cenário forma a base para a presença do sangue de Cristo no NT. O derramamento do sangue de Jesus na cruz encerrou sua vida terrena, pois Ele, voluntariamente, ofereceu-se para morrer em nosso lugar, como o Cordeiro de Deus que foi assassinado para nos redimir (1 Pe 1.18-20; Ap 5.6,9,12); e a aspersão desse sangue trouxe o perdão de todos os pecados dos homens (Rm 3.25). Seguindo o padrão do Dia da Expiação dos judeus (Lv 16), Cristo é o nosso sacrifício expiatório (Hb 9.11-14; 1 Jo 2.2; Ap 1.5) e também a nossa oferta pelo pecado (1 Pe 1.18,19; Ap 5.9). Assim como Moisés selou o pacto entre Deus e a antiga nação de Israel, no Sinai, com a aspersão de sangue (Êx 24.8; cf. Hb 9.19-21), também o novo pacto de Jeremias (31.31-34) foi selado pelo sangue de Cristo (Hb 9.14,15; 10.14-19,29; 13.20). Ao instituir a Ceia do Senhor, Jesus falou do cálice como "o Novo Testamento [ou aliança]" no seu próprio sangue (1 Co 11.25; Lc 22.20; cf. Mc 14.24).

Cristo também se referiu à grande oferta de paz, reconciliando judeus e gentios (Ef 2.14-17) assim como todas as outras coisas através de seu sangue (Rm 5.9,10; Cl 1.20). O pecador é libertado da escravidão do pecado através da quitação (redenção) que foi comprada com o sangue de Cristo (Ef 1.7; Cl 1.14). Dessa maneira, a Igreja é descrita como tendo sido "resgatada [ou comprada]" com o próprio sangue do Senhor Jesus Cristo (At 20.28). Pelo sangue de Cristo, os cristãos foram justificados (Rm 5.9), libertos do pecado (Ap 1.15), santificados (Hb 13.12) e serão eternamente redimidos (Ap 7.14,15). "Comer a carne e beber o sangue" de Cristo é receber todos os graciosos benefícios que sua morte e seu sangue vivificador podem proporcionar ao crente (Jo 6.53-56). *Veja* Expiação; Sacrifícios.

***Bibliografia.*** Johannes Behm, "*Aima* etc.", TDNT, I, 172-177. Dennis J. McCarthy, *"The Symbolism of Blood and Sacrifice,"* JBL, LXXXVIII (1969), 166-176. Leon Morris, *"The Apostolic Preaching of the Cross"*, Grand Rapids. Eerdmans, 1956, pp. 108-124 (Cap. III, "The Blood"); "Blood." BDT, pp. 99s. A. M. Stibbs, *The Meaning of the Word 'Blood' in Scripture*, Monograph Series, London. Tyndale Press, 1947.

F. P.

**SANGUE E ÁGUA** *Veja* Cruz; Doença: Os Sofrimentos e a Morte de Cristo.

**SANGUE, FLUXO DE** *Veja* Doença.

**SANGUE, SUOR DE** Essa expressão vem da declaração de Lucas 22.44. "E seu suor tornou-se grandes gotas de sangue". Somente Lucas, que era médico (Cl 4.14), relata esse raro fenômeno da agonia de Cristo no Getsêmani. Muitos insistem que essa declaração foi escrita com terminologia médica (por exemplo, W. K. Hobart, *"Medical Language of Luke*, p. 82") e que ele estava descrevendo uma raridade fisiológica – a emissão de sangue através de glândulas sudoríparas. Existem casos registrados desse fenômeno causado por extrema tristeza ou terror (cf. Henry Alford, *Greek Testament,* 7ª ed., I, 648). Alguns argumentam que a palavra "sangue" só teria sido usada como uma simples comparação; mas, na verdade, porque gotas de suor iriam se parecer com sangue mais do que com qualquer outra coisa? Neste caso, Lucas poderia simplesmente ter dito "Seu suor tornou-se grandes gotas".

Outros também têm uma forte opinião de que "empregando a palavra grega *hosei,* Lucas poderia dizer de maneira suficientemente clara que está empregando um exemplo e que não está falando nem de uma mudança de suor em sangue, nem de uma mistura de suor com sangue" (Norval Geldenhuys, *Commentary on the Gospel of Luke*, p. 577). *Veja* Doença: Os Sofrimentos e a Morte de Cristo.

Há ainda outros que pensam que a natureza exata dos sinais visíveis da agonia de Jesus pode ser irrelevante, por admitirem que a evidência textual, sugerida nos versos 43 e 44, pode não ter constado dos manuscritos originais de Lucas.

J. McR.

**SANGUE, VINGADOR DE** No AT, se um homem matasse outro, o parente mais próximo do assassinado tinha a obrigação de revidar essa morte, e era chamado de "vingador de sangue" (em hebraico *go'el haddam*). Essa prática talvez possa ser rastreada até Gênesis 9.5s., quando, após o Dilúvio, Deus estabeleceu uma lei para a humanidade pela qual aquele que derramasse o sangue de outrem deveria ter seu sangue derramado por outro homem. A Antiguidade nos mostra a permanência dessa regra entre muitas nações e tribos. No decorrer do tempo, não é de se admirar que essa lei de vingança tenha incluído, junto com o assassinato intencional, também a morte acidental, e essa prática tenha sido a fonte de uma contenda feudal absolutamente nociva entre tribos e indivíduos.

A necessidade de interromper essa tradição foi tão intensamente sentida na época mosaica que nos regulamentos do pacto (Êx 20.22–23.33) foi introduzida uma clara distinção entre o assassinato intencional e acidental e foram feitas provisões para a salvaguarda do inocente (Êx 21.12-14)

Isso levou à instituição de cidades de refúgio (*q.v.*; Nm 35.9-34; Js 20.1-9) onde um homem que tivesse acidentalmente matado alguém poderia refugiar-se contra o vingador de sangue e permanecer seguro até que um tribunal declarasse sua culpa ou inocência. No primeiro caso, ele seria entregue às devidas autoridades, mas no segundo exemplo, ele poderia pleitear asilo na cidade de refúgio até à morte do sumo sacerdote encarregado. Então, todo o caso era declarado encerrado, evidentemente um costume jurídico comparável ao término de nosso perío-

do estatutário de limitações.
Não há nada que seja diretamente messiânico envolvido no termo "vingador de sangue".

***Bibliografia.*** Moshe Greenberg, "Avenger of Blood", IDB, I, 321.

H. C. L.

**SANGUESSUGA** *Veja* Animais: Parasita V.11.

**SANSANA** Uma cidade na região sul de Judá, perto de Madmana (Js 15.31). Foi identificada com Khirbet esh-Shamshaniyat, aprox. 14 quilômetros a nordeste de Berseba.

**SANSÃO** Um herói israelita da tribo de Dã, filho de Manoá; um dos últimos juízes antes de Samuel (Jz 13.24–16.31). A derivação de seu nome, *Shimshon,* é incerta. Ele pode ter derivado do heb. *shemesh,* "sol", significando "parecido com o sol", e os seus pais podem ter lhe dado este nome como uma antecipação de sua energia heróica, "parecida com o sol". Seu nome corresponde ao nome ugarítico *špšyn,* derivado de *špš,* "sol". Ele também pode ter sido derivado do heb. *shamam,* "destruir", e por isso teria o significado de "Destruidor".
Sansão nasceu em aprox. 1090 a.C. no início da opressão dos filisteus (Jz 13.1) em Zorá. Zorá está localizada no lado oposto do vale de Soreque, de Bete-Semes, muito perto da fronteira Filistéia-Israelita daqueles dias. Bete-Semes (*q.v.*) estava, na ocasião, nas mãos dos israelitas (1 Sm 6.12-16), porém as ruínas arqueológicas da camada III (1200-1000 a.C.) revelam que a cidade estava sob uma forte influência dos filisteus (*veja* Filisteus).
Os pais de Sansão dedicaram-no a ser um nazireu por toda a vida (*veja* Nazireu), mesmo antes de sua concepção (Jz 13.3-7). Quando ele já era crescido, o Espírito do Senhor veio sobre ele repetidamente afim de capacitá-lo a realizar maravilhosas exibições de força física (13.25; 14.6,19; 15.14). Por causa de suas proezas sobre-humanas, várias pessoas baniram as "estórias de Sansão" classificando-as como mitos ou como um folclore hebreu (por exemplo. C. F. Kraft, "Sansão", IDB IV, 198-200). Outros afirmam que o mito grego dos 12 trabalhos de Hércules serve como um modelo para a narrativa de Sansão. Mas os paralelos entre as carreiras de Sansão e Hércules são superficiais, e os poetas gregos não adornam a memória de Hercules com a estória dos 12 possíveis trabalhos até o século VI a.C., ou seja, tarde demais para influenciar a escrita do livro dos Juízes (Gary G. Cohen. "Samson and Hercules", EQ, XLII [1970], 131-141).
A despeito de sua formação no temor e na obediência ao Senhor, e de sua poderosa capacitação carismática, Sansão não teve o cuidado de honrar a Deus como um nazireu. Quando jovem, ele secretamente desobedeceu a proibição de aproximar-se de um corpo morto (1 Sm 14.8,9) e ofereceu publicamente vinho para uma festa ou uma rodada de bebida (heb. *mishteh,* 14.10). Ele violou o princípio nazireu de viver separado para Jeová, por suas relações imorais com a prostituta de Gaza e com Dalila (16.1-20). Sua indiferença espiritual alcançou o clímax ao cortar seus longos cabelos, o sinal característico da consagração de um nazireu (Nm 6.5,9,18,19).
É provável que Sansão tenha se envolvido com os filisteus logo depois da desastrosa batalha que ocorreu nas proximidades de Afeca, em aprox. 1070 a.C., quando os israelitas perderam a arca e milhares de seus homens (1 Sm 4.1-11). A nação desmoralizada não deu nenhum passo em direção ao arrependimento, nem orou por livramentos em relação aos filisteus durante os 20 anos do ministério de Sansão (Jz 15.20; 16.31; cf. 14.4; 15.9-13; 1 Sm 7.2). Sua vitória, na qual sacrificou a própria vida no Templo de Gaza, dizimou os líderes filisteus e provavelmente contribuiu para a vitória israelita na batalha de Ebenézer, ocorrida pouco depois deste episódio (1 Sm 7.7-14). Mas, devido à sua falta de autocontrole, seu ministério foi altamente ineficiente; assim, ele não conquistou uma libertação permanente para Israel.
A narrativa de Sansão está centralizada em suas experiências com as três mulheres filistéias. Em um evento relacionado ao seu casamento com uma mulher de Timna, ele matou um leão com as próprias mãos (Jz 14.5,6), e matou 30 filisteus de Asquelom, para tomar-lhes as roupas (14.19). Pelo fato de seu sogro ter dado sua esposa a um companheiro (14.20; 15.2), Sansão vingou-se capturando 300 raposas, amarrando-as duas as duas pelas caudas, colocando tições nas caudas e soltando-as nos campos e pomares dos filisteus. Os filisteus puniram sua esposa e seu sogro queimando-os; Sansão então se vingou deste ato realizando uma grande matança, e se escondeu no cume da rocha de Etã (15.3-8).
Logo os filisteus invadiram Judá para capturar Sansão. Os israelitas amedrontados amarraram-no com duas cordas novas para entregá-lo ao inimigo. Quando os filisteus o encontraram, ele soltou-se e, vendo uma queixada de jumento, lançou mão dela e matou mil filisteus (15.9-16).
O próximo evento registrado relata sua visita a uma prostituta na fortaleza filistéia de Gaza. Ao saber de sua presença na cidade, os oficiais o cercaram. À meia noite ele levantou-se e saiu carregando sobre os ombros o portão da cidade com ambas as umbreiras e trancas, e levou-os para cima, até ao cume do monte que está defronte de Hebrom. Fazendo isso ele humilhou sobremaneira os gazitas, pois os portões simbolizavam a força de uma cidade (16.1-3).

Mais uma vez Sansão entregou-se às suas paixões. Ele apaixonou-se por Dalila (*q.v.*) uma mulher que vivia perto de sua casa. Os filisteus a subornaram para que ela descobrisse o segredo de sua força. Por três vezes os seus atrativos e lisonjas fracassaram na tentativa de conseguir a verdade, mas, finalmente ele rendeu-se por sua persistência, revelando-lhe que, como um nazireu, seu cabelo não cortado era a chave de sua força. Enquanto Sansão dormia, Dalila chamou alguém que lhe cortasse os cabelos, e assim, ele ficou desamparado, pois o Senhor o deixou. Os filisteus o cegaram e o enviaram à prisão de Gaza, obrigando-o a desempenhar uma tarefa feminina, que era a de moer os grãos (16.4-21).

Por ocasião da festa nacional em honra ao deus Dagom, uma multidão de filisteus reuniu-se no Templo, sendo que aproximadamente mais de 3.000 pessoas estavam no telhado. Eles trouxeram Sansão para ridicularizá-lo diante da multidão. Neste período, os cabelos de Sansão (e também seu arrependimento) haviam crescido, e sua força retornara. Clamando ao Senhor, Sansão abraçou as duas colunas que ficavam no meio da entrada do Templo e arrancou-as de sua base. No ano de 1972, em Tell Qasile, nas ruínas do primeiro Templo filisteu encontrado na Palestina, foram descobertas duas bases de pedra, separadas por uma distância de 90 centímetros. O telhado do pórtico caiu, soterrando todos os príncipes filisteus, e todos aqueles que estavam no interior do Templo, incluindo Sansão. Assim, de uma só vez, com um só golpe, ele vingou-se do que haviam feito aos seus olhos, conforme havia orado, matando mais inimigos em sua morte do que havia matado durante toda a sua vida (16.22-30).

Apesar de suas quedas, Sansão está listado na galeria dos heróis da fé em Hebreus 11 (v. 32). Foi por sua dependência dos dons de Deus, e por sua chamada, que ele foi capacitado a realizar feitos tão poderosos e notáveis, e esta fé foi manifestada em seu último ato.

*Veja* Juiz, O; Juízes, Livro de.

J. R.

**SANSERAI** O mais velho dos seis filhos de Jeroão, da tribo de Benjamim (1 Cr 8.26).

**SANTIDADE, SAGRADO** As palavras hebraicas *qadosh,* "santo"; *qodesh*, "santidade; e a palavra grega *hagios* e *hagiosyne* significam basicamente a separação do que é comum ou impuro, e a consagração a Deus (Lv 20.24-26; At 6.13; 21.28). Da idéia básica da separação do profano (Lv 10.10; Ez 22.26) derivam três aspectos de santidade encontrados nas Escrituras:

1. *Divindade.* Como Deus é transcendente e independente do universo que criou (1 Rs 8.27), Ele está separado dos seus habitantes e é temido por eles (por exemplo, Êx 19.10-25; 20.18-21). Desta forma, a santidade torna-se equivalente à verdadeira Divindade, separando-o da impotência dos deuses dos egípcios derrotados (Êx 15.11). "Ó Senhor, quem é como tu entre os deuses? Quem é como tu, glorificado em santidade...?" O termo "Santo", em muitos trechos, é sinônimo de "divino". "Não há santo [exclusivamente divino] como é o Senhor; porque não há outro fora de ti" (1 Sm 2.2; cf. Sl 99.3,5,9; Is 40.25; Hc 3.3). Pelo fato do Senhor ser Santo, o verdadeiro Deus e, portanto, infinito, não é possível esquadrinhar seu entendimento (Is 40.28; Sl 145.3). A santidade, portanto, é o que caracteriza Deus, e ela inclui todos os seus outros atributos.

2. *Santidade cerimonial.* Embora seja verdade que Deus, como "o Alto e o Sublime" habita "em um alto e santo lugar", Ele também está com "o contrito e humilde de espírito" (Is 57.15). Isto significa que Deus compartilha sua santidade com aqueles que fazem parte do relacionamento da aliança com Ele. Eles também estão separados do mundo ao seu redor, porque foram trazidos para junto de Deus (Êx 19.4-6; 33.16; Lv 11.44,45; 1 Rs 8.53). Desta forma, a santidade divina não é exclusiva, mas Deus estende sua mão para alcançar outras pessoas e trazê-las ao seu estado, e à separação do mundo material que Ele criou. Israel, portanto, é uma nação santa (Êx 19.6) e no Novo Testamento os crentes são chamados de santos (do grego *hagioi*, literalmente "santos", Romanos 1.7), e de "nação santa" (1 Pe 2.9). *Veja* Santos.

Os objetos cerimoniais também são classificados como santos ou sagrados, dedicados inteiramente ao uso de Deus. Assim, o Tabernáculo foi santificado pela glória shekinah de Deus (Êx 29.43-45; 40.34,35; Sl 93.5), especialmente o Santo dos Santos (*q.v.*). Os sacerdotes tinham vestes santas (Êx 28.2). O lugar onde Deus apareceu a Moisés na sarça ardente era um solo sagrado (ou uma "terra santa"; Êx 3.5). Tal santidade não possuía uma qualidade essencialmente moral. Como um exemplo extremo do significado da raiz da palavra hebraica, a prostituta do Templo de Canaã era chamada uma *q^edesha* (Dt 23.17) porque ela era separada para este cerimonial religioso. As guerras eram "santificadas" (Jl 3.9), declaradas santas ou separadas para punir os inimigos de Deus. *Veja* Guerra.

A santidade cerimonial poderia ser temível, pois a morte poderia seguir ao contato com Deus (Êx 33.20; Jz 6.22ss.; 13.22ss.; Is 6.5). Os homens de Bete-Semes, golpeados por profanarem a arca por terem olhado para o seu interior, gritaram. "Quem poderia estar em pé perante o Senhor, este Deus santo?" (1 Sm 6.20). Quando Davi estava trazendo a arca a Jerusalém, Uzá foi morto instantaneamente, simplesmente por ter tocado a arca para equilibrá-la (2 Sm 6.6,7).

Como parte do santo relacionamento da aliança com Deus, Moisés prescreveu rituais de purificação preparatórios para as cerimônias sagradas (Êx 19.14; 29.4; Lv 12–15). Algumas das cerimônias e leis incluíam: (1) consagração do primogênito (Êx 13.2,12ss.; 22.29ss.), e oferta de todos os primeiros animais e dos primeiros frutos (Dt 26.1-11); (2) distinção entre os alimentos puros e impuros (Lv 11; Dt 14); (3) regras com respeito à santidade dos sacerdotes (Lv 21.1–22.16), dos levitas (Nm 8.5-26), e do lugar sagrado de adoração (Dt 12); e (4) regras relativas às festividades e convocações sagradas (Lv 23; *veja Festividades*). Os nazireus (*q.v.*), pelo seu voto de total separação ao Senhor, resumiam uma vida de santidade cerimonial (Nm 6).

Os estudiosos que comparam as religiões atribuem muitas passagens *qodesh* das Escrituras ao conceito primitivo de um tabu: assuntos divinamente potentes que deveriam ser deixados à parte. Superstições como estas não são dignas do Antigo Testamento, mas algo parece ser verdade. os objetos sagrados permanentemente separados para Deus, eram chamados de *herem*, ou coisas "dedicadas". Deus ordenou a Israel que tomassem aquilo que os de Canaã consideravam *qodesh* ou tabu para torná-los *herem*, "dedicados" seja à destruição ou, se valioso ao serviço do Senhor, para uso sagrado (Js 6.17-19). *Veja* Amaldiçoado; Devoto.

3. *Pureza moral.* Uma vez que essa associação cerimonial e essa comunhão trazida pela aliança estão relacionadas ao Deus que também é justo e completamente isento de pecado, a santidade adquire o significado de separação do pecado (Is 52.11; 2 Cr 6.17) e conformidade com os padrões morais de Deus (Lv 20.7,8; Mt 5.48; 1 Pe 1.15,16). Desde o início, a vontade de Deus se opôs ao pecado e procurou a justiça na raça humana (Gn 6.5,6). É a integridade moral ou a pureza de Deus que o leva a se separar totalmente do mal (Hc 1.13). Portanto, a santidade de Deus é, por um lado, a total libertação do mal moral, e, por outro, é a absoluta perfeição moral. Sua maior revelação é sobre o caráter completamente isento de pecado, e a obra de Jesus Cristo (*veja* os artigos a respeito de Cristo). Pela santidade de Deus não fica claro que Ele esteja sujeito a alguma lei ou a algum padrão de excelência moral e perfeição exterior a Si mesmo, mas que toda lei e perfeição moral têm sua base eterna e imutável na sua própria natureza. Neste sentido, os santos cantarão sem restrições: "Porque só tu és santo" (Ap 15.3,4).

O castigo para as infrações morais do homem, em última análise, deriva do fato da santidade de Deus (Ez 38.16,23; Am 4.2). A maior perda com tal castigo é sua separação do favor e da presença divina. No chamado de Isaías, a reação natural do profeta à santidade de Deus (Is 6.3) foi a de experimentar a convicção sobre seu próprio pecado e a consciência de ser imperfeito (v. 5), de estar perdido, excluído ou arruinado (em hebraico, *nidmeti*). No entanto, sua submissão resultou no seu perdão e na imputação de uma santidade moral sobre sua pessoa através da expiação ("a tua iniqüidade foi tirada, e purificado o teu pecado [heb. *t[e]kuppar*]", v. 7).

O Novo Testamento ensina que o crente é santificado de uma forma posicional perante Deus, com a santidade de Cristo imputada a si, na ocasião da sua conversão, pela virtude do seu ser apresentado "em Cristo" (1 Co 1.2,30). Ele está sendo santificado experimentalmente ao continuar contando com sua posição em Cristo, recusando-se a permitir que os seus membros pequem, e apresentando-se a Deus (Rm 6.11-13). Ele deve deliberadamente seguir "a paz com todos e a santificação, sem a qual ninguém verá o Senhor" (Hb 12.14). Em última instância, ele será santificado no sentido de uma completa conformidade com Cristo na glorificação (Rm 8.30,31). *Veja* Santificação.

Como conseqüência, a santidade é a marca característica de um crente, tanto no Antigo quanto no Novo Testamento. Aquele que está no lugar santo para adorar a Deus deve ter as mãos limpas e um coração puro, e não deve ter jurado enganosamente (Sl 24.3,4). Para habitar no monte santo de Deus – em Sua presença – o crente deve caminhar com integridade (praticar a justiça) e não fazer mal ao seu próximo (Sl 15). Deus "nos elegeu nele [em Cristo] antes da fundação do mundo, para que fôssemos santos e irrepreensíveis diante dele" (Ef 1.4). A nossa santificação é a vontade direta e perfeita de Deus para nós (1 Ts 4.3).

Dessa forma, qualquer atividade da vida torna-se santa para os cristãos e também para Israel. Pois, quando o objetivo de um homem é o de estar em conformidade com a vontade de Deus, que executa a justiça moral sem parcialidade, a vida não pode ser dividida entre o que é secular e o que é sagrado. Semelhantemente, Cristo tratou os mandamentos como sendo um único. "Amarás ao Senhor, teu Deus, de todo o teu coração... e ao teu próximo como a ti mesmo... faze isso..." (Lc 10.27,28), e ilustrou seu ensino com a parábola do Bom Samaritano. A motivação que determina a nossa conduta ética e religiosa deve ser aquela que nos leva a responder à graça de Deus, uma motivação que não é voltada a uma recompensa, mas que visa a gratidão.

*Veja* Exemplo; Deus; Espírito Santo; Santificação.

***Bibliografia.*** R. A. Finlayson, *The Holiness of God*, Londres. Pickering & Inglis, 1955; "Holiness, Holy, Saints", NBD, pp. 529ss. Edmond Jacob, *The Theology of the Old Testament,* trad. por A. W. Heathcote e P. J. Allcock, Nova York. Harper, 1958, pp. 86-93. J. Barton Payne, *The Theology of the*

*Older Testament*, Grand Rapids. Zondervan, 1962. Kenneth F. W. Prior, *The Way of Holiness*, Chicago. Inter-Varsity, 1967. Otto Procksch e Karl G. Kuhn, "*Agios* etc.", TDNT, I, 88-115. Paul S. Rees, "Holiness, Holy", BDT pp. 269ss. Norman H. Snaith, *The Distinctive Ideas of the Old Testament,* Filadélfia. Westminster, 1946, pp. 21-50.

J. B. P.

**SANTIFICAÇÃO** Palavra derivada do lat. *sanctus*; do verbo heb. *qadash*, "ser separado, consagrado"; do substantivo grego *hagiasmos*, "consagração", "purificação", "santificação"; do verbo *hagiazo,* "santificar", "separar das coisas profanas ou consagrar", "purificar ou santificar". O breve catequismo de Westminster define a santificação como "a obra da livre graça de Deus, pela qual somos renovamos na totalidade de nosso ser, conforme a imagem de Deus, e nos tornamos cada vez mais capacitados a morrer para o pecado e viver para a justiça". Esta definição, no entanto, apesar de útil ao chamar a atenção à graça soberana de Deus, assim como à responsabilidade de cada cristão, tende a confundir a regeneração com a santificação. As principais idéias relacionadas à santificação são a separação daquilo que é pecaminoso, por um lado, e, por outro, a consagração àquilo que é justo e que está de acordo com a vontade de Deus.

A Santificação precisa ser distinguida da justificação. Na justificação, Deus atribui ao crente, no momento em que recebe a Cristo, a própria justiça de Cristo, e a partir de então vê esta pessoa como se ela tivesse morrido, sido sepultada e ressuscitada em novidade de vida em Cristo (Rm 6.4-10). É uma mudança que ocorre "de uma vez por todas" na condição legal ou judicial da pessoa diante de Deus. A santificação, em contraste, é um processo progressivo que ocorre na vida do pecador regenerado, momento a momento. Na santificação ocorre uma cura substancial da separação que havia ocorrido entre Deus e o homem, entre o homem e os seus companheiros, entre o homem e si mesmo, e entre o homem e a natureza.

### Visões Variadas

Três principais visões precisam ser mencionadas:

1. *Santificação Batismal.* Esta é a visão católica romana, que defende que no batismo é removida não somente a culpa, mas também a depravação do pecado. Esta afirmação é certamente negada pelo próprio ensino católico romano de que os pecados seguintes devem ser constantemente confessados no confessionário, perdoados pelo sacerdote e removidos por meio de penitências.

2. *Perfeccionismo.* Aqueles que defendem esta visão ensinam que o cristão pode tornar-se perfeitamente santificado, ou chegar à perfeição nesta vida. Para que esta convicção seja sustentada, é necessário minimizar, de alguma forma, as exigências tenazes da lei, como, por exemplo, exigir a obediência somente até o limite de nossa habilidade humana (Finney); a obediência ao novo mandamento ou lei de Cristo; o mero exercício do amor em tudo o que fizermos (Paul Tillich).

Tais interpretações das exigências de Deus falham em satisfazer a própria aplicação do sexto e do sétimo mandamento que o Senhor Jesus Cristo fez em Mateus 5.17-48, onde, em sua exegese, o próprio Senhor determina que estas duas leis são a base de uma perfeição na qual somos exortados a nos tornarmos perfeitos como o nosso Pai Celestial (v. 48). Os metodistas, e outras igrejas cristãs da tradição Arminiana ou Wesleiana em geral, ensinam, de alguma forma, o perfeccionismo.

3. *Santificação Progressiva.* Esta é uma visão de Calvino e de todos os cristãos que defendem uma teologia Reformada. Esta só pode ser corretamente entendida quando se percebe que ela destaca que a santificação, conforme ensinada na Bíblia Sagrada, aparece em três aspectos.

*a.* Posicional. Todos aqueles que são regenerados ou salvos são posicionalmente vistos como totalmente santificados em Cristo. Por esta razão, embora o apóstolo Paulo tenha censurado o cristianismo dos coríntios, classificando-o como carnal (1 Co 5.1; 6.1-8), ele ainda diz que eles são santificados em Jesus Cristo e chamados de santos (1 Co 1.2; 6.11; cf. At 20.32; Hb 10.10; 1 Pe 1.2; Jd 1). O livro aos Hebreus funciona como uma ponte entre este aspecto e a santificação experimental que vem a seguir (Hb 2.17; 9.13ss.; 12.14). Uma vez que o conhecimento da santificação posicional depende de uma compreensão mental da verdade bíblica, ele possui uma natureza instantânea, "de uma vez por todas", como ocorre na percepção de todos os outros conhecimentos, os quais alguns confundem com a própria perfeição.

*b.* Experimental. No desenvolvimento de uma vida santificada, os cristãos consideram sua posição em Cristo da maneira como ela é expressa em algumas passagens como Romanos 6.2-10 e Colossenses 2.9-13 (cf. 2 Ts 2.13; 1 Pe 1.2). O próprio Senhor Jesus Cristo expressa os ensinos básicos da santificação em Mateus 5.17-48, e Paulo o faz em Romanos 6–8. O crente deve ser santo (Êx 19.6; Lv 11.44; 1 Pe 1.15), mas seu crescimento na santificação repousa na dependência de sua posição, e em sua entrega, momento a momento, à vontade de Deus e à disposição de andar no caminho do Senhor. Uma vez que Deus escolheu deixar que o crente ainda tivesse em si mesmo a natureza caída (Rm 7; Gl 5.17ss.), nenhum de nós poderá alcan-

çar a perfeição até que esta natureza seja finalmente removida; na melhor hipótese, o que cada cristão pode fazer é progredir em direção à perfeição.
*c.* Final. Quando o crente partir para estar com Cristo, ou no momento em que o Senhor vier arrebatar sua Igreja – o que ocorrer primeiro – a natureza caída será completamente removida e cada crente receberá o corpo da ressurreição, será glorificado, e se tornará semelhante ao Salvador (Rm 8.29,30; 1 Jo 3.1-3; Jd 24).

### Meios de Santificação

O meio externo é a Palavra de Deus. O Senhor Jesus Cristo orou: "Santifica-os na verdade; a tua palavra é a verdade" (Jo 17.17). Uma vez que Ele concedeu as Escrituras através de sua inspiração, Ele nunca trabalha contra, mas sim através delas. O meio interno é a presença e a direção do Espírito Santo em nossos corações. É Ele quem mantém a lei de Deus, assim como foi revelada por Ele mesmo, em nós e através de nós. "Porquanto, o que era impossível à lei, visto como estava enferma pela carne, Deus, enviando seu Filho em semelhança da carne do pecado, pelo pecado condenou o pecado na carne, para que a justiça da lei se cumprisse em nós, que não andamos segundo a carne, mas segundo o Espírito" (Rm 8.3,4). Esta é a chave para o Espírito e a própria vida cheia do Espírito. Como conclusão, a suprema obra de Deus pelo seu Espírito e pela ação responsiva do homem, devem ser combinados em uma visão adequada da santificação (Fp 2.12,13).
*Veja* Consagrar; Santidade, Santo.

***Bibliografia.*** G. C. Berkouwer, *Faith and Sanctification.* Grand Rapids. Eerdmans, 1952. C. G. Finney, *Views of Sanctification*, Toronto, 1877. Charles H. Hodge, *Systematic Theology*, Grand Rapids. Erdmans, 1952, III, 213-258. K. F. W. Prior, *The Way of Holiness*, Chicago. Inter-Varsity, 1967. W. E. Sangster, *The Path to Perfection*, Londres. Epworth, 1957. Daniel Steele, *A Defense of Christian Perfection*, Nova York. Hunt e Eaton, 1896. A. H. Strong, *Systematic Theology*, Filadélfia. Judson Press, 1953, pp. 868-881. B. B. Warfield, *Perfectionism*, Nova York. Oxford Univ. Press, 1931.

**SANTIFICAR, SANTIFICADO** Essas duas palavras (e também o termo "santo") significam basicamente "estar purificado", no aspecto moral e cerimonial e, portanto, "santificado". Essas palavras são usadas para pessoas ou coisas escolhidas e separadas para Deus. O Sábado era santificado (Êx 20.11), assim como os sacerdotes (Êx 29.1), o Tabernáculo e seus utensílios (Êx 40.9) e o Templo de Salomão (1 Rs 9.3). Deus é completamente e perfeitamente Santo, e Ele santifica seu povo (Lv 22.32) incluindo os primogênitos (Nm 3.13).
*Veja* Santidade; Santificação.

O santuário cananita em Ai. HFV

**SANTÍSSIMO** *Veja* Santo

**SANTO** O termo "santo" na Bíblia Sagrada é a tradução de duas palavras hebraicas (*hasid* e *kadosh*) e uma grega (*hagios*) nos textos em Salmo 30.4; 106.16; Romanos 1.7. Há versões que diferenciam as palavras hebraicas traduzindo *hasid* como "santos" (por exemplo, Salmo 132.9), e "fiéis" (por exemplo, Salmos 50.5; 149.1,5,9), enquanto *kasosh* é algumas vezes traduzido como "santo" (por exemplo, Salmos 16.3) e outras vezes como "dedicado" (Êx Sl 106.16).
Por definição, *hasid* significa "pio"; daí vem a designação dos piedosos adoradores do Senhor (1 Sm 2.9; 2 Cr 6.41; Sl 30.4; 31.23; 37.28; 50.5; 52.9; 79.2; 85.8; 97.10; 116.15; 132.9,16; 145.10; 148.14; 149.1,5,9). Por definição *kasosh* significa "santo","puro" ou "limpo"; por isso, é especialmente apropriado para descrever os indivíduos consagrados ao serviço do Senhor: sacerdotes (Sl 106.16; Êx 28.41–29.1; Lv 21.6; 1 Sm 7.1), anjos (Dt 33.2,3) e os primogênitos (Êx 13.2).
Alguns acreditam que *hasid* em certos Salmos (79.2; 97.10; 149.5,9) representa o conceito de "fiéis" durante as intensas lutas do período macabeu, quando os *hasidim* eram os leais, os nacionalistas, aqueles que eram estritamente separados para a adoração ao Senhor. Alguns professaram ter encontrado uma importância escatológica em Daniel (7.21,22), onde o termo *kadosh* descreve os santos que receberam o reino no grande dia do justo julgamento do Senhor. O termo *kadosh* também é aplicado a lugares sagrados (Êx 29.31; Lv 6.16), a dias santos (Ne 8.10,11), e ao próprio Senhor como aquele que é "Santíssimo" (Os 11.9; Js 24.19; Pv 9.10).
Na Septuaginta (LXX), o termo *hasid* é traduzido principalmente como *hosios*, que por definição significa "incontaminado pelo pecado", "livre de impiedade", ou "aquele que

observa religiosamente cada obrigação moral". Por esta razão, o termo veio representar aqueles que são santificados ou piedosos. Na LXX *kadosh* é principalmente traduzido como *hagios*, que se refere à reverência ou ao temor religioso, portanto àqueles que adoram ao Senhor.

No NT, os Evangelhos fazem pouco uso do termo "santo", que é usado como uma referência ao corpo dos santos ressuscitados (Mt 27.52), e esta pode ser uma referência conforme o uso do AT, àqueles que foram fiéis antes da era do NT. O próprio Senhor Jesus Cristo é, no entanto, chamado de "o Santo de Deus" (Mc 1.24; Lc 1.35).

Santuário dos mistérios eleusianos nas proximidades de Atenas. HFV

Os cristãos, de um modo geral, são "santos" no uso do NT, e o termo é comum como uma referência aos membros de uma Igreja local (Rm 1.7; 1 Co 1.2; 2 Co 1.1; Ef 1.1; Fp 1.1; Cl 1.2). Outras referências no NT igualam os cristãos, em geral, aos "santos" (2 Co 13.13; Rm 16.15; At 9.13; Hb 13.24; Ap 5.8). Todos os cristãos são identificados como santos, porque estão em Jesus Cristo.

Mantendo o uso tanto do AT como do NT, deve ser observado que aqueles que são chamados santos devem manter-se no mais alto padrão ético na vida (Ef 5.3). Esta atitude é revelada através do amor pelos outros, expresso através de serviços práticos e úteis (veja Rm 12.13; 15.25,26; 16.2; Ef 1.15; Cl 1.4; 1 Tm 5.10; Hb 6.10; 2 Co 8.4; 9.1). *Veja* Consagração.

No NT, os santos de Cristo devem ser associados com Ele na totalidade de seu triunfo e vitória final, dando um significado escatológico ao termo (1 Ts 3.13; 2 Ts 1.10; 1 Co 6.2,3; Cl 3.4) *Veja* Santidade.

H. L. D.

**SANTO DE ISRAEL** *Veja* Deus, Nomes e Títulos de.

**SANTO DOS SANTOS** *Veja* Tabernáculo; Templo.

**SANTO, ESPÍRITO** *Veja* Espírito Santo.

**SANTUÁRIO**[1] Na Bíblia, é um local à parte, geralmente o local da presença do Senhor entre seu povo. Exemplos são o Tabernáculo de Moisés (Êx 25.8; Lv 16.33) e o Templo de Salomão com seus recintos (1 Cr 22.19; Is 63.18; Sl 74.7). O termo heb. *qodesh* e *miqdash* (137 vezes) e o gr. *hagion* (quatro vezes) transmitem a idéia de separação, mais tarde reduzido à "separação do pecado". *Veja* Santidade, Santificar. Estes termos são também utilizados para locais pagãos elevados e santuários (Is 16.12; Ez 28.18; Am 7.9).

Através de escavações, foi descoberta uma grande variedade de santuários cananeus como em: Megido, Ai, Hazor, Laquis, Siquém, e Bete-Seã, e um santuário israelita dentro de uma fortaleza real em Arade. (Para detalhes veja os artigos sobre estas cidades).

Há outros lugares na terra que foram santificados pela presença de Deus, como: Jerusalém, Sião e Siló, e que são chamados de santuários do Senhor. Mas o céu é especialmente sua santa morada (Dt 26.15; Sl 68.4,5); O seu santo Templo (Mq 1.2; Hc 2.20; Jn 2.4,7); O alto do seu santuário (Sl 102.19); e seu santo céu (Sl 20.6) onde está o trono da sua santidade (Sl 47.8). De fato, o Salmo 150.1 chama o céu de santuário de Deus.

Deus ensinou os israelitas como deveriam construir o Tabernáculo (Êx 25–27), instruindo-os a reverenciá-lo (Lv 19.30) e a não profaná-lo (Lv 21.12,23). As cerimônias da lei Mosaica eram, em parte, uma grande li-

Um santuário dedicado ao culto de adoração ao imperador em Ostia, Itália. HFV

ção objetiva; seu propósito era ensinar à nação algo sobre a santidade de Deus e sua completa separação do pecado. Quando Israel caiu em apostasia e seus sacerdotes profanaram o Templo (Sf 3.4), Deus anunciou através de seus profetas que os adversários de Israel profanariam o santuário (Is 63.18; Jr 51.51; Dn 8.11-14), por Ele o ter rejeitado como lugar de sua presença especial. *Veja* Lugar Santo; Tabernáculo; Templo.

Aos judeus em cativeiro, Deus gentilmente declarou: "Lhes servirei de santuário, por um pouco de tempo, nas terras para onde foram" (Ez 11.16; cf. Is 8.14). Ele também prometeu a Israel, "farei com eles um concerto de paz" e "quando estiver o meu santuário no meio deles, para sempre" (Ez 37.26,28). Ezequiel descreve este Templo renovado e ideal nos capítulos 40–48. Ele termina com a visão de um rio de águas que curam, o qual flui do santuário (47.12) onde o Príncipe Messiânico habita (48.21).

O NT ensina que o corpo do cristão é, em um sentido real, o santuário de Deus (por exemplo, 2 Coríntios 6.16). Todavia, o santuário também continua a ser o céu, onde o Senhor Jesus, nosso grande Sumo Sacerdote, "está assentado à destra do trono da Majestade, ministro do santuário e do verdadeiro Tabernáculo, o qual o Senhor fundou, e não o homem" (Hb 8.1,2).

E. B. S.

**SANTUÁRIO²** Em algumas versões esta palavra não aparece no AT. Ela é usada em Juízes 17.5 como a tradução de *beth 'lohim* (lit., "casa de deuses") referindo-se ao santuário da família de Mica que continha várias imagens; ela é a tradução de *beth bamoth* em 2 Reis 17.29,32 ("casas dos lugares altos") referindo-se aos santuários samaritanos que alojavam seus ídolos; ela é a tradução de *bamoth* em Ezequiel 16.16 ("lugares altos"), referindo-se aos santuários feitos com tecidos alegremente coloridos. Quanto aos santuários pagãos na Palestina, *veja* Templo e a bibliografia para um artigo sobre santuários da liga tribal em Amã e Siquém.

**SAPATO** *Veja* Sandália.

**SAPATO, CORREIA DE** *Veja* Correia.

**SAQUE** *Veja* Espólio.

**SAQUIAS** Um nome na genealogia de Benjamim, o sexto citado entre os sete filhos de Saaraim, de sua mulher Hodes (1 Cr 8.10).

**SARA**

1. O último nome de Sarai (heb. *saray*, uma forma feminina semita antiga), a principal esposa de Abraão (*q.v.*) e a mãe de Isaque (*q.v.*). Ambos os nomes, Sara e Sarai, significam princesa.

Cerca de dez anos mais nova que Abraão, Sara era sua meia irmã por parte de seu pai, Tera (Gn 20.12). Embora ela já tivesse 65 anos de idade, ainda era considerada uma mulher muito bonita quando Abraão mudou-se para o Egito com toda sua família fugindo da fome que assolava Canaã (Gn 12.10,11). Abraão a persuadiu a se apresentar como sua irmã, para que os egípcios não o matassem para tomá-la; apesar de seus mais profundos sentimentos, ela se sujeitou ao plano de seu marido. O Faraó sentiu-se atraído por Sara, e a levou para seu harém. No entanto, quando soube a verdade, o Faraó a devolveu, e enviou Abraão e sua companheira para longe com uma forte repreensão (12.12-20). Mais de 20 anos depois, Abraão sofreu novamente o lapso de fé em relação a Sara e sua própria segurança. Neste caso, Abimeleque, o rei de Gerar, foi avisado por Deus, em sonhos, de que Sara era casada com Abraão (Gn 20).

Embora as ações de Abraão nestas duas ocasiões possam nos parecer subterfúgios deliberados, seu propósito ao apresentar Sara como sua irmã pode ter sido o de invocar a proteção especial que a posição social de "esposa-irmã" trazia, de acordo com as leis vigentes na Mesopotâmia naquela época. Os textos de Nuzu (*q.v.*) demonstram que, na sociedade hurriana e nas sociedades culturalmente relacionadas a esta, os vínculos de casamento eram ainda mais solenes quando a esposa tinha, simultaneamente, a posição legal de irmã. Mas esta posição, e por conseqüência sua salvaguarda, não eram reconhecidas pelos egípcios e tampouco pelos filisteus.

Enquanto estava no Egito, Abraão teve a jovem egípcia Agar (*q.v.*) como serva pessoal de Sara. Devido à sua esterilidade, Sara desesperou-se para dar à luz o herdeiro que Deus havia prometido a Abraão. Sara, então, incentivou seu marido a gerar uma criança com Hagar (Gn 16.1-3), utilizando um expediente legal e normal, freqüentemente atestado na Antiga Babilônia (veja, por exemplo, o código de Hamurabi, #146, 170, 171; ANET, pp. 172ss.), e nos textos de Nuzu (ANET, p. 220). Pela lei, uma esposa sem filhos deveria prover a seu marido uma mulher, geralmente uma escrava, que lhe geraria filhos em nome da esposa. Sara também agiu dentro de seus direitos de acordo com as leis comuns na Mesopotâmia ao tratar Agar rispidamente por desprezar sua senhora estéril (Gn 16.4; código de Hamurabi, #146). Quando Agar ficou grávida e fugiu, foi necessária uma intervenção divina para trazê-la de volta à casa de Abraão, onde nasceu Ismael (Gn 16.5-15).

Quando Sarai completou 90 anos, seu nome foi mudado para Sara. Nesta vez e em outra, ela recebeu a promessa divina de que teria um filho dentro de um ano, e que se tornaria a "mãe das nações" (Gn 17.15-17; 18.9-15). Na segunda ocasião, Abraão recebeu uma teofania e pediu a Sara para assar alguns bolos para os visitantes celestiais. Ao ouvir pelo lado interno da tenda, ela sorriu com incredulidade pensando que esta profecia sobre seu filho seria algo impossível de se cumprir. O Senhor conhecia a atitude mais íntima de Sara (que era de zombaria), embora ela tenha tentado negar isto. A repreensão, "Haveria coisa alguma difícil ao Senhor?"

Sarcófago de ouro do rei Tutancamom. LL

Transformou sua dúvida em fé, e seu vigor físico foi divinamente renovado, permitindo que ela concebesse (Hb 11.11). A promessa foi cumprida através do nascimento de Isaque (Gn 21.1-7).

Durante a festa de desmame de Isaque, Sara notou que Ismael zombava (Gn 21.9; cf. Gl 4.29). Irada, ela ordenou que Agar e Ismael fossem expulsos da família para que assim Isaque não precisasse dividir a herança com Ismael. Neste caso, Sara agiu de uma forma contrária às leis da Mesopotâmia (código de Hamurabi, #170, 171), pois Abraão já havia reconhecido legalmente Ismael como seu filho (Gn 17.23-26). Esta situação exigiu, portanto uma ordem especial de Deus para Abraão, para que ele mandasse Agar e Ismael embora (Gn 21.10-12). *Veja* Era Patriarcal.

Sara viveu até os 127 anos de idade, a única mulher cuja idade por ocasião da morte está registrada na Bíblia Sagrada. Ela foi sepultada perto de Hebrom, na cova de Macpela (*q.v.*), que Abraão comprou para a sepultura da família depois da morte de Sara (Gn 23).

Sara é mencionada em Isaías 51.2 como aquela que deu a luz à nação israelita. No NT, Paulo refere-se ao amortecimento do ventre de Sara como um obstáculo à fé de Abraão (Rm 4.19). Ele cita Gênesis 18.10 referindo-se a ela como a mãe do filho da promessa (Rm 9.9). Sem mencionar o nome dela em Gálatas 4.21-31, Paulo usa Sara como uma ilustração em sua alegoria sobre o filho da escrava e o da mulher livre. "O filho de Agar" nasceu da carne e é escravo em relação à lei, enquanto "o filho de Sara" nasceu do Espírito (ou seja, de forma sobrenatural), de acordo com a promessa.

Pedro menciona Sara como um exemplo de esposa que tem comportamento correto para com seu marido (1 Pe 3.6) e, em Hebreus 11.11, ela é elogiada por sua fé. Entre os Rolos do mar Morto (*q.v.*) o Gênesis apócrifo dá uma descrição detalhada da beleza de Sara.

2. Filha de Aser (Nm 26.46). Seu nome é escrito como Sera nas versões mais recentes.

***Bibliografia.*** N. Avigad e Y. Yadin, *A Genesis Apocryphon*, Jerusalem. Magnes Press, 1956, col. xx.2-8. Harold J. Ockenga, *Women Who Made Bible History*, Grand Rapids. Zondervan, 1962, pp. 19-28. E. A. Speiser, "The Wife-Sister Motif in the Patriarchal Narratives". *Oriental and Biblical Studies*, Filadélfia. Univ. of Pennsylvania Press, 1967, pp. 63-82. Donald J. Wiseman, *The Word of God for Abraham and To-day*, Londres. Westminster Chapel, 1959, pp. 13, 15-18.

J. R.

**SARAFE** Um descendente de Selá, filho de Judá, que teve o domínio em Moabe (1 Cr 4.22), possivelmente governando aquele país quando era regido por Davi ou Salomão.

**SARAI[1]** O nome original da esposa de Abraão. *Veja* Sara

**SARAI[2]** Um dos filhos de Bani, que expulsou sua mulher gentia durante a reforma de Esdras (Ed 10.40).

**SARAR** Um ararita, pai de Aião, um dos valentes de Davi (2 Sm 23.33), chamado de Sacar (*q.v.*) em 1 Crônicas 11.35.

**SARÇA ARDENTE** Sarça ou arbusto ardente com a qual Deus atraiu a atenção de Moisés e revelou a si próprio quando o convocou para se tornar o libertador de Israel (Êx 3.2-4). A palavra hebraica para "sarça", *seneh,* só é encontrada nessa passagem e em Deuteronômio 33.16. Provavelmente, era um arbusto espinhoso não identificado da família das acácias. *Veja* Plantas: Sarça.

A chama ardente que não consome o arbusto, e sem nenhum agente humano para acendê-lo, mostrou a Moisés a auto-suficiência e a santidade inacessível de Deus; ela não era um símbolo das aflições de Israel no Egito como alguns comentaristas já sugeriram. O JerusB revela o sentido apropriado de Êx 3.2 ("E apareceu-lhe o Anjo do Senhor em uma chama de fogo, no meio de uma sarça"). Assim, a chama é um símbolo de Divindade (cf. Gn 3.24; 15.17; Êx 13.21; 19.18) e a voz clara de Deus, ao declarar a santidade daquele lugar, permitiu a Moisés reconhecer que Ele estava presente no meio do arbusto, como mais tarde se lembrou (Dt 33.16). O fato de ter usado a expressão "O anjo do Senhor" no verso 2, ao narrar esse incidente, não representa uma contradição, porque esta muitas vezes significa uma manifestação especial de Jeová, uma manifestação visível da Divindade, ou a aparição do Filho pré-encarnado de Deus. *Veja* Moisés.

J. R.

**SARÇA** *Veja* Plantas.

**SARCÓFAGO** Um caixão, originalmente de pedra. A palavra grega possui o sentido de "comedor de carne", porque os caixões de pedra de limo aceleravam a decomposição do corpo. Geralmente, no entanto, o sarcófago tinha a finalidade de proteger e preservar o corpo, como no caso do sarcófago de pedra inscrito do rei Airão de Biblos, datado de aprox. 1000 a.C. (ANEP #456-459). Os filisteus (*q.v.*) aparentemente fizeram sarcófagos de cerâmicas antropóides com rostos humanos na tampa para alguns de seus mortos (ANEP #641). *Veja* Bete-Seã.
Muitos sarcófagos egípcios antigos são conhecidos, e ali o termo era aplicado a sarcófagos de vários tipos. A palavra sarcófago não aparece na Bíblia em português, porém o termo "caixão" aparece uma vez (Gn 50.26) ligado à preparação para o sepultamento de José. O termo heb. *'aron* significa especialmente um baú ou caixa, provavelmente de madeira. Tendo em vista o contexto egípcio, a palavra "sarcófago" é uma tradução possível aqui. Se, no entanto, José foi o primeiro ministro durante a 12ª Dinastia (1991-1786 a.C.), é provável que seu "sarcófago" tenha sido um baú retangular de madeira com uma tampa reta ou curva, e quatro ou mais sarrafos na parte inferior. Embora a forma mais comum de caixão ou sarcófago no período do Reino Médio tenha sido decorada com painéis de pinturas elaboradas e textos hieróglifos, a nobreza começou a utilizar um caixão menos pomposo, empregando madeira fina escura ou cedro,

Reconstrução da entrada monumental do ginásio romano em Sardes. HFV

Sarcófago fenício em Biblos. HFV

com suaves relevos feitos com tiras estreitas de ouro. Embora os sarcófagos antropóides tenham começado a ser utilizados no Egito durante a 12ª Dinastia, não se tornaram populares até o Reino Novo e nos períodos seguintes (William C. Hayes, *The Scepter of Egypt*. Parte I, Nova York. Harper, 1953, pp. 310-320). *Veja* Caixão.

C. E. D.

**SARDES** Esta cidade estava localizada cerca de 80 quilômetros a leste de Esmirna. A Cidade mais antiga estava situada a pouco mais de 300 metros de altitude em uma montanha que estava 8 quilômetros ao sul do rio Hermus, a bacia mais larga e mais fértil dos vales dos rios da Ásia Menor. Sardes comandava o grande mercado e as estradas militares das ilhas do Egeu até o interior das províncias romanas da Ásia e da Galácia. À medida que a cidade crescia, espalhava-se para o norte, em direção ao interior do vale de Hermus, onde podem ser vistas as ruínas das grandes estruturas do período romano.
O local alcançou uma posição de grandeza como a capital de Lídia (*veja* Lude) que, com seu rei Creso, caiu diante de Ciro da Pérsia em 546 a.C. Destruída por um terremoto em 17 d.C. (durante o governo romano), foi reconstruída por Tibério e era uma cidade desenvolvida quando João dirigiu-se à Igreja que ali estava (Ap 3.1-6).
Antes da 1ª Guerra Mundial, H. C. Butler, de Princeton, fez escavações em Sardes (1910-14). G. M. A. Hanfmann, de Harvard, começou a escavar novamente este local em 1958. A cidade dos dias de João ainda não foi totalmente exposta, mas João teria conhecido o grande Templo de Artemis (que media aprox. 50-100 metros) com suas 78 colunas Jônias, cada uma com 19 metros de altura. Esta construção teve início no tempo de Alexandre o Grande, porém nunca foi concluída. Foi levantada sobre o alicerce do Templo construído por Creso por volta do século VI a.C.
Em 1962 os arqueólogos descobriram uma grande sinagoga judaica, que data da primeira metade do século III d.C. Sua riqueza e

Ruínas de uma antiga igreja cristã construída em uma das extremidades do templo de Ártemis em Sardes, simbolizando o triunfo do cristianismo sobre o paganismo nesse local. HFV

tamanho indicam que ali existiu uma comunidade judaica bastante próspera e numerosa no início da era do cristianismo.

***Bibliografia.*** George M. A. Hanfmann, "*Excavations at Sardis*, 1958", BASOR #154 (1959), pp. 5-35; quanto às campanhas subseqüentes, veja BASOR #157, 162, 166, 170, 174, 177, 182, 186, 191, 203, 206. W. M Ramsay, *The Letters to the Seven Churches of Asia*, Londres. Hodder & Stoughton, 1904. Bastian Van Elderen, "Sardis", BW, pp. 497-499. Howard F. Vos, WHG, pp. 397-400.

H. F. V.

**SÁRDIO** *Veja* Jóias.

**SARDÔNICA** *Veja* Jóias.

**SAREPTA[1]** Durante os três anos de seca sofridos por Israel nos dias de Acabe, Deus enviou Elias, que havia pronunciado o julgamento de Israel, à cidade fenícia de Sarepta, para que ali fosse sustentado. Nesta cidade, a viúva com a qual o profeta viveu desfrutou um suprimento perene de azeite e farinha, e experimentou a alegria de ter seu filho ressuscitado dos mortos (1 Rs 17.8-24). A cidade estava localizada a aprox. treze quilômetros ao sul de Sidom, ao longo da costa mediterrânea, na estrada para Tiro. Também é conhecida como Zarefate em algumas versões (Ob 1.20), e como Sarepta no NT (Lc 4.26). É a moderna Sarafand. Sarepta é mencionada em textos ugaríticos do século XIV a.C. e em papiros egípcios do século XIII a.C. junto com Biblos, Beirute, Sidom e Tiro como uma das principais cidades da costa (ANET, p. 477). Tanto Senaqueribe como Esar-Hadom reivindicam ter tomado Sarepta, de acordo com as inscrições assírias (ela foi chamada de Zaribtu, ANET, p. 287).

Em 1969, James Pritchard começou uma série de escavações para o Museu da Universidade da Pensilvânia em locais antigos nas proximidades da vila de Sarafand. É a colina mais estratificada até então explorada na terra natal dos fenícios. Existem várias ligações entre as cidades fenícias e púnicas no oeste da área Mediterrânea. Em Sarepta, certos estilos de cerâmicas não comuns, assim como métodos de construção, e ainda o sinal da deusa Tanit – todos encontrados há tempos em Cartago e outros locais na Sicília e Sardenha – atestam que a cultura fenícia espalhou-se para o oeste a partir da costa libanesa. *Veja* Fenícia.

***Bibliografia.*** James B. Pritchard, "The Phoenicians in Their Homeland", *Expedition*, XIV (1971), 14-23.

H. F. V.

**SAREPTA[2]** Uma forma de Zarefate (*q.v.*) uma cidade localizada na metade do caminho entre Tiro e Sidom (Lc 4.26). Seu nome atual é Sarafand.

**SAREZER[1]** Um mensageiro enviado de Betel para inquirir junto ao Templo a respeito do dia de lamentação no quinto mês, uma ocasião para se rememorar a queda de Jerusalém diante de Nabucodonosor (Zc 7.2). Devido à dificuldade do texto hebraico, algumas versões traduzem o texto da seguinte forma. "Betel-Sarezer enviou Regém-Meleque com seus homens, para suplicarem o favor do Senhor". Isto sugere que o nome do homem pode originalmente ter sido o nome comum babilônico *Bel-sar-usur* (*veja* Belsazar; Sarezer[2]).

**SAREZER[2]**

1. Filho de Senaqueribe que, com seu irmão Adrameleque, matou a seu pai enquanto este estava adorando na casa de Nisroque, seu deus. Eles então fugiram para Armênia (ou terra de Ararate; 2 Rs 19.37; Is 37.38). O nome Sarezer só é conhecido por meio destas referências. É provavelmente uma abreviatura do acadiano *sar-usur*, "ele tem protegido o rei", normalmente com o prefixo do nome de uma divindade.
2. Um homem enviado de Betel durante a época de Zacarias para suplicar o favor do Senhor (Zc 7.2). Algumas versões trazem o termo Serezer (*q.v.*).

**SARGÃO** Com exceção de Isaías 20.1, o nome Sargão (heb. *sargon*) não foi atestado em literaturas antigas. Por causa das gravações cuneiformes descobertas desde 1843, sabe-se agora que três governantes diferentes da Mesopotâmia, dois deles ilustres à sua maneira e em suas próprias épocas, tiveram este nome.

Uma vez que a carreira destes dois faz parte dos relatos bíblicos, ainda que de forma superficial, será produtivo discuti-los.

1. *Sargão* de Agade ou Acádia (*veja* Acade), foi o primeiro governador semita a reinar sobre toda a Mesopotâmia. Textos cuneiformes posteriores da Assíria e da Babilônia registram uma lenda sobre sua origem, que é semelhante à história do nascimento de Moisés (Êx 1.22–2.10). Diz-se que a mãe de Sargão o concebeu e deu à luz em segredo, colocou-o rapidamente em um cesto de juncos, e o lançou em um rio do qual Akki, uma pessoa que estava tirando água, o encontrou e o criou como seu filho (ANET, p. 119).

Ao atingir a fase adulta, sabe-se que Sargão I tornou-se um grande político e um brilhante estrategista militar. No início, foi copeiro de Urzababa, o último rei de Quis. Sargão depôs este rei e então eliminou seu único rival na disputa pelo poder, Lugalzaggisi de Uruk (*veja* Ereque). Ao transferir a capital de Quis para Acade, ele fundou a Primeira Dinastia de Acade (aprox. 2360-2180 a.C.) e ali governou por 56 anos. Seu império foi o primeiro império mundial verdadeiro da história; ele dominou toda a região da Suméria até o Golfo Persa, e então partiu para uma série de conquistas que o tornaram uma figura legendária e histórica. As glórias de Sargão foram registradas em textos até o tempo de Nabonido, quase 2000 anos depois de sua morte. A história mais divulgada e conhecida a respeito de seus feitos é o épico *shar tamhari* ("O Rei da Batalha"), de acordo com o qual Sargão, a pedido dos mercadores da Mesopotâmia que faziam os seus negócios na Anatólia, invadiu aquele país para defender sua causa.

Comparando a carreira deste Sargão com o sucinto relato de Gênesis 10.8-13, alguns estudiosos têm sido levados a igualá-lo a Nirode (*q.v.*) embora não haja razão para tal.

2. *Sargão II* da Assíria reinou de 722/1 a 705 a.C. Antes que as suas inscrições fossem descobertas e decifradas, alguns estudiosos o igualaram ao seu predecessor, Salmaneser V (*q.v.*) anteriormente e erroneamente chamado de Salmaneser IV. Outros o igualaram com seu filho e sucessor, Senaqueribe (*q.v.*). Então, em 1843, Paul-Emile Botta, o cônsul francês em Mosul, no Iraque, iniciou os trabalhos de escavação em Khorsabad, que se revelou como a antiga cidade de *Dur-Sharruken* ("A Fortaleza de Sargão", "Sargonsburg"). Ela está localizada 19 quilômetros a norte-nordeste de Mosul, na margem ocidental do rio Tigre, do outro lado das ruínas de Nínive. Ali, Botta descobriu as ruínas do palácio de Sargão II, e assim pavimentou o caminho para a redescoberta do próprio Sargão, e sua restauração ao seu local de direito na história secular. Só a área do palácio tem mais de 100.000 metros quadrados, e este é o mais preservado de todos os edifícios reais assírios.

Sargão II e seu comandante-em-chefe. BM

De 1852 a 1854 Victor Place completou as escavações do palácio de Sargão, removeu importantes peças levando-as pelo Tigre a Basra, e dali foram exportadas ao Museu do Louvre. No século XX, a Expedição ao Iraque realizada pelo Instituto Oriental da Universidade de Chicago, sob a direção do falecido Henri Frankfort, fez algumas importantes explorações adicionais em Khorsabad. Dois anos depois do trabalho de Botta, Austen Henry Layard, o pioneiro arqueólogo britânico, empreendeu as escavações em Calá (a moderna Nimrud), 32 quilômetros a sudeste de Mosul. Ali, ele descobriu as residências imperiais de vários reis assírios, dentre

Touro alado com cabeça humana do palácio de Sargão II. LM

elas a de Sargão. Como resultado do trabalho deste e de outros escavadores, agora pode ser esboçado um resumo completo da vida e dos tempos de Sargão.
Não muito depois da ascensão de Salmaneser ao trono da Assíria (727 a.C.), Oséias, (*q.v.*) o último rei de Israel, negou o tributo à Assíria e procurou unir forças com o Egito com propósitos defensivos contra o inimigo comum. Os erros de cálculo de Oséias em relação à força relativa da Assíria e do Egito provaram ser fatais para Israel. No entanto, não se podia esperar que o Egito, em condições enfraquecidas neste momento, oferecesse qualquer assistência real a Oséias, e esta foi a situação em 724 a.C. Salmaneser atacou Israel. Ao encontrar uma resistência relativamente pequena, os assírios ocuparam toda a terra com exceção da capital. Bem fortificada, Samaria conseguiu resistir ao invasor por mais de dois anos, rendendo-se, finalmente, em 722/1 a.C.
A verdadeira identidade do conquistador de Samaria ainda é uma questão relativamente disputada. A maior parte dos estudiosos aceita literalmente a reivindicação de Sargão que consta nos registros posteriores de seu reinado, de acordo com os quais ele teria sitiado e conquistado Samaria (a Assíria *Samerina*) no início de seu governo, deportando 27.290 de seus habitantes ao longo deste processo (ANET, pp. 284ss.).
Outros, no entanto, perceberam que o texto em 2 Reis 17.3-6 apóia Salmaneser como aquele que conquistou Samaria, sendo improvável que a frase "o rei da Assíria" no v. 6 refira-se a um antecedente diferente daquele que consta na mesma expressão nos versículos anteriores. Além disso, a Crônica Babilônia parece confirmar a descrição bíblica deste assunto, pois ela observa que Salmaneser destruiu a cidade de *Sha-ma-ra-in* (que seria Samaria).
É possível que a solução para estes problemas esteja em 2 Reis 18.10, onde o texto masorético nos informa que "eles" (que na versão RSV em inglês é vocalizando de forma diferente, e se lê "ele") tomaram Samaria. Se por um lado é possível que o pronome "eles" possa ser uma simples referência aos captores assírios, por outro lado é possível entender que este pronome refira-se a Salmaneser e a um associado, provavelmente Sargão. De qualquer forma, a reivindicação de Sargão pelo crédito individual pela conquista de Samaria é sem dúvida exagerada (para uma discussão mais profunda sobre o problema como um todo, veja principalmente a obra de Edwin R Thiele, *The Mysterious Numbers of the Hebrew Kings*, pp. 121-128). Após a destruição de Samaria, a administração de Israel foi reorganizada e a terra tornou-se uma província assíria (chamada Samaria) sob o controle de um governador assírio.
Imediatamente após sua ascensão ao trono, Sargão foi confrontado com insurreições e rebeliões em todo o seu vasto império. Em 721 a.C., Marduk-apla-iddina (ou Merodaque-Baladã, *q.v.*) em uma liga com os elamitas, revoltou-se contra Sargão. A revolta foi bem-sucedida e serviu para encorajar os dissidentes em outras partes do reino de Sargão. Marduk-apla-iddina aumentou o seu poder na Babilônia, e governou um estado independente desta por mais de dez anos. Somente depois do ano 710 a.C., Sargão, enfim livre dos problemas do oeste, pôde se livrar do usurpador e tirá-lo da terra, ao menos por algum tempo.
Enquanto isso, em 720 a.C., irromperam revoltas em Hamate, Gaza, Arpade, Simirra, Damasco e na própria Samaria. Sargão exterminou os rebeldes das províncias do norte em Qarqar; depois marchou para o sul, e em Raphia infligiu uma severa derrota sobre os Sib'e, os *turtanu* (ou Tartã, *q.v.*) do Faraó Egípcio, cujas forças armadas tinham vindo socorrer o rei Hanno de Gaza (ANET, p. 285). O texto em 2 Reis 17.24 relata que nos anos seguintes o povo foi deportado da Babilônia, de Hamate e de vários outros lugares para colonizar Samaria. Ali, eles misturaram-se com a população nativa remanescente, dando origem aos samaritanos.
Em 717 a.Ç. Mitâ (Midas) rei da Frígia Musku, na Ásia Menor, em conluio com o estado heteu de Carquemis na Síria, rebelou-se contra a hegemonia de Sargão. Por esta razão, Sargão destruiu Carquemis e deportou sua população para a Assíria. Aproximadamente no mesmo período, Sargão também atacou Urartu (*veja* Ararate), destruindo o poder daquele estado já enfraquecido.
A preocupação de Sargão com os assuntos do norte pode ter encorajado as províncias do sul a praticarem uma última tentativa de se libertarem da escravidão assíria. Azuri de Asdode, que receberia, conforme prometido anteriormente, uma assistência das vigorosas lideranças da 25ª Dinastia do Egito, rebelou-se contra Sargão em 714/3 a.C. (ANET, pp. 286ss.). No entanto, a ajuda egípcia não se concretizou e Sargão esmagou a revolta em 711 a.C. (Is 20.3). Aparentemente, neste ponto, Judá ouviu o conselho de Isaías e de seus seguidores, com o intuito de escapar do sofrimento, não contribuindo com a rebelião de Asdode (Is 20.1-6).
Os últimos poucos anos de vida de Sargão foram relativamente tranqüilos. Durante este período, seus projetos de construção concretizaram-se rapidamente, e ele se preocupou em deixar os seus feitos registrados para a posteridade. No entanto, ele teria um final violento. Em 705 a.C., ele foi morto durante um combate de fronteira e foi sepultado longe de sua terra. Senaqueribe, seu filho, o sucedeu no trono da Assíria.

***Bibliografia.*** A. G. Lie, *The Inscriptions of*

*Sargon II, King of Assyria*, Part I. The Annals, Paris, 1929. D. D. Luckenbill, *Ancient Records of Assyria and Babylonia*, 2 vols., Chicago. Univ. of Chicago Press, 1926, 1927. H. R. Moeller, "Sargon of Akkad, Sargon II," BW, pp. 499-508. A. T. Olmstead, "The Text of Sargon's Annals," AJSL, XLVII (1931), 259ss. H. Tadmor, "The Campaigns of Sargon II of Assur", JCS, XII (1958), 22-40, 77-100.

R. F. Y.

**SARIDE** Uma cidade fronteiriça no território de Zebulom (Js 19.10,12). Ela foi identificada com Tell Shadud, dez quilômetros a norte-nordeste de Megido, na fronteira norte do vale de Jezreel, aprox. 6,5 quilômetros a sudoeste de Nazaré.

**SARNA** *Veja* Doença.

**SAROM** A planície costeira que percorre 80 quilômetros do sul da região do Carmelo até os arredores de Jafa, estendendo-se para o interior 10 a 20 quilômetros em direção à região montanhosa de Efraim. Era bem conhecida por ser bastante adequada à agricultura, tanto sedentária (Is 33.9; 35.2; Ct 2.1) como pastoral (1 Cr 27.29; Is 65.10). Aparece uma vez no NT em conexão com Lida (At 9.35). É possível que a LXX esteja correta ao tomar Lasarom (Js 12.18) como uma simples indicação de que a cidade anterior é "Afeca de Sarom", na foz do Yarkon. No entanto, um papiro egípcio listando provisões enviadas aos palestinos na época de Tutmósis III menciona uma cidade chamada Sarom. *Veja* Palestina II B. 1. *e*.
A referência em 1 Crônicas 5.16, parece ser a um local na Transjordânia, no território de Gade, que possuía boas terras de pastagens. Há uma interpretação que corrige o nome heb. *shron* para *Shryon*, que significa Sirion, um nome alternativo do monte Hermom; mas este também poderia estar localizado além da fronteira norte de Gade.

A. F. R.

**SAROM** Este é o nome da costa oceânica entre Jope e Cesaréia (At 9.35), também mencionada como Sarona em algumas versões.

**SARSEQUIM** Um príncipe da Babilônia, que veio com Nabucodonosor a Jerusalém e sentou-se ao portão. Seu título, Rabe-Saris (*q.v.*) significava "chefe dos eunucos" (Jr 39.3). O "Nebo" do nome anterior deveria ser incluído como parte do nome deste homem, e assim ele era chamado de Nebo-Sarsequim. *Veja* Sangar; Nergal-Sarezer.

**SARTÃ** Um nome de cidade, também ortografado como Zaretã, Zererá, ou Zereda, em diferentes passagens ou versões.
Quando Josué guiou Israel através do Jordão, as águas foram detidas em Adã, que está "da banda de Sartã" (Js 3.16). Adã está localizada na confluência dos rios Jaboque e Jordão. Existem algumas opiniões diferentes quanto a Sartã estar a leste ou a oeste do Jordão. Nelson Glueck a identificou como um local (Tell es-Sa'idiyeh) que fica aproximadamente 22 quilômetros ao norte e um pouco a leste de Adã (Tell ed-Damiyeh) que ficava do lado leste do Jordão. Yohanan Aharoni, no entanto, acredita que Sartã pode ser a grande colina de Tell Umm Hamad, a apenas 3 quilômetros a nordeste de Adã.
Potes de bronze, bacias e outros equipamentos para o Templo de Salomão foram confeccionados no solo de barro entre Sucote e Sartã, nas planícies do Jordão (1 Rs 7.46, "Zaretã"; 2 Cr 4.17, "Zereda"). A natureza do solo fez da região um centro industrial ativo naqueles dias. Bete-Seã, fronteira do distrito administrativo de Salomão, ficava perto de Sartã (1 Rs 4.12, "Zaretã"). Os invasores midianitas fugiram de Gideão e seus 300 homens em direção a Zererá (Jz 7.22), geralmente considerada Sartã.
O local de Tell es-Sa'idiyeh é imponente, cobrindo 25 acres e se elevando mais de 40 metros acima do nível do solo do vale do Jordão. Ele fornece uma visão estratégica para o rio Jordão, um quilômetro e meio para o oeste e para o Uádi Kufrinjeh, 90 metros ao norte. James B. Pritchard dirigiu três temporadas de escavações nesta colina em 1964-66. Uma passagem consistindo de uma escada murada, inicialmente coberta para escondê-la e protegê-la, levava ao lado norte, a uma abundante fonte. Uma divisória separava os degraus de dois metros de largura, para facilitar o tráfego nos dois sentidos. A descoberta mais importante foi o cemitério dos séculos XIII-XII a.C. Em uma tumba, uma rainha ou mulher nobre foi sepultada com belas jóias e adornos de marfim, quatro vasos de bronze mais um tripé de bronze de estilo cipriota para apoiar os pratos de bronze. Foi encontrado um caldeirão com duas hastes, o maior vaso já descoberto na Palestina. Outras tumbas continham um conjunto de jarro e taças de vinho de bronze, uma xícara de bronze com uma tampa de cabeça de gazela, tigelas e espelhos e uma espada de bronze; tudo isto confirma a precisão dos registros bíblicos de que a área de Sucote e Sartã era o centro do trabalho de bronze nos dias de Salomão (ILN, 28 de Março de 1964, pp. 487-490; 2 de Julho de 1996, pp. 25-27; BA, XXVIII [1965], 10-17).

N. B. B. e J. R.

**SARUÉM** Uma cidade no território de Simeão (Js 19.6), a moderna Tell el-Far'ah, 29 quilômetros a sudeste de Gaza. Por volta de 1550 a.C., após os expulsarem de Avaris no Delta, os egípcios derrotaram os hicsos aqui depois de um cerco de três anos (ANET, p. 233). Sir Flinders Petrie descobriu um muro de tijolos de 7,5 metros de espessura em torno dela, presumivelmente construído por Sisaque como a base de suas operações em uma campanha contra Roboão (1 Rs 14.25,26) na qual Megido, Debir, Eziom-Geber, e possivelmente outros locais foram destruídos. Saruém foi destruída no século IX a.C. e não foi reocupada por quatro séculos. Ela pode ser idêntica a Saaraim (1 Cr 4.31) e Silim (Js 15.32).

Quando Petrie escavou Tell el-Far'ah em 1927-29, ele tinha a impressão de que esta era a antiga Bete-Pelete. Portanto, seus relatórios de escavação são chamados de *Bete-Pelete* I (1930) e II (1932). Ele também encontrou um típico sistema de defesa hicso com uma esplanada, e 114 escaravelhos, um deles possuindo o nome do rei hicso Khian. Portanto, é bem certo que este era o baluarte hicso de Saruém no sul da Palestina, e o governo de Israel mudou o nome de seu local para Tell Saruém.

A. K. H.

**SARUQUE** Uma outra forma do nome Serugue (*q.v.*) no NT. Ele era pai de Naor e filho de Ragaú. Assim, ele era um ancestral do Senhor Jesus (Lc 3.35).

**SASAI** Um dos filhos de Bani, que expulsou sua mulher gentia depois do exílio (Ed 10.40).

**SASAQUE** Filho de Elpaal, um benjamita (1 Cr 8.12,14), que teve 11 filhos (vv. 22-25).

**SATANÁS** O termo heb. *satan,* "adversário", "acusador", humano ou angelical (Sl 109.6,29; Nm 22.22), e o termo gr. *Satan*(*as*) é o líder de espíritos caídos ou demônios (Mt 12.24). Mais do que outros anjos, Satanás é "magnífico em poder" (Sl 103.20; Jd 9), porém é limitado em termos de espaço (Jó 1.7), e só pode operar tendo a permissão divina (Jó 1.12; cf. 1 Co 10.13). Ele domina todos os reinos da espécie humana (Lc 4.6), procurando fazer com que cada ser humano aliene-se em relação a Deus, e assim seja destruído (1 Pe 5.8). Sua carreira bíblica cobre quatro estágios degenerativos e sucessivos.

1. Se por um lado o livro de Gênesis não menciona o nome de Satanás em nenhuma passagem, por outro ele realmente descreve uma serpente, a qual tentou o homem no Edén (Gn 3.1; cf. 2 Co 11.3). Mas por trás do réptil (Gn 3.14) existe uma personalidade espiritual (testemunhada pela sua habilidade de falar, 3.1-5, e pela sua equiparação assumida em relação ao homem, o que é impossível para um mero animal, 1.28). O tentador original era Satanás (Rm 16.20), "a antiga serpente" (Ap 12.9).

A condição anterior de Satanás é indefinida, mas Isaías descreve o orgulhoso rei da Babilônia em termos sobre-humanos. "Como caíste do céu, ó estrela da manhã [heb, *helel,* Vênus, a estrela da manhã; lat., *Lscifer*], filho da alva! (Is 14.12). Ele é descrito dizendo. "Eu subirei ao céu, e, acima das estrelas de Deus, exaltarei o meu trono... e serei semelhante ao Altíssimo" (vv. 13,14). Deus conclui, "Levado serás ao inferno" (v. 15). Mas a explicação de que esta seja uma referência literal ao planeta Vênus parece inadequada, e a tentativa de Satanás de rivalizar com Deus (1 Tm 3.6) pode ser um ponto final da comparação (Ap 9.1).

O texto em Gênesis 3.1 parece, mais adiante, datar esta queda (tudo ainda era "muito bom" em Gênesis 1.31). A tentativa de Satanás de conseguir a adesão da espécie humana pode, portanto, ter precipitado a perda de seu estado angelical; tanto a serpente como os seres humanos foram amaldiçoados simultaneamente (3.14-19). Mas embora o homem tenha recebido a esperança da reconciliação com Deus, o tentador foi condenado a ser pisado e esmagado (3.15). *Veja* Lucifer.

2. O termo *satan* aparece em Jó 1–2, mas sempre como *hassatan* ("o adversário," *q.v.*), não ainda como um substantivo próprio (cf. Zc 3.1, e o termo gr. *diabolos* no NT, "difamador", "acusador" *Veja* Diabo). Este "acusador" (Zc 3.1,2; cf. Ap 12.10; *Veja* Acusador) tinha acesso ao céu, e o liberalismo evolucionário o apresenta somente como um anjo que age como uma testemunha de acusação (Millar Burrows, *Outline of Biblical Theology*, Filadélfia. Westminster Press, 1946, p. 125). Mas embora servindo (inconscientemente) como uma ferramenta da providência (Jó 42.11; cf. "espírito" em 1 Reis 22.19-22), ele era insolente em relação a Deus (Jó 1.7,9; 2.5) e um caluniador de Jó (1.11; 2.4; cf. Edmond Jacob, *Theology of the Old Testament,* Nova York. Harper, 1958, pp. 70-72). *Satan* (agora um nome pessoal, 1 Crônicas 21.1) foi um inimigo implacável de Israel.

3. Com a encarnação de Cristo, o domínio de Satanás (At 26.18) sofreu algumas restrições. Frustrado ao tentar Jesus (Mt 4.1-11; Lc 4.1-13), ele e seus demônios foram derrotados pelos milagres de cura e expulsão de demônios realizados por Cristo (Mt 12.26-29; Lc 13.11,16; 22.31,32). Até mesmo sobre o aparente triunfo de Satanás no Calvário (Lc 22.53), o Senhor Jesus Cristo disse. "Agora, é o juízo deste mundo; agora, será expulso o príncipe deste mundo" (Jo 12.31; cf. Ap 12.10,11). Os cristãos, portanto, não sofrem mais acusações no céu, onde Cristo habita para todo o sempre intercedendo por nós (Hb 2.14,15; 7.25).

Satanás ainda incita o povo a fazer o mal (At 5.3; 1 Co 7.5; 2 Co 2.11), e pode disfarçar-se até mesmo de anjo de luz (2 Co 11.14). Ele continua a se opor aos cristãos (1 Ts 2.18), e ainda é o príncipe das potestades do

ar (Ef 2.2); mas se resistirmos ao diabo ele fugirá de nós (Tg 4.7). Satanás sabe que seu tempo é curto (Ap 12.12). *Veja* Satanás, Profundezas de; Satanás, Sinagoga de.
4. Com a volta de Cristo, Satanás será amarrado "para que mais não engane as nações, até que os mil anos se acabem" (Ap 20.2,3;cf. Is 24.21,22). Sua libertação final só causará a destruição daqueles que ele ludibriar, e será, em seguida, lançado no lago de fogo para sempre (Ap 20.9,10).
*Veja* Demonologia; Demônio.

***Bibliografia.*** W. Foerster e K. Schäferdiek, "*Satanás*", TDNT, VII, 151-165. William G. Heidt, *Angelology of the Old Testament*, Washington. Catholic Univ. of America, 1949. Edward Langton, *Essentials of Demonology*, Londres. Epworth, 1949. Leon Morris, "Satan", NBD, pp. 1145-1147. J. Barton Payne, *Theology of the Older Testament*, Grand Rapids. Zondervan, 1962, pp. 289-295. John H. Raven, *History of the Religion of Israel*, New Brunswick. New Brunswick Seminary, 1933, pp. 612-618. Merril F. Unger, *Biblical Demonology*, Wheaton. Van Kampen, 1952. Owen C. Whitehouse, "Satan", HDB, IV, 407-412.

J. B. P.

**SATANÁS, PROFUNDEZAS DE** Esta expressão só aparece uma vez no NT (Ap 2.24). Sua contraparte é a "profundidade das riquezas... de Deus" (Rm 11.33), e as "profundezas de Deus" (1 Co 2.10). O termo "profundezas" parece referir-se às experiências pecaminosas e não à falsa doutrina, embora tanto as falsas doutrinas como a sedução da impiedade sejam atribuídas a Jezabel (Ap 2.20). Além disso, o texto de Apocalipse 2.24 sugere que a frase: "não têm esta doutrina" refere-se ao ensino, enquanto conhecer "as profundezas de Satanás" refere-se à prática. As vítimas reivindicaram que estavam desfrutando as "profundezas" da experiência com Deus, mas o Senhor Jesus Cristo as rotulou como "as profundezas de Satanás". A doutrina era uma semente do Gnosticismo, alegando ser uma suposta filosofia de vida – nova, profunda e escondida. Mas, na prática, era a degeneração da falsa religião, que diminuiu o padrão de separação entre a Igreja e o mundo, negando a pecaminosidade do pecado e a santidade das coisas santas.

H. A. Hoy.

**SATANÁS, SINAGOGA DE** Existe uma semelhança no significado das duas ocorrências destes termos no NT (Ap 2.9; 3.9), apontando para um grupo de fora da Igreja. Isso está implícito na descrição da Igreja de Esmirna, mas está claramente demonstrado na descrição da Igreja de Filadélfia. A palavra "sinagoga" é a contraparte da palavra heb. "congregação" nas comunidades que falavam o grego (cf. Êx 12.3 na Septuaginta). Na rebelião contra Deus, foi mencionada no AT como a "má congregação" (Nm 14.27,35), mas foi mencionada por Cristo como a "sinagoga de Satanás". A reivindicação de serem judeus significa que eram descendentes de Abraão segundo a carne. Como lhes faltava a qualificação espiritual para que fossem verdadeiros judeus (Rm 2.28,29), foram considerados mentirosos. Uma evidência desta falta foi sua oposição aberta e determinada contra a Igreja, opondo-se às suas doutrinas por meio de blasfêmias, ao seu progresso por meio de empecilhos, e à sua própria existência por meio da perseguição.

H. A. Hoy.

**SÁTIRO** *Veja* Animais II.35.

**SATISFAÇÃO** *Veja* Expiação, Propiciação.

**SÁTRAPAS** Tradução da palavra hebraica *ahashdarpenim*, ou sátrapas persas, príncipes ou governadores de província do Império Persa mencionados em Esdras (8.36) e Ester (3.12; 8.9; 9.3).

**SAUDAÇÃO** O elaborado e cortês cumprimento em reuniões e festejos está registrado nas culturas antigas dos tempos bíblicos. Rebeca foi abençoada quando saía de casa (Gn 24.60). Labão reclamou por Jacó não lhe ter permitido beijar os seus filhos e filhas como uma despedida (Gn 31.28,55).
Os cumprimentos em correspondências epistolares também estão registrados na Antiguidade, como nas cartas de Amarna e nas epístolas ugaríticas. Nestas últimas, a forma era "(*a*) Saudação(ões) e/ou (*b*) bênçãos divinas: a) 'Aos pés de [título e nome do destinatário] (sete vezes desta forma e sete vezes daquela forma) eu/nós nos curvamos'. 'Haja paz para... ' b) 'Que os deuses te guardem e preservem!' " (C. H. Gordon, *Ugaritic Literature*, p. 116).
As saudações epistolares apareciam desta forma no mundo Semita antigo, porém, foram gradualmente adotadas pelas culturas grega e romana. Estas saudações não eram comuns no período pré-cristianismo.
O uso de saudações epistolares no NT, especialmente por Paulo, é típico de seu crescimento e do enriquecimento da forma da epístola para se transmitir a afeição e a preocupação sentida entre os cristãos. De acordo com Hans Windisch ("*Aspazomai*", TDNT, I, 496), não havia longas saudações nas correspondências gregas e romanas. O uso de longas saudações por parte de Paulo, como em Romanos 16, era incomum. O padrão das cartas greco-romanas pessoais, e de negócios, enviadas no NT, ficaram em voga durante algumas décadas antes do nascimento do Senhor Jesus Cristo. No entanto, as saudações eram mais breves e simples do que as

Gibeá, cidade de Saul. HFV

dos semitas.
As saudações em reuniões e despedidas geralmente demonstravam emoção e afeição, especialmente nos círculos cristãos, como mostrado quando Paulo deixou os cristãos de Mileto (At 20.36-38) e Tiro (21.5,6). Este conteúdo emocional das palavras em uma saudação é refletido em Hebreus 11.13 – "Todos estes [os patriarcas] morreram na fé, sem terem recebido as promessas, mas, vendo-as de longe, e crendo nelas, e abraçando-as [saudando-as], confessaram que eram estrangeiros e peregrinos na terra".
A honra ou até mesmo a reverência eram proeminentes nas idéias e transmitidas nas saudações. O Senhor Jesus Cristo disse que as implicações de paz, amizade, e boa vontade deveriam ser estendidas até mesmo aos inimigos (Mt 5.47). A sugestão da bênção divina também pode ser visita no diálogo do anjo Gabriel com Maria. Quando o anjo falou da graça que estava sendo concedida a Maria, a impressionante saudação causou espanto àquela serva do Senhor (Lc 1.26-29). Paulo chama a atenção – de um modo especial – à sua saudação, escrita de próprio punho, em algumas de suas epístolas (1 Co 16.21; Cl 4.18; 2 Ts 3.17). Nesta última referência, Paulo mostra a marca e a prova da genuinidade desta epístola, para que os seus destinatários pudessem resguardar-se de alguma falsificação. A técnica consistia em adicionar a uma carta ditada, algumas palavras conclusivas escritas à mão pelo próprio autor (veja também Gálatas 6.11; Fm 19).
A injunção de Paulo e Pedro para que os crentes se cumprimentassem com um beijo (Rm 16.16; 1 Co 16.20; 2 Co 13.12; 1 Ts 5.26; 1 Pe 5.14) levanta uma interessante questão de mudança cultural. A aplicação deste princípio de saudação entre crentes fez com que alguns tropeçassem. Será que o mais importante não é o que o apóstolo mandou que se preservasse através do toque pessoal, como de um aperto de mãos, e das palavras trocadas por irmãos quando se encontram? A importância da saudação faz com que compreendamos melhor numerosas passagens do NT. O Senhor Jesus não recebeu nenhum beijo (Lc 7.44-46), e isto não significa, de modo algum, que Ele tenha sido menosprezado. Ele disse que os fariseus amavam as saudações em público (Mc 12.38). O problema é que eles desejavam, antes de tudo, ser saudados, uma vez que a saudação era dirigida àquele que se desejava honrar. Em Lucas 10.4, a ordem de não saudar ninguém pelo caminho tinha o objetivo de evitar cerimônias que não passavam de perda de tempo. Assim os discípulos poderiam desempenhar sua missão de uma forma mais rápida.

W. B. W.

**SAUL[1]**

1. Rei de Edom (1 Cr 1.48,49; Gn 36.37,38).
2. Filho de Simeão com uma mulher cananéia (Gn 46.10; Êx 6.15; 1 Cr 4.24), e um ancestral de uma família tribal, os saulitas (Nm 26.13).
3. Filho de Uzias, um levita coatita, e ancestral de Samuel (1 Cr 6.24).

**SAUL[2]**

1. Saul de Reobote, um dos primeiros reis de Edom (Gn 36.37,38; 1 Cr 1.48,49).
2. Filho de Quis, da tribo de Benjamim, o primeiro rei de Israel. Desde os dias de Moisés Deus governava Israel através de sacerdotes e juízes especialmente dotados com poder e habilidade. Quando Samuel, o último dos juízes, envelheceu, o povo pediu um rei para que eles fossem como as nações que estavam ao seu redor. O repúdio que demonstraram estava dirigido a Deus e a uma caminhada de fé. Eles desejaram imitar as nações não simplesmente no governo, mas também no espírito, dependendo de suas próprias possibilidades e poder ao invés de depender do Senhor (1 Sm 8). Ao aceitar este pedido, Deus ofereceu aos israelitas um rei exatamente do tipo que eles desejavam. Saul era um homem de coragem e força, um homem de grande habilidade como administrador e guerreiro. Ele era um homem comum, mas cometeu uma falha fatal. Saul agiu não no poder e na sabedoria do Senhor, mas na dependência de seu próprio julgamento e força; isto o levou ao desastre.

A primeira aparição de Saul é como um jovem do campo, da cidade de Gibeá. Ao procurar as jumentas de seu pai que haviam se desgarrado, ele encontrou Samuel, que o ungiu e profetizou que ele seria rei de Israel (1 Sm 9.1–10.16). Mais tarde, Samuel reuniu as tribos em Mispa para lançar sortes à maneira antiga. A sorte caiu sobre Saul, e Samuel o apresentou como o rei que Deus havia escolhido (1 Sm 10.17-25).
Em pouco tempo, Saul foi colocado à prova. Naás, rei de Amom, sitiou Jabes-Gileade, e a

cidade enviou um pedido de ajuda. Saul provou ser de fato um rei; ele reuniu um exército e, surpreendendo Naás, destruiu os amonitas. Após a batalha, todo Israel reconheceu Saul como seu rei, fazendo uma grande celebração em Gilgal (1 Sm 11). Para uma descrição do rústico palácio-fortaleza de Saul, que ele construiu em sua terra natal, *veja* Gibeá. Saul passou todo o seu reinado defendendo Israel das invasões das nações vizinhas (1 Sm 14.47,48,52). Apesar disso, no final de sua vida Israel foi mais molestada por seus inimigos do que no início, especialmente pelos filisteus.

As escrituras só mencionam os eventos críticos do reinado de Saul, os quais determinaram o curso de sua carreira. Sua primeira grande falha aconteceu no início da guerra contra os filisteus (1 Sm 13). Seu filho Jônatas provocou uma guerra através de uma desafiadora invasão às guarnições militares dos filisteus em Geba. Como o exército filisteu reuniu-se, Saul também tentou reorganizar o seu povo. Mas o medo levou os israelitas à deserção, e assim Saul foi deixado com apenas um pequeno grupo em seu quartel general, em Gilgal. Impaciente pela demora de Samuel em vir buscar o favor de Deus, Saul fez um sacrifício superficial e estava pronto para começar sua campanha quando Samuel finalmente chegou. Samuel pronunciou o julgamento de Deus. "Não guardaste o mandamento que o Senhor, teu Deus, te ordenou... agora, não subsistirá o teu reino" (1 Sm 13.13,14). Embora a batalha que se sucedeu tenha sido um sucesso — inicialmente por causa da ousadia de Jônatas nas proximidades de Micmás – não houve uma paz duradoura como resultado desta peleja. Saul era evidentemente um severo disciplinador em relação aos outros, porém não de si mesmo. Durante uma luta contra os Filisteus, Jônatas, sem saber, desobedeceu à ordem do rei ao comer. Saul teria executado o seu próprio filho, se não fôra a intercessão de seu exército (1 Sm 14.24-45).

A primeira grande falha de Saul foi usurpar o ofício sacerdotal; sua segunda falha foi, claramente, a desobediência (1 Sm 15). Tendo recebido de Deus a ordem de destruir todos os amalequitas, Saul alcançou uma vitória esmagadora, porém, fracassou por não ter obedecido todas as instruções de Deus ao poupar Agague, o rei, e também o melhor dos animais. Samuel novamente veio como porta-voz do julgamento de Deus. O profeta ignorou as desculpas de Saul, de ter se aproveitado do espólio por causa da pressão do povo, e que pretendia oferecer tudo como um sacrifício ao Senhor. "Eis que o obedecer é melhor do que o sacrificar... Porquanto tu rejeitaste a palavra do Senhor, ele também te rejeitou a ti, para que não sejas rei" (1 Sm 15.22,23). O próximo ato de Samuel foi ungir o sucessor de Saul, Davi (I Sm 16).

O restante do reinado de Saul é trágico. O rei foi afastando-se cada vez mais do Senhor, tornando-se ainda mais desesperado e medroso. É possível que Saul tenha sido um doente mental. Ele ficou progressivamente pior, sujeito a períodos cada vez piores de depressão (1 Sm 16.14; 19.9); mesmo assim recusou-se a se humilhar diante de Deus. Ele percebeu que Deus já havia provido um sucessor, e sentia ciúme de qualquer homem que pudesse ser seu rival.

Davi, que se tornou um herói de Israel depois da derrota de Golias, foi o principal objeto de sua inimizade e medo. Saul procurou matar Davi, perseguiu-o como a um fora da lei, e finalmente conseguiu expulsá-lo do reino, apesar de Davi ser agora seu genro (1 Sm 18–20). Devido ao fato do sumo sacerdote Aimeleque ter ajudado Davi, Saul assassinou uma linhagem inteira de sacerdotes em Nobe (1 Sm 21–22). Embora Davi tenha poupado a vida de Saul por duas vezes, o rei falhou em reconhecer neste ato a advertência de Deus, e prosseguiu no caminho que o levaria à destruição final (1 Sm 24, 26).

O reinado de Saul terminou da mesma maneira que começou, em batalha; mas que diferença! O jovem rei prosseguiu em direção à vitória; o rei mais velho, desacreditado e rejeitado, encaminhou-se para a derrota e a morte. Em desespero, antes de sua última batalha, Saul procurou ajuda na feitiçaria, embora em dias melhores ele tivesse excluído tais práticas de seu reino (1 Sm 28). Na véspera da batalha ele apelou para a médium de En-Dor, à procura de alguma palavra de esperança. Mas alguns entendem que Samuel (e a questão sobre a identidade deste personagem nesta aparição é bastante discutida), morto havia muitos anos, apareceu para pronunciar o destino de Saul. "Amanhã tu e teus filhos estareis comigo" (1 Sm 28.19).

No dia seguinte, Saul enfrentou os filisteus no cume do Monte Gilboa, e lá ele e seus filhos morreram. Ferido, e não querendo ser capturado e torturado pelos inimigos, Saul lançou-se sobre sua própria espada. Os filisteus penduraram o seu corpo no muro de Bete-Seã. Os homens de Jabes-Gileade o resgataram, e a bravura deste ato agradou o novo rei, cujo primeiro ato foi resgatar os corpos de Saul e de seus filhos (1 Sm 31).

Davi – que nunca havia perdido o seu amor pelo rei – sofreu por este homem que deveria ter sido tão grande, mas que se mostrou absolutamente em falta, e entoou um cântico de lamento. "Ah! Ornamento de Israel! Nos teus altos, fui ferido; como caíram os valentes!... Saul e Jônatas, tão amados e queridos na sua vida, também na sua morte não se separaram! Eram mais ligeiros do que as águias, mais fortes do que os leões. Vós, filhas de Israel, chorai por Saul..." (2 Sm 1.19,23,24).

P. C. J.

**SAULITAS** *Veja* Saul[1] 2.

**SAULO** O nome hebraico do apóstolo Paulo (*q.v.*).

**SAUSA** Secretário ou escrivão de estado durante o reinado de Davi (1 Cr 18.16). A omissão óbvia de sua ascendência em uma lista bem documentada de oficiais, tem levado à especulação de que ele era estrangeiro de nascimento, e especialmente colocado nesta posição para tratar da correspondência estrangeira de Davi. Seu nome é arameu. Seus filhos serviram como secretários de Salomão (1 Rs 4.3, onde Sisa é provavelmente uma variação de Sausa). Ele também pode ser idêntico a Seva (2 Sm 20.25) – uma forma abreviada de Sausa – e a Seraías (2 Sm 8.17; *veja* Seraías 1). Se Sausa e Seraías são a mesma pessoa, isto indicaria que em algum momento ele adotou um nome hebreu.

**SAVÉ, VALE DE** Um lugar onde o rei de Sodoma e Melquisedeque encontraram-se com Abraão (Gn 14.17,18), também chamado de "várzea do rei" ou "vale do Rei". Aqui Absalão erigiu um monumento para si mesmo (2 Sm 18.18). Este é um dos vales ao redor de Jerusalém, possivelmente o vale de Cedrom. *Veja* vale do Rei; Cedrom.

**SAVÉ-QUIRIATAIM** Uma planície nas proximidades da cidade de Quiriataim de Moabe, onde Quedorlaomer derrotou os emins (Gn 14.5). Mais tarde, Rúben recebeu este local e o reconstruiu (Nm 32.37; Js 13.19). A localização da cidade tem sido identificada por alguns com el-Qereiyat, aprox. oito quilômetros a noroeste de Dibom, ou com Qaryat el-Mekhaiyet, aprox. seis quilômetros a noroeste de Medeba. *Veja* Quiriataim.

**SCALPO** A coroa da cabeça ou o crânio (Sl 68.21, heb. *qodqod*; cf. Gn 49.26; Jó 2.7; Sl 7.16 etc.). O costume dos índios americanos de tirar o couro cabeludo (escalpo) dos adversários como um troféu de guerra não era praticado pelos antigos no Oriente Próximo. Ao invés disso, os egípcios cortavam as mãos dos inimigos derrotados e contavam-nas (ANEP #319, 340, 348). Já os assírios mutilavam os prisioneiros e decapitavam os reis vencidos, pendurando-os pela cabeça para que o público pudesse vê-los (ANET, p. 291; ANEP #361, 375, 451). Davi deu ao rei Saul o prepúcio de 200 filisteus que ele matou, e levou a cabeça de Golias a Jerusalém (1 Sm 18.27; 17.54).

**SEAL** Um dos filhos de Bani que expulsou sua mulher estrangeira (Ed 10.29).

**SEALTIEL, SALATIEL** A versão KJV em inglês traz Sealtiel exceto em 1 Crônicas 3.17. O texto grego do NT o chama de Salatiel (Mt 1.12; Lc 3.27). A versão ASV em inglês e todas as versões mais recentes o chamam de Sealtiel. (Exceto em Mateus 1.12; Lc 3.27). De acordo com várias referências, Sealtiel era o filho de Jeconias (Joaquim), o rei de Judá levado cativo para a Babilônia em 597 a.C., e o pai de Zorobabel, líder dos primeiros israelitas a retornarem do exílio (Ed 3.2,8; 5.2; Ne 12.1; Ag 1.1,12,14; 2.2,23). Na genealogia de Cristo em Mateus, a mesma relação é expressa (Mt 1.12). Não haveria problema exceto que: (1) O texto em 1 Crônicas 3.19 cita Pedaías, um outro filho de Jeconias, como o pai de Zorobabel; e, (2) a genealogia em Lucas chama Salatiel de filho de Neri (Lc 3.27). A maioria das versões modernas traduz 1 Crônicas 3.17 como "Jeconias, o cativo"; porém, se não traduzido, como em algumas versões, seria levantada a seguinte questão: Sealtiel era filho de Jeconias ou de um filho de Jeconias chamado Assir?

Lucas traça a genealogia de Salatiel chegando até Nata, seu antepassado, filho de Davi, ao invés de traçá-la através da linhagem dos reis judeus que descendiam de Salomão. Uma explicação é que Joaquim morreu sem filhos, cumprindo a profecia de Jeremias de que Conias (ou Jeconias/Joaquim – veja Jr 22.24; 37.1) não teria descendentes diretos sobre o trono de Davi (Jr 22.24-30). Com o fim da linhagem de Salomão, a linhagem real continuaria adotando Salatiel que descendia de Natã. Tábuas de barro encontradas na porta de Istar da Babilônia falam de Joaquim, rei de Judá, e dos cinco filhos do rei de Judá (ANET, p. 308), mas os nomes dos príncipes não são expressos, e assim estes não precisam ser assumidos como seus filhos verdadeiros.

Uma outra explicação é que Joaquim teve filhos nascidos na Babilônia de suas mulheres que foram levadas para o exílio com ele (2 Rs 24.15). Ele foi considerado "sem filhos", porém, por não ter nenhum filho para sucedê-lo no trono. Um dos filhos de Jeconias pode ter morrido sem filhos, e Neri casou-se com a viúva; Salatiel nasceu desta união. Neri seria assim o pai verdadeiro (de acordo com Lucas), mas Jeconias (de acordo com Mateus) um ancestral legal (SDA Dic. p. 991).

Também se discute se Salatiel ou Pedaías foi o verdadeiro pai de Zorobabel (*q.v.*). Visto que Lucas fornece a linhagem de sangue ao invés da genealogia real e legal de Cristo, podemos presumir que Sealtiel, que gerou Zorobabel, morreu pouco depois e que o menino foi criado por Pedaías e contado como "filho" de seu pai adotivo.

P. C. J. e J. R.

**SEARIAS[1]** Filho de Azel, um descendente do rei Saul (1 Cr 8.38; 9.44).

**SEARIAS[2]** Filho de Jeroão, um benjamita que residia em Jerusalém na época do cativeiro (1 Cr 8.26).

**SEAR-JASUBE** O pequeno filho de Isaías

que acompanhou o profeta quando este foi ao encontro do rei Acaz (Is 7.3). Seu nome, que significa "um resto volverá", era um sinal e profecia para Israel (Is 8.18). É possível que Isaías estivesse apontando para Sear-Jasube, enquanto falava as palavras registradas em Isaías 7.15-17, indicando assim que esta criança, e não o futuro Emanuel do v.14, era aquele que ele considerava como um sinal de que em breve o rei da Assíria marcharia sobre a Síria, Israel e Judá.

**SEBA, SEBÁ, SABÁ.** Em hebraico existem duas formas de escrita diferentes deste nome, *sheba'* (veja 1-3 abaixo) e *sh$^e$ba'* (veja 4-7).
1. Um descendente de Abiail da tribo de Gade que viveu em Gileade (1 Cr 5.13,16).
2. Filho de Bicri da tribo de Benjamim. Depois que a rebelião de Absalão havia sido dominada, Seba aproveitou a intranqüilidade e a confusão que se seguiram para incitar maiores problemas para Davi (2 Sm 20.1-22). Ele chamou as tribos da parte norte do reino para se unirem a ele, com a finalidade de destituir o rei. Embora o seu grito de guerra de rebelião tivesse um efeito de reagrupamento na época, foi mais tarde usado por Jeroboão de forma bem sucedida (1 Rs 12.16). No entanto, muitos daqueles que tinham vindo para receber Davi em casa voltaram-se e seguiram Seba, de forma que Davi sentiu-se temeroso. Visto que Seba era da tribo de Benjamim, ele recebeu algum apoio da casa de Saul, e capitalizou sobre a rivalidade que sempre havia existido entre Judá e o norte.
Uma vez que Davi não quis admitir para Joabe o seu erro de ter escolhido Amasa para ser o novo comandante do exército, ele chamou o irmão de Joabe, Abisai, para liderar a campanha contra Seba, sabendo que ele teria a ajuda de Joabe. Como Davi esperava, Abisai foi até Joabe, e Joabe não perdeu tempo na perseguição a Amasa. Quando eles se encontraram, Joabe fingiu amizade deixando sua espada e procurando beijar Amasa. Porém ele tinha uma segunda espada escondida em sua capa com a qual matou o seu rival. Ele, então, começou a perseguir Seba até Abel-Bete-Maaca no extremo norte de Israel. Os únicos homens que ainda continuavam com Seba eram os beritas, que faziam parte de seu próprio clã. Embora a rebelião parecesse estar prestes a terminar por conta desta ajuda, Joabe decidiu esmagá-la completamente. Abel era uma das aldeias conhecidas por manter a tradição dos israelitas, e as disputas das várias tribos eram freqüentemente levadas ali para serem resolvidas. Uma mulher sábia da aldeia perguntou a Joabe se ele também iria castigar os inocentes, e ele foi inteligente o bastante para responder que queria apenas o culpado. Ele percebeu que o reino tinha problemas suficientes, e que as tribos do norte precisavam ser pacificadas ao invés de enfurecidas através de novas disputas. O povo de Abel jogou a cabeça de Seba por cima do muro para Joabe, e assim a rebelião terminou.
3. Uma cidade de Simeão, ao sul de Judá (Js 19.2), geralmente acredita-se que ela foi confundida com Berseba, ou Sema de acordo com o texto de 1 Crônicas 4.28 na LXX, e a lista paralela em Josué 15.26. Se ela fica perto ou faz parte de Berseba, pode ser Tell es-Saba', onde a ocupação teve início na Idade Média do Bronze (2100-1550 a.C.), aprox. 3 quilômetros a leste do tradicional poço de Berseba.
4. Um povo de genealogia cuxita, com descendência através de Raamá, um grupo semita do sudoeste da Arábia (Gn 10.7; 1 Cr 1.9). *Veja* Sabeus. Eles provavelmente tinham uma ligação pela linhagem ou pelo comércio com o povo de Seba (*q.v.*), cruzando os estreitos de Bab al Mandeb no leste da África, equivalente ao moderno Sudão, ao qual o termo bíblico Cuxe às vezes é aplicado.
5. Um povo semita, descendente de Sem através de Joctã (Gn 10.28; 1 Cr 1.22), que talvez possa ser identificado com a pessoa ou o povo mencionados no tópico 6 abaixo. Estes provavelmente foram os sabeus nômades que saquearam o rebanho de Jó (Jó 1.15), uma vez que ele vivia no norte da Arábia no início do segundo milênio a.C.
6. Filho de Jocsã, filho de Abraão com Quetura, que supostamente viveu em Edom ou no norte da Arábia (Gn 25.3; 1 Cr 1.32).
7. No momento parece impossível determinar qual das últimas três pessoas ,ou povos citados acima, foi o ancestral do povo de Seba do primeiro milênio a.C. Eles são mencionados várias vezes no AT em conexão com as suas caravanas e comércio de incenso, ouro e pedras preciosas (Jó 6.19; Sl 72.10,15; Is 60.6; Jr 6.20; Ez 27.22,23; 38.13). *Veja* Sabeus.
Embora os sabeus fossem originalmente nômades, tem-se agora bastante certeza de que eles se estabeleceram no sul da Arábia no século XII a.C. No século X, Seba estava tão bem estabelecido que um de seus monarcas, a rainha de Sabá de 1 Reis 10.1-13, viajou aprox. 1.900 quilômetros de camelo para visitar o rei Salomão. *Veja* Rainha 3. A maioria dos estudiosos acredita que o propósito maior de sua viagem tenha sido negociar um acordo comercial com Israel a fim de proteger o tráfego vital de especiarias das caravanas de Sabá. Seu interesse pela sabedoria de Salomão foi contrastado – pelo Senhor Jesus Cristo – com a complacência dos judeus da época, que se recusavam a reconhecer que aquele que é maior que Salomão estava presente (Mt 12.42). Tanto as inscrições assírias como as do sul da Arábia testemunham a presença de rainhas na Arábia já no século VIII a.C. (NBD, p. 1172).

A. W. W.

**SEBÁ** A ortografia hebraica é *s$^e$ba'* (cf. Seba 4).

A inscrição de Sebna, do Museu Britânico. BM

1. Nome do primeiro descendente de Cuxe, filho de Cam, que povoou o sul da Arábia antes da época de Moisés (Gn 10.7; 1 Cr 1.9).
2. Nome de uma terra, o Sudão ou a parte norte da Etiópia, incluindo Meroe (Sl 72.10; Is 43.3). Os habitantes (também conhecidos como sabeus, *q.v.*) eram abastados, e de elevada estatura, e um dia reconhecerão o Deus de Israel (Is 45.14). Assume-se, de forma geral, que este nome foi dado à região por colonos sabeus que vieram do sudeste da Arábia.

**SEBÃ** Uma cidade no distrito pastoral das terras altas, a leste do Jordão, que foi requisitada e dada às tribos de Rúben e Gade (Nm 32.3). É provavelmente o mesmo lugar de Sibma (Nm 32.38). O nome é usado para uma cidade famosa por suas vinhas e frutos de verão exuberantes (Is 16.8,9; Jr 48.32). Têm sido feitas algumas tentativas de identificá-la com Qurn el-Kibsh, nas proximidades do monte Nebo, cinco quilômetros a sudoeste de Hesbom.

**SEBANIAS**
1. Um sacerdote na época de Davi; um daqueles que tocaram a trombeta diante da arca, quando foi trazida da casa de Obede-Edom para Jerusalém (1 Cr 15.24).
2. Um levita nos dias de Neemias. Ele se pôs em pé com outros levitas "no lugar alto" oferecendo clamores de confissão e adoração no grande dia nacional de arrependimento. Ele também assinou a aliança de Neemias (Ne 9.4,5; 10.10).
3. Um sacerdote que assinou a aliança de Neemias. Seu filho José é mencionado como um proeminente sacerdote nos dias do sumo sacerdote Joiaquim (Ne 10.4; 12.14).
4. Um outro levita que assinou a aliança de Neemias (Ne 10.12).

**SEBARIM ou PEDREIRAS** Após a repulsa do primeiro ataque de Ai, os homens da cidade perseguiram os israelitas "até às pedreiras" ou até "Sebarim" (Js 7.5). Nenhum traço desta cidade foi encontrado até o presente, e pode ser corretamente traduzido como "pedreiras". Este termo também pode significar "lugares quebrados" ou desfiladeiros nos penhascos, como aqueles que existem ao longo da foz do Uádi Lereid ou do Uádi Sneisil partindo de Betel e Ai em direção a Gilgal e Jericó (WBC, p. 214; E. G. Kraeling, *Bible Atlas*, Chicago. Rand McNally, 1956, p. 135).

**SEBATE** O décimo-primeiro mês do ano religioso judaico, começando na lua nova de Fevereiro (Zc 1.7). *Veja* Calendário.

**SEBE** No Novo Testamento, este termo designa uma cerca de qualquer tipo (Mc 12.1; Lc 14.23). O Antigo Testamento usa duas raízes hebraicas, uma significando um muro de pedra (*gdr*, Sl 80.12; 89.40; Ec 10.8; Na 3.17), e a outra, uma cerca de espinhos (*suk*, Pv 15.19; Os 2.6). As sebes eram plantadas para proteger as videiras (Is 5.5). O verbo "cercar" tem sido usado para expressar a proteção de Deus (Jó 1.10) ou os seus limites (Jó 3.23). *Veja* Cerca; Plantas: Sebe.

**SEBER** Filho de Calebe com sua concubina Maaca (1 Cr 2.48).

**SEBNA** Um alto oficial da corte do rei Ezequias. A princípio ele tinha uma função que é chamada de "tesoureiro" nas Escrituras (Is 22.15; heb. *soken*, "administrador"), ou ainda aquele "que está no comando da casa", isto é, o mestre do palácio. Esta posição, na verdade, só era menos importante do que a posição do rei, e corresponderia mais aproximadamente ao cargo de primeiro-ministro. Uma vasta denúncia de Sebna foi proclamada por Isaías, condenando-o por seu orgulho e arrogância, e ele foi deposto e substituído por Eliaquim (Is 22.15-20). Sebna, sem dúvida, alguma, defendeu-se, ignorando as advertências de Isaías contra a aliança com o Egito, uma nação idólatra (Is 30.1-5; 31.1-3; 36.6-9), pois ele parece ter sido um líder na facção pró-Egito nos concílios de estado dos judeus (WBC, p. 625). Como um líder do remanescente piedoso que ainda confiava no Senhor, Eliaquim (*q.v.*) colocou-se em contraste com Sebna, que tinha uma mente mundana.
Sebna foi particularmente condenado pelo sepulcro pomposo que estava construindo, tal-

vez, ao custo da negligência para com os seus deveres oficiais. Um lintel inscrito de tal tumba no estilo fenício, colocado em um lugar proeminente em uma necrópole de cerca de 50 tumbas semelhantes foi encontrado em 1870 por C. Clermont-Ganneau na aldeia de Silwan, a leste do vale de Cedrom. A inscrição gasta e danificada pelo tempo foi decifrada, e nela se lê o seguinte: "Este é [o sepulcro de...] yahu que está no comando da casa. Não há prata nem ouro aqui, além de [seus ossos] e os ossos de sua esposa escrava com ele. Maldito seja o homem que abri-lo!" Visto que o nome Sebna em Isaías 22.15 é aparentemente uma abreviatura de "Shebanyahu", por não haver nenhuma menção no AT de um outro oficial real "no comando da casa" com um nome que termine com yahu, que tenha sido sepultado perto de Jerusalém, e visto que a redação é própria do tempo de Ezequias, os estudiosos acreditam que uma identificação desta inscrição com o Sebna bíblico é bastante provável.

Faltava apenas um passo para a demoção de Sebna. O cargo de "escrivão" ou "secretário" no qual ele serviu, era, na verdade, muito próximo ao de Secretário de Estado de nossos dias (veja R de Vaux, *Ancient Israel*, Nova York. McGraw-Hill, 1961, pp. 129-131). Sebna mostrou-se bastante ativo nas tensas negociações com Senaqueribe (2 Rs 18.18, 26,37; 19.2; Is 36.3,11,22; 37.2).

O nome Sebna ou Sebanias (cf. 1 Cr 15.24) é encontrado em vários selos palestinos e na inscrição da alça de um jarro.

***Bibliografia.*** N. Avigad, "The Epitaph of a Royal Steward from Siloam Village", IEJ, III (1953), 137-152; "The Second Tomb-Inscription of the Royal Steward", IEJ, V (1955), 163-166. David Ussishkin, "On the Shorter Inscription from the 'Tomb of the Royal Steward'", BASOR #196 (1969), 16-22; "The Necropolis from the Time of the Kingdom of Judah at Silwan, Jerusalem", BA, XXXIII (1970), 33-46.

P. C. J.

**SEBUEL**

1. Um descendente de Gérson e Moisés que era um chefe do tesouro da casa de Deus (1 Cr 23.16; 26.24). Em 1 Crônicas 24.20, ele é chamado de Subael.
2. Um dos 14 filhos de Hemã, o vidente do rei (1 Cr 25.4); chamado de Subael no v. 20, onde ele é mencionado como o antepassado e cabeça de um dos 24 turnos dos cantores do Templo.

**SECA** Esta palavra está relacionada à fome, um dos juízos de Deus no Antigo Testamento. A água é geralmente um prêmio na Palestina. Uma vez que a chuva era a principal fonte de água tanto para a lavoura quanto para o consumo humano, a seca prolongada significava um desastre para a Palestina (cf. 1 Rs 17.1; Tg 5.17). Além das dificuldades parciais pela falta das chuvas de inverno, o Antigo Testamento menciona freqüentes secas no verão (cf. Sl 32.4) causadas pela influência do vento leste (cf. Os 13.15).

No Antigo Testamento, a religião e a natureza estavam relacionadas. O Senhor ensinou ao seu povo que Ele controlava a natureza. E assim, ao longo da história de Israel, Ele fez uso das secas e de outras calamidades da natureza para exortá-los ao arrependimento (cf. 1 Rs 17.1; 18.17,18; Ag 1.6,9-11; 2.16,17). A obediência e a prosperidade (cf. Sl 1.1-3; Pv 3.7-10; Is 1.19), a desobediência e a escassez (cf. Lv 26.14-16) eram irmãs gêmeas siamesas na Bíblia Sagrada. Um dos aspectos da Era Messiânica será a abundância de chuvas e de fertilidade da natureza (Jl 2.23ss.).

D. W. D.

**SECACA** Uma cidade na região despovoada de Judá, perto de Nibsã e Midim (Js 15.61). Foi identificada por Cross e Milik como sendo Khirbet es-Samrah, 8 quilômetros a sudeste de Qumran no vale de Buqê'ah (BASOR, #142 [1956], p. 16). Por outro lado, ela pode ser um dos três sítios da Idade de Ferro ao longo da costa oeste do mar Morto investigados em 1965-66 (*veja* Nibsã).

**SECANIAS**

1. O significado exato do texto não está claro, mas, aparentemente, nos dias de Esdras, Secanias foi filho de Obadias, um descendente de Davi e Zorobabel (1 Cr 3.21,22). Ele pode ter sido um daqueles que foram listados abaixo, 4-7.
2. O cabeça do décimo turno de sacerdotes designados por sorte por Davi para servirem no Templo (1 Cr 24.11).
3. Um sacerdote nos dias de Ezequias, um daqueles que foram designados para distribuir os dízimos entre os seus irmãos (2 Cr 31.15).
4. Um dos filhos de Parós e antepassado de Zacarias que havia retornado, e que com 150 homens acompanhou Esdras desde o exílio (Ed 8.3).
5. Um ancestral do filho de Jaaziel que retornou com Esdras junto com 300 homens, ou seguindo 1 Esd 8.32, Secanias, o filho de Jaaziel que retornou do exílio (Ed 8.5).
6. O filho de Jeiel, dos filhos e Elão, que como porta-voz do grupo arrependido propôs a Esdras que os judeus em aliança com Deus expulsassem suas mulheres gentias (Ed 10.2-4).
7. O "guarda da Porta Oriental" nos dias de Neemias. Seu filho Semaías ajudou na restauração do muro (Ne 3.29).
8. Filho de Ará e sogro de Tobias, o oficial amorreu nos dias de Neemias que se opôs ao trabalho, e que por relações familiares causou muitos problemas aos judeus (Ne 6.18).
9. Um dos chefes dos sacerdotes que retornou da Babilônia com Zorobabel (Ne 12.3).

P. C. J.

**SECO ou SECU** Uma cidade em Benjamim, perto de Ramá. Foi aqui que Saul, em perseguição a Davi, procurou obter informações a respeito de seu paradeiro (1 Sm 19.22). Este local ainda não foi identificado.

**SECRETAMENTE, ABANDONAR** *Veja* Divórcio.

**SECRETÁRIA** *Veja* Ocupações: Secretário.

**SECUNDO** Um crente de Tessalônica, e um companheiro de Paulo em seu retorno da Grécia. Ele, Aristaco, e outros acompanharam Paulo em sua viagem à Síria, a caminho de Jerusalém com ofertas para os pobres (At 20.4).

**SECURA** *Veja* Sequidão (1 Rs 8.37; 2 Cr 6.28; Am 4.9; Ag 2.17).

**SEDA** Fio produzido por lagartas que se alimentam das folhas de amora. Estes fios, por sua vez, se entrelaçam formando um tecido fino identificado pela palavra "seda" (Pv 31.22; Ez 16.10,13; Ap 18.12). Algumas versões traduzem a palavra hebraica *shesh* em Provérbios 31.22 como "seda", enquanto outras a traduzem como "linho fino". As referências em Ezequiel 16 referem-se à palavra hebraica *m*[e]*shi* que trata basicamente do que é alongado, no caso um fio muito fino. Por esta razão, alguns questionam freqüentemente se Ezequiel refere-se à seda da mesma maneira que o termo é usado hoje, apesar dos indícios de que esta mercadoria tenha chegado à Grécia e aos mercados do ocidente na época de Aristóteles. Os intérpretes rabínicos entenderam que a palavra significava seda. O texto em Apocalipse 18.12 apresenta a palavra grega *sirikos*, originada de *serikos*, significando algo feito de seda. Esta palavra é derivada de *Seres*, uma raça indiana de quem os gregos compraram a seda pela primeira vez, embora ela tenha, sem dúvida, vindo originalmente da China. De fato, o bicho da seda é chamado por alguns de *Sérico*, como no idioma inglês, "Seric worm". Na época do Novo Testamento, a seda era um artigo de elevado valor no comércio, utilizado para as roupas do imperador e literalmente valia o seu peso em ouro.

H. L. D.

**SEDE** Uma sensação dolorosa causada pela falta de água ou líquidos no estômago (Êx 17.3; Dt 28.48; Jd 15.18). Uma vez que pode ser acompanhada por paixões veementes, esta palavra pode ser usada nas Escrituras com alguns sentidos figurados: (1) de desejo por alimento ou nutrição espiritual (Sl 42.2; 63.1; Am 8.11,13; Mt 5.6; Jo 7.37); (2) da completa satisfação das necessidades espirituais do ser humano (Is 49.10; Jo 4.13,14; 6.35); e (3) do desejo insaciável pelo mal (Jr 2.25). Salomão exorta os maridos jovens a beberem a água de suas próprias cisternas (Pv 5.15), ou seja, que controlem as suas paixões, que cada um se satisfaça com sua própria esposa e seja fiel a esta.

**SEDEUR** Pai de Elizur, chefe da tribo de Rúben na época do Êxodo (Nm 1.5; 2.10; 7.30,35; 10.18).

**SEDIÇÃO ou REBELIÃO** Em Esdras 4.15,19; Lucas 23.19,25 e Atos 24.5 a idéia expressa é a de revolta ou rebelião contra o governo; em Gálatas 5.20, o tema é a dissensão entre os crentes.

**SEERÁ** Filha de Efraim que edificou as duas Bete-Horom, a Superior e a Inferior, como também Uzém-Seerá (1 Cr 7.24).

**SEFÃ** Um lugar, provavelmente uma cidade montanhosa na fronteira oriental ideal de Israel, citada em Neemias 34.10, mas omitida em Ezequiel 47.15-18. Pode ter se localizado nas redondezas do Hermom.

**SEFAR** Este era um monte do leste, situado na região sudoeste da Arábia. Estava provavelmente localizado no interior do Sul do Iêmem. Poderia ser, porém, Isfar, uma cidade situada nas proximidades do porto de Mirbat (Gn 10.30).

**SEFARADE** O próprio nome da região para a qual os exilados eram levados de Jerusalém (Ob 20). Sua localização exata é incerta. Os locais mais prováveis incluem Sparade em Bósforo, Sardes, Esparta e Espanha (como visto na expressão "Judeu Sefárdico", que designa aqueles que viveram na Espanha durante a Idade Média). É mais provável que seja um país próximo da Média, mencionado nos registros assírios de Sargão e Esar-Hadom, chamado de Sapparda, na Pérsia.

**SEFARVAIM**
Uma cidade que foi tomada de Ezequias pelos assírios, de acordo com a vangloria de Rabsaqué e Senaquerib (2 Rs 18.34; 19.13; Is 36.19; 37.13). Este local também forneceu colonos para repopular Samaria (2 Rs 17.24). Seu povo, os sefarvitas, adorava os deuses Adrameleque e Anameleque (v. 31).
Devido à forma dupla do nome, Sefarvaim foi primeiramente identificada com os gêmeos Sipparas, o Sippara de Samás e o Sippara de Anunitu, cujo local foi descoberto em 1881 por Hormuzd Rassam em Abu Habba, 25 quilômetros a sudeste de Bagdá. As cidades estavam localizadas nos lados opostos de um canal, e as escavações revelaram numerosos monumentos e inscrições. Durante o reinado de Nabonido, os Sipparas foram os lugares onde os babilônios, sob o

comando do filho do rei, lutaram contra o exército de Ciro, da Pérsia, e as suas derrotas ali pavimentaram o caminho para uma rápida rendição da Babilônia.
Por outro lado, as cidades Sipparas adoravam o deus sol e não as divindades citadas na Bíblia. O fato de Sefarvaim ser mencionada em conexão com Hamate e Arpade, sugere que sua localização deve ser pesquisada na Síria. Uma cidade chamada Sabaraim foi dominada por Salmaneser III, e esta é provavelmente a Sibraim de Ezequiel (47.16) na fronteira entre Damasco e Hamate. Portanto, foi sugerido que Sibraim era a leitura original, e que os escribas posteriores confundiram o nome com as cidades de Sippara, que eram maiores e mais famosas.

S. C.

**SEFATIAS**
1. O quinto filho de Davi. O nome de sua mãe era Abital (2 Sm 3.4; 1 Cr 3.3).
2. O harufita, um guerreiro benjamita que se uniu a Davi em Ziclague. Ele estava entre aqueles que eram habilidosos no uso da mão direita ou esquerda para arremessar pedras com a funda, ou atirar flechas (1 Cr 12.2,5).
3. O filho de Maaca. Ele era um príncipe da tribo de Simeão na época de Davi (1 Cr 27.16).
4. Um dos sete filhos do rei Josafá. Tendo recebido muitas riquezas de seu pai, ele foi morto com outros quando seu irmão Jeorão tornou-se rei (2 Cr 21.2,4).
5. O filho de Matã, um dos príncipes de Judá, que ouviu as palavras de Jeremias aconselhando-o a se render à Babilônia, e que aconselhou Zedequias a matar os profetas por atrapalharem o esforço de guerra (Jr 38.1,4).
6. A família de Sefatias, 372 dos quais retornaram com Zorobabel no primeiro retorno do exílio (Ed 2.4; Ne 7.9). Um outro grupo de 81 pessoas desta família retornou com Esdras, tendo Zebadias como seu chefe (Ed 8.8).
7. Uma outra família de Sefatias, listado entre os "filhos dos servos de Salomão", uma classe servil, que retornou com Zorobabel (Ed 2.57; Ne 7.59).
8. Pai de Mesulão e filho de Reuel, um chefe da tribo de Benjamim que retornou para viver em Jerusalém após o cativeiro (1 Cr 9.8).
9. Um descendente de Perez, filho de Judá, cujos descendentes estão listados entre os habitantes de Jerusalém nos dias de Neemias (Ne 11.4).

P. C. J.

**SEFELÁ** Nome dado em algumas versões (Js 15.33; 1 Cr 27.28) para as terras baixas ou contrafortes do sul da Palestina, entre a cordilheira central e o Mediterrâneo. Ela continha os centros de defesa estratégica de Laquis, Debir, Libna e Bete-Semes. *Veja* Palestina II B.2.*e*.

**SEFER** Uma montanha entre Queelata e Harada, locais mencionados nas peregrinações de Israel no deserto (Nm 33.23,24). Ela ainda não foi identificada, mas, provavelmente, situava-se na rota de viagem entre o monte Sinai e Cades-Barnéia. *Veja* Peregrinação no Deserto.

**SEFI** *Veja* Sefô.

**SEFÔ** Filho de Sobal, o filho de Seir de Edom (Gn 36.23; 1 Cr 1.40). Também chamado Sefi.

**SEFUFÁ ou SEFUFÃ** Um dos filhos de Bela, o filho primogênito de Benjamim (1 Cr 8.5). Ele tornou-se o principal antepassado dos sufamitas (Nm 26.39, onde seu nome aparece como Sufã). Em Gênesis 46.21, ele é chamado de Mupim e, em 1 Crônicas 7.12,15, Supim. Os nomes variantes podem ser explicados como o resultado de uma troca das letras *m* e *sh*, que eram semelhantes no alfabeto fenício usado em Israel no período pré-exílico.

**SEGAR** Ceifar, ou recolher o que restou nos campos após a colheita. Aplica-se não somente aos grãos, mas também às uvas e às olivas. As leis do Pentateuco proibiam que um proprietário segasse completamente os seus próprios campos, para que os pobres, os órfãos, as viúvas e os estrangeiros pudessem ter comida (cf. Lv 19.9ss.; 23.22; Dt 24.19-21; Rt 2).

**SEGREDO** *Veja* Mistério.

**SEGUBE**
1. O filho mais novo de Hiel, o betelita. Segube morreu pelo pecado cometido por seu pai, ao tentar reconstruir Jericó. De acordo com a palavra de Deus através de Josué, "Maldito diante do Senhor seja o homem que... reedificar esta cidade de Jericó! Perdendo o seu primogênito, a fundará e sobre o seu filho mais novo [Segube] lhe porá as portas" (Js 6.26; 1 Rs 16.34). Muitos acreditam que esses filhos foram oferecidos como sacrifícios humanos e sepultados no alicerce dos muros e dos portões da cidade para aplacar os deuses.
2. O filho de Hesrom (neto de Judá) e da filha de Maquir, que era pai de Gileade. Segube tornou-se pai de Jair, que possuía, provavelmente por conquista, muitas cidades em Gileade (1 Cr 2.21,22).

**SEGUIDOR** *Veja* Discípulos.

**SEGUNDA VINDA DE CRISTO** *Veja* Cristo, Vinda de.

**SEGURANÇA** Quando relacionada à posição do crente que resulta do trabalho de regeneração do Espírito Santo, essa é a doutrina que afirma que, uma vez que o pecador confiou em Cristo como Salvador, ele está eternamente salvo. Alguns negam esta doutrina completamente, enquanto outros a aceitam como inteiramente bíblica; outros ainda, que fazem parte desse último grupo, a distorcem e a utilizam mal, com a finalidade de encontrar abrigo para seu dissoluto modo de viver.

Aqueles que rejeitam a doutrina da eterna segurança são freqüentemente chamados de arminianos, embora o Arminianismo abrace conceitos que vão muito além de não se acreditar na eterna segurança do crente. É verdade, porém, que depois da morte de J. Arminius (1560-1609), seus seguidores, liderados por Episcópio, formularam cinco artigos de fé chamados de Representação. Eles estavam em oposição direta à Confissão Belga de Fé, e ao Catecismo de Heidelberg que enfatizava o que veio a ser chamado de os cinco pontos do Calvinismo, apresentados no Sínodo de Dordrecht (1618-1619). No sistema teológico de Calvino, os cinco pontos lidam com a "perseverança final", que é o termo geralmente usado para a segurança do crente. O termo "Calvinista" é geralmente aplicado àqueles que aceitam a doutrina. Mas também deve levar-se em conta que o Calvinismo, como um sistema teológico, envolve bem mais do que essa doutrina.

Essa doutrina não deve ser confundida com a doutrina de garantia (*q.v.*). A segurança é a obra de Deus, enquanto que a garantia resulta da aceitação por parte do homem, e de sua confiança nessa obra. Não há segurança fora da genuína salvação, isto é, da regeneração. A doutrina não fornece uma licença para pecar. Deus jamais tolera o pecado, e essa doutrina não implica de forma alguma que Ele o faça. A veracidade da segurança também não significa que o crente deva sentir-se sempre salvo e seguro. Ela significa, inquestionavelmente, porém, que aqueles que verdadeiramente nasceram de novo através da fé pessoal em Jesus Cristo como Senhor e Salvador jamais se perderão. Eles estarão eternamente salvos.

Apesar de a doutrina ter sofrido muitas negligências, mau uso e confusão, ela permanece um claro ensino da Palavra de Deus. A questão central é, Cristo fez o suficiente na cruz para tornar possível que Deus Pai mantivesse o crente pecador a salvo? Caso admita-se que o pecador não possa fazer nada para merecer ou conquistar a salvação, então se deve, logicamente e escrituralmente, admitir que o pecador que foi salvo não pode fazer nada para se manter salvo.

Como o crente está relacionado com a Trindade divina, sua segurança é certa. O crente está relacionado com Deus, o Pai, em seu propósito (Ef 1.4), em seu poder (Ef 1.19,20), e em seu Amor (Rm 5.7-10). O Pai também ouviu a oração de Seu filho a favor daqueles que eram dele (Jo 17.9-12). O crente está relacionado com Deus, o Filho, pois Ele morreu pelo pecador (Rm 8.34); Ele levantou-se da sepultura provendo a vitória sobre a morte (Cl 3.1); Ele é o advogado do crente (1 Jo 2.1,2) e seu intercessor (Hb 7.25). O crente também está relacionado com Deus, o Espírito Santo, através da regeneração (Tt 3.5), de sua habitação e permanência no crente (Rm 8.9), do batismo (1 Co 12.13), e do selo (Ef 4.30).

Aqueles que rejeitam essa doutrina geralmente encontram apoio em passagens das Escrituras completamente extraídas de seu contexto, ou de passagens que enfatizam a justiça cristã como a evidência de uma verdadeira obra de regeneração. As Escrituras estão repletas de evidências da segurança do crente, mas há três passagens centrais que ensinam essa doutrina (Jo 10.27-30; Rm 8.35-39; 1 Pe 1.3-5). *Veja* Perseverança.

R. P. L.

**SEGURANÇA ETERNA** *Veja* Segurança.

## SEIO

1. Nas Escrituras, a palavra seio refere-se ao peito humano, tanto de forma literal quanto figurada. Uma pessoa segura uma criança ou abraça alguém que ama junto ao seio (Nm 11.12; Rt 4.16; 1 Rs 3.20). O seio também é o lugar do afeto e do amor, a parte íntima de um ser (Dt 13.6; Sl 89.50; Pv 6.27). Ele descreve um lugar de especial intimidade (Jo 1.18). O termo "seio de Abraão" (*q.v.*) refere-se ao céu, onde o "Pai dos fiéis" recebe Seus filhos para uma paz e repouso finais (Lc 16.22).

2. O uso do termo "seio", que é peculiar ao oriente, também é encontrado no ocidente. As longas vestes, presas à cintura por um cordel, proporcionam um conveniente lugar de transporte, como uma bolsa, nas dobras do material junto ao seio. Assim, essa palavra, muitas vezes, refere-se a esse bolso onde o pão, os grãos e até ovelhas eram carregados (Êx 4.6,7; Pv 17.23; Is 40.11).

## SEIR

1. Uma terra montanhosa habitada pelos edomitas. A etimologia (heb. *se'ir*) sugere algo peludo ou felpudo, e pode descrever a vegetação da antiga paisagem. Contudo, o nome pode ser um epônimo, pois Seir é mencionada uma vez na carta #288 de Amarna escrita em Jerusalém (ANET, p. 488), e em uma inscrição egípcia antiga que narra a vitória de Ramsés III, nessas redondezas (aprox. 1200 a.C.), sobre uma tribo beduína chamada Saira ou Seirim (JewEnc, IX, 462). Assurbanipal talvez se refira a Seir como Sa'arri no registro de sua campanha contra os árabes; o nome ocorre depois de Haurã e Moabe (ANET, p. 298). O texto em Gênesis 36.8,9,30 liga o nome com Edom ("vermelho") e Esaú ("peludo").

A referência bíblica primária é geográfica, designando a região montanhosa a sudeste

O Khazneh, ou tesouro público, em Petra (capital de Seir ou Edom), provavelmente a tumba de um rei nabateu. MIS

do mar Morto. *Veja* Halaque. Um dos pontos mais altos de Seir era o Monte Hor, onde Arão foi sepultado (Nm 20.27,28). Parece que mais tarde o nome Seir foi aplicado a todo o território de Edom, tanto a sudeste quanto a sudoeste do mar Morto.
Os primeiros habitantes da região conhecidos pelo AT eram os horeus (Gn 14.6; Dt 2.12). Seir é listado como avô dos horeus (Gn 36.20,21; 1 Cr 1.38). Os filhos de Esaú os substituíram (Gn 32.3; 33.14,16; Dt 2.4,5,8, 29; Js 24.4). Os edomitas (Nm 24.18) eram vizinhos de Israel nessa área até cerca de metade do século V a.C., quando foram derrotados pelos guerreiros de tribos árabes, mais tarde conhecidos como nabateus (*q.v.*).
Seir é um nome significativo no AT, como sinônimo de Edom e Esaú. Os povos aos quais os três nomes aplicam-se tinham uma relação única com Israel. Os três termos estão relacionados na genealogia de Esaú (Gn 36). As atitudes ambivalentes de irmandade e inimizade competitiva estão refletidas no ciclo de narrativas de Jacó em Gênesis 25–36. A mesma tensão é revelada quando, para fazer uma mudança de percurso, Moisés e os israelitas são forçados a passar por Edom (Nm 20; Dt 2.4-8).
Davi subjugou Edom brutalmente (2 Sm 8.14) e sucessivas gerações de reis da Judéia esforçaram-se em vão para manter esta sujeição (2 Rs 8.20-22; 14.7-10; 2 Cr 20). A tensão continuou através dos séculos. O texto em Lamentações 4.21ss. e Salmos 137.7 acusam Edom de ter prestado uma pérfida colaboração a um inimigo comum durante o saque de Jerusalém em 586 a.C.
Seir (= Edom) também faz parte das denúncias proféticas desse povo (Ez 25.8; 35.1-15). Nenhum outro povo, exceto os filisteus, é tão mencionado nas profecias contra as nações (Am 1.11,12; Is 21.11,12; 34; 63.1-6; Jr 49.7-22; Ez 32; Obadias; Jl 3.19; Ml 1.2-5; Zc 9.5ss.; Sl 60).
O Monte Seir transmite um outro significado. Junto com o Sinai e Parã, estas montanhas estão particularmente relacionadas com o Senhor. No cântico de Débora o Senhor é descrito como aquele que vem "de Seir" (Jz 5.4), em um contexto que também menciona o Sinai. Por ocasião da ministração da bênção ao povo de Deus, Moisés (Dt 33.2), semelhantemente, menciona as três montanhas. *Veja* Edom; Petra.
2. Uma cordilheira próxima a Jerusalém, na fronteira norte de Judá (Js 15.10). A moderna Saris, nas proximidades de Queslom, cerca de 16 quilômetros a oeste de Jerusalém, pode ter preservado esse nome.

***Bibliografia.*** Denis Baly. *The Geography of the Bible*, Nova York. Harper, 1957, pp. 239-251. L. H. Grollenberg. *Atlas of the Bible*, trad. e ed. por Joyce M. H. Reid e H. H. Rowley, Nova York. Thomas Nelson & Sons, 1956, p. 161. J. Simons, *The Geographical and Topographical Texts of the Old Testament*, Leiden. E. J. Brill, 1959, pp. 68, 435. G. A. Smith, *The Historical Geography of the Holy Land*, Londres. Hodder & Stoughton, 25ª ed. rev., 1931, pp. 557-576.

J. D. W. W.

**SEIRÁ** Este nome é redigido como Seirate em algumas versões. Um lugar (o nome significa "arborizado") na área montanhosa de Efraim, para a qual Eúde, o juiz, escapou após ter assassinado Eglom (Jz 3.26). Este local ainda não foi identificado. A partir de Seirá, Eúde exortou os israelitas a perseguirem os moabitas (vv. 27-29).

**SEITA** A palavra grega *hairesis* traduzida como "seita" em algumas versões significa literalmente "divisão" ou "partido", sem uma conotação depreciativa. Ela era usada para falar das várias escolas filosóficas de pensamento. É usada nesse sentido neutro a respeito dos fariseus e saduceus em Atos 5.17; 15.5. Nos últimos capítulos do livro de Atos, onde ela é usada em relação aos cristãos, começa a aparecer um tom mais crítico (24.5; 26.5; 28.22). Em 1 Coríntios 11.19; Gálatas 5.20 e 2 Pedro 2.1, algumas versões a traduzem como "heresias". Embora não se possa ter a certeza de que esta palavra passou a ser sinônimo de falsas doutrinas assim tão cedo, ela é usada aqui no sentido de "dissensão" ou "opiniões destrutivas" (Arndt. p. 23).

***Bibliografia.*** H. Schlier, "*Airesis*", TDNT, I, 180-184.

**SELA¹** O substantivo "sela" (heb. *merkab*) só aparece em Levítico 15.9. Ele significa "assento de cavalgadura" e refere-se ao couro ou mantel apertado nas costas do animal. Este assento de cavalgada não tinha nenhuma semelhança com a sela moderna. No entanto, houve uma melhora gradual no desenho, que deixou então a sela, durante o início da era do cristianismo, muito similar ao modelo atual.
O verbo heb. *habash*, que significa literalmente "amarrar, cercar" é sempre usado no sentido de albardar (Gn 22.3; Nm 22.21; Jz 19.10; 2 Sm 16.1; 17.23; 19.26).

**SELA²** Uma fortaleza edomita cujo nome heb. *sela'* (LXX. gr. *petra)* significa "pedra" ou "penhasco". A partir de excavações em 1929, 1933, e 1934 no topo de Umm el-Bayyarah, uma montanha de cume plano em Petra onde foram descobertas cerâmicas edomitas, a maior parte dos pesquisadores têm aceitado a identificação dessa acrópole com a Sela bíblica. É o único local na área de Petra com ruínas edomitas.
De acordo com 2 Reis 14.7, o rei Amazias de Judá capturou Sela em aprox. 790 a.C. e mudou o seu nome para Jocteel. O texto em 2 Crônicas 25.11,12 afirma que ele atirou

Um selo escaravelho do Egito

seus prisioneiros edomitas do "do mais alto da rocha" (heb. *hassala'*) o que equivale ao cume de um penhasco. Por volta de aprox. 840 a.C., o profeta Obadias condenou os edomitas que viviam "nas fendas das rochas" (heb. *sela'*, Ob 3; cf. Jr 49.16). Referindo-se a um julgamento vindouro contra Moabe, Isaías mencionou os moabitas em fuga, refugiando-se em Sela (em Edom) e enviando tributos de lá a Jerusalém (Is 16.1; WBC, p. 622). Mais tarde ele conclamou os habitantes de Sela a louvarem e glorificarem ao Senhor de toda a terra (Is 42.11). Uma passagem difícil de interpretar a respeito das fronteiras com os amorreus menciona Sela (Jz 1.36), mas ela pode referir-se a algum outro local não identificado.

A cidade de Umm el-Bayyarah, a mais de 1200 metros acima do nível do mar, eleva-se abruptamente 300 metros acima do fundo do vale dos nabateus (*q.v.*) e da cidade romana de Petra (*q.v.*), e tem uma vista imponente do Arabá, no oeste. Escavações posteriores, em 1960, 1963 e 1965 no cume dessa fortaleza natural, provaram que o povoado edomita era essencialmente de natureza doméstica e pertencia aos séculos VIII e VII a.C. Entre as descobertas estava a impressão de um selo de Qos-gabr, rei de Edom, um contemporâneo do rei Manassés de Judá (Crystal-M Bennett, "Exploring Umm el-Biyars, the Edomite Fortress-rock Which Dominates Petra", ILN, 30 de Abril de 1966, pp. 29-31). Ruínas de construções dos nabateus no cume confirmam a declaração de Diodoro da Silícia, de que os nabateus tinham ocupado a fortaleza e repulsado um ataque de Antígono em 312 a.C.

Como nenhum fragmento de cerâmica, mais antigo do que peças pertencentes ao final do século VIII a.C., foi encontrado em Umm el-Bayyarah, foi sugerida outra localização para a Sela bíblica. Uma pequena vila em Edom, 48 quilômetros ao norte de Petra, perto de Buseira (*veja* Bozra 1), chama-se Sela'. Nas proximidades, há um maciço rochoso ou penhasco com apenas um caminho para subir. Fragmentos de cerâmica, recolhidos em sua superfície, parecem ser de uma data mais antiga do que a daqueles que foram encontrados em Umm el-Bayyarah. Geograficamente, esse local estaria mais de acordo com as passagens do AT do que com a região de Petra (PEQ, XCVIII [1966], 123-126). Nessa Sela', ao norte, há evidências de um santuário que deve ser de origem edomita.

J. R.

**SELÁ[1]** Uma anotação musical (heb. *sela*). Encontrada principalmente nos Salmos, denotando uma pausa proposital no cântico dos Salmos, ou no acompanhamento instrumental. *Veja* Música.

**SELÁ[2]**

1. O terceiro filho de Judá com a filha de Sua, um cananeu (Gn 38.5,11,14,26; 46.12; Nm 26.20; 1 Cr 2.3; 4.21-23).
2. Filho de Arfaxade e pai de Héber (Gn 10.24 e 11.13 trazem o termo Salá; 1 Cr 1.18).

**SELA-HAMALECOTE** Este termo significa "rocha das divisões ou separações" (1 Sm 23.28). Era o desfiladeiro na área do deserto de Maom, uma parte do deserto de Judá (v. 25). Foi para esse lugar que Davi fugiu de Saul, e a divisão entre eles intensificou-se. Algumas versões trazem a expressão "Rocha de Escape" ou "Rocha da Separação". Talvez ela possa ser identificada com o Uádi el-Malâqi, um profundo desfiladeiro cerca de 13 quilômetros a leste-nordeste de Maom, na direção de En-Gedi.

**SELAÍTAS** Os descendentes de Selá (*q.v.*), filho de Judá (Nm 26.20).

**SELEFE** O segundo dos 13 filhos de Joctã (Gn 10.26; 1 Cr 1.20). Uma tribo iemenita com este nome é mencionada em inscrições sabaeanas encontradas no sul da Arábia.

**SELEMIAS** Um nome bíblico um tanto comum na época do exílio.

1. Uma forma abreviada de Meselemias, um levita designado como porteiro no Tabernáculo durante o reinado de Davi (1 Cr 26.1,2,14).
2. Filho de Cusi e avô de Jeudi a quem os príncipes enviaram para trazer Baruque com os escritos de Jeremias (Jr 36.14).
3. Filho de Abdeel enviado para prender Jeremias e seu secretário Baruque (Jr 36.26).
4. Pai de Jucal que foi enviado pelo rei Zedequias para solicitar a Jeremias que orasse por Judá (Jr 37.3), e que posteriormente relatou as palavras de advertência de Jeremias aos oficiais (Jr 38.1).
5. Filho de Hananias e pai de Jerias, o capitão da guarda que acusou Jeremias de influência traiçoeira (Jr 37.13).

6 e 7. Dois filhos de Bani (Binui) que concordaram em expulsar suas mulheres estrangeiras (Ed 10.39,41).

Um selo tipo carimbo do Egito, do segundo milênio a.C. BM

8. Pai de Hananias que ajudou na reedificação do muro de Jerusalém (Ne 3.30).
9. Um sacerdote designado por Neemias como o tesoureiro responsável pelos dízimos (Ne 13.13).

D. W. B.

**SELES** Um aserita, filho de Helém (1 Cr 7.35).

**SELÊUCIA** Nome dado a nove cidades do reino Selêucida por Seleuco I Nicátor. Dessas, apenas Selêucia Pieria é mencionada no NT. Construída por Selêuco em 300 a.C., em um ponto que está a 8 quilômetros ao norte da foz do Orontes, ela guardava a foz do rio e servia como um porto de Antioquia da Síria. Acima do porto, o monte Pieria elevava-se a partir do mar em uma série de saliências. A cidade baixa com o porto e os armazéns estava a um nível de aprox. 6 metros acima do cais; em uma plataforma muito mais elevada estava a cidade alta. A elevação realçava a magnificência dos prédios públicos e dos templos da cidade. Em sua primeira viagem missionária, Paulo e Barnabé embarcaram na Selêucia (At 13.4) e aparentemente retornaram a ela no final da viagem.

**SELO, SINETE** A palavra heb. *hotam* e a gr. *sphragis* descrevem a impressão do selo em si ou o instrumento com que ela foi feita (1 Rs 21.8).

*Forma.* O instrumento era um aparato esculpido ou entalhado usado para fazer um padrão distinto em argila, cera etc. O texto em Êxodo 39.6,14,30 fala da gravação de um selo, que teria várias formas. Na Bíblia, ele era freqüentemente uma pedra ("sinete") posta em um anel (Et 3.12; Jr 22.24) e usado em um 'braço' ou mão (Ct 8.6). O uso de um anel de selo é indicado no caso do Faraó dando seu anel a José (Gn 41.42), como um distintivo da delegação de sua autoridade; de Jezabel enviando cartas em nome de Acabe quando decidiu obter a vinha de Nabote por meio de uma falsa acusação e da apropriação ilegal (1 Rs 21.8-16); de Assuero dando seu anel ao iníquo Hamã (Et 3.10,12), e em seguida transferindo-o para Mardoqueu depois que a perfídia de Hamã foi exposta (Et 8.2); da selagem da cova dos leões depois que Daniel foi lançado nela por Dario (Dn 6.17). Em outros casos, o selo era do tipo carimbo, freqüentemente de formato cônico, e exemplares destes tipos foram encontrados (ANEP # 237). Na Babilônia ele era geralmente um cilindro com um furo ao longo de seu comprimento, para que fosse passado um cordão, de modo que ele pudesse ser usado ao redor do pescoço (Gn 38.18), ou em um eixo. Essa última configuração facilitava o ato de rolar o instrumento na argila molhada para reproduzir a imagem entalhada na superfície (cf. ANEP # 239-240 para selos cilíndricos, e # 276-278 para impressões de selos do tipo carimbo).

*Materiais.* Vários materiais foram usados para fazer selos. Terra cota, betume e pedra calcária foram freqüentemente achados, usados por pessoas mais pobres. Os abastados os mandavam fazer de carnalina, calcedônio, ágata, jaspe, cristal mineral e hematita. O entalhador comumente tinha que usar um "diamante" ou ponta de coríndon em seu pequeno instrumento para trabalhar com as pedras duras (Jr 17.1; *Veja* Jóias). Às vezes, o entalhe era afiado e claro, porém às vezes nem tanto (cf. ANEP # 703 e 704).

*Uso.* A maneira de formar um selo em argila para autenticar um documento era conhecida desde cedo na Bíblia (Jó 38.14). Não só documentos (Is 8.16), mas também recipientes de todos os tipos foram lacrados com um tampão de fechamento posicionado e então carimbado

Um selo cilíndrico acadiano: a matança da Hydra, de Asmar, Iraque. ORINST

com um selo de identificação. Em Israel, os cântaros eram carimbados pelo oleiro com a impressão de um selo em suas alças para identificação de seu proprietário. Em outros casos, a porta de um silo de grãos foi selada ao ser fechada, e a selagem colocada através do vão e impressa com a imagem do selo. Às vezes, a selagem era uma corda, mantida na posição por argila nos dois lados, e ambas as massas de argila recebiam a impressão do selo. Livros eram lacrados com selos (Ap 5.1).

Um exemplo do uso de selos em uma transação de negócios é o de Jeremias usando seu selo quando comprou, de acordo com seu direito de redenção, a herdade de Hananel, enquanto a cidade de Jerusalém ainda estava sitiada, e o profeta ainda estava na prisão (Jr 32.10). O uso de um selo também serve como confirmação de uma aliança (Ne 9.38; 10.1). A importância de um selo como algo do mais alto valor pessoal é expressa em Ageu 2.23, e a seriedade de sua perda é expressa em Jeremias 22.24.

*Modelos e inscrições.* O padrão dos selos antes da monarquia era semelhante ao dos selos da Mesopotâmia, com áreas bastante preenchidas, ou fileiras de homens, ou humanos com animais. Selos palestinos posteriores mostravam cabeças de leões ou leões, esfinges, efígies etc. Após o séc. VII a.C. houve uma mudança para o tipo com inscrições, geralmente de duas linhas. Um exemplo é o selo que tinha a inscrição: "Pertencente a Sema, servo de Jeroboão", encontrado em Megido. Selos egípcios de escaravelhos geralmente traziam o nome do rei egípcio reinante, e isso tem sido útil para identificar os conquistadores e datas das conquistas de cidades Palestinas.

Escavações palestinas desenterraram ao menos mil alças de jarras contendo vários tipos de impressões de selos. De especial interesse são impressões de selos reais carimbados em cântaros encontrados em várias cidades da Judéia. Acima do *modelo* – às vezes um escaravelho de 4 asas ou um disco solar de asas duplas – aparece a frase *l-m-l-k*, "pertencente ao rei", e abaixo está o nome de um dos quatro nomes de lugares, por exemplo, Hebrom, Socó, Zife, ou o enigmático *m-m-sh-t*. Aharoni crê que a variedade de quatro asas data do reinado de Ezequias, sendo anterior à invasão de Senaqueribe em 701 a.C., e que o outro tipo é subseqüente a esse evento. Os quatro nomes de lugares apontam para cidades de armazenamento que serviam como centros de cobrança de impostos das quatro zonas no recém-reorganizado sistema administrativo de Ezequias. Hebrom, Socó, e Zife eram respectivamente os centros da zona montanhosa, da Sefelá, e das regiões desérticas de Judá, enquanto *m-m-sh-t* é a forma abreviada do heb., *memshelet*, "governo", e significa Jerusalém (*Land of the Bible*, pp. 340-346).

Yigael Yadin, contudo, acredita que as quatro zonas foram organizadas para a defesa do reino do sul, e que *m-m-sh-t* deveria estar localizada nessa área do Neguebe. Ele propõe identificá-la como sendo a grande cidade fortificada da Idade do Ferro, Khirbet al-Gharra, 14 quilômetros a leste de Berseba ("The Fourfold Division of Judah", BASOR # 163 [1961], pp. 6-12). A. D. Tushingham prefere datar todos os selos em alças de jarras reais encontrados na cidade de Judá como pertencentes ao período do reinado de Josias, baseando-se na paleografia deles, nas evidências arqueológicas em Ramat Rahel, e na ocorrência de tais selos reais em Gezer e Jericó (BASOR #201 [1971], pp. 23-35).

*Uso Figurativo no NT.* O verbo gr. *sphragizo* é usado literalmente em várias ocasiões, por exemplo na selagem do sepulcro após o "sepultamento" de Jesus (Mt 27.66), a selagem de Satanás no abismo (Ap 20.3), e a ordem de não lacrar (ou selar) o conteúdo do livro do Apocalipse (Ap 22.10).

Contudo, a maior parte das referências a selos no NT é figurativa. Aquele que aceita o testemunho de Cristo certifica ("coloca o seu selo", NASB) que Deus é verdadeiro (Jo 3.33). A circuncisão era o selo de confirmação da justiça que foi imputada e recebida pela fé, antes que o rito em si tivesse sido constituído (Rm 4.11). Paulo autentica, ou valida, o seu ministério ao chamar seus convertidos de selo (1 Co 9.2). O cristão recebe um selo duplo de segurança por pertencer a Deus, por ser conhecido por Deus, e por apartar-se da iniqüidade (2 Tm 2.19).

Deus pôs o seu selo de aprovação em seu Filho quando enviou o Espírito Santo na forma de uma pomba sobre Jesus por ocasião de seu batismo (Jo 6.27). Em uma maneira similar, ao ser batizado no Espírito Santo, o crente é selado pelo Espírito Santo até o dia de sua redenção final (Ef 1.13; 4.30; 2 Co 1.22). Isso enfatiza tanto a autenticidade quanto a segurança de sua salvação, porque o Espírito Santo sempre permanece com eles (Jo 14.16,17) e eles pertencem a Deus para sempre. O Espírito Santo pode ser entristecido (Ef 4.30) ou extinto (1 Ts 5.19), mas não removido, porque a salvação é permanente (Jo 10.28-30; 14.16,17).

No tempo do fim, quando o Anticristo terá um tremendo poder e controle, Deus selará 144.000 das tribos de Israel com o seu Nome em suas testas (Ap 7.4-8; 14.1). Esse selo parece ser a marca de salvo-conduto assim como de posse. Satanás também selará os seus com a terrível marca da besta (Ap 13.16,17; 14.9,11; 15.2; 16.2; 19.20; 20.4). O Apocalipse também menciona o livro com os sete selos que contém a história do fim dos tempos (Ap 5.1,2) e que somente o Senhor Jesus Cristo pode abrir (5.5).

***Bibliografia.*** Yohanan Aharoni, *The Land of the Bible*, Filadélfia. Westminster, 1967. N. Avigad, "Ammonite and Moabite Seals", *Near Eastern Archaeology in the Twentieth Century* (Glueck Festschrift), J. A. Sanders. ed., Garden City. Doubleday, 1970, pp. 284-295. CornPBE, "Seals", pp. 656-659. David Diringer, "Hebrew Seals", DOTT, pp. 218-226. G. Fitzer, "*Sphragis* etc.", TDNT, VII, 939-953. Siegfried H. Horn, "Scarabs, Seals", BW, pp. 508-515. G. W. H. Lampe, *The Seal of the Spirit. A Study in the Doctrine of Baptism and Confirmation in The New Testament and The Fathers*, Londres. Longmans, Green, 1951. Olga Tufnell, "Seals and Scarabs", IDB, IV, 254-259. D. J. Wiseman e S. S. Smalley, "Seal, Sealing", NBD, pp. 1153-1156.

H. G. S.

**SELOMI** Um dos 12 homens comissionados para dividir a terra prometida; um aserita (Nm 34.27).

**SELOMITE**
1. A filha de Dibri da tribo de Dã. Ela casou-se com um egípcio, e seu filho foi apedrejado até à morte por blasfemar contra o Santo Nome de Deus (Lv 24.11).
2. A filha de Zorobabel (1 Cr 3.19).
3. O filho de Simei, chefe da família levítica de Gérson na época de Davi (1 Cr 23.9). No verso 10 Simei deve provavelmente ser Selomite.
4. Chefe dos filhos de Isar, da família levítica de Coate, na época de Davi (1 Cr 23.18; 1 Cr 24.22).
5. O filho de Zicri, um descendente de Eliézer, o filho de Moisés. Um levita proeminente na época de Davi, ele foi um dos guardas do tesouro do Templo (1 Cr 26.25,26,28).
6. O último filho de Roboão com sua mulher Maaca, a neta de Absalão (2 Cr 11.20).
7. De acordo com a versão KJV em inglês, os descendentes de Selomite, liderados pelo filho de Josifias, retornaram da Babilônia com Esdras. A versão RSV em inglês, seguindo o texto de 1 Esdras 8.36 apresenta o que pode ser a leitura correta. "E dos filhos de Selomite, o filho de Josifias, e, com ele, cento e sessenta homens RC (Ed 8.10).

P. C. J.

**SELOMOTE** *Veja* Selomite 4.

**SELUMIEL** Filho de Zurisadai, e príncipe da tribo de Simeão na época do êxodo (Nm 1.6; 2.12; 7.36,41; 10.19).

**SEM FORMA E VAZIA** *Veja* Caos.

**SEM** O primeiro filho de Noé (Gn 5.32; 6.10; 9.18; 10.1; 1 Cr 1.4). Com Noé, seu pai, e Jafé e Cam, seus irmãos, ele passou pelo Dilúvio na arca (Gn 7.13; 8.18). Depois do Dilúvio, Noé plantou uma vinha e embriagou-se com o seu fruto. Com a notícia de sua nudez, Sem tomou a iniciativa, com Jafé, de cobrir o corpo de seu pai (Gn 9.20-23). Por seu respeito filial, Sem recebeu a bênção do Senhor, e a Jafé foi dito que iria habitar "em tendas", isto é, encontrar abrigo e sustento (Gn 9.26,27). Pelo fato do evangelho ter sido levado pelos judeus aos gentios na Era Apostólica, pode-se ver que esta é primeiramente uma bênção espiritual.
Dois anos após o Dilúvio, com a idade de 100 anos, Sem gerou Arfaxade, o ancestral de Abraão (Gn 11.10-26), de quem veio o Messias (Lc 3.23,36). Sem viveu até 600 anos de idade (Gn 11.10,11).
A genealogia dos descendentes de Sem em Gênesis 10 é apresentada depois de Jafé e Cam, de acordo com o método do autor de lidar com os elementos subordinados primeiro para, depois, retornar à linhagem principal do povo do Senhor.
Muitos dos descendentes de Sem (Gn 10.21-31) são conhecidos por terem falado idiomas cognatos na Antiguidade, e estes idiomas foram convenientemente designados como "semitas". Porém este é um termo moderno, e não sugere que todos os descendentes de Sem falassem um idioma semita.

H. G. S.

**SEM** Uma localização geográfica significando "dente", que aparentemente refere-se a uma rocha projetada. Entre este local e Mispa, Samuel colocou a pedra Ebenézer comemorando a vitória de Israel sobre os filisteus (1 Sm 7.12). A RSV a identifica com a Jesana (*q.v.*) de 2 Crônicas 13.19.

**SEMA**
1. Uma cidade de Judá no extremo sul, perto da fronteira de Edom (Js 15.26). O local é desconhecido; ela pode ser a Seba mencionada em Josué 19.2 como uma cidade simeonita dentro das fronteiras de Judá.
2. Um dos filhos de Hebrom, filho de Calebe, da tribo de Judá. Ele foi o pai de Raão (1 Cr 2.43,44).
3. Um rubenita, filho de Joel e pai de Azaz (1 Cr 5.8). Em 1 Crônicas 5.4, aparentemente o mesmo homem é chamado de Semaías (*q.v.*).
4. Um benjamita, filho de Elpaal. Ele é listado como um líder tribal que conduziu os homens de Gate a partir do vale de Aijalom (1 Cr 8.13).
5. Este homem permaneceu com outros à direita de Esdras, enquanto ele lia as Escrituras ao povo nos dias de Neemias (Ne 8.4).

**SEMAÁ** Um benjamita de Gibeá, pai de Aiezer e Joás que se juntaram a Davi em Ziclague (1 Cr 12.3).

**SEMAÍAS** Nome de vários sacerdotes, levitas e profetas.
1. Um profeta que disse a Roboão que ele não deveria levar os soldados de Judá para a guerra contra Jeroboão, pois Deus havia dito. "Não subireis, nem pelejareis contra vossos irmãos, os filhos de Israel; volte cada um para sua casa, porque eu é que fiz esta obra" (1 Rs 12.21-24; 2 Cr 11.2). Ele é mencionado novamente nas Escrituras vindo a Roboão e seus oficiais que estavam em Jerusalém por causa da invasão de Sisaque, rei do Egito, e o cerco a Jerusalém. A mensagem de Deus para Semaías era que Deus tinha permitido o cerco, porque Judá o havia abandonado. Com o arrependimento de Judá, a ira de Deus foi desviada (2 Cr 12.5-7). Semaías escreveu um registro dos atos de Roboão (2 Cr 12.15).
2. Filho de Secanias, um descendente de Zorobabel (1 Cr 3.22). Alguns acreditam que ele foi um dos homens que ajudaram a reedificar o muro, e que também foi o guarda da Porta Oriental (Ne 3.29).
3. Pai de Sinri e um antepassado de Ziza,

um príncipe da tribo de Simeão (1 Cr 4.37).
4. Um membro da tribo de Rúben (1 Cr 5.4). É provável que tenha sido o próprio Sema (v. 8).
5. Filho de Hasube, um levita descendente de Merari que morou em Jerusalém (1 Cr 9.14; Ne 11.15). Ele estava entre aqueles que "presidiam sobre a obra de fora da Casa de Deus".
6. Um levita da família de Jedutum e pai de Obadias (ou Abda). Ele também é chamado de Samua (1 Cr 9.16; Ne 11.17).
7. Filho de Elisafã e cabeça da casa de 200 homens. Ele participou do transporte da arca da casa de Obede-Edom (1 Cr 15.8,11).
8. Filho de Natanael, um escriba, que na época de Davi registrou os nomes dos turnos sacerdotais (1 Cr 24.6).
9. Um levita coraíta, o filho mais velho de Obede-Edom, o geteu. Ele foi um porteiro do Templo (1 Cr 26.4,6).
10. Um dos levitas comissionados por Josafá em seu terceiro ano para ensinar ao povo sobre o livro da lei (2 Cr 17.8).
11. Um levita da família de Jedutum, o cantor, que ajudou na purificação do Templo no reinado de Ezequias (2 Cr 29.14).
12. Um dos homens encarregados das "ofertas voluntárias a Deus" (2 Cr 31.15). Alguns acreditam que ele seja o Semaías de 2 Crônicas 29.14.
13. Um chefe dos levitas no reinado de Josias que, com outros, fez grandes contribuições de sacrifícios para a Páscoa (2 Cr 35.9).
14. Filho de Adonicão que, com seus dois irmãos, trouxe 60 homens da Babilônia com Esdras (Ed 8.13).
15. Um dos "chefes" sob a liderança de Esdras que foi enviado com outros a Ido em Casifia para obter ministros para a casa de Deus (Ed 8.16).
16. Um sacerdote da família de Harim que expulsou sua mulher gentia em obediência à ordem de Esdras (Ed 10.21).
17. Um leigo da família de Harim que também havia se casado com uma mulher gentia (Ed 10.31).
18. Um profeta que foi subornado por Sambalate e Tobias para sugerir a Neemias que buscasse segurança no Templo, prejudicando, assim, a edificação do muro (Ne 6.10).
19. Cabeça da casa sacerdotal que retornou da Babilônia com Zorobabel (Ne 12.6,18). Alguns acreditam que ele seja o mesmo homem mencionado em 10.8 e 12.35.
20. Um dos príncipes de Judá na época da dedicação do muro ao redor de Jerusalém (Ne 12.34).
21. Um sacerdote e descendente de Asafe (Ne 12.35; veja 19).
22. Um cantor que participou da dedicação do muro (Ne 12.36).
23. Um dos trombeteiros sacerdotais que participaram da dedicação do muro (Ne 12.42).
24. Pai do profeta Urias de Quiriate-Jearim (Jr 26.20).
25. Um neelamita, um falso profeta repreendido por Jeremias por tentar atrapalhar a obra de Deus. Jeremias predisse a completa destruição de sua família (Jr 29.24-32).
26. O pai de Delaías, que foi um príncipe durante o reinado de Zedequias (Jr 36.12).

R. H. B.

**SEMANA** Uma unidade de tempo de sete dias sucessivos. Na Bíblia Sagrada, os dias da semana foram designados por números: "primeiro dia", "segundo dia" etc. O sétimo dia tornou-se conhecido como o sábado (Êx 20.10; 31.15). Em Daniel, a palavra heb. *shabua'* utilizada para "semana", refere-se a um período de sete anos (Dn 9.24-27), assim como a um período de sete dias (Dn 10.2,3, lit., "três semanas, dias").
*Veja* Tempo, Divisões do; Setenta Semanas.

**SEMANAS, FESTA DAS** *Veja* Festividades.

**SEMAQUIAS** Filho de Semaías, um coraíta. Ele era um porteiro do Tabernáculo no tempo de Davi (1 Cr 26.1,7).

**SEMARIAS**
1. Um guerreiro benjamita que se uniu a Davi em Ziclague (1 Cr 12.5).
2. O segundo filho de Roboão com sua mulher Abiail (2 Cr 11.19).
3. Um dos filhos de Harim que havia se casado com mulheres estrangeiras (Ed 10.32).
4. Um dos filhos de Bani que havia se casado com mulheres estrangeiras (Ed 10.41).

**SEMEADOR** *Veja* Agricultura; Ocupações: Fazendeiro.

**SEMEBER** Este homem era rei de Zeboim e aliado do rei de Sodoma quando foi atacado pelos reis do Oriente sobre o comando de Quedorlaomer (Gn 14.2).

**SEMEDE** Filho de Elpaal e edificador de Ono e Lode (1 Cr 8.12).

**SEMEI** Um ancestral do Senhor Jesus (Lc 3.26) que viveu no período intertestamentário. Este nome, na versão ASV em inglês e nas versões modernas neste idioma, tem sido redigido como *Semein*.

**SEMELHANÇA** A palavra hebraica $d^e$*msth* é usada com a idéia de uma semelhança exata (2 Rs 16.10,11; Gn 5.3). O seu uso em Gênesis 1.26 é especialmente interessante: o homem é feito à "semelhança" de Deus; este é um paralelo a *selem*, "imagem" (literalmente, algo *cortado* de algum lugar). Em Daniel 10.16, foi afirmado que uma semelhança exata ou similitude de um ser humano, um anjo com uma aparência tangível, tocou Daniel quando ele recebia uma revelação.

A palavra hebraica *tabnith* está relacionada com a idéia de uma construção ou estrutura. No Salmo 106.20 ela é um paralelo à "imagem fundida" do versículo 19; na símile elaborada, o Salmo 144.12, BDB (p. 125) sugere "como pedras de esquina lavradas, como colunas de um palácio".
O significado da palavra hebraica *t^emuna* se esclarece pela comparação de Neemias 12.8 e Deuteronômio 4.12,15,16. Moisés reitera que Israel não viu a *t^emuna* do Senhor, e conseqüentemente marca a direta e íntima comunhão de Moisés com Deus (cf. o livro de Números). Observe também o Salmo 17.15 onde a palavra é traduzida como "semelhança". Também importante é sua ocorrência como uma palavra chave no decálogo (Êx 20.4), traduzida como "semelhança".
O uso que Paulo faz da palavra grega *homoioma* dá a idéia de uma semelhança exata (Rm 5.14). O pecado dos outros homens não é, em todos os aspectos, exatamente igual ao de Adão. "A doutrina do significado particular do argumento desenvolvido é a de que a morte vem a todos os homens, não por causa da sua própria transgressão real, ou do seu pecado individual, mas por causa de seu envolvimento com o pecado de Adão; em outras palavras, por causa de um pecado solidário" (John Murray, *Romans*, NIC, 1960, p. 187).
Em Tiago 3.9, há uma referência a Gênesis 1.26, onde a palavra grega *homoiosis* é usada na LXX para traduzir a palavra mais precisa em relação ao paralelo hebraico *°elem*. Tiago, portanto, enfatiza graficamente a enormidade do pecado da língua que amaldiçoa o homem, que foi criado à semelhança de Deus.
O uso de *homoiotes* em Hebreus 7.15 parece enfatizar a forte correlação entre Cristo e Melquisedeque. O texto em Hebreus 7.15 pode ser um comentário esclarecedor sobre o Salmo 110.4, substituindo *homoiotes* pela palavra grega *táxis*, conforme a tradução da LXX.
*Veja* Imagem de Deus.

W. B. W.

**SEMENTE** Nas Escrituras, a palavra "semente" é usada tanto literalmente a respeito do organismo vegetal essencial que permite que as espécies se reproduzam (Gn 1.11) como para o sêmen humano (Lv 15.16; 18). Ela é também usada em muitos sentidos figurativos: referindo-se à prole humana, à descendência, à progênie (Gn 3.15; 13.15); referindo-se à "palavra do reino" (Mt 13.3-23); referindo-se "os filhos do Reino" (Mt 13.38); referindo-se à "Palavra de Deus" (Lc 8.11; 1 Pe 1.23); referindo-se ao "Reino dos céus" em si (Mt 13.31,32).
Paulo, Em Gálatas 3.16, para mostrar que as promessas feitas a Abraão cumpriram-se em Cristo e não em Israel, chama atenção para a forma singular da palavra "semente". O Senhor Jesus Cristo foi reconhecido pela Igreja primitiva como sendo a semente de Davi que reinaria para sempre (Sl 89.4; 2 Tm 2.8). Em 1 Coríntios 15.35ss., Paulo indica que a diferença entre o corpo do crente na ressurreição e aquele que foi sepultado é equivalente à diferença entre a semente e a planta totalmente desenvolvida. *Veja* Agricultura.

***Bibliografia.*** S. Schultz e G. Quell, "*Sperma* etc.", TDNT, VII, 536-547.

F. C. K.

**SEMER[1]**
1. Filho de Mali e pai de Bani, da tribo de Levi (1 Cr 6.46,47). *Veja* Semer 2.
2. Um aserita pai de quatro filhos (1 Cr 7.34), alternativamente, Somer (v. 32). *Veja* Semer[2] 3.

**SEMER[2]**
1. Proprietário do monte que Onri comprou, e que se tornou o local onde estava Samaria (1 Rs 16.24).
2. Um merarita (1 Cr 6.46; *veja* Semer 1).
3. Um aserita (1 Cr 7.34; *veja* Semer 2).

**SEMIDA** Um dos seis filhos de Gileade, da tribo de Manassés (Nm 26.32; Js 17.2; 1 Cr 7.19).

**SEMIDAÍTAS** Descendentes de Semida (*q.v.*; Js 17.2).

**SEMINITE ou TOM DE OITAVA** Um termo musical (1 Cr 15.21; em algumas versões é o título dos Salmos 6 e 12), talvez se referindo a oito cordas ou oitavas.

**SEMIRAMOTE**
1. Um músico levita da segunda ordem no coral fundado por Davi (1 Cr 15.18).
2. Um dos levitas enviados por Josafá no terceiro ano de seu reinado para ensinar a lei aos habitantes de Judá (2 Cr 17.8).

**SEMITA**
O nome "semita" foi sugerido pelo fato de a maior parte das nações listadas na Tábua das Nações (Gn 10.21ss.) terem sido descendentes de Sem. A origem do termo foi atribuída a A. L. Schlözer (1781). Todavia, a classificação dos especialistas modernos não coincide totalmente com a Tábua das Nações, mas tem sido revisada à luz das considerações lingüísticas. Por isso, Elão é classificado com os descendentes de Sem em Gênesis, mas hoje, devido a razões lingüísticas, não é considerado semita. Por outro lado, os cananeus eram de origem camita, mas falavam uma língua semítica.
Os semitas foram primeiramente encontrados na Ásia Ocidental e a leste da África. Seus territórios estenderam-se do Mediterrâneo (a oeste) até a Pérsia, o moderno Irã (a leste),

enquanto seu limite ao norte foi a Armênia, e ao sul o mar da Arábia e o Golfo Pérsico.
As principais teorias quanto à sua pátria original são as seguintes: (1) Babilônia (von Kremer, Guidi, e Hommel); (2) Arábia (Sprenge, Sayce, Schrader e Wright); (3) África com Arábia como seus primeiros lares asiáticos (Jastrow, Ripley, Barton, Palgrave); (4) A Arábia foi o lar nativo. Os egípcios seriam o resultado de uma mistura de imigrantes semitas com a população negróide precedente (Wiedemann, Breasted); (5) Amurru (a cuneiforme Uru) que está entre a Síria e a Mesopotâmia. A segunda visão é, atualmente, a mais aceita.
Os povos semitas causaram um profundo impacto sobre a história antiga. Os acádios (babilônios e assírios) foram proeminentes nos negócios do Crescente Fértil entre 2350 e 538 a.C. Por mais de um milênio, sua língua foi a *língua franca*. Os governantes mais notáveis foram: Sargão I, Hamurabi, Tiglate-Pileser I, Salmaneser III, Senaqueribe e Nabucodonosor. Sofisticadas culturas foram encontradas em Ur, Nínive, e Babilônia. A civilização acádia também é notável pelas leis codificadas de Hamurabi, e pelas obras literárias diversificadas na biblioteca de Assurbanipal.
Outro povo semita, os arameus (ou siros), eram comerciantes que se tornaram mensageiros das culturas estrangeiras. O seu país era a Síria, e Damasco tornou-se sua capital no tempo de Salomão. O ápice de seu poder foi alcançado no século IX a.C.
A língua aramaica foi adotada pelos judeus depois do Exílio, e foi a língua de partes dos livros de Daniel, Esdras e do Talmude.
Retornando de Harã, em Padã-Arã (Gn 28.6), uma parte da Mesopotâmia (*'Aram-naharayim*, Gênesis 24.10), Jacó foi chamado de "Siro miserável" ou "Siro peregrino" (Dt 26.5). Assim, os israelitas que falavam hebraico, um dialeto semítico da região noroeste, eram semitas nos sentidos: racial, lingüístico e geográfico do termo.
De menor importância na história antiga foram os cananeus (cuja cultura aprendemos a partir de Urgarit), os árabes e os etíopes. Os fenícios eram os descendentes "marítimos" dos cananeus.
As principais contribuições dos semitas foram suas línguas e religiões. As línguas semíticas mais conhecidas são a acadiana, o aramaico, o síriaco, o hebraico, o árabe e o amárico. As raízes destas línguas são geralmente tri-consonantais, com partes da fala compostas por afixos.
Embora o politeísmo fosse praticado por muitos povos semitas, é notável que as três grandes religiões monoteístas do mundo (judaísmo, cristianismo e islamismo) tenham surgido por meio deles.
*Veja* Povo Hebreu; Nações.

P. D. F.

**SENAÁ** Uma cidade, que talvez também tenha sido chamada de Hassenaá (*q.v.*) em Judá, da qual aproximadamente 4.000 judeus retornaram do Exílio com Zorobabel (Ed 2.35; Ne 7.38. Note que todos os nomes próprios em Esdras 2.21-35 parecem ser nomes de cidades). Os homens de Hassenaá ajudaram Neemias a reparar o muro de Jerusalém (Ne 3.3). O local foi identificado de forma experimental com um lugar pequeno, chamado Khirbet 'Auja el-Foqa, cerca de 27 quilômetros a noroeste de Jerusalém, e 10 quilômetros ao norte de Jericó, na fronteira oeste do vale do Jordão.
Por outro lado, o número extraordinariamente grande de pessoas pode indicar que o termo Hassenaá descreve uma certa categoria ou grupo de exilados que retornou (GTT, 1035, pgs 382ss.). Com base no nome *sena'a*, que talvez signifique "odiados", BDB (p. 702), parece que estas pessoas faziam parte das classes mais pobres de Jerusalém.

**SENADO** O termo grego *gerousia* em Atos 5.21 significa "corpo ou assembléia de anciãos". O texto fala do "conselho" (lit. Sinédrio, do grego *synedrion)* e "todo o senado". Os dois termos estão em aposição, como a versão NEB em inglês indica. "Eles citaram o 'Sinédrio', ou seja, o senado completo da nação israelita". O termo Sinédrio (*q.v.*) estava começando a substituir a expressão mais antiga "conselho dos anciãos" (gr.

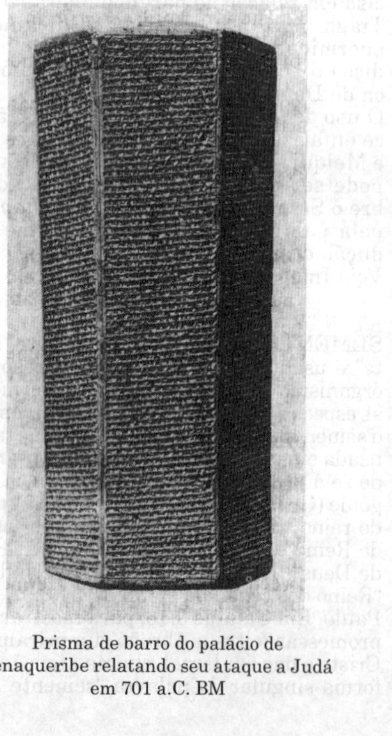

Prisma de barro do palácio de Senaqueribe relatando seu ataque a Judá em 701 a.C. BM

*gerousia*) usada em Judite 4.8; 1 Macabeus 12.6; 2 Macabeus 1.10; 4.44.

**SENADORES** A palavra hebraica *zaqen,* assim traduzida no Salmo 105.22, significa simplesmente "anciãos", o significado original do termo "senador" em latim, como na versão ASV em inglês, e na maioria das versões mais recentes.

**SENAQUERIBE** Este rei governou o Império Assírio no período de 705 a 681 a.C. Seu antecessor, Sargão II (*q.v.*), preparou um bom alicerce e, como resultado, o exército assírio ficou tranqüilo durante os dois primeiros anos do reinado de Senaqueribe. Neste período, o rei dedicou-se à reconstrução de Nínive (*q.v.*). Ele tinha uma paixão pela construção, e demonstrava interesse pela Engenharia. Em Nínive, ele construiu um sistema de abastecimento de água, restaurou templos e construiu um magnífico palácio. Muitos detalhes do palácio de Senaqueribe escavados por A. H. Layard, foram severamente danificados, porém mostram que este foi um período importante da arte assíria. Seu interesse pela arte e pela literatura só podem ser equiparados ao de seu neto Assurbanipal, cujo palácio foi muito mais preservado. Senaqueribe foi provavelmente o administrador que mais celebrou sua própria glória nos registros assírios.

Seu reinado começou com uma notória falta dos procedimentos diplomáticos cuidadosamente seguidos por seu pai, Sargão, como por exemplo, a cerimônia relacionada às mãos do deus Bel na Babilônia para indicar a continuidade de seu reinado ali.

Seu propósito, entretanto, era obter uma separação do reino da Babilônia para restringir os comprometimentos assírios, porém ainda mantendo um forte aliado. Para alcançar este objetivo, ele teve que romper a persistência dos caldeus, um povo constantemente problemático, que procurou e freqüentemente manteve o controle da região sul. Sargão permitiu que o primeiro governante caldeu da Babilônia, Merodaque-Baladã (2 Rs 20.12), permanecesse como o chefe de sua tribo Bit-Yakin. Mas este último revoltou-se contra Senaqueribe. Com grande ira os assírios marcharam contra as cidades da Babilônia, tomando 88 cidades fortificadas e finalmente entraram na Babilônia, onde tiveram uma recepção amigável. O saque limitou-se ao palácio de Merodaque-Baladã. Infelizmente para os assírios, o habilidoso rei caldeu escapou para o pântano no topo do Golfo Pérsico, onde aguardou a oportunidade de provocar uma nova revolta. Esta oportunidade veio, quando o governador pró-Assíria Bel-ibni demonstrou fraqueza e incompetência.

Senaqueribe respondeu mandando um de seus filhos mais jovens, Assur-nadin-sum, em uma campanha que aconteceu no ano 700 a.C. Esta campanha, porém, teve um sucesso limitado, porque Merodaque-Baladã escapou novamente para Elão, e embora Assur-nadin-sum tenha se tornado rei da Babilônia, os nobres daquele local não estavam dispostos a apoiar um rei assírio. Mais tarde, Senaqueribe abandonou sua política de fazer da Babilônia um reino independente, e iniciou uma longa e difícil operação em 694 a.C. Ele trouxe navegantes e construtores navais de Tiro, Sidom e Chipre para construir barcos no Eufrates superior e no Tigre, nas proximidades de Nínive. Mais tarde, ele navegou pelo Tigre a um lugar chamado Ofir, cruzando o Eufrates para se desviar dos inimigos, chegando então ao Golfo Pérsico. Com esses navios, Senaqueribe estava agora capacitado a dominar a área pantanosa onde os caldeus refugiavam-se. Enquanto esta árdua campanha acontecia, a situação na Babilônia deteriorou-se gravemente quando Assur-nadin-sum foi levado cativo pelos elamitas. O exército assírio estava muito cansado de suas campanhas no golfo para que fosse capaz de resolver a situação antes de voltar para casa. Em 693 a.C., Mushezib-Marduque declarou-se rei da Babilônia com uma forte política pró-caldeus.

Os registros de Senaqueribe falam intensamente contra Mushezib-Marduque, provavelmente por ter direcionado uma campanha odiosa contra os assírios, chegando a proibir a entrada de comerciantes assírios na Babilônia. Mushezib teve muito sucesso ao organizar em um grande exército os inimigos tradicionais dos assírios; os elamitas, os arameus/siros do leste do Tigre, e todos os clãs caldeus. No ano 691 a.C., os exércitos inimigos encontraram-se em um lugar chamado Halule. Embora os registros de Senaqueribe reivindiquem uma grande vitória, é evidente que as perdas em ambos os lados foram muito grandes, e que os assírios não foram capazes de consumar a guerra imediatamente.

Um golpe de sorte ajudou Senaqueribe a atingir o seu objetivo quando o rei elamita ficou doente em 689 a.C., o que resultou em uma confusão interna e em um grande enfraquecimento das forças de Mushezib. Depois de nove meses de um cerco constante, a Babilônia sofreu com a fome e a peste e finalmente se rendeu, sendo então saqueada e destruída pelo exército de Senaqueribe. Os ídolos foram destruídos e a estátua de Marduque, o principal deus da cidade da Babilônia, foi levado como um despojo para a Assíria; Isaias menciona este evento (Is 46.1,2), pois Ciro *honrou* os deuses da Babilônia (ANET p. 316). Este episódio foi o ponto de mudança da política de Senaqueribe, pois pela primeira vez o poderoso monarca assírio proclamou-se "rei da Suméria e da Acádia". Senaqueribe começou imediatamente a reconstruir a cidade da Babilônia. Durante os oito anos seguintes (689-681), a paz prevaleceu na Babilônia. Durante este período, Senaqueribe deu a seu filho Esar-Hadom total autoridade sobre as províncias do sul, e este fato indicava que ele se tornaria o sucessor de seu pai.

As fronteiras do norte e do leste nunca foram muito problemáticas para Senaqueribe, pois ele elaborou um sistema melhor e mais cauteloso nestas áreas. Já na região oeste, onde estavam a Síria e a Palestina, a situação não era a mesma. Os mensageiros caldeus, como aqueles de Merodaque-Baladã que visitaram Ezequias (2 Rs 20.12,13), ajudaram a provocar intriga e rebelião contra Senaqueribe. No ano 701 a.C., Senaqueribe encontrava-se incapacitado de lidar com os problemas da Babilônia por causa da desordem que assolava as terras ocidentais.

Em sua 3ª campanha (ANET pp. 287-288), esse rei conta como marchou contra Hatti, o nome assírio para as terras ocidentais que haviam sido dominadas pelos hititas. Luli, o rei de Sidom, e principal governante das cidades costeiras da fenícia, fugiu para Chipre. Senaqueribe subjugou a região e estabeleceu em Sidom um governante que era um fantoche, Tuba'lu (Ethba'al). A maioria dos reis das terras próximas (de Arvade, Biblos e Asdode, chamados de reis de Amurru) capitulou imediatamente. Outros, de Edom, Moabe, e de outros locais, trouxeram um grande tributo e beijaram os pés de Senaqueribe.

Muitas cidades filistéias ao sul decidiram resistir ao jugo assírio, como fez Ezequias de Judá. Antes da chegada de Senaqueribe a esta área, Ecrom havia destituído Padi, o rei pró-assírio, trocando-o por Ezequias e prendendo-o. Asquelom, com seu governante Sidqia, também resistiu. Senaqueribe marchou a partir do sul, tomando várias cidades estratégicas. Asquelom caiu e Sidqia foi capturada.

Uma batalha desenvolvia-se nas proximidades de Elteque (Js 19.44), enquanto a força Assíria marchava para Ecrom. Uma grande força liderada por vários príncipes do Egito e a cavalaria do rei da Etiópia, Shabataka, talvez liderada por seu irmão mais novo, Tiraca (*q.v.*; 2 Rs 19.9) foi completamente derrotada por Senaqueribe. Ele então cercou Elteque e Timna (cf. Jz 14.1) e as conquistou, levando os seus espólios. Ecrom foi atacada e seus oficiais torturados em estacas ao redor da cidade. Ao todo, Senaqueribe reivindicou que 46 cidades fortificadas foram tomadas além de inumeras aldeias, totalizando 200.150 cativos. A próxima cidade seria Jerusalém.

Ezequias instituiu muitas reformas religiosas e teve, portanto, o apoio amplo e dedicado do profeta Isaías. Ele também reforçou o abastecimento de água de Jerusalém bloqueando o suprimento do leste, da fonte do Giom, tendo escavado com sucesso um túnel em meio às rochas com a finalidade de trazer água para dentro dos muros de Jerusalém (2 Rs 20.20 2 Cr 32.30). A expansão de seu poderio até a Filístia (2 Rs 18.8), e o estabelecimento de alianças com os caldeus (Is 39.1) e com os egípcios (Is 30.1; 31.1) fizeram de Ezequias o principal governante da Palestina. Sua derrota certamente foi o maior objetivo de Senaqueribe. As tratativas entre essas duas figuras históricas foram fortemente documentadas. As fontes são a Bíblia Sagrada, os registros de Senaqueribe, e os escritos do historiador grego Heródoto. Entretanto, os pesquisadores detectaram alguns problemas na junção destas fontes para obter uma história unificada.

Não parece necessário sugerir duas fontes da história Bíblica em 2 Reis 18 e 19 como fazem alguns (Emil G. Kraeling, *Rand McNally Bible Atlas*, 1956, p. 302). Kraeling supõe que existia uma fonte histórica baseada em registros confiáveis, que fala de uma rendição completa de Ezequias a Senaqueribe, enquanto este último esteve em Laquis (2 Rs 18.13-16). Então vem a seguir uma lenda patriótica que faz de Isaías o herói que prediz a libertação de Jerusalém (2 Rs 18.17–19.37). Esta segunda fonte é dividida em duas versões; em uma o plano de Senaqueribe para tomar Jerusalém é frustrado pelos rumores da vinda do Faraó Tiraca (2 Rs 19.9); e na outra, Jerusalém é salva pelo anjo do Senhor provavelmente usando uma peste. Embora não seja fácil esclarecer todos os detalhes obscuros em um breve relato de eventos complicados, parece que 2 Reis 18.13-16 é simplesmente uma declaração resumida do resultado completo das tratativas de Senaqueribe com Ezequias em Laquis. O rei de Judá pagou tributos, mas o restante do relato (18.17–19.37) tem a finalidade de garantir ao leitor que Senaqueribe nunca tomou Jerusalém. Esse fato está fortemente implícito nas declarações de Senaqueribe em seus registros: "Tranquei Ezequias como um pássaro em uma gaiola". Não é característico dos registros da Assíria deixar de explorar qualquer conquista que tenha aumentado a glória do monarca assírio e de seu deus. Se Ezequias tivesse capitulado completamente, a qualquer momento, este fato teria sido amplamente explorado. Uma conseqüência disso é a relutância que os assírios têm de admitir qualquer falha, de maneira que o desastre do exército de Senaqueribe foi tão famoso que Heródoto ouviu falar dele 250 anos mais tarde, no Egito, embora o próprio Senaqueribe não o tenha mencionado. Além disso, uma parte da profecia de Isaías em uma concisa afirmação, insinuava em muitos aspectos os problemas de Senaqueribe que começaram na Palestina. O texto em 2 Reis 19.7 diz que o Senhor colocaria nele um espírito (ou um vento), e ele ouviria um ruído e voltaria para sua terra – isto sugere que o exército deste monarca deve ter sido dizimado. Em segundo lugar, seria ouvido um rumor; este rumor se deveria à chegada de Tiraca (como um general em 701 a.C., ou como um Faraó durante a segunda campanha de Senaqueribe). Em terceiro lugar, Isaías prevê o assassinato de Senaqueribe, depois que ele retornasse para sua casa (Is 37.7). Esta combinação de profecias e eventos desastrosos certamente levariam a uma retirada rápida por parte de Senaqueribe.

Assim, parece racional afirmar a ocorrência de uma segunda campanha contra Judá com base no texto em 2 Reis 19.8-36 (ou 18.17–19.36), possivelmente relacionada a uma campanha suspeita contra a Arábia em aproximadamente 688 a.C. Senaqueribe não relata isso, provavelmente pelas seguintes razões.

1. Heródoto sabia do desastre ocorrido com o exército de Senaqueribe (II141). O historiador grego fala de ratos roendo os escudos de couro, os fios dos arcos e sacolas, o que pode possivelmente ser uma alusão à peste bubônica trazida pelos ratos, que teriam sido os instrumentos do anjo do Senhor.

2. Os reis assírios nunca relataram desastres em seus registros. Fontes paralelas mostram como as derrotas eram freqüentemente reportadas como grandes vitórias.

3. Nos registros da campanha de 701 a.C., Senaqueribe omitiu a informação do cerco de Laquis e Libna, e a história bíblica omite a batalha em Elteque, que foi muito importante em 701. Laquis foi um local cujo cerco foi comandado pessoalmente pelo rei; ele considerou este fato tão importante que o manteve vívido através de sua ilustração em baixo relevo nas paredes de seu palácio em Nínive (agora no museu Britânico).

4. Uma outra parte básica da história bíblica omitida nos registros de Senaqueribe é o papel de Rabsaqué, o oficial chefe, e sua operação militar psicológica tão efetivamente usada contra Ezequias, quando o oficial preferiu falar em hebraico ao invés de utilizar a língua diplomática, que era o aramaico. Os judeus que estavam no muro de Jerusalém ficaram, sem dúvida, impressionados com o discurso de Rabsaqué (2 Rs 18.26-35). Esta omissão, entretanto, poderia ser plausível se este fosse um procedimento comum, como de fato parece ter sido.

O assassinato de Senaqueribe por dois de seus filhos (2 Rs 19.36,37) é confirmado por várias fontes babilônias, embora estas fontes mencionem o assassino no singular, ou seja, apenas um filho teria cometido o crime. Os nomes bíblicos dos filhos não são confirmados pelos registros que se tem até o momento. Isto não invalida o registro bíblico, pois os dois filhos podem ter participado, sendo que um deles pode ter desferido os golpes fatais. O deus Nisroque também não é conhecido em nenhuma fonte. Este nome é provavelmente o resultado de uma variação textual. Uma inscrição de Esar-Hadom descreve a luta pelo trono (ANET, p. 289), e a conspiração de seus irmãos depois que seu pai, Senaqueribe, o nomeou como seu próprio sucessor. No inverno de 680 a.C., Esar-Hadom organizou uma expedição contra os seus irmãos rebeldes, e os dispersou. Os registros reais declaram que estes fugiram para uma "terra desconhecida", mas a Bíblia Sagrada mostra que eles foram para Ararate (Urartu). Esse registro não menciona o próprio assassinato, mas esta é uma característica da política que este povo adotava; eles nunca registravam um desastre.

[A principal discussão a favor de uma teoria das duas campanhas para explicar os relatos Bíblicos da invasão de Senaqueribe a Judá está relacionada à época de Tiraca, em 701 a.C. (John Bright, *A History of Israel,* Filadélfia; Westminster, 1959, pp. 268-271, 282-287). Antigamente pensava-se que o rei etíope do Egito tinha somente 20 anos na época de sua acessão ao trono como co-regente de seu irmão Shabataka em 690/689, e conclui-se que ele era muito jovem para liderar um exército para auxiliar Ezequias em 701. Atualmente, entretanto, se reconhece que Tiraca tinha 20 anos quando começou a liderar um exército como representante de seu irmão em 701 (G. L. Archer, "Old Testament and Recent Archaeology – from Solomon to Zedekiah", BS, CXXVII [1970], 209ss.) – Ed.]

*Veja,* Assíria; Ezequias; Israel, Reino de.

***Bibliografia.*** Raymond P. Dougherty, "Sennacherib and the Walled Cities of Judah", JBL, XLIX (1930), 160-171, D. D. Luckenbill, *The Annals of Sennacherib, Chicago. Univ. of Chicago, 1924.*

E. B. S.

**SENAZAR** Filho de Jeconias ou Joaquim (1 Cr 3.18).

**SENÉ** Uma rocha irregular (ou pontiaguda) em Benjamim, nas proximidades de Gibeá, na passagem de Micmás, onde os filisteus tinham uma guarnição nos dias de Saul (1 Sm 14.4). Este era um dos dois rochedos (*veja também* Bozez) em Micmás (*q.v.*) no Uádi es-Suweinit, o qual Jônatas e seu escudeiro escalaram com as mãos e os pés para atacar os filisteus.

**SENHOR** Essa palavra corresponde à tradução de várias palavras hebraicas, aramaicas e gregas. Na relação abaixo, não se encontram, em geral, exemplos de referências nas Escrituras porque essas palavras ocorrem com muita freqüência. As principais palavras são:

1. *YHWH* Essa palavra deve ser pronunciada como Yahweh (abreviada ou contraída, como Yah [Ja]). Geralmente, é representada como

Senhor (às vezes como Deus) em algumas versões, e como Jeová em outras (*veja* abaixo). Ela significa "Ele é", ou seja, "Ele é Aquele que é eternamente auto-existente", Aquele que é Absoluto, O Imutável. Esse nome indica a existência independente e autônoma de Deus. Como extensão desse conceito, seu uso transmite uma idéia complementar de que Deus está presente para salvar, ajudar, redimir, abençoar e manter a aliança. Foi usada no AT como sendo o nome próprio de Deus. Todas as outras palavras são termos genéricos (por exemplo, *Elohim*) ou títulos apelativos (por exemplo, *Adonai*). Os tradutores poderiam empregá-la como um nome próprio. O Próprio Deus diz, em Êxodo 3, que este é o seu Nome. Mas não basta afirmar que Jeová é o seu Nome, pois a palavra "Nome" possui implicações mais amplas na língua semítica. Portanto, quando Deus diz que seu Nome é Jeová, Ele quer dizer que Jeová é sua natureza, essência, ser ou caráter.

Na Bíblia hebraica, os judeus escreveram as consoantes do tetragrama YHWH, mas em sinal de reverência ao nome sagrado de Deus, eles o pronunciavam como *Adonai* (que significa "senhor"; veja abaixo). Infelizmente, foi feita uma transliteração para o alemão e o inglês como Jeová (que é a forma como o nome é representado em várias versões), representando a fusão das vogais de *Adonai* superpostas às consoantes de Yahweh, sendo que os judeus nunca tiveram a intenção de que o nome fosse lido como Yehowah (ou Jeová). Da mesma maneira, usar Senhor em lugar de *YHWH* também não é uma forma muito precisa porque Senhor representa a palavra que os judeus pronunciavam em lugar de Yahweh.

O significado atribuído a Yahweh, acima, reflete o entendimento desse nome como uma forma anterior do *Qal* imperfeito do verbo hebraico *hayah,* às vezes escrito como *hawah,* (a verdadeira raiz original era *hwy*). Entretanto, essa forma também tem sido analisada (por exemplo, por W. F. Albright, *From the Stone Age to Christianity,* Garden City. Doubleday Anchor Books, 1957, pp. 15-16, 259-261) como sendo o *Hiphil* imperfeito do mesmo verbo, com o seguinte significado. "Ele (que) faz acontecer", isto é, "Ele (que) cria, traz à existência". Em Êxodo 3.14, a expressão "EU SOU O QUE SOU" poderia ser de alguma ajuda para decidir entre essas duas opiniões. Minha opinião é que esse verso é um comentário divino ou uma exposição sobre o significado de Yahweh (v. 15). Se isso for verdade, a primeira opinião é obviamente favorecida.

Em relação à expressão comum "o Senhor (Yahweh) dos Exércitos", esses exércitos têm sido definidos de várias maneiras como exército (ou povo) de Israel, de anjos ou de estrelas. Esse problema de interpretação nunca foi satisfatoriamente resolvido pela maioria dos estudiosos. Deve-se observar de uma forma bem simples que essas opiniões nunca são, necessariamente, mutuamente exclusivas.

Alguns imaginaram que existia um problema em Êxodo 6.3 por causa das palavras: "Mas pelo meu nome, o Senhor [Yahweh], não lhes fui perfeitamente conhecido" (isto é, referindo-se aos patriarcas). No entanto, existem várias referências a Yahweh nas narrativas patriarcais. Derek Kidner indica o caminho para uma solução. "Em Êxodo 3.14, a divina exposição "Eu sou..." introduz e esclarece o nome dado em 3.15, e este também permanece como o contexto para 6.3. Em suma, esse nome foi primeiramente *conhecido* em algum sentido completo da palavra, como sua primeira explicação" (*Genesis*, Londres. Tyndale Press, 1967, p. 19; cf. também Edmond Jacob, *Theology of the Old Testament*, Nova York. Harper, 1958, pp. 48-54). Uma outra abordagem consiste em deixar que a ênfase seja dada sobre um sentido pessoal, íntimo e experimental segundo o qual a palavra "*conhecer*" é geralmente empregada. Na verdade, Deus deveria estar dizendo: "Pelo nome de Yahweh, Eu não era conhecido intimamente e experimentalmente pelos patriarcas. Sua experiência a meu respeito era, principalmente, como El Shaddai. Mas agora, começando com o Êxodo e a libertação do Egito, estou prestes a me revelar, pessoal e plenamente, na experiência do meu povo de Israel, no aspecto do Meu caráter que é representado por Yahweh; isto é, como o Deus que está sempre presente ao lado do seu povo para ajudá-lo e libertá-lo, e para manter uma aliança com ele" (cf. Êx 6.4-8). Para um tratado de elevado valor e amplamente válido sobre o uso dos nomes divinos Yahweh e Elohim, cf. U. Cassuto, *The Documentary Hypothesis,* trad. por I Abrahams, Jerusalém. Magnes Press, 1961, pp. 15-41.

2. *Adon,* "senhor", "soberano" como alguém que tem poder ou força. Também existe a forma plural, *'Adonai,* considerada por muitos como o plural de *'adon,* com o sufixo "meu", portanto "meu senhor". O plural é um plural honorífico ou um plural forte sobre a posição de alguém. Essa é a palavra que os judeus utilizavam em lugar de Yahweh. Por essa razão, alguns aceitam Adonai e suas variantes simplesmente como variações da pontuação Masorética para fazer uma distinção entre a referência divina e a humana.

3. *Ba'al*, "senhor", como dono, mestre ou marido. Essa palavra hebraica é usada em relação a Deus, a seres humanos, e também ao deus Baal dos cananeus.

4. *Mare* ou "senhor", "mestre'. Essa é uma palavra aramaica que ocorre na seção aramaica de Daniel. Cf. "Maranata" (1 Co 16.22), isto é, uma expressão aramaica que significa "Venha, nosso Senhor!"

5. *Kurios,* mais propriamente um adjetivo grego que significa "ter poder e autorida-

de". Usada como um substantivo, essa palavra significa "senhor, mestre, dono". Essa é a palavra padrão para "senhor" na Septuaginta (LXX) e no NT. Era uma palavra exatamente equivalente a Adonai, e também foi usada na LXX para traduzir Yahweh, porque os rabinos liam Adonai no lugar do nome divino. Foi um termo aplicado ao Senhor Jesus pelos autores do NT, como um título divino.

Todas as palavras acima, com exceção da primeira, foram aplicadas tanto a seres humanos como ao Senhor Deus.

*Veja* Deus; Deus, Nomes e Títulos de.

***Bibliografia.*** J. A. Motyer, *The Revelation of the Divine Name,* Londres. Tyndale Press, 1959. G. Quell e W. Foerster, *"Kurios"*, TDNT, III, 1039-1098. William C. Robinson, *"Lord"*, BDT, pp. 328ss. W. E. Vine, *An Expository Dictionary of New Testament Words,* Westwood, N. J.: Revell, 1952, III, 16ss.

K. L. B.

**SENHOR DOS EXÉRCITOS** *Veja* Deus, Nomes e Títulos de.

**SENHOR, ORAÇÃO DO** *Veja* Oração do Senhor.

**SENHORA ELEITA** Tradução da frase *eklekte kyria* em 2 João 1. Seu significado, longo e intrigante para os comentaristas, provavelmente deva ser encontrado em uma dessas duas possíveis explicações: (1) uma referência a uma pessoa chamada "Kyria Eleita" ou "senhora Eleita" ou, então, (2) referência a uma congregação cristã local utilizando, como simbologia, uma mulher.

Embora a primeira explicação seja possível, pois o nome pessoal Kyria era conhecido no mundo antigo, o contraste com 3 João a torna menos provável. Nesse livro, João dirigiu-se ao amigo de uma maneira natural e normal. Por outro lado, a linguagem que se refere ao destinatário em 2 João é indefinida, e alguns a julgam ambígua.

É mais provável, então, que João estivesse dirigindo-se a uma congregação cristã como "a Senhora escolhida por Deus". A idéia da eleição da Igreja é muito comum no NT (veja, por exemplo, Rm 8.33; Ef 1.4; Cl 3.12; 1 Pe 1.1,2). Além disso, encontramos saudações como a seguinte. à "Igreja que está em Babilônia, eleita convosco" (1 Pe 5.13). Além disso, também era comum pensar na comunidade do povo de Deus representado por uma mulher grávida ou com os seus filhos (Baruque 4.8–5.5; Gl 4.25; Ap 12).

Novamente, o uso alternado da segunda pessoa do singular (2 Jo 1-5) e da segunda pessoa do plural (vv. 6-12), e outra vez do singular (v.13) parece favorecer o uso simbólico da frase ao referir-se à Igreja. O verso 13 poderia ser considerado como estando na mesma direção, ao sugerir igrejas irmãs saudando umas às outras.

As palavras de João em 2 João 5,6 são muito semelhantes às de sua primeira epístola (1 Jo 2.3-10) e, de fato, foram ditas primeiramente por nosso Senhor aos seus seguidores em João 13.34,35. Tais palavras foram dirigidas à Igreja em geral, e parece menos provável que tenham sido escritas para um único indivíduo ou família.

***Bibliografia.*** W. Foerster, TWNT (ExpT, Bromiley), III, 1095. B. F. Westcott, *The Epistles of St. John*, Grand Rapids. Eerdmans, 1950, pp. 223-224.

W. M. D.

**SENIR** Um pico ou montanha provavelmente coberta pela neve, a nordeste do Jordão entre Amana (*q.v.*) e o Hermom (1 Cr 5.23; Ct 4.8). Senir era famosa devido às arvores de cipreste (ou faia) usadas na construção naval (Ez 27.5). Este também foi o nome pelo qual os amorreus chamaram o Monte Hermom (Dt 3.9); em Acadiano era chamada de Saniru. Os sidônios a chamavam de Sirion, e no Salmo 29.6 o termo Senir é usado poeticamente para o Monte Hermom.

**SENSUAL**

1. A tradução da versão KJV em inglês de *psychikos* em Tiago 3.15 e Judas 19. Em outras passagens esta versão usa a palavra "natural" como a tradução deste termo grego (1 Co 2.14; 15.44,46). Outras versões traduzem *aselgeia* como "sensualidade" ou "libertinagem" em Marcos 7.22; Romanos 13.13; 2 Coríntios 12.21; Gálatas 5.19; Efésios 4.19; 1 Pedro 4.3 e 2 Pedro 2.2,7,18.

A libertinagem origina-se da "carne" (Mc 7.22,23; Gl 5.19), e domina aqueles que não são regenerados (Ef 4.19; 1 Pe 4.3).

Os impulsos sexuais são vistos em uma íntima associação com a "impureza", "imoralidade" e, "promiscuidade sexual" (Rm 13.13; 2 Co 12.21; Gl 5.19; Ef 4.19).

Homens sensuais, privados do Espírito (Jd 19) e cegos para a verdade espiritual (1 Co 2.14; Tg 3.15), não possuem o poder interior necessário para restringir suas inclinações pecaminosas. Indolentes, "entregam-se à dissolução, à prática apaixonada de toda espécie de impurezas" (Ef 4.19).

**SENTAR ou ASSENTAR** Ato de assumir uma posição de descanso. Nos tempos antigos, nas casas ou tendas, estas palavras referiam-se se sentar na terra ou no solo com as pernas cruzadas à frente. Durante as viagens, estes termos significavam sentar-se no chão ao longo do caminho, ou, se o chão tivesse muitos pedregulhos, sentar-se na posição de cócoras. Abraão sentou-se à porta da tenda em meio ao calor do dia (Gn 18.1). Esta expressão também era usada como uma

referência a uma pessoa que possui autoridade. Os mais velhos assentavam-se à porta (Gn 19.1; Rt 4.1; 2 Sm 19.8). Moisés assentou-se diante do povo para ouvir os casos e julgá-los (Êx 18.13). Deus assenta-se no trono de sua santidade (Sl 47.8). Os reis de Israel assentavam-se em seus tronos (por exemplo, 1 Rs 1.46).
Deste modo, a afirmação de que Deus "nos fez assentar nos lugares celestiais, em Cristo Jesus" (Ef 2.6) implica que Ele nos entroniza junto com o Seu Filho ressuscitado no reino espiritual, delegando-nos sua autoridade sobre os principados e poderes do mal.

H. E. Fi.

**SENTIDO**
1. Compreensão ou significado de uma declaração. O termo heb. *sekel* é usado em Neemias 8.8 como uma referência a Esdras e a outros que "declarando e explicando o *sentido*, faziam que, lendo, se entendesse".
2. Faculdade mental, órgão de percepção. O termo grego *aistheterion* é usado em Hebreus 5.14 para descrever aqueles que são suficientemente avivados e moralmente esclarecidos para distinguir entre o bem e o mal.

**SENTINELA** *Veja*. Ocupações: Sentinela.

**SENUA** *Veja* Hasenun.

**SEOL** A palavra heb. *she'ol* é de origem incerta e aparentemente não era usada em idiomas semitas fora dos círculos judaicos. Ela foi usada 65 vezes no AT, traduzida 31 vezes na versão KJV em inglês como "sepultura", 31 vezes como "inferno", e três vezes como "cova". As versões ASV e RSV em inglês a transliteram uniformemente como "Seol". Existem dificuldades com esta interpretação. A melhor ferramenta em seu estudo é uma concordância.
A opinião usual é que Seol é o lugar dos espíritos dos mortos. Tanto os justos (Gn 37.35) como os ímpios vão para lá (Pv 9.18). A Bíblia de Referência Scofield, considerando uma opinião muito antiga, equipara o Seol ao Hades do NT. Ela sustenta que este possuía dois compartimentos antes da cruz, mas que Cristo libertou os justos no Hades e os levou para o céu em sua ascensão (comentário sobre Lucas 16.23).
As opiniões naturalísticas equiparam o Seol ao mundo dos mortos da crença babilônica, ou ao Hades da mitologia grega.
Uma outra opinião (BulETS, IV [1961], 129-134) defende que o Seol é o lugar dos corpos dos mortos, isto é, a sepultura. Na maioria das passagens bíblicas esta interpretação ajusta-se muito bem, e é a tradução na metade dos casos na versão KJV em inglês. Esta opinião também é adequada naqueles versículos que falam do Seol como um lugar de silêncio (Sl 31.17) onde Deus não é louvado (Sl 6.5; Is 38.18), um lugar de tristeza (2 Sm 22.6; Sl 18.5; 116.3) ou inatividade (Ec 9.10). Estas passagens têm sido, às vezes, utilizadas em defesa do sono da alma. Mas se Seol significa sepultura, este termo só refere-se ao sono do corpo na morte. Outros versículos referem-se aos vermes (Jó 17.14; 21.13,26; Is 14.11), ao consumo do corpo (Sl 49.14), e à presença dos reis com seus ossos e armadura (Ez 32.27).
Um problema é que o termo Seol é usado de uma maneira figurada que poderia enquadrar-se no conceito de "sepultura" ou de "lugar dos espíritos". Jonas clamou "do ventre do abismo" ou do "ventre do inferno" (Jn 2.2). O Seol é uma prisão com barras e portões (Jó 17.16; Is 38.10). Ele é personificado como uma criatura insaciável (Pv 30.16; 27.20; Is 5.14; Hc 2.5). Várias referências retratando o Seol como estando abaixo, ou como o contrário do céu, podem também ser consideradas como surgindo da referência à tumba, lembrando que na antigüidade as covas para os sepultamentos eram freqüentemente profundas na terra (Dt 32.22; Sl 139.8 etc.). Não há nenhuma indicação de um grande reino subterrâneo dos mortos.
As passagens especiais incluem Neemias 16.30,33, onde Corá foi enterrado vivo com seus pertences; e Salmo 16.10, que devemos traduzir da seguinte forma. "Não deixarás a minha alma na morte (ou no inferno)" (*veja* Alma). Isto se harmoniza com Atos 2.29-31, onde o Hades equipara-se à "sepultura". O Hades em outras passagens do NT, na versão KJV em inglês, equivale a "inferno".
Várias passagens em Provérbios falam do Seol como a recompensa dos ímpios (1.12; 5.5; 7.27; 9.18; 23.14). Isto pode apenas se referir ao julgamento da morte prematura.
Os textos em Isaías 14.9-20 e Ezequiel 31.14-18; 32.18-32 provavelmente possuam uma referência figurativa aos reis mortos na tumba saudando um recém-chegado. Note em Isaías 14.19 que foi negado ao rei da Babilônia um sepultamento decente.
O termo Seol é muito usado na poesia e é freqüentemente um paralelo à "morte" e à "sepultura". Uma tradução uniforme como "sepultura" resolveria vários problemas de interpretação. *Veja* Abadom; Abismo; Sepultamento; Mortos, Os; Sepultura; Hades; Inferno; Estado Intermediário; Cova; Túmulo.

***Bibliografia.*** R. Laird Harris, "The Meaning of the Word Sheol as Shown by Parallels in Poetic Texts". *Evangelical Theological Society Bulletin*, IV (1961), 129-134; *Man – God's Eternal Creation*, Chicago. Moody, 1971, pp. 162-184.

R. L. H.

**SEOM** Rei amorreu cujo reino ficava a leste do Jordão entre os rios Arnom e Jaboque. Depois de atacar os israelitas quando eles estavam sendo conduzidos por Moisés em

A tumba de Clitemnestra em Micenas, Grécia, uma das chamadas "tumbas colméias". Mimosa

direção à terra prometida, Seom e seu exército foram derrotados em Jaza (Nm 21.21-30). Seom, com sua capital em Hesbom (*q.v.*), ficou conhecido como um rei poderoso, e até mesmo proverbial (Nm 21.27ss.), e sua derrota é freqüentemente mencionada no Antigo Testamento (Dt 1.4; 2.24-32; Js 2.10; 9.10; Jz 11.19-21; Ne 9.22; Sl 135.11; Jr 48.45). O território de Seom e de seu confederado do norte, o rei Ogue de Basã, foram estabelecidos pelas tribos de Rúben, Gade e pela meia tribo de Manassés (Nm 32).

**SEPARAÇÃO**
1. Tradução de algumas versões do termo heb. *nidda*, a condição de estar distanciado que é mais bem traduzida como "impureza". A separação da adoração ao Senhor, e às vezes da comunidade de Israel, era causada por uma situação de contaminação ritual. Situações como o contato com um corpo morto (Nm 19), parto (Lv 12), menstruação ou outros fluxos a partir dos órgãos sexuais (Lv 15), ou lepra (Lv 13–14), excluíam os israelitas da comunhão normal com Deus e com os homens. A expressão "dias da separação" também pode ser traduzida como "dias de impureza", como ocorre em algumas versões. Este não era um estado de pecado, mas uma advertência a todos, de que deveriam ser, em todas as coisas, puros e santos diante de Deus. As cinzas da bezerra ruiva (ou novilha vermelha) misturada com água tornava-se a "água da separação" ou a "água purificadora", que era utilizada para limpar a contaminação trazida pelo contato com algum corpo morto (Nm 19). *Veja* Impureza.
2. Um outro termo hebraico (*nezer*) é usado para definir outro tipo de separação. O voto do nazireu (*q.v.*), que era um voto de separação para o Senhor por um período mais curto ou mais longo, falava destes dias como os dias da sua separação (Nm 6). *Veja* Dedicação; Santidade, Santo.

P. C. J.

**SEPARAÇÃO, PAREDE DE** *Veja* Parede de Separação.

**SEPTUAGINTA** *Veja* Versões, Antiga e Medieval.

**SEPULCRO** Veja Sepultura, Túmulo.

**SEPULCRO DO REI** *Veja* Túmulo.

**SEPULTURA** As palavras traduzidas como "sepultura" ou como algum termo equivalente são as palavras hebraicas *'i*, "ruína" (pelo menos uma vez); *qeber* e *q^ebura*, "tumba" (pelo menos 40 vezes); *sh^e'ol* (pelo menos 31 vezes); *shahat*, "destruição" (pelo menos uma vez); e as palavras gregas *hades* (pelo menos uma vez); *mnema* (pelo menos uma vez) e *mnemion*, "tumba" (pelo menos oito vezes). Estas palavras também são traduzidas de outras formas. *Qeber* e *q^ebura* muitas vezes são traduzidas como "sepulcro" ou "local de enterro" assim como ocorre com *mnema* e *mnemion*. A tradução "tumba" também é usada. O termo heb. *sh^e'ol* também é traduzido como "inferno" (pelo menos 31 vezes) e "cova" (pelo menos três vezes) por exemplo na versão KJV em inglês. A versão RSV em inglês geralmente translitera tanto *sh^e'ol* como *hades*.
Os costumes de sepultamento dos israelitas são bastante claros a partir da arqueologia e das referências bíblicas. O AT fala de enterros tanto em jardins de casas (2 Rs 21.18) como em complexos de tumbas (Gn 23.20; 1 Rs 14.31). As sepulturas dos pobres, freqüentemente, eram, sem dúvida alguma, apenas trincheiras rasas, como no grande cemitério em Qumran. Em outros casos um monumento de pedras era erigido sobre a sepultura, como para Acã (Js 7.26), reis inimigos (Js 8.29; 10.27), e Absalão (2

Tumba da família de Herodes, Jerusalém (ilustração de uma "pedra rolada" que serve para selar a tumba)

Tumbas esculpidas na encosta da montanha em Petra. MIS

Sm 18.17). Sem dúvida alguma, os costumes de sepultamento variaram pouco com o passar dos séculos.

Os hebreus aparentemente não usavam caixões – nenhum foi encontrado nas tumbas nativas – mas enterravam seus mortos sobre um esquife ou cama baixa (2 Sm 3.31; 2 Cr 16.14; Ez 32.25; Lc 7.14), seguindo um costume cananeu como encontrado nas tumbas da Idade Média do Bronze em Jericó.

Talvez a maior câmara mortuária dos tempos hebraicos tenha sido aquela que foi encontrada pelo Dr. Joseph P. Free em Dotã (BASOR, Dez. 1960, pp. 10-13; existe um material posterior não publicado). Muitos corpos foram encontrados em uma única tumba. Os esqueletos daqueles enterrados antes haviam sido empurrados para os lados para abrir espaço para um sepultamento mais recente. Uma característica notável está relacionada às muitas lâmpadas encontradas. A tumba era deixada com uma lâmpada queimando ou as lâmpadas eram usadas nos rituais funerários? K. Kenyon encontrou nichos para lâmpadas cortados nas paredes das tumbas de uma data mais antiga em Jericó (Kathleen Kenyon, *Archaeology in the Holy Land*, p. 139). Note a menção de uma queima em um funeral em 2 Crônicas 16.14; 21.19. Esta provavelmente não era uma cremação, pois esta prática era excepcional entre os hebreus.

Nos dias do NT complexos de tumbas eram cavados, como testemunhado pelas referências à tumba de José de Arimatéia. A tumba da família de Herodes em Jerusalém, em Israel, é um exemplo inequívoco. A pedra rolada que fechava a entrada baixa ainda está intacta. As assim chamadas tumbas do Sinédrio, a noroeste da moderna Jerusalém, com suas muitas câmaras e nichos para corpos, também podem ser datadas de um período anterior a 70 d.C.

Os pobres eram, sem dúvida alguma, enterrados de forma mais simples. Dos dias do NT vêm muitos ossuários que talvez reflitam sepultamentos mais pobres. Estes são pequenas caixas de pedra contendo os ossos dos mortos que eram recolhidos após a decomposição. Elas não continham cinzas; o costume romano de cremação foi aparentemente rejeitado. Alguns destes ossuários são famosos. Nomes do NT tais como Miriã e Barjonas foram observados, mas é difícil dizer se estes sepultamentos eram cristãos ou judeus (cf. G. E Wright, *Biblical Archaeology*, p. 242). A famosa inscrição de Uzias refere-se ao ajuntamento dos ossos do rei Uzias (*q.v.*).

A porta falsa da tumba de Nakht em Amarna, Egito. Gaddis

A palavra *qeber*, de modo geral, significa simplesmente "sepulcro". Ocasionalmente ela tem um uso figurativo; por exemplo, Salmo 5.9. Em Isaías 14.19 e Ezequiel 32.22,25,26 a palavra é usada no sentido dramático dos reis da terra que jazem em suas sepulturas, mas que se agitam para encontrar os reis da Babilônia e do Egito à medida que estes também vêm para a sepultura. Nestes contextos o termo *sh*[e]*'ol* também é usado.

A palavra *sh*[e]*'ol* traz muitos problemas. Ela agora é geralmente definida como o lugar dos espíritos daqueles que morreram. Isto não se encaixa inteiramente nas 31 passagens (ou mais) traduzidas como "sepultura", por exemplo, na versão KJV em inglês. Nem faz justiça às declarações de que *sh*[e]*'ol* é um lugar de trevas, silêncio e esquecimento (Jó 17.13; Sl 31.17; 88.3,12). Alguns têm concluído a partir destes versículos que a alma dorme no *sh*[e]*'ol*. No entanto, o problema é resolvido se estes versículos referirem-se ao sono do corpo na sepultura (*veja* Morto, O). A. Heidel argumenta extensivamente que *sh*[e]*'ol* às vezes refere-se ao reino dos mortos, e às vezes à sepultura (A. Heidel, *The Gilgamesh Epic and OT Parallels*, pp. 173ss.). Pode ser argumentado que *sh*[e]*'ol* seja uma palavra poética para "sepultura". Ela é usada em um paralelismo poético com *mawet*, "morte", e *qeber*, "sepulcro" (R. L. Harris, "The Meaning of the Word Sheol", BETS, IV [1961], 129-135).

Há poucas evidências sobre os detalhes dos costumes nos sepultamentos reais dos hebreus. Ananias e Safira foram enterrados muito rapidamente, como ainda é feito entre os judeus. Há algum tempo atrás, G. E Wright expressou sua dúvida quanto ao fato de serem deixados alimentos para os mortos, embora vários vasos e utensílios claramente o fossem (BA, VIII [1945], 17). A senhorita K. Kenyon encontrou comida nas tumbas de Jericó, mas estas eram de uma data anterior aos israelitas (*op. cit.*, p. 191). A Bíblia não mostra nenhum culto dos mortos na religião ortodoxa hebraica.

*Veja* Funeral; Morto, O; Embalsamar; Lamentar; Seol; Túmulo.

R. L. H.

**SEQUIDÃO** Essa palavra refere-se ao efeito causado pelo vento quente do oriente sobre os grãos e outras plantas quando soprava sobre a Palestina vindo do Deserto da Arábia. Geralmente, esses eventos permaneciam durante dois ou três dias e, quando era época do amadurecimento da safra, seus efeitos podiam causar graves danos. Esta doença das plantas está incluída nas maldições divinas lançadas sobre a desobediente nação de Israel (Dt 28.22-24; Am 4.9; Ag 2.17). Na oração de Salomão (1 Rs 8.37; 2 Cr 6.28), a secura das plantas está incluída entre as maldições removidas por um Deus misericordioso em resposta à súplica de seu povo. Ocasionalmente, o vento trazia uma nuvem de gafanhotos (2 Cr 6.28).

**SÉQUITO ou ABA** Uma outra palavra heb. *shul*, é usada em Isaías 6.1 para descrever o "séqüito" ou as "abas" das vestes do Senhor da glória que "enchia o Templo". A palavra é usada para a barra de uma túnica (Lm 1.9) ou a orla/borda de um vestido (Êx 28.33,34). Tem sido sugerido (Delitzsch, G. A Smith, *et al.*) que estas túnicas de glória enchendo o Templo ocultavam (ou velavam) dos olhos do profeta a visão total da grandeza de Deus que a carne humana jamais poderia suportar.

P. C. J.

**SERÁ** *Veja* Seerá.

**SERÁ ou SERA** Uma filha de Aser (Gn 46.17; 1 Cr 7.30; Nm 26.46, Sera), irmã de Imna, Isvá, Isvi e Berias, com quem ela foi ao Egito, juntamente com Jacó. Em Neemias 26.46, seu nome aparece em um recenseamento feito por Moisés no deserto.

Por causa da importância de seu nome na árvore genealógica, os rabis sugeriram que ela foi uma extraordinária personalidade histórica. Devido à sua virtude e piedade, os judeus têm uma lenda segundo a qual ela foi a primeira pessoa a informar Jacó de que seu filho José ainda estava vivo. Por causa disto, ela foi transferida para o paraíso onde existem quatro mansões, de acordo com o antigo livro de Zofar. Cada uma dessas mansões é presidida por mulheres ilustres. Será, a filha de Aser; a filha do Faraó que criou Moisés; Joquebede, a mãe de Moisés; e Débora, a profetisa.

**SERAFIM** A forma plural de um termo hebraico que é traduzido como "serpentes ardentes" em Neemias 21.6, mas que é simplesmente transliterado como "serafins" em Isaías 6.2. As criaturas assim designadas aparecem na visão de Isaías, e sua descrição compartilha a obscuridade do simbolismo: elas têm seis asas, um rosto, mãos e pés; voam, falam, portam-se com reverência na presença do Senhor, e dramatizam a palavra do Senhor; proclamam e ministram efetivamente a santidade de Deus (*veja* Anjo). O que quer que seja dito a respeito delas, deve ser inferido da etimologia ou das tradições do Oriente Próximo.

O verbo hebraico composto por três consoantes na forma singular significa "queimar". Esta queima não tinha o propósito de fazer claridade, nem a queima de um sacrifício sobre o altar, mas tinha geralmente a finalidade de destruir e erradicar impurezas e refugos. Assim, um dos serafins tocou os lábios do profeta para queimar a impureza. Semelhantemente, as serpentes ardentes de Neemias 21.6 foram enviadas para retirar do acampamento de Israel as atitudes indevidas e impuras, e aquelas que atacaram os filisteus tinham a finalidade de destruir a soberba daquela nação (Is 14.29; cf. 30.6). Na referência em Números, a palavra *s*[e]*raphim* tem uma função adjetiva que modifica a palavra serpente, enfatizando, deste modo, o aspecto de sua ardente picada ou a inflamação e febre resultantes (*veja* Animais IV.7).

É possível que o fogo e a figura da serpente sejam derivados do fenômeno celestial do relâmpago (ou do raio), o que pode ter sido personificado na mitologia do Oriente Próximo. Os arqueólogos descobriram uma laje de pedra que traz uma figura de seis asas com um corpo humano em Tell Halaf (ANEP #655), e um animal com duas asas que no Egito é chamado de "seref".

J. D. Y.

**SERAÍAS**

1. O escriba ou secretário de Davi (2 Sm 8.17). O nome aparece como Seva em 2 Samuel 20.25, Sausa em 1 Crônicas 18.16 e talvez como Sisa em 1 Reis 4.3 onde seus filhos aparecem como escribas (ou secretários) de Salomão.
2. O filho de Azarias e sumo sacerdote nos dias de Zedequias (1 Cr 6.14). Quando Jerusalém caiu diante da Babilônia, ele foi levado ao cativeiro com outros para Ribla, onde foi executado (2 Rs 25.18-20; Jr 52.24-26). Ele foi o "pai", ou seja, um ancestral de Esdras (Ed 7.1).
3. O filho de Tanhumeth de Judá, o líder de um dos bandos guerrilheiros ainda existente depois da queda de Jerusalém. Ele e outros líderes foram advertidos por Gedalias a se sujeitarem e servirem à Babilônia (2 Rs 25.23,24; Jr 40.8,9).
4. O segundo filho de Quenaz e irmão do primeiro juiz, Otniel. Joabe, filho de Seraías, é chamado de pai de Ge-Harasim, o "vale dos Artífices", talvez porque ele, como quenezeu (*q.v.*), tenha trazido a Israel a habilidade do trabalho em metal (1 Cr 4.13,14).
5. Filho de Asiel e pai de Josibias da tribo de Simeão (1 Cr 4.35).
6. Um importante sacerdote que retornou da Babilônia com Zorobabel (Ed 2.2; Ne 12.1; chamado Azarias em Neemias 7.7). Ele é provavelmente o mesmo homem mencionado como o chefe de uma casa sacerdotal, da qual o filho e descendente, Meraías, serviu no tempo de Joiaquim (Ne 12.12).
7. O filho de Hilquias que selou a aliança de Neemias. Ele é chamado de "maioral da Casa de Deus" (Ne 10.2; 11.11). É altamente improvável que ele pudesse ser a mesma pessoa mencionada no item 6, que retornou quase um século antes.
8. O filho de Azriel que com outros recebeu de Joaquim ordens para prender o profeta Jeremias depois de ler e queimar as palavras de julgamento proferidas pelo profeta (Jr 36.26).
9. O filho de Nerias, um importante oficial na corte de Zedequias (Jr 51.59). Ele é chamado de *sar m*[e]*nuha* que várias versões traduzem como "um príncipe pacífico". A tradução literal é "príncipe do descanso". Ele foi provavelmente o camareiro-mor, responsável pela definição dos acampamentos noturnos ou "lugares de descanso" quando acompanhou Zedequias na longa viagem para a Babilônia no quarto ano de seu reinado. Seraías foi encarregado por Jeremias de levar consigo a profecia de juízo escrita contra a Babilônia. Quando ele chegasse à cidade, deveria atar o livro (ou rolo) a uma pedra e lançá-lo para dentro dos Eufrates, simbolizando que a Babilônia cairia para jamais se levantar novamente (Jr 51.59-64).

P. C. J.

**SEREBIAS**

1. Um levita que retornou da Babilônia com Zorobabel (Ne 12.1,8) e tornou-se cabeça dos cantores levitas (Ne 12.24).
2. Um levita da família de Merari que se uniu a Esdras em seu retorno a Jerusalém, com 18 de seus filhos e irmãos. Junto com outros onze homens, foi-lhe confiado o grande tesouro de prata e ouro que Esdras estava trazendo para o Templo (Ed 8.18,24). Ele foi um líder durante a reforma realizada por Esdras e Neemias. Serebias, junto com outros levitas, ensinou "ao povo na Lei" enquanto esta era lida por Esdras (Ne 8.7). Participou do grande hino de confissão e ação de graças proclamado na Festa dos Tabernáculos (Ne 9.4,5). Ele também é listado entre aqueles que assinaram a aliança feita por Neemias (Ne 10.12).

Igreja no topo do monte das Beatitudes. HFV

**SEREDE** O filho primogênito de Zebulom (Gn 46.14; Nm 26.26). Este nome é confirmado em Ugarit como *S-r-d*.

**SEREDITAS** Este nome refere-se aos membros da família de Serede, um filho de Zebulom (Gn 46.14; Nm 26.26).

**SERES VIVENTES** As quatro "criaturas vivas" (em hebraico *hayyoth,* de *haya,* "estar vivo") de Ezequiel (1.5-25; 3.13; 10.15-22) são provavelmente os quatro seres viventes (em grego *zoa*) de Apocalipse 4.6-9, traduzidos em algumas versões como "animais". Em Ezequiel 10, elas são igualadas aos querubins (*q.v.*), e cada uma delas tem quatro faces – de homem, de boi, de leão e de águia – e quatro asas, embora a face do querubim tivesse o aspecto de um anjo (10.14), ao invés de um boi (Ez 1.10) ou de um bezerro (Ap 4.7). Os seres de Apocalipse 4.8 têm seis asas cada um. Em linguagem figurada, eles são representados como guardiões do trono de Deus. Junto com as quatro rodas (Ez 1.15-21), eles simbolizam a multidirecional mobilidade de seu trono, e o poder e a inteligência de suas ordens.

Uma das interpretações considera cada ser vivente como emblema de cada uma das três tribos de Israel, porque, no deserto, as 12 tribos eram apresentadas em grupos de três, ao norte, sul, leste e oeste do Tabernáculo. Assim como os quatro emblemas ou estandartes flanqueavam a morada de Deus no Tabernáculo de Israel, os quatro "seres viventes" correspondentes cercavam seu trono no céu.

A interpretação rabínica ensinava que as quatro faces representavam o domínio de Deus sobre o homem, sobre os animais selvagens (cujo rei é o leão), sobre os animais domesticados (dos quais o boi pode ser considerado o mais poderoso), e sobre os pássaros (governados pela águia). Dessa forma, Deus é retratado como o Supremo Rei de toda a vida, bem como o Glorioso e Grandioso Criador.

R. A. K.

**SERES** Filho de Maquir, o manassita, com sua mulher Maaca (1 Cr 7.16).

**SÉRGIO PAULO** O governador romano de Chipre que chamou Barnabé e Saulo em Pafos desejando muito "ouvir a palavra de Deus", e que creu no Senhor Jesus Cristo (At 13.7,12). A característica precisão de Lucas é demonstrada ao chamá-lo de "procônsul" (*anthypatos*), pois Chipre havia se tornado uma província senatorial desde 22 a.C. Ele pode ser provavelmente identificado como L. Sergius Paullus, um dos curadores de Tibério durante o reinado de Cláudio (Plínio, *Natural History,* ii.90, 97, 112). Ele deve ter ido para Chipre devido à sua posição de governo. Uma inscrição latina também menciona um L. Sergius Paulus, que pode ter sido o mesmo homem, porém com uma ortografia diferente em seu nome de família. Com base nesta inscrição, o desempenho de seu cargo tem sido datado entre 46/47 ou 49/50 d.C. Uma outra inscrição mencionando um "procônsul Paulo" foi encontrada em Soloi, na costa norte de Chipre.

**SERMÃO DO MONTE** As passagens em Mateus 5.1–7.29 e Lucas 6.20–7.1 receberam esta designação desde o início do século IV d.C., dada por Agostinho em seu comentário (*De Sermone domini in monte*). O discurso foi feito em alguma colina, provavelmente no planalto elevado da Galiléia. Uma tradição do século XIII considera o episódio como ocorrido em um local conhecido como "chifres de Hattitn. A importância do prefácio consiste na expressão "vendo a multidão". Percy C. Ainsworth observa: "O grande comentário sobre o Sermão do Monte é a vida – a vida como todos nós devemos viver – o pão cotidiano, a simples comunhão, a fadiga trazida pelo próximo, e as lágrimas".

O Sermão começa com as Beatitudes (Mt 5.3-12) nas quais o Senhor Jesus mostra que conhece bem o significado da vida e como ela deve ser vivida, mostrando que a resposta para a busca universal pela felicidade só pode ser encontrada à medida que os homens se identificarem com o reino de Deus (Veja F. Hauch, "*Makarios*", TDNT, IV, 362-370).

Neste sermão – que Lord Acton definiu como a verdadeira revelação de uma sociedade moralmente nova – o Senhor Jesus contrasta as idéias espirituais que sustentam a conduta moral adequada, com as exigências meramente exteriores da lei. Ele ensina que a ira que traz como fruto o assassinato é errada; que a reconciliação com um irmão é mais essencial do que o desempenho de atos exteriores de adoração; que o cultivo de pensamentos lascivos tornam as pessoas tão culpadas quanto a prática do próprio adultério; que seus seguidores devem ser extremamente comprometidos com a verdade, a ponto de os juramentos tornarem-se desnecessários; que a vingança é maligna; que os inimigos, assim como os amigos e benfeitores, devem receber nosso amor; que destacar os defeitos da vida dos outros, e tentar remodelar a vida destes de forma intrometida, e tudo isto através de uma atitude de censura, são atitudes repreensíveis; que o exercício da piedade como a doação de esmolas, as orações, e o jejum devem ser destituídos de ostentação; que o cristão só pode ter um Senhor.

Muitas passagens notáveis podem ser destacadas neste sermão. Existem as parábolas que falam da luz interior (Mt 6.22,23), e das duas casas (Mt 7.24-27). A Oração do Senhor, citada por Mateus, em sua primeira seção trata dos deveres para com Deus, e, na sua segunda, trata dos deveres para com o próximo. O Senhor Jesus preparou este modelo a partir de um contexto judaico, dando um exemplo de como a alma, mesmo com poucas palavras, pode falar com Deus (veja a obra de Frederick W. Farrar, *The Lord's Prayer*, 1894, e a obra de J. D. Jones, *The Lord's Prayer,* 1903).

A "regra áurea" (Mt 7.12) foi assim chamada no século XVIII por Richard Godfrey e Isaac Watts. William Dean Howells em seu romance *Silas Lapham* (1885) usou esta frase que agora nos é familiar. Este princípio de reciprocidade, que de acordo com Wesley é recomendado pela própria consciência humana, tornou-se a base do sistema ético de John Stuart Mill. Este princípio também é refletido na afirmação de Kant de que a pessoa deve agir como se sua regra de conduta estivesse destinada – pela força de sua vontade – a se tornar uma lei universal da natureza. A diferença entre a ordem categórica de Kant e a "regra áurea" de Cristo é que a ordem de Kant não tem conteúdo, enquanto Cristo resume o conteúdo da segunda tábua da lei moral de Deus. O Senhor Jesus Cristo exemplificou a "regra áurea" na parábola do Bom Samaritano (Lc 10.25ss.).

O texto em Mateus 5.41 enuncia o princípio da segunda milha, expressando uma disposição ilimitada para fazer mais do que aquilo que é pedido, e da bondade para com aquele que desejar nos oprimir; é, por exemplo, o cliente que foi enganado fazendo o bem ao comerciante que o enganou; é o que Shakespare faz Iago declarar em relação a Desdemona. "Ela costuma, em sua bondade, não fazer mais do que aquilo que lhe é solicitado".

O texto em Mateus 7.11 é uma das revelações mais expressivas sobre a natureza de Deus. Ela utiliza a analogia da paternidade terrena impregnada pelo pecado, que mesmo assim manifesta a bondade para com sua descendência.

O texto em Mateus 5.48 apresenta o ideal da vida cristã, que os filhos de Deus podem ser como o seu Pai Celestial, perfeitos em santidade. Isto representa uma obrigação que temos no presente, e uma profecia sobre aquilo que os cristãos serão eternamente.

O texto em Mateus 7.20 diz que os pregadores e aqueles por meio dos quais o Senhor realiza milagres e curas, devem ser julgados pelo fruto de suas obras e não por suas palavras. Esta é a base para a advertência e a crítica em relação aos pregadores modernos.

Aqueles que defendem um cristianismo não-doutrinário tendem a exaltar o conteúdo moral do Sermão do Monte como a essência de nossa religião, desprezando a Divindade de Cristo que está contida nestas palavras. Eles não conseguem enxergar que o discurso como um todo está imerso nas claras afirmações da natureza divina e do poder divino do Senhor Jesus. J. Gresham Machen observa que as Beatitudes contêm uma forte nota de autoridade, que seria exagerada e patológica em qualquer outra pessoa, exceto no Jesus da Bíblia. Machen pergunta. "Quem é que pode falar com absoluta certeza sobre o tipo de pessoa que fará parte do reino de Deus?", "Quem é este que anuncia ao homem as recompensas que somente Deus pode dar?" (J. Gresham Machen, *The Christian Faith in the modern World*, p. 163). Além disso, o Senhor Jesus deixa sua divindade implícita ao declarar que o seu ensino substitui o padrão expresso pelo AT. "Ouviste o que foi dito... mas eu vos digo". O Sermão do Monte é um testemunho evidente que o Senhor Jesus dá de sua própria divindade, sem o qual sua ética – embora admirável e insuperável – seria desprovida de autoridade.

A todos aqueles que entendem que o princípio da aliança promulgada no Éden deve ser perfeitamente mantido pelo homem, Cristo prova sua Divindade ao dizer: "Não cuideis que vim destruir a lei ou os profetas; não vim ab-rogar, mas cumprir", e acrescenta imediatamente, "Porque em verdade vos digo que, até que o céu e a terra passem, nem um jota ou um til se omitirá da lei sem que tudo seja cumprido" (Mt 5.17,18). Ele estava indicando que os manteria. Uma vez que o Senhor Jesus Cristo tratou diretamente de dois dos dez mandamentos (vv. 21,27), e da segunda tábua da lei (v. 43), devemos concluir que Ele referiu-se especificamente a eles e também ao Antigo Testamento como um todo. Ele interpretou os mandamentos como regras para os filhos de Deus, que visam o seu crescimento progressivo na graça e na santificação. Ao mesmo tempo, ao dizer: "Eu vim .... para cumprir", o Senhor estava indicando que Ele mesmo cumpriria a lei em nosso lugar e para a nossa justificação – e este é exatamente o ensino que encontramos nas demais passagens dos Evangelhos, e nas Epístolas em particular.

G. H. T.

Prisioneiros de Ramsés II em Abu Simbel, Egito. Os prisioneiros de guerra eram geralmente vendidos como escravos. LL

**SERPENTE, COBRA** *Veja* Animais: Cobra IV.7; Víbora IV.37.

**SERPENTE ARDENTE** No quadragésimo ano em que o povo de Israel peregrinou no deserto, eles viajaram para a terra prometida no árido Arabá (entre o mar Morto e o mar Vermelho, em Ácaba). Quando eles queixaram-se devido à comida e à água, Deus enviou uma praga de serpentes ardentes, e com isso muitos israelitas morreram (Nm 21.8; Dt 8.15). Alguns estudiosos acreditam que as serpentes foram chamadas de "ardentes" devido à sua cor, mas isso parece não se ajustar ao uso hebraico. É mais provável que este termo refira-se à dor e à sensação de queimadura causada pelas mordidas venenosas. Isaías (14.29; 30.6) as descreve como serpentes ardentes, voadoras. Não se sabe se o termo "voadoras" refere-se à velocidade destes animais ou a alguma característica de seu corpo (como as saliências laterais de uma cobra), que tinha a aparência de asas. *Veja* Serpente de Bronze.

**SERPENTE DE BRONZE** Durante o período de peregrinação pelo deserto, o povo de Israel começou a murmurar contra o Senhor. Como medida disciplinar, Deus enviou "serpentes ardentes" entre eles (Nm 21.5-9). Provavelmente eram cobras, cuja mordida causava uma febre ardente. Quando as pessoas feridas imploraram a Moisés, obedecendo à ordem de Deus ele fez uma serpente de latão (cobre), sem dúvida uma réplica daquela víbora que, com sua mordida dolorosa e mortal, já os tinha mordido. Não devemos considerar esse fato como uma mágica, pois ele provavelmente serviu como uma lembrança simbólica do desgosto divino. Séculos mais tarde, a serpente tornou-se um centro de reunião para o culto idólatra de Israel, e isto levou Ezequiel a destruí-la (2 Rs 18.4). Cristo referiu-se a ela figurativamente como um exemplo de sua futura morte na cruz (Jo 3.14), pela qual se fez "pecado por nós" (2 Co 5.21) e assim tomou sobre si o nosso juízo.
*Veja* Animais IV. 7,30.

J. F. G.

**SERRA** A serra (heb. *m^egera*) é mencionada em 2 Samuel 12.31; 1 Reis 7.9 (junto com o termo heb. *garar*, "serrar"). Em 1 Crônicas 20.3 e Is 10.15, é utilizado o termo hebraico *massor*. Um verbo grego *prizo*, "serrar", só é utilizado em Hebreus 11.37.
As serras eram geralmente facas feitas de rochas com cortes irregulares até a Idade do Ferro, quando as lâminas de ferro para as serras foram introduzidas, embora as lâminas de bronze com cabos de madeira tenham sido utilizadas durante a 18ª Dinastia do Egito. As serras eram utilizadas para cortar pedras e madeiras. A técnica do corte de pedra provavelmente envolvia o uso da água e da areia como um abrasivo.
Davi provavelmente submetia os prisioneiros amonitas ao trabalho *com* serras e outras ferramentas (2 Sm 12.31; 1 Cr 20.3), e não "sob as serras". Aqui está sendo descrito o trabalho forçado e não a tortura. A alusão em Hebreus 11.37 àqueles que foram "serrados" não foi identificada com outras informações históricas. Este termo pode ter representado neste texto, uma simbologia. Uma tradição judaica relata que o profeta Isaías foi serrado ao meio ao esconder-se em uma árvore oca durante o reinado de Manassés. No entanto, esta história não está necessariamente relacionada à menção em Hebreus 11.37.

W. R. L. McL.

**SERUGUE** O primeiro filho de Réu, e o bisavô de Abraão (Gn 11.20; e 1 Cr 1.26; Lc 3.35). Pensa-se que a cidade Acádia e o distrito de Sarugi, situados a oeste de Harã, mais tarde receberam o nome de Serugue.

**SERVA** Veja Ama.

**SERVIÇO** Na Bíblia Sagrada, os termos "serviço" e "servo" são usados no sentido de servir e ministrar. A escravidão ou serviços forçados são atestados desde os tempos mais remotos por todo o Oriente Próximo. O trabalho escravo era utilizado principalmente pelas famílias ricas, e também em projetos reais de construção, como a construção das pirâmides no Egito, e das cidades-armazém dos Faraós antes do Êxodo.
Na Palestina e na Síria, o escravo era geralmente um servo doméstico e não um trabalhador agrícola ou industrial. As tábuas de Alalakh na Síria mostram que um senhor tinha no máximo três escravos nos séculos XVIII e XV a.C. Os grandes proprietários de terras como os da Babilônia e da Assíria parecem ter preferido os trabalhadores livres

à mão de obra escrava (I Mendelsohn, "On Slavery in Alalakh", IEJ, V [1955], 65-72).
O preço médio dos escravos subiu gradativamente, como ocorreu com o preço de outras "mercadorias" durante o 2º e o 1º milênio a.C. Para conhecer a notável correspondência entre os preços dos escravos mencionados nas Escrituras, e aqueles que estão registrados nas inscrições contemporâneas aos fatos bíblicos, veja a obra de K. A. Kitchen, "Slave", NBD, p. 1196.
O verbo hebraico mais freqüente para "servir" é *'abad*, "trabalhar", "trabalho" (Êx 5.18; 20.9; 34.21). Ele geralmente significa servir a um senhor na condição de escravo (Êx 21.6; Dt 15.12,18 Jr 34.14), mas o substantivo *'ebed* além de "escravo" tem uma variedade de significados. Por exemplo, em 2 Samuel 9.2*a* Ziba foi servo ou contratado de Saul; no verso 10, os vinte servos de Ziba eram homens escravos, e nos vv. 2*b*, 11 "teu/seu servo" é uma expressão educada que demonstra humildade. Devido ao poderoso controle do rei, a palavra *'ebed* também se refere àqueles que estão sujeitos ao seu controle, especialmente os seus mercenários, oficiais, e ministros, aqueles que se juntaram ao seu serviço.
O termo heb. *na'ar*, "moço", "servo" sugere que os assistentes eram normalmente jovens e solteiros (Gn 22.3; Nm 22.22; Jz 7.10ss.).
O verbo *sharat* significa "ministrar", servir de uma forma pessoal, assim como Josué ajudou Moisés (Êx 24.13; 33.11). A escrava ou criada era chamada de *shipha* (por exemplo, Agar Gn 16.1; 25.12) ou *'ama* (Gn 20.17; Êx 23.12), cuja posição era freqüentemente a de uma concubina do seu senhor.

**O Serviço no Antigo Testamento**

*Serviços seculares*

1. Um contrato de trabalho (heb. *'aboda*) entre duas partes, cuja vigência tinha um período estipulado (Gn 29.27; 30.26; cf. Os 12.12).
2. O trabalho (*'aboda*) de um servo, como por exemplo um trabalho doméstico pesado (Lv 23.7,8,21,25,36).
3. O trabalho de um servo contratado ou assalariado (heb. *sakir*, Êx 12.45; Jó 7.1,2; Is 16.14; gr. *misthios*, Lc 15.17,19) que embora seja usado como um exemplo de alguém que não tem um verdadeiro interesse ou responsabilidade (Jó 7.2; 14.6; Jo 10.12,13), ainda é razoavelmente bem tratado e comandado com certa bondade (Ml 3.5; cf. Ef 6.5-9) e não como um escravo (Lv 25.39).
4. Escravos israelitas. Os homens tornavam-se escravos de seus irmãos pelas seguintes razões: (*a*) Pobreza, a impossibilidade de sus-tentar a si mesmo e a própria família. Este era considerado como um tipo de venda, no qual a pessoa vendia o direito de seu trabalho a um de seus irmãos em troca da provisão do sustento para si mesmo e para sua família (Lv 25.39,47; cf. Dt 15.12,13). As taxas de juros exorbitantes dos empréstimos, embora proibidas pelos estatutos que regulavam a usura, freqüentemente levavam um homem à falência e depois à escravidão. Alguns dos seguidores de Davi eram devedores endividados que tinham fugido de seus credores (1 Sm 22.2). (*b*) Restituição por roubo. Pela lei, a restituição requeria o retorno ao menos do dobro da quantia roubada. Se o ladrão fosse comprovadamente incapaz de fazer a restituição devida, ele era vendido pelo valor de seu roubo, e a restituição era feita por meio do seu trabalho (Êx 22.1-4). (*c*) Nascimento. Os filhos de um escravo hebreu tornavam-se escravos de seu senhor desde o nascimento (Êx 21.4), embora esta prática não tenha sido permanente, exceto nos casos em que o servo escolhesse a escravidão permanente (Êx 21.6; Dt 15.17). (*d*) Os filhos de um devedor negligente eram vendidos para que a dívida fosse paga, ou eram mantidos com seus pais como escravos até o próximo ano do jubileu (Êx 21.7; Lv 25.39-41,47,54; 2 Rs 4.1; Ne 5.5 Is 50.1 Jó 24.9). (*e*) Seqüestro. Os irmãos de José essencialmente o seqüestraram e o venderam como um escravo (Gn 37.27,28; cf. 45.4). Sujeitar uma pessoa raptada à escravidão era um crime punível com a morte tanto na lei de Hamurabi (#14. ANET, p. 166), quanto na lei de Moisés (Êx 21.16; Dt 24.7).
Existiam limites para o serviço escravo sob a lei Mosaica. Além da liberdade concedida no ano do jubileu, um parente podia resgatar o escravo (Lv 25.48,49). Se não fosse resgatada, entretanto, a pessoa receberia a liberdade depois de seis anos de serviço, junto com um presente de seu senhor composto por gado ou frutas (Êx 21.2; Dt 15.12-15). A esposa do homem e seus filhos também se tornavam livres junto com ele (Êx 21.3). Se, entretanto, o escravo tivesse recebido sua esposa de seu senhor, então ela e seus filhos ficariam com seu proprietário (Êx 21.4).
No sétimo ano, um servo israelita podia optar por se tornar um escravo permanente ao invés de aceitar sua liberdade. Se este fosse o caso, o escravo deveria comparecer perante os anciãos e então teria sua orelha furada por uma sovela no batente da porta, e deste modo tornar-se-ia um servo vitalício (Êx 21.6; Dt 15.17; cf. Cristo em Salmo 40.5-8; Hb 10.5ss.).
5. Havia provisões especiais para o caso de uma serva que fosse vendida como uma doméstica ou concubina. Se não agradasse ao seu senhor, ela não poderia ser revendida, mas poderia ser imediatamente resgatada (Êx 21.7-11; Dt 21.14). Mas, caso o seu senhor mantivesse o seu contrato, ela não poderia partir antes de completar seis anos de serviço, ou no ano do jubileu. Caso o seu senhor a comprometesse com o seu filho, deveria lhe dar o mesmo dote que daria a uma filha. Ele

deveria tratá-la da mesma forma que trataria qualquer outra esposa que viesse a tomar. Caso o seu senhor falhasse no cumprimento de qualquer um dos requisitos mencionados acima, ela seria livre, e ele, como proprietário, não teria direito a nenhum tipo de pagamento ou compensação financeira.
6. Os escravos não israelitas, comprados das nações pagãs, ou capturados por ocasião da conquista da Palestina (Nm 31.9,18,35; Dt 20.14) ou durante as guerras posteriores, tornavam-se escravos permanentes junto com os seus filhos (Lv 25.44-46). Os gibeonitas e seus descendentes foram designados como escravos públicos permanentes, encarregados das tarefas de cortar madeira e carregar água para o santuário central de Israel (Js 9.23,27; Ne 7.57-60; *veja* netineus). Em contraste, os israelitas que fossem escravos dos não-israelitas que estivessem vivendo naquela terra, poderiam obter sua liberdade no ano do jubileu, ou pagando o preço da compra deduzindo o valor dos anos de serviço já prestados (Lv 25.47-55).
Além de todas as provisões mencionadas para os escravos, existia também a possibilidade da compensação, como, por exemplo, receber a liberdade da mão do proprietário do escravo (Êx 21.26,27). Os rabinos sugeriram quatro modos para ganhar a liberdade: (*a*) A redenção pelo pagamento de certa quantia (já mencionado). (*b*) A concessão de uma carta de alforria. (*c*) A disposição por meio de um documento ou testamento. (*d*) Fazer do escravo um herdeiro (cf. Gn 15.2). A estes deve ser acrescentado: (*e*) pela ordem do Senhor, como no caso do profeta Jeremias (Jr 34.8-10).
7. O serviço como oficiais do rei, e militares (heb. *'aboda*, 1 Cr 26.30; *sharat*, 1 Cr 27.1; 28.1; 2 Cr 17.12-19).
Pela lei de Moisés, o escravo gozava de proteção. A perda de um olho ou de um dente trazia a liberdade ao escravo (Êx 21.26,27; cf. Êx 21.20; Lv 24.22). Era proibida a extradição de escravos fugitivos que buscassem proteção na casa de algum israelita (Dt 23.15,16). Os escravos dos israelitas deveriam ser circuncidados. Assim poderiam participar do sacrifício pascal (Êx 12.44), de todas as festas judaicas (Dt 12.12,18; 16.11,14), e do descanso do sábado (Êx 20.10,11; Dt 5.14).
*Serviços religiosos*
1. Observância familiar (heb. *'aboda*) da Páscoa (Êx 12.14-27; 13.5).
2. Serviço ou cuidado (*'aboda*) do Tabernáculo pelos levitas (Nm 3.7,8; 18.7,23).
3. Serviço da música no Templo (*'aboda*, 1 Cr 25.1-7; 2 Cr 35.15).
4. Serviço sacerdotal na adoração ao Senhor (*'aboda*, 1 Cr 24.1-31; 2 Cr 8.14; *sharat*, 2 Cr 29.11; Is 56.6; *latreia*, Hb 9.1,6,9).
5. Trabalho como um construtor no Tabernáculo ou Templo (Êx 36.1,3,5; 1 Cr 28.20).
6. Moisés, como um líder excepcional, foi freqüentemente chamado de servo do Senhor (Êx 14.31; Nm 12.7; Dt 34.5; Js 1.1,15; 8.31). Deus chamou todos os israelitas de "meus servos" (Lv 25.42); esta era uma designação comum para o adorador de uma divindade no antigo Oriente Próximo (*veja* Yamauchi, "Slaves of God"). Mais tarde, o termo Servo do Senhor (*q.v.*; heb. *'ebed Yahweh*) tornou-se uma designação profética para o Senhor Jesus Cristo – um título que enfatiza sua absoluta obediência ao Pai (Is 42.1-4; citado em Mateus 12.18-21; Is 49.1-9; 50.10; 52.13–53.12).

**O Serviço no Novo Testamento**

Nas cidades helenizadas do período do Novo Testamento, os escravos constituíam uma grande parte da população. O Senhor Jesus ministrou aos escravos/servos romanos (Lc 7.2-10), e freqüentemente mencionou os servos em seus ensinos (Mt 10.24ss.) e parábolas (por exemplo, Mateus 18.23-34), porém nunca criticou a instituição da escravidão. Muitos escravos da época eram homens bem educados que haviam sido capturados, ou que fracassaram nos dias de escassez; eles eram capazes de dirigir grandes propriedades e negócios (Mt 25.14-23). Mas de maneira diferente da Grécia clássica e do Império Romano, a economia israelita nunca se tornou dependente do serviço escravo.
Os requisitos benevolentes da lei Mosaica para com os escravos evitavam que o relacionamento com estes se tornasse, para os israelitas, uma fonte de ganho de larga escala.
O termo "servo" ou "escravo" (gr. *doulos*) é geralmente usado por um homem de Deus, Paulo, para descrever sua completa dedicação (Rm 1.1; Fp 1.1; Tt 1.1). Em Romanos 12.1, esta submissão a Cristo é chamada de "culto racional" (*latreia*, o desempenho de ritos e deveres religiosos).
Paulo adverte contra a escravidão (gr. *douleia*) do legalismo (Gl 4.24; 5.1) e compara aqueles que estão presos no pecado com um escravo (Rm 6.6,16-20). Por ocasião da volta do Senhor Jesus Cristo, toda a criação será libertada da escravidão da corrupção (Rm 8.21). Os homens não regenerados de nossos dias são escravizados – durante toda sua vida – pelo medo da morte (Hb 2.15).
Outra raiz grega geralmente traduzida como "servir" ou "serviço" é *diakoneo*, que significa servir alguém por exemplo como um garçom, como no caso de Marta que estava preparando a comida para servir aos seus visitantes (Jo 12.2; Lc 10.40; cf. 12.37; 17.8; 22.26ss.; At 6.2). Por extensão, o termo passou a significar qualquer ministério de ajuda física ou financeira a outras pessoas (Mt 8.15; 25.44; Lc 8.3; At 11.29; 12.25; 19.22; Rm 15.25,31; 2 Tm 1.18; Hb 6.10). O uso mais importante no NT está ligado à ministração

(*diakonia*) do evangelho (At 6.4; 20.24; 21.19) recebido do Senhor (Cl 4.17; 2 Tm 4.5; 2 Co 5.18) e direcionado pelo Espírito (1 Co 12.4-11; 2 Co 3.8). *Veja* Ministério.

Outros termos gregos para "servo" enfatizam o serviço cuidadoso e o tratamento amoroso (*therapeia*, Lc 12.42; Mt 24.45), sua posição na casa (*oiketes*, Lc 16.13; Rm 14.4; 1 Pe 2.18), e ainda sua tarefa de prestar assistência (*hyperetes*, Atos 13.5; Lucas 4.20).

À medida que a mensagem do evangelho, com as suas implicações sociais, alcançava o Império Romano, tornou-se cada vez mais necessário definir qual seria a atitude da Igreja em relação à escravidão. Muitos escravos estavam se voltando para Cristo nos lares de seus senhores cristãos (Rm 16.10,11; 1 Co 1.11). Certamente alguns desses escravos estavam desejando a libertação da escravidão, mas, Paulo aconselhou os escravos cristãos a estarem dispostos a permanecer na condição em que foram "chamados". Quando um escravo convertia-se, poderia aceitar a libertação da escravidão caso esta lhe fosse oferecida (1 Co 7.20-23). O apóstolo repetia um grande princípio – em Cristo não há escravos nem livres, todos são semelhantes (1 Co 12.13; Gl 3.28; Cl 3.11). Assim, o apóstolo ordenou que os escravos fossem obedientes por amor ao Senhor, como um testemunho (Ef 6.5-9; Cl 3.22–4.1; 1 Tm 6.2), e ao mesmo tempo ele instruiu os senhores a tratarem os escravos crentes com integridade e justiça.

Paulo exemplifica sua atitude em relação à escravidão no caso de Filemom e Onésimo. O apóstolo não pediu que o seu amigo libertasse o escravo fugitivo, mas recomendou-lhe Onésimo como um irmão amado (Fm 16). Em uma fraternidade como esta, todos os membros devem ser livres de seus grilhões sem ódio e sem recorrer à violência e ao derramamento de sangue.

*Veja* Ocupações: Servo.

***Bibliografia.*** CornPBE "Slavery", pp. 663-666. H. L. Ellison, "The Hebrew Slave: a Study in Early Israelite Society", EQ, XLV (1973), 30-35. I. Mendelsohn, *Slavery in the Ancient Near East*, Nova York. Oxford Univ. Press, 1949; "Slavery in the OT", IDB, IV, 383-391. A. F. Rainey, "Compulsory Labor Gangs in Ancient Israel", IEJ, XX (1970), 191-202. Karl H. Rengstorf, "*Doulos* etc", TDNT, II, 261-280. H. Strathmann e R. Meyer, "*Leitouregeo* etc", TDNT, IV, 215-231. William L. Westermann, *The Slave System of Greek and Roman Antiquity*, Filadélfia. American Philosophical Soc., 1955 (com uma bibliografia completa), Edwin Yamauchi, "Slaves of God". Bul ETS, IX (1966), 31-49.

R. A. K. e J. R.

**SERVIDÃO** *Veja* Serviço.

**SERVO**
Um atendente, mas não de caráter doméstico (2 Rs 4.43).

*Veja* Ocupações: Servo; Serviço.

**SERVO DO SENHOR** O termo heb. *'ebed YHWH* é a designação de alguém que desfruta um relacionamento especial com o Senhor, e é encarregado de uma missão particular. O emprego formal e completo deste termo aparece de forma proeminente no nome Moisés (cf. Js 1.1ss.; 1 Cr 6.49; 2 Cr 1.3; Ne 1.7; 10.29).

O plural, servos, ocorre muitas vezes como uma humilde autodesignação dos adoradores. Muito mais extenso é o circulo de pessoas que servem ao Senhor nestas passagens onde o pronome possessivo é substituído pelo Nome divino. Assim, o Senhor refere-se a Davi como "meu servo". Em sua conversa com o Senhor, Salomão refere-se a si mesmo como "Teu servo". Tanto Elias como Eliseu são designados pela expressão "Seu servo". Embora a palavra "servo" possa ser usada por qualquer pessoa para expressar uma posição inferior, o sentido completo da palavra indica a propriedade por parte daquele de quem é o servo. No termo que estamos discutindo, esta propriedade surge da bondosa chamada de Deus a cada um, para o desempenho de um serviço especial como líder, profeta ou rei.

O termo ocorre em passagens de Isaías onde o Senhor descreve profeticamente o papel único do seu "Servo" (42.1-7; 49.1-6; 50.4-9; 52.13–53.12). Embora os estudiosos discutam a referência original pretendida pelo escritor, os escritores do NT aplicaram o título (gr. *pais*) ao Senhor Jesus como o Messias, considerando-o como o cumprimento desta referência, e o Servo de Deus por excelência, o Servo Sofredor (Mt 12.18; de Is 42.1; At 3.13,26; 4.27,30 – tanto na versão ASV em inglês quanto nas versões mais novas).

Os estudiosos judeus modernos geralmente interpretam todas estas referências como dirigidas ao(s) "servo(s) de Deus" em Isaías 41–66, significando que Israel é o povo escolhido de Deus em um sentido coletivo. Todavia os estudiosos judeus mais antigos (por exemplo, no Targum de Isaías; no Midrash, *q.v.*) aplicaram comumente Isaías 52.13–53.12 a um futuro Messias.

*Veja* Serviço.

***Bibliografia.*** David Baron, *The Servant of Jehovah*, 3ª ed., Grand Rapids. Zondervan, 1954. C. R. North, *The Suffering Servant in Deutero-Isaiah*, 2ª ed., Oxford. Clarendon Press, 1956, que traz uma bibliografia completa; "Servant of the Lord, The", IDB, IV, 292-294. H. H. Rowley, *The Servant of the Lord and Other Essays on the Old Testament,* Londres. Luterworth Press, 1952, pp. 1-88. Edward J. Young, *Isaiah 53*, Grand

Rapids. Eerdmans, 1952. W. Zimmerli e J. Jeremias, *"Pais Theou"*, TDNT, V, 654-717.

J. D. Y

**SERVOS DE SALOMÃO** O rei Salomão, como todos os governantes antigos, tinha muitos servos a quem se atribuíam determinadas responsabilidades. Alguns eram escravos estrangeiros, que realizavam as tarefas consideradas menos dignas tanto no palácio quanto no Templo, ao passo que outros eram príncipes e oficiais israelitas (1 Rs 4.1-19). Destes, uns eram sacerdotes que oficiavam no Templo; outros eram príncipes que aconselhavam o rei nos assuntos domésticos ou estrangeiros. E ainda outros eram supervisores de determinadas terras, encarregados da coleta de provisões ou da proteção militar. O supervisor da força de trabalho da nação era responsável por 12 distritos, mas essas divisões não coincidiam com a das fronteiras das antigas tribos. Este sistema provavelmente resultou da política de Salomão de romper com as antigas fidelidades das tribos, para assegurar maior lealdade para com a corte, e isto talvez tenha dado algum motivo para a insatisfação das tribos do norte no final de seu reinado. Além disso, não existia um supervisor para Judá, que evidentemente estava isenta do trabalho e dos impostos. A lista de oficiais em 1 Reis 4 parece estar incluída com a finalidade de indicar a grandeza de Salomão. Também designados como seus servos estavam alguns descendentes de escravos estrangeiros que tinham retornado do cativeiro na Babilônia (Ed 2.55-58; Ne 7.57-60). Eles trabalhavam para os levitas e sacerdotes no Templo e podem ter sido aqueles descendentes dos cananeus que foram escravizados na época de Salomão. *Veja* Netineus; Salomão.

A. W. W.

**SERVOS DO TEMPLO** *Veja* Netineus

**SESÃ** Um jerameelita que não teve filhos do sexo masculino (1 Cr 2.34). Ele entregou sua filha ao seu servo egípcio, Jara, e sua linhagem teve continuidade através de Atai, o filho deste.

**SESAI** Um dos filhos de Anaque, talvez um nome do antigo clã hebronita (Nm 13.22). O clã foi expulso de Hebrom por Calebe na época da conquista.

**SESAQUE** Um termo críptico geralmente considerado como uma referência à Babilônia (Jr 25.26; 51.41). Delitzsch acreditava que o termo representava um antigo registro babilônico dos reis que podem ter governado sobre parte da cidade da Babilônia. A maior parte dos estudiosos, entretanto, acredita que esta seja uma palavra artificial formada pelo instrumento conhecido como Atbash no qual a última letra do alfabeto é substituída pela primeira letra do nome, a letra próxima à ultima pela segunda, e assim por diante. Se esta teoria for verdadeira, as consoantes heb. representam Babel (veja as notas de margem da versão NASB em inglês referentes a Jeremias 25.26; 51.41).

**SESBAZAR** Aparentemente o nome caldeu dado a Zorobabel, o líder do retorno a Jerusalém vindo da Babilônia depois do decreto de Ciro (Ed 1.8; 5.14). Acredita-se que este nome seja uma alteração do acadiano *Sin-ab-usur*, "Que Sin [a divindade da lua] proteja o pai". É sugerido que os dois nomes aplicam-se à mesma pessoa através de uma comparação da descrição de Sesbazar em Esdras 5.14-16, com a de Zorobabel em Ageu 2.2-4 e Zacarias 4.9. *Veja* Zorobabel.

**SETAR** Um dos sete príncipes da Pérsia que teve o direito de entrar na presença do rei (Et 1.14).

**SETAR-BOZENAI** Um oficial associado a Tatenai, governador da Pérsia, da província "além do rio" (isto é, cruzando o Eufrates a partir da Pérsia; Ed 5.3–6.13). Quando a reedificação do Templo de Jerusalém, após um grande atraso, estava em progresso sob o ímpeto dos profetas pós-exílicos Ageu e Zacarias, ele uniu-se a Tatenai em uma inquirição a Dario I, rei da Pérsia, com respeito à verdadeira autoridade que os judeus reivindicavam para seu projeto. Dario confirmou sua reivindicação e instruiu este homem, e os outros oficiais locais, não só a cessar as interferências, mas a ajudar os judeus a terminar o Templo e fornecer materiais para os sacrifícios.

**SETE¹** Filho de Adão (1 Cr 1.1). A citação deste nome na profecia de Balaão (Nm 24.17) pode referir-se a "tumulto, confusão, luta" e não a um povo paralelo com o nome de Moabe. Por outro lado, uma antiga tribo nômade conhecida como os Sutu é mencionada ao menos em uma ocasião nas tábuas de Mari como se estendendo aos estepes sírios e às montanhas Bisri, entrando no oásis adjacente de Tadmer (*q.v.*). Cerca de 2000 homens poderiam marchar ao mesmo tempo. A terra dos Sutu é mencionada em conexão com a pintura da tumba de Beni Hasan e nos textos de execração Posener do Egito datando da Era Patriarcal. Seu nome também aparece nas cartas de Amarna (#16, 11, 38, 40), e na inscrição da base da estátua de Idri-mi (1. 15). Veja W. F. Albright, "The Land of Damascus Between 1850 and 1750 B.C.", BASOR #83 (1941), p. 34.

J. R.

**SETE²** Filho de Adão e pai de Enos (Gn 4.25,26; 5.3-8; 1 Cr 1.1). Após o assassinato de Abel, Adão e Eva tiveram um outro filho. Eles o chamaram de Sete, que significa "designado", porque viram nele a "semente" designada por Deus através da qual a promessa de Deus seria cumprida (Gn 3.15). Na plenitude dos tempos, foi realmente através da descendência de Sete que Cristo veio (Lc 3.38). Sete morreu com a idade de 912 anos (Gn 5.8).

**SETENTA DISCÍPULOS DE NOSSO SENHOR** O grupo específico enviado pelo Senhor Jesus Cristo conforme registrado apenas em Lucas 10.1-20. O trabalho dos Setenta, embora similar ao dos Doze nos detalhes principais, tinha por objetivo específico preparar o caminho para o Messias nas aldeias que Ele deveria visitar antes de sua morte e ressurreição. O ministério dos doze consistia, de um modo mais geral, em pregar o evangelho e ocupar-se da cura dos enfermos (Lc 9.2); a atividade dos setenta era mais limitada geograficamente. Os setenta atenderam a uma necessidade temporária, enquanto os doze eram os companheiros selecionados do Messias em uma base mais duradoura.

**SETENTA SEMANAS** Em geral há três escolas de interpretação com respeito à escatologia de Daniel 9.24-27: (1) a tradicional, que reconhece Daniel como escritor e situa a septuagésima semana perto da primeira vinda de Cristo; (2) a crítica, que situa o livro em aprox. 150 a.C. e insiste que esta passagem faz parte do passado; (3) a pré-milenial, que aceita Daniel como o autor e introduz um parênteses entre a sexagésima-nona e a septuagésima semana. Destas, a terceira possui a maior uniformidade e a maior consistência com as Escrituras e a história.
"Setenta semanas" traduz a expressão heb. "setenta setes". Entre os intérpretes prevalece a opinião de que ela refere-se a anos, de forma que algumas traduções chegam a trazer a expressão como "setenta semanas de anos" ou "setenta anos vezes sete". Os 490 anos nesta profecia têm o propósito de terminar o rumo e a carreira de Israel sob a lei do AT (Dn 9.24). Estes anos começam com o decreto de Artaxerxes "para restaurar e para edificar Jerusalém" (v. 25), e terminam com uma septuagésima semana em que as condições para Israel terão mudado para pior (v. 27).
Existem pelos menos dois segmentos neste período de 490 anos. O primeiro consiste de 69 semanas ou 483 anos, começando com o decreto e terminando naquele dia em que o "Ungido" ou o "Messias" fez a entrada triunfal na cidade de Jerusalém (Sir Robert Anderson, *The Coming Prince*, pp. 95-105). O Ungido é então "tirado" ou "morto" (v. 26). Mas a septuagésima semana, diferente das primeiras 69, não vem a seguir, imediatamente e consecutivamente. Nos 1.900 anos subseqüentes não há sequer um período de sete anos que cumpra satisfatoriamente a profecia do versículo 27. Uma conclusão justa é que este período ainda é futuro e deve ser identificado com a tribulação que será precedida pelo arrebatamento da Igreja, e que é descrita e revelada em Apocalipse 6–19.
*Veja* Cristo, Vinda de; Daniel, Livro de; Escatologia; Arrebatamento; Grande Tribulação.
H. A. Hoy.

**SETUR** Filho de Micael, o representante da tribo de Aser entre os 12 espias enviados por Moisés para observar a terra prometida (Nm 13.13).

**SEVA**
1. Filho de Calebe com sua concubina Maaca (1 Cr 2.49).
2. O escrivão ou secretário real no gabinete de Davi (2 Sm 20.25).

**SEVENE ou SIENA** Forma grega do nome da cidade egípcia de *Swn*, localizada na margem oriental do Nilo, um pouco abaixo da primeira queda d'água, atualmente chamada Assuã. Por estar situada na antiga fronteira entre o Egito e Cuxe (ou Etiópia), ela era uma importante cidade comercial e militar. Esse local foi mais tarde protegido pela fortaleza Yeb, ou Elefantina, construída sobre uma ilha no meio do rio. Ezequiel usa a expressão "desde Migdol até Sevene" (29.10; 30.6) para indicar que todo o Egito iria cair sob o castigo de Deus. Durante o império persa havia uma considerável colônia judaica em Elefantina e Sevene, e até hoje seu nome ainda se mantém importante como local do grande dique de Assuã. *Veja* Papiros de Elefantina.
O rolo IQ Is[a] do mar Morto usa uma ortografia hebraica que sugere Sevene em lugar de Sinim em Isaías 49.12, mas essa referência ainda é questionável. *Veja* Sinim.
*Veja* Egito; Patros.
P. C. J.

**SEVENE** A cidade na Primeira Catarata do Nilo no lado da Etiópia, a moderna Assuã. Em Ezequiel 29.10 e 30.6, lê-se em algumas traduções "de Migdol até Sevene", enquanto em outras consta "a torre de Sevene". Era uma fortaleza do outro lado da ilha de Elefantina, onde os papiros de Elefantina foram encontrados em 1903.

**SHADDAI** Transliteração da palavra heb. *shadday*, normalmente traduzida como "Todo-Poderoso". A idéia fundamental transmitida pela forma verbal *shadad*, da qual ela é provavelmente derivada, é tratar violentamente; portanto, o substantivo derivado descreve alguém que possui um poder extraordinário. A palavra em si não aparece em algumas versões, mas é mencionada em alguns estudos na forma composta El Shaddai (cf. Gn 17.1; Êx 6.3; *et al.* A maioria das

48 ocorrências do termo é encontrada, nos textos originais, em Jó (31 vezes), independentemente de El, enquanto a expressão composta é restrita a Gênesis (cinco vezes), a Êxodo 6.3 e a Ezequiel 10.5.
Pelo fato do termo composto ser utilizado várias vezes em Gênesis e Êxodo ao identificar a Divindade, há um problema para se determinar a função da palavra Shaddai. Este termo é um adjetivo, modificando El, ou deve ser tratado como um nome próprio? Como uma palavra da Mesopotâmia ela significa "montanha". Junto, portanto, com El ela significaria "o Deus da(s) montanha (s)", e por analogia da prática mesopotâmia, poderia ser utilizada para se referir a uma divindade tribal. Mantendo-se o uso de Gênesis, porém, Shaddai descreve o caráter de Deus a partir do ângulo do poder que não pode ser obstruído. Parece ser um epíteto intensificando o pensamento de poder ou força inerente à palavra genérica El para Deus nos idiomas semitas do noroeste (hebraico e ugarítico). Este aspecto distinto de poder ilimitado é colocado no contexto de um novo aspecto do caráter de Deus, que é revelado no nome Jeová, o Senhor, o Deus da aliança (Êx 6.3). *Veja* Deus; Deus, Nomes e Títulos de.

***Bibliografia.*** W. F. Albright, *Yahweh and the Gods of Canaan*, Garden City. Doubleday, 1968, pp. 108, 155, 188ss. Lloyd R. Bailey, "Israelite *'El Đadday* and Amorite *Bel Sade*", JBL, LXXXVII (1968), 434-438. Jean Quellette, "More on *'El Shadday* and *Bel Sade*", JBL, LXXXVIII (1969), 470ss.

J. D. Y.

**SHALEM** Citada na versão KJV em inglês como um local nas proximidades de Siquém, porém traduzida na maioria das versões mais recentes como "em paz" ou "são e salvo" (Gn 33.18).

**SHEKINAH** Uma palavra usada por judeus e posteriormente por cristãos para expressar a presença divina visível, especialmente quando colocada entre os querubins sobre o propiciatório. *Veja* Luz.

**SIA** Um chefe entre os netineus, ou servos do Templo, cujos filhos retornaram do exílio na Babilônia com Zorobabel (Ne 7.47; Ed 2.44).

**SIÃO** Nome aplicado a Jerusalém ou às suas redondezas desde o tempo de Davi. Como o uso da palavra mudou durante os séculos seguintes, uma incerteza considerável persiste quanto à sua localização precisa. Originalmente foi designada como uma fortaleza jebusita localizada na extremidade sudoeste da montanha, na união dos vales Cedrom e Tiropoeano que Davi dominou e renomeou como a "Cidade de Davi" (2 Sm 5.6-9). Era um muro alongado, com aproximadamente um quilômetro e meio de diâmetro, com o formato de um pé humano com o calcanhar apontando para o sul. Os vales íngremes dos três lados, e o abastecimento seguro de água na fonte de Giom fizeram com que sua posição fosse quase invencível.
Nas profecias, este nome foi o título poético da montanha onde ficava o Templo, e foi metaforicamente estendido significando o "quartel general" do Deus de Israel (Is 2.2-4; 8.18; Mq 4.1-5; Jr 31.6). Tanto no saltério hebraico quanto no hinário Cristão, este termo representa a cidade toda (Sl 48; 125.1,2). A partir do século IV d.C. até recentemente, "o Monte Sião" foi erroneamente associado à extremidade sudoeste da "Cidade Alta", na direção oeste. *Veja* Jerusalém; Jerusalém, Nova.

***Bibliografia.*** G. Fohrer e E. Lohse, "*Sion* etc". TDNT, VII, 292-338.

G. A. T.

**SIÃO, FILHA DE** Esta frase aparece 24 vezes no AT sob a forma singular (*bat siyon*). É um sinônimo poético para Jerusalém, sendo uma personificação da cidade ao invés de uma referência a seus habitantes. Por isso, esta expressão poderia ser traduzida como "filha Sião" ou "filha que é Sião". É comum na poesia do AT atribuir nomes de mulheres a cidades (cf. 2 Sm 20.19; Sl 87.5; Is 47.1).
A frase ocorre duas vezes nos Evangelhos: Mateus 21.5 e João 12.15 que cita Zacarias 9.9 em conexão com a entrada triunfal do Senhor Jesus.
A forma plural "filhas de Sião" (*benot siyon*) ocorre apenas quatro vezes na Bíblia Sagrada (Ct 3.11; Is 3.16,17; 4.4). Ela refere-se aos habitantes de Jerusalém, e mais especificamente às mulheres desta cidade. *Veja* Jerusalém; Sião.

H. W. H.

**SIBECAI** Um dos "valentes do exército" de Davi (1 Cr 11.29). Foi um husatita (da cidade de Husa), um zeraíta da tribo de Judá. Ele assassinou o gigante filisteu Safe, ou Sipai, na peleja contra os filisteus em Gobe, ou Gezer (2 Sm 21.18; 1 Cr 20.4). Foi também o capitão do exército de 24.000 homens de Davi, que serviram durante o 8° mês (1 Cr 27.11). Em 2 Samuel 23.27, ele é chamado de Mebunai (*q.v*).

**SIBMA** Também chamada Sebã (Nm 32.3) e Sibma (Nm 32.38). Uma cidade a leste do Jordão que foi reivindicada pela tribo de Rúben e reconstruída. Não foi identificada concretamente, mas localizava-se em algum lugar nas colinas moabitas (Nm 32.3,38; Js 13.19). Este local tornou-se famoso por seu vinho, e tanto Isaías (16.8,9) quanto Jeremias (48.32) falaram dela em conexão com a destruição de Moabe. *Veja*. Sebã.

**SIBOLETE** Variação da grafia da senha "chibolete" (*q.v*), que era pronunciada erroneamente pelos efraimitas (Jz 12.6).

**SIBRAIM** Cidade síria entre Damasco e Hamate (Ez 47.16). Na definição ideal da Terra Sagrada, feita por Ezequiel, Sibraim é a cidade limítrofe do norte da Palestina, entre a Síria e o território que seria atribuído à tribo de José.

**SICAR** Cidade de Samaria "junto da herdade que Jacó tinha dado a seu filho José", e próxima à fonte de Jacó (Jo 4.5; Gn 48.21,22). Esse nome não aparece em nenhuma outra passagem do AT ou do NT. Alguns identificaram Sicar com 'Askar, que se encontra ao pé do Monte Ebal, na rota das caravanas entre Jerusalém e Damasco, um pouco ao norte da fonte de Jacó. Contrariando essa identificação, temos o fato de que Askar dispõe de um abundante suprimento de água, e por esta razão seria desnecessário à mulher mencionada em João 4 caminhar uma distância tão longa para encontrá-la.
Jerônimo, o tradutor da Vulgata, disse que Sicar deve ser identificada com Siquém, e que qualquer outra identificação deve ser considerada um erro de escrituração. Uma grande maioria está inclinada a concordar com essa opinião, especialmente porque as escavações em Tell Balâtah identificaram-na com Siquém, que está a menos de um quilômetro a oeste da fonte de Jacó.
Escavações da Expedição Drew-McCormick-Harvard feitas em Siquém desde 1956, provaram que não existia nenhuma cidade em Tell Balâtah por volta do século I d.C. Entretanto, como diz G. E. Wright, é muito provável que tenha existido uma vila onde se encontra a moderna cidade de Balâtah. Nessa vila ainda não foram encontradas ruínas romanas e bizantinas (*Shechem*, Nova York. McGraw-Hill, 1965, p. 244). *Veja* Siquém.
A. W. W. e H. F. V.

**SICLO** *Veja* Pesos, Medidas e Moedas.

Ruínas do castelo dos Cruzados em Sidom. HFV

Askar (talvez Sicar) ao pé do monte Ebal. HFV

**SICÔMORO** *Veja* Plantas.

**SICROM** *Veja* Siquerom.

**SICUTE** *Veja* Falsos deuses: Sicute.

**SIDIM, VALE DE** *Veja* Vale de Sidim.

**SIDOM** Antiga cidade fenícia localizada a aproximadamente 32 quilômetros ao norte de Tiro e à mesma distância do sul de Beirute. Atrás dela estavam as montanhas do Líbano. Sidom estava frente ao Mediterrâneo e em tempos antigos comandou a planície de Sidom, uma faixa de planície costeira com cerca de 32 quilômetros de extensão e 3,2 quilômetros de largura.
Aparentemente a mais antiga das cidades fenícias, Sidom foi fundada pelo filho de Canaã (Gn 10.15). Ela gradualmente assumiu o domínio da costa fenícia e o manteve por diversos séculos, quando finalmente perdeu-o para Tiro. Tão grande foi sua ascendência, que "sidônios" e "fenícios" praticamente se tornaram termos sinônimos. Isto foi verdade para o período inicial quando Sidom era predominante na Fenícia (Dt 3.9; Js 13.4,6), assim como também muito tempo depois que Tiro alcançou a hegemonia. Conseqüentemente Etbaal, rei de Tiro, é chamado de rei dos sidônios em 1 Reis 16.31. Essa equivalência entre os sidônios e os fenícios também aparece nas obras de Homero.
Sidom constou na divisão de Canaã após a conquista hebraica, quando foi descrita como o ponto mais setentrional do território de Aser (Js 19.28; cf. Jz 1.31). Durante o período de Amarna (aprox. 1400-1360 a.C.), a cidade livrou-se do domínio dos egípcios e participou do cerco efetivo de Tiro. O governante de Sidom, Zimreda, declarou sua lealdade ao faraó, mas, na realidade, era um aliado do rei Aziru dos amorreus.
Sidom dominou Tiro até cerca de 1200 a.C., quando invasores por mar (filisteus e outros) a saquearam e deixaram-na praticamente em ruínas. Nesta conjuntura, muitos sidô-

nios emigraram para Tiro, quando então tomaram a liderança das cidades-estado fenícias e a mantiveram durante a era da independência fenícia (aprox. 1200-870 a.C.). Quando os assírios começaram, sob o domínio de Assurnasirpal II (883-859 a.C.), a exercer pressão no oeste da Ásia, Sidom estava entre os principados que sofreram sua influência. Ela pagou tributo a Assurnasirpal II em 868 a.C. e a Salmaneser III em 842. Também sentiu o peso de outros conquistadores assírios, mas sofreu especialmente pela rebelião contra Esar-Hadom (aprox. 678). Em sua fúria, os assírios destruíram a cidade. A maioria dos habitantes foi morta ou vendida como escravos; alguns escaparam para cidades vizinhas.

Sidom ressurgiu das cinzas, mas caiu sob a severa condenação de Ezequiel (28.21-23), que profetizou os juízos que viriam sobre ela e que a pestilência e a carnificina a alcançariam. Sidom envolveu-se na rebelião contra a Pérsia em 352 a.C., e quando a população concluiu que toda resistência adicional seria inútil, decidiu colocar fogo em suas casas e sucumbir com elas. Diz-se que 40.000 pessoas morreram no incêndio – certamente um cumprimento bastante eficaz da profecia de Ezequiel.

Sidom foi amplamente reconstruída na época em que Alexandre o Grande marchou através da Fenícia (332 a.C.), e os habitantes o receberam como um salvador. Eles até o ajudaram a sitiar Tiro, mas, secretamente, fizeram desaparecer em segurança cerca de 15.000 tírios. Do período helenístico vem o grande sarcófago de Eshmun'azar, rei de Sidom, em basalto negro; ele foi encontrado em 1855 (ANET, p. 505; ANEP #283). O esquife de pedra de seu pai Tabnit (de aprox. 300 a.C.) foi escavado em 1887 (ANET, p. 505). Sob as ordens dos romanos, foram dados a Sidom direitos de governo autônomo e ela parece ter desfrutado do florescimento da cultura durante este período. Strabo (falecido em 24 d.C.) elogiou muito os filósofos de Sidom nas ciências da astronomia e da aritmética. Sidom teve uma escola de direito que foi muito famosa por todo o leste clássico.

O povo de Sidom veio à Galiléia para ouvir a pregação de Jesus e para ser curado (Mc 3.8; Lc 6.17). Jesus foi até as fronteiras de Tiro e Sidom (Mt 15.21; Mc 7.24-31), e ali curou a filha de uma mulher siro-fenícia. O rei Herodes Agripa I da Judéia foi ofendido pelo povo de Tiro e Sidom, mas seus representantes conseguiram influenciar Blasto, camarista do rei, e pediram paz (At 12.20). O apóstolo Paulo parou rapidamente em Sidom quando estava a caminho de Roma, e encontrou alguns amigos ali (At 27.3). A cidade tornou-se um importante centro do cristianismo, como é demonstrado pelo fato de ter um bispo presente no Concílio de Nicéia em 325 d.C. A atual cidade de Saida ostenta uma população de cerca de 40.000 habitantes. *Veja*. Fenícia; Líbano; Tiro.

H. F. V.

**SIDÔNIOS** *Veja* Sidom.

**SIFI** Um simeonita que viveu durante a época de Ezequias (1 Cr 4.37), um descendente de Semaías, pai de Ziza.

**SIFMITA** Um nativo de Sefã, no nordeste de Canaã, ou de Sifmote, no sul de Canaã. Esta forma adjetiva é aplicada a Zabdi, um dos oficiais de Davi que era encarregado "sobre o que das vides entrava nos tesouros do vinho" (1 Cr 27.27).

**SIFMOTE** Cidade não identificada no sul de Judá com a qual Davi dividiu uma parte daquilo que foi saqueado dos amalequitas. Isto ele fez para mostrar sua estima pela gentileza que demonstraram durante a época que estava fugindo de Saul (1 Sm 30.28). Esta cidade não é mencionada em nenhuma outra passagem, salvo na referência que mostra que era a cidade de Zabdi, o sifmita, administrador da adega de vinhos de Davi (1 Cr 27.27).

**SIFRÁ** Uma das duas parteiras hebréias que, temendo a Deus, desafiaram a ordem do rei do Egito para matar os meninos das hebréias, e os salvavam deixando-os vivos (Êx 1.15).

**SIFTÃ** Pai de Quemuel, que era um príncipe da tribo de Efraim, escolhido por Moisés para ajudar a supervisionar a distribuição de terras na região oeste de Canaã entre as tribos de Israel (Nm 34.24).

**SIGAIOM** Um termo que ocorre no título do Salmo 7. Pode ser uma anotação musical, talvez uma rapsódia.

**SIGIONOTE** O plural de Sigaiom (*q.v.*), usado na introdução da oração de Habacuque em 3.1.

**SILA** Possivelmente uma parte ou subúrbio de Jerusalém, mencionada em conexão com a casa de Milo em que Joás, rei de Judá, foi assassinado (2 Rs 12.20). Não se conhece nada de definitivo sobre o que Sila era, ou onde ficava. Alguns especulam que tenha sido um caminho (ou estrada), enquanto outros supõem que Sila tenha sido de fato um povoado.

**SILAS** Silas apareceu pela primeira vez (At 15.22,27,32) na narrativa do Novo Testamento como um dos homens escolhidos para levar o decreto do Concílio de Jerusalém para os fiéis gentios de Antioquia, Síria e Cilícia. Foi provavelmente um judeu helenista, uma vez que o seu nome é a forma grega do nome aramaico *She'ila'*, equivalente ao hebraico *Sha'ul*, Saul ou Saulo. Era um profeta cristão, capaz de exortar e fortalecer através de sua pregação. Como Paulo, ele tinha cidadania romana (At 16.37,38). Silas aparece como Silvano (a forma latina do seu nome) em 2 Coríntios 1.19 (cf. At 18.5); 1 Tessalonicenses 1.1; 2 Tessalonicenses 1.1; 1 Pedro 5.12.

Depois que Paulo e Barnabé dividiram-se (At 15.39), Paulo escolheu Silas para acompanhá-lo em sua segunda viagem missionária (v. 40). Silas foi o companheiro de Paulo nos dramáticos eventos da prisão filipense (At 16.19,25,29).

Há indícios de que Silas tenha tido uma posição significativa de liderança na tarefa missionária: em Tessalônica alguns foram persuadidos e juntaram-se a Paulo e Silas (17.4). Paulo e Silas deixaram Tessalônica (v. 10) e foram para Beréia. Quando Paulo foi forçado a partir, Silas e Timóteo permaneceram (v. 14). Aqueles que acompanharam Paulo a Atenas levaram a Silas a solicitação de Paulo para que eles (Silas e Timóteo) se unissem a Paulo rapidamente. Silas e Timóteo trouxeram a Paulo as notícias do que tinha acontecido em Tessalônica, e a primeira epístola de Paulo aos tessalonicenses foi o resultado deste relato (cf. 1 Ts 3.2-6). O fato de Silas não ser mencionado aqui dá a idéia de que ele estava ocupado em outro lugar na Macedônia, e que somente Timóteo estava exercendo o ministério em Tessalônica. Silas pode ter ido para Filipos, sendo posteriormente o portador de uma oferta em dinheiro para Paulo (cf. 2 Co 11.8ss.; Fp 4.15).

Há um problema ligado aos movimentos de Silas e Timóteo depois que Paulo os deixou em Beréia. Kirsopp Lake (*The Beginnings of Christianity*, IV, 224), pode estar correto ao insistir que em 1 Tessalonicenses 3.1 deduz-se que Paulo e Silas ficaram sozinhos em Atenas quando Timóteo foi enviado de volta a Tessalônica; que o retorno de Timóteo teve como destino Atenas; e que a redação da primeira epístola aos tessalonicenses seguiu-se imediatamente. Lake entende, entretanto, que "O livro de Atos representa Silas e Timóteo quando voltavam da Beréia para se encontrar com Paulo em Corínto". Mas, quando ele faz um acréscimo com respeito a Silas dizendo "de nenhuma maneira em Atenas", ele está afirmando algo sobre o que o livro de Atos mantém-se em silêncio. Em Atos está escrito que Timóteo e Silas encontraram-se com Paulo em Corinto, enquanto 1 Tessalonicenses 3.6 diz, "Vindo, porém, agora, Timóteo de vós para nós". Pela suposição de Lake de que o plural em 1 Tessalonicenses 3.1 inclui Silas, o "nós" em 3.6 provavelmente o inclui também. Se, além disso, assumirmos que estes (At 18.5 e 1 Ts 3.6) dois eventos *não* sejam um mesmo evento (como freqüentemente se argumenta), a crítica de Lake será então contrária à suposição usual, e não necessariamente contrária à precisão do livro de Atos. Ele argumenta que o escritor de Atos "fez uma confusão ao pensar que Silas e Timóteo não se uniram a Paulo antes que ele chegasse a Corinto". Como foi observado acima, Lake está afirmando algo sobre o que o livro de Atos mantém-se em silêncio. É sempre possível, naturalmente, argumentar que Paulo estava usando o editorial "nós" em 1 Tessalonicenses 3, e adotar a explicação tradicional mais simples de que esta epístola foi escrita em Corinto.

Adotando de forma conjectural a sugestão de Lake de que 1 Tessalonicenses foi escrita em Atenas, e rejeitando o argumento do silêncio de Atos sobre a própria ida de Silas a Atenas, a seguinte seqüência poderia ser possível: (1) Timóteo e Silas unem-se a Paulo em Atenas. (2) Timóteo é enviado a Tessalônica (1 Ts 3.1,2). (3) Timóteo reencontra Paulo e Silas em Atenas após uma rápida visita a Tessalônica. (4) A primeira epístola aos tessalonicenses é escrita. (5) Timóteo leva a epístola para Tessalônica; Silas visita outras igrejas. (6) Paulo vai para Corinto e inicia o seu trabalho ali. (7) Timóteo e Silas reencontram-se com Paulo em Corinto (At 18.5). (8) A segunda epístola aos tessalonicenses é escrita.

Silas não é mencionado nos estágios remanescentes da segunda viagem, e supõe-se que ele e Timóteo tenham deixado Corinto, engajando-se em um trabalho missionário na província da Acaia.

Silas reaparece 10 ou 12 anos mais tarde como o co-autor e portador da Primeira Epístola de Pedro (5.12). Ele deve ter conhecido os crentes em alguma das províncias mencionadas em 1 Pedro 1.1, tendo acompanhado Paulo em sua segunda viagem missionária. Silas é um dos muitos elos entre a Igreja primitiva em Jerusalém e Paulo. O testemunho de Paulo a respeito do Senhor Jesus é reforçado pelo fato do apóstolo ter tido as suas linhas de conexão com a Igreja de Jerusalém.

W. B. V.

**SILÉM** O quarto filho de Naftali, entre os descendentes de Jacó que foram para o Egito (Gn 46.24; Nm 26.49; chamada de Salum em 1 Crônicas 7.13).

**SILEMITA** Um descendente de Silém. O nome aparece na forma plural, "a família dos silemitas", em Neemias 26.49 onde foi feito o censo de todas as famílias dos israelitas.

**SILÊNCIO** Diversos termos significam silêncio (em heb. *hasa, harash, dumiya, duma, dumam*; em gr. *sige, hesuchia*). O primeiro termo, como uma ordem em Habacuque 2.20 (*has*), soa como a nossa ordem para ficar "quieto!" O termo *duma* só é usado de forma metafórica: em relação a Edom em Isaías 21.11, "Peso de Dumá" (lit. silêncio), sendo uma referência figurativa para a desolação que cairia sobre Edom (Dumá); em relação à morte (Sl 94.17), "Se o Senhor não fora em meu auxílio, já a minha alma habitaria no lugar do silêncio" (morte); e em relação ao inferno (Sl 115.17), "Os mortos não louvam ao Senhor, nem os que descem ao silêncio" (isto é, ao lugar do silêncio). Os outros termos são usados como uma referência ao ato literal de reter a fala (Sl 39.2; At 21.40); à reserva silenciosa das mulheres na Igreja (1 Tm 2.11,12); figurativamente, ao silêncio da Babilônia (de extinção, Is 47.5); aos ídolos emudecidos ("pedra muda", Habacuque 2.19) e à resignação silenciosa da fé (Sl 62.1). Outro termo hebraico *d$^e$mama*, "sussurro", praticamente traz consigo a força do "silêncio" (Sl 107.29; 1 Rs 19.12), como em Jó 4.16.

H. E. Fr.

**SILI** O pai de Azuba, mãe de Josafá (1 Rs 22.42; 2 Cr 20.31).

**SILIM** Uma cidade ao sul de Judá perto de Ziclague, destinada à tribo de Judá na época da conquista de Canaã pelos israelitas (Js 15.32). Em Josué 19.6, esta cidade é chamada de Saruém (*q.v.*) e é destinada à tribo de Simeão; em 1 Crônicas 4.31 ela é chamada de Saaraim.

O santuário de Siló. HFV

**SILÓ**

1. O termo enigmático Siló vem provavelmente da raiz heb. *sh-l-h* significando "estar seguro, tranqüilo, em descanso". Em Gênesis 49.10, parece referir-se a uma pessoa a quem muitos identificam como o futuro Messias. Como um nome próprio, ele poderia ser traduzido como "aquele que dá descanso". Quando Jacó olhou para o futuro, ele bem poderia ter se perguntado de qual de seus filhos viria o Messias. Os três filhos mais velhos, Rúben, Simeão e Levi, haviam perdido seus direitos por seus pecados, de forma que Jacó profetizou em seu leito de morte que a honra recairia sobre Judá. O direito de governar não sairia de Judá até que Siló (aquele que dá descanso) viesse; e o povo iria obedecê-lo.

A planície de Siló com o monte da cidade ao fundo. HFV

Os persas haviam permitido que os judeus possuíssem os seus próprios governadores, como Zorobabel, Esdras e Neemias. Sob os reis-sacerdotes asmoneus (macabeus) Judá foi temporariamente independente. Mesmo sob o governo de Herodes, os judeus possuíam uma certa autonomia local. Em 6 d.C. (após o nascimento do Senhor Jesus), porém, Herodes Arquelau foi deposto por César Augusto de sua posição de governante da Judéia, e a Judéia tornou-se uma província romana governada por procuradores designados pelo imperador. Naquela época, o Sinédrio (*q.v.*) judeu perdeu o poder de pronunciar sentenças de morte, de forma que não podia mais ser considerado o supremo corpo de governo para os assuntos domésticos. De acordo com o rabino Rachmann, "Quando os membros do Sinédrio acharam-se privados de seus direitos sobre a vida e a morte, foram tomados de uma consternação geral; cobriram suas cabeças com cinzas, e seus corpos com pano de saco, exclamando: 'Ai de nós, pois o cetro foi tirado de Judá e o Messias não veio!'"

Um fator adicional para determinar o tempo da vinda de Siló é o fato das tradições tribais e as genealogias de Judá só terem permanecido intactas até 70 d.C., quando o Templo, com seus muitos registros, foi destruído. O cumprimento final desta profecia, a época em que Siló receberá a obediência ou homenagem dos povos (Gn 49.10*b*), aguarda a segunda vinda de Cristo.

Muitas outras interpretações de Gênesis 49.10 têm sido expressas. Somente três delas serão consideradas: (1) O cetro não seria tirado de Judá até que ele (Judá) viesse até Siló. Isto é insustentável, pois nada aconteceu em Siló (no território de Efraim) com referência especial a Judá. (2) O cetro não seria tirado de Judá até que Israel encontrasse descanso em Canaã. Novamente, esta interpretação não corresponde a nenhuma referência a Judá nem à predição de sua supremacia. (3) O cetro não seria tirado de Judá até que viesse Aquele que tem o direi-

O túnel de Siloé. Museu Arqueológico da Palestina

to de reinar. Esta tradução retém a importância messiânica da predição, e é apoiada por Ezequiel 21.27. As versões RSV e JerusB em inglês aproximam-se desta interpretação ao traduzir o texto da seguinte forma. "Até que Ele venha para o que é seu". A expressão heb. de Gênesis 49.10, porém, não favorece esta tradução porque ela envolve uma retificação menor.

2. Em todas as outras passagens no AT, a palavra Siló refere-se a um lugar. Ela pode muito bem ter recebido este nome conforme a figura profética de Gênesis 49.10, pois de acordo com os registros do AT, Siló parece ter sido uma cidade fundada pelos israelitas, e não uma cidade capturada diretamente dos cananeus. De acordo com Juízes 21.19, ela situava-se ao norte de Betel, ao sul de Lebona e no lado leste da estrada que liga Betel a Siquém, no território de Efraim. A aldeia atual chamada Seilun é adjacente às antigas ruínas.

Após a conquista inicial de Canaã, o Tabernáculo foi transferido de Gilgal para Siló (Js 18.1). Aqui, as sete últimas tribos receberam as suas partes na distribuição da terra (Js 18.8-10). De Siló, as tribos de Rúben, Gade e a meia tribo de Manassés retornaram para as suas heranças (Js 22.9), e em Siló as outras tribos uniram-se para guerrear contra aquelas tribos para erigir um altar no Jordão (Js 22.12).

O Tabernáculo esteve situado em Siló por todo o período dos juízes, que incluía os dias de Eli e Samuel. Virgens foram trazidas de Jabes-Gileade a Siló para se tornarem esposas de 400 dos benjamitas que haviam sobrevivido à guerra civil (Jz 21.12); e das jovens locais que dançaram na festa anual da vindima em Siló, 200 tornaram-se esposas dos remanescentes (21.21). Foi em Siló que Ana orou por um filho (1 Sm 1.3,11), e para este lugar ela trouxe Samuel para ministrar na presença de Eli (1.24). A arca foi tirada de Siló durante a batalha contra os filisteus, foi capturada, e não foi devolvida a Siló. O Salmo 78.60 atribui a queda de Siló ao juízo de Deus, e Jeremias cita sua queda como uma ilustração deste juízo (Jr 7.12,14; 26.6,9).

Siló tornou-se uma cidade novamente habitada nos tempos helenísticos, e continuou a ser ocupada no período bizantino.

Uma expedição dinamarquesa dirigida por H. Kjaer e A. Schmidt escavou partes do local em 1926, 1929 e 1932. Os resultados pareceram mostrar que Siló foi destruída em aprox. 1100 a.C., e que permaneceu desolada por muitos séculos. Uma breve campanha suplementar em 1963 revelou evidências da ocupação no período Médio do Bronze II e por todo o período Final do Bronze II (1400-1200 a.C.), além de uma abundância de fragmentos de cerâmica do período do Ferro II (900-600 a.C.), enquanto que aqueles do Ferro I (1200-900) foram relativamente escassos. A destruição da qual Jeremias fala pode, portanto, ter sido um evento muito mais recente, tendo especialmente em vis-

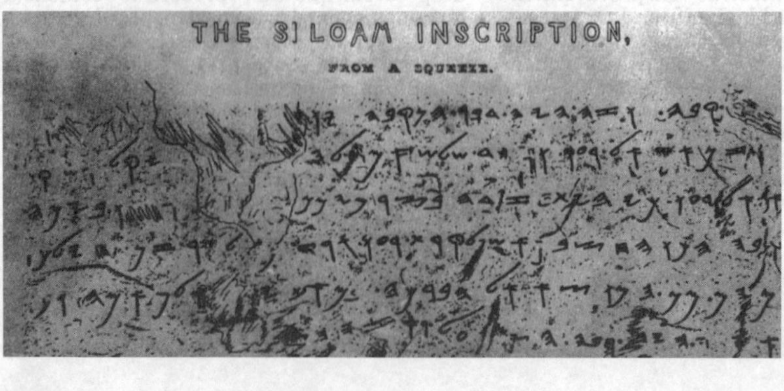


A inscrição de Siloé

ta que Siló foi o lar do profeta Aías durante o reinado de Jeroboão I (1 Rs 14.2,4).

***Bibliografia.*** Marie-Louise Buhl e Svend Holm-Nielsen, *Shiloh. The Danish Excavations at Tall Sailun, Palestine, in 1926, 1929, 1932, and 1963. The Pre-Hellenistic Remains*, Copenhagen. The National Museum of Denmark, 1969. R. A. Pearce, "Shiloh and Jer. VII, 12, 14 & 15", VT, XXII (1973), 105-108.

R. G. e J. R.

**SILOÉ, TANQUE DE** O nome Siloé significa "enviar" ou "conduzir", e é especialmente aplicado à condução da água através de um aqueduto. Em João 9.7, este nome foi dado a um tanque de água ao sul do Templo em Jerusalém. Josefo diz que este tanque estava situado na extremidade do vale Tiropeano (vale do queijeiro) próximo à curva do velho muro ao pé de Ofel (*Wars*, v. 4.1-2). Muitos o identificam com as águas de Siloé, mencionadas em Isaías 8.6, referindo-se a um aqueduto de superfície aberta, que só era viável no pacífico reino de Salomão, e com o viveiro (ou açude) de Selá em Neemias 3.15. Outros associam este tanque com a água trazida a Jerusalém por Ezequias (2 Rs 20.20).

O atual reservatório que leva este nome é retangular, tendo cerca de 19 metros de comprimento, 6 metros de largura e 6,5 metros de profundidade, construído em alvenaria e que foi consideravelmente avariado no lado oeste. Este reservatório é alimentado por um túnel, cortado a uma distância de aproximadamente 587 metros através de rocha sólida, começando em Giom (*q.v*), a Fonte da Virgem, a única fonte de água fresca nas imediações de Jerusalém. Em 1880, uma inscrição de 6 linhas foi descoberta nas paredes do túnel, escrita em hebraico, e que provavelmente data da época de Ezequias. Uma parte das 3 primeiras linhas foi destruída, mas as letras restantes em caracteres perfurados no hebraico antigo nos falam da execução do túnel. A inscrição foi danificada por vândalos, mas recuperada em 1890 por oficiais turcos e removida para um museu em Istambul.

Siloé foi importante especialmente na época do cerco. Na ameaça de invasão a nascente da Fonte da Virgem fora das paredes da cidade era protegida com alvenaria, e suas águas alimentavam por debaixo da terra o tanque que estava dentro da cidade. O tanque também representou um papel importante no ritual associado à Festa dos Tabernáculos, porque era ali que a água era recolhida em um jarro de ouro e carregada na caminhada até Templo como parte da cerimônia que durava uma semana (Jo 7.2,37,38).

Escavações recentes na extremidade sul da montanha que está a sudeste, sugerem: (1) que o tanque ficava fora das paredes da cidade nas épocas bíblicas; (2) que ele conseqüentemente deveria ser coberto também para proteção; (3) ou que foi uma grande cisterna subterrânea completamente talhada na rocha.

*Veja.* Siloé, Torre de; Jerusalém.

H. L. D.

**SILOÉ, TORRE DE** O Senhor Jesus (Lc 13.4) faz uma referência a esta torre como tendo caído e matado 18 pessoas. É possível quer ela tenha feito parte de um sistema antigo de fortificação nos muros de Jerusalém, nas proximidades do tanque de Siloé. Ela pode ter estado dentro da área onde hoje está localizado o bairro de Silwân, na escarpa leste do declive do vale de Cedrom. O incidente era aparentemente bastante conhecido pelos ouvintes do Senhor Jesus, mas não é mencionado em nenhuma outra passagem. *Veja* Siloé, Tanque de; Cedrom.

**SILOÉ.** *Veja.* Siloé, Tanque de.

**SILONI** Esta palavra só ocorre em Neemias 11.5 na maioria das traduções (em algumas lê-se silonita). O termo refere-se a um descendente de Selá. Em Neemias 26.20 os descendentes de Selá são chamados de selaítas (*veja* Silonita 2).

**SILONITA**

1.Um nativo ou residente de Siló, um termo que só é aplicado ao profeta Aías, "o silonita" (1 Rs 11.29; 12.15; 15.29; 2 Cr 9.29; 10.15).

2.Os descendentes de Judá através de Sela. É difícil determinar a época em que habitaram em Jerusalém. São chamados de silonitas (1 Cr 9.5). Estas pessoas são chamadas mais apropriadamente de selaítas em Neemias 26.20.

**SILSA** O nono filho de Zofa, da tribo de Aser (1 Cr 7.37). As pessoas citadas na lista genealógica onde este nome é encontrado, provavelmente viveram durante a época de Davi.

**SILVANO** Um outro nome para Silas (*q.v.*).

**SIM** Uma cidade no Egito (em egípcio, *si'nw, swn*) listada para julgamento de acordo com Ezequiel 30.15,16. Chamada pelos gregos de Pelúsio (e assim traduzida em várias versões), é Tell Farama, próxima à foz do ramo leste no Nilo, na região do Delta, a aproximadamente um quilômetro e meio do Mediterrâneo. Relacionada com Nô (Tebas) e Nofe (Mênfis), estaria incluída em um julgamento abrangente sobre a terra do Egito. Ezequiel a chamou de "força" do Egito; era uma fortaleza praticamente inconquistável, capaz de resistir às invasões do leste através da Palestina. Apesar disso, caiu sob o domínio do rei assírio Esar-Hadom em 671 a.C. Assurbanipal recolocou o "rei" de Si'nu em seu posto, depois de uma rebelião de Tiraca (ANET, p. 294). A profecia de Ezequiel foi totalmente cumprida, seja durante a campanha contra o Faraó Hofra por Nabucodonosor (que não menciona Pelúsio), seja na feroz batalha em 525 a.C., entre os exércitos persas de Cambises e os egípcios liderados por Psamético III (Heródoto iii, 10-13). Antíoco IV marchou através de Pelúsio quando invadiu o Egito em 170 a.C., e os romanos, sob o comando de Gabínio, derrotaram os egípcios na mesma região.

H. F. V.

**SIMÃO** Este nome, na Bíblia Sagrada, só aparece no Novo Testamento, designando muitas pessoas diferentes. Talvez seja uma contração do nome hebraico "Simeão", que aparece na maioria das vezes no Antigo Testamento, embora algumas vezes no Novo Testamento. *Veja* Simeão.

1. O Simão mais conhecido foi o apóstolo, freqüentemente chamado Pedro; assim chamado por Jesus (Mt 16.18; Mc 3.16). Ele era filho de Jonas (Mt 16.17; Jo 21.15) e irmão do apóstolo André (Jo 1.40); *veja* Pedro.
2. Simão Zelote (Lc 6.15), também chamado "o nacionalista", ou "o cananeu" (Mt 10.4; Mc 3.18). O termo cananeu neste caso não se refere a "Caná" mas deriva de uma palavra aramaica que significa "zeloso, entusiasta". Ambos os termos indicam que Simão pertencia a uma facção chamada Zelotes (*q.v.*), que era composta por fanáticos opositores ao domínio romano na Palestina.
3. O pai de Judas Iscariotes (Jo 6.71; 13.2,26), algumas vezes chamado de Simão Iscariotes (veja Jo 6.71; 13.26).
4. Um irmão do Senhor Jesus (Mt 13.55; Mc 6.3).
5. Um fariseu em cuja casa Jesus foi ungido por uma mulher pecadora (Lc 7.36-50). Não se menciona a localização dessa casa, embora ela pareça ter estado na Galiléia e possivelmente em Cafarnaum. O fariseu ficou chocado com a atitude de Jesus em relação aos pecadores, pois a tradição dos fariseus proibia a associação com aqueles que desrespeitassem a lei, mas Jesus repreendeu Simão por meio de uma parábola e elogiou a mulher pelo seu ato de amor.
6. Um leproso em cuja casa em Betânia foi oferecido um jantar a Jesus. Foi ali que Jesus foi ungido por Maria (Mc 14.3-9; cf. Jo 12.1-8). É provável que Simão também tenha sido milagrosamente curado pelo Senhor Jesus (Mt 26.6).
7. Simão Cireneu (Mt 27.32; Mc 15.21; Lc 23.26), que foi forçado a carregar a cruz de Jesus. Marcos o descreve como o pai de Alexandre e Rufo, conhecidos dos cristãos romanos (Mc 15.21; Rm 16.13).
8. Um mágico em Samaria, que professou a fé em Cristo quando Filipe pregou em sua cidade (At 8.9,13). Mais tarde, quando Pedro e João chegaram, ele quis comprar o poder do Espírito Santo (At 8.18,19). Evidentemente, o seu objetivo era aplicar este santo poder ao exercício das suas mágicas. Pedro o repreendeu severamente (vv. 20-23). A palavra "simonia" deriva do empenho de Simão para obter poder espiritual mediante um suborno. Os patriarcas da Igreja (Justino Mártir, Irineu etc.) afirmam que ele foi o primeiro gnóstico cristão (*veja* Gnosticismo). Seus escritos falam muito sobre os ensinos de Simão, em que ele identifica-se com o Deus Todo-Poderoso ou com o poder angelical principal que criou os anjos subordinados. Simão chegou ao absurdo de identificar a sua prostituta Helena com a Sabedoria divina e com o Espírito Santo (*Acts*, Anchor Bible, XXXI, 305-308).
9. Um curtidor em Jope (At 9.43; 10.6,17,32) com quem Pedro estava hospedado quando recebeu notícias de Cornélio de Cesaréia, de que deveria ir ao seu encontro e mostrar-lhe o caminho da salvação.

J. A. S.

**SIMÃO ou SIMEÃO** O pai de quatro filhos cujos nomes são mencionados em uma genealogia obscura da tribo de Judá (1 Cr 4.20). É possível que Carmi em 1 Crônicas 4.1 represente Calebe; se esta suposição estiver correta, então Simão era um calebita.

**SIMBOLISMO** Essa palavra não ocorre na maior parte das versões da Bíblia Sagrada, porém o uso de símbolos e emblemas é muito freqüente.

## Definição

O símbolo é aquilo que se coloca no lugar de alguma coisa, ou a representa. Trata-se de um objeto visível ou a representação de um processo, idéia ou qualidade de um outro objeto. Os símbolos são diferentes dos tipos (*veja* Tipo) no sentido de que geralmente eles não são pré-figurativos, mas representam coisas que realmente existem. Etimologicamente falando, a palavra "símbolo" pode ser identificada com a palavra grega *sumballein* que significa lançar ou juntar, por exemplo, com a finalidade de fazer uma comparação. Em uma de suas formas, esse termo refere-se aos dois lados de uma moeda ou outro objeto semelhante onde qualquer das partes separou-se, dando, portanto, a idéia de um "sinal" ou símbolo.

## Natureza

Nas Escrituras, o símbolo geralmente aparece sob a forma de objetos literais e sempre denota alguma coisa diferente. Candelabros ou castiçais, oliveiras, animais selvagens, cavalos, árvores, pássaros e pedras são alguns exemplos de objetos usados como símbolos. Eles são os objetos vistos pelos profetas, mas naturalmente representam alguma outra coisa. Os símbolos *sugerem* idéias e conceitos ao invés de *declará-los*. Existe, geralmente, algum conceito paralelo entre o símbolo e aquilo que ele está simbolizando.

## Interpretação

A grande diferença de opiniões que existe entre os estudiosos deve nos alertar para o fato de que esse é um assunto complexo e difícil.

Assim como a tipologia, o simbolismo bíblico foi por vezes levado a extremos por autores ricos em imaginação que, ao invés de esclarecer a revelação da verdade, tal como foi encontrada na Bíblia, procuraram obscurecê-la. A interpretação de símbolos torna-se extremamente difícil em virtude do abismo cultural que existe entre o oriente e o ocidente. Quanto mais remota a cultura, maior será a dificuldade de interpretar os seus símbolos. Entretanto, várias regras ou princípios podem ser estabelecidos para a adequada interpretação dos símbolos bíblicos. Eles são os seguintes: (1) O intérprete deve examinar cuidadosamente o contexto histórico e cultural do autor usando o símbolo como guia para o seu significado. (2) Também devem ser considerados, a natureza e o escopo do contexto nos quais o símbolo está inserido. (3) Os símbolos interpretados nas Escrituras devem representar um fundamento para todos os outros estudos sobre o simbolismo. (4) Muitas vezes, um símbolo é interpretado de acordo com a sua própria natureza. Tal símbolo torna-se óbvio através de alguma característica especial do objeto empregado. (5) Esteja seguro de permitir uma dupla imagem para o símbolo, considerando que ele pode ter mais de uma interpretação. Por exemplo, o leão é usado para simbolizar o Senhor Jesus Cristo ("o Leão da tribo de Judá", Apocalipse 5.5), e também Satanás ("o diabo... anda em derredor, bramando como leão, buscando a quem possa tragar", 1 Pedro 5.8). (6) Os itens usados como símbolos nem sempre são simbólicos. E também esteja seguro de fazer com que o simbolismo esteja claramente intencionado antes de abandonar uma interpretação normal ou literal.

## Exemplos

*Nomes próprios*. Sodoma e Gomorra são nomes usados muitas vezes para simbolizar a corrupção moral e espiritual (cf. Is 1.9,10; Jr 23.14; Ez 16.44-59; Ap 11.8). O nome Egito parece ser símbolo de cativeiro e exílio (cf. Os 8.13; 9.3). Outros nomes têm sido sugeridos por causa de seu valor simbólico, como por exemplo Babilônia, Ariel e Leviatã.

*Objetos*. Vários objetos são usados como símbolos em visões e na vida real. Em muitos casos, esses símbolos são explicados através de seu contexto imediato. Exemplos desse tipo são encontrados em Jeremias 1.11 ("uma vara de amendoeira"), Jeremias 1.13 ("uma panela a ferver"), Jeremias 24.1-3 ("os figos bons, muito bons, e os maus, muito maus"), Am 8.1 ("um cesto de frutos do verão"), Ezequiel 37.1-14 ("ossos secos") e Apocalipse 1.12-20 ("estrelas" e "castiçais"). Em outros exemplos, os símbolos usados no AT encontram sua total explicação na revelação do NT. Por exemplo, a rica tipologia do Tabernáculo (*q.v.*), seus utensílios e seu sacerdócio são revelados na carta aos Hebreus. *Veja* Tipo.

*Atos e rituais especiais*. Vários atos fornecem a base para um simbolismo dramático, tanto no AT como no NT. Um claro exemplo desse modelo pode ser encontrado no caso das vestes de Jeroboão, que foram rasgadas significando a separação entre Israel e Judá (1 Rs 11.29-31). Os atos emblemáticos na profecia de Ezequiel também são comuns. Em Ezequiel 4.1-3, o profeta construiu a miniatura de uma cidade sitiada. De acordo com 4.4-8, o profeta deitou-se 390 dias sobre o seu lado esquerdo e 40 dias sobre o seu lado direito (4.9-17; cf. também 5.1-4). A ordem para pegar um rolo e comer foi dada tanto a Ezequiel (2.8–3.3) como a João (Ap 10.2,8-11). Todos esses atos simbólicos podem ser adequadamente entendidos através das explicações fornecidas em seu contexto imediato.

Os rituais sacrificiais e as ordenanças também têm um valor tipológico genuíno e simbólico, como explicado no NT em geral, e no livro aos Hebreus em particular.

A Ceia do Senhor (1 Co 10.16-18; 11.23-34) e o batismo cristão (Mt 28.19; cf. Rm 6.1-10) são importantes símbolos que refletem a salvação de cada indivíduo. Eles são especialmente significativos porque tanto o material quanto o ato estão repletos de valor simbólico.

*Números*. A maior parte daquilo que tem sido considerado como simbolismo em relação aos números, representa apenas que foram usados de forma esquemática, retórica e idiomática. Entretanto, alguns números realmente parecem exibir algum simbolismo nas Escrituras. O número sete foi claramente usado para transmitir a idéia de "plenitude" ou "totalidade". O número três, às vezes, simboliza o conceito de "alguns" ou "plenitude". Porém, em nenhuma passagem das Escrituras algum número tem valor teológico, como santidade, pecado, perfeição etc. Nenhum autor do NT alguma vez interpretou os números do AT dessa maneira, embora muitos outros atos e objetos tenham recebido algum valor simbólico. Essa é uma indicação de que o intérprete das Escrituras deve colocar em prática uma grande reserva quando se tratar deste assunto. *Veja* Número, Numerologia.

*Cores*. É muito difícil ter certeza a respeito da intenção de um símbolo através da referência a certas cores. Como os estudiosos ainda não concordaram sobre a tradução precisa de algumas palavras relativas a cores, devemos abordar esse assunto com grande cuidado. Entretanto, algumas cores realmente têm um valor simbólico nas Escrituras. As cores púrpura e escarlate, assim como as cores das vestes dos reis, sugerem realeza e majestade (Jz 8.26; Et 8.15; Dn 5.7; Na 2.3). O preto geralmente significava a morte, o maligno, a tristeza e o luto (Ap 6.5,6; Jr 14.2), e o vermelho representava a guerra e o derramamento de sangue (Ap 6.4; 12.3). *Veja* Cores.

***Bibliografia.*** Alexander Altmann, *Biblical Motifs. Origins and Transformations*, Cambridge. Harvard Univ. Press, 1966. Frederick W. Dillistone, *Christianity and Symbolism*, Filadélfia. Westminster Press, 1955. Patrick Fairbairn, *The Typology of Scripture*, 2 vols., 6ª ed., Edinburgh. T. & T. Clark, 1882. Maurice H. Farbridge, *Studies in Biblical and Semitic Symbolism*, Londres. Kegan Paul, Trench, Trubner & Co., 1923. Francis Foulkes, *The Acts of God,* Tyndale Old Testament Lectures for 1955, Londres. Tyndale House, s.d., Norman L. Geisler, *Christ. The Theme of the Bible,* Chicago. Moody Press, 1968. Anthony T. Hanson, *Jesus Christ in the Old Testament,* Londres. S.P.C.K., 1965. Abraham Kuyper, *The Antithesis Between Symbolism and Revelation,* Edinburgh. T. &. T. Clark, s.d. Geoffrey W. H. Lampe, *Essays on Typology,* Naperville. Allenson, 1957. A Berkeley Mickelsen, *Interpreting the Bible,* Grand Rapids. Eerdmans, 1963, pp. 236-279. Walter L. Wilson, *Wilson's Dictionary of Bible Types,* Grand Rapids. Eerdmans, 1957.

J. J. D.

**SÍMBOLO** A palavra "símbolo" derivou da palavra grega "*typos*", usada 16 vezes no NT. Na versão KJV em inglês, essa palavra grega teve várias traduções: "sinal" (Jo 20.25), "figura" (At 7.43; Rm 5.14), "modelo" (Tt 2.7; Hb 8.5; At 7.44), "maneira" (At 23.25), "forma" (Rm 6.17), "exemplo" (1 Co 10.6,11; Fp 3.17; 1 Ts 1.7; 2 Ts 3.9; 1 Tm 4.12; 1 Pe 5.3). Desta modo, o significado da palavra grega difere, de forma significativa, da palavra correspondente "tipo" no sentido de lhe faltar um sentido profético.

Existem outras três palavras gregas usadas no NT que mais se aproximam da idéia envolvida na tipologia. Elas são *skia* ("sombra, figura, exemplar, ou imagem"; Hb 8.4,5; 10.1; Cl 2.16,17), os termos *parabole* ("figura" ou "símbolo", Hebreus 9.9) e *hypodeigma* ("cópia" ou "modelo", Hebreus 9.23).

A melhor definição da palavra símbolo é a de uma pessoa, evento ou objeto histórico que, como foi designado por Deus, tem uma característica essencial que corresponda a outra pessoa, evento ou objeto no futuro. O termo "antítipo" é usado para descrever essa futura concretização. Estudiosos evangélicos têm, geralmente, limitado a aplicação de símbolos a vários aspectos da pessoa ou da obra de Cristo, pois tais símbolos são os únicos que foram claramente reconhecidos no NT. Outros vêm no AT símbolos adicionais que são o do Espírito Santo e o da Igreja.

Um verdadeiro símbolo bíblico é geralmente caracterizado por três elementos. (1) existe algum ponto de notável semelhança entre o símbolo e seu antítipo. Entretanto, deve-se notar que também existem pontos de dessemelhança. Por exemplo, Adão foi feito símbolo (ou figura) de Cristo (Rm 5.14), mas somente em relação ao fato de ser o pai da raça humana e seu primeiro representante; (2) deve haver alguma evidência de que o símbolo tem uma indicação divina; e, (3) ele deve prefigurar algo futuro.

Existem quatro categorias básicas de símbolos encontrados nas Escrituras: (1) Pessoas. De acordo com Romanos 5.14, Adão, como o cabeça da raça, é símbolo de Cristo. Moisés (Hb 3.1-6), Melquisedeque (Hb 5.6-10; 7.1-28) e Arão (Hb 5.4,5) também são símbolos que apontam para Cristo; (2) Instituições e rituais. A páscoa, as ofertas especiais, os sacrifícios e o sacerdócio parecem indicar os vários aspectos da pessoa e do ministério de Cristo; (3) Atos ou eventos especiais. A elevação da serpente ardente no deserto por Moisés (Nm 21.8,9) é considerada um tipo da crucificação de Cristo (Jo 3.14-16). A entrada de Israel na terra prometida tipifica a "tranqüilidade" do crente na salvação e na vitória que nos foi conquistada por nosso "Josué", Jesus Cristo (Hb 4); (4) Estruturas e objetos. O livro dos Hebreus considera o Tabernáculo e seus objetos como típicos da pessoa e da obra de Cristo.

Na história da exegese tipológica surgiram inúmeras escolas de interpretação. Um grupo, melhor representado por Orígenes no século III d.C., tinha a tendência de ver símbolos em demasia nas Escrituras, o que resultou no aparecimento de um número extremo de alegorias na história do AT (*veja* Alegoria). Outro grupo, mais inclinado a um racionalismo cético, considera todo o conceito da tipologia como completamente artificial e nega a presença de tais fenômenos nas Escrituras.

A fim de se chegar a um ponto de equilíbrio nesse assunto, o Bispo Marsh propôs em sua obra "*Lectures on the Criticism and Interpretation of the Bible*" que um tipo só se tornaria de fato um tipo, caso fosse especificamente indicado pelo NT. Muitos acreditaram que essa definição era demasiadamente estrita e procuraram propor uma opinião mais moderada acompanhando Patrick Fairbairn. Esse último grupo considera dois tipos de símbolos na Bíblia: (1) Inato, isto é, o símbolo que foi especificamente declarado com tal no NT, e (2) inferido, isto é, um símbolo que é reconhecido por causa da natureza das discussões do NT sobre o assunto. Estudiosos recentes, que aceitam as conclusões dos críticos da literatura moderna (W. H. Lampe, G. von Rad, W. Eichrodt, H. W. Wolfe) reco-

nhecem a tipologia do AT em um sentido de "analogia" e "realidade correspondente", mas não como uma verdadeira previsão profética (como foi discutido no artigo de autoria de Gundry na bibliografia).
*Veja* Bíblia, Interpretação.

***Bibliografia.*** Lewis S. Chafer, *Systematic Theology*, Dallas. Dallas Seminary Press, 1948, III, 116-125; IV, 136-141; VI, 47-66. Patrick Fairbairn, *The Typology of Scripture*, 2. vols., Nova York. Funk & Wagnalls, 1900. Francis Foulkes, *The Acts of God,* Londres. Tyndale, 1955 (um estudo da base da tipologia no AT). Leonhard Goppelt, "*Typos* etc", TDNT, VIII, 246-259. Stanley N. Gundry, "Typology as a Means of Interpretation", JETS, XII (1969), 233-240. Para uma bibliografia adicional, *veja* Simbolismo.

J. J. D.

**SIMEÃO[1]** Um contemporâneo de Esdras, um leigo de Israel, da família de Harim, que se casou com uma mulher estrangeira, e divorciou-se dela (Ed 10.31).

**SIMEÃO[2]**
1. O segundo filho de Jacó e sua mulher Léia (Gn 29.33), mas não foi uma figura principal na história de Israel. É mais conhecido como uma figura secundaria em associação com seu irmão Judá. Com seus irmãos Rúben, Levi e Judá, tornou-se o líder na vingança pelo estupro de sua irmã Diná por Siquém (Gn 34.24-31). Quando um dos filhos de Jacó estava para ser retido no Egito como refém, José escolheu Simeão, por segurança (Gn 42.24).
2. Simeão foi o progenitor da tribo de mesmo nome. Ele teve seis filhos. Jemuel (ou Nemuel), Jamim, Oade, Jaquim (ou Jaribe), Zoar (ou Zerá) e Saul. Todos os filhos, com exceção de Oade, tornaram-se chefes de tribos (Gn 46.10; Nm 26.12-14; 1 Cr 4.24). Quando a terra foi distribuída em lotes em Siló, o segundo lote no extremo sul, dentro da fronteira de Judá, foi dado a Simeão (Js 19.1-9). Essas duas tribos fizeram um esforço conjunto para subjugar os cananeus (Jz 1.1-3,17). Entre as cidades da tribo dos simeonitas estavam Berseba, Ziclague e Horma (Js 19.1-9) no sul de Judá.
No primeiro censo, a tribo totalizou 59.300 homens em idade de serviço militar (Nm 1.23; 2.13); na segunda contagem, a tribo tinha sido reduzida a 22.200 (Nm 26.12-14), o que a tornou a menor das tribos. Muitos podem ter sido executados juntamente com Zinri, o líder dos simeonitas, por causa do seu envolvimento com o pecado de Baal-Peor (Nm 25.1-15). Apesar disso, a tribo de Simeão teve a honra de estar ao pé do monte Gerizim para pronunciar as bênçãos (Dt 27.12). No entanto, quando Moisés abençoou as tribos antes da sua partida, ele não mencionou Simeão especificamente (Dt 33). A tribo de Simeão pode ter sido omitida porque, segundo a bênção de Jacó aos seus filhos, antes de morrer, ela deveria ser espalhada por Israel (Gn 49.5-7). Embora Simeão sofresse a humilhação de não ter assegurada uma possessão independente, ou um território, os simeonitas retiveram a sua identidade. A tribo foi reconhecida por Ezequiel em sua afirmação profética do futuro de Canaã, e também é mencionada no Apocalipse (Ez 48.24,25,33; Ap 7.7).
Durante o reinado de Ezequias, os simeonitas conquistaram o povo de Cam (egípcios) e os meunitas que viviam no vale de Gedor (LXX. Gerar; 1 Cr 4.39-41). Um grande número de amalequitas também foi assassinado por eles nas montanhas de Seir (vv. 42,43). É aparente que a tribo de Simeão não ganhou um grande reconhecimento e é provável que a tribo tenha se mesclado parcialmente com a tribo de Judá.
Quando a nação de Israel foi dividida em duas partes depois da morte de Salomão, Aias, o profeta, revelou a Jeroboão (I) que Deus havia lhe dado dez tribos sobre as quais ele deveria dominar (1 Rs 11.28,29). Somente nove tribos, no entanto, haviam tido territórios que lhes foram designados ao norte ou a leste de Judá e Benjamim. Portanto é provável que, como os filhos de Dã, a maioria dos simeonitas tivesse emigrado para o norte do Neguebe procurando melhores regiões de pastoreio. Isto evidentemente ocorreu depois do curto reinado de Davi em Hebrom, pois Simeão forneceu mais homens para Davi do que Judá havia fornecido (1 Cr 12.23-25). A ocorrência de tal migração é corroborada por dois trechos que mencionam Simeão em um contexto do reino do norte de Israel, ou de suas tribos (2 Cr 15.9; 34.6). Parece muito provável, portanto, que Simeão tenha sido a décima das dez tribos do norte durante o período da monarquia (veja Leon J. Wood, "Simeon, the Tenth Tribe of Israel", JETS, XIV [1971], 221-225).
3. Um antepassado do Senhor Jesus Cristo e descendente de Davi, que evidentemente viveu durante a monarquia (Lc 3.30).
4. Um judeu devoto que viveu em Jerusalém na época do nascimento de Cristo e estava procurando "a consolação" ou salvação (Lc 2.30) de Israel. Tendo recebido uma revelação do Espírito Santo de que não morreria antes de ver o Messias, ele foi levado pelo Espírito até o Templo no mesmo instante em que José e Maria levaram o menino Jesus para consagrá-lo. Simeão reconheceu nele o Messias e profetizou a respeito da Criança (o hino de louvor agora conhecido como *Nunc Dimittis*) e Maria, a sua mãe (Lc 2.25-35).
5. Um profeta cristão e/ou professor na Igreja de Antioquia na época em que Barnabé e Paulo foram chamados para a obra missionária. Também era conhecido por seu nome latino Níger, que significava "negro", o que

sugere que ele pode ter sido um africano (At 13.1). Seu nome é escrito como Simão em algumas versões.
6. Uma variante ortográfica para Simão (At 15.14). *Veja* Pedro.
H. A. Han.

**SIMEATE** Forma feminina de Siméia, uma amonita, a mãe de um dos dois assassinos do rei Joás de Judá. Este assassino do rei Joás é chamado de Jozacar em 2 Reis 12.21, mas em 2 Crônicas 24.26 ele é chamado de Zabade. No hebraico, há pouca diferença entre estes dois nomes.

**SIMEATITAS** Uma das três famílias de escribas que habitavam em Jabez, evidentemente em Judá (1 Cr 2.55). Os simeatitas constituíam uma das subdivisões dos calebitas (veja 1 Cr 2.18-20,50-55). As outras duas famílias calebitas de escribas em 1 Crônicas 2.55 são os tiratitas e os sucatitas.

**SIMEI** Um nome que ocorre freqüentemente no AT, antes e depois do exílio. Simei era um nome de família entre os levitas, dado a alguns homens. Os estudiosos dizem que é difícil traçar as genealogias e a identificação de muitos homens que tiveram este nome.
1. O segundo filho de Gérson, filho de Levi (Nm 3.18; 1 Cr 6.17; 23.7,10). O Simei de 1 Crônicas 23.9 parece ser uma variante de algum outro nome, talvez do Jeiel que consta no v. 8.
2. Um descendente de Merari, um dos filhos de Levi (1 Cr 6.16,29).
3. Um descendente de Asafe, o músico (1 Cr 6.42), que alguns pensam ser a mesma pessoa do item 1 acima, embora aqui ele seja mencionado como o filho de Jaate, o filho de Gérson (v. 43).
4. Um dos 288 cantores treinados sob a direção de Asafe, e líder do décimo dos 24 turnos de músicos para a adoração no Templo (1 Cr 25.17).
5. Um levita que ajudou a purificar o Templo no reinado de Ezequias (2 Cr 29.14), que mais tarde o designou com Conanias para a supervisão das coisas dedicadas trazidas para dentro da Casa do Senhor (2 Cr 31.11,12).
6. Um levita que expulsou sua mulher gentia por ordem de Esdras (Ed 10.23).
7. O homem mais conhecido com este nome é o filho de Gera, um benjamita da casa de Saul, que durante o reinado de Davi viveu do outro lado do monte das Oliveiras. Ele odiava Davi que havia se tornado o líder de Israel no lugar de Saul, seu parente. Quando Davi estava fugindo de Absalão, Simei amaldiçoou Davi ao passar através de um estreito desfiladeiro e lançou pedras sobre ele de um lugar mais elevado e de relativa segurança. Os fiéis servos de Davi quiseram permissão para persegui-lo e matá-lo, mas Davi o proibiu dizendo. "Eis que meu filho, que descendeu de mim, procura a minha morte, quanto mais ainda este filho de Benjamim? Deixai-o; que amaldiçoe, porque o Senhor lho disse: Porventura, o Senhor... me pagará com bem sua maldição" (2 Sm 16.11,12). Depois da queda de Absalão, quando Davi cruzou novamente o Jordão, Simei foi o primeiro a dar as boas vindas ao rei que retornava e prostrou-se aos seus pés avidamente suplicando o seu perdão. Contra o conselho de Abisai para executar Simei por amaldiçoar o ungido do Senhor, Davi lhe estendeu sua clemência, dizendo, "Morreria alguém hoje em Israel? Por que, porventura, não sei que hoje fui feito rei sobre Israel? E disse o rei a Simei. Não morrerás" (2 Sm 19.16-23).
Porém Davi ainda suspeitou de Simei, e em seu leito de morte advertiu Salomão sobre ele. Salomão deu ordens a Simei para construir uma casa em Jerusalém, e permanecer nela sob a penalidade de morte (1 Rs 2.36-38). Depois de três anos, Simei deixou sua casa para recapturar alguns escravos foragidos e foi imediatamente executado (1 Rs 2.39-46).
8. Um irmão do rei Davi (2 Sm 21.21).
9. Um oficial de Davi e seguidor de Salomão na época da rebelião de Adonias (1 Rs 1.8), identificado por alguns com o filho de Ela, a quem Salomão havia designado como um dos 12 oficiais chefes comissionados sobre Israel (1 Rs 4.18).
10. Filho de Pedaías e irmão de Zorobabel (1 Cr 3.19).
11. Um simeonita, filho de Zacur (1 Cr 4.26,27). Ele é lembrado como o pai de 16 filhos e seis filhas.
12. Um rubenita, filho de Gogue e pai de Mica (1 Cr 5.4).
13. Um chefe de uma família benjamita (1 Cr 8.21), chamado de Sema no v. 13.
14. O homem encarregado das vinhas de Davi, um ramatita (1 Cr 27.27).
15. Um membro da família de Hasum que expulsou sua mulher gentia por ordem de Esdras (Ed 10.33).
16. Filho de Bani que se divorciou de sua mulher estrangeira por ordem de Esdras (Ed 10.38).
17. Filho de Quis, um benjamita, e um ancestral de Mardoqueu (Et 2.5).

**SIMÉIA**
1. Filho de Davi e Bate-Seba (1 Cr 3.5, ou Bate-Sua), chamado de Samua em 2 Samuel 5.14 e 1 Crônicas 14.4.
2. Um levita, descendente de Merari, filho de Uzá, pai de Hagias (1 Cr 6.30).
3. Um levita, descendente de Gérson, filho de Micael, pai de Berequias, neto de Asafe, famoso músico da época de Davi (1 Cr 6.39).
4. Irmão de Davi e pai de Jônatas que matou "o filho do gigante" (1 Cr 20.6,7); chamado de Samá em 1 Samuel 16.9.

5. Irmão de Davi, pai de Jonadabe (2 Sm 13.3) e de Jônatas que matou um que "nascera dos gigantes" (2 Sm 21.20,21; *veja* Siméia (4). Ele é chamado de Samá em 1 Samuel 16.9.
6. Um benjamita, descendente de Jeiel que foi o pai ou o fundadr de Gibeão (1 Cr 8.29-32).
7. Um descendente de Jeiel da tribo de Benjamim (1 Cr 9.38).

**SIMEÍTA** Os simeítas eram levitas, descendentes de Gérson e Simei (Nm 3.18,21).

**SIMI** Um benjamita, pai de Adaías, Beraías e Sinrate (1 Cr 8.21. É chamado de Simei em algumas versões). Este é aparentemente o mesmo homem que em 1 Crônicas 8.13 é chamado de Sema (*q.v.*).

**SIMPLES, SIMPLICIDADE** A palavra hebraica *tom* dá a idéia de integridade e perfeição. O significado de integridade está ilustrado em passagens como Gênesis 20.5,6; 1 Reis 9.4; Salmo 78.72. Esta mesma palavra, muito logicamente, transmite a idéia de simplicidade e de inocência (2 Sm 15.11).
Outra palavra hebraica, *p[e]ti*, é traduzida em algumas versões como simplicidade em Provérbios 1.22 e significa a falta de sabedoria. Como um adjetivo, a palavra é utilizada em Salmo 19.7; 116.6; 119.130 e freqüentemente em Provérbios.
A palavra grega *haplotes* aparece apenas sete vezes no Novo Testamento. Em três delas, significa sinceridade, simplicidade e pureza de espírito (2 Coríntios 11.3; Ef 6.5; Cl 3.22). Nas quatro restantes, é transmitido o conceito de generosidade ou liberalidade (Rm 12.8; 2 Co 8.2; 9.11,13). A idéia básica é a da ausência de duplicidade e de segundas intenções. Refere-se à pureza básica de coração e de vida.

Colunas do pátio e entrada da sinagoga do século II d.C.em Sardes. HFV

**SINABE** Rei de Admá, um dos cinco reis na região sul de Canaã durante os dias de Abraão (Gn 14.2) que se rebelou contra Quedorlaomer, rei de Elão. Quedorlaomer tomou ações punitivas contra Sinabe e seus aliados.

Quatro pilares suportavam o teto de uma sinagoga construída dentro do palácio de Herodes o Grande (o Herodium), nas proximidades de Belém. HFV

**SINAGOGA DE SATANÁS** *Veja* Satanás, Sinagoga de.

**SINAGOGA** Em grego, o termo "sinagoga" significa simplesmente "lugar de assembléia", embora esse nome tenha se tornado a expressão técnica para uma instituição extraordinariamente importante no judaísmo. *Veja* Congregação; Adoração.
*Origem.* Esse é um assunto envolto em consideráveis discussões. A tradição judaica afirma decididamente que a sinagoga é pelo menos tão antiga quanto a época de Esdras. Na verdade, nos tempos do AT existia uma tradição entre os judeus de que ela havia sido instituída por Moisés, mas esse fato é historicamente duvidoso.
Quase não existem referências a seu respeito no Talmude da época do Templo, e o próprio NT, com mais de 50 referências à sinagogas, apresenta o primeiro relato coerente de seus cultos.
A sinagoga era uma instituição tão extensamente desenvolvida na época do NT, que ela devia ter uma tradição de certa Antiguidade antes do século I d.C. As duas sinagogas mais antigas da Babilônia eram as de Nahardea e Huzal e, segundo a tradição, a primeira delas foi fundada pelo rei Joaquim. Desde o tempo de César Augusto já existiam muitas sinagogas em Roma. Os estudiosos que negam a existência de alguma sinagoga na Palestina antes da época dos macabeus, provavelmente estão incorretos, embora existam verdadeiros indícios de sua existência fora da Palestina, antes de sua presença nessa terra. Todavia, parece que essa instituição cresceu, atingiu a maturidade e teve seu maior desenvolvimento durante o período da história judaica que decorreu entre o final do AT e a revolta dos macabeus (444-168 a.C.).

Alguns consideram o Salmo 74.8 como a única referência específica a uma sinagoga na literatura pré-cristã, embora não existam provas de que esta seja realmente uma referência a ela. As palavras hebraicas traduzidas como "as sinagogas de Deus", que acompanham as traduções gregas de Símaco e Áquila, são *mo'ade –'el,* isto é, "lugares para se encontrar com Deus", ou "todos os lugares santos de Deus". A palavra hebraica para sinagoga, *bet-hakk^eneset*, ou "casa da assembléia", não consta em nenhuma passagem do AT.

É provável que a sinagoga tenha crescido a partir de duas situações: (1) O Exílio na Babilônia, quando podemos presumir que os judeus reuniam-se para orar e para se fortalecer mutuamente na devoção à religião de seus pais; e (2) a ênfase colocada por Esdras na lei, na época da restauração. Um possível indício para a origem dessa instituição na Babilônia pode ser encontrado em Ezequiel 14.1, "E vieram a mim alguns homens dos anciãos de Israel e assentaram-se diante de mim" (cf. também 20.1). Embora não exista nenhuma referência à sinagoga nos registros da restauração, toda a história do retorno à Palestina pressupõe o hábito de reunir o povo periodicamente em assembléias (Ed 8.15; Ne 8.2; Zc 7.5), o que podia muito bem ter sido uma alusão às sinagogas; e, na verdade, alguns já fizeram essa identificação.

*Funções.* Estritamente falando, no judaísmo o Templo era o lugar da adoração, enquanto a sinagoga era uma instituição dedicada à educação, porque proporcionava um lugar para o estudo da lei. Sendo uma instituição para o estudo e a reafirmação da lei, a sinagoga era um lugar especialmente adequado aos interesses dos fariseus e, a partir do século II a.C., ela passou a ser dominada por eles. Na prática, entretanto, a distinção entre o culto e a instrução havia desaparecido, e os judeus que viviam a grandes distâncias de Jerusalém achavam difícil, se não impossível, freqüentá-la para oferecer a Deus sua adoração. Portanto, era natural que a sinagoga, como lugar de comunhão e associação religiosa fosse logo adaptada às necessidades comuns que as pessoas sentiam quanto à experiência da adoração; dessa forma, esse elemento passou cada vez mais a fazer parte da vida da sinagoga, conforme expresso através de seus serviços.

Também devemos observar que elas eram mais do que instituições religiosas. Entre os judeus dispersos pelo mundo romano, a sinagoga geralmente servia como centro cívico da comunidade judaica, proporcionando especificamente as escolas necessárias para a educação dos jovens. Na verdade, entre esses judeus dispersos, a atmosfera dessa instituição tendia a ser mais secular do que religiosa.

*Requisitos.* Havia uma exigência de que qualquer comunidade de judeus, formada por homens com idade superior a 12 anos, deveria manter uma sinagoga (alguns falam de dez famílias, considerando cada homem como líder de uma família) e esperavam que dez ou mais homens estivessem presentes em cada culto. Em algumas comunidades, homens abastados que tinham tempo livre, geralmente, apresentavam-se para os serviços da congregação, e regularmente preenchiam o número exigido. Evidentemente, Filipos não contava com dez homens judeus para formar uma sinagoga porque os poucos adeptos do judaísmo encontravam-se fora da cidade, junto ao rio (At 16.13). As cidades maiores, naturalmente, podiam contar com mais de uma sinagoga, embora as 480 mencionadas em Jerusalém pelo Talmude (Megillah 73) pareçam um exagero.

Não existia um tamanho ou formato estipulado para uma sinagoga, como no caso do Templo e do Tabernáculo. Entretanto, de acordo com o Talmude (*Shabbat 11a*), havia a exigência de que o edifício fosse construído no lugar mais elevado possível da comunidade, pois havia o conceito de que nenhum edifício era digno de estar acima desta casa santa. Também era desejável que o móvel onde se guardava as Escrituras, mencionado como "arca", tivesse sua frente voltada para Jerusalém. Geralmente, esse edifício era feito de pedras. Na Galiléia, a sinagoga deveria estar orientada em um sentido norte-sul, e sua entrada localizada na extremidade sul.

*Cultos.* As primeiras indicações revelam que os cultos eram realizados na sinagoga em três dias da semana. no sábado, na segunda e na quinta-feira. Mais tarde, as sinagogas localizadas em centros populosos realizavam três cultos por dia, no horário dos três sacrifícios diários, sendo que esses cultos extraordinários passaram a ser abreviados e consistiam principalmente de orações (cf. At 3.1 com 10.2-4). Seu principal culto era realizado na manhã do sábado, mas os cultos do sábado à tarde e das manhãs de segunda e quinta-feira passaram a durar mais que os momentos diários de oração e continham, além das próprias orações, uma abreviada leitura do Pentateuco.

Antes da época do NT, foi adotado o costume de realizar cultos nos grandes dias festivos em benefício das pessoas que não podiam locomover-se até Jerusalém. Nessas ocasiões festivas, os cultos eram substancialmente iguais aos cultos do sábado de manhã, sendo que a principal diferença estava na escolha adequada da seção do Hallel (Sl 113–118) a ser lida depois da oração de bênção com a qual o culto se iniciava.

Parece provável que a ordem dos cultos da sinagoga tenha gradualmente se desenvolvido com o passar dos anos. Sem dúvida, o primeiro elemento desse desenvolvimento foi a leitura da lei na língua hebraica, seguida de uma explicação no vernáculo aramaico. Observe como Esdras lia o livro da lei "distintamente", ou "com interpretação", para as pessoas reunidas em assembléia, traduzindo para o aramaico e "explicando o sentido" para que as pessoas compreendessem sua leitura (Ne 8.8). Na época do NT, era costume, nas sinagogas gregas, ler as Escrituras traduzidas para o grego (LXX). Paulo menciona diretamente a versão da Septuaginta de Habacuque 1.5 em seu sermão na sinagoga de Antioquia da Pisídia (At 13.41).

É provável que, em um primeiro momento, a leitura da lei nas reuniões públicas tenha sido realizada por ocasião de certas festas. Com o passar do tempo, essas leituras se estenderam para os quatro sábados especiais do último mês do ano civil, Adar, e finalmente para todos os sábados. Por fim, na Palestina toda a lei era organizada em trechos a serem lidos sábado após sábado, de forma que a leitura completa pudesse ser feita em um período de três anos. Finalmente, veio uma época em que a leitura da lei era concluída com um ou dois versículos dos Profetas. Não se sabe em que período a leitura dos Profetas começou a fazer parte dos cultos, mas isso certamente aconteceu bem antes do final do século I d.C. Alguns estudiosos sugeriram que o livro dos Salmos, lido aos sábados, também era totalmente lido durante um período de três anos; porém, apesar de sua proeminência nos cultos da sinagoga, não existem provas conclusivas de que o livro de Salmos era sistematizado e usado em sua totalidade.

Durante a época do NT, um culto típico de sábado de manhã de uma grande sinagoga teria acompanhado essa ordem com relativa precisão. Como a sinagoga era essencialmente uma instituição laica, qualquer judeu poderia ler a Torá, ou os Profetas, liderar a congregação ou, caso fosse bastante dedicado ao Senhor, poderia falar à assembléia. O Senhor Jesus aproveitou a vantagem dessa liberdade na sinagoga de Nazaré quando leu Isaías 61 e em seguida pregou (Lc 4.16-27).

O culto começava com um convite à oração, por meio da proclamação das seguintes palavras: "Bendito seja o Senhor, que deve ser bendito para sempre". Essas palavras eram seguidas pela confissão de fé que, desde as suas primeiras palavras, ficou conhecida como "Shema" (Deuteronômio 6.4-9, às quais foi, depois, acrescentado Deuteronômio 11.13-21 e Números 15.37-41). Depois do Shema, vinha a oração propriamente dita, que consistia de bênçãos cuja autoria era atribuída aos homens da Grande Sinagoga da época de Esdras. Em seguida, faziam a leitura do trecho escolhido da lei, acompanhada pela leitura profética (de origem muito posterior à da lei). Durante essas leituras, um intérprete parafraseava ligeiramente a passagem para o vernáculo do povo. Uma homilia, ou sermão sucedia imediatamente uma passagem profética que, em essência, era geralmente uma exposição das Escrituras ou um comentário de exortação baseado no mesmo material. Em certas ocasiões, isso podia ser feito por um judeu visitante, como acontecia freqüentemente com Paulo (At 13.14-16; 14.1; 17.1-4,10; 18.4,19). O término do culto consistia de uma bênção impetrada por um sacerdote, caso algum estivesse presente, ao qual a congregação respondia com "Amém" depois de cada verso. Nas ocasiões em que não houvesse nenhum sacerdote presente, é provável que a bênção não fosse impetrada, embora algumas evidências apontem, posteriormente, que na ausência de um sacerdote uma oração final era feita por qualquer membro da congregação.

*Oficiais.* A sinagoga era controlada por um corpo de anciãos presidido por um "principal da sinagoga" (*archisynagogos,* Mc 5.22; Lc 8.49; 13.14; At 13.15; 18.8,17), provavelmente escolhido entre estes homens. Esses anciãos exerciam a supervisão geral dos cultos e do edifício. Era o "principal" que convidava diferentes membros da congregação para fazer as orações e ler as Escrituras. Se um visitante fosse convidado para fazer um sermão, este convite partiria do principal da sinagoga.

O único oficial pago pela sinagoga era o ministro ou assistente (Lc 4.20, em hebraico *hazzan*). Nas sinagogas modernas, esse termo é usado para o "leitor" ou "cantor", mas na época do AT o ministro só teria sido o leitor do culto em ocasiões excepcionais. Sua função consistia em supervisionar o edifício e seus móveis, e dedicar especial atenção aos pergaminhos sagrados. Ele tocava a trombeta do telhado da sinagoga para indicar o início e o fim do sábado. Às vezes, essa pessoa servia como mestre dos jovens na escola da sinagoga. Também era responsabilidade do ministro infligir qualquer punição a um membro da congregação que tivesse sido decidida pelos anciãos.

Uma sinagoga totalmente organizada também tinha funcionários chamados "recebedores", responsáveis pelo recebimento e distribuição de ofertas e donativos. O recitativo das orações tendia a ser transferido para um indivíduo que se tornava conhecido, por causa dessa função, como "recitador das orações". Esse indivíduo também trabalhava como secretário da congregação, e assumia a supervisão de todas as transações com o mundo exterior que se fizessem necessárias.

*Mobília.* As primeiras sinagogas eram bastante simples. Uma vez que não havia um enfoque sacramental, o estilo arquitetônico de uma basílica era geralmente adotado, às vezes com duas fileiras de colunas e uma ou mais fileiras de bancos ao longo das paredes. As sinagogas posteriores se gabavam de

O monte Sinai tradicional. MPS

terem pisos com mosaicos trabalhados, e ornamentos enfeitando a fachada.

O cofre portátil, ou santuário da Torá, que continha os pergaminhos sagrados envolvidos em uma cobertura de linho, ficava separado do restante do aposento, ou mantido em um outro aposento. No século II d.C., alguns judeus começaram a chamar esse cofre de "arca" e o colocaram em um "santuário" ou repositório permanente, como uma reminiscência da arca do Tabernáculo.

No centro desse aposento existia uma plataforma elevada sobre a qual estava a mesa de leitura usada por quem fosse ler os pergaminhos. Também o pregador, que pregava o sermão, se sentava nessa plataforma enquanto falava. Os homens que serviam como anciãos ocupavam as "primeiras cadeiras" (Mt 23.6; Lc 11.43; 20.46; cf. Tg 2.2,3) que eram bancos posicionados abaixo do cofre, próximos à mesa do leitor ou de cada lado da arca, de frente para a congregação. A cadeira de Moisés (Mt 23.2) era uma cadeira de pedra, como aquela que foi encontrada nas ruínas de Corazim e Hamate, perto de Tiberíades. Ela ficava ao lado da arca da Torá na sinagoga do século III de Dura-Europos, no rio Eufrates. Era o assento reservado para o líder mais ilustre, um símbolo da autoridade legal de Moisés, herdada pelos escribas e fariseus por serem mestres da lei judaica.

A congregação era dividida, homens e mulheres se sentavam em lados diferentes da sala da assembléia. Por volta do século III d.C., muitas vezes eles construíam uma galeria ao longo dos três lados da sala, reservada para homens importantes. Ela tinha uma grade de madeira para seus ocupantes poderem olhar através dela e serem vistos apenas vagamente. As lâmpadas, trombetas e outros itens necessários aos serviços completavam os poucos móveis da sinagoga.

*Importância*. Mais do que o Templo, as sinagogas determinavam a vida religiosa do povo judeu. Depois da destruição do Templo, em 70 d.C., foram as sinagogas que mantiveram o judaísmo vivo. Um importante desenvolvimento, associado à sinagoga, foi o crescimento dos Targums, que eram paráfrases em aramaico dos textos hebraicos originais usados nos cultos da sinagoga e que, por volta do século II d.C., passaram a ser escritos. Não podemos deixar de acentuar suficientemente a importância das sinagogas na propagação do cristianismo. O Senhor Jesus ensinou nas sinagogas; Paulo encontrou uma audiência pronta para suas pregações, pois as sinagogas estavam espalhadas por todo o mundo romano. Não apenas isso, mas a ordem do culto e o tipo de culto realizado na sinagoga influíram grandemente na adoração comunitária expressa no cristianismo (cf. Tg 2.2-6), e também no islamismo. Sua organização geral para os cultos pode ser vista atualmente tanto no mundo cristão, como no mundo muçulmano.

*Ruínas*. Ruínas de sinagogas foram encontradas em mais de 50 locais nas modernas Israel e Jordânia. Como os judeus tinham permissão para se estabelecer na Galiléia durante o período bizantino (300-650 d.C.), a maioria delas se encontra nessa região. Evidências da existência de uma sinagoga foram descobertas na fortaleza de Masada, destruída em 73 d.C., que assim se tornaram as mais antigas ruínas de uma sinagoga na Palestina. No porto marítimo de Óstia, em Roma, foi descoberta uma sinagoga do século I d.C., decorada com baixos relevos de mármore representando um candelabro de ouro. O tamanho e o artesanato das ruínas indicam a presença de uma próspera comunidade judaica. A maior e mais trabalhada sinagoga do mundo Mediterrâneo foi recentemente descoberta em Sardes, na parte oeste da Turquia. Datado do século II d.C., o

A península do Sinai e áreas adjacentes fotografadas por satélite. Aeronáutica Nacional e Administração Espacial

aposento principal é um grande saguão com mais de 60 metros de comprimento, e uma espaçosa abside no lado ocidental (BASOR #174, pp. 30-44; #187, pp. 9-50).

***Bibliografia.*** S. W. Baron, *A Social and Religious History of the Jews*, 2 vols. Nova York. Columbia Press, 1952. CornPBE, pp. 667-672. W. D. Davies, *Christian Origins and Judaism*, Filadélfia. Westminster Press, 1962. Frederick C. Grant, *Ancient Judaism and the New Testament,* Nova York. Macmillan, 1959. G. F. Moore, *Judaism in the First Centuries of the Christian Era*, Vol. 1, Cambridge. Harvard Univ. Press, 1927. W. O. E. Oesterly, *The Jewish Background of the Christian Liturgy*, Oxford. Clarendon Press, 1925. W. Schrage, "*Synagoge* etc.", TDNT, VII, 798-852. Emil Schürer, *A History of the Jewish People in the Time of Jesus Christ*, Edinburgh. T. & T. Clark, 1885. I. Sonne, "Synagogue", IDB, IV, 476-491. Roy A. Stewart, "The Synagogue", EQ. XLIII (1971), 36-46.

H. L. D.

**SINAI** A península é um triângulo invertido entre os dois braços do mar Vermelho, com o Golfo de Suez a oeste e o Golfo de Ácaba a leste. A base do triângulo mede aproximadamente 240 quilômetros de extensão e forma uma barreira entre a Palestina e o Egito. Normalmente se faz referência a todo o triângulo como o Deserto da Peregrinação, embora a porção nordeste, com o seu planalto estéril alcançando a altitude de 825 metros e com as suas planícies com poucos cursos d'água, seja geralmente considerada o "grande e tremendo deserto" (Dt 1.19), o lar dos israelitas durante aproximadamente 38 anos. Também há referências ao Sinai como o deserto de Parã (*veja* Parã).

Ao norte, o altiplano do Sinai desce a uma planície de areia branca que chega ao Mediterrâneo. A areia também está nas costas tanto de Suez quanto de Ácaba. No extremo norte do golfo de Ácaba, se localizava a cidade de Eziom-Geber, que foi o porto de Salomão. Através dessa região passava a rota de comércio entre o Egito e a Arábia. Mais para o norte estava o Caminho de Sur desde Berseba e através do Deserto de Sur (*veja* Sur) até Etã (*q.v.*) e Bubastis, e acompanhando a linha do Mediterrâneo estava a linha usual do caminho, com destino à terra dos filisteus (*veja* Êxodo: Rota). Perto do Golfo de Suez, os egípcios encontraram valiosos depósitos de turquesa e um pouco de cobre em Serabit el-Khadem. Aqui, foram descobertas inscrições de trabalhadores escravos semitas de aprox. 1.500 a.C., escritas em um alfabeto de hieróglifos (*veja* Escrita). O exército do Faraó era enviado com muitos componentes para guardar tanto o tesouro das minas quanto os bens transportados pelas rotas de comércio pelas caravanas egípcias.

Perto da extremidade sul da península, se ergue uma série de picos de granito entre 1.650 e 2.900 metros de altura, que exibem uma grandeza imponente e cor viva no solo arenoso. Este grupo de montanhas é de forma triangular e consiste de conjuntos que se irradiam a partir de um centro. Os nomes Horebe e Sinai parecem ter sido usados alternadamente para eles, embora alguns considerem que o primeiro é o nome do grupo e que Sinai é um dos picos. Sinai é o nome da montanha sagrada perante a qual os israelitas, como uma nação, fizeram a aliança com Deus como o seu rei (Êx 19.24). Moisés, como um mediador perante Deus e o povo, foi até o cume da montanha onde, segundo as narrativas, ele recebeu os Dez Mandamentos (19.20; 24.18).

Existe alguma diferença de opinião quanto ao verdadeiro lugar do acampamento dos israelitas e o cume ao qual Moisés subiu, mas desde o século IV d.C. a localização tradicionalmente aceita para a montanha sagrada tem sido nas altas montanhas, no ápice da península do Sinai. Eusébio afirmou que Jebel Serbal (2.240 metros de altitude), ao sul do Uádi Feiran (*veja* Refidim) era a montanha dos Dez Mandamentos. No entanto, o vale é estreito, sem uma planície próxima suficientemente grande para o acampamento das doze tribos de Israel.

A segunda tradição, remonta à época de Justiniano (século VI d.C.), e identifica o Monte Sinai com Jebel Musa (cerca de 2.500 metros de altitude). É um dos picos de um conjunto de três, com Jebel Katarin (cerca de 2.800 metros de altitude) a cerca de 3 quilômetros para o sudoeste e Ras es-Safsafeh (2.150 metros de altitude) eqüidistante, para o norte-noroeste. No pé do último pico, para o norte, está a única planície grande das redondezas; é chamada er-Raha, com cerca de 3 quilômetros de extensão e quase um quilômetro de largura, suficientemente grande para todas as tendas de Israel. Os beduínos hoje em dia conseguem água para suas necessidades nesse lugar, cavando poços rasos. Muitos exploradores acreditam que Ras es-Safsafeh, com os seus picos erguendo-se diretamente da planície (cf. Êx 19.12) é o Monte Sinai cf. Êx 19, pois o seu pico é claramente visível da planície er-Raha, ao passo que o pico de Jebel Musa não o é. Nos oásis ao redor da planície e nos vales vizinhos crescem palmeiras, ciprestes, tamargueiras, juncos e jardins de verduras, e árvores de acácias, arbustos e grama salpicam a paisagem que se não fosse por isso, seria estéril.

No declive leste de Jebel Musa, a 1.650 metros de altitude acima do nível do mar, está o Mosteiro de Santa Catarina. Diz a lenda que Catarina de Alexandria, uma mártir cristã, foi decapitada em 307 d.C. e o seu corpo foi levado pelos anjos até o topo da montanha que recebera o seu nome (Jebel Katarin). No entanto, acredita-se que sua cabeça esteja sepultada na capela do mosteiro. A tradição conta que a parte mais antiga da estrutura é a Capela da Sarça Ardente, no local atribuído ao evento que ela celebra.

A biblioteca do mosteiro contém muitos manuscritos antigos e valiosos, que incluem um palimpsesto descoberto pela senhora A. S. Lewis e sua irmã em 1892, contendo o texto do antigo evangelho Siríaco. O Codex Sinaítico do Novo Testamento em grego, do século IV d.C., foi encontrado aqui pelo Dr. Tischendorf em 1844 e 1859. Valiosos ícones estão preservados na torre de ícones, alguns entre os mais antigos do mundo, dando uma excelente amostra da arte cristã primitiva.

O mosteiro está rodeado de majestosas e altas muralhas de granito, naturalmente bem fortificadas. Acredita-se que Santa Helena, a mãe de Constantino, tenha construído a primeira torre no século IV. Os alicerces descobertos são atribuídos ao imperador Justiniano, datando de 527 d.C., embora ele tenha construído apenas uma muralha para a proteção dos monges gregos que teriam vivido ali desde o século IV.

Diversas outras teorias sobre a localização do Monte Sinai foram sugeridas. Alguns estudiosos preferem o noroeste da Arábia, a terra bíblica de Midiã (*q.v*). Erupções vulcânicas ocorreram nesta área, trazendo credibilidade a esta opinião (Êx 19.16,18). O argumento também afirma que Moisés fez sua residência com os midianitas após sua primeira fuga do Egito, e é provável que tenha retornado para o mesmo lugar. Há também diversas montanhas na área próxima a Cades-Barnéia, que alguns associam com o Seir dos dois poemas israelitas antigos (Dt 33.2; Jz 5.4,5). Refidim (Êx 17.1-7) também está associada a Meribá (*veja* Massá), um lugar que dizem ter existido nas proximidades de Cades-Barnéia (*q.v*) onde a água era obtida mais facilmente das rochas do que no sul. Não há evidências suficientes, entretanto, em qualquer passagem das Escrituras que garantam uma identificação totalmente segura dos montes envolvidos na narrativa.

*Veja*. Deserto; Horebe; Deserto de Sim; Peregrinação no Deserto.

***Bibliografia.*** Emil G. Kraeling, *Bible Atlas*, Chicago. Rand McNally, 1956, pp. 107-113. Beno Rothenburg, *God's Wilderness. Discoveries in Sinai*, Londres. Thames & Hudson, 1961; "An Archaeological Survey of South Sinai". PEQ, CII (1970), 4-29. H. Clay Trumbull, *Kadesh-Barnea*, Londres. Hodder & Stoughton, 1884.

A. W. W.

**SINAL[1]** As principais palavras traduzidas como "sinal" são as hebraicas *'oth*, "sinal, prova"; *mopheth*, "milagre, sinal, presságio"; e a grega *semeion*, "sinal, marca, aviso". Estes termos podem aparecer como sinônimos acompanhados de outros, indicando milagres (*q.v*), prodígios, (*veja* Maravilha, Maravilhoso), e as obras poderosas de Deus (At 2.22) e de seus apóstolos (2 Co 12.12). Um sinal é uma marca que distingue, um símbolo, um feito maravilhoso, um presságio ou profecia de alguma coisa significativa ou calamitosa que ocorrerá no futuro. Pode ser de natureza milagrosa para confirmar uma mensagem inspiradora ou a autoridade divina de seu portador, ou para aconselhar ou encorajar a obediência à vontade de Deus.

Muitos tipos diferentes de sinais são encontrados na Bíblia Sagrada:

1. Sinais objetivos, por exemplo, pedras tiradas da travessia do leito seco do Jordão (Js 4.6).
2. Insígnias ou bandeiras usadas pelas tribos (Nm 2.2).
3. Sinais religiosos, como a circuncisão (Gn 17.11).
4. Fenômenos físicos, por exemplo, o sol e a lua (Gn 1.14), o arco-íris (Gn 9.12).
5. Profecias expressas pelos profetas, por exemplo, a morte dos filhos de Eli (1 Sm 2.34), o dom do Espírito para Saul (1 Sm 10.7), o sinal da virgem dando à luz (Is 7.11-14; cf. Mt 1.22,23).
6. Obras visíveis de Deus que foram a confirmação de sua presença ativa, como as dez pragas no Egito (Êx 7.3; 10.2; Sl 78.43), a divisão do mar Vermelho e a destruição do exército egípcio (Dt 7.19).

Os profetas previram sinais e milagres específicos que acompanhariam tanto a primeira como a segunda vinda de Jesus (Jl 2.28-32). Pedro falou de uma destas profecias como sendo parcialmente cumprida no Pentecostes, dizendo. "Mas isto é o que foi dito pelo profeta Joel" (At 2.16). Entretanto o apóstolo foi cuidadoso, não dizendo que aquilo representava tudo o que foi dito, porque ainda haveria "prodígios em cima no céu e sinais em baixo na terra... O sol se converterá em trevas, e a lua, em sangue" (vv. 19,20) – eventos que não seriam cumpridos naquela época. O Senhor Jesus falou do "sinal do Filho do Homem" no céu, isto é, o sinal de sua segunda vinda (Mt 24.30). Há muito sobre os sinais do retorno de Jesus em Mateus 24 e 25 e ao longo de todo o livro do Apocalipse.

*Veja*. Milagres; Simbolismo.

***Bibliografia.*** Karl H. Rengstorf, "*Semeion* etc.", TDNT, VII, 200-261; "*Teras*", TDNT, VIII, 113-126.

R. A. K.

**SINAL[2]**

1. Tradução da palavra hebraica *'ot*, que ocorre 79 vezes no AT e que foi traduzida 11 vezes como "símbolo", 60 vezes como "sinal", duas vezes como "insígnia", duas vezes como

"milagre" e uma vez como "marca". As várias nuances dessa palavra são as seguintes: *(a) Símbolo memorial ou sinal de identificação.* O arco-íris é o símbolo da aliança de Deus com Noé (Gn 9.12,13,17). A circuncisão é a marca de identificação da aliança de Deus com Abraão (Gn 17.11). O relato da redenção dos filhos primogênitos dos judeus no Egito deveria ser um sinal de recordação na mão dos israelitas (Êx 13.16). O sangue sobre a casa dos israelitas deveria servir como sinal de identificação na noite da Páscoa (Êx 12.13).
*(b) Evidência tangível.* A autenticação divina da missão de Moisés foi garantida pela promessa do retorno de Moisés com seu povo para o cenário da visão inaugural (Êx 3.12). O salmista orava por um sinal autêntico e sensível da parte de Deus (Sl 86.17). A vara de Arão devia ser um testemunho evidente contra os rebeldes (Nm 17.10). O juramento feito a Raabe pelos espias era a garantia ou o penhor de sua segurança (Js 2.12). Os símbolos eram usados no sentido de dar testemunhos ou evidências em Jó 21.29.
*(c) Presságio, prodígio, milagre.* Os sinais referem-se a prognósticos pagãos ocultos em Isaías 44.25, a milagres ou atos divinos no Salmo 135.9, e a prodígios divinos no Salmo 65.8.
2. A palavra símbolo é usada em algumas versões em 1 Samuel 17.18 como tradução de *'arubba,* em outras como "penhor", como sinal ou garantia de bem-estar.
3. Na expressão "provas da virgindade" ou "sinais da virgindade" (Dt 22.14ss.), a palavra "provas" ou "sinais" foi incluída pelos tradutores na versão idiomática da palavra hebraica *b^etulim*, "virgindade", e se refere ao tecido sobre o qual o casal em núpcias consumava o seu casamento. Este lençol evidenciava o rompimento do hímen, e conseqüentemente a virgindade da noiva (Dt 22.17).
4. Na versão KJV em inglês, o termo "símbolo", no NT, foi usado como tradução dos seguintes termos: *sussemon,* "um sinal" (previamente acordado, Marcos 14.44); *endeixis*, "presságio" ou "sinal" (Filipenses 1.28); *endeigma*, "evidência" ou "clara indicação" (2 Ts 1.5); e *semeion*, "sinal" ou "marca distintiva" com a qual Paulo autenticava suas epístolas (2 Ts 3.17).

E. R. D.

**SINAR** A terra de Sinar é o nome do AT para a planície aluvial entre os rios Tigre e Eufrates, comumente conhecida como Babilônia nos tempos antigos. A Tabela das Nações em Gênesis 10 situa aqui as cidades de Babel (Babilônia), Ereque (a Uruk sumeriana, e a moderna Warka), Acade (ou Agade, a capital do grande conquistador semita do terceiro milênio – Sargão), e Calné (uma cidade ainda não identificada de forma conclusiva, possivelmente a Calno de Isaías 10.9). *Veja* Nações. O texto em Gênesis 10.9,10 declara que estas cidades marcaram o início do reino de Ninrode. Uma vez que estes antigos centros não vieram a ser todos proeminentes ao mesmo tempo, pode-se presumir que Ninrode (*q.v.*) é o nome daquele povo que trouxe estas cidades da planície de Sinar à proeminência. Visto que Sargão de Agade veio de Quis (possivelmente a cidade de Cuxe de Gênesis 10.8), e que ele mesmo fala de sua vitória sobre os sumerianos em Uruk (ANET, p. 267), talvez seja justificável considerar Ninrode como símbolo daqueles que trouxeram um fim ao poder sumeriano na terra de Sinar. A terra de Sinar neste período inicial deve ter compreendido o território conhecido nos textos antigos como Suméria e Acade (*veja* Suméria), a área que posteriormente veio a ser a Babilônia.
Os escritores do AT continuaram a se referir à Babilônia como Sinar durante todo o período do AT. Os textos em Isaías 11.11; Zacarias 5.11; e Daniel 1.2 consideram Sinar como o lugar de onde os judeus seriam levados ao cativeiro. Em Gênesis 14.1,9 Anrafel (*q.v.*) é citado como rei de Sinar. Certamente ele foi um governante da linhagem semita chamada Amurru. Acredita-se que depois de 2000 a.C. o termo Sinar tenha se tornado a designação de uma área no noroeste da Mesopotâmia ou no norte da Síria.
Os reis egípcios, começando com Tutmósis III, elaboraram listas de países sobre os quais eles reivindicavam o domínio. Em tais listas pode ser encontrado o nome de Sankar como o equivalente bíblico de Sinar (ANET, pp. 242-243). O famoso egitologista Alan H Gardiner acreditava que a menção de Amenotep II (1450-1425 a.C.) na estela de Mênfis do príncipe de Shanhar (ANET, p. 247), era, na verdade, uma referência à Babilônia. Visto que o rei egípcio inclui com este príncipe o príncipe de Naarim (do norte da Mesopotâmia) e o príncipe de Hati (dos heteus), é bastante razoável presumir que aquela Shanhar seja o termo heb. *Shin'ar.* É também altamente provável que o Shanhar da carta Tell el-Amarna #35 (linha 49) seja o mesmo local (BDB, p. 1042). O nome também aparece como "o país de Shanhara" em um texto heteu, juntamente com países como Asur, Babilônia, Alashiya (Chipre), Alziya (Tigre superior), e Egito (ANET, p. 352). Portanto, o termo equivalente a Sinar não se referia a toda a Babilônia no segundo milênio a.C.

E. B. S.

**SINCERIDADE** Qualidade da vida que se manifesta não somente na ausência de qualquer hipocrisia, pretensão ou engano, mas também na posse e exibição, sem ostentação, de características como integridade, veracidade e autenticidade. A sinceridade faz parte da própria essência da conduta de Deus para com

Ruínas de Beit Shearim, sede do Sinédrio no século II d.C. IIS

a humanidade, e da afinidade do crente para com Deus e para com as outras pessoas.

Uma pessoa pode estar agindo com sinceridade, porém estar errada, como Paulo estava quando pensou que "contra o nome de Jesus, o Nazareno, devia... praticar muitos atos" (At 26.9). A vida religiosa dos fariseus geralmente era, essencialmente, um fingimento interior, uma imitação espúria da verdade de Deus (Mt 23).

A sinceridade da vida ocupa um importante lugar na fé cristã. O cristão é impelido a ser: sincero (*gnesios*, "legítimo, genuíno") em amor fraternal (2 Co 8.8), a demonstrar sinceridade (*eilikrineia*, "pureza dos motivos") na comunhão (1 Co 5.8), em seu modo de viver (2 Co 1.12; Fp 1.10), nas atitudes mentais (2 Pe 3.1), e na pregação (2 Co 2.17). Alguns proclamavam a Cristo por ambição e egoísmo, sem sinceridade (*hagnos*, por motivos puros, Fp 1.17). Deus deve ser adorado "com sinceridade [*b^etamim*, de forma completa, de um modo livre de objeções] e com verdade" (Js 24.14).

***Bibliografia.*** John Flavel, "The Touchstone of Sincerity", *The Works of John Flavel*, Londres. The Banner of Truth Trust, 1968, V, 509-683. R. L. Scheef, Jr., "Sincerity", IDB, IV, 379. John Tillotson, "Of Sincerity Toward God and Man" *The Works of Dr. John Tillotson*, Londres. Richard Priestley, 1820, IV, 1-25.

W.B.

**SINÉDRIO** Originalmente um termo grego utilizado na literatura helenística e rabínica para indicar corporações separadas, tais como assembléias, conselhos, e tribunais. Alguns estudiosos acreditam que, em cada exemplo, a mesma corporação legal é indicada. Mas as contradições entre as fontes helenísticas e rabínicas são tão grandes que a maior parte dos escritores seguiram Adolf Büchler, que concluiu que havia duas corporações distintas com o mesmo nome, uma política e outra religiosa, que existiam lado a lado nos últimos séculos antes da destruição do Templo em 70 d.C.

### O Sinédrio Político

O termo grego *synedrion* (de *syn*, "com", e *hedra* "assento") é freqüentemente usado na literatura grega no sentido de uma assembléia, especialmente quando convocada com um propósito especial. Assim, Heródoto menciona tais assembléias das cidades-estado gregas durante a guerra com a Pérsia (*Histories* viii.56).

O termo aparece freqüentemente nos escritos de Josefo no sentindo de um conselho, como aquele que Augusto convocou após ver uma embaixada judaica; este era "composto pelos magistrados romanos e pelos amigos de Augusto" (*Ant*. xvii.11.1).

Comenta-se que o conselho judaico reuniu-se em diversas ocasiões com seus senhores romanos, representando os interesses do povo judeu.

O chefe do conselho era o sumo sacerdote ou o rei local, que escolhia seus membros. Não existe nenhuma indicação em Josefo de como estes membros eram selecionados, mas é muito provável que fossem amigos próximos do sumo sacerdote ou rei, e principalmente da classe sacerdotal, embora ao se aproximar do final de sua existência, este Sinédrio tenha incluído alguns dos fariseus ou líderes populares, assim como em sua maioria os sacerdotes saduceus (cf. o apelo de Paulo aos fariseus em Atos 23.6-10). Este conselho não tinha uma composição permanente, e também não se reunia com uma periodicidade definida. Os participantes do conselho eram convocados pelo rei ou pelo sumo sacerdote quando era necessária a solução de algum problema de natureza política (cf. o conselho se reuniu após a ressurreição de Lázaro, João 11.47), e tal reunião foi realizada em um local considerado mais conveniente. Este grupo tinha autoridade para examinar acusações de rebelião contra indivíduos. Podia dar um veredicto, mas não tinha poder para impor uma sentença de punição capital, um direito que era restrito às autoridades romanas.

### O Sinédrio Religioso

Este grupo, composto por 70 ou 71 membros, era a corte legal judaica mais elevada, e era sempre chamada de tribunal (heb. *bet din*, lit., "casa da justiça") antes da destruição do segundo Templo. Uma vez que os casos civis da lei judaica eram arbitrados por um grupo de três juízes escolhidos pelos litigantes, o Sinédrio só se preocupava com o julgamento de indivíduos acusados de infringir as leis judaicas religiosas e criminais. Toda cidade importante tinha uma corte com 23 anciãos. A suprema corte, que tinha o poder de resolver todas as questões que estavam além da habilidade das cortes locais (Mt 10.17; Mc 13.9; provavelmente Mateus 5.22) e dar a correta interpretação da lei judaica, era aquela que se reunia em Jerusalém, na câmara da pedra talhada, nas proximidades da extremidade sudoeste da área do Templo. Este era o Grande Sinédrio (*Sanhedrin hagg*ᵉ*dola*) da literatura rabínica mais recente, que dá descrições detalhadas das responsabilidades e condições para se tornar um membro, bem como de seus procedimentos, especialmente nas questões do Sinédrio relacionadas ao Talmude. Está registrado que o tribunal estava acomodado em três semicírculos, e assim todos os membros podiam ver uns aos outros constantemente. A primeira fileira de 23 membros era evidentemente composta por aqueles juízes que começavam o julgamento; os outros eram adicionados a ela, par por par, nos casos em que a decisão não era definida. Os membros desta corte eram escolhidos a partir dos mestres mais cultos do país, e optavam por novos membros no caso de morte ou aposentadoria dos mais velhos. Seus chefes eram eleitos pelos membros e geralmente serviam de forma vitalícia. Assim, o Sinédrio tornou-se uma instituição aristocrática até a época da destruição do Templo em 70 d.C. Esta corporação judicial estava permanentemente em sessão, mas não se reunia à noite, nem aos sábados, nem em feriados. Também não iniciavam um julgamento nos dias precedentes a estes períodos, uma vez que, de acordo com a lei judaica, o veredicto de culpado não poderia ser dado sem que o julgamento demorasse pelo menos dois dias (Sanhedrin 4.1). Esta corte era livre da supervisão romana, e não tinha poder de impor a punição capital, cujas quatro formas (apedrejamento, queimar com fogo, decapitação, estrangulamento) são expressamente indicadas na literatura rabínica (veja Sanhedrin 6 e 7). Desta forma, os dois tipos de Sinédrio tinham campos de ação completamente diferentes. O conselho político se preocupava apenas com os problemas seculares, enquanto a corte religiosa lidava apenas com o fortalecimento da lei do Pentateuco. Para que entendamos como surgiu esta divisão, é necessário estudar o desenvolvimento da comunidade judaica durante o período do segundo Templo.

**História**

Quando os judeus retornaram do exílio da Babilônia no século VI a.C., eles não tinham os seus próprios reis, mas estavam sendo governados por chefes apontados por seus dominadores. Os persas e os gregos, em sua maioria, deram-lhes liberdade total para que seguissem sua própria religião. Assim, passaram a ter uma teocracia desenvolvida por meio da Torá (Pentateuco), como sua constituição, e o sumo sacerdote como seu líder. O último parece ter recebido o título de *nasi'* ("príncipe"; veja Ezequiel 44–46), um título que se distinguia do título de rei (*melek*). As fontes rabínicas falam de uma Grande Assembléia, uma corporação governante que era formada por sacerdotes que só eram responsáveis pela instrução religiosa e pelos procedimentos da corte (Aboth 1.1). Este último aspecto fica claro a partir do fato de que um de seus princípios era a cautela nos julgamentos (*ibid*).

Somente os nomes dos sumo sacerdotes desse período são conhecidos; os nomes dos outros mestres foram agrupados anonimamente sob a designação de *soph*ᵉ*rim*, os intérpretes de *sepher* ("livro") da Torá (cf. Ez 7.6,11; Ne 8.1-9; Ml 2.6,7). Ao mesmo tempo, as cortes de administração da lei, como aplicada aos indivíduos, tornaram-se parte necessária do sistema de governo, e, de fato, sua existência foi expressamente ordenada na Torá (16.18-20;17.8-13; 19.16-19). Inicialmente, estas cortes deveriam ser constituídas apenas por sacerdotes, porém os leigos foram gradualmente incluídos.

Esta estrutura parece ter durado satisfatoriamente até a ascensão dos macabeus no século II a.C., e a recuperação da independência nacional. Como os livros dos macabeus relatam de forma dramática, os últimos sumos sacerdotes da antiga linhagem, especialmente Jason, Menelau e Alcimo, perderam o apoio do povo por completo devido às suas ações. O resultado foi uma revolução religiosa: a antiga linhagem de sumos sacerdotes zadoquitas foi extinta, e Simão, o macabeu, foi escolhido em seu lugar "até que surgisse um profeta legítimo" (1 Mac 14.41).

Nas décadas seguintes, os sumos sacerdotes (e mais tarde também o rei) se tornaram cada vez mais imersos em assuntos puramente políticos, e deixaram a questão religiosa inteiramente para o *Bet Din*. Esta última organização tornou-se cada vez mais composta por mestres leigos, os fariseus, enquanto a influência dos sacerdotes e daqueles que os apoiavam, os saduceus, foi proporcionalmente diminuída. Fontes rabínicas deste período em diante relatam explicitamente os nomes dos líderes do Sinédrio religioso (Aboth 1.4 *et seq*). Primeiro vinham cinco pares (*zugoth*) de mestres. O primeiro destes recebia o antigo título sumo sacerdotal de *nasi* (os sumo sacerdotes posteriores tinham o título de *kohen gadol*) e depois o título de *'Ab Bet Din* ("pai da corte". Hagigah 2.2). Por volta do final do século I d.C., o ofício do *nasi* tornou-se hereditário na família que descendeu do famoso mestre Hilel, e o do *'Ab Bet Din* foi extinto.

Durante o período em que Herodes foi rei da Judéia (37-4 a.C.), o prestígio do sumo sacerdote diminuiu ainda mais. Após o final da linhagem dos macabeus, Herodes designou e depôs os sumos sacerdotes a seu bel-prazer, e o Sinédrio que estes presidiam tornou-se uma ferramenta que Herodes utilizava como melhor lhe convinha. Após sua morte e durante o tempo em que seus filhos vez por outra po-

diam designar sumo sacerdotes, a posição de sacerdote teve, de certa forma, uma melhora, mas estes não voltaram a se tornar líderes do povo em assuntos políticos ou religiosos.
Desta forma, no século I d.C., os dois tipos de Sinédrio, o conselho e a corte, coexistiram lado a lado. O Sinédrio político era convocado somente em ocasiões especiais; o Sinédrio religioso era continuamente supremo em assuntos religiosos. O Mishna descreve minuciosamente as instruções dadas pelos representantes da corte rabínica ao sumo sacerdote a respeito de seus deveres no Dia da Expiação (Yoma 1.5).

### Procedimentos Típicos dos Sinédrios

O historiador Josefo fornece vários exemplos importantes em que o Sinédrio político entrou em ação. Ele relata que em 57 a.C., quando o reinado na Judéia foi suspenso, Gabínio, o procônsul romano, dividiu o país em cinco conselhos, diminuindo, portanto, a posição de Jerusalém como capital. Mas, no tempo de Herodes, esta divisão já havia sido extinta. Herodes convocou pessoalmente tais conselhos, em certas ocasiões, como, por exemplo, quando presenciou um caso contra seus filhos (*Wars* i.27.1), ao acusar a esposa de seu irmão Pheroras (*ibid.* i.29.2), ou quando quis condenar seu filho mais velho, Antipater (*ibid.* i.32.1).
Existem poucas informações sobre os atos do Sinédrio religioso, mas existem referências à filha de um sacerdote que foi condenada a ser queimada (Sanhedrin 7.2) e a mulheres cujos corpos foram pendurados depois de serem mortas, por terem sido condenadas por atos de bruxaria (*ibid.* 6.4).
Os procedimentos do Sinédrio religioso, como descritos na literatura rabínica, demonstravam a inclinação de tornar as sentenças de morte menos prováveis, e a absolvição mais fácil. Era sempre permissível lançar um novo argumento que visasse a absolvição, até mesmo depois de uma sentença ter sido dada; a condenação e a absolvição eram decididas pela maioria de votos. A impressão que se tem a partir destas fontes é que o Sinédrio religioso raramente impunha a punição capital. De fato, uma passagem declara que se um Sinédrio infligisse tal punição ao menos uma vez a cada sete anos, seria considerado "um Sinédrio que não se importava com a vida humana". Um dos professores foi ainda mais longe, estendendo a expressão para uma vez a cada 70 anos (Makkoth 1.10).

### O Julgamento de Herodes

Por volta do ano 50 a.C., Herodes, que aqui aparece na história pela primeira vez, foi trazido a julgamento sob a acusação de executar sumariamente um certo Ezequias e seus seguidores, que eram "ladrões", isto é, revolucionários. O julgamento aconteceu antes da existência do "Sinédrio em Jerusalém" (*Wars* i.10; *Ant.* xiv. 9); devido à natureza da acusação, que era de chacina, este julgamento foi provavelmente realizado pelo Sinédrio religioso. Embora o julgamento tenha sido iniciado pelo sumo sacerdote, e a absolvição de Herodes tenha sido ordenada pelas autoridades romanas, o fato de ser feita menção das palavras do professor Sameas, que é provavelmente o Nasi Semaías, aponta definitivamente para a corte religiosa ao invés do conselho político.

### O Julgamento de Jesus

Por outro lado, o julgamento de Jesus certamente aconteceu diante do Sinédrio político. Os relatos sobre este julgamento, que são expressos nos Evangelhos (Mt 26.57–27.2; Mc 14.53–15.1; Lc 22.54–23.2; Jo 18.12-28), diferem quanto aos detalhes, mas os pontos principais são suficientemente claros. O julgamento aconteceu antes da assembléia convocada pelo sumo sacerdote, e as acusações que foram trazidas contra Jesus se referiam ao incentivo de não se pagar o tributo ao governo romano (Lc 23.2), e de se proclamar rei (*ibid.*, e o *titulus* na cruz).
O julgamento foi conduzido de um modo totalmente contrário às regras do tribunal religioso. Ele aconteceu à noite, na véspera da festa, e não se estendeu por dois dias. Não aconteceu na câmara da pedra talhada, mas aconteceu na casa do sumo sacerdote onde foram convocados somente aqueles que o sumo sacerdote quis convocar, ou seja, aqueles que este homem poderia manipular. O modo de execução foi puramente romano, desempenhado pelos soldados romanos, e não teve nada a ver com os quatro tipos de condenação a que a corte religiosa estava limitada. Portanto, é obvio que o julgamento de Jesus não poderia ter acontecido diante da corte religiosa; o seu julgamento foi simplesmente o produto de um pacote do conselho do sumo sacerdote, o qual receava a popularidade que Jesus havia conquistado, se ressentiu por suas críticas quanto à conduta das autoridades do Templo, e desejou se livrar dele o mais rápido possível. [Um último encontro, na alvorada, com todo o Sinédrio religioso, parece ter acontecido rapidamente na câmara do conselho (Lc 22.66; Mt 27.1; Mc 15.1). Na verdade, muitos entendem os detalhes acima como procedimentos ilegais por parte do Sinédrio religioso, ao invés de considerá-los como uma evidência de que o Sinédrio político era o grupo envolvido – Ed.]

### Os Julgamentos de Pedro

Até certo ponto, podemos concluir que se sabe menos sobre os julgamentos dos discípulos do Senhor Jesus. A primeira prisão de Pedro e de seus seguidores é descrita em Atos 4. A menção dos sumos sacerdotes talvez indique que o julgamento tenha ocorrido perante o Sinédrio político. Uma vez que este não tinha jurisdição sobre as questões religiosas, os réus puderam ser libertados, após receberem uma advertência. Mas eles continuaram a pregar e foram novamente levados à presença do conselho dos sumo sacerdotes, os quais convocavam o Grande Sinédrio, isto é, "o Sinédrio e todo o senado dos filhos de Israel" (At 5.21). Desta vez eles foram salvos pela intervenção de Gamaliel, um fariseu, que advertiu o Sinédrio de que este conselho poderia estar lutando contra uma obra de Deus (At 5.21-41).

**O Julgamento de Estêvão**

Este julgamento é descrito em Atos 6 e 7. Neste caso, a acusação era de blasfêmia, e de profetizar que o Templo seria destruído e as leis de Moisés seriam mudadas. A punição dada a Estêvão foi a morte por apedrejamento. Tudo indica que o julgamento aconteceu no Sinédrio religioso, apesar da declaração de que este foi conduzido pelo sumo sacerdote (At 7.1). O escritor aqui aparentemente incluiu apenas o longo e elaborado discurso de Estêvão, omitindo qualquer descrição detalhada do próprio julgamento.

**O Procedimento no Caso de Paulo**

Este é descrito em Atos 21–26. Como no julgamento de Estêvão, o escritor relata a defesa de Paulo, mas omite os detalhes do procedimento. É possível que Paulo tenha sido convocado a comparecer perante a corte religiosa de várias comunidades judaicas, uma vez que ele menciona as ocasiões em que foi açoitado (2 Co 11.24). Quando chegou a Jerusalém, o apóstolo foi perseguido por uma multidão, foi resgatado por um tribuno romano, e mantido sob custódia protegida. Finalmente, ele foi trazido diante do conselho político chefiado pelo sumo sacerdote. Este grupo aparentemente não o considerou como um participante da classe dos ofensores políticos, e entregaram-no aos oficiais romanos, os quais voltaram a mantê-lo sob custódia. O apóstolo, então, apelou "para César", solicitando um julgamento (At 25.11,12) e foi finalmente enviado a Roma. Como em todos os casos tratados pelo Sinédrio político, Paulo foi submetido às autoridades romanas para que estas decidissem qual seria sua punição, caso houvesse alguma (At 25.16). Não há sequer uma insinuação de que Paulo tenha sido levado à presença do Sinédrio religioso em Jerusalém.

**O Fim dos Sinédrios**

A grande guerra contra Roma (66-73 d.C.) não somente destruiu o segundo Templo e reduziu os judeus à condição de simples provincianos, mas também extinguiu o Sinédrio político, uma vez que os judeus já não tinham nenhum poder político. A liderança caiu nas mãos do Sinédrio religioso que, sob a direção de Johanan ben Zakkai, tornou-se a autoridade suprema. Agora esta organização assumiu não somente sua posição, como também o nome Sinédrio. Na literatura rabínica posterior, este termo aparece lado a lado e com o mesmo significado do velho *Bet Din*, e o tratado Talmúdico que descreve a antiga corte como sendo na verdade chamada de Sinédrio. De acordo com os registros rabínicos, parece que estas mudanças foram concluídas no final do século I d.C. Mas o termo só era histórico, uma vez que a corte tornou-se cada vez mais uma academia que apenas discutia os detalhes da lei religiosa judaica. Esta academia considerava-se como a legítima sucessora do Sinédrio – ela reteve os seus títulos e as suas maneiras. Porém, por volta do século II d.C., o Sinédrio religioso, como tal, já havia seguido o mesmo destino do Sinédrio político, que se desvaneceu.

***Bibliografia***. A. Büchler, *Das Synedrion in Jerusalem und das grosse Beth-Din in der Quader-kammer des jerusalemischen Tempels*, Wien. A. Hölder, 1902. Sidney B. Hoenig, *The Great Sanhedrin*, Nova York. Block Pub. Co., 1953. Jacob Z Lauterbach, "Sanhedrin", JewEnc (1905), XI, 41-44. Eduard Lohse, *"Synhedrion"*, TDNT, VII, 860-871. Solomon Zeitlin, "The Political Synedrion and the Religious Sanhedrin", JQR, XXXVI (1945), 109-140.

S. C.

**SINETE** *Veja* Selo.

**SINEUS** Povo cananeu estabelecido nas proximidades de Arqa e Arvade, na Fenícia (Gn 10.17; 1 Cr 1.15). Tiglate-Pileser III mencionou-a como a cidade de Siannu na costa fenícia (ANET. pp. 282ss.). Este nome é encontrado nos nomes de lugares *Nahr-as-Sinn* e *Sinn-ad-darb*, e possivelmente nos nomes *Asnu* (fenício), e *'sn* (ugarítico).

**SINIM** A palavra hebraica *sinim* refere-se a um lugar remoto ou nação de onde o povo de Deus retorna para o seu lar (Is 49.12). É possível que Sinim esteja localizada a leste ou ao sul da Palestina, uma vez que Isaías refere-se a outros como vindo do norte e do ocidente. Alguns estudiosos identificaram Sinim com "Sina" (ou China). Entretanto nenhum grupo judeu esteve na China nesta época. Antigos intérpretes o entenderam como um lugar ao sul de Israel, no Egito, ou Sim (Pelúsio), ou ainda Sevene/Siena (a moderna Assuã). No manuscrito hebraico 1QIs[a] entre os rolos do mar Morto lê-se *swnyym* (*seweniyim*), o povo de Seweni, que definitivamente favorece uma identificação com Sevene/Siena (*q.v.*).

**SINO** Duas palavras hebraicas diferentes são traduzidas como "sino".

1.O termo hebraico *pa'amon*, lit., "o que bate".

Um sino de ouro, com enfeites de romãs alternando tecido azul, púrpura e carmesim ao redor das bordas do manto de linho azul do sumo sacerdote (Êx 28.33ss.; 39.25 ss.). Ben-Siraque teve o seguinte propósito. "Emitir um som, de modo que possa ser ouvido no Templo, como um memorial para os filhos do seu povo" (livro apócrifo de Siraque 45.9). Ou seja, o som do sino lembrava ao adorador do ministério mediador do sacerdote em favor deles perante Deus. O texto em Êxodo 28.35 declara. "Para que se ouça o seu sonido, quando entrar no santuário diante do Senhor e quando sair, para que não morra". O som dos sinos indicava aos adoradores que o seu representante mediator estava adequadamente vestido para ministrar de modo aceitável, a favor de cada um deles, na presença divina. Não está precisamente comprovado que estes sinos tenham sido uma relíquia de um medo primitivo de maus espíritos que poderiam aglomerar-se nas portas do santuário, caso os sinos não fossem utilizados (cf. Driver, *Exodus, Cambridge Bible*, p. 308). Os sinos não eram usados como um chamado à adoração antes da era cristã.

2. O termo hebraico *m^esilla*, lit., "um pensador". O sino era usado como um ornamento no arreio dos cavalos (Zc 14.20). Quando traziam a inscrição "Santidade ao Senhor", eles tornavam-se símbolos da total integração da vida dentro da santidade divina na era messiânica, que tem um alcance universal. Uma vez que um cognato desta palavra heb. significa "címbalos" (1 Cr 13.8; Ed 3.10, et al), alguns supuseram que estes sinos fossem provavelmente braceletes que tilintavam quando os cavalos movimentavam-se. De qualquer modo, as escavações assírias ilustraram o uso de sinos de badalo como ornamentos nos arreios dos cavalos de guerra.

R. V. R.

**SINÓTICOS, EVANGELHOS** *Veja* Evangelhos Sinóticos.

**SINRATE** O mais novo dos nove filhos de Simei, um descendente de Benjamim (1 Cr 8.21).

**SINRI** Um levita, um dos descendentes de Merari, que, apesar de não ser o primogênito, foi constituído chefe por Hosa, seu pai. Ele foi nomeado porteiro do Templo por Davi (1 Cr 26.10).

**SINRI**
1.Filho de Semaías e líder de uma família simeonita (1 Cr 4.37).
2.Pai de Jediael, um dos valentes do exército de Davi (1 Cr 11.45).
3.Um levita da família de Elisafã que ajudou na purificação do Templo durante o reinado de Ezequias (2 Cr 29.13).

**SINRITE** Uma moabita, mãe de Jozabade (ou Jeozabade), um dos conspiradores que mataram o rei Joás de Judá (2 Cr 24.26). Esta mulher também é chamada de Somer em 2 Reis 12.21.

**SINROM**
1.O quarto filho de Issacar (Gn 46.13; Nm 26.24) e ancestral dos sinronitas (Nm 26.24).
2.Uma cidade real cananéia cujo rei entrou em uma aliança com Jabim, rei de Hazor, contra Josué e foi derrotado (Js 11.1). A cidade foi posteriormente destinada a Zebulom (19.15), mais completamente chamada de Sinrom-Merom (12.20). O local ainda não foi identificado com certeza.

**SINROM-MEROM** Uma cidade real dos cananeus cujo rei foi derrotado por Josué (Js 12.20), provavelmente a mesma cidade de Sinrom (*q.v.*) mencionada em Josué 11.1.

**SINRONITA** Um descendente de Sinrom. Este nome também aparece no texto Sagrado na forma plural. "De Sinrom, a família dos sinronitas" (Nm 26.24).

**SINSAI** Um secretário de estado do governo persa na província "dalém do rio" que incluía a Palestina. Ele, juntamente com Reum, seu superior, escreveu uma carta para Artaxerxes opondo-se à reedificação da Jerusalém pós-exílio pelos judeus (Ed 4.8-16). A resposta real apoiou sua posição e eles, juntamente com seus companheiros, interromperam a reconstrução de Jerusalém à força (Ed 4.17-24).

**SÍNTIQUE** Nome de uma mulher cristã de Filipos. Ela estava em discórdia com outra crente, Evódia, e Paulo insiste para as duas reconciliarem-se. Ele descreve essas mulheres como "mulheres que trabalharam comigo no evangelho", e a discórdia entre tais líderes da Igreja teria ferido profundamente a comunidade lutadora de Filipos (Fp 4.2,3).

**SIOM** Uma cidade mencionada na descrição das fronteiras de Issacar (Js 19.19), cuja identificação é incerta.

**SIOR** Sior é o nome aparentemente aplicado ao rio Nilo em algumas passagens. Algumas vezes é usado como uma expressão da fronteira do sul de Israel (1 Cr 13.5), e algumas vezes simboliza o Egito (Is 23.3; Jr 2.18). A origem deste nome pode ser o nome egípcio Shi-Hor ("lago" de Horus) atribuído a um riacho da fronteira leste do Egito, uma parte do braço Pelusio do delta do Nilo. Esta parece ser a referência em Josué 13.3.

**SIOR-LIBNATE** Um termo que é geralmente considerado como a designação de um rio ao sul do Carmelo, na fronteira sul de Aser

O templo-fortaleza em Siquém

(Js 19.26). Acredita-se que seja o moderno Nahr ez-Zerka, ou o "Rio Crocodilo".

**SIPAI** Um dos filhos dos gigantes filisteus assassinados por Sibecai em Gezer (1 Cr 20.4). Em 2 Samuel 21.18 é chamado de Safe.

**SIQUÉM**
1. O sedutor de Diná, a filha de Jacó (Gn 34). Filho de Hamor, um príncipe heveu (Gn 33.19; Jz 9.28). Ele, juntamente com todos os homens da cidade, foi morto por Simeão e Levi, os irmãos de Diná (Gn 34.25,26).
2. Um homem da tribo de Manassés que descendia de Gileade (Nm 26.31; Js 17.2).
3. Filho de Semida da tribo de Manassés (1 Cr 7.19).
4. Uma cidade importante situada na parte central da Palestina. Ficava em Efraim perto da fronteira com Manassés (Js 17.7; 1 Cr 7.28), na junção de estradas importantes, e entre o monte Ebal e o monte Gerizim (Jz 9.7). É mencionada em Atos 7.16.

*a.* Importância bíblica. O primeiro local em Canaã onde Abrão acampou foi Siquém, e ali o patriarca edificou o seu primeiro altar ao Senhor (Gn 12.6,7). Jacó retornou para este lugar vindo de Padã-Arã e comprou um pedaço de terra onde mais tarde José foi sepultado (Gn 33.18,19; Js 24.32). Siquém já era uma cidade murada que tinha um portão (Gn 32.20,24). Simeão e Levi massacraram sua população masculina em um gesto de vingança pela violação de sua irmã Diná (Gn 34.25). Posteriormente, José procurou seus irmãos perto da cidade (Gn 37.12-14). A confirmação da lei, com as bênçãos proferidas do monte Gerizim e as maldições do monte Ebal, foi feita nas proximidades de Siquém (Dt 27.11-13; Js 8.33-35). Ela foi designada como uma cidade de refúgio (Js 20.7; 21.21). O discurso de despedida de Josué foi proferido nas redondezas (Js 24.1,25). Mais tarde ela foi destruída por Abimeleque, o filho de Gideão, quando o povo voltou-se contra ele, depois que ele mesmo se fez rei (Jz 9.1-7,23-57). Roboão foi coroado aqui pouco antes da divisão do reino (1 Rs 12.1). Jeroboão I, do reino do norte, a reconstruiu e a tornou sua residência inicial (1 Rs 12.25). Jeremias menciona aldeões habitando o local em ruínas (Jr 41.5). Após o cativeiro, ela tornou-se a principal cidade dos samaritanos, cujo templo foi erigido sobre o monte Gerizim (Josefo, *Ant.* xi.8.6; xii.1.1; xiii.3.4). Ela foi capturada por João Hircano (*Ant.* xiii.9.1; *Wars* i.2.6).

*b.* Localização. Dois ou três quilômetros a leste da moderna Nabulus, Siquém estava situada na entrada oriental para o vale que fica entre Ebal e Gerizim. Como o próprio nome Siquém ("ombro", "saliência") sugere, ela foi construída sobre o declive ou "saliência" sudeste do monte Ebal. Ela fica aprox. 50 quilômetros ao norte de Jerusalém, e aprox. 13 quilômetros pela estrada sudeste de Samaria. Sicar deve ter estado localizada nas redondezas (Jo 4.5); na verdade, muitos identificam Sicar (*q.v.*) com Siquém, ou com o local da atual aldeia de Balâtah no pé da colina da cidade.

*c.* Arqueologia. Siquém foi primeiramente identificada com Tell Balâtah em 1903. O monte foi escavado pelos arqueólogos alemães Sellin, Walter e Steckeweh em 1913-14, 1926-27, 1928, 1932 e 1934. A Expedição Arqueológica Drew-McCormick-Harvard trabalhou ali em 1956, 1957, 1960, 1962, 1964, 1966, 1968 e 1969 sob a direção de G. Ernest Wright, Lawrence E Toombs e Edward F. Campbell, Jr.

As evidências apontam para uma aldeia bastante grande da Idade Calcolítica durante o quarto milênio a.C. Os amorreus ou hicsos foram provavelmente os fundadores da cidade que assumiu uma importância histórica na Idade Média do Bronze II (1900-1550 a.C.). Siquém é mencionada pela primeira vez fora da Bíblia por um oficial do Faraó Sesóstris III (1878-1843 a.C.), que afirmou que "Sekmem" caiu nas mãos das forças egípcias (ANET, p. 230). O governante de Siquém, Abesh-hadad, foi amaldiçoado em uma das estatuetas de execração que datam de aprox. 1800 a.C. (ANET, p. 329). As ruínas hicsas (1750-1550 a.C.) incluem um antigo pátio de um templo, um templo fortificado construído sobre ela, e um espesso muro da cidade com uma porta de duas entradas no lado leste e uma porta com três entradas no lado noroeste.

Um século após sua destruição em aprox. 1550 a.C., Siquém foi reconstruída pelos cananeus. O templo-fortaleza, com muros de 2 a 2,5 metros de espessura, tinha 17,5 metros de largura por 14 metros de comprimento, com a entrada pelo lado mais comprido. Ele possuía três pedras sagradas permanentes no pátio aberto, com uma plataforma para um altar de pedra. Este templo é, sem dúvida alguma, aquele que foi chamado de a casa de Baal-Berite ou El-Berite (casa do deus Berite; Jz 9.4,46), destruído por Abimeleque. A inferência do livro de Josué, de que Siquém não foi capturada é confirmada pela ausência de alguma evidência arqueo-

Antioquia e o monte Stauris, onde se localizava a Acrópole da antiga Antioquia. HFV

lógica de destruição por 300 anos, quando a cidade era amigável em relação aos israelitas. Uma carta de Amarna (#289) escrita pelo rei de Jerusalém afirma que a terra de Siquém foi dada aos 'Apiru ou Habiru, que neste caso podem ser os israelitas hebreus. A destruição de Siquém por Abimeleque em aprox. 1150 a.C. é abundantemente atestada. Sua área sagrada nunca foi revitalizada. Salomão aparentemente reconstruiu Siquém como um centro administrativo e uma capital provincial, mas ela foi violentamente destruída supostamente pelo Faraó Sisaque em aprox. 926 a.C. (1 Rs 14.25). Mais tarde, Jeroboão I ou um sucessor, fortificou novamente a cidade e construiu um grande depósito do governo sobre as ruínas do templo. Mas este foi destruído várias outras vezes, incluindo o seu nivelamento por Salmanezer V (em aprox. 724 a.C.). Siquém só recuperou sua glória novamente no século IV a.C. Naquela época, os samaritanos mudaram-se de Samaria e estabeleceram-se em Siquém. Evidentemente, João Hircano destruiu a cidade quando fez o mesmo a Samaria em 107 a.C.

Neápolis, agora Nabulus, teve o seu início durante o período romano, e está localizada a oeste das ruínas. A aldeia moderna de Balâtah está imediatamente ao sul do monte.

***Bibliografia.*** Relatórios de escavação. BA, XX (1957), 82-105; XXIII (1960), 102-126; XXVI (1963), BASOR #144 (1956), pp. 9-20; #148 (1957), pp. 11-28; #161 (1961), pp. 11-54; #169 (1963), pp. 1-60; #180 (1965), pp. 7-41; #190 (1968), pp. 2-41; #204 (1971), pp. 2-17. *Archaeology*, XIV (1961), 171-179. W. Harrelson, *et al.*, "Shechem, Navel of the Land", BA, XX (1957), 1-32. G. Ernest Wright, *Shechem*, Londres. Duckworth, 1964; "Shechem", TAOTS, pp. 355-370. G. R. H. Wright, "Temples of Shechem", ZAW, LXXX (1968), 1-34.

W. C. e J. R.

**SIQUEMITAS.** *Veja* Siquém 2.

**SIQUEROM** Uma cidade próxima à extremidade ocidental da fronteira norte de Judá (Js 15.11).

**SIRA** Joabe mandou mensageiros para chamar Abner do poço de Sira até Hebrom, e traiçoeiramente o assassinou (2 Sm 3.26,27). O poço de Sira foi identificado com o atual 'Ain Sarah, aproximadamente 2 quilômetros a noroeste de Hebrom.

**SIRACUSA** Siracusa era uma cidade localizada na Sicília oriental onde Paulo fez uma parada em sua jornada para Roma. Durante três dias seu navio permaneceu ancorado na baía esperando por ventos favoráveis (At 28.12). Nada é mencionado sobre suas pregações nessa cidade. Provavelmente o cristianismo espalhou-se pela Sicília em um período posterior, a partir do continente. Colônia de coríntios, fundada no século VIII a.C., Siracusa tornou-se um dos magníficos estados gregos. Com muito sucesso essa cidade lutou contra a expedição ateniense de 415-13, mas foi derrotada por Roma em 241 a.C., no final da Primeira Guerra Púnica. Essa cidade sofreu terrivelmente durante as guerras civis romanas do século I a.C., mas Augusto esforçou-se para reconstruí-la.

**SÍRIA DE MAACA** *Veja* Maaca.

**SÍRIA**

## Geografia

*Fronteiras.* As fronteiras da Síria têm variado muito durante os séculos de acordo com os arranjos políticos. Originalmente, Síria era um termo aplicado apenas a um estado poderoso cujo centro estava localizado no distrito do Líbano e cuja capital era Damasco. Os assírios chamavam esse país, localizado a oeste do Eufrates, de terra de Ammrrû. Mas os

Antíoco IV. G. L. Archer e W. S. LaSor

geógrafos, acompanhando autoridades antigas como Strabo e os geógrafos árabes, geralmente consideram que os limites da Síria são os Montes Taurus e o Eufrates ao norte, o deserto do Sinai ao sul, e o Mediterrâneo a oeste, e o deserto da Síria a leste.

Estudantes da Bíblia, assim como muitos outros, geralmente fazem uma distinção entre a Síria e a Palestina. A Síria encontra-se em um território localizado no arco do Crescente Fértil, com os seguintes limites. a oeste, o Mediterrâneo; ao sul, o que ficou conhecido como Galiléia e Basã; a oeste, o deserto da Síria; e ao norte o Eufrates e as Montanhas Amanus. Às vezes, considera-se que os seus limites também incluem a Fenícia. Nessa extensão de terra, geralmente a Síria não inclui nem a Palestina nem a Fenícia, e vários artigos separados são dedicados a essas áreas. A fronteira sudoeste está localizada nas Montanhas do Líbano que, efetivamente, separam a Síria da costa.

*Divisões geográficas*. A Síria consiste de uma série de zonas claramente delimitadas – a planície costeira, cadeias de montanhas, vales com vegetação luxuriante, e regiões arenosas ou pedregosas no lado oriental que são desérticas ou totalmente improdutivas.

A costa do Mediterrâneo oriental, que se estende por cerca de 640 quilômetros desde Alexandreta até a fronteira egípcia, é uma das mais retas do mundo, e lá não existem estuários profundos, golfos ou ilhas protetoras de qualquer tamanho. Na Síria propriamente dita havia pequenas baias em lugares como Latáquia (a antiga Laodicéia) e Ras Shamra (a antiga Ugarit), enquanto que a Selêucia (porto de Antioquia) era pouco mais que um ancoradouro. A planície costeira, que raramente chegava a poucos quilômetros de largura, não representava qualquer importância histórica para o país (ao contrário da Fenícia). Sua maior parte era formada simplesmente por uma larga faixa de dunas de areia cobertas por grama rasa e pequenos arbustos.

Contemplando a planície costeira existe uma cadeia de montanhas que começa com a montanha Amanus ao norte e estende-se até o elevado maciço do Sinai ao sul. As Montanhas Amanus (que se elevam a uma altitude de cerca de 1650 metros) são um ramo sul do sistema Táurico. Separando a Síria da Ásia Menor, a cadeia Amanus é interrompida em sua margem ao sul pela foz do rio Orontes, e é cruzada por estradas que vão até Antioquia e Alepo. A principal passagem sobre as montanhas está localizada em Beilan, ou Porta da Síria, a uma altitude de 800 metros. Ao sul do Orontes, a cadeia estende-se pelo Jebel Akra que se eleva a uma altitude de 1900 metros e prossegue até Latáquia, recebendo ao sul o nome de Nusayrîyah. Essa cadeia é interrompida ao sul pelo rio Nahr el Kebeer que atualmente delimita a fronteira entre a Síria e o Líbano,

O Beka (El Bika) e as montanhas do Líbano

sendo que ao sul ela estende-se até as Montanhas do Líbano.

Atrás da cadeia ocidental de montanhas existe um vale profundo, uma grande "falha" que se estende desde a Armênia até o Golfo de Ácaba, no mar Vermelho. Começando na vizinhança de Antioquia, onde o Orontes desvia-se para o ocidente para atravessar as montanhas e chegar ao mar, a planície interior é ampla e extremamente rica. A partir de Antioquia, o vale do Orontes ascende vagarosamente entre a cadeia e a elevada planície do norte da Síria. Em Hamat (Hamate) a altitude chega a cerca de 340 metros, e em Homs (Emesa) ela atinge 550 metros.

Depois de Homs, o vale torna-se o Beqa'a, ou "fenda" entre o Líbano e as Montanhas Anti-Líbano. Com larguras que variam entre dez e dezesseis quilômetros, o Beqa'a tem cerca de 120 quilômetros de comprimento e sempre foi uma rica região agrícola e pastoril.

A cadeia oriental de montanhas (Anti-Líbano) não encontra similares nas seções ao norte da cadeia ocidental. Elevando-se do planalto sírio ao sul de Homs, ela contrapõe-se à cadeia libanesa em comprimento e altura quase idênticos. Esse complexo montanhoso está dividido em duas partes por um largo planalto e pela foz do Barada, ou rio Abana, que corre em direção ao oriente até Damasco. A região sul da cadeia oriental, isto é, o Monte Hermom, eleva-se a uma altitude de 3046 metros, e forma o pico mais alto e majestoso da Síria.

Ao sul e a leste, as encostas do Hermom despencam rapidamente até o vasto planalto de Haurã, uma superfície despida de vegetação onde o solo é vulcânico e rico em greda vermelha. Um campo de lava cobre uma área de quase 100 quilômetros de comprimento por igual medida de largura. O Haurã tem algumas das melhores terras para o cultivo de trigo do Oriente Próximo.

As Montanhas do Anti-Líbano recolhem as águas e as enviam para o interior do deserto (Damasco está cerca de 50 quilômetros a leste do Monte Hermom), no canal do Barada

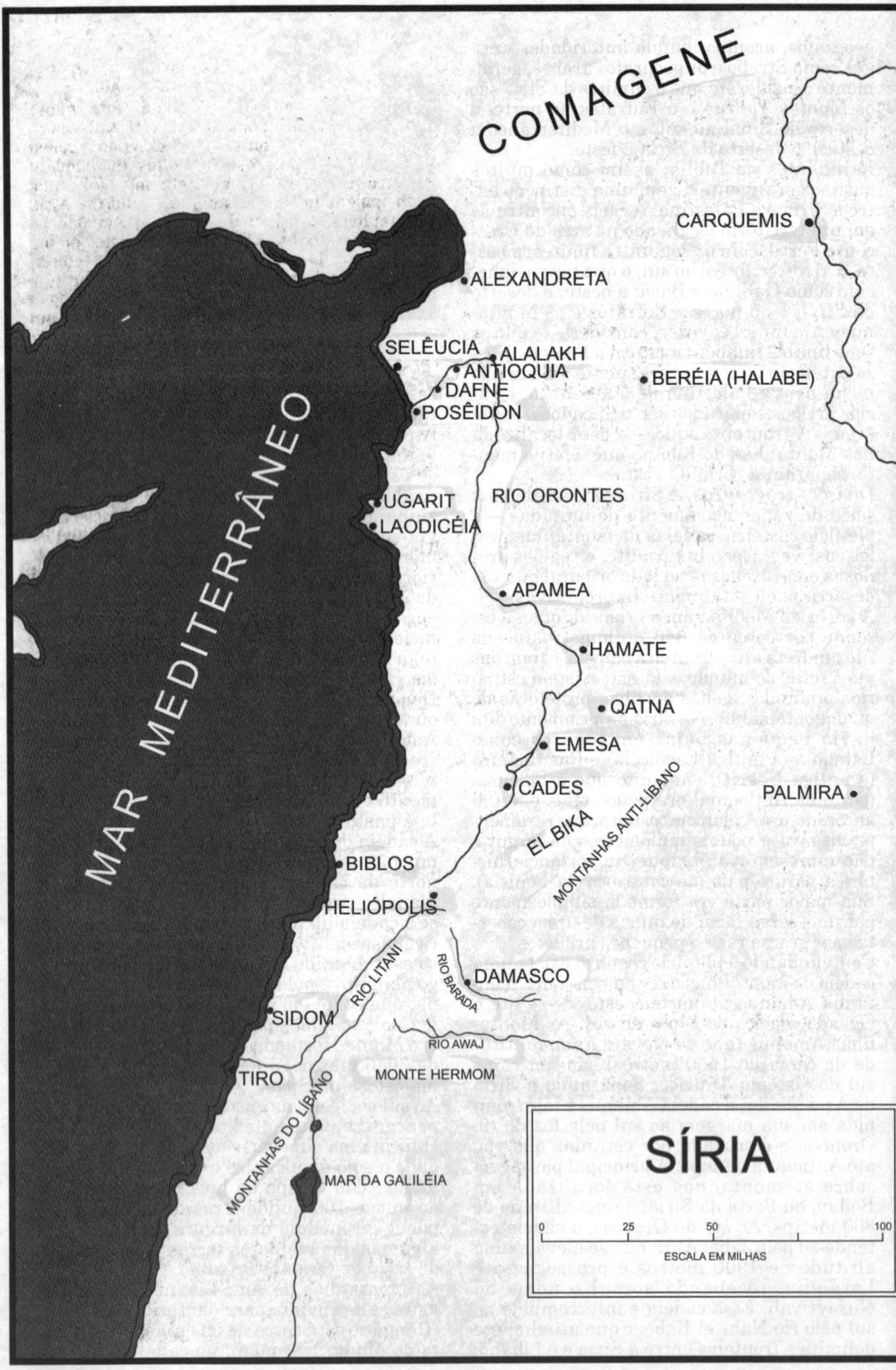
COMAGENE
CARQUEMIS
ALEXANDRETA
SELÊUCIA
ALALAKH
ANTIOQUIA
DAFNE
POSÊIDON
BERÉIA (HALABE)
MAR MEDITERRÂNEO
RIO ORONTES
UGARIT
LAODICÉIA
APAMEA
HAMATE
QATNA
EMESA
CADES
PALMIRA
EL BIKA
MONTANHAS ANTI-LÍBANO
BIBLOS
HELIÓPOLIS
RIO LITANI
RIO BARADA
DAMASCO
SIDOM
RIO AWAJ
TIRO
MONTE HERMOM
MONTANHAS DO LÍBANO
MAR DA GALILÉIA
SÍRIA
0
25
50
100
ESCALA EM MILHAS

ou Abana. Em um grandioso e enxuto planalto, com cerca de 725 metros de altitude, surgiram quase 400 quilômetros quadrados de terra fértil, onde se eleva a cidade de Damasco, o posto avançado da civilização no deserto. O Abana (com aprox. 70 quilômetros de comprimento), divide-se em cinco braços no oásis de Damasco e finalmente desaparece no deserto. Outro rio que nasce nas Montanhas Anti-Líbano é o Farpar (ou Farfar), identificado com o Awaj. Este rio flui a certa distância de Damasco, e desaparece nos pântanos a leste da cidade. Naamã tinha grande orgulho desses dois importantes rios (Abana e Farpar) que davam vida à sua terra natal (2 Rs 5.12).

A leste de Haurã encontra-se o deserto da Síria, que é uma continuação do grande deserto da Arábia. Nessa região encontra-se a cidade de Palmira, o antigo centro de caravanas de Tadmor (*q.v.*), 216 quilômetros a nordeste de Damasco. Uma nova represa que será construída no Eufrates, 40 quilômetros a montante da foz do rio Balikh, irá ajudar a irrigar setores do norte da Síria, porém as águas do futuro lago cobrirão inúmeras ruínas antigas até Carquemis.

**História**

A Síria, nos primeiros períodos de sua história como a conhecemos, era dominada pelos cananeus, amorreus, hicsos, mitani, heteus e especialmente egípcios. Porém, as limitações de espaço não permitem discussões sobre esses períodos de sua Antiguidade, e nossa atenção ficará focalizada nos arameus (veja Aram, Arameus; vale ressaltar que existe uma certa mistura entre os termos Arã e Síria, e entre arameus e siros).

A cidade cananéia de Ugarit, no local de Ras Shamra (*q.v.*) será discutida em um artigo separado. Para as descobertas de Alalakh, uma antiga cidade (3100-1200 a.C.), perto da curvatura do Orontes a leste de Antioquia, e muito importante para os estudos do AT, veja a obra de D. J. Wiseman, "*Alalakh*", TAOTS, pp. 119-135. Alepo, Carquemis (*q.v.*) e Mari (*q.v.*) eram outras importantes cidades da Síria antiga.

Os arameus (em cujos ancestrais encontra-se Sem, Gênesis 10.22,23) eram beduínos que se espalharam desde as áreas periféricas ao norte do deserto árabe-sírio até a região mais colonizada do Crescente Fértil.

Eles haviam se estabelecido na Mesopotâmia superior desde a época dos Patriarcas, segundo relatos de Isaque e Jacó, e também segundo a indicação das inscrições de Naram-Sin. Arã-Naaraim (Gn 24.10), ou Padã-Arã (Gn 25.20; 28.2), tinha como seu centro a bíblica Harã. Talvez os arameus tivessem se mudado para o norte e o centro da Síria em tempos anteriores, porém alguns acontecimentos do século XII a.C. lhes ofereceram a especial oportunidade de se estabelecerem nessa área. O poder heteu (ou hitita) havia desmoronado, o Império Egípcio no oeste da Ásia não mais existia, e os hebreus formavam um conjunto politicamente ineficiente de tribos que viviam sob a liderança dos juízes.

O mais poderoso dos reinos da Síria, ao final do século XI a.C., era o de Zobá, que agora sabemos ter se localizado ao norte de Damasco, provavelmente na região de Emesa (Homs). Os estados de Maaca (Dt 3.14; Js 12.5; 13.11,13), Gesur e Tobe (Jz 11.3ss.) foram situados por Unger a leste do Jordão e ao sul de Damasco (Merrill F. Unger, *Israel and the Aramaeans of Damascus,* p. 43).

*Relação com Davi e Salomão.* À medida que o poder dos hebreus avançava sob o comando de Davi, Hanum de Amom fez uma aliança com os reinos siros de Zobá, Reobe, Tobe e Maaca (2 Sm 10.8) que, sem dúvida, também se sentiam temerosos pelo crescente poder israelita. Davi derrotou completamente os siros, com pesadas baixas sofridas tanto por Zobá como Damasco, e estacionou suas tropas de ocupação nessa última cidade (2 Sm 10.18,19; 8.3-6). Depois que Davi venceu Zobá (que está localizada ao norte de Damasco, como mencionamos acima), o rei Toí do reino heteu de Hamate aparentemente reconheceu a soberania dos hebreus (2 Sm 8.9-11). Parece que os distritos que estavam sob o governo israelita, na época de Davi, podem ser divididos em duas categorias. os distritos onde as tropas da ocupação estavam estacionadas (por exemplo, Damasco) e aqueles que eram satélites (por exemplo, Zobá).

Aparentemente, Salomão (970-931 a.C.) expandiu o reino que havia herdado e governou toda a área desde a fronteira com o Egito até o Eufrates, inclusive a Transjordânia (2 Cr 9.26). Ele inclusive trouxe os fenícios sob sua esfera de influência. Sua posição geográfica lhe oferecia a excelente oportunidade de tornar seu estado o principal intermediário no comércio entre a Arábia, o Egito, a Fenícia e os estados siros e heteus da Síria e Ásia Menor.

*Relação com o reino dividido.* Os povos da Palestina e da Síria não se mostraram dóceis seguidores do grande rei da Cidade Santa. Aparentemente, o reino de Zobá rebelou-se contra Salomão e precisou ser dominado (2 Cr 8.3). Quando o estado israelita desintegrou-se ao final do reinado de Salomão, Rezom de Zobá liderou um movimento rebelde que capturou Damasco (1 Rs 11.23,24) e estabeleceu uma nova dinastia. Com a morte de Salomão, parece que todos os estados vassalos restabeleceram sua independência.

Depois da revolta de Rezom contra Salomão, seu filho Tabrimom e seu neto Ben-Hadade I governaram depois dele (1 Rs 15.18). Aparentemente, Rezom havia estabelecido um padrão de animosidade contra os hebreus desde o início (1 Rs 11.25) e, embora o reino de Damasco tivesse gradualmente aumentado seu poder, sua grande oportunidade surgiu por causa da animosidade entre Israel e Judá. Quando Asa, de Judá, encontrou-se em grandes dificuldades por causa da invasão de Baasa, em Israel, ele enviou um grande presente ao rei Ben-Hadade da Síria e pediu sua ajuda. O rei sírio avançou sobre Israel e tomou as cidades do norte, talvez em aprox. 885 a.C.

Próximo ao final do reinado de Acabe (aprox. 855 a.C.), Ben-Hadade invadiu Israel, mas foi derrotado. No ano seguinte, em busca de vingança, os sírios atacaram novamente e sofreram uma derrota ainda maior. Acabe estava agora na posição de humilhar seu rival do norte, mas preferiu não fazê-lo porque estava claro que precisaria de toda ajuda possível para enfrentar a iminente invasão assíria vinda das terras do oeste (1 Rs 20). Portanto, em 853 a.C. os inveterados inimigos marcharam lado a lado em uma coalizão que enfrentou Salmaneser III em Qarqar, ao norte de Hamate. Nessa ocasião, os assírios aparentemente conquistaram uma vitória, mas ela não foi totalmente suficiente para assegurar o controle da Síria. Cinco anos depois, Salmaneser enfrentou outra confederação da Síria formada por 12 reis, novamente liderados por Ben-Hadade. Em 845 a.C., Salmaneser achou necessário organizar uma outra grande campanha contra a Síria e, novamente, enfrentou e derrotou uma coalizão de 12 reis liderados por Ben-Hadade de Damasco e Irhulenu de Hamate. Cerca de dois anos mais tarde, o usurpador Hazael (*q.v.*) matou Ben-Hadade e colocou no poder uma nova dinastia na Síria.

No decorrer dos anos seguintes, Salmaneser conquistou duas grandes vitórias sobre Hazael, mas outros problemas logo ocuparam os assírios, de modo que durante algum tempo não houve mais nenhuma campanha contra a Síria. Hazael estava agora determinado a acertar contas com Jeú, portanto ele apossou-se de todas as propriedades de Israel localizadas a leste do Jordão, em Gileade e Basã (2 Rs 10.32,33). Em seguida, ele realmente humilhou Israel e, aparentemente, reduziu essa nação a um fantoche. Depois, dirigiu-se ao sul e derrotou o rei Joás de Judá (2 Rs 12.17,18). Porém, a boa sorte da Síria estava destinada a sofrer novamente um revés. Hazael morreu em aprox. 800 a.C. e os assírios recomeçaram suas campanhas contra a Síria. Joás, ou Jeoás de Israel derrotou Ben-Hadade II, filho de Hazael, e recuperou o território anteriormente perdido para os damascenos (2 Rs 13.24,25). Jeroboão II (793-753 a.C.) deu prosseguimento às vitórias israelitas sobre a Síria. Embora estejam faltando detalhes, Damasco e Hamate aparentemente tornaram-se subordinadas a Jeroboão durante algum tempo (2 Rs 14.28).

É provável que por volta de 750 a.C. Damasco tenha se tornado independente de Israel, e Rezim tenha sido o seu rei. Logo depois, Tiglate-Pileser III (744-727 a.C.) estava decidido a levar o moribundo Império Assírio de volta a uma realidade de poder e Rezim de Damasco e Menaém de Israel estavam entre os que foram forçados a lhe pagar tributos. Assim, enquanto a Assíria dirigia-se a outros inimigos ao longo da fronteira noroeste, Rezim e Peca de Israel movimentaram-se para punir Acaz de Judá por ter se recusado a apoiá-los em sua luta contra a Assíria. Os aliados sitiaram Jerusalém e avançaram além da capital para conquistar Eziom-Geber, o porto de Judá no mar Vermelho. A mortandade e a pilhagem que realizaram em Judá foi imensa (2 Cr 28.5-8). Desesperado, Acaz de Judá enviou uma embaixada a Tiglate-Pileser afirmando que ainda era um vassalo da Assíria e pagava seus tributos (2 Rs 16.7,8). O assírio ficou muito contente com a oportunidade de intervir. Ele atacou os inimigos de Judá, destruiu os ricos jardins de Damasco, e colocou um ponto final no reino de Damasco em 732 a.C. (2 Rs 16.9).

*Domínio estrangeiro*. A Síria permaneceu como parte do Império Assírio até a sua derrota para a Babilônia em 612 a.C. Como conseqüência, essa nação continuou a fazer parte do Império Neo-Babilônio até a derrota desse último diante dos persas em 539 a.C. Damasco era a capital da Quinta Satrápia (província) do Império Persa, mas infelizmente sabemos pouco sobre essa cidade durante os períodos persa e babilônio.

*O Império Selêucida*. Quando Alexandre o Grande atacou o Império Persa, a Síria passou para o seu controle, juntamente com o resto dos vastos domínios persas. Ao morrer em 323 a.C., ele deixou para trás um grupo de generais ambiciosos em que cada um deles procurava dominar o império que Alexandre havia conquistado. Em conseqüência da anarquia que se seguiu, finalmente chegaram a um arranjo factível em que Ptolomeu iria controlar o Egito, Cirene, Chipre e a Palestina; Antígono ficaria com a Macedônia; e Seleuco fundaria uma dinastia na Babilônia em 312 a.C. No auge de seu poder, os selêucidas governavam a maior parte do antigo Império Persa, exceto o Egito. No reinado de Seleuco II (264-226 a.C.) o império havia diminuído bastante, pois uma revolta dos partos havia retirado o Irã da sua órbita. Porém, Antíoco III (223-187 a.C.) prometeu que iria lhes fornecer uma completa recuperação. Ele conseguiu reconquistar o território iraniano e ampliou novamente as fronteiras selêucidas até o rio Indo. Em 198 a.C., ele derrotou Ptolomeu e conquistou a Palestina e, por causa de todos esses sucessos, ganhou o epíteto de "Grande". Entretanto, logo depois Antíoco excedeu-se e, envolvendo-se com os romanos, perdeu todas as terras a oeste das Montanhas Taurus e foi obrigado a pagar uma enorme indenização. Na época de Antíoco Epifânio IV (175-164 a.C.) a Síria havia se tornado suficientemente forte para tomar a ofensiva. Sabendo que o Egito estava preparando-se para a guerra, Antíoco derrotou Ptolomeu Filométor e, antecipando-se ao adversário, apossou-se de toda a região do delta, exceto Alexandria. Quando Roma forçou Antíoco a se retirar, ele voltou sua atenção para uma helenização mais efetiva de seus súditos e provocou a revolta dos macabeus ou judeus em 168 a.C. Isso levou à independência dos judeus e a uma fragmentação dos domínios dos selêucidas. Nas décadas subseqüentes, o Império Selêucida continuou a se desintegrar, e em 64 a.C. Pompeu anexou o que havia restado deste ao Império Romano.

*Domínio romano.* Uma das características mais importantes do governo selêucida foi a instalação de cidades que podiam servir como centros de expansão da cultura helenista e guarnição de tropas para dominar as terras vizinhas. Duas das cidades mais importantes eram Antioquia, sobre o rio Orontes, e a cidade-porto da Selêucia. Antioquia estava destinada a se tornar a terceira cidade do Império Romano, depois de Roma e Alexandria. E também estava destinada a se tornar o grande centro do cristianismo. Antioquia foi o berço de missões estrangeiras; as três viagens missionárias de Paulo tiveram início a partir dali (At 13.1-4; 15.35,36; 18.22,23). Neste local, os discípulos de Jesus foram inicialmente chamados de "cristãos" (At 11.26) e foi entre seus habitantes que primeiramente surgiu a questão da relação dos gentios com a Lei Mosaica com a resultante decisão do Concílio de Jerusalém de que eles não estavam sob essa lei (At 15).

A Síria nunca havia sido governada com tanta eficiência, nem sido uma região tão populosa como sob o domínio dos romanos. Depois das desordens iniciais, a paz foi estabelecida e a capital da província foi transferida de Damasco para Antioquia. A curva geral da prosperidade continuou a crescer e atingiu o seu auge no século II d.C. As áreas desse país que agora apresentam um aspecto estéril, eram nessa época cobertas de pujantes centros. Frutas, vegetais e cereais cresciam em abundância com a aplicação de métodos avançados de fertilização e irrigação. Entre as principais indústrias estavam a produção de couro, linho e vinho. Uma importante fonte da riqueza da Síria era o comércio que fluía através de suas ativas rotas de caravanas e seus portos. Além das centenas de vilas que enfeitavam o seu interior (nas quais havia pouca influência romana ou grega), existiam cidades grandes e populosas que se tornaram centros de cultura grega. Naturalmente, a maior de todas as cidades sírias era Antioquia, a capital. Porém não podem ser ignoradas as cidades da Selêucia, Beréia (a moderna Alepo), Laodicéia, Apamea, Epifânia (a moderna Hamá), Emesa (a moderna Homs), Heliópolis (Baalbek) com seus magníficos templos, além de Damasco e Palmira.

***Bibliografia.*** E. S. Bouchier, *A Short History of Syria*, Oxford. Basil Blackwell, 1921; *Syria as a Roman Province*, Oxford. Basil Blackwell, 1916. Glanville Downey, *A History of Antioch in Syria,* Princeton. Princeton Univ. Press, 1961. Jack Finegan, *Light from the Ancient Past,* 2ª ed., Princeton. Princeton Univ. Press, 1959. F. M. Heichelheim, *Roman Syria,* Vol. IV of *An Economic Survey of Ancient Rome*, ed. por Tenney Frank, Baltimore; Johns Hopkins Press, 1938. Philip K. Hitti, *History of Syria,* Nova York. Macmillan, 1951; Theodor Mommsen, *The Provinces of the Roman Empire from Caesar to Diocletian,* trad. por William P. Dickson, Vol. 2, Nova York. Scribner's, 1906. A. T. Olmstead, *History of Palestine and Syria,* Nova York, Scribner's, 1931. Richard Stillwell, ed. *Antioch-on-the-Orontes*, Princeton. Princeton Univ. Press, 1938. Merrill F. Unger, *Israel and the Aramaeans of Damascus*, Grand Rapids, Zondervan, 1957.

H. F. V.

**SIRÍACO ou LÍNGUA SIRÍACA** A língua da Síria, mencionada na Bíblia Sagrada (2 Rs 18.26; Ed 4.7; Is 36.11; Dn 2.4), é o aramaico e não o moderno siríaco. É uma língua semítica muito usada em numerosos dialetos por todo o antigo Oriente Médio. Durante o Exílio, ela substituiu o hebraico como a língua falada pelos judeus. *Veja* Arã; Aramaico.

**SIRIOM** Um dos nomes do monte Hermom pelo qual era chamado antigamente pelos sidônios (Dt 3.9). Como no Salmo 29.6, Siriom é mencionado junto com o Líbano, sugeriu-se que ele designa a cordilheira do Anti-Líbano.

**SIRO** Essa palavra refere-se: (1) a termos que traduzem os nomes Arã e arameus; (2) à língua da Síria, o aramaico (ou o siríaco, 2 Rs 18.26; Ed 4.7); e (3) aos habitantes da Síria (Gn 25.20; 2 Sm 8.5).

**SIRO-FENÍCIA** Nome aplicado à mulher da raça dos gentios, da região de Tiro e Sidom, que veio pedir a Jesus para curar sua filha (Mc 7.26; cf. Mt 15.21,22). Um estudo conjunto das passagens de Mateus e Marcos levou à conclusão de que essa mulher era grega (isto é, não judia ou pagã) e havia nascido nessa região. Ela podia ser classificada como siro-fenícia porque vinha da antiga área da Fenícia que na época do NT havia sido conquistada por Roma, e estava incluída na província

Detalhe do relevo de Sisaque. HFV

da Síria. O Senhor Jesus testou a fé dessa mulher; ela foi aprovada, e a cura aconteceu. A fé que demonstrou é ainda mais notável, porque ela aceitou as palavras de Jesus sobre a cura sem a oportunidade de saber se esta havia realmente acontecido até que chegasse em casa. Esse é um dos poucos exemplos em que o Senhor Jesus realizou um milagre à distância.

**SIRTE** Baixios ou bancos de areia que se encontram na costa norte da África. Com certeza estão situados em um dos dois golfos rasos ao longo da costa da Líbia. O maior deles, o Grande Sirte, a oeste da Cirenaica, é provavelmente o que foi mencionado em Atos 27.17. Atualmente, é chamado de Golfo de Sidra. Trata-se de um banco móvel de areia que se estende por aprox. 200 quilômetros. Quando Paulo e seus companheiros foram levados pela tempestade ao sul de Creta, sem saber a direção que estavam seguindo, os marinheiros temiam atingir essas "areis movediças", estes bancos de areia também chamados de "os baixios de Sirte" (At 27.17) e serem destruídos.

**SISA** Pai de dois dos alto oficiais do rei Salomão, Eliorefe e Aías, que eram secretários reais (1 Rs 4.3). Esta é aparentemente a mesma pessoa que Sausa (*q.v.*), que foi secretário real do rei Davi (1 Cr 18.16).

**SISAMAI** *Veja* Sismai.

**SISAQUE** Conhecido como Sesonque I pelos egitologistas. Ele era um nobre líbio-egípcio que fundou a 12ª Dinastia dos Faraós egípcios com sua capital em Bubástis.

Em dois pontos o seu reinado (945-924 a.C.) tocou a história registrada no AT. (1) Ele concedeu asilo político ao rebelde Jeroboão quando este fugiu para o Egito para escapar do desprazer do rei Salomão (1 Rs 11.40); (2) no final de seu reinado, no quinto ano de Roboão (925 a.C.), ele invadiu a Palestina com um grande exército, conquistou as cidades fortificadas de Roboão (cf. 2 Cr 11.5-12), avançou para Jerusalém, e exigiu um pesado tributo deste rei de Judá (1 Rs 14.25,26; 2 Cr 12.2-9).

Sisaque registrou os seus triunfos militares sobre o muro sul do Templo de Amom em Karnak (antiga Tebas), mencionando mais de 150 locais, alguns dos quais são cidades fortificadas de Roboão, isto é, Socó, Adoraim e Aijalom, dessa forma apoiando o registro bíblico (ANET, pp. 242ss., 263ss.). Além disso, a evidência desta triunfal cena em relevo que cita nomes de lugares bíblicos como Siquém, Bete-Seã e Megido, e um fragmento de uma estela monumental de vitória, descoberta em Megido, que leva o seu nome, indicam que invasão palestina penetrou no reino do norte de seu antigo amigo Jeroboão.

Sisaque sem dúvida alguma tinha a intenção de que suas conquistas militares restaurassem a influência egípcia na Palestina como na "era imperial" da 18º Dinastia, mas de acordo com 2 Crônicas 12 Deus providencialmente planejou e instigou a invasão de Sisaque como uma forma de punir Judá por sua apostasia. A campanha de Sisaque teve um

Sisaque é mostrado liderando cidades palestinas cativas, de uma parede no templo de Karnak. HFV

efeito um pouco mais forte do que um ataque repentino, pois as condições internas no Egito impediram que ele ou seu sucessor estabelecessem um domínio sobre a Palestina. Um bracelete de ouro dado por Sisaque a um de seus netos foi encontrado na tumba deste último em Tânis, por Pierre Montet. Siegfried H. Horn sugere que ele pode ter sido feito com ouro tirado de Jerusalém durante o reinado de Roboão ("Bracelet", *Seventh-day Adventist Bible Dictionary*, p. 154 e fig. 80).

R. L. R.

**SÍSERA**
1. Comandante do exército da aliança dos cananeus (Jz 5.19) sob as ordens de Jabim (Jz 4.2), provavelmente um segundo rei que teve esse nome ou título. Governou em Hazor (cf. Js 11.1ss.) e comandou uma infeliz aliança contra Israel. Os 900 carros de ferro de Sísera oprimiram Israel durante 20 anos. Ele foi atraído para a batalha no vale de Jezreel pelos israelitas sob as ordens de Baraque e Débora. Baraque reuniu tropas de Naftali e Zebulom dos seus nativos do norte (Jz 4.6), e Débora reuniu os de sua região (Benjamim e Efraim) e Issacar (Jz 5.14,15). Eles desceram do monte Tabor sobre os homens de Sísera que estavam no vale. Expulsos por uma tempestade repentina e uma enchente arrebatadora do sinuoso rio Quisom (Jz 5.20,21) e fugindo em direção a oeste para sua base em Harosete-Hagoim, o exército de Sísera encontrou a destruição. Derrotado, Sísera fugiu a pé para se refugiar com Héber, o queneu, que tinha uma posição neutra neste conflito. Percebendo a fuga, Jael, mulher de Héber, convenientemente abandonou a imparcialidade. Abrigando Sísera, ela aproveitou-se da confiança dele e o assassinou quando dormia, cravando uma estaca de tenda em sua têmpora, pregando-a na terra (Jz 4.17-22; 5.24-27). O caráter tipicamente oriental de Sísera revela-se na tentativa vã das damas de confortar sua mãe que o esperava. Elas insinuaram que a folia com mulheres prisioneiras e a coleta de despojos para as mulheres o detiveram (Jz 5.28-30).
2. Nome de uma tribo de servos do Templo do período pós-exílico (Ed 2.53; Ne 7.55).

R. B. D.

**SISMAI** Um judaita. Filho de Eleasa e pai de Salum, um dos descendentes de Perez através de Jerameel (1 Cr 2.40). Algumas versões trazem o termo "Sisamai".

**SISTRO** Instrumento musical. Tipo de chocalho estrondoso usado tanto para ocasiões alegres quanto tristes. O instrumento veio da Mesopotâmia para o Egito via Palestina. A palavra hebraica *M^e^na'na'im* em 2 Samuel 6.5 é corretamente traduzida como "sistra" (plural de sistro) na Vulgata, mas o termo "cornetas" não é a melhor tradução. As "castanholas" mencionadas em algumas versões é apenas um termo aproximado para o antigo instrumento. O antigo sistro egípcio consistia de uma estrutura fina, oval, de metal com um cabo e diversos anéis de metal que passavam livremente através de orifícios na estrutura. Quando agitados, os anéis produziam ruídos. *Veja* Música.

**SITIM** Nome que um local recebeu devido às árvores de acácia que ali cresciam (*veja* Cipreste).
1.Local do último acampamento de Israel antes de atravessar o Jordão (Js 3.1), também chamado de Abel-Sitim (*q.v.*; Nm 33.49). Enquanto estiveram aqui, os israelitas tomaram parte na idolatria imoral dos moabitas (Nm 25.1; 31.16; Mq 6.5). Daqui Josué enviou dois espias a Jericó (Js 2.1). Identificado por Josefo como Abila, possivelmente Tell el-Kefrein, 10 quilômetros a leste do Jordão, porém localizado por Nelson Glueck em Tell el-Hammam, cerca de três quilômetros a leste-sudeste, e 11 quilômetros a noroeste do monte Nebo.
2. Um outro local, o vale de Sitim (Jl 3.18), era um vale árido na extremidade noroeste do mar Morto, possivelmente o Uádi Nar (o Cedrom) que fluía de Jerusalém.

S. M. H.

**SITNA** Um dos poços que os pastores de Isaque cavaram ou destamparam ocasionando a animosidade dos pastores de Gerar. O poço foi dessa maneira nomeado para lembrar aos pastores de Isaque a disputa e a discussão que os pastores da oposição lhes causaram (Gn 26.21). *Veja* Poço.

**SITRAI** Um saronita, um dos administradores reais de Davi que era o responsável pelo gado que pastava em Sarom (1 Cr 27.29).

**SITRI** Um descendente de Levi; filho de Uziel (Êx 6.22).

**SIVÃ** O terceiro mês do ano religioso judeu, o nono mês do ano civil (Et 8.9). Corresponde aproximadamente ao final do mês de maio, e ao início do mês de junho.

**SIZA** Um rubenita, pai de Adina, um capitão dos rubenitas, um dos principais guerreiros de Davi (1 Cr 11.42).

**SÔ** O nome (heb. *so'*, que possivelmente seja vocalizada como *sewe'*) aparece na passagem relacionada a um rei egípcio que ajudou Oséias, o último rei de Israel, quando este procurou obter ajuda para combater os assírios. As ações de Oséias precipitaram uma invasão assíria que resultou na queda de Samaria e do reino do norte (2 Rs 17.4ss.).

A identificação de Sô é incerta há muito tempo. É improvável que ela fosse Shabaka, um rei da 25ª Dinastia, ou o "Etíope". Primeiramente o nome foi identificado como Sib'e, um líder egípcio que em 720 a.C. uniu forças com o rei de Gaza contra o assírio Sargão, em Ráfia. Sargão derrotou essa união e Sib'e fugiu, mas o tributo foi pago mais tarde pelos egípcios (ANET. p. 258). R Borger, entretanto, demonstrou que Sib'e é uma leitura errônea dos textos de Sargão (JNES, XIX [1960], 49-53).

Em 1963 Hans Goedicke demonstrou que Sô deveria ser o centro político egípcio de Saís no Delta ocidental, e aquela passagem deveria ser lida como. "ele enviou mensageiros a Sô, ao rei do Egito". O rei do Egito na época de Oséias era Tefnakhte, que morou em Saís. O nome egípcio desta cidade é *Sew*, grafada *Sai* em assírio e *So'* em hebraico e fenício ("The End of 'So, King of Egypt", BASOR #171, pp. 64-66).

C. E. D.

**SOA** Um povo mencionado em Ezequiel 23.23, juntamente com os babilônios, caldeus, assírios, os de Pecode e Coa, que se levantaria contra Judá. Eles não foram definitivamente identificados, mas podem ser os sutu mencionados nas cartas Amarna, um povo arameu (ou siro) que nunca foi conquistado pelos assírios. *Veja* Sete.

**SOÃO** Um descendente levita de Merari, filho de Jaazias, que, juntamente com outros levitas, lançou sortes para o serviço na Casa do Senhor durante a época de Davi (1 Cr 24.27).

**SOBABE**
1. Um dos filhos de Calebe, o filho de Hezrom com sua primeira mulher Azuba (1 Cr 2.18).
2. O segundo de quatro filhos nascidos de Davi e Bate-Seba em Jerusalém (2 Sm 5.14; 1 Cr 3.5; 14.4).

**SOBAI** O pai (ou antepassado) de uma família de porteiros (do Templo) que retornaram do cativeiro babilônico para Jerusalém com Zorobabel entre o primeiro grupo daqueles que retornaram (Ed 2.42; Ne 7.45).

**SOBAL**
1. Um dos filhos de Seir, o horeu que governou no país posteriormente possuído por Edom. Sobal e seus irmãos são chamados de duques ou príncipes, e são os cabeças das várias tribos de seu povo (Gn 36.20,23,29; 1 Cr 1.38,40).
2. Um dos filhos de Hur, o filho de Calebe. Ele foi o pai ou fundador da cidade de Quiriate-Jearim (1 Cr 2.50,52).
3. Um dos descendentes de Judá, possivelmente a mesma pessoa mencionada no tópico 2 (1 Cr 4.1,2).

**SOBAQUE** Comandante das forças sírias de Hadadezer, rei de Zoba, em sua campanha militar contra Davi. Os siros foram derrotados e Sobaque foi morto na batalha contra Davi e seus guerreiros em Helã. Os siros que passaram a ser tributários de Hadadezer tornaram-se sujeitos a Davi (2 Sm 10.15-19). Este comandante siro é chamado de Sofaque em 1 Crônicas 19.16,18.

**SOBEQUE** Um dos chefes do povo que assinou a aliança de Esdras (Ne 10.24). O documento foi aparentemente uma garantia em apoio a certas leis que precisavam de confirmação durante ou após o segundo mandato de Neemias como governador (Ne 13).

**SOBERANIA DE DEUS** Esta expressão representa o ensino bíblico que se refere ao absoluto, irresistível, infinito e incondicional exercício da vontade própria de Deus sobre qualquer área da sua criação. Deus é aquele que ordena todos os eventos ao longo do tempo e da eternidade. Ele também é o Criador e Mantenedor de tudo o que existe. Deus "faz todas as coisas, segundo o conselho da sua vontade" (Ef 1.11). *Veja* Vontade de Deus.

Os nomes de Deus ("Deus Altíssimo", Gênesis 14.18; "o bem-aventurado e único poderoso Senhor, Rei dos reis e Senhor dos senhores", 1 Timóteo 6.15), os seus atributos (onipotência, Romanos 11.36; onisciência, Provérbios 15.3; onipresença, Sl 139.7-12), as suas obras (criação, Gênesis 1–2; salvação, Ef 2.8; julgamento, Romanos 2.16), o seu domínio (sobre os homens, Daniel 4.25,35; sobre Satanás, Jó 1.12; sobre a natureza, Salmos 89.9), e providência (Gn 50.20; Rm 8.28), atestam a soberania divina.

Não há nada que esteja excluído do campo da soberania de Deus, incluindo até mesmo os atos ímpios dos homens. Embora Deus não aprove esses atos de impiedade, Ele os permite, governa e usa para os seus próprios objetivos e glória. A crucificação, o crime mais hediondo de todos os tempos, estava comprometida dentro dos limites "do determinado conselho e presciência de Deus" (At 2.23). O Senhor Jesus disse a Pilatos que crucificar o Filho de Deus não era uma atitude que estava dentro dos limites do poder humano, mas que aquele poder só poderia vir de Deus (Jo 19.11). A crucificação, apesar da sua natureza má, foi o mais importante aspecto do plano de Deus para estabelecer Cristo como Senhor e Salvador (At 2.36).

Outro aspecto importante desta doutrina é o exercício, por parte de Deus, da sua soberania sobre o destino eterno dos homens. O dom da vida eterna é a posse, por parte daqueles a quem Deus, antes da fundação do mundo, "predestinou para filhos de adoção por Jesus Cristo, para si mesmo, segundo o beneplácito de sua vontade" (Ef 1.5). A escolha de Deus daqueles que irão receber o dom da vida eterna não foi feita por uma soberania cega e arbitrária, mas por uma soberania que opera em conformidade com a sabedoria, com a santidade e com a justiça divina. *Veja* Eleição.

***Bibliografia.*** Loraine Boettner, *The Reformed Doctrine of Predestination,* 7ª ed., Grand Rapids. Eerdmans, 1951. Arthur W. Pink, *The Sovereignity of God,* Cleveland. Bible Truth Depot, 1930.

W. M.

**SOBI** Um amorreu, filho do rei Naás de Rabá, que, juntamente com outros, generosamente abasteceu a Davi e seus homens com alimentos e equipamentos em Maanaim, durante a rebelião de Absalão (2 Sm 17.27-29).

**SOBRENOME ou APELIDO** Nome adicional, como no caso de Simão, que foi apelidado de Pedro (Mc 3.16). Em Isaías 44.5, os gentios usam o nome de Israel como seu próprio sobrenome, por causa das bênçãos de Deus sobre os israelitas. No NT existem inúmeros sobrenomes e apelidos; por exemplo, Tiago e João receberam o nome de Boanerges (Mc 3.17). Barsabás foi chamado de o Justo (At 1.23), e José foi cognominado Barnabé (At 4.36).

**SOBRINHO** Tradução da palavra hebraica *ben,* normalmente empregada como "neto" (Jz 12.14); em hebraico *neked* (Jó 18.19; Is 14.22); em grego *'ekyonas,* "nascer de", "filho", "descendente", "neto" (1 Tm 5.4). Na versão ASV em inglês, essa palavra foi traduzida como "filho do filho" no AT, e "neto" no NT.

**SÓBRIO ou SOBRIEDADE**
1. A palavra grega *nepho,* com suas derivadas, significa ser livre da embriaguez e de todas as formas de excesso; conseqüentemente, ser calmo, moderado, sereno, ter autocontrole e ser tranqüilo no pensamento e nas ações (1 Ts 5.6,8; 1 Tm 3.2,11; 2 Tm 4.5; Tt 1.8; 2.2; 1 Pe 1.13; 4.7; 5.8).
2. A palavra grega *sophroneo,* com suas derivadas, significa estar em seu juízo perfeito, ser razoável ou sensato, agir prudente ou cuidadosamente (Mc 5.15; 1 Tm 3.2; Tt 1.8; 2.2,12; 1 Pe 4.7). É a antítese de *existeme,* "estar fora de si" (2 Co 5.13); portanto significa exercer autocontrole não se entregando a paixões desenfreadas (Tt 2.6) nem ao orgulho (Rm 12.3). Sua forma nominal, *sophrosyne,* "sobriedade" (1 Tm 2.9,15) tem o sentido de moderação, e conseqüentemente modéstia e castidade (cf. Tt 2.5).

***Bibliografia.*** Ulrich Luck, "*Sophron* etc...", TDNT, VII, 1097-1104.

**SOCÓ** Esta palavra significa "ramos" e tem

Um campo de trabalhadores em Sodoma com uma montanha de sal ao fundo. IIS

diversas grafias alternativas. Três cidades na Palestina têm esse nome.
1. Uma cidade da Sefelá em Judá perto de Adulão e Azeca (Js 15.35). Aqui os filisteus acamparam antes da disputa de Davi com Golias (1 Sm 17.1). Roboão reforçou as suas fortalezas (2 Cr 11.7), mas os filisteus a capturaram durante o reinado de Acaz (2 Cr 28.18). Ela foi identificada com Khirbet 'Abbad, aprox. 22 quilômetros a oeste-sudoeste de Belém.
2. Uma cidade nas montanhas de Judá perto de Samir e Jatir, identificada com Khirbet Shuweikeh, aproximadamente 16 quilômetros a sul-sudeste de Hebrom (Js 15.48).
3. Um lugar cerca de 16 quilômetros a oeste-nordeste de Samaria, mencionado nas listas egípcias de cidades capturadas na Palestina por Tutmósis III e Sisaque.
4. A alusão a Socó em 1 Crônicas 4.18 parece referir-se a uma pessoa da genealogia de Judá, mas alguns dos outros nomes do contexto são nomes de lugares ao sul de Judá encontrados também em Josué 15.48. Portanto é possível que a Socó mencionada em 1 Crônicas 4.18 tenha sido a cidade de Judá cujo "pai" ou fundador foi Héber.

D. M. R.

**SODI** Pai de Gadiel, um dos espias representando a tribo de Zebulom (Nm 13.10).

**SODOMA** Uma das cinco cidades da planície ou vale do Jordão, isto é, a bacia do mar Morto (Gn 10.19; 13.10; 14.2). Ló escolheu esta região como sua residência quando dissolveu a sociedade com Abrão, embora Sodoma fosse uma cidade muito má (Gn 13.1-13). Ela foi saqueada por Quedorlaomer (*q.v.*) e seus aliados no princípio do segundo milênio a.C. (Gn 14.11). Mais tarde ela e diversas outras cidades da planície foram destruídas pelo fogo e pelo enxofre como um julgamento de Deus, por causa de sua abjeta imoralidade (*veja* Sodomita). Ló e suas duas filhas foram poupados (Gn 19.1-29; Mt 10.15). O julgamento divino por fogo devastou completamente a região (Gn 19.24; Dt 29.23), e a mulher de Ló transformou-se em uma estátua de sal (Gn 19.26).

A tradição localiza Sodoma na extremidade sul do mar Morto. A desolação e a esterilidade dessa região fornecem um testemunho mudo do julgamento pelo "fogo e enxofre" sofrido por este local. Evidências geológicas nessa região de formações de sal, asfalto, enxofre e petróleo confirmam o registro bíblico. A parte oeste da região está dentro das fronteiras da moderna Israel. A cidade de Sedom funciona como um resort de saúde e um campo de repouso. Uma montanha peculiar quase exclusivamente de puro sal identifica Sodoma, e os guias locais referem-se a ela como "a mulher de Ló".

A localização exata de Sodoma não é conhecida, mas a maioria dos estudiosos é favorável a um lugar próximo da extremidade sul do mar Morto. Na costa leste existe uma grande península chamada el-Lisan ("a língua"), um leque aluvial na foz de um rio que vem de Kerak. Acredita-se que a bacia ao sul seja o vale de Sidim (Gn 14.3). Cinco cursos d'água, incluindo o Uádi Zerede – o ribeiro de Zerede (Nm 21.12) correm em direção às costas sul e sudeste do mar Morto, sugerindo uma fonte de água para a irrigação dos campos de cada uma das cinco cidades. Confirmações adicionais são fornecidas pela peregrinação e pelo local de sepultamentos de Bab edh-Dhra (*q.v.*), de 8 a 16 quilômetros a nordeste da área de Sodoma e Gomorra. Sua destruição, por volta de 2000-1900 a.C., coincide com a data bíblica da catástrofe de Sodoma.

As ruínas das cidades da planície podem ter sido cobertas pelas águas do mar Morto depois da cataclísmica elevação do nível da terra. As águas rasas ao sul de Masada e el-Lisan (de 60 cm a 6 metros) sugerem essa possibilidade. Segundo Josefo (*Wars*, iv.8.4), nessa época Zoar, uma das cidades da planície (Gn 13.10; 14.2) ainda era visível na extremidade sul. Sensacionais relatos da descoberta de Sodoma na extremidade sul do mar Morto aparecem na imprensa de tempos em tempos, mas até o momento não foi descoberta nenhuma evidência autêntica capaz de substanciar essas reivindicações. *Veja* Gomorra; Cidades da Planície.

***Bibliografia.*** J. Penrose Harland, "Sodom and Gomorrah. The Location and Destruction of the Cities of the Plain", BA, V (1942), 17-32; VI (1943), 41-54; "Sodom", IDB, IV, 395-397.

H. A. Han.

**SODOMITA** Nome dado à pessoa que praticava aquela perversão sexual que caracterizava a antiga Sodoma (*q.v.*), isto é, a cópula carnal entre pessoas do sexo masculino (Gn 19.5ss.). A palavra traduzida como sodomita no Antigo Testamento vem do latim *sodomita*, e é derivada da palavra hebraica *s*[e]*dom*, Sodoma. As Escrituras não registram uma palavra hebraica para "sodomita" derivada desta raiz. Portanto, o termo hebraico assim traduzido é *qadesh*, que significa um indivíduo do Templo que se prostitui e que está ligado aos santuários pagãos e consagrado aos rituais impuros da adoração pagã. O termo vem de uma raiz que significa "estar separado ou consagrado", neste caso para propósitos imorais.

A sodomia, universalmente difundida (cf. Rm 1.27) era proibida em Israel (Dt 23.17; cf. Lv 18.22; 20.13), mas estava presente em tempos tão antigos quanto o do reino de Roboão (1 Rs 14.24). Tanto Asa (1 Rs 15.12) quanto Josafá (22.46) removeram temporariamente os sodomitas, mas na época de Josias eles eram encontrados no próprio Templo (2 Rs 23.7). A forma feminina, *q*[e]*desha*, significa uma "prostituta" ou "meretriz" (Gn 38.21; Os 4.14).

A palavra "homossexual" ou "efeminado" é usada em várias versões em 1 Coríntios 6.9 e em 1 Timóteo 1.10 para traduzir a palavra grega *arsenokoitai*, que significa parceiros de cama do sexo masculino.

H. E. Fr.

**SOFÃ** Na versão KJV em inglês é o nome de uma cidade fortificada em Gade, a leste do Jordão (Nm 32.35), mas é provavelmente um sufixo da palavra anterior e deveria ser lida "Atarote-Sofã" como em várias versões. *Veja* Atarote.

**SOFÁ** *Veja* Cama.

**SOFAQUE** *Veja* Sobaque.

**SOFERETE** Este nome provavelmente significa "aprender" e tem a grafia alternativa de Asoferete em algumas versões (Ed 2.55). Foi um daqueles que voltaram do cativeiro na Babilônia com Zorobabel (Ne 7.57).

**SOFONIAS**

1. Um levita descendente de Coate (1 Cr 6.36-38).

2. Filho de Maaséias e segundo sacerdote abaixo do sumo sacerdote Seraías durante o reinado do rei Zedequias. Em duas ocasiões ele ajudou a conduzir pedidos de orações do rei a Jeremias; e trouxe de volta oráculos do profeta proclamando futuras defesas contra o exército de Nabucodonosor, e comentários sobre a ajuda que esperavam do Egito (Jr 21.1; 37.3). Certa vez, Sofonias recebeu uma carta de Semaías já na Babilônia, repreendendo-o por não ter aprisionado Jeremias, que foi acusado de enviar cartas desencorajadoras para os exi-

lados (Jr 29.25-29). Depois que o povo da Babilônia dominou Jerusalém, Sofonias ficou entre os líderes judeus que foram levados a Ribla, na Síria, e executados por Nabucodonosor (2 Rs 25.18-21; Jr 52.24-27).

3. Um profeta, filho de Cusi, que profetizou no século VII a.C. nos dias de Josias. Sua descendência é rastreada em quatro gerações até Ezequias (Sf 1.1), provavelmente o rei. Sua genealogia é rastreada até uma época muito distante, conforme os registros cronológicos. Ele viveu em Judá, e demonstrou familiaridade com as características físicas da cidade de Jerusalém (Sf 1.10,11). Não existem meios de determinar o período de seu ministério profético. Conforme a época do reinado de Josias, este período seria entre 640 e 609 a.C. (1.1). Seu ministério pode ter continuado nos primeiros anos do governo de Josias, antes da reforma, começando em 622 a.C., ou, antes disso (cf. 2 Rs 22.3ss.; 2 Cr 34.3-7,8ss.). Alguns consideraram que os citas eram os inimigos que ameaçavam Judá naqueles tempos, pois estes dominaram o oeste da Ásia no nos últimos 25 anos daquele século. No entanto, estes foram provavelmente os babilônios. Se a data do início de sua pregação for 625 a.C., então ele começou o seu ministério na mesma época em que Jeremias deu início ao seu ministério. *Veja* Sofonias, Livro de.

4. Pai de Josias, um exilado que retornou da Babilônia (Zc 6.10,14).

C. L. F.

**SOFONIAS, LIVRO DE** O nono livro dentre os Profetas Menores. O autor foi o filho de Cusi e descendente de Ezequias (Sf 1.1), provavelmente o rei de Judá. Sendo um membro da linhagem real, ele podia repreender os pecados dos príncipes com uma força surpreendente (1.8).

Existe a verificação da data em 1.1 por uma menção de Nínive (2.13), que não foi destruída até 612 a.C., e pela falta de referências diretas aos babilônios. *Veja* Sofonias 3.

### Autenticidade

A autenticidade de algumas partes do livro foi questionada pela crítica superativa, mas a veracidade da profecia foi defendida. O livro retrata a sociedade infestada pelas diferenças sociais, pela luxúria complacente, e pela decadência religiosa como conseqüência do longo reinado idólatra de Manassés.

### Conteúdo

Após o anúncio da proximidade da vinda do dia do Senhor, com a extinção da idolatria (1.2-6), o profeta declara o julgamento dos líderes de Judá (1.7-13), e um tempo de aflição e angústia a todos. A visitação pode ser evitada se o povo voltar-se ao Senhor (2.1-3); a Filístia sentirá o impacto e a violência deste golpe (2.4-7); este tocará Moabe e Amom (2.8-11) e chegará ao norte, à Assíria, com a destruição resultante de Nínive, sua capital (2.12-14).

Novamente, o profeta repreende os pecados de Jerusalém e os seus líderes (3.1-8), anunciando a ira que alcançará os ímpios, mas a imunidade àqueles justos que restarem (3.9-13). A profecia termina com a promessa dos últimos dias, quando Israel será restaurada à sua própria terra, e gozará as bênçãos de Deus (3.14-20).

### Tema

O tema central da profecia é o dia do Senhor. A frase aparece mais freqüentemente neste livro do que em qualquer outro no AT. Os seus ensinos sobre o dia do Senhor são explícitos: (1) será um dia de indignação e terror (1.15); (2) ele será iminente (1.14); (3) será uma visitação sobre o pecado (1.8,17); (4) ele tocará toda a criação (1.2,3); e (5) poupará o remanescente de Israel e aqueles que estiverem entre as nações (2.3; 3.9-13). As mensagens de Sofonias possuem um alcance abrangente e universal. O livro possui pontos de contato com as mensagens dos antigos profetas. Embora 3.14-20 descreva as bênçãos do reino messiânico, o próprio Rei Messiânico não é mencionado na profecia.

### Esboço

I. Prefácio, 1.1
II. Pronunciamento do Julgamento Universal, 1.2–3.8
- A. Julgamento de toda a terra, 1.2,3
- B. Julgamento de Judá, 1.4–2.3
  - 1. A causa – idolatria e apostasia, 1.4-7
  - 2. A extensão – inclui todos os ímpios de Jerusalém, 1.8-13
  - 3. A natureza – o grande dia do Senhor, 1.4-18
  - 4. O caminho do escape – buscar ao Senhor, 2.1-3
- C. Julgamento sobre as nações gentílicas, 2.4-15
  - 1. Filístia (a oeste), 2.4-7
  - 2. Moabe e Amom (a leste), 2.8-11
  - 3. Egito (governado pela dinastia da Etiópia, ao sul), 2.12
  - 4. Assíria (ao norte), 2.13-15
- D. Reafirmação do Julgamento de Jerusalém, 3.1-7
- E. O apelo final de Deus, 3.8

III. Promessa do gozo Milenial, 3.9-20
- A. A futura conversão dos gentios, 3.9,10
- B. A futura conversão de Israel, 3.11-13
- C. O hino de Sofonias a respeito da Salvação que o Senhor dará a Israel, 3.14-20

***Bibliografia.*** J. T. Carson, "Zephaniah" NBC, pp. 736-742. H. A. Hanke, "Zaphaniah", WBC, pp. 883-888. Theodore Laetsch, "Zephaniah", *The Minor Prophets*, St. Louis.

Concordia, 1956. E. A. Leslie, "Zephaniah, Book of" IDB, IV, 951-953. J. M. P. Smith, W. H. Ward, e J. A. Bewer, *et al., A. Critical and Exegetical Commentary on Micah, Zephaniah, Nahum, Habakkuk, Obadiah, and Joel,* ICC, Edinburgh. T. & T. Clark, 1951. Donald L. Williams, "The Date of Zephaniah", JBL, LXXXII (1963), 77-88.

C. L. F.

## SOFRIMENTO

### A Realidade do Sofrimento

Na Bíblia Sagrada, tanto o homem como toda a criação física são mencionados como sofredores. O homem sofre de calamidades físicas que resultam de alguma maldição – como tempestades, secas, calor, frio, guerras, escassez, doenças etc. – assim como dos efeitos de seus próprios pecados individuais.
A criação sofre, como nos ensina Paulo, da maldição que Deus colocou no mundo por causa do pecado do homem (Gn 3.14-19). Ele diz: "Porque a ardente expectação da criatura espera a manifestação dos filhos de Deus", e a "adoção, a saber, a redenção do nosso corpo" (Rm 8.19ss.).
Isso acontecerá quando os santos receberem o seu corpo ressuscitado por ocasião da vinda de Cristo para os seus no arrebatamento (Rm 8.18-23; 1 Ts 4.14-18; 1 Co 15.20-55). Isaías prenunciou o que isso significaria para a natureza, particularmente para os animais (Is 11.6-9; 65.25).

### Causas do Sofrimento

*Pecado.* O pecado trouxe incontáveis sofrimentos à humanidade, assim como a toda a criação. Quando o homem pecou, toda sua natureza tornou-se completamente corrupta, levando àqueles sofrimentos que atingem o homem como resultado de sua natureza pecaminosa (Rm 7.15ss.). Além disso, os pecados individuais levam a complexos de culpa (Sl 32; 51) e a dolorosos ataques de remorso revelados em vários Salmos (28; 32; 77), onde Davi descreve sua angústia e arrependimento. Muitos se deixam dominar pelo temor por causa de seus imperdoáveis pecados, e isso pode levar a conseqüências muito graves para a saúde do indivíduo na forma de doenças psicossomáticas, isto é, doenças físicas provocadas por dificuldades psicológicas e emocionais.
*A maldição.* Esta foi lançada por Deus contra a terra por causa do pecado do homem. Tudo que Deus havia feito era bom, como ficou provado pelo fato de que Ele reviu sua obra seis vezes e, em cada uma delas, considerou-a boa (Gn 1.4,10,12,18,21,25). O Senhor, então, colocou o homem sobre a terra e considerou que tudo era "muito bom" (Gn 1.31). A queda do homem trouxe enfermidades, corrupção e morte. Ela também levou a perturbações e desordens no reino animal, que aguardam sua eliminação por ocasião da segunda vinda de Cristo (Is 11.6-9; 65.25; Rm 8.18-23). O esforço e a lida enfadonha são as conseqüências da maldição que pesa sobre o homem e seu trabalho para obter o alimento e se vestir (Gn 3.18,19).
*Enfermidades.* Uma das coisas a ser removida quando o homem receber sua plena redenção será o sofrimento causado pelas enfermidades. Isso ocorrerá primeiramente com aqueles que receberem o corpo ressuscitado no arrebatamento, como foi revelado em 2 Coríntios 4.16–5.4; Filipenses 3.20,21; Romanos 8.18,23. Esta será a porção de todos os redimidos no novo céu e na nova terra (Ap 22.2; cf. Ez 47.12). *Veja* Enfermidades; Ressurreição.

### O Propósito de Deus ao Permitir o Sofrimento

*O sofrimento suportado pela criação.* De acordo com Romanos 8.18-23, Deus sujeitou a natureza à desgraça e ao sofrimento causados pela maldição "em esperança", isto é, como um meio para se alcançar um verdadeiro objetivo primeiramente no Milênio e, em seguida, no novo céu e na nova terra.
*O propósito direto de Deus para o homem.* O sofrimento pode ser uma advertência de que o homem está desobedecendo às leis estabelecidas por Deus. Tudo que o homem semear, ele colherá (Gl 6.7-9). Ao mesmo tempo, o homem pode colocar-se em uma posição de desafio e rebeldia para com as leis, assim como Israel fez tantas vezes (Hb 3.7-15). O sofrimento pode ser o resultado do castigo de Deus por causa do pecado do homem. Davi sofreu muito quando experimentou o castigo de Deus pelos seus pecados de adultério e homicídio, depois que tomou a esposa de Urias, o heteu, e mandou matá-lo (2 Sm 12.7-12). Israel sofreu junto com o seu rei quando Deus castigou Davi por causa de sua desobediência ao contar o povo (2 Sm 24.1-17; 1 Cr 21.8-17).
*Punição.* A punição faz parte do treinamento de um filho, particularmente de um filho de Deus. Todos os crentes a quem Deus ama devem sofrer punição e disciplina (Hb 12.5-11; cf. 1 Co 11.31,32; 1 Pe 4.16,17). *Veja* Punição.
*Para desenvolver o caráter.* Paulo diz: "A tribulação produz a paciência; e a paciência, a experiência; e a experiência, a esperança. E a esperança não traz confusão, porquanto o amor de Deus está derramado em nosso coração pelo Espírito Santo que nos foi dado" (Rm 5.3-5). Dessa forma, o sofrimento é enviado ao crente para o desenvolvimento de seu caráter. Muitas vezes pensamos apenas naquilo que podemos fazer pelo Senhor como seus servos e ganhadores de almas, e nos esquecemos daquilo que precisamos que Ele faça em nossa vida para desenvolver o nosso caráter. Portanto, o sofrimento é usado por Deus para desenvolver a fé, a humildade, a

paciência e outras virtudes. Deus reservou tarefas eternas para os seus redimidos, mas o crente pode participar delas desde que esteja suficientemente amadurecido em seu caráter através das punições e sofrimentos (Jó 23.10; Tg 1.2-12).

*O eterno valor do sofrimento.* Os sofrimentos de cada cristão fazem parte dos sofrimentos de Cristo (Fp 3.10. Cl 1.24; 1 Pe 4.13), pois cada um deles é parte de seu Corpo, isto é, da Igreja, que foi destinada a muitos sofrimentos. Esse sofrimento não tem o caráter de um sacrifício conciliatório, como se a cruz tivesse sido insuficiente, mas uma natureza purificadora e refinadora (1 Pe 1.7; 4.1; 5.10). Os sofrimentos de Cristo e dos cristãos não só glorificam a Deus no presente (1 Pe 1.7), mas também trazem ao Senhor uma glória eterna (1 Pe 1.11; Rm 8.17,18). O sofrimento paciente de uma dor injustamente infligida agrada a Deus (1 Pe 2.19,20).

**O Mistério do Sofrimento**

Embora as causas e o propósito do sofrimento tenham sido analisados, ainda existem muitos mistérios a esse respeito. Os sofrimentos, aos quais cada cristão está sujeito, representam um mistério para cada um no sentido de não conseguir entender porque foi escolhido para sofrer mais, ou de forma diferente dos outros. Às vezes, ele não consegue entender as imperfeições que Deus está procurando corrigir. Em outras ocasiões, ele não entende os objetivos que Deus está procurando fazer com que ele alcance na vida. Ninguém conhece as tarefas específicas para as quais o Senhor o está preparando, para a consecução de Sua Própria glória.

A experiência de Jó é um exemplo clássico. Seus amigos tentaram racionalizar seus sofrimentos e colocar a culpa sobre ele, mas isso não serviu como resposta. Finalmente, Jó enxergou a mão de Deus em cada detalhe na exposição de sua natureza fraca e pecaminosa (Jó 40.4) e submeteu-se à suprema autoridade e sabedoria de Deus, da mesma forma que Paulo: "Ó profundidade das riquezas, tanto da sabedoria, como da ciência de Deus! Quão insondáveis são os seus juízos, e quão inescrutáveis, os seus caminhos!" (Rm 11.33). No caso de Jó, a fé era a resposta, assim como aconteceu com Abraão e Paulo. À medida que Deus revelou-se a Jó, a fé de Jó foi crescendo a ponto dele exclamar: "Ainda que ele me mate, nele esperarei" (Jó 13.15, 16). Da mesma maneira, depois de anos de sofrimento, José pôde dizer a seus irmãos: "Deus o tornou em bem" (Gn 50.20). *Veja* Jó.

**Os Sofrimentos de Cristo**

A fim de ser um sacrifício suficiente para satisfazer a justiça divina, o Senhor Jesus Cristo precisava obedecer perfeitamente à lei de Deus em sua vida, ser "um que, como nós, em tudo foi tentado, mas, sem pecado" (Hb 4.15), passar por toda sorte de testes, oposições e rejeições para, finalmente, suportar cruéis açoites, agressões e zombarias em seu julgamento perante Caifás, Pôncio Pilatos e Herodes. Depois Ele precisou morrer a mais dolorosa das mortes ao ser pregado em uma cruz de madeira, sentindo seu corpo torturado pela dor, sua boca pela sede e sua alma pelos insultos e pela zombaria. No entanto, tudo isso tinha um propósito, pois sobre aquela cruz Ele carregava o castigo da lei que os homens haviam descumprido, e também os pecados de cada ser humano em seu próprio corpo. Portanto, Paulo podia escrever: "Àquele que não conheceu pecado, o fez pecado por nós; para que, nele, fôssemos feitos justiça de Deus" (2 Co 5.21). *Veja* Cristo, Paixão de; Cruz.

**Suportar a Cruz**

Esta expressão refere-se àquele sofrimento individual e particular que Cristo espera que cada crente possa suportar, à medida este morre para si mesmo e para os seus próprios desejos e vontades a fim de viver como Cristo deseja que ele viva. O Senhor Jesus disse: "Se alguém quer vir após mim, negue-se a si mesmo, e tome cada dia sua cruz, e siga-me" (Lc 9.23; cf. Mt 16.24). Isso deve ser feito diariamente, isto é, todas as vezes que a tentação de sucumbir venha à sua mente. O crente deve negar sua "carne", ou sua antiga natureza egoísta, e seguir o caminho que Cristo lhe ordenou com o seu sofrimento peculiar, que é o que dá uma forma especial àquela cruz. *Veja* Aflição; Agonia; Sofrimento; Tristeza; Tribulação.

***Bibliografia.*** William Goulooze, *Victory Over Suffering,* Grand Rapids. Baker, 1949; *Blessings of Suffering*, Baker, 1951. Hugh Evan Hopkins, *The Mystery of Suffering,* Chicago. Inter-Varsity, 1959. C. S. Lewis, *The Problem of Pain,* Nova York. Macmillan, 1947. W. Michaelis, *"Pascho etc.",* TDNT, V, 904-939. Roy Yates, "A Note on Colossians 1.24, "EQ, XLII (1970), 88-92. L. Paul Trudinger, "A Further Brief Note on Colossians 1.24", EQ, XLV (1973), 36-38. Rolf L. Veenstra, *The Secret of Suffering,* Grand Rapids, Eerdmans, 1948.

R. A. K.

**SOGRO** O pai hebreu (heb. *ham*, Gn 38.13, 25; 1 Sm 4.19,21) tinha autoridade sobre a esposa de seu filho (Gn 38.24), mas era proibido casar-se com ela (Lv 18.15). Jacó viveu por um extenso período (Gn 31.41) com o pai de suas esposas, como fez Moisés (heb. *hoten*, Êx 2.21; 3.1; 4.18; 18.1-27 etc.). Caifás cooperou com o seu sogro (gr. *pentheros*) Anás (Jo 18.13). *Veja* Casamento.

**SOL** Corpo celeste de luz que é o centro do sistema solar, em volta do qual a terra viaja e recebe energia sob a forma de luz e calor.

Guarda-sol do rei Tutancamom do Egito. LL

O sol foi criado por Deus (Gn 1.16) e é preservado e controlado por Ele (Jr 31.35; Sl 104.19). O nascer e o pôr-do-sol são os fenômenos naturais mais óbvios para a divisão do dia. Entre o nascer e o pôr-do-sol, os hebreus reconheciam pelo menos três períodos: o início da manhã, quando o sol ainda não estava quente (1 Sm 11.9; Ne 7.3); o calor do dia no final da manhã e início da tarde (Gn 18.1; 1 Sm 11.11; 2 Sm 4.5); e o frescor do dia (Gn 3.8). O crepúsculo (literalmente, "entre duas tardes") era o período que vinha depois do pôr-do-sol e antes da noite (Ez 12.6; cf. Dt 16.4,6). O sol também era usado para ler as horas nos relógios de sol (2 Rs 20.8-11; *veja* Relógio de Sol; Tempo).

O sol foi magnificamente retratado, em toda a sua celeste majestade, como habitante de uma tenda (Sl 19.4). Seu brilho era uma figura usada para descrever a divindade (Sl 84.11). "Os justos resplandecerão como o sol" (Mt 13.43) como a face do Senhor Jesus em sua transfiguração (Mt 17.2; cf. Ap 1.16). "Para vós que temeis o meu nome nascerá o sol da justiça e salvação trará debaixo das suas asas" (Ml 4.2), indicando o desejo de se ter um Messias para ajudar o povo, e ao mesmo tempo uma profecia de sua vinda.

O sol foi comparado a um homem forte que compete em uma corrida em torno de toda a terra (Sl 19.5,6). A expressão "debaixo do sol", que ocorre cerca de 30 vezes no livro de Eclesiastes, pode significar, figuradamente, que o sol é testemunha da conduta humana limitada a essa terra e ao sistema mundial. Por ser escaldante, o sol do meio dia era considerado um mal (Sl 91.6; 121.6; Is 49.10; Jo 4.8). A atividade da mancha solar pode estar envolvida no intenso calor de Apocalipse 16.8,9, mas o desaparecimento do sol também pode estar associado ao julgamento do pecado no dia do Senhor (Is 13.10). Os Evangelhos dizem que o sol escureceu no momento da crucificação de Jesus, quando Ele suportou o castigo pelos pecados da humanidade (Mt 27.45-56; Mc 15.33-41; Lc 23.44-49). *Veja* Eclipse. No estado eterno não haverá mais necessidade do sol, pois a glória de Deus e de Cristo foi declarada maior e mais duradoura do que a luz do sol (Ap 21.23-35; 22.5; cf. Is 24.23; 60.19,20; At 26.13).

Uma citação do Livro Perdido de Jasar (Js 10.12-15) diz que "o sol deteve-se" por ordem de Josué até os israelitas derrotarem seus inimigos que fugiam de Gibeão. Não se sabe como Deus interveio para fazer o sol deter-se "no meio do céu" (v. 13). Geralmente acredita-se que o propósito do milagre era prolongar a luz do dia a fim de permitir que Israel perseguisse os amorreus. Alguns pensam que a rotação da terra foi interrompida ou a luz do sol foi refratada. Outra interpretação considera o milagre como a interrupção do brilho normal do sol a fim de proporcionar alívio do seu calor – durante a estação seca do verão – às exaustas tropas israelitas que tinham marchado durante toda a noite desde Gilgal. O verbo "emudeceu" ou "se deteve" (heb. *damam*), em hebraico significa ficar calado, silencioso e sugere que Josué orou para que a "voz" do brilho do sol ficasse silenciosa (cf. Sl 19.2-6). A segunda ocorrência de "emudeceu" ou "se deteve" em Josué 10.13 (heb. *'amad*) também pode significar "parou". Josué orou ao nascer do sol e o Senhor respondeu enviando uma destruidora saraiva, extremamente rara nos meses de verão na Palestina (Js 10.11). Essa interpretação considera a passagem do Livro de Jasar (vv. 12-14) uma explicação da narrativa principal dos vv. 10,11 (veja NBC, p. 23l; WBC, pp. 217ss. *Veja* Bete-Horom; Josué, Livro de.

Como o sol era muito importante para Israel, não é de admirar que em certas ocasiões e sob a influência de seus vizinhos, os israelitas cometessem a apostasia de adorá-lo. Várias vilas e cidades tinham o nome do sol, como Bete-Semes ou "casa do sol" (Js 15.10), e En-Semes ou "nascer do sol" (Js 15.7; 18.17). Adorar o sol era proibido pela lei mosaica (Dt 4.19), mas existem alguns exemplos, como no caso de Manassés, rei de Judá, que adotou oficialmente essa prática (2 Rs 21.3) e encorajou o povo e os líderes que o acompanhavam a fazerem o mesmo. A expressão "imagens do sol", empregada em várias versões para traduzir a palavra hebraica *hammanim* (Lv 26.30; 2 Cr 14.5; 34.4,7 etc.) também poderia ser traduzida como "altares de incenso" (*veja* Altar). *Veja* Sol, Adoração ao.

A. W. W.

**SOL, ADORAÇÃO AO** Conhecido sob diferentes nomes no AT (*shemesh, heres, hamma*) e reconhecido na Antiguidade como uma das mais poderosas forças da natureza, o sol era adorado como um deus. Os babilônios e assírios consideravam-no uma divindade masculina chamada Shamash, que era o deus da justiça. Em ugarítico, o deus-sol tinha o nome de Shapshu. Os sacrifícios oferecidos a ele obedeciam textos rituais prescritos, e existem indicações de que era adorado nos telhados das casas (cf. Jr 19.13; Zc 1.5). No Egito, o sol era venerado sob o nome do deus Re em Heliópolis (que na Bíblia Sagrada tem o nome e Om). O sogro de José, Potífera ("dádiva de Re") era um sacerdote de Re em Om (Gn 41.45). O Faraó Akhenaton (aprox. 1367-1350 a.C.) tentou introduzir uma espécie de monoteísmo no Egito ao adorar como única divindade o Aton, o disco do sol, porém suas reformas só permaneceram enquanto ele estava vivo. Os heteus adoravam várias divindades do sol, masculinas e femininas, sendo que a mais importante delas era Istanu.
A popularidade do culto ao sol na Palestina pré-israelita pode ser conferida pelos nomes de algumas de suas cidades, como Bete-Semes ("casa do sol") e En-Semes ("nascer do sol"). Embora as leis de Deus proibissem tais práticas aos israelitas (Dt 4.19; 17.3; 2 Rs 23.5) alguns dedicavam-se a elas (Ez 8.15,16; Jó 31.26,27), inclusive Manassés, rei de Judá (2 Cr 33.3). Os cavalos e as bigas, que os reis de Judá haviam dedicado ao sol e colocado na porta do santuário, eram provavelmente modelos (comparáveis em propósito às barcas do sol do culto egípcio) representando o veículo com o qual acreditavam que ele iria atravessar o céu todos os dias. Modelos semelhantes de cavalos e bigas feitos em cerâmica, foram encontrados em níveis pré-israelitas em diversos locais da Palestina. O rei Josias, um homem temente e obediente ao Senhor, removeu e destruiu esses objetos de culto para que nenhum israelita fosse tentado a adorar um objeto criado ao invés do Criador (2 Rs 23.11; Rm 1.25).
Para conhecer um modelo desses objetos, feito em bronze e encontrado em um nível do século XII a.C. em Susã, que representava o culto à alvorada, veja VBW, II, 294. Nele podemos observar duas figuras masculinas despidas e ajoelhadas; uma está em posição de adoração com as mãos estendidas enquanto a outra segura uma bacia de água para purificação. A superfície dos modelos está coberta com altares, pilares rituais, árvores no formato da deusa semítica Aserá, um grande vaso de latão e bacias para libação.
*Veja* Sol.

H. A. Hof.

**SOL, RELÓGIO DE** *Veja* Relógio de Sol.

**SOLDA** Substância metálica usada pelos artesãos de ídolos para unir metais (Is 41.7).

**SOLDADO** *Veja* Exército; Mercenários; Guerra; Ocupações: Soldado.

**SOLEIRA DA PORTA, UMBRAL**
1. Do heb. *sap* (Ez 41.16), "soleira da porta" ou "umbral".
2. Do heb. *mashqop* (Êx 21.7), "ombreiras" como em Êxodo 12.22,23.
3. Do heb. *m^e zuza* (Êx 12.7,22,23; 21.26; Jz 16.3), geralmente apresentados como "coluna lateral", ou "batente da porta" em algumas versões como por exemplo na KJV em inglês. Foi ordenado que o sangue da Páscoa fosse colocado nas ombreiras e nas vergas das portas das casas dos israelitas (Êx 12.7), de forma que as palavras do Shema (Dt 6.4,5) fossem inscritas nos umbrais (Dt 6.9). A partir de um mandamento semelhante mencionado em Deuteronômio 11.20 alguns pensam que esta instrução deva ser entendida de modo figurativo. Mas os antigos egípcios escreviam em suas portas de entrada presságios favoráveis em nome de suas divindades pagãs. Sendo assim, pode ser que os israelitas tenham recebido ordens para mudar este costume, honrando ao seu Deus. Nos tempos antigos, os lares dos israelitas tinham, em diferentes quantidades, partes da lei entalhadas ou escritas nas colunas das portas, e fixadas à direita dos batentes delas em cada cômodo da casa. Os muçulmanos, em nossos dias, freqüentemente pintam frases do Alcorão sobre as suas portas de entrada.

J. R.

**SOMBRA[1]** O termo grego *episkiazo* refere-se basicamente a uma nuvem que lança uma sombra. É usado no NT com relação à som-

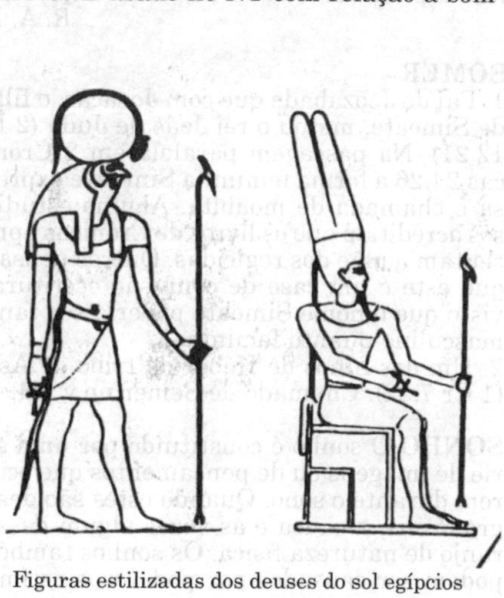

Figuras estilizadas dos deuses do sol egípcios

bra de um homem (At 5.15); também para expressar a presença da glória de Deus na transfiguração do Senhor Jesus Cristo (Mt 17.5; cf. Mc 9.7; Lc 9.34); e a presença e o poder do Espírito Santo na concepção virginal miraculosa (Lc 1.35).

**SOMBRA²** O termo heb. *sel*, "sombra, escuridão", e o termo gr. *skia* são Utilizados literalmente, figurativamente e teologicamente nas Escrituras. A palavra é usada literalmente para se referir à sombra de uma árvore (Dn 4.12; Os 4.13; Mc 4.32), a uma planta (Jn 4.5,6), a uma montanha (Jz 9.36), a um relógio de sol (2 Rs 20.9-11; Is 38.8), a uma pessoa (At 5.15), e a uma cabana (Jn 4.5).

A palavra é usada de forma figurada em relação à brevidade da vida (1 Cr 29.15; Jó 8.9; 14.2; 17.7; Sl 102.11; 109.23; 144.4; Ec 8.13), à proteção de Deus (Sl 17.8; 36.7; 57.1; 91.1; 121.5; Is 4.6; 25.4; 49.2), ao maligno (Is 30.3; Jr 48.45), às bênçãos do Messias (Is 4.6; 32.2; 51.16), à fraqueza e à morte física (Jó 14.2; 17.7), à morte espiritual (Mt 4.16; Lc 1.79). O termo heb. *salmawet*, traduzido 18 vezes como "sombra da morte" na versão KJV em inglês, significa mais exatamente escuridão total, profunda ou espessa. A tradução da versão KJV só é conservada pela versão RSV (também em inglês) no conhecido Salmo 23.4. O termo implica em intensa escuridão, quer literal (Jó 28.3; Am 5.8) ou figurada. As idéias de aflição e angústia (Sl 44.19; 107.10,14), solidão e privação (Jr 2.6), e morte espiritual (Is 9.2) estão implícitas nesta expressão.

Ela é usada teologicamente em relação à imutabilidade de Deus (Tg 1.17), e às tipificações do AT de algo que era temporário e preparatório para a revelação do NT em Cristo (Cl 2.17; Hb 8.5; 10.1). Os ritos e cerimônias no AT apontavam para a realidade do NT, e grande parte é explicada de forma plena no livro de Hebreus. *Veja* Tipo.

R. A. K.

**SOMER**

1. Pai de Jeozabade que com Jozacar, o filho de Simeate, matou o rei Joás de Judá (2 Rs 12.21). Na passagem paralela em 2 Crônicas 24.26 a forma feminina Sinrite é expressa e chamada de moabita. Alguns estudiosos acreditam que os livros de Crônicas apresentam a mãe dos regicidas. Outros pensam que este é um caso de confusão escritural, visto que o nome Simeate poderia ser tanto masculino quanto feminino.
2. Um dos filhos de Héber da tribo de Aser (1 Cr 7.32). Chamado de Semer no v. 34.

**SONHO** O sonho é constituído por uma série de imagens ou de pensamentos que ocorrem durante o sono. Quando estes são desagradáveis, a causa é às vezes algum desarranjo de natureza física. Os sonhos também podem ser causados por poderosos estímulos, emoções ou sugestões que podem ser agradáveis ou desagradáveis. Estes não precisam ser causados por uma ocorrência recente, mas podem permanecer no subconsciente por um longo período, e mesmo que aparentemente pareçam ter sido esquecidos pelo indivíduo, podem tornar-se sonhos perturbadores. Psicólogos e psiquiatras estão sempre interessados nos sonhos de seus pacientes, à espera de encontrar uma pista para os problemas de sua personalidade.

Os sonhos e o ministério profético na Bíblia Sagrada parecem ter sido associados de forma muito próxima, embora o sonho não fosse sempre considerado como vindo de Deus e como prova de que Ele falou (veja Dt 13.1-3,5). Em algumas ocasiões, Deus comunicou sua vontade através de sonhos. Ele falou a Abimeleque e o proibiu de tomar Sara como esposa (Gn 20.1-7). Ele falou a Jacó em Betel e confirmou a promessa da aliança (Gn 28.12-15). Em Harã, Ele apareceu a Jacó e lhe disse para retornar à sua terra (Gn 31.10-13). Quando José estava no Egito, ele interpretou os sonhos que o Faraó teve com o gado gordo e com o gado magro (Gn 41.1-9). Gideão ouviu um soldado midianita contar a outro homem o sonho que teve com um pão de cevada que rodava no acampamento de Midiã e feria suas tendas. Quando Gideão ouviu a interpretação, ele adorou a Deus e retornou ao acampamento de Israel para levar o seu povo à grande vitória (Jz 7.9-15). Daniel interpretou dois dos sonhos de Nabucodonosor; o da grande estátua (Dn 2) e o da árvore (Dn 4.1-28). Daniel teve um sonho com quatro grandes animais (Dn 7.1-14) e uma visão de um carneiro e de um bode (Dn 8.1-14).

Há seis referências aos sonhos no Novo Testamento. Quatro delas provém de José, esposo de Maria. O anjo do Senhor apareceu a ele antes do nascimento de Jesus e disse que tomasse Maria como sua esposa (Mt 1.20,21). Após o nascimento de Jesus, os sábios foram avisados por Deus a voltarem para o seu país por um outro caminho (Mt 2.12). Da mesma forma, José foi advertido a fugir para o Egito a fim de escapar da ira de Herodes (Mt 2.13), e após a morte de Herodes foi-lhe dito que retornasse a Israel, enquanto em um outro sonho, foi-lhe pedido que se dirigisse à Galiléia (Mt 2.19-22). A esposa de Pilatos ficou incomodada com um sonho relativo à inocência de Jesus (Mt 27.19).

É motivo de muitos debates o fato de Deus comunicar-se direta ou indiretamente por meio de sonhos em nossos dias, embora isto não seja impossível. Há uma citação proferida por Pedro em sua explicação sobre o Pentecostes, na qual ele diz: "Os vossos jovens terão visões, e os vossos velhos sonharão sonhos" (At 2.17). Alguns entendem que isto pode referir-se aos "tipos de influência espiritual extraordinária, e não às formas precisas pelas quais a promessa seria cumprida". Deus nos deu sua revelação escrita (a Bíblia Sagrada) e o seu Espírito para nos instruir e guiar em toda verdade, de forma que os sonhos já não são absolutamente necessários hoje em dia. Nas epístolas observamos a falta de referências aos sonhos. *Veja também* Visão.

***Bibliografia.*** Albrecht Oepke, "*Onar*", TDNT, V, 220-238. Richard L. Ruble, "The Doctrine of Dreams", BS, CXXV (1968), 360-364.

R. H. B.

**SOPA** *Veja* Alimentos; Plantas: Lentilha.

**SÓPATRO** Um homem de Beréia, filho de Pirro, um daqueles que acompanhavam Paulo em sua última viagem missionária (At 20.4). É provavelmente a mesma pessoa chamada de Sosípatro em Romanos 16.21, que juntamente com Paulo enviou saudações aos romanos.

**SOREQUE** Um vale agrícola fértil a oeste de Jerusalém. O seu nome também pode ter sido associado à vila conhecida por Jerônimo como Kephar ou Capharsorech perto da antiga cidade de Zorá, que era a terra de Sansão (Jz 13.2ss.). Foi nesse vale que Sansão encontrou duas das filhas dos filisteus que ele amou, uma em Timna (Jz 14.1) e Dalila no "vale de Soreque" (Jz 16.4).

Indo de Jerusalém para o sudoeste, percebe-se os cursos d'água convergentes que começam a formar uma ravina e logo um vale. Esse curso d'água chega ao norte na altura de Betel e ao sul até Belém; o vale é irregular em seu curso, mas a direção geral é noroeste, abrindo caminho pela planície de Sarom e desaguando no Mediterrâneo a cerca de 16 quilômetros ao sul de Jope (a moderna Tel-Aviv). A ferrovia construída em 1889 de Jerusalém a Jope segue o vale até que ele atinja a planície de Sarom.

J. W. C.

**SORTE** As palavras "parcela", "herança" (*q.v.*), "porção" (*q.v.*) e "sorte" são usadas com relação a terra e, conseqüentemente, à posição de alguém na vida.

O texto em Josué 13–19 descreve a parte que coube a cada uma das tribos israelitas em Canaã, depois da conquista. Rúben, Gade e a meia tribo de Manassés estabeleceram-se a leste do Jordão, mas às outras nove tribos e meia foi atribuída uma terra a oeste do Jordão e do mar Morto (cf. Nm 32; 33.54; 34.13). Como a terra prometida pertencia ao Senhor, Ele tinha o direito de distribuí-la segundo sua vontade. Eleazar, sacerdote em Siló, e Josué, o sucessor de Moisés, em cooperação com os líderes das tribos (Js 14.1,2; 19.51) compreenderam a vontade de Deus e revelaram ao povo sua herança tribal. Os meios para a determinação da parte que cabia a cada tribo não são especificados. Pode ter sido por meio do uso de Urim e Turim, duas pedras que ficavam no peitoral do éfode do sumo sacerdote (Êx 28.28-30).

A terra de Canaã é descrita como a "sorte dos justos" (Sl 125.3). A tribo de Levi não tinha uma herança territorial, mas foram fundadas cidades levitas entre as tribos (Js 21).

**SORTES** Lançar sortes era um método amplamente utilizado para se chegar a uma decisão no mundo antigo e, especialmente entre os judeus, para se conhecer a vontade de Deus. A natureza exata dos objetos lançados é incerta, embora provavelmente se tratasse de algum tipo de pedra marcada. Uma decisão importante foi tomada na Pérsia através deste método (Et 3.7), e os soldados romanos lançaram sortes sobre as vestes de Jesus no local da crucificação (Mt 27.35). Em Israel, as sortes foram lançadas para se decidir sobre a escolha de bodes no Dia da Expiação (Lv 16.7-10), e para dividir o território depois da conquista de Canaã (Nm 26.55ss.; Js 14.2; 18.8; 19). Jonas, na condição de culpado, foi descoberto através deste método (Jn 1.7). Saul, o primeiro rei de Israel, foi escolhido desse modo (1 Sm 10.21,22). Sob o reinado de Davi, quando a ministração foi organizada, os deveres no Templo foram atribuídos através da utilização desse método (1 Cr 24.5 *et al.*).

Aparentemente o Urim e o Tumim eram objetos sagrados colocados dentro da bolsa chamada éfode (*q.v.*), que era ligada ao peitoral do sumo sacerdote (Êx 28.30). Josué deveria ser guiado por este método em seus julgamentos (Nm 27.21). O éfode foi levado a Davi para que ele pudesse obter respostas para as suas perguntas quando estava fugindo de Saul no deserto (1 Sm 23.9-12). Evidentemente, a sorte indicava simplesmente um sim ou um não como resposta. O Urim e o Tumim eram usados para lançar sortes, e foram usados para decidir entre Saul e Jônatas (1 Sm 14.41ss.). Às vezes o Senhor não dava uma resposta, mesmo quando o Urim era usado (1 Sm 28.6).

Os discípulos lançaram sortes para decidir sobre o sucessor de Judas, e a escolha recaiu sobre Matias (At 1.26). Não há registro de nenhuma outra ocasião em que este método tenha sido utilizado no NT. Parece que, depois do Pentecostes, a Igreja passou a confiar no Espírito Santo para conduzi-la em meio às decisões e situações da vida.

***Bibliografia.*** W. Foerster, "*Kleros* etc.", TDNT, III, 758-766.

N. B. B.

**SOSANIM, SOSANIM-EDUTE** Os termos Sosanim nos Salmos 45 e 69, e Sosanim-Edute no Salmo 80, provavelmente se referem às melodias de acordo com as quais os Salmos deveriam ser cantados, embora agora estas melodias estejam perdidas.

**SOSÍPATRO** Um companheiro de viagem de Paulo, que enviou saudações aos cristãos em Roma (Rm 16.21). *Veja* Sópatro.

**SÓSTENES** Um nome que aparece duas vezes no Novo Testamento. O homem de Atos 18.17 era o principal da sinagoga em Corinto quando Gálio era o procônsul da Acaia. Ele pode ter se convertido ao cristianismo por meio da pregação de Paulo, como aconteceu com o seu predecessor, Crispo (At 18.8). Se isso realmente aconteceu, ele sofreu rapidamente pela sua fé, pois, quando os problemas apareceram, Sóstenes foi ferido diante do tribunal de Gálio, que deixou de interferir. É possível que ele não tenha se tornado cristão nessa época, no entanto, e que tenha sido ferido por ter sido um judeu que criava problemas em Corinto. Parece estranho que Paulo não tenha sido ferido também. A palavra "gregos" é omitida em Atos 18.17.

Se o texto em 1 Coríntios 1.1 faz referência ao mesmo homem, Sóstenes permaneceu (ou tornou-se) um crente firme; após alguns anos, quando Paulo escreveu sua primeira carta aos Coríntios, Sóstenes não somente estava com Paulo, mas o apóstolo colocou o nome de Sóstenes junto com o seu em sua saudação à Igreja de Corinto. Não se deve entender que Paulo queria dizer que ele e Sóstenes tiveram inspiração conjunta para escrever a epístola, mas sim uma indicação da estatura espiritual de Sóstenes como um companheiro de viagem de Paulo.

J. A. S.

**SOTAI** Um dos homens que retornaram da Babilônia com Zorobabel, e que foi classificado como um dos "servos de Salomão" (Ed 2.55; Ne 7.57).

**SÓTÃO** Em 1 Reis 17.19 essa palavra foi traduzida como "quarto de cima" em algumas versões, ou "quarto superior" em outras. A palavra sótão refere-se a um pequeno quarto construído no telhado plano de uma casa Palestina. Era um aposento permanente quando comparado às tendas (2 Sm 16.22) ou cabanas (Ne 8.16) que podiam ser construídas temporariamente sobre um telhado. O sótão ou "terceiro andar" de Atos 20.9 refere-se ao andar superior de um edifício.

**SOTERIOLOGIA** Doutrina da salvação, como revelada na Bíblia e formulada por um estudo indutivo das Escrituras. Três teorias da salvação são particularmente importantes: a idealista, a governamental e a da autoridade total, uma vez que distinguem os teólogos liberais e os neo-ortodoxos dos teólogos ortodoxos.

### Visão Idealista da Expiação

Esta visão foi classificada como realista por Hodge e pelos teólogos mais velhos que usaram os termos "realista" e "idealista" no sentido platônico – que é exatamente o oposto do nosso uso filosófico comum. Segundo esta visão, que foi apoiada na sua totalidade por Schleiermacher, mas somente parcialmente por Barth e Brunner, Adão tomou parte de uma forma transtemporal eterna da humanidade ideal ou humanidade genérica; isto é, de uma humanidade que existia no paraíso antes da criação do homem. Quando Adão pecou e caiu, contaminou não apenas a si mesmo, mas, ao grupo comum desta humanidade ideal. Cristo também fez parte desse grupo contaminado ao tornar-se homem, e veio a terra como um pecador entre pecadores ou "um na série de pecadores" (Barth). Mas Ele superou o pecado e ao fazer isso purificou tanto a si mesmo quanto a todos aqueles que foram afetados naquele grupo. Esta visão é claramente contrária às Escrituras.

1. Ela classifica Cristo como um pecador entre pecadores, ao passo que a Bíblia afirma que Ele era "santo, inocente, imaculado, separado dos pecadores" (Hb 7.26). Cristo desafiou os homens a apontarem qualquer pecado nele (Jo 8.46). Ele era o Cordeiro de Deus que tira o pecado do mundo (Jo 1.29). Como um tipo de Cristo, o cordeiro do sacrifício deveria ser puro e sem defeitos, porque o Senhor era assim.
2. Se Cristo fosse um pecador entre pecadores, "um na série de pecadores" (Barth), então isso tornaria necessário que Ele primeiramente fizesse a expiação pelos seus próprios pecados, antes que pudesse fazer a expiação pelos pecados dos demais.
3. Esta teoria leva ao Universalismo, ou seja, à salvação de todos os homens, e isto contradiz diretamente os ensinos da Bíblia Sagrada, e de Cristo em particular, de que os perdidos sofrerão o tormento eterno (Mt 25.41,46; Ap 20.14,15).

Foram feitas diversas tentativas de trabalhar uma vez mais essa teoria, e dessa forma superar as suas falhas. William G. Shedd em sua obra *Dogmatic Theology* tentou ajustá-la a outra visão ortodoxa de sua autoria. Shedd disse que Adão era de uma humanidade não diferenciada, e quando ele pecou toda a humanidade como conseqüência, pecou com ele. Cada indivíduo descendente de Adão, sendo uma diferenciação de Adão, como se ele fosse uma parte de uma laranja, portanto, participou do pecado de Adão. Cristo, ao tornar-se homem, tinha em sua natureza humana também uma diferenciação de Adão e, portanto, veio como um pecador entre pecadores, mas Ele era diferente, segundo Shedd. Sua morte expiatória foi aplicada por *prolepsis*, ou seja, pela sua aplicação antes que acontecesse, ao pecado de Adão, assumido por Cristo. Esta visão é tão insatisfatória quanto a de Schleiermacher, porque participa dos mesmos riscos do Universalismo de classificar Cristo como um pecador. O seu único mérito é o de reconhecer a dificuldade de Cristo assumir uma natureza pecaminosa e caída.

Uma síntese pode ser feita entre Schleiermacher e Kierkegaard. Karl Barth, junto com Emil Brunner, faz uma síntese entre uma visão da solidariedade da raça humana no pecado de Adão (Kierkegaard) e a humanidade genérica. Adão foi simplesmente o primeiro da sua classe a pecar, e cada homem individualmente repete o seu pecado e cai. Brunner diz, "Cada um de nós é um 'Adão', assim como todos nós juntos somos Adão" (*Man in Revolt*, p. 149). Cristo tornou-se o rejeitado e o eleito, Aquele a quem o Pai disse não e depois disse sim, e em quem Ele disse a mesma coisa para todos os homens no "eterno Agora" de Deus (Barth). Em Cristo, todo homem foi justificado, então, da eternidade passada, e foi redimido quer tenha fé quer não. Portanto, Barth pode afirmar que todo homem que permaneça sem fé existe na "possibilidade impossível do pecado" e na "possibilidade impossível da falta de fé". Em Cristo, como Deus o vê unido a Cristo, ele não pode deixar ter fé ou pecar; mas em si mesmo o homem não tem fé e é um pecador.

A visão de Barth deve ser rejeitada pelas seguintes razões:

1. Ela tem uma visão defeituosa do pecado e da queda do homem. Adão torna-se somente um tipo de todos os homens e não o representante da raça humana, como é claramente afirmado em Romanos 5.12 e em 1 Coríntios 15.22. Todo homem é realmente a causa da sua própria queda. Isto contradiz o paralelo entre o que Adão fez e como isso afetou a raça humana, e o que Cristo fez, como está escrito em Romanos 5.12ss.
2. Ela substitui a simples idéia da morte de Cristo na cruz, como existia na mente de Deus na eternidade passada, pelo fato histórico ocorrido no Calvário. A própria cruz torna-se somente uma sombra, um *epiphenomenon* como Barth a chama, do que Deus planejava na eternidade passada. Neste ponto Barth adotou o puro idealismo com o seu problema adicional de ser incapaz de distinguir entre os contos de fadas e fantasias e meras idéias, de um lado, e os fatos e a história, do outro.
3. Cristo é chamado "um na série de pecadores" e torna-se um pecador entre outros pecadores em sua encarnação. Barth nem mesmo tenta superar esta dificuldade, como Shedd fez. Cristo não pôde oferecer a si mesmo como o puro Filho de Deus sobre quem todos os pecados do mundo foram colocados quando Ele ofereceu-se em sacrifício.
4. Barth termina em uma *apokatastasia*, ou restauração e salvação de todos os homens. Mas isto contradiz os claros ensinos de Cristo e da Bíblia. A teoria hifenizada de Barth da salvação do homem por Deus fracassa tanto quanto a solidariedade prova não ser parte das Escrituras, e tanto quanto a humanidade genérica fracassa.

### A Teoria Governamental

Esta é uma visão elaborada por Hugo Grotius, de acordo com a qual o caráter de Deus como um governador moral que age a favor do melhor interesse dos seus súditos é tão enfatizada, que a absoluta santidade e justiça de Deus ficam obscurecidas e perdidas. Tudo o que é visto como necessário com respeito ao pecado, é que a justiça pública deve ser feita por Deus e que a dignidade das suas leis absolve de uma maneira exterior e visível. A morte de Cristo é vista como um pagamento aceitável de uma dívida ao invés de um verdadeiro sacrifício para satisfazer à justiça divina (Is 53.11). É somente uma demonstração das terríveis conseqüências do pecado. Deus perdoa o pecado por causa do seu amor, sem conexão com uma justificativa lógica ou uma verdadeira satisfação.

Esta visão foi aceita por muitos protestantes e por Jonathan Edwards Jr. Charles Finney também apoiava substancialmente a mesma visão, assim como muitos Arminianos. Ela nega qualquer razão ontológica para a morte de Cristo, pois a morte de qualquer outra pessoa teria tido o mesmo valor se os homens tivessem sido convencidos das conseqüências do pecado.

### A Visão da Autoridade Total

Esta é a visão ortodoxa e bíblica. Adão e Eva eram os primeiros da raça humana, e todos os homens descendem deles. Adão agiu como o representante e a autoridade total da raça que viria a seguir. Para cada um dos descendentes, o pecado de Adão é diretamente imputado por Deus, porque todos são vistos como pecando nele (Rm 5.12).

Cristo, como o segundo Adão, assumiu uma verdadeira natureza humana; mas nenhum pecado lhe foi imputado uma vez que Ele não tinha um pai humano, tendo sido "concebido pelo Espírito Santo" (conforme o Credo dos Apóstolos). Ele foi "nascido de mulher, nascido sob a lei, para remir os que estavam debaixo da lei" (Gl 4.4). Ele veio ao mundo por meio de uma virgem, nasceu livre de todos os pecados, de modo que Ele, como o homem perfeito, pode em primeiro lugar cumprir perfeitamente a lei de Deus e então morrer sob o castigo da lei infringida pelo homem, carregando os nossos pecados em seu próprio corpo na cruz. Ele agiu como um representante de todos aqueles que escolheram aceitá-lo como o seu Salvador pessoal. Embora o pecado de Adão seja imputado diretamente a toda a sua posteridade, a justiça de Cristo é imputada somente àqueles que individualmente decidem aceitá-lo como o seu sacrifício substituto e redentor. *Veja* Salvação.

***Bibliografia.*** Karl Barth, *Church Dogmatics,* Edinburgh. T. and T. Clark, 1956, IV, 1. Emil Brunner, *Man in Revolt,* Londres. Lutterworth Press, 1947. J. Oliver Buswell, Jr., *A Systematic Theology of the Christian Religion,* Grand Rapids. Zondervan, 1963, II, 70ss. Charles Hodge, *Systematic Theology*, Grand Rapids. Eerdmans, 1952, II, 51ss., 469ss.

R. A. K.

**SOVELA** Um instrumento fino e afiado mencionado na Bíblia somente em conexão com a perfuração da orelha de um escravo hebreu que, por amor, fazia voluntariamente um voto de escravidão perpétua (Êx 21.6; Dt 15.17). Muitos tipos de sovelas, feitas de ossos, madeira, pederneira ou metais, foram desenterrados no Oriente Próximo desde períodos bastante antigos.

**STOA** *Veja* Pórtico.

**SUA**
1. Um cananita de Adulão, pai da esposa de Judá (Gn 38.2,12; 1 Cr 2.3). A tradução deste nome como "Sua" em Gênesis 38.2,12 tem sido discutida por alguns estudiosos. Em 1 Crônicas 2.3 onde algumas versões apresentam a expressão "filha de Sua, a cananéia", outras versões tratam a palavra como um nome próprio, "Bate-Sua".

**SUÁ[1]** Esse nome significa "riqueza" ou "distinção" e refere-se a um dos descendentes de Aser (1 Cr 7.36).

**SUÁ[2]**
1. Um filho de Abraão e Quetura (Gn 25.2; 1 Cr 1.32), evidentemente progenitor dos suítas (*q.v.*), a cuja tribo Bildade, o suíta, pertencia (veja Jó 2.11).
2. Pai da esposa de Judá, porém alguns estudiosos reivindicam que a tradução mais correta é "Sua" em Gênesis 38.2,12.
3. Um irmão (ou filho) de Quelube, um dos descendentes de Judá (1 Cr 4.11).
4. A filha de Héber, um aserita (1 Cr 7.32).

**SUAL**
1. O terceiro dentre os onze filhos de Zofa, um aserita (1 Cr 7.36).
2. A "terra de Sual" (1 Sm 13.17) era uma região perto de Ofra, para onde se dirigiu a primeira dentre três tropas de saqueadores filisteus de Micmás. Embora esta região não tenha sido definitivamente identificada, é possível que ela ficasse ao norte de Micmás, nas redondezas de Betel em Benjamim.

**SUAMITA** Os suamitas eram os descendentes de Suão da tribo de Dã (Nm 26.42,43). Este é o único clã danita citado nesta genealogia danita. Ele tinha 64.400 pessoas quando os israelitas entraram em Canaã.

**SUÃO** Um descendente de Dã, cabeça da família dos suamitas (Nm 26.42); chamado de "Husim" em Gênesis 46.23.

**SUBAEL**
1. Um levita, descendente de Anrão e de Moisés (1 Cr 24.20). É chamado de "Sebuel" em 1 Crônicas 23.16 e 26.24.
2. Um levita, filho de Hemã, um dos líderes do departamento de música no Templo durante a época de Davi (1 Cr 25.20); chamado "Sebuel" em 1 Crônicas 25.4.

**SUBORNO, SUBORNAR** A palavra grega *shohad* significa um presente, mas no sentido corrupto, um suborno. A lei hebraica condenava dar ou receber presentes ou subornos com a finalidade de perverter a justiça (Êx 23.8) São feitas muitas referências ao seu uso para corromper juízes e governantes (Jó 15.34; 1 Sm 8.3; Sl 26.10; Is 33.15; Ez 22.12). Com o mesmo sentido é usada a palavra *koper* em 1 Samuel 12.3 e Amós 5.12. Essa palavra hebraica também é usada com respeito ao dinheiro da expiação ou do resgate e, na última passagem, ela implica em um pagamento a título de indenização pelo assassinato de um homem, para que, dessa forma, o rico que foi responsável por tal morte possa ficar em liberdade.

**SUBSTITUIÇÃO** *Veja* Expiação; Reconciliação; Salvação.

**SUCATITAS** Uma das três famílias que residiam em Jabez, descendentes de Calebe (1 Cr 2.55).

**SUCOTE** Como substantivo comum, essa palavra corresponde ao plural da palavra hebraica *sukka*, "moita", "tenda", e é freqüentemente utilizada em uma referência a abrigos temporários para homens ou animais. Ela aparece no nome da Festa da Colheita, Festa das Cabanas (Tabernáculos), que também celebrava a peregrinação pelo deserto por ocasião do Êxodo, durante a qual os israelitas viveram em estruturas semelhantes (veja Lv 23.33ss; especialmente os vv. 42,43; Dt 16.13ss.).
1. Sucote é mencionado como um local na Transjordânia. Em Gênesis 33.17, a origem desse nome foi explicada quando Jacó construiu abrigos para o seu gado ao retornar a Canaã vindo de Arã-Naaraim, na Mesopotâmia.
Na divisão das tribos, a cidade de Sucote foi destinada à tribo de Gade (Js 13.27). Durante o período dos Juízes, essa cidade foi severamente castigada por Gideão porque o povo recusou-se a ajudá-lo em sua perse-

guição aos derrotados midianitas (Jz 8.5-7,13-16). Na época da construção do Templo de Salomão, as decorações de bronze e os utensílios para o serviço eram fundidos "na planície do Jordão... em terra barrenta, entre Sucote e Sartã" (1 Rs 7.46; 2 Cr 4.17). O termo "vale de Sucote" foi usado em Salmos 60.6 e 108.7.
A cidade de Sucote, na Transjordânia, é geralmente identificada com Tell Deir 'Allâ, cerca de um quilômetro e meio ao norte do rio Jaboque (Nahr ez-Zerqa) e, certamente, ela deve ser de fato este local. Tell Deir 'Allâ, é a maior e a mais proeminente elevação do vale de Sucote. Escavações feitas nesse local por H. J. Franken, no período 1960-64, não revelaram uma cidade fortificada, mas um santuário do final da Idade do Bronze, cercado por moradias e armazéns.

***Bibliografia.*** H. J. Franken, "The Excavations at Deir 'Alla in Jordan", VT, X (1960), 386-393; VT, XI (1961), 361-372; VT, XII (1962), 378-382; VT, XIV (1964), 377-379, 417-422; *Excavations at Deir 'Alla I. A Stratigraphical and Analytical Study of the Early Iron Age Pottery*, Leiden. Brill, 1969.

2. O nome Sucote é mencionado como o primeiro local de parada no itinerário do Êxodo. Sua localização deve ser a região nordeste do delta egípcio (Êx 12.37; 13.20; Nm 33.5,6), a uma pequena distância da cidade de Ramessés. O local chamado Tell el-Maskhutah, no Uádi Tumeilat, foi proposto como sendo essa parada. J. Simons afirma que o nome Sucote indica apenas um acampamento temporário, e por esta razão não deve ser identificado como um assentamento permanente nessa área (*Geographical and Topographical Texts of the OT*, pp. 246-247). *Veja* Êxodo, O: A Rota.

C. E. D.

**SUCOTE-BENOTE** *Veja* Falsos deuses.

**SUFA** Área onde está localizada Vaebe, provavelmente Moabe (Nm 21.14). Esse termo não deve ser comparado com o mar Vermelho.

**SUFÃ** Filho de Benjamim e progenitor da "família dos sufamitas" (Nm 26.39, algumas versões trazem o termo "Sefufã"). É evidentemente o próprio Sefufã mencionado em 1 Crônicas 8.5. Nesta última referência, Sefufã é mencionado como filho de Belá e, portanto, neto de Benjamim.

**SUFAMITA** Os sufamitas eram os descendentes de Sufã (ou Sefufã) que foi filho ou neto de Benjamim (Nm 26.39; 1 Cr 8.5).

**SUFE** Local "além do Jordão" onde Moisés dirigiu-se aos israelitas antes de entrarem na terra (Dt 1.1), porém sua localização exata é desconhecida. A versão KJV em inglês utiliza o mar Vermelho em lugar de Sufe.

**SUICÍDIO** Ato voluntário e intencional de se matar. Embora não exista nenhuma lei específica registrada na Bíblia contra o suicídio, essa proibição deve ser entendida como uma expansão e uma extensão do mandamento que diz: "Não matarás" (Êx 20.13). A maneira como o Senhor Jesus Cristo desenvolve a aplicação de vários mandamentos em Mateus 5, representa uma comprovação desse conceito.
Embora o suicídio fosse considerado por muitos pagãos, romanos e alguns filósofos gregos (até Sócrates providenciou sua própria morte ingerindo intencionalmente uma certa dose de cicuta) como um ato nobre em um momento de adversidade, os israelitas e os primeiros cristãos acreditavam que tirar a própria vida era uma atitude totalmente errada.
Existem pelo menos dois exemplos notáveis de suicídio na Bíblia Sagrada. Saul (1 Sm 31.4) e Judas (Mt 27.5; At 1.16-20) e, nos dois casos, eles foram levados a esse ato de autodestruição pelo remorso em relação àquilo que praticaram. A crescente incidência de suicídios no mundo tem se constituído um grave problema da atualidade.

R. A. K.

**SUÍNO** *Veja* Animais: Porco I.13.

**SUÍTA** Um descendente de Suá, filho de Abraão e Quetura (Gn 25.2; 1 Cr 1.32), um termo que só é aplicado a Bildade, um amigo de Jó (Jó 2.11; 8.1; 18.1; 25.1) que teria sido um membro desta tribo árabe. Se os suítas forem igualados ao povo que os assírios e babilônios conheciam como *Suhu* (ANET, pp. 275, 304, 482), eles devem ser localizados no norte da Síria, perto do Eufrates, abaixo da foz do rio Khabur. Isto deve fornecer alguma pista quanto ao local onde se passou a história de Jó, ou ao menos quanto à extensão da área da qual os amigos de Jó vieram para visitá-lo.

**SUL** *Veja* Neguebe.

**SULAMITA** Um título usado para designar a jovem que figura de forma proeminente em Cantares de Salomão (Ct 6.13). É amplamente considerado o equivalente de "sunamita", uma mulher da cidade de Suném. Salomão pode ter usado o termo porque lindas mulheres vieram daquela cidade (cf. 1 Rs 1.3). Também é possível que "sulamita" seja a forma feminina de "Salomão" e designe a noiva em seu papel honorário como princesa, companheira do noivo como rei. *Veja* Sunamita.

**SULCO** Uma incisão rasa feita por um arado (*q.v.*). Três palavras heb. diferentes são

Vasos de ouro de Ur, de aprox. 2500 a.C. BM

traduzidas como "sulco:" (1) *telem*, "rego, sulco" (Jó 31.38; 39.10; Os 10.4; 12.11); (2) *gᵉdud*, "corte, talho" (Sl 65.10); (3) *ma'anah* (Sl 129.3), uso figurativo de "sulco". As versões ASV e RSV em inglês traduzem assim 1 Samuel 14.4, "meio sulco de terra".
Duas outras palavras heb. são traduzidas como "sulco" na versão KJV em inglês: *'onah* (Os 10.10), que é provavelmente melhor entendida como "transgressões" e "iniqüidade"; e *'arugah* (Ez 17.7,10), que significa "leito" ou "cova".

**SUMATEUS** Uma família calebita de Quiriate-Jearim; são os descendentes de Sobal, filho de Hur (1 Cr 2.53).

**SUMÉRIA** É a nação mais antiga conhecida da Mesopotâmia (*q.v.*), situada na região sul da Babilônia (*q.v.*), na metade sul do moderno Iraque. O reino posterior de Acade estava situado a noroeste. A Suméria é mencionada apenas indiretamente na Bíblia; Sinar (*q.v.*), em Gênesis 10.10 inclui, aparentemente, as áreas da Suméria e de Acade. No entanto, uma grande civilização da Antiguidade está envolvida nessa breve referência. Embora os sumérios ainda não tenham sido classificados com muita certeza no sentido étnico ou lingüístico (o sumério é uma língua aglutinativa e não flexionada), muito se sabe a respeito de sua história, religião, modo de vida etc.

### Resumo da História Suméria

A terra natal original dos sumérios ainda é desconhecida, mas é muito provável que tenha se localizado em um território montanhoso, em algum lugar além do Irã. Parece que eles chegaram à cabeceira do golfo pérsico e começaram a dominar os primitivos colonizadores ao final do período Ubaid.
1. *Período Protoliterário* (3300-2800 a.C.). Todas as datas são aproximadas. No sistema adotado aqui, o período anterior a 3500 a.C. é chamado de Ubaid (ou Obeid); o período de 3500-3300 a.C. é chamado de Warka; e o de 3300-2800 a.C. de Protoliterário. O período de 3300 a.C. marca a introdução da escrita, daí o nome "Protoliterário". *Veja* Escrita. Esse foi um período de tremendos progressos e nessa fase já podemos observar a maior parte dos elementos distintos pertinentes à civilização posterior da Mesopotâmia. Eles incluem as antigas culturas Uruk (Ereque em Gênesis 10.10 e a moderna Warka) e Jemdet Nasr. Sua maior conquista foi a introdução da escrita sob a forma de pictogramas (isto é, escritas pintadas), uma forma precoce do sumério. Também estão presentes listas de sinais (silabários). Mais tarde, os acadianos sumérios acrescentaram a essas listas palavras equivalentes de seu próprio linguajar.
2. *Período Dinástico Inicial* (2800-2360 a.C.). Também chamado de Idade Sumeriana Clássica, esse período foi subdividido pelos ar-

O rei Gudéia de Lagash. LM

queólogos de acordo com os níveis dos edifícios e dos selos cilíndricos em Dinastias Iniciais I, II e III (ED III = Ur I).
As fontes para esse estudo incluem a Relação dos Reis Sumérios (suplementada por Berrossus, sacerdote sumério do século III a.C.), selos cilíndricos, cerâmicas e o Monolito Vulture de Eannatum. A Relação dos Reis (ANET, pp. 265ss.) assemelha-se, de certa forma, às genealogias bíblicas anteriores ao Dilúvio, no sentido de que, antes de seu "dilúvio" a duração da vida desses reis é impressionante, pois está registrado que cada um deles reinou durante muitas centenas de anos. O livro

de Gênesis, embora não chegue aos extremos dessa Relação dos Reis, indica igualmente uma notável longevidade antes do Dilúvio.
Em 1965, um grande número de tábuas sumérias foi encontrado em Tell Abu Salabikh, cerca de 20 quilômetros de Nippur. Datadas de um período próximo a 2600 a.C., essas tábuas são muito difíceis de serem lidas, porém algumas representam textos literários cuja data remonta a 800 anos antes do período da literatura sumeriana. As "Instruções de Shuruppak" e o "Kesh Temple Hymn", conhecido anteriormente como pertencente a esse último período, foram agora considerados textos tradicionais e de grande Antiguidade.
Alguns dos reis dessa época foram Urnanshe de Lagash, Eannatum, Entemena e Eannatum II Finalmente, Urukagina usurpou o trono, seguido por Lugalzaggesi, o *ensi* ("governador") de Umma. O período desse último governador é conhecido como Período Proto-Imperial porque conseguiu estabelecer o primeiro Império Sumeriano. Ele conquistou Lagash e outras cidades sumerianas e transformou Uruk em sua capital. Mas, logo depois foi derrotado por Sargão, o Grande, de Acade (Acade é a forma acadiana, o nome sumeriano era Agade), que deu início a uma nova dinastia e também a uma nova era sob o controle dos semitas.
3. *Primeira Dinastia de Acade* (2360-2180 a.C.). O nome acadiano Sargão era Sharru (m)-kin, cujo significado era "o rei é legítimo". Ele adotou esse nome porque, como usurpador, não tinha nada de legítimo! Seu período de governo foi considerado como a "Idade Áurea" de toda a história da Babilônia. Fontes dessa dinastia incluem diversas inscrições feitas em Acadiano Antigo, por Sargão e seus sucessores e várias lendas surgiram a seu respeito. Sargão foi sucedido por seu filho Rimush que, por sua vez, foi sucedido por outro filho de Sargão, Manishtusu. Depois veio Naram-Sin, provavelmente neto de Sargão. Assim como seu avô, ele foi retratado como um herói (no monolito de sua vitória, ANEP #309 e na posterior tradição literária). Seu sucessor foi Sharkalisharri, e depois vieram quatro reis menores, cujo reinado foi de breve duração. Por fim, essa dinastia foi vigorosamente eliminada por poderes estrangeiros, entre eles os gutianos, um povo das Montanhas Zagros, situadas a leste dessa região. Na verdade, os últimos quatro reis eram semelhantes à dinastia seguinte.
4. *Período Guti* (2180-2060 a.C.). A derrota de Acade por forças estrangeiras, principalmente pelos gutianos, permaneceu na tradição como uma grande catástrofe, pois agora grupos de povos bárbaros e incivilizados vieram a substituir a desenvolvida dinastia de Acade. As inscrições desse período são raras e difíceis de serem correlacionadas com os nomes da lista de reis. No entanto, aparentemente Lagash e Uruk tinham seus próprios governantes. Dessa forma, os gutianos não exerciam uma hegemonia sobre toda a nação. Finalmente, eles foram derrotados e expulsos por Utuhegal de Uruk e, sob seu governo, apareceu um *ensi* de Ur (em sumeriano Urim), chamado Ur-Nammu que, de início, reconheceu a soberania de Utuhegal, mas posteriormente veio a derrotá-lo. Em seguida, ele transformou Ur na capital e inaugurou a Terceira Dinastia de Ur (ou o Período Ur III).
5. *Terceira Dinastia de Ur* (2060-1950 a.C.). Essa dinastia teve cinco reis. Ur-Nammu, Shulgi, Amar-Sin, Shu-Sin e Ibbi-Sin. Aparentemente, na metade dessa dinastia foi introduzido o costume de dar nomes acadianos às crianças, pois os três últimos nomes são acadianos. Ur-Nammu ficou muito conhecido pelo seu código de leis (veja abaixo) e também porque ele *pode* ter sido um contemporâneo de Abraão. Começando com Ur-Nammu, que conquistou a maior parte do país, cada rei de Ur intitulava-se "rei da terra de Sumer e Acade". Esse também foi um período de estatização, de economia estatal, governada pelo rei (veja abaixo). A conquista mais notável desse período foi o desenvolvimento das construções, algumas delas ainda de pé, como o zigurate (isto é, plataforma da torre ou palácio elevado que tinha em seu topo um Templo ou santuário) de Ur, construído originalmente por Ur-Nammu. Foi encontrado um grande número de textos sobre economia datados desse período.
Um dos mais famosos governantes sumerianos foi Gudéia, o *ensi* de Lagash, cujo reinado (ou vice-reinado) provavelmente deva ser entendido como próximo ao início da Terceira Dinastia de Ur. Ele deixou numerosas e extensas inscrições, assim como várias estátuas suas, todas feitas de uma pedra preta chamada diorito.
Os últimos anos do reinado de Ibbi-Sin foram testemunhas da emergência de um outro período, de modo que durante o seu governo ele ficou confinado em Ur. Por fim, perdeu seu poder e foi levado prisioneiro para Susã, em Elão. A cidade de Ur foi totalmente destruída pelos elamitas (que também podem ter constituído um dos poderes estrangeiros responsáveis pela derrota de Acade, antes dos gutianos assumirem o controle). Em sua conquista de Ur, os elamitas tiveram a colaboração de um povo desconhecido chamado Sua.
Por volta dessa época começam a aparecer nomes próprios dos semitas do oeste. O povo que tinha esses nomes, na verdade os amorreus (em sumeriano Martu, em acadiano Amurru) deve ter falado um dialeto cananeu um pouco parecido com o fenício, o ugarítico e o hebreu.
6. *Período Isin-Larsa* (1950-1700 a.C.). Ao

final das lutas acima, surgiu Ishbierra como *ensi* de Isin. Ele expulsou a guarnição elamita, que estava estacionada em Ur, e estabeleceu a Dinastia de Isin. O quinto rei de Isin, Lipit-Ishtar, elaborou um código de leis (veja abaixo). Ao sul, porém, coexistindo com essa dinastia, havia a Dinastia de Larsa. O último rei da Dinastia de Larsa, Rim-Sin, derrotou o último rei da Dinastia Isin e fez a unificação do país. Entretanto, essa união não durou muito tempo, pois Rim-Sin por sua vez foi derrotado por Hamurabi, um amorreu (ou cananeu). Esse último era rei de uma cidade situada no extremo norte da região da Babilônia, que também era chamada de Babilônia. Na verdade, a Dinastia da Babilônia já existia cem anos antes de Hamurabi, mas foi ele quem conseguiu, finalmente, unir toda essa nação. De uma forma geral, e começando a partir do século XIX a.C., as três dinastias mais importantes desse período, Isin, Larsa e Babilônia, pertenceram ao Antigo Período Babilônio. (Na região noroeste, a Assíria e Mari também tinham seus próprios governantes). Com as conquistas de Hamurabi (1792-1750 ou 1728-1686 a.C.) a Primeira Dinastia da Babilônia (que começou por volta de 1850) tornou-se a mais poderosa e os historiadores mencionam o período seguinte como sendo do Antigo Reino da Babilônia.

Porém essa pesquisa termina aqui, pois segundo as palavras de Kramer, "Com Hamurabi a história da Suméria chega ao fim e começa a história da Babilônia, um estado semítico construído sobre fundações sumerianas" (*The Sumerians*, p. 72). John Bright também observa de forma muito apropriada. "Na época da origem de Israel, havia crescido e declinado na Mesopotâmia uma onda completa de civilização; a cultura sumeriana nasceu, percorreu um magnífico caminho durante mil e quinhentos anos e finalmente se retirou. Israel nasceu em um mundo que já pertencia à Antiguidade" (*A History of Israel*, Filadélfia. Westminster Press, 1959, p. 36).

### A Religião Sumeriana

As fontes para o estudo da religião sumeriana incluem lendas, orações e inscrições votivas. Os sumerianos tinham um panteão de "grandes deuses", sendo que as principais divindades masculinas eram o deus-céu An (mais tarde chamado Anu pelos acadianos), cuja cidade principal, ou centro de culto, era Uruk; o deus-ar Enlil, cuja sede principal era Nippur; e o rei do abismo (*abzu*) e da sabedoria Emki (Ea em acadiano) cuja sede principal era Eridu. Nos períodos iniciais, o rei An aparece como o senhor do panteão, porém mais tarde Enlil tornou-se o deus principal. Em seguida sob Hamurabi, durante o Antigo Período Babilônio, Marduque foi elevado à posição de primeiro deus do panteão. Uma das grandes divindades femininas era Nintu(d) (*nin,* "senhora"; *tud*, "nascimento", portanto, "senhora do nascimento", isto é, deusa mãe"). Sua principal sede de culto era Dilmun (de acordo com alguns, a ilha de Bahrein, no golfo pérsico), embora ela também tivesse centros religiosos em Lagash e Quis. Outra divindade feminina era Inanna ([n]*in*, "senhora"; *an,* "céu" ou "firmamento"; portanto, "senhora do céu", isto é, rainha do firmamento). Era a deusa do amor e da guerra e seu principal centro de culto estava em An, isto é, Uruk. O relacionamento entre eles era o de pai para filha. O nome acadiano de Inanna era Ishtar. Um Templo erguido em sua honra (chamado Eanna ou "casa do céu" foi encontrado em Uruk, da época do Período Proto-literário).

Uma tríade menos importante para os sumerianos é representada pelos deuses dos fenômenos naturais: (1) Utu, o deus-sol (em semita, Shamash), cujos centros de culto eram Sippar e Larsa; (2) Nanna(r), o deus-lua (em acadiano, Sin, adorado em Ur e Harã) e cujo principal centro religioso era Ur; e (3) Ishkur, o Deus das condições atmosféricas (em acadiano Adade ou Hadade, ou o cananeu Baal).

Cada um desses "grandes deuses" era totalmente antropomórfico. Eles nunca foram retratados com características animais, como no Egito (por exemplo, com a cabeça de um animal).

Além dos deuses acima, havia certas divindades inferiores como a divindade da vegetação Dumuzi (ou o Tamuz de Ezequiel 8.14). Esse deus corresponde ao deus grego Adonis. Este morria e revivia, ou renascia, todos os anos. Portanto, sua história era a representação simbólica das estações. Outros deuses menores eram os demônios e os gênios.

### A Vida na Suméria

1. *O rei.*

*a.* Palavras usadas. O termo sumeriano mais freqüente para rei ou governante era *ensi* (en, "senhor"; o significado de *si* é incerto) ou *en* sozinho (originalmente usado para os sacerdotes).

Outro termo era *lugal* (*lu*, "homem"; *gal* "grande"; portanto, "grande homem"). É provável que essa última expressão fosse usada para aquele rei que houvesse reunido mais cidades sob o seu domínio. *Ensi,* por outro lado, parece ter sido uma expressão usada apenas para o governante de uma única cidade-estado.

*b.* O rei era divino ou não? No Egito, o Faraó ou rei tornava-se uma divindade. Mas na Mesopotâmia, não existem traços de divinização do governante ou rei no começo do período dinástico, nem existe o seu culto, embora em períodos posteriores isso tenha vindo a acontecer (por exemplo, dentro do período da Primeira Dinastia de Acade e Ur III). Essa divinização, entretanto, desapareceu comple-

tamente a partir da época de Hamurabi.
*c.* Seus deveres. O rei devia agir como um sacerdote do deus da cidade e administrar a cidade-estado em nome dessa divindade, supervisionar todo o mecanismo do estado, preocupar-se com a construção de templos, a abertura de canais e a construção de diques, e também controlar as forças militares. Ele também era o juiz supremo para a administração da justiça.
*d.* Seu palácio. A residência real, ou palácio, era chamada *egal* (*e*, significa "casa" e *gal*, "grande"; portanto, "casa grande"; em hebraico *hekal* ou "palácio"; a palavra "Templo" deve ter se derivado dessa expressão). Na época mais antiga, o rei pode ter morado no Templo.
2. *O templo.* Antes do período de Ur III, havia na Suméria um grande número de cidades-estado, onde o Templo representava o centro das atividades espirituais, econômicas e políticas. Isto quer dizer que havia uma economia essencialmente ligada ao Templo. Ele exercia um controle religioso e, inclusive, detinha a propriedade de muitas terras. Era necessário um grande número de pessoas para a manutenção de todas essas terras e elas ficavam dependentes do Templo que, aparentemente, tinha de 1.000 a 1.200 trabalhadores (sem incluir suas famílias). Parece que quase toda a população de Lagash era, de alguma forma, dependente do Templo. Em Lagash, foram relacionados vários tipos de profissões; trabalhadores do campo, lavradores, pastores, vaqueiros, jardineiros e pescadores. Também existiam hierarquias entre os oficiais: padeiros, cozinheiros, cervejeiros, artesãos, ourives e lapidários de pedras e lacres. As mulheres também eram contratadas para moer, fiar e tecer. Também havia mensageiros ("condutores de bigas") e barqueiros. Todos eles tinham inspetores e supervisores.
Entretanto, o oficial mais graduado era o sacerdote. Na verdade, o sacerdote e a sacerdotisa faziam o papel do rei e da rainha, pois o rei era o sacerdote da principal divindade masculina e a rainha era a sacerdotisa da principal divindade feminina. Entretanto, muitas vezes o rei delegava seu sacerdócio a uma outra pessoa. Aqueles que dependiam do Templo não eram considerados escravos, pois gozavam da posição de homens livres. Os escravos eram geralmente importados e representavam apenas um elemento minoritário na sociedade sumeriana.
Os recursos provinham das terras, não só das colheitas, mas também do seu aluguel que era pago, às vezes, de forma bastante interessante, isto é, com prata. Outra fonte de recursos era a pesca (o Templo de Lagash empregava 100 pescadores), e também se cobrava impostos. O comércio exterior de pedras, madeira ou metal, produtos que a Mesopotâmia praticamente não possuía, era conduzido como monopólio do Templo. Esse comércio era intenso, realizado com Elão e áreas ao longo do Golfo Pérsico, com a Síria, o norte da Mesopotâmia e até com o vale do rio Indo.
Durante o período de Ur III, o sistema acima se tornou ainda mais aperfeiçoado, e também mais secularizado, de modo que havia um número ainda maior de funcionários. Esse período também testemunhou o início do controle *estatal*.
3. *As leis.* Ainda existem dois códigos incompletos de leis sumerianas: o de Ur-Nammu, fundador da Terceira Dinastia de Ur, que deve ser datado de aprox. 2050 a.C., e o código de Lipit-Ishtar, o quinto rei de Isin, que deve ser datado de aprox. 1850 a.C. As leis encontradas nas partes disponíveis desses textos tratam de assuntos como casamento, ofensas sexuais, divórcio, roubo e agressão física, escravos, perjúrio, demandas judiciais, aluguel de barcos, propriedades, inadimplência dos impostos, heranças, aluguel de bois etc. Esses códigos foram os precursores de códigos posteriores e mais famosos, como o bastante conhecido código de Hamurabi (que tem muitas partes semelhantes às leis civis do Livro da Aliança, isto é, Êxodo 20.22–23.33).

***Bibliografia.*** Henri Frankfort. *Kingship and the Gods,* Chicago. Univ. of Chicago Press, 1948; *The Birth of Civilization in the Near East*, Nova York; Doubleday Anchor Books, 1956. *The Problem of Similarity in Ancient Near Eastern Religions*, Oxford. Clarendon Press, 1951. C. J. Gadd, *Ideas of Divine Rule in the Ancient Near East,* Londres, British Academy, 1948. Thorkild Jacobsen, *The Sumerian King List,* Chicago. Univ. of Chicago press, 1939. Samuel Noah Kramer, *History Begins at Sumer,* Nova York. Doubleday Anchor Books, 1959; *Sumerian Mythology,* Nova York. Harper Torchbooks, 1961; *The Sumerians. Their History, Culture and Character*, Chicago. Univ. of Chicago Press, 1963. A. Leo Oppenheim, *Ancient Mesopotamia,* Chicago. Univ. of Chicago Press, 1964. André Parrot, *Sumer*, trad. por Stuart Gilbert e James Emmons, Londres. Thames & Hudson, 1960. E. A. Speiser, "The Sumerian Problem Reviewed" (1952) na obra *Oriental and Biblical Studies,* Filadélfia. Univ. of Pennsylvania Press, 1967, pp. 213-231; "Some Factors in the Collapse of Akkad" (1952), ibid., pp. 232-243.

K. L. B.

**SUMO SACERDOTE** Em Israel, como em muitas outras nações que possuem uma histórica religião sacerdotal, existia um sistema hierárquico de gradação de poderes e responsabilidades com um líder, ou sumo sacerdote, à frente da organização. Mais de um milênio antes de Moisés, cada um dos maiores templos e centros religiosos do Egito tinha o seu próprio sumo sacerdote. A terra de Ugarit tinha um sumo sacerdote (*rabbu kahinima,* ou "chefe dos sacerdotes") nos séculos XIV e XIII a.C. (W. F. Albright, *Archaeology and the Religion of Israel,* 3ª ed., Baltimore. Johns Hopkins, 1953, p. 108).

## Terminologia

No AT, o sumo sacerdote é mencionado como *hak-kohen,* "o sacerdote"; *hak-kohen hammashiah,* "o sacerdote ungido"; *hak-kohen hag-gadol,* "o sumo sacerdote" (ou o grande sacerdote). A LXX faz referência a *ho hiereus,* "o sacerdote"; *ho hiereus ho christos,* "o sacerdote ungido"; *ho hiereus ho megas,* "o sumo sacerdote" (ou o grande sacerdote); *ho hiereus hegoumenos* "o sumo sacerdote" (ou o principal sacerdote). No NT o sumo sacerdote é chamado de *ho hiereus,* "o sacerdote" em Atos 5.24, mas ele é chamado em outras passagens (56 vezes) de *archiereus* ou "o sumo sacerdote". No NT, a numerosa incidência do termo "sumo sacerdote", comparada com sua baixa freqüência no AT, indica como essa função havia se tornado importante na época do NT.

## Ordenação

De acordo com o Pentateuco, Moisés foi instruído por Deus para ordenar seu irmão Arão e seus filhos como sacerdotes. Na maioria das vezes, Arão é chamado de sacerdote, assim como seus filhos. Em Levítico, ele é mencionado quatro vezes como sacerdote ungido (Lv 4.3,5,16; 6.22), e uma vez em Levítico e duas em Números é chamado de grande sacerdote ou sumo sacerdote. Parece, conforme consta em Neemias 35.25, que o termo "sumo sacerdote" (literalmente, "o grande sacerdote") não era originalmente um termo técnico, pois nesse caso não haveria necessidade de uma descrição mais completa, isto é, "que foi ungido com o óleo santo". A posição de responsabilidade e as vestes dessa função, e não o nome dessa posição, muitas vezes distinguiam Arão como o sacerdote maior ou superior.

Desde o início da chamada de Moisés, Arão foi designado por Deus para ser o seu portavoz (Êx 4.14-16; 5.1 etc.). Entretanto, a primeira indicação de que Arão deveria ser o sacerdote chefe ocorreu quando Moisés pediu a Arão que colocasse um ômer do maná em um vaso perante o Senhor (Êx 16.32-34), e quando Arão recebeu a indicação de um lugar especial onde juntamente com Moisés deveria encontrar-se com Deus (Êx 19.24; 24.1,9-11). A primeira ordem específica para fazer de Arão um sacerdote foi recebida por Moisés no Monte Sinai, depois das instruções para a construção do Tabernáculo (Êx 27.21; 28.1; 29.9,44). Nem o fato de Arão ter tomado parte no culto ao bezerro de ouro foi suficiente para descredenciá-lo como a primeira pessoa a ocupar o cargo de sumo sacerdote.

No serviço da ordenação, que instituía o sacerdócio, a posição de Arão como sumo sacerdote foi claramente diferenciada daquela que tinham os demais sacerdotes (seus filhos) pelas cerimônias de consagração, e pelas diferenças nas vestes (Êx 28.1,29; Lv 8). Durante sua ordenação, Arão foi ungido com óleo de acordo com um rito especial (Êx 29.7; Lv 8.12) para o santificar. Embora mais tarde o azeite da unção misturado com sangue tenha sido aspergido sobre ele, seus filhos e suas vestes (Êx 29.21; Lv 8.30), esse óleo só foi derramado de forma abundante sobre sua cabeça, pois esta unção estava reservada somente para o sumo sacerdote (Êx 29.7). Por esta razão, o sumo sacerdote era chamado de sacerdote ungido ou sacerdote que havia sido ungido (Lv 4.3,5,16; 6.22; 21.10; Nm 35.25). A consagração dos sucessores de Arão continuaria a obedecer ao mesmo padrão (Êx 29.29,30). O derramamento do óleo da unção sobre a cabeça de Arão, deixando-o escorrer até a barra de suas vestes tornou-se um símbolo de união (Sl 133.2).

A composição desse óleo era especial e sagrada. Aquele que preparasse essa mistura, e a empregasse em outras formas que não aquela especificada, deveria ser eliminado de seu povo (Êx 30.23-33). Os farmacêuticos indicados por Neemias podem ter sido os sacerdotes que fabricavam o óleo da unção, assim como as outras misturas. *Veja* Azeite; Azeite da Santa Unção.

## Vestes

As vestes sagradas de Arão, como sumo sacerdote, também eram diferentes em relação às vestes mais simples dos sacerdotes, que consistiam de uma túnica ou manto, um cinto ou faixa, um gorro ou tiara e calções (Êx 28.40,42). Os judeus consideravam as vestes do sumo sacerdote compostas por oito partes; no entanto, por causa das opiniões a respeito da oitava parte, elas podem ser contadas como nove. O peitoral, a túnica, o éfode e a mitra ou turbante (ao invés de gorro) com uma lâmina de ouro eram próprios do sumo sacerdote. Mas, sendo assim, o que dizer do "cinto de obra esmerada" do éfode? (Êx 28.8,27,28). Se esse curioso "cinto primorosamente tecido" era um complemento do cinto da túnica, e não estava em seu lugar, e a lâmina gravada da tiara fosse considerada um equipamento adicional, então havia realmente nove e não oito partes na vestimenta do sumo sacerdote, sendo que cinco delas representavam elementos adicionais em relação às vestes dos outros sacerdotes.

De acordo com Êxodo 28.2, essas vestes eram destinadas à glória e à beleza, como um ornamento. Pode-se perceber, por meio de alguns fatores, que elas também representavam a santidade e o sacerdócio: por causa de sua consagração (Êx 29.21; Lv 8.30); por serem designadas como vestes sagradas (Êx 28.2,4;

29.29; 31.10; 35.19,21; 39.1,41; 40.13); e pela função das pedras de ônix sobre as ombreiras do éfode e das pedras preciosas do peitoral (Êx 28.9-12,17-21,29).

Segundo a ordem da vestimenta, os trajes do sumo sacerdote incluíam.

1. Os calções, ou calças de linho, como roupa íntima. Esses calções eram presos por um cinto de pano feito e usado como qualquer cinto moderno (Êx 28.42).

2. A "túnica" de baixo (para o sumo sacerdote) ou túnica longa com mangas e um cinto em volta do pescoço parecido com o cinto que estava em volta da cintura dos calções (Êx 28.4,39).

3. O cinto, uma longa tira de linho bordado, era enrolado várias vezes em volta da metade do corpo antes de ser amarrado na parte frontal, para que as pontas caíssem até a barra da túnica (Êx 28.39).

4. A túnica do éfode, uma túnica mais curta e sobreposta de material tecido e de cor azul, era sem mangas, mas com aberturas para os braços e uma abertura com barra para a cabeça. Acredita-se que essa veste era mais longa que a túnica, porém mais curta que a túnica de baixo. A barra do éfode era adornada com romãs alternadas, nas cores azul, púrpura e carmesim, e campainhas de ouro (Êx 28.31-34). O som dos sinos servia para indicar quando o sumo sacerdote estava entrando no santuário e quando estava saindo dele (Êx 28.35). O filho de Siraque acrescenta que os sinos deveriam "lembrar os filhos de seu povo" (Sir 45.9). Essa pode ser uma referência (na opinião de alguns, em local pouco adequado) à afirmação bíblica em relação ao peitoral (Êx 28.29).

5. A túnica, que consistia de dois aventais, um para cobrir a frente do corpo e o outro as costas, era amarrada de cada lado com uma tira que vinha da ombreira, à qual estava incrustada uma pedra de ônix (Êx 28.6-14). Cada pedra tinha uma inscrição com o nome de seis tribos de Israel. Esses dois aventais eram amarrados em torno da cintura pelo "cinto de obra esmerada" do éfode feito de tecido de linho fino nas cores dourada, azul, púrpura e carmesim. Os éfodes de linho também eram usados em certas ocasiões por Samuel (1 Sm 2.18), Davi (2 Sm 6.14), pelos sacerdotes de Nobe (1 Sm 22.18), e por outros israelitas em uma adoração imprópria (Jz 8.27; 17.5). *Veja* Éfode.

6. O peitoral do juízo era um pedaço de tecido habilmente elaborado, ajustado ao éfode, com dois palmos de comprimento e um de largura, mas dobrado ao meio para que sua forma final fosse a de um quadrado (Êx 28.15-30). O peitoral era amarrado, no alto, por duas argolas e correntes de ouro às ombreiras do éfode, e as bordas inferiores do peitoral eram amarradas com um cordão azul com argolas e correntes à frente do éfode. Para representar as 12 tribos de Israel, 12 pedras preciosas, de diferentes espécies, eram incrustadas no peitoral (*Veja* Jóias). Em cada pedra estava gravado o nome de uma das tribos. Essas pedras eram fixadas no peitoral em quatro fileiras de três pedras cada uma. Não se conhece a ordem desses nomes, mas foi imaginado que podia ser cronológica ou de acordo com a disposição das tribos nos acampamentos do deserto.

Colocados sobre o peitoral estavam o Urim e o Tumim, cuja natureza não se sabe ao certo. As duas explicações mais plausíveis identificam ambos com pedras do peitoral ou sugerem ser objetos simbólicos usados pelos sacerdotes para determinar, através de alguma espécie de inspiração, o julgamento de Deus. As palavras hebraicas significam "luzes" e "perfeições" ou, o que parece mais provável, luz e perfeição, sendo que as formas plurais correspondem à plenitude ou intensidade. A favor da opinião precedente, sustentada pela LXX, por Josefo, e muitos outros, temos o fato das mesmas afirmações serem feitas sobre Urim e Tumim em Êxodo 28.30 e também em relação ao peitoral no verso 29. A favor da segunda sugestão, temos a forma da primeira frase. "E também porás no peitoral do juízo o Urim e o Tumim". As palavras "também porás" certamente parecem sugerir alguma coisa adicional que está sendo colocada em algum tipo de bolso do peitoral (cf. Lv 8.8). Entretanto, não existe nenhuma referência à existência de um bolso como este.

Independente da natureza exata do Urim e do Tumim, seu uso não era simplesmente mágico, mas esclarecedor ou revelador do juízo de Deus sobre questões levadas ao sacerdote para uma tomada de decisão. A posse de Urim e Tumim envolvia o ensino dos caminhos do Senhor. Na bênção de Moisés sobre Levi (Dt 33.8), e no retorno do Cativeiro, eles pareciam ser o verdadeiro emblema da autoridade sacerdotal (Ed 2.63; Ne 7.65), ou o poder sacerdotal de receber respostas diretas de Deus; um poder que estava envolvido no uso original do Urim e do Tumim, mas que não continuou depois do retorno do Cativeiro. A referência de Moisés ao fato de Urim e Tumim pertencerem a Levi não sugere que Arão e seus sucessores, como sumos sacerdotes, fossem da tribo de Levi. *Veja* Urim e Tumim.

7. O gorro, ou tiara de linho, diferia dos outros adornos de cabeça do sumo sacerdote. Aparentemente, era um solidéu com o formato de uma tigela invertida.

8. A mitra, ou turbante do sumo sacerdote, era maior que a tiara dos sacerdotes. Sobre a fronte estava colocada uma lâmina de ouro onde estava gravada a frase "Santidade ao Senhor". Esta lâmina de ouro estava amarrada à mitra com uma fita azul. Josefo também descreve uma coroa de ouro (*Ant.* iii.7.6), colocada sobre a mitra na altura da testa. A

coroa mencionada em Levítico 8.9 parece ser idêntica à lâmina de ouro onde estava a inscrição acima. Essa lâmina de ouro deveria estar na testa de Arão com a seguinte finalidade. "Para que Arão leve a iniqüidade das coisas santas, que os filhos de Israel santificarem em todas as ofertas de suas coisas santas; e estará continuamente na sua testa, para que tenham aceitação perante o Senhor" (Êx 28.38). Evidentemente, as palavras "Santidade ao Senhor" indicavam a santidade representada pelo sumo sacerdote, para que ele pudesse retirar a iniqüidade das pessoas, tornando aceitáveis os seus sacrifícios, transformando-as, dessa maneira, em pessoas aceitáveis por Deus. Quanto ao uso de todas essas vestes por parte de Arão e seus filhos, Êxodo 28.43 declara que isto era necessário para que não levassem iniqüidade e morressem. As roupas dos sacerdotes serviam para investi-los da pureza cerimonial que os salvava da morte, à qual as outras pessoas poderiam estar sujeitas ao entrarem em contacto com as coisas sagradas do Tabernáculo, e ao envolverem-se com os seus sagrados ministérios.

Na celebração anual do Dia da Expiação, outras vestes de linho branco foram especificadas para o sumo sacerdote. Essas vestes deveriam ser usadas apenas durante a cerimônia da expiação, vestidas antes de entrar no Santo dos Santos, e retiradas no Tabernáculo da congregação depois que a cerimônia da expiação tivesse sido executada no Santo dos Santos ou no Lugar Santíssimo, como é chamado em Levítico 16.4,23. Essas roupas não tinham nenhum dos ornamentos das peças usadas normalmente pelo sumo sacerdote e incluíam apenas os calções, a túnica, o cinto e a mitra, e todas eram feitas com linho branco. Essa variação no vestuário representava a extraordinária solenidade e a importância dessa cerimônia de expiação. A simplicidade e a brancura das vestes, assim como seu uso apenas durante essa cerimônia, indicavam a pureza e a santidade necessárias para entrar no Santo dos Santos ou no Lugar Santíssimo, onde Deus habitava entre os querubins. *Veja* Festividades: Dia da Expiação.

### Deveres

Embora o sumo sacerdote oficiasse as tarefas sacerdotais comuns, sua função tinha certas responsabilidades específicas. Somente o sumo sacerdote podia entrar no Santo dos Santos ou no Lugar Santíssimo, e somente durante a cerimônia do Dia da Expiação, que acontecia uma vez por ano. Ele também era o único sacerdote autorizado a oficiar nesse dia, sendo que nos outros dias especiais, como nos dias da lua nova e nas grandes festas, o sumo sacerdote servia como um sacerdote comum.

Era função do sumo sacerdote determinar a aplicação da lei em relação aos casos de homicídio não intencional. A pessoa assim acusada por ter matado involuntariamente podia fugir para qualquer uma das cidades de refúgio, onde encontraria asilo. Seu asilo seria inviolável desde que permanecesse sempre nessa cidade ou até que a congregação tivesse julgado o seu homicídio. Caso o resultado desse julgamento fosse homicídio involuntário, o assassino estaria protegido do vingador de sangue desde que permanecesse na cidade de refúgio, e que o sumo sacerdote ainda estivesse vivo.

Por ocasião da morte do sumo sacerdote, que atuava segundo os regulamentos e limites determinados por Deus, todos os acusados de homicídio involuntário estavam livres para retornar às terras que lhes pertenciam (Nm 35.25,28).

Na época de Josias, o sacerdote que estivesse em primeiro lugar na sucessão do sumo sacerdote era designado como o segundo sacerdote. Aparentemente, esse segundo sacerdote oficiava em certas funções como sumo sacerdote, na ausência deste (2 Rs 23.4; 25.18).

### Regulamentos

O sumo sacerdote não podia lamentar a morte de alguém descobrindo a cabeça, rasgando suas vestes ou visitando um morto, nem sair do santuário para comparecer a um funeral (Lv 10.6; 21.10-12). Uma viúva, ou divorciada, ou alguma mulher profanada pela prostituição não podia ser aceita como esposa de um sacerdote. Somente uma judia virgem tinha condições de ser escolhida para se tornar a esposa do sumo sacerdote (Lv 21.14).

Pessoas com certos defeitos físicos não podiam exercer o sacerdócio. Moisés relaciona 12 defeitos específicos que impediam alguém de ser sumo sacerdote ou de exercer essa função: cegueira, coxeadura, nariz chato ou rosto desfigurado, membros deformados ou corcovas, anões, pessoas com lesões oculares, sarna, impingem ou eczema e testículo quebrado (Lv 21.17-20).

### História

Dependendo da data do Êxodo, a duração da história do sumo sacerdócio ainda é um assunto geralmente controvertido (*veja* Êxodo, O: A Época. As estimativas variam entre uma cronologia baixa de cerca de 1300 anos até a impossível cronologia elevada de Josefo de 1793 anos (*Ant.* xx.10). Naturalmente, para aqueles que acreditam que o sacerdócio não foi instituído por Moisés, como consta na Bíblia Sagrada, mas durante a época de Esdras, a duração da história temporal do sumo sacerdócio torna-se muito mais curta.

De acordo com Josefo, existiram 83 sumo sacerdotes desde Arão até Fanias, que foi ordenado sacerdote durante a guerra que terminou com a destruição da nação judaica no ano 70 d.C. (*Ant.* xx.10). Nem todos aqueles mencionados por Josefo como atuantes são encontrados na Bíblia Sagrada. Desde a época de Moisés até Davi foram mencionados sete sumos sacerdotes nas Escrituras: Arão, Eleazar, Finéias, Eli, Aitube, Aías e Aimeleque (Jz 20.28; 1 Sm 1.3,9; 14.3; 22.11, 12). Desde a época em que os filisteus destruíram Siló, onde Eli havia servido como sumo sacerdote e a arca foi levada por estes, os sumos sacerdotes tinham um serviço bastante limitado.

Dois importantes sacerdotes serviram simultaneamente durante o reinado de Davi: Zadoque, aparentemente, oficiava em Gibeão, onde estavam localizados o Tabernáculo e o altar de bronze, e onde eles permaneceram até a época de Salomão (1 Cr 16.39,40; 2 Cr 1.3-5), ao passo que, depois que a arca foi removida para a tenda armada por Davi em Jerusalém, Abiatar serviu até ser deposto por Salomão (2 Sm 8.17; 1 Rs 2.35; 1 Cr 16.1-7) em cumprimento à profecia contra Eli (1 Sm 2.30-36; 1 Rs 2.26,27). Depois da deposição de Abiatar, os descendentes de Zadoque passaram a controlar o sumo sacerdócio.

Uma comparação entre 1 Crônicas 6.8-15 com os livros históricos bíblicos produziu 17 nomes de sumos sacerdotes, desde Zadoque até o Cativeiro. Josefo diz que 18 sacerdotes oficiaram durante esse intervalo, embora mencione apenas 17.

Esses nomes, entretanto, fazem parte de uma lista que traz algumas variações em relação aos nomes bíblicos (*Ant.* xx.10). Entre a época do sumo sacerdote Amarias, no reinado de Josafá (2 Cr 19.11) até o sumo sacerdócio de Hilquias, no reinado de Josias (2 Cr 34.9), ou um período de cerca de 240 anos, a genealogia de 1 Crônicas 6 traz apenas os nomes de Aitube, Zadoque e Salum. Os livros dos Reis, por sua vez, fornecem os nomes de Joiada, no reino de Atalia e Joás, Zacarias seu filho no reinado de Uzias, Urias na época de Acaz, e Azarias no período de Ezequias.

No retorno depois do Cativeiro na Babilônia, Josué (Jesua), filho de Jozadaque (1 Cr 6.15, Jeozadaque) que havia sido levado em cativeiro, deu seqüência à sucessão dos sumos sacerdotes (Ed 3.2 etc.). Os sucessores de Jesua foram Joiaquim, Eliabe, que foi um impecilho ao invés de uma ajuda a Neemias, Joiada, Joanã que segundo Josefo assassinou o próprio irmão, e Jadua. Josefo afirma que havia 43 sacerdotes que descendiam de Jesua na ocasião em que o Templo foi incendiado (Ant. xx.10).

Durante o período intertestamentário, o sumo sacerdócio cresceu em poder e diminuiu em comportamento ético, espiritual e moral. Sob os macabeus, os reis e o sumo sacerdote associaram-se durante algum tempo (se é que os líderes políticos da época podiam receber o nome de reis). Também nesse período, o sumo sacerdote, muitas vezes, tornou-se um joguete nas mãos das autoridades governantes. Ocupando a mais elevada posição de governo entre os judeus, o sumo sacerdócio era objeto de compra e intrigas. O seu mandato vitalício foi se perdendo gradualmente, de modo que embora vários sumos sacerdotes estivessem vivos, apenas um desempenhava o ofício dessa elevada função (Lc 3.2). No NT foram mencionados os nomes de três sumos sacerdotes: Anás, que era sumo sacerdote quando João Batista exercia o seu ministério e foi condenando à morte (Lc 3.2); Caifás, que oficiava na época do julgamento e crucificação do Senhor Jesus (Jo 11.49-51; 18.13), e que deu cartas a Paulo para perseguir os cristãos em Damasco; e Ananias, perante o qual Paulo foi posteriormente julgado (At 23.1-10).

O sacerdócio hebreu terminou com a destruição do estado hebraico no ano 70 d.C.

O Senhor Jesus Cristo Como Sumo Sacerdote

Na Epístola aos Hebreus, Jesus apresenta-se como o cumprimento da função sacerdotal e de todas as suas atividades no NT. Jesus, o Filho de Deus, foi declarado como o verdadeiro Sumo Sacerdote, tendo realizado pela perfeição de sua pessoa e de seus atos redentores, tudo que o sacerdócio do AT, centrado na pessoa e na função do sumo sacerdote, não pôde realizar por causa de suas limitações naturais e físicas. O termo sumo sacerdote foi usado 17 vezes com alguma relação a Cristo nessa Epístola. Seu autor mostra que o sacerdócio de Arão e os sacrifícios de animais não eram mais necessários porque o Senhor Jesus havia completado a obra da salvação, Sendo o Sumo Sacerdote "perfeito para sempre" (Hb 7.28).

*Veja* Sacerdote, Sacerdócio.

E. S. K.

**SUNAMITA** Nativa de Suném.

1. Uma mulher de Suném cujo filho Eliseu ressuscitou dos mortos (2 Rs 4.8-37). Posteriormente, a intervenção de Eliseu garantiu a recuperação de sua propriedade (2 Rs 8.1-6).
2. Abisague, a sunamita, uma jovem formosa, foi uma ama para Davi em sua velhice (1 Rs 1.3,15). O amor de Adonias por esta sunamita o levou à destruição (1 Rs 2.17ss.).
3. A sulamita (*q.v.*) de Cantares 6.13 é geralmente considerada uma sunamita, devido ao fato da troca das letras *l* por *n* ter sido comum na Antiguidade.

**SUNÉM** Uma cidade no território destinado à tribo de Issacar (Js 19.18). Uma cidade cananéia com este nome é mencionada nos registros egípcios de Tutmósis III, e nas cartas Amarna como *Shunama*. Os filisteus acamparam em Suném antes da última batalha que travaram contra Saul em Gilboa (1 Sm 28.4). Esta era a cidade onde vivia a mulher cujo filho Eliseu restaurou à vida (2 Rs 4.8-37); de Abisague, a ama de Davi em sua velhice (1 Rs 1.3,15); e possivelmente da sulamita (ou sunamita) de Cantares 6.13. Suném tem sido identificada com a moderna Solem que dá vista para o vale de Jezreel no declive sudoeste do outeiro de Moré; ela fica onze quilômetros a leste de Megido. *Veja* Sunamita.

**SUNI, SUNITA** Suni foi o terceiro filho de Gade, líder e antepassado da "família dos sunitas" (Gn 46.16; Nm 26.15).

**SUOR** A transpiração, causada pelo esforço, foi usada como símbolo do castigo de Deus sobre o homem por causa de sua desobediência no Éden, pois trouxe como conseqüência a labuta e o trabalho árduo em sua vida. Talvez seja por esse motivo que o regulamento em Ezequiel 44.18 determine que as vestes do sacerdote, ao ministrar na presença do Senhor, não sejam feitas de nenhum material que provoque o suor.
O suor de sangue de nosso Senhor no Getsêmani foi um símbolo da intensa agonia de espírito que Ele enfrentou ao levar o fardo de nossos pecados (Lc 22.44). *Veja* Suor de Sangue.

**SUPERINTENDENTE** Uma pessoa que administra uma casa, como José (Gn 39.4,5); um supervisor ou chefe de trabalhadores (2 Cr 2.18; 34.12,13,17); dos levitas (Ne 11.22); dos cantores (Ne 12.42). O uso do termo do Novo Testamento, *episkopos*, neste sentido (At 20.28), deve ser distinguido de seu uso mais técnico como uma referência a um presbítero em passagens como Filipenses 1.1; 1 Timóteo 3.2; Tito 1.7 e 1 Pe 2.25. *Veja* Bispo.

**SUPERSTIÇÃO** Palavra cujo significado literal – "temor ou reverência aos deuses" – foi usado em um sentido pejorativo como "superstição", ou no bom sentido de "religião". Nas duas passagens onde é encontrada no NT, ela deve provavelmente ter o sentido de "religioso" ou "religião" (At 17.22; 25.19).

**SUPIM**
1. Um bisneto de Benjamim, filho de Iri, neto de Belá, e irmão de Hupim (1 Cr 7.7,12,15).
2. Um levita, um dos porteiros do Templo que, juntamente com Hosa, era responsável pela porta de Salequete, no lado oeste de Jerusalém (1 Cr 26.16).

**SÚPLICA** Humilde e sincera solicitação ou petição, como aquela que se faz de joelhos. Os substantivos hebraicos *t^ehinna* e *tahanunim* significam súplicas por graça e derivam da raiz do verbo *hanan* (ser bondoso, mostrar favor) que quer dizer procurar favor. A palavra grega *deesis* significa "suplica" ou "humilde solicitação", e é diferente de *proseuche* que é uma oração feita em verdadeira reverência a Deus. Portanto, a primeira palavra grega significa um pedido humilde para atender a uma necessidade pessoal (Ef 6.18; Fp 4.6; 1 Tm 2.1), e a segunda representa uma reverente oração a Deus com um forte elemento de devoção (Tg 5.16; 1 Pe 3.12).
Essas duas palavras do NT são usadas quase que de forma idêntica (1 Rs 8.28,33, 47,59; 9.3; 2 Cr 6.24; Jó 8.5; 9.15; Sl 6.9; 28.2,6; 30.8; 142.1; Dn 9.3,17,18,20). O homem, em suas súplicas, procura alcançar alguma graça ou bênção especial de Deus. A súplica no NT está associada à idéia de importunar ao Senhor em oração (Ef 6.18; 1 Tm 5.5). *Veja* Oração.
R. A. K.

**SUPORTE** Coisa ou pessoa usada para fortalecer, manter ou suportar algo. Palavra usada como uma referência ao espaldar do trono de Salomão (1 Rs 10.19); ao pão e à água que sustentam a vida (Is 3.1); aos príncipes egípcios que "monopolizavam" ou sustentavam as tribos (Is 19.13); e ao próprio Senhor, Aquele que sustenta o seu povo (2 Sm 22.19; Sl 18.18).

**SUQUITAS** Tribo que se uniu aos líbios e cuxitas (ou etíopes) para organizar um ataque contra Judá, em 926 a.C., liderados pelo Faraó egípcio Sisaque (2 Cr 12.3). Eles provavelmente formavam um povo conhecido nos textos egípcios desde os séculos XIII e XII a.C. como Tjuku ou Tjukten, que serviam como batedores ou ajudantes com armas leves, talvez de origem Líbia (K. A. Kitchen, *Ancient Orient and Old Testament*, Chicago, Inter-Varsity, 1966, p. 159). Outros acreditam que o *Sky'*, mencionado em um papiro aramaico do século V a.C. de Elefantina (*q.v.*), possa ser identificado com os suquitas.
O fato de a Septuaginta ter traduzido o termo como Trogloditas talvez se deva ao local chamado Suche ter sido mencionado entre as posses dos Trogloditas (Plínio, *Natural History*, vi.172). De acordo com Strabo, a fortaleza de Suchus tem esse nome devido a um crocodilo sagrado. Alguns geógrafos identificam esse local com a moderna Suakin, localizada no norte da África.
G. A. T.

**SUR, PORTA DE** Uma porta de Jerusalém (2 Rs 11.6), chamada Porta do Fundamento em 2 Crônicas 23.5. Ela provavelmente ligava o palácio do rei ao Templo de Salomão.

**SUR** Nome de uma região desértica entre a Palestina e o Egito. Na poesia, a palavra é usada significando "muro" (Gn 49.22; Sl 18. 29), e alguns estudiosos acreditam que o nome foi derivado de uma série de fortalezas fronteiriças entre o Egito e o deserto do Sinai. Esta era simplesmente uma linha desconectada de fortes que os egípcios parecem ter conhecido como o "Muro de Tharu" (o egípcio *th* corresponde ao *sh* hebraico). Um destes fortes foi chamado de Tjel ou Zilu (Tell Abu Seifeh, provavelmente a Etã bíblica, Êxodo 13.20; Nm 33.8). Alguns também identificam Sur com uma série de desfiladeiros brancos localizados de 19 a 22 quilômetros a leste do Golfo de Suez, os quais eles afirmam que ainda se chamam Jebel es-Shur, em árabe, em nossos dias. Outros estudiosos, porém, questionam as duas explicações.

O "caminho de Sur", onde o anjo encontrou Agar perto da fonte de água (Gn 16.7), era aparentemente a estrada de Berseba, através de Khalasa, Ruheibeh, Bir Birein e Muweilleh, até o Egito. Em certa ocasião, Abraão "habitou entre Cades e Sur" (Gn 20.1), e também foi dito que este local era o

Um leão de bronze de Susã, do século V a.C. LM

lar dos ismaelitas, que "habitaram desde Havilá até Sur, que olha para o Egito, como quem vai para a Assíria" (Gn 25.18). Também foi o lar dos amalequitas, a quem Saul derrotou "desde Havilá até chegar a Sur, que está defronte do Egito" (1 Sm 15.7); e dos gesuritas, dos gersitas e dos amalequitas, contra os quais Davi e seus homens fizeram ataques de "Sur, até à terra do Egito" (1 Sm 27.8). A história do Êxodo sugere que Sur era a terra que estava diretamente a leste do "mar Vermelho", pois os israelitas entraram no Deserto de Sur imediatamente após escaparem dos egípcios (Êx 15.22). Isto a colocaria a leste do Lago Tinsá. Aparentemente, o deserto de Sur estendia-se em direção ao oriente até o "rio do Egito" (Uádi el-'Arish). *Veja* Peregrinação no Deserto.

D. B.

**SURDO** Palavra usada nas Escrituras, tanto no sentido físico como figurado, para expressar a indisposição de ouvir a mensagem divina (Sl 58.4). Também pode ser usada para significar a incapacidade de compreender a Palavra de Deus por falta de espiritualidade (Sl 38.13).

**SUSA** *Veja* Susã.

**SUSÃ ou SUSA** Capital da antiga Elão, a sudoeste da Pérsia, que ficava próxima dos rios Ulai (Eulaeus, atual Karun) e Shapur, a aproximadamente 240 km ao norte do Golfo Pérsico. Foi uma das residências reais dos reis Aquemênidas, durante cujos reinados a cidade prosperou. Neste lugar, Daniel teve uma visão (Dn 8.2), Neemias esteve no exílio (Ne 1.1), e viveram Assuero (Xerxes) e Ester (Et 1.2). *Veja* Ester. Foi o nome de um palácio-fortaleza, de um centro de governo (Et 3.15; 8.14; 9.6,11,12) e também de uma grande cidade (Et 3.15; 8.15) situada na junção das estradas reais que levavam a Sardes e às capitais contemporâneas de Ecbatana e Persépolis.

A região da atual Susã (heb. e acad., *shushan*) está sendo explorada desde 1851 por W. K. Loftus, de Morgan, de Macquenem e R. Ghirshman. *Veja* Arqueologia. Desde o principio do 4° milênio a.C. a ocupação deste local foi quase contínua. Partes do palácio real (*apadana*), do tesouro (Heródoto, v.49), da área dos artesãos e da cidade real foram descobertas. As ruínas cobrem mais de 12 quilômetros quadrados. Neste lugar, de Morgan encontrou o fragmento de pedra

Um capitel de touro de uma coluna do palácio de Susã. LM

Um arqueiro do palácio de Susã, retratado em tijolos esmaltados coloridos. LM

que continha o código de Hamurabi, quebrado em três partes. Ele tinha sido levado da Babilônia pelos cassitas como um troféu de guerra.
O magnífico palácio, construído por Dario I, foi ornamentado por artesãos com materiais oriundos de diferentes países distantes. Várias inscrições ajudam a formar um retrato da vida cotidiana em Susã. Depois que este palácio foi severamente danificado pelo fogo na época de Artaxerxes I (464-423 a.C) ele foi reconstruído por Artaxerxes (II) Mnemom, que ali reinou de 404 a 359 a.C. Este palácio é uma figura proeminente na história de Ester.
Palácios antigos na mesma região foram ocupados pelos reis cassitas que saquearam a Babilônia. Os tesouros dos babilônios foram recuperados por Nabucodonosor I em sua invasão a Susã por volta de 1120 a.C. O rei assírio Assurbanipal (o bíblico Osnapar) saqueou a cidade em 640 a.C., removendo alguns de seus habitantes (susanquitas) para o exílio em Samaria (Ed 4.9).
Alexandre entrou em Susã em 331 a.C. e capturou seus grandes tesouros. Depois usou o grande salão de colunas, talvez aquele que foi o cenário do grande banquete de Ester, para um casamento coletivo dos seus soldados com moças persas. Após a cidade ter sido ocupada por Antígono em 317 a.C. ela sofreu um declínio gradual, acentuado pelo estabelecimento partiano de Ctesifonte como capital. *Veja* Elão.

***Bibliografia.*** Roman Ghirshman, *Iran*, Baltimore. Penguin Books, 1961, pp. 127-205.

D. J. W.

**SUSÃ-EDUTE** Terminologia musical, provavelmente significando "o lírio do testemunho". Estas são palavras de instruções no título do Salmo 60, provavelmente referindo-se à harmonia da melodia segundo a qual o salmo deveria ser cantado, embora atualmente a melodia esteja perdida.

**SUSANQUITAS** Termo usado para os habitantes de Susã de Elão. Eles eram colonos que foram removidos de Susã para Samaria quando os israelitas foram deportados (Ed 4.9,10).

**SUSI** Pai de Gadi, um dos 12 espias enviados à terra para conseguir informações antes da entrada dos israelitas em Canaã. Ele pertencia à tribo de Manassés (Nm 13.11).

**SUTELA** O primeiro filho de Efraim, pai de Erã, e chefe da "família dos sutelaítas" (Nm 26.35-37; 1 Cr 7.20,21).

**SUTELAÍTAS** Descendentes de Sutela da tribo de Efraim (Nm 26.35).

**SUZANA**
1. Uma das primeiras seguidoras de Cristo que ajudou a sustentar ao Senhor Jesus e seus discípulos com os seus próprios recursos (Lc 8.3). Nada mais se sabe a seu respeito.
2. Outra Suzana, bem mais conhecida, é a heroína da história apócrifa de Daniel, conhecida como "Suzana e os Anciãos" ou "A História de Suzana".

T

**TAÃ**
1. Um dos filhos de Efraim e ancestral epônimo dos taanitas, um dos clãs da tribo de Efraim (Nm 26.35).
2. Um dos antepassados de Josué, o filho de Num (1 Cr 7.25).

**TAANAQUE** Uma cidade cananita nos montes, ao sul do vale de Jezreel, situada em Tell Ta'annak. Sua posição elevada sobre uma das entradas para o vale ocasionou seu primeiro aparecimento nos registros históricos. Os comandantes de Tutmósis III sugeriram sua passagem como uma abordagem alternativa para atacar Megido, oito quilômetros a noroeste (ANET, p. 235). Mais tarde, ela aparece como uma das cidades conquistadas por Tutmósis (Nº 42, ANET, p. 243) e na lista de guerreiros em carros recebendo rações no Egito.

Muros maciços do período do Início da Idade do Bronze em Taanaque. JR

Doze tábuas cuneiformes no idioma acádio foram encontradas por Sellin em 1903-04 em Tell Ta'annak. Duas delas são cartas de um certo Amenotep instruindo o governante de Taanaque a enviar homens e suprimentos, primeiro para Gaza, e então para Megido. Seu texto e sua linguagem sugerem fortemente uma data inicial no reinado de Amenotep II. Uma carta de Amarna testifica que os homens de uma cidade, que alguns estudiosos lêem como Taanaque, haviam roubado e saqueado um rei vizinho (EA 248.14).

O rei de Taanaque foi derrotado por Josué (Js 12.21). Embora ela ficasse na herança de Issacar, seu território foi transferido para Manassés (Js 17.11; 1 Cr 7.29), que falhou em conquistar a cidade até algum tempo depois (Jz 1.27; cf. 5.19). Os levitas coatitas fixaram residência na própria cidade (Js 21.25), o que pode explicar porque ela tornou-se um centro importante no quinto distrito administrativo de Salomão (1 Rs 4.12). Sisaque do Egito citou Taanaque (Nº 14) como uma das cidades conquistadas por ele em sua passagem pelo vale de Jezreel, em aprox. 926 a.C.

A. F. R.

O professor Ernest Sellin de Viena conduziu três campanhas arqueológicas neste local (1902-04), encontrando várias ruínas cananitas e israelitas. Mas este trabalho foi feito antes dos dias da arqueologia científica. Começando em 1963, uma série de três campanhas (também 1966, 1968) foi empreendida por uma equipe conjunta de Concórdia-ASOR, dirigida por Paul W. Lapp.

As escavações mostram que a ocupação começou em Taanaque com uma cidade bem planejada e grandemente fortificada na Idade do Bronze Inicial. Foi uma cidade ativa e próspera de 2700 até, talvez, 2400 a.C. Taanaque tornou-se próspera novamente durante o período hicso dos séculos XVII a XVI a.C. Ela possuía típicas fortificações hicsas inclinadas, e uma grande casa de um homem nobre (o Edifício Oeste) medindo 23 por 20 metros com muros de 1,3 metros de espessura. A ocupação continuou provavelmente até a época de Tutmósis III, quando a cidade parece ter sido destruída (em aprox. 1479 a.C.). Os cananeus, porém, reconstruíram-na sem demora, e é a este período que pertencem as tábuas cuneiformes. Uma tábua adicional foi descoberta em 1968.

O local parece ter tido pouca importância durante a era Amarna (meados do século XIV) até o século XII a.C. Algumas descobertas muito interessantes foram feitas em conexão com uma construção do século X, a qual Lapp chama de "Estrutura Sectária" ou "Altar". Aqui Sellin havia desenterrado uma plataforma de terracota com aprox. 90 cm de altura contendo figuras de animais, uma cobra e uma árvore da vida em relevo ornamental. Ele a chamou de altar de incenso. Mas um altar semelhante encontrado em 1968 (BASOR #195, fig. 29) não mostra qualquer evidência de fogo ou incenso; portanto Lapp acredita que estes altares tenham sido utilizados para libações. A sua expedição também descobriu 108 estatuetas antropomórficas de barro, muitas do tipo Astarte, tanto do século XV como do século XII a.C.

A cidade foi evidentemente destruída uma vez mais pelo exército de Sisaque em sua campanha de 926 a.C. Depois disso, ela foi parcialmente povoada durante a monarquia israelita e os períodos persas. A sua história de ocupação por todo o AT é um paralelo muito próximo à ocupação de Megido.

***Bibliografia.*** Albert E. Glock, "A New Ta'annek Tablet", BASOR #204 (1971), pp. 17-30. Carl Graesser, Jr., "Taanach", BW, pp. 556-563. Paul W. Lapp, "The 1963 Excavation at Ta'annek", BASOR #173 (1964), pp. 4-44; "The 1966 Excavations...", BASOR #185 (1967), pp. 2-39; "The 1968 Excavations...", BASOR #195 (1969), pp. 2-49; "Taanach by the Waters of Megiddo", BA, XXX (1967), 1-27.

J. R.

**TAANATE-SILÓ** Uma cidade ou região situada na fronteira nordeste de Efraim, entre Micmetate e Janoa (Js 16.6). A sua identificação mais antiga é encontrada no Talmude (Zebahim 118*b*), que interpreta a frase como "lamentação de Siló", e a considera como uma faixa do território efraimita que se estendia até Benjamim e incluía Siló. Por outro lado, tanto Eusébio como Jerônimo a consideravam uma cidade chamada Tena, dezesseis quilômetros a leste de Neápolis (Nabulus) na estrada para o Jordão. Plínio também menciona uma cidade chamada Tena em Samaria. Desse modo, o local tem sido identificado como a moderna Khirbet Ta'nah el-Foqa, onze quilômetros a sudeste de Siquém. Ela está situada sobre uma montanha que poderia ter servido como uma fortaleza guardando a cidade de Siquém. Este nome pode significar "aproximação a Siló".

**TAÁS** O terceiro filho de Reumá, a concubina de Naor, irmão de Abraão (Gn 22.24).

**TAATE**

1. Um levita, o filho de Assir, que é mencionado entre os descendentes de Coate (1 Cr 6.24,37).

2 e 3. Dois dos descendentes de Efraim. Se a passagem em 1 Crônicas 7.20ss. for entendida como uma genealogia de Josué, então Taate é filho de Berede e avô de uma pessoa que tem o mesmo nome. Se esta passagem for tratada como uma lista dos filhos de Efraim, então a segunda menção de Taate é aparentemente uma repetição. De modo geral, a primeira parece preferível.

4. Um dos acampamentos durante a peregrinação de Israel no deserto (Nm 33.26ss.), cuja localização é atualmente desconhecida.

**TABAOTE** O líder de uma família de servidores do Templo que retornaram do exílio com Zorobabel (Ed 2.43; Ne 7.46).

**TABATE** Um lugar na rota da perseguição de Gideão aos midianitas depois de sua vitoriosa estratégia em Jezreel (Jz 7.22). Ela tem sido identificada com Ras Abu Tabat em Gileade, oito quilômetros a leste do Jordão, e 16 quilômetros a norte de Sucote.

**TABEAL** O nome aramaico Tabeal pode ser traduzido como "Deus é bom". As versões que trazem o termo Tabeal (Is 7.6) refletem a anotação masorética, mudando o significado para "não é bom", uma tradução limitada ao primeiro dos dois que possuíram este nome.

1. O "filho de Tabeal" fez parte do contexto da guerra siro-efraimita contra Judá. Os aliados, Peca de Israel e Rezim da Síria, haviam se unido a outros para formar uma frente comum contra a grande ameaça daqueles dias, a Assíria. Para fortalecer sua posição, eles desejaram acrescentar Judá à aliança, mas Acaz, rei de Judá, recusou. Ele já havia determinado salvar a si mesmo e sua nação fazendo um acordo com os assírios. A fim de forçar Judá a entrar na aliança, Israel e Síria foram à guerra contra Acaz, planejando, quando tivessem conquistado o país, colocar o "filho de Tabeal" sobre o trono como uma marionete voluntária. O plano fracassou e o filho de Tabeal desapareceu da história (Is 7.1-6).

Não há uma identificação precisa deste homem. Alguns têm suposto que ele seja Zicri, um efraimita que matou o filho de Acaz na batalha (2 Cr 28.7), embora não pareça haver qualquer razão para tal conjectura. Pelo fato de uma carta assíria (de aprox. 730 a.C.) de Calá mencionar um pequeno distrito de Tabel (*Tabilaya*) no norte da Transjordânia ou no sul da Síria, tem sido sugerido que ele pode ter sido o filho de Uzias e de uma princesa de Tabel, e assim teria uma certa legitimidade para ser rei (W. F. Albright, BASOR #140 [1955], pp. 34ss.). Porém, Tabel teria sido o nome de uma província na administração assíria da Transjordânia conquistada, e não a de um estado político independente. É provável que ela tenha tomado este nome da família de Tabeal que, anteriormente, havia governado a região sob a autoridade do rei Uzias de Judá (B. Oded, "Assyrian Rule in Transjordan", JNES, XXIX [1970], 180).

2. Um oficial persa na Palestina que tentou parar a reedificação do Templo. Com outros, ele escreveu uma carta ao rei Artaxerxes acusando os judeus de rebelião, o que levou a uma ordem real de suspender o trabalho (Ed 4.7).

P. C. J.

**TABERÁ** Um local desconhecido no itinerário dos israelitas logo após terem deixado o monte Sinai em sua viagem para Cades. Como um juízo contra o povo, por terem murmurado a respeito de seus infortúnios, é dito que o fogo do Senhor desceu entre eles e consumiu algumas partes distantes do arraial. O lugar foi conseqüentemente chamado de Taberá ("queima") porque o fogo do Senhor ardeu entre eles (Nm 11.1ss.). Taberá é mencionada em uma associação com Massá e Quibrote-Hataavá no segundo discurso de Moisés como lugares em que os israelitas provocaram a ira do Senhor (Dt 9.22). No entanto, ele é omitido do itinerário em Números 33.

**TABERNÁCULO** O Tabernáculo (heb. *'ohel*

Modelo de Shick do Tabernáculo. MPS

e *mishkan*) era o lugar onde o Senhor habitava e se encontrava com seu povo depois do êxodo do Egito. Ele posteriormente se tornou o protótipo dos templos judeus subseqüentes. A fonte de informação mais completa sobre o Tabernáculo é Êxodo 25–28, onde estão prescritas, nos mínimos detalhes, instruções para a construção do santuário e sua mobília. O texto em Êxodo 35–40 descreve a execução da tarefa de construir a estrutura. Uma vez que o Tabernáculo era o modelo para os templos subseqüentes, as especificações dadas em 1 Reis 6; 2 Crônicas 3–4 são uma ajuda para que se entenda sua função e certos detalhes, bem como Ezequiel 41–43. Fora das Escrituras, a principal fonte de informação é Josefo, que em sua descrição dos edifícios sagrados dos judeus (*Ant.* iii. 6.2–7.7) repete, essencialmente, as afirmações do AT.

## Estrutura

O plano térreo do Tabernáculo mosaico pode ser entendido com razoável certeza. As principais características eram as seguintes:

*O átrio.* O átrio era um espaço fechado de 100 por 50 côvados em torno do Tabernáculo, que ficava na metade oeste do pátio. Os lados maiores estavam diante do norte e do sul (Êx 27.9-19; 38.9-20). Este espaço ficava fechado por uma cerca cuja estrutura consistia de pilares de madeira de acácia com cinco côvados de altura (Êx 27.18). A parte inferior era presa por bases ou placas de bronze, evidentemente deitadas sobre o solo. Estas bases tinham um furo para receber o encaixe que ficava na extremidade inferior de cada coluna. As colunas eram estabilizadas por cordas e pinos, e possuíam ganchos revestidos com prata, e braçadeiras de prata, chamadas de vergas, faixas ou molduras, em volta do istmo. Sobre esta cerca eram penduradas cortinas de "linho fino torcido", costuradas extremidade com extremidade de modo a formar uma tela contínua desde a porta de entrada, contornando todos os cantos e chegando novamente até à porta. A cortina para a porta ficava no meio da extremidade oriental. Seu tamanho era de cinco côvados de altura e 20 côvados de comprimento. Entrava-se no átrio levantando esta cortina pela parte de baixo. Na metade leste do átrio ficava um altar, chamado altar de "bronze" (ou cobre), por causa do material de revestimento, ou de altar das ofertas queimadas, por causa do tipo principal de sacrifício que nele se oferecia (Êx 27.1-8; 38.1-6). *Veja* Altar. Entre o altar e a porta do Tabernáculo ficava a pia de bronze (Êx 30.17-21; 38.8; 40.30-32).

Quando no arraial, o Tabernáculo era cercado por duas séries de tendas. Os levitas compunham a primeira, e as 12 tribos a segunda, três tribos acampando em cada lado (Nm 2.1–3.39).

*O Tabernáculo.* O Tabernáculo era composto por duas partes, o Tabernáculo em si (heb. *mishkan*, referindo-se à armação de madeira e às cortinas de linho) e a tenda (heb. *'ohel*, que algumas versões chamam de "tenda sobre o Tabernáculo", Êxodo 26.7).

O Tabernáculo propriamente dito era feito

de placas ou tábuas de madeira de acácia, com dez côvados de comprimento e um côvado e meio de largura, revestido com folhas de ouro (Êx 26.16). Cada parede lateral consistia de 20 tábuas, e cada tábua possuía dois encaixes em sua parte inferior para se ajustar à base. Oito placas formavam a parte de trás; seis eram idênticas em tamanho àquelas dos lados, e duas tinham um côvado e meio de largura.

A fim de manter estas tábuas no lugar, três séries de travessas (ou barras), feitas de acácia revestida com ouro, passavam através de argolas posicionadas do lado de fora das tábuas (Êx 26.26-29; 36.31-34).

Uma outra opinião da construção do edifício do Tabernáculo, defendida por A. R. S. Kennedy, vê a armação de madeira como consistindo de painéis de armação ou estruturas abertas, e não tábuas sólidas. Uma vez que as árvores de acácia usadas para a madeira não crescem em abundância na península do Sinai, não seria possível obter nenhuma tábua com 27 polegadas (um côvado e meio) de largura. Mas painéis abertos poderiam ser facilmente feitos. Eles permitiriam que as cortinas de linho com seus querubins bordados fossem vistas ao serem drapejadas sobre a estrutura.

Um exemplo de construção de um painel como este pode ser encontrado na parte mais interior de quatro santuários funerários concêntricos de madeira enfeitada sobre os sarcófagos do Faraó Tutancamom (de aprox. 1390 a.C.). Ele era feito de um conjunto de painéis de madeira desmontáveis, com pinos móveis para mantê-los juntos. Um véu ou dossel de linho decorado com minúsculas rosáceas de ouro cobria o segundo santuário. Algumas versões (Êx 26.15-25, "armações" ou "tábuas") adotaram esta explicação, que é aceita por D. W. Gooding e R. Laird Harris ("Archaeology and the Wilderness Tabernacle", *Bulletin of the Near East Archaeological Society*, VII [1964], 3-4).

É bastante provável que a estrutura fosse mantida com cordas, sendo que uma extremidade era presa aos botões de cobre usados em ligação com o pano da tenda, e a outra extremidade era presa aos pinos que eram fixados no chão.

O telhado consistia de uma cobertura interna de lonas de pêlos de cabra. O material era tecido em 11 pedaços, cada um com 30 côvados de comprimento e quatro côvados de largura (Êx 26.7-13; 36.14-18). A tenda estendia-se por um côvado sobre os lados, permitindo uma dobra extra na parte dianteira e sobrepondo a parte de trás (Êx 26.9,12). De acordo com Êxodo 26.14 e 36.19, coberturas adicionais para a tenda foram feitas de peles de carneiro tingidas de vermelho e de peles de doninha ou dugongo (*veja* Animais V.4). O telhado era erguido por postes, sendo que um deles era a extensão da ombreira central da porta.

A entrada para o Tabernáculo era parecida com a do átrio. Era fechada por uma tela que era apoiada por cinco colunas cobertas com ouro (Êx 26.36,37; 36.37,38).

O interior do Tabernáculo era decorado com cortinas. Uma dignidade em especial era conferida a estas dez cortinas de linho fino torcido, sobre as cortinas da porta, por sua bordadura de "querubins... de obra esmerada" (Êx 26.1; 36.8) ao invés do simples rendilhado das cortinas da porta.

O Tabernáculo em si era dividido em dois compartimentos, o Lugar Santo e o Santo dos Santos. Se as proporções destas áreas eram análogas no Tabernáculo e no Templo, então o Santo dos Santos era quadrado, e o Santo Lugar era duas vezes mais longo que sua largura.

Estes dois compartimentos eram separados por um véu (heb. *paroket*). O véu era feito dos mesmos materiais da tela da entrada, exceto por ser bordado com querubins. Geralmente acredita-se que havia dois com suas asas estendidas tocando um no outro (Êx 26.31-33; 36.35,36).

*A mobília*. A mobília era colocada tanto dentro do átrio como do Tabernáculo. As peças eram as seguintes:

1. O altar das ofertas queimadas encontrava-se na metade leste do átrio (Êx 27.1-8; 38.1-7). Ele era uma estrutura oca de madeira de acácia, quadrado em sua base, de cinco côvados de cada lado, e três côvados de altura. Era revestido de cobre ou bronze. Cada um dos cantos superiores possuía uma extensão triangular no formato de um chifre. A meio caminho do altar havia uma saliência ("rebordo" ou "cercadura"). Abaixo dela, havia uma grelha de bronze em forma de rede ao redor dos quatro lados, que permitia que o sangue do sacrifício fosse derramado e aspergido ou salpicado contra a base do altar através da rede (Êx 29.12,16). Por meio de uma argola em cada um dos quatro cantos da grelha, o altar poderia ser transportado utilizando-se varais.

Aparentemente, o altar não possuía uma parte de cima, porque esta não é mencionada, ao passo que a tampa do altar de ouro é especificamente mencionada. Conseqüentemente, alguns têm sugerido que a estrutura oca era preenchida com terra. A outra alternativa é presumir que o sacrifício era queimado no solo, dentro do altar, que funcionava como uma espécie de incinerador.

Os utensílios usados no serviço do altar eram feitos de bronze ou cobre e incluíam recipientes e pás para remover as cinzas, bacias para o sangue do sacrifício, garfos e braseiros nos quais o fogo era carregado quando o arraial estava de mudança. Nunca era permitido que o fogo neste altar se apagasse.

2. Entre o altar e a porta do Tabernáculo era colocada uma bacia (ou pia) de cobre ou bronze (Êx 30.17-21; 38.8; 40.30-32). Era uma

grande bacia sobre um "suporte" ou "base" de cobre. A bacia era feita dos espelhos de bronze das mulheres que ministravam (Êx 38.8; *veja* Espelho). Ela continha água para as abluções dos sacerdotes. As Escrituras não nos contam nada sobre seu tamanho ou forma. Na verdade, ela também é omitida das instruções de marcha descritas no texto hebraico de Números 4, mas é mencionada na LXX. A omissão provavelmente não tem nenhuma importância, já que todas as outras partes do Tabernáculo possuem instruções detalhadas para o transporte.

3. A mesa da proposição (Nm 4.7; 2 Cr 29.18) ficava no Lugar Santo (Êx 25.23-30; 37.10-16). Ela era colocada no norte ou à direita de quem entrava, e ficava em frente ao castiçal (Êx 40.22). A mesa era feita de madeira de acácia coberta de ouro puro, e tinha dois côvados de comprimento, um côvado de largura, e um côvado e meio de altura. A parte superior da mesa descansava sobre uma armação, e em volta dela havia uma "coroa" ou "moldura" de ouro, projetando-se sobre a parte de cima para impedir que os objetos caíssem dela. Havia argolas em cada canto para possibilitar seu transporte.

Sobre a mesa eram colocados os pães feitos de flor de farinha (sem fermento) – 12 pães ou bolos assados, cada um contendo um quinto de efa de farinha. Estes bolos eram renovados todo sábado para serem consumidos apenas pelos sacerdotes (somente no santuário). A tarefa da preparação dos pães foi atribuída aos levitas (1 Cr 9.32). Para cada pilha de bolos era adicionado incenso, muito provavelmente em travessas que eram colocadas ao lado dos pães, "por oferta memorial; oferta queimada é ao Senhor" (Lv 24.5-9). *Veja* Pão da Proposição.

Na ministração da mesa da proposição, eram usados três tipos de utensílios de ouro: pratos rasos, que provavelmente eram empregados para carregar os pães para a mesa e para retornar dela, e possivelmente para conter os pães enquanto estavam na mesa; colheres, ou talvez taças, provavelmente para o incenso (Lv 24.7); e jarras e travessas, talvez para o vinho.

4. O castiçal ou candelabro (heb. *m^e^nora*) encontrava-se ao sul ou do lado esquerdo do Lugar Santo, diretamente do lado oposto à mesa da proposição (Êx 40.24). Os detalhes da construção, com exceção de seu tamanho, são dados em Êxodo 25.31-40; 37.17-24. Um talento inteiro de ouro puro foi usado na construção do castiçal e seus utensílios. As diferentes partes eram de "obra batida", isto é, folhas marteladas. Ele consistia de um pedestal, uma haste e três tubos que se projetavam de cada lado da haste. A haste e os tubos acabavam em bases dentro das quais sete lâmpadas eram colocadas. A decoração do castiçal era bastante elaborada. O castiçal de sete tubos do Templo de Herodes foi aparentemente feito de forma a lembrar o do Tabernáculo, como mostrado no relevo no Arco de Tito em Roma, onde foi tomado como um troféu de guerra depois de 70 d.C. A forma do castiçal de ouro visto por Zacarias em visão era bem diferente (Zc 4.2). Um vaso no topo fornecia azeite para as suas sete lâmpadas, cada uma das quais possuía sete bicos de pavio conforme o padrão das lâmpadas de cerâmica com sete bordas encontradas nas tumbas do segundo milênio a.C. em Dotã e em outros lugares. *Veja* Lâmpada.

As lâmpadas eram abastecidas com azeite puro batido (Êx 27.20). Elas eram acesas na hora do sacrifício da noite (Êx 30.8), e apagadas, preparadas e enchidas na hora do sacrifício matinal (Êx 30.7; 1 Sm 3.3).

Espevitadeiras e apagadores eram os utensílios pertencentes ao serviço do castiçal (Êx 25.38). Estes também foram feitos do mesmo ouro usado na construção do castiçal (Êx 25.38). As espevitadeiras ou pinças eram usadas para ajustar o pavio e para segurá-lo enquanto se soprava para acender a lâmpada. Os apagadores eram bandejas para conter as espevitadeiras e pedaços de pavio aparados, tais como os braseiros usados para carregar as brasas do altar (Êx 27.3; Lv 16.12).

5. O altar do incenso ocupava o espaço central no Lugar Santo, próximo e em frente ao véu que levava ao Santo dos Santos (Êx 30.1-6; 37.25-28; 40.5; Lv 16.18). No entanto, era contado como pertencendo ao Santo dos Santos (1 Rs 6.22; Hb 9.4), talvez por conta de sua grande santidade. Era uma caixa simples de madeira de acácia com dois côvados de altura, um côvado de largura e um côvado de comprimento, com uma parte superior semelhante à do altar das ofertas queimadas (os cantos superiores tinham chifres que se projetavam). O altar inteiro era coberto de ouro. Possuía uma bordadura em volta da parte superior, e argolas e varais para que fosse transportado. Nenhum utensílio especial era usado em sua ministração. Nenhum sacrifício era oferecido nele, sendo reservado exclusivamente para queimar incenso a cada manhã e a cada anoitecer. *Veja* Incenso.

6. A arca, às vezes chamada de arca da aliança, arca do concerto (Nm 10.33) ou arca do testemunho (Êx 25.22), era a única peça de mobília que se encontrava no Santo dos Santos. A arca era feita de madeira de acácia com dois côvados e meio de comprimento, um côvado e meio de largura e um côvado e meio de altura, e revestida de ouro puro por dentro e por fora. Havia também uma borda de ouro que se estendia sobre a parte superior da arca para impedir que a tampa se movesse. A arca possuía argolas de ouro em cada lado para que pudesse ser transportada. *Veja* Arca da Aliança.

A arca tinha uma tampa chamada de propiciatório ou cobertura (Êx 25.20,22). Ela era idêntica em comprimento e largura à arca, e era de madeira de acácia coberta com ouro. *Veja* Propiciatório.

Nas extremidades da tampa estavam colocados dois querubins, provavelmente de ouro batido como era o castiçal. Estes querubins (*q.v.*) muito provavelmente tinham uma forma humana, com a exceção de suas asas, embora alguns estudiosos entendam Ezequiel 1.5-14 como uma descrição geral de sua aparência. Eles são sempre retratados como estando em pé (2 Cr 3.13), e com as faces voltadas um para o outro, olhando para o propiciatório com as suas asas estendidas por cima (Êx 25.20; Dt 32.11).

Era entre estes querubins que habitava a glória do Senhor (Êx 25.22; cf. Êx 40.34,35; Lv 16.2). Esta era uma manifestação visível da presença do Senhor entre seu povo. Pelo fato da arca ser o lugar da habitação divina, nenhum homem comum podia comparecer diante do propiciatório, e nem mesmo o sumo sacerdote podia comparecer diante da arca por sua própria conta ou sem o sangue do sacrifício. A penalidade por fazê-lo era a morte.

Dentro da arca eram mantidas as duas tábuas de pedra sobre as quais Moisés copiou os Dez Mandamentos (Êx 31.18; 34.29; Dt 9.10,11; 10.1-5); uma cópia da lei escrita por Moisés, provavelmente contendo todo o Pentateuco – talvez aquele que foi reencontrado nos dias de Josias (2 Rs 22.8); um vaso de ouro com o maná miraculosamente preservado (Êx 16.33,34); e "a vara de Arão, que tinha florescido" (Hb 9.4; cf. Nm 17.10).

**O Cuidado com o Tabernáculo**

As instruções para o cuidado do Tabernáculo são dadas em Números 3.25–4.33; 7.3-9; 10.17,21.

Quando o Tabernáculo tinha que ser ajustado para ser transportado, os levitas coatitas eram encarregados da tarefa de desmontar a estrutura. Eles deveriam cobrir a mobília com peles de texugo (Nm 4.6) ou doninha. A única peça de mobília não mencionada é a bacia de bronze, talvez porque ela era carregada sem a cobertura.

Tendo terminado as preparações, os coatitas carregavam a mobília, enquanto os gersonitas tinham a atribuição da tapeçaria do Tabernáculo. Os meraritas eram encarregados do cuidado das travessas, colunas, bases, pinos e cordas do Tabernáculo.

**História**

A data para a introdução do Tabernáculo variará com a data que se aceita para o êxodo (*veja* Êxodo, O). O Tabernáculo foi montado no Sinai no primeiro dia do primeiro mês do segundo ano (Êx 40.2,17), isto é, 14 dias antes da celebração da Páscoa no primeiro aniversário do Êxodo. Quando os israelitas recomeçaram sua viagem, seis carros carregaram todas as coisas exceto a arca e os dois altares (Nm 7). Antes de deixar o Sinai, o altar da oferta queimada e os utensílios de ouro e prata foram consagrados. O Tabernáculo havia permanecido levantado no Sinai por 50 dias (Nm 10.11).

Do Sinai até Canaã se passaram mais 39 anos. Destes, quase 38 anos foram passados em Cades. Os sacrifícios comuns não foram oferecidos durante este período (Am 5.25). Pouco está registrado a respeito destes anos, e poucas menções são feitas com relação ao Tabernáculo, exceto que a arca da aliança precedeu a multidão de Israel quando marchou (Nm 10.33-36).

Quando Israel finalmente entrou na terra de Canaã, uma das primeiras considerações foi encontrar um lugar de descanso para o Tabernáculo. Este deveria ser um lugar que não houvesse sido habitado e que estivesse livre da contaminação das sepulturas humanas. Tal lugar foi encontrado em Gilgal (Js 4.19; 5.10; 9.6; 10.6,43). Gilgal, porém, nunca foi considerado um local permanente. A questão de um local permanente foi uma questão de ciúme intertribal, e foi enfim fixado pela remoção do Tabernáculo para Siló (Js 18.1). Siló ficava no território de Efraim, e estava convenientemente localizada para o comparecimento dos adultos do sexo masculino nas três festividades anuais. Enquanto permaneceu em Siló, o Tabernáculo parece ter ganho alguns acessórios mais permanentes, como por exemplo pilares (1 Sm 1.9), que o levaram a ser chamado de "templo" (1 Sm 1.9; 3.3).

Durante os primeiros anos de Samuel, rompeu novamente a guerra com os filisteus. Em um conselho de guerra foi proposto que a arca da aliança fosse levada para a zona de guerra, em uma tentativa de assegurar a vitória. Os dois filhos de Eli, Hofni e Finéias, carregaram a arca, e ela chegou ao arraial com gritos que foram ouvidos no arraial do inimigo. Não era mais no Senhor que os israelitas estavam confiando para alcançar a vitória, mas em uma arca material que se tornara a esperança de Israel. O episódio terminou em um desastre. A arca foi capturada, os filhos de Eli foram mortos, e Israel foi disperso (1 Sm 4.1-11). O Tabernáculo, porém, não parece ter sido tomado, e não se conhece ao certo a data da destruição de Siló (*veja* Siló).

A arca logo foi restituída a Israel pelos filisteus, e permaneceu em Quiriate-Jearim por vários anos. O Tabernáculo foi transferido para Nobe (1 Sm 21.1ss.), e ali permaneceu até o massacre dos sumos sacerdotes de Nobe por Saul (1 Sm 22.1ss.). Subseqüentemente, ele foi transferido para Gibeão (1 Cr 16.39; 21.29). Gibeão ficava a 10 quilômetros de Jerusalém e a 11 quilômetros de Betel.

Depois que Davi conquistou Jerusalém, ele

preparou um lugar para a arca de Deus e armou uma tenda em Sião para imitar o Tabernáculo em Gibeão (2 Sm 6.17ss.; 1 Cr 16.1). Ali deve ter havido um altar, visto que ofertas queimadas e ofertas pacíficas são registradas. Enquanto isso, a arca foi trazida de Quiriate-Jearim. Ela permaneceu por três meses na casa de Obede-Edom. A arca foi então carregada para dentro do Tabernáculo davídico, de forma que havia agora dois tabernáculos, um com o Tabernáculo e o altar originais, e um outro com a arca original. Ambos, porém, foram suplantados pelo Templo de Salomão. De todos os materiais no Tabernáculo original, apenas a arca foi incorporada ao Templo. O Tabernáculo foi finalmente levado para Jerusalém, e mantido como uma relíquia no Templo (1 Rs 8.4). Ao todo, o Tabernáculo teve uma história de aproximadamente 500 anos (1 Rs 6.1).

### Importância

Falando com bastante franqueza, a exata natureza da importância do Tabernáculo é um assunto discutido. Anteriormente, alguns haviam argumentado que cada detalhe, até mesmo os pinos usados para segurar a tenda da congregação, eram da máxima importância. Em resposta a esta excessiva tipologia, o pêndulo pendeu para a outra direção. Tanto um extremo quanto o outro parecem estar incorretos, pois o NT claramente ensina que o Tabernáculo fala tipologicamente de Cristo (Hb 9.23,24). O Tabernáculo, então, é significativo sob os seguintes aspectos:

1. Ele era um retrato da realidade celestial (Hb 9.23,24).
2. O Tabernáculo era a tipificação da Igreja, que é a "morada de Deus no Espírito" (Êx 25.9; Ef 2.19-22).
3. O Tabernáculo era a tipificação de cada crente individualmente, que é "o templo do Espírito Santo" (1 Co 6.19; 2 Co 6.16).
4. A santidade de Deus foi vividamente retratada no Tabernáculo. Todo o serviço deveria ter mostrado ao israelita piedoso que o Senhor existe e está totalmente separado da pecaminosidade do homem, e que só era possível aproximar-se dele depois das preparações mais elaboradas. Além disso, ao sumo sacerdote não era permitido entrar no Santo dos Santos, que era o lugar onde Deus habitava entre seu povo, exceto uma vez ao ano, e somente portando o sangue sacrificial.
5. O Tabernáculo era, ao mesmo tempo, uma demonstração da graça de Deus. Quando se contempla a grandeza de Deus e a pecaminosidade do homem, certamente é de surpreender que Deus tenha se dignado a habitar com os homens.
6. A principal importância do Tabernáculo pertence à teologia da encarnação (*q.v.*). No NT, a idéia da presença divina culmina na pessoa do Senhor Jesus Cristo: "O Verbo se fez carne, e habitou [lit., tabernaculou] entre nós" (Jo 1.14), e "foi do agrado do Pai que toda a plenitude nele habitasse" (Cl 1.19; cf. 2.9).

O Tabernáculo foi, então, uma ponte principal entre o AT e a encarnação. A mobília do átrio simbolizava a aproximação do homem a Deus. O homem precisa lidar com seu problema relacionado ao pecado. No altar havia o perdão dos pecados através do sacrifício (Hb 9.22), e na bacia com água, a purificação da impureza cotidiana (Jo 13.2-10). Por outro lado, a mobília do Santo dos Santos falava da aproximação de Deus ao homem. Aqui a santidade, a graça e a soberania de Deus foram demonstradas na provisão de Deus. O Senhor Jesus Cristo, como nosso Sumo Sacerdote, tomou o sangue de seu próprio sacrifício e o aspergiu sobre a lei que infringimos, para que pudéssemos ser considerados perfeitos aos olhos de Deus (Hb 9.11-15; 10.19).

A mobília do Lugar Santo retratava a obra de Cristo como Mediador entre Deus e o homem. A mesa dos pães da proposição simbolizava Cristo como o pão da vida (João 6.29-38; 12.24-33). Pelo castiçal de ouro, Cristo é mostrado como a luz do mundo (Jo 8.12), bem como a luz "que alumia a todo homem que vem ao mundo" (Jo 1.9), no sentido de que Ele é a revelação final e definitiva de Deus (Hb 1.1,2). Finalmente, o altar do incenso retratava Cristo como o nosso Intercessor (Jo 17.1-26; Hb 7.25). É através dele que as nossas orações sobem à presença do Deus Santo (Hb 13.15).

### Problemas

Existem alguns problemas literários e históricos em torno do Tabernáculo. No entanto, eles fazem parte de um problema muito maior do AT, e, como tal, não seria possível desenvolver uma discussão completa aqui, quanto mais expressar sua solução. Entretanto, podemos fazer algumas observações sobre as características mais proeminentes.

1. Alguns têm alegado que as instruções dadas para a confecção do Tabernáculo são impraticáveis, e que esta seria a obra de um idealista. A atitude de aceitar ou rejeitar esta opinião dependerá grandemente de como se entende o propósito de Deus ao incluir tal registro nas Escrituras. Certamente, o principal propósito deve ter sido o nosso aprendizado. Além disso, é sabido que durante o mesmo período, no Egito, estavam em uso santuários portáteis bastante semelhantes ao Tabernáculo no tocante às técnicas de construção. Um pavilhão portátil da rainha Hetepe-Heres (de aprox. 2600 a.C.), grande o bastante para uma cadeira e uma cama adornadas, consistia de uma estrutura de madeira enfeitada com ganchos em todos os lados para que se pendurassem as cortinas. As vigas e as hastes eram encaixadas em

bases para que a estrutura pudesse ser facilmente levantada e desmontada. Um baixo-relevo de Ramsés II (de aprox. 1285 a.C.) mostra a tenda do rei divino colocada no centro do acampamento militar egípcio (Harrison, IOT, pp. 404ss.). Portanto, é certo que estruturas como o Tabernáculo não só podiam ser construídas, mas eram de fato construídas (K. A. Kitchen, "Some Egyptian Background to the Old Testament", *Tyndale House Bulletin*).

2. No texto hebraico, o altar do incenso e a bacia de bronze aparecem em Êxodo 30 ao invés do que poderia ser esperado, ou seja, Êxodo 25 e 27. Alguns pensam que isto mostra que Êxodo 30 é um acréscimo posterior aos manuscritos P, que por sua vez já são posteriores. No entanto, isto não é garantido pelo contexto. Na verdade, há boas razões para se aceitar a ordem como deliberada e original (veja o tópico "Tabernáculo" na obra de A. H. Finn, "The Tabernacle Chapters", JTS, XVI (1915), pp. 449-482, e *Westminster Dictionary of the Bible*).

3. Existe uma ampla divergência entre a Septuaginta (LXX) e o texto hebraico nos últimos capítulos do Êxodo. Portanto, tem sido argumentado por alguns que os últimos capítulos ainda não haviam alcançado sua forma hebraica final, e que a Septuaginta foi traduzida a partir de uma outra tradição hebraica que nada sabia sobre o altar de incenso. Estas conclusões são infundadas (veja a obra de D. W. Gooding, *The Account of the Tabernacle*, 1959).

4. Finalmente, alguns afirmam que no Pentateuco que temos existe um conflito e discrepância entre a primitiva "tenda da congregação" encontrada na fonte oriental, e o Tabernáculo ornado e não histórico das fontes P posteriores. Aqui a conclusão é novamente injustificada (veja a obra de J. Orr, *The Problem of the Old Testament*, 1906, pp. 165-73, e a obra de A. H. Finn, *The Unity of the Pentateuch*, 1917, pp. 255-85).

***Bibliografia.*** "Tabernacle, Ark and Cherubim", CornPBE, pp. 673-677. G. Henton Davies, "Tabernacle", IDB, IV, 498-506. D. W. Gooding, "Tabernacle", NBD, pp. 1231-1234. R. K. Harrison, *Introduction to the Old Testament*, Grand Rapids. Eerdmans, 1969, pp. 403-408. A. R. S. Kennedy, "Tabernacle", HDB, IV, 653-668. K. A. Kitchen, "Some Egyptian Background to the Old Testament", *Tyndale House Bulletin*, Nos. 5, 6 (1960), pp. 7-13. W. Michaelis, "*Skene* etc.", TDNT, VII, 368-394. Marten H. Woudstra, "The Tabernacle in Biblical-Theological Perspective", NPOT, pp. 88-103.

P. D. F.

**TABERNÁCULOS, FESTA DOS** *Veja* Festividades.

**TABITA** Uma palavra aramaica que Lucas, o escritor de Atos, traduziu como "Dorcas" no texto grego (At 9.36). Ele o fez aparentemente visando o benefício dos leitores. O nome significa "gazela", um nome feminino de tratamento carinhoso tanto entre os judeus como entre os gregos, e assim um nome apropriado para a mulher a quem Pedro ressuscitou dos mortos. Este foi um milagre digno de nota, visto ter sido a primeira ressurreição realizada por um apóstolo (cf.. Mt 10.8; At 20.9,10). A notícia deste milagre espalhou-se por toda Jope e, como resultado, muitos creram no Senhor Jesus (At 9.42).

Nada se conhece sobre Tabita, exceto o que é expresso em Atos 9.36-42. Ela é chamada de "discípula" (*mathetria*, a forma feminina usada somente aqui no NT), isto é, uma cristã, uma verdadeira crente em Jesus Cristo. Sua bondade e presteza haviam tocado as vidas de muitas pessoas à sua volta. Quando ela morreu, houve uma tristeza generalizada e um sentimento de grande perda. Pedro, que havia curado Enéias em Lida, 16 quilômetros a sudeste, foi chamado pelos amigos consternados da falecida Tabita. Não se sabe exatamente porque eles levaram o apóstolo até Jope, se como um consolo ou em busca de um milagre. Mas Pedro respondeu ao seu apelo. Eles o conduziram ao cenáculo onde o corpo jazia; depois de fazer sair os amigos, e ajoelhando-se para orar, ele se voltou para o corpo e disse, "Tabita, levanta-te". Ela abriu os olhos e se sentou. As viúvas a quem Dorcas havia ajudado dando-lhes túnicas e vestidos, assim como os outros crentes, se regozijaram.

H. E. Fi.

**TABOR, MONTE** Um monte com a forma de domo na Galiléia conhecido em árabe como Jebel et-Tor. Isolado de outras montanhas, ele permanece como sentinela na parte noroeste da planície de Jezreel, 19 quilômetros ao norte do monte Gilboa. Está situado a aprox. 19 quilômetros a sudeste de Nazaré, e a aprox. 19 quilômetros a sudoeste do mar da Galiléia.

A sua maior elevação é de 600 metros acima do nível do mar, e está a 445 metros acima da planície de Jezreel. Suas laterais são íngremes, e o acesso é geralmente feito por sua parte oeste. O cume é mais ou menos plano e elíptico, estendendo-se por cerca de 800 metros de leste a oeste e 400 metros de norte a sul.

Alguns supõem que este seja o monte de Deuteronômio 33.19, onde um antigo santuário deveria estar localizado. Ele é mencionado pela primeira vez pelo nome na época da divisão da terra entre as tribos de Israel (Js 19.12,22) como o local de encontro dos territórios de Issacar, Naftali e Zebulom. Baraque reuniu aqui 10.000 homens de Issacar e Zebulom a fim de envolver Sísera

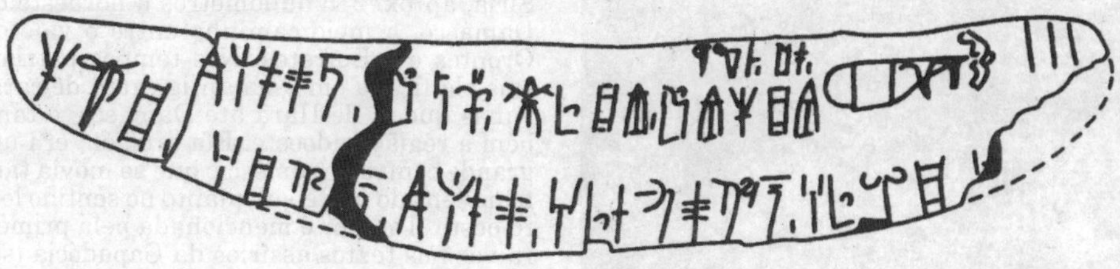

Uma tábua linear B do período micênico

e os cananeus nas proximidades de Megido (Jz 4.6,12,14). Os irmãos de Gideão foram mortos por Zeba e Salmuna no monte Tabor (Jz 8.18,19). Na época dos profetas, este era um santuário dedicado à idolatria (Os 5.1). Dominando duas estradas importantes, a rota norte-sul de Jezreel até o mar da Galiléia e a rota leste-oeste vindo do norte de Megido a partir do monte Carmelo e da baía de Aco (a moderna Haifa), Tabor era freqüentemente uma cidade fortificada. Em 218 a.C., Antíoco o Grande capturou uma cidade que havia sido construída em seu cume, e fortificou sua parte superior. Durante a rebelião judaica, Josefo também cercou o topo com um muro. O líder muçulmano Saladin fortificou a área no século XII d.C.

Tabor é principalmente lembrado como o local tradicional da transfiguração do Senhor Jesus Cristo. Helena, mãe do imperador Constantino, construiu uma igreja ali em 326 d.C., e subseqüentemente santuários foram dedicados a Moisés e Elias. Como o local da transfiguração não é citado nos Evangelhos (Mt 17.1-8; Mc 9.2-8; Lc 9.28-36), este local tradicionalmente aceito pode ser questionado. As duas principais dificuldades são: a distância de Cesaréia de Filipe e a probabilidade de que uma cidade ocupasse o topo do Tabor nos tempos do NT.

O convento franciscano no monte Tabor. IIS

Este cume está atualmente ocupado por uma igreja ortodoxa grega e um mosteiro franciscano, além das ruínas das estruturas anteriormente mencionadas.

H. L. D.

**TABRIMOM** Um governante sírio em Damasco durante o último quarto do século X a.C. Em 1 Reis 15.18, ele aparece como o filho de Heziom e o pai de Ben-Hadade (I), o rei da Síria. Uma aliança entre Tabrimom e Roboão e/ou Abias é mencionada na proposta inicial de Asa a Ben-Hadade (v.19). Antigamente, pensava-se que a estela aramaica Melkart (ANEP #499), de aprox. 850 a.C., encontrada perto de Alepo, havia sido erigida pelo Ben-Hadade mencionado acima, "o filho de Tabrimom, filho de Heziom" (ANET, p. 501; W. F. Albright, BASOR #87 [1942], pp. 23-29). Um estudo adicional de Frank M. Cross indica que a estela foi lida de forma errada, e que ela foi na realidade erigida por um certo Ben-Hadade (III), que foi coroado príncipe e co-regente com seu pai Ben-Hadade (II), um contemporâneo do rei Acabe e inimigo de Salmaneser III (BASOR #205 [1972], 36-42).

J. R.

**TÁBUA**

1. Na parte baixa do vale do Tigre-Eufrates, onde o barro é abundante, as tábuas de barro (ou argila) tornaram-se o material de escrita (*q.v.*) mais comum (e talvez o mais antigo). Milhares de tábuas inscritas sobreviveram desde a Antiguidade, dando um panorama da vida cotidiana antiga, contendo recibos, obras literárias, documentos de negócios, testamentos, processos judiciais, cartas, listas de palavras etc. Algumas destas tábuas cuneiformes, como as de Nuzu (*q.v.*) e Mari (*q.v.*), têm uma relação direta com a narrativa patriarcal. *Veja* Cuneiforme.

2. Tradução correta de palavras hebraicas e gregas traduzidas impropriamente como "mesa" em Isaías 30.8; Provérbios 3.3; Habacuque 2.2; Lucas 1.63. Sabe-se que tábuas de madeira para escrita, com uma camada de cera que poderia ser facilmente inscrita, são conhecidas na Assíria antes da época

Vista do templo de Bel, Palmira

de Isaías. Tábuas de calcário também foram encontradas em Israel (por exemplo, o calendário Gezer, de aprox. 950 a.C.), e as duas "tábuas" (Êx 24.12; *et al.*) sobre as quais os Dez Mandamentos foram inscritos eram de pedra.

3. A tradução do termo heb. *kumaz* (Êx 35.22; Nm 31.50) é considerada por alguns como imprecisa. Ele indica aquelas peças de ouro na forma de contas que eram usadas como pingentes em torno do pescoço ou em braceletes.

4. A tradução do termo heb. *bet nephesh* (Is 3.20) pode se referir a um pequeno frasco de perfume usado em torno do pescoço .

H. F. V.

**TAÇA** Um recipiente em forma de tigela ou bacia. Em Cantares 7.2, compara-se o umbigo ou a pélvis da amada a uma taça. A mesma palavra hebraica, *'aggan,* é utilizada em Êxodo 24.6 como "bacia" e em Isaías 22.24 como "canecas" ou "taças".

**TADEU** Um dos Doze, mencionado apenas em Mateus 10.3 e Marcos 3.18. O nome "Judas, filho de Tiago" aparece nas listas correspondentes em Lucas 6.16 e Atos 1.13. É possível que Mateus e Marcos tenham usado o outro nome por causa da provável confusão com Judas Iscariotes, o traidor.

Em João 14.22, ele é descrito como "Judas (não o Iscariotes)" também mostrando, portanto, a distinção. A questão que ele propôs em sua última passagem mostrou a falta de entendimento que tinha sobre a natureza da manifestação prometida pelo próprio Senhor Jesus. Na prática, ele estava rogando que o Senhor Jesus aparecesse em público, de forma dramática.

Para conhecer uma história dentre as soluções que foram tentadas veja E. Nestle, "Thaddaeus," HDB, IV. 741-42.

**TADMOR** Uma cidade oásis no deserto da Síria, aprox. 216 quilômetros a nordeste de Damasco, a meio caminho entre o vale do Orontes e o Eufrates. Nos tempos patriarcais ela ficava em uma antiga rota de caravanas que ia de Harã até Damasco, e também à região sudoeste. Ela também era um grande centro de comércio que se movia tanto no sentido norte-sul quanto no sentido leste-oeste. Tadmor é mencionada pela primeira vez nos textos assírios da Capadócia (século XIX a.C.), novamente nas tábuas de Mari (século XVIII a.C.), e então por Tiglate-Pileser I (em aprox. 1100 a.C.). Seguindo as guerras vitoriosas de Davi contra Hamate e Zobá na Síria (2 Sm 8), Salomão incluiu Tadmor em seu império (2 Cr 8.4).

A melhor era de Tadmor (renomeada como Palmira pelos gregos) começou com a queda de Petra, capital dos nabateus, em 105 d.C. e atingiu seu ápice sob o governo de Odenato (falecido em 267 d.C.) e de sua viúva, a rainha Zenóbia. Após o assassinato de seu marido, ela assumiu o papel de líder. Seu séquito da corte incluía o filósofo grego Longino, e supõe-se que ela tenha sido fluente em no mínimo cinco idiomas. Zenóbia tentou libertar Tadmor da influência romana, mas foi derrotada em 273 d.C. por Aureliano. Ele destruiu completamente o local como uma vingança pelo massacre de uma guarnição romana postada ali, logo depois de uma rendição aos romanos. Entre as suas muitas ruínas permanecem hoje o templo ao Sol, uma série de colunas romanas, um aqueduto, e restos de um muro construído por Justiniano. Várias tumbas romanas pontilham a área ao redor de Tadmor, e um oleoduto que vai do Iraque até Trípoli passa perto da antiga cidade.

O termo Tamar, que algumas versões trazem em 1 Reis 9.18, era pronunciado pelos massoretas judeus como Tadmor. Alguns estudiosos pensam que este local estava situado na estrada de Hebrom até Elate, e foi fortificado por Salomão para proteger a rota de comércio do sul da arábia via Elate até Jerusalém. *Veja* Tamar 5.

F. E. Y.

**TAFATE** A filha de Salomão que foi casada com Ben-Abinadabe, o oficial encarregado das receitas reais do distrito de Nafate-Dor (1 Rs 4.11).

**TAFNES**

1. Tafnes é encontrada em Jeremias 2.16; 43.7,8,9; 44.1; 46.14; Ez 30.18. Trata-se de uma cidade egípcia situada no Delta, a leste-sudeste de Tanis. Era a grega Dafnai (Heródoto II. 30), e hoje é conhecida como Tell Defenneh, "monte dos cavadores de sepulturas". O remanescente judeu fugiu para esta cidade após o assassinato de Gedalias (Jr 43.7). Jeremias foi levado juntamente com

estes refugiados, e em Tafnes o Senhor lhe mandou que profetizasse uma invasão do Egito por Nabucodonosor. Ele também deveria encaixar grandes pedras na argamassa do pavimento da entrada do palácio, e ali Nabucodonosor estenderia seu pavilhão real sobre elas (43.8-10).
Sir W. M. Flinders Petrie conduziu escavações em Tell Defenneh em 1883-84 e encontrou uma fortaleza que é, provavelmente, o edifício mencionado em Jeremias 43.9. O nome da colina da fortaleza, Kasr el Yehudi ("o palácio da filha do judeu"), foi considerado por Petrie como um resquício da habitação judaica (*Egypt and Israel*, Londres. SPCK, 1923, pp. 84-90). Em Jeremias 44.1,2, Tafnes e várias outras cidades egípcias são citadas como residências de judeus deslocados, contra quem uma profecia é dirigida. O texto em Ezequiel 30.18 se refere à cidade em uma passagem que declara juízos sobre as principais cidades do Egito.

C. E. D.

2. Uma rainha do Egito que viveu durante a época de Davi e Salomão (1 Rs 11.19,20). O nome não aparece nos registros históricos do Egito. Seu marido é mencionado apenas pelo título ("Faraó, rei do Egito"), mas, de acordo com a cronologia, ele deve ter sido um rei da 21ª Dinastia do Egito (BASOR #140 [1955], p. 32). Quando Hadade, que tinha uma descendência real edomita, fugiu para o Egito solicitando asilo político dos israelitas, o Faraó lhe deu a irmã de Tafnes como sua esposa. Esta teve um filho, Genubate, que foi desmamado por Tafnes e criado na casa real entre os filhos do rei.

**TALENTO** O talento era o maior peso usado pelos hebreus. Era utilizado para quantificar ouro (1 Rs 9.14), prata (2 Rs 5.22), chumbo (Zc 5.7), ferro (1 Cr 29.7) e cobre (Êx 38.29). Não se sabe com certeza se o talento era o mesmo em cada um destes casos, embora Êxodo 38.24-29 pareceria sugerir isto. No AT, o peso de um talento era de 3.000 siclos (Êx 38.25,26) e, portanto, o equivalente a aprox. 34 kg. A descoberta de vários pesos rotulados na Babilônia revelou que havia um talento pesado de aproximadamente 60 quilos e um talento leve de aproximadamente 30 quilos. Sabendo qual destes pesos estava sendo usado, o valor na moeda moderna pode ser calculado a partir do valor contemporâneo do ouro ou da prata. *Veja* Pesos, Medidas e Moedas.
No NT, o talento como um peso era igual a 125 *librae*, ou libras romanas de 12 onças cada, o que equivale a aproximadamente 42 quilos. Este seria um peso imenso para uma pedra de saraiva (Ap 16.21; cf. a paráfrase da versão RSV em inglês, "pesada como o peso de cem"). Como unidade de moeda, seu valor diferia consideravelmente de lugar para lugar, mas era sempre comparativamente alto. O talento de prata de Egina valia aprox. 1.625 dólares americanos, enquanto o talento da Síria valia apenas aprox. 250 dólares americanos (Arndt, p. 811). Os "dez mil talentos" de Mateus 18.24 obviamente representam uma dívida extremamente alta, que nenhum homem jamais poderia pagar; uma ilustração da dívida relacionada ao pecado que todo ser humano tem para com Deus.
A parábola dos talentos (Mt 25.14-30) fala de um número variado de talentos que são dados por um senhor aos seus servos, a cada um de acordo com sua própria capacidade ou potencial pessoal (gr. *dynamis*). O talento proporcionava a seu proprietário uma estabilidade financeira considerável. Com esta quantia, os servos deveriam negociar administrando e investindo durante a ausência do senhor. Talentos representam dons espirituais e oportunidades que são dadas ao crente, levando em consideração as suas habilidades naturais, intelecto e formação. Os "talentos" são uma demonstração da confiança sagrada a ser empregada na obra de nosso Senhor Jesus Cristo, e trazem uma grande recompensa àqueles que forem servos fiéis. *Veja* Parábolas de Jesus.

J. R.

**TALHA** *Veja* Pesos, Medidas e Moedas.

**TALHADEIRA** Tradução do termo hebraico *haris* em 2 Samuel 12.31 e 1 Crônicas 20.3. Era um instrumento cortante feito de ferro. Pode ter sido uma espécie de instrumento para debulhar (cf. *harus*, Is 28.27; 41.15; Am 1.3) ou um implemento agrícola como uma enxada ou picareta arrastada sobre a terra para nivelá-la e quebrar os torrões antes de plantar e cobrir as sementes já plantadas. Uma palavra diferente (*sadad*) usada em Jó 39.10; Isaías 28.24; Oséias 10.11 expressa a ruptura de torrões ou de terrenos incultos, mas existem dúvidas se este equipamento corresponde ou não ao moderno rastelo.

**TALITÁ CUMI** Uma expressão aramaica encontrada em Marcos 5.41 significando "jovem (ou menina), levanta-te". Os manuscritos mais confiáveis deixam claro que *kum* (imperativo masculino) ao invés de *kumi* (imperativo feminino) foi a leitura original; portanto, a versão NASB traz a expressão "Talita kum!" Estas palavras gentis ditas à filha de Jairo fornecem uma boa evidência de que o idioma normal do Senhor Jesus era o aramaico.

**TALMAI**

1. Um dos três filhos de Anaque que habitavam em Hebrom. Sua gigantesca estatura atemorizava os israelitas, mas pela fé Calebe se levantou contra eles e expulsou os três irmãos (Nm 13.22; Js 15.14; Jz 1.10). Uma

raça de elevada estatura e de pele clara chamada Tamau, retratada nos monumentos egípcios, foi considerada por alguns como esta família.
2. O rei de Gesur, um pequeno reino siro a nordeste do mar da Galiléia. Ele foi o pai de Maaca, a mulher de Davi e mãe de Absalão. Absalão fugiu para a corte de Gesur depois do assassinato de Amnom (2 Sm 3.3; 13.37; 1 Cr 3.2).

**TALMOM** O ancestral epônimo de uma família levítica que estava associada ao ofício dos porteiros do Templo, e que retornou com Zorobabel a Jerusalém (1 Cr 9.17; Ed 2.42; Ne 7.45; 12.25), onde deu continuidade a este ministério nos tempos pós-exílicos (Ne 11.19).

**TALMUDE** O termo hebraico *talmud* é derivado de *lamad*, "estudar", "aprender". É aplicado à segunda maior realização literária em hebraico e aramaico depois da Bíblia, e é uma interpretação da lei, bem como o repositório de um vasto cabedal de conselhos sábios, cobrindo o período de Esdras (450 a.C.) até aprox. 500 d.C.

### Desenvolvimento dos Materiais Tradicionais

Antes que o período profético pós-exílico terminasse, houve a instituição e o desenvolvimento de uma nova força entre o povo judeu. Esdras veio da Babilônia em 458 a.C. com o ideal de dirigir a ocupação judaica reorganizada em Israel com base nos princípios e instituições da *Tora* (a Lei). Esdras marca o início do movimento dos *Soph$^e$rim* (os escribas, *q.v.*, a liderança religiosa), que popularizou o conhecimento e a apreciação das Escrituras. As leituras públicas foram instituídas, das quais Neemias 8 foi um exemplo inicial. Este foi o início da transmissão oral do *Targumim* ("interpretações", as transliterações e paráfrases das Escrituras), especialmente do Pentateuco.
O desenvolvimento do *Targumim* e da Lei Oral foi possível por causa do Midrash (*q.v.*), um extenso comentário sobre o texto bíblico, provavelmente iniciado por Esdras e seus companheiros. O Midrash cobre um amplo escopo, não apenas incluindo assuntos legais, mas também assuntos de ética e teologia. Quando tratava de assuntos legais, o Midrash era conhecido como *Midrash Halakah* (do heb. *halak*, "andar", portanto, andar dentro da lei); nas outras áreas ele era *Midrash Haggadah* (a segunda palavra, *'agada*, significando "narração").
Ao desenvolverem as tradições, as gerações de mestres não chegaram às suas decisões por um impulso individual. Assim como Esdras tinha um grupo em torno de si, em cada geração seguinte existiram corporações que deliberaram e agiram em uníssono. Tais corporações sucessivas funcionaram durante os tempos dos *Soph$^e$rim*. Não há nenhum material sobrevivente destas seções e não há nenhuma informação importante sobre qualquer de seus membros, exceto fragmentos de asserções na escrita de uma época posterior, especialmente o material de *Pirke 'Abot* ("Palavras dos Patriarcas"). Os *Soph$^e$rim* estabeleceram a base para as coleções literárias posteriores do judaísmo.
Os *Soph$^e$rim* continuaram até aprox. 180 a.C. e foram sucedidos pelos *Hasidim* ("Piedosos") da Idade Macabeana, e então, por sua vez, pelo grupo fariseu. Da época dos *Hasidim* até Hillel (falecido em 10 d.C.) e Samai, houve cinco pares de líderes; assim, este período é conhecido como os *Zugot* ("pares"). Estes pares de líderes executavam o trabalho da tradição, acrescentando novos conceitos de interpretação.
Os mestres *Zugot* desenvolveram um novo método de instrução rivalizando com o Midrash. A Lei Oral era agora ensinada sem se referir às Escrituras, embora fosse afirmado que as Escrituras apoiavam o ensino das tradições. Com uma massa crescente de tradições, foi mais fácil lidar com os vários tópicos, quando necessário, ao invés de seguir a ordem supostamente entediante das Escrituras. Através deste estudo tópico, o trabalho do ensino e da memória foi feito através de uma contínua repetição, e o nome Mishna (do heb. *shana*, "repetir") foi aplicado ao novo método de ensino. Começando no final do século I a.C., especialmente com as escolas de Hillel e Samai, e prosseguindo até 200 d.C., os mestres que ensinavam por este novo método foram chamados de *Tannaim* (do aramaico *t$^e$n'a*, e do hebraico *shana*, "ensinar oralmente").
O estudo do Midrash, porém, não foi deixado de lado pela aproximação do Mishna. Continuou a ser usado na área *haggadah*, bem como na área *halakah* de ensino, lado a lado com o método Mishna.
A partir de Hillel, e talvez até mesmo antes deste, houve um processo de organização e codificação na massa crescente de *halakah*, de acordo com o método do Mishna. Uma importante coleção foi feita por Akiba (martirizado em 135 d.C.), e continuada por seu discípulo Meir. Os trabalhos de Judah HaNasi, e o desenvolvimento final da coleção Mishna por sua vez, foram colocados na forma escrita no hebraico pós-bíblico em aprox. 200 d.C. Este Mishna faz uso de muitas das decisões *halakah*, de forma que ele é uma síntese do trabalho de estudiosos dos períodos *dos Soph$^e$rim*, *Hasidim*, *Zugot* e *Tannaim*. O trabalho se tornou a base da autoridade sobre as tradições judaicas durante vários séculos seguintes, e foi uma das principais peças da literatura para estudo e pesquisa nas academias nas terras de Israel e da Babilônia.

Judah HaNasi, porém, não incluiu toda a coleção Mishna e a coleção *halakot* (pl. de *halakah*) de seus dias. Como os estudiosos continuaram a acrescentar explicações e interpretações ao Mishna no período seguinte (aprox. 200-500 d.C.), eles usaram o material adicional, *Tosefta* (aramaico *tuseft'a*, "adições") e *Baraita* (aramaico *baret'a*, ou *halakot* individual), juntamente com as suas próprias opiniões. Muitas fontes *haggadah* bem como Midrash também foram usadas. Os estudiosos que continuaram com estes estudos nas academias eram chamados de *Amoraim* ("intérpretes"). Seu trabalho foi necessário para que o Mishna pudesse ser adequadamente explicado, para que muitos antigos *halakot* fossem reforçados, e para que muitos novos *halakot* fossem formulados para os novos problemas com que o judaísmo se deparou em suas sempre mutantes situações históricas e culturais. Em aramaico, o trabalho destes estudiosos é chamado de Gemara (aram. *g[e]mara'*, "término"). A combinação do texto Mishna de HaNasi com o Gemara é designado como Talmude.

### Duas Versões do Talmude

Havia duas escolas ativas no período dos *Amoraim* na terra de Israel, bem como nas cidades da Babilônia. Estes dois grupos de estudiosos trabalharam com o Mishna de Judah HaNasi para produzir duas versões de Gemara; portanto, há duas versões do Talmude. Uma é o *Y[e]rushalmi*, ou "Jerusalemita", de Israel, e a outra é conhecida como o Talmude Babilônico. Esta segunda é três vezes mais longa, pois os judeus babilônios possuíam maior liberdade e menos perseguições do que sua contraparte em Israel para produzir um trabalho que refletisse todo o conhecimento secular e religioso do período nos sucessivos *halakah* e *haggadah*. A *Y[e]rushalmi* no aramaico ocidental foi terminada pouco depois de 425 d.C., e a redação final do Talmude Babilônico de maior autoridade no aramaico oriental foi finalmente redigida por volta de 500 d.C.

### Ordens de Divisão

O Mishna é dividido em seis ordens. Como o Gemara é o comentário sobre o Mishna, o comentário também segue esta divisão. Cada ordem é posteriormente subdividida em tratados, formando um total de 63 tratados, 10 a 11 tratados para cada ordem. Cada tratado é ainda posteriormente dividido em capítulos. Quando são feitas referências ao material no Talmude, elas são designadas por tratados seguidos pelo capítulo e versículo ou pelo número da página. As ordens são: (1) *Zeraim*, ou "sementes", as leis da agricultura; (2) *Mo'ed*, ou "festividades", os regulamentos dos sábados; (3) *Nashim*, ou "mulheres", leis que dizem respeito às mulheres, casamento e divórcio; (4) *N[e]zikim*, ou "prejuízos", a lei civil e criminal; (5) *Qodashim*, ou "coisas santificadas", leis que tratam do santuário e rituais sacrificiais; e (6) *Tohorot*, ou "pureza", leis da pureza levítica.

### Valor e Influência

As duas versões do Talmude foram concluídas em aprox. 450-500 d.C. Elas se tornaram o guia da principal corrente do judaísmo durante a Idade Média, especificamente na Europa, quando o estudo secular tornou-se virtualmente inexistente. Neste período, quando a atividade missionária judaica cessou, e a dedicação dos judeus se voltou ao seu próprio interior, eles tiveram um repositório da literatura para satisfazer às suas necessidades religiosas e intelectuais. Desta forma, eles tiveram um escape do mundo ao seu redor com seu ódio e perseguição brutais. O Talmude também teve sua influência sobre o Renascimento, e através do novo impulso da busca intelectual o Talmude ajudou a moldar estes novos valores exercendo, em última instância, um impacto sobre a era moderna. Finalmente, o Talmude fornece aos estudiosos cristãos o meio para entender a prática do judaísmo, e também para ter acesso aos antigos conhecimentos judaicos na exegese e prática bíblicas. O Mishna, em particular, fornece um grande conhecimento sobre a crença e a prática judaicas do século I d.C., como por exemplo, a vida e a prática no Templo.

***Bibliografia.*** Tradução do Talmude para o Inglês. I. Epstein, ed., *The Babylonian Talmud with Indices*, 18 vol., Londres. Soncino Press, 1961. Tradução do Mishna para o Inglês. H. Danby, trad., *The Mishnah*, Oxford. Univ. Press, 1950. J. Bowker, *The Targums and Rabbinic Literature and Introduction to Jewish Interpretation of Scripture*, Nova York. Cambridge Univ. Press, 1961. I. Epstein, *Judaism*, Baltimore. Penguin, 1959; "The Rabbinic Tradition", *The Jewish Heritage*, Washington, D.C.: *Bnai Brit* Adult Jewish Education, 1955, pp. 51-69. J. Kaplan, *The Redaction of the Babylonian Talmud*, Nova York. Bloch, 1933. S. M. Lehrman, *The World of the Midrash*, Cranbury, N.J.: A. S. Barnes, 1961. G. F. Moore, *Judaism in the First Centuries of the Christian Era*, Vol. I, Cambridge. Harvard Univ. Press, 1927. H. L. Strack, *Introduction to Talmud and Midrash*, Filadélfia. Jewish Publication Society, 1931. M. Waxman, *A History of Jewish Literature*, Vol. I, Nova York. Thomas Yoseloff, 1960.

L. Go.

**TAMA** *Veja* Tema ou Temá.

**TAMAR**

1. Nora de Judá, filho de Jacó, e viúva de Er, filho de Judá. Quando o irmão de Er,

Um dos assim chamados tanques de Salomão, que data do século I d.C.

Onã, recusou-se a ser o marido de Tamar e morreu, Tamar retornou ao seu lar cananita com a promessa de Judá de que seria dada a seu terceiro filho, Selá, quando este tivesse idade suficiente para se casar. Esta promessa não foi cumprida. Quando a mulher de Judá morreu, Tamar seduziu Judá ocultando sua identidade e fingindo ser uma meretriz da religião pagã. Ela ficou grávida. Quando Judá decidiu mandar matá-la, Tamar revelou que havia concebido do próprio Judá. Ela mostrou os penhores que Judá lhe havia deixado. Judá foi condenado pelo que havia feito a esta mulher, e ela foi poupada. Um dos gêmeos nascidos de Tamar foi Perez (ou Farés), que através de Judá está na linhagem direta da genealogia de Davi, e conseqüentemente do Senhor Jesus Cristo (Gn 38; Mt 1.3-6; Lc 3.31-33).

2. Uma filha formosa de Davi, que sofreu abuso sexual por parte de seu meio-irmão Amnom através de uma trama enganadora. Ele se sentiu profundamente apaixonado por Tamar antes de tal violência; mas depois sentiu grande aversão por ela. O irmão de Tamar, Absalão, então, a protegeu recebendo-a em sua casa (2 Sm 13.20) e por vingança assassinou Amnom depois de dois anos (2 Sm 13).

3. Uma filha formosa de Absalão, que possivelmente recebeu este nome em homenagem à sua amada irmã (2 Sm 14.27).

4. Uma cidade de localização desconhecida, perto da fronteira de Judá e Edom, no extremo sul do mar Morto. Mencionada por Ezequiel como um lugar da futura fronteira da nação de Israel restaurada (Ez 47.19; 48.28).

5. Um lugar no deserto de Judá fortificado por Salomão (1 Rs 9.18, também chamado de Tadmor), talvez a mesma cidade mencionada em 4, ou Hazazom-Tamar (*q.v.*). Várias versões trazem o nome Tadmor (cf. 2 Cr 8.4), seguindo a sugestão dos massoretas judeus.

N. B. B.

**TAMARGUEIRA** *Veja* Plantas.

**TAMBOR ou TAMBORIL** *Veja* Música.

**TAMBORIL** *Veja* Música.

**TAMBORIM ou TAMBORIL** *Veja* Música.

**TAMUZ** *Veja* Falsos deuses.

**TANAAQUE** *Veja* Taanaque.

**TANQUE, LAGOA** No AT, essas palavras correspondem à tradução de três palavras hebraicas: (1) *'agam,* "tanque", na verdade charcos lamacentos ou piscinas estagnadas formadas pelo transbordamento de um rio, como por exemplo, o Nilo (Êx 7.19; 8.5; Is 14.23; 19.10; 42.15); (2) *b[e]reka,* "uma piscina" ou "um tanque" (2 Sm 2.13; 4.12), da raiz *barak*, "dobrar o joelho" ou "ajoelhar"; tanque artificial onde, por exemplo, os camelos se ajoelhavam para beber; e (3) *mikweh,* "uma reunião" ou "coleção de águas" (Gn 1.10; Êx 7.19; Lv 11.36). A palavra correspondente do NT é *kolumbethra,* que significa "piscina" ou "lugar para mergulhar" (Jo 5.2,4,7; 9.7,11).

Os tanques (*b[e]rekoth)* eram grandes receptáculos alimentados por riachos ou pela água da chuva. Eram geralmente escavados na rocha natural ou fechados por muros de tijolos, ou ambos. Nesse caso eles eram cuidadosamente revestidos com cimento ou gesso tratado com cal para conservar a água. No caso das cisternas, uma fenda na parede, provocada por um terremoto ou por outras

Um tanque ou cisterna com degraus em Qumran

causas que levassem à perda de água, era considerada uma grande calamidade (Jr 2.13). Outros tanques eram formados por reservatórios construídos em vales estreitos, e eram muito parecidos com o sistema usado pelos fazendeiros norte-americanos. Isso era praticado especialmente pelos habitantes do vale do Neguebe, como os nabateus (*q.v.*), onde era essencial conservar a água das enchentes repentinas.
Embora *b^e^reka* fosse um tanque artificial, ele era diferente do *bor*, ou cisterna, no sentido de ser uma grande construção, escavada até uma profundidade considerável para o uso de toda a população, enquanto *bor* era na verdade um pequeno tanque doméstico associado à casa das pessoas. Um bom exemplo dos primeiros são os três assim chamados tanques de Salomão, nas proximidades de Belém. Eles foram construídos em uma colina íngreme, um abaixo do outro, a fim de absorver qualquer transbordamento de água, e eram ligados por canos de drenagem. Essas grandes piscinas retangulares, ainda utilizadas atualmente, e com uma capacidade avaliada em aprox. 167 milhões de litros, faziam parte do sistema de Pôncio Pilatos para levar água a Jerusalém através de um sistema de aquedutos (*q.v.*).
As grandes cidades fortificadas tinham muitas vezes um tanque subterrâneo, ou um reservatório, para abastecer a cidade principal. Eles eram alimentados através de um túnel que chegava a um rio localizado fora das muralhas, a fim de assegurar o abastecimento durante os períodos em que estivessem sitiadas. Chegava-se até eles através de uma passagem inclinada, ou degraus, que levavam a um túnel, como na Jerusalém jebusita e na cananéia Gezer, ou por uma escada em caracol escavada em um poço aberto, como em Gibeão, ou pela combinação de ambos, como em Megido e Hazor.
Na época do NT, muitas vezes os tanques eram enfeitados com belos pórticos ou alpendres, como por exemplo, o tanque de Betesda (Jo 5.2). Os tanques das Escrituras que aparecem com seus respectivos nomes são o tanque de Samaria (1 Rs 22.38), o tanque de Hebrom (2 Sm 4.12), o tanque de Gibeão (2 Sm 2.13), o açude ou viveiro de Selá (Ne 3.15), os viveiros ou piscinas de Hesbom (Ct 7.4) e o tanque de Siloé (Jo 9,7). *Veja* os nomes específicos de tanques; Água.

R. V. U.

**TANUMETE** Pai de Seraías, que foi um dos comandantes militares em apoio a Gedalias, o governador de Judá nomeado por Nabucodonosor. Em 2 Reis 25.23, Tanumete é um netofatita (isto é, de Netofa, uma aldeia a meio caminho entre Belém e Tecoa). No entanto, a inserção das palavras "os filhos de Efai" depois de Tanumete em Jeremias 40.8 faz com que o termo netofatita se refira não a Tanumete, mas a Efai.

**TAPUA**
1. Um dos filhos de Hebrom (1 Cr 2.43), um descendente de Calebe.
2. Uma cidade mencionada em Josué 15.34 como estando na Sefelá, a oeste de Jerusalém. Seu local não foi identificado com certeza, mas situa-se no grupo de cidades que inclui Jarmute, Adulão, Socó e Azeca, todas situadas nos contrafortes que separam a planície marítima da região montanhosa da Judéia.
3. Uma cidade na fronteira norte de Efraim, que pertencia a Efraim, mas seu território estava na área de Manassés (Js 16.8; 17.8). Seu rei estava entre os muitos governantes cananeus mortos por Josué (Js 12.17). A sua localização é próxima do ribeiro de Caná, que deságua no Mediterrâneo. Ela tem sido identificada com a grande Tell Sheikh Abu Zarad, aprox. 16 quilômetros a sul-sudoeste de Siquém e 8 quilômetros a noroeste de Siló. Ela talvez seja a Tifsa que foi saqueada por Menaém (2 Rs 15.16). *Veja* En-Tapua.

G. A. T.

**TAQUEMONITA** Há versões que trazem a expressão filho de Taquemoni. O termo taquemonita é um epíteto gentílico ligado ao primeiro herói mencionado por seu nome na lista dos 30 valentes de Davi (2 Sm 23.8). A julgar por uma passagem paralela em 1 Crônicas 11.11, o termo taquemonita parece ser uma variante de "hacmonita" ou "(filho de) Hacmoni" (1 Cr 27.32).

**TARALA** Uma das 14 cidades na terra de Canaã destinada à tribo de Benjamim (Js 18.27). Dentre outras cidades na lista, ela parece estar na região montanhosa, a noroeste de Jerusalém. Père Abel localiza a aldeia nos arredores de *Khirbet Erha,* abaixo do monte *er-Ram* a sudoeste, onde reservatórios e uma grande cisterna, assim como evidências de ocupação dos tempos israelitas através do período romano foram descobertas (*Géographie de la Palestine*, Paris. Gabalda, 1933-1938, II, 480).

**TARDIO** Há duas interpretações desta palavra no Antigo Testamento, e duas no Novo.
1. A palavra hebraica *'erek*, derivada da palavra que significa "demorar-se", "prolongar", "continuar". A frase "Tardio em irar-se" é usada como uma referência à paciência ou ao domínio próprio. Como um atributo divino, é, às vezes, usado em série com os adjetivos "benévolo", "misericordioso" e "de grande compaixão" (*veja* Ne 9.17; Sl 103.8; 145.8; Jl 2.13; Jn 4.2; Na 1.3). Em relações humanas, uma pessoa "longânima" (ou "tardia em irar-se") é aquela que possui grande entendimento (Pv 14.29); é aquela que aplaca as

contendas (Pv 15.18); é classificada como alguém melhor do que o valente (Pv 16.32).
2. A palavra hebraica *kabed*, que significa "peso" ou "pesado". Moisés era pesado de boca e pesado de língua (Êx 4.10). Ele tinha dificuldade para falar.
3. A palavra grega *argos*, "inativo", "inútil". Paulo menciona que os cretenses tinham a fama de possuir "ventres preguiçosos" (Tt 1.12; ou de serem "glutões preguiçosos").
4. A palavra grega *bradys*, "pesado", "tardio", "preguiçoso". A expressão "tardos de coração" (Lc 24.25) é uma descrição do coração descrente, sem receptividade. "Tardio para falar" e "tardio para se irar" (Tg 1.19) são partes de uma exortação relativa à vida daqueles que são tementes e obedientes ao Senhor.

H. E. Fi

**TARÉIA** Um membro da linhagem real benjamita cujo pai, Mica, foi neto de Jônatas, o filho de Saul (1 Cr 8.35; 9.41).

**TARGUM** *Veja* Talmude; Versões, Antiga e Medieval.

**TARPELITAS** Um dos grupos oficiais ou étnicos associados com Reum, o comandante ou chanceler persa, e Sinsai, o escrivão, na redação de uma carta difamatória para Artaxerxes I (465-425 a.C.) contra as atividades de reedificação dos exilados que haviam retornado (Ed 4.9).

**TÁRSIS** Este termo tem um uso quádruplo nas Escrituras.
1. Um "filho" ou descendente(s) de Javã, neto de Jafé e bisneto de Noé (Gn 10.4; 1 Cr 1.7), provavelmente também se referindo à terra (veja 4).
2. Filho de Bilã, neto de Benjamim (1 Cr 7.10).
3. Um dos sete príncipes nobres de Assuero, governante da Pérsia (Et 1.14).
4. Um lugar na região ocidental mediterrânea que muitos consideram (Heródoto IV, 152) como tendo sido identificado com Tartesso, uma antiga cidade ou região situada ao longo do rio Guadalquivir perto da costa sudoeste da Espanha (*q.v.*), a oeste de Gibraltar. Pelo fato de várias das referências do AT dizerem respeito a negociantes, comércio e navios (1 Rs 10.22; Jn 1.3), foi sugerido que Társis era uma terra que margeava o mar (também Is 60.9; 66.19). A terra era rica em metais como prata, ferro, estanho e chumbo (Jr 10.9; Ez 27.12). Era o lugar para o qual Jonas pretendia fugir saindo de Jope, na costa mediterrânea da Palestina, quando estava tentando fugir de Deus (Jn 1.3; 4.12).
A palavra Társis é um termo fenício derivado de uma palavra acadiana que significa "derreter ou estar fundido"; desse modo, a forma substantiva seria "uma indústria de fundição ou refinaria". Com base neste significado da palavra, William F. Albright sugeriu que o termo Társis poderia referir-se a qualquer terra que contivesse minerais naturais, ou qualquer lugar onde as operações de mineração e fundição fossem executadas (BASOR #83 [1941], pp. 21-22). No entanto, uma terra na área mediterrânea ocidental possuindo bons depósitos de minerais seria uma identificação muito boa. Parece evidente que a riqueza mineral da Espanha atraiu os fenícios, que ali encontraram colônias já nos séculos X ou IX a.C. Rio Tinto, 136 quilômetros ao norte de Cadiz na Espanha, é o distrito de mineração mais rico em torno do Mediterrâneo. Hoje, um milhão de toneladas de minério de prata, ouro e cobre são anualmente extraídas deste local. Um cemitério do século VIII a.C., com objetos fenícios, foi escavado neste local (AJA, LXXI [1967], 183). Uma inscrição fenícia conhecida como a Estela Nora, datando do século IX a.C., parece falar da captura de Társis, um local de fundição na ilha da Sardenha, que também está situada no Mediterrâneo ocidental. Evidentemente, então, Társis era o nome de pelo menos duas cidades mineradoras fenícias.
O termo "frota" ou "naus de Társis" parece se referir aos grandes navios usados no comércio de Társis que transportavam metais fundidos do porto de Salomão em Eziom-Geber, no golfo de Ácaba, para terras distantes (1 Rs 10.22; 22.48; 2 Cr 9.21). Através do trabalho de Nelson Glueck em Eziom-Geber (*q.v.*) foi descoberto um extenso armazém neste porto marítimo que Salomão utilizou como base para sua marinha de Társis. Os navios de Társis foram assim identificados com o transporte de minerais, e vieram a se tornar símbolos de riqueza e poder (Ez 27.25). Eles também eram usados como ilustrações de orgulhosas invenções humanas recebendo juízo divino e destruição no passado e no dia futuro do Senhor (Sl 48.7; Is 2.16; 23.1). *Veja* Navios.

***Bibliografia.*** Frank M. Cross, "An Interpretation of the Nora Stone", BASOR #208 (1972), pp. 13-19. David Neiman, "Phoenician Place Names", JNES, XXIV (1965), 113-115. J. M. Sola-Sole, "Semitic Elements in Ancient Hispania", CBQ, XXIX (1967), 487-494.

P. S. H.

**TARSO** A cidade de Tarso está situada nas proximidades do rio Cidno na Cilícia, cerca de 16 quilômetros do Mediterrâneo, 26 metros acima no nível do mar. Normalmente a atmosfera opressiva de um lugar como este seria destrutiva em sua maior parte da vigorosa vida municipal e comercial. Mas cerca de 3 quilômetros ao norte da cidade as colinas começam a se erguer suavemente e se estendem em desfiladeiros ondulados até encontrarem as montanhas Taurus. Cerca de 16 quilômetros ao norte da cidade baixa, surgiu uma segunda Taurus. Sendo parcialmente uma residência de verão, ela servia uma considerável população como um lar durante o ano todo. O clima mais estimulante da cidade alta compensava o clima desconfortável da região mais baixa. Cerca de 30 quilômetros ao norte da cidade alta encontravam-se os Portões da Cilícia, uma foz estreita através da qual passava a única boa rota de comércio entre a Síria e a Ásia Menor. A sua localização nesta rota trouxe grande riqueza para Tarso.

Embora o Cidno fosse navegável para navios leves que subiam até a metade de Tarso nos tempos romanos, a maioria dos navios ancorava no porto, que ficava 8 ou 9 quilômetros ao sul, da cidade. Naquele ponto havia o lago Regma, alimentado pela nascente, cercado por todos os lados, exceto pelo lado sul, pelo porto da cidade e pelas instalações do cais. Grande habilidade e diligência devem ter sido empreendidas para manter o canal do Cidno e o porto. Em séculos posteriores, foi necessário um canal auxiliar para reduzir a inundação. O corte para o leste da cidade (feito por Justiniano, 527-563 d.C.) com o passar do tempo se tornou o leito principal do rio e assim permanece até hoje.

Com uma história contínua de seis milênios, Tarso é uma das cidades mais antigas do mundo. Ela foi provavelmente a capital de Kizzuwatna, a antiga Cilícia, nos tempos heteus. Salmaneser III capturou a cidade em 832 a.C., e em 696 a.C. ela foi saqueada por Senaqueribe. Mercadores gregos estabeleceram uma colônia ali no início do séc. VII a.C. para ficarem mais próximos dos recursos de prata e ferro de alta qualidade das montanhas Taurus (JNES, XXX [1971], 99-109). Alexandre salvou a cidade da destruição pelas mãos dos persas, que se retiraram. Tarso se tornou uma cidade autogovernada no período selêucida, mas Pompeu a anexou a Roma em 64 a.C. Antônio concedeu a Tarso a condição de cidade livre em 41 a.C. e a isentou de impostos.

Durante o século I d.C., Tarso foi a capital e a única cidade grande da Cilícia. Juntamente com sua riqueza comercial e agrícola, ela se vangloriava de uma grande universidade e era colocava na mesma posição de Atenas e Alexandria como um centro intelectual. A cidade tinha numerosos eruditos: Atenodoro, o Estóico, foi o companheiro de Cato, o Jovem; Atenodoro Cananeu foi tutor e conselheiro de Augusto; Nestor ensinou o sobrinho de Augusto, Marcelo, e se reportava a Tibério; e Antipater era o diretor da uma escola em Atenas.

O apóstolo Paulo nasceu em Tarso, e era um cidadão romano. Parece evidente que muitos

Um arco romano em Tarso. HFV

cidadãos de Tarso receberam a cidadania romana das mãos de Pompeu, Júlio César, Antônio e Augusto. Os antepassados de Paulo podem ter estado entre eles. As escavações foram até agora incapazes de recriar a cidade dos dias de Paulo, que jaz debaixo da cidade moderna e fazendas adjacentes.

H. F. V.

**TARTÃ** (Heb. *tartan* do assírio *turtanu* ou *tartanu*) Título de um general do exército assírio ("comandante-em-chefe", conforme algumas versões em Isaías 20.1), uma posição possuída por dois indivíduos mencionados na Bíblia. Um deles, servindo sob Sargão II, capturou Asdode (aprox. 711 a.C., Isaías 20.1); o outro foi destacado por Senaqueribe (em 701 a.C.) com dois outros oficiais assírios de alta patente para exigir de Ezequias a rendição de Jerusalém (2 Rs 18.17).

**TARTAQUE** *Veja* Falsos deuses.

**TARTARUGA** *Veja* Animais: Lagarto IV.18.

**TATENAI** O governador persa do distrito de Samaria que interrompeu a reedificação do Templo sob a liderança de Zorobabel (Ed 5.3,6) até que ele tivesse o assunto da permissão de Ciro aos judeus investigada nos arquivos de Dario (Ed 6.6-13). Ele foi identificado como o sátrapa sobre a Babilônia e a Trans-Eufratia, Ustanu (Hystanes), por exemplo, no volume ICC sobre Esdras (1913), até que Olmstead em 1944 apontou a identificação correta. Em um documento datado de 5 de junho de 502 a.C., ele é citado especificamente como "Ta-at-tan-ni", o *pahatu* ou governador subordinado ao sátrapa sobre Ebir-Nari. Desse modo ele agiu como o deputado de Ustanu no oeste, visto que as duas satrapias eram muito grandes para que fossem administradas com êxito por um único homem. A frase completa corresponde exatamente à frase hebraica "governador deste lado do rio", que é traduzida em algumas versões como "governador daquém do rio" ou "governador além do rio". Ebir-Nari deveria ser traduzida como "do outro lado do rio", isto é, Samaria vista do leste.

***Bibliografia.*** A. T. Olmstead, "Tattenai, Governor of 'Across the River'", JNES, III (1944), 46.

E. M. Y.

**TATIM-HODCHI** A frase "terra de Tatim-Hodchi" que algumas versões trazem em 2 Samuel 24.6 é uma transliteração do hebraico e supõe uma localidade ao norte, em alguma parte entre Gileade e Dã, e que deve ser incluída no censo davídico. Seguindo a revisão Luciana do texto grego do AT, propõe-se a tradução: "Até Cades, na terra dos heteus". Porém, esta conjectura possui uma dificuldade, uma vez que Cades é admitidamente muito longe, ao norte. Outros emendam este texto difícil, lendo "até a terra abaixo de Hermom".

**TATUAGEM** Uma marca indelével sobre a superfície do corpo causada pela inserção de pigmentos sob a pele. A palavra "tatuagem" (heb. *qa'aqa'*, "incisão") só ocorre na versão RSV em inglês (cf. NEB, NASB) em Levítico 19.28 e está intimamente relacionada com a proibição de ferir a própria carne. "Ferir a carne" neste contexto é uma referência aos costumes de chorar pela morte de alguém, e a tatuagem não parece fazer parte de tal prática. Certamente o ato de "retalhar" (Jr 41.5; 47.5; 48.37), "ferir a carne" ou "dar golpes na carne" (Lv 19.28*a*; Lv 21.5; Dt 14.1), e a mutilação (Êx 21.6) devem ser diferenciadas da tatuagem. A palavra acima para "incisão" só ocorre em outra passagem no hebraico mais recente.

A prática da tatuagem pode ser compreendida por uma passagem no Mishna: "Se um homem escreveu [sobre sua pele] palavras com instrumento pontiagudo [ele é culpável]. Se ele escreveu, mas não marcou com instrumento pontiagudo, ou marcou, mas não escreveu, ele não é culpável, mas somente se escrever e marcar com tinta ou algo que deixe uma marca duradoura. R. Simeon b. Judah diz em nome de R. Simeon: ele não é culpável a menos que escreva ali o nome [de um deus], pois está escrito, Não fareis marca nenhuma sobre vós. Eu sou o Senhor" (Makkoth 3, 6).

No antigo Oriente Próximo, a tatuagem e a colocação de marcas eram largamente praticadas. Os escravos tinham marcas colocadas sobre si para indicar suas posições e seus donos (Código de Hamurabi, 226-227, ANET, p. 176; Breasted, *Ancient Records of Egypt*, iii.414; iv.405). Do uso secular o costume migrou para as pessoas nas religiões, que são ocasionalmente mencionadas como recebendo estigmas sobre a cabeça, rosto ou braços para indicar sua posição em relação ao seu deus. Assim, elas devem ser vistas como escravas ou propriedade do deus de cujo nome ou marca são portadoras (cf. Heródoto II.113; Luciano, *The Syrian Goddess*, 59; III Mac 2.29). Porém, a marcação e a imposição de marcas indeléveis, talvez, também servissem como penalidades por um crime (cf. Código de Hamurabi #146, ANET, p. 172); seu uso em todas as passagens bíblicas é ritual.

Em seu sentido literal esta prática é citada em Levítico 19.28*b*, onde existe a proibição da impressão ou tatuagem de qualquer marca sobre a pessoa; em Gênesis 4.15, onde o Senhor coloca uma marca em Caim; e em 1 Reis 20.41, onde o profeta parece ter revelado ao rei uma marca peculiar ao seu ofício.

Em um sentido figurado, que pressupõe o costume real, o costume é mencionado em Êxodo 13.9,16, onde a festa de Mazote e a redenção do primogênito devem ser uma marca na mão e um memorial ou faixas entre os olhos (cf. Dt 6.8; 11.18; 14.1). Ezequiel, em uma visão, contempla uma marca de inviolabilidade colocada na testa daqueles que gemiam por causa das abominações de Judá (Ez 9.4; cf. Ap 7.3-8). Em Apocalipse 13.16, a marca da besta é definida como seu nome ou o número do seu nome. Em Isaías 44.5, o profeta prevê a resposta voluntária ao Senhor por parte daqueles que escreverão em suas mãos: "Eu sou do Senhor". O próprio Senhor garante aos desanimados que Ele os gravou nas palmas das suas mãos (Is 49.16). Paulo declara que ele mesmo carrega em seu corpo as marcas (gr. *stigmata*) do Senhor Jesus (Gl 6.17). *Veja* Marca (sinal).

***Bibliografia.*** Otto Betz, "*Stigma*", TDNT, VII, 657-664.

E. R. D.

**TAU** A 19ª letra do alfabeto grego. Os gregos tomaram seu alfabeto emprestado dos fenícios, presumivelmente em alguma época no século VIII a.C.; conseqüentemente, a 22ª ou a última letra do alfabeto hebraico, *taw*, é geralmente relacionada com a letra grega *tau*. Originalmente, a letra *taw* semita era representada por uma cruz reta ou oblíqua (cf. Ez 9.4,6). Os gregos transmutaram um pouco a letra, preferindo a forma reta, mas apagando a projeção na linha vertical sobre a transversal – conseqüentemente a forma T.

**TAVERNA** *Veja* Praça de Ápio; Estalagem.

**TEATRO**

1. Local onde produções dramáticas eram encenadas. Inicialmente as exibições de dramatizações aconteciam em nome do deus Dionísio nos dias de seus festivais. As ruínas dos teatros antigos possuem dois tipos de estruturas, uma construída inicialmente para o drama, e aquelas que foram construídas para outros propósitos e usadas para

peças de teatro. Como regra geral, o teatro era o maior prédio que havia nas cidades. Portanto, era uma prática comum entre os gregos utilizar o teatro para assembléias públicas e reuniões de interesse público (como em Atos 19.29,31).
As assembléias gregas eram conhecidas por sua forma de demonstração. Uma nota em Éfeso menciona uma assembléia civil realizada no teatro. Josefo (*Ant.* xix.8.2) relata que os eventos de Atos 12.20-23 aconteceram no recentemente escavado teatro herodiano, em Cesaréia (*q.v.*). Ele também relata que Herodes o Grande construiu um teatro e um anfiteatro em Jerusalém (*Ant.* xv.8.1).
O teatro grego era constituído por três partes. A *orchestra* era uma pista de dança redonda para os atores e corais, com um altar no centro. A origem do drama é geralmente encontrada nos hinos que celebram os feitos de Dionísio, acompanhados por flautas e danças ao redor do altar. O *theatron,* ou auditório, era um local para os espectadores, estendendo-se ao redor da orquestra em dois terços ou mais. Os assentos eram feitos de placas de pedra, exceto aqueles que tinham pedras naturais cortadas para se fazer a base para assentos de madeira. Os assentos eram dispostos uns acima dos outros em fileiras concêntricas, freqüentemente construídas de forma a aproveitar a inclinação natural de um monte. O *skene* (lit., "tenda", "cabine"), ou palco, foi posteriormente adicionado à margem do círculo, do lado oposto aos assentos, como uma sala de descanso para os atores e como um pano de fundo para a atuação. O *skene* passou a ser um palco elevado do lado do público que compartilhou a atuação com a orquestra.
O último teatro helenístico deu ímpeto ao teatro romano; mas o antigo trazia o espírito romano em sua construção original. O teatro romano, ao invés de ser construído na encosta de um monte, era reto como um prédio sem sustentação, apoiado por uma construção arqueada. O auditório e a cena ou palco foram interligados entre si, transformando tudo em uma só estrutura coberta com telhas, contrastando com os teatros gregos que ficavam ao ar livre. O auditório formava somente um semicírculo, com espaço para os assentos, no qual a orquestra estava incluída; e assim, todas as atuações aconteciam na plataforma do palco. Apesar dos gregos reservarem somente alguns assentos especiais para magistrados e dignidades, os romanos (pelo menos aqueles da época de Augusto) faziam uma classificação elaborada dos assentos por sexo, idade, profissão e nível social. Os romanos também construíram anfiteatros com arenas para campeonatos atléticos e gladiadores. Os combates profissionais são mencionados pela primeira vez em aprox. 30 a.C. Não se cobrava ingresso.

Teatro de Dionísio, Atenas. HFV

O teatro de Éfeso (*q.v.*) mencionado em Atos 19 estava localizado na inclinação oeste do monte Pion, de onde se avistava o porto com o qual estava conectado por uma rua principal. Ele foi construído por Lisímaco no início do século III a.C., e estima-se ter agrupado mais de 24.000 pessoas. A construção era de pedra.
2. A palavra grega também se referia ao próprio show, um "espetáculo", e é utilizada de forma figurativa por Paulo, quando diz que os apóstolos eram feitos "espetáculo" ao mundo, aos anjos e aos homens (1 Co 4.9).

E. F.

**TEBA** Um dos filhos de Naor, o irmão de Abraão, a quem Reumá, sua concubina, deu à luz (Gn 22.24). É sugerido por estudiosos modernos que Betá (2 Sm 8.8), que aparece como Tibate na passagem paralela em 1 Crônicas 18.8, deve ser lido como Teba. Assim, o patrimônio de Teba seria identificado com uma cidade de Hadadezer, rei de Arã-Zobá, situada na região do Anti-Líbano, e mencionada nas cartas Amarna e em fontes egípcias. *Veja* Tibate.

**TEBALIAS** Um dos filhos de Hosa, um merarita, que foi escolhido para servir como porteiro do Templo na organização davídica dos levitas (1 Cr 26.11).

**TEBAS** *Veja* Nô ou Nô-Amom.

**TEBES** Cidade fortificada no território de Manassés, na estrada de Siquém para Bete-Seã, mencionada em conexão com Abimeleque, filho de Gideão, que estava procurando se tornar rei de Israel (Jz 9.50-57). Tebes recusou-se a se sujeitar a Abimeleque. A cidade foi conquistada, com exceção de uma torre forte para onde muitos habitantes haviam fugido em busca de refúgio, subindo ao seu telhado. Abimeleque, durante o período de sítio, de forma descuidada se aproximou demais da torre; uma mulher lançou a pedra da parte superior de um moinho, que o

Fonte batismal octogonal pertencente a uma igreja bizantina em Tecoa. HFV

atingiu na cabeça, causando uma fratura de crânio. Para evitar o vexame de morrer pelas mãos de uma mulher, Abimeleque persuadiu seu pagem de armas a feri-lo à espada. Esta história parece ter sido bem conhecida, uma vez que Davi a relembrou cerca de 200 anos mais tarde (2 Sm 11.21). Este local é agora representado por Tuba, que fica a aprox. 16 quilômetros a noroeste de Siquém, onde as estradas de Siquém e Dotã convergem em uma única estrada para o vale do Jordão.

R. L. D.

**TEBETE** O décimo mês do calendário sagrado hebraico, correspondendo geralmente a dezembro-janeiro do nosso calendário, e equivalente ao mês babilônio *Tebitu* (Et 2.16). No período pré-exílico os meses eram denominados de acordo com o calendário cananeu (cf. Êx 13.4; 23.15; 34.18; Dt 16.1; 1 Rs 6.1,37ss.; 8.2), porém os judeus passaram a adotar cada vez mais os nomes dos meses do calendário babilônio. *Veja* Calendário.

**TECOA** A versão KJV em inglês menciona Tecoa em 2 Samuel 14.2,4,9. Tecoa era uma cidade em Judá (1 Cr 2.24; 4.5), localizada dez quilômetros ao sul de Belém e dezesseis quilômetros ao sul de Jerusalém, em uma colina na área do deserto de Tecoa (2 Cr 20.20). Foi o local de nascimento do profeta Amós (Am 1.1) e o lar da mulher sábia que Joabe enviou a Davi para que o coração deste se inclinasse para Absalão (2 Sm 14.1-24). Ela é identificada com Khirbet Taqu'a, cujas ruínas cobrem quatro ou cinco acres. As escavações iniciadas em 1968 pelo Wheaton College descobriram tumbas usadas na Idade do Ferro I e II, como também no período romano, indicando que a ocupação do local começou em 1200 a.C.

O local acabou sendo ocupado por uma comunidade cristã. Um complexo da igreja bizantina e as ruínas de um mosteiro sem dúvida alguma representam o Propheteum de Amós, uma igreja memorial dedicada ao profeta. O objeto mais interessante nas ruínas é uma fonte batismal octogonal lavrada a partir de um único bloco de calcário de coloração rosa-avermelhada. A última ocupação do local ocorreu, aparentemente, no século XII.

A altitude de Tecoa, superior a 900 metros acima do nível do mar, levou ao seu desenvolvimento como uma estação para sinais com toque de trombeta (Jr 6.1), e foi fortificada pelo rei Roboão para proteger Jerusalém (2 Cr 11.6). Os tecoítas ajudaram a reedificar os muros de Jerusalém sob a liderança de Neemias (Ne 3.5,27).

***Bibliografia.*** Martin H. Heicksen, "Tekoa. Historical and Cultural Profile", JETS, XIII (1970), 81-90.

A. C. S.

**TECOÍTA** Alguém que era residente ou cujos antecedentes eram da aldeia de Tecoa (*q.v.*). Tecoíta é a forma gentílica de Tecoa, e é usada deste modo com relação à mulher sábia (2 Sm 14.4,9), ou de Ira, filho de Iques (2 Sm 23.26; 1 Cr 11.28; 27.9), e como um substantivo descrevendo aqueles que ajudaram na restauração do muro de Jerusalém (Ne 3.5,27).

**TEIA** *Veja* Animais: Aranha IV.1; Bordador.

**TEÍNA** Um dos descendentes de Judá e pai de Ir-Naás, ou o pai (fundador) da cidade de Naás (1 Cr 4.12).

**TEÍSMO** Definido por Charles Hodge como "a doutrina de um Deus extraterreno, pessoal, o criador, preservador e governador do mundo" (*Systematic Theology*, I, 205). Engloba o estudo dos argumentos racionais e das razões para crenças na realidade de Deus, assim como as provas para sua existência como um Deus Trino e Uno.

*Os argumentos teístas*. Na história do pensamento cristão, certas provas teístas utilizadas para apoiar a crença na existência de Deus apareceram bastante cedo. Anselmo foi quem iniciou o argumento ontológico: que aquilo que existe na verdade é maior do que aquilo que existe simplesmente na mente. Por exemplo, temos uma idéia de um ser infinitamente perfeito. Mas, uma vez que a existência real é incluída no ser perfeito, se Deus, não existe de fato, então devemos considerar um ser ainda maior do que Deus.

Tomás de Aquino é destacado por cinco argumentos: (1) A ação requer um primeiro movimentador, e isto é Deus. (2) O mundo como um efeito requer uma causa suficiente, e esta é Deus. (3) O mundo, como contingente, demanda uma causa de auto-existência, e esta é Deus. (4) No mundo existem graus de perfeição, que requerem algo que seja absolutamente perfeito, e este é Deus. (5) Resultados propositais demandam uma causa proposital inteligente, e esta causa é Deus.

A Apologética moderna utiliza os argumentos ontológicos, cosmológicos, teleológicos e morais. De todos estes, o ontológico é o mais fraco, porque a idéia de um ser perfeito não é mais uma prova igual à idéia de um reino perfeito, tal como Atlântida, que é a prova de sua existência. Este argumento, tal qual é apontado, só parece convincente àqueles que consideram a existência de Deus como o mais evidente de todos os fatos. Calvino falou da "semente da religião", ou seja, que o homem naturalmente entende a existência de Deus, acredita nele e só pode ter no ateísmo um refúgio temporário. Esta é provavelmente uma base mais sadia da prova, uma vez que se baseia no fenômeno da crença na Divindade que observamos em toda a história da raça humana.

O argumento cosmológico é aquele em que todo efeito requer uma causa suficiente. O mundo é um efeito, portanto o mundo deve ser o resultado de uma causa externa suficiente e responsável por sua existência: este deve ser Deus. Este argumento é legítimo em sua essência, no entanto é insuficiente, como geralmente expressado, pois é limitado às explanações do mundo físico. Ele é muito melhor quando expresso da seguinte forma: Tudo que existe requer uma causa suficiente. O mundo e os seres racionais chamados de homens existem. Portanto, deve existir uma causa adequada para estes, ou seja, um Deus racional, pessoal.

O argumento teleológico é aquele que diz que qualquer coisa que revele propósito e ordem exige um planejador. O mundo, incluindo o homem, revela propósitos e ordens. Portanto, deve existir um Deus inteligente, uma causa proposital. Esta causa é Deus.

O argumento moral diz que aquele que possui uma natureza moral, ou seja, a habilidade para distinguir entre o bem e mal, requer, antes de qualquer coisa, uma causa moral. O homem possui uma natureza moral; portanto, o homem deve ser o produto de uma causa moral e pessoal – Deus.

*O valor dos argumentos teístas*. As opiniões variam muito quanto aos valores dos argumentos teístas. Immanuel Kant, por exemplo, atacou violentamente os argumentos ontológicos e cosmológicos. Ele insistiu no fato de que o argumento cosmológico era, em sua essência, apenas uma extensão do ontológico. No entanto, ele aceitou o argumento teleológico e também favoreceu o argumento moral.

Os cristãos ortodoxos não defendem simplesmente estes argumentos individualmente, e sim por uma causa suficientemente boa para supri-los e explicar um universo no qual a teologia se manifesta, e também para trazer explicações sobre os homens, os quais revelam, em sua constituição, duas naturezas: a de propósito e a moral. Isto envolve uma combinação de argumentos cosmológicos, teleológicos e morais que formam o grande argumento para a existência de Deus. Este conjunto deve ser chamado de "argumento cosmo-teleo-moral". Alguns teólogos ortodoxos se curvaram aos ataques de Kant, em maior ou menor grau, e, como resultado, consideram os argumentos como válidos ou não somente para um homem que já é cristão.

Outra razão para uma desvalorização destes argumentos é a ênfase exagerada que a Igreja Católica Romana lhes atribui. Ela reivindica que eles são suficientes para provar a existência de Deus, e que por meio deles é possível conhecer a Deus. A Igreja Católica Romana entende que a teologia natural que resulta destes conceitos é suficiente para salvar o homem. No entanto, ela imediatamente qualifica esta afirmação, dizendo que aqueles que são mentalmente sadios para conhecer a Deus desta forma são geralmente preguiçosos demais para fazê-lo, e os demais são excessivamente néscios ou insensíveis; portanto, Deus se revela através da revelação especial encontrada nas Escrituras.

Os evangélicos mostram que o homem pode, para sua satisfação racional, provar que Deus existe; mas que esta convicção, sozinha, não pode salvá-lo. Mesmo que o homem possa formar uma teologia natural com os argumentos, pelo fato de ser um pecador e estar caído ele deve obrigatoriamente ter um Salvador. O homem só poderá conhecer seu Salvador e o plano da salvação através da revelação.

Com base nos argumentos, crer em um Deus pessoal não é apenas razoável, mas o Senhor Deus considera o homem como o responsável por chegar a esta conclusão.

O texto em Romanos 1.19,20 relata: "Porquanto o que de Deus se pode conhecer neles se manifesta, porque Deus lho manifestou. Porque as suas coisas invisíveis, desde a criação do mundo, tanto seu eterno poder como sua divindade, se entendem e claramente se vêem pelas coisas que estão criadas, para que eles fiquem inescusáveis". A mente do homem é tão bem formada que, quando este olha o universo, é capaz de chegar à conclusão de que este é o resultado da força onipotente de um ser moral e pessoal, ou seja, Deus. Caso o homem não o enxergue, é considerado inescusável por parte de Deus.

*Prova do teísmo da natureza trina e una de Deus*. O teísmo apresenta argumentos para a natureza trina e una de Deus, e prova que esta é a visão de Deus expressa na Bíblia Sagrada. Se Deus fosse unitário em natureza e existisse na eternidade como um indivíduo ou pessoa unitária, Ele só teria experimentado os três grandes relacionamentos pessoais – o Eu-Isto, o Eu-Você e o Nós-Você – depois de ter criado o mundo e o homem. Como uma única pessoa, Deus teria adicionado a si mesmo o relacionamento Eu-Isto ao criar o mundo, o Eu-Você ao criar o homem, e o relacionamento social Nós-Você ao cooperar com Adão e Eva na procriação de seu primeiro filho.

Até Aristóteles, o filósofo pagão, foi capaz de enxergar os problemas contidos nesta visão. Por isso ele posicionou seu "Movedor Imóvel" como se estivesse em uma cápsula espacial, e fechou as janelas para que Ele não aprendesse sobre a existência e o desenvolvimento do mundo. Tal crescimento em conhecimento teria destruído seu Deus por lhe fazer adições. Ele viu que uma pessoa unitária precisaria do mundo e do homem, no entanto deixaria de ser infinito quando estes três relacionamentos fossem adicionados como resultado da existência e do desenvolvimento do universo e do homem.

A doutrina cristã de que Deus é trino e uno, por si só já preenche os requisitos para um Deus infinito e auto-suficiente. O Filho é um objeto para Pai e, portanto, o relacionamento Eu-Isto existiu para Deus desde a eternidade. O Filho e o Pai, assim como o Espírito Santo, comunicam-se em um relacionamento Eu-Você; o Pai e o Filho se unem para ministrar ao Espírito, e assim todos os três relacionamentos pessoais sempre existiram no Deus da Bíblia. O mundo, portanto, não adiciona nada a Deus. O "Maometismo" (ou o Islamismo), o Judaísmo e todas as visões unitárias de Deus naufragam neste problema e terminam tendo a visão de um Deus finito.

O Eu-Isto, ou relacionamento sujeito-objeto na Divindade, é revelado em passagens das Escrituras como Hebreus 1.13, "E a qual dos anjos disse jamais: Assenta-te à minha destra, até que ponha os teus inimigos por escabelo de teus pés?" (cf. Sl 110.1; Hb 1.6-8). O Eu-Você, ou o encontro pessoal, é revelado quando na eternidade o Filho discute sobre sua morte sacrificial na cruz, o que é mencionado no Salmo 40.5-8 (cf. Hb 10.5-13). O Nós-Você, ou o relacionamento social, é provado quando Deus diz, em Gênesis 1.26, "Façamos o homem à nossa imagem, conforme a nossa semelhança", e novamente em Gênesis 11.7: "Desçamos e confundamos ali sua língua, para que não entenda um a língua do outro". Além disso, todas as provas das Escrituras para a divindade de Cristo e do Espírito Santo defendem a doutrina da Trindade. *Veja* Trindade; Cristo, divindade de; Deus; Espírito Santo.

Escavações no monte da Jericó do Novo Testamento. J. L. Kelso

***Bibliografia.*** J. Oliver Buswell, Jr., *Systematic Theology*, Grand Rapids. Eerdmans, 1962, I, 72-126. John E. Carnell, *An Introduction to Christian Apologetics*, Grand Rapids. Eerdmans, 1950. Stuart C. Hackett, *The Resurrection of Theism*, Chicago. Moody Press, 1956. Charles Hodge, *Systematic Theology*, Grand Rapids. Eerdmans, 1952, I, 191-240.

R. A. K.

**TEL** Uma palavra árabe significando "montão de uma cidade destruída", relacionada com o termo babilônio *til* e o siríaco *telala*, e correspondendo ao persa *tepe* e ao turco *huyuk*.

Na Bíblia Sagrada, o termo hebraico *tel* é usado em relação ao "monte" de uma cidade destruída (Dt 13.16; Js 8.28, a ruína de Ai; Js 11.13; Jr 30.18; Jr 49.2, "montão"). Esta palavra faz parte do nome de várias cidades bíblicas: Tel-Assar no norte da Mesopotâmia, Tel-Abibe, Tel-Harsa e Tel-Melá (todas três na Babilônia).

O típico monte no Oriente Próximo é um monte que tem o topo plano e as laterais inclinadas, como um cone truncado. Ele pode ser composto pelas ruínas de uma ou mais camadas de ocupação. Tell el-Husn (a Bete-Seã bíblica) possui 18 camadas sucessivas, totalizando 23 metros de espessura. O nível mais antigo está naturalmente na parte de baixo e o mais recente no topo. Os tamanhos dos montes variam não só em altura, mas também em área: Tel el-Hesy (a Eglom bíblica) cobre dois acres e meio e Tell el-Qedah (a Hazor bíblica), 40 acres. As características conhecidas de determinados montes têm ajudado os arqueólogos a localizar muitas cidades bíblicas.

Em 1890, enquanto escavava Tell el-Hesy no sul da Palestina, W. M. F. Petrie elaborou uma cronologia baseada na cerâmica. Ele observou vários tipos de cerâmica característicos nos vários níveis de ocupação do local. A alguns deles poderiam se atribuir datas porque foram encontrados em associação com objetos especificamente datados. Pareceu razoável que estes mesmos tipos de cerâmica tivessem datas similares se encontrados em outros montes. Assim Petrie elaborou uma cronologia da cerâmica útil para datar muitos achados na Palestina. Estes princípios foram aplicados para elaborar cronologias de cerâmica para outras terras do Oriente Próximo.

***Bibliografia.*** W. F. Albright, *The Archaeology of Palestine*, ed. rev., Londres. Penguin, 1960, pp. 16-18. K. M. Kenyon, *Beginning in Archaeology*, Londres. Phoenix, 1953, pp. 98-107. G. E. Wright, "Cities Standing on Their Tells", BA, II (1939), 11-12; *Biblical Archaeology*, Filadélfia. Westminster, 1957, pp. 23-24.
J. A. T.

**TELA** Filho de Resefe e pai de Taã, um descendente de Efraim e ancestral de Josué (1 Cr 7.25).

**TEL-ABIBE** Uma cidade às margens do canal de Quebar (rio Quebar), que fluía para o rio ao sul da Babilônia. Aqui Ezequiel viveu com seus companheiros exilados de Judá (Ez 3.15). O nome da maior cidade da moderna Israel, Tel-Aviv, é derivada deste nome.

**TELAIM** Uma cidade no Neguebe de Judá perto de Zife, onde Saul convocou e numerou o povo em sua preparação para a campanha contra os amalequitas (1 Sm 15.4). Alguns manuscritos cursivos gregos da LXX apóiam a idéia de que a frase "porque antigamente" em 1 Sm 27.8 (Texto Massorético) deva ser lida "desde Telém". Telaim foi identificada por alguns estudiosos com a Telém mencionada em Josué 15.24.

**TELARSA** *Veja* Tel-Harsa.

**TELASSAR** Uma das cidades ao norte da Mesopotâmia habitada pelo povo do Éden (heb. *b[e]nê Eden*, abreviatura de *b[e]nê-Beth-Eden*; cf. Amós 1.5; Ezequiel 27.23), mencionada na carta de Senaqueribe a Ezequias falando da conquista dos reis assírios anteriores (Is 37.12; 2 Rs 19,12). Na área do acadiano Bît-Adini (Bete-Éden) ao longo do meio do Eufrates estava situada Til Ashûri, "colina de Asur", mencionada nas inscrições de Tiglate-Pileser III.

**TELÉM**
1. Uma cidade da tribo de Judá no Neguebe, na direção da fronteira de Edom (Js 15.24). Alguns estudiosos a identificaram com Telaim (*q.v.*; 1 Sm 15.4).
2. Um dos porteiros que dispensou sua mulher estrangeira de acordo com a política instituída por Esdras (Ed 10.24).

**TELHA, LADRILHO**
1. Em hebraico *l[e]bena,* "tijolo" ou "cerâmica" (Ez 4.1). Essa palavra também foi traduzida em outras passagens como "tijolo" (*q.v.*). Ezequiel foi instruído a escrever o nome de Jerusalém em um tijolo de barro e sitiá-lo. O objetivo era enfatizar sua pregação de que Jerusalém seria capturada por causa dos pecados de Israel (4.4ss.). Mapas e ilustrações feitos em tijolos de barro foram encontrados na Mesopotâmia (veja ANEP, #260), dando suporte às evidências da influência babilônica nessa forma de comunicação do profeta.
Cerâmicas, no sentido de tijolos esmaltados, também eram conhecidas no mundo do AT. Tijolos esmaltados foram usados para revestir a porta de Ishtar da Babilônia (ANEP, #760-762). Em Qantis, no Delta do Egito, Ramsés II mandou cobrir sua tenda com telhas esmaltadas de cor azul (W. C. Hayes, *Glazed Tiles from a Palace of Rameses II at Kantir*, Nova York. Metropolitan Museum of Art, 1937).
Assim, elas podem ser comparadas à "pavimentação de pedra de safira" ou à "obra de pedra de safira" que Moisés e os 70 anciãos de Israel viram sob os pés de Deus (Êx 24.10).
2. Em grego *keramos,* "cerâmica" (material cozido). Em Lucas 5.19, trata-se de telhas usadas para cobrir o telhado. Os telhados dos templos greco-romanos eram cobertos de telhas. Lucas é bastante específico quanto ao método pelo qual foi feita uma abertura no telhado pelos quatro amigos do paralítico, com a finalidade de baixá-lo à presença do Senhor Jesus. Geralmente, as telhas não eram usadas nos telhados planos da Palestina. Mas um judeu, influenciado pela cultura helenista podia, entretanto, mandar cobrir o telhado normal feito de grossas camadas de argila sobre vigas de madeira. Por outro lado, poderia haver um telhado levemente inclinado sobre o pátio da casa. Esse arranjo seria suficiente para permitir aos homens o acesso a um ponto acima do local onde o Senhor Jesus estava sentado abrigando-se do calor do sol.
H. G. S.

**TELHADO** *Veja* Casa.

**TEL-HARSA** Uma cidade babilônica da qual certos judeus retornaram para Jerusalém depois do exílio, mas foram incapazes de estabelecer sua identidade israelita (Ed 2.59; Ne 7.61). A localização exata da cidade é atualmente desconhecida.

**TEL-MELÁ** Uma cidade babilônica cuja localização é atualmente desconhecida, da qual certos judeus retornaram para Jerusalém depois do exílio, mas foram incapazes de estabelecer sua identidade israelita (Ed 2.59; Ne 7.61).

**TELL EL-AMARNA** *Veja* Amarna, Tell El.

**TEMA, TEMÁ** O nono filho de Ismael, que foi subseqüentemente considerado um dos 12 príncipes de Ismael, e cujo nome identificou a aldeia e o acampamento de seus descendentes (Gn 25.15; 1 Cr 1.30). A residência

O chamado templo de Vesta, perto do rio Tibre em Roma. HFV

do clã deve ser identificada com a moderna Teima, um oásis de hospedarias para caravanas na região noroeste da Arábia, aprox. 400 quilômetros a sudeste de Eziom-Geber (Jó 6.19). Esta cidade está situada na rota de caravanas entre a região de especiarias e incenso no sul da Arábia, e os países ao norte como Egito, Israel e Síria.

Em um oráculo referente à Arábia, os habitantes da terra de Tema foram exortados a socorrer os dedanitas e quedaritas que logo iriam fugir de uma turba esmagadora (Is 21.14), talvez uma referência à campanha de Tiglate-Pileser III, que afirmou ter recebido tributo dos habitantes de Tema (ANET, pp. 283ss.). Em Jeremias 25.23, Tema é contada entre os povos que beberiam da taça de vinho da ira das mãos do Senhor, o que, aparentemente, se refere às conquistas de Nabucodonosor.

Nabonido, o último rei da Babilônia, viveu em Tema durante uma década (ANET, p. 306), construindo ali seu palácio, e embelezando e fortificando a cidade com a finalidade de rivalizar com a própria Babilônia (ANET, pp. 313ss.).

E. R. D.

**TEMÁ** O ancestral epônimo de uma família de servidores do Templo que retornou da Babilônia com Zorobabel (Ed 2.53; Ne 7.55). O nome Tama (Ne 7.55) é uma variação de Temá.

**TEMÃ** Um nome edomita que significa "à direita, ao sul".

1. Um filho de Elifaz e neto de Esaú (Gn 36.11) chamado, no v.15, de edomita "chefe" ou "príncipe".

2. Uma importante cidade em Edom. Husão, um rei de Edom, era um temanita (Gn 36.34). Os temanitas eram famosos por sua sabedoria (Jr 49.7; Baruque 3.23), e Elifaz, o mais sábio dos consoladores de Jó, era um temanita (Jó 2.11). Habacuque (3.3) vê o Senhor vindo de Temã, lembrando os atos de Deus naquela área durante a jornada para a terra prometida. As advertências proféticas de juízo sobre Temã (Jr 49.20; Ez 25.13; Am 1.12; Ob 9) foram cumpridas, pois sequer se conhece com precisão sua localização. Glueck a identifica com Tawilan, cerca de oito quilômetros a leste de Petra. Abel dá preferência a Shôbek, que está a aprox. 40 quilômetros ao norte de Petra.

***Bibliografia.*** Nelson Glueck, "Explorations in Eastern Palestine, II", AASOR, XV (1935), 82-83. F. M. Abel, *Géographie de la Palestine*, 2 vols., Paris. Gabalda, 1933, 1938, I, 284; II, 479-480.

**TEMENI** Um descendente de Judá cujo pai foi Asur e cuja mãe foi Naara (1 Cr 4.6).

**TEMOR** Um termo usado tanto no AT como no NT de várias maneiras muito significativas. As Escrituras falam dos seguintes tipos de temor.

1. Um temor santo (heb. *yir'a*; gr. *phobos*) que significa ter grande temor ou respeito pela majestade e santidade de Deus, uma reverência piedosa (Gn 20.11; Sl 34.11; At 9.31; Rm 3.18). Davi fala deste temor como sendo limpo e puro (Sl 19.9); Jó e o salmista se referem ao temor como a base ou o início de toda a verdadeira sabedoria (Jó 28.28; Pv 1.7; Sl 111.10). Este temor é dado por Deus e permite que o homem respeite a autoridade de Deus, obedeça aos seus mandamentos, se desvie do mal (1 Sm 12.14,20-25; Sl 2.11; Pv 8.13; 16.6) e busque constantemente a santidade (2 Co 7.1; Fp 2.12). Os gentios convertidos ao judaísmo, que criam em Deus, eram chamados de tementes a Deus (At 10.2,22; 13.26). *Veja* Adoração.

2. Um temor filial (Lv 19.3) baseado na reverência correta dos filhos de Deus por seu Pai celestial (Sl 33.18; 34.6-11; Pv 14.26,27; 2 Co 6.17–7.1).

3. Um temor pelo pecado imperdoável que é causado pela obra da lei escrita no coração (Rm 2.15) e o conhecimento da Palavra de Deus; por exemplo, o temor de Adão quando pecou (Gn 3.10; cf. Pv 28.1); o medo de Félix ao ouvir Paulo pregar (At 24.25); o medo dos homens que rejeitam a pregação do evangelho (Hb 10.27-31).

4. Um medo, temor ou terror (heb. *pahad*) da santidade de Deus por parte dos ímpios na vinda do Senhor (Sl 14.5; Is 2.10,19; Ap 11.11; 18.10,15). Juntamente com isto, podemos considerar o medo que Deus coloca nos corações dos ímpios em relação ao seu povo, para proteger os seus (Dt 11.25; 2 Cr 20.29,30).

5. Um temor do homem também é mencionado nas Escrituras. Este pode ser um respeito correto por aqueles que têm autoridade (Rm 13.7; 1 Pe 2.18), ou um terror sem sentido (Nm 14.9; Is 8.12).

6. Um temor por outros, bem como do perigo no qual eles estão (1 Co 2.3; 2 Co 11.3; 12. 20,21).

7. Um sentimento de terror em relação àquilo que é desconhecido (Lc 21.26) ou misterioso (Jó 4.14-16).
8. Um sentimento de covardia ou timidez (gr. *deilia*), como nas frases "o espírito de temor" (2 Tm 1.7), e "não se turbe o vosso coração, nem se atemorize" (Jo 14.27; cf. Mt 8.26; Mc 4.40; Ap 21.8).
Às vezes se presume erroneamente que o temor é a origem da religião; mas apenas o medo, no sentido do terror, não é a força positiva que atrai os homens a Deus com uma atitude de reverência, adoração e respeito.
O conceito kierkegaardiano de *Angst zum tode*, esta ansiedade que persegue o homem por toda vida até sua morte, cai sob a terceira classificação acima, uma vez que expressa a ansiedade perturbadora que ataca o não-salvo. Este temor, e o sentimento de terror por ter que comparecer diante de um Deus santo, é eliminado (ou deveria ser) na vida dos crentes (1 Jo 4.18; cf. Rm 8.1,33,34), embora o temor que consiste em reverência e respeito pela autoridade permaneça.

R. A. K.

**TEMPERANÇA** A palavra grega *egkrateia* significa moderação, contenção ou autocontrole, especialmente contendo os próprios impulsos com o objetivo de alcançar fins mais elevados (1 Co 7.9; cf. 7.5). O termo "temperança" ocorre apenas no NT, apesar de que leitores dos provérbios de Salomão já teriam se familiarizado com a idéia há algum tempo. Paulo, quando argumentava com Félix, enfatizava o autocontrole junto com justiça e juízo futuro (At 24.25). Em Tito, ele a lista entre as características requeridas de um líder da igreja (1.7,8) e a ordena para os homens de mais idade (2.2). Ela advém da obra do Espírito no crente (Gl 5.22,23), deve ser ativamente buscada pelos cristãos (2 Pe 1.5ss), e é essencial no ministério cristão (1 Co 9.25-27). O uso bíblico do termo sugere autocrucificação e uma submissão ao controle exercido pelo Espírito, que habita em cada crente, mais do que uma autonegação espartana.

**TEMPLO** A principal palavra hebraica para "templo" é *hekal*, "palácio, edifício grande" (cf. 1 Rs 21.1; Sl 45.8,15; Is 39.7). É uma palavra estrangeira incorporada do acádio *ekallu*, por sua vez importada do sumério *E-GAL*, "casa grande". Além de suas referências ao Templo em Jerusalém, a palavra é usada para o santuário de Siló (1 Sm 1.9; 3.3), para a morada de Deus nos céus (2 Sm 22.7; Sl 11.4; 18.6; Is 6.1), e para templos pagãos (Jl 3.5). O termo heb. *bayith*, "casa", é também freqüentemente usado para templo, tanto para o templo de uma divindade pagã (Jz 9.46; 2 Rs 10.21 etc.) como para o Templo de Deus em Jerusalém (1 Rs 6.2-10; 2 Cr 35.20 etc.).
Em contraste com um "lugar alto" (*q.v.*) ao ar livre, um templo era considerado principalmente a "casa" ou local de morada de uma divindade, e apenas secundariamente um local de adoração. Assim sendo, o santuário mais interno, onde a imagem do deus (ou a arca de aliança do Senhor) era colocada, era geralmente uma pequena sala separada do povo.
Em grego, há 2 termos que significam "templo". O mais genérico é *hieron*, o local do sacerdote, que se aplicava a todo o complexo do Templo com todos os seus átrios e prédios auxiliares. O mais específico é *naos*, "santuário, templo", o próprio prédio principal do Templo. O uso bíblico desses termos é principalmente em referência ao santuário nacional dos judeus em Jerusalém, localizado no monte Moriá.

### Templos Pagãos

O AT ocasionalmente menciona templos da população não israelita de Canaã, assim como os templos da Babilônia (2 Cr 36.7; Ed 5.14) e do Egito (Jr 43.12,13). Na Palestina, vários templos e santuários cananeus foram escavados, revelando a típica planta baixa de um santuário pagão. Em geral eles consistiam de três cômodos principais: uma antecâmara ou terraço dando entrada ao santuário principal, cuja entrada era, às vezes, ladeada com colunas; o santuário, geralmente com postes para sustentar as vigas do telhado e bancos de pedra contra uma ou mais paredes, e freqüentemente com um altar para as ofertas; e mais adentro, o santo dos santos ou santuário, comumente em uma plataforma elevada cujo acesso se dava através de degraus, contendo um pedestal ou nicho para a imagem de uma divindade.
O templo de El-Berite (Jz 9.46) em Siquém (*q.v.*) foi escavado e parece ter sido um grande templo-fortaleza (heb. *migdal*) com um pilar sagrado (heb. *masseba*) no pátio. O tem-

Reconstrução do templo de Vênus em Baalbek. Museu Nacional, Beirute

Modelo de Howland-Garber do Templo de Salomão. E. G. Howland

Interior do modelo de Howland-Garber. E. G. Howland

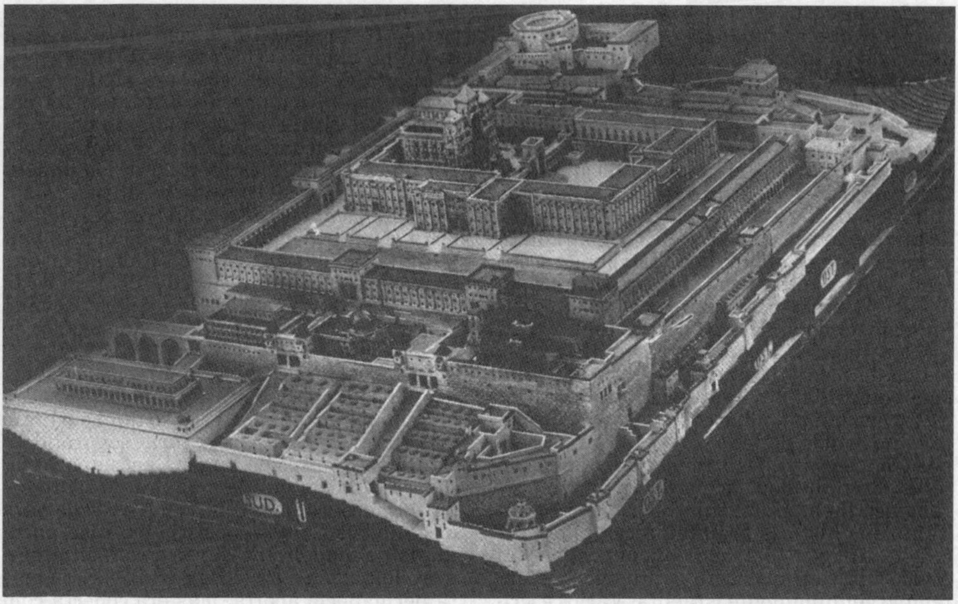

Reconstrução de Shick do Templo de Salomão. MPS

plo de Dagom em Asdode (1 Sm 5.2-4) era provavelmente similar ao templo de Dagom (1 Cr 10.10) e de Astarote (1 Sm 31.10) em Bete-Seã; essa últimas estruturas eram provavelmente os templos gêmeos encontrados no Nível V, datando do século XI a.C.

**Santuários Israelitas nas Fronteiras** Em várias localidades israelitas do período da monarquia dividida foram encontradas evidências da presença de templos. Amós denunciou a adoração em Berseba e Gigal, e a comparou com templos que Jeroboão I construiu em Dã e Betel, nas fronteiras sul e norte de seu reino (Am 5.5; 8.14). Os muros (que tinham de 6 a 20 metros de largura) que formavam um cercado para um lugar alto israelita em Dã foram descobertos (IEJ, XXII [1972], 165), mas até o momento nenhum prédio de templo foi localizado.

Escavações iniciadas em 1969 em Tell Berseba desenterraram um grande prédio com quatro ou cinco cômodos nos quais muitos objetos de culto em estilo egípcio e assírio-babilônico foram encontrados. Em uma casa próxima foi encontrada uma jarra da Idade do Ferro com a inscrição entalhada em heb. *q-d-sh*, "santidade". O arqueólogo encarregado, Yohanan Aharoni, acredita que não tenha havido algum santuário israelita em Berseba que tenha sido corrompido pela influência pagã ("Excavations at Tell Beersheba", BA, XXXV [1972], 123-127).

Um reexame por parte de Aharoni do assim chamado "santuário solar" em Laquis indica que provavelmente havia uma série de templos judeus nessa importante fortaleza da fronteira filistéia. Baixos-relevos de Senaqueribe da captura de Laquis mostram dois grandes incensários carregados como parte dos despojos da cidade (VBW, II, 286 parte inferior). Um culto semelhante em Laquis pode ter sido mencionado por Miquéias: "Ó moradora de Laquis; foste o princípio do pecado para a filha de Sião, porque em ti se acharam as transgressões de Israel" (1.13, versão RA). Pequenas estátuas de cerâmica da deusa mãe do tempo do rei Josias e mais de 150 altares de incenso do período persa, um deles gravado com uma dedicatória a Yah(weh), foram encontrados em tumbas e cavernas em Laquis. O "santuário solar" em si data do período helenístico e, assim, é contemporâneo do templo de Onias em Leontópolis, no Baixo Egito (Josefo, *Ant.* xiii.3. 1-3; *Wars* vii.10.3,4), e tem uma notável semelhança com o santuário israelita mais antigo em Arade (Y. Aharoni, "Trial Excavation in the 'Solar Shrine' at Lachish", IEJ, XVIII [1968], 157-164).

Na década de 1960, em Tell Arade, cerca de 30 quilômetros a leste de Berseba, Aharoni dirigiu escavações da cidadela inicialmente construída no período de Salomão. Uma fortaleza quadrada de aprox. 54 por 54 metros guardava a principal rota de comércio que descia para Arabá e Edom. No canto noroeste dessa fortaleza real do século X a.C. foi encontrado um templo como uma parte integrante e proeminente dela. Ele foi construído sobre um alto anterior, talvez o dos queneus, que se mudaram para o Neguebe de Arade na época dos juízes (Jz 1.16), e foi reconstruído muitas vezes junto com a cidadela antecedendo o movimento reformador do rei Josias.

Como o Tabernáculo e o Templo de Salomão, o santuário de Arade tinha uma entrada no lado leste, com o santo dos santos voltado para o oeste. No pátio ficava o altar de terra e pedras não lavradas (cf. Êx 20.25) para as ofertas queimadas. Ladeando a entrada para o interior da sala principal (heb. *hekal*), ficavam bases de pedra para os pilares, fazendo vir à mente a Jaquim bíblica (*q.v.*) e Boaz. O *hekal* era uma sala ampla (cerca de 3 por 10 metros) ao invés de uma sala comprida, e o santuário interno (heb. *d^ebir*) era um pequeno cômodo que se projetava no centro do lado ocidental, precedido por três degraus. Dentro do *d^ebir* havia um pilar circular bem acabado, e de caráter religioso (heb. *masseba*).

Tanto sua história arquitetônica quanto escritos antigos (óstraco) encontrados em Arade indicam que esse santuário era um templo genuinamente israelita. Vários escritos hebraicos antigos mencionam nomes de famílias sacerdotais, de modo que Arade deve ter sido uma de várias fortalezas reais fronteiriças com um altar e/ou santuário para dar autoridade divina e real à fronteira nacional (cf. Js 22.11,25; Is 19.19-21). Essas foram aparentemente construídas por reis apóstatas de Judá, como Salomão no final de seu reinado e Roboão depois da campanha devastadora de Sisaque. Ezequias removeu os lugares altos e os altares (2 Rs 18.22), e Josias destruiu "os altos em que os sacerdotes incensavam, desde Geba até Berseba" (2 Rs 23.8) assim como as "casas" dos lugares altos nas cidades de Samaria (v.19; cf. 1 Rs 12.31; 13.32). Veja Y. Aharoni, "Arad. Its Inscriptions and Temple", BA XXXI (1968), 1-32; "The Israelite Sanctuary at Arad", *New Directions in Biblical Archaeology*, ed. por D. N. Freedman e J. C. Greenfield, Garden City. Doubleday, 1969, pp. 25-39.

### O Templo de Salomão

No local sagrado na memória judaica onde Abraão mostrou-se disposto a sacrificar Isaque teve início em abril/maio de 967 a.C. a construção do Templo que estava destinado a levar o nome do rei Salomão. O prédio foi terminado em out/nov de 960 a.C., após sete anos e meio de construção (1 Rs 6.1, 37ss.).

A origem dessa casa de adoração é creditada a Davi. É notado em 1 Crônicas 28 que o Espírito sugeriu a ele a necessidade de substituir o Tabernáculo por um edifício permanente. Apesar de Davi ter sido impedido de construir essa casa por ser um guerreiro e ter derramado sangue (v.3), ele comprou o terreno (2 Sm 24.18-24), armazenou muitos dos materiais a serem usados na sua construção (1 Cr 22.2-16), e confiou a tarefa a seu filho Salomão (1 Cr 28.1–29.19).

A planta dessa edificação era similar à do Tabernáculo; mas as dimensões eram em dobro, e a altura correspondia ao triplo da altura do santuário anterior. É bem provável que Josefo (*Ant.* viii.3.2.) dê as dimensões externas, 60 côvados de altura assim como de comprimento, e 20 côvados de largura, com um segundo andar de planta baixa igual, embora o livro de Reis mencione uma altura interna (30 côvados) de cada andar (1 Rs 6.2). Provavelmente o côvado real de 20,9 polegadas tenha sido usado, de acordo com o padrão antigo (2 Cr 3.3).

As paredes de pedra eram forradas com cedro entalhado, que era recoberto com ouro (1 Rs 6.22); os tetos e até o piso também eram cobertos com ouro. A divisória separando o Santo dos Santos do Lugar Santo aparentemente também era de madeira de cedro coberta com ouro (1 Rs 6.16,20). A entrada para o Santo dos Santos consistia em uma porta dupla de madeira de oliveira com entalhes, e era folhada a ouro (1 Rs 6.31,32). Essa porta permanecia aberta, mas era coberta com um véu de um material semelhante ao do Tabernáculo, evidentemente mantido no local com correntes de ouro em frente à divisória (6.21). *Veja* Véu.

No Santo dos Santos ou santuário interno (heb. *d^ebir*) foi posta a arca da aliança, cuja tampa (ou topo) era chamada de propiciatório. Ela permanecia entre dois querubins que tinham dez côvados de altura, feitos de madeira de oliveira coberta com ouro. Acredita-se que eles pareciam-se com esfinges aladas com corpos de leão e rostos humanos. As asas dos querubins estavam abertas e se tocavam sobre a arca (1 Rs 6.23-28; 2 Cr 3.10-13). Aqui Deus manifestava a sua presença de maneira especial na glória Shekinah.

No lugar santo ou nave (heb. *hêkal*) ficavam o altar de incenso, dez castiçais de ouro (com sete lâmpadas em cada castiçal) e dez mesas para o pão da proposição. Cinco dos castiçais e mesas ficavam em cada lado do Santo dos Santos. O lugar santo, sendo mais alto que as câmaras laterais, tinha janelas no alto como um clerestório (1 Rs 6.4,5).

Se o Templo se localizava em uma plataforma elevada (cf. Ez 41.8), então um lance de degraus levaria acima a partir do pátio interno para o terraço ou vestíbulo (heb. *'ulam*). O terraço era igual em comprimento à largura do Templo e tinha dez côvados de largura diante da frente do prédio (1 Rs 6.3). A sua altura é alvo de controvérsia porque a medida de 120 côvados em 2 Crônicas 3.4 parece excessivamente grande. Nenhuma torre ou pilar, comum na entrada dos templos egípcios, é mencionada em qualquer parte do AT. Ladeando a entrada do terraço

Reconstrução do Templo de Herodes, Holyland Hotel, lado ocidental de Jerusalém. Holyland Corporation.

havia um par de enormes pilares isolados em bronze com grandes capitéis. Eles tinham os nomes de Jaquim (*q.v.*) e Boaz (1 Rs 7.15-22; 2 Cr 3.15,17; Jr 52.21,23), talvez as palavras iniciais de inscrições em hebraico entalhadas nos pilares. Tais colunas isoladas eram uma característica comum em templos do antigo Oriente Próximo.

Havia dois pátios (2 Rs 23.12), um pátio interno que cercava a área sagrada, que era reservada para uso exclusivo dos sacerdotes (1 Rs 6.36; 2 Cr 4.9), e um pátio externo ou "pátio grande" (2 Cr 4.9), que era para uso do povo. O pátio interno era chamado de átrio "superior" ou "pátio de cima" (Jr 36.10), e aqui se encontravam a enorme bacia chamada de mar de fundição e o altar de sacrifício em bronze, assim como itens menores de equipamento, incluindo dez pias. Acredita-se que o pátio interno teria pelo menos 100 côvados de largura e 200 côvados de comprimento, enquanto o pátio externo ou "de baixo", para o povo, teria ao menos 400 côvados de comprimento e 200 côvados de largura.

Essa magnífica edificação foi dedicada em uma cerimônia de uma semana de agradecimento solene e orações. Quando Salomão orou consagrando o prédio diante do altar, desceu fogo do céu e consumiu os holocaustos (2 Cr 6.13–7.1). Quando Jerusalém foi destruída pela Babilônia em 586 a.C., o Templo de Salomão teve seus tesouros saqueados e o prédio foi completamente queimado (2 Rs 25.9ss.; Jr 52.13ss). Contudo, saques periódicos haviam ocorrido anteriormente, como por exemplo, nos dias da invasão de Sisaque, em aprox. 925 a.C. (1 Rs 14.25-28).

## O Templo de Ezequiel

O Templo que o profeta Ezequiel contemplou em visão (Ez 40.2–47.2) aparentemente pertence à era escatológica que vem depois da destruição de Gogue e suas hostes (Ez 38–39). Portanto, os intérpretes pré-milenialistas das Escrituras geralmente acreditam que esse será um templo literal, construído para a adoração durante o reino milenar de Cristo (*veja* Ezequiel, Livro de).

Em suas características essenciais, o Templo de Ezequiel era baseado no Templo de Salomão. Os portões, descritos em grande detalhe (Ez 40.6-44), correspondem quase exatamente aos portões da cidade construídos pelos arquitetos de Salomão, os quais os arqueólogos escavaram em Megido, Hazor e Gezer. Carl G. Howie reconstruiu a planta do Portão Leste (vv.6-16) e notou a incrível semelhança entre este e o portão salomônico em Megido, do nível IVB. Ambos têm o mesmo número de pilares e câmaras adjacentes; ambos têm um duplo vestíbulo ou terraço, e de maneira geral as medidas são semelhantes ("The East Gate of Ezekiel's Temple Enclosure and Solomonic Gateway of Megiddo", BASOR #117 [1950], pp. 13-19). Conjectura-se então que, quando jovem, Ezequiel havia conhecido o próprio Templo de Salomão antes de ter sido levado cativo de Jerusalém.

A principal característica do Templo de Ezequiel é sua perfeita simetria geral. O recinto todo, de 500 côvados quadrados (42.15-20) está voltado para o leste. Talvez a maior diferença em relação ao Templo de Salomão seja a ausência do grande "mar" ou pia (cf. 1 Rs 7.23-26). Seu lugar parece ter sido tomado pelo rio de águas vivas que corriam dos limites do Templo para o leste, em direção ao mar Morto, tornando as suas águas frescas e trazendo vida a áreas desérticas (47.1-12).

### O Segundo Templo

Josefo é a principal fonte de informações a respeito deste edifício. De fato, exceto por referências ocasionais no Talmude e na imagem pouco definida dessa estrutura no contexto do NT, não há outras informações a seu respeito. Os alicerces foram iniciados em 535 a.C., o segundo ano após o retorno inicial dos exilados vindos da Babilônia (Ed 3.8-12), mas Zorobabel e Jesua, o sacerdote, encontraram tanta oposição por parte dos adversários locais que os trabalhos foram paralisados. A reconstrução do Templo foi retomada em 520 a.C. sob a exortação dos profetas Ageu e Zacarias e por decreto do próprio rei persa (Ed 5–6). A reconstrução foi concluída (Ed 6.15) no terceiro dia do mês de Adar, no sexto ano de Dario I (mar., 516 a.C.), apesar da observação de Josefo de que a reconstrução levou sete anos.

Esse segundo prédio não poderia ser comparado, em esplendor, com o de Salomão, mas ocupava o mesmo local e foi construído, de forma geral, utilizando a mesma planta. Deduz-se de Zacarias 6.9ss. que esse trabalho foi apoiado de forma generosa por aqueles que haviam permanecido na Babilônia.

Esse Templo, às vezes chamado de Templo de Zorobabel de acordo com o Talmude, carecia de cinco itens que havia no Templo de Salomão. Estes eram a arca da aliança, o fogo sagrado para consumir a oferta queimada inicial e os sacrifícios, a glória Shekinah, o Espírito Santo, e o Urim e Tumim. De acordo com Josefo, não havia nada no Santo dos Santos, onde a arca da aliança havia estado. Uma pedra foi colocada ali para uso do sumo sacerdote, mas não havia nenhum móvel. Nessa pedra o sangue da expiação era aspergido no Dia da Expiação, ao invés de no propiciatório da arca, como no Templo anterior.

É evidente que, por mais de uma vez, o Templo sofreu estragos nos anos que seguiram sua reconstrução. Provavelmente os edifícios do Templo também foram danificados durante a supressão da rebelião de 351 a.C. por Artaxerxes III. O Templo também foi sem dúvida danificado quando Ptolomeu I trouxe uma severa destruição a Jerusalém em 312 a.C. Durante a época de Antíoco IV (175-163 a.C.), esses edifícios receberam os seus mais sérios golpes. Pompeu também rompeu seus muros em 63 a.C., depois de um cerco de três meses. Crasso pilhou o Templo em 54 a.C., e seus prédios também sofreram muito quando Herodes atacou a cidade de Jerusalém em 37 a.C., auxiliado pelo general romano Sósio da Síria.

Consideráveis adições foram feitas ao complexo do Templo durante esses séculos, e ele foi renovado no tempo de Simeon ben-Jochanan, que também o fortificou e construiu um imenso reservatório para a água necessária nos serviços religiosos (aprox. 223-187 a.C.). Depois que esse Templo foi profanado por Antíoco IV, ele foi restaurado por Judas Macabeu (1 Mac 4.36); este evento proporcionou a ocasião para a Festa Anual Judaica da Dedicação (cf. Jo 10.22).

Em anos posteriores outras fortificações foram adicionadas aos prédios do Templo por Jônatas Macabeu, e também por João Hircano (134-103 a.C.), que foi o primeiro dos reis-sacerdotes asmonianos. O consenso geral é de que Hircano construiu a grande ponte que cruzava o vale Tiropeano na parte sudoeste do monte Moriá e ligava ao pátio dos gentios. Alexandre Janeu (101-75 a.C.) fez com que fosse construída a separação entre o pátio dos sacerdotes e o pátio de Israel.

### O Templo de Herodes

Em Janeiro do ano 19 a.C. Herodes iniciou a reconstrução do Templo, que subseqüentemente ficou conhecido pelo seu nome. Seu interesse por essa estrutura tem sido explicado de muitas formas, mas de nenhuma que parecesse ter sido religioso. Ele era por temperamento um construtor; esse era também um santuário nacional que deve ter sofrido muito desde o exílio e assim trazia pouca glória para aquela terra. Às vezes tem sido sugerido que esse foi o modo de Herodes apaziguar o povo judeu, mas a verdade é que ele começou o trabalho enfrentando uma forte oposição. De fato, sua proposta de reconstrução do Templo deparou-se com tão forte oposição que, para conciliar os judeus, ele fez com que 1.000 sacerdotes fossem treinados como talhadores de pedra, carpinteiros e decoradores, certificando-se de que nenhuma mão profana tocaria o local sagrado. O trabalho no santuário foi completado em 18 meses, mas o resto do edifício estava ainda sendo reconstruído no tempo de Jesus (cf. Jo 2.20) e não foi concluído até 64 d.C., e só permaneceu por mais 6 anos em sua forma acabada.

A área em que o Templo foi construído não era grande o suficiente para acomodar a planta que Herodes planejou executar. Rochas foram afastadas para se preencher um vale profundo, criando uma área de aproximadamente 35 acres dentro do complexo do Templo. Apesar das dimensões exatas da nova estrutura ainda serem alvo de discussão, parece provável que ela era 351 jardas ao norte, 309 jardas ao sul, 518 jardas a leste e 536 jardas a oeste. Essa área acrescida foi construída com duras rochas brancas de grande dimensão; esses blocos gigantescos de rocha calcária podem ser vistos hoje no Muro das Lamentações ou no atual muro ocidental, que era uma parte do muro de arrimo ocidental de Herodes.

Na parte mais elevada dessa área ficava o santuário em si, dividido como era nos dias de Salomão e construído nas mesmas dimensões. Agora ele estava, porém, coberto com placas de ouro, e em geral mais ricamente decorado do que era possível no tempo da reconstrução que se seguiu ao cativeiro. O santuário, contendo o Santo dos Santos e o Lugar Santo, estava situado na metade norte do pátio dos gentios, e voltado para o oeste ao invés de para o leste dessa área. Doze degraus abaixo, no segundo nível, estava o pátio dos sacerdotes. Esse pátio continha a grande pia e o altar para as ofertas queimadas. Três lances de degraus abaixo ficava o pátio dos israelitas, que parece ter sido dividido de modo que a parte leste era designada como pátio das mulheres, enquanto a parte oeste era para os homens. Em torno desse pátio ficavam as residências dos sacerdotes, vários escritórios do Templo e a sala do Sinédrio. Adjacente à parede do pátio das mulheres havia treze caixas. Nove delas eram para receber o que era legalmente devido pelos adoradores; as outras quatro eram para ofertas estritamente voluntárias (Lc 21.1-4). O uso específico de cada uma era cuidadosamente demarcado. Quatorze degraus abaixo estava o pátio dos gentios, que era aberto a todos, judeus ou gentios, exceto àqueles que viessem a estar cerimonialmente impuros. Ao redor do Templo propriamente dito havia um balaústre, a meia altura, entalhado em mármore, com quatro portões no norte e sul, um no leste, e nenhum no lado oeste. Em cada portão havia um aviso, gravado em pedra, em latim e grego: "Que nenhum estrangeiro ultrapasse a barreira entrando no pátio que cerca o Templo. Todo intruso que for pego será responsável por sua própria morte, que lhe será imposta como pena". A porta do leste era conhecida como Formosa (At 3.2) ou Portão de Nicanor. Três dos quatro portões restantes, tanto no norte quanto no sul, abriam-se diretamente para o pátio de Israel, enquanto que o quarto em cada lado dava para o pátio das mulheres.

O pátio dos gentios era de especial interesse para Herodes; aqui ele realmente aplicou seu gosto, dando-lhe toda sua atenção pessoal. Ele aumentou tanto esse pátio que ele se tornou o dobro do que havia sido. Ao redor de todo esse pátio havia uma magnífica colunata de pilares de mármore branco, colunas coríntias, cada uma feita de um bloco único, com três colunas de profundidade em três dos lados e quatro no lado sul. O teto desse claustro forrado com madeira se ligava por uma passagem à fortaleza de Antônia no canto noroeste do complexo do Templo, que também estava ligado ao nível térreo do pátio dos gentios por duas escadarias. Todo o pátio dos gentios era pavimentado com mármore de muitas cores elegantes.

Os pórticos em três lados tinham cerca de 15 metros de largura. Dentro da parte mais larga ao sul, que era comumente chamada de "pórtico real", encontrava-se o mercado do Templo. Entre alguns desses pilares ficavam tendas permanentes, enquanto outros espaços na área eram ocupados apenas temporariamente. Aqueles que faziam câmbio de dinheiro e os negociantes de animais para os sacrifícios poderiam ser encontrados neste local (Mc 11.15-18; Jo 2.14-16). O pórtico do leste era chamado de Pórtico de Salomão (Jo 10.23; At 3.11; 5.12). Aqui os professores discursavam; qualquer ensinador podia se sentar com as costas para um dos pilares e instruir as pessoas sentadas à sua frente em um círculo. O pórtico leste terminava em uma torre conhecida como Torre do Pináculo, na extremidade sudeste (cf. Mt 4.5).

As sólidas paredes que circundavam todo o Templo eram abertas em quatro portões no oeste; dois deles levavam aos subúrbios da cidade, o terceiro à ponte Tiropeana, e o quarto aos degraus que desciam para o vale em si. Havia dois portões adicionais na parede sul, conhecidos pelo nome de Hulda. O Susã ou Porta Dourada ficava na parede leste (Ez 10.19; 11.1; 43.1), e Josefo menciona um outro na parede norte (*Wars* vi.4.1).

Parece que a "ponte" (talvez uma escadaria monumental, incorporando o "Arco de Robinson") acima do vale Tiropeano era a entrada mais usada para a área do Templo. Um adorador normalmente, entrando pelo oeste e saindo pelo leste, cruzava a ponte que levava direto para o interior do palácio real ao longo do lado sul do pátio externo do Templo. A seguir, o pátio dos gentios era atravessado diagonalmente; e, depois de uma virada quase total à esquerda, o adorador estaria em frente à Porta Formosa, que levava ao pátio das mulheres.

Quatorze funcionários constituíam o conselho permanente do Templo que regulava tudo aquilo que era concernente aos seus assuntos e serviços. Seus membros também eram chamados de "anciãos dos sacerdotes" ou "os conselheiros". O conselho era formado pelo sumo sacerdote, um sacerdote subordinado, dois supervisores ou tesoureiros, sete encarregados dos portões e três subtesoureiros.

A seguir, na hierarquia, após os membros do conselho estavam os cabeças de cada turno dos sacerdotes. Muitos outros oficiais e subordinados serviam como instrutores, examinadores de sacrifícios, artífices e assistentes dos sacerdotes.

A destruição desses prédios se deu pelas mãos dos romanos no ano de 70 d.C., liderados por Tito. Os judeus usavam o Templo como uma fortaleza e eles mesmos foram os responsáveis pelo fogo nos recintos externos. A área do santuário foi queimada pelos ro-

manos, que também demoliram as suas paredes. O triunfante Arco de Tito em Roma mostra em entalhes soldados romanos retirando o mobiliário do Templo.
O imperador Adriano fez com que um templo dedicado a Júpiter Capitolino fosse construído no mesmo local do Templo judeu no ano 136 d.C. No ano 691 d.C., os muçulmanos construíram nessa mesma área a Cúpula da Rocha, às vezes erroneamente chamada de Mesquita de Omar; é essa estrutura, construída pelo Califa Omar, que atualmente ocupa o antigo local do Templo e santuário judeu.
*Veja* Arquitetura; Igreja; Jerusalém; Santuário; Tabernáculo; Adoração.

***Bibliografia***. Georges A. Barrois, "Temples", IDB, IV, 560-568. E. F. Campbell, Jr., e G. E. Wright, "Tribal League Shrines in Amman and Shechem", BA, XXXII (1969), 104-116. CornPBE, "Temple", pp. 680-687. Alfred Edersheim, *The Temple*, Nova York. Revell, 1874 (reimpresso por Eerdmans, 1950). Paul L. Garber, "Reconstructing Solomon's Temple", BA, XIV (1951), 1-24. Siegfried H. Horn, "Temple", SDABD, pp. 1069-1080. R. J. McKelvey, "Temple' in the New Testament" NBD, pp. 1247-1250. *The New Temple, the Church in the New Testament*, Londres. Oxford, 1969. Otto Michel, "*Naos*", TDNT, IV, 880-890. André Parrot, *The Temple of Jerusalem*, Londres. SCM Press, 1957. Gottlob Schrenk, "*Hieron* etc.", TDNT, III, 221-283. Emil Schürer, *A History of the Jewish People in the Time of Jesus Christ*, Edinburgh. T. & T. Clark, 1885. W. F. Stinespring, "Temple, Jerusalem", IDB, IV, 534-560. Roland de Vaux, *Ancient Israel. Its life and Institutions*, trad. por John McHugh, Nova York. McGraw-Hill, 1961, pp. 271-344. G. E. Wright, *Biblical Archaeology*, ed. rev., Filadélfia. Westminster, 1962, pp. 137-146. G. R. H. Wright, "Temples at Shechem", ZAW, LXXX (1968), 1-34.

H. L. D. e J. R.

**TEMPO** Existem inúmeras palavras hebraicas e gregas na Bíblia que denotam os vários aspectos do tempo. Os termos mais importantes são os hebraicos *yom*, dia, tempo, e *'eth*, tempo; e os gregos *kairos*, tempo, tempo fixo ou ponto no tempo; e *chronos*, tempo, tempo estendido. As palavras gregas mostram, definitivamente, uma certa distinção entre o tempo de uma forma pontual ou momentos precisos no tempo (*kairoi*), e o tempo como um intervalo que tem uma duração (*chronos*).
Cristo usou essas duas palavras quando disse aos seus discípulos: "Não vos pertence saber os tempos [*chronous*] ou as estações [*kairous*]" (Atos 1.7), e parece que estava fazendo a distinção entre períodos de tempo, como a Era da Igreja e o Milênio, e ocasiões puntuais, como seu retorno e o dia do juízo.
*Deus e o tempo*. Na Bíblia, Deus é revelado como o Criador do tempo, e como alguém que age no tempo. Ele criou o mundo em seis dias e descansou no sétimo. Mesmo antes da criação o tempo aparece como se Ele e o Filho tivessem planejado nossa redenção e a registrado em seu livro (Sl 40.7). Depois da segunda vinda de Cristo o tempo irá continuar e os redimidos estarão vivendo e reinando eternamente com Deus, literalmente, "para todo o sempre" (Ap 11.15; 22.5). O uso do termo "dia", para cada um dos seis passos da criação, não vai contra a aplicação do tempo a Deus e suas ações, mesmo sabendo que "um dia para o Senhor é como mil anos, e mil anos, como um dia" (2 Pe 3.8; Sl 90.4). Deus pode estender nosso tempo e examinar meticulosamente cada momento (da mesma maneira como podemos escrever um livro sobre a experiência de um momento) ou comprimi-lo de tal forma que mil anos pareça um dia (como podemos resumir um milênio em uma sentença). Porém, isso não nega a existência do tempo; serve apenas para revelar sua importância.
*A filosofia e o tempo*. Aristóteles lutou com o problema do tempo. A fim de expressar a passagem do tempo, ele argumentava: "Devemos usar números". Será que os números e o ato de contar vêm antes ou depois dos objetos contáveis? Podemos ter aritmética sem coisas para contar, sem a criação? De outro modo não poderíamos ter o próprio tempo, pois ele mesmo deve ser "contado". Aristóteles decidiu, portanto, que a contagem, a matemática e o tempo são números finitos que não existiam antes da criação. Ele não percebeu que o ato de contar e a matemática também são possíveis, assim como a teórica possibilidade de contar, e que o tempo, portanto, pode ser uma mera possibilidade do antes e depois e que sua sucessão é inteiramente separada dos números finitos da criação.
Immanuel Kant complicou o quadro filosófico quando argumentou, de outro ângulo, contra a existência eterna do tempo. Deus é infinito. Se o tempo e o espaço também são infinitos – como devem ser se são eternos – então temos três infinitos. Mas isso seria impossível porque duas ou mais coisas não podem ser todas infinitas. Logo, Deus deve ser infinito, e o tempo e o espaço, finitos. Segue-se então que não existe tempo ou espaço para Deus. O tempo e o espaço são categorias finitas, e tudo aquilo que conhecemos em termos de tempo e espaço representam conhecimento finito. Como Deus é atemporal e infinito, não estando limitado ao espaço, e o homem conhece as coisas apenas segundo sua categoria de tempo e espaço, de acordo com Kant segue-se que Deus não poderá nunca ser conhecido porque existe uma separação completa entre seu reino de conhecimento e o nosso.

*A teologia e o tempo.* Existem três opiniões teológicas relacionadas ao tempo. (1) O tempo não existe para Deus, no entanto Ele trabalha e se revela no tempo. Agostinho e muitos teólogos reformados aceitam esse conceito. Ele significa simplesmente que o tempo não existe para Deus apenas com respeito à sua essência, pois conhecemos a Ele no tempo e Ele tratou com os homens dentro do tempo. Como não conhecemos os nossos melhores amigos em sua essência, certamente nunca conheceremos a Deus em sua essência. Só pudemos conhecê-lo quando Ele se revelou, e isso só aconteceu em determinado tempo. Sendo assim, podemos dizer que não existe tempo para Deus, embora outros possam dizer que sim; no entanto, devemos concordar que isso realmente não faz diferença ao nosso conceito de revelação, pois tudo que Ele fez e revelou tem chegado até nós em termos de tempo e espaço.

(2) Para Deus não existe tempo em qualquer sentido. Ele é atemporal e ilimitado (S. Kierkegaard, Karl Barth e outros teólogos neo-ortodoxos, e também Paul Tillich). Como Deus é atemporal e ilimitado, e o homem só pode conhecer as coisas no tempo e em determinado espaço, Deus não pode se comunicar diretamente com o homem. A revelação deverá ser feita sob a forma de mitos, símbolos ou sagas e irá exigir a "desmitologização" e a interpretação (Rudolph Bultmann e Paul Tillich). *Veja* Mito ou Mitologia.

(3) O tempo existe para Deus. Essa opinião foi sustentada por J. O. Buswell, Jr., um teólogo reformado. Ele argumenta que a definição dada por Aristóteles sobre o tempo está errada, pois foi baseada em um conceito mal interpretado sobre o ato de contar e a matemática. O tempo (cf. ato de contar) representa a mera possibilidade de existir um antes e um depois, "a mera possibilidade abstrata de relacionamentos em seqüência" (J. O. Buswell, Jr., *Thomas and the Bible,* p. 68). Da mesma forma, o espaço é a mera possibilidade de um relacionamento entre objetos. Com essa definição, nem o tempo, nem o espaço limitam a Deus. Eles só existem como relacionamentos.

Mas então, o que dizer sobre a acusação de Kant de que eles ainda são infinitos e, portanto, limitam a Deus? Nem todos os infinitos são mutuamente excludentes. Podemos ter um número infinito de linhas infinitas. Além disso, a onisciência de Deus supera qualquer aspecto limitante do tempo, assim como sua onipresença supera o do espaço. Na definição de um Deus onipotente, onisciente e onipresente, a infinidade do tempo e do espaço não teria sido abrangida no sentido de existirem como relacionamentos que já fazem parte dEle, mesmo antes de serem manifestados em sua criação? Da mesma forma, falamos a respeito de Deus como um ser eterno (Sl 102.24-27; Jr 10.10) que habita na eternidade (Is 57.15). O tempo e a eternidade não se opõem, porque a eternidade ("de eternidade a eternidade", Salmos 90.2) deve incluir o tempo.

*Conclusão.* O tempo se tornou um problema muito sério para os teólogos de nossos dias. Aristóteles e Kant levantaram as dificuldades filosóficas; Agostinho, Kierkegaard e também outros teólogos neo-ortodoxos levantaram as dificuldades teológicas. Está sendo necessária uma definição do ato de contar, da matemática e do tempo que seja suficientemente abrangente para se estender a um período anterior à eternidade (anterior à criação), assim como à criação e à eternidade que ainda estão por vir. Se o tempo e a matemática são relacionamentos que sempre existiram em Deus, então o problema está resolvido e a neo-ortodoxia está refutada.

Por outro lado, se o tempo e o espaço existem apenas como resultado da criação de Deus – uma vez que Deus certamente já conhecia estes relacionamentos antes mesmo da criação – alguém poderia dizer que o mundo e o homem acrescentaram estes elementos a Deus. Logo, Deus conheceu o tempo e o espaço por causa da criação. Assim Ele passou a ter algo que não tinha antes. Ele precisava da criação para ser completamente Deus! Esse é um pensamento perigoso por significar que experimentamos relacionamentos que Deus não tinha até o momento em que passamos a existir. Nesse aspecto, seríamos superiores, ou pelo menos iguais a Ele. A única resposta segura será um novo exame do relacionamento bíblico entre Deus e o tempo, e a elaboração de uma definição que seja adequada à revelação. Quando o tempo e o espaço são eliminados do reino da criação, e vistos como relacionamentos existentes em Deus antes da criação, esses problemas ficam resolvidos.

*Veja* Aeon; Calendário; Eternidade; Existencialismo; Neo-ortodoxia; Teologia; Tempo, Divisões do.

***Bibliografia.*** James Barr, *Biblical Words for Time,* rev., Londres. SCM Press, 1969. J. Oliver Buswell, Jr., *Being and Knowing,* Grand Rapids. Zondervan, 1960, pp. 41-45; *Systematic Theology*, Grand Rapids. Zondervan, 1963, I, 45-48, 127; *Thomas and the Bible* (mimeografado), St. Louis. Covenant Theological Seminary, s.d. Oscar Cullmann, *Christ and Time,* Londres. SCM Press, 1951. Gerhard Delling, "*Hemera*", TDNT, II, 943-953. Carl F. H. Henry, "*Time*", BDT, pp. 523-525. E. Jenni, "*Time*", IDB, IV, 642-649. John R. Wilch, *Time and Event,* Leiden. Brill, 1969 (um estudo exegético do uso do termo *'eth* no AT).

R. A. K.

**TEMPO DE SEMEAR** *Veja* Agricultura.

**TEMPO, DIVISÕES DO** A atitude de várias culturas em relação ao tempo é extremamente variada. Por essa razão, os estudiosos ainda não foram capazes de explicar plenamente o emprego exato do sistema de tempos da língua hebraica clássica. Os hebreus não eram ávidos perseguidores de causas impessoais, e o tempo, por ser um conceito abstrato, estava fora de seus interesses. Entretanto, eles realmente mostraram um interesse, de certa forma rústico, pela medida do tempo.

1. *Dia.* O dia era a unidade básica do tempo por ser a mais óbvia. Como todos os povos da Antiguidade, os israelitas observavam o movimento do sol (e da sombra) como sinal da passagem do dia. Eles contavam os dias, meses e anos e dividiam a noite em três vigílias (Jz 7.19; Sl 90.4; 119.148; Jr 51.12; Hc 2.1). Até onde sabemos, a divisão do dia não era feita em horas exatas, e a designação usual era noite, manhã, meio-dia e madrugada. Em 2 Reis 20.9 (cf. Is 38.8) é feita referência ao chamado mostrador do sol de Acaz ou "relógio de sol de Acaz". A cuidadosa leitura dos textos hebraicos revela que o mostrador do sol representava os passos (*ma'alot*) sobre os quais as sombras se moviam. Embora não fosse um verdadeiro mostrador, ainda assim o passar do dia podia ser grosseiramente medido através do número de passos que a sombra havia se movido.

2. *Hora.* Os babilônios dividiam seu dia em 12 *beru* (em grego *hora,* em port. "hora"). Esta medida correspondia a duas de nossas horas em duração, pois um certo astrólogo babilônio informa que por ocasião do equinócio os seis *bere* do dia e os seis da noite eram exatamente iguais (CAH, III, 239). Não existem provas no AT de que a hora tivesse sido bem estabelecida e que os *bere* haviam se tornado horas únicas, 12 para o dia e 12 para a noite (Jo 11.9).

A divisão original do dia em 12 partes vem do sistema sexagésimo de numeração sumério-babilônico que, segundo alguns acreditam, se originou das 12 lunações óbvias da lua através de cada ciclo sazonal. Curiosamente, esse sistema perdura até os nossos dias, não só para medir o dia em horas, mas a hora em minutos e os minutos em segundos.

3. *Semana.* A próxima divisão do tempo, a semana (*shabua'*, que significa sete dias) foi usada através de todo o mundo bíblico desde tempos imemoriais. No entanto, ela não tem nenhuma relação com os fenômenos astrológicos.

O registro bíblico ensina claramente que a origem da semana se deve diretamente à soberana decisão de Deus de criar todas as coisas em seis dias e de cessar sua obra criativa no sétimo, e em seu subseqüente mandamento ao homem de seguir este exemplo ao fazer suas próprias obras.

Portanto a semana, como um divisor do tempo, era estritamente um assunto religioso sem qualquer outra base. No NT, o período de sábado a sábado era chamado de *sabbaton* (Mt 28.1), uma palavra que deriva do hebraico *shabbat,* que significa "repouso", e não *sheba'*, que significa "sete". Os israelitas tinham outros períodos de tempo em seu calendário religioso baseados em um ciclo de sete, como os sete sábados do Dia da Expiação até a Festa de Pentecostes (Lv 23.15,16), e o conjunto de sete anos que media o tempo do ano do jubileu, quando as dívidas eram perdoadas e os escravos eram libertados (Lv 25.8ss.).

4. *Mês.* A palavra hebraica comum para "mês" era *hodesh,* que se referia à renovação da lua. Observando cuidadosamente o primeiro sinal da renovação da lua, os israelitas celebravam o começo de cada mês com o tocar de trombetas (Nm 10.10; 29.1). Portanto, o mês dos hebreus era totalmente lunar. Isso significa que havia uma fração de mais de 29 dias em cada mês que formava 12 meses mais alguns dias extras em cada ano solar. Como eram dedicados à agricultura, os israelitas reconheciam essa discrepância e procuravam corrigi-la fazendo uma intercalação, isto é, adicionando um mês extra quando necessário. Atualmente, os judeus ainda fazem uma intercalação em seu calendário religioso com o segundo mês de Adar em intervalos regulares. Os egípcios foram os pioneiros dos meses não lunares, que nós herdamos através dos romanos.

Os nomes dos meses do calendário hebraico foram emprestados dos babilônios depois do exílio. Antes disto, os meses eram geralmente enumerados, embora durante a construção do Templo de Salomão tenham sido usados nomes dos meses fenícios (zive, etanim e bul, 1 Reis 6.1,38; 8.2) por causa dos artesãos fenícios encarregados de executar as obras. Nos tempos da Antiguidade, não há dúvida de que os hebreus tinham vários menológios (listas dos nomes dos meses) agrícolas. Abibe, o primeiro mês do ano, era na primavera e marcava o tempo da Páscoa. Depois os judeus adotaram o sistema babilônico, e o primeiro mês do ano passou a ser no outono. A pequena inscrição encontrada em Gezer, em 1908, representa um menológio agrícola local de 12 meses usado pelo povo mais simples para marcar a passagem das várias estações de colheita. *Veja* Calendário.

5. *Ano.* Assim como o nome hebraico para mês se originou da renovação da lua, parece que a palavra para ano derivou da mudança das estações (BDB, p. 1039). Ao contrário dos egípcios, que tinham um ano solar baseado na observação da estrela Sirius, os hebreus, com sua simplicidade agrícola, observavam a mutação sazonal para manter corretamente seu ano lunar, fazendo as intercalações necessárias.

Para períodos mais longos, a Bíblia não faz divisões em décadas ou séculos, mas usa termos comuns da cultura do Oriente Próximo. Por exemplo, o período usado para medir um longo período de serviço ou servidão é 40 anos (Jz 3.11; 1 Sm 4.18; Inscrição de Mesa, linha 8, ANET, p. 320). Daniel, em um contexto profético, usa um conjunto de sete anos e setenta semanas para dividir o tempo em períodos antes da consumação dos tempos (Dn 9.24-27). No Apocalipse, João fala sobre o reino final de mil anos de Cristo depois do último conjunto de sete anos de Daniel (Ap 20.4). Esse período de mil anos tem uma antiga tradição literária (Sl 90.4), embora não existam provas de que os hebreus alguma vez se preocuparam com eras tão longas em sua prática diária.

A passagem de longos períodos de tempo era muitas vezes medida em gerações (Dt 32.7; *veja* Geração). Somar geração com geração era a maneira hebraica (*dor wador*) de expressar uma medida de eternidade de tempo.

Tais medidas expressavam o conceito de eternidade no NT (gr. *aionios*) e no AT (heb. *'olam*). O salmista compara mil gerações a um *'olam* (Sl 105.8). Sem dúvida, isso significa "sempre", pois está se referindo à fidelidade de Deus.

E. B. S.

*Outros termos e expressões*. "Amanhecer" ou "aurora" significa o começo do dia, quando se iniciam todas as atividades (Js 6.15), literalmente "ao amanhecer" (Gn 19.15 etc.). A palavra hebraica *shahar*, traduzida na versão KJV em inglês como "manhã", poderia ser traduzida como "alva", como em Neemias 4.21; Salmos 139.9; Isaías 58.8; Joel 3.2 etc.

"Entardecer, noite, anoitecer" são traduções da palavra hebraica *'ereb* e das gregas *opse* ou *opsia* e *hespera*. Esses termos têm vários significados: (1) a tarde, quando as sombras se estendem (Jr 6.4) e as mulheres vão ao poço (Gn 24.11); (2) o pôr-do-sol (Lv 22.6-7), quando começava o dia dos judeus; e (3) o crepúsculo, o período entre o pôr-do-sol e a noite (Pv 7.9; Gn 29.23). Esse último era evidentemente o significado original da expressão hebraica "entre as duas tardes", o momento de acender as lâmpadas do Tabernáculo (Êx 30.8) e matar o cordeiro da Páscoa (Êx 12.6). De acordo com Deuteronômio 16.6, isso acontecia no entardecer, quando o sol se punha. Por outro lado, o fato do sacrifício da Páscoa ocorrer no 14º dia do mês, antes do pôr-do-sol que começava o 15º dia, levou os rabinos a interpretar posteriormente essa expressão como entre o declínio do sol e o pôr-do-sol. De acordo com essa exegese, o tempo era prolongado a fim de permitir que fossem celebradas as várias cerimônias, assim como o oferecimento do cordeiro, desde a 9ª até à 11ª hora, aprox. das três às cinco horas da tarde (Josefo, *Ant.*, xiv.4.3; *Wars* vi. 9.3.).

"Meio-dia" é uma forma alternativa de tarde (Ne 8.3). Um termo hebraico, *sohorayim*, com sua forma dupla, significa "brilho duplo" (1 Rs 18.29) e foi geralmente traduzido como "tarde" (veja abaixo). Saulo de Tarso se converteu ao meio-dia, a hora mais brilhante do dia, quando foi envolvido por uma grande luz do céu (At 26.13; cf. 22.6,11).

"Meia-noite" (heb. *hasi hallay^ela*) significa literalmente "a metade da noite" (Êx 12.29; Jz 16.3; Rt 3.8). Os povos da Antiguidade consideravam a meia-noite mais como a metade da noite (1 Rs 3.20) do que uma hora exata (24 horas). O Senhor feriu todos os primogênitos do Egito por volta da "meia-noite" (Êx 11.4), e o salmista se levantava à meia-noite para louvar a Deus (Sl 119.62). A palavra grega *mesonuktion* talvez fosse a mais precisa ao se referir à vigília da meia-noite (Mc 13.35). Em Trôade, Paulo continuou a pregar até à meia-noite (At 20.7).

"Momento" é a tradução de várias palavras hebraicas e gregas usadas para designar um intervalo de tempo muito pequeno. Esta palavra não indica uma medida de tempo; simplesmente implica que ele está passando rapidamente. A palavra hebraica *rega'* significa "piscar de olhos" e é usada para descrever a repentina chegada de Deus para o juízo (Êx 33.5), ou a brevidade do triunfo dos iníquos (Jó 21.13). Também foi usada como uma referência à tristeza dos justos (Sl 30.5; Is 26.20) e ao incessante cuidado, momento a momento, de Deus por seus filhos (Is 27.3). No NT, o termo grego é semelhante. O termo *stigme* corresponde a um instante no tempo, à súbita visão dos reinos da terra que Satanás mostrou ao Senhor Jesus Cristo (Lc 4.5). Em 2 Coríntios 4.17, Paulo diz que as nossas atuais aflições são "leves tribulações", e as classifica como momentâneas (*parautika*). O Senhor retornará, e em um instante seremos transformados (*atomos*, "indivisíveis"); este fato acontecerá em um momento tão curto que não pode ser mensurado (1 Co 15.51,52). *Veja* Piscar de Olhos.

"Manhã" é a tradução da palavra hebraica *boqer* (que aparece mais de 200 vezes no AT), e das gregas *proios*, "cedo", e *orthros*, "aurora, de manhã bem cedo". Sabemos que o Senhor Jesus levantava cedo, muito antes do dia raiar, para sair e orar sozinho (Mc 1.35). De manhã bem cedo o céu aparecia vermelho em um dia de tempestade (Mt 16.3). Tanto o Senhor Jesus como os apóstolos ensinavam no Templo de manhã bem cedo (Lc 21.38; At 5.21). O Sinédrio não podia iniciar uma reunião formal antes do amanhecer (Mc 15.1). O Senhor Jesus já havia ressuscitado quando as mulheres vieram ao túmulo de manhã bem cedo, logo depois do nascer do sol (Mc 16.2). O Cristo ressuscitado apareceu na praia da Galiléia de manhã, tão cedo que os homens que pescavam à noite não conseguiram discernir as suas feições (Jo

21.4). Nossa idéia sobre o meio da manhã é indicada pela expressão "em aquecendo o sol" (1 Sm 11.9; Ne 7.3).

"Noite" (heb. *lay*[e]*la*, gr. *nyx*) é o período entre o pôr-do-sol e o nascer do sol, especialmente as horas de trevas. A alternância do dia e da noite foi divinamente ordenada (Gn 1.5,14,16; Jr 33.20,25). Geralmente, o tempo era contado através de tantos dias e tantas noites (Gn 7.4,12; Êx 24.18; 1 Sm 30.12; 1 Rs 19.8; Jó 2.13; Jn 1.17). O início da noite era chamado de "tarde", e seu final de "amanhecer" (veja acima); "crepúsculo" (em hebraico *neshep*) era o período de semi-escuridão que vinha depois do pôr-do-sol (1 Sm 30.17; 2 Rs 7.5,7; Jó 3.9; 24.15) e antes da aurora (Jó 7.4, "até à alva"; Salmo 119.147, literalmente, "Eu me levanto para [te] encontrar no crepúsculo antes da aurora"). A noite era dividida em vigílias (Sl 63.6; 90.4; 119.148; Lm 2.19; Lc 12.38; cf. Is 21.11,12). Aparentemente, os israelitas tinham três vigílias ("a vigília da noite", "da meia noite", Juízes 7.19, e a "vigília da manhã", Êx 14.24; 1 Sm 11.11), e o sistema greco-romano tinha quatro vigílias (Josefo, *Ant.* xviii. 9.6; Mateus 14.25; cf. os quatro grupos de soldados que guardavam Pedro, Atos 12.4) assim denominadas: anoitecer, meia-noite, cantar do galo e manhã (Mc 13.35). Os oficiais do exército romano também dividiam a noite em horas (At 23.23).

Ao "meio dia" (heb. *sohar*) não era apenas um momento, mas um período de tempo, como está indicado em Isaías 16.3, "no pino do meio-dia". Esse período era conhecido como "o calor do dia", a hora do repouso do meio-dia (2 Sm 4.5; 1 Rs 20.16; cf. Gn 18.1; 1 Sm 11.11), que provavelmente durava aprox. das 10 horas da manhã até às 2 horas da tarde, e acontecia entre a "manhã" e a hora do sacrifício da tarde (1 Rs 18.26-29). Era um tempo de repouso para os rebanhos (Ct 1.7) e a hora de uma das três orações do dia (Sl 55.17; At 10.9; Dn 6.10; cf. oração da manhã, Salmos 5.3; 88.13; oração da tarde, Atos 3.1; 10.30).

A palavra "estação" foi usada na Bíblia tanto para as divisões climáticas do ano e os períodos da colheita como para períodos mais curtos e definidos de tempo, ao contrário das "eras", que eram mais longas (*veja* Tempo). Nesse último sentido, Deus governa as estações através do sol e da lua (Gn 1.14-16; Sl 104.19) e falou com Jó a respeito da "estação" ou do período zodíaco de uma constelação (Jó 38.32).

As estações climáticas da Palestina são principalmente a estação das chuvas (novembro-abril) e a estação da seca (maio-outubro). As primeiras chuvas (Jl 2.23; Tg 5.7; Jr 5.24) amolecem o solo esturricado pelo sol, e permitem a aragem da terra e a semeadura, enquanto as últimas chuvas (fevereiro-março) amadurecem os grãos antes da colheita de cereais na primavera (Dt 11.14). Deus prometeu que mandaria essas chuvas na estação própria (Lv 26.4; Ez 34.26). Portanto, as safras eram colhidas em estações regulares (Jó 5.26; Sl 1.3; Os 2.9; Mt 21.41; At 14.17; Gl 6.9). E cada festa judaica era celebrada a seu tempo (heb. *mo'ed*; por exemplo, Números 9.2,3). *Veja* Calendário; Festividades.

No NT, a frase "os tempos e as estações" (gr. *hoi chronoi kai hoi kairoi*) tem um sentido escatológico porque se refere a acontecimentos que devem ser cumpridos antes do segundo advento de Cristo e da restauração do reino de Israel (1 Ts 5.1; At 1.7). Essa expressão pode ter se originado em Daniel 2.21. D. Edmond Hiebert acredita que a palavra "tempos" (*chronoi*) está designando períodos cronológicos que podem se interpor antes da volta de Cristo, enquanto a palavra "estações" (*kairoi*) indica a natureza crítica das ocorrências que distinguem esses "tempos"; portanto sua tradução seria "as eras e as crises" (*The Thessalonian Epistles*. Chicago. Moody, 1971, pp. 208ss.). *Veja* Tempos dos Gentios.

Nas passagens proféticas da Bíblia Sagrada, a palavra "tempo" parece ser equivalente a "ano". Nas passagens do Apocalipse encontramos a expressão "um tempo, e tempos, e metade de um tempo" (Ap 12.14; Dn 7.25; 12.7). Ela significa o periodo escatológico de 1+2+½ = 3½ anos durante os quais o Anticristo reinará sobre a terra. A prova de que devemos entender esse período como sendo de três anos e meio é que ele foi igualado aos 42 meses de Apocalipse 11.2; 13.5, e aos 1260 dias (42 meses de 30 dias cada) de Apocalipse 11.3; 12.6. Em outras passagens, um "dia" pode ser designado para representar um ano literal (Nm 14.34; Ez 4.6), e em Daniel 9.24-27 uma semana representa um período de sete anos.

Para "crepúsculo" e "vigílias" veja o comentário acima sobre "Noite".

*Veja* Tempo; Calendário. Para períodos históricos de tempo, *veja* Cronologia do Antigo Testamento; Cronologia do Novo Testamento.

***Bibliografia.*** Roger T. Beckwith, "The Day, Its Divisions and Its Limits in Biblical Thought", EQ, XLIII (1971), 218-227. Jack Finegan, *Light from the Ancient Past,* 2ª ed., Princeton. Princeton Univ. Press, 1959, pp. 552-598.

J. R.

**TEMPO DO FIM** *Veja* Escatologia.

**TEMPOS DOS GENTIOS** Período da história mencionado por Cristo em Lucas 21.24 no qual os gentios terão a supremacia. Durante esse período, Deus irá tratar judeus e gentios da mesma maneira, em tudo que diz respeito à salvação, porque a parede da se-

paração foi abolida e existe apenas uma Igreja formada por aqueles que foram salvos pela graça através da fé (Ef 2.13-15). Mas, durante esse período, os gentios serão os grandes administradores do mundo. Os estudiosos dizem, de várias maneiras, que esse período se estende desde a queda de Jerusalém em 586 a.C., ou desde sua última destruição em 70 a.C., até a completa restauração da cidade sob o governo do Messias.
Paulo diz: "até que a plenitude dos gentios tenha entrado", mencionando que o tempo da supremacia dos gentios será completado "e todo Israel será salvo" (Rm 11.25,26). Zacarias descreve o arrependimento de Israel por ocasião do segundo advento de Cristo (Zc 12.10,11), e Isaías pergunta: "Poder-se-ia fazer nascer uma terra em um só dia? Nasceria uma nação de uma só vez?" (66.8). Depois do retorno de Cristo, a nação regenerada e os santos ressuscitados que Cristo trará consigo reinarão junto com Ele, como seu Salvador e Rei (Dn 7.22,27; Zc 14.5; Mt 19.28; 1 Ts 3.13; Jd 14; Ap 20.4-6).
R. A. K.

**TEMPOS, OBSERVADOR DOS** *Veja* Magia.

**TEMPORAL** *Veja* Chuva.

**TENAZ** Tradução da palavra heb. *malqahayim*, um substantivo duplo que vem do verbo *laqah*, "pegar" ou "apanhar". Denotava um instrumento usado no altar do Templo para apanhar objetos como, por exemplo, uma brasa viva (Is 6.6).

**TENDA[1]** Um abrigo feito de varas ou ramos, utilizado para abrigar uma pessoa temporariamente (Jo 4.5). É geralmente utilizada por soldados (2 Sm. 11.11; 1 Rs 20.12) e ceifeiros (Lv 23.33ss.). Jó (27.18) utilizou uma cabana de guarda como um símbolo de falta de permanência. *Veja* Festividades: Festa dos Tabernáculos.

**TENDA[2]** A tenda (heb. *'ohel*, gr. *skene*) era a habitação característica entre os criadores de gado das raças nômades, das quais Jabal era o pai (Gn 4.20). As tribos pastorais de Rúben, Gade e a meia-tribo de Manassés, na sua maior parte, mantiveram o estilo de vida em tendas a leste do Jordão (Js 22.4-8). Jacó foi caracterizado como um "varão simples, habitando em tendas" (Gn 25.27). Os israelitas que se fixaram preservaram lembranças de sua vida nômade anterior em frases como "ir à sua tenda" para se dizer "ir para sua casa" (Jz 20.8), e no vocativo "às vossas tendas [ou seja, para suas casas], ó Israel" (1 Rs 12.16). A agricultura era, às vezes, associada à vida em tendas, como no caso de Isaque (Gn 26.12,25). Após se estabelecerem em Canaã, os israelitas retornariam às suas tendas na época das colheitas, acampando perto de suas lavouras.
A tenda típica de nômades semitas era feita costurando faixas ou cortinas (Jr 49.29) de tecido feito com o pêlo da cabra negra local (Ct 1.5), como as que os beduínos ainda usam na Palestina. Postes eram colocados sob essa coberta a certos intervalos para suspendê-la do chão. E ela era mantida suspensa entre os postes por cordas de pêlos de cabra ou de linho (Is 54.2; Jr 10.20). As pontas soltas das cordas eram fixadas com pinos de madeira dura fincados no solo com grandes marretas de madeira (Jz 4.21; 5.26). Algumas tendas eram circulares e apoiadas em um poste central. A tenda comum era alongada e sustentada por nove postes, que tinham de 2 a 2,30 metros de altura, dispostos em três fileiras de três. A tenda era dividida por uma cortina – a divisão da frente aberta e de livre acesso a todos, a dos fundos fechada e reservada para mulheres e a privacidade da vida doméstica (Gn 18.9).
A parte das mulheres era chamada de *harem* ("proibida" a outros homens). Os patriarcas eram abastados o suficiente para poderem ter tendas separadas para suas mulheres (Gn 24.67; 31.33). Nos tempos antigos era costumeiro armar-se uma tenda especial para os recém-casados (Sl 19.5; Jl 2.16; cf. 2 Sm 16.22), da mesma maneira que ainda se faz entre os árabes. A cobertura sob a qual os casais judeus se casam hoje é uma alegoria ao antigo *huppa* (tenda da noiva). A tenda (heb. *qubba*) de Números 25.8 era provavelmente uma tenda-santuário dos midianitas nômades (JBL, XC [1971], 200-206).
O equipamento para a vida nômade era escasso. O fogão ou forno consistia de umas poucas pedras colocadas na entrada da tenda ou simplesmente um buraco no chão. Os objetos eram facilmente escondidos sob a poeira do solo da tenda, mesmo que com o conhecimento dos membros da família, como no caso de Acã (Js 7.20-25). Tapetes de palha rústica serviam como camas que poderi-

Uma típica tenda beduína na Palestina

Tradicional monte da Tentação próximo a Jericó, com seu mosteiro Ortodoxo Grego. HFV

am ser enroladas durante o dia. A mesa era um pedaço de couro posto sobre o solo (Sl 23.5; Is 21.5). Sacos de pele de cabra, potes de cerâmica, vasilhas, jarras de água, duas pedras de moer para uma moenda de grãos, lâmpadas simples de cerâmica ou tochas, e uns outros poucos instrumentos toscos completavam as posses dos habitantes de tendas.

A melhor descrição da vida em tendas nos tempos dos patriarcas encontra-se em Gênesis 18. O habitante de tendas geralmente procurava um grupo de árvores de carvalho para desfrutar sua sombra, como em Manre, perto de Hebrom, e este seria um lugar especialmente bom se houvesse uma fonte de água nas proximidades (Is 13.20). Áqüila e Priscila, assim como o apóstolo Paulo, eram fabricantes de tendas (*veja* Ocupações: Fabricante de Tendas). A facilidade e a rapidez com que as tendas eram derrubadas, deixando seus ocupantes sem cobertura no solitário deserto, é a imagem utilizada por Paulo da rápida dissolução do nosso corpo mortal, que é a preparação para vivermos em nosso corpo ressurrecto (2 Co 5.11).

*Veja* Tabernáculo.

***Bibliografia***. Wilhelm Michaelis, "*Skene* etc.", TDNT, VII, 368-394.

R. L. D.

**TENTAÇÃO DE CRISTO** Essa expressão é freqüentemente usada para se referir unicamente à tentação sofrida pelo nosso Senhor logo após seu batismo (Mt 4.1-11; Mc 1.12,13; Lc 4.1-13), mas na verdade ela se estendeu por toda sua vida. O Diabo apenas "ausentou-se dele por algum tempo" (Lc 4.13), e, assim sendo, Cristo disse na última ceia: "Vós sois os que tendes permanecido comigo nas minhas tentações" (Lc 22.28).

A tentação que Cristo suportou logo após seu batismo é, contudo, de tal importância, que merece uma atenção especial. A partir da sua experiência fica claro que a tentação em si não é pecado, já que Cristo foi levado à sua tentação pelo Espírito Santo. "Então, foi conduzido Jesus pelo Espírito [Santo] ao deserto, para ser tentado pelo diabo" (Mt 4.1). O pecado não consiste no fato de ser tentado (cf. Adão e Eva, Gênesis 3.1ss.), mas em ceder à tentação. Apesar de Deus poder nos levar a uma situação de teste (Mt 6.13; cf. Tg 1.2-12), Ele próprio não nos tenta. Nós somos tentados pelo Diabo, por nossa natureza decaída e pelas nossas próprias concupiscências (1 Pe 5.8; Tg 1.14,15).

Foram levantadas algumas perguntas. O diabo realmente elevou o Senhor Jesus Cristo até o pináculo do Templo? E ele realmente levou o Senhor a uma alta montanha e lhe mostrou os reinos desse mundo? Essas experiências devem ser interpretadas de forma figurada, como exemplos imaginários comuns no Oriente, ou literalmente? Aparentemente temos aqui uma combinação do figurativo com o literal. O Diabo desafiou o Senhor Jesus Cristo a subir ao pináculo do Templo e também a subir à montanha e olhar para uma parte do mundo, e Cristo o fez. Ele rejeitou tanto a tentação de dar um salto fantástico quanto a de adorar ao Diabo através da citação da Palavra de Deus (Mt 4.4, 7,10). Mesmo que a tentação seja tratada como visão ou alegoria, como por Calvino, ainda assim o adversário era o Diabo e a tentação era real. Mas não há razão para tratá-la de uma outra forma que não seja a literal. Devemos de fato considerá-la assim como foi registrada na Palavra de Deus.

*A natureza da tentação tríplice de Cristo.* A ordem das tentações específicas varia em Mateus e Lucas, mas isso não é de real importância. A duração do jejum do Senhor Jesus Cristo, literalmente 40 dias, apesar de enfatizada por infiéis antigamente, não é mais considerada um problema. A questão mais importante reside na natureza das três tentações.

Se o Senhor Jesus Cristo tivesse transformado pedras em pão, Ele teria usado seu poder miraculoso para escapar do sofrimento e suprir sua própria necessidade. Assim Ele não teria mais agido como o homem perfeito enfrentando as provas e a tentação como o último Adão. Ele não teria sido alguém que "como nós, em tudo foi tentado, mas sem pecado" (Hb 4.15). Seu poder miraculoso deveria ser utilizado para ajudar a outros, e não a si mesmo (*veja* Humilhação de Cristo; Kenosis).

A tentação de exibir sua divindade saltando do Templo foi uma armadilha para abusar de Deus com uma confiança descabida, em contraste com a primeira tentação, que foi a de desconfiar de sua habilidade de resistir à fome. Ela o teria levado a se afastar do caminho do dever. Nela o diabo citou a Escritura, mas apenas de forma fragmentada: "Aos seus anjos dará ordens a teu respeito" (Mt 4.6; cf. Lc 4.10). O tentador omitiu as palavras "para te guardarem em todos os teus caminhos" (Sl 91.11). Aí está a mentira do Diabo, pois ele é um mentiroso desde o princípio (Jo 8.44; cf. Gn 3.4,5).

A tentação de se garantir domínio e poder imediatos curvando-se ao Diabo é o argumento do interesse próprio: faça o mal e o bem virá – nesse caso, mais rápido. Cristo foi divinamente decretado o Rei de todos os confins da terra (Sl 2), e esta era uma tentação para tomar um atalho para sua soberania de direito.

*O propósito das provas e tentações.* Deus sempre testou todas as ordens de seres racionais que Ele criou. Esse teste consiste em uma prova de confiança e obediência totais. Um teste em si não é causa de pecado. Apenas a ação do testado pode transformar o teste em uma ocasião para pecar. Os anjos eram a primeira ordem. Aqueles que criam em Deus e o obedeciam foram confirmados em justiça e se tornaram os anjos santos; aqueles que desobedeceram e se rebelaram junto com Satanás caíram. Adão e Eva se depararam com um teste de obediência; desobedeceram e caíram. Cristo, para poder redimir os homens, enfrentou testes e saiu vitorioso (Hb 5.7-9). Assim como pela desobediência do primeiro Adão todos caíram, também pela obediência do último Adão a salvação foi oferecida a todos que crerem nele como Salvador pessoal (Rm 5.19).

*A natureza da santidade de Cristo – Ele nunca pecou.* Tem havido muitos debates teológicos sobre a capacidade de Cristo de pecar, *posse peccare*, e a respeito de três possibilidades: (1) Cristo *poderia ter pecado*, mas não o fez; (2) Cristo tinha a capacidade de *não* pecar; (3) Cristo *era incapaz* de pecar. O ponto essencial e o coração do debate centra-se no que constitui uma tentação real. Se Cristo não poderia ter pecado, então Ele de fato alguma vez enfrentou uma tentação genuína? Se, por outro lado, para tornar a tentação verdadeira, Ele poderia ter pecado, isto não seria blasfêmia? Como Cristo poderia ter pecado se Ele é Deus? Mesmo que escolhamos a segunda alternativa e digamos que Cristo tinha a capacidade de *não* pecar, será que não subentendemos ainda assim que Ele era também capaz de pecar, e desse modo também impugnamos sua santidade inerente?

O dilema pode ser resolvido se primeiro reconhecermos que, embora devido à natureza humana nenhum homem tenha o poder de não pecar, a natureza humana de Cristo junto com sua divina pertence à pessoa divina e é governada por essa pessoa. É a pessoa divina de Cristo que odiava o pecado e não podia aprová-lo em sua natureza divina, que por anos sofreu tentações em todos os pontos como nós sem sucumbir ao pecado (Hb 4.15). Em sua natureza humana, Cristo poderia ter pecado, mas devido à sua pessoa divina Ele não poderia fazê-lo. Assim sendo, não dizemos nem que Cristo era capaz de pecar, nem que Ele tinha o poder de *não* pecar, mas que Cristo não poderia pecar. Abraham Kuyper escreveu: "Mas como Jesus não assumiu uma pessoa humana, um 'homo', mas sim a natureza humana, e como não havia nele um ego humano (para realizar essa *possibilitas*), mas, pelo contrário, a natureza humana permaneceu eternamente unida à segunda pessoa da Trindade, de modo que o controle dessa pessoa divina faz com que seja absolutamente impossível que essa *possibilitas* se torne realidade" (*Loci* III, Cap., III, par. 6. p. 11, citado por G.C. Berkouwer, *The Person of Christ*, Grand Rapids. Eedermans, 1955, p. 259). Berkouwer coloca a questão em termos mais existenciais quando escreve: "A incapacidade de pecar é da sua pessoa, de seu total e inviolável desejo de fazer a vontade do Pai. É a incapacidade de desistir de seu amor que Ele leva até o final, até sua realização e consumação" (*op. cit.*, 262).

Pode-se concluir que Cristo experimentou

provas e tentações reais, equiparáveis àquelas que são requeridas de seres racionais, mas que Ele foi vitorioso em todas as áreas de tentação. Foi o fato de Ele ser uma pessoa divina que o fez incapaz de pecar, apesar do fato de que Ele assumiu uma natureza humana, que poderia de outra forma ter pecado. *Veja* Cristo, Pureza de.

R. A. K.

**TENTAÇÃO DE JESUS** *Veja* Cristo, Paixão de; Jesus Cristo.

**TENTAR, TENTAÇÃO** Os termos heb. e gr. para "tentar" (heb. *massa*, gr. *peirazo*, *ekpeirazo*) e "tentação" (heb. *nasa*, gr. *peirasmos*) podem, às vezes, ter o significado de "induzir ao pecado", que tão fortemente colore nossas palavras em português "tentar" e "tentação". Mas seu principal e predominante significado é o de "testar o valor e o caráter de homens" e, às vezes, os de Deus. Nesse sentido, os cristãos devem se examinar para se certificarem de que suas palavras e ações evidenciam que eles são crentes genuínos (2 Co 13.5; cf. 2 Pe 1.10).

Semelhantemente, Deus testa, no AT, a veracidade da confiança que seu povo tem nele, como no caso de Abraão (Gn 22.1), Israel (Êx 15.25; 16.4), a tribo de Levi (Dt 33.8), Ezequias (2 Cr 32.31) e o salmista (Sl 26.2). O NT diz que Deus (ou Cristo) provou a fé de Filipe (Jo 6.6) e de Abraão (Hb 11.17; cf. Gn 22.1).

Na sua providência, Deus usa os eventos da vida cotidiana para testar a professada fé e o caráter dos cristãos. O teste pode resultar em severos tormentos, tanto físicos quanto espirituais (Hb 11.37; 1 Pe 4.12). Deus usou severos fenômenos naturais (Êx 20.18-20), as dificuldades das peregrinações pelo deserto (Dt 8.2), e a opressão das tribos cananéias para testar Israel (Jz 2.21,22). Aos cristãos não é prometida a ausência de provas, mas a força necessária para suportá-las (1 Co 10.13; 2 Pe 2.9; cf. 1 Pe 4.1,12-16). O próprio Cristo, ao se tornar humano, passou por toda sorte de testes mentais e físicos (Hb 2.18; 4.15).

Crê-se que até mesmo *coisas* são testadas ou provadas, como por exemplo uma espada (1 Sm 17.38), uma reputação (1 Rs 10.1; 2 Cr 9.1) e convicções (Dn 1.12,14).

Tanto a palavra heb. quanto a gr., às vezes, têm o significado de tentar fazer algo. Em uma pergunta retórica, Deus questiona: "...ou se um deus intentou ir tomar para si um povo..." (Dt 4.34). Os homens tentam se comunicar (Jó 4.2) ou se juntar a outros (At 9.26).

Os termos gregos e hebraicos traduzidos como "tentar" e "tentação" também aparecem no mau sentido de "induzir ao pecado". O Diabo é acusado de ser o instigador de tais provas (Mt 4.3; 1 Ts 3.5,6). Até mesmo na vida dos cristãos ele exerce grande pressão para o pecado (1 Co 7.5; 1 Ts 3.5; Ap 2.10). Sucumbir a tais tentações pode demonstrar que a profissão do cristão não é sincera (Lc 8.13).

A tentação para pecar freqüentemente se origina de pensamentos malignos e da concupiscência (Tg 1.14); provocações às quais um forte desejo por riquezas bem pode se juntar (1 Tm 6.9). Contudo, a tentação para pecar nunca vem de Deus (Tg 1.13). O cristão deve orar por libertação de todas essas tentações (Mt 6.13; Lc 11.4).

A tentação, no mau sentido, também pode tomar a forma de testar o outro na esperança de expor seus pontos fracos, e usá-los contra a própria pessoa. Os inimigos de Cristo freqüentemente tentaram empregar essa tática contra Ele (cf. Mt 16.1; 19.3; 22.35; Lc 20.23).

Algumas vezes a Bíblia fala de homens testando ou tentando a Deus. Por exemplo, Israel tentou a Deus no deserto (Êx 17.2,7; Nm 14.22; Sl 95.8,9; 1 Co 10.9), e os fariseus e saduceus tentaram a Jesus (Mt 16.1; Mc 8.11; 10.2). Além disso, os cristãos professos podem tentar a Deus. Ananias e Safira o fizeram ao mentir (At 5.9). Cristãos judeus o fizeram, trazendo empecilhos aos crentes gentios (At 15.10). Paulo advertiu os coríntios a respeito da incredulidade, da idolatria, do modo de vida ímpio, da atitude de tentar a Cristo e da murmuração (1 Co 10.7-10; cf. Nm 21.4-9).

Quando confrontado pelas tentações, o cristão tira o encorajamento necessário do conhecimento de que ele não os enfrenta sozinho. Deus já removeu o crente do domínio de Satanás e o colocou em seu próprio reino e família (Cl 1.12,13). As tentações que Satanás traz estão sempre dentro dos limites permitidos por Deus (Jó 1.8-12; 2.3-6). Além disso, o cristão tem o exemplo da vitória de Cristo sobre o pecado (Hb 4.15) e a promessa da sua ajuda (Hb 2.18).

Mesmo quando o cristão sucumbe à tentação e ao pecado, ele ainda tem a promessa de perdão disponível através da contínua, eficaz e redentora graça de Cristo (Hb 4.14-16; 1 Jo 2.1).

A recompensa dos cristãos por sua fiel resistência a todos os tipos de tentação é a coroa de vida (Ap 2.10).

Os exemplos mais conhecidos de tentação nas Escrituras são a indução de Adão e Eva ao pecado no jardim do Éden por Satanás (Gn 3.1-7; 1 Tm 2.13,14) e a tentação de Cristo no deserto (Mt 4.1-11; Mc 1.12,13; Lc 4.1-13).

Comparando-se essas tentações, nota-se que Eva (em comum acordo com Adão) sucumbiu à tentação por dar atenção excessiva aos desejos físicos (por exemplo, a comida) e às posses materiais dessa vida (o belo fruto que ela desejava), e por se entregar a um orgulho precipitado (supunha-se que o fruto traria sabedoria). Se por um lado Cristo, o se-

gundo Adão (Rm 5.12-21; 1 Co 15.22) sentiu todo o peso do teste, por outro Ele superou completamente a tentação em cada uma dessas áreas (por exemplo, a tentação de transformar pedras em pães; de desejar obter para si os reinos do mundo; e, com um orgulho presunçoso, se atirar do Templo).
Por ter experimentado e triunfado sobre essas e outras tentações, o Senhor Jesus Cristo é capaz de se compadecer e ajudar seu povo nas tentações que enfrenta.

***Bibliografia.*** H. Seeseman, "*Peira* etc.", TDNT, VI, 23-26.

W. H. M.

**TEOCRACIA** Este termo, significando "o governo de Deus", geralmente se refere ao governo literal de Deus, ou a um estado governado de uma forma agradável a Ele. A palavra não é de origem bíblica, mas a idéia de Deus sendo o governante do seu povo é básica no pensamento do AT. Josefo parece ter sido o primeiro a utilizar o termo. Ele contrastou a teocracia com outras formas de governo, como por exemplo, a oligarquia, a monarquia e a república (*Contra Apion* II.16).
Teoricamente, a teocracia seria um estado sob o qual Deus governa diretamente sem a mediação do homem ou de representantes. Israel nunca foi uma verdadeira teocracia, no sentido literal do termo. Embora Israel tenha sempre se considerado como estando sob o governo de Deus, este governo sempre foi mediado por um juiz, um rei ou um sacerdote.
No sentido político, uma teocracia só seria possível durante os tempos de independência de Israel. Quando Israel se tornava um estado escravizado ou uma província de alguma potência estrangeira, como o Egito, a Assíria, a Babilônia, a Pérsia, a Grécia ou Roma, o governo de Deus só poderia ser espiritual.
O mais longo período de independência de Israel foi o da conquista de Canaã, no tempo de Josué, até a queda de Jerusalém (em aprox. 586 a.C.). Durante estes anos, Israel teve duas formas de governo: o anfictione (ou anfictião) ou a liga tribal; e a monarquia. Durante o período anfictião, Deus levantou governantes carismáticos (espirituais) chamados de "juízes" para livrar seu povo da opressão. No entanto, neste período, grande parte do governo foi literalmente deixado a cargo dos anciãos de cada tribo.
No período da monarquia, o governo de Deus era desempenhado através do papel do rei. O ofício de rei em Israel era um ofício sagrado (cf. A. R. Johnson, *Sacral Kingship in Ancient Israel*, Cardiff, 1955). O rei era o ungido de Deus; ele era o representante de Deus. Embora a forma de governo de Israel tenha sido uma monarquia durante vários séculos, ela também era teoricamente considerada uma teocracia.
Todo o conceito do relacionamento básico entre Israel e Deus, que é visto na aliança, está de fato relacionado à idéia da teocracia. Um dos principais elementos da aliança entre Deus e Israel é a soberania de Deus. Este fato tem sido explicado e enfatizado nos últimos anos pela descoberta de algumas semelhanças entre a escravidão hitita, ou tratados de suserania, e a aliança de Israel com Deus (*veja* Meredith Kline, *Treaty of the Great King*, Eerdmans, 1963).
No NT, a idéia do governo de Deus é tirada da esfera política, e se torna um sinônimo do reino de Deus, que é constituído pelo governo de Deus entre os cristãos (e dentro de cada cristão), mas que só poderá ser completamente desfrutado no final, quando Jesus Cristo retornar para inaugurar o reino milenial. *Veja* Aliança; Rei; Reino de Deus.

***Bibliografia.*** CornPBE, "Government, Authority, and Kingship", p. 354-369.

R. L. S.

**TEOFANIA** A palavra teofania combina duas palavras gregas, *theos*, "Deus", e *phainein*, "mostrar, manifestar", significando, portanto, "manifestação de Deus". A partir desta definição geral, no entanto, devem ser aplicadas algumas limitações: (1) Deve haver uma indicação de que a passagem bíblica lida com a verdadeira manifestação de Deus, e não simplesmente com um antropomorfismo. (2) A necessidade da manifestação não aparece em forma humana, mas pode aparecer em uma forma simbólica. (3) Também pode aparecer em sonhos ou visões, assim como aos olhos, fisicamente. (4) A manifestação deve ser identificada com Deus, seja por auto-afirmação ou por identificação do receptor da teofania, ou através da interpretação do evento por algum escritor bíblico. (5) A manifestação existe para fazer com que a vontade divina se torne conhecida pelo receptor. Uma teofania é, então, uma manifestação de Deus para o homem, podendo ocorrer tanto sob uma forma simbólica como humana, e tem a finalidade de transmitir o conhecimento da vontade de Deus para aquela pessoa.
Com base nessas definições, uma teofania pode ser manifestada sob uma forma humana ou sob uma forma simbólica. A forma humana é caracterizada por uma das duas descrições a seguir: (1) É caracterizada pelo uso do verbo "aparecer", tendo o Senhor como sujeito. O verbo é a forma Niphal (passivo) de *ra'a*, "ver", e significa literalmente "ele se deixa ser visto". Tais aparições são, geralmente, limitadas aos patriarcas em Gênesis 12; 17; 18; 26; 28; 35, embora a expressão também seja usada como uma referência a Salomão (1 Rs 9.2; 2 Cr 7.12). (2) Uma teofania sob forma humana também pode ser caracterizada pelos termos *mal'ak Yahweh*, "O Anjo de Jeová", ou *mal'ak 'elohim*, "o Anjo de Deus". Em vários casos, o anjo nas Escri-

turas é um ser criado, mas, em algumas ocasiões, o anjo é teofânico.
Quatro testes podem ser aplicados para determinar se um anjo é teofânico: (1) "Ele se identifica explicitamente com o Senhor em várias ocasiões. (2) Aqueles a quem Ele torna sua presença conhecida o reconhecem como divino. (3) Os escritores bíblicos o chamam de Jeová" (H. C. Leupold, *Exposition of Genesis*. p. 500). (4) Ele também se faz distinto de Jeová. Deste modo, o Anjo teofânico aparece em passagens como Gênesis 16; 21; 32 (cf. Os 12.4); Êx 3.1-6; 23.20-23 (cf. Is 63.8-9); Js 5.13-15; Jz 6.12-23; 13.2-23; Malaquias 3.1 etc. *Veja* Anjo do Senhor.
A forma simbólica da teofania deve ser entendida em termos de presença real, através de um símbolo usado para expressar tal presença real. Em Gênesis 15 a forma simbólica, "um forno de fumaça e uma tocha de fogo" (v.17), é, contudo, permeada por uma presença real. Uma forma simbólica mais permanente é a nuvem da "glória", chamada de Shekinah nos tempos pós-AT. Esta é igualada à coluna de nuvem e à coluna de fogo (Êx 13.21,22), à glória que apareceu no monte Sinai (Êx 24.16), à nuvem que entrou no Tabernáculo (Êx 40.34-38; Lv 16.2), e que também entrou no Templo de Salomão (1 Rs 8.11).
O valor permanente da aparição teofânica é tríplice: (1) É escatológica. As revelações teofânicas contêm uma esperança que encontra seu cumprimento na bênção universal que se origina na primeira vinda do Messias. (2) É redentora. As aparições teofânicas não estão relacionadas apenas com a redenção daqueles que a recebem (Gn 48.16), mas com a redenção manifestada no período escatológico. (3) É cristológica. A teofania permanente do AT – a teofania dos Anjos e da Shekinah – encontra sua consumação em Jesus Cristo. Portanto, estas teofanias são aparições pré-encarnadas do Senhor Jesus Cristo.

H. E. H.

**TEÓFILO** O homem a quem os livros de Lucas e Atos são endereçados (Lc 1.3; At 1.1). Houve muitas conjecturas a respeito da identidade de Teófilo. Foi sugerido que a palavra Teófilo, que significa "amigo de Deus", refere-se aos cristãos em geral, e não a um indivíduo específico. Dessa forma, os livros de Lucas e Atos teriam sido escritos a todos os cristãos. Por outro lado, existem boas evidências que mostram que Teófilo era uma pessoa real. O nome era comum tanto entre gregos como entre judeus nos tempos do NT. Além disso, Teófilo está endereçado como "excelentíssimo" (gr. *kratiste*), um termo de importância singular que dificilmente seria aplicado a uma figura imaginária. A maneira como Lucas utiliza o termo "excelentíssimo" para designar governadores (At 23.26; 24.2; 26.25), e o fato de que o termo é quase sempre aplicado a membros da classe dos equitadores, faz de Teófilo um provável homem distinto, talvez um oficial romano.
Se ele era uma pessoa real, então o que mais se sabe sobre Teófilo? Além de várias teorias e suposições fantásticas, pode-se dizer que Teófilo era um amigo de Lucas que havia recebido instruções sobre o caminho cristão (Lc 1.4). Não se pode determinar ao certo se ele era ou não um cristão quando Lucas lhe escreveu.

N. R. L.

**TEOLOGIA**

## Definição

O termo teologia se origina de duas palavras gregas: *theos*, "Deus", e *logos*, "palavra", e quando composto significa o estudo ou ciência de Deus. No entanto, este é um significado bastante restrito do termo, uma vez que é geralmente usado para abranger não somente o estudo de Deus, de sua natureza, existência, planos e ações revelados, como também sua relação e maneira de lidar com o mundo e com o homem. Na mesma linha de pensamento, J. O. Buswell a define de forma simples e clara como "o estudo que trata diretamente de Deus e de sua relação com o mundo e com o homem" (*A Systematic Theology of the Christian Religion*, I, 13).
O termo teologia pode ser usado tanto para abranger um estudo dogmático de uma parte das Escrituras, como do todo. Dessa forma, é correto falar da teologia do AT, como por exemplo a obra de J. Barton Payne, *The Theology of the Older Testament* (Zondervan, 1962); ou da teologia do NT, como por exemplo a obra de C. C. Ryrie, *Biblical Theology of the New Testament* (Chicago. Moody Press, 1959); ou ainda a teologia Joanina. Neste artigo, o termo é considerado em seu sentido mais amplo, ou seja, tem a finalidade de cobrir todo o conteúdo do ensino das Escrituras que o homem pode vir a conhecer em relação a Deus, e também o relacionamento de Deus com tudo o que Ele criou.
É difícil encontrar uma boa e abrangente definição para a teologia, pois praticamente todas elas são, ou simples demais, ou tendem a dar mais importância a uma das fontes de uma teologia totalmente desenvolvida, excluindo outras. Uma observação rápida das sete possíveis fontes de teologia discutidas abaixo, antes de algumas definições específicas serem consideradas, pode trazer uma boa elucidação deste tópico.
Na *Enciclopédia de Religião e Ética* (edição de 1924 em inglês), a teologia é definida da seguinte forma: "A teologia pode ser brevemente definida como a ciência que lida, de acordo com o método científico, com os fatos e fenômenos da religião, e culmina em uma síntese abrangente ou filosófica da religião, que procura expor, de modo sistemático, tudo

o que pode ser conhecido em relação à base objetiva da crença da religião" (XII, 293). Se as palavras "ciência" e "método científico" devem ser entendidas em seu sentido mais estrito, esta definição reforça uma abordagem fenomenológica, ou seja, uma abordagem que admite, como o conteúdo da teologia, somente aquilo que aparece sob alguma forma ou modo material. Uma vez que isto reforça a posição tomada pelos filósofos positivistas e seus sucessores – os positivistas lógicos – deve-se essencialmente rejeitar o sobrenatural, particularmente no que tange à revelação.

Um teólogo presbiteriano, Charles Hodge, expressa uma definição bastante diferente ao responder à questão: "O que é teologia?" "Se a ciência natural se preocupa com os fatos e as leis da natureza, a teologia se preocupa com os fatos e os princípios da Bíblia Sagrada. Se o objetivo da ciência natural for o arranjo e a sistematização dos fatos do mundo externo, e a averiguação das leis pelas quais eles são determinados, o objetivo da teologia é sistematizar os fatos da Bíblia e averiguar os princípios ou verdades gerais que aqueles fatos envolvem" (*Systematic Theology*, I, 18). Nesta definição, toda a ênfase é colocada sobre a Bíblia como a fonte de conteúdo de teologia.

Lewis Sperry Chafer oferece a seguinte definição: "A Teologia Sistemática pode ser definida como a coleta, o arranjo científico, a comparação, a exibição, e a defesa de todos os fatos de toda e qualquer fonte relacionada a Deus e às suas obras. Ela é *dogmática,* pois segue uma forma de tese humanamente desenvolvida, e apresenta e verifica a verdade como verdade" (*Systematic Theology*, I, 6). Esta definição amplia a fonte para incluir "todos os fatos de todas as fontes a respeito de Deus e de suas obras". Se for consistentemente aplicada, ela incluirá materiais pertinentes que podem ser coletados de cada fonte do desenvolvimento histórico enfatizada na teologia descrita abaixo. Na prática, no entanto, Hodge chegou mais perto da definição de Chafer, e vice-versa, uma vez que Chafer delimitou sua teologia à teologia bíblica apresentada de forma sistemática, enquanto Hodge, embora tenha dedicado várias seções à teologia bíblica, não hesitou em se aventurar pela história e pela filosofia, utilizando a psicologia em seu conceito de bom senso do homem.

Antes de ir mais adiante, é importante esclarecer um possível mal-entendido que poderá surgir quanto aos termos da teologia bíblica e da teologia em geral. Uma teologia bíblica estrita seria aquela que é totalmente baseada em estudos indutivos das Escrituras, ou seja, um estudo que coleta e organiza os fatos doutrinários na Bíblia Sagrada. É possível que o volume oito da Teologia Sistemática de Chafer esteja mais perto de ser um exemplo sobrevivente perfeito. O termo teologia bíblica refere-se à fonte dos materiais. No entanto, uma vez que as doutrinas deduzidas das Escrituras apresentam um desenvolvimento ordenado e revelam uma relação lógica umas com as outras, é necessário elaborar uma apresentação sistemática.

Isto nos leva à preparação daquilo que chamamos de teologia sistemática. Toda ciência apresenta seus fatos de maneira ordenada, e a teologia, como um tipo de ciência especial, também deve ser assim. Por um lado, uma boa teologia não pode ser convincente se não for baseada em uma teologia bíblica apresentada cuidadosamente e de forma bem pensada, e, por outro, ela deve ser organizada e desenvolvida de uma forma progressiva e lógica. Cada uma destas características deve complementar a outra, e não excluí-la. Sob a mesma perspectiva das conclusões acima, e em antecipação ao que se segue, a teologia sistemática pode ser definida da seguinte forma: Um estudo metódico de Deus, de quem Ele é, das provas de sua existência, e sua relação com o mundo e com o homem, que reúne seu material indutivamente a partir da Bíblia Sagrada, dos fatos da ciência, da psicologia, da história, de outras ciências e da filosofia, e examina, avalia e organiza tudo sob a perspectiva da Bíblia Sagrada, como as leis da verdade de Deus reveladas.

Esta definição é ampla o bastante para permitir a inclusão de todas as contribuições da ciência e da filosofia para a teologia, e ainda expressa a revelação divina, como encontrada na Bíblia, seu local de direito, e atribui à teologia bíblica sua função adequada.

### O Conteúdo da Teologia

Para que seja possível entender o que se exige de uma boa teologia, deve-se determinar as fontes dos fatos sobre os quais ela é construída, junto com seu conteúdo correto. A história do crescimento da teologia e os movimentos aos quais ela se sujeitou se encontram em ordem. Ao mesmo tempo, é importante considerar cuidadosamente os motivos que governaram sua história. Ambos podem ser combinados através de um estudo cronológico sobre as grandes ênfases evidentes na teologia em diferentes períodos, e uma descrição dos motivos ou influências que estão por trás de cada uma. Esta organização pode ser classificada sob os sete títulos mencionados a seguir: (1) A Bíblia e a teologia bíblica. (2) Tradição. (3) Os credos e teologia confessional. (4) Filosofia e teologias filosóficas. (5) Ciência e teologia liberal. (6) História das religiões e religião comparativa. (7) Psicologia e a abordagem psicológica.

Deve-se notar que cada tópico enfoca uma fonte diferente, e acrescenta um conteúdo adicional para a teologia. Ao mesmo tempo, deve ser reconhecido que estes tópicos não se excluem, necessariamente, exceto por aqueles extremistas que escolhem fazer com que uma ou mais fontes excluam as outras. Várias delas são geralmente encontradas combinadas nos trabalhos teológicos ou nos sistemas teológicos.

Na construção de um sistema ortodoxo sadio, deve ser notado que até mesmo se algum ponto de partida, como, por exemplo, uma filosofia em particular, for destrutivo para algum ponto que é chave para todas as outras (a saber, a Bíblia Sagrada como a norma que nos foi dada por Deus), ele ainda pode ser importante mesmo que contribua de forma negativa para uma teologia mais desenvolvida. Como estes erros são expostos através de uma análise profunda, e a resposta revelada da Bíblia por si só já seja amplamente e comprovadamente adequada, a valorização e o respeito pela revelação de Deus nas Escrituras aumentam.

1. *A Bíblia e a teologia bíblica.* As igrejas cristãs mais antigas tinham como conteúdo de sua teologia o AT, o discurso dos apóstolos, e um número gradualmente crescente de livros que seriam finalmente separados como o cânon do NT.

Elas aceitaram o AT como a divina e infalível revelação do Senhor, e o guia e a norma para aquilo que era pregado e escrito. Esta poderia ser perfeitamente chamada de era da teologia bíblica. Considerando que todos os esforços para retornar ao ensino e à teologia da igreja do NT enfatizam a necessidade de basear a teologia na Bíblia Sagrada, estas atitudes são louváveis. Ao mesmo tempo, no entanto, devemos enxergar que até os apóstolos tinham problemas filosóficos. Por exemplo, os ensinos em Colossenses, 1 João e 2 João lidam com os erros do Gnosticismo, um sistema filosófico que era baseado na teoria das emanações, e que não pode ser totalmente compreendido de forma separada do conhecimento desta. Isto nos leva a reconhecer que qualquer teologia que possamos desenvolver com a finalidade de seguir o exemplo bíblico, deve considerar as visões filosóficas de seus dias, e seu relacionamento com a teologia e a doutrina.

2. *Tradição.* Este tópico poderia ser considerado sob o aspecto da Bíblia e da teologia bíblica, exceto pelo fato de que, assim como a filosofia, oferece apenas uma contribuição negativa à teologia. A Igreja Católica Romana coloca a igreja acima das Escrituras ao invés de sujeitá-la a elas, como no Protestantismo. Os católicos afirmam que a Igreja Católica nos deu a Bíblia. Eles alegam que as Escrituras, no entanto, não contém todos os ensinos dos apóstolos, nem desenvolvem muitas doutrinas que são apresentadas apenas de uma forma embrionária. Algumas doutrinas foram transmitidas pela tradição, algumas foram desenvolvidas a partir de sua forma embrionária pelos patriarcas da Igreja, e outras ainda estão sendo trabalhadas. Alguns exemplos das doutrinas que são baseadas na tradição são: o purgatório, as orações pelos mortos, a adoração a Maria, as indulgências, e o próprio Papado. Alguns exemplos de doutrinas que foram desenvolvidas a partir de sua forma embrionária pela Igreja Católica Romana são: a imaculada concepção de Maria, sua trasladação diretamente ao céu, e a declaração de sua mediação entre Deus e o homem. O Concílio de Trento declarou em 1546 que a Palavra de Deus contida na Bíblia *e* nas tradições possuem a mesma autoridade.

3. *Os credos e a teologia confessional.* Embora todos os fatos da revelação divina possam ser encontrados em Escrituras do AT e do NT, em pouco tempo a Igreja Cristã descobriu que eram necessários muitos estudos e cuidadosas considerações para que os fundamentos de fé não fossem destruídos por deduções errôneas. Em primeiro lugar, surgiram as questões relacionadas à Pessoa de Cristo. Ele era realmente Deus no mesmo sentido de Deus, o Pai, ou Ele era somente o mais supremo dentre os seres criados? No Concílio de Nicéia (325), onde Atanásio ficou inicialmente quase sozinho contra o mundo, e particularmente contra Ário, a Igreja decidiu que Jesus Cristo era "a essência de Deus", e feito da mesma substância do Pai. No Concílio de Calcedônia (451) foi determinado o relacionamento que existe entre as duas naturezas de Cristo. Cada natureza é real, mas as duas existem de tal forma que mesmo estando juntas como se fossem indivisíveis e inseparáveis, contudo jamais se misturam nem se modificam. No século II d.C., o Credo dos Apóstolos se desenvolveu lentamente a partir daquilo que pode ter sido apenas uma confissão de fé no Pai, no Filho e no Espírito Santo. Ele é atualmente repetido pelas congregações cristãs, em várias igrejas ortodoxas, todos os domingos. Porém, embora o movimento confessional tenha começado com os grandes credos dos seis primeiros séculos – Credo de Nicéia em 325, de Calcedônia em 451, e o Credo Atanasiano em aprox. 500 – na verdade ele recebeu seu maior impulso das confissões que foram redigidas como resultado da Reforma Protestante. As mais importantes de todas, que ainda estão em uso, são a de Augsburgo (1530), a Genovesa (1549), a Confissão Belga (1561), o Catecismo Heidelberg (1563), os 39 Artigos, a Confissão de Fé de Westminster, e os Catecismos Maior e Menor (1648). A tendência de se estabelecer uma teologia que esteja fortemente baseada nos credos e confissões tem sido mais forte na Europa Continental do que em países de língua inglesa. Como resultado, os teólogos luteranos e os cristãos reformados enfatizam o catecismo e os ensinos catequéticos muito mais do que

os presbiterianos. Os batistas e os metodistas praticamente ignoram as confissões, exceto por aplicarem-nas como uma verificação das doutrinas aceitas pela cristandade. Mesmo assim, os liberais, e, em particular, os neoortodoxos na Europa, demonstram grande respeito pelos credos e confissões, especialmente em suas pregações. Como resultado, parece haver freqüentes discrepâncias entre o que alguns europeus pregam e ensinam, e o que escrevem sobre os credos e confissões, e também entre o que expressam em suas palestras.

O valor dos credos e das confissões em escritos e ensinos da teologia é certamente muito elevado. Eles expressam de forma sucinta e clara a fé e a doutrina cridas tanto pelos conselhos de igrejas como por um grande número de estudiosos cristãos e teólogos, e aceitas pelas maiores denominações protestantes. As teologias escritas por teólogos de língua inglesa e não confessionais tendem a demonstrar uma verdadeira deficiência, que se deve ao fato de não utilizarem os credos de forma completa.

4. *Filosofia e teologias filosóficas*. Desde muito cedo na história da Igreja Cristã, a filosofia tem sido de grande influência na formulação da teologia. Até mesmo as epístolas do NT, como já vimos anteriormente, são, em parte, o resultado de alguns ensinos filosóficos daqueles dias. A filosofia pode influenciar a teologia negativamente, como fez o Gnosticismo ao evocar as respostas dadas em Efésios, Colossenses, e 1 e 2 João, ou pode influenciar positivamente. Esta última situação ocorre quando é feita uma síntese entre a teologia e a filosofia. A primeira tentativa importante na síntese, mas que não provou ser tão perigosa, foi feita por Agostinho, em uma tentativa de ajustar o Platonismo ao Cristianismo. Uma síntese bem mais séria foi consumada quando, com o uso das cartas pseudo-dionisianas (que mesmo questionadas há muito tempo, só tiveram as suas falsificações finalmente comprovadas no período da Reforma),o Cristianismo e o Neo-platonismo foram mesclados. Até o presente, a Igreja Católica Romana reflete os resultados destas questões em seus ensinos sobre os níveis dos seres, e sobre a teoria conclusiva, que é uma deficiência relacionada à falta do ser que compõe o material (ou seja, o corpo do homem e o universo) e que torna este ser inerentemente iníquo. A visão romana sobre pecado, salvação, celibato e purificação é afetada por estes erros filosóficos.

Tomás de Aquino tentou elaborar uma outra grande síntese. Nela, ele retém a influência plotiniana em sua teoria dos níveis dos seres, mas adicionou o método de Aristóteles e a filosofia para formar o que agora é conhecido como Tomismo. Isto se tornou a base filosófica da teologia da Igreja Católica Romana. Como uma filosofia, esta opinião reinou até pouco tempo quase que de forma suprema nas instituições católico-romanas, e recebeu um forte apoio até mesmo de algumas universidades seculares.

Hegel foi muito além do que qualquer outro antes dele na verdadeira imposição da filosofia sobre a teologia. Neste sistema, uma filosofia racionalista se tornou a única fonte de teologia. Ele estabeleceu a tríade ou a dialética de três pontos: (1) tese, Deus é um Ser; (2) antítese ou tese contraditória, *Não-Ser*; (3) síntese, ou a contradição da contradição, *Tornando-se*. Hegel então explicou a criação e o desenvolvimento do homem sob uma base similar. De acordo com Hegel e com os teólogos hegelianos, Deus, a criação, a queda, Cristo e a salvação devem ser explicados com as tríades da dialética.

Harnack aplicou as tríades à história da igreja primitiva, e à formulação do dogma. Paul Tillich seguiu Hegel até mais de perto. Ele viu Deus como alguém desenvolvido a partir do Ser, o "Movedor Imóvel" de Aristóteles, até o Ser Criativo através de uma tríade do Ser, Não-Ser e Poder de Ser. Não satisfeito, ao invés de parar neste ponto ele continuou a fim de transformar o Poder de Ser no Pai, e então colocou isto como a nova tese, como uma antítese ao Logos, de onde vem uma síntese, o Espírito. O Espírito representa Deus como um Ser criativo e não ambíguo.

Três sistemas filosóficos foram mencionados, dentre os quais os dois últimos têm uma influência muito perigosa sobre a teologia. O quarto provou ser, talvez, ainda mais importante. Trata-se do sistema de Immanuel Kant. Ele ensinou que o homem não pode ter um conhecimento real do *Ding-an-zich*, da coisa em si, e que, portanto, não pode existir um verdadeiro conhecimento de Deus. Esta visão nos leva a duas principais reações filosóficas que entraram na teologia sistemática e podem ser observadas: (1) naqueles que não viram saídas para conhecer a Deus e conhecer algo a respeito dele por revelação e mudaram completamente da revelação à psicologia e os sentimentos; (2) naqueles que ficaram impressionados pelas causas dos problemas epistemológicos atuais colocados por Kant e que se empenharam para superá-las através da teoria da revelação. Uma vez que os teólogos que mudaram para a psicologia serão tratados pela Psicologia, no tópico 7, trataremos somente os outros aqui.

Sören Kierkegaard argumentou que os problemas com os quais o homem se depara ao receber a revelação de Deus surgem porque ele não possui categorias para receber a verdade que não está limitada pelo tempo e pelo espaço. Assim como Kant, mas utilizando outra terminologia, ele argumentou que a verdade, uma vez vindo de Deus, é isenta de tempo e espaço e, portanto, não pode ser captada pelo homem finito. O homem, portanto, força a revelação divina a se adequar às suas próprias categorias de tempo e espaço, resultando no aparecimento da mesma vestida em trajes de espaço, como se tivesse um local, e estendida no tempo contínuo, como se levasse um tempo determinado para ocorrer.

Para explicar a apresentação da Bíblia nas categorias do tempo-espaço de seu conteúdo e dos ensinamentos a respeito do pecado original, milagres, céu e inferno, Kierkegaard inventou conceitos como comunicação indireta (por Deus não poder revelar a Si mesmo diretamente em discurso e palavras), mito, símbolo e saga. Ele acreditava que a revelação pode vir somente nestas formas literais peculiares porque o homem não tem um local em sua mente para receber a verdade que não está limitada ao tempo e ao espaço. A interpretação do mito, símbolo e saga foi chamada de desmitologização por Rudoft Bultmann e Paul Tillich. Os "mitos" nas Escrituras devem ser reconhecidos e então decifrados. *Veja* Mito ou Mitologia.

A visão de Kierkegaard foi reestruturada e adotada por Karl Barth e pelos teólogos neo-ortodoxos. Para Barth, a revelação é algo que acontece à medida que a pessoa lê a Bíblia, ou ouve a Palavra de Deus em uma proclamação ou pregação. É um evento no qual a Palavra de Deus supostamente falível, a Bíblia, torna-se a verdadeira Palavra de Deus, ou de Cristo, em um momento no tempo. Emil Brunner concorda com Barth neste ponto, e Tillich, embora mais à esquerda, difere somente no fato de ter o mesmo ponto de vista, porém dentro de seu próprio sistema ontológico hegeliano.

O lugar da filosofia na teologia sistemática é amplamente negativo, no sentido de que uma boa teologia considera a filosofia e suas idéias filosóficas por detrás das visões errôneas da doutrina, principalmente com a finalidade de refutá-las. Esta discute a filosofia mostrando quão boa e pobre ela é como uma filosofia, e depois mostra como concorda ou discorda dos ensinos da Bíblia. Geralmente uma teoria baseada na filosofia pode se mostrar instável sem seu próprio campo antes de se mostrar em conflito com os ensinamentos das Escrituras. Se uma teologia sistemática se recusar a entrar nas listas de combate com a filosofia, assim como em seu próprio campo, ela provará ser inadequada para fazer frente às filosofias mundanas de seus próprios dias e de outros tempos. As teologias sistemáticas escritas por homens como Charles Hodge, Herman Bavinck, Louis Berkhof e J. O. Buswell, Jr., junto com a teologia bíblica de B. B. Warfield são notáveis por suas habilidades neste campo de trabalho. Sua maneira de lidar com a filosofia popular nos dias em que foram escritas, faz com que sejam oportunas e de valor para sua própria época.

5. *Ciência e teologia liberal*. Desde os tempos de Copérnico e Galileu, a Igreja tem se debatido com a questão da teologia e da ciência negarem-se ou poderem ser reconciliadas. As leis e a física excluem os milagres? A questão nega a metafísica? O materialismo tem constantemente se levantado para desafiar o teísmo. A teoria da evolução em particular tem sido usada para desafiar as descrições de Gênesis sobre a revelação, e a descoberta de resquícios antropológicos, para contestar os registros de Gênesis sobre a criação do homem e a queda.

Os métodos da ciência aparecem para negar a possibilidade da teologia se basear em fatos que podem ser comprovados. O positivismo filosófico insiste em limitar o conhecimento ao fenômeno ou fatos conhecidos da existência, e o positivismo lógico vai além e questiona o próprio significado de afirmações a respeito de Deus, alegando que elas são baseadas em idéias que não podem ser comprovadas como um fenômeno físico através de testes de laboratório. Portanto, as duas filosofias negam a realidade de Deus e a veracidade da teologia.

Isto significa que devem ser extraídas considerações adequadas de descobertas científicas, e deve-se apresentar uma visão do espiritual e transcendente que não confunda a esfera física com aquela que é mais elevada, a do universo imaterial e espiritual. Quando a Bíblia diz que Deus é Espírito, e que Ele é onipresente, ela adverte os teólogos a não confundirem seus conceitos de Deus com os da dimensão espiritual e material. Argumentos contra o Deus cristão "aqui" ou "acolá" por Tillich e sua escola, e repetidos na obra *Honest to God* do bispo Robinson, levaram o cristão a enxergar que Deus transcende o espaço e habita, de acordo com as Escrituras, em uma esfera completamente diferente da do homem. Alguns sugeriram que a esfera espiritual é tão diferente que pode até interpenetrar a física.

Sob uma abordagem científica, embora seja uma questão de ser ou não ser verdadeiramente científica, devem ser levados em conta os ataques da chamada Alta Crítica contra a Bíblia. A teoria do AT de Graf-Wellhausen, a teoria JEDP das fontes do Pentateuco e a teoria de Isaías-Deuteronômio, juntamente com a Crítica da Forma dos Evangelhos, levaram a um estudo intensivo do AT e do NT e suas origens. Os métodos utilizados pelos críticos, embora uma vez aplicados até às peças de Shakespeare, são agora totalmente descartados nos estudos de outras literaturas. Estes também perderam o apoio como aplicado pela Bíblia. Foram produzidas, e publicadas pelos evangélicos, defesas adequadas contra cada teoria crítica mencionada acima. A Baixa Crítica, ou o estudo dos textos e do conteúdo da Bíblia, recebeu um grande estímulo com a descoberta dos Rolos do Mar Morto e dos papiros, e a autenticidade dos textos da Bíblia foi confirmada de uma forma maravilhosa.

A teologia sistemática não ignora a ciência ou o método científico. Ela aceita os fatos provados pela ciência, embora questione todas as teorias que não estejam de acordo com as Escrituras. A teologia sistemática sustenta que os métodos que utiliza ao reunir o conteúdo de sua doutrina são aqueles que se adequam a ela, e que são apropriados para seu campo, e assim são, neste sentido, verdadeiramente científicos.

6. *História das religiões e religião comparativa.* Aqueles que usam estas fontes ensinam que a cristandade é resultado de uma longa evolução da religião, a partir de um estado primitivo através do politeísmo e do monoteísmo até à presente forma. Os críticos alegam que um estudo comparativo de religiões mostra que existe na cristandade uma falta de distinções e valores absolutos e exclusivos. Esta visão se desenvolveu da seguinte maneira. O desenvolvimento histórico da cristandade foi enfatizado por homens como Otto Pfeiderer, na Alemanha, e por alguns que fazem parte da Escola Leiden de Teologia, na Holanda. Os compêndios de religião comparativa elaborados por Cornelius Petrus Tiele e P. D. Chantepie de la Saussage, e a obra *Godsdiensten Der Wereld* de G. van der Leeuw, adicionaram um rico material a respeito de todos os principais movimentos religiosos no mundo. Isto leva alguns a concluir que o cristianismo é o resultado de um longo processo de desenvolvimento do puro paganismo à sua forma atual.

Alguns, como Ernst Troeltsch, chegaram à conclusão de que a cristandade não possui uma qualidade real distinta que possa colocá-la acima das outras religiões. Na teologia de Paul Tillich são encontradas muitas passagens que ilustram a teoria histórico-religiosa da origem e natureza da cristandade.

Em uma boa teologia sistemática, as referências aos ensinos das religiões pagãs têm seus lugares quando usadas para ilustrar a luta do AT contra a idolatria, as diferenças entre a verdade revelada e as práticas pagãs que o homem tem desenvolvido para substituir a verdadeira adoração a Deus (Rm 1.23).

7. *Psicologia e a abordagem psicológica.* Kant disse que tudo que o homem podia conhecer era a aparência das coisas, ou o fenômeno. Tudo que a mente humana pode acessar está gravado nela, como uma carta no correio, através do formato exterior da mente (o espaço), e do formato interior (o tempo). Uma vez que o formato interior (tempo) está dentro da mente, até o que é concebido como dentro da mente é suspeito, visto que ela está marcada pelo tempo. Ainda assim, o homem não pode saber o nome, a coisa em si, quer seja pelo raciocínio teórico (ou seja, o raciocínio que é conhecido a partir da realidade exterior), quer seja pelo puro raciocínio (ou seja, o conhecimento concebido dentro da mente). Kant prossegue, dizendo que Deus, que não é limitado pelo tempo e pelo espaço, certamente não pode ser conhecido. Ele cai na categoria do "noumenon". Como então pode o homem ter uma fé religiosa? Kant replica dizendo que cada homem encontra dentro de si um imperativo categórico, um *Du solst*, um Vós-deveis, que o leva à formulação da regra ou Imperativo Categório, "Aja como se o máximo de tua ação fosse se tornar, através da tua vontade, uma lei universal ou natural". Houve duas reações por parte daqueles que aceitaram os argumentos de Kant. Alguns, como mencionado acima, desenvolveram soluções para o problema filosófico-epistemológico, o problema de conhecer a Deus se Ele está na categoria do "noumenon". Kierkegaard e os neo-ortodoxos defenderam esta abordagem. Outros se voltaram, como Kant havia feito, ao próprio homem e tentaram resolver o problema através de uma psicologia da experiência religiosa. O imperativo categórico de Kant é, na verdade, uma reestruturação do vocabulário da Regra Áurea (Mt 7.12), mas falta-lhe a segunda, uma vez que ela só oferece conceitos sem conteúdo, enquanto a lei de Cristo é dada como consumação e sumário do conteúdo da segunda lista das leis de Deus (cf. Mt 5.21,27,43).

Para preencher o vazio no conhecimento de Deus causado pela visão de Kant, Schleiermacher levou adiante a teoria de que a cristandade e a religião são baseadas não somente em uma ordem *Du solst*, mas também em um sentimento inerente de dependência no homem, que clama pelo evangelho. Esta é a base da consciência religiosa pela qual devemos começar. Ritschl tomou o desafio de Kant para estabelecer a religião sobre a experiência subjetiva, mas escolheu outra origem. O objetivo do homem é o reino de Deus na terra, mas isto deveria ser baseado nos julgamentos dos valores, ou seja, os valores que o homem obtém tomando suas próprias decisões a respeito de Deus. A visão de Schleiermacher naufragou pelo fato dele entender que o homem pode estabelecer uma religião pagã da mesma forma que a cristandade o faz em seu desejo de expressar os seus sentimentos de dependência de uma força superior; como Ritschl, que pensa que, se este julgamento de valores for verdadeiro, uma criança pode também ser salva por acreditar em Papai Noel tanto quanto em Jesus Cristo.

As tentativas para basear a teologia no que pode ser encontrado na psicologia da experiência religiosa falharam. Todavia, a psicologia tem informações valiosas a oferecer na formulação de uma boa teologia. Os sentimentos do homem ao estranhar os seus semelhantes e a Deus, a ansiedade persistente que o assombra até a morte, e seu sentimento de culpa são todos testemunhas do pecado e da depravação do coração humano. Eles revelam a categoria existencial para a qual uma teologia sadia e biblicamente fundamentada deve dar as respostas.

## A Teologia Moderna

A teologia moderna deve ser distinguida da teologia evangélica e ortodoxa que se atém à infalibilidade da Bíblia nos escritos originais. A teologia moderna é uma questão multidimensional.

Talvez ela possa ser mais bem entendida primeiramente através da sinalização de alguns de seus denominadores comuns, e então considerando suas variantes mais significativas. Em todo caso, ela é marcada em maior ou menor grau pela sua aceitação das teorias radicais da Alta Crítica dos dois últimos séculos. Os neo-ortodoxos não se preocupam com o seu desenvolvimento ou conseqüências da mesma forma que os liberais, porque eles ensinam que o homem recebe a verdadeira Palavra de Deus quando a Bíblia falível se torna a Palavra de Deus, de forma subjetiva, porém inefável, então chamada de "evento da revelação". Eles geralmente só mostram as suas atitudes sob uma aceitação tácita das teorias críticas. Ambos são fortemente opostos ao sobrenaturalismo e à crença em milagres, e ensinam que as Escrituras estão repletas de contradições, erros e paradoxos.

Existem três correntes principais: os liberais fora de moda, cujo exponente de maior presença é Nels Ferré, os neo-ortodoxos, e uma síntese americana híbrida de liberalismo e neo-ortodoxia. A escola liberal é uma continuação do antigo liberalismo alemão. Os neoortodoxos são os seguidores de Karl Barth, embora a maioria seja separada dele devido a certos detalhes e particularidades. Todo neoortodoxo baseia sua teologia mais ou menos no existencialismo de Kierkegaard (por exemplo, Barth e Brunner em particular), e seu desenvolvimento em um existencialismo recente, como o de Heidegger (por exemplo, Bultmann e Tillich). A escola americana da síntese é centrada no Seminário Teológico da União, e teve por muitos anos como seus líderes mais importantes Reinhold Niebuhr e Paul Tillich. Este foi tão além do liberalismo ou neo-ortodoxismo que se tornou o fundador de uma nova escola de teologia, ou seja, a teologia ontológica. Ele apresentou um sistema baseado na síntese da visão que Hegel tinha de Deus, do mundo e do homem, e na evolvente pirâmide de Aristóteles da atualidade-potencialidade, iniciando com o ser potencial e seguindo através de dimensões diferentes – inorgânicas, orgânicas, psicológicas, espirituais – até o Novo Ser, e a atualização de todas as potencialidades essenciais, e então retornando a Deus ou ao Poder de Ser para desfrutar a "vida eterna".

Há um desafio e uma tarefa da teologia sistemática de nossos dias: expor os fundamentos filosóficos das teologias modernas, mostrar os erros em suas filosofias e então apresentar as doutrinas bíblicas sobre o mesmo assunto, apontando o caminho no qual as doutrinas reveladas das Escrituras respondem a erros filosóficos da teologia moderna, e, assim, escapar de suas conseqüências devastadoras.

## Conclusão

Pede-se uma apresentação da teologia que seja baseada em uma completa teologia bíblica, e que tire proveito dos grandes credos e confissões das igrejas ortodoxas e dos conseqüentes desenvolvimentos doutrinários. Para que seja efetiva nos tempos atuais, a teologia precisa considerar a filosofia que está por trás de todas as variantes e visões equivocadas. Assim, a filosofia se torna uma fonte negativa da teologia. A tradição, da maneira que é usada na formulação católico-romana de seus dogmas, é classificada em uma categoria negativa, mas demanda atenção adequada a fim de que os erros de Roma sejam expostos. Os fatos provados da ciência demandam um lugar, mas os que são apenas teorias devem ser examinados mais cuidadosamente (por exemplo, a evolução). A história e os dados de religiões primitivas e pagãs devem ser considerados e explicados biblicamente.

Finalmente, a psicologia apresenta o teólogo com um dilema existencial do homem com seus sentimentos sobre aquilo que lhe parece "estranho", seu "complexo de culpa", sua *angst zum tode* ("medo da morte"), sua inerente "necessidade de religião", e seu inato "imperativo categórico". Os problemas psicológicos do homem propõem questões existenciais para as quais somente uma completa teologia sistemática pode dar respostas teológicas completas.

*Veja* Existencialismo; Teologia "Deus Está Morto"; Liberalismo; Neo-Ortodoxia.

***Bibliografia.*** L. Berkhof, *Systematic Theology*, Grand Rapids. Eerdmans, 1941. J. O. Buswell, Jr., *A Systematic Theology of the Christian Religion*, Grand Rapids. Zondervan, 1962. Lewis Sperry Chafer. *Systematic Theology*, 8 vols., Dallas. Dallas Seminary Press, 1947-57. D. S. Clark, *A Syllabus of Systematic Theology*, Filadélfia. Presbyterian and Reformed, s.d. A. A. Hodge, *Outlines of Theology,* Londres. Hodder e Stoughton, 1878. Charles Hodge, *Systematic Theology*, Nova York. Scribner's Sons, 1872-1902. F. L. Patton, *A Summary of Christian Doctrine,* Filadélfia. Westminster Press, 1916. William G. T. Shedd, *Dogmatic*

*Theology*, Nova York. Scribner's Sons, 1889. A. H. Strong, *Systematic Theology*, rev., Westwood, N. J.: Revell, 1963.

**TEOLOGIA "DEUS ESTÁ MORTO"** Este ponto de vista foi apresentado nos anos 60 por uma nova escola de teologia chamada Movimento de Teologia Radical. Ele surgiu pelo despertamento das teologias de Paul Tillich e Rudolf Bultmann. O movimento era composto por teólogos que tinham pontos de vista consideravelmente variados, mas estavam unidos pelo mesmo tema: "Deus está morto". De maneira genérica, eles são conhecidos como os teólogos "Deus está morto". Eles apresentam grande variação quanto ao significado desse slogan, e se mantêm unidos por outros fatores comuns, assim como pelo seu princípio essncial.

### Diferentes Aspectos da Teologia "Deus está Morto"

1. *Nunca houve um Deus* e agora a própria idéia morreu. Esta era a opinião de um ateu como Nietzsche, quando falava da "morte de Deus" e sua obra "Louco" clamava: "Nós não ouvimos nada além do ruído dos coveiros que estão enterrando Deus? Não sentimos nenhum cheiro além do da decomposição de Deus? Deuses também se decompõem. Deus está morto" (*The Madman*).
Esta visão atéia foi apresentada sob outra forma, posteriormente, por Feuerbach na obra *Essence of Christianity* em 1841 ao falar de religião, e da religião cristã em especial, como uma mera projeção do espírito humano. Albert Camus, em seu famoso livro *The Rebel*, definiu toda a história do ateísmo como um movimento.
2. *Deus morreu de verdade.* T. J. J. Altizer, professor associado de Bíblia e Religião na Universidade Emory, em Atlanta, na Geórgia, E. U. A., escreveu em *Radical Theology and the Death of God*: "Devemos perceber que a morte de Deus é um evento histórico, que Deus morreu no nosso cosmos, na nossa história, na nossa *existenz* [existência]" (p. 11).
Em um livro posterior, *The Gospel of Christian Atheism*, Altizer explicou com detalhes sua teoria de como Deus morreu e morreu várias vezes, para aparecer cada vez em uma outra "epifania" ou aparição. A encarnação de Jesus Cristo e sua crucificação devem ser vistas como uma dialética da trindade hegeliana, segundo a qual o Deus da epifania do Antigo Testamento, um Deus imóvel, estático (de acordo com sua tese), negou-se se tornar encarnado ou a fazer-se carne como Jesus Cristo (como a antítese), e assim Jesus negou-se se tornar espírito, ao passo que Deus Pai novamente negou-se a se tornar carne. Deus Pai, agora carne, uniu-se a Jesus, agora espírito, na tese, para formar "a grande humanidade divina", ou "a união final de Deus e do homem" (p. 107).
Esta dialética da trindade é o processo da morte de Deus. E ainda a morte de Deus acontece muitas vezes como um processo contínuo para que "possamos dizer que Deus morre, de certo modo, onde quer que Ele esteja presente ou verdadeiro no mundo, porque Deus se atualiza pela negação das suas expressões originais ou assumidas" (p. 105). Altizer fala da sua posição que "é uma visão atéia, mas com uma diferença" (*Radical Theology*, p. x).
3. *O antigo conceito de Deus está morto.* O antigo conceito bíblico de um Deus pessoal está fora de moda, e deve ser descartado, dizem esses teólogos radicais. O homem moderno, com seu ponto de vista moderno, não pode aceitar a visão de um Deus que esteja "logo ali". Paul Tillich falou da necessidade, talvez, de esquecer o nome de Deus por uma geração (*The Shaking of the Foundations*, p. 57) para que possamos estabelecer uma nova visão de Deus como "o Deus acima de Deus" (*The Courage to Be*, pp. 182, 186) que está presente como o Poder de Ser em todas as coisas, embora estando ausente. O bispo John A. T. Robinson também fala algo do mesmo estilo em sua obra *Honest to God* (p. 7). Deus não é uma pessoa ou um objeto, mas o Poder de Ser em tudo o que existe.
4. *A própria palavra "Deus" não tem um sentido lógico.* O analista lingüístico argumenta que a palavra "Deus" não corresponde a nenhuma realidade que possa ser testada e provada de uma maneira empírica, e, portanto, é inteiramente sem sentido. Paul van Buren argumentou assim em seu livro *The Secular Meaning of the Gospel*. Podemos falar de Jesus Cristo com sentido, porque Ele foi uma pessoa histórica e pelo menos existem evidências empíricas da sua existência, mas não "desta entidade literalmente sem sentido que se chama 'Deus'" (p. 84). "Hoje não podemos nem mesmo entender a frase de Nietzshe – 'Deus está morto' – porque se isso fosse verdade, como poderíamos saber? Não, o problema agora é que a *palavra* 'Deus' está morta" (p. 103).
5. *Vários outros pontos de vista.* Para alguns, Deus é meramente um eclipse (cf. Martin Buber); para outros, o Deus que julgávamos ser um solucionador de problemas é agora o Deus que lida com o homem não mais como uma criança, mas, sim, amadurecido (cf. a idéia da "chegada do amadurecimento" da humanidade, de Bonhoeffer). Novamente, para um homem como William Hamilton, Deus agora é silencioso, oculto, ausente, de modo que devemos falar da morte de Deus; mas esse período irá, sem dúvida, passar.

### Características Unificadoras

1. *Ativismo revolucionário.* Os teólogos radicais vêem a ação revolucionária como necessária nos nossos dias.

2. *Otimismo versus pessimismo.* O movimento é uma reação claramente americana ao pessimismo e ao subjetivismo do existencialismo europeu. Sem dúvida, seu otimismo é parcialmente um resultado da prosperidade econômica que se vive tanto na Europa quanto nos Estados Unidos hoje em dia.
3. *Ação social.* A grande ênfase está na ação social em geral, em contraste com a renovação espiritual corporativa ou individual. Os aspectos social, econômico e político da vida impedem totalmente o moral e o espiritual.
4. *O refrão "Deus está morto".* Embora isto possa ser explicado de todas as diversas maneiras mencionadas, ainda assim o refrão indica, para muitos, que o Deus do Antigo Testamento deixou de existir. Deus pode ser conhecido somente quando Ele se une à humanidade universal, isto é, a Jesus como a humanidade universal.
5. *A humanidade universal.* De acordo com esses teólogos, Deus pôs de lado a humanidade pecadora, mas Jesus Cristo se uniu a ela, e pode ser tocado em cada mão humana e visto em cada rosto humano.
6. *O cristianismo secularizado.* O homem se tornou completamente secularizado. Bonhoeffer falou do "amadurecimento do homem" ao longo do tempo. O homem é agora auto-suficiente e não precisa de Deus. Harvey Cox, na obra *The Secular City,* destaca a sociedade dos nossos dias como totalmente secularizada, e propõe um evangelho secular para satisfazer as necessidades do homem. Bonhoeffer falou de um "cristianismo sem religião" e de como se deveria falar aos homens em termos totalmente seculares; Cox explicou isto para os nossos dias. O cristão deve trabalhar juntamente com o homem do mundo, em seus esforços políticos, econômicos e sociais. Ele não deve se aproximar dos seus companheiros para os ajudar com princípios revelados ou regras, mas deve vir, simplesmente, de homem para homem, para desvendar, pouco a pouco, as respostas que tiveram sucesso porque mostraram que funcionam.
7. *Ética da situação.* A maioria dos teólogos radicais está claramente rebelada contra os padrões éticos revelados e as leis morais apresentadas na Bíblia. Eles afirmam que todas as decisões éticas podem variar de acordo com as circunstâncias particulares nas quais um homem se encontra quando ele aplica o princípio do amor. Relações pré-conjugais, adultério, mentira e roubo, tudo pode ser julgado correto sob determinadas circunstâncias (cf. Joseph Fletcher, *Situation Ethics*).
8. *A queda da Igreja.* Segundo esta opinião, a Igreja deixou e continua deixando de alcançar as massas, especialmente hoje. A sua visão de Deus está ultrapassada para um mundo científico moderno. A Igreja deve se mesclar com o mundo e entrar em seus problemas sociais, econômicos e políticos com um novo evangelho secular. O evangelho secular deve substituir o evangelho salvador de almas.

**Contexto Histórico**

A origem do movimento "Deus está morto" pode vir desde o humanismo antigo, por meio do poeta William Blake até Nietzsche, e por meio de Feuerbach até o presente. O humanismo cristão de Erasmo floresceu na confiança do movimento de que o homem é perfeitamente capaz de passar sem Deus, porque ele pode encontrar a liberdade radical e absoluta de todas as leis morais em um Cristo que se tornou unido à humanidade pecadora. Nietzsche não suportava ter um Deus que pudesse ver o interior do seu coração pecador, e, portanto, escreveu: "Ele tinha que morrer; Ele olhava com olhos que viam tudo... a sua piedade não conhecia a moderação; Ele rastejava até os meus cantos mais imundos... eu tinha que me vingar de uma testemunha assim... o Deus que via tudo e todos os homens tinha que morrer!" Com sua obra, *Louco*, Nietzsche tentou matar Deus de uma maneira literária. No final, foi o próprio Nietzsche que sucumbiu mentalmente à pressão e morreu louco. Altizer se apóia fortemente em Nietzsche, em sua argumentação de que Deus morreu, e outros do movimento também o citam.
Depois que Karl Barth não conseguiu encontrar uma maneira de conseguir a revelação proposicional de Deus com sua teoria kierkegaardiana da revelação (*veja* Neo-ortodoxia), e Bultmann tentou esvaziar completamente os ensinos das Escrituras com sua desmistificação, os teólogos radicais se voltaram para Nietzsche com sua afirmação "Deus está morto" e deram à expressão os seus significados particulares. Bonhoeffer lhes deu alguma inspiração com sua sugestão de um "cristianismo sem religião" e uma completa apresentação secular do evangelho, mas como ele continuou a acreditar na existência de Deus Pai e em um cristianismo confessional até a ocasião de sua morte, a visão de que Deus está morto não lhe pode ser atribuída.
Os homens mais importantes no movimento americano são Thomas J. J. Altizer, William Hamilton, Paul van Buren e Harvey Cox.

**Análise e Avaliação**

Os teólogos da linha "Deus está morto", com sua teologia radical e seu ativismo revolucionário, estão desafiando a verdadeira Igreja evangélica a considerar a responsabilidade do cristão em relação às necessidades seculares do homem nas áreas da economia, da política, além das necessidades sociais do homem. Deus deu ao homem a tarefa de dominar e governar o mundo (Gn 1.28) e esta tarefa nunca foi revogada. Este é o mundo de Deus, e, portanto, é o mundo cristão, mesmo que

Satanás tenha usurpado o lugar de Deus no coração dos homens pecadores. Portanto, é obrigação do cristão fazer tudo o que possa para dominar o mundo economicamente, socialmente e politicamente. Este era o conceito de Abraham Kuyper que foi trabalhado com detalhes pela Free University. Kuyper foi um importante colaborador na fundação desta entidade. A visão reformista é a de que o cristão tem como seu dever a tarefa de aplicar às necessidades do mundo os princípios revelados da justiça, da democracia e da moralidade encontrados na Bíblia. No entanto, esses teólogos radicais pensam que podem mudar o mundo e ao mesmo tempo negar os princípios divinamente revelados.

O cristão evangélico descobre que a teologia "Deus está morto" é uma farsa pelas seguintes razões:

1. O movimento é essencialmente uma rebelião contra a lei e os princípios morais dados por Deus. O homem sempre desejou a liberdade absoluta e radical, e esses homens estão dispostos a destruir Deus à sua própria maneira, assim como Nietzsche tentou fazer em sua época, para obter tal liberdade.

2. Esses homens sustentam que nós vivemos em uma era científica e que o homem moderno precisa basear toda a sua vida no método científico. O homem descobre na ciência as leis físicas através da experimentação. Se ele quebrar a lei física, então a lei o destruirá imediatamente. Existem também, no entanto, leis morais. Se ele as quebrar, elas por sua vez poderão destruí-lo; entretanto, elas não reagirão, necessariamente, imediatamente. Elas poderão puni-lo em sua velhice ou punir os seus netos. Isto faz com que o homem pense que tais leis não existem. A diferença entre as leis físicas e as leis morais é que as primeiras podem ser descobertas pelo homem por meio do funcionalismo, ao passo que as últimas só podem ser descobertas por meio da revelação! A razão pela qual o funcionalismo fracassa nesse ponto, é que o homem, como pecador, não pode pensar corretamente sobre assuntos morais. A sua depravação total o incapacita e até mesmo lhe causa preconceitos contra a lei moral revelada.

3. Todos os argumentos apresentados para a morte de Deus são baseados, finalmente, em uma recusa a se aceitar a Jesus Cristo da maneira como Ele mesmo se avaliou. Ele falava de Deus como seu Pai, como sendo uma pessoa, e como ouvindo e atendendo tanto às suas orações como às daqueles que são os seus filhos. Ele afirmava que era o Filho de Deus e indicava que Ele perdoava os pecados porque era Deus. Portanto, qualquer tentativa de considerar Cristo somente parcialmente é uma negação de quem e do que Ele é.

4. Os teólogos da linha "Deus está morto" não são cristãos de maneira nenhuma. São simplesmente humanistas.

***Bibliografia.*** T. J. J. Altizer, *The Gospel of Christian Atheism*, Filadélfia. Westminster, 1966. Altizer e William Hamilton, *Radical Theology and the Death of God*, Nova York. Bobbs-Merrill, 1966. Harvey Cox, *The Secular City*, Nova York. Macmillan, 8ª ed., 1966. Joseph Fletcher, *Situation Ethics*, Filadélfia. Wetsminster, 1966. Kenneth Hamilton, *God is Dead*, Grand Rapids. Eerdmans, 1966. K. Hamilton, *Revolt Against Heaven*, Grand Rapids. Eerdmans, 1965. William Hamilton, *The New Essence of Christianity*, Nova York. Association Press, 1961. Gabriel Vahanian, *The Death of God*, Nova York. George Braziller, 1957. Paul M. Van Buren, *The Secular Meaning of the Gospel*, Nova York. Macmillan, 1963.

R. A. K.

**TEQUEL** *Veja* Mene, Mene, Tequel e Parsim.

**TERA**[1] Um acampamento não identificado dos israelitas na área de Cades-Barnéia durante os 38 anos de peregrinação (Nm 33.27ss.).

**TERA**[2]

1. Pai de Abraão, Naor e Harã (Gn 11.26). A família de Tera se fixou em Harã na Mesopotâmia após imigrar de Ur. Mais tarde Abraão, com seu sobrinho Ló, seguiram migrando até Canaã. A partir dos textos em Gênesis 11.31; 24; 31.53; Josué 24.2; Atos 7.2,3 podemos entender que a experiência religiosa de Abraão foi a razão pela qual a família se mudou da politeísta e idólatra Ur para Harã. Tera evidentemente se tornou um adorador de Jeová.

O nome da antiga cidade de Til Turahi, localizada nas cercanias de Harã, de acordo com as tábuas cuneiformes mesopotâmicas, pode ter sido dado em sua homenagem.

2. Uma estação deserta (Nm 33.27,28; "Tara" em algumas versões, é "Tera" em outras).

**TERAFINS** O substantivo plural heb. *t*[e]*rapim* (uma palavra de derivação desconhecida) aparece sete vezes como "imagens", uma vez como "ídolos", outra como "idolatria", enquanto que em seis passagens ela é simplesmente transliterada como "terafim", na versão KJV em inglês. As imagens de terafins da antiga nação de Israel eram ídolos domiciliares (cf. Gn 31.19 com 31.30,32; Jz 18.17 com 18.24) cuja função primária no elemento apóstata da população de Israel parece ter sido a adivinhação (*q.v.*; 1 Sm 15.23; 2 Rs 23.24; Ez 21.21; Zc 10.2). Observe a conexão deles com o éfode em Juízes 17.5; 18.14,17,18,20; Oséias 3.4. Eles provavelmente tinham uma origem mesopotâmica (Gn 31.19-21; Ez 21.21), e eram freqüentemente condenados pelos profetas (1 Sm 15.23; 2 Rs 23.24; Zc 10.2). *Veja* Amuleto.

Estudos acadêmicos recentes afirmam, com

base em certos textos de Nuzu (ANET, pp. 219 ss.), que Raquel roubou os terafins de Labão (Gn 31.17-50) para garantir o direito de posse de Jacó sobre as terras de Labão, quando Labão morresse. A lei de Nuzu, contudo, implica em que a legação, mais do que a mera posse dos deuses do lar, determinava os direitos de herança da família. E assim, talvez seja melhor assumir que Raquel, não totalmente separada de sua herança politeísta, levou as imagens com propósitos religiosos e de adivinhação. Josefo (*Ant.* xviii.9.5) afirma que era costumeiro, até mesmo em tempos bem mais posteriores, que os habitantes da Mesopotâmia carregassem os seus deuses do lar consigo par onde quer que viajassem (cf. M. Greenberg em JBL, LXXXI [1962], 239-248). Harry A. Hoffner, Jr., modifica a opinião de que os terafins eram objetos de adoração, mostrando, a partir de um termo paralelo hitita, que estes eram instrumentos considerados proféticos, e utilizados para indagação em cultos ("Hittite *Tarpiš* and Hebrew *Teraphim*", JNES, XXVII [1968], 61-68).

É pouco provável que os terafins em 1 Samuel 19.11-17 fossem divindades domésticas, pois os arqueólogos não encontraram tais imagens com as dimensões de um homem adulto (cf. W. F. Albright, *Archaeology and the Religion of Israel*, 4ª ed., p.114; cf. também Gênesis 31.34). Deste modo, tem sido sugerido (Albright, *op. cit.*, p. 207, n. 63) que os terafins de Mical não passavam de "velhos trapos".

R. Y.

**TÉRCIO** O escriba de Paulo que redigiu a carta aos Romanos, e adicionou sua própria saudação pessoal à igreja que estava em Roma (Rm 16.22).

**TEREBINTINA** Resina extraída através da incisão feita no tronco da árvore do terebinto. A essência da terebintina é conhecida como aguarrás. *Veja* Plantas: Terebinto.

**TEREBINTO** *Veja* Plantas.

**TERES** Um dos eunucos desleais do rei Assuero, incumbido de guardar a entrada do palácio, que planejou o assassinato do rei. Mardoqueu expôs o plano, e os conspiradores foram enforcados. Esse serviço meritório de Mardoqueu foi relevado por um tempo; entretanto, mais tarde se tornou a causa de sua singular exaltação (Et 2.21-23; 6.2).

**TERRA** Esta palavra tem vários significados na Bíblia.

1. O nome característico para o nosso planeta (Jó 1.7).
2. A matéria sólida do globo em contraste com a água e o ar (Gn 1.10).
3. O solo; o mesmo a que um fazendeiro se referiria (2 Rs 5.17).
4. Os habitantes do globo terrestre (Gn 11.1).
5. O mundo que jaz no maligno; e assim "as coisas... que são da terra" são os pecados, e o oposto daquilo que é celestial e espiritual (Cl 3.2,5; cf. Fp 3.19).

As principais palavras heb. traduzidas como terra são (a) *'adama*, que significa o solo vermelho ou chão (cf. heb. *'adom*, "vermelho"), do qual o corpo do homem foi feito, e do qual se originou o nome que foi dado ao primeiro homem, *'adam*, "homem" ou "Adão" (Gn 2.7; 3.19); e (b) *'eres*, que não é apenas traduzido como "terra", mas como "território", denotando assim um país (Gn 21.21). Uma vez que esta palavra significa a terra toda ou apenas parte dela, em algumas passagens consta o termo "terra", e em outras, "solo" (cf. Is 10.23). *Veja* Agricultura.

No Novo Testamento, a palavra grega comum é *ge*, traduzida como "terra", com seus vários significados, ou "terreno", referindo-se especialmente à terra da Judéia (Mt 27.45). Veja o texto em Lucas 23.44 como um relatório paralelo. Nas versões em inglês, o termo "terra" é usado na KJV e "terreno" na ASV. Uma outra palavra, *oikoumene*, denota especialmente toda a terra habitada (Lucas 21.26) e, particularmente, o Império Romano na época do Novo Testamento (Lucas 2.1, "mundo"). *Veja* Mundo; Criação.

C. J. W.

**TERRA E PROPRIEDADE** Os padrões de posse de terra, como refletidos na Bíblia, podem geralmente ser divididos em três períodos: a era patriarcal, a era da confederação tribal, e a era posterior ao estabelecimento da monarquia em Israel.

### Era Patriarcal

A partir de dois exemplos nas narrativas patriarcais, observamos que a terra era diretamente comprada, e assim permanentemente tomada do antigo dono. Abraão comprou terra de um morador heteu local a fim de providenciar uma sepultura para Sara (Gn 23), e Jacó comprou a porção de um campo dos siquemitas (Gn 33.19). O contrato fundamental para tal venda era meramente verbal, feito diante de uma testemunha (Gn 23.17,18). Alguns paralelos têm sido traçados entre a compra de Abraão dos heteus e certos costumes de troca de terras observada no código heteu de leis (Manfred R. Lehman, "Abraham's Purchase of Machpelah and Hittite Law", BASOR #129 [1953], pp. 15-17).

A opinião de que a alienação permanente de terra através da venda era uma característica comum da vida cananéia na Palestina, apesar de apenas dois exemplos das narrativas patriarcais, pode ser reforçada pela comparação com as fontes cananitas da vizinha Síria. Tábuas de Alalakh (ou Alalah) datando do século XVIII a.C. documentam várias vendas ou compras de terras por cidadãos, bem como por membros da casa real (D. J. Wiseman, *The Alalakh Tablets*, Instituto Britânico de Arqueologia em Ancara, 1953, p. 103, *et passim*). Muitos documentos de venda de Ugarit, embora originários dos séculos XIV e XIII a.C., podem ser considerados para mostrar que a venda permanente de terra era comum.

A posse de propriedade por herança é melhor entendida pela comparação com os costumes mesopotâmios pertinentes. Apenas aqueles que possuíam a condição legal de filhos eram legítimos para receber a propriedade da terra. Esposas e filhas obtinham algum grau de segurança econômica, como refletido no Código de Humurabi (par. 138-150, ANET, p. 172), mas apenas os filhos homens eram considerados como herdeiros das propriedades. A condição legal de filiação era extremamente importante nesta questão. Os parágrafos 170-171 do Código de Hamurabi regulam a distribuição da propriedade do pai falecido entre os seus filhos sobreviventes. Cada filho de sua esposa deveria receber uma parte. Se o pai também tivesse gerado filhos homens de uma mulher escrava ou concubina, e se alguma vez os tivesse legitimado através de uma declaração formal de sua filiação, então os filhos da mulher escrava e os filhos da esposa compartilhavam igualmente a herança, exceto que o primogênito da esposa recebia uma parte preferencial. Se os filhos da mulher escrava jamais tivessem sido legitimados, eles não tinham a permissão de compartilhar a propriedade paterna.

O aspecto legal é enfatizado na Bíblia com respeito à sucessão de Abraão. Abraão teve um filho de uma mulher escrava, Agar, a quem ele nunca legitimou formalmente, embora pareça ter expressado uma disposição para fazêlo (Gn 17.18). Aos filhos de Abraão com Quetura, da mesma forma, foi negada a filiação e foram igualmente enviados para longe com presentes de propriedades móveis, enquanto que a terra foi deixada apenas para Isaque (Gn 25.1-6). É enfatizado em Gênesis 22.12 que Isaque era o único reivindicador da herança, e foi chamado de filho único de Abraão (*yahid*).

A herança de propriedade era, às vezes, concedida por meio da adoção. Documentos mesopotâmicos mostram que este método de transmitir a propriedade era utilizado por aqueles que não tinham filhos próprios para cuidar deles na velhice; assim, procuravam garantir por este meio um apoio para a época de sua idade avançada. O adotado era obrigado a atender às necessidades daquele que o adotava durante o período de sua vida (Ephraim A. Speiser, "New Kirkuk Documents Relating to Family Law", AASOR, X [1930], 36ss.).

Alguns poucos textos bíblicos ilustram este meio de transmitir a propriedade. Abraão parece sugerir que seu escravo herdaria sua propriedade através da adoção, a menos que um filho natural lhe nascesse (Gn 15.2-4). Jacó adotou dois netos, os dois primeiros filhos de José, como seus próprios filhos (Gn 48.5,6). Jacó reivindicou Efraim e Manassés de forma exclusiva; qualquer outro filho de José deveria suceder Efraim e Manassés na herança. Esta situação explica por que os dois filhos de José são contados entre os filhos de Jacó como cabeças das tribos.

Um tratamento preferencial do filho primogênito na herança era normalmente vigente. Embora uma declaração clara de que uma porção dobrada pertencia ao primogênito não tenha sido expressada até Deuteronômio 21.15-17, as variações deste padrão notadas nas narrativas patriarcais mostram que o costume era geralmente observado. A venda que Esaú fez de sua primogenitura para Jacó (Gn 25.29-34), e a subseqüente obtenção, por Jacó, da bênção de Isaque através do engano (Gn 27), significou que Jacó havia se tornado o "primogênito" no que dizia respeito à herança e privilégios. Jacó, por sua vez, separou Rúben, seu primogênito, e lhe negou a preeminência (Gn 49.3,4). Ele colocou José neste lugar (1 Cr 5.1,2) e assim lhe deu uma herança especial de terra em preferência a seus irmãos (Gn 48.22). Os filhos de José, da mesma forma, tiveram a experiência do mais novo substituir o mais velho, passando a ter uma posição preferencial (Gn 48.13-20). O texto deixa claro que isto era contrário à norma; José protestou diante da atitude de Jacó, pois o mais velho deveria ter a posição mais proeminente.

O tratamento preferencial de José pode ser atribuído ao fato de que ele era o primeiro filho da esposa favorita de Jacó. Tal prática é comparada com um documento redigido em uma placa de barro de Alalakh, na Síria, que registra um contrato de casamento. A tábua declara que uma mulher chamada Naidu está noiva de um certo nobre da cidade. Caso Naidu não gere um filho, uma segunda esposa é especificada para o nobre. Se a segunda esposa gerar um filho e, depois disso, Naidu também gerar um filho, o filho de Naidu será superior. Assim, a posição da esposa traria a preferência a seu filho, em detrimento dos filhos do marido com outra esposa, mesmo que tivessem nascido primeiro (Wiseman, *Alalakh Tablets*, No. 92, pp. 54ss.). Evidências abundantes da Mesopotâmia e da Síria mostram que o tratamento preferencial ao primogênito era usual, mas que ocorriam exceções.

### A Lei de Moisés

O sistema de posse de terra estabelecido por Moisés, e que persistiu ao longo do período dos juízes, tinha as suas próprias características distintivas; no entanto, lembrava os costumes da Mesopotâmia mais do que os de outras regiões do Oriente Próximo. A terra apropriada por Israel através de conquista era distribuída proporcionalmente de acordo com dois princípios: deveria ser por sorte (concessões de terra foram feitas lançando sortes em Nuzu), evidentemente para manter a imparcialidade; e deveria ser de acordo com a força numérica da unidade da tribo ou família (Nm 26.53-56; Js 18.2–19.48). Dentro das unidades da tribo e clã, distribuições individuais, ou "porções", eram dadas para cada homem de idade e capacidade militar.

Os regulamentos de herança foram criados para evitar que a terra passasse para fora do controle da tribo para a qual havia sido destinada. Na maioria dos casos, nenhum problema surgiria, uma vez que normalmente apenas os filhos participavam na divisão da propriedade de terra. Porém, as filhas podiam herdar terras no caso de não haver filhos homens (Nm 27.1-11). No entanto, a fim de ter este direito, tais filhas deveriam casar-se dentro de sua própria tribo (Nm 36.3-11).

O costume do casamento levirato (Dt 25.5-10) também parece ser usado para manter a terra entre os descendentes da tribo. Uma viúva evidentemente não herdava a propriedade de seu falecido marido, mas seus filhos eram contados como herdeiros. Se ela não tivesse filhos nem filhas, os irmãos de seu falecido marido herdariam a propriedade (Nm 27.9). No entanto, um costume obrigava que um irmão do falecido marido a tomasse como sua esposa e que gerasse um filho através dela; este filho herdaria a propriedade em nome de seu falecido marido (cf. Dt 25.7 com Rt 4.5,10).

O direito de remissão também considerava a posse da terra dentro da estrutura da propriedade tribal. Se um homem empobrecido fosse forçado pelas circunstâncias a vender uma terra de lavoura, ele ou um parente tinham o direito de remi-la (Lv 25.24-34). Na verdade, somente o uso da terra era vendido ou arrendado pelo número de anos até o jubileu, quando ela voltava a pertencer àquele que a vendeu ou aos seus herdeiros (Lv 25.10,13-16). Ao remir a terra, o remidor restituía o que equivalia ao aluguel rateado de acordo com o número de anos restantes até o próximo jubileu. O principal propósito do costume era manter a terra dentro do controle da tribo e da família. O Senhor dirigiu Jeremias a seguir esta lei com relação ao campo de seu primo em Anatote. O profeta comprou a terra e tinha uma cópia selada e outra aberta da escritura da compra assinada na presença de testemunhas (Jr 32.6-15). Paralelos mesopotâmicos ao costume são bem estabelecidos (por exemplo, "The Laws of Eshnunna", No. 39, ANET, p. 163). As casas em cidades muradas não-levíticas não eram consideradas como estando intimamente ligadas à terra. Se um homem vendesse tal casa e não a remisse dentro de um ano inteiro, ela se tornaria perpetuamente do comprador (Lv 25.29-34).

A posse de toda a terra israelita pelo Senhor como o dono principal era a característica mais significativa da posse da terra sob a administração mosaica. Embora Deus tenha "dado" a terra aos israelitas (Js 1.2; 23.15; *et al.*), reteve o título definitivo e supremo para si (Lv 25.23). A posse contínua pelas tribos estava condicionada ao fiel cumprimento das obrigações da aliança (Lv 26.27-35; Dt 4.25,26; 11.13-17,22-25; 30.16-18).

Uma vez que Deus era o proprietário supremo, um israelita não deveria alienar sua terra. Ele poderia vender o produto da terra, e poderia vender o uso da terra por um número limitado de anos, mas não poderia vender a terra definitivamente (Lv 25.23). Paralelos a este conceito de inalienabilidade da terra são conhecidos da comunidade mesopotâmica de Nuzu, onde vários documentos registram adoções como uma espécie de artifício legal para driblar a regra contrária à venda (Speiser, AASOR, X, 14-17).

A relação do israelita com sua terra era a de um possuidor de feudo em relação ao seu rei. O Senhor era seu rei e o dono supremo de sua terra. O israelita poderia usar a terra e tirar dela seu sustento, poderia passá-la adiante para os seus herdeiros homens, mas não poderia se desfazer dela. Uma condição para possuir terras era a disposição para o serviço militar de conquistar a terra, e a partir daí defendê-la (Nm 32.5,6,16-33; Dt 3.18-20; Js 1.12-15). As listas dos censos de Números 1 e 26 mostram que somente os homens de idade e capacidade militar eram contados, e era entre estes que a terra era posteriormente repartida (Nm 26.52-56).

Algumas similaridades com estes conceitos são vistas na Mesopotâmia. Em Larsa, o território pertencente à Coroa, e repartido entre os soldados, não poderia ser vendido, mas era herdado por herdeiros homens, e vinculado ao desempenho militar ou a outros serviços (F. Thureau-Dangin, "La correspondance de Hammurapi avec Samas-Hasir", RA, XXI [1924], 3-4; cf. Código de Hamurabi, par. 27-41, ANET, pp. 167ss.). Em Mari, cartas administrativas discutem o censo das tropas e a destinação da terra a estas pelo rei ou por seu vice-rei (*Archives royales de Mari*, I, Nos. 91, 7, 6; III, 21; IV, 4; *et al.*).

A lei do jubileu de Israel também estava relacionada à posse suprema da terra pelo Senhor, e a vassalagem do proprietário da terra em relação a ele (Lv 25.8-55). Um proprietário de terras tinha permissão para vender o uso de sua terra até o próximo jubileu, um evento que deveria fazer voltar a situação anterior em intervalos de 50 anos. O acordo poderia ser visto como uma espécie de empréstimo ou cessão sem juros, visto que o comprador (credor) tinha o uso e a custódia da propriedade, e a produção da propriedade substituía os pagamentos de juros e também constituía uma amortização gradual do principal. Na época do jubileu, o credor era evidentemente restituído, uma vez que a quantia paga pelo campo era sempre ajustada na época da venda de acordo com o número de anos restantes até o jubileu. O mesmo é sugerido pela maneira como o preço da remissão era calculado. Costumes comparáveis ao do jubileu na Mesopotâmia do segundo milênio a.C. são conhecidos de Nuzu, Hana e Babilônia (Julius Lewy, *Eretz Israel*, V, 21-31; J. J. Finkelstein, *Journal of Cuneiform Studies*, XV, 91-104; Speiser, AASOR, X, 9, 12).

De uma maneira geral, pode-se dizer que a posse de terra no Pentateuco reflete o ambiente amorreu não-urbanizado como refletido nas tábuas de Mari, Nuzu, Hana etc., do segundo milênio a.C. – mas não da Babilônia, que era uma grande cidade. As leis de propriedade mosaicas não refletem o passado da monarquia ou do período pós-exílico.

### O Período dos Reis Israelitas

O estabelecimento da monarquia trouxe importantes mudanças na vida sócio-econômica de Israel, e um rompimento dos padrões mosaicos da posse de terra. Samuel previu que o rei acabaria usurpando as prerrogativas de Deus ao tratar a terra como sendo sua, dispondo dela conforme sua vontade, e concedendo-a como feudos aos seus vassalos (1 Sm 8.4-17). Bastava olhar para os estados cananeus vizinhos para entender as condições que se desenvolveriam (I. Mendelsohn, "Samuel's Denunciation of Kingship in the Light of the Akkadian Documents from Ugarit", BASOR #143 [1956], pp. 17-22). Saul antecipou esta possibilidade, caso o governo passasse para Davi (1 Sm 22.7,8). Davi, evidentemente, assumiu o controle das propriedades de Saul ao sucedê-lo (2 Sm 12.8), e sentiu-se livre para dispor dela como bem lhe aprouve. Ele restaurou a propriedade a Mefibosete, descendente de Saul, como um ato de graça, não de direito (2 Sm 9.7-10), e posteriormente deu a mesma propriedade a Ziba, servo de Mefibosete (16.1-4). Ainda mais tarde, ele dividiu a propriedade entre os dois (19.24-30). Suas ações deixaram claro que a terra concedida deste modo dependia da lealdade que tivessem para com ele. Davi parece ter acumulado um grande número de bens (1 Cr 27.25-31) através de confisco, conquista, compra ou de algum outro modo.

De acordo com os documentos de Alalakh, houve compra e venda de um grande número de aldeias pela Coroa. Salomão deu ao rei Hirão de Tiro 20 "cidades" na terra da Galiléia em troca de 120 talentos de ouro (1 Rs 9.10-14). Quando Salomão se casou com uma princesa egípcia, o Faraó lhe deu a cidade de Gezer como um dote (1 Rs 9.16), que equivalia ao dote de sete cidades que Agamenon, rei de Micenas, ofereceu a sua filha (Ilíada, 9.149-152).

O papel do rei de Israel como um senhor feudal concedendo terras aos seus subordinados fiéis pode ser inferido pelo desenvolvimento de forças equipadas com carros de guerra em Israel, como uma imitação e competição com os povos vizinhos. Salomão tinha 1.400 carros (1 Rs 10.26), e é relatado que Acabe enviou 2.000 carros para a batalha contra Salmaneser III em Qarqar (ANET, p. 279). Os nobres que manejavam e mantinham os carros eram, sem dúvida, apoiados como eram nos estados cananeus, com concessões e privilégios especiais.

O desenvolvimento de uma aristocracia da terra e a redução da classe de lavradores são documentados pela ressoante denúncia dos profetas. Isaías proclamou a desgraça para aqueles que juntassem terra com terra e campo com campo (Is 5.8); para aqueles que consumissem as vinhas e roubassem os pobres, que esmagassem o povo, moendo a face dos pobres (3.14,15). Miquéias denunciou aqueles que exploravam os pobres e se apropriavam da porção da herança de um homem simplesmente por terem o poder econômico para fazê-lo (Mq 2.1,2). Elias condenou a ação de Acabe e Jezabel (1 Rs 21.17-24) quando conspiraram para matar Nabote e confiscar sua vinha, a qual ele havia se recusado a vender, tentando aderir à antiga tradição da inalienabilidade de sua herança (21.1-15).

A legislação mosaica, de forma ideal, teria estabelecido uma sociedade de livres agropecuaristas, possuidores de terra, que não estariam sujeitos a ninguém, além do Senhor que lhes teria concedido a terra. A monarquia viu o abandono deste ideal e a assimilação dos costumes cananeus da posse da terra, que permitiam a alienação permanente da propriedade e o crescimento de uma aristocracia da terra.

O texto em Neemias 5 mostra que houve um breve esforço na era pós-exílica para reverter a tendência e voltar às antigas tradições, mas o esforço foi evidentemente eficaz apenas por pouco tempo. A agricultura de arrendamento era desconhecida de Israel nos tempos do AT. Mateus (21.33-41) faz a primeira referência ao aluguel de terras na parábola proferida pelo Senhor Jesus sobre a vinha e seus arrendatários maus.

*Veja* Agricultura; Festividades; Jubileu; Herança.

***Bibliografia***. "Property, Land, and Its Conveyance", CornPBE, pp. 607-610. Roland de Vaux, *Ancient Israel*, trad. por John McHugh, Nova York. McGraw-Hill, 1961, pp. 68-74, 164-177.

S. H. B.

**TERRA PROMETIDA** *Veja* Canaã; Josué, Livro de.

Vista dos limites dos campos dos Pastores, Belém. HFV

**TERRA SECA** Palavra hebraica, usada em Isaías 35.7, parecida com a palavra árabe que significa miragem. Ela retrata uma terra tão queimada pelo calor do sol que se produz o efeito ondulante de uma miragem. Isaías usou um admirável contraste, retirado do fenômeno do deserto, para apresentar sua confiança no dia em que os ideais da justiça e da paz, que são agora apenas esperanças vislumbradas, iriam chegar em uma era dourada e se tornariam realidades plenamente satisfatórias.

**TERRAÇO** O termo heb. *m[e]silla* aparece no plural em 2 Crônicas 9.11 e é traduzido em algumas versões como "terraços", e em outras como "degraus", o que está de acordo com a leitura tradicional. A palavra é normalmente traduzida como "estrada" em 20 de suas 28 ocorrências, mas a nuança precisa de seu uso em 2 Crônicas 9.11 é ilusória. O termo heb. da passagem paralela em 1 Reis 10.12 é *mis'ad*, "escorar" ou "apoiar", e é traduzido como "pilares" na versão KJV em inglês, e como balaústres e corrimãos em outras versões. Mas aqui ela aparece no singular. Duas coisas são evidentes: o objeto era feito de uma madeira cara, de ébano odorífero, e representava as idéias de apoio e elevação. Assim sendo, parece que a melhor tradução deste termo é "balaústre" (Moffatt) ou "gradil" (Rudolph), pois estas palavras incluem as duas idéias (Anchor Bible, XIII, 53).

**TERREMOTO** Uma vibração da terra causada às vezes por uma rachadura em alguma rocha em seu interior, ou por algum deslocamento sob a superfície. Existem dois tipos mais importantes, o vulcânico e o tectônico. A Bíblia menciona alguns. Por exemplo: (1) quando a lei foi dada pelo Senhor no monte Sinai (Êx 19.18; Hb 12.26); (2) quando a terra "tragou" Corá, Datã, e Abirão (Nm 16.31,32); (3) quando Jônatas atacou a guarnição dos filisteus em Gibeá (1 Sm 14.15); (4) quando Elias estava no monte Horebe (1 Rs 19.11); (5) quando Uzias era o rei de Judá (Am 1.1; Zc 14.5); (6) quando Jesus morreu (Mt 27.51) e ressuscitou dos mortos (Mt 28.2); (7) quando Paulo e Silas foram presos em Filipos (At 16.26). Às vezes, os terremotos estão associados ao juízo divino (Ap 6.12; 8.5; 11.13,19). Eles precederão a segunda vinda do Senhor (Mt 24.7). O maior terremoto de todos os tempos ainda está por vir (Ap 16.18).

**TERROR** Vários termos hebraicos e seus sinônimos gregos, como *phobos*, são usados para expressar o conceito de terror, medo, receio, consternação, ou susto. Os termos mais importantes do AT são *hittit*, "terror", que ocorre somente em Ezequiel e geralmente se refere ao terror causado pelas grandes nações e reis pagãos (Ez 26.17; 32.27). O termo heb. *'ema* freqüentemente significa o terror ou o espanto que são inspirados pelos inimigos humanos (Js 2.9; Is 33.18), ou por Deus: "...e não me espante o teu terror" (Jó 13.21; cf. Êx 15.16; 23.27; Sl 88.15), ou se refere, de forma figurada, a ídolos (lit., "terrores", ou seja, coisas aterradoras, Jeremias 50.38). O termo *ballaha* expressa figurativamente a idéia da morte, "sentem os pavores da sombra da morte: "(Jó 24.17; cf. 18.14), ou da destruição, como quando a ruína de Tiro foi profetizada: "Farei de ti um grande espanto" (isto é, uma desolação, Ez 26.21). O temor, no sentido de reverência ou respeito santo para com Deus, é expresso pelo termo *yir'a* (por exemplo, Gênesis 20.11; Sl 2.11; 5.7; Pv 1.7). No NT, o termo grego *phobos* é traduzido três vezes como "terror": (1) em Romanos 13.3, "Porque os magistrados não são terror para as boas obras"; (2) em 2 Coríntios 5.11, falando do temor que o cristão tem em relação ao Senhor devido ao juízo vindouro; e (3) em 1 Pedro 3.14, exortando os crentes a não terem medo do terror ou da intimidação de seus perseguidores. *Veja* Medo.

H. E. Fr.

**TÉRTULO** Um orador (advogado constituído) contratado pelos membros do Sinédrio para acusar Paulo perante Félix (procurador da Judéia). *Veja* Orador. O nome, que ocorre no NT apenas em Atos 24.1,2, era comum, uma forma diminutiva grega do latim *Tertius*. Não se sabe se ele era judeu, grego ou romano. Os versículos 2 e 5, que contêm expressões traduzidas em algumas versões como "nessa nação" e "os judeus", respectivamente, podem indicar que ele não era judeu; porém os versículos 3,4 e 6 ("nós", em algumas versões) são interpretados como se ele fosse judeu (apesar de que este pronome nestes textos possa simplesmente indicar uma identificação profissional de Tértulo com os seus clientes). O final do versículo 6, "conforme a nossa lei, o *quisemos* julgar", é possivelmente o mais forte dos argumentos daqueles que defendem a opinião de que ele era judeu. Algumas versões em inglês, como a ASV, a RSV e a NASB, trazem notas a este respeito junto com o versículo 7 e parte do 8. Estas versões baseiam os seus comentários em manuscritos posteriores.

**TESOUREIRO** *Veja* Ocupações: Tesoureiro.

**TESOURO** O termo "tesouro" é a tradução de várias palavras hebraicas e gregas, das quais *'osar* e *thesauros* são as principais. Ele se refere a um acúmulo valioso de dinheiro ou outras formas de riqueza como pedras preciosas, roupas ricas, ou metais preciosos. Poderia ser o tesouro dos reis (Is 39.2), do Templo (1 Rs 14.25,26), ou de um homem rico (Lc 12.21). A palavra pode ser usada de forma figurada, onde Israel é o tesouro de Deus (Êx 19.5; Sl 135.4), ou ainda como uma referência ao tesouro celestial, que é a salvação, a virtude de uma pessoa (Mt 6.19-21; Lc 12.33), o evangelho (2 Co 4.7), ou a qualidade do coração de alguém (Lc 6.45).

Os termos gregos e hebraicos mencionados acima também podem significar o lugar onde o tesouro é guardado. Os "tesouros" que os magos abriram na presença do menino Jesus e de Maria eram provavelmente alguns porta-jóias (Mt 2.11). Tanto o Templo de Salomão como o palácio real tinham locais especiais onde eram guardados os tesouros, os vasos sagrados, e todas as coisas que eram consideradas valiosas (1 Cr 28.11-13; 2 Cr 32.27,28). O tesouro do Templo de Herodes, onde o povo trazia suas ofertas em dinheiro, ficava no Pátio das Mulheres (Mc 12.41-44; Jo 8.20). Pitom e Ramessés eram "cidades de tesouros", ou cidades onde estava armazenada a provisão para o Faraó (Êx 1.11). *Veja* Depósitos; Ocupações: Tesoureiro.

N. B. B.

**TESOURO, CIDADE DE** *Veja* Cidade do Tesouro; Cidade Armazém.

**TESSALÔNICA** Cassandro deu este nome

Um púlpito de pedra de uma igreja do século V em Tessalônica. Museu de Istambul

O templo de Saturno no Fórum romano era um dos antigos tesouros públicos romanos. HFV

à cidade em homenagem a sua esposa, que era meia irmã de Alexandre o Grande, quando agrupou as vilas da área em 315 a.C. Mas existia nas redondezas uma colonização bem mais antiga, chamada Terma (devido às fontes quentes adjacentes). As duas parecem ter continuado a existir lado a lado (Plínio refere-se a elas como se coexistissem, *Natural History*, iv.17). Mas Tessalônica finalmente absorveu o centro mais antigo.

Ela está localizada em uma posição estratégica na ponta do Golfo Termaico, aproximadamente na metade do caminho entre o Helesponto e o mar Adriático, e junto às rotas de negócios. Seu porto é excelente e, portanto, tem sido, durante séculos, o porto natural para os negócios da Macedônia. No período romano, ele sempre foi importante. Os romanos transformaram-na primeiramente na capital de uma das quatro partes da Macedônia e, quando as reorganizaram em uma única província, Tessalônica passou a ser sua capital. Pompeu fez dela sua base durante a primeira guerra civil, mas, na segunda, ela apoiou Otaviano, e sua vitória a elevou à condição de cidade livre.

Lucas conta em Atos 17.6 que seus governantes (em número de cinco ou seis) foram chamados de *politarchoi* ("magistrados da cidade" ou "autoridades"), um termo que também é encontrado em várias inscrições. A cidade era basicamente grega, embora tivesse um elemento romano no século I, e um número suficiente de judeus para ter uma sinagoga. Uma igreja estabelecida em tal centro poderia influenciar toda uma província. Paulo ministrou ali em sua segunda viagem missionária, e alcançou um sucesso considerável. Uma "grande multidão" de prosélitos do judaísmo se tornou cristã durante a estada dos apóstolos neste local (At 17.4). Mais tarde, Paulo escreveu duas epístolas àquela igreja.

Quase não há, em Tessalônica, ruínas visíveis que datam do século I. Não é possível fazer escavações, pois a cidade moderna cobre a cidade antiga. Estima-se que a popu-

A via Egnátia, principal estrada da antiga Grécia, atravessa a moderna Tessalônica sobre o mesmo leito da estrada dos tempos antigos. HFV

lação atual, de aprox. 400.000 pessoas, seja o dobro da população que havia ali no tempo do NT.

L. M.

## TESSALONICENSES, PRIMEIRA EPÍSTOLA AOS

### Data

Esta epístola foi escrita em 50 d.C. ou aproximadamente nesta data. Com a possível exceção de Gálatas, 1 Tessalonicenses foi a carta mais antiga de Paulo.

### Autenticidade

Sua autenticidade não é seriamente disputada. É possível que tenha sido escrita por Paulo (em conjunto com Silvano e Timóteo, porém todos concordam com o fato de que eles poderiam ter tido uma pequena participação na composição da carta). O livro está incluído no cânon das Sagradas Escrituras cristãs aceitas por Marcion (aprox. 140 d.C.), e no Fragmento Muratoriano. Irineu, no final do século II, o mencionou pelo nome, e depois disto foi universalmente aceito. Parece não haver razões para sua composição a não ser que seja uma genuína carta do apóstolo.

### Ocasião da Escrita

O relatório trazido por Timóteo e Silvano (At 18.5; 1 Ts 3.6) ocasionou a escrita desta epístola. Atos 16 e 17 revelam que Paulo tinha sido forçado a deixar Filipos, Tessalônica (*q.v.*) e Beréia devido à oposição dos judeus fanáticos, depois de um trabalho inicial promissor em cada uma destas cidades.
Mais tarde, em Atenas, ele não teve muito sucesso. Existe um pensamento pouco aceito de que o apóstolo tenha ido a Corinto devido à sua "fraqueza, temor, e grande tremor" (1 Co 2.3). Aqui ele estava claramente em dúvida quanto à sua missão. Mas, logo depois, Paulo recebeu notícias de Silas e Timóteo dizendo que seus convertidos de Tessalônica continuavam firmes. Esta epístola foi escrita em meio a um grande sentimento de alívio.
A carta foi destinada a suprir as necessidades dos convertidos de Paulo, conforme revelado por seus mensageiros. Fica claro que Paulo estava sendo difamado por seus oponentes, que procuravam minar seu trabalho tentando fazer com que os seus motivos caíssem em descrédito. Por esta razão, ele utilizou este espaço para lembrar os seus leitores da maneira como os pregadores se comportaram quando estabeleceram a igreja em Tessalônica. Eles haviam trabalhado e se recusado a aceitar que os tessalonicenses lhes fornecessem seu sustento. Era importante que não se permitisse algo que viesse a prejudicar o proveito de sua pregação inicial.
Paulo também encorajou os tessalonicenses a encarar a oposição que estavam encontrando. Ele continuou a enfatizar a importância de uma vida cristã, pois era importante que não aceitassem o baixo padrão dos pagãos.
O apóstolo então passou às questões relacionadas à segunda vinda do Senhor Jesus. Parece que alguns deixaram de trabalhar para conseguir seu sustento, à espera de um breve retorno de Cristo.
Paulo solicitou que trabalhassem. Outros aparentemente pensaram que todos os cristãos permaneceriam vivos até a segunda vinda do Senhor. Quando alguns morreram, aqueles que permaneceram vivos chegaram a pensar que estes perderiam sua parte nos acontecimentos do grande dia. Paulo lhes assegurou que aqueles que morreram em Cristo ressuscitariam primeiro. O apóstolo os exortou à vigilância, e então passou às exortações de caráter geral sobre diversos aspectos da vida cristã.

### Esboço

I. A Igreja Missionária Exemplar, 1.1-10
II. O Bom Missionário, 2.1-20
III. O Amor e a Preocupação do Bom Missionário, 3.1-13
IV. Admoestações e Exortações aos Crentes, 4.1-12
V. A Vinda de Cristo para os Crentes, 4.13-18
VI. Mais Admoestações Relacionadas à Vida Cristã, 5.1-22
VII. Palavras de Encerramento, 5.23-28

***Bibliografia.*** F. F. Bruce, "The Epistles to the Thessalonians," NBC, pp.1052-1062. D. Edmond Hiebert, *The Thessalonian Epistles*, Chicago. Moody, 1971 (com uma bibliografia completa). C. F. Hogg e W. E. Vine, *The Epistles of Paul the Apostle to the Thessalonians,* reimpressão, Grand Rapids. Kregel, 1959. George Milligan, *St. Paul's Epistles to the Thessalonians*, reimpressão, Grand Rapids. Eerdmans, 1952. Leon Morris, *The Epistles of Paul to the Thessalonians*, TNTC, Grand Rapids. Eerdmans, 1957; *The First* *and Second Epistles to the Thessalonians*, NIC, Grand Rapids. Eerdmans, 1959. Alfred Plummer, *A Commentary on St. Paul's First Epistle to the Thessalonians,...Second Epistle to the Thessalonians*, Londres. Robert Scott, 1918. Charles C. Ryrie, *First and Second Thessalonians*, EBC, Chicago. Moody, 1959.

L. M.

**TESSALONICENSES, SEGUNDA EPÍSTOLA AOS** Esta carta é uma continuação de 1 Tessalonicenses. Parece que alguns aspectos dos ensinos da primeira carta não foram totalmente compreendidos, por isso Paulo escreveu novamente. O intervalo não deve ter sido longo, no máximo alguns meses, porém é mais provável que tenha sido de apenas algumas semanas.

**Ocasião**

Na maior parte da epístola, Paulo discute novamente as questões que foram levantadas na primeira epístola. A parte mais importante da epístola, depois de sua oração de abertura, fala sobre a segunda vinda de Cristo. Alguns dos tessalonicenses haviam evidentemente chegado à conclusão de que o dia do Senhor já havia acontecido (ou talvez que estivesse prestes a acontecer). Paulo lhes mostra que este dia não poderia chegar até que "o homem do pecado" (ou "da iniqüidade") fosse revelado. Ele dá informações sobre o tipo de rebelião que este homem liderará, e lembra seus convertidos de que isto ainda não poderia acontecer.

O apóstolo prossegue agradecendo pelos seus convertidos, e os encoraja a permanecer firmes. Ele os lembra da fidelidade a Deus, e a carta chega ao final com algumas exortações sobre a disciplina em temor e obediência ao Senhor. A parte mais importante desta seção lida com os desobedientes e com os desordenados, aqueles que tinham começado a se abster do trabalho devido à suposta proximidade da volta do Senhor.

**Autenticidade**

A carta é amplamente aceita como genuína. Ela foi atestada há muito tempo. Policarpo, Inácio e Justino parecem ter sabido disso. Ela faz parte do Cânon Marcionita e do Fragmento Muratoriano. É mencionada pelo nome por Irineu e por escritores posteriores. A própria carta registra que foi escrita por Paulo (2 Ts 3.17 trazendo sua assinatura). O seu estilo e sua linguagem são paulinos. No entanto, alguns estudiosos levantaram algumas questões: (1) Existe o problema da semelhança e das diferenças com 1 Tessalonicenses. Sugere-se que um homem como Paulo não teria repetido seus escritos, e que existem diferenças, por exemplo, em termos de escatologia. A inferência é que alguém estivesse deliberadamente imitando o apóstolo. Mas as semelhanças podem ser intensificadas, e, de qualquer modo, a maioria dos estudiosos sente que estas semelhanças são mais bem explicadas de uma forma natural, quando o mesmo homem escreve sobre os mesmos assuntos após um intervalo de algumas semanas. Quanto às diferenças, veja a próxima seção. (2) Alguns acreditam que a escatologia seja diferente daquela que está contida em 1 Tessalonicenses, uma vez que na segunda epístola a *parousia* acontece somente após os sinais, enquanto na primeira epístola ela é repentina. Mas esta combinação de idéias é geralmente encontrada, e esta não é uma prova de divergência de autoria. (3) Alguns alegam que o tom das duas epístolas é diferente, mas este argumento não prova nada de extraordinário, ainda que seja aceito. Não há uma razão real para se duvidar da autenticidade desta epístola.

**Esboço**

I. O Conforto Durante as Tribulações, 1.1-12
II. O Dia do Senhor e o Homem do Pecado, 2.1-12
III. Exortações e Instruções, 2.13–3.15
IV. Bênção e Palavras de Encerramento, 3.16-18

***Bibliografia.*** *Veja* Tessalonicenses, Primeira Epístola aos.

**TESTA** Este termo é usado freqüentemente em seu sentido literal. Arão e os sacerdotes depois dele usavam em suas testas uma lâmina de ouro (Êx 28.36,38). A condição da testa ajudava o sacerdote a determinar a lepra (Lv 13.42,43; 2 Cr 26.20). Davi atingiu a testa de Golias com uma pedra (1 Sm 17.49). Embora fosse proibido cortar o corpo (Lv 19.28), marcas de propriedade eram colocadas nas testas dos escravos ou devotos de uma divindade. Tal propriedade por parte de Jeová é vista em Ezequiel 9.4,6, onde a palavra "marca" é a última letra do alfabeto

Antigos muros de Tessalônica

heb. (que nos tempos antigos tinha a forma de uma cruz). No NT, as testas dos justos (Ap 7.3; 9.4; 14.1; 22.4) e as dos seguidores pecadores de Satanás (Ap 13.16,17; 14.9; 17.5; 20.4) estão marcadas. Em Ezequiel 16.12, algumas versões mencionam a jóia como uma argola usada no nariz, enquanto outras mencionam um ornamento na testa. De forma figurada, a testa é usada como um símbolo de obstinação (Ez 3.7-9) e vergonha (Jr 3.3).

E. C. J.

**TESTAMENTO** O substantivo grego *diatheke* é traduzido como "testamento" 13 vezes no NT, apesar de que em algumas passagens ele também é traduzido como "aliança". O substantivo em si é a tradução que a Septuaginta traz do termo hebraico *b*[e]*rit*, significando a obrigação auto-imposta por Deus à reconciliação dos pecadores consigo mesmo (Gn 17.7; Dt 7.6-8; Sl 89.3,4). A Septuaginta evitou aqui o termo grego comum para aliança, *syntheke* ("colocar junto" de forma mútua), como impróprio para a atividade soberana de Deus, e substituiu por *diatheke* (um arranjo, lit., "levar a cabo"), cujo sentido principal é "uma disposição de propriedade por meio de um testamento". O termo parece ter sido providencialmente escolhido, porque a salvação historicamente vem de uma forma específica de aliança, a saber, por um legado. "Porque, onde há testamento, necessário é que intervenha a morte do testador" (Hb 9.16); e só a morte de Cristo trouxe a redenção, tanto para nós como para as "transgressões que havia debaixo do primeiro testamento" (Hb 9.15; cf. Hb 11.40; Jo 14.6; J. B. Payne, *Theology of the Older Testament*, pp. 78-87).

O testamento constitui, deste modo, o âmago da revelação redentora de Deus, e a Escritura consiste do "Antigo Testamento" e do "Novo testamento". Se por um lado pode haver somente um testamento (uma morte: "o sangue do Novo Testamento", Mateus 26.28, de acordo com os melhores manuscritos), por outro a revelação ainda se organiza sob o testamento mais antigo, com seus símbolos antecipatórios do sacrifício de Cristo (2 Co 3.14; Jr 31.32), e sob o testamento mais novo, que comemora o cumprimento da expiação (2 Cor 3.6; Jr 31.31).

A estrutura testamentária de Deus contém os seguintes elementos: um testador, Deus o Filho, o "Mediador" (Hb 9.15); herdeiros, "os chamados" (9.15); um método objetivo de efetuação, ou seja, uma herança de graça (9.16); as condições subjetivas pelas quais os herdeiros se qualificam para a herança, pelo comprometimento com Cristo (9.28); e uma herança de reconciliação, a "salvação eterna" (9.15,28).

Sua efetuação objetiva é sempre marcada por: monergismo, "um realizador", Deus exercendo sua pura graça (Gn 15.17; Êx 19.4; Jr 31.2,3), sem o auxílio das obras do homem (Ef 2.8,9); a morte do testador (Êx 24.8; Hb 9.18-22); a promessa, "E eu serei seu Deus, e eles serão o meu povo" (Gn 17.7 até Ap 21.3); a eternidade (Sl 105.8-10; cf. Lv 2.13, "o sal [preservação eterna] do testamento"); e um sinal confirmatório, como o arco-íris para Noé (Gn 9.12,13), o êxodo para Moisés (Êx 20.2), ou a ressurreição de Cristo para nós (Rm 1.4). A apropriação subjetiva do testamento é da mesma forma marcada por características imutáveis da resposta humana: fé (Gn 15.6; Dt 6.5; Hb 11.6) e obediência, tanto moral (Gn 17.1; Mt 7.24; Ef 2.10) quanto cerimonial (Gn 17.10-14; At 22.16; 1 Co 11.24); pois a fé genuína deve ser demonstrada por meio de obras (Tg 2.14-26).

Por outro lado, as revelações que Deus concedeu sobre seu testamento também exibem uma progressão histórica (testamentos, plural, Romanos 9.4. Algumas versões trazem os termos concertos e alianças). Sob o testamento mais antigo, aparece o testamento do Éden (Gn 3.15), o de Noé (9.9), o de Abraão (15.18), o do Sinai (Êx 19.5,6), o Levítico (Nm 25.12,13), e o de Davi (2 Sm 23.5). Cada um deles antecipou a mesma morte redentora; mas as diferenças aparecem, particularmente, na resposta cerimonial de cada um. Até mesmo o nosso testamento mais recente exibe desse modo dois estágios: o novo testamento em Cristo, no presente (Jr 31.33,34; Hb 8.6-13), e sua cerimônia, a Ceia, exibindo "a morte do Senhor, *até que ele venha*" (1 Co 11.26). As Escrituras também falam de um testamento futuro de paz entre todas as nações (Ez 34.25-31), quando a comunhão espiritual com Cristo se tornará uma realidade desfrutada "face a face" (Ez 37.27; 39.29).

***Bibliografia***. Meredith G. Kline, "Dynastic Covenant", WTJ, XXIII (1960), 1-15, John Murray, *The Covenant of Grace*, Londres. Tyndale Press, 1954.

J. B. P.

**TESTEIRAS** Foi dito a Israel que a grande redenção realizada por Deus a seu favor no Egito, e a palavra de Deus que lhes fora revelada por Moisés, deveriam ser colocadas em seus corações e almas. Nunca deveriam ser esquecidas, mas deveriam estar sempre diante deles, como "testeiras", isto é, uma faixa ou fita sobre a cabeça e entre os olhos (Êx 13.16; Dt 6.8; 11.18; a tradução JerusB traz o termo "diadema"). Posteriormente, esta representação simbólica foi tomada literalmente pelos judeus. Faixas de pergaminho ou de papiro eram inscritas com passagens das Escrituras, colocadas em uma pequena caixa de couro e amarradas com correias à testa (Mt 23.5). *Veja* Filactérios. Devido a esta observação literal e exterior, a grande necessidade e obrigação espiritual era negligenciada, e a Palavra de Deus perdeu seu lugar próprio no coração de Israel. *Veja* Vestuário.

**TESTEMUNHA** Aquele que dá seu testemunho às ações e palavras de outro(s) e a eventos, até mesmo tornando-se um mártir.
*A visão bíblica.* De acordo com a visão bíblica, os escritores das Escrituras fizeram seus registros sob a direção do Espírito Santo, para que seus escritos originais fossem infalíveis tanto em palavras como em ações. Como testemunhas verdadeiras, eles registraram as próprias palavras de Deus.
*A visão neo-ortodoxa.* Os modernistas, e os estudiosos neo-ortodoxos em particular, vêm os escritos da Bíblia como um mero testemunho da experiência da revelação na vida dos personagens e escritores bíblicos. Insistindo que Deus não possui tempo e espaço, e que a verdade com Ele é contemporânea – isto é, passado, presente e futuro são um agora eterno homogêneo – eles não podem admitir a comunicação direta entre Deus e o homem em nenhuma forma verbalizada. Eles, portanto, rejeitam toda revelação proposicional, isto é, a revelação da verdade na forma de afirmações ou proposições verbalizadas. Quando esta opinião é adotada, o testemunho do homem só pode ser a uma experiência inefável, inexprimível e subjetiva. Isto faz com que se torne impossível aceitar as palavras, "Assim disse o Senhor", em qualquer sentido real ou literal.
*Diferentes tipos de testemunhas*
1. Coisas podem ser testemunhas, tais como a presença de um monte de pedras (Gn 31.44-52), uma pedra em particular que "ouviu" Deus falar (Js 24.27), um altar erigido na fronteira do Egito (Is 19.19,20), uma testemunha literária tal como um cântico (Dt 31.19-21; Sl 78), ou a lei de Deus (Dt 31.26).
2. Uma testemunha no Tabernáculo, que testifica da presença de Deus (Nm 17.7,8; 2 Cr 24.6). A palavra para testemunha (*'edut*) é geralmente traduzida como "testemunho", e se refere (por exemplo, Êx 25.16; 31.18) às duas tábuas de pedra do decálogo, o testemunho escrito da aliança entre o Senhor e Israel.
3. Pessoas são testemunhas. O testemunho de duas ou mais pessoas era exigido em procedimentos legais (Dt 19.15; Mt 18.16; 2 Co 13.1; 1 Tm 5.19; Hb 10.28), e na transferência de propriedade (Jr 32.6-25,44; cf. Rt 4.9-11).
4. Pessoas como testemunhas de Deus (Is 43.10,12; 44.8; Lc 24.48; Jo 1.7; 5.31-35; At 1.8). As testemunhas mais importantes do NT foram os apóstolos (Jo 15.27; At 1.21,22; 3.15; 5.32; 1 Ts 2.10; 1 Pe 5.1; 1 Jo 1.2), e particularmente Paulo (At 22.15; 26.16). Todos os crentes também devem ser testemunhas do Senhor (At 1.8; 13.31; Mt 28.19,20). *Veja* Comissão, A Grande; Evangelista; Mártir.
5. O Espírito Santo dá um testemunho interior ao cristão de que ele é um filho de Deus (Rm 8.16; 1 Jo 3.24; 4.13; 5.10). *Veja* Testemunho do Espírito. O Espírito dá continuamente testemunho de Cristo nesta era presente (Jo 15.26; 1 Jo 5.6,8). Isto ocorre freqüentemente através da Palavra (Hb 10.15-17). Além disso, ele pode testemunhar por meio dos dons espirituais (cf. At 4.31,33; 20.23; Hb 2.4). Veja Bernard Ramm, *The Witness of the Spirit*, Grand Rapids. Eerdmans, 1960.
*Testemunho verdadeiro e falso.* Dar um falso testemunho era uma atitude condenada no AT (Êx 20.16; 23.1; Dt 5.20), e deveria ser punida com a mesma punição do crime em relação ao qual o testemunho foi dado (Dt 19.16-19; cf. Pv 14.5).

***Bibliografia.*** R. Kenneth Strachan, *The Inescapable Calling*, Grand Rapids. Eerdmans, 1968. H. Strathmann, "*Martys* etc"., TDNT, IV, 474-514.

R. A. K.

**TESTEMUNHO DO ESPÍRITO** O texto chave para este assunto é Romanos 8.15,16. É sugerida a tradução a seguir: "Pelo fato de clamarmos 'Pai' em um idioma familiar [lit., 'Aba, Pai], o próprio Espírito dá testemunho com o nosso espírito de que somos filhos de Deus" (sugerido na margem da obra de Nestle).
É um fato observável que, em oração, uma pessoa novamente nascida fala com Deus não como a um Juiz, cujas penalidades são as sanções da lei, mas como a seu Pai, em cujo amor misericordioso ela confia. Se um filho de Deus se encontra em pecado, seu pensamento não é "Estou sujeito à penalidade", mas "Ofendi a meu Pai!" O fato de que espontaneamente clamamos a Deus como ao nosso Pai é a evidência do Espírito Santo de que somos filhos de Deus.
O mesmo ensino é trazido em Gálatas 4.6, "E, porque sois filhos, Deus enviou aos nossos corações o Espírito de seu Filho, que clama. Aba, Pai!" (trad. orig.).
João apresenta o mesmo pensamento com palavras diferentes: "Quem crê no Filho de Deus em si mesmo tem o testemunho" (1 Jo 5.10*a*). A natureza deste testemunho é revelada nos versículos anteriores: "O Espírito é o que testifica, porque o Espírito é a verdade" (v.6).
O simbolismo da água e do sangue não envolve testemunhos separados, porque os três são um (v.7). O Espírito não dá testemunho em um vácuo, nem meramente em nossa experiência subjetiva, mas em fatos históricos e símbolos espirituais exteriores (água e sangue). No entanto, é o testemunho interior do Espírito em nossos corações que torna significativas essas questões históricas exteriores.
Este testemunho do Espírito é a "unção" citada em 1 João 2.20,21,27 (cf. Jo 16.13). Uma palavra de advertência é necessária na leitura dessas promessas. Não recebemos a onisciência, mas recebemos *a* verdade. Por exemplo, 1 João 2.20,21 não diz "conheceis todas as coisas" (*panta*), mas diz "todos (*pantes*) tendes conhecimento... da verdade".

O "entendimento" que nos foi dado (1 Jo 5.20) vem deste mesmo testemunho do Espírito. "Sabemos que o Filho de Deus é vindo e nos tem dado entendimento [discernimento] para conhecermos o verdadeiro" (conforme a versão NASB em inglês).
O testemunho do Espírito é expresso nas Escrituras. As palavras "E também o Espírito Santo no-lo testifica..." (Hb 10.15) introduzem uma citação do AT, e a frase "diz o Espírito Santo..." é usada de forma semelhante (Hb 3.7). O testemunho do Espírito na Palavra foi enfatizado pelos religiosos de Westminster em 1646: "Nossa... certeza da verdade infalível [da Bíblia]... é proveniente da obra interior do Espírito Santo que dá testemunho pela Palavra e com a Palavra em nossos corações". E mais, "O Supremo Juiz... não pode ser outro além do Espírito Santo falando nas Escrituras" (*Confession* I.V, X).
O Espírito Santo não só dá testemunho nos corações dos filhos de Deus, mas a presença manifesta do Espírito é um testemunho da sua fé genuína. A citação de que pela fé os antigos "alcançaram testemunho", literalmente significa "eles foram atestados por meio do testemunho" (Hb 11.2,39). O Espírito Santo na vida dos filhos de Deus dá "fruto" (Gl 5.22,23), e constitui um "selo", ou evidência, ou atestado da nossa regeneração (Ef 1.13; 4.30; 2 Co 1.22). *Veja* Espírito Santo.

***Bibliografia.*** Bernard Ramm, *The Witness of the Spirit*, Grand Rapids. Eerdmans, 1959.

J. O. B.

**TETH** A nona letra do alfabeto hebraico que pode ser considerada como um som explosivo palatal, de forma geral com um som de *t*, porém com uma articulação mais firme e produzida pressionando a língua contra o céu da boca. Ela consta em várias versões como o cabeçalho de um trecho do Salmo 119 (versículos 65-72).

**TETO** *Veja* Arquitetura: Casas Particulares.

**TETRARCA** É originalmente o governante de um quarto de uma região. O termo pode ser usado neste sentido para Herodes Antipas, o tetrarca da Galiléia (Mt 14.1; Lc 3.1,19; 9.7; At 13.1), e para Herodes Filipe, tetrarca da Ituréia e Traconites (Lc 3.1), ambos filhos de Herodes o Grande; cada um deles herdou um quarto do reino de seu pai (Josefo, *Ant.* xvii.11.4; *Wars* ii.6.3). O título passou a ser livremente empregado para qualquer governante de distritos pequenos. Por exemplo, o distrito de Lisânias, o tetrarca de Abilene (Lc 3.1). No entanto, o título "Tetrarca" pode também ter sido aplicado a Antipas (também intitulado "rei" em Mateus 14.9; Marcos 6.14) em um sentido geral, pelo fato de seus pais terem recebido o mesmo título (Josefo, *Wars* i.12.5). Um terceiro irmão, Arquelau, para o qual foram designadas a Judéia, a Samaria e a Iduméia, recebeu o título superior de "Etnarca". *Veja* Herodes.

**TEUDAS** O líder de uma insurreição mal sucedida contra os romanos. Ele é citado junto com Judas, o galileu, outro revolucionário, no discurso de Gamaliel registrado em Atos 5.36, no qual este pede que o Sinédrio deixe o movimento cristão em paz.
Josefo (*Ant.* xx.5.1) também menciona um certo Teudas, um charlatão que liderou uma revolta fingindo ser capaz de separar a Jordânia, mas foi decapitado por Fado. Se o Teudas de Atos e o Teudas de Josefo são a mesma pessoa, alguns poderão acusar Lucas de ser culpado por um anacronismo. Uma vez que a revolta liderada por Judas – a quem Lucas posiciona em uma data posterior a Teudas – aconteceu em 6 d.C., o discurso de Gamaliel entre 30 e 37 d.C., e a procuradoria de Fado entre 44 e 46 d.C., parece que Lucas estaria fazendo com que Gamaliel dissesse algo que só aconteceria mais tarde; alguns ainda poderiam dizer que ele estaria invertendo a ordem das duas revoltas, e antecipando o episódio de Teudas em aprox. 40 anos.
Esta dificuldade foi percebida por Orígenes (185-254 d.C.). Blass sugeriu que um revisor teria cometido estes enganos mais tarde. Holtzmann, em 1873, sugeriu que Lucas teria lido os escritos de Josefo de forma errônea. A solução mais simples oferecida na mesma época de Orígenes é que existiram dois homens com o nome de Teudas; um mais antigo (Atos) e um mais recente (Josefo). Em um período de 40 anos, houve quatro homens chamados Simão, e em 10 anos existiram três Judas que foram líderes de insurreições. É difícil enxergar como Lucas pode ter cometido erros tão grosseiros em relação ao discurso de Gamaliel, tendo consigo um ex-aluno deste renomado rabi, o apóstolo Paulo. É também muito difícil acreditar que o livro de Atos tenha sido escrito depois da obra *Antiquities* (93 d.C.) ou que Lucas tenha dependido de Josefo, não obstante as semelhanças superficiais (cf. Theodore Zahn, *Introduction to the NT*, III, 132ss.). Finalmente, o Teudas de Josefo foi decapitado, um fato que anularia a razão da citação de Gamaliel, que mostrava que o Sinédrio *não* deveria punir os líderes cristãos.

***Bibliografia.*** W. M. Ramsay, *Was Christ Born at Bethlehem?* Nova York. Putnam's, 1898, pp. 252ss. Joseph W. Swain, "Gamaliel's Speech and Caligula's Statue", HTR, XXXVII (1944), 341-349.

E. Y.

**TEXTO DA BÍBLIA** *Veja* Manuscritos da Bíblia; Versões, Antiga e Medieval.

**TEXUGO** *Veja* Dugongo V.4.

**TIAGO** Pelo menos quatro homens mencionados no Novo Testamento têm este nome (gr. *Iakobos*, heb. *ya'aqob*, Jacó, *q.v.*). Dois estavam entre os doze apóstolos, um era meio-irmão de Jesus, e outro era o pai de Judas, um dos Doze. Provavelmente Tiago, o líder da Igreja de Jerusalém, e Tiago, o autor da epístola, tenham sido a mesma pessoa, e um dos quatro homens mencionados acima. Tiago, o menor (Mc 15.40), pode ou não ter sido um dos homens mencionados acima.

1. Um dos filhos de Zebedeu (Mt 4.21; Mc 1.19; Lc 5.10) e Salomé (cf. Mt 20.20; Mc 15.40; 16.1), e o irmão mais velho de João, o apóstolo (Tiago é quase sempre mencionado primeiro, como por exemplo em Marcos 5.37). *Veja* João, o apóstolo. Ele era um pescador, junto com seu irmão João; eles pescavam no mar da Galiléia e trabalhavam no barco de seu pai, Zebedeu (Mt 4.18-22; Mc 1.16-20). Uma vez que Zebedeu havia contratado empregados (Mc 1.20), e João era conhecido do sumo sacerdote em Jerusalém, e pôde entrar na casa deste de forma inconteste na noite da traição de Jesus (Jo 18.16), pode ser concluído que Zebedeu e seus filhos eram prósperos e tinham uma posição social privilegiada. Tiago se tornou um dos "três discípulos mais próximos", especialmente favorecidos por Cristo, aparentemente porque compreenderam de modo mais completo a pessoa e a obra de Jesus durante seu ministério (Mc 5.37; 9.2; 14.33; cf 13.33; Pedro, Tiago e João também são mencionados primeiro entre os doze, Marcos 3.16-19). O epíteto Boanerges (*q.v.*), significando "filhos do trovão" (Mc 3.17), evidentemente caracterizou Tiago e João como impetuosos e como pessoas que se ressentiam e se ofendiam com rapidez (Lc 9.54,55). Eles ofenderam os outros discípulos por quererem uma posição de chefia no reino de Jesus (Mc 10.35-41). Tiago foi o primeiro dos apóstolos a sofrer o martírio, e foi executado sob a ordem de Herodes Agripa I em aproximadamente 44 d.C. (At 12.1,2). Tiago, de forma figurada, bebeu o cálice do sofrimento que ele e João declararam tempestuosamente que eram capazes de beber (Mc 10.38,39).

2. Filho de Alfeu, um dos Doze (Mt 10.3; Mc 3.18; Lc 6.15; At 1.13). Nada mais é conhecido a seu respeito. Levi (Mateus) também era conhecido como filho de Alfeu (Mc 2.14), de forma que Tiago e Mateus podem ter sido irmãos.

3. O autor da Epístola de Tiago se identifica somente como "Tiago, servo de Deus e do Senhor Jesus Cristo" (Tg 1.1). Ele não poderia ser filho de Zebedeu e irmão de João (Mt 4.21; 10.2) porque tal Tiago havia sido martirizado antes da epístola ter sido escrita (At 12.2). Isto faz com que Tiago, que presidia sobre a Igreja de Jerusalém, seja sem dúvida o autor (At 15.13).

O fato de ele ser chamado de "Tiago, irmão do Senhor" (Gl 1.19), torna indefensável o ponto de vista de que ele era o filho de Alfeu (Mt 10.3). O Salmo 69.8 deixa claro que a mãe do Senhor Jesus teve outros filhos após o nascimento virginal, e um destes se chamava Tiago (Mt 13.55; Mc 6.3).

Os itens biográficos relativos a Tiago são ricos no Novo Testamento, embora não haja nenhum destes na epístola em si. Presume-se a partir de 1 Coríntios 9.5 que ele era um homem casado. Ele não era um dos doze (Mt 10.2-4). Não era crente no início (Jo 7.5), e mais tarde provavelmente tenha sido incluído, como um dos irmãos de Jesus, junto com aqueles que esperavam pelo Pentecostes no cenáculo (At 1.13,14). (Esta passagem faz uma distinção entre o Tiago que era irmão do Senhor Jesus, e os dois apóstolos, Tiago e Tiago filho de Alfeu.) O Salvador ressurrecto apareceu para ele pessoalmente após sua primeira aparição para os doze (1 Co 15.5,7). Em sua capacidade como líder do conselho dos apóstolos e anciãos de Jerusalém, Tiago anunciou seu julgamento (que demonstrava autoridade) quando a discussão havia terminado (At 15.13,19). Há uma coincidência não intencional no fato de que, quando a decisão de Tiago foi enviada por meio de uma carta do conselho, ele usou a palavra grega traduzida como "saudações" ou "saúde" ao cumprimentar os destinatários (At 15.23). Esta forma de saudação só aparece em uma epístola do Novo Testamento, a saber, na saudação contida em Tiago 1.1.

Pedro, depois de ser milagrosamente libertado da prisão, instruiu os familiares de João Marcos a reportarem o evento a Tiago (At 12.17). Paulo reconheceu "Tiago, Cefas e João" como as colunas da Igreja em Jerusalém (Gl 2.9). Obviamente, Tiago era o líder, porque os representantes que vinham daquela igreja para Antioquia diziam ter sido enviados por Tiago (Gl 2.12). Em Atos 21.18,19, Paulo relatou a Tiago as coisas que Deus havia feito em meio aos gentios durante sua terceira viagem missionária.

A tradição descreve Tiago como sendo muito zeloso em relação à lei, combinando a inte-

Túmulo tradicional de São Tiago (ao centro em primeiro plano) no vale de Cedrom, Jerusalém

gridade do Antigo Testamento com a fé evangélica. É dito que ele se absteve das bebidas fortes e parou de cortar seu cabelo, como um nazireu (*q.v.*). Como um homem de grande virtude, ele era chamado de "Tiago o Justo". Por ter passado tanto tempo em oração, ele era descrito como tendo a pele dos joelhos "dura como a dos camelos". Sua epístola revela que ele falava com ar de autoridade patriarcal, porque as suas páginas são repletas de advertências rigorosas e severas; além disso, Tiago era fervoroso de espírito. *Veja* Tiago, Epístola de.

A morte de Tiago é mencionada por Josefo (*Ant.* xx. 9.1), e é descrita por Hegesippus (Eusébio II.23), um cristão judeu que escreveu na metade do segundo século. Algum tempo antes da destruição de Jerusalém em 70 d.C., os fariseus o expulsaram do Templo, o apedrejaram e então o espancaram com uma clava por ter testemunhado de modo fiel a favor de seu Salvador. Diz-se que ele morreu orando da seguinte maneira: "Pai, perdoa-lhes, pois não sabem o que fazem".

4. O pai de Judas (não o Iscariotes), que era um dos Doze (Lc 6.16).

5. Tiago, o Menor (Mc 15.40; menor em estatura ou em idade), é mencionado como filho de uma certa Maria (*veja* Maria 3) e irmão de José (também Mt 27.56; Lc 24.10). Tiago, irmão de nosso Senhor, também tinha um irmão chamado José (Mc 6.3; Mt 13.55), portanto este Tiago poderia ser a mesma pessoa mencionada no item 3 acima. Mas pareceria estranho que Maria, mãe de Jesus, fosse identificada apenas como a mãe de Tiago e de José no momento em que estava perto da cruz, especialmente pelo fato de Cristo ter falado diretamente com ela, e pedido ao discípulo amado que cuidasse dela (Jo 19.25-27). Alguns identificaram Tiago, o menor, com o Tiago filho de Alfeu, mencionado no item 2 acima; de qualquer forma, não há provas disso.

S. M. C.

**TIAGO, EPÍSTOLA DE** Esta é a mais antiga das epístolas do Novo Testamento, e é a primeira entre as Epístolas Gerais. Eusébio colocou Tiago e Judas no quarto século, possivelmente devido a seu conteúdo geral ou a seu público leitor.

*Autor.* O escritor desta epístola é geralmente considerado como sendo Tiago, irmão de nosso Senhor (*veja* Tiago 3). Uma vez que Tiago é Jacó no texto original, esta pode ser chamada de Epístola de Jacó às doze tribos (1.1).

*Tema.* O livro trata da fé demonstrada, provada e aperfeiçoada pelas obras. Esta tem sido chamada de epístola do viver santo, do cristianismo prático, da ética cristã e da cristandade de uma forma geral.

*Estilo.* O estilo é elegante, vívido, abundante em aforismos, e antitético. Uma vez que muitos pensamentos são agrupados em curtas expressões proverbiais, esta epístola é considerada como os Provérbios do Novo Testamento. As imagens utilizadas por Tiago são extraídas da natureza, ao contrário de Paulo, que as extrai das atividades humanas. Alguns dos termos usados descrevem de forma adequada o local onde o autor vivia (1.6), com fontes de água salgada (3.12); um lugar onde havia oliveiras, videiras e figueiras (3.12); sol quente e seca (1.11); chuva temporã e serôdia (5.7); um local onde havia sinagogas (2.2). Há um uso duplo incomum das palavras (cf. paciência, perfeito, 1.3,4), e um contraste de declarações positivas e negativas (cf. "perfeitos e completos, sem faltar em coisa alguma", 1.4).

*Características.* Tiago inicia e termina abruptamente, omitindo assim os dados autobiográficos como Paulo faz; contém mais referências à natureza do que as epístolas de Paulo, e mais paralelos aos discursos de Cristo do que qualquer outra parte do Novo Testamento. Há surpreendentes semelhanças com o Sermão da Montanha, cf. Mateus 5.34-37; 6.19; 7.1 com Tiago 5.12; 5.2; 4.11,12. O estilo de Tiago é mais semelhante ao de Pedro do que ao de Paulo. Para as semelhanças de 1 Pedro compare 1 Pedro 1.7; 1.24; 1.23; 2.11; 5.5,6 com Tiago 1.3,11,18; 4.1; 4.6-10.

Tiago não contém nenhuma bênção apostólica, talvez porque condene severamente os leitores não-cristãos (4.4; 5.1-6). Embora tenha sido criticado pela falta do uso de termos do Novo Testamento como evangelho, redenção, encarnação, ressurreição, ascensão, ele fala do Senhor Jesus Cristo (1.1; 2.1), do novo nascimento (1.18), da fé (2.14-26), e da volta do Senhor (5.7-8). Sua epístola é claramente endereçada aos judeus (1.1; 2.1,21), trazendo ao leitor a lembrança do Evangelho de Mateus, que é considerado o evangelho "judeu". Tiago é, às vezes, chamado de "judeu", mas revela uma notável ausência de elementos judaicos que foram suprimidos em Cristo: os sacrifícios, a circuncisão, o sacerdócio, os dias de festas e a guarda do sábado. Em contraste, ele fala de mestres e anciãos na igreja (3.1; 5.14).

*Esboço.* É difícil fazer um esboço devido a uma aparente falta de ordem lógica. Todavia, a estrutura é claramente evidente.

1. Os Crentes e as Circunstâncias Exteriores, 1.1-12
2. Os Crentes e os Desejos Interiores, 1.13-16
3. Os Crentes e a Palavra de Deus, 1.17-27
4. Os Crentes e os Seus Vizinhos, 2.1-13
5. A Fé e as Obras do Crente, 2.14-26
6. A Língua do Crente, 3.1-12
7. A Sabedoria que Vem do Céu, 3.13-18
8. O Mundo, a Carne e o Diabo, 4.1-7
9. Deus e Sua Lei, 4.8-17
10. Os Últimos Dias, 5.1-9
11. A Paciência e a Oração em meio às Provações, 5.10-20

Tiago começa e termina sua epístola com

uma discussão sobre as provações, a paciência e a oração da fé. Certas palavras ocorrem com aproximadamente a mesma intensidade em relação às finalidades da epístola (cf. Escrituras, riqueza, adultério, língua). O âmago da Epístola de Tiago é sua notável declaração em 3.2, que diz que um homem perfeito é aquele que pode controlar sua língua. Assim como um antigo médico de família diagnostica uma doença fazendo com que o paciente coloque a língua para fora, Tiago diagnostica as enfermidades espirituais examinando a língua e as suas manifestações. Este é o tema mais proeminente da epístola. *Ensinos proeminentes*. Oração: pedindo sabedoria (1.5-7), não respondidas (4.2,3), de fé (5.13-18). Palavra: gerados pela Palavra (1.18), recebendo a Palavra (1.21), obedecendo a Palavra (1.25). Três testes de religião: domínio próprio, amor, pureza (1.26,27). As provações trazem a perfeição no presente (1.1-4), a coroa na vida porvir (1.12). Como fazer com que o Diabo se afaste, e Deus se aproxime (4.7,8). Uma definição de pecado (4.17). A acusação de que Tiago 2.24 contradiz Romanos 3.28 cai diante do fato de que Tiago refere-se à justificação diante dos homens (2.18), enquanto Paulo refere-se à justificação diante de Deus (Rm 4.2). Tiago censura aquela fé que um homem pode *dizer* que possui, enquanto faltam, porém, as obras para demonstrar que ela é genuína (2.20).

***Bibliografia.*** F. J. A. Hort, *The Epistle of St. James 1.1-4.7*, Londres. Macmillian, 1909. Richard J. Knowling, The Epistle of St. James, WC, 2ª ed., Londres. Methuen, 1910. José B. Mayor, *The Epistle of St. James*, 3ª ed., Londres. Macmillan 1913. C. L. Mitton, *The Epistle of James*, Grand Rapids. Eerdmans, 1966. James H. Ropes, *The Epistle of James*, ICC, Nova York. Scribner's. 1916. Alexander Ross, *The Epistles of James and John*, NIC, Grand Rapids. Eerdmans, 1954. M. H. Shepherd, Jr, "The Epistle of James and the Gospel of Matthew", JBL, LXXV (1956), 40-51. R. V. G. Tasker, *The General Epistle of James*, TNTC, Grand Rapids. Eerdmans, 1956.

S. M. C.

**TIARA**

1. Tradução de faixas ou cintas em volta da cintura (Is 3.20). A mesma palavra (*qishshurim*) é traduzida como "enfeite" em Jeremias 2.32.
2. Em Isaías 3.18, este termo é traduzido como toucas ou redezinhas. Provavelmente se tratasse de um ornamento de ouro ou prata para os cabelos.

*Veja* Vestuário.

**TIATIRA** A cidade de Tiatira estava localizada a 83 quilômetros a nordeste de Esmirna, em uma estrada principal que ligava os vales dos rios Caicus e Hermus. Era uma grande

Antigas ruínas de Tiatira. Robert Cooley

cidade comercial que alcançou sua proeminência em aprox. 100 d.C. Existem provas de que ali existiu um grande número de corporações comerciais, maior do que em qualquer outra cidade da Ásia. Lídia, uma vendedora de púrpura de Tiatira, provavelmente representava sua corporação em Filipos (At 16.14). A púrpura que ela vendia talvez fosse feita nessa região, que também produzia a conhecida tinta vermelha da Turquia, obtida da raiz de uma planta chamada garança. É possível que essa cidade tenha sido evangelizada a partir de Éfeso. João se dirigiu à igreja que ali estava (Ap 2.18-29), censurando-a por sua demasiada conformidade com as práticas e costumes pagãos daquela época.

**TIBATE** Cidade de Hadadezer, do poderoso rei arameu de Zobá, que foi conquistada por Davi e da qual ele retirou muito bronze (1 Cr 18.8). A passagem paralela em 2 Samuel 8.8 chama essa cidade de Betá, sem dúvida uma variação de Tibate (cf. LXX *Metebac*). Tibate foi identificada com a cidade de Tubihi, mencionada nas cartas Tell el-Amarna, e com a cidade egípcia *d-b-h* (ANET, p.477), e devia estar localizada em algum lugar do vale entre as montanhas do Líbano e do Anti-Líbano. Alguns estudiosos sugerem que o nome dessa cidade deveria ser Teba (*q.v.*), de acordo com Gênesis 22.24.

**TIBERÍADES** A cidade de Tiberíades se encontra na margem ocidental do mar da Galiléia, cerca de 20 quilômetros ao sul do ponto onde o rio Jordão desemboca no mar. Sua localização, a mais de 220 metros abaixo do nível do mar, é capaz de proporcionar um agradável clima no inverno que, no entanto, torna-se bastante desagradável no verão. Na época do AT, a cidade de Racate estava situada nesse local, e ela foi uma das cidades muradas destinadas à tribo de Naftali (Js 19.35). No ano 20 d.C. (talvez 18 d.C.), Herodes Antipas (*q.v.*) deu início à construção de uma nova cidade à qual deu o nome do imperador reinante, Tibério (14-37 d.C.). Herodes fez de Tiberíades sua capital para a administração de Galiléia e Peréia, e esse nome também foi dado ao mar (da Galiléia,

Tiberíades e o mar da Galiléia. ISS

Jo 6.1; 21.1). Apesar de sua importância, ela é mencionada apenas uma vez no NT (Jo 6.23). Aparentemente, ela não recebeu a visita do Senhor Jesus Cristo durante seu ministério, e isso talvez se deva ao fato de Herodes ter precisado remover muitos túmulos para abrir espaço para a nova cidade. Portanto, os judeus mais rigorosos evitavam ir até lá. Depois da destruição de Jerusalém no ano 70 d.C., Tiberíades se transformou em um centro de ensino rabínico, onde o Mishna foi terminado em aprox. 200 d.C., e o Talmude de Jerusalém por volta do ano 400. Foi também o lugar onde se originou o sistema de marcação das vogais e, mais tarde, a escrita hebraica pontuada dos massoretas. Destruída durante as Cruzadas do século XII d.C., a cidade foi reconstruída no século XVI. Destruída por um terremoto em 1837, ela foi novamente reconstruída e, atualmente, é um centro bastante próspero. Nela podem ser vistos túmulos de vários rabinos famosos, inclusive Maimonides, Yohanan Ben Zakkai, Eliezer o Grande, e Akiva.

H. F. V.

**TIBERÍADES, MAR DE** Outro nome para o mar da Galiléia (*veja* Galiléia, Mar da), como foi explicado por João em seu Evangelho (6.1; 21.1). Corresponde ao nome do imperador romano Tibério, e se originou da cidade de Tiberíades, construída por Herodes Antipas para homenagear este imperador. Seu nome moderno é *Bahr Tabariyeh*.

**TIBÉRIO** Tibério Cláudio Nero (42 a.C.– 37 d.C.) foi o segundo imperador de Roma (14-37 d.C.). Filho de Tibério Cláudio Nero e Lívia Drusila, foi adotado por César Augusto quando esse último casou-se com sua mãe. Dessa forma, o jovem Tibério tornou-se enteado de Augusto, que fez dele seu herdeiro no ano 4 d.C. Tibério ocupou o trono imperial no ano 14 d.C. Ele só é mencionado especificamente nas Escrituras em Lucas 3.1, onde está registrado que João Batista iniciou seu ministério no décimo quinto ano do reinado de Tibério. Essa nota cronológica foi muito útil para estabelecer a cronologia da vida e do ministério do Senhor Jesus. Tibério era o César mencionado na narrativa do ministério do Senhor, e foi durante seu reinado que Ele foi crucificado. Tibério nomeou Pilatos procurador da Judéia em 26 d.C., e o exonerou dessa função em 36 d.C.

Na avaliação do reinado de Tibério, feita pelo historiador Tácito, como "uma obra prima de malícia e alusões indiretas", o imperador foi totalmente condenado. Entretanto, tornou-se claro nos últimos anos que no papel de partidário dos senadores (e membro de um grupo que não mantinha boas relações com o imperador), Tácito exagerou na ênfase dada aos erros de Tibério e, atualmente, esse imperador é considerado um governador consciente, muito prudente em seus gastos, e excelente na administração civil e imperial.

H. F. V.

**TIBNI** Filho de Ginate e um dos três pretendentes ao trono de Israel depois do assassinato do rei de Elá (em aprox. 886 a.C.). Na guerra civil que se seguiu, Onri, comandante do exército, prontamente liquidou Zinri e durante três anos prevaleceu gradualmente sobre o inquestionável poder das forças que estavam sob o comando de Tibni (1 Rs 16.21ss.). Aparentemente, Tibni e seu irmão Jorão (de acordo com a LXX) morreram depois da derrota.

**TIÇÃO[1]** Três palavras hebraicas são usadas em relação a essa expressão: (1) *'ud*, ou "vara dobrada" usada para atiçar o fogo (Am 4.11; Zc 3.2), também "tição fumegante" (Is 7.4); (2) *lappid*, uma tocha tremulante semelhante a um clarão de luz (Jz 15.4,5); (3) *ziqqim*, "faíscas, flechas e mortandades" (Pv 26.18; Is 50.11).

**TIÇÃO[2]** Um graveto em brasa tirado do fogo. A palavra "tição" pode, especificamente, designar um graveto para agitar o fogo, um projétil de fogo, ou uma tocha feita de um graveto com material inflamável preso na ponta. É usado simbolicamente com relação a uma nação quase consumida, porém misericordiosamente resgatada da destruição, "um tição arrebatado da fogueira (ou do incêndio)" (Am 4.11; Zc 3.2). Os reis de Israel e da Síria são tratados desdenhosamente como "dois pedaços de tições fumegantes" (Is 7.4). Tições (ou faíscas, cf. Is 50.11) estão entre os objetos arremessados por um louco (Pv 26.18). Em um acesso de ira, Sansão amarrou tições ou tochas nos rabos das raposas e as soltou nos campos dos filisteus (Jz 15.3-6).

**TICVA**

1. Filho de Harás (2 Cr 34.22) e pai de Salum, responsável pelo guarda-roupas (2 Rs 22.14).

Salum era marido de Hulda, a profetisa que se destacou na época de Josias. Ticva é chamado de Tocate em 2 Crônicas 34.22.
2. Pai de Jazeías que se opôs ao édito de Esdras em relação à expulsão das esposas estrangeiras (Ed 10.15).

**TICVATE** Tradução do nome Tocate em várias versões em 2 Crônicas 34.22. Como sugere a ortografia marginal do Texto Massorético, e como indica a passagem paralela em 2 Rs 22.14, esse nome deveria ser igual a Ticva.

**TIDAL** Último dos quatro reis que, sob a liderança de Querdorlaomer (*q.v.*) invadiu a Palestina, em aprox. 2000 a.C. (Gn 14.1,9). *Veja* Abraão. Os estudiosos concordam, em geral, que Tidal (em hebraico *tid'al*) representa a forma cuneiforme de Tudhaliya, nome de quatro ou cinco reis hititas dos séculos XVIII a XIII a.C. Tudhaliya I reinou em aprox. 1740 a.C., uma época não muito posterior à época de Abraão (que viveu no início do segundo milênio a.C.). Esse nome vem da época da Anatólia pré-hitita, e talvez seja hatiano ou proto-hitita ao invés de estritamente hitita. O título "rei das nações" (em hebraico *goyim*) não especifica qual país ele governava (porém algumas versões trazem a expressão "rei de Goim"). Entretanto, existe um título semelhante nas tábuas de Mari (*q.v.*) no qual a palavra *ga'um* significa "grupo" ou "bando", sugerindo que Tidal governava uma tribo nômade que ainda não havia se estabelecido como reino. Eles eram os bárbaros Umman-Manda (em acádio, "povo Manda") que inicialmente destruiram o império acadiano e que, posteriormente, foram nominalmente citados no código hitita. Assim sendo, Tidal pode ter sido um primitivo Tudhaliya, que governava um grupo indo-europeu, talvez no processo de migração do norte do Cáucaso, nos limites do norte da Síria e do sudeste da Ásia Menor, tendo, finalmente, se dirigido para a futura terra natal dos hititas na Anatólia.

***Bibliografia.*** K. A. Kitchen, *"Tidal"*, NBD, p. 1276; *Ancient Orient and Old Testament*, Chicago. Inter-Varsity, 1966, p. 44. E. A. Speiser, *Genesis,* Anchor Bible, Garden City. Doubleday, 1964, pp. 107ss.

J. R.

**TIFSA**
1. Cidade localizada na margem direita do Eufrates, cerca de 64 quilômetros a oeste de sua confluência com o rio Balikh, e que constitui a extremidade nordeste da fronteira do reino de Salomão (1 Rs 4.24). Mais tarde foi chamada de Thapsacus, e guardava um importante ponto de cruzamento desse rio, onde Ciro o Jovem, e Alexandre atravessaram o rio Eufrates com seus exércitos.
2. Cidade saqueada pelo rei israelita Menaém (2 Rs 15.16). Como está claramente associada a Tirza, no território de Manassés, ela não deve ser identificada com a cidade que fica no Eufrates. Entretanto, as variadas ortografias desse nome nas versões gregas, e também a singularidade de sua referência, levaram algumas versões a adotar a ortografia Luciânica, isto é, *Taphoe*, e identificar seu nome com Tapua, uma cidade ao norte de Efraim, não muito distante de Siló (cf. Js 16.8; 17.7ss.).

**TIGELA** Recipiente raso, de fundo côncavo, como uma bacia ou xícara. *Veja* Prato. A palavra tigela é usada para traduzir uma variedade de palavras hebraicas. As tigelas eram feitas de barro, metal ou madeira. *Veja* Cerâmica.
Gideão extraiu água do velo dentro de uma tigela ou taça (Jz 6.38). Tigelas como xícaras, com a forma de amêndoas, decoravam o castiçal do Tabernáculo (Êx 37.17-20). Tigelas maiores de ouro e prata eram usadas nos serviços dos rituais do Templo (1 Cr 28.17). Os libertinos dissolutos de Israel bebiam vinho em tigelas preciosas (Am 6.6). A palavra "tigela" ou "taça" é usada em lugar de "salva" nas versões revisadas do livro de Apocalipse (por exemplo, Apocalipse 16.1ss.).

**TIGLATE-PILESER** Três reis da Assíria tinham o nome real de *Tukulti-apil-Esharra*, isto é, "Minha confiança está no Primogênito de Esharra" (nome de um famoso templo da Mesopotâmia). A carreira de Tiglate-Pileser I (aprox. 1114-1076 a.C.) coincidiu com o auge do poder assírio no século XII a.C. Ele conquistou a Babilônia, desenvolveu campanhas no norte em direção à Armênia e Anatólia e a oeste, em direção à costa norte da Fenícia. Ao final de seu reinado, a Assíria pode ter entrado em um declínio gradual, em parte por causa do ascendente poder dos arameus.
A Assíria atingiu seu nível mais crítico sob o governo do inepto Tiglate-Pileser II (aprox. 966-935 a.C.), que se mostrou incapaz de evitar que outras nações do Crescente Fértil tentassem alcançar os seus objetivos.
A era de expansão de Israel – durante os reinados de Davi e Salomão – coincidiu, providencialmente, com um período de impotência na história da Assíria, que não conseguiu recuperar o vale do Eufrates Superior até o ano 875 a.C.
Talvez o mais competente dos reis Assírios tenha sido Tiglate-Pileser III (745-727 a.C.), o único dos três governantes cujo nome é mencionado no AT. Em 2 Reis ele é chamado de Tiglate-Pileser (em hebraico *Tiglat-pil'eser*, 15.29; 16.10; *Tiglat-p$^{e}$leser*, 16.7), enquanto em Crônicas existe uma variante posterior do dialeto como *Tilgath-pilneser* (*q.v.*; heb. *Tillegat-piln$^{e}$'eser*, 1 Crônicas 5.6; 2 Crônicas

28.20; *Tilleqat-pilneser,* 1 Crônicas 5.26). Ele foi mencionado como Pul (em hebraico *Pul,* 2 Reis 15.19; 1 Crônicas 5.26; em acádio *Pulu;* e *Poros* no Cânon Ptolemaico) pelos babilônios cujo trono veio a ocupar no final de seu reinado (cf. abaixo). O texto em 1 Crônicas 5.26 aparentemente faz a distinção entre Pul e Tilgate-Pilneser, mas como o verbo que acompanha o pronome está no singular ("ele os levou"), somos obrigados a traduzir "o espírito de Pul rei da Assíria" como "o espírito de Tilgate-Pileser rei da Assíria" (cf. tradução semelhante na versão RSV em inglês), demonstrando assim que a suposta distinção é mais superficial do que real.

A história do reinado de Tiglate-Pileser III não é perfeitamente conhecida por causa da natureza fragmentada das inscrições que foram encontradas nas ruínas; a maioria foi encontrada em escavações feitas em Calá (*q.v.*), a moderna Nimrud, por Austen Henry Layard há mais de um século, e por M. E. L. Mallowan em 1949-61. Esse era o local do palácio, do qual foram recuperados baixo-relevos retratando o rei e suas campanhas militares. Entretanto, apesar do precário estado de conservação das inscrições, o principal esboço de sua carreira foi registrado na lista epônima da Assíria.

Na época da ascensão de Tiglate-Pileser III ao trono da Assíria, em 745 a.C., uma significativa série de acontecimentos teve lugar no Reino do Norte de Israel. Jeroboão II, seu rei mais poderoso, havia morrido e Israel tinha uma urgente necessidade de um outro rei tão forte quanto ele. Entretanto, não havia nenhum em perspectiva. Portanto, a nação entrou em um período de anarquia e de lutas civis. Zacarias, filho de Jeroboão, foi assassinado pelo usurpador Salum depois de ter reinado apenas seis meses, e o próprio Salum reinou apenas durante um mês, pois foi, por sua vez, assassinado por Menaém que, em seguida, se apossou do trono. Essa era a situação de Israel quando Tiglate-Pileser ascendeu ao trono da Assíria.

O monarca assírio cobiçava os territórios da Síria e da Palestina, não só pela sua riqueza (principalmente, madeira e minérios), mas também pelo fato de constituírem um corredor através do qual os seus exércitos seriam capazes de marchar até a Anatólia e o Egito. Depois de assumir o trono da Assíria, ele logo dominou a Babilônia (embora só tenha efetivamente ocupado o trono da Babilônia em 729 a.C.), protegendo dessa forma o flanco sudeste de seu reino. Em seguida, voltou sua atenção para o ocidente e invadiu a Síria em 743 a.C., derrotando um aliado daquela nação, Sarduri II, de Urartu (Ararate, *q.v.*), pelo caminho.

Depois da capitulação de Sarduri, Tiglate-Pileser combateu Arpade (no norte da Síria) e na Armênia, dirigindo-se depois para o sul da Síria para esmagar uma revolta instigada por *Azriya'u* (provavelmente, Azarias [Uzias], *q.v.*) de *Ya'udu* (provavelmente Judá, ANET, p. 282*b*; para uma recente discussão sobre o problema de identificação, cf. H. Tadmor, "Azriyau of Yaudi", *Scripta Hierosolymitana,* VIII, 232-271; cf. 2 Crônicas 26.6-15 para o relato bíblico da habilidade militar de Uzias). Tiglate-Pileser destruiu a confederação Síria em 738 a.C., se não antes (cf. Edwin R. Thiele, *The Mysterious Numbers of Hebrew Kings,* pp. 57-98). Menaém (em assírio *Menihimmu*), que havia usurpado o trono de Israel, evitou a captura do reino do norte entregando um enorme tributo (ANET, p. 283*a*). Calcula-se que Menaém tenha extorquido 50 siclos de prata de cerca de 60.000 homens "poderosos e ricos" para levantar os fundos necessários para apaziguar Tiglate-Pileser (2 Rs 15.19,20). Um monolito recém descoberto de Tiglate-Pileser III indica que esse tributo foi pago em 737 a.C. (BASOR, #206 [1972], pp. 40-42; *veja* Menaém).

Menaém foi sucedido por seu filho Pecaías, que mais tarde foi assassinado por Peca, que usurpou o trono (2 Rs 15.23-25). Seu nome foi apresentado por Isaías como "Peca, filho de Remalias" (Is 7.1), e em consistentes e desdenhosas menções e referências subseqüentes foi simplesmente chamado de "filho de Remalias" (por exemplo, 7.4).

Pecaías, assim como seu pai, também pagara tributos aos assírios. Peca, ao contrário, e juntamente com Rezim de Damasco, tornou-se o principal instigador de uma coalizão destinada a se opor a Tiglate-Pileser. Parece que primeiramente (2 Rs 15.37) pediram ajuda a Jotão (que reinava em Judá junto com seu pai enfermo Uzias, acometido de lepra pelo Senhor por ter se apropriado de prerrogativas sacerdotais; cf. 2 Rs 15.1-5; 2 Cr 26.16-21), e também a seu co-regente Acaz com a finalidade de assegurar o sucesso de seu empreendimento. Tendo sua decisão apoiada pelo profeta Isaías, Acaz, em 734 a.C., se recusou a participar da aliança siro-efraimita. Peca e Rezim invadiram Judá e sitiaram Jerusalém (2 Rs 16.5; 2 Cr 28.5-15) em uma tentativa de forçar a questão e colocar no trono um sírio, o filho de Tabeal (Is 7.6), no lugar de Acaz, caso esse último se negasse a capitular.

Acaz, naturalmente, ficou alarmado (Is 7.2) pelo ataque de seus vizinhos do norte. Isaías procurou acalmar seus temores insistindo que ele evitasse se envolver em alianças, e confiasse no Senhor, afirmando que toda ocupação de Israel e Damasco logo chegaria ao fim (7.4). Entretanto, dessa vez Acaz se recusou a obedecer ao profeta (7.12) e decidiu tomar um novo curso de ação. Ele solicitou a ajuda de Tiglate-Pileser contra Rezim e Peca oferecendo um imenso tributo (2 Rs 16.7,8; 2 Cr 28.16; 20,21). Isaías tentou dissuadir Acaz de fazer uma aliança entre Judá e a Assíria, mas esforçou-se em

Tiglate-Pileser III em uma carruagem de guerra. BM

vão. Agora Tiglate-Pileser tinha a desculpa necessária para colocar em prática um plano já formulado, e Acaz seria, de fato, o patrocinador da aventura.

O resultado imediato da submissão de Acaz foi que em aprox. 733 a.C. Tiglate-Pileser desceu a costa do Mediterrâneo e invadiu a Filístia, isolando dessa forma Israel e a Síria de qualquer ajuda que poderiam, eventualmente, esperar obter do Egito. As cidades de Asquelom e Gaza foram rapidamente subjugadas (ANET, p. 283*b*) e, em seguida, Tiglate-Pileser atacou Queen Samsi, na Arábia, obrigando sua população a fugir para o interior (ANET, p. 284*a*).

Seu próximo estratagema foi dirigir-se para o norte, para a própria nação de Israel, onde capturou Ijom, Abel-Bete-Maaca, Janoa, Quedes, Hazor, Gileade, Galiléia, e toda a terra de Naftali, e levou os seus habitantes como prisioneiros para a Assíria (2 Rs 15.29). Essa passagem serve como exemplo de uma das distintas políticas administrativas inauguradas por ele na Assíria a fim de estabelecer um indiscutível controle sobre os estados dependentes; ela consistia em deportar para outras terras os segmentos mais proeminentes e influentes da população nativa. Outros governantes nativos dos estados conquistados foram, então, normalmente sucedidos por administradores assírios que, por sua vez, eram mantidos no poder através de um elaborado sistema de controle e equilíbrio, enquanto eram importados elementos estrangeiros para a repopulação da terra como parte de uma política destinada a evitar rebeliões e assegurar a ausência de resistência (B. Oded, "Observations on Methods of Assyrian Rule in Transjordania After the Campaign of Tiglate-Pileser III", JNES, XXIX [1970], 177-186; para sua conquista de Astartu, a Astarote bíblica em Basã, veja ANEP #366).

Depois da incursão de Tiglate-Pileser contra Israel, o usurpador Oséias conspirou contra Peca, "o matou, e reinou em seu lugar" (2 Rs 15.30). Em seus registros, Tiglate-Pileser atribui a si mesmo o crédito por ter colocado *Ausi'u* (Oséias) no trono depois da queda de *Paqahu* (Peca), provavelmente indicando que tal ascensão não teria ocorrido sem sua aprovação (ANET, p. 284*a*). Portanto, na visão de Tiglate-Pileser, Oséias não passava de um fantoche no trono de Israel. Somente a morte de Peca, o tenaz inimigo dos assírios, evitou a completa destruição de Israel nessa época. Em 733 a.C., Tiglate-Pileser anexou partes do reino do norte criando as províncias de Megido, Dor e Gileade (que aproximadamente correspondem em extensão ao quarto, quinto e sétimo distritos administrativos do reino de Salomão, dois séculos antes daquela época).

Damasco, que se encontrava desprovida de aliados, tornou-se o próximo objetivo de Tiglate-Pileser. Em 732 a.C., ele atacou e destruiu a cidade, matou Rezim (2 Rs 16.9), e assim o antigo reino da Síria deixou de existir. Como vassalo da Assíria, Acaz foi então chamado a Damasco para prestar sua lealdade política a Tiglate-Pileser. Entretanto, ele logo percebeu que também exigiam sua lealdade religiosa, pois ao retornar a Jerusalém viu-se obrigado a oferecer sacrifícios em uma réplica de altar assírio que ele havia visto em Damasco. Ele aparentemente deu ordens para que esse altar fosse instalado no lugar do altar do Senhor, no Templo de Jerusalém, que foi removido para uma posição secundária (2 Rs 16.10-18). Nessa época, Acaz havia se transformado em um completo apóstata, substituindo o único e verdadeiro Deus de seus pais por deuses estranhos (cf. também 16.3,4; 2 Cr 28.1-4,22-25). Como Tiglate-Pileser refere-se a Acaz em suas inscrições como *Ya'uhazu* (ANET, p. 282*a*), parece que seu nome completo era Jeoacaz e que os escribas hebreus abandonaram o prefixo divino para exprimir seu protesto pela infeliz memória deste homem. Ele foi enterrado em uma sepultura comum, longe dos túmulos reais (2 Cr 28.27).

Assim, Israel e Judá tornaram-se tributários do Império Assírio que havia então atingido o ápice de seu poder e prestígio. Assim como seu grande homônimo de quatro séculos antes daquela época, Tiglate-Pileser III continuou a ser o senhor de tudo aquilo que havia dominado até o dia de sua morte.

*Veja* Assíria.

R. F. Y.

Rio Tigre em Bagdá. JR

**TIGRE** O rio Tigre deriva seu nome do termo grego *Tigris* e do persa antigo *Tigra*. Seu nome árabe moderno é Dijlah, que vem do nome sumeriano original para rio (*Idigna*), traduzido para o assírio e babilônico como *Idiqlat* e para o hebraico como *hiddeqel*. O Tigre tem duas nascentes: a ocidental, que vem das encostas ao sul das montanhas armênias Anti-Taurus, perto de Diarbekr, e a oriental (Bitlis Chai e Bohtan Chai), que vem do sul do lago de Van. Depois que essas duas correntes se juntam ao norte das colinas do Kurdistão, o rio corre rapidamente na direção leste-sudeste para se juntar ao Eufrates nos pântanos, aprox 65 quilômetros ao norte do Golfo Pérsico. Na Antiguidade, ele terminava nessa área. Na época das enchentes, de março a maio, provocada pelo degelo da neve em suas origens, ou na de seus principais afluentes (os rios Zab Maior e Menor, Adhem e Diyala), esse rio cujo comprimento atinge mais de 1.800 quilômetros torna-se navegável até a moderna cidade de Mosul. As antigas capitais assírias estão localizadas em seu curso superior, isto é, Nínive na margem esquerda oposta a Mosul, a cidade de Calá, situada 40 quilômetros rio abaixo perto da junção do Zab Maior, e Assur na margem direita oposta ao Zab Menor. Dessa forma, o Tigre é mais bem descrito como um dos quatro rios que fluem do Éden para o leste da Assíria (ou de Assur, Gênesis 2.14). Seu rio gêmeo (daí a palavra Mesopotâmia, "a terra dos dois rios" ou "a terra entre-rios") é o Eufrates no lado ocidental. Em sua vazante, quando chega ao nível do solo, o Tigre é chamado de "grande rio" (Dn 10.4). Nessas margens foram construídas várias capitais, entre elas a famosa Selêucia (helenística), Ctesifonte (Pártia), do outro lado do rio, na margem oriental, e Bagdá (islâmica ou árabe, capital do moderno Iraque), 32 quilômetros rio acima, na junção do Diyala.

D. J. W.

**TIJOLO** Os primeiros tijolos de que se tem registro estavam na cidade e na torre de Babel (Gn 11.3). Ruínas de casas da Mesopotâmia revelam o emprego de barro amassado e de tijolos em suas fundações desde, aproximadamente, o ano 4000 a.C. (Joseph Free, *Archaeology and Bible History*, pp. 37-

Fabricação de tijolos ao longo do Nilo. A argila úmida é colocada em um quadro de madeira, que então é retirado e usado para repetição do processo. HFV

38). As antigas nações da Babilônia, Egito e Assíria, e até da Palestina, consideravam que o tijolo era um material barato e conveniente para as construções, especialmente em lugares onde havia escassez de pedras ou onde era muito difícil usá-las. É muito difícil traçar a correta extensão desse uso porque, depois que as casas e paredes caem, os tijolos crus formam, gradualmente, um monte de terra e se torna impossível distingui-los do solo circunvizinho.

No Egito, os tijolos eram, invariavelmente, crus ou não queimados. Quando tijolos cozidos em forno são encontrados sabe-se que pertenciam ao período romano. Tijolos crus eram feitos com terra preta argilosa, ou barro, que era cuidadosamente "deslizado" ou misturado e colocado em uma caixa sem fundo, que depois era retirada para deixar o tijolo queimar ao sol. Às vezes, o tijolo se tornava tão duro que era preciso o golpe de um machado para quebrá-lo. Para aumentar sua coesão, lhe acrescentavam palha picada ou restolho (Êx 5.7-18). (Veja *Ibid.*, pp. 91-92 para confirmar a ação de coesão da palha e até da água com a qual a palha estava ensopada.) Quando havia escassez de alimentos, a palha era consumida pelos animais. Isso contribuía muito para a dificuldade dos oleiros que precisavam coletar restolho ou trabalhar com grande desvantagem. Escavações modernas, feitas em Pitom (Êx 1.11), mostram que a maioria dos tijolos da cidade de armazenamento eram feitos de barro e palha e, depois, cozidos ao sol (provavelmente este fosse o trabalho dos escravos hebreus). Em algumas ocasiões, os juncos foram substituídos por palha, e havia ainda outros tijolos que não continham nenhum material fibroso.

Os tijolos egípcios mediam, geralmente, cerca de 40 x 20 x 15 centímetros. No caso das paredes, eles eram colocados de comprido. Para os arcos, eram colocados de lado. Freqüentemente, os lados eram gravados com hieróglifos com o nome do Faraó ou de algum edifício que lhe pertencia. Os tijolos que sobreviveram, desde os primórdios do Egito, parece terem sido feitos sob algum monopólio governamental. Os governantes entregavam as tarefas insalubres e desagradáveis aos estrangeiros cativos da Ásia e, entre eles, estavam os israelitas. Na tumba do grão-vizir Rekh-mi-Re, na cidade de Tebas, existe um quadro muito conhecido onde podemos ver alguns escravos de tez clara (possivelmente escravos hebreus) sendo utilizados para transportar água, cavar argila, misturá-la, pressioná-la em moldes, carregar e empilhar os tijolos para serem usados. O quadro está completo com a presença de chicotes, aguilhões e do oficial supervisor.

Na Palestina e na Síria, esses métodos eram usados muitas vezes. Quando havia escassez de pedras para os edifícios, as casas eram feitas com tijolos cozidos ao sol. Depois que os tijolos eram colocados, revestiam as casas por dentro e por fora com o mesmo material, e elas eram caiadas ou pintadas com terra cinza ou amarela. O revestimento externo precisava ser renovado de ano em ano. Isaías 9.10 refere-se à superioridade da pedra lavrada sobre o tijolo.

A antiga Babilônia usava tijolos cozidos em fornos e, freqüentemente, estes tinham sua adesão aumentada pela adição de betume aquecido (Gn 11.3). Em geral, esses tijolos mediam 30 x 30 x 9 centímetros e eram gravados com caracteres cuneiformes. Muitos milhares deles traziam o nome de Nabucodonosor. Era muito comum o uso de tijolos vitrificados de várias cores. Os assírios usavam mais generosamente tijolos cozidos ao sol embora também empregassem tijolos cozidos em fornos para revestir os pisos ou pavimentar pátios ou palácios. Também foram encontrados tijolos pintados, esmaltados e até dourados em Nínive e em outras cidades assírias.

*Veja* Arquitetura; Edfícios.

W. T. D.

**TIL** Segundo as inflexões de Mateus 5.18 e Lucas 16.17, a palavra grega *keraia*, "pequeno chifre", significa um pequeno traço, desenho ou gancho que serve como ornamento a algumas letras do alfabeto hebraico, como um traço fino. Nas fontes rabínicas ele é de-

Parede de tijolos de argila do palácio da justiça em Ur

signado como "espinho" (*qos, qosa*), "coroa" (*keter*) e "ponto" (*n*e*quda*). As características peculiares que o diferenciam, isto é, *daleth* de *resh, beth* de *kaph,* não são consideradas como tal (cf. SBK *in loco cit.*). O jota (letra hebraica *yodh*) e o til em Mateus 5.18 são usados metaforicamente para declarar que o mais ínfimo detalhe da Torá tem um caráter imortal que aguarda seu cumprimento. *Veja* Jota.

**TILGATE-PILNESER** Forma alternativa de Tiglate-Pileser (*q.v.*) que aparece em 1 Crônicas 5.6 e 2 Crônicas 28.20. A mudança das letras *g* e *l* foi sem dúvida feita de acordo com o interesse da eufonia hebraica, um caminho seguido pela Septuaginta e pela Vulgata, enquanto o *n* de *piln*e*'eser* representa o acádio *ina,* significando "in", encontrado em uma ortografia desse nome: *Tukulti-apil-ina-Esarra.* A forma Tilgate-Pilneser encontrada em 1 Crônicas 5.26 omite completamente a letra *aleph* (cf. Monolito Zenjirli, linha 16).

**TÍLIA** *Veja* Plantas: Azinheira.

**TILOM** Um descendente de Judá mencionado entre os filhos de Simeão (1 Cr 4.20).

**TIMÃO** Um dos sete homens escolhidos pela Igreja de Jerusalém, consagrado pelos apóstolos para a supervisão de uma distribuição mais justa das provisões diárias. A julgar pelo aspecto grego de seu nome, não há dúvida de que era um helenista, isto é, um judeu que falava grego. Timão possuía uma ótima reputação junto aos demais cooperadores, e é descrito como um homem cheio do Espírito Santo e de sabedoria (At 6.5).

**TIMEU** Pai de um mendigo cego de Jericó (Mc 10.46). Nas passagens paralelas (Mt 20.29-34; Lc 18.35-43) não se menciona seu nome. Marcos identifica o mendigo simplesmente como Bartimeu (*q.v.*) cujo nome ele traduz para seus leitores como "filho de Timeu".

**TIMNA**
1. Filha de Seir, o horeu, e irmã de Lotã (Gn 36.22; 1 Cr 1.39). Ela se tornou concubina de Elifaz, filho de Esaú, e lhe deu um filho chamado Amaleque (Gn 36.12).
2. Filho de Elifaz (1 Crônicas 1.36) e comandante de Edom (Gn 36.40; 1 Cr 1.51). A capital de Qataban, no sul da Arábia, era chamada de *Timna',* talvez uma reminiscência de um nome tribal recebido desse personagem bíblico. O local onde havia algumas minas de cobre em 2.000 a.C. também é chamado de Timna. Ele está situado 24 quiômetros ao norte de Eziom-Geber, e é provável que seu nome também se origine de um líder edomita.
3. Cidade próxima a Bete-Semes na fronteira norte de Judá (Js 15.10), agora identificada com Tell el-Batashi no vale de Soreque (Y. Aharoni, "The Northern Boundary of Judah", PEQ, XC [1958], 27-31). Algumas formas desse nome são Timnate e Timnata. Essa cidade foi designada à tribo de Dã como sua residência (Js 19.43), mas é evidente que não conseguiram conquistá-la (cf. Jz 1.34). Na época de Sansão, ela era ocupada pelos filisteus (Jz 14.2). Foi ali que Sansão se casou pela primeira vez, e propôs seu famoso enigma sobre o leão e o mel (Jz 14.1ss.). Sem dúvida, Timna foi incorporada a Judá depois das vitórias de Davi. Quando Acaz estava sendo pressionado por Samaria e Damasco, os filisteus aproveitaram a oportunidade para recapturar Timna e várias cidades vizinhas (2 Cr 28.18). Ezequias pode ter conseguido recuperá-la, mas ela foi capturada por Senaqueribe em 701 a.C. (ANET, p. 228).
4. Cidade da região montanhosa de Judá (Js 15.57), provavelmente Khirbet at-Tabbana, dezesseis quilômetros a oeste de Belém, caso essa última possa ser associada à Timna (ou Timnate) de Gênesis 38.12-14, que é mencionada em conexão com Adulão e Enaim. Esta era provavelmente uma das cidades fortificadas por Bacchides para pacificar a Judéia (1 Mac 9.50; *veja* Timnate-Sera).
5. Ortografia discutível do nome de um chefe de Edom (Gn 36.40; 1 Cr 1.51, Timna 2).

A. F. R.

**TIMNATE** *Veja* Timna.

**TIMNATE-HERES** *Veja* Timnate-Sera.

**TIMNATE-SERA** Cidade na região montanhosa de Efaim, provavelmente Khirbet Tibna, que Josué recebeu por herança (Js 19.50) e onde ele foi sepultado (Js 24.30). Tibna está situada na antiga estrada romana que vai de Cesaréia a Jerusalém, aprox. 20 quilômetros a nordeste de Lida (Lode) e 20 quilômetros a sudoeste de Siló. Foi mencionada como Timnate-Heres; o segundo elemento deste nome foi provavelmente escrito ao contrário (Jz 2.9). Nos últimos dias da independência judaica, antes que a Judéia passasse a ser totalmente dominada por Roma, ela havia se tornado o centro administrativo de uma monarquia superior (Plínio, *Natural History,* v.70; Josefo, *Wars* iii.3.5; *Ant.* xiv.11.2), substituindo o antigo centro de Aramatha (1 Mac 11.34). Ela foi anteriormente identificada com a cidade de *Thamna,* fortificada por Bacchides, juntamente com várias outras cidades da Judéia (1 Mac 9.50). Entretanto, Michael Avi-Yonah mostrou que esta era provavelmente a cidade de Timna mencionada no tópico 4 (*q.v.*; *Historical Geography of Palestine,* Jerusalém. Bialik Inst., 1962, pp. 36-37 [Hebraico]).

A. F. R.

**TIMNITA** Epíteto gentílico usado pelos filisteus para designar o sogro de Sansão (Jz 15.6), provavelmente derivado de Timna, local de sua residência (ou Timnata, Juízes 14.1,2,5). Antigamente, era uma vila danita na fronteira norte de Judá, perto de Bete-Semes (Js 15.10; 19.43), e tem sido identificada com Tell el-Batashi no Uádi es-Sarar.

**TIMÓTEO** Pela forma carinhosa como Paulo lhe escreve, parece que Timóteo era seu discípulo favorito. Seu pai era grego, mas sua mãe Eunice e sua avó Lóide eram judias (2 Tm 1.5). Eles provavelmente se converteram durante a primeira visita de Paulo a Derbe e Listra (At 14.6-22). De uma forma geral, aceita-se que Timóteo nasceu em Listra (At 16.1,2). Quando Paulo retornou a essa região depois de alguns anos, durante sua segunda viagem missionária, ele ficou tão impressionado com o jovem Timóteo que resolveu levá-lo consigo, provavelmente como um substituto de João Marcos.

Timóteo recebeu um excelente treinamento espiritual de sua mãe e de sua avó, e dele "davam bom testemunho os irmãos que estavam em Listra e em Icônio" (At 16.1,2; 2 Tm 1.5; 3.14,15). É bastante estranho o fato dele nunca ter sido circuncidado, talvez porque seu pai fosse grego. Mas o pai teve pouca influência na educação religiosa de seu filho, e pode até mesmo ter morrido muito cedo. Havia certas indicações proféticas de que esse jovem estava destinado a realizar um importante trabalho a favor da causa do Senhor Jesus Cristo (1 Tm 1.18; 4.14). Quando Paulo se juntou aos anciãos locais e impôs as mãos sobre Timóteo, este último recebeu um dom espiritual, provavelmente para capacitá-lo para seu ministério como evangelista (2 Tm 1.6; 4.5). Todavia, antes de sua consagração ele foi circuncidado pelo apóstolo, pois iria trabalhar em regiões onde moravam muitos judeus. Normalmente, Paulo possuía uma forte convicção de que a circuncisão era desnecessária para o cristão, e se opunha fervorosamente às exigências dos adeptos da religião judaica de que os gentios deveriam ser circuncidados antes de sua admissão como membros da igreja. Neste caso, entretanto, Paulo fez com que Timóteo se submetesse a esse rito para não causar qualquer preconceito desnecessário entre os inúmeros judeus a quem ele iria proclamar o evangelho.

Paulo, Silvano e Timóteo viajaram em direção norte-noroeste através do elevado planalto da Ásia Menor, e desceram a Trôade, onde Paulo teve uma significativa visão de "um varão da Macedônia" que lhe rogava, dizendo: "Passa à Macedônia e ajuda-nos!" (At 16.9). Era um chamado para evangelizar a Europa. Lucas se juntou a eles, e assim se apressaram a atravessar o mar Egeu até Neápolis.

Não existe qualquer menção a Timóteo em relação aos acontecimentos subseqüentes em Filipos e Tessalônica, mas é virtualmente certo que ele estava nessa companhia. Em seguida, ele é encontrado em Beréia, onde Paulo o deixou para continuar seu trabalho (At 17.10-14). Mais tarde, Timóteo seguiu Paulo até Atenas e de lá foi enviado de volta a Tessalônica para ajudar os irmãos. Tendo completado sua missão, Timóteo juntou-se a Paulo em Corinto levando-lhe boas notícias (1 Ts 3.6,7).

Como o nome de Timóteo aparece nas duas saudações das Epístolas aos Tessalonicenses, escritas em Corinto, e como ele pregou durante muito tempo nessa cidade (2 Co 1.19), fica bem claro que ele trabalhou junto com Paulo durante algum tempo.

A próxima menção a Timóteo no livro de Atos está relacionada com seu ministério junto a Paulo, durante a longa permanência do apóstolo em Éfeso em sua terceira viagem missionária (At 19.22). Como não existe nenhum registro sobre seu ministério durante esse intervalo em alguma outra passagem, é provável que Timóteo tenha acompanhado Paulo de Corinto até Éfeso e, mais tarde, por navio, até Cesaréia na viagem para Jerusalém, como está registrado em Atos 18.18-23. Depois de retornar a Éfeso, junto com Paulo, Timóteo foi enviado em uma missão especial através do mar Egeu, levando a primeira Epístola de Paulo à Igreja de Corinto (1 Co 4.17; 16.10,11). Evidentemente, ele realmente retornou a Éfeso conforme planejado (1 Co 16.11) e em seguida foi enviado à Macedônia, junto com Erasto, para preparar o caminho para um novo estágio da terceira viagem de Paulo (At 19.22; 1 Co 16.5).

Timóteo estava com Paulo na Macedônia quando foi escrita a segunda Epístola aos Coríntios (1.1), e estava novamente ao lado do apóstolo em Corinto quando foi escrita a Epístola aos Romanos (16.21). Depois, juntamente com outros, Timóteo precedeu Paulo quan-

Timóteo estava ministrando à igreja em Éfeso quando Paulo escreveu-lhe a primeira carta. Aqui está a rua principal da antiga Éfeso, que atravessa a Ágora grega à esquerda e o teatro à direita. Foto Esat Balim

do o apóstolo voltou através da Macedônia para Jerusalém, aguardando-o em Trôade (At 20.4,5). Nada sabemos sobre Timóteo entre a prisão de Paulo em Jerusalém e sua chegada a Roma, mas ele estava com o apóstolo nessa cidade quando as Epístolas aos Colossenses, Filipenses e Filemon foram escritas (Cl 1.1; Fp 1.1; Fm 1). Paulo revelou sua intenção de enviar Timóteo a Filipos a fim de expressar a preocupação que sentia pelos crentes daquela cidade (Fp 2.19-23).

Durante o período em que esteve livre, depois de sua primeira prisão, Paulo deixou Timóteo em Éfeso para atender às necessidades daquela igreja (1 Tm 1.3). A tradição que diz que Timóteo foi o primeiro bispo de Éfeso não deve ser verídica, pois sua permanência naquela cidade foi apenas temporária. Como o apóstolo João logo depois passou a residir permanentemente nesta cidade, Timóteo não poderia ter sido o ancião ou o bispo responsável.

Durante sua última prisão em Roma, Paulo sentia uma carinhosa necessidade de ver Timóteo e insistiu para que ele fosse até lá “antes do inverno”. Não sabemos onde Timóteo estava nessa ocasião, nem se ele chegou antes do apóstolo ter sido martirizado (2 Tm 4.6-9).

As numerosas exortações e determinações que Timóteo recebeu levaram muitos a crer que ele era tímido (cf. também 1 Coríntios 16.10,11) e que precisava do apoio de Paulo. Os tempos perigosos do reinado de Nero exigiam uma exortação à constância, especialmente porque Timóteo, apesar de ser jovem, não tinha uma saúde forte (1 Tm 4.12; 5.23). Por outro lado, nenhum dos colaboradores de Paulo era mais ativo do que ele, e a nenhum deles o apóstolo agraciou com mais confiança e amor (Fp 2.19-22).

A tradição diz que Timóteo, assim como Paulo, sofreu o martírio.

A. M. R.

**TIMÓTEO, PRIMEIRA EPÍSTOLA A** As Epístolas a Timóteo e Tito são classificadas como Epístolas Pastorais. Os assuntos introdutórios relacionados às três cartas foram considerados em conjunto. *Veja também* Pastorais, Epístolas.

### Autenticidade

A autenticidade das Epístolas a Timóteo e Tito recebeu forte apoio das evidências externas. Os testemunhos foram dados pela Peshita (Siríaco) do século II d.C., pela Antiga Versão Latina (século II), pelo Fragmento Muratoriano (170 d.C.), por Teófilo de Antioquia (181 d.C.), por Irineu (178 d.C.), por Clemente de Roma (93-95 d.C.), por Clemente de Alexandria (194 d.C.), por Tertuliano (200 a.C.), e por muitos outros. O fato de esses livros terem sido rejeitados pelos gnósticos hereges não prova nada, pois a política que estabeleceram era eliminar todas as Escrituras que fossem contrárias às suas próprias opiniões.

Somente no início do século XIX, a opinião universal da Igreja foi desafiada em relação à autoria e à autenticidade paulina desses livros. Schmidt e Schleiermacher iniciaram o ataque, seguidos por Eichhorn, De Wette e F. C. Baur. Depois vieram H. J. Holtzmann, P. N. Harrison e M. Dibelius.

As objeções apresentadas foram:

1. Que o vocabulário e o estilo são diferentes das outras epístolas de Paulo e que, por exemplo, elas contêm 165 palavras clássicas gregas não encontradas em nenhuma outra obra de Paulo. Mas nenhum escritor exaure todo o seu vocabulário de uma vez, e este é sempre ampliado com o passar do tempo. Quando esteve em Roma, Paulo deve ter recebido a visita de gregos de alta cultura, e pode ter aumentado seu conhecimento sobre os autores clássicos.

Além disso, Paulo estava escrevendo a amigos íntimos com profundo conhecimento do grego. Mudanças no vocabulário e no estilo não são de admirar; por exemplo, depois do sucesso de Karl Barth na Europa, o estilo e a terminologia de muitos teólogos mudaram drasticamente. Por que negar ao apóstolo o direito de variar um pouco seu estilo? Entretanto, o tom geral e o sentimento expresso nas Pastorais, assim como suas palavras, permaneceram marcadamente semelhantes aos das epístolas anteriores.

2. Que as referências feitas às heresias nas Pastorais provam que as cartas devem pertencer à metade ou ao final do século II. Estes críticos alegam que passagens como 1 Timóteo 1.4 e 6.20 estariam referindo-se ao gnosticismo (*q.v.*), mas sabemos que as primeiras manifestações dessa seita são anteriores a essas datas. Alguns cristãos nominais de origem judaica estavam tornando-se muito degenerados em relação à moral. Ao mesmo tempo, tendências gnósticas estavam desenvolvendo-se, e as admoestações de Paulo contra os falsos mestres estavam perfeitamente de acordo com tal situação.

3. Que a organização eclesiástica nas Pastorais é muito posterior à Era Apostólica. Na realidade, a organização da igreja era primitiva. Os termos bispo e presbítero (ou ancião) ainda eram intercambiáveis. Não havia bispos diocesanos antes do final do século II. W. F. Albright (*New Horizons in Biblical Research*, Londres. Oxford, 1966, p. 49) mostrou que, de acordo com os Rolos do Mar Morto (*q.v.*), a função de governar do ancião do NT acompanha de perto a do *m[e]baqqer* que presidia a comunidade Qumran.

4. Que os dados das Pastorais não estão de acordo com a narrativa de Atos. Mas, Filemom (v.22) e Filipenses (2.24) mostram que Paulo tinha uma grande esperança de ser libertado de sua primeira prisão em Roma.

Clemente de Roma (95 d.C.), o Fragmento Muratoriano (171 d.C.), e Eusébio são unânimes em dizer que isso realmente aconteceu. Antigas tradições dizem que o apóstolo foi à Espanha, e as Pastorais indicam com segurança que Paulo viajou posteriormente para o oriente como pretendia (1 Tm 1.3; Tt 1.5). Ele esperava passar o inverno em Nicópolis (Tt 3.12), mas ao invés disto foi para Roma, provavelmente como prisioneiro.

As Pastorais transmitem exortações urgentes que Paulo, ao chegar ao final de sua vida, desejava enviar a seus amados auxiliares que estivessem vivendo situações de perigo. Nenhum falsificador poderia ter inventado os íntimos toques pessoais que estão contidos nestas epístolas.

**Data**

As Pastorais mostram fortes evidências de terem sido escritas durante o reinado de Nero, com pequenos intervalos entre elas, provavelmente entre os anos 62 e 65 d.C.

**Esboço**

I. Saudação, 1.1,2
II. Ordens de Paulo a Timóteo, 1.3-20
  A. Ensinar apenas a sã doutrina, 1.3-11
  B. Observar Paulo como o padrão de Deus, 1.12-17
  C. Como ser vitorioso em uma guerra, 1. 18-20
III. Exortação à Ordem Adequada no Culto Público, 2.1-15
  A. Orações por todas as pessoas e pelos governantes, 2.1-8
  B. Conduta das mulheres, 2.9-15
IV. Requisitos para os Oficiais da Igreja, 3.1-13
  A. Para os anciãos, 3.1-7
  B. Para os diáconos e diaconisas, 3.8-1
V. Conduta Ministerial Adequada na Igreja, 3.14–6.19
  A. Porque a igreja é a coluna e o baluarte da verdade, 3.14-16
  B. Por causa das doutrinas inspiradas pelo Diabo, 4.1-5
  C. Disciplinando-se para uma vida de temor e obediência ao Senhor, 4.6-12
  D. Dedicar atenção ao ministério público e aos ensinos, 4.13-16
  E. Instruções aos homens e mulheres, especialmente às viúvas, na igreja, 5.1-16
  F. A recompensa, a disciplina e a consagração dos anciãos, 5.17-25
  G. Instruções aos servos e escravos cristãos, 6.1,2
  H. Advertências sobre o amor ao dinheiro, 6.3-19
VI. Exortação Final para que se Evite a "Falsa Ciência" (*Gnosis*), 6.20,21

***Bibliografia.*** J. H. Bernard, "*The Pastoral Epistles*" (1899), *Cambridge Greek Testament,* Cambridge. Univ. Press, 1922 (reimpresso). B. S. Easton, *The Pastoral Epistles,* Nova York. Scribner's, 1948. Donald Guthrie, *The Pastoral Epistles,* TNTC, Grand Rapids. Eerdmans, 1957. P. N. Harrison, *The Problem of the Pastoral Epistles,* Oxford. Univ. Press, 1921. William Hendriksen, *Exposition of the Pastoral Epistles,* NTC, Grand Rapids. Baker, 1957. D. Edmond Hiebert, *First Timothy,* EBC, Chicago. Moody, 1957; *Second Timothy,* 1958; *Titus and Philemon,* 1957. H. A. Kent, Jr., *The Pastoral Epistles,* Chicago. Moody, 1958. H. P. Liddon, *Explanatory Analysis of St. Paul's First Epistle to Timothy,* Londres. Longmans, Green, 1897. Walter Lock, *A Critical and Exegetical Commentary on the Pastoral Epistles,* ICC, Nova York. Scribner's, 1924; reimpresso em 1936. E. K. Simpson, *The Pastoral Epistles,* Grand Rapids, Eerdmans, 1954. Theodor Zahn, *Introduction to the New Testament,* Vol.II, traduzido em 1909, Grand Rapids. Kregel, 1953, reimpresso.

A. M. R.

## TIMÓTEO, SEGUNDA EPÍSTOLA A

Essa epístola foi escrita de Roma, onde Paulo estava preso. Ele sabia que seu fim estava próximo (2 Tm 4.6,7), e insistiu que seu amado Timóteo se apressasse para ficar ao seu lado. Nas perseguições de Nero, muitos cristãos eram levados às pressas para sofrer os tipos de morte mais brutais que se podia inventar. Ao escrever 1 Timóteo e a carta a Tito, Paulo deveria ter conhecimento do caráter de Nero e dos perigos a que os líderes cristãos estariam expostos por parte de tal soberano.

Escritas sob tais circunstâncias, era natural que as Pastorais tivessem um aspecto de urgência e de súplica, e que fossem bastante objetivas. Eram, portanto, pedidos prementes a Timóteo para ser um bom soldado de Cristo. Naqueles tempos horríveis, ele deveria se esforçar ao máximo no bom combate. Não é necessário presumir, como muitos o fizeram, que todas essas exortações estavam implicando uma definitiva fraqueza ou timidez de Timóteo, embora tudo leve a crer que ele tivesse alguma tendência nesse sentido (*veja* Timóteo).

Fica bastante claro, a partir das Pastorais, que Paulo havia recentemente visitado a Grécia, Mileto, Trôade, Macedônia e também Corinto, de onde uma curta viagem o levou a Nicópolis, em Épiro, onde convocou Tito (Tt 3.12). Paulo pode ter sido preso nessa cidade no início da perseguição de Nero, no ano 64 d.C. Ao chegar a Roma, Paulo foi abandonado pelos falsos amigos e somente Lucas permaneceu ao seu lado (2 Tm 4.11). Nas horas de perigo e da possibilidade de ser morto, o apóstolo sentia falta da companhia do fiel Timóteo (2 Tm 4.9).

Sabe-se que Paulo sofreu o martírio em Roma, provavelmente no ano 65 d.C. Timóteo também foi preso, mas depois libertado (Hb 13.23). Nada mais se sabe a respeito deste homem de Deus.

**Esboço**

I. Saudações e Ação de Graças para Timóteo, 1.1-5
II. Acusação de Paulo aos Desavergonhados, 1.6-18
   A. A vinda do Espírito Santo, 1.6,7
   B. O exemplo do sofrimento e do comprometimento de Paulo, 1.8-14
   C. A firmeza de Onesíforo em meio às deserções, 1.15-18
III. A Exortação a ser Forte, 2.1-13
   A. Como ensinador, 2.2
   B. Como soldado, 2.3,4
   C. Como um atleta, 2.5
   D. Como lavrador, 2.6,7
   E. Por causa de Jesus Cristo, 2.8-13
IV. Exortação a Resistir ao Falso Ensino, 2.14–3.17
   A. Pelo correto manuseio da Palavra da Verdade, 2.14-18
   B. Abstendo-se da contaminação do erro, 2.19-22
   C. Recusando as especulações fúteis, 2.23
   D. Corrigindo os outros com bondade e mansidão, 2.24-26
   E. Evitando os apóstatas dos últimos dias, 3.1-9
   F. Imitando o comportamento do apóstolo durante as perseguições, 3.10-13
   G. Permanecendo nas Escrituras inspiradas, 3.14-17
V. Exortação a Pregar a Palavra, 4.1-8
   A. Porque muitos não mais tolerarão a sã doutrina, 4.1-4
   B. Porque Paulo está prestes a partir, 4.5-8
VI. Instruções Pessoais a Timóteo e Conclusão, 4.9-22

***Bibliografia.*** *Veja* Timóteo, Primeira Epístola a.

A. M. R.

**TINIR**

1. O verbo nominal hebraico *'akas* é derivado do substantivo *'ekes* ou "anel do tornozelo", "pulseira" (Is 3.18) e representa o som produzido pelo contato dos metais usados nos tornozelos quando as mulheres caminhavam. Isaías está censurando esse tipo de comportamento sugestivo praticado pelas mulheres devassas de Jerusalém (Is 3.16).

2. O particípio grego *alalazon,* "estrondo", "ressoar", modifica os címbalos em 1 Coríntios 13.1 (cf. Sl 150.5), onde o dom de línguas sem amor é comparado ao barulho do badalo de um sino, ou do ressoar de um metal.

**TINTA** A tinta já era usada no Egito em 2500 a.C. Uma referência do AT diz que Baruque escreveu as profecias de Jeremias "com tinta" (Jr 36.18). A palavra tinta ocorre no NT em 2 Coríntios 3.3; 2 João 12; 3 João 13 como a tradução do termo grego *melan* (preto), provavelmente se referindo ao negro-de-fumo ou fuligem misturado com goma (três partes para uma) e água para fazê-la aderir e ter algum brilho. A massa era moldada em hastes e posteriormente cortada quando necessário, e umedecida para o uso.

A neutralidade química do carbono mantinha a tinta preta por séculos conforme demonstrado pelas ostracas da época dos profetas do AT, encontradas em Laquis e Samaria. Uma tinta marrom-ferrugem de nozes-de-galha em pó e sulfato de ferro foi usada em alguns manuscritos, como no Códice Vaticanus e no Códice Bezae. Vários papiros egípcios usaram uma tinta vermelha feita de minerais pulverizados. *Veja* Escrita.

**TINTEIRO DE CHIFRE** Também chamado de tinteiro de escrivão (ou de escrevente), ou ainda estojo de escrevedor. Por muitos séculos os escribas carregaram em seus cintos um longo tubo ou estojo no qual mantinham as suas penas (juncos), com um pequeno copo ou frasco para tinta ligado à extremidade superior. É chamado em heb. *qeseth* e é traduzido como "tinteiro de chifre". Este termo ocorre em Ezequiel 9.2,3,11, e é traduzido como "estojo de escrevedor" em várias versões. Os escribas egípcios e sírios usavam uma paleta (egip., *gsty*), um estreito quadro de madeira retangular com um longo sulco para segurar penas de junco e concavidades circulares para as massas de tinta vermelha e preta. Para as ilustrações destas paletas veja ANEP, Nos. 232-234, 460. *Veja* Tinta; Escrita.

**TINTUREIROS** *Veja* Ocupações: Tingidor

**TÍQUICO** Um dos companheiros e representantes mais mencionados por Paulo (At 20.4; Ef 6.21; Cl 4.7; 2 Tm 4.12; Tt 3.12). Ele era um asiático (efésio?) que provavelmente acompanhou Paulo quando levou a coleta dos santos à Igreja que estava em Jerusalém (1 Co 16.1-4). Muitos elogios lhe foram feitos pelo apóstolo: "irmão amado, e fiel ministro, e conservo no Senhor" (Cl 4.7; cf. Ef 6.21). Juntamente com Onésimo, ele foi enviado por Paulo (na prisão) à Igreja de Colossos (e, possivelmente, a uma igreja em Éfeso) para entregar as cartas do apóstolo e informar aos crentes sobre sua situação.

De acordo com Tito 3.12, Tíquico seria um possível substituto para Tito em Creta, pois Paulo desejava que Tito fosse juntar-se a ele durante sua permanência em Nicópolis.

**TIRACA** Este termo se refere ao egípcio

Antigo equipamento de escrita do Egito. Em uma extremidade do estojo da pena havia um tinteiro. BM

Taharka, terceiro rei (etíope) da 25ª Dinastia do Egito. Foi mencionado primeiramente como "Tiraca, rei da Etiópia" ou "Tiraca, rei de Cuxe", que liderou as forças egípcias contra Senaqueribe (2 Rs 19.9). Esse último afirmava que havia derrotado a cavalaria e as bigas do Egito em Elteque, em 701 a.C. (ANET, pp. 287ss.), enquanto Jerusalém estava sendo sitiada. Dados coletados no monolito Ápis indicam que Tiraca começou a reinar em 689 a.C. e continuou até 664 a.C. Cinco grandes monolitos escavados em Kawa, no Sudão, serviram para esclarecer um outro monólito quebrado relativo a ele.

Sabe-se agora com certeza que ele tinha 20 anos de idade quando seu irmão, o Faraó Shebitku (701-690 a.C.), o convocou para ir de Núbia a Tebas para ajudá-lo, e não que tinha 20 anos quando se tornou rei (Alan Gardiner, *Egypt of the Pharaohs*, Oxford. Clarendon Press, 1961, pp. 342ss.). Dessa forma, ele tinha idade suficiente para chefiar o exército do Egito como representante de seu irmão, o rei Shebitku, em 701 a.C. Antigos escritores orientais, e também modernos, freqüentemente se referem às pessoas pelos títulos conquistados posteriormente ao período que está sendo descrito (K. A. Kitchen, *Ancient Orient and Old Testament,* Chicago. Inter-Varsity, 1966, pp. 82-84).

Em 670 a.C., Esar-Hadom, filho de Senaqueribe, liderou um exército até o Egito. Ele se vangloriava de ter conquistado o Egito, ferido seu rei Tiraca cinco vezes com suas flechas, e governado sobre todas as suas terras (ANET, p. 290). Quando Esar-Hadom morreu, Tiraca retornou ao Egito. Assurbanipal enfrentou seu exército em Kar-Baniti, no Delta, e o derrotou. Em seguida, Tiraca, que havia permanecido em Mênfis, fugiu para Tebas. Depois do insucesso de sua conspiração com alguns governantes egípcios, para se revoltarem contra a Assíria, Tiraca retirou-se para a Etiópia.

R. E. H.

**TIRADORES DE ÁGUA** Uma das classes mais inferiores de servos (Dt 29.11). Contudo, tal serviço era preferido à morte pelos gibeonitas, que, por medo, se submeteram aos israelitas invasores (Js 9.21,23,27). Mulheres (Gn 24.11) e homens jovens (Rt 2.9) tiravam água do poço como parte de suas tarefas cotidianas; mas, como uma ocupação fixa, este trabalho era desprezado. Até pouco tempo, os homens faziam seu comércio ambulante de água no Oriente Médio utilizando bolsas de pele de cabra em suas costas.

**TIRANÁ** Filho de Calebe com sua concubina Maaca (1 Cr 2.48).

Uma rua romana da cidade-ilha de Tiro. HFV

**TIRANO** Além de Atos 19.9, não há nenhuma outra menção desse homem. A frase "na escola [gr. *schole*] de um certo Tirano" é ambígua. Será que ele ensinou no salão da sinagoga? Ou será que era seu proprietário? Qualquer dessas hipóteses seria possível.

O texto do grego Ocidental (Codex Bezae) de Atos acrescenta várias palavras ao final do versículo 9: "...de um (ou, um certo) Tirano, da quinta à décima hora" (*Tyrannou tinos apo horas e heos dekates*). Se essa adição for aceita, Paulo teria usado esse salão entre as 11 horas da manhã e as 4 da tarde, um período do dia em que as pessoas não estavam trabalhando. Dessa forma, ele serviria ao mesmo propósito da casa de Tito Justo em Corinto (cf. At 18.6,7 com 19.8,9). Isto continuou durante dois anos de uma forma bem sucedida (19.10).

**TIRAS** Um dos descendentes de Jafé, filho de Noé (Gn 10.2; 1 Cr 1.5). Seu epônimo parece estar se referindo a um povo do mar Egeu, na costa ocidental da Ásia Menor, que foi plausivelmente identificado com o nome Tursha (*Tw-rw-š3*), mencionado nas inscrições egípcias do século XIII a.C. Foi relacionado por Ramsés III como um dos Povos do Mar que invadiu a Síria e a Palestina em sua jornada para atacar o Egito. Eles eram os tirsenios (mais tarde, tirrenos) de fontes gregas (Homero; Heródoto I.57.94), onde são descritos como piratas do mar Egeu. Isso está de acordo com a observação do livro do Jubileu (9.13) de que a nação de Tiras abrangia quatro grandes ilhas no meio do mar. *Veja* Nações.

**TIRATITAS** Família de escribas originada dos queneus, e que residia em Jabez (1 Cr 2.55).

**TIRIA** Um dos filhos de Jealelel pertencente à família de Calebe em Judá (1 Cr 4.16).

**TIRO** Antiga cidade-estado fenícia, no Mediterrâneo, entre Acre e Sidom. Controlando a única planície de Tiro (com cerca de 24 quilômetros de comprimento e três de largura) da Antiguidade, essa cidade chegou a se tornar líder de todas as cidades da costa fenícia, mas sem conseguir reuni-las em uma única nação.

As origens de Tiro podem ser traçadas desde os primeiros tempos, provavelmente no 3º milênio a.C. Durante a Era Amarna (em aprox. 1400-1360 a.C.), a cidade foi sitiada por Sidom, que desde então manteve sobre ela uma ascendência. O templo de Aserá, em Tiro, era muito conhecido dos povos da antiga Ugarite (ANET, p. 145). Quando os invasores vindos do mar abandonaram Sidom quase totalmente em ruínas por volta de 1200 a.C., muitos de seus habitantes migraram para Tiro, contribuindo ainda mais com a ascendência mencionada acima. Portanto, podemos dizer que Tiro era a "filha de Sidom" (Is 23.12).

A história do período da independência fenícia (aprox. 1200-870 a.C.) é, em grande parte, a história da expansão de Tiro. Parece que seu grande período de progresso foi alcançado com Hirão I (*q.v.*) logo depois de 1000 a.C. As datas de seu reinado foram recentemente estabelecidas por Frank M. Cross (BASOR, #208 [1972], p. 17). Parece que ele deu início à colônia de Társis (*q.v.*) na distante Espanha. Naquela época, Tiro consistia de duas pequenas ilhas na costa da Fenícia (não se sabe ao certo se havia uma cidade de Tiro no continente). Hirão uniu as duas ilhas e, presumivelmente, dirigiu sua atenção às fortificações e também às baías. Existia uma baía de Sidom ao norte e uma baía egípcia no sul.

Os hebreus e os habitantes de Tiro haviam estabelecido relações mútuas de amizade. Hirão forneceu carpinteiros, pedreiros e madeira para a construção do palácio de Davi (2 Sm 5.11,12; 1 Cr 14.1,2), e também homens e materiais para a construção do Templo (2 Cr 2; 1 Rs 5.1-12). Hirão e Salomão também participaram de empreendimentos comerciais conjuntos (1 Rs 9.26-28). Porém, a linhagem de Hirão chegou ao fim no início do século IX com a revolta de um sacerdote chamado Etbaal, que assumiu o trono e casou sua filha Jezabel com Acabe de Israel (1 Rs 16.31). Foi dessa maneira que a adoração a Baal foi introduzida em Israel.

A independência fenícia terminou com o reinado de Assurnasirpal II (883-859 a.C.) da Assíria. Em 876, ele recebia tributos de Tiro, assim como de outras cidades fenícias. Segundo a tradição, mais tarde, nesse mesmo século, Pigmalião (831-785 a.C.) fundou Cartago, no sétimo ano de seu reinado. Tiro atingiu o apogeu de sua prosperidade durante o século VIII, sob o domínio assírio, provavelmente porque o poder assírio trouxe um elevado nível de paz e segurança ao comércio da Ásia ocidental. Mas durante esse período, a histó-

ria de Tiro foi pontilhada por diversas rebeliões contra os dominadores estrangeiros.
Com o declínio da Assíria, após a metade do século VII a.C., Tiro alcançou sua independência, e conseguiu conservá-la durante cerca de 40 anos. Ezequiel, que viveu durante estas décadas de independência, fez uma notável descrição das conquistas de Tiro (Ezequiel 27).
Mas ele também previu sua destruição (26.3-21). O primeiro estágio dessa destruição aconteceu com Nabucodonosor da Babilônia, que sitiou a cidade do continente durante 13 anos (585-572 a.C.), e no final ela foi totalmente destruída. Como não dispunha de uma frota, ele não podia tomar a cidade localizada nas ilhas, no entanto elas se renderam sob condições favoráveis. Porém, os dias de glória de Tiro haviam terminado. Seu comércio havia sido arruinado pelo cerco babilônico, e também pelo fato de mercadores gregos terem conquistado o comércio fenício no nordeste do Mediterrâneo e, em certo sentido, também em toda parte. Seu papel no comércio internacional foi posteriormente usurpado em terra por mercadores sírios (ou arameus), e no mar pelos cartagineses.
O segundo estágio do cumprimento da profecia de Ezequiel aconteceu em 332 a.C., quando Alexandre o Grande sitiou a cidade que estava na ilha durante sete meses até conquistá-la, depois de construir uma passarela com as ruínas da capital continental e deixar a área tão exposta quanto a "penha descalvada". A maior parte da população foi morta ou vendida como escrava.
Embora a cidade tenha sido reconstruída e se tornado bastante próspera por volta de 315 a.C., seus colonizadores eram principalmente carianos, e não fenícios. Portanto, havia pouca ligação étnica com a antiga cidade de Tiro. Durante o período romano, ela alcançou um certo grau de prosperidade, pois a púrpura que produzia era muito procurada (*veja* Púrpura). Uma colônia romana se estabeleceu na cidade que, posteriormente, se tornou amplamente helenizada. Ao final

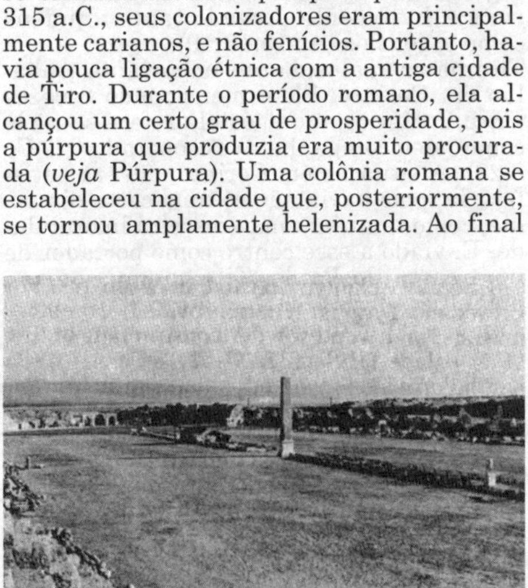

O grande circo romano, ou hipódromo, da cidade de Tiro no continente. HFV

de sua terceira viagem missionária, Paulo permaneceu durante uma semana em Tiro (At 21.3,4). Tiro sofreu muitos ataques, foi parcialmente destruída nos séculos seguintes e quase completamente arrasada pelos muçulmanos em 1291, tendo, a partir de então, permanecido em ruínas durante séculos. A moderna cidade de Tiro tem uma população de cerca de 12.000 habitantes. O governo do Líbano tem continuado a fazer escavações nas ruínas locais.
*Veja* Fenícia; Sidom; Líbano.

H. F. V.

**TIRO DE ARCO** Uma forma de indicar a distância (somente em Gênesis 21.16) entre o arqueiro e seu alvo, isto é, cerca de 45 metros.

**TIRSATA** Transliteração da palavra hebraica *tirshatha,* título honorífico do governador de uma província persa, dado a Zorobabel (Ed 2.63) e Neemias (Ne 7.65,70; 8.9; 10.1) como governadores de Judá. Sua origem é a palavra persa *tarshta,* que significa "aquele que é temido", e equivale a "sua excelência".

**TIRZA**
1. A mais jovem das cinco filhas de Zelofeade, da tribo de Manassés (Nm 26.33; 27.1; 36.11; Js 17.3).
2. Cidade real dos cananeus entre as 31 cidades que foram conquistadas por Josué (Js 12.24). Situada no território tribal ocidental de Manassés, ela substituiu Siquém como capital do Reino do Norte (1 Rs 14.17) e se tornou a residência real dos reis de Israel desde Jeroboão até Onri. Depois que Onri transferiu a capital para Samaria, Tirza perdeu sua importância, apesar de sua beleza e dos encantos de sua localização. Sua última referência está relacionada à época de Menaém, em aprox. 752 a.C. (2 Rs 15.14-16).
A palavra Tirza, pode significar "encanto". Esse lugar deve ter sido notável por sua beleza, pois Salomão comparou sua bela mulher Sulamita à beleza de Tirza (Ct 6.4).
Em Tirza, reinaram Jeroboão I, seu filho Nadabe, Baasa, Elá e Zinri (1 Rs 14.17,20; 15.21,33; 16.6-9,15). Este foi o lugar onde Baasa foi sepultado e Elá foi assassinado enquanto "se embriagava" na casa de seu servo. É provável que ele também tenha sido sepultado nesse mesmo local. Lá também Zinri foi sitiado por Onri e preferiu morrer nas chamas de seu palácio a se entregar nas mãos de seu desafeto.
Assim Tirza conservou sua liderança durante mais de 40 anos para, ao final, ser suplantada por Samaria.
Atualmente, sua localização é incerta, embora evidências arqueológicas pareçam favorecer a cidade de Tell el-Far'ah ao norte, cerca de onze quilômetros a nordeste de Nabulus e Siquém. Localizada no Uádi Far'ah, fértil e

Ruínas de uma casa da época de Onri em Tell el Far' ah, provável Tirza.HFV

bem servido de águas, é a única passagem bastante ampla que leva desde o vale do Jordão (perto de Sucote) até o interior de Canaã. Este certamente foi o caminho que Abraão e Jacó escolheram quando viajaram da Mesopotâmia até Siquém.

Escavações feitas em Tell el-Far'ah durante nove estações, entre 1946 e 1960, desenterraram ruínas bem conservadas do Início da Idade do Bronze (Calcolítico) e da Idade do Ferro. No nível israelita da época de Salomão, Jeroboão I e Baasa (em aprox. 950-885 a.C.), as casas tinham um tamanho bastante uniforme, mostrando que não havia uma grande desigualdade social entre os seus habitantes. Esse nível (Estrato III) havia sido violentamente destruído pelo fogo, e corresponde à morte de Zinri no incêndio de seu palácio (1 Rs 16.18). Um estrato intermediário revelou as paredes de novos edifícios e também que havia sido iniciada uma grande estrutura que nunca se elevou acima das fundações e do nível do solo. De Vaux sugere que ali se encontrava um palácio que Onri nunca terminou, pois transferiu sua capital para Samaria e abandonou Tirza. O nível do século VIII a.C. tinha um grande edifício de dois andares perto da porta da cidade, talvez a residência de Menaém, caso ele tenha sido o governador de Tirza. Essa cidade foi destruída na época da invasão assíria e seu último período revelou uma cidade pobre, sem fortificações, finalmente abandonada por volta de 600 a.C. (R. de Vaux, "Tirza", TAOTS, pp. 371-383).

R. L. D. e J. R.

**TISBITA** Foi dito que o profeta Elias era um tisbita de Gileade (1 Rs 17.1; 21.17,28; 2 Rs 1.3,8; 9.36). Em 1 Reis 17.1, várias versões acompanham a Septuaginta, registrando "de Tisbé, na região de Gileade" ao invés de os "moradores de Gileade" de outras versões. A localização de Tisbé em Gileade é desconhecida. Baseando-se em evidências encontradas em antigos escritores judeus e cristãos, alguns estudiosos preferiram situá-la no moderno local de Lisdib (também chamado el-Istib), um pouco a leste e ao sul de Jabes-Gileade. Nesse local, as ruínas de uma igreja cristã e de um convento têm o nome de Mar Ilyas. Nelson Glueck suspeita que tenha havido um erro de escrituração e conclui que realmente se trata de "Elias, o jabesita de Jabes-Gileade". *Veja* Elias.

**TISRI** Nome do sétimo mês do calendário hebraico depois do exílio. Correspondia ao primeiro mês do ano civil, e nele eram celebradas as festas da Expiação e dos Tabernáculos, sendo que o Dia da Expiação ocorria no décimo dia. Este mês coincide com partes de setembro e outubro do atual calendário internacional. *Veja* Calendário.

**TITO** Ajudante e amigo extremamente querido de Paulo, e provavelmente um de seus convertidos (Tt 1.4). Embora tenha sido muito ativo na obra de Cristo, ele não é mencionado em Atos, mas está presente em 2 Coríntios, Gálatas, 2 Timóteo e Tito. Ele acompanhou Paulo e Barnabé em sua visita a Jerusalém para discutir com os apóstolos e os anciãos as obrigações do cristão em relação à lei mosaica (At 15; Gl 2.1-4). Paulo resistiu energicamente aos adeptos do judaísmo cuja pretensão era que os gentios convertidos fossem circuncidados e observassem outros ritos judaicos. O caso de Tito (um gentio) era um verdadeiro teste e Paulo conquistou uma completa vitória no Concílio. A Igreja não deveria sujeitar-se a regulamentos judaicos, e o evangelho deveria ser livremente pregado tanto a judeus como a gentios (At 15.13-19).

Tito havia realizado um importante trabalho em Corinto. Ele é mencionado 8 vezes em 2 Coríntios, e o apóstolo refere-se a ele como "meu companheiro e cooperador" (2 Co 8.23). A situação em Corinto não era satisfatória, pois havia não só uma certa discórdia, como também uma grosseira imoralidade. Enviado a esse centro como portador de uma carta de Paulo, Tito conquistou um magnífico sucesso. Ele e os coríntios tornaram-se muito unidos, e as boas notícias que enviou trouxeram grande conforto a Paulo, que estava preocupado e ansioso. Parece que Tito esteve três vezes em Corinto, tendo supervisionado em duas delas a coleta para os irmãos pobres de Jerusalém (2 Co 8.6,10,11, 22-24). Juntamente com outro irmão cristão, ele foi o portador da segunda Epístola aos Coríntios (2 Co 8.18).

Tito desaparece do cenário até a elaboração da epístola que traz seu nome. Depois de sua primeira prisão, Paulo levou-o a Creta e, quando precisou partir dessa ilha, deixou Tito para trás a fim de completar sua obra, organizar a igreja, e designar presbíteros em cada cidade (Tt 1.5). Sua posição eclesiástica em Creta era muito semelhante à de Timóteo em Éfeso. *Veja* Tito, Epístola a. O firme e decidido Tito era a pessoa certa para trabalhar entre os cretenses pagãos. Paulo pediu que fosse encontrá-lo em Nicópolis e, provavelmente, foi a partir dali que ele viajou para a vizinha Dalmácia (2 Tm 4.10).

***Bibliografia.*** *Veja* Timóteo, Primeira Espístola a.

A. M. R.

**TITO, EPÍSTOLA A** Uma das três Epístolas Pastorais (*q.v.*) de Paulo no NT. A carta a Tito (*veja* Tito) foi escrita antes de 2 Timóteo e nela o apóstolo escreve sobre o trabalho do qual Tito fora incumbido em Creta (Tt 1.5). Ele deveria "estabelecer" ou "constituir" presbíteros em cada cidade. Está claro que para ele os termos presbítero (*presbyteros*) e bispo (*episkopos*) eram intercambiáveis porque, ao descrever as qualificações exigidas de um presbítero, ele diz: "Porque convém que o bispo seja irrepreensível como despenseiro da casa de Deus..." etc. (Tt 1.5-9). O apóstolo havia anteriormente dito aos presbíteros de Éfeso: "Olhai, pois, por vós e por todo o rebanho sobre que o Espírito Santo vos constituiu bispos, para apascentardes a igreja de Deus..." (At 20.28). Isso parece confirmar a argumentação do Bispo Lightfoot, de que na igreja primitiva esses termos eram sinônimos. Tito era um obreiro em Creta da mesma maneira que Timóteo o era em Éfeso. Nos dois casos a permanência de ambos era temporária (cf. Tt 3.12). Eles eram representantes do apóstolo Paulo, e estavam fazendo a obra que lhes havia sido designada.

Seu trabalho exigia sabedoria, bondade e fortaleza, pois os cretenses eram então um povo rude e licencioso, como seu próprio poeta Epimenides declarou (Tt 1.12). Entre eles existiam estranhas aberrações judaicas e discussões estúpidas sobre a falsa ciência e as "genealogias" (Tt 3.9), que indicavam o início do gnosticismo.

### Conteúdo

A maior parte dessa epístola consiste de instruções pessoais a Tito. Entretanto, ela contém muitas observações que são relevantes a todos os cristãos. O evangelho é a verdade e traz a vida eterna. Paulo prescreve qualificações para os presbíteros da igreja: reputação irrepreensível, lares bem disciplinados, moderação, autocontrole e hospitalidade, e os atos dos falsos mestres deveriam receber rigorosa censura (capítulo 1).

Em seguida, Paulo ensina que Tito deve dar o exemplo da sã doutrina e das boas obras, pois, sem este, o ensino torna-se inútil (capítulo 2). Os frutos da misericórdia de Deus devem ser reproduzidos na boa conduta, pois, de outra forma, a profissão de fé do cristão tornar-se-á reprovável. Tito deveria evitar disputas inúteis com os hereges a respeito de assuntos sem sentido, e os hereges incorrigíveis deveriam ser rejeitados pelos membros da igreja (3.1-11).

Podemos certamente acreditar que Tito repetiu em Creta o sucesso que teve em Corinto (*veja* Tito). Paulo insistiu para que fosse ao seu encontro em Nicópolis (Tt 3.12).

### Esboço

I. Saudação, 1.1-4
II. O Temor e a Obediência a Deus dos Líderes da Igreja, 1.5-16
   A. Qualificações dos presbíteros, 1.5-9
   B. Necessidade de presbíteros virtuosos para combater ensinadores desordenados, 1.10-16
III. O Temor e a Obediência a Deus na Família Cristã, 2.1-15
   A. Adornando a sã doutrina nos lares, 2.1-10
   B. A graça como a base de toda a conduta cristã, 2.11-15
IV. O Temor e a Obediência a Deus no Mundo, 3.1-11
   A. Submissão aos governantes e consideração para com todos os homens, 3.1-7
   B. Praticar boas obras e afastar-se de discussões tolas, 3.8-11
V. Conclusão, 3.12-15

***Bibliografia.*** *Veja* Timóteo, Primeira Epístola a.

A. M. R.

**TIZITA** Nome gentílico acrescentado a Joá, um dos poderosos de Davi (1 Cr 11.45).

**TOÁ** Bisavô do profeta Samuel (1 Cr 6.34). Esse nome aparece em outras passagens como Naate (1 Cr 6.26) e como Toú (1 Sm 1.1).

**TOALHA** O pano de linho (gr. *lention*, uma palavra emprestada do latim *linteum*) com o qual o Senhor Jesus cingiu-se, quando tirou suas vestes externas e enxugou os pés dos discípulos depois de tê-los lavado na última ceia (Jo 13.4,5).

**TOBE** Região situada a leste do rio Jordão onde Jefté exilou-se depois da morte de seu pai e de ter sido repudiado por seus irmãos (Jz 11.3-5). Mais tarde, os anciãos foram procurá-lo e, tomados de desespero, insistiram para que assumisse o comando do exército. Hanum, o rei de Amom, recrutou soldados dessa área para com eles lutar contra Davi (2 Sm 10.6). Isso pode sugerir que esse local estivesse situado fora das fronteiras de Israel, provavelmente a nordeste do distrito de Gileade.

Esse nome aparece nos registros egípcios como Tu-by (#22 da lista de Tutmósis III) e nas cartas Amarna (#205) como Dubu. Sua melhor identificação é com et-Taiyibeh, mais de dezesseis quilômetros a leste de Edrei e Ramote-Gileade, perto das cabeceiras do rio Jarmuque. No AT, Tobe parece ser o distrito de Tobias de 1 Mac 5.13 e 2 Mac 12.17, mencionado em conexão com a campanha de Judas Macabeu em Gileade.

H. A. Han.

**TOBE-ADONIAS** Um dos levitas que Josafá enviou a todas as cidades de Judá em uma missão itinerante de instrução (2 Cr 17.8). Entretanto, esse nome pouco comum parece ser uma variação ocasionada pelos nomes precedentes, Tobias e Adonias.

**TOBIAS**

1. Chefe de uma família que retornou do cativeiro da Babilônia, mas não pôde comprovar sua descendência (Ed 2.60,62; Ne 7.62,64). Ele pode ter algum parentesco com a família de Tobias mencionada abaixo, mas nenhum relacionamento definido pode ser comprovado.
2. Governador judeu-amonita que uniu suas forças com Sambalate (*q.v.*) na tentativa de evitar que Neemias e os israelitas reconstruíssem o muro (Ne 2.10; 6.1-19). Quando Neemias se ausentou de Jerusalém, Tobias foi agraciado com um quarto na área do Templo, usado anteriormente como depósito, pois tinha um parente entre os sacerdotes (6.17,18; 13.6). Evidentemente, gozava de boas relações de amizade com os sacerdotes e os nobres de Jerusalém. Ao retornar, Neemias lançou fora os pertences de Tobias, mandou limpar e purificar o quarto e, novamente voltou a usá-lo como depósito de vasos, incenso e das ofertas de manjares (13.6-9). A maioria dos estudiosos da Bíblia Sagrada acredita que ele era um ancestral da casa de Tobias que no século III havia se tornado rival da casa de Onias quanto ao sumo sacerdócio judeu na Palestina (2 Mac 3.11). De acordo com W. F. Albright (*The Archaeology of Palestine*, Baltimore. Penguin, 1960, pp. 149ss.), o mausoléu da família Tobias representa a ruína mais interessante do período selêucida, pois tem uma inscrição onde o nome Tobias foi talhado em caracteres aramaicos profundos do século III a.C. (veja a foro em VBW, IV, 237). Este era evidentemente um descendente do inimigo de Neemias. Perto do túmulo em 'Araq el-Emir, 24 quilômetros a oeste-sudoeste de Amã na Transjordânia, existe uma estrutura que os arqueólogos acreditam pertencer à época em que Hircanus, o último dos Tobias, estava tomando parte na revolta dos Macabeus. Acredita-se que os Tobias eram coletores de impostos. Depois do saque da Palestina feito por Antíoco Epifânio da Síria, essa família desapareceu das páginas da história.

Houve um outro homem chamado Tobias, que era um dos exilados judeus, de quem o profeta Zacarias recebeu uma oferta de ouro e prata para fazer uma coroa ornamentada para Josué, o sumo sacerdote (Zc 6.10,14).

A. W. W.

**TOCAR** O principal verbo do AT traduzido como "tocar" é o hebraico *naga'*, "tocar, alcançar, golpear". A mulher disse à serpente que ela não deveria nem sequer tocar no fruto proibido no jardim do Éden (Gn 3.3). A palavra é usada em relação a várias situações: ao afago ou à relação sexual (Gn 20.6; 26.11; Rt 2.9; Pv 6.29); a entrar em contato com qualquer coisa cerimonialmente impura, seja a carcaça de um animal imundo (Lv 5.2; 11.8), um cadáver humano (Nm 19.11,13; 31.19), fluxos do corpo (Lv 15), roupas sujas de sangue (Lm 4.14,15), ou um leproso (Lv 22.4); e ao castigo divino (Jó 19.21), ou ainda a algum ataque satânico (Jó 1.11; 2.5). Também pode significar ferir alguém (Sl 105.15; Zc 2.8) ou reavivamento espiritual (1 Sm 10.26).

A palavra comumente usada no NT é o termo grego *haptomai*, "tocar, pegar, segurar". A Septuaginta geralmente traduz *naga'* como este verbo; conseqüentemente, ela possui a grande variedade de significados mencionada acima. É usada para a relação sexual (1 Co 7.1), para o contato com as coisas impuras (2 Co 6.17; Cl 2.21), e para o dano produzido pelo Diabo (1 Jo 5.18). O Senhor Jesus Cristo, ressuscitado, ordenou que Maria Madalena não o detivesse (Jo 20.17), o que evidentemente significava que ela não deveria segurá-lo. A íntima comunhão espiritual que ela almejava com o Senhor teve que esperar até que Ele ascendesse ao céu, e enviasse o precioso Espírito Santo.

Em outras passagens do NT, a palavra "tocar" é usada nos Evangelhos Sinóticos para a obra de cura realizada pelo Senhor Jesus Cristo, e para a atitude do povo em busca de sua ajuda. Aqui também o verbo sugere segurar a pessoa, e não um leve toque. Ao estender sua mão ao leproso, o Senhor Jesus deve ter segurado o homem sem pressa de soltá-lo (Mt 8.3), e assim também segurou a mão da sogra febril de Pedro (Mt 8.15). Ele segurou, e não apenas tocou o esquife do filho da viúva (Lc 7.14), e abraçou as crianças pequenas ao abençoá-las (Lc 18.15), de forma que estes toques não foram atitudes distantes. Tudo isto sugere que o Senhor Jesus, transfigurado, veio abraçar seus três discípulos que estavam tomados de temor, com a finalidade de encorajá-los (Mt 17.7). Semelhantemente, a mulher acometida do fluxo de sangue, e outras pessoas enfermas, seguraram firmemente suas vestes (Mc 5.27-31; Mt 14.36), ou agarraram o próprio Senhor Jesus (Mc 3.10; Lc 6.19), talvez de um modo semelhante à mulher que veio ungir seus pés (Lc 7.39).

J. R.

**TOCATE** *Veja* Ticva.

**TOCO** Palavra usada apenas em Daniel 4.15,23,26 para descrever figuradamente o colapso mental de sete anos do rei.

**TOCHA** Uma luz flamejante produzida por alguma substância altamente inflamável, como madeira resinosa ou estopa fixada na extremidade de um bastão e embebida em sebo ou óleo, geralmente carregada na mão. A palavra hebraica *lappid* ocorre em Gênesis 15.17, onde a "tocha de fogo" passou entre as partes cortadas do sacrifício da aliança; em Êxodo 20.18, onde ela é uniformemente traduzida como "relâmpagos"; em Juízes 7.16,20, onde as "tochas" faziam parte da estratégia militar de Gideão; e em Juízes 15.4,5, onde fachos ou tições faziam parte do estratagema de Sansão. O termo "tocha" é usado como uma símile da chama entre os querubins (Ez 1.13), dos olhos do anjo (Dn 10.6), dos brilhos refletidos dos carros que corriam (Na 2.3ss.), do vapor de água cintilante expelido pelo resfôlego do crocodilo (ou leviatã; Jó 41.19), do livramento de Sião (Is 62.1), e do poder vitorioso das famílias de Judá (Zc 12.6).
Em João 18.3, as tochas são mencionadas com lanternas fornecendo luz para Judas e as pessoas que o acompanhavam durante a prisão do Senhor Jesus. A leitura marginal da versão ASV em inglês do texto de Mateus 25.1,3,4,7 e 8 sugere "tochas", mas ela é mais corretamente traduzida como "lâmpadas". Em Apocalipse 4.5, sete tochas de fogo ardem diante do trono divino, enquanto em Apocalipse 8.10 a grande estrela que cai do céu é descrita como "ardendo como tocha". *Veja* Lâmpada.
E. R. D.

**TODO-PODEROSO** Expressão usada no Antigo Testamento (60 vezes na versão RC), das quais 31 estão no livro de Jó, como tradução do termo hebraico *shaddai*. *Veja* Deus, Nomes e Títulos; El.

**TOFEL** Mencionada uma vez (Dt 1.1), aparentemente situada no Arabá, sendo o limite norte – e Parã o extremo sul – da fronteira geral (o termo heb. *suph* pode significar "extremidade", "fronteira") da região oposta à qual Moisés dirigiu a palavra a todo o Israel que estava "dalém do Jordão".
Ela tem sido identificada com et-Tafileh, uma moderna aldeia árabe cerca de 24 quilômetros a sudeste do mar Morto, na estrada de Kerak até Petra. A consoante dental inicial do árabe (*t*) é um som enfático e não corresponde à consoante dental simples do heb. (*t*). A identificação é, portanto, questionada em termos de uma base lingüística, e também sob uma base contextual.
Parece que ela deve ser identificada mais adequadamente como um local em alguma parte na planície de Moabe, do lado oposto de Jericó. Ela pode ser uma escrita alternativa do termo de área hebraico *diblathaim* (cf. Nm 33.46ss.; Jr 48.22), e pode referir-se a um território em uma carta cuneiforme enviada ao rei assírio em Calá, falando de um mensageiro de Moabe como um "Dabilita" (Henri Cazelles, "Tophel", *Essays in Honour of Miller Burrows*, Leiden. Brill, 1959, pp. 76-79).
H. E. Fi.

**TOFETE** Uma área no vale de Hinom, ao sul de Jerusalém, onde eram feitos sacrifícios de crianças para a suposta divindade chamada de Moloque (2 Rs 23.10; Jr 7.31). O significado e a etimologia do nome são incertos. Alguns a identificam com a raiz que significa "saliva", enquanto outros a explicam com base na raiz aramaica *t-ph-t*, "queimar", significando, portanto, "um lugar de queima e sepultamento de corpos mortos" (cf. Is 30.33). Este nome só ocorre no AT.
Tofete não é a própria Hinom, mas era uma área de sacrifícios situada no vale de Hinom. Os altos de Baal são mencionados em conexão com Tofete (Jr 19.5), e ali a divindade pagã, Moloque (Jr 32.35), era adorada pelos antigos cananeus, e mais tarde pelos israelitas idólatras. Acaz e Manassés foram especialmente notados nesta seita trágica e assassina, pois fizeram com que os seus filhos passassem pelo fogo (2 Rs 16.3; 21.6). Esta prática impiedosa foi uma abominação em Israel e provocou a ira do Senhor.
No distrito de Tânita, em Cartago, foram encontradas evidências de sacrifícios de crianças, que devem ter ocorrido por volta do século XIII a.C. Um antigo santuário púnico estava cercado por milhares de urnas contendo ossos cremados de crianças pequenas, algumas de até 12 anos de idade, mas em sua maior parte de crianças abaixo de dois anos. Outros santuários ou distritos de sacrifício fenícios foram descobertos na Sicília e na Sardenha, e em vários lugares no norte da África, um deles com uma cova de cremação cheia de material queimado (Donald Harden, *The Phoenicians*, Londres. Thames & Hudson, 1962, pp. 94-104; W. F. Albright, *Yahweh and the Gods of Canaan*, Garden City. Doubleday, 1968, pp. 237ss.). *Veja* Sacrifício Humano.
Jeremias predisse que o nome Tofete seria mudado para "vale da matança", porque muitas pessoas seriam mortas ali (Jr 7.32,33; 19.6). Os bons reis de Judá, como Josias (2 Rs 23.10), destruíram o lugar derrubando os altares e altos para que não mais pudessem ser usados para as práticas idólatras. A destruição foi tão completa, que não há nenhuma indicação clara do seu local exato.
P. S. H.

**TOGARMA** Terceiro filho de Gomer, irmão de Asquenaz, o progenitor citiano (Gn 10.3; 1 Cr 1.6; Ez 38.6). (Bete)-Togarma era uma das nações longínquas que negociavam com Tiro (Ez 27.14), fornecendo cavalos, mulas e soldados para Gogue (*q.v.*; Ez 38.6). Ela era conhecida por Mursilis II, o rei hitita, como Tegarama, situada entre Carquemis e Harã. Era conhecida pelos assírios como Tilgarimanu, de acordo com os registros de Sargão e Senanqueribe, sendo que esse último a conquistou em 695 a.C. Na Antiguidade clássica, era conhecida como Gauraena (a moderna Gurun), aproximadamente 110 quilômetros a oeste de Malátia. Os armênios traçam os seus ancestrais até Haik, filho de Torgom; dessa forma, eles podem ser descendentes dos antigos habitantes de Togarma.

**TOÍ** Rei de Hamate (2 Sm 8.9,10; Toú, 1 Cr 18.9,10), provavelmente um hitita (*veja* Heteus) que enviou seu filho Hadorão (Hadadrão[?]; Jorão, 2 Samuel 8.10) com presentes de ouro, prata e bronze para congratular ou tacitamente reconhecer a soberania de Davi depois desse último ter derrotado, de forma completa, Hadadezer, o rei sírio de Zobá e inimigo perpétuo de Toí.

**TOLA**

1. Filho de Issacar (Gn 46.13; 1 Cr 7.1,2) e chefe ancestral da família dos tolaítas (Nm 26.23).
2. Juiz que pertencia à linhagem de Issacar. O nome de seu pai era Puá, filho de Dodô (Jz 10.1). Tola viveu e foi sepultado em Samir, na região montanhosa de Efraim. Depois da época de Gideão e Abimeleque, Tola ascendeu à liderança e serviu como juiz durante 23 anos. Não existe menção de alguma opressão por parte de algum inimigo ou de libertação. Alguns estudiosos sugerem que o local desconhecido de Samir pode ter se localizado nas proximidades de Samaria.

**TOLADE** Cidade da tribo de Simeão, no extremo sul em direção à fronteira de Edom, mencionada com Ezém, Ziclague, Horma e outras cidades que os simeonitas herdaram dentro do território de Judá (1 Cr 4.29; em outras passagens aparece como Eltolade, *q.v.*; Js 15.30; 19.4). F. M. Abel a identificou com Khirbet Erqa Saqra (*Geographie de la Palestine*, Paris. 1938, II, 314).

**TOLAÍTAS** Uma família que descendeu de Tola (*q.v.*), um dos filhos de Issacar (Nm 26.23).

**TOLERÂNCIA** Este substantivo traduz o termo gr. *anoche* em suas duas ocorrências no NT. A palavra significa literalmente "reter", "parar" (especialmente no caso de hostilidades), e assim era freqüentemente usada para um armistício ou trégua. Em Romanos 2.4, a demora de um Deus justo em infringir a ira ou o castigo sobre o pecador é explicada pela verdade da sua bondade, paciência e longanimidade. Esta demora tem a finalidade de dar oportunidade e levar o pecador ao arrependimento. Em Romanos 3.25, foi declarado que Deus suportou os pecados durante a(s) antiga(s) dispensação(ões) em sua tolerância divina até que o sacrifício substitutivo perfeito fosse oferecido por seu Filho Jesus Cristo. Este conceito da tolerância de Deus também é encontrado em Neemias 9.30.

O verbo relacionado, *anechomai,* é traduzido como "suportar" em Efésios 4.2; Cl 3.13, onde é ordenado aos cristãos que suportem uns aos outros em amor, que tenham consideração uns pelos outros, porque o amor "cobre multidão de pecados" (1 Pe 4.8).

Outros verbos gr. e heb. traduzidos como "suportar" têm o sentido de "parar", "cessar", "abster-se de". *Veja* Longanimidade.

J. R.

**TOLICE** *Veja* Loucura; Louco.

**TOMÉ** Um dos 12 apóstolos (Mt 10.3; Mc 3.18; Lc 6.15; At 1.13), também chamado de Dídimo, significando "gêmeo", em João 11.16; 20.24; 21.2. Era pessimista, mas estava realmente preparado para morrer com Jesus quando o Senhor pretendeu ir à Judéia, mesmo sabendo que enfrentaria a ameaça de apedrejamento (Jo 11.8,16). Mais tarde, Tomé teve dúvidas sobre o significado das palavras do Senhor; ele fez sua indagação quando o Senhor Jesus disse que iria partir, e que os discípulos sabiam para onde Ele iria (Jo 14.5). Tomé foi cético sobre a ressurreição do Senhor Jesus, quando os outros discípulos lhe informaram que Jesus havia estado com eles durante sua ausência. Ele exigiu uma evidência tangível para que pudesse crer neles. Mas, quando o Senhor Jesus apareceu novamente a todos, e convidou Tomé a tocar suas feridas, este exclamou em uma profunda declaração de fé: "Senhor meu, e Deus meu!" (Jo 20.24-28). Tomé estava em um barco, pescando no mar da Galiléia com outros seis discípulos, quando o Senhor Jesus novamente se revelou (Jo 21.1ss.).

A tradição conta que Tomé evangelizou a Pártia e a Índia. Uma comunidade cristã dos dias atuais, na Índia, reivindica ter se originado dele. O Evangelho Apócrifo de Tomé é atribuído a este servo de Deus, porém não se pode ter certeza de que ele seja de fato seu autor.

N. B. B.

**TONEL** O termo tonel de vinho é, muitas vezes, sinônimo de lagar. Era uma cova redonda ou quadrada que tinha a finalidade de guardar o suco das uvas ou o azeite das oliveiras (Nm 18.27; Mc 12.1). Onde não havia rochas junto à superfície, covas eram abertas na terra e forradas com pedras impermeabilizadas com piche ou gesso. *Veja* Lagar.

**TONINHA** Tradução da palavra hebraica *tahash* (Êx 25.5; Nm 4.6; *et al.*, várias versões a traduzem como "texugo"). *Veja* Animais: Dugongo V.4.

**TOPÁZIO** *Veja* Jóias.

**TOQUÉM** Uma das cidades simeonitas no sul de Judá (1 Cr 4.32), porém não identificada. Na relação paralela de Josué 19.7, esse nome foi omitido no Texto Massorético, mas aparece na LXX[B]. É possível que Toquém (1 Cr 4.32) possa ser equiparada a Eter (Js 19.7), pois nessas relações ambas estão precedidas e seguidas pelos nomes das mesmas cidades.

**TORÁ** A palavra hebraica para "lei" talvez venha da forma causativa do verbo *yara*, "lançar", "atirar (flechas)"; de qualquer maneira, a forma verbal Hiph'il *hora* significa "apontar, guiar, instruir, ensinar". Conseqüentemente, a orientação que possui autoridade é lei. O substantivo *tora* consta 215 vezes no AT. O termo Torá é usado no singular 172 vezes para se referir a toda a lei de Deus ou de Moisés, e no plural 11 vezes com o mesmo significado. É usada em Levítico 15 vezes, em Números 7 vezes, e em outras passagens 26 vezes para se referir a uma lei específica no código. Em Provérbios, ela é usada seis vezes para se referir às leis ou regras dos pais (1.8; 3.1), ou aos traços de caráter, como, por exemplo, a bondade (31.26).

Assim, devido ao seu extraordinário uso para se referir à lei do Senhor que foi dada a Israel através de Moisés, a Torá tornou-se o nome para o Pentateuco. O termo Torá, às vezes, referia-se a todo o AT (em João 10.34 o Senhor Jesus referiu-se ao Salmo 82.6 como a "vossa lei"; cf. também João 12.34) e, às vezes, era até aplicado a toda a antiga literatura judaica, tanto escrita quanto oral. No entanto, ainda é principalmente usado como uma referência ao Pentateuco.

A expressão "o livro da lei" indica claramente sua forma escrita. De acordo com o Talmude, o Pentateuco hebraico foi dividido em 154 seções para uma leitura sistemática da Torá em cultos de adoração semanais. Através deste sistema, ele seria lido totalmente uma vez a cada três anos. *Veja* Cânon das Escrituras – AT; Lei.

R. B. D.

**TORRE** A torre bíblica, erguida livremente ou colocada sobre um muro ou outro edifício, servia para propósitos de vigilância (cf. Is 5.2; Mt 21.33) e/ou para defesa (cf. 2 Cr 26.9, *et al.*). O termo heb. *migdal* é a palavra mais comum do AT para "torre", e é derivada em última instância não da raiz heb. *gdl*, "ser grande" (como os léxicos), mas, antes, pela metátese da raiz *dgl*, "ver, olhar, cuidar" (é sempre assim no cananeu Amarna; cf. também o acadiano *madgalu/madgaltu*, "vigiar", e a nota hebraica *mispeh*, ou "torre de vigia", de *sapa*, "observar"). A palavra *bahon*, traduzida como "torre" em Jeremias 6.27, é melhor traduzida como "acrisolador".

As torres de defesa desempenhavam um papel importante nas fortificações do antigo Oriente Próximo desde os períodos mais antigos até o período do NT. Desde aprox. 7000 a.C., Jericó já se vangloriava de uma grande torre de pedra como parte de suas defesas, enquanto os muros da cidade, de períodos posteriores, possuíam torres em intervalos regulares para fortificá-los. Até mesmo o pequeno castelo de Saul na colina em Gibeá aparentemente possuía uma torre em cada um dos seus quatro cantos. No período helenístico inicial, as torres tornaram-se cada vez mais populares e bem construídas, enquanto as três torres margeando o palácio de Herodes em Jerusalém, ao norte, foram descritas em termos brilhantes por Josefo (*Wars* v.4.3,4).

As ruínas de um edifício construído de forma imponente, encontradas no interior do muro da cidade de Balatah pode ser a torre de Siquém mencionada em Juízes 9.46-49 (*veja* Siquém). A "torre [gr. *pyrgos*] de Siloé" (Lc 13.4) talvez deva ser comparada com as ruínas de uma grande torre redonda colocada do lado oposto da aldeia de Silwan (*veja* Siloé, Torre de).

O termo "torre" é usado de forma figurada no Salmo 61.3; Pv 18.10; Ct 4.4; 7.4; 8.10.

*Veja* Babel, Torre de; Forte, Fortificação, Fortaleza; Porta; Muro.

R. Y.

**TORRE DE BABEL** *Veja* Babel, Torre de.

**TORRE DE SILOÉ** *Veja* Siloé, Torre de.

Torre na orla da entrada mais baixa da Acrópole de Pérgamo

**TORRE DE VIGIA** Em heb. *mispeh*, que significa "torre de vigia". A estrutura de pedra, freqüentemente construída em vinhedos ou ao longo das fronteiras, que serviu como a base para que Isaías falasse sobre estar continuamente em pé sobre a torre de vigia (Is 21.8; veja também 2 Cr 20.24). *Veja* Guarda; Torre; Vigiar, Observar, Prestar Atenção.

**TOSQUIA** Como o período da colheita, a tosquia na primavera era um momento de grande festividade e alegria em Israel. Parentes e amigos eram convidados, e vários dias eram gastos não só com a tosquia, mas com banquetes e divertimentos (Gn 31.19; 38.12ss.; 1 Sm 25.2-11,36; 2 Sm 13.23-28*a*). Quando uma ovelha está sendo tosquiada, geralmente as patas dianteiras são amarradas pelo pastor para impedir que ela pule, mas ela não emite nenhum som (Is 53.7; At 8.32). Os primogênitos do rebanho tinham que ser consagrados ao Senhor e, portanto, não eram tosquiados (Dt 15.19).

**TOSQUIAR** *Veja* Tosquia.

**TOÚ** Um dos ancestrais de Samuel (1 Sm 1.1). Esse nome aparece em uma outra passagem como Toá (1 Cr 6.34) e Naate (1 Cr 6.26).
*Veja* Toí.

**TOUCA** *Veja* Vestuário: A roupa das mulheres.

**TOUPEIRA** *Veja* Animais: Ratazana IV.27.

**TOURO** *Veja* Animais I.15.

**TRABALHADOR** Adão, como guardador do jardim do Éden, foi, desde o princípio, um trabalhador, lutando para preservar e aumentar aquilo que foi confiado aos seus cuidados. Deus fez do trabalho do homem, durante sua vida, uma mordomia das coisas valiosas que fossem encontradas na terra, sendo os produtos físicos e espirituais a recompensa, e a morte física e espiritual o resultado de seu mau uso (Gn 2.9-17). Quando Caim e Abel ofereceram os produtos de seu trabalho como dádivas para Deus, eles foram aceitos somente quando oferecidos pela fé (Gn 4.3-5; Hb 11.4).
As Escrituras revelam a supervisão divina de todo o trabalho humano (Tg 5.4). Quando Labão arbitrariamente mudou o salário de Jacó muitas vezes, Deus interviu para proteger Jacó (Gn 31.29,42). Depois que a lei mosaica foi entregue, os direitos dos trabalhadores em Israel foram protegidos de muitas maneiras. Para um escravo, foi dada a oportunidade de ganhar a completa liberdade ou ao menos um exercício de escolha (Êx 21.2-6). A opressão a um trabalhador contratado era severamente proibida (Dt 24.14,15), e os profetas clamavam continuamente contra ela.
A parábola da vinha, proferida pelo Senhor Jesus (Mt 20.1,2), e sua declaração de que o "trabalhador" é digno de seu salário (Lc 10.7), transformou o cumprimento do acordo sobre salários em um princípio. Paulo censurou aqueles que andavam "desordenadamente, não trabalhando, antes, fazendo coisas vãs", e os exortou a trabalhar "com sossego", e a comerem "seu próprio pão" (2 Ts 3.10-12). *Veja* Trabalho; Ocupações.

J.W. W.

**TRABALHADOR ou OBREIRO** Todas as diversas palavras usadas para um trabalhador (ou obreiro) denotam o trabalho árduo com as mãos, uma ocupação ativa ao executar uma tarefa ou produzir um produto (1 Cr 22.15; Jr 10.3; 2 Cr 24.13). Este uso ativo e energético também é aplicado aos que "praticam a iniqüidade", também chamados, em algumas versões, de "obreiros da iniqüidade" (Sl 6.8; 14.4; Lc 13.27), e ao homem de Deus que trabalha com afinco, trabalhando na Palavra para mostrar a si mesmo aprovado ao seu Mestre (2 Tm 2.15). *Veja* Ocupações.

**TRABALHO** A tradução de uma variedade de palavras gregas e hebraicas usadas para indicar uma variedade ainda maior de funções (físicas, mentais, espirituais). Todas são, porém, de alguma forma relacionadas à atividade regular (tanto no sentido de manutenção como de produtividade) de se cumprir o propósito da existência de algo. A ênfase não está na atividade que é difícil, pesada ou necessária, mas naquela que é real, produtiva e valiosa.
O conceito bíblico do trabalho do homem no mundo é predito na declaração da obra de Deus ao criar e sustentar o mundo e o homem nele. A atividade criadora de Deus é mencionada como "toda sua obra que tinha feito [na criação]" (Gn 2.2,3). Enquanto descansava de seu trabalho de criação inicial que estava então "terminado", Deus é citado como ainda trabalhando criativamente não só na sustentação ativa de sua criação (Hb 1.3), mas em sua responsabilidade providencial para a qualidade dinâmica da autopropagação com a qual Ele dotou sua criação (Sl 19.1ss.; 104.24; Is 61.11).
Depois de Deus ter criado o universo, foi observado que "não havia homem para lavrar a terra" (Gn 2.5), e assim "plantou o Senhor Deus um jardim no Éden... e pôs ali o homem que tinha formado" (v.8) "para o lavrar e o guardar" (v.15). É importante notar que este compromisso do homem com o trabalho assemelha-se à sua criação; e esta, por sua vez, está diretamente relacionada com a necessidade do trabalho. Não só o homem é necessário para completar a criação, mas o trabalho do homem também é

necessário. Seu trabalho é tão reflexivo e derivado do trabalho de Deus quanto é seu ser e, por esta razão, é tão importante e digno. Visto que o trabalho é um elemento integral da constituição de Deus do homem como o administrador de sua criação, o trabalho é o resultado da criação e não do pecado.

O homem pecou quando procurou fugir do trabalho humano, e obter a posição de Deus. O efeito do pecado sobre o trabalho não foi criá-lo (pois ele havia sido dado antes da queda), mas frustrar seu desempenho e empobrecer as suas recompensas. O homem que deveria lavrar a terra e guardá-la (Gn 2.15) é agora informado de que, "maldita é a terra" por causa dele; e com dor comeria dela (3.17) e "no suor do rosto" comeria seu pão (v.19). A essência do trabalho, então, torna-se sobrecarregada por acidentes trazidos pelo pecado.

A palavra "trabalho" é usada em todos estes sentidos: heb. *aseb* (Is 58.3) e *'eseb* (Pv 5.10) são fardos penosos, e *'amal* (Dt 26.7; 20 vezes em Eclesiastes etc.) é uma atividade pesada. O termo heb. *y<sup>e</sup>gia'* (Jó 39.11; Ag 1.11) é o produto do trabalho, ou a propriedade adquirida; *ma'aseh* (Êx 23.16) é o trabalho feito. O termo heb. *mela'ka* (Ne 4.22; que consta mais de 120 vezes como "trabalho") é a ocupação, negócio ou trabalho de uma pessoa; *'aboda* (Êx 1.14; 39.32; Lv 23.7; Sl 104.23) é o trabalho escravo ou a tarefa diária de uma pessoa. O termo heb. *p<sup>e</sup>'illa* (Pv 10.16; Ez 29.20) é geralmente encontrado no plural como "realizações" ou "paga". A LXX usa o termo gr. *kopos* para traduzir *'amal*, e o NT o usa para expressar as obras dos justos ao realizarem a vontade de Deus (Jo 4.38; Hb 6.10). Este é um termo caracteristicamente palestino (1 Co 3.8; 15.58 etc.). Aqueles que trabalham excessivamente a ponto de chegarem à exaustão (*kopiao*) para carregarem o jugo da lei e atenderem às suas exigências são convidados pelo Senhor Jesus a virem a Ele (Mt 11.28). O NT também usa o termo grego geral para trabalho ou negócio (*ergon*) neste sentido especial do trabalho ou da obra de um homem (1 Co 3.13-15).

Os hebreus sempre tinham o trabalho em elevada consideração (Pv 22.29) e, ao contrário dos gregos e romanos, respeitavam o trabalho manual: "Quem a ajunta pelo trabalho [lit. pelas mãos] terá aumento" (Pv 13.11). No Talmude existem provérbios como os que se seguem: "Aquele que não ensina a seu filho um ofício é como se o guiasse para o roubo"; e "O trabalho deve ser grandemente premiado, pois ele exalta o trabalhador, e o sustenta". Os apóstolos trabalhavam com as próprias mãos (At 18.3), e ensinavam que os cristãos deveriam fazer o mesmo (1 Ts 4.11; 2 Ts 3.10ss.). *Veja* Trabalhador; Ocupações; Serviço; Salário.

W. A.

**TRAÇA** *Veja* Animais IV.33.

**TRACONITES** Significando "áspero" ou "montanhoso", este termo é um adjetivo grego aplicado ao território localizado 40 quilômetros a sudeste de Damasco que é mencionado em Lucas 3.1 juntamente com a Ituréia, formando a tetrarquia de Filipe, filho de Herodes o Grande e irmão de Herodes Antipas. Ela é às vezes citada como Tracom, o que simplesmente transforma o adjetivo em um substantivo. Na verdade, Strabo, o geógrafo da Antiguidade, usa o substantivo no plural, falando de dois distritos (Strabo, xvi.2.20). A extensa massa de rocha vulcânica, basalto negro, que cobre aproximadamente 900 quilômetros quadrados, é a característica peculiar do distrito.

É entendida como sendo uma porção do antigo território conhecido no AT como Basã (Dt 3.4), e que é agora chamado de Haurã. Josefo observa que este era um esconderijo para ladrões e criminosos. As ruínas da área indicam que na Antiguidade ela abrigava uma população considerada maior do que aquela que ela possui agora. Parece ter havido alguma agricultura, pequenas plantações de cereais e vinhas, mas o pastoreio de ovelhas e cabras era especialmente adequado para o terreno.

O imperador Augusto deu Traconites a Herodes o Grande, que por sua vez a deixou para seu filho Filipe em 4 a.C. Filipe governou este território por aprox. 40 anos. Depois de sua morte, em 34 d.C., ela foi absorvida pela província romana da Síria (Josefo, *Ant.* xviii.4.6). Em 37 d.C., o imperador Calígula a transferiu para Herodes Agripa I, que a governou até 44 d.C. Os oficiais romanos mais uma vez a governaram após Herodes Agripa, até que ela se tornou uma parte do reino de Herodes Agripa II em 53 d.C., e assim permaneceu até 100 d.C., quando foi devolvida à província da Síria. Em 106 d.C., o imperador Trajano fez de Traconites uma parte da nova província da Arábia.

H. L. D.

**TRADIÇÃO** A palavra grega *paradosis* ocorre 13 vezes no NT e é usada no sentido de um ensino que é transmitido de uma pessoa ou grupo para uma outra pessoa ou grupo. No NT, o termo tem dois significados gerais. É usado para se referir à interpretação oral do AT, particularmente da lei de Moisés, e aos ensinos dos anciãos e rabis judeus. A tradição era chamada de Halakah na literatura judaica, e foi mais tarde escrita e preservada no Mishna e no Talmude (*q.v.*). Estas tradições eram freqüentemente consideradas como tendo a mesma autoridade das Escrituras do AT. O Senhor Jesus censurou severamente os fariseus por esta atitude em relação à tradição: eles haviam abandonado os mandamentos de Deus a fim de seguirem suas próprias tradições, a "tradição dos homens" (Mc 7.3ss.; Mt 15.1ss.). A "tradição dos anciãos (ou dos antigos) cegava os homens para suas necessidades espirituais básicas. E fazia da observância de muitas formas externas a qualificação essencial para que alguém pudesse ser aceito por Deus. Esta palavra também é encontrada em Colossenses 2.8 em sentido um pouco mais amplo, que inclui todo o ensino meramente humano.

Em três ocasiões, Paulo usa a palavra para denotar seus ensinos (1 Co 11.2; 2 Ts 2.15; 3.6). As tradições eram ensinos de um apóstolo inspirado e que deveriam ser recebidos e mantidos porque a autoridade do céu estava por trás deles. Na igreja primitiva, a tradição oral de testemunhas oculares dos atos e ensinos de Jesus era considerada autêntica e de grande importância (Hb 2.3,4). Lucas fez uso de tal tradição, que foi "transmitida" (do gr. *paradidomi*, e o verbo correspondendo a *paradosis*) na escrita de seu Evangelho (Lc 1.2).

N. R. L.

**TRADUÇÕES DA BÍBLIA INGLESA** *Veja* Bíblias, Versões em Língua Inglesa.

**TRAIÇÃO** As palavras gregas subjacentes significam "entregar". Isto é precisamente o que Judas fez ao trair a Cristo (Mt 26.14-16,47-50; Mc 14.10,11,43-46; Lc 22.3-6,47,48; Jo 18.3-5), e representa a maioria das ocorrências desta palavra nas traduções da Bíblia Sagrada. A traição se mostra ainda mais hedionda e pungente pela citação que o Senhor fez do Salmo 41.9: Aquele "que comia do meu pão, levantou contra mim seu calcanhar". As circunstâncias da traição de Judas e os resultados terríveis para si mesmo, marcaram-no para sempre como um "diabo" (Jo 6.70) e o "filho da perdição" (Jo 17.12).

A motivação de Judas para seu ato de traição tem sido revelada como ambição, cobiça e inveja. A ambição frustrante o levou à traição quando ele não encontrou em Cristo as vantagens terrenas que desejava. A cobiça e a inveja foram manifestas em sua reação à unção de Jesus e à subseqüente censura que recebeu do Senhor quando, de forma hipócrita, lamentou aquele "desperdício" (Jo 12.1-8). Frank Morison, em sua obra *Who Moved the Stone?* (pp. 30-39), mostra que Judas estava em uma posição muito favorável para colocar em prática sua decisão de trair a Cristo. *Veja* Judas.

W. B. W.

**TRAMA**

1. Palavra usada para a grade de latão em volta do altar das ofertas queimadas, que era afixada através de quatro anéis de latão em cada um de seus cantos. Sua exata posição e finalidade ainda são incertas (Êx 27.4; 38.4). *Veja* Altar.

2. Termo aplicado ao metal trançado que circundava Jaquim e Boaz, os dois pilares do pátio do Templo, feitos por Hirão de Tiro e destruídos por Nabucodonosor (1 Rs 7.13, 18,20,41,42).

3. Nome genérico dos tecidos de algodão, ou dos diferentes tipos de tecidos de linho feitos no Egito (Is 19.9). *Veja* Algodão.

**TRANÇA** *Veja* Cabelo.

**TRANSFIGURAÇÃO DE CRISTO** A palavra transfiguração é derivada do termo em latim usado para traduzir o grego *metamorphoo*, "mudar, passando a ter outra forma". A transfiguração de Cristo é mencionada em todos os Evangelhos Sinóticos e também por Pedro em sua segunda carta (Mt 17.1ss.; Mc 9.2ss.; Lc 9.28ss.; 2 Pe 1.16-18).

Quatro possíveis locais têm sido sugeridos: monte das Oliveiras, monte Tabor, monte Hermom e Jebel Jarmuk. Para alguns, o monte Hermom parece ser o mais provável por causa de sua grande altitude (3.046 metros) e sua proximidade com Cesaréia de Filipe, que é mencionada imediatamente antes do episódio (Mt 16.13; Mc 8.27). Tanto o monte das Oliveiras como o monte Tabor parecem ter sido povoados demais para um evento que requeresse tal privacidade e tranqüilidade como a transfiguração. Jebel Jermaq (1.300 metros de altitude), a montanha mais alta na Galiléia Superior, é sugerida por W. Ewing (ISBE, V, 3006). Ele argumenta que o Hermom fica fora da Palestina, e que portanto era improvável que o fato tivesse ocorrido ali. Além disso, visto que o Senhor Jesus Cristo subiu ao monte para orar (Lc 9.28) e desceu no dia seguinte para se encontrar com uma multidão (Lc 9.37), o Hermom parece ser excessivamente inacessível para ter sido o local do fato. Por outro lado, o Senhor pode ter subido o monte Hermom até certo ponto, sem subir até o cume ("e os conduziu em particular a um alto monte", Mateus 17.1).

Cristo levou os seus três discípulos mais íntimos – Pedro, Tiago e João – consigo nesta ocasião. A transfiguração ocorreu enquanto Ele estava orando (Lc 9.29). Os discípulos, que estavam sonolentos (Lc 9.32), despertaram e viram Cristo transformado. Seu rosto reluzia com um brilho semelhante ao brilho do sol, da mesma forma que iria brilhar após sua ascensão e glorificação, como revelado no livro de Apocalipse, e as suas vestes estavam brancas como a neve (cf. Ap 1.14-16). A glória que o Filho de Deus possuía por seu próprio direito retornou por um momento para cobri-lo (cf. Jo 17.5). A voz celestial que disse: "Este é o meu Filho amado, em quem me comprazo; escutai-o" (Mt 17.5) era a mesma que foi ouvida na ocasião do batismo de Jesus (Mt 3.16,17). A voz identificou Jesus não só como o Messias, mas também como o

Profeta de Deuteronômio 18.15-19, aquele que estava verdadeiramente proclamando que o Messias deveria sofrer a morte, e que a cruz era a vontade de Deus.

A transfiguração marca uma etapa importante no ministério e revelação de Jesus Cristo. Nela, os dois maiores representantes do AT, um da lei, isto é, Moisés, e um dos profetas, isto é, Elias, se juntaram a Cristo na consumação do plano da morte expiatória, sepultamento e ressurreição de Cristo – seu êxodo (Lc 9.31, gr. *exodos*). Assim foi predito que sua paixão seria o meio de redenção de seu povo, como foi tipificada pelo êxodo do Egito no AT. Moisés e Elias foram semelhantes no sentido de que cada um deles havia tido uma visão de Deus em uma montanha; Moisés no Sinai (Êx 24.15ss.), e Elias no Horebe (1 Rs 19.8ss.). Não se sabe o destino final de seus corpos, pois não se conhece o local de sepultamento de Moisés, e Elias foi levado vivo ao céu (Dt 34.6; 2 Rs 2.11). Ambos foram mencionados nos versículos finais do AT (Ml 4.4-6). Alguns pensam que eles devem aparecer novamente na terra no fim dos tempos (Ap 11).

A transfiguração é considerada pelo Senhor Jesus Cristo como uma revelação da vinda de seu reino (Mt 16.28; Mc 9.1; Lc 9.27).

***Bibliografia.*** E. F. Harrison, "Transfiguration", BDT, pp. 528ss. A. M. Ramsey, *The Glory of God and the Transfiguration of Christ*, Londres. Longmans, Green, 1949.

R. A. K.

**TRANSFORMAR** A palavra grega usada em Filipenses 3.21; 2 Coríntios 11.13-15; 1 Coríntios 4.6 é *metaschematizo*. Ela significa "mudar a aparência exterior daquilo que em si permanece o mesmo", ou "assumir a aparência de outro". O termo grego *metamorphoo* é usado em Mateus 17.2; Marcos 9.2; Romanos 12.2; 2 Coríntios 3.18. É usado nas últimas duas passagens como uma referência à mudança do caráter moral para melhor, através da renovação da natureza mais interior, porém se referindo sempre a uma transformação que é visível.

Em Filipenses 2.6-8, o termo grego *morphe*, "forma", é contrastado com *schema*, "modo", como aquilo que é "intrínseco e essencial em contraste com aquilo que é acidental e exterior" (Lightfoot, *Philippians*, p. 131). O uso de *morphe* refere-se à expressão visível do caráter ou da essência das coisas (vv.6,7); *schema* refere-se à aparência transitória das coisas, seu "modo" (v.8; 1 Co 7.31). *Veja* Kenosis.

***Bibliografia.*** J. Behm, "*Morphe* etc.", TDNT, IV, 742-759.

**TRANSGRESSÃO** Uma transgressão (heb. *ma'al*, um ato de traição ou de má fé; ou *pesha'*, uma transgressão) é um pecado cometido contra Deus (Nm 31.16) ou contra o homem (Gn 31.36; Êx 22.9; Nm 5.12,27). Além da expiação necessária para o culpado envolvido, o sistema levítico requeria um reembolso ou restituição quando um homem transgredia contra outros (Lv 5.15–6.7; 7.1-10). Esta oferta (heb. *'asham*) tipificava o pagamento feito por Cristo por nossos pecados (Is 53.10ss.). *Veja* Sacrifícios. A contrapartida espiritual do ritual do AT é exemplificada na restituição e reconciliação exigida dos cristãos antes que as suas transgressões sejam perdoadas (Mt 6.14ss.; 18.15-17,21-35; Ef 4.32).

Joabe alertou o rei Davi a não se tornar causa de transgressão ou culpa para Israel (1 Cr 21.3). Em outras ocasiões, tribos ou nações inteiras foram advertidas a não agirem de má fé e aumentarem a culpa (Js 22.16,20; 2 Cr 28.12ss.) de suas transgressões. Os líderes são especialmente responsáveis por suas transgressões ou infidelidade (2 Cr 33.19; Ed 9.2,6ss.). Todas as transgressões trazem a ira do Senhor (2 Cr 24.18; Ez 14.13ss.).

Os homens estão, por natureza, mortos em suas transgressões (Ef 2.1). Somente Deus pode perdoá-los (Cl 2.13) e torná-los justos em Cristo ao não mais contabilizar suas transgressões contra eles (2 Co 5.19-21). *Veja* Pecado.

W. B.

**TRANSJORDÂNIA** *Veja* Amom; Basã; Edom; Gileade; Haurã; Jordão; Moabe; Palestina. II.B.4.

**TRASLADAR** As palavras gregas e hebraicas que aparecem como "trasladar" sugerem a idéia de mudança de algo ou alguém de uma condição para outra. Geralmente a mudança é muito clara, determinada e drástica. Foi dito que tanto Enoque como Elias foram trasladados. Estes dois santos do AT escaparam da morte através do traslado. Enoque (Gn 5.24; Hb 11.5) e Elias (2 Rs 2.11) foram subitamente transformados por Deus de um estado não glorificado para um estado glorificado.

Ao crerem, os pecadores, que não fazem nada mais do que colocar sua fé em Cristo como aquele que se fez pecado por nós, são citados como sendo "trasladados" do reino de Satanás para o reino do Salvador (Cl 1.13). Esta mudança resulta no perdão de pecados e na mudança de cidadania da terra para o céu. Tal traslado é de natureza espiritual.

Há também um traslado físico e final dos crentes. Freqüentemente se fala deste grande evento como o arrebatamento da Igreja. Quando Cristo voltar para a Igreja, que é seu corpo (Jo 14.1-3; 1 Ts 4.13-18), os membros deste corpo experimentarão uma mudança completa (1 Co 15.51-57). Paulo chama de "mistério" este traslado ou transformação daqueles que estiverem "em Cristo" e vivos quando o Senhor voltar. Deste modo, o apóstolo indica que a verdade do traslado dos santos vivos, na volta do Senhor, não foi revelado no AT.

R. P. L.

**TRATADO** *Veja* Aliança.

**TRAVE ou VIGA** Uma palavra usada para traduzir vários termos hebraicos e gregos que se referem a grandes vigas na construção de pisos, tetos e telhados de edifícios (1 Rs 6.9; 7.2,3; 2 Rs 6.2,5). A palavra também se refere a uma grande barra cujo arqueamento poderia ocorrer de forma indistinta, podendo ser chamada de "eixo do tecelão" (Jz 16.14; 1 Sm 17.7; 1 Cr 11.23). Em 1 Reis 6.36; 7.12, faz-se referência a um tipo que era comum no Oriente Próximo durante o segundo milênio a.C., o uso de um vigamento de traves de madeira para fortalecer um muro sobre um alicerce de pedras com a finalidade de mantê-lo firme caso ocorressem terremotos. O termo foi usado por Jesus em um sentido figurado em contraste com um argueiro (*q.v.*) ou partícula (Mt 7.3).

**TRAVESSEIRO**[1] Esta palavra é a tradução de algumas palavras hebraicas e gregas.
1. Palavra hebraica *m$^e$ra'ashot* (de *ro'sh*, "cabeça"), que literalmente significa o "lugar da cabeça", como em Gênesis 28.11,18. Esse termo também ocorre em 1 Samuel 19.13,16; 26.7,11,12,16; 1 Reis 19.6, referindo-se ao local em torno daquele em que um homem deita a cabeça para dormir.
2. Da palavra hebraica *k$^e$sathot* (do acádio *kasu*, "ligar"), ou laços mágicos de pulso (Ez 13.18,20).
3. Da palavra hebraica *k$^e$bir*, provavelmente uma colcha tecida ou xale feito com o pêlo de uma cabra preta (1 Sm 19.13,16). Mical dobrou um xale e o enrolou para simular a cabeça de um homem, mostrando um pouco de seu pêlo negro.
4. Da palavra grega *proskephalaion*, o travesseiro coberto de couro do marinheiro ou do remador sobre o qual o Senhor Jesus adormeceu na popa do barco (Mc 4.38).

**TRAVESSEIRO**[2] *Veja* Cama

**TREINAR, TREINO** Uma palavra hebraica, *hanak*, que anteriormente se pensava ter o significado de "encher a boca". Ela veio a ser usada para encher a mente, instruir ou educar (Gn 14.14; Pv 22.6). S. C. Reif recentemente argumentou a favor do significado básico de "iniciar" para todas as passagens onde a palavra hebraica ocorre (também Dt 20.5; 1 Rs 8.63; 2 Cr 7.5); em Provérbios 22.6, ele sugere que o sentido do texto é: "Inicie um menino no caminho certo" (VT, XXII [1972], 495-501). De acordo com W. F. Albright, em Gênesis 14.14 a palavra pode ter uma origem egípcia, com o sentido de "retentor" (BASOR, #94 [1944], p. 24, n. 87).

P. C. J.

**TREPADEIRA** Qualquer planta com um caule longo e fino que caminha ou se arrasta pelo chão ou sobe se enroscando em um suporte com a ajuda de gavinhas ou grampos. A trepadeira mais comum da Bíblia era a videira, embora outras trepadeiras como a cabaça (2 Rs 4.39), pepino e melão (Nm 11.5) também sejam mencionados. O solo e o clima da Palestina eram favoráveis às uvas, e elas eram cultivadas há muito tempo em Canaã (Gn 14.18). As videiras de Escol, na região montanhosa de Judá, produziam excelentes frutas (Nm 13.23).
*Veja* Agricultura; Plantas.

**TRÊS VENDAS** *Veja* Praça de Ápio.

**TRÊS** *Veja* Número.

**TREVAS** Nome expresso em 11 palavras hebraicas, sendo que a mais comum delas é *hoshek*, além de várias formas de *'opel*; e em grego por *skotia, skotos*, "trevas", e *zophos*, "tristeza" ou "escuridão".
*Trevas físicas*. Essa expressão é particularmente mencionada em quatro ocasiões na Bíblia.
1. No momento da criação, quando "havia trevas sobre a face do abismo" (Gn 1.2). Ela foi dispersa quando Deus criou a luz e deu início ao processo da criação que está relatado em Gênesis 1.1–2.6, e terminou na criação do homem (2.7-25).
2. As trevas de três dias de duração que constituíram o nono castigo sobre o Egito, "trevas que se apalpem" (Êx 10.21-23).
3. As trevas no momento da crucificação (Mt 27.45) e que continuaram por três horas, da hora sexta até a nona, enquanto Deus escondia, do mundo ímpio, a agonia de seu Filho sobre a cruz. Essas trevas foram um dentre a série de milagres que aconteceram naquela ocasião: terremoto (v.51), trevas (v.45), rompimento do véu do Templo de alto a baixo (v.51) e ressurreição do corpo de alguns santos (vv.52,53).
4. Trevas no segundo advento de Cristo. Essas trevas foram previstas, além do próprio Senhor Jesus Cristo, por Isaías, Joel e João (Is 13.9,10; Jl 2.31; 3.15; Mt 24.29; Ap 6.12). Elas serão diferentes da segunda e terceira, embora também acompanharão e significarão juízo. Enquanto as outras parecem ter tido um caráter local, essas irão cobrir toda a terra, pois o sol, a lua e as estrelas estarão escurecidos.
*Trevas espirituais*. A palavra trevas também foi usada em sentido figurado para designar a ignorância e a cegueira espiritual (Ec 2.14; 5.17; Is 9.2; 29.18; 42.7; Jo 1.5; 8.12; 1 Jo 2.11)

em contraste com a luz (Jo 1.5,9; Is 49.6).
O dia da calamidade e do sofrimento é chamado de dia de trevas (Is 8.22; Jl 2.2; 1 Jo 2.8). O desespero dos perdidos é como as trevas (Mt 4.16; 6.23).
Como as trevas oferecem a necessária cobertura para o mal, a expressão "as obras das trevas" (Rm 13.12; Ef 5.11) às vezes é usada.
A palavra trevas também é usada para expressar a condição da morte longe da luz do evangelho (Jó 10.21,22; 18.18; Cl 1;13; 1 Pe 2.9); dos anjos caídos mantidos em cadeias (2 Pe 2.4; Jd 6); e a condição final dos perdidos (Mt 22.13; 25.30; Jd 13).

R. A. K.

**TRIÂNGULOS** Uma das duas leituras marginais sugeridas pelas versões ASV e RSV em inglês para a tradução do termo hebraico *shalish* em 1 Samuel 18.6. Outras versões traduzem os seus textos como "instrumentos de música" e concordam em acrescentar a tradução alternativa de "instrumentos de três cordas". O termo hebraico é, definitivamente, ligado com *shalosh*, "três", mas seu significado preciso é desconhecido. O que pode ser inferido, com certeza, é que o instrumento era tocado por mulheres em ocasiões de grande alegria para acompanhar canções alegres e danças. Tentou-se identificá-lo com um alaúde de três cordas (Kolari) ou um xilofone (trad. Americana).
*Veja* Música.

**TRIBO** A unidade normal de organização social entre os nômades e seminômades semitas. O cajado simbolizava a autoridade do líder. Portanto, as duas palavras hebraicas para bastão denotam, regularmente, uma tribo (*matteh*, "cajado, bastão"; *shebet*, "cajado, cetro"). A palavra grega no NT é *phyle* (por exemplo, Lucas 2.36; Hb 7.13).
O texto em Josué 7.14 mostra o esqueleto da tribo israelita. Em ordem decrescente, era composta pelo clã (heb. *mishpahah*; cf. Êxodo 6.14; Juízes 9.1), a casa ou família (heb. *bayit*) e o indivíduo (heb. *geber*). Algumas vezes o termo hebraico *'elep* (milhar) também tem o significado de "clã" (cf. Jz 6.15; 1 Sm 10.19; Mq 5.2). O clã ou grupo de famílias (cf Rúben em Êxodo 6.14) era um meio termo entre a unidade tribal maior e as unidades familiares. O termo *bet-'abot* ("casas de seus pais", Êxodo 6.14) no sentido de famílias patriarcais era ambíguo, referindo-se desde os grupos de uma tribo (Nm 1.4) a um clã (Nm 3.24), uma unidade doméstica (Êx 12.3). Irmãos casados, com poucos filhos, podiam, juntos, ser reconhecidos como formando uma "casa de seus pais" (1 Cr 23.11). Embora grande, incluindo os servos e todos os residentes "nascidos em casa", como em Gênesis 14.14, a casa existia em torno de um patriarca ou sheik como Abraão ou Jacó, e o acompanhava em suas peregrinações (Gn 12.1; 31.17,18).
A posse de convicções religiosas similares, ancestrais e objetivos econômicos e militares comuns contribuíam para a unidade tribal. Grupos de tribos podiam ser unidos sob um pacto federativo, como os estados na antiga Grécia, em Delfos, e as 12 tribos de Israel em Siló (Js 18.1; 21.2; 1 Sm 1.3). No caso de Israel, a aliança com Jeová foi inicialmente estabelecida na terra prometida em Siquém (Js 8.30-35), e ali foi renovada quando seu líder, Josué, se aproximava da morte (Js 24.1-28). *Veja* Aliança.
Na época do Êxodo, a estrutura tribal israelita incluía um conselho de anciãos (Êx 3.16; 34.31). *Veja* Ancião. O líder de cada tribo era chamado de príncipe (Nm 34.18). Os "príncipes das tribos", "os chefes de milhares", ajudaram Moisés e Arão a contar o povo (Nm 1.4-16). No período compreendido em Juízes, a descentralização, e com ela a ausência da lei, se impuseram. Juízes individuais periodicamente exerceram a autoridade centralizada (cf. Jz 3.15; 4.6; 13.2, 24,25). Samuel, o juiz-profeta, (1 Sm 3.20; 7.15) solidificou as tribos precedendo o início do reino sob Saul (1 Sm 9.27–10.1; 11.15). Davi e Salomão, entretanto, como outros monarcas do Oriente Próximo, deliberadamente minaram as bases tribais a fim de fortalecer o nacionalismo.
A memória das divisões tribais se manteve viva na história posterior do AT (cf. 2 Cr 5.2; Zc 9.1). Mesmo posteriormente, o NT identifica os indivíduos com suas tribos (cf. Lc 2.36; At 4.36; Fp 3.5; Hb 7.14), e se refere às 12 tribos (Mt 19.28; Tg 1.1; At 26.7; Ap 7.1-4). Os registros da genealogia judaica foram, em grande parte, destruídos no incêndio do Templo em 70 d.C., de tal forma que os judeus modernos não podem ter certeza sobre sua tribo ancestral.
Conceitualmente, a tribo está ligada a um antigo progenitor, de forma que no tempo do NT os judeus ainda se consideravam filhos de Abraão, Isaque e Jacó (Jo 8.33; At 3.13). Paulo associa os crentes do NT ao patriarca Abraão, o "pai de todos os que crêem" (Rm 4.11-16; Gl 3.6,7,16-29). Assim, todos os cristãos pertencem à mesma "família da fé", uma família espiritual (Gl 6.10; cf. Hb 3.6; 1 Pe 2.5).
O AT geralmente menciona as 12 tribos de Israel (por exemplo, Gn 35.22-26; Dt 27.12,13; 1 Cr 2.1,2; Ez 48.1ss.). Às vezes, Levi (a tribo sacerdotal e especial) é excluída, e os dois filhos de José aparecem separadamente (Nm 1.20-47). Quando os três são mencionados, a contagem chega a 13 (Gn 46.8-24).
O AT contém evidências do antigo padrão tribal de alguns povos não israelitas, como por exemplo, os edomitas em Gênesis 36.1-19; os seminômades midianitas em Números 25.15; 31.7-10; os ismaelitas em Gênesis 25.12-18; e os árabes em Gênesis 25.1-3. Estes últimos ilustram a mudança de chefes tribais para reis e governadores ao se assen-

TERRITÓRIO DAS TRIBOS
0 5 10 20 30 40 50
ESCALA EM MILHAS
O MAR GRANDE
MAR MEDITERRÂNEO
SIDOM
SIDÔNIOS
RIO LEONTES
DAMASCO
TIRO
DÃ
LAÍS
BASÃ
MANASSÉS
ASER
NAFTALI
QUEDES
HAZOR
MAR DE QUINERETE
GOLÃ
RIMOM
MONTE CARMELO
ZEBULOM
RIBEIRO DE QUISOM
MONTE TABOR
RIO JARMUQUE
DOR
ISSACAR
JEZREEL
RAMOTE-GILEADE
MEGIDO
MONTE GILBOA
MANASSÉS
RIO JORDÃO
SAROM
MONTE EBAL
MONTE GERIZIM
SIQUÉM
SUCOTE
JABOQUE
GADE
AMOM
RIBEIRO DE CANÁ
MICMETATE?
JOPE
SILÓ
EFRAIM
JAZER
BETEL
RABÁ-AMOM
DÃ
BENJAMIM
JERICÓ
ASDODE
BETE-SEMES
JERUSALÉM
HESBOM
BEZER
MONTE NEBO
BELÉM
RÚBEN
MAR SALGADO
MAR MORTO
FILISTEUS
GAZA
HEBROM
DIBOM
RIO ARNOM
JUDÁ
BERSEBA
MOABE
SIMEÃO
RIO ZEREDE
EDOM

tarem e se voltarem para a agricultura e o comércio (2 Cr 9.14; Ez 27.20-22). Este colapso da organização tribal também ocorreu com as tribos dos amorreus, quando entraram em contato com a civilização de Mari (*q.v.*) no início do 2º milênio a.C.
*Veja* Família; Casa, Menbros da; Domésticos; Israel; Tribos, Territórios das.

W. H. M.

**TRIBOS, TERRITÓRIOS DAS** Os territórios das tribos de Israel não representam áreas fixas com fronteiras permanentes. Ao contrário, elas estiveram sujeitas a freqüentes mudanças desde a época da conquista de Canaã, sob o comando de Josué, até o reinado do rei Davi.

### As Fronteiras Ideais de Israel

A fronteira norte da terra de Canaã para a qual as tribos de Israel migraram é delimitada pelo monte Hor (provavelmente um pico proeminente da serra libanesa, próximo à costa do Mediterrâneo ao norte de Biblos), Afeca na fronteira dos amorreus, Lebo-Hamate, Zedade, Zifrom e Hazar-Enã. De Hazar-Enã, localizada a aproximadamente 160 quilômetros a leste da costa Mediterrânea, a fronteira ideal volta-se ao sul para Sepham e Ribla, locais até hoje não identificados. É de aceitação geral, que a fronteira ao longo do deserto Sírio vira a leste próximo à latitude de Bete-Seã, e prossegue a oeste-noroeste até o mar da Galiléia em Aim. A fronteira oriental continua para o sul através do vale do Jordão e do mar de Sal (mar Morto). No extremo sul do mar Morto, a fronteira é adjacente à fronteira de Edom, e vira-se a oeste para Hazar-Adar e Cades-Barnéia, e finalmente para o ribeiro do Egito. O Mediterrâneo serve como a fronteira ocidental. Estas são, de forma geral, as marcas que definem as fronteiras externas da terra de Israel (Nm 34.1-12; Gn 15.18-21; Js 15.1-5; Ez 47.13-21; 48. 28). Deve-se notar, entretanto, que estas nunca foram as fronteiras reais.

### Fases da Colonização

Nos anos iniciais da colonização israelita, as fronteiras reais eram um tanto incertas e bastante flexíveis. O termo "terra de Israel", que começou a ser utilizado durante a colonização israelita em Canaã, referia-se, inicialmente, apenas aos setores israelitas da ocupação, em contraste com os setores dos cananeus, e de outros povos (cf. 1 Sm 13.19).
Durante os estágios iniciais da colonização, o território tribal não era constituído por províncias com grandes territórios, mas por cidades ou grupos de cidades e suas terras adjacentes. Alguns desses domínios eram isolados de outros domínios da mesma tribo.
As primeiras tribos a possuírem seu território foram Gade, Rúben e Manassés na Transjordânia. Gade ocupou a terra de Jazer, a terra de Gileade e a terra de Dibom (Nm 21.32; 32.1,34-36; 33.45,46; Js 13.24-28). Rúben ocupou a terra de Hesbom e várias cidades próximas (Nm 32.37,38; Js 13.15-23; 1 Cr 5.8-10). Portanto, os territórios das duas tribos se sobrepunham. O clã Maquir da tribo de Manassés ocupou partes de Gileade e Basã no norte da Transjordânia (Nm 32.33,39-42).
Na Cisjordânia, apenas aquelas regiões sem uma forte presença da colonização cananéia foram inicialmente ocupadas e controladas pelos israelitas. Essas regiões se localizavam nas montanhas e no interior (Js 17.18; Jz 1.19). A colonização israelita, principalmente nas montanhas, as manteve longe dos centros administrativos egípcios em Canaã. Esse isolamento nas montanhas explica, em parte, a ausência na Bíblia Sagrada de menções a um certo número de questões externas que conhecemos a partir de arquivos extrabíblicos como as cartas de Amarna (*q.v.*).
A coalizão Judá-Simeão fixou-se nas montanhas e no deserto a oeste do mar Morto. A fronteira ao norte se estendia ao norte de Belém e Bete-Semes. A fronteira ocidental ia para o sul através da Sefelá, para o Neguebe e até, aproximadamente, a latitude da margem sul do mar Morto.
À tribo de Benjamim foi concedida a terra que estava na região montanhosa ao norte de Jebus (Jerusalém). As tribos de José ocuparam a maioria das montanhas ao norte de Benjamim até o monte Gilboa. Manassés, como mencionado acima, também ocupava áreas na Transjordânia. Na Cisjordânia, esta tribo colonizou a seção norte do "monte de Efraim" e a região ao longo da costa de Sarom, de Aser até Dor, do sul do monte Carmelo até Micmetate, do lado oposto a Siquém, cerca de 13 quilômetros ao norte da Tel-Aviv (Js 17.2-10). A tribo de Efraim ocupou, primeiramente, as montanhas ao sul da região que mais tarde foi chamada de Samaria, embora a colonização tenha se mesclado com a de Manassés (Js 17.9,10). Aser, Naftali, Zebulom e Issacar colonizaram a região da Galiléia (veja o mapa).
À medida que algumas das tribos e clãs cresceram além de suas áreas originais, eles se expandiram derrubando florestas e expulsando os cananeus (Js 17.14-18). Outras tribos, como Dã, foram para novas regiões por falharem em se apossar dos territórios que lhes foram designados (Jz 17,18). Clãs ou partes deles mudaram de local, de maneira que alguns tinham representantes em mais de uma tribo (cf. Tola, um homem de Issacar que vivia na montanha de Efraim, Juízes 10.1; Gn 46.13; Nm 26.23; cf. também os clãs de Acã, Hezrom e Bela). Então, mesmo após a reunião da liga tribal em Siló, seu novo centro religioso (Js 18.1; 21.1,2), para distribuir terras entre as sete tribos restantes

(Js 18.1-10) lançando sortes, a geografia política foi extensivamente alterada. Durante as fases posteriores da colonização, no período dos juízes, as fronteiras designadas permaneceram as mesmas. Entretanto, as guerras locais descritas no livro de Juízes parecem indicar que essas fronteiras não eram seguras.

**A Designação das Fronteiras Tribais**
Os registros das fronteiras delineadas, preservadas para nós em Josué 13–22, variam bastante nos detalhes. O registro contém dois tipos de listas. Um tipo aponta os pontos de referência das delimitações das fronteiras (por exemplo, Js 15.1-12; 16.1-3,5-8; 17.7-9). Este método de descrição de fronteiras – partindo da cidade para a montanha, para a cidade, para o rio etc. – é bastante similar àquele que é utilizado nos arquivos ugaríticos do acordo fronteiriço entre o rei hitita e Niqmadu, soberano da cidade-estado vassala de Ugarite (WBC, p. 223ss.).
O segundo tipo é simplesmente uma lista de cidades que serve como uma descrição da herança tribal (por exemplo, Josué 19.1-9, *et al.*). Isto, obviamente, torna mais difícil uma precisa reconstituição das fronteiras. Além disso, apenas a herança de sete tribos está listada com a descrição de suas respectivas fronteiras. Como anteriormente mencionado, os domínios das tribos ou clãs se entrelaçavam. Ocasionalmente, uma cidade pertencia a uma tribo, enquanto as terras anteriormente pertencentes a essa cidade, no período cananeu, haviam se tornado de propriedade de outra tribo.
O arranjo das fronteiras se adequava aos requisitos da economia agro-pastoril da Palestina, de tal forma que uma tribo não era dependente somente de um ou dois tipos de lavoura. Quase sem exceção, a tribo possuía alguns vales ou planícies férteis onde se podia cultivar grãos, algum morro apropriado para pomares e vinhedos, e uma área restante para pastorear seus rebanhos e manadas. Assim, seu bem estar não era comprometido pelo fracasso de um tipo de produto agrícola.

**As Fronteiras do Reino de Davi**
Os textos em Juízes 1 e Josué 13.1-6 descrevem a terra que permaneceu nas mãos dos cananeus, amorreus e filisteus. Esta área, fora os bolsões de colonização "estrangeira" que existiam dentro da ocupação israelita, era formada pela planície filistéia ao longo da costa do Mediterrâneo, se estendendo ao sul do rio Yarkon, e a área ao norte de Alabe (Jz 1.31) junto a Misrefote-Maim (Js 11.8; 13.6) na costa de Sidom, e se estendendo para o leste, em direção a Damasco.
Os conflitos continuaram de maneira mais ou menos constante até as guerras de Davi, quando ele subjugou os filisteus e expandiu grandemente o território de seu reino. No reinado de Salomão, as fronteiras de Israel se expandiram ao norte para incluir Hamate e Tadmor, chegando ao rio Eufrates. Ao sul, elas alcançavam o mar Vermelho. A leste, Israel englobava os sírios, amonitas, moabitas e edomitas, chegando, assim, ao deserto árabe (2 Sm 8.1-14; 1 Rs 4.24; 9.26).
Tanto Davi como Salomão utilizaram a instituição tribal fundamental como a base para a administração dos seus territórios (1 Cr 27; 1 Rs 4.7-19).

***Bibliografia***. Y. Aharoni, *The Land of the Bible*, Londres. Burns and Oates, 1966. Karl Elliger, "Tribes, Territories of", IDB, IV, 701-710. John Rea, "Joshua", WBC, pp. 205-231. G. A. Smith, *The Historical Geography of the Holy Land*, Londres. Hodder & Stoughton, 1931.

P. W. F.

**TRIBULAÇÃO** Esta palavra ocorre três vezes na versão KJV em inglês do AT, e é a tradução de *sar,* em Deuteronômio 4.30, e do cognato *sara,* em Juízes 10.14 e 1 Samuel 26.24. A forma plural deste último é traduzida como "tribulações" na KJV em 1 Samuel 10.19. A noção básica nestes termos é a sensação desagradável de claustrofobia, que ocorre quando se é confinado em um lugar apertado. Os dois termos hebraicos derivados da raiz *s-r-r*, "estar apertado, estreito", significam "estreito" ou "apertado". Adicionalmente, a versão RSV em inglês usa o termo "tribulação" (que a versão KJV traz como "dores do parto") em Lamentações 3.5 como a tradução do termo hebraico *t^ela'a*, "aborrecimento, opressão", embora o texto apresente algumas dificuldades.
A versão inglesa do NT usa o termo "tribulação" como uma tradução do grego *thlipsis*, de *thlibo*, que tem a mesma conotação geral do heb. *sar*, *sara*; e freqüentemente fornece esses termos na Septuaginta (LXX). O termo grego *thlipsis* ocorre cerca de 45 vezes no NT, e é traduzido na KJV como: "tribulação" (21 vezes), "aflição" (17 vezes), "problema" (3 vezes), "perseguição" (1 vez), "angústia" (1 vez), "estar aflito" (1 vez) e "sobrecarregado" (1 vez). A palavra é encontrada em associação com "perseguição" (Mt 13.21; 2 Ts 1.4), "angústia" ou "aflição" (Rm 2.9), com "angústia, perseguição, fome, nudez, perigo e espada" (Rm 8.35); e com "aflições" junto com "necessidades, angústias, açoites, prisões, e tumultos" (2 Co 6.4ss).
Embora a "tribulação" ou a "aflição" no NT possam ter causas naturais, como viuvez (Tg 1.27), parto (Jo 16.21), fome (At 7.10) e tribulações na carne (1 Co 7.28, "angústia"), seu uso está predominantemente relacionado à tribulação que o cristão encontra no mundo por causa da Palavra de Deus (Mt 13.21; cf Mc 4.17; 1 Ts 1.6; Jo 17.14) e por

amor ao nome do Senhor Jesus Cristo (Mt 24.9; Jo 15.21; 2 Co 12.10; Ap 1.9). A tribulação é identificável com "levar a própria cruz" (cf. Mt 10.34-38; 16.24; Gl 6.12) ou com o antagonismo que se transfere ao cristão como resultado da tensão entre o evangelho e o mundo. Esta não é a tribulação, em seu sentido geral, mas a tribulação específica decorrente da identificação do crente com Cristo (2 Tm 3.12). Ela vem como decorrência lógica da natureza do evangelho, como disse nosso Senhor Jesus Cristo: "No mundo tereis aflições" (Jo 16.33; cf. 1 Ts 3.4). Paulo alertou o fiel de que "por muitas tribulações" nos importa entrar no reino de Deus (At 14.22; cf. Lc 14.27-33; Hb 10.32ss). O apóstolo sentia que havia recebido uma sentença de morte (2 Co 1.8), e lembrou aos tessalonicenses que neste mundo sofremos tribulações (1 Ts 3.3).

A inevitável tribulação do cristão é vista, entretanto, como sua identificação com o sofrimento de Cristo. Paulo considerava a tribulação como uma participação nos sofrimentos de Cristo (2 Co 1.4ss.), como carregar no corpo, de forma perene, a morte de nosso Senhor (2 Co 4.8ss.; cf. Rm 8.35), e um complemento de suas aflições pela Igreja (Cl 1.24).

Esta tribulação deve ser pacientemente suportada (Rm 12.12; Ap 1.9; Ef 3.13; cf. Hb 12.7; 2 Ts 1.4), pois escapar dela é uma atitude que priva o cristão de seu verdadeiro desenvolvimento. A tribulação separa os verdadeiros seguidores dos falsos (Mt 13.21; 1 Ts 1.6); ela recomenda ao mundo a verdadeira natureza da fé, através da provação (2 Co 6.4; 8.2; Ap 2.10). Além disso, se o cristão carrega em seu corpo a morte do Senhor Jesus, ele paradoxalmente descobre que a vida de Jesus se manifesta em sua carne mortal (2 Co 4.10ss.). À medida que o cristão compartilha com abundância os sofrimentos de Cristo, ele compartilha com abundância o consolo que vem através de Cristo (2 Co 1.5). Enquanto descreve sua tribulação como uma "sentença de morte", Paulo indica seu propósito didático: que ele não deveria confiar em si mesmo, mas em Deus, que ressuscita os mortos (2 Co 1.8,9).

A tribulação inevitável, que o crente deve suportar pacientemente, o identifica com a ordem eterna de Deus. É assegurado ao cristão que a leve e momentânea tribulação de sua época contará em seu favor em termos de uma glória ainda muito maior (2 Co 4.17). Se ele é tratado pelo mundo como um impostor, um desconhecido, moribundo, castigado, infeliz e sem posses, ele se descobre, paradoxalmente, honesto, bem conhecido, vivo, indestrutível, cheio de alegria, rico e possuidor de todas as coisas na ordem eterna. Ele sabe que nada pode separá-lo do amor de Deus – nem mesmo a tribulação – e que nenhuma tribulação pode lhe fazer outra coisa que não seja aumentar sua jubilosa esperança (Rm 5.3; cf. Ap 2.9). Ele pode ter tribulações no mundo, mas em Cristo ele tem paz e é encorajado a crer que participará do triunfo do seu Senhor sobre o mundo (Jo 16.33; cf. 16.21ss.).

A presente ambigüidade envolvida na tribulação do cristão será definitivamente resolvida (Rm 2.9; 2 Ts 1.6; cf. Ap 2.22). Em linguagem apocalíptica, o Sermão do Monte descreve a tensão final entre o mundo e o reino de Deus como a causadora da grande tribulação (Mt 24.21), mas a chegada do Filho do Homem libertará os eleitos finalmente e para sempre (Mt 24.29ss.; Mc 13.24ss.; cf. Ap 7.14). *Veja* Tribulação, Grande; Aflição; Perseguição; Sofrimento.

***Bibliografia.*** Heinrich Schlier, "*Thlibo* etc.", TDNT, III, 139-148.

E. R. D.

**TRIBULAÇÃO, GRANDE** A Tribulação será um período de sete anos que ocorrerá entre o arrebatamento da Igreja e o segundo advento de Jesus Cristo na terra. É o período conclusivo da profecia das 70 semanas de Daniel (Dn 9.24-27). Os sete anos são divididos em dois períodos iguais, o segundo chamado de Grande Tribulação (Mt 24.21).

O caráter do período é claramente revelado nas Escrituras. É um tempo de "ira" (Sf 1.15-18; 1 Ts 1.10; 5.9; Ap 6.16,17; 11.18; 14.10,19; 15.1,7; 19.2); "indignação" (Is 26.20,21; 34.1-3); "tentação" (Ap 3.10); "angústia" (Jr 30.7; Sf 1.14,15; Dn 12.1); "destruição" (Jl 1.15; 1 Ts 5.3); "trevas" (Jl 2.2; Am 5.18; Sf 1.14-18); "desolação" (Dn 9.27; Sf 1.14,15); "transtorno" (Is 24.1-4,19-21); "punição" (Is 24.20,21). *Veja* Tribulação.

A tribulação tem dois propósitos principais: (1) Deus preparará um pequeno grupo de fiéis sobreviventes na nação de Israel a quem o Messias virá, aos quais todas as promessas serão cumpridas. O evangelho do reino, a boa nova de que o Rei está chegando, será pregada universalmente (Mt 24.14) e multidões aceitarão, pela fé, a salvação oferecida. Deus fará novamente por Israel o que Ele fez através de João Batista em sua primeira vinda (Mt 3.1-10; Lc 3.3-14; cf. Ml 4.5,6). (2) Deus derramará o julgamento sobre os homens e as nações que não crêem (Ap 3.10; Jr 25.32,33; Is 24.1; 2 Ts 2.12). Esses julgamentos virão de duas maneiras: diretamente de Deus, e indiretamente através de homens e exércitos.

A septuagésima semana da profecia de Daniel começa oficialmente quando a última cabeça do quarto império mundial (Roma) faz uma aliança com Israel, garantindo-lhe seus direitos na Palestina e a retomada dos sacrifícios (Dn 9.27). Esta aliança é quebrada após três anos e meio, e a Grande Tribulação sobrevém à terra.

Os eventos do período da Tribulação estão expostos em grandes detalhes nas Escrituras. As nações originárias do Império Romano serão novamente reunidas sob uma potência mundial (Dn 2 e 7; cf. Ap 17.12,16,17). A cabeça do império é conhecida como a ponta pequena (Dn 7.8), a abominação da desolação (Mt 24.15), o homem do pecado (2 Ts 2.3), o Anticristo (1 Jo 2.18) e a besta (Ap 13.1-10). Este soberano político fará uma aliança com Israel (Dn 9.27). O rei do norte, também conhecido como Gogue (Ez 38) se oporá a ele (Dn 11.40), mas será destruído pelo Senhor ao invadir a Palestina (Ez 39). Tendo sido removido este forte poderio, o Anticristo será capaz de controlar o governo mundial. Um grande sistema religioso – centrado na adoração a esta figura política – será promovido pelo falso profeta (Ap 13.11-18), e passará a ter um alcance mundial. Por ocasião da volta do Senhor Jesus Cristo, este sistema político-religioso será destruído (Ap 19.20).

Durante a Tribulação, Deus derramará seu juízo na terra através da abertura dos selos (Ap 6), do toque das trombetas (Ap 8–11), e do derramamento das taças (Ap 16). Através da pregação das 144.000 testemunhas seladas (Ap 7.1-8), o evangelho será proclamado aos confins da terra, e multidões se voltarão ao Senhor (Ap 7.9,10).

A Tribulação terminará por ocasião da segunda vinda do Senhor Jesus Cristo à terra (Mt 24.22,29,30; Ap 19.11-16; cf. Zc 14.1-7).

*Veja* Anticristo; Cristo, Vinda de; Escatologia; Arrebatamento.

J. D. P.

**TRIBUNA, BASE ou PLATAFORMA** A plataforma de bronze na qual Salomão subiu e ajoelhou-se (2 Cr 6.13). Como no heb. o termo *kiyyor* geralmente significa uma tigela de cozinha ou bacia, a plataforma era provavelmente redonda.

**TRIBUNAL** Um lugar elevado; uma tribuna ou palanque para oradores. Designava o assento ou cadeira oficial de um juiz nos tribunais gregos e romanos. A palavra gr. *bema* aparece 12 vezes no NT, e em muitas versões é traduzida como "tribunal" em dez delas (Mt 27.19; Jo 19.13; At 18.12,16,17; 25.6,10,17; Rm 14.10; 2 Co 5.10). Geralmente a palavra designa o assento oficial (tribunal, banco judicial) de um juiz, que era, freqüentemente, o governador ou o procurador romano (embora tenhamos exceções como: At 25.10, "de César"; Rm 14.10, "de Deus"; 2 Co 5.10, "de Cristo"). No entanto, Atos 12.21 refere-se ao trono de Herodes Agripa em Cesaréia, que era semelhante à plataforma de um orador. Para o Tribunal de Cristo, *veja* Julgamento: Juízos de Deus 2, *c*.

**TRIBUNO** Esta palavra consta em várias versões no texto que está em Atos 21.31 como o oficial responsável por uma corte romana, geralmente constituída por cerca de 600 homens. O termo grego *chiliarchos* significa, literalmente, "comandante de mil"; ele também é encontrado em João 18.12 como uma referência ao capitão que prendeu e algemou o Senhor Jesus. É utilizado na alta hierarquia militar, em um sentido geral, em Marcos 6.21; Apocalipse 6.15; 19.18. O termo latino *tribunus*, "chefe de uma tribo", originou-se da designação de comandantes de alguns pelotões fornecidos ao exército romano por tribos aborígines. Vinte e quatro tribunos – número suficiente para comandar quatro legiões – eram escolhidos por voto popular, e o restante por cônsules. Havia também tribunos responsáveis pela administração da lei e do governo. Por exemplo, havia dez tribunos de Roma designados para este propósito, e que tinham, inclusive, um poder de veto que costumavam exercer integralmente nas ocasiões em que os Césares mostravam-se fracos.

*Veja* Capitão.

R. A. K.

**TRIBUTÁRIO, TRIBUTO** Um tributário (heb. *mas*) era um povo ou nação sujeito a outro a quem pagava tributos, impostos ou taxas compulsórias como sinal da relação entre eles (Dt 20.11; Jz 1.30,33,35; Lm 1.1). O tributo tinha dois objetivos: manter uma nação subjugada, e enriquecer o conquistador e fornecer recursos necessários (Et 10.1; Rm 13.6,7).

As cidades da planície que foram entregues a Abraão foram tributárias por 13 anos e depois se rebelaram (Gn 14.1-5). O rei Jeú de Israel foi tributário de Salmaneser III; Menaém, de Tiglate-Pileser (2 Rs 15.19); Israel, de Sargão; Manassés, rei de Judá, de Esar-Hadom. Os reis assírios se gabavam dos tributos que extorquiam de Israel e de outros povos conquistados (ANET, pp. 275-301; ANEP # 305-356). Por causa de sua posição na linha de combate entre as grandes potências do Egito e da Babilônia, e sua pequenez, a nação de Israel estava sujeita a se tornar tributária.

Por outro lado, quando Israel tornava-se forte, seus reis recebiam tributos de príncipes e povos estrangeiros. Depois de Davi ter estabelecido guarnições em Damasco, e em outros locais, os sírios tornaram-se vassalos e lhe trouxeram "presentes" (ou "tributos"; 2 Samuel 8.6). Todos os reis, do Eufrates ao Egito, traziam "presentes" ou tributos a Salomão (1 Rs 4.21; cf. 2 Cr 8.7,8). Josafá recebeu tributo dos filisteus e dos árabes (2 Cr 17.11), e Uzias dos amonitas (2 Cr 26.8). Além de prata, ouro e gado, o tributo podia ser pago na forma de trabalhos forçados ou de um imposto (*q.v.*) em mão de obra. *Veja também* Imposto.

Quanto ao tributo em dinheiro pago a César (Mt 22.17,19), *veja* Pesos, Medidas e Moedas.

R. A. K.

**TRIBUTO** Taxas ou serviços impostos ao povo pelo governo. A palavra hebraica *mas* foi traduzida cinco vezes como "imposto" na versão KJV em inglês (1 Rs 5.13 [duas vezes], 14; 9.15,21). Também foi freqüentemente traduzida como "tributo", "tributável" e "trabalho forçado" em outras versões. Todas as referência citadas abaixo contêm a palavra *mas*. Elas também são encontradas nas versões ASV e RSV em inglês.

O tributo sobre os conscritos ou o trabalho escravo é visto nas seguintes ocasiões: (1) Israel no Egito sob o Faraó (Êx 1.11; os "capatazes" eram literalmente "diretores dos operários e das tarefas, ou grupos de escravos"); (2) os povos cananeus conquistados (Dt 20.11; Js 16.10; 17.13; Jz 1.28,30,33,35); (3) o departamento de "trabalhos forçados" de Davi (2 Sm 20.24); (4) os israelitas conscritos de Salomão (1 Rs 5.13,14; cf. 11.28; 15.22) e o "imposto forçado de escravos" exigido dos povos conquistados (1 Rs 9.15,21; 2 Cr 8.8). Samuel advertiu que os futuros reis de Israel exigiriam serviços gratuitos por parte do povo (1 Sm 8.10-18).

Muitas vezes esse tipo de trabalho é chamado de "corvéia", isto é, o período gratuito de trabalho exigido de um vassalo pelo senhor feudal, que é diferente de uma escravidão permanente. Nas cartas Amarna (*q.v.*), e em outras tábuas de Alalakh e Ugarite, existem referências ao trabalho sob o regime de corvéia para o rei local. Um fragmento de louça escavado em 1960 ao sul de Jope representava uma carta do século VII a.C. escrita em hebraico ao governador de um distrito do reino de Josias, de Judá, por um camponês nascido livre. Ele se queixava de que, embora tivesse cumprido a quota que lhe havia sido imposta no trabalho de sega da propriedade real, o supervisor havia confiscado suas vestes, provavelmente para puni-lo por causa de uma suspeita de ociosidade (BASOR #167 [1962], pp. 31-35).

Paradoxalmente, o povo que iniciou sua vida nacional na condição de trabalhadores forçados no Egito (Êx 1.11), e que também forçou os seus inimigos derrotados a esse mesmo estilo de vida (1 Rs 9.15,20,21), encerrou sua vida como nação tendo sua principal cidade descrita como "tributária" (Lm 1.1). *Veja* Imposto; Tributário, Tributo; Publicano.

W. B.

Obelisco Negro de Salmaneser da Assíria. O detalhe mostra Jeú de Israel prostrado diante de Salmaneser trazendo seu tributo. BM

**TRIFENA** Uma mulher que trabalhou com Trifosa em Roma, a quem Paulo enviou saudações (Rm 16.12). Trifena era, também, o nome de uma rainha da Trácia que se tornou amiga da heroína Tecla no apócrifo Atos de Paulo e Tecla. Os dois nomes foram encontrados em epitáfios em um cemitério usado, principalmente, para serviçais da casa real (cf. Fp 4.22). Como o nome Trifosa vem da mesma palavra grega raiz (significando "luxuriante"), supõe-se que ambas fossem irmãs, talvez gêmeas, "pois era comum designar membros da mesma família por derivações da mesma raiz" (Lightfoot, *Philippians*, pg 175).

**TRIFOSA** *Veja* Trifena.

**TRIGO** *Veja* Plantas.

**TRILHAR** O processo de separar o grão comestível da casca e armazená-lo. Algumas safras deviam ser arrancadas pelas raízes e trilhadas onde estavam, mas geralmente os cereais eram cortados com uma foice e amarrados em feixes que seriam levados para uma eira (*q.v.*). Ali, uma safra pequena poderia ser batida com varas ou debulhada (Is 28.27*b*). Os feixes de uma colheita maior seriam espalhados e um boi seria levado para frente e para trás por cima delas (Dt 25.4). Outra opção era um par de animais puxar uma tábua por cima dos grãos. O lado de baixo da tábua se tornava rugosa por meio do acoplamento de grossos pedaços de pedras ou ferro (2 Sm 24.22). Instrumentos mais elaborados para trilhar tinham pedras ou rodas com dentes de ferro suportando uma plataforma que poderia ser dirigida pelo seu condutor (Is 28.27,28; 41.15). *Veja* Instrumento de Trilhar.

Durante a trilha, os feixes eram freqüen-

Cena de uma joeira de grãos nas proximidades de Siquém. JR

temente virados por um tipo de garfo. Uma brisa refrescante ajudava a retirar a casca leve ou a palha, especialmente quando o material era lançado ao ar (cf. Sl 1.4; Is 41.16). No último caso, o grão mais pesado caía, já completamente separado. O ato de lançar o grão ao ar, com este propósito, é chamado de joeirar ou padejar (Rt 3.2). *Veja* Agricultura.

**TRINCHEIRA** Uma vala ou escavação estreita. É usada para traduzir os seguintes termos:

1. O heb. *ma'gal*. Em 1 Samuel 17.20 e 26.5,7, várias versões traduzem o termo como "trincheira" (ou acampamento). Algumas versões trazem um comentário marginal que diz que o termo tem o sentido de "lugar de carruagens" ("em meio aos seus carros", 1 Samuel 26.5). A versão ASV em inglês o traduz como o "lugar dos carros" com uma leitura marginal de "barricada", enquanto a versão RSV em inglês usa a palavra "acampamento". A raiz do termo *'-g-l* pode concebivelmente ser relacionada com *'agala*, "carro ou carroça", e significa a formação de carros circundando o exército israelita como uma barricada de proteção. Mas a mesma raiz pode mais apropriadamente ser utilizada com o significado de "redondo" (cf. seu uso na Septuaginta: gr. *stroggylosin*, "uma circunferência"), e geralmente se refere ao acampamento em sua forma circular. Além disso, a palavra "trincheira" cria uma impressão errada na mente do leitor; conseqüentemente, a palavra "acampamento" ou "círculo do acampamento" é preferível.
2. O heb. *hel*. Na versão KJV em inglês, no texto em 2 Samuel 20.15, Joabe e seus homens, no cerco da cidade de Abel-Bete-Maaca levantaram contra a cidade "um montão da altura do muro". Embora algumas versões em inglês (ASV, RSV e NASB) traduzam o termo como "defesa", é mais correto concebê-lo como um pequeno muro externo (JerusB) ou ante-fortificação.
3. O heb. *t'ala*. Em 1 Reis 18.32,35,38, Elias ordenou que uma grande vala (ou rego) fosse feita ao redor do altar, e ela logo depois foi cheia com a água dos 12 cântaros que foram derramados sobre o sacrifício.
4. O termo heb. *gebim*. Em 2 Reis 3.16, várias versões traduzem este termo (que ocorre várias vezes) como muitas covas. Uma tradução literal do oráculo divino é: "Fazei neste vale muitas covas". As covas serviam para a coleta antecipada de água para os exércitos sedentos.

No NT, a cidade de Jerusalém é representada como sendo cercada por trincheiras (ou "rampas de ataque") que foram levantadas contra ela por seus inimigos (Lc 19.43). O termo gr. *charax* é usado aqui em um sentido militar de uma paliçada ou cerca de estacas que impede a entrada ou a saída da cidade sitiada.

E. R. D.

**TRINDADE** A igreja primitiva, oposta ao politeísmo, com o AT ensinando que há um só Deus, foi logo forçada a questionar: Quem é Jesus Cristo? Era Ele apenas um homem? É Ele um anjo? Ou é Ele um Deus? E se Ele é um Deus, existem dois Deuses?

Próximo ao início do século IV, um forte grupo na Igreja, sob a liderança de Ário, afirmava que Cristo era um anjo criado. Atanásio comandava a ortodoxia e garantiu a condenação do Arianismo no Concílio de Nicéia em 325 d.C. A decisão foi repetida e o Credo de Nicéia recebeu sua forma final no Concílio de Constantinopla em 381 d.C.

O debate no concílio centrou-se no significado do título Filho de Deus. Os arianos sustentaram que o Filho nem sempre tinha existido; o Filho ou Palavra é uma criatura, uma obra, não o mesmo, em essência, com o Pai e, portanto, não era o verdadeiro Deus.

Atanásio, ao contrário, criou uma distinção entre a filiação moral, no sentido de que todo crente é um filho de Deus, e uma filiação natural, como Isaque era filho de Abraão. Então, se Cristo fosse Filho apenas no sentido moral, Ele não seria diferente de nós e não seria o único Filho de Deus.

A isso, os arianos respondiam que Cristo é o único Filho de Deus porque Ele veio a ser unicamente através do Pai, enquanto todos os outros são gerados pelo Pai através do Filho. Mas essa construção, alegava Atanásio, nos tornaria filhos de Cristo ao invés de filhos de Deus. Cristo, então, nos separaria de Deus ao invés de nos unir a Ele.

O debate se aprofundou em detalhes. Ário usou Provérbios 8.22, "O Senhor Deus me criou antes de tudo, antes das suas obras mais antigas" (RSV), para provar que Cristo era uma criatura. Atanásio referenciou o verso à natureza humana de Cristo.

O concílio, por fim, rejeitou a afirmativa de Ário de que o Filho é como o Pai, assim como o estanho se assemelha à prata, e adotou o

Credo de Nicéia para o qual o Filho é dito ser um em essência com o Pai.
Alguns críticos ridicularizam a teologia e o concílio por ter discutido tão violentamente a respeito da importância da letra "i". O ponto em debate era se Jesus Cristo era da "mesma essência" (*homoousios*) do Pai (e, portanto, Deus por inteiro) ou de "essência similar" (*homoiousios*) ao Pai (e, portanto, alguém menor do que Deus). A diferença que a letra "i" faz é bem maior do que a existente entre prata e estanho; é a diferença entre Deus e uma criatura.
A doutrina da Trindade também é acusada de ter introduzido na cristandade temas pagãos da filosofia grega. Nada poderia estar mais longe da verdade. Em primeiro lugar, os argumentos de Atanásio não utilizam nem a linguagem, tampouco os conceitos da filosofia grega; eles são completamente bíblicos. Segundo, foi Ário e não Atanásio quem utilizou argumentos pagãos ao permitir que honras fossem prestadas a um ser que ele considerava inferior a Deus. E terceiro, o Credo de Nicéia removeu elementos pagãos que haviam aparecido em Orígenes e outros teólogos anteriores.
A doutrina da eterna geração do Filho, por exemplo, indicada nas palavras do Credo de Nicéia, "Unigênito de Seu Pai antes de todos os mundos", evita o erro de que o Logos, ao invés de ser um Filho eterno seja uma criação voluntária pela qual Deus se isola da contaminação da criação do mundo. Como a ênfase na *eterna* geração evita esse erro, a ênfase na *geração* eterna mostra que o Filho não é um passo em uma série descendente de emanações, e que embora a filiação por geração seja uma relação necessária, a criação é um ato voluntário.
Para os cristãos ativos hoje, a questão da Trindade muitas vezes toma a forma da defesa da divindade de Cristo e a da personalidade do Espírito Santo. Esta defesa é requerida em dois casos. A teologia liberal tende a um Cristo puramente humano e as Testemunhas de Jeová ressuscitam o arianismo ao fazer de Cristo um anjo criado. O material escritural é o mesmo, independente de qual grupo seja considerado, embora as Testemunhas de Jeová sejam mais propensas a dar atenção às Escrituras do que os liberais.
O primeiro versículo do Evangelho de João é freqüentemente citado pelas Testemunhas de Jeová. Elas inevitavelmente sustentam que a tradução correta é: "No princípio era o Verbo e o Verbo estava com Deus *e o Verbo era um deus*". A resposta do cristão começa com o próprio versículo. Aqui encontramos uma expressão idiomática grega particular, o uso *anarthous* do nome, isto é, o uso do nome sem o artigo definido. Em grego, quando o narrador queria indicar ou designar uma pessoa ou objeto, ele usava o artigo; mas quando queria reforçar uma qualidade ou natureza dos mesmos, ele excluía o artigo. Portanto, a tradução literal de João 1.1 seria: "E o Verbo era da mesma natureza ou qualidade de Deus" (cf. a mesma expressão idiomática em Hebreus 1.2, onde algumas versões trazem corretamente a expressão "seu Filho", embora o texto grego traga simplesmente o termo "filho").
A evidência adicional para provar que João não poderia ter ensinado que Cristo era uma criatura a quem foi concedido o título honorífico de "Deus" é claramente encontrada nos versos imediatamente seguintes a João 1.1. Outras passagens declaram diretamente a divindade de Cristo, como Hebreus 1.5-8, "A qual dos anjos disse jamais: Tu és meu Filho?... Mas, do Filho, diz: Ó Deus, o teu trono subsiste pelos séculos dos séculos" (cf. Tt 2.13). Outro verso nesse sentido, cujas duas partes os liberais tentaram separar, inserindo um ponto final entre eles é: "Cristo... o qual é sobre todos, Deus bendito eternamente" (Rm 9.5). Outras bem conhecidas afirmações da divindade de Cristo estão contidas na bênção apostólica (2 Co 13.13 e 13.14 em algumas versões) e na fórmula batismal (Mt 28.19). Referências adicionais selecionadas entre um grande número de referências disponíveis são: Mateus 11.27; João 5.23; Atos 10.36; 20.28; Romanos 10.9; Colossenses 2.9; 1 Tessalonicenses 3.11; 1 Pedro 1.2.
O fato de o termo Senhor ser a tradução, em grego, do termo Jeová utilizado no AT é, em si mesmo, uma evidência da divindade de Cristo e também nos convida a comparar passagens do AT e do NT; por exemplo, Isaías 40.3 com Mateus 3.3; Salmo 24.7,10 com 1 Coríntios 2.8; Jeremias 23.5,6 com 1 Coríntios 1.30; e Provérbios 16.4 com Colossenses 1.16.
Pode-se também supor que o AT antecipa a doutrina da Trindade ao utilizar um termo no plural, *Elohim*, em Gênesis 1.26, e mais claramente quando se trata do Anjo do Senhor em Gênesis 16; 18; 19.
No caso do Espírito Santo, não é tanto sua divindade que é questionada, mas sua personalidade distinta. O Espírito Santo é uma pessoa; este é um fato que pode ser plenamente entendido. Embora o nome Espírito seja do gênero neutro em grego, os pronomes relativos ao Espírito são masculinos (ao contrário da tradução de Romanos 8.16 na versão KJV em inglês). Vários textos deixam bastante claro que Ele é uma pessoa distinta tanto do Pai como do Filho: Mateus 3.16; Lucas 4.18; João 15.26; 16.7; Atos 5.32; Hebreus 9.14 etc.
Alguns, às vezes, rejeitam a doutrina da Trindade por pensar que ela não está explicitamente declarada nas Escrituras (1 Jo 5.7 não consta em alguns textos gregos). Mas esta doutrina está claramente implícita no

testemunho dado pelas Escrituras quanto à verdadeira e completa divindade do Pai, do Filho e do Espírito Santo, mantendo uma distinção de pessoas; em outras palavras, há três pessoas em um único Deus.
*Veja* Cristo, Divindade de; Deus; Espírito Santo; Eu Sou; Jesus Cristo.

***Bibliografia.*** Edward H. Bickersteth, *The Rock of Ages*, ed. rev., Nova York. The Bible Scholar, s.d. Loraine Boettner, *Studies in Theology*, Grand Rapids. Eerdmans, 1947, pp. 79-139. Richard N. Davies, *Doctrine of the Trinity*, Cincinnati. Cranston & Stowe, 1891. Leonard Hogsden, *The Doctrine of the Trinity*, Londres. Nisbet. George A. F. Knight, *A Biblical Approach to the Doctrine of the Trinity*, Edinburgh. Oliver & Boyd, 1953. A. H. Strong, *Systematic Theology*, Filadélfia. Judson Press, 1956. Arthur W. Wainwright, *The Trinity in the New Testament*, Londres. S.P.C.K., 1962.
G. H. C., S. G., R. A. K.

**TRINTA, OS** *Veja* Valente.

**TRISTEZA** Uma emoção comum à raça humana que é mencionada na Bíblia Sagrada por meio de inúmeras palavras hebraicas e gregas, cujo significado primário abrange vários termos: trabalho, aflição, desespero, tribulação, melancolia, pesar e mal. *Veja* Pesar; Sofrimento. Embora geralmente desagradável, a tristeza pode variar em causa, intensidade e efeito. Em 2 Coríntios 7.10, fala-se de uma tristeza segundo Deus que resulta em arrependimento e salvação, ao passo que, em 1 Tessalonicenses 4.13-18, se faz uma distinção entre a tristeza do cristão e a daquele que não tem fé e vivencia a morte de um ente querido. A tristeza do cristão é suavizada pela esperança garantida do retorno do Senhor e da conseqüente ressurreição. Para a expressão ou a demonstração da tristeza, *veja* Lamentar ou Luto.

Arco triunfal de Tito, o imperador romano que destruiu Jerusalém e o Templo. HFV

***Bibliografia.*** R. Bultmann, "*Lype* etc.", TDNT, IV, 313-324.

**TRIUNFO** A tradução de sete palavras gregas e hebraicas. No AT, o pensamento de gritar ou exultar predomina sobre o pensamento do próprio triunfo ou vitória, representando a atitude do vitorioso.
Os reis das antigas nações do Egito e da Assíria, e posteriormente Roma, celebravam suas vitórias com magníficas procissões nas quais mostravam seus prisioneiros e os despojos, culminando em uma solene cerimônia religiosa de ação de graças e sacrifício a seus deuses.
A mais antiga canção de vitória da Bíblia Sagrada é a de Moisés e Miriã, que lideraram os cânticos do povo de Israel após a destruição do exército do Faraó (Êx 15.1-18), acompanhados pela música de um pequeno tambor, celebrando o julgamento do perverso rei por Deus. O hino de Débora e Baraque (Jz 5) e o de Miriã (Êx 15.20,21) são esplêndidos exemplos de hinos triunfais. Em Êxodo 15.1,21, o termo *ga'a*, "triunfou" ou "exaltou", expressa a exaltação de Jeová sobre o Egito, sobre seu rei e os seus deuses. Em Juízes 5.3, a exultação pela vitória é expressa através de cânticos de adoração ao Senhor, com os versos seguintes detalhando o papel desempenhado pelas tribos etc.
Seguindo a linha de anunciar a vitória através de brados, Davi ora para que o perverso não consiga gritar ("triunfar") sobre ele em uma situação de vitória (*'alaz*, Sl 25.2); o fato do inimigo não triunfar (*rua'*, "gritar", Salmo 41.11) sobre ele é um sinal do favor do Senhor.
A expressão comum antigamente consistia em colocar o pé sobre o pescoço do cativo (Js 10.24) e, em muitos casos, proferir um grito de guerra como um sinal da completa sujeição do inimigo (cf. Sl 110.1, "escabelo"; Isaías 60.14, "plantas dos teus pés"; 1 Coríntios 15.25, "debaixo de seus pés"). Nos dias dos sucessores de Alexandre, os triunfos eram simbolizados pelo uso de mantos que traziam bordados com o símbolo da palmeira. João usa uma adaptação deste símbolo ao falar dos mártires que tinham "palmas nas suas mãos" (Ap 7.9).
Os romanos, mais recentemente do que os egípcios, foram notáveis ao expressar a importância do triunfo. Eles tomavam um grande cuidado para honrar o vitorioso durante

a parada triunfal, de forma que pudesse ser abertamente reconhecido como tal, ou seja, reconhecido como o vitorioso de fato. Da mesma maneira, Cristo é o líder homenageado na passeata da vitória, pois levou cativos os principados e potestades hostis do reino espiritual. Ele os desarmou e os expôs publicamente, triunfando (do grego *thriambeuo*) sobre eles por meio da cruz (Cl 2.15).

Além da execução dos inimigos, os bens eram tomados pelo vitorioso; os cativos também faziam parte deste desfile. Este aspecto pode ser visto em Efésios 4.8, que fala sobre Cristo conduzindo um exército de cativos não para a escravatura ou a morte, mas para a liberdade e a vida nele. Falando do evangelho, sua divulgação pelos seguidores de Cristo é um "triunfo" (2 Co 2.14-16), pois a vitória de Cristo traz a libertação para o pecador.

Finalmente, atestando sua Realeza e sua suprema vitória, aquele que nasceu na condição de Rei dos Judeus, o Senhor Jesus Cristo, fez sua entrada "triunfal" em Jerusalém. Folhas de palmeiras foram usadas para saudá-lo, enfatizando sua dignidade real e sua vitória (Mt 21.1-9). *Veja* Entrada Triunfal. Em uma vitoriosa conquista final, Ele lançará Satanás no inferno (Ap 20.10) e enxugará toda lágrima, tragando na vitória a morte que, até então, estará ligada aos homens.

***Bibliografia.*** H. S. Versnel, *Triumphus, An Inquiry into the Origin, Development, and Meaning of the Roman Triumph*, Leiden. Brill, 1970.

H. G. S.

**TRÔADE** Este nome ocorre em quatro passagens do NT (At 16.8,11; 20.5,6; 2 Co 2.12; 2 Tm 4.13), todas ligadas à vida e às viagens de Paulo. Uma cidade portuária em Mísia (*q.v.*) fundada no século IV a.C. por Antígono; estava localizada cerca de 16 quilômetros ao sul do antigo Helesponto (Dardanelos). Elevada à condição de colônia romana por Augusto, era um centro proeminente, tendo inclusive sido objeto de rumores de que Júlio César "pretendia mudar a sede do governo para Tróia ou Alexandria" (Suetônio, *The Twelve Caesars*, "Julius Caesar", p. 79). Ruínas de um muro de dez quilômetros de perímetro, um teatro e um aqueduto ainda são visíveis. No NT, Trôade era um ponto central nas viagens de Paulo. Daqui ele seguiu para o oeste (Europa), depois de ter tentado entrar nas províncias romanas da Ásia e Bitínia (At 16. 6-8), e foi desta vez que, pela primeira vez, Lucas se juntou ao grupo missionário (At 16.10, observe o termo "nós").

Após esta longa estadia em Éfeso (At 19), Paulo se dirigiu para o norte aguardando o retorno de Tito, de Corinto. Ele foi a Trôade e teve a oportunidade de evangelizar, porém

Painel do arco de Tito mostrando o candeeiro de sete braços e as trombetas de prata do Templo sendo exibidos no desfile triunfal de Tito

ali ficou somente por pouco tempo (2 Co 2.12,13). Depois de uma visita à Grécia, ele retornou (At 20.2,3) e visitou a igreja durante sete dias (20.6). Foi nesta ocasião que aconteceu o incidente envolvendo Êutico (*q.v.*; 20.9-12).

Trôade estava situada cerca de 16 quilômetros a sudoeste de Hissarlik, as ruínas da antiga Tróia, que se tornaram famosas através da *Ilíada* de Homero. As escavações iniciadas em 1870 por Heinrich Schliemann descobriram pelo menos nove cidades ali. As ruínas da época de Homero estavam no quarto nível de cima para baixo.

W. M. D.

**TRÓFIMO** Um cristão efésio e companheiro de Paulo em sua viagem da Grécia a Trôade (At 20.1-6). Mais tarde, ele foi visto com Paulo em Jerusalém (21.29) e os judeus acusaram Paulo de profanar o Templo ao trazer um gentio ao pátio de Israel, ato proibido pelas autoridades do Templo. Um aviso (escrito em grego e latim), agora preservado em um museu em Istambul, diz: "Que nenhum estrangeiro ultrapasse o anteparo e a clausura que circundam o santuário. Quem for apanhado fazendo isso será responsável por sua própria morte" (esta é a tradução que consta na obra de A. Deissmann, *Light from the Ancient East*, 2ª ed.,1927, p. 80). O tumulto resultante levou Paulo a ser tomado em custódia pelos soldados romanos, e por fim ele foi levado a Roma para ser julgado. Paulo foi liberado de seu primeiro aprisionamento em Roma e deixou Trófimo doente em Mileto (2 Tm 4.20), presumivelmente pouco antes de sua última viagem a Roma, onde deve ter sido executado.

**TROGÍLIO** Um ponto de parada na viagem de Paulo de Trôade a Mileto (At 20.15). Ficava cerca de um quilômetro e meio do lado oposto a Samos. William M. Ramsay (*St.*

*Paul the Traveller and the Roman Citizen*, pp. 293-94) sugere que o navio passava a noite neste local aguardando a calmaria.

**TROMBETAS, FESTA DAS** *Veja* Festividades.

**TRONCO OU CEPO** Esse termo tem várias interpretações.
1. A base de uma árvore (Is 40.24; Jó 14.8).
2. A genealogia de uma família (Lv 25.47; Fp 3.5).
3. Um instrumento de punição nas prisões comparado aos grilhões (Jó 13.27). *Veja* Cepos.

**TRONO**
1. Este termo corresponde à palavra hebraica *kisse'*, ou cadeira comum; quando aplicada ao assento público do rei, significa "trono". Ele representa o símbolo da autoridade (Gn 41.40; Dt 17.18) e da perpétua supremacia da linhagem de Davi sobre as demais (2 Sm 3.10; 7.13; 1 Rs 2.45; Is 9.7). A sua continuidade na linhagem de Davi havia sido profetizada sob a condição da obediência às leis de Deus (1 Rs 8.25; 9.4,5); portanto, ele era chamado de trono do Senhor (1 Cr 29.23). O assento do governador também era designado como trono (Ne 3.7). O trono de Jeová, em seu Templo celestial (Is 6.1), é a fonte do julgamento para o povo (Sl 9.4; 97.2 etc.), pois Ele é santo (Sl 47.8). Jerusalém será seu trono (Jr 3.17), isto é, o lugar de onde o Senhor governará a terra.

Trono de Tutancamom. LL

2. A palavra aramaica *korse'* significa "trono" (Dn 5.20; 7.9).
3. A palavra grega *bema*, isto é, a cadeira portátil sobre a qual Herodes Agripa I se sentava no teatro de Cesaréia (At 12.21), foi traduzida em algumas passagens como "tribunal" (*q.v.*).
4. A palavra grega *thronos* é o lugar de onde Cristo governará a terra (Mt 19.28; 25.31). Ele representa o último lugar pelo qual se garante uma promessa ou juramento (Mt 23.22). Cristo herda o trono de Davi (Lc 1.32; At 2.30). Estar sentado à mão direita do trono de Deus significa uma completa aprovação (Hb 8.1; 12.2). Ele é o símbolo do direito de Deus de julgar os homens e de reinar sobre o mundo (Ap 4.2ss.), e da futura autoridade dos discípulos de Cristo (Mt 19.28; Ap 20.4).
O trono real de Salomão estava colocado em uma sala especial chamada pórtico ou sala do julgamento (1 Rs 7.7, *veja* Palácio). Feito de marfim e revestido de ouro, ele estava colocado sobre uma plataforma com seis degraus e era ladeado com figuras de leões (1 Rs 10.18-20). Tinha amplos suportes para os braços e um encosto onde estava esculpida a cabeça de um touro, antigo símbolo de força e poder. Várias representações de tronos, que foram vistas em antigos monumentos, mostram características semelhantes. Uma placa de marfim encontrada em Megido, datada do século XIII a.C., mostra um rei ou príncipe sentado em um trono, em cujos lados está a figura de um leão alado com cabeça humana (ANEP #332). Sua decoração consiste de variedades de ouro, marfim e lápislazúli, freqüentemente trabalhadas em intrincados padrões que mostram figuras humanas ou de animais em uma tentativa de glorificar seu ocupante.
O trono de madeira de Tutancamom, descoberto intacto em seu túmulo, é revestido com placas de ouro. Suas pernas têm um formato felino, e na parte superior tem cabeças de leão. Na parte interior, no encosto, aparece uma cena da família feita em baixo-relevo, mostrando o rei sentado usando uma coroa composta por diferentes materiais, e a rainha à sua frente (ANEP, #415-417). Para a representação do rei Airão, de Biblos, sentado em seu trono de esfinge com os pés descansando sobre um escabelo, veja ANEP #458. Também há ilustrações de Acabe e Josafá sentados em seus tronos, fora de Samaria, planejando uma campanha militar (1 Rs 22.10); um baixo-relevo do palácio de Senaqueribe, em Nínive, retrata esse último rei sentado em um alto e decorado trono portátil de frente para Laquis, recebendo os prisioneiros e o espólio da cidade de Judá (ANEP, #371). Um baixo relevo de Persépolis mostra o rei Dario I da Pérsia sentado em um elaborado trono entalhado com seus pés des-

cansando sobre um escabelo (ANEP #463). *Veja* Estrado/Escabelo.

***Bibliografia.*** Otto Schmitz, "*Thronos*", TDNT, III, 160-167.

H. G. S.

**TROPA** Uma reunião de pessoas, uma companhia; portanto, o coletivo de soldados, uma força armada, geralmente no plural. A seguir estão alguns termos hebraicos traduzidos como "tropa" em várias versões da Bíblia Sagrada.

1. O substantivo *gad*. Em Gênesis 30.11, algumas versões traduzem esta palavra como tropa ou turba, e acrescentam à margem uma observação dizendo que o nome Gade significa "uma tropa" ou "companhia", indicando assim o jogo de palavras que envolve os dois termos. No entanto, outras versões traduzem o termo como "afortunada!", trazendo como observação as expressões "com sorte" e "a fortuna chegou". Há ainda outras versões que a traduzem como "boa fortuna" ou "que sorte". Parece que a raiz semita *g-d* significava "fortuna" e que se associava ao deus fenício da fortuna. Assim, em Isaías 65.11, o termo *gad* é traduzido como "Fortuna", indicando, portanto, a divindade pagã a quem os judeus apóstatas adoravam, o qual está em justaposição com outra divindade desse tipo, chamada de "Destino" (heb. *m*[e]*ni*). Embora algumas versões traduzam o termo *gad* como "tropa ou turba" nesta referência, elas fornecem o termo "Gade" como uma observação. *Veja* Gade 1; Falsos deuses.

2. O substantivo *g*[e]*dud*, "bando", "tropa". Em 2 Samuel 22.30 (cf. Sl 18.29) e Jó 19.12, o termo é uniformemente traduzido como "tropa", como uma referência às tropas de um exército. Em 1 Crônicas 12.18, os termos "bando", "tropas" e "exército" são utilizados nas diversas versões da Bíblia Sagrada (cf. 1 Cr 7.4; 2 Cr 25.9,10,13; 26.11). O termo também pode se referir a um grupo de saqueadores, como por exemplo o dos amalequitas (1 Sm 30.8,15,23), ou àquele que era liderado por Rezom (1 Rs 11.24), ou ainda a um grupo ou bando de ladrões (Os 6.9; 7.1). Em 2 Samuel 3.22, a versão KJV em inglês traduz o termo como tropa; a versão ASV em inglês – embora anotando na margem o significado hebraico do termo como "tropa" – usa o epíteto "incursão". O termo hebraico é traduzido como "exército" em Jó 29.25 em algumas versões, mas como "tropas" na RSV em inglês. No jogo de palavras relacionado ao nome Gade em Gênesis 49.19, algumas versões traduzem o termo hebraico como "tropa", enquanto outras o traduzem como "assaltantes", anotando na margem que se trata de "uma tropa de assalto" ou um "bando". Em Miquéias 5.1, algumas versões utilizam a frase "Ó filha de tropas"; a versão RSV em inglês, entretanto, a traduz de forma diferente com base em um texto conjectural, utilizando o termo "esquadrões".

3. O verbo *gadad* tem o sentido de "agrupar-se em tropas" em Miquéias 5.1. Em Jeremias 5.7, o verbo é traduzido em algumas versões como "ajuntaram-se em bandos", enquanto outras trazem a expressão "ajuntaram-se em tropas".

4. O substantivo *'agudda"* , "bando" , é traduzido em algumas versões em 2 Samuel 2.25 como "tropa", enquanto outras trazem o substantivo "batalhão". O mesmo termo é traduzido como "tropa" (ou "feixe") na versão KJV em inglês em Amós 9.6, enquanto outras versões o traduzem como "abóboda", indicando um agrupamento.

5. O substantivo *'orah*, "caminho", e por metonímia, "viajante", é traduzido como "tropas" na versão KJV em inglês, mas como "caravanas" nas versões ASV e RSV em inglês (Jó 6.19).

A versão RSV difere das versões KJV e ASV em inglês no uso adicional de "tropa" em cerca

Baal do Trovão, de Ugarite. LM

de 15 passagens, ao traduzir vários termos hebraicos. Este procedimento é justificado, geralmente, como a maneira de se ressaltar o aspecto militar contido nas passagens.
No NT, várias versões traduzem o termo grego *stratesmata* em Mateus 22.7 e Apocalipse 9.16 como "exército", enquanto outras versões utilizam o termo "tropas" nestes dois casos. *Veja* Exército.

E. R. D.

**TROUXA** Também chamada de saquitel, era uma bolsa que podia ser fechada e usada especialmente para itens de valor (por exemplo, dinheiro, Gênesis 42.35; Pv 7.20), e destinada a ser colocada junto à pessoa para que seu conteúdo fosse resguardado. Seus conceitos essenciais são os de segurança e valor. Em Ageu 1.6, as bolsas que têm furos representam a vida sem Deus, desprovida de todo valor, até mesmo material. A suprema e íntima preciosidade daquele que ama (Ct 1.13) estão expressas na trouxa que contém um caro perfume, que está junto ao peito. Abigail diz a Davi que ele está atado "no feixe dos que vivem com o Senhor" (1 Sm 25.29), literalmente, "com o Senhor teu Deus". Deus viu valor em Davi e tornou-se seu íntimo associado, e a garantia de sua segurança (cf. o conceito de estar registrado no "Livro da Vida", Sl 69.28; Êx 32.32,33; Dn 12.1).

**TROVÃO** Tradução de duas palavras hebraicas, *qol* e *ra'am*, e de uma palavra grega, *bronte*. Era ouvido muitas vezes na Palestina e nas áreas vizinhas durante a primavera e o outono, porém sua ocorrência era tão rara no verão que Samuel precisou invocá-lo para transmitir a desaprovação de Deus a Israel (1 Sm 12.17,18).
Os trovões aparecem várias vezes no AT como o acompanhamento literal de tempestades repletas de descargas elétricas, e acrescenta um efeito violento à sétima praga do Egito, quando a terra foi severamente golpeada pela saraiva que matou homens e animais (Êx 9.22-34). Pouco tempo depois, os trovões e os relâmpagos acompanharam a entrega das leis no Sinai (Êx 19.16-18; 20.18). Essas ocorrências eram, aparentemente, fenômenos naturais controlados pelo Senhor (Jó 28.26; 38.25). *Veja* Relâmpago; Raio Acompanhado por Trovão.
De forma figurada, o trovão era explicado como a "voz (*qol*) de Jeová", especialmente nos livros poéticos (Jó 37.2-5; 40.9; Sl 18.13; 29.3-9). Dessa forma, ele simbolizava o poder e a vingança divinos (1 Sm 2.10; 2 Sm 22.14; Is 30.30,31). No NT, o Senhor Jesus descreve Tiago e João como "filhos do trovão" (Mc 3.17) justamente por causa do temperamento espontâneo e impetuoso destes dois homens (Lc 9.54,55).

**TRO (CRER)** Palavra arcaica usada em Lucas 17.9 (na versão KJV em inglês) significando "pensar", "acreditar" ou "supor"; cf. o termo alemão *trauen*. No entanto, as palavras gregas *ou doko* ("eu não creio") são claramente uma interpolação de um copista, pois elas não ocorrem nos manuscritos gregos mais antigos, e conseqüentemente são corretamente omitidas pela versão ASV, e por outras.

**TRUNFO, TROMBETA** *Veja* Música.

**TSADE ou TSADÊ**. Décima oitava letra do alfabeto hebraico. *Veja* Alfabeto. Essa letra foi usada na versão KJV em inglês como título da 18ª seção do Salmo 119 (vv.137-144), onde cada um dos versículos se inicia com ela. Seu valor numérico é 90.

**TSADÊ** *Veja* Tsade.

**TUBAL** O quinto filho de Jafé (Gn 10.2; 1 Cr 1.5). *Veja* Nações. O país negociou escravos e bronze com Tiro (Ez 27.13). Durante certo tempo, Gogue governou Tubal (Ez 38.2,3) e Meseque (39.1). Isaías (66.19) declarou que este país ouviria falar da graça do Senhor. É a Tabali das inscrições assírias. O país estava localizado na região da Capadócia, na Ásia Menor.
Salmaneser III (859-824 a.C.) recebeu presentes de 24 reis de Tubal. No século seguinte, Uassurme uniu o país, mas foi destronado pelos assírios em 732 a.C. Sargão se refere aos preciosos vasos de metal de Tubal. Uma rebelião contra Sargão liderada por Ambaris, envolvendo os Mushki (Meseque) e Ararate, foi derrotada.

**TUBALCAIM** Filho de Lameque, um descendente de Caim por sua esposa Zilá (Gn 4.22). O nome significa "Tubal, o ferreiro", e ele é chamado de "mestre de toda obra de cobre e de ferro", o primeiro homem a aprender a fundir e usar metais.

**TUFÃO, REDEMOINHO** Uma massa de ar girando rapidamente em turbilhão em volta de um eixo mais ou menos vertical (Is 17.13), e tendo ao mesmo tempo um movimento progressivo sobre a superfície da terra ou do mar (2 Rs 2.11). Porém, o violento tornado com sua nuvem em forma de funil não é comum na Palestina. A maioria das referências bíblicas ao tufão não implica necessariamente um movimento circular, mas designa vários tipos diferentes de vento e tempestade. O tufão retratava a força e o poder de Deus (Na 1.3) e foi usado pelo Senhor como um meio de comunicação com Jó (Jó 38.1).
A maioria dos usos bíblicos é figurativa, e nestes o tufão retrata a destruição (Sl 58.9; Pv 1.27; 10.25; Os 13.3); a rapidez (Is 5.28; 66.15; Jr 4.13); a ira de Deus (Jr 23.19); e a punição dos ímpios (Jr 30.23).

**TUIA** *Veja* Plantas.

**TUMIM** *Veja* Urim e Tumim.

**TUMOR** *Veja* Doença.

**TÚMULO** Local de sepultamento, maior e mais complexo em planta e em estrutura do que um simples jazigo cavado na terra. Os sepulcros geralmente estão associados ao local de enterro de pessoas de posição elevada ou que sejam abastadas, com a finalidade de servir como monumento ou memorial para o falecido. Na Bíblia Sagrada, inúmeras palavras hebraicas e gregas referem-se a esses lugares; elas podem se encontrar sobrepostas, como sinônimos ou ter significados complementares. As expressões túmulo, sepulcro, jazigo, enterro, cemitério e monumento em português aparecem muitas vezes fazendo referência a um mesmo lugar.

Na Palestina, eram usados túmulos feitos em grutas naturais ou escavados em rochas. Abraão comprou a cova (ou caverna) de Macpela para enterrar Sara (Gn 23.9). Pela falta de espaço nas cidades muradas, e pela possibilidade de contaminação cerimonial, geralmente os túmulos eram agrupados em um cemitério fora dos muros da cidade. Muitas vezes eles são encontrados mais distantes, nas encostas das colinas de uma cidade e em fortificações da época de sua primeira utilização. Às vezes, também estavam associados a um jardim (2 Rs 21.18,26; Jo 19.41). Os túmulos dos reis de Judá, em Jerusalém (2 Cr 21.20; 24.25; 28.27; 32.33; 35.24), ainda não foram identificados com segurança, embora alguns, saqueados há muito tempo e tendo parte de suas pedras roubadas no período romano, estejam localizados na colina a sudeste de Jerusalém, onde ficava a cidade de Davi.

Durante o período do Império Egípcio, reis, rainhas e nobres eram sepultados em túmulos escavados nos rochedos ao redor de Tebas. Em primeiro plano está o túmulo de Tutancamom, atrás do qual está o túmulo de Ramsés VI

Antigos sarcófagos fenícios em Gebal. HFV

Os israelitas conheciam e respeitavam os túmulos de outras épocas. O túmulo de Raquel, perto de Belém, era conhecido pelo escritor de Gênesis (Gn 35.20), e o mesmo ocorria nos dias de Saul (1 Sm 10.2). O túmulo de Davi era bem conhecido na época do NT (At 2.29; Josefo, *Ant.* vii.15.3; xiii.8.4; xvi.7.1).

No NT, lemos sobre os endemoninhados que viviam em sepulcros (Mt 8.28; Mc 5.2-5; Lc 8.27). Sepulcros são mencionados nas pregações do Senhor Jesus (Mt 23.27,29) como censura aos escribas e fariseus por serem "sepulcros caiados", porque por fora eram realmente bonitos, mas por dentro estavam contaminados. O Senhor os acusou de terem construído os túmulos dos profetas e enfeitado os monumentos dos justos com hipocrisia.

Existem mais informações a respeito do sepulcro (ou túmulo) de Jesus do que sobre qualquer outro mencionado na Bíblia. Ele estava localizado em um jardim perto do Gólgota (Jo 19.42) e havia sido escavado na rocha (Mt 27.60; Mc 15.46; Lc 23.53). Ninguém jamais havia sido sepultado ali (Lc 23.53; Jo 19.41), pois fora construído por José de Arimatéia para seu próprio sepultamento (Mt 27.60). A entrada era fechada por uma grande rocha, que era rolada impedindo completamente o acesso (Mt 27.60; Mc 15.46; cf. Mc 16.3). Na ocasião da ressurreição do Senhor Jesus o túmulo ficou vazio (Mt 28.6; Mc 16.6; Lc 24.3,6,12; Jo 20.1-8).

Um grande número de pesquisas tem procurado estabelecer a localização exata desse sepulcro, mas esse problema ainda permanece sem conclusão. O chamado Jardim do Sepulcro ao norte da atual cidade murada, uma localização defendida pelo general Charles Gordon, não tem a seu favor nenhuma evidência histórica ou arqueológica. O local tradicional, dentro da antiga igreja do Santo Sepulcro, ainda permanece como a localização mais plausível para o túmulo do Senhor Jesus.

Veja Funeral; Caixão; Sepultura; Lamentar.

***Bibliografia.*** L. E. Cox Evans, *"The Holy Sepulchre"*, PEQ, C (1968), 112-136. Kathleen

Kenyon, *Digging Up Jericho*, Londres. Benn, 1957. Robert H. Smith, "*The Tomb of Jesus*", BA, XXX (1967), 74-90.

C. E. D.

**TÚNICA** *Veja* Vestuário.

**TURBANTE** *Veja* Vestuário; Mitra.

**TURNOS DOS SACERDOTES E LEVITAS** As 24 divisões ou classes de sacerdotes e levitas que realizavam as tarefas diárias no Templo de Jerusalém, cada um durante uma semana. Cada divisão disposta por Davi (1 Cr 24) era denominada conforme um membro proeminente da família, e estava sujeita a seu presidente. Zacarias, pai de João Batista, pertencia à oitava divisão, a de Abias (Lc 1.5).
Em 1962, enquanto escavavam uma sinagoga em Cesaréia, os arqueólogos descobriram fragmentos de uma inscrição em mármore que originalmente nomeou 24 turnos sacerdotais e a cidade para onde se mudaram depois da destruição do Templo de Jerusalém, em 70 d.C. Nazaré está relacionada como a cidade do 18º turno, sendo esta a primeira menção da cidade fora do NT (IEJ, XII, 137ss.).

**TURQUESA** *Veja* Jóias.

# U

**UÁDI** *Veja* Ribeiro; Vale 2, 3.

**UCAL** De acordo com a tradução habitual, Ucal era um dos dois homens aos quais foram dirigidas as palavras do Provérbio: "Disse este varão a Itiel, a Itiel e a Ucal" (Pv 30. 10). Se isso estiver correto, então Ucal pode ter sido um sábio conhecido por Agur, que é o autor desse capítulo. Nada mais, porém, se conhece a respeito de algumas das pessoas mencionados em conexão com o capítulo.
Entretanto, desde o início, os estudiosos entenderam que essa passagem era obscura e, desde os dias da Septuaginta (LXX), várias tentativas foram feitas para traduzir essas palavras, ao invés de considerá-las como nomes próprios. Falta uma certa unanimidade entre os tradutores porque essa frase exige algum complemento para se tornar uma afirmação coerente. Desde a época de Cocceius, sua tradução como "Trabalhei em nome do Senhor e consegui" tem tido uma grande aceitação. Outras sugestões são: "Fiquei exausto, ó Senhor, e definhei" (Berkeley); "Esgotei-me, ó Senhor, e estou consumido" (ASV marg.); "Estou exausto, ó Senhor, e esgotado" (American). Entretanto, essa palavra ainda é considerada como um nome próprio pela maioria das versões padrão.

P. C. J.

**UEL** Um dos filhos de Bani que se casou com uma esposa estrangeira (Ed 10.34).

**UFAZ** Um lugar (em hebraico *'uphaz*) mencionado como uma fonte de ouro (Jeremias 10.9; Dn 10.5). Sua localização é desconhecida, embora alguns acreditem que "Ufaz" seja uma variação da bem conhecida área de "Ofir" (*q.v.*) onde havia ouro, ou do termo hebraico *upaz*, que significa "e puro ouro". Algumas versões adotam a primeira alternativa com base no Targum e na versão Siríaca.

**UGARIT** *Veja* Ras Shamra.

**UKNAZ** Nota marginal da versão KJV em inglês em 1 Crônicas 4.15 referindo-se a Quenaz (*veja* Quenaz 2).

**ULA** Família da tribo de Aser (1 Cr 7.39).

**ULAI** Rio em cujas proximidades Daniel viu a si mesmo em uma visão (Dn 8.2,16). Ele é descrito apenas como um rio de Elão que corria nas proximidades de Susa (a bíblica Susã), capital de inverno dos persas, localizada cerca de 240 quilômetros ao norte do Golfo Pérsico. Alguns chegaram a identificar o Ulai com o Eulaeus de Plínio (vi. 135), o moderno Karun, um rio persa de 720 quilômetros de extensão que deságua no Shatt-al-Arab, o único que leva as águas do Tigre e do Eufrates até o Golfo Pérsico. Mas nenhuma passagem nas Escrituras nos leva a entender que Daniel estivesse se referindo ao maior rio daquela área. Chamado de *Ulai* nas inscrições assírias, ele aparece nos baixos-relevos reproduzindo a vitória de Assurbanipal em 640 a.C., quando lançou os elamitas dentro de suas águas (R. D. Barnett, *Assyrian Palace Reliefs,* Londres. Batchworth, 1960, tábuas 118-129; Y. Yadin, *The Art of Warfare in Biblical Lands,* Nova York. McGraw-Hill, 1963, II, 442-444).

H. F. V.

**ULÃO**
1. Nome de uma família de Manassés (1 Cr 7.16,17).
2. Filho primogênito de Eseque, um dos descendentes de Benjamim. Seus filhos tornaram- se famosos como grandes flecheiros e homens valentes (1 Cr 8.39,40).

**ÚLCERA DO EGITO** *Veja* Doença; Pele.

**ÚLTIMA CEIA** *Veja* Ceia do Senhor.

**ÚLTIMO DIA** *Veja* Julgamentos ou Juízos.

**UMÁ** Uma das cidades que pertenciam à tribo de Aser (Js 19.30). Sua localização é desconhecida, a não ser que seja aceita a indicação de alguns manuscritos da LXX que a identificam com Aco *(q.v.)*.

**UMBIGO** Depressão ou cicatriz no centro do abdômen que sinaliza a ligação umbilical do feto com a mãe; usado para enviar alimento ou remover resíduos do feto (Ez 16.4; Jó 40.16; Pv 3.8; Ct 7.2).

**UMBRAL ou LIMIAR** Soleira da porta (Jz 19.27) consistindo de um sólido pedaço de madeira ou pedra. Adjacente à sua extremidade (s) estava a conexão(s) de pedra que girava em um pino em lugar de gonzos (Is 6.4). Duas palavras hebraicas, *saph* e *miphtan*, são usadas na tradução de umbral em várias versões. É possível que *miphtan* esteja se referindo à plataforma ou podium de um ídolo (1 Sm 5.4,5), ou à plataforma ou terraço sobre o qual o templo havia sido elevado (Sf 1.9; Ez 9.3; 10.4,18; 46.2; 47.1). Por ser a primeira parte da casa, sobre a qual se pisava ao entrar, o umbral simbolizava a própria entrada. Portanto, os porteiros do templo e do palácio real são mencionados como "guardas do umbral" (2 Rs 22.4; 25.18; 1 Cr 9.19,22; 2 Cr 34.9; cf. 2 Rs 12.9. Et 2.21; 6.2). O umbral do templo era considerado sagrado, pois era o lugar onde os sapatos deveriam ser removidos antes de alguém pisar no solo sagrado (cf. Êx 3.5; Js 5.15). A comparação de Ezequiel 43.8 com 2 Reis 16.14; 21.5,7 denota que erguer altares para ídolos pagãos na área do templo era como erguer um umbral (em hebraico *saph*), isto é, um santuário contrário à casa de Deus. Quando a imagem de Dagom, no templo filisteu de Asdode, caiu e foi esmagada sobre o umbral, os sacerdotes supersticiosos e os idólatras adoradores de Dagom evitavam pisar sobre o umbral ou sobre a "plataforma" ao entrar (1 Sm 5.4,5). Existem dúvidas se "saltar sobre o umbral" (Sf 1.9) significa uma prática idólatra, como está indicado na tradução da versão NEB em inglês. "Castigarei todos aqueles que saltam sobre o terraço do templo" ou um ato de irreverência – "todo aquele que salta no umbral do templo" (conforme a versão NASB em inglês); ou mesmo um ato de violência cometido pela invasão e roubo de uma casa ou a exigência de pagamento de empréstimos (cf. Dt 24.10,11).

J. R.

**UNÇÃO[1]** A unção fazia parte da cerimônia de consagração dos sacerdotes (Êx 29.7; 40.13; Lv 6.22; Nm 35.25) dos reis (1 Sm 9.16; 10.1; 15.1) e às vezes dos profetas (1 Rs 19.16; cf. Is 45.1). João fala sobre a unção (em grego *chrisma*) do Espírito Santo (1 Jo 2.20, 27), que transmite o conhecimento e o discernimento da verdadeira igreja, ao contrário dos sismas (2.29) e uma sólida doutrina da encarnação versus as heresias (2.22). João está se referindo ao dom do Espírito Santo que nos guia em toda a verdade (Jo 14.26; 16.13).
Será que o batismo é um sinal da unção, ou seria apenas a imposição das mãos ou alguma cerimônia especial de iniciação? Nenhuma destas. Embora a palavra batismo signifique "imersão", em meio aos cristãos existem três formas de se batizar. Quando o batismo é praticado por aspersão, ele representa o poder purificador do sangue de Cristo; quando o batismo é praticado por imersão, ele representa a identificação com a morte, sepultamento e ressurreição de Cristo; e quando ele é praticado vertendo-se água sobre a cabeça da pessoa que está sendo batizada, representa o derramamento do Espírito Santo. Nenhum método pode representar tudo aquilo que o Espírito Santo realiza ao aplicar a morte de Cristo aos nossos pecados, embora o usuário de cada um deles reconheça que Ele faz estas três obras mencionadas acima na vida de todos aqueles que crêem. *Veja* Batismo do Espírito; Espírito Santo, Encher com o.

R. A. K.

**UNÇÃO[2]** Nas Escrituras, a prática da unção com óleo, fosse com perfume ou sem, tinha um significado secular e religioso. Em hebreu, duas palavras eram usadas: *suk* (que aparece somente nove vezes) e a palavra mais comum *mashah*, da qual deriva o substantivo *mashiah*, conhecida como Messias, "o ungido". As palavras gregas são: *aleipho*, que é comparável a *suk*; e *chrio*, da qual vem

o nome "Cristo", que possui o mesmo significado de Messias.
O termo hebraico *suk* designava uma prática diária que consistia em esfregar o corpo com óleo de oliva depois do banho, ou ungir a cabeça de um convidado com óleo (Dt 28.40; Rt 3.3; Et 2.12). No entanto, esta prática era proibida durante o luto (2 Sm 12.20; 14.2; Is 61.3; Dn 10.3). Em Êxodo 30.31,32, onde este termo é traduzido como "verter", afirma-se especificamente que o óleo sagrado não deveria ser usado para propósitos comuns.
Em uma única passagem, com respeito às pessoas, o termo *mashah* parece indicar um ato não religioso de ungir o corpo (Am 6.6). O significado básico de *mashah* é "cobrir" ou "untar". Ele aparece em Jeremias 22.14 com o sentido de pintar um cômodo real. Em 2 Samuel 1.21 e em Isaías 21.5 há menção da unção de escudos, o que pode significar nada mais que aplicar óleo para sua conservação. No grego dos textos clássicos e do Novo Testamento, o termo *aleipho* é o termo preferido para a prática secular de ungir o corpo depois do banho, ou de honrar um convidado (Lc 7.38,46; Jn 11.2; 12.3). No entanto, pode designar o ato de ungir os enfermos (Mc 6.13; Tg 5.14) e os mortos (Mc 16.1). Em João 9.6 o termo *epichrio* "esfregar" é usado para o lodo com o qual Jesus ungiu os olhos do homem que havia nascido cego, e Apocalipse 3.18 emprega o termo *egchrio* quando se refere a ungir os olhos com colírio. A aplicação espiritual se deriva do uso do óleo de oliva para a cura física. A palavra grega *myrizo*, "ungir com aromas" é encontrada na afirmação de Jesus de que Maria tinha ungido seu corpo para a sepultura (Mc 14.8).
Para um ato religioso de unção, o Antigo Testamento em hebraico prefere as formas nominais e verbais da palavra *mashah*. O primeiro exemplo foi o ato de Jacó de ungir a pedra em Betel depois da sua visão (Gn 31.13). Os sacerdotes e sumos sacerdotes eram ungidos (Êx 28.41; 29.7,36). Os reis eram ungidos (1 Sm 9.16; 16.3,12,13; 2 Sm 2.4). Algumas vezes, os profetas eram ungidos (1 Rs 19.16). O Tabernáculo, seu mobiliário, e utensílios eram ungidos (Êx 30.26-28). A unção separava o objeto ou a pessoa para um serviço especial a Deus, tornando-se dessa forma sagrado e intocável (1 Sm 24.6; 26.9). A unção era freqüentemente considerada um ato de Deus, porque Ele ordenava que fosse feita (cf. 1 Sm 9.16 com 10.1), e era associada ao derramamento do Espírito do Senhor (1 Sm 10.9; 16.13; Is 61.1).
No Antigo Testamento, o conceito da unção está associado ao Messias que viria (Sl 45.7; 89.20; Is 61.1; Dn 9.24). A palavra grega *chrio* traz esse conceito ao Novo Testamento, onde Deus está sempre envolvido. Nas referências aos sacerdotes, reis e profetas do Antigo Testamento, este conceito tem a mesma função de *mashah*. Em Lucas 4.18, Jesus aplicou a unção mencionada em Isaías 61.1 a si mesmo. Pedro relata a unção de Jesus com o Espírito Santo (At 10.38), e Paulo relaciona a unção com o selo do Espírito e a prova do relacionamento dos cristãos com Cristo (2 Co 1.21,22). Assim, os escritores do Novo Testamento entendiam metaforicamente a unção, que consiste em dotar de poder espiritual e entendimento (1 Jo 2.20,27). No Antigo Testamento, a unção está associada ao ofício dos reis (1 Sm 10.1-9; 16.13), mas no Novo Testamento está associada com Cristo e com aqueles que são as testemunhas cristãs, dentro de um contexto de proclamação do Evangelho.

G. H. L.

**UNGÜENTO** Tradução de várias palavras no texto original. (1) Heb. *shemen*, "óleo" (2 Rs 20.13; Sl 133.2; Pv 27.9,16; Ct 1.3; 4.10; Is 1.6; 39.2; 57.9; Am 6.6). (2) Heb. *mirqahat*, "composto misto" (Êx 30.25; 2 Cr 16.14; Jó 41.31). (3) Gr. *myron*, "mirra", "bálsamo aromático", mas invariavelmente traduzido como "ungüento" em algumas versões (Mt 26.9,12; Mc 14.3,4; Lc 7.37,38,46; 23.56; Jo 11.2; 12.3,5; Ap 18.13).
As preparações de ungüento eram largamente usadas por todo o mundo mencionado na Bíblia Sagrada. O ungüento era geralmente composto por vários ingredientes diferentes usando azeite ou azeite com óleo de bezerros como uma base, com o acréscimo de mirra, nardo, cássia e outras especiarias. Tal preparação exigia a habilidade especial de um boticário ou perfumista (Êx 30.25-35; 37.29; Ne 3.8; Ec 10.1).
O ungüento tinha vários usos:
*Cosmético*. Nos locais de clima quente, o problema da transpiração extrema propiciou ênfase em perfumes especiais (*veja* Perfume), assim como os desodorantes são importantes hoje. Os judeus, gregos e romanos ungiam a cabeça e as roupas em ocasiões festivas (Rt 3.3; Et 2.12; Ec 7.1; 9.8; Pv 27.9,16). A arte egípcia mostra servos colocando pequenos cones de ungüento perfumado nas testas dos convidados na chegada destes. O ungüento era extremamente caro, como testemunhado na unção dos pés de nosso Senhor por Maria, irmã de Marta (Mt 26.6-13; Mc 14.3-9; Jo 12.2-8; cf. Lc 7.37,38). De acordo com Plínio, o alabastro mostrava-se como o melhor recipiente para preservar ungüentos. O perfume em si era muito forte (Jo 12.3), e em alguns casos seu aroma tem sido mantido por mais de 3.000 anos (existem frascos de alabastro que mantêm traços do ungüento neles contidos).
*Funeral*. Ungüentos e óleos eram usados para ungir os corpos dos mortos e os tecidos nos quais eles eram envoltos (2 Cr 16.14; Mt 26.12; Mc 14.3,8; Lc 23.56; Jo 12.3,7; 19.40).
*Medicinal*. Ungüentos eram usados no tra-

tamento médico (Is 1.6). O bálsamo (*q.v.*) de Gileade mencionado em Jeremias parece ter propriedades curativas (Jeremias 8.22; 46.11; 51.8), como também o colírio em Apocalipse 3.18 (cf. Jo 9.6).
*Ritual.* Moisés foi instruído na preparação de um ungüento muito especial para a unção do Tabernáculo, seus acessórios, a arca do testemunho, Arão e seus filhos (Êx 30.22-33), e também do que parece ser um talco perfumado (Êx 30.34-38). A fórmula para o ungüento deveria ser considerada como algo tão santo, que só poderia ser utilizada para fins de ritual (v. 32); este ungüento nunca deveria ser feito por alguém que não fosse o sacerdote, nem colocado sobre qualquer israelita comum ou qualquer estrangeiro que estivesse sofrendo a dor da excomunhão (v. 33). *Veja* Unção; Ocupações: Boticário; Azeite; Perfume; Especiarias.

R. A. K.

**UNHA[1]** (lit., "casco"). A marca de um animal "limpo" era: "Todo animal que tem unhas fendidas, que tem a unha dividida em duas [ou, e o casco se divide em dois], que remói, entre os animais, isso comereis" (Dt 14.6). Há versões que descrevem o pastor inútil como arrancando até as "unhas" das ovelhas, enquanto outras usam o termo "cascos" (Zc 11.16).

**UNHA[2]** As unhas dos dedos (em hebraico, *sipporen*) são mencionadas apenas três vezes no AT: Deuteronômio 21.11-13, onde uma escrava deveria aparar ou cortar suas unhas como parte de um lamento de um mês pelos pais e para sua purificação antes de entrar em Israel, simbolizando o final de sua vida anterior e o início de uma outra vida; e também em Daniel 4.33 e 7.19 referindo-se às garras dos animais.

**UNI**
1. Um dos músicos que acompanharam a arca da aliança levada por Davi a Jerusalém (1 Cr 15.18,20).
2. Levita do período pós-exílico (Ne 12.9, também chamado de Uno em algumas versões).

**UNICÓRNIO ou BOI SELVAGEM** *Veja* Animais II. 4.

**UNIDADE** A palavra grega *henotes*, "unidade", foi usada em Efésios 4.3,13 para descrever a unidade que deve existir dentro da igreja cristã. Ela está baseada na clara doutrina de que há um só Salvador, um só Pai Celestial, um só Espírito Santo, um só batismo e só uma igreja aos olhos de Deus (Ef 4.4-6). Ela se tornou possível através do Espírito Santo, que capacitou os cristãos a praticarem a paciência e a se amarem uns aos outros (vv. 2,3), e pelo uso inteligente e humilde dos dons concedidos à igreja (vv. 7-11). Seu grande objetivo é alcançado à medida que, na unidade da fé, cada cristão chega "à medida da estatura completa de Cristo" (v.13).
Esse objetivo representa o cumprimento das palavras do Salmo de Davi que enaltece a excelência da união fraternal (Sl 133.1ss.), e da oração Sumo Sacerdotal de nosso Senhor. "Para que todos sejam um" (Jo 17.21,22). Paulo exorta os crentes de Filipos a alcançarem a unidade cristã "tendo o mesmo amor, o mesmo ânimo, sentindo uma mesma coisa" (Fp 2.2). Isso se torna possível quando cada um de nós assume a atitude de humildade que é característica de Cristo (Fp 2.3-5; *veja* Intelecto e Atitudes).

R. A. K.

**UNIGÊNITO** O termo grego *monogenes* significa "único de seu tipo", "único", "singular", "unigênito". Este termo é usado no NT com relação a um filho único (Lc 7.12; 8.42; 9.38; Hb 11.17). É usado em relação a Cristo no sentido de que Ele é o único Filho de Deus (Jo 1.14,18; 3.16,18; 1 Jo 4.9). A raiz da palavra grega, de acordo com a opinião atual de cuidadosos especialistas lexigráficos, não é *gennao*, "procriar ou gerar", mas *genos*, e portanto seu significado é "o único de seu tipo" ao invés de o único nascido. No Concílio de Nicéia, os defensores ortodoxos da fé contra Ário parecem não ter entendido isto, e, por esta razão, discutem a existência eterna de Cristo ao invés do significado da palavra, isto é, sua existência, sempre única, como o Filho. A luz lançada sobre a controvérsia, quando se vê que a palavra vem de *genos*, levanta a questão. é ou não necessário ensinar a difícil doutrina da geração eterna (veja J. O. Buswell, Jeremias., *Systematic Theology*, I, 110-111).

***Bibliografia.*** F. Buchsel, "*Monogenes*", TDNT, IV, 737-741.

R. A. K.

**UNIVERSAIS, EPÍSTOLAS** *Veja* Epístolas Católicas ou Universais; Epístolas Gerais.

**UNIVERSALISMO** *Veja* Restauração, Restituição.

**UR**
1. A cidade de Ur desempenha um papel pequeno na história do AT, porém bastante significativo. Quando Deus resolveu escolher um homem e uma família como ancestrais da nação de Israel, esse homem foi Abrão e a família foi a família de Tera. Todos eles eram semitas ocidentais (ou amorreus), embora nessa época estivessem vivendo no sul da Mesopotâmia, dentro dos limites ou nas proximidades da cidade sumeriana de Ur (Gn 11.27-31). *Veja* Abraão.

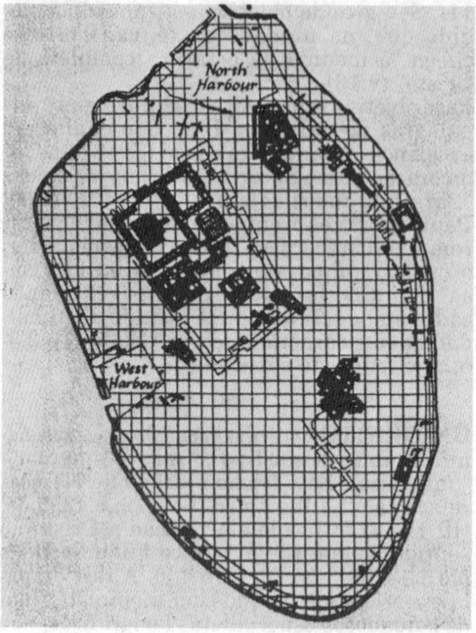


Planta de Ur na época de Abraão. A área cercada no centro da figura corresponde ao grande centro de culto com seu zigurate

Na época de Abrão (em aprox. 2000 a.C.), a cidade de Ur estava enfrentando um franco declínio político. [Outros sistemas cronológicos posicionam Abraão em Ur antes ou durante a idade áurea desta cidade – Ed.] A anteriormente orgulhosa Dinastia de Ur, que caracterizou um importante apogeu militar e cultural da Mesopotâmia, estava se desintegrando rapidamente sob o impacto dos invasores Gutis e Elamitas.
Nessa ocasião, Ibbi-Sin, rei de Ur, percebeu que, uma a uma, as cidades-estado de seu reino estavam se libertando e se tornando unidades politicamente independentes. Entretanto, o nível econômico e cultural dos habitantes de Ur permanecia bastante elevado.
Parece certo que os ancestrais de Abrão migraram para o sul do vale do Eufrates, junto com milhares de outros amorreus no final do 3º milênio a.C. Provas dessa migração são encontradas no crescente número de nomes próprios amorreus que ocorrem nos documentos comerciais do sul da Mesopotâmia.
Atualmente, os árabes conhecem as ruínas da antiga Ur como Tel el-Muqayyar (monte de piche) porque muitos de seus tijolos foram unidos com betume. Estas ruínas estão localizadas a aprox. 350 quilômetros a sudeste de Bagdá, e cobrem uma área aproximada de 1.000 por 800 jardas. *Veja* Arqueologia. Em nossos dias, pouco pode ser visto além do remanescente do grande "zigurate", dos alicerces dos muros de um palácio e de um templo. Porém, 4.000 anos atrás, essa cidade se estendia por quase 10 quilômetros quadrados, tendo uma população estimada em 300.000 pessoas.
O rio Eufrates, que antes corria ao longo do lado ocidental da cidade, segue agora um curso de 20 quilômetros no lado oriental. Atualmente, não existe sinal de habitantes até onde a vista pode alcançar.
No entanto, nos seus dias de apogeu, Ur era uma das cidades mais importantes do mundo. No alvorecer dos registros históricos do Iraque, existiam três principais centros. Quis, Ur e Uruk (a bíblica Ereque). Por volta de 2600 a.C., Mesannepadda, rei de Ur, derrotou Aga, rei de Quis e fundou a Primeira Dinastia de Ur. Houve pelo menos cinco reis nessa dinastia, que foi a primeira dinastia da história da Mesopotâmia, conhecida tanto através dos cronistas posteriores como dos materiais arqueológicos contemporâneos.
Na verdade, os tesouros encontrados nas chamadas Tumbas Reais (juntamente com ricas sepulturas particulares), oriundas principalmente da Primeira Dinastia, estão entre os mais ricos já encontrados na história da arqueologia. Embora quase todas essas tumbas tenham sido saqueadas na antiguidade, foi recuperada uma admirável coleção de ouro e prata, vasos, jóias, instrumentos musicais e móveis ricamente incrustados que servem como testemunho da habilidade dos antigos artesãos e da extensão e volume do seu comércio. Os sepultamentos em massa servem para criar um intrigante problema em relação aos costumes religiosos. Uma das tumbas continha os restos de sete homens e 68 mulheres, além do enterro principal. Outras continham bois amarrados nas bigas. *Veja* Funeral.
O período mais conhecido da história de Ur é a Terceira Dinastia (de aprox. 2100-2000 a.C.) fundada por Ur-Nammu. Esse foi o período mais próspero e literário da história Suméria.

Rua de Ur na época de Abraão. Observe que as casas não tinham janelas frontais; elas eram voltadas para um pátio interno

As liras reais de Ur dão alguma indicação sobre o elevado nível de civilização que lá existia em aprox. 2500 a.C. BM

Quase 100.000 tábuas cuneiformes foram recuperadas principalmente em Ur, Umma, Lagash, Nippur e Puzrich-Dagan permitindo uma detalhada reconstrução da vida religiosa, comercial e doméstica. Em nenhuma outra época Ur voltou a ser uma cidade líder pelas suas próprias forças. No entanto, palácios e templos foram construídos neste local no período dos reis da Antiga Babilônia, dos cassitas, dos assírios, dos caldeus e até mesmo dos persas. A tábua datada mais recente vem do 12º ano de Alexandre o Grande.

O zigurate de Ur é o exemplo mais bem preservado da Mesopotâmia. Sua estrutura atual data da reconstrução feita por Nabonido, em aprox. 560 a.C. Tinha uma base de aproximadamente 60 por 40 metros, uma altura indeterminada, e provavelmente sete andares cobertos por um pequeno templo de tijolos esmaltados de cor azul. Era dedicado ao culto à deusa-lua suméria, cujo nome sumeriano era Nanna, que equivalia ao deus semítico Sin. Nanna era a divindade protetora de Ur. A primeira e mais importante construção do zigurate data da época do rei Ur-Nammu. Edifícios anteriores, dos períodos Uruk e do início das dinastias, permanecem enterrados abaixo da parte principal das estruturas posteriores.

As escavações em Ur começaram em 1854, sob a direção de J.E.Taylor, que era o cônsul inglês em Basra. Ele descobriu os assim chamados cilindros de Nabonido que revelaram o antigo nome da cidade e indicaram seu relacionamento com a bíblica Ur. Depois de um breve período em 1919 sob o comando do Dr. H. R. Hall, teve início em 1922 a expedição mais importante que reunia o Museu Britânico com o Museu Universitário da Universidade da Pensilvânia, sob a direção do senhor (que mais tarde se tornou Sir) C. Leonard Woolley que durou 12 estações, até 1934. Foram publicados dez magníficos volumes onde estão registradas as escavações e os objetos recuperados, além de seis volumes de textos cuneiformes descobertos nas ruínas.

Alguns estudiosos não têm dado muita importância à localização de Ur, ao sul, em Gênesis 11. Um de seus argumentos é que, de acordo com uma tradição árabe originária dos séculos VIII e IX d.C., acreditava-se que a Ur de Abrão era Urfa, uma cidade localizada cerca de 32 quilômetros a noroeste de Harã, chamada Edessa pelos gregos. Mais recentemente, Ciro H. Gordon procurou identificar a Ur de Abrão com outras duas cidades chamadas Ura nos textos hitita e ugarítico, datados de aprox. 1400 a.C. Uma delas era a fortaleza localizada a nordeste da Anatólia ou Armênia, e a outra um porto marítimo próximo a Tarso (BASOR #163, p. 44, n. 42). Seus argumentos foram respondidos com muita eficiência por H. F. W. Saggs. Abraão precisaria ter viajado em direção ao oriente até Harã antes de se dirigir ao ocidente para ir a Canaã.

Além disso, as tábuas que mencionam a cidade de Ur datam de 500 anos ou mais depois da provável época de Abraão. *Veja* Caldeus; Era Patriarcal; Suméria.

2. Pai de Elifal (1 Cr 11.35) um dos poderosos de Davi. Ele é chamado de Aasbai (*q.v.*) em 2 Samuel 23.34.

***Bibliografia.*** C. J. Gadd, "Ur", TAOTS, pp. 87-101. Cyrus H. Gordon, "Abraham and the Merchants of Ura", JNES, XVII (1958), 28-31. M. E. L. Mallowan, D. J. Wiseman, *et al.*, "Ur in Retrospect", *Iraq*, XXII (1960), 1-236 (28 artigos importantes). H. F. Saggs, "Ur of the Chaldees, A Problem of Identification", *Iraq*, XXII (1960), 200-209. C. Leonard Woolley, *Excavations at Ur, A Record of Twelve Years' Work*, Londres. Benn, 1954 (um bom resumo popular). K. M. Yates, Jeremias., "Ur", BW, pp. 596-603.

F. R. S.

**URBANO** Um crente de Roma a quem Paulo enviou saudações em Romanos 16.9. Deissmann acredita que Urbano seja o nome latino de um servo, pois foi encontrado nas inscrições da casa imperial (por exemplo, CIL. VI. 4237). Se este raciocínio estiver correto, esta é a evidência de que, por volta do ano 55 d.C., o Evangelho já havia alcançado o nível dos servos do lar de César (cf. também Fp 4.22).

**URI**

1. Pai de Bezalel, um dos construtores do Tabernáculo (Êx 31.2; 35.30; 38.22; 1 Cr 2.20; 2 Cr 1.5).
2. Pai de Geber, oficial do distrito em Gileade, sob Salomão (1 Rs 4.19).
3. Porteiro do templo restaurado. Esdras o convenceu a abandonar sua esposa estrangeira (Ed 10.24).

**URIA** No AT, esse nome refere-se a pelo menos quatro ou talvez cinco homens.
1. Um heteu, e um dos valentes de Davi (2 Sm 23.39; 1 Cr 11.41). A partir de seu nome e conduta, parece ter sido um prosélito da religião hebraica, pois parece que estava preocupado em observar a Festa dos Tabernáculos (cf. 2 Sm 11.11). Sua principal importância na Bíblia Sagrada está relacionada com o pecado de adultério de Davi. Sua esposa era Bate-Seba, e o pecado de Davi ocorreu quando Urias estava na guerra. Para cobrir esse pecado, Davi mandou chamá-lo no campo de batalha, tirando-o do cerco a Rabá, a capital amonita, para que parecesse que ele era o pai da criança que ia nascer. Entretanto, Urias se recusou, até mesmo quando Davi o embebedou e o enviou para dormir em sua casa. Mas ele preferiu dormir na porta da casa do rei a fim de manter sua consagração como soldado (2 Sm 11.6-13). Foi então que Davi pediu a Joabe para colocá-lo "na frente da maior força da peleja" e depois se retirasse para que Urias fosse ferido e morresse. Essas instruções foram seguidas à risca (2 Sm 11.14-25). Quando Bate-Seba soube da morte do marido ela se lamentou, mas depois se tornou esposa de Davi (2 Sm 11.26,27). Deus enviou Natã, o profeta, para declarar a Davi que ele havia pecado contra o Senhor, e anunciar o castigo de Deus sobre sua casa. O filho dessa união nasceu doente e morreu (2 Sm 12.1-23).
2. Sacerdote da época de Isaías e Acaz (Is 8.2; 2 Rs 16.10-16). Foi uma das duas testemunhas fiéis levadas por Isaías para confirmar o oráculo profético sobre a questão de Maer-Salal-Hás-Baz (Is 8.2). Em 2 Reis 16 ele aparece em uma situação desfavorável quando aceitou, sem se queixar, certas mudanças indesejáveis na adoração no templo solicitadas por Acaz. Alguns sugeriram que isso pode explicar a omissão de seu nome da relação em 2 Crônicas 6.10-14. Entretanto, essa omissão provavelmente não tem muito significado, pois os livros de Crônicas registram apenas nove nomes desde Salomão até o Exílio.
3. Um profeta, filho de Semaías de Quiriate-Jearim (Jeremias 26.20-23). Junto com Jeremias, ele proclamou fielmente a palavra de Deus. Foi combatido por Jeoaquim e sua corte, foi preso (embora tivesse fugido para o Egito) e condenado à morte. Sua história é contada por Jeremias para mostrar a gravidade dos perigos que enfrentou, e a bondade de Aicão - um homem que protegeu Jeremias.
4. Sacerdote, pai de Meremote, um descendente de Coz (ou Hacoz; Ed 8.33; Ne 3.4,21).
5. Homem que se colocou ao lado de Esdras durante a leitura da lei (Ne 8.4). É bem possível que seja a mesma pessoa mencionada no item acima.

P. D. F.

**URIAS** *Veja* Uria.

**URIEL**
1. Levita da família de Coate. Embora a genealogia pareça ser um pouco obscura, ele deve ser um descendente direto de Samuel e do músico Hemã (1 Cr 6.24).
2. Chefe da família levítica de Coate na época de Davi. Estava entre os que foram chamados para se santificar a fim de carregar a arca de Deus até Jerusalém (1 Cr 15.5,11).
3. Um homem de Gibeá, pai de Micaía, esposa de Roboão (2 Cr 13.2).

**URIM E TUMIM** Formas transliteradas da palavra hebraica *'urim* e *tummim*, a designação de alguns objetos atualmente desconhecidos que estavam contidos no peitoral do sumo sacerdote para determinar a vontade de Deus.
Existe alguma discussão em torno do significado das palavras originais. A maioria aceita "urim" como um termo que vem da raiz da palavra "luz" (como na Septuaginta, Ed 2.63; Ne 7.65; e também Áquila e Teodósio). Mas é necessário observar que a Septuaginta geralmente traduz o termo como *delosis*, "explicação" (Êx 28.30). A palavra tumim é, em geral, derivada da palavra "perfeição" ou "inteireza" e também significa "integridade" (*q.v.*). A Septuaginta usou uma vez a palavra *teleios*, "perfeito", mas ela demonstrou uma preferência pelo termo *aletheia*, "verdade". A Vulgata a traduz como *doctrina et veritas*. É provável que os termos "luz e verdade" sejam as melhores representações. Alguns entendem as duas palavras como figuras de expressão que transmitem o significado de "perfeita iluminação", mas isso foi rejeitado por Plumptre na obra "*Smith's Bible Dictionary*". Essa ordem está invertida em Deuteronômio 33.8. A palavra Urim aparece sozinha em Números 27.21 e em 1 Samuel 28.6. O termo Tumim, sozinho, é o possível significado contido em 1 Samuel 14.41 em algumas versões; a versão RSV em inglês (junto com NEB e JerusB), acompanhando o texto mais longo da LXX, traduz. "Se a culpa for minha ou de Jônatas, responde pela pedra marcada Urim; mas, se a culpa for de Israel, o teu povo, responde pela pedra marcada Tumim."
As informações bíblicas são as seguintes. sobre o éfode do sumo sacerdote devia ser usado o "peitoral do juízo" (Êx 28.15ss.). Foi dito, "Também porás no peitoral do juízo Urim e Tumim, para que estejam sobre o coração de Arão, quando entrar diante do Senhor" (Êx 28.30; Lv 8.8). Escrituras posteriores deduzem que toda a tribo sacerdotal participava (Dt 33.8; Ed 2.63; Ne 7.65), embora em assuntos importantes a questão fosse dirigida ao sumo sacerdote (cf. Nm 20.28; 27.21).

O Urim e o Tumim eram a glória de Levi (Dt 33.8). Em sua primeira menção os objetos não são descritos, o que implica que seu uso e familiaridade eram anteriores. Um exemplo isolado de seu uso é mencionado muito tempo depois de Josué, quando Saul, em seu pecado, não recebia nenhuma resposta (1 Sm 28.6), embora exemplos de "perguntas" sejam freqüentemente mencionados (como em Jz 1.1; 18.5,6; 20.18; 1 Sm 14.3,18; 23.2ss.; 30.7ss.) e as referências à sua prática sejam freqüentes. Geralmente, a pergunta se referia à estratégia que deveria ser utilizada em algum combate, e muitas vezes era solicitado apenas que a resposta fosse um "sim" ou um "não" (1 Sm 14.36ss.). No entanto, às vezes havia repostas diferentes; por exemplo, uma pergunta poderia ter a finalidade de revelar um culpado (1 Sm 14.41,42).
Não existe qualquer menção sobre consultas a algum médium depois da época de Davi. Parece que os terafins eram usados como substitutos ilegais (Jz 17.5; 18.14,20; cf. Os 4.12). Tornou-se proverbial que as respostas não podiam ser dadas "até que houvesse sacerdote com Urim e com Tumim" (Ed 2.63; Ne 7.65; cf. Ed 2.63; Os 3.4). Giekie supõe que estes instrumentos podem ter sido negligenciados na restauração dos objetos sagrados por Ciro, porém o mais provável é que tenham sido destruídos com o templo (*Hours with the Bible,* V.5, 413). Josefo (*Ant.* iii.8.9) diz que seu uso foi abandonado durante 200 anos, e que foram substituídos pela profecia.
Têm surgido várias teorias sobre a exata natureza e função destes objetos: (1) Alguns consideram que foram criados sobrenaturalmente e dados a Moisés. (2) Acredita-se que eram pedras ou imagens que produziam algum tipo de efeito físico aos olhos e ouvidos para indicar a resposta. (3) Outros pensam que eram símbolos que, quando observados, produziam algum efeito no sacerdote e levava a algum pronunciamento profético ou discurso cheio de êxtase. (4) Outros conseguem identificá-los com objetos usados para tirar a sorte (Js 7.16-18; Pv 16.33), consistindo de algum tipo de cubo ou dado onde a resposta era obtida "rolando" ou através do próprio objeto que era sorteado. Mas as provas não são suficientes para nos ajudar a chegar a uma preferência entre essas opiniões.
*Veja* Éfode; Sumo sacerdote.

J. W. R.

**URSA (CONSTELAÇÃO)** Constelação da ursa. Traduzida em algumas versões como "Arcturo" em Jó 9.9; 38.32, mas como "ursa" em outras versões. *Veja* Astronomia.

**URSO** *Veja* Animais II.39.

**URTIGA** *Veja* Plantas.

**URZAL** *Veja* Plantas: Tamargueira

**USURA** Tradução da palavra hebraica *neshek,* "mordida" devido à dor e à angústia do devedor, e *nasha',* "emprestar a juros", por parte do credor. As palavras hebraicas *marbit* ("aumentar", Lv 25.37) e *tarbit* (com o sentido de juros e usura; Lv 25.36; Ez 18.8,13,17; 22.12) são sinônimos que denotam um ganho do lado do credor.
Segundo a lei judaica, os termos "juros" e "usura" podiam ser usados indiscriminadamente. "Usura" sugere tirar vantagem da necessidade alheia para conseguir uma remuneração despropositada como uma compensação por algum serviço, geralmente um empréstimo. Entre os israelitas, podia ser necessário fazer um empréstimo por causa da perda de uma safra (Ne 5.3) ou por um homem ter sido fiador de um amigo (Pv 6.1), ou ainda para o pagamento de um imposto (Ne 5.4). O empréstimo comercial não é mencionado no AT. Os textos em Êxodo 22.25-27 e Levítico 25.35-37 proíbem pedir qualquer tipo de juros a um irmão israelita e Deuteronômio 23.20 (cf. 15.6) acrescenta, "Ao estranho emprestarás à usura (ou com juros)".
Não existe qualquer menção sobre e taxa de juros, e não há nenhuma punição relacionada à usura no caso de estranhos. A tradução de Neemias 5.11 é questionada. Porém, até os 12 por cento ao ano podem ter sido considerados uma taxa baixa para aquele período. As taxas de juros para empréstimos em dinheiro variavam entre 20 a 30 por cento. Para os cereais, de 25 a 33 ½ por cento. A prática de hipotecar a terra mediante a cobrança de juros exorbitantes cresceu entre os judeus durante o cativeiro, e foi denunciada por Neemias e também por Ezequiel (Ne 5.3-13; Ez 18.8,13,17).
No NT, as dádivas gratuitas foram encorajadas (Lc 6.30,31), entretanto não era proibido aceitar juros razoáveis (Mt 25.27; Lc 19.23). A questão não se prende a "juros", mas a juros exorbitantes, que é um problema mais moral do que econômico. Contra isso os patriarcas da igreja fizeram denúncias veementes.
*Veja* Débito; Empréstimo; Fiança.

I. R.

**UTAI**
1. Filho de Amiúde, da tribo de Judá, um morador que retornou a Jerusalém depois do Exílio (1 Cr 9.4).
2. Filho de Bigvai. Com seu irmão Zabude, e mais 70 homens, ele retornou a Jerusalém com Esdras (Ed 8.14).

**UVAS** *Veja* Plantas.

**UZ** Três homens são chamados de Uz na Bíblia.
1. O filho mais velho de Naor com sua mulher Milca (Gn 22.21).
2. O neto de Seir (Gn 36.28; 1 Cr 1.42).

3. O filho de Arão na Tábua das Nações (Gn 10.23). Portanto, é o nome de uma antiga tribo aramaica, provavelmente o homem chamado Ausitai, que vivia no deserto a oeste do Eufrates.
4. A terra natal de Jó (Jó 1.1), geralmente identificada com a tribo aramaica de Uz. Embora Uz não possa ser localizada com precisão, ela provavelmente estava situada no deserto da Arábia ou da Síria, a leste da Palestina. Esse local atende aos requisitos da narrativa bíblica ao indicar que Uz estava a uma assustadora distância dos sabeus e caldeus (Jó 1.15,17). Era provavelmente adjacente à rota comercial da Transjordânia na metade da Idade do Bronze I (2100-1900 a.C.), rota que foi seguida pelos quatro reis de Gênesis 14. Parece que Jó esteve em contato com mercadores e viajantes que iam e vinham da Mesopotâmia, Egito e Arábia (Jó 6.18,19; 31.32; 28.19).
Outras sugestões mais específicas são: (*a*) Com base em Lamentações 4.21 e Gênesis 36.28, a cidade de Uz foi localizada nas vizinhanças de Edom, o que foi confirmado quando Elifaz veio de Temã (Jó 2.11; cf. Gn 36.11; Am 1.12). (*b*) Outra possibilidade é que a tradição cristã primitiva indicava o monturo onde Jó se sentou no deserto a leste do Lago Semeconitis (Huleh). (*c*) A sugestão mais recente é que Uz (na língua hebraica *'us*) devia estar relacionada com o deus árabe *'Awd*. Este fato, junto com a reconhecida influência da língua árabe na linguagem de Jó, sugere uma localização mais ao sul, mais próxima ou dentro da Arábia.

A. B.

**UZÁ**
1. Levita da família de Merari (1 Cr 6.29,30).
2. Descendente de Eúde e chefe de um clã Benjamita (1 Cr 8.7).
3. Um dos dois irmãos que acompanharam a arca da aliança (*q.v.*) em sua viagem de Kiriate-Jearim até Jerusalém (2 Sm 6.3-8; 1 Cr 13.7-11). A arca havia permanecido durante duas décadas na casa de Abinadabe. Ao fazer os preparativos para transportar a arca, Davi designou Uzá e Aiô para guiarem o carro de bois que levaria a arca, que seria acompanhada por uma marcha festiva. Logo que chegaram à eira de Quidom (Nacom em 2 Samuel 6.6) os bois tropeçaram. Uzá rapidamente estendeu a mão para endireitar a arca, mas foi ferido pelo Senhor por ter segurado um objeto sagrado que somente um sacerdote tinha permissão de tocar (Nm 4.15). Desgostoso com o incidente, Davi cancelou a viagem e deixou a arca na casa de Obede-Edom. Ele chamou o local desse incidente de Perez-Uzá, que significa "a ira do Senhor se acendeu contra Uzá". O malogro de Davi quanto à obediência à palavra de Deus em relação à maneira apropriada de transportar a arca nos ombros dos levitas foi, então, severamente julgado. A morte de Uzá dirigiu a atenção de Davi às Escrituras (1 Cr 13.12; 15.2) e a arca foi, então, transportada para Jerusalém de forma adequada e segura.
4. Proprietário de um jardim que serviu como cemitério para os reis Manassés e Amom (2 Rs 21.18,26).
5. Chefe ancestral de uma família de netineus que retornou do Exílio da Babilônia com Zorobabel (Ed 2.49; Ne 7.51).

G. E. W.

**UZAI** Pai de Palal, que ajudou Neemias a reparar o muro de Jerusalém (Ne 3.25).

**UZAL** Nome de um filho de Joctã (Gn 10.27; 1 Cr 1.21), provavelmente o ancestral de uma tribo árabe. De acordo com a tradição árabe, Uzal ou Auzal era o antigo nome de Sana'a, a capital do Iêmen, na Arábia.

**UZÉM-SEERÁ** De acordo com 1 Crônicas 7.24, uma cidade não identificada junto às cidades baixa e alta de Bete-Horom, construída por Seerá, uma descendente de Efraim. Alguns acreditam que essa cidade estava localizada na moderna Beit Sira, a oeste de Bete-Horom.

**UZI**
1. Sumo sacerdote, bisneto de Finéias, filho de Eleazar. Era um ancestral de Esdras (1 Cr 6.5,6,51; Ed 7.4). Josefo registra (*Ant.* v.11.5) que depois de Uzi, o sumo sacerdócio foi transferido para a família de Itamar.
2. Neto de Issacar e fundador de uma das famílias dessa tribo (1 Cr 7.2,3).
3. Um benjamita, fundador de uma das famílias dessa tribo (1 Cr 7.7).
4. Um benjamita, pai de Elá que retornou a Jerusalém depois do Exílio (1 Cr 9.8).
5. Filho de Bani, um levita da família de músicos de Asafe. Era supervisor dos levitas em Jerusalém, sob a administração de Neemias (Ne 12.19,42).
6. Sacerdote do curso de Jedaías na época do sumo sacerdote Joiaquim. Ele tomou parte na consagração do muro de Jerusalém (Ne 12.19,42).

**UZIAS**
1. Homem da cidade de Astarote que serviu como um dos valentes de Davi (1 Cr 11.44).
2. Filho e sucessor de Amazias como rei de Judá, no período de 792-740 a.C. É chamado de Azarias em 2 Reis 14.21; 15.1,6-8,17,23,27 e de Ozias (em algumas versões) em Mateus 1.8,9. Uzias, que significa "Jeová é a minha força" era, provavelmente, o lema de seu trono. Uzias reinou durante o período de uma temporária renovação tanto de Judá como de Israel no século VIII a.C. Sob Jeroboão II de Israel (no período de 793-753 a.C.) e Uzias de Judá, esses reinos alcança-

ram seu mais elevado grau de poder e prosperidade desde a morte de Salomão. As escavações arqueológicas realizadas em Samaria e em outros locais confirmaram o quadro bíblico desse período como repleto de rara prosperidade e luxo (pelo menos para aqueles que estavam no poder, isto é, os líderes e os abastados). Nessa época, a situação política mundial era parcialmente responsável por este fato. Adade-Nirari III da Assíria (aprox. 811-783 a.C.) havia rompido o poder de Damasco, colocado Ben-Hadade III como seu súdito e tributário, eliminando, portanto, a séria ameaça dos arameus (siros) contra Israel e Judá. A própria Assíria não continuava mais como um perigoso inimigo, pois os três sucessores de Adade-Nirari (a partir de 745 a.C.) não foram capazes de manter um controle suficiente a oeste do Eufrates.

Uzias subiu ao trono com 16 anos de idade. Reparou as defesas de Jerusalém, reorganizou e rearmou o exército e usou "máquinas" nas batalhas (I1 Cr 26.15). Parece que essas máquinas eram estruturas de madeira construídas sobre torres e muralhas para dar apoio a escudos protetores e, desse modo, oferecer abrigo aos arqueiros e "lançadores de pedras" quando lançavam setas e pedras sobre as cabeças das tropas de assalto (veja a obra de Yigael Yadin, *The Art of Warfare in Biblical Lands*, Nova York. McGraw-Hill, 1963, II, 326ss.).

Uzias também foi capaz de manter o controle sobre Edom, além de consolidar sua posição ao longo das rotas comerciais através de operações contra as tribos árabes situadas a noroeste e contra os amonitas (2 Cr 26.7,8) e abriu, novamente, os portos e as indústrias de Eziom-Geber (Elate; 2 Rs 14.22). Sólidas fortalezas desse período foram escavadas em Arade, em um sítio próximo e em Cades-Barnéia, indicando que o Neguebe e o deserto do sul estavam firmemente sob seu controle, assim como as partes norte e leste da planície filistéia (ele conquistou Gate, Jabné e Asdode, 2 Crônicas 16.6).

No final de seu reinado, Uzias foi ferido com lepra pelo Senhor, porque entrou no templo com orgulho para queimar incenso no altar. Por causa desta doença ele foi forçado a entregar a administração pública do reino ao seu filho Jotão (2 Cr 26.16-21). Ele vivia em uma casa isolada (2 Rs 15.5), talvez um palácio construído para ele fora de Jerusalém (cf. o palácio real de Ramate Rael do final do século VII a.C., Y. Aharoni, "Beth-hacccherem", TAOTS, pp. 178-184). Mas parece que ele continuou a ser o verdadeiro governante até sua morte.

Apesar do quadro de paz exterior, poder e prosperidade, os protestos de Amós e Oséias deixam bem claro que as coisas não estavam assim tão bem, pois internamente havia decadência social, moral e espiritual. Politicamente, nos últimos anos do século VIII, a Assíria começou a considerar seriamente a questão do império. Tiglate-Pileser III (aprox. 745-727 a.C.) foi o verdadeiro fundador do Império Assírio que anexou como províncias os territórios conquistados. A partir de 743, ele realizou uma série de campanhas na Síria, sendo que no início precisou enfrentar uma coalizão liderada por um homem chamado Azriau de Yauda (ANET, pp. 282ss.). Essa é uma referência quase certa a Azarias (Uzias) de Judá. Como John Bright explica, "A probabilidade é que Uzias, embora velho e incapacitado pela lepra, como rei (depois da morte de Jeroboão) de um dos poucos estados estáveis que havia restado no oeste, entendeu o perigo e tomou a liderança na tentativa de enfrentá-lo... entretanto, essa tentativa não foi suficiente para impedir o avanço assírio. Por volta do ano 738, se não antes, Tiglate-Pileser já havia exigido tributos da maioria dos estados da Síria e do norte da Palestina, inclusive de Hamate, Tiro, Biblos, Damasco – e Israel. É provável que Uzias tenha morrido (a data aceita para a sua morte é 742, embora Thiele mencione o ano de 740) antes que a represália dos assírios pudesse alcançá-lo" (*A History of Israel*, p. 253).

Em 1931, E. L. Sukenik reconheceu uma tábua de pedra, da época do Senhor Jesus Cristo, no Museu Arqueológico Russo no Monte das Oliveiras com a seguinte inscrição em aramaico. "Para aqui foram trazidos os ossos de Uzias, rei de Judá - não abra!" Essa inscrição sugere que o túmulo original de Uzias havia sido recentemente revolvido e seus ossos transportados para outro lugar de repouso, conforme o registro da tábua.

3. Pai de um dos supervisores ou mordomos de Davi (1 Cr 27.25).
4. Um levita coatita e ancestral de Samuel (1 Cr 6.24-28).
5. Sacerdote dos filhos de Harim que havia se casado com uma mulher estrangeira na época de Esdras (Ed 10.21).
6. Judaita, pai de Ataías, que viveu em Jerusalém depois do retorno do Exílio na época de Neemias (Ne 11.4).

***Bibliografia.*** Y. Aharoni e M. Avi-Yonah, *The Macmillam Bible Atlas*, Nova York. Macmillan, 1968, pp. 90-92. John Bright, *A History of Israel,* Filadélfia. Westminster, 1959, pp. 238-240, 252 f. Samuel J. Schultz, *The Old Testament Speaks,* Nova York. Harper, 1960, pp. 205-207. E. R. Thiele, *The Mysterious Numbers of the Hebrew Kings*, 2ª ed., Chicago. Univ. of Chicago Press, 1965. G. E. Wright, *Biblical Archaeology*, ed. rev., Filadélfia. Westminster, 1962, pp. 161ss.

K. L. B.

**UZIEL**

1. Um dos quatro filhos de Coate, fundador da família dos uzielitas (*q.v.*). Uma das quatro fac-

ções em que a família levítica coatita foi dividida para o serviço (Nm 3.27). Era tio de Arão e pai de Elzafã, príncipe de todas as famílias de Coate (Êx 6.18,22; Lv 10.4; Nm 3.19,30).
2. Um simeonita da época de Ezequias. Com seus irmãos, os filhos de Isi, ele matou os amalequitas (1 Cr 4.42).
3. Um dos cinco filhos de Belá, um benjamita, chefe de uma das famílias tribais (1 Cr 7.7).
4. Filho de Hemã, um dos músicos do templo na época de Davi (1 Cr 25.4) chamado de Azarel no v. 18.
5. Um levita da família de Jedutum, na época de Ezequias. Junto com os outros levitas ele realizou uma completa limpeza no templo, como também sua nova consagração (2 Cr 29.14-19).
6. Filho de Haraías, o ourives. Ele ajudou na reconstrução do muro sob as ordens de Neemias (Ne 3.8).

P. C. J.

**UZIELITA** Membro da família de Uziel (*veja* Uziel), fundador de uma subdivisão das famílias dos levitas. Os uzielitas, como descendentes de Coate, (Êx 6.22; Lv 10.4; *et al.*) foram designados para acampar no lado sul do Tabernáculo (Nm 3.27,19). Em Números 3.31 está a descrição de seu papel no serviço da arca e do Tabernáculo. Membros dessa subdivisão de levitas estavam entre aqueles que transportaram a arca quando ela foi levada para Jerusalém pelo rei Davi (1 Cr 15.10). Eles estavam entre os levitas cujos deveres foram estabelecidos por Davi ao fazer os primeiros preparativos para o templo (1 Cr 23.12,20; 24.24).

# V

**VACA** *Veja* Animais: Gado I.8.

**VÁCUO** *Veja* Caos.

**VAIDADE** A palavra hebraica mais significativa para "vaidade" é *hebel,* um termo que caracteriza a vida do homem como um vapor ou "suspiro" (Jó 7.16; Sl 39.5,11; 62.9; 78.33; 94.11; 144.4). A "vaidade" da vida do homem "debaixo do sol" é descrita repetidamente por esse termo em Eclesiastes (1.2,14; 2.1,11,15,17; etc.). As várias versões traduzem o termo *hebel* como "ídolos" (Dt 32.21; 2 Rs 17.15; Jr 8.19; 10.8; Jn 2.8), "inutilidade" (Jr 2.5; 10.8,15; 51.18) e "tolice" (Zc 10.2) para mostrar quão falsos são os deuses pagãos e suas supostas declarações.
Outra palavra hebraica para "vaidade" é *shaw',* que na verdade designa o que não tem fundamento, isto é, um boato "sem base" (Êx 23.1) ou "coisas vãs" (Sl 41.6). Esta palavra descreve tragicamente a vida do homem como "vazia" (Jó 7.3; 15.31). Em muitas passagens, nas versões ASV e RSV em inglês, os termos "falso" ou "falsidade" são a tradução preferida para *shaw'.* Dessa forma, esse termo descreve o que os falsos profetas vêm ou falam (Ez 13.6,8,9,23; 21.29; 22.28). Ela também explica o discurso do homem como "falsidade" (Sl 12.2) e o mundo do homem como "vaidade" (Sl 119.37).
A palavra hebraica *tohu,* que significa "vazio" (Gn 1.2) descreve graficamente a "confusão e o vazio das nações" (Is 40.17), dos juízes (40.23), dos idólatras (44.9) e os caminhos pecaminosos do homem (59.4).
A palavra hebraica *riq* designa "vaidade" no Salmo 4.2 e em Habacuque 2.13.
O NT caracteriza os ídolos como "vaidades" (At 14.15). A palavra grega *mataiotes* descreve a "futilidade" do mundo sob a maldição (Rm 8.20), a vida sem propósito daqueles que não são cristãos (Ef 4.17, na versão do "Novo Testamento do Século XX", em inglês), e as tolices dos falsos mestres (2 Pe 2.18).

W. B.

**VAIZATA** Um dos filhos de Hamã assassinado pelos judeus na represália geral resultante da frustrada tentativa de Hamã de liquidar o povo judeu no reino da Pérsia (Et 9.9). É mencionada como Vaisata em algumas versões.

**VALE** Palavra normalmente usada para designar o leito de um rio e a área que o circunda. No entanto, como a tradução de várias palavras hebraicas e gregas, indica o oposto de uma colina ou montanha. É um termo que se refere a áreas isoladas, cercadas por montanhas, amplas planícies, estreitos desfiladeiros e terrenos planos e contrafortes de

O vale de Cedrom, em primeiro plano, separa Jerusalém do monte das Oliveiras. No centro está o jardim do Getsêmani e a igreja de Todas as Nações. MPS

montanhas. A Terra Santa é descrita como "terra de montes e de vales" (Dt 11.11). Portanto não é de admirar que a palavra "vale" seja a tradução de inúmeras palavras de línguas originais que às vezes têm seu significado sobreposto.

1. A palavra hebraica *biq'a,* vem da raiz hebraica *bq'*, "rachar, quebrar". Usada como um antônimo de *har*, "montanha" (Dt 8.7; Is 41.18; Sl 104.8) ela aplica-se na maioria das vezes a áreas bastante extensas e pequenas elevações que se abrem ou que se dividem em cadeias paralelas ou circundantes, daí o nome "vale-planície" ou "vale amplo" em algumas versões (Gn 11.2; Ez 3.22,23; 8.4; 37.1,2). Foi usada freqüentemente ao lado de nomes próprios, como por exemplo "vale de Jericó" (Dt 34.3), o amplo vale do Jordão na região de Jericó; o Líbano (Js 11.17), o vale que tem dez por dezesseis quilômetros, chamado Biqa, entre o Líbano e a cordilheira do Anti-Líbano; Megido (2 Cr 35.22; Zc 12.12), o grande vale ou planície de Armagedom.

2. A palavra hebraica *gay'*, "vale", era às vezes chamada de uádi, em árabe. Ela refere-se a uma área restrita e fértil entre montanhas que muitas vezes estendia-se para fora ou ao redor de uma cidade, como por exemplo, um dos vales opostos a Bete-Peor (Dt 3.29; 4.46; 34.6; cf. 2 Rs 2.16) que levava ao vale do Jordão, na vizinhança de Ai (Js 8.11), o vale (*'emeq*) de Elá (1 Sm 17.2) que separava os filisteus dos israelitas como um prelúdio para o incidente de Davi e Golias (1 Sm 17.3), e a fértil planície ao redor de Samaria (Is 28.1,4; Mq 1.6). Ela foi incluída com as montanhas, colinas e rios ("ravinas") na descrição da terra (Ez 6.3; 35.8; 36.4). Como esse termo foi usado para o nome do Vale de Hinom, nos lados sul e oeste de Jerusalém (Js 15.8; 18.16; Ne 11.30; Jr 7.31; 19.2; etc.), ele tornou-se um ponto de referência para a porta do muro da cidade – a "Porta do Vale" (2 Cr 26.9; Ne 2.13,15; 3.13), e será o termo para a futura fenda do Monte das Oliveiras (Zc 14.4). Esta palavra ocorre no Salmo 23.4 e é traduzida como a expressão "vale da sombra da morte".

3. A palavra hebraica *nahal,* "riacho, rio, córrego ou uádi" pode referir-se a um vale, torrente ou uádi que permanecem secos exceto durante a estação das chuvas ou depois de um temporal (1 Rs 17.7, "ribeiro"; 2 Rs 3.16,17). Também pode referir-se especificamente à torrente de águas impetuosas do Quisom em seu canal (Juízes 4.7,13; 5.21; Sl 83.9,10), ou à correnteza das montanhas (Dt 9.21; etc.), traduzida como "ribeirão" ou "ribeiro" em algumas versões. Com a conotação de leito de rio de um uádi, refere-se ao lugar onde Davi apanhou as pedras para sua funda (1 Sm 17.40), onde os servos de Isaque cavaram para encontrar água (Gn 26.19), e a uma ravina onde eram realizados os cultos idólatras junto com o sacrifício de crianças (Is 57.5,6). Pode ser um vale com uma corrente de água, onde os anciãos de uma cidade podiam matar uma bezerra ou novilha para afirmar sua inocência em relação ao homem assassinado (Dt 21.4), e a um lugar de nascentes (Sl 104.10), corvos (Pv 30.17; 1 Rs 17.4-6), e frutas (Ct 6.11). Ao lado de nomes próprios, foi traduzida como "vale": vale de Escol (Nm 32.9; Dt 1.24), vale de Gerar (Gn 26.17), vale de Sitim (Jl 3.18), vale de Soreque (Jz 16.4),

vale de Zerede (Nm 21.12); também foi traduzida como "ribeiro:" ribeiro de Arnom (Dt 2.24), ribeiro de Jaboque (Dt 2.37), o ribeiro do Egito (*q.v*; Js 15.4); ribeiro de Besor (1 Sm 30.21), ribeiro de Querite (1 Rs 17.3) e ribeiro de Cedrom (2 Sm 15.23).

4. A palavra hebraica *'emeq,* "vale", da raiz do verbo *'amoq,* "ser profundo", geralmente significa um vale ou planície, o oposto de uma montanha, e pode referir-se por exemplo ao vale do Jordão (Js 13.27). A palavra "vales" especificava as partes baixas da Palestina ocupadas principalmente pelos amalequitas e cananeus (Nm 14.25; cf. 13.29), - onde os midianitas acamparam-se na base do Moré, ameaçando os israelitas (Jz 7.1,8,12), onde lavravam, semeavam e colhiam os grãos (1 Sm 6.13; Jó 39.10; Sl 65.13), onde os rebanhos pastavam (1 Cr 27.29), onde cresciam os lírios (Ct 2.1) - e a região onde, de acordo com os sírios, o Deus de Israel não habitava, (1 Rs 20.28). Também é usada com nomes próprios. Por exemplo, vale de Acor (Js 7.24,26; 15.7; Is 65.10; Os 2.15), vale de Aijalom (Js 10.12), vale de Beraca (2 Cr 20.26), vale de Elá ou vale do Carvalho (1 Sm 17.2,19), vale de Jezreel (Js 17.16; Jz 6.33;

O chamado vale dos Dançarinos nas proximidades de Siló (veja os detalhes em Jz 21). HFV

Os 1.5), vale do Rei (Gn 14.17; 2 Sm 18.18), vale dos Refains (2 Sm 5.18; 23.13; 1 Cr 11.15; 14.9; Is 17.5) e vale de Sidim (Gn 14.3,8,10).

5. A palavra hebraica *shᵉpela,* "terra baixa, planície, vale" era freqüentemente usada como um termo técnico aplicado às elevações ocidentais ou contrafortes da região montanhosa da Judéia. Seus limites exatos foram bem definidos por diferentes geógrafos (por exemplo, George Adam Smith, *Geography*, p. 201ss.). Ela distingue-se da região montanhosa, do sul, e da Arabá (Dt 1.7; Js 9.1; 10.40; 11.2,16; 12.8; Jz 1.9). Talvez seja um nome próprio (como na NEB), a região de Estaol, Zorá, Asná e outras cidades (Js 15.33).

6. A palavra grega *pharagx* significa "vale cercado por rochedos; uma ravina". É a tradução de *gay'* na citação de Isaías 40.3-5 (Lc 3.5).

7. A palavra hebraica *'aphiq* (canal, rio, riacho), embora nunca tenha sido traduzida como "vale", é usada para ravina (Ez 6.3; 35.8; 36.4,6) ou para leitos secos de rios ou uádis do Neguebe (Sl 126.4). Algumas versões traduzem este termo como torrentes ou correntes.

*Veja* os vários vales relacionados sob seus nomes próprios; Palestina.

***Bibliografia.*** Denis Baly, *The Geography of the Bible,* Nova York. Harper, 1957. George Adam smith, *Historical Geography of the Holy Land,* Nova York. Doran, 1918.

H. E. Fi.

**VALE DA DECISÃO** *Veja* Decisão, Vale da.

**VALE DE SIDIM** Uma área ao redor da extremidade sul do Mar Morto. Projetando-se da margem oriental, ela é uma península em forma de língua chamada Lisan. A extremidade ocidental dessa península aproxima-se cerca de seis quilômetros da margem oeste, do outro lado da cidadela de pedras de Massada. Acredita-se que essa "língua" estava antigamente em contato com a margem ocidental, e que a área ao sul era formada por um terreno seco onde ficava Sodoma (*q.v.*), enquanto na planície ficavam as cidades de Gomorra, Admá, Zeboim e Zoar. Evidências geológicas mostram ter havido uma grande elevação de terra causada por um cataclismo, provavelmente na época de Abraão. Acredita-se que durante esse cataclismo, a área ao sul de Lisan foi inundada, cobrindo as cidades da planície. Esse vale foi mencionado em Gênesis como um campo de batalha de quatro reis contra cinco (Gn 14.3,8,10), e onde as profundas covas de lodo (provavelmente de betume ou asfalto) mostraram-se comprovadamente desastrosas. *Veja* Mar Morto.

H. A. Han.

**VALE DO REI** O vale do Rei é equiparado ao vale de Savé (*q.v.*) perto de Salém (Jerusalém) no relato de Abraão e Melquisedeque (Gn 14.17). A única outra menção feita encontra-se em 2 Samuel 18.18 que fala de um monumento que Absalão erigiu em homenagem a si mesmo no vale do Rei. Josefo (*Ant.* vii. 10.3) menciona que este monumento ficava cerca de 350 metros de Jerusalém. O monumento de Absalão (não a tumba helenística a sudeste da cidade) não está mais ali e, portanto, uma identificação positiva é improvável. No entanto, as áreas mais prováveis são: (1) noroeste da "cidade velha" em direção ao composto russo; ou (2) a junção dos vales de Cedrom e Hinom (em virtude das propriedades da realeza naquele local).

**VALENTE** Frase que ocorre mais de 150

vezes na versão KJV em inglês, traduzindo principalmente a palavra hebraica (*'ish*) *gibbor*. O termo *gibbor* origina-se da raiz hebraica *gbr* (em acádio, *gapru*) que significa "ser superior, forte, poderoso, prevalecer sobre". Dessa forma, (*'ish*) *gibbor* quer dizer "homem poderoso".
Normalmente, essa frase não tem a conotação de algum poder sobrenatural na vida de uma pessoa, embora certos homens poderosos sem dúvida receberam a ajuda de Deus em suas conquistas. Ela simplesmente refere-se a um homem que, como Davi (1 Sm 17.8) mantém-se orgulhoso, valente, um guerreiro corajoso (particularmente junto com *hayil*, ou "valor") e ocasionalmente, um tirano (Gn 6.4).
Os mais notáveis foram os valentes de Davi (2 Sm 23.8-39; 1 Cr 11.10-47) que "o apoiaram fortemente no seu reino, com todo o Israel, para o fazerem rei, conforme a palavra do Senhor, no tocante a Israel" (1 Cr 11.10). Parece que esses homens eram originalmente um grupo de 30, e juntaram-se ao carismático Davi que, por sua vez, os indicou para comandar suas tropas. Essa suposição é baseada no fato de serem mencionados como "os trinta", embora a lista de 2 Samuel tenha 32 nomes, e as crônicas acrescentem mais 16 homens ao grupo. Seria igualmente plausível acreditar que alguns deles tenham sido mortos em batalhas ou devido a outras causas, e que outros os tenham substituído, aumentando assim o número dos 30 originais, embora o grupo continuasse a manter o nome de elite de "Os trinta".
Os poderosos de Davi foram divididos em dois grupos pelas listas que trazem seus nomes: (1) os três campeões mais renomados: Jasobeão (Adino?), Eleazar e Sama (2 Sm 23.8-12; 1 Cr 11.10-14); e (2) "os trinta" liderados por Abisai e Benaia (2 Sm 23.18-39; 1 Cr 11.20-47). Ismaías e Amasai também foram líderes dos trinta (1 Cr 12.4,18) em uma ou outra ocasião. Joabe pode ter estado entre eles antes de se tornar comandante em chefe. Em 2 Samuel 23.39, o total informado é 37. Os últimos sete nomes eram aparentemente daqueles oficiais estrangeiros (por exemplo, Urias, o heteu) das unidades mercenárias dos exércitos de Davi. Os nomes dos três poderosos de Davi que colocaram a vida em risco por sua causa (2 Sm 23.13-17; 1 Cr 11.15-19) não foram mencionados. Defini-los como Jasobeão, Eleazar e Sama seria pura conjectura, embora tal comparação seja inteiramente possível. *Veja* Exército; Guerra.
Como Quis (1 Sm 9.1), Boaz (Rt 2.1), o ancestral de Davi, tinha sido um "homem valente e poderoso [rico]". Talvez ambos fossem guerreiros corajosos, mas provavelmente em seu contexto as frases queiram descrevê-los como abastados proprietários de terras.

***Bibliografia.*** Roland de Vaux, *Ancient Israel*, Nova York. McGraw-Hill, 1961, pp. 219ss. B. Mazar, "The Military Elite of King David", VT, XIII (1963), 310-320.

R. L. R.

**VALOR** *Veja* Honra.

**VANGLORIAR** Paulo pede aos cristãos para não fazerem nada apenas pela mera glória (em grego *kenodoxia*, "glória vazia, orgulho, jactância") que possam alcançar, nem por inveja ou ciúme (Gl 5.26), mas a agirem com humildade, considerando os outros como melhores ou superiores a si mesmos (Fp 2.3).

**VANIAS** Um dos filhos de Bani que se casou com uma mulher estrangeira (Ed 10.36).

**VARA** Tradução de cinco palavras hebraicas e gregas.
1. A palavra hebraica *hoter*, "vara", propriamente significa "rebento", "broto" ou "ramo fino". As duas ocorrências dessa palavra no AT estão em sentido figurado, a primeira indica o resultado da negligência e a segunda o propósito de Deus na graça. O orgulho apresenta-se como um rebento na boca do tolo (Pv 14.3). Embora a casa de Davi viesse futuramente a decair, ela não permaneceria prostrada, pois uma "vara" (rebento) iria surgir, isto é, o Cristo (Is 11.1*a*). A designação de "rebento" reflete a humilde natureza da vida de Cristo. A grandeza de seu futuro reino está sugerida na palavra "renovo" (*neser*, Is 11.1*b*).
2. A palavra hebraica *maqqel*, "vara", "bastão" significa a porção menor de um galho (Jr 1.11, vara de amendoeira; Gênesis 30.37, varas verdes de álamo), ou uma porção mais longa (Jr 48.17, um cajado). A porção menor é aquela usada por Jacó em Padã-Arã de acordo com o costume local de acreditar na influência pré-natal. Nesse caso, a vara foi descascada de uma certa maneira e colocada de forma particular à frente dos rebanhos (Gn 30.37,38,41) a fim de influenciar as características dos animais por eles gerados (30.39,41). Ela também servia como o cajado usado por Jacó para caminhar (Gn 32.10).
3. A palavra hebraica *matteh*, "bordão", "vara" é a palavra mais freqüentemente utilizada, e serve para designar o bordão do peregrino e do pastor (Êx 4.2), do soldado (1 Sm 14.27,43, sendo que esse último é visto nas ilustrações de soldados egípcios da antiguidade), a vara do opressor (Is 9.4), o símbolo do líder ou governante (Jr 48.17). Os dois usos mais importantes estão no contexto da luta com o Faraó, e na disputa contra Arão como sumo sacerdote. Na mão de Moisés, sua vara tornou-se o símbolo da autoridade pela qual Deus exigia a libertação de Israel, e também o símbolo do poder de Deus contra o qual o Egito não era capaz de prevalecer (Êx 4.2; 7.9,12; 8.16). *Veja* Bordão.

No caso de Arão, o fato de somente sua vara ter produzido rebentos entre as demais, embora todas tivessem sido cortadas da mesma fonte de energia de produção de frutos, era uma prova dada pelo Senhor de que Arão era o sumo sacerdote, e que o sacerdócio estava limitado à sua casa (Nm 17.2-9). Essa vara foi colocada perante o povo como uma advertência aos rebeldes (v. 10). A vara simbolizava a autoridade de Deus (Is 10.26); a iniqüidade do homem (Ez 7.11); quando quebrada, representava a perda do poder (Ez 19.12); e também representava um cetro (Ez 19.11,14).
4. A palavra hebraica *shebet,* "vara", "cetro" é usada em conexão com o açoite das pessoas (Êx 21.20; Pv 13.24); com a remoção da semente de cominho (Is 28.27); como uma arma (2 Sm 23.21); e como o emblema do castigo nacional (Is 10.24; Sl 89.32; 110.2). Ela é a vara do pastor (Sl 23.4), e é usada para contar ovelhas (Lv 27.32). Esse termo significa uma vara mais curta do que um bordão, e geralmente tinha uma saliência em uma extremidade dotada de pregos ou pedras. Podia referir-se a uma maça (ou clava) com uma cabeça de pedra. Também podia ser um cetro (Is 14.5), o símbolo da conquista (Nm 24.17), e do poder de Cristo (Sl 2.9). *Veja* Armadura.
5. A palavra grega *rhabdos*, "vara", "bordão", "cetro" é o símbolo do castigo (1 Co 4.21). A cana usada para medir é semelhante a um bordão (Ap 11.1). Reunindo em si toda a força dos usos do AT como símbolo de poder e soberania, o poder de Cristo para governar o mundo é simbolizado através de uma inquebrável vara de ferro, o cumprimento do Salmo 2.9 (Hb 1.8; Ap 2.27; 12.5; 19.15).
H. G. S.

**VASILHA** *Veja* Cântaro; Ocupações: Oleiro; *Veja* Cerâmica.

**VASNI** Filho primogênito do profeta Samuel (1 Cr 6.28). Porém o texto em 1 Samuel 8.2 lista esse primogênito como Joel, e o segundo Abias. A explicação usual é que esta variação aparece na referência de 1 Crônicas onde o nome Joel (cf. 1 Cr 6.33) foi acidentalmente omitido e uma palavra que significa "e o segundo" (Vasni) foi transformada em nome próprio.

**VASSOURA (FEITA COM RAMOS DE ÁRVORE)** Esta palavra ocorre apenas uma vez nas Escrituras: "Varrê-la-ei com vassoura de perdição [ou de destruição]" (Is 14.23). Isto se refere ao que estava reservado para a Babilônia. O termo hebraico *mat'ate'*, traduzido como "vassoura", é um parente próximo do verbo *te'te'ti,* que pode ser traduzido como "varrê-la-ei."

**VASTI** Rainha do rei persa Assuero (Xerxes). Quando o rei lhe ordenou a comparecer usando a coroa real em seu banquete, a fim de exibir sua beleza aos nobres, ela recusou-se (Et 1.9-12*a*). O irado monarca foi aconselhado a destroná-la (12*b*-19). Ela foi substituída por Ester, uma judia jovem e linda (2.1-4,15-17). Só conhecemos o nome de uma das mulheres de Xerxes através de outras fontes, isto é, a rainha Amestris (Heródoto vii.61; ix.108-112), com quem ele havia se casado antes de se tornar rei. Vasti deve ter sido uma das outras esposas de Xerxes, desconhecida dos registros extrabíblicos. *Veja* Ester.

**VAU[1]** Sexta letra do alfabeto hebraico. Cada verso da sexta seção do poema acróstico do Salmo 119 inicia-se com esta letra (vv. 41-48). Ela foi transliterada como *w* ou *v* e corresponde ao valor numérico seis.

**VAU[2]** Os vaus nos tempos bíblicos eram lugares de fácil passagem para atravessar os rios, necessariamente sem pontes. Em alguns casos, pelo menos, os vaus eram lugares não apenas para homens e animais atravessarem, mas também para carroças e carros serem conduzidos por estes. Dois deles estavam localizados na Transjordânia; eram o vau de Jaboque – Uádi Zerqa (Gn 32.22), e os vaus de Arnom – Uádi Mojib (Is 16.2). As demais referências a vaus em quase todos os casos referem-se a lugares onde se podia cruzar o Jordão. Eles são mencionados em conexão com os espias de Josué (Js 2.7), a vitória de Eúde sobre os moabitas (Jz 3.28), o incidente de Juízes 12.5,6, e a luta de Davi (2 Sm 15.28; 17.16 – "vaus do deserto"). Nenhuma destas passagens pode ser identificada com certeza hoje, mas elas devem estar localizadas em algum lugar na extensão mais baixa do Jordão, à medida que este se aproxima e deságua no Mar Morto. O texto em 2 Samuel 19.18 deveria provavelmente ser traduzido do seguinte modo: "E atravessaram o vau, para fazerem passar..."
Os "vaus" da Babilônia (Jr 51.31,32) aparentemente referem-se a atravessar pontos do Eufrates e seus canais.
H. E. Fi.

**VEADO** *Veja* Animais: Cervo II.12.

**VEIO** Filão ou sulco de prata de uma mina (Jó 28.1). A palavra hebraica *mosa',* "fonte, lugar de saída" foi traduzida como "mina" em várias versões.
*Veja* Maané-Dã.

**VELA** Somente o substantivo é encontrado no AT (heb. *nes*), significando "sinal" "emblema", ou "estandarte" (Is 33.23; Ez 27.7). Como um substantivo grego no NT, o termo *skeuos* significa uma "vela" ou "instrumentos" (At 27.17). Portanto, há versões que trazem a expressão "amainadas as velas" enquanto outras trazem "arriaram os aparelhos". O verbo grego básico é *pleo,* "navegar", com vários prefixos como em Atos 27.4-7. *Veja* Navios.

**VELHO** *Veja* Ancião.

**VELHO HOMEM** *Veja* Carnal; Carne; Nova Criatura.

**VENENO** Essa palavra aparece várias vezes com o sentido de veneno de cobra, e é uma tradução das palavras hebraicas *hema* e *ro'sh*, e da grega *iós*. No cântico de Moisés é feita uma referência à "peçonha de serpentes" e ao "veneno de dragões" (Dt 32.24,33). A resposta de Jó a Elifaz fala, em sentido figurado, sobre as setas venenosas (Jó 6.4), enquanto Zofar descreve o destino dos pecadores dizendo que eles sorverão o veneno de áspides (Jó 20.16). A má influência dos iníquos é comparada ao veneno de uma serpente no Salmo 58.4 e no Salmo 140.3, e a citação de Paulo em Romanos 3.13 refere-se a esse mesmo assunto.
Crer que os escritores da Bíblia Sagrada pensavam que a língua da serpente era a condutora de veneno, é pura fantasia. Por outro lado, Tiago afirma, em sentido figurado, que a língua humana "está cheia de peçonha mortal" (Tg 3.8). *Veja* Animais IV.7,30,37.

**VENTO ORIENTAL** *Veja* Ventos.

**VENTOS** Os hebreus reconheciam quatro movimentos de ar horizontais que chamavam de vento. Os ventos sul e sudeste cruzando o deserto arábio eram quentes e secos (Jó 37.17; Lc 12.55). O vento norte era mais fresco sendo favorável para a vegetação (Ct 4.16). Os ventos oeste, sudoeste e noroeste traziam as chuvas e acompanhavam uma tempestade (1 Rs 18.43-45; Sl 147.18; Ez 13.13). O vendo leste era quente, com rajadas e carregado de areia. Ele era prejudicial à vegetação (Gn 41.6; Is 11.15; Ez 19.12; Jn 4.8).

O vento nordeste prestes a descarregar saraivas, da torre dos Ventos, Atenas, século I a.C. HFV

Cabeças representando os quatro ventos em um mosaico de piso na antiga Óstia, Itália. HFV

O vento era reconhecido como uma criação de Deus (Sl 135.7; Am 4.13), e era usado como um instrumento para executar seu prazer (Êx 14.21; Sl 78.26; 148.8; 2 Rs 2.11) e seu juízo (Sl 48.7; Jn 1.4). Os homens também usavam o vento em seu proveito. Era importante para o lavrador ao joeirar os grãos (Sl 1.4; 35.5; Is 17.13) e para o marinheiro ao navegar nos mares antigos (At 27.40; 28.13; Tg 3.4).
Pelo fato das palavras para "vento" nos idiomas originais (heb. *ruah*, gr. *pneuma*) também significarem "espírito" e "fôlego", os termos são às vezes intercambiáveis, como em Ezequiel 37.5-9,14. O Senhor Jesus Cristo ilustrou a operação do Espírito Santo na regeneração por meio da natureza invisível do vento (Jo 3.8). Uma das manifestações da descida do Espírito Santo no dia de Pentecostes foi descrita como "um som, como de um vento veemente e impetuoso" (At 2.2). *Veja* Relâmpago; Chuva; Espírito Santo; Tufão, Redemoinho.

G. E. W.

**VENTRE** As palavras traduzidas nas Escrituras como "ventre" vêm de várias raízes que significam "suave", "côncavo", "redondo", descrevendo os aspectos físicos da região abdominal. O termo é geralmente usado como uma referência à parte exterior do ventre ou do estômago (Ct 5.14; Sl 22.10; Sl 17.14), e ao baixo abdome em geral.

O termo é também amplamente usado em um sentido figurado. Por causa de sua ligação com o alimento, é às vezes utilizado em um sentido carnal, de satisfação mundana (Fp 3.19). Por designar a anatomia interna, é usado no pensamento hebraico como uma figura que se refere ao interior do ser, à vida intelectual e emocional (Jo 7.38; Jó 20.20).

**VERÃO** *Veja* Agricultura; Palestina.

**VERDADE** Do heb. *'emuna*, "firmeza, estabilidade, verdade"; *'emet*, "firmeza, verdade"; gr. *aletheia*, "verdade". Em 1912, o Dicionário Webster definiu verdade como: "Conformidade a fato ou realidade; exata concordância com aquilo que é, foi, ou será". Embora possivelmente satisfatória quando formulada, tal definição mostra-se muita vaga nos dias de hoje, quando os lógicos positivistas negam toda evidência que não seja empiricamente verificável.

Carnell afirma que "a verdade é uma propriedade do julgamento que coincide com o pensamento de Deus" (*An introduction to Christain Apologetics*, p. 47). Enquanto o Webster erra ao reforçar o factual, esta definição erra ao reforçar o metafísico. Entretanto, ao expandir sua definição para: "correspondência com o pensamento de Deus; teste: a consistência sistemática" (p. 369), e explicar a consistência sistemática, o Webster oferece, possivelmente, a melhor definição de verdade disponível atualmente. Através da expressão consistência sistemática, ele quer dizer que uma afirmação deve: primeiramente satisfazer sem dificuldade as leis da lógica, ou seja, ser horizontalmente consistente - que é o teste da verdade formal; em segundo lugar, estar de acordo com os fatos, ou seja, concordar verticalmente com todos os fatos, que é o teste da verdade material.

### Aspectos da Verdade

Em uma definição satisfatória de verdade, como esta que foi apresentada acima, estão incluídos três aspectos e elementos da verdade.

1. *Verdade ontológica ou metafísica.* Esta expressa o supremo relacionamento da verdade e da natureza, bem como o relacionamento da verdade religiosa e moral em particular com o próprio caráter, vontade e pensamento de Deus. A verdade religiosa e moral é o que Deus é, e está de acordo com o seu caráter. A verdade científica e social é o que Deus deseja e está, também, em consistência com seu caráter. Deus é a verdade em sua própria pessoa (Dt 32.4; Sl 31.5; Is 65.16), e este fato é particularmente revelado em Jesus Cristo (Jo 1.14,17; 14.6). Sua Palavra revelada é a verdade (1 Rs 17.24; Jo 17.17); sua lei moral é a verdade (Sl 119.142,151).

2. *Verdade lógica.* Dois extremos ocorrem: (*a*) Alguns aplicam a lógica e negam a revelação. Por exemplo, os (lógicos) positivistas enfatizam a expressão lógica significativa que seja empiricamente verificável, e negam a verdade metafísica e moral, dizendo que é ilógica e sem sentido, pois não pode ser cientificamente examinada como os fenômenos materiais. O cristão responde que a verdade metafísica e moral chega ao homem através da revelação, e não pode ser conhecida de outra maneira senão a *priori*, já que ela forma a base principal do conhecimento e da própria existência. Sua prova apóia-se sobre a evidência razoável que suporta a revelação. Ele mostra que o lógico positivista assume as proposições básicas da moralidade e da ética, e as utiliza sem exigir provas. (*b*) Outros tentam aceitar a revelação, embora negando à lógica sua função própria. Os neo-ortodoxos falam da verdade de Deus como não limitada pelo tempo e pelo espaço. O homem não possui categorias nas quais possa recepcionar essa verdade e, portanto, ela aparece nas formas de contradição, paradoxo e absurdo, não podendo, portanto, ser julgada pela lógica. O evangélico diz que o problema dos neo-ortodoxos vem da aceitação de uma filosofia imperfeita de tempo e espaço introduzida na teologia por Sören Kierkegaard, e de uma abordagem modernista da Bíblia Sagrada. Deus é racional e lógico e a Bíblia prova não estar cheia de paradoxos e contradições quando aceita, pela fé e da maneira como foi escrita. O Senhor forneceu evidências verossímeis da verdade e da infalibilidade de sua Palavra. Esta conclusão é o testemunho dos crentes dos dois Testamentos (Sl 108.4; Jo 20.30,31; 1 Jo 1.1-3).

3. *Verdade factual.* A verdade tem de condizer com os fatos da vida e da existência. Isto significa ter uma correspondência proposicional com a realidade. A verdade não pode satisfazer-se com universalidades e generalidades, por mais úteis que possam ser, nem com meras individualidades e particularidades, mas tem de condizer verticalmente com os fatos enquanto os organiza corretamente através do uso de universalidades.

### Atitudes para com a Verdade

*Ouvindo e sendo a verdade.* Pode-se ouvir a verdade, acreditar que é verdadeira, até ensiná-la e ainda assim recusar-se ou falhar em agir de acordo com ela. Isto corresponde a ouvir a verdade e não ser a verdade. A verdade conhecida, no sentido de acreditar e agir de acordo com ela, satisfaz, então, a três testes: consistência lógica, consistência factual e consistência prática. Os dois primeiros foram discutidos acima nos itens verdade lógica e verdade factual. O terceiro é mencionado pelo Senhor Jesus Cristo como a base da salvação, isto é, experimentar a verdade ao agir de acordo com ela (Jo 8.32). Isto acarreta um conhecimento do conteúdo

Uma inscrição mencionando César Augusto
na verga de uma porta da Ágora de Éfeso.
HFV

sobre o qual a ação apóia-se.
As Escrituras dão aos três seu lugar adequado. Elas esperam que a fé seja baseada em evidências razoáveis, e que a ação siga o recebimento de uma revelação clara e autoconsistente.
Muitos teólogos modernos das escolas neo-ortodoxa e liberal negam que a verdade seja absoluta. Paul Tillich, por exemplo, a vê como, necessariamente, relativa, argumentando que, se fosse absoluta e imutável, isso tornaria Deus – que é o Supremo e o Absoluto – relativo. Tal visão, de fato, nega a possibilidade da verdade autêntica, substituindo-a pela verdade *kairotic* ou temporária – as coisas podem ser verdadeiras hoje, mas erradas amanhã. A resposta cristã destaca vários fatos.
1. Se a verdade depende de Deus, e Deus é a verdade em pessoa, então a verdade absoluta não limita, ao contrário, revela Deus. Deus é amor, mas o amor não rouba, não mente, etc., e os mandamentos apenas expressam estas verdades que já existem no caráter de Deus. Elas não estão limitando, mas revelando afirmações que têm sua base na natureza de Deus.
2. Pelo fato de Deus ser a verdade, Cristo é a verdade tanto em sua pessoa como em sua revelação (Jo 1.14,17; 14.6). Seu caráter e suas palavras complementam-se, e seu ensino revela tanto seu caráter santo quanto o do Pai (Mt 5.43-48). Os teólogos existencialistas tentavam reforçar a importância de *ser* a verdade, enquanto negavam que a verdade tivesse um conteúdo proposicional, isto é, um conteúdo que está compreendido nas afirmações reveladas nas Escrituras. Sua tentativa fracassa quando se percebe que Cristo, usando uma linguagem de sala de aula, sustenta em João 8 que seu testemunho é verdadeiro. Ele ensina somente o que ouviu (vv. 26,40), viu (v. 38) e o que lhe foi ensinado pelo Pai (v. 28). Ele pode confirmar o que diz, porque o Pai jamais o deixou só (v. 29). Em João 14, onde Cristo declara que Ele mesmo é a verdade (v. 6), Ele mais uma vez refere-se ao conteúdo de seu ensino, mostrando que Ele não é somente a verdade em pessoa, mas que também ensina a verdade proposicional. Isto faz parte do contexto de João 8, quando, como visto acima, Ele defende a verdade de seus ensinos ao dizer: "E conhecereis a verdade, e a verdade vos libertará" (v. 32). Isto torna claro que Ele não está falando de um conhecimento místico dele mesmo que salvará o homem, mas de um conhecimento cujo conteúdo é composto por aquilo que Ele ensina.

***Bibliografia.*** E. J. Carnell, *An Introduction to Christian Apologetics*, Grand Rapids. Eerdmans, 1950; *A Philosophy of the Christian Religion*, Grand Rapids. Eerdmans, 1952, pp. 449ss. Charles Hodge, *Systematic Theology*, Grand Rapids. Eerdmans, 1952, G. Quell, G. Kittel e R. Bultmann, "*Aletheia etc*", TDNT, I, 232-251.

R. A. K.

**VERDE** *Veja* Cores.

**VERGA** Viga horizontal que forma o topo da esquadria de uma porta. Antes da Páscoa, a verga de madeira (em hebraico *mashgop*) e as ombreiras das portas eram cobertas com sangue (Êx 12.22,23). Em 1 Reis 6.31 a palavra para "verga" (em hebraico *'ayil*) pode significar as vigas que se projetam como pilares na entrada do Santo dos Santos (cf. Ez 41.3), ou pode ser referir à padieira ornamentada, com um "telhado" pontiagudo que formava toda a entrada pentagonal. A palavra hebraica *kaphtor* em Amós 9.1 e Sofonias 2.14 refere-se ao capitel de uma coluna e não à verga da porta.

**VERGONHA** Esta palavra traduz muitas e diferentes palavras hebraicas e gregas na Bíblia Sagrada. O conceito bíblico de vergonha é primeiramente o de uma consciência interior de culpa, fracasso ou inutilidade, e da freqüente humilhação e reprovação ligada a ela.
Subjetivamente, tem-se um sentimento de vergonha por causa do pecado (Ed 9.6; Jr 2.26; 31.19), por causa da derrota (2 Cr 32.21; Jr 9.19), porque o recato de uma pessoa é violado (2 Sm 10.5; 13.11-13; 1 Co 11.6), ou por causa de um intenso desapontamento (Jr 2.36; 14.3,4; 48.13; Sl 119.31,116). Junto com a vergonha, há freqüentemente um sentimento de confusão (Jr 3.25; Sl 44.15). A vergonha pode ser gerada a fim de levar uma pessoa ao arrependimento (1 Co 6.5; 15.34; 2 Ts 3.14). Embora muitos se sintam envergonhados de Cristo e de suas palavras (Marcos 8.38), o verdadeiro crente não ficará constrangido de confessá-lo diante dos homens (Rm 1.16; 2 Tm 1.12) ou de defender companheiros cristãos perseguidos (2 Tm 1.8,16).
Objetivamente, a vergonha é a desgraça ou a reprovação que os pecadores trazem sobre si mesmos (Pv 14.34). Isto é especialmente verdadeiro na área dos pecados sexuais (Lv 20.17) e das práticas idólatras dos cultos

pagãos de fertilidade (Ez 16.52,54,63). A nudez era particularmente vergonhosa, considerada até mesmo uma desgraça (Is 20.4; 47.3; Ap 3.18; Jr 13.26). Deus envia a vergonha como um juízo sobre os pecadores (Sl 44.9,13-16) e sobre os inimigos do seu povo (Sl 71.13,24; 132.18).

A vergonha ligada à cruz (Hb 12.2) consistia: na maldição de Deus sobre aquele que era considerado tão criminoso, a ponto de ser pendurado em uma árvore (Gl 3.13 com Dt 21.23; Fp 2.8); na condição desprezível daquele que era acusado de blasfêmia (Is 50.6; Mt 26.65-67); na ignomínia da nudez daquele que era crucificado como símbolo de seu total abandono por parte de Deus (Is 53.3,4; Sl 22.6-8,16,17; Mt 27.35,41-46); e na vergonha de morrer fora da cidade, como cumprimento da tipologia da oferta pelo pecado (Hb 13.12,13; Lv 4.11,12).

*Veja* Censura; Cristo, Humilhação de.

J. R.

**VERME** *Veja* Animais IV.34.

**VERMELHÃO** *Veja* Cores.

**VERMELHO** *Veja* Cores.

**VERMES** *Veja* Doença.

**VERSÃO AUTORIZADA EM INGLÊS**
Esta é a versão *The King James Version* (KJV) de 1611 d.C. *Veja* Bíblias, Versões em Língua Inglesa.

**VERSÕES DA BÍBLIA EM LÍNGUA INGLESA** *Veja* Bíblias, Versões em Língua Inglesa.

**VERSÕES DA BÍBLIA EM LÍNGUA PORTUGUESA** *Veja* Bíblias, Versões em Língua Portuguesa.

**VERSÕES, ANTIGA E MEDIEVAL**

### Introdução

O texto atual da Bíblia revela as várias alterações e modificações resultantes das vicissitudes de muitos séculos de transmissão. Conseqüentemente, suas primeiras traduções ajudam a reconstruir os textos mais antigos do AT e do NT ou a corrigir manuscritos hebraicos e gregos posteriores. Portanto, elas têm considerável importância para o estudioso da Bíblia.

Dois fatos importantes a respeito das versões antiga e medieval devem ser ressaltados quando consideramos seu papel na transmissão do texto bíblico. Primeiro, seu propósito. Elas eram obras usadas para disseminar a mensagem dos autógrafos (manuscritos) aos seguidores do judaísmo e do cristianismo, e para ajudá-los a manter sua religião pura. Dessa forma, os Targums começaram a ser usados antes da época de Cristo. Depois da introdução do cristianismo, a igreja empregou versões e comentários para fazer proselitismo, e também para organizar e estabelecer a nova religião. Segundo, as antigas traduções são importantes por causa de sua proximidade com os autógrafos originais. Em geral, quanto mais antigo for um manuscrito, mais valioso será em termos de critica e reconstrução textual. Muitas vezes, as antigas traduções levam o estudioso da Bíblia ao próprio limiar dos autógrafos e prestam um inestimável testemunho e colaboração à autenticidade do texto bíblico.

Entretanto, deve-se admitir que existe uma série enorme de dificuldades envolvidas no uso de qualquer tradução em particular, pois cada uma delas é produto de um só indivíduo ou de um grupo de indivíduos que viveram em diferentes períodos, e em contextos culturais específicos. Dentro de cada tradução existe um texto subjacente, tanto hebraico como grego, com os problemas peculiares de sua própria tradição textual, além da compreensão e comunicação daquele texto pelo tradutor. Portanto, deve-se tomar cuidado para evitar tratar as traduções ingenuamente e usá-las diretamente conforme sua apreciação textual, como foi costumeiro no passado. Existem muitos problemas envolvidos, provavelmente sem solução, ao discernir o que pertence à tradição original do texto e o que deve ser atribuído aos antigos tradutores, pois, a maioria deles, além de origem anônima, deixou poucos, ou talvez nenhum vestígio sobre seu aspecto cultural, pressuposições intelectuais, opiniões religiosas, preconceitos, aspirações, educação e capacidade de se expressar (veja a obra de Ernst Würthwein, *The Text of the Old Testament*, pp. 33-34). Entretanto, tais obras como os Targuns, a Septuaginta e algumas das primeiras versões do NT, merecem a consideração de um cuidadoso estudante das Escrituras.

### Definições

Além das observações acima, devemos ter em mente algumas definições a fim de evitar qualquer confusão desnecessária em um assunto tão complexo. Autógrafos são manuscritos originais dos autores das Escrituras inspiradas, enquanto tradução é simplesmente a transposição, de uma língua para outra, de qualquer composição ou texto. Se algum item fosse traduzido de uma segunda língua para uma terceira, ou de volta para a língua original, isso também teria sido uma tradução. A *tradução literal* é um tipo específico de tradução. Seu objetivo é fornecer, o quanto possível, o significado exato das palavras da língua original. Esse sistema de tradução palavra-por-palavra é mais rígido do que uma simples tradução, e resulta na transmissão exata da ordem das palavras, ao invés de idéias, de uma língua para outra. Como resultado desse processo, muitas expressões gregas e hebraicas foram traduzidas para o nosso idioma.

Na *transliteração*, uma palavra é transposta de uma língua para outra através da escrita com letras ou caracteres que mais se aproximam de seu valor fonético. Em outras palavras, a tradução procura uma equivalência ideológica e a transliteração uma equivalência fonética. O resultado líquido da transliteração é a recombinação de muitas palavras estrangeiras em outras línguas. Palavras como *aggelos* (mensageiro, anjo), *biblos* (livro, Bíblia), *diakonos* (ministro, diácono) e *martys* (testemunha, mártir) são exemplos de certas palavras gregas que foram traduzidas para nosso idioma.

A *versão* é uma tradução. Estritamente falando, é apenas a tradução da língua original de um texto literário para outra língua. De acordo com esse aspecto técnico, a versão KJV e a Versão Rheims-Douay, ambas em inglês, não seriam verdadeiras traduções, pois a primeira é a quinta revisão da Versão Tyndale, e a última é a tradução da versão da Vulgata Latina. Entretanto, de forma geral, a versão significa simplesmente qualquer tradução da Bíblia ou de parte dela. Os termos usados para descrever a tradução a partir de outra língua (geralmente do idioma original), que é sistematicamente revista e analisada com o objetivo de corrigir erros ou fazer outras alterações necessárias são *revisão, versão revisada*, e *revisão crítica*. A revisão crítica refere-se à revisão de qualquer texto na sua língua original ou na sua tradução.

A *paráfrase* é uma tradução livre e que não segue nenhum padrão. É a reafirmação de sentenças, passagens ou palavras de forma que, na tentativa de manter o sentido original, o significado seja expresso de forma mais clara ou inteligível ao leitor. Como as paráfrases permitem maior margem de ação ao tradutor, elas correm o risco de perder sua exatidão. Tais obras apareceram logo no início da transmissão dos textos da Bíblia Sagrada em inglês. Uma tradução *expandida* ou *ampliada* do texto está muito próxima de sua explicação ou análise, portanto elas quase chegam a ser um *comentário*. Elas também aparecem muito cedo na história da transmissão dos textos da Bíblia Sagrada.

Alguns estudiosos erroneamente classificaram o Pentateuco Samaritano entre as versões do AT. Entretanto, estritamente falando, ele é um manuscrito hebraico revisado dos cinco livros da lei (*veja* Manuscritos da Bíblia: III.12. Pentateuco Samaritano).

## Os Targuns Aramaicos

Durante seu Exílio na Babilônia, os judeus começaram a abandonar sua língua ancestral, substituindo-a pelo aramaico, a língua comercial e diplomática internacional de seus suseranos. Depois do Exílio, essa prática surgiu entre os judeus da Palestina quando acompanhavam a leitura pública das Escrituras hebraicas na Sinagoga com uma paráfrase oral, ou na interpretação do vernáculo aramaico em benefício do crescente número de judeus que estavam tornando-se cada vez menos familiarizados com o hebraico. Existem provas de que os escribas faziam paráfrases orais em aramaico desde a época de Esdras (Ne 8.1-8). As paráfrases não eram traduções estritas, porém representavam um verdadeiro auxílio para a compreensão das formas arcaicas da Torá. O tradutor ou intérprete envolvido nesse trabalho era chamado de *methurgeman*. No final dos últimos séculos antes de Cristo, um processo gradual culminou com a existência de traduções orais ou paráfrases de quase todos os livros do AT. Durante os primeiros séculos depois de Cristo, esses Targuns foram encerrados em livros e deles surgiu um texto oficial, pois o cânon hebraico com seu texto e interpretação já haviam sido identificados na época em que os estudiosos rabínicos encontraram-se em Jamnia (aprox. 90 d.C.), e os judeus foram expulsos da Palestina no ano 135 d.C.

Durante o século II d.C. os primeiros Targuns eram, aparentemente, escritos em aramaico palestino embora existam provas de Targuns aramaicos desde a era pré-cristã. Esses primeiros Targuns oficiais continham apenas a Lei e os Profetas, sendo que os Escritos foram incluídos em Targuns posteriores e não oficiais. Um Targum pré-cristão de Jó, escrito em aramaico palestino, foi encontrado na Caverna XI, de Qumran enquanto a Caverna IV continha um Targum do Pentateuco. Esses espécimes de manuscritos estavam entre os Targuns aramaicos não oficiais que foram substituídos pelos textos oficiais no século II d.C.

Os Targuns oficiais palestinos da Torá e dos Profetas foram praticamente engolidos pelo aramaico babilônio. Durante o século III, os Targuns da Torá e dos Haphtaroth (profetas), e os Targuns dos Escritos (Hagiógrafos) foram, aparentemente, feitos em uma base não oficial. Nenhum dos Targuns dos Hagiógrafos existentes, exceto os Rolos do Mar Morto mencionados acima são anteriores ao século V.

Durante o século III d.C. surgiu na Babilônia um Targum aramaico sobre a Torá que pode ter sido a revisão de uma tradição palestina anterior. Ele é atribuído, por tradição, a Onkelos (Ongelos), um nome que é provavelmente confundido com Áquila, que fez uma estrita tradução literal grega do AT hebraico para substituir a LXX (*veja* a discussão abaixo). Outro Targum aramaico babilônico acompanha os Profetas (anterior e posterior) e é conhecido como Targum de Jonathan ben Uzziel. Esse Targum data do século IV, e é

uma tradução mais livre e repleta de paráfrases desse texto. Os dois Targuns mencionados acima eram lidos nas Sinagogas como Torá e Haphtaroth, respectivamente.
Durante a metade do século VII surgiu outro Targum do Pentateuco chamado de Targum Pseudo-Jonathan. Essa obra é uma mistura do Targum Onkelos com materiais do Midrash (*q.v.*). Um outro Targum surgiu em aprox. 700 d.C., e ficou conhecido como Targum de Jerusalém, do qual atualmente restaram somente alguns fragmentos.
Os Targums são muito úteis pela luz que lançam sobre a interpretação judaica tradicional de suas Escrituras. Entretanto, seu valor reside mais na contribuição para o estudo da hermenêutica, do que para a crítica textual.

### O Talmude e o Midrash

Houve três períodos na tradição escribal do AT. o dos Sopherim (aprox. 400 a.C.-100 d.C.), o Talmúdico (aprox. 200 d.C.-500d.C.) e o Masorético (aprox. 500 d.C.-1000 d.C.). Durante o primeiro desses períodos, os Sopherim ("escribas") eram considerados guardiões das Escrituras hebraicas. Aparentemente, Esdras foi um deles e sua contribuição incluía os Targuns. Durante o período Talmúdico, o Talmude cristalizou-se como corpo da lei hebraica civil e canônica baseada na Torá.
O Talmude (instrução, ensino) representa as opiniões e decisões dos mestres judeus desde aprox. 300 a.C. até 500 d.C., e consiste de duas divisões básicas: o *Mishnah* e o *Gemara*. O *Mishnah* (repetição, explicação, ensino) era a lei oral que existia ao final do século II d.C., colecionada pelo Rabino Judah, o Príncipe. Era considerado como a Segunda Lei dos judeus, sendo que a Torá era a primeira, e estava escrita em hebraico. Incluía traduções, assim como explicações, sobre a lei oral. O Gemara (completar, praticar, aprender) consistia de comentários dos rabinos sobre o Mishnah, feitos durante o período posterior a 200 d.C. Esses comentários expandidos foram escritos em aramaico, e não em hebraico. Como os Targuns, os Gemara foram transmitidos em duas traduções: o *Gemara Palestino* (aprox. 200 d.C.) e o *Gemara Babilônico* (aprox. 500 d.C.), uma tradução maior e mais oficial.
O Midrash (estudo textual, interpretação e comentários, da raiz hebraica "pesquisar", "investigar") era, na verdade, uma exposição doutrinária e homilética das Escrituras hebraicas redigidas em hebraico e aramaico. Esses estudos e interpretações textuais foram coletados entre 100 a.C. e 300 d.C. O Midrash contém duas principais seções. *Halaká* (procedimentos) e *Haggada* (declaração, explicação) que são comentários sobre a Torá e sobre todo o AT, respectivamente.
Os Midrashim diferem dos Targuns no sentido de serem apenas comentários, enquanto os Targuns são paráfrases. O Midrash contém algumas das primeiras homilias sobre o AT existentes nas sinagogas, e inclui alguns itens como provérbios e parábolas. Sua atividade chegou ao fim depois da conclusão do Talmude babilônio, e foi substituído pelas disciplinas de história, gramática e teologia. *Veja* Talmude.

### A Septuaginta (LXX)

Da mesma maneira que no Oriente Próximo os judeus do período pós-exílico abandonaram o hebraico, que era sua língua nativa, trocando-a pelo aramaico, eles abandonaram o aramaico em favor do grego em centros helenísticos como Alexandria, no Egito. Os judeus haviam recebido consideráveis favores de Alexandre o Grande, como resultado da política que adotaram em relação ao guerreiro durante o sítio de Tiro (em 332 a.C.). Nos novos centros que havia estabelecido durante suas extensas conquistas, ele freqüentemente incluía áreas para os habitantes judeus.
Depois da morte súbita de Alexandre (323 a.C.), seu império foi dividido em várias unidades dinásticas. os Ptolomeus no Egito, os Selêucidas na Ásia Menor, os Antigonenses na Macedônia e vários outros reinos menores. Foi para o Egito Ptolemaico, que recebeu esse nome por causa de Ptolemeu I Soter, filho de Lago, que emigrou um grande número de judeus; eles estabeleceram-se principalmente na nova cidade de Alexandria. Ptolomeu I era o governador do Egito (323-305 a.C.) antes de se tornar rei, e foi sucedido no trono em 285 a.C. por seu filho, Ptolomeu II Filadelfo que reinou até 246 a.C. e, seguindo a tradição dos Faraós, casou-se com sua irmã, Arsínoe II. Durante seu reinado, o Egito experimentou um grande renascimento cultural e educacional, e os judeus passaram a gozar de vários privilégios religiosos e políticos. Uma das conquistas desse reinado foi a tradução das Escrituras hebraicas em benefício dos judeus de língua grega que eram incapazes de entender o texto hebraico. A versão padrão em grego, produzida em Alexandria, é conhecida como Septuaginta (LXX), que é a palavra grega para "setenta". Essa tradução foi, sem dúvida, realizada durante os séculos III e II a.C., e é considerada como pertencente à época de Ptolomeu II Filadelfo, de acordo com a assim chamada *Carta de Aristeas a Philocartes* (aprox. 130 a.C. a 100 a.C.).
De acordo com a *Carta a Aristeas*, o bibliotecário de Alexandria persuadiu Ptolomeu II Filadelfo a traduzir a Torá para o grego para que fosse utilizada pelos judeus de Alexandria. Essa carta relata que foram selecionados três tradutores de cada uma das 12 tribos e que eles terminaram essa tradução em apenas 72 dias. Apesar dos detalhes dessa história serem provavelmente fictícios, parece que, segundo a essência dos fatos nela contidos, o Pentateuco foi traduzido para o grego

durante algum período da primeira metade do século III a.C. O restante do AT foi traduzido no decorrer dos dois séculos seguintes, assim como alguns livros apócrifos e não canônicos (Siraque, Tobias etc.) Subseqüentemente, o nome LXX foi ampliado para cobrir todas essas traduções sendo que os livros apócrifos ficaram intercalados entre os livros canônicos de acordo com seu caráter geral ou com o assunto de que tratavam.

Em termos de qualificação da tradução, a LXX não foi consistentemente elaborada, dando, nessa conjuntura, motivo a várias observações. A LXX varia entre traduções restritas e literais da Torá até traduções livres dos Escritos.

Ela não foi projetada para ter as mesmas finalidades funcionais do AT hebraico, pois seu propósito era ser lida publicamente nas Sinagogas, ao contrário dos propósitos educativos daqueles que precisavam do texto hebraico.

A LXX é o produto de uma tentativa pioneira para a transmissão das Escrituras do AT e, nesse sentido, ela foi realmente excelente. Em termos de crítica textual, a LXX é geralmente fiel ao texto original hebraico (*veja* Manuscritos da Bíblia). Ela preencheu a lacuna religiosa que existia entre os judeus e os cristãos de língua grega que passaram a usá-la juntamente com seu próprio texto do NT. A LXX também serviu de exemplo aos missionários que, posteriormente, iriam fazer traduções em várias línguas e dialetos. Finalmente, a LXX preenche a lacuna da crítica textual através de sua substancial concordância com os manuscritos do AT. Juntamente com o Pentateuco Samaritano, e alguns dos primeiros fragmentos dos Rolos do Mar Morto, a LXX proporciona a primeira ligação disponível com os autógrafos do AT (veja a obra de Norman L. Geisler e William E. Nix, *A General Introduction to the Bible*, pp. 308-309).

Foi como resultado de uma crítica reação judaica que ocorreu um movimento contra a LXX entre esses povos durante os primeiros séculos da Era Cristã, e esse movimento provocou uma nova onda de traduções e versões do AT.

**Versões Gregas do AT na Era Cristã**

As duas razões para a rejeição dos judeus à LXX durante os primeiros séculos do cristianismo foram sua adoção pelos cristãos com propósitos apologéticos e polêmicos, e o aparecimento, em aprox. 100 d.C., de uma tradução de um texto hebraico aceitável, feita por um judeu que iria aparecer no Texto Masorético de Justino Mártir, *Dialogue with Trypho the Jew* e sua *First Apology* (de aprox. 150 a.C.), que acompanhava o padrão dos autores do NT ao citar a LXX ao invés do texto hebraico, oferecendo assim uma base para a acusação de Trifo de que o texto cristão não continha a autoridade divina.

O resultado dessas circunstâncias, juntamente com a rápida emergência do cristianismo a partir de seus antecedentes judaicos, foi o aparecimento de inúmeras traduções que iriam ajudar a preservar o AT para as futuras gerações. Das várias traduções concorrentes produzidas sobre o AT, atualmente três são as mais conhecidas pelo nome de seu tradutor. Três outras traduções gregas são de autores anônimos. Infelizmente, todas essas obras foram preservadas apenas em um número limitado de fragmentos e em um número limitado de citações dos patriarcas da igreja.

A *Versão de Áquila* foi produzida por Áquila, um nativo do Ponto, em aprox. 130-150 d.C. Dizem que ele era parente do imperador Adriano, além de funcionário civil, que se mudou de Sinope para Jerusalém. Enquanto estava em Jerusalém, converteu-se ao cristianismo, mas foi incapaz de se livrar completamente de suas idéias e hábitos pré-cristãos, portanto foi publicamente censurado pelos anciãos da igreja. Ele ficou ofendido, esqueceu o cristianismo e retornou ao judaísmo. Como prosélito, estudou com o famoso Rabino Aqiba e produziu uma nova tradução do AT hebraico para o grego.

Embora a maior parte de sua história não seja digna de crédito, parece que Áquila foi um prosélito judeu na região do Mar Negro. Durante a primeira metade do século II, ele realmente fez uma tradução grega do AT. Ele fez uma tradução extremamente literal que esteve, erroneamente, associada ao Targum Onkelos, como mencionamos acima.

Apesar de Áquila ter produzido uma tradução grega, ela era tão literal e rígida que os padrões de pensamento e a estrutura das sentenças acompanhavam as regras hebraicas e não as gregas. Áquila exibia seu antagonismo em relação ao cristianismo traduzindo de modo diferente algumas das passagens messiânicas da LXX. Como resultado, sua versão tornou-se a tradução oficial grega das Escrituras, que foi usada entre os judeus não cristãos. Somente sobreviveram alguns fragmentos e citações isoladas dessa versão.

A *Revisão de Teodósio* foi produzida durante a segunda metade do século II por um nativo de Éfeso que era talvez um prosélito judeu ou um cristão ebionita. Embora as autoridades nesse assunto estejam divididas sobre o texto que foi utilizado, Teodósio parece ter feito uma revisão da versão de Áquila ou de alguma outra tradução primitiva grega (veja Geisler e Nix, p. 310, n. 22, para uma exposição das idéias de vários autores sobre esse assunto). A revisão de Teodósio é muito mais livre do que a de Áquila e, em algumas ocasiões, ele substituiu o texto da LXX. Com essa revisão, o livro de Daniel logo veio a tomar o lugar do livro anterior na LXX e também nos catálogos cristãos dos livros do AT. É possível que sua revisão de Esdras-Neemias também tenha substituído a da LXX. Uma das características dessa revisão é a freqüência com a qual as palavras hebraicas sofrem uma transliteração ao invés de uma tradução.

A *Revisão de Símaco* apareceu no final do século II, e acompanha a de Teodósio quanto à época e ao comprometimento teológico. Símaco era um ebionita, ou talvez um prosélito judeu, que tentou produzir uma versão idiomática grega do AT que reflete um pólo oposto à versão de Áquila. O fato de estar preocupado com o sentido de sua tradução dos termos hebraicos, ao invés da própria letra hebraica, não o impediu de mostrar um elevado grau de precisão que iria exercer influência nos subseqüentes tradutores da Bíblia, inclusive Jerônimo.

A *Héxapla de Orígenes* nasceu da necessidade de traduzir um texto grego satisfatório do AT para o mundo cristão em uma época em que as muitas divergências entre os manuscritos existentes da LXX, as discrepâncias entre o texto hebraico e a LXX e as tentativas de revisão das traduções gregas do AT resultaram em uma confusão generalizada. Além das traduções acima mencionadas, Orígenes descobriu três traduções gregas anônimas enquanto se preparava para produzir a primeira e realmente notável tentativa de uma análise textual, a *Héxapla,* durante o segundo trimestre do século III. Foi então que ele decidiu em favor da tentativa de unificar os textos gregos e hebraicos através da correção de adulterações textuais, e sua *Héxapla* é essencialmente mais uma revisão do que uma versão. Ela está organizada em seis colunas paralelas: a hebraica, a transliteração grega, a versão de Áquila, a revisão de Símaco, a revisão pessoal de Orígenes da LXX e a revisão de Teodósio, respectivamente. Orígenes acrescentou aos Salmos três colunas adicionais, mas apenas duas representam traduções diferentes. Outra obra de sua autoria é a *Tetrapla,* uma versão resumida da *Héxapla* onde as duas primeiras colunas foram omitidas.

Nenhuma dessas obras sobreviveu à destruição do tempo, mas Eusébio de Cesaréia e Panfilo publicaram a própria tradução de Orígenes (a quinta coluna da Héxapla). Toda essa obra era extremamente volumosa para ser comercializada nos dias de Orígenes, mas parte da quinta coluna sobreviveu no Codex Sarraviano (G) dos séculos IV e V.

Uma grande porção da tradução siríaca do século VII também sobreviveu em vários manuscritos (cf. Gleason L. Archer, Jr., *A Survey of Old Testament Introduction,* p. 39). Uma porção suficiente da *Héxapla* de Orígenes também sobreviveu, de forma que suas perspicazes observações foram preservadas.

Outras revisões da LXX apareceram depois do início do século IV. Logo no início, Eusébio e Panfilo publicaram sua própria edição da quinta coluna da *Héxapla* de Orígenes. Ao fazê-lo, estavam levando adiante a Versão LXX que se tornaria a versão padrão em muitos lugares. O bispo egípcio Hesychius (falecido em 311 d.C.) tentou fazer sua própria revisão da LXX, porém ela sobreviveu apenas através das citações feitas por escritores egípcios como Cirilo de Alexandria (444 d.C.). Luciano de Samosata de Antioquia (falecido em 311 d.C.) fez outra revisão da LXX que foi preservada nas porções citadas nas obras de João Crisóstomo (falecido em 407 d.C.) e Theodoret (falecido em aprox. 457 d.C.). Dessa forma, na época de Jerônimo havia três revisões básicas da LXX disponíveis à igreja. a de Luciano no norte da Síria, Ásia Menor e Grécia, a de Hesychius no Egito ao longo do vale do Nilo e no Delta, e a edição da *Héxapla,* de Orígenes, para a área de Jerusalém e Cesaréia (cf. Henry Barclay Swete, *An Introduction to the Old Testamente in Greek,* p. 85).

**Traduções do Antigo e do Novo Testamento**

1. As Versões Siríacas oferecem as traduções mais antigas e importantes das Escrituras hebraicas depois da LXX. O siríaco, uma língua semítica, era um dialeto semelhante, mas não idêntico ao dialeto aramaico falado na Palestina durante a época do Senhor Jesus e seus discípulos. Como os judeus palestinos falavam a língua aramaica, seria razoável presumir que os judeus da vizinha Síria também o falassem. Na verdade, Josefo indica que, durante o século I d.C. os judeus estavam envolvidos em atividades de proselitismo na área situada a leste da antiga Nínive, perto de Arbela.

Esse movimento do judaísmo, na metade do século I, abriu caminho para a propagação do cristianismo na Síria, de onde se espalhou para a Ásia central e Índia, tendo chegado até a China. Simultaneamente, com a elaboração do Targum judeu em aramaico, os missionários cristãos estavam traduzindo a Bíblia para um dialeto mais útil nessa mesma língua, embora empregassem uma variação distinta do alfabeto aramaico. O dialeto que esses cristãos usavam era o siríaco, que correspondia em aramaico ao Koinê em grego e ao Vulgar em latim, isto é, era a língua comum do povo. A tradução usada pela igreja siríaca foi chamada de *Peshitta,* que significa "simples". Embora esse nome date do século IX e sua origem seja incerta, não há dúvida de que o texto siríaco do AT originou-se na metade do século II e início do século III, e ele parece ter sido a obra de muitos autores dessa área ou de perto de Edessa.

É provável que a tradução do AT tenha sido feita a partir da língua hebraica, porém mais tarde ela foi revista de acordo com a LXX. O Pentateuco Siríaco é parecido com o Targum de Onkelos, que acompanha o manuscrito, mas os livros subseqüentes demonstram uma influência pouco sistemática e não muito profunda da LXX. Dessa forma, ela não é muito confiável como uma testemunha independente do texto do AT. Entretanto, ela fornece uma ajuda valiosa ao estudo da canonicidade, pois omite os livros apócrifos do Cânon Alexandriano. Quando a fé cristã foi declarada a religião oficial do Império Romano, no início do século IV, os códigos das Escrituras (LXX) foram reproduzidos em grande número (cf. Eusébio, *Ecclesiastical History* [Loeb], VIII, 2). Seria justo supor que um desenvolvimento semelhante também tenha ocorrido com a versão Peshitta.

Acredita-se que a edição siríaca padrão do NT originou-se de uma revisão do século V feita por Rabbula, bispo de Édessa (411-435). Na verdade, ela corresponde à revisão de antigas versões sírias levadas a aproximarem-se dos manuscritos gregos então em uso em Constantinopla (Bizâncio). Essa revisão, mais a revisão cristã do AT siríaco, veio a ser conhecida como Peshitta. Rabbula deu ordens para colocarem uma cópia dessa revisão em cada igreja de sua diocese, o que resultou em sua ampla circulação desde a metade até o final do século V.

Ao final do primeiro trimestre do século V, aconteceu um cisma na igreja Síria que resultou na retirada de Nestório para o oriente. Quando Nestório foi afastado de seu bispado de Constantinopla em 431, ele levou consigo a Bíblia Peshitta. Em 489 a Escola Nestoriana em Édessa foi destruída e seus membros fugiram para a Pérsia onde estabeleceram uma outra escola em Nisibis. Os dois ramos da igreja conservaram seus próprios textos bíblicos que se tornaram respectivamente o oriental (Nestório) e o ocidental (Jacobita). Os textos Nestórios sofreram poucas revisões, baseadas em manuscritos hebraicos e gregos, em vista do isolamento da igreja do oriente. O texto Jacobita pertence à corrente que tem o estilo do texto Bizantino.

A versão Siro-Hexaplárica do AT era uma tradução para o siríaco da quinta coluna da *Héxapla* de Orígenes. Esse trabalho foi realizado sob o patrocínio de Paulo, bispo de Tella na Mesopotâmia, em 616 d.C. Trata-se de uma obra excessivamente literal que traduz o texto grego fazendo transgressões no idioma siríaco e, como resultado, essa tradução nunca se enraizou profundamente nas igrejas sírias. Cópias sobreviventes da maioria dos livros do AT podem ser encontradas na versão Siro-Hexaplárica, enquanto o manuscrito mais antigo (apenas um século mais novo que a tradução original) está atualmente na biblioteca Ambrosiana em Milão. O manuscrito de Milão contém os livros poéticos e proféticos, e serve como uma primitiva e extensa testemunha do texto Hexaplárico da LXX assim como dos sinais diacríticos do texto original da LXX do livro de Daniel que, nessa época, havia substituído quase completamente a versão de Teodósio na igreja. O estilo desse texto é basicamente bizantino com uma sensível influência ocidental.

A obra de Taciano, *Diatessaron* (gr. "através dos quatro") ou "harmonia dos Evangelhos" está relacionada com a antiga versão Siríaca. Essa obra foi elaborada em aprox. 170 d.C. quando Taciano retornou para a Assíria depois de ter acompanhado Justino Mártir até Roma. Embora essa obra tivesse uma ampla circulação no Oriente Próximo, ela tornou-se conhecida principalmente através de referências indiretas. A harmonia do tipo "recortada e colada" de Taciano pode ter sido originalmente escrita em siríaco, embora a língua grega seja a mais provável, posteriormente traduzida para o siríaco.

Taciano pertencia a uma seita herética chamada os Encratistas e parece ter sido esse o fator subjacente que, em 423, levou Rabbula e Theodoret, bispo de Cyrrhia, a abolir seu uso no início do século V. O *Diatessaron* era tão popular que Ephraem, um Patriarca sírio, escreveu um comentário sobre essa obra. Entretanto, Theodoret mandou que todas as cópias conhecidas (por volta do ano 200) fossem destruídas por causa de sua potencial influência corruptora. Em seu lugar, Theodoret apresentou outra tradução dos *Evangelhos dos Quatro Evangelistas.*

Embora tanto o *Diatessaron,* como o comentário de Ephraem, tenham se perdido, uma tradução armênia e duas árabes do próprio *Diatessaron* conseguiram sobreviver (veja Bruce M. Metzger, *The Text of the New Testament,* pp. 91-92; e também do mesmo autor *Chapters in the History of New Testament Textual Criticism*, pp. 97-120 para uma análise atual desse assunto). Não existe nenhum manuscrito do *Diatessaron,* mas um pequeno fragmento de um manuscrito grego do ano 220 conseguiu chegar até os nossos dias.

Três outras versões siríacas merecem um breve comentário, embora suas datas sejam bastante posteriores. Em 508, Zenaia (Philoxenus), bispo jacobita de Mabbug (Hierápolis), ordenou a seu coadjutor que preparasse uma outra tradução da Bíblia, a Bíblia Siríaca Philoxeniana. Tratava-se de uma revisão total da Bíblia destinada a suplantar a popular versão Peshitta. Ela incluía vários livros do NT que haviam sido omitidos pela versão anterior (2 Pedro, 2 João, 3 João, Judas e Apocalipse). Essa revisão mostra ser do século VI, antes da igreja Síria aceitar todos os livros do cânon do NT.

Cerca de um século depois da revisão de Philoxenus, foi recomeçado o trabalho de revisão. Em 616, Thomas Harkel (Heracléia), também bispo de Mabbug, reeditou a revisão Philoxeniana com notas marginais sobre vários textos de inúmeros manuscritos gregos. Essa Versão Harkleana, como é chamada, é especialmente importante pelo seu testemunho do texto ocidental do livro de Atos. A porção do NT da revisão Harkleana foi feita sob a coordenação de Paulo de Tella, como mencionamos acima.

Ainda outra versão siríaca é conhecida como a Siríaca Palestina. Era, na verdade, uma tradução aramaica das leituras orais (*lectionaries*) dos Evangelhos que foram escritas em um alfabeto de estilo siríaco. Não existem livros completos do NT nessa versão, e parece que foram elaborados pelos cristãos melquitas da Palestina no final do século IV. A testemunha atual desse texto é composta por três leituras dos séculos XI e XII que seguem o padrão das primeiras leituras gregas.

2. As *Versões Coptas* refletem a forma mais recente dos escritos egípcios. Antes da era cristã, os escritos egípcios eram feitos em hieróglifos, hieráticos ou demóticos. No início da era cristã, o alfabeto grego, acrescentado de mais sete caracteres, tornou-se a escrita padrão. Esse sistema de escrever tornou-se conhecido como copta e a Bíblia foi traduzida para seus vários dialetos, sendo que porções dessa Bíblia ainda existem em seis desses dialetos.

Entre os dialetos que surgiram ao longo do rio Nilo, o sahidic (de Tebas) e o bohairic (de Mênfis) são os mais importantes, enquanto o dialeto do "Médio Egito" inclui vários outros dialetos menores: fayumic, achmimic e sub-achmimic. Só foram encontrados fragmentos dos dialetos do "Médio Egito" e nenhum dos livros do NT sobreviveu nesse dialeto. Um papiro códex do século IV, escrito em fayumic, contém João 6.11–15.11 e esse texto apresenta-se mais próximo do dialeto sahidic do que do texto bohairic.

No Egito Superior (sul), perto de Tebas, todo o NT foi virtualmente traduzido para o sahidic no início do século IV. Porções do NT haviam sido traduzidas nesse dialeto desde o século III, antes de qualquer outro dialeto egípcio.

No Egito Inferior (norte), perto de Mênfis, e na região do Delta, o dialeto bohairic tornou-se o vernáculo básico da igreja do Egito. Embora o núcleo dessa região se inclinasse a transformar o bohairic no principal dialeto egípcio, a persistência do grego como a língua da igreja de Alexandria parecia responder pelo aparecimento um tanto tardio das versões bohairic da Bíblia Sagrada. O único manuscrito anterior nessa língua é um papiro códex de Bodmer do Evangelho de João. Resumindo, sobreviveram mais manuscritos em bohairic do que em qualquer outro dialeto, mas todos eles são relativamente posteriores (datando dos séculos XII a XIV). No NT, tanto os dialetos sahidic como bohairic refletem o estilo do texto grego de Alexandria (*veja* Manuscritos da Bíblia).

3. A *Versão Etíope* da Bíblia Sagrada começou a aparecer no século IV como resultado da divulgação do cristianismo por todo o Egito e dentro da Etiópia. O AT foi traduzido logo depois da consagração de Frumêncio como bispo de Aksum pelo Patriarca de Alexandria, Atanásio. Parece que o AT foi baseado principalmente na LXX, com revisões baseadas no texto hebraico. Durante a controvérsia do monofisismo nos séculos V e VI, os monges sírios mudaram-se para a Etiópia, e provavelmente ajudaram nessa tradução que terminou durante a emergência do islamismo nos séculos VII e VIII. O texto do NT foi posteriormente influenciado pelas versões copta e árabe e pode ter se baseado na versão siríaca e não nos manuscritos gregos. Esses manuscritos eram, sem dúvida, textos dos séculos IV e V, e resultaram na mais completa negação do texto etíope em termos de valor crítico. Entre os mais de 100 manuscritos sobreviventes, nenhum deles é anterior ao século XIII, e mesmo assim são cópias de fontes posteriores. O AT inclui os livros não canônicos de 1 Enoque e Jubileu, e o texto do NT é basicamente bizantino com misturas acrescentadas de outras origens.

4. A *Versão Gótica* foi traduzida do grego por Ulfilas (311-81), segundo bispo ostrogodo, conhecido como "O Apóstolo dos Godos". Não se sabe exatamente quando o cristianismo penetrou nas tribos germânicas das regiões dos rios Reno e Danúbio, porém Ulfilas dedicou-se à tradução da Bíblia para seu povo quando ele mudou-se do baixo Danúbio para a região conhecida como Bulgária. Se Ulfilas conseguiu mesmo realizar o que geralmente atribui-se a ele, isto é, criar um alfabeto gótico e transformar a linguagem falada em escrita, essa foi realmente uma empreitada de grande valor. De qualquer forma, sua tradução do AT foi uma obra fiel, baseada na versão de Luciano. Embora tenha sido elaborada na metade do século IV, muito pouco restou do AT (só sobreviveram seis fragmentos do manuscrito). O manuscrito mais completo é o Codex Argênteo, ou "código de prata", escrito sobre pergaminho púrpura com letras de prata e às vezes de ouro.

Assim como o copta, o gótico é uma língua cuja escrita foi expressamente projetada para se redigir as Escrituras. Além disso, o NT era o monumento literário mais antigo conhecido no dialeto germânico. Isso é muito significativo porque ele é o primeiro trabalho literário do grupo germânico, ao qual pertence a língua inglesa, assim como a primeira versão da qual existem informações a respeito da identidade de seu tradutor. Também é a única versão que apresenta uma considerável extensão na qual foram utilizadas todas as evidências conhecidas do manuscrito.

5. *A Versão Armênia* da Bíblia é, na verdade, uma tradução secundária. Ao executar seu trabalho de evangelização, as igrejas sírias lançavam os fundamentos para inúmeras outras traduções secundárias.

Essas traduções secundárias receberam esse nome porque não eram realmente traduzidas a partir das línguas originais. Nem todos os estudiosos concordam que a Versão Armênia seja a tradução de uma outra tradução, e existem duas tradições básicas relativas à origem dessa versão. Uma delas atribui a obra a Mesrob (falecido em 436 d.C.) um soldado que se tornou missionário e criou um novo alfabeto para ajudar o Patriarca Sahak (Isaque o Grande, 390-439) na tradução da Bíblia a partir do texto grego. A outra tradição afirma que o próprio Sahak traduziu a Bíblia a partir do texto siríaco. Embora as duas versões tenham seus méritos, a última ocupa a melhor posição, pois se origina do sobrinho e discípulo do próprio Mesrob.

O AT baseia-se na versão Hexaplárica, enquanto algumas porções exibem evidências de uma revisão do siríaco e originam-se de uma tradução do inicio do século V. Parece que as primeiras traduções do NT sofreram revisões subseqüentes entre os séculos V e VIII, e formam a base original do texto armênio atual. Nessa tradução está incluída a Terceira Carta (apócrifa) de Paulo aos Coríntios, que segue a tradição das igrejas Armênia e Síria. O manuscrito mais antigo da tradução armênia data do século IX. Seu texto do NT é cesareano ou bizantino, e não exerce um grande peso sobre a crítica textual.

6. A *Versão Georgiana* é definitivamente uma tradução; portanto, trata-se de uma tradução secundária. Durante o século IV, a região montanhosa que vai desde o Mar Negro e o Mar Cáspio na Geórgia, até o norte da Armênia, recebeu a mensagem cristã e por volta da metade do século V ela já tinha sua própria tradução da Bíblia Sagrada. Assim como a mensagem do cristianismo penetrou na Geórgia, vinda da Armênia, o mesmo aconteceu com sua tradução da Bíblia Sagrada. Dessa forma, a despeito de sua fonte armênia subjacente, a tradução georgiana era, na verdade, uma tradução vinda da Armênia. Portanto, como a tradução armênia estava baseada na LXX ou na Peshitta siríaca, ela era uma tradução secundária, e a Versão Georgiana seria, no mínimo, uma tradução terciária. Assim como o copta, o gótico e o armênio, o alfabeto georgiano foi expressamente desenvolvido com o propósito de traduzir a Bíblia para uma linguagem vernacular.

7. A *Versão Sogdiana* foi o resultado da controvérsia nestoriana do século IV. Nestório (falecido em 451) foi condenado pelo Concílio de Éfeso (431) e confinado a um mosteiro. Muitos daqueles que o sustentavam passaram para o lado de seus oponentes mediante acordos. Os nestorianos persas, entretanto, sofreram um cisma e tornaram-se uma igreja separada. Eles espalharam-se pela Ásia central e também pela Ásia oriental durante o período seguinte, e traduziram as Escrituras para vários idiomas à medida que chegavam às diversas localidades. Estas traduções são conhecidas como as versões Sogdianas, porém estão baseadas nas Escrituras Siríacas e não nas hebraicas ou nos Testamentos Gregos. Escassas reminiscências destas obras datam dos séculos IX e X, e de datas posteriores, e representam as evidências terciárias e as últimas evidências do texto. A devastadora investida de Tamerlane, conhecida como "o açoite da Ásia", quase exterminou os nestorianos no final do século XIV.

8. A *Versão Árabe* da Bíblia Sagrada surgiu depois do início do islamismo, depois da *hejirah* (ou hégira), a fuga de Maomé de Meca para Yahrib (a atual Medina) em 622. Ela foi traduzida para o árabe a partir de traduções gregas, siríacas, coptas e latinas, assim como das várias combinações dessas obras. Parece que as primeiras das numerosas traduções árabes foram feitas do siríaco, que era provavelmente a língua eclesiástica da igreja na Arábia antes do aparecimento do islamismo e do sucesso que seu Alcorão alcançou ao transformar o árabe em uma língua literária. Maomé (570-632), o fundador do islamismo, conhecia a história do Evangelho apenas a partir de sua tradição oral, e essa tradição estava baseada em fontes siríacas deixadas pelos missionários.

As primeiras referências bíblicas existentes em árabe são citações feitas pelos escritores do século IX. A primeira e mais importante tradução do AT era uma tradução do hebraico feita pelo literato Saadia Gaon (falecido em 942). Por outro lado, o AT não foi padronizado em suas traduções árabes. Em 946, Isaak, filho de Velásquez, um cristão espanhol de Córdoba, fez a tradução árabe dos Evangelhos com base em um manuscrito latino que continha textos em latim antigo e em discursos diatessarônicos (cf. B. M. Metzger, "Versions, Ancient", IDB, IV, 758). Os manuscritos árabes variam dos séculos IX a XIII, e oferecem pouca (se alguma) ajuda à crítica textual, pois neste caso o NT é a tradução de uma outra tradução, e o AT é bastante posterior.

9. A *Versão Eslava* teve início pouco depois da metade do século IX quando o recém formado império Morávio na Europa central e oriental adotou o cristianismo. Os líderes dessa igreja usavam o latim em sua liturgia, porém os povos nativos não estavam familiarizados com essa língua. Rostilav, o fundador desse império, pediu que fossem enviados sacerdotes eslavos para conduzir a liturgia na língua do povo. Nessa época, havia uma única língua nativa nessa região da Europa oriental, isto é, o eslavo. Desse modo, em resposta à solicitação de Rostilav, o imperador bizantino Miguel III enviou dois monges de Bizâncio para a Morávia. Esses monges eram os irmãos Metódio e Cirilo,

nativos de Tessalônica. Eles elaboraram um novo alfabeto para sua tradução, que se tornou conhecido como alfabeto Cirílico. Este continha 36 letras e ainda é usado nas línguas da Rússia, Ucrânia, Servo-Croácia e Bulgária. O alfabeto Glagolítico, que foi substituído pelo Cirílico no século X, também é atribuído a esses irmãos, os "Apóstolos dos Eslavos". Seu AT costumava ser considerado uma tradução da Septuaginta (LXX), embora evidências mais recentes indiquem que era traduzido do latim. O NT segue o estilo bizantino do texto grego, com muitos textos dos estilos ocidentais e Cesareano. A maior parte dos manuscritos eslavos existentes são palestras, e a primeira tradução também pode ter tido a forma de uma palestra.

10. As *Versões Variadas* devem ser mencionadas apenas de passagem, pois cumprem uma função pouco útil em termos de análise textual. A versão Nubiana foi encontrada apenas sob a forma de fragmentos e ainda não foi analisada. Uma tradução anglo-saxônica da Vulgata latina abre as portas para as versões inglesas (*veja* Bíblia, Versões Inglesas). São conhecidas duas *Versões Persas* antigas dos Evangelhos, mas na verdade trata-se de traduções de uma versão do século XIV baseada no siríaco e em uma versão posterior baseada no grego. Um fragmento de um manuscrito do século VIII preserva porções de Mateus em *Franco,* uma língua da Europa ocidental e central. Na verdade, é uma edição bilíngüe com o texto em *Franco* na página, tendo ao seu lado o texto latino.

11. As *Versões Latinas* do AT e do NT são o resultado de uma grande tradução das Escrituras feita pela igreja ocidental durante a Idade Média (400-1400 d.C.). A Vulgata latina de Jerônimo estava destinada a reinar sem qualquer alteração durante mil anos antes da invenção dos tipos móveis por Johann Gutenberg, na metade do século XV. Entretanto, antes de Jerônimo ser capaz de realizar sua obra monumental, apareceram várias traduções em Latim Arcaico. Parece que as Escrituras do AT foram traduzidas para o latim primeiramente no norte da África durante o último trimestre do século II d.C. A seção do AT foi traduzida da LXX, e essa antiga tradução latina foi freqüentemente citada no norte da África no período anterior ao da *Héxapla* de Orígenes. Ela pode ter sido a tradução citada por patriarcas da igreja como Tertuliano (aprox. 160-220 d.C.) e Cipriano (aprox. 200-258 d.C.) e provavelmente foram os livros apócrifos não revisados dessa tradução que Jerônimo relutantemente acrescentou à sua versão do AT, a Vulgata. Entretanto, na época de Jerônimo, o remanescente do AT traduzido no século II havia caído em desuso.

Durante o século III, várias versões em Latim Arcaico circularam na Europa, inclusive versões de diversas qualidades estavam presentes na Espanha, Itália e Gália. Aparentemente, foi esta grande discrepância entre as traduções latinas que levou Jerônimo a se queixar que havia quase tantas versões como manuscritos; no entanto, nada resta dessas versões exceto citações do AT em Latim Arcaico. Mas como elas representam traduções de outras traduções, não existe nelas um grande valor para a crítica textual.

O caso do NT é um assunto totalmente diferente. Sobreviveram cerca de 27 manuscritos dos Evangelhos, sendo sete de Atos, seis das epístolas de Paulo, além de fragmentos das Epístolas Católicas e de Apocalipse. Embora não exista um códex de todo o NT, evidências dos manuscritos dos séculos IV a XIII indicam que a versão em Latim Arcaico continuou a ser copiada muito depois de ter sido substituída pela Vulgata de Jerônimo. Provas textuais indicam que textos africanos e europeus do NT em Latim Arcaico apareceram antes do início do século III. A versão italiana que foi usada principalmente por Agostinho (354-430) parece ter aparecido cerca de dois séculos mais tarde. Nos séculos III e IV surgiu uma multiplicidade de textos em Latim Arcaico que provocou uma situação intolerável no final do século IV. Como resultado, em 382 Dâmaso, bispo de Roma (366-84), encarregou Jerônimo de fazer uma revisão dessa versão.

A Bíblia Vulgata em latim, elaborada por Sophronius Eusebius Hieronymus (em aprox. 340-420), mais conhecido como São Jerônimo, exerceu uma profunda e difundida influência na Europa ocidental. Ela nasceu da insuportável situação existente no final do século IV, quando a linguagem do Latim Arcaico havia sofrido mutilações feitas pela multiplicidade de mãos que haviam agitado o caldeirão da tradução. Ao invés de ser a língua literária e culta daquela época, o Latim Arcaico havia se tornado uma língua nativa e muitas vezes um dialeto desconhecido do povo em geral. Além disso, o AT era simplesmente uma tradução da LXX e não do hebraico; os dois Testamentos sofreram várias adulterações nas mãos dos escribas, e demandavam uma revisão.

Em 383, Jerônimo enviou a Dâmaso a primeira parte de sua nova incumbência, uma ligeira revisão dos Evangelhos. Não há dúvida de que nesse empreendimento ele usou o texto latino europeu que foi revisado de acordo com um manuscrito grego que acompanhava o texto Alexandriano. Logo depois de Jerônimo ter completado sua revisão dos Evangelhos, Dâmaso morreu (384) e Jerônimo, que havia aspirado a Santa Sé, e que havia rapidamente revisto o Saltério Romano, retornou para o Oriente onde se estabeleceu em Belém. Antes de partir, entretanto, ele completou uma revisão superficial do restante do NT. Em 387 ele terminou uma revisão mais detalhada de seu Saltério Romano, que se tornou conhecida como o Saltério Gálico, e a tradução dos Salmos que é atualmente empregada na Vulgata do AT. Ela foi traduzida da quinta coluna da *Héxapla* de Orígenes, isto é, da própria revisão de Orígenes da LXX.

Assim que seu Saltério foi concluído, Jerônimo empenhou-se em uma revisão da LXX. Como este não era seu objetivo original, ele dedicou suas energias ao aperfeiçoamento de seus conhecimentos do hebraico enquanto permanecia em Belém. Embora seus amigos elogiassem sua diligência, aqueles que lhe eram menos favoráveis começaram a suspeitar que estivesse inclinando-se ao judaísmo, e mostraram-se irados pelo fato de ter lançado dúvidas sobre a "divina inspiração da LXX" (cf. Philip Schaff, *History of the Christian Church,* 5ª ed. rev., III, 974. n.3). Depois de terminar sua tradução do Saltério hebraico, Jerônimo empenhou-se em seu objetivo de traduzir o AT hebraico apesar da oposição e da doença. Finalmente, em 405, sua tradução latina do AT hebraico foi concluída. Embora ela não tenha sido prontamente recebida, ele continuou sua obra de revisão depois de terminar a tradução do AT.

A natureza radical de algumas modificações introduzidas por Jerônimo, assim como a sensível diferença do texto que usou na sua tradução, afastaram aqueles que amavam a versão do Latim Arcaico, e que eram incapazes de entender as razões críticas dessas alterações. Até Agostinho (e a grande maioria dos influentes líderes da igreja) opôs-se a essa tradução, por não estar baseada na LXX. Entretanto, logo depois da morte de Jerônimo, seu AT conquistou uma vitória completa no campo das traduções da Bíblia. Durante os séculos subseqüentes, o valor intrínseco de sua tradução veio a ser amplamente reconhecido e, finalmente, ela foi aceita por toda cristandade ocidental como o texto padrão da Bíblia. Na metade do século XVI, o Concílio de Trento (1545-1563) concedeu-lhe oficialmente essa posição dentro da Igreja Católica Romana.

Talvez fosse inevitável que, no curso de sua transmissão, os escribas introduzissem modificações na tradução original de Jerônimo. Às vezes, isso podia ocorrer por descuido, mas às vezes de forma intencional. Como resultado, houve várias tentativas medievais de se fazer uma revisão da Vulgata. Depois do século VI, o caráter geral desse texto havia se tornado bastante defeituoso e foi realizado um trabalho de redação por estudiosos como Alcuíno de York, Theodulf, Lanfranc e outros. Mais tarde, no século XIII, foram coletados numerosos "*Correctoria*" em Paris e demais centros de ensino. Estas tentativas resultaram em mais contaminações ao invés de purificações. Com a introdução dos tipos móveis, surgiram várias edições impressas do texto.

***Bibliografia.*** Gleason L. Archer Jr., *A Survey of Old Testament Introduction,* Chicago. Moody Press, 1964. F. F. Bruce, *The Books and the Parchments*, ed. rev. Westwood, N. J.: Revell, 1963. Eusebius, *Ecclesiastical History*, Loeb ed. Vol. I, trad. por Kirsopp Lake, 1926; vol. II trad. por J. E. L. Oulton, 1932, Londres. Heinemann, Elmer Flack, *et al., The Text, Canon and Principal Versions of the Bible,* Grand Rapids. Baker, 1956. A. von Gall, *Der hebräische Pentateuch der Samaritaner,* Geissen, 1914-18. Norman L. Geisler e William E. Nix, *A General Introduction to the Bible,* Chicago. Moody Press, 1968. J. Harold Greenlee, *Introduction to the New Testament Textual Criticism*, Grand Rapids. Eerdmans, 1964. Sidney Jellicoe, *The Septuagint and Modern Study,* Oxford. Clarendon, 1968; "Septuagint Studies in the Current Century", JBL, LXXXVIII (1969), 191-199. Paul E. Kahle, *The Cairo Geniza*, 2ª ed., Oxford; Blackwell, 1959. Frederic Kenyon, *Our Bible and the Ancient Manuscripts,* rev. por A. W. Adams, Nova York. Harper, 1958. Geddes MacGregor, *A Literary History of the Bible, from the Middle Ages to the Present Day,* Nashville. Abingdon, 1968. Bruce M. Metzger, *Chapters in the History of New Testament Textual Criticism,* Grand Rapids. Eerdmans, 1963. *The Text of the New Testament*, Nova York. Oxford Univ. Press, 1964; "Versions, Ancient", IDB, IV, 749-760. Philip Schaff, *History of the Christian Church,* 7 vols. 5ª ed. rev., Nova York. Scribner's, 1910. Henry B. Swete, *An Introduction to the Old Testament in Greek,* 2ª ed., Cambridge. Univ. Press, 1902. Bruce K. Waltke, "*Prolegomena to the Samaritan Pentateuch*", unpublished doctoral thesis, Harvard Univ., 1965. Ernst Würthwein, *The Text of the Old Testament*, trad. por Peter R. Ackroyd, Oxford. Blackwood, 1957.

W. E. N.

**VESPÃO** *Veja* Animais: Vespa III.55.

**VESPA ou VESPÕES** *Veja* Animais III.55.

## VESTE, VESTUÁRIO, VESTIMENTA

"Vestimenta" é uma antiga palavra para roupa ou traje, como "vestuário" e "veste". "Vestimenta" (2 Rs 10.22) é uma antiga palavra grega para "vestiduras" (cf. 2 Rs 22.14). Nesse caso, "vestimenta" ou mantos sagrados foram conservados para os adoradores de Baal. Entretanto, a palavra hebraica *l<sup>e</sup>bush* é simplesmente uma palavra comum para roupas, como nos Salmos 22.18; 102.26. A palavra grega *himatismos,* citada no Salmo 22.18, tem o mesmo sentido geral (Mt 27.35; Jo 19.23,24). A palavra grega *himation* refere-se simplesmente a qualquer tipo de roupa (Ap 19.13,16), enquanto *peribolaion* refere-se a uma veste ou manto (Hb 1.12). *Veja* Vestuário.

Vestimenta hitita do período pós-império (depois de 1200 a.C.) como pode ser visto em um baixo-relevo de Marash. LM

**VESTIMENTA** *Veja* Vestuário.

**VESTUÁRIO** Os tipos, estilos, e costumes da vestimenta da época bíblica têm sido preservados por uma ampla extensão de indicadores no registro bíblico, e por achados arqueológicos de esculturas e pinturas de tumbas na Babilônia e no Egito que descrevem Palestinos e Sírios. De importância especial são a pintura da tumba de Beni Hasan da era patriarcal, o marfim de Megido da época de juízes, o Obelisco Negro de Salmaneser III e os relevos baixos de Senaqueribe retratando o cerco de Laquis no período do reinado. Em uma extensão menor, as vestimentas dos judeus ortodoxos e dos simples habitantes da Palestina atual ajudam a explicar os adornos antigos.

*Materiais das vestimentas.* Os materiais do traje dependem da condição financeira de seu dono, da civilização, da cultura, e da localização geográfica. O primeiro registro de materiais nas Escrituras dá-se em um episódio que envolveu Adão e Eva: "Coseram folhas de figueira, e fizeram para si aventais" (Gn 3.7). Peles de animais também eram usadas no início (Gn 3.21), e peles de carneiro e de cabra eram largamente utilizadas (Hb 11.37). O casaco de pele de carneiro tinha mangas e era vestido sobre a túnica. O manto de Elias pode ter sido de pele de carneiro ou de outro animal (1 Rs 19.19). Estas vestimentas rústicas eram usadas por profetas (Zc 13.4; Mt 7.15). O pelo da cabra tecido também era conhecido nos primórdios (Êx 26.7), e o saco *(q.v.)*, a antiga vestimenta usada em sinal de luto era feito deste material (cf. 2 Sm 3.31; Ap 6.12). A roupa de João Batista era feita de pelos de camelo (Mt 3.4), e era tecida de forma rústica.

Os materiais favoritos em toda a Palestina eram a lã e o linho (Lv 13.47,48,52,59). Tosadores de carneiros eram empregados por Judá nos tempos antigos (Gn 38.12), e a lã era um dos principais produtos exigidos como tributo (2 Rs 3.4). O príncipe de Megido escreveu ao Faraó dizendo que devido às hostilidades, seus homens não eram capazes de "extrair" a lã (EA # 244, ANET, p. 485).

O linho (do heb. *bad*; gr. *linon, sindon*) era feito da fibra do linho (1 Cr 4.21; Pv 31.13; Mc 14.51; 15.46); é interessante notar que anjos apareceram vestidos de linho (Dn 10.5; 12.6; Ap 15.6). O melhor linho (heb. *shesh, bus*; gr. *byssos*) era manufaturado principalmente no Egito (Gn 41.42; Ez 27.7). Heródoto mencionou quatro qualidades, uma delas era tão refinada que cada linha continha 360 fibras. As vestimentas sacerdotais eram feitas deste tipo de linho (Êx 28.6 etc). *Veja* Linho.

A cor comum das vestimentas dos hebreus era o branco natural dos variados materiais ou alvejados pelos pisoeiros (*veja* Ocupações: Lavandeiro). Tal cor era adequada não apenas para ocasiões festivas, mas também como um símbolo de pureza (Ec 9.8; Ap 3.4,5), já que uma mancha ou marca era facilmente detectada (Is 63.3; Ap 3.4). Na época romana, o pisoeiro (ou pisoador) servia também como lavador de roupas.

Embora não se saiba quando o tingimento foi introduzido, a linha escarlate era usada antigamente (Gn 38.28), e a cor púrpura também (At 16.14; Ap 18.12). A cor púrpura era usada pelos oficiais persas (Et 8.15), pelos reis midianitas (Jz 8.26), e pelos tírios abastados (Ez 27.7). Mantos tingidos eram importados de outros países, particularmente da Fenícia, e só eram usados pelas pessoas abastadas devido ao seu alto custo.

Ouro e prata eram usados para decoração. Figuras também eram acrescentadas, como por exemplo, os querubins nas cortinas do Tabernáculo (Êx 36.8,35). Tais mantos decorados eram usados pelos membros da realeza (Sl 45.13; At 12.21) e pelos ricos (Jz 5.30; Sl 45.14; Ez 16.13). *Veja* Cores: Púrpura, Escarlate; Ocupações: Tingindor; Púrpura

*Artigos de vestimenta.* O termo mais usado para vestimenta ou peça de roupa em hebraico é *beged*, e ocorre cerca de duzentas vezes no Antigo Testamento. No Novo Testamento, o termo grego *himation*, que tem um significado específico de manto ou capa, também era usado em um sentido geral. Os adereços das

Membros da família oficial do imperador romano Augusto adequadamente vestidos, conforme mostrado em seu altar da Paz em Roma. O apóstolo Paulo, um cidadão romano, provavelmente deve ter usado a toga romana, pelo menos em certas ocasiões. HFV

roupas das mulheres eram diferentes nos detalhes, mas não no tipo; assim, os artigos normais de vestimenta eram comuns para ambos, homens e mulheres. Os artigos a seguir eram básicos durante a época bíblica.

1. A tanga ou saiote (heb. *'ezor*; "cinta, espartilho") era um pedaço simples de tecido de couro vestido pelos escravos e operários nos quadris como um saiote ou avental e ia dos quadris até os joelhos (Is 11.5; Jr 13.1-11). Elias (2 Rs 1.8) e João Batista (Mt 3.4) vestiam aventais de couro. Os aventais eram usados sobre as peças exteriores pelos trabalhadores do mundo Mediterrâneo na época de Paulo (At 19.12). Um tipo de saiote chamado éfode era usado por aqueles que eram consagrados a Deus (1 Sm 2.18; 2 Sm 6.14). *Veja* Cinto; Éfode 4.

2. A peça de vestuário interna. A túnica ou blusa (heb. *k$^e$tonet*; gr. *chiton*) era uma peça principal e comum usada sobre a pele por homens e mulheres; era longa e um tanto justa (e não deve ser traduzida como "casaco"). O material usado era couro, tecido de crina, lã, linho ou, nos tempos modernos, geralmente algodão. Esta peça do vestuário era provavelmente feita em duas partes laterais, que eram costuradas juntas. O tipo mais simples era sem mangas, chegando apenas até os joelhos. Uma faixa ou cinta usada ao redor da cintura permitia que a pessoa colocasse a parte mais baixa da túnica embaixo da mesma para poder movimentar-se livremente (Jr 1.17; 1 Pe 1.13).

Um outro tipo usado pelas pessoas mais favorecidas chegava aos punhos e tornozelos. Este era provavelmente o tipo usado por José (Gn 37.3,23), Tamar (2 Sm 13.18), e pelos sacerdotes (Êx 28.4,39). A peça de vestuário que Jacó deu a José (Gn 37.3), embora referida como "túnica de várias cores", pode bem ter sido uma peça com mangas. Esta pode ter sido também uma marca da aristocracia, já que as classes operárias geralmente usavam túnicas sem mangas.

A peça de roupa interna era usada tanto por mulheres como por homens (Ct 5.3), embora não houvesse dúvida na diferença de estilo e de padrão. A túnica (*chiton*, traduzida como "casaco" na versão KJV em inglês) é a peça de vestuário mencionada em Lucas 3.11; 6.29; 9.3 (também em passagens paralelas), e em Atos 9.39. As classes inferiores freqüentemente usavam apenas a túnica na época do calor. Os membros das classes mais elevadas usavam uma peça de roupa externa quando recebiam visitantes ou quando saíam, embora pudessem usar apenas a túnica enquanto estivessem em casa. Um tipo particular de peça de vestuário interna era o *sadin*, um pedaço de linho branco de boa qualidade para ser enrolado ao redor do corpo (Jz 14.12,13; Pv 31.24; Is 3.23).

Termo "nu" era freqüentemente usado como uma referência aos homens que estivessem vestidos somente com a túnica. Isto foi dito sobre Saul (1 Sm 19.24) quando tirou suas peças de roupa exteriores; de Isaías (Is 20.2) depois de ter tirado sua capa; de um guerreiro (Am 2.16) quando tirou sua capa militar; e de Pedro (Jo 21.7) quando estava sem sua capa de pescador.

3. A túnica ou manto externo (heb. *m*[e]*'il*). Esta era uma túnica mais folgada e mais longa, que chegava até os pés. Era aberta na parte superior de forma que podia ser vestida pela cabeça. Também tinha orifícios para a inserção dos braços. Cobrir uma mulher com a "saia" de alguém (*kanap*) ou com a borda (ou orla) do manto de alguém (1 Sm 15.27; 24.4,5) simbolizava proteção e o direito ao casamento (Rt 3.9). Levantar a orla das vestes do pai (ou "descobrir a nudez do pai") significava deitar-se com a mãe ou com a madrasta, o que era proibido (Dt 22.30; 27.20).

As Escrituras indicam o uso da túnica ou manto pelos reis (1 Sm 24.4), pelos nobres (Jó 1.20), pelos profetas (1 Sm 28.14), e algumas vezes pelos jovens (1 Sm 2.19). Contudo, estas passagens podem referir-se a qualquer manto vestido sobre a peça de vestuário interna. Todavia, quando duas túnicas são mencionadas como sendo usadas ao mesmo tempo (Lc 3.11), a segunda seria a túnica externa. Embora os viajantes em geral usassem duas túnicas, os discípulos eram proibidos de fazê-lo (Mt 10.10; Lc 9.3). A túnica sem costura usada por Nosso Senhor (Jo 19.23) pode ter sido deste tipo externo. Evidentemente, esta peça de vestuário era opcional, sendo usada pelas classes mais elevadas, ou ocasionalmente substituídas pela peça de roupa externa.

4. A faixa. Uma túnica solta não permitiria que as pessoas andassem livremente, então uma faixa ou cinta sempre era usada quando saíam de casa para qualquer tipo de jornada (2 Rs 4.29; At 12.8). A "faixa" (heb. *hagor*, *hagora*) era normalmente um pedaço

Uma pintura de parede da tumba de Tutancamom mostrando as vestimentas egípcias masculina e feminina da época de Moisés e do Êxodo. LL

longo de tecido dobrado várias vezes e atado ao redor da cintura sobre a túnica. O *hagor* podia ser simplesmente uma corda (Is 3.24), mas a faixa de um homem nobre era muito elaborada, feita de linho, bordada com seda ou fios de ouro e prata, e freqüentemente cravejada com ouro, pedras preciosas, e pérolas (por exemplo, "cinto de ouro", Apocalipse 1.13; 15.6). Geralmente, sua largura era igual à de uma mão. Os cintos eram presos por um gancho ou fivela de ouro ou prata. Alfinetes fíbula de bronze são normalmente encontrados nas escavações Palestinas dos níveis da Idade do Ferro em diante.

A faixa também poderia ser atada com um nó de forma que as pontas ficassem penduradas para frente.

O cinto era usado para guardar o dinheiro (Mc 6.8). Também servia para segurar a espada de um homem junto a seu corpo (1 Sm 25.13; 2 Sm 20.8). A cinta das mulheres era geralmente mais solta do que a dos homens, e era usada na altura dos quadris, exceto quando elas estavam noivas (cf. Pv 31.17). *Veja* Cinto.

5. A peça de roupa externa ou manto (*simila* ou *salma*). A peça de roupa externa era um grande casaco solto que servia como um sobretudo. Era feito de lã, de pêlo de cabra, de algodão ou de linho. Geralmente consistia de um grande pedaço de material quadrangular, de tamanho e textura variada, de acordo com as exigências do usuário. Era usado sobre os ombros quando a temperatura era agradável, e enrolado como um xale pesado ao redor do corpo quando necessário. Quando dormia, a pessoa colocava um tapete ou colchão e usava esta peça de roupa externa como cobertor. Assim, era proibido ao credor ficar com o manto do devedor como garantia ou fiança de um dia até o outro (Êx 22.26ss.; Dt 24.13). Era feito de tecido grosso, quente, e às vezes impermeável.

Esta era a peça de roupa com a qual Elias abriu as águas do Jordão, e que se tornou de Eliseu (2 Rs 2.8-13). Devido à violação do sábado, o Senhor mandou que os israelitas fizessem franjas com um cordão azul nas extremidades de seus mantos (Nm 15.37-41). Isto serviria para lembrá-los do Senhor e dos seus mandamentos.

Por causa do tamanho, a peça de roupa externa também poderia ser usada para carregar coisas pesadas (Êx 12.34; 2 Rs 4.39). Rute colocou seis medidas de cevada em seu manto (Rt 3.15). O *himation* do Novo Testamento ("túnica", "manto", Mt 5.40; 9.20; 24.18; Lc 6.29; 22.36; Jo 19.2; At 7.58; 22.20) era semelhante.

6. Os adornos de cabeça. Muitas vezes os israelitas não cobriam a cabeça, exceto talvez com uma faixa de cordão (1 Rs 20.32). Em ocasiões de guerra, usavam um capacete de couro. De qualquer forma, devido aos raios diretos do sol,

um turbante (heb. *sanip*) era freqüentemente usado por pessoas de classe social privilegiada. Este era um pedaço de material grosso enrolado várias vezes ao redor da cabeça. Era geralmente feito de linho ou de algodão, e é mencionado por Jó e Isaías (Jó 29.14; Is 3.23). Uma simples peça de roupa disposta sobre a cabeça e mantida no lugar por uma corda ou cordão pode ter sido usada para proteção pelos hebreus camponeses, assim como os beduínos usam o *Kufiyeh* hoje.

7. O calçado. Os sapatos usados pela maioria das pessoas da época bíblica eram os que nós chamamos de sandálias (heb. *na'al*; gr. *sandalion*). A sola era geralmente feita de couro, embora feltro, tecido, ou madeira também fossem usados. Ela era amarrada aos pés por uma tira de couro (Gn 14.23; Mc 1.7). As sandálias das mulheres eram, às vezes, feitas de pele de animais. Mulheres de posição privilegiada tinham sandálias elaboradas adornadas com seda, ouro e prata. Para algumas mulheres, as sandálias eram o artigo mais luxuoso de seu traje. As sandálias eram usadas por todos na Palestina, até mesmo pelos pobres (Am 2.6; 8.6). Durante as refeições, os pés ficavam descobertos (Lc 7.38; Jo 13.5,6); as sandálias não eram usadas no interior das casas. Eram usadas para expedições militares (Is 5.27; Ef 6.15) e viagens (Êx 12.11; Js 9.5,13; At 12.8). O calçado podia indicar sujeição ou transferência de propriedade (Sl 60.8; 108.9; Rt 4.7,8). *Veja* Sandália.

*A roupa das mulheres*. A roupa das mulheres era distinguida (Dt 22.5) não tanto pelo tipo, mas por detalhes e qualidade de materiais. Elas usavam túnicas mais longas e mantos maiores que o dos homens. A vestimenta externa diferia em relação à elaboração, constituindo assim um manto diferenciado. Isaías menciona o "véu" ou "manto", heb. *mitpahat* (3.22), uma capa que cobria a cabeça e o pescoço. A saia (*shul*) significa a parte inferior e solta da peça de roupa. De forma figurada, as "saias" de Jerusalém foram levantadas para denotar a vergonha de seus relacionamentos ilícitos (Jr 13.22,26; Lm 1.9).

As mulheres freqüentemente usavam véus, que também eram característicos. O véu era, a princípio, um artigo ornamental (Ct 4.1,3; 6.7), e tanto as mulheres casadas como as solteiras apareciam em público com seus rostos descobertos (Gn 12.14; 24.16; 29.10; 1 Sm 1.12). De qualquer forma, as noivas cobriam-se na presença de seus futuros maridos, especialmente na ocasião do casamento (Gn 24.65; 29.25). Tamar usou tal véu (*sa'ip*) para evitar ser reconhecida, e assim enganar Judá fazendo-se passar por uma prostituta sagrada (Gn 38.14,19). O véu (*masweh*) que Moisés usou depois de estar na presença de Deus servia como uma máscara para ocultar o brilho de seu rosto (Êx 34.33-35; 2 Co 3.13-16). O "véu" de Rute (*mitpahat*; roupão, manto, capa) no qual ela carregava para casa seis medidas de cevada era um grande xale ou casaco (Rt 3.15). O Alcorão é responsável por grande parte da rigidez em relação ao uso do véu, já que este proíbe que as mulheres apareçam sem o véu, salvo na presença de seus parentes mais próximos (Alcorão 33.55,59).

Alguns dos véus modernos das mulheres da Síria, Arábia e Egito são bordados com ouro e seda colorida, e estendem-se quase até o chão. As roupas extravagantes das mulheres que viviam no luxo de Jerusalém na época de Isaías incluíam muitas jóias assim como bolsas e caixas de perfumes (Is 3.16-24). Uma vez que a vestimenta das mulheres era distinta, a lei de Moisés podia proibir o homem de usar roupas de mulher e a mulher de usar roupas de homem (Dt 22.5).

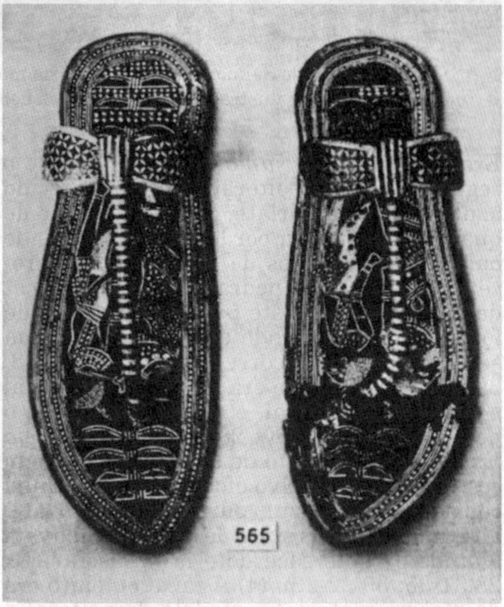

Sandálias da tumba do faraó Tutancamom. LL

*As vestes dos sacerdotes*. Era exigido que os sacerdotes e o sumo sacerdote usassem uma roupa característica quando estavam desempenhando seu ministério sacerdotal. Os *sacerdotes* tinham que usar o seguinte traje: (1) ceroulas ou calções (*mikn*$^e$*sayim*, Êxodo 28.42), dos lombos até as coxas, e eram feitos de linho (Êx 39.28). (2) um casaco longo que tinha mangas, e que era feito de um linho de qualidade superior (Êx 39.27). (3) Uma faixa ou cinto (*'abnet*) que era tecida e matizada, ou bordada com as mesmas quatro cores usadas no véu do Tabernáculo e no Templo (Êx 39.29). (4) Um casquete ou boné de linho. Não era permitido que os sacerdotes usassem qualquer calçado nos pés quando estivessem no interior do santuário (Êx 3.5; Js 5.15).

Baixo-relevo de Salmaneser III da Assíria mostrando o rei Jeú de Israel pagando tributo ao rei assírio e ilustrando as vestimentas hebraicas e assírias do século IX a.C. ORINST

Era exigido que o *sumo sacerdote* usasse o seguinte: (1) Um peitoral, que era de tecido azul, púrpura escarlate, e de fio de linho de qualidade superior, bordado com figuras de ouro. As doze tribos de Israel eram representadas por doze pedras preciosas colocadas sobre o ouro. Este peitoral era preso de forma segura ao éfode e ao corpo por uma série de cordas e correntes (Êx 28.13-28; 39.8-21). (2) O éfode era do mesmo material e modelo do peitoral, e era sobre ele que o peitoral era preso (Êx 28.6-12; 39.2-7). *Veja* Éfode 2. (3) O manto do éfode era azul, sem costura, e usado sob o éfode. A bainha tinha romãs de cores azul, púrpura, e escarlate, alternadas com os sinos de ouro, que soavam quando o sumo sacerdote ia ministrar (Êx 28.31-35; 39.22-26). (4) A faixa ou cinto era do mesmo material e modelo do peitoral e do éfode, e era usada para manter o éfode preso de forma firme ao corpo (Êx 28.8). (5) A mitra (ou lâmina de ouro) era um tipo de turbante que tinha uma placa entalhada de ouro que dizia "Santidade ao Senhor", a qual era atada à frente da mitra com uma corda azul (Êx 28.36-38; 39.30,31).

*As vestes dos fariseus.* Os fariseus enfatizavam dois artigos de suas vestes religiosas que se tornaram características deles. Uma delas, o filactério (*q.v.*), era uma pequena caixa de metal ou uma faixa de pergaminho atada com cordões aos braços ou à testa. Este continha passagens das Escrituras que se referiam à Páscoa. A razão para o uso deste é encontrada em Êxodo 13.9,16, onde tais objetos usados entre os olhos são chamados de "frontais" ou testeiras (*q.v.*). O outro item era as franjas azuis nas bordas do manto (Nm 15.37,38; Dt 22.12), as quais os fariseus aumentaram. Cristo os condenou pelo orgulho que demonstravam em relação a estas coisas sem o apreço por seu verdadeiro valor, quando disse que os fariseus traziam "largos filactérios", e alargavam "as franjas das suas vestes" (Mt 23.5).

*As vestes de Jesus.* Em geral, as roupas usadas por Cristo e pelos discípulos devem ter sido do tipo mais simples. Parece que Ele usava uma blusa ou vestimenta interna, já que removeu suas peças de roupa externas (a túnica e o manto) antes de lavar os pés dos discípulos (Jo 13.4). Sua túnica não tinha costura (Jo 19.23) e assim tinha mangas curtas e era justa no pescoço. Esta era uma peça de valor e pode ter sido dada ao Senhor por uma das mulheres "que o serviam com suas fazendas" (Lc 8.3). Além da túnica, havia uma faixa, ou cinto de linho, enrolada diversas vezes em torno de sua cintura. O manto era de tecido de lã e provavelmente não era branco, porque se tornou branco durante a transfiguração (Mc 9.3). Poderia ser azul ou branco com listras coloridas e com franjas azuis ou borlas nas extremidades. Jesus usava sandálias de couro (Mt 3.11). Ele provavelmente usava o costumeiro turbante branco na cabeça, já que nenhum professor judeu da época apareceria em público sem cobrir a cabeça. Este seria enrolado ao redor da cabeça com as pontas penduradas no pescoço. Provavelmente era atado por um cordão sob o queixo. Tal peça de tecido, como um grande lenço (ou avental, *soudarion*, Lc 19.20; At 19.12), era usado para cobrir o rosto de um cadáver (Jo 11.44; 20.7). Os discípulos provavelmente vestiam-se de modo semelhante a Jesus.

*As vestes das nações estrangeiras.* As roupas das nações estrangeiras são freqüentemente referidas nas Escrituras. Incluídos no traje babilônio vestido pelos três amigos de Daniel estavam os seguintes artigos (Dn 3.21): (1)

O *sarbalin* sírio, que eram calças ou ceroulas e a característica peculiar da vestimenta babilônica; (2) O *petash* aramaico, que era um casaco ou túnica interna; (3) O *karbela'* aramaico, um chapéu alto e pontiagudo dos cimerianos e persas; e (4) O *lebush* aramaico, que era um termo geral para as demais peças de roupa.

Embora haja poucas referências às roupas gregas e romanas, a capa de viagem é mencionada por Paulo (2 Tm 4.13) e pode ter sido uma peça do vestuário romano, equivalente ao lat. *paenula*, uma capa circular sem mangas usada para proteção contra a chuva.

*Os ornamentos das roupas.* Os homens judeus às vezes carregavam um cajado ou uma vara como um aparato para a viagem através de um país hostil, ou com o propósito de proteção. Este era freqüentemente decorado na parte superior. Alguns homens também usavam um anel de sinete que servia como assinatura pessoal (Gn 38.18; Lc 15.22). Este era geralmente usado na mão direita ou pendurado no pescoço por um cordão.

As mulheres eram mais elaboradas em relação a seus adornos e usavam vários tipos de ornamentos. A peça favorita desde o início dos tempos era um bracelete ou pulseira (Gn 24.22,30,47). Os braceletes (*q.v.*) eram usados às vezes até por homens de posição privilegiada (2 Sm 1.10). Estes eram feitos de marfim, metais preciosos, chifres, cordas, ou correntes. Podiam ser usados em ambos os braços, e alguns cobriam do antebraço até o cotovelo.

A tornozeleira (Is 3.18) era geralmente disposta de modo que quando a pessoa andava, era ouvido um som (como de aplausos) que chamava a atenção para o portador da peça e realçava seu orgulho (v. 16). Às vezes, pequenas correntes eram atadas de um pé ao outro, garantindo assim um passo mais elegante (Is 3.20).

O colar era outro ornamento favorito entre as mulheres. Os homens de posição privilegiada e os guerreiros de nações estrangeiras também usavam colares. As pessoas importantes às vezes usavam vários deles. Os colares eram feitos de metal, pedras, pérolas, e eram presos a um cordão. Atados a estes havia, algumas vezes, outros artigos de decoração, como meia-luas ou luas crescentes (Is 3.18), saches perfumados (Is 3.20), faixas na cabeça com estrelas cravejadas (Is 3.18), e talismãs de serpente ou outros amuletos (Is 3.20).

Os brincos (*q.v.*) eram usados universalmente pelas mulheres (Êx 32.2; Ez 16.12; Os 2.13). Eram feitos de ossos, chifres ou metal, e alguns que foram encontrados eram um tanto grandes (com até quatro dedos de diâmetro). Algumas mulheres perfuravam o lóbulo da orelha tantas vezes quanto possível, e colocavam um brinco em cada orifício.

Os anéis (ou pendentes) de nariz também eram apreciados e usados na antiguidade (Gn 24.22,47). Eram feitos de marfim e metal, e freqüentemente decorados com jóias preciosas. Isaías menciona estes anéis assim como outros ornamentos ao repreender as mulheres de Jerusalém (Is 3.18-26). *Veja* Jóias.

Um sírio usando o chapéu pontudo típico de sua terra natal quando apresenta um tributo no palácio persa em Persépolis, século VI a.C.
ORINST

*Costumes relacionados à vestimenta.* Há muitos costumes associados às roupas, e a maioria surgiu de um tipo particular de traje. A peça de vestuário externa, ou manto, tinha muitas funções secundárias por causa de seu tamanho. Era usada para carregar cargas (Rt 3.15) ou como uma sela improvisada (Mt 21.7). Era usada como coberta à noite (Êx 22.27; Rt 3.9). Devido à necessidade do manto (ou capa), um credor não poderia retê-lo após o pôr-do-sol (Êx 22.26; Dt 24.12,13).

Pelo fato de as vestes serem soltas e folgadas, elas eram usadas de muitas formas simbólicas. Rasgá-las era um sinal de tristeza (Gn 37.29,34), medo (1 Rs 21.27), indignação (2 Rs 5.7; 11.14) e desespero (Jz 11.35). Sacudir as peças ou sacudir o pó das mesmas era sinal de renúncia (At 18.6). Espalhar as roupas diante de uma pessoa significava lealdade e demonstrava uma alegre recepção (2 Rs 9.13; Mt 21.8). Se fossem enroladas ao redor da cabeça, seriam um sinal de pavor (1 Rs 19.13) ou de aflição (2 Sm 15.30). Lançá-las de si significava excitação (At 22.23), e segurá-las era um sinal de súplica (1 Sm 15.27; Is 3.6).

Uma vez que o comprimento da peça de vestuário externa tornava-se inconveniente para o trabalho ativo, esta era deixada em casa quando se trabalhava por perto (Mt 24.18), tirada quando necessário (Jo 13.4; At 7.58), ou preparada para viagem (1 Rs 18.46; 2 Rs 4.29). Como as vestes ocultavam os pés quando as pessoas sentavam-se, um manto comprido era sinal de reverência (Is 6.1). O maior insulto que um judeu poderia receber era ter suas vestes encurtadas (2 Sm 10.4). Levantar a saia de uma mulher implicava em uma falta de castidade, e era um grande insulto (Is 47.2).

Em muitos casos, a apresentação de um manto era sinal de que alguém estava sendo empossado em um ofício (Gn 41.42; Et 8.15; Is 22.21), e a retirada do manto significava a remoção do ofício (veja o livro apócrifo de 2 Mac 4.38). Apresentar-se a uma pessoa com um manto que fora por ela presenteado era um sinal de grande afeição (1 Sm 18.4). Receber o melhor manto era sinal de uma honra especial (Lc 15.22). O número de tais mantos ou trajes guardados para serem presenteados pode ter sido grande, e faziam parte da grande fortuna de um indivíduo (2 Rs 10.22). Às vezes, tal guarda-roupa era administrado por um servo (2 Cr 34.22). *Veja* Muda de Vestes; Veste; Vestuário, Vestimenta.

***Bibliografia.*** ANEP, figs 1-66. E. P. Barrows, *Sacred Geography and Antiquities*, Nova York; American Tract Society, 1875. CornPBE, pp. 221-227. George B. Eager, "Dress" ISBE, II, 875-879. H. F. Lutz, *Textiles and Costume Among People of the Ancient Near East*, Nova York; Stechert, 1923. John M'Clintock e James Strong, "Attire", *Biblical, Theological and Ecclesiastical Cyclopaedia* I, 529-534; "Dress", II, 886-892. Madeleine S. e J. Lane Miller, "Apparel", *Encyclopedia of Bible Life*, Nova York. Harper, 1944, pp. 48-64. James B. Pritchard, ed. e consultor, *Everyday Life in Bible Times*, Washington. National Geographic Society, 1967. E. A. Speiser, *et al.*, *Everyday Life in Ancient Times*, Washington. National Geographic Society, 1951.

E. C. J.

**VESTUÁRIO, TROCA DE** *Veja* Muda de Vestes.

**VÉU**

1. Um artigo de vestuário. As leis do período médio da Assíria (século XII a.C.) determinavam que as esposas e as filhas dos cidadãos assírios deviam cobrir-se com véus quando saíam sozinhas às ruas, com exceção das prostitutas e escravas. Quando um cidadão colocava o véu em sua concubina na presença dos vizinhos, e declarava "ela é minha esposa", essa mulher tornava-se sua esposa legítima (ANET, p. 183).

Entre os povos nômades, o uso do véu era mais raro, de forma que Rebeca só colocou um véu ou um xale (em hebraico *oa'ip*) quando se aproximou de Isaque antes de seu casamento (Gn 24.65). Nesse caso, o véu parece ser o sinal de sua condição para se casar, e foi retirado após a consumação dessa união; o inesperado recebimento de Léia como esposa de Jacó pode sugerir esse costume (Gn 29.21-25). Nas pinturas do túmulo de Beni-Hassan (século XIX a.C.) que retratam homens e mulheres amorreus caminhando no Egito, as mulheres estão com a cabeça descoberta embora estejam em público. Ao contrário da lei assíria acima mencionada, Tamar disfarçou-se com um grande véu não só para esconder sua identidade de Judá, mas também para levá-lo a acreditar que ela era uma prostituta (Gn 38.14,15). Após deixá-lo, ela retirou o véu e vestiu novamente seus trajes de viúva (v. 19).

Moisés colocou um véu (em hebraico *masweh*) sobre o rosto, para o proteger da luz do sol, escondendo o brilho de seu rosto depois de falar aos israelitas (Êx 34.33-35). Como o véu havia sido removido quando Moisés estava na presença de Deus, ele não tinha um significado religioso. Em sentido figurado, Paulo comparava o véu de Moisés (em grego *kalumma*) à cobertura usada sobre o coração dos judeus quando liam as Escrituras (2 Co 3.13-18).

O véu de Rute (Rt 3.15) era, na verdade, seu manto ou um grande xale (em hebraico *mitpahat*), suficientemente largo e forte para guardar seis medidas de centeio. O capítulo 2 parece indicar que não estava usando véu quando colhia no campo de Boaz na presença dos segadores. Os véus das mulheres (em hebraico *radid*) de Isaías 3.23 e Cantares 5.7 eram mais precisamente longos xales ou estolas enroladas no corpo, semelhantes às estolas modernas. Um véu transparente sobre a face (em hebraico *samma*) parece ser o artigo mencionado em Cantares 4.1,3; 6.7 (há versões que trazem o termo "tranças") através do qual o noivo podia ver os olhos e a testa da noiva. Entretanto, não existem evidências no NT a respeito da exigência muçulmana das mulheres cobrirem-se totalmente em público.

De acordo com esculturas de bustos de pessoas romanas (VBW, V, 259), e cenas pintadas em cerâmicas gregas, na época do NT as mulheres mais cultas muitas vezes arranjavam o cabelo segundo estilos elegantes e não usavam qualquer tipo de véu. Entretanto, outras mulheres realmente preferiam usá-lo, de acordo com um afresco que mostra uma jovem vestindo um longo traje de cor violeta, modestamente coberta com véus. Essa pintura foi descoberta em Roma, nas ruínas da casa de um nobre do final do período de Augusto (VBW, V, 99). Uma pintura feita na catacumba de São Calixto em Roma (século IV d.C.), mostra uma mulher cristã vestida modestamente com um véu transparente cobrindo toda a cabeça (VBW, V, 246). *Veja* Vestuário

Acredita-se que durante o culto e as orações, os homens judeus e romanos costumavam cobrir a cabeça. Os judeus cobriam a cabeça com uma veste ou manto (em grego *himation*) com franjas e borlas (Mt 23.5), em sinal de reverência. Essa veste corresponde ao *tallith* do Talmude e do moderno judaísmo. Os homens romanos preferiam colocar sobre a cabeça uma dobra de sua imensa toga quando oravam ou ofereciam sacrifícios aos deuses oficiais de Roma; uma estatueta do início do império mostra um romano assim vestido oferecendo uma libação (VBW, V, 228). Portanto, quando Paulo escreve, "Todo homem que ora ou profetiza, tendo a cabeça coberta, desonra sua própria cabeça" (1 Co 11.4), ele não pode estar dizendo aos homens que não colocassem qualquer pano sobre a cabeça quando orassem. Ele próprio deve ter feito o mesmo quando visitava o templo em Jerusalém e as Sinagogas a fim de ganhar os judeus para Cristo. Antes, ele deve estar dizendo, através da expressão grega *kata kephales echon*, que todo homem que tenha "o cabelo caindo de sua cabeça" (como uma mulher) ao orar ou profetizar irá desonrar a Cristo, seu Senhor (veja Arndt, p. 406*a*).

Por outro lado, as mulheres do mundo greco-romano ofereciam sacrifícios com a cabeça descoberta (VBW, V, 175, 228). Portanto, James B. Hurley (WTJ, XXXV, 193-204) recentemente argumentou que o termo grego *akatakalyptos*, traduzido como "descoberto" ou "desvelado" em relação à condição da cabeça da mulher que está profetizando ou participando da adoração em público (1 Co 11.5), está na verdade referindo-se ao cabelo que está "solto" como no caso de uma pessoa que está "descabelada", ou com os cabelos "desalinhados". A palavra grega foi usada dessa forma na septuaginta em Levítico 13.45 em relação ao cabelo do leproso, que era uma pessoa considerada impura. O mesmo termo original hebraico (*parua'*) ocorre em Números 5.18 em relação à mulher acusada de adultério que deve deixar seu cabelo solto. Portanto, o ensino de Paulo, de que a mulher deve cobrir a cabeça, está referindo-se a um estilo propriamente feminino de usar o cabelo e não a um véu ou cobertura da cabeça. Um penteado feminino modesto é sinal de que a esposa cristã é submissa à autoridade do marido.

Essa conclusão parece concordar com a afirmação de Paulo feita em sentido figurado de que todo cristão deve olhar para a glória do Senhor "com cara descoberta" (2 Co 3.18).

2. O véu do templo. Uma grossa cortina separava o lugar santíssimo do lugar santo, tanto no Tabernáculo (Êx 26.33) como mais tarde no templo (2 Cr 3.14). Este véu (em hebraico *paroket*) era feito com material nas cores azul, púrpura e carmesim, e era bordado com figuras de querubins que representavam os seres angelicais em volta do trono de Deus (Êx 26.31). Ele ocultava a presença de Deus do sacerdote oficiante que diariamente queimava incenso e ministrava de outras formas no lugar santo (Êx 40.26; Lv 4.6). Só anualmente, no Dia da Expiação, o sumo sacerdote podia entrar no local separado pelo véu para levar incenso e aspergir sangue no propiciatório (Lv 16.12,15). Quando o Tabernáculo era transportado de um lugar para outro, o véu era retirado e utilizado para cobrir a arca da aliança (Nm 4.5). No momento da morte do Senhor Jesus Cristo, o véu do templo de Herodes foi rasgado de cima abaixo e o lugar santíssimo ficou exposto (Mt 27.51; Mc 15.38; Lc 23.45).

Na Septuaginta, as duas cortinas do Tabernáculo tinham o nome grego de *katapetasma*, sendo que a externa separava a entrada do lugar santo do pátio externo (Êx 38.18) e a outra separava as duas seções do santuário (Êx 26.31). Portanto, em Hebreus 9.3 a designação "segundo véu" corresponde à cortina interior.

Como nosso Sumo Sacerdote, Cristo ressuscitado penetrou até "o interior do véu" (Hb 6.19,20), até a própria presença de Deus, para o nosso bem. Agora, nós também podemos entrar nesse lugar santíssimo em virtude do sangue de Jesus, "pelo novo e vivo caminho que ele nos consagrou, pelo véu, isto é, pela sua carne" (Hb 10.20). "Assim como o corpo (de Cristo) foi rasgado na cruz, o véu entre Deus e os homens foi rasgado, dando acesso imediato a Deus" (WBC, p. 1420).

*Veja* Cortinas; Tabernáculo; Templo.

*Veja* Vestuário: A roupa da mulher.

***Bibliografia.*** James B. Hurley, "Did Paul Require Veils or the Silence of Women? A Consideration of 1 Co 11.2-16 and 1 Co 14.33*b*-36", WTJ, XXXV (1973), 190-220.

J. R.

**VIAGEM E COMUNICAÇÃO** Nos tempos bíblicos antigos, a viagem e a comunicação não eram fáceis. Os meios de transporte eram bastante primitivos em relação aos padrões modernos, mas no início dos tempos as nações desenvolveram o transporte e a comunicação tanto terrestres como marítimos para propósitos políticos, militares e comerciais.

A Palestina estava preparada para o desenvolvimento inicial das estradas para viagens, uma vez que o país era a ponte terrestre entre a área da Mesopotâmia e Síria para o nordeste, Arábia para o sudeste, e a terra do Egito e o norte da África para o sudoeste. Esta terra, prometida a Abraão (Gn 12.1-3; 17.8), poderia ser chamada no segundo e primeiro milênios a.C. de "a arena das lutas internacionais", e "a maçã da discórdia", pois as nações lutavam umas contra as outras sobre seu solo e disputavam sua posse. Deve ser observado que nos primeiros três quartos do segundo milênio

Uma seção da via Egnátia nas proximidades de Filipos. Esta era a principal estrada romana que cruzava a Grécia e Paulo certamente viajou por ela. HFV

a.C. havia rotas de viagem úteis e bem protegidas por boa parte do Oriente Próximo. Além das estradas mais utilizadas, havia rotas de caravanas nas quais os negociantes transportavam suas mercadorias. E caminhos no deserto para os quais as tribos beduínas e nômades dirigiam-se em busca de pastagens e água.

Ao contrário do povo de Tiro (cf. Ez 27) e da Fenícia, não se pode dizer que os israelitas fizeram um avanço significativo no campo das viagens marítimas neste período antigo. Embora conhecendo os navios e a navegação a partir do contato com os fenícios, Israel falhou em desenvolver um poderio marítimo por causa da falta de bons portos naturais ao sul do monte Carmelo, e por causa do domínio filisteu ao longo da costa mediterrânea. Portanto, mesmo quando Salomão desenvolveu algum poderio marítimo no século X a.C., ele não o fez a partir do mar Mediterrâneo, mas do golfo de Ácaba em Eziom-Geber, perto de Elate (cf. 1 Rs 9.26-28).

**Viagens Terrestres nos Tempos do AT e do NT**

Havia uma considerável movimentação e viagens na Palestina e em outras terras nos tempos muito remotos, como exemplificado por Caim (Gn 4.14-16), e por aqueles que se dispersaram a partir da torre de Babel (Gn 11.9). Durante o terceiro milênio a.C., negociantes viajantes da Suméria conduziam um próspero negócio tanto doméstico como estrangeiro. Pouco depois de 2000 a.C., os comerciantes assírios viajavam regularmente 800 quilômetros de Assur até a capital de sua colônia mercante, em Canis, no centro de Anatólia. Caravanas midianitas atravessavam a Palestina carregando especiarias, bálsamo e escravos para o comércio com o Egito (Gn 37.25-28). *Veja* Comércio.

Indivíduos com suas famílias e posses faziam viagens extensas, como Abraão para Canaã e Egito (Gn 12–13), Jacó de Padã-Arã para Canaã (Gn 31–33), Rute e Noemi de Moabe para Belém (Rt 1), José e Maria de Nazaré para Belém, e depois para o Egito (Lc 2; Mt 2).

Às vezes, grandes grupos de pessoas viajavam de um país para outro, voluntariamente ou como cativos, como os israelitas nas viagens do êxodo (Êx 12ss.), e os cativos tomados na queda do reino do norte de Israel (2 Rs 17) e do reino do sul de Judá (2 Rs 24–25).

Os desastres, como por exemplo a fome, freqüentemente resultavam em viagens para a troca de alimentos e mercadorias como no caso de Jacó e seus filhos, que trocaram especiarias, mel, nozes, etc., por cereais egípcios (Gn 43.11ss.), e por fim imigraram para o Egito (Gn 46.1-6). As operações militares freqüentemente provocavam o movimento de numerosas tropas e equipamentos (cf. o ataque assírio contra Jerusalém; 2 Rs 18.17; 19.35). Depois das dispersões judaicas para várias regiões no Oriente Próximo nos períodos helenístico e do NT, outras viagens na Palestina foram estimuladas; os judeus retornavam para sua terra natal com a finalidade de participar das festas anuais. Por exemplo, judeus de várias terras estavam presentes em Jerusalém durante o Pentecostes (At 2.5,9-11). As transações comerciais no templo incluíam o câmbio, o que evidenciava a presença de muitos visitantes estrangeiros (Jo 2.13-16; Mt 21.12,13).

**Viagens Marítimas nos Tempos do AT e do NT**

O Egito e a Suméria apresentam evidências de barcos a vela antes de 3000 a.C. Os faraós do Velho Reino importavam madeira das montanhas do Líbano para a construção de navios e de seus palácios. Os anais de Snefru (de aprox. 2650 a.C.) contam que 40 navios foram trazidos, enchidos com troncos de cedro, e cada navio tinha mais de 50 metros de comprimento (ANET, p. 227).

A familiaridade com viagens marítimas entre os israelitas pode ser observada quando

Jacó profetizou que Zebulom (cujo território margeava a área de Tiro e Sidom), seria como um "porto de navios" (Gn 49.13), e quando Aser (para o norte) e Dã (na costa) da mesma forma estariam associadas às viagens marítimas (Jz 5.17). Resquícios de pequenos portos cananeus foram recentemente descobertos no litoral sul do monte Carmelo na foz de quase todos os estuários e pequenos rios.
Um comércio marítimo considerável desenvolveu-se nos dias de Salomão, evidenciado por sua frota construída em Eziom-Geber, e usado para negócios com Ofir, no sul da Arábia ou oeste da Índia (1 Rs 9.26-28); e por sua frota marítima unida com a de Hirão, rei de Tiro, no comércio com Társis (1 Rs 10.22; 2 Cr 9.21). Josafá em sua época também desejou estabelecer o comércio com Ofir, mas suas "naus de Társis" quebraram-se em Eziom-Geber (1 Rs 22.47,48; 2 Cr 20.35-37).
A extensão do poderio marítimo fenício, e da atividade marítima de Tiro, podem ser entendidos através de um estudo de Ezequiel 27. Veja "Ships and Navigation", CornPBE, pp. 659-663.

### Estradas, Rodovias e Rotas Marítimas

Sendo a Palestina a ligação internacional que havia entre os países no Oriente Médio, era natural que estradas e rodovias importantes fossem desenvolvidas muito cedo em várias partes de seu território. A palavra hebraica *m[e]silla*, significando "um caminho criado, construído, rodovia", usada em Números 20.19; Juízes 20.31, etc. (cf. o uso metafórico em Isaías 40.3), sugere a existência de um desenvolvido sistema de estradas. Freqüentemente havia caravançarás (ou pousadas para caravanas) e fortalezas construídas ao longo destas estradas.
Os sistemas de estradas predominantes na Palestina incluíam.
1. A grande estrada principal, ou "o caminho do mar" (Is 9.1), usada pelos exércitos do Egito, Assíria e Babilônia, que passava por Damasco e percorria o sudoeste em direção a Hazor (onde ela juntava-se a uma rota do norte passando pelo monte Hermom), passando pelo mar da Galiléia, pela passagem de Megido até a planície costeira através de Lida, Asquelom, Gaza e ao longo do "caminho da terra dos filisteus" (Êx 13.17), em direção ao Egito.
2. A estrada da região montanhosa, que se ligava, nas proximidades de Cades-Barnéia com o caminho de Sur (Gn 16.7) e com o Egito, através do deserto do Neguebe até Barseba no sul, subindo o desfiladeiro em direção ao norte através de Hebrom, Belém, Jerusalém, Gibeá de Saul, Ramá, Mispa, Betel (Jz 21.19), Siló, Siquém, Samaria, Dotã, Ibleão, e ainda seguia adiante.
3. A estrada real (*q.v.*; Nm 21.22,27-30; Dt 2.26ss.), que percorria o sul de Damasco através de Carnaim em Basã, seguindo a margem oeste do planalto da Transjordânia através de Medeba, Hesbom, Quir-Harosete e Petra até Elate perto do Mar Morto (o golfo de Ácaba), e em direção à Arábia. Em Bozra, perto de Punom em Edom, um braço desta rota cruzava a Arabá até Tamar, subindo novamente para o Neguebe central, para juntar-se ao caminho de Sur em Cades-Barnéia. Foi esta rota que os edomitas negaram a Israel em sua marcha tortuosa em direção à terra de Canaã (Nm 20.17).

Neápolis era o porto de Filipos

4. O caminho do mar Vermelho (Êx 13.18; Nm 14.25; 21.4; Dt 1.40; 2.1), que atravessava o deserto do Sinai a partir do atual porto de Suez até Elate na cabeceira do golfo de Ácaba no caminho para a Arábia.
5. Estradas oeste-leste de Jope através de Lode (Lida), então subindo o Vale de Aijalom ("o caminho que sobe a Bete-Horom" de Josué 10.6-14) através de Betel até Jericó, ou ao sul para Bete-Semes e subindo o vale de Soreque (1 Sm 6.12) através de Jerusalém até Jericó (Lc 10.30). Para maiores detalhes sobre as estradas, veja a obra de Denis Baly, *The Geography of the Bible*, 1957, cap. ix; Y. Aharoni e M. Avi-Yonah, *Macmillan Bible Atlas*, mapas 9, 10.)
Embora o Senhor Jesus freqüentemente usasse uma passagem secundária, ele sem dúvida alguma viajou através de algumas destas estradas importantes, como a de Jericó subindo o Uádi Qelt (a estrada de Jericó) para Jerusalém. Paulo viajou em muitas das grandes estradas romanas pavimentadas, da Palestina, Ásia Menor e sudeste da Europa, e também em uma parte da famosa Estrada de Ápio, nas proximidades de Roma (At 28.15). Veja "Roads, Transportation, Trade Routes", CornPBE, pp. 626-630.
As rotas marítimas bem conhecidas incluíam.
1. A rota do Egito até Roma para a importação de cereais, que por causa de ventos frontais desfavoráveis, freqüentemente faziam com que os navios viajassem de Alexandria para Roma via Síria e Ásia Menor. Foi em

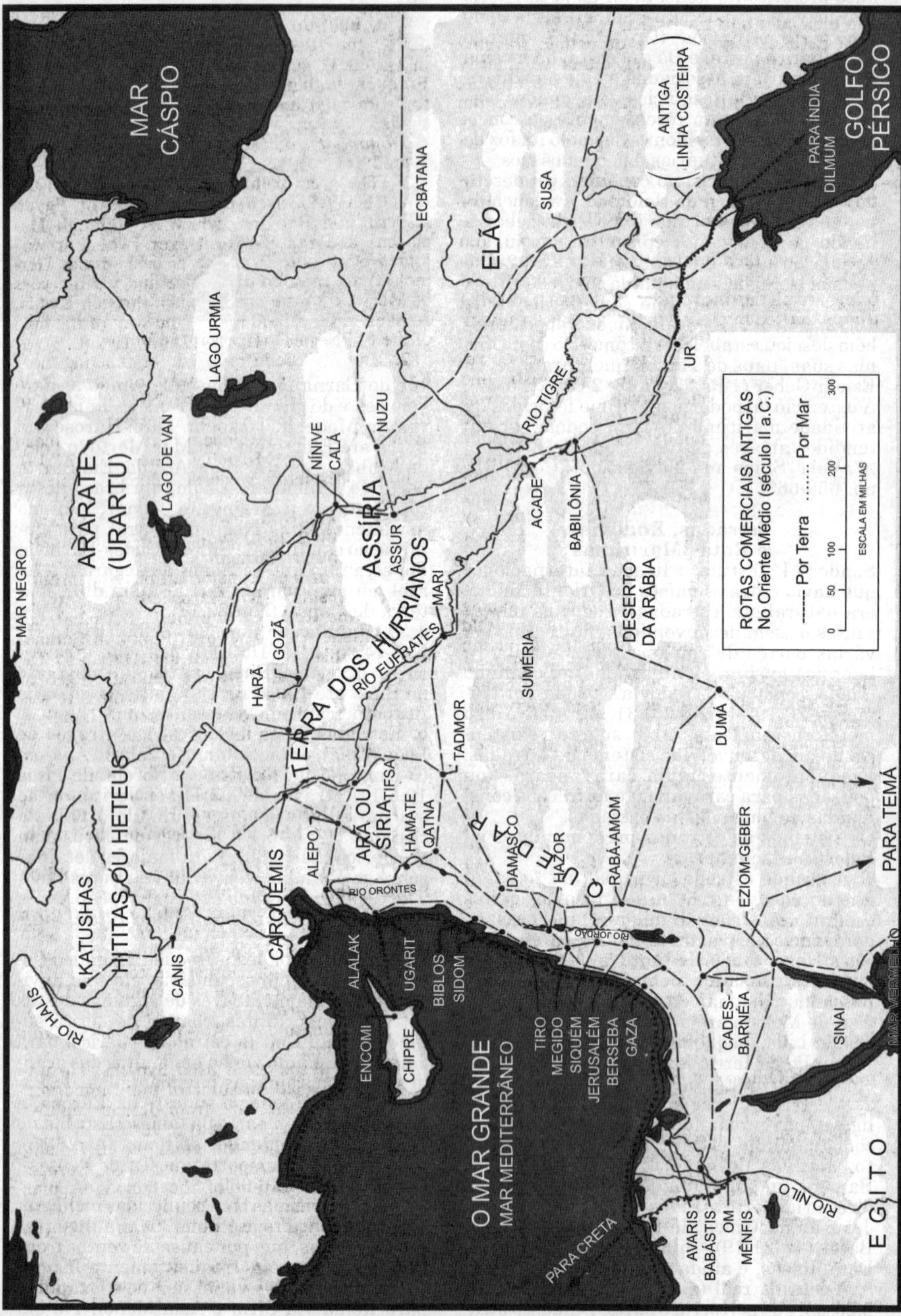
MAR CÁSPIO
GOLFO PÉRSICO
PARA ÍNDIA
DILMUM
ANTIGA LINHA COSTEIRA
ECBATANA
SUSA
ELÃO
LAGO URMIA
ARARATE (URARTU)
MAR NEGRO
LAGO DE VAN
NÍNIVE
CALÁ
NUZU
ASSÍRIA
ASSUR
RIO TIGRE
UR
ACADE
BABILÔNIA
DESERTO DA ARÁBIA
ROTAS COMERCIAIS ANTIGAS
No Oriente Médio (século II a.C.)
Por Terra
Por Mar
0 50 100 200 300
ESCALA EM MILHAS
TERRA DOS HURRIANOS
RIO EUFRATES
MARI
GOZÃ
HARÃ
SUMÉRIA
TADMOR
DUMÁ
PARA TEMÁ
HITITAS OU HETEUS
KATUSHAS
CANIS
CARQUEMIS
ALEPO
ARÃ OU SÍRIA
TIFSA
HAMATE
QATNA
DAMASCO
HAZOR
RABÁ-AMOM
EZIOM-GEBER
RIO ORONTES
ALALAK
UGARIT
BIBLOS
SIDOM
RIO JORDÃO
ENCOMI
CHIPRE
O MAR GRANDE
MAR MEDITERRÂNEO
TIRO
MEGIDO
SIQUÉM
JERUSALÉM
BERSEBA
GAZA
CADES-BARNÉIA
SINAI
MAR VERMELHO
RIO HALIS
EGITO
RIO NILO
AVARIS
BABÁSTIS
OM
MÊNFIS
PARA CRETA

um destes navios que Paulo embarcou em seu caminho de Malta para Roma (At 28.11). Era sabido por todos que viajar de navio no inverno era perigoso (cf. At 27).
2. A rota do Lago Crimeano Meosótis ou Mar de Azov acima de Euxino ou Mar Negro descendo através dos mares Egeu e Mediterrâneo até Alexandria.
Os portos e cidades marítimas bem conhecidas nos tempos antigos incluíam. Tiro dos tempos do AT (cf. Ez 27) e do NT (At 21.1-8), e nos períodos helenísticos e do NT tais portos como Selêucia perto de Antioquia, Éfeso, Corinto (cf. Atos 18.18, Cencréia, um porto perto de Corinto), Alexandria, Putéoli, Óstia perto de Roma, e Cesaréia (um porto que Herodes o Grande havia construído, cf. Josefo, *Ant.* xv.9.6). Paulo esteve neste último porto no final de sua segunda viagem missionária (At 18.22), e dele navegou em sua viagem para Roma (At 23.33; 27.2).

### Meios de Transporte

*Andar*. O modo de transporte mais fácil e mais comum nos tempos antigos era andar, como mostrado pelo uso freqüente da palavra "andar" no AT e no NT. Abraão foi encorajado a andar por Canaã para ver a terra que Deus havia lhe dado (Gn 13.17). O homem paralítico recebeu de Jesus a ordem de se levantar, tomar sua cama e andar até à sua casa (Mc 2.9-11). Com uma referência metafórica a este freqüente modo de deslocamento, o povo de Deus é freqüentemente encorajado a andar no caminho de Deus (cf. Gn 17.1; 1 Rs 2.4; Lc 1.6). A região montanhosa, o deserto acidentado da Judéia, e a área da Transjordânia elevada, sem dúvida alguma tornavam a caminhada árdua, embora este fosse o modo mais freqüente e menos dispendioso de se viajar. O Senhor Jesus andou muito com seus discípulos (cf. Mt 4.18; Mc 10.32; Jo 1.36).
*Animais para se montar e animais de carga*. Os dois Testamentos indicam que as pessoas montavam em vários tipos de animais, como o jumento (Nm 22.22; Mt 21.7), a mula (2 Sm 18.9), o cavalo (Zc 1.8; Ap 6.4), e o camelo (Gn 24.61). Estes e outros animais também eram usados como animais de carga.
As referências ao *cavalo* (heb. *sus*, gr. *hippos*) são encontradas no início do AT, como os cavalos dos egípcios (Êx 9.3; 15.21), incluindo os cavalos que puxavam os carros (Êx 14.9,23), os cavalos dos carros dos cananeus (Jz 5.22), e também o de Absalão (2 Sm 15.1), e os muitos cavalos de Salomão (1 Rs 10.25,26). O cavalo palestino era uma raça leve como o cavalo árabe. Os cavalos parecem ter sido usados desde muito cedo na Palestina, e isto é evidenciado pela descoberta de ossos de cavalos (domésticos) em um assentamento no Neguebe datando do período calcolítico, antes de 3000 a.C. (cf. "Fauna", IDB, II, 248). Mas os cavalos não se tornaram bem conhecidos no Oriente Próximo até depois de 2000 a.C., quando passaram a ser empregados principalmente para puxar os carros de guerra. A cavalaria montada surgiu pela primeira vez no norte da Mesopotâmia moderna depois de 1000 a.C. Os cavalos usados no serviço postal são mencionados em Ester 8.10.
A importância dos cavalos no período do NT pode ser vista em várias referências no Apocalipse (6.4; 9.9; 14.20; 18.13; 19.18). O cavalo branco (Ap 19.11) era para o comandante conquistador. Este animal comum guiado por um freio em sua boca é utilizado como uma ilustração adequada por Tiago (3.2,3).
O *jumento* palestino, encontrado em todos os períodos, é possivelmente um descendente da variedade nubiana da África, reconhecido por seu ombro negro e listras pretas (F. S. Bodenheimer, "Fauna", IDB, II, 248), ele é citado nas Escrituras como: (1) o jumento (heb. *hamor*) usado como um animal de carga (Gn 22.3,5; 44.13) e para montaria (Êx 4.20; Js 15.18; 2 Sm 16.2); (2) a jumenta (heb. *'aton*), também um animal de carga (Gn 45.23) e um animal para montaria (Jz 5.10); (3) o jumento jovem (heb. *'ayir*) usado para carga e montaria (Jz 10.4; Is 30.6); (4) e o onagro ou jumento montês (heb. *pere'*), domado por alguns na Mesopotâmia (W. S. McCullough, "Ass", IDB, I, 260), mas evidentemente pouco usado na Palestina como um animal domesticado para viagens ou para o transporte de carga (cf. Jó 6.5; 39.5; Is 32.14; Jr 2.24; 16.6; Sl 104.11).
A palavra grega do NT para jumento e jumenta é *onos*, um animal usado na entrada triunfal do Senhor Jesus Cristo em Jerusalém (Mt 21.2; Jo 12.15). O jumento mais novo é chamado de jumentinho (a palavra grega é *polos*, que significa "animal jovem", mas quando um outro animal faz parte do contexto, ela pode significar "potro" referindo-se a um cavalo).
O *mulo* (heb. *pered*) era também usado para montaria (2 Sm 13.29), para a batalha (2 Sm 18.9) e como um animal de carga (2 Rs 5.17). Às vezes uma mula fêmea (heb. *pir$^e$dda*) era

Navio grego do século V a.C.

usada para montaria (como pelo rei, 1 Reis 1.33). Este animal não é mencionado no NT. O *camelo* (heb. *gamal*), com corcova ou do tipo dromedário, é citado em Gênesis 12.16; 31.17; 37.25; etc., e não deve ser tomado como um anacronismo uma vez que há evidências arqueológicas para o camelo a partir do início do segundo milênio e até mesmo antes desta data (cf. J. P. Free, "Abraham's Camels", JNES, III [1944], 187-193; K. A. Kitchen, *Ancient Orient and OT*, 1966, pp. 79ss.). Este animal era usado como um animal de carga (Gn 24.10ss.; 1 Rs 10.2; Is 30.6) e para montaria quando a velocidade, não o conforto, era o mais importante (Gn 24.64; 31.17-21; 1 Sm 30.17). O camelo jovem ou dromedário (heb. *bik$^e$ra*) é mencionado em Jeremias 2.23 e Isaías 60.6. É possível que a referência aos animais rápidos em Isaías 66.20 na versão KJV em inglês tenha em vista o dromedário (heb. *kirkara*).

A importância do camelo no período do NT (gr. *kamelos*) é vista em seu uso em ilustrações (Mt 19.24; 23.24). Os pelos dos camelos eram utilizados para a fabricação de roupas (Mt 3.4; Mc 1.6). *Veja* Animais I.5.

*Veículos*. Vários tipos de veículos foram desenvolvidos nos tempos antigos, tanto para transportar passageiros como mercadorias. Ruínas arqueológicas mostram uma *carroça* coberta de quatro rodas sólidas muito antiga, em Tepe Gawra (do terceiro milênio a.C., ANEP, fig. 169), e dois *carros* assírios de duas rodas com quatro, seis e oito raios, puxados por bois (cf. ANEP, figs. 167, 367) e também por mulas, e até mesmo por dois homens (J. Davis, *A Dictionary of the Bible*, 4ª ed. rev. p. 123). Os carros no AT poderiam ser de madeira (1 Sm 6.14), cobertos (Nm 7.3) ou descobertos, e puxados por gado (Nm 7.7) ou cavalos (Is 28.28). Eles eram usados para puxar vários objetos (1 Sm 6.7; 2 Sm 6.3) incluindo cereais (Am 2.13), e também para transportar pessoas (Gn 45.19).

Os carros dos tempos bíblicos incluíam:

1. O *'agala* (palavra hebraica proveniente do conceito do "rolar das rodas"), usado em relação a veículos puxados por gado (1 Sm 6.7; Nm 7.3) para o transporte de pessoas e coisas (Gn 46.5; 1 Sm 6.8; 2 Sm 6.3), e até usado como um carro de guerra ou carroça de transporte militar (Sl 46.9), bem como uma carroça para debulhar (Is 28.27,28).

2. Um equivalente grego para carro ou carroça, *hamaxa*, ocorre na Septuaginta mas não no NT. Uma outra palavra grega, *rhede* (do celta e então do latim *reda* ou *raeda*), um veículo de quatro rodas, é usado em Apocalipse 18.13. Embora não seja mencionado no NT, havia vários veículos romanos com duas ou quatro rodas, como por exemplo: o *carpentum*, um carro de duas rodas, coberto, usado como um veículo para cerimônias (governamentais e outras) e também para viagens em geral; a *carruca*, um grande carro de quatro rodas (semelhante à *reda*); o *cisium*, leve, descoberto, de duas rodas com a frente aberta, usado para viagens rápidas; a familiar carruagem de duas rodas, o *currus* (do grego *harma*) usado para corridas e guerras; o *tensa*, um carro pomposo de duas rodas puxado por quatro cavalos e usado em assuntos de estado e para propósitos religiosos etc.

A *carruagem* era um veículo de uso geral, embora tenha sido principalmente usada para propósitos militares. Antigas carruagens incluíam a carruagem sumeriana do terceiro milênio com rodas de disco, e puxada por quatro jumentos, encontrada em Ur (ANEP, fig. 163); as carruagens de rodas raiadas da época de Hamurabi (aprox. 1750 a.C.); as carruagens egípcias com rodas de quatro, seis e oito raios, da metade e do final do segundo milênio a.C. (ANEP, figs. 314-316, 327, 345). Na época da ascendência militar assíria no início do século IX a.C. as carruagens de rodas de seis e oito raios estavam em moda (ANEP, figs. 204, 356-367). A carroça (ou carruagem) elamita de 12 raios era uma excentricidade, um veículo fora do comum (ANEP, fig. 168). A carruagem era manejada por um (ANEP, fig. 300), dois (ANEP, figs. 172, 184), e até três homens (J. W. Wevers, "Chariot", IDB, I, 553).

A carruagem de guerra do AT, a *rekeb*, o veículo usado pelos egípcios (Êx 14.7; Js 24.6) e pelos cananeus (Js 11.4; Jz 4.7), era feita principalmente de madeira (Js 11.6; 2 Rs 23.11), e era soldada com ferro ou montada com pinos (Js 17.16; Jz 1.19; 4.3,13). O uso deste veículo teve um desenvolvimento lento em Israel, pelas seguintes razões: (1) porque o movimento constante nas peregrinações do Êxodo não garantia a construção de tais veículos (Josué com seus soldados de infantaria teve que derrotar Jabim de Hazor com seus carros, de surpresa, em um vale em meio a um local montanhoso, Josué 11.4-9), e (2) por causa do terreno acidentado da região montanhosa basicamente habitada por Israel (Js 17.16-18; Jz 1.19). O povo de Israel estava tão despreparado para a guerra contra carros, que só alcançou a vitória sob a liderança de Débora e Baraque contra Sísera e seus 900 carros, com a ajuda de uma inundação repentina (Jz 4–5). Foi somente na época de Davi e Salomão que Israel efetivamente utilizou carros (2 Sm 8.4; 1 Rs 9.19). Em um sentido figurado, foi dito que o Senhor mostra seu poder e soberania usando carros (2 Rs 2.11,12; 6.17; Sl 68.17).

Os carros também poderiam ser usados como um símbolo de pompa e dignidade real, como na ocasião em que José subiu no carro egípcio (Gn 41.43; cf. também Jr 17.25), bem como um veículo para viagem (como no caso do eunuco etíope, Atos 8.28; a palavra grega *harma*, também é usada como um carro de guerra em Apocalipse 9.9).

A *liteira* poderia ser uma cama portátil (como

o heb. *mitta* em 1 Samuel 19.15) ou um sofá ou cadeirinha cobertos por um dossel e carregados sobre os ombros de homens. O palanquim (heb. *'appiryon*) de Cantares 3.9,10 parece ser uma expressão equivalente à "liteira" (*mitta*) de Cantares 3.7. Uma outra expressão para a mesma coisa é o termo hebraico *sab* (liteira) de Isaías 66.20.

*Navios para viagens marítimas*. Os navios para viagens marítimas incluíam, naturalmente, navios para propósitos comerciais e militares. A arqueologia e as fontes literárias revelam que havia uma considerável atividade naval entre os egípcios e os assírios. O terceiro milênio mostra evidências da navegação cananéia para o Egito, e na 18º Dinastia uma pintura de túmulo, de navios de alto-mar egípcios, mostra navios de mastro único, com cesto de gávea, grandes velas retangulares, proa e popa altas, guiado por remos como lemes (ANEP, fig. 111). No tempo dos filisteus, os navios também aparecem com uma série de remos. Os navios assírios poderiam ser de um tipo pequeno, com um timoneiro na popa e um remador perto da proa; navios de transporte maiores com proas do tipo cabeça de cavalo e altas popas, podiam ser movidos tanto por remos como por velas presas a um mastro central com um cesto de corvos. Também havia navios de guerra com três conveses com aríete pontiagudo, consistindo de duas fileiras de remadores e guerreiros armados no convés superior (ANEP, fig. 106).

São poucas as figuras de navios nas ruínas arqueológicas da Fenícia e da Palestina. De épocas posteriores, uma moeda de Biblos do século IV a.C. retrata uma galé de guerra fenícia com uma proa do tipo cabeça de leão e guiada por um remo (ANEP, fig. 225), e um sarcófago sidônio do século I d.C. mostra um navio com uma alta proa curvada (com uma bandeira amarrada), e uma vela desfraldada ligada a um mastro simples e uma vela de ré ligada a um pequeno mastro de popa. De Tell Sandahannah (200 a.C.-200 d.C.) na Palestina vem um grafite riscado em uma pedra retratando um navio com uma vela e remos, e duas âncoras na popa (J. B. Pritchard, "Ships, OT", IDB, IV, 335; Cf. Atos 27.29 onde quatro âncoras estavam na popa do navio).

Embora nenhum navio de guerra seja mencionado no NT, a marinha romana possuía navios de vários tamanhos, como os birremes (aqueles que possuíam duas fiadas de remos), trirremes, e até quinquerremes (com cinco fiadas de remos). Navios mercantes navegavam no Mediterrâneo, como o navio de cereais em que Paulo viajou, que transportava uma tripulação e passageiros, totalizando 276 pessoas (At 27.2,37). Navios mercantes também transportavam cargas de vinho e artigos similares em *amphorae* e *pithoi* (gr. cântaros) da ilha de Rodes (que produzia muitos *amphorae* rotulados e datados) e de outros lugares. Restos destes cântaros que ficavam em prateleiras foram encontrados em escavações arqueológicas e em embarcações que haviam naufragado e que se encontravam submersas.

O navio mercante levava a carranca da divindade da qual obteve seu nome, como Castor e Pólux, que era o nome do navio em que Paulo navegou da Silícia para Putéoli (At 28.11). Figuras de navios de cereais mostram uma grande vela principal quadrada com um mastro de proa inclinado e uma pequena vela quadrada (a vela de proa, *artemon*, Atos 27.40).

Navios menores transportavam mercadorias entre Decápolis e a Galiléia, e barcos de pesca navegavam nas águas do Mar da Galiléia (cf. Mt 4.18-22; Lc 5.1-11).

No AT, os barcos (heb. *'aniyya*) eram navios militares para os cativos (Dt 28.68) ou navios mercantes (2 Cr 9.21), e estes podiam ser movidos por meio de remos (Is 33.21). O termo hebraico *si*, uma palavra emprestada do egípcio, também é usado para navio (cf. Nm 24.24; Is 33.21).

No NT, a ênfase é colocada em navios ou barcos menores (gr. *ploion*, Mt 4.21ss.; Mc 1.19; Lc 5.3 etc.; e *ploiarion*, Mc 3.9; Jo 6.22,23) como aqueles que navegavam no Mar da Galiléia. Os navios de alto-mar, de dimensões maiores (gr. *naus*, At 27.41, e também *ploion*, At 20.13,38; 21.2ss.; 27.2-44; Ap 8.9; etc.), que navegavam no Mediterrâneo, também foram mencionados. Nenhum destes navios era militar, e aqueles em que Paulo viajou para Roma eram com certeza navios de cereais (At 27–28). O "bote" de Atos 27.16,30,32 (gr. *skaphe*) era o bote salva-vidas do navio. *Veja* Navios.

### Tipos de Comunicação

A comunicação verbal e escrita entre pessoas, grupos e estados nos tempos antigos poderia ser mantida de várias maneiras. Primeiro, a comunicação poderia ser feita através de *visitas pessoais*, como ilustrado pela visita da rainha de Sabá a Salomão (1 Rs 10.1-10), e as visitas planejadas de Paulo aos filipenses (Fp 1.24,25) e aos romanos (Rm 1.15).

Um outro meio de comunicação era o uso do *mensageiro pessoal*, como aquele enviado por Joabe a Davi devido à batalha em Rabá (2 Sm 11.18-25).

Um terceiro método básico de comunicação era aquele realizado através do *despacho de cartas*. Este era feito por governos e oficiais governamentais, como é evidenciado em Ester 3.13; 8.10 onde, no sistema persa, as cartas eram despachadas por corredores a pé ou mensageiros montados (cf. também "corredores", ou "correios", usados por Ezequias para entregar cartas para a nação, 2 Crônicas 30.6,10). Em Atos 23.15,25ss., o tribuno militar (gr. *chiliarchos*) enviou uma carta oficial a respeito de Paulo ao governador Félix. O sistema postal oficial do Império Romano não tratava de correspondências que não fossem oficiais. Assim, para realizar a tarefa de entregar cartas, as famílias ricas usavam escravos, e as companhias empregavam transportadores de cartas chamados *tabellarii* (da tábua de madeira chamada *tabella* sobre a qual eram escritas breves comunicações).

Nos círculos cristãos, um grupo seleto poderia ser incumbido de entregar uma comunicação (como o decreto do Concílio de Jerusalém, Atos 15.22,23). Paulo teve suas cartas às igrejas entregues por amigos particulares e companheiros, como por exemplo, a segunda epístola aos Coríntios, que provavelmente foi entregue por Tito (2 Co 8.16-18); a carta aos Filipenses, que deve ter sido entregue por Epafrodito (Fp 2.25-30); e as cartas aos Efésios e aos Colossenses, que devem ter sido entregues por Tíquico (Ef 6.21; Cl 4.7,8).

***Bibliografia.*** Yohanan Aharoni, *The Land of the Bible*, trad. do heb. por A. F. Rainey, Filadélfia. Westminster Press, 1967. F. S. Bodenheimer, *Animal and Man in Bible Lands*, Leiden. E. J. Brill, 1960. R. J. Forbes, "Land Transport and Road Building", *Studies in Ancient Technology*, Leiden. E. J. Brill, 1955, II, 126-186. J. P. Free, "Abraham's Camels", *Journal of Near Eastern Studies*, 1944, pp. 187-193. E. G. Kraeling, *Bible Atlas*, Nova York. Rand McNally and Co., 1956. James B. Pritchard, *The Ancient Near East in Pictures*, Princeton. Princeton Univ. Press, 1954. G. E. Wright e F. V. Filson, *The Westminster Historical Atlas to the Bible*, ed. rev., Filadélfia. Westminster Press, 1956. Yigael Yadin, *The Art of Warfare in Biblical Lands*, Vols. 1 e 2, Nova York. McGraw-Hill, 1963.

W. H. M.

**VIAJANTE** Várias versões interpretam três frases hebraicas pelos termos "viajante" ou "viandante": (1) *'ore(a)h* (lit., "peregrino"), Juízes 19.17; 2 Samuel 12.4; Jeremias 9.2; 14.8; (2) *'ober'arah* (lit., "alguém que passa pelo caminho"), Isaías 33.8; (3) *holek derek* (lit.,"alguém que vai por um caminho"), Isaías 35.8. Em todos os casos o significado pretendido é simplesmente o de "viajante".

**VÍBORA** *Veja* Animais: Cobra IV.7 e 37.

**VIDA** No AT, a vida é mencionada principalmente por *nephesh* e *hay*. Basicamente, *nephesh* significa "respiração", "alma", "vida como existência individual" ou "ser". Em conexão com a vida ela significa: (1) o princípio da vida, aquele que respira (Gn 9.4,5; 35.18; Lv 17.11; 1 Rs 17.21,22); (2) a vida física (1 Sm 22.23; 23.15); (3) os animais vivos (Gn 9.10,12); (4) os seres humanos (Gn 36.6; 46.15-27). A palavra hebraica *hay* no singular geralmente refere-se à vida animal (KJV, "animais selvagens", Gn 7.14; Êx 23.11; Lv 11.2; 26.6,22; Jó 5.23). A forma plural é quase sempre usada para a vida humana e parece que estão envolvidos a intensidade ou os vários aspectos da vida.

No AT a vida está associada a uma correta relação com Deus, e, sem esta, a verdadeira vida é impossível (Dt 8.3; 30.15,19,20). Deus é o soberano da vida (Gn 2.7; Nm 16.22). O AT prevê uma vida que é alcançada através da ressurreição (Jó 19. 25-27; Sl 16.10; Is 26.19; Dn 12.2).

No NT, foram empregadas três palavras básicas. A mais comum é *zoe,* que basicamente considera o princípio da vida (cf. Jo 6.63). Ela pode referir-se: (1) à vida física (At 17.25; 1 Co 15.19); (2) à vida de Deus (Jo 5.26; Ef 4.18; Rm 5.10); ou (3) à vida de Cristo no crente (2 Co 4.10,11; Cl 3.4). Essa nova vida (Rm 6.4) é uma dádiva presente (Jo 5.24), é eterna (Jo 6.51), tem uma manifestação futura (Rm 5.17; 2 Co 5.4; 1 Tm 4.8), e é recebida através da fé (Jo 3.16). O Próprio Senhor Jesus Cristo é a nossa vida (Jo 11.25; 14.6; Cl 3.4; 1 Jo 5.11,12,20). *Veja* Vida Eterna; Ressurreição.

A segunda palavra do NT é *bios* que, basicamente, considera os aspectos exteriores da vida neste mundo. Ela (ou seu cognato) descreve a nossa vida terrena atual em relação a: (1) duração (1 Pe 4.2,3); (2) funções (Lc 8.14; 1 Tm 2.2; 2 Tm 2.4); (3) conduta (At 26.4); e (4) meios de subsistência (Mc 12.44; Lc 8.43; 15.12,30; 1 Jo 3.17). Ela nunca é usada em relação à vida eterna.

A terceira palavra é *psyche*, que é freqüentemente traduzida como "alma", e corresponde à palavra hebraica *nephesh.* Ela descreve, fundamentalmente, a vida natural. Com respeito à vida, esta palavra multifacetada pode referir-se aos seguintes aspectos: (1) ao fôlego da vida (em latim, *anima*), a força vital que anima o corpo, ou o princípio da vida que deixa o corpo quando ocorre a morte (Lc 12.20; At 20.10; Ap 8.9); (2) à vida física (Mt 2.20; Mc 10.45; Lc 12.22); (3) ao ser que possui vida, seja humano ou animal (1 Co 15.45; Ap 16.3); (4) ao centro da personalidade (Lc 12.19; Jo 12.27); e (5) à existência interior do homem que pode ser salva, perdida, tentada e santificada (Tg 1.21; Mc 8.16; 1 Pe 2;11; 3 Jo 2).

***Bibliografia.*** Rudolf Bultmann, *et al.*, *"Zao, Zoe* etc.", TDNT, II, 832-875; David Hill, *Greek Words and Hebrew Meanings*, Cambridge. Univ. Press, 1967.

S. D. T.

**VIDA ETERNA** Uma frase que aparece 30 vezes no NT, na versão KJV em inglês, das quais 15 usos ocorrem no Evangelho e nas epístolas de João; e 43 vezes na versão RSV em inglês, com 25 ocorrências nos escritos de João. A palavra "eterna" (*aionios*) é derivada da palavra que significa "era", um período indefinido de tempo, e, dessa forma, duradouro, e conseqüentemente infinito. A vida eterna refere-se invariavelmente à vida de Deus, ou ao estado futuro dos justos (Mt 25.46). Os escritos de João a definem em termos de conhecimento, fazendo dela um sinônimo da experiência de Deus (Jo 17.3). A vida eterna não pode ser adquirida pelos homens, mas lhes é conferida como uma dádiva em resposta à fé (Jo 3.15,16; 1 Jo 5.11; Rm 6.23), e torna-se uma fonte perpétua de poder e refrigério (Jo 4.14). A vida eterna é a vitalidade que Deus concede à alma humana no momento da conversão pessoal a Cristo.

A vida eterna é mediada por Cristo (1 Jo 5.11) e representa a totalidade da experiência cristã em sua vitalidade, duração, qualidade, e em suas associações e conteúdo. Ela permite ao crente entrar diretamente na presença de Deus por ocasião da morte, e desfrutar a eterna alegria do céu. Seu oposto é a morte eterna, ou a separação de Deus (2 Ts 1.9).

*Veja* Imortalidade; Vida.

M. C. T.

**VIDA FUTURA** *Veja* Vida; Imortalidade.

**VIDA, LIVRO DA** No NT, o livro da vida corresponde a um registro que contém os nomes daqueles que foram salvos e que irão herdar a vida eterna.

Ele é mencionado por esse nome em Fp 4.3; Apocalipse 3.5; 13.8; 17.8; 20.12,15; 21.27 (22.19 deve ser entendido como "árvore" da vida e não "livro" da vida). Esse conceito também é encontrado em Lucas 10.20 e possivelmente em Hebreus 12.23. A frase também ocorre no AT (Sl 69.28; cf. Êx 32.32,33; Dn 12.1). Porém no AT, este conceito parece estar relacionado com a lista daqueles que estão vivos nesse mundo, embora alguns entendam que no AT ele também significa uma lista dos herdeiros da salvação. Se a primeira hipótese for correta, quando o AT fala sobre ser apagado do livro da vida ele está referindo-se à morte física e à extinção da linhagem de uma família.

O texto em Apocalipse 3.5 também fala sobre ser apagado "do livro da vida". Neste caso, o livro da vida significa a lista daqueles que foram salvos. Alguns dizem que tal exclusão é possível e está implícita. Muitos acreditam que afirmar que uma pessoa já salva possa perder a salvação contradiz aquelas passagens onde está presente a segurança do crente em relação a Cristo. Conseqüentemente, esses intérpretes devem ter adotado uma das seguintes abordagens: (1) Apocalipse 3.5 não diz explicitamente que o nome de alguém será apagado; (2) esse registro contém originalmente o nome de todos, mas quando alguém rejeita totalmente a Cristo, seu nome é apagado; (3) no Apocalipse, o livro da vida corresponde ao registro da profissão de fé da qual alguns nomes serão apagados, enquanto o livro da vida do Cordeiro (Ap 13.8; 17.8; 20.12,15; 21.27, referindo-se ao livro da vida do Cordeiro, embora não apresentando esse nome especificamente em todos os versos) contém apenas o nome dos verdadeiros crentes e do qual nenhum nome pode ser apagado. *Veja* Perseverança.

S. N. G.

**VIDE ESTRANHA ou VIDE BRAVA** *Veja* Plantas.

**VIDEIRA DE SODOMA** *Veja* Plantas: Vinha de Sodoma.

**VIDENTE** *Veja* Profeta.

**VIDREIRO** *Veja* Vidro.

**VIDRO** O vidro era fabricado desde o Antigo Reino do Egito (2850-2200 a.C.). Grande parte da areia do Egito tem um elevado teor de carbonato de cálcio, adequado para a fabricação de vidro. Como a técnica de soprar o vidro não foi desenvolvida até o século I a.C., pelos fenícios, todos os objetos de vidro do Antigo Testamento eram feitos da solda de talos de vidro ao redor de um núcleo. Na época de Moisés, os artesãos egípcios demonstravam grande talento fabricando belos enfeites coloridos, amuletos e pequenos frascos para perfumes e ungüentos. O vidro

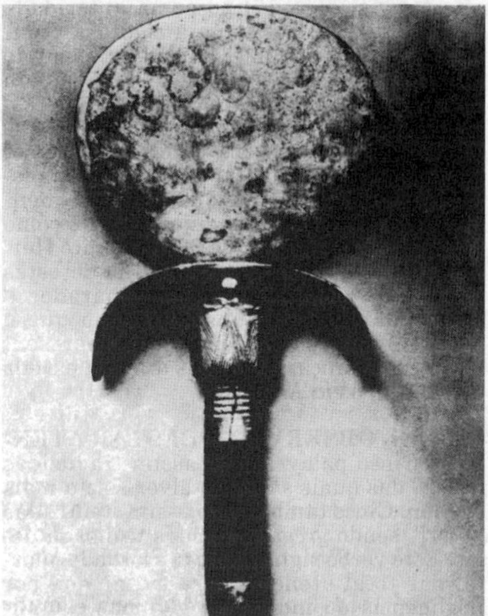

Os espelhos de mão podiam ser feitos de bronze ou de prata. Aqui está um espelho de prata com um cabo de obsidiana do Egito. LL

é mencionado somente uma vez no Antigo Testamento (Jó 28.17), em hebraico, *zekukit*; várias versões falam do "cristal" juntamente com o ouro; isto indica sua escassez e seu alto preço no mundo antigo.
Nos tempos do Novo Testamento, os romanos estavam desenvolvendo o vidro transparente. Nas suas visões do paraíso, João viu uma cidade de ouro puro, como vidro puro (Ap 21.18) e também as ruas eram de ouro puro, "como vidro transparente" (v. 21). Ele comparou outras superfícies com um "mar de vidro" (Ap 4.6; 15.2). Mas o povo ainda preferia que as garrafas e outros objetos fossem feitos de vidro colorido. As cores eram obtidas por meio da adição de óxidos de metal. Até mesmo os objetos romanos de vidro claro tornaram-se iridescentes devido à oxidação dos traços minerais.
O "vidro" (ou "espelho") em Êxodo 38.8; Isaías 3.23; 1 Coríntios 13.12; Tiago 1.23 refere-se aos espelhos de mão altamente polidos, feitos de bronze, que estavam na moda tanto no Egito quanto no mundo romano. Quando Eliú disse "...estendeste com ele os céus, que *estão* firmes como espelho fundido?" (Jó 37.18), ele tinha em mente o espelho de bronze como algo similar ao tom de bronze do céu no verão.
*Veja* Minerais e Metais: Vidro.

J. R.

**VIGIA** Um vigia é mencionado em Daniel 4.13,17,23 como um santo anjo enviado do céu. Os vigias (v. 17) possuem autoridade para decretar o destino e a rigorosa punição de um governante, como por exemplo Nabucodonosor, para que os homens saibam que Deus governa. O conceito de vigias foi desenvolvido e elaborado nos livros apócrifos. No Livro dos Jubileus, eles são considerados como anjos enviados para instruir os justos; em Enoque, eles são mencionados tanto como arcanjos, quanto como anjos caídos. Em Enoque 6.60 o Monte Hermom é designado como o local onde estes desceram. Eles podem ser comparados a anjos guardiões; alguns entendem que o Senhor Jesus os mencionou como representantes de crianças pequenas diante de Deus (Mt 18.10) *Veja* Anjo.

**VIGIAR, OBSERVAR, PRESTAR ATENÇÃO** Cinco palavras são assim traduzidas no AT, das quais *shamar* talvez seja a mais comum. Cinco também são assim traduzidas no NT, sendo *gregoreo* a mais utilizada delas. Este verbo significa ficar acordado, alerta, dar total atenção, para evitar que por negligência ou indolência algumas calamidades destrutivas atinjam a vida de alguém (Mt 24.42; 25.13; Ap 16.15), ou ainda para evitar que alguém negue ou abandone a Cristo (Mt 26.41) ou caia em pecado (1 Ts 5.6; 1 Co 16.13; 1 Pe 5.8; Ap 3.2ss.).

***Bibliografia***. Harald Reisenfeld, "*Tereo* etc.", TDNT, VIII, 140-151.

H. E. Fi.

**VIGÍLIA** Este termo significa vigiar ou guardar, "vigília da noite" (heb. *ashmura* ou *ashmara*, Êxodo 14.24; Juízes 7.19; 1 Samuel 11.11; Salmo 63.6; 90.4; 119.148; Lm 2.19; o termo grego *phylake*, Mt 14.25; 24.43; Mc 6.48; Lc 2.8; 12.38). Há muito tempo o dia era contado a partir do nascer do sol até o pôr do sol, e vários equipamentos eram utilizados para designar a hora do dia; por exemplo, o relógio de sol da época de Ezequias (2 Rs 20.11; Is 38.8). Para contar as horas da noite, os judeus, assim como os gregos, dividiam-na em três vigílias. A primeira era chamada de "princípio das vigílias" (Lm 2.19) e ia do nascer do sol até às 10.00hs da noite. A segunda, a vigília da meia-noite (ou vigília média; Juízes 7.19) ia das 10.00hs da noite às 2.00hs da madrugada. A terceira era a vigília da manhã (Êx 14.24; 1 Sm 11.11), que ia das 2.00hs da madrugada até o nascer do sol. Todos estes horários são, obviamente, aproximados. Os romanos aumentaram o número de vigílias para quatro, e referiam-se a elas utilizando uma ordem numérica como "quarta vigília" (Mt 14.25), ou pelos termos "tarde, meia-noite, cantar do galo e manhã" (Mc 13.35). É possível que cada uma destas vigílias noturnas terminasse, respectivamente, às nove horas da noite, à meia noite, às três horas da madrugada, e às seis horas da manhã.
*Veja* Tempo, Divisões do.

**VIGÍLIA DA MANHÃ** *Veja* Vigília

**VIGÍLIA NOTURNA** *Veja* Vigília

**VILA**[1] Algumas das vilas mais antigas estavam localizadas em Jericó e Beida (perto de Petra) na Palestina, em Catal Huyuk (a sudeste de Icônio) na Anatólia e em Jarmo, no nordeste da Mesopotâmia, todas em aprox. 7000 a.C. Jericó e Catal Huyuk tornaram-se cidades, enquanto Jarmo e Beida foram abandonadas e desapareceram (CAH, 3ª ed., I [Parte I], 248-317, 499-520). As primeiras vilas do Egito ainda não puderam receber uma data aproximada. Na antiga nação de Israel, as vilas não muradas eram como filhas para as cidades muradas, que funcionavam como suas "cidades-mães" (cf. Lv 25.30,31; Nm 21.25 heb.; 2 Sm 20.19). Um grupo de vilas geralmente agrupava-se em volta da cidade-mãe (Js 19.8; 1 Cr 4.33; Ne 12.29) à qual seus habitantes podiam recorrer para proteção e subsistência em caso de perigo.
No AT, a palavra "vila" corresponde à tradução de várias palavras hebraicas, entre elas *bat* (literalmente, "filha"), *haser* (cf. Hazar-Gada [Js 15.27], a "vila de Gada") e várias vocalizações da raiz *kpr* (cf. Cafarnaum, a

"vila de Naum"). Embora a palavra *p^e^razaw* tenha sido traduzida como "suas vilas" na versão KJV em inglês em Habacuque 3.14, o significado dessa palavra hebraica é incerto (cf. as versões ASV e RSV em inglês). No NT, "vila" é a tradução da palavra grega *kome*. *Veja* Cidade; Vila[2]

R. Y.

**VILA[2]** As várias palavras hebraicas empregadas para "cidade", "vila" e "aldeia" no AT não parecem ter sido usadas de forma ambígua. Basicamente, as "cidades" (heb. *'ir*) eram muradas, as "aldeias" (*haser*) não eram muradas (Lv 25.30,31), e a distinção servia como um meio amplo e prático de diferenciar estes dois termos. Vários fatores, porém, complicam a questão. O texto em Deuteronômio 3.5 e Ester 9.19 falam de "vila não murada" ou, mais literalmente, "cidade rural" (*'ir happ^e^-razi*), a qual poderia tornar-se a base de uma distinção adicional (embora menos precisa), a "vila" (cf. "vilas rurais", Ester 9.19). O temo "vila", então, poderia servir muito bem como uma referência àquelas comunidades que não são nem cidades nem aldeias, mas entidades intermediárias. A *haser* estava situada na área que circundava a *'ir* (Js 19.8; 1 Cr 4.33; Ne 12.29) e era freqüentemente denotada em heb. pelo termo *bat* ("filha"; cf. Nm 21.25), da cidade, que por sua vez era chamada de sua "mãe" (*'em*; cf. 2 Sm 20.19). As palavras hebraicas *bat* e *hater* podem, portanto, em alguns casos, ser usadas como termos equivalentes (Ne 11.25,30). Por outro lado, eles podem ser distintos um do outro (cf. Js 15.45,47 onde *bat* é melhor traduzido como "vila" e *haser* como "aldeia"). Nem mesmo o termo *'ir* está livre da ambigüidade. Ele é encontrado como um termo genérico que inclui *bat* (1 Cr 2.23) e *haser* (1 Cr 4.32; Is 42.11); ela significa tanto "cidade" *como* "vila/aldeia" em Jeremias 19.15; e em 1 Samuel 6.18 é um termo genérico para todas as cidades dos filisteus incluindo tanto a cidade fortificada (*'ir mibsar*) como a aldeia não murada (*koper happ^e^-razi*). O NT faz uma distinção tripla entre cidade, aldeia e campo (cf. Mc 6.56), com o termo "cidade" traduzindo o grego *polis*, e "aldeia" traduzindo *kome*. Infelizmente, algumas versões às vezes introduzem uma ambigüidade desnecessária ao adicionar uma quarta categoria, "vila", como a tradução de *polis* e/ou *kome*. A questão talvez seja melhor ilustrada através da referência a Mateus 10.11, na qual a expressão *polin e komen* é traduzida por algumas versões como "cidade ou povoado", por outras como "cidade ou aldeia", e ainda por outras como "vila ou aldeia". Parece que o termo "vila" deveria ser reservado para a tradução de *komopolis* (Marcos 1.38), um híbrido entre "aldeia" e "cidade". *Veja* Cidade; Vila[1].

R. Y.

**VILANIA ou VILÃO** O texto em Jeremias 29.23 adverte que os falsos profetas Zedequias e Acabe, filho de Colaías, haviam feito loucura, isto é, haviam feito o que era insensato ao desobedecerem ao sétimo mandamento, e mentirem. A pessoa vil ou tola fala "loucamente" (Isaías 32.6 no sentido de "tolices" ou coisas "absurdas").

**VINAGRE** *Veja* Vinho.

**VÍNCULO** Na versão KJV em inglês, a palavra vínculo é representada por quatro palavras gregas e quatro hebraicas que significam "cadeia", "grilhão", "escravo" ou, em sentido figurado, uma obrigação moral ou legal.

Em Atos 8.23, o "laço da iniqüidade" parece significar o grilhão que consiste em iniqüidade. Em Efésios 4.3, "vínculo da paz" significa o vínculo em que consiste a paz, isto é, a própria paz é o vínculo. Em Colossenses 3.14, o amor é o vínculo que reúne todas as virtudes em perfeita unidade. A palavra *syndesmos* também significa "ligamento" ou "ligadura" no sentido anatômico (Cl 2.19).

Em Colossenses 2.14 (nas versões ASV e RSV) a palavra "vínculo" aparece como a tradução de *cheirographon* (na versão KJV, "manuscrito", na versão RA, "escrito" e na versão RC, "cédula"). Aqui a imagem referese a um documento manuscrito. Mas o que é esse vínculo? A justa condenação da lei contra o pecado. Cristo apaga, elimina do caminho, prega na cruz, o vínculo que foi cancelado. A menção feita aos decretos refere-se às exigências específicas da lei, ou às especificações, em uso legal, da acusação geral feita contra nós. Quando a lei condena, Deus e a consciência nos trazem as especificações de nossa transgressão. Paulo percebeu a transgressão da lei, porque sua consciência estava despertada em relação à ordem específica. "Não cobiçarás" (Rm 7).

W. B. W.

**VINDA DE CRISTO** *Veja* Cristo, Vinda de.

**VINDIMA** *Veja* Vinha.

**VINGADOR DE SANGUE** *Veja* Sangue, Vingador de.

**VINGANÇA** A palavra hebraica *naqam*, com seus substantivos derivados, significa "vingar, vindicar". Nas antigas tábuas de Mari e Amarna, *n-q-m* pode significar defender, vindicar ou salvar.

A vingança pertence a Deus (Dt 32.35) como parte da justiça de sua natureza (Is 59.17; Jr 11.20; Na 1.2ss.), e como parte de seu cuidado por seus filhos (Jr 11.18-23; Lm 3.58-66; Lc 18.7ss.). A vingança vinda de Deus era considerada uma prova de seu zelo e de sua justa conduta para com Israel e as nações, de acordo com sua aliança (Lv 26.25; Is 59.15*b*-18). Esse conceito originou-se dos atos considerados necessários para sanar o rompimento da solidariedade da família como resultado de um assassinato (Dt 32.41-43). Portanto ela pode ser definida como uma justa retribuição.

Às vezes, Deus usa os homens como agentes de sua vingança (Nm 31.1ss.; Js 10.12-14; Jz 11.36; Jr 51.11), e até mesmo os designa para esse fim (Nm 35.9-34; 2 Rs 9.1-10; Jr 50.14,15). *Veja* Sangue, Vingador de. O estado, de acordo com Deus, tem o direito de se vingar (Rm 13.4; cf. Gn 9.5ss.). Esse direito é exercido pelos reis (1 Sm 14.24), por uma entidade nacional (Et 8.13) e até pelos indivíduos (Jz 16.28). Entretanto, a vingança praticada com maldade traz uma justa retribuição (Ez 25.12-17).

O pecado traz a vingança de Deus (Jr 5.7-9,25-29; 9.8ss.). Historicamente, esta vingança é ameaçada (Lv 26.23-25; Dt 32.41,43) e executada (Sl 99.8; Na 1.2-8; Lc 21.22), e também pode ser eterna (Jr 20.10-12; 2 Ts 1.8; Jd 7). A vingança de Deus é distribuída com igualdade (Sl 137.8; Jr 50.15,28ss.) ou em grande medida (Gn 4.15,24; Ap 18.6). A natureza justa de Deus (Na 1.2ss.) e a condição dos homens (Is 59.17ss.) determinam sua distribuição sobre as nações (Is 34.8-10; 47.1,3,10,11; Mq 5.15), sobre Israel (Is 61.2; Lc 21.20-22; 1 Ts 2.14-16) e sobre os indivíduos (Lc 18.1-8).

Os homens são proibidos de se vingar por razões de vindicação ou desforra (Lv 19.18; Rm 12.19; Hb 10.30). Às vezes essa proibição é desobedecida (Jz 15.7ss.), e a desobediência geralmente traz o juízo (2 Sm 4.8-12; Ez 25.12-17).

Os justos clamam a Deus, pedindo que Ele coloque sua vingança em prática (1 Sm 24.12; Sl 94.1-10; Jr 15.15; 20.10-12; Ap 6.9ss.). Tal vingança faz com que eles regozijem-se (Dt 32.43; Sl 58.10ss.; 149.5-9; Jr 20.12ss.), e sintam-se mais corajosos (Is 35.3ss.; 61.2).

W. B.

**VINGANÇA, VINGADOR** Estas palavras são usadas no sentido de fazer justiça ou vingar uma injustiça, ou de alguém que vinga uma injustiça. O vingador de sangue (*go'el haddam*; cf. "vingador de sangue") era um parente próximo a quem, pela lei antiga, era permitido matar o assassino de um membro de sua família (Nm 35.19-21; 2 Sm 14.11). No entanto, não lhe era permitido matar um homicida que permanecesse em uma cidade de refúgio (Nm 35.22-27). *Veja* Sangue, Vingador de.

O salmista orou para que houvesse vingança pelo derramamento de sangue dos servos de Deus (Sl 79.10; cf. "vingança"). Jeremias enfrentou conhecidos que desejaram tomar vingança contra ele (Jr 20.10). Os filisteus haviam agido de forma vingativa (Ez 25.15; cf. "usaram de vingança"). Nas duas últimas passagens fica evidente a presença de um espírito vingativo e de injustiça, o qual Deus punirá.

"O início das vinganças [*p^e^ra'ot*] contra o inimigo" (Dt 32.42) parece ter uma tradução especial na versão KJV em inglês. "Desde a cabeça, haverá vinganças do inimigo". Esta é uma ênfase que torna a passagem ainda mais significativa. Contudo, o significado geral de Deuteronômio 32.39-43 deixa claro que Deus toma vingança contra seus adversários (cf. Na 1.2).

Quando o conceito de vingança no NT é estudado, fica claro que esta atitude odiosa ou este sentimento vingativo e rancoroso contra o ofensor está ausente. O magistrado civil é chamado por Paulo de "ministro de Deus e vingador para castigar o que faz o mal" (Rm 13.4). Em 2 Coríntios 7.11 o apóstolo diz que a igreja em Corinto é inculpável em seu zelo disciplinador e na vingança (ou castigo) impostos contra a pessoa incestuosa. Ele escreve posteriormente que estaria pronto para vingar ou punir toda a desobediência, assim que a obediência dos coríntios fosse totalmente demonstrada (2 Co 10.6). A maneira *como* ele intencionava executar esta vingança não é declarada; ele poderia executá-la pela excomunhão, entregando os ofensores aos poderes de Satanás (como em 1 Co 5.5), ou por um certo exercício de um dom carismático com autoridade apostólica.

Em nenhum caso Deus, ou mesmo seu servo Paulo, mostra algum ressentimento. Isto vem ao pensamento imediatamente após o ferimento; mas a vingança piedosa pode esperar anos depois que a ofensa foi cometida. A vingança, no sentido vingativo de perversidade, é proibida pelos mandamentos que ordenam que amemos os nossos inimigos e que retribuamos o mal com o bem.

Paulo sugeriu que um dos aspectos da vida em Cristo é o de estar pronto para vingar a desobediência (2 Co 10.6).

H. E. Fi.

**VINHA** Plantação de uvas para produção de vinho e outros usos. A vinha (em hebraico *kerem*, e em grego *ampelon*) era geralmente plantada em uma encosta (Is 5.1; Jl 3.18), muitas vezes em forma de terraços e cercada por um muro de proteção feito de pedras ou arbustos (Nm 22.24; Is 5.5; Sl 80.8-13; Ct 2.15). Uma torre de pedra era construída (*veja* Torre) onde o vigia cuidava das uvas maduras durante a estação da colheita (Mt 21.33). Nessa época, as uvas eram processadas em um lagar (*q.v.*) localizado dentro dos limites da vinha (Is 5.2). As vinhas eram cultivadas pelos seus proprietários ou por empregados contratados (Mt 20.1-16). Às vezes, um grande proprietário de terras alugava sua vinha sob um contrato de meação (Ct 8.11; Mt 21.33-43).

Podemos ver como as vinhas desempenha-

vam um grande papel na vida dos israelitas através da lei que isentava do serviço militar a pessoa que tivesse recentemente plantado uma vinha (Dt 20.6). O proprietário deveria deixar alguns frutos para os moradores estrangeiros, as viúvas e os órfãos (Lv 19.10; Dt 24.21).
Nabote tinha uma vinha em Jezreel, perto do palácio de inverno do rei Acabe (1 Rs 21.1,2). Ele recusou-se a vendê-la para o rei, porque a Lei Mosaica proibia que os israelitas vendessem sua herança paterna (v.3; Lv 25.23-28; Neemias 36.7ss.; *veja* Terra e Propriedade).
Os escritores da Bíblia usaram as vinhas e os vinhedos para ilustrar as verdades espirituais. No AT, a nação de Israel foi comparada a uma vinha (Is 5.1-7; Sl 80.8-16). No NT, o Senhor Jesus Cristo baseou algumas de suas parábolas na imagem de uma vinha (Mt 20.1ss.; 21.28-32) e referiu-se a si mesmo como uma videira, e seus seguidores como os ramos (Jo 15.1ss.).
*Veja* Plantas.

***Bibliografia.*** J. P. Brown, "*The Mediterranean Vocabulary of the Vine*", VT, XIX (1969), 146-170).

G. E. W.

**VINHATEIRO** *Veja* Ocupações: Agricultor, Lavrador; Plantas: Videira.

**VINHEDOS, PLANÍCIE DOS** A planície mencionada em conexão com Jefté libertando Israel dos amonitas (Jz 11.33). É chamada de Abel-Queramim. Sua localização pode ser identificada na vizinhança geral de Amã, na Transjordânia.

**VINHO** Onze palavras heb. diferentes são assim traduzidas no AT. A distinção exata entre todas elas é difícil, e, certamente, impossível de se determinar agora. No entanto, a maior parte delas é usada apenas algumas vezes. O interesse maior liga-se a duas palavras do AT que são usadas diversas vezes: *yayin* (134 vezes) e *tirosh* (38 vezes). A contraparte do NT é *oinos* (usada 33 vezes). O termo heb. *yayin* "parece ser usado para descrever 'todos os tipos de vinho'" (Ne 5.18), desde o simples suco de uva, ou um xarope engrossado, até as bebidas alcoólicas mais fortes com as quais os israelitas estavam familiarizados, cujo uso freqüentemente levava a cenas deploráveis de embriaguez" (Fairbairn, *Imperial Standard Bible Encyclopedia*, VI, 341). Esta é a palavra usada na primeira referência bíblica ao vinho (Gn 9.21). Ele era intoxicante, e então fez com que Noé caísse em uma condição vergonhosa, a qual deu ocasião a um grave pecado por parte de seu filho, Cam. Melquisedeque trouxe pão e *yayin* para o conforto de Abraão (Gn 14.18). As filhas incestuosas de Ló o usaram para causar em seu pai uma condição inebriante (Gn 19.30-38). Esta palavra é usada em relação ao vinho apresentado como uma oferta de bebida (ou libação) ao Senhor (Êx 29.40, *et al.*).
Os sacerdotes eram proibidos de beber *yayin* quando ministravam no Tabernáculo (Lv 10.9). Pode ser inferido que a ingestão de vinho foi o que causou o erro de Nadabe e Abiú que resultou em sua destruição (Lv 10.1,2). Semelhantemente, ele era proibido ao nazireu durante o período de sua separação (Nm 6.3,20). Os recabitas recusavam-se a beber vinho, porque um notável antepassado havia recomendado que não o fizessem (Jr 35.6,7). O propósito daquele homem foi, aparentemente, conservar a vida simples e nômade de seu povo, evitando que se envolvessem com os perigosos luxos da civilização.
O termo heb. *tirosh* é usado para o suco que acabou de ser extraído das uvas, e freqüentemente traduzido como "vinho novo". Certamente a palavra é usada aparentemente até mesmo para denotar o suco ainda não espremido das uvas (Is 65.8; Mq 6.15). Quando se permitia que o suco fermentasse, o resíduo, borra ou sedimento, ao depositar-se no fundo do reservatório, dava força e sabor ao vinho. Antes de ser servido, o vinho deveria ser filtrado para eliminar a borra (*veja* Borra; Resíduos). Apenas uma vez a intoxicação é presumivelmente sugerida em conexão com a palavra *tirosh* (Os 4.11), mas o Talmude deixa claro que ele também poderia ser fermentado.
O termo gr. *oinos* é a tradução dos dois termos hebraicos na Septuaginta. Todas as referências do NT ao vinho, exceto uma (At 2.13), usam esta palavra. O termo gr. refere-se a "vinho, normalmente ao suco de uva fermentado" (Arndt, p. 564). O processo de fermentação é evidentemente citado em Marcos 2.22, e o suco, quando colocado pela primeira vez nos odres, é chamado de "*oinos* novo". Na festa de casamento de Caná, o Senhor Jesus transformou a água em *oinos*, e este foi elogiado como sendo melhor que o servido anteriormente (Jo 2.1-10).
O termo vinagre (heb. *homes*, gr. *oxos*) na Bíblia refere-se ao vinho azedado ou fermentado, o vinagre de vinho que era mais barato do que o vinho normal, e assim uma bebida predileta para as camadas mais baixas da sociedade (Rt 2.14). A profecia em Salmos 69.21, "Na minha sede me deram a beber vinagre", teve um cumprimento no momento do sofrimento do Senhor Jesus na cruz (Mt 27.48; Mc 15.36; Lc 23.36; Jo 19.28-30). Os soldados romanos bebiam um vinho fino e azedo que em latim era chamado de *acetum*, "vinagre, vinho azedado".
*Abstinência total ou moderação*? Muita discussão tem reinado entre os estudantes da Bíblia quanto a se as Escrituras ensinam a abstinência total ou se sancionam o uso moderado de vinho. Podem ser encontradas au-

toridades que insistem que quando o vinho fermentado é citado, é sempre por meio de condenação, e que os versículos que parecem recomendar o uso de vinho sempre têm em vista o suco não fermentado (John W. Haley, *Alleged Discrepancies of the Bible*, p. 252). Entretanto, é duvidoso que essa tese possa ser mantida. Todos concordam que a Bíblia uniformemente condena o bebedor de vinho ou bêbado (Pv 23.20,21), e a embriaguez e o abuso do vinho (Pv 20.1; 21.17; 23.30,31; Is 5.22; 28.7; Jl 1.5; Am 6.6; Hc 2.5; Ef 5.18; 1 Tm 3.8; Tt 2.3). Mas o vinho foi sugerido por Paulo a Timóteo para propósitos medicinais (1 Tm 5.23). O próprio Senhor Jesus deve ter compartilhado algum vinho, porém foi incorretamente classificado como um "beberrão" (Mt 11.19; Lc 7.34). Aos crentes, porém, foi recomendado que se abstenham do vinho, se isto for colocar um tropeço diante de um irmão mais fraco (Rm 14.21). Muitos que reconhecem que a Bíblia não proíbe absolutamente o uso do vinho, entretanto, sentem que "a completa abstinência pode ser amplamente defendida com base nos princípios bíblicos" (Roland H. Bainton, "Total Abstinence and Biblical Principles", CT, 7 de julho de 1958, pp. 3-6).

*Uso figurativo.* O vinho é retratado como algo que "alegra o coração do homem" (Sl 104.15). Ele é, portanto, usado como uma metáfora para a alegria e a satisfação trazidas pela salvação do Senhor (Is 55.1; Zc 10.7). O Senhor Jesus comparou seu ensino do reino e uma nova criação com o vinho novo que poderia romper os odres velhos da tradição judaica (Mt 9.17). Quando as nações são inexoravelmente forçadas a suportar os juízos terríveis nas mãos de Deus, a situação é às vezes retratada como se elas fossem forçadas a beber o cálice cheio "de vinho do furor" (Jr 25.15; 51.7; Ap 14.10; 16.19). Tornar-se intoxicado com falsos ensinos e maus princípios é simbolizado sob a figura de tornar-se embriagado com vinho (Ap 14.8; 17.2; 18.3).

*Veja* Banquete; Bebida; Bebida Forte; Embriaguez; Plantas: Uva, Videira; Vinha.

G. C. L.

**VIOLÊNCIA** A violência começou com a queda de Satanás (Ez 28.15ss.). Ela provocou a destruição da primeira civilização humana (Gn 6.11,13), e ainda prevalece onde se encontram os pecadores (Sl 58.1-3), pois estes homens amam a violência (Sl 11.5; 73.6; Pv 13.2) e só ficam satisfeitos quando a praticam (Pv 4.14-17).

A violência prejudica as relações pessoais na sociedade (Gn 21.25). Ela invade uma nação (Dt 28.31,45) como uma retribuição pela desobediência à lei de Deus (Sf 3.4). Ela penetra na própria fortaleza do governo e da religião de uma nação em épocas de decadência moral e espiritual (Ez 8.16ss.; Am 3.19; 6.1; 3-6) e essa nação irá logo se tornar um poço de imundície e violência (Is 59.6-8). Jerusalém, durante seus anos de degradação, tornou-se um lugar como este (Jr 6.6ss.; Ez 7.10ss., 23). Algumas nações ficaram famosas por sua violência (Hc 1.9). O castigo Divino desaba sobre essas nações violentas (Jr 51.34-36; Jl 3.19; Ob 10. Hc 2.8,17). O Próprio Deus emprega a violência (Lm 2.6) para destruir as nações violentas (Ez 12.19ss.). Os homens violentos são destruídos da mesma maneira (Jr 22.17-19). Na verdade, a violência gera violência (Sl 7.16; 140.11; Am 6.3). Os servos de Deus devem manifestar-se contra a violência (Jr 20.8; Hc 1.2). Eles oram pela libertação dos homens violentos (Sl 140.1,4) sabendo que somente Deus poderá libertá-los (2 Sm 22.3,49; Sl 72.14; 86.14). Os governantes devem eliminar a violência (Jr 22.2ss.; Ez 45.9). As cidades devem se arrepender dela (Jn 3.8). Entretanto, sua presença na sociedade humana ainda cria problemas em relação à doutrina da justiça divina (Ec 5.8; Hc 1.2-4). Somente Cristo estava livre dela (Is 53.9) e ela não existirá na nova terra (Is 60.18ss.).

Deve-se observar que a violência na época de Noé (Gn 6.11,13) repetir-se-á nos últimos dias antes do segundo advento de Cristo (Mt 24.12,37).

As difíceis afirmações encontradas em Mateus 11.12ss. e em Lucas 16.16 provavelmente significam que pessoas violentas (isto é, publicanos, prostitutas e afins) estão violentamente (isto é, agressivamente, com grande zelo e determinação) procurando entrar no reino de Deus, trazendo sobre si mesmos, neste processo, a perseguição (cf. Mt 7.7; Lc 13.24; 1 Co 9.24; 1 Tm 6.12).

W. B.

**VIOLETA** *Veja* Cores.

**VIRGEM** Virgem é a mulher que nunca teve uma relação sexual. Essa palavra corresponde à tradução de duas palavras hebraicas do AT e uma grega do NT: (1) A palavra hebraica *b$^e$tula,* "virgem", também é usada figuradamente para nações e nomes de lugares. (2) A palavra hebraica *'alma*, "mulher jovem, virgem" é a forma feminina de *'elem,* "homem jovem". Quanto à questão muito discutida se a palavra sempre significa apenas virgem, a etimologia nada oferece que possa ajudar, e mesmo seu uso não é totalmente determinante neste caso. Entretanto, podemos dizer corretamente que ela aplica-se somente a mulheres solteiras. (3) A palavra grega *parthenos*, "virgem", foi empregada na tradução da LXX de Isaías 7.14 e está na citação de Mateus 1.23. Ela também foi usada para descrever Maria em Lucas 1.27 (cf. v.34), as filhas de Felipe (At 21.9) e aqueles que formam a Noiva de Cristo (II Coríntios 11.2).

A segunda palavra acima, *'alma,* foi usada em Isaías 7.14 onde está precedida pelo artigo (provavelmente genérico). O texto em Mateus 1.23 indica, definitivamente, que Isaías 7.14 é messiânico. Mas entre aqueles que aceitam a autoridade do NT no sentido de que a profecia aplica-se ao Messias, existem três visões principais:

1. A visão estritamente messiânica. Para estes, a passagem é apenas uma previsão a respeito do Messias. Essa opinião foi defendida por E. J. Young na obra *The Book of Isaiah,* I. Os dois artigos de Hindson (cf. a bibliografia) também oferecem uma pesquisa útil. Aqueles que se opõem a essa opinião insistem, com bases hermenêuticas, que o contexto e o argumento de Isaías 7–8 não deixa transparecer imediatamente que somente o Messias está sendo mencionado, pois Isaias certamente parece estar predizendo o nascimento e crescimento de uma criança contemporânea e visível, que pode servir como sinal da libertação de Judá da ameaça da Síria e de Israel, um sinal de que "Deus está conosco" (Emanuel).

Por essa razão, foram acolhidas as duas outras principais opiniões possíveis.

2. A visão da "compenetração". Alguns elementos aplicam-se ao Messias, enquanto outros aspectos concretizam-se em uma criança nascida na época do profeta. Uma pequena variação dessa opinião é sua dupla referência ou duplo cumprimento (o presente escritor prefere a expressão "opinião de cumprimento progressivo"). J. Taylor, em seu artigo publicado em *Christianity Today,* faz um resumo dessa abordagem: "A profetiza teve um filho e esse filho é o sinal prometido ao rei Acaz. Portanto, se insistimos que em Isaías 7.14 a tradução seja "virgem" e nunca "jovem mulher", estaremos nos confrontando com dois nascimentos virginais registrados nas Escrituras, embora afirmemos que o nascimento de Cristo foi o único deste tipo. Ao reconhecermos que *almah* pode significar "jovem mulher" ou "virgem" estaremos evitando essa inconsistência. Mateus, porém, ao enfrentar o duplo significado da palavra ["jovem mulher na idade de se casar" e "virgem"] por inspiração do Espírito Santo preferiu a palavra "virgem".

3. A visão tipicamente messiânica. A profecia refere-se inicialmente à criança do século VIII a.C. que serve como um tipo perfeito da futura libertação messiânica. O tratamento mais abrangente e atual dessa explicação foi feito por McIntosh (cf. bibliografia). Archer também aceita essa visão. "Julgando a partir de Isaías 8.1-4, a típica mãe era a profetiza que se tornou esposa de Isaías pouco tempo depois dele ter expressado essa profecia; portanto ela era virgem no momento em que ele proferiu estas palavras. Para aqueles que têm esta opinião, ela serve como exemplo da Virgem Maria, pois estes pensam que ela permaneceu virgem mesmo depois de sua milagrosa concepção pelo Espírito Santo. Dessa maneira, o filho dessa profetiza é o exemplo do Emanuel Messiânico" ("Isaiah", WBC, p. 618).

É claro que, deixando totalmente de lado o uso feito por Mateus (Mt 1.23) da passagem em Isaias 7.14, a doutrina do nascimento virginal de Cristo é claramente ensinada em Mateus 1.18,20,25; Lucas 1.34,35.

*Veja* Encarnação.

***Bibliografia.*** Gleason L. Archer, Jr., "Isaiah", WBC, pp. 605-654. Gerhard Delling, "*Parthenos*", TDNT, V, 826-837. Charles L. Feinberg, "The Virgin Birth in the Old Testament and Isaiah 7.14", BS, CXIX (1962), 251-258. Edward E. Hindson, "Development of the Interpretation of Isaiah 7.14", *Grace Journal,* X (Spring, 1969), 19-25; "Isaiah's Immanuel", *Grace Journal*, X (Fall, 1969), 3-15. P. D. McIntosh, "The Immanuel Prophecy of Isaiah", tese de mestrado não publicada, Dallas Theolog. Sem., Mosher Library, 1971. J. Taylor, "Born of a Virgin", *Christianity Today,* IX (18 de dezembro de 1964), 9-10. Gordon J. Wenham, "*Betulah,* 'A Girl of Marrigeable Age'", VT, XXII (1972), 326-348. Herbert M. Wolf, "A Solution to the Immanuel Prophecy in Isaiah 7.14–8.22". JBL, XCI (1972), 449-456. Edward J. Young, *Studies in Isaiah,* Grand Rapids. Eerdmans, 1954. pp. 143-198; *The Book of Isaiah,* Grand Rapids. Eerdmans, 1965, pp. 283-291.

K. L. B.

**VIRGINDADE** Virgem (*q.v.*) é quem não teve relação sexual. Essa referência é geralmente feita ao sexo feminino. A virgindade da noiva era especialmente importante para os israelitas antes do casamento (Lv 21.13; Dt 22.13-21). Portanto, o noivo podia exigir uma prova de virgindade antes da consumação do casamento. Os pais da noiva teriam, então, que exibir provas dessa "virgindade" (em hebraico *b[e]tulim*), provavelmente alguma de suas vestes manchadas com sangue menstrual para provar que não estava grávida. O crime seria ter tido uma relação sexual com um terceiro quando já estava comprometida, porém ainda vivendo com seus pais (G. J. Wenham, "*Betulah*", VT, XXII [1972], 330-337). Por outro lado, a infecundidade era considerada tamanha desgraça, que poderia ser comparável à morte antes do casamento (Jz 11.37,38).

Os "seios da... virgindade" deveriam ser os seios pequenos e firmes da jovem ainda não totalmente desenvolvida, um sinal de que ainda era virgem e não havia tido filhos (Ez 23.3,8).

J. R.

**VIRTUDE** Antigamente, a palavra virtude, às vezes, significava "força varonil", "valor" e "eficiência". O adjetivo "virtuoso" (em hebraico *hayil*, "força, habilidade") foi usado para descrever Rute como uma mulher digna (Rt 3.11). No AT, essa palavra foi usada outras três vezes para mulheres (Pv 12.4; 31.10,29). Ocasionalmente, a palavra "virtude" foi usada na versão KJV em inglês com o sentido de poder miraculoso (em grego *dynamis*, Mc 5.30; Lc 6.19; 8.46). Em seu sentido habitual, ela corresponde à tradução do grego *arete* e projeta a idéia de excelência moral ou bondade (Fp 4.8; 2 Pe 1.3,5). Essa palavra grega, com a conotação de energia moral, valor e integridade aparece em Sabedoria 8.7. "Se alguém ama a justiça, as virtudes são os seus frutos, pois é ela quem ensina a temperança e a prudência, a justiça e a fortaleza, que são na vida os bens mais úteis aos homens".

**VISÃO** De acordo com os registros bíblicos, as visões eram usadas muitas vezes por Deus para revelar sua Palavra ou vontade aos seus servos. Qualquer que seja a forma de uma visão, ela sempre será uma mensagem de Deus. Por exemplo, poderia ser uma ação ou um sonho de Jacó no caso dos anjos que desciam e subiam a escada celestial (Gn 28.12; *veja* Sonho); a visão também poderia ter a forma de uma natureza morta, como no caso do cesto de frutos de Amós (Am 8.1); ou simplesmente a visão de um homem falando como o macedônio que conclamou Paulo em Atos 16.9.

As várias palavras traduzidas como visão na Bíblia originaram-se de raízes relacionadas com o verbo ver. Muitas vezes, as visões eram sonhos ou tinham este aspecto, e sempre envolviam determinações, instruções ou previsões. Elas não devem ser confundidas com visitações, como a libertação de Pedro da prisão pelas mãos do anjo (At 12.7) ou o encontro de Moisés com a sarça ardente (Êx 3.2).

Os visionários da Bíblia não eram como aqueles que desperdiçam seus dias em contemplação. Eles eram homens de ação. Com apenas uma exceção (Balaão), as visões eram concedidas a homens dedicados a servir a Deus. Nos dias do AT, os profetas recebiam visões, e tanto Jeremias quanto Ezequiel denunciaram os falsos profetas por fingirem que tinham visões (Jr 14.14; 23.16; Ez 13.7). No NT, os livros de Atos e Apocalipse estão repletos de visões concedidas principalmente aos apóstolos.

As visões bíblicas estavam relacionadas com o presente, como em Gênesis 15.1 e Atos 9.10, 11 e também com o futuro, como provam os escritos de Isaías, Ezequiel, Daniel e João.

***Bibliografia.*** Carmen Benson, *Supernatural Dreams and Visions*, Plainfield. Logos, 1970. Wilhelm Michaelis, "*Horao etc.*", TDNT, V, 315-382.

G. E. W.

**VISÃO** O termo visão na Bíblia Sagrada traduz muitas palavras hebraicas e gregas e é usado de diversas maneiras. Além do significado normal de "o que os olhos vêem", há numerosas referências às pessoas cegas que receberam a visão (Lc 4.18,19; cf. Mc 10.51, 52; Jo 9.11-18; At 9.18).

A declaração de Paulo em 2 Coríntios 5.7 é de especial importância: "Porque andamos por fé e não por vista". Aqui a palavra para "vista" é *eidos,* "aparência, forma", que se refere não ao ato de ver, mas precisamente aos fatos que alguém vê. A nossa caminhada cristã na terra é guiada pela fé em coisas eternas que não podem ser vistas (2 Co 4.18; Hb 11.1,13) e não pela aparência exterior das coisas do presente. A nossa esperança, que não se vê (Rm 8.24), é a de que veremos o Senhor Jesus Cristo face a face, e conheceremos completamente assim como somos completamente conhecidos (1 Co 13.9-12; 1 Pe 1.8; 1 Jo 3.2,3).

***Bibliografia.*** W. Michaelis, "*Horao* etc...", TDNT, V, 315-382.

**VISITAÇÃO** Visita de Deus para inspeção (em hebraico *pequdda*; em grego *episkope*) e julgamento a fim de punir ou recompensar as pessoas pelos seus atos (Jr 8.12; 10.15; 11.23; 50.27; Os 9.7; Mq 7.4; Lc 19.44; 1 Pe 2.12). Dessa forma, o "dia da visitação" (Is 10.3) corresponde ao tempo da punição.

**VIÚVA** A Bíblia apresenta a viúva como uma pessoa necessitada em termos de proteção e sustento, e que deve ser honrada e respeitada. Desse modo, a cidade de Jerusalém, destruída, é apresentada como uma viúva. "Como se acha solitária aquela cidade... Tornou-se como viúva..." (Lm 1.1).

Sob a lei mosaica, o cuidado para com a viúva era considerado uma responsabilidade dos parentes, e era um dos deveres atribuídos ao filho mais velho, que recebia a primogenitura. Com relação à viúva casar-se outra vez, se não tivesse filhos, esperava-se que ela se casasse com o irmão ou com um parente próximo do seu falecido marido (Dt 25.5). Se alguém prejudicasse uma viúva ou um órfão, e esta pessoa, aflita, clamasse ao Senhor, Ele enviaria uma vingança rápida (Êx 22.22-24; Sl 146.9).

Na igreja cristã primitiva, o cuidado pelas viúvas recebeu uma pronta atenção quando "houve uma murmuração dos gregos contra os hebreus, porque suas viúvas eram desprezadas no ministério cotidiano" (At 6.1). Sete diáconos foram escolhidos para cuidar desse importante assunto. Depois disso, uma atenção especial foi demonstrada no cuidado das viúvas: "Se alguém não tem cuidado dos seus e principalmente dos da sua família, negou a fé e é pior do que o infiel" (1 Tm 5.8). Quatro classes de viúvas são mencionadas por Paulo neste capítulo: (1) a viúva de fato, que está desolada, que confia em Deus, e que persevera em oração noite e dia; (2) a viúva que tem filhos; (3) a viúva que procura os prazeres; (4) a viúva inscrita. Esta deve ter no mínimo sessenta anos de idade, ser zelosa de boas obras, ter criado filhos, exercitado hospitalidade, socorrido os aflitos, lavado os pés aos santos, e "sido mulher de um só marido" (cf. 1 Tm 5.3-10).

"A religião pura e imaculada para com Deus, o Pai, é esta: visitar os órfãos e as viúvas nas suas tribulações e guardar-se da corrupção do mundo" (Tg 1.27).

L. A. L.

**VIVEIRO DO REI ou AÇUDE DO REI** O viveiro/açude assim chamado somente por Neemias em sua viagem de inspeção dos muros da cidade (Ne 2.14), está localizado a sudeste de Jerusalém em conexão com o Jardim do Rei no vale Cedrom, onde ele pode ter servido para irrigação. *Veja* Jerusalém.

**VIVENTES, CRIATURAS** *Veja* Seres Viventes; Querubim.

**VÍVERES** *Veja* Alimentos.

**VIVO, VIVIFICAR** Estas palavras antigas significam dar a vida. Deus é o "juiz dos vivos e dos mortos" (At 10.42; 1 Pe 4.5). A Palavra de Deus é citada como "viva e eficaz" (Hb 4.12), além de poderosa. Assim como Deus ressuscita os mortos e os vivifica (lhes dá vida), assim Cristo vivifica aqueles a quem quer (Jo 5.21; Rm 4.17; 8.11). A terceira pessoa da Trindade vivificou a Cristo quando Ele ressuscitou dos mortos (1 Pe 3.18), e vivifica o crente no momento em que este é regenerado (Jo 6.63; Ef 2.5; Cl 2.13). *Veja* Ressurreição; Vida.

**VOCAÇÃO** Essa palavra ocorre apenas uma vez na versão KJV em inglês (Ef 4.1; traduzida como "chamado(a)" em várias versões). A mesma palavra grega, *klesis,* foi freqüentemente traduzida como "chamado" em outras passagens (por exemplo, Efésios 4.4) pelas versões KJV e NASB em inglês. Nas Escrituras, vocação ou chamado corresponde ao convite de Deus e nada tem a ver com a vocação de um homem no sentido de negócios, profissão ou emprego. Deus chama ou convida os pecadores para que sejam salvos (Mt 11.28), e os justos para servirem-no (Gl 1.15,16), e a se conduzirem dignamente (1 Ts 2.12). A palavra "elegeu" em Efésios 1.4 significa que alguém foi "chamado para fora" ou "selecionado".

A palavra vocação em Efésios 4.1 está relacionada com o chamado de Deus aos crentes para caminhar adequadamente. Paulo conclama os crentes a viverem de maneira digna do chamado que receberam. Eles foram selecionados para ocupar uma posição de exaltação. a perfeição em Cristo. Dessa maneira, o objetivo ou finalidade de cada crente deve ser que sua caminhada possa corresponder à sua vocação. *Veja* Chamada; Perfeição.

J. A. S.

**VOFSI** Pai de Nabi, o espia naftalita que foi enviado para espionar a terra prometida (Nm 13.14).

**VOLTA DE CRISTO** *Veja* Cristo, Vinda de.

**VONTADE DE DEUS** Uma das características distintivas da religião cristã é seu ensino de que Deus é tanto espiritual como pessoal. Esta segunda característica exige uma vontade.

### Termos Bíblicos

A Bíblia usa vários termos para denotar a vontade. Palavras hebraicas e aramaicas comuns são *hapes* ("deleitar-se, desejar, ter prazer"), *rason*, e *s[e]ba'* ("desejar"), enquanto os termos gregos usuais são *boule, thelema* e *eudokia* ("bom prazer"). Estas palavras são aplicadas tanto ao homem quanto a Deus. Nem o hebraico nem o grego possuem uma palavra para "vontade" no sentido psicológico técnico. Em geral, os idiomas bíblicos são funcionais e práticos. O hebraico, particularmente, não possui nenhuma palavra para abstrações, de forma que as ações atribuídas a Deus e os diversos papéis atribuídos a Ele são de principal importância no estudo da vontade de Deus.

### A Vontade de Deus

O conceito de "vontade", quando aplicado a Deus na teologia e na Bíblia, nem sempre tem a mesma conotação. Ele pode denotar toda a sua natureza moral incluindo seus atributos, a faculdade de autodeterminação (Sl 115.3; Dn 4.35), um plano pré-determinado como no caso de um decreto (Ef 1.9,10; Ap 4.11 etc.), o poder para cumprir seus planos e propósitos (Pv 21.1; Rm 9.19; 2 Cr 20.6), ou a regra da vida imposta sobre as criaturas racionais, isto é, a vontade objetiva de Deus, que se pode guardar (Mt 7.21; Jo 4.34; 7.17; Rm 12.2).

A vontade divina é a causa final de todas as coisas. Ela é absoluta e imutável (Sl 33.11), não condicionada por nada além de si mesma. Todas as coisas são sua consumação: a criação e a preservação (Sl 135.6; Jr 18.6; Ap 4.11); o governo (Pv 21.1; Dn 4.35); a eleição e a reprovação (Rm 9.15,16; Ef 1.5); a morte de Cristo (Lc 22.42; At 2.23); a salvação (Tg 1.18); a santificação (Fp 2.13); os sofrimentos dos santos (1 Pe 3.17); a existência, o curso da vida e o fim do homem (At 18.21; Rm 15.32; Tg 4.15); e até mesmo os menores detalhes da vida (Mt 10.29). *Veja* Obras de Deus.

Uma vez que todas as coisas encontram sua causa última na vontade de Deus, é usual distinguir entre os aspectos eficazes e permissivos da vontade de Deus. O aspecto eficaz da sua vontade é cumprido de forma causal ou ativa. Não é apenas aquilo que Deus consente, mas também aquilo que Ele deseja. Por outro lado, o aspecto permissivo da vontade divina é aquele que tem uma autorização para ocorrer através da intervenção não controlada de criaturas racionais.

A vontade de Deus é revelada ao homem de várias maneiras: pela palavra falada (Êx 3.14-18; At 1.8); por meio de sonhos e visões (Gn 41.1-32; At 16.6-10); pelo mundo natural e pelos eventos históricos (Sl 89.9,10; Is 46.10,11; 53.10); no futuro reino de Deus (Ef 1.9,10); e pelas Sagradas Escrituras (cf. At 20.27; 1 Pe 4.17,19).

### A Humanidade de Jesus e a Vontade de Deus

Durante a história primitiva da igreja, surgiram duas questões intimamente ligadas sobre a pessoa de Cristo. O Senhor Jesus Cristo possui uma ou duas naturezas? E quantas vontades a pessoa teantrópica possui? A segunda questão fez surgir um grupo chamado de Monotelitas. Eles argumentavam que a unidade da pessoa de Cristo exigia uma única vontade. Essa unidade assumiu duas formas. Alguns ensinavam que a vontade humana estava tão unida com a Divina que esta segunda agia sozinha, enquanto outros consideravam a vontade como uma composição que resultava da fusão das duas vontades. Aqueles que se opunham aos Monotelitas eram chamados de Duotelitas. Eles argumentavam que, visto que havia duas naturezas na pessoa de Cristo, deveria haver duas vontades.

O sexto Concílio Ecumênico de Constantinopla (de 680 d.C.), que ocorreu com a cooperação do bispo de Roma, adotou a doutrina de duas vontades como a posição ortodoxa, mas também acrescentou que a vontade humana de Cristo deve sempre ser concebida como subserviente à Divina. A vontade humana ao invés de se tornar menos que humana, era intensificada e aperfeiçoada através da união, de forma que as duas sempre agissem em perfeita harmonia.

### A Vontade de Deus em Relação ao Pecado

A doutrina da vontade de Deus faz surgir uma séria questão no que diz respeito à sua relação com o pecado. Se Deus é a causa final de todas as coisas que existem, Ele não é o autor do pecado? Tal problema não pode ser completamente resolvido, e o homem deve admitir sua ignorância na tentativa de compreender os caminhos de Deus. No entanto, algumas das soluções mais importantes que foram propostas vêm a seguir.

1. Agostinho, vindo de uma formação que incluía o maniqueísmo [uma escola religiosa-filosófica dualista que via o universo como sendo governado por dois princípios conclusivos e radicalmente opostos: o bem e o mal – nota do Editor], considerou este problema como premente, e buscou uma solução. Ele ensinou que o bem logicamente precede o mal, e que o mal é a privação de algum bem. Portanto, o mal não é algo positivo, mas um *nada* ou uma *falta*.

Deus criou um universo material que era bom. No entanto, a criação é mutável, e nesse particular existe a possibilidade de mudança. Esta mudança pode estar na forma de privação ou mal.

Tal explicação deu a Agostinho uma resposta dupla ao problema antes mencionado. Primeiro, não faz sentido acusar alguém de responsabilidade por nada. Segundo, Deus criou um universo *bom*; ele apenas continha a possibilidade para o mal por ser um universo mutável. Portanto, a entrada do mal foi subseqüente à “responsabilidade” da criatura (por exemplo, Lucas 7.30).

2. Os arminianos tentaram fugir da dificuldade, fazendo com que a vontade de Deus permitisse o pecado dependendo da presciência das escolhas humanas. Então, as ações podem ser certas, mas a responsabilidade pode ser colocada sobre o homem.

3. A teologia reformada tem a maior dificuldade com este problema. Estes teólogos sinceramente admitem que eles não têm uma solução completamente satisfatória. Eles sustentam que o decreto Divino inclui os atos pecaminosos do homem (por exemplo, Atos 2.23), mas ao mesmo tempo eles mostram que isto deve ser concebido de um modo a absolver a Deus desta responsabilidade. Isto é feito costumeiramente sugerindo a distinção entre aquilo que Deus efetua e aquilo que Ele permite. *Veja* Pecado.

### A Vontade de Deus e a Vontade do Homem

Um dos mistérios com relação à doutrina da vontade de Deus está centrado no ensino bíblico no que diz respeito à soberania de Deus e a responsabilidade do homem. A liberdade do homem condiciona e impõe limites sobre a vontade de Deus? Ou todas as ações dos homens são determinadas no sentido de que eles tornam-se meros robôs? Além disso, a solução está além da mente finita, assim como o homem é incapaz de entender a natureza do conhecimento Divino e sua compreensão das leis que governam a conduta humana. O homem é incapaz de compreender como uma ação que parece ser livre pode, entretanto, ser a operação da vontade de Deus e assim ser determinada. Nenhum homem pode entender totalmente a vontade e os caminhos de Deus (Jó 9.10; Is 55.8-11; Rm 11.33; 1 Co 2.9-11). No entanto, o problema de relacionar a liberdade que o homem pensa experimentar com a soberania de Deus, torna-se menos exato se esta liberdade for entendida como a habilidade para fazer o que se deseja, ao invés do poder de escolha contrária ou arbitrária.

**Como Conhecer a Vontade de Deus**
De grande conseqüência prática para o crente é a questão de como se pode conhecer a vontade de Deus. Deus realmente tem um plano para a vida de seus filhos, e deseja que o conheçam (Cl 1.9; Hb 13.21). Antes do término da revelação escrita das Escrituras, Deus freqüentemente fazia conhecida sua vontade por meios diretos (sonhos, voz audível, teofania, anjos etc.), mas na melhor hipótese, tais coisas parecem ser a exceção agora.
Embora as maneiras de Deus lidar com cada pessoa sejam únicas, há seis princípios que são importantes para todos. Declarados brevemente, são eles: (1) Deve haver um desejo honesto de saber e uma disposição para fazer a vontade de Deus (Rm 12.1,2; Pv 3.5,6; Sl 40.8; 143.10; Jo 7.17). (2) A vontade de Deus para um pessoa agora sempre estará em harmonia com o que está revelado na Palavra escrita; Deus jamais se contradirá. O próprio Senhor Jesus Cristo agiu em completa harmonia com o AT. Sendo este o caso, cabe a cada crente encher-se completamente com a Bíblia (Sl 40.8; Js 1.8). (3) A vontade de Deus é dada a conhecer em resposta à oração (1 Jo 5.14; Cl 1.9). (4) As circunstâncias *podem ser* uma indicação da direção de Deus, mas em si mesmas elas não são um guia confiável, pois Satanás pode criar circunstâncias propícias para os seus desígnios, enquanto Deus pode dirigir alguém nas situações extremamente difíceis. (5) O crente deve confiar no Espírito Santo que habita em seu interior para conduzi-lo nos fatores precedentes e através deles (Rm 8.14; Gl 5.16,25; 1 Jo 2.27). (6) O conhecimento da vontade de Deus trará consigo a paz de coração e de mente (Fp 4.6,7; Cl 3.15). Se tal segurança estiver ausente, a pessoa deve seriamente questionar se já discerniu ou não a vontade de Deus para si mesma.
*Veja* Eleição; Deus; Soberania de Deus.

***Bibliografia.*** H. Bavinck, *The Doctrine of God*, Grand Rapids. Eerdmans, 1951, pp. 223-241. J. Oliver Buswell, *A Systematic Theology of the Christian Religion*, Grand Rapids. Zondervan, 1962, I, 263-269. J. Barton Payne, "Saul and the Changing Will of God", BS, CXXIX (1972), 321-325. G. Schrenk, "*Boulomai, Boule*", TDNT, I, 629-637; "*Eudokeo* etc"., TDNT, II, 738-751; "*Thelo* etc"., TDNT, III, 44-62.

P. D. F.

**VOTO** Essa palavra tem três diferentes usos gramaticais, isto é, pode ser um verbo transitivo, um verbo intransitivo ou um advérbio. Elas expressam a idéia de uma promessa verbal feita – geralmente, mas não exclusivamente – a Deus.
No AT foram usadas três palavras hebraicas. Uma delas é o verbo *nadar*, e outra é o substantivo *neder,* derivado desse verbo. A terceira é *'issar,* com um sentido negativo – um voto de abstinência. O substantivo do NT, usado apenas duas vezes, é o termo grego *euche,* que é traduzido como "um voto".
Os votos do AT parecem adotar três formas básicas: do tipo de barganha, atos de abnegada devoção, e aqueles que têm como finalidade a abstenção.
1. Os acordos eram feitos com Deus sob a forma de votos para assegurar sua presença, proteção, provisão etc. As promessas feitas sob essas circunstâncias eram sempre condicionais.

| Pessoa | Promessa | Condição |
|---|---|---|
| Jacó | Casa de adoração para Deus e adoração pessoal de Deus | Retorno seguro (Gn 28.20-22). |
| Jefté | Sacrifício da primeira coisa que encontrasse em sua casa | Vitória sobre os amonitas (Jz 11.30,31) |
| Ana | Dedicar seu filho a Deus | Tornar possível que ela tivesse este filho (1Sm 1.11) |
| Absalão | Adorar a Deus | Que ele ocupasse o lugar de Davi (2 Sm 15.7-12) |

2. Os votos ou atos de abnegada devoção podem ser ilustrados pelo voto de Davi de não descansar até que a arca retornasse a Jerusalém (Sl 132.2-5). O texto em Números 6 registra as leis relacionadas ao voto nazireu (*veja* Nazireu).
3. Os votos de abstinência eram uma espécie de acordo; mas ao invés de "fazer isso para receber aquilo", eram mais do tipo "abster-se disso ou daquilo" (Nm 21.1-3; 1 Sm 14.24).
Certas leis do AT governavam os votos. O escopo dessas leis indica como eles eram vitais para os judeus.
Levítico 7.16,17 – a carne dos sacrifícios deveria ser guardada apenas por dois dias.
Levítico 22.17-25 – todos os sacrifícios deveriam ser sem mácula.
Levítico 27 – um apêndice de leis relacionadas com votos e dízimos.
Números 30 – o cumprimento dos votos era obrigatório, e não opcional.
Números 15.1-10 – o sacrifício deveria acompanhar um voto.
Deuteronômio 12 – os votos deveriam ser controlados pelas leis do santuário central.
Em resumo, várias observações podem ser feitas sobre os votos no AT: Fazer um voto não era um dever religioso, mas seu cumprimento era um dever sagrado e obrigatório. O voto era tão obrigatório quanto um juramento (*q.v*), mas somente quando feito verbalmente. Ele podia ser pago em dinheiro, e a quantia deveria ser estipulada por um sacerdote. Os votos

tinham várias origens; portanto não podiam ser considerados como determinantes em questões relacionadas à piedade cristã.

No NT, o termo "voto" aparece apenas duas vezes com este sentido (At 18.18; 21.23). As duas referem-se a Paulo fazendo um voto. Acredita-se que com este gesto o apóstolo tivesse a intenção de mostrar aos seus amigos judeus que estava disposto a obedecer às formas da piedade judaica, desde que estas não fossem conflitantes com suas convicções cristãs. Parece que houve um grave desvirtuamento dos votos na época do Senhor Jesus. A prática corrente relacionada ao "*corban*", isto é, dedicar o dinheiro como oferta para o uso do templo ao invés de empregá-lo para o cuidado de pais idosos, foi denunciada pelo Senhor Jesus em Mateus 15.3-6 e Marcos 7.9-11. *Veja* Corbã.

R. O. C.

**VULGATA** *Veja* Versões, Antiga e Medieval.

# X

**XERXES** *Veja* Assuero

# Y

**YAH EH** *Veja* Deus; Deus, Nomes e Títulos de; Senhor.

# Z

**ZAANÃ** Uma cidade não identificada, a oeste de Judá (Mq 1.11). É provável que seja a própria Zenã (Js 15.37).

**ZAANANIM** Um ponto na fronteira sudoeste do território de Naftali (Js 19.33). Este é um local de tendas no qual Sísera foi morto por Jael (Jz 4.11,18ss.).

**ZAANIM** *Veja* Zaananim.

**ZAÃO** Um filho do rei Roboão de Judá (2 Cr 11.19).

**ZAAVÃ** Um filho de Eser, o horeu (Gn 36.27; 1 Cr 1.42).

**ZABADE**
1. Filho de Natã e pai de Eflal da tribo de Judá. O avô de Zabade era Atai, filho de uma filha de Sesã com Jara, um escravo egípcio (1 Cr 2.31,34-37).
2. Filho de Taate e pai de Sutela, de Efraim (1 Cr 7.21).
3. Um dos valentes de Davi, filho de Alai (1 Cr 11.41).
4. Filho de Simeate a amonita. Ele conspirou com Jozabade para assassinar o rei Joás de Judá, e foi condenado à morte por este assassinato (2 Cr 24.25,26; 25.3,4). Em 2 Reis 12.21 seu nome é apresentado como Jozacar, que talvez fosse seu nome Israelita.
5, 6 e 7. Filhos de Zatu, Hasum e Nebo que se divorciaram de suas esposas gentílicas nos dias de Esdras (Ed 10.27,33,43).

**ZABAI** Um filho de Bebai induzido por Esdras a deixar sua esposa estrangeira (Ed 10.28). Ele talvez seja a mesma pessoa que consta como o pai de um certo Baruque, que trabalhou nos muros de Jerusalém durante os dias de Neemias (Ne 3.20).

**ZABDI**
1. Filho de Zerá da tribo de Judá. Ele era o pai de Acã, cuja transgressão trouxe problemas a Israel (Js 7.1,17,18).
2. Um dos filhos de Simei de Benjamim (1 Cr 8.19).
3. Um habitante de Sefã, apontado por Davi como guarda dos celeiros de vinho real (1 Cr 27.27).
4. Um levita, filho de Asafe, cujo descendente, Matanias, foi um homem proeminente no tempo de Neemias (Ne 11.17).

**ZABDIEL**
1. Pai de Jasobeão (1 Cr 27.2)
2. Superintendente de um grupo de sacerdotes (Ne 11.14).

**ZABUDE** Um dos filhos de Bigvai que acompanhou Esdras da Babilônia a Jerusalém (Ed 8.14). *Veja* Zacur 5.

**ZABUDE** Um filho de Natã que serviu como amigo e ministro chefe (ou oficial-mor) do rei Salomão (1 Rs 4.5).

**ZABULOM** A forma grega de Zebulom (*q.v.*).

**ZACAI** Cabeça de uma família de 760 membros que retornaram do cativeiro na Babilônia (Ed 2.9; Ne 7.14).

**ZACARIAS** Este nome significa "Yahweh lembra-se" ou "aquele de quem Yahweh se lembra". Muitas pessoas no AT tiveram este nome.
1. O maior dos profetas que ministrou nos dias da restauração do Exílio da Babilônia. Ele era um contemporâneo de Zorobabel, o líder político dos exilados que retornaram; Josué, filho de Jozadaque era o sumo sacerdote da nação; e Ageu era também um profeta (Zc 3.1; 4.6; 6.11; Ed 5.1,2).
Zacarias nasceu na Babilônia, e era membro de uma família de sacerdotes que retornou do exílio a Jerusalém quando aproximadamente 50.000 exilados foram para as suas casas sob a permissão do rei Ciro. Supõe-se que o pai de Zacarias, Baraquias, tenha morrido ainda jovem, portanto o profeta é designado como o filho de Ido, que era seu avô (veja Ed 5.1; 6.14; Ne 12.4,16; cf. Zc 1.11). Ele era, como Jeremias e Ezequiel foram antes dele, tanto profeta como sacerdote; um fato que revela que estes ofícios divinamente ordenados não eram antagônicos, como os estudiosos liberais alegaram diversas vezes.
Alguns intérpretes consideram que Zacarias era ainda um homem muito jovem no início de seu ministério (Zc 2.4), mas não se pode deduzir ao certo uma idade a partir desta referência. A tradição judaica torna-o um membro da Grande Sinagoga, um grupo que supostamente teria colhido e preservado os escritos sagrados e as tradições dos judeus após o Exílio. Ele iniciou seu ministério profético dois meses depois de Ageu ter começado seus serviços (cf. Ag 1.1 e Zc 1.1). Isto aconteceu no segundo ano de reinado de Dario I,

o persa (Histaspes; 521-485 a.C.). A primeira profecia registrada de Zacarias deu-se no segundo ano do reinado de Dario, em 520 a.C. Seu trabalho, bem como o de Ageu, era encorajar a obra de restauração do templo, e revelar a esperança da nação para o futuro. A duração de seu ministério é desconhecida. Alguns tentaram identificar este profeta com o Zacarias citado em Isaías 8.2, mas as considerações cronológicas são contrárias a esta hipótese. Esta tradição dos judeus refuta uma outra que dizia que Zacarias havia profetizado no segundo templo.

Embora as últimas anotações no livro referentes ao tempo sejam do quarto ano de Dario (7.1), é provável que Zacarias tenha visto a finalização do templo de Zorobabel dois anos mais tarde (Ed 6.14,15). Suas últimas profecias devem ter vindo de sua pena muitos anos depois de suas primeiras visões. A tradição conta que ele viveu até uma idade extremamente avançada, morreu na Judéia e foi sepultado perto de Ageu, na vizinhança de Eleuterópolis.

Este profeta provavelmente não deva ser identificado com o Zacarias, filho de Baraquias mencionado pelo Senhor em Mateus 23.35, que foi morto entre o santuário e o altar (cf. 2 Cr 24.20-22), um evento ocorrido nos dias anteriores ao Exílio. Embora no Targum referente a Lamentações 2.20 Crisóstomo e Jerônimo tenham feito tal identificação, ela dificilmente está correta. Além disso, se o profeta tivesse sido martirizado nos tempos pós-Exílicos, deveríamos esperar algumas referências a este respeito nos livros de Esdras, Neemias ou Malaquias. O Senhor estava evidentemente falando de Zacarias filho de Joiada (2 Cr 24.20. Mas veja J. Barton Payne, "Zachariah Who Perished". *Grace Journal*, VIII [1967], 33-35. –Ed.].

O ministério de Zacarias foi desenvolvido em um período especialmente importante da história de Israel. Quando Ciro divulgou seu édito (entre 538 e 536 a.C.), cerca de 50.000 exilados retornaram da Babilônia à Palestina (Ed 1.1-4; 2.64,65).

Com grande entusiasmo, eles determinaram que reconstruiriam o templo do Senhor em Jerusalém, e retomariam a posse das terras. Eles começaram a trabalhar, e no segundo mês de 535 a.C. lançaram os alicerces do templo (Ed 3.8-13).

Os samaritanos, que ofereceram ajuda no trabalho e não foram aceitos, opuseram-se ao trabalho de uma forma incansável. Eles conseguiram deter o trabalho até o reinado de Ciro (Ed 4.5). Durante aproximadamente 14 anos nada foi feito na construção. Quando Dario Hystaspes assumiu o trono em 521 a.C., Zacarias e seu contemporâneo, Ageu, assumiram que os decretos proibitórios do antigo monarca não eram mais válidos. Portanto eles exortaram seus compatriotas a reiniciar o trabalho.

O trabalho foi reiniciado sob a liderança de Zorobabel e Josué, mas foi novamente interrompido quando Tatenai, o governador Persa do oeste do Eufrates, questionou o propósito da obra. A questão estava relacionada à Babilônia, e o decreto original de Ciro foi trazido à tona. Dario confirmou a permissão no segundo ano de seu governo (Ed 6.1-14).

Mas os obstáculos exteriores foram somente uma parte da dificuldade, pois naquele momento a atitude do povo havia mudado e viram os obstáculos ao trabalho como restrições do Senhor; como se o próprio Senhor os estivesse proibindo de dar continuidade à obra. Ageu e Zacarias tentaram mudar a indiferença que estava sendo demonstrada pela nação. O Senhor abençoou o ministério destes homens, e em 515 a.C. o trabalho foi concluído. Zacarias colocou-se nas mãos de Deus para revelar ao povo as coisas gloriosas que o Senhor havia reservado para aqueles que fossem tementes e obedientes ao Messias, e ao seu reinado benevolente (*veja* Zacarias, livro de).

C. L. F.

2. Chefe da tribo de Rúben que viveu aproximadamente no tempo da invasão de Tiglate-Pileser III, em aprox. 740 a.C. (1 Cr 5.6,7).
3. Filho de Meselemias, um levita coatita; guarda da porta ao norte do Tabernáculo durante o reinado de Davi, que também serviu como um sábio conselheiro (1 Cr 9.21; 26.2,14).
4. Filho de Jeiel, o primeiro colonizador israelita de Gibeão (1 Cr 9.35,37). Seu apelido (ou uma forma mais curta de seu nome), Zequer, aparece em 1 Crônicas 8.31.
5. Um músico levita do segundo turno, a quem Davi designou para tocar ao trazerem a arca a Jerusalém (1 Cr 15.14,18,20), e mais tarde para ministrar "perante a arca do Senhor" (1 Cr 16.5).
6. Um dos sacerdotes que tocava trombeta, e que acompanhou a arca desde a casa de Obede-Edom (1 Cr 15.24).
7. Filho de Issias, um levita coatita no reino de Davi (1 Cr 24.25), talvez a mesma pessoa mencionada no tópico 5.
8. Quarto filho de Hosa, um levita merarita; um dos chefes dos porteiros durante a administração de Davi (1 Cr 26.11).
9. O pai de Ido, o oficial da meia tribo de Manassés em Gileade sob o governo de Davi (1 Cr 27.21).
10. Um príncipe de Judá enviado pelo rei Josafá para ensinar a lei ao povo (2 Cr 17.7).
11 .Um levita da família de Asafe; o Espírito Santo ungiu seu filho Jaaziel para encorajar o exército de Josafá contra a invasão dos moabitas (2 Cr 20.14).
12. Um filho do rei Josafá (2 Cr 21.2).
13. Um filho do sumo sacerdote Joiada no reinado de Joás, rei de Judá (2 Cr 24.20), e portanto primo do rei. Após a morte de Joiada (2 Cr 24.15,16), Zacarias provavel-

mente obteve sucesso em seu ofício. Naqueles tempos, os oficiais de Judá retornaram à idolatria (24.17,18), e Zacarias foi movido pelo Espírito de Deus para repreender a nação por suas transgressões. Isto levou a tal indignação, que os nobres conspiraram com o rei para apedrejá-lo até à morte no átrio do templo. Assim, morrendo, disse: "O Senhor o verá e o requererá" (2 Cr 24.22). Quanto à questão da comparação deste Zacarias com o Zacarias de Mateus 23.35 e Lucas 11.51, *veja* Zacarias 1 acima.
14. Um profeta no reinado de Uzias, cujos conselhos trouxeram prosperidade até o momento em que o rei os seguiu (2 Cr 26.5).
15. Um dos últimos reis do reino do norte de Israel, que sucedeu seu pai Jeroboão II em 753 a.C. (2 Rs 14.29). Com ele terminou a dinastia de Jeú (cf. 2 Rs 10.30), quando Salum o assassinou após um breve reinado de apenas seis meses (2 Rs 15.8-12).
16. Pai de Abi (ou Abia), mãe de Ezequias (2 Rs 18.2; 2 Cr 29.1).
17. Um levita da casa de Asafe que ajudou o rei Ezequias na purificação do templo (2 Cr 29.13).
18. Filho de Jeberequias, uma das testemunhas de uma tabuleta escrita por Isaías a respeito do nome Maer-Salal-Hás-Baz, para o filho ainda não concebido do profeta (Is 8.2); talvez a mesma pessoa mencionada em 14 ou 17.
19. Um levita coatita, um supervisor daqueles que trabalhavam na reparação do templo durante o reinado de Josias (2 Cr 34.12).
20. Um maioral ou chefe do templo, provavelmente um sacerdote, no reino de Josias (2 Cr 35.8).
21. Um descendente de Parós. Ele retornou a Jerusalém, sob a liderança de Esdras, com 150 homens que eram membros de seu clã (Ed 8.3).
22. Filho de Bebai; acompanhado por 28 homens que eram membros de sua família, ele também retornou com Esdras da Babilônia (Ed 8.11).
23.Um dos homens proeminentes enviados por Esdras para buscar levitas e servos do templo para retornarem a Jerusalém (Ed 8.16); possivelmente as mesmas pessoas mencionadas nos tópicos 21 e 22 acima.
24. Um dos filhos de Elão; ele havia se casado com uma esposa estrangeira nos tempos de Esdras (Ed 10.26).
25. Um sacerdote líder ou levita que ficou à esquerda de Esdras durante a leitura da lei (Ne 8:4); talvez a mesma pessoa mencionada no tópico 23 acima.
26. O avô de Ataías, que morou em Jerusalém no período pós-exílico. Era da tribo de Judá (Ne 11.4).
27. Um ancestral de Maaséias que morou em Jerusalém na mesma época (Ne 11.5).
28. Um sacerdote, ancestral de Adaías nos tempos de Neemias (Ne 11.12).
29. Um representante da família sacerdotal de Ido no tempo de Joiaquim (Ne 12.16), talvez um descendente de Zacarias 1.
30. Um levita, filho de Jônatas, do clã de Asafe, ele liderou um grupo de músicos na dedicação do muro de Jerusalém (Ne 12.35,36).
31. Um sacerdote que tocou trombeta na mesma cerimônia de dedicação (Ne 12.41).
32. Pai de João Batista (Lc 1.5-25; 3.2). Zacarias recebeu uma visita do anjo Gabriel enquanto estava desempenhando seu ministério no templo como um sacerdote da ordem de Abias. Zacarias recebeu a garantia angelical de que se tornaria o pai de João Batista. Sua resposta inicial, pela qual demonstrou incredulidade, trouxe como conseqüência uma mudez temporária, até depois de Izabel ter dado à luz à criança. Então, cheio com o Espírito Santo, ele professou as belas palavras conhecidas nas igrejas latinas como Benedictus (Lc 1.68-79).
33. O texto em Mateus 23.35, que é aparentemente uma referência a 2 Crônicas 24.20-22, fala do Zacarias que foi morto no recinto do templo. No relato de Mateus, ele é chamado de filho de Baraquias, enquanto em Crônicas, Joiada, o sacerdote, é chamado de seu pai. O cronista pode ter selecionado seu proeminente avô (cf. 2 Cr 24.15) para mencioná-lo na genealogia, enquanto Mateus relata que seu pai foi Baraquias (cf. Broadus, *Commentary on Matthew*, para uma discussão completa). Na declaração: "Desde o sangue de Abel, o justo, até ao sangue de Zacarias", o Senhor Jesus sem dúvida fez uma referência ao primeiro assassinato encontrado no início da Bíblia Sagrada (Gn 4.8), e ao apedrejamento do profeta registrado no último livro do AT hebraico (2 Cr 24.21).

J. R., F. R. H. e A. F. J.

**ZACARIAS, LIVRO DE** O livro de Zacarias é o décimo primeiro dos assim chamados Profetas Menores, ou "Os Doze" como eram chamados pelos judeus.

### Estilo e Valor

Pelo fato de o profeta (veja Zacarias 1) ter usado a forma apocalíptica para transmitir a verdade profética, seu livro foi chamado de Apocalipse do AT. Suas revelações são sucintas e concisas, por isso ele foi chamado de sintetizador dos profetas. Seu estilo varia do profético direto direcionado a apresentações de visões, a registros de atos simbólicos. Muitos, em tempos modernos e antigos, já reclamaram da obscuridade do livro. Os comentaristas judeus, especialmente, expressaram sua inabilidade de se aprofundar nas visões e profecias do livro. A perspectiva e estrutura da profecia são definitivamente messiânicas; portanto não deveria ser surpresa que uma abordagem descrente à mensagem trouxesse poucos resultados.
No entanto, mesmo que um livro seja de di-

fácil exposição, sua importância não é reduzida. Lutero referiu-se a este livro como *Der Ausbund der Propheten*, a extensão dos profetas. Sua contribuição à profecia messiânica está fora de proporção para seu tamanho. Somente Isaías possui um retrato completo da pessoa e obra do Messias. Zacarias trata tanto da primeira quanto da segunda vinda do Redentor de Israel: A vinda do Messias de forma humilde; seu ministério de pastor para seu povo; a rejeição deste para com Ele; a ferida permitida pelo Pai contra Aquele que lhe é semelhante, com a conseqüente dispersão das ovelhas; seu retorno em glória à arrependida nação de Israel; seu estabelecimento da paz entre as nações, e a inauguração de seu abençoado governo milenar sobre a terra. Outros temas escatológicos também recebem atenção.

**Autoria e Data**

As questões críticas a respeito do livro só perdem em importância para os seguintes tópicos: as questões relacionadas com a autoria Mosaica do Pentateuco; a única ou múltipla autoria de Isaías; e a datação mais recente atribuída ao livro de Daniel. Em resumo, os capítulos 1–8 foram atribuídos a Zacarias, enquanto os capítulos 9–14 podem ser tanto anteriores ao exílio quanto posteriores a Zacarias.

A posição crítica é baseada em diversos argumentos. O mais importante deles lida com questões de estilo e referências históricas. Como já foi demonstrado por diversas vezes, o estilo de um escritor está diretamente relacionado ao sujeito ou tema sob tratamento. Não se pode provar que Zacarias tenha usado uma linguagem inapropriada, ou que o tenha feito visando manter a verdade. Ao tratar das questões essenciais, ou das referências históricas, o ânimo crítico contra o sobrenatural nas profecias é imediatamente discernível. Só vale argumentar contra o fato da referência à Grécia em 9.13 impossibilitar que o capítulo tenha sido escrito antes de Alexandre o Grande, se a profecia for descartada como uma possibilidade em um registro reconhecidamente sobrenatural. Outros argumentaram acidentalmente a favor de uma data anterior ao exílio, com base em Zacarias 9.13 e 10.7, onde é feita menção de Efraim e Judá. As duas partes da profecia possuem semelhanças de pensamento e estilo, indicando sua unidade. A profecia é, sem dúvida, do período pós-exílico, e foi transmitida por Zacarias.

**Conteúdo**

Zacarias é reconhecido como o profeta do conforto, esperança e glória. A introdução à profecia (1.1-6) abre uma percepção ética da necessidade de arrependimento e completa conversão ao Senhor. Então se segue uma série de oito visões noturnas, todas concedidas ao profeta em uma noite. O propósito das visões era confortar e encorajar os exilados que haviam retornado de sua tarefa de reconstruir o templo, e estabelecer sua esperança na ampla expectativa do AT que está no Messias e em seu futuro reino sobre a terra.

A primeira visão noturna enfatiza a preocupação do Senhor para com seu povo aflito que havia tão recentemente retornado à sua pátria. Eles não podiam ser perturbados sobre a disparidade entre as suas condições perturbadas e as condições das nações que estavam à sua volta (1.7-12), pois o Senhor tinha bons propósitos à espera deles (1.13-17), e ira reservada aos seus inimigos.

A segunda visão noturna revela que toda força estrangeira que oprimiu Israel sofrerá, por sua vez, a visitação do Senhor (1.18-21).

A terceira visão noturna dá continuidade ao tema da bênção, ao mostrar como a cidade de Jerusalém será ampliada por causa da multiplicação dos homens e dos animais em seu meio. A presença do Senhor, vivendo entre eles, garantirá para eles segurança e glória no dia em que as promessas forem cumpridas (2.1-13).

No entanto, antes destas bênçãos prometidas se cumprirem, era necessário que a questão do pecado de Israel fosse radicalmente tratada. A purificação do sumo sacerdote na quarta visão é o símbolo da purificação da nação e de sua reintegração à sua posição sacerdotal entre as nações (3.1-10). Tudo isto é uma figura da purificação trazida pelo Messias para a sua terra e povo.

A quinta visão tinha o objetivo de encorajar Zorobabel em seu trabalho de construção do templo, ao revelar-lhe os recursos infinitos que há no Espírito de Deus, e o poder do Senhor que estava disponível para a realização da obra (4.1-14).

Novamente, o pecado é uma realidade a ser tratada, então a sexta e a sétima visão mostram como o Senhor extirpará rapidamente o pecado e o pecador da terra prometida (5.1-11).

A versão final retorna de forma geral à primeira, mostrando uma finalização do trabalho prometido, ou seja, os inimigos de Israel sendo subjugados (6.1-8).

A série é concluída por uma coroação simbólica de Josué, o sumo sacerdote, prenunciando o ministério real e sacerdotal de Messias no futuro reino da justiça (6.9-15).

Nos capítulos 7 e 8 o profeta responde questões a respeito do jejum, apontando a falta de profundidade destas observâncias, os pecados de seus ancestrais que trouxeram o julgamento de Deus sobre eles, a forma de bênçãos que lhes serão concedidas no presente, e o tempo em que Deus transformará todo o jejum em festividades.

Nenhuma porção profética na Bíblia Sagrada resume tão bem a revelação escatológica quanto os seis últimos capítulos desta profecia. Tendo como cenário as conquistas de Alexandre no século IV a.C. (9.1-8), Zacarias prevê a vinda do rei da paz de Israel (9.9,10) e seus benefícios que Ele trará ao seu povo (9.11-17).

A passagem em Zacarias 10 ocupa-se com a delineação das diversas bênçãos do Messias sobre Israel. O capítulo 11 é um dos mais sombrios no livro. Ele descreve, antes de tudo, uma completa devastação da terra (vv. 1-3) que ocorreu na guerra judaica-romana de 67-70 d.C. Depois, a causa da visitação é revelada como devida à sua rejeição do Bom Pastor (vv. 4-14); devido a esta maldade, em um dia futuro lhes será enviado um pastor tolo que os oprimirá (vv. 15-17).

O último capítulo nos leva à entrada do reino. Zacarias demonstra claramente a confederação do mundo contra Jerusalém, e que será completamente derrotada pelo Senhor (12.1-9). Neste tempo, Deus lida com a questão da rejeição de Israel para com seu Messias (12.10-14). O Dia da Expiação de Israel requer sua conversão nacional. O povo é purificado de seus pecados (13.1-6), e o método é enfatizado novamente, ou seja, a morte do Messias (13.7-9). Finalmente, em golpes dramáticos e audaciosos, o profeta revela o retorno do Messias ao Monte das Oliveiras, seu povo sitiado, a completa devastação das forças inimigas e a purificação da terra para que ela esteja de acordo com a santidade infinita de Deus (14.1-21). O livro começa com uma chamada ao arrependimento e à santidade, e termina com a realização desta santidade no povo de Deus, habitando no reino de justiça do Messias.

**Esboço**

I. Introdução: Exortação ao Arrependimento, 1.6
II. As Oito Visões Noturnas do Profeta, 1.7–6.8
 A. O Anjo do Senhor entre as murtas (o verdadeiro Israel), 1.7-17
 B. Os quatro chifres (poderes) e os quatro ferreiros, 1.18-21
 C. O agrimensor (promessa da futura prosperidade de Jerusalém), 2.1-13
 D. Josué, o sumo sacerdote, e o Anjo do Senhor, 3.1-10
 E. O Castiçal (Israel) e os dois ramos de oliveira (os dois ungidos, Josué e Zorobabel), 4.1-14
 F. O rolo voante (a praga de Deus sobre aqueles que quebrarem as duas partes do Decálogo na terra), 5.1-4
 G. A mulher no meio do efa (a maldade religiosa dos judeus), 5.5-11
 H. Os quatro cavalos coloridos e as carruagens (símbolos da ira de Deus que prossegue para destruir as nações gentílicas), 6.1-8
III. A Coroação Simbólica, 6.9-15
IV. A Responsabilidade de Betel a Respeito do Jejum, 7.1–8.23
 A. Suas questões: Deveriam eles continuar o jejum nacional no quinto mês? 7.1-3
 B. A resposta: Deus já expressou através dos antigos profetas sua opinião sobre a mera forma de adoração, 7.4-14
 C. Uma promessa de restauração: Deus salvará seu povo e habitará com eles, 8.1-8
 D. Uma reafirmação dos propósitos de Deus de reconstruir sua casa, 8.9-17
 E. A promessa de que seus jejuns tornar-se-ão festas, 8.18-23
V. A Previsão Relativa ao Futuro Poder de Israel e ao Futuro Poderio Mundial, 9.1–14.21
 A. O fardo relacionado aos Gentios, 9.1–11.17
  1. O julgamento nas terras da Síria, Fenícia e Filístia por Alexandre o Grande, 9.1-8
  2. Aquele que, de longe, será o maior de todos os reis de Israel, que trará paz às nações depois de vencer os inimigos de seu povo, 9.9-17
  3. A obra de Deus de livrar Israel de seus próprios líderes, e das nações, quando o Messias retornar, 10.1-12
  4. Parênteses: A rejeição do Bom Pastor preparado por Deus, e o governo do iníquo, 11.1-17
 B. O peso a respeito de Israel, 12.1–14.21
  1. O final dos conflitos de Israel e sua libertação física e espiritual, 12.1-14
  2. A futura purificação de Israel dos pecados e dos profetas idólatras, 13.1-6
  3. O pastor de Israel ferido, e seu remanescente refinado, 13.7-9
  4. O grande clímax do dia do Senhor: A vinda do Senhor para livrar Israel e estabelecer seu reino milenial na terra, 14.1-21

***Bibliografia.*** David Baron, *The Visions and Prophecies of Zechariah*, Londres: Hebrew Christian Testimony to Israel, 1919, re-impresso em 1951. Charles L. Feinberg, *God Remembers: A Study of the Book of Zechariah,* Wheaton: Van Kampen Press, 1950, re-impresso em 1965. R. E. Higginson, "Zechariah", NBC, 2ª ed., H. C. Leupold, *Exposition of Zechariah,* Grand Rapids: Baker, 1965, F. B. Meyer, *The Prophet of Hope: Studies in Zechariah*, Nova York: Revell, 1900. George L. Robinson, *The Prophecies of Zechariah*, Chicago: Univ. of Chicago Press, 1896. Merrill F. Unger, *Commentary on Zechariah*, Grand Rapids: Zondervan, 1962.

C. L. F.

**ZACUR**

1. Pai de Samua, o espia rubenita de Números 13.4.

2. Um simeonita descendente de Misma (1 Cr 4.26).
3. Filho de Jaazias, um levita merarita (1 Cr 24.27).
4. Filho do músico Asafe (1 Cr 25.2,10; Ne 12.35), talvez possa ser identificado com o Zicri de 1 Crônicas 9.15 e com o Zabdi de Neemias 11.17.
5. De acordo com Esdras 8.14 (que segue o *q*[e]*re*), um descendente de Bigvai, e que em várias versões é chamado de "Zabude" (*k*[e]*tib*).
6. Um filho de Imri que ajudou a reconstruir os muros de Jerusalém (Ne 3.2).
7. Um levita que selou a aliança pós-exílica (Ne 10.12).
8. Um ancestral de Hanã, que foi designado por Neemias como tesoureiro assistente (Ne 13.13).

**ZADOQUE**
1. Um sacerdote durante os reinados de Davi e Salomão. Zadoque é primeiramente identificado como um líder valente entre os levitas, que veio a Hebrom para fazer de Davi o rei de todo Israel (1 Cr 12.26-28). Sua linhagem é traçada diretamente a Eleazar e a Arão (1 Cr 6.1ss., 50ss.).
Durante o reinado de Davi, Zadoque e Abiatar, cuja linhagem podia ser traçada e assim se sabe que eram filhos de Aimeleque (1 Sm 21–22), e a partir de Eli a Itamar, o filho de Arão, serviram como sacerdotes responsáveis pela arca (1 Cr 15.11-13).
Zadoque e Abiatar, com seus filhos, Aimaás e Jônatas, guiaram os levitas em apoio a Davi, quando este fugiu de Jerusalém durante a revolta de Absalão. Sob as ordens de Davi, eles retornaram a Jerusalém com a arca e logo depois forneceram informações vitais a Davi (2 Sm 15.24-36; 17.15-21). Davi também apelou a Zadoque e Abiatar para reconquistar o reconhecimento de Judá (2 Sm 19.11).
Na transição crucial da liderança real, Zadoque, apoiado por Natã, o profeta, ungiu Salomão como rei, enquanto Abiatar estava associado a Adonias em sua tentativa de tirar o trono de Salomão (1 Rs 1.1-53). Como resultado, Abiatar foi deposto (1 Rs 2.26,27), enquanto Zadoque tornou-se o único ocupante do ofício de sumo sacerdote (1 Rs 2.35). Desta forma, o ofício de sumo sacerdote foi restaurado à linhagem de Eleazar, o filho de Arão. A demoção de Abiatar, um descendente de Eli, foi realizada de acordo com as advertências que Eli recebeu de um homem de Deus cujo nome não foi mencionado (1 Sm 2.27-36).
Zadoque e seus descendentes continuaram como sumos-sacerdotes no templo de Salomão até a sua destruição em 586 a.C. Em suas mensagens de restauração, Ezequiel menciona que os zadoquitas mantiveram-se como sacerdotes fiéis durante a apostasia de Israel (Ez 44.15; 48.11).
Quando o segundo templo foi construído, no período de 520-515 a.C., o zadoquita Jesua, um filho de Jozadaque, que tinha sido levado ao cativeiro na Babilônia em 586 a.C., serviu como sumo sacerdote. Os zadoquitas continuaram em seu ofício até 171 a.C., quando este foi transferido a Menelau por Antíoco IV. Depois disso, a linhagem de Zadoque continuou nos templos judeus em Leontópolis, no Egito, até que este templo foi fechado por Vespasiano pouco depois de 70 d.C. A Comunidade de Qumran aparentemente deu suporte ao sacerdócio zadoquita, e felizmente antecipou sua restauração. *Veja* Sacerdote, Sacerdócio.
2. Um filho de Aitube, da linhagem de Zadoque (1 Cr 6.12; 9.11; Ez 7.2; Ne 11.11).
3. Pai de Jerusa, a mãe de Jotão, rei de Judá (2 Rs 15.33; 2 Cr 27.1).
4. Um descendente de Baaná que ajudou a reparar o muro de Jerusalém (Ne 3.4; cf. Ed 2.2).
5. Um descendente de Imer que ajudou a reparar os muros de Jerusalém (Ne 3.29; cf. Ed 2.37).
6. Um assinante da aliança de Esdras (Ne 10.21), que pode ter sido a pessoa listada nos tópicos 4 ou 5 acima.
7. Um escriba apontado como tesoureiro por Neemias (Ne 13.13; cf. Ne 3.29) que pode ter sido a pessoa listada nos tópicos 4, 5 ou 6 acima.
8. Um ancestral do Senhor Jesus (Mt 1.14).
S. J. S.

**ZAFENATE-PANÉIA** O nome egípcio dado a José pelo rei do Egito no tempo da elevação de José à posição de Vizir (Gn 41.45). Vários significados foram propostos para o nome; geralmente é interpretado como "Deus fala (e) vive" (Steindorff, Griffith, Crum, *et al.*). Outras traduções mais corretas incluem: "Aquele que alimenta a terra dos vivos" (Archer, SOTI, p. 102), "O doador de alimento da terra" etc. Mais tarde os judeus passaram a presumir que significava "O revelador de segredos" (Josefo, *Ant.* ii. 6.1; Targum of Onkelos).

**ZAFOM ou SAFOM**
Uma cidade dos gaditas ao norte de Sucote, no Vale do Jordão (Js 13.27). É mencionada nas cartas Amarna como Þapuna. O texto em Juízes 12.1-6 cita esta cidade como o local de uma batalha entre os invejosos efraimitas e o exército de Jefté. O nome de um clã de Gade, conhecido como zefonitas (Nm 26.15), ou zifionitas (Gn 46.16), pode ter surgido por causa desta cidade.
A localização de Zafom foi identificada como Tell el-Qos, do lado norte do Uádi Rajeb, aprox. seis quilômetros e meio ao norte de Sucote, perto do Jaboque (cf. N. Glueck, "Explorations in Eastern Palestine IV", AASOR, XXV-XXVII [1951], pt I. 297-300, 334-355); BASOR #90 [1943], pp. 20ss.). Y. Aharoni, no entanto, prefere identificar Za-

fom com as regiões próximas a Tell Sa'idiyeh (*Land of the Bible*, pp. 115-190), cujo local é geralmente identificado com Zaretã (*q.v.*).

G. E. W.

A palavra hebraica *saphon* significa "norte", literalmente escondido ou área remota (cf. Ez 38.6,15). Neste sentido, ela aparece em Isaías 14.13 em conexão com o "monte da congregação" (*veja* Congregação, Monte da). Aqui, e no Salmo 48.2, encontra-se a frase hebraica *yark^etesaphon*, "os lados do norte", "os recessos do norte". Como o conceito de norte não aparece em nenhuma outra passagem nas Escrituras em relação à morada de Deus, a expressão provavelmente deva ser traduzida como "o mosteiro de Zafom", em paralelo com "Monte Sião" e com "a cidade do grande Rei" (Sl 48.2). Esta expressão sugere a santidade e a separação da morada Divina, tanto no céu quanto no santo dos santos do templo em Jerusalém.

Zafom era um termo antigo entre os semitas para designar o local de residência ou "aerie" de seu(s) deus(es). O monte Zafom (o atual Monte Casius, cerca de 50 quilômetros ao norte de Ras Shamra na Síria), era para a religião cananéia aquilo que o Monte Sião era para a adoração de *Yahweh*, ou seja, o local mais sagrado da terra, pois Deus ali residia (M. Dahood, *Psalms I*, Anchor Bilbe, XVI, 289ss.; John Gray, *The Legacy of Canaan*, Leiden: Brill, 1957, p. 209). Em textos Ugaríticos, diz-se que Baal residia no ponto mais alto de Zafom, e pediu que um palácio fosse construído para ele "no meio do local mais firme de Zafom" (ANET, pp. 133*b*, 134*a*). Ele descreve sua morada como "no meio de meu monte divino de Zafom: no santuário, no monte de minha porção, no local prazeroso, a montanha que eu possuo" (ANET, p. 136*b*). *Veja* Norte.

J. R.

**ZAINE** A sétima letra do alfabeto hebraico. Zaine inicia cada verso da sétima seção do poema acróstico do Salmo 119. Seu valor numérico é sete.

**ZAIR** Um local desconhecido perto de Edom, onde o rei Jeorão enfrentou os edomitas em uma tentativa mal-sucedida de esmagar a revolta contra Judá (2 Rs 8.20ss.).

**ZALAFE** Pai de um certo Hanum que ajudou a reparar o muro de Jerusalém depois do cativeiro na Babilônia (Ne 3.30).

**ZALMOM ou SALMOM**

1. Uma montanha coberta com neve onde Deus dispersou os inimigos do rei de Israel (Sl 68.14). Esta pode ser uma referência a uma montanha em Basã (v. 15).
2. Uma montanha perto de Siquém onde Abimeleque juntou lenha para queimar a cidade (Jz 9.48,49).
3. Um guerreiro de Davi. "Zalmom, aoíta" (2 Sm 23.28) que pode ter sido chamado de Zalmom para indicar força, chamado Ilai em 2 Crônicas 11.29.

**ZALMONA** O primeiro ponto de parada dos israelitas após sua partida do Monte Hor (Nm 33.41,42). O local não pode ser identificado com certeza, embora seja provavelmente um dos oásis ou nascentes do deserto na Arabá, ao sul de Punom (*q.v.*).

**ZALMUNA ou SALMUNA** Um dos dois reis de Midiã que foi perseguido, capturado e morto por Gideão em sua grande vitória (Jz 8). Esta vitória arrebatadora foi lembrada por muito tempo em Israel (cf. Sl 83.11; Is 9.4; 10.26). *Veja* Zeba.

**ZANOA**

1. Uma cidade na Sefelá de Judá perto de En-Ganim (Js 15.34). Foi reconstruída após o Exílio na Babilônia (Ne 3.13). É possível que seja identificada com uma cidade ao pé da serra de Khirbet Zanu', onde existe cerâmica do tempo dos reis. Ela fica a aprox. três quilômetros ao sul de Bete-Semes.
2. Uma cidade no país montanhoso de Judá, perto de Jutá (Js 15.55,56). Foi identificada como Zanuta, a sudoeste de Hebrom, mas esta fica provavelmente muito ao sul. Um local mais provável é Khirbet Beit Amra, dois quilômetros a nordeste de Yatta (Jutá).

**ZANZUMINS** O nome amonita dado aos refains, os mais antigos habitantes da terra dos amonitas (Dt 2.20), que os lançaram para fora dali. Era um povo de estatura gigante (2.21), do qual Ogue, o rei de Basã, foi o único que restou (3.11). Eles eram lembrados no tempo de Davi (2 Sm 21.16,20,22). Os refains foram atingidos por Quedorlaomer, que os enfraqueceu, permitindo que os amonitas os desapossassem. A cama de Ogue parece ter sido um objeto de veneração, por causa da bravura ou do tamanho deste homem, como o último exemplo vivo dos refains conhecido pelos amonitas. *Veja* Gigante; Zuzins.

**ZAQUEU** Um coletor de impostos em Jericó que se tornou um discípulo do Senhor Jesus (Lc 19.1-10). Ele é identificado como chefe dos publicanos ou dos cobradores de impostos (*architelones*), o que implica que ele era o cabeça de outros coletores de impostos daquele distrito. Lá se encontravam de duas a quatro rotas de negócios que convergiam em Jericó, e também havia ali um palácio herodiano (Josefo, *Ant.* xvii.10.6; 13.1). Jericó também era um famoso centro de produção de palmeiras e bosques de bálsamo (Josefo, *Ant.* xiv.4.1; xv.4.2). Portanto, Jericó era uma abundante fonte de impostos. Uma comparação de Lucas 18.35–19.2 com Marcos 10.46 indica que Bartimeu (*q.v.*) es-

Grandes sicômoros, como aquele em que Zaqueu subiu, ainda crescem no oásis de Jericó.
HFV

tava sentado na estrada entre a cidade velha de Jericó e a cidade nova, construída por Herodes o Grande, onde Zaqueu morou (*veja* Jericó). Zaqueu, que era de baixa estatura, subiu em um Sicômoro (ou figueira brava) para ver Jesus, que em resposta pediu para pernoitar em sua casa. Além do genuíno arrependimento de Zaqueu, a história mostra a disposição que o Senhor Jesus tinha de se misturar com os coletores de impostos, que eram desprezados.

H. W. H.

**ZARETÃ** Uma cidade localizada no lado leste do vale de Jordão (1 Rs 7.46). *Veja* Sartã.

**ZARETÃ** *Veja* Sartã.

**ZATU** Chefe de uma família israelita, cujos membros retornaram do cativeiro a Jerusalém (Ed 2.8; Ne 7.13). Alguns homens desta família despediram suas esposas estrangeiras de acordo com a reforma de Esdras, que bania o casamento estrangeiro (Ed 10.27). Zatu é mencionado como um dos chefes do povo que assinou a aliança de Neemias (Ne 10.14).

**ZAVÃ** *Veja* Zaavã.

**ZAZA** Um homem de Judá, da casa de Jerameel (1 Cr 2.33).

**ZEBA** Este homem é sempre relacionado com Zalmuna como um dos dois reis de Midiã que dirigiram os exércitos que foram aniquilados por Gideão (Jz 8; Sl 83.11). Estes midianitas haviam se juntado ao amalequitas para manter os israelitas no grande vale central de Esdraelom em cativeiro e terror por sete dias. Todos os anos, durante a colheita, eles vinham como gafanhotos varrendo, saqueando e devorando a plantação. Depois que Gideão e seus 300 homens aniquilaram o exército midianita, eles escaparam através do Jordão. Grande parte deles foi morta pelos efraimitas nos vaus do Jordão, incluindo os chefes menores Orebe e Zeebe. Zeba e Zalmuna escaparam com um remanescente para Carcor, uma fortaleza ainda não identificada com certeza (Qarqar no Uádi Sirhan, 320 quilômetros a sudoeste no deserto Arábico, como sugerido no *Atlas Westminster*, o que parece ser bem distante). Eles foram pegos de surpresa por Gideão, que os havia perseguido, e os dois reis foram capturados. Quando Zeba e Zalmuna descreveram os homens que haviam capturado e matado em Tabor, Gideão reconheceu que eram seus próprios irmãos. Se eles tivessem poupado seus irmãos Gideão os teria poupado também. Os dois comandantes solitários morreram, resistindo orgulhosamente aos seus captores.

P. C. J.

**ZEBADIAS**
1. Um benjamita, um dos filhos de Berias (1 Cr 8.15).
2. Um benjamita, um dos filhos de Elpaal (1 Cr 8.17).
3. Um dos dois filhos benjamitas de Jeroão, de Gedor. Com seu irmão Zebadias, juntou-se a Davi em Ziclague (1 Cr 12.7).
4. Um dos filhos de Meselemias o coraíta, cuja responsabilidade levítica seria de porteiro do templo (1 Cr 26.2).
5. Um capitão da quarta divisão do exército de Davi. Ele tomou o lugar de seu pai Asael, o primo de Davi que foi morto por Abner (1 Cr 27.7).
6. Um dos levitas que foi enviado por Josafá por todo o território de Judá, para ensinar a lei do Senhor ao povo (2 Cr 17.8).
7. Filho de Ismael e chefe da tribo de Judá no reino de Josafá. Ele foi designado para presidir sobre "todo negócio do rei" (2 Cr 19.11).
8. O filho de Micael, dos filhos de Sefatias que retornaram com Esdras em um grupo de 80 pessoas (Ed 8.8).
9. Um sacerdote no tempo de Esdras que fez um voto de abandonar sua esposa estrangeira (Ed 10.20).

P. C. J.

**ZEBAIM ou POQUERETE-HAZEBAIM** Nome de um grupo de descendentes dos servos do templo de Salomão que retornaram do cativeiro (Ed 2.57; Ne 7.59). Pouco se sabe de sua história ou funções. Eles podem ter sido prisioneiros de guerra cananeus que se tornaram escravos do estado (Isaac Medelsohn, "State Slavery in Ancient Palestine", BASOR #85 [1942], pp. 16-17).

**ZEBEDEU** Esta é provavelmente a forma grega do nome hebraico Zebediah, que significa "Yahweh dotou". O nome é atribuído ao marido de Salomé (Mt 27.56; Mc 15.40) e o pai de Tiago e João, discípulos de Cristo (Mt 4.21). Ele era aparentemente um homem próspero, uma vez que tinha "empregados" (Mc 1.19,20) e era um pescador da Galiléia (Mt 4.21,22). Esta conjectura vem do fato de seu filho João conhecer Anás, o sumo sacerdote (Jo 18:15). Zebedeu pode ter conduzido um negócio de venda de peixes em Jerusalém. Ele é mencionado nas Escrituras com seus dois filhos em um barco de pesca consertando as redes. Não existe nenhum registro de que este homem tenha feito alguma objeção quando seus filhos foram chamados pelo Salvador, deixando-o imediatamente.

**ZEBIDA** A mãe do rei Jeoaquim (2 Rs 23.36).

**ZEBINA** Um dos judeus contemporâneos de Esdras que havia se casado com uma esposa estrangeira (Ed 10.43).

**ZEBOIM**

1. Uma cidade nas proximidades de Hadide e Nebalate nas planícies de Sarom, que foi ocupada por alguns dos que retornaram do Exílio da Babilônia (Ne 11.34). A localização deste lugar antigo é desconhecida. Não se sabe ao certo se este local e estas cidades em sua vizinhança fizeram parte da província persa de Judá, mas ao menos seus ocupantes judeus tinham a permissão de participar da vida religiosa da comunidade de Jerusalém (em contraste com os samaritanos, Esdras 4.1-3,10).
2. O vale de Zeboim (heb. *s^ebo'im*, "hienas") entre Micmás e o deserto a leste (1 Sm 13.16-18), é identificado com o uádi Abu Daba.

**ZEBUL** O governante de Siquém que advertiu Abimeleque sobre uma conspiração e uma rebelião planejada por Gaal e seus seguidores, e levou Gaal a sair da cidade (Jz 9.28-41).

**ZEBULOM** O décimo filho de Jacó, seu sexto filho com Leia, em Padã-Arã. Seus irmãos de sangue eram Rúben, Simeão, Levi, Judá e Issacar. Em Canaã ele teve três filhos (Serede, Elom e Jaleel) que o acompanharam ao Egito. Estes se tornaram os ancestrais das três principais divisões da tribo (Gn 46.14). As Escrituras não trazem nenhum registro das atividades pessoais de Zebulom. Estas só podem ser deduzidas a partir das declarações envolvendo os outros filhos de Jacó (por exemplo, a venda de José para a escravidão).
Durante a marcha no deserto, a tribo de Zebulom acampou a leste do Tabernáculo e assim se moveu entre os primeiros grupos sob os padrões de Judá. Quando o primeiro censo foi realizado, Zebulom tinha 57.400 homens acima de 20 anos de idade (Nm 1.31), e em um segundo censo havia 60.500 (Nm 26.27). O representante de Zebulom que estava entre os 12 espias que entraram em Canaã foi Gadiel (Nm 13.10). Quando a tribo entrou na Palestina, recebeu um lote de terra nas montanhas da Galiléia, mas, conforme Jacó havia profetizado, seus limites não se estenderam, naquele tempo, ao Mar da Galiléia ou ao Mediterrâneo (Gn 49.13; Js 19.10-16). Eles não foram capazes de desalojar os cananeus de todo aquele território.
Zebulom enviou tropas militares distintas a Baraque em sua luta contra Sísera (Jz 4.10-16; 5.18), e mais tarde ofereceu ajuda a Gideão contra os midianitas (Jd 6.35). Elom, um dos juízes menores, veio desta tribo (Jz 12.11). Mais tarde, Zebulom enviou 50.000 guerreiros para se juntarem a Davi em Hebrom (1 Cr 12.33). Nos últimos dias do reino do norte, o território de Zebulom aparentemente sofreu uma despovoação e uma anexação à Assíria nas mãos de Tiglate-Pileser III, em 732 a.C. (2 Rs 15.29). Algumas pessoas de Zebulom aceitaram o convite do rei Ezequias para irem à Jerusalém para uma renovação da celebração da Páscoa (2 Cr 30.10,11,18).
Nazaré e Caná ficavam no território de Zebulom, e algumas profecias sobre o ministério do Senhor Jesus Cristo foram cumpridas ali, como por exemplo Isaías 9.1,2 (cf. Mt 4.12-16). Ezequiel (48.26-33) e João (Ap 7.8) incluíram Zebulom em suas previsões a respeito do fim dos tempos.
H. F. V.

**ZEBULONITA** Um membro da tribo de Zebulom (Nm 26.27; Jz 12.11,12). *Veja* Zebulom.

**ZEDADE** Um local ou torre localizado ao norte da fronteira da Terra Prometida (Nm 34.8; Ez 47.15). É identificado por vários estudiosos como a cidade de Sadad, no deserto, a leste da estrada de Damasco a Homs e Qatna, aprox. 100 quilômetros a nordeste de Damasco.

**ZEDEQUIAS**

1. Filho de Quenaana (1 Rs 22.1-28; 2 Cr 18.1-27). Um dos 400 profetas da corte de Acabe que foi consultado antes da expedição planejada contra Ramote-Gileade. Inicialmente, todos os profetas profetizaram, e então Zedequias tornou-se o porta voz do grupo, colocando "chifres de ferro" sobre sua cabeça, simbolizando o poder. Ele então previu a vitória sobre os siros. Quando Micaías, por outro lado, entregou a profecia de derrota a Acabe, Zedequias deu um passo à frente e o feriu, perguntando: "Por que caminho passou de mim o Espírito do Senhor para falar a ti?" (2 Cr 18.23).
2. Um contemporâneo de Jeremias, profeta e filho de Maaséias (Jr 29.21). Ligado a outro falso profeta chamado Acabe, Zedequias pronunciou profecias enganosas entre os prisioneiros da Babilônia e também cometeu adultério. Aparentemente, Zedequias tentou dar esperanças aos prisioneiros através de previsões enganosas de uma breve restau-

ração. Jeremias denunciou os falsos profetas severamente, e declarou que seus nomes e seus feitos terríveis tornar-se-iam provérbios em Israel (Jr 29.21-23).

3. Filho de Hananias (Jr 36.12), um príncipe de Judá nos dias de Jeoaquim que se juntou a outros príncipes na câmara do escriba para ouvir Baruque ler o rolo das profecias de Jeremias.

4. O último rei de Judá (597-586 a.C.). O relato do 11º ano de seu reinado é encontrado em 2 Rs 24; 2 Cr 36; Jr 39 e 52. Aos vinte e um anos de idade, quando se tornou rei, Zedequias era o terceiro filho de Josias a sentar-se no trono. Ele era o irmão mais novo de Jeoacaz e Jeoaquim, e o tio de Joaquim, rei de Judá que tinha sido deposto pelo Faraó-Neco e deportado para o Egito, e que morreu no ofício ou foi levado como prisioneiro à Babilônia. A remoção de Joaquim para o exílio significou a deportação do principal homem de Judá. Zedequias tornou-se rei do remanescente que foi deixado para trás em 597 a.C., e seu nome anterior, Matanias, foi mudado para Zedequias (2 Rs 24.17). A situação que Zedequias herdou era aparentemente tênue, porém, na verdade, era bastante difícil de controlar.

No início de seu reinado, Zedequias deu alguns sinais da intenção de obedecer às leis mosaicas e atender ao conselho de Jeremias com respeito às políticas estrangeiras. Ele pediu àqueles que mantinham escravos para libertá-los (Jr 34), e enviou uma embaixada à Babilônia para aconselhar os judeus de lá a viverem de uma forma natural, procurando a paz da cidade, e orando por ela (Jr 29). No entanto, logo se tornou aparente que a corte de Zedequias era um centro de intrigas e conspirações contra a Babilônia. No quarto ano de Zedequias, embaixadores de todas as partes – das nações circunvizinhas de Edom, Moabe, Amom, Tiro e Sidom – reuniram-se em Jerusalém pedindo ao rei de Judá que se juntasse a eles na conspiração contra a Babilônia. Jeremias opôs-se a este esquema tolo, e compareceu perante os enviados levando sobre seus ombros um jugo de madeira para dramatizar sua declaração de que Deus havia entregado as nações nas mãos de Nabucodonosor. Aqueles que se submetessem teriam a permissão de viver, mas aqueles que se rebelassem e negassem submissão ao jugo, iriam perecer (Jr 27). As notícias sobre a revolta que pairava no ar devem ter alcançado Nabucodonosor, que aparentemente intimou Zedequias a comparecer à Babilônia (Jr 51.59). Isto parece explicar, pelo menos em parte, porque a insurreição proposta não se concretizou nestes tempos.

O próximo passo em direção à rebelião pública foi tomado quando Zedequias aliou-se ao Egito – um movimento desleal e audacioso aos olhos de Nabucodonosor, cujo resultado foi uma invasão da Palestina que reduziu toda a Judéia, além de Jerusalém, Laquis, e Azeca. Os registros deste evento nas Escrituras são encontrados em Jeremias 34 e 37, e em Ezequiel 17. Josefo declara que a data em questão era o oitavo ano do reinado de Zedequias. O final do cerco de Jerusalém começou no nono ano do reino de Zedequias, no décimo dia do décimo mês. O relato do cerco e da queda da cidade é encontrado em 2 Reis 25 e também em Jeremias 39 e 52. Por causa da notícia de que Hofra do Egito estava a caminho para ajudar a cidade sitiada, o cerco foi levantado por um curto período de tempo quando o exército da Babilônia encaminhou-se para confrontar a ameaça. Embora os detalhes não sejam conhecidos, pode-se assumir que o Egito foi sumariamente derrotado, pois a Babilônia resumiu o cerco a Jerusalém, conforme Jeremias havia previsto de forma solene (Jr 37.8-10).

As condições agora se tornaram desesperadoras. A cidade fortemente fortificada conseguiu resistir durante aproximadamente um ano e meio, período em que a população sofreu todos os horrores possíveis em termos de fome e pestes. Uma brecha foi finalmente aberta no muro, e Zedequias, ao ver que tudo estava perdido, tentou escapar para o vale do Jordão. Perseguido e capturado pelos caldeus, foi trazido a Nabucodonosor em Ribla, e lá recebeu sua sentença. Os filhos de Zedequias foram mortos em sua presença, e depois seus olhos foram retirados e ele mesmo foi preso a correntes e levado à Babilônia, onde mais tarde morreu. Assim se cumpriram as profecias de Jeremias 34 e Ezequiel 12 a respeito do destino do último rei de Judá.

5. Um proeminente oficial judeu que estava entre aqueles que selaram a aliança renovada após o Exílio (Ne 10.1).

D. K. C.

**ZEEBE** Um dos dois príncipes midianitas (*veja* Orebe) capturados e decapitados pelos homens de Efraim "no lagar de Zeebe", perto do Jordão (Jz 7.25). Suas cabeças foram levadas até Gideão, do outro lado do rio. Josefo (*Ant*. v. 6.5) define este local como "em um certo vale rodeado de torrentes, em um local que estes não poderiam ultrapassar". Ele também define o grito de guerra de Israel como: "Vitória a Gideão, com a assistência de Deus". Sob a mão do Senhor, Gideão, com 300 homens, assassinou e aniquilou o exército midianita que consistia de 135.000 homens. No Salmo 83.11, lê-se em relação aos inimigos de Israel: "Faze aos seus nobres como a Orebe, e como a Zeebe".

**ZEFATÁ** Um vale nas proximidades de Maressa onde Asa encontrou e combateu um exército etíope liderado por Zerá (2 Cr 14.10).

**ZEFATE** Uma cidade no extremo sul de

Judá que foi totalmente destruída pelas tribos de Judá e Simeão (Jz 1.17). Foi mais tarde chamada de Horma, ou seja, "indicada para destruição". *Veja* Horma. Foi identificada como Khirbet el-Meshash, aprox. treze quilômetros a leste de Berseba.

**ZEFI ou ZEFÔ** Filho de Elifaz e neto de Esaú (Gn 36.11,15; 1 Cr 1.36).

**ZEFOM** Filho de Gade e fundador da tribo dos zefonitas (Nm 26.15). Em Gênesis 46.16 ele é chamado de Zifiom.

**ZELA** Uma cidade no território de Benjamim (Js 18.28), o local da tumba de Quis onde foram sepultados os ossos de Saul e Jônatas (2 Sm 21.14). A localização da cidade é incerta, exceto por estar listada entre as 14 cidades geralmente localizadas em regiões montanhosas ao norte e a oeste de Jerusalém. Khirbet Salah, poucas milhas a nordeste de Jerusalém, é uma possível identificação do local.

**ZELEQUE** Um amonita que era um dos valentes de Davi, conhecidos como "os Trinta" (2 Sm 23.37; 1 Cr 11.39).

**ZELO** No uso do grego clássico, *zelos* denotava "a capacidade ou estado de comprometimento passional com uma pessoa ou causa" (Albrecht Stumpff, "*Zelos* etc.", TDNT, II, 877-888), assim como um nobre impulso em direção ao desenvolvimento do caráter, ou como algo oposto à paixão venenosa da inveja (*q.v.*). O contexto determina a importância desta emoção humana. No grego *koine*, o termo possui tanto um sentido bom – "ardor, devoção", quanto mau – "desconfiança, inveja".

No AT Deus declara que Ele mesmo manifesta o ardor, a devoção ou a desconfiança (heb. *qin'a*) por parte de seu povo (Is 9.7; 37.32; 42.13; 59.17; 63.15; Ez 5.13; Zc 1.14; 8.2). De maneira semelhante, Paulo escreve que sentia zelo pelos crentes de Corinto, um "zelo de Deus" (*theou zelo*, 2 Coríntios 11.2 – "estou zeloso de vós com zelo de Deus"). Alguns outros usos do termo *zelo* no NT trazem à mente a preocupação amorosa ou o cuidado com certos indivíduos do AT, na questão relacionada a manter a honra de Deus e fazer sua vontade (Nm 25.6-13; 2 Sm 21.2; 1 Rs 19.10,14; 2 Rs 10.16; Sl 119.139). Os discípulos, pensando no Salmo 69.9, viram um paralelo na purificação do templo realizada pelo Senhor Jesus (Jo 2.17). O zelo dos judeus em relação aos cristãos era uma atitude equivocada ou até mesmo invejosa (At 5.17; 13.45). O próprio Paulo sentia-se culpado por ter sido "extremamente zeloso" das tradições de seus pais, um zelo equivocado (Gl 1.14; Fp 3.6). No entanto, o apóstolo elogiou os judeus pelo zelo que demonstravam para com Deus (Rm 10.2; At 22.3; cf. 21.20).

Os cristãos devem ser zelosos e se arrepender (Ap 3.19) para corrigir os erros (2 Co 7.11), e para ofertar (2 Co 9.2). Eles devem procurar com zelo os dons espirituais, desejá-los fervorosamente (de *zeloo*), especialmente o de profetizar (1 Co 14.12; 12.31; 14.1,39).

F. D. L.

**ZELOFEADE** Um gileadita da tribo de Manassés. Zelofeade, que saiu do Egito com Moisés, não tinha filhos, mas cinco filhas que estabeleceram dois precedentes legais em Israel. Quando o povo foi contado em Moabe para se determinar a herança que caberia a cada família na Terra Prometida, as jovens, cujo pai já havia morrido no deserto, apelaram a Moisés. Caso a herança fosse determinada solenemente através da linhagem masculina, a família de Zelofeade teria desaparecido. Foi tomada a decisão de que em casos como este, a herança iria para as filhas (Nm 27.1-11).

Mais tarde, a questão do casamento de tais filhas veio à tona. Para manter a herança dentro da tribo, foi determinado que elas só deveriam casar-se com membros de sua própria tribo (Nm 36).

**ZELOTE** A palavra grega *zelotes*, duas vezes associada com um dos 12 discípulos de Jesus (Lucas 6.15, "Simão, chamado Zelote"; Atos 1.13, "Simão, o Zelote"), marca este homem como aquele que deseja que Deus seja honrado. O termo traduz o heb. *qanna'*, "zeloso", "devoto", que Mateus e Marcos preservam por transliteração, falando de "Simão, o cananeu" (Mt 10.4; Mc 3.18), ou seja, Simão, o devoto, um homem que zelava pela honra de Deus.

O nome sugere que Simão padronizava sua vida de acordo com o patriarca Finéias, que sentia indignação e que demonstrou uma ação decisiva diante da idolatria israelita. O Senhor Deus disse: "Finéias... desviou a minha ira de sobre os filhos de Israel, pois zelou o meu zelo no meio deles... e fez propiciação pelos filhos de Israel" (Nm 25.10-13). A devoção ou zelo de Finéias por Deus foi lembrada nas Escrituras: "E isto lhe foi imputado por justiça" (Sl 106.30,31), o que era um convite à emulação. Quando o Senhor Jesus retirou os cambistas do templo, os discípulos lembraram-se da palavra: "Pois o zelo da tua casa me devorou" (Sl 69.9; Jo 2.17), uma associação que dever ter inicialmente atraído Simão a Jesus. *Veja* Simão 2; Zelotes.

W. L. L.

**ZELOTES** Um nome geralmente aplicado aos devotos judeus patriotas do século I d.C. Para muitos deles, a violência era sempre justificada desde que no final alcançasse algo bom – a libertação de estrangeiros opressores. *Sanhedrin* 9.6 e *Sanhedrin* 82*a* dão uma indicação do significado original de zelotes (heb. *qanna'îm*) em uma proeza de coragem que relembra o zelo de Finéias (Nm 25.7-13). Finéias é elogiado por sua devoção (heb. *b*[e]*kano*) em defesa da causa de Deus. Ele tornou-se o protótipo dos zelotes, que defendem a honra de Deus, da Torá e de Israel. Este conceito de devoção caracterizou muitos grandes líderes, profetas, sacerdotes, homens sábios e militares.

O termo é especificamente aplicado aos membros de um partido extremista ativo desde o século VI d.C., quando Judá, o Galileu, um rabino, exigiu uma resistência aos romanos, realizando um censo quando Judá tornou-se uma província romana diretamente sujeita ao imperador. Judá, o Galileu, estabeleceu os princípios de sua causa entusiasta: que os judeus não pagassem impostos a Roma, nem fossem submissos ao imperador como seu senhor, uma vez que ele era um mero homem. O ponto de Judá era que a terra de Israel é a Terra Santa, e sua produção e recursos não deveriam ir para um governante estrangeiro; além do mais, Israel era uma teocracia, e qualquer desvio desta norma caracterizaria uma apostasia. Muitos homens abraçaram esta causa, e se tornaram um grupo ativo conhecido como Zelotes. Eles trouxeram muitas dificuldades aos romanos e recorreram muitas vezes à violência, até mesmo aos assassinatos.

Alguns sugeriram que o Senhor Jesus favoreceu os Zelotes, e escolheu Simão, o Zelote para expressar sua aprovação em relação às suas táticas. Nada poderia ser tão oposto à verdade, uma vez que todo o ministério de Jesus era baseado em meios pacíficos, e Simão provavelmente experimentou uma mudança de coração em relação a toda a atividade dos Zelotes, embora sua designação tenha continuado a mostrar seu envolvimento anterior. *Veja* Simão 2; Zelote.

Os Zelotes tomaram o controle de Jerusalém em 66 d.C., fato que no final levou à queda de Judá e Jerusalém em 70 d.C. Portanto eles são lembrados como a causa direta da destruição de Jerusalém, por trazerem a guerra. Josefo não os considerou realmente zelosos em relação a Deus, e referiu-se a eles como *sicarii* (Lat., "homens que utilizavam punhais ou adagas"), na verdade, assassinos (*Wars* iv.3.9; vii.10.1). Sua última fortaleza, Massada (*q.v.*) caiu em Maio de 73 d.C.

L. Go

O erro dos zelotes não foi seu entusiasmo, e sim os motivos de seu entusiasmo. O zelo, se motivado adequadamente, é uma honra ao Senhor. Deus espera que seus filhos tenham zelo por Ele. Eles são instruídos a não serem "vagarosos no cuidado" mas "fervorosos no espírito, servindo ao Senhor" (Rm 12.11). Cristo deu a si mesmo por nós, para nos remir de toda iniqüidade e purificar para si um povo seu especial, zeloso de boas obras" (Tt 2.14). Assim como os cristãos de Corinto, todos os crentes devem "desejar os dons espirituais" ou "ser zelosos pelos dons espirituais", para que a igreja seja edificada (1 Co 14.12).

R. P. L.

***Bibliografia.*** W. R. Farmer, *Maccabeans, Zealots and Josephus*, Nova York: Columbia Press, 1967. K. Kohler, "Zealots", JewEnc.

**ZELZA** Um local não identificado localizado no território de Benjamim, perto da sepultura de Raquel. Foi o local de um dos sinais prometidos a Saul, de que ele viria a ser o rei de Israel (1 Sm 10.1,2).

**ZEMARAIM**

1. Uma cidade da tribo de Benjamim (Js 18.22). Alguns escritores a identificam com Ras ez-Zeimara, uma ruína a aprox. 5 quilômetros a nordeste de Betel.

2. Uma montanha na cordilheira de Efraim (2 Cr 13.4), na qual o rei Abias posicionou-se para discursar a Jeroboão e seus homens, pedindo-lhes que se arrependessem de sua rebelião.

**ZEMAREUS** Um povo cananeu da cidade de Simura (Assíria, Simirra; Amarna, Sumur; Gênesis 10.18; 1 Crônicas 1.16). É uma cidade que está a 10 quilômetros ao sul de Arvade. A cidade é atualmente conhecida como Sumra. Tiglate-Pileser I (1114-1076 a.C.) invadiu Sumur pelo mar (Luckenbill, *Anc. Rec. of Assyr. & Baby.*, I, 98). O livro de Gênesis indica o relacionamento próximo e antigo entre este povo e Hamate, que há muito figurava na história cananéia. Foram suficientemente importantes para serem perseguidos pelo Faraó e seus inimigos, como mostram as cartas de Amarna, sugerindo a razão pela qual os zemareus constam na Tábua das Nações (*veja* Nações).

**ZEMIRA** Um benjamita da família de Bequer (1 Cr 7.8).

**ZENÃ** Uma cidade de Judá, na Sefelá, no distrito de Laquis (Js 15.37), ainda não identificada. É provável que seja Zaanã (Mq 1.11).

**ZENAS** Em Tito 3.13 Zenas é descrito como um advogado ou jurista (um doutor da lei). Paulo adverte Tito a prover o necessário a Zenas e Apolo em sua viagem, fazendo o possível para que nada lhes faltasse. Caso Zenas fosse um Judeu convertido, ele poderia ter mantido sua antiga designação como escriba ou advogado. Se fosse um gentio, a lei que ele praticava seria a grega ou a romana.

**ZEQUER** Um benjamita da família de Jeiel de Gibeão (1 Cr 8.31); uma forma alternativa é Zacarias em 1 Crônicas 9.37.

**ZER** Uma cidade fortificada no território de Naftali (Js 19.35). Estava provavelmente localizada nos declives a oeste do Mar da Galiléia. Foi sugerido que Zer é um outro nome para Madom (*q.v.*; Js 11.1; 12.19) que não consta em Josué 19.

**ZERA** Forma alternada de Zerá (*veja* Zerá 3). Um dos filhos gêmeos de Judá e Tamar (Gn 38.30; 46.12; 1 Cr 2.4). Ele era um ancestral de Acã (Js 7.1,18,24; 22.20) e Petaías (Ne 11.24), e o fundador da família tribal chamada de zeraítas (Nm 26.20), também mencionados como "filhos de Zerá" (1 Cr 9.6; Ne 11.24).

**ZERÁ**
1. Um chefe de Edom (talvez a mesma pessoa mencionada no ítem 2 abaixo) filho de Reuel, e descendente de Esaú e Basemate (Gn 36.13,17; 1 Cr 1.35,37).
2. Pai de Jobabe, o segundo dentre os primeiros reis de Edom (Gn 36.33; 1 Cr 1.44).
3. Filho de Judá e Tamar e irmão gêmeo de Perez (Gn 38.30; 1 Cr 2.4). Um fio de cor roxa (ou escarlate) foi amarrado em sua mão antes de seu irmão nascer. Zerá então, pode significar "escarlate" (Gn 38.27-30). Ele foi o patriarca do clã dos zeraítas, de Judá (Nm 26.20), dentre os quais estava Acã, que pecou em Jericó (Js 7.1,17,18). Seu nome, junto com o nome de seu irmão Perez, aparece na genealogia do Senhor Jesus (Mt 1.3). *Veja* Zera.
4. Um filho de Simeão e pai do clã simeonita chamado zeraítas (Nm 26.13). Zoar (Gn 46.10; Êx 6.15) é uma forma alternativa para o nome deste homem.
5. Um levita, descendente de Gérson (1 Cr 6.21,41).
6. Um "etíope" ou cuxita (heb.) que invadiu Judá com um grande exército e carruagens e foi derrotado por Asa em uma batalha em Maressa (2 Cr 14.9-12; 16.8).
Existem algumas controvérsias sobre a exata identidade deste Zerá. Alguns (IDB, IV, 953ss.) acreditam que ele era simplesmente um líder de tribos árabes beduínas que faziam ataques repentinos, ou de uma tribo "cuxita". As evidências mencionadas como suporte para este raciocínio são as tendas e os camelos (cf. 2 Cr 14.15). Outros, ao notar a presença de tropas líbias em seu exército (2 Cr 16.8), argumentaram que ele era um comandante de tropas mercenárias lutando pelo Egito durante o reinado de Osorkon I (914-874 a.C.). Uma vez que Zerá não é chamado de rei, seria provavelmente melhor considerá-lo um etíope que liderava as forças do Egito de Osorkon I, que provavelmente tentava seguir o sucesso de seu pai Sisaque, o primeiro governante da 22ª Dinastia, também chamada de Dinastia Líbia (K. A. Kithchen, "Zerah" NBD, p. 1359). As suas forças evidentemente incluíam os beduínos, assim como os mercenários do Egito que haviam se estabelecido em Gerar com as suas famílias para formar um "estado tampão" após a campanha de Sisaque contra Roboão (Jacob M. Myers *II Chronicles*, Anchor Bible, XIII, 85).

R. L. S.

**ZERAÍAS**
1. Um sacerdote da linhagem de Eleazar e filho de Uzi, um dos ancestrais de Esdras (1 Cr 6.6,51; Ed 7.4).
2. Pai do chefe do clã de Paate-Moabe que retornou do cativeiro com Esdras (Ed 8.4).

**ZERAÍTAS** Descendentes da família de Zerá. Existiram duas famílias com este nome, uma da tribo de Simeão (Nm 26.13) e outra da tribo de Judá (Nm 26.20; Js 7.17). Dois dos "homens valentes" de Davi pertenciam a esta família (1 Cr 27.11,13).

**ZEREDA**
1. Cidade natal de Jeroboão I, o primeiro governante do reino do norte (1 Rs 11.26). Uma vez que Jeroboão era um efraimita, a cidade estava evidentemente localizada no território desta tribo. O nome da cidade foi preservado na fonte de 'Ain Seridah em Deir Ghassaneh. Ela fica na região oeste de Samaria, no Uádi Deir Ballut, 27 quilômetros a sudoeste de Siquém, e 19 quilômetros a oeste de Siló.
2. Uma cidade na planície do Jordão. Em sua vizinhança, Hirão fez os instrumentos de metal para o templo (2 Cr 4.16,17; mencionada como Zaredata em algumas versões). Acredita-se que Zeredata seja outro nome ou uma variante de Zaretã (ou Sartã; *q.v.*), nome pelo qual a cidade é chamada na passagem paralela em 1 Reis 7.46.

**ZEREDE** O vale (ou ribeiro) onde Israel acampou antes de alcançar o estreito de Arnom (Nm 21.12). Em Deuteronômio 2.13ss., a travessia do ribeiro de Zerede marca o final dos 38 anos de peregrinação dos israelitas no deserto (*veja* Peregrinação no Deserto). Zerede foi comparado ao Uádi-el-Hesa, o canal mais ao sul dos quatro principais da Transjordânia (Jarmuque, Jaboque, Arnom, e Zerede). Ele formou a antiga divisa natural entre Edom e Moabe. Uma vez que o canal fluía até o extremo sudoeste do Mar Morto, a água para uma ou mais cidades participantes da liga com Sodoma (*q.v.*) e Gomorra foi sem dúvida obtida de Zerede. Ao longo dos 55 quilômetros do curso, o canal desce a aproximadamente em 1300 metros do platô de Moabe. O profundo cânon tem uma largura de aprox. seis quilômetros e meio, onde é atravessado por uma moderna estrada que vai até Petra.
O "ribeiro dos salgueiros" (Isaías 15.7; "Ribeiro de Arabim") é conhecido como o mais baixo dos cursos do Zerede, aqui chamado

de Seil el Qerahi, onde existe uma pequena planície com alguns pântanos perfeitamente adequados para os salgueiros.

J. R.

**ZERERÁ** Um local por onde os exércitos midianitas fugiram em sua primeira derrota para Gideão e seu bando de 300 homens (Jz 7.22), geralmente considerado um outro nome para Zaretã (*q.v.*).
*Veja* Sartã.

**ZERES** A esposa de Hamã. Ela o aconselhou a construir uma forca para pendurar Mardoqueu, e avisou-o de sua derrota quando o rei decidiu honrar Mardoqueu (Et 5.10,14; 6.13).

**ZERETE** Um descendente de Judá; o primeiro filho de Asur com Hela (1 Cr 4.7).

**ZERETE-SAAR** Uma cidade no território de Rúben (Js 13.19). A cidade está provavelmente localizada na montanha com vista para a bacia do mar Morto (v. 27). Foi comparada por alguns à moderna Zarate, na costa leste do mar Morto, a leste de Tecoa em Judá. *Veja* Monte do Vale.

**ZERI** Um membro da família de músicos do templo; um filho de Jedutum (1 Cr 25.3). O nome aparece como Izri no versículo 11. A diferença na escrita talvez seja o resultado da variação na inicial *yodh* de *Yisri*, "Izri".

**ZEROR** Um ancestral do rei Saul; filho de Becorate e pai de Abiel (1 Sm 9.1).

**ZERUA** A mãe de Jeroboão, o primeiro rei da nação dividida de Israel (1 Rs 11.26).

**ZERUIA** Uma irmã de Davi, o filho de Jessé (1 Cr 2.16,17). De acordo com 2 Samuel 17.25 ela era a irmã de Abigail que parece ser filha de Naás. Portanto, ela era somente uma meia irmã tanto de Davi como de Abigail. Ela era a mãe de Joabe, Abisai, e Asael (2 Sm 2.18). Estes leais sobrinhos de Davi são constantemente identificados como os filhos de Zeruia, e não como os filhos de seu pai, talvez por causa do relacionamento que ela tinha com Davi (1 Sm 26.6; 2 Sm 2.13; 3.39; 8.16 etc.).

**ZETÃ**
1. Um levita gersonita (1 Cr 23.8; 26.22).
2. Chefe de uma família benjamita (1 Cr 7.10).

**ZETAR** Um dos sete eunucos da corte que serviu o rei Assuero (Et 1.10).

**ZEUS** *Veja* Falsos deuses.

**ZIA[1]** O chefe de uma família da tribo de Gade (1 Cr 5.13).

**ZIA[2]**
1. Um chefe ancestral de uma família de servidores do templo que retornou da Babilônia (Ed 2.43; Ne 7.46).
2. Um supervisor dos servos do templo (Ne 11.21).

**ZIBA** Um servo de Saul (2 Sm 9.2). Depois da morte de Saul, Ziba aparentemente manteve contato com os cortesãos do novo rei, Davi. Quando Davi, após colocar seu reino em segurança, quis cumprir seu voto de amizade com Jônatas (1 Sm 20.42), ele mandou chamar Ziba. Ziba disse que Mefibosete, um filho de Jônatas, ainda vivia em Lo-Debar. Davi fez de Mefibosete um membro da corte, e lhe devolveu as propriedades de Jônatas e Saul. Ele designou Ziba, que era evidentemente um administrador superior e não um mero servo, como o administrador dos assuntos de Mefibosete (2 Sm 9).
Quando Absalão rebelou-se contra seu pai, Davi fugiu de Jerusalém. Ziba encontrou Davi sem suprimentos e lhe disse que Mefibosete considerava a rebelião uma chance para reconquistar seu trono. Davi recompensou Ziba prometendo-lhe todas as propriedades de seu senhor (2 Sm 16.1-4). Após o retorno de Davi a Jerusalém, Mefibosete compareceu à presença do rei expressando seu lamento. Ele disse que Ziba o havia abandonado (Mefibosete era portador de uma deficiência física) e trazido um falso relato a Davi. Mefibosete manteve-se leal ao seu benfeitor.
Ao enfrentar o problema e decidir qual das duas histórias era a verdadeira, Davi resolveu a dificuldade premiando cada homem com a metade das propriedades, uma decisão que Mefibosete aceitou com satisfação.

P. C. J.

**ZIBEÃO** Filho de Seir, um comandante dos horeus, os habitantes nativos de Edom (Gn 36.20,24,29; 1 Cr 1.38,40). Ele é provavelmente Zibeão o heveu, avô de Oolibama, uma das esposas de Esaú (Gn 36.2,14). Em hebraico as palavras heveu e horeu têm uma grafia semelhante, e alguns estudiosos acreditam que os dois termos sejam intercambiáveis (*veja* Heveu; Horeu).

**ZÍBIA**
1. Chefe de uma família da tribo de Benjamim; um filho de Saaraim, nascido na terra de Moabe (1 Cr 8.9).
2. Mãe de Joás, rei de Judá; ela era de Berseba (2 Rs 12.1; 2 Cr 24.1).

**ZICLAGUE** Uma cidade na região sul de Judá (Js 15.31), designada aos simeonitas (Js 19.5; 1 Cr 4.30) mas controlada pelos filisteus durante o reinado de Saul. Foi dada a Davi por Aquis, rei de Gate (1 Sm 27.6; 1

Cr 12.1-22). Os amalequitas a capturaram e saquearam, mas Davi perseguiu os invasores, os capturou e reconquistou a maior parte do saque. Sob o governo de Davi, a cidade foi permanentemente separada dos filisteus, e colocada sob o domínio dos reis de Judá. Ela foi habitada após o cativeiro (Ne 11.28).

**ZICRI**
1. Um dos três filhos de Isar, o avô de Levi (Êx 6.21).
2. Um dos filhos de Simei, um benjamita (1 Cr 8.19-21).
3. Um dos filhos de Sasaque, um benjamita (1 Cr 8.23-25).
4. Um dos filhos de Jeroão, um benjamita (1 Cr 8.27).
5. Um levita, filho de Asafe, cujos descendentes viveram em Jerusalém após o Exílio (1 Cr 9.15). Seu nome também aparece como Zabdi (Ne 11.17) e Zacur (Ne 12.35).
6. Um descendente de Eliézer, o filho de Moisés, e pai do tesoureiro de Davi, Selomite (1 Cr 26.25,26).
7. Pai de Eliézer, um oficial chefe de Rúben nos dias de Davi (1 Cr 27.16).
8. Pai de Amazias de Judá, que "voluntariamente entregou-se ao Senhor", que comandou 200.000 homens no exército de Josafá (2 Cr 17.16).
9. O pai de Elisafate, que na época de Joiada cooperou para o retorno de Joás ao trono de Judá (2 Cr 23.1).
10. Um homem poderoso de Efraim. Na guerra entre Peca de Israel e Acaz de Judá ele matou o filho de Acaz, Maaséias, assim como Azricão, um "alto oficial do palácio", e Elcana, "o segundo [em autoridade] depois do rei" (2 Cr 28.7).
11. O pai de Joel que foi líder dos benjamitas vivendo em Jerusalém após o cativeiro (Ne 11.9).
12. Um sacerdote da família de Abias, da época em que Joiaquim foi o sumo sacerdote, no tempo de Neemias (Ne 12.17).

P. C. J.

**ZIDIM** Uma cidade fortificada designada à tribo de Naftali (Js 19.35). De acordo com o Talmude, ela pode ser identificada com Caphar Hittaia, a moderna Hattin el-Qadim, aprox. dez quilômetros a noroeste de Tiberíades. O *Oxford Bible Atlas* a identifica como Kadish, um local a oeste e ao extremo sul do Mar da Galiléia.

**ZIDON** Uma designação alternativa para a cidade fenícia de Sidom. Embora a versão KJV em inglês utilize tanto Sidom como Zidon, as versões mais recentes tendem a padronizar a utilização do termo como Sidom, que é o nome comumente empregado nas referências seculares. Por esta razão, a discussão da cidade aparece nesta obra como Sidom (*q.v.*).

**ZIFA** Um descendente de Judá; filho de Jealelel (1 Cr 4.16).

**ZIFE**
1. Uma família ou clã da tribo de Judá (1 Cr 4.16).
2. Uma cidade no Neguebe de Judá, 40 a 50 quilômetros a sudoeste do Mar Morto, e perto da "subida de Acrabim", identificada como Es-Zeifeh (cf. Js 15.24).
3. Uma cidade na região montanhosa de Judá (Js 15.55), 8 quilômetros a sul-sudoeste de Hebrom, às vezes considerada como a própria Tell Zif, que tinha uma localização estratégica no comando do deserto. Foi fundada por Messa (ou Maressa), um filho de Calebe (1 Cr 2.42). Foi perto deste local que Davi, por duas vezes, escondeu-se de Saul (1 Sm 23.14,15; 26.2). *Veja* Zifeus. Mais tarde foi fortificada por Roboão como uma defesa contra possíveis ataques a Jerusalém pela parte sul (2 Cr 11.8). Zife é uma das quatro cidades mencionadas em selos e alças das jarras reais do tempo de Ezequias: Hebrom, Socó, Zife e Memshe(le)th (significando "governo", provavelmente referindo-se a Jerusalém); estes foram os quatro novos centros administrativos do reino de Judá (*Macmillan Bible Atlas*, p. 98).

J. R.

**ZIFEUS** População da cidade de Zife 3, a sudeste de Hebrom. Eles eram uma família ou clã da tribo de Judá, descendentes da casa de Jealelel (1 Cr 4.16; chamados de Zifitas em algumas versões). Em algumas versões, também aparecem como Zifeus no título do Salmo 54. Eles informaram Saul sobre o esconderijo de Davi em duas ocasiões diferentes (1 Sm 23.19-24; 26.1).

**ZIFIOM** *Veja* Zefom.

**ZIFITAS** *Veja* Zifeus.

**ZIFROM** Um local ao norte da fronteira da Terra Prometida (Nm 34.9). Um lugar deserto, aprox. 120 quilômetros a noroeste de Damasco, talvez a moderna Hawwarin (*Macmillan Bible Atlas,* mapa n° 50).

**ZILÁ** A segunda esposa de Lameque; a mãe de Tubalcaim e Naamá (Gn 4.19,22,23).

**ZILETAI**
1. Uma família da tribo de Benjamim (1 Cr 8.20).
2. Um manassita, um capitão de mil que se juntou a Davi em Ziclague e ajudou na retomada das famílias e propriedades capturadas pelos amalequitas (1 Cr 12.20).

**ZILPA** A mãe de Gade e Aser (Gn 30.9-13; 35.26). Ela era uma das servas de Leia, e lhe foi dada por seu pai Labão (Gn 29.24;

46.18), e oferecida por ela a Jacó como uma concubina com a finalidade de gerar seus filhos (Gn 30.9; 37.2).

**ZIM, DESERTO DE** Uma região desértica ao sul de Judá, geralmente considerada como a metade norte do Neguebe. Marcava a fronteira sul do território israelita, de acordo com Números 34.3,4 e Josué 15.1-3, que sugerem que Zim pode ter sido um local próximo à subida de Acrabim, dando seu nome ao deserto da redondeza. Foi provavelmente uma região de fronteira, mais do que um típico território. Em Números 13.21, Zim forma a fronteira ao sul da terra que os espias israelitas exploraram. Nas demais passagens, ela é mencionada juntamente com Cades (Nm 20.1; 27.14; 33.36; Dt 32.51), indicando que a palavra referia-se livremente à região entre Cades-Barnéia, na fronteira do Sinai, e as passagens através dos abismos que surgiam a partir de Arabá. O terreno a oeste de Kurnub e Khurashe acima da pedra irregular, é marcado por uádis amplamente cultiváveis, divididos por níveis bem acentuados em suas extremidades.

D. B.

**ZIMA**

1. Filho de Jaate e pai de Joás, da família levítica de Gérson (1 Cr 6.20). Em 1 Crônicas 6.42 ele é chamado de avô de Jaate, e filho de Simei.
2. Um gersonita nos dias de Ezequias. Seu filho Joás e seu neto Éden foram ativos ao dar prosseguimento à reforma de Ezequias (2 Cr 29.12,15).

**ZIMBRO** *Veja* Plantas.

**ZIMRI**

1. Um dos cinco filhos de Zerá; neto de Judá e Tamar (1 Cr 2.3,4,6). Em Josué 7.1,17,18, ele é chamado de Zabdi.
2. Filho de Salu, um líder simeonita. Zinri foi executado pelo sacerdote Finéias enquanto estava engajado nas relações sexuais relacionadas aos cultos idólatras (Nm 25.6-18). A ocasião para o assassinato de Zinri foi a vinda de uma mulher midianita chamada Cosbi à sua família, aparentemente para ser sua meretriz, enquanto Israel ainda estava lamentando sua apostasia anterior relacionada ao ídolo moabita Baal. Esta união iníqua, talvez em uma tenda-altar midianita, acendeu a ira dos líderes Israelitas (Nm 25.14). Veja S. C. Reif, "What Enraged Phinehas? A Study of Numbers 25.8", JBL, XC (1971), 200-206.
3. O quinto rei de Israel que reinou em 885 a.C. por apenas sete dias (1 Rs 16.9-20). Elá, o filho de Baasa, tinha reinado apenas por dois anos quando Zinri, capitão da metade de seus carros, conspirou contra ele. Onri, comandante do exército, estava sitiando os filisteus em Gibetom e Elá estava em Tirza, na casa de Arsa, seu mordomo, bebendo e embriagando-se. Zinri tirou proveito desta situação, assassinou Elá e todos os seus descendentes do sexo masculino, e estabeleceu-se no trono. As notícias chegaram a Onri e ao exército, e estes proclamaram Onri como rei. Onri retornou com seu exército à capital e a dominou. Quando ficou claro para Zinri que esta causa estava perdida, ele escondeu-se no castelo do rei, o incendiou, e morreu entre as chamas. Assim, na morte de Elá e na destruição da casa de Baasa a profecia de Jeú foi cumprida (1 Rs 16.7,12), e na própria morte de Zinri seus pecados foram visitados sobre ele (1 Rs 16.19).
4. Um descendente de Jônatas, o filho de Saul. O nome de seu pai era Jeoada (1 Cr 8.36; 9.42).
5. Um povo da Arábia (Jr 25.25); *veja* Zinrã.

H. A. Hoy.

**ZINRÃ** O primeiro filho de Abraão e Quetura (Gn 25.2; 1 Cr 1.32) e provavelmente o ancestral de uma tribo árabe, possivelmente de Zinri, de Jeremias 25.25. O nome pode ser reconhecido em Zambran, uma cidade a oeste de Meca no Mar Vermelho (Ptolomeu, vi.7.5) e/ou em Zamareni, uma tribo árabe (Plínio, *Natural History*, vi.32).

**ZIOR** Uma cidade na região montanhosa de Judá (Js 15.54), talvez a própria Zair (*q.v.*) a moderna vila de Si'ir, aprox. oito quilômetros a nordeste de Hebrom.

**ZIPOR** Pai de Balaque, rei dos moabitas que chamou Balaão para amaldiçoar os israelitas (Nm 22.2,4,10,16; 23.18; Js 24.9; Jz 11.25).

**ZÍPORA** Uma das sete filhas de Jetro, sacerdote de Midiã; esposa de Moisés e mãe de seus filhos, Gérson e Eliézer (Êx 2.16,21,22; 18.2-4). Quando o desgosto de Deus esteve sobre Moisés, por sua negligência, não circundando seu filho mais novo como o sinal da aliança divinamente ordenada, Zípora procurou resolver o problema, mas aparentemente sem o devido respeito pela ordenança (Êx 4.25).

Durante o período das dez pragas contra o Egito, Moisés evidentemente enviou sua esposa e filhos a Jetro, visando sua segurança. Depois de Israel ter escapado do Egito e vindo ao deserto do Sinai, Jetro os trouxe de volta a Moisés, que estava acampado no "monte de Deus" (Êx 18.1-6).

O texto em Números 12.1 relata que Moisés havia se casado com uma mulher cuxita (ou etíope). É possível que Zípora, uma midianita, também tenha sido designada como cuxita, já que Midiã (*q.v.*) incluía a parte noroeste da Arábia onde viviam algumas tribos cuxitas. Além disto, ela deve ter sido chamada de cuxita, pois sua pele deve ter sido mais escura do que a da maioria dos israelitas. *Veja* Mulher Etíope.

J. R.

**ZIVE** O nome do segundo mês no calendário hebreu, mais tarde chamado de Ivar (1 Rs 6.1,37). *Veja* Calendário.

**ZIZ** A expressão "ladeira [ou subida] de Ziz" traduz a palavra hebraica *ma'aleh hassis* em 2 Cr 20.16. O termo refere-se a um declive usado pelos moabitas, amonitas, e meunitas (*veja* Meunim) ao avançarem contra o exército de Josafá. A localização mais provável deste local é o Uádi Hasasah, localizado a oeste do Mar Morto, aproximadamente na metade do caminho entre En-Gedi (v. 2) e Tecoa (v. 20). Talvez seja melhor ler *hassis* (com *heth* ao invés de *he*) em 2 Crônicas 20, ou considerar o nome como Hazziz (cf. Anchor Bible, XIII, 111) de acordo com a Assis mencionada em vários manuscritos da Septuaginta (LXX).

**ZIZA** Um levita, filho de Simei (1 Cr 23.10,11). Em algumas versões ele é chamado Zina no versículo 11.

**ZIZA**
1. Um príncipe da tribo de Simeão que participou da expansão do território da tribo em direção a Gedor (1 Cr 4.37).
2. Um filho de Roboão, rei de Judá, através de Maaca (2 Cr 11.20).
3. Um levita gersonita, entre aqueles que Davi dividiu em turnos para o serviço do templo (1 Cr 23.11). Algumas versões trazem o nome Zina no versículo 10.

**ZOÃ** Uma cidade do Egito que aparentemente tem vários nomes, porém talvez fosse mais conhecida por seu nome grego, Tânis. Situada na seção nordeste do Delta, o local desta antiga cidade é geralmente identificado como a moderna San el Hagar. As ruínas deste local datam da Dinastia IV (aprox. 2600 a.C.), e o local teve uma história rica e variada.
Outros compararam Zoã a Qantir, aprox. 18 quilômetros ao sul. Ela serviu como a capital dos hicsos sob o nome de Avaris (aprox. 1720-1570 a.C.). O rei nativo Amósis foi bem sucedido ao sitiar a cidade, e expulsou os hicsos do Egito.
Na Dinastia XIX, a cidade viu muitas construções; Zoã tornou-se a capital do Egito, talvez por causa de sua localização que era de algum modo central no império. P. Montet, Sir Alan Gardiner, e outros compararam a cidade à "Casa de Ramsés", referindo-se a Ramsés II. Muitos, portanto acreditam que esta seja a Ramessés de Êxodo 1.11; mas existem divergências de opinião a respeito das duas identificações. *Veja* Ramessés. Montet escavou em San el Hagar e encontrou tumbas de reis das Dinastias XXI e XXII, além de ruínas de um grande templo.
Na Bíblia Sagrada, o nome Zoã aparece primeiramente em Números 13.22, onde foi dito que Hebrom foi fundada sete anos antes de Zoã. Esta informação também foi mencionada no Salmo 78.12,43. Aqui foi dito por duas vezes que o Senhor fez maravilhas no "campo de Zoã" na época do Êxodo. Isaías, em seu "Peso do Egito", chama os príncipes de Zoã de loucos (ou néscios; Isaías 19.11,13) e em 30.3-5 diz que os israelitas que retornassem ao Egito seriam envergonhados, embora os oficiais do Faraó estivessem em Zoã. Ezequiel também profetizou contra o Egito, e declarou as Palavras do Senhor: "Porei fogo em Zoã" (30.14).
*Veja* Êxodo, O: A Rota ; Gósen.

C. E. D.

**ZOAR**[1] Uma cidade também conhecida como Bela, aparentemente localizada no extremo sul do Mar Morto (Josefo, *Wars* iv.8.4), talvez perto de Khirbet esh-Sheik'Isa. Nos tempos patriarcais, as imediações de Zoar eram muito atraentes (Gn 13.10). Ela ficava na rota seguida por cinco reis invasores (Gn 14.5-9). A intercessão de Ló salvou Zoar da destruição que veio sobre Sodoma e Gomorra (Gn 19.20-23).
Quando Moisés avistou a Terra Prometida a partir do Monte Nebo, Dã era a cidade que estava no extremo norte, e Zoar era a cidade mais próxima ao extremo sul que ele conseguia avistar (Dt 34.1-3). Os oráculos proféticos durante a monarquia referem-se a Zoar como parte de Moabe (Isaías 15.5; Jeremias 48.34). No período Helenístico ela fez parte do reino nabateu (Josefo, *Ant.* xiii.15.4; xiv.1.4). Durante a Idade Média, Zoar foi uma estação importante na estrada que ligava o porto de Elate a Jerusalém.
J. P. Harland esboça a evidência da ocupação de es-Safi aproximadamente na época de Abraão. Ela fica perto da atual foz do canal Seil el-Qurahi, a extremidade mais baixa do Uádi el-Hesa (*veja* Zerede) que flui para o Mar Morto através de uma região que já foi fértil ("Zoar", IBD, IV, 961ss.).

A. F. R.

**ZOAR**[2]
1. O pai de Efrom, o príncipe heteu de quem Abraão comprou a caverna de Macpela (Gn 23.8; 25.9).
2. Um filho de Simeão (Gn 46.10; Êx 6.15). A palavra para Zerá (Nm 26.13; 1 Cr 4.24) aparentemente resultou de uma transposição das letras hebraicas *h* e *r*. *Veja* Zerá 4.

**ZOBÁ** Um dos menores reinos arameus dos séculos XI-X a.C. Seu nome hebraico é uma forma abreviada de *s^e^hoba*, "bronze"; portanto tem um significado apelativo, "o país de cobre" (M. F. Unger, *Israel and the Aramaeans of Damascus*, Londres: James Clarke, 1957, p. 44). Foi dito que Saul venceu Zobá (1 Sm 14.47). Davi teve mais tarde um conflito com o rei de Zobá, Hadadezer, que estava buscando uma carreira de conquistas. Davi o derrotou e capturou um grande número de homens e cavalos (2 Sm 8.3-8; 1 Cr 18.3). Mais tarde em seu reino, os amonitas, que haviam provocado Davi a atacá-los, contrataram cerca de 20.000 soldados de infantaria de Zobá para que viessem em seu auxílio. Joás derrotou as forças combinadas dos inimigos em duas batalhas após as quais os arameus apressaram-se a decretar a paz com Israel, reconhecendo sua soberania (2 Sm 10.6-19; 1 Cr 19.6; Título do Salmo 60 em algumas versões).

Em 2 Samuel 23.36 um certo Igal, o filho de Natã de Zobá, é mencionado como um dos "valentes" de Davi. Acredita-se que Rezom, que fundou o reino arameu de Damasco, tenha sido um servo de Hadadezer de Zobá (1 Rs 11.23). Logo após a época de Salomão, Zobá foi evidentemente engolido pelo reino crescente de Damasco, ao sul.

Uma vez que Zobá é mencionada como uma cidade limítrofe com Hamate (2 Sm 8.9,10; 1 Cr 18.3,9), ela deveria estar localizada ao sul daquela cidade, provavelmente em Biq'ah entre a área das Montanhas do Líbano e do Anti-Líbano, a leste de Biblos. Antigamente acreditava-se que todas as conquistas de Davi tivessem ocorrido ao sul de Damasco, na região de Haurã (a Basã bíblica). Listas egípcias e cartas de Amarna, no entanto, provam que Tibate e Cum, cidades de Hadadezer (1 Cr 18.8), estavam no território ao sul de Hamate e Homs. Análises da organização provincial da Assíria, que foi construída sobre antigos alicerces, confirmam que Zobá (a assíria *Subatu*) fica ao norte e não ao sul de Damasco ("Zoba", UBD, p. 1191).

S. C.

**ZOBEBA** Um homem de tribo de Judá (1 Cr 4.8).

**ZODÍACO** *Veja* Astronomia.

**ZOELETE** Evidentemente uma pedra sagrada ("Pedra da cobra") perto de En-Rogel no vale de Cedrom, em Jerusalém. Aqui Adonias preparou sua celebração inaugural quando tentou suceder Davi como rei (1 Rs 1.9).

**ZOETE** Chefe de uma família da tribo de Judá (1 Cr 4.20).

**ZOFA** Chefe de uma família da tribo de Aser (1 Cr 7.35,36).

**ZOFAI** Uma forma alternativa para Zufe (1 Sm 1.1; 1 Cr 6.35). Um descendente de Levi, filho de um Elcana que foi um ancestral de Samuel (1 Cr 6.26). *Veja* Zufe 1.

**ZOFAR** Um naamatita, amigo e conselheiro de Jó (Jó 2.11; 11.1; 20.1; 42.9). Alguns têm conjecturado que Zofar esteve em Edom ou ao norte da Arábia; a localização de Naamá, seu lar, é desconhecida. A Septuaginta (LXX; Jó 2.11) chama Zofar de "rei dos mineus (ou mineanos)" um povo do sul da Arábia.

Zofar concorda com os outros amigos de Jó, ao atribuir os sofrimentos de Jó aos seus pecados. Zofar é o menos discreto, falando de forma áspera e grosseira. Seus dois discursos levantaram a indignação de Jó, e este servo de Deus reagiu de uma forma diferente de quando ouviu os discursos de seus outros amigos. As respostas ali foram extremamente secas. Zofar não aparece no terceiro ciclo das palestras. Esta pode ser uma variação textual, ou pode indicar que o menos capaz e o menos espiritual dos amigos de Jó nada mais tinha a dizer.

**ZOFIM** Balaque levou Balaão "ao campo de Zofim, ao cume de Pisga", para uma segunda visão dos israelitas, em uma tentativa de amaldiçoar Israel. De lá Balaão abençoou Israel como antes (Nm 23.14). Sua exata localização não foi identificada.

**ZOMBAR, ZOMBADOR** Uma expressão utilizada especialmente em Salmos e Provérbios para descrever homens que são agressivos, sarcásticos, e infelizes (Sl 1.1), ou alguém que seja tolo ao invés de sábio (Pv 1.22). Tal pessoa recusa conselhos e sugestões de outros, e embora possa ser punida (Pv 19.25; 22.10), continua a viver uma vida de discórdias. Um zombador será depreciado por sua arrogância orgulhosa (Pv 21.24); ele é uma abominação para os homens (Pv 24.9) e o próprio Deus zombará dele (Pv 3.34). Os zombadores são ridicularizados e geralmente não têm amigos (Jó 16.20) Os inimigos de Neemias tentaram assustá-lo e enganá-lo, para que fosse escarnecido por aqueles que liderou (Ne 6.13). Zombar de um inimigo significava uma completa derrota ou devastação, tanto pelo homem quanto pelas mãos do próprio Deus.

**ZORÁ**[1] Nome de um local encontrado, por exemplo, em Neemias 11.29.

**ZORÁ**[2] Uma cidade designada à tribo de Dã (Js 19.41); o lar de Manoá, o pai de Sansão (Jz 13.2,25), e o local do sepultamento de Sansão (Jz 16.31). Alguns danitas de Zorá procuraram uma terra adicional no norte e migraram para lá. No caminho, capturaram o sacerdote levita de Mica que estava em seu templo particular (Jz 18.1-20). Zorá, que ficava na Sefelá aparentemente veio a pertencer a Judá (Js 15.33). Após a divisão de Israel, Roboão fortificou a cidade (2 Cr 11.10).

Ela foi reocupada após o Exílio (Ne 11.29). *Veja* Zorateus.

Esta é uma cidade mencionada nas cartas Amarna como *Sarha*. Ela foi identificada com Sar'ah, 24 quilômetros a oeste de Jerusalém, no lado norte do vale de Soreque (Uádi es-Sarar), do outro lado de Bete-Semes.

**ZORATEUS ou ZORATITAS** Um clã da tribo de Judá, mencionado como os descendentes de Sobal (1 Cr 2.53; 4.2). Seu nome é provavelmente derivado da cidade de Zorá (Js 15.33) situada na parte baixa da terra de Judá. Foi sugerido que os zoreus em 1 Crônicas 2.54 são o mesmo grupo, mas isto é improvável, uma vez que a linhagem de seus descendentes é diferente.

**ZORATITAS** Descendente de Sobal e dos habitantes de Zorá (1 Cr 2.52,53). *Veja* Zorateus.

**ZOREÁ** *Veja* Zorá.

**ZOREUS** Descendentes de Salma da tribo de Judá (1 Cr 2.54).

**ZOROBABEL** Um príncipe de Judá, e neto do rei prisioneiro Joaquim. Sob o governo de Zorobabel, e Jesua, o sumo sacerdote, os judeus retornaram da Babilônia (Ed 2.2; Ne 7.6,7; 12.1). Zorobabel foi designado governador de Jerusalém.

O decreto de Ciro em 538 a.C. permitiu que os judeus retornassem a Jerusalém. Com grande entusiasmo eles começaram a tarefa de reconstruir o templo. Primeiro restauraram o altar do sacrifício em seu local original, e começaram novamente a observar os sacrifícios regulares e os dias santos, o que havia sido impossível desde a queda de Jerusalém em 586 a.C. (Ed 3.1-6). Aqueles que retornaram reuniram materiais e, no segundo ano, Zorobabel inaugurou o templo com uma cerimônia solene. A grande tarefa havia sido iniciada (Ed 3.8ss., Zc 4.9).

A reconstrução levantou a preocupação dos assentados que estavam vivendo em Samaria. Eles aproximaram-se de Zorobabel e ofereceram-se para ajudar no trabalho. Sua oferta foi recusada, pois os judeus não os consideravam como verdadeiros adoradores de Jeová (Ed 4.1-3). Os samaritanos começaram então a se opor abertamente à reconstrução, ameaçando-os, e isso principalmente por meio obstáculos legais (Ed 4.4,5). Por causa desta oposição, Zorobabel e seu povo abandonaram sua tarefa sagrada. A partir dos últimos anos de Ciro (falecido em 530 a.C.) até o segundo ano de Dario o Grande (520 a.C.), nenhum trabalho foi realizado na casa do Senhor (Ed 4.24). A própria falta de fé e coragem de Zorobabel deve ter contribuído para esta falha (cf. Ag 2.4,5; Zc 4.6,7).

No segundo ano de Dario os profetas Ageu e Zacarias deram início aos seus ministérios. Os judeus, que não se ocupavam mais com o templo, haviam começado a edificar casas finas para si mesmos, e seu interesse pelas coisas do Senhor havia esfriado (Ag 1.1-6). As exortações e o encorajamento dos profetas, no entanto, reavivaram o espírito do povo e o trabalho foi retomado.

Assim que o trabalho começou, a oposição também reviveu, mas nem mesmo a interferência por parte dos altos oficiais conseguiu deter os judeus neste momento (Ed 5.3-5). Uma carta oficial enviada por Tatenai, Setar-Bozenai, e outros oficiais persas ao rei Dario não foi de nenhum proveito (Ed 5.6-17). Dario encontrou o decreto original de Ciro nos arquivos, deu ordens para que o trabalho fosse permitido, e intimou todos os oficiais persas a darem toda ajuda possível a esta importante obra (Ed 6.1-12).

O templo foi finalmente concluído em 516 a.C., cumprindo a promessa de Deus de que Zorobabel, que havia iniciado o trabalho, também o terminaria (Zc 4.9). Com a grande festa de dedicação ao término da obra do templo, Zorobabel desapareceu da história, embora se acredite que ele tenha ficado por alguns anos em Jerusalém como governador (Ed 6.16ss.; Ne 12.47).

Existem dois problemas relacionados com Zorobabel, e que precisam ser considerados. O primeiro é seu relacionamento com Sesbazar (*q.v.*). Em Esdras 1.8,11 a liderança dos exilados que estavam retornando é entregue por Ciro a Sesbazar, o príncipe de Judá. Na carta de Tatenai ele também é designado como o homem que colocou os alicerces do templo (Ed 5.14,16).

A questão tem duas possíveis soluções. A primeira é que Zorobabel e Sesbazar sejam dois nomes para o mesmo homem. Esta explicação é um tanto razoável uma vez que vários judeus possuíam um nome judeu e outro persa ou babilônico; por exemplo, Daniel – Beltessazar. No entanto, alguns têm rejeitado esta hipótese pois neste caso os dois nomes seriam persas; uma possibilidade muito estranha. A outra solução é que Sesbazar, como o chefe da tribo de Judá, fosse o líder titular reconhecido pelo rei. Alguns o identificaram com Senazar, o tio de Zorobabel (1 Cr 3.18). O líder de fato era Zorobabel, que é o único homem mencionado na construção do templo. O homem mais velho deve ter morrido, ou simplesmente se tornado incapacitado para participar da obra. Os dois homens são chamados de governadores, o que pode significar que no final Zorobabel deve ter substituído Sesbazar em alguma posição oficial que este tenha desempenhado.

Outra questão está relacionada à paternidade de Zorobabel. Ele é constantemente chamado de "filho de Sealtiel" (Ag 1.1,12,14; *et al.*; Mt 1.12; Lc 3.27; Josefo, *Ant.* xi.3.10), mas em 1 Crônicas 3.19 foi dito que seu pai é Pedaías. Uma provável explicação é que Sealtiel tenha morrido, e seu irmão Pedaías, de acordo com a lei do levirato, tenha se casado com a viúva e se tornado o pai de Zorobabel. No entanto, Sealtiel teria sempre sido considerado o pai, de acordo com as leis e os costumes judaicos.

Em ambos os casos, é claro, Zorobabel foi um descendente direto de Davi, e faz parte da linhagem do Senhor Jesus Cristo.

P. C. J.

**ZUAR** Pai de Natanael, chefe da tribo de Issacar no deserto (Nm 1.8; 2.5; 7.18,23; 10.15).

**ZUFE**

1. Um ancestral de Samuel que viveu em Efraim (1 Sm 1.1). Ele era um levita da família de Coate (1 Cr 6.35). O texto em 1 Crônicas 6.26 refere-se a ele como Zofai (*q.v.*).
2. Um distrito da Palestina aparentemente ao norte de Benjamim, no território de Efraim. Foi provavelmente a família de Zufe (mencionado em 1) que lhe deu este nome e estabeleceu-se ali. A cidade de Ramataim-Zofim (1 Sm 1.1) recebeu esta designação por estar na terra de Zufe; por esta razão, Zufe deveria estar localizada a 24 quilômetros a oeste de Siló. Na vila deste distrito, Saul e seu servo encontraram Samuel, que ungiu o jovem Saul como rei de Israel (1 Sm 9.5; cf. 10.1,2).

**ZUR**

1. Um capitão midianita. Era o pai de Cosbi, que foi morta por seu marido israelita Zinri, em conexão com o processo de purga da idolatria na qual Israel havia caído. Zur, um aliado de Seom, o rei amorreu, morreu na batalha que se seguiu (Nm 25.14,15; 31.8 Js 13.21).
2. Um benjamita; irmão de Quis, o pai de Saul (1 Cr 8.30; 9.36).

**ZURIEL** Um levita, chefe da casa de Merari durante as peregrinações no deserto. Nas marchas, os Meraritas eram responsáveis pela estrutura do Tabernáculo e pelos vasos sagrados (Nm 3.35-37).

**ZURISADAI** Pai de Selumiel, o líder da tribo de Simeão no deserto (Nm 1.6; 2.12; 7.36,41; 10.19).

**ZURRAR** Duas palavras hebraicas foram traduzidas como "zurrar".

1. Em Jó 6.5, *nahaq* é um termo usado para se referir ao som agudo emitido pelo asno, e em Jó 30.7, figurativamente, para imitar a fala insensata daqueles que zombam.
2. Em Provérbios 27.22, o termo *katash* é usado para se referir a um castigo severo, porém fútil por ser aplicado a um tolo, e se parece com alguém sendo esmagado ou triturado em migalhas em um almofariz.

**ZUZINS** Um povo que residia na cidade de Cam (*q.v.*) a aprox. 8 quilômetros a sul-sudoeste de Irbid, na Transjordânia. A colina da antiga cidade (Tell Ham) remonta à Idade do Ferro e do Bronze. Os zuzins foram conquistados por Quedorlaomer (Gn 14.5). Ao contrário dos refains, eles podem ter sido seus aliados. O *Gênesis Apócrifo* (*veja* Rolos do Mar Morto) indica que os judeus mais tarde os identificaram com os zanzumins de Deuteronômio 2.20.

# CRÉDITO DE IMAGENS

| Sites na internet | Páginas |
|---|---|
| 198.62.75.1 | 166, 687, 918, 925, 950, 1058, 1535, 1541, 1799, 1882 |
| ancientneareast.tripod.com | 3 |
| archives.rollins.edu | 183 |
| eagle.wbcoll.edu | 1459 |
| egyptphoto.ncf.ca | 1369 |
| en.wikipedia.org | 1231 |
| es.wikipedia.org | 346 |
| guardians.net | 737 |
| home.telkomsa.net | 1071 |
| juc2004.cjszone.com | 1027 |
| kcm.co.kr | 815 |
| members.virtualtourist.com | 1071 |
| members19.clubphoto.com | 1246 |
| mikulastik.net | 709 |
| shipmodeling.info | 2013 |
| wings.buffalo.edu | 383 |
| www.1000pictures.com | 837, 1442 |
| www.africawithin.com | 1973 |
| www.biblepicturegallery.com | 382, 874 |
| www.bibleplaces.com | 47, 416, 805, 849, 866, 904, 1052, 1055, 1223 |
| www.cmylebanon.com | 783, 844, 1405 |
| www.culture.gr | 377 |
| www.edge.org | 1636 |
| www.fas.harvard.edu | 1291 |
| www.fr.wikipedia.org | 1178 |
| www.greatcommission.com | 1195 |
| www.grisel.net | 1070 |
| www.holylandphotos.org | 605, 659, 876, 1004, 1107, 1132, 1426, 1535, 2011 |
| www.hope.edu | 1657 |
| www.indiana.edu | 1109 |
| www.informationen-bilder.de | 1027 |
| www.interbible.org | 996 |
| www.jesuslovesyou.gr | 1347 |
| www.libanvision.com | 916 |
| www.louvre.fr | 474, 560, 660, 698, 760, 767, 826, 896, 926 |
| www.magusa.org | 1588 |

| | |
|---|---|
| www.metmuseum.org | 39, 1175 |
| www.newkingjamesversion.com | 665 |
| www.norskbibelinstitutt.no | 487 |
| www.oberlin.edu | 1005 |
| www.odysseyadventures.ca | 1978 |
| www.pbase.com | 1085, 1578, 1878 |
| www.philipharland.com | 1292 |
| www.projekt-j.ch | 630 |
| www.rkatz.com | 629 |
| www.sitemason.com | 862 |
| www.stoa.org | 764 |
| www.thebritishmuseum.ac.uk | 946, 1630 |
| www.wga.hu | 697 |
| www.wdbydana.com | 458, 1115 |
| www.webshots.com | 165, 394, 983, 1084, 1153, 1404, 1536, 1548, 1576, 1577, 1837, 1969 |
| www.wmf.org | 1835 |

| **Outras fontes** | **Páginas** |
|---|---|
| Usos e Costumes dos Tempos Bíblicos | 80, 198, 351, 378, 706, 984, 1028, 1049, 1411 |
| Enciclopédia Multimídia da Arte Universal | 122, 1939 |

**Observação:** Os demais créditos acompanham as respectivas legendas das imagens.